CALDAS AULETE

minidicionário
contemporâneo
da língua
portuguesa

O CONCEITO E A PROPOSTA LEXICOGRÁFICA

Alguns princípios básicos regeram a concepção, o planejamento e a feitura deste dicionário. Aqui são apresentados o conceito e a proposta em seus aspectos genéricos. As particularidades de cada um estão descritas no item correspondente na seção "Como usar o dicionário".

Visão lexicográfica

- Universo vocabular: O universo de vocábulos foi eleito a partir de acervos da língua compatíveis com o uso a que se destina, contemplando as necessidades de estudantes a partir do 6º ano do ensino fundamental. Textos de livros escolares do ensino fundamental, livros de autores brasileiros importantes, textos de jornais e revistas, canções populares, a linguagem falada dos meios de comunicação, registros de uso em *corpora* estruturados para pesquisa, o linguajar popular e familiar – inclusive gírias e tabuísmos – foram as fontes dessa coleta, identificadas na contextualização dos usos de vocábulos sempre que necessário. Estrangeirismos de uso corrente na língua foram também incorporados. Os principais prefixos e sufixos, elementos de composição da língua, são apresentados em módulo próprio, sempre com exemplos. Indicação de palavras derivadas amplia o universo vocabular.
- Morfologia: A descrição morfológica inclui, além da palavra em sua ortografia correta – de acordo com o Acordo Ortográfico de 1990 –, a indicação de separação silábica (separada da entrada, para maior legibilidade desta) e ortoépia (timbre de vogais, pronúncia do *x*, etc.).
- Significados: Em todas as entradas de verbetes, as definições são analíticas e autoexplicativas. Especial atenção foi dada à contextualização, com grande número de exemplos e abonações, e com registro abundante de regionalismos, níveis de linguagem e áreas de conhecimento. Indicação de sinônimos, antônimos e parônimos e remissivas completam o universo semântico.
- Locuções: São também abundantes as locuções e as expressões idiomáticas, principalmente aquelas mais comuns no universo de uso a que se destina o dicionário.
- Gramática: Especial atenção foi dada a informações gramaticais que propiciem o uso correto dos vocábulos. Para isso são apresentados, quase exaustivamente: a) flexões irregulares (plurais, femininos, mudança de ortoépia em flexões); b) aumentativos, diminutivos, superlativos; c) preposições mais comuns nas regências verbais indiretas; d) conjugação completa de todos os verbos, por meio de indicação dos paradigmas e explicitação de irregularidades. Um pequeno compêndio de gramática resume definições e conceitos das classes gramaticais.
- Ilustrações: 180 ilustrações são usadas como recurso informativo e pedagógico, sempre que complementem, pela visualização, a informação textual.
- Enciclopédia: Considerou-se que, em determinados casos, o conhecimento de um assunto e de sua importância no âmbito vivencial é elemento importante na percepção de seu significado. Essa consideração, de natureza pedagógica, é o eixo da apresentação de pequenas achegas enciclopédicas em dezenas de verbetes. Uma minienciclopédia de nomes próprios, especialmente no âmbito brasileiro, complementa essa visão de integração da língua com o mundo real de ideias, coisas e gente.

O conceito e a proposta

- Projeto gráfico: A partir do levantamento e da análise das inúmeras obras lançadas em todo o mundo, selecionamos, para o corpo analítico dos verbetes a fonte Nimrod no corpo 6, com entrelinha 7. As suas ascendentes e descendentes tipográficas são curtas e bem marcadas em suas serifas, garantindo a legibilidade de grande massa de texto. A fim de destacar a entrada de cada verbete, selecionamos uma fonte bastão, bem diferenciada, mas harmônica ao conjunto tipográfico.

Educação e ética

Coerente com a convicção de que um dicionário escolar não é somente uma ferramenta de informação, mas também de formação e educação, cuidou-se de não permitir que este dicionário seja um instrumento de divulgação de conceitos e valores contrários aos princípios da ética e da convivência social. Ao mesmo tempo, constata-se que conceitos e significados preconceituosos e antiéticos abundam no uso corrente da língua. Partindo-se do pressuposto de que um dicionário deve registrar os usos frequentes dos vocábulos, surge então o dilema de como cumprir esses objetivos em benefício da ética na educação? A solução adotada, lexicográfica, educacional e ética, foi registrar essas acepções e alertar explicitamente o consulente, caso a caso, de que seu uso expressa depreciação, ou ofensa, ou preconceito. Informando e formando o aluno-cidadão.

COMO USAR O DICIONÁRIO

Como todo dicionário deve ser, o Caldas Aulete foi concebido, planejado e realizado segundo conceitos prévios muito claramente definidos.

I) Abrangência e universo de palavras

Para os fins a que se destina, esta versão considerou um universo de palavras que fosse compatível com — e necessário e suficiente para — um amplo espectro de usuários da língua portuguesa, desde o sexto ano da escola até a universidade, os profissionais e o público em geral. A escolha das palavras e a hierarquia de seus significados basearam-se em capturas de frequência de uso em *corpora* da língua portuguesa (grandes arquivos de textos da língua como é efetivamente usada). O universo de palavras resultante dessa captura abrange 29.431 verbetes de vocábulos e 1.924 locuções, aos quais se somam palavras deles derivadas (sem definições de acepções), um módulo de elementos de composição e uma minienciclopédia de nomes próprios, atingindo com isso cerca de 32.000 unidades de significado, que geram mais de 80 mil acepções.

II) Clareza nas definições

Apesar das limitações do formato 'míni', não se poupou espaço no esforço de fornecer definições claras e analíticas (e não demasiadamente sintéticas ou baseadas em sinônimos apenas, o que obrigaria o consulente a consultar constantemente vários pontos do dicionário para obter sua resposta). Os casos em que a definição é dada apenas com sinônimos são aqueles em que provavelmente isso não suscitará dúvida ou dificuldades maiores. Como instrumento acessório, uma rede de remissivas cruzadas ajudará o consulente a localizar significados idênticos ou análogos, variações morfológicas etc. A prioridade na ordem das acepções é, aproximadamente, a da frequência de uso no universo considerado. Quando há mais de uma acepção, as definições são numeradas, facilitando a percepção dos diferentes significados. Naturalmente, cuidados especiais foram tomados para que não houvesse circularidade nas definições, para que toda palavra usada nas definições fosse por sua vez definida, para que as remissivas tivessem endereços certos etc.

III) Riqueza de elementos léxicos e de contextualização

A abrangência, acuidade e clareza das informações sobre os significados das palavras têm como suporte, neste dicionário, um grande acervo de informações que ampliam o campo semântico (**sinônimos**, **locuções** e **expressões idiomáticas**, **estrangeirismos**, **derivadas**) e esclarecem os diferentes usos (**exemplos**, **abonações**, **indicação de contextos**). (Ver especificação de cada um deles, adiante).

IV) Informações adicionais

Um riquíssimo acervo de informações adicionais completa a percepção dos significados e dos usos de cada vocábulo. São informações de caráter muito variado: morfológico (fonético, separação silábica), gramatical (classes; conjugação, regência e concordância verbais; flexões irregulares; aumentativos, diminutivos, superlativos), semântico (sinônimos, antônimos), analógico (parônimos, significados

Como usar o dicionário

análogos ou contrastivos), esclarecedor (dificuldades, armadilhas). Achegas enciclopédicas e ilustrações são usadas quando constituem informações úteis ou necessárias à perfeita compreensão de um significado e de sua importância no contexto cultural, econômico, social etc. (Ver especificação de cada um deles, adiante).

V) Estrutura

Todos esses elementos são estruturados no verbete de forma a serem facilmente identificados, organizando e agilizando a consulta, da seguinte maneira:

1) Entrada É o vocábulo em análise. Em **negrito**, abre o verbete que contém as informações a ele relativas.

2) Subentrada Quando ocorrer uma variação (inicial em maiúscula, flexão nominal [feminino ou masculino, plural] ou verbal da entrada) com sentido próprio, ela poderá entrar dentro do verbete, assinalada pela marca ◪

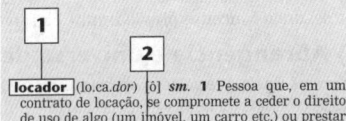

3) Homógrafo Quando há mais de uma entrada exatamente com a mesma grafia e a mesma pronúncia, segue-se à entrada um índice, na forma de um número elevado: **circular^1** (adjetivo), **circular^2** (verbo) etc.

4) Marca de estrangeirismo Todo estrangeirismo é grafado em ***negrito itálico*** e é precedido do sinal ⊕

5) Estrangeirismo São muitos os empréstimos listados e tratados neste dicionário, que considera apenas os vocábulos estrangeiros que têm curso inequívoco na comunicação falada e escrita, muitos sem mesmo terem um equivalente de uso corrente em português (*ace, kitesurf, software* etc.), outros que, apesar de terem equivalente, são nitidamente preferidos nos processos de comunicação (prefere-se *know-how* a *conhecimento*, *chip* a *pastilha* etc.) ou que dividem usos e preferências (*feedback* e *retroalimentação*, *marketing* e *mercadologia*). Não se incluíram modismos perfeitamente evitáveis, como *sale* por *liquidação*, *delivery* por *entrega* etc. Os estrangeirismos, em ***negrito itálico***, seguem-se à marca de estrangeirismo (ver acima), e são seguidos da indicação da língua de origem e de sua pronúncia aproximada, indicada segundo a fonética (em português) das letras do alfabeto.

banda^1 (ban.da) *sf.* **1** Conjunto de músicos, ger. de instrumentos de sopro e percussão: *banda de carnaval.* **2** Parte lateral; LADO. **3** Facção, lado: *Ele passou para a banda dos revoltosos.* **4** *RJ* Rasteira que se dá em pé. (Ver tb. *bandas.*) **▪** ~ **de rodagem** *Aut.* A parte do pneu que entra em contato com o solo.
banda^2 (ban.da) *sf. Inf. Telc.* Faixa contínua de frequências, através da qual se transmitem informações. **▪** ~ **do cidadão** *Telc.* Faixa de frequências reservada para uso de particulares, esp. radioamadores. ~ **larga** *Int.* Termo que designa uma faixa para transmissão de dados para a internet com capacidade nominal acima de 128kBs (128 mil bytes por segundo).
bandagem (ban.*da*.gem) *sf.* Tira de gaze ou outro tecido us. em curativos, imobilizações etc.; ATADURA. [Pl.: *-gens*.]
⊕ ***band-aid*®** (*Ing.* /bénd-eid/) *sm.* Pequeno curativo us. em ferimentos superficiais. [A marca registrada, com inicial maiúsc.]

6) Marca de símbolo ou sigla Toda entrada em forma de símbolo ou sigla ou abreviatura vem precedida do sinal ⊠

7) Separação silábica Toda entrada com mais de uma sílaba é seguida da indicação de sua separação silábica, entre parênteses, em que a sílaba tônica vem em *itálico* (vo.*cá*.bu.lo). A separação silábica em português é meramente fonética e não tem relação com a etimologia (elementos formado-

Como usar o dicionário

res da palavra), como, por exemplo, no inglês. Neste dicionário, ela indica onde separar sílabas em fim de linha, caso se tenha de fazê-lo. Nos casos de ditongos crescentes, em que possa haver confusão ou dúvida quanto a ser um ditongo (duas vogais seguidas na mesma sílaba) ou um hiato (duas vogais seguidas em sílabas diferentes), marca-se a separação com dois-pontos (a.si:á.ti.co), que é uma forma de sugerir: 'é preferível não separar sílaba aqui.'

8) Pronúncia ou ortoépia Sempre que necessário ou conveniente, segue-se à separação silábica, e indica a pronúncia do *x* — [s], [z] ou [cs], sendo a ausência de marcação indicativa da pronúncia [ch] —, ou, eventualmente, de outra consoante, ou, para as vogais *e* e *o*, a pronúncia fechada [ê] e [ô]. Algumas entradas homógrafas podem se diferenciar apenas pela ortoépia, como colher [é] e colher [ê]. Quando *e* ou *o* não têm marcação, assume-se que são abertos (mas há casos em que se assinala, para maior clareza, a pronúncia aberta de *e* ou *o*). No caso de estrangeirismos, a pronúncia na língua original é reproduzida foneticamente em português entre barras: *drive* (*Ing.* /dráiv/), recebendo a sílaba tônica acento na vogal.

9) Classe gramatical A não ser no caso de símbolos, siglas, abreviaturas e locuções (estas, a menos que sejam entradas), o verbete é estruturado nas classes gramaticais em que se distribuem suas acepções, indicadas em *negrito itálico* (*sm.*, *s2g.*, *a.*, *adv.*, *v.* etc.), como consta na lista das abreviações do dicionário. Ao fim de cada classe, antes de se abrir outra, pode haver informações gramaticais referentes especificamente àquela classe (conjugação de verbos, flexões irregulares, superlativo de adjetivos etc.)

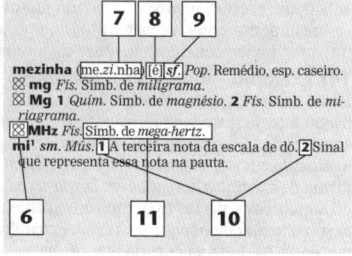

10) Número de acepção Os números de acepções são apresentados em **negrito** (1, 2 etc.)

11) Acepção ou definição As definições são, quase sempre, discursivas e analíticas, e podem ser completadas com sinônimos (ver adiante). Evitam-se ao máximo o uso de sinônimos como definição, a não ser em raros casos em que isso não compromete a clareza ou a facilidade de consulta e de obtenção de resposta a ela. Em muitos casos é importante delimitar o contexto de uso de uma acepção, e ela é antecedida de uma **indicação de contexto** (ver adiante). Sempre que necessário ou conveniente, dão-se **exemplos** de uso ou **abonações** (ver adiante). Dentro da definição pode ocorrer uma área de informações adicionais. São as **achegas de definição** (ver adiante).

12) Indicação de contexto A boa percepção do uso de um vocábulo em determinada acepção está muitas vezes ligada à identificação do contexto em que esse uso se verifica. Este dicionário abunda na localização desses contextos, divididos em três grandes grupos, em sua ordem hierárquica: a) regionalismo: indica quando a acepção é restrita a ou mais frequente em determinada área geográfica, ou dela originária (especialmente estados e regiões do Brasil, ou o Brasil no contexto da lusofonia); b) nível de uso da língua: indica em que contexto (familiar, social, cronológico etc.) a acepção tem curso, como, por exemplo, se é assim usada no âmbito da família (*Fam.*), se é pouco usada (*P.us.*), se é de uso popular (*Pop.*), se é de uso pouco recomendável por ser chula (*Tabu.*) etc.; c) rubrica: indica em que área disciplinar, profissional, científica etc. o vocábulo tem tal acepção, como a astronomia, a física, a medicina, as artes plásticas etc. Todas essas indicações

Como usar o dicionário

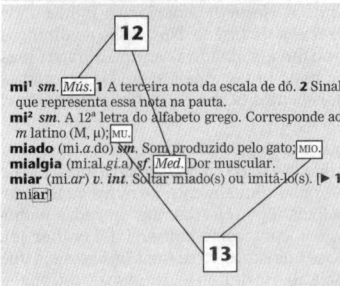

mi¹ sm. Mús. **1** A terceira nota da escala de dó. **2** Sinal que representa essa nota na pauta.
mi² sm. A 12ª letra do alfabeto grego. Corresponde ao *m* latino (M, μ); MU.
miado (mi.*a*.do) sm. Som produzido pelo gato; MIO.
mialgia (mi:al.gi.a) sf. Med. Dor muscular.
miar (mi.*ar*) v. int. Soltar miado(s) ou imitá-lo(s). [▶ 1 miar]

podem constar dentro de uma acepção, quando restritas a ela, ou no início do verbete, quando se referem a todas as acepções. São grafadas em abreviações, em itálico, com inicial maiúscula e seguidas de ponto. A lista das respectivas abreviações consta nas listas de rubricas e de usos e regionalismos.

13) Sinônimo Os sinônimos, na maior parte das vezes, são fornecidos como *acréscimo* à definição discursiva, em tipo diferente (VERSALETE), dentro de cada acepção (uma palavra pode ter sinônimos diversos para diferentes acepções), ou ao final de um conjunto de acepções, ou no fim do verbete quando se refere a todas as acepções. Consideraram-se sinônimos palavras que, em determinada acepção ou em todas, podem substituir perfeitamente o vocábulo em questão. Os sinônimos não constam, necessariamente, como verbetes autônomos, a não ser que sejam de uso frequente no universo léxico considerado neste dicionário.

14) Exemplo, abonação e *colocation* Elemento fundamental para a compreensão do uso de uma palavra em determinada acepção é seu encaixe numa frase ou fragmento de frase, ou num sintagma (grupo de palavras que formam um núcleo de significado). Esse recurso é abundantemente usado neste dicionário, sob três formas: a) em *colocations*, breve citação entre parênteses dentro do texto da acepção; b) sob a forma de *exemplos* baseados em *corpora* (coleções de textos reunidos de publicações, documentos de vários tipos etc.) ou especialmente concebidos pelos lexicógrafos; ou c) sob a forma de *abonações*, textos extraídos de obras literárias, jornais (pesquisados entre os que dispõem de bons acervos de suas edições em formato eletrônico) e letras de música popular, sempre com indicação da fonte. Atenção especial foi dada à exemplificação da variação de regência verbal dentro de um mesmo significado, caso em que o exemplo ou a abonação são fundamentais para a boa percepção das diferentes maneiras de usar o verbo. Tanto os exemplos como as abonações são precedidos de dois-pontos (:). Os exemplos são grafados em *itálico*, com o vocábulo exemplificado sublinhado. O texto da abonação vem entre aspas duplas, em redondo, com o vocábulo exemplificado sublinhado, podendo ser parte de uma frase, o que é marcado por reticências antes ou depois. Segue-se, entre parênteses, o nome do autor e, em *itálico*, o título da obra. No caso de jornais, nome do jornal em *itálico* e a data da edição.

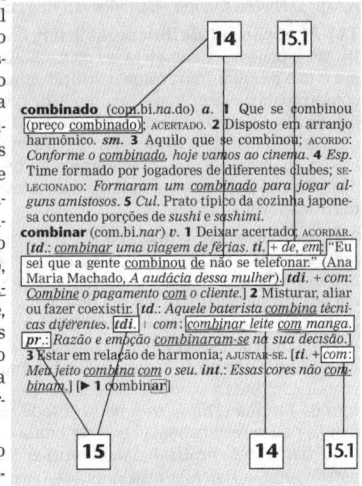

combinado (com.bi.*na*.do) *a.* **1** Que se combinou (preço combinado); ACERTADO. **2** Disposto em arranjo harmônico. *sm.* **3** Aquilo que se combinou; ACORDO: *Conforme o combinado, hoje vamos ao cinema.* **4** *Esp.* Time formado por jogadores de diferentes clubes; SELECIONADO: *Formaram um combinado para jogar alguns amistosos.* **5** *Cul.* Prato típico da cozinha japonesa contendo porções de *sushi* e *sashimi*.
combinar (com.bi.*nar*) *v.* **1** Deixar acertado; ACORDAR. [*td.: combinar uma viagem de férias.* *ti.* + *de, em*: "Eu sei que a gente combinou de não se telefonar." (Ana Maria Machado, *A audácia dessa mulher*).] *tdi.* + *com*: *Combine o pagamento com o cliente.* **2** Misturar, aliar ou fazer coexistir. [*td.: Aquele baterista combina técnicas diferentes.* *tdi.* + *com*: *combinar leite com manga.* *pr.: Razão e emoção combinaram-se na sua decisão.* **3** Estar em relação de harmonia; AJUSTAR-SE. [*ti.* + *com*: *Meu jeito combina com o seu.* *int.: Essas cores não combinam.*] [▶ 1 combinar]

15) Regência verbal Ao contrário do que ocorre na maioria dos dicio-

Como usar o dicionário

nários, a regência verbal **não** constitui elemento estrutural do verbete. O verbete de um verbo é estruturado com base nas acepções, assim como os verbetes das outras classes, considerando-se a *semântica* o seu eixo referencial. As regências, nessa óptica, não são marcas de nascença de um verbo, mas uma incidência do uso. Quando todas as acepções seguem uma única regência, ela será indicada junto à classe (*v. td.*). Do contrário, as regências são indicadas na acepção. Se houver variação de regência dentro de uma mesma acepção, essa variação também é indicada **dentro** da acepção (em ambos os casos, geralmente seguida de exemplos esclarecedores).

aparelho (a.pa.*re*.lho) [ê] *sm.* **1** Máquina ou equipamento de uso específico: *aparelho de ultrassonografia/de barbear*. **2** *Anat.* Grupo de órgãos com uma função específica (aparelho digestório). [Ver tb. *sistema*.] [NOTA: Na nova nomenclatura anatômica, os aparelhos passaram a se chamar sistemas (p.ex.: sistema respiratório; sistema digestório, anteriormente digestivo; sistema reprodutor etc.).] **3** Conjunto de peças para cada um dos serviços de mesa: *aparelho de jantar*. **::** ~ **dentário** Peça (móvel ou fixa) para correção da arcada dentária.

informal (in.for.*mal*) *a2g.* **1** Que não tem ou não aparece sob uma forma definida. **2** *Bras.* Que se caracteriza por ser destituído de formalidade (1) (roupa informal). [Pl.: -*mais*.] • **in.for.ma.li.da.de** *sf.*

infringir (in.frin.*gir*) *v. td.* Descumprir ou violar (lei, regra, ensinamento etc.); TRANSGREDIR: *infringir um estatuto*. [Ant.: *cumprir*.] [Cf.: *infligir*.] [▶ 46 infringir]

15.1) Preposição No caso de regências indiretas (transitivo indireto [*ti.*] e transitivo direto e indireto [*tdi.*]), são indicadas as preposições mais frequentes naquele uso [*ti.* + *em, por*...].

16) Achega de definição (ver 11) É uma área de informações suplementares sobre determinada acepção, apresentada entre colchetes. Pode conter: regências e seus exemplos [no caso de verbos], remissivas, notas elucidativas. Pode conter também referências analógicas ou comparativas (por exemplo, o antônimo da palavra, naquela acepção, na forma: [Ant.: *antônimo*.]).

17) Remissiva Envia o consulente a outro verbete, para que lá obtenha uma acepção, na forma: [Ver *verbete*.], ou para obter outra definição, análoga ou complementar, na forma: [Ver tb. *verbete*.], ou para conferir outro significado análogo ou contrastivo, na forma: [Cf.: *verbete*.]

18) Nota Elucida dificuldades, chama a atenção para particularidades, erros comuns etc. Vem em achegas, na forma de texto precedido ou não da palavra NOTA: [NOTA: texto.]

19) Achega gramatical Pode vir no fim de todas as acepções de determinada classe gramatical, entre colchetes, e inclui informações gramaticais sobre a classe:

a) no caso de verbos, a marca ▶ indica que se segue o número do paradigma de conjugação (ver adiante) e o verbo em questão, com a parte variável em negrito. Assim, [▶ 50 adv**ertir**] quer dizer que o verbo *advertir* se conjuga pelo paradigma **50**, e que o elemento fixo adv rt deve ser completado, em cada flexão, pelos elementos intercalados e pelas desinências em negrito que aparecem em cada flexão da tabela do paradigma, em substituição ao elemento intercalado **e** e à desinência **ir** assinalados em adv**ertir**; pode haver também informação específica sobre variações de conjugação de determinado verbo em determinados tempo e/ou pessoa, indicação de particípio irregular ou de dois particípios etc.;

b) no caso de substantivos e adjetivos pode haver indicação de plural ou feminino irregulares, ou de variação de pronúncia em femininos e plurais. Ex.: burguês [Pl.: -*gueses*. Fem.: -*guesa*.]; floral [Pl.: -*rais*.]; curioso [Fem. e pl.: [ó].]. Todas as palavras terminadas em *ão*, em *l* e em *m*, as palavras compostas e

Como usar o dicionário

alguns estrangeirismos que tenham plural irregular têm indicação de plural; pode haver também indicação de aumentativos e diminutivos irregulares;

c) no caso de adjetivos, pode haver indicação de superlativos irregulares.

A achega gramatical pode conter também NOTA, com elucidação de dificuldades, alerta sobre o uso etc.

20) Achega de verbete Contém informações adicionais sobre o vocábulo, geralmente indicação de parônimos (palavras com grafia igual ou similar mas com significado diferente).

21) Locução ou expressão idiomática Uma expressão ou locução, em que vocábulos assumem, naquele contexto, um sentido diferente daqueles que normalmente têm, constitui uma unidade de significado, ou seja, uma unidade léxica. Este dicionário apresenta um grande número dessas locuções, com especial atenção às de mais uso na linguagem corrente. As locuções seguem-se, no verbete, aos significados da palavra em todas as classes gramaticais, e são precedidas do sinal ⁑, que indica o início da área de locuções. As locuções são grafadas em **negrito**, e o sinal ~ substitui a palavra em questão. Estão em ordem alfabética, e pode haver mais de um significado numa locução.

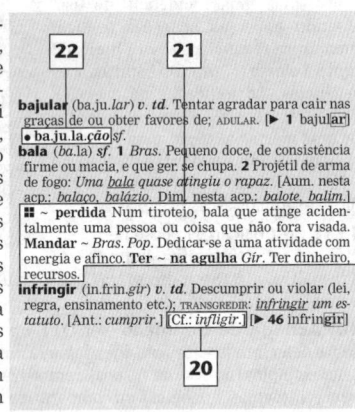

22) Derivada Certos vocábulos se relacionam com uma gama de outros vocábulos com a mesma raiz e com o mesmo eixo semântico, muitas vezes com outra função. Por exemplo, *diferenciar* e *diferenciado*, *comportamento* e *comportamental*, *cafeína* e *cafeinado*. Muitas vezes, neste dicionário, quando um vocábulo assim relacionado com outro (que gerou um verbete) tem todos os seus significados análogos aos daquele, ele é apresentado como uma derivada do verbete, aumentando assim o acervo léxico dentro do espaço disponível. As derivadas vêm sempre no fim do verbete, precedidas do sinal ●, em **negrito**, com separação silábica e indicação da sílaba tônica (em *itálico*), e com indicação da classe gramatical. Em raras e convenientes ocasiões é dado um exemplo de seu uso (p.ex., em *conservacionismo*, temos a derivada *conservacionista* e o exemplo *agricultura conservacionista*). Pode haver mais de uma.

23) Achega enciclopédica Nos casos em que a adequada compreensão do vocábulo não se restringe aos aspectos léxicos (seus significados), estendendo-se a sua importância nos contextos social, cultural, científico, geográfico, econômico etc., é apresentada uma achega enciclopédica, que é um resumo desses aspectos. Vem ao fim do verbete, sobre um fundo de cor.

24) Ilustração Em muitos casos em que uma boa compreensão do significado de um vocábulo está associada a sua visualização, são apresentadas ilustrações elucidativas. As ilustrações deste dicionário não têm finalidade decorativa, são elementos de informação visual, instrumentos de definição e esclarecimento.

Como usar o dicionário

VI) Outros módulos de informação

Além da seção lexicográfica por excelência, núcleo e eixo deste dicionário, outros módulos, quadros e tabelas fornecem informações úteis (e em alguns casos necessárias) para o universo a que se destinam:

a) Uma pequena gramática, com informações sobre as classes das palavras.

b) Paradigmas de conjugação, com 61 quadros numerados, apresentando cada um o modelo completo de conjugação de verbos que seguem aquele paradigma. Os elementos variáveis de cada flexão são apresentados em **negrito**. Para conjugar qualquer verbo do dicionário, basta localizar na achega gramatical do verbete o número do paradigma, substituir a parte fixa do paradigma (não em **negrito**) pela parte fixa do verbo (como apresentada na achega gramatical do verbete), e manter os elementos variáveis e desinências em **negrito** da tabela. Alguns paradigmas têm variantes, e as variações são claramente indicadas no quadro do paradigma.

> 23
>
> 📖 O eclipse solar ocorre quando a Lua, em sua rotação em torno da Terra (movimento chamado *revolução*), passa entre esta e o Sol num alinhamento tal que sua sombra atinge alguma área na Terra. Nessa área, o observador do Sol verá a Lua ir cobrindo o Sol totalmente (nos eclipses totais, observáveis nas áreas em que o cone de sombra se concentra) ou parcialmente (nos eclipses parciais, observáveis nas áreas mais externas do cone de sombra). O eclipse lunar ocorre quando a Terra se interpõe entre o Sol e a Lua, num alinhamento tal que sua sombra se projeta sobre a Lua, escurecendo-a total (se o cone de sombra da Terra cobre totalmente a Lua) ou parcialmente (se o cone de sombra da Terra se projeta apenas em parte da superfície lunar visível).

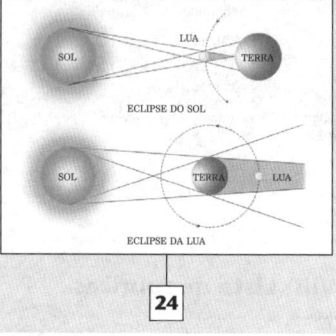

24

c) Hierarquia Militar Brasileira, elucida a nomenclatura mencionada no corpo do dicionário e sua organização hierárquica.

d) Elementos de composição, organizados na forma de uma lista alfabética dos principais prefixos e sufixos, com o significado que emprestam às palavras que formam.

e) Minienciclopédia, com cerca de 2.000 nomes próprios (de pessoas e de lugares), principalmente vultos da história e da cultura brasileiras (e também do mundo), os estados do Brasil, os municípios brasileiros com mais de 100.000 hab. (estimativa 2019).

f) Quadro de países, suas capitais, suas áreas e populações (estimativas de 2019).

g) Montanhas mais altas do mundo

h) Rios mais extensos do mundo

Como usar o dicionário

VII) Marcas de uso e regionalismos

AC	Acre		[Moç.	moçambiquismo]
AL	Alagoas		MS	Mato Grosso do Sul
AM	Amazonas		MT	Mato Grosso
Ang.	angolanismo			
Antq.	antiquado		N.	Norte
AP	Amapá		N.E.	Nordeste
			N.O.	Noroeste
BA	Bahia			
Bras.	brasileirismo		O.	Oeste
CE	Ceará		PA	Pará
C.-O.	Centro-Oeste		Pej.	pejorativo
[Cver.	cabo-verdianismo]		PI	Piauí
			Pop.	popular
DF	Distrito Federal		PR	Paraná
			P.us.	pouco usado
ES	Espírito Santo			
			Restr.	restrito
Fam.	familiar		RJ	Rio de Janeiro
Fig.	figurado		RN	Rio Grande do Norte
			RO	Rondônia
[Gal.	galicismo]		RR	Roraima
Gír.	gíria		RS	Rio Grande do Sul
GO	Goiás			
[Gui.	guineensismo]		S.	Sul
			SC	Santa Catarina
Infan.	infantil		SE	Sergipe
Irôn.	irónico		S.E.	Sudeste
			S.O.	Sudoeste
Joc.	jocoso		SP	São Paulo
Lus.	lusitanismo		Tabu.	tabuísmo
			TO	Tocantins
MA	Maranhão			
MG	Minas Gerais		Vulg.	vulgar

VIII) Lista de rubricas

Acús.	acústica		Ecol.	ecologia
Aer.	aeronáutica		Econ.	economia
Agr.	agricultura		Edit.	editoração
Álg.	álgebra		Elet.	eletricidade
Anat.	anatomia		Eletrôn.	eletrônica
Antr.	antropologia		Emb.	embriologia
Arit.	aritmética		Eci.	engenharia civil
Arq.	arquitetura		Eel.	engenharia elétrica
Arqueol.	arqueologia		Eet.	engenharia eletrônica
Art.Gr.	artes gráficas		Emec.	engenharia mecânica
Art.Pl.	artes plásticas		Enuc.	engenharia nuclear
Astnáut.	astronáutica		Esc.	escultura
Astrol.	astrologia		Esp.	esporte
Astron.	astronomia		Espt.	espiritismo
Aut.	automobilismo, automóvel		Est.	estatística
Avi.	aviação		Estét.	estética
			Etnog.	etnografia
Bac.	bacteriologia		Etnol.	etnologia
Basq.	basquetebol		Exérc.	exército
Bibl.	bibliologia			
Biblt.	biblioteconomia		Fil.	filosofia
Biol.	biologia		Fís.	física
Bioq.	bioquímica		Fís.nu.	física nuclear
Bot.	botânica		Fisl.	fisiologia
			Folc.	folclore
Cin.	cinema		Fon.	fonética
Cir.	cirurgia		Fot.	fotografia
Cit.	citologia		Fut.	futebol
Cnav.	construção naval			
Com.	comércio		Gen.	genética
Cons.	construção		Geof.	geofísica
Cont.	contabilidade		Geog.	geografia
Cul.	culinária		Geol.	geologia

Como usar o dicionário

Geom.	geometria	Ópt.	óptica
Geom.An.	geometria analítica		
Gloss.	glossônimo	Pal.	paleontologia
Gram.	gramática	Pat.	patologia
Grav.	gravura	Pedag.	pedagogia
		Pet.	petrografia
Her.	heráldica	Pint.	pintura
Hist.	história	Poét.	poética, poesia
Hist.Nt.	história natural	Pol.	política
Histl.	histologia	Psi.	psicologia
		Psic.	psicanálise
Inf.	informática	Psiq.	psiquiatria
Int.	internet	Publ.	publicidade
Jorn.	jornalismo	Quím.	química
Jur.	jurídico		
		Rád.	radiodifusão
Ling.	linguística	Radt.	radiotécnica
Liter.	literatura	Rel.	religião
Litu.	liturgia	Ret.	retórica
Lóg.	lógica	Rlog.	radiologia
Mar.	marinha	Soc.	sociologia
Mar.G.	marinha de guerra		
Mat.	matemática	Teat.	teatro
Mec.	mecânica	Tec.	tecnologia
Med.	medicina	Telc.	telecomunicações
Met.	meteorologia	Telv.	televisão
Metal.	metalurgia	Teol.	teologia
Micbiol.	microbiologia	Ter.	terapia ou terapêutica
Mil.	militar	Tip.	tipografia
Min.	mineralogia	Trig.	trigonometria
Mit.	mitologia	Trt.	teratologia
Mkt.	marketing		
Mnh.	marinharia	Urb.	urbanismo
Mús.	música		
Náut.	náutica	Vet.	veterinária
Oc.	oceanografia	Zool.	zoologia
Od.	odontologia		

IX) Lista de abreviações

abr.	abreviatura	ex.	exemplo
abs.	absoluto	expr.	expressão
acp.	acepção		
adj.adn.	adjunto adnominal	f.	feminino
afirm.	afirmativo	f.	forma
aglut.	aglutinação	fem.	feminino
al.	alemão	flex.	flexão(ões)
alter.	alteração	fórm.	fórmula
ant.	antônimo	f. par.	forma paralela
aport.	aportuguesamento	fr.	francês
art.	artigo	f. red.	forma reduzida
aum.	aumentativo	fut.	futuro
c.	cerca de	ger.	geral, geralmente
Cf.	confronte, compare	gerún.	gerúndio
chin.	chinês	hab.	habitantes
cm	centímetro(s)	hebr.	hebraico
comb.	combinação		
comp.	comparativo	i.e.	isto é
compl.	complementar	imper.	imperativo
cor.	coreano	imperf.	imperfeito
		impess.	impessoal
def.	definição, definido	impr.	impróprio, impropriamente
defec.	defectivo	ind.	indicativo
dem.	demonstrativo	indef.	indefinido
der.	derivado(a)	infer.	inferioridade
dim.	diminutivo	infinit.	infinitivo
		ing., ingl.	inglês
el.	elemento	int.	intransitivo
equ.	equivalente	interr.	interrogativo
esp.	especialmente, principalmente	it.	italiano

Como usar o dicionário

jap.	japonês	pros.	prosódica
		prov.	provérbio
lat.	latim	p.us.	pouco usado
loc.	locução(ções)		
		red.	reduzida(o)
m.	mais	ref.	referente
m.	masculino	rel.	relativo
m	metro(s)	restri.	restritivo
masc.	masculino		
mil.	militar	símb.	símbolo
mm	milímetro(s)	sin.	sinônimo(s)
mun.	município	sing.	singular
		sint.	sintético
n.	número	subj.	subjuntivo
neg.	negativo	subord.	subordinativa
		sue.	sueco
p.	pronominal	sup.	superioridade
part.	particípio	superl.	superlativo
perf.	perfeito		
pess.	pessoal	t	tonelada
p.ex.	por exemplo	t.	transitivo
pl.	plural	tb.	também
poét.	poético	term.	terminação
pop.	popular(es)	transobj.	transobjetivo
poss.	possessivo		
posv.	possivelmente	unip.	unipessoal
pred.	predicativo	us.	usado(s)
prep.	preposição		
pres.	presente	v.	verbo
pret.	pretérito	var.	variante(s)
pron.	pronome	voc.	vocábulo

X) Símbolos

⊕	Estrangeirismo	❚❚	Locução
⊠	Símbolos, siglas e abreviaturas	•	Derivada
◼	Subentrada	🕮	Achega enciclopédica
▶	Conjugação		

XI) Classes gramaticais

a.	adjetivo	*loc.conj.*	locução conjuntiva
a2g.	adjetivo de dois gêneros (breve, feroz)	*loc.prep.*	locução prepositiva
a2g2n.	adjetivo de dois gêneros e dois números (simples, bordô)	*loc.subst.*	locução substantiva
		loc.verb.	locução verbal
a2g.s2g.	adjetivo e substantivo de dois gêneros	*num.*	numeral
a.sm.	adjetivo e substantivo masculino	*prep.*	preposição
adv.	advérbio	*pr.dem.*	pronome demonstrativo
art.def.	artigo definido	*pr.excl.*	pronome exclamativo
art.indef.	artigo indefinido	*pr.indef.*	pronome indefinido
conj.	conjunção	*pr.interr.*	pronome interrogativo
conj.adit	conjunção aditiva	*pr.pess.*	pronome pessoal
conj.advers.	conjunção adversativa	*pr.poss.*	pronome possessivo
conj.alter.	conjunção alternativa	*pr.rel.*	pronome relativo
conj.caus.	conjunção causal	*sf.*	substantivo feminino
conj.comp.	conjunção comparativa	*sf2n.*	substantivo feminino de dois números (cútis)
conj.conces.	conjunção concessiva		
conj.concl.	conjunção conclusiva	*sfpl.*	substantivo feminino plural (núpcias)
conj.condic.	conjunção condicional	*sm.*	substantivo masculino
conj.conf.	conjunção conformativa	*sm2n.*	substantivo masculino de dois números (ônibus)
conj.consec.	conjunção consecutiva		
conj.expl.	conjunção explicativa	*smpl.*	substantivo masculino plural (óculos)
conj.fin.	conjunção final	*s2g.*	substantivo de dois gêneros (colega)/ substantivo masculino ou feminino (suéter)
conj.integr.	conjunção integrante		
conj.prop.	conjunção proporcional		
conj.temp.	conjunção temporal	*s2g2n.*	substantivo de dois gêneros e dois números (diabetes)
interj.	interjeição		
loc.a.	locução adjetiva	*v.*	verbo
loc.adv.	locução adverbial		

XII) Regências verbais

td.	transitivo direto	*int*.	intransitivo
tdi.	transitivo direto e indireto	*lig*.	de ligação
ti.	transitivo indireto	*pr*.	pronominal

UMA PEQUENA GRAMÁTICA

José Carlos Santos de Azeredo

Quando se expressam numa dada língua, as pessoas utilizam unidades de comunicação que chamamos de FRASES. Perguntas, respostas, ordens, declarações, exclamações, promessas, pedidos são atos comunicativos praticados por meio de frases. Tanto a pergunta *Você aceita outro pedaço de bolo?* quanto a resposta *Sim* ou *Aceito* são frases.

A produção e a compreensão de frases envolvem duas espécies amplas de conhecimento: a língua em que as pessoas se comunicam e o contexto social em que se encontram. O conhecimento da língua abrange os significados das palavras empregadas, o modo como estas são pronunciadas ou escritas e os princípios que regem a ordem em que são colocadas.

Por ser parte da capacidade verbal e comunicativa das pessoas, este conjunto de conhecimentos comuns permite que elas se intercomuniquem e se identifiquem como pertencentes à mesma comunidade linguística: a comunidade dos que falam português, a comunidade dos que falam árabe etc.

Léxico e gramática

As palavras de uma língua constituem seu LÉXICO, apresentado em ordem alfabética nos dicionários. Para formar as frases, as palavras estão sujeitas a regularidades — como as formas que podem assumir e a ordem em que são dispostas — que constituem a GRAMÁTICA dessa língua. Cada palavra de uma língua é, desse modo, ao mesmo tempo uma unidade *lexical*, pelo fato de ter uma pronúncia — ou uma grafia — combinada com um significado, e uma unidade *gramatical*, pelo fato de pertencer a uma classe (substantivo, conjunção, numeral etc.) e ocupar certas posições na frase.

Classes de palavras

Tradicionalmente, as palavras da língua portuguesa são distribuídas em dez classes — *substantivo, adjetivo, pronome, numeral, advérbio, artigo, preposição, conjunção, interjeição* e *verbo* —, cada qual caracterizada por uma soma peculiar de propriedades. Regidas pelas propriedades gramaticais inerentes às respectivas classes, as palavras ocupam certas posições, contraem relações entre si e assumem formas adequadas à composição das estruturas que chamamos de orações.

A oração e a frase

Chamamos oração à unidade gramatical constituída de duas partes: sujeito e predicado. Ordinariamente a função 'sujeito' é exercida por um substantivo ou pronome substantivo, e a função 'predicado' é exercida por um verbo: *João / Ele* (= sujeito) *viajou* (= predicado). Uma oração é, portanto, uma construção identificada por sua forma: é uma unidade da gramática da língua.

Por sua vez, a frase é uma unidade do discurso — ou seja, uma unidade comunicativa —, produzida como forma de interlocução entre pelo menos dois indivíduos. O 'Alô!' dito ao telefone, a pergunta 'João viajou?' e a resposta 'Sim.' são frases. Cada uma delas expressa um ato comunicativo identificado, na fala, pela respectiva entoação e, na escrita, pelo sinal de pontuação apropriado (ponto de exclamação, ponto de interrogação, ponto final). A unidade 'João viajou?' é uma frase pelo fato de exprimir uma intenção comunicativa, isto é, uma pergunta, e ao mesmo tempo uma oração, pelo fato de ser uma construção gramatical formada por sujeito e predicado.

Graças à caracterização formal precisa da oração, é no interior dela que podemos, com clareza, distinguir as palavras segundo as respectivas classes (*pronome, verbo, preposição*) e reconhecer subclasses (p.ex.: *pronome pessoal, verbo intransitivo*) dentro da respectiva classe.

Divisão da gramática

As regularidades que constituem a gramática da língua são de três tipos principais: (a) regularidades no funcionamento dos sons que produzimos para pronunciar suas palavras, (b) regularidades na relação entre as palavras e os significados que elas exprimem, e (c) regularidades nos meios de combinar as palavras entre si para formar as orações. Por isso, dividimos a gramática da língua em três partes: a **fonética**, que estuda as regularidades do tipo (a); a **morfologia**, que estuda as regularidades do tipo (b); e a **sintaxe**, que estuda as regularidades do tipo (c).

A **fonética** se ocupa da produção e análise dos sons, ou *fonemas* — vogais e consoantes —, que se combinam para formar as palavras da língua. Em português, toda palavra possui pelo menos uma vogal, que é a base do que se chama *sílaba*. Uma sílaba pode ser *átona* — isto é, pronunciada sem força — ou *tônica* — pronunciada com intensidade. Uma palavra como *porta* é formada por duas sílabas: *por.ta*. A primeira sílaba, formada pela consoante /p/, a vogal /ó/ e a consoante /r/, é tônica; a segunda, formada pela consoante /t/ e pela vogal /a/, é átona. De acordo com a posição da sílaba tônica, as palavras podem ser oxítonas, quando o acento tônico recai sobre a última sílaba (*café, mandaca**ru***), paroxítonas, quando o acento tônico recai sobre a penúltima sílaba (***pei****xe, **ca**derno*), ou proparoxítonas, quando o acento tônico recai sobre a antepenúltima sílaba (***trá****fego, **pên**dulo*).

A **morfologia** se ocupa da relação existente entre a estrutura da palavra e o significado que ela expressa. Do ponto de vista dessa relação, uma palavra como *capim* é indivisível, já que seu significado é expresso pela totalidade dela, mas *capinzal* é formada de *capin-* (seu radical) mais o *-zal* (ou *-al*, um sufixo que indica quantidade ou coleção). Muitas outras palavras são formadas assim: *laranjal, bambuzal, pantanal*. Para a **morfologia**, essas partes que entram na construção das palavras se chamam:

- RADICAL: parte básica obrigatória a que se juntam outras partes (ex.: *port-* em ***port****a, **port**aria, **port**eiro*);
- VOGAL TEMÁTICA: vogal que se anexa ao radical para formar uma segunda base, chamada **tema**, que recebe as desinências (ex.: o *-a* de *mesa*, o *-a-* de *falar*, o *-e-* de *bater*);
- DESINÊNCIA: parte da palavra que se acrescenta ao tema para indicar, nos substantivos, adjetivos e pronomes, o gênero e o número; e nos verbos, o tempo, o modo, o número e a pessoa (ex.: o *-a* e o *-s* de *meninas*; o *-va* e o *-mos* de *falávamos*);
- SUFIXO: parte que se acrescenta após o radical para a criação de outra palavra (ex.: *-zal* ou *-al* em *capin**zal**, laran**jal**, bambu**zal***);
- PREFIXO: parte que se acrescenta antes do radical para a criação de outra palavra (ex.: ***des-*** em ***des****colar, **des**onesto*).

A **sintaxe** se ocupa das relações das palavras na construção das orações. Uma sequência como *Os meninos gostavam de tomar banho na cachoeira* está sintaticamente bem construída porque as classes, as formas e as posições das palavras que a constituem são reconhecidas como aceitáveis e normais. Seria impossível algo como *Os gostavam banho de tomar meninos cachoeira na*. A sintaxe divide-se em:

- sintaxe de colocação, responsável pela posição das palavras na oração;
- sintaxe de concordância, responsável pela correspondência de gênero e número entre adjetivos e substantivos (concordância nominal) e de número e pessoa entre o verbo e seu sujeito (concordância verbal); e

Uma pequena gramática

- sintaxe de regência, que determina a que classe ou subclasse uma palavra deve pertencer para acompanhar outra da qual é dependente.

Substantivo

Os substantivos pertencem a dois gêneros ou classes: masculino e feminino. Pertencem ao gênero masculino os que podem vir precedidos de 'o': o *dia*, o *anel*, o *faxineiro*. Pertencem ao gênero feminino os substantivos que podem ser precedidos de 'a': a *noite*, a *aliança*, a *faxineira*.

Além de pertencer a um gênero, o substantivo é variável em número (singular x plural): no singular, denota um ser ou objeto (*o dia*, *o anel*); no plural, denota mais de um ser ou objeto (*os dias*, *os anéis*). Para alguns substantivos, a distinção entre singular e plural serve para exprimir outros significados: *metal* é uma substância, mas *metais* pode significar os instrumentos feitos de metal; *costa* é a parte de um continente banhada pelo mar, mas *costas* designa uma parte do corpo; *cinza* é uma substância ou cor, já *cinzas* são restos mortais.

Os substantivos são ainda classificados como *comuns* — quando denotam a espécie (*planeta, cidade, pessoa*) — ou *próprios* — quando denotam o indivíduo dentro da espécie (*Marte, Manaus, Jorge*).

Os substantivos comuns podem ser *concretos* — quando denotam seres e coisas de existência independente, reais ou imaginários (*mesa, planta, rinoceronte, centauro*) — ou *abstratos* — quando denotam conceitos (*justiça, amor, violência*).

Segundo suas características formais, os substantivos também se chamam *primitivos* — quando não provêm de outro substantivo (*mesa, peixe, camisa*) — ou *derivados* — quando são criados a partir de outra palavra (*peixeiro, camiseta, justiça*); *simples* — quando são constituídos de uma só base ou radical (*peixe, hélice*) — ou *compostos* — quando são constituídos de duas ou mais bases ou radicais (*peixe-espada, helicóptero*, isto é, que tem 'asa' — *ptero* — em forma de 'hélice').

Gênero dos substantivos

Todo substantivo pertence a um gênero, masculino ou feminino, mas só no caso de seres animados o gênero de um substantivo pode nos informar algo sobre seu significado. Os substantivos que nomeiam seres animados podem ter gêneros diferentes, masculino para o macho e feminino para a fêmea da espécie: *bode – cabra*, *homem – mulher*, *cachorro – cachorra*. Quando se trata de seres humanos, essa diferença pode aplicar-se também a relações familiares, profissões, títulos de nobreza, papéis socioculturais diversos: *pai – mãe*, *ator – atriz*, *príncipe – princesa*, *compadre – comadre*. Substantivos como *jacaré*, *onça* e *tatu* (epicenos) têm um só gênero para o macho e a fêmea da espécie. Outros mantêm a forma mas mudam de gênero (comuns de dois): *o pianista – a pianista*, *o atleta – a atleta*. Há ainda os nomes sobrecomuns, substantivos referentes a seres humanos que têm uma só forma e um só gênero para o homem e a mulher: *o cônjuge* (o marido ou a esposa), *o capitão* (homem ou mulher). As regras abaixo envolvem exclusivamente substantivos referentes a seres animados.

Regra geral

Substantivos terminados em **-o** trocam esta terminação por *-a* no feminino: *gato–gata*, *urso–ursa*.

Regras especiais

a) Substantivos terminados em consoante ou em vogal tônica recebem *-a* no feminino: *freguês – freguesa*, *diretor – diretora*, *peru – perua*, *guri – guria*.

b) Substantivos terminados em **-ão** fazem o feminino em *-ona*, *-oa* ou *-ã*: *trapalhão – trapalhona*, *patrão – patroa*, *escrivão – escrivã*.

Número dos substantivos

A regra geral de formação do plural dos substantivos consiste em juntar *-s* à forma do singular: *perna – pernas*, *caju – cajus*, *troféu – troféus*.

Uma pequena gramática

Regras especiais

a) Substantivos terminados em **-r** ou **-z** recebem *-es* no plural: *cor – cores, noz – nozes*.

b) Substantivos terminados em **-s** seguem duas regras: os oxítonos e os monossílabos recebem *-es* (*país – países, mês – meses*); os monossílabos constituídos de ditongo, os paroxítonos e os proparoxítonos são invariáveis: *o cais – os cais, um pires – dois pires, o ônibus – os ônibus*.

c) Substantivos terminados em **-x** são invariáveis se são paroxítonos (*o tórax – os tórax*), e são facultativamente flexionados se são monossilábicos ou oxítonos (*um fax – dois fax* ou *faxes, um pirex – dois pirex* ou *pirexes*).

d) Substantivos terminados em **-al**, **-el**, **-ol** e **-ul** fazem o plural substituindo o *-l* por *-is* (acentuando a vogal no caso de **-el** e **-ol**): *metal – metais, anel – anéis, anzol – anzóis, paul – pauis*. Exceções: *mal – males, cônsul – cônsules*.

e) Substantivos terminados em **-il** têm dois plurais: se o **-il** está em sílaba tônica, substitui-se o *-l* por *-s* (*funil – funis*); se o **-il** está em sílaba átona, substitui-se o *-il* por *-eis* (*projétil – projéteis*).

f) Substantivos terminados em **-ão**, na sua maioria, fazem o plural substituindo *-ão* por *-ões*. Incluem-se nesta regra todos os aumentativos em *-ão* e todos os derivados de verbo por meio do sufixo *-(ç)ão*: *limão – limões, coração – corações, caldeirão – caldeirões, apelação – apelações*. Os monossílabos e os paroxítonos recebem *-s* no plural: *mão – mãos, órgão – órgãos*. São exceções: *cães, pães, capitães, sacristãos* ou *sacristães, artesãos* entre outros.

Plural dos substantivos compostos

A formação do plural dos substantivos compostos compreende quatro tipos gerais:

a) apenas o último elemento vai para o plural (*vice-governador / vice-governadores, beija-flor / beija-flores*);

b) ambos os elementos vão para o plural (*obra-prima / obras-primas*);

c) apenas o primeiro elemento vai para o plural (*marca-d'água, marcas-d'água*);

d) não há diferença formal entre singular e plural (*o sabe-tudo / os sabe-tudo, o disse me disse / os disse me disse*).

Obs.: Em alguns casos, admitem-se as formas b) e c): *células-troncos* e *células-tronco; rádios-relógios* e *rádios-relógio*.

Adjetivo

Os adjetivos têm gênero e número expressos basicamente como nos substantivos, com uma diferença: os adjetivos são regularmente afetados pelas regras. Por outro lado, distinguem-se ainda os adjetivos que são passíveis de gradação (*mulher elegante / mulher elegantíssima*) dos adjetivos que não admitem gradação (*posição horizontal, lei federal*, mas não *horizontalíssima, federalíssima*). Os primeiros expressam qualidades, os últimos denotam classes ou tipos.

Gênero dos adjetivos

Os adjetivos em **-o** formam o feminino com a substituição do *-o* por *-a*: *magro – magra*.

Regras especiais

a) Os adjetivos terminados em **-ês**, **-or** e **-u** recebem *-a* no feminino: *francês – francesa, revelador – reveladora, cru – crua*. São invariáveis em gênero: os comparativos em *-or* (*menor, melhor*), designativos de etnias, nacionalidades (*zulu, hindu*) e os adjetivos *cortês, descortês, montês, pedrês, tricolor, bicolor, incolor, multicor, sensabor*).

b) Os adjetivos terminados pelo sufixo aumentativo **-ão** trocam o *-ão* por *-ona*: *chorão – chorona*. Outros adjetivos em **-ão** formam o feminino com supressão do *-o* final: *são – sã, alemão – alemã*.

Uma pequena gramática

c) Os adjetivos em **-eu** trocam esta terminação por *-eia*: *europeu – europeia*. Exceções: *sandeu – sandia, judeu – judia*.

d) São invariáveis em gênero os adjetivos paroxítonos terminados em **-s** (*simples*) e os demais terminados em **-e** (*triste*), **-a** (*feminista*), **-ar** (*particular*), **-l** (*fatal, febril, útil*), **-m** (*comum*), **-z** (*feliz*). Exceções: *espanhol – espanhola, bom – boa, andaluz – andaluza*.

Número dos adjetivos

O plural dos adjetivos simples segue as mesmas regras enunciadas acima para os substantivos.

Pronome

Classificam-se em pessoais, possessivos, demonstrativos, indefinidos, interrogativos e relativos.

Os pronomes **pessoais**, **possessivos** e **demonstrativos** apresentam formas diferentes para referir-se às três pessoas do discurso (a que fala, aquela a quem se fala, aquela de que(m) se fala). Daí a simetria das séries seguintes:

- pessoais: *eu / tu / ele*
- possessivos: *meu / teu / seu* (ou *dele*)
- demonstrativos: *este / esse / aquele*

Pronomes pessoais

A classe dos pronomes pessoais é a única que possui formas distintas para diferentes funções na frase: (a) pronomes retos (*eu, tu / você, ele / ela, nós, vós /vocês, eles / elas*) para a função de sujeito; (b) pronomes oblíquos átonos (*me, te, o / a / lhe / se, nos, vos, os /as /lhes /se*) para a função de complemento anexo ao verbo, e (c) pronomes oblíquos tônicos (*mim / (co)migo, ti / (con)tigo, si / (con)sigo, (co)nosco, (con)vosco, si / (con)sigo*) para a função de adjunto ou complemento precedido de preposição.

Obs.: As formas o, a, os, as, quando colocadas após o verbo, apresentam as seguintes variantes combinatórias:

- *lo, la, los, las*, quando a forma verbal termina por consoante, que desaparece diante do pronome: cortar + a > cortá-la, trouxemos + o > trouxemo-lo, fez + os > fê-los;
- *no, na, nos, nas*, quando a forma verbal termina em ditongo nasal: dão + o > dão-no, visitem + as > visitem-nas;
- as formas oblíquas tônicas mim, ti, si, nós e vós apresentam as variantes *migo, tigo, sigo, nosco* e *vosco* aglutinadas à preposição 'com'.

Pronomes possessivos

Os pronomes possessivos se flexionam em gênero e número, concordando com o substantivo que acompanham, com exceção das formas *dele, dela, deles, delas*, que concordam com o possuidor.

Existem dois subsistemas de pronomes possessivos em português: (a) um subsistema restrito aos usos formais e próprio do discurso em que não se faz referência ao interlocutor, no qual as formas *seu/sua/seus/suas* se referem à pessoa de quem se fala (subsistema I); e (b) um subsistema empregado no discurso dirigido a um interlocutor, ao qual as formas *seu/sua/seus/suas* normalmente se referem (subsistema II).

Subsistema I

1ª pessoa do sing. (EU): meu, minha, meus, minhas
2ª pessoa do sing. (TU): teu, tua, teus, tuas
3ª pessoa do sing. (ELE, ELA): seu, sua, seus, suas

1ª pessoa do pl. (NÓS): nosso, nossa, nossos, nossas
2ª pessoa do pl. (VÓS): vosso, vossa, vossos, vossas
3ª pessoa do pl. (ELES, ELAS): seu, sua, seus, suas

Subsistema II

1ª pessoa do sing. (EU): meu, minha, meus, minhas
2ª pessoa do sing. (TU): teu, tua, teus, tuas
2ª pessoa do sing. (VOCÊ): seu, sua, seus, suas
3ª pessoa do sing. (ELE, ELA): dele, dela
1ª pessoa do pl. (NÓS): nosso, nossa, nossos, nossas
2ª pessoa do pl. (VÓS): vosso, vossa, vossos, vossas
2ª pessoa do pl. (VOCÊS): de vocês
3ª pessoa do pl. (ELES, ELAS): deles, delas

Pronomes demonstrativos

Os pronomes demonstrativos também variam em gênero e número, concordando com o substantivo que acompanham (*este(s) / esse(s) / aquele(s) carro(s), / esta(s) / essa(s) / aquela(s) casa(s)*). Além dessas formas, há uma série que se emprega no lugar do substantivo. São as formas neutras *isto, isso, aquilo*. Na linguagem usual as formas *esse, essa* e *isso* tendem a substituir *este, esta* e *isto*. A perda dessa distinção é, entretanto, compensada pelo uso de *aqui* e *aí* (*esse aqui* x *esse aí*).

Pronomes indefinidos

Os pronomes indefinidos integram uma classe heterogênea tanto pela forma quanto pelo significado. Uma parte deles (*algum, pouco, nenhum, outro, muito*) é variável em gênero e número, concordando com o substantivo que acompanha (*algum dinheiro, poucas pessoas, muitos prédios*). Outros são invariáveis (*cada, demais, mais, menos, algo, alguém, nada, ninguém, outrem, que, quem, tudo*). Uns poucos têm a forma de locução (*cada um, cada qual, o que quer que, quem quer que*).

Pronomes interrogativos

Assim se classificam os pronomes indefinidos *qual, quanto, que, o que* e *quem* quando integram frases interrogativas, introduzindo a parte da frase sobre a qual incide a pergunta (*Que / o que queres aqui?, Qual de vocês pode me ajudar?, Quanto você pode me emprestar?, Quem é você?*).

Pronomes relativos

São formas usadas para unir duas orações e substituir na segunda uma palavra presente na primeira (*Joguei fora as frutas que* (= as frutas) *apodreceram*). A forma *que* é invariável; as formas variáveis *o qual, a qual, os quais* e *as quais* têm o mesmo gênero e número da palavra que substituem; *cujo, cuja, cujos* e *cujas* concordam em gênero e número com o substantivo que acompanham (*Ficou bonita a rua cujas árvores foram iluminadas para o Natal*). *Quem* ocorre sempre precedido de preposição (*Esta é a mulher com quem vou me casar*).

Numerais

A ideia de quantidade exata é expressa pelo numeral, que pode ser cardinal (*cinco pássaros*), ordinal (*quinto dia*), fracionário (*dois quintos da herança*), multiplicativo (*o quíntuplo do preço*). São variáveis em gênero os numerais *um, dois* e toda a série que vai de *duzentos* a *novecentos*. *Milhão, bilhão, trilhão* etc. são variáveis em número, com plural comum em *-ões*. Colocadas após o substantivo, as formas cardinais expressam valor ordinal: *página vinte, rua oito*.

Uma pequena gramática

Advérbios

A maioria dos advérbios emprega-se para localizar no tempo ou no espaço os conteúdos dos nossos enunciados: *agora, antes, depois, hoje, ontem, amanhã, sempre, cedo, tarde* (advérbios de tempo); *aqui, aí, ali, lá* (advérbios de lugar). Existem também advérbios de modo (*assim, bem, mal*), de negação (*não*), de afirmação (*sim*), de dúvida (*talvez, porventura*). Usados como formas invariáveis ao lado de verbos e adjetivos, os vocábulos *muito, pouco, bastante* e *demais* são advérbios de intensidade.

Advérbios em -mente

Formam um conjunto vasto, já que são criados a partir de adjetivos, e servem em geral para caracterizar o fato expresso no verbo da mesma maneira que o adjetivo correspondente caracteriza o substantivo: <u>provavelmente</u> voltará (cf. *a volta é provável*), viajou <u>repentinamente</u> (cf. *a viagem foi repentina*).

Artigos

Os artigos indicam o grau de identificação do ser definido pelo substantivo. Se ele é conhecido e determinado, o artigo chama-se *definido*. São artigos definidos *o, a, os, as* (<u>o</u> *aluno*, <u>a</u> *professora*, <u>os</u> *livros*, <u>as</u> *flores*, todos específicos e conhecidos). Se o ser é genérico, ou seja, não é específico, o artigo chama-se *indefinido*. São artigos indefinidos *um, uma, uns, umas* (<u>um</u> *aluno*, <u>uma</u> *professora*, <u>uns</u> *livros*, <u>umas</u> *flores*).

Preposições

Uma preposição pode ser escolhida conforme a relação de sentido que se quer exprimir ('meio', em *voltei* **de** *carro*; 'lugar' em *voei* **sobre** *a cidade*) ou por ser exigida pela palavra que a precede (*preciso* **de** *ajuda, sonhei* **com** *você*). No primeiro caso, a preposição expressa uma circunstância de acordo com a intenção de quem fala / escreve. No segundo, essa intenção não tem qualquer influência sobre a preposição; esta já vem "presa" ao verbo, e é por isso que os dicionários costumam informá-la. Algumas podem fundir-se com artigos, definidos ou indefinidos, e pronomes, como as preposições *de* (*do, da, dos, das, dum, duma, duns, dumas, desse, deste, daquele, daquela, daquilo, dalgum, dalguma* etc.) e *em* (*no, na, nos, nas, num, numa, nuns, numas, nesse, neste, naquele, naquela, naquilo, nalgum, nalguma* etc.)

Crase

Quando a preposição *a* antecede a vogal *a* como artigo definido (sing. ou pl.) ou como letra inicial de pronomes (*aquele, aquela, aquilo* etc.), a preposição se funde com a vogal *a*, e essa fusão chama-se *crase*, caracterizada graficamente pelo acento grave. No caso de fusão com o artigo definido, obviamente só pode ocorrer crase quando o substantivo puder ser precedido do artigo definido *a* ou *as*. Assim, ocorre crase em *vou* **à** *cidade* (pois se diz *a cidade, estou na cidade* etc.), mas não em *vou a Ipanema* (pois não se diz *a Ipanema, estou na Ipanema* [e sim *estou em Ipanema*]); mas pode ocorrer em *vou* **à** *Tijuca* (pois se diz *a Tijuca, estou na Tijuca* etc.). Da mesma forma, *vou* **às** *compras, vamos* **àquela** *sessão de cinema, não me referi* **àquilo** etc. Ou seja, pode-se comprar **à** *vista*, mas nunca **à** *prazo* (e sim, *a prazo*).

Conjunções subordinativas

Funcionam como as preposições, com uma diferença: introduzem orações. As conjunções subordinativas são de duas espécies: conjunções integrantes — *que* e *se* —, introdutoras de orações que funcionam como substantivos, e conjunções adverbiais, que expressam circunstâncias diversas: *quando* (temporal), *se* (condicional), *porque* (causal), *conforme* (conformativa), *embora* (concessiva), [tanto] ... *que* (consecutiva), *para que* (final), *à medida que* (proporcional), *como* (comparativa).

Conjunções coordenativas

Ligam palavras ou orações entre as quais se estabelecem relações diversas: *e* (aditiva), *mas* (adversativa), *ou* (alternativa), *pois* (explicativa), *portanto* (conclusiva).

Interjeições

As interjeições são invariáveis e podem ser de três tipos:
- sintomáticas, quando traduzem estados emocionais como admiração, surpresa, desalento etc. (*Ah!*, *Bravo!*, *Oh!*).
- apelativas, quando servem para alertar ou chamar o interlocutor (*Ei!*, *Psiu!*).
- onomatopaicas, quando reproduzem sons não linguísticos (*Bumba!*).

Verbo

O verbo é a mais complexa dentre as classes de palavras do português. Por suas muitas tarefas na expressão e comunicação de significados, o verbo apresenta uma extraordinária versatilidade morfológica, comprovada nas mais de cinquenta formas que é capaz de assumir para exprimir o tempo, o modo, a pessoa e o número.

Tempo

O verbo apresenta formas diferentes para indicar as épocas em que se situam os fatos referidos na frase. Os tempos verbais são três: presente, passado e futuro. O presente situa o fato na mesma época em que se fala ou escreve, o passado o situa em época anterior àquela em que se fala ou escreve, já o futuro situa o fato em época posterior a outra época, que pode ser o presente ou o passado.

Modo

O modo expressa a atitude da pessoa que fala. São três os modos do verbo: indicativo, subjuntivo e imperativo. No emprego típico de cada um, o modo indicativo exprime certeza, o subjuntivo exprime dúvida e o imperativo, ordem.
- Formas do tempo no modo indicativo: presente simples: *lavo*, *lavas* as mãos etc.; pretérito perfeito: *lavei*, *lavaste* as mãos etc.; pretérito imperfeito: *lavava*, *lavavas* as mãos etc.; pretérito mais-que-perfeito: *lavara*, *lavaras* ou *tinha lavado*, *tinhas lavado* as mãos etc.; futuro do presente simples: *lavarei*, *lavarás* as mãos etc.; futuro do presente composto: *terei lavado*, *terás lavado* as mãos etc.; futuro do pretérito: *lavaria*, *lavarias* as mãos etc.; futuro do pretérito composto: *teria lavado*, *terias lavado* as mãos etc.
- Formas do tempo no modo subjuntivo: presente: (que eu) *lave* as mãos etc.; pretérito imperfeito: (se eu) *lavasse* as mãos etc.; futuro: (quando eu) *lavar* as mãos etc.; pretérito perfeito: (que eu) *tenha lavado* as mãos etc.; pretérito mais-que-perfeito: (se eu) *tivesse lavado* as mãos etc.; futuro composto: (quando eu) *tiver lavado* as mãos etc.
- Formas do modo imperativo: afirmativo: *lava* (tu) as mãos, *lavai* (vós) as mãos etc.; negativo: não *laves* (tu) as mãos etc.

Pessoa

São três as pessoas: a que fala (primeira pessoa = *eu* / *nós*), aquela a/com quem se fala (segunda pessoa = *tu* / *vós*, *você* / *vocês*) e aquela de quem se fala (terceira pessoa = *ele* / *eles*, *ela* / *elas*).

Número

Pode ser singular (sing.) ou plural (pl.). São três as formas verbais segundo a variação de pessoa e número:

Uma pequena gramática

- primeira pessoa: (eu) *lavo* (sing.); (nós) *lavamos* (pl.);
- segunda pessoa: (tu) *lavas*, (você) *lava* (sing.); (vós) *lavais*, (vocês) *lavam* (pl.);
- terceira pessoa: (ele, ela) *lava* (sing.); (eles, elas) *lavam* (pl.).

Formas nominais do verbo

São o infinitivo (*lavar*), o particípio (*lavado*) e o gerúndio (*lavando*), que não indicam tempo e podem equivaler, respectivamente, a um substantivo, a um adjetivo e a um advérbio.

Conjugações

Chamam-se conjugações as grandes classes ou modelos formais — paradigmas — em que se enquadram os verbos do português. São três: a dos verbos em '-ar' (primeira conjugação: *tapar*), a dos verbos em '-er' (segunda conjugação: *bater*), e a dos verbos em '-ir' (terceira conjugação: *partir*).

Verbos regulares e verbos irregulares

Um verbo é **regular** quando suas formas seguem o modelo ou paradigma de sua conjugação (ex.: *cantar*, que se flexiona exatamente como *tapar*; *vender*, que se flexiona exatamente como *bater*; *punir*, que se flexiona exatamente como *partir*), e **irregular** quando alguma ou algumas de suas formas difere(m) do paradigma (ex.: *dar*, que tem d**ou**, d**este** etc., diversas das formas regulares *tapo*, *tapaste*; *caber*, que muda 'cab-' em 'caib-' e 'coub-' nas formas c**aib**o e c**oub**este diferentes do 'bat-' de *bato*, *bateste*; *ferir*, que tem f**i**ro, f**i**ra, com mudança do 'e' em 'i').

Verbos anômalos e defectivos

São espécies de verbos irregulares. **Anômalo** é o verbo que apresenta bases ou radicais completamente diversos. Os únicos exemplos do português são os verbos **ir** e **ser** (IR: *ia*, *vou*, *fosse*; SER: *és*, *somos*, *fui*). **Defectivo** é o verbo que não apresenta todas as formas previstas no paradigma (cf. *abolir* e *retorquir*).

Particípios duplos

Alguns verbos apresentam dois particípios, um regular, que geralmente combina com o auxiliar *ter* nas formas compostas, e um irregular, que costuma ocorrer nas demais posições (ex.: *soltado* e *solto*, *extinguido* e *extinto*, *imergido* e *imerso*).

Verbos transitivos e verbos intransitivos

Certos verbos podem por si sós constituir um predicado (*o sol* **nascerá**, *o barco* **desapareceu**). A estes verbos chamamos **intransitivos**. Todos os outros, porém, ocorrem seguidos de alguma palavra ou expressão necessária para completar a informação expressa no predicado (**resumirei** *a história*, **gostei** *desse filme*, **estamos contentes**, **vai** *chover*). Este segundo grupo é muito heterogêneo. *Resumir* e *gostar* são seguidos de 'complementos'; por isso, se chamam 'verbos transitivos'. *Estar* relaciona um estado — contentes — às pessoas identificadas como 'nós'; trata-se de um 'verbo de ligação'. E *ir* apenas indica que 'chover' é um acontecimento futuro; trata-se de um verbo auxiliar.

O verbo transitivo e seus tipos

Chama-se TRANSITIVO o verbo que tipicamente vem ou pode vir acompanhado de complemento(s) sob a forma de substantivo, pronome ou oração substantiva:

1. a- lavar *a roupa* / lavá-*la*,
   b- resumir *a história* / resumi-*la*,
   c- declarar *que é inocente* / declará-*lo*;
2. a- depender de *ajuda*,
   b- insistir em *voltar*,
   c- concordar com *alguém*;

3   a- devolver *o dinheiro* ao dono,
    b- convencer *o irmão* a estudar,
    c- confundir *uma coisa* com outra.

Nos exemplos '1a – 1c', os complementos, em *itálico*, ligam-se diretamente aos verbos, que por isso se chamam TRANSITIVOS DIRETOS; já nos exemplos '2a – 2c', a ligação é indireta porque se faz através de uma preposição semanticamente vazia (a, b) — ou muito enfraquecida do ponto de vista do sentido (c) — e automaticamente exigida pelo verbo. Por isso, *depender*, *insistir* e *concordar* são verbos TRANSITIVOS INDIRETOS.

Pode ainda acontecer que o verbo transitivo ocorra combinado com dois complementos (exemplos 3), um direto (em itálico) e outro indireto (sublinhado). A estes verbos dá-se o nome de TRANSITIVOS DIRETOS E INDIRETOS.

Subclasses de verbos transitivos diretos

Subclasse 1
Compreende os verbos de ação em geral, que são complementados, em seu sentido básico e próprio, por substantivos referentes a seres concretos. O verbo-tipo dessa classe pode ser 'comprar' (Cf. 'Ela *comprou* dois vestidos').

Subclasse 2
Compreende os verbos que denotam conhecimento intelectual / intuitivo, e ocorrem complementados por proposições (orações substantivas) ou substantivos capazes de condensar conteúdos proposicionais. O verbo-tipo dessa classe pode ser 'perceber' (Cf. '*Percebo* que você está aflito' / '*Percebo* sua aflição').

Subclasse 3
Inclui os verbos que denotam movimento e implicam referência espacial. O verbo-tipo dessa classe é 'colocar' (Cf. 'Ela *colocou* as joias no cofre').

Subclasse 4
Compreende os verbos que denotam atividade comunicativa, e, analogamente aos verbos da subclasse 2, ocorrem complementados por proposições ou substantivos capazes de condensar conteúdos proposicionais. O verbo-tipo dessa classe pode ser 'declarar' (Cf. 'Ele *declarou* que apoia nossa ideia'/ 'Ele *declarou* apoio à nossa ideia').

Subclasse 5
Esta subclasse, bem menos numerosa, reúne os verbos transitivos diretos cujo complemento adquire um estado ou condição motivados pela ação verbal e expressos por um 'predicativo' (Cf. 'Ele *nos* considera *seus amigos*'). Também pertencem a este subgrupo *nomear* (nomear alguém secretário), *fichar* (fichar alguém como criminoso), *tratar* (tratar alguém de doutor).

Subclasse 6
É formada por um amplo conjunto de verbos que denotam, em geral, uma 'mudança de estado' a que é submetida a coisa designada pelo complemento. O verbo-tipo dessa classe pode ser 'secar' (Cf. 'O vento *secou* a roupa no varal'). Detalhes sobre esta subclasse são apresentados no item **VERBOS DE PREDICAÇÃO DUPLA**.

Particularidades dos verbos transitivos diretos

Verbos da subclasse 3
Os verbos transitivos diretos que pressupõem um lugar como condição do fato que expressam (subclasse 3) se distribuem em três grupos fundamentais, exemplifi-

cados típica e respectivamente pelos verbos *colocar* ('Lúcia <u>colocou</u> a boneca na caixa'), *desenhar* ('O menino <u>desenhou</u> uma flor na parede) e *trazer* (= usar) ('Lúcia <u>trazia</u> um laço cor-de-rosa nos cabelos).

A subclasse representada por *colocar* é seguramente a mais numerosa. Inclui verbos como *plantar, depositar, sacar, meter, introduzir, encostar, estacionar, levar, trazer, pôr, remover, aproximar* etc. seguidos normalmente de uma expressão de lugar (ex.: <u>Estacionei</u> o carro <u>junto ao</u> meio-fio).

Obs. 1: O verbo 'guardar' exige a expressão locativa quando, exprimindo ação não concluída, significa 'manter sob segurança, conservar' (Cf. *Ela guarda /guardava as joias <u>em um cofre</u>*). Com certos verbos, a menção do lugar pode ser opcional ou obrigatória conforme a ausência ou presença de artigo definido (Cf. *Ela usa aliança* e *Ela usa a aliança <u>no dedo mindinho</u>*).

Obs. 2: Se o complemento de 'colocar' (e seus equivalentes) é objeto de uso pessoal (*óculos, meias, chapéu*), o lugar passa a ser óbvio e sua menção, portanto, desnecessária (Cf. *João <u>colocou</u> os óculos e abriu o jornal; Não coloque os sapatos, por enquanto*).

Verbos transitivos sem complemento explícito

Muitos verbos transitivos podem ocorrer sem o respectivo complemento. Isto acontece em dois casos:

a) quando, por sua redundância ou generalidade, a informação a ser expressa no objeto é considerada irrelevante: *Ele só* **fuma** *após tomar um cafezinho; Ainda não* **comi** *hoje; Parei de* **gastar***; agora estou* **economizando***; Cuidado, que esse pó* **cega**.

b) quando a situação comunicativa ou o contexto verbal permitem que o objeto seja reconhecido ou recuperado: *Leia!* (dito por alguém que oferece ou aponta a coisa a ser lida); *Ele ofereceu o dinheiro, mas eu não* **aceitei** (em que o objeto de aceitar — o dinheiro — já foi mencionado).

Obs.: O verbo 'cegar' tem uma variante combinatória intransitiva (Cf. 'Meu canivete cegou', isto é, 'está sem corte') em que se caracteriza o sujeito como ser afetado ou **tema** (ver logo abaixo). Não é o caso do exemplo *Cuidado, que esse pó cega*, em que o verbo é transitivo sem complemento explícito.

Verbos transitivos indiretos

Esta classe sintática é formada dos verbos que são necessariamente acrescidos de uma preposição sempre que a eles se anexa um complemento sob a forma de substantivo, pronome substantivo ou infinitivo (Cf. *Por favor, não insista* e *Por favor, não insista* **em** *entrar*). Nestes exemplos, a prep. 'em' não é selecionada de acordo com o sentido que se quer exprimir, mas 'imposta' pelo uso, anexando-se ao verbo, que a exige como uma espécie de apêndice. O mesmo se passa com os verbos *gostar* (de), *sonhar* (com), *concordar* (com), *discordar* (de). O esvaziamento semântico dessas preposições tem favorecido o desaparecimento delas junto a alguns verbos de uso frequente na fala — ordinariamente os seguidos de 'a' — que se tornaram transitivos diretos. São exemplos no português corrente do Brasil: *assistir, obedecer* e *perdoar*. Quando seguido de 'que', seja a conj. integrante, seja o pron. relativo, a preposição em geral é suprimida (Cf. *Desconfiava* **de** *todo mundo* e *Desconfiava* (de) **que** *não ia passar de ano*).

Classes de verbos transitivos diretos e indiretos

Há basicamente quatro subtipos de verbos transitivos diretos e indiretos:

Subtipo A

Compõe-se dos verbos cujo objeto indireto é substituível por pronome pessoal átono (Cf. *Entreguei meu pedido de demissão* **ao diretor** / *Entreguei-***lhe** *meu pedido de demissão*), subtipo em que se enquadram muitos verbos *dicendi* (*dizer, declarar,* *comunicar, informar*), bem como os que expressam ou implicam alguma espécie de 'transferência' (*mostrar, entregar, apresentar, enviar, oferecer* etc.).

Subtipo B

Compõe-se dos verbos cujo objeto se refere a duas ou mais entidades envolvidas pelo processo expresso no verbo, cujo protótipo é o verbo *misturar* (ex.: **misturar** *a manteiga com a farinha*). Estes verbos, que também se usam como transitivos diretos (Cf. **misturar** *os ingredientes do bolo*, **misturar** *a farinha e a manteiga*), classificam-se como transitivos diretos e indiretos apenas quando um de seus complementos é regido por preposição 'com', 'a' ou 'de'. Pertencem a esta subclasse: *misturar, combinar, juntar, articular, unir, confundir, separar, distinguir.*

Subtipo C

Compõe-se dos verbos cujos objetos direto (OD) e indireto (OI) são, respectivamente, um substantivo ou pronome referentes a seres humanos e uma oração geralmente sob forma infinitiva. São verbos que expressam a intenção do respectivo sujeito em monitorar o comportamento de alguém. São protótipos deste grupo os verbos <u>*ajudar*</u> (*Pedro ajudou* **o pai** (OD) **a se levantar** (OI)) e <u>*impedir*</u> (*O porteiro impediu* **a moça** (OD) **de entrar no elevador** (OI)). Pertencem a esta subclasse, entre outros: *autorizar, proibir, convencer, forçar, obrigar, convidar, incentivar, persuadir, dissuadir.*

Subtipo D

Este subtipo tem alguma afinidade com o B, mas, diferentemente daquele, é heterogêneo, já que seus verbos não apresentam um traço semântico comum. Integram-no verbos como <u>*responsabilizar*</u> (*responsabilizar alguém por alguma coisa*), <u>*envolver*</u> (*envolveu o tio na briga*), <u>*trocar*</u> (*trocou a bicicleta por um relógio*), <u>*preferir*</u> (*preferiu o pirulito ao picolé*), <u>*intrigar*</u> (*intrigou o síndico com o vizinho*).

O verbo intransitivo e seus tipos

O verbo INTRANSITIVO típico é aquele que constitui por si só o predicado de uma oração: <u>*sobrar*</u> (*o dinheiro sobrava*), <u>*nascer*</u> (*seu filho nasceu*), <u>*sumir*</u> (*a mancha sumiu*). Alguns verbos intransitivos, porém, ocorrem seguidos de indicação de uma circunstância frequentemente expressa por um advérbio: *eles moram* **perto da praia** (Cf. '*eles moram* **ali**'), *nós estávamos* **na cidade** (Cf. '*nós estávamos* **lá**'), *cheguei cedo* **ao colégio** (Cf. '*cheguei cedo* **aqui**'). Estes verbos denotam situação (*morar, estar, ficar*) ou movimento (*chegar, entrar, ir, voltar*), e a expressão circunstancial que os acompanha indica geralmente lugar, como nos exemplos citados, e eventualmente companhia (*morar* **com os pais**, *estar* **com os amigos**), tempo (**chegar em setembro**, *estar* **na primavera**) ou modo (*voltar* **bem**, *entrar* **sem bater**).

Verbos de predicação dupla

Muitos verbos se empregam articulados a um mesmo substantivo que, no papel de entidade afetada ou **tema**, tanto lhes pode servir de sujeito como de objeto: *João* **quebrou** *o espelho* (transitivo) e *o espelho* **quebrou** (intransitivo); *o gato* **subiu** *a escada* (transitivo) e *a temperatura voltou a* **subir** (intransitivo); *o açougueiro* **pesa** *a carne* (transitivo) e *a carne não* **pesa** (intransitivo). Na construção intransitiva, somente o ser afetado (objeto) é mencionado e, reposicionado como sujeito, o verbo passa a concordar em número e pessoa com ele (Cf. *o espelho* **quebrou** / *os espelhos* **quebraram**).

Anote-se uma peculiaridade de alguns verbos intransitivos desta subclasse. Como expressam extensão ou dimensão, é comum que venham acompanhados de uma expressão de tamanho ou medida (*a bagagem* **pesa** *vinte quilos, o quarto* **mede** *nove metros quadrados, a temperatura* **subiu** *dois graus*).

Uma pequena gramática

Verbos de ligação e verbos auxiliares

O predicado é a parte da oração que expressa o que o sujeito faz ou o que se passa com ele, mas nem sempre a base dessa informação é dada pelo verbo que se flexiona em número e pessoa (Cf. a) *ele trabalha* e b) *ele é trabalhador*; a) *ele ficou doente* e b) *ele adoeceu*; a) *eu trabalho* e b) *eu tenho trabalhado*; a) *saia* e b) *pode sair*).

Os exemplos da letra (b) contêm verbos cuja função principal é ser o lugar em que se manifestam as noções de pessoa, número, tempo e modo. Trata-se de verbos gramaticais. A informação sobre 'o que o sujeito faz ou se passa com ele' concentra-se, respectivamente, nos termos *trabalhador, doente, trabalhado* e *sair*. As formas 'é' e 'ficou' são exemplos de verbos gramaticais de ligação; as formas 'tenho' e 'pode' são exemplos de verbos gramaticais auxiliares.

Chama-se VERBO DE LIGAÇÃO ou COPULATIVO o verbo gramatical que vem seguido de uma qualidade, uma classe ou um estado atribuídos ao sujeito da frase. Chama-se VERBO AUXILIAR o verbo gramatical que vem seguido de uma das formas nominais do verbo: particípio, infinitivo ou gerúndio.

Vozes do verbo

Ao se vincular a um verbo, um substantivo contrai com ele uma relação sintática (*sujeito, complemento*) e uma relação semântica (*agente, paciente, instrumento*). O que chamamos de voz é a forma sintática que o predicado assume para atribuir um papel semântico ao sujeito. Distinguem-se tradicionalmente três vozes: a *ativa*, a *passiva* e a *reflexiva*. A classificação quanto à voz diz respeito apenas às construções do predicado em que figura um verbo transitivo, pois só este pode se apresentar sob as formas passiva e reflexiva. A voz ativa é a forma 'não marcada', já que sua forma nada tem de específico e seu sujeito não assume qualquer função semântica constante; a voz passiva, porém, se caracteriza formalmente pela presença do verbo auxiliar *ser* seguido de *particípio* e semanticamente por atribuir ao sujeito, regularmente, o papel de **paciente** ou **ser afetado** pelo processo que o verbo exprime; a voz reflexiva, por sua vez, se caracteriza formalmente pela anexação ao verbo de pronome que 'reflete' a pessoa e o número do sujeito, e semanticamente pela confluência possível, no mesmo referente, dos papéis de **agente** e **paciente** ou **tema**.

Verbos pronominais

Chamamos PRONOMINAL ao verbo que se emprega obrigatoriamente combinado com um pronome reflexivo: *arrepender-se, comportar-se* (= ter comportamento), *despedir-se* (= cumprimentar na hora de sair), *furtar-se* (= evitar, fugir a), *orgulhar-se, queixar-se, sair-se* (= atuar, comportar-se). Note-se que existem na língua os verbos *comportar, despedir, furtar* e *sair* desacompanhados de pronome reflexivo, mas trata-se de outros verbos, transitivos diretos (Cf. *A caixa* **comporta** *todos os disquetes, Ela* **despediu** *o jardineiro,* **Furtaram** *minha carteira*) ou intransitivos (Cf. *Nós* **sairemos** *amanhã*).

Por outro lado, há um grupo de verbos intransitivos ou transitivos que, sem variação do papel semântico desempenhado por seu sujeito, empregam-se ora acompanhados de forma reflexiva, ora sem ela. São casos típicos o par *lembrar/ esquecer* em construções como 'Lembrei-me de você' e 'Ela se esqueceu do chapéu', que variam com 'Lembrei de você' e 'Ela esqueceu (d)o chapéu', e o de uns poucos verbos intransitivos, como *ir* (Cf. Eles se foram daqui para sempre).

Outras espécies de verbo pronominal

Nas frases 'Pedro cortou o dedo' e 'Pedro cortou-se' temos respectivamente voz ativa e voz reflexiva. Na tradição descritiva difundida pelos manuais escolares, a voz é ativa se o sujeito da oração é o agente, e reflexiva se o sujeito é, ao mesmo tempo, agente e paciente. Nem sempre, porém, o agente 'pratica' intencionalmente a ação expressa pelo verbo (em 'Pedro cortou-se', nada nos diz que ele teve a intenção de fazê-lo). Em qualquer hipótese, contudo, estaremos diante da diferença formal entre voz ativa e voz reflexiva. O que faz de 'Pedro cortou o dedo' uma oração ativa é sua estrutura e não a intencionalidade de Pedro, assim como é devido à estrutura que 'Pedro cortou-se' é uma frase reflexiva. Tanto por sua forma como, principalmente, pelo sentido, o verbo das duas frases é o mesmo. Constituem casos interessantes, também, frases como 'O ministro se demitiu' e 'Mário se aposentou após quarenta anos de serviço'. Trata-se de autênticas construções reflexivas, apesar de, à luz da lei, os atos de <u>demitir</u> e <u>aposentar</u> não serem praticados pelos sujeitos 'ministro' e 'Mário', mas por autoridades administrativas.

O pronome reflexivo confere o papel de **tema** ou **ser afetado** ao indivíduo ou coisa designados pelo sujeito da frase. O sujeito da frase também pode ser seu **tema** (ex.: *o copo quebrou, o gelo derreteu, a porta abriu*), mas nestes exemplos não há qualquer índice formal que confira o papel de tema ao sujeito. Nas construções pronominais, pelo contrário, isso é feito justamente pelo pronome reflexivo. Portanto, uma construção pronominal sempre nos informa que a pessoa ou a coisa designadas pelo sujeito gramatical é um ser afetado ou paciente (**tema**) do evento expresso pelo verbo (Cf. *Os turistas* **se** *perderam na floresta, Batizei-***me** *nesta igreja, Ana* **se** *assustou com o cachorro, A praia estende-***se** *por vários quilômetros, Ele* **se** *declarou inocente*). Como na posição de sujeito certos substantivos — especialmente os que denotam seres animados — também podem ter o papel de agente, uma construção como 'Pedro cortou-se' pode ser ambígua. Por outro lado, em construções como 'Pedro alegrou-se com a volta do filho', formada por um verbo de sentimento e não de ação, a situação é outra. Nas construções pronominais formadas por verbos desse tipo — de que são exemplos, entre outros, *indignar-se, desesperar-se, aborrecer-se, entusiasmar-se, enfurecer-se, entediar-se* —, ao sujeito só resta o papel de **tema**. A fim de contornar a controvérsia gerada pela flutuação do papel semântico do sujeito dessas construções de um modo geral, elas são aqui incluídas na classe ampla das 'construções pronominais' e os respectivos verbos classificados como 'verbos pronominais'.

PARADIGMAS DE CONJUGAÇÃO

Seguem-se 61 quadros, representando 61 paradigmas de conjugação verbal. Alguns desses paradigmas (49, 50, 51, 52 e 53) têm variantes, totalizando, com as variantes, 84 modelos de conjugação.

Para conjugar um verbo do dicionário, verifica-se, no final do verbete correspondente ao verbo, seu paradigma de conjugação (o número do quadro), as partes fixas de seu radical (em letras claras), e as partes variáveis e a terminação (em negrito, dentro de uma moldura). Ex.:

advertir......[▶ 50 advertir]

Isso significa que para conjugar o verbo *advertir* segue-se o paradigma 50, que tem como modelo o verbo impelir, substituindo a parte fixa (em letras claras) *imp* e *l* pela parte fixa de *advertir* (*adv* e *rt*), a parte variável do radical e pelas variações correspondentes no paradigma (por exemplo, i na 1ª pess. sing. do pres. do ind.: advirto), e a desinência ir pelas desinências de cada flexão do paradigma (advirto, advertes, adverte...advirtamos etc.).

Junto à indicação do paradigma de conjugação no verbete, ou no paradigma, pode haver uma advertência quanto à acentuação (como no verbete *reter*) ou quanto à mudança de uma letra por outra em determinados casos (como no paradigma 53, na variante fugir, em que se adverte que o *j* substitui o *g* antes de *a* e *o*).

1. am**ar**
(am**ares**, am**ar**, am**armos**, am**ardes**, am**arem**)

INDICATIVO		SUBJUNTIVO	IMPERATIVO
Presente	**Pret. imperf.**	**Presente**	**Afirm.**
am**o**	am**ava**	am**e**	–
am**as**	am**avas**	am**es**	am**a**
am**a**	am**ava**	am**e**	am**e**
am**amos**	am**ávamos**	am**emos**	am**emos**
am**ais**	am**áveis**	am**eis**	am**ai**
am**am**	am**avam**	am**em**	am**em**
Pret. perf.	**Pret. m.-q.-perf.**	**Pret. imperf.**	**Neg. (Não...)**
am**ei**	am**ara**	am**asse**	–
am**aste**	am**aras**	am**asses**	am**es**
am**ou**	am**ara**	am**asse**	am**e**
am**amos**	am**áramos**	am**ássemos**	am**emos**
am**astes**	am**áreis**	am**ásseis**	am**eis**
am**aram**	am**aram**	am**assem**	am**em**
Fut. do pres.	**Fut. do pret.**	**Futuro**	
am**arei**	am**aria**	am**ar**	GERÚNDIO
am**arás**	am**arias**	am**ares**	am**ando**
am**ará**	am**aria**	am**ar**	
am**aremos**	am**aríamos**	am**armos**	PARTICÍPIO
am**areis**	am**aríeis**	am**ardes**	am**ado**
am**arão**	am**ariam**	am**arem**	

Paradigmas de conjugação

2. beber
(beberes, beber, bebermos, beberdes, beberem)

INDICATIVO		SUBJUNTIVO	IMPERATIVO
Presente	**Pret. imperf.**	**Presente**	**Afirm.**
bebo	bebia	beba	–
bebes	bebias	bebas	bebe
bebe	bebia	beba	beba
bebemos	bebíamos	bebamos	bebamos
bebeis	bebíeis	bebais	bebei
bebem	bebiam	bebam	bebam
Pret. perf.	**Pret. m.-q.-perf.**	**Pret. imperf.**	**Neg. (Não...)**
bebi	bebera	bebesse	–
bebeste	beberas	bebesses	bebas
bebeu	bebera	bebesse	beba
bebemos	bebêramos	bebêssemos	bebamos
bebestes	bebêreis	bebêsseis	bebais
beberam	beberam	bebessem	bebam
Fut. do pres.	**Fut. do pret.**	**Futuro**	
beberei	beberia	beber	GERÚNDIO
beberás	beberias	beberes	bebendo
beberá	beberia	beber	
beberemos	beberíamos	bebermos	PARTICÍPIO
bebereis	beberíeis	beberdes	bebido
beberão	beberiam	beberem	

3. partir
(partires, partir, partirmos, partirdes, partirem)

INDICATIVO		SUBJUNTIVO	IMPERATIVO
Presente	**Pret. imperf.**	**Presente**	**Afirm.**
parto	partia	parta	–
partes	partias	partas	parte
parte	partia	parta	parta
partimos	partíamos	partamos	partamos
partis	partíeis	partais	parti
partem	partiam	partam	partam
Pret. perf.	**Pret. m.-q.-perf.**	**Pret. imperf.**	**Neg. (Não...)**
parti	partira	partisse	–
partiste	partiras	partisses	partas
partiu	partira	partisse	parta
partimos	partíramos	partíssemos	partamos
partistes	partíreis	partísseis	partais
partiram	partiram	partissem	partam
Fut. do pres.	**Fut. do pret.**	**Futuro**	
partirei	partiria	partir	GERÚNDIO
partirás	partirias	partires	partindo
partirá	partiria	partir	
partiremos	partiríamos	partirmos	PARTICÍPIO
partireis	partiríeis	partirdes	partido
partirão	partiriam	partirem	

Paradigmas de conjugação

4. estar
(est**ares**, est**ar**, est**armos**, est**ardes**, est**arem**)

INDICATIVO		SUBJUNTIVO	IMPERATIVO
Presente	**Pret. imperf.**	**Presente**	**Afirm.**
estou	estava	esteja	–
estás	estavas	estejas	está
está	estava	esteja	esteja
estamos	estávamos	estejamos	estejamos
estais	estáveis	estejais	estai
estão	estavam	estejam	estejam
Pret. perf.	**Pret. m.-q.-perf.**	**Pret. imperf.**	**Neg. (Não...)**
estive	estivera	estivesse	–
estiveste	estiveras	estivesses	estejas
esteve	estivera	estivesse	esteja
estivemos	estivéramos	estivéssemos	estejamos
estivestes	estivéreis	estivésseis	estejais
estiveram	estiveram	estivessem	estejam
Fut. do pres.	**Fut. do pret.**	**Futuro**	
estarei	estaria	estiver	GERÚNDIO
estarás	estarias	estiveres	estando
estará	estaria	estiver	
estaremos	estaríamos	estivermos	PARTICÍPIO
estareis	estaríeis	estiverdes	estado
estarão	estariam	estiverem	

5. haver
(h**averes**, h**aver**, h**avermos**, h**averdes**, h**averem**)

INDICATIVO		SUBJUNTIVO	IMPERATIVO
Presente	**Pret. imperf.**	**Presente**	**Afirm.**
hei	havia	haja	–
hás	havias	hajas	há
há	havia	haja	haja
havemos/hemos	havíamos	hajamos	hajamos
haveis/heis	havíeis	hajais	havei
hão	haviam	hajam	hajam
Pret. perf.	**Pret. m.-q.-perf.**	**Pret. imperf.**	**Neg. (Não...)**
houve	houvera	houvesse	–
houveste	houveras	houvesses	hajas
houve	houvera	houvesse	haja
houvemos	houvéramos	houvéssemos	hajamos
houvestes	houvéreis	houvésseis	hajais
houveram	houveram	houvessem	hajam
Fut. do pres.	**Fut. do pret.**	**Futuro**	
haverei	haveria	houver	GERÚNDIO
haverás	haverias	houveres	havendo
haverá	haveria	houver	
haveremos	haveríamos	houvermos	PARTICÍPIO
havereis	haveríeis	houverdes	havido
haverão	haveriam	houverem	

Paradigmas de conjugação

6. ser
(seres, ser, sermos, serdes, serem)

INDICATIVO		SUBJUNTIVO	IMPERATIVO
Presente	**Pret. imperf.**	**Presente**	**Afirm.**
sou	era	seja	–
és	eras	sejas	sê
é	era	seja	seja
somos	éramos	sejamos	sejamos
sois	éreis	sejais	sede
são	eram	sejam	sejam
Pret. perf.	**Pret. m.-q.-perf.**	**Pret. imperf.**	**Neg. (Não...)**
fui	fora	fosse	–
foste	foras	fosses	sejas
foi	fora	fosse	seja
fomos	fôramos	fôssemos	sejamos
fostes	fôreis	fôsseis	sejais
foram	foram	fossem	sejam
Fut. do pres.	**Fut. do pret.**	**Futuro**	
serei	seria	for	GERÚNDIO
serás	serias	fores	sendo
será	seria	for	
seremos	seríamos	formos	PARTICÍPIO
sereis	seríeis	fordes	sido
serão	seriam	forem	

7. ter
(teres, ter, termos, terdes, terem)

INDICATIVO		SUBJUNTIVO	IMPERATIVO
Presente	**Pret. imperf.**	**Presente**	**Afirm.**
tenho	tinha	tenha	–
tens	tinhas	tenhas	tem
tem	tinha	tenha	tenha
temos	tínhamos	tenhamos	tenhamos
tendes	tínheis	tenhais	tende
têm	tinham	tenham	tenham
Pret. perf.	**Pret. m.-q.-perf.**	**Pret. imperf.**	**Neg. (Não...)**
tive	tivera	tivesse	–
tiveste	tiveras	tivesses	tenhas
teve	tivera	tivesse	tenha
tivemos	tivéramos	tivéssemos	tenhamos
tivestes	tivéreis	tivésseis	tenhais
tiveram	tiveram	tivessem	tenham
Fut. do pres.	**Fut. do pret.**	**Futuro**	
terei	teria	tiver	GERÚNDIO
terás	terias	tiveres	tendo
terá	teria	tiver	
teremos	teríamos	tivermos	PARTICÍPIO
tereis	teríeis	tiverdes	tido
terão	teriam	tiverem	

Verbos formados com 'ter' (*abster-se, ater-se, conter, deter, entreter, manter, obter, reter, suster*) têm acento agudo no *e* do radical nas 2ª e 3ª pess. sing. do pres. do ind. e na 2ª pess. sing. do imper. afirm.

Paradigmas de conjugação

8. dar
(dares, dar, darmos, dardes, darem)

INDICATIVO		SUBJUNTIVO	IMPERATIVO
Presente	**Pret. imperf.**	**Presente**	**Afirm.**
dou	dava	dê	–
dás	davas	dês	dá
dá	dava	dê	dê
damos	dávamos	demos	demos
dais	dáveis	deis	dai
dão	davam	deem	deem
Pret. perf.	**Pret. m.-q.-perf.**	**Pret. imperf.**	**Neg. (Não...)**
dei	dera	desse	–
deste	deras	desses	dês
deu	dera	desse	dê
demos	déramos	déssemos	demos
destes	déreis	désseis	deis
deram	deram	dessem	deem
Fut. do pres.	**Fut. do pret.**	**Futuro**	
darei	daria	der	GERÚNDIO
darás	darias	deres	dando
dará	daria	der	
daremos	daríamos	dermos	PARTICÍPIO
dareis	daríeis	derdes	dado
darão	dariam	derem	

9. apaziguar
(apazigu**ares**, apazigu**ar**, apazigu**armos**, apazigu**ardes**, apazigu**arem**)

Nas formas rizotônicas pode ter o acento no *u* (sem acento gráfico) ou na penúltima vogal do radical (no caso, *i*) com acento gráfico.

INDICATIVO		SUBJUNTIVO	IMPERATIVO
Presente	**Pret. imperf.**	**Presente**	**Afirm.**
apaziguo	apaziguava	apazigue	–
apaziguas	apaziguavas	apazigues	apazigua
apazigua	apaziguava	apazigue	apazigue
apaziguamos	apaziguávamos	apaziguemos	apaziguemos
apaziguais	apaziguáveis	apazigueis	apaziguai
apaziguam	apaziguavam	apaziguem	apaziguem
Pret. perf.	**Pret. m.-q.-perf.**	**Pret. imperf.**	**Neg. (Não...)**
apaziguei	apaziguara	apaziguasse	–
apaziguaste	apaziguaras	apaziguasses	apazigues
apaziguou	apaziguara	apaziguasse	apazigue
apaziguamos	apaziguáramos	apaziguássemos	apaziguemos
apaziguastes	apaziguáreis	apaziguásseis	apazigueis
apaziguaram	apaziguaram	apaziguassem	apaziguem
Fut. do pres.	**Fut. do pret.**	**Futuro**	
apaziguarei	apaziguaria	apaziguar	GERÚNDIO
apaziguarás	apaziguarias	apaziguares	apaziguando
apaziguará	apaziguaria	apaziguar	
apaziguaremos	apaziguaríamos	apaziguarmos	PARTICÍPIO
apaziguareis	apaziguaríeis	apaziguardes	apaziguado
apaziguarão	apaziguariam	apaziguarem	

Paradigmas de conjugação

10. adequar
(adeq**uares**, adeq**uar**, adeq**uarmos**, adeq**uardes**, adeq**uarem**)

Semelhante ao paradigma 9, difere quanto à defectividade, nos tempos e pessoas assinalados.

INDICATIVO / SUBJUNTIVO / IMPERATIVO

Presente	Pret. imperf.	Presente	Afirm.
–	adequava	–	–
–	adequavas	–	–
–	adequava	–	–
adequamos	adequávamos	–	–
adequais	adequáveis	–	adequai
–	adequavam	–	–

Pret. perf.	Pret. m.-q.-perf.	Pret. imperf.	Neg. (Não...)
adequei	adequara	adequasse	–
adequaste	adequaras	adequasses	–
adequou	adequara	adequasse	–
adequamos	adequáramos	adequássemos	–
adequastes	adequáreis	adequásseis	–
adequaram	adequaram	adequassem	–

Fut. do pres.	Fut. do pret.	Futuro	
adequarei	adequaria	adequar	GERÚNDIO
adequarás	adequarias	adequares	adequando
adequará	adequaria	adequar	
adequaremos	adequaríamos	adequarmos	PARTICÍPIO
adequareis	adequaríeis	adequardes	adequado
adequarão	adequariam	adequarem	

11. arcar
(ar**cares**, ar**car**, ar**carmos**, ar**cardes**, ar**carem**)

INDICATIVO / SUBJUNTIVO / IMPERATIVO

Presente	Pret. imperf.	Presente	Afirm.
arco	arcava	arque	–
arcas	arcavas	arques	arca
arca	arcava	arque	arque
arcamos	arcávamos	arquemos	arquemos
arcais	arcáveis	arqueis	arcai
arcam	arcavam	arquem	arquem

Pret. perf.	Pret. m.-q.-perf.	Pret. imperf.	Neg. (Não...)
arquei	arcara	arcasse	–
arcaste	arcaras	arcasses	arques
arcou	arcara	arcasse	arque
arcamos	arcáramos	arcássemos	arquemos
arcastes	arcáreis	arcásseis	arqueis
arcaram	arcaram	arcassem	arquem

Fut. do pres.	Fut. do pret.	Futuro	
arcarei	arcaria	arcar	GERÚNDIO
arcarás	arcarias	arcares	arcando
arcará	arcaria	arcar	
arcaremos	arcaríamos	arcarmos	PARTICÍPIO
arcareis	arcaríeis	arcardes	arcado
arcarão	arcariam	arcarem	

Paradigmas de conjugação

12. içar
(içares, içar, içarmos, içardes, içarem)

INDICATIVO		SUBJUNTIVO	IMPERATIVO
Presente	**Pret. imperf.**	**Presente**	**Afirm.**
iço	içava	ice	–
iças	içavas	ices	iça
iça	içava	ice	ice
içamos	içávamos	icemos	icemos
içais	icáveis	iceis	içai
içam	içavam	icem	icem
Pret. perf.	**Pret. m.-q.-perf.**	**Pret. imperf.**	**Neg. (Não...)**
icei	içara	içasse	–
içaste	içaras	içasses	ices
içou	içara	içasse	ice
içamos	içáramos	içássemos	icemos
içastes	içáreis	içásseis	iceis
içaram	içaram	içassem	icem
Fut. do pres.	**Fut. do pret.**	**Futuro**	
içarei	içaria	içar	GERÚNDIO
içarás	içarias	içares	içando
içará	içaria	içar	
içaremos	içaríamos	içarmos	PARTICÍPIO
içareis	içaríeis	içardes	içado
içarão	içariam	içarem	

13. rodear
(rodeares, rodear, rodearmos, rodeardes, rodearem)

INDICATIVO		SUBJUNTIVO	IMPERATIVO
Presente	**Pret. imperf.**	**Presente**	**Afirm.**
rodeio	rodeava	rodeie	–
rodeias	rodeavas	rodeies	rodeia
rodeia	rodeava	rodeie	rodeie
rodeamos	rodeávamos	rodeemos	rodeemos
rodeais	rodeáveis	rodeeis	rodeai
rodeiam	rodeavam	rodeiem	rodeiem
Pret. perf.	**Pret. m.-q.-perf.**	**Pret. imperf.**	**Neg. (Não...)**
rodeei	rodeara	rodeasse	–
rodeaste	rodearas	rodeasses	rodeies
rodeou	rodeara	rodeasse	rodeie
rodeamos	rodeáramos	rodeássemos	rodeemos
rodeastes	rodeáreis	rodeásseis	rodeeis
rodearam	rodearam	rodeassem	rodeiem
Fut. do pres.	**Fut. do pret.**	**Futuro**	
rodearei	rodearia	rodear	GERÚNDIO
rodearás	rodearias	rodeares	rodeando
rodeará	rodearia	rodear	
rodearemos	rodearíamos	rodearmos	PARTICÍPIO
rodeareis	rodearíeis	rodeardes	rodeado
rodearão	rodeariam	rodearem	

Paradigmas de conjugação

14. rogar
(ro**gares**, ro**gar**, ro**garmos**, ro**gardes**, ro**garem**)

INDICATIVO		SUBJUNTIVO	IMPERATIVO
Presente	**Pret. imperf.**	**Presente**	**Afirm.**
rogo	rogava	rogue	–
rogas	rogavas	rogues	roga
roga	rogava	rogue	rogue
rogamos	rogávamos	roguemos	roguemos
rogais	rogáveis	rogueis	rogai
rogam	rogavam	roguem	roguem
Pret. perf.	**Pret. m.-q.-perf.**	**Pret. imperf.**	**Neg. (Não...)**
roguei	rogara	rogasse	–
rogaste	rogaras	rogasses	rogues
rogou	rogara	rogasse	rogue
rogamos	rogáramos	rogássemos	roguemos
rogastes	rogáreis	rogásseis	rogueis
rogaram	rogaram	rogassem	roguem
Fut. do pres.	**Fut. do pret.**	**Futuro**	
rogarei	rogaria	rogar	GERÚNDIO
rogarás	rogarias	rogares	rogando
rogará	rogaria	rogar	
rogaremos	rogaríamos	rogarmos	PARTICÍPIO
rogareis	rogaríeis	rogardes	rogado
rogarão	rogariam	rogarem	

15. odiar
(od**iares**, od**iar**, od**iarmos**, od**iardes**, od**iarem**)

INDICATIVO		SUBJUNTIVO	IMPERATIVO
Presente	**Pret. imperf.**	**Presente**	**Afirm.**
odeio	odiava	odeie	–
odeias	odiavas	odeies	odeia
odeia	odiava	odeie	odeie
odiamos	odiávamos	odiemos	odiemos
odiais	odiáveis	odieis	odiai
odeiam	odiavam	odeiem	odeiem
Pret. perf.	**Pret. m.-q.-perf.**	**Pret. imperf.**	**Neg. (Não...)**
odiei	odiara	odiasse	–
odiaste	odiaras	odiasses	odeies
odiou	odiara	odiasse	odeie
odiamos	odiáramos	odiássemos	odiemos
odiastes	odiáreis	odiásseis	odieis
odiaram	odiaram	odiassem	odeiem
Fut. do pres.	**Fut. do pret.**	**Futuro**	
odiarei	odiaria	odiar	GERÚNDIO
odiarás	odiarias	odiares	odiando
odiará	odiaria	odiar	
odiaremos	odiaríamos	odiarmos	PARTICÍPIO
odiareis	odiaríeis	odiardes	odiado
odiarão	odiariam	odiarem	

Paradigmas de conjugação

16. caçoar
(caç**oares**, caç**oar**, caç**oarmos**, caç**oardes**, caç**oarem**)

INDICATIVO		SUBJUNTIVO	IMPERATIVO
Presente	**Pret. imperf.**	**Presente**	**Afirm.**
caç<u>oo</u>	caç<u>oa</u>va	caç<u>oe</u>	–
caç<u>oa</u>s	caç<u>oa</u>vas	caç<u>oe</u>s	caç<u>oa</u>
caç<u>oa</u>	caç<u>oa</u>va	caç<u>oe</u>	caç<u>oe</u>
caç<u>oa</u>mos	caç<u>oá</u>vamos	caç<u>oe</u>mos	caç<u>oe</u>mos
caç<u>oa</u>is	caç<u>oá</u>veis	caç<u>oe</u>is	caç<u>oa</u>i
caç<u>oa</u>m	caç<u>oa</u>vam	caç<u>oe</u>m	caç<u>oe</u>m
Pret. perf.	**Pret. m.-q.-perf.**	**Pret. imperf.**	**Neg. (Não...)**
caç<u>oe</u>i	caç<u>oa</u>ra	caç<u>oa</u>sse	–
caç<u>oa</u>ste	caç<u>oa</u>ras	caç<u>oa</u>sses	caç<u>oe</u>s
caç<u>oo</u>u	caç<u>oa</u>ra	caç<u>oa</u>sse	caç<u>oe</u>
caç<u>oa</u>mos	caç<u>oá</u>ramos	caç<u>oá</u>ssemos	caç<u>oe</u>mos
caç<u>oa</u>stes	caç<u>oá</u>reis	caç<u>oá</u>sseis	caç<u>oe</u>is
caç<u>oa</u>ram	caç<u>oa</u>ram	caç<u>oa</u>ssem	caç<u>oe</u>m
Fut. do pres.	**Fut. do pret.**	**Futuro**	
caç<u>oa</u>rei	caç<u>oa</u>ria	caç<u>oa</u>r	**GERÚNDIO**
caç<u>oa</u>rás	caç<u>oa</u>rias	caç<u>oa</u>res	caç<u>oa</u>ndo
caç<u>oa</u>rá	caç<u>oa</u>ria	caç<u>oa</u>r	
caç<u>oa</u>remos	caç<u>oa</u>ríamos	caç<u>oa</u>rmos	**PARTICÍPIO**
caç<u>oa</u>reis	caç<u>oa</u>ríeis	caç<u>oa</u>rdes	caç<u>oa</u>do
caç<u>oa</u>rão	caç<u>oa</u>riam	caç<u>oa</u>rem	

17. aguar
(**ag**uares, **ag**uar, **ag**uarmos, **ag**uardes, **ag**uarem)

INDICATIVO		SUBJUNTIVO	IMPERATIVO
Presente	**Pret. imperf.**	**Presente**	**Afirm.**
águo	aguava	águe	–
águas	aguavas	águes	água
água	aguava	águe	águe
aguamos	aguávamos	aguemos	aguemos
aguais	aguáveis	agueis	aguai
águam	aguavam	águem	águem
Pret. perf.	**Pret. m.-q.-perf.**	**Pret. imperf.**	**Neg. (Não...)**
aguei	aguara	aguasse	–
aguaste	aguaras	aguasses	águes
aguou	aguara	aguasse	águe
aguamos	aguáramos	aguássemos	aguemos
aguastes	aguáreis	aguásseis	agueis
aguaram	aguaram	aguassem	águem
Fut. do pres.	**Fut. do pret.**	**Futuro**	
aguarei	aguaria	aguar	**GERÚNDIO**
aguarás	aguarias	aguares	aguando
aguará	aguaria	aguar	
aguaremos	aguaríamos	aguarmos	**PARTICÍPIO**
aguareis	aguaríeis	aguardes	aguado
aguarão	aguariam	aguarem	

Paradigmas de conjugação

18. saudar
(sa**u**dares, sa**u**dar, sa**u**darmos, sa**u**dardes, sa**u**darem)

Conjuga-se como o paradigma 1, mas constitui paradigma pela acentuação da vogal do radical (*u* ou *i*), nos tempos e pessoas assinalados.

INDICATIVO		SUBJUNTIVO	IMPERATIVO
Presente	**Pret. imperf.**	**Presente**	**Afirm.**
saúdo	saudava	saúde	–
saúdas	saudavas	saúdes	saúda
saúda	saudava	saúde	saúde
saudamos	saudávamos	saudemos	saudemos
saudais	saudáveis	saudeis	saudai
saúdam	saudavam	saúdem	saúdem
Pret. perf.	**Pret. m.-q.-perf.**	**Pret. imperf.**	**Neg. (Não...)**
saudei	saudara	saudasse	–
saudaste	saudaras	saudasses	saúdes
saudou	saudara	saudasse	saúde
saudamos	saudáramos	saudássemos	saudemos
saudastes	saudáreis	saudásseis	saudeis
saudaram	saudaram	saudassem	saúdem
Fut. do pres.	**Fut. do pret.**	**Futuro**	
saudarei	saudaria	saudar	**GERÚNDIO**
saudarás	saudarias	saudares	saudando
saudará	saudaria	saudar	
saudaremos	saudaríamos	saudarmos	**PARTICÍPIO**
saudareis	saudaríeis	saudardes	saudado
saudarão	saudariam	saudarem	

19. caber
(cab**e**res, cab**e**r, cab**e**rmos, cab**e**rdes, cab**e**rem)

INDICATIVO		SUBJUNTIVO	IMPERATIVO
Presente	**Pret. imperf.**	**Presente**	**Afirm.**
caibo	cabia	caiba	–
cabes	cabias	caibas	–
cabe	cabia	caiba	–
cabemos	cabíamos	caibamos	–
cabeis	cabíeis	caibais	–
cabem	cabiam	caibam	–
Pret. perf.	**Pret. m.-q.-perf.**	**Pret. imperf.**	**Neg. (Não...)**
coube	coubera	coubesse	–
coubeste	couberas	coubesses	–
coube	coubera	coubesse	–
coubemos	coubéramos	coubéssemos	–
coubestes	coubéreis	coubésseis	–
couberam	couberam	coubessem	–
Fut. do pres.	**Fut. do pret.**	**Futuro**	
caberei	caberia	couber	**GERÚNDIO**
caberás	caberias	couberes	cabendo
caberá	caberia	couber	
caberemos	caberíamos	coubermos	**PARTICÍPIO**
cabereis	caberíeis	couberdes	cabido
caberão	caberiam	couberem	

Paradigmas de conjugação

20. dizer
(dizeres, dizer, dizermos, dizerdes, dizerem)

INDICATIVO		SUBJUNTIVO	IMPERATIVO
Presente	**Pret. imperf.**	**Presente**	**Afirm.**
digo	dizia	diga	–
dizes	dizias	digas	diz(e)
diz	dizia	diga	diga
dizemos	dizíamos	digamos	digamos
dizeis	dizíeis	digais	dizei
dizem	diziam	digam	digam
Pret. perf.	**Pret. m.-q.-perf.**	**Pret. imperf.**	**Neg. (Não...)**
disse	dissera	dissesse	–
disseste	disseras	dissesses	digas
disse	dissera	dissesse	diga
dissemos	disséramos	disséssemos	digamos
dissestes	disséreis	dissésseis	digais
disseram	disseram	dissessem	digam
Fut. do pres.	**Fut. do pret.**	**Futuro**	
direi	diria	disser	**GERÚNDIO**
dirás	dirias	disseres	dizendo
dirá	diria	disser	
diremos	diríamos	dissermos	**PARTICÍPIO**
direis	diríeis	disserdes	dito
dirão	diriam	disserem	

21. erguer
(ergueres, erguer, erguermos, erguerdes, erguerem)

INDICATIVO		SUBJUNTIVO	IMPERATIVO
Presente	**Pret. imperf.**	**Presente**	**Afirm.**
ergo	erguia	erga	–
ergues	erguias	ergas	ergue
ergue	erguia	erga	erga
erguemos	erguíamos	ergamos	ergamos
ergueis	erguíeis	ergais	erguei
erguem	erguiam	ergam	ergam
Pret. perf.	**Pret. m.-q.-perf.**	**Pret. imperf.**	**Neg. (Não...)**
ergui	erguera	erguesse	–
ergueste	ergueras	erguesses	ergas
ergueu	erguera	erguesse	erga
erguemos	erguêramos	erguêssemos	ergamos
erguestes	erguêreis	erguêsseis	ergais
ergueram	ergueram	erguessem	ergam
Fut. do pres.	**Fut. do pret.**	**Futuro**	
erguerei	ergueria	erguer	**GERÚNDIO**
erguerás	erguerias	ergueres	erguendo
erguerá	ergueria	erguer	
ergueremos	erguríamos	erguermos	**PARTICÍPIO**
erguereis	erguríeis	erguerdes	erguido
erguerão	ergueriam	erguerem	

Paradigmas de conjugação

22. fazer
(fazeres, fazer, fazermos, fazerdes, fazerem)

INDICATIVO		SUBJUNTIVO	IMPERATIVO
Presente	**Pret. imperf.**	**Presente**	**Afirm.**
faço	fazia	faça	–
fazes	fazias	faças	faz(e)
faz	fazia	faça	faça
fazemos	fazíamos	façamos	façamos
fazeis	fazíeis	façais	fazei
fazem	faziam	façam	façam
Pret. perf.	**Pret. m.-q.-perf.**	**Pret. imperf.**	**Neg. (Não...)**
fiz	fizera	fizesse	–
fizeste	fizeras	fizesses	faças
fez	fizera	fizesse	faça
fizemos	fizéramos	fizéssemos	façamos
fizestes	fizéreis	fizésseis	façais
fizeram	fizeram	fizessem	façam
Fut. do pres.	**Fut. do pret.**	**Futuro**	
farei	faria	fizer	**GERÚNDIO**
farás	farias	fizeres	fazendo
fará	faria	fizer	
faremos	faríamos	fizermos	**PARTICÍPIO**
fareis	faríeis	fizerdes	feito
farão	fariam	fizerem	

23. jazer
(jazeres, jazer, jazermos, jazerdes, jazerem)

INDICATIVO		SUBJUNTIVO	IMPERATIVO
Presente	**Pret. imperf.**	**Presente**	**Afirm.**
jazo	jazia	jaza	–
jazes	jazias	jazas	jaz(e)
jaz	jazia	jaza	jaza
jazemos	jazíamos	jazamos	jazamos
jazeis	jazíeis	jazais	jazei
jazem	jaziam	jazam	jazam
Pret. perf.	**Pret. m.-q.-perf.**	**Pret. imperf.**	**Neg. (Não...)**
jazi	jazera	jazesse	–
jazeste	jazeras	jazesses	jazas
jazeu	jazera	jazesse	jaza
jazemos	jazêramos	jazêssemos	jazamos
jazestes	jazêreis	jazêsseis	jazais
jazeram	jazeram	jazessem	jazam
Fut. do pres.	**Fut. do pret.**	**Futuro**	
jazerei	jazeria	jazer	**GERÚNDIO**
jazerás	jazerias	jazeres	jazendo
jazerá	jazeria	jazer	
jazeremos	jazeríamos	jazermos	**PARTICÍPIO**
jazereis	jazeríeis	jazerdes	jazido
jazerão	jazeriam	jazerem	

Paradigmas de conjugação

24. perder
(**perderes, perder, perdermos, perderdes, perderem**)

Semelhante ao paradigma 2, com irregularidade na 1ª pess. sing. do pres. do ind., pres. do subj. e imper.

INDICATIVO		SUBJUNTIVO	IMPERATIVO
Presente	**Pret. imperf.**	**Presente**	**Afirm.**
perco	perdia	perca	–
perdes	perdias	percas	perde
perde	perdia	perca	perca
perdemos	perdíamos	percamos	percamos
perdeis	perdíeis	percais	perdei
perdem	perdiam	percam	percam
Pret. perf.	**Pret. m.-q.-perf.**	**Pret. imperf.**	**Neg. (Não...)**
perdi	perdera	perdesse	–
perdeste	perderas	perdesses	percas
perdeu	perdera	perdesse	perca
perdemos	perdêramos	perdêssemos	percamos
perdestes	perdêreis	perdêsseis	percais
perderam	perderam	perdessem	percam
Fut. do pres.	**Fut. do pret.**	**Futuro**	
perderei	perderia	perder	GERÚNDIO
perderás	perderias	perderes	perdendo
perderá	perderia	perder	
perderemos	perderíamos	perdermos	PARTICÍPIO
perdereis	perderíeis	perderdes	perdido
perderão	perderiam	perderem	

25. poder
(**poderes, poder, podermos, poderdes, poderem**)

INDICATIVO		SUBJUNTIVO	IMPERATIVO
Presente	**Pret. imperf.**	**Presente**	**Afirm.**
posso	podia	possa	–
podes	podias	possas	–
pode	podia	possa	–
podemos	podíamos	possamos	–
podeis	podíeis	possais	–
podem	podiam	possam	–
Pret. perf.	**Pret. m.-q.-perf.**	**Pret. imperf.**	**Neg. (Não...)**
pude	pudera	pudesse	–
pudeste	puderas	pudesses	–
pôde	pudera	pudesse	–
pudemos	pudéramos	pudéssemos	–
pudestes	pudéreis	pudésseis	–
puderam	puderam	pudessem	–
Fut. do pres.	**Fut. do pret.**	**Futuro**	
poderei	poderia	puder	GERÚNDIO
poderás	poderias	puderes	podendo
poderá	poderia	puder	
poderemos	poderíamos	pudermos	PARTICÍPIO
podereis	poderíeis	puderdes	podido
poderão	poderiam	puderem	

Paradigmas de conjugação

26. prover
(proveres, prover, provermos, proverdes, proverem)

INDICATIVO		SUBJUNTIVO	IMPERATIVO
Presente	**Pret. imperf.**	**Presente**	**Afirm.**
provejo	provia	proveja	–
provês	provias	provejas	provê
provê	provia	proveja	proveja
provemos	províamos	provejamos	provejamos
provedes	províeis	provejais	provede
proveem	proviam	provejam	provejam
Pret. perf.	**Pret. m.-q.-perf.**	**Pret. imperf.**	**Neg. (Não...)**
provi	provera	provesse	–
proveste	proveras	provesses	provejas
proveu	provera	provesse	proveja
provemos	provêramos	provêssemos	provejamos
provestes	provêreis	provêsseis	provejais
proveram	proveram	provessem	provejam
Fut. do pres.	**Fut. do pret.**	**Futuro**	
proverei	proveria	prover	GERÚNDIO
proverás	proverias	proveres	provendo
proverá	proveria	prover	
proveremos	proveríamos	provermos	PARTICÍPIO
provereis	proveríeis	proverdes	provido
proverão	proveriam	proverem	

27. querer
(quereres, querer, querermos, quererdes, quererem)

Não se conjuga no imper., a não ser, muito raramente, em frases enfáticas.

INDICATIVO		SUBJUNTIVO	IMPERATIVO
Presente	**Pret. imperf.**	**Presente**	**Afirm.**
quero	queria	queira	–
queres	querias	queiras	quer(e)
quer	queria	queira	queira
queremos	queríamos	queiramos	queiramos
quereis	queríeis	queirais	querei
querem	queriam	queiram	queiram
Pret. perf.	**Pret. m.-q.-perf.**	**Pret. imperf.**	**Neg. (Não...)**
quis	quisera	quisesse	–
quiseste	quiseras	quisesses	queiras
quis	quisera	quisesse	queira
quisemos	quiséramos	quiséssemos	queiramos
quisestes	quiséreis	quisésseis	queirais
quiseram	quiseram	quisessem	queiram
Fut. do pres.	**Fut. do pret.**	**Futuro**	
quererei	quereria	quiser	GERÚNDIO
quererás	quererias	quiseres	querendo
quererá	quereria	quiser	
quereremos	quereríamos	quisermos	PARTICÍPIO
querereis	quereríeis	quiserdes	querido
quererão	quereriam	quiserem	

Paradigmas de conjugação

xlviii

28. requerer
(**requereres, requerer, requerermos, requererdes, requererem**)

Note-se que a conjugação não é idêntica à de *querer*.

INDICATIVO		SUBJUNTIVO	IMPERATIVO
Presente	**Pret. imperf.**	**Presente**	**Afirm.**
requeiro	requeria	requeira	–
requeres	requerias	requeiras	requer(e)
requer	requeria	requeira	requeira
requeremos	requeríamos	requeiramos	requeiramos
requereis	requeríeis	requeirais	requerei
requerem	requeriam	requeiram	requeiram
Pret. perf.	**Pret. m.-q.-perf.**	**Pret. imperf.**	**Neg. (Não...)**
requeri	requerera	requeresse	–
requereste	requereras	requeresses	requeiras
requereu	requerera	requeresse	requeira
requeremos	requerêramos	requerêssemos	requeiramos
requerestes	requerêreis	requerêsseis	requeirais
requereram	requereram	requeressem	requeiram
Fut. do pres.	**Fut. do pret.**	**Futuro**	
requererei	requereria	requerer	GERÚNDIO
requererás	requererias	requereres	requerendo
requererá	requereria	requerer	
requereremos	requereríamos	requerermos	PARTICÍPIO
requerereis	requereríeis	requererdes	requerido
requererão	requereriam	requererem	

29. saber
(**saberes, saber, sabermos, saberdes, saberem**)

Semelhante ao paradigma **19** (**caber**), difere apenas na 1ª pess. sing. do pres. do ind. e nos imper.

INDICATIVO		SUBJUNTIVO	IMPERATIVO
Presente	**Pret. imperf.**	**Presente**	**Afirm.**
sei	sabia	saiba	–
sabes	sabias	saibas	sabe
sabe	sabia	saiba	saiba
sabemos	sabíamos	saibamos	saibamos
sabeis	sabíeis	saibais	sabei
sabem	sabiam	saibam	saibam
Pret. perf.	**Pret. m.-q.-perf.**	**Pret. imperf.**	**Neg. (Não...)**
soube	soubera	soubesse	–
soubeste	souberas	soubesses	saibas
soube	soubera	soubesse	saiba
soubemos	soubéramos	soubéssemos	saibamos
soubestes	soubéreis	soubésseis	saibais
souberam	souberam	soubessem	saibam
Fut. do pres.	**Fut. do pret.**	**Futuro**	
saberei	saberia	souber	GERÚNDIO
saberás	saberias	souberes	sabendo
saberá	saberia	souber	
saberemos	saberíamos	soubermos	PARTICÍPIO
sabereis	saberíeis	souberdes	sabido
saberão	saberiam	souberem	

Paradigmas de conjugação

30. trazer
(trazeres, trazer, trazermos, trazerdes, trazerem)

INDICATIVO		SUBJUNTIVO	IMPERATIVO
Presente	**Pret. imperf.**	**Presente**	**Afirm.**
trago	trazia	traga	–
trazes	trazias	tragas	traz(e)
traz	trazia	traga	traga
trazemos	trazíamos	tragamos	tragamos
trazeis	trazíeis	tragais	trazei
trazem	traziam	tragam	tragam
Pret. perf.	**Pret. m.-q.-perf.**	**Pret. imperf.**	**Neg. (Não...)**
trouxe	trouxera	trouxesse	–
trouxeste	trouxeras	trouxesses	tragas
trouxe	trouxera	trouxesse	traga
trouxemos	trouxéramos	trouxéssemos	tragamos
trouxestes	trouxéreis	trouxésseis	tragais
trouxeram	trouxeram	trouxessem	tragam
Fut. do pres.	**Fut. do pret.**	**Futuro**	
trarei	traria	trouxer	GERÚNDIO
trarás	trarias	trouxeres	trazendo
trará	traria	trouxer	
traremos	traríamos	trouxermos	PARTICÍPIO
trareis	traríeis	trouxerdes	trazido
trarão	trariam	trouxerem	

31. valer
(valeres, valer, valermos, valerdes, valerem)

INDICATIVO		SUBJUNTIVO	IMPERATIVO
Presente	**Pret. imperf.**	**Presente**	**Afirm.**
valho	valia	valha	–
vales	valias	valhas	vale
vale	valia	valha	valha
valemos	valíamos	valhamos	valhamos
valeis	valíeis	valhais	valei
valem	valiam	valham	valham
Pret. perf.	**Pret. m.-q.-perf.**	**Pret. imperf.**	**Neg. (Não...)**
vali	valera	valesse	–
valeste	valeras	valesses	valhas
valeu	valera	valesse	valha
valemos	valêramos	valêssemos	valhamos
valestes	valêreis	valêsseis	valhais
valeram	valeram	valessem	valham
Fut. do pres.	**Fut. do pret.**	**Futuro**	
valerei	valeria	valer	GERÚNDIO
valerás	valerias	valeres	valendo
valerá	valeria	valer	
valeremos	valeríamos	valermos	PARTICÍPIO
valereis	valeríeis	valerdes	valido
valerão	valeriam	valerem	

Paradigmas de conjugação

32. ver
(veres, ver, vermos, verdes, verem)

INDICATIVO		SUBJUNTIVO	IMPERATIVO
Presente	**Pret. imperf.**	**Presente**	**Afirm.**
vejo	via	veja	–
vês	vias	vejas	vê
vê	via	veja	veja
vemos	víamos	vejamos	vejamos
vedes	víeis	vejais	vede
veem	viam	vejam	vejam
Pret. perf.	**Pret. m.-q.-perf.**	**Pret. imperf.**	**Neg. (Não...)**
vi	vira	visse	–
viste	viras	visses	vejas
viu	vira	visse	veja
vimos	víramos	víssemos	vejamos
vistes	víreis	vísseis	vejais
viram	viram	vissem	vejam
Fut. do pres.	**Fut. do pret.**	**Futuro**	
verei	veria	vir	**GERÚNDIO**
verás	verias	vires	vendo
verá	veria	vir	
veremos	veríamos	virmos	**PARTICÍPIO**
vereis	veríeis	virdes	visto
verão	veriam	virem	

33. crescer
(cresceres, crescer, crescermos, crescerdes, crescerem)

INDICATIVO		SUBJUNTIVO	IMPERATIVO
Presente	**Pret. imperf.**	**Presente**	**Afirm.**
cresço	crescia	cresça	–
cresces	crescias	cresças	cresce
cresce	crescia	cresça	cresça
crescemos	crescíamos	cresçamos	cresçamos
cresceis	crescíeis	cresçais	crescei
crescem	cresciam	cresçam	cresçam
Pret. perf.	**Pret. m.-q.-perf.**	**Pret. imperf.**	**Neg. (Não...)**
cresci	crescera	crescesse	–
cresceste	cresceras	crescesses	cresças
cresceu	crescera	crescesse	cresça
crescemos	crescêramos	crescêssemos	cresçamos
crescestes	crescêreis	crescêsseis	cresçais
cresceram	cresceram	crescessem	cresçam
Fut. do pres.	**Fut. do pret.**	**Futuro**	
crescerei	cresceria	crescer	**GERÚNDIO**
crescerás	crescerias	cresceres	crescendo
crescerá	cresceria	crescer	
cresceremos	cresceríamos	crescermos	**PARTICÍPIO**
crescereis	cresceríeis	crescerdes	crescido
crescerão	cresceriam	crescerem	

Paradigmas de conjugação

34. ler
(leres, ler, lermos, lerdes, lerem)

INDICATIVO		SUBJUNTIVO	IMPERATIVO
Presente	**Pret. imperf.**	**Presente**	**Afirm.**
leio	lia	leia	–
lês	lias	leias	lê
lê	lia	leia	leia
lemos	líamos	leiamos	leiamos
ledes	líeis	leiais	lede
leem	liam	leiam	leiam
Pret. perf.	**Pret. m.-q.-perf.**	**Pret. imperf.**	**Neg. (Não...)**
li	lera	lesse	–
leste	leras	lesses	leias
leu	lera	lesse	leia
lemos	lêramos	lêssemos	leiamos
lestes	lêreis	lêsseis	leiais
leram	leram	lessem	leiam
Fut. do pres.	**Fut. do pret.**	**Futuro**	
lerei	leria	ler	GERÚNDIO
lerás	lerias	leres	lendo
lerá	leria	ler	
leremos	leríamos	lermos	PARTICÍPIO
lereis	leríeis	lerdes	lido
lerão	leriam	lerem	

35. proteger
(protegeres, proteger, protegermos, protegerdes, protegerem)

INDICATIVO		SUBJUNTIVO	IMPERATIVO
Presente	**Pret. imperf.**	**Presente**	**Afirm.**
protejo	protegia	proteja	–
proteges	protegias	protejas	protege
protege	protegia	proteja	proteja
protegemos	protegíamos	protejamos	protejamos
protegeis	protegíeis	protejais	protegei
protegem	protegiam	protejam	protejam
Pret. perf.	**Pret. m.-q.-perf.**	**Pret. imperf.**	**Neg. (Não...)**
protegi	protegera	protegesse	–
protegeste	protegeras	protegesses	protejas
protegeu	protegera	protegesse	proteja
protegemos	protegêramos	protegêssemos	protejamos
protegestes	protegêreis	protegêsseis	protejais
protegeram	protegeram	protegessem	protejam
Fut. do pres.	**Fut. do pret.**	**Futuro**	
protegerei	protegeria	proteger	GERÚNDIO
protegerás	protegerias	protegeres	protegendo
protegerá	protegeria	proteger	
protegeremos	protegeríamos	protegermos	PARTICÍPIO
protegereis	protegeríeis	protegerdes	protegido
protegerão	protegeriam	protegerem	

Paradigmas de conjugação

36. moer
(moeres, moer, moermos, moerdes, moerem)

INDICATIVO		SUBJUNTIVO	IMPERATIVO
Presente	**Pret. imperf.**	**Presente**	**Afirm.**
moo	moía	moa	–
móis	moías	moas	mói
mói	moía	moa	moa
moemos	moíamos	moamos	moamos
moeis	moíeis	moais	moei
moem	moíam	moam	moam
Pret. perf.	**Pret. m.-q.-perf.**	**Pret. imperf.**	**Neg. (Não...)**
moí	moera	moesse	–
moeste	moeras	moesses	moas
moeu	moera	moesse	moa
moemos	moêramos	moêssemos	moamos
moestes	moêreis	moêsseis	moais
moeram	moeram	moessem	moam
Fut. do pres.	**Fut. do pret.**	**Futuro**	
moerei	moeria	moer	GERÚNDIO
moerás	moerias	moeres	moendo
moerá	moeria	moer	
moeremos	moeríamos	moermos	PARTICÍPIO
moereis	moeríeis	moerdes	moído
moerão	moeriam	moerem	

37. aprazer
(aprazeres, aprazer, aprazermos, aprazerdes, aprazerem)

INDICATIVO		SUBJUNTIVO	IMPERATIVO
Presente	**Pret. imperf.**	**Presente**	**Afirm.**
aprazo	aprazia	apraza	–
aprazes	aprazias	aprazas	apraz(e)
apraz	aprazia	apraza	apraza
aprazemos	aprazíamos	aprazamos	aprazamos
aprazeis	aprazíeis	aprazais	aprazei
aprazem	apraziam	aprazam	aprazam
Pret. perf.	**Pret. m.-q.-perf.**	**Pret. imperf.**	**Neg. (Não...)**
aprouve	aprouvera	aprouvesse	–
aprouveste	aprouveras	aprouvesses	aprazas
aprouve	aprouvera	aprouvesse	apraza
aprouvemos	aprouvéramos	aprouvéssemos	aprazamos
aprouvestes	aprouvéreis	aprouvésseis	aprazais
aprouveram	aprouveram	aprouvessem	aprazam
Fut. do pres.	**Fut. do pret.**	**Futuro**	
aprazerei	aprazeria	aprouver	GERÚNDIO
aprazerás	aprazerias	aprouveres	aprazendo
aprazerá	aprazeria	aprouver	
aprazeremos	aprazeríamos	aprouvermos	PARTICÍPIO
aprazereis	aprazeríeis	aprouverdes	aprazido
aprazerão	aprazeriam	aprouverem	

Paradigmas de conjugação

38. ir
(**ires, ir, irmos, irdes, irem**)

INDICATIVO		SUBJUNTIVO	IMPERATIVO
Presente	**Pret. imperf.**	**Presente**	**Afirm.**
vou	ia	vá	–
vais	ias	vás	vai
vai	ia	vá	vá
vamos	íamos	vamos	vamos
ides	íeis	vades	ide
vão	iam	vão	vão
Pret. perf.	**Pret. m.-q.-perf.**	**Pret. imperf.**	**Neg. (Não...)**
fui	fora	fosse	–
foste	foras	fosses	vás
foi	fora	fosse	vá
fomos	fôramos	fôssemos	vamos
fostes	fôreis	fôsseis	vades
foram	foram	fossem	vão
Fut. do pres.	**Fut. do pret.**	**Futuro**	
irei	iria	for	GERÚNDIO
irás	irias	fores	indo
irá	iria	for	
iremos	iríamos	formos	PARTICÍPIO
ireis	iríeis	fordes	ido
irão	iriam	forem	

39. frigir
(**frigires, frigir, frigirmos, frigirdes, frigirem**)

Var. do paradigma 46, agir, com mudança no radical nas 2ª e 3ª pess. sing. e 3ª pess. pl. do pres. do ind., e 2ª pess. sing. do imper. afirm.

INDICATIVO		SUBJUNTIVO	IMPERATIVO
Presente	**Pret. imperf.**	**Presente**	**Afirm.**
frijo	frigia	frija	–
freges	frigias	frijas	frege
frege	frigia	frija	frija
frigimos	frigíamos	frijamos	frijamos
frigis	frigíeis	frijais	frigi
fregem	frigiam	frijam	frijam
Pret. perf.	**Pret. m.-q.-perf.**	**Pret. imperf.**	**Neg. (Não...)**
frigi	frigira	frigisse	–
frigiste	frigiras	frigisses	frijas
frigiu	frigira	frigisse	frija
frigimos	frigíramos	frigíssemos	frijamos
frigistes	frigíreis	frigísseis	frijais
frigiram	frigiram	frigissem	frijam
Fut. do pres.	**Fut. do pret.**	**Futuro**	
frigirei	frigiria	frigir	GERÚNDIO
frigirás	frigirias	frigires	frigindo
frigirá	frigiria	frigir	
frigiremos	frigiríamos	frigirmos	PARTICÍPIO
frigireis	frigiríeis	frigirdes	frigido
frigirão	frigiriam	frigirem	frito

Paradigmas de conjugação

40. ouvir
(ouvires, ouvir, ouvirmos, ouvirdes, ouvirem)

INDICATIVO		SUBJUNTIVO	IMPERATIVO
Presente	**Pret. imperf.**	**Presente**	**Afirm.**
ouço	ouvia	ouça	–
ouves	ouvias	ouças	ouve
ouve	ouvia	ouça	ouça
ouvimos	ouvíamos	ouçamos	ouçamos
ouvis	ouvíeis	ouçais	ouvi
ouvem	ouviam	ouçam	ouçam
Pret. perf.	**Pret. m.-q.-perf.**	**Pret. imperf.**	**Neg. (Não...)**
ouvi	ouvira	ouvisse	–
ouviste	ouviras	ouvisses	ouças
ouviu	ouvira	ouvisse	ouça
ouvimos	ouvíramos	ouvíssemos	ouçamos
ouvistes	ouvíreis	ouvísseis	ouçais
ouviram	ouviram	ouvissem	ouçam
Fut. do pres.	**Fut. do pret.**	**Futuro**	
ouvirei	ouviria	ouvir	GERÚNDIO
ouvirás	ouvirias	ouvires	ouvindo
ouvirá	ouviria	ouvir	
ouviremos	ouviríamos	ouvirmos	PARTICÍPIO
ouvireis	ouviríeis	ouvirdes	ouvido
ouvirão	ouviriam	ouvirem	

41. rir
(rires, rir, rirmos, rirdes, rirem)

INDICATIVO		SUBJUNTIVO	IMPERATIVO
Presente	**Pret. imperf.**	**Presente**	**Afirm.**
rio	ria	ria	–
ris	rias	rias	ri
ri	ria	ria	ria
rimos	ríamos	riamos	riamos
rides	ríeis	riais	ride
riem	riam	riam	riam
Pret. perf.	**Pret. m.-q.-perf.**	**Pret. imperf.**	**Neg. (Não...)**
ri	rira	risse	–
riste	riras	risses	rias
riu	rira	risse	ria
rimos	ríramos	ríssemos	riamos
ristes	ríreis	rísseis	riais
riram	riram	rissem	riam
Fut. do pres.	**Fut. do pret.**	**Futuro**	
rirei	riria	rir	GERÚNDIO
rirás	ririas	rires	rindo
rirá	riria	rir	
riremos	riríamos	rirmos	PARTICÍPIO
rireis	riríeis	rirdes	rido
rirão	ririam	rirem	

Paradigmas de conjugação

42. vir
(**vires, vir, virmos, virdes, virem**)

INDICATIVO		SUBJUNTIVO	IMPERATIVO
Presente	**Pret. imperf.**	**Presente**	**Afirm.**
venho	vinha	venha	–
vens	vinhas	venhas	vem
vem	vinha	venha	venha
vimos	vínhamos	venhamos	venhamos
vindes	vínheis	venhais	vinde
vêm	vinham	venham	venham
Pret. perf.	**Pret. m.-q.-perf.**	**Pret. imperf.**	**Neg. (Não...)**
vim	viera	viesse	–
vieste	vieras	viesses	venhas
veio	viera	viesse	venha
viemos	viéramos	viéssemos	venhamos
viestes	viéreis	viésseis	venhais
vieram	vieram	viessem	venham
Fut. do pres.	**Fut. do pret.**	**Futuro**	
virei	viria	vier	GERÚNDIO
virás	virias	vieres	vindo
virá	viria	vier	
viremos	viríamos	viermos	PARTICÍPIO
vireis	viríeis	vierdes	vindo
virão	viriam	vierem	

Verbos formados com 'vir' (*advir, avir, desavir, intervir, sobrevir*) têm acento agudo no *e* nas 2ª e 3ª pess. sing. do pres. do ind. e na 2ª pess. sing. do imper. afirm.

43. sair
(**saíres, sair, sairmos, sairdes, saírem**)

INDICATIVO		SUBJUNTIVO	IMPERATIVO
Presente	**Pret. imperf.**	**Presente**	**Afirm.**
saio	saía	saia	–
sais	saías	saias	sai
sai	saía	saia	saia
saímos	saíamos	saiamos	saiamos
saís	saíeis	saiais	saí
saem	saíam	saiam	saiam
Pret. perf.	**Pret. m.-q.-perf.**	**Pret. imperf.**	**Neg. (Não...)**
saí	saíra	saísse	–
saíste	saíras	saísses	saias
saiu	saíra	saísse	saia
saímos	saíramos	saíssemos	saiamos
saístes	saíreis	saísseis	saiais
saíram	saíram	saíssem	saiam
Fut. do pres.	**Fut. do pret.**	**Futuro**	
sairei	sairia	sair	GERÚNDIO
sairás	sairias	saíres	saindo
sairá	sairia	sair	
sairemos	sairíamos	sairmos	PARTICÍPIO
saireis	sairíeis	sairdes	saído
sairão	sairiam	saírem	

Paradigmas de conjugação

44. pedir
(pedires, pedir, pedirmos, pedirdes, pedirem)

INDICATIVO		SUBJUNTIVO	IMPERATIVO
Presente	**Pret. imperf.**	**Presente**	**Afirm.**
peço	pedia	peça	–
pedes	pedias	peças	pede
pede	pedia	peça	peça
pedimos	pedíamos	peçamos	peçamos
pedis	pedíeis	peçais	pedi
pedem	pediam	peçam	peçam
Pret. perf.	**Pret. m.-q.-perf.**	**Pret. imperf.**	**Neg. (Não...)**
pedi	pedira	pedisse	–
pediste	pediras	pedisses	peças
pediu	pedira	pedisse	peça
pedimos	pedíramos	pedíssemos	peçamos
pedistes	pedíreis	pedísseis	peçais
pediram	pediram	pedissem	peçam
Fut. do pres.	**Fut. do pret.**	**Futuro**	
pedirei	pediria	pedir	GERÚNDIO
pedirás	pedirias	pedires	pedindo
pedirá	pediria	pedir	
pediremos	pediríamos	pedirmos	PARTICÍPIO
pedireis	pediríeis	pedirdes	pedido
pedirão	pediriam	pedirem	

45. divergir
(divergires, divergir, divergirmos, divergirdes, divergirem)

INDICATIVO		SUBJUNTIVO	IMPERATIVO
Presente	**Pret. imperf.**	**Presente**	**Afirm.**
divirjo	divergia	divirja	–
diverges	divergias	divirjas	diverge
diverge	divergia	divirja	divirja
divergimos	divergíamos	divirjamos	divirjamos
divergis	divergíeis	divirjais	divergi
divergem	divergiam	divirjam	divirjam
Pret. perf.	**Pret. m.-q.-perf.**	**Pret. imperf.**	**Neg. (Não...)**
divergi	divergira	divergisse	–
divergiste	divergiras	divergisses	divirjas
divergiu	divergira	divergisse	divirja
divergimos	divergíramos	divergíssemos	divirjamos
divergistes	divergíreis	divergísseis	divirjais
divergiram	divergiram	divergissem	divirjam
Fut. do pres.	**Fut. do pret.**	**Futuro**	
divergirei	divergiria	divergir	GERÚNDIO
divergirás	divergirias	divergires	divergindo
divergirá	divergiria	divergir	
divergiremos	divergiríamos	divergirmos	PARTICÍPIO
divergireis	divergiríeis	divergirdes	divergido
divergirão	divergiriam	divergirem	

Paradigmas de conjugação

46. agir
(a**gires**, a**gir**, a**girmos**, a**girdes**, a**girem**)

INDICATIVO		SUBJUNTIVO	IMPERATIVO
Presente	**Pret. imperf.**	**Presente**	**Afirm.**
aj̲o̲	ag̲i̲a̲	aj̲a̲	–
ag̲e̲s̲	ag̲i̲a̲s̲	aj̲a̲s̲	ag̲e̲
ag̲e̲	ag̲i̲a̲	aj̲a̲	aj̲a̲
ag̲i̲m̲o̲s̲	ag̲í̲a̲m̲o̲s̲	aj̲a̲m̲o̲s̲	aj̲a̲m̲o̲s̲
ag̲i̲s̲	ag̲í̲e̲i̲s̲	aj̲a̲i̲s̲	ag̲i̲
ag̲e̲m̲	ag̲i̲a̲m̲	aj̲a̲m̲	aj̲a̲m̲
Pret. perf.	**Pret. m.-q.-perf.**	**Pret. imperf.**	**Neg. (Não...)**
ag̲i̲	ag̲i̲r̲a̲	ag̲i̲s̲s̲e̲	–
ag̲i̲s̲t̲e̲	ag̲i̲r̲a̲s̲	ag̲i̲s̲s̲e̲s̲	aj̲a̲s̲
ag̲i̲u̲	ag̲i̲r̲a̲	ag̲i̲s̲s̲e̲	aj̲a̲
ag̲i̲m̲o̲s̲	ag̲í̲r̲a̲m̲o̲s̲	ag̲í̲s̲s̲e̲m̲o̲s̲	aj̲a̲m̲o̲s̲
ag̲i̲s̲t̲e̲s̲	ag̲í̲r̲e̲i̲s̲	ag̲í̲s̲s̲e̲i̲s̲	aj̲a̲i̲s̲
ag̲i̲r̲a̲m̲	ag̲i̲r̲a̲m̲	ag̲i̲s̲s̲e̲m̲	aj̲a̲m̲
Fut. do pres.	**Fut. do pret.**	**Futuro**	
ag̲i̲r̲e̲i̲	ag̲i̲r̲i̲a̲	ag̲i̲r̲	GERÚNDIO
ag̲i̲r̲á̲s̲	ag̲i̲r̲i̲a̲s̲	ag̲i̲r̲e̲s̲	ag̲i̲n̲d̲o̲
ag̲i̲r̲á̲	ag̲i̲r̲i̲a̲	ag̲i̲r̲	
ag̲i̲r̲e̲m̲o̲s̲	ag̲i̲r̲í̲a̲m̲o̲s̲	ag̲i̲r̲m̲o̲s̲	PARTICÍPIO
ag̲i̲r̲e̲i̲s̲	ag̲i̲r̲í̲e̲i̲s̲	ag̲i̲r̲d̲e̲s̲	ag̲i̲d̲o̲
ag̲i̲r̲ã̲o̲	ag̲i̲r̲i̲a̲m̲	ag̲i̲r̲e̲m̲	

47. distinguir
(distin**guires**, distin**guir**, distin**guirmos**, distin**guirdes**, distin**guirem**)

INDICATIVO		SUBJUNTIVO	IMPERATIVO
Presente	**Pret. imperf.**	**Presente**	**Afirm.**
distin**g**o	distin**guia**	distin**ga**	–
distin**gues**	distin**guias**	distin**gas**	distin**gue**
distin**gue**	distin**guia**	distin**ga**	distin**ga**
distin**guimos**	distin**guíamos**	distin**gamos**	distin**gamos**
distin**guis**	distin**guíeis**	distin**gais**	distin**gui**
distin**guem**	distin**guiam**	distin**gam**	distin**gam**
Pret. perf.	**Pret. m.-q.-perf.**	**Pret. imperf.**	**Neg. (Não...)**
distin**gui**	distin**guira**	distin**guisse**	–
distin**guiste**	distin**guiras**	distin**guisses**	distin**gas**
distin**guiu**	distin**guira**	distin**guisse**	distin**ga**
distin**guimos**	distin**guíramos**	distin**guíssemos**	distin**gamos**
distin**guistes**	distin**guíreis**	distin**guísseis**	distin**gais**
distin**guiram**	distin**guiram**	distin**guissem**	distin**gam**
Fut. do pres.	**Fut. do pret.**	**Futuro**	
distin**guirei**	distin**guiria**	distin**guir**	GERÚNDIO
distin**guirás**	distin**guirias**	distin**guires**	distin**guindo**
distin**guirá**	distin**guiria**	distin**guir**	
distin**guiremos**	distin**guiríamos**	distin**guirmos**	PARTICÍPIO
distin**guireis**	distin**guiríeis**	distin**guirdes**	distin**guido**
distin**guirão**	distin**guiriam**	distin**guirem**	

Paradigmas de conjugação

48. arguir
(ar**gui**res, ar**gui**r, ar**gui**rmos, ar**gui**rdes, ar**gui**rem)

INDICATIVO		SUBJUNTIVO	IMPERATIVO
Presente	**Pret. imperf.**	**Presente**	**Afirm.**
arguo	arguia	argua	–
arguis	arguias	arguas	argui
argui	arguia	argua	argua
arguimos	arguíamos	arguamos	arguamos
arguis	arguíeis	arguais	argui
arguem	arguiam	arguam	arguam
Pret. perf.	**Pret. m.-q.-perf.**	**Pret. imperf.**	**Neg. (Não...)**
argui	arguira	arguisse	–
arguiste	arguiras	arguisses	arguas
arguiu	arguira	arguisse	argua
arguimos	arguíramos	arguíssemos	arguamos
arguistes	arguíreis	arguísseis	arguais
arguiram	arguiram	arguissem	arguam
Fut. do pres.	**Fut. do pret.**	**Futuro**	
arguirei	arguiria	arguir	GERÚNDIO
arguirás	arguirias	arguires	arguindo
arguirá	arguiria	arguir	
arguiremos	arguiríamos	arguirmos	PARTICÍPIO
arguireis	arguiríeis	arguirdes	arguido
arguirão	arguiriam	arguirem	

49. 4 variações no paradigma: progre**d**ir -e**gr**ir -e**n**ir -e**rz**ir
(progre**d**ires, progre**d**ir, progre**d**irmos, progre**d**irdes, progre**d**irem)

INDICATIVO		SUBJUNTIVO	IMPERATIVO
Presente	**Pret. imperf.**	**Presente**	**Afirm.**
progrido	progredia	progrida	–
progrides	progredias	progridas	progride
progride	progredia	progrida	progrida
progredimos	progredíamos	progridamos	progridamos
progredis	progredíeis	progridais	progredi
progridem	progrediam	progridam	progridam
Pret. perf.	**Pret. m.-q.-perf.**	**Pret. imperf.**	**Neg. (Não...)**
progredi	progredira	progredisse	–
progrediste	progrediras	progredisses	progridas
progrediu	progredira	progredisse	progrida
progredimos	progredíramos	progredíssemos	progridamos
progredistes	progredíreis	progredísseis	progridais
progrediram	progrediram	progredissem	progridam
Fut. do pres.	**Fut. do pret.**	**Futuro**	
progredirei	progrediria	progredir	GERÚNDIO
progredirás	progredirias	progredires	progredindo
progredirá	progrediria	progredir	
progrediremos	progrediríamos	progredirmos	PARTICÍPIO
progredireis	progrediríeis	progredirdes	progredido
progredirão	progrediriam	progredirem	

Paradigmas de conjugação

50. 9 variações no paradigma: imp**elir** -ent**ir** -er**ir** -ern**ir** -ert**ir** -erv**ir** -esp**ir** -est**ir** -et**ir**
(imp**eli**res, imp**eli**r, imp**eli**rmos, imp**eli**rdes, imp**eli**rem)

INDICATIVO		SUBJUNTIVO	IMPERATIVO
Presente	**Pret. imperf.**	**Presente**	**Afirm.**
impilo	impelia	impila	–
impeles	impelias	impilas	impele
impele	impelia	impila	impila
impelimos	impelíamos	impilamos	impilamos
impelis	impelíeis	impilais	impeli
impelem	impeliam	impilam	impilam
Pret. perf.	**Pret. m.-q.-perf.**	**Pret. imperf.**	**Neg. (Não...)**
impeli	impelira	impelisse	–
impeliste	impeliras	impelisses	impilas
impeliu	impelira	impelisse	impila
impelimos	impelíramos	impelíssemos	impilamos
impelistes	impelíreis	impelísseis	impilais
impeliram	impeliram	impelissem	impilam
Fut. do pres.	**Fut. do pret.**	**Futuro**	
impelirei	impeliria	impelir	GERÚNDIO
impelirás	impelirias	impelires	impelindo
impelirá	impeliria	impelir	
impeliremos	impeliríamos	impelirmos	PARTICÍPIO
impelireis	impeliríeis	impelirdes	impelido
impelirão	impeliriam	impelirem	

51. 4 variações no paradigma: c**obrir** -ol**ir** -orm**ir** -oss**ir**
(c**obri**res, c**obri**r, c**obri**rmos, c**obri**rdes, c**obri**rem)

INDICATIVO		SUBJUNTIVO	IMPERATIVO
Presente	**Pret. imperf.**	**Presente**	**Afirm.**
cubro	cobria	cubra	–
cobres	cobrias	cubras	cobre
cobre	cobria	cubra	cubra
cobrimos	cobríamos	cubramos	cubramos
cobris	cobríeis	cubrais	cobri
cobrem	cobriam	cubram	cubram
Pret. perf.	**Pret. m.-q.-perf.**	**Pret. imperf.**	**Neg. (Não...)**
cobri	cobrira	cobrisse	–
cobriste	cobriras	cobrisses	cubras
cobriu	cobrira	cobrisse	cubra
cobrimos	cobríramos	cobríssemos	cubramos
cobristes	cobríreis	cobrísseis	cubrais
cobriram	cobriram	cobrissem	cubram
Fut. do pres.	**Fut. do pret.**	**Futuro**	
cobrirei	cobriria	cobrir	GERÚNDIO
cobrirás	cobririas	cobrires	cobrindo
cobrirá	cobriria	cobrir	
cobriremos	cobriríamos	cobrirmos	PARTICÍPIO
cobrireis	cobriríeis	cobrirdes	–o–ido [o part. de cobrir é irreg. (**coberto**) e não se aplica ao paradigma.]
cobrirão	cobririam	cobrirem	

Paradigmas de conjugação

52. 4 verbos no paradigma: p**olir** desp**olir** rep**olir** s**ortir**
(p**olires**, p**olir**, p**olirmos**, p**olirdes**, p**olirem**)

INDICATIVO		SUBJUNTIVO	IMPERATIVO
Presente	**Pret. imperf.**	**Presente**	**Afirm.**
pulo	polia	pula	–
pules	polias	pulas	pule
pule	polia	pula	pula
polimos	políamos	pulamos	pulamos
polis	políeis	pulais	poli
pulem	poliam	pulam	pulam
Pret. perf.	**Pret. m.-q.-perf.**	**Pret. imperf.**	**Neg. (Não...)**
poli	polira	polisse	–
poliste	poliras	polisses	pulas
poliu	polira	polisse	pula
polimos	políramos	políssemos	pulamos
polistes	políreis	polísseis	pulais
poliram	poliram	polissem	pulam
Fut. do pres.	**Fut. do pret.**	**Futuro**	
polirei	poliria	polir	GERÚNDIO
polirás	polirias	polires	polindo
polirá	poliria	polir	
poliremos	poliríamos	polirmos	PARTICÍPIO
polireis	poliríeis	polirdes	polido
polirão	poliriam	polirem	

53. 7 variações no paradigma: s**ubir** -**udir** f**ugir** (*j* em vez de *g* antes de *o* e *a*) -**ulir** -**umir** -**upir** -**uspir**
(s**ubires**, s**ubir**, s**ubirmos**, s**ubirdes**, s**ubirem**)

INDICATIVO		SUBJUNTIVO	IMPERATIVO
Presente	**Pret. imperf.**	**Presente**	**Afirm.**
subo	subia	suba	–
sobes	subias	subas	sobe
sobe	subia	suba	suba
subimos	subíamos	subamos	subamos
subis	subíeis	subais	subi
sobem	subiam	subam	subam
Pret. perf.	**Pret. m.-q.-perf.**	**Pret. imperf.**	**Neg. (Não...)**
subi	subira	subisse	–
subiste	subiras	subisses	subas
subiu	subira	subisse	suba
subimos	subíramos	subíssemos	subamos
subistes	subíreis	subísseis	subais
subiram	subiram	subissem	subam
Fut. do pres.	**Fut. do pret.**	**Futuro**	
subirei	subiria	subir	GERÚNDIO
subirás	subirias	subires	subindo
subirá	subiria	subir	
subiremos	subiríamos	subirmos	PARTICÍPIO
subireis	subiríeis	subirdes	subido
subirão	subiriam	subirem	

Paradigmas de conjugação

54. proibir
(proibires, proibir, proibirmos, proibirdes, proibirem)

INDICATIVO		SUBJUNTIVO	IMPERATIVO
Presente	**Pret. imperf.**	**Presente**	**Afirm.**
proíbo	proibia	proíba	–
proíbes	proibias	proíbas	proíbe
proíbe	proibia	proíba	proíba
proibimos	proibíamos	proibamos	proibamos
proibis	proibíeis	proibais	proibi
proíbem	proibiam	proíbam	proíbam
Pret. perf.	**Pret. m.-q.-perf.**	**Pret. imperf.**	**Neg. (Não...)**
proibi	proibira	proibisse	–
proibiste	proibiras	proibisses	proíbas
proibiu	proibira	proibisse	proíba
proibimos	proibíramos	proibíssemos	proibamos
proibistes	proibíreis	proibísseis	proibais
proibiram	proibiram	proibissem	proíbam
Fut. do pres.	**Fut. do pret.**	**Futuro**	
proibirei	proibiria	proibir	GERÚNDIO
proibirás	proibirias	proibires	proibindo
proibirá	proibiria	proibir	
proibiremos	proibiríamos	proibirmos	PARTICÍPIO
proibireis	proibiríeis	proibirdes	proibido
proibirão	proibiriam	proibirem	

55. seguir
(seguires, seguir, seguirmos, seguirdes, seguirem)

INDICATIVO		SUBJUNTIVO	IMPERATIVO
Presente	**Pret. imperf.**	**Presente**	**Afirm.**
sigo	seguia	siga	–
segues	seguias	sigas	segue
segue	seguia	siga	siga
seguimos	seguíamos	sigamos	sigamos
seguis	seguíeis	sigais	segui
seguem	seguiam	sigam	sigam
Pret. perf.	**Pret. m.-q.-perf.**	**Pret. imperf.**	**Neg. (Não...)**
segui	seguira	seguisse	–
seguiste	seguiras	seguisses	sigas
seguiu	seguira	seguisse	siga
seguimos	seguíramos	seguíssemos	sigamos
seguistes	seguíreis	seguísseis	sigais
seguiram	seguiram	seguissem	sigam
Fut. do pres.	**Fut. do pret.**	**Futuro**	
seguirei	seguiria	seguir	GERÚNDIO
seguirás	seguirias	seguires	seguindo
seguirá	seguiria	seguir	
seguiremos	seguiríamos	seguirmos	PARTICÍPIO
seguireis	seguiríeis	seguirdes	seguido
seguirão	seguiriam	seguirem	

Paradigmas de conjugação

56. contribuir
(contrib**uí**res, contrib**uir**, contrib**uir**mos, contrib**uir**des, contrib**uí**rem)

INDICATIVO		SUBJUNTIVO	IMPERATIVO
Presente	**Pret. imperf.**	**Presente**	**Afirm.**
contrib**uo**	contrib**uí**a	contrib**ua**	–
contrib**uis**	contrib**uí**as	contrib**uas**	contrib**ui**
contrib**ui**	contrib**uí**a	contrib**ua**	contrib**ua**
contrib**uí**mos	contrib**uí**amos	contrib**uamos**	contrib**uamos**
contrib**uís**	contrib**uí**eis	contrib**uais**	contrib**uí**
contrib**uem**	contrib**uí**am	contrib**uam**	contrib**uam**
Pret. perf.	**Pret. m.-q.-perf.**	**Pret. imperf.**	**Neg. (Não...)**
contrib**uí**	contrib**uí**ra	contrib**uí**sse	–
contrib**uí**ste	contrib**uí**ras	contrib**uí**sses	contrib**uas**
contrib**uiu**	contrib**uí**ra	contrib**uí**sse	contrib**ua**
contrib**uí**mos	contrib**uí**ramos	contrib**uí**ssemos	contrib**uamos**
contrib**uí**stes	contrib**uí**reis	contrib**uí**sseis	contrib**uais**
contrib**uí**ram	contrib**uí**ram	contrib**uí**ssem	contrib**uam**
Fut. do pres.	**Fut. do pret.**	**Futuro**	
contrib**uir**ei	contrib**uir**ia	contrib**uir**	GERÚNDIO
contrib**uir**ás	contrib**uir**ias	contrib**uí**res	contrib**uin**do
contrib**uir**á	contrib**uir**ia	contrib**uir**	
contrib**uir**emos	contrib**uir**íamos	contrib**uir**mos	PARTICÍPIO
contrib**uir**eis	contrib**uir**íeis	contrib**uir**des	contrib**uí**do
contrib**uir**ão	contrib**uir**iam	contrib**uí**rem	

Os verbos *construir* e *destruir* têm as formas variantes *constróis, constrói, constroem*; *destróis, destrói, destroem*.

57. reduzir
(red**uzi**res, red**uzir**, red**uzir**mos, red**uzir**des, red**uzir**em)

INDICATIVO		SUBJUNTIVO	IMPERATIVO
Presente	**Pret. imperf.**	**Presente**	**Afirm.**
red**uzo**	red**uzi**a	red**uza**	–
red**uzes**	red**uzi**as	red**uzas**	red**uz**(e)
red**uz**	red**uzi**a	red**uza**	red**uza**
red**uzi**mos	red**uzí**amos	red**uzamos**	red**uzamos**
red**uzis**	red**uzí**eis	red**uzais**	red**uzi**
red**uzem**	red**uzi**am	red**uzam**	red**uzam**
Pret. perf.	**Pret. m.-q.-perf.**	**Pret. imperf.**	**Neg. (Não...)**
red**uzi**	red**uzi**ra	red**uzi**sse	–
red**uzi**ste	red**uzi**ras	red**uzi**sses	red**uzas**
red**uziu**	red**uzi**ra	red**uzi**sse	red**uza**
red**uzi**mos	red**uzí**ramos	red**uzí**ssemos	red**uzamos**
red**uzi**stes	red**uzí**reis	red**uzí**sseis	red**uzais**
red**uzi**ram	red**uzi**ram	red**uzi**ssem	red**uzam**
Fut. do pres.	**Fut. do pret.**	**Futuro**	
red**uzi**rei	red**uzi**ria	red**uzir**	GERÚNDIO
red**uzi**rás	red**uzi**rias	red**uzi**res	red**uzin**do
red**uzi**rá	red**uzi**ria	red**uzir**	
red**uzi**remos	red**uzi**ríamos	red**uzir**mos	PARTICÍPIO
red**uzi**reis	red**uzi**ríeis	red**uzir**des	red**uzi**do
red**uzi**rão	red**uzi**riam	red**uzir**em	

Paradigmas de conjugação

58. extorqu**ir**
(extorqu**ires**, extorqu**ir**, extorqu**irmos**, extorqu**irdes**, extorqu**irem**)
Conjuga-se pelo paradigma 3, mas defec. segundo o paradigma abaixo.

INDICATIVO		SUBJUNTIVO	IMPERATIVO
Presente	**Pret. imperf.**	**Presente**	**Afirm.**
–	extorqu**ia**	–	
extorqu**es**	extorqu**ias**	–	extorqu**e**
extorqu**e**	extorqu**ia**	–	
extorqu**imos**	extorqu**íamos**	–	
extorqu**is**	extorqu**íeis**	–	extorqu**i**
extorqu**em**	extorqu**iam**	–	
Pret. perf.	**Pret. m.-q.-perf.**	**Pret. imperf.**	**Neg. (Não...)**
extorqu**i**	extorqu**ira**	extorqu**isse**	–
extorqu**iste**	extorqu**iras**	extorqu**isses**	–
extorqu**iu**	extorqu**ira**	extorqu**isse**	–
extorqu**imos**	extorqu**íramos**	extorqu**íssemos**	–
extorqu**istes**	extorqu**íreis**	extorqu**ísseis**	–
extorqu**iram**	extorqu**iram**	extorqu**issem**	–
Fut. do pres.	**Fut. do pret.**	**Futuro**	
extorqu**irei**	extorqu**iria**	extorqu**ir**	**GERÚNDIO**
extorqu**irás**	extorqu**irias**	extorqu**ires**	extorqu**indo**
extorqu**irá**	extorqu**iria**	extorqu**ir**	
extorqu**iremos**	extorqu**iríamos**	extorqu**irmos**	**PARTICÍPIO**
extorqu**ireis**	extorqu**iríeis**	extorqu**irdes**	extorqu**ido**
extorqu**irão**	extorqu**iriam**	extorqu**irem**	

59. fal**ir**
(fal**ires**, fal**ir**, fal**irmos**, fal**irdes**, fal**irem**)
Similar ao paradigma 3, mas defec. segundo o paradigma abaixo.

INDICATIVO		SUBJUNTIVO	IMPERATIVO
Presente	**Pret. imperf.**	**Presente**	**Afirm.**
–	fal**ia**	–	–
–	fal**ias**	–	
–	fal**ia**	–	
fal**imos**	fal**íamos**	–	
fal**is**	fal**íeis**	–	fal**i**
–	fal**iam**	–	
Pret. perf.	**Pret. m.-q.-perf.**	**Pret. imperf.**	**Neg. (Não...)**
fal**i**	fal**ira**	fal**isse**	–
fal**iste**	fal**iras**	fal**isses**	–
fal**iu**	fal**ira**	fal**isse**	–
fal**imos**	fal**íramos**	fal**íssemos**	–
fal**istes**	fal**íreis**	fal**ísseis**	–
fal**iram**	fal**iram**	fal**issem**	–
Fut. do pres.	**Fut. do pret.**	**Futuro**	
fal**irei**	fal**iria**	fal**ir**	**GERÚNDIO**
fal**irás**	fal**irias**	fal**ires**	fal**indo**
fal**irá**	fal**iria**	fal**ir**	
fal**iremos**	fal**iríamos**	fal**irmos**	**PARTICÍPIO**
fal**ireis**	fal**iríeis**	fal**irdes**	fal**ido**
fal**irão**	fal**iriam**	fal**irem**	

Paradigmas de conjugação

60. pôr, derivados com terminação **por**, e **soto-pôr**
(**pores, pôr, pormos, pordes, porem**)

INDICATIVO		SUBJUNTIVO	IMPERATIVO
Presente	**Pret. imperf.**	**Presente**	**Afirm.**
ponho	punha	ponha	–
pões	punhas	ponhas	põe
põe	punha	ponha	ponha
pomos	púnhamos	ponhamos	ponhamos
pondes	púnheis	ponhais	ponde
põem	punham	ponham	ponham
Pret. perf.	**Pret. m.-q.-perf.**	**Pret. imperf.**	**Neg. (Não...)**
pus	pusera	pusesse	–
puseste	puseras	pusesses	ponhas
pôs	pusera	pusesse	ponha
pusemos	puséramos	puséssemos	ponhamos
pusestes	puséreis	pusésseis	ponhais
puseram	puseram	pusessem	ponham
Fut. do pres.	**Fut. do pret.**	**Futuro**	
porei	poria	puser	GERÚNDIO
porás	porias	puseres	pondo
porá	poria	puser	
poremos	poríamos	pusermos	PARTICÍPIO
poreis	poríeis	puserdes	posto
porão	poriam	puserem	

61. parir
(**parires, parir, parirmos, parirdes, parirem**)

INDICATIVO		SUBJUNTIVO	IMPERATIVO
Presente	**Pret. imperf.**	**Presente**	**Afirm.**
pairo	paria	paira	–
pares	parias	pairas	pare
pare	paria	paira	paira
parimos	paríamos	pairamos	pairamos
paris	paríeis	pairais	pari
parem	pariam	pairam	pairam
Pret. perf.	**Pret. m.-q.-perf.**	**Pret. imperf.**	**Neg. (Não...)**
pari	parira	parisse	–
pariste	pariras	parisses	pairas
pariu	parira	parisse	paira
parimos	paríramos	paríssemos	pairamos
paristes	paríreis	parísseis	pairais
pariram	pariram	parissem	pairam
Fut. do pres.	**Fut. do pret.**	**Futuro**	
parirei	pariria	parir	GERÚNDIO
parirás	paririas	parires	parindo
parirá	pariria	parir	
pariremos	pariríamos	parirmos	PARTICÍPIO
parireis	pariríeis	parirdes	parido
parirão	paririam	parirem	

K	Fenício
⊿	Grego
A	Grego
A	Etrusco
A	Romano
A	Romano
ᴀ	Minúscula carolina
A	Maiúscula moderna
a	Minúscula moderna

A primeira letra do alfabeto desenvolveu-se a partir do *alef* (boi, em fenício), letra semita que representava um som gutural. Quando os gregos herdaram dos fenícios o alfabeto, modificaram o desenho do *alef* e deram-lhe o nome de *alfa*, que representava o som de *a*. O *alfa* adotado pelos romanos recebeu deles o nome de *a*.

a¹ *sm.* **1** A primeira letra do alfabeto. **2** A primeira vogal do alfabeto. *num.* **3** O primeiro em uma série (turma A).
a² *prep.* Exprime várias relações de sentido: **1** Direção/aproximação, no espaço, no tempo e em diversas noções: *Voltaram ao parque; chegar a uma conclusão.* **2** Introduz termos que denotam o destinatário de uma ação: *Levou o filho ao médico.* **3** Limite de trecho, período, escala: *a 2km da estação; de quinta a domingo; crianças de cinco a dez anos.* **4** Meio, instrumento, modo: *quadro pintado a óleo; vendas a prazo.* **5** Medida, valor, contagem etc.: *As frutas são vendidas a peso; refeição a R$3,00; Venceram por 3 a 1.* **6** Situação no tempo ou no espaço: *Almoçamos ao meio-dia; ao norte.* **7** Indica sequência no espaço ou no tempo: *linha a linha; mês a mês.* **8** Inicia ou finaliza locuções prepositivas: *a respeito de; em direção a.*
a³ *art.def.* **1** Acompanha nomes femininos que denotam seres, objetos, conceitos: *a mesa; a liberdade.* **2** Limita a referência do substantivo a um ser ou coisa identificáveis na situação ou no texto: *A Constituição assegura o direito de livre expressão.* **pr.dem.** **3** Us. referindo-se a um substantivo implícito: *A bolsa azul foi a que lhe dei.* **pr.pess.** **4** Equivale a 'ela', na função de complemento: *Provou a sopa e a deixou.* [Ver tb. *o* [ô] (5).]
⊠ **a** Símb. de *are*.
⊠ **A** Elet. Símb. de *ampere*.
⊠ **Å** Fís. Símb. de *angström*.
à **1** Contr. da prep. *a* com o art.def. *a*: *Vamos à praia?* **2** Contr. da prep. *a* com o pr.dem. *a* (aquela): *Comprei uma blusa igual à que ela estava usando.* **3** Abr. de *à moda de*: *peixe à brasileira*.
aba (a.ba) *sf.* **1** Extremidade alongada ou saliente de uma peça (chapéu, caixa, telhado etc.). **2** Parte pendente de item do vestuário (bolso, casaca etc.). **3** Parte de um móvel (mesa, aparador etc.) que se pode desdobrar ou estender. **4** Base de montanha; sopé. **5** *Gír.* Dependência psicológica e/ou financeira: *Tem 30 anos e ainda vive na aba dos pais.* **6** *Art.Gr.* Ver *orelha*. [Dim.: *abeta*.]
abacate (a.ba.*ca*.te) *sm.* Fruto comestível de polpa verde-amarelada, caroço arredondado e grande.
abacateiro (a.ba.ca.*tei*.ro) *sm. Bot.* Árvore que dá o abacate.
abacaxi (a.ba.ca.*xi*) *sm. Bras.* **1** Fruta nativa do Brasil, de casca grossa e espinhenta. **2** *Pop.* Situação ou coisa problemática: *resolver um abacaxi.*
abacaxizal (a.ba.ca.xi.*zal*) *sm.* Plantação de abacaxizeiros. [Pl.: *-zais*.]
abacaxizeiro (a.ba.ca.xi.*zei*.ro) *sm. Bot.* Planta que dá o abacaxi.

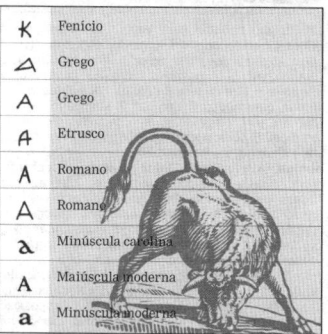

abacial (a.ba.ci:*al*) *a2g. Ref.* a abade, abadessa ou abadia. [Pl.: *-ais*.]
ábaco (*á*.ba.co) *sm.* Peça com arames em que deslizam bolinhas coloridas us. para fazer ou ensinar operações aritméticas.
abadá (a.ba.*dá*) *sm. BA* Espécie de bata us. pelos foliões dos blocos carnavalescos da Bahia.

ÁBACO

abade (a.*ba*.de) *sm. Rel.* Superior de ordem religiosa que dirige uma abadia ou mosteiro. [Fem.: *-dessa*.]
abadia (a.ba.*di*.a) *sf. Rel.* Igreja, ou mosteiro, dirigido por abade ou abadessa.
abafadiço (a.ba.fa.*di*.ço) *a.* Ver *abafado* (1).
abafado (a.ba.*fa*.do) *a.* **1** Que abafa, em que há pouca ventilação; ABAFADIÇO: *Está muito abafado aqui dentro.* **2** Em que o ar está pesado e o calor sufocante (dia *abafado*). **3** Que não soa forte; pouco ressonante: *o ruído abafado de passos.* **4** *Fig.* Sobrecarregado de trabalho; ATAREFADO: *Ando muito abafado, sem tempo para nada.* **5** *Fig.* Que não foi divulgado, que foi ocultado (um caso de caso, escândalo etc.).
abafador (a.ba.fa.*dor*) [ô] *a.* **1** Que abafa (4): *fone abafador de ruídos.* *sm.* **2** *Mús.* Peça us. para abrandar o som de certos instrumentos musicais. **3** Dispositivo adaptado a cano de descarga ou escapamento para amortecer o ruído. **4** Peça com que se apaga a chama de um fogareiro. **5** Cobertura com que se reveste bule, leiteira etc. para conservar o calor.
abafante (a.ba.*fan*.te) *a2g.* **1** Que abafa, que dificulta a respiração (calor *abafante*). **2** *Fig.* Que oprime, que sufoca (proteção *abafante*). **3** *Pop.* Que deslumbra pela beleza, elegância etc. (diz-se de pessoa).
abafar (a.ba.*far*) *v.* **1** Impedir ou reduzir a combustão de. [*td.*: *abafar o fogo/um incêndio.*] **2** Cobrir, para que o calor não se dissipe ou para que o vapor não se eleve. [*td.*: *abafar a fervura.*] **3** Impedir ou dificultar a respiração de; ASFIXIAR. [*td.*: *Esses cobertores estão abafando o doente.*] **4** Diminuir a intensidade de (um som). [*td.*: *Não querendo ser ouvida, a garota abafou a voz.*] **5** *Fig.* Conter (ação ou movimento); pôr fim a. [*td.*: *Os inspetores abafaram a briga.*] **6** *Fig.* Não divulgar ou não deixar que se divulgue. [*td.*: *A imprensa abafou o caso.*] **7** *Gír.* Furtar. [*td.*] **8** *Gír.* Ficar ou estar em destaque; ser um sucesso. [*int.*: *Está vestida para abafar.*] [*td.*] [▶ **1** abaf[ar]]
abaixar (a.bai.*xar*) *v.* **1** Tornar (algo) mais baixo do que era. [*td.*: *Abaixaram o muro da escola.*] **2** Fazer descer. [*td.*: *abaixar o vidro do carro.*]

3 Dirigir, orientar para baixo. [*td*.: *Abaixou os olhos de vergonha*.] **4** Curvar-se, dobrar-se. [*int*./*pr*.: *Abaixou(-se) para pegar o livro*.] **5** Reduzir (valor). [*td*.: *Abaixaram o preço dos ingressos*.] **6** Reduzir a intensidade de (som). [*td*.: *Estou ao telefone, quer abaixar o rádio?*] **7** Diminuir (temperatura). [*int*. (seguido ou não de indicação de intensidade): *A temperatura abaixou (três graus)*.] [▶ 1 abaix**ar**] ● **a.bai.xa.**do *a*.

abaixo (a.*bai*.xo) *adv*. **1** Em posição ou local inferior: *Daqui se vê o estádio logo abaixo*. **2** Em direção à parte mais baixa de: *Remamos rio abaixo*. **3** Em direção ao chão: *Logo depois, o teto veio abaixo*. **4** A seguir (em um texto): *Há outro erro duas linhas abaixo*. **interj**. **5** Expressa condenação, protesto: *Abaixo a violência!* ■ ~ **de 1** Em posição inferior a (no espaço): *Coloque o DVD abaixo da TV*. **2** Em quantidade, grau, quantia etc. inferior a: *Ninguém teve nota abaixo de 6; mercadorias abaixo de R$10,00*. **3** Em posição inferior a (quanto a mérito, valor moral, hierarquia etc.): *Seu comportamento está abaixo da crítica*.

abaixo-assinado (a.bai.xo-as.si.*na*.do) *sm*. Documento assinado por várias pessoas, em protesto contra algo, em solidariedade a alguém etc. [Pl.: *abaixo--assinados*.]

abajur (a.ba.*jur*) *sm*. Luminária de mesa ou de pé; QUEBRA-LUZ.

abalada (a.ba.*la*.da) *sf*. Retirada súbita e desordenada: *Os bandidos fugiram numa abalada*.

abalado (a.ba.*la*.do) *a*. **1** Que está pouco firme: *Os alicerces do prédio não ficaram abalados*. **2** *Fig*. Que está perturbado, afetado: *Continuam muito abalados com o/pelo que aconteceu*. **3** *Fig*. Enfraquecido, debilitado (saúde *abalada*).

abalançar (a.ba.lan.*çar*) *v*. **1** Tomar a decisão (de fazer algo difícil); OUSAR. [*pr*.: *O rapaz abalançou-se a enfrentar o pai da moça*.] **2** Verificar peso usando balança. [*td*.: *abalançar a carne*.] **3** Fazer o cálculo aproximado de. [*td*.: *abalançar lucros e prejuízos*.] [▶ 12 abalanç**ar**]

abalar (a.ba.*lar*) *v*. **1** Fazer perder a firmeza. [*td*.: *O terremoto abalou a estrutura dos prédios*.] **2** *Fig*. Provocar comoção, rebuliço em. [*td*.: *O crime abalou o país*.] **3** *Fig*. Sensibilizar(-se). [*td*.: "A morte do irmão (...) abalara-a intensamente." (Marques Rebelo, *O simples coronel Madureira*). *pr*.: *Abalou-se quando recebeu a notícia*.] ■ FUGIR. [*int*.: *Jogaram uma pedra e abalaram rua abaixo*.] [▶ 1 abal**ar**]

abalizado (a.ba.li.*za*.do) *a*. Que é reconhecidamente competente: *o mais abalizado comentarista esportivo*.

abalizar (a.ba.li.*zar*) *v*. *td*. **1** Marcar com sinal ou objeto; ASSINALAR: *Esta cerca abaliza o limite do terreno*. **2** Marcar (terreno) com balizas, como estacas: *Contrataram-no para abalizar o sítio*. [▶ 1 abaliz**ar**]

abalo (a.*ba*.lo) *sm*. **1** Ação ou resultado de abalar(-se). **2** Trepidação, estremecimento. **3** *Fig*. Comoção, baque: *Sofreu um grande abalo com a morte do pai*. **4** *Fig*. Consequência maléfica: *O escândalo causou forte abalo no prestígio do jogador*. ■ ~ **sísmico** *Geof*. Tremor de terra; TERREMOTO.

abalroar (a.bal.ro.*ar*) *v*. Chocar-se contra. [*td*.: *A moto abalroou o carro*. *ti*. + *com*: *Por pouco o navio abalroaria com o cais*. *pr*.: *As barcas abalroaram-se*.] [▶ 16 abalro**ar**] ● **a.bal.ro.a.**men.to *sm*.

abanar (a.ba.*nar*) *v*. **1** Agitar(-se) repetidamente, de um lado para outro. [*td*.: *O cavalo abanava a cauda*. *int*.: *Balança uma leve brisa para a cortina abanar*.] **2** Fazer vento sobre (alguém, algo) com abano, leque etc. [*td*.: *Abanou as brasas para reacendê-las*. *pr*.: *Calorento, abanava-se energicamente*.] **3** Fazer sinais, agitando (a mão, objeto etc.); ACENAR. [*tdi*. + *para*: *Abanava as mãos para todos os passageiros*. *int*.: *Sempre se despedia abanando* (com o chapéu).] [▶ 1 aban**ar**] ● **a.ba.na.**dor *a.sm*.

abancar (a.ban.*car*) *v*. **1** Hospedar-se por muito tempo. [*int*./*pr*.: *Têm o costume de abancar(-se) na casa dos parentes*.] **2** Tomar assento, assentar-se. [*int*./*pr*.: *Abancou(-se) na primeira cadeira*.] [▶ 11 aban**car**] [NOTA: Em todas as acps., seguido de indicação de lugar.]

abandalhar (a.ban.da.*lhar*) *v*. Fazer perder ou perder a dignidade, a seriedade; tornar(-se) bandalho. [*td*.: *O jogo abandalhou aquela família*. *pr*.: *Andou em má companhia, e abandalhou-se*.] [▶ 1 abandalh**ar**]

abandidar (a.ban.di.*dar*) *v*. *td*. *pr*. Transformar(-se) em bandido, em marginal. [▶ 1 abandid**ar**]

abandonado (a.ban.do.*na*.do) *a*. **1** Sem amparo e sem abrigo (menor *abandonado*). **2** Que foi rejeitado (marido *abandonado*). **3** Que foi posto de lado, largado (carro *abandonado*). **4** Que se sente só: *Sentia-se abandonado em meio à multidão*. **5** Em decadência (mansão *abandonada*). *sm*. **6** Pessoa abandonada (1).

abandonar (a.ban.do.*nar*) *v*. **1** Ir embora de; cessar a convivência com; deixar. [*td*.: *Abandonaram a cidade natal; Abandonou os amigos e mudou para longe*.] **2** Parar de cuidar de, de apoiar, de sustentar. [*td*.: *Jurou que jamais abandonaria a família*.] **3** Não prosseguir com; desistir de. [*td*.: *abandonar a dança*.] **4** Deixar (algo ou alguém) largado em determinado lugar. [*td*.: *Abandonou o carro em uma rua deserta*.] **5** Perder o apreço, a consideração por. [*td*.: *Tornou-se importante, mas não abandonou os pobres*.] **6** Deixar-se levar, entregar-se. [*pr*.: *Abandonou-se ao vício*.] [▶ 1 abandon**ar**]

abandono (a.ban.*do*.no) *sm*. **1** Ação ou resultado de abandonar(-se). **2** Condição ou estado do que foi abandonado: *A casa está em total abandono*. **3** Situação de desamparo: *o abandono em que vivem alguns idosos*.

abano (a.*ba*.no) *sm*. Objeto para abanar (2); VENTAROLA.

abará (a.ba.*rá*) *sm*. *BA Cul*. Iguaria feita com feijão--fradinho, enrolada em folha de bananeira e cozida no vapor.

abarcar (a.bar.*car*) *v*. *td*. **1** Conter em sua área de atuação, de conhecimento etc.; ABRANGER: "...nessa capacidade de tudo compreender, de tudo abarcar..." (Cecília Meireles, *Crônicas de educação I*); *A vista abarca todo o bairro*. **2** Rodear com os braços; ABRAÇAR: *abarcar um buquê de flores*. [▶ 11 abarc**ar**]

abarrotado (a.bar.ro.*ta*.do) *a*. Muito cheio; REPLETO: *depósito abarrotado de mercadorias*.

abarrotar (a.bar.ro.*tar*) *v*. Encher muito. [*td*.: *Abarrotaram o carro*. *tdi*. + *com*, *de*: *Abarrotava o armário com papel velho*.] [▶ 1 abarrot**ar**] ● **a.bar.ro.ta.**men.to *sm*.

abastado (a.bas.*ta*.do) *a*. **1** Que é rico (família *abastada*); ENDINHEIRADO. **2** Que está bem provido; FARTO: *mesa sortida e abastada*. *sm*. **3** Pessoa abastada (1).

abastança (a.bas.*tan*.ça) *sf*. **1** Disponibilidade de muitos provimentos; FARTURA. **2** Riqueza. **3** Situação de uma vida sem privações materiais.

abastardar (a.bas.tar.*dar*) *v*. Fazer perder ou perder as características positivas originais; corromper. [*td*.: *abastardar a cultura indígena*. *pr*.: *Sob influências externas, os meninos se abastardaram*.] [▶ 1 abastard**ar**] ● **a.bas.tar.da.**do *a*.; **a.bas.tar.da.**men.to *sm*.

abastecedor (a.bas.te.ce.*dor*) [ô] *a.sm*. Que ou quem abastece (mercado *abastecedor*); FORNECEDOR: *Ele é um abastecedor de produtos granjeiros*.

abastecer (a.bas.te.*cer*) *v*. **1** Encher com, munir de (o necessário); PROVER: *Já abasteceu o carro?* *tdi*. + *com*, *de*: *Abastecer a geladeira de frutas*.] **2** Ser fonte (de recursos materiais) para. [*td*.: *O rio Pomba abastece muitos municípios*. *tdi*. + *com*, *de*: *Essa fazen-*

da abastece de leite toda a região.] [▶ **33** abaste<u>cer</u>] • a.bas.te.*ci*.do *a*.

abastecimento (a.bas.te.ci.*men*.to) *sm.* **1** Ação ou resultado de abastecer; FORNECIMENTO: *abastecimento de água.* **2** Conjunto de provisões ou mercadorias destinadas a abastecer: *O abastecimento só chega amanhã.*

abate (a.*ba*.te) *sm.* Ação ou resultado de abater (animais ou árvores).

abatedouro (a.ba.te.*dou*.ro) *sm.* Lugar onde se abatem animais; MATADOURO.

abater (a.ba.*ter*) *v.* **1** Fazer cair por terra; DERRUBAR. [*td.*: *Abateram um avião.*] **2** Matar (esp. gado, ave, caça). [*td.*: *O fazendeiro abateu o boi.*] **3** Fazer diminuir (preço); BAIXAR. [*td.*: *A companhia aérea abateu o preço das passagens.*] **4** *Fig.* Fazer perder ou reduzir as forças físicas e morais; DEBILITAR(-SE); ENTRISTECER(-SE). [*td.*: *A saudade o abatia a olhos vistos. int.*: *O rapaz abateu depois da cirurgia. pr.*: *Abateu-se ao receber a notícia.*] [▶ **2** abate<u>r</u>]

abatido (a.ba.*ti*.do) *a.* **1** Que se abateu. **2** Com aspecto cansado: *Você está abatida, precisa descansar mais.* **3** Diminuído de suas forças físicas e/ou morais: *Pegou uma gripe e ficou muito abatido*; "Na manhã seguinte, aturdida e <u>abatida</u>..." (Ana Maria Machado, *A audácia dessa mulher*). **4** Com aspecto tristonho, desanimado: *Com a derrota do time, ficou abatido.* **5** Lançado por terra (árvores <u>abatidas</u>); DERRUBADO.

abatimento (a.ba.ti.*men*.to) *sm.* **1** Ação ou resultado de abater. **2** Desconto em preço: *Fez um abatimento de 20%.* **3** Estado de quem está abatido (2, 3 e 4).

abaulado (a.ba.u.*la*.do) *a.* Que tem forma curva.

abaular (a.ba.u.*lar*) *v. td.* Dar forma curva (como a um baú) a; ARQUEAR. [▶ **18** aba<u>ular</u>] • a.ba:u.la.*men*.to *sm*.

abc *sm.* Ver *abecê*.

abdicar (ab.di.*car*) *v.* **1** Abandonar (cargo, poder supremo) por vontade própria. [*ti.* + *de*: *Abdicou do cargo de chefia. td.*: *abdicar o trono. ti.* + *em*: *O rei abdicou o trono em favor de sua filha. int.*: *O rei <u>abdicou</u>.*] **2** Desistir (de). [*td.*: *Jamais abdicaria a liberdade. ti.* + *de*: "...pedi que <u>abdicasse</u> da missão..." (João Ubaldo Ribeiro, *Diário do farol*).] [▶ **11** abdi<u>car</u>] • ab.di.ca.*ção sf*.

abdome, abdômen (ab.do.me, ab.*dô*.men) *sm. Anat.* Região entre o tórax e a bacia, no corpo humano e dos animais vertebrados. [Pl. de ab<u>dômen</u>: *abdômens* e (p.us. no Brasil) *abdômenes*.]

📖 O abdome é a maior cavidade do corpo, separado do tórax por um músculo membranoso (diafragma), e envolto numa membrana chamada peritônio. No abdome estão situados quase todos os órgãos do sistema digestório (estômago, intestinos delgado e grosso), o baço, o fígado, o pâncreas, os rins e as suprarrenais.

abdominal (ab.do.mi.*nal*) *a2g.* **1** Ref. ao abdome ou que nele se localiza (cavidade <u>abdominal</u>, dores <u>abdominais</u>). *sf.* **2** Exercício físico que trabalha os músculos do abdome: *Hoje fiz cem abdominais.* [Pl.: -*nais.*]

abduzir (ab.du.*zir*) *v. td.* **1** Afastar (alguém ou algo) de algum lugar, ger. de modo violento: *No sonho, a nave espacial o abduziu.* **2** *Fisl.* Mover (membro ou parte de membro) afastando da linha mediana do corpo: *Não conseguia abduzir o braço.* [▶ **57** ab<u>duzir</u>] [Cf.: *aduzir*.] • ab.du.*ção sf*.

abecê, á-bê-cê (a.be.*cê*, á-bê-*cê*) *sm.* **1** Abecedário, alfabeto. **2** *Fig.* Primeiras noções de um assunto, conhecimentos básicos. [Sin. ger.: *abc*.] [Pl. de *á-bê-cê*: *á-bê-cês*.]

abecedário (a.be.ce.*dá*.ri:o) *sm.* **1** O conjunto das letras que representam os sons (vogais e consoantes) de uma língua na escrita; ALFABETO. **2** Livro que ensina as primeiras regras do sistema alfabético de uma língua. **3** Exercício de combinação das letras para formar sílabas e palavras; SOLETRAÇÃO; BÊ-A-BÁ. [Cf.: *abecê*.]

abeirar (a.bei.*rar*) *v.* Fazer chegar ou chegar à beira de ou perto de. [*td.*: *Não deixava a filha abeirar o poço. tdi.* + *a*, *de*: *Abeirou os vasos da janela. pr.*: *"...ele <u>abeirou-se</u> do pai..."* (Josué Montello, *Um rosto de menina*).] [▶ **1** abeir<u>ar</u>] • a.bei.*ra*.do *a*.

abelha (a.*be*.lha) [ê] *sf. Zool.* Inseto produtor de cera e de mel.

📖 As abelhas vivem socialmente em colmeias, estruturas que elas mesmas constroem com cera, feitas de favos, que são conjuntos de compartimentos em forma de hexágono. Muitos milhares de abelhas podem habitar uma colmeia, e é lá que as abelhas-operárias fabricam a cera, o mel, o própolis e a geleia real. As abelhas-mestras, ou abelhas-rainhas, são abelhas que as operárias, a sua única função é pôr os ovos que vão gerar mais abelhas. O zangão é a abelha-macho, cujo papel é fertilizar a abelha-mestra. A picada da abelha pode ser dolorosa, e em grande quantidade (mais de cem) pode ser perigosa até para um homem adulto.

abelha-mestra (a.be.lha-*mes*.tra) *sf. Zool.* Única abelha fecundável de uma colmeia; ABELHA-RAINHA. [Pl.: *abelhas-mestras*.]

abelhudo (a.be.*lhu*.do) *a.sm.* Que ou quem se mete onde não é chamado; BISBILHOTEIRO; INTROMETIDO. • a.be.lhu.*di*.ce *sf*.

abençoar (a.ben.*ço*.ar) *v.* **1** Invocar ou conceder bênção (2) a. [*td.*: *O padre abençoou o casamento.*] **2** Trazer felicidade, sorte, proteção a. [*td.*: *Deus, <u>abençoai</u> este país.*] **3** Fazer o sinal da cruz; PERSIGNAR-SE. [*pr.*: *Ao entrar em campo, sempre se <u>abençoava</u>.*] [▶ **16** abenç<u>oar</u>] [NOTA: Não sendo *ti.*, não se deve dizer "Deus lhe abençoe", e sim "Deus o/a abençoe".] • a.ben.ço.a.do *a*.

aberração (a.ber.ra.*ção*) *sf.* **1** Aquilo que, por se afastar do padrão, é considerado um absurdo, uma anormalidade: "Tal medida, além de ser uma <u>aberração jurídica</u>..." (FolhaSP, 21.11.99). **2** *Anat. Fisl.* Deformidade em um organismo. **3** *Ópt.* Desvio na direção de raio luminoso ao atravessar um sistema óptico (p.ex., uma lente). [Pl.: -*ções*.]

aberrar (a.ber.*rar*) *v.* Afastar-se (do que se considera verdadeiro, bom, natural); DESTOAR. [*ti.* + *de*: *aberrar do bom senso. pr.*: *Essa atitude <u>aberra-se</u> de tudo que já vi.*] [▶ **1** aberr<u>ar</u>] • a.ber.*ran*.te *a2g*.

aberta (a.*ber*.ta) *sf.* **1** Fresta, abertura. **2** Parte sem árvores, em mata ou bosque; CLAREIRA. **3** Vala para escoar água represada. **4** Porção de céu que se vislumbra entre nuvens. **5** Breve período de tempo sem chuva; ESTIADA.

aberto (a.*ber*.to) *a.* **1** Que se abriu; que não está fechado, abotoado, cicatrizado etc. (porta <u>aberta</u>, camisa <u>aberta</u>, ferida <u>aberta</u>). **2** Que está afastado, apartado (braços <u>abertos</u>). **3** Sem telhado, sem cobertura (terraço <u>aberto</u>). **4** Diz-se do céu sem nuvens. **5** Sem impedimento para que se entre, se inscreva, se assista etc.: *concurso <u>aberto</u> a jovens de 15 a 18 anos.* **6** Que já se iniciou ou que está funcionando (inscrições <u>abertas</u>, bar <u>aberto</u>). **7** Amplo, vasto (campo <u>aberto</u>). **8** *Fig.* Que aceita ideias novas, que não se prende a preconceitos ou conceitos preestabelecidos; liberal: *um rapaz de mente <u>aberta</u>.* **9** *Gram.* Diz-se do timbre das vogais /á/, /é/, /ó/. **10** *Gram.* Terminado por vogal (diz-se de sílaba). ❑ **Aberto** *sm.* **11** *Esp.* Torneio aberto (5): *Ele sonha jogar no <u>Aberto</u> dos EUA.*

abertura (a.ber.*tu*.ra) *sf.* **1** Ação ou resultado de abrir. **2** Espaço aberto, vão, fenda: *Olhou pela <u>abertura</u> na parede.* **3** Início, inauguração: *a <u>abertura</u> do*

abespinhado | abonação

curso; *a* abertura *de uma loja.* **4** Qualidade de aberto (8): *Com sua* abertura*, sempre vai estudar novas propostas.* **5** *Mús.* Parte que inicia uma obra musical, ger. para orquestra: abertura *da ópera.* **6** *Pol.* Processo de transição de um regime político, de autoritário para democrático. **7** *Bras. Pol.* A abertura (6) iniciada no Brasil em 1978.

abespinhado (a.bes.pi.*nha*.do) *a.* Irritado, exasperado. • **a.bes.pi.***nhar* *v.*

abestado (a.bes.*ta*.do) *a. N.E. Gír.* Bobo, tolo, lesado. • **a.bes.***tar v.*

abestalhado (a.bes.ta.*lha*.do) *a. Pop.* Abobado, perplexo.

abestalhar-se (a.bes.ta.*lhar*-se) *v. pr.* **1** *Bras. Pop.* Ficar admirado, embasbacado: Abestalhou-se *diante da estátua da Liberdade.* **2** Tornar-se bobo, tolo: *Vai* abestalhar-se *se continuar assistindo a esses programas.* [▶ **1** abestal*har*-se]

abeto (a.*be*.to) [ê] *sm.* Certa árvore ornamental.

abicar (a.bi.*car*) *v.* **1** *Mar.* Aproximar-se de. [*td.*: *As canoas* abicaram *a praia. pr.*: *A lancha* abicou-se *à ilha.*] **2** *Mar.* Encostar (o bico da proa). [*td.*: *O navio* abicou *o cais.*] **3** Apontar o bico da proa; dirigir-se. [*ti.* + *a, para*: *O navio* abicou *para a terra.*] [▶ **11** abi*car*]

abilolado (a.bi.lo.*la*.do) *a. Pop.* **1** Amalucado. **2** *N.E.* Tolo, lesado, abestalhado. • **a.bi.lo.***lar v.*

abio (a.*bi*:o) *sm.* Certa fruta amarela, de polpa doce.

abiscoitar (a.bis.coi.*tar*) *v. td.* Obter. [▶ **1** abiscoi*tar*]

abismado (a.bis.*ma*.do) *a.* **1** Espantado, admirado, assombrado: *Estou* abismado *com o seu cinismo.* **2** Que está absorto, concentrado: Abismado*, não me ouviu.*

abismal (a.bis.*mal*) *a2g.* Ver abissal (1). [Pl.: *-mais*.]

abismar (a.bis.*mar*) *v.* **1** Causar espanto ou admiração. [*td.*: *O luxo da festa* abismou *os convidados.*] **2** Fazer cair em abismo, fazer mergulhar em águas profundas. [*td.*: *A ventania* abismou *o bote.*] **3** *Fig.* Ficar muito concentrado, alheio ao que se passa. [*pr.*: "Abismava-se em profundas reflexões..." (Gottfried Keller, *Espelho, o gatinho* in *Mar de histórias,* vol. 4).] [▶ **1** abis*mar*]

abismo (a.*bis*.mo) *sm.* **1** Abertura profunda em terreno; PRECIPÍCIO; DESPENHADEIRO. **2** *Fig.* Distância, divergência que separa drasticamente (pessoas, ideias etc.): *No que se refere a este assunto, há um* abismo *entre nós.* **3** *Fig.* Situação penosa; desastre, caos: *O país está à beira do* abismo.

abissal (a.bis.*sal*) *a2g.* **1** Que tem a natureza do abismo (profundezas abissais); ABISMAL. **2** Que causa espanto, assombro: *figura* abissal *e tenebrosa.* **3** *Fig.* Enigmático, que não se pode decifrar: "...para descer ao fundo mais abissal das coisas..." (Miguel Torga, *Senhor Ventura*). **4** Ref. às grandes profundidades submarinas: *regiões* abissais *do oceano.* [Pl.: *-sais*.]

abjeto (ab.*je*.to) [ê] *a.sm.* Que ou quem é desprezível, ignóbil (pessoa abjeta, atitude abjeta). • **a.***bje.ção sf.*

abjurar (ab.ju.*rar*) *v.* **1** Negar e/ou abandonar (crença religiosa, convicção etc.). [*td.* / *ti.* + *de*: abjurar *a*/ *da sua fé.*] **2** Abandonar a sua religião. [*int.*: *Um dia antes da ordenação, o diácono* abjurou.] **3** *Fig.* Retirar (o que se afirmara). [*td.*: *O deputado* abjurou *as denúncias feitas ao colega.*] [▶ **1** abju*rar*]

ablação (a.bla.*ção*) *sf. Cir.* Remoção de órgão ou de parte de órgão: ablação *do apêndice.* [Pl.: *-ções*.]

ablução (a.blu.*ção*) *sf.* **1** Lavagem (ger. do corpo de uma pessoa, ou de parte dele): "...feitas as rápidas abluções, de pijama..." (Marques Rebelo, *O simples coronel Madureira*). **2** *Rel.* Ritual de purificação (com água) do corpo ou de parte dele (ger. antes de oração ou rito religioso): ablução *das mãos.* [Pl.: *-ções*.]

abnegar (ab.ne.*gar*) *v.* **1** Abrir mão de (interesses, vida pessoal, vantagens). [*td.* / *ti.* + *de*: *Os missioná-* *rios* abnegaram *o*/*do conforto para servir aos doentes.*] **2** Sacrificar-se em benefício de outrem, de si mesmo, de uma tarefa ou missão. [*pr.*: Abnegaram-se *no trabalho de alfabetização.*] [▶ **14** abne*gar*] • **ab.ne.ga.***ção sf.*; **ab.ne.***ga.do a.*

abóbada (a.*bó*.ba.da) *sf.* Teto abaulado de certos prédios (teatro, catedral etc.); CÚPULA. ▪ *~ celeste* O céu.

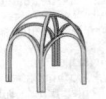

DESENHO ESTRUTURAL DA ABÓBADA DE CRUZETA

DESENHO ESTRUTURAL DA ABÓBADA DE ARESTA

abobado, abobalhado (a.bo.*ba*.do, a.bo.ba.*lha*.do) *a.* Que é ou parece bobo, apatetado.

abobalhar (a.bo.ba.*lhar*) *v.* **1** Fazer ficar ou ficar bobo, apalermado; APALERMAR(-SE). [*td.*: *O excesso de mimos* abobalhou *o menino. pr.*: *De tão apaixonado,* abobalhou-se.] **2** Causar surpresa, perplexidade em. [*td.*: *Seu sucesso* abobalhou *os colegas.*] [▶ **1** abobal*har*]

abóbora (a.*bó*.bo.ra) *sf.* **1** Fruto de polpa alaranjada e comestível; JERIMUM. *sm.* **2** A cor da abóbora. *a2g2n.* **3** Que é dessa cor (camisetas abóbora).

aboboreira, abobreira (a.bo.bo.*rei*.ra, a.bo.*brei*.ra) *sf. Bot.* Planta que dá a abóbora.

abobrinha (a.bo.*bri*.nha) *sf.* **1** Variedade de abóbora, verde, us. na culinária. **2** *Bras. Pop.* Dito sem importância (falar abobrinha); BOBAGEM; BESTEIRA.

abocanhar (a.bo.ca.*nhar*) *v. td.* **1** Pegar com a boca: "...bicho quase me abocanhou *o nariz....*" (Nicolai Gogol, *Diário de um louco* in *Mar de histórias*). **2** Dilacerar ou ferir com os dentes: *A onça* abocanhou *o quati.* **3** *Fig.* Apoderar-se de. **4** Obter; conquistar: "...os cubanos abocanharam 49 medalhas..." (*FolhaSP*, 30.07.99). **5** Comer. [▶ **1** abocan*har*] • **a.bo. ca.***nha.do a.*

aboio (a.*boi*.o) *sm. Bras.* Toada para tocar o gado.

aboletar (a.bo.le.*tar*) *v.* Acomodar, alojar (alguém) com pouco conforto. [*td.* (seguido de indicação de lugar): Aboletou *os primos na saleta. pr.*: Aboletou-se *no escritório do irmão.*] [▶ **1** abole*tar*]

abolição (a.bo.li.*ção*) *sf.* Ação ou resultado de abolir, eliminar (leis, direitos, tradições etc.): *A* abolição *da escravatura deu-se em 1888.* [Pl.: *-ções*.]

abolicionismo (a.bo.li.ci:o.*nis*.mo) *sm. Hist.* Doutrina e movimento político que defendiam a extinção da escravatura. • **a.bo.li.ci:o.***nis.ta a2g.s2g.*

abolir (a.bo.*lir*) *v.* **1** Pôr fim à validade de (leis, instituições etc.); acabar com; extinguir. [*td.*: *A princesa Isabel* aboliu *a escravidão no Brasil.*] **2** Eliminar, suprimir. [*td.*: *Como é diabético,* aboliu *o açúcar. tdi.* + *de*: Aboliu *a carne da alimentação.*] **3** Deixar de lado, abandonar (hábito, vício, usos etc.). [*td.*: *abolir o uso de uniforme.*] [▶ **59** abo*lir*] • **a.bo.***li.do a.*

abominar (a.bo.mi.*nar*) *v.* Ter horror ou aversão a; DETESTAR. [*td.*: "Abomino *domingo!* Maldito dia!" (Marques Rebelo, *Contos reunidos*). *pr.*: *As vizinhas* abominavam-se.] [▶ **1** abomi*nar*] • **a.bo. mi.***na.ção sf.*

abominável (a.bo.mi.*ná*.vel) *a2g.* **1** Que pode ou deve ser abominado, que causa repulsa, horror (crueldades abomináveis, confissão abominável); EXECRÁVEL. **2** Que é péssimo (gênio abominável, filme abominável); INSUPORTÁVEL. [Pl.: *-veis*.]

abonação (a.bo.na.*ção*) *sf.* **1** Ação ou resultado de abonar; ABONO. **2** Citação (ger. em dicionário) de trecho de texto literário, jornalístico etc. para exemplificar uso de vocábulo em determinada acepção. [Pl.: *-ções*.]

abonado (a.bo.*na*.do) *a.* **1** Que se abonou. *a.sm.* **2** Que ou quem é rico.

abonar (a.bo.*nar*) *v. td.* **1** Confirmar, declarar ou indicar como verdadeiro: *Suas vitórias abonam sua fama.* **2** Ser fiador de (compra, aluguel etc.); AFIANÇAR: *Poderia abonar o meu contrato?* **3** Justificar (falta, atraso etc.), esp. no trabalho: *Meu chefe abonou minhas faltas.* **4** Dar apoio ou crédito a: *Sempre abonava as opiniões do filho.* [▶ 1 abon<u>ar</u>] • a.bo.na.*dor a.sm.*

abono (a.bo.no) *sm.* **1** Gratificação em dinheiro: *abono de Natal.* **2** Parte do salário paga adiantada: *Meu pai conseguiu um pequeno abono.* **3** Ação ou resultado de não descontar do salário os dias em que um funcionário esteve ausente: *O gerente deu-lhe abono de faltas por doença.*

abordagem (a.bor.*da*.gem) *sf.* **1** Ação ou resultado de abordar. **2** Modo como é tratado determinado assunto. [Pl.: *-gens*.]

abordar (a.bor.*dar*) *v. td.* **1** Aproximar-se de: *Abordou-me para perguntar as horas.* **2** Falar sobre: *Só aborda temas tristes.* **3** Abalroar (embarcação) para invadi-la: *Os piratas abordaram a nau.* [▶ 1 abord<u>ar</u>]

aborígene, aborígine (a.bo.*rí*.ge.ne, a.bo.*rí*.gi.ne) *a2g.* **1** Que nasceu em determinada terra ou país; NATIVO: *as populações aborígenes do Sul.* **2** Dos índios (arte aborígene), INDÍGENA. *s2g.* **3** Indígena: *tribo de aborígenes.* **4** Habitante primitivo de uma região: *Os índios são os aborígenes brasileiros.*

aborrecer (a.bor.re.*cer*) *v.* **1** Provocar aborrecimento, desgosto, raiva ou mau humor. [*td.*: *Este menino me aborrece.* *int.*: *Com essa atitude, você só aborrece.*] **2** Fazer perder o interesse, causar tédio. [*td.*: *A palestra aborreceu o público.*] **3** Entediar-se, chatear-se. [*pr.*: *Aborrece-me aqui sozinho.*] **4** *Bras.* Agastar-se com, desentender-se com. [*pr.*: *Ele se aborreceu com o amigo.*] [▶ 33 aborrec<u>er</u>] • a.bor.re.ce.*dor a.*

aborrecido (a.bor.re.*ci*.do) *a.* **1** Que sente aborrecimento; CHATEADO; AMOLADO: *Por que você está aborrecida comigo?* **2** Que aborrece, que causa tédio; CHATO: *Achamos o filme aborrecido e saímos no meio.*

aborrecimento (a.bor.re.ci.*men*.to) *sm.* **1** Amolação, problema: *Meu irmão só dá aborrecimentos aos meus pais.* **2** Tédio: *Notei seu ar de aborrecimento.*

abortar (a.bor.*tar*) *v.* **1** Interromper a gravidez, provocando a morte do feto, propositalmente ou não. [*td.* (com ou sem complemento explícito): *Ela não teria coragem de abortar (o bebê).*] **2** *Fig.* Interromper (qualquer coisa que esteja por iniciar ou em andamento). [*td.*: *A equipe abortou o lançamento do foguete.*] **3** *Fig.* Não se desenvolver; não dar certo. [*int.*: *Suas invenções abortaram por falta de mercado.*] **4** *Inf.* Abortar (2) a execução de (programa ou comando). [*td.*] [▶ 1 abort<u>ar</u>]

aborto (a.*bor*.to) [ô] *sm.* **1** Interrupção natural de uma gravidez: *Não se sabe o que causou o aborto.* **2** Ação ou resultado de provocar o fim de uma gravidez: *fazer um aborto.* • a.bor.*ti*.vo *a.* (remédio abortivo)

abotoadura (a.bo.to:a.*du*.ra) *sf.* Par de botões removíveis para fechar os punhos da camisa.

abotoar (a.bo.to.*ar*) *v.* **1** Introduzir (botão) na casa correspondente. [*td.*] **2** Fechar por meio de botões. [*td.*: *abotoar o casaco.*] **3** Abotoar (2) a própria roupa. [*pr.*: *Abotoou-se antes de entrar na sala.*] [▶ 16 abotoar]

abracadabra (a.bra.ca.*da*.bra) *sm.* Palavra à qual eram atribuídos poderes mágicos na Antiguidade.

abraçadeira (a.bra.ça.*dei*.ra) *sf.* **1** Peça de ferro para segurar paredes ou vigas. **2** Cordão, correia ou argola que prende de lado uma cortina.

abraçar (a.bra.*çar*) *v.* **1** Envolver com os braços, ger. de modo afetuoso. [*td.*: *Abraçou-nos com força.*] **2** *Fig.* Decidir-se por, dedicar-se a (causa, crença, ideal, profissão). [*td.*: *Rondon abraçou a causa indígena.*] **3** Agarrar-se, aferrar-se. [*pr.*: *Abraçou-se a ela antes de partir.*]. [▶ 12 abra<u>çar</u>] • a.bra.*ça*.do *a.*

abraço (a.*bra*.ço) *sm.* **1** Ação ou resultado de abraçar. **2** Expressão de afeto ou amizade concluindo uma mensagem escrita ou verbal: *um grande abraço.*

abrandar (a.bran.*dar*) *v.* **1** *Fig.* Tornar(-se) (mais) brando, sereno, calmo; APLACAR. [*td.*: *abrandar os ânimos exaltados.* *int./pr.*: *Era ríspido, mas abrandou(-se) com o tempo.*] **2** *Fig.* Fazer diminuir ou diminuir de grandeza, intensidade. [*td.*: *"...o amor de pai abranda esse rigor..."* (José de Alencar, *Iracema*). *int./pr.*: *Meu desespero abrandou(-se) quando o dia amanheceu.*] [▶ 1 abrand<u>ar</u>] • a.bran.da.*men*.to *sm.*

abrangente (a.bran.*gen*.te) *a2g.* Que abrange, que inclui muitas coisas, muitas informações etc.: *o mais abrangente site de música na internet.* • a.bran.*gên*.ci:a *sf.*

abranger (a.bran.*ger*) *v. td.* **1** *Fig.* Conter em si, em sua área de conhecimento, em seus limites: *A região Sudeste abrange quatro estados.* **2** Alcançar, cobrir: *A vista abrange toda a baía de Guanabara.* **3** Estender-se em volta de: *A cerca abrange todo o milharal.* [▶ 35 abrang<u>er</u>]

abrasador (a.bra.sa.*dor*) [ô] *a.* Muito quente: *o verão abrasador de 2001.*

abrasar (a.bra.*sar*) *v.* **1** Transformar em brasa, queimar. [*td.*: *Pontas de cigarro podem abrasar uma floresta.* *int./pr.*: *O bambual abrasava(-se), enchendo o terreiro de fumaça.*] **2** Aquecer muito, produzir muito calor. [*td.*: *O sol abrasava o asfalto.* *int.*: *Está um calor de abrasar.*] **3** *Fig.* Fazer ficar vermelho, corado; CORAR; ENRUBESCER. [*td.*: *O elogio abrasou as faces da menina.*] [▶ 1 abras<u>ar</u>]

abrasileirar (a.bra.si.lei.*rar*) *v. td.* Fazer com que (alguém ou algo) adquira características brasileiras: *A jovem portuguesa abrasileirou o seu sotaque.* [▶ 1 abrasileir<u>ar</u>] • a.bra.si.lei.*ra*.do *a.*

abrasivo (a.bra.*si*.vo) *a.* **1** Que produz desgaste, por atrito. *sm.* **2** Qualquer substância muito dura capaz de desgastar ou limpar objetos por atrito.

abre-alas (a.bre-a.las) *sm2n. Bras.* Grupo de passistas, ou carro alegórico, que abre os desfiles de uma escola de samba ou bloco.

abreugrafia (a.breu.gra.*fi*.a) *sf. Bras. Rlog.* Radiografia do tórax reproduzida em tamanho pequeno.

abreviação (a.bre.vi:a.*ção*) *sf.* **1** Ação ou resultado de abreviar, de tornar mais curto: *Zé é uma abreviação de José.* **2** Redução de uma palavra longa, de uso frequente, a algumas de suas sílabas, p.ex., *micro* (microcomputador), *vídeo* (videocassete). **3** Na escrita, representação informal de uma palavra por algumas de suas letras ou sílabas, seguida de ponto, p.ex., *bjs.* (beijos), *qdo.* (quando). [Pl.: *-ções.*]

abreviado (a.bre.vi:a.do) *a.* Que sofreu abreviação, redução: *Publicou uma versão abreviada (da tese).*

abreviar (a.bre.vi.*ar*) *v. td.* **1** Tornar (mais) breve, reduzir o tempo de duração de: *abreviar uma conversa.* **2** Tornar menos intenso: *Mentiu para abreviar o impacto da notícia.* **3** Cortar parte de uma palavra ou termo para reduzi-los, segundo certo critério: *Sempre abreviava seu segundo nome.* **4** Resumir, sintetizar: *abreviar um discurso/uma redação.* [▶ 1 abrevi<u>ar</u>]

abreviatura (a.bre.vi:a.*tu*.ra) *sf.* **1** Representação fixa, convencionada, de uma, duas ou mais palavras, p.ex., *Dr.* (Doutor), *Ltda.* (Limitada). **2** Redução do nome de uma entidade, país, empresa etc. às suas primeiras letras, p.ex., *UE* (União Europeia), *IPTU* (Imposto Predial e Territorial Urbano). [Cf.: *acrônimo* e *sigla*.]

abricó (a.bri.*có*) *sm.* Fruto comestível, na forma de uma baga esférica, doce, amarelada, ligeiramente azeda.

abricoteiro, **abricozeiro** (a.bri.co.*tei*.ro, a.bri.co.*zei*.ro) *sm. Bot.* Árvore que dá o abricó.

abridor (a.bri.*dor*) [ô] *sm.* Utensílio que serve para abrir latas, garrafas etc.

abrigar (a.bri.*gar*) *v.* **1** Receber em casa, acolher. [*td.*: *Posso* abrigá-*lo por esta noite.*] **2** Proteger(-se), resguardar(-se) de (perigo, chuva, frio etc.). [*td.*: *Chovia muito, e a marquise nos* abrigou. *tdi.* + *de*: *O muro* abrigou *os soldados do fogo inimigo.* **pr.**: Abri-gamo-nos *numa loja.*] **3** Conter ou poder conter. [*td.*: *Esta igreja* abriga *trezentos fiéis.*] **4** *Fig.* Guardar dentro de si. [*td.*: "...abrigo *enorme inveja dos escritores..."* (João Ubaldo Ribeiro, *O conselheiro come*).] [▶ 14 abrigar] ● **a.bri.ga.do** *a.*

abrigo (a.*bri*.go) *sm.* **1** Local que oferece proteção contra a chuva, o vento etc., ou contra qualquer perigo (abrigo *nuclear*). **2** Casa de assistência social a desamparados: *abrigo de menores.*

abril (a.*bril*) *sm.* O quarto mês do ano. (Com 30 dias.) [Pl.: *abris.*]

abrilhantar (a.bri.lhan.*tar*) *v.* **1** Tornar brilhante, reluzente. [*td.*: *Estrelas* abrilhantam *o céu.*] **2** *Fig.* Dar ou ter destaque, brilho. [*td.*: *A presença do marquês* abrilhantou *o baile.* **pr.**: Abrilhantou-se *ante a banca examinadora.*] [▶ 1 abrilhant**ar**] ● **a.bri.lhan.ta.men.to** *sm.*

abrir (a.*brir*) *v.* **1** Afastar as partes fechadas, unidas ou articuladas de. [*td.*: abrir *o guarda-chuva/a camisa/os braços. tdi.* + *a*, *para*: Abra *o portão* para *o seu pai. int.*: *A porta* abriu*, rangendo.*] **2** Remover ou cortar parte de (algo), para retirar ou usar o que está dentro. [*td.*: abrir *um presente/um envelope/uma lata.*] **3** Estender ou desenrolar. [*td.*: abrir *um mapa.*] **4** Partir, para dividir ou tirar um pedaço. [*td.*: abrir *um coco.*] **5** Fundar, criar. [*td.*: abrir *um hospital.*] **6** Criar passagem por. [*td.*: abrir *um atalho.*] **7** Dar acesso a ou atender o público em. [*td.*: Abrimos *a loja às 10h. int.*: *O clube não* abre *às segundas.*] **8** Fazer funcionar, acionando dispositivo. [*td.*: abrir *a torneira/o gás.*] **9** Dar início a. [*td. A faculdade* abriu *as inscrições; O time* abriu *o placar.*] **10** Fazer confidências. [*pr.*: Abriu-se *com a amiga.*] **11** Transformar-se o botão em flor; DESABROCHAR. [*int.*: *A orquídea está quase* abrindo. *pr.*: "*A rosa triste que vivia fechada se* abriu..." (Chico Buarque, *A banda*).] **12** Ficar ensolarado. [*int.*: *O tempo deve* abrir *amanhã.*] **13** Passar a verde (sinal de tráfego). [*int.*] **14** *Inf.* Criar ou carregar (arquivo ou programa). [*td.*] **15** *Fig.* Tornar acessível. [*td./tdi.* + *a*, *para*: *O estudo* abre *oportunidades* (para *os jovens*).] [Ant. ger.: *fechar.*] [▶ 3 abr**ir**. Part.: *aberto.*] [NOTA: Us. tb. como v. auxiliar, seguido da prep. *a* + v. principal no infinitivo, indicando início súbito da ação: abriu *a correr.*]

ab-rogar (ab-ro.*gar*) *v. td.* Ver *revogar.* [▶ 14 ab-rogar]

abrolho (a.*bro*.lho) [ô] *sm.* **1** *Bot.* Erva rasteira, com espinhos. **2** Rochedo marinho à superfície da água; RECIFE. [Nesta acp., mais us. no pl.] [Pl.: [ó].]

ab-rupto (ab-*rup*.to) *a.* **1** Que é inesperado; REPENTINO: *Houve um aumento* ab-rupto *dos preços.* **2** Ríspido, indelicado: *Respondeu-me de maneira* ab-rupta. **3** Íngreme, escarpado. [Tb. *abrupto.*] [NOTA: Coloquialmente, a pronúncia usual é *a.brup.to.*]

abrutalhado (a.bru.ta.*lha*.do) *a.* **1** Um tanto bruto e/ou pesadão (pessoa abrutalhada*,* corpo abrutalhado). **2** De aspecto grosseiro, pouco elegante (sapatos abrutalhados).

abscesso (abs.*ces*.so) *sm. Pat.* Formação e acumulação de pus numa cavidade do corpo provocada por inflamação.

abscissa (abs.*ci*.sa) *sf. Geom.An.* Coordenada do eixo da variável *x*.

absenteísmo, **absentismo** (ab.sen.te.*ís*.mo, ab.sen.*tis*.mo) *sm.* Falta de assiduidade a atividade (escola, trabalho etc.). ● **ab.sen.te.ís.ta**, **ab.sen.tis.ta** *a2g.s2g*

absinto (ab.*sin*.to) *sm.* **1** *Bot.* Erva aromática de essência tóxica e amarga. **2** Licor preparado com o aroma dessa planta.

absolutamente (ab.so.lu.ta.*men*.te) *adv.* **1** De modo absoluto, total; TOTALMENTE; COMPLETAMENTE: *Você está* absolutamente *certa!* **2** De modo nenhum; em absoluto: — *Você concorda com esse absurdo?* — Absolutamente*!*

absolutismo (ab.so.lu.*tis*.mo) *sm.* **1** *Pol.* Sistema de governo em que o chefe de Estado tem poderes ilimitados. **2** Despotismo, tirania. ● **ab.so.lu.tis.ta** *a2g.s2g.*

absoluto (ab.so.*lu*.to) *a.* **1** Que é total (silêncio absoluto*,* pobreza absoluta). **2** Em que não há dúvidas: *Você tem certeza* absoluta *disso?* **3** Que ocupa posição superior e isolada em relação aos demais (líder absoluto). **4** Com forte concentração de poder: *o Estado* absoluto. ▪▪ **Em ~ 1** De maneira nenhuma; absolutamente (2): *Meus pais não se importam* em absoluto *com isso.* **2** De maneira total; absolutamente (1).

absolver (ab.sol.*ver*) *v.* Considerar inocente; livrar da culpa. [*td.*: *O júri* absolveu *o réu. tdi.* + *de*: *O juiz* absolveu-o *de todas as acusações.*] [▶ 2 absol**ver**] ● **ab.sol.vi.çã.o** [*ç*] *sf.* ● **ab.sol.vi.do** *a.*

absorção (ab.sor.*ção*) *sf.* **1** Ação ou resultado de absorver. **2** Processo pelo qual uma matéria, organismo ou objeto recolhe em si substância líquida ou gasosa, calor etc.: *medicamento que reduz a* absorção *de gordura pelo organismo.* [Cf.: *adsorção.*] **3** *Fig.* Aproveitamento, utilização: *a* absorção *da tecnologia pela arte.* **4** *Fig.* Concentração mental. [Pl.: -ções.]

absorto (ab.*sor*.to) [ô] *a.* Com a atenção totalmente voltada para algo; CONCENTRADO: *Estava tão* absorto *em sua leitura que nem me viu entrar.*

absorvente (ab.sor.*ven*.te) *a2g.* **1** Que absorve, que se deixa impregnar (toalha absorvente). **2** *Fig.* Que exige muita atenção ou ocupação (criança absorvente, trabalho absorvente). *sm.* **3** Substância ou produto que absorve. **4** Produto feito de várias camadas de material absorvente (1), para reter o fluxo menstrual da mulher. [Nesta acp. tb. *absorvente higiênico.*]

absorver (ab.sor.*ver*) *v.* **1** Recolher por absorção (2) (líquido, gás). [*td.*: *Roupas de algodão* absorvem *mais o suor.*] **2** *Fig.* Captar, retendo para si; ASSIMILAR. [*td.*: *A carroceria* absorveu *o impacto do choque;* "...*o mercado de trabalho* absorveu *mais gente em agosto.*" (*FolhaSP*, 24.09.99).] **3** *Fig.* Ocupar a atenção, o tempo de (alguém ou si mesmo). [*td.*: *A leitura do romance* absorvia *o menino. pr.*: Absorvia-se *no desenho.*] [▶ 2 absorv**er**]

abstêmio (abs.*tê*.mi;o) *a.sm.* **1** Que ou quem não toma bebida alcoólica. **2** Sóbrio, moderado.

abstenção (abs.ten.*ção*) *sf.* **1** Ação ou resultado de abster-se. **2** Recusa em participar de qualquer ato, esp. de uma votação. [Pl.: -ções.]

abster-se (abs.*ter*-se) *v. pr.* **1** Deixar de fazer (algo): Absteve-se *de dar a sua opinião.* **2** Não beber ou não comer: "...*sempre* se abstinha *de carne..."* (Juan Valera, *O cozinheiro do arcebispo* in *Mar de histórias*). [▶ 7 abst**er**-se]

abstinência (abs.ti.*nên*.ci;a) *sf.* **1** Ação ou resultado de abster-se continuadamente, de privar-se de algo: abstinência *de álcool.* ● **abs.ti.nen.te** *a2g.s2g.*

abstração (abs.tra.*ção*) *sf.* **1** Ação ou resultado de abstrair(-se). **2** Ideia geral sobre uma situação, um objeto ou uma pessoa, em oposição a exemplos específicos da vida real: *A prova de História exigiu* abstração *e interpretação.* **3** Estado de quem se encontra tão absorto em pensamentos, que não percebe o que ocorre à sua volta; ALHEAMENTO. [Pl.: -ções.]

abstracionismo (abs.tra.ci:o.*nis*.mo) *sm. Art.Pl.* Estilo artístico, desenvolvido no início do séc. XX, que usa cores e formas diversas para representar ideias, sentimentos, objetos etc. ● abs.tra.ci:o.*nis*.ta *a2g.s2g.*

abstrair (abs.tra.*ir*) *v.* **1** Não ficar concentrado em problema, trabalho ou preocupação; DISTRAIR-SE; ALHEAR-SE. [*pr.: Abstraia-se no jogo de pião.*] **2** Colocar de lado, considerar em separado (o que pertence a um grupo). [*td.: Abstraiu os números ímpares. tdi. + de: Se abstrairmos do relato as mentiras, nada restará.*] **3** Não levar em consideração. [*ti. + de: Tente abstrair do secundário e concentre-se no principal.*] [▶ 43 abstrair]

abstrato (abs.*tra*.to) *a.* **1** Que se baseia em ideias ou princípios gerais, e não em exemplos ou fatos reais: *O tema da redação era muito abstrato.* **2** Que existe somente como uma qualidade ou ideia, e não como algo que se pode ver ou tocar: *Bondade é um conceito abstrato.* **3** Difícil de entender. **4** *Art.Pl.* Ref. ao abstracionismo (pintura abstrata). **5** *Gram.* Diz-se do nome que não representa o mundo palpável, concreto (p.ex.: *alma, alegria* etc.).

absurdo (ab.*sur*.do) *a.* **1** Que demonstra falta de bom senso, de lógica (ideia absurda, pedido absurdo). **2** Que é inaceitável: *Ele cobrou um preço absurdo. sm.* **3** Aquilo que é absurdo.

abulia (a.bu.*li*.a) *sf. Med.* Diminuição ou perda da vontade e da iniciativa, causada por doença.

abundância (a.bun.*dân*.ci:a) *sf.* **1** Grande quantidade: *Nessas praias há pousadas e bares em abundância; abundância de ofertas.* **2** *Fig.* Fartura, excesso.

abundante (a.bun.*dan*.te) *a2g.* **1** Que existe em larga escala: *um tipo de madeira abundante no país.* **2** Em grande quantidade: *oferta abundante de produtos.* **3** Muito intenso (iluminação abundante).

abundar (a.bun.*dar*) *v.* Ter ou existir em grande quantidade, em abundância. [*ti. + de, em: O Amazonas abunda em peixes. int.: Em janeiro, as mangas abundam.*] [▶ 1 abundar]

aburguesar (a.bur.gue.*sar*) *v.* Transformar em burguês ou incutir modos de burguês em. [*td.: O enriquecimento vai aburguesá-lo. pr.: Rico, aburguesou-se.*] [▶ 1 aburguesar] ● a.bur.gue.*sa*.do *a.*

abusado (a.bu.*sa*.do) *a.sm. Bras.* **1** Que ou quem abusa, passa dos limites; CONFIADO: *Mas que garoto abusado!* **2** Que ou quem é atrevido, provocador.

abusão (a.bu.*são*) *sf.* Uso abusivo de um direito. [Pl.: -sões.]

abusar (a.bu.*sar*) *v.* **1** Usar de maneira imprópria, não ter cuidado com. [*ti. + de: Deixe de abusar da saúde.*] **2** Tirar vantagem de sua força, poder sobre (alguém); APROVEITAR-SE. [*ti. + de: O administrador abusava dos boias-frias. int.: Não se deve permitir que os patrões abusem.*] **3** Usar, comer, beber (algo) em excesso. [*ti. + de: "E também não abusava muito da cerveja..." (Pepetela, A geração da utopia).*] [▶ 1 abusar]

abusivo (a.bu.*si*.vo) *a.* **1** Em que há abuso; que é excessivo ou incorreto: *aumento abusivo dos preços.* **2** Que contraria os bons costumes, as normas etc. (comportamento abusivo).

abuso (a.*bu*.so) *sm.* **1** Uso exagerado: *O abuso de frituras lhe dá enjoo.* **2** Uso errado, indevido: *abuso de poder.* **3** Falta de respeito; DESCOMEDIMENTO. ■ ~ **sexual** Imposição de ato sexual, freq. com uso de violência.

abutre (a.*bu*.tre) *sm.* **1** *Zool.* Ave de rapina que se alimenta de animais mortos. **2** *Fig.* Indivíduo que se beneficia da desgraça alheia.

a/c Abr. de *aos cuidados de,* ger. us. em endereçamentos postais.

a.C. Abr. de *antes de Cristo.*

acabado (a.ca.*ba*.do) *a.* **1** Que está pronto, terminado: *O novo estádio está quase acabado.* [Ant.: *inacabado.*] **2** Que deixou de existir (namoro, acordo etc.): *Está tudo acabado entre os dois.* **3** *Fig.* Com aspecto envelhecido: *Minha tia é moça, mas está muito acabada.* [Ant. nesta acp.: *conservado.*] **4** *Fig.* Que está abatido, deprimido: *Ficou acabado com a perda do amigo.* **5** Sem chance de progredir; ARRUINADO: *Com esse escândalo, a carreira dele está acabada.* **6** *Fig.* Gasto pelo uso: *O tênis ficou acabado na viagem.*

acabamento (a.ca.ba.*men*.to) *sm.* **1** Ação ou resultado de acabar. **2** Tratamento final; ARREMATE: *o acabamento de uma pintura.*

acabar (a.ca.*bar*) *v.* **1** Chegar ao fim (de); TERMINAR. [*td.: Você já acabou seu dever? int.: As férias acabaram. pr.: Após um ano, o namoro acabou-se.*] [Ant.: *começar, iniciar.*] **2** Pôr fim a; EXTINGUIR. [*ti. + com: É difícil acabar com a pirataria.*] **3** Ter como desfecho. [*ti. + em: "Essa união vai acabar em discórdia."* (Kurban Said, *Ali e Nino*).] **4** Cansar(-se) muito. [*ti. + com: Varrer a casa acaba com as minhas costas. pr.: Acabava-se no trabalho para sustentar os filhos.*] **5** Tornar-se. [*lig.: Dedicou-se tanto, que acabou gerente.*] **6** *Fig.* Superar, humilhando. [*ti. + com: Nosso time acabou com o deles.*] [▶ 1 acabar] [NOTA: Us. como auxiliar: a) seguido de v. principal no gerúndio ou da prep. *por* + v. principal no infinitivo, indicando resultado de uma ação: *Acabei ficando; Acabei por ficar mais um pouco.* b) seguido de prep. *de* + v. principal no infinitivo, indicando término de uma ação: *Acabou de jantar, e saiu;* ou que o fim da ação foi recente: *"...ao lado da motocicleta que acabava de ganhar."* (Antonio Callado, *Bar Don Juan*).]

acabrunhado (a.ca.bru.*nha*.do) *a.* Que perdeu a alegria, o ânimo, por desgosto ou aborrecimento; TRISTE; DESANIMADO: *Depois de acabrunhado, andou acabrunhado.*

acabrunhar (a.ca.bru.*nhar*) *v.td.pr.* **1** Deixar ou ficar acabrunhado. **2** Causar ou sentir vergonha ou humilhação. [▶ 1 acabrunhar] ● a.ca.bru.*nha.men*.to *sm.*

acachapado (a.ca.cha.*pa*.do) *a. Fig.* Triste, arrasado: *Ficaram todos acachapados com a notícia.*

acachapar (a.ca.cha.*par*) *v.* **1** Esmagar, achatar, abater. [*td.: Acachapou as roupas no fundo da mala.*] **2** *Fig.* Humilhar, rebaixar. [*td.: Os maus-tratos acachapavam os presos.*] **3** Agachar-se, abaixar-se. [*pr.: Acachapou-se para limpar o chão.*] [▶ 1 acachapar]

acácia (a.*cá*.ci:a) *sf.* **1** *Bot.* Árvore que dá flores amarelas e perfumadas. **2** Essa flor.

academia (a.ca.de.*mi*.a) *sf.* **1** Escola que oferece aulas de ginástica, musculação, esportes etc. [Tb. *academia de ginástica.*] **2** Estabelecimento de ensino, ger. superior (Academia Militar). **3** Sociedade de caráter literário, científico ou artístico; ASSOCIAÇÃO: *Academia Brasileira de Letras.*

acadêmico (a.ca.*dê*.mi.co) *a.* **1** Ref. a academia (2) (vida acadêmica). **2** Ref. às atividades escolares ou universitárias (intercâmbio acadêmico). *a.sm.* **3** Que ou quem é membro de academia (2 e 3).

acafajestado (a.ca.fa.jes.*ta*.do) *a.* Que se comporta e/ou se veste como cafajeste.

açafate (a.ça.*fa*.te) *sm.* Cestinho de vime oval ou redondo, sem alças.

açafrão (a.ça.*frão*) *sm. Bot.* Planta de cujas flores se produz um pó amarelo us. como tempero e corante. **2** *Cul.* Esse tempero. [Pl.: *-frões.*]

açaí (a.ça.*í*) *sm.* **1** *Bot.* Palmeira que dá frutos comestíveis de cor roxo-escura; AÇAIZEIRO. **2** Esse fruto. **3** Refresco desse fruto.

açaimo (a.*çaí*.mo) *sm.* Mordaça que no focinho dos animais para impedi-los de morder ou comer; FOCINHEIRA.

acaipirado (a.cai.pi.ra.do) a. Com jeito de caipira.

açaizeiro (a.çai.zei.ro) sm. Bot. Ver açaí (1).

acaju (a.ca.ju) sm. **1** Madeira castanho-avermelhada. **2** A cor dessa madeira. *a2g2n.* **3** Que é dessa cor (cabelos acaju).

acalanto, acalento (a.ca.lan.to, a.ca.len.to) sm. Cantiga de ninar.

acalcanhar (a.cal.ca.nhar) v. Fazer gastar ou gastar (o calçado) na altura do calcanhar. [*td.*: De tanto andar, acalcanhou os sapatos. *int.*: A bota acalcanhou.] [▶ 1 acalcanhar]

acalentar, acalantar (a.ca.len.tar, a.ca.lan.tar) v. *td.* **1** Fazer adormecer ao som de cantigas; EMBALAR: *acalentar* o *bebê*. **2** Trazer consolo, conforto: *Suas visitas me acalentam.* **3** *Fig.* Alimentar, manter vivo (sonho, projeto): "Só acalentava uma ambição..." (Marques Rebelo, *Marafa*). [▶ 1 acalentar, ▶ 1 acalantar]

acalmar (a.cal.mar) v. **1** Tornar(-se) calmo, tranquilo. [*td.*: Este chá vai acalmá-lo. *pr.*: Acalme-se e preste atenção.] [Ant.: agitar.] **2** Diminuir a intensidade de. [*td.*: O guarda acalmou a fúria da multidão.] [▶ 1 acalmar]

acalorar (a.ca.lo.rar) v. **1** Transmitir calor a, tornar quente; AQUECER. [*td.*: O sol a pino acalorava a estrada.] [Ant.: esfriar.] **2** *Fig.* Tornar(-se) entusiasmado, exaltado. [*td.*: Seu argumento acalorou a discussão. *pr.*: Acalorou-se e perdeu a compostura.] [▶ 1 acalorar] • a.ca.lo.ra.do a. (debate acalorado).

acamado (a.ca.ma.do) a. Doente, e de cama: *Joana passou a semana acamada*.

acamaradar (a.ca.ma.ra.dar) v. Tornar-se amigo ou companheiro de. [*ti. + com*: Quis acamaradar com os primos. *pr.*: Acamaradou-se com os vizinhos.] [▶ 1 acamaradar]

açambarcar (a.çam.bar.car) v. *td.* Tomar posse de; adquirir o controle sobre; MONOPOLIZAR: *A cooperativa açambarcava o comércio local.* [▶ 11 açambarcar]

acampado (a.cam.pa.do) a. **1** Alojado em acampamento: *O grupo estava acampado na praia.* **2** Provisoriamente instalado: *Tivemos que ficar acampados na casa da minha tia.*

acampamento (a.cam.pa.men.to) sm. **1** Ver camping. **2** Conjunto de barracas que constitui alojamento provisório: *acampamento de ciganos*. **3** *Mil.* Local em que a tropa se instala em barracas. ⬛ **Levantar ~** Ir-se embora, ou mudar de lugar ou residência levando seus pertences.

acampar (a.cam.par) v. *int.* Instalar-se em barracas, ger. em contato com a natureza: *Pretendem acampar em Saquarema.* [▶ 1 acampar]

acanalhar (a.ca.na.lhar) v. **1** Tirar o valor; tornar desprezível. [*td.*: Desejam acanalhar o trabalho do artista.] **2** Transformar(-se) em canalha, em um ser desprezível. [*td.*: O vício acanalhou o rapaz. *pr.*: Acanalhou-se nas más companhias.] [▶ 1 acanalhar]

acanhado (a.ca.nha.do) a. **1** Que se mostra ou se torna tímido diante de desconhecidos, com vergonha do por algo: *É um rapaz acanhado, não quer dançar.* **2** Pequeno, pouco espaçoso (quarto acanhado).

acanhamento (a.ca.nha.men.to) sm. Comportamento de quem é tímido ou se envergonha por algo.

acanhar (a.ca.nhar) v. Fazer ficar ou ficar acanhado, tímido; ENVERGONHAR(-SE). [*td.*: O olhar dos rapazes acanhava a menina. *pr.*: Não se acanhava de agir como criança.] [▶ 1 acanhar]

ação (a.ção) sf. **1** Resultado de agir; ATO: *fazer boas ações*. **2** Conjunto de atitudes; maneira de agir: *Tem uma ação calma e equilibrada*. **3** Efeito que uma coisa afeta outra: *construções que não resistiram à ação do tempo*. **4** Conjunto de medidas ou providências para alcançar um fim, remediar uma situação etc.: *As vítimas foram salvas em uma ação de resgate.* **5** *Cin. Teat. Telv.* O enredo de um filme, peça teatral, novela etc. **6** *Fin.* Parcela do capital de uma empresa, ou documento que a representa. **7** *Jur.* Processo de resolver na Justiça uma questão contra algo ou alguém: *mover uma ação*. **8** *Mil.* Combate. [Pl.: -ções.] ⬛ **~ de graças** *Litu.* Ato de fé religioso em agradecimento a Deus ou a santo por graça recebida.

acarajé (a.ca.ra.jé) sm. *BA Cul.* Bolinho feito com feijão-fradinho, frito no azeite de dendê, servido com camarões secos e molho de pimenta.

acarear (a.ca.re.ar) v. Colocar (duas ou mais pessoas) frente a frente para esclarecer pontos divergentes. [*td.*: acarear ex-gerentes acusados de fraude. *tdi. + com*: acarear os acusados com a testemunha do roubo.] [▶ 13 acarear] • a.ca.re:a.ção sf.

acariciar (a.ca.ri.ci.ar) v. **1** Fazer carícia(s) em (algo, alguém ou si mesmo) ou trocar carícias com alguém; AFAGAR(-SE). [*td.*: acariciar o bebê. *pr.*: Acariciou-se diante do espelho; Acariciaram-se depois de terem feito as pazes.] **2** Passar a mão levemente sobre; ALISAR. [*td.*: Acariciava o bigode enquanto falava.] [▶ 1 acariciar]

acarinhar (a.ca.ri.nhar) v. *td.* Tratar com carinho, tratar com carinho, com desvelo; AFAGAR: *Ao vê-la chorar, acarinhou-a.* [▶ 1 acarinhar]

ácaro (á.ca.ro) sm. *Zool.* Parasita que vive no homem e em animais domésticos, provocando alergias e doenças na pele.

acarpetar (a.car.pe.tar) v. *td.* Cobrir com carpete. [▶ 1 acarpetar] • a.car.pe.ta.do a.

acarretar (a.car.re.tar) v. Ser a causa, o motivo de; CAUSAR; PROVOCAR. [*td.*: O alcoolismo acarreta demência. *tdi. + a*: A seca acarretou prejuízos à plantação.] [▶ 1 acarretar]

acasalar (a.ca.sa.lar) v. Reunir(-se) (macho e fêmea) para formar casal ou para procriação; CRUZAR. [*td.*: acasalar canários. *tdi. + com*: Pretendia acasalar um vira-lata com um pequinês. *int.*: Acasalar e morrer é o destino dos zangões. *pr.*: A aranha devorou o parceiro depois que se acasalaram.] [▶ 1 acasalar] • a.ca.sa.la.men.to sm.

acaso (a.ca.so) sm. **1** Acontecimento imprevisto; CASUALIDADE. **2** Destino, sorte: *Quis o acaso que ele fosse rico.* *adv.* **3** Talvez; porventura: *Vivem isolados, como se acaso não fossem parentes.* **4** Por acaso (2). ⬛ **Ao ~** Sem rumo: *Percorreu, ao acaso, as ruas do bairro.* **2** Sem reflexão, planejamento ou premeditação: *"...iniciativas (...) planejadas ao acaso e postas em execução por tentativa..."* (Cecília Meireles, "O que se espera e o que se teme", *Diário de Notícias*, 09.01.31). **Por ~ 1** De maneira casual, acidental, inesperada: *Encontramo-nos na festa por acaso.* **2** Eventualmente: *Se por acaso chegarem a um acordo, avisem-me.*

acastanhado (a.cas.ta.nha.do) a. Que apresenta tom de castanho ou quase castanho.

acatar (a.ca.tar) v. *td.* **1** Obedecer ou seguir (ordem, norma, opinião): *acatar sugestões*. **2** Demonstrar respeito ou consideração por (alguém ou algo): *acatar a sabedoria dos mais velhos*. [Ant.: desacatar.] [▶ 1 acatar] • a.ca.ta.do a.; a.ca.ta.men.to sm.

acatólico (a.ca.tó.li.co) a.sm. Que ou quem não é católico.

acaule (a.cau.le) a2g. *Bot.* Diz-se da planta que não tem caule, ou que o tem muito pequeno.

acautelado (a.cau.te.la.do) a. **1** Que se acautela ou se acautelou, que é precavido. **2** Guardado, protegido.

acautelar (a.cau.te.lar) v. **1** Avisar com antecedência, pôr de sobreaviso; PREVENIR. [*tdi. + contra, de, quanto a*: É preciso acautelar os visitantes da falta de água.] **2** Ter cautela, preparar-se para evitar um mal, um perigo; RESGUARDAR-SE. [*pr.*: acautelar-se contra roubos.] [▶ 1 acautelar] • a.cau.te.la.men.to sm.

acavalado (a.ca.va.*la*.do) *a*. **1** Que é sobreposto (dentes acavalados). **2** *Pop.* Que tem modos grosseiros. [At! Considerado ofensivo nesta acepção.]

⊕ **ace** (*Ing.* /êiss/) *sm. Esp.* No tênis e no voleibol, saque que o adversário não consegue devolver.

acebolado (a.ce.bo.*la*.do) *a*. **1** Temperado com cebola. **2** Com gosto de cebola.

aceder (a.ce.*der*) *v. ti.* Estar de acordo, aquiescer, consentir. [+ *a: Acedeu à proposta.*] [▶ **2** aceder]

acefalia (a.ce.fa.*li*.a) *sf. Trt.* Ausência congênita de cabeça.

acéfalo (a.*cé*.fa.lo) *a*. **1** *Trt.* Que sofre de acefalia. **2** *Fig.* Sem chefe, sem liderança: *A empresa está acéfala.*

aceiro (a.*cei*.ro) *sm. GO RJ* Desmatamento ou queima de mato em volta do terreno, ou de acampamento, para protegê-los de queimada, cobras etc.

aceitação (a.cei.ta.*ção*) *sf.* **1** Ação ou resultado de aceitar: "...a voluntária aceitação da tarefa a cumprir..." (Cecília Meireles, *Disciplina*). **2** Ação ou resultado de acolher, receber; RECEPTIVIDADE: *produto de boa aceitação no mercado.* **3** Ação ou resultado de conformar-se; RESIGNAÇÃO. [Pl.: -*ções*.]

aceitante (a.cei.*tan*.te) *a2g.s2g.* Que ou quem assina um título de crédito.

aceitar (a.cei.*tar*) *v.* **1** Concordar em receber ou fazer (doação, pedido, tarefa etc.): *Ela aceitou ser monitora da turma.*] [Ant.: *recusar*.] **2** Concordar com; APROVAR. [*td.: Era difícil aceitar as ideias da filha.*] [Ant. nesta acp.: *rejeitar*.] **3** Submeter-se a, conformar-se com; SUPORTAR. [*td.: Aceitou as críticas calado.*] **4** Admitir (alguém) em função, papel ou qualidade de. [*td.* (seguido de indicação de condição): *Cristina, aceita João como seu marido?*] **5** Ter como bom, adequado, certo, ou acomodar-se às características de (algo ou alguém). [*td.* (seguido de indicação de condição): *Aceitava o amigo como ele era. pr.: É preciso que você se aceite.*] **6** *Jur.* Apor aceite (1) (em título de dívida). [*td.* (com ou sem complemento explícito)] [▶ **1** aceitar. Part.: *aceitado, aceito, aceite.*]

aceitável (a.cei.*tá*.vel) *a2g.* Que se pode aceitar; digno de ser aceito: *uma proposta aceitável*. [Pl.: -*veis*.]

aceite (a.*cei*.te) *sm. Econ.* **1** Num título de crédito, assinatura da pessoa que o recebe, e que a obriga a pagar a dívida. **2** Esse título de crédito.

aceito (a.*cei*.to) *a*. Que se aceitou, acolheu; ACOLHIDO; RECEBIDO: *O advogado listou as causas aceitas.*

aceleração (a.ce.le.ra.*ção*) *sf.* **1** Ação ou resultado de acelerar: "...a aceleração da globalização..." (*Folha SP*, 21.12.99). **2** Aumento gradativo de velocidade. [Pl.: -*ções*.]

acelerado (a.ce.le.*ra*.do) *a*. **1** Que se acelerou; RÁPIDO; APRESSADO: *Descemos a rua em passo acelerado.* **2** *Mec.* Diz-se de motor funcionando em alta rotação. **3** *Bras. Pop.* Que se encontra agitado, a mil: *Ela já estava acelerada ao chegar aqui.*

acelerador (a.ce.le.ra.*dor*) [ô] *a.sm.* **1** Que ou aquilo que acelera. *sm.* **2** Pedal ou outro dispositivo com que se aumenta ou se mantém a velocidade de um veículo.

acelerar (a.ce.le.*rar*) *v.* **1** Aumentar a velocidade (de). [*td.: acelerar a motocicleta. int.: Não acelere na curva.*] **2** Fazer com que (algo) se realize mais rapidamente. [*td.: acelerar o projeto.*] **3** Tornar(-se) célere, rápido. [*td.: Ao ver-se atrasado, acelerou o passo. int.: Acelerou para acabar a prova a tempo.*] [▶ **1** acelerar]

acelga (a.*cel*.ga) [ê] *sf. Bot.* Erva de folhas grandes, verde-água, us. como verdura.

acenar (a.ce.*nar*) *v.* **1** Fazer acenos ou gestos. [*int.: Não respondeu, só acenou. ti. + a, para: Do carro, acenava para os fãs.*] **2** Expressar (algo) por meio de gesto(s), aceno(s). [*td.: Acenou um adeus. tdi. + a,*

para: Acenou ao garçom que queria a conta.] **3** Oferecer, insinuando (vantagem, recompensa etc.). [*ti. + com: Acenou com facilidades no pagamento.*] **4** Fazer referência; ALUDIR. [*ti. + a: O técnico acenou à troca de jogadores.*] [▶ **1** acenar]

acendedor (a.cen.de.*dor*) [ô] *sm.* **1** Objeto que acende (cigarro, fogão etc.). **2** Pessoa que acende: "Lá vem o acendedor de lampiões...! Parodiar o sol e associar-se à lua..." (Jorge de Lima, *Acendedor de lampiões*).

acender (a.cen.*der*) *v.* **1** Levar chama a ou produzir chama em, fazendo queimar ou arder. [*td.: acender o fogão/o charuto.*] **2** Fazer funcionar (sistema elétrico, iluminação). [*td.: acender a luz.*] **3** *Fig.* Animar, acalorar. [*td.: Suas palavras acenderam a discussão.*] **4** *Fig.* Fazer com que apareça; PROVOCAR; SUSCITAR. [*td.: Aquele gesto acendeu emoções e paixões. tdi. + a, em: "...o riso ainda que a aguardente lhe acendera.*" (João Cabral de Melo Neto, *A educação pela pedra e depois*).] **5** Pôr fogo a ou pegar fogo; INCENDIAR(-SE). [*td.: Um simples raio acendeu toda a floresta. int./pr.: Durante a madrugada, o milharal acendeu(-se).*] [▶ **2** acender. Part.: *acendido e aceso.*]

aceno (a.*ce*.no) *sm.* Movimento com mão, cabeça ou objeto, como sinal de aviso, entendimento etc.

acento (a.*cen*.to) *sm. Fon.* **1** Intensidade maior na voz que torna mais forte a pronúncia de uma sílaba na palavra ou no discurso. **2** *Gram.* Sinal gráfico indicativo da sílaba mais forte, e da diferença de pronúncia das vogais. [Ver *agudo* (7), *circunflexo*, *grave* (3).] **3** Sotaque.

acentuação (a.cen.tu.a.*ção*) *sf.* **1** Ação ou resultado de acentuar. **2** *Gram.* Colocação de acento gráfico na sílaba tônica das palavras. [Pl.: -*ções*.]

acentuado (a.cen.tu.*a*.do) *a*. **1** Que leva acento gráfico. **2** *Fon.* Que se pronuncia com mais intensidade. **3** Que é bem definido, que sobressai (curvas acentuadas). **4** Forte, agudo: *quedas acentuadas de temperatura.*

acentuar (a.cen.tu.*ar*) *v.* **1** Colocar acento gráfico em (uma palavra). [*td.*] **2** *Fig.* Tornar(-se) (mais) visível, dar (mais) relevo a ou ganhar (mais) relevo. [*td.: "...acentuou ainda mais o sorriso..."* (Josué Montello, *Um rosto de menina*). *pr.: A calvície acentuava-se com a idade.*] **3** Tornar(-se) mais intenso; INTENSIFICAR(-SE). [*td.: Esses fatos vão acentuar a crise. pr.: Sua irritação acentuava-se cada vez mais.*] [▶ **1** acentuar]

acepção (a.cep.*ção*) *sf.* Significado de uma palavra. [Pl.: -*ções*.]

acepipe (a.ce.*pi*.pe) *sm.* Petisco, quitute.

acerar (a.ce.*rar*) *v. td.* **1** Dar têmpera de aço a. **2** Tornar mais afiado, mais pungente; AMOLAR: *acerar a faca.* [Ant. nesta acp.: *cegar*.] **3** *Fig.* Tornar mais intenso; ACENTUAR; AUMENTAR: *O infortúnio acerou sua revolta.* [▶ **1** acerar]

acerbo (a.*cer*.bo) [ê] *a*. **1** Ferino, duro (críticas acerbas). **2** Cruel. **3** De sabor amargo.

acerca (a.*cer*.ca) [ê] *adv.* Us. na loc. ■ ~ **de** A respeito de, com relação a: *Nada disse acerca de seus planos.* [Cf.: *cerca de* e *há cerca de* em *cerca*.]

acercar (a.cer.*car*) *v.* Pôr(-se) perto de; APROXIMAR(-SE). [*tdi. + de: Acercou a cadeira da televisão. pr.: O sargento acercou-se da tropa.*] [▶ **11** acercar]

acerola (a.ce.*ro*.la) *sf.* **1** *Bot.* Arbusto que dá fruto rico em vitamina C. **2** Esse fruto.

acertado (a.cer.*ta*.do) *a*. **1** Que se acertou. **2** Que demonstra bom senso, que é certo (decisão acertada); SENSATO. **3** Que foi combinado, tratado (salário acertado). **4** Que se atingiu (alvo acertado).

acertar (a.cer.*tar*) *v.* **1** Agir ou responder com acerto. [*td.: Ele acertou todas as perguntas. ti. + em: Acertamos na escolha do representante. int.: Na tentativa de acertar, cometem-se muitos erros.*]

acerto | **acidental**

2 Corrigir. [*td.*: *A professora deu um tempo para acertarmos os cálculos.*] **3** Descobrir, encontrar. [*td.*: *acertar o caminho.*] **4** Atingir (alvo). [*td.* (com ou sem complemento explícito): *Atirou sem olhar e acertou (a árvore).*] **5** Ir de encontro a; bater em. [*td.*: *A bola acertou a vidraça.*] **6** Arrumar, endireitar. [*td.*: *Acerte a gola da camisa.*] **7** Ajustar (relógio, hora, balança etc.). [*td.*] **8** Combinar, ajustar. [*td.*: *O clube acertou a contratação do atacante*; *acertar o passo.* *tdi.* + *com*: *Acertou com ele as medidas necessárias.*] **9** Marcar, em jogo de azar, números, resultados etc. que resultam vencedores. [*ti.* + *em*: *acertar no milhar/na loteria.*] [▶ 1 acert<u>ar</u>]

acerto (a.*cer*.to) [ê] *sm.* **1** Ação ou resultado de acertar. **2** Aquilo que se combinou; ACORDO; COMBINAÇÃO. **3** Atitude sensata; SENSATEZ: *decisões de muito acerto.*

acervo (a.*cer*.vo) *sm.* **1** Conjunto de obras, produções etc. de uma instituição ou organização: *A emissora tem mais de três mil filmes em seu acervo.* **2** Conjunto de bens que compõem um patrimônio: *o acervo cultural da cidade de Ouro Preto.*

aceso (a.*ce*.so) [ê] *a.* **1** Que se acendeu (luz *acesa*); LIGADO. **2** Em que se produziu chama ou brasa (fósforo *aceso*). **3** *Fig.* Cheio de entusiasmo; EMPOLGADO; ANIMADO: *Estavam acesos ao entrarem no palco.*

acessar (a.ces.*sar*) *v. td. Bras. Inf.* Estabelecer comunicação eletrônica com; conectar-se a: *acessar o internet.* [▶ 1 acess<u>ar</u>]

acessível (a.ces.*sí*.vel) *a2g.* **1** Aonde se pode chegar facilmente (diz-se de lugar). **2** Possível de se alcançar ou fazer: *A Educação a Distância tornou o ensino mais acessível.* **3** Diz-se de preço ou custo que é baixo ou razoável. **4** Com quem é fácil a comunicação, o trato social: *um professor muito acessível.* **5** Fácil de entender: *um livro acessível a todos.* [Pl.: -*veis.*]

acesso (a.*ces*.so) [ê] *sm.* **1** Entrada ou trânsito (por determinado lugar): *vias de acesso à cidade*; *É proibido o acesso.* **2** Possibilidade de ingresso, admissão em (instituição, curso etc.): *Todos deveriam ter acesso ao ensino superior.* **3** Possibilidade de permissão para se obter ou utilizar (algo): *o acesso a informações.* **4** Contato ou comunicação: *pessoa de fácil acesso.* **5** Ataque súbito: *acesso de riso/de tosse.* **6** *Inf.* Estabelecimento de comunicação com a unidade de armazenamento em um computador para obter e utilizar dados, programas, serviços etc. **7** *Inf.* Conexão a internet ou com um *site* da internet feita por um usuário de computador. ▪▪ – **discado** *Inf.* Conexão à internet via telefone e *modem.*

acessório (a.ces.*só*.ri:o) *a.* **1** Que se acrescenta ao que é principal. **2** Que é menos importante; SECUNDÁRIO: "Não podemos (...) deixar que as grandes questões se percam nas pequenas, no que é *acessório.*" (*FolhaSP*, 16.09.99). **3** *Gram.* Diz-se do termo da oração que se junta a um substantivo, ou verbo, para precisar-lhe o significado. [Ant. nas acps. 2 e 3: *essencial.*] [Cf.: *adjunto* e *aposto.*] *sm.* **4** Qualquer peça ou objeto que complemente outro, tornando-o mais eficiente, mais seguro etc.: *O capacete é acessório indispensável para motoqueiros.* **5** Objeto ou enfeite para compor uma decoração, um traje etc.: *As mãos estavam nuas, sem um único acessório.* [Cf.: *assessório.*]

acetato (a.ce.*ta*.to) *sm. Quím.* Qualquer sal ou éster do ácido acético.

acético (a.*cé*.ti.co) *a.* **1** *Quím.* Diz-se do ácido que dá ao vinagre o cheiro e o sabor típicos. **2** Ref. ao vinagre.

acetileno (a.ce.ti.*le*.no) *sm. Quím.* Gás incolor, inflamável e tóxico, us. na iluminação e em maçaricos para solda.

acetinado (a.ce.ti.*na*.do) *a.* **1** Que contém cetim. **2** Macio e lustroso como o cetim (textura *acetinada*).

acetinar (a.ce.ti.*nar*) *v. td.* **1** Tornar macio e brilhoso como o cetim: *acetinar couros.* **2** Dar lisura e brilho a (papel), na fabricação. [▶ 1 acetin<u>ar</u>]

acetona (a.ce.*to*.na) *sf. Quím.* Líquido incolor, inflamável, us. como solvente, esp. para remover esmalte de unha.

acha (a.cha) *sf.* Pedaço de madeira em estado natural, us. para fazer fogo ou fogueira.

achacar (a.cha.*car*) *v. td.* **1** *Bras. Gír.* Tirar dinheiro de (alguém) por meio de ameaça, chantagem. **2** Molestar. [▶ 11 acha<u>car</u>] • **a.cha.ca.men**.to *sm.*

achado (a.*cha*.do) *a.* **1** Que se achou; ENCONTRADO. *sm.* **2** Aquilo que se achou: *seção de achados e perdidos.* **3** Solução ou ideia feliz e providencial, ou o que dela resulta: *Este site de jogos é um achado.* **4** *Fam.* Mercadoria boa e barata: *Fui à Feira do Livro, e olha só que achado!*

achaque (a.*cha*.que) *sm.* Mal-estar frequente, sem gravidade.

achar (a.*char*) *v.* **1** Encontrar (alguém ou algo) que se está ou não procurando. [*td.*: *Achamos o livro.*] **2** Conseguir, obter. [*td.*: *Luta para achar um emprego.*] **3** Descobrir (resultado, modo de fazer algo). [*td.*: *Como achar o resultado desta conta?*] **4** Julgar(-se), considerar(-se). [*td.*: *Há pessoas que acham jiló uma delícia. pr.*: *Ele se acha um gênio.*] **5** Ter como opinião. [*td.*: *Acho que você está errado.*] **6** Pensar, acreditar. [*td.*: *Se você acha que eles vão desistir, enganou-se.*] **7** Estar (em determinada condição, situação ou local); ENCONTRAR-SE. [*pr.*: *A porta achava-se entreaberta.*] **8** Considerar acertado ou conveniente. [*ti.* + *de*: *Apesar da crise, achou de reformar toda a casa.*] [▶ 1 ach<u>ar</u>] • **a.cha.men**.to *sm.*

achatado (a.cha.*ta*.do) *a.* Que é ou se tornou chato, plano ou quase plano.

achatar (a.cha.*tar*) *v.* **1** Tornar(-se) (mais) plano, (mais) chato. [*td.*: *achatar a massa. pr.*: *As frutas achataram-se com a queda.*] **2** *Fig.* Diminuir a importância de; REBAIXAR(-SE); HUMILHAR(-SE). [*td.*: *A reprovação achatou o rapaz. pr.*: *Achatava-se quando era criticado.*] [▶ 1 achat<u>ar</u>] • **a.cha.ta.men**.to *sm.*

achega (a.*che*.ga) *sf.* Aquilo que se acrescenta a um texto ou obra para torná-la mais completa, mais informativa etc.

achegar (a.che.*gar*) *v.* **1** Colocar(-se) perto ou junto de; APROXIMAR(-SE). [*td.*: *Pode achegar sua cadeira. tdi.* + *a*: *achegar o carro à calçada. pr.*: *Assustada, a criança achegou-se à mãe.*] **2** *Fig.* Agrupar (pessoas). [*td.*: *Fazia de tudo para achegar os filhos.*] [▶ 14 acheg<u>ar</u>]

achego (a.*che*.go) [ê] *sm.* Proteção, amparo.

achincalhar (a.chin.ca.*lhar*) *v. td.* Fazer ou tentar fazer (alguém) cair no ridículo; ESCARNECER; ZOMBAR: *Achincalhavam-no por causa de sua gagueira.* [▶ 1 achincalh<u>ar</u>] • **a.chin.ca.lha.men**.to *sm.*; **achin.ca.lhe** *sm.*

achismo (a.*chis*.mo) *sm. Bras. Pop.* **1** Opinião sem base em argumento ou prova. **2** Tendência a ou hábito de emitir tais opiniões.

achocolatado (a.cho.co.la.*ta*.do) *a.* **1** Que tem sabor de chocolate. *sm.* **2** Produto alimentício feito com chocolate.

aciaria (a.ci:a.*ri*.a) *sf.* Usina onde se fabrica o aço.

acicatar (a.ci.ca.*tar*) *v. td.* **1** Picar com acicate ou espora: *acicatar o cavalo.* **2** *Fig.* Inspirar ânimo em; ESTIMULAR: *A promessa de prêmio acicatou os jogadores.* [▶ 1 acicat<u>ar</u>]

acicate (a.ci.*ca*.te) *sm.* Espora com um único ferrão.

acidentado (a.ci.den.*ta*.do) *a.sm.* **1** Que ou aquele que sofreu um acidente. *a.* **2** Diz-se de terreno ou região muito irregular.

acidental (a.ci.den.*tal*) *a2g.* **1** Que acontece por acidente, sem que houvesse intenção (disparo *aci*-

acidental, morte acidental. [Ant.: *intencional*.] **2** Que ocorre por acaso, quando não se espera (descoberta acidental). **3** Que não foi planejado (encontro acidental, gravidez acidental). [Pl.: *-tais*.]

acidentar (a.ci.den.*tar*) *v.* **1** Ferir(-se) em acidente. [*td*.: *A capotagem acidentou muitos turistas.* *pr*.: *Acidentou-se durante a corrida*.] **2** Criar acidente(s) (2) (em). [*td*.: *A chuva acidentou a estrada.* *pr*.: *Com a erosão, o terreno acidentou-se*.] [▶ **1** acident**ar**]

acidente (a.ci.*den*.te) *sm*. **1** Acontecimento imprevisto, que ger. causa estragos, ferimentos etc. (acidente aéreo). **2** *Geog*. Parte que interrompe a uniformidade do solo ou do terreno (acidente geográfico). **3** *Mús*. Sinal (como o sustenido, o bemol etc.) que altera o som de uma nota musical. ■ **~ de percurso** Transtorno eventual no decorrer de uma ação, entendimento, projeto etc., que não chega a comprometer definitivamente seu bom andamento.

acidez (a.ci.*dez*) [ê] *sf*. **1** Qualidade do que é ácido. **2** Sabor ácido: *a acidez do limão*. **3** *Bioq*. Proporção de ácido cloridríco no suco do estômago.

ácido (*á*.ci.do) *a.* **1** De sabor amargo: *Estas laranjas estão muito ácidas*. **2** Que tem propriedades de ácido (4): *As frutas ácidas têm muita vitamina C*. **3** *Fig*. Que possui caráter mordaz: *Suas ácidas reflexões abateram a plateia*. *sm.* **4** *Quím*. Substância que contém hidrogênio e que, misturada a uma base, forma um sal.

acima (a.*ci*.ma) *adv*. **1** Em posição ou local superior: *A sala de jogos fica no andar acima*. **2** Em direção à parte mais alta de: *Subiram morro acima*. **3** Anteriormente mencionado, descrito etc. (em um texto): *Veja a tabela acima*. ■ **~ de 1** Em posição superior a (no espaço): *Puseram o aviso acima da porta*. **2** Em quantidade, valor, quantia etc. superior a: *jovens acima de 15 anos*. **3** Em posição superior a (quanto a mérito, valor moral, hierarquia etc.): *O resultado foi acima da expectativa*. [Ant.: *abaixo*.]

acinte (a.*cin*.te) *sm*. Atitude que visa contrariar ou ofender alguém; ULTRAJE.

acintoso (a.cin.*to*.so) [ô] *a.* **1** Em que há acinte (gesto acintoso). **2** Que é feito a acintes. [Fem. e pl.: [ó].]

acinzentado (a.cin.zen.*ta*.do) *a.* Que apresenta tom de cinza ou quase cinza.

acinzentar (a.cin.zen.*tar*) *v.* Tornar(-se) acinzentado. [*td*.: *As nuvens acinzentavam o céu*. *pr*.: *O céu acinzentou-se*.] [▶ **1** acinzent**ar**]

acionar (a.ci.o.*nar*) *v. td*. **1** Fazer entrar em ação: *acionar o motor/a polícia*. **2** Pôr em prática: *Decidiram acionar o projeto*. **3** *Jur*. Mover ação contra; PROCESSAR: *Acionou a empresa por falta de pagamento*. [▶ **1** acion**ar**] ● a.ci.o.na.*men*.to *sm*.; a.ci.o.*ná*.vel *a2g*.

acionário (a.ci.o.*ná*.ri.o) *a.* Ref. a ação (6).

acionista (a.ci.o.*nis*.ta) *s2g*. Proprietário de ações (6) de uma empresa.

acirrado (a.cir.*ra*.do) *a.* **1** Que se acirrou, que foi instigado. **2** Que é intenso, violento (disputa acirrada). **3** Que é persistente, tenaz: *John Lennon foi um defensor acirrado da causa pacifista*.

acirrar (a.cir.*rar*) *v.* **1** Provocar ou aumentar revolta, irritação etc. em. [*td*.: *A derrota acirrou os torcedores*. *tdi.* + *contra*: *acirrar o povo contra a monarquia*. *p*.: *Acirrou-se contra as medidas*.] **2** Provocar, instigar. [*td*.: *acirrar os ânimos*; *O teste acirrou a curiosidade das crianças*.] [▶ **1** acirr**ar**]

aclamar (a.cla.*mar*) *v.* **1** Aplaudir, aprovar calorosamente. [*td*.: *aclamar o novo diretor*.] **2** Proclamar (chefe de Estado). [*td*.: *O povo aclamou d. Pedro I imperador do Brasil*.] **3** *Fig*. Eleger por meio de aplausos (sem votação), ou atribuir/reconhecer-lhe mérito ou condição. [*td*.: *Aclamaram-na rainha do carnaval*. *pr*.: *Aclamou-se líder de seu grupo*.] [▶ **1** aclam**ar**] ● a.cla.ma.*ção sf*.

---

aclarar (a.cla.*rar*) *v.* **1** Tornar(-se) claro, iluminado; CLAREAR(-SE). [*td*.: *Com a lanterna, aclarava os trilhos. int*.: *Mal o dia aclarou, ele partiu*.] [Ant.: *escurecer*.] **2** Tornar ou ficar claro, sem dúvidas; ESCLARECER(-SE). [*td*.: *Descanse, vamos aclarar a questão*. *pr*.: *Com sua explicação, tudo se aclarou*.] [▶ **1** aclar**ar**] ● a.cla.ra.*ção sf*.; a.cla.*ra*.do *a*.; a.cla.ra.*men*.to *sm*.

aclimatar, aclimatizar (a.cli.ma.*tar*, a.cli.ma.ti.*zar*) *v.* **1** Adaptar(-se) a clima, temperatura. [*td*.: *É difícil aclimatar plantas raras*. *tdi.* + *a*: *aclimatar uma raça ao novo hábitat*. *pr*.: *Rapidamente, aclimatou-se ao inverno canadense*.] **2** Habituar(-se) a (usos, costumes, atividades). [*tdi.* + *a*: *A necessidade aclimatou-o ao trabalho*. *pr*.: *Demorou a aclimatar-se à vida rural*.] [▶ **1** aclimat**ar**, ▶ **1** aclimatiz**ar**] ● a.cli.ma.ta.*ção*, a.cli.ma.ti.za.*ção sf*.

aclive (a.*cli*.ve) *sm*. Inclinação em terreno, considerada de baixo para cima.

acne (*ac*.ne) *sf*. *Med*. Doença da pele que atinge o pelo e a glândula sebácea, provocando o aparecimento de espinhas, cravos, e, na forma mais grave, cistos.

aço (a.ço) *sm*. **1** *Metal*. Liga de ferro e carbono. **2** Arma branca (punhal, espada etc.) ou sua lâmina.

📖 O aço, produzido nas usinas siderúrgicas em vários formatos, é um dos principais produtos industriais, por servir de matéria-prima para outras indústrias de grande importância econômica. Entre os maiores produtores de aço do mundo estão a China, a Índia, o Japão e os Estados Unidos. O Brasil, que tem grandes depósitos de ferro, desenvolveu sua indústria siderúrgica a partir da década de 1940 e ocupa atualmente uma boa posição no *ranking* mundial.

acobertar (a.co.ber.*tar*) *v.* **1** Proteger(-se), defender(-se). [*td*.: *Mentiu para acobertar o amigo*. *tdi.* + *contra*, *de*: *Acobertou-o contra as acusações infundadas*. *pr*.: *Acobertou-se dos ataques maliciosos*.] **2** Disfarçar, esconder (atitude desonesta). [*td*.: *acobertar escândalos*.] [▶ **1** acobert**ar**] ● a.co.ber.*ta*.do *a*.; a.co.ber.ta.*men*.to *sm*.

acobreado (a.co.bre.*a*.do) *a.* Que tem aspecto ou cor de cobre. ● a.co.bre.*ar v*.

acocorar-se (a.co.co.*rar*-se) *v. pr*. Sentar-se sobre os calcanhares; pôr-se de cócoras; AGACHAR: *Acocorou-se junto ao fogo*. [▶ **1** acocor**ar**]

açodar (a.ço.*dar*) *v.* **1** Tornar(-se) mais rápido; ACELERAR(-SE), APRESSAR(-SE). [*td*.: *O treinador açodava os atletas*. *pr*.: *Açodava-se em cumprir sua tarefa*.] **2** Instigar (esp. cães) a atacar; AÇULAR. [*td*.] **3** Ir no encalço de; ACOSSAR, PERSEGUIR. [*td*.: *Os policiais açodaram os bandidos*.] [▶ **1** açod**ar**] [Cf.: *açudar*.] ● a.ço.*da*.do *a*.; a.ço.da.*men*.to *sm*.

açoitar (a.çoi.*tar*) *v. td*. **1** Castigar com açoite: *Açoitavam os escravos*. **2** Ir de encontro a; bater em: *Fortes ondas açoitaram o navio*. **3** Causar destruição ou ruína em; DEVASTAR: *A guerra açoita a humanidade*. [▶ **1** açoit**ar**] ● a.ço.i.ta.*men*.to *sm*.

açoite (a.*çoi*.te) *sm*. **1** Instrumento feito de tiras de couro ou corda, us. para açoitar animais ou aplicar golpes como castigo corporal ou tortura; CHICOTE. **2** Golpe dado com o açoite; CHICOTADA.

acolá (a.co.*lá*) *adv*. Naquele lugar.

acolchoado (a.col.cho.*a*.do) *a.* **1** Diz-se de tecido forrado de algodão ou de espuma de náilon, do qual se faz colcha ou coberta. *sm.* **2** Esse tecido. **3** Colcha feita desse tecido.

acolchoar (a.col.cho.*ar*) *v. td*. **1** Rechear ou forrar com algodão ou outro material equivalente; ESTOFAR: *acolchoar o sofá*. **2** Revestir de material macio para proteger de quebras: *O vendedor acolchoou a caixa de copos*. [▶ **16** acolch**oar**]

acolhedor | acontecer

acolhedor (a.co.lhe.*dor*) [ô] *a.* **1** Que acolhe, que recebe bem; HOSPITALEIRO: *um povo alegre e acolhedor.* **2** Em que se sente à vontade, confortável (ambiente acolhedor); ACONCHEGANTE.

acolher (a.co.*lher*) [ê] *v.* **td. 1** Dar acolhida, abrigo a; HOSPEDAR: *acolher um amigo.* **2** Receber, recepcionar: *O povo acolheu os campeões com festa.* **3** Levar em consideração, atender a: *acolher um pedido de desculpas.* [▶ **2** acolh**er**]

acolhida (a.co.*lhi*.da) *sf.* **1** Ação ou resultado de acolher; RECEPÇÃO: *Comoveram-se com a acolhida dos amigos; A nova música teve péssima acolhida.* **2** Ação ou resultado de hospedar; HOSPEDAGEM: *Agradeceu muito pela acolhida que lhe demos.* **3** Abrigo, refúgio: *A instituição oferece acolhida à população de rua.*

acolhimento (a.co.lhi.*men*.to) *sm.* Ver *acolhida*.

acólito (a.có.li.to) *sm.* **1** Sacerdote católico do mais alto grau das ordens menores; ajuda o celebrante de atos litúrgicos. **2** *Fig.* Ajudante, assistente.

acometer (a.co.me.*ter*) *v.* **1** Manifestar-se subitamente em. [*td.: Uma forte gripe acometia a população.*] **2** Investir contra; ATACAR. [*td.: acometer o inimigo.* **ti.** + *contra,* sobre: *acometer contra o adversário.* **pr.**: *Acometeram-se violentamente.*] **3** Chocar-se de forma violenta com; COLIDIR. [*td.: O caminhão acometeu o táxi.*] [▶ **2** acomet**er**] • **a.co.me.ti.men.to** *sm.*

acomodação (a.co.mo.da.*ção*) *sf.* **1** Ação ou resultado de acomodar. **2** Aceitação de uma situação sem tentativa de contestar, ou dela tirar proveito: *Com sua acomodação, perde boas oportunidades.* [Pl.: -ções.] ◼ **acomodações** *sfpl.* **3** Compartimentos ou setores de uma casa, hotel etc.; CÔMODOS: *As acomodações da casa são amplas e claras.*

acomodado (a.co.mo.*da*.do) *a.* **1** Instalado, disposto de forma adequada; arrumado: *Ficamos muito bem acomodados na casa dela; As roupas estão acomodadas no armário.* **2** Que acomodou ou age com acomodação (2): "...eu sou um doido acomodado." (Antonio Callado, *Bar Don Juan*). *sm.* **3** Indivíduo acomodado (2): *Os acomodados em geral não saem da rotina.*

acomodar (a.co.mo.*dar*) *v.* **1** Dar acomodação ou alojamento a; ALOJAR(-SE). [*td.: O gerente do hotel acomodou os visitantes.* **pr.**: *Acomodou-se no melhor quarto.*] **2** Colocar ou dispor em lugar adequado, conveniente; ARRUMAR; AJEITAR. [*td.: acomodar a louça no armário.*] **3** Ter lugar para; COMPORTAR. [*td.: A van acomodava até 15 passageiros.*] **4** Fazer ficar ou ficar em harmonia; ADAPTAR(-SE); ADEQUAR(-SE). [*tdi.* + *com*: *acomodar os olhos à escuridão.* **pr.**: *Acomodou-se às novas regras.*] **5** Aceitar (situação, processo), conformando-se. [*pr.: Diante dos fatos, acomodou-se.*] **6** Tornar-se tranquilo; ACALMAR(-SE); AQUIETAR(-SE). [*td.: A mãe acomodou os filhos que discutiam.* **pr.**: *O bebê acomodou-se no colo da mãe.*] **7** Instalar(-se) confortavelmente. [*td.: acomodar o bebê no berço.* **pr.**: *Acomodou-se na cadeira de balanço.*] [▶ **1** acomod**ar**]

acompanhado (a.com.pa.*nha*.do) *a.* Que está em companhia de alguém: *Só se admitem crianças acompanhadas de adultos.*

acompanhador (a.com.pa.nha.*dor*) [ô] *a.sm.* **1** Que ou aquele que acompanha. **2** *Mús.* Diz-se de ou músico que acompanha (6) (cantando ou tocando instrumento).

acompanhamento (a.com.pa.nha.*men*.to) *sm.* **1** Ação ou resultado de acompanhar. **2** Aquilo que vem junto com algo: *Este estojo vem como acompanhamento do relógio.* **3** Pessoa ou grupo de pessoas que acompanha outra(s); COMITIVA. **4** *Bras. Cul.* Guarnição que acompanha o prato principal: *Pediu arroz como acompanhamento.* **5** *Mús.* Parte da música que se toca junto com vozes ou instrumentos solistas: *Fez o acompanhamento com violão.*

acompanhante (a.com.pa.*nhan*.te) *a2g.s2g.* **1** Que ou quem faz companhia, ou dá assistência: *Preciso de uma acompanhante para um doente.* **2** *Mús.* Que ou quem faz acompanhamento (5); ACOMPANHADOR.

acompanhar (a.com.pa.*nhar*) *v.* **1** Fazer companhia (1) a ou ir em companhia de; SEGUIR. [*td.: José acompanhou o amigo na viagem.*] **2** Seguir o mesmo caminho ou a mesma direção de. [*td.: A estrada acompanha o rio.*] **3** Assistir a ou participar de. [*td.: Os fiéis acompanhavam a missa.*] **4** *Fig.* Seguir ou ter a mesma opinião de. [*td.: O deputado acompanhou o partido nas votações.*] **5** Seguir raciocínio, exposição, explicação etc., entendendo. [*td.: O aluno acompanhou a aula.*] **6** *Mús.* Executar música com. [*td.: acompanhar um cantor ao piano.*] **7** Seguir a evolução ou o desenvolvimento de. [*td.: acompanhar as notícias/novelas.*] **8** Estar ou pôr junto a, como complemento. [*td.: Batatas fritas acompanham bem o bife; Leiam as notas que acompanham os poemas.* **tdi.** + *com, de*: *acompanhar o sorvete com morangos.*] **9** Imitar ou seguir conceitos estabelecidos. [*td.: acompanhar a moda.*] **10** Cercar-se, rodear-se. [*pr.: Um governante deve acompanhar-se de bons conselheiros.*] [▶ **1** acompanh**ar**]

aconchegante (a.con.che.*gan*.te) *a2g.* Que aconchega, abriga, ampara, acomoda (cama aconchegante).

aconchegar (a.con.che.*gar*) *v.* **1** Acomodar(-se) (7), pôr em situação confortável. [*td.: A menina aconchegou o irmão no berço.* **pr.**: *Aconchegava-se na manta de lã.*] **2** Colocar(-se) ou tornar(-se) próximo de; ACHEGAR(-SE). [*tdi.* + *a, de*: *aconchegar o filho ao peito.* **pr.**: *Aconchegou-se do fogo.*] [▶ **14** aconcheg**ar**] [Ver tb. *conchegar*.] • **a.con.che.ga.do** *a.*

aconchego (a.con.*che*.go) [ê] *sm.* **1** Ação ou resultado do aconchegar. **2** Situação de conforto, proteção e segurança: *o aconchego do lar.*

acondicionar (a.con.di.ci.o.*nar*) *v.* **1** Guardar ou colocar em local adequado. [*td.* (seguido ou não de complemento de lugar): *Acondicionar (no congelador) o peixe que acabara de comprar.*] **2** Dar certa condição, caráter ou qualidade a. [*td.: O sucesso acondicionou sua vida.*] **3** Pôr (objeto) em embalagem. [*td.*] **4** Pôr de acordo com; ADAPTAR(-SE); ADEQUAR(-SE). [*td.* + *a*: *O decorador acondicionou os móveis do tamanho da varanda.* **pr.**: *Acondicionou-se ao temperamento do chefe.*] [Ver tb. *condicionar*.] [▶ **1** acondicion**ar**] • **a.con.di.ci.o.na.men.to** *sm.*

aconselhar (a.con.se.*lhar*) *v.* **1** Dar conselho(s) a. [*td.: aconselhar um amigo.* **ti.**: *O pai aconselhou o filho a estudar.* **tdi.**: *O pai aconselhou ao filho que estudasse mais.* NOTA: O objeto direto e o indireto permutam com relação à que ou com o aconselhado.] **2** Pedir ou buscar conselho(s). [*pr.: O rapaz aconselhou-se com o amigo.*] **3** Indicar a necessidade ou a urgência ou a vantagem de; RECOMENDAR. [*td.: aconselhar paciência.* **tdi.** + *a*: *O médico aconselhou repouso ao doente.*] [▶ **1** aconselh**ar**] • **a.con.se.lha.men.to** *sm.*

aconselhável (a.con.se.*lhá*.vel) *a2g.* Que se pode ou se deve aconselhar. [Pl.: -veis.]

acontecer (a.con.te.*cer*) *v.* **1** Suceder, ocorrer (às vezes de forma imprevista, ou inevitável). [*int.* (seguido de indicação de modo, tempo etc.): *Muitos acidentes acontecem por imprudência; O carnaval este ano acontece em março;* "...acontecia-lhe um livro embrulhado, coisa que acontecia diariamente..." (Marques Rebelo, *Contos reunidos*). **ti.** + *a*: *Aconteceu a ela um verdadeiro milagre.*] **2** Tornar-se realidade. [*int.* (seguido de indicação de modo): *A reunião aconteceu conforme planejaram.*] **3** *Bras. Fig. Gír.* Ter prestígio, fazer sucesso ou ser admirado social ou profissionalmente. [*int.: A artista aconteceu na festa.*]

[▶ 33 acontecer] [NOTA: V. unipessoal, us. exclusivamente na 3ª pess. do sing. e do pl. (com exceção do uso figurado da acp. 3); us. como modalizador (*acontece que*) sinaliza contraste com o que foi dito anteriormente: *Todos estranhavam minha roupa; acontece que ninguém me avisou que era baile à fantasia.*] ● a.con.te.ci.do *a.sm.*

acontecimento (a.con.te.ci.*men*.to) *sm.* Aquilo que acontece ou aconteceu, esp. algo muito interessante ou de grande importância; EVENTO: *A inauguração da vila olímpica foi o acontecimento do ano.*

acoplar (a.co.*plar*) *v.* **1** Juntar(-se) formando uma unidade. [*tdi.* + *a*, com: *Os técnicos acoplaram o foguete à nave mãe.* *pr.*: *Os módulos da engrenagem acoplaram-se.*] **2** Vincular, conectar. [*tdi.* + *a*: *acoplar novas técnicas aos trabalhos.*] [▶ **1** acoplar] ● a.co.*pla*.do *a.*; a.co.*pla*.gem *sf.*; a.co.pla.*men*.to *sm.*

acordado (a.cor.*da*.do) *a.* **1** Desperto: *À uma da manhã ainda estava acordado.* **2** Resolvido de comum acordo; ACERTADO: *medidas acordadas entre eles.*

acórdão (a.*cór*.dão) *sm. Jur.* Sentença dada por instância superior. [Pl.: *-dãos.*]

acordar (a.cor.*dar*) *v.* **1** Interromper o sono (de) ou despertar(-se) os sentidos; DESPERTAR. [*tdi.*: *A esposa acorda o marido diariamente.* *ti.* + *de*: *acordar de um pesadelo.* *tdi.* + *de*: *O enfermeiro acordou o paciente do desmaio.* *int.*: *O menino gosta de acordar cedo.*] [*int.*: ADORMECER; desacordar.] **2** *Fig.* Dar ânimo, entusiasmo a (quem estava apático, indiferente). [*td.*: *As palavras acordaram o boxeador.* *tdi.* + *de*: *As vaias acordaram o time da apatia.*] **3** Entrar em acordo; AJUSTAR; CONCORDAR. [*tdi.*: *Os sócios acordaram as medidas a serem tomadas.* *tdi.* + *com*, entre: *Acordamos com eles as novas regras.* *ti.* + *em*, sobre: *Acordaram em todos os detalhes.* *int.*: *Depois de ouvir-os argumentos, acordaram.* *pr.*: *Acordaram-se sobre todos os assuntos.*] **4** Fazer ficar em acordo; CONCILIAR; HARMONIZAR. [*tdi.*: *acordar interesses diferentes.* *tdi.* + *a*, com: *Acordou suas exigências com as possibilidades.*] **5** *Fig.* Fazer lembrar, recordar. [*tdi.* + *a*, em: *O amor acordou nele a perdida juventude.*] [▶ **1** acordar]

acorde (a.*cor*.de) *sm.* **1** *Mús.* Três ou mais sons musicais produzidos ao mesmo tempo. *a2g.* **2** Que está de acordo; CONCORDE. [NOTA: Assim como *concorde* de *concordar*, *entregue* de *entregar* etc., *acorde* no v. *acordar*, acps. 3 e 4, formam um pequeno grupo de particípios irregulares terminados em *-e*.]

acordeão, **acordeom** (a.cor.de:*ão*, a.cor.de:*om*) *sm. Mús.* Instrumento musical com teclas como as de piano, fole pregueado, botões e registros. [Pl.: *-ões*, *-ons.*]

acordeonista (a.cor.de:o.*nis*.ta) *s2g.* Pessoa que toca acordeão.

acordo (a.*cor*.do) *sm.* **1** Decisão ou conclusão considerada aceitável por todas as pessoas envolvidas. **2** Compromisso assumido entre duas ou mais empresas, organizações, governos etc. **3** Documento oficial, assinado pelas partes envolvidas, atestando esse compromisso. ▪ ~ **de cavalheiros** Acordo feito sem formalidade entre as partes, baseado em boa-fé e confiança recíprocas. **De ~ com** Segundo, conforme: *agir de acordo com a lei.* **De comum ~** Com o acordo de todas as partes ou pessoas envolvidas (em negociação, planejamento etc.). **Estar de ~** Concordar, aceitar.

açoriano (a.ço.ri:a.no) *a.* **1** Dos Açores (arquipélago do oceano Atlântico); típico dessas ilhas ou de seu povo. *sm.* **2** Pessoa nascida nos Açores; AÇORITA.

acoroçoar (a.co.ro.ço.*ar*) *v. td.* Encorajar. [▶ **16** acoroçoar]

acorrentar (a.cor.ren.*tar*) *v.* **1** Prender com corrente(s); ENCADEAR. [*td.*: *Os senhores de engenho acorrentavam os escravos.* *tdi.* + *a*: *Acorrentaram-no ao poste.*] **2** *Fig.* Exercer domínio sobre; SUBJUGAR; SUJEITAR. [*td.*/*tdi.* + *a*: *A ambição acorrentava o rapaz (a seus piores vícios).*] **3** Pôr-se sob forte influência. [*pr.*: *Acorrentou-se aos preconceitos e perdeu a objetividade.*] [▶ **1** acorrentar] ● a.cor.ren.*ta*.do *a.*

acorrer (a.cor.*rer*) *v.* **1** Ir ou vir, com pressa, para algum lugar; CORRER. [*int.*: *Ao ouvir a explosão, todos acorreram.* *ti.* + *a*: *Muitos curiosos acorreram ao local do acidente.*] **2** Mobilizar(-se) para socorrer (alguém), para prevenir ou remediar (algo); ACUDIR. [*ti.* + *a*: *Nova campanha acorrerá aos necessitados; Acorreram aos doentes com novos remédios.*] [▶ **1** acorrer]

acossar (a.cos.*sar*) *v. td.* **1** Ir no encalço de, atacar sem trégua: *Os soldados acossaram o inimigo.* **2** Causar aflição ou tormento a; AFLIGIR; ATORMENTAR: *Mil dúvidas o acossavam.* [▶ **1** acossar] ● a.cos.*sa*.do *a.sm.*; a.cos.sa.*men*.to *sm.*

acostamento (a.cos.ta.*men*.to) *sm.* **1** Ação ou resultado de acostar. **2** *Bras.* Faixa lateral de uma estrada, fora da pista, destinada à parada de veículos e ao trânsito de pedestres.

acostar (a.cos.*tar*) *v.* **1** Aproximar(-se) ou encostar(-se) ao cais, à costa ou a outra embarcação. [*tdi.*: *O capitão acostou o navio.* *pr.*: *A barca acostou-se ao cais.*] **2** Fazer (objeto) tocar (algo) ou se apoiar nele; ENCOSTAR. [*tdi.* + *a*: *acostar o sofá à parede.*] [▶ **1** acostar]

acostumado (a.cos.tu.*ma*.do) *a.* **1** Que tem o costume, o hábito; HABITUADO: *Estou acostumada a acordar cedo.* **2** Que se adaptou; FAMILIARIZADO: *Os suecos estão acostumados com o frio.*

acostumar (a.cos.tu.*mar*) *v.* **1** Fazer adquirir ou adquirir um hábito, um costume; HABITUAR(-SE). [*tdi.* + *a*: *O pai acostumou a filha a rezar.* *pr.*: *Acostumou-se a jantar cedo.*] **2** Tornar(-se) adaptado a fatores externos, a dificuldades etc. [*tdi.* + *a*: *Os atletas precisam acostumar o corpo aos exercícios.* *ti.* + *com*: *Não acostumei com isso.* *pr.*: "Ela já se acostumara à ideia..." (João Guimarães Rosa, *Noites do sertão*).] [▶ **1** acostumar]

acotovelar (a.co.to.ve.*lar*) *v.* **1** Tocar com o cotovelo em, ger. de forma dissimulada, como alerta ou repreensão. [*tdi.*: *O rapaz acotovelou o amigo para chamar-lhe a atenção.* *pr.*: *Os dois acotovelaram-se quando a viram entrar.*] **2** *Fig.* Dar encontrões (para abrir caminho) ou espremer-se (uns contra os outros) por falta de espaço. [*pr.*: *Os jovens se acotovelaram para ficar perto do cantor.*] **3** Formar (ângulo, curva fechada). [*int.*: *A rua acotovela depois do cruzamento.*] [▶ **1** acotovelar] ● a.co.to.ve.la.*men*.to *sm.*

açougue (a.*çou*.gue) *sm.* Estabelecimento, ou setor em supermercado, onde se vendem carnes.

açougueiro (a.çou.*guei*.ro) *sm.* Dono ou empregado de açougue.

acovardado (a.co.var.*da*.do) *a.* Sem coragem, com medo; AMEDRONTADO.

acovardar (a.co.var.*dar*) *v.* **1** Fazer perder ou perder a coragem, tornar(-se) covarde; AMEDRONTAR(-SE); INTIMIDAR(-SE). [*tdi.*: *A agressividade do adversário acovardou o pugilista.* *pr.*: *Diante do perigo, acovardou-se.*] **2** *Fig.* Fazer perder ou perder o ânimo, a energia; DESANIMAR. [*tdi.*: *As longas filas de espera o acovardavam.* *pr.*: *O aluno acovardara-se ante a nota zero.*] [▶ **1** acovardar]

acre (a.cre) *sm.* **1** Unidade para medir terras (o acre inglês e americano equivale a 40,47 ares): *150 acres de terreno. a2g.* **2** De sabor azedo ou amargo (frutas *acres*). **3** De cheiro forte e penetrante (perfumes *acres*). **4** *Fig.* Indelicado, ríspido. [Superl.: *acríssimo* e *acérrimo*.] ● a.cri.*dez* *sf.*

acreditação (a.cre.di.ta.*ção*) *sf.* Ação ou resultado de acreditar, de atestar oficialmente a boa qualidade de algo: *certificado de acreditação.* [Pl.: -ções.]

acreditado (a.cre.di.*ta.*do) *a.* **1** Em que se acredita, que é aceito como possível ou verdadeiro. **2** Que tem boa reputação, que merece confiança (profissional acreditado, jornal acreditado); conceituado, confiável. **3** Que obteve certificado de acreditação, atestando a boa qualidade de seus serviços ou produtos (escola acreditada, empresa acreditada). **4** Que foi credenciado, autorizado (diplomata acreditado).

acreditar (a.cre.di.*tar*) *v.* **1** Ter ou aceitar como verdadeiro; crer. [*ti.* + *em*: *Maria acredita na amizade da prima. pr.*: *"...acreditava-me soldado e marchava para a guerra."* (Marques Rebelo, *Contos reunidos*).] **2** Ter confiança; confiar. [*ti.* + *em*: *O jovem acreditava no amigo.*] **3** Pensar em algo sem ter certeza; achar; supor. [*td.*: *O pescador acredita que vai chover.*] **4** Conferir crédito ou reputação a. [*td.*: *Acreditou o amigo junto aos patrões.*] **5** Dar autoridade, poderes a alguém para representar instituição, país etc.; credenciar. [*td.* (seguido de indicação de finalidade): *O presidente acreditou o ministro para a missão.*] [▶ **1** acreditar] • a.cre.di.*tá*.vel *a2g.*

acrescentar (a.cres.cen.*tar*) *v.* **1** Juntar uma coisa a outra; adicionar; acrescer. [*tdi.* + *a*, *em*: *acrescentar o açúcar ao leite.*] **2** Juntar uma coisa a outra, para fazê-la maior ou mais numerosa; ampliar; aumentar. [*tdi.* + *a*: *acrescentar selos à coleção. pr.*: *Resolveram se acrescentar à comitiva.*] **3** Adicionar informação para completar ou esclarecer; aditar. [*td.*: *O repórter acrescentou que o jogo ainda não terminara. tdi.* + *a*: *acrescentar mais detalhes à informação.*] [▶ **1** acrescentar] • a.cres.cen.*ta.*do *a.*; a.cres.cen.ta.*men.*to *sm.*

acrescer (a.cres.*cer*) *v.* **1** Tornar maior; aumentar. [*td.*: *acrescer os impostos.*] (Ant.: *diminuir, reduzir.*) **2** Juntar uma coisa a outra; acrescentar; adicionar. [*tdi.* + *a*: *O garçom acresceu à conta o copo quebrado.*] **3** Vir (fato, ideia etc.) como acréscimo (de motivo, explicação) a ser considerado. [*int.*: *O time não jogou bem; acresce que estava desfalcado.*] [▶ **33** acrescer] • a.cres.*ci.*do *a.sm.*; a.cres.ci.*men.*to *sm.*

acréscimo (a.*crés.*ci.mo) *sm.* **1** Ação ou resultado de acrescentar, adicionar. **2** O que se acrescenta; aumento: *pagar em dez vezes, sem acréscimo.*

acriançado (a.cri:an.*ça.*do) *a.* Que se comporta como criança; infantil.

acriano (a.cri:*a.*no) *a.* **1** Do Acre; típico desse estado ou de seu povo. *sm.* **2** Pessoa nascida no Acre.

acridoce (a.cri.*do.*ce) [ó] *a2g.* De sabor a um tempo azedo e doce (tempero acridoce), agridoce.

acrílico (a.*crí.*li.co) *sm.* **1** *Quím.* Resina sintética us. em vários produtos industriais, como lentes de óculos, objetos domésticos etc. *a.* **2** Em que se utilizou essa resina; que contém propriedades dessa resina (tinta acrílica).

acrimônia (a.cri.*mô.*ni:a) *sf.* Aspereza, grosseria, mau humor: *Tratava os vizinhos com acrimônia.* • a.cri.mo.ni:*o.*so *a.*

acrobacia (a.cro.ba.*ci.*a) *sf.* **1** Arte ou exercício de acrobata. **2** Movimento corporal que exige muita agilidade e flexibilidade: *Teve que fazer acrobacias para pegar a bola no telhado.* **3** *Fig.* Demonstração de coragem e/ou muita habilidade: *Faz acrobacias no skate; Teve que fazer acrobacia para pagar as contas.* **4** *Aer.* Manobra ousada feita por piloto (acrobacias aéreas).

acrobata (a.cro.*ba.*ta) *s2g.* Artista, ger. de circo, que apresenta números difíceis de ginástica em um trapézio, uma corda etc. • a.cro.*bá.*ti.co *a.* (salto acrobático, voo acrobático).

acrofobia (a.cro.fo.*bi.*a) *sf.* *Psiq.* Medo mórbido de altura. • a.cro.*fó.*bi.co *a.sm.*; a.*cró.*fo.bo *a.sm.*

acromático (a.cro.*má.*ti.co) *a.* **1** Sem cor. **2** Que não reconhece as cores.

acrônimo (a.*crô.*ni.mo) *sm.* *Ling.* Palavra formada pelas primeiras letras ou sílabas de uma expressão; ex.: e-mail (do inglês: *electronic mail*: correio eletrônico), petrobras (Petróleo Brasileiro). [nota: Us. tb. como adj.] [Cf.: *abreviatura* e *sigla.*] • a.cro.*ni.*mi.co *a.*

acrópole (a.*cró.*po.le) *sf.* Nas antigas cidades gregas, o local mais elevado onde eram erguidos cidadela, templos, palácios etc.

acróstico (a.*crós.*ti.co) *sm.* *Poét.* Texto em versos em que as letras iniciais de cada verso, lidas na vertical, formam uma palavra ou uma frase.

acuar (a.cu.*ar*) *v.* **1** Levar ou perseguir (a caça, o inimigo) até um lugar onde é impossível que recue ou fuja; encurralar. [*td.*: *O caçador acuou a onça.*] **2** *Fig.* Deixar sem saída, sem possibilidade de reagir, de responder. [*td.*: *"...e tem o poder de acuar governos."* (FolhaSP, 31.02.99).] **3** Sentar-se (um animal) sobre as patas traseiras, preparando-se para atacar. [*int.*: *Diante do perigo, o leão acuou.*] [▶ **1** acuar] • a.cu.*a.*do *a.*; a.cu.a.*men.*to *sm.*

açúcar (a.*çú.*car) *sm.* **1** Produto us. para adoçar alimentos e bebidas. **2** *Quím.* Qualquer dos carboidratos simples de sabor doce, como a glicose, a sacarose etc. **3** Cana-de-açúcar: *a cultura do açúcar no Nordeste.*

▭ Importante fonte de energia como alimento, o açúcar, em suas várias formas, pode ser obtido do leite (a lactose), e de vegetais (glicose), como frutas, legumes, grãos, batatas. O açúcar mais comum, a sacarose, é obtido esp. da beterraba e da cana-de- -açúcar, e, refinado, apresenta-se como carboidrato puro. Os principais produtores mundiais de açúcar são o Brasil, a Índia, a China e o Paquistão.

açucarado (a.çu.ca.*ra.*do) *a.* **1** Que se açucarou. **2** Que contém muito açúcar. **3** *Fig.* Sentimental.

açucarar (a.çu.ca.*rar*) *v.* **1** Fazer com que algo fique doce, ger. pondo açúcar; adoçar. [*td.*: *açucarar o café.*] **2** Cristalizar(-se) (1). [*td.*: *O frio açucara o mel. int.*: *A geleia açucarou.*] [▶ **1** açucarar]

açúcar-cande (a.*çú.*car-*can.*de) *sm.* Açúcar cristalizado em forma de blocos. [Pl.: *açúcares-candes* e *açúcares-cande.*]

açucareiro (a.çu.ca.*rei.*ro) *sm.* **1** Pote em que se guarda o açúcar. *a.* **2** Ref. ao açúcar ou à cana-de- -açúcar (produção açucareira).

açudar (a.çu.*dar*) *v.* *td.* Represar (águas de rios, mananciais) em açude ou construção semelhante: *projeto para açudar os rios.* [▶ **1** açudar]

açude (a.*çu.*de) *sm.* **1** *Bras.* Lago artificial. **2** *Cons.* Construção que represa águas; barragem.

acudir (a.cu.*dir*) *v.* **1** Ir em socorro ou em auxílio de; socorrer. [*td.*: *acudir os necessitados. ti.* + *a*: *O médico acudiu ao doente. int.*: *Se ouvirem o alarma, acudam.*] **2** Atender rapidamente (a chamado, pedido etc.). [*ti.* + *a*: *Os bombeiros acudiram ao chamado.*] **3** Ir ou dirigir-se a um determinado lugar; afluir. [*ti.* + *a*: *O povo acudiu à procissão.*] [▶ **53** acudir]

acuidade (a.cu:i.*da.*de) *sf.* **1** *Fig.* Sensibilidade ou fineza de inteligência, de entendimento; argúcia; perspicácia. **2** Grau de sensibilidade de um sentido (acuidade visual). **3** Qualidade do que é agudo (5).

açular (a.çu.*lar*) *v.* **1** Instigar (cão) a atacar, morder. [*td.*: *O menino gostava de açular os cães. tdi.* + *contra*: *açular cães contra as pessoas.*] **2** *Fig.* Incitar, instigar (alguém a ser agressivo, a protestar etc.). [*td.*: *"...zombaram dele (...) açulando*[sic]*o como a um cão de rua."* (Afonso Arinos, *Assombramento* in *Mar de histórias*). *tdi.* + *contra*: *açular os torcedores contra o juiz.*] **3** Despertar ou aumentar um sentimento, a vontade de fazer algo etc.; estimular. [*td.*: *O cheiro* *de comida aculou seu apetite. tdi. + a: O desafio do exame acula o aluno a estudar mais.*] [▶ 1 açular] • a.çu.la.men.to sm.

acúleo (a.cú.le:o) *sm.* **1** *Bot. Zool.* Parte pontuda e dura de animais aquáticos e de plantas; ESPINHO. **2** *Anat. Zool.* Ferrão de insetos. **3** Ponta afiada; AGUILHÃO.

aculturação (a.cul.tu.ra.ção) *sf. Antr.* Modificação cultural resultante do contato entre diferentes grupos sociais, países etc.: *a aculturação de povos indígenas.* [Pl.: -ções.]

aculturar (a.cul.tu.rar) *v. td.* Causar aculturação de (indivíduo, grupo social): *aculturar índios.* [▶ 1 aculturar] • a.cul.tu.ra.do a.

acumpliciar (a.cum.pli.ci.ar) *v.* Tornar(-se) cúmplice, colaborador. [*tdi. + em: Pedro acumpliciou o irmão em suas atividades. pr.: Acumpliciou-se com o amigo.*] [▶ 1 acumpliciar]

acumulação (a.cu.mu.la.ção) *sf.* **1** Ação ou resultado de acumular; ACÚMULO. **2** Aumento em volume, em quantidade; ACRÉSCIMO; ACÚMULO: *acumulação de bens materiais.* **3** Exercício simultâneo de mais de um cargo ou função: *acumulação de chefias.* [Pl.: -ções.]

acumulada (a.cu.mu.la.da) *sf.* **1** Sorteio lotérico em que se acumulam os valores de uma ou mais apostas anteriores, por falta de ganhador. **2** No turfe, aposta em cavalos de vários páreos.

acumulador (a.cu.mu.la.dor) [ô] *sm.* **1** *Fís.* Dispositivo que transforma energia química em eletricidade e vice-versa. **2** *Inf.* Dispositivo de memória que armazena dados temporariamente. *a.sm.* **3** Que ou aquele que acumula.

acumular (a.cu.mu.lar) *v.* **1** Pôr(-se) em cúmulo, em montão; AMONTOAR(-SE); EMPILHAR(-SE). [*td.: Acumular lixo não é recomendável. pr.: Os papéis se acumulavam no escritório.*] **2** Amontoar (bens, riquezas) ou fazer fortuna. [*td.* (com ou sem complemento explícito): *Trabalhou bastante, mas não conseguiu acumular.*] **3** Pôr(-se) junto; AJUNTAR(-SE); REUNIR(-SE). [*td.: O pesquisador acumulou informações sobre o tema. pr.: Os operários acumularam-se no portão da fábrica.*] **4** Ocupar ou exercer (vários cargos ou funções) ao mesmo tempo. [*td.: "...vai acumular as presidências do Conselho e do banco."* (*O Globo*, 11.04.04). *tdi. + com: José acumula o cargo de professor com o de coordenador.*] [▶ 1 acumular] • a.cu.mu.la.ti.vo *a.* (efeitos acumulativos); a.cu.mu.la.do a.sm.

acúmulo (a.cú.mu.lo) *sm.* Ver acumulação.

acupuntura (a.cu.pun.tu.ra) *sf. Med.* Terapia chinesa, universalmente difundida, que consiste na introdução de agulhas muito finas em determinados pontos do corpo do paciente. • a.cu.pun.tu.rar *v.*

acupunturista (a.cu.pun.tu.ris.ta) *s2g.* Aquele que pratica acupuntura.

acurado (a.cu.ra.do) *a.* Feito com capricho, exatidão.

acurar (a.cu.rar) *v.* **1** Tornar(-se) primoroso; APRIMORAR(-SE); ESMERAR(-SE). [*tdi.: acurar a escrita. pr.: Acurou-se no exercício de suas funções.*] **2** Tratar com desvelo; CUIDAR. [*tdi.: acurar a família.*] [▶ 1 acurar]

acusação (a.cu.sa.ção) *sf.* **1** Ação ou resultado de acusar. **2** Atribuição, imputação de falta, culpa etc.; INCRIMINAÇÃO. **3** Delação, denúncia. **4** *Jur.* Em processo criminal, a parte encarregada de acusar o réu: *A acusação convocou testemunhas.* **5** *Jur.* Em processo criminal, exposição feita pela acusação (4). [Pl.: -ções.]

acusado (a.cu.sa.do) *a.* **1** Que sofreu acusação; INCRIMINADO. **2** Que se tornou conhecido; REVELADO: *Examinou as contradições acusadas (pelo sistema). sm.* **3** Pessoa acusada de algo. **4** *Jur.* Pessoa contra a qual se move processo civil ou penal; RÉU.

acusador (a.cu.sa.dor) [ô] *a.sm.* **1** Que ou quem acusa: *Os acusadores pediram proteção policial. sm.* **2** *Jur.* Num processo criminal, pessoa responsável pela acusação. [Ant. nesta acp.: *defensor*.]

acusar (a.cu.sar) *v.* **1** Atribuir falta ou crime a, declarar(-se) culpado; CULPAR(-SE); INCRIMINAR(-SE). [*td.: acusar um inocente. tdi. + de: O menor acusou o policial de agressão. pr.: Acusaram-se mutuamente.*] [Ant.: *inocentar.*] **2** Atribuir defeito, conduta inadequada a. [*tdi. + de: Os amigos acusaram-no de ingrato.*] **3** *Fig.* Tornar evidente; MOSTRAR; REVELAR. [*td.: "...pernas musculosas que acusavam grande força física."* (Franklin Távora, *O matuto*).] **4** Comunicar (recebimento de correspondência à pessoa que enviou). [*td.: Os noivos acusaram o recebimento do cartão.*] [▶ 1 acusar]

acusatório (a.cu.sa.tó.ri:o) *a.* Ref. a ou que contém acusação (provas acusatórias).

acústico (a.cús.ti.co) *a.* **1** Ref. a som ou à audição (isolamento acústico). **2** Sem interferência de meios eletrônicos (*show* acústico, guitarra acústica).

acústica *sf.* **3** Qualidade de um espaço (auditório, teatro etc.) quanto à propagação do som: *A acústica do auditório é ótima.* **4** *Fís.* Estudo dos sons.

acutângulo (a.cu.tân.gu.lo) *a. Geom.* Em que os ângulos são agudos (diz-se de triângulo). • a.cu.tan.gu.lar *a2g.*

adaga (a.da.ga) *sf.* Arma branca larga, curta e pontiaguda.

adágio (a.dá.gi:o) *sm.* **1** Sentença de cunho moral, de origem popular; DITADO; PROVÉRBIO: *"Devagar se vai ao longe"* era *o seu adágio preferido.* **2** *Mús.* Indicação de andamento vagaroso.

adamascado (a.da.mas.ca.do) *a.* **1** Bordado em alto-relevo, como o damasco (3). **2** Parecido com damasco (1) na cor e/ou no sabor. • a.da.mas.car *v.*

adaptação (a.dap.ta.ção) *sf.* **1** Ação ou resultado de adaptar; ADEQUAÇÃO: *Trabalharam na adaptação das regras às novas condições.* **2** Capacidade do processo de adaptar-se a novos ambientes e situações; AMBIENTAÇÃO; ACOMODAÇÃO: *adaptação de um animal ao meio ambiente.* **3** Transformação de obra literária em novela, filme etc.: *adaptação de romances para a televisão.* [Pl.: -ções.]

adaptado (a.dap.ta.do) *a.sm.* Que ou quem se adaptou.

adaptador (a.dap.ta.dor) [ô] *a.sm.* **1** Que ou aquilo que adapta. **2** Que ou quem faz adaptação (3). *sm.* **3** *Tec.* Dispositivo que permite acoplamento de um aparelho a outro ou a fonte de energia etc., quando têm terminais de conexão de modelos diferentes.

adaptar (a.dap.tar) *v.* **1** Tornar(-se) apto ou adequado a uma situação ou função. [*tdi. + a: adaptar o vestido ao corpo. pr.: "...não foi difícil adaptar-me à vida de seminarista."* (João Ubaldo Ribeiro, *Diário do farol*).] **2** Pôr (algo ou alguém) em harmonia ou de acordo com; acomodar(-se). [*tdi. + a: adaptar o estilo ao lazer. pr.: Ele logo se adaptou ao novo chefe.*] **3** Alterar as características de (algo ou alguém) para que cumpra nova função. [*td.: O mecânico adaptou o motor.*] **4** *Cin. Liter. Mús. Teat. Telv.* Modificar o formato original de obra para adequá-la à modalidade artística, canal etc. [*td.: O maestro adaptou Aquarela do Brasil. tdi. + a, para: Adaptou o texto para a televisão.*] [▶ 1 adaptar] • a.dap.ta.bi.li.da.de *sf.*; a.dap.tá.vel *a2g.*

adega (a.de.ga) *sf.* **1** Lugar no qual se guardam vinhos e outras bebidas. **2** O conjunto dessas bebidas: *Vendeu toda a sua adega.*

adejar (a.de.jar) *v.* **1** Bater as asas para se manter no ar. [*int.: O beija-flor adeja quando suga o néctar das flores.*] **2** Dar voos curtos e repetidos sem direção determinada; ESVOAÇAR. [*int.: Os pássaros adejavam sobre a lagoa.*] **3** Agitar (algo) como se fossem asas. [*td.: adejar os braços.*] [▶ 1 adejar] • a.de.jo *sm.*

adelgaçar | adiantar

adelgaçar (a.del.ga.*çar*) *v.* Tornar(-se) (mais) delgado, (mais) fino. [*td.*: *adelgaçar a cintura*. *pr.*: *Com a dieta, adelgaçou-se até demais.*] [▶ 12 adelgaçar]

ademais (a.de.*mais*) *adv.* Além disso; além do mais: "...tu que és mãe e, ademais, mulher sincera..." (Apuleio, *Amor e psique* in *Mar de histórias*).

ademanes (a.de.ma.nes) *smpl.* **1** Movimentos (esp. das mãos) para comunicar algo; GESTOS. **2** *Pej.* Gestos ou modos afetados; TREJEITOS.

adenda (a.*den*.da) *sf.* Ver adendo.

adendo (a.*den*.do) *sm.* O que se acrescenta a obra, texto etc., para corrigi-los e/ou completá-los; ADENDA; APÊNDICE.

adenite (a.de.*ni*.te) *sf. Med.* Inflamação do gânglio linfático ou de glândula.

adenoide (a.de.*noi*.de) *sf.* **1** *Med.* Aumento patológico de tecido na faringe. [Us. tb. no pl.] *a2g.* **2** Que tem forma de glândula.

adenoma (a.de.*no*.ma) *sm. Pat.* Tumor, ger. benigno, de uma glândula.

adenovírus (a.de.no.*ví*.rus) *sm2n. Med.* Certo vírus causador de gripe.

adensar (a.den.*sar*) *v.* **1** Tornar(-se) (mais) denso, (mais) espesso. [*td.*: *adensar a sopa*. *pr.*: *O nevoeiro adensava-se.*] **2** Juntar-se, formando um conjunto denso, compacto. [*pr.*: *Os trabalhadores adensaram-se na passeata.*] **3** Tornar(-se) impregnado, carregado. [*td.*: *O perfume das flores adensara o lugar*. *pr.*: *O ambiente adensou-se com o perfume das flores.*] [▶ 1 adensar]

adentrar (a.den.*trar*) *v.* **1** Fazer entrar ou entrar (em). [*td.* (seguido ou não de indicação de lugar/tempo): *Adentraram-no (na festa); Adentrou o salão. int./pr.*: *O século XXI começou, e já (nos) adentramos.*] **2** Estender-se (em). [*td.*: *Os manguezais adentram o continente*. *pr.*: *Os manguezais se adentram pelo continente.*] [▶ 1 adentrar]

adentro (a.*den*.tro) *adv.* **1** Para dentro de: "...penetrando pelos sertões adentro..." (Cecília Meireles, *Crônicas de educação 2*). **2** No meio de, dentro de: *Mata adentro, insetos esvoaçam.*

adepto (a.*dep*.to) *s.m.* Que ou quem segue, defende doutrina, seita, partido, opinião; PARTIDÁRIO; ADERENTE: *legislador adepto da pena de morte.*

adequado (a.de.*qua*.do) *a.* **1** Em conformidade com, consonante com; APROPRIADO; PRÓPRIO: *traje adequado para a ocasião; profissional adequado ao cargo.* **2** Que se ajustou a; ADAPTADO.

adequar (a.de.*quar*) *v.* **1** Tornar adequado, apropriado. [*td.* (seguido de indicação de finalidade): *Adequaram o espaço para alojar as vítimas das enchentes.*] **2** Fazer ou tornar compatível; ser conforme ou compatível. [*tdi.* + *a*: *A escola adequou o currículo ao novo modelo de educação*. *pr.*: *usos que não se adequavam à norma culta da língua.*] **3** Adaptar-se, ajustar-se. [*pr.*: *A família teve que se adequar àquela situação.*] [▶ 10 adequar] • **a.de.qua.ção** *sf.*

adereçar (a.de.re.*çar*) *v. td. pr.* Enfeitar(-se) com adereços. [▶ 12 adereçar]

adereço (a.de.*re*.ço) [ê] *sm.* **1** Objeto de enfeite; ADORNO. **2** *Bras.* Objeto que, nas escolas de samba e blocos, é levado pelos seus componentes, ger. nas mãos, e é parte integrante das fantasias. ◘ adereços *smpl.* **3** *Cin. Teat. Telv.* Acessórios de vestuário ou decoração us. em cena.

aderência (a.de.*rên*.ci.a) *sf.* **1** Qualidade de aderente (1): *O esparadrapo perdeu a aderência.* **2** Forte ligação ou capacidade de ligação entre duas superfícies; ADESÃO: *aderência entre o pneu e o solo.* **3** *Fig.* Aceitação de ideia, doutrina: *aderência à nova política econômica.* **4** *Med.* Adesão (1) anormal entre tecidos do corpo.

aderente (a.de.*ren*.te) *a2g.s2g.* **1** Que ou que adere, gruda (substância *aderente*); ADESIVO. **2** Que ou quem adere à ideia ou crença; ADEPTO.

aderir (a.de.*rir*) *v.* **1** Tornar-se adepto (de campanha, partido, moda etc.); APOIAR; SEGUIR. [*ti.* + *a*: *Muitos aderiram ao movimento antidrogas.*] **2** Colar, grudar; ficar colado, grudado. [*tdi.* + *a*: *aderir uma peça a outra*. *ti.* + *a*: *O esparadrapo não adere à pele molhada. int.* (seguido ou não de indicação de lugar): *O esmalte impede a sujeira de aderir (na cerâmica).*] [▶ 50 aderir]

adernar (a.der.*nar*) *v.* Fazer inclinar ou inclinar-se para um dos lados; VIRAR. [*td.*: *Adernou o veleiro para facilitar a manobra. int.*: *Uma onda gigante fez o barco adernar.*] [▶ 1 adernar]

adesão (a.de.*são*) *sf.* **1** Ação ou resultado de aderir, de estar ligado fisicamente a algo; ADERÊNCIA: *adesão da blusa ao corpo.* **2** Postura favorável a uma ideia, ato etc.; APOIO: "...espera a adesão à greve de funcionários na metade do funcionalismo." (*O Dia*, 08.07.03). **3** Filiação a partido, associação etc. [Pl.: -sões.]

adesismo (a.de.*sis*.mo) *sm.* Tendência a aderir às ideias mais aceitas (ger. em política). • **a.de.sis.ta** *a2g.s2g.*

adesivo (a.de.*si*.vo) *a.* **1** Que adere; ADERENTE. **2** Que faz aderir, colar (substância adesiva). *sm.* **3** Pedaço de plástico ou papel com informação impressa que se cola numa superfície. **4** Material colante; COLA.

adestrador (a.des.tra.*dor*) [ó] *a.sm.* Que ou aquele que adestra, que treina pessoa ou animal para que execute certas tarefas ou truques.

adestrar (a.des.*trar*) *v.* **1** Tornar(-se) destro, treinado; TREINAR(-SE); INSTRUIR(-SE). [*td.*: *adestrar cães/soldados*. *pr.*: *No curso, os alunos adestram-se no uso do computador.*] [▶ 1 adestrar] • **a.des.tra.men.to** *sm.*

adeus (a.*deus*) *interj.* **1** Us. como forma de despedida, esp. em separações de longa duração. *sm.* **2** Aceno ou expressão de despedida; SEPARAÇÃO: *Nosso adeus foi muito triste.* **3** A própria despedida. ▮▮ **Dar ~ a 1** Despedir-se (de alguém), acenando de longe. **2** Renunciar a (algo): *Pode dar adeus a este computador, não tem conserto.* **Dizer ~ a 1** Despedir-se de (alguém). **2** Dar adeus a (2).

⊕ **ad hoc** (*Lat. /ad óc/*) *loc.a.* **1** Nomeado para tarefa específica (consultor *ad hoc*). **2** Não planejado; não previsto (causas *ad hoc*). **3** Sem fundamento (hipóteses *ad hoc*).

adiantado (a.di.an.*ta*.do) *a.* **1** Que está avançado no tempo: *Seu relógio está adiantado.* **2** Que está avançado em conhecimento, tecnologia etc.: *um país adiantado.* **3** Que ocorre antes do momento habitual ou esperado (voo *adiantado*). *adv.* **4** Antes do tempo habitual ou programado (pagar adiantado); ANTECIPADAMENTE. *sm.* **5** Situação do que está adiantado (1). [Ger. só us. na expressão 'adiantado da hora': *Devido ao adiantado da hora, desistimos de sair.*]

adiantamento (a.di.an.ta.*men*.to) *sm.* **1** Ação ou resultado de adiantar. **2** Ação ou resultado de progredir ou avançar; estado ou condição de adiantado (2); DESENVOLVIMENTO; PROGRESSO: *o adiantamento de um aluno.* [Ant. nesta acp.: *atraso.*] **3** Quantia dada antecipadamente por conta de pagamento de bem, serviço etc.

adiantar (a.di.an.*tar*) *v.* **1** Mover(-se) ou deslocar(-se) para a frente; AVANÇAR. [*td.*: *O time adiantou o meio-campo*. *pr.*: *O soldado adiantou-se no caminho.*] [Ant.: *recuar.*] **2** Fazer com que algo avance ou progrida. [*td.*: *O aluno adiantara a leitura do livro.*] [Ant. nesta acp.: *retardar.*] **3** Dizer ou afirmar algo antes que se realize ou antes do tempo; ANTECIPAR. [*td.*: *O pai adiantou que compraria um novo carro. tdi.* + *a, para*: *O chefe adiantara ao funcionário que não poderia tirar férias.*] **4** Fazer com que algo aconteça antes do que se previu; ANTECIPAR. [*td.*: *O diretor adiantou a realização das provas.*] [Ant. nesta acp.: *postergar.*] **5** Agir antes do previs-

adiante | admirar

to ou antes de outrem; ANTECIPAR-SE. [*pr.*: *A polícia adiantou-se aos bandidos e surpreendeu-os.*] **6** Pagar antecipadamente o que se deve. [*td.*: *adiantar a mensalidade.* **tdi.** + *a, para*: *O patrão adiantava-lhe o salário.*] **7** Andar mais rápido do que o normal (diz-se de relógio). [*int.*: *João ganhou um relógio que adianta.*] [Ant. nesta acp.: *atrasar*.] **8** Ter efeito, trazer vantagem. [*int.*: "Não adianta mentir, o senhor viu logo." (Marques Rebelo, *Contos reunidos*).] [▶ **1** adiant[ar]]
adiante (a.di:an.te) *adv.* **1** À frente (no espaço): *Ali adiante há um ótimo hotel.* **2** Em continuação (num desenvolvimento); AVANTE: *Resolveu levar o plano adiante.* **3** Em seguida (no tempo); DEPOIS; POSTERIORMENTE: *Como se verá adiante... interj.* **4** Us. como incentivo na instrução para avançar.
adiar (a.di.*ar*) *v. td.* Deixar ou marcar algo para momento posterior; TRANSFERIR: *adiar a entrega do boletim.* [▶ **1** adi[ar]] ● **a.di:a.men**.to *sm.*; **a.di:á.vel** *a2g.*
adição (a.di.*ção*) *sf.* **1** Ação ou resultado de acrescentar, de incluir algo: *sem adição de açúcar.* **2** Arit. Operação de adicionar quantidades; SOMA. [Ant.: *subtração*.] [Pl.: *-ções*.]
adicional (a.di.ci:o.*nal*) *a2g.sm.* **1** Que ou o que se adiciona, acrescenta a (algo): *um item adicional na lista de compras.* **sm. 2** Despesa ou imposto extraordinários: *adicional para obras.* [Pl.: *-nais*.]
adicionar (a.di.ci:o.*nar*) *v.* **1** Juntar uma coisa a outra; ACRESCENTAR; SOMAR. [*td.*: *O café está amargo, adicione açúcar.* tdi. sem complemento explícito: *Prefiro adicionar a subtrair.* **tdi.** + *a*: *adicionar sal ao arroz.*] **2** Arit. Fazer adição; SOMAR. [*td.*: *adicionar números pares.* **tdi.** + *a*: *adicionar 10 a 25.*] [▶ **1** adicion[ar]]
adicto (a.*dic*.to) *a.sm.* Que ou quem é dependente de droga ou substância química.
adido (a.*di*.do) *sm.* **1** Funcionário auxiliar (não pertencente ao quadro, esp. diplomático), nomeado para trabalhar com funções específicas (*adido cultural*).
adimplente (a.dim.*plen*.te) *a2g.s2g.* *Jur.* Que ou quem cumpre as obrigações estabelecidas em contrato. ● **a.dim.plên**.ci.a *sf.*
adiposo (a.di.*po*.so) [ô] *a.* **1** Que tem ou é feito de gordura (diz-se de tecido); GORDUROSO. **2** Muito gordo; OBESO. [Fem. e pl.: *-sos* [ó].] ● **a.di.po.si.da.de** *sf.*
adir¹ (a.*dir*) *v.* Juntar, adicionar (1), incorporar. [*td.*: *adir despesas.* **tdi.** + *a*: *Os cientistas adiram novas pesquisas ao programa.* *pr.*: *Adiu-se à equipe.*] [▶ **59** ad[ir]]
adir² (a.*dir*) *v. td. Jur.* Tomar posse de (bens deixados por herança): *adir as propriedades.* [▶ **59** ad[ir]]
aditamento (a.di.ta.*men*.to) *sm.* **1** Ação ou resultado de acrescentar algo ao que já havia; ADIÇÃO. [Ant.: *supressão*.] **2** Aquilo que se acrescenta (a documento, contrato) para ampliar, complementar, corrigir etc.
aditivado (a.di.ti.*va*.do) *a.* Que recebeu aditivo (diz-se esp. de combustível).
aditivo (a.di.*ti*.vo) *a.* **1** Que se adiciona a algo. **2** *Gram.* Diz-se da conjunção coordenativa que expressa adição ou união (p.ex.: *e*). *sm.* **3** *Quím.* Substância acrescentada a outra(s) para modificar suas propriedades: *alimento em conserva sem aditivos.* **4** Acréscimo a documento.
adivinha (a.di.*vi*.nha) *sf.* **1** Pergunta ou problema proposto como brincadeira; CHARADA; ENIGMA. **2** Essa brincadeira. **3** Fem. de *adivinho*.
adivinhar (a.di.vi.*nhar*) *v. td.* **1** Conhecer ou descobrir (fatos ocultos do presente ou do futuro) por meios sobrenaturais, por intuição ou por astúcia: *Os oráculos adivinhavam o futuro.* **2** Tirar conclusões ou descobrir pelo raciocínio; INTERPRETAR: *Olhando-a nos olhos, o namorado adivinhou seus sentimentos.* [▶ **1** adivinh[ar]] ● **a.di.vi.nha.ção** *sf.*

adivinho (a.di.*vi*.nho) *a.sm.* Que ou quem adivinha, revela o que está oculto ou prevê fatos futuros.
adjacência (ad.ja.*cên*.ci.a) *sf.* **1** Qualidade de adjacente. ■ **adjacências** *sfpl.* **2** Lugares próximos; REDONDEZAS; ARREDORES.
adjacente (ad.ja.*cen*.te) *a2g.* Que está junto, próximo; CONTÍGUO.
adjetivar (ad.je.ti.*var*) *v.* **1** *Gram.* Empregar adjetivos em. [*td.*: *adjetivar a frase.*] **2** *Gram.* Atribuir valor gramatical de adjetivo a. [*td.*: *adjetivar o verbo.*] **3** Dar ou atribuir qualidade a; QUALIFICAR. [*td.*: *O jornalista adjetivou o espetáculo.* **tdi.** + *de*: *Adjetivou a comida de excelente.*] **4** *Gram.* Usar adjetivos. [*int.*: *Seu estilo é frouxo porque adjetiva em excesso.*] [▶ **1** adjetiv[ar]] ● **ad.je.ti.va.ção** *sf.*
adjetivo (ad.je.*ti*.vo) *Gram. sm.* **1** Palavra que se refere a um substantivo, qualificando-o ou classificando-o. *a.* **2** Que funciona como adjetivo (*locução adjetiva*).
adjudicar (ad.ju.di.*car*) *v.* **1** *Jur.* Conceder, por decisão da justiça, a posse de algo a alguém. [*td.*: *adjudicar bens.* **tdi.** + *a*: *O juiz adjudicou as joias aos herdeiros.*] **2** Conceder a alguém a autoria, a origem, a responsabilidade quanto a (algo); ATRIBUIR(-SE). [*tdi.* + *a*: *O professor adjudicou ao aluno o belo texto. pr.*: *Adjudicava-se todos os erros do trabalho.*] [▶ **11** adjudic[ar]] ● **ad.ju.di.ca.ção** *sf.*
adjunto (ad.*jun*.to) *a.* **1** Que está perto ou ao lado. *a.sm.* **2** Que ou quem auxilia um superior (*diretor adjunto*); ASSISTENTE. *sm.* **3** Pessoa que substitui alguém; SUPLENTE. **4** *Gram.* Elemento que se junta a substantivo, verbo, adjetivo ou advérbio, acrescentando informações sobre eles.
administração (ad.mi.nis.tra.*ção*) *sf.* **1** Ação ou resultado de administrar. **2** Gerência, direção. **3** Departamento dirigido por um administrador. **4** Equipe que administra. **5** Conjunto de instalações onde trabalha essa equipe. [Pl.: *-ções*.]
administrar (ad.mi.nis.*trar*) *v.* **1** Dirigir ou gerir (uma instituição, negócio, região etc.). [*td.*: *administrar uma oficina.*] **2** Tratar de; controlar. [*td.*: *Não souberam administrar aquela situação difícil.*] **3** Fazer ingerir, ou aplicar (medicamento, pomada etc.); MINISTRAR. [*td.*: *Recomenda-se administrar as injeções por via subcutânea.* **tdi.** + *a*: *maneiras de administrar medicamento aos animais.*] **4** Dar (sacramento); MINISTRAR. [*tdi.* + *a*: *O padre administrou a extrema-unção à senhora.*] [▶ **1** administr[ar]] ● **ad.mi.nis.tra.dor** *a.sm.*
administrativo (ad.mi.nis.tra.*ti*.vo) *a.* **1** Ref. a administração (2) (*diretor administrativo*, *problemas administrativos*). **2** Diz-se de área ou cidade com administração própria, subordinada ao prefeito: *região administrativa de Copacabana*.
admiração (ad.mi.ra.*ção*) *sf.* **1** Ação ou resultado de admirar(-se). **2** Sentimento de estima, orgulho, ou de simpatia: *A admiração entre os dois é mútua.* **3** Encantamento, enlevo: *Você precisava ter visto os olhos de admiração das crianças.* **4** Espanto diante de algo que não se imagina ou espera: *A grosseria dele causou admiração a todos.* [Ant.: *desprezo*.] [Pl.: *-ções*.]
admirado (ad.mi.*ra*.do) *a.* **1** Que goza de respeito e estima: *um jovem admirado por sua liderança.* **2** Espantado, surpreso.
admirador (ad.mi.ra.*dor*) [ô] *a.sm.* Que ou quem admira, sente respeito por ou gosta de algo ou alguém: *São muitos os admiradores dos Beatles.*
admirar (ad.mi.*rar*) *v.* **1** Sentir admiração, estima, respeito por (alguém, algo, um ao outro). [*td.*: *Admiro a sua coragem. pr.*: *Meus pais se admiram muito.*] **2** Olhar(-se) com deslumbramento. [*td.*: *Ficamos ali, admirando o pôr do sol. pr.*: *Passa horas admirando-se diante do espelho.*] **3** Causar surpresa

admirativo | adsorção

em; ficar surpreso com. [*ti.* + *a*: *Admira aos pais a maturidade do filho*. *int.*: *É verão; não admira que faça tanto calor*.] [▶ 1 admitir]

admirativo (ad.mi.ra.ti.vo) *a*. Que expressa admiração (exclamações admirativas).

admirável (ad.mi.rá.vel) *a2g*. **1** Digno de admiração, respeito; estima: *Ayrton Senna foi um admirável exemplo de determinação*. **2** Que encanta, impressiona; FANTÁSTICO: *A atuação dela no filme é admirável*. **3** Que surpreende; ESPANTOSO: *Minha bisavó tem uma energia admirável para a sua idade*. [Pl.: -*veis*.]

admissão (ad.mis.são) *sf*. **1** Ação ou resultado de admitir. **2** Ingresso, entrada: *exame de admissão*. **3** Reconhecimento de algo como possível ou aceitável: *admissão de um erro*. [Pl.: -*sões*.] [Ant.: *inadmissão*.]

admissível (ad.mis.sí.vel) *a2g*. Que se pode admitir: *Mau comportamento não é admissível na escola*. [Pl.: -*veis*.]

admitir (ad.mi.*tir*) *v*. *td*. **1** Dar permissão a; CONSENTIR; TOLERAR: *Não admito essa falta de respeito*. **2** Deixar entrar: *A associação não está admitindo novos membros*. **3** Aceitar como fato; RECONHECER: *Ele não quer admitir que foi grosseiro*. **4** Empregar, contratar: *A agência admitiu-o como estagiário*. **5** Aceitar a hipótese de; SUPOR: *Admitamos que ela esteja certa*. [▶ **3** admitir] ● **ad.mi.ti.do** *a*.

admoestar (ad.mo:es.*tar*) *v*. **1** Chamar atenção para falta cometida; REPREENDER. [*td.*: *Admoestou o filho por ter mentido*.] **2** Avisar, advertir. [*tdi*. + *de*, *sobre*: *O salva-vidas admoestou os banhistas do perigo daquelas ondas*.] [▶ 1 admoestar] ● **ad.mo:es.ta.ção** *sf*.

⌧ **ADN** *Gen*. Sigla de *ácido desoxirribonucleico* (estrutura que contém os genes). [NOTA: A sigla *DNA*, do inglês, é mais us. em português.]

adnominal (ad.no.mi.*nal*) *a2g*. *Gram*. Que se liga a um substantivo, modificando o seu significado (adjunto adnominal). [Pl.: -*nais*.]

adobe (a.*do*.be) [ó] *sm*. Tijolo de argila, cozido ou seco ao sol.

adoçante (a.do.*çan*.te) *a2g*. **1** Que torna doce. *sm*. **2** Substância natural ou artificial que adoça bebidas, medicamentos etc.

adoção (a.do.*ção*) *sf*. **1** Ação ou resultado de adotar, escolher, assumir ou passar a praticar algo: *a adoção da nova moda pelos jovens*. **2** Reconhecimento legal de alguém como filho. [Pl.: -*ções*.]

adoçar (a.do.*çar*) *v*. *td*. **1** Fazer com que algo fique doce: *O garçom adoçou o suco*. **2** *Fig*. Tornar agradável; SUAVIZAR: *O carinho dos netos adoçava a vida do avô*. [▶ **12** adoçar] ● **a.do.ça.men.to** *sm*.

adocicado (a.do.ci.*ca*.do) *a*. De sabor um tanto doce; *fruta de polpa adocicada*. ● **a.do.ci.*car* v**.

adoecer (a.do:e.*cer*) *v*. Fazer ficar ou ficar doente, enfermo; ENFERMAR. [*int.*: *O cãozinho adoeceu*. *td.*: *As preocupações adoeceram o pobre homem*.] [▶ **33** adoecer]

adoentado (a.do:en.*ta*.do) *a*. Com sinais de doença, ou doente.

adoidado (a.doi.*da*.do) *a*. **1** Meio doido; AMALUCADO. *adv*. **2** *Pop*. De forma intensa; À BEÇA: *Ela mente adoidado*.

adolescência (a.do.les.*cên*.ci:a) *sf*. Fase da vida entre a infância e a idade adulta.

adolescente (a.do.les.*cen*.te) *a2g.s2g*. **1** Que ou quem está na adolescência: *Eles têm duas filhas adolescentes*. *a2g*. **2** Próprio da adolescência (impulsos adolescentes). ● **a.do.les.*cer* v**.

adônis (a.*dô*.nis) *sm2n*. **1** *Fig*. Homem jovem e bonito. ⌧ **Adônis** *sm*. **2** *Mit*. Entre os gregos, personagem mitológico de grande beleza.

adoração (a.do.ra.*ção*) *sf*. **1** Ação ou resultado de adorar, de cultuar algo ou alguém que se considera divino; IDOLATRIA; VENERAÇÃO. **2** Amor profundo por algo ou alguém. **3** Gosto intenso por: *adoração por bombons*. [Pl.: -*ções*.]

adorar (a.do.*rar*) *v*. **1** Amar(-se) de forma intensa. [*td.*: *Adoro meus irmãos*. *pr.*: *O casal se adora*.] **2** Gostar muito de. [*td.*: *Eu adorava esse programa quando era menor*.] **3** Prestar culto a uma divindade; CULTUAR. [*td.*: *adorar um santo*.] [▶ **1** adorar]

adorável (a.do.*rá*.vel) *a2g*. **1** Que causa sentimentos muito agradáveis (festa adorável). [Ant.: *detestável*.] **2** Que é gentil, bem-educado, agradável (rapaz adorável). **3** Que se pode ou se deve adorar, cultuar; VENERÁVEL. [Pl.: -*veis*.]

adormecer (a.dor.me.*cer*) *v*. **1** Pegar no sono. [*int.*: *O bebê adormeceu*.] **2** Fazer dormir ou estimular o sono de. [*td.*: *A música suave adormecia a criança*.] [Ant. nesta acp.: *acordar*, *despertar*.] **3** Causar a perda de sensibilidade ou ficar insensível; ENTORPECER. [*td.*: *A longa corrida adormecera a perna do atleta*. *int.*: *Com a pancada, seus braços adormeceram*.] [▶ **33** adormecer]

adormecimento (a.dor.me.ci.*men*.to) *sm*. **1** Ação ou resultado de adormecer. **2** *Fig*. Ausência de sensibilidade física; ENTORPECIMENTO; DORMÊNCIA.

adornar (a.dor.*nar*) *v*. **1** Pôr enfeites em; ENFEITAR. [*td* (seguido ou não de indicação de modo): *Adornou a casa (com muitos quadros*). *pr.*: *A menina adornava-se para a festa*.] **2** Tornar interessante, mais bonito; EMBELEZAR. [*td*. (seguido ou não de indicação de modo): *adornar o discurso (com metáforas)*.] [▶ **1** adornar]

adorno (a.*dor*.no) [ó] *sm*. O que serve para adornar; ENFEITE; ADEREÇO.

adotar (a.do.*tar*) *v*. *td*. **1** Optar por; ESCOLHER; PREFERIR: *"...adotarei esse sistema e aconselho-te fazer o mesmo."* (Max Jacob, *Conselhos de uma mãe a sua filha* in *Mar de histórias*). **2** Concordar com (algo) e assumi-lo; ACEITAR: *adotar uma ideia*. **3** Seguir uma carreira; ABRAÇAR: *O rapaz adotou a medicina*. **4** *Jur*. Reconhecer como filho; PERFILHAR: *O casal decidiu adotar uma criança*. **5** Passar a usar, exercitar (comportamento); ASSUMIR: *Metódico, adotara certos hábitos*. [▶ **1** adotar] ● **a.do.*tá*.vel** *a2g*.

adotivo (a.do.*ti*.vo) *a*. **1** Que foi adotado (filho adotivo). **2** Que adotou (mãe adotiva). **3** Ref. a adoção (processo adotivo). *sm*. **4** Filho adotivo (1).

adquirir (ad.qui.*rir*) *v*. *td*. **1** Passar a ter algo por compra, troca, doação etc.; OBTER: *adquirir um carro*. **2** Conseguir, obter: *Finalmente adquiriu visto de permanência*. **3** Obter ou conquistar algo com esforço; GRANJEAR: *adquirir conhecimentos/prestígio*. **4** Passar a apresentar (aspecto etc.); ASSUMIR: *Seu rosto adquiriu expressão serena*. **5** Vir ou passar a ter; CONTRAIR: *No verão, sempre adquire alergias*. [▶ **3** adquirir]

adrede (a.*dre*.de) [ê] *adv*. De propósito; INTENCIONALMENTE: *documento adrede perdido*. [Ant.: *involuntariamente*.]

adrenalina (a.dre.na.*li*.na) *sf*. **1** *Quím*. Hormônio produzido pelas glândulas suprarrenais. **2** *Pop*. Excitação provocada por atividade estimulante: *Esporte radical é muita adrenalina*. **3** *Pop*. Ânimo, vigor, disposição: *Entrou no jogo com muita adrenalina*.

adriático (a.dri.*á*.ti.co) *a*. **1** Que é do ou referente ao mar Adriático (Europa) ou às suas proximidades (rota adriática). *sm*. **2** Quem é natural das regiões banhadas por esse mar.

adriça (a.*dri*.ça) *sf*. *Mar*. Cabo ou corda para içar velas, vergas, bandeira etc. [Mais us. no pl.]

adro (a.dro) *sm*. Terreno adjacente a uma igreja.

adsorção (ad.sor.*ção*) *sf*. *Fís*. *Quím*. Retenção de partes de uma substância líquida ou gasosa na superfície de outra, sólida. [Pl.: -*ções*.] [Cf.: *absorção*.]

adstringente (ads.trin.*gen*.te) *a2g.sm.* **1** Que ou o que adstringe, comprime, aperta: *O caju é adstringente.* **2** Que ou o que provoca contração (loção adstringente). ● ads.trin.*gên*.ci.a *sf.*

adstringir (ads.trin.*gir*) *v.* **1** Juntar(-se) apertando; COMPRIMIR(-SE). [*td.*: *adstringir as cordas do barco.* *pr.*: *Os lábios se adstringem (com a caça).*] **2** Forçar, obrigar. [*tdi.* + *a*: *O patrão adstringira o funcionário a cumprir o horário. pr.*: *A cozinheira se adstringira a usar menos sal.*] **3** Limitar-se, restringir-se. [*pr.*: *O autor se adstringiu a alguns exemplos.*] [▶ 46 adstringir]

aduana (a.du:*a*.na) *sf.* Ver *alfândega*.

aduaneiro (a.du:a.*nei*.ro) *a.* **1** Ref. a aduana, a alfândega; ALFANDEGÁRIO. *sm.* **2** Quem trabalha em aduana.

adubar (a.du.*bar*) *v. td.* Pôr adubo em: *adubar o canteiro.* [▶ 1 adubar]

adubo (a.*du*.bo) *sm. Agr.* Matéria orgânica ou química que se mistura à terra para fertilizá-la; FERTILIZANTE.

adução (a.du.*ção*) *sf.* **1** Ação ou resultado de aduzir. **2** *Fisl. Med.* Ação ou resultado de movimentar um membro (ou parte dele) na direção do plano médio do corpo ou do mesmo. **3** Operação (nas redes de abastecimento) de levar água, a partir do ponto de captação, até o sistema de distribuição. [Pl.: *-ções.*]

aduela (a.du:*e*.la) *sf.* **1** Cada uma das tábuas curvas us. para construir barris e tonéis. **2** *Arq.* Cada uma das pedras us. como peças encaixadas na construção de arcos e abóbadas. **3** *Cons.* Cada uma das peças de madeira us. para revestir vãos de portas ou janelas.

adular (a.du.*lar*) *v. td.* **1** Agradar alguém por interesse e com exagero; BAJULAR: *O empregado sempre adulava o patrão.* **2** *MG* Fazer carinhos ou afagos em; ACARINHAR; AGRADAR: *Toda mãe adula o filho.* [▶ 1 adular] ● a.du.la.*ção sf.*; a.du.la.*dor a.sm.*

adulterar (a.dul.te.*rar*) *v.* **1** Alterar (algo) desonestamente; DETURPAR; FALSIFICAR. [*td.*: *O falsificador adulterou o documento.*] **2** Mudar a forma de; DEFORMAR; MODIFICAR. [*td.*: *Seu forte sotaque adultera algumas palavras. pr.*: *O rapaz se adulterava com a bebida.*] **3** Ser infiel no casamento; cometer adultério. [*int.*: *O marido nunca adulterou.*] [▶ 1 adulterar] ● a.dul.te.ra.*ção sf.*

adultério (a.dul.*té*.ri.o) *sm.* Ato de ter relações sexuais com outra pessoa que não o seu próprio cônjuge.

adúltero (a.*dúl*.te.ro) *a.sm.* Que ou quem comete ou cometeu adultério.

adulto (a.*dul*.to) *a.sm.* **1** Que ou o que completou o seu pleno desenvolvimento (animal adulto). **2** Que ou quem chegou à maioridade (no Brasil, aos 18 anos). [Ant. ger.: *infantil*.]

adunco (a.*dun*.co) *a.* Em forma de gancho (nariz adunco); CURVO.

adutor (a.du.*tor*) [ô] *a.sm.* **1** Que ou o que transporta algo para um lugar: *adutor de esgoto*. **2** *Anat.* Que ou o que faz o movimento de adução (2) (diz-se de músculo). ◼ **adutora** *sf.* **3** Num sistema de abastecimento, canal ou encanamento que leva a água até um reservatório.

aduzir (a.du.*zir*) *v.* Apresentar ou mostrar (argumentos, provas, testemunhos etc.); ALEGAR; EXPOR. [*td.*: *O advogado aduziu novas provas ao tribunal. tdi.* + *a*: *Aduziu novos argumentos aos jurados.*] [▶ 57 aduzir]

adventício (ad.ven.*ti*.ci.o) *a.sm.* **1** Que ou quem não é natural do lugar em que está ou vive; ESTRANGEIRO; FORASTEIRO. [Ant.: *nativo*.] *a.* **2** Que acontece fora de época ou inesperadamente; IMPREVISTO. **3** *Bot.* Que nasce fora do lugar próprio (ger. relativo a raiz).

adventismo (ad.ven.*tis*.mo) *sm. Rel.* Doutrina protestante que anuncia uma segunda vinda de Jesus à Terra para instalar o seu reino. ● **ad.ven.*tis*.ta** *a2g.s2g.*

advento (ad.*ven*.to) *sm.* **1** Vinda, chegada, surgimento. **2** Adoção, estabelecimento: *advento da democracia.* ◼ **Advento** *sm.* **3** *Rel.* No cristianismo, a vinda de Jesus. **4** *Litu.* Na liturgia católica, as quatro semanas que antecedem o Natal.

adverbial (ad.ver.bi:*al*) *a2g. Gram.* **1** Que é próprio do advérbio (p.ex.: o sufixo *-mente*). **2** Que tem função de advérbio (p.ex.: *rápido* em *Chegou rápido*). **3** Diz-se do adjunto que acrescenta ao verbo circunstâncias de tempo, modo, causa etc., ou que intensifica o sentido de um adjetivo ou de outro advérbio. [Pl.: *-ais.*]

advérbio (ad.*vér*.bi.o) *sm. Gram.* Palavra invariável que modifica verbos, adjetivos, outros advérbios, orações, indicando circunstâncias como tempo, lugar, modo etc.

adversário (ad.ver.*sá*.ri.o) *a.sm.* Que ou aquele que rivaliza com, que se opõe a algo ou alguém (time adversário).

adversativo (ad.ver.sa.*ti*.vo) *a. Gram.* Diz-se da conjunção coordenativa que expressa oposição ou contraste (p.ex.: *mas*).

adversidade (ad.ver.si.*da*.de) *sf.* **1** Qualidade ou condição de adverso (1). **2** Contrariedade. **3** Infortúnio.

adverso (ad.*ver*.so) *a.* **1** Desfavorável (circunstância adversa). [Ant.: *favorável*.] **2** Contrário: *o efeito adverso de um remédio*.

advertência (ad.ver.*tên*.ci.a) *sf.* **1** Ação ou resultado de advertir. **2** Censura, repreensão: *Recebeu uma advertência do professor*. **3** Aviso: *advertência contra os perigos que corremos*.

advertir (ad.ver.*tir*) *v.* **1** Fazer advertência a; REPREENDER. [*td.*: *O chefe advertiu o funcionário.*] **2** Avisar, prevenir. [*tdi.* + *de*: *Os amigos o advertiram dos riscos daquela escalada.*] [▶ 50 advertir]

advir (ad.*vir*) *v.* **1** Suceder, ocorrer. [*int.*: *Depois das chuvas, advieram muitas doenças. ti.* + *a*: *Os reféns tinham receio do que poderia advir a eles.*] **2** Surgir em consequência de; PROVIR; RESULTAR. [*ti.* + *de*: *O medo advejo da violência.* NOTA: Podem ocorrer dois objetos indiretos: *O medo lhes adveio da violência.*] [▶ 42 advir. Part.: *advindo*.]

advocacia (ad.vo.ca.*ci*.a) *sf.* A profissão do advogado (1), ou seu exercício. ● **ad.vo.ca.*ti*.ci:o** *a.*

advogado (ad.vo.*ga*.do) *sm.* **1** Indivíduo que, formado em ciências jurídicas, se habilitou a prestar assistência profissional em questões jurídicas. **2** Aquele que defende, patrocina, protege (alguém, uma causa, uma ideia etc.): *Ele é o maior advogado das reformas*.

advogar (ad.vo.*gar*) *v.* **1** Exercer a profissão de advogado. [*int.*: *O jovem advoga no Rio de Janeiro.*] **2** *Jur.* Defender uma causa no tribunal ou fora dele. [*td.*: *Contrataram-no para advogar a questão do espólio.*] **3** Defender, utilizando argumentos. [*td.*: *O jornalista advogava a liberdade de expressão.*] **4** Intervir em favor de; INTERCEDER. [*ti.* + *por*: *Sempre advogara pelos desamparados.*] [▶ 14 advogar]

aeração (a.e.ra.*ção*) *sf.* Ação ou resultado de arejar, de renovar o ar.

aéreo (a.é.re:o) *a.* **1** Ref. ou formado de ar (correntes aéreas). **2** Que vive ou se desenvolve no ar, esp. organismos vivos (raiz aérea). **3** Que se desloca no ar (transporte aéreo). **4** *Fig.* Distraído, desatento: *Estava tão aéreo, que tropeçou e caiu*.

aerícola (a.e.*ri*.co.la) *a2g.* Que vive no ar.

aerobarco (a.e.ro.*bar*.co) *sm. Bras. Mar.* Barco a motor que desliza rente à água, com parte do casco emersa.

aeróbico (a.e.*ró*.bi.co) *a.* **1** Que ativa a oxigenação do pulmão (exercício aeróbico). **2** *Biol.* Que ocorre somente com a existência de oxigênio (respiração aeróbica). ■ **aeróbica** *sf.* **3** Modalidade de ginástica essencialmente aeróbica (1), que estimula a capacidade respiratória. [Ant. ger.: *anaeróbico*.]

aeróbio (a.e.*ró*.bi:o) *a. Biol.* Que requer a presença de oxigênio para seu desenvolvimento e subsistência (diz-se of organismo). [Ant. ger.: *anaeróbio*.]

aeroclube (a.e.ro.*clu*.be) *sm.* Centro de formação de pilotos civis e para ensino e prática de pilotagem de aeronaves.

aerodinâmica (a.e.ro.di.*nâ*.mi.ca) *sf. Fís.* Estudo do movimento dos sólidos no ar.

aerodinâmico (a.e.ro.di.*nâ*.mi.co) *a.* **1** Ref. a aerodinâmica. **2** Diz-se de um sólido (ger. veículo) cuja forma lhe permite, quando em movimento, oferecer menos resistência ao ar.

aeródino (a.e.*ró*.di.no) *sm. Aer.* Aeronave mais pesada que o ar. [Cf.: *aeróstato*.]

aeródromo (a.e.*ró*.dro.mo) *sm. Aer.* Área destinada a pouso, decolagem e manutenção de aeronaves.

aeroduto (a.e.ro.*du*.to) *sm.* Encanamento para conduzir o ar em sistemas de ventilação.

aeroespacial (a.e.ro:es.pa.ci:*al*) *a2g.* **1** Ref. ao aeroespaço. **2** Próprio da aeronáutica ou astronáutica. [Pl.: *-ais*.]

aeroespaço (a.e.ro:es.*pa*.ço) *sm.* **1** *Astron.* Região correspondente à atmosfera terrestre e ao espaço cósmico. **2** *Aer.* Espaço destinado ao lançamento e monitoramento de naves espaciais.

aerofagia (a.e.ro.fa.*gi*.a) *sf. Med.* Deglutição exagerada de ar, decorrente da ingestão apressada de alimentos ou de ansiedade.

aerofólio (a.e.ro.*fó*.li:o) *sm. Aut.* Peça situada na traseira de um veículo, ger. esportivo, para aumentar sua estabilidade.

AEROFÓLIO

aerofotogrametria (a.e.ro.fo.to.gra.me.*tri*.a) *sf.* Levantamento topográfico feito por meio de fotografias aéreas.

aerógrafo (a.e.*ró*.gra.fo) *sm.* **1** Aparelho de ar comprimido us. para pintar e envernizar. **2** Cientista que estuda as propriedades do ar.

aerograma (a.e.ro.*gra*.ma) *sm.* Papel de carta pré-franqueado, que se dobra em envelope.

aerólito (a.e.*ró*.li.to) *sm. Astron.* Meteorito composto esp. de silicatos.

aeromoça (a.e.ro.*mo*.ça) [ô] *sf. Bras.* Funcionária que atende a passageiros em voos comerciais. [Cf.: *comissário* (1).]

aeromodelismo (a.e.ro.mo.de.*lis*.mo) *sm.* **1** Arte ou técnica de projetar e/ou construir aeromodelos. **2** *Esp.* Esporte que consiste em manobrar aeromodelos. • a.e.ro.mo.de.*lis*.ta *s2g.*

aeromodelo (a.e.ro.mo.*de*.lo) [ê] *sm.* Miniatura de aeronave, ger. capaz de voar, us. para pesquisa, competição ou diversão.

aeronauta (a.e.ro.*nau*.ta) *s2g.* Pessoa que comanda ou tripula aeronave.

aeronáutica (a.e.ro.*náu*.ti.ca) *sf.* **1** *Aer.* Ciência e/ou prática da navegação aérea. **2** *Mil.* A força aérea de um país. • a.e.ro.*náu*.ti.co *a.*

aeronave (a.e.ro.*na*.ve) *sf. Aer.* Veículo de navegação aérea.

aeroplano (a.e.ro.*pla*.no) *sm. Aer.* Aeronave com asas; AVIÃO.

aeroporto (a.e.ro.*por*.to) [ô] *sm. Aer.* Local preparado e equipado para pouso e decolagem de aeronaves, e embarque e desembarque de passageiros e carga. [Pl.: [ó].]

□ Os aeroportos modernos dispõem de sofisticada rede de equipamentos e serviços destinados a permitir, com eficiência e segurança, o pouso e a decolagem de centenas de aviões por dia, e o trânsito de muitos milhares de passageiros. Os maiores aeroportos do mundo, quanto ao movimento de passageiros, são o Hartsfiel-Jackson (Atlanta, EUA), o Beijing (Pequim, China), Internacional de Dubai (Emirados Árabes), Haneda (Tóquio, Japão) e o Internacional de Los Angeles (EUA). No Brasil, os aeroportos internacionais de Guarulhos (São Paulo), Pres. Jucelino Kubitschek (Brasília) e o Tom Jobim (Rio de Janeiro), e os aeroportos regionais de Congonhas (São Paulo) e Santos Dumont (Rio de Janeiro).

aerossol (a.e.ros.*sol*) *sm.* **1** *Quím.* Suspensão de partículas sólidas ou líquidas num gás. **2** Embalagem que a libera. [Pl.: *-sóis*.]

aeróstato (a.e.*rós*.ta.to) *sm. Aer.* Veículo aéreo sustentado por gás mais leve que o ar ou por ar aquecido (balão, dirigível etc.). [Cf.: *aeródino*.]

aerotransportar (a.e.ro.trans.por.*tar*) *v.* Transportar(-se) por meio de aeronave. [*td.*: *aerotransportar alimentos*. *pr.*: *O comandante aerotransportou-se*.] [▶ 1 aerotransport*ar*]

aerotransporte (a.e.ro.trans.*por*.te) *sm. Aer.* **1** Transporte por via aérea. **2** Avião capaz de transportar grandes cargas.

aerovia (a.e.ro.*vi*.a) *sf.* **1** *Aer.* Espaço aéreo delimitado, reservado à navegação aérea e controlado por autoridade aeronáutica. **2** Rota de aviões. **3** Empresa de navegação aérea.

aeroviário (a.e.ro.vi.*á*.ri:o) *a.* **1** Ref. a aerovia. *sm.* **2** Funcionário de aeroporto ou empresa aérea.

aético (a.é.ti.co) *a.* Que desconsidera ou contraria a ética.

afã (a.*fã*) *sm.* **1** Ânsia, sofreguidão: "...em seu desesperado afã por sobreviver..." (*FolhaSP*, 15.08.99). **2** Pressa, afobação: *No afã de pegar o ônibus, tropeçou.* **3** Trabalho intenso.

afabilidade (a.fa.bi.li.*da*.de) *sf.* **1** Qualidade de afável. **2** Gentileza, cortesia.

afadigar (a.fa.di.*gar*) *v.* Causar fadiga a ou sentir fadiga; CANSAR(-SE); FATIGAR(-SE). [*td.*: *A caminhada afadigou os jovens*. *pr.*: *O operário afadiga-se com o trabalho pesado*.] [▶ 14 afadig*ar*]

afagar (a.fa.*gar*) *v.* **1** Fazer carinhos, afagos em; ACARICIAR(-SE), ACARINHAR(-SE). [*td.*: *O menino afagou o cão*. *pr.*: *Os esposos afagavam-se*.] **2** Manter e estimular (sentimento, intenção, pensamento); ACALENTAR. [*td.*: *afagar uma ideia/um desejo*.] [▶ 14 afag*ar*]

afago (a.*fa*.go) *sm.* **1** Ação ou resultado de afagar. **2** Breve carícia. **3** *Fig.* Agrado, favor que se faz a alguém.

afamado (a.fa.*ma*.do) *a.* Que tem fama (cantora afamada); FAMOSO; CÉLEBRE.

afanar (a.fa.*nar*) *v.* **1** *Bras. Pop.* Subtrair furtivamente coisa alheia; FURTAR. [*td.*: *O ladrão afanou as joias*.] **2** Trabalhar com vontade, com afã; LABUTAR. [*int.*: *Os operários afanavam na fábrica*. *pr.*: *O trabalhador afana-se para aprontar o trabalho*.] [▶ 1 afan*ar*]

afasia (a.fa.*si*.a) *sf. Med.* Dificuldade de expressão ou compreensão da linguagem, total ou parcial, ger. provocada por lesão cerebral; DISFASIA.

afásico (a.*fá*.si.co) *a.* **1** Ref. a afasia. *sm.* **2** Pessoa que sofre de afasia.

afastado (a.fas.*ta*.do) *a.* **1** Que se afastou: *O rapaz está afastado do trabalho*. **2** Que está longe, distante (um do outro): *cadeira afastada da mesa*. **3** Longínquo, remoto (bairro afastado).

afastamento (a.fas.ta.*men*.to) *sm.* **1** Ação ou resultado de afastar(-se). **2** Distanciamento.

afastar (a.fas.tar) v. **1** Pôr(-se) distante (de), ou de lado, ou fora do caminho. [td.: *A faxineira afasta o sofá para varrer.* **tdi.** + de: *"...afasta de mim este cálice..."* (Chico Buarque e Gilberto Gil, *Cálice*). pr.: *Ao ver a confusão, afastou-se.*] **2** Separar (algo, alguém) que está unido ou muito próximo de outro; APARTAR(-SE). [**td.**: *O cirurgião afastou as bordas da incisão.* **tdi.** + de: *A crise afastou um irmão do outro.* pr.: *Afastou-se do amigo.*] **3** Demitir(-se), exonerar(-se). [**td./tdi.** + de: *O prefeito afastou o secretário (do cargo).* pr.: *Insatisfeitos com a firma, afastaram-se de seus cargos.*] [▶ 1 afas\[tar\]]

afável (a.fá.vel) a2g. **1** Educado no trato social; CORTÊS. **2** Agradável. [Pl.: -veis. Superl.: *afabilíssimo.*]

afazer (a.fa.zer) v. Fazer adquirir ou adquirir um certo costume ou hábito; HABITUAR(-SE). [**tdi.** + a: *O técnico afez o jogador aos treinos diários.* pr.: *O aluno afizera-se a estudar ouvindo música.*] [▶ 22 a\[fazer\]]

afazeres (a.fa.ze.res) [ê] smpl. Tarefas, ocupações.

afecção (a.fec.ção) sf. Med. Qualquer doença. [Pl.: -ções.]

afegão, afegane (a.fe.gão, a.fe.ga.ne) a., a2g. **1** Do Afeganistão (Ásia); típico desse país ou de seu povo. sm., s2g. **2** Pessoa nascida no Afeganistão. [Pl. de *afegão*: -gãos. Fem. de *afegão*: -gã.]

afeição (a.fei.ção) sf. **1** Sentimento de afeto, apego por alguém ou algo. **2** Inclinação, pendor para alguma coisa. [Pl.: -ções.]

afeiçoado (a.fei.co.a.do) a. **1** Que tem afeição ou se afeiçoou a alguém ou algo. **2** Que tem inclinação por: *afeiçoado às artes.*

afeiçoar[1] (a.fei.ço.ar) v. **1** Conquistar a afeição de ou passar a ter afeição por. [**td.**: *A atenção do mestre afeiçoara os alunos.* pr.: *O menino afeiçoou-se aos novos vizinhos.*] **2** Suscitar em (alguém) gosto por ou passar a ter gosto por. [**tdi.** + a: *A mãe conseguiu afeiçoar o filho à leitura.* pr.: *A jovem afeiçoou-se aos estudos.*] [▶ 16 afeiço\[ar\]]

afeiçoar[2] (a.fei.ço.ar) v. **1** Dar feição, forma a; MOLDAR. [**td.**: *O artista afeiçoará o mármore bruto.*] **2** Fazer com que (algo, alguém) fique adequado (a circunstância, necessidade etc.) ADAPTAR(-SE); ADEQUAR(-SE). [**tdi.** + a: *Afeiçoou a equipe às novas tarefas.* pr.: *Os jogadores se afeiçoaram às novas regras.*] [▶ 16 afeiço\[ar\]]

afeito (a.fei.to) a. Que está acostumado, habituado.

afélio (a,fé.li:o) sm. Astron. No movimento orbital de translação de um planeta, o ponto em que ele se encontra mais afastado do Sol. [Cf.: *periélio.*]

afeminado (a.fe.mi.na.do) a. V. *efeminado.*

aferente (a.fe.ren.te) a2g. Que leva, que conduz: *vaso sanguíneo aferente.*

aférese (a.fé.re.se) sf. Fon. Supressão de fonema(s) no início da palavra (*tá por está*; *cê* por *você*); a palavra assim formada. [NOTA: É tendência frequente na língua falada e informal.]

aferir (a.fe.rir) v. **1** Verificar correspondência de medidas, pesos etc. a padrões estabelecidos. [**td.**: *O fiscal aferiu o peso dos alimentos.*] **2** Avaliar por comparação com modelo ou padrão); COMPARAR. [**td.**: *aferir os resultados do teste.* **tdi.** + a, com, por: *Aferiu seu desempenho pelo do colega.*] [▶ 50 afe\[rir\]] • a.fe.ri.ção sf.; a.fe.ri.dor a.sm.; a.fe.ri.men.to sm.; a.fe.rí.vel a2g.

aferrar (a.fer.rar) v. **1** Prender ou segurar com ferro(s). [**td.**: *Os senhores aferravam os escravos.*] **2** Prender(-se) ou segurar(-se) com firmeza; AGARRAR. [**td.**: *O detetive aferrou o preso pelo braço.* pr.: *Com medo, aferrei-se à mãe.*] **3** Fig. Apegar-se firmemente a (algo); AGARRAR-SE. [pr.: *O cientista aferrara-se à pesquisa de uma nova vacina.*] **4** Mar. Lançar âncora(s) ou ferro(s); ANCORAR; FUNDEAR. [**td.**: *aferrar navios.* **int.**: *Todos os barcos aferraram na enseada.*] [▶ 1 aferr\[ar\]] • a.fer.ra.do a.; a,fer.ro sm.

aferrolhar (a.fer.ro.lhar) [ô] v. **td. 1** Fechar ou trancar com ferrolho: *aferrolhar o portão.* **2** Pôr na prisão; APRISIONAR; PRENDER. **3** Guardar com muito cuidado e em segurança. [▶ 1 aferrolh\[ar\]] • a.fer.ro.lha.do a.

afeventar (a.fer.ven.tar) v. **td. 1** Ferver ou aquecer ligeiramente; AFERVORAR: *aferventar o leite.* **2** Fig. Provocar reação ou estímulo em; ESTIMULAR; EXCITAR: *O riso da plateia aferventava o ator.* [▶ 1 afervent\[ar\]] • a.fer.ven.ta.do a.

afervorar (a.fer.vo.rar) v. **td. 1** Ver *aferventar* (1). **2** Tornar(-se) mais intenso, cheio de fervor; ESTIMULAR(-SE): *A música afervorava a alegria dos jovens.* pr.: *A noviça afervora-se na oração.* [▶ 1 afervor\[ar\]]

afetação (a.fe.ta.ção) sf. Artificialismo, ausência de naturalidade nos gestos e/ou nas palavras; PEDANTISMO. [Pl.: -ções.]

afetado (a.fe.ta.do) a. **1** Que mostra artificialidade de gestos e/ou palavras. **2** Acometido por doença: *paciente afetado dos rins.* **3** Atingido por algum sentimento ou emoção: *afetado com a indiferença do amigo.*

afetar (a.fe.tar) v. **1** Causar angústia, tristeza; ABALAR; COMOVER. [**td.**: *A ausência do pai afeta os meninos.*] **2** Causar dano em; ATINGIR. [**td.**: *O excesso de sol pode afetar a pele.*] **3** Ser do interesse de, dizer respeito a; INTERESSAR. [**td.**: *Como o assunto não me afetava, preferi não opinar.*] **4** Apresentar (qualidades, maneiras etc.) que não se possui, ou imitar (algo); FINGIR. [**td.**: *O candidato afetara saber inglês.* pr./**tdi.** + de: *Afeta(-se) de estudioso para impressionar o mestre.*] [▶ 1 afet\[ar\]]

afetivo (a.fe.ti.vo) a. **1** Ref. a afeto ou à afetividade (vida afetiva). **2** Que demonstra afeição (menino afetivo). • a.fe.ti.vi.da.de sf.

afeto (a.fe.to) sm. **1** Sentimento de afeição, carinho. **2** O objeto desse sentimento: *Não tinha filhos, o sobrinho era seu afeto.* a. **3** Que é da competência de: *problemas afetos à diretoria.*

afetuoso (a.fe.tu:o.so) [ô] a. Que demonstra afeto (1) (filho *afetuoso*, abraço *afetuoso*). [Fem. e pl.: [ó].] • a.fe.tu.o.si.da.de sf.

⊕ **affaire** (Fr. /afér/) sm. Caso amoroso.

afiado (a.fi.a.do) a. **1** Que se afiou, que tem gume bem amolado. **2** Fig. Bem preparado: *afiado para o exame.*

afiançar (a.fi:an.çar) v. **1** Afirmar que algo é certo; ASSEVERAR; GARANTIR. [**td.**: *O diretor afiançou que continuaria o projeto.* **tdi.** + a: *O governador afiançara aos moradores a construção da ponte.*] **2** Passar a ter a responsabilidade por (compromisso, pagamento); ser fiador de; garantir; abonar. [**td.**: *O amigo afiançará o aluguel da casa.*] **3** Pagar a fiança de. [**td.**] [▶ 12 afianç\[ar\]] • a.fi.an.ça.men.to sm.

afiar (a.fi.ar) v. **td. 1** Fazer com que fique mais cortante; AMOLAR: *afiar a faca.* **2** Tornar mais pontudo, mais agudo: *O pássaro afiava o bico na pedra.* **3** Fig. Usar de malícia, esp. na linguagem; tornar picante, mordaz: *afiar as palavras.* **4** Fig. Tornar(-se) mais perfeito, mais apurado; APERFEIÇOAR; APURAR(-SE): *A experiência afiou sua percepção.* [▶ 1 afi\[ar\]] • a.fi.a.ção sf.

aficionado (a.fi.ci:o.na.do) a.sm. **1** Que ou quem é entusiasta de alguma coisa (esporte, arte etc.): *um leitor aficionado*; *aficionado por futebol.* **2** Que ou aquele que se dedica a alguma atividade como amador.

afigurar (a.fi.gu.rar) v. **1** Expor ou apresentar forma ou figura de. [**td.**: *As nuvens afiguram castelos no ar.*] **2** Dar a (material) figura ou forma; MOLDAR. [**td.**: *O escultor afigurará o bronze.*] **3** Fig. Imaginar ou conceber(-se) na imaginação. [pr.: *O poeta afigurava a amada bela como uma flor.* pr.: *Em sua men-*

afilhado | **afogar** 22

te, *a viagem se afigurava como um sonho*.] **4** Ter semelhança com; ter aspecto de; PARECER. [*pr*.: *O lugar afigura-se mal-assombrado*; "...*não se afigurava fácil afastá-lo dali com doçura*..." (Gérard de Nerval, *A mão encantada* in *Mar de histórias* 3).] [▶ **1** afigur**ar**]

afilhado (a.fi.*lha*.do) *sm*. **1** Pessoa em relação ao padrinho e/ou à madrinha. **2** Protegido, favorecido.

afiliação (a.fi.li.*ção*) *sf*. Ação ou resultado de filiar(-se). [Pl.: *-ções*.]

afim (a.*fim*) *a2g*. **1** Que tem afinidade, semelhança: "...*coletes, cintas e objetos afins*." (Cecília Meireles, *Crônicas de viagem 2*). **2** Ref. a parentesco não sanguíneo (parente *afim*). *s2g*. **3** Parente por afinidade (3): *Os afins também fazem parte da família*. [Cf. *a fim* em *fim*.]

afinado (a.fi.*na*.do) *a*. **1** Que se tornou fino. **2** *Mús*. Que se afinou, está no tom certo (orquestra *afinada*). **3** Em boas condições, bem preparado (motor *afinado*, aluno *afinado*). **4** Ajustado, harmonizado: *afinado com o grupo*.

afinal (a.fi.*nal*) *adv*. **1** Após longo tempo de espera; por fim; finalmente: *Afinal chegou às lojas o CD acústico mais esperado*. **2** Em conclusão; enfim; afinal de contas: *Afinal, você vem ou não vem conosco?* ■■ **~ de contas 1** Afinal (2). **2** No fim; no final das contas: *A confusão, afinal de contas, acabou não dando em nada*.

afinar (a.fi.*nar*) *v*. **1** Fazer ficar ou ficar mais fino. [*td*.: *O índio afinava a ponta da flecha*. *int*.: *Com a doença, seu rosto afinou*.] **2** *Mús*. Ajustar instrumento(s) ou voz(es) para um tom ou padrão. [*td*.: *Antes de começar a tocar, afinou o violino*.] **3** *Mús*. Cantar ou tocar um instrumento com afinação. [*td*. (sem complemento explícito): *Os ensaios fizeram o coro afinar*.] **4** Tornar algo mais perfeito, mais apurado; APERFEIÇOAR; APURAR. [*td*.: *Bons livros afinam a sua sensibilidade*.] **5** Tornar (metais) mais puros; PURIFICAR. [*td*.: *afinar a prata*.] **6** Pôr(-se) em harmonia com ou ajustado a; AJUSTAR(-SE), HARMONIZAR(-SE). [*ti*. + *com, por*: *Seu trabalho afina com o do amigo*. *tdi*. + *com, por*: *O repórter afinará suas ideias com as do diretor*. *pr*.: *O genro não se afinava com a sogra*.] **7** *Bras*. Ficar com medo (esp. no futebol); ACOVARDAR-SE; INTIMIDAR-SE. [*int*.: *Ante a marcação violenta, o jogador afinou*.] [▶ **1** afin**ar**] ● **a.fi.na.ção** *sf*.; **a.fi.na.dor** *a.sm*.

afinco (a.*fin*.co) *sm*. Conduta firme; PERSEVERANÇA: *A aluna estuda com afinco*.

afinidade (a.fi.ni.*da*.de) *sf*. **1** Qualidade de afim. **2** Semelhança ou coincidência ou conformidade de gostos, interesses, sentimentos etc.: *Não havia afinidade entre eles*. **3** Parentesco não sanguíneo.

afirmação (a.fir.ma.*ção*) *sf*. **1** Ação ou resultado de afirmar (1); expressão de fato ou ideia como verdadeiros, seja na forma afirmativa ou negativa; ASSEVERAÇÃO; DECLARAÇÃO. **2** Expressão comprobatória ou exemplificadora de algo; MANIFESTAÇÃO: *Aquele gesto foi a afirmação de sua personalidade*. **3** Consolidação, confirmação, certeza: *Nas últimas décadas, assistimos à afirmação da democracia no Brasil*. [Pl.: *-ções*.]

afirmar (a.fir.*mar*) *v*. **1** Expor algo de maneira segura, indubitável; ASSEGURAR; ASSEVERAR. [*td*.: *Os amigos afirmaram que ele voltaria*. *tdi*. + *a*: *O atleta afirmou ao técnico que fizera o exercício*.] **2** Tornar seguro, firme; CONSOLIDAR; FIXAR. [*td*.: *Durante a reunião, afirmou sua competência*.] **3** Sentir-se seguro ou conquistar segurança devido a sua atuação ou aceitação. [*pr*.: *O engenheiro afirmou-se no novo emprego*.] [▶ **1** afirm**ar**]

afirmativa (a.fir.ma.*ti*.va) *sf*. **1** Expressão que, por sua forma, não deixa dúvidas a respeito de algo; ASSERÇÃO; DECLARAÇÃO. **2** Proposição que assevera, comprova; CONFIRMAÇÃO.

afirmativo (a.fir.ma.*ti*.vo) *a*. **1** Que afirma, que confirma: *uma resposta afirmativa*. **2** Que expressa concordância: *um gesto afirmativo*. **3** *Gram*. Diz-se de frase que exprime uma afirmação.

afivelar (a.fi.ve.*lar*) *v*. *td*. **1** Ajustar ou prender com fivela: *Afivelei o cinto de segurança*. **2** Pôr fivela em: *O sapateiro afivelará minha bota*. [▶ **1** afivel**ar**]

afixar (a.fi.*xar*) [cs] *v*. *td*. **1** Pregar ou prender (algo) tornando firme, fixo; FIRMAR; FIXAR: *O marceneiro afixou os pés da cadeira*. **2** Pregar ou prender (avisos, cartazes etc.) em locais públicos: *Ele afixará o edital do concurso*. [▶ **1** afix**ar**]

afixo (a.*fi*.xo) [cs] *a*. **1** Que se afixou, que está preso em alguma coisa ou algum lugar. *sm*. **2** *Gram*. Elemento portador de significado que se acrescenta no início, no interior ou no final de uma palavra para a formação de outra.

aflição (a.fli.*ção*) *sf*. **1** Sofrimento causado por dor física ou moral, situação penosa etc.; ANGÚSTIA. **2** Estado de tristeza e abatimento causado por desgosto, dificuldade etc. **3** Grande ansiedade ou preocupação. [Pl.: *-ções*.]

afligir (a.fli.*gir*) *v*. **1** Causar ou sentir aflição, angústia; ANGUSTIAR(-SE), ATORMENTAR(-SE). [*td*.: *Muitas tristezas afligiam o seu coração*. *pr*.: *A mãe afligiu-se com a demora do filho*.] **2** Causar destruição; ARRASAR; ASSOLAR. [*td*.: *Uma terrível peste aflige a região*.] [▶ **46** afli**gir**]

aflitivo (a.fli.*ti*.vo) *a*. Que provoca aflição (situação *aflitiva*).

aflito (a.*fli*.to) *a.sm*. Que ou quem está angustiado, preocupado, agoniado, ansioso: *A religião dava alívio aos aflitos*. [Cf.: *aflitivo*.]

aflorar (a.flo.*rar*) *v*. *int*. Vir à superfície; EMERGIR: *Com a ressaca, as algas afloraram*. **2** Manifestar-se ou mostrar-se (seguido ou não de indicação de lugar) *Um sorriso aflorou* (em seus lábios). [▶ **1** aflor**ar**] ● **a.flo.ra.ção** *sf*.; **a.flo.ra.men.to** *sm*.

afluência (a.flu.*ên*.ci.a) *sf*. **1** Ação ou resultado de afluir. **2** Movimento (de pessoas) em direção a um lugar; AFLUXO: *a afluência dos torcedores ao estádio*. **3** Corrente de água volumosa, abundante. **4** *Geog*. Lugar de junção de rios.

afluente (a.flu.*en*.te) *a2g*. **1** Que aflui, que chega em grande quantidade. **2** Em que há abundância de riqueza, de bens (sociedade *afluente*). *sm*. **3** *Geog*. Rio ou riacho que deságua em outro, ou num lago: *os afluentes do rio Amazonas*.

afluir (a.flu.*ir*) *v*. **1** Ir ou dirigir-se (muitas pessoas), convergindo, a um lugar. [*int*.: *As fãs afluíram*.] **2** Ir ou correr (esp. líquidos) para; ESCORRER; FLUIR. [*ti*. + *a, para*: *As águas do rio afluíam para o mar*.] [▶ **56** afl**uir**] ● **a.flu:i.ção** *sf*.

afluxo (a.*flu*.xo) [cs] *sm*. Ver *afluência* (2).

afobação (a.fo.ba.*ção*) *sf*. *Bras*. **1** Grande pressa ao conceber ou realizar algo: *Atrasados, vestiram-se na maior afobação*. **2** Atrapalhação (na realização de algo) devido à pressa; PRECIPITAÇÃO: *A afobação em comer fê-lo engasgar*. [Pl.: *-ções*.]

afobado (a.fo.*ba*.do) *a*. Que se afoba, se apressa demais em fazer algo; PRECIPITADO: *O jogador afobado chutou a bola para fora*.

afobar (a.fo.*bar*) *v*. Fazer ficar ou ficar afobado. [*td*.: *Atrasada, a mulher afobava o marido*. *pr*.: *O garçom afobou-se e derrubou a bandeja*.] [▶ **1** afob**ar**]

afofar (a.fo.*far*) *v*. Tornar ou ficar fofo, mole. [*td*.: *A arrumadeira afofa as almofadas*. *int*./*pr*.: *Com o uso, o colchão* (*se*) *afofou*.] [▶ **1** afof**ar**]

afogador (a.fo.ga.*dor*) [ô] *a*. **1** Que afoga. *sm*. **2** O que ou quem afoga. **3** *Aut*. Peça (em desuso) que diminui a passagem de ar para o motor, quando afogado, melhorando a qualidade da mistura de combustível, para facilitar-lhe a partida.

afogar (a.fo.*gar*) *v*. **1** Causar a morte ou morrer, asfixiando(-se) em líquido. [*td*.: *Sem querer, afogou* um besouro na pia. pr.: *Quase se afoga na lagoa.*] **2** Abafar, sufocar. [*td.*: *A tosse afogou a voz do cantora.*] **3** *Mec.* Parar o motor por excesso de combustível ou defeito mecânico. [*td.*: *O motorista inexperiente sempre afogava o motor do carro.* *int.*: *Na subida, o jipe afogou.*] **4** *Fig.* Tentar esquecer, abafar. [*td.*: *No carnaval, afogava as tristezas.*] [▶**14** afogar] • a.fo.ga.do *a.sm.*; a.fo.ga.men.to *sm.*

afoguedo (a.fo.gue.*a*.do) *a.* **1** Avermelhado como o fogo; CORADO: *face afoguedada de vergonha.* **2** Que é muito quente, ardente. • a.fo.gue.ar *v.*

afoito (a.*foi*.to) *a.* **1** Que se apressa em fazer algo; PRECIPITADO. **2** Que é corajoso, ousado. • a.foi.te.za *sf.*

afonia (a.fo.*ni*.a) *sf. Med.* Perda parcial ou total da voz, ger. reversível.

afônico (a.*fô*.ni.co) *a.* Que tem afonia: *De tanto falar, o locutor ficou afônico.*

afora (a.*fo*.ra) *adv.* **1** Para o lado de fora: *Saiu porta afora e desapareceu.* **2** Ao longo de; por toda a extensão de: "Fomos por ali afora, ao acaso, certos de que iríamos parar em outra cidade." (Cecília Meireles, *Crônicas de viagem 2*). *prep.* **3** Com exceção de: *Afora essa questão, concordamos em tudo.* **4** Além de: *A menina, afora ser a primeira da turma, é campeã de natação.*

aforamento (a.fo.ra.*men*.to) *sm. Jur.* **1** Ação ou resultado de levar (caso, causa) a foro, a julgamento. **2** Direito (e documento que o atesta) de utilizar um imóvel mediante um pagamento anual, chamado foro.

aforismo (a.fo.*ris*.mo) *sm.* Breve sentença que encerra princípio ou conceito moral; APOTEGMA.

aformosear (a.for.mo.se.*ar*) *v.* **1** Tornar(-se) belo, formoso; EMBELEZAR(-SE). [*td.*: *Os cabelos aformoseavam seu rosto.* *pr.*: *Aformoseou-se para sair.*] [Ant.: enfear.] **2** Pôr adorno(s), enfeite(s) em; ADORNAR(-SE); ENFEITAR(-SE). [*td.*: *Usou miçangas para aformosear o vestido.* *pr.*: *Aformoseava-se com joias.*] [▶**13** aformosear]

afortunado (a.for.tu.*na*.do) *a.sm.* Que ou quem tem boa sorte, sucesso, felicidade.

afoxé (a.fo.*xé*) *sm. BA* **1** *Etnog.* Grupo carnavalesco de caráter semirreligioso, que desfila cantando em língua africana, acompanhado de percussão. **2** *Mús.* Certo instrumento musical us. nos candomblés.

afresco (a.*fres*.co) [ê] *sm. Art.Pl.* **1** Técnica de pintura mural, feita sobre revestimento fresco e úmido. **2** Obra feita segundo essa técnica.

africâner (a.fri.*câ*.ner) *sm.* **1** *Gloss.* Idioma falado pelos descendentes dos colonizadores holandeses da África do Sul. *a2g.* **2** Do ou ref. ao africâner (1).

africano (a.fri.*ca*.no) *a.* **1** Da África; típico desse continente ou de seu povo. *sm.* **2** Pessoa nascida na África. • a.fri.ca.ni.zar *v.*

afro (*a*.fro) *a2g2n.* Que é típico da África negra (músicas *afro*, cultura *afro*).

afro-americano (a.fro-a.me.ri.*ca*.no) *a.* **1** Ref. simultaneamente à África negra e à América (música *afro--americana*). **2** Americano de ascendência africana. [Pl.: *afro-americanos.*]

afro-brasileiro (a.fro-bra.si.*lei*.ro) *a.* **1** Ref. ou pertencente simultaneamente à África negra e ao Brasil: *uma política afro-brasileira.* **2** Ref. ao afro-brasileiro (3) ou a sua cultura (culinária *afro-brasileira*). *sm.* **3** Brasileiro descendente de africanos negros (tb. *afro--descendente*). [Pl.: *afro-brasileiros.*]

afrodescendente (a.fro.des.cen.*den*.te) *a2g.s2g. Bras.* Que ou quem descende de negros africanos. [Sucedâneo politicamente correto de 'negro', 'mulato', etc.]

afrodisíaco (a.fro.di.*sí*.a.co) *a.sm.* Que ou aquilo que recupera ou aumenta o desejo sexual.

afronta (a.*fron*.ta) *sf.* Atitude, gesto ou palavras que constituem ofensa ou agressão moral a alguém: *Foi uma afronta depreciar seu trabalho diante de todos.*

afrontado (a.fron.*ta*.do) *a.* **1** Que sofreu afronta, que foi insultado: *O bandeirinha foi afrontado pelo jogador.* **2** *Pop.* Indisposto devido à má digestão.

afrontar (a.fron.*tar*) *v.* **1** Dirigir ofensas ou insultos a; INSULTAR; OFENDER. [*td.*: *Transtornado, afrontara todo mundo.*] **2** Encarar sem sentir medo; ENFRENTAR. [*td.*: *O bombeiro afronta o perigo.* *pr.*: *Os soldados afrontaram-se na batalha.*] **3** Pôr frente a frente; CONFRONTAR. [*td.*: *A diretora afrontou os alunos mentirosos.* *tdi.* + *com*: *Foi preciso afrontar o morador com o síndico.*] **4** Causar mal-estar, por causa da ingestão de certos alimentos. [*td.*: *A feijoada afrontou os convidados.*] [▶ **1** afrontar]

afrontoso (a.fron.*to*.so) [ô] *a.* Que constitui ou em que há afronta (atitude *afrontosa*). [Fem. e pl.: [ó].]

afrouxar (a.frou.*xar*) *v.* **1** Tornar frouxo, largo ou solto; ALARGAR; SOLTAR. [*td.*: *O homem afrouxou a gravata.*] **2** Tornar mais lento ou mais fraco; MODERAR. [*td.*: "...sem *afrouxar* o passo..." (Antonio Callado, *Bar Don Juan*).] **3** Tornar menos rigoroso ou severo; RELAXAR. [*td.*: *O diretor afrouxará as punições.*] **4** Apresentar perda de força ou de energia. [*int.*: *Ao final, a equipe afrouxou.*] [▶ **1** afrouxar] • a.frou.xa.men.to *sm.*

afta (*af*.ta) *sf. Med.* Pequena ferida na boca ou nos lábios.

aftoso (af.*to*.so) [ô] *a.* **1** Ref. a ou que tem aftas ou aftosa. ◨ **aftosa** *sf.* **2** *Vet.* Febre aftosa, doença contagiosa comum no gado bovino. [Fem. e pl.: [ó].]

afugentar (a.fu.gen.*tar*) *v. td.* **1** Fazer com que fuja; pôr em fuga: *A polícia afugentou os bandidos.* **2** *Fig.* Fazer desaparecer ou sumir; DISSIPAR: *A música afugenta a tristeza.* [▶ **1** afugentar]

afundar (a.fun.*dar*) *v.* **1** Fazer ir ou ir ao fundo; MERGULHAR; SUBMERGIR. [*td.*: *Com medo da água, não afundava a cabeça.* *int./pr.*: *O navio afundou(-se).*] **2** Tornar mais fundo; ESCAVAR. [*td.*: *O operário afunda o solo.*] **3** *Fig.* Entrar ou penetrar no interior de; EMBRENHAR-SE; METER-SE. [*int./pr.* (seguido de indicação de lugar): *Os retirantes afundaram(-se) no sertão.*] **4** *Fig.* Causar ou ter insucesso: *A inflação afundou a economia.* *pr.*: *O aluno sempre se afundava em inglês.*] **5** *Fig.* Deixar-se envolver; ABSORVER-SE. [*pr.*: "...e *afundava-se* nos cálculos..." (Marques Rebelo, *Contos reunidos*).] [▶ **1** afundar] • a.fun.*da*.do *a.*; a.fun.da.*men*.to *sm.*

afunilado (a.fu.ni.*la*.do) *a.* Que tem aspecto ou formato de funil.

afunilar (a.fu.ni.*lar*) *v.* Tornar ou ficar mais estreito; ESTREITAR(-SE). [*td.*: *A queda da barreira afunilou a estrada.* *pr.*: *O caminho afunilava-se cada vez mais.*] [▶ **1** afunilar] • a.fu.ni.la.*men*.to *sm.*

⊠ **Ag** *Quím.* Simb. de prata.

agachar-se (a.ga.*char*-se) *v. pr.* **1** Abaixar-se até o chão dobrando os joelhos. **2** Ficar de cócoras: *Agachou-se para ver as formigas.* [▶ **1** agachar-se]

ágape (*á*.ga.pe) *sm.* Banquete comemorativo ou de confraternização.

ágar-ágar (á.gar-á.gar) *sm. Quím.* Substância existente em determinadas algas, us. como meio de cultura em exames bacteriológicos; GELOSE. [Pl.: *ágar--ágares.*]

agarrado (a.gar.*ra*.do) *a.* **1** Que está seguro ou preso: *O macaco está agarrado ao galho da árvore.* **2** Que é muito unido, amigo: *O irmão é agarrado com a irmã.*

agarramento (a.gar.ra.*men*.to) *sm.* **1** Ação ou resultado de agarrar(-se). **2** Apego excessivo a alguém ou a alguma coisa: *o agarramento do filho pela mãe.*

agarrar (a.gar.*rar*) *v.* **1** Prender com firmeza, impedindo que se desloque. [*td.*: *Agarrou o ladrão.*] **2** Pegar, segurar, abraçar(-se), ger. com força. [*ti.* + *de, em*: *Agarrou no corrimão para não cair.* *pr.*: "...e *agarrou-se* a ela como um náufrago..." (José de Alen-

agarro | **agonia** 24

car, *A viuvinha*).] **3** *Bras. Fut.* Pegar como goleiro. [*td.* (sem complemento explícito): *Ele agarra bem.*] **4** *Fig.* Apegar-se, afeiçoar-se. [*pr.*: "Agarraram-se ao passado..." (Cecília Meireles, *Crônicas de educação 2*).] **5** Atracar-se. [*pr.*: *Discutiam e se agarraram.*] [▶ **1** agarr*ar*] • **a.gar.ra.ção** *sf.*

agarro (a.gá.rro) *sm. Pop.* Ação ou resultado de agarrar alguém intensamente; AMASSO; AGARRAÇÃO: *O casal estava no maior agarro.*

agasalhar (a.ga.sa.*lhar*) *v.* Pôr agasalho (em). [*td.*: *Agasalhou bem o filho. pr.*: *Agasalhe-se melhor.*] [▶ **1** agasalh*ar*] • **a.ga.sa.lha.do** *a.*

agasalho (a.ga.*sa*.lho) *sm.* **1** Roupa us. para proteger o corpo do frio. **2** Roupa us. por desportistas sobre o uniforme.

agastar (a.gas.*tar*) *v.* Causar ou ter aborrecimento ou irritação; ABORRECER(-SE), IRRITAR(-SE). [*td.*: *Seu tom de voz agasta a vizinho. pr.*: *O vendedor agastou-se com o freguês.*] [▶ **1** agast*ar*] • **a.gas.ta.men.to** *sm.*

ágata (á.ga.ta) *sf. Min.* Pedra semipreciosa, com faixas de diferentes cores.

ágate (á.ga.te) *sm.* Ferro esmaltado.

agência (a.*gên*.ci:a) *sf.* **1** Filial de firma comercial, banco, jornal etc.: *agência dos Correios.* **2** Empresa de serviços: *agência de empregos.*

agenciar (a.gen.ci.*ar*) *v. td.* **1** Tratar (negócio) como agente ou representante: *agenciar os interesses da empresa.* **2** Fazer esforço para conseguir: *agenciar um aumento de salário.* [▶ **1** agenci*ar*] • **a.gen.ci:a. men.to** *sm.*

agenda (a.*gen*.da) *sf.* **1** Relação de atividades e compromissos: *A minha agenda hoje está cheia.* **2** Caderno ou outro dispositivo para registrar a agenda (1): *Perdi minha agenda.* ▪▪ ~ **eletrônica** *Inf.* Dispositivo portátil eletrônico ou programa de computador onde se registram compromissos, endereços, telefones etc.

agendar (a.gen.*dar*) *v. td.* Colocar em agenda; PROGRAMAR: *Agendou o compromisso para o sábado.* [▶ **1** agend*ar*] • **a.gen.da.men.to** *sm.*

agente (a.*gen*.te) *s2g.* **1** Pessoa que agencia. **2** Pessoa incumbida de dirigir uma agência. **3** Pessoa ou instituição que trata de negócios de outrem: *A Caixa é um agente financeiro. sm.* **4** O que causa, dá origem a alguma coisa: *O HIV é o agente da AIDS.* **5** *Gram.* Quem executa a ação expressa pelo verbo. ▪▪ ~ **da (voz) passiva** *Gram.* Na voz passiva, o termo que representa quem executa a ação. [NOTA: Inicia-se com as preps. *por* (mais frequente) ou *de*. P.ex., na oração *O Brasil é marcado por/de contrastes*, a palavra *contrastes* é o agente da passiva.] ~ **secreto 1** Agente (de polícia, de órgão do governo etc.) que realiza missão sigilosa, escondendo sua identidade. **2** Membro de agência de informações de um governo; ESPIÃO.

agigantado (a.gi.gan.*ta*.do) *a.* Que tem dimensões enormes; GIGANTESCO.

agigantar (a.gi.gan.*tar*) *v. td.* **1** Tornar gigantesco, ou de proporções maiores. [*td.*: *A crise econômica agigantou seus problemas.*] **2** Tornar-se mais poderoso, mais valente etc. [*pr.*: *O time agigantou-se no segundo tempo.*] [▶ **1** agigant*ar*] • **a.gi.gan.ta.men.to** *sm.*

ágil (á.gil) *a2g.* Que tem grande mobilidade e rapidez de movimentos; LIGEIRO: *ágil no drible.* [Pl.: -*geis.* Superl.: *agilíssimo* e *agílimo.*]

agilidade (a.gi.li.*da*.de) *sf.* Qualidade, caráter ou condição de ágil: *lutador de muita agilidade.*

agilizar (a.gi.li.*zar*) *v. td.* Tornar mais ágil, rápido ou eficiente: "Internet agiliza o processo de compra de imóveis..." (FolhaSP, 20.06.99). [▶ **1** agiliz*ar*] • **a.gi.li.za.ção** *sf.*

ágio (á.gi:o) *sm. Econ.* **1** Diferença a mais cobrada sobre valor de determinado bem ou produto: *Esgotados os ingressos, os cambistas exageraram no ágio.* **2** Juro cobrado sobre dinheiro emprestado. **3** Lucro obtido em operações de câmbio: *Vendeu os dólares com ágio.*

agiota (a.gi:*o*.ta) *a2g.s2g.* Que ou quem pratica agiotagem.

agiotagem (a.gi:o.*ta*.gem) *sf.* **1** Especulação, ger. ilícita, sobre câmbio ou mercadorias, para obtenção de lucros excessivos. **2** Esse lucro. **3** Empréstimo de dinheiro a juros muito altos. [Pl.: -*gens.*]

agir (a.*gir*) *v. int.* **1** Desencadear, como agente, uma ação sobre alguém ou algo: (seguido de indicação de modo, finalidade etc.) *Agiu rápido para salvar o colega.* **2** Exercer ação ou provocar um resultado: (seguido de indicação de modo) *O remédio não agiu como se esperava.* [▶ **46** ag*ir*]

agitação (a.gi.ta.*ção*) *sf.* **1** Ação ou resultado de agitar(-se). **2** Demonstração de inquietação, perturbação, alvoroço: *Boatos sobre a prova criaram agitação na classe.* **3** Manifestação coletiva que perturba a ordem pública ou tem esse objetivo. [Pl.: -*ções.*]

agitado (a.gi.*ta*.do) *a.* **1** Que é ou está inquieto, perturbado. **2** Com muitos compromissos, trabalho etc. (dia agitado).

agitador (a.gi.ta.*dor*) [ô] *a.* **1** Que agita (operário *agitador*). *sm.* **2** Aquele que promove agitação, cria confusão ou defende mudanças radicais: *A revolta foi insuflada por agitadores.*

agitar (a.gi.*tar*) *v.* **1** Fazer movimentar ou movimentar-se energicamente. [*td.*: *O vento agitava seus cabelos. pr.*: "Agitava-se agora nisto, respirando grosso." (Machado de Assis, *Esaú e Jacó*).] **2** Provocar agitação, confusão; INCITAR. [*td.*: *Seus gritos agitaram a multidão.* **tdi.** + *contra*: *Agitou os colegas contra o novo regulamento.*] [▶ **1** agit*ar*]

agito (a.*gi*.to) *sm. Bras. Gír.* **1** Agitação, animação. **2** Evento festivo, ger. para jovens: *Vai haver um agito no clube.*

aglomeração (a.glo.me.ra.*ção*) *sf.* **1** Ação ou resultado de aglomerar. **2** Agrupamento de pessoas ou coisas em um mesmo lugar: *uma aglomeração na praça.* [Pl.: -*ções.*]

aglomerado (a.glo.me.*ra*.do) *a.* **1** Que está reunido, sem ordem definida; AMONTOADO: *muitos livros aglomerados na mesa. sm.* **2** Reunião de coisas ou pessoas. **3** *Bras.* Chapa de madeira prensada com resina.

aglomerar (a.glo.me.*rar*) *v.* Juntar(-se), reunir(-se). [*td.*: *Aglomerou cartas sobre a mesa. pr.*: *Todos se aglomeravam para ver a rainha.*] [▶ **1** aglomer*ar*]

aglutinação (a.glu.ti.na.*ção*) *sf.* **1** Ação ou resultado de aglutinar(-se). **2** *Gram.* Fusão de duas ou mais palavras, com perda de sons e sílabas, resultando em uma única palavra (p. ex., a palavra 'pernalta' é formada pela *aglutinação* de 'perna' com 'alta'). [Pl.: -*ções.*] [Cf.: *composição* e *justaposição.*]

aglutinante (a.glu.ti.*nan*.te) *a2g.s2g.* Que ou o que aglutina, une: *O aglutinante da tinta é semelhante ao do verniz.*

aglutinar (a.glu.ti.*nar*) *v. td.* **1** Unir usando cola, grude etc. **2** Tornar ligado, unido: *Aglutinou os dois grupos.* [▶ **1** aglutin*ar*]

agnosticismo (ag.nos.ti.*cis*.mo) *sm. Fil.* Doutrina que considera impossível confirmar a existência de Deus. • **ag.nos.ti.cís.ta** *a2g.s2g.*; **ag.nós.ti.co** *a.sm.*

agogô (a.go.*gô*) *sm. Bras. Mús.* Instrumento de percussão afro-brasileiro, com dois cones metálicos percutidos com uma vareta.

AGOGÔ

agonia (a.go.*ni*.a) *sf.* **1** Aflição, ansiedade, angústia. **2** Momento que antecede a morte. **3** *Fig.* Declínio que conduz ao fim: *a agonia do império romano.*

agoniado (a.go.ni.*a*.do) *a.* **1** Que sente agonia, aflição; ANGUSTIADO: *O aluno está agoniado com a prova.* **2** *Bras.* Que tem muita pressa.

agoniar (a.go.ni.*ar*) *v.* **1** Causar agonia, angústia a. [*td.*: *A perda das forças agoniava o paciente.*] **2** Causar ou sofrer de inquietação. [*td.*: *O atraso do trem agoniava os passageiros.* *pr.*: *Agoniou-se com o desaparecimento da garota.*] [▶ **1** agoni*ar*]

agônico (a.gô.ni.co) *a.* Ref. a agonia ou próprio dela.

agonizante (a.go.ni.*zan*.te) *a2g.s2g.* **1** Que ou quem agoniza; MORIBUNDO. *a2g.* **2** Que está em decadência: *um governo agonizante.*

agonizar (a.go.ni.*zar*) *v. int.* Estar em agonia, à morte. [▶ **1** agoniz*ar*]

agora (a.go.ra) *adv.* **1** Neste instante; já; com pouco tempo decorrido ou a decorrer deste instante: *A professora agora está ocupada; Minha mãe chegou agora.* **2** Atualmente: *Agora já não se usa essa palavra.* *conj.* **3** Mas, contudo: *Na prática é uma coisa, agora, na teoria é outra.* ⁕ **~ mesmo** Neste exato momento: *Saiu agora mesmo.* **~ que** Em consequência ou continuação a que; tendo em vista que: *Agora que você chegou, podemos começar.* **De ~ em diante** A partir deste momento; doravante. **Por ~** Por enquanto.

ágora (á.go.ra) *sf.* Praça principal nas antigas cidades gregas.

agorafobia (a.go.ra.fo.*bi*.a) *sf.* *Psiq.* Medo doentio de locais públicos e abertos. • **a.go.ra.fó.bi.co** *a.sm.*

agorinha (a.go.*ri*.nha) *adv. Bras.* Ainda agora; há poucos instantes. ⁕ **~ mesmo** Agora mesmo.

agosto (a.*gos*.to) [ó] *sm.* O oitavo mês do ano. (Com 31 dias.)

agourar (a.gou.*rar*) *v.* **1** Fazer previsão ou presságio; ADIVINHAR. [*td.*: *Esperançosos, agouravam o sucesso do plano.* *tdi.* + *a*: *Agourou-lhe sucesso.*] **2** Fazer mau agouro. [*int.*: *Dizem que gato preto agoura.*] [▶ **1** agour*ar*]

agourento (a.gou.*ren*.to) *a.* **1** Que traz ou abre mau agouro. *a.sm.* **2** Que ou quem acredita em agouro.

agouro (a.*gou*.ro) *sm.* **1** Prognóstico, predição, profecia. **2** Sinal que prenuncia algo. **3** Presságio de fato ou notícia ruim.

agraciado (a.gra.ci.*a*.do) *a.sm.* **1** Que ou quem recebeu honra, condecoração: *Os agraciados com o diploma ficaram na primeira fila.* **2** Que ou quem tem sorte.

agraciar (a.gra.ci.*ar*) *v.* Conceder graça, favor, benefício, título. [*td.*: *Agraciou o veterano funcionário.* *tdi.* + *com*: *Agraciou o herói com o título de cavalheiro.*] [▶ **1** agraci*ar*] • **a.gra.ci.a.men.to** *sm.*

agradar (a.gra.*dar*) *v.* **1** Ser agradável, fazer agrado. [*td.*: *A mãe agradou a filha, e ela sorriu.* *ti.* + *a*: *Os modos do rapaz agradaram a todos.*] **2** Causar satisfação; encantar. [*int.*: *O jogo agradou.* *pr.*: "*... aquela menina que se agradou de mim...*" (Guimarães Rosa, *Grande sertão: veredas*).] [▶ **1** agrad*ar*]

agradável (a.gra.*dá*.vel) *a2g.* **1** Que agrada, que causa prazer (clima agradável). **2** Que demonstra cortesia, delicadeza (palavras agradáveis). [Pl.: *-veis*. Superl.: *agradabilíssimo*.]

agradecer (a.gra.de.*cer*) *v.* Demonstrar gratidão (por). [*td.*: *Agradeceu a atitude paterna.* *ti.* + *a*: "*Agradeço ao Criador que me fez um sonhador...*" (Ataulfo Alves, *Vida da minha vida*). *tdi.* + *a*: *agradecer uma cura a Deus. int.*: *Sensibilizado, agradeceu humildemente.*] [▶ **33** agradec*er*]

agradecido (a.gra.de.*ci*.do) *a.* Que manifesta gratidão; RECONHECIDO; GRATO: *São agradecidos pela oportunidade.*

agradecimento (a.gra.de.ci.*men*.to) *sm.* **1** Ação ou resultado de agradecer. **2** Reconhecimento de se estar grato: *palavras de agradecimento.*

agrado (a.*gra*.do) *sm.* **1** Ação ou resultado de agradar. **2** Sentimento de satisfação; CONTENTAMENTO: *Manifestou todo o seu agrado.* **3** Demonstração de carinho, afago. **4** Gratificação em dinheiro; PRESENTE.

agramatical (a.gra.ma.ti.*cal*) *a2g. Gram.* Que não é gramatical, que está em desacordo com as regras da gramática de uma língua (frase agramatical). [Pl.: *-cais*.]

agrário (a.*grá*.ri:o) *a.* Ref. a terra ou a agricultura (setor agrário).

agravante (a.gra.*van*.te) *a2g.s2g.* **1** Que ou o que agrava, que aumenta a gravidade de um ato ou situação: *A demora será um agravante neste projeto.* **2** *Jur.* Diz-se ou circunstância que torna mais grave a falta ou o crime. **3** Que ou quem entra com recurso de agravo.

agravar (a.gra.*var*) *v.* Tornar(-se) grave ou mais grave, ou pior. [*td.*: *Os excessos agravaram seu estado de saúde.* *pr.*: *A situação do paciente agravou-se.*] [▶ **1** agrav*ar*] • **a.gra.va.men.to** *sm.*

agravo (a.*gra*.vo) *sm.* **1** Ofensa a alguém; INJÚRIA. **2** Agravamento de doença. **3** *Jur.* Recurso a uma instância superior.

agredido (a.gre.*di*.do) *a.sm.* Que ou quem sofreu agressão ou injúria.

agredir (a.gre.*dir*) *v. td.* **1** Atacar alguém física ou moralmente: *Agrediu o homem a pontapés.* **2** *Fig.* Incomodar, desagradar: *Aquele som agrediu seus ouvidos.* [▶ **49** agred*ir*]

agregação (a.gre.ga.*ção*) *sf.* **1** Ação ou resultado de agregar(-se). **2** Conjunto (de pessoas, coisas). [Pl.: *-ções*.]

agregado (a.gre.*ga*.do) *a.* **1** Que está junto; reunido: *Era agregado ao escritório.* *sm.* **2** Qualquer conjunto, aglomerado ou reunião. **3** *Bras.* Pessoa que vive com uma família, como parente ou empregado. **4** *Bras.* Trabalhador rural que cultiva terra alheia, pagando com produtos ou serviços.

agregar (a.gre.*gar*) *v.* **1** Somar, adicionar. [*td.*: *Ao ver o carrinho vazio, agregou vários itens.*] **2** Congregar, reunir(-se), juntar(-se), para formar um todo. [*td.*: *Agregou alguns diretores à reunião. tdi.* + *a*: *Agregou novos diretores ao grupo de oposição. pr.*: *Agregou-se ao bloco que passava.*] [▶ **14** agreg*ar*]

agremiação (a.gre.mi:a.*ção*) *sf.* **1** Agrupamento de pessoas. **2** Associação de indivíduos, com atividades ou interesses comuns. [Pl.: *-ções*.]

agremiar (a.gre.mi.*ar*) *v.* Reunir(-se), associar(-se) em grêmio, em assembleia. [*td.*: *Resolveram agremiar todos os associados. pr.*: *Agremiou-se ao clube de seu coração.*] [▶ **1** agremi*ar*]

agressão (a.gres.*são*) *sf.* **1** Ação ou resultado de agredir. **2** Ataque (físico ou moral). **3** Ato de provocação, hostilidade. **4** *Fig.* Insulto, ofensa: "*A cidade anda feia de doer, uma verdadeira agressão aos olhos.*" (*FolhaSP*, 08.08.99). [Pl.: *-sões*.]

agressividade (a.gres.si.vi.*da*.de) *sf.* **1** Qualidade ou condição de agressivo: *Estranhou a agressividade do cão.* **2** Disposição para agredir.

agressivo (a.gres.*si*.vo) *a.* **1** Que a ou que encerra agressão (comportamento agressivo). **2** Inclinado a agredir e/ou a provocar: *Era agressivo com os próprios amigos.* **3** Que se volta para o ataque (equipe agressiva).

agressor (a.gres.*sor*) [ó] *a.sm.* Que ou quem agride.

agreste (a.*gres*.te) *a2g.* **1** Ref. ao campo (esp. o não cultivado); CAMPESTRE. **2** *Fig.* Rústico, rude. **3** *Bras.* Zona árida do Nordeste brasileiro, entre a mata e a caatinga. • **a.gres.ti.a** *sf.*

agrião (a.gri.*ão*) *sm. Bot.* Erva comestível, rica em minerais, ger. us. em saladas. [Pl.: *-ões*.]

agrícola (a.*grí*.co.la) *a2g.* **1** Ref. a ou próprio da agricultura (instrumentos agrícolas). *s2g.* **2** Quem cultiva a terra; AGRICULTOR.

agricultor (a.gri.cul.tor) [ô] *a.sm.* Que ou quem cultiva a terra; LAVRADOR; AGRÍCOLA.

agricultura (a.gri.cul.tu.ra) *sf.* **1** Cultura do solo para produção; LAVOURA. **2** Conjunto de técnicas us. para isso.

agridoce (a.gri.do.ce) *a2g.* Ver *acridoce*.

agrilhoar (a.gri.lho.ar) *v.* Prender(-se) com grilhões (tb. *Fig.*). [*td.*: *Agrilhoou o prisioneiro*. *tdi.* + *a*: *Agrilhoou a esposa aos seus hábitos*. *pr.*: *Agrilhoou-se a um trabalho insano*.] [▶ **16** agrilh**oar**]

agrimensor (a.gri.men.sor) [ô] *sm.* Aquele que mede terras.

agrimensura (a.gri.men.su.ra) *sf.* **1** Medição de terras. **2** Técnica us. nessa medição; AGRIMENSÃO.

agroalimentar (a.gro:a.li.men.tar) *a2g.* Ref. a produtos alimentares, de origem agrícola, transformados e embalados industrialmente. ● **a.gro:a.li.men.ti.ci:o a**.

agroecologia (a.gro:e.co.lo.gi.a) *sf. Ecol.* Parte da ecologia que estuda os ecossistemas artificiais, formados em zonas agrícolas. ● **a.gro:e.co.ló.gi.co a**.

agroexportação (a.gro:ex.por.ta.ção) *sf.* Exportação de produtos agrícolas. [Pl.: -*ções*.]

agroexportador (a.gro:ex.por.ta.dor) [ô] *a.sm.* Que ou quem exporta produtos agrícolas.

agroindústria (a.gro:in.dús.tri:a) *sf.* Indústria de transformação de produtos agrícolas. ● **a.gro:in.dus.tri:al** *a2g.*

agronegócio (a.gro.ne.gó.ci:o) *sm. Econ.* Conjunto das atividades que vão do trabalho agropecuário até a comercialização do produto.

agronomia (a.gro.no.mi.a) *sf. Agr.* Conjunto de princípios, conhecimentos e técnicas ref. à atividade agrícola. ● **a.gro.nô.mi.co** *a*.

agrônomo (a.grô.no.mo) *sm.* Especialista ou técnico em agronomia.

agropecuária (a.gro.pe.cu:á.ri:a) *sf.* Atividade que envolve a agricultura (cultivo da terra) e a pecuária (criação de gado). ● **a.gro.pe.cu.á.ri:o** *a*.

agrotóxico (a.gro.tó.xi.co) [cs] *a.sm. Quím.* Ref. a ou produto químico us. para combater pragas na lavoura: *cultura sem agrotóxicos*.

agrovia (a.gro.vi.a) *sf.* Qualquer via que liga centros de produção agrícola e armazenagem com os centros de consumo.

agrovila (a.gro.vi.la) *sf. Bras.* Povoado construído para alojar os que trabalham na construção de estradas.

agrupamento (a.gru.pa.men.to) *sm.* **1** Ação ou resultado de agrupar(-se). **2** Reunião de pessoas ou coisas.

agrupar (a.gru.par) *v.* Reunir(-se), juntar(-se) a/em grupo. [*td.*: *O cicerone agrupou os turistas*. *tdi.* + *a*: *O juiz agrupará novas provas ao processo*. *pr.*: *Agrupou-se à turma para conseguir proteção*.] [▶ **1** agrup**ar**]

agrura (a.gru.ra) *sf.* **1** Sabor ácido; ACIDEZ. **2** *Fig.* Situação difícil; DIFICULDADE. **3** *Fig.* Sofrimento físico ou espiritual; AFLIÇÃO. [NOTA: Nos sentidos figurados, mais us. no pl.: *agruras da vida/no amor*.]

água (á.gua) *sf.* **1** *Quím.* Líquido sem cor, cheiro, sabor ou odor, essencial à vida, composto de hidrogênio e oxigênio. **2** A porção líquida da Terra. [Ver tb. *águas*.] **3** *Cons.* Cada uma das superfícies planas de um telhado. **4** Chuva: *Vai cair muita água*. **5** *Bras. Fig. Pop.* Confusão mental causada por excesso de álcool; EMBRIAGUEZ: *Saiu na maior água*. ▪ ~ **benta** Água benzida pelo celebrante de missa católica. ~ **doce** Água quase sem sal (contém de sódio ou outros sais). ~ **mineral** Água natural com presença de sais minerais. ~**s passadas** O que já passou e não convém mais lembrar ou considerar: *Isso são águas passadas, ainda somos bons amigos*. **Até debaixo d'**~ Em qualquer situação, mesmo difícil ou desfavorável: *Sou patriota até debaixo d'água*. **Botar/Pôr ~ na fervura** Acalmar, tirar ou diminuir entusiasmo. **Com ~ na boca** Com apetite ou desejo: *Ao olhar a vitrine ficou com água na boca*. **De dar ~ na boca** Que desperta apetite ou desejo: *uma receita de dar água na boca*. **Ir por ~ abaixo** Fracassar, não dar certo: *O projeto foi por água abaixo*.

▫ Dois grandes desafios do homem no mundo atual são a preservação e a distribuição dos mananciais de água para fins agrícolas e industriais, esp. em regiões de subdesenvolvimento e de grande concentração de populações pobres. Técnicas modernas de irrigação otimizam seu uso na agricultura, permitindo a melhoria da produção com economia de água. Políticas de preservação ambiental têm sido defendidas e aplicadas com o objetivo de impedir a exaustão de fontes naturais de água.

aguaceiro (a.gua.cei.ro) *sm.* Chuva muito forte.

aguacento (a.gua.cen.to) *a.* **1** Que tem aparência de água (sopa *aguacenta*). **2** Impregnado de água (terreno *aguacento*); ENCHARCADO. **3** Diluído em água.

água com açúcar (á.gua com a.cú.car) *a2g2n.* Romântico, ingênuo (novelas *água com açúcar*); PIEGAS.

aguada (a.gua.da) *sf.* **1** Abastecimento de água potável, ger. para viagem. **2** Lugar onde se faz esse abastecimento. **3** *Art.Pl.* Técnica em que a tinta é diluída em água. **4** *Art.Pl.* A pintura ou o desenho produzido com essa técnica.

água de cheiro (á.gua de chei.ro) *sf. Bras.* Ver *água-de-colônia*. [Pl.: *águas de cheiro*.]

água de coco (á.gua de co.co) *sf. Bras.* Líquido nutritivo extraído do coco-da-baía verde. [Pl.: *águas de coco*.]

água-de-colônia (á.gua-de-co.lô.ni:a) *sf.* Álcool perfumado com óleos ou essências aromáticas; ÁGUA DE CHEIRO; COLÔNIA². [Pl.: *águas-de-colônia*.]

aguado (a.gua.do) *a.* **1** Que tem excesso de água (suco *aguado*). **2** Diluído em água.

água-forte (á.gua-for.te) *sf.* **1** *Quím.* Solução de ácido nítrico. **2** *Art.Pl.* Técnica que emprega o ácido nítrico para fazer gravura em metal. **3** *Art.Pl.* Gravura obtida por meio dessa técnica. [Pl.: *águas-fortes*.]

água-furtada (á.gua-fur.ta.da) *sf.* Aposento cujas janelas se abrem sobre o telhado. [Pl.: *águas-furtadas*.]

água-marinha (á.gua-ma.ri.nha) *sf. Min.* Pedra semipreciosa, ger. azul-clara. [Pl.: *águas-marinhas*.]

aguar (a.guar) *v.* **1** Jogar água para molhar; REGAR. [*td.*: *aguar as plantas*.] **2** Acrescentar água a um líquido. [*td.*: *Errou na receita e aguou a sopa*.] **3** *Pop.* Ficar com água na boca. [*int.*] [▶ **17** agu**ar**] ● **a.gua.gem** *sf.*

aguardar (a.guar.dar) *v. td.* Ficar à espera de alguém ou algo; ESPERAR. [▶ **1** aguard**ar**] ● **a.guar.da.do** *a.*; **a.guar.do** *sm.*

aguardente (a.guar.den.te) *sf.* Bebida de alto teor alcoólico, resultante da destilação de plantas, ou frutas, ou cereais etc. **2** Cachaça.

água-régia (á.gua-ré.gi:a) *sf. Quím.* Mistura de ácido nítrico e ácido clorídrico com que se dissolvem metais. [Pl.: *águas-régias*.]

aguarrás (a.guar.rás) *sf.* Essência de terebintina us. como solvente. [Pl.: *aguarrases*.]

águas (á.guas) *sfpl.* **1** Grandes volumes de água, como mares, rios e lagos. **2** Chuvas: *águas de outono*.

água-viva (á.gua-vi.va) *sf. Zool.* Invertebrado marinho, transparente e gelatinoso, que provoca queimadura na pele humana. [Pl.: *águas-vivas*.]

açuçado (a.gu.ça.do) *a.* **1** Que tem gume bem amolado; AFIADO. **2** Delgado, fino (nariz *açuçado*); PONTUDO. **3** *Fig.* Que é agudo, potente (olfato *açuçado*). **4** *Fig.* Que revela perspicácia (mente *açuçada*); SAGAZ.

açuçar (a.gu.çar) *v. td.* **1** Tornar afiado ou agudo: *Queria açuçar ainda mais o punhal*. **2** *Fig.* Excitar, provocar estímulo em; ESTIMULAR: *A notícia aguçou a curiosidade das crianças.* **3** *Fig.* Tornar perspicaz: *Aquela leitura aguçava sua inteligência.* [▶ 12 aguçar] • **a.gu.ça.men.to** *sm.*

agudo (a.gu.do) *a.* **1** Que termina em ponta; PONTIAGUDO. **2** Diz-se de som de frequência elevada. [Ant. nesta acp.: *grave*.] **3** Diz-se de doença ou sintoma de evolução rápida (pneumonia *aguda*, dor *aguda*). [Ant. nesta acp.: *crônico*.] **4** Que revela perspicácia, sagacidade. **5** Que é intenso, grande (sensibilidade *aguda*). **6** *Geom.* Que tem menos de 90° (diz-se de ângulo). **7** *Gram.* Diz-se do sinal gráfico indicativo da sílaba mais forte de uma palavra (p.ex.: *vitória*) e/ou das vogais *é* [é] e *ó* [ó] abertas. [Superl.: *agudíssimo* e *acutíssimo*.] • **a.gu.de.za** *sf.*

aguentar (a.guen.*tar*) *v.* **1** Suportar ou poder suportar (peso, trabalho, sofrimento etc.). [*td.*: "Ninguém aguenta tanto diálogo..." (Ana Maria Machado, *A audácia dessa mulher*).] **2** Ter resistência (física, psíquica ou moral). [*td.*: *A camisa velha não aguentava outra costura.* *int.*: *Debilitado e doente, não aguentava mais.*] **3** Manter, sustentar. [*td.*: *Esse pedreiro não aguenta uma família de quatro filhos.*] **4** Conseguir manter-se firme; RESISTIR. [*pr.*: *Exausto, não se aguentava de pé.*] [▶ **1** aguentar]

aguerrido (a.guer.ri.do) *a.* **1** Que demonstra coragem, destemor; VALENTE. **2** Que tem perdor para combater, brigar (espírito *aguerrido*); COMBATIVO; BELICOSO. **3** Acostumado à guerra.

aguerrir (a.guer.*rir*) *v.* Exercitar(-se), treinar(-se), preparar(-se) para luta, competição etc., ou acostumar-se a elas. [*td.*: *aguerrir soldados*; *Queria aguerrir o espírito para a vida intelectual.* *pr.*: *Aguerriu-se às lutas e aos desafios.*] [▶ **59** aguerrir]

águia (á.gui.a) *sf.* **1** *Zool.* Ave de rapina de grande porte. **2** *Fig.* Pessoa de grande perspicácia e inteligência.

aguilhada (a.gui.lha.da) *sf.* Vara comprida com ferrão na ponta, us. para conduzir bois.

aguilhão (a.gui.lhão) *sm.* **1** A ponta de ferro da aguilhada; ACÚLEO. **2** *Anat. Zool.* Ferrão presente na extremidade de alguns insetos e dos escorpiões. [Pl.: *-lhões*.]

aguilhoada (a.gui.lho.a.da) *sf.* **1** Picada com aguilhão. **2** *Fig.* Dor forte e súbita.

aguilhoar (a.gui.lho.*ar*) *v. td.* **1** Picar ou ferir com aguilhão: *O boiadeiro aguilhoava os bois.* **2** *Fig.* Instigar, estimular: *Aquelas leituras aguilhoavam seu ânimo.* [▶ 16 aguilhoar] • **a.gui.lho.a.men.to** *sm.*

agulha (a.*gu*.lha) *sf.* **1** Haste de aço, pequena e fina, com que se costura, tece ou sutura. **2** Haste com uma das extremidades em gancho, us. para fazer tricô ou crochê. **3** Peça de seringa, através da qual se injetam remédios, anestesia etc. **4** Ponteiro de relógio, bússola ou de outros mostradores. **5** Peça de toca-discos, que transmite as vibrações sonoras. **6** Trilho móvel que, girando sobre um ponto fixo, permite que um trem passe de uma via para outra. [Nota: Us. em função adjetiva, p.ex., *salto agulha*; *arroz agulha*.]

agulhada (a.gu.*lha*.da) *sf.* **1** Picada de agulha. **2** *Fig.* Dor aguda e súbita; PONTADA.

agulheiro (a.gu.*lhei*.ro) *sm.* **1** Estojo ou almofada onde se guardam agulhas (1). **2** Funcionário do movimento de agulhas nas vias férreas.

ah *interj.* Exprime admiração, alegria, tristeza, decepção etc.: *Ah, que pena!*

ai *interj.* **1** Exprime dor, tristeza, e, às vezes, alegria: *Ai! Quebrei o braço!* *sm.* **2** Sinal de sofrimento, aflição, discórdia etc.: *Não se ouviu um ai: nenhum lamento ou reclamação.* [NOTA: Na construção *ai + de + nome* ou *pronome*, *ai* substitui os adjetivos *pobre* ou *coitado*, p.ex., *Ai do filho que discutisse suas ordens.*]

aí (a.*í*) *adv.* **1** Nesse lugar, próximo a ou com a pessoa com quem se fala: *Breve estarei aí.* **2** Nesse mo-

mento, na atualidade; ENTÃO: "...mas *aí* relembrei o pior de tudo..." (Antonio Callado, *Reflexos do baile*). **3** Em relação a certo ponto ou aspecto: "Até *aí*, nenhuma novidade." (Ana Maria Machado, *A audácia dessa mulher*). **4** Indica aproximação: *O verão já está aí*. **5** Põe em foco o termo da oração mais importante ou mais próximo do ouvinte: *Você aí, tome cuidado!* *interj.* **6** Indica aprovação, cumplicidade ou malícia: *Aí, hem?*; *Aí, isso é que é goleiro!* ▪ **E por ~ afora/E por ~ vai** Assim por diante: *Era dor na cabeça, no pescoço e por aí vai/e por aí afora.* **Por ~ 1** Em qualquer lugar: *Anda dormindo por aí.* **2** Dessa forma; assim: *Não é por aí, vamos resolver de outro jeito.* **3** Nesse ponto; isso: *A discussão ficou por aí.* **4** Aproximadamente: *Eu então estava por aí com uns vinte anos.*

aia (ai.a) *sf.* **1** Criada, dama de companhia; CAMAREIRA. **2** Encarregada da educação e criação de crianças de famílias nobres ou ricas.

aiatolá (ai.a.to.*lá*) *sm. Rel.* Líder religioso entre os muçulmanos xiitas.

aidético (ai.*dé*.ti.co) *sm.* **1** Quem é portador do vírus da AIDS. [Considerado por alguns termo pejorativo. Melhor: SOROPOSITIVO.] *a.* **2** Ref. à AIDS.

AIDS *sf. Med.* Doença que diminui as defesas do organismo, transmitida por sêmen, secreção vaginal ou sangue contaminado. [Termo originário do inglês, pelas iniciais de *acquired immune deficiency syndrome*, síndrome de imunodeficiência adquirida, ou SIDA.]

📖 A AIDS, ao prejudicar o sistema imunológico do portador do vírus HIV (chamado soropositivo), propicia a contração de doenças infecciosas e impede que o organismo as debele, levando, nesse caso, ger. à morte. Como ainda não tem cura, e como só se propaga pelo contato direto com sangue e sêmen contaminados, a única forma de evitar sua propagação é usar preservativos (camisinhas) durante o ato sexual, não utilizar seringas usadas ou outros instrumentos que possam ter tido contato com o sangue de possíveis portadores do vírus, nem entrar em contato com sangue ou outros fluidos contaminados. Intensas pesquisas (inclusive no Brasil) levaram à descoberta de 'coquetéis' de substâncias capazes de melhorar o nível imunológico dos portadores de HIV.

ainda (a.*in*.da) *adv.* **1** Até agora; até este momento: *A conferência ainda não começou*; *Ainda hoje, uso aquele colar.* **2** Até então; até aquele momento: *Estava lúcida ainda antes de falecer.* **3** Em algum momento no futuro: *Ela ainda chegará.* **4** Ao menos: *Está sempre atrasado; se ainda fosse eficiente...* **5** Também; além disso: *O ator canta e ainda dança.* **6** Mais; além do que já é ou está ou se faz: *Nosso medo ficou ainda maior*; *Aplaudido, cantou ainda uma canção.* **7** Exatamente; precisamente: *Saiu ainda agora.* ▪ **~ assim** Apesar disso. **~ bem** Felizmente. **~ por cima** Além disso; para culminar. **~ que 1** Mesmo que: "Liberdade, *ainda que* tardia" (lema da Conjuração Mineira). **2** Apesar de que; EMBORA: *Não faltarei, ainda que chegue tarde.*

aio (ai.o) *sm.* Empregado responsável pela educação de crianças de famílias nobres ou ricas.

aipim (ai.*pim*) *sm. Bot.* Ver mandioca. [Pl.: *-pins*.]

aipo (ai.po) *sm. Bot.* Erva de caule largo e macio, us. em saladas, molhos e sopas.

⊛ **airbag** (*Ing.* /*érbeg*) *sm. Aut.* Bolsa inflável que, em caso de colisão,

AIRBAG

airoso (a:i.ro.so) [ô] *a.* **1** Que tem aparência elegante e garbosa; GRACIOSO. **2** Que tem dignidade; HONROSO. [Fem. e pl.: [ó].]
ajaezar (a.ja.e.*zar*) *v.* Ver *arrear* (2). [▶ 1 ajaezar]
ajambrar (a.jam.*brar*) *v. td. pr.* Arrumar(-se). [▶ 1 ajambrar] • **a.jam**.*bra*.do *a.*
ajantarado (a.jan.ta.ra.do) *sm.* **1** *Bras.* Almoço farto, servido bem tarde, ger. em fins de semana e feriados. *a.* **2** Semelhante a um jantar (diz-se ger. do almoço).
ajardinar (a.jar.di.*nar*) *v. td.* Dar forma de jardim a, ou converter em jardim: *ajardinar a frente da casa.* [▶ 1 ajardinar] • **a.jar.di**.*na*.do *a.*
ajeitar (a.jei.*tar*) *v.* **1** Dar jeito em, pôr (algo) em ordem, acomodando ou arrumando. [*td.*: *ajeitar as camisas (na prateleira).* *pr.*: *Ajeitou-se bem na poltrona e dormiu.*] **2** Conseguir (emprego ou situação vantajosa). [*td.*: *Tentou ajeitar uma boa colocação.*] **3** Adaptar(-se), harmonizar(-se). [*tdi.* + *a*: *Ajeitou o regulamento às necessidades. pr.*: *Ajeitou-se com o novo patrão.*] [▶ 1 ajeitar]
ajoelhar (a.jo:e.*lhar*) *v.* Pôr(-se) de joelhos (tb. *Fig.*). [*td.*: *Ajoelhou o escravo e o castigou. int./pr.*: *Ajoelhou(-se) e rezou.*] [▶ 1 ajoelhar] • **a.jo:e**.*lha*.do *a.*
ajoujar (a.jou.*jar*) *v. td.* Prender ou ligar (cães, bois etc.) com ajoujo. [▶ 1 ajoujar] • **a.jou.ja**.*men*.to *sm.*
ajoujo (a.*jou*.jo) *sm.* Correia ou corrente us. para amarrar animais, eles partes, pelo pescoço.
ajuda (a.*ju*.da) *sf.* **1** Ação ou resultado de ajudar; AUXÍLIO. **2** *Inf.* Sistema de auxílio ao usuário, que fornece instruções para a utilização de programas de computador. ▪▪ ~ **de custo** Quantia concedida a alguém para pagamento de despesas de viagem, trabalho etc.
ajudante (a.ju.*dan*.te) *a2g.s2g.* Que ou quem ajuda ou auxilia.
ajudante de ordens (a.ju.dan.te de *or*.dens) *s2g.* Oficial sob as ordens de um superior militar ou civil. [Pl.: *ajudantes de ordens.*]
ajudar (a.ju.*dar*) *v.* **1** Prestar ajuda, assistência, socorro a (alguém). [*td.* + *a*: *Ajudava os amigos necessitados.* **tdi.** + *a*: *Ajudou o ancião a levantar-se. pr.*: *Ajudava-se estudando muito.*] **2** Favorecer (alguém), facilitar ou contribuir para (algo). [*td.*: *Exercícios ajudam o desempenho do atleta. tdi.* + *a*: "...o vinho ajuda a amaciar a carne..." (Ana Maria Machado, *Texturas*).] [▶ 1 ajudar]
ajuizado (a.ju:i.*za*.do) *a.* **1** Que tem juízo; SENSATO. **2** *Jur.* Submetido à apreciação jurídica.
ajuizar (a.ju:i.*zar*) *v.* **1** Formar juízo ou ideia sobre; AVALIAR. [*td.*: *Devemos ajuizar a importância dessa lei. ti.* + *de*: *Não podia ajuizar de suas qualidades.*] **2** Tornar ponderado, sensato. [*td.*: *Procurou ajuizá-lo, trazendo-o à razão.*] **3** Fazer suposição sobre; CALCULAR; AVALIAR. [*td.*: *Não pôde ajuizar os prejuízos do desastre.*] **4** *Jur.* Levar a juízo. [*td.*: *Ajuizou o litígio com os empregados.*] [▶ 1 ajuizar]
ajuntamento (a.jun.ta.*men*.to) *sm.* **1** Ação ou resultado de ajuntar(-se). **2** Aglomeração de pessoas.
ajuntar (a.jun.*tar*) *v.* **1** Pôr junto ou perto. [*td.*: "...ajuntou os gravetos catados..." (Guimarães Rosa, *Sagarana*). *tdi.* + *a*, *com*: *Ajuntou uma peça à outra*; *Ajuntou peça com peça.*] **2** Fazer economia de; POUPAR. [*td.*: *ajuntar dinheiro.*] **3** Acumular. [*td.*: *Ajuntava retalhos (para uma colcha).*] **4** Unir-se, ligar-se. [*pr.*: *Ajuntou-se aos/com os demais.*] [▶ 1 ajuntar] [Ver. tb. *juntar.*]
ajuramentado (a.ju.ra.men.*ta*.do) *a.* Que prestou juramento; JURAMENTADO.
ajuramentar (a.ju.ra.men.*tar*) *v.* **1** Tomar juramento de; fazer jurar. [*td.*: *ajuramentar as testemunhas.*] **2** Confirmar por juramento. [*td.*: *Ajuramentaram as declarações do homem.*] **3** Obrigar-se por juramento.

[*pr.*: *Os sócios se ajuramentaram.*] [▶ 1 ajuramentar]
ajustamento (a.jus.ta.*men*.to) *sm.* **1** Ação ou resultado de ajustar(-se); AJUSTE. **2** Reconciliação entre pessoas que estavam em desavença.
ajustar (a.jus.*tar*) *v.* **1** Fazer com que se torne justo, exato. [*td.*: *O técnico ajustou a balança.*] **2** Fazer ajuste, combinação. [*td.*: *Os revendedores ajustaram os detalhes do negócio. tdi.* + *com*: *Ajustaram o preço com o pintor.*] **3** Apertar (peça de roupa). [*td.*] **4** Fazer ficar mais justo, apertado; APERTAR. [*td.*: *ajustar um parafuso frouxo.*] **5** *Fig.* Acomodar(-se), acertar(-se), adaptar(-se). [*tdi.* + *a*, *para*: *ajustar o vestido ao manequim*; *ajustar o relógio para o horário de verão. pr.*: *Os alunos se ajustaram às novas regras.*] [▶ 1 ajustar] • **a.jus.ta**.*gem sf.*; **a.jus.tá**.vel *a2g.*
ajuste (a.*jus*.te) *sm.* **1** Ação ou resultado de ajustar(-se); AJUSTAMENTO. **2** Adaptação harmoniosa de um elemento a um conjunto. **3** Instituição de um acordo ou pacto. ▪▪ ~ **de contas 1** *Cont.* Acerto entre créditos e débitos pendentes. **2** *Fig.* Ação de revide ou desagravo por atitude hostil ou prejudicial sofrida.
⌧ **Al** *Quím.* Símb. de *alumínio.*
ala (*a*.la) *sf.* **1** Grupo de pessoas com um forte grau de afinidade; FACÇÃO: *a ala moderada de um partido.* **2** *Bras.* Divisão de uma escola de samba ou bloco carnavalesco, cujos membros trajam a mesma fantasia e, por vezes, realizam a mesma coreografia. **3** Fileira de coisas ou pessoas. **4** *Cons.* Parte lateral de edifício, ponte). *s2g.* **5** *Esp.* Jogador que, em certos esportes coletivos, atua pelas laterais do campo. ▪▪ **Abrir ~s** Disporem-se (pessoas) em duas fileiras próximas e frente a frente, para que alguém passe entre elas.
Alá (a.*lá*) *sm. Rel.* Designação de Deus para os muçulmanos.
alabarda (a.la.*bar*.da) *sf.* Lança antiga, cuja ponta é atravessada por uma lâmina em forma de meia-lua.
alabastro (a.la.*bas*.tro) *sm.* **1** *Min.* Rocha branca transparente. **2** Vaso ou enfeite feito dessa rocha. **3** *Fig.* Brancura, alvura.
⊕ **à la carte** (*Fr.* /alacárte/) *loc.adv.* Tipo de serviço em restaurante em que se escolhem pratos listados no cardápio.
álacre (*á*.la.cre) *a2g.* Que é alegre, jovial, animado. • **a.la.cri**.*da*.de *sf.*
ala-direita (a.la-di.*rei*.ta) *s2g. Esp.* Jogador que atua pelo lado direito do campo ou da quadra. [Pl.: *alas-direitas.*]
alado (a.*la*.do) *a.* **1** Dotado de asa(s) (cavalo *alado*). **2** Que tem forma de asa: *um símbolo alado.*
ala-esquerda (a.la-es.*quer*.da) *s2g. Esp.* Jogador que atua pelo lado esquerdo do campo ou da quadra. [Pl.: *alas-esquerdas.*]
alagadiço (a.la.ga.*di*.ço) *a.* **1** Que pode ser inundado com facilidade. **2** Terreno sujeito a inundações.
alagado (a.la.*ga*.do) *a.* **1** Coberto ou cheio de água; INUNDADO. *sm.* **2** Pequeno lago temporário, proveniente de chuva ou inundação.
alagamento (a.la.ga.*men*.to) *sm.* Ação ou resultado de alagar(-se); ENCHENTE; INUNDAÇÃO.
alagar (a.la.*gar*) *v.* Encher(-se) ou cobrir(-se) de água, ou de outro líquido. [*td.*: *A chuva forte alagou a rua. pr.*: *O terreno baldio alagou-se.*] [▶ 14 alagar]
alagoano (a.la.go:*a*.no) *a.* **1** De Alagoas; tipico desse estado ou de seu povo. *sm.* **2** Pessoa nascida em Alagoas.
alamanda (a.la.*man*.da) *sf. Bot.* Nome de certos arbustos e trepadeiras de flores amarelas. **2** A flor destas plantas.
alamar (a.la.*mar*) *sm.* Enfeite de roupa, esp. farda, feito de fios metálicos ou de seda. [Us. ger. no pl.]
alambicado (a.lam.bi.*ca*.do) *a.* **1** Destilado em alambique. **2** *Fig.* Que é presunçoso ou afetado.

alambique (a.lam.*bi*.que) *sm.* **1** Aparelho us. para destilação. **2** Lugar onde está instalado esse aparelho; DESTILARIA.

alambrado (a.lam.*bra*.do) *sm.* **1** Cerca de arame. *a.* **2** Diz-se de terreno com essa cerca.

alameda (a.la.*me*.da) [ê] *sf.* Via urbana ladeada de árvores; BULEVAR; ALEIA.

alar¹ (a.*lar*) *a2g.* Que tem forma de asa.

alar² (a.*lar*) *v.* **1** Dar asa(s) a ou criar asa(s) em (tb. *Fig.*). [*td.*: *alar as fantasias.*] **2** Colocar em alas (3). [*td.*: *Mandou alar os soldados.*] **3** Lançar(-se) em voo. [*td./tdi.* + *a*: *Alou suas preces (ao céu)*. *pr.*: *Alaram-se as borboletas.*] **4** Içar, suspender. [*td.*] [▶ 1 ala͞r]

alaranjado (a.la.ran.*ja*.do) *a.* **1** Que apresenta tom de laranja (a cor) ou quase laranja. **2** Que tem forma, gosto ou cheiro de laranja.

alarde (a.*lar*.de) *sm.* **1** Ação ou resultado de alardear, de ostentar; OSTENTAÇÃO: *Não fazia nada sem alarde.* **2** Ação ou resultado de vangloriar-se; FANFARRICE.

alardear (a.lar.de.*ar*) *v. td.* Fazer alarde ou ostentação de: *Alardeava façanhas que não realizava.* [▶ 13 alarde͞ar]

alargar (a.lar.*gar*) *v.* **1** Tornar(-se) (mais) largo, frouxo. [*td.*: *Precisavam alargar a rua/a roupa. pr.*: *A trilha alargou-se.*] **2** *Fig.* Tornar mais amplo. [*td.*: *Queria alargar seus conhecimentos.*] **3** Dar maior duração. [*td.*: *Como era cedo, alargou o passeio pela alameda.*] [▶ 14 alarga͞r] ● **a.lar.ga.men**.to *sm.*

alarido (a.la.*ri*.do) *sm.* **1** Barulho de vozes; GRITARIA; ALGAZARRA. **2** Lamentação, choradeira.

alarmante (a.lar.*man*.te) *a2g.* **1** Que causa inquietação ou alarme. **2** Que apresenta perigo.

alarmar (a.lar.*mar*) *v.* Causar ou experimentar sensação de alarme, de susto, de sobressalto. [*td.*: *Alarmou a família (com a notícia do incêndio). pr.*: *Alarmou-se com o barulho na casa vizinha.*] [▶ 1 alarma͞r]

alarme, **alarma** (a.*lar*.me, a.*lar*.ma) *sm.* **1** Sinal para advertir sobre algum perigo. **2** Mecanismo de segurança que alerta para tentativas de furto, invasão etc.: *O alarme do carro disparou de novo.* **3** Situação de tumulto; sobressalto; inquietação: *A notícia provocou alarme entre os convidados.*

alarmista (a.lar.*mis*.ta) *a2g.s2g.* Que ou quem provoca alarme (3) através de boatos, notícias, interpretações etc.

alastrar (a.las.*trar*) *v.* **1** Propagar(-se), espalhar(-se). [*td.*: *O vento alastrou o fogo (pela floresta). pr.*: *A epidemia alastrou-se no verão.*] **2** Cobrir, juncar. [*tdi.* + *de*: *As lutas alastraram as ruas de mortos.*] [▶ 1 alastra͞r] ● **a.las.tra.men**.to *sm.*

alaúde (a.la.*ú*.de) *sm. Mús.* Antigo instrumento de cordas de formato abaulado.

alavanca (a.la.*van*.ca) *sf.* **1** *Fís.* Máquina simples, constituída de uma barra e um ponto fixo de apoio (fulcro) que multiplica a força aplicada na extremidade livre para levantar ou mover carga apoiada na outra extremidade (1). **2** Barra rígida, de ferro ou madeira, que serve de alavanca (1). **3** *Fig.* Meio us. para obter determinada meta: *A educação é a alavanca do futuro.*

CARGA FULCRO FORÇA
ALAVANCA (1)

alavancar (a.la.van.*car*) *v. td.* **1** Levantar com alavanca: *Alavancou a pedra com facilidade.* **2** *Fig.* Conduzir a uma posição de destaque: *Aquela canção alavancou a carreira do compositor.* **3** *Fig.* Promover, incrementar, estimular (ger. negócio): *Seu empréstimo alavancou a expansão do mercado.* [▶ 11 alavanca͞r] ● **a.la.van.ca.gem** *sf.*

alazão (a.la.*zão*) *a.* **1** Diz-se de cavalo que tem pelo cor de canela. *sm.* **2** Cavalo com pelo dessa cor. [Pl.: -*zões* e -*zães*. Fem.: -*zã*.]

albanês (al.ba.*nês*) *a.* **1** Da Albânia (Europa); típico desse país ou de seu povo. *sm.* **3** *Gloss.* Da, ref. à, ou a língua falada na Albânia. *a.sm.* **3** *Gloss.* Da, ref. à, ou a língua falada na Albânia. [Pl.: -*neses*. Fem.: -*nesa*.]

albarda (al.*bar*.da) *sf.* Sela grosseira, feita ger. de estopa e palha, própria para bestas de carga.

albatroz (al.ba.*troz*) *sm. Zool.* Grande ave marinha, de cor branca, encontrada no hemisfério sul.

albergar (al.ber.*gar*) *v. Dar* ou tomar albergue. [*td.*: *O hotel albergava cinco hóspedes. pr.*: *Albergue-se por dois dias.*] [▶ 14 alberga͞r]

albergue (al.*ber*.gue) *sm.* **1** Local onde se recebem hóspedes para pernoites mediante pagamento; HOSPEDARIA; POUSADA. **2** Local, ger. público, onde moradores de rua se abrigam à noite; ABRIGO; ALOJAMENTO; ASILO: *albergues da prefeitura.* ● **al.ber.ga.gem** *sf.*; **al.ber.ga.ri.a** *sf.*; **al.ber.ga.dor** *a.sm.*; **al.ber.guei.ro** *sm.*

albinismo (al.bi.*nis*.mo) *sm.* **1** *Med.* Ausência congênita, total ou parcial, de pigmentação dos olhos, da pele e dos pelos. **2** *Bot.* Ausência ou diminuição da clorofila, e, consequentemente, da cor verde nas plantas.

albino (al.*bi*.no) *a.sm.* Que ou quem tem albinismo; SARARÁ.

albor (al.*bor*) [ô] *sm.* Ver *alvor*.

albornoz (al.bor.*noz*) *sm.* Manto comprido de lã e com capuz, us. pelos árabes.

álbum (*ál*.bum) *sm.* **1** Livro, ger. encadernado, próprio para receber fotografias, figurinhas, selos etc. **2** Livro para o registro de autógrafos, desenhos, pensamentos e outros dados pessoais. **3** Obra fonográfica que contém um ou mais CDs ou discos em uma só embalagem. [Pl.: -*buns*.]

albume, **albúmen** (al.*bu*.me, al.*bú*.men) *sm.* **1** Clara de ovo. **2** *Bot.* Tecido que envolve e nutre o embrião de certas sementes; ENDOSPERMA. [Pl. de *albúmen*: *albumens* e (p.us.) *albúmenes*.]

albumina (al.bu.*mi*.na) *sf. Bioq.* Proteína pegajosa, que se dissolve na água e se coagula por aquecimento, presente na clara do ovo, no leite, no sangue e em plantas. ● **al.bu.mi.na**.do *a.*; **al.bu.mi.no.so** *a.*

alça (*al*.ça) *sf.* **1** Peça us. para prender, puxar ou segurar algo; ARGOLA; ASA: *alça da bolsa/do vestido.* **2** Peça us. pelos sapateiros para tornar as formas dos sapatos mais altas. **3** *Anat.* Órgão ou parte dele que tem a forma de um arco (alça intestinal).

alcácer (al.*cá*.cer) *sm.* **1** Fortaleza ou castelo fortificado. **2** Qualquer habitação imponente e suntuosa.

alcachofra (al.ca.*cho*.fra) [ó] *sf. Bot.* Erva cuja flor, rica em vitamina C, é comestível.

alcaçuz (al.ca.*çuz*) *sm. Bot.* Arbusto de raiz doce e medicinal.

alçada (al.*ça*.da) *sf.* **1** *Jur.* Limite de competência de um juiz ou tribunal ou de qualquer autoridade pública. **2** Campo ou limite de atuação: *Não se meta porque isso não é da sua alçada.*

alcaguetar (al.ca.gue.*tar*) *v. td. Bras. Pop.* Delatar: *Alcaguetou o próprio cúmplice.* [▶ 1 alcagueta͞r]

alcaguete (al.ca.*gue*.te) [ê] *s2g. Bras. Pop.* **1** Espião que trabalha para a polícia: *O alcaguete denunciou o ladrão ao delegado.* **2** Pessoa que delata ou denuncia alguém; DEDO-DURO.

alcaide (al.*cai*.de) *sm.* **1** Antigo governador de província, castelo ou fortaleza. **2** Antigo oficial de justiça. **3** Autoridade administrativa espanhola com função semelhante à de um prefeito. [Fem. nas acps. 1 a 3: -*dessa*.] **4** *Bras.* Objeto velho, imprestável. **5** *Bras.* Pessoa muito velha ou feia.

álcali (*ál*.ca.li) *sm. Quím.* Designação de substâncias (hidróxido ou óxido) que possuem metais alcalinos (lítio, sódio, potássio etc.).

alcalino (al.ca.*li*.no) *a*. **1** Ref. a álcali. **2** Que contém álcali. [Ant.: *ácido*.] ● **a.ca.li.ni.da.de** *sf*.

alcaloide (al.ca.*loi*.de) *sm*. *Quím*. Substância orgânica, encontrada em vegetais, em alguns fungos, e tb. obtida por síntese.

alcançar (al.can.*çar*) *v. td*. **1** Chegar a determinado lugar ou ponto (tb. *Fig*.); ATINGIR: *Em suas andanças, alcançou os bairros mais afastados*; "...a lei não alcança seu fim..." (Joaquim Nabuco, *A escravidão*). **2** Conseguir chegar a alguém ou algo distante, que se afasta, ou está mais adiantado: *Correu atrás do ônibus e conseguiu alcançá-lo*; *Estudou muito e alcançou os colegas*. **3** Obter, conseguir: *alcançar um prêmio*; "...o padre não alcançava escutar." (Guimarães Rosa, *Manuelzão e Miguilim*); (tb. sem complemento explícito) *Quem espera sempre alcança*. **4** Compreender, entender: *Não conseguia alcançar o sentido daquela ideia*. [▶ **12** alcanç*ar*.] ● **al.can.çá.vel** *a2g*.

alcance (al.*can*.ce) *sm*. **1** Ação ou resultado de alcançar. **2** Distância que permite que se toque, veja etc. algo: *ao alcance das mãos*. **3** Distância máxima que um instrumento, projétil etc. atinge: *míssil de longo alcance*. **4** Ação ou resultado de chegar a ou perto de; ENCALÇO: *Ia em alcance dos outros corredores*. **5** Capacidade, possibilidade: *Farei o que estiver dentro do meu alcance para ajudá-lo*. **6** Importância, relevância.

alcantil (al.can.*til*) *sm*. **1** Rocha íngreme; DESPENHADEIRO. **2** Parte mais alta de uma elevação; CUME; PICO. [Pl.: *-tis*.]

alcantilado (al.can.ti.*la*.do) *a*. **1** Íngreme, escarpado. **2** Que tem a forma de alcantil.

alçapão (al.ça.*pão*) *sm*. **1** Porta ao nível do pavimento que dá passagem a um recinto abaixo do piso: *Este alçapão dá para o porão*. **2** Passagem que comunica dois ambientes em diferentes pavimentos. **3** Armadilha camuflada no solo para fazer a presa cair num buraco: *A onça caiu no alçapão*. **4** *Bras*. Armadilha para prender passarinho. [Pl.: *-pões*.]

alcaparra (al.ca.*par*.ra) *sf*. *Bot*. Botão da alcaparreira, us. como condimento.

alcaparreira (al.ca.par.*rei*.ra) *sf*. *Bot*. Arbusto que dá alcaparras.

alçar (al.*çar*) *v*. **1** Levantar, suspender, alcear. [*td*.: *O pássaro alçou voo*.] **2** Tornar alto; ALCEAR. [*td*.: *Ele mesmo alçou os muros de sua casa*.] **3** Erguer(-se). [*td*.: *Enquanto gritava, alçou os braços*. *pr*.: *Alçou-se na ponta dos pés*.] [▶ **12** alç*ar*.] ● **al.ça.men.to** *sm*.

alcateia (al.ca.*tei*.a) *sf*. **1** Bando de lobos. **2** *Fig*. Grupo de criminosos.

alcatifa (al.ca.*ti*.fa) *sf*. Tapete espesso e bem macio; ALFOMBRA.

alcatra (al.*ca*.tra) *sf*. Peça de carne localizada na parte posterior da coxa dos bovinos.

alcatrão (al.ca.*trão*) *sm*. *Quím*. Mistura viscosa, escura e aromática, obtida pela destilação de substâncias orgânicas, como madeira, petróleo, carvão etc. [Pl.: *-trões*.]

alcatraz (al.ca.*traz*) *sm*. *Zool*. Ave marinha dos litorais da América.

alce (*al*.ce) *sm*. *Zool*. Mamífero ruminante com chifres ramificados (somente os machos), que habita regiões frias do hemisfério norte.

alcear (al.ce.*ar*) *v. td*. **1** Ver alçar (1 e 2). **2** *Art.Gr*. Agrupar cadernos (de livro, revista, apostila etc.) para montar exemplar completo. [▶ **13** alce*ar*.] ● **al.ce.a.men.to** *sm*.; **al.ce.a.do** *a*.

álcool (*ál*.co.ol) *sm*. **1** *Quím*. Líquido incolor, inflamável, que se evapora rapidamente, obtido pela fermentação de substâncias açucaradas ou por processos sintéticos; ETANOL. **2** Qualquer bebida que contenha essa substância. [Pl.: *alcoóis*.]

alcoólatra (al.co.*ó*.la.tra) *s2g*. Pessoa que sofre de alcoolismo.

alcoólico (al.co.*ó*.li.co) *a*. **1** Ref. ao álcool: *o teor alcoólico de uma bebida*. **2** Que contém álcool (bebida alcoólica).

alcoolismo (al.co.o.*lis*.mo) *sm*. Dependência de bebidas alcoólicas.

alcoolizado (al.co.o.li.*za*.do) *a*. Que tomou uma quantidade excessiva de bebida alcoólica; BÊBADO.

Alcorão (Al.co.*rão*) *sm*. *Rel*. O livro sagrado dos muçulmanos. Tb. *Corão*. [Pl.: *-rões* e *-rães*.]

◻ Para os islâmicos, o Alcorão, originariamente, foi revelado por Alá, por intermédio do anjo Gabriel, ao profeta Maomé, que passou seu conteúdo a seus seguidores. O Alcorão é dividido em 30 partes, com 114 suratas, ou suras (capítulos), cada uma contendo entre 3 e 286 versículos, iniciadas quase sempre (com exceção de uma surata) com as palavras "Em nome de Deus, o Clemente, o Misericordioso". As suratas são de extensão variável, sendo que as mais extensas (com exceção da primeira) estão no começo do livro, não sendo seguida, portanto, uma ordem cronológica ou reunião por assunto. É essa ordem tradicional que se encontra em todas as edições árabes do Alcorão, cujo teor doutrinário e orienta o pensamento muçulmano nos planos filosófico, social, jurídico e teológico.

alcova (al.*co*.va) [ó] *sf*. **1** Quarto de dormir pequeno e ger. sem janelas. **2** Quarto de mulher ou de casal.

alcoviteiro (al.co.vi.*tei*.ro) *sm*. **1** Pessoa que faz intrigas; MEXERIQUEIRO. **2** Pessoa que serve de intermediária em relações amorosas; ALCOVETO.

alcunha (al.*cu*.nha) *sf*. Apelido dado a alguém, devido a alguma característica física ou moral: *Por ser muito magro e alto, era conhecido pela alcunha de pirulito*.

alcunhar (al.cu.*nhar*) *v. tdi*. Pôr alcunha a; APELIDAR. [+ *de*: *Alcunhava os vizinhos dos piores nomes*.] [▶ **1** alcunh*ar*.]

aldeamento (al.de.a.*men*.to) *sm*. Povoado indígena.

aldeão (al.de.*ão*) *a.sm*. Que ou quem habita uma aldeia. [Pl.: *-ões*, *-ães* e *-ãos*. Fem.: *-ã*.]

aldear (al.de.*ar*) *v. td*. Separar ou distribuir por aldeias: *Aldear os índios era o seu trabalho*. [▶ **13** alde*ar*.]

aldeia (al.*dei*.a) *sf*. **1** Pequena povoação, menor que uma vila. **2** Povoação de índios. [Dim.: *aldeola* e *aldeota*.]

aldraba, aldrava (al.*dra*.ba, al.*dra*.va) *sf*. **1** Argola de metal fixada na porta de entrada, a qual se bate para ser atendido. **2** Tranca pequena de metal para fechar portas e janelas.

aleatório (a.le.a.*tó*.ri.o) *a*. **1** Que não segue uma regra fixa: *A seleção foi feita de modo aleatório*. **2** Que é casual, acidental.

alecrim (a.le.*crim*) *sm*. **1** *Bot*. Arbusto cujas flores e folhas são us. como tempero, para chá, em medicamento etc. **2** Flor ou folha desse arbusto. [Pl.: *-crins*.]

alegação (a.le.ga.*ção*) *sf*. **1** Ação ou resultado de alegar. **2** Argumentação para apoiar uma afirmação ou declaração. [Pl.: *-ções*.]

alegante (a.le.*gan*.te) *a2g.s2g*. Que ou quem alega.

alegar (a.le.*gar*) *v*. Citar fatos, argumentos, provas, como defesa, para justificar-se ou desculpar-se. [*td*.: *Atrasado, alegou desconhecimento do novo horário*. *tdi*. + *a*: *Alegou ao delegado que tinha um álibi*.] [▶ **14** aleg*ar*.]

alegoria (a.le.go.*ri*.a) *sf*. **1** Expressão do pensamento ou da emoção, muito us. na literatura, pintura e escultura, pela qual se representa, simbolicamente, um objeto para significar outro. **2** *Bras*. Carro, apetrechos ou adornos que ilustram o enredo de uma escola de samba: *A escola tirou dez no quesito alegoria*.

alegórico (a.le.*gó*.ri.co) *a*. **1** Ref. a alegoria. **2** Que contém ou apresenta uma alegoria.

alegrar (a.le.*grar*) *v.* Tornar(-se) alegre, contente. [*td.*: <u>Alegrou</u> todos os convidados. *pr.*: <u>Alegrou-se</u> ao ver o namorado.] [▶ 1 alegr<u>ar</u>]

alegre (a.*le*.gre) *a2g.* **1** Que sente alegria, contentamento; CONTENTE: *Acordou <u>alegre</u> hoje.* **2** Que alegra, que dá prazer (ambiente <u>alegre</u>). **3** Que é vivo, vistoso (diz-se de cor). [Ant. das acps. 1 a 3: *triste*.] **4** Um tanto embriagado: *Ficou <u>alegre</u> com a cerveja.*

alegria (a.le.*gri*.a) *sf.* Estado de muita satisfação e contentamento; [Ant.: *tristeza*.]

alegro (a.*le*.gro) *Mús. adv.* **1** Em andamento vivo, alegre. *sm.* **2** Trecho de composição musical nesse andamento.

aleia (a.*lei*.a) *sf.* **1** Conjunto de árvores dispostas em fileira: <u>aleias</u> *de palmeiras imperiais.* **2** Rua ou avenida ladeada de árvores enfileiradas; ALAMEDA.

aleijado (a.lei.*ja*.do) *a.sm.* Que ou quem apresenta algum defeito ou mutilação física.

aleijão (a.lei.*jão*) *sm.* Qualquer deformidade. [Pl.: *-jões*.]

aleijar (a.lei.*jar*) *v.* Tornar(-se) mutilado, deformado. [*td.*: *Atropelou o animal e o <u>aleijou</u>. pr.*: *<u>Aleijou-se</u> no acidente de carro.*] [▶ 1 alejar] • **a.lei.ja.men.to** *sm.*

aleitar (a.lei.*tar*) *v. td.* Nutrir (criança pequena) com leite; AMAMENTAR: *<u>Aleitou</u> dois bebês ao mesmo tempo.* [▶ 1 aleit<u>ar</u>] • **a.lei.ta.men.to** *sm.* (*aleitamento materno*).

aleivosia (a.lei.vo.*si*.a) *sf.* **1** Traição. **2** Fraude.

aleluia (a.le.*lui*.a) *sm.* **1** *Rel.* Cântico de alegria ou de ação de graças, do culto cristão, entoado na Páscoa. **2** *Rel.* A celebração da Ressurreição de Cristo, no sábado da semana santa. *interj.* **3** Exclamação de alegria.

além (a.*lém*) *adv.* **1** Mais adiante; lá ao longe: *A fazenda fica muito <u>além</u>*. [Ant.: *aquém*.] *sm.* **2** A vida depois da morte; o outro mundo: *vozes do <u>além</u>*. [NOTA: Us. como prefixo com o sentido de 'depois de': *além-mar*.] **~ de 1** Mais adiante de: *Para <u>além da curva</u> há uma fonte.* **2** Para mais de: *Esta estrada vai <u>além dos cem quilômetros.</u>* **3** No outro lado de: *O povoado fica <u>além do rio.</u>* [Ant. nesta acp.: *aquém de*.] **4** Acima de: *A tarefa está <u>além de sua capacidade</u>.* [Ant. nesta acp.: *aquém de*.] **5** Ademais de: <u>*Além*</u> *de estudar muito, tem boa memória.* **6** Com exceção de: *"Que é que te faz imaginar que não há, <u>além</u> de ti, nenhuma pessoa decente?..."* (Nicolai Gogol, *Diário de um louco* in *Mar de histórias 3*). **~ disso** Também, outrossim: *Ele é competente, <u>além disso</u>, tem muita sorte.* **~ do mais** Além disso.

alemão (a.le.*mão*) *a.* **1** Da Alemanha (Europa); típico desse país ou de seu povo. *sm.* **2** Pessoa nascida na Alemanha. [Pl.: *-mães*. Fem.: *-mã*.] *a.sm.* **3** *Gloss.* Da, ref. à ou a língua falada na Alemanha, Áustria e em parte da Suíça.

além-mar (a.lém-*mar*) *adv.* **1** Do outro lado do mar. *sm.* **2** Terras situadas do outro lado do mar: *<u>Além-mar</u> fascinava os portugueses no século XV.* [Pl.: *além-mares*.] [Ant. ger.: *aquém-mar*.]

além-túmulo (a.lém-*tú*.mu.lo) *sm.* A vida depois da morte; o além. [Pl.: *além-túmulos*.]

alento (a.*len*.to) *sm.* **1** Ânimo, coragem: *Os soldados perderam o <u>alento</u>*. **2** Fôlego, ar: *Ficou sem <u>alento</u> ao subir a ladeira.* • **a.len.ta.do** *a.* **a.len.tar** *v.*

alérgeno (a.*lér*.ge.no) *sm. Med.* Qualquer substância que causa reação alérgica.

alergia (a.ler.*gi*.a) *sf.* **1** *Med.* Reação anormal do organismo a certas substâncias ou alimentos: *Tenho <u>alergia</u> a lã.* **2** *Fig.* Ojeriza por alguma coisa: <u>*alergia*</u> *a lentidão.*

alérgico (a.*lér*.gi.co) *a.* **1** Ref. a alergia (substância <u>alérgica</u>). **2** Que sente alergia (2): *Ela é <u>alérgica</u> a hipocrisia.* *a.sm.* **3** Que ou quem sofre de alergia.

alergista (a.ler.*gis*.ta) *s2g.* Especialista em doenças alérgicas; ALERGOLOGISTA.

alergologia (a.ler.go.lo.*gi*.a) *sf. Med.* Ramo da medicina que estuda as reações e doenças alérgicas.

alergologista (a.ler.go.lo.*gis*.ta) *s2g.* Ver *alergista*.

alerta (a.*ler*.ta) *a2g.* **1** Atento ou vigilante: *policiais <u>alertas</u> ao que se passa à volta. adv.* **2** De sobreaviso: *As notícias deixaram as pessoas <u>alerta</u>*. *sm.* **3** Aviso ou sinal para que se tome precauções ou cuidado: *Os apitos foram usados como um <u>alerta</u>*. **4** Estado de vigilância: *O município está em <u>alerta</u> diante da possibilidade de novas chuvas.*

alertar (a.ler.*tar*) *v.* **1** Deixar ou ficar em estado de alerta. [*td.*: *O barulho <u>alertou</u> o vigilante. int./pr.*: *Com o barulho, o vigilante <u>alertou(-se)</u>.*] **2** Provocar inquietação ou temor em. [*td.*: *Os tiros ao longe <u>alertaram</u> os passantes.*] **3** Avisar, advertir. [*tdi.* + *contra*, *de*, *sobre*: *Nós os <u>alertamos</u> sobre o perigo.*] [▶ 1 alert<u>ar</u>]

alevino (a.le.*vi*.no) *sm. Zool.* Embrião ou filhote de peixe.

alexandrino (a.le.xan.*dri*.no) *a.* **1** *Poét.* Composto de 12 sílabas; DODECASSÍLABO. **2** Da Alexandria (Egito); típico dessa cidade ou de seu povo. *sm.* **3** *Poét.* Verso alexandrino (1). **4** Pessoa nascida em Alexandria.

alfa (*al*.fa) *sm.* **1** A primeira letra do alfabeto grego. Corresponde ao *a* latino (Α, α). **2** *Astron.* Estrela principal de uma constelação. **3** *Fig.* Início, princípio. **4** *Fig.* Estado de total relaxamento e paz; espécie de semiconsciência: *entrar em <u>alfa</u>*.

alfabetar (al.fa.be.*tar*) *v. td.* Dispor conforme as letras do alfabeto: <u>*alfabetar*</u> *a lista de convidados.* [▶ 1 alfabet<u>ar</u>] • **al.fa.be.ta.ção** *sf.*

alfabético (al.fa.*bé*.ti.co) *a.* **1** Que segue a ordem das letras do alfabeto (índice <u>alfabético</u>). **2** Que utiliza o alfabeto.

alfabetização (al.fa.be.ti.za.*ção*) *sf.* Ação ou resultado de alfabetizar: *a <u>alfabetização</u> de crianças.* ▪ **~ digital** Ensino ou aprendizagem de computação; habilidade no uso do computador.

alfabetizado (al.fa.be.ti.*za*.do) *a.sm.* Que ou quem sabe ler e escrever.

alfabetizar (al.fa.be.ti.*zar*) *v. td.* Ensinar a ler e escrever. [▶ 1 alfabetiz<u>ar</u>] • **al.fa.be.*tis*.mo** *sm.*

alfabeto (al.fa.*be*.to) *sm.* **1** Numa língua escrita, o conjunto limitado de letras cuja ordem e regras de combinação são estabelecidas convencionalmente. **2** A série completa das letras de uma língua; ABECEDÁRIO. **3** Sistema de sinais gráficos que representam fonemas ou palavras de uma língua (*alfabeto* fonético/Morse).

alface (al.*fa*.ce) *sf. Bot.* Erva de folhas grandes e verde-claras, us. esp. no preparo de saladas.

alfafa (al.*fa*.fa) *sf. Bot.* Planta us. na alimentação do gado.

alfaia (al.*fai*.a) *sf.* **1** Móvel ou objeto de uso doméstico. **2** Enfeite, adorno. **3** Ornato de igreja.

alfaiataria (al.fai.a.ta.*ri*.a) *sf.* Loja ou oficina de alfaiate.

alfaiate (al.*fai*.a.te) *sm.* Costureiro que faz roupas com corte masculino (paletós, terninhos etc.) para homens e mulheres.

alfândega (al.*fân*.de.ga) *sf.* **1** Serviço do governo que fiscaliza mercadorias que chegam ao país ou dele saem, cobrando as devidas taxas. **2** Lugar onde funciona esse serviço: *Fomos parados na <u>alfândega</u>*; ADUANA.

alfandegário (al.fan.de.*gá*.ri.o) *a.* Da alfândega (taxa <u>alfandegária</u>); ADUANEIRO.

alfanumérico (al.fa.nu.*mé*.ri.co) *a.* Que usa uma combinação de letras e números (teclado <u>alfanumérico</u>, código <u>alfanumérico</u>).

alfarrábio (al.far.*rá*.bi:o) *sm.* Livro antigo ou velho.

alfarrabista (al.far.ra.*bis*.ta) *s2g.* **1** Pessoa que negocia livros usados. *sm.* **2** Livraria que vende ou compra livros usados; SEBO.

alfavaca (al.fa.va.ca) *sf.* Bot. Erva originária da Índia, us. em temperos e saladas; MANJERICÃO.

alfazema (al.fa.ze.ma) [ê] *sf.* **1** Bot. Arbusto com flores azuis em espigas, das quais se obtém essência aromática; LAVANDA. **2** Água-de-colônia feita com essa essência.

alferes (al.fe.res) [é] *sm2n.* **1** Antigo posto militar, logo abaixo de tenente. **2** Militar que tinha essa patente.

alfinetada (al.fi.ne.ta.da) *sf.* **1** Picada de alfinete. **2** Dor aguda e rápida; PONTADA. **3** Fig. Crítica maliciosa.

alfinetar (al.fi.ne.tar) *v. td.* **1** Dar picada com alfinete: *Alfinetou o dedo sem querer*. **2** Pôr alfinete em: *Alfinetou a blusa inteira para orientar a costura*. **3** Fig. Fazer crítica ferina (ger. sutil) a: *A crítica era equilibrada, mas alfinetava o livro*. [▶ 1 alfinetar]

alfinete (al.fi.ne.te) [ê] *sm.* **1** Pequena haste metálica de ponta aguda, com cabeça achatada na outra extremidade, us. para prender ou marcar tecidos. **2** Peça ou joia em forma de alfinete (1), que se põe em gravata, chapéu etc.

alfombra (al.fom.bra) *sf.* Ver *alcatifa*.

alforje (al.for.je) [ó] *sm.* Saco duplo, aberto no meio, us. no ombro ou para transporte de carga em cavalgaduras.

alforria (al.for.ri.a) *sf.* **1** Liberdade que se concedia ao escravo. **2** Fig. Libertação, liberdade.

alforriar (al.for.ri.ar) *v.* Dar alforria, liberdade a, ou obter alforria. [*td.*: *A lei Áurea alforriou os escravos*. *pr.*: *Todos os escravos se alforriaram de uma só vez*.] [▶ 1 alforriar] • al.for.ri.a.do *a.sm.*

alga (al.ga) *sf.* Bot. Planta desprovida de raízes e caule, que vive na água ou em lugares úmidos.

algaravia (al.ga.ra.vi.a) *sf.* **1** Som de muitas vozes juntas; VOZERIO. **2** O que é dito ou escrito de maneira confusa.

algarismo (al.ga.ris.mo) *sm.* Símbolo com que se representam os números. ▪▪ ~ **arábico** Cada um dos símbolos representativos de quantidades (de zero a nove), na notação decimal para formar os números. [São 0, 1, 2, 3, 4, 5, 6, 7, 8, 9.] ~ **romano** Cada um dos símbolos (todos letras maiúsculas do alfabeto latino) que representam certos números no sistema romano, e com cuja combinação se representa qualquer número. [São I =1, V= 5, X=10, L=50, C=100, D=500, M=1.000.]

algazarra (al.ga.zar.ra) *sf.* Barulho produzido por intenso falatório; GRITARIA.

álgebra (ál.ge.bra) *sf. Mat.* Ramo da matemática que utiliza letras e outros símbolos para representar números e valores. • al.gé.bri.co *a.*

algema (al.ge.ma) [ê] *sf.* Cada uma de um par de argolas de ferro ligadas entre si, provido de fecho, com que se prende alguém pelos pulsos. [Us. ger. no pl.]

algemar (al.ge.mar) *v. td.* Prender com algemas: *algemar o prisioneiro*. [▶ 1 algemar] • al.ge.ma.do *a.*

algibeira (al.gi.bei.ra) *sf.* **1** Bolso da roupa. **2** *Antq.* Pequena bolsa que as mulheres levavam à cintura.

álgido (ál.gi.do) *a.* Muito frio; GÉLIDO. • al.gi.dez *sf.*

algo (al.go) *pr.indef.* **1** Alguma coisa: *Coma algo antes de sair*. *adv.* **2** Um pouco: *Estavam algo assustados*.

algodão (al.go.dão) *sm.* **1** Bot. Conjunto de pelos brancos que revestem a semente do algodoeiro. **2** Fio ou tecido fabricado com esses pelos: *meias de algodão*. **3** Esses pelos dessecados e desinfetados, us. medicinalmente ou para limpeza. [Pl.: -dões.]

algodão-doce (al.go.dão-do.ce) *sm.* Doce feito com finíssimos fios de açúcar. [Pl.: *algodões-doces*.]

algodoal (al.go.do.al) *sm.* Plantação de algodoeiros. [Pl.: -ais.]

algodoaria (al.go.do.a.ri.a) *sf.* Fábrica de fios ou de tecidos de algodão.

algodoeiro (al.go.do.ei.ro) *sm.* **1** Bot. Planta que fornece o algodão. *a.sm.* **2** Que ou quem produz algodão.

algoritmo (al.go.rit.mo) *sm. Mat.* Conjunto de regras e operações próprias para se fazer um cálculo. • al.go.rít.mi.co *a.*

algoz (al.goz) *s2g.* **1** Pessoa que executa a pena de morte; CARRASCO. **2** *Fig.* Indivíduo cruel.

alguém (al.guém) *pr.indef.* **1** Alguma pessoa: *Há alguém em casa?* **2** Pessoa notável ou importante: *Estude para ser alguém na vida*. *sm.* **3** Ente companheiro: *Procura um alguém para amar*.

algum (al.gum) *pr.indef.* **1** Um entre vários: *Costuma ler algum livro antes de dormir*. **2** Qualquer: "Eu, Marília, não sou algum vaqueiro/ Que viva de guardar alheio gado..." (Tomás Antônio Gonzaga, *Marília de Dirceu*). **3** Quantidade ou quantia indeterminada: *Comprar alguma comida*. **4** Pouco: *Volto dentro de alguns minutos*. **5** Nenhum (posposto ao subst., em frases negativas): *Não recebi recado algum*. [Fem.: *alguma*]. *sm.* **6** *Pop.* Pequena quantidade de dinheiro: *Precisamos de algum para iniciar o negócio*. ▪▪ **alguns** *smpl.* **7** Um certo número de pessoas: *Na opinião de alguns, o réu é inocente*.

algures (al.gu.res) *adv.* Em algum lugar.

alhear (a.lhe.ar) *v.* **1** Ficar com a mente distante dos acontecimentos. [*pr.*: *Alheava-se da realidade, refugiando-se em sonhos*.] **2** Transferir domínio para outrem; ALIENAR. [*td.*: *Alheou suas terras*.] [▶ 13 alhear] • a.lhe:a.men.to *sm.*

alheio (a.lhei.o) *a.* **1** Que não nos pertence: *Não devemos mexer nas coisas alheias*. **2** Que nada tem a ver com o assunto em questão: *comentário alheio ao debate*. **3** Que se mostra distraído, desatento: *Ele tem estado triste e alheio a tudo*.

alho (a.lho) *sm. Bot.* Erva que tem o bulbo formado por dentes, muito us. como tempero. ▪▪ **Misturar ~s com bugalhos** Tratar coisas diferentes como se fossem semelhantes.

alho-poró (a.lho-po.ró) *sm.* **1** *Bot.* Erva com um bulbo longo e esbranquiçado, de origem europeia. **2** O bulbo e as folhas dessa planta, us. em culinária. [Pl.: *alhos-porós*.]

alhures (a.lhu.res) *adv.* Em outro lugar.

ali (a.li) *adv.* **1** Em lugar distinto, mas considerado próximo, daquele em que se encontram os interlocutores: *Por favor, deixem suas malas ali*. **2** A certo lugar, considerado próximo: *Foram ali, mas voltam já*. **3** Em um texto, oral ou escrito, refere-se a partes previamente informadas: *Na sala há uma caixa; deposite ali suas sugestões*.

aliado (a.li.a.do) *a.* **1** Unido a outro(s) por pacto ou tratado (nações *aliadas*). *sm.* **2** Pessoa que se aliou. **3** Partidário.

aliança (a.li.an.ça) *sf.* **1** Anel de noivado ou de casamento. **2** Pacto estabelecido por compromisso de pessoas ou grupos que se unem.

aliar (a.li.ar) *v.* Estabelecer associação, combinação. [*td.*: *aliar estudo e trabalho*. *tdi.* + *a*, *com*: *aliar qualidade à eficiência*. *pr.*: *Os antigos inimigos aliaram-se*.] [▶ 1 aliar]

aliás (a.li.ás) *adv.* **1** Ou melhor: *Os pecados capitais são oito; aliás, sete*. **2** A propósito; na verdade: *Esse filme é muito bom. Aliás, desse diretor não se esperava outra coisa*. [NOTA: Introduz no discurso uma ponderação ou adendo que serve tanto para retificar ou averiguar uma informação, como para confirmá-la ou aperfeiçoá-la.]

álibi (á.li.bi) *sm.* **1** *Jur.* Meio de defesa em que se prova a ausência do réu no momento do crime. **2** Justificativa que livra alguém de culpa.

alicate (a.li.*ca*.te) *sm.* Ferramenta composta de duas barras metálicas que se cruzam, com pontas chatas ou recurvadas, us. para prender ou cortar objetos.

alicerçar (a.li.cer.*çar*) *v.* **1** *Cons.* Estabelecer o alicerce de (uma construção). [*td.*: *alicerçar solidamente um prédio.*] **2** *Fig.* Basear(-se). [*td.*: *Alicerçava cientificamente suas teorias.* *pr.*: *Alicerçou-se na filosofia para escrever o livro.*] [▶12 alicerçar]

alicerce (a.li.cer.ce) *sm.* **1** *Cons.* Base composta de pedras ou blocos de cimento, que sustenta uma construção, um edifício etc.; FUNDAÇÃO. **2** *Fig.* Aquilo em que algo se apoia: *o alicerce de uma análise*.

aliciar (a.li.ci.*ar*) *v. td.* Atrair (alguém) por meio de sedução e/ou vantagem material: *O candidato tentou aliciar eleitores*; (seguido de indicação de finalidade) *Aliciava policiais para conseguir armamentos*. [▶ 1 aliciar] ● a.li.ci.a.*men*.to *sm.*; a.li.ci.a.*ção* *sf.*

alienação (a.li.e.na.*ção*) *sf.* **1** Ação ou resultado de alienar(-se). **2** Falta de conhecimento e desinteresse pelo que acontece na sociedade, no país, no mundo. **3** *Psiq.* Perturbação mental que afasta a pessoa do convívio com outros. **4** *Jur.* Transferência de bens, de direitos a outrem. [Pl.: -ções].

alienado (a.li.e.*na*.do) *a.* **1** Que se alienou. *a.sm.* **2** Que ou quem não se interessa pelo que acontece na sociedade, no país, no mundo. **3** Que ou quem se encontra perturbado mentalmente e afastado da sociedade.

alienante (a.li.e.*nan*.te) *a2g.* **1** Que provoca alienação. *a2g.s2g.* **2** *Jur.* Que ou quem transfere a propriedade ou o domínio para outrem.

alienar (a.li.e.*nar*) *v.* **1** Tornar-se alheio ou indiferente à realidade. [*pr.*: *Alienara-se dos problemas sociais.*] **2** Causar ou vir a ter perturbação mental. [*td.*: *O conflito familiar alienou seu juízo.* *pr.*: *A irmã alienou-se.*] **3** *Jur.* Transferir para outrem a posse de; ALHEAR. [*td.*: *Alienou suas terras.*] [▶ 1 alienar]

alienígena (a.li.e.*ní*.ge.na) *a2g.s2g.* **1** *Fig.* Que ou quem pertence a outros planetas. **2** Que ou quem pertence a outro país.

alienista (a.li.e.*nis*.ta) *s2g.* Médico especialista em doenças mentais; PSIQUIATRA.

aligátor (a.li.*gá*.tor) *sm.* *Zool.* Jacaré-de-papo-amarelo. [NOTA: Uma das cinco espécies de jacaré encontradas no Brasil, e muito comum nos EUA.]

alijar (a.li.*jar*) *v.* **1** Lançar fora (ger. de uma embarcação). [*td.* + *de*: *O comandante alijou a carga do barco para evitar o naufrágio.*] **2** Livrar-se de. [*td.*: *Alijou amizades que julgava inúteis.*] [▶ 1 alijar] ● a.li.ja.*men*.to *sm.*

alimentação (a.li.men.ta.*ção*) *sf.* **1** Ação ou resultado de alimentar(-se). **2** Conjunto de alimentos ou substâncias que constituem a dieta regular de um ser vivo: *uma alimentação saudável.* **3** Abastecimento para que algo funcione: *A alimentação desse motor é feita com eletricidade.* [Pl.: -ções].

alimentar (a.li.men.*tar*) *v.* **1** Dar ou ingerir alimentos. [*td.*: *alimentar os animais.* *pr.*: *Eu me alimento bem.*] **2** Abastecer, prover. [*td.*: *A munição importada alimentava as armas.*] **3** *Fig.* Enriquecer. [*td.*: *A fé alimentava seu espírito.*] **4** *Fig.* Manter sentimento ou ideia fixa. [*td.*: *Ela alimentava ilusões de poder.*] [▶ 1 alimentar]

alimentício (a.li.men.*ti*.ci.o) *a.* **1** Que é nutritivo: *A soja tem alto valor alimentício.* **2** Que é próprio para comer (gêneros *alimentícios*). **3** Que provê alimentos (setor *alimentício*).

alimento (a.li.*men*.to) *sm.* **1** Aquilo que alimenta, que nutre; COMIDA: *Um quilo de alimento vale um ingresso para o espetáculo.* **2** *Fig.* Aquilo que mantém ou sustenta alguma coisa: *A leitura era o alimento de sua imaginação.*

alínea (a.*lí*.ne:a) *sf.* **1** Linha que inicia parágrafo. **2** Subdivisão de artigo de lei ou regulamento, ger. indicada por letra do alfabeto.

alinhado (a.li.*nha*.do) *a.* **1** Disposto em linha reta. **2** Vestido com elegância: *Ele estava todo alinhado no domingo.* **3** Correto no modo de ser ou agir: *Ela respondeu à agressão de forma muito alinhada.* **4** Afinado com; ALIADO: *bloco dos países alinhados.*

alinhamento (a.li.nha.*men*.to) *sm.* **1** Ação ou resultado de colocar(-se) em linha reta. **2** Conjunto de coisas ou pessoas colocadas em linha reta, ou em determinado posicionamento: *o alinhamento dos carros de corrida.* **3** Ação ou resultado de colocar(-se) a serviço de uma causa, de uma tarefa.

alinhar (a.li.*nhar*) *v.* **1** Colocar(-se) em linha reta. [*td.*: *alinhar os cavalos para a corrida.* *pr.*: *Alinhou-se na primeira fila do batalhão.*] **2** Esmerar(-se) no vestir, na aparência em geral. [*td.*: *Queria alinhar o marido para vê-lo mais bonito.* *pr.*: *Alinhou-se para a festa.*] [▶ 1 alinhar]

alinhavar (a.li.nha.*var*) *v. td.* **1** Dar alinhavo ou coser a ponto largo: *alinhavar a camisa.* **2** Fazer esboço de; DELINEAR: *Alinhavava seus contos, antes de escrevê-los em definitivo.* **3** *Fig.* Executar apressadamente: *Como não havia mais tempo, alinhavou o projeto e o enviou assim mesmo.* [▶ 1 alinhavar]

alinhavo (a.li.*nha*.vo) *sm.* **1** Costura provisória, de pontos largos. **2** *Fig.* Esboço de uma obra qualquer, antes de sua realização definitiva.

alinho (a.*li*.nho) *sm.* **1** Disposição em linha reta. **2** Cuidado especial na feitura de algo; ESMERO.

alíquota (a.*li*.quo.ta) [quo] ou [co] *sf.* Percentual de incidência de um tributo sobre o valor da coisa tributada.

alisar (a.li.*sar*) *v. td.* **1** Tornar liso: *alisar os cabelos.* **2** Passar a mão com delicadeza: *alisar a cabeça do neném.* **3** Tirar as rugas de: *alisar roupas.* [▶ 1 alisar] ● a.li.sa.*men*.to *sm.*

alísio (a.*lí*.si:o) *a.sm.* *Met.* Diz-se de ou vento que sopra regularmente, das regiões temperadas para a região equatorial.

alistamento (a.lis.ta.*men*.to) *sm.* **1** Inscrição em serviço militar. **2** Relação de pessoas alistadas.

alistar (a.lis.*tar*) *v.* **1** Colocar em lista ou listas; ARROLAR. [*td.*: *alistar todos os nomes (para fazer um relatório).*] **2** Inscrever(-se). [*td.*: *Alistou a família inteira (para fazer o teste).* *pr.*: *Alistou-se voluntariamente.*] **3** Inscrever(-se) no serviço militar. [*td.*: *alistar o filho (na Marinha).* *pr.*: *alistar-se no Exército.*] [▶ 1 alistar]

aliteração (a.li.te.ra.*ção*) *sf.* *Gram.* Repetição de fonemas iguais ou semelhantes no início, meio ou fim de várias palavras de uma frase ou de um verso. [Pl.: -ções.] ● a.li.te.*rar* *v.*

aliviado (a.li.vi.*a*.do) *a.* Que experimentou sensação de alívio.

aliviar (a.li.vi.*ar*) *v.* **1** Dar ou sentir alívio; tornar(-se) tranquilo. [*td.*: *Aliviou-a com a boa notícia.* *pr.*: *Aliviou-se quando ele ligou.*] **2** Tornar mais leve, mais suave. [*td.*: *Aliviou o peso da mochila retirando um livro.*] [▶ 1 aliviar]

alívio (a.*lí*.vi:o) *sm.* **1** Diminuição de peso, sofrimento, dor, excesso de trabalho etc. **2** Consolo, conforto: *Reencontrar a namorada foi um alívio.*

alizar (a.li.*zar*) *sm.* **1** Revestimento de madeira que contorna portas e janelas, cobrindo suas ombreiras. **2** Peça semelhante a uma régua fixada na parede, na altura do encosto das cadeiras, para protegê-las. [Cf. *alisar.*]

aljôfar, aljofre (al.*jô*.far, al.*jo*.fre) [ô] *sm.* **1** Pérola muito pequena. **2** *Fig.* Gota de água. **3** *Fig.* O orvalho matinal.

alma (*al*.ma) *sf.* **1** *Rel.* Parte imaterial, invisível, do ser humano; ESPÍRITO. **2** Conjunto das faculdades

almaço | alquimia

mentais, afetivas e morais do homem; SENTIMENTO. **3** Caráter, índole: *a alma de um povo*. **4** Reserva de energia, de coragem: *Faltou alma ao time*. **5** Expressão vigorosa, intensa, forte: *Canta com alma*. **6** Principal destaque ou agente: *Ele é a alma da empresa*. **7** Pessoa, indivíduo: *O professor é uma boa alma*. **8** Parte interna do cano de uma arma de fogo. ‡ **Abrir a ~** Desabafar, confidenciar. **~ do outro mundo** Fantasma.

almaço (al.*ma*.ço) *a*. Diz-se de papel encorpado, de folha dupla, próprio para provas, documentos etc.

almanaque (al.ma.*na*.que) *sm*. **1** Publicação periódica, ger. anual, que contém calendário, informações úteis e material recreativo. **2** Edição especial, mais volumosa, de uma revista: *almanaque do Super-Homem*.

almeirão (al.mei.*rão*) *sm. Bot.* Espécie de chicória. [Pl.: *-rões*.]

almejar (al.me.*jar*) *v. td.* Desejar com muita intensidade; ANSIAR: *Almejava ser um escritor*. [▶ 1 almejar] • al.me.*ja*.do *a*.

almirantado (al.mi.ran.*ta*.do) *sm*. **1** Posto ou dignidade de almirante. **2** Conjunto de almirantes.

almirante (al.mi.*ran*.te) *sm*. Mar. **1** Patente militar. [Ver quadro *Hierarquia Militar Brasileira*.] **2** Militar que tem essa patente.

almíscar (al.*mís*.car) *sm*. Substância aromática obtida de certos animais, us. em perfumaria e farmácia. • al.mis.ca.*ra*.do *a*.

almoçar (al.mo.*çar*) *v. t.* **1** Comer o almoço. [*int.*: *Almocou cedo*.] **2** Comer como almoço. [*td.*: *Almocou rabada com agrião*.] [▶ 12 almoçar]

almoço (al.*mo*.ço) [ô] *sm*. **1** A primeira grande refeição do dia, ger. feita no começo da tarde. **2** A comida que compõe essa refeição. [Pl.: [ó].]

almocreve (al.mo.*cre*.ve) [é] *sm*. Pessoa que conduz animais de carga.

almofada (al.mo.*fa*.da) *sf*. **1** Espécie de saco estofado e macio, para assento, encosto etc. **2** Pequena peça estofada, impregnada de tinta, na qual se molha o carimbo antes de usá-lo.

almofadinha (al.mo.fa.*di*.nha) *sf*. **1** Almofada pequena. *sm*. **2** *Bras. Pej*. Rapaz que se veste com apurada elegância; JANOTA.

almofariz (al.mo.fa.*riz*) *sm*. Recipiente onde substâncias sólidas são trituradas ou misturadas.

almôndega (al.*môn*.de.ga) *sf. Cul.* Bolinho de carne moída, frito ou cozido. [Cf.: *croquete*.]

almotolia (al.mo.to.*li*.a) *sf*. **1** Pequena garrafa, de gargalo estreito, para azeite e óleos diversos. **2** Vasilha pequena, com bico fino e comprido, para lubrificar maquinismos.

almoxarifado (al.mo.xa.ri.*fa*.do) *sm*. Lugar, em instituição ou empresa, em que se estocam materiais de reposição; DEPÓSITO.

ALMOTOLIA (2)

almoxarife (al.mo.xa.*ri*.fe) *sm*. Pessoa que controla os estoques do almoxarifado.

alô (a.*lô*) *interj*. **1** Us. para saudar, ao telefone: *Alô! Quem fala?* **2** Us. para cumprimentar alguém; OLÁ; OI. *sm*. **3** Cumprimento, saudação: *Deu-me apenas um alô*.

alocar (a.lo.*car*) *v. td*. Destinar (verba) para uma finalidade específica ou para uma entidade. [▶ 11 alocar] • a.lo.ca.*da*.do *a*.

alóctone (a.*lóc*.to.ne) *a2g.s2g*. Que ou quem não é originário do lugar que habita; ESTRANGEIRO; FORASTEIRO. [Ant.: *autóctone*.]

alocução (a.lo.cu.*ção*) *sf. Ling*. Discurso curto, de situação solene; EXORTAÇÃO; FALA. [Pl.: *-ções*.]

aloé, aloés (a.lo.*é*, a.lo.*és*) *sm., sm2n*. **1** *Bot*. Planta de uso medicinal e cosmético; BABOSA: *condicionador de aloé*. **2** Gelatina extraída da sua folha.

aloirado (a.loi.*ra*.do) *a*. Ver *alourado*.

aloirar (a.loi.*rar*) *v*. Ver *alourar*. [▶ 1 aloirar]

alojamento (a.lo.ja.*men*.to) *sm*. **1** Ação ou resultado de alojar(-se). **2** Lugar para estadia; HOSPEDAGEM; POUSADA: *Os estudantes terão comida e alojamento*. **3** Abrigo provisório; ACAMPAMENTO: *Os desabrigados ficarão nos alojamentos*.

alojar (a.lo.*jar*) *v*. **1** Dar alojamento a (alguém ou si mesmo); HOSPEDAR(-SE). [*td*.: *alojar parentes distantes*. *pr*.: *Alojou-se na cabine de um barco*.] **2** Fixar-se (ger. aplicado a projétil). [*pr*.: *A bala alojou-se no tórax*.] [▶ 1 alojar]

alongado (a.lon.*ga*.do) *a*. **1** Que foi ou está estendido (músculos *alongados*). [Ant.: *contraído*.] **2** Que é ou está comprido, longo.

alongamento (a.lon.ga.*men*.to) *sm*. **1** Ação ou resultado de alongar(-se). **2** Tipo de exercício físico em que se alongam os músculos.

alongar (a.lon.*gar*) *v*. **1** Tornar longo ou mais longo; ESTENDER; ENCOMPRIDAR. [*td*.: *As autoridades alongaram a ciclovia*.] **2** Prolongar-se. [*pr*.: *O palestrante alongou-se em detalhes desnecessários*.] [▶ 14 alongar]

alopata, alópata (a.lo.*pa*.ta, a.*ló*.pa.ta) *a2g.s2g*. Que ou quem pratica alopatia (médico *alopata*). [Cf.: *homeopata*.]

alopatia (a.lo.*pa*.ti.a) *sf. Med*. Tipo de tratamento com remédios que produzem efeitos contrários aos das doenças. [Cf.: *homeopatia*.]

alopático (a.lo.*pá*.ti.co) *a*. Ref. a alopatia (remédio *alopático*). [Cf.: *homeopático*.]

alopecia (a.lo.pe.*ci*.a) *sf. Med*. Queda dos cabelos ou pelos do corpo.

aloprado (a.lo.*pra*.do) *a. Gír*. Amalucado, perturbado.

alourado (a.lou.*ra*.do) *a*. Que apresenta tom de louro ou quase louro (mechas *alouradas*).

alourar (a.lou.*rar*) *v*. Tornar(-se) louro. [*td*.: *Vou alourar meus cabelos*. *pr*.: *Alourou-se*, *copiando a irmã*.] [▶ 1 alourar]

alpaca (al.*pa*.ca) *sf*. **1** *Zool*. Mamífero de pelo sedoso, que vive nas montanhas dos Andes. **2** A lã desse animal. **3** Tecido feito dessa lã: *paletó de alpaca*. **4** *Quím*. Liga metálica de cobre, zinco, níquel e prata, muito us. para fazer talheres.

alpargata, alpercata (al.par.*ga*.ta, al.per.*ca*.ta) *sf*. Sandália baixa, presa ao pé por tiras de couro ou pano.

alpendre (al.*pen*.dre) *sm*. **1** Telhado inclinado e saliente na entrada de casa ou prédio; TELHEIRO. **2** Pátio coberto.

alpinismo (al.pi.*nis*.mo) *sm. Esp*. Esporte em que se escalam rochas e montanhas; MONTANHISMO.

alpinista (al.pi.*nis*.ta) *a2g.s2g*. Ref. a ou quem pratica alpinismo; MONTANHISTA.

alpino (al.*pi*.no) *a*. **1** Dos Alpes (Europa); típico dessa região ou de seu povo. *sm*. **2** Pessoa nascida nos Alpes.

alpiste (al.*pis*.te) *sm. Bot*. Semente que serve de alimentação de passarinhos.

alquebrado (al.que.*bra*.do) *a*. **1** Curvado, vergado (corpo *alquebrado*). **2** Fraco, debilitado (paciente *alquebrado*).

alquebrar (al.que.*brar*) *v. td*. Levar ao cansaço, à prostração: *Alquebrou o goleiro, fazendo-o treinar muito*. [▶ 1 alquebrar]

alqueire (al.*quei*.re) *sm. Bras*. Medida variável de área agrária.

alquimia (al.qui.*mi*.a) *sf*. Química da Idade Média que consistia na busca da pedra filosofal, capaz de transformar metais em ouro, e do elixir para uma vida longa.

alquimista (al.qui.*mis*.ta) *a2g.* **1** Ref. a alquimia (práticas alquimistas). *a2g.s2g.* **2** Que ou quem praticava alquimia.

alta (*al*.ta) *sf.* **1** Subida (de preço, cotação, valor etc.): *a alta do dólar.* **2** Ordem médica que encerra tratamento ou internação: *Teve alta, mas ainda não deve se exercitar.* **3** Alta sociedade, alta-roda. ◼ **Estar em ~** Estar prestigiado, estar na moda.

alta-costura (al.ta-cos.*tu*.ra) *sf.* **1** Roupa, ger. exclusiva e cara, criada por grandes costureiros: *A mulher do senador só usa alta-costura.* **2** Conjunto dos grandes costureiros: *Desenha bem, mas ainda não pertence à alta-costura.* [Pl.: *altas-costuras.*]

alta-fidelidade (al.ta-fi.de.li.*da*.de) *sf.* Eletrôn. Tecnologia que permite reproduzir e amplificar os sons, quase sem distorção: *aparelho de alta-fidelidade.* [Pl.: *altas-fidelidades.*]

altaneiro (al.ta.*nei*.ro) *a.* **1** Elevado, alto (castelo altaneiro). **2** Que é altivo, orgulhoso (povo altaneiro).

altar (al.*tar*) *sm.* **1** Mesa us. para cerimônia religiosa, esp. em missas. **2** Espécie de mesa de pedra us. para sacrifícios religiosos.

altar-mor (al.tar-*mor*) *sm.* Altar principal de um templo. [Pl.: *altares-mores.*]

alta-roda (al.ta-*ro*.da) *sf.* **1** Alta sociedade; ALTA: *gente da alta-roda.* **2** A elite de um grupo. [Pl.: *altas-rodas.*]

altear (al.te.*ar*) *v.* Tornar(-se) alto ou mais alto. [*td.*: *Teve que altear a voz para ser ouvido.* *pr.*: *Alteou-se com aqueles sapatos.*] [▶ **13** alt**ear**]

alterar (al.te.*rar*) *v.* **1** Fazer ficar diferente; MODIFICAR. [*td.*: *Alterei o último parágrafo.*] **2** Adulterar, falsificar. [*td.*: *Alteraram o documento.*] **3** Tornar(-se) perturbado, irritado. [*td.*: *O desrespeito alterou o ânimo do policial.* *pr.*: *Altera-se à toa e quer logo brigar.*] [▶ **1** alter**ar**] ● **al.te.ra.ção** *sf.*; **al.te.ra.do** *a.*; **al.te.rá.vel** *a2g.*

altercar (al.ter.*car*) *v. ti.* Discutir com veemência. [+ *com*: *Por banalidade, altercou com o vizinho.*] [▶ **11** alter**car**] ● **al.ter.ca.ção** *sf.*

alternador (al.ter.na.*dor*) [ô] *a.sm.* **1** Que ou o que alterna. *sm.* **2** Eel. Sistema elétrico, mecânico ou eletromecânico que fornece corrente alternada.

alternar (al.ter.*nar*) *v.* Usar, fazer ocorrer com intervalos regulares, ora um, ora outro. [*td.*: *Sempre alternou técnicas diferentes (para confundir o adversário).* *tdi. + com*: *Alternava expressões de bom humor com tiradas amargas. pr.*: *O saxofonista e o pianista se alternavam na execução da música.*] [▶ **1** alter**ar**] ● **al.ter.na.do** *a.*; **al.ter.nán.ci.a** *sf.*

alternativo (al.ter.na.*ti*.vo) *a.* **1** Que se pode escolher: *Há caminhos alternativos para se chegar lá.* **2** Não convencional; estilo de vida alternativo; *o rock alternativo.* [Ant. nesta acp.: *convencional, tradicional.*] **3** *Gram.* Diz-se da conjunção coordenativa que leva a escolha de um entre dois ou mais (p.ex.: *ou*). ☑ **alternativa** *sf.* **4** Opção entre duas ou mais possibilidades; ESCOLHA: *Radiojornalismo é uma alternativa profissional para os jovens.* **5** Aquilo que pode substituir alguma coisa: *o esporte como alternativa para o ensino de conceitos básicos de saúde.*

alteza (al.*te*.za) [ê] *sf.* **1** Elevação moral. ☑ **Alteza** *sf.* **2** Título dado a príncipes: *Este vinho é para Vossa Alteza.*

altímetro (al.*tí*.me.tro) *sm.* Instrumento que mede altitudes.

altiplano (al.ti.*pla*.no) *sm.* Geog. Área plana e alta; PLANALTO.

altissonante (al.tis.so.*nan*.te) *a2g.* **1** Que soa muito alto (voz altissonante). **2** Fig. Cujo tom é pomposo (diz-se da fala, discurso etc.).

altíssono (al.*tís*.so.no) *a.* Ver altissonante.

altitude (al.ti.*tu*.de) *sf.* Altura ou elevação em relação ao nível do mar: *A montanha tem 2.000m de altitude.*

altivo (al.*ti*.vo) *a.* **1** Que expressa nobreza, dignidade (porte altivo). **2** Que é arrogante, pretensioso (olhar altivo). ● **al.ti.vez** *sf.*

alto (*al*.to) *a.* **1** De muita altura (prédio alto). **2** Fig. De grau ou nível elevado (febre alta, alta qualidade). **3** Que soa forte: *A televisão está muito alta!* [Ant. nesta acp.: *baixo.*] **4** Mús. Agudo (diz-se de nota musical). [Ant. nesta acp.: *grave.*] **5** Fig. Caro: *As butiques cobram preços altos.* [Ant. nesta acp.: *barato.*] **6** Fig. Importante, proeminente: *Ele já foi um alto executivo.* **7** Afastado do litoral (mar alto). **8** Que se encontra afastado ou avançado no decorrer (alta Antiguidade, altas horas). **9** Situado ao norte (diz-se de região). **10** Situado próximo à nascente de um rio (diz-se de trecho ou região). **11** Bras. Pop. Levemente bêbado: *Já chegou alto à festa. sm.* **12** Ponto mais elevado; TOPO: *A informação está no alto da página. adv.* **13** Com som ou voz elevada: *Não fale tão alto.* **14** Em posição elevada: *Ponha o quadro mais alto. interj.* **15** Comando militar para que se pare (marcha etc.). ◼ **~s e baixos** Alternância entre momentos bons e ruins numa situação, num estado, num processo etc.: *A saúde dela tem altos e baixos.* **Chutar/Jogar para o ~** Abandonar, desistir de, deixar de interessar-se por (algo). **Por ~** Superficialmente, sem esmiuçar, sem atentar para detalhes.

alto-astral (al.to-as.*tral*) *a2g.s2g.* **1** Pop. Que ou quem é alegre, animado. *sm.* **2** Alegria, animação: *o alto-astral do aniversariante.* [Ant. ger.: *baixo-astral.*] [Pl. como adj.: *alto-astrais*; como subst.: *altos--astrais.*]

alto-cúmulo (al.to-*cú*.mu.lo) *sm.* Met. Conjunto de nuvens altas em forma de flocos. [Pl.: *alto-cúmulos.*]

alto-falante (al.to-fa.*lan*.te) *sm.* Ampliador de som em aparelhos de rádio, caixas acústicas etc. [Pl.: *alto--falantes.*]

alto-forno (al.to-*for*.no) [ô] *sm.* Metal. Forno para fundir o minério de ferro em ferro-gusa que, refinado, se transforma em aço. [Pl.: *altos-fornos* [ô].]

alto-mar (al.to-*mar*) *sm.* Mar. Parte do mar distante do litoral ou fora das águas territoriais de uma nação. [Pl.: *altos-mares.*]

alto-relevo (al.to-re.*le*.vo) [ê] *sm.* Relevo sobre um fundo plano, em gravura ou escultura: *Detalhes do rosto sobressaíam em alto-relevo.* [Ant.: *baixo-relevo.*] [Pl.: *altos-relevos.*]

altruísmo (al.tru.*ís*.mo) *sm.* Dedicação desinteressada ao próximo: *Cuida dos meninos de rua por altruísmo.* [Ant.: *egoísmo.*]

altruísta (al.tru.*ís*.ta) *a2g.s2g.* Que ou quem demonstra altruísmo.

altruístico (al.tru.*ís*.ti.co) *a.* Ref. a altruísmo e altruísta.

altura (al.*tu*.ra) *sf.* **1** Dimensão vertical de um corpo: *a altura de um muro.* **2** Estatura: *Oscar tem mais de 2m de altura.* **3** Ponto elevado: *Daquela altura, pode-se ver toda a cidade.* **4** Ponto, localização: *Não sei em que altura da rua fica a loja.* **5** Instante, momento: *Nessa altura já devem ter chegado lá.* **6** Intensidade (de som, voz etc.): *A música estava numa altura insuportável.* ◼ **A ~** Como deveria ser; como a situação exige: *Respondeu à altura às provocações.* **Nesta ~ do campeonato** No campeonato; agora: *Não podemos desistir nesta altura do campeonato.* **Pôr (algo/alguém) nas ~s** Elogiar muito.

aluado (a.lu.*a*.do) *a.sm.* **1** Que ou quem é distraído demais: *Que rapaz aluado, está com os sapatos trocados!* **2** Que ou quem é amalucado; LUNÁTICO. *a.* **3** Diz-se do animal que está no cio.

alucinação | alvitrar

alucinação (a.lu.ci.na.ção) *sf.* **1** Ação ou resultado de alucinar. **2** *Psiq.* Percepção de algo que, na realidade, não está presente; MIRAGEM; DELÍRIO: *Sem o remédio, tinha alucinações.* **3** Ilusão, devaneio. [Pl.: -ções.]

alucinado (a.lu.ci.na.do) *a.sm.* **1** Que ou quem sofre de alucinações; DEMENTE. **2** Que ou quem está ou é desvairado, tresloucado; INSENSATO: *Aquele alucinado atravessou a rua sem olhar.* **3** *Fig.* Que ou quem está ou ficou fascinado: *menina alucinada por boneca.*

alucinante (a.lu.ci.nan.te) *a2g.* **1** Que perturba a mente com percepções imaginárias (bebida alucinante). **2** Arrebatador, estonteante (paixão alucinante).

alucinar (a.lu.ci.nar) *v.* **1** Fazer perder ou perder a ponderação, a calma. [*td.*: *Ela me alucina com essa insistência. pr.*: *Ele alucina-se quando lhe fazem uma injustiça.*] **2** *Psiq.* Causar ou sentir alucinação, delírio. [*int.*: *Ele começou a alucinar, a ouvir vozes.*] **3** Fazer ficar ou ficar deslumbrado, apaixonado. [*td.*: *O charme do rapaz alucinou a garota. it.*: *Foi um espetáculo de alucinar.*] [▶ **1** alucinar]

alucinatório (a.lu.ci.na.tó.ri:o) *a.* Ref. a ou em que há alucinação: *uma visão alucinatória.*

alucinógeno (a.lu.ci.nó.ge.no) *a.sm.* Que ou o que provoca alucinações (droga alucinógena).

alude (a.lu.de) *sm. Geol.* Ver avalanche (1).

aludir (a.lu.dir) *v. ti.* Fazer alusão, referência; REFERIR-SE. [+ *a*: *O diretor não aludiu ao que acontecera na véspera.*] [▶ **3** aludir]

alugar (a.lu.gar) *v. td.* **1** Entregar ou tomar por meio de pagamento de aluguel: *O proprietário não conseguiu alugar o imóvel.* **2** *Bras. Pop.* Tomar tempo de alguém, ger. para conversar: *Alugou o amigo por uma hora.* [▶ **14** alugar]

aluguel (a.lu.guel) *sm.* **1** Cessão do uso de uma propriedade por tempo e preço determinados: *aluguel de carro.* **2** Esse preço: *O aumento do aluguel fez um rombo no orçamento.* [Pl.: -guéis. NOTA: O pl. *alugueres* deriva da forma menos us. *aluguer*.]

aluir (a.lu.ir) *v.* **1** Derrubar, destruir ou desmoronar. [*td.*: *aluir um templo. int./pr.*: *As torres aluíram(-se).*] **2** Causar abalo a. [*td.*: *O vendaval aluiu os pilares da ponte.*] [▶ **56** aluir]

alumbrar (a.lum.brar) *v.* Ver alumiar. [▶ **1** alumbrar] • **a.lum.bra.men.to** *sm.*

alume, alúmen (a.lu.me, a.lú.men) *sm. Quím.* Substância adstringente us. para fixar cores, purificar água etc. [Pl. de *alúmen*: *alumens* e (p. us. no Brasil) *alúmenes*.]

alumiar (a.lu.mi.ar) *v.* **1** Lançar luz em; ILUMINAR. [*td.*: *O sol alumiava o monte.*] **2** *Fig.* Resplandecer, iluminar-se. [*pr.*: *Seu rosto sombrio alumiou-se.*] [Sin. ger.: alumbrar.] [▶ **1** alumiar]

alumínio (a.lu.mí.ni:o) *sm. Quím.* Metal branco prateado, resistente à corrosão, com inúmeras aplicações na indústria. [Simb.: *Al*]

alunissar, alunizar (a.lu.nis.sar, a.lu.ni.zar) *v. int.* Pousar na lua: *A nave alunissou suavemente.* [▶ **1** alunissar, ▶ **1** alunizar] • **a.lu.nis.sa.gem**, **a.lu.ni.za.gem** *sf.*

aluno (a.lu.no) *sm.* Quem recebe lições ou ensinamentos de um professor; ESTUDANTE.

alusão (a.lu.são) *sf.* Referência vaga, breve, indireta; MENÇÃO. [+ *a, sobre*: *Fez apenas uma alusão ao tema.*] [Pl.: -sões.]

alusivo (a.lu.si.vo) *a.* Que diz respeito (a), que encerra alusão; REFERENTE, RELATIVO. [+ *a*: *Escrevei nota alusiva ao ocorrido na classe.*]

aluvial (a.lu.vi.al) *a2g.* Resultante de aluvião (diz-se de solo, terreno etc.) (planície aluvial); ALUVIONÁRIO. [Pl.: -ais.]

aluvião (a.lu.vi:ão) *sm.* e *f.* **1** *Geol.* Depósito de cascalho, areia, argila etc. deixado por águas pluviais ou fluviais, em foz ou margens de rios: *solos de aluvião.* **2** Inundação, enxurrada: *As aluviões causaram forte erosão no terreno.* **3** *Fig.* Grande quantidade de pessoas ou coisas: *O artista costuma receber um aluvião de cartas.* [Pl.: -ões.]

aluvionamento (a.lu.vi:o.na.men.to) *sm. Geol.* Formação de aluviões.

aluvionário (a.lu.vi:o.ná.ri:o) *a.* Resultante de aluvião (depósito aluvionário); ALUVIAL.

alva (al.va) *sf.* **1** Primeira luz da manhã; AURORA: *Partiu antes da alva.* **2** *Litu.* Veste comprida e branca us. pelos padres.

alvacento (al.va.cen.to) *a.* Quase branco; ALVADIO, ESBRANQUIÇADO: *Uma neblina alvacenta cobria a estrada.*

alvadio (al.va.di:o) *a.* Ver alvacento.

alvaiade (al.vai.a.de) *sm. Quím.* Pigmento branco us. na fabricação de tintas, maquiagem etc.

alvará (al.va.rá) *sm.* **1** Documento que autoriza a construção de um prédio, casa etc., ou a prática de determinada atividade: *o alvará de uma loja.* **2** Documento jurídico ou administrativo que ordena certos atos: *O juiz concedeu um alvará de soltura ao preso.*

alvarenga (al.va.ren.ga) *sf. Bras. Mar.* Embarcação us. para carregar e descarregar navios.

alvedrio (al.ve.dri:o) *sm.* Vontade própria; BEL-PRAZER: *Tens alvedrio para qualquer decisão.*

alvejante (al.ve.jan.te) *a2g.sm.* Que ou aquilo que alveja, que embranquece: *O cloro é um bom alvejante.*

alvejar¹ (al.ve.jar) *v. td.* Tornar alvo, branco: *O novo sabão em pó alvejou a roupa.* [▶ **1** alvejar]

alvejar² (al.ve.jar) *v. td.* Atirar, acertar em: *Armado, tentou alvejar a caça.* [▶ **1** alvejar]

alvenaria (al.ve.na.ri.a) *sf.* **1** Arte ou atividade de pedreiro. **2** Tijolo, ou pedra, ou uma mistura dos dois, us. na construção de muros, paredes etc.: *churrasqueira de alvenaria.* **3** Construção feita desse material.

alveolar (al.ve:o.lar) *a2g.* **1** De ou ref. a alvéolo. **2** Em forma de alvéolo. *a2g.sf. Fon.* Diz-se de ou consoante que se pronuncia com a ponta da língua encostada nos alvéolos dos dentes superiores.

alvéolo (al.vé:o.lo) *sm.* **1** Cada uma das células que formam o favo, onde a abelha deposita o mel. **2** *Anat.* Cavidade minúscula no interior dos pulmões. **3** *Od.* Cavidade óssea em que o dente se encaixa.

alvião (al.vi:ão) *sm.* Picareta com uma das pontas achatada, us. na agricultura. [Pl.: -ões.]

alvinegro (al.vi.ne.gro) *a.* **1** Que é branco e negro. **2** *Bras.* Ref. a um clube cujas cores são o branco e o negro (ref., p.ex., à torcida/bandeira do Atlético-MG, Botafogo, Corinthians etc.). *sm.* **3** *Bras.* Jogador ou torcedor de um desses clubes, ou o próprio clube: *Os alvinegros foram em massa ao estádio.*

alvirrubro (al.vir.ru.bro) *a.* **1** Que é branco e vermelho. **2** *Bras.* Ref. a um clube cujas cores são o branco e o vermelho (ref., p.ex., à torcida/bandeira do Bangu, Náutico etc.). *sm.* **3** *Bras.* Jogador ou torcedor de um desses clubes, ou o próprio clube: *Os alvirrubros vão jogar desfalcados.*

alvíssaras (al.vís.sa.ras) *interj.* **1** Us. para manifestar alegria: *Alvíssaras! Passei no concurso. sfpl.* **2** Recompensa a quem dá boas notícias ou entrega um objeto perdido.

alvissareiro (al.vis.sa.rei.ro) *a.* **1** Que dá esperança (notícia alvissareira); AUSPICIOSO. *a.sm.* **2** Que ou o que promete boas notícias.

alvitrar (al.vi.trar) *v.* Fazer sugestão, aconselhar, com prudência. [*tdi.* + *a*: *Alvitrei-lhe o uso da diplomacia.*] [▶ **1** alvitrar] • **al.vi.tra.men.to** *sm.*

alvitre (al.*vi*.tre) *sm.* **1** Aquilo que se sugere; SUGESTÃO: *alvitre de fusão das companhias aéreas.* **2** Livre vontade; ARBÍTRIO: *alvitre para ir ou ficar.*

alvo (*al*.vo) *sm.* **1** Ponto, área ou objeto que se pretende atingir, atirando: *tiro ao alvo; A bomba acertou o alvo.* **2** Fig. Resultado que se deseja obter; META: *O alvo da equipe é vencer o Mundial.* **3** *Fig.* Objeto, motivo: *Ele tem sido alvo de críticas. a.* **4** De cor muito branca: *uma pele alva.* [NOTA: Nas acps. 2 e 3 é tb. us. com função adjetiva, seguindo-se a outro subst., ao qual se liga por hífen: *público-alvo.*]

alvor (al.*vor*) [ó] *sm.* **1** A primeira luz da manhã; ALVA. **2** Qualidade de alvo; ALVURA; BRANCURA.

alvorada (al.vo.*ra*.da) *sf.* **1** O nascer do sol, com sua luminosidade; AMANHECER: "Veio a luz da alvorada/e brilhou nas palmeiras" (Cecília Meireles, "Cantata matinal" in *Retrato natural*). **2** Primeiro toque da manhã nos quartéis. **3** Música tocada ao amanhecer. **4** Canto dos pássaros ao amanhecer.

alvorecer (al.vo.re.*cer*) *sm.* **1** O nascer do sol: *Os pássaros cantavam no alvorecer. v. int.* **2** Despontar o dia; AMANHECER. **3** *Fig.* Começar a aparecer, a manifestar-se (ideia, movimento etc.): *As ideias libertárias alvoreceram no séc. XVIII.* [▶ **33** alvorecer] V. impess. na acp. 2.

alvoroçado (al.vo.ro.*ça*.do) *a.* **1** Que está agitado por motivo de alegria ou ansiedade (crianças alvoroçadas). **2** Em que há grande tumulto, movimento (casa alvoroçada). **3** Apressado. **4** *Bras. Pop.* Diz-se de cabelo despenteado, revolto.

alvoroçar (al.vo.ro.*çar*) *v.* **1** Provocar ou pôr(-se) em alvoroço; TUMULTUAR. [*td.*: *A chegada do bispo alvoroçou a paróquia. pr.*: *Em segundos, o ambiente alvoroçou-se.*] **2** Agitar(-se), alegrar(-se). [*td.*: *A notícia alvoroçou a família. pr.*: *Alvoroçou-se toda quando viu o garoto.*] [▶ **12** alvoroçar] ● **al.vo.ro.ça.men.to** *sm.*

alvoroço (al.vo.*ro*.ço) [ô] *sm.* **1** Inquietação repentina. **2** Tumulto, confusão. **3** Pressa. **4** *Bras.* Algazarra, gritaria. [Ant.: *calma, tranquilidade.*]

alvura (al.*vu*.ra) *sf.* Qualidade de alvo (4); BRANCURA; ALVOR.

Alzheimer (Al. /*Alzáimer*/) *sm. Pat.* Doença que causa a degeneração dos neurônios do cérebro, com diminuição das faculdades mentais, e que leva à morte: "...mapa da mente ajudará a tratar doenças como Alzheimer..." (*Jornal Extra*, 29.07.03). [Tb. *mal de Alzheimer* ou *doença de Alzheimer*, por ter sido identificada pelo médico alemão Alois Alzheimer, em 1906.]

✄ **a.m.** Abr. de *ante meridiem*. [Cf.: *p.m.*]

ama (*a*.ma) *sf.* **1** Babá, ama-seca. **2** Babá que amamenta; AMA DE LEITE. **3** A dona da casa em relação aos empregados; PATROA.

amabilidade (a.ma.bi.li.*da*.de) *sf.* **1** Qualidade de amável. **2** Palavra ou gesto amável; GENTILEZA: *amabilidade com os clientes.* [Ant. ger.: *grosseria.*]

amaciamento (a.ma.ci.a.*men*.to) *sm.* **1** Ação ou resultado de amaciar. **2** *Mec.* Funcionamento temporário do motor de um veículo, abaixo da sua capacidade, para ajuste das peças.

amaciante (a.ma.ci.*an*.te) *a2g.* **1** Que amacia. *sm.* **2** Produto us. na lavagem de roupas, para torná-las macias. [Nesta acp. tb. *amaciante de roupas.*]

amaciar (a.ma.ci.*ar*) *v. td.* **1** Tornar macio: *amaciar o travesseiro.* **2** *Fig.* Tornar suave; abrandar: *O tempo amacia os rancores.* [▶ **1** amaciar]

ama de leite (a.ma de *lei*.te) *sf.* Babá que amamenta; AMA. [Pl.: *amas de leite.*]

amado (a.*ma*.do) *a.* **1** De que se gosta muito; que é objeto de carinho; QUERIDO: "...ó pátria amada, idolatrada..." (José Osório Duque Estrada, *Hino Nacional Brasileiro*). *sm.* **2** Pessoa a quem se ama.

amador (a.ma.*dor*) [ô] *a.sm.* **1** Que ou quem pratica uma atividade por prazer e não como meio de vida; DILETANTE. **2** Que ou quem gosta muito de alguma coisa ou pessoa; AMANTE; APRECIADOR. **3** *Fig.* Que ou quem é inexperiente em algum assunto ou atividade (tb. *Pej.*).

amadorismo (a.ma.do.*ris*.mo) *sm.* **1** Condição de amador, de quem não é profissional. **2** *Fig.* Inexperiência em algum assunto ou atividade (tb. *Pej.*). [Cf.: *profissionalismo.*] ● **a.ma.do.rís.ta** *a2g.s2g.*; **a.ma.do.rís.ti.co.a.**

amadurecer (a.ma.du.re.*cer*) *v.* Tornar(-se) maduro; MATURAR (tb. *Fig.*). [*td.*: *O sol amadureceu os abacates; O sofrimento o amadureceu. int.*: *As jabuticabas amadureciam rapidamente; Ficou mais velho, amadureceu.*] [▶ **33** amadurecer] ● **a.ma.du.re.ci.men.to** *sm.*

âmago (*â*.ma.go) *sm.* **1** A parte mais íntima de um ser; ÍNTIMO; ALMA. **2** A parte fundamental; CERNE; ESSÊNCIA: *o âmago do problema.* **3** *Bot.* Cerne (de árvore).

amainar (a.mai.*nar*) *v.* Tornar(-se) brando, calmo. [*td.*: *O fim da tempestade amainou o mar. int.*: *O furacão amainou. pr.*: *A mulher por fim amainou-se.*] [▶ **1** amainar]

amaldiçoado (a.mal.di.ço.a.do) *a.sm.* Ver *maldito* (1, 2 e 4).

amaldiçoar (a.mal.di.ço.*ar*) *v. td.* Desejar o mal a, com palavras ou em pensamento; MALDIZER: *Amaldiçoou o homem que lhe fizera mal.* [▶ **16** amaldiçoar] ● **a.mal.di.ço.a.men.to** *sm.*

amálgama (a.*mál*.ga.ma) *s2g.* **1** *Quím.* Liga que contém mercúrio. **2** *Fig.* Mistura (de coisas ou pessoas diferentes) que forma um todo: *amálgama de cores/de povos.*

amalgamar (a.mal.ga.*mar*) *v.* **1** *Fig.* Misturar (coisas diferentes). [*td.*: *amalgamar ideias opostas. tdi.* + *com*: *amalgamar ódio com amor. pr.*: *Na festa, amalgamavam-se pessoas de várias classes.*] **2** Fazer amálgama (de um metal), com mercúrio. [*td.*: *amalgamar o cobre.*] [▶ **1** amalgamar]

amalucado (a.ma.lu.*ca*.do) *a.* Meio maluco; ADOIDADO.

amalucar (a.ma.lu.*car*) *v.* Deixar ou ficar maluco ou meio maluco. [*td.*: *A tragédia amalucou-o. pr.*: *Amalucou-se com a perda do emprego.*] [▶ **11** amalucar]

amamentar (a.ma.men.*tar*) *v. td.* Dar o leite do peito a; ALEITAR: *Amamentava o bebê com grande alegria.* [▶ **1** amamentar] ● **a.ma.men.ta.ção** *sf.*

amancebar-se (a.man.ce.*bar*-se) *v. pr.* Passar a viver com (alguém) sem estar casado; AMASIAR-SE: *Sem poder casar, amancebaram-se.* [▶ **1** amancebar-se] ● **a.man.ce.ba.do.a.** *sm.*

amanhã (a.ma.*nhã*) *adv.* **1** No dia que se segue ao atual: *Hoje ele não pode, irá amanhã.* **2** No futuro: *Estude para ter sucesso amanhã. sm.* **3** O dia seguinte: *Ele terá folga na tarde de amanhã.* **4** O futuro: "...quem se preocupa com o amanhã." (Kurban Said, *Ali e Nino*).

amanhar (a.ma.*nhar*) *v. td.* Preparar (a terra) para o cultivo; CULTIVAR. [▶ **1** amanhar] ● **a.ma.nho** *sm.*

amanhecer (a.ma.nhe.*cer*) *v.* **1** Surgir a manhã. [*int.*: *Amanhecia quando chegaram ao lago.*] **2** Surgir, raiar. [*int.*: *O dia amanheceu (nublado).*] **3** *Fig.* Estar (em um lugar) de manhã. [*lig.*: *O ônibus deve amanhecer na capital.*] **4** *Fig.* Estar (em certa condição ou situação) pela manhã. [*lig.*: "Um sábado amanheci enfermo..." (Machado de Assis, *Ideias do canário* in *Novas seletas*).] [▶ **33** amanhecer] V. impess. nas acps. 1 e 2.] *sm.* **5** Início do dia, quando nasce o sol; ALVORADA.

amansar (a.man.*sar*) *v.* **1** Fazer ficar ou ficar manso; DOMAR. [*td.*: "...amansava animal de maior bra-

amante | amassado

beza..." (Guimarães Rosa, *Grande sertão: veredas*). *int./pr.*: *Chegou irritado, mas depois (se) amansou.*] **2** *Fig.* Fazer ficar ou ficar mais suave; ABRANDAR(-SE); AMAINAR(-SE). [*td.*: *As explicações amansaram sua raiva.* *int./pr.*: *O temporal amansou(-se).*] [▶ **1** amans**ar**]

amante (a.*man*.te) *s2g.* **1** Pessoa que tem relação amorosa com outra fora do casamento. **2** Aquele que gosta muito de alguma coisa; AFICIONADO: *amante das artes*. *a2g.* **3** Que ama.

amanteigado (a.man.tei.*ga*.do) *a.* **1** Parecido com manteiga, na cor, na consistência ou no gosto. **2** Feito com manteiga. *sm.* **3** Biscoito feito com muita manteiga. • a.man.tei.*gar* v.

amanuense (a.ma.nu:*en*.se) *s2g.* **1** Pessoa que copia o que outros escrevem ou ditam; ESCREVENTE; ESCRITURÁRIO. **2** Funcionário público que copiava ou registrava documentos, tratava da correspondência etc.

amapaense (a.ma.pa:*en*.se) *a2g.* **1** Do Amapá; típico desse estado ou de seu povo. *s2g.* **2** Pessoa nascida no Amapá.

amar (a.*mar*) *v.* **1** Ter amor a (alguém, algo ou si mesmo). [*td.*: *Amava o rapaz.* *pr.*: *Amam-se desde a infância.*] **2** Gostar muito de (fazer algo). [*td.*: *Amava ler.*] **3** Experimentar o sentimento de amor. [*td.*] (sem complemento explícito): *Não pensava em nada, só amava*.] **4** Sentir profunda afeição ou devoção por. [*td.*: *amar (a) Deus/(a)o próximo*. NOTA: O *a* é enfático e não configura regência indireta.] [▶ **1** am**ar**]

amaranto (a.ma.*ran*.to) *sm. Bot.* Tipo de planta ornamental, tb. us. na alimentação (p.ex., o caruru).

amarelado (a.ma.re.*la*.do) *a.* **1** Que apresenta tom de amarelo ou quase amarelo (páginas amareladas). **2** *Fig.* Pálido, descorado (pele amarelada). [Sin. ger.: *amarelecido*.]

amarelão (a.ma.re.*lão*) *sm. Bras. Pop. Med.* Ver ancilostomíase. [Pl.: *-lões*.]

amarelar (a.ma.re.*lar*) *v.* **1** Fazer ficar ou ficar amarelo; AMARELECER. [*td.*: *amarelar os cabelos com água oxigenada*. *int.*: *O jornal amarelou de um dia para o outro.* *pr.*: *Os lençóis se amarelam depois de muito uso.*] **2** *Fig. Pop.* Sentir medo, acovardar-se. [*int.*: *O atacante amarelou diante do zagueiro.*] [▶ **1** amarel**ar**]

amarelinha (a.ma.re.*li*.nha) *sf. Bras.* Jogo infantil que consiste em pular, num pé só, uma série de casas riscadas no chão.

amarelo (a.ma.*re*.lo) *sm.* **1** A cor do ouro, da gema do ovo. *a.* **2** Que é dessa cor (bolsas amarelas). **3** Que perdeu a cor; PÁLIDO. **4** *Fig.* Diz-se de sorriso constrangido.

amarelo-ouro (a.ma.re.lo-*ou*.ro) *sm.* **1** A cor amarela parecida com a do ouro. *a2g2n.* **2** Que é dessa cor (bolsas amarelo-ouro). [Pl. do subst.: *amarelos-ouros* e *amarelos-ouro*.]

amarfanhado (a.mar.fa.*nha*.do) *a.* Que se amarfanhou; AMARROTADO; AMASSADO.

amarfanhar (a.mar.fa.*nhar*) *v.* Ver *amarrotar*. [▶ **1** amarfanh**ar**]

amargar (a.mar.*gar*) *v.* **1** Dar sabor amargo a. [*td.*: *O limão em excesso amargou o pudim.*] **2** Ter sabor amargo. [*int.*: *As laranjas verdes amargavam.*] **3** *Fig.* Tornar(-se) penoso, sofrido. [*td.*: *A solidão amargava sua vida.* *int.*: *O arrependimento amarga.*] **4** Sofrer por causa de. [*td.*: *amargar a morte do cão.*] [▶ **14** amarg**ar**] ⁑ De ~ *Bras.* Difícil (situação, problema etc.) de resolver, de aguentar.

amargo (a.*mar*.go) *a.* **1** Que tem um sabor desagradável (como o do fel); ACRE. **2** Com pouco ou nenhum adoçante (café amargo). **3** *Fig.* Cheio de tristeza ou sofrimento; PENOSO: "...respondeu com um sorriso amargo a Leonor..." (Miguel Torga, *Rua*). **4** *Fig.* Ressentido pelo sofrimento ou pela dor (pessoa amarga); AMARGURADO; SOFRIDO. **5** *Pop.* Azedo (gosto). [Superl.: *amarguíssimo* e *amaríssimo*.] *sm.* **6** O sabor amargo (1): *o amargo do jiló*. • a.mar.*go*.so *a.*

amargor (a.mar.*gor*) [ô] *sm.* **1** Qualidade de amargo; sabor amargo: *amargor de bílis na boca*. [Ant.: *doçura*.] **2** *Fig.* Sensação de mágoa, desgosto.

amargura (a.mar.*gu*.ra) *sf.* **1** Sabor amargo; AMARGOR. [Ant.: *doçura*.] **2** *Fig.* Tristeza, mágoa.

amargurar (a.mar.gu.*rar*) *v.* **1** Causar amargura, desgosto a (alguém ou a si mesmo); AFLIGIR(-SE). [*td.*: *Amargurava a mãe com seus atos violentos*. *pr.*: *Amargurou-se com a traição que sofreu.*] [▶ **1** amargur**ar**] • a.mar.gu.*ra*.do *a.*; a.mar.gu.*ran*.te *a2g.*

amarílis (a.ma.*rí*.lis) *sf2n. Bot.* Planta ornamental de bulbo volumoso e grandes flores vermelhas, que exalam um perfume suave. **2** A flor dessa planta.

amarra (a.*mar*.ra) *sf.* **1** *Mar.* Corrente que prende a âncora à embarcação. **2** Cabo ou corda que serve para prender coisa pesada. **3** *Fig.* Aquilo que prende: *Quer livrar-se das amarras dos pais*.

amarração (a.mar.ra.*ção*) *sf.* **1** Ação ou resultado de amarrar(-se). **2** *Mar.* Conjunto de cabos ou cordas us. para segurar uma embarcação ao cais ou a outra embarcação: *amarração de argolas/com catracas*. **3** *Bras. Pop.* Forte ligação amorosa. [Pl.: *-ções*.]

amarrado (a.mar.*ra*.do) *a.* **1** Que se amarrou; PRESO; ATADO: *amarrado ao navio*. **2** *Fig.* Com feições carregadas (cara amarrada). **3** *Fig.* Comprometido (por ligação amorosa). **4** *Bras. Fig. Pop.* Que tem grande interesse ou paixão por: *amarrada em balé/no namorado*. *sm.* **5** Apanhado de coisas (ger. ervas, flores, varas etc.) reunidas em um só feixe.

amarrar (a.mar.*rar*) *v.* **1** Prender com corda etc.; ATAR. [*td.*: *Amarrou os pés do ladrão (para que não fugisse)*. *tdi.* + *a, em*: *Amarrou-o a um poste.*] **2** *Fig.* Carregar (a fisionomia) com expressão de aborrecimento ou zanga. [*td.*: *Amarrou a cara e não quis mais conversa.*] **3** *Fig.* Prender(-se) moralmente. [*td.*: *Não se sentia livre, suas promessas o amarravam*. *tdi.* + *a*: *Seus compromissos a amarram à firma*. *pr.*: *Amarrou-se a seus propósitos e não desistiu.*] **4** *Bras. Pop.* Apaixonar-se ou casar-se. [*pr.*: *Pedro amarrou-se na vizinha.*] **5** *Bras. Pop.* Ter muito interesse por. [*pr.*: *amarrar-se em matemática*.] [▶ **1** amarr**ar**]

amarrotado (a.mar.ro.*ta*.do) *a.* **1** Que se amarrotou, que se enrugou ou amassou (papel amarrotado, vestido amarrotado); AMARFANHADO; AMASSADO. **2** *Fig.* Diz-se de feições amarfanhadas, enrugadas: *Acordou com o rosto amarrotado*.

amarrotar (a.mar.ro.*tar*) *v.* Comprimir(-se) (tecido, papel etc.), provocando o aparecimento de vincos e dobras; AMARFANHAR(-SE). [*td.*: *Amarrotou o papel tentando apagar*. *pr.*: *O vestido de linho se amarrotou na mala.*] [▶ **1** amarrot**ar**] • a.mar.ro.ta.*men*.to *sm.*

ama-seca (a.ma-*se*.ca) [ê] *sf.* Babá. [Pl.: *amas-secas*.]

amasiar-se (a.ma.si.*ar*-se) *v.* Ver *amancebar-se*. [▶ **1** amasi**ar**-se]

amasio (a.ma.*si*.o) *sm. P.us.* Condição de quem vive em comum, sem estar legalmente casado; CONCUBINATO; MANCEBIA.

amásio (a.*má*.si:o) *sm.* Amante (1). [Cf. *amasio*.]

amassadeira (a.mas.sa.*dei*.ra) *sf.* **1** Mulher que amassa farinha para fazer pão. **2** Recipiente em que se amassa alguma coisa, ger. farinha para fabricar pão. **3** Máquina de amassar.

amassado (a.mas.*sa*.do) *a.* **1** Que se amassou (papel amassado); AMARROTADO; AMARFANHADO. **2** Que se deformou por ter sofrido colisão (para-choque amassado). *sm.* **3** Depressão causada por aperto ou choque: *O carro está com alguns amassados*.

amassar (a.mas.*sar*) *v.* **1** Transformar em massa. [*td.*: *amassar* argila.] **2** Tornar(-se) amarrotado. [*td.*: *amassar* um bilhete. *int./pr.*: O linho (*se*) *amassa* facilmente.] **3** Fazer ficar ou ficar (objeto) deformado por pressão ou batida; AMOLGAR. [*td.*: *Apalpando*, *amassou* o ovo de páscoa. *int./pr.*: Com a batida, o para-choque se *amassou*.] [▶ 1 amass*ar*] • a.mas.sa.*du*.ra *sf.*; a.mas.sa.*men*.to *sm.*

amasso (a.*mas*.so) *sm.* **1** Ação ou resultado de amassar. **2** *Gír.* Beijos, abraços e carícias (ger. calorosos).

amatutar-se (a.ma.tu.*tar*-se) *v. pr.* Adquirir hábitos ou jeito de matuto. [▶ 1 amatut*ar*-se] • a.ma.tu.*ta*.do *a.*

amável (a.*má*.vel) *a2g.* **1** Que pode ou merece ser amado. **2** Que é simpático e gentil; AFÁVEL: *amável* em apoiar nosso projeto. [Pl.: *-veis*. Ant. ger.: *detestável*, *grosseiro*. Superl. Superl.: *amabilíssimo*.]

amavios (a.ma.*vi*.os) *smpl.* **1** Maneiras de sedução; FEITIÇOS; ENCANTOS: Os *amavios* de Maria conquistaram Pedro. **2** Poção que desperta o amor. [P. us. no sing.]

amazona (a.ma.*zo*.na) [ó] *sf.* **1** Mulher que monta a cavalo. **2** Mulher corajosa.

amazonense (a.ma.zo.*nen*.se) *a2g.* **1** Do Amazonas; típico desse estado ou de seu povo. *s2g.* **2** Pessoa nascida no Amazonas.

amazônico (a.ma.*zô*.ni.co) *a.* **1** Da Amazônia (floresta *amazônica*). **2** Do rio Amazonas (bacia *amazônica*).

âmbar (*âm*.bar) *sm.* **1** *Quím.* Substância sólida, de cheiro almiscarado, extraída do intestino do cachalote. **2** Resina fóssil us. na fabricação de vários objetos. **3** A cor amarelada ou castanha dessa resina. *a2g.* **4** Que é dessa cor (cristal *âmbar*).

ambição (am.bi.*ção*) *sf.* **1** Desejo intenso de obter riquezas, poder, fama etc.: Sua *ambição* o incentivava na carreira. **2** Desejo, intenção de alcançar um objetivo; ASPIRAÇÃO: Minha *ambição* é ser um ator renomado. [Pl.: *-ções*.]

ambicionar (am.bi.ci.o.*nar*) *v. td.* Desejar muito: O escritor *ambicionava* o sucesso. [▶ 1 ambicion*ar*]

ambicioso (am.bi.ci.*o*.so) [ó] *a.sm.* **1** Que ou quem tem ambição: uma mulher *ambiciosa*. *a.* **2** Em que há ambição: maneira *ambiciosa* de encarar a carreira. **3** Que exige muita capacidade, coragem ou habilidade; OUSADO; AUDACIOSO: um projeto *ambicioso*. [Fem. e pl.: [ó].]

ambidestro (am.bi.*des*.tro) [ê] ou [é] *a.sm.* Que ou quem usa ambas as mãos com a mesma habilidade.

ambiência (am.bi.*ên*.ci.a) *sf.* Meio físico, material em que se vive; meio ambiente.

ambiental (am.bi.en.*tal*) *a2g.* Ref. a ambiente (estrago *ambiental*). [Pl.: *-tais*.]

ambientalismo (am.bi.en.ta.*lis*.mo) *sm.* **1** Estudo para a preservação do meio ambiente. **2** Movimento de defesa do meio ambiente. • am.bi.en.ta.*lis*.ta *a2g.s2g.* [Cf.: *conservacionismo*.]

ambientar (am.bi.en.*tar*) *v.* **1** Adaptar(-se) a um ambiente. [*td.*: *Ambientou* os recém-chegados (com facilidade). *tdi.* + *a*: *ambientar* o novo jogador *ao* time. *pr.*: *Ambientou-se* com dificuldade à cidade.] **2** Fazer transcorrer ou transcorrer (livro, peça, filme, novela etc.) em certa época ou lugar. [*td.* (seguido de indicação de tempo ou lugar): O autor *ambientou* a novela na Bahia. *pr.*: O filme *ambienta-se* em 2030.] [▶ 1 ambient*ar*] • am.bi.en.ta.*ção* *sf.*

ambiente (am.bi.*en*.te) *a.* **1** Que envolve, rodeia as pessoas ou coisas (som *ambiente*). *sm.* **2** O meio em que se vive; meio ambiente: *a flora do ambiente marinho*. **3** As condições físicas, morais, emocionais etc. em que se está ou se vive: O *ambiente* desta sala está carregado de fumaça; um *ambiente* de alegria. **4** *Inf.* Conjunto das características de um computador e/ou do aplicativo em que um programa é realizado.

ambiguidade (am.bi.gui.*da*.de) *sf.* **1** O que apresenta vários sentidos. **2** Falta de clareza. **3** Dúvida entre duas ou mais possibilidades; INCERTEZA; HESITAÇÃO.

ambíguo (am.*bí*.gu:o) *a.* **1** Que tem ou pode ter vários sentidos (frases *ambíguas*); DÚBIO. **2** Que apresenta falta de clareza; IMPRECISO. **3** A que falta firmeza ou clareza de opinião; HESITANTE.

âmbito (*âm*.bi.to) *sm.* **1** Espaço compreendido dentro de certos limites; RECINTO. **2** *Fig.* Campo ou espaço onde se exerce ou se insere uma atividade, uma ideia etc.: Essa questão está no *âmbito* de sua responsabilidade.

ambivalente (am.bi.va.*len*.te) *a2g.* **1** Que tem dois valores. **2** Que apresenta sentimentos opostos. • am.bi.va.*lên*.ci.a *sf.*

ambos (*am*.bos) *num.* Um e outro (citados anteriormente ou a seguir); os dois.

ambrosia, **ambrósia** (am.bro.*si*.a, am.*bró*:si:a) *sf.* **1** *Cul.* Doce de ovos com leite. **2** *Mit.* Manjar dos deuses gregos. **3** *Fig.* Comida ou bebida deliciosa.

ambulância (am.bu.*lân*.ci.a) *sf.* Veículo que transporta feridos e doentes, ger. com equipamento para atendimento de urgência.

ambulante (am.bu.*lan*.te) *a2g.* **1** Que se movimenta, que anda. **2** Que não é fixo ou que não tem lugar fixo (comércio *ambulante*). *s2g.* **3** Vendedor ambulante (2).

ambulatório (am.bu.la.*tó*.ri:o) *sm.* **1** Setor de hospital onde se atendem doentes de pouca gravidade. **2** Enfermaria para primeiros socorros.

ameaça (a.me.*a*.ça) *sf.* **1** Intimidação por ação, gesto ou palavra: Fazia *ameaças* aos adversários. **2** Promessa de agressão, castigo etc. **3** Indício de acontecimento desagradável, perigoso etc.: *ameaça* de temporal.

ameaçador (a.me:a.ça.*dor*) [ó] *a.* **1** Que ameaça. **2** Que indica chuva ou tempestade prestes a acontecer (diz-se de tempo). *sm.* **3** Aquele ou aquilo que ameaça.

ameaçar (a.me:a.*çar*) *v.* **1** Fazer ameaça(s) de. [*td.*: *Ameaçou* contar tudo.] **2** Colocar em perigo. [*td.*: Um conflito nuclear *ameaçaria* a humanidade.] **3** Demonstrar intenção de. [*td.*: *Ameaçou* rasgar a carta, mas desistiu da ideia.] **4** Estar na iminência de. [*int.*: Está *ameaçando* um temporal.] [▶ 12 ameaç*ar*]

amealhar (a.me:a.*lhar*) *v. td.* Juntar pouco a pouco, economizando: Lola *amealhava* as gorjetas para viajar. [▶ 1 amealh*ar*]

ameba (a.*me*.ba) *sf. Zool.* Nome de vários animais protozoários, de uma só célula.

amebíase (a.me.*bí*.a.se) *sf. Med.* Infecção causada por ameba, caracterizada por diarreia com perda de sangue.

amedrontar (a.me.dron.*tar*) *v.* Provocar medo em ou sentir medo. [*td.*: O tipo agressivo *amedrontava* a moça. *pr.*: *Amedrontou-se* diante da arma.] [▶ 1 amedront*ar*]

ameia (a.*mei*.a) *sf.* Cada um dos parapeitos denteados no alto de muralhas ou de torres de castelos, para proteger os atiradores que os defendem.

amêijoa (a.*mêi*.jo:a) *sf. Zool.* Certo molusco, apreciado como alimento.

ameixa (a.*mei*.xa) *sf.* **1** Fruto da ameixeira, doce e comestível. **2** *GO Gír.* Bala (projétil).

ameixeira (a.mei.*xei*.ra) *sf. Bot.* Árvore frutífera, originária da Europa, cujo fruto é a ameixa.

amém (a.*mém*) *interj. Litu.* Palavra litúrgica que indica aprovação de um texto de fé (us. esp. no fim de orações); ASSIM SEJA. *sm.* **2** Atitude ou ação de concordar com algo; CONCORDÂNCIA; APROVAÇÃO: *O diretor deu o amém à proposta dos alunos.* [Pl.: *améns*.]

amêndoa (a.mên.do:a) *sf.* **1** Fruto ou semente da amendoeira. **2** Qualquer semente contida em um caroço.

amendoado (a.men.do:a.do) *a.* **1** Parecido com a amêndoa na forma e/ou na cor e/ou no aspecto. **2** Que contém amêndoas (sobremesas *amendoadas*). **3** Diz-se de olhos repuxados.

amendoeira (a.men.do:ei.ra) *sf. Bot.* Árvore originária da África, cuja semente oleaginosa apreciada como fruto é a amêndoa.

amendoim (a.men.do:im) *sm.* **1** *Bot.* Certa planta leguminosa cujos óleos e sementes são us. na alimentação e (os óleos) em lubrificação. **2** A semente dessa planta. [Pl.: *-ins*.]

amenidade (a.me.ni.da.de) *sf.* **1** Caráter do que é ameno. **2** Suavidade, doçura. ◼ **amenidades** *sfpl.* **3** Assuntos ou atividades leves, agradáveis e prazerosos.

amenizar (a.me.ni.zar) *v.* Fazer ficar ou ficar ameno, suave, menos rigoroso ou árduo. [*td.*: *O toldo amenizou o impacto da queda. int./pr.: Depois de algum tempo, sua fúria amenizou(-se).*] [▶ 1 amenizar]

ameno (a.me.no) [ê] *a.* **1** Que é agradável e aprazível (no clima, vegetação etc.). **2** Que demonstra delicadeza, ternura, meiguice (pessoa *amena*). **3** Que se apresenta ou é realizado de maneira simples, suave (leitura *amena*).

amenorreia (a.me.nor.rei:a) *sf. Med.* Falta ou suspensão de menstruação. ● **a.me.nor.réi.co** *a.*

americanizar (a.me.ri.ca.ni.zar) *v.* Adaptar(-se) a maneira de viver dos norte-americanos ou dar aspecto de norte-americano a. [*td.*: *O cineasta americanizou seu novo filme. pr.: Ficou tanto tempo nos EUA, que americanizou-se.*] [▶ 1 americanizar] ● **a.me.ri.ca.ni.za.ção** *sf.*; **a.me.ri.ca.ni.za.do** *a.*

americano (a.me.ri.ca.no) *a.* **1** Do continente das Américas (do Norte, Central ou do Sul); típico desse continente ou de seus povos. **2** Dos Estados Unidos da América (América do Norte); típico desse país ou de seu povo; ESTADUNIDENSE; NORTE-AMERICANO. *sm.* **3** Pessoa nascida na América (do Norte, Central ou do Sul). **4** Pessoa nascida nos Estados Unidos da América; ESTADUNIDENSE; NORTE-AMERICANO.

amerindio (a.me.rin.di:o) *a.* Ref. ou pertencente ao indígena americano (cultura *ameríndia*). *sm.* **2** Indígena das Américas.

amerissar (a.me.ris.sar) *v. int. Gal.* Pousar (esp. aeronave) na água. [▶ 1 amerissar] ● **a.me.ris.sa.gem** *sf.*

amesquinhar (a.mes.qui.nhar) *v.* Tornar(-se) mesquinho. [*td.*: *O ciúme amesquinhava seu comportamento. pr.: Amesquinhou-se demais para poder subir na vida.*] [▶ 1 amesquinhar]

amestrar (a.mes.trar) *v. td.* Tornar treinado e/ou manso; ADESTRAR: *Amestrou o cachorrinho para trabalhar num filme.* [▶ 1 amestrar] ● **a.mes.tra.do** *a.*

ametista (a.me.tis.ta) *sf. Min.* Pedra semipreciosa, de cor lilás.

amianto (a.mi:an.to) *sm. Min.* Mineral refratário us. na confecção de produtos resistentes ao fogo: *Os bombeiros usam roupas de amianto.* [Cf. *asbesto*.]

amídala (a.mí.da.la) *sf. Anat.* Ver *tonsila*.

amidalite (a.mi.da.li.te) *sf. Med.* Ver *tonsilite*.

amido (a.mí.do) *sm.* **1** *Quím.* Substância existente em muitos vegetais, esp. em grãos de cereais, us. na indústria alimentícia, farmacêutica, de cosméticos etc. **2** Fécula, em forma de pó, extraída desses vegetais, us. na alimentação; POLVILHO.

amigado (a.mi.ga.do) *a.* Diz-se de quem vive em comum com alguém sem registro legal; AMANCEBADO.

amigar (a.mi.gar) *v.* **1** Ligar-se amorosa e sexualmente a alguém sem estar com ele casado; AMASIAR-SE. [*pr.*: *Eles amigaram-se recentemente.*] **2** Tornar(-se) amigo. [*td.*: *A paixão pela música amigou os dois jovens. pr.* (com sentido de reciprocidade): *Amigaram-se logo, numa amizade sincera e desinteressada.*] [▶ 14 amigar]

amigável (a.mi.gá.vel) *a2g.* **1** Que encerra sentimento de amizade, que é próprio de amigo; AMISTOSO: *uma relação amigável.* **2** Que revela ou se comporta com delicadeza, benevolência, tolerância etc.: *índios amigáveis com os portugueses.* **3** Feito de comum acordo entre as partes (separação *amigável*). [Pl.: *-veis*.]

amígdala (a.míg.da.la) *sf. Anat.* Ver *tonsila*.

amigdalite (a.mig.da.li.te) *sf. Med.* Ver *tonsilite*.

amigo (a.mi.go) *a.sm.* **1** Que ou aquele que mantém (com outro(s)) relação de amizade: *Preferia ter empregados amigos.* **2** Que ou o que protege, consola, defende, acolhe: "Aqui tens casa *amiga*..." (Machado de Assis, *19 de maio de 1888* in *Novas seletas*). **3** Que ou aquele que mantém relações amistosas com outro (povo, nação, país): *as nações amigas*; *os amigos do Brasil na América do Sul.* **4** Que ou aquele que está do mesmo lado, numa causa, competição, conflito etc. (exército *amigo*). [Superl.: *amicíssimo* e *amiguíssimo*.] *a.* **5** Que é de fogo (fins, explosão etc.) originário de forças amigas (4). ■ **~ do peito** Amigo querido, grande amigo. **~ oculto/secreto** *Bras.* Nas festas de fim de ano, pessoa que, por sorteio ou outra forma de escolha, deve presentear outra, só se revelando quando da entrega do presente. **Falsos ~s** *Ling.* Palavras em línguas diferentes que têm grafias iguais ou semelhantes, mas significados diferentes.

amigo da onça (a.mi.go da on.ça) *sm. Bras. Fam.* Falso amigo; quem finge ser amigo. [Pl.: *amigos da onça.*]

amimar (a.mi.mar) *v. td.* Tratar com mimo, com carinho. [▶ 1 amimar]

aminoácido (a.mi.no:á.ci.do) *sm. Quím.* Classe de compostos orgânicos, componentes das proteínas.

amistoso (a.mis.to.so) [ô] *a.* **1** Que é próprio de amigo; AMIGÁVEL: *uma relação amistosa.* **2** Que expressa ou encerra sentimento de amizade: *gesto amistoso com os colegas.* *a.sm.* **3** *Esp.* Diz-se de um partida esportiva realizada fora de competição, para fins de treinamento, comemoração ou arrecadação de fundos (jogo *amistoso*). [Fem. e pl.: [ô].]

amiudado (a.mi:u.da.do) *a.* **1** Que ocorre amiúde, com frequência; FREQUENTE: *Tem acessos amiudados de tosse.* **2** Que se tornou miúdo.

amiudar (a.mi:u.dar) *v.* **1** Fazer suceder ou suceder amiúde, frequentemente. [*Sentindo-se bem recebido, amiudava as visitas. int.*: *Os acessos de tosse amiudaram, depois desapareceram. pr.*: *Os obstáculos amiudavam-se à medida que avançava.*] **2** Esmiuçar. [*td.*: *amiudar a vida do biografado.*] [▶ 18 amiudar]

amiúde (a.mi.ú.de) *adv.* Com frequência; muitas vezes; a miúdo; FREQUENTEMENTE: *Conversava amiúde com os amigos.* [Ant.: *raramente*.]

amizade (a.mi.za.de) *sf.* **1** Sentimento de estima ou de solidariedade entre pessoas, grupos etc. **2** Pessoa amiga: *Luísa é uma de suas amizades.* **3** Relação de caráter social (mais us. no pl.): *Ele faz amizade(s) facilmente.* **4** Sentimento entre pessoas, grupos, países etc.: *a amizade interamericana.* **5** Apego de alguns animais pelo homem. ■ **~ colorida** *Pop.* Relacionamento amoroso sem compromisso formal ou de continuidade.

amnésia, amnesia (am.né.si:a, am.ne.si.a) *sf. Med.* Perda total ou parcial da memória. ● **a.m.né.si.co** *a.*

âmnio | amostra

âmnio (*âm*.ni:o) *sm. Emb.* Membrana que protege o feto humano e de vertebrados superiores, no interior da qual está contido o líquido amniótico.

amniótico (am.ni.ó.ti.co) *a.* Ref. a âmnio ou a ele pertencente (líquido amniótico).

amo (*a*.mo) *sm.* **1** Dono da casa (em relação aos empregados). **2** Aquele que emprega ou chefia; CHEFE; PATRÃO. **3** *MA Folc.* No bumba meu boi, o dono do boi.

amofinação (a.mo.fi.na.ção) *sf.* Ação ou resultado de amofinar(-se); ABORRECIMENTO; AMOLAÇÃO: *amofinação pelo desempenho do seu time.* [Pl.: -ções.]

amofinar (a.mo.fi.*nar*) *v.* Aborrecer(-se), irritar(-se). [*td.*: *Amofinava os outros com aquela conversa.* *pr.*: *Amofinava-se com qualquer coisa.*] [▶ 1 amofin ar] • a.mo.fi.na.do a.

amolação (a.mo.la.ção) *sf.* **1** Ação ou resultado de amolar(-se). **2** Situação, tarefa, compromisso etc. aborrecido, incômodo, inoportuno; AMOFINAÇÃO; ABORRECIMENTO; ESTORVO. [Pl.: -ções.]

amolado (a.mo.*la*.do) *a.* **1** Que é, está ou se tornou afiado, cortante (faca amolada). **2** *Bras.* Que está aborrecido, amofinado: *Ficou amolado com a brincadeira de mau gosto.*

amolador (a.mo.la.*dor*) [ô] *a.sm.* **1** Que ou quem amola e afia utensílios cortantes. **2** Que ou quem amola, aborrece ou entedia.

amolar (a.mo.*lar*) *v.* **1** Deixar (objeto cortante) mais afiado; AFIAR. [*td.*: *amolar uma tesoura.*] **2** *Bras.* Aborrecer(-se), chatear(-se). [*td.*: *Estou ocupado, não me amole.* *pr.*: "...*talvez se amole com a brincadeira...*" (Miguel Torga, *O senhor Ventura*).] [▶ 1 amolar]

amoldar (a.mol.*dar*) *v.* **1** Ajustar (massa, barro) a molde; MOLDAR. [*td.*] **2** *Fig.* Pôr(-se) de acordo com; ADAPTAR(-SE), AJUSTAR(-SE). [*tdi.* + *a*: "Teremos que *amoldar* nosso programa *ao* da Olimpíada." (FolhaSP, 08.08.99). *pr.*: *Ela amoldou-se ao novo estilo de vida.*] [▶ 1 amold ar]

amolecado (a.mo.le.ca.do) *a.* **1** Que tem aparência ou ar de moleque. **2** Que age como moleque.

amolecar (a.mo.le.*car*) *v.* **1** Tratar de maneira humilhante; DEBOCHAR; REBAIXAR. [*td.*: *O professor amolecou o aluno publicamente.*] **2** Ficar com jeito ou comportamento de moleque, de pessoa indigna. [*pr.*: *Passou a ter más companhias e amolecou-se.*] [▶ 11 amole car]

amolecer (a.mo.le.*cer*) [ê] *v.* **1** Fazer ficar ou ficar (mais) mole, flexível, maciо. [*td.*: *Este produto amolece o couro.* *int.*: *Com o tempo, o couro amoleceu.*] **2** Fazer ficar ou ficar comovido, enternecido. [*td.*: *O pedido de ajuda amoleceu o coração do rapaz.* *int.*: *O chefe caxias amoleceu.*] [▶ 33 amolec er] • a.mo.le.ci.men.to *sm.*

amolgar (a.mol.*gar*) *v.* **1** Causar deformação por compressão ou esmagamento. [*td.*: *A bolada amolgou o teto do carro.*] **2** Conformar(-se), ajustar(-se). [*tdi.* + *a*: *Amolgou suas ideias ao programa do partido.* *pr.*: *Amolgou-se às exigências do chefe.*] [▶ 14 amolg ar]

amônia (a.*mô*.ni:a) *sf. Quím.* Solução aquosa do amoníaco, incolor e de odor intenso.

amoníaco (a.mo.*ní*.a.co) *sm. Quím.* Gás incolor de odor intenso, solúvel em água, us. em fertilizantes, detergentes etc.

amontoado (a.mon.to.a.do) *a.* **1** Que se amontoou. **2** Que foi agrupado em monte e desordenado (livros amontoados); EMPILHADO. *sm.* **3** Conjunto de coisas ou pessoas postas em montão: *Num instante formou-se um amontoado de curiosos.*

amontoar (a.mon.to.*ar*) *v.* **1** Acumular em forma de monte. [*td.*: *Amontoaram toda a terra no quintal.*] **2** *Fig.* Juntar(-se), aglomerar(-se). [*td.*: *Trabalhou muito e amontoou dinheiro.* *pr.*: *Amontoa-*

ram-se sob a marquise quando a chuva caiu.] [▶ 16 amontoar] • a.mon.to.a.men.to *sm.*

amor (a.*mor*) [ô] *sm.* **1** Sentimento que faz alguém querer o bem de outrem ou de alguma coisa: *amor (da juventude) à pátria; amor pelos humildes.* **2** Afeto profundo, devoção de uma pessoa a outra (amor materno). **3** Sentimento terno e caloroso de uma pessoa por outra, inclusive de natureza física e sexual: "o *amor* de Julieta e Romeu..." (Carlinhos Brown e Alaim Tavares, *Rapunzel*).] **4** Relação amorosa: *A duquesa tinha vários amores.* **5** O ato sexual (fazer amor). **6** Inclinação, apego a ideias, valores, atividades, criações que despertam prazer ou empatia. **7** *Rel.* Sentimento de devoção a Deus; VENERAÇÃO. **8** O ente objeto do amor: *Dalila foi o amor de Sansão.*

amora (a.*mo*.ra) *sf.* Pequeno fruto quase negro, macio e de sabor agridoce, muito us. em geleias.

amoral (a.mo.*ral*) *a2g.* **1** Que não está de acordo com nem é contrário à moral. **2** Carente de moral ou de senso de moralidade: *uma obra amoral que chocava os mais puritanos. s2g.* **3** Pessoa que não tem senso moral: *Comportou-se como um amoral.* [Pl.: -rais.] [Cf.: *imoral.*]

amoralidade (a.mo.ra.li.*da*.de) *sf.* Qualidade de ou comportamento amoral. [Cf.: *imoralidade.*]

amordaçar (a.mor.da.*çar*) *v. td.* **1** Colocar mordaça em: *O ladrão amordaçou o negociante para que não gritasse.* **2** *Fig.* Impedir de falar: *Já tentaram amordaçar a imprensa.* [▶ 12 amordaçar] • a.mor.da.ça.men.to *sm.*

amoreira (a.mo.*rei*.ra) *sf. Bot.* Árvore que produz a amora e cujas folhas servem de alimento para o bicho-da-seda.

amorenado (a.mo.re.na.do) *a.* Que apresenta tonalidade morena ou quase morena (pele amorenada).

amorfo (a.*mor*.fo) [ô] *a.* Que não tem forma definida. • a.mor.fi.a *sf.*

amornar (a.mor.*nar*) *v.* Tornar(-se) morno. [*td.*: *amornar o leite. int.*: *A água do banho amornou.*] [▶ 1 amornar]

amoroso (a.mo.*ro*.so) [ô] *a.* **1** Que encerra ou revela amor (carta amorosa). **2** Que sente amor (mulher amorosa). **3** Que encerra ou manifesta ternura, meiguice (gesto amoroso); CARINHOSO; AFETUOSO. *sm.* **4** Quem tem ou sente amor: *um poema digno de todos os amorosos.* [Fem. e pl.: [ó].]

amor-perfeito (a.mor-per.*fei*.to) *sm. Bot.* Planta típica de jardim, de flores vistosas e coloridas. [Pl.: amores-perfeitos.]

amor-próprio (a.mor-*pró*.pri:o) *sm.* **1** Consciência do próprio valor, da própria dignidade; AUTOESTIMA; BRIO. **2** Orgulho de si mesmo; VAIDADE. [Pl.: amores-próprios.]

amortalhar (a.mor.ta.*lhar*) *v. td.* Cobrir com mortalha: *Amortalharam o corpo.* [▶ 1 amortalhar]

amortecedor (a.mor.te.ce.*dor*) [ô] *sm.* **1** *Mec.* Qualquer peça us. para amortecer choques ou vibrações em máquinas e veículos. *a.sm.* **2** Que ou o que amortece.

amortecer (a.mor.te.*cer*) [ê] *v.* **1** Fazer ficar insensível. [*td.*: *A injeção amorteceu seu braço.*] **2** Fazer perder ou perder a intensidade, a força ou o impulso; ENFRAQUECER. [*td.*: *O colete amorteceu o impacto da bala. int.*: *Mal chutada, a bola logo amorteceu.*] [▶ 33 amortec er] • a.mor.te.ci.men.to *sm.*

amortizar (a.mor.ti.*zar*) *v. td.* Eliminar (dívidas) gradativamente: *Amortizou seu débito em pagamentos mensais.* [▶ 1 amortizar] • a.mor.ti.za.ção *sf.*

amostra (a.*mos*.tra) *sf.* **1** Ação ou resultado de amostrar(-se). **2** Pequena porção de um produto, us. para demonstrar a qualidade do todo: *Pedimos à vendedora uma amostra do perfume.* **3** Trecho, fragmento significativo de alguma coisa: *Uma amostra*

amostragem | **anaeróbico** 42

de seus poemas foi incluída no jornal. **4** Sinal, indício de algo: *Dava amostras de brutalidade.* **5** Modelo a ser seguido; exemplo perfeito: *Ela é uma amostra de bondade.* **6** *Est.* Parte representativa de um conjunto para fins estatísticos.

amostragem (a.mos.*tra*.gem) *sf.* Ação ou resultado de escolher amostra(s) para análise de um todo: *O censo deste ano será por amostragem.* [Pl.: *-gens.*]

amostrar (a.mos.*trar*) *v.* Ver *mostrar*. [▶ **1** amostr ar]

amotinar (a.mo.ti.*nar*) *v.* Provocar ou participar de um motim. [*td.*: *As brutalidades do comandante amotinaram a tripulação. pr.*: *Os presidiários amotinaram-se.*] [▶ **1** amotin ar]

amovível (a.mo.*ví*.vel) *a2g.* **1** Que se pode mover ou remover ou transferir: *Como estamos com falta de pessoal, não há nenhum funcionário amovível.* **2** Que não é vitalício; TEMPORÁRIO: *O cargo de presidente da República é amovível.* [Pl.: *-veis.*] [Ant. ger.: *inamovível.*]

amparar (a.m.pa.*rar*) *v.* **1** Conceder amparo a. [*td.*: *Amparou o ancião que atravessava a rua. pr.*: "...*se amparava à firmeza do barco...*" (Guimarães Rosa, *Estas estórias*).] **2** Dar proteção a. [*td.*: *Amparou o amigo em dificuldades.*] **3** Fornecer meios de subsistência a. [*td.*: *Amparava financeiramente os netos.*] [▶ **1** ampar ar]

amparo (am.*pa*.ro) *sm.* **1** Ação ou resultado de amparar(-se): *amparo aos necessitados.* **2** Pessoa ou objeto que protege, que serve de abrigo: *Tropeçou e usou a bengala como amparo.*

amperagem (am.pe.*ra*.gem) *sf. Elet.* Intensidade de corrente elétrica, medida em amperes: *amperagem de um circuito.* [Pl.: *-gens.*]

ampere, ampère (am.*pe*.re, am.*pè*.re) *sm. Elet.* Unidade internacional de medida de intensidade de corrente elétrica. [Símb.: A] [NOTA: O nome da unidade deriva de André Marie Ampère, físico francês.]

amperímetro (am.pe.*rí*.me.tro) *sm.* Aparelho graduado em amperes, com o qual se mede a intensidade de uma corrente elétrica.

amplexo (am.*ple*.xo) [cs] *sm.* Abraço (1).

ampliação (am.pli:a.*ção*) *sf.* **1** Ação ou resultado de ampliar(-se). **2** Material (cópia de documento, fotografia) que teve seu tamanho aumentado. [Pl.: *-ções.*]

ampliar (am.pli.*ar*) *v. td.* **1** Tornar mais ampla a extensão ou a área de: *Derrubou a parede para ampliar o quarto.* **2** Dar formato maior a (fotografia, cópia). **3** Tornar mais abrangente: *Ampliou o artigo que havia escrito.* [▶ **1** ampli ar] ● am.pli:a. *dor a.sm.*

amplidão (am.pli.*dão*) *sf.* **1** Qualidade do que é amplo, extenso: *amplidão dos mares.* **2** Grandeza, vastidão: *A amplidão dos seus conhecimentos surpreende a todos.* **3** Céu, espaço indefinido. [Pl.: *-dões.*]

amplificador (am.pli.fi.ca.*dor*) *a.* **1** Que ou o que amplifica (caixa *amplificadora*). *sm.* **2** *Eletrôn.* Aparelho que amplifica, para a saída, um sinal de entrada. **3** *Eletrôn.* Aparelho eletrônico que reproduz, amplificando, sinais de áudio ou de vídeo. **4** Aquele ou aquilo que amplifica, aumenta.

amplificar (am.pli.fi.*car*) *v. td.* **1** Tornar maior; AMPLIAR. **2** Aumentar a intensidade, o volume de (esp. som). [▶ **11** amplific ar] ● am.pli.fi.ca.*ção sf.*

amplitude (am.pli.*tu*.de) *sf.* **1** Qualidade do que é amplo, abrangente: *a amplitude das medidas garantia o sucesso do plano.* **2** Amplidão: *a amplitude do campo.*

amplo (*am*.plo) *a.* **1** Grande, espaçoso (sala *ampla*). **2** Que tem grande abrangência; EXTENSO: *Nosso conhecimento do assunto é amplo.* **3** Ilimitado, irrestrito: *A procuração lhe dá amplos poderes.*

ampola (am.*po*.la) [ó] *sf.* **1** Pequeno tubo fechado, de vidro ou de plástico, us. para conter líquido (para injeção). **2** O conteúdo desse frasco: *Tenho de tomar três ampolas de antibiótico.*

ampulheta (am.pu.*lhe*.ta) [ê] *sf.* Instrumento que mede o tempo por meio do escoamento de areia.

amputar (am.pu.*tar*) *v. td.* **1** Cortar (membro do corpo ou parte dele). **2** *Fig.* Promover a eliminação de: *A censura amputou parte do filme.* [▶ **1** amputar] ● am.pu.ta.*ção sf.*; am.pu.*ta*.do *a.*

AMPULHETA

amuado (a.mu.*a*.do) *a.* Que tem amuo, que é ou está mal-humorado: *amuado com a injustiça.*

amuar (a.mu.*ar*) *v.* **1** Fazer (alguém) ficar amuado; ABORRECER. [*td.*] **2** Ficar aborrecido, zangado. [*pr.*] [▶ **1** amu ar]

amulatado (a.mu.la.*ta*.do) *a.* Que tem ou tem feições de mulato (pele *amulatada*, pessoa *amulatada*).

amuleto (a.mu.*le*.to) [ê] *sm.* Objeto (p.ex. figa, medalha) ao qual se atribui o poder de proteger quem o usa contra má sorte, doenças, acidentes etc. [Cf.: *talismã.*]

amuo (a.*mu*.o) *sm.* Mau humor que se revela nos gestos, na expressão do rosto etc.

amurada (a.mu.*ra*.da) *sf.* **1** *Mar.* Parapeito no costado de um navio. **2** Muro, paredão.

amuralhado (a.mu.ra.*lha*.do) *a.* Cercado de, protegido por muralhas; AMURADO.

anabatismo (a.na.ba.*tis*.mo) *sm. Rel.* Seita protestante que defende o batismo somente na idade adulta. ● **a.na.ba.*tis*.ta** *a2g.s2g.*

anabiose (a.na.bi:o.se) *sf. Biol.* Suspensão temporária das funções vitais (de organismo vivo), dando impressão de morte.

anabiótico (a.na.bi:ó.ti.co) *a.* Ref. a ou que apresenta anabiose.

anabólico (a.na.*bó*.li.co) *a.* **1** *Fisl.* Do ou próprio do anabolismo. **2** Ver *anabolizante*.

anabolismo (a.na.bo.*lis*.mo) *sm. Fisl.* Processo pelo qual o organismo transforma o alimento em energia para o funcionamento e a regeneração das células. [Cf.: *catabolismo* e *metabolismo.*]

anabolizante (a.na.bo.li.*zan*.te) *a2g.sm.* Diz-se ou substância que estimula o anabolismo, aumentando esp. a massa muscular (esteroide *anabolizante*); ANABÓLICO: *O atleta foi suspenso por usar anabolizantes.*

anacoluto (a.na.co.*lu*.to) *sm. Gram.* Ruptura da organização gramatical da frase que deixa um de seus termos sem função sintática. [NOTA: Ex. de anacoluto em frase de J. Lins do Rego, citada por Celso Cunha: "Umas carabinas que guardava atrás do guarda-roupa, a gente brincava com elas, de tão imprestáveis."]

anaconda (a.na.*con*.da) *sf. Zool.* Ver *sucuri*.

anacoreta (a.na.co.*re*.ta) [ê] *sm.* Eremita. [Cf.: *cenobita.*]

anacrônico (a.na.*crô*.ni.co) *a.* **1** Que apresenta ou encerra anacronismo (1). **2** Que não se enquadra nos usos ou costumes atuais (ideias *anacrônicas*).

anacronismo (a.na.cro.*nis*.mo) *sm.* **1** Situação, estado ou qualidade do que não é adequado ou não ocorre no tempo ou época em que deveria ou se espera: *O anacronismo dessas medidas compromete sua eficácia.* **2** Aquilo que revela anacronismo (1). **3** Erro cronológico que consiste em relacionar certa data com fatos, pensamentos, costumes etc. que não lhe cabem.

anaeróbico (a.na:e.*ró*.bi.co) *a.* Que se realiza sem consumo ou com pouco consumo de oxigênio (ginástica *anaeróbica*). [Ant.: *aeróbico.*]

anaeróbio (a.na:e.*ró*.bi:o) *a. Biol.* Que não precisa de oxigênio ou ar (diz-se de organismo) (bactéria anaeróbia). [Ant.: *aeróbio.*]

anafilático (a.na.fi.*lá*.ti.co) *a. Med.* **1** Ref. a ou típico da anafilaxia. **2** Provocado por anafilaxia (choque anafilático).

anafilaxia (a.na.fi.la.*xi*.a) [cs] *sf. Med.* Reação imunológica do organismo a alguma substância estranha, que pode levar à morte por asfixia.

anáfora (a.*ná*.fo.ra) *sf.* **1** *Poét.* Figura de linguagem que consiste em repetir uma ou mais palavras no início de frases ou versos consecutivos. [Ex.: "É pau, é pedra, é o fim do caminho..." (Tom Jobim, *Águas de março*).] **2** *Gram.* Processo sintático pelo qual uma palavra (p. ex., um pr. pess.) remete a outra(s) anteriormente emitida(s) no texto. [Ex.: *João* e *José* são meus amigos. *Eles* também me consideram seu amigo.]

anagrama (a.na.*gra*.ma) *sm.* Palavra ou frase formada pela permutação das letras de outra palavra ou frase (p. ex.: *amor* e *Roma*).

anágua (a.*ná*.gua) *sf.* Saia us. sob o vestido ou sob outra saia.

anais (a.*nais*) *smpl.* **1** Registro de fatos em ordem cronológica: *os anais da República*. **2** Publicação periódica de qualquer área das ciências ou das artes: *anais da Sociedade Brasileira de Pediatria*. [Cf.: *anal*.]

anal (a.*nal*) *a2g.* Do ou ref. ao ânus. [Pl.: *-nais*.] [Cf.: *anais*.]

analfabetismo (a.nal.fa.be.*tis*.mo) *sm.* Qualidade, estado ou condição de analfabeto.

analfabeto (a.nal.fa.*be*.to) *a.sm.* **1** Que ou quem não sabe ler nem escrever. **2** Que ou quem não conhece determinado assunto ou matéria: *analfabeto em informática*.

analgesia (a.nal.ge.*si*.a) *sf. Med.* Ausência da sensibilidade à dor ou sua cessação por meio de medicamentos.

analgésico (a.nal.*gé*.si.co) *a.sm.* Que ou aquilo (ger. medicamento) que diminui ou faz cessar a dor.

analisar (a.na.li.*sar*) *v. td.* **1** Fazer a análise de: *O laboratório analisou o sangue da vítima*. **2** Observar (algo ou alguém) em seus pequenos detalhes: *Analisou a fisionomia da amiga*. [▶ 1 analisar] • **a.na.li.sá.vel** *a2g.*; **a.na.li.sa.dor** *a.sm.*

análise¹ (a.*ná*.li.se) *sf.* **1** Estudo de um todo pelo exame de suas partes: *análise de um poema*. **2** O resultado desse estudo; AVALIAÇÃO; JULGAMENTO. ■ **~ sintática** *Ling.* Divisão de um período em orações, com identificação e classificação da relação estabelecida entre os termos que as constituem. **Em última ~** Para concluir; em resumo.

análise² (a.*ná*.li.se) *sf.* F. red. de *psicanálise*.

analista¹ (a.na.*lis*.ta) *a2g.s2g.* Que ou quem faz análises. ■ **~ de sistema(s)** *Inf.* Profissional capacitado a conceber, planejar, organizar e produzir sistemas de informações. [Tb. apenas *analista*.]

analista² (a.na.*lis*.ta) *a2g.s2g.* F. red. de *psicanalista*.

analítico (a.na.*lí*.ti.co) *a.* **1** Ref. a análise (método analítico). **2** Que se faz por meio de análise (estudo analítico).

analogia (a.na.lo.*gi*.a) *sf.* **1** Relação ou ponto de semelhança, criado mentalmente, entre coisas ou seres diferentes: *analogia do homem com o macaco/ entre a poesia e a música*. **2** Comparação: *Vamos fazer uma analogia entre as pinturas*.

analógico (a.na.*ló*.gi.co) *a.* **1** Que se faz por analogia (raciocínio analógico). **2** Baseado em analogias (conhecimento analógico). **3** *Inf.* Que mede uma grandeza ou apresenta valores de modo contínuo ou linear: *relógio com mostrador analógico*. [Cf.: *digital¹*.]

análogo (a.*ná*.lo.go) *a.* Em que há ou que manifesta analogia; AFIM; COMPARÁVEL: *um programa análogo a outro em sua intenção*.

anamnese (a.nam.*ne*.se) *sf. Med.* Descrição da evolução de sintomas de uma doença, baseada nas informações do paciente.

ananás (a.na.*nás*) *sm.* **1** Fruta nativa de casca grossa e espinhosa; ABACAXI. **2** *Bot.* Planta que dá essa fruta. [Pl.: *-nases*.]

anão (a.*não*) *a.sm.* **1** Que ou quem tem altura muito abaixo do normal. [Ver tb. *nanismo*.] **2** *Pej.* Que ou quem é muito baixo ou franzino; NANICO. *a.* **3** De tamanho ou altura muito abaixo do normal (diz-se ger. de animal ou planta) (árvore anã). [Pl.: *anões* e (p. us.) *anãos*. Fem.: *anã*.]

anarquia (a.nar.*qui*.a) *sf.* **1** Ausência de governo ou autoridade. **2** Desordem consequente dessa ausência: *Naquela casa se instala a anarquia quando o pai viaja*.

anárquico (a.*nár*.qui.co) *a.* **1** Que está sem governo ou autoridade, em anarquia (país anárquico). **2** Que leva ou induz à anarquia (discurso anárquico). **3** Confuso, caótico (gestão anárquica).

anarquismo (a.nar.*quis*.mo) *sm.* Teoria política que rejeita o governo e a autoridade do Estado.

anarquista (a.nar.*quis*.ta) *a2g.s2g.* **1** Que ou quem defende o anarquismo. *a2g.* **2** Do ou próprio do anarquismo (ideais anarquistas).

anarquizar (a.nar.qui.*zar*) *v.* **1** Tornar anárquico. [*td.*: *Alterou o espírito da doutrina, anarquizando seus princípios*.] **2** Tornar(-se) confuso, desordenado ou extravagante. [*td.*: *Anarquizou o quarto ao procurar o livro*. *pr.*: *Anarquizou-se ao usar sapatos amarelos*.] [▶ 1 anarquizar] • **a.nar.qui.za.ção** *sf.*

anátema (a.*ná*.te.ma) *sm.* **1** Pena que exclui uma pessoa do convívio de uma comunidade religiosa; EXCOMUNHÃO. **2** Maldição: *Ele carregará para sempre o anátema da traição*.

anatematizar (a.na.te.ma.ti.*zar*) *v. td.* Lançar anátema contra: *Anatematizava os que não acreditavam em Deus*. [▶ 1 anatematizar]

anatomia (a.na.to.*mi*.a) *sf.* **1** *Med.* Parte da medicina que descreve a estrutura interna e externa do corpo humano. **2** *Biol.* Estudo da estrutura de qualquer ser vivo (anatomia zoológica). **3** A estrutura de um corpo organizado ou de parte dele: *a anatomia do sistema nervoso*. **4** Compêndio sobre anatomia (1).

anatômico (a.na.*tô*.mi.co) *a.* **1** Da ou próprio da anatomia. **2** Que se ajusta aos contornos do corpo humano (calçado anatômico).

anatomista (a.na.to.*mis*.ta) *a2g.s2g.* Que ou quem se especializou em anatomia (1).

anavalhar (a.na.va.*lhar*) *v.* Ver *navalhar*. [▶ 1 anavalhar]

anca (*an*.ca) *sf.* **1** Quadril, cadeira. **2** Parte traseira dos quadrúpedes; GARUPA.

ancestral (an.ces.*tral*) *s2g.* **1** Pessoa da qual outras descendem; ANTEPASSADO. *a2g.* **2** Ref. a ou próprio dos antepassados. [Pl.: *-trais*.] [NOTA: O pl. *ancestrais* tem sentido mais amplo: as sucessivas gerações das quais descende um indivíduo; a totalidade dos seus ascendentes.] • **an.ces.tra.li.da.de** *sf.*

anchova (an.*cho*.va) [ô] *sf.* Peixe, semelhante à manjuba, de grande valor comercial na Europa; ENCHOVA.

ancião (an.ci.*ão*) *a.sm.* Que ou quem tem idade avançada, merece respeito e consideração. [Pl.: *-ãos*, *-ães* e *-ões*. Fem.: *-ã*.]

ancilostomíase (an.ci.los.to.*mí*.a.se) *sf. Med.* Infecção causada por vermes, que atinge o homem e vários mamíferos, e se caracteriza por anemia grave. [Sin.: *amarelão, mal da terra*.]

ancinho (an.*ci*.nho) *sm.* Ferramenta agrícola dentada, com cabo longo, us. para juntar folhas secas, palha etc.; RASTELO. [Ver ilustr. em *rastelo*.]

âncora¹ (*ân*.co.ra) *sf.* **1** *Mar.* Peça de ferro que se atira à água para impedir que as embarcações se movam. **2** *Fig.* Alguém ou algo que dá apoio ou proteção: *Meu avô é a âncora da família*.

âncora² (*ân*.co.ra) *s2g.* Jornalista que apresenta e coordena um programa de televisão ou rádio.

ancoradouro (an.co.ra.*dou*.ro) *sm.* Local onde os navios ancoram ou podem ancorar; FUNDEADOURO.

ancorar (an.co.*rar*) *v. int.* Lançar (a embarcação) âncora à água, para interromper a navegação. [▶ 1 ancor*ar*]

andaço (an.*da*.ço) *sm. Pop.* **1** Epidemia de curta duração e pouca gravidade: *andaço de tosse*. [Cf.: *surto*.] **2** *Bras.* Diarreia.

andada (an.*da*.da) *sf.* Ação ou resultado de andar; CAMINHADA.

andador (an.da.*dor*) [ô] *sm. Bras.* Aparelho que dá apoio a crianças que começam a andar ou a adultos com problemas de locomoção.

andadura (an.da.*du*.ra) *sf.* Modo de andar, esp. o dos animais de montaria; MARCHA.

andaime (an.*dai*.me) *sm.* Estrutura de metal ou de madeira sobre a qual trabalham os operários de uma construção.

andaluz (an.da.*luz*) *a.* **1** Da Andaluzia (Espanha); típico dessa região ou de seu povo. *sm.* **2** Pessoa nascida na Andaluzia.

andamento (an.da.*men*.to) *sm.* **1** Ação ou resultado do que está andando, avançando, progredindo; DESENVOLVIMENTO; PROSSEGUIMENTO: *A obra ainda está em andamento*. **2** Modo de prosseguir, rapidez ou intensidade com que se faz algo ou com que algo avança: *Neste andamento, ela terminará a leitura ainda hoje*. **3** *Mús.* Velocidade com que se executa um trecho de uma peça musical.

andança (an.*dan*.ça) *sf.* Ação ou resultado de andar, esp. em viagem, passeio, excursão etc.: *andanças pela Bahia*.

andante¹ (an.*dan*.te) *a2g.* Que anda, que vagueia (cavaleiro *andante*); ERRANTE.

andante² (an.*dan*.te) *adv. Mús.* **1** Em andamento moderado, entre o adágio e o alegro. *sm.* **2** Trecho de peça musical com esse andamento.

andar (an.*dar*) *v.* **1** Ir de um ponto a outro, dando passos. [*int.*: *Andou rápido para sair da loja*.] **2** Mover-se por meio de transporte. [*ti.* + *de*: *Só andava de táxi*.] **3** Funcionar (um mecanismo). [*int.*: *Esse relógio anda bem*.] **4** Viajar. [*int.*: *Ele anda pelo mundo todo*.] **5** Continuar desenvolvendo-se. [*int.*: *O trabalho andava bem*.] **6** Estar ou ter a aparência de. [*lig.*: *Essa moça anda triste*.] **7** Ter seguimento. [*int.*: *O processo andou rapidamente*.] [▶ 1 and*ar*] [NOTA: Us. como aux., seguido de gerun., a + infin. ou part. para denotar ação continuada em curso: *Ele anda fazendo*/*a fazer das suas*; *José anda metido em confusão*.] *sm.* **8** Modo de andar (1), andadura: *Ele tem um andar gingado*. **9** Ritmo em que um processo se desenvolve, andamento (2): *Nesse andar, vai demorar meses*. **10** Em prédio ou construção, cada um dos níveis superpostos; PISO; PAVIMENTO.

andarilho (an.da.*ri*.lho) *a.sm.* Que ou quem anda por diversos lugares.

andino (an.*di*.no) *a.* **1** Ref. aos ou dos Andes (cordilheira da América do Sul); típico dessa região ou de seu povo. *sm.* **2** Pessoa nascida nos Andes.

andor (an.*dor*) [ô] *sm.* Padiola enfeitada em que se carregam imagens em procissões.

andorinha (an.do.*ri*.nha) *sf. Zool.* Ave migratória, de corpo preto ou azulado e peito branco.

andrajos (an.*dra*.jos) *smpl.* Roupas velhas, esfarrapadas e sujas.

androceu (an.dro.*ceu*) *sm. Bot.* Conjunto dos órgãos masculinos da flor, chamados estames. [Cf.: *gineceu* (2).]

andrógino (an.*dró*.gi.no) *a.sm.* **1** Que, o que (planta, animal) ou quem tem órgãos reprodutores de ambos os sexos; HERMAFRODITO. **2** Que ou quem tem aparência e/ou comportamento sexual indefinido entre os dois sexos. ● **an.dro.gi.*ni*.a** *sf.*

androide (an.*droi*.de) *sm.* Ser artificial semelhante ao homem, física e psicologicamente.

anedota (a.ne.*do*.ta) *sf.* **1** Relato curto e engraçado de fato real ou imaginário. **2** Aspecto curioso ou picante sobre personalidade, evento etc.

anedotário (a.ne.do.*tá*.ri:o) *sm.* Coleção de anedotas.

anedótico (a.ne.*dó*.ti.co) *a.* Ref. ao ou que contém anedota.

anel (a.*nel*) *sm.* **1** Aro us. no dedo como enfeite ou símbolo. **2** Cada elo de uma corrente. **3** *Astron.* Cada um dos círculos formados por gelo, pedra e poeira que giram em torno de um planeta. [Pl.: *anéis*.]

anelado (a.ne.*la*.do) *a.* **1** Em forma de ou que tem anel ou anéis. **2** Que é encaracolado, cacheado (diz-se de cabelo).

anelar¹ (a.ne.*lar*) *a2g.* Ver *anular* (2).

anelar² (a.ne.*lar*) *v.* Desejar muito. [*td.*/*ti.* + *por.*] [▶ 1 anel*ar*]

anemia (a.ne.*mi*.a) *sf.* **1** *Med.* Diminuição de glóbulos vermelhos no sangue. **2** *Fig.* Fraqueza, debilidade.

anêmico (a.*nè*.mi.co) *a.sm.* Que ou quem sofre de anemia (1).

anemômetro (a.ne.*mô*.me.tro) *sm. Met.* Instrumento que mede a velocidade e a força dos ventos.

anêmona (a.*nè*.mo.na) *sf.* **1** *Bot.* Planta ornamental de flores grandes e coloridas de mesmo nome. **2** *Zool.* Animal invertebrado marinho, tb. chamado *anêmona-do-mar*.

anestesia (a.nes.te.*si*.a) *sf. Med.* Privação total ou parcial da sensibilidade (corporal), seja por doença seja intencional, por meio de anestésico. **2** Medicamento que produz essa privação, ou processo de sua aplicação. ● **a.nes.te.si.*a*.do** *a.*; **a.nes.te.si.*ar*** *v.*

anestésico (a.nes.*té*.si.co) *a.sm. Med.* Que ou o que (medicamento) diminui ou elimina a sensibilidade à dor (pomada anestésica).

anestesiologia (a.nes.te.si:o.lo.*gi*.a) *sf. Med.* Especialização da medicina que estuda e realiza a aplicação de anestésicos em cirurgias. ● **a.nes.te.si:o.*ló*.gi.co** *a.*; **a.nes.te.si:o.lo.*gis*.ta** *s2g.*

anestesista (a.nes.te.*sis*.ta) *a2g.s2g.* Que ou quem se especializou em anestesiologia.

aneurisma (a.neu.*ris*.ma) *sm. Med.* Dilatação anormal das paredes de uma artéria ou veia.

anexar (a.ne.*xar*) [cs] *v.* **1** Colocar junto, para complementar. [*tdi.* + *a*: *Anexou o cheque ao contrato*.] **2** Incorporar a outro (um país, território etc.). [*td.*: *O país anexou um território vizinho*.] **3** *Inf.* Acrescentar arquivo a uma mensagem eletrônica, para que ambos sejam enviados ao destinatário. [*tdi.* + *a*: *anexar o documento ao* e-mail.] [▶ 1 anex*ar*] ● **a.ne.xa.*ção*** *v.*

anexim (a.ne.*xim*) *sm.* Provérbio, máxima. [Pl.: *-xins*.]

anexo (a.*ne*.xo) [cs] *a.* **1** Que se anexou, apensou: *documentos anexos a um contrato*. **2** Que fica perto ou junto: *Trabalho numa sala anexa à diretoria*. *sm.* **3** Aquilo que se junta como anexo ou complemento: *Os questionários estão no anexo do livro*. **4** Edificação ligada a outra que se considera principal: *o anexo de um hotel*.

anfetamina (an.fe.ta.*mi*.na) *sf. Quím.* Medicamento us. ger. como estimulante.

anfíbio (an.*fí*.bi:o) *sm.* **1** *Zool.* Animal que nasce na água e se adapta tb. ao meio terrestre quando adul-

anfiteatro | animal

to. *a.* **2** De ou próprio dessa espécie de animal. **3** Que pode viver tanto em terra como na água (diz-se de animal ou planta). **4** Que se pode usar tanto em terra quanto na água (veículo *anfíbio*).

anfiteatro (an.fi.te.*a*.tro) *sm.* **1** Antiga construção oval ou circular, com arquibancadas ao redor de uma arena, para espetáculos públicos, lutas e jogos. **2** Auditório com arquibancada e palco para apresentações teatrais, aulas, palestras etc.

anfitrião (an.fi.tri.*ão*) *sm.* Pessoa que recebe convidados para banquete, festa ou qualquer evento. [Pl.: *-ões*. Fem.: *-ã* e *-oa*.]

ânfora (*ân*.fo.ra) *sf.* Vaso grande, us. pelos antigos gregos e romanos para armazenar e transportar líquidos.

angariar (an.ga.ri.*ar*) *v. td.* **1** Obter, ger. dinheiro, por meio de promoções ou pedidos: *O espetáculo angariava fundos para crianças abandonadas.* **2** Conseguir para si: *Rapidamente angariou reputação no meio esportivo.* [▶ **1** angariar] ● **an.ga.ri.a.ção** *sf.*

angelical (an.ge.li.*cal*) *a2g.* **1** Ref. a, de ou próprio de anjo. **2** *Fig.* Puro, imaculado. **3** *Fig.* Perfeitamente belo, lindíssimo. [Pl.: *-cais*.]

angélico (an.*gé*.li.co) *a.* Ver *angelical* (1).

ÂNFORA

angico (an.*gi*.co) *sm. Bot.* Árvore do Brasil, de madeira apreciada.

angina (an.*gi*.na) *sf. Med.* **1** Dor muito intensa, no peito, que ger. se irradia para o braço esquerdo, causada por doença cardíaca. [Tb.: *angina do peito*.] **2** Qualquer inflamação aguda na garganta. ● **an.gi.no.so** *a.*

angiologia (an.gi.o.lo.*gi*.a) *sf. Med.* Parte da medicina que estuda as doenças circulatórias. ● **an.gi.o.lo.gis.ta** *s2g.*

angioplastia (an.gi.o.plas.*ti*.a) *sf. Cir.* Pequena operação para desobstruir um vaso sanguíneo.

angiosperma (an.gi.os.*per*.ma) *sf. Bot.* Espécime das angiospermas, grupo de plantas cuja semente fica dentro do fruto.

anglicanismo (an.gli.ca.*nis*.mo) *sm.* Religião oficial da Inglaterra desde 1534, quando o rei Henrique VIII rompeu com o papa. [Cf.: *protestantismo*.]

anglicano (an.gli.*ca*.no) *a.* **1** Ref. a, do ou próprio do anglicanismo. *a.sm.* **2** Que ou quem é seguidor do anglicanismo.

anglicismo (an.gli.*cis*.mo) *sm. Ling.* Palavra ou expressão do inglês us. em outra língua. [NOTA: No português temos anglicismos de uso muito comum, p.ex.: *show*, *site*, *e-mail*, *set* etc.]

anglo (*an*.glo) *a.sm.* Inglês (1 e 2).

anglo-americano (an.glo-a.me.ri.*ca*.no) *a.* **1** Ref. a, da ou próprio da Grã-Bretanha e dos EUA em conjunto (tradições *anglo-americanas*). **2** Firmado entre a Grã-Bretanha e os EUA (aliança *anglo-americana*). *sm.* **3** Pessoa de origem inglesa e americana. [Pl.: *anglo-americanos*.]

anglo-saxão (an.glo-sa.*xão*) [cs] *a.* **1** Dos anglo-saxões, povos antigos que colonizaram a Inglaterra. **2** Inglês ou de origem inglesa. *sm.* **3** Pessoa pertencente a esses povos. [Pl.: *anglo-saxões*.] [Sin. ger.: *anglo-saxônico*.]

anglo-saxônico (an.glo-sa.*xô*.ni.co) [cs] *a.sm.* Ver *anglo-saxão*.

angolano (an.go.*la*.no) *a.* **1** De Angola (África); típico desse país ou de seu povo. *sm.* **2** Pessoa nascida em Angola; ANGOLENSE.

angorá (an.go.*rá*) *a2g.* **1** Diz-se de raça (de gatos, cabras e coelhos) que tem pelo comprido e fino. *sm.* **2** Tecido ou lã feita com esse pelo. *s2g.* **3** Gato ou gata angorá (1).

angra (*an*.gra) *sf. Geog.* Pequena baía ou enseada que forma um porto natural.

angström (angs.*tröm*) *sm. Fís.* Unidade de medida de comprimento (10^{-10}m). [Símb.: Á]

angu (an.*gu*) *sm. Bras.* **1** *Cul.* Papa grossa feita com farinha de milho (fubá), de mandioca ou de arroz. **2** *Pop.* Briga ou discussão entre muitas pessoas; CONFUSÃO.

angular[1] (an.gu.*lar*) *a.* Ref. a, em forma de, ou em que há ângulo(s): *uma figura angular*.

angular[2] (an.gu.*lar*) *v.* Andar ou fazer (algo) andar ou mover-se provocando trajetória que forma ângulo (em ref. a trajetória anterior). [*Int.*: *Desceu a rua com calma, depois angulou para a esquerda. td.*: *Guga angulou a bola e tirou-a do alcance do adversário.*] [▶ **1** angular] ● **an.gu.la.ção** *sf.*

ângulo (*ân*.gu.lo) *sm.* **1** *Geom.* Figura formada por duas semirretas com a mesma origem, ou por dois semiplanos a partir de uma aresta comum. **2** *Geom.* Medida do afastamento entre essas semirretas ou esses semiplanos. **3** *Fig.* Ponto de vista, perspectiva: *Visto por esse ângulo, o problema é grave.* **4** Canto, esquina, aresta. ● **an.gu.la.do** *a.*

anguloso (an.gu.*lo*.so) [ó] *a.* **1** Em forma de ângulo ou que é cheio de ângulos. **2** *Fig.* Que apresenta ossos salientes: *um homem alto e anguloso*. [Fem. e pl.: [ó].]

angústia (an.*gús*.ti.a) *sf.* **1** Ansiedade intensa; AFLIÇÃO; AGONIA. **2** Sofrimento.

angustiado (an.gus.ti.*a*.do) *a.* Cheio de ou que revela grande preocupação ou angústia; AFLITO; AGONIADO: *angustiado com a demora do resultado*.

angustiante (an.gus.ti.*an*.te) *a2g.* Que causa angústia; AFLITIVO.

angustiar (an.gus.ti.*ar*) *v. td. pr.* Causar ou sofrer angústia, tormento. [▶ **1** angustiar]

anho (*a*.nho) *sm.* Filhote de ovelha; CORDEIRO.

anil (a.*nil*) *sm.* **1** *Quím.* Corante azul extraído de vegetais ou obtido sinteticamente. **2** Tonalidade de azul própria desse corante. [Pl.: *-nis*.] *a2g2n.* **3** Que é dessa cor: *camisolas anil.*

anilado (a.ni.*la*.do) *a.* **1** Da cor do anil; AZULADO. **2** Tingido com anil (1).

anileira (a.ni.*lei*.ra) *sf. Bot.* Planta de que se extrai o anil (1).

anilho (a.*ni*.lho) *sm.* Argola de identificação para animais (p.ex., pombos-correios).

anilina (a.ni.*li*.na) *sf.* **1** *Quím.* Substância corante sintetizada a partir do benzeno. **2** Corante feito com essa substância.

animação (a.ni.ma.*ção*) *sf.* **1** Ação ou resultado de animar(-se). **2** Estado de boa disposição, energia; ENTUSIASMO; VIVACIDADE. **3** Agitação, movimentação: *a animação do recreio*. **4** Alegria, empolgação: *O bloco desfilou na maior animação*. **5** *Cin. Telv.* Técnica de simular o movimento de desenhos ou bonecos por meio de recursos mecânicos ou eletrônicos, us. na produção de filmes, programas de computador etc. **6** *Cin. Telv.* O resultado da animação (5), em filme, programa etc.; DESENHO ANIMADO. [Pl.: *-ções*.] [Ant. (2 a 4): *desanimação*, *desânimo*.]

animado (a.ni.*ma*.do) *a.* **1** Que tem o a que se deu ânimo, vida (tb. *Fig.*); que se mostra bem-disposto, vivaz. **2** Agitado, alegre (festa *animada*). **3** Que tem ou apresenta aspecto de movimento (desenho *animado*).

animador (a.ni.ma.*dor*) [ó] *a.sm.* **1** Que ou quem anima (notícias *animadoras*). **2** *Rád. Telv.* Pessoa que comanda programa de rádio ou televisão com a participação do público. **3** *Cin. Telv.* Pessoa que faz filmes de animação.

animal (a.ni.*mal*) *sm.* **1** Ser vivo organizado, com sensibilidade e capacidade de locomover-se. **2** *Restr.* Animal (1) irracional; BICHO. **3** *Pej.* Pessoa estúpida ou abrutalhada. **4** *Pej.* Pessoa cruel, desumana.

[At! Considerado ofensivo nas acps. 3 e 4.] **5** *Bras. Gír.* Pessoa muito competente naquilo que faz. *a2g.* **6** *Bras. Gír.* Que é espetacular, sensacional (moto animal). **7** Ref. a, de ou próprio de animal. [Pl.: -mais. Aum.: *animalaço.* Dim.: *animalejo, animálculo* e *animalito.*]

animalesco (a.ni.ma.*les*.co) [ê] *a.* **1** Ref. a, de ou próprio de animal (1, 2). **2** *Fig.* Cruel, brutal (conduta animalesca).

animalidade (a.ni.ma.li.*da*.de) *sf.* **1** Caráter, qualidade, condição do que é animal. **2** O conjunto de atributos que definem a condição do que é animal. **3** Manifestação desses atributos no homem.

animalismo (a.ni.ma.*lis*.mo) *sm.* Qualidade ou natureza de animal.

animalizar (a.ni.ma.li.*zar*) *v.* **1** Tornar bruto, bestial. [*td.*: *Animalizou os filhos ao educá-los com violência. pr.*: *Animalizou-se ao viver isolado por vinte anos.*] [▶ animalizar] • **a.ni.ma.li.za.ção** *sf.*

animar (a.ni.*mar*) *v.* **1** Dar ânimo, entusiasmo ou coragem a. [*td.*: *As visitas animaram os pacientes.*] **2** Transmitir ou exprimir sentimento de animação, de vivacidade. [*td.*: *A nova orquestra logo animou o salão. pr.*: *Ânimou-se com as boas notícias.*] [▶ animar]

anímico (a.*ní*.mi.co) *a.* **1** Da ou próprio da alma. **2** Ref. a animismo.

animismo (a.ni.*mis*.mo) *sm. Fil.* Crença segundo a qual todas as pessoas, plantas, animais e fenômenos da natureza possuem uma alma. • **a.ni.mis.ta** *a2g.s2g.*

ânimo (*â*.ni.mo) *sm.* **1** Alma, espírito, ou estado de espírito: *Como está seu ânimo hoje?* **2** Vontade, determinação: *ânimo para trabalhar.*

animosidade (a.ni.mo.si.*da*.de) *sf.* Antipatia, aversão: *Bento não escondia sua animosidade com o primo.*

aninhar (a.ni.*nhar*) *v.* **1** Colocar no ninho. [*td.*: *Aninhou seus filhotes cuidadosamente.*] **2** Dar abrigo a. [*td.*: *Durante anos, aninhou aqueles sonhos.*] **3** Dar aconchego a (alguém ou si mesmo). [*td* (seguido de indicação de lugar): *Aninhou a menina no canto do sofá. pr.*: *Aninhou-se na cama e adormeceu.*] [▶ aninhar]

ânion (*â*.ni.on) *sm. Quím.* Átomo ou grupo de átomos com carga elétrica negativa. [Pl.: *ânions* e (p. us.) *aniones.*]

aniquilar (a.ni.qui.*lar*) *v.* **1** Levar à destruição. [*td.*: *A doença aniquilou o paciente.* **ti.** + *com*: *Aniquilou com o inimigo.*] **2** Abater, prostrar. [*td.*: "...paixão não me aniquila..." (Noel Rosa e Vadico, *Feitiço da vila*).] **3** Reduzir a nada. [*td.*: *Ninguém pode aniquilar os princípios do direito.*] [▶ aniquilar] • a.ni.qui.la.*ção sf.*; **a.ni.qui.la.men**.to *sm.*

anis (a.*nis*) *sm. Bot.* Erva aromatizante us. em balas, xaropes e licores; ERVA-DOCE. [Cf.: *-ses.*]

anisete (a.ni.*se*.te) *sm.* Licor de anis.

anisogamia (a.ni.so.ga.*mi*.a) *sf. Biol.* Reprodução sexuada em que os indivíduos produzem gametas diferentes, como óvulo e espermatozoide; HETEROGAMIA. [Cf.: *isogamia.*] • **a.ni.so.gâ.mi.co** *a.*

anistia (a.nis.*ti*.a) *sf.* Perdão generalizado (tb. *Jur.*): *anistia de multas para os motoristas infratores.*

anistiar (a.nis.ti.*ar*) *v. td.* Conceder anistia a: *anistiar um preso político.* [▶ anistiar]

aniversariante (a.ni.ver.sa.ri.*an*.te) *a2g.s2g.* Que ou quem faz aniversário.

aniversariar (a.ni.ver.sa.ri.*ar*) *v. int. Bras.* Fazer aniversário. [▶ aniversariar]

aniversário (a.ni.ver.*sá*.ri.o) *sm.* **1** Dia em que se completa um ou mais anos de idade: *Hoje é meu aniversário.* **2** Dia em que se completa um ou mais anos da ocorrência de um fato: *Quinze de novembro é o aniversário da Proclamação da República.* **3** Festa comemorativa de aniversário (1, 2): *Foram todos a um aniversário.*

anjinho (an.*ji*.nho) *sm.* **1** Dim. de *anjo.* **2** *Fig.* Criança tranquila e obediente; ANJO. **3** *Fig.* Criança morta; ANJO.

anjo (*an*.jo) *sm.* **1** Ser espiritual que, segundo algumas religiões, serve de mensageiro divino. **2** Representação desse ser, como figura humana e alada, em pinturas, esculturas etc. **3** *Fig.* Pessoa muito bondosa, cordata, ou que aparenta sê-lo. **4** *Fig.* Criança vestida de anjo em cerimônias religiosas. **5** Ver *anjinho* (2 e 3) **▪▪** ~ **da guarda 1** Criatura celestial que se acredita proteger uma pessoa e velar por ela. **2** *Fig.* Pessoa que protege outra e vela por ela.

ano (*a*.no) *sm.* **1** Intervalo de 12 meses, de 1º de janeiro a 31 de dezembro: *o ano de 2009.* **2** Período de 12 meses seguidos que corresponde ao tempo que a Terra leva para completar uma volta em torno do Sol. **▪▪ Fazer ~s** Completar mais um ano de vida; ANIVERSARIAR. **Para o ~** No ano que vem.

ano-bom (a.no-*bom*) *sm.* Dia 1º de janeiro; ANO-NOVO. [Pl.: *anos-bons.*]

anódino (a.*nó*.di.no) *a.* **1** Que alivia as dores (diz-se de medicamento); ANALGÉSICO: *anódino contra dores lombares.* **2** *Fig.* Sem importância; INSIGNIFICANTE.

anófele (a.*nó*.fe.le) *sm. Zool.* O mosquito transmissor da malária.

anoitecer (a.noi.te.*cer*) *v. int.* **1** Cair a noite: *Anoiteceu cedo.* **2** Encontrar-se em algum lugar quando a noite chega: *O grupo anoiteceu no hotel.* [▶ **33** anoite*cer*]. V. impess. na acp. 1.] *sm.* **3** O início, o cair da noite.

ano-luz (a.no-*luz*) *sm. Astron.* Unidade equiv. à distância que a luz percorre no vácuo em um ano à velocidade aproximada de 300.000km/s. [Pl.: *anos-luzes.*]

anomalia (a.no.ma.*li*.a) *sf.* O que se desvia do normal; ANORMALIDADE; ABERRAÇÃO.

anômalo (a.*nô*.ma.lo) *a.* **1** Que apresenta anomalia; ANORMAL. [Ant.: *normal.*] **2** *Gram.* Diz-se de verbo cuja conjugação é muito irregular (p.ex., os verbos *ser* e *ir*).

anonimato (a.no.ni.*ma*.to) *sm.* Estado ou condição de anônimo.

anônimo (a.*nô*.ni.mo) *a.* **1** Que não leva o nome ou a assinatura do autor (carta *anônima*). **2** Cuja autoria não se conhece (denúncia *anônima*). *a.sm.* **3** Que ou quem não revela o seu nome (autor *anônimo*). **4** Que ou quem é desconhecido, sem fama.

ano-novo (a.no-*no*.vo) [ó] *sm.* **1** Ano que começa. **2** Dia 1º de janeiro; ANO-BOM. [Pl.: *anos-novos* [ó].

anorexia (a.no.re.*xi*.a) [cs] *sf. Psiq.* Distúrbio mental em que a pessoa tem medo doentio de engordar e, por isso, recusa-se a comer. [Tb. *anorexia nervosa.*] [Cf.: *bulimia.*]

anoréxico (a.no.*ré*.xi.co) [cs] *a.sm.* **1** Que ou quem sofre de anorexia. *a.* **2** Ref. a, de ou típico de anorexia (sintomas *anoréxicos*).

anormal (a.nor.*mal*) *a2g.* **1** Que não está de acordo com a norma, o padrão; ANÔMALO: *Tem um comportamento anormal.* **2** Fora do comum; EXTRAORDINÁRIO: *Sua habilidade com a bola é anormal.* **3** Que apresenta deficiência física ou mental; EXCEPCIONAL: *É uma criança anormal de nascença.* *sm.* **4** Aquele que é anormal: *O anormal nele atraía e o falar muito, é nunca querer ouvir. s2g.* **5** Pessoa anormal (1). **6** Pessoa anormal (3). [Pl.: *-mais.*] • **a.nor.ma.li.da.de** *sf.*

anorretal (a.nor.re.*tal*) *a2g. Med.* **1** Ref. ao ou do ânus e do reto em conjunto (exame *anorretal*). **2** Localizado no ânus e no reto (fissura *anorretal*). [Pl.: *-tais*]

anotação (a.no.ta.*ção*) *sf.* **1** Ação ou resultado de anotar. **2** Nota, registro. [Pl.: *-ções.*]

anotar (a.no.*tar*) *v.* *td.* **1** Tomar nota de algo. **2** Comentar com anotações: *Anotou o livro criticamente do começo ao fim.* [▶ **1** anotar]

anovulação (a.no.vu.la.*ção*) *sf Med.* Falta de ovulação, natural ou provocada. [Pl.: *-ções.*] ● **a.no.vu.la.tó.ri.o** *a.sm.*

anseio (an.*sei*.o) *sm.* Aspiração ou desejo intenso; ÂNSIA (2): *anseio por uma vida melhor.*

ânsia (*ân*.si:a) *sf.* **1** Inquietação intensa e sofrida; ANGÚSTIA; AFLIÇÃO. **2** Desejo ardente; ANSEIO. ◨ **ânsias** *sfpl.* **3** Náuseas, enjoo.

ansiar (an.si.*ar*) *v.* *ti.* Desejar ardentemente. [+ *por*: *Ansiava pela presença da companheira.*] [▶ **15** ansiar]

ansiedade (an.si:e.*da*.de) *sf.* **1** Sensação de aflição, receio ou agonia, sem causa aparente. **2** Inquietação ou impaciência causada por algum desejo ou vontade: *"...persistia em mim a ansiedade de uma carta de Elisabeth..."* (Josué Montello, *Sempre serás lembrada*).

ansiolítico (an.si:o.*li*.ti.co) *a.sm. Med.* Diz-se de ou medicamento que cessa ou alivia a ansiedade; TRANQUILIZANTE.

ansioso (an.si:*o*.so) [ó] *a.* **1** Que tem ansiedade ou ânsia. **2** Que deseja impacientemente; ÁVIDO: *ansioso por encontrar os pais.* [Fem. e pl.: [ó].]

anspeçada (ans.pe.*ça*.da) *sm.* **1** *Mil.* Antigo posto militar, imediatamente acima de soldado. **2** Militar que tinha essa patente.

anta (*an*.ta) *sf.* **1** *Zool.* Mamífero de focinho prolongado e cauda curta. **2** *Pej.* Pessoa de pouca inteligência. [At! Considerado ofensivo nesta acepção.]

antagônico (an.ta.*gô*.ni.co) *a.* Que é contrário (personalidades antagônicas); OPOSTO.

antagonismo (an.ta.go.*nis*.mo) *sm.* Oposição ou incompatibilidade de ideias, opiniões, sistemas etc.: *antagonismo a uma proposta; uma política em antagonismo com a democracia.*

antagonista (an.ta.go.*nis*.ta) *a2g.s2g.* Que ou quem se opõe a algo ou alguém; OPOSITOR; ADVERSÁRIO.

antagonizar (an.ta.go.ni.*zar*) *v.* Opor-se a (ger. contínua e sistematicamente). [*td.*: *O vendedor antagonizava o concorrente.* *pr.*: *Antagonizei-me com a turma toda.*] [▶ **1** antagonizar]

antártico (an.*tár*.ti.co) *a.* **1** Que se situa no polo sul ou imediações (polo antártico). **2** Que faz parte do ou vive no polo Sul ou em regiões próximas (animais antárticos). [Cf.: *ártico.*]

ante (*an*.te) *prep.* **1** Diante de; em presença de: *Intimidou-se ante o olhar sério do pai.* **2** Em consequência de: *A insegurança do povo cresce ante a violência cotidiana.* **3** Indica direção e movimento: *O criminoso será levado ante o juiz.* **4** Indica causa; por causa de: *Ante a falta de dinheiro, resolveu trabalhar cedo.*

antebraço (an.te.*bra*.ço) *sm.* *Anat.* Parte do braço entre o pulso e o cotovelo.

antecâmara (an.te.*câ*.ma.ra) *sf.* **1** Aposento que antecede a câmara (1), ger. quarto de dormir. **2** Sala de espera; ANTESSALA.

antecedência (an.te.ce.*dên*.ci:a) *sf.* **1** Ação ou resultado de anteceder(-se). **2** Qualidade ou situação daquilo que antecede, precede.

antecedente (an.te.ce.*den*.te) *a2g.sm.* **1** Que ou o que aconteceu ou existiu anteriormente (*antecedentes criminais*); *Seus artigos antecedentes já definiam sua opinião.* **2** *Gram.* Que ou o que (dize-se de termo) ocorre numa oração ou frase e é substituído, mais adiante, por um pronome (p.ex., na frase *Ainda há indígenas que pertencem ao tronco tupi, indígenas* é o antecedente do pronome relativo *que*).

anteceder (an.te.ce.*der*) *v.* **1** Exercer uma ação ou um estado (vir, estar, fazer algo etc.) antes de outro ou de outrem (ou de um evento). [*td.*: *Márcia ia responder, mas Luísa a antecedeu.* *tdi.* + *a*: *As críticas antecederam aos elogios.*] **2** Ocorrer ou existir (fato, tempo, pessoa) antes de (outro, outrem). [*td.*: *A revolta dos marinheiros antecedeu a revolução de 1964.* *ti.* + *a*: *Beethoven antecedeu a Brahms.*] [Sin. ger.: *preceder.*] [▶ **2** anteceder]

antecessor (an.te.ces.*sor*) *a.sm.* Que ou quem antecede ou precede: *O antecessor do presidente renunciou ao cargo.*

antecipação (an.te.ci.pa.*ção*) *sf.* **1** Ação ou resultado de antecipar, de fazer com que algo ocorra antes do tempo normal ou previsto: *A antecipação das provas pegou os alunos de surpresa.* **2** Aquilo que precede um acontecimento futuro: *Este texto é uma antecipação ao artigo que sairá amanhã.* [Pl.: *-ções.*]

antecipar (an.te.ci.*par*) *v.* **1** Fazer, realizar (algo, ação própria) antes do tempo previsto. [*td.*: *Antecipou sua festa de aniversário.* *pr.*: *Ia chegar no domingo, mas antecipou-se e chegou no sábado.*] **2** Fazer algo antes de outrem ou antes de um evento; tomar a dianteira. [*pr.*: *Fez a prova rapidamente, e antecipou-se a todos na entrega.*] **3** Chegar antes de; PRECEDER. [*td.*: *Apressou-se para o encontro, mas ela o antecipou assim mesmo.*] **4** Dar indício de, ou perceber (algo) com antecipação. [*td.*: *A carta antecipou sua chegada.*] **5** Avisar, comunicar com antecedência. [*tdi.* + *a*: *Antecipou a notícia ao amigo.*] [▶ **1** antecipar] ● **an.te.ci.*pa*.do** *a.*

antedata (an.te.*da*.ta) *sf.* Data anterior à atual, que é posta num documento para fazer crer que foi feito naquele dia. [Ant.: *pós-data.*]

antedatar (an.te.da.*tar*) *v.* *td.* Colocar data anterior em: *Antedatou o texto e o enviou à editora.* [▶ **1** antedatar] ● **an.te.da.*ta*.do** *a.* [Cf.: *pré-datar.*] [Ant.: *pós-datar.*]

antediluviano (an.te.di.lu.vi:*a*.no) *a.* **1** Anterior ao dilúvio narrado na Bíblia; PRÉ-DILUVIANO. **2** *Fig.* Muito antigo.

antegozar (an.te.go.*zar*) *v.* *td.* Gozar antecipadamente; PRELIBAR: *Antegozava a satisfação de encontrar o amigo no dia seguinte.* [▶ **1** antegozar]

antegozo (an.te.*go*.zo) [ô] *sm.* Ação ou resultado de antegozar.

antemão (an.te.*mão*) *adv.* Us. na loc. **De ~** = Antecipadamente, logo de saída: *Avisou, de antemão, que só chegaria às 11h.*

antemeridiano (an.te.me.ri.di:*a*.no) *a.* Anterior ao meio-dia. [Ant.: *pós-meridiano.*]

🌐 **ante meridiem** (*Lat.*/*ante meridiem*/) *loc.adv.* Expressão que denota hora ante-meridiana, ou seja, antes do meio-dia. [Abr.: *a.m.*] [Cf.: *post-meridiem.*]

antena (an.*te*.na) *sf.* **1** Dispositivo de vários tamanhos e formas, que tem a função de receber ou transmitir ondas eletromagnéticas: *antena de televisão.* **2** *Anat. Zool.* Cada um dos pequenos prolongamentos da cabeça dos insetos, crustáceos etc. com função sensitiva. **De ~(s) ligada(s)** Atento, alerta ao que se passa.

antenado (an.te.*na*.do) *a.* **1** Que tem antenas. **2** *Bras. Fig. Gír.* Que está ou procura estar bem informado sobre o que acontece à sua volta: *Era um jornalista antenado com os bastidores da política.* ● **an.te.*nar*-se** *v.*

antenista (an.te.*nis*.ta) *s2g.* Profissional que instala ou conserta antenas.

anteontem (an.te:*on*.tem) *adv.* No dia anterior ao de ontem.

anteparo (an.te.*pa*.ro) *sm.* Qualquer objeto (tb. biombo, tabique etc.) que se põe diante de alguém ou de algo para ocultá-lo ou protegê-lo.

antepassado (an.te.pas.*sa*.do) *sm.* **1** Pessoa que se descende; ASCENDENTE. ◨ **antepassados** *smpl.* **2** Gerações anteriores de uma pessoa; ASCENDÊNCIA.

antepasto (an.te.*pas*.to) *sm.* Iguarias que se servem antes do primeiro prato de uma refeição.

antepenúltimo (an.te.pe.*núl*.ti.mo) *a.* Que vem antes do penúltimo.

antepor (an.te.*por*) [ô] *v.* **1** Pôr(-se) ou colocar(-se) antes (no tempo ou no espaço). [*td.*: *Ao escrever uma carta, antepanha sempre a data.* *tdi.* + *a*: *antepor o estudo ao lazer.* *pr.*: *Apressou-se para a fila e se antepôs a todos.*] **2** Ter preferência por. [*tdi.* + *a*: *Em seu relacionamento, sempre antepanha a sinceridade a qualquer outra qualidade.*] [▶ **60** ante**por**] ● **an.te.po.si.ção** *sf.*; **an.te.pos.to** *a.*

anteprojeto (an.te.pro.*je*.to) *sm.* Estudo preparatório de um projeto: *anteprojeto de lei.*

antera (an.*te*.ra) *sf. Bot.* Parte aumentada do estame das flores, e que contém os grãos de pólen.

anterior (an.te.ri:*or*) [ô] *a2g.* **1** Que acontece ou se fez ou se situa antes (dia *anterior*). **2** Situado na frente: *O motor fica na parte anterior do carro.* [Ant. ger.: *posterior.*] ● **an.te.ri:o.ri.da.de** *sf.*

antes (*an*.tes) *adv.* **1** Em tempo ou lugar anterior: *Saiu antes por causa do trânsito.* **2** Antigamente: *Antes se estudava latim nas escolas.* **3** Melhor: *Antes prestigiado no interior que invisível na cidade.* **4** Em primeiro lugar: *Antes o futebol, depois o churrasco.* ※ ~ **assim** Melhor assim. ~ **de 1** Em tempo anterior a: *O goleiro casou antes da Copa.* **2** No espaço que antecede a: *Vai desfilar antes da bateria.* **3** Mais perto que: *Minha rua fica antes da sua.* ~ **que** Indica antecipação de atitude, de visão etc.: *Pagou a conta antes que a amiga abrisse a bolsa.* **O quanto** ~ O mais cedo possível. **Quanto** ~ Quanto mais cedo.

antessala (an.tes.*sa*.la) *sf.* Sala de espera que antecede a sala principal; ANTECÂMARA. [Pl.: *antessalas.*]

antever (an.te.*ver*) [ê] *v. td.* **1** Ver antes: *Não conseguiu antever o buraco em que cairia.* **2** Prever, pressagiar: "...meu destino, ele já antevia, era o de um fracassado." (João Ubaldo Ribeiro, *Diário do farol*). [▶ **32** ante**ver**. Part.: *antevisto.*] ● **an.te.vi.são** *sf.*

antevéspera (an.te.*vés*.pe.ra) *sf.* Dia que antecede a véspera.

antiácido (an.ti.*á*.ci.do) *a.sm. Med.* Que ou o que (remédio) combate a acidez do estômago.

antiaderente (an.ti.a.de.*ren*.te) *a2g.s2g.* **1** Que ou o que (material) é aplicado a objeto ou utensílio, ger. de cozinha, impedindo que grude em outro ou que algo nele grude. *a2g.* **2** Revestido com esse material (frigideira *antiaderente*).

antiaéreo (an.ti.a.*é*.re:o) *a.* **1** Que defende ou protege de ataques aéreos (abrigo *antiaéreo*). **2** Que se opõe a ataques aéreos ou serve para combatê-los (míssil *antiaéreo*).

antialérgico (an.ti:a.*lér*.gi.co) *a.sm.* **1** *Med.* Que ou o que (medicamento) atua contra alergias. *a.* **2** Que não causa alergias (travesseiro *antialérgico*).

antiamericano (an.ti.a.me.ri.*ca*.no) *a.sm.* Que ou quem é contra os americanos ou os EUA.

antibacteriano (an.ti.bac.te.ri:*a*.no) *a.sm. Med.* Que ou o que (remédio) combate bactérias.

antibiótico (an.ti.bi:*ó*.ti.co) *a.sm. Med.* Que ou o que (medicamento) impede o crescimento de bactérias e/ou vírus ou é capaz de destruí-los.

anticancerígeno (an.ti.can.ce.*rí*.ge.no) *a.sm. Med.* Que ou o que previne ou combate o câncer.

anticaspa (an.ti.*cas*.pa) *a2g2n.sm.* Que ou o que evita ou combate a caspa.

anticiclone (an.ti.ci.*clo*.ne) *sm. Met.* Zona de altas pressões atmosféricas, difusoras de vento, e em que o tempo se apresenta bom e seco. [Cf. *ciclone.*]

anticlerical (an.ti.cle.ri.*cal*) *a2g.s2g.* Que ou quem é contrário ao clero. [Pl.: *-cais.*]

anticlímax (an.ti.*clí*.max) [cs] *sm2n.* Fato, cena de filme, peça teatral etc.), situação etc. que frustra a expectativa de um clímax por ser menos intenso, às vezes decepcionante.

anticoagulante (an.ti.co:a.gu.*lan*.te) *a2g.sm. Med.* Que ou o que (medicamento) impede ou retarda a coagulação do sangue.

anticoncepcional (an.ti.con.cep.ci:o.*nal*) *a2g.sm. Med.* Que ou o que evita a gravidez (pílula anticon-cepcional); CONTRACEPTIVO. [Pl.: *-nais.*] ● **an.ti.con.cep.ção** *sf.*

anticonstitucional (an.ti.cons.ti.tu.ci:o.*nal*) *a2g.* Que desrespeita ou contraria o que diz a Constituição de um país. [Pl.: *-nais.*] [Cf.: *inconstitucional.*]

anticonvulsivo (an.ti.con.vul.*si*.vo) *a.sm. Med.* Que ou o que (medicamento) previne ou combate convulsões.

anticorpo (an.ti.*cor*.po) [ô] *sm. Med.* Proteína produzida pelo organismo e presente no sangue, como reação à proliferação de germes, toxinas e bactérias. [Pl.: [ó].] [Cf.: *antígeno.*]

anticorrosivo (an.ti.cor.ro.*si*.vo) *a.sm.* Que ou o que impede a corrosão.

anticristo (an.ti.*cris*.to) *sm. Rel.* Personagem adversário do bem, que, segundo o livro do Apocalipse, surgirá no mundo, no final dos tempos, para espalhar a maldade até ser vencido por Cristo.

antidemocrático (an.ti.de.mo.*crá*.ti.co) *a.* Que se opõe à democracia.

antidepressivo (an.ti.de.pres.*si*.vo) *a.sm. Med.* Que ou o que (medicamento) trata ou evita a depressão.

antiderrapante (an.ti.der.ra.*pan*.te) *a2g.sm.* Que ou o que impede derrapagens e/ou escorregões.

⊕ **antidoping** (Ing. /antidópin/) *a2g2n.* Que serve ou se faz para detectar o *doping* (exames *antidoping*).

antídoto (an.*tí*.do.to) *sm. Med.* Medicamento que neutraliza os efeitos de um veneno; CONTRAVENENO: *antídoto contra picada de cobra.*

antieconômico (an.ti.e.co.*nô*.mi.co) *a.* **1** Que acarreta um alto custo final, ger. acompanhado de baixa produtividade: *A pulverização é um método antieconômico e antieconômico.* **2** Contra a boa administração da economia (medidas *antieconômicas*).

antiespasmódico (an.ti:es.pas.*mó*.di.co) *a.sm. Med.* Que ou o que elimina ou alivia os espasmos.

antiesportivo (an.ti:es.por.*ti*.vo) *a.* Que não respeita as regras ou a competição esportiva: *O jogador teve uma atitude antiesportiva.*

antiestético (an.ti:es.*té*.ti.co) *a.* De mau gosto, desproporcional ou desprovido de beleza; contrário à estética.

antiético (an.ti.*é*.ti.co) *a.* Contrário à ética. [Cf.: *aético.*]

antifebril (an.ti.fe.*bril*) *a2g.sm. Med.* Ver *antitérmico* (2). [Pl.: *-bris.*]

antífona (an.*tí*.fo.na) *sf. Litu.* Pequeno verso cantado ou recitado antes e depois de um salmo e repetido pelo coro.

antífrase (an.*tí*.fra.se) *sf. Ling.* Uso de uma palavra ou frase em sentido oposto ao usual. [Cf.: *eufemismo.*]

antigamente (an.ti.ga.*men*.te) *adv.* Em épocas passadas; há muito tempo.

antígeno (an.*tí*.ge.no) *sm. Med.* Substância que provoca a formação de anticorpos específicos num organismo.

antiginástica (an.ti.gi.*nás*.ti.ca) *sf.* Ginástica suave que, por meio de técnicas de relaxamento, visa corrigir vícios de postura.

antigo (an.*ti*.go) *a.* **1** Que é ou existe há muito tempo: *Os índios são antigos habitantes desta floresta.* **2** Que existiu ou aconteceu em épocas passadas: *o antigo Império Romano.* [Superl.: *antiquíssimo, antiguíssimo.*]

antigripal (an.ti.gri.*pal*) *a2g.sm. Med.* Que ou o que (medicamento) combate ou previne a gripe ou os seus sintomas. [Pl.: *-pais*.]

antiguidade (an.ti.gui.*da*.de) *sf.* **1** Qualidade ou condição de antigo. **2** Tempo de serviço em determinada função: *O funcionário foi promovido por antiguidade*. **3** Objeto antigo, raro, a que se atribui valor artístico, cultural etc.: *loja de antiguidades*. ◪ **Antiguidade** *sf.* **4** *Hist.* Período que compreende a época do nascimento das mais antigas civilizações até a queda do Império Romano, no séc. V.

anti-herói (an.ti-he.*rói*) *sm.* Protagonista que não possui as características de um herói clássico: *Macunaíma é um anti-herói brasileiro*. [Pl.: *anti-heróis*.]

anti-higiênico (an.ti-hi.gi.*ê*.ni.co) *a.* Que não segue ou que contraria as normas da higiene. [Pl.: *anti-higiênicos*.]

anti-histamínico (an.ti-his.ta.*mí*.ni.co) *a.sm. Med.* Que ou o que (medicamento) combate a ação da histamina e se usa esp. no tratamento das alergias. [Pl.: *anti-histamínicos*.]

anti-horário (an.ti-ho.*rá*.ri:o) *a.* Cuja rotação é em sentido contrário ao do movimento dos ponteiros do relógio. [Pl.: *anti-horários*.]

anti-imperialista (an.ti-im.pe.ri:a.*lis*.ta) *a2g.* **1** Ref. ao, do ou próprio de ideia ou atitude contra o imperialismo (política antiimperialista). *a2g.s2g.* **2** Que ou quem é contrário ao imperialismo (governo anti-imperialista).

anti-inflacionário (an.ti-in.fla.ci:o.*ná*.ri:o) *a.* Que combate ou reduz a inflação: *O governo adotou medidas anti-inflacionárias*.

anti-inflamatório (an.ti-in.fla.ma.*tó*.ri:o) *a.sm. Med.* Que ou o que (medicamento) combate inflamação.

antilhano (an.ti.*lha*.no) *a.* **1** Das Antilhas (América Central); típico desse arquipélago ou de seu povo. *sm.* **2** Pessoa nascida nas Antilhas.

antílope (an.*tí*.lo.pe) *sm. Zool.* Mamífero ruminante, de chifres longos, encontrado esp. na África.

antimíssil (an.ti.*mís*.sil) *a2g(2n).sm. Mil.* Que ou o que se destina a interceptar e/ou destruir mísseis. [Pl.: *-seis*.] [NOTA: O adj. tem sido mais us. como *a2n*: *mísseis antimíssil*.]

antimotim (an.ti.mo.*tim*) *a2g2n.* Destinado a prevenir ou combater motins: *O batalhão antimotim dispersou os manifestantes*.

antinatural (an.ti.na.tu.*ral*) *a.* Que é contrário ou se opõe à natureza ou ao que é natural (alimentação antinatural). [Pl.: *-rais*.]

antinuclear (an.ti.nu.cle.*ar*) *a.* **1** Que se opõe ao uso de armas nucleares ou da energia nuclear (política antinuclear). **2** Que protege dos efeitos da radiação nuclear (abrigo antinuclear).

antiofídico (an.ti:o.*fí*.di.co) *a.sm.* Que ou o que combate a ação de veneno de cobra (diz-se de substância, soro etc.)

antioxidante (an.ti:o.xi.*dan*.te) [cs] *a2g.sm.* Que ou o que reduz ou elimina os efeitos da oxidação (inclusive em nível molecular): *O vinho tem propriedades antioxidantes*.

antipatia (an.ti.pa.*ti*.a) *sf.* **1** Sentimento de aversão espontânea por algo ou alguém: *Tinha grande antipatia pelo vizinho*. **2** Condição ou impressão daquele que demonstra antipatia (1) ou que desperta nos outros antipatia (1) por ele: *A sua antipatia afasta novas amizades*. [Cf.: *empatia*.] [Ant.: *simpatia*.]

antipático (an.ti.*pá*.ti.co) *a.* **1** Que desperta (coisa ou pessoa) antipatia (1) (para com ela mesma) (atitude antipática). **2** Que sente ou revela antipatia (1): *Meu pai é antipático aos modismos; Foi antipático com ela*. *sm.* **3** Pessoa antipática. [Ant.: *simpático*. Superl.: *antipaticíssimo*.]

antipatizar (an.ti.pa.ti.*zar*) *v. ti.* Sentir antipatia. [+ *com*: *Antipatizava com os prepotentes*.] [▶ **1** antipatizar]

antipatriótico (an.ti.pa.tri:*ó*.ti.co) *a.* Que é contrário aos interesses da pátria ou ao sentimento de amor à pátria.

antipedagógico (an.ti.pe.da.*gó*.gi.co) *a.* Que é contrário aos princípios da pedagogia.

antiperspirante (an.ti-pers.pi.*ran*.te) *a2g.sm.* Que ou o que (substância) impede a transpiração; ANTITRANSPIRANTE.

antipessoal (an.ti.pes.so.*al*) *a2g.(2n). Mil.* Us. contra pessoas, e não contra instalações (diz-se de arma) (minas antipessoal/antipessoais). [NOTA: Us. como *a2n*. ou com flexão no pl.]

antipirético (an.ti.pi.*ré*.ti.co) *a2g.sm. Med.* Ver *antitérmico* (2).

antípoda (an.*tí*.po.da) *s2g.* Em relação ao habitante da Terra, quem vive em ponto diametralmente oposto: *Os japoneses são antípodas dos brasileiros*.

antipoluente (an.ti.po.lu:*en*.te) *a2g.sm.* Que ou o que (substância ou sistema) serve para diminuir a poluição do meio ambiente.

antiquado (an.ti.*qua*.do) *a.* Que é ou ficou fora de moda (ideias antiquadas); DESUSADO; ULTRAPASSADO.

antiquário (an.ti.*quá*.ri:o) *sm.* **1** Pessoa que coleciona ou vende objetos antigos e raros. **2** Estabelecimento que se vendem coisas antigas de valor.

antirrábico (an.tir.*rá*.bi.co) *a.* Que evita ou combate a raiva ou hidrofobia: *Mordido pelo cachorro, precisou tomar vacina antirrábica*. [Pl.: *antirrábicos*.]

antissemita (an.tis.se.*mi*.ta) *a2g.s2g.* Que ou quem tem preconceito contra ou é hostil aos semitas, esp. aos judeus. [Pl.: *antissemitas*.] • an.tis.se.mi.*tis*.mo *sm*.

antisséptico (an.tis.*sép*.ti.co) *a.sm.* Que ou o que impede a proliferação de agentes infecciosos, destruindo-os: *O antisséptico foi eficiente no tratamento da ferida*. [Pl.: *antissépticos*.] • an.tis.sep.si.a *sf*.

antissocial (an.tis.so.ci:*al*) *a2g.* Que é contrário ou que não respeita hábitos e convenções sociais. [Pl.: *antissociais*.]

antitabagismo (an.ti.ta.ba.*gis*.mo) *sm.* Movimento, opinião ou sentimento contra o tabagismo, ou vício de fumar. • an.ti.ta.ba.*gis*.ta *a*.

antitanque (an.ti.*tan*.que) *a2g2n.* Destinado ao combate a tanques de guerra ou à proteção contra eles (arma antitanque, abrigo antitanque).

antitérmico (an.ti.*tér*.mi.co) *a.* **1** Que protege do calor (revestimento antitérmico). *a.sm.* **2** *Med.* Que ou o que (medicamento) combate a febre; ANTIPIRÉTICO; ANTIFEBRIL.

antiterrorista (an.ti.ter.ro.*ris*.ta) *a2g.s2g.* Que ou quem é contrário ao terrorismo ou o combate (lei antiterrorista). • an.ti.ter.ro.*ris*.mo *sm*.

antítese (an.*tí*.te.se) *sf.* **1** Oposição entre duas palavras ou ideias: *O dia é a antítese da noite*. **2** *Ret.* Figura de linguagem que consiste em usar de modo simétrico palavras ou pensamentos de sentido oposto para intensificar-lhes o contraste. [Ex. de antítese: *"Minha tristeza vem da minha alegria"*.]

antitetânico (an.ti.te.*tâ*.ni.co) *a.sm. Med.* Que ou o que previne ou combate o tétano (diz-se de substância) (vacina antitetânica).

antitóxico (an.ti.*tó*.xi.co) [cs] *a.sm.* **1** Que é contra ou combate tóxicos como a cocaína, o *crack* etc.: *A prefeitura criou o Conselho Antitóxico*. *sm.* **2** *Med.* Substância que age contra uma toxina ou um veneno; ANTÍDOTO: *O soro antiofídico é um antitóxico contra o veneno de cobras*. [Cf.: *toxina*.]

antitruste (an.ti.*trus*.te) *a2g2n.* O que limita ou se opõe à formação de trustes, cartéis e monopólios (leis antitruste, controle antitruste).

antiviral, antivirótico (an.ti.vi.*ral*, an.ti.vi.*ró*.ti.co) *a2g.sm.*, *a.sm. Med.* Que ou aquilo (agente) que combate vírus: *Nova droga antiviral foi testada.* [Pl. de *antiviral*: *-rais*.]

antivírus (an.ti.*ví*.rus) *sm2n. Inf.* Programa us. como proteção contra entrada ou permanência de vírus no computador.

antolhos (an.*to*.lhos) *smpl.* **1** Peças de couro ou de outro material que, colocadas ao lado dos olhos de certos animais, limitam a sua visão lateral, para impedir que espantem. **2** Anteparos para a proteção dos olhos. **3** *Fig.* Visão limitada; compreensão parcial: *Seus antolhos não o deixam entender meus argumentos.*

antologia (an.to.lo.*gi*.a) *sf.* Coletânea de textos (em prosa ou em verso) ou de músicas de um ou vários autores, ou de filmes etc.

antológico (an.to.*ló*.gi.co) *a.* **1** Ref. a antologia. **2** Que merece ser incluído em uma antologia. **3** Que merece ser lembrado; NOTÁVEL; MEMORÁVEL.

antonímia (an.to.*ni*.mi:a) *sf. Ling.* **1** Relação entre palavras antônimas. **2** Lista de antônimos. [Cf. *sinonímia*.]

antônimo (an.*tô*.ni.mo) *sm. Ling.* Palavra ou expressão que tem significado oposto ao de outra (p.ex.: *ir/vir*). [NOTA: Us. tb. como *a.*: *palavra antônima.*] [Cf. *sinônimo*.]

antraz (an.*traz*) *sm. Med.* Infecção grave, causada por bactéria, que ocorre em animais e é transmissível ao ser humano. [P. us. no pl.]

antro (*an*.tro) *sm.* **1** Caverna, gruta que serve ger. de abrigo ou de esconderijo a animais. **2** Lugar onde se reúnem criminosos, viciados, malandros etc., para planejar ou exercer suas atividades.

antropocentrismo (an.tro.po.cen.*tris*.mo) *sm.* Concepção ou doutrina segundo a qual o ser humano é considerado o centro do universo. • **an.tro.po.cên.tri.co** *a.*

antropofagia (an.tro.po.fa.*gi*.a) *sf.* Ação ou condição de antropófago. • **an.tro.po.fá.gi.co** *a.*

antropófago (an.tro.*pó*.fa.go) *a.sm.* Que ou quem come carne humana (tribo *antropófaga*).

antropologia (an.tro.po.lo.*gi*.a) *sf.* Ciência que estuda a espécie humana, sua origem, seu desenvolvimento, seus hábitos etc. • **an.tro.po.ló.gi.co** *a.*

antropólogo (an.tro.*pó*.lo.go) *sm.* Pessoa que se dedica ao estudo da antropologia.

antropomorfismo (an.tro.po.mor.*fis*.mo) *sm. Fil.* **1** Conceito e ação de atribuir a um campo da realidade formas e atributos humanos. **2** Conceito ou ação de atribuir a Deus, aos deuses ou a seres sobrenaturais, formas e qualidades humanas. • **an.tro.po.mór.fi.co** *a.*

antropomorfo (an.tro.po.*mor*.fo) [ó] *a.sm.* Que ou aquilo que tem forma humana e se assemelha ao homem.

antropônimo (an.tro.*pô*.ni.mo) *sm.* Nome próprio de pessoa.

antroposofia (an.tro.po.so.*fi*.a) *sf.* Conjunto particular de ideias e procedimentos que visam ao conhecimento da natureza espiritual e moral do ser humano. • **an.tro.po.só.fi.co** *a.*

antúrio (an.*tú*.ri:o) *sm. Bot.* Planta ornamental, de folhas grandes e flores vermelhas, que cresce ao abrigo do vento.

anu, anum (a.*nu*, a.*num*) *sm. Bras. Zool.* Certo pássaro de longa cauda e bico forte. [Pl. de *anum*: *anuns*.]

anual (a.nu:*al*) *a2g.* **1** Que ocorre, é realizado ou publicado uma vez por ano (reunião anual). **2** Que dura ou é válido por um ano (contrato anual). [Pl.: *-ais*.]

anuário (a.nu:*á*.ri:o) *sm.* Publicação anual (esp. a que registra as principais ocorrências e atividades de uma instituição ou empresa num determinado ano).

anuidade (a.nu:i.*da*.de) *sf.* Quantia a ser paga uma vez por ano: *anuidade do cartão de crédito.*

anuir (a.nu.*ir*) *v. ti.* Concordar, consentir; AQUIESCER. [+ *a*, *em*: *Era cordato e anuía em tudo.*] [▶ **56** an**uir**] • **a.nu:ên.ci:a** *sf.*; **a.nu:en.te** *a2g.s2g.*

anulação (a.nu.la.*ção*) *sf.* **1** Ação ou resultado de anular. ◼ **Anulação** *sf.* **2** *Teol.* Passagem específica da Bíblia, narrada por Lucas, em que um anjo faz o anúncio a Maria de que seria mãe do Filho de Deus. **3** *Rel.* Festa da Igreja Católica em que se comemora a Anunciação. [Pl.: *-ções*.]

anular (a.nu.*lar*) *v.* **1** Tornar(-se) nulo, sem préstimo, sem validade (tb. *Fig.*). [*td*.: *Os juízes anulou o concurso.* *pr.*: *O jogador atuou bem no início, mas depois anulou-se.*] [▶ **1** anul**ar**] *a.* **2** Ref. a anel, ou em que se costuma usar anel (dedo anular); ANELAR[1]. **3** O dedo anular (2), da mão, entre o médio e o mínimo. • **a.nu.la.ção** *sf.*; **a.nu.la.dor** *a.sm.*; **a.nu.lá.vel** *a.*

anunciação (a.nun.ci:a.*ção*) *sf.* **1** Ação ou resultado de anunciar. ◼ **Anunciação** *sf.* **2** *Teol.* Passagem específica da Bíblia, narrada por Lucas, em que um anjo faz o anúncio a Maria de que seria mãe do Filho de Deus. **3** *Rel.* Festa da Igreja Católica em que se comemora a Anunciação. [Pl.: *-ções*.]

anunciante (a.nun.ci:*an*.te) *a2g.s2g.* **1** Que ou quem anuncia. **2** *Publ.* Que ou quem financia anúncios em meios de comunicação.

anunciar (a.nun.ci.*ar*) *v. td.* **1** Divulgar por meio de anúncio: *A empresa anunciou um novo produto.* **2** Revelar, dar a conhecer: *Alguns jornais anunciaram o fim do mundo.* **3** Dar indicação de; PRENUNCIAR: *As nuvens escuras anunciam a chegada da chuva.* **4** Predizer: *Místicos anunciam a chegada dos bons tempos.* **5** Comunicar presença ou chegada de: *O mordomo anunciou as visitas.* [▶ **1** anunci**ar**] [NOTA: Em todas as acps. cabe a regência *tdi.* + *a*, quando se anuncia algo a alguém.]

anúncio (a.*nún*.ci:o) *sm.* **1** Mensagem de propaganda em forma de texto, música, filme etc., para divulgar a qualidade de produto, serviço, atividade etc. *anúncio de refrigerante.* **2** Ação ou resultado de anunciar. **3** Sinal indicativo de alguma coisa; INDÍCIO: *Nuvens escuras são anúncio de chuvas.* ◼ **~ classificado** Pequeno anúncio em seção especializada por assunto, em jornal ou revista. [Tb. apenas *classificado* e/ou *classificados*.]

anuro (a.*nu*.ro) *a.sm.* Que ou o que não tem cauda (diz-se de animal).

ânus (*â*.nus) *sm2n. Anat.* Pequeno orifício localizado no fim do intestino reto, por onde se expelem as fezes ou gases intestinais.

anuviar (a.nu.vi.*ar*) *v.* Ver *nublar*. [▶ **1** anuvi**ar**] • **a.nu.vi:a.do** *a.*; **a.nu.vi:a.men.to** *sm.*

anverso (an.*ver*.so) *sm.* **1** Parte da frente, ou principal, de objeto que possui dois lados: *Responda no anverso da folha.* **2** Parte da medalha ou da moeda (cara) onde se gravou a imagem ou o emblema. [Ant.: *verso*, *reverso*.]

anzol (an.*zol*) *sm.* Gancho pequeno, farpado, no qual se pode colocar uma isca, e que serve para fisgar (ger. peixe). [Pl.: *-zóis*.]

ao Contr. da prep. *a* com o art. def. masc. *o*: *Maria entregou o dever ao professor.* [Cf.: *crase*.]

aonde (a.*on*.de) *adv.* A ou para qual lugar: *Aonde vocês vão?*

aorta (a.*or*.ta) *sf. Anat.* Nome da principal artéria do corpo, que sai do ventrículo esquerdo do coração, e da qual se ramificam as demais artérias. • **a.ór.ti.co** *a.*

apache (a.*pa*.che) *a2g.s2g.* Ref. a ou membro de certo povo indígena dos Estados Unidos (língua apache).

apadrinhar (a.pa.dri.*nhar*) *v. td.* **1** Ser padrinho de: *Apadrinhou o filho do sócio.* **2** Proteger, favorecer (alguém): *O deputado apadrinhou o amigo, e conseguiu-lhe um bom emprego.* [▶ **1** apadrinh**ar**] • **a.pa.dri.nha.men.to** *sm.*

apagador (a.pa.ga.*dor*) [ô] *sm.* **1** Objeto us. para apagar o que se escreveu em quadro com giz ou similar. *a.* **2** Que apaga.

apagão (a.pa.gão) sm. Interrupção repentina no fornecimento de eletricidade que atinge um bairro, uma cidade etc. e/ou a escuridão e demais consequências daí resultantes; BLECAUTE. [Pl.: -gões.]

apagar (a.pa.gar) v. **1** Cessar ou fazer cessar fogo ou luz. [td.: Os bombeiros apagaram o fogo; As pessoas apagam a luz antes de dormir. int./pr.: O fogo apagou(-se).] **2** Fazer desaparecer o que está escrito, desenhado etc.). [td.: Apagou o desenho (com a borracha).] **3** Fazer desaparecer ou cair no esquecimento. [td.: "...era a única que poderia apagar a lembrança de Lúcia..." (José de Alencar, Lucíola).] **4** Perder a intensidade (a cor). [int.: As cores continuam fortes, mas o verde apagou.] **5** Bras. Pop. Morrer. [int.: Aquele doente apagou.] **6** Bras. Pop. Matar. [td.: O policial apagou o ladrão.] **7** Bras. Pop. Dormir. [int.: Deitou cedo e apagou.] [▶ **14** apagar] • **a.pa.ga.men.**to sm.

apaixonado (a.pai.xo.na.do) a.sm. **1** Que ou quem se apaixonou; ENAMORADO. **2** Aficionado, entusiasta: Ele é um colecionador apaixonado (por selos). **a.** **3** Cheio de sentimento, de paixão (discurso apaixonado); EXALTADO.

apaixonante (a.pai.xo.nan.te) a2g. Que apaixona, que seduz.

apaixonar (a.pai.xo.nar) v. **1** Provocar entusiasmo. [td.: O trabalho das bailarinas apaixonou o público.] **2** Inspirar paixão sensual, amor. [td.: A graça da moça apaixonou o rapaz.] **3** Ficar dominado pela paixão, pelo amor. [pr.: Logo que viu a moça, apaixonou-se.] [▶ **1** apaixonar] [Ant. ger.: despaixonar.]

apalavrado (a.pa.la.vra.do) a. **1** Combinado verbalmente (acordo apalavrado). **2** Comprometido: O jovem jogador já está apalavrado com um clube italiano.

apalermado (a.pa.ler.ma.do) a.sm. Que ou quem tem jeito de palerma. • **a.pa.ler.**mar v.

apalpadela (a.pal.pa.de.la) sf. Ação ou resultado de apalpar levemente.

apalpar (a.pal.par) v. td. Tocar (algo) com a mão para sentir-lhe a consistência: Apalpou o braço do rapaz. [▶ **1** apalpar] • **a.pal.pa.ção** sf.

apanágio (a.pa.ná.gi.o) sm. Característica particular; ATRIBUTO: A curiosidade é apanágio dos jovens.

apanhado (a.pa.nha.do) sm. **1** Resumo, síntese: A professora fez um apanhado da matéria. **a.sm.** **2** Que ou o que se apanhou.

apanhar (a.pa.nhar) v. **1** Pegar, colher, passar a segurar (tb. para levantar o que caiu). [td.: Foi à geladeira e apanhou o pudim; O livro caiu no chão; você pode apanhá-lo, por favor?] **2** Levar surra, pancada(s). [int.: Metia-se em briga e sempre apanhava. ti. + de: Apanhou do irmão.] **3** Perder partida, competição. [int.: Meu time apanhou feio; seguido de indicação de modo) Meu time apanhou por 3x0. ti. + de: Meu time apanhou do seu.] **4** Capturar. [td.: A polícia apanhou o criminoso.] **5** Surpreender alguém num ato ilícito ou reprovável. [td.: Apanhou o mendigo roubando maçãs.] **6** Pegar doença. [td.: Pegou muita chuva e apanhou um resfriado.] **7** Pegar (condução). [td.: Correu para apanhar o ônibus.] **8** Pegar, ser atingido por (chuva etc.) [td.: Ela saiu sem capa e apanhou muita chuva.] **9** Ter de se esforçar (para cumprir tarefa ou resolver problema). [int.: Apanhei, mas consegui consertar o relógio.] [▶ **1** apanhar] • **a.pa.nha.dor** sm.

apaniguado (a.pa.ni.gua.do) a.sm. Que ou quem é protegido, favorito de (alguém).

apara (a.pa.ra) sf. Pedaço ou resto do que foi aparado: aparas de papel.

aparador (a.pa.ra.dor) [ó] sm. **1** Que ou o que apara, que corta o excesso: aparador de grama. **2** Móvel sobre o qual se põem travessas com a comida a ser servida em uma refeição; BUFÊ.

aparafusar (a.pa.ra.fu.sar) v. td. Fixar com parafuso. [▶ **1** aparafusar]

aparar (a.pa.rar) v. td. **1** Pegar o que estava caindo: Aparou a lâmpada que caía. **2** Cortar a(s) extremidade(s) de: aparar as unhas. **3** Receber (golpe, objeto arremessado) defendendo-se, rebatendo etc.: aparou o golpe/a bola com dificuldade. **4** Tornar mais aguçado: Aparou o lápis e começou a escrever. [▶ **1** aparar]

aparato (a.pa.ra.to) sm. **1** Conjunto de elementos us. para mostrar a capacidade de fazer algo, erudição etc. (aparato militar). **2** Demonstração de luxo; POMPA; FAUSTO. • **a.pa.ra.to.so** a.

aparecer (a.pa.re.cer) v. td. **1** Ficar visível ou passar a ser visto; SURGIR. [int.: Seu tio apareceu na sala. ti. + a: Uma visão apareceu-lhe de repente.] **2** Tornar-se patente, evidente. [int.: Suas tendências políticas apareciam claramente.] **3** Comparecer a um lugar. [int.: O professor apareceu na reunião.] **4** Ser publicado, exibido etc. [int.: O livro e o filme apareceram no fim do ano.] **5** Gostar de ser notado, de ser visto. [int.: Ela gosta muito de aparecer.] [▶ **33** aparecer]

aparecimento (a.pa.re.ci.men.to) sm. **1** Ação ou resultado de aparecer. **2** Origem, começo: O aparecimento do rádio revolucionou a comunicação.

aparelhagem (a.pa.re.lha.gem) sf. Conjunto de aparelhos e acessórios: aparelhagem de som. [Pl.: -gens.]

aparelhar (a.pa.re.lhar) v. **1** Prover de aparelhos, dispositivos etc., ou do que é necessário para certo fim. [td.: O dentista aparelhou seu novo consultório. pr.: Aparelhou-se com os mais modernos equipamentos.] **2** Pôr arreios em (cavalgadura). [td.: Aparelhou o animal e montou.] **3** Desbastar ou dar forma perfeita a (madeira etc.). [td.: Aparelhei uma tábua para fazer a prateleira.] [▶ **1** aparelhar] • **a.pa.re.lha.**do a.; **a.pa.re.lha.men.**to sm.

aparelho (a.pa.re.lho) [ê] sm. **1** Máquina ou equipamento de uso específico: aparelho de ultrassonografia/de barbear. **2** Anat. Grupo de órgãos com uma função específica (aparelho digestório). [Ver tb. sistema.] [NOTA: Na nova nomenclatura anatômica, os aparelhos passaram a se chamar sistemas (p.ex.: sistema respiratório; sistema digestório, anteriormente digestivo; sistema reprodutor etc.).] **3** Conjunto de peças para cada um dos serviços de mesa: aparelho de jantar. ■ ~ **dentário** Peça (móvel ou fixa) para correção da arcada dentária.

aparência (a.pa.rên.ci.a) sf. Forma exterior de alguém ou algo, que se observa de imediato; ASPECTO.

aparentado (a.pa.ren.ta.do) a. **1** Que tem parentesco ou afinidade com (alguém). **2** Que tem parentes importantes: Eles são aparentados aos Silva.

aparentar¹ (a.pa.ren.tar) v. td. **1** Mostrar por meio da aparência externa: "...magríssimo, aparentava grande fraqueza..." (Edgar Allan Poe, O homem da multidão in Mar de histórias 3). **2** Exibir qualidade que não tem; AFETAR: Ele aparenta ser homem de caráter, mas não é. [▶ **1** aparentar]

aparentar² (a.pa.ren.tar) v. Tornar(-se) parente ou aparentado. [td.: O casamento dos filhos aparentou-os. pr.: Com o casamento dos filhos, aparentaram-se.] [▶ **1** aparentar]

aparente (a.pa.ren.te) a2g. **1** Que se pode ver; VISÍVEL. **2** Que tem aparência de, que parece ser, mas não é necessariamente: o aparente movimento do Sol.

aparentemente (a.pa.ren.te.men.te) adv. **1** Na aparência: Aparentemente nervoso, o réu se contradisse. **2** Ao que parece; pelo visto: Aparentemente, o trabalho está bem feito.

aparição (a.pa.ri.ção) sf. **1** Ação ou resultado de aparecer; APARECIMENTO. **2** Fantasma, assombração. [Pl.: -ções.]

apartamento | apêndice

apartamento (a.par.ta.*men*.to) *sm.* **1** Cada uma das várias unidades de moradia em prédio, ger. com todas as dependências necessárias. [F. red.: *apê.*] **2** Quarto com banheiro em hotéis, hospitais etc.

apartar (a.par.*tar*) *v.* **1** Separar pessoas que estão brigando. DESAPARTAR. [*td.*: *Apartou os rapazes que trocavam socos.*] **2** Separar do que estava junto, pondo de parte. [*td.*: *Apartou as frutas estragadas (das boas).*] **3** Tornar distante, desunir, separar, afastar. [*td.*: *As muitas divergências os apartam.* **tdi.** + *de*: *apartar os jovens dos maus exemplos.* **pr.**: *Com tantas divergências entre eles, apartaram-se.*] [▶ **1** apartar] • a.par.ta.ção *sf.*

aparte (a.*par.*te) *sm.* Intervenção de uma pessoa que interrompe o discurso ou a fala de outra.

apartear (a.par.te.*ar*) *v.* Dirigir aparte(s) a (alguém que fala). [*td.*: *Indignado, o deputado aparteou o orador.* **int.**: *Aparteava o tempo todo.*] [▶ **13** apartear]

🌐 **apartheid** (Ing. /*apartáid*/) *sm. Pol.* **1** Regime de segregação racial adotado na África do Sul até 1994, e que privilegiava a população branca em detrimento da negra. **2** Qualquer tipo de segregação ou discriminação.

apart-hotel (a.part-ho.*tel*) *sm.* Prédio de apartamentos com serviços de hotel, como lavanderia, restaurante etc. [Pl.: *apart-hotéis*.]

apartidário (a.par.ti.*dá.*ri.)o *a.* Que não segue ou não tem ligação com qualquer partido político.

aparvalhado (a.par.va.*lha*.do) *a.* **1** Simplório, tolo. **2** Atrapalhado, desorientado.

apascentar (a.pas.cen.*tar*) *v. td.* Levar (ovelhas, gado etc.) ao pasto. [▶ **1** apascentar]

apassivador (a.pas.si.va.*dor*) [ó] *a. Gram.* Que se refere a um sujeito de 3ª pess., cuja representação não é ativa (diz-se do pronome *se*). [Cf.: *pronome, passivo* (2), *voz* (5).]

apassivar (a.pas.si.*var*) *v. td.* **1** Tornar passivo: *A falta de estímulo acabou por apassivá-lo.* **2** *Gram.* Usar ou pôr o verbo na voz passiva. [▶ **1** apassivar] [Cf.: *passivo* (2), *voz* (5).]

apatetado (a.pa.te.*ta*.do) *a.* **1** Meio pateta, meio bobo. *sm.* **2** Desorientado, desnorteado, boquiaberto.

apatia (a.pa.*ti*.a) *sf.* **1** Falta de interesse, de sensibilidade; INDIFERENÇA. **2** Falta de vontade, de energia, INDOLÊNCIA.

apático (a.*pá*.ti.co) *a.* **1** Que apresenta apatia, que está indiferente a tudo. **2** Sem energia, sem animação (time *apático*).

apátrida (a.*pá*.tri.da) *a2g.s2g.* Que ou quem perdeu sua nacionalidade original e não assumiu outra ou a perdeu.

apavorado (a.pa.vo.*ra*.do) *a.* **1** Que se apavorou, que sente pavor (reféns *apavorados*); ATERRORIZADO. **2** Que expressa pavor (olhar *apavorado*).

apavorante (a.pa.vo.*ran*.te) *a2g.* Que causa pavor, medo (história *apavorante*).

apavorar (a.pa.vo.*rar*) *v.* Sentir pavor ou causar pavor a. [*td.*: *Apavorou a colega com suas histórias*; (sem complemento explícito) *Suas histórias apavoram.* **pr.**: *Apavorou-se ao ver o ladrão.*] [▶ **1** apavorar] • a.pa.vo.ra.*men*.to *sm.*

apaziguar (a.pa.zi.*guar*) *v.* Fazer ficar ou ficar em paz (o que estava em conflito, em agitação, em angústia etc.); AQUIETAR(-SE); RECONCILIAR(-SE). [*td.*: "...a praia tivera o dom de apaziguá-la." (Josué Montello, *Um rosto de menina*). **pr.**: *Apaziguou-se com o resto da turma.*] [▶ **9** apaziguar] • a.pa.zi.gua.*men*.to *sm.*; a.pa.zi.gua.*dor* *a.sm.*; a.pa.zi.gua.*men*.to *sm.*

apê (a.*pê*) *sm. Bras. Pop.* F. red. de *apartamento.*

apear (a.pe.*ar*) *v.* **1** Descer ou fazer descer (de montaria, veículo etc.); DESMONTAR. [*td.* (seguido ou não de indicação de lugar): *Apeou a criança do carrinho*; *Ajude a apear a velhinha.* **int.**: *Os cavaleiros apearam*; "...vira um vaqueiro apear de sua égua..." (Antonio Callado, *Bar Don Juan*).] **2** *Fig.* Tirar o posto ou cargo de; DEMITIR. [*td.* (seguido de indicação de lugar): *O diretor apeou os incompetentes de seus cargos.*] [▶ **13** apear] • a.pe:a.*men*.to *sm.*

apedrejar (a.pe.dre.*jar*) *v. td.* Arremessar pedras sobre: *A multidão apedrejou-o impiedosamente.* [▶ **1** apedrejar] [NOTA: Pronuncia-se como [é] o segundo *e* das formas rizotônicas do pres. do ind., pres. do subj. e do imper.] • a.pe.dre.ja.*men*.to *sm.*

apegado (a.pe.*ga*.do) *a.* **1** Que tem apego, afeição; AFEIÇOADO: *rapaz apegado à família.* **2** Fortemente ligado; AFERRADO: *apegado ao trabalho.*

apegar-se (a.pe.*gar*-se) *v. pr.* **1** Sentir apego ou tomar gosto (por alguém ou algo); AFEIÇOAR-SE: *Logo me apeguei aos novos amigos.* **2** Procurar a proteção ou auxílio (de algo ou alguém); RECORRER: *No desespero, apegou-se com seus santos*; "Corina se apegava ao seu terço..." (Josué Montello, *Sempre serás lembrada*). [▶ **14** apegar-se]

apego (a.*pe*.go) [ê] *sm.* **1** Ligação profunda com (princípios, tradições, hábitos): *apego aos valores familiares.* **2** Sentimento de amor ou simpatia por algo ou alguém; AFEIÇÃO; APREÇO: *apego ao teatro/ às amigas.* **3** Grande dedicação: *apego aos estudos.* **4** Desejo intenso de posse: *apego à riqueza/a automóveis.* [Ant.: *desprendimento.*] **5** *Fig.* Fixação por algo, OBSESSÃO: *apego a detalhes/a intrigas.*

apelação (a.pe.la.*ção*) *sf.* **1** Ação ou resultado de apelar, de pedir socorro. **2** *Jur.* Recurso à instância superior, para reavaliação de uma decisão judicial. **3** *Pop.* Uso de meio indevido para conseguir algo, ou esse meio: *Simular ter sofrido pênalti é apelação.* [Pl.: *-ções*.]

apelar (a.pe.*lar*) *v.* **1** Pedir socorro, ajuda de (alguém ou algo). [*ti.* + *a, para*: "...esses moços já apelaram para o ministro..." (Cecília Meireles, *Crônicas de educação* 2).] **2** *Bras. Gír.* Usar (meios violentos ou condenáveis) para resolver um problema. [*ti.* + *para*: *apelar para a força bruta.* **int.**: *Vendo-se humilhado, apelou.*] **3** *Jur.* Pedir reavaliação (de sentença judicial) em instância superior, RECORRER. [*ti.* + *de*: *apelar da sentença.* **int.**: *O promotor desistiu de apelar.*] [▶ **1** apelar] • a.pe.*lan.*te *a2g.s2g.*

apelativo (a.pe.la.*ti*.vo) *a.* **1** Que recorre a apelação (3) (anúncio *apelativo*). *a.sm.* **2** *Ling.* Que ou a que (diz-se de função da linguagem) se concentra na pessoa do ouvinte ou leitor.

apelidar (a.pe.li.*dar*) *v.* Dar apelido a ou chamar (algo, alguém) por apelido. [*td.*: *Apelidaram-no Maneco.* **pr.**: *Apelidou-se 'o Bom'.*] [▶ **1** apelidar]

apelido (a.pe.*li*.do) *sm.* Nome vs. no lugar do (ou acrescentado ao) verdadeiro, para esconder a identidade ou ressaltar característica(s) de quem é nomeado; COGNOME; ALCUNHA.

apelo (a.*pe*.lo) [ê] *sm.* **1** Pedido, convite, chamamento para ação, auxílio etc.: *Fez um apelo em favor dos pobres.* **2** Uma vocação, ideal etc.): *o apelo das artes.* **3** Estímulo (a um determinado comportamento): *apelo à solidariedade.* **4** Qualidade atribuída a algo, ou que algo tem, para chamar a atenção: *o apelo visual de um anúncio.*

apenas (a.pe.nas) *adv.* **1** Somente, só: *Ela parecia ter apenas 15 anos.* **2** Com dificuldade, a custo: *A velhinha apenas se arrastava.* **3** Logo que, assim que, mal: *Apenas saiu, começou a chover.*

apêndice (a.*pên*.di.ce) *sm.* **1** *Anat.* Prolongamento ou parte acessória de um órgão, esp. o que está apenso ao ceco. [Ver *apêndice ileocecal.*] **2** ANEXO: *As tabelas estão no apêndice do livro.* ⬛ ~ **ileocecal** Saliência do ceco, sem função fisiológica. [Tb. apenas *apêndice.*]

apendicite (a.pen.di.ci.te) *sf. Med.* Inflamação do apêndice ileocecal.

apenso (a.pen.so) *a.sm.* Que ou aquilo que se junta como complemento; ANEXO. • **a.pen.sar** *v.*

apequenar (a.pe.que.nar) *v.* **1** Tornar(-se) ou fazer(-se) pequeno ou parecer pequeno ou menor; DIMINUIR(-SE); REDUZIR(-SE). [*td.*: *As grossas lentes apequenam os olhos. pr.*: *Apequenou-se para passar pela porta.*] **2** *Fig.* Diminuir o valor de. [*td.*: *O chefe costuma apequenar os funcionários. pr.*: *Apequenou-se diante do adversário.*] [▶ 1 apequenar]

aperceber (a.per.ce.ber) *v.* **1** Pôr(-se) em condições de agir; PREPARAR(-SE). [*td.*: *O capitão mandou aperceber os soldados. pr.*: *aperceber-se para a luta.*] **2** Passar a conhecer ou ver (o que está próximo); PERCEBER; NOTAR. [*pr.*: "...nem se apercebia do lugar em que estava." (José de Alencar, *O tronco do ipê*).] [▶ 2 aperceber]

aperfeiçoar (a.per.fei.ço.ar) *v.* **1** Tornar melhor (algo ou alguém que já é bom). [*td.*: *aperfeiçoar os métodos. pr.*: *aperfeiçoar-se nos estudos.*] **2** Concluir com qualidade (o que está quase pronto); ARREMATAR. [*td.*: *aperfeiçoar um relatório.*] **3** Tornar-se exímio no que faz; ESPECIALIZAR-SE. [*pr.*: *aperfeiçoar-se em medicina.*] [▶ 10 aperfeiçoar] • **a.per.fei.ço.a.do** *a.*; **a.per.fei.ço.a.men.to** *sm.*

aperitivo (a.pe.ri.ti.vo) *a.sm.* **1** Que ou o que se come ou se bebe para abrir o apetite. *sm.* **2** *Fig.* O que antecede um acontecimento, estimulando a curiosidade, o interesse: *O ensaio aberto foi um aperitivo para a peça.*

aperrear (a.per.re.ar) *v.* Incomodar(-se), ger. com insistência; AMOFINAR(-SE); APOQUENTAR(-SE). [*td.*: *Aperreava a irmã caçula. pr.*: *Por qualquer motivo se aperreia.*] [▶ 13 aperrear] • **a.per.re:a.ção** *sf.*; **a.per.re.a.do** *a.*

apertado (a.per.ta.do) *a.* **1** Com pouca folga, de tempo ou de espaço (prazo *apertado*, recinto *apertado*). **2** Que está muito junto, que comprime (abraço *apertado*, lábios *apertados*). **3** Que aperta (sapato *apertado*). **4** Estreito, espremido (passagem *apertada*). **5** *Fig.* Com recursos reduzidos (orçamento *apertado*, vida *apertada*). **6** *Fig.* Cheio de angústia (coração *apertado*); AFLITO. **7** *Fig.* Em que há pouca diferença (entre resultados de competidores, em número de pontos ou de gols etc.) (placar *apertado*). *adv.* **8** Com dificuldade; a duras penas: *Nosso time venceu apertado.* ■ **Estar ~** *Pop.* Estar com muita vontade de urinar ou defecar.

apertar (a.per.tar) *v.* **1** Exercer pressão sobre, para acionar ou comprimir; PREMER. [*td.*: *apertar o botão da campainha/o pedal do freio/o gatilho.*] **2** Segurar e pressionar com força. [*td.*: *apertar as mãos*; *Apertou a massinha até achatá-la bem.*] **3** Cingir estreitamente com os braços. [*td.*: *Apertou o amigo num abraço fraternal. pr.*: *Apertaram-se num abraço.*] **4** Ajustar para que não fique folgado ou frouxo. [*td.*: *apertar parafusos/uma saia.*] [Ant.: *afrouxar*.] **5** Ficar ou fazer ficar muito junto, com pouca folga ou espaço. [*td.*: *Apertou os alunos numa sala muito pequena. pr.*: "A massa de ouvintes *apertava-se* curiosa..." (Raul Pompeia, *O Ateneu*). *int.*: *Ainda tem muito espaço, vamos apertar!*] **6** Exercer pressão sobre (por ser menor do que devia), constrangendo. [*td.*: *O sapato apertava seus dedos.*] **7** *Fig.* Tornar mais rigoroso. [*td.*: *apertar a vigilância no bairro.*] [Ant.: *relaxar*.] **8** *Fig.* Tornar mais rápido; ACELERAR; APRESSAR. [*td.*: *Apertou as passadas.*] [Ant.: *retardar*.] **9** *Fig.* Sentir ou causar dor ou sofrimento a. [*td.*: *A doença do filho apertava seu coração. pr.*: *A alma aperta-se no exílio.*] **10** *Fig.* Ficar mais intenso; AUMENTAR. [*int.*: *Parece que a chuva vai apertar*; "Apertou em mim aquela tristeza..." (Guimarães Rosa, *Grande sertão: veredas*).] [Ant.: *diminuir*.] **11** *Fig.* Ficar estreito. [*int.*: *A estrada aperta nas curvas.*] [Ant.: *alargar*.] **12** *Fig.* Exercer pressão sobre (alguém) para obrigar a fazer algo; PRESSIONAR. [*td.*: *Aperte-o para que confesse.*] **13** *Bras. Fig. Pop.* Diminuir (despesas). [*td.*: *Temos de apertar o orçamento. pr.*: *Gastou demais e apertou-se.*] [▶ 1 apertar]

aperto (a.per.to) [ê] *sm.* **1** Ação ou resultado de apertar, comprimir: *Trocar apertos de mão.* **2** Sensação de compressão: *Ter um aperto no peito.* **3** Compressão de muitas pessoas num espaço pequeno: *Que aperto naquele elevador!* **4** *Fig.* Situação angustiante, embaraçosa etc.: *Passamos por um grande aperto naquele assalto.* **5** *Fig.* Dificuldade financeira: *Estamos num aperto e vamos cortar gastos.*

apesar (a.pe.sar) *adv.* Us. nas locs. ■ **~ de** A despeito de; não obstante: *Tivemos êxito, apesar dos problemas.* **~ de que** Embora; ainda que: *Foi nadar, apesar de que ainda estava gripado.*

apetecer (a.pe.te.cer) *v.* **1** Provocar apetite ou desejo em. [*ti.* + *a*: *Um churrasco apetece muito ao gaúcho.*] **2** Ter apetite ou desejo de. [*td.*: *Faminto, apetecia uma boa macarronada*; *Ambicioso, apetecia um alto salário.*] [▶ 33 apetecer]

apetecível (a.pe.te.cí.vel) *a2g.* Que pode despertar o apetite; que é digno de ser apetecido; APETITOSO. [Pl.: *-veis*.]

apetência (a.pe.tên.ci:a) *sf.* Vontade de comer; APETITE.

apetite (a.pe.ti.te) *sm.* **1** Vontade de comer; APETÊNCIA. **2** *Fig.* Disposição para saciar algo; ÂNIMO: *Está sem apetite para viajar.* **3** Sofreguidão ao comer: *Comia com grande apetite.*

apetitoso (a.pe.ti.to.so) [ô] *a.* **1** Que desperta o apetite. **2** De sabor agradável (jantar *apetitoso*); SABOROSO. [Fem. e pl.: [ó].]

apetrechar (a.pe.tre.char) *v.* Fornecer equipamentos, apetrechos a; EQUIPAR; APARELHAR. [*td.*: *apetrechar uma tropa. pr.*: *apetrechar-se para uma escalada.*] [▶ 1 apetrechar]

apetrechos (a.pe.tre.chos) [ê] *smpl.* Instrumentos ou objetos us. em uma determinada atividade: *Reuniu seus apetrechos de pesca e se mandou.*

apiário (a.pi:á.ri:o) *sm.* Estabelecimento ou instalação para criação de abelhas.

ápice (á.pi.ce) *sm.* **1** O ponto mais alto; CUME: *ápice da montanha.* **2** *Fig.* Ponto de maior intensidade; AUGE: *ápice do calor.* **3** *Fig.* O ponto de desenvolvimento máximo; APOGEU: *ápice de uma civilização.*

apícola (a.pí.co.la) *a2g.* **1** De ou próprio da apicultura (produto *apícola*, tecnologia *apícola*). *s2g.* **2** Pessoa que cria abelhas; APICULTOR.

apicultura (a.pi.cul.tu.ra) *sf.* **1** Criação de abelhas, ger. com fins comerciais. **2** A técnica de criar abelhas para obter mel, própolis etc. • **a.pi.cul.tor** *sm.*

apiedar (a.pi:e.dar) *v.* Sentir pena ou causar pena a; CONDOER(-SE). [*td.*: *A criança abandonada apiedou-o. pr.*: *apiedar-se dos pobres.*] [▶ 1 apiedar] [Pronuncia-se o *e* aberto nas formas rizotônicas.]

apimentado (a.pi.men.ta.do) *a.* **1** Temperado com pimenta. **2** *Fig.* Cheio de detalhes maliciosos (histórias *apimentadas*). [Sin. ger.: *picante*.]

apimentar (a.pi.men.tar) *v. td.* **1** Pôr pimenta em: *apimentar o vatapá.* **2** *Fig.* Acrescentar detalhes maliciosos a: *apimentar uma fofoca.* [▶ 1 apimentar]

apinhado (a.pi.nha.do) *a.* **1** Com todos os espaços ocupados; LOTADO; ABARROTADO: *O restaurante está apinhado de gente.* **2** Amontoado: *A polícia dispersou os fãs apinhados no porto do hotel.*

apinhar (a.pi.nhar) *v.* **1** Encher todo o espaço de; LOTAR. [*td.*: *Os convidados apinharam a sala.*] **2** Ficar

apitar | **apolíneo**

cheio, sem espaço livre. [*pr.*: *As salas apinharam-se de convidados.*] **3** Ficar muito junto; AGLOMERAR-SE. [*pr.*: *Os convidados apinharam-se no elevador.*] [▶ **1** apinhar]

apitar (a.pi.*tar*) *v.* **1** Emitir som agudo soprando um apito. [*int.*: *Distraído, não ouviu o guarda apitar.*] **2** *Fig.* Soltar apito como forma de aviso ou advertência. [*int.*: *Calma, espere o trem apitar.*] **3** *Bras. Esp.* Marcar (interrupção por infração ou tempo esgotado, ou início ou reinício de jogo) soprando apito. [*td.*: *O árbitro apitou o pênalti. int.*: *O juiz viu o pênalti, mas não apitou.*] [NOTA: Neste último ex., o verbo pode ser tido como *td.* sem complemento explícito: *O juiz não apitou o pênalti*, ou como *int.*: *O juiz não apitou (para marcar o pênalti).*] **4** *Bras. Esp.* Ser o árbitro (1) em (competições); ARBITRAR. [*td.*: *apitar jogos internacionais.*]; (sem complemento explícito) *Está velho e já não pode apitar.*] **5** *Pop.* Dar opinião. [*int.*: *Nesse assunto ninguém apita.*] [▶ **1** apitar]

apito (a.*pi*.to) *sm.* **1** Certo instrumento que produz som agudo ao se soprar nele; ASSOBIO. **2** Esse som: *Não se ouvia o apito do guarda.* **3** Qualquer ruído longo e agudo: *o apito do trem.*

aplacar (a.pla.*car*) *v.* **1** Fazer diminuir a força, o ímpeto de; ACALMAR; SERENAR. [*td.*: *Com palavras mágicas, o bruxo aplacou a tempestade.*] **2** Perder a força ou ímpeto. [*int./pr.*: *A tempestade aplacou(-se)*; "...minha consciência jamais se aplacará." (João Ubaldo Ribeiro, *Diário do farol*).] **3** Tornar brando ou menos intenso (sentimento); ALIVIAR; MITIGAR. [*td.*: *aplacar a dor/a raiva.*] [▶ **11** aplacar]

aplainar (a.plai.*nar*) *v. td.* **1** Tornar liso usando a plaina: *aplainar uma ripa de madeira.* **2** *Fig.* Tornar simples ou fácil; FACILITAR: *aplainar dificuldades.* [▶ **1** aplainar] ● **a.plai.na.men**.to *sm.*

aplanar (a.pla.*nar*) *v. td.* **1** Tornar plano; NIVELAR: *aplanar uma estrada esburacada.* **2** *Fig.* Aplainar (2). [▶ **1** aplanar]

aplaudir (a.plau.*dir*) *v. td.* **1** Louvar, manifestar agrado, saudar batendo palmas; ACLAMAR: *aplaudir um espetáculo.* **2** *Fig.* Elogiar, aprovar: *aplaudir uma decisão.* [▶ **3** aplaudir]

aplauso (a.*plau*.so) *sm.* **1** Ação ou resultado de aplaudir, manifestação de agrado; PALMAS; OVAÇÃO: *Curvou-se e agradeceu os aplausos.* **2** Ruído produzido por palmas: *Fora do teatro ouviam-se os aplausos.* **3** *Fig.* Elogio, aprovação: *Seu projeto obteve o aplauso do diretor.*

aplicação (a.pli.ca.*ção*) *sf.* **1** Ação ou resultado de aplicar(-se), de pôr em prática: *aplicação de um método a um projeto.* **2** Dedicação concentrada a algo; EMPENHO: *Sua aplicação nos estudos fez dele um bom aluno.* **3** *Econ.* Ação ou resultado de investir dinheiro; o dinheiro investido: *Essa aplicação lhe rendeu bom lucro.* **4** Administração de medicamento, injeção etc. **5** Ornato ou remate que se sobrepõe a algo (roupa, móvel etc.). [Pl.: -ções.]

aplicado (a.pli.*ca*.do) *a.* **1** Que se aplicou. **2** Que se esforça; EMPENHADO; DEDICADO (*aluna aplicada*).

aplicar (a.pli.*car*) *v.* **1** Pôr em cima, sobrepor. [*td.*: *Sob sol forte, aplique filtro solar. tdi. + a, em: Aplique filtro solar no rosto.*] **2** Pôr em execução, em prática. [*td.*: "Quem é que aplica esse teste?" (João Ubaldo Ribeiro, *O conselheiro come*). *td. + a, em*: "...aplicava nas lutas os conhecimentos adquiridos." (Marques Rebelo, *Marafa*).] **3** Administrar (medicamento). [*td.*: *aplicar o soro. tdi. + a, em*: *A enfermeira aplicou-lhe uma injeção.*] **4** Infligir, impor (multa, castigo etc.). [*td.*: *O fiscal aplicou uma multa pesada. tdi. + a*: *Costuma aplicar castigos aos filhos.*] **5** *Bras. Pop.* Desferir com violência. [*tdi. + em: Aplicou uns tapas no irmão, mas logo se desculpou.*] **6** *Econ.* Empregar (dinheiro etc.) com certa fi-

nalidade. [*td.*: *Não soube aplicar a herança. ti. + em: Ficou rico e aplicou na bolsa. tdi. + em: Aplique o prêmio na poupança.*] **7** Dedicar-se com perseverança. [*pr.*: *Depois de formado, aplicou-se nas pesquisas.*] **8** Adequar, adaptar. [*tdi. + a: Quero ver aplicar a teoria à prática.*] [▶ **11** aplicar] ● **a.pli.cá**.vel *a2g.*; **a.pli.ca.bi.li.da.de** *sf.*

aplicativo (a.pli.ca.*ti*.vo) *sm. Inf.* Programa de computador que executa determinadas tarefas, como editar um texto, desenhar etc.

aplique (a.*pli*.que) *sm.* **1** Objeto ou mecha de cabelo presa ao próprio cabelo como enfeite ou para disfarçar um defeito. **2** Enfeite fixado em roupa, objeto, parede etc.

apneia (ap.*nei*.a) *sf. Med.* Interrupção da respiração.

apocalipse (a.po.ca.*lip*.se) *sm.* **1** O fim do mundo, como relatado no livro do Apocalipse. **2** *Fig.* Catástrofe, cataclismo. ☐ **Apocalipse** *sm.* **3** *Rel.* Último livro do Novo Testamento, que prediz o fim do mundo. ● **a.po.ca.líp.ti.co** *a.*

apócope (a.*pó*.co.pe) *sf. Gram.* Eliminação de fonema ou de sílaba no fim de uma palavra (p.ex.: *cantá* por *cantar*, *Helô* por *Heloísa*, *mui* por *muito*).

apócrifo (a.*pó*.cri.fo) *a.* **1** Que não é autêntico (diz-se ger. de obra escrita). **2** *Rel.* Que não se inclui na lista oficial de livros da Bíblia cristã.

apoderar-se (a.po.de.*rar*-se) *v. pr.* **1** Tomar como seu (ger. sem o consentimento de outros); APOSSAR-SE: *Apoderou-se da fortuna do pai.* **2** *Fig.* Tomar conta de, dominar (sentimento em alguém): *À noite, o medo apoderou-se deles.* [▶ **1** apoderar-se]

apodo (a.*po*.do) *sm.* Apelido, alcunha.

apodrecer (a.po.dre.*cer*) *v. td.* **1** Ficar ou fazer ficar podre; PUTREFAZER(-SE). [*int.*: *O queijo apodreceu fora da geladeira. td.*: *O calor apodreceu as goiabas.*] **2** *Fig.* Ficar muito tempo (num lugar), sem ajuda ou atenção. [*int.*: *Aquele assassino vai apodrecer na cadeia.*] [▶ **33** apodrecer] ● **a.po.dre.ci.men.to** *sm.*

apófise (a.*pó*.fi.se) *sf. Anat.* Ver processo (6).

apogeu (a.po.*geu*) *sm.* **1** *Astron.* Ponto em que um astro, ao descrever a sua órbita, se encontra mais afastado da Terra. [Cf.: *perigeu.*] **2** *Fig.* Grau mais elevado; AUGE; ÁPICE: *apogeu da fama.*

apoiado (a.poi.*a*.do) *a.* **1** Que se apoia ou apoiou; SUSTENTADO, ESCORADO: *cabeça apoiada sobre um encosto.* **2** Amparado, defendido: *pretensões argumentadas e apoiadas.* **3** Que mereceu aprovação; APROVADO: *É uma decisão apoiada, podemos pô-la em prática.* **interj. 4** Us. para expressar aprovação.

apoiar (a.poi.*ar*) *v.* **1** Firmar(-se) encostando(-se) (em algo ou alguém). [*td.* (seguido de indicação de lugar): *Apoie o braço no corrimão. pr.*: *Apoiou-se no muro para não cair.*] **2** *Fig.* Fundamentar(-se), dar fundamento a ou ter fundamento. [*tdi. + em: Apoiou seus argumentos nas evidências. pr.*: *As conclusões apoiam-se nos fatos.*] **3** Dar apoio ou ajuda a. [*td.*: *É preciso apoiar os idosos. pr.*: *Os irmãos apoiam-se uns aos outros.*] **4** Dar aprovação a. [*td.*: "...apoiando a resolução de minha mãe...." (Machado de Assis, *Dom Casmurro*).] [▶ **1** apoiar] [O *o* não tem mais acento agudo nas formas rizotônicas do pres. do ind. (*apoio* etc.), do pres. do subj. (*apoie* etc.) e do imperativo.]

apoio (a.*poi*.o) [*ô*] *sm.* **1** Suporte, base: *apoio aos/para os braços.* **2** Ajuda, colaboração: *Trabalha com o apoio de assessores.* **3** Aprovação: *campanha com apoio popular.*

apólice (a.*pó*.li.ce) *sf.* **1** Documento que comprova crédito, dívida ou outra obrigação nele estabelecida. **2** Comprovante de um contrato de seguro e de suas condições. **3** *Econ.* Ação negociável na bolsa de valores.

apolíneo (a.po.*lí*.ne:o) *a.* **1** De ou próprio de Apolo, deus da mitologia grega. **2** De grande beleza, como

Apolo. **3** Que tem qualidades como equilíbrio, serenidade, racionalidade etc. [Ant. nesta acp.: *dionisíaco*.]

apolítico (a.po.*lí*.ti.co) *a*. **1** Não relacionado à política (comportamento apolítico). **2** Desinteressado por política.

apologético (a.po.lo.*gé*.ti.co) *a*. Em que se faz apologia (discurso apologético).

apologia (a.po.lo.*gi*.a) *sf*. Defesa de ou elogio a (pessoa, ideia, ação etc.); LOUVOR: *Ele é um intelectual que faz a apologia da cultura física.*

apologista (a.po.lo.*gis*.ta) *a2g.s2g*. **1** Que ou quem faz apologia. **2** Seguidor, partidário (de alguém ou algo): *apologista do desarmamento*.

apólogo (a.*pó*.lo.go) *sm*. História que traz uma lição moral e ger. tem como personagens seres não humanos que agem e dialogam como se o fossem. [Ver tb. *fábula*.]

apontador (a.pon.ta.*dor*) [ô] *sm*. **1** *Bras*. Instrumento para apontar lápis. **2** *Bras*. Pessoa que anota apostas do jogo do bicho. **3** Pessoa que controla o ponto de operários ou a entrada de material numa obra.

apontamento (a.pon.ta.*men*.to) *sm*. Registro escrito, ger. abreviado; ANOTAÇÃO. [Mais us. no pl.]

apontar¹ (a.pon.*tar*) *v*. **1** Aguçar a ponta de. [*td*.: *apontar um lápis*.] **2** Indicar com o dedo, com gesto, com sinal gráfico etc. [*td*.: *Aponte no texto os substantivos abstratos*. *tdi*. + *a*: *Apontei a entrada ao convidado*. *ti*. + *para*: *Apontou para ela*.] **3** *Fig*. Dar a conhecer; INDICAR; CITAR; EXPOR. [*td*.: *O relatório apontou falhas no equipamento*.] **4** Direcionar (arma, telescópio etc.). [*tdi*. + *para*, *contra*: *Aponte a bússola para o lado certo*.] **5** Começar a aparecer; SURGIR. [*int*.: *"Nesse momento (...), um Boeing apontou, com seus faróis acesos..."* (Josué Montello, *Um rosto de menina*).] [▶ **1** apontar]

apontar² (a.pon.*tar*) *v*. *td*. Registrar por escrito, fazer apontamento; ANOTAR. [▶ **1** apontar]

apoplético, apopléctico (a.po.*plé*.ti.co, a.po.*plec*.ti.co) *a*. **1** *Med*. Ref. a apoplexia (ataque apoplético). **2** Com predisposição à apoplexia. **3** *Fig*. Muito irritado; FURIOSO; IRADO: *Ficou apoplético ao receber a notícia*.

apoplexia (a.po.ple.*xi*.a) [cs] *sf*. *Med*. Lesão súbita em vaso sanguíneo no cérebro (trombose, derrame etc.) com consequente perda de sensibilidade, movimentos, fala etc.

apoquentar (a.po.quen.*tar*) *v*. Ver *amofinar*. [▶ **1** apoquentar] ● **a.po.quen.ta.ção** *sf*.

apor (a.*por*) [ô] *v*. **1** Colocar junto ou sobre. [*td*. (seguido de indicação de lugar): *Apus o selo no envelope*.] **2** Acrescentar, anexar. [*tdi*. + *a*: *Após alguns comentários ao texto*.] **3** Aplicar (assinatura). [*tdi*. + *em*: *Não aponha sua rubrica nesse contrato*.] [▶ **60** apor] ● **a.po.si.ção** *sf*.; **a.po.si.ti.vo** *a*.

aporrinhar (a.por.ri.*nhar*) *v*. *Pop*. **1** Tirar o sossego de; IMPORTUNAR. [*td*.: *Não aporrinhe o seu irmão*. *tdi*. + *com*: *Vive a me aporrinhar com seus problemas*.] **2** Perder a paciência; IRRITAR-SE; ABORRECER-SE. [*pr*.: *Aporrinhou-se na fila do banco*.] [Sin. ger.: *apoquentar*.] [▶ **1** aporrinhar] ● **a.por.ri.nha.ção** *sf*.

aportar (a.por.*tar*) *v*. *int*. (seguido de indicação de lugar): Chegar a ou entrar num porto: *O navio aportou em Recife*. [▶ **1** aportar] ● **a.por.te** *sm*.

aportuguesar (a.por.tu.gue.*sar*) *v*. **1** Dar a grafia do português a (palavra estrangeira). [*td*.: *Football foi aportuguesado para futebol*.] **2** Adquirir a grafia do português. [*pr*.: *O francês boîte aportuguesou-se em boate*.] [▶ **1** aportuguesar] ● **a.por.tu.gue.sa.men.to** *sm*.

após (a.*pós*) *prep*. **1** A seguir, depois de, atrás de (no tempo): *Entraram um após o outro*. **2** A seguir, depois de, atrás de (no espaço): *Na lista, seu nome vem após o meu*. *adv*. **3** *P.us*. Em outra ocasião; depois: *Antes implorara, após desdenhou sua ajuda*.

aposentado (a.po.sen.*ta*.do) *a.sm*. Que ou quem se aposentou.

aposentadoria (a.po.sen.ta.do.*ri*.a) *sf*. **1** Dispensa remunerada, regulamentada por lei, de continuar a trabalhar em profissão, cargo etc., por idade ou depois de um certo tempo de serviço ou por problemas de saúde etc. **2** Estado de quem está aposentado: *Mauro sonha com uma aposentadoria tranquila*. **3** Pagamento que se recebe pela aposentadoria (1): *Sua aposentadoria não lhe bastava para se sustentar*.

aposentar (a.po.sen.*tar*) *v*. **1** Dar aposentadoria a. [*td*.: *O governo aposenta os funcionários depois dos setenta anos*.] **2** Obter aposentadoria. [*pr*.: *Meu pai vai se aposentar daqui a dois anos*.] **3** *Fig*. Deixar de usar. [*td*.: *Aposentei essa roupa há muito tempo*.] [▶ **1** aposentar]

aposento (a.po.*sen*.to) *sm*. **1** Cada divisão de uma casa; CÔMODO; DEPENDÊNCIA. **2** Quarto de dormir. ⚑ **aposentos** *smpl*. **3** Quarto(s) privativo(s) de alguém, ou para uso determinado.

após-guerra (a.pós-*guer*.ra) *a.sm*. Ver *pós-guerra*. [Pl.: *após-guerras*.]

apossar-se (a.pos.*sar*-se) *v*. *pr*. **1** Tomar como seu, ger. com violência ou por meios ilícitos: *O invasor se apossou do nosso território*. **2** *Fig*. Encher a mente ou o espírito: *A raiva apossou-se dele*. [Sin. ger.: *apoderar-se*.] [▶ **1** apossar-se]

aposta (a.*pos*.ta) *sf*. **1** Acordo entre pessoas de opiniões diferentes quanto ao resultado possível de processo, situação, jogo etc., em que fica acertado que o perdedor pagará algo ao vencedor. **2** Ação ou resultado de arriscar dinheiro em algum tipo de jogo. **3** O que foi apostado (comprometido a ser pago) em competição ou jogo (ger. dinheiro): *Essa é uma aposta muito alta para mim*. **4** *Fig*. Desafio: *Aquele projeto era para ele uma aposta, e ele ganhou*.

apostar (a.pos.*tar*) *v*. **1** Fazer aposta de; JOGAR. [*td*.: *Apostou até o que não tinha*. *ti*. + *em*: *Vamos apostar naquele cavalo*. *tdi*. + *em*, *contra*: *Apostarei dez reais na loteria*.] **2** Dizer com confiança; ASSEGURAR. [*td*.: *Aposto que você vai gostar do filme*.] **3** Ter certeza do sucesso ou vitória (de alguém). [*ti*. + *em*: *Os pais sempre apostam nos filhos*.] **4** Disputar. [*td*.: *Vamos apostar uma corrida? tdi*. + *com*: *Apostarei uma corrida com você*.] [▶ **1** apostar] ● **a.pos.ta.dor** *sm*.

apostasia (a.pos.ta.*si*.a) *sf*. **1** *Rel*. Abandono da fé. **2** Abandono, deserção de uma opinião, crença etc.

apóstata (a.*pós*.ta.ta) *a2g.s2g*. Que ou quem comete apostasia.

🌐 **a posteriori** (Lat. /a posterióri/) *loc.a*. Com base na experiência ou depois dela (conhecimento a posteriori, decisão a posteriori). [Cf.: *a priori*.]

apostila (a.pos.*ti*.la) *sf*. **1** Conjunto impresso de capítulos, pontos etc. de matéria(s) de um curso. **2** Anotação nas margens de um texto, para complementá-lo.

aposto (a.*pos*.to) [ô] *sm*. **1** *Gram*. Palavra ou expressão, ger. isolada por vírgulas, que se acrescenta a um termo de uma frase para explicá-lo ou resumi-lo. [NOTA: Quando o aposto especifica um termo de sentido amplo (rio, mês etc.), não fica entre vírgulas: *o rio Amazonas*, *o mês de maio*.] **2** Posto junto; JUSTAPOSTO: *o novo artigo aposto à terceira cláusula*. [Fem. e pl.: [ó].]

apostolado (a.pos.to.*la*.do) *sm*. **1** Atuação ou missão dos apóstolos. **2** Divulgação de uma religião ou de um princípio religioso.

apostólico (a.pos.*tó*.li.co) *a*. **1** Ref. aos, dos ou próprio de apóstolo (missão apostólica). **2** Ref. a ou que representa a Santa Sé ou o papa (núncio apostólico).

apóstolo | apresentar

apóstolo (a.pós.to.lo) *sm.* **1** *Rel.* Cada um dos 12 discípulos de Jesus. **2** *Fig.* Defensor e divulgador de uma ideia, fé etc.: *apóstolo da democracia*.

apostrofar[1] (a.pos.tro.*far*) *v. td.* Dirigir apóstrofe a; INTERPELAR. [▶ 1 apostrofar]

apostrofar[2] (a.pos.tro.*far*) *v. td.* Usar apóstrofo em. [▶ 1 apostrofar]

apóstrofe (a.*pós*.tro.fe) *sf. Ling.* Para efeito expressivo, interrupção do discurso, da qual se utiliza o orador ou escritor ao dirigir-se a uma pessoa real ou fictícia.

apóstrofo (a.*pós*.tro.fo) *sm. Gram.* Sinal gráfico em forma de vírgula elevada ('), que indica a supressão de uma letra (ger. uma vogal), como, p. ex., em *copo d'água*.

apótema (a.*pó*.te.ma) *sm. Geom.* Segmento de reta que une o centro de um polígono regular ao meio de um de seus lados.

apoteose (a.po.te.*o*.se) *sf.* **1** Cena final gloriosa em desfile, peça teatral, *show* etc.: *Toda Olimpíada termina numa grande apoteose.* **2** O momento culminante de um evento: *A apresentação dos bailarinos foi a apoteose do festival.* **3** Glorificação (de uma pessoa ou algo). ● **a.po.te.ó.ti.co** *a.*

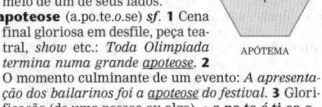

APÓTEMA

aprazado (a.pra.*za*.do) *a.* Que marca (data, tempo etc.) o tempo em que algo se realizará: *A reunião aconteceu no tempo aprazado.* ● **a.pra.zar** *v.*

aprazer (a.pra.*zer*) *v.* **1** Dar prazer (a); AGRADAR. [*ti.* + *a*: "Apraz ao senhor, compadre Ricardão?" (Guimarães Rosa, *Grande sertão: veredas*). *int.*: *Essa canção apraz.* **2** Sentir prazer; AGRADAR-SE; CONTENTAR-SE. [*pr.*: *Apraziu-se em comer bem.*] [▶ 37 a prazer] ● **a.pra.zi.men.to** *sm.*

aprazível (a.pra.*zi*.vel) *a2g.* **1** Que proporciona sensação prazerosa; AGRADÁVEL. **2** Que tem bela paisagem, clima ameno etc. (diz-se de lugar). [Pl.: -*veis*].

apreçar (a.pre.*çar*) *v.* **1** Combinar o preço de. [*td.*: *Apreçaram a casa depois de muita discussão.*] **2** Calcular o preço de. [*td.*: *Chamei um perito para apreçar o lote.* *tdi.* + *em*: *Apreçou a bicicleta em duzentos reais.*] **3** Atribuir valor a, ter ou demonstrar apreço por. [*td.*: *Todos apreçaram sua conduta delicada e atenciosa.*] [▶ 12 apreçar] ● **a.pre.ça.men.to** *sm.* [Cf. *apressar*.]

apreciação (a.pre.ci.a.*ção*) *sf.* **1** Ação ou resultado de apreciar (2): *apreciação de uma boa bebida/ de um bom livro.* **2** Concentração da atenção em algo que proporcione prazer aos sentidos ou à mente. **3** Estimação do valor de objeto, obra ou feito; AVALIAÇÃO: *Os trabalhos foram submetidos à apreciação do júri.* [Pl.: -*ções*.]

apreciar (a.pre.ci.*ar*) *v. td.* **1** Dar valor, apreço a; ESTIMAR: *Aprecia a boa literatura.* **2** Observar com prazer; ADMIRAR; CONTEMPLAR: *Toda tarde aprecio o pôr do sol.* **3** Formar opinião sobre; CONSIDERAR; AVALIAR: *O diretor apreciará o nosso pedido.* [▶ 1 apreciar] ● **a.pre.ci.a.do** *a.*; **a.pre.ci.a.dor** *a.sm.*

apreciativo (a.pre.ci.a.*ti*.vo) *a.* Que indica apreciação (3) positiva de algo ou de alguém: *A exposição recebeu comentários apreciativos.* [Ant.: *depreciativo*.]

apreciável (a.pre.ci.*á*.vel) *a2g.* **1** Que se pode apreciar, estimar, julgar: *O valor desse trabalho não é apreciável.* **2** Digno de avaliação positiva, de apreço: *Sua apreciável conduta revela bom caráter.* **3** A que se pode atribuir ou se atribui valor elevado; CONSIDERÁVEL; VULTOSO: *Receberam uma quantia apreciável pela transação.* [Pl.: -*veis*.]

apreço (a.*pre*.ço) [ê] *sm.* Estima que se tem por ou valor que se dá a algo ou alguém: *Sente grande apreço por sua cidade natal.*

apreender (a.pre.en.*der*) *v. td.* **1** Pegar ou tomar posse de, ger. por decisão judicial: *A polícia apreendeu os celulares da quadrilha.* **2** Captar, assimilar (ideia, pensamento, conhecimento etc.); COMPREENDER: "Essas leis são simples, fáceis de apreender..." (Cecília Meireles, *Crônicas de educação 4*). [▶ 2 apreender]

apreensão (a.pre.en.*são*) *sf.* **1** Sentimento de preocupação por possível acontecimento futuro; INQUIETAÇÃO; RECEIO: *apreensão pelo futuro/de uma resposta negativa.* **2** Apropriação judicial; CONFISCO: *Houve apreensão de mercadoria contrabandeada.* **3** Ação ou resultado de captar, assimilar, compreender: *Os exemplos facilitam a apreensão dos significados das palavras.* [Pl.: -*sões*.]

apreensivo (a.pre.en.*si*.vo) *a.* Que sente apreensão (1); PREOCUPADO; NERVOSO.

apregoar (a.pre.go.*ar*) *v. td.* **1** Dizer ou anunciar em público e em voz alta: *O beato apregoava as bênçãos de Deus.* **2** Anunciar em voz alta, fazer pregão de: *Os feirantes apregoam as suas mercadorias.* **3** Indicar como bom ou útil; ACONSELHAR; RECOMENDAR: *O médico apregoa o uso de remédios naturais.* [▶ 16 apregoar]

aprender (a.pren.*der*) [ê] *v.* **1** Alcançar o conhecimento, a compreensão ou o domínio de, por meio do estudo ou da prática. [*td.*: *aprender um idioma*; (tb. sem complemento explícito) *Por mais que o ensinem, esse menino não aprende.* *ti.* + *com, de*: *aprender com os próprios erros.* *tdi.* + *com*: *Aprendeu marcenaria com o pai.*] **2** Adquirir a habilidade de; tornar-se adestrado em. [*td.*: *Quero aprender capoeira.* *ti.* + *a* (seguido de verbo no infinit.): "Eu sou fé e não aprendi a amar." (Cássia Eller, *Malandragem*).] **3** Fixar na memória; MEMORIZAR; DECORAR. [*td.*: *João aprendeu todos os rios da Amazônia.*] **4** Entender melhor, tirar como lição. [*td.*: *Aprendemos que é melhor dar que receber.* *tdi.* + *com, de*: *Maria aprendeu a prudência com os avós.*] [▶ 2 aprender]

aprendiz (a.pren.*diz*) *sm.* Aquele que aprende uma arte ou profissão: *aprendiz de vitrinista/em diplomacia.*

aprendizado (a.pren.di.*za*.do) *sm.* Processo, ação ou resultado de aprender; APRENDIZAGEM: *O aprendizado dessa profissão dura três anos.*

aprendizagem (a.pren.di.*za*.gem) *sf.* Ver *aprendizado.* [Pl.: -*gens*.]

apresentação (a.pre.sen.ta.*ção*) *sf.* **1** Execução de um espetáculo artístico: *A apresentação (da peça) foi um sucesso.* **2** Ação ou resultado de apresentar(-se): *Antes da palestra o diretor fez a apresentação do orador.* **3** Aparência externa de algo ou alguém: *A secretária tem boa apresentação.* [Pl.: -*ções*.]

apresentador (a.pre.sen.ta.*dor*) [ô] *sm.* Pessoa que, no comando de um programa de rádio, televisão, espetáculo ou evento ao vivo, apresenta os artistas convidados, convoca as atrações e conduz as entrevistas.

apresentar (a.pre.sen.*tar*) *v.* **1** Pôr ao alcance dos olhos (de alguém); oferecer à vista ou ao contato; MOSTRAR; EXIBIR. [*td.*: *Apresentei dois relógios para ela escolher.* *tdi.* + *a*: *Vou apresentar a casa aos novos inquilinos.* *pr.*: *Apresentou-se muito bem num vestido azul.*] **2** Pôr (uma pessoa) em contato (com outra[s]), dizendo o seu nome e/ ou sua condição, para que se conheçam e/ou iniciem uma relação. [*tdi.* + *a*: "Apresentaram-me a uma moça grega..." (Guimarães Rosa, *Ave, palavra*). *td.*: *Apresentei-o como meu sócio. pr.*: *Apresentaram-se um ao outro.*] **3** Mostrar, exibir(-se) (ao público). [*td.*: *A TV apresentou um programa sobre Noel Rosa.* *tdi.* + *a*: *A turma 502 apresentou um mural à escola. pr.*: "...o time do Cruzeiro se apresentou melhor..." (FolhaSP, 27.11.99).] **4** Levar à presença (de alguém, ger. uma autoridade). [*td.*: *Os investigadores apresentaram o suspeito.* *tdi.* + *a*: *O promotor* *apresentará o réu ao juiz. pr.: Vou apresentar-me à Justiça Eleitoral.*] **5** Indicar para avaliação ou julgamento; PROPOR. [*td.*: *O deputado apresentou um projeto polêmico. tdi. + a: O técnico vai apresentar três garotos ao time do bairro. pr.: Levantou e apresentou-se como candidato.*] **6** Fazer(-se) conhecer; EXPOR(-SE). [*td.*: *Na reunião, o diretor apresentou as suas decisões. tdi. + a: Apresentei a minha preocupação à família. pr.: Novos problemas se apresentaram quando examinou melhor o projeto.*] **7** Expressar (cumprimentos, sentimentos etc.). [*tdi. + a: O papa apresentou felicitações aos novos cardeais.*] **8** Surgir, aparecer. [*pr.: Apresentou-se uma situação nova.*] [▶ **1** apresent ar]

apresentável (a.pre.sen.*tá*.vel) *a2g*. **1** Que pode ou é digno de ser apresentado: *Um trabalho apresentável.* **2** Que tem boa aparência, de boa apresentação (3): *Quero você apresentável na festa desta noite.* [Pl.: *-veis.*]

apressado (a.pres.*sa*.do) *a*. **1** Que tem pressa: *Aonde você vai tão apressado?* **2** Realizado com rapidez em função da pressa: *Era claramente um trabalho apressado.*

apressar (a.pres.*sar*) *v*. **1** Tornar ou tentar tornar mais rápido (ação ou alguém que executa uma ação). [*td.*: *Apressou o irmão/as pedaladas para alcançar os colegas. pr.: Ela apressou-se a responder;* "... por isso que *me apresso* em dizer que não sou contra..." (João Ubaldo Ribeiro, *O conselheiro come*).] **2** Fazer ou tentar fazer acontecer antes do tempo previsto; ANTECIPAR. [*td.*: *A frente fria apressou a chegada do inverno.*] [▶ **1** apressar • a.pres.sa.*men*.to *sm*.

apressurar (a.pres.su.*rar*) *v. P.us*. Apressar(-se), com precipitação. [*td.*: *Apressurou medidas de contenção. pr.: Apressurou-se na resposta, e errou.*] [▶ **1** apressur ar]

aprestar (a.pres.*tar*) *v*. Preparar prontamente. [*td.*: *Aprestou o necessário para a viagem. pr.: Aprestou-se para a viagem.*] [▶ **1** aprest ar] • a.pres.ta.*men*.to *sm*.

apresto (a.*pres*.to) [ê] *sm*. **1** Material necessário para se fazer alguma coisa. ◘ **aprestos** *smpl*. **2** *Mar*. Apetrechos e utensílios que precisam ser colocados em um navio para que possa zarpar.

aprimorar (a.pri.mo.*rar*) *v*. Melhorar (qualidade de) algo ou alguém que já é bom. [*td.*: *aprimorar a pintura da igreja. pr.: aprimorar-se no inglês.*] [▶ **1** aprimor ar] • a.pri.mo.*ra*.do *a*.; a.pri.mo.ra.*men*.to *sm*.

⊕ **a priori** (*Lat. /a priόri/*) *loc.a*. Anterior à experiência ou independente dela: *Sabemos a priori que todo efeito tem uma causa.* [Cf.: *a posteriori.*]

apriorismo (a.pri:o.*ris*.mo) *sm*. Convicção da existência de conhecimentos e conceitos que não dependem da experiência.

aprisionar (a.pri.si:o.*nar*) *v. td*. Pôr na prisão ou no cativeiro; PRENDER. *aprisionar um inimigo/um cão raivoso.* [Ant.: *libertar, soltar.*] [▶ **1** aprision ar] • a.pri.si:o.na.*men*.to *sm*.

aproar (a.pro.*ar*) *v. Mar*. **1** Dar uma direção à proa de. [*td*. (seguido de indicação de lugar): *De manhã, aproaremos o navio para a sul.*] **2** Direcionar a proa. [*ti. + a, para: O veleiro aproou para a costa.*] **3** Chegar (a um porto ou a outro lugar). [*int*. (seguido de indicação de lugar): *Bem cedo aproamos em Santos.*] [▶ **16** apro ar]

aprobativo, aprobatório (a.pro.ba.*ti*.vo, a.pro.ba.*tó*.ri:o) *a*. Que aprova ou indica aprovação.

aprofundar (a.pro.fun.*dar*) *v*. **1** Tornar(-se) fundo ou mais fundo. [*td.*: *aprofundar um poço. pr.: O buraco aprofundou-se com a chuva.*] **2** Introduzir-se profundamente. [*int./pr.*: *O coelho aprofundou-se na toca.*] **3** Investigar, examinar a fundo. [*pr.*: *Apro-*

fundou-se no estudo de história.] [▶ **1** aprofund ar] • a.pro.fun.da.*men*.to *sm*.

aprontar (a.pron.*tar*) *v*. **1** Deixar ou ficar pronto; PREPARAR(-SE). [*td.*: *É hora de aprontar o equipamento. pr.*: *Aprontei-me para a caminhada.*] **2** Dar conclusão, arremate, a; ACABAR; TERMINAR. [*td*. (seguido ou não de indicação de modo): *Aprontamos o relatório (depois das 10h).*] **3** Vestir(-se) com roupas adequadas; ARRUMAR(-SE). [*td.*: *Aponte as crianças, que já vamos sair. pr.: Lúcia gasta muito tempo se aprontando.*] **4** *Fam*. Fazer, executar (algo que surpreende, negativa ou positivamente). [*td.*: *Essa garota aprontou confusão. int. Esses meninos só aprontam!*] [▶ **1** apront ar]

apropriado (a.pro.pri.*a*.do) *a*. Adequado para uma certa situação, propósito ou fim: *Fez um discurso apropriado na ocasião.*

apropriar (a.pro.pri.*ar*) *v*. **1** Tomar como seu; fazer-se dono (de). [*td.*: *O homem moderno apropriou novas tecnologias. pr.*: "Era incapaz de apropriar-se do alheio..." (José de Alencar, *Senhora*).] **2** Tornar(-se) adequado ou certo; ADEQUAR(-SE). ADAPTAR(-SE). [*tdi.+ a: Não soube apropriar a linguagem àquele momento solene. pr.: trajes que se apropriam à ocasião.*] [▶ **1** apropri ar] • a.pro.pri.a.*ção sf*.

aprovação (a.pro.va.*ção*) *sf*. **1** Manifestação de consentimento ou concordância, ou de avaliação positiva: *É menor, e precisa da aprovação dos pais para se casar.* **2** Reconhecimento formal de desempenho satisfatório em certo exame ou concurso: *Obteve aprovação em todas as disciplinas.* [Pl.: *-ções.*]

aprovado (a.pro.*va*.do) *a.sm*. **1** Que ou quem conseguiu aprovação: *Os aprovados devem apresentar-se para matrícula*. *a*. **2** Sancionado por instância competente: *As medidas aprovadas foram ao Senado.*

aprovar (a.pro.*var*) *v*. **1** Achar bom ou merecedor de elogios; gostar de, aplaudir. [*td.*: *Mamãe não aprova esse comportamento.*] **2** Concordar com (medida, regulamento, lei etc.) e autorizar: *O Congresso aprovou o novo orçamento.*] **3** Dar consentimento a. [*td.*: *Os pais aprovaram sua mudança de escola.*] **4** Considerar (aluno, candidato) apto em exame ou segundo determinados critérios. [*td.*: *O professor aprovou toda a turma.*] **5** Dar a (alguém) condições para passar em prova, concurso etc. [*td.*: *Nosso cursinho aprova muita gente no vestibular.*] **6** Mostrar-se bom ou útil. [*int.*: *O novo uniforme do time não aprovou.*] [▶ **1** aprov ar]

aproveitado (a.pro.vei.*ta*.do) *a*. **1** De que se tirou (bom ou mau) proveito: *férias bem aproveitadas.* **2** Reutilizado, reciclado: *"Lixo aproveitado não é resíduo desperdiçado."* (www.ibps.com.br).

aproveitador (a.pro.vei.ta.*dor*) [ô] *a.sm*. **1** Que ou quem aproveita. **2** *Pej*. Que ou quem se aproveita de ou usa os outros para tirar alguma vantagem pessoal.

aproveitamento (a.pro.vei.ta.*men*.to) *sm*. **1** Ação ou resultado de aproveitar; UTILIZAÇÃO: *o aproveitamento de açúcares e gorduras pelas células.* **2** Progresso em alguma atividade: *Maria tem tido bom aproveitamento no curso.*

aproveitar (a.pro.vei.*tar*) *v*. **1** Fazer bom uso de; usar bem. [*td.*: *Aproveitei as sobras e fiz uma sopa;* "Viera só *aproveitar* o sábado..." (Ana Maria Machado, *A audácia dessa mulher*)] **2** Usar (uma situação) para conseguir benefício. [*td.*: *Aproveitou o cochilo do irmão e pegou o brinquedo. pr.*: "...não se *aproveitou* da vitória para invadir as terras..." (Alberto da Costa e Silva, *A manilha e o libambo*).] **3** Ser útil. [*ti. + a: A quem aproveita tanta ginástica?*] [▶ **1** aproveit ar]

aproveitável (a.pro.vei.*tá*.vel) *a2g*. Que pode ou pôde ser aproveitado: *Selecionou os dados aproveitáveis para sua pesquisa.* [Pl.: *-veis.*]

aprovisionar (a.pro.vi.si:o.*nar*) *v.* Encher com provisões etc.; ABASTECER. [*td.*: *Precavido, aprovisionou a despensa para um mês inteiro*. *pr.*: *Sempre que acampam, aprovisionam-se de mantimentos.*] [▶ 1 aprovisionar] • a.pro.vi.si:o.na.*men*.to *sm.*

aproximação (a.pro.xi.ma.*ção*) [ss] *sf.* **1** Ação ou resultado de aproximar(-se): *A meteorologia previu a aproximação de frente fria.* **2** *Fig.* Estabelecimento de vínculos entre pessoas, grupos, países etc.: *O Brasil busca aproximação com a África.* **3** *Mat.* Cálculo que determina um valor próximo ao valor exato de algo; ESTIMATIVA: *Este resultado é somente uma aproximação.* [Pl.: *-ções.*]

aproximado (a.pro.xi.*ma*.do) [ss] *a.* Obtido por aproximação; APROXIMATIVO (valor aproximado).

aproximar (a.pro.xi.*mar*) [ss] *v.* Pôr(-se), estar ou ficar próximo; AVIZINHAR(-SE). [*td.*: *Aproxime mais os vasos de flores.* *tdi.* + *de*: *Quer aproximar a sua cadeira da nossa?* *pr.*: *As férias estão se aproximando.*] **2** Estabelecer vínculo, relação com, entre. [*td.*: *Queria aproximar os irmãos brigados.* *tdi.* + *de*: *É preciso aproximar a população dos centros comunitários.* *pr.*: "não queria que eu me aproximasse da irmã..." (João Ubaldo Ribeiro, *Diário do farol*.) [Ant. ger.: *afastar*.] [▶ 1 aproximar]

aproximativo (a.pro.xi.ma.*ti*.vo) [ss] *a.* Produzido por aproximação; APROXIMADO (cálculo aproximativo).

aprumado (a.pru.*ma*.do) *a.* **1** Posto na vertical. **2** *Fig.* Que se veste com elegância; ALINHADO. **3** *Bras.* Que se encontra em boa situação de vida.

aprumar (a.pru.*mar*) *v.* **1** Pôr(-se) a prumo, em posição reta. [*td.*: *Foi difícil aprumar essa parede*; *pr.*: *Aprumou-se a fim de parecer mais alto.*] **2** *Bras. Fig.* Melhorar de situação ou de aparência. [*pr.*: *Aprumou-se para encontrar a namorada.*] [▶ 1 aprumar]

aprumo (a.pru.mo) *a.* **1** Posição vertical: *Movimentava-se com graça e não perdia o aprumo.* **2** *Fig.* Elegância no vestir. **3** *Bras.* Melhoria sensível nas condições de vida.

aptidão (ap.ti.*dão*) *sf.* **1** Capacidade inata; TALENTO: *aptidão para a dança.* **2** Capacidade adquirida; HABILIDADE: *aptidão para distinguir o certo do errado.* **3** Capacidade do desempenho de uma tarefa ou função: *Ele tem aptidão para mecânico.* [Pl.: *-dões.*]

apto (*ap*.to) *a.* **1** Que satisfaz as condições para desempenhar uma função ou atividade; HABILITADO; CAPAZ: *As candidatas aptas para o cargo retornarão amanhã.* **2** *Jur.* Que preenche as condições legais: *Com o passaporte você estará apto a viajar.* [Ant. ger.: *inapto*.]

apunhalar (a.pu.nha.*lar*) *v.* **1** Dar punhalada em. [*td.*: *Apunhalou o animal.* *pr.*: *Apunhalou-se em uma peça de teatro.*] **2** *Fig.* Ferir (com palavras, atitudes); MAGOAR. [*td.*: *Seu desprezo apunhalou-me.* *int.*: *A indiferença apunhala mais do que a raiva.*] [▶ 1 apunhalar]

apupar (a.pu.*par*) *v. int. td.* Vaiar. [▶ 1 apupar] • a.*pu*.po *sm.*

apurado (a.pu.*ra*.do) *a.* **1** Submetido a ou revelado em investigação: *relatório com base nos dados apurados.* **2** Capaz de distinguir bem sensações, percepções etc. (ouvido apurado). **3** Que é requintado, elegante (gosto apurado). **4** Que se arrecadou ou se obteve (valor apurado, votos apurados). **5** *S.* Que tem pressa: *Fale logo, pois estou apurado.*

apurar (a.pu.*rar*) *v.* **1** Procurar a verdade sobre; AVERIGUAR. [*td.*: *apurar as causas do acidente.*] **2** Contabilizar (votos, quantia). [*td.*: *Os mesários apuraram os votos.*] **3** Conseguir (determinado valor); ARRECADAR. [*td.*: *Apuraram trezentos reais com a rifa.*] **4** Tornar(-se) melhor; APERFEIÇOAR(-SE). [*td.*: *Você precisa apurar sua escrita.* *pr.*: *Seu gosto musical apurou-se.*] **5** Tornar(-se) mais concentrado, por meio de fervura. [*td.*: *Apurou o doce de leite.* *int.*: *O molho está apurando.*] ◨ **apurar-se** *v. pr. S.* Acelerar (o passo); APRESSAR-SE: *Apure-se, estamos atrasados.* [▶ 1 apurar] • a.pu.*ra*.ção *sf.*

apuro (a.*pu*.ro) *sm.* **1** Situação difícil: *A família passou por momentos de apuro.* **2** Esmero; perfeição: *Márcia redige com grande apuro.*

aquaplanagem (a.qua.pla.*na*.gem) *sf.* **1** Pouso de hidravião sobre a água. **2** *Aut. Pop.* Derrapagem de um veículo causada pela falta de aderência dos pneus à pista molhada. [Pl.: *-gens.*] • a.qua.pla.*nar v.*

aquarela (a.qua.*re*.la) *sf. Pint.* **1** Tinta obtida pela diluição de uma massa colorida em água: *estojo de aquarelas.* **2** Técnica de pintura que faz uso dessa tinta: *pintores especialistas em aquarela.* **3** Pinturas produzidas com o uso dessa técnica: *O museu adquiriu novas aquarelas.*

aquarelista (a.qua.re.*lis*.ta) *a2g.s2g.* Que ou quem se especializou em aquarela (2).

aquariano (a.qua.ri:*a*.no) *a.sm.* Que ou quem nasceu sob o signo de Aquário.

aquário (a.*quá*.ri:o) *sm.* **1** Recipiente ou depósito com água destinado à criação de peixes ou plantas aquáticas. ◨ **Aquário** *Astrol. sm.* **2** Signo do Zodíaco) das pessoas nascidas entre 20 de janeiro e 19 de fevereiro. **3** Aquariano: *Meu professor também é Aquário.*

aquartelado (a.quar.te.*la*.do) *a.* Alojado em quartel. • a.quar.te.*lar v.*

aquático (a.*quá*.ti.co) *a.* **1** Que vive na água ou em sua superfície (planta aquática). **2** Que é praticado na água (esqui aquático).

aquecedor (a.que.ce.*dor*) [ô] *sm.* Aparelho us. para aquecer a água ou um ambiente.

aquecer (a.que.*cer*) *v.* **1** Elevar a temperatura (de); ESQUENTAR. [*td.*: *aquecer a sopa. int.*: "O sol começa a aquecer." (Pepetela, *A geração da utopia*). *pr.*: *Aquecia-se ao redor da fogueira.*] **2** *Esp.* Preparar(-se) para jogar, correr etc., por meio de exercícios físicos. [*td.*: *aquecer os músculos. pr.*: *Os jogadores já estavam se aquecendo.*] **3** *Fig.* Confortar. [*td.*: *Sua presença aquece o meu coração.*] **4** *Fig.* Tornar(-se) animado, movimentado. [*td.*: *aquecer a discussão. pr.*: *A galera aquecia-se ao som do rock.*] **5** *Fig.* Incrementar (atividade econômica). [*td.*: *A proximidade do Natal aquecia as vendas.*] [▶ 33 aquecer]

aquecimento (a.que.ci.*men*.to) *sm.* **1** Aumento da temperatura. **2** *Esp.* Conjunto de exercícios físicos que precedem uma prática esportiva: *Depois do aquecimento, corremos 5km.* **3** *Econ.* Crescimento da atividade econômica: *aquecimento das vendas no dia da criança.* ▨ ~ **global** Aumento da temperatura média anual da Terra.

aqueduto (a.que.*du*.to) *sm.* Canal artificial utilizado para a condução de água.

aquele (a.*que*.le) [ê] *pr.dem.* **1** Indicação de pessoa ou coisa distante do ouvinte e do falante, no tempo ou no espaço: *Aquele tempo já passou*; *Este senhor foi atendido por aquela moça de azul.* **2** Indicação de algo pouco conhecido, distante ou perdido na memória: *Como é mesmo aquela poesia?* [Cf.: *este*, *esse*.]

àquele (à.*que*.le) Contr. da prep. *a* com o pr.dem. *aquele*: *O médico deu mais atenção àquele caso.* [Ver *crase*.]

aquém (a.*quém*) *adv.* **1** Do lado de cá, em relação a algum limite: *A casa está situada aquém da estrada.* **2** Em condição inferior; ABAIXO: *O rendimento do carro ficou aquém do esperado.* [Ant. ger.: *além*.]

aqui (a.*qui*) *adv.* **1** Neste lugar: *Estou aqui em São Paulo desde ontem.* **2** Este lugar (onde está o falante): *Aqui é bom para viver.* **3** Até este lugar: *De Porto*

Alegre aqui são 24h. **4** Neste momento ou ocasião: *Quero saudar aqui nosso prefeito.* **5** Este momento: *Até aqui transcorreram dez anos.*

aquiescer (a.qui:es.*cer*) *v.* Estar ou pôr-se de acordo; ANUIR. [*ti.* + em: *Aquiesceu em pedir desculpas. int.: A muito custo, aquiesceu.*] [▶ **33** aquies cer] ● **a.qui:es. cên.ci:a** *sf.*

aquietar (a.qui:e.*tar*) *v.* Tornar(-se) quieto; ACALMAR(-SE). [*td.*: *aquietar os ânimos. int./pr.: Enfim, a criança aquietara(-se).*] [▶ **1** aquie tar]

aquilatar (a.qui.la.*tar*) *v.* **td.** Estimar o valor ou a importância de; AVALIAR: *É impossível aquilatar a sua contribuição.* [▶ **1** aquila tar]

aquilino (a.qui.*li*.no) *a.* **1** Da ou próprio da águia. **2** Curvo, como o bico da águia (nariz *aquilino*); ADUNCO.

aquilo (a.*qui*.lo) *pr.dem.* **1** Referência a coisa ou fato mencionados anteriormente: *Luciana saía todas as tardes, aquilo dava o que falar.* **2** Aquela(s) coisa(s), ger. distante(s), às vezes desconhecida(s): *Ganhara de presente apenas aquilo, cuja utilidade não descobrira; Que será aquilo?!*

àquilo (à.*qui*.lo) Contração da prep. *a* com o pr. dem. *aquilo*: *É insensato atribuir importância àquilo.* [Ver *crase*] [NOTA: Não confundir com *a quilo*.]

aquinhoar (a.qui.nho.*ar*) *v.* **1** Dividir em quinhões; REPARTIR. [*td.*: *Aquinhoaram a fazenda e o gado.*] **2** Dar (algo) a, favorecer (alguém). [*td.*: *Confie, porque a sorte ainda vai aquinhoá-lo. tdi.* + *com, de*: *Aquinhoou os amigos com obras de arte.*] [▶ **16** aquinh oar]

aquisição (a.qui.si.*ção*) *sf.* **1** Ação ou resultado de adquirir. **2** Coisa adquirida: *Este quadro foi sua melhor aquisição.* [Pl. *-ções*.]

aquisitivo (a.qui.si.*ti*.vo) *a.* Ref. a aquisição, próprio para realizá-la. ❐ **Poder** ~ Poder de compra.

aquoso (a.*quo*.so) [ó] *a.* Que contém água ou a ela se assemelha sob algum aspecto (humor *aquoso*). [Fem. e pl.: [ó].]

ar *sm.* **1** Mistura de gases que forma a atmosfera terrestre, constituída principalmente por nitrogênio e oxigênio. **2** Espaço ocupado pela atmosfera: *A águia cortou o ar em voo rasante.* **3** Clima de um determinado lugar: *O ar da montanha faz bem à saúde.* **4** *Fig.* A aparência ou a postura de alguém: *ar de nobreza/de superioridade.* **5** *Fig.* Conjunto das relações e disposições humanas que constituem um ambiente; ATMOSFERA: *O ar estava carregado naquela casa.* ❐ **Ao ~ livre** Fora do ambiente ou recinto fechado. **Estar fora do ~** *Telec.* **1** Estar suspensa transmissão de rádio, televisão etc., provisória ou definitivamente. **2** Estar provisória ou definitivamente inativo canal de rádio, televisão etc. **3** *Gir.* Estar desatento, distraído, com lapso de memória. **Ir ao ~** *Telec.* Ser transmitido. **Sair do ~** *Telec.* Passar a estar fora do ar. **Ir pelos ~es** Explodir. **No ~ 1** Não definido, não bem delineado, não completamente resolvido: *Está tudo no ar, ainda não temos um projeto claro.* **2** Com sinais perceptíveis mas imprecisos, sendo motivo de boatos e comentários: *Há mais coisas no ar que aviões de carreira.* **3** Distraído, alheio, desatento: *Tentei explicar, mas ele estava no ar.*

árabe (*á*.ra.be) *a2g.* **1** Da Arábia, península da Ásia que inclui diversos países; típico dessa região ou de seu povo. **2** Ref. aos árabes, denominação de vários povos semitas habitantes de países e regiões do Oriente Médio e do norte da África. *s2g.* **3** Pessoa nascida na Arábia, ou indivíduo dos árabes. *sm.* **4** *Gloss.* Da, ref. à ou a língua semítica falada pelos árabes.

árabe-saudita (á.ra.be-sau.*di*.ta) *a2g.* **1** Da Arábia Saudita (Oriente Médio); típico desse país ou de seu povo. *s2g.* **2** Pessoa nascida na Arábia Saudita. [Sin. ger.: *saudi-arábico* e *saudita*.] [Pl.: *árabes- -sauditas.*]

arabesco (a.ra.*bes*.co) [ê] *sm.* Desenho decorativo ou ornato de origem árabe, que se caracteriza pelo entrelaçamento de linhas curvas, ramagens, flores e pela ausência de figuras humanas.

ARABESCO

arábico (a.*rá*.bi.co) *a.* **1** Da ou próprio da Arábia ou dos árabes. **2** Criado pelos árabes (diz-se algarismo). [Ver *algarismo arábico*, em *algarismo*.]

arabismo (a.ra.*bis*.mo) *sm.* **1** *Ling.* Palavra ou expressão característica da língua árabe. **2** *Ling.* Uso de palavra ou expressão de origem árabe em outra língua. **3** Movimento político de reconhecimento e defesa dos valores da cultura árabe, bem como dos interesses dos países árabes.

arabista (a.ra.*bis*.ta) *s2g.* Especialista em língua árabe ou em cultura e política árabes.

araçá (a.ra.*çá*) *sm.* Fruto silvestre semelhante à goiaba em forma e sabor.

aracajuano (a.ra.ca.ju.*a*.no) *a.* **1** De Aracaju, capital do Estado de Sergipe; típico dessa cidade ou de seu povo. *sm.* **2** Pessoa nascida em Aracaju; ARACAJUENSE.

aracajuense (a.ra.ca.ju:*en*.se) *a2g.s2g. P.us.* Ver *aracajuano.*

araçazeiro (a.ra.ça.*zei*.ro) *sm. Bot.* Árvore que dá o araçá.

aracnídeo (a.rac.*ní*.de:o) *sm.* **1** *Zool.* Espécime dos aracnídeos, classe que inclui as aranhas, os escorpiões etc. *a.* **2** Dos aracnídeos.

arado (a.*ra*.do) *sm.* Instrumento agrícola us. para lavrar e trabalhar a terra.

aragem (a.*ra*.gem) *sf.* Vento brando, suave; BRISA. [Pl.: *-gens*.]

aramado (a.ra.*ma*.do) *a.* **1** *Bras.* Fechado com cerca de arame. *sm.* **2** Cerca de arame; ALAMBRADO.

aramaico (a.ra.*mai*.co) *a.* **1** Ref. aos ou dos arameus, antigo povo semítico. *sm.* **2** Língua falada pelos arameus e outros povos semíticos.

arame (a.*ra*.me) *sm.* Fio de metal flexível.

arandela (a.ran.*de*.la) *sf.* **1** Luminária presa à parede. **2** Peça presa à parede para se colocar vela. **3** Suporte da vela que, no castiçal, recebe os pingos da cera derretida.

aranha (a.*ra*.nha) *sf. Zool.* Pequeno animal com quatro pares de patas, dotado de glândulas produtoras de seda, com a que tecem suas teias.

aranha-caranguejeira (a.ra.nha-ca.ran.gue.*jei*.ra) [ê] *sf. Zool.* Aranha grande, peluda, que não produz teia. [Pl.: *aranhas-caranguejeiras.*]

araponga (a.ra.*pon*.ga) *sf. Zool.* **1** Ave cujo canto forte e estridente faz lembrar batidas de martelo sobre uma superfície metálica. *s2g. Pop.* **2** Pessoa que fala muito alto e tem timbre de voz desagradável. **3** *Bras. Gír.* Espião, esp. o que trabalha em escuta clandestina.

arapuca (a.ra.*pu*.ca) *sf.* **1** *Bras.* Armadilha para caçar passarinhos. **2** Cilada, embuste: *A proposta não passava de uma arapuca.* **3** *Pop.* Casa de negócio ou empresa que indica o contrário.

araque (a.*ra*.que) *sm.* Us. na loc. ❐ **De ~** *Pop.* **1** Que aparenta ou finge ser o que não é: *É um advogado de araque.* **2** Ordinário, de má qualidade: *um champanha de araque.*

arar (a.*rar*) *v. td.* Revolver (o solo) com arado, preparando-o para o plantio. [▶ **1** ar ar] ● **a.ra.du.ra** *sf.*; **a.rá.vel** *a.*

arara (a.*ra*.ra) *sf.* **1** *Bras. Zool.* Ave de bico curvo, cauda longa e plumagem colorida. **2** Estrutura dotada de uma peça roliça de madeira ou metal para pendurar cabides com roupas, ger. em lojas.

araruta (a.ra.*ru*.ta) *sf. Bras. Bot.* Erva de que se obtém um tipo de farinha comestível. **2** Essa farinha, da qual se fazem ger. mingaus e biscoitos.

araucária (a.rau.*cá*.ri:a) *sf. Bras. Bot.* Árvore de madeira útil que produz pinhas com amêndoas comestíveis.

arauto (a.*rau*.to) *sm.* **1** Na Idade Média, oficial que fazia proclamações solenes e anunciava a guerra e a paz. **2** Mensageiro, porta-voz: *Era o arauto do presidente.*

arbitrar (ar.bi.*trar*) *v.* **1** Determinar (valor a ser pago). [*td*.: *arbitrar uma pensão*. *tdi.* + *a*: *arbitrar multa aos infratores*.] **2** Resolver (conflito, problema) conciliando. [*td*.: *arbitrar interesses familiares*.] **3** Agir como árbitro (1) em. [*td*.: *arbitrar o jogo final do campeonato*.] [▶ **1** arbitr⸤ar⸥ ● **ar.bi.tra.gem** *sf*.

arbitrariedade (ar.bi.tra.ri:e.*da*.de) *sf.* **1** Qualidade de arbitrário. **2** Ação praticada de maneira injusta e prepotente.

arbitrário (ar.bi.*trá*.rio) *a.* **1** Que depende da vontade de quem decide, sem consideração pela opinião ou necessidade de outros. **2** *Ling.* Que se baseia unicamente em acordo ou convenção social (diz-se do signo linguístico).

arbítrio (ar.*bí*.tri:o) *sm.* **1** Decisão que só depende da própria vontade. **2** Juízo, opinião.

árbitro (*ár*.bi.tro) *sm.* **1** *Esp.* Pessoa que dirige competições esportivas; JUIZ (3): *árbitro de futebol*. **2** Aquele que é escolhido pelas partes em disputa para resolver a demanda em que estão envolvidas.

arbóreo (ar.*bó*.re:o) *a.* Ref. ou semelhante a árvore.

arborescer (ar.bo.res.*cer*) *v. int.* Transformar-se em árvore. [▶ **33** arbores⸤cer⸥ ● **ar.bo.res.cen.te** *a2g*.

arborizado (ar.bo.ri.*za*.do) *a.* Cheio de árvores (rua arborizada).

arborizar (ar.bo.ri.*zar*) *v. td.* Plantar árvores em. [▶ **1** arboriz⸤ar⸥ ● **ar.bo.ri.za.ção** *sf.*

arbusto (ar.*bus*.to) *sm. Bot.* Vegetal lenhoso, desprovido de tronco, que tem ramificações desde a base.

arca (*ar*.ca) *sf.* Grande caixa de madeira com tampa.

arcabouço (ar.ca.*bou*.ço) *sm.* **1** Armação de uma estrutura, de uma construção. **2** Delineamento, esboço: *o arcabouço de um projeto*. **3** *Anat.* Conjunto dos ossos que formam o peito; TÓRAX.

arcada (ar.*ca*.da.) *sf.* **1** Passagem ou galeria com uma série de arcos em sequência. **2** *Anat.* Estrutura óssea arqueada (arcada dentária).

arcaico (ar.*cai*.co) *a.* **1** Antiquado, fora de uso; OBSOLETO. **2** Ultrapassado, fora de moda.

arcaísmo (ar.ca.*ís*.mo) *sm. Ling.* Palavra ou expressão muito antiga, fora de uso.

arcanjo (ar.*can*.jo) *sm.* Anjo de ordem superior.

arcano (ar.*ca*.no) *a.sm.* Que ou aquilo que é secreto, misterioso.

arcar (ar.*car*) *v. ti.* Responsabilizar-se por; ASSUMIR. [+ *com*: *arcar com as despesas/consequências de seus atos*.] [▶ **11** ar⸤car⸥]

arcebispado (ar.ce.bis.*pa*.do) *sm.* **1** Dignidade ou título de arcebispo. **2** Jurisdição ou residência do arcebispo; ARQUIEPISCOPADO.

arcebispo (ar.ce.*bis*.po) *sm.* Principal bispo de uma arquidiocese.

archote (ar.*cho*.te) *sm.* **1** Facho untado com breu a que se ateia fogo para iluminar; TOCHA.

arco (*ar*.co) *sm.* **1** *Geom.* Porção de uma circunferência. **2** *Arq.* Curva de abóbada. **3** *Arq.* Qualquer elemento de forma curva. **4** Arma portátil em que se atiram flechas ou setas. **5** *Mús.* Vara flexível com que se tocam as cordas do violino, violoncelo etc. **6** *Fut.* Gol, meta.

arco-íris (ar.co-*í*.ris) *sm2n.* Arco composto de faixas coloridas que aparece no céu em consequência da dispersão da luz solar em gotículas de chuva.

ar-condicionado (ar-con.di.ci:o.*na*.do) *sm.* Aparelho que resfria a temperatura de ambientes fechados; AR-REFRIGERADO. [Pl.: *ares-condicionados*.] [Cf.: *ar condicionado*, no verbete *ar*.]

ardência (ar.*dên*.ci:a) *sf.* **1** Qualidade do que causa ardor. **2** Sensação de ardor, de queimação.

ardente (ar.*den*.te) *a2g*. **1** Que está em chamas ou em brasa. **2** *Fig.* Muito intenso, vivo (paixão ardente).

arder (ar.*der*) *v.* **1** Queimar-se. [*int*. *O queijo já ardia na chapa*; *O canavial ardia em chamas*.] **2** Doer como se queimasse. [*int*. (seguido ou não de indicação de motivo): *Seus olhos ardiam (de sono)*.] **3** Estar aceso: [*int*.: *A lâmpada ardeu a noite inteira*.] **4** Ter sabor picante. [*int*.: *Essa pimenta arde na boca*.] **5** *Fig.* Ser dominado por sentimento intenso. [*ti*. + *de*: "*...começava a arder de curiosidade.*" (Machado de Assis, *Conto de escola* in *Novas seletas*).] [▶ **2** ar⸤der⸥]

ardido (ar.*di*.do) *a.* **1** Que ardeu, que queimou. **2** Picante (pimenta ardida).

ardil (ar.*dil*) *sm.* Estratagema para enganar; ARTIMANHA. [Pl.: *-dis*.]

ardiloso (ar.di.*lo*.so) [ô] *a.* Que usa de ardis; ASTUCIOSO. [Fem. e pl.: ó).]

ardor (ar.*dor*) *sm.* **1** Ardência, queimação. **2** Calor forte. **3** Sabor acre ou picante. **4** *Fig.* Entusiasmo, energia. ● **ar.do.ro.so** *a.*

ardósia (ar.*dó*:si:a) *sf.* Pedra cinzenta, esverdeada ou azulada us. para revestir pisos, paredes etc.

árduo (*ár*.du:o) *a.* Que é difícil, penoso (trabalho árduo, vida árdua).

are (*a*.re) *sm.* Medida agrária que equivale a 100m². [Simb.: *a*]

área (*á*.re:a) *sf.* **1** *Geom.* Medida de uma superfície. **2** Espaço ou terreno delimitado; REGIÃO: *Essa área é perigosa à noite*. **3** Campo de conhecimento de atividade ou de interesse: *a área de publicidade, de educação*. ▪ ~ **de serviço** Em apartamento, espaço (ger. junto à cozinha e à entrada de serviço) destinado à lavagem e secagem de roupa, a armários para material de limpeza etc. [Tb. apenas *área*.] ~ **de trabalho** *Inf.* Representações no vídeo, através da interface gráfica dos sistemas operacionais, dos objetos us. habitualmente, tais como impressora, pastas, ícones de *software* etc., bem como de periféricos disponíveis, fazendo com que a tela se assemelhe a uma mesa de trabalho; DESKTOP. ~ **verde** *Urb.* Terreno em área urbana coberto com vegetação ou jardins, onde não há construções. **Grande** ~ *Fut.* Área demarcada diante do gol, dentro da qual é permitido ao goleiro usar as mãos e em que as faltas cometidas pelo time que se defende são cobradas da marca do pênalti. [Tb. apenas *área*.] **Pequena** ~ *Fut.* Área demarcada diante do gol, no interior da grande área, na qual o goleiro não pode ser acossado por jogador adversário. [Cf. *ária*.]

areal (a.re:*al*) *sm.* Extensão de terreno onde há muita areia. [Pl.: *-ais*.]

arear (a.re.*ar*) *v. td.* Limpar com areia, sabão etc. [▶ **13** are⸤ar⸥]

areia (a.*rei*.a) *sf.* **1** *Pet.* Partículas de rocha que se apresentam em finíssimos grãos em praias, desertos etc. *sm.* **2** Cor bege parecida com a da areia. *a2g2n.* **3** Que é dessa cor (sapatos areia). ▪ ~ **movediça** Aquela que não resiste ao peso (de gente, animal ou coisas), podendo assim provocar o afundamento total do que lhe está em cima. **Entrar** ~ *Bras. Gír.* Ocorrer algo que dificulte ou impeça o prosseguimento de ação, projeto etc.

arejar (a.re.*jar*) *v.* **1** Fazer com que o ar circule em; VENTILAR. [*td.*: *Abra as janelas para arejar a sala.*] **2** *Fig.* Dar novos ares, novo alento a (algo); RENOVAR. [*td.*: *Vamos arejar nossos métodos.*] **3** *Fig.* Distrair(-se), espairecer. [*int./pr.*: *Vamos sair para (nos) arejar.*] [▶ arej$\boxed{\text{ar}}$ • a.re.ja.do *a.*; a.re.ja.*men*.to *sm.*

arena (a.*re*.na) *sf.* **1** Picadeiro de circo. **2** Ringue de boxe. **3** Área circular para corridas de touros. **4** Na antiga Roma, anfiteatro onde lutavam os gladiadores. **5** Qualquer anfiteatro.

arenga (a.*ren*.ga) *sf.* **1** Discurso longo e monótono; LENGA-LENGA. **2** Discussão, disputa. **3** *Bras.* Mexerico, fofoca. • a.ren.*gar v.*

arenito (a.re.*ni*.to) *sm. Pet.* Rocha resultante da consolidação de areia com um cimento natural.

arenoso (a.re.*no*.so) [ó] *a.* Coberto de areia (solo *arenoso*). [Fem. e pl.: [ó].]

arenque (a.*ren*.que) *sm. Zool.* Peixe dos mares do Norte, muito apreciado como alimento.

aréola (a.*ré*:o.la) *sf. Anat.* Círculo pigmentado em torno do bico do seio.

aresta (a.*res*.ta) *sf.* **1** Ângulo formado pela interseção de dois planos; a reta resultante dessa interseção. **2** Ponto de discordância (entre pessoas, ideias etc.): *Há algumas arestas entre nós que temos de aparar.*

arfar (ar.*far*) *v. int.* **1** Respirar com dificuldade; ARQUEJAR. **2** Mover-se ritmadamente (seio, peito, ventre). [▶ arf$\boxed{\text{ar}}$ • ar.*fa*.gem *sf.*; ar.*fan*.te *a2g.*

argamassa (ar.ga.*mas*.sa) *sf.* Massa aglutinante que combina areia, cal ou cimento, us. em alvenaria.

argelino (ar.ge.*li*.no) *a.* **1** Da Argélia (África); típico desse país ou de seu povo. *sm.* **2** Pessoa nascida na Argélia.

argênteo (ar.*gên*.te:o) *a.* **1** De prata ou que contém prata. **2** Que tem a cor da prata.

argentino[1] (ar.gen.*ti*.no) *a.* Ver *argênteo.*

argentino[2] (ar.gen.*ti*.no) *a.* **1** Da Argentina (América do Sul); típico desse país ou de seu povo. *sm.* **2** Pessoa nascida na Argentina.

argila (ar.*gi*.la) *sf.* Tipo de areia que adquire consistência plástica quando misturada à água, podendo então ser us. para moldagem de vasos, peças de arte etc.; BARRO.

argiloso (ar.gi.*lo*.so) [ó] *a.* Que contém argila (terreno *argiloso*). [Fem. e pl.: [ó].]

argola (ar.*go*.la) *sf.* **1** Aro que serve para prender ou puxar algo. **2** Objeto com a forma de argola (1).

argonauta (ar.go.*nau*.ta) *sm.* **1** *Mit.* Cada um dos tripulantes da nau Argo, que viajaram à procura do velocino de ouro. *s2g.* **2** Navegante ousado, de espírito aventureiro.

argúcia (ar.*gú*.ci:a) *sf.* Agudeza de raciocínio, perspicácia, habilidade na argumentação.

arguição (ar.gui.*ção*) *sf.* **1** Ação ou resultado de arguir. **2** Exame ou prova oral. [Pl.: -ções.]

arguir (ar.*guir*) *v.* **1** Fazer perguntas a, interrogar (alguém) para avaliar seu conhecimento de algo. [*td.*: *Uma vez por semana a professora argui a turma.* *tdi.* + sobre: *Arguiu o candidato sobre questões relativas ao programa.* *int.*: *Nosso professor de história prefere debater a arguir.*] **2** Acusar, censurar ou repreender, dando as razões. [*td.*: *Quem o argui é a sua própria consciência.* *tdi.* + de: *Arguiu a filha de não estar cumprindo com suas obrigações.* *pr.*: *Arguia-se por não ter sido bom filho.*] **3** Combater ou discordar de (algo) com argumentos. [*td.*: *Líderes do partido arguiram a proposta do ministro.* *ti.* + sobre: *Arguiu sobre a decisão.* *int.*: *Ao saber do programa, arguiu sem muita convicção.*] **4** Atribuir a (alguém) qualidade negativa; ACUSAR; TACHAR. [*td.* (seguido de qualificativo): *Arguiram-no de covarde.*] [▶ **48** ar$\boxed{\text{guir}}$]

argumentação (ar.gu.men.ta.*ção*) *sf.* **1** Ação ou resultado de argumentar; apresentação de argumentos. **2** Conjunto de argumentos: *argumentação do advogado/contra o suspeito/a favor de uma causa.*] [Pl.: -ções.]

argumentar (ar.gu.men.*tar*) *v.* **1** Apresentar razões ou argumentos. [*ti.* + com, contra: *Argumentaram com boas citações de jurisprudência.* *int.*: *O candidato argumenta bem.*] **2** Discutir questionando; ALTERCAR. [*ti.* + com: *Estava disposto a argumentar com todos que se lhe opusessem.* *int.*: *Argumentaram o dia inteiro e não chegaram a um acordo.*] **3** Dar como argumento; ALEGAR. [*td.*: *Argumentou que não receberá a cópia do processo.*] [▶ 1 argument$\boxed{\text{ar}}$]

argumento (ar.gu.*men*.to) *sm.* **1** Raciocínio ou prova us. para levar a conclusão desejada: *Seus argumentos convenceram todos.* **2** *Cin. Telv.* Resumo do enredo de um filme, novela etc. • ar.gu.men.ta.*ti*.vo *a.*

arguto (ar.*gu*.to) *a.* Capaz de perceber e compreender rapidamente fatos, significados, situações etc.; ESPERTO; PERSPICAZ.

ária (*á*.ri:a) *sf. Mús.* Peça para uma só voz, ger. em ópera, oratório ou cantata. [Cf.: *área.*]

ariano (a.ri:*a*.no) *a.sm.* **1** *Astrol.* Que ou quem nasceu sob o signo de Áries, ou ref. a esse signo. **2** Que ou quem pertence aos ou supostamente descende dos árias, raça oriunda da Ásia; ref. a essa raça ou a seus supostos descendentes.

▢ A teoria racial adotada pelo regime nazista na Alemanha, no início da década de 1930, considerava haver uma raça europeia descendente dos árias, pura e superior — os arianos —, à qual pertenceriam os alemães.

árido (*á*.ri.do) *a.* **1** Seco, sem umidade (região *árida*). **2** Que nada produz, estéril: *Não nascia planta alguma naquela terra árida.* **3** *Fig.* Que não demonstra sensibilidade; DURO; INSENSÍVEL. **4** *Fig.* Que entedia e aborrece: *Tive de ler aquele texto árido.* • a.ri.*dez sf.*

Áries (*Á*.ri:es) *sm2n. Astrol.* **1** Signo (do Zodíaco) das pessoas nascidas entre 21 de março e 20 de abril. **2** Ariano (1): *Minha neta é Áries.*

arisco (a.*ris*.co) *a.* **1** Que tem dificuldade de se aproximar dos outros, de ser sociável; ARREDIO; ESQUIVO. **2** Difícil de ser domesticado (diz-se de animal).

aristocracia (a.ris.to.cra.*ci*.a) *sf.* **1** A classe dos nobres. **2** *Fig.* Grupo de pessoas que se distingue por seus privilégios, merecidos ou não, ou por se destacar no exercício de suas atividades, pela excelência de suas capacidades etc.

aristocrata (a.ris.to.*cra*.ta) *a2g.s2g.* **1** Que ou quem pertence à aristocracia. **2** Que ou quem tem maneiras nobres ou distintas. [Ant. ger.: *plebeu.*]

aristocrático (a.ris.to.*crá*.ti.co) *a.* **1** Da ou próprio da aristocracia. **2** Que tem maneiras distintas, elegantes.

aritmética (a.rit.*mé*.ti.ca) *sf. Mat.* Parte da matemática que trata das operações numéricas. • a.rit.*mé*.ti.co *a.*

arlequim (ar.le.*quim*) *sm.* **1** *Teat.* Personagem da antiga comédia italiana que, vestindo roupas coloridas, divertia o público durante os intervalos do espetáculo. **2** Fantasia de carnaval inspirada nesse personagem. [Pl.: *-quins.*]

arma (*ar*.ma) *sf.* **1** Objeto (natural ou fabricado) que serve para atacar ou defender. **2** *Fig.* Recurso para obter o que se quer: *Sua principal arma era o charme.* **3** *Bras.* Cada uma das subdivisões da tropa do Exército (cavalaria, infantaria etc.) ▣ **armas** *sfpl.* **4** Conjunto de figuras que formam um brasão. ▪ ~ **biológica** Arma que usa organismos vivos (vírus, bactéria etc.) para disseminar doenças

armação | arpoar

e, com isso, provocar baixas no inimigo. **~ branca** Qualquer arma formada por lâmina de metal, cortante ou perfurante. **~ de fogo** Arma que dispara projétil pela força de gases resultantes da explosão de um cartucho de pólvora ou outro material de combustão. **~ nuclear** Arma que provoca destruição pela libertação de energia proveniente da fissão (divisão) ou fusão do núcleo atômico de certos elementos, como o urânio, o hidrogênio etc. **~ química** Arma que provoca baixas nos seres vivos pela disseminação de substâncias químicas tóxicas.

armação (ar.ma.ção) *sf.* **1** Ação ou resultado de armar. **2** Conjunto de peças que sustentam ou reforçam as partes de um todo. **3** Conjunto de utensílios de uma loja (balcões, prateleiras etc.). **4** *Pop.* Situação montada para obtenção de algum proveito, ger. de modo fraudulento: *O sequestro foi uma armação.* **5** *Mar.* Lugar próximo da praia onde as ondas se encorpam. **6** Agrupamento de nuvens, com vento, chuva, trovões etc., que resulta em trovoada ou tempestade. **7** *Fut.* Escalação dos jogadores que formam a equipe (armação ofensiva). **8** *Fut.* Preparação de uma jogada em campo: *armação do lance.* [Pl.: *-ções.*]

armada (ar.ma.da) *sf. Mar.G.* Conjunto dos navios que pertencem à Marinha de Guerra de um país.

armadilha (ar.ma.di.lha) *sf.* **1** Artefato para capturar animais. **2** *Fig.* Artifício para enganar ou seduzir alguém; CILADA (armadilha amorosa).

armador (ar.ma.dor) [ó] *a.sm.* **1** Que ou quem arma. *sm.* **2** Pessoa (física ou jurídica) que explora navios mercantes. **3** *Bras.* Gancho para prender o punho da rede. **4** *Esp.* Em alguns esportes, jogador que arma as jogadas.

armadura (ar.ma.du.ra) *sf.* **1** Vestimenta metálica de proteção, us. por antigos guerreiros. **2** Aquilo que serve para reforçar uma construção. **3** O que o animal usa (dentes, chifres etc.) como meio de defesa e ataque. **4** *Elet.* Motor ou gerador de uma máquina elétrica.

armamentista (ar.ma.men.tis.ta) *a2g.* Partidário do aumento do material bélico de um ou mais países. • **ar.ma.men.tis.mo** *sm.*

armamento (ar.ma.men.to) *sm.* **1** Ação ou resultado de armar. **2** Conjunto de armas. **3** Conjunto de armas e equipamento militar de um país, de um navio de guerra etc.

armar (ar.mar) *v.* **1** Munir(-se) de arma(s). [*td.*: *Armaram os soldados para a guerra.* *tdi.* + *com*, *contra*, *de*: *Armaram os soldados com melhores equipamentos.* *pr.*: "…armou-se de uma garrucha…" (Machado de Assis, *O alienista*).] **2** Preparar(-se) para enfrentar dificuldades, inimigos etc. [*td.*: *Armou o povo para a resistência.* *pr.*: *Armou-se para enfrentar a recessão.*] **3** Preparar (engenho, maquinismo) para funcionar. [*td.*: *armar uma ratoeira.*] **4** Montar; instalar. [*td.*: *Armou a barraca perto do rio.*] **5** Preparar (arma ou dispositivo de explosão) para disparar ou explodir, puxando o cão, preparando estopim, detonador etc. [*td.*: *Armaram a bomba cuidadosamente.*] **6** *Fig.* Conceber, preparar, imaginar (plano, tática etc.); ARQUITETAR; MAQUINAR. [*td.*: *armar um golpe.* *tdi.* + *contra*, *para*: *Armou uma cilada contra o inimigo.*] **7** Dispor ou encaixar de determinada maneira; MONTAR. [*td.*: *Armou a estante na sala.*] (com complemento conhecido, mas não explícito) *Brinquedo de armar.* **8** *Esp.* Preparar uma equipe (com táticas, instruções etc.) para jogo, competição etc. [*td.*: *Armou o time para o jogo decisivo.* *tdi.* + *com*: *Armou o time com três atacantes.*] **9** Fazer, realizar. [*td.*: *armar um escândalo.*] [▶ 1 arm<u>ar</u>] • **ar.ma.do** *a.*

armarinho (ar.ma.ri.nho) *sm. Bras.* Loja de aviamentos de costura.

armário (ar.má.ri.o) *sm.* **1** Móvel com divisões internas, prateleiras e gavetas, para guardar objetos. **2** *Bras. Gír.* Homem alto e muito forte. ¦¦ **Sair do ~** *Gír.* Assumir (5).

armazém (ar.ma.zém) *sm.* **1** Depósito para estocar mercadorias, munições etc. **2** Mercearia. [Pl.: *-zéns.*]

armazenagem (ar.ma.ze.na.gem) *sf.* **1** Ação ou resultado de armazenar; ARMAZENAMENTO. **2** Valor que se paga para guardar mercadorias em alfândegas, depósitos portuários, ferroviários etc. [Pl.: *-gens.*]

armazenar (ar.ma.ze.nar) *v.* **1** Conservar em armazém ou depósito. [*td.*: *Armazenou o trigo.*] **2** Juntar(-se) em quantidade; ACUMULAR. [*td.*: *armazenar energia.* *pr.*: *As experiências armazenam-se no espírito.*] **3** *Inf.* Guardar (dados) na memória do computador. [*td.*: *Armazenou informações no banco de dados.*] **4** Fazer provisão. [*td.*: *A população armazenou alimentos e remédios*; (tb. sem complemento explícito) *As formigas armazenam para o inverno.*] [▶ 1 armazen<u>ar</u>] • **ar.ma.ze.na.men.to** *sm.*

armeiro (ar.mei.ro) *sm.* Quem fabrica, conserta ou vende armas.

armênio (ar.mê.ni.o) *a.* **1** Da Armênia (Ásia); típico desse país ou de seu povo. *sm.* **2** Pessoa nascida na Armênia. **3** *Gloss.* Língua falada na Armênia.

arminho (ar.mi.nho) *sm.* **1** *Zool.* Mamífero polar de pele apreciada. **2** Essa pele.

armistício (ar.mis.tí.ci.o) *sm.* Acordo entre países em guerra para pôr fim às hostilidades ou suspendê-las temporariamente.

armorial (ar.mo.ri.al) *a2g.* **1** Ref. à heráldica. *sm.* **2** Livro de registro de brasões. [Pl.: *-ais.*]

⌧ **ARN** *Gen.* Símb. de *ácido ribonucleico*, RNA em inglês, molécula que atua na transmissão de informação genética.

arnica (ar.ni.ca) *sf.* **1** *Bot.* Certa planta medicinal. **2** *Med.* Pomada ou tintura extraída dessa planta.

aro (a.ro) *sm.* **1** Anel, argola. **2** Qualquer objeto em forma de anel ou argola. **3** Armação circular metálica das rodas de alguns veículos. **4** Armação de óculos.

aroeira (a.ro:ei.ra) *sf. Bras. Bot.* Árvore de madeira dura cuja casca tem propriedades medicinais.

aroma (a.ro.ma) *sm.* **1** Cheiro agradável de substâncias de diversas origens; PERFUME. **2** Essência perfumada.

aromaterapia (a.ro.ma.te.ra.pi.a) *sf.* Técnica terapêutica que emprega óleos vegetais aromáticos. • **a.ro.ma.te.ra.peu.ta** *s2g.*

aromático (a.ro.má.ti.co) *a.* Ref. a ou que tem aroma; ODORÍFERO; PERFUMADO.

aromatizante (a.ro.ma.ti.zan.te) *a2g.s2g.* Que ou o que aromatiza.

aromatizar (a.ro.ma.ti.zar) *v.* **1** Tornar(-se) aromático; PERFUMAR(-SE). [*td. int.*: *As flores aromatizam (o ambiente).* *pr.*: *A terra aromatiza-se com a chuva.*] **2** *Cul.* Acrescentar tempero a; APIMENTAR. [*td.* (com ou sem complemento explícito): *Aromatizar a comida (com pimenta).* *int.*: *O cravo-da-índia aromatiza.*] [▶ 1 aromatiz<u>ar</u>]

arpão (ar.pão) *sm.* Espécie de seta de ferro fixada num cabo us. na pesca. [Pl.: *-pões.*]

arpejar (ar.pe.jar) *v. int. Mús.* Executar arpejo(s): *Sentou-se ao piano e começou a arpejar.* [▶ 1 arpe<u>jar</u>]

arpejo (ar.pe.jo) [ê] *sm. Mús.* Acorde em que as notas são executadas rápida e sucessivamente.

arpoar (ar.po.ar) *v.* **1** Cravar o arpão em. [*td.*: *Arpoou uma baleia-azul.*] **2** Lançar o arpão contra. [*td.*: *Arpoou o tubarão, mas não acertou.*] **3** *Fig.* Seduzir; Enganar. [*td.*: *O vigarista se vale de artimanhas para arpoar suas vítimas.*] [▶ 16 arpo<u>ar</u>] • **ar.po:a.dor** *a.sm.*

arqueado (ar.que.a.do) a. Que tem forma de arco; CURVADO.

arquear (ar.que.ar) v. Curvar(-se) em forma de arco; DOBRAR(-SE). [*td*.: *Arquear as sobrancelhas*. *pr*.: *As costas de vovó arquearam-se com o tempo*.] [▶ 13 arquear] ● ar.que:a.ção *sf*.; ar.que:a.men.to *sm*.

arqueiro (ar.quei.ro) *sm*. **1** Pessoa que usa o arco (4). **2** *Bras*. *Fut*. Goleiro.

arquejante (ar.que.jan.te) *a2g*. Que arqueja; OFEGANTE.

arquejar (ar.que.jar) v. Respirar com dificuldade; OFEGAR. [*int*.: *Chegou ao final da maratona arquejando*.] [▶ 1 arquejar]

arquejo (ar.que.jo) [ê] *sm*. Ação de arquejar, de respirar de maneira ofegante.

arqueologia (ar.que:o.lo.gi.a) *sf*. Ciência que estuda os costumes e a cultura dos povos antigos através dos seus monumentos, documentos e de objetos encontrados em escavações. ● ar.que:o.ló.gi.co *a*.

arqueólogo (ar.que:ó.lo.go) *sm*. Pessoa especializada em arqueologia.

arquétipo (ar.qué.ti.po) *sm*. **1** Modelo perfeito; PADRÃO: *Pelé é o arquétipo do jogador de futebol*. **2** *Psic*. Modelo de pensamento comum a toda a humanidade, composto de símbolos ou imagens do inconsciente coletivo.

arquibancada (ar.qui.ban.ca.da) *sf*. *Bras*. Sequência de assentos dispostos em forma de escada, destinados ao público de espetáculos artísticos, desportivos etc.

arquidiocese (ar.qui.di:o.ce.se) *sf*. Diocese de um arcebispo que controla outras dioceses; ARCEBISPADO.

arquiduque (ar.qui.du.que) *sm*. **1** Título de nobreza superior ao de duque. **2** Título us. pelos príncipes da Áustria. **3** Homem que tem um desses títulos. [Fem.: *-quesa*.]

arqui-inimigo (ar.qui-i.ni.mi.go) *sm*. Aquele que é o maior inimigo de alguém.

arquimilionário (ar.qui.mi.li:o.ná.ri:o) *a.sm*. Que ou quem é extremamente rico; MULTIMILIONÁRIO.

arquipélago (ar.qui.pé.la.go) *sm*. Grupo de ilhas próximas umas das outras.

arquitetar (ar.qui.te.tar) v. *td*. **1** Conceber nos mínimos detalhes; PLANEJAR; BOLAR: *Arquitetou uma estratégia para neutralizar a concorrência*. **2** Elaborar projeto de arquitetura de: *Niemeyer arquitetou um centro cultural*. [▶ 1 arquitetar]

arquiteto (ar.qui.te.to) *sm*. Pessoa formada em arquitetura.

arquitetônico (ar.qui.te.tô.ni.co) *a*. De ou próprio de arquitetura (projeto arquitetônico).

arquitetura (ar.qui.te.tu.ra) *sf*. **1** Arte e técnica de projetar espaços e edificações. **2** Conjunto de obras arquitetônicas de uma época, de um povo etc. (arquitetura grega).

arquitrave (ar.qui.tra.ve) *sf*. *Arq*. Viga mestra colocada diretamente sobre colunas ou pilares.

arquivar (ar.qui.var) v. *td*. **1** Guardar em arquivo: *A secretária arquivou as fichas*. **2** Interromper a tramitação de: *arquivar um processo*. **3** *Fig*. Reter na memória: *Ninguém arquiva a matéria só de ouvi-la na sala de aula*. **4** *Fig*. Não levar em consideração: *arquivar uma reprimenda*. [▶ 1 arquivar] ● ar.qui.va.men.to *sm*.

arquivista (ar.qui.vis.ta) *s2g*. Pessoa responsável por um arquivo.

arquivo (ar.qui.vo) *sm*. **1** Local ou móvel próprio para guardar documentos. **2** Conjunto de documentos. **3** *Inf*. Conjunto de dados gravados e armazenados como uma unidade independente.

arrabalde (ar.ra.bal.de) *sm*. Região em torno de uma cidade; ARREDORES; SUBÚRBIO. [Muito us. tb. no pl.]

arraia (ar.rai.a) *sf*. **1** Grande peixe de forma achatada, com três barbatanas no rabo fino com um ferrão na ponta. **2** Pequeno papagaio (3) com o formato desse peixe.

arraial (ar.rai.al) *sm*. **1** Lugar onde se realizam festas populares, especialmente juninas. **2** Pequena aldeia; POVOADO. **3** Acampamento militar. [Pl.: *-ais*.]

arraia-miúda (ar.rai.a-mi.ú.da) *sf*. *Pej*. Classe baixa da sociedade; PLEBE; RALÉ. [Pl.: *arraias-miúdas*.]

arraigado (ar.rai.ga.do) *a*. **1** Fixo pelas raízes; ENRAIZADO. **2** *Fig*. Muito apegado (a alguém ou algo). **3** *Fig*. Registrado na memória, nos hábitos (preconceito arraigado) ● ar.rai.gar v.

arrais (ar.rais) *sm2n*. Piloto de embarcação de serviço portuário.

arrancada (ar.ran.ca.da) *sf*. **1** Ação ou resultado de arrancar. **2** Aceleração ou partida repentina e violenta.

arrancar (ar.ran.car) v. **1** Tirar com força. [*td*.: *arrancar um dente*. *tdi*. + *a*, *de*: *Arrancou o punhal de sua mão*; "Os soldados arrancaram-lhe o véu..." (Kurban Said, *Ali e Nino*).] **2** Desprender da terra; DESARRAIGAR; DESENRAIZAR. [*td*.: "...*arrancava* as flores silvestres para enfeitar-lhe..." (José de Alencar, *Luciola*); (seguido de indicação de lugar) *Abaixei-me e arranquei a plantinha do chão*.] **3** Despertar; provocar. [*td*.: *Sua interpretação arrancava lágrimas*. *tdi*. + *a*, *de*: *A escola de samba arrancou aplausos da multidão*.] **4** Conseguir com muito esforço. [*tdi*. + *a*, *de*: *A promotoria arrancou do réu a confissão*.] **5** Partir, sair (de um lugar) com ímpeto e de repente; FUGIR. [*int*. (seguido de indicação de lugar): *O animal arrancou para o campo*. *pr*.: *Arrancou-se dali*.] **6** Pôr(-se) em movimento (veículo); dar a partida. [*int*.: *O automóvel arrancou*. *ti*. + *com*: *O motorista arrancou com o carro*.] **7** EXTORQUIR. [*tdi*. + *a*, *de*: *Aproveitam para arrancar dinheiro dos motoristas*.] [▶ 11 arrancar]

arranca-rabo (ar.ran.ca-ra.bo) *sm*. *Bras*. *Pop*. Discussão violenta, briga generalizada; ROLO. [Pl.: *arranca-rabos*.]

arranco (ar.ran.co) *sm*. Movimento forte e repentino realizado de uma só vez; ARRANQUE.

arranha-céu (ar.ra.nha-céu) *sm*. Edifício muito alto. [Pl.: *arranha-céus*.]

arranhado (ar.ra.nha.do) *a*. **1** Que se arranhou. **2** *Fig*. Prejudicado em sua integridade: *reputação arranhada*. *sm*. **3** Ver *arranhão*.

arranhadura (ar.ra.nha.du.ra) *sf*. Ver *arranhão*.

arranhão (ar.ra.nhão) *sm*. **1** Ferida superficial na pele. **2** Risco numa superfície polida. **3** *Fig*. Dano; prejuízo. [Pl.: *-nhões*.]

arranhar (ar.ra.nhar) v. **1** Ferir(-se) levemente com a unha ou com objeto pontiagudo. [*td*.: *O menino arranhou o braço no espinho*; (sem complemento explícito) *Os gatos costumam arranhar*. *pr*.: *Arranhou-se quando brincava*.] **2** Raspar de leve, produzindo ranhura. [*td*.: *Arranhou o carro na pilastra*.] **3** Causar sensação desagradável a. [*td*.: *Essa música arranha os ouvidos*.] **4** Tocar mal (instrumento musical). [*td*.: *arranha o violão*.] **5** Saber superficialmente (língua, ciência, disciplina). [*td*.: *Não fala bem, mas arranha o inglês*.] **6** *Fig*. Abalar (reputação, imagem etc.). [*td*.: *O episódio arranhou a imagem da instituição*.] [▶ 1 arranhar]

arranjado (ar.ran.ja.do) *a*. **1** Que se arranjou. **2** *Bras*. *Pop*. Que não é nem pobre; REMEDIADO.

arranjador (ar.ran.ja.dor) [ô] *a.sm*. **1** *Bras*. Que ou quem compõe arranjos musicais. **2** Que ou quem arranja.

arranjar (ar.ran.jar) v. **1** Pôr em ordem; ARRUMAR. [*td*.: "...podia até arranjar a vida, se soubesse trabalhar..." (Aluísio Azevedo, *O cortiço*); (seguido de indicação de lugar) *Arranjou a roupa no armário*.] **2** Conseguir. [*td*.: "...até arranjar outro marido não saía da fossa..." (Antonio Callado, *Bar*

arranjo | arrebitado

Don Juan). tdi. + para: *Arranjou* um emprego *para* o afilhado.] **3** Resolver de maneira conciliatória. [td.: Nosso advogado *arranjou* um acordo.] **4** Fazer arranjo de (peça musical). [td.: Ele sabe *arranjar* uma canção.] **5** Ficar em boa situação; ARRUMAR-SE. [pr.: Passou no concurso e *arranjou-se*.] [▶ **1** arranj<u>ar</u>]

arranjo (ar.ran.jo) sm. **1** Ação ou resultado de arranjar. **2** Arrumação harmoniosa: um belo *arranjo de flores*. **3** Acordo entre pessoas; COMBINAÇÃO. **4** Mús. Adaptação de uma peça musical para outro tipo de execução: *arranjo para flauta*. **5** Bras. Acordo para lesar outras pessoas; NEGOCIATA: *arranjo para sonegar impostos*. ❏ **arranjos** smpl. **6** Preparativos: *arranjos para a viagem*.

arranque (ar.ran.que) sm. Movimento de partida; ARRANCADA, ARRANCO.

arrasado (ar.ra.sa.do) a. **1** Que foi destruído, devastado: um país *arrasado* pela guerra. **2** Muito deprimido: Ficou *arrasada* com a morte do gato. **3** Humilhado, vexado: A goleada deixou o time *arrasado*. **4** Muito cansado; EXAUSTO: Ao terminar o trabalho estava *arrasado*.

arrasador (ar.ra.sa.dor) [ó] a. Que arrasa (temporal *arrasador*, ataque *arrasador*, gripe *arrasadora*).

arrasar (ar.ra.sar) v. **1** Causar perdas ou estragos consideráveis; DESTRUIR; ARRUINAR. [td.: A chuva de granizo *arrasou* a plantação.] **2** Deitar por terra; DEMOLIR; DERRUBAR. [td.: O terremoto *arrasou* todas as construções.] **3** Abater(-se) física e/ou moralmente. [td.: A doença o *arrasou*. pr.: *Arrasou-se* com a crítica.] **4** Descompor com palavras injuriosas; HUMILHAR. [td.: *Arrasou-o diante de todos*.] **5** Perder os bens; ARRUINAR-SE. [pr.: *Arrasou-se* com maus investimentos.] **6** Tornar raso, plano; NIVELAR. [td.: *Arrasar o terreno*.] **7** Gír. Destacar-se positivamente, ser um grande sucesso [int.: A seleção *arrasou* na Copa do Mundo.] [▶ **1** arras<u>ar</u>] ● ar.ra.sa.men.to sm.

arraso (ar.ra.so) sm. Gír. **1** Ação ou resultado de arrasar (7). **2** Quem ou aquilo que arrasa (7); grande sucesso.

arrastão (ar.ras.tão) sm. **1** Ação ou resultado de arrastar com força ou violência. **2** Bras. Pop. Assalto a locais públicos feito por um grande grupo de delinquentes, que se deslocam em correria simulando o arrastão (4). **3** Rede de pesca que se arrasta pelo fundo do mar e recolhe todo tipo de peixe. **4** A pesca com essa rede. [Pl.: -tões.]

arrasta-pé (ar.ras.ta-pé) sm. Bras. Pop. **1** Baile popular; FORRÓ; FORROBODÓ. **2** Reunião improvisada em que há dança. [Pl.: arrasta-pés.]

arrastar (ar.ras.tar) v. **1** Puxar (algo, alguém) sem levantar do chão ou da superfície em que se apoia. [td.: *Arrastou* a cômoda para tirar as teias de aranha; (seguido de indicação de lugar) *Arrastei* o caixote do quarto até o corredor.] **2** Levar ou trazer de rastros ou à força. [td.: O policial *arrastou* o delinquente; (seguido de indicação de lugar ou modo/meio) *Arrastou-a* pelos cabelos.] **3** Mover(-se) com dificuldade. [td.: Andava *arrastando* a perna. pr.: Os feridos *arrastavam-se* pelo campo.] **4** Fazer mover-se ou avançar (contra a vontade) em direção a (Tb. Fig.). [tdi. + a, para: A correnteza *arrastou* o tronco para a cachoeira; A vida desregrada o *arrastou* **à** doença.] **5** Fazer-se seguido por; ATRAIR. [td. (seguido ou não de indicação de lugar): O trio elétrico *arrastou* uma multidão de foliões (pela avenida). **6** Inf. Mover algum objeto na tela do computador, usando o *mouse*. [td.: *arrastar* um arquivo.] **7** Passar (o tempo) mais lentamente do que se espera. [pr.: Os dias *arrastavam-se*.] **8** Mover-se de rastos; RASTEJAR. [pr.: (seguido ou não de indicação de lugar): Escapou do tiroteio *se arrastando* (pelo chão).] [▶ **1** arrast<u>ar</u>] ● ar.ras.ta.do a.; ar.ras.ta.men.to sm.

arrasto (ar.ras.to) sm. **1** Ação ou resultado de arrastar(-se). **2** Astr. Resistência do meio ao deslocamento de nave espacial. [Cf.: *arresto*.]

arrazoado (ar.ra.zo.a.do) sm. Discurso ou texto em defesa de uma ideia, causa, tese etc.

arrazoar (ar.ra.zo.ar) v. **1** Expor ou defender (ideia, causa etc.), argumentando. [td.: O advogado *arrazoou* a causa.] **2** Altercar, invocando razões; DISCUTIR. [ti. + com, sobre: *Arrazoou* sobre o preço da obra. int.: *Arrazoam* o tempo todo, mas não chegam a um acordo.] **3** Chamar à razão; REPREENDER; CENSURAR. [td.: A diretora *arrazoou* o aluno indisciplinado.] **4** Expor (ideia, fato etc.) ou expressar-se oralmente; DISCORRER; FALAR. [ti. + com, de, sobre: *arrazoar* sobre política. int.: O professor e o aluno costumam *arrazoar*.] [▶ **16** arrazo<u>ar</u>]

arre (ar.re) interj. Expressa irritação, aborrecimento.

arrear (ar.re.ar) v. Colocar arreios em. [td.: Pediu que *arreassem* um cavalo manso.] **2** Enfeitar-se, adornar-se. [pr.] [▶ **13** arre<u>ar</u>] ● ar.re.a.men.to sm.

arrebanhar (ar.re.ba.nhar) v. **1** Reunir em rebanho. [td.: *arrebanhar* o gado.] **2** Reunir(-se); juntar(-se). [td.: O artista *arrebanhou* milhares de fãs. pr.: Os manifestantes *arrebanharam-se* na praça.] [▶ **1** arrebanh<u>ar</u>] ● ar.re.ba.nha.men.to sm.

arrebatado (ar.re.ba.ta.do) a. **1** Que se arrebatou. **2** Que se encantou; MARAVILHADO. **3** Dominado pela paixão, pela emoção; EXALTADO. Discurso *arrebatado*. **4** Diz-se de quem ou do que é irrefletido, impulsivo (gesto *arrebatado*, pessoa *arrebatada*).

arrebatamento (ar.re.ba.ta.men.to) sm. **1** Ação ou resultado de arrebatar(-se). **2** Êxtase, enlevo: Jó entregava-se ao *arrebatamento* da fé. **3** Exaltação sem controle: O *arrebatamento* do orador emocionou a plateia.

arrebatar (ar.re.ba.tar) v. **1** Tirar com força ou violência; ARRANCAR. [td.: *Arrebatou* o bilhete incriminatório. tdi. + a, de: A polícia *arrebatou* dos cambistas todos os ingressos.] **2** Extasiar(-se); encantar(-se). [td.: A música clássica o *arrebata*. pr.: *Arrebatou-se* com a cena final.] **3** Tornar(-se) colérico; ENFURECER(-SE). [td.: Nada o *arrebata* mais do que a falsidade. pr.: *Arrebatou-se* com a injúria.] [▶ **1** arrebat<u>ar</u>] ● ar.re.ba.ta.dor a.sm.

arrebentação (ar.re.ben.ta.ção) sf. **1** Ação ou resultado de arrebentar(-se). **2** Momento ou lugar em que as ondas do mar se quebram perto da praia. [Pl.: -ções.]

arrebentado (ar.re.ben.ta.do) a. **1** Que se arrebentou. **2** Fig. Muito cansado; EXAUSTO. **3** Destruído ou danificado. **4** Fig. Sem dinheiro ou recursos; QUEBRADO.

arrebentar (ar.re.ben.tar) v. **1** Romper-se (ger. por não resistir a pressão interna); ESTOURAR; REBENTAR. [int.: O balão de gás *arrebentou*.] **2** Fazer(-se) em pedaços; REBENTAR. [td.: *Arrebentou* o copo ao deixá-lo cair. int.: O teto *arrebentou* de repente.] **3** Quebrar(-se) ou romper(-se) com violência; REBENTAR. [int.: As ondas *arrebentam* na praia. td.: A pressão da água *arrebentou* os diques; "...eu te *arrebento* de pancada, se tornares a fugir." (Josué Montello, Um rosto de menina).] **4** Gír. Ter desempenho excepcional. [int. (seguido ou não de indicação de circunstância): Pedro estudou muito e *arrebentou* (nas provas).] **5** Desgastar-se física e/ou mentalmente. [pr.: *Arrebentou-se* de tanto trabalhar.] [▶ **1** arrebent<u>ar</u>]

arrebitado (ar.re.bi.ta.do) a. **1** Que tem a ponta virada para cima (nariz *arrebitado*). **2** Fig. Atrevido, petulante.

arrebitar (ar.re.bi.*tar*) *v.* **1** Revirar(-se) para cima; REBITAR. [*td.*: *Arrebitou o nariz para responder à altura*. *pr.*: *As bordas da chapa arrebitaram-se com o calor.*] **2** *Fig.* Tornar-se presunçoso. [*pr.*: *Arrebitou-se com tantos elogios.*] **3** *Fig.* Ficar irritado: [*pr.*: *Esperou demais, e acabou se arrebitando.*] [▶ **1** arrebit*ar*]

arrebol (ar.re.*bol*) *sm.* Cor rubra no céu no amanhecer e no pôr do sol. [Pl.: -*bóis.*]

arrecadar (ar.re.ca.*dar*) *v. td.* **1** Recolher (impostos, taxas): (com ou sem complemento explícito) *A Receita arrecadou mais de duzentos milhões (no ano passado).* **2** Coletar (fundos, alimentos etc.): *A campanha já arrecadou toneladas de alimentos.* **3** Conseguir (o que se deseja): (com ou sem complemento explícito) *Esforçou-se na vida para arrecadar (o que queria).* [▶ **1** arrecad*ar*] • **ar.re.ca.da.ção** *sf.*

arrecife (ar.re.*ci*.fe) *sm.* Ver *recife.*

arredar (ar.re.*dar*) *v.* **1** Mover(-se) para trás, (fazer) retroceder. [*td.* (seguido de indicação de lugar): *Arredou os curiosos do local. int./pr.*: *Não consegui arredar(-se) dali.*] **2** Tirar, afastar do lugar. [*td.*: "... fazia esforço para arredar os olhos dela..." (Machado de Assis, *O enfermeiro* in *Novas seletas*)] **3** *Fig.* Convencer a abandonar (ideia, propósito etc.); DEMOVER; DISSUADIR. [*tdi.* + *de*: *Fiz o que pude para arredá-lo daquele projeto.*] [▶ **1** arred*ar*]

arredio (ar.re.*di*:o) *a.* Que foge ou vive longe do convívio social (criança arredia); ARISCO.

arredondado (ar.re.don.*da*.do) *a.* **1** Que tem forma redonda, ou circular, ou semelhante a elas. **2** Em que se desprezam as frações (diz-se de número, valor). • **ar.re.don.dar** *v.*

arredondamento (ar.re.don.da.*men*.to) *sm.* **1** Ação ou resultado de tornar redondo ou arredondado. **2** *Mat.* Ação ou resultado de se desprezarem as frações de número, valor etc., até determinada ordem decimal.

arredores (ar.re.*do*.res) *smpl.* Localidades próximas; CERCANIAS: *Mora nos arredores da capital.*

arrefecer (ar.re.fe.*cer*) *v.* **1** Tornar(-se) frio; ESFRIAR. [*td.*: *O ar-condicionado arrefece o ambiente. int.*: "O tempo ia passando: o jantar arrefecera." (Júlio Ribeiro, *A carne*).] **2** Ficar mais brando; CEDER. [*int.*: *A febre arrefeceu.*] **3** *Fig.* Desanimar ou provocar o desânimo em; DESALENTAR(-SE). [*td.*: *O desinteresse do público arrefeceu o artista. int./pr.*: *Sua alegria arrefeceu(-se) com o tempo.*] [▶ **33** arrefec*er*] • **ar.re.fe.ci.men**.to *sm.*

ar-refrigerado (ar-re.fri.ge.*ra*.do) *sm.* Ver *ar-condicionado.* [Pl.: *ares-refrigerados.*]

arregaçar (ar.re.ga.*çar*) *v.* **1** Dobrar ou puxar para cima (parte de uma veste). [*td.*: *Arregaçou as mangas.*] **2** Levantar-se, arqueando-se, enrugando-se etc. [*pr.*: *Os lábios arregaçaram-se numa careta.*] [▶ **12** arrega*çar*] • **ar.re.ga.ça.do** *a.*

arregalar (ar.re.ga.*lar*) *v. td.* Abrir muito (os olhos) com surpresa, espanto, susto etc. [▶ **1** arregal*ar*] • **ar.re.ga.la.do** *a.*

arreganhar (ar.re.ga.*nhar*) *v.* **1** Mostrar (os dentes) como expressão de raiva, riso etc. [*pr.*: *Acuado, o animal arreganhou os dentes. pr.*: *Não se arreganhe, você não me assusta!*] **2** Abrir muito. [*td.*: *Para esse exercício é preciso arreganhar as pernas.*] [▶ **1** arreganh*ar*] • **ar.re.ga.nha.do** *a.*

arregimentar (ar.re.gi.men.*tar*) *v.* **1** Reunir em regimento. [*td.*: *Arregimentaram novos soldados.*] **2** Reunir(-se) em grupo, partido etc. [*td.*: *Os partidos arregimentam colaboradores em época de eleições. pr.*: *Os moradores arregimentaram-se na associação de bairro.*] [▶ **1** arregiment*ar*] • **ar.re.gi.men.ta.do.a.** [▶ **1** arregiment*ar*] • **ar.re.gi.men.ta.ção** *sf.*; **ar.re.gi.men.ta.do** *a.*

arreio (ar.*rei*.o) [ê] *sm.* Conjunto de peças que equipam cavalgadura para montaria ou tração.

arreliar (ar.re.li.*ar*) *v.* Deixar ou ficar irritado; IRRITAR(-SE). [*td.*: *Pare de falar, você está me arreliando! pr.*: *Calma, não se arrelie.*] [▶ **1** arreli*ar*] • **ar.re.li.a** *sf.*; **ar.re.li.a.do** *a.*

arrematar¹ (ar.re.ma.*tar*) *v. td.* **1**. Finalizar; REMATAR. (tb. com indicação de modo): *Sempre arremata suas cartas com uma mensagem de paz.* **2** Dar acabamento em (algo costurado): *A costureira já arrematou o vestido.* **3** Dar um nó em um ponto de (costura, bordado, tapeçaria etc.) para que ele não se solte: *Você me ensina como arrematar a bainha?* **4** Dizer finalizando: *Irritado, o advogado arrematou que não ficaria sem uma causa.* **5** *Fut.* Terminar uma jogada chutando ou cabeceando em gol. *td./int.*: *Arrematou (a jogada) com um chute certeiro.*] [▶ **1** arremat*ar*]

arrematar² (ar.re.ma.*tar*) *v. td.* Dar o último lance em um leilão, e com ele comprar (objeto leiloado): *O colecionador arrematou o quadro de Portinari.* [▶ **1** arremat*ar*] • **ar.re.ma.ta.ção** *sf.*

arremate (ar.re.*ma*.te) *sm.* **1** Ação ou resultado de arrematar; CONCLUIR. **2** Detalhe para finalizar algo: *O marceneiro deu o arremate na porta.* **3** *Fut.* Chute a gol.

arremedar (ar.re.me.*dar*) *v. td.* **1** Imitar (pessoa, animal, coisa) de forma ridícula, para provocar riso; REMEDAR: *Sempre arremedas os colegas, e eles não acham graça.* **2** Reproduzir (som, gesto, comportamento etc.) com semelhança; REMEDAR: *Pertinho arremeda bem as vozes de animais.* [▶ **1** arremed*ar*]

arremedo (ar.re.*me*.do) [ê] *sm.* **1** Ação ou resultado de arremedar. **2** Imitação malfeita: *Este quadro é um arremedo do original.*

arremessar (ar.re.mes.*sar*) *v.* **1** Atirar com força. [*td.* (seguido ou não de indicação de lugar): *Os meninos arremessavam pedras (contra o muro).*] **2** Fazer avançar em uma direção. [*td.*: *Os soldados arremessaram os cavalos contra a multidão. pr.*: "De um salto, o negro arremessou-se para a frente..." (Josué Montello, *Um rosto de menina*).] **3** *Basq.* Atirar (a bola) em direção à cesta. [*td.*: *O técnico ensinava os jogadores a arremessar lances livres*; (sem complemento explícito) *Oscar arremessou da linha de três pontos.*] [▶ **1** arremess*ar*] • **ar.re.mes.so** *sm.*

arremeter (ar.re.me.*ter*) *v.* **1** Lançar-se ou atacar com ímpeto. [*int.* (seguido de indicação de lugar ou objeto): *A multidão, enfurecida, arremeteu contra os soldados*; "...a autora arremete sobre as armações do governo..." (FolhaSP, 09.02.99) **2** Fazer atacar com ímpeto; INCITAR. [*tdi.* + *contra*, sobre: *Arremeteu os cães sobre a raposa acuada.*] **3** Ao abortar (o piloto) a aterrissagem, lançar (o avião) e ganhar altura novamente. [*td.* (com ou sem complemento explícito): *Alertado pela torre, o piloto teve de arremeter (o avião).*] [▶ **2** arremet*er*]

arremetida (ar.re.me.*ti*.da) *sf.* **1** Ação ou resultado de arremeter. **2** Investida impetuosa.

arrendador (ar.ren.da.*dor*) [ô] *a.sm.* Que ou quem cede em arrendamento um bem; LOCADOR. [Cf.: *arrendatário.*]

arrendamento (ar.ren.da.*men*.to) *sm. Jur.* Contrato pelo qual alguém cede a outro, por um tempo e preço previamente estipulados, algum bem (ger. imóvel). [Cf.: *locação.*]

arrendar (ar.ren.*dar*) *v. Jur.* Tomar ou dar em arrendamento. [*td.*: *Arrendou parte de suas terras. tdi.* + *a, de, para*: *Arrendou a sua fazenda para o amigo.*] [▶ **1** arrend*ar*]

arrendatário (ar.ren.da.*tá*.ri:o) *a.sm.* Que ou quem toma um bem em arrendamento; LOCATÁRIO. [Cf.: *arrendador.*]

arrenegar (ar.re.ne.*gar*) *v.* **1** Renunciar a, abandonando; ABJURAR; RENEGAR. [*td.*: *Luís arrenegou a* *religião de seus pais.* **ti.** + *de: Mário arrenegou da sociedade.*] **2** Lançar uma maldição sobre. [**td.**: *Ao partir, Joaquim arrenegou os que o condenaram.*] [▶ **14** arrenegar]

arrepender-se (ar.re.pen.*der*-se) *v. pr.* **1** Mudar de ideia ou de atitude, voltar atrás: *Álvaro ia pedir demissão, mas arrependeu-se*: "*...arrependia-me de ter vindo.*" (Machado de Assis, *O enfermeiro* in *Novas seletas*).] **2** Ficar triste por ter feito algo errado: *A ré arrependeu-se pelo crime cometido.*] [▶ **2** arrepender-se] • ar.re.pen.*di*.do *a*.

arrependimento (ar.re.pen.di.*men*.to) *sm*. **1** Remorso por um mal cometido. **2** Mudança de opinião ou de atitude sobre fatos passados.

arrepiado (ar.re.pi.*a*.do) *a*. **1** Que ficou com os pelos eriçados: *Estou arrepiada de frio.* **2** *Fig.* Que está com medo: *Ficou arrepiado com aquele filme de terror.*

arrepiante (ar.re.pi*an*.te) *a2g*. Que provoca arrepios de medo ou frio.

arrepiar (ar.re.pi.*ar*) [ê] *v*. **1** Eriçar ou levantar (cabelos ou pelos). [**td.**: *Uma lufada de vento arrepiou seus cabelos.*] **2** Provocar ou ter tremores de frio, susto etc. [**td.**: *Aqueles gritos arrepiavam os mais medrosos.* **pr.**: *João arrepiou-se na sala gelada.*] **3** Provocar ao sentir medo, horror, indignação etc. [**td.**: *Cenas de violência arrepiam qualquer um. pr.*: "*Nino se arrepia com a lembrança...*" (Kurban Said, *Ali e Nino*).] **4** *Fig.* Voltar atrás, não seguir adiante (em). [**int.**: *Pedro ia mudar de emprego, mas na hora agã arrepiou.* **td.** (seguido de objeto como *caminho, carreira*): *Quando ouviu a freada, o cãozinho arrepiou carreira.*] **5** *Bras. Gír.* Fazer sucesso. [**int.**: *Meu cantor favorito arrepiou no concerto de ontem.*] ❚❚ **De ~ (os cabelos) 1** Emocionante: *Ouvir o Hino Nacional nas Olimpíadas é de arrepiar.* **2** Que causa espanto, medo ou indignação: *A pobreza e a fome no mundo ainda são de arrepiar.* [▶ **1** arrepiar]

arrepio (ar.re.*pi*:o) *sm*. Tremor rápido causado por emoção (susto, medo etc.) ou frio: *Sentiu arrepios diante da arma.* ❚❚ **Ao ~ de** Ao contrário de.

arresto (ar.*res*.to) [ê] *sm. Jur.* Apreensão de qualquer bem por decisão judicial; CONFISCO; EMBARGO. [Cf.: *arrasto*.] • ar.res.*tar* *v*.

arretado (ar.re.*ta*.do) *a*. **1** *N.E. Gír.* Bom, legal, bonito etc. **2** *PE Gír.* Irritado.

arrevesado (ar.re.ve.*sa*.do) *a*. **1** De difícil compreensão; CONFUSO: *O estrangeiro falava um português arrevesado.* **2** Difícil de pronunciar (diz-se de palavra).

arriado (ar.ri.*a*.do) *a*. **1** Que se arriou; DESCIDO; ABAIXADO (bandeira arriada). **2** *Fig.* Muito cansado, sem disposição física: *Ficou arriado depois da pelada.*

arriar (ar.ri.*ar*) *v*. **1** Abaixar, descer (o que estava em cima). [**td.**: *O carteiro arriou os pacotes no chão.*] **2** Cair, vergar, descer sob peso ou sob o próprio peso. [**int./pr.**: *Com tanta carga, o cavalo arriou/-se.*] **3** Fazer ceder ou ceder ao cansaço, abatimento ou desânimo. [**td.**: *A doença arriou a criança; **int.**: Por causa da gripe, a turma inteira arriou.*] **4** *Aut.* Descarregar-se (a bateria). [**int.**] **5** *Aut.* Esvaziar-se (o pneu). [**int.**] [▶ **1** arriar]

arribação (ar.ri.ba.*ção*) *sm*. **1** Ação ou resultado de arribar. **2** Movimento migratório de animais (esp. aves), ger. em determinada estação do ano. [Pl.: -*ções*.] [Mais us. na expressão *ave de arribação*.]

arribar (ar.ri.*bar*) *v*. **1** *Mar.* Voltar ao porto de partida ou chegar a porto que não estava previsto. [**ti.**: *O navio avariado arribou ao porto mais próximo.*] **2** *Fig.* Chegar a (algum lugar) por acaso ou sem estar previsto. [**int.** (seguido de indicação de lugar): *O inverno e um surto de gripe arribaram juntos a São Paulo.*] **3** Sair sem avisar ou sem pedir licença. [**int.**: *Vendo que a situação se dificultava, arribou.*] **4** Melhorar de saúde, de estado, de sorte etc. [**int.**: *Depois da visita do veterinário o cão arribou.*] **5** Mudar de um lugar para outro; MIGRAR. [**int.** (seguido de indicação de lugar): *No inverno, as andorinhas arribam para locais mais quentes.*] [▶ **1** arribar]

arrimo (ar.*ri*.mo) *sm*. **1** Peça ou construção que serve de apoio: *muro de arrimo.* **2** *Fig.* Algo ou alguém que serve de auxílio ou proteção. ❚❚ **~ de família** Pessoa que mantém sua família provendo-lhe o necessário para o sustento.

arriscado (ar.ris.*ca*.do) *a*. Que apresenta risco; PERIGOSO.

arriscar (ar.ris.*car*) *v*. **1** Colocar em perigo ou risco. [**td.**: *Poucos arriscam suas economias na Bolsa de Valores*; (tb. sem complemento explícito) *Nos esportes radicais, poucos são os que arriscam. pr.*: *Não me arrisco no mar bravo.*] **2** Tentar, mesmo conhecendo os riscos, as consequências. [**td.**: *O centroavante arriscou um chute de fora da área.*] [▶ **1** arriscar]

arritmia (ar.rit.*mi*.a) *sf*. Ausência ou irregularidade de ritmo. [Cf.: *disritmia*.] ❚❚ **~ cardíaca** *Med.* Anormalidade no ritmo dos batimentos cardíacos. [Tb. apenas *arritmia*.] • ar.*rít*.mi.co *a*.

arrivista (ar.ri.*vis*.ta) *a2g.s2g*. Que ou quem quer alcançar um objetivo a qualquer custo; OPORTUNISTA. • ar.ri.*vis*.mo *sm*.

arrizotônico (ar.ri.zo.*tô*.ni.co) *a*. Diz-se da forma verbal cujo acento tônico se posiciona fora da raiz. [Ant.: *rizotônico*.]

arroba (ar.*ro*.ba) [ô] *sf*. **1** *Inf.* Sinal gráfico (@) us. em endereços de correio eletrônico para separar o nome do usuário do provedor a que está vinculado. **2** Unidade de medida de peso us. na agropecuária brasileira, equivalente a 15kg.

arrochar (ar.ro.*char*) [ô] *v*. **1** Comprimir(-se), apertar(-se) com força (tb. *Fig.*) [**td.**: *A empresa continua a arrochar os salários. pr.*: *Ela se arrochou na saia apertada.*] **2** Ser exigente com um subordinado. [**td.**: *O chefe vai arrochar os funcionários ainda mais*; (tb. sem complemento explícito) *Se você continuar assim, vou arrochar.*] [▶ **1** arrochar]

arrocho (ar.*ro*.cho) [ô] *sm*. **1** Ação ou resultado de arrochar. **2** Aperto, contenção. **3** Repressão exercida por autoridade; OPRESSÃO. ❚❚ **~ salarial** Contenção de aumentos de salários, ger. para conter despesas ou impedir subida de preços e inflação.

arrogância (ar.ro.*gân*.ci.a) *sf*. **1** Atitude prepotente de quem se considera superior em relação aos outros: *Sua arrogância o afastou dos amigos.* **2** Comportamento desrespeitoso; INSOLÊNCIA.

arrogante (ar.ro.*gan*.te) *a2g*. **1** Que tem ou demonstra arrogância. **2** Orgulhoso; insolente.

arrogar (ar.ro.*gar*) [ô] *v*. Atribuir(-se). [**tdi.** + *a*: *Arrogou ao filho o poder de decisão. pr.*: *O gerente arrogou-se o direito de demitir funcionários.*] [▶ **14** arrogar] • ar.ro.*ga*.ção *sf*.

arroio (ar.*roi*.o) *sm*. Pequeno curso de água.

arrojado (ar.ro.*ja*.do) *a*. **1** Que não demonstra temor (piloto arrojado); OUSADO. **2** Que tem características inovadoras (*design* arrojado).

arrojar (ar.ro.*jar*) [ô] *v*. **1** Atirar(-se), lançar(-se) com força; ARREMESSAR. [**td.**: *Arrojou os pacotes contra a parede. pr.*: *Vestiu o paraquedas e arrojou-se.*] **2** Atrever-se; ousar. [**pr.**: *O tímido não se arroja.*] **3** Arrastar. [**td.**: *O índio arrojava o animal sem vida pela mata. pr.*: *A cascavel se arrojava pela estrada.*] [▶ **1** arrojar]

arrojo (ar.*ro*.jo) [ô] *sm*. **1** Ação ou resultado de arrojar(-se). **2** Grande ousadia; IMPETUOSIDADE.

arrolar (ar.ro.*lar*) [ô] *v*. **1** Incluir em uma lista: *O advogado arrolou as testemunhas.* **2** Fazer lista ou inventário de: *O prefeito arrolou os casos de dengue.* **3** Incluir em lista de, classificar: *Arrolaram Maria* e Léa entre as candidatas a desenvolver o novo projeto. [▶ 1 arrolar] • ar.ro.la.men.to sm.

arrolhar (ar.ro.lhar) v. td. **1** Tampar colocando rolha: *Arrolhei a garrafa.* **2** Fig. Fazer (alguém) permanecer calado (por pressão, suborno etc.): *O capanga tentou arrolhar a testemunha.* [▶ 1 arrolhar] [Cf.: arrulhar.]

arromba (ar.rom.ba) sf. Mús. Cantiga alegre tocada em viola. ▪ **De ~** Ótimo, sensacional: *festa de arromba*.

arrombar (ar.rom.bar) v. td. **1** Invadir (um lugar): *Os assaltantes arrombaram o apartamento.* **2** Abrir usando força: *As fortes águas arrombaram a represa.* [▶ 1 arrombar] • ar.rom.ba.men.to sm.

arrostar (ar.ros.tar) v. Encarar, enfrentar. [td.: *arrostar o adversário.* ti + a, com: *Arrostou ao chefe.* pr.: *Arrostou-se com muitos perigos.*] [▶ 1 arrostar]

arrotar (ar.ro.tar) [ô] v. **1** Soltar arroto. [int.: *Não se deve arrotar à mesa.*] **2** Fej. Pop. Revelar, no comportamento, pretensão (ger. injustificada) a, vangloriar-se de. [td.: *Desfilou com o nariz empinado, arrotando elegância.*] [▶ 1 arrotar]

arroto (ar.ro.to) [ô] sm. Saída de gases estomacais pela boca, produzindo barulho e odor desagradável.

arroubo (ar.rou.bo) sm. Manifestação súbita e intensa (de sentimento): *Num arroubo de ternura, abraçou-a forte.*

arroxeado (ar.ro.xe.a.do) a. Que apresenta tom de roxo ou quase roxo.

arroz (ar.roz) [ô] sm. Grão us. na alimentação, extraído de planta gramínea do mesmo nome.

arrozal (ar.ro.zal) sm. Plantação de pés de arroz. [Pl.: -zais.]

arroz de festa (ar.roz de fes.ta) sm. RJ SP Pop. **1** Indivíduo aficionado por festas, que não perde uma festa. **2** Indivíduo que acompanha mulheres em festas, sem se relacionar com nenhuma delas. [Pl.: *arrozes de festa*.]

arroz-doce (ar.roz-do.ce) [ô] sm. Cul. Doce de arroz e leite cozidos, que se serve polvilhado com canela. [Pl.: *arrozes-doces*.]

arruaça (ar.ru.a.ça) sf. Tumulto ruidoso envolvendo várias pessoas; CONFUSÃO; DESORDEM.

arruaceiro (ar.ru:a.cei.ro) a.sm. Que ou quem faz arruaça; BADERNEIRO.

arruamento (ar.ru.a:men.to) sm. **1** Ação ou resultado de demarcar ou abrir ruas. **2** Disposição das ruas em determinada área.

arruda (ar.ru.da) sf. Bot. Planta de propriedades medicinais, us. popularmente contra o mau-olhado.

arruela (ar.ru:e.la) sf. Chapinha metálica com um furo no centro, que serve de base à porca para suportar a pressão do aperto do parafuso.

arrufar (ar.ru.far) v. td. **1** Levantar, fazer arrepiar (penas, plumas): *Os lindos pássaros arrufavam as plumas.* **2** Provocar irritação em: *Ele me arrufa com essas manias.* ⬜ **arrufar-se pr. 3** Irritar-se: *Não se arrufe por tão pouco.* [▶ 1 arrufar] • ar.ru.fo sm.

arruinar (ar.ru:i.nar) v. **1** Causar destruição em; ARRASAR. [td.: *O granizo arruinou a plantação.*] **2** Reduzir a ruínas. [td.: *O terremoto arruinou um bairro inteiro.*] **3** Prejudicar fortemente; ABALAR. [td.: *O fumo arruinou sua saúde;* "...a escravidão arruinou uma geração de agricultores..." (Joaquim Nabuco, *O abolicionismo*). **4** Cair ou fazer cair em desgraça moral, física ou financeira. [td.: *Os maus negócios arruinaram a firma.* pr.: *Tornou-se um viciado e arruinou-se em pouco tempo.*] **5** Bras. Infeccionar. [int.: *A ferida ficou exposta e arruinou.*] [▶ 18 arruinar] [NOTA: Quanto à acentuação do i, flexiona-se o *u* do paradigma pelo *i* do radical.] • ar.ru:i.na.do a. ar.ru:i.na.men.to sm.

arrulhar (ar.ru.lhar) v. **1** Produzir sons típicos de pombos e rolas. [int.: *Duas pombas arrulhavam perto da janela.*] [NOTA: Nesta acp., us. ger. nas terceiras pessoas.] **2** Dizer em tom baixo e doce. [td.: *Pedro arrulhava segredinhos no ouvido da namorada.*] [▶ 1 arrulhar] [Cf.: arrolhar.]

arrulho (ar.ru.lho) sm. **1** Som emitido pelos pombos, rolas etc. **2** Fig. Conversa terna ou amorosa.

arrumação (ar.ru.ma.ção) sf. **1** Ação ou resultado de arrumar(-se). **2** Condição ou estado (ref. a ordem, disposição) de um ambiente ou de um conjunto de objetos; o processo de pô-los em ordem: *arrumação da casa.* **3** Pop. Negócio ou negociação fraudulentos, arranjo (5). [Pl.: -ções.]

arrumadeira (ar.ru.ma.dei.ra) sf. Bras. Empregada que se encarrega da arrumação de casa, consultórios, escritórios etc.

arrumado (ar.ru.ma.do) a. **1** Que se arrumou. **2** Que está em ordem (casa *arrumada*). **3** Vestido e com todos os implementos para se apresentar adequadamente (moça *arrumada*).

arrumar (ar.ru.mar) v. **1** Colocar em ordem, pôr ordem em. [td.: *arrumar o quarto.*] **2** Conseguir. [td.: *Preciso arrumar um emprego.* td. + a, para: *José está desempregado mas João vai arrumar-lhe um trabalho.*] **3** Inventar. [td.: *Jorge é mestre em arrumar apelidos.*] **4** Fam. Consertar. [td.: *Você pode arrumar minha TV velha?*] **5** Vestir. [td.: *Vou arrumar minha afilhada para a festa.* pr.: *Vou me arrumar para sair.*] ⬜ **arrumar-se pr. 6** Pop. Conseguir uma boa posição; dar-se bem: "...precisava se arrumar na vida..." (Marques Rebelo, *Marafa*). [▶ 1 arrumar]

arsenal (ar.se.nal) sm. **1** Depósito ou fábrica de material bélico. **2** Fig. Grande acervo de elementos apropriados para algo (ação, reação, formulação de ideias etc.): *Para aquela pergunta ele tinha um arsenal de respostas.* [Pl.: -nais.] ▪ **~ de marinha** Centro de construção e manutenção de navios.

arsênico (ar.sê.ni.co) sm. Quím. Composto químico muito venenoso.

⊕ **art déco** (Fr. /ardecô/) loc.subst. Art.Pl. **1** Estilo decorativo que teve seu apogeu na década de 1930, caracterizado por formas geométricas e pelo uso não só de materiais nobres como de materiais simples (plástico, concreto armado etc.). **loc.a. 2** Ref. a ou próprio do *art déco* (móveis *art déco*). [Tb. só *decô*.]

arte (ar.te) sf. **1** Capacidade criadora do ser humano, de que resultam invenções, grandes obras etc. **2** Atividade criadora e/ou seu produto (arte contemporânea); *obras de arte.* **3** O conjunto das obras de arte de um povo, país, época etc. (arte brasileira). **4** Requisitos indispensáveis à realização de qualquer arte (2): *a arte de pintar.* **5** Aptidão natural para o domínio de uma habilidade: *Não basta saltar 3m, o atleta deve fazer isso com elegância e arte.* **6** Pop. Travessura: *As crianças andaram fazendo arte.* ▪ **~ dramática** O teatro. **~ marcial** O conjunto de técnicas, movimentos e gestos de defesa e ataque individual, com ou sem o uso de armas ou outros implementos. **~s gráficas** O conjunto de técnicas e meios empregados na impressão de livros, revistas etc. **~s plásticas** As que empregam elementos visuais como expressão: o desenho, a escultura, a gravura, a pintura etc. **Sétima ~** O cinema.

artefato (ar.te.fa.to) sm. Qualquer objeto feito à mão ou industrialmente.

arte-final (ar.te-fi.nal) sf. Art.Gr. **1** Detalhamento final de um trabalho artístico a ser produzido graficamente. **2** Trabalho gráfico pronto para ser reproduzido. [Pl.: *artes-finais*.]

arteiro (ar.tei.ro) a. Bras. Que faz travessuras (macaco *arteiro*).

artelho (ar.te.lho) [ê] sm. Anat. Cada dedo do pé.

artéria (ar.té.ri.a) sf. **1** Anat. Cada vaso que leva o sangue do coração para o resto do corpo. **2** Via de comunicação de grande importância para o tráfego urbano: *A principal artéria da cidade vive congestionada.* [Dim.: *arteríola.*]

arterial (ar.te.ri*al*) *a2g.* Da ou ref. a artéria (sangue arterial, pressão arterial). [Pl.: *-ais.*]

arteriosclerose (ar.te.ri:os.cle.*ro*.se) *sf.* **1** *Med.* Doença que leva ao endurecimento das artérias. **2** *Fig.* Condição de quem está caduco ou perdeu parcialmente o juízo.

artesanal (ar.te.sa.*nal*) *a2g.* **1** Ref. a artesão ou artesanato, ou deles próprio. **2** Feito por artesão (produto artesanal). [Pl.: *-ais.*]

artesanato (ar.te.sa.*na*.to) *sm.* **1** Arte ou técnica do trabalho feito por artesão: *obras de artesanato.* **2** Obra ou conjunto de obras feitas por artesanato (1) (artesanato nordestino).

artesão (ar.te.*são*) *sm.* **1** Pessoa que trabalha em ofício produtivo manual. **2** Pessoa que exerce esse ofício em estabelecimento próprio [Pl.: *-sãos.* Fem.: *-sã.*]

artesiano (ar.te.si.*a*.no) *a.* Diz-se de poço em que a água subterrânea flui sem bombeamento.

ártico (*ár*.ti.co) *a.* Situado no extremo norte da Terra, nas proximidades do polo Norte. [Cf.: *antártico.*]

articulação (ar.ti.cu.la.*ção*) *sf.* **1** Ação ou resultado de articular. **2** *Anat.* Ponto e dispositivo anatômico de junção (móvel ou não) de ossos ou de partes ósseas: articulação do joelho. **3** Ponto de junção (fixa ou móvel) de duas partes de objeto, máquina etc., podendo servir de eixo ou apoio para a movimentação de uma parte em relação à outra. **4** *Fon.* Emissão ou pronúncia dos sons determinada língua. [Pl.: *-ções.*] • ar.ti.cu.la.*tó*.ri:o *a.*

articulado (ar.ti.cu.*la*.do) *a.* **1** Que apresenta articulação ou articulações (boneco articulado). **2** Que articula (3) bem, se expressa com clareza (orador articulado). **3** *Ling.* Que se baseia na combinação e recombinação de unidades elementares (diz-se da linguagem).

articular (ar.ti.cu.*lar*) *v.* **1** Unir(-se) por articulação (2 e 3). [*td.*: Articulou as duas pernas da tesoura. *pr.*: A coxa e a perna se articulam no joelho.] **2** Estabelecer relações entre (partes), unindo. [*td.*: Aquele político sabe articular as ideias. *pr.*: Os trabalhadores se articularam.] **3** Criar, planejar, tramar. [*td.*: O prefeito está articulando uma nova aliança.] **4** Pronunciar correta ou claramente. [*td.*: Em seu discurso, o orador articulava cada palavra.] **5** Combinar, promover. [*td.*: Articulou um encontro com investidores.] **6** Entender-se, entrar em acordo. [*pr.*: Os dois estados se articularam pelas mudanças.] [▶ **1** articular] • ar.ti.cu.la.*dor a.sm.*

articulista (ar.ti.cu.*lis*.ta) *s2g.* Aquele que escreve artigos para jornais, revistas etc.

artífice (ar.*tí*.fi.ce) *s2g.* **1** Artesão ou operário especializado em determinado tipo de trabalho. **2** *Fig.* Pessoa que inventa, cria ou realiza alguma coisa: *Ele foi o artífice do plano.*

artificial (ar.ti.fi.ci:*al*) *a2g.* **1** Produzido por arte e indústria e não pela natureza (diamantes artificiais). [Ant.: *natural.*] **2** Que revela fingimento, que não é espontâneo ou sincero (sorriso artificial). [Pl.: *-ais.*] • ar.ti.fi.ci:a.li.*da*.de *sf.*; ar.ti.fi.ci:a.*lis*. mo *sm.*

artifício (ar.ti.*fí*.ci:o) *sm.* **1** Recurso inteligente: *Sem material, usou de um artifício para fazer o trabalho.* **2** Recurso astucioso; ARTIMANHA: *Usou de artifícios para conseguir o emprego.* **3** Método ou processo us. na fabricação de artefato. • ar.ti.fi.ci:*o*.so *a.*

artigo (ar.*ti*.go) *sm.* **1** Produto, mercadoria: *loja de artigos de beleza.* **2** *Jorn.* Matéria sobre certo assunto, publicada em jornal, revista etc. **3** Partes numeradas de uma lei, relatório etc.: *A Constituição do Brasil tem 245 artigos.* **4** *Gram.* Palavra que antecede o substantivo (ou palavra substantivada), com o qual concorda em gênero e número. [Ver *definido* (3) e *indefinido* (2).]

artilharia (ar.ti.lha.*ri*.a) *sf. Mil.* **1** Material bélico composto de canhões, morteiros e outros lançadores de projéteis. **2** Conjunto dos militares encarregados desse material e de seu emprego. **3** Fogo disparado pelas peças de artilharia.

artilheiro (ar.ti.*lhei*.ro) *sm. Mil.* **1** Soldado da artilharia. **2** *Fut.* Jogador que habitualmente faz gol; GOLEADOR. **3** *Fut.* Jogador que faz o maior número de gols para a equipe (em partida ou campeonato): *Ronaldo foi o artilheiro da Copa.*

artimanha (ar.ti.*ma*.nha) *sf.* Ato de fingir ou enganar para se conseguir alguma coisa; ARTIFÍCIO (2): *Aquilo foi artimanha para não ir ao colégio.*

artista (ar.*tis*.ta) *s2g.* **1** Pessoa que se dedica a uma atividade artística. **2** Pessoa que demonstra sensibilidade e gosto por arte: *Ela tem alma de artista.* **3** Ator de teatro, cinema, televisão ou circo. **4** Artífice talentoso e engenhoso. **5** Pessoa que representa, finge ou engana muito bem: *Chorou tanto, que todos acreditaram. É um artista!*

artístico (ar.*tís*.ti.co) *a.* **1** De, ou que tem arte, ou ref. a arte ou a artistas (direção artística, comunidade artística). **2** Cuja feitura demonstra habilidade, talento, sensibilidade (acabamento artístico); PRIMOROSO.

⊕ **art nouveau** (Fr. /arnuvô/) *loc.subst.* Art.Pl. **1** Estilo decorativo caracterizado por traços alongados terminando em arabescos e motivos de flores e folhas, que foi moda na Europa entre 1890 e 1915. *loc.a.* **2** Ref. a ou próprio do *art nouveau* (prédios *art nouveau*).

artrite (ar.*tri*.te) *sf. Med.* Inflamação de uma ou mais articulações.

artritismo (ar.tri.*tis*.mo) *sm. Med.* Artrite crônica.

artrópode (ar.*tró*.po.de) *Zool.* **a.** **1** Diz-se de animal invertebrado de corpo segmentado, membros articulados, como crustáceos, insetos etc. *sm.* **2** Animal artrópode (1).

artroscopia (ar.tros.co.*pi*.a) *sf. Med.* Exame em que se visualiza o interior de uma articulação (2).

artrose (ar.*tro*.se) *sf. Med.* Artrose degenerativa de uma articulação.

arvorar (ar.vo.*rar*) *v.* **1** Levantar. [*td.*: Orgulhoso, o campeão arvorou a taça.] **2** Hastear (a bandeira). [*td.*: Todo navio pode arvorar a bandeira de seu país.] **3** Elevar(-se) a ou atribuir(-se) cargo, função, título etc. [*tdi.* + *em*: Arvoraram-no em líder do grupo. *pr.*: Arvorou-se em salvador da pátria.] [▶ **1** arvorar]

árvore (*ár*.vo.re) *sf.* **1** *Bot.* Planta lenhosa que apresenta um tronco e ramificações que formam uma copa. **2** Qualquer dispositivo que lembre uma árvore. [Dim.: *arvoreta* [ê].] ▦ ~ **de manivelas** Ver *virabrequim.* ~ **genealógica** Esquema que representa a linha dos antepassados ou dos descendentes de uma família. [Cf.: *arbusto.*]

arvoredo (ar.vo.*re*.do) [ê] *sm.* Conjunto de árvores.

ás *sm.* **1** Carta inicial ou final de cada naipe do baralho. **2** *Fig.* Pessoa que é excelente em uma dada atividade: *um ás do automobilismo.* [Pl.: *ases.*]

asa (*a*.sa) *sf.* **1** *Zool.* Membro ou apêndice de aves, morcegos ou insetos voadores. **2** *Zool.* Cada uma das nadadeiras peitorais de certos peixes. **3** *Aer.* Parte do avião que lhe dá sustentação aerodinâmica. **4** Parte saliente de xícara ou caneca que serve para segurá-la.

asa-delta (a.sa-*del*.ta) *sf. Esp.* Esporte que consiste em voar suspenso numa armação metálica em forma de asa triangular, coberta por tecido, controlando a direção e velocidade através de leves mudanças na posição do corpo. [Tb. *voo livre.*] **2** Equipamento us. nesse esporte: *voar de asa-delta*. [Pl.: *asas-deltas*.]

asbesto (as.*bes*.to) [ê] *sm. Min.* Mineral fibroso us. como isolante térmico, acústico e elétrico. [Cf.: *amianto*.]

ascendência (as.cen.*dên*.ci:a) *sf.* **1** Conjunto de antepassados de uma pessoa: *uma família de ascendência italiana*. **2** Influência, liderança que se exerce sobre pessoas, grupos, países: *Há uma clara ascendência dos países ricos sobre os pobres*.

ascendente (as.cen.*den*.te) *a2g.s2g.* **1** Que ascende, se eleva, sobe (Tb. *Fig*.): *O gráfico mostra uma curva ascendente*; *A cantora é uma estrela ascendente do samba*. *sm.* **2** *Astrol.* Signo que está surgindo na linha do horizonte no momento do nascimento de uma pessoa: *O meu ascendente é Áries*. *s2g.* **3** Qualquer dos parentes de que uma pessoa descende; ANTEPASSADO: *Jonas tem um ascendente alemão*.

ascender (as.cen.*der*) *v.* **1** Subir. [*int*.: *Joaquim estuda muito para ascender socialmente*; (tb. seguido de indicação de lugar, cargo etc.) *O meu time ascendeu à primeira divisão*. **2** Atingir, chegar (a valor, medida, nível etc.). [*ti.* + *a*: *A safra pode ascender a cem toneladas*.] [▶ **2** ascender] [Cf. *acender*.]

ascensão (as.cen.*são*) *sf.* **1** Ação ou resultado de ascender, de atingir ponto mais elevado: *A ascensão de D. Pedro II ao trono*. **2** *Rel.* Entre os cristãos, celebração, no 40° dia depois do Domingo de Páscoa, da subida de Jesus Cristo ao céu. [Ger. com inicial maiúscula.] **3** Deslocamento no espaço, feito de baixo para cima; SUBIDA: *Em sua ascensão, nem olhava para baixo*. **4** Melhora, progresso ou promoção na carreira, no aproveitamento ou no desempenho de uma atividade: *ascensão a gerente na empresa*. [Pl.: *-sões*.] [Cf.: *assunção*.] ● **as.cen.si:o.nal** *a2g*.

ascensorista (as.cen.so.*ris*.ta) *s2g. Bras.* Pessoa responsável por manejar um elevador.

ascese (as.*ce*.se) *sf.* Conjunto de exercícios (oração, meditação etc.) que visam ao aperfeiçoamento espiritual.

asceta (as.*ce*.ta) *s2g.* Pessoa que leva vida austera, em busca de perfeição espiritual.

ascetismo, asceticismo (as.ce.*tis*.mo, as.ce.ti.*cis*.mo) *sm. Fil.* Prática da ascese para alcançar elevação espiritual. ● **as.cé.ti.co** *a*.

asco (*as*.co) *sm.* Sensação de repugnância; NOJO.

asfaltado (as.fal.*ta*.do) *a.* Coberto de asfalto (diz-se de rua, estrada, pista).

asfaltar (as.fal.*tar*) *v. td.* Cobrir de asfalto: *Asfaltaram a rua onde moro*. [▶ **1** asfaltar]

asfalto (as.*fal*.to) *sm.* **1** Substância escura extraída do betume ou obtida do petróleo ou do alcatrão, us. na pavimentação de ruas e estradas. **2** Rua, estrada ou pista asfaltada: *O carro ziguezagueou no asfalto molhado*. **3** *Fig.* A vida urbana (em oposição à da favela ou à do mundo rural): *O morro e o asfalto são duas faces dessa cidade*.

asfixia (as.fi.*xi*.a) [cs] *sf.* **1** Suspensão da respiração e da circulação sanguínea por estrangulamento, submersão etc. **2** *Fig.* Falta de condições para o exercício de uma atividade, condição etc.: *O despotismo causa a asfixia das liberdades individuais*.

asfixiar (as.fi.xi.*ar*) [cs] *v.* **1** Ter asfixia ou causar asfixia em, não poder ou impedir de respirar (Tb. *Fig*.); SUFOCAR. [*td*.: *A fumaça/a angústia o asfixiava*; *Os juros altos asfixiam o comércio*; (tb. sem complemento explícito) *O cheiro de cloro asfixia*. *int*.: *Presos no quarto, asfixiavam com a falta de ar*.] **2** *Fig.* Oprimir, impedir a livre ação de. [*td*.: *O rigor das regras asfixiava os funcionários*.] [▶ **1** asfixiar] ● **as.fi.xi.a.do** *a*.; **as.fi.xi:an.te** *a2g*.

asiático (a.si.*á*.ti.co) *a.* **1** Da Ásia; típico desse continente ou de seu povo. *sm.* **2** Pessoa nascida na Ásia.

asilado (a.si.*la*.do) *a.sm.* Que ou quem recebeu asilo político. [Cf.: *exilado*.]

asilar (a.si.*lar*) *v.* **1** Recolher em asilo (1). [*td*.: *Este orfanato asila muitas crianças*.] **2** Dar asilo (2), proteção a. [*td*.: *O Brasil asilou muitos perseguidos políticos*.] **3** Buscar ou encontrar proteção ou abrigo; REFUGIAR-SE. [*pr*.: *O dissidente asilou-se no país vizinho*.] [▶ **1** asilar]

asilo (a.*si*.lo) *sm.* **1** Instituição beneficente que acolhe crianças, mendigos ou idosos. **2** Concessão de abrigo (tb. por país ou sua embaixada) a pessoa perseguida ou em dificuldades.

asma (*as*.ma) *sf. Med.* Doença do sistema respiratório caracterizada pela dificuldade de respirar.

asmático (as.*má*.ti.co) *a.* **1** Ref. a asma (*tosse asmática*). *a.sm.* **2** Que ou quem sofre de asma.

asneira (as.*nei*.ra) *sf.* **1** Ato ou dito sem sentido, tolo; BOBAGEM: *Nunca se viu nem se ouviu tanta asneira*. **2** Ato ou dito ingênuo, que revela pouca experiência ou inteligência: *Ele caiu na asneira de recusar o emprego*.

asno (*as*.no) *sm.* **1** *Zool.* Burro, jumento. **2** *Fig. Pej.* Pessoa ignorante. [**At!** Considerado ofensivo nesta acepção.]

aspargo (as.*par*.go) *sm.* **1** *Bot.* Planta cujos gomos carnosos são comestíveis. **2** Esse gomo.

aspartame (as.par.*ta*.me) *sm. Quím.* Substância sintética us. como adoçante.

aspas (*as*.pas) *sfpl.* Sinal de pontuação em forma de vírgulas suspensas, que podem ser simples ('...') ou duplas ("..."), com que se abrem e se fecham citações, se marca ironia e o fim de termos estrangeiros etc.

aspecto (as.*pec*.to) *sm.* **1** Maneira como se vê alguém ou algo em seu conjunto; APARÊNCIA; AR: *Seu aspecto doentio impressionava a todos*. **2** Feição (2): *Depois disso, a questão ganhou um novo aspecto*. **3** Traço característico, particularidade: *Há um aspecto intrigante na questão* **4** Cada uma das maneiras pelas quais se pode considerar uma coisa; PONTO; ÂNGULO: *Encarando o caso sob esse aspecto, ele não tem razão*. **5** *Ling.* Parte da significação do verbo relativa à duração (progressivo/momentâneo) ou às etapas (início/final) do processo que ele exprime.

aspergir (as.per.*gir*) *v.* **1** Borrifar (alguém, algo) com gotas de perfume ou outro líquido. [*td*. (seguido de indicação de agente): *Ela aspergiu os quartos com essência de jasmim*. *pr*. *Preocupado, aspergiu-se de água benta*.] **2** Espalhar (perfume, líquido etc.) em forma de borrifo. [*td*. (seguido ou não de indicação de lugar): *A camareira aspergiu perfume (sobre as camas)*.] [▶ **45** aspergir] ● **as.per.são** *sf*.

áspero (*ás*.pe.ro) *a.* **1** Que tem superfície desigual, incômoda ao tato (pele *áspera*). **2** Que é desagradável ao paladar; AZEDO (vinho *áspero*). **3** Que é desagradável aos ouvidos (som *áspero*). **4** Não delicado, ríspido; GROSSEIRO: *O colega dirigiu-lhe palavras ásperas*. [Superl.: *aspérrimo*, *aspérrimo*.] ● **as.pe.re.za** *sf*.

aspersor (as.per.*sor*) [ô] *a.* **1** Que asperge. *sm.* **2** *Agr.* Aparelho, ger. giratório, us. em irrigação.

aspiração (as.pi.ra.*ção*) *sf.* **1** Ação ou resultado de aspirar. **2** *Fig.* Desejo intenso (de atingir um objetivo): *aspiração por um mundo melhor*. [Pl.: *-ções*.]

aspirador (as.pi.ra.*dor*) [ô] *sm.* **1** Que ou o que aspira. **2** Eletrodoméstico que limpa poeira e partículas de lixo aspirando-as. [Tb. *aspirador de pó*.]

aspirante (as.pi.*ran*.te) *a2g.s2g.* **1** Que ou quem aspira, almeja: *candidatos aspirantes a um cargo*. *a2g.* **2** Que suga: *dispositivo aspirante de poeira*. *s2g. Mil.* **3** Patente de quem concluiu o curso de uma escola militar e está pronto para ser promovido a oficial. **4** *Mil.* Militar que tem essa patente. [Ver tb. *cadete*.]

aspirar | assentar

aspirar (as.pi.*rar*) *v.* **1** Introduzir (ger. ar, mas também qualquer fluido) para dentro dos pulmões. [*td.*: *É bom aspirar ar puro.*] **2** Introduzir (pó, odores, fumaça, partículas etc.) para dentro de si, pelo nariz ou pela boca. [*td.*: *Aspirei o perfume das flores.*] **3** Atrair intencionalmente (pó, odores, fumaça, partículas etc.) por meio de vácuo; SUGAR. [*td.*: *Comprei um aparelho para aspirar a sujeira do teclado.*] **4** Desejar muito, almejar. [*ti.* + *a*: "Não aspirava a outros domínios..." (Josué Montello, *Sempre serás lembrada*).] **5** *Ling.* Articular (um fonema) com um ruído de fricção, produzido durante a expiração do ar, p.ex., no inglês, o/h/ de *hall*. [*td.*: *Os ingleses aspiram o som inicial de algumas palavras.*] [▶ 1 aspir**ar**]

aspirina® (as.pi.*ri*.na) *sf. Quím.* **1** Nome comercial de medicamento us. como analgésico e antitérmico. **2** Comprimido desse medicamento. [A marca registrada, com inicial maiúsc.]

asqueroso (as.que.*ro*.so) [ô] *a.* Que causa asco; NOJENTO; REPUGNANTE. [Fem. e pl.: [ó].]

assadeira (as.sa.*dei*.ra) *sf.* Tabuleiro us. para assar alimentos.

assado (as.*sa*.do) *a.* **1** Que se assou. **2** *Fam.* Com assadura: *A fralda molhada deixa o bebê assado. sm.* **3** *Cul.* Qualquer prato de iguaria assada (1), esp. carne. **4** *S.* Carne apropriada para ser assada.

assadura (as.sa.*du*.ra) *sf.* Irritação da pele causada por umidade, atrito ou calor.

assalariado (as.sa.la.ri.*a*.do) *a.* **1** Remunerado com salário (trabalho *assalariado*). *a.sm.* **2** Que ou quem ganha e vive de salário: *É empregado assalariado; Declara renda como assalariado. sm.* **3** Conjunto de assalariados (2): *Houve queda de 0,2% no assalariado da indústria.* ● **as.sa.la.ri.ar** *v.*

assaltante (as.sal.*tan*.te) *a2g.s2g.* Que ou quem assalta pessoas, lojas, casas etc.

assaltar (as.sal.*tar*) *v.* **1** Atacar (alguém ou algum lugar) para roubar. [*td.*: *Assaltaram o banco*; (tb. sem complemento explícito) *O bando aproveitou a confusão para assaltar.*] **2** Atacar repentina e furiosamente. [*td.*: *O comando assaltou o acampamento.*] **3** Ocorrer, surgir repentinamente a. [*td.*: *Assaltou-me uma dúvida cruel.*] [▶ 1 assalt**ar**]

assalto (as.*sal*.to) *sm.* **1** Ataque súbito e violento, para roubar. **2** *Bras. Fig.* Exagero na cobrança de preço; ROUBO. **3** *Esp.* Cada um dos períodos em que se divide uma luta (p.ex., no boxe).

assanhar (as.sa.*nhar*) *v.* **1** Tornar(-se) animado, alvoroçado. [*td.*: *A volta da inflação assanha os especuladores. pr.*: *A torcida começou a se assanhar depois do gol.*] **2** Tornar(-se) enraivecido. [*td.*: *Se assanham a Laura, ela briga para valer. pr.*: *Meu cachorro assanha-se com estranhos.*] **3** Comportar-se de modo pouco comedido. [*pr.*: *As meninas se assanharam quando viram o bonitão.*] **4** Descabelar(-se). [*td./pr.*] [▶ 1 assanh**ar**] ● **as.sa.nha.do** *a.*; **as.sa.nha.men.to** *sm.*

assar (as.*sar*) *v.* **1** Colocar (alimento) em forno ou braseiro para cozinhar e dourar. [*td.*: *Vou assar um bolo para a festa.*] **2** Ficar (alimento) no forno até cozinhar e dourar. [*int.*: *O frango assou em uma hora.*] **3** Causar inflamação ou irritação em (pele do por efeito de calor ou atrito). [*td.*: *A fralda molhada pode assar o bebê.*] [▶ 1 ass**ar**]

assassinar (as.sas.si.*nar*) *v. td.* **1** Matar, ger. com violência: *Os bandidos assassinaram os rivais.* **2** *Fig.* Desempenhar mal (uma atividade): *Apesar de estudar, assassina o inglês.* [▶ 1 assassin**ar**]

assassinato, assassínio (as.sas.si.*na*.to, as.sas.*sí*.ni:o) *sm.* Ação ou resultado de assassinar; HOMICÍDIO.

assassino (as.sas.*si*.no) *sm.* **1** Pessoa que assassina; HOMICIDA. *a.* **2** Que causa o assassinato (instinto *assassino*).

assaz (as.*saz*) *adv.* **1** Muito, demais: *Ficou assaz interessado no projeto.* **2** Bastante, suficientemente: *Ela é assaz sincera para dizer o que sente.*

asseado (as.se.*a*.do) *a.* **1** Que tem cuidado com a limpeza, com a higiene (cozinheiro *asseado*). **2** Que é limpo (casa *asseada*).

assear (as.se.*ar*) *v.* Fazer a higiene de; LAVAR; LIMPAR (algo, alguém ou si mesmo). [*td.*: *O padre asseou o altar para a missa. pr.*: *Asseou-se com esmero.*] [▶ 13 asse**ar**]

assecla (as.*se*.cla) *s2g.* Sectário.

assediar (as.se.di.*ar*) *v. td.* **1** Tentar conquistar amorosamente, com insistência: *O ator foi acusado de assediar as mulheres.* **2** Perseguir, importunando com perguntas, propostas etc.: *O empresário vive assediando jogadores famosos.* **3** Impor assédio (2) a. [▶ 1 assedi**ar**]

assédio (as.*sé*.di:o) *sm.* **1** Insistência em aproximar-se de alguém: *O assédio dos fãs irritou o astro.* **2** Cerco militar. ▬ ~ **sexual** Tentativa de forçar um relacionamento sexual, ger. usando a posição hierárquica como forma de pressão.

assegurar (as.se.gu.*rar*) *v.* **1** Tornar(-se) certo; GARANTIR; CERTIFICAR(-SE). [*td.*: *A chuva assegurou uma boa safra.* **tdi.** + *a*, *para*: *O governo quer assegurar a paz para seus cidadãos. pr.*: *O candidato quis assegurar-se de que havia passado.*] **2** Dizer (algo) com certeza ou conhecimento de causa; ASSEVERAR. [*td.*: *O cientista assegura ter descoberto uma nova vacina.* **tdi.** + *a*: *O diretor assegurou aos acionistas que não renunciaria.*] [▶ 1 assegur**ar**] ● **as.se.gu.ra.do** *a.*

asseio (as.*sei*.o) *sm.* Qualidade do que é asseado; LIMPEZA; HIGIENE.

assembleia (as.sem.*blei*.a) *sf.* Reunião de pessoas em que se tomam decisões sobre um ou mais assuntos. ▬ ~ **Legislativa 1** O conjunto de deputados, eleitos pelo povo, responsáveis pela feitura de leis para o Estado. **2** Prédio onde esses deputados se reúnem.

assemelhar (as.se.me.*lhar*) *v.* Tornar(-se) parecido; ser parecido. [*td.* + *a*: *A forma desse robô o assemelha a uma pessoa. pr.*: *A arte assemelha-se à vida.*] [▶ 1 assemelh**ar**] ● **as.se.me.lha.do** *a.*

assenhorear-se (as.se.nho.re.*ar*-se) *v. pr.* Tornar-se dono; APROPRIAR-SE: *O fazendeiro assenhoreou-se dos lotes vizinhos.* [▶ 13 assenhore**ar**-se] ● **as.se.nho.re.a.men.to** *sm.*

assentado (as.sen.*ta*.do) *a.* **1** Que se assentou; SENTADO. **2** Posto no devido lugar (cabelos *assentados*). *a.sm.* **3** Que ou quem é membro de um assentamento (3).

assentamento (as.sen.ta.*men*.to) *sm.* **1** Ação ou resultado de assentar. **2** Ação de dar posse legal de terra a trabalhadores rurais ou camponeses. **3** Essa terra, já ocupada pelos camponeses.

assentar (as.sen.*tar*) *v.* **1** Dispor de maneira que fique firme. *td.* (seguido ou não de indicação de lugar): *Assentou as pedras (no muro).* **2** Colocar(-se) sobre um assento; SENTAR(-SE). [*td.* (seguido ou não de indicação de lugar): *Assentou a criança (no sofá). pr.* (seguido ou não de indicação de lugar): *Assentaram-se (à mesa).*] **3** Baixar, depositando-se. [*int.* (seguido ou não de indicação de lugar): *A poeira da obra assentou (sobre o chão).*] **4** Dar posse de terra a (trabalhadores rurais, camponeses), para que nela habitem. *td.* (com ou sem indicação de lugar): *O governo vai assentar (em famílias na área).*] **5** Combinar, condizer. [*ti.* + *em*: *Esta roupa assenta bem em você.*] **6** Manter em forma (cabelos, penteado). [*td.*: *Uso gel para assentar o cabelo.*] **7** Dar (soco, bofetão etc.). [*tdi.* + *em*: *Assentou um tapa no rosto do rapaz.*] **8** Ordenar (pensamentos, ideias). *Às vezes, é difícil assentar as ideias.*] ▬ ~ **a cabeça** Tomar um rumo na vida, tomar juízo: *Só assentou a cabe-*

assentir | **assistir**

ça depois que começou a trabalhar. [▶ 1 assent**ar**. Part.: *assentado* e *assente*.]

assentir (as.sen.*tir*) *v.* Concordar, consentir. [*ti.* + *em*: *O diretor assentiu em falar na reunião.* *int.*: *Pressionada, ela acabou assentindo.*] [▶ 50 assent**ir**] • **as.sen.ti.men.to** *sm.*

assento (as.*sen*.to) *sm.* 1 Lugar ou móvel apropriado para sentar. 2 *Fam.* O par de nádegas.

assepsia (as.sep.*si*.a) *sf.* Conjunto de procedimentos que visam evitar a entrada de germes no organismo ou num ambiente.

asséptico (as.*sép*.ti.co) *a.* Que passou por assepsia (ambiente *asséptico*).

asserção (as.ser.*ção*) *sf.* Declaração que se faz com certeza; AFIRMAÇÃO; ASSERTIVA. [Pl.: *-ções*.]

assertiva (as.ser.*ti*.va) *sf.* Ver *asserção*. • **as.ser.ti.vo** *a.*

assessor (as.ses.*sor*) [ô] *sm.* Pessoa que dá assessoria (1) (*assessor* contábil).

assessorar (as.ses.so.*rar*) *v. td.* Prestar assistência técnica a: *Os especialistas assessoravam o ministro.* [▶ 1 assessor**ar**] • **as.ses.so.ra.men.to** *sm.*

assessoria (as.ses.so.*ri*.a) *sf.* 1 Ação ou resultado de assessorar (1). 2 Departamento ou conjunto de especialistas que prestam assessoria (1).

assessório (as.ses.*só*.ri:o) *a.* De ou próprio de assessor ou assessoria (funções *assessórias*). [Cf. *acessório*.]

assestar (as.ses.*tar*) *v. tdi.* Apontar (arma, instrumento óptico) em direção a. [+ *a*, *contra*, *em*, *para*.] [▶ 1 assest**ar**]

asseverar (as.se.ve.*rar*) *v.* 1 Declarar com convicção; ASSEGURAR. [*td.*: *A testemunha asseverou que o réu era o culpado.* *tdi.* + *a*: *A professora asseverou aos alunos que a prova estava fácil.*] [▶ 1 assever**ar**] • **as.se.ve.ra.ção** *sf.*

assexuado (as.se.xu.*a*.do) [cs] *a.* 1 Que não tem órgãos sexuais. 2 *Fig.* Que não tem ou parece não ter sexualidade (1) (diz-se de pessoa).

assexual (as.se.xu:*al*) [cs] *a. Biol.* Que se realiza sem a união de gametas (diz-se de reprodução). [Pl.: *-ais*.]

assíduo (as.*sí*.du:o) *a.* 1 Que não falta às suas obrigações: *aluno assíduo às aulas*. 2 Que comparece com frequência a um lugar (freguês *assíduo*). • **as.si.du:i.da.de** *sf.*

assim (as.*sim*) *adv.* 1 Deste, desse ou daquele modo: *Não corra assim, você pode cair.* 2 *Coloq.* Cheio, repleto: *A árvore estava assim de marimbondos.* 3 Prediz uma consequência: *Assim você machuca seu irmão.* 4 Assinala uma conclusão; ENTÃO: *Fica acertado, assim, o local da próxima reunião.* [NOTA: Us. às vezes com função adjetiva significando "parecido" (com característica antes mencionada): *Coisa assim, nunca tinha visto*; "Meteu-se numa fazenda ou coisa assim." (Antonio Callado, *Bar Don Juan*).] ▓ ~, ~ Mais ou menos: – *Como vai você?* – *Assim, assim.* ~ **como** Da mesma maneira que: *Assim como chegou, partiu.* ~ **mesmo** Apesar disso: *Chove muito; assim mesmo, vou sair.* ~ **que** No mesmo momento em que, logo que: *Assim que percebeu o engano, corrigiu-se.* [Us. às vezes com função adjetiva significando "parecido" (com característica antes mencionada): *Coisa assim, nunca tinha visto*; "Meteu-se numa fazenda ou coisa assim." (Antonio Callado, *Bar Don Juan*).

assimétrico (as.si.*mé*.tri.co) *a.* Sem simetria; com medidas ou formas diferentes: *Os azulejos da cozinha são assimétricos.* • **as.si.me.tri.a** *sf.*

assimilar (as.si.mi.*lar*) *v.* 1 Entender e apreender o que foi apresentado. [*td.*: *Os alunos assimilaram bem a lição.*] 2 Absorver. [*td.*: *A indústria tem assimilado as novas tecnologias.*] 3 Tornar(-se) similar.

[*td.*: *assimilaram seus penteados.* *tdi.* + *a*: *Assimilou seu vestido ao da irmã.* *pr.*: *Em contato com outras, muitas culturas assimilam-se.*] [▶ 1 assimil**ar**] • **as.si.mi.la.ção** *sf.*

assinado (as.si.*na*.do) *a.* 1 Em que há assinatura: *Separe os documentos assinados.* 2 Autenticado pelo artista ou autor com sua assinatura (gravura *assinada*).

assinalado (as.si.na.*la*.do) *a.* 1 Marcado ou indicado com sinal, cor etc.: *Os itens assinalados em verde estão em promoção.* 2 Que se assinalou (3); destacado, ilustre: "...As armas e os barões *assinalados*..." (Luís de Camões, *Os lusíadas*).

assinalar (as.si.na.*lar*) *v. td.* 1 Colocar uma marca em: *Assinalou a opção B na primeira questão.* 2 Ser indicação de: *A bandeira vermelha assinala que o mar está bravo.* 3 Colocar em destaque; SALIENTAR: *Cumpre assinalar que o país melhorou seu desempenho.* [▶ 1 assinal**ar**] • **as.si.na.la.ção** *sf.*; **as.si.na.la.men.to** *sm.*

assinante (as.si.*nan*.te) *a2g.s2g.* 1 Que ou quem faz assinatura (3) de jornal, TV a cabo etc. 2 Que ou quem assina (1 e 2).

assinar (as.si.*nar*) *v.* 1 Escrever o próprio nome em. [*td.*: *Assinarei a escritura amanhã.*] 2 Reconhecer-se como autor de. [*td.*: *Não quis assinar o artigo.*] 3 Contratar o recebimento de (publicação, serviço etc.). [*td.*: *Meu pai assinou o jornal.*] 4 Comprometer-se em atuar sob a tutela de [*ti.* + *com*: *O jogador assinou com um time do interior.*] [▶ 1 assin**ar**]

assinatura (as.si.na.*tu*.ra) *sf.* 1 Nome assinado: *O documento precisa da sua assinatura.* 2 Maneira de escrever o próprio nome. 3 Contrato que dá direito a receber um produto (jornal, revista) ou serviço (TV a cabo, linha telefônica): *Fez assinatura de uma revista.* 4 Preço ou mensalidade que se paga por esse direito: *Quanto é a assinatura dessa revista?*

assintomático (as.sin.to.*má*.ti.co) *a.* Que não apresenta sintomas (doença *assintomática*).

assistemático (as.sis.te.*má*.ti.co) *a.* Que se verifica sem estar sujeito a sistema.

assistência (as.sis.*tên*.ci:a) *sf.* 1 Ação ou resultado de assistir. 2 Ajuda, amparo; socorro (*assistência* médica). 3 Grupo de pessoas que assistem a uma apresentação; PÚBLICO; AUDIÊNCIA. 4 *Esp.* Passe dirigido a jogador em condição de pontuar. 5 *Bras.* Ambulância.

assistencial (as.sis.ten.ci:*al*) *a2g.* Que presta assistência, ajuda (obra *assistencial*). [Pl.: *-ais*.] • **as.sis.ten.ci:a.lis.mo** *sm.*; **as.sis.ten.ci:a.lis.ta** *a2g.*

assistente (as.sis.*ten*.te) *a2g.s2g.* 1 Que ou quem presta assistência (*assistente* técnico). 2 Que ou quem é auxiliar de professor, médico etc. ▓ ~ **social** Profissional do serviço social que dá assistência esp. às populações mais carentes, orientando famílias, dando auxílio em situações de emergência etc.

assistir (as.sis.*tir*) *v.* 1 Ver com atenção [*ti.* + *a*: *Assistiu a um programa de TV.*] 2 Comparecer em algum lugar para ver ou ouvir algo; PRESENCIAR. [*ti.* + *a*: *Amanhã, na escola, assistiremos a uma palestra sobre ecologia*; "Nos anos 60, *assistia*-se à crise do populismo..." (FolhaSP, 22.10.99).] 3 Prestar ajuda a [*td.*: *A turma da escola se reuniu para assistir os desabrigados.*] 4 Acompanhar (alguém) para prestar ajuda ou conforto [*td.*: *A enfermeira assistiu o doente.*] 5 Acompanhar (alguém) para prestar assistência técnica [*td.*: *A professora chegou para assistir o diretor na entrevista.*] [NOTA: Nas acps. 1 e 2, na linguagem coloquial, o verbo é freq. us. como td.: *assistir um programa/uma aula.*] [▶ 3 assist**ir**]

assoalhar¹ | assustadiço

assoalhar¹ (as.so:a.*lhar*) *v. td.* **1** Cobrir com tábuas de madeira o piso de: *Mandei assoalhar a sala.* [▶ **1** assoalh[ar]]

assoalhar² (as.so:a.*lhar*) *v. td.* **1** Expor ao sol (Tb. Fig., no sentido de 'tornar público'): *Resolveu assoalhar os detalhes sigilosos do contrato.* [▶ **1** assoalh[ar]]

assoalho (as.so:a.lho) *sm.* Piso (de madeira, ladrilhos etc.) de uma construção; SOALHO.

assoar (as.so.*ar*) *v.* **1** Limpar (o nariz) expelindo a secreção. [*td.*: *Ele assoou o nariz no lenço.*] **2** Assoar (1) o nariz de (referindo-se ao próprio nariz).] *pr.*: *Ele se assoou ruidosamente.*] [▶ **16** ass[oar]]

assoberbado (as.so.ber.*ba*.do) *a.* Sobrecarregado, ger. de trabalho.

assoberbar (as.so.ber.*bar*) *v.* Acumular (algo, alguém) de serviço, acarretar excesso de tarefas a. [*td.*: *Estas coisas vão assoberbar o tribunal.* *tdi.* + *com, de*: *O patrão assoberbou os empregados com novas tarefas.*] [▶ **1** assoberb[ar]]

assobiar, assoviar (as.so.bi.*ar*, as.so.vi.*ar*) *v.* **1** Produzir um som sibilante com os lábios comprimidos e arredondados. [*int.*: *Ainda não aprendi a assobiar.*] **2** Executar (uma melodia, uma música) assobiando (1). [*td.*: *Você sabe assobiar o Hino Nacional?*] **3** Emitir um som parecido com um assobio. [*int.*: "Nem o vento lá fora assobiava mais." (Marques Rebelo, *Contos reunidos*).] [▶ **1** assobi[ar], ▶ **1** assovi[ar] ● **as.so.bi:a.dor**, **as.so.vi:a.dor** *a.sm.*

assobio, assovio (as.so.*bi*:o, as.so.*vi*:o) *sm.* **1** Som agudo que se produz expirando o ar com os lábios bem unidos: *No silêncio da varanda, ouvi o assobio dele.* **2** Qualquer som similar: "Um assovio muito agudo deu o primeiro sinal de bordo, chamando os últimos passageiros." (Aluísio de Azevedo, *O mulato*).

associação (as.so.ci:a.*ção*) *sf.* **1** Ação ou resultado de associar(-se). **2** Grupo organizado de pessoas visando a um objetivo comum; SOCIEDADE: *associação de moradores.* **3** Ligação entre ideias e/ou sentimentos: *Chegamos nesse assunto por associação de ideias.* [Pl.: -ções.]

associado (as.so.ci.*a*.do) *a.sm.* **1** Que ou quem é membro (de um clube, de uma associação). [*a.*] **2** Relacionado, ligado (tb. como sócio): *cansaço associado à/com a falta de sono; João é associado ao irmão na firma.*

associal (as.so.ci.*al*) *a2g.* Que não se integra socialmente; ANTISSOCIAL [Ant.: *social, sociável.*] [Pl.: -*ais.*]

associar (as.so.ci.*ar*) *v.* **1** Estabelecer uma relação de analogia ou correspondência entre pessoas ou coisas. [*tdi.* + *a, com*: *Costuma-se associar a sexta-feira 13 ao azar*; "...associaram o fumo ao câncer." (*FolhaSP*, 24.10.99)] **2** Juntar elementos, pessoas. [*td.*: *Maria tem a habilidade de associar ideias.* *pr.*: *Os meninos se associaram para provocar as meninas.*] **3** Tornar-se sócio, incluir-se em sociedade, agremiação ao grupo. [*pr.*: *Todos os empregados associaram-se ao sindicato.*] [▶ **1** associ[ar] ● **as.so.ci:a.ti.vo** *a.*

assolar (as.so.*lar*) *v. td.* Estender-se sobre (um lugar, um conjunto etc.) causando destruição ou prejuízo: *A seca assola o Nordeste impiedosamente.* [▶ **1** assol[ar]] [Cf.: *açular.*]

assomar (as.so.*mar*) *v. int.* Surgir, chamando atenção para si ou colocando-se em lugar elevado ou posição de destaque: *O cachorro assomou por detrás do biombo.* [▶ **1** assom[ar]]

assombração (as.som.bra.*ção*) *sf.* Bras. Terror causado pela aparição de fenômeno inexplicável ou sobrenatural, como fantasmas etc.; essa aparição. [Pl.: -*ções.*]

assombrado (as.som.*bra*.do) *a.* **1** Em que (lugar) ocorre assombração (casarão assombrado). [Ver tb. *mal-assombrado.*] **2** Muito assustado, aterrorizado; APAVORADO. **3** Espantado, cheio de assombro. **4** Coberto de sombra.

assombrar (as.som.*brar*) *v.* **1** Causar assombro em, ger. no sentido de ameaça, susto ou medo. [*td.*: *A violência assombra os estádios de futebol.*] **2** Manifestar-se (assombração) em (lugar). [*td.*: *Fantasmas assombravam o antigo castelo.*] **3** Causar ou sentir espanto ou admiração. [*td.*: *O guitarrista assombrou o público com seu talento.* *pr.*: "Sou lá homem para me assombrar com fantasmas?" (Marques Rebelo, *Contos reunidos*).] [▶ **1** assombr[ar] ● **as.som.bra.men.to** *sm.*

assombro (as.som.bro) *sm.* **1** Grande admiração ou susto: *Assombro ante uma belíssima jogada.* **2** Pessoa ou coisa que causa assombro (1), admiração: *A inteligência desse menino é um assombro; Ela é um assombro de vivacidade.*

assombroso (as.som.*bro*.so) [ô] *a.* Que assombra, impressiona ou causa admiração; IMPRESSIONANTE. [Fem. e pl.: [ó].]

assomo (as.*so*.mo) [ô] *sm.* **1** Ação ou resultado de assomar, de aparecer. **2** Sinal revelador de algo, indício: *assomo de doença.* **3** Ímpeto, impulso: *Num assomo, desarmou o bandido.* **4** Manifestação de raiva.

assonância (as.so.*nân*.ci:a) *sf.* **1** Harmonia de tons, formas etc. **2** *Liter. Poét.* Uso de vogais semelhantes ou iguais em palavras próximas ou no final de versos para efeito rítmico e expressivo.

assopradela (as.so.pra.*de*.la) *sf.* Sopro rápido, com pouca força.

assoprar (as.so.*prar*) *v.* **1** Soltar voluntariamente o ar pela boca sobre; SOPRAR. [*td.*: *Assoprou o fogo só faz aumentar a chama.*] **2** Soltar voluntariamente o ar pela boca. [*int.*: *Quando eu pedir, você assopra.*] [▶ **1** assopr[ar] ● **as.so.pra.men.to** *sm.*

assorear (as.so.re.*ar*) *v.* Provocar ou sofrer a deposição de areia, terra ou detritos causando a obstrução parcial ou total de (canal, rio etc.). [*td.*: *O lixo pode assorear os dutos de esgoto. int./pr.*: *O canal assoreou(-se).*] [▶ **13** assor[ear] ● **as.so.re:a.men.to** *sm.*

assumido (as.su.*mi*.do) *a.* Que assume as suas características, opiniões, gostos etc.: *Ele é um pessimista assumido.*

assumir (as.su.*mir*) *v.* **1** Passar a ter, adquirir. [*td.*: *Uma casa reformada assume o aspecto de nova.*] **2** Reconhecer-se responsável por. [*td.*: *O ex-diretor assumiu a culpa pelo fracasso.*] **3** Passar a ocupar ou exercer (função, papel, cargo etc.). [*td.*: *O ator indicado assumiu a coordenação do teatro*; (tb. sem complemento explícito) *A diretoria do clube assume amanhã.*] **4** Reconhecer publicamente. [*td.*: *O assaltante afinal assumiu que não agira sozinho.*] **5** *Gír.* Reconhecer-se homossexual e agir como tal. [*int.*] [▶ **3** assum[ir]]

assunção (as.sun.*ção*) *sf.* **1** Ação ou resultado de assumir: *A assunção da responsabilidade não o perturbou.* **2** Elevação à função ou cargo importante: *Comemoraram sua assunção ao ministério.* **3** *Rel.* No catolicismo, subida de Maria ao céu, depois da sua morte, e sua representação (em imagens etc.). [Pl.: -*ções.*] [Cf.: *ascensão.*]

assuntar (as.sun.*tar*) *v.* **1** Coletar informações sobre, pesquisar. [*ti.* + *em, sobre*: *Não fique assuntando sobre coisas que não lhe interessam.*] **2** Meditar, ponderar. [*ti.* + *em, sobre*: *Ficou parado, assuntando no que havia ocorrido. int.*: *Depois de muito assuntar, pediu peixe.*] [▶ **1** assunt[ar]]

assunto (as.*sun*.to) *sm.* Aquilo sobre o que se conversa, fala ou escreve; TEMA, MATÉRIA.

assustadiço (as.sus.ta.*di*.ço) *a.* Que se assusta à toa.

assustado (as.sus.*ta*.do) *a*. **1** Que levou susto. **2** Um tanto amedrontado: *Estamos assustados com a onda de assaltos*.

assustador (as.sus.ta.*dor*) [ô] *a.sm*. Que ou quem assusta.

assustar (as.sus.*tar*) *v*. **1** Provocar susto ou medo em. [*td*.: *O barulho do avião assustou as crianças*.] **2** Levar susto ou sentir medo. [*pr*.: *O ladrão assustou-se e fugiu*.] [▶ **1** assust[ar]

asteca (as.*te*.ca) *a2g*. **1** Dos ou próprio dos astecas, povo indígena que habitava o México antes da colonização espanhola. *s2g*. **2** Indivíduo dos astecas. *a2g.sm*. **3** *Gloss*. Da, ref. à ou a língua falada pelos astecas, hoje extinta. [Tb. chamada náuatle.]

astenia (as.te.*ni*.a) *sf*. *Med*. Perda ou redução da força física, da energia.

asterisco (as.te.*ris*.co) *sm*. Sinal gráfico parecido com uma estrela (*), us. para marcar uma palavra, indicando que há uma nota de pé de página, ou alguma outra explicação a ela relativa etc.

asteroide (as.te.*roi*.de) *sm*. *Astron*. Pequeno corpo celeste que se move em torno do Sol, esp. entre as órbitas de Marte e Mercúrio; PLANETOIDE.

astigmatismo (as.tig.ma.*tis*.mo) *sm*. *Med*. Defeito da visão causado por irregularidades na curvatura da córnea. • **as.tig.má.ti.co** *a.sm*.

astral (as.*tral*) *a2g*. **1** Dos ou próprio dos astros; SIDERAL. *sm*. **2** *Pop*. Estado de espírito; DISPOSIÇÃO; HUMOR. **3** *Pop*. Suposta influência que um lugar ou ambiente exerce sobre alguém.[Pl.: *-trais*.] [Ver tb. *alto-astral*, *baixo-astral*.]

astro (*as*.tro) *sm*. **1** Qualquer corpo existente no espaço (estrelas, planetas etc.). **2** *Fig*. Principal ator de uma peça, novela, filme. **3** *Fig*. Pessoa famosa, especialmente artista ou atleta: *Sonhava ser um astro de cinema*.

astrolábio (as.tro.*lá*.bi:o) *sm*. *Astron*. Instrumento para medir a altura dos astros em relação à linha do horizonte.

astrologia (as.tro.lo.*gi*.a) *sf*. Estudo da influência dos astros na vida das pessoas e nos acontecimentos do mundo. • **as.tro.ló.gi.co** *a*.

astrólogo (as.*tró*.lo.go) *sm*. Aquele que se dedica à astrologia.

ASTROLÁBIO

astrômetra (as.*trô*.me.tra) *s2g*. Astrônomo que se especializou em astrometria.

astrometria (as.tro.me.*tri*.a) *sf*. *Astron*. Ramo da astronomia que faz a medição das posições dos astros, de seus tamanhos e movimentos; essa medição.

astronauta (as.tro.*nau*.ta) *s2g*. Pessoa que viaja ou que é treinada para viajar em astronave.

astronáutica (as.tro.*náu*.ti.ca) *sf*. Ciência e técnica da construção de astronaves e da navegação espacial.

📖 As grandes conquistas da astronáutica começaram em 1957, quando a antiga União Soviética lançou o primeiro satélite artificial, o Sputnik. O primeiro homem a ser lançado no espaço foi o soviético Iuri Gagarin, em 1961. Em 1968 a espaçonave Apolo 8, dos EUA, fez o primeiro voo tripulado em torno da Lua, filmando a face até então oculta do satélite. Em 1969 foi transmitido ao vivo, pela televisão, o pouso da Apolo 11 e a descida do primeiro homem a pisar na Lua, Neil Armstrong. Em 1976 um laboratório automático pousou em Marte. Em 1990 foi lançado ao espaço o telescópio Hubble, dos EUA, que permitiu novas descobertas. Os ônibus espaciais reutilizáveis tornaram as expedições ao espaço mais econômicas.

astronave (as.tro.*na*.ve) *sf*. *Astr*. Veículo projetado para viajar pelo espaço; ESPAÇONAVE.

astronomia (as.tro.no.*mi*.a) *sf*. Ciência que estuda o espaço sideral, os astros e os seus movimentos.

astronômico (as.tro.*nô*.mi.co) *a*. **1** Da, ou próprio da, ou ref. à astronomia. **2** *Fig. Pop*. Muito elevado (diz de preço, valor): *A modelo exigiu cachê astronômico*.

astrônomo (as.*trô*.no.mo) *sm*. Pessoa que estuda, ou se especializou em, ou se dedica à astronomia.

astúcia (as.*tú*.ci:a) *sf*. **1** Qualidade de quem sabe agir com malícia e artimanha para não ser enganado; ESPERTEZA; MANHA. **2** Qualidade de enganar e dissimular para obter vantagem; MALÍCIA; ARTIMANHA. • **as.tu.ci:o.so** *a*.

astuto (as.*tu*.to) *a*. Que tem astúcia, ou que age com astúcia.

ata (*a*.ta) *sf*. Texto que registra todos os acontecimentos, decisões e discussões de uma assembleia ou reunião.

atabalhoado (a.ta.ba.lho.*a*.do) *a*. **1** Feito às pressas, sem cuidado (preparativos *atabalhoados*). **2** Que faz as coisas sem pensar, sem organização; ATRAPALHADO: *Que sujeito atabalhoado, misturou os papéis todos!*

atabaque (a.ta.*ba*.que) *sm*. Tambor comprido, com couro em uma das extremidades, que se toca com as mãos, ger. em cerimônias religiosas de culto afro ou afro-brasileiro.

atacadista (a.ta.ca.*dis*.ta) *a2g.s2g*. Que (pessoa, comércio) ou quem compra em grande quantidade e revende em lotes para comerciantes que vendem a varejo (comércio *atacadista*).

atacado (a.ta.*ca*.do) *a*. **1** Que sofreu ataque de qualquer natureza (de agressor, doença etc.): *No surto de conjuntivite os atacados estão dispensados do trabalho*. **2** *Bras. Pop*. Mal-humorado: *Ele hoje está atacado*. *sm*. **3** Atividade do atacadista. [Cf.: *varejo*.]

ATABAQUE

atacante (a.ta.*can*.te) *a2g.s2g*. **1** Que ou quem começa uma ação ofensiva. *s2g*. **2** *Bras. Fut*. Jogador que atua no ataque.

atacar (a.ta.*car*) *v*. **1** Investir com ímpeto e/ou raiva sobre (algo ou alguém); AGREDIR. [*td*.: *Os vândalos atacaram os orelhões da rua*; (tb. sem complemento explícito) *O touro estava pronto para atacar*.] **2** Lançar-se contra (algo ou alguém) para destruir física ou moralmente. [*td*.: *Os gafanhotos atacaram a plantação*; (tb. sem complemento explícito) *Um novo vírus de computador deve atacar no Natal*.] **3** Manifestar-se contra, falar mal de, criticar, reprovar. [*td*.: *A crítica atacou a peça sem piedade*. *pr*. (com sentido de reciprocidade): *Atacavam-se o tempo todo, mas continuavam amigos*.] **4** *Bras. Pop*. Lançar-se a, ou abordar (algo), dando início a uma tarefa ou atividade. [*td*.: *Não sabia como atacar o problema*.] **5** *Esp*. Lançar-se em uma jogada para atingir o alvo (gol, cesta, ponto etc.). [*int*.: "A seleção brasileira pouco atacava..." (FolhaSP, 14.11.99).] **6** Manifestar-se, sentimento, preocupação etc.) de repente em. [*td*.: *No meio do discurso, atacou-o uma tosse incessante*.] [▶ **11** ata[car]

atado (a.*ta*.do) *a*. **1** Apertado ou preso a algo por meio de uma laço, um nó (pés *atados*); AMARRADO **2** *Fig*. Dependente (de situação, sentimento, obrigação); ATRELADO: *O caçula vive atado à vontade da mãe*.

atadura (a.ta.*du*.ra) *sf*. **1** Ação ou resultado de atar. **2** Faixa de tecido, ger. gaze, própria para curativos ou para imobilizar parte do corpo.

atalaia (a.ta.*lai*.a) *s2g*. **1** Sentinela, guarda. *sf*. **2** Lugar elevado de onde se pode vigiar.

atalhar (a.ta.*lhar*) *v. int.* Interromper falando. [▶ 1 atalhar]

atalho (a.ta.lho) *sm.* **1** Caminho mais curto que o usual: *atalho entre as ruas/para a praça/pelo beco.* **2** *Inf.* Acesso rápido a um arquivo, programa etc. por meio do clique em um único elemento de interface.

atapetado (a.ta.pe.ta.do) *a.* **1** Coberto por tapete. **2** *Fig.* Forrado, coberto (com qualquer coisa que lembre um tapete): *rua atapetada com flores.*

atapetar (a.ta.pe.*tar*) *v. td.* Cobrir (o piso de) com tapete: *Mandei atapetar o escritório.* [▶ 1 atapetar]

ataque (a.*ta*.que) *sm.* **1** Ação ou resultado de atacar. **2** Ação ou atitude violenta contra algo ou alguém; AGRESSÃO. **3** *Fig.* Acusação, crítica: *Em sua reportagem, fazia um ataque contra os especuladores.* **4** *Fig.* Manifestação repentina (de doença, de algo que revele sentimentos) (ataque epiléptico); ACESSO: *ataque de raiva.* **5** *Esp.* Jogada ofensiva. **6** *Esp.* Grupo de jogadores que realizam jogadas ofensivas. ▪ **~ especulativo** Manobra de especuladores contra a moeda de um país, usando os agentes econômicos (bolsa de valores, câmbio etc.) para tirar proveito próprio na compra e venda de moeda e títulos. **Ter um ~ 1** *Bras. Pop.* Ser acometido de crise nervosa, com ou sem perda de consciência. *Ao ouvir a notícia, teve um ataque.* **2** *Bras. Gír.* Perder a compostura, irar-se, tornar-se violento: *Ao ser fechado no trânsito, teve um ataque e saiu aos berros.*

atar (a.*tar*) *v.* **1** Prender com corda, fita etc.; AMARRAR. [*td.*: *O peão atou o touro.* *tdi. + a, em*: "Atou o laço na garupa." (Guimarães Rosa, *Primeiras estórias*).] **2** Prender, unir, atrelar. [*tdi. + a*: *Atou a parelha de cavalos ao carro.*] **3** Estabelecer uma relação entre elementos; VINCULAR. [*td.*: *A solidariedade atava as pessoas.* *tdi. + a, com*: *Buscava atar os sonhos à realidade.*] **4** Impedir que se movimente ou aja; REFREAR. [*td.*: *O medo atava suas mãos.*] [▶ 1 atar] • **a.ta.men.to** *sm.*

atarantado (a.ta.ran.ta.do) *a.* Confuso, perturbado.

atarantar (a.ta.ran.*tar*) *v.* Deixar ou ficar perturbado, tonto. [*td.*: *Aqueles problemas o atarantavam.* *pr.*: *Os estrangeiros atarantaram-se com tantos costumes diferentes.*] [▶ 1 atarantar]

atarefado (a.ta.re.fa.do) *a.* Com muito trabalho, muitas tarefas.

atarefar (a.ta.re.*far*) *v.* Encarregar tarefas a, ocupar(-se) com tarefas. [*td.*: *Pode atarefá-lo hoje, está com tempo livre. pr.*: *Atarefou-se durante toda a manhã.*] [▶ 1 atarefar]

atarracado (a.tar.ra.ca.do) *a.* Baixo e gordo (diz-se de pessoa ou de animal).

atarraxar (a.tar.ra.*xar*) *v. td.* Apertar, girando como uma rosca ou parafuso: *Atarraxou bem a tampa da garrafa térmica.* [▶ 1 atarraxar]

atascadeiro (a.tas.ca.dei.ro) *sm.* Lugar que tem muita lama; ATOLEIRO.

ataúde (a.ta.*ú*.de) *sm.* Caixão de defunto.

atávico (a.*tá*.vi.co) *a.* Transmitido para descendentes remotos ou recebido de antepassados remotos (diz-se de traços físicos ou psicológicos). • **a.ta.vis.mo** *sm.*

atavio (a.ta.*vi*.o) *sm.* Enfeite, adorno. • **a.ta.vi.ar** *v.*

atazanar (a.ta.za.*nar*) *v. td.* Incomodar, provocar, importunar; ATENAZAR. [▶ 1 atazanar] • **a.ta.za.na.do.a.**

até (a.*té*) *prep.* **1** Indica limite (no tempo, no espaço e de quantidade): *Dormi até as 10h; Foram até a estação; Comeu até estourar. adv.* **2** Mesmo, inclusive: *Até o padre riu do menino.* ▪ **~ já, ~ breve** Fórmulas de despedida que anunciam retorno em pouco tempo. **~ logo** Expressão us. em despedida. **~ que** Assinala o limite do processo, ação ou estado expressos na oração principal: *Fique aqui até que seu pai volte.*

atear (a.te.*ar*) *v. tdi.* Iniciar (fogo, incêndio, chama etc.). [+ *a, em*: *O jardineiro ateou fogo ao monte de folhas secas.*] [▶ 13 atear]

ateísmo (a.te.*is*.mo) *sm.* Negação da existência de Deus; essa doutrina.

ateliê (a.te.li.*ê*) *sm.* Local de trabalho de pessoas que lidam com arte como, p.ex., pintor, escultor, fotógrafo etc.: *ateliê de decoração.*

atemorizador (a.te.mo.ri.za.*dor*) [ô] *a.sm.* Que ou o que atemoriza.

atemorizante (a.te.mo.ri.*zan*.te) *a2g.* Que atemoriza.

atemorizar (a.te.mo.ri.*zar*) *v.* **1** Causar medo ou temor; AMEDRONTAR. [*td.*: *O ataque de pragas está atemorizando os lavradores;* (tb. sem complemento explícito) *Seu discurso visava atemorizar.*] **2** Sentir medo ou temor. [*pr.*: *Meus primos se atemorizam com qualquer coisa.*] [▶ 1 atemorizar] • **a.te.mo.ri.za.do.a.**

atemporal (a.tem.po.*ral*) *a2g.* Que não se modifica com o tempo; que não está preso a nenhuma época: *Os contos de fada são atemporais.* [Pl.: *-rais.*]

atenção (a.ten.*ção*) *sf.* **1** Ação ou resultado de concentrar-se (em algo): *Leiam o texto com atenção.* **2** Gesto ou atitude que demonstra cuidado, cortesia: *Era cheio de atenções com a avó. interj.* **3** Us. para alertar, para pedir concentração etc. [Pl.: *-ções.*] ▪ **Em ~ a** Por consideração a.

atenciosamente (a.ten.ci.o.sa.*men*.te) *adv.* **1** Com atenção, com cortesia: *O guarda de trânsito nos tratou atenciosamente.* **2** Fórmula de cumprimento que se escreve no fim de cartas, bilhetes etc., antes da assinatura.

atencioso (a.ten.ci.*o*.so) [ô] *a.* **1** Que é gentil, delicado: *Ele é atencioso com todos.* **2** Que presta atenção; ATENTO: *Vamos premiar os alunos atenciosos.* **3** Feito com atenção: *fazer uma análise atenciosa de um problema.* [Fem. e pl.: *sô*.] [Ant. ger.: desatencioso.]

atendente (a.ten.*den*.te) *s2g. Bras.* **1** Aquele que atende o público pessoalmente por telefone: *Pedi um analgésico ao atendente da farmácia.* **2** Auxiliar de enfermagem em hospital, ambulatório etc.: *O médico e os atendentes chegaram cedo para a cirurgia.*

atender (a.ten.*der*) *v.* **1** Abordar (alguém) algo (aparelho, porta etc.) de onde partiu sinal de alerta, ou dar atenção a esse sinal, para receber alguém, responder a comunicação, mensagem etc. [*td.*: *Pode atender a porta, por favor?*; (tb. sem complemento explícito) *O telefone chamou várias vezes, mas ninguém atendeu. ti. + a*: *Alguém já atendeu à campainha?*] **2** Dar atenção a (alguém), servir. [*td.*: *O garçom atendeu quatro mesas ao mesmo tempo.*] **3** Receber com cortesia, atenção. [*td.*: *Aquele advogado é gentil, sempre atende as pessoas que o procuram.*] **4** Dispensar auxílio ou assistência a. [*tdi. + a*: *O hospital atende à população do bairro.*] **5** Prestar atenção, levar em consideração, concordar em providenciar ou realizar. [*ti. + a*: *O gerente sempre atende às reivindicações dos funcionários. td.*: "...pediu-lhe justiça, e Deus atendia-o." (Cecília Meireles, *Rui*).] **6** Satisfazer. [*ti. + a*: *A medida adotada não atende aos meus propósitos. td.*: "...atenda à última vontade de quem está se acabando!" (Josué Montello, *Um rosto de menina*).] [▶ 2 atender]

atendimento (a.ten.di.*men*.to) *sm.* **1** Ação ou resultado de atender. **2** Maneira de atender, de dar atenção; SERVIÇO: *Melhorou o atendimento nos postos de saúde.* **2** Serviço ou lugar em que são fornecidas informações e orientações: *A empresa ampliou o atendimento a clientes.*

ateneu (a.te.*neu*) *sm. P.us.* **1** Colégio de ensino médio. **2** Academia literária ou artística.

ateniense (a.te.ni:en.se) *a2g.* **1** De Atenas, capital da Grécia (Europa); típico dessa cidade ou de seu povo. *s2g.* **2** Pessoa nascida em Atenas.

atentado (a.ten.ta.do) *sm.* **1** Ação ou tentativa de ação cujo objetivo é destruir coisas ou matar ou ferir pessoas, ger. por motivos políticos ou ideológicos: "Para se precaver de um possível atentado terrorista..." (*FolhaSP*, 29.12.99) **2** Ofensa aos princípios morais ou leis vigentes: *atentado ao pudor*.

atentar[1] (a.ten.tar) *v. ti.* Prestar atenção em, considerar, refletir sobre. [+ *a, em, para*: "Mas ninguém atentava nele, não se importavam..." (Guimarães Rosa, *Ave, palavra*).] [▶ **1** atentar]

atentar[2] (a.ten.tar) *v. ti.* Praticar uma agressão (física ou moral), cometer um atentado. [+ *contra*: *Sua atitude atenta contra a moral e os bons costumes*.] [▶ **1** atentar] • **a.ten.ta.tó.ri:o** *a.*

atento (a.ten.to) *a.* **1** Que presta atenção; ATENCIOSO (2): *Alunos atentos aprendem melhor*. **2** Cuidadoso, minucioso: *O contador fez uma análise atenta do cálculo*. [Ant. ger.: *desatento*.]

atenuante (a.te.nu:an.te) *a2g.* **1** Que atenua, que diminui a gravidade de um ato ou situação: *Encontrou razões atenuantes para seus atos*. **2** *Jur.* Diz-se de circunstância que diminui a culpa de um acusado de crime e assim reduz a sua pena. *sf.* **3** *Jur.* Aquilo que é atenuante (1 e 2). *A doença mental era a atenuante do réu*. [Cf.: *agravante* (2).]

atenuar (a.te.nu.ar) *v. td.* **1** Tornar menos intenso ou menos grave; ABRANDAR; AMENIZAR: *O senador tentou atenuar suas declarações*. **2** Diminuir, reduzir: *novas medidas para atenuar as diferenças sociais*. [▶ **1** atenuar] • **a.te.nu:a.ção** *sf.*

aterrar[1] (a.ter.rar) *v.* **1** Encher de terra ou entulho para nivelar uma superfície. [*td.*: *A empresa vai aterrar os mangues*.] **2** Pousar ou fazer pousar (uma aeronave ou outro objeto voador); ATERRISSAR. [*td.*: *O piloto aterrou o avião com perícia*. *int.*: *O helicóptero acabou de aterrar*.] **3** *Elet.* Ligar (circuito elétrico) à terra [*td.*: *Para que não dê choque, é preciso aterrar esta instalação*.] [▶ **1** aterrar] • **a.ter.ra.gem** *sf.*

aterrar[2] (a.ter.rar) *v.* Ver *aterrorizar*. [▶ **1** aterrar] • **a.ter.ra.dor** *a.*

aterrissar, aterrizar (a.ter.ris.sar, a.ter.ri.zar) *v.* **1** Levar ou ir ao solo (ger. uma aeronave ou quem nela estiver), encerrando o voo; ATERRAR; POUSAR. [*td.*: *O piloto aterrissou o avião*. *int.*: *Depois de três horas de viagem, aterrissamos em Brasília*.] [Ant.: *decolar*.] **2** *Fig. Pop.* Chegar repentinamente em algum lugar. [*int.* (seguido de indicação de lugar): *Dezenas de pedidos de emprego aterrissaram na mesa do prefeito*.] [▶ **1** aterrissar, aterrizar] • **a.ter.ris.sa.gem, a.ter.ri.za.gem** *sf.*

aterro (a.ter.ro) [ê] *sm.* **1** Ação de aterrar (1). **2** Terreno elevado, alargado ou nivelado com terra, areia ou entulho: *O aterro do Flamengo foi concluído em 1965*.

aterrorizado (a.ter.ro.ri.za.do) *a.* Cheio de terror; APAVORADO.

aterrorizador (a.ter.ro.ri.za.dor) [ô] *a.* Ver *aterrorizante*.

aterrorizante (a.ter.ro.ri.zan.te) *a2g.* **1** Que causa terror, muito medo (filme aterrorizante). **2** Que causa grande apreensão: *Para ela, falar em público é aterrorizante*. [Sin. ger.: *aterrorizador*.]

aterrorizar (a.ter.ro.ri.zar) *v. td.* **1** Fazer sentir muito medo, temor, terror ou pavor; APAVORAR: *Os bandidos aterrorizam a população*; *A ideia de engordar demais aterroriza muita gente*. [▶ **1** aterrorizar]

ater-se (a.ter-se) *v. pr.* **1** Limitar-se: *Os alunos devem ater-se às perguntas, evitando digressões*. **2** Prender-se: *Minuciosa como era, atinha-se aos detalhes*. [▶ **7** a**te**r-se] [Acento agudo no *e* nas 2ª e 3ª pess. sing. pres. ind. e 2ª pess. sing. imper. afirm.]

atestado (a.tes.ta.do) *sm.* **1** Declaração assinada que garante a verdade de um fato (atestado médico); CERTIDÃO. **2** Prova, confirmação: *Essa foto é um atestado da veracidade das coisas*.

atestar (a.tes.tar) *v.* **1** Afirmar, asseverar. [*td.*: *Todos trabalharam para o sucesso do evento, atestou o produtor*.] **2** Fornecer documento, parecer ou testemunho de modo a comprovar (fato, condição etc.). [*td.*: *O carcereiro atestou seu bom comportamento*.] **3** Provar, comprovar: [*td.*: "...a barba escassa e nova atestava a sua pouca idade." (Franklin Távora, *O cabeleira*). *tdi.* + *a*: *Atestou-lhe a procedência das acusações*. **4** Prestar testemunho. [*int.*: *Acredito em você, mas seu amigo deve atestar*.] [▶ **1** atestar] • **a.tes.ta.tó.ri:o** *a.*

ateu (a.teu) *a.sm.* Que ou quem não acredita em Deus: *Ele é ateu, mas respeita as religiões*. [Fem.: *ateia*.]

atiçar (a.ti.çar) *v. td.* **1** Fazer surgir, despertar: *A cena atiçou a curiosidade dos passantes*. **2** Estimular, incentivar: *O público atiçava os lutadores*. **3** Manter (o fogo) aceso: *atiçar a fogueira*. [▶ **12** atiçar] • **a.ti.ça.men.to** *sm.*

atilado (a.ti.la.do) *a.* **1** Que é esperto, sagaz (espírito atilado). **2** Aguçado, alerta (olhar atilado). **3** Que tem escrúpulos; ÍNTEGRO. • **a.ti.la.men.to** *sf.*

átimo (á.ti.mo) *sm. Bras.* Instante, fração de segundo.

atinar (a.ti.nar) *v.* **1** Usar o rino para entender, perceber, reparar (algo). [*td.*: *Logo ela atinou qual a melhor atitude a tomar*. *ti.* + *com, em, para*: *Não atinava para o motivo do riso*.] [▶ **1** atinar]

atingir (a.tin.gir) *v. td.* **1** Chegar até um determinado ponto: *O vaso caiu da janela e atingiu a marquise*. **2** Alcançar ou poder alcançar determinado patamar (ou nível): *É baixinho, não atinge a prateleira alta*. **3** Obter (algo que se deseja): *O país atingiu seus objetivos*. **4** Englobar, incluir: *A vacinação atinge as crianças até seis anos*. **5** Alcançar de maneira violenta, bater contra, acertar: *Os destroços atingiram os prédios vizinhos*. [▶ **46** atingir] • **a.tin.gi.men.to** *sm.*; **a.tin.gí.vel** *a2g.*

atípico (a.tí.pi.co) *a.* Que não é típico, normal ou esperado: *Fevereiro é um mês atípico, por ser mais curto*.

atiradeira (a.ti.ra.dei.ra) *sf. Bras.* Pedaço de madeira em forma de ipsilon do qual se amarra um elástico, para atirar pedrinhas; ESTILINGUE.

atirado (a.ti.ra.do) *a.* **1** Que não perde uma chance de azarar ou tentar seduzir alguém: *Eu não gosto de rapazes atirados*. **2** Ousado, destemido: *Sendo o mais atirada, aceitou voar de asa-delta*.

atirador (a.ti.ra.dor) [ô] *sm.* **1** Que atira. **2** *sm.* Que ou quem atira **3** Pessoa treinada para atirar com arma de fogo (revólver, fuzil etc.).

atirar (a.ti.rar) *v.* **1** Disparar com uma arma. [*ti.* + *a, contra, em, sobre*: *O caçador atirou na jaguatirica*. *int.* (seguido ou não de indicação de instrumento): *De repente, começaram a atirar* (com suas metralhadoras).] **2** Lançar(-se), arrojar(-se); ARREMESSAR(-SE). [*td.* (seguido ou não de indicação de lugar): *A menina atirava pedrinhas (no lago)*. *pr.*: "Atirou-se no banco da varanda..." (Marques Rebelo, *Marafa*).] [▶ **1** atirar]

atitude (a.ti.tu.de) *sf.* **1** Modo de ser ou pensar: *Temos a mesma atitude em relação a isso*. **2** Maneira de agir ou de reagir; PROCEDIMENTO: *Não esperávamos essa atitude displicente*.

ativa (a.ti.va) *sf.* **1** Estado de quem pratica uma atividade (profissional ou não): *Meu avô ainda está na ativa*. **2** Período de atividade profissional dos militares: *oficiais da ativa*.

ativar (a.ti.var) *v.* Pôr(-se) em atividade, pôr(-se) em condição de atuar: *td.*: *Caminhadas ativam a circulação*. *pr.*: *Ante os desafios, ativou-se para enfrentá-los*. [▶ **1** ativar] • **a.ti.va.ção** *sf.*; **a.ti.va.do** *a.*

atividade (a.ti.vi.*da*.de) *sf.* **1** Estado de quem é ativo, de quem faz alguma coisa: *As crianças estavam em atividade desde cedo.* **2** Algo que se faz ou se pode fazer: *Além do estudo, os alunos precisam de atividades recreativas.* **3** Qualquer ação ou função determinada: *É preciso estimular a atividade agrícola.* **4** Meio de vida, profissão: *Minha atividade é o magistério.* **5** Trabalho ou movimentação intensa; AFÃ: *De manhãzinha já se ouvia a atividade dos feirantes.* **6** Funcionamento (de um aparelho, de um órgão do corpo etc.): *As caldeiras da siderúrgica estão em plena atividade.*

ativismo (a.ti.*vis*.mo) *sm.* Conjunto de princípios que valorizam a ação, a prática, em detrimento da teoria; militância. ● **a.ti.*vis*.ta** *a2g. s2g.*

ativo (a.*ti*.vo) *a.* **1** Que está sempre fazendo ou disposto a fazer algo: *Aos oitenta anos ainda é muito ativo.* **2** Que exerce atividade profissional: *Os funcionários ativos têm mais benefícios que os aposentados.* [Ant.: *inativo.*] **3** Que se dedica com energia ao que faz; TRABALHADOR; ESFORÇADO: *O novo cargo exige que ele seja mais ativo.* **4** Que é atuante ou influente: *O auxiliar teve um papel ativo na escalação do time*; *o princípio ativo de um remédio.* **5** Que pode entrar em erupção a qualquer momento (diz-se de vulcão). [Ant.: *extinto.*] **6** *Gram.* Diz-se da voz do verbo (e, por extensão, da respectiva frase) cujo sujeito tem a função de agente. [Ver tb. *voz* (5) e *passivo* (2).] *sm.* **7** *Econ.* Conjunto dos bens de uma empresa ou pessoa que podem ser convertidos em dinheiro: *O ativo daquela empresa engloba imóveis e aplicações.* [Cf.: *passivo.*]

atlântico (a.*tlân*.ti.co) *a.* **1** Diz-se do oceano que fica entre a costa leste das Américas e a costa oeste da Europa e da África. **2** Ref. a, do ou próprio do oceano Atlântico, ou que nele se situa ou com ele confina (fauna atlântica, países atlânticos). ⊠ **Atlântico** *sm.* **3** Oceano que separa as Américas da Europa e da África.

atlas (a.tlas) *sm2n.* **1** Livro composto por uma coleção de mapas: *atlas de geografia.* **2** Livro que contém um conjunto de mapas ou ilustrações comentadas sobre determinada área do conhecimento: *atlas de anatomia.*

atleta (a.*tle*.ta) *s2g.* **1** Pessoa que pratica o atletismo. **2** Quem ganha a vida praticando algum esporte (atleta profissional). **3** Pessoa que pratica exercícios físicos regularmente: *Naquela fábrica, todos os empregados são atletas.* **4** *Fig.* Indivíduo forte, musculoso, ágil, resistente etc.

atlético (a.*tlé*.ti.co) *a.* **1** Ref. a, do ou próprio de atleta ou do atletismo: *As competições atléticas vão começar no verão.* **2** *Fig.* Forte, musculoso (corpo atlético).

atletismo (a.tle.*tis*.mo) *sm.* **1** Conjunto dos esportes cujos objetivos são a superação dos adversários e a obtenção dos melhores resultados possíveis em competições de corrida, salto, arremesso etc. **2** Prática desses esportes: *O ex-tenista dedica-se agora ao atletismo.*

📖 As principais provas do atletismo são: a) corridas de velocidade: 100, 200 e 400 metros rasos; 100 (para mulheres), 110 e 400 metros com barreiras; b) corridas de meio-fundo: 800, 1.500 e 3.000 metros com obstáculos; c) corridas de fundo: 5.000 e 10.000 metros e a maratona (42.195 metros); d) corridas de revezamento: 4x100 e 4x400 metros; e) saltos: em altura, em distância, tríplice e com vara; f) arremessos: de peso, de disco, de dardo e de martelo; g) provas combinadas: decatlo (homens) e heptatlo (mulheres).

atmosfera (at.mos.*fe*.ra) *sf.* **1** Extensa camada de ar que envolve a Terra: *Os foguetes cruzam a atmosfera em poucos minutos.* **2** Camada de gases que envolve um astro: *Na atmosfera de Júpiter ocorrem tempestades constantes.* **3** O ar que se respira em determinado lugar: *A atmosfera da sala está pesada por causa da má ventilação.* **4** *Fig.* Conjunto dos estados psicológicos que envolve um grupo de pessoas; CLIMA: *Antes da separação, o casal vivia numa atmosfera tensa.* ● **at.mos.fé.ri.co** *a.* (pressão atmosférica).

ato (*a*.to) *sm.* **1** Aquilo que se faz, está fazendo ou se pode fazer; AÇÃO: *Tentou colar na prova, mas foi surpreendido no ato.* **2** Aquilo que se fez; FEITO: *Ficou famoso por seus atos heroicos.* **3** Modo de agir; ATITUDE; CONDUTA: *Esse ato merece reprovação.* **4** Momento em que se faz alguma coisa: *As chaves da casa serão entregues no ato da compra.* **5** Acontecimento formal; CERIMÔNIA; SOLENIDADE: *Todos assistiram comovidos ao ato religioso.* **6** Cada uma das partes em que se divide uma peça de teatro, ópera, balé etc. **7** *Jur.* Decisão de uma autoridade expressa em documento público (ato administrativo). ■ ~ **falho** *Psic.* Ato (1) não intencional que interfere em outro intencional, e que tem como origem uma vontade inconsciente, por aquele expressa ou simbolizada. ~ **institucional** Declaração de caráter solene ou regulamento baixados por um governo.

à toa (à *to*.a) [ô] *a2g2n.* **1** Que se faz sem pensar; PRECIPITADO; IMPENSADO: *Deu uma resposta à toa e se arrependeu.* **2** Sem utilidade, sem proveito; INÚTIL: *Não faz nada, é um sujeito à toa.* **3** Que não exige esforço; FÁCIL: *É um trabalhinho à toa, termino num instante.* **4** Que não merece respeito; DESPREZÍVEL: *Aquele homem à toa abandonou o emprego sem explicação.* **5** Sem importância; INSIGNIFICANTE: *Não se preocupe, é uma feridinha à toa.* **6** Sem motivo ou proveito: *Apressei-me à toa, o ônibus atrasou.* [Cf. *à toa* no verbete *toa.*]

atoalhado (a.to:a.*lha*.do) *a.* **1** Macio como uma toalha (tecido atoalhado). *sm.* **2** Pano ou toalha de mesa.

atocaiar (a.to.cai.*ar*) *v. td.* Aguardar em tocaia, sem se deixar mostrar, para surpreender (algo ou alguém); TOCAIAR: *O leão atocaiava suas presas.* [▶ **1** atocaiar]

atochado (a.to.*cha*.do) *a.* **1** Cheio, entulhado. **2** Entalado.

atol (a.*tol*) *sm. Geog. Geol.* Ilha em forma de coroa constituída de corais que se juntam sobre a boca de antigos vulcões marinhos, com uma lagoa no centro. [Pl.: *tóis.*]

atolado (a.to.*la*.do) *a.* **1** Preso em atoleiro: *O carro atolado não se movia.* **2** *Fig.* Sobrecarregado, cheio (de coisas para fazer ou resolver): *funcionário atolado de trabalho.* **3** *Fig.* Completamente envolvido (em situação difícil ou comprometedora): *empresas atoladas de tantas dívidas.*

atolar (a.to.*lar*) *v.* **1** Ficar parcialmente enterrado em lama, impossibilitado de se movimentar. [*int.* (seguido ou não de indicação de lugar): *O jipe atolou (na areia fofa).*] **2** *Fig.* Ficar em situação cada vez mais difícil. [*pr.: O inquilino atolou-se com o pagamento do aluguel.*] [▶ **1** atolar]

atoleiro (a.to.*lei*.ro) *sm.* Lugar cheio de lama; LAMAÇAL; ATASCADEIRO: *Até um caminhão ficou preso no atoleiro.* **2** *Fig.* Situação de grande dificuldade: *adoção de novas medidas para sair do atoleiro.*

atômico (a.*tô*.mi.co) *a.* **1** Ref. ao átomo (núcleo atômico). **2** Que é proveniente do átomo (energia atômica).

atomizador (a.to.mi.za.*dor*) [ô] *a.sm.* Que ou o que (aparelho ou artefato) despeje e aspergir líquidos em gotas finíssimas. ● **a.to.mi.***zar*** *v.*

átomo (*á*.to.mo) *sm. Quím.* A menor partícula de um elemento químico, formada por um núcleo, que contém nêutrons e prótons, e por elétrons que circundam o núcleo.

📖 As teorias sobre o átomo descrevem-no como constituído de um núcleo formado por prótons (partículas de carga positiva) e nêutrons (partículas sem carga), em torno do qual orbitam elétrons (partículas de carga negativa), num equilíbrio de forças e cargas. A perda de elétrons faz o átomo ficar com carga positiva, e vice-versa. É essa migração de elétrons que produz as reações elétricas e eletromagnéticas. Já os elétrons na órbita mais afastada do núcleo, pela facilidade de se permutarem com os de outros átomos, são os que determinam as relações químicas. A divisão do átomo libera as energias que ele emprega no equilíbrio intra-atômico, o que é o fundamento da energia nuclear.

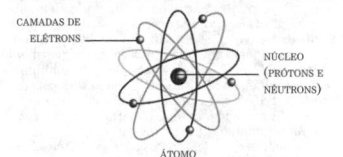

CAMADAS DE ELÉTRONS

NÚCLEO (PRÓTONS E NÊUTRONS)

ÁTOMO

atonal (a.to.*nal*) *a2g.* *Mús.* Diz-se de música, linha melódica que não se desenvolve segundo um tom definido. [Pl.: *-nais.*]

atônito (a.*tô*.ni.to) *a.* **1** Paralisado de espanto ou admiração; PERPLEXO: *Ficou atônito diante do seu ídolo.* **2** Confuso, atrapalhado: *A pergunta do professor deixou o aluno atônito.*

átono (*á*.to.no) *a.* *Gram.* Que não é tônico, que tem pouca intensidade (sílaba *átona*, pronome *átono*). [Ant.: *tônico.*]

ator (a.*tor*) [ô] *sm.* **1** Pessoa que interpreta personagens no teatro, no cinema, na TV etc. **2** *Fig.* Homem dissimulado, que sabe fingir. [Fem.: *atriz.*]

atordoado (a.tor.do.*a*.do) *a.* **1** Que ficou tonto por causa de uma pancada, queda etc.: *O soco do adversário deixou o lutador atordoado.* **2** Perturbado, confuso: *Fiquei atordoado com tanto barulho.*

atordoante (a.tor.do.*an*.te) *a2g.* Que atordoa, que deixa tonto.

atordoar (a.tor.do.*ar*) *v. td.* Deixar perturbado ou zonzo devido a pancada, surpresa, excesso de barulho, agitação, drogas etc.: *A notícia o atordoou tanto que perdeu a fala.* [▶ **16** atordo͡ar] • **a.tor.do:a.men.to** *sm.*

atormentado (a.tor.men.*ta*.do) *a.* **1** Que está ou vive angustiado, agoniado: *Com tantos problemas, é um homem atormentado.* **sm.** **3** Pessoa atormentada (1).

atormentar (a.tor.men.*tar*) *v.* **1** Torturar(-se) (tb. moralmente), provocar angústia ou aflição em. [*td.*: *A incerteza quanto ao emprego o atormentava.* *pr.*: *Não se atormente por tão pouco.*] **2** Incomodar, molestar, importunar. [*td.*: *Atormentava-o com gozações.*] [▶ **1** atormenta͡r] • **a.tor.men.ta.ção** *sf.*

atóxico (a.*tó*.xi.co) [cs] *a.* Que não é tóxico, que não envenena (adubo *atóxico*).

atracado (a.tra.*ca*.do) *a.* **1** Amarrado ao cais (diz-se de embarcação, navio). **2** Agarrado em luta corporal; ENGALFINHADO: *Os meninos rolavam atracados pelo chão.* **3** *Bras. Pop.* Abraçado, agarrado: *Desde o início do namoro vivem atracados.*

atracadouro (a.tra.ca.*dou*.ro) *sm.* Local onde as embarcações atracam.

atração (a.tra.*ção*) *sf.* **1** Ação ou resultado de atrair. **2** Força que atrai um corpo: *A Terra exerce atração sobre a Lua.* **3** Conjunto de atributos que despertam interesse: *Era uma garota tímida e sem atração.* **4** Desejo sexual: *Sentia uma forte atração pela garota.* **5** Inclinação, gosto: *Não tenho a menor atração por esse tipo de filme.* **6** Divertimento, distração: *O cinema era a única atração do lugar.* **7** Número ou quadro de um espetáculo, programa de TV etc.: *A festa do Boi Bumbá é a maior atração do Festival de Parintins.* **8** Pessoa ou coisa que atrai, fascina o público: *Pelé foi a grande atração da copa de 1958.* [Pl.: *-ções.*]

atracar (a.tra.*car*) *v.* **1** Fazer (embarcação) encostar em terra ou em outra embarcação. [*td.*: *atracar o barco.* *int.* (seguido ou não de indicação de lugar): *Finalmente o navio atracou (no cais).*] **2** Fazer uma aeronave encostar em outra aeronave ou lugar específico. [*int.* (seguido de indicação de lugar): *Uma nave de suprimentos atracou na Estação Espacial Internacional.*] ▲ **atracar-se** *pr.* **3** Iniciar luta corporal, agarrando-se ao oponente e sendo por ele agarrado: *O policial atracou-se com o ladrão.* [▶ **11** atraca͡r] • **a.tra.ca.ção** *sf.*; **a.tra.ca.men.to** *a2g.*

atraente (a.tra.*en*.te) *a2g.* **1** Que seduz pela beleza, pelo charme (rapaz *atraente*). **2** Que desperta o interesse (proposta *atraente*).

atraiçoar (a.trai.ço.*ar*) *v.* **1** Enganar alguém, cometendo traição; TRAIR. [*td.*: *Para ganhar vantagens, atraiçoou os amigos.*] **2** Deixar ou fazer perceber atitude, condição, sentimento etc. que se pretendia manter oculto; REVELAR(-SE). [*td.*: *Pretendia aparentar calma, mas o tremor nas mãos o atraiçoou.* *pr.*: *Fingia ignorar tudo, mas atraiçoou-se com um comentário impensado.*] [▶ **16** atraiço͡ar] • **a.trai.ço.a.do.a** *a.*

atrair (a.tra.*ir*) *v.* **1** Trazer para si, por ação de força ou de qualidade inerentes ao objeto que a exerce, e ao qual é sensível aquele sobre o qual se exerce. [*td.*: *Ímãs atraem objetos metálicos; A luz atrai a mariposa.*] **2** *Fig.* Fazer com que (pessoas, animais) se aproximem ou se ajuntem. [*td.* (seguido ou não de indicação de lugar): *A chegada do ator atraiu centenas de fãs (ao aeroporto).*] **3** Chamar de modo positivo, seduzir. [*td.*: *"...sorriu-lhe, atraiu-a para junto de si."* (Josué Montello, *Um rosto de menina*).] **4** Conquistar, obter, despertando interesse, apoio etc. [*td.*: *O julgamento vai atrair a atenção da imprensa.* *tdi. + a,* para: *O governador procurou atrair adeptos para a campanha.*] [▶ **43** atra͡ir]

atrapalhado (a.tra.pa.*lha*.do) *a.* **1** Que não sabe como ou o que fazer no dizer; CONFUSO: *Ficou atrapalhado quando o diretor se dirigiu a ele.* **2** Tumultuado, assoberbado: *Foi um dia muito atrapalhado para mim.*

atrapalhar (a.tra.pa.*lhar*) *v.* **1** Causar algum tipo de impedimento ou perturbação a; PERTURBAR. [*td.*: *A lentidão daquele ônibus está atrapalhando o trânsito*; (tb. sem complemento explícito) *Se a chuva não atrapalhar, a festa vai ser um sucesso.*] **2** Provocar confusão ou desorientação (a). [*int.*: *O excesso de instruções atrapalha mais do que ajuda.* *td.*: *Suas perguntas insistentes atrapalhavam o colega.* *pr.*: *Minha tia atrapalha-se toda na cozinha.*] [▶ **1** atrapalha͡r] • **a.tra.pa.lha.ção** *sf.*

atrás (a.*trás*) *adv.* **1** Na retaguarda: *Nas apresentações do coral, ele sempre fica à atrás.* **2** Em posição anterior ou inferior: *O cavalo favorito chegou muito atrás.* **3** Em seguida; APÓS: *Entrou o presidente; atrás vieram os ministros.* **4** No encalço: *Sempre que ele saía, ele vai atrás.* ▪ **– de 1** Às costas de: *Escreveu uma dedicatória atrás do retrato.* **2** Depois de; no lado posterior a: *O ladrão se escondeu atrás do muro.* **3** Em posição anterior ou inferior a: *Ana ficou atrás de Lúcia na classificação geral.* **4** Em busca de: *A polícia anda atrás desse bandido.*

atrasado (a.tra.*sa*.do) *a.* **1** Que vai chegar ou chega depois da hora marcada: *Estou atrasado; vá na*

atrasar | atrofiar

frente. **2** Feito depois da data marcada (pagamento atrasado). **3** Que marca hora anterior à hora certa (relógio atrasado). **4** Que não alcançou o devido desenvolvimento mental ou escolar: *É uma criança atrasada para a idade que tem.* **5** Que não progrediu ou se modernizou suficientemente (países atrasados). [Ant. ger.: *adiantado.*]

atrasar (a.tra.*sar*) *v.* **1** Provocar a demora ou o adiamento de alguma atividade, tarefa etc.; RETARDAR. [*td.* (com ou sem indicação de tempo): *As chuvas atrasaram (em um mês) o início da colheita.* **2** Demorar a ocorrer. [*int.*: *O salário atrasou este mês.*] **3** Chegar depois da hora prevista, não ser pontual. [*int./pr.*: *O professor atrasou(-se) para a aula.*] **4** Não conseguir cumprir com (algo) no prazo combinado. [*td.*: *Meu tio atrasou as prestações. pr.*: *Meu pai atrasou-se no pagamento das contas.*] **5** Mover-se vagarosamente, ficando para trás. [*int.*: *Atrasaram na marcha e chegaram por último. pr.*: *Eu me atrasei porque estava com os pés doloridos.*] **6** Não trabalhar (o relógio) devidamente, marcando um tempo anterior ao verdadeiro. [*int.* (seguido ou não de indicação de tempo): *O relógio da sala atrasou (cinco minutos).*] **7** *Fut.* Jogar (a bola) para trás; RECUAR. [*td.*: *O atacante atrasou a bola. tdi.* + *para*: *O zagueiro atrasou a bola para o goleiro.*] [▶ **1** atrasar]

atraso (a.tra.so) *sm.* **1** Ação ou resultado de atrasar(-se): *A palestra começou com atraso de uma hora.* **2** Falta de pontualidade: *Chegou tarde e pediu desculpas pelo atraso.* **3** Falta de desenvolvimento, de progresso: *o atraso cultural de algumas populações.*

atrativo (a.tra.ti.vo) *a.* **1** Que atrai, que desperta o interesse (preço atrativo). *sm.* **2** Aquilo que estimula, incentiva: *O prêmio é o maior atrativo para os competidores.* [▶ **2** atrativos *smpl.* **3** Qualidades, como beleza, inteligência etc.: *A moça tem muitos atrativos.* ● a.tra.ti.vi.da.de *sf.*

atravancado (a.tra.van.*ca*.do) *a.* Com a passagem obstruída: *corredor atravancado de caixas.*

atravancar (a.tra.van.*car*) *v.* **1** Provocar obstáculos de modo a quase impedir uma ação. [*td.*: *Os engarrafamentos atravancavam as avenidas da cidade.*] **2** Encher um lugar, sem deixar muito espaço livre. [*td.*: *Um monte de coisas atravancava o quarto. tdi.* + *com, de*: *Ela atravancou a estante de enfeites.*] [▶ **11** atravancar] ● a.tra.van.ca.*men*.to *sm.*

através (a.tra.*vés*) *adv.* Us. na loc. ■ ~ **de 1** Por meio de: *mensagem divulgada através de jornal.* **2** Pelo meio de; de um lado para o outro: *Abriu caminho através da multidão.*

atravessador (a.tra.ves.sa.*dor*) [ó] *a.sm.* **1** Que ou quem atravessa. **2** *Bras.* Quem interfere na distribuição de produto, criando em proveito próprio uma etapa desnecessária entre o produtor e o comerciante.

atravessar (a.tra.ves.*sar*) *v. td.* **1** Passar de um lado a outro de (através, ou por cima de); TRANSPOR: *O prego atravessou a parede fina.* **2** Colocar enviesado: *O surfista atravessou a prancha no meio da sala.* **3** Ir de um extremo ao outro de; CRUZAR: *A avenida atravessa o bairro.* **4** Passar por, viver (uma situação): *"...atravessaram uma crise difícil."* (Marques Rebelo, *Marafa*.) **5** Prolongar-se ao longo do tempo: *Alguns costumes atravessam séculos.* **6** Pôr-se como obstáculo em: *Ele sempre atravessa meu caminho.* **7** *Pop.* Errar (ger. sambistas e/ou músicos no desfile de escolas de samba) o ritmo ou a sincronia na execução de (samba): *A bateria daquela escola atravessou o samba.* **8** Comprar (atravessador) mercadoria para vender mais caro, criando assim mais uma etapa no caminho do produtor ao consumidor. [▶ **1** atravessar] ● a.tra.ves.sa.*men*.to *sm.*

atrelar (a.tre.*lar*) *v.* **1** Prender animal ou alguma coisa (a um veículo). [*td.*: *Preparou a carroça, trouxe o cavalo e o atrelou. tdi.* + *a*: *Atrelou o cavalo à carroça.*] **2** Estabelecer uma ligação, uma condição; VINCULAR. [*tdi.* + *a*: *O diretor atrelou a concessão do aumento ao resultado do projeto.*] [Ant. ger.: desatrelar.] [▶ **1** atrelar] ● a.tre.la.do *a.*; a.tre.la.*men*.to *sm.*

atrever-se (a.tre.*ver*-se) *v. pr.* Ter coragem de fazer algo; OUSAR: *Não me atrevo a voar de asa-delta.* [▶ **2** atrever-se] ● a.trevi.*men*.to *sm.*

atrevido (a.tre.*vi*.do) *a.sm.* **1** Que ou aquele que se atreve; OUSADO. **2** Que ou aquele que demonstra falta de respeito (menino atrevido, resposta atrevida), INSOLENTE.

atribuição (a.tri.bu.i.*ção*) *sf.* **1** Responsabilidade de quem exerce um cargo ou função: *atribuições de um governante.* **2** Ação ou resultado de atribuir: *atribuição de tarefas.* [Pl.: -ções.]

atribuir (a.tri.bu.*ir*) *v. tdi.* **1** Considerar (algo) como originário de, de autoria de, de responsabilidade de. [+ *a*: *"...não devemos atribuir nenhuma culpa a ninguém..."* (Antonio Callado, *Reflexos do baile*.) **2** Designar (tarefa, responsabilidade etc.) a. [+ *a*: *A atriz atribuiu à secretária a tarefa de falar com a imprensa.*] **3** Distribuir, dar (algo) a. [+ *a*: *A professora atribuiu notas altas aos alunos.*] [▶ **56** atribuir]

atribulação (a.tri.bu.la.*ção*) *sf.* Aflição, adversidade, agrura: *A perda do emprego é uma grande atribulação.* [Pl.: -ções.]

atribular (a.tri.bu.*lar*) *v. td.* Causar atribulação a; AFLIGIR. [▶ **1** atribular] ● a.tri.bu.*la*.do *a.*

atributivo (a.tri.bu.*ti*.vo) *a.* **1** Que atribui, que concede: *diploma atributivo de um título.* **2** *Ling.* Ver *verbo de ligação* (em *verbo*) e *adjetivo.*

atributo (a.tri.*bu*.to) *sm.* **1** Aquilo que é próprio de alguém ou de algo; CARACTERÍSTICA: *O pensamento é um atributo do ser humano.* **2** *Ling.* Termo que acrescenta um sentido de qualidade a outra palavra (p.ex.: em *'nuvens negras', negras* é o atributo de *nuvens*).

átrio (*á*.tri.o) *sm.* **1** *Arq.* Pátio interno de um edifício. **2** *Arq.* Compartimento de entrada de um edifício, no qual se distribui a circulação dos que entram; VESTÍBULO. **3** *Anat.* Compartimento de entrada em órgão do corpo, esp. o coração. [Nesta acp., tb. *auricula.*]

atritar (a.tri.*tar*) *v.* **1** Friccionar, esfregar (algo) em. [*tdi.* + *a, com, contra*: *Nesta experiência, vamos atritar um bastão contra outro.*] **2** Causar atrito, desavença, desentendimento em. [*td.*: *Atrita os amigos com suas fofocas. pr.*: *Atritou-se com todos e acabou se afastando do grupo.*] [▶ **1** atritar] ● a.tri.*ção* *sf.*

atrito (a.*tri*.to) *sm.* **1** Fricção entre dois corpos: *O atrito causou o desgaste da peça.* **2** *Fig.* Desentendimento ou conflito entre pessoas, instituições, países etc.: *Terminou o atrito entre as universidades e o governo.*

atriz (a.*triz*) *sf.* **1** Fem. de *ator.* **2** Mulher que representa em televisão, teatro, cinema etc. **3** *Fig.* Mulher dissimulada, que sabe fingir.

atrocidade (a.tro.ci.*da*.de) *sf.* **1** Qualidade do que é atroz, desumano. **2** Ação atroz, perversa: *O atentado terrorista foi uma atrocidade.*

atrofiado (a.tro.fi.*a*.do) *a.* **1** *Biol.* Que não se desenvolveu normalmente, que apresenta atrofia (pernas atrofiadas). **2** *Fig.* Limitado no desenvolvimento: *um talento atrofiado.*

atrofiar (a.tro.fi.*ar*) *v.* Tornar(-se) reduzido (ger. partes ou órgãos do corpo por falta de nutrição ou de movimento, por lesão etc. [*td.*: *A pólio pode atrofiar membros do corpo. int.*: *Sem fisioterapia, o joelho daquele atleta poderá atrofiar. pr.*: *Com falta de*

atropelado | **audiovisual**

proteínas, os músculos se atrofiam.] [▶ 1 atrofi**ar** • a.tro.fi.a sf.

atropelado (a.tro.pe.la.do) *a.sm.* **1** Que ou aquele que foi vítima de atropelamento. *a.* **2** Confuso, atrapalhado, ger. devido a pressa: *Ninguém entendeu seu discurso atropelado.*

atropelamento (a.tro.pe.la.men.to) *sm.* Ação ou resultado de atropelar: *O atropelamento deixou cinco pessoas feridas.*

atropelar (a.tro.pe.lar) *v.* **1** Chocar-se (veículo) contra (pessoa, animal, coisa), passando ou não por cima. [*td.*: *O caminhão atropelou três pedestres.*] **2** Bater violentamente contra, chocar-se com. [*td.*: *A menina entrou correndo e atropelando os colegas. pr.*: *Os adolescentes se atropelavam na saída do show.*] **3** Passar por cima de; IGNORAR; DESPREZAR. [*td.*: *O acordo atropelou a lei.*] **4** Prejudicar, atrapalhar. [*td.*: *"...a história atropelou nosso planejamento..." (FolhaSP, 27.07.99).*] **5** Avançar bruscamente, ultrapassando algo ou alguém. [*td.*: *O atleta atropelou os adversários. int.*: *O cavalo atropelou na reta final e venceu a corrida.*] **6** Reunirem-se muitos elementos, sem ordem e sem prioridade. [*pr.*: *Vários projetos se atropelavam na cabeça do diretor.*] [▶ 1 atropel**ar**]

atropelo (a.tro.pe.lo) [ê] *sm.* **1** Falta de cuidado ou calma para fazer algo: *atropelo no trabalho.* **2** Confusão gerada pela presença de muita gente ou de muitas coisas: *Na saída do estádio houve grande atropelo.*

atroz (a.troz) [ó] *a2g.* **1** Que demonstra muita crueldade, desumanidade (castigo *atroz*). **2** Que é difícil de suportar (saudade *atroz*). [Superl.: *atrocíssimo.*]

atuação (a.tu:a.ção) *sf.* **1** Ação ou resultado de atuar. **2** *Bras. Pop.* O desempenho em qualquer atividade: *Teve uma importante atuação nas negociações.* [Pl.: -ções.]

atual (a.tu:al) *a2g.* **1** Que faz parte da época presente ou que ocorre nela, ou que é nela vigente (moda *atual*, produção *atual*). **2** Que se enquadra na mentalidade ou tendência do tempo presente; não ultrapassado: *A música clássica é sempre atual.* [Pl.: -ais.]

atualidade (a.tu:a.li.da.de) *sf.* **1** Qualidade do que é atual. **2** O momento ou a época presente: *A poluição é um grave problema da atualidade.* ◪ **atualidades** *sfpl.* **3** Notícias atuais, do momento presente.

atualização (a.tu:a.li.za.ção) *sf.* **1** Ação ou resultado de atualizar(-se). **2** Adaptação a uma nova realidade, ou necessidade, ou possibilidade: *Fiz uma atualização dos programas do meu computador.*] [Pl.: -ções.]

atualizado (a.tu:a.li.za.do) *a.* **1** Que está em dia com o que ocorre no momento presente (professor *atualizado*); *atualizado* com as últimas técnicas da profissão. **2** Que sofreu alterações para se adequar ao momento atual: *Uma edição atualizada do dicionário.*

atualizar (a.tu:a.li.zar) *v.* **1** Tornar (algo) mais de acordo com a época em questão ou com novas informações. [*td.*: *Atualizei meu endereço no cadastro.*] **2** Tornar(-se) mais moderno e de acordo com novas tendências ou técnicas de alguma área; MODERNIZAR(-SE). [*td.*: *O novo ministro quer atualizar o setor da agricultura. pr.*: *Minha mãe lê revistas técnicas para se atualizar.*] **3** *Inf.* Trocar peças ou programas do computador por outros, mais modernos. [*td.*: *Como segurança, é preciso atualizar o antivírus periodicamente.*] [▶ 1 atualiz**ar**]

atualmente (a.tu:al.men.te) *adv.* Na época atual, nos dias de hoje.

atuante (a.tu:an.te) *a2g.* **1** Que atua ou exerce uma atividade (médico *atuante*); ATIVO. **2** Que age, participa, sem se omitir: *É um professor atuante na vida acadêmica.*

atuar (a.tu.ar) *v.* **1** Praticar uma atividade, uma ação; AGIR. [*ti.* + *em, para*: *Atuou energicamente para reverter a decisão. int.* (seguido de indicação de lugar): *Cinco empresas rodoviárias atuam na cidade.*] **2** Ter ou tentar ter influência ou efeito; AGIR. [*ti.* + *em, sobre*: *A vitamina A atua na visão e na pele.*] **3** *Cin. Teat. Telev.* Desempenhar um papel. [*int.*: *Minha atriz preferida vai atuar na novela das oito.*] [▶ 1 atu**ar**] [Cf.: *autuar*.]

atulhado (a.tu.lha.do) *a.* Que está completamente cheio: *prateleiras atulhadas de revistas.* • a.tu.lhar *v.*

atum (a.tum) *sm. Zool.* Peixe marinho de grande porte cuja carne é muito apreciada. [Pl.: *atuns*.]

aturar (a.tu.rar) *v. td.* Aguentar (algo, alguém, uma situação etc.) com paciência ou resignação; SUPORTAR: *Não consigo aturar falta de educação.* [▶ 1 atur**ar**]

aturdido (a.tur.di.do) *a.* **1** Que se aturdiu; ATORDOADO; PERTURBADO: *Encontrou uma equipe aturdida, sobrecarregada de trabalho.* **2** Cheio de assombro: *uma plateia aturdida com a beleza do espetáculo.*

aturdir (a.tur.dir) *v.* **1** Deixar (alguém) espantado ou sem saber o que fazer. [*td.*: *O comportamento do irmão o aturdia.*] **2** Provocar tonteira ou perda da consciência. [*td.*: *A pancada na testa aturdiu o animal. pr.*: *Ele se aturdiu com o excesso de bebida.*] [▶ 3 aturd**ir**] • a.tur.di.men.to *sm.*

audácia (au.dá.ci:a) *sf.* **1** Qualidade de quem ousa realizar tarefas difíceis, perigosas etc.: *É preciso audácia para ser paraquedista.* **2** Impulso que leva a realizar atos arrojados: *Foi uma audácia escalar aquela montanha.* **3** Qualidade de quem revela falta de consideração ou desrespeito: *Teve a audácia de ofender o chefe.*

audacioso (au.da.ci:o.so) [ô] *a.* **1** Que tem ou revela coragem, arrojo (piloto *audacioso*); AUDAZ. **2** Que envolve risco (plano *audacioso*). [Fem. e pl.: [ó].]

audaz (au.daz) *a2g.* Ver *audacioso*. [Superl.: *audacíssimo*.]

audição (au.di.ção) *sf.* **1** *Fisl.* Um dos cinco sentidos do ser humano, responsável pela percepção dos sons: *A infecção no ouvido causou-lhe problemas na audição.* **2** Ação ou resultado de ouvir, escutar: *Teve dificuldade na audição da aula.* **3**. Exibição de obra musical ou teatral: *A banda faz várias audições por ano.* [Pl.: -ções.]

audiência (au.di:ên.ci:a) *sf.* **1** Público que sintoniza programas de televisão ou rádio: *As novelas são as preferidas da audiência.* **2** Recepção dada a quem deseja ser ouvido: *Marcou uma audiência com o diretor da empresa.* **3** *Jur.* Sessão de tribunal: *A audiência no fórum foi adiada.*

áudio (áu.di:o) *sm.* **1** *Eletrôn.* O som, transmitido ou reproduzido eletronicamente: *O áudio da televisão está ruim.* **2** *Cin. Rád. Telv.* Parte sonora de filme, programa de televisão, vídeo, CD etc.: *O filme tem um áudio perfeito.* [Cf.: *vídeo*.]

audiolivro (au.di:o.li.vro) *sm.* Gravação sonora de texto de livro, lido ou dramatizado.

audiologia (au.di:o.lo.gi.a) *sf. Med.* Estudo da audição e suas doenças.

audiólogo (au.di:ó.lo.go) *sm.* Médico que se especializou em audiologia.

audiometria (au.di:o.me.tri.a) *sf. Med.* Medição da capacidade auditiva.

audiotexto (au.di:o.tex.to) *sm.* Gravação us. em serviços de atendimento telefônico, caixa eletrônico ou outros serviços de informação com voz.

audiovisual (au.di:o.vi.su.al) *a2g.* **1** Que estimula a audição e a visão, simultaneamente, ou é a elas dirigido (mensagem *audiovisual*). **2** Que utiliza o som e a imagem para transmitir ensinamentos (mé-

auditar | autismo

todos audiovisuais). *sm.* **3** Qualquer produção audiovisual: *Hoje será apresentado um audiovisual.* [Pl.: *-ais.*]

auditar (au.di.*tar*) *v. td.* Realizar auditoria (1) em: *auditar empresas.* [▶ 1 auditar]

auditivo (au.di.*ti*.vo) *a.* Ref. ao ouvido ou à audição (nervo auditivo, problemas auditivos).

auditor (au.di.*tor*) [ó] *sm.* **1** Especialista em contabilidade que se encarrega de fazer auditoria (1). **2** *Jur.* Magistrado que atua na justiça militar.

auditoria (au.di.to.*ri*.a) *sf.* **1** Exame e avaliação de operações contábeis (auditoria fiscal). **2** Cargo de auditor. **3** Local de trabalho do auditor.

auditório (au.di.*tó*.ri:o) *sm.* **1** Sala destinada a conferências, concertos, espetáculos etc. **2** Conjunto de pessoas que se reúnem para assistir a esses eventos; assistência: *O auditório assistiu ao debate com interesse.*

audível (au.*dí*.vel) *a2g.* Que pode ser ouvido ou que se ouve; perceptível ao ouvido. [Pl.: *-veis.*]

auê (au.*ê*) *sm. Gír.* Confusão, tumulto.

auferir (au.fe.*rir*) *v.* Obter, conseguir, colher. [*td.*: *Unidos, os consumidores auferem vantagens. tdi.* + *de*: *A cidade aufere recursos do turismo.*] [▶ 50 auferir]

auge (au.ge) *sm.* O nível mais alto, o apogeu; ÁPICE: *Está no auge da carreira.*

augúrio (au.*gú*.ri:o) *sm.* Pressentimento de que algo vai acontecer; PRESSÁGIO: *Teve um mau augúrio.*

augusto (au.*gus*.to) *a.* **1** Que é digno de veneração; sublime, majestoso. *sm.* **2** *Hist.* Na antiga Roma, título dado aos imperadores.

aula (*au*.la) *sf.* **1** Ensinamento sobre determinada área de conhecimento feita por professor a alunos ou auditório: *A aula de história foi muito interessante.* **2** Local (ger. uma sala em um estabelecimento de ensino) onde se leciona: *Chegou atrasado na aula.* **3** Desempenho que, por sua qualidade, se constitui num ensinamento: *A atuação do zagueiro foi uma aula de futebol.*

aumentar (au.men.*tar*) *v.* **1** Tornar(-se) maior em tamanho, valor, quantidade etc.; AMPLIAR. [*td.*: *O patrão aumentou meu salário. int.*: *Os casos de desidratação aumentam no verão.*] **2** Tornar(-se) mais intenso, agravar(-se), aprofundar(-se). [*td.*: *A inatividade aumentou sua apatia. int.*: *Com a recessão, o desemprego aumentou.*] **3** Acrescentar algo, inventando. [*td.*: *Meu colega aumenta tudo o que eu digo.*] **4** Fazer parecer maior. [*td.*: *Esta lente aumenta muito os seus olhos.*] [▶ 1 aumentar]

aumentativo (au.men.ta.*ti*.vo) *sm. Gram.* Grau que modifica o substantivo ou o adjetivo para exprimir intensificação ou aumento: *O aumentativo de grande é grandão.*

aumento (au.*men*.to) *sm.* Ação ou resultado de aumentar, de tornar maior ou mais alto: *aumento do custo de vida.* [Ant. ger.: *diminuição, redução.*]

aura (*au*.ra) *sf.* Suposta qualidade imaterial que cerca algumas pessoas: *Havia uma aura de bondade em torno dela.*

áureo (*áu*.re:o) *a.* **1** Ref. ao ouro; feito ou recoberto de ouro; DOURADO. **2** *Fig.* Diz-se de um período de plenitude em algum ramo de atividade: *Os tempos áureos do futebol brasileiro.*

auréola (au.*ré*:o.la) *sf.* **1** Círculo dourado que envolve a cabeça de Jesus e dos santos nas imagens sacras. **2** Qualquer círculo luminoso ou clarão que rodeia um objeto. **3** *Fig.* Prestígio que cerca uma pessoa: *auréola de glória.*

aurícula (au.*rí*.cu.la) *sf. Anat.* **1** Parte externa da orelha. **2** Cada uma das cavidades superiores do coração (Nesta acp., tb. *átrio*). • **au.ri.cu.***lar** *a2g.sm.*

aurífero (au.*rí*.fe.ro) *a.* Que contém ou produz ouro (reservas auríferas).

auriverde (au.ri.*ver*.de) [ê] *a2g.* **1** Que é verde e amarelo (bandeira auriverde). **2** Que é verde e dourado.

aurora (au.*ro*.ra) *sf.* **1** Período que antecede o nascer do Sol. **2** *Fig.* O início da vida, infância: *aurora da vida.*

auscultar (aus.cul.*tar*) *v.* **1** *Med.* Aplicar o ouvido ou aparelho especial (ger. estetoscópio) em, para ouvir sons no interior do corpo. [*td.*: *A médica auscultou a criança.*] **2** *Fig.* Ouvir ou tentar ouvir (pessoas, ideias, opiniões) (de), ou sondá-las de outra forma, para saber mais ou formar opinião (sobre algo); SONDAR. [*td.*: *A diretora vai auscultar as opiniões dos alunos.*] [NOTA: Nesta acp., emprega-se em situações restritas e formais; para essas mesmas acps., usa-se coloquialmente *escutar*.] [▶ 1 auscultar] • **aus.***cul*.ta *sf.*; **aus.cul.ta.***ção sf.*

ausência (au.*sên*.ci:a) *sf.* **1** Não comparecimento a algum lugar: *A ausência do professor prejudicou os alunos.* **2** Falta, carência: *A ausência de proteínas compromete o crescimento da criança.* **3** Afastamento de algum lugar ou de alguma atividade: *A ausência do artilheiro enfraqueceu o time.* [Ant. ger.: *desatrelar.*]

ausentar-se (au.sen.*tar*-se) *v. pr.* **1** Não estar presente em algum lugar, não comparecer: *Se o Júlio se ausentar, nosso time vai ficar desfalcado.* **2** Afastar-se (de lugar ou cargo): *A secretária vai se ausentar por alguns dias.* [▶ 1 ausentar-se]

ausente (au.*sen*.te) *a2g.* **1** Que não está presente: *Está ausente da cidade há muito tempo.* **2** Que deixou de comparecer a algum lugar: *Esteve ausente da festa de fim de ano.* **3** Que não se relaciona ativamente; DISTANTE: *Sempre foi um pai ausente.* **4** Que não ouve ou dá atenção ao que está acontecendo; DISTRAÍDO: *Não me respondeu, estava ausente.* *s2g.* **5** Pessoa ausente (2): *Os ausentes serão eliminados do concurso.*

auspício (aus.*pí*.ci:o) *sm.* **1** Pressentimento do que poderá ocorrer; PRESSÁGIO. ▣ **auspícios** *smpl.* **2** Apoio financeiro: *O evento teve os auspícios de uma grande empresa.*

auspicioso (aus.pi.ci:*o*.so) [ô] *a.* Que é promissor, que dá esperança: *Os resultados da pesquisa foram auspiciosos.* [Fem. e pl.: [ó].]

austero (aus.*te*.ro) *a.* **1** Que é severo com os outros e consigo mesmo; rígido de caráter (pai austero). **2** Que é inflexível (disciplina austera). **3** Que é sóbrio e despojado (cores austeras, ambiente austero). • **aus.te.ri.***da*.de *sf.*

austral (aus.*tral*) *a2g.* **1** Que se localiza no sul (ilhas austrais). **2** Que se origina do sul (tempestades austrais). **3** Que pertence ao hemisfério sul (polo austral). **4** Que é natural ou habitante do sul (população austral). [Pl.: *-trais.*] [Cf.: *boreal* e *setentrional.*]

australiano (aus.tra.li.*a*.no) *a.* **1** Da Austrália (Oceania); típico desse país ou de seu povo. *sm.* **2** Pessoa nascida na Austrália.

austríaco (aus.*trí*.a.co) *a.* **1** Da Áustria (Europa); típico desse país ou de seu povo. *sm.* **2** Pessoa nascida na Áustria.

autarquia (au.tar.*qui*.a) *sf.* Entidade pública com autonomia administrativa. • **au.***tár*.qui.co *a.*

autenticar (au.ten.ti.*car*) *v. td.* Tornar autêntico, reconhecer e atestar como verdadeiro (documento, obra artística etc.): *O perito autenticou o quadro.* [▶ 11 autenticar] • **au.ten.ti.ca.***ção sf.*; **au.ten.ti.***ca*.do *a.*

autêntico (au.*tên*.ti.co) *a.* **1** Que é legítimo, verdadeiro: *É um autêntico vinho francês.* **2** Cuja autoria é comprovada: *Comprou um Picasso autêntico.* • **au.ten.ti.ci.***da*.de *sf.*

autismo (au.*tis*.mo) *sm. Psiq.* Estado mental patológico que leva a pessoa a fechar-se em seu próprio mundo, alheando-se do mundo exterior.

autista | autonomia

autista (au.tis.ta) *a2g.s2g. Psiq.* Que ou quem sofre de autismo.

auto (au.to) *sm.* **1** *Teat.* Gênero dramático: *auto de natal*. **2** F. red. de *automóvel*.

autoadesivo (au.toa.de.si.vo) *a.sm.* Diz-se de ou material recoberto de substância aderente, o que permite sua colagem imediata (etiqueta autoadesiva). [Pl.: *autoadesivos*.]

autoafirmação (au.toa.fir.ma.ção) *sf.* Ação ou resultado de impor a própria identidade, vontade, opinião etc. [Pl.: *autoafirmações*.]

autoajuda (au.toa.ju.da) *sf.* **1** Processo de aprimoramento pessoal que faz uso dos próprios recursos mentais a fim de superar problemas emocionais e dificuldades de ordem prática, ou de atingir objetivos específicos: *A autoajuda tirou-o de uma crise de depressão*. **2** Conjunto de informações e orientações que tornam possível a alguém aprimorar-se pessoalmente sem ajuda de outrem: *livro de autoajuda*. [Pl.: *autoajudas*.]

autobiografia (au.to.bi:o.gra.fi.a) *sf.* A vida de uma pessoa contada ou escrita por ela mesma.

autobiográfico (au.to.bi:o.grá.fi.co) *a.* Ref. a autobiografia (livro autobiográfico).

autocensura (au.to.cen.su.ra) *sf.* Censura feita a si mesmo.

autoclave (au.to.cla.ve) *sf. Med.* Aparelho que utiliza vapor de água para esterilizar instrumentos.

autoconfiança (au.to.con.fi:an.ça) *sf.* Confiança em si próprio; SEGURANÇA. ● **au.to.con.fi:an.te** *a2g.*

autocontrole (au.to.con.tro.le) [ô] *sm.* Controle ou domínio sobre si mesmo; equilíbrio físico e mental: *Demonstra muito autocontrole nas horas difíceis.*

autocracia (au.to.cra.ci.a) *sf. Pol.* **1** Poder político ilimitado e absoluto. **2** Governo com essas características.

autocrata (au.to.cra.ta) *a2g.s2g.* Que ou quem governa de forma tirânica, com poderes absolutos.

autocrítica (au.to.crí.ti.ca) *sf.* **1** O reconhecimento das qualidades e defeitos do próprio caráter, dos erros e acertos das próprias ações. **2** A capacidade de exercer esse reconhecimento.

autóctone (au.tóc.to.ne) *a2g.* **1** Que é natural da região onde habita ou se encontra (flora autóctone): *a população autóctone da África*. *s2g.* **2** Habitante nativo de uma região. [Ant.: *alienígena, alóctone*.]

auto de fé (au.to.de.fé) *sm.* Cerimônia de condenação e execução dos réus da Inquisição (1). [Pl.: *autos de fé*.]

autodefesa (au.to.de.fe.sa) [ê] *sf.* **1** Ação ou capacidade de defender-se contra qualquer tipo de agressão. **2** *Jur.* Defesa de um direito feita pelo próprio titular desse direito.

autodestruição (au.to.des.tru.i.ção) *sf.* Destruição de si mesmo: *O álcool levou-o à autodestruição*. [Pl.: *-ções*.]

autodidata (au.to.di.da.ta) *a2g.s2g.* Que ou quem aprende sem ajuda de professor (músico autodidata).

autodisciplina (au.to.dis.ci.pli.na) *sf.* Disciplina que a pessoa impõe a si mesmo.

autódromo (au.tó.dro.mo) *sm. Esp.* Lugar com instalações específicas (pista, boxes, arquibancadas) para a realização de corrida de automóveis.

autoescola (au.toes.co.la) *sf.* Escola onde se aprende a dirigir automóveis. [Pl.: *autoescolas*.]

autoestima (au.toes.ti.ma) *sf.* Qualidade de quem está satisfeito consigo mesmo, valorizando e demonstrando confiança no seu modo de ser e de agir. [Pl.: *autoestimas*.]

autoestrada (au.toes.tra.da) *sf.* Estrada para veículos automotores trafegarem em alta velocidade, com pistas largas, sem cruzamentos e com acessos limitados; AUTOPISTA. [Pl.: *autoestradas*.]

autoexame (au.toe.xa.me) *sm.* Exame (4) que uma pessoa faz em si mesma visando detectar anormalidades no seu estágio inicial: *autoexame das mamas*. [Pl.: *autoexames*.]

autogestão (au.to.ges.tão) *sf.* Direção de empreendimento, empresa etc. por seus empregados. [Pl.: *-tões*.]

autografar (au.to.gra.far) *v. td.* Escrever (ger. pessoa famosa) a sua assinatura em: *O cantor autografou vários CDs*. [▶ **1** autografar]

autógrafo (au.tó.gra.fo) *sm.* **1** Assinatura de pessoa famosa: *Conseguiu um autógrafo do Romário*. **2** Obra manuscrita pelo autor: *Leu um autógrafo de Cecília Meireles*.

autoimunidade (au.to.i.mu.ni.da.de) *sf.* Condição de organismo que é afetado por seus próprios agentes imunológicos. ● **au.to.i.mu.ne** *a2g.*

autolimpante (au.to.lim.pan.te) *a2g.* Que faz a própria limpeza (forno autolimpante).

automação (au.to.ma.ção) *sf.* Uso de máquinas para executar tarefas, quase sem interferência humana; MECANIZAÇÃO: *automação dos serviços bancários*. [Pl.: *-ções*.]

automático (au.to.má.ti.co) *a.* **1** Que opera ou é feito com pouca ou nenhuma interferência humana (câmbio automático, piloto automático). **2** *Fig.* Feito ger. corretamente, mas sem pensar, por hábito: *Ao se dirigir um veículo, muitos procedimentos são automáticos*.

automatizar (au.to.ma.ti.zar) *v.* **1** Utilizar máquinas para que uma tarefa ou processo funcione sozinho; tornar automático. [*td*.: *A indústria de laticínios automatizou sua produção*.] **2** Reorganizar e realizar tarefas com o auxílio de computadores e programas computacionais. [*td*.: *A escola vai automatizar os pedidos de matrícula*.] **3** Tornar(-se) (o comportamento de [pessoa, animal]) sujeito apenas a padrões preestabelecidos, sem influência de julgamento, consciência ou análise em cada circunstância. [*td*.: *Os ensaios repetidos automatizaram os gestos do ator*. *pr*.: *Com o tempo, a direção (de veículo) se automatiza*.] [▶ **1** automatizar] ● **au.to.ma.ti.za.ção** *sf.*

autômato (au.tô.ma.to) *sm.* **1** Máquina que ger. se parece com um ser humano e imita os seus movimentos; ROBÔ. **2** *Fig.* Quem age apática e automaticamente, como uma máquina: *É um autômato; obedece ao patrão sem pensar*. ● **au.to.ma.tis.mo** *sm.*

automedicar-se (au.to.me.di.car-se) *v. pr.* Tomar remédio por conta própria e não por prescrição médica. [▶ **11** automedicar-se] ● **au.to.me.di.ca.ção** *sf.*

automobilismo (au.to.mo.bi.lis.mo) *sm. Esp.* Esporte das corridas de automóveis. ● **au.to.mo.bi.lís.ti.co** *a.*

automobilista (au.to.mo.bi.lis.ta) *s2g.* Pessoa que pratica o automobilismo.

automotivo (au.to.mo.ti.vo) *a.* **1** Que dispõe de sistema de autopropulsão (veículo automotivo). **2** Ref. a automóveis ou a sua fabricação (indústria automotiva).

automóvel (au.to.mó.vel) *sm.* **1** Veículo automóvel (2) destinado ao transporte de passageiros ou de carga; CARRO. [Tb. se diz apenas *auto*.] *a2g.* **2** Que se move por meios próprios, ger. motor a explosão (veículo automóvel). [Pl.: *-veis*.]

autonomia (au.to.no.mi.a) *sf.* **1** Situação de quem tem liberdade para pensar, decidir e agir; INDEPENDÊNCIA: *Um bom salário ajuda a conquistar autonomia*. **2** Situação de quem administra a si mesmo sem interferência externa (diz-se ger. de um país, uma instituição etc.); INDEPENDÊNCIA: *a autonomia dos poderes da República*. **3** Situação de independência em relação a um determinado produto: *auto-

autônomo | avançar

nome de petróleo. **4** A maior distância que um veículo pode percorrer sem se reabastecer.
autônomo (au.tô.no.mo) *a*. **1** Que tem autonomia. **2** Que trabalha por conta própria, sem vínculo empregatício. *sm*. **3** Trabalhador autônomo (2).
autopeça (au.to.pe.ça) *sf*. **1** Peça ou acessório de automóvel. **2** Loja que vende esse tipo de produto: *Fomos à autopeça comprar um farol para o carro*.
autopista (au.to.pis.ta) *sf*. Ver *autoestrada*.
autopropulsão (au.to.pro.pul.são) *sf*. Capacidade ou sistema (de veículo) que permite que se mova com recursos próprios. [Pl.: -sões.]
autópsia, autopsia (au.tóp.si.a, au.top.si.a) *sf*. *Med*. Exame médico de um cadáver para determinar a causa da morte; NECROPSIA.
autopunição (au.to.pu.ni.ção) *sf*. Punição, castigo que a pessoa dá a si mesma. [Pl.: -ções.]
autopunitivo (au.to.pu.ni.ti.vo) *a*. Que constitui autopunição.
autor (au.tor) [ó] *sm*. **1** Criador de obra literária, artística ou científica: *A autora acaba de lançar mais um livro*. **2** Realizador de uma invenção, projeto etc.: *o autor de uma lei*. **3** Pessoa responsável por um ato ou fato: *Ele foi identificado como o autor do crime*.
autoral (au.to.ral) *a2g*. Ref. a autor (direito autoral). [Pl.: -rais.]
autorama (au.to.ra.ma) *sm*. Brinquedo elétrico composto de uma pista em miniatura e carrinhos que nela disputam corridas.
autoria (au.to.ri.a) *sf*. Condição de autor; o trabalho de autor: *'Vidas secas' é de autoria de Graciliano Ramos*; *A polícia investiga a autoria do crime*.
autoridade (au.to.ri.da.de) *sf*. **1** Poder de tomar decisões e dar ordens: *Ele não tem autoridade para fazer isso*. **2** Pessoa que tem esse poder; DIRIGENTE: *autoridades do governo*. **3** Especialista em determinado assunto: *Ela é uma autoridade em astronomia*.
autoritário (au.to.ri.tá.ri:o) *a*. Que abusa da sua autoridade, que gosta de mandar e ser obedecido (governo autoritário).
autoritarismo (au.to.ri.ta.ris.mo) *sm*. **1** Qualidade de quem é autoritário. **2** Maneira autoritária de governar: *o autoritarismo dos governos ditatoriais*.
autorização (au.to.ri.za.ção) *sf*. **1** Ação ou resultado de autorizar, de permitir algo; LICENÇA. **2** Documento que registra essa permissão. [Pl.: -ções.]
autorizado (au.to.ri.za.do) *a*. **1** Que se autorizou, permitiu. **2** Que tem aprovação expressa do autor ou daquele que é o tema (de hino, livro, filme etc.) (biografia autorizada). **3** Que é oficial, credenciado (representante autorizado).
autorizar (au.to.ri.zar) *v*. **1** Dar licença ou permissão para (algo ou alguém fazer algo); PERMITIR. [*td*.: *O engenheiro autorizou o início das obras*. *tdi*. + *a*: *"...não me autorizou a sentar-me..."* (João Ubaldo Ribeiro, *Diário do farol*).] **2** Justificar, dar (a alguém) direito ou motivo (a). [*td*.: *A indecisão dele não autoriza uma precipitação*. *tdi*. + *a*: *O erro dele não autoriza você a cometer outro*.] [▶ **1** autorizar]
autorretrato (au.tor.re.tra.to) *sm*. Pintura ou desenho que retrata o próprio artista que o realizou. [Pl.: *autorretratos*.]
autos (au.tos) *smpl*. *Jur*. Documentação de um processo judicial: *Posso consultar os autos?*
autossuficiente (au.tos.su.fi.ci:en.te) *a2g*. **1** Capaz de tratar de suas obrigações e sobreviver sem a ajuda dos outros; INDEPENDENTE. **2** *Econ*. Que não precisa importar determinado produto: *Até a década de 1980, o Brasil era autossuficiente em algodão*. [Pl.: *autossuficientes*.] ● **a.to.su.fi.ci:en.ci:a** *sf*.
autossugestão (au.tos.su.ges.tão) *sf*. *Psi*. Influência que a pessoa procura exercer sobre o próprio comportamento. [Pl.: *autossugestões*.]

autossustentável (au.tos.sus.ten.tá.vel) *a2g*. Que garante a própria sobrevivência ou continuidade sem ajuda externa: *o desenvolvimento autossustentável de uma região*. [Pl.: *autossustentáveis*.]
atuar (au.tu.ar) *v*. *td*. Registrar uma notificação de multa, processo, inquérito etc. contra: *A Feema autuou seis empresas por poluição*. [▶ **1** autuar] [Cf.: *atuar*.] ● **au.tu:a.ção** *sf*.
auxiliar¹ (au.xi.li.ar) [ss] *a2g*.*s2g*. **1** Que ou quem auxilia (programa auxiliar): *Precisamos de um auxiliar (de confeitaria)*. **2** Que ou aquilo que não é principal (motor auxiliar). *a.sm*. **3** *Gram*. Que ou aquele (diz-se de verbo) que, numa locução verbal, em que é seguido de verbo no infinitivo, gerúndio ou particípio, expressa as noções gramaticais de pessoa, número, tempo, aspecto e modo.
auxiliar² (au.xi.li.ar) [ss] *v*. **1** Dar ajuda, auxílio a; AJUDAR. [*td*.: *A enfermeira auxilia o médico*. *tdi*. + *a*: *O menino auxiliou o cego a atravessar a rua*.] **2** Colaborar (com trabalho ou dinheiro). [*ti*. + *em*: *Minha mãe auxiliou nos preparativos da festa*.] [▶ **1** auxiliar]
auxílio (au.xí.li:o) [ss] *sm*. **1** Ajuda que se dá a alguém: *Os clientes têm o auxílio dos atendentes do banco*. **2** Amparo financeiro, emocional, médico etc.: *auxílio às vítimas das enchentes*. **3** Uso (de um recurso): *Escalaram o muro com o auxílio de cordas*.
avacalhar (a.va.ca.lhar) *v*. *Bras*. *Pop*. Tornar ridículo ou desmoralizado. [*td*.: *O cantor avacalhou a música*. *ti*. + *com*: *Vândalos querem avacalhar com a nossa cidade*.] [▶ **1** avacalhar] ● **a.va.ca.lha.ção** *sf*.; **a.va.ca.lha.do** *a*.
aval (a.val) *sm*. **1** Garantia do pagamento de um empréstimo feito por outra pessoa: *Pedro fará o empréstimo com o aval do tio*. **2** Aprovação de uma opinião, ação etc.; APOIO: *Tem o aval do chefe para fazer reformas*. [Pl.: -vais.]
avalanche, avalancha (a.va.lan.che, a.va.lan.cha) *sf*. **1** *Geol*. Massa de neve e gelo que desmorona de uma montanha; ALUDE. **2** *Fig*. Grande quantidade de gente, animais, coisas ou fatos que se precipitam subitamente: *Quando os portões se abriram, uma avalanche invadiu o estádio*; *"A avalanche de protestos é resultado direto do colapso do sistema de transporte."* (FolhaSP, 06.12.99).
avaliar (a.va.li.ar) *v*. *td*. **1** Fazer análise de, pesando vantagens e desvantagens; AQUILATAR: *A comissão vai avaliar as medidas adotadas*. **2** Estimar, calcular: *Não avaliamos que a tarefa tomaria tanto tempo*. **3** Atribuir um valor a: *O leiloeiro avaliou o quadro (em dez mil reais)*. **4** Examinar conhecimento adquirido por (para conferir peso ou nota): *A professora vai avaliar a turma amanhã*. [▶ **1** avaliar] ● **a.va.li:a.ção** *sf*.
avalista (a.va.lis.ta) *s2g*. Pessoa que dá aval (1).
avalizar (a.va.li.zar) *v*. *td*. **1** Dar garantia a; apor aval em: *avalizar uma transação/uma duplicata*. **2** *Fig*. Acatar como certo ou verdadeiro; ABONAR: *O gerente avalizou a promoção do funcionário*. [▶ **1** avalizar]
avançado (a.van.ça.do) *a*. **1** Muito desenvolvido (tecnologia avançada); ADIANTADO. **2** Inovador, moderno (ideias avançadas). **3** À frente; em posição adiantada (sentinela avançada, atacantes avançados).
avançamento (a.van.ça.men.to) *sm*. *Arq*. Parte que se projeta além do plano vertical externo de uma construção (p.ex., sacada, varanda).
avançar (a.van.çar) *v*. **1** Fazer ir ou ir; mover(-se) para a frente; ADIANTAR(-SE). [*int*. (seguido ou não de indicação de lugar): *O índio avançava lentamente (para o meio da taba)*. *td*.: *Precisando da vitória, o técnico avançou o meio-campo*.] **2** Progredir, desenvolver-se. [*ti*. + *em*, *de...para*: *O executivo encontrou*

um modo de avançar em sua carreira; *O país avançou do subdesenvolvimento para o progresso.* int.: "...a medicina avançara bastante..." (Josué Montello, *Sempre serás lembrada*).] **3** Lançar-se para pegar com avidez. [ti. + em, sobre: *A criançada avançou nos doces.*] **4** Arremessar-se contra; ATACAR. [ti. + contra, em, sobre: *O cachorro bravo avançou nas pessoas.* int.: "Eles avançavam e o rapaz se defendia..." (França Júnior, *Os dois irmãos*).] **5** Ultrapassar (limite ou restrição). [td.: *O motorista avançou o sinal vermelho; Seu comportamento avança os limites da decência.*] **6** Projetar-se sobre um espaço; PROLONGAR-SE. [int. (seguido de indicação de lugar): *O jardim avançava pelo terreno adentro.*] **7** Apresentar (ideias, planos etc. ousados, avançados). [td.: *Avançou seus projetos na reunião.*] [▶ **12** avançar]

avanço (a.*van*.ço) *sm.* **1** Ação ou resultado de avançar, de ir para a frente: *Com o avanço das tropas, a batalha acirrou-se.* **2** Desenvolvimento, progresso: "Além do avanço tecnológico e científico, a corrida à Lua..." (*FolhaSP*, 30.12.99). **3** Melhoria em saúde, situação profissional etc.).

avantajado (a.van.ta.ja.do) *a.* **1** Que leva ou tem vantagem sobre outros; que excede o que é considerado normal. **2** De grandes dimensões (físico avantajado); CORPULENTO; DESENVOLVIDO.

avantajar-se (a.van.ta.*jar*-se) *v. pr.* **1** Mostrar-se maior ou superior; levar vantagem: *O aluno esforçado queria avantajar-se aos/sobre os demais.* **2** Aumentar, crescer (em tamanho, intensidade, importância etc.): *Com o vento, o fogo na floresta avantajou-se.* [▶ **1** avantajar-se]

avante (a.*van*.te) *adv.* **1** Para a frente; ADIANTE: *Não hesitou e foi avante.* *interj.* **2** Us. como incentivo ou ordem para avançar: *Avante, companheiros, não desistam!*

⊕ **avant-garde** (Fr. /avã-gárd/) *sf.* **1** Grupo de intelectuais que criam inovações artísticas, culturais etc.; VANGUARDA. *a2g2n.* **2** De vanguarda (ideias *avant-garde*).

⊕ **avant-première** (Fr. /avã-premiér/) *sf.* Cin. Teat. Exibição antes da estreia; PRÉ-ESTREIA.

avarento (a.va.*ren*.to) *a.sm.* Que ou quem é excessivamente apegado a dinheiro; SOVINA; ÁVARO.

avareza (a.va.*re*.za) *sf.* Apego excessivo a dinheiro, com grande preocupação em juntá-lo, sem gastar quase nada; SOVINICE.

avaria (a.va.*ri*.a) *sf.* Dano, estrago: *A tempestade causou avarias ao casco do navio.*

avariar (a.va.ri.*ar*) *v.* Fazer estragar-se ou estragar-se; provocar avaria em ou sofrer avaria. [td.: *O óleo inadequado avariou o motor.* int./pr.: *Com o uso forçado, o motor avariou(-se).*] [▶ **1** avariar]

ávaro (*á*.va.ro) *a.sm.* Ver avarento.

avassalador (a.vas.sa.la.*dor*) [ô] *a.* **1** Que oprime, subjuga a mente, o espírito (pânico avassalador); OPRESSOR. **2** Que arrasa (tb. *Fig.*) (ataque avassalador); ARRASADOR; DEVASTADOR.

avassalar (a.vas.sa.*lar*) *v.* **1** Estender-se por; DOMINAR. [td.: *A cultura hippie avassalou os Estados Unidos na década de 1960.*] **2** Destruir, arrasar. [td.: *As guerras avassalaram parte da África.*] **3** Tornar(-se) vassalo. [td.: *Os colonizadores avassalaram os indígenas.* pr.: *Com a chegada dos colonizadores, os indígenas se avassalaram.*] [▶ **1** avassalar]

ave (a.ve) *sf. Zool.* Animal vertebrado, coberto de penas e dotado de bico, asas e dois pés, que se reproduz por meio de ovos. (Aum.: *avejão*. Dim.: *avezinha* e *avícula*.) ◨ ~ **de arribação** A que costuma imigrar de acordo com a estação. ~ **de rapina** A que tem bico curvo, grandes asas e garras, e se alimenta da carne dos animais que caça.

aveia (a.*vei*.a) *sf.* Cereal (a planta e o grão) nutritivo, us. na alimentação de homens e animais.

avelã (a.ve.*lã*) *sf.* Fruto da aveleira, de casca dura e semente comestível.

aveleira (a.ve.*lei*.ra) *sf. Bot.* Árvore do hemisfério norte, cultivada esp. pela semente de seu fruto, a avelã.

aveludado (a.ve.lu.*da*.do) *a.* **1** Macio como o veludo. **2** *Fig.* Suave e agradável aos ouvidos, à vista, ao tato etc. (voz aveludada, luz aveludada).

ave-maria (a.ve-ma.*ri*.a) *sf. Rel.* Oração católica dirigida à Virgem Maria. [Pl.: *ave-marias*.]

avenca (a.*ven*.ca) *sf. Bot.* Planta de folhas delicadas, que se cultiva em ambientes úmidos.

avenida (a.ve.*ni*.da) *sf.* Rua larga, ger. com mais de uma pista para trânsito de carros.

avental (a.ven.*tal*) *sm.* Peça de vestuário que se usa sobre a roupa, para protegê-la. [Pl.: *-tais*.]

aventar (a.ven.*tar*) *v. td.* Dar a entender; propor (hipótese, possibilidade, ideia etc.); SUGERIR: *A empresa aventou a possibilidade de dar férias coletivas.* [▶ **1** aventar]

aventura (a.ven.*tu*.ra) *sf.* **1** Situação que envolve ousadia, incertezas, perigo, emoção etc.: *Perdido na floresta, viveu uma grande aventura.* **2** Empreendimento de grande risco: *Lançar-se candidato agora é uma aventura.* **3** Relacionamento amoroso de curta duração. ● a.ven.tu.*res*.co *a.*; a.ven.tu.*ro*.so *a.*

aventurar (a.ven.tu.*rar*) *v.* Ousar dizer ou fazer (algo). [td.: *Sérgio aventurou a sua opinião.* pr.: *Nem todos aventuram-se a velejar com o mar bravo.*] [▶ **1** aventurar]

aventureiro (a.ven.tu.*rei*.ro) *a.sm.* **1** Que ou quem gosta de ou se lança em aventuras. *a.* **2** Propenso a aventuras (espírito aventureiro).

averbar (a.ver.*bar*) *v. td.* Adicionar (ger. a um documento legal, já registrado) informações: *Pediram para eu averbar a escritura.* [▶ **1** averbar] ● a.ver.ba.*ção sf.*

averiguar (a.ve.ri.*guar*) *v. td.* Investigar para descobrir ou confirmar uma informação; APURAR: *Vamos averiguar a causa do acidente.* [▶ **9** averiguar] ● a.ve.ri.gua.*ção sf.*

avermelhado (a.ver.me.*lha*.do) *a.* Que apresenta tom de vermelho ou quase vermelho.

avermelhar (a.ver.me.*lhar*) *v.* Tornar(-se) vermelho ou avermelhado. [td.: *Os últimos raios de sol avermelhavam o horizonte.* int.: *No outono, as folhas avermelham.* pr.: *Quando ouviu aquilo, seu rosto avermelhou-se.*] [▶ **1** avermelhar] ● a.ver.me.lha.*men*.to *sm.*

aversão (a.ver.*são*) *sf.* Grande antipatia (a alguém ou algo); REPULSA: *aversão à rotina/por falsos amigos.* [Pl.: *-sões*.]

avessas (a.*ves*.sas) *sfpl.* Us. na loc. ◨ **Às** ~ Em sentido contrário ou oposto: *Vestiu o paletó às avessas.*

avesso (a.*ves*.so) [ê] *a.* **1** Que se opõe, que é inverso a; CONTRÁRIO: *o lado avesso; uma pessoa avessa a festas.* **2** Que não favorece, que é adverso: *Enfrentou um destino avesso com coragem. sm.* **3** Face ou parte oposta à direita, ou principal; REVERSO: *o avesso da fazenda/da blusa.*

avestruz (a.ves.*truz*) *s2g. Zool.* Ave de até dois metros e meio de altura, pernas e pescoço compridos, que ingere muitos tipos de alimento.

avexado (a.ve.*xa*.do) *a.* **1** Envergonhado. **2** *N.E.* Apressado, impaciente. (Tb. *vexado*.)

aviação (a.vi.a.*ção*) *sf.* **1** Navegação por meio de aeronaves. **2** Técnica de fabricação e operação de aeronaves. **3** O conjunto de aviões (de um país, de um certo tipo ou finalidade etc.) (aviação nacional/civil/comercial). [Pl.: *-ções*.]

aviador (a.vi.a.*dor*) [ô] *sm.* Piloto de aeronaves.

aviamento (a.vi.a.*men*.to) *sm.* **1** Ação ou resultado de aviar. **2** Material necessário à realização de uma obra. **3** Material para acabamento de costura ou bordado (botões, forros, linhas etc.). [Nesta acp., mais us. no pl.]

avião (a.vi.ão) *sm.* **1** *Aer.* Aeronave mais pesada que o ar, provida de asas e propulsão a motor; AEROPLANO. **2** *Bras. Gír.* Mulher bonita e de corpo bem-feito. **3** *Bras. Gír.* Pessoa que compra droga a traficantes e a leva ao usuário. [Pl.: -ões.]

aviar (a.vi.*ar*) *v.* **td.** **1** Preparar (receita de medicamento, óculos etc.): *O dr. Osvaldo aviou a receita (para minha mãe).* ❏ **a‑vi‑ar‑se** *pr.* **2** Apressar-se. [▶ **1** avi**ar**]

aviário (a.vi.á.ri:o) *sm.* **1** Lugar onde se criam aves. **2** Loja que vende aves.

avícola (a.*ví*.co.la) *s2g.* **1** Avicultor. *a2g.* **2** Ref. a, de ou próprio de aves.

avícula (a.*ví*.cu.la) *sf.* Dim. de *ave*; ave pequena.

avicultura (a.vi.cul.*tu*.ra) *sf.* Técnica de criar aves. ● **a.vi.cul.tor** *sm.*

ávido (á.vi.do) *a.* **1** Que deseja com grande intensidade; SÔFREGO: *ávido por riquezas.* **2** Com muita fome ou sede: *ávido por uma boa refeição.* ● **a.vi.dez** *sf.*

aviltante (a.vil.*tan*.te) *a2g.* Que avilta, humilha; ULTRAJANTE.

aviltar (a.vil.*tar*) *v.* **td.** **1** Desmoralizar: *O vício da bebida aviltava sua imagem de bom profissional.* **2** Baixar drasticamente (preços, salários etc.): *Estão aviltando o preço do gás.* [▶ **1** avilt**ar**] ● **a.vil.ta.men.to** *sm.*

avinagrado (a.vi.na.*gra*.do) *a.* Com sabor de vinagre.

avinhado (a.vi.*nha*.do) *sm.* *Zool.* Curió. *a.* **2** Ref. a vinho ou a sua cor.

avisado (a.vi.*sa*.do) *a.* **1** Que recebeu aviso; INFORMADO. **2** Que age com cautela e prudência.

avisar (a.vi.*sar*) *v.* **1** Transmitir (uma informação) (a); INFORMAR. [*td.*: *Avisaram que a campanha de vacinação começa amanhã*; (tb. sem complemento explícito) *Se você quiser falar comigo, é só avisar.* *tdi.* + *a*, *de*: *A secretária avisou a todos que a professora ia se atrasar*; *Avisei Marta da data da prova.* *ti.* + *de*, *sobre*: *João telefonou avisando da mudança de planos.*] **2** Alertar para a possibilidade de; PREVENIR. [*td.*: *A loja avisou que os pagamentos atrasados sofreriam multas.* *tdi.* + *a*, *de*: *O médico avisou a ele que tinha que parar de fumar*; *A mãe avisou as crianças do risco de brincar com fogo.* *ti.* + *de*, *sobre*: *Sempre avisava do perigo de soltar pipa perto de fios.*] [NOTA: Nas duas acps., nas regências *tdi.*, note-se a possível permuta, como objeto direto e indireto, entre o que é avisado e a pessoa a quem se avisa.] [▶ **1** avis**ar**]

aviso (a.*vi*.so) *sm.* **1** Ação ou resultado de avisar. **2** Advertência. **3** Documento em que se dá aviso.

avistar (a.vis.*tar*) *v.* **td.** **1** Ver ao longe: *Do alto do morro, pode-se avistar toda a cidade.* **2** Ver, enxergar: *Ao avistar um tubarão, fuja!* ❏ **a‑vis‑tar‑se** *pr.* **3** Ter um encontro ou entrevista com alguém; ENCONTRAR-SE: *O presidente do Brasil vai avistar-se com o da Argentina.* [▶ **1** avist**ar**]

avitaminose (a.vi.ta.mi.*no*.se) *sf. Med.* Carência de determinada vitamina no organismo.

avivar (a.vi.*var*) *v.* **1** Tornar(-se) mais ativo, animado ou visível. [*td.*: *Seus comentários avivaram o debate.* *pr.*: *As cores do quadro avivam-se com a luz.*] **2** Trazer à mente, à memória. [*td.*: *Leia a matéria antes da prova para avivar a memória.* *tdi.* + *em*: *A foto avivou em mim a lembrança do meu pai.*] [▶ **1** aviv**ar**] ● **a.vi.va.men.to** *sm.*

avizinhar (a.vi.zi.*nhar*) *v.* Fazer ficar mais perto ou chegar mais perto; APROXIMAR(-SE). [*td.*: *O frade avizinhou pobres e ricos em sua igreja.* *tdi.* + *de*: *O professor avizinhou os calouros dos veteranos.* *pr.*: *As nuvens indicam que o temporal se avizinha.*] [▶ **1** avizinh**ar**]

avó (a.*vó*) *sf.* Mãe do pai ou da mãe de uma pessoa em relação a essa pessoa.

avô (a.*vô*) *sm.* Pai do pai ou da mãe de uma pessoa em relação a essa pessoa. [Pl.: *avós* (quando referido ao casal) e *avôs* (quando referido só a homens).]

avoado (a.vo.*a*.do) *a. Bras.* Que vive com a cabeça no ar; DESATENTO; DISTRAÍDO.

avocar (a.vo.*car*) *v.* **1** Atribuir a si próprio (alguma tarefa). [*tdi.* + *a*, *para*: *O presidente avocou para si a decisão final.* *pr.*: *Avocou-se tarefas que não pôde realizar.*] **2** *Jur.* Pedir para receber (auto, processo etc.); SOLICITAR. [*td.*: *O relator poderá avocar os processos.*] [▶ **11** avoc**ar**]

avolumar (a.vo.lu.*mar*) *v.* Fazer crescer ou crescer em número ou tamanho; AVULTAR(-SE). [*td.*: "...sem querer *avolumar* a crueldade." (Miguel Torga, *Senhor Ventura*). *pr.*: *As dívidas de João avolumaram-se e ele faliu.*] [▶ **1** avolum**ar**]

avos (*a*.vos) *smpl. Mat.* Cada fração de uma unidade dividida em mais de dez partes iguais, p.ex., 1/12 (um doze avos).

avós (a.*vós*) *smpl.* **1** O avô e a avó de uma pessoa (por parte de mãe e/ou de pai). **2** Os antepassados.

avulso (a.*vul*.so) *a.* **1** Que não faz parte de um conjunto ou coleção (selos avulsos). **2** Destacado do conjunto a que pertence: *Comprei alguns números avulsos da revista.* **3** Que não faz parte de um grupo fixo: *funcionários contratados e trabalhadores avulsos.*

avultar (a.vul.*tar*) *v.* **1** Aparecer com destaque; SOBRESSAIR-SE. [*int.*: *Raimundo, por sua altura, avultava na multidão.*] **2** Aumentar em número ou tamanho; ganhar vulto. [*td.*: *A poluição avulta as mudanças no clima.* *int.*: *Com o frio, as gripes avultam.*] **3** Chegar a; importar em; atingir. [*ti.* + *a*: *Os custos avultam a dez mil reais.*] [▶ **1** avult**ar**]

axé (a.*xé*) *sm. Bras. Rel.* Força, energia de orixá.

axial (a.xi.*al*) [cs] *a2g.* **1** Ref. a eixo. **2** *Fig.* Essencial. [Pl.: -*ais*.]

axila (a.*xi*.la) [cs] *sf. Anat.* Cavidade na parte interna da junção do braço com o ombro; SOVACO.

axioma (a.xi:*o*.ma) [cs] *sm.* **1** *Fil.* Afirmação que não exige prova para que se considere verdadeira. **2** Expressão com um sentido geral ou um princípio moral; MÁXIMA. ● **a.xi:o.má.ti.co** *a.*

🌐 **ayurveda** (*sânscrito* /aiurvéda/) *sm.* Conjunto de conhecimentos milenares originários da Índia, que abrange diversos aspectos relativos à saúde (medicina, técnicas terapêuticas, exercícios físicos e respiratórios etc.). [NOTA: A palavra *ayurveda* significa 'conhecimento da vida'.] ● **a:yur.vé.di.ca** *a.sf.*

azado (a.*za*.do) *a.* Oportuno, propício.

azáfama (a.*zá*.fa.ma) *sf.* Grande pressa e dedicação na execução de um trabalho.

azaleia (a.za.*lei*.a) *sf.* Arbusto de flores rosas, brancas ou roxas.

azar (a.*zar*) *sm.* **1** Falta de sorte: *Tivemos azar perdendo tantos gols.* **2** Desgraça, fatalidade: *Por azar, quebrou a perna ao cair.* [Ver tb. *jogo de azar* em *jogo*.]

azarado (a.za.*ra*.do) *a.sm. Bras.* Que ou quem tem azar (1); AZARENTO.

azarão (a.za.*rão*) *sm. RJ* Cavalo que, numa corrida, tem poucas possibilidades de vitória. [Pl.: -*rões*.]

azarar (a.za.*rar*) *v.* **1** Trazer má sorte a; ter azar. [*td.*: *Pare de azarar minha promoção!* *pr.*: *Ela azarou-se e não conseguiu o emprego.*] **2** *Bras. Gír.* Tentar namorar; PAQUERAR. [*td.*: *João azarou Maria durante a festa.* *int.*: *Os rapazes saíram para azarar.*] [▶ **1** azar**ar**] ● **a.za.ra.ça.do** *a.*

azarento (a.za.*ren*.to) *Bras. a.* **1** Que dá azar. *a.sm.* **2** Ver azarado.

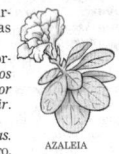

AZALEIA

azedar (a.ze.*dar*) *v*. **1** Deixar ou ficar com sabor azedo. [*td*.: *O limão azedou o creme*. *int./pr*.: *O vinho azedou(-se)*.] **2** Talhar (leite, creme etc.). [*int*.: "...o leite azedou e fiz ambrosia..." (Ana Maria Machado, *A audácia dessa mulher*).] **3** *Fig*. Irritar(-se); fazer ficar ou ficar mal-humorado, angustiado. [*td*.: *Os seguidos problemas o azedaram*. *int./pr*.: *Com tantos infortúnios, azedou(-se)*.] [▶ **1** azedar]

azedo (a.ze.do) [ê] *a*. **1** Que tem sabor ácido ou amargo. **2** Estragado por fermentação (diz-se de alimento). **3** *Fig*. De mau humor, irritado. *sm*. **4** O sabor azedo, ácido.

azedume (a.ze.*du*.me) *sm*. **1** Sabor ácido, amargo. **2** *Fig*. Mau humor, irritação; AZEDIA, AZIÚME.

azeitar (a.zei.*tar*) *v*. *td*. Passar óleo (em uma engrenagem, máquina etc.); LUBRIFICAR: *Meu pai azeitou a máquina de cortar grama*. [▶ **1** azeitar ● **a.zei.ta.do** *a*.]

azeite (a.zei.te) *sm*. **1** Óleo extraído da azeitona. **2** Óleo que se extrai de alguns vegetais ou da gordura de certos animais. **~ de dendê** *Bras*. Óleo avermelhado extraído do fruto do dendezeiro, us. na alimentação e na indústria; DENDÊ.

azeitona (a.zei.*to*.na) *sf*. Pequeno fruto da oliveira; OLIVA.

azerbaidjano (a.zer.baid.*ja*.no) *a*. **1** Do Azerbaidjão (Ásia); típico desse país ou de seu povo. *sm*. **2** Pessoa nascida no Azerbaidjão. *a.sm*. **3** *Gloss*. Da, ref. à ou a língua falada no Azerbaidjão.

azeviche (a.ze.*vi*.che) *sm*. **1** Tipo de carvão fóssil muito negro, us. em bijuterias. **2** *Fig*. Cor de azeviche.

azia (a.*zi*.a) *sf*. *Med*. Sensação de ardência no esôfago causada por excesso de acidez do estômago.

aziago (a.zi.*a*.go) *a*. Que traz azar; agourento.

azinhavre (a.zi.*nha*.vre) *sm*. Camada esverdeada que se forma em objetos de cobre ou latão devido à umidade. ● **a.zi.nha.vrar** *v*. [F.: Do ár. *az-zindjafr*.]

azo (*a*.zo) *sm*. Ver *ensejo*.

azougue (a.*zou*.gue) *sm*. **1** *Fig*. Pessoa muito esperta e agitada. **2** *Pop*. Nome vulgar do mercúrio.

⊠ **AZT** *sm*. *Quím*. Sigla de azidotimidina, substância us. no tratamento da AIDS.

azucrinar (a.zu.cri.*nar*) *v*. Aborrecer (alguém) insistentemente ou ficar aborrecido; APOQUENTAR(-SE). [*td*.: *Os garotos estão azucrinando os vizinhos*. *pr*.: *Perseguido pelos repórteres, acabou se azucrinando*.] [▶ **1** azucrinar ● **a.zu.cri.na.do** *a*.]

azul (a.*zul*) *sm*. **1** A cor do céu em dia claro e sem nuvens. *a2g*. **2** Que é dessa cor (camisas *azuis*). [Pl.: *azuis*.]

azulado (a.zu.*la*.do) *a*. Que apresenta tom de azul ou quase azul.

azulão (a.zu.*lão*) *sm*. *Bras*. *Zool*. Pássaro de plumagem azul, com cauda e asas negras. [Pl.: -*lões*.]

azular (a.zu.*lar*) *v*. **1** Tornar(-se) da cor azul. [*td*.: *Um defeito azulou a tela do meu computador*. *int*.: *Quando ele passou mal, sua língua azulou*.] **2** *Bras*. *Pop*. Fugir. [*int*.: *Viu a polícia e azulou*.] [▶ **1** azular]

azulejar (a.zu.le.*jar*) *v*. *td*. Cobrir com revestimento de ladrilho, azulejo etc.; LADRILHAR: *Azulejou a cozinha até o teto*. [▶ **1** azulejar]

azulejo (a.zu.*le*.jo) [ê] *sm*. Ladrilho esmaltado us. para cobrir paredes.

azul-marinho (a.zul-ma.*ri*.nho) *sm*. **1** Tom de azul bem escuro. [Pl.: *azuis-marinhos*.] *a2g2n*. **2** Que é dessa cor (bermudas *azul-marinho*).

azul-piscina (a.zul-pis.*ci*.na) *sm*. **1** Tom de azul esverdeado que lembra as águas de uma piscina. [Pl.: *azuis-piscinas* ou *azuis-piscina*.] *a2g2n*. **2** Que é dessa cor (cortinas *azul-piscina*).

azul-turquesa (a.zul-tur.*que*.sa) [ê] *sm*. **1** A cor da pedra turquesa. [Pl.: *azuis-turquesas* ou *azuis-turquesa*.] *a2g2n*. **2** Que é dessa cor (bolsas *azul-turquesa*).

𐤁	Fenício
Ꜣ	Grego
Β	Grego
Ꞵ	Etrusco
Ᏼ	Romano
B	Romano
ƅ	Minúscula carolina
B	Maiúscula moderna
b	Minúscula moderna

O *beth* (casa, em fenício) é o ancestral mais antigo do nosso b. Ao chegar aos gregos, o *beth* ganhou o nome de *beta* e sofreu alterações em sua forma e orientação. Os romanos, ao adotarem a letra, denominaram-la *ba* e lhe deram as formas curvas que conhecemos.

b [bê] *sm*. **1** A segunda letra do alfabeto. **2** A primeira consoante do alfabeto. *num*. **3** O segundo em uma série (item B).
⌧ **Ba** *Quím.* Símb. de *bário*.
baba (*ba.ba*) *sf*. **1** Saliva que escorre da boca. **2** *Bras. Pop.* Substância viscosa de certos vegetais: *baba do quiabo*. **3** *Bras. Pop.* Conversa ardilosa, com o fim de enganar; LÁBIA. ❚❚ **Uma ~** *Bras. Pop.* **1** Muito dinheiro: *ganhar uma baba na loteria*. **2** O que se consegue com facilidade: *vencer foi uma baba*.
babá (*ba.bá*) *sf*. Mulher que é paga para cuidar de crianças.
babaca (*ba.ba.ca*) *a2g*. **1** *Bras. Vulg.* Que é bobo, idiota e/ou infantil: *Ele acha minhas amigas babacas*. **2** *Bras. Vulg.* Que é sem graça ou sem importância (conversa *babaca*). *s2g*. **3** *Bras. Vulg.* Pessoa babaca: *Não sei por que ela sai com esse babaca*. *sf*. **4** *Tabu.* A vulva.
babação (*ba.ba.ção*) *sf*. *Gír.* Ação ou resultado de babar (3). [Pl.: -*ções*.]
babaçu (*ba.ba.çu*) *sm. Bot.* Palmeira de cujas sementes se extrai óleo de cozinha.
baba de moça (*ba.ba de mo.ça*) [ô] *sf. Bras. Cul.* Doce que se faz com leite de coco, gemas de ovos e calda de açúcar. [Pl.: *babas de moça*.]
babado¹ (*ba.ba.do*) *sm*. **1** Tira de tecido franzida ou plissada com que se enfeitam vestidos, cortinas etc. *a*. **2** Molhado de baba.
babado² (*ba.ba.do*) *sm. Bras. Pop.* Fofoca, mexerico.

BABAÇU

babador (*ba.ba.dor*) [ô] *sm*. Peça de pano ou plástico que se prende ao pescoço da criança para que não suje a roupa ao comer ou babar.
babalorixá (*ba.ba.lo.ri.xá*) *sm. Bras. Rel.* Chefe espiritual e administrador de centros de umbanda e candomblé; [▶ 1 bacharel*ar*-se] ● **ba.cha.re.*lan*.do** *sm*.
baba-ovo (*ba.ba-o.vo*) [ô] *a.sm*. Que ou quem adula, bajula; PUXA-SACO. [Pl.: *baba-ovos*.]
babaquara (*ba.ba.qua.ra*) *a2g.s2g. Bras. Pej.* Que ou quem é tolo, ingênuo. [At! Considerado ofensivo nesta acepção.]
babaquice (*ba.ba.qui.ce*) *sf. Vulg.* Ação ou dito próprio de babaca (3).
babar (*ba.bar*) *v*. **1** Molhar com baba ou soltar baba; BABUJAR. [*td*.: *babar a roupa. int*.: *O bebê parou de babar*.] **2** *Fig.* Ficar tomado por um sentimento. [*pr*.: *Babou-se de inveja da amiga*.] **3** *Fig.* Gostar muito. [*pr*.: *Baba-se por ti*.] **4** *Gír.* Dar errado. [*int*.: *Babou, perdemos a eleição*.] [▶ 1 bab*ar*] ● **ba.*bão*** *a.sm*.
babel (*ba.bel*) *sf. Fig.* Confusão, desordem. [Pl.: -*béis*.]

babosa (*ba.bo.sa*) *sf. Bot.* Ver *aloé*.
baboseira (*ba.bo.sei.ra*) *sf*. Dito tolo ou irrelevante; BOBAGEM.
⊕ **baby-sitter** (Ing. /*beibi-siter*/) *s2g*. Pessoa paga para tomar conta de crianças, ger. por pouco tempo, enquanto os pais estão ausentes.
bacalhau (*ba.ca.lhau*) *sm. Zool.* Peixe do Atlântico Norte, vendido ger. seco no Brasil.
bacalhoada (*ba.ca.lho.a.da*) *sf. Cul.* Prato feito com postas de bacalhau, batata, cebola, azeite etc.
bacana (*ba.ca.na*) *Bras. Gír. a2g*. **1** Muito bom, ou bonito, ou agradável etc. **2** Simpático, ou leal etc.: *Chico é um cara bacana*. *s2g*. **3** Pessoa rica, grã-fina.
bacanal (*ba.ca.nal*) *sf*. Festa em que há libertinagem; ORGIA. [Pl.: -*nais*.]
bacharel (*ba.cha.rel*) *sm*. Pessoa que concluiu o primeiro grau universitário, esp. numa faculdade de Direito. [Pl.: -*réis*.]
bacharelado (*ba.cha.re.la.do*) *sm*. **1** Grau de bacharel. **2** Curso que confere esse grau. *a.sm*. **3** Que ou quem obteve o grau de bacharel.
bacharelar-se (*ba.cha.re.lar*-se) *v. pr*. Tornar-se bacharel; concluir curso universitário: *Bacharelou-se em geografia*. [▶ 1 bacharel*ar*-se] ● **ba.cha.re.*lan*.do** *sm*.
bacia (*ba.ci.a*) *sf*. **1** Recipiente redondo e raso us. ger. para lavar roupas. **2** *Anat*. Região do corpo humano entre a coluna vertebral (na altura da cintura) e as pernas; PELVE. **3** *Geog*. Região banhada por um rio e seus afluentes.
bacilo (*ba.ci.lo*) *sm. Bac*. Bactéria de forma cilíndrica.
⊕ **background** (Ing. /*bécgraund*/) *sm*. **1** Pano de fundo; SEGUNDO PLANO; FUNDO (Cin. Teat. Telv.). **2** A formação e/ou a experiência profissional de uma pessoa: *Qual é o background musical dele*? **3** As origens ou a classe social de uma pessoa.
⊕ **backup** (Ing. /*bécap*/) *sm. Inf*. Cópia de segurança (de arquivos). [F. aport.: *becape*.]
baço (*ba.ço*) *sm*. **1** *Anat*. Víscera localizada acima do rim esquerdo e atrás do estômago. *a*. **2** Sem brilho (olhos *baços*).

📖 O baço fica no lado esquerdo do abdome, tem forma oval e mede c. 10cm x 12cm. Tem como principal função a defesa do organismo contra partículas estranhas e infecções. Elimina os glóbulos vermelhos (hemácias) que perderam suas funções, destrói bactérias e produz anticorpos. É o baço que controla o número de glóbulos brancos (leucócitos) e de plaquetas sanguíneas, que agem na coagulação do sangue.

⊕ **bacon** (Ing. /*bêicon*/) *sm*. Toucinho defumado.
bactéria (*bac.té.ri.a*) *sf. Bac*. Microrganismo de uma só célula, invisível a olho nu. ● **bac.te.ri.*a*.no** *a*.

📖 As bactérias são microscópicas, dos menores seres vivos que se conhece. Atuam em várias transformações químicas importantes, como a fermentação e a eliminação de detritos orgânicos. Mas também podem ser nocivas e provocar anomalias e doenças nos seres vivos. Apresentam-se em formas diversas: de esfera (cocos), de bastão (bacilos), em espiral (espirilos) e em curva (vibriões).

bactericida (bac.te.ri.ci.da) *a2g.sm. Bac.* Que ou o que destrói bactérias.

bacteriologia (bac.te.ri:o.lo.gi.a) *sf. Biol.* Ciência que estuda as bactérias. • bac.te.ri:o.ló.gi.co *a*.

bacteriologista (bac.te.ri:o.lo.gis.ta) *a2g.s2g. Bac.* Que ou quem se especializou em bacteriologia.

báculo (bá.cu.lo) *sm.* Bastão com a ponta superior arqueada, us. pelos bispos como símbolo de seu poder espiritual.

bacuri (ba.cu.ri) *sm.* **1** *Bras. Bot.* Árvore que dá frutos grandes, de polpa amarela; BACURIZEIRO. **2** Fruto dessa árvore. **3** *Bras. Pop.* Menino de pouca idade. **4** *Bras. Pop.* Leitão.

bacurizeiro (ba.cu.ri.zei.ro) *sm. Bot.* Ver *bacuri* (1).

badalação (ba.da.la.ção) *sf. Bras. Pop.* **1** Vida social intensa: *João é tímido e odeia badalação.* **2** Divulgação exagerada: *Apesar de toda a badalação, a peça foi um fracasso.* [PL.: -ções.]

badalada (ba.da.la.da) *sf.* Som da batida do badalo no sino.

badalado (ba.da.la.do) *a. Bras. Pop.* **1** De que se fala muito; que é muito conhecido (escritora badalada). **2** Que é muito frequentado por estar na moda (bar badalado).

badalar (ba.da.lar) *v.* **1** Fazer soar ou soar (sino); TANGER; BIMBALHAR. [*td. int.*] **2** *Bras. Pop.* Frequentar eventos sociais. [*int.: A socialite estava sempre badalando.*] **3** *Bras. Pop.* Bajular, adular. [*td.: Quando quer badalar o irmão, chama-o de gênio.*] [▶ **1** badalar]

badalo (ba.da.lo) *sm.* Peça de metal pendurada dentro de sino, us. para fazê-lo soar.

badejo (ba.de.jo) [ê] ou [ê] *sm. Bras. Zool.* Grande peixe marinho, muito popular e apreciado na culinária brasileira.

baderna (ba.der.na) *sf. Bras.* Bagunça, desordem, confusão.

baderneiro (ba.der.nei.ro) *a.sm.* Que ou quem faz baderna. [Sin.: *badernista*.]

badulaques (ba.du.la.ques) *smpl.* Objetos de pouco valor.

bafafá (ba.fa.fá) *sm. Bras. Fam.* Tumulto, confusão.

bafejar (ba.fe.jar) *v.* **1** Soltar bafo. [*int.: Ele bafeja durante o sono.*] **2** Soprar de leve. [*td.: Uma aragem bafejava o canavial.*] **3** *Fig.* Favorecer, beneficiar. [*td.: A sorte o bafejou.*] [▶ **1** bafejar]

bafejo (ba.fe.jo) [ê] *sm.* **1** Sopro, bafo. **2** *Fig.* Proteção, benefício: *bafejo da sorte.*

bafo¹ (ba.fo) *sm.* **1** Ar que sai dos pulmões; HÁLITO. **2** *Bras. Pop.* Mentira. **3** *Bras. Gír.* Mau hálito.

bafo² (ba.fo) *sm. Bras.* Jogo em que se bate com a palma da mão em concha sobre figurinhas para revirá-las.

bafômetro (ba.fô.me.tro) *sm. Bras. Pop.* Aparelho que mede o grau de concentração de álcool no organismo por meio do ar expirado pela boca.

baforada (ba.fo.ra.da) *sf.* Quantidade de fumaça de cigarro, cachimbo etc. que se solta pela boca de uma vez. • ba.fo.rar *v*.

baga (ba.ga) *sf.* **1** Fruto suculento como a goiaba, uva etc. **2** *Fig.* Goticulas: *bagas de suor.*

bagaço (ba.ga.ço) *sm. Bras.* Resto de fruta, cana-de-açúcar etc. depois de extraído o suco. ❚❚ **Um ~ Fig.** Muito cansado, abatido, sem energia.

bagageiro (ba.ga.gei.ro) *sm.* **1** Lugar para bagagem em veículos. **2** Pessoa paga para transportar bagagem; CARREGADOR.

bagagem (ba.ga.gem) *sf.* **1** Conjunto de objetos de uso pessoal que se leva quando viaja. **2** *Fig.* Conjunto de conhecimentos e experiências (bagagem cultural). [PL.: -gens.]

bagana (ba.ga.na) *sf. Bras.* O que sobra de um cigarro, charuto, baseado (2) etc. depois de fumado; GUIMBA.

bagatela (ba.ga.te.la) *sf.* **1** Coisa de pouco valor ou inútil; NINHARIA. **2** Quantia insignificante.

bago (ba.go) *sm.* **1** Cada uva em um cacho. **2** Fruto ou grão parecido com a uva. [Aum.: *bagalhão*.]

bagre (ba.gre) *sm. Zool.* Peixe sem escamas que vive no fundo de rios e mares.

baguete (ba.gue.te) [ê] *sf. Bras.* Pão do tipo francês, comprido e fino.

bagulho (ba.gu.lho) *sm. Bras.* **1** Objeto imprestável. **2** *Pej.* Pessoa feia ou envelhecida. [At! Considerado ofensivo nesta acepção.] **3** *Gír.* Maconha.

bagunça (ba.gun.ça) *sf. Pop.* **1** Falta de organização; DESORDEM. **2** Diversão barulhenta.

bagunçado (ba.gun.ça.do) *a. Pop.* Fora de ordem; ABAGUNÇADO, DESORGANIZADO.

bagunçar (ba.gun.çar) *v. td. Bras. Pop.* Fazer bagunça em; ABAGUNCEAR, DESARRUMAR. [▶ **12** bagunçar]

bagunceiro (ba.gun.cei.ro) *a.sm. Bras. Pop.* Que ou quem faz bagunça.

baia (bai.a) *sf.* **1** Local para alojamento individual de animais nas cocheiras e estábulos. **2** Cada um dos compartimentos em que se divide um ambiente de trabalho.

baía (ba.í.a) *sf. Geog.* Pequeno golfo, mais largo no interior do que na entrada.

baiacu (bai.a.cu) *sm.* **1** *Zool.* Peixe com escamas que infla a barriga quando ameaçado ou quando fora d'água, e cuja carne é considerada venenosa. **2** *Pej.* Pessoa gorda e baixa. [At! Considerado ofensivo nesta acepção.]

baiana (bai.a.na) *sf.* **1** Fem. de *baiano*. **2** Vendedora de iguarias da culinária baiana que se veste tipicamente com saia de roda ampla, turbante, balangandãs etc. **3** Fantasia inspirada no traje dessa vendedora. **4** Figura tradicional, e obrigatória pelo regulamento, dos desfiles de escolas de samba que usa essa fantasia: *ala das baianas.* ❚❚ **Rodar a ~** *Bras. Gír.* Reagir de modo intempestivo a uma situação ou provocação, com palavras ou com ações.

baiano (bai.a.no) *a.* **1** Da Bahia; típico desse estado ou de seu povo. *sm.* **2** Pessoa nascida na Bahia.

baião (bai.ão) *sm. N.E.* Canto e dança populares que se acompanham de acordeão e instrumentos de percussão. [PL.: -ões.] ❚❚ **~ de dois.** *CE Cul.* Feijão com arroz, cozinhados juntos. [PL.: *baiões de dois*.]

baila (bai.la) *sf.* Us. nas locs. ❚❚ **Trazer à ~** Fazer alguém lembrar-se de (fato, assunto etc.) no momento certo: *Trouxe à baila a questão do aumento salarial.* **Vir à ~** Ser lembrado (fato, assunto etc.) no momento apropriado.

bailado (bai.la.do) *sm.* **1** Número de dança que faz parte de um espetáculo. **2** Balé, dança.

bailar (bai.lar) *v.* **1** Dançar. [*td.: bailar uma valsa. int.: Sabia bailar.*] **2** *Fig.* Mover-se em curvas, volteios. [*int.: A ramagem bailava ao sabor do vento.*] [▶ **1** bailar]

bailarino (bai.la.ri.no) *sm.* Pessoa cuja profissão é bailar; DANÇARINO.

baile (bai.le) *sm.* Reunião em que se dança, ger. seguindo certas regras de etiqueta. ❚❚ **Dar um ~ (em)** **1** Desempenhar-se muito bem em alguma atividade. **2** Sobrepor-se a (adversário, em competição, concorrência etc.), mostrando grande superioridade: *Meu time deu um baile no seu.*

bainha (ba.i.nha) *sf.* **1** Dobra costurada na barra de tecido ou peça de vestuário. **2** Estojo preso ao cinto em que se guarda a lâmina de uma arma branca (espada, punhal etc.). **3** *Anat.* Tecido que envolve um órgão, músculo etc.

baio (*bai*.o) *a.* **1** Diz-se de cavalo que tem cor acastanhada. *sm.* **2** Esse cavalo.

baioneta (bai.o.*ne*.ta) [ê] *sf.* Pequeno sabre que se adapta ao cano do fuzil e serve para a luta corpo a corpo.

bairrismo (bair.*ris*.mo) *sm.* Qualidade ou atitude de bairrista.

bairrista (bair.*ris*.ta) *a2g.s2g.* Que ou quem considera exageradamente os interesses de sua cidade ou estado e menospreza ou hostiliza os demais.

bairro (*bair*.ro) *sm.* Cada uma das divisões regionais de uma cidade ou vila.

baita (*bai*.ta) *a2g. Bras. Fam.* Muito grande; muito bom: *um baita susto; Didi foi um baita jogador.*

baitola (bai.*to*.la) [ó] *a2g.sm. N.E. Gír. Pej.* Ver *boiola*.

baiuca (bai.*u*.ca) *sf.* **1** Botequim pequeno e modesto. **2** Casa pobre. **3** *Bras. Pej.* Lugar sujo, sem categoria, com péssima frequência.

baixa (*bai*.xa) *sf.* **1** Redução de preço, valor, cotação etc.: *baixa do dólar.* **2** Declínio: *O comércio estava em baixa.* **3** Dispensa do serviço militar ativo. **4** Perda de um combatente (por morte, ferimento, captura) sofrida por uma tropa. [Nas acps. 1 e 2 ant.: *alta*.]

baixada (bai.*xa*.da) *sf. Bras.* Área plana perto de montes, serras etc.

baixa-mar (bai.xa-*mar*) *sf.* Nível mais baixo da maré; maré baixa. [Ant.: *preamar*.] [Pl.: *baixa-mares* e *baixas-mares*.]

baixar (bai.*xar*) *v.* **1** Ver *abaixar.* **2** Expedir, publicar (aviso, ordem, portaria) a subordinados. [*td.: O presidente baixou um decreto.* **tdi.** + *a: Baixaram novas normas aos auxiliares.*] **3** *Bras. Pop.* Chegar em. [*int.* (seguido de indicação de lugar): *Os amigos do Sul baixaram em sua casa de surpresa.*] **4** *Inf.* Obter cópia de arquivo localizado em uma rede de computadores ou na internet. [*td.: baixar um programa/um jogo.*] [▶ 1 baixar]

baixaria (bai.xa.*ri*.a) *sf. Bras. Gír.* **1** Ação baixa, grosseira. **2** Circunstâncias que acompanham essa ação.

baixela (bai.*xe*.la) *sf.* Conjunto de talheres, pratos, travessas etc. para servir refeições.

baixeza (bai.*xe*.za) [ê] *sf.* **1** Qualidade de baixo; pouca altura. **2** Atitude que demonstra falta de dignidade; INDIGNIDADE. [Ant. nesta acp.: *dignidade, grandeza.*]

baixio (bai.*xi*.o) *sm. Geog.* Banco de areia (em rio ou mar) coberto por pouca água.

baixista (bai.*xis*.ta) *s2g. Mús.* Pessoa que toca baixo ou contrabaixo.

baixo (*bai*.xo) *a.* **1** Que tem pouca altura (diz-se de pessoa ou coisa). **2** Que está a pouca distância do chão (árvore *baixa*). **3** Voltado para o chão (cabeça *baixa*). **4** De pouca intensidade; pouco audível (voz *baixa*, som *baixo*). **5** Inferior ao normal (renda *baixa*). **6** De pouco poder aquisitivo (classe *baixa*). **7** Indigno, desprezível. **8** Chulo, grosseiro (palavras *baixas*). **9** De pouco valor (diz-se de preço); MÓDICO. *sm.* **10** *Mús.* A mais grave das vozes masculinas. **11** *Mús.* Cantor ou instrumento que emite som grave. *adv.* **12** A pouca altura do chão: *Os caças voavam baixo.* **13** Com pouco volume: *Fale baixo na sala de leitura.* (Dim.: *baixinho* e *baixote*. Superl.: *baixíssimo* e *ínfimo*.] ▪ **Por** ~ **1** Desprestigiado, em situação difícil ou de inferioridade: *Ele anda meio por baixo na firma.* **2** A menos: *Ele avaliou por baixo este imóvel.*

baixo-astral (bai.xo-as.*tral*) *a2g2n. Pop.* **1** Que é desanimado e/ou depressivo (diz-se de pessoa). **2** Que tem más vibrações, que entristece (filme *baixo-astral*). *sm2n.* **3** Estado de espírito triste, sombrio: *O que te deixou de baixo-astral?* [Ant. ger.: *alto-astral*.]

baixo-relevo (bai.xo-re.*le*.vo) [ê] *sm.* Escultura sobre um fundo plano, com as formas ou figuras ligeiramente ressaltadas. [Pl.: *baixos-relevos*.] [Cf.: *alto-relevo.*]

bajulador (ba.ju.la.*dor*) [ô] *a.sm.* Que ou quem bajula.

bajular (ba.ju.*lar*) *v. td.* Tentar agradar para cair nas graças de ou obter favores de; ADULAR. [▶ 1 bajular] • **ba.ju.la.***ção* (ô) *sf.*

bala (*ba*.la) *sf.* **1** *Bras.* Pequeno doce, de consistência firme ou macia, e que ger. se chupa. **2** Projétil de arma de fogo: *Uma bala quase atingiu o rapaz.* (Aum. nesta acp.: *balaço, balázio.* Dim. nesta acp.: *balote, balim.*] ▪ ~ **perdida** Num tiroteio, bala que atinge acidentalmente uma pessoa ou coisa que não fora visada. **Mandar** ~ *Bras. Pop.* Dedicar-se a uma atividade com energia e afinco. **Ter** ~ **na agulha** *Gír.* Ter dinheiro, recursos.

balaclava (ba.la.*cla*.va) *sf.* Capuz que cobre a cabeça, com abertura para os olhos.

balaço (ba.*la*.ço) *sm.* **1** Bala (2) grande. **2** Tiro certeiro de arma de fogo. **3** *Bras. Fut.* Chute muito forte e preciso.

balada (ba.*la*.da) *sf.* **1** *Poét.* Pequena narrativa em forma de poema. **2** *Mús.* Composição ou canção romântica. **3** *S.E. Gír.* Programação noturna de lazer.

balaio (ba.*lai*.o) *sm.* Cesto grande, ger. de palha.

balança (ba.*lan*.ça) *sf.* **1** Instrumento para medir o peso dos corpos. **2** *Fig.* O símbolo da justiça. **3** *Astrol.* Libra (signo do zodíaco). ▪ ~ **comercial** *Econ.* Diferença entre o valor das exportações e o das importações de um país num certo período.

balançar (ba.lan.*çar*) *v.* **1** Mover(-se) de um lado para o outro; BALOUÇAR. [*td.: Balançava o filho para que dormisse.* **int.**: *O avião balançou muito.* **pr.**: *balançar-se na rede.*] **2** *Fig.* Afetar, abalar. [*td.: Essa revelação balançou muito a família.*] **3** *Fig.* Fazer hesitar ou hesitar. [*td.: Seus argumentos me balançaram.* **int.**: *Diante da proposta do outro clube, o atleta balançou.* **ti.** + *entre*: *Balancei entre sair e ficar em casa.*] [▶ 12 balançar]

balancê (ba.lan.*cê*) *sm.* Passo de dança comum na quadrilha, que consiste em balançar o corpo sem movimentar os pés.

balanceado (ba.lan.ce.*a*.do) *a.* Que se balanceou (dieta *balanceada*).

balancear (ba.lan.ce.*ar*) *v. td.* **1** Tornar equilibrado: *balancear a alimentação.* **2** *Aut.* Equilibrar (rodas, pneus) para dar-lhes estabilidade e segurança. [▶ 13 balancear] • **ba.lan.ce:a.***men*.to *sm.*

balancete (ba.lan.ce.te) [ê] *sm. Cont.* Balanço parcial das finanças de uma empresa.

balancim (ba.lan.*cim*) *sm. Tec.* Peça de movimento oscilatório que transmite movimento a outras peças de uma máquina. [Pl.: *-cins*.]

balanço (ba.*lan*.ço) *sm.* **1** Ação ou resultado de balançar(-se). **2** Movimento para a frente e para trás, ou para os lados, alternadamente; VAIVÉM. **3** Brinquedo que oscila com o impulso do corpo. **4** *Cont.* Registro da situação contábil e patrimonial de uma empresa.

balangandã (ba.lan.gan.*dã*) *sm. Bras.* Penduricalho, pingente, us. como enfeite; BERENGUENDÉM.

balão (ba.*lão*) *sm.* **1** *Aer.* Aeróstato ger. de forma esférica, us. como transporte aéreo e em medições atmosféricas, meteorológicas etc. **2** Artefato oco de papel de formas variadas que se faz subir, ger. na época das festas juninas, por força do ar quente produzido em seu interior por uma ou mais buchas acesas. **3** Esfera de borracha que se enche de ar, e que serve de brinquedo infantil; BEXIGA; BOLA. **4** Espaço arredondado no qual se escrevem as falas ou os pensamentos dos personagens de histórias em quadrinhos. **5** *Fut.* Jogada em que a bola é lançada por cima da cabeça do adversário e recuperada em seguida pelo jogador que a lançou. [Pl.: -*lões*.]

balão de ensaio (ba.lão de en.*sai*.o) *sm*. **1** Pequeno balão us. para verificar a direção dos ventos. **2** *Fig*. Ensaio, experiência. **3** *Fig*. Boato divulgado para testar a tendência da opinião pública. [Pl.: *balões de ensaio*.]

balão-sonda (ba.lão-*son*.da) *sm*. *Met*. Balão provido de aparelhos, us. em medições meteorológicas. [Pl.: *balões-sondas* e *balões-sonda*.]

balaustrada (ba.la.us.*tra*.da) *sf*. **1** Sequência de balaústres. **2** Parapeito ou grade de proteção, com ou sem balaústres.

balaústre (ba.la.*ús*.tre) *sm*. **1** Cada uma das pequenas colunas, dispostas em série, que sustentam um corrimão, parapeito ou grade. **2** Haste vertical, ger. de metal, que serve de apoio para o embarque e desembarque de passageiros em veículos coletivos.

balbuciar (bal.bu.ci.*ar*) *v*. **1** Articular (sons, palavras) de modo imperfeito ou confuso. [*td*.: *O doente balbuciou alguns nomes*. *int*.: *Aterrorizada, a jovem só balbuciava*.] **2** Exprimir com hesitação ou timidez. [*td*.: *Agradeceu, emocionado, balbuciando um 'muito obrigado'*.] [▶ **1** balbuci*ar*] • **bal.bu.ci.***an***.te** *a2g*.

balbucio (bal.bu.*ci*:o) *sm*. Ação ou resultado de balbuciar.

balbúrdia (bal.*búr*.di:a) *sf*. **1** Barulho de muitas vozes juntas; GRITARIA. **2** Tumulto, confusão.

balcão (bal.*cão*) *sm*. **1** Espécie de mesa alongada em lojas, bares etc., para atendimento ao público. **2** Varanda, ger. com grade e parapeito. **3** *Teat*. Setor entre a plateia e a galeria. ▪▪ ∼ **nobre** *Teat*. Área de cadeiras no primeiro piso, logo acima da plateia. ∼ **simples** *Teat*. Área de cadeiras no piso entre o balcão nobre e a galeria. [Pl.: *-cões*.]

balconista (bal.co.*nis*.ta) *s2g*. *Bras*. Empregado que faz atendimento em balcão.

baldado (bal.*da*.do) *a*. Sem resultado (esforços *baldados*); INÚTIL.

baldaquino, baldaquim (bal.da.*qui*.no, bal.da.*quim*) *sm*. Tipo de dossel, apoiado em colunas, que adorna um altar, trono ou leito. [Pl. de *baldaquim*: *-quins*.]

baldar (bal.*dar*) *v*. *td*. Tornar inútil; FRUSTRAR: *A seca baldou os esforços dos lavradores*. [▶ **1** bald*ar*]

balde (*bal*.de) *sm*. **1** Recipiente provido de alça, com boca circular de diâmetro ger. maior que o do fundo, us. para carregar ou conter líquidos, argamassa etc. **2** Recipiente us. no comércio de tintas, com capacidade para 18 litros. ▪▪ **Chutar o ∼** *Bras*. *Pop*. Abandonar; desistir de algo.

BALDAQUINO

baldear (bal.de.*ar*) *v*. Transferir(-se) de um veículo para outro. [*td*.: *O caminhão quebrou e tiveram de baldear os bois*. *int*.: *Baldearam na estação da Sé*.] [▶ **13** bald*ear*] • **bal.de:a.***ção*** *sf*.

baldio (bal.*di*:o) *a*. Que não foi cultivado ou aproveitado (diz-se de terreno).

balé (ba.*lê*) *sm*. **1** Representação de um enredo ou tema através da dança. **2** Essa arte. **3** Companhia composta de bailarinos, que faz apresentações de balé (1). (*balé* Bolshoi). **4** Música composta para balé (1).

baleado (ba.le.*a*.do) *a*. **1** Atingido por bala (2). **2** *Pop*. Cansado.

balear (ba.le.*ar*) *v*. *td*. Atingir e ferir com bala. [▶ **13** bal*ear*]

baleeira (ba.le.*ei*.ra) *sf*. *Mar*. Embarcação us. na pesca de baleias.

baleia (ba.*lei*.a) *sf*. **1** *Zool*. Animal mamífero enorme que vive no mar, e que se assemelha a um peixe. [Dim.: *baleota, baleote*.] **2** *Pej*. Pessoa muito gorda. [At! Considerado ofensivo nesta acepção.]

baleiro (ba.*lei*.ro) *sm*. *Bras*. Vendedor ambulante de balas e doces.

balela (ba.*le*.la) *sf*. Afirmação falsa; MENTIRA.

baleote (ba.le:*o*.te) *sm*. *Zool*. Filhote de baleia.

balido (ba.*li*.do) *sm*. Voz de ovelha ou cordeiro.

balir (ba.*lir*) *v*. *int*. Soltar balidos (ovelha, carneiro). [▶ **59** bal*ir*]

balística (ba.*lís*.ti.ca) *sf*. Estudo do movimento e da trajetória dos projéteis, esp. os de armas de fogo.
• **ba.***lís***.ti.co** *a*.

baliza (ba.*li*.za) *sf*. **1** Qualquer objeto que serve para marcar um limite; MARCO. **2** Limite, fronteira. **3** *Esp*. *Gol*, meta. *s2g*. **4** Pessoa que vai à frente de um desfile manejando um bastão e fazendo movimentos rítmicos e acrobáticos.

balizamento (ba.li.za.*men*.to) *sm*. Ação ou resultado de colocar balizas (1); BALIZAGEM.

balizar (ba.li.*zar*) *v*. *td*. **1** Marcar com balizas (1), estacas; DEMARCAR: *balizar um terreno*. **2** *Fig*. Dar crédito ou apoio a; SUSTENTAR: *A equipe balizava as palavras do técnico*. **3** Determinar a grandeza, o valor de; AVALIAR: *balizar gastos*. [▶ **1** baliz*ar*]

⊛ **ballet** (*Fr*. /*balé*/) *sm*. Ver **balé**.

balneário (bal.ne:*á*.ri:o) *sm*. Qualquer local público destinado a banhos medicinais, recreativos etc.

balofo (ba.*lo*.fo) [ó] *a*. **1** Que tem volume proporcionalmente maior do que o peso. **2** Fofo, pouco consistente. *a.sm*. **3** *Pej*. *Pop*. Que se ou quem é gordo e tem as formas arredondadas. [At! Considerado ofensivo nesta acepção.]

balonismo (ba.lo.*nis*.mo) *sm*. *Esp*. Técnica e esporte de navegar em balões.

balonista (ba.lo.*nis*.ta) *s2g*. Pessoa que se dedica ao balonismo.

balouçar (ba.lou.*çar*) *v*. Ver *balançar* (1). [▶ **12** balouç*ar*]

balsa (*bal*.sa) *sf*. **1** Grande jangada us. para transportar carga. **2** *Bras*. Embarcação de fundo chato us. para transportar veículos e pessoas em rios, baías e canais. **3** Certo tipo de madeira muito leve us. para fazer balsas (1).

balsâmico (bal.*sâ*.mi.co) *a*. **1** Que tem as propriedades do bálsamo. **2** De perfume agradável; AROMÁTICO. **3** *Fig*. Que dá alívio ou conforto.

bálsamo (*bál*.sa.mo) *sm*. **1** Líquido espesso e aromático que escorre de algumas plantas naturalmente, ou de corte nelas feito. **2** Aroma, fragrância. **3** *Fig*. Alívio, conforto. **4** Medicamento balsâmico (3).

baluarte (ba.lu:*ar*.te) *sm*. **1** Ver *bastião* (2). **2** Fortaleza difícil de conquistar. **3** *Fig*. Apoio, sustentáculo: *O avô era o baluarte da família*.

balzaquiano (bal.za.qui:*a*.no) *a*. **1** Do ou próprio do escritor francês Honoré de Balzac (1799-1850). **2** *Bras*. *Fam*. Que tem (diz-se ger. de mulher) trinta anos ou mais. *sm*. **3** Pessoa balzaquiana.

bamba, bambambã (*bam*.ba, bam.bam.*bã*) *a*. *s2g*. *Bras*. *Pop*. **1** Que ou quem é perito em algum assunto ou atividade. **2** Que ou quem é valente e provocador; VALENTÃO.

bambear (bam.be.*ar*) *v*. *int*. Ficar bambo, frouxo: *Viu o touro e suas pernas bambearam*. [▶ **13** bamb*ear*]

bambo (*bam*.bo) *a*. **1** Que não está firme (pernas *bambas*). **2** Que não está retesado (corda *bamba*); FROUXO.

bambolê (bam.bo.*lê*) *sm*. *Bras*. Aro, ger. de plástico, que se faz girar em torno da cintura, do pescoço etc. em jogos e brincadeiras.

bambolear (bam.bo.le.*ar*) *v*. *td*. *int*. Balançar (o corpo, esp. os quadris); GINGAR. [▶ **13** bambol*ear*] • **bam.bo.le:***an***.te** *a2g*.; **bam.bo.***lei***.o** *sm*.

bambu (bam.*bu*) *sm. Bot.* Planta de colmo longo us. em construção, manufaturas etc.

bambual, bambuzal (bam.bu:*al*, bam.bu.*zal*) *sm. Bot.* Plantação de bambus. [Pl.: *-ais, -zais*.]

banal (ba.*nal*) *a2g.* Que não desperta interesse, por ser conhecido de todos; CORRIQUEIRO; VULGAR. [Pl.: *-nais*.]

banalidade (ba.na.li.*da*.de) *sf.* 1 Qualidade de banal. 2 Coisa banal.

banalizar (ba.na.li.*zar*) *v.* Tornar(-se) banal, comum; VULGARIZAR(-SE). [*td*.: *A televisão banalizou cenas de violência*. *pr*.: *O uso de celulares banalizou-se*.] [▶ 1 banali*zar*] ● **ba.na.li.za.***ção sf.*

banana (ba.*na*.na) *sf.* 1 Fruto da bananeira, nutritivo, de formato curvo e alongado, cujas unidades se juntam em cachos; PACOVA. 2 *Bras.* Cartucho (de dinamite). 3 *Bras. Pop.* Gesto chulo e ofensivo feito com o braço dobrado e o punho fechado. *s2g.* 4 *Fig. Pej.* Pessoa medrosa e sem iniciativa; PACOVA. [At! Considerado ofensivo nesta acepção.]

bananada (ba.na.*na*.da) *sf. Bras. Cul.* Doce feito com a polpa da banana (1).

bananal (ba.na.*nal*) *sm.* Plantação de bananeiras. [Pl.: *-nais*.]

⊕ **banana-split** (*Ing. /benêna-split/*) *sm. Cul.* Banana partida ao meio, à qual se acrescentam bolas de sorvete, castanhas picadas, caldas etc. [Pl.: *bananas-split*.]

bananeira (ba.na.*nei*.ra) *sf. Bot.* Planta que dá a banana (1).

bananosa (ba.na.*no*.sa) *sf. Bras. Gír.* Situação complicada, muito difícil de resolver.

banca (*ban*.ca) *sf.* 1 Mesa de trabalho. 2 Mesa improvisada, de fácil transporte, us. por feirantes ou camelôs. 3 Grupo de pessoas que organizam e realizam exame ou concurso. [Tb. banca examinadora.] 4 Escritório de advocacia. 5 Profissão de advogado. 6 Fundo de apostas, em certos jogos de azar, destinado a pagar aos apostadores premiados.

bancada (ban.*ca*.da) *sf.* 1 Tipo de mesa ou tampo largo para trabalho em oficinas, laboratórios etc.: *bancada da pia de cozinha*. 2 *Bras.* Representação, no Congresso, de um partido, de um estado da Federação ou de qualquer grupo de interesse. 3 Banco comprido ou conjunto de assentos, ger. dispostos em série.

bancar (ban.*car*) *v. td.* 1 Financiar, custear: *Sempre bancou os estudos do sobrinho*. 2 *Pop.* Fazer o papel de: *Não queira bancar o esperto*. [▶ 11 ban*car*]

bancário (ban.*cá*.ri:o) *a.* 1 Ref. a banco ou ao conjunto dos bancos (feriado *bancário*). *sm.* 2 Funcionário de banco.

bancarrota (ban.car.*ro*.ta) [ó] *sf.* 1 Falência financeira. 2 *Fig.* Ruína, decadência.

banco¹ (*ban*.co) *sm.* 1 Assento comprido, com ou sem encosto. 2 Assento individual sem encosto, ger. pequeno; TAMBORETE. 3 *Bras. Esp.* Conjunto dos reservas de um time, esp. durante uma partida. ▪▪ ~ **de areia** Acumulação arenosa no fundo de rio ou do mar.

banco² (*ban*.co) *sm. Econ.* Instituição financeira que, por meio de uma rede de agências, recebe pagamentos e depósitos em dinheiro, concede empréstimos, faz aplicações etc. ▪▪ ~ **central** *Econ.* Instituição que controla e regula a atividade bancária e a quantidade de moeda em circulação de um país. ~ **de dados** *Inf.* 1 Acervo de dados relacionados, organizado de forma a se ter acesso à informação por meio de qualquer desses itens. 2 O programa de informática que organiza e gerencia banco de dados e fornece a resposta às consultas nele feitas. ~ **de sangue** Instituição que recolhe sangue de doadores, o armazena e o distribui a centros médicos para uso em. em transfusões. [De forma análoga, para fins específicos, há bancos de olhos, de esperma, de órgãos, de leite etc.]

banda¹ (*ban*.da) *sf.* 1 Conjunto de músicos, ger. de instrumentos de sopro e percussão: *banda de carnaval*. 2 Parte lateral; LADO. 3 Facção, lado: *Ele passou para a banda dos revoltosos*. 4 *RJ* Rasteira que se dá em pé. [Ver tb. *bandas*.] ▪▪ ~ **de rodagem** *Aut.* A parte do pneu que entra em contato com o solo.

banda² (*ban*.da) *sf. Inf. Telc.* Faixa contínua de frequências, através da qual se transmitem informações. ▪▪ ~ **do cidadão** *Telc.* Faixa de frequências reservada para uso de particulares, esp. radioamadores. ~ **larga** *Int.* Termo que designa uma faixa para transmissão de dados para a internet com capacidade nominal acima de 128kBs (128 mil *bytes* por segundo).

bandagem (ban.*da*.gem) *sf.* Tira de gaze ou outro tecido us. em curativos, imobilizações etc.; ATADURA. [Pl.: *-gens*.]

⊕ **band-aid**® (*Ing. /bénd-eid/*) *sm.* Pequeno curativo us. em ferimentos superficiais. [A marca registrada, com inicial maiúsc.]

bandalha (ban.*da*.lha) *sf. Bras. Pop.* 1 Bandalheira, transgressão de regulamentos ou leis, negócio ilícito. 2 *Restr.* Manobra ilegal no trânsito: *Fez uma bandalha cruzando o canteiro central*. 3 Cobrança ilegal feita por taxista. *a2g.* 4 Diz-se do taxista que cobra acima da tabela. 5 Diz-se de veículo que circula irregularmente.

bandalheira (ban.da.*lhei*.ra) *sf. Bras. Pej.* Ação de bandalho ou típica de bandalho (1).

bandalho (ban.*da*.lho) *a.sm.* 1 Que ou quem não tem dignidade ou compostura; PATIFE. 2 Que ou quem anda malvestido ou esfarrapado; MALTRAPILHO.

bandana (ban.*da*.na) *sf.* Faixa de tecido que cinge a testa e/ou a cabeça.

bandarilha (ban.da.*ri*.lha) *sf.* Em tourada, haste de madeira enfeitada, com ponta de ferro, que se crava no dorso do touro.

bandarilheiro (ban.da.ri.*lhei*.ro) *sm.* Toureiro que crava bandarilhas em touros.

bandas (*ban*.das) *sfpl.* 1 Direção, lado: *A frente fria veio das bandas do sul*. 2 Lugar, localidade: *Há muito não viajo para aquelas bandas*.

bandear (ban.de.*ar*) *v. int./pr.* Mudar de lado, de opinião: *O vereador ameaçou bandear(-se) para a oposição*. [▶ 13 band*ear*]

bandeira (ban.*dei*.ra) *sf.* 1 Peça de pano, ger. retangular, com as cores e símbolos representativos de um país, partido, clube etc.; PAVILHÃO; PENDÃO. 2 *Fig.* Lema ou divisa que norteia um grupo, partido etc. 3 Peça do taxímetro que, acionada, inicia a contagem da corrida. 4 *Bras. Hist.* Cada uma das expedições armadas que desbravaram os sertões entre o fim do séc. XVI e o começo do séc. XVIII. 5 *Gír.* Ação, gesto ou frase que denuncia algo que se queria esconder. *s2g.* 6 *Bras. Fut.* Ver bandeirinha (1). [Dim. na acp. 1: *bandeirola*.] ▪▪ **Dar (uma)** ~ *Bras. Gír.* 1 Deixar (um viciado em drogas) transparecer que está drogado. 2 Deixar transparecer algo que se pretendia esconder. **Enrolar** ~ *Bras. Fig.* Desistir, dar-se por vencido.

📖 O Brasil teve várias bandeiras em sua história, desde a colonial, de 1645, seguida de outras versões em 1816 e 1821, passando pela imperial, já como país independente (1811), até a republicana em 1889, que sofreu várias mudanças. A bandeira atual é um retângulo verde, no qual se sobrepõe um losango amarelo, e neste um círculo azul, cortado por uma faixa descendente da direita para a esquerda. Essa faixa ostenta a inscrição, em verde, 'ordem e progresso'. Na parte do círculo acima da faixa, uma única estrela; na parte abaixo da faixa, mais 26 estrelas (lei de maio de 1992), representando todos os 26 estados mais o Distrito Federal.

bandeirada (ban.dei.*ra*.da) *sf. Bras.* Quantia mínima que se paga por uma corrida de táxi. 2 Sinal convencional dado com uma bandeira. 3 Em competições automobilísticas.

bandeirante (ban.dei.*ran*.te) *sm. Bras.* **1** *Hist.* Expedicionário que fazia parte de uma bandeira (4). *sf.* **2** Menina ou moça que pertence a um grupo de escotismo. *a2g.s2g.* **3** Paulista.

bandeirinha (ban.dei.*ri*.nha) *s2g.* **1** *Bras. Fut.* Assistente do árbitro que, da lateral do campo, acena com uma bandeira para apontar infrações; BANDEIRA. *sf.* **2** Pequena bandeira; BANDEIROLA.

bandeirola (ban.dei.*ro*.la) *sf.* **1** Pequena bandeira. **2** Bandeira de seda com franjas na orla; FLÂMULA.

bandeiroso (ban.dei.*ro*.so) [ô] *Bras. Gír. a.* **1** Que revela, por descuido, o que se deveria manter oculto. **2** Que chama a atenção por não ser discreto. [Fem. e pl.: [ó].]

bandeja (ban.*de*.ja) [ê] *sf.* **1** Peça plana, ger. de metal, us. para carregar e servir alimentos e bebidas. **2** *Basq.* Movimento em que o jogador se aproxima da cesta numa passada, lançando a bola de baixo para cima com uma das mãos.

bandejão (ban.de.*jão*) *sm. Bras. Gír.* Restaurante, ger. instalado em universidades e fábricas, em que as refeições são servidas em bandejas. [Pl.: -*jões*.]

bandidagem (ban.di.*da*.gem) *sf.* **1** Conjunto dos bandidos. **2** Ver *banditismo*. [Pl.: -*gens*.]

bandido (ban.*di*.do) *a.sm.* **1** Que ou quem comete assaltos, crimes etc.; MALFEITOR; BANDOLEIRO. **2** Que ou quem é malvado. *a.* **3** Que provoca desprazer, sofrimento (paixão *bandida*). [Aum.: *bandidaço*.]

banditismo (ban.di.*tis*.mo) *sm.* **1** Modo de vida de bandido. **2** Conjunto dos crimes que se cometem em certo lugar ou época. [Sin. ger.: *bandidagem*.]

bando (*ban*.do) *sm.* **1** Grupo de pessoas ou animais. **2** Os integrantes de um partido ou facção. **3** Grupo de bandidos; QUADRILHA.

bandó (ban.*dó*) *sm.* Cada uma das partes em que se divide o cabelo na testa, em certo penteado feminino.

bandoleiro (ban.do.*lei*.ro) *sm.* **1** Assaltante de estrada; SALTEADOR. **2** Bandido. **3** Cangaceiro. ❒ **bandoleira** *sf.* **4** Correia a tiracolo, para prender algo. [Col. da acp. 1: *bando, corja, horda, malta, súcia*.]

bandolim (ban.do.*lim*) *sm. Mús.* Instrumento de quatro cordas duplas que se toca com palheta. [Pl.: -*lins*.]

bandolinista (ban.do.li.*nis*.ta) *s2g.* Pessoa que toca bandolim.

BANDOLIM

bandônion (ban.*dô*.ni:on) *sm. Mús.* Tipo de acordeão quadrado, com funcionamento e teclado semelhantes aos da sanfona. [Pl.: -*ons*.]

bangalô (ban.ga.*lô*) *sm.* Pequena casa de veraneio com varandas.

banguê (ban.*guê*) *sm.* **1** Tipo de padiola, para diversos fins. **2** Engenho de açúcar tosco e primitivo. **3** Conjunto de fornalha e tachos em engenho de açúcar.

bangue-bangue (ban.gue-*ban*.gue) *sm.* Ver *faroeste*. [Pl.: *bangue-bangues*.]

banguela (ban.*gue*.la) *a2g.s2g. Bras.* Que ou quem não tem dentes, ger. os da frente; DESDENTADO. ■ **Na ~** *Bras. Pop.* Andando com o câmbio desengatado (o automóvel).

banha (*ba*.nha) *sf.* **1** Gordura retirada do porco, us. ger. para cozinhar. **2** Gordura das pessoas, esp. a acumulada na barriga. [Nesta acp., tb. us. no pl.]

banhado (ba.*nha*.do) *a.* **1** Encharcado, ensopado: *camisa banhada de suor*. **2** Coberto, envolvido: *anel banhado a ouro*. *sm.* **3** *S.* Pântano, brejo. [Col.: *banhadal*.]

banhar (ba.*nhar*) *v.* **1** Dar banho em ou tomar banho; LAVAR(-SE). [*td.*: *Já banhou o cachorro?* *pr.*: *Costumam banhar-se na lagoa*.] **2** *Fig.* Cobrir ou ficar coberto (de água ou outro líquido). [*td.*: *Banhe as bolachas na calda de chocolate*. *pr.*: *Seu rosto banhou-se de suor*.] **3** *Fig.* Estender-se sobre; ENVOLVER. [*td.*: *O sol banhava a plantação*.] **4** Passar (rio, mar, lagoa) por ou cercar (terreno, região). [*td.*: *O oceano Atlântico banha toda a América*.] [▶ **1** banh|ar|]

banheira (ba.*nhei*.ra) *sf.* **1** Recipiente grande e fundo us. para se tomar banho. **2** *Bras. Pop.* Automóvel grande e velho. **3** *Bras. Fut. Pop.* Impedimento.

banheiro (ba.*nhei*.ro) *sm.* **1** Aposento que contém chuveiro e/ou banheira, vaso sanitário e pia. **2** Cômodo ou cabine somente com vaso sanitário e pia.

banhista (ba.*nhis*.ta) *s2g.* Pessoa em traje de banho numa praia ou piscina.

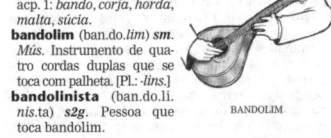

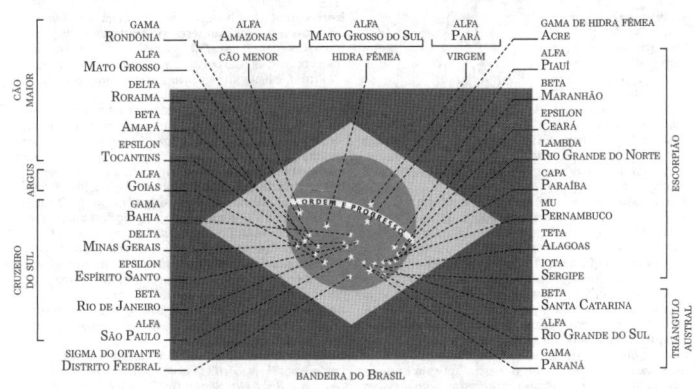

banho (*ba*.nho) *sm.* **1** Ação ou resultado de mergulhar um corpo ou molhá-lo para fins de limpeza, lazer, ou terapêuticos: *banho de mar/de imersão*. **2** Água preparada para o banho: *O banho de ervas já está pronto*. **3** Exposição do corpo aos raios solares: *banho de sol*. **4** Líquido ou solução em que se mergulham peças para fins diversos: *metal envelhecido com banho de prata*. **5** *Bras. Gír.* Calote. ■ **~ de loja** Compra de muitos artigos destinados ao apuro da apresentação de uma pessoa, como roupas, cosméticos etc. **Levar um ~ Ser** derrotado em disputa por grande diferença de gols, de pontos etc.

banho-maria (ba.nho-ma.*ri*.a) *sm.* Modo de cozinhar ou aquecer alimentos mantendo o prato ou forma dentro de uma vasilha com água fervente. [Pl.: *banhos-marias* e *banhos-maria*.]

banir (ba.*nir*) *v.* **1** Acabar com; ELIMINAR; SUPRIMIR. [*td.*: *É preciso banir as armas nucleares*. *tdi.* + *de*: *Vamos banir casos violentos de nossas conversas*.] **2** Afastar como castigo, ou violentamente. [*td.*: *banir delinquentes*. *tdi.* + *de*: *A enchente baniu das encostas todos os moradores*.] [▶ 58 ban*ir* ● ba.*ni*.do a.; ba.ni.*men*.to *sm*.

banjo (*ban*.jo) *sm.* Mús. Instrumento de cordas, com braço comprido e corpo em forma de pandeiro fechado.

banjoísta (ban.jo.*ís*.ta) *s2g.* Pessoa que toca banjo.

⊕ **banner** (*Ing.* / *báner*/) *sm.* **1** *Inf. Publ.* Pequeno anúncio em página da internet, com animação gráfica e *link* para a página do anunciante. **2** *Publ.* Cartaz em forma de bandeira.

banqueiro¹ (ban.*quei*.ro) *sm.* **1** Dono de banco. **2** Pessoa que dirige um banco.

banqueiro² (ban.*quei*.ro) *sm.* Pessoa responsável pela banca (6) num jogo.

banqueta (ban.*que*.ta) [ê] *sf.* Banco pequeno, sem encosto e ger. com estofo.

banquete (ban.*que*.te) [ê] *sm.* **1** Almoço ou jantar de gala para muitos convidados. **2** Refeição farta; BRÓDIO.

banquetear (ban.que.te.*ar*) *v.* **1** Promover banquete para comemorar, homenagear. [*td.*: *banquetear o casamento do filho*.] **2** Comer bem. [*pr.*: *Banquetearam-se com as sobras da festa*.] [▶ 13 banquet*ear*]

banto (*ban*.to) *a.* **1** De um dos povos de etnia negra da região Centro-Sul da África (aos quais pertenciam muitos escravos trazidos para o Brasil); típico desses povos. **2** Do u. ref. a banto (4). *sm.* **3** Pessoa pertencente a um desses povos. **4** *Gloss.* Grupo composto por várias línguas faladas nessa região.

banzé (ban.*zé*) *sm.* *Pop.* Briga, tumulto, confusão.

banzo (*ban*.zo) *sm.* **1** Nostalgia fatal que acometeu os negros trazidos da África como escravos. **2** Nostalgia, saudade.

baobá (ba.o.*bá*) *sm.* *Bot.* Espécie de árvore de até 20m de altura, cujo tronco é considerado o mais grosso existente.

baque (*ba*.que) *sm.* **1** Barulho de um corpo que cai ou bate em outro: *O jogador foi ao chão com um grande baque*. **2** Tombo, queda: *Quebrou a perna no baque*. **3** *Fig.* Emoção forte; CHOQUE; ABALO: *Sentiu um baque quando foi reprovado*. **4** *Fig.* Desastre, revés: *A perda da concorrência foi um grande baque para a empresa*.

BAOBÁ

baqueado (ba.que.*a*.do) *a.* **1** Abatido, fraco, ger. por causa de doença: *Está na cama baqueado, com dengue*. **2** Perturbado, abalado, deprimido: *A vítima baqueada não falou com os repórteres*.

baquear (ba.que.*ar*) *v.* **1** *Fig.* Fazer perder ou perder o ânimo, as forças; PROSTRAR(-SE). [*td.*: *O fim do noivado baqueou-o profundamente*. *int.*: *Não baqueou, apesar da doença*.] **2** Tombar com baque (1), subitamente. [*int.*: *A marquise baqueou*.] [▶ 13 baqu*ear*]

baqueta (ba.*que*.ta) [ê] *sf.* Vareta com que se toca bateria e outros instrumentos de percussão.

bar *sm.* **1** Estabelecimento, balcão ou sala onde se vendem e servem bebidas e tira-gostos: *saiu da mesa e dirigiu-se ao bar*; *o bar do clube*. **2** Nas residências, armário em que se guardam bebidas alcoólicas contendo ou não espaço com balcão e bancos altos em que são servidas.

barafunda (ba.ra.*fun*.da) *sf.* **1** Desordem, bagunça: *Seu quarto está uma barafunda!* **2** Situação fora de controle; TUMULTO: *O apagão provocou uma grande barafunda*.

baralhar (ba.ra.*lhar*) *v.* **1** Misturar (cartas de jogo, esp. baralho); EMBARALHAR. **2** *Fig.* Gerar confusão, desordem em; CONFUNDIR: *Tantas eram as perguntas, que baralharam a cabeça do menino*. [▶ 1 baralh*ar*]

baralho (ba.*ra*.lho) *sm.* Conjunto de 52 cartas para jogar, divididas em quatro naipes.

barão (ba.*rão*) *sm.* **1** Título de nobreza inferior ao de visconde. **2** Homem que tem esse título. **3** Homem poderoso no seu ramo de atividade; MAGNATA: *os barões do petróleo*. [Pl.: -*rões*. Fem.: *baronesa*.]

barata (ba.*ra*.ta) *sf.* *Zool.* Inseto de corpo achatado e oval, de cor marrom, com antenas compridas.

baratear (ba.ra.te.*ar*) *v.* Abaixar o preço de, ou diminuir de preço. [*td.*: *Baratearam o arroz*. *int.*: *Os computadores baratearam*.] [Ant.: *encarecer*.] [▶ 13 barat*ear*]

barateiro (ba.ra.*tei*.ro) *a.* Que vende por preço baixo (loja *barateira*). [Ant.: *careiro*.]

baratinado (ba.ra.ti.*na*.do) *a.* *Bras. Pop.* Atrapalhado, desorientado.

baratinar (ba.ra.ti.*nar*) *v.* *td.* *Bras. Pop.* Fazer perder a tranquilidade, o controle; PERTURBAR: *O barulho da obra me baratina*. [▶ 1 baratin*ar*]

barato (ba.*ra*.to) *a.* **1** Que tem preço baixo: *Tudo lá é barato*. **2** Que cobra preços baixos (restaurante *barato*). **3** A que falta qualidade, originalidade; COMUM; VULGAR (*sentimentalismo barato*). *adv.* **4** Por preço baixo: *Comprei estes óculos barato*. [Ant. ger.: *caro*.] **5** *Bras. Gír.* Reação, física ou psicológica, causada pelo uso de drogas. ✱ **Um ~** *Gír.* Bom, ou bonito, ou divertido etc.: *Achei a viagem um barato*.

barba (*bar*.ba) *sf.* **1** Conjunto de pelos do rosto do homem. **2** Conjunto de pelos do bico de determinados animais. [Aum.: *barbaça*. Dim.: *barbica*, *barbicha*.] ✱ **Nas ~s de** Na presença ou à vista (da pessoa que está sendo contrariada, desrespeitada ou desafiada): *Ficou flertando com a outra nas barbas da namorada*. **Pôr as ~s de molho** Tomar precaução quanto a perigo ou ameaça, aproveitando experiência alheia.

barba-azul (bar.ba-a.*zul*) *sm.* Homem que tem ou conquista muitas mulheres. [Pl.: *barbas-azuis*.]

barbada (bar.*ba*.da) *sf.* **1** *Bras. Gír.* Competição fácil de vencer: *Este jogo vai ser uma barbada*. **2** *Bras. Gír.* No turfe, cavalo favorito para vencer uma corrida. **3** Beiço inferior do cavalo.

barbado (bar.*ba*.do) *a.* **1** Que usa barba. **2** Cuja barba está por fazer. *sm.* **3** Homem de barba. **4** *Fam.* Homem adulto; MARMANJO: *Aquele barbado não quer nada com o trabalho*.

barbante (bar.*ban*.te) *sm.* Cordão fino para amarrar.

barbaridade (bar.ba.ri.*da*.de) *sf.* **1** Crueldade, barbárie: *Nas guerras cometem-se barbaridades*. **2** Ação ou dito absurdo: *É uma barbaridade derrubarem essas árvores*. *interj.* **3** Expressa surpresa, espanto.

barbárie (bar.*bá*.ri:e) *sf.* **1** Ação cruel, atroz: *Hordas sanguinárias iniciaram uma onda de barbárie*. **2** Estado ou condição de bárbaro; falta de civilização. [Sin. ger.: *barbarismo*.]

barbarismo (bar.ba.*ris*.mo) *sm.* **1** *Ling.* Erro de pronúncia, grafia, na forma gramatical, na concordância etc.

barbarizar (bar.ba.ri.*zar*) *v.* **1** Tornar bárbaro, estúpido; EMBRUTECER. [*td.*: *O isolamento barbariza os homens*.] **2** *Bras. Gír.* Ser ou ficar em destaque; ABAFAR.

[*int.*: *A banda barbarizou na Europa.*] [▶ 1 barbarizar] • **bar.ba.ri.za.ção** *sf.*

bárbaro (*bár*.ba.ro) *a.* 1 Incivilizado, selvagem. 2 Cruel, desumano. 3 *Gir.* Sensacional, espetacular. *sm.* 4 Pessoa bárbara (1 e 2). 5 *Hist.* Indivíduo pertencente aos povos invasores do Império Romano.

barbatana (bar.ba.*ta*.na) *sf.* 1 *Anat. Zool.* Órgão que permite que os peixes se movam na água; NADADEIRA. 2 Vareta flexível us. para armar certas roupas: *corpete com barbatana.*

barbeador (bar.be:a.*dor*) [ó] *sm.* Aparelho de barbear.

barbear (bar.be.*ar*) *v.* Fazer a barba de (alguém ou si próprio). [*td.*: *A enfermeira barbeava os doentes. pr.*: *Ele se barbeia cuidadosamente.*] [▶ 13 barbear]

barbearia (bar.be.a.*ri*.a) *sf.* Estabelecimento onde profissionais barbeiam e cortam o cabelo dos homens.

barbeiragem (bar.bei.*ra*.gem) *sf. Bras. Pop.* 1 Manobra errada de um motorista. 2 Erro cometido por incompetência em qualquer atividade: *A família acha que foi barbeiragem do médico.* [Pl.: *-gens.*]

barbeiro (bar.*bei*.ro) *sm.* 1 Profissional que barbeia e corta cabelo. 2 *Bras. Zool.* Percevejo que transmite a doença de Chagas. *a.sm.* 3 *Bras. Pop.* Que ou quem (ger. motorista, médico ou qualquer outro profissional) é incompetente no que faz.

barbela (bar.*be*.la) *sf. Anat. Zool.* Pele flácida do pescoço do boi e de outros animais.

barbicacho (bar.bi.*ca*.cho) *sm.* Cordão que mantém seguro o chapéu passando por baixo do queixo.

barbicha (bar.*bi*.cha) *sf.* 1 Barba pequena e rala. 2 Barba curta, terminada em ponta. 3 A barba do bode.

barbitúrico (bar.bi.*tú*.ri.co) *sm. Quím.* Medicamento us. como sedativo ou anticonvulsivo.

barbudo (bar.*bu*.do) *a.sm.* 1 Que ou quem tem muita barba. 2 Que ou quem está com a barba por fazer; BARBADO.

barca (*bar*.ca) *sf.* Embarcação larga, pouco funda, para transporte de passageiros e cargas em rios, baías etc. [Aum.: *barcaça.* Dim.: *barqueta.*]

barcaça (bar.*ca*.ça) *sf.* Grande embarcação para carregar e descarregar navios que não atracam no cais.

barcarola (bar.ca.*ro*.la) *sf. Mús.* 1 Canção dos gondoleiros de Veneza. 2 Composição musical cujo ritmo lembra o balanço de uma barca.

barco (*bar*.co) *sm.* 1 Qualquer embarcação: *barco à vela.* 2 Embarcação pequena, sem cobertura. ▪ **Estar no mesmo ~** Estar sujeito à mesma situação ou participar dos mesmos objetivos de outrem.

bardo (*bar*.do) *sm. Liter.* Poeta.

barganha (bar.*ga*.nha) *sf.* 1 *Pop.* Troca, permuta: *Os fazendeiros fizeram uma barganha de animais.* 2 Ação ou resultado de pedir a diminuição do preço de algo; PECHINCHA. 3 *Pej.* Troca de favores, ger. na política: *barganha de votos/com partidos aliados.*

barganhar (bar.ga.*nhar*) *v. Pop.* 1 Negociar, trocar (favor, privilégio, mercadoria). [Nesta acp., tb. em *Pol.* com sentido *Pej.*] [*td. int.*] 2 Pedir abatimento de; PECHINCHAR. [*td.*: *O cliente barganhou o preço do carro. int.*: *Tenho vergonha de barganhar.*] [▶ 1 barganhar]

bário (*bá*.ri:o) *sm. Quím.* Metal branco us. em contrastes para exames de raios X, na fabricação de vidros etc. [Símb.: *Ba*]

barisfera (ba.ris.*fe*.ra) *sf. Geof.* Núcleo do planeta Terra; CENTROSFERA; NIFE.

barítono (ba.*rí*.to.no) *sm. Mús.* 1 Tom de voz masculina mais grave que o tenor e mais agudo que o baixo. 2 Cantor com esse tom de voz.

barlavento (bar.la.*ven*.to) *sm. Mar.* 1 Direção de onde o vento sopra: *O navio seguiu para barlavento.* 2 Lado da embarcação voltado para essa direção; LÓ. [Cf.: *sota-vento.*]

⊕ **barman** (*Ing.* / *bár*men/) *sm.* Profissional que prepara e serve bebidas num bar. [Pl.: *barmen.*]

⊕ **bar mitzvah** (*Heb.* / *bar* mitsvá/) *loc.subst. Rel.* 1 Rapaz judeu que, ao completar 13 anos, passa a ser considerado adulto e responsável por suas obrigações morais e religiosas. 2 A cerimônia que reconhece um jovem como *bar mitzvah.* [Cf.: *bat mitzvah.*]

barômetro (ba.*rô*.me.tro) *sm. Fís.* Instrumento que mede a pressão atmosférica. • **ba.ro.mé.tri.co** *a.*

baronesa (ba.ro.*ne*.sa) [ê] *sf.* 1 Mulher que pertence à classe mais baixa da nobreza. 2 Esposa de um barão (2).

barqueiro (bar.*quei*.ro) *sm.* Pessoa que conduz um barco (2).

barra (*bar*.ra) *sf.* 1 Peça longa, estreita e sólida, us. para fixar, apoiar etc. 2 Bloco de metal fundido: *barra de ouro.* 3 Porção em forma de tablete: *sabão em barra.* 4 Qualquer acabamento que serve de enfeite ou arremata roupas, tapetes etc. 5 A parte inferior de uma roupa: *barra da saia.* 6 Aparelho de ginástica com uma peça cilíndrica horizontal, ger. de ferro, cujas pontas se fixam em dois suportes verticais. [Tb. *barra fixa.*] 7 Traço em diagonal (/) us. em datas, frações etc. 8 *Geog.* Entrada de baía. 9 *Bras. Gír.* Circunstâncias, situação: *A barra lá não anda boa.* 10 *Bras. Gír.* Qualquer coisa ou situação difícil, árdua. ▪ **~ de direção** Num automóvel, a peça que transmite o movimento à caixa de direção. **~ de ferramentas** *Inf.* Faixa com ícones que permite acesso mais rápido às ferramentas de trabalho dos programas. **~s assimétricas** Aparelho de ginástica artística feminina. **~s paralelas** Aparelho de ginástica artística masculina. **Forçar a ~** Ir além dos limites, do que é razoável ou sensato, exagerar.

barraca (bar.*ra*.ca) *sf.* 1 Abrigo desmontável, feito de tecido ou plástico, us. em acampamentos. 2 Estrutura us. por feirantes etc. para exporem seus produtos. 3 Guarda-sol us. na praia ou à beira de piscinas.

barracão (bar.ra.*cão*) *sm.* 1 Abrigo, ger. de madeira, us. como depósito ou habitação provisória. 2 Ver *barraco.* 3 *RJ* Local onde são confeccionados os carros, fantasias e adereços para o desfile das escolas de samba. [Pl.: *-cões.*]

barraco (bar.*ra*.co) *sm.* Habitação pobre e mal-acabada, ger. em favelas; BARRACÃO. ▪ **Armar um ~** *Bras. Gír.* Criar confusão, fazer tumulto.

barracuda (bar.ra.*cu*.da) *sf. Zool.* Certo peixe, voraz, de carne tóxica.

barrado¹ (bar.*ra*.do) *a.* 1 Guarnecido ou arrematado com barra (cortina *barrada*). *sm.* 2 Barra: *saia com barrado de renda.*

barrado² (bar.*ra*.do) *a.* Coberto de barro ou outro material semelhante (parede *barrada*).

barragem (bar.*ra*.gem) *sf.* Barreira de concreto destinada a represar as águas de um rio; REPRESA. [Pl.: *-gens.*]

barra-limpa (bar.ra-*lim*.pa) *a.2g.s2g. Bras. Gír.* Que ou quem é simpático, amigável; BOA-PRAÇA. [Pl.: *barras-limpas.*]

barramento (bar.ra.*men*.to) *sm. Inf.* Circuito elétrico que faz a troca de dados entre as diversas partes de um computador.

barranco (bar.*ran*.co) *sm.* 1 Margem alta e íngreme de rio ou estrada; RIBANCEIRA. 2 Grande buraco decorrente de erosão, enxurrada, garimpagem etc.

barra-pesada (bar.ra.pe.*sa*.da) *Bras. Gír. a2g2n.* 1 Que é difícil (situação *barra-pesada*). 2 Que é perigoso, violento (diz-se de pessoa, lugar): *Evito a zona barra-pesada da cidade. s2g.* 3 Pessoa barra-pesada (2). 4 Ambiente em que impera a criminalidade, a violência: *a barra-pesada do mundo marginal.* [Pl.: *barras-pesadas.*]

barraqueiro (bar.ra.*quei*.ro) *sm.* Ver *feirante.*

barrar (bar.*rar*) *v. td.* 1 Impedir ou interromper a passagem de: *O segurança barrou os penetras.* 2 Proibir a execução ou mostra de: *A censura barrou as cenas de violência.* [▶ **1** barr*ar*] • **bar.ra.do** *a.*

barreira (bar.*rei*.ra) *sf.* **1** Obstáculo que impede a passagem ou o avanço: *barreira de proteção.* **2** Bloqueio policial em rodovia, feito com carros atravessados. **3** *Fig.* Empecilho: *A falta de escolaridade é uma barreira para bons empregos.* **4** *Fig.* Limite máximo, teto: *Os juros ultrapassaram a barreira de 20% ao mês.* **5** Terreno íngreme, sem mato, na margem de estrada: *Houve queda de barreira na Rio-Santos.* **6** Posto fiscal nos acessos de cidade ou povoação. **7** *Esp.* Nas pistas de corrida, cada um dos obstáculos que os atletas têm que saltar. **8** *Fut.* Em cobrança de falta, grupo de jogadores que se coloca em linha para proteger o gol. ▪ **~ do som** *Fís.* Nome atribuído ao ponto em que um corpo que se desloca num fluido atinge a velocidade do som.

▢ Quando um corpo que se desloca num fluido atinge a velocidade do som, desencadeiam-se fenômenos análogos aos do choque desse corpo com uma barreira de resistência, tais como perda da sustentação e reflexão das ondas de som, causando uma onda de choque e um estrondo (diz-se então que o corpo 'rompeu a barreira do som').

barreiro (bar.*rei*.ro) *sm. Bras.* **1** Lugar de onde se retira barro para fazer tijolos e telhas. **2** Lamaçal, atoleiro.

barrela (bar.*re*.la) *sf.* Água fervida com cinza que se usa, depois de coada, para branquear roupas; LIXÍVIA.

barrento (bar.*ren*.to) *a.* **1** Cheio de barro (água bar*renta*); BARROSO. **2** Da cor do barro.

barretada (bar.re.*ta*.da) *sf.* **1** Cumprimento exagerado e subserviente; RAPAPÉ. **2** Cumprimento que se faz tirando o barrete do chapéu da cabeça.

barrete (bar.*re*.te) [ê] *sm.* **1** Cobertura para a cabeça feita de tecido macio; GORRO. **2** Chapéu quadrangular us. por cardeais e bispos. **3** *Anat. Zool.* Segunda parte do estômago dos ruminantes (boi, camelo etc.).

barrica (bar.*ri*.ca) *sf.* Tonel de madeira para guardar ou transportar mercadorias, esp. líquidos.

barricada (bar.ri.*ca*.da) *sf.* Barreira feita com barricas, pneus etc., para bloquear uma rua ou passagem.

barrido (bar.*ri*.do) *sm.* Ver barrito.

barriga (bar.*ri*.ga) *sf.* **1** *Anat.* Região frontal do corpo, entre o tórax e a bacia; ABDOME; VENTRE. **2** *Fig.* Ressalto, proeminência: *O vazamento formou uma barriga no teto.* ▪ **~ da perna** Parte posterior e musculosa da perna; panturrilha. **~ de aluguel** Mulher (especificamente seu útero) que desenvolve a gravidez de um feto gerado de óvulo fecundado fora dele e nele implantado.

barrigada (bar.ri.*ga*.da) *sf.* Golpe com a barriga.

barriga-d'água (bar.ri.ga-*d'á*.gua) *sf. Pop.* Acúmulo de líquido na membrana do abdome. [Pl.: *barrigas-d'água*.]

barrigudo (bar.ri.*gu*.do) *a.sm.* Que ou quem tem barriga grande.

barrigueira (bar.ri.*guei*.ra) *sf.* Correia que, em volta da barriga de cavalgadura, fixa a sela.

barril (bar.*ril*) *sm.* **1** Recipiente cilíndrico de madeira, us. para armazenar produtos; TONEL. **2** Medida de volume de líquidos equivalente a aprox. 160 litros: *O Brasil produz muitos barris de petróleo por dia.* [Pl.: *-ris*.] ▪ **~ de pólvora** Situação perigosa.

barrito (bar.*ri*.to) *sm.* A voz de alguns animais, entre eles o elefante.

barro (*bar*.ro) *sm.* **1** Mistura de terra argilosa com água; LAMA. **2** Argila us. na fabricação de tijolos, telhas, vasos e peças de artesanato.

barroca (bar.*ro*.ca) [ó] *sf.* **1** Buraco causado por enxurrada; BARRANCO. **2** Local extremamente íngreme; DESPENHADEIRO.

barroco (bar.*ro*.co) [ô] *sm.* **1** Estilo artístico rebuscado, predominante entre o fim do séc. XVI e meados do séc. XVIII. *a.* **2** Típico desse estilo (igreja *barroca*, música *barroca*).

▢ No Brasil esse estilo teve significativa presença, esp. nas artes plásticas. É notável a presença do barroco na arquitetura colonial, nas esculturas e na arte religiosa em geral. Ouro Preto (MG) e Alcântara (MA), entre muitos outros exemplos, são até hoje museus vivos da arte barroca no Brasil. Entre os artistas barrocos mais conhecidos, citem-se Aleijadinho e Manuel Ataíde.

barroso (bar.*ro*.so) [ô] *a.* **1** Cheio de barro; BARRENTO. **2** *Bras.* Que tem o pelo branco-amarelado (diz-se de bovinos) ou da cor de barro escuro (diz-se de cavalos). [Fem. e pl.: [ó].]

barrote (bar.*ro*.te) *sm.* Viga de madeira onde são pregadas as tábuas dos assoalhos ou dos tetos.

barulheira, barulhada (ba.ru.*lhei*.ra, ba.ru.*lha*.da) *sf.* Muito barulho.

barulhento (ba.ru.*lhen*.to) *a.* **1** Que faz muito barulho (vizinhos *barulhentos*). **2** Em que há muito barulho (rua *barulhenta*).

barulho (ba.*ru*.lho) *sm.* **1** Som forte e ruidoso. **2** Tumulto, motim.

basalto (ba.*sal*.to) *sm. Pet.* Rocha escura de origem vulcânica. • **ba.***sál*.ti.co *a.*

basbaque (bas.*ba*.que) *a.sm.* Que ou quem fica pasmado facilmente; TOLO.

basco (*bas*.co) *a.* **1** Do País Basco (região entre a França e a Espanha, sem autonomia política); típico dessa região ou de seu povo. **2** Pessoa nascida no País Basco. *a.sm.* **3** *Gloss.* Da, ref. à ou a língua falada no País Basco.

basculante (bas.cu.*lan*.te) *sm.* **1** Tipo de janela com vidraças que se movem girando sobre um eixo. **2** Tipo de caminhão cuja parte posterior da carroceria se move para cima e para baixo, permitindo descarregar com facilidade sua carga. *a2g.* **3** Que realiza movimento de básculo.

básculo (*bás*.cu.lo) *sm.* **1** Ponte levadiça. **2** Peça móvel que serve para abrir e fechar portas e janelas.

base (*ba*.se) *sf.* **1** O que serve de apoio ou sustentação para algo. **2** Parte inferior de uma construção ou objeto, que serve de apoio: *a base de um copo.* **3** *Fig.* Conjunto de características essenciais que fundamentam e constituem algo: *O respeito mútuo é a base da boa convivência.* **4** Principal ingrediente de uma mistura: *Os ovos são a base do quindim.* **5** Domínio de conhecimentos gerais ou sobre determinado assunto: *O aluno não tem base para acompanhar a turma.* **6** Primeira camada com que se recobre uma superfície para torná-la apta a receber as demais: *base de maquiagem/para as unhas.* **7** Lugar que serve de suporte para certa operação ou atividade (*base* aérea). **8** *Bras. Fig. Pol.* Conjunto dos militantes de um partido político, ou de eleitores de um determinado político: *O partido decidiu consultar as bases.* [Nesta acp., mais us. no pl.] ▪ **À ~ de 1** À custa de; na base de: *Dormia à base de calmantes.* **2** Que possui principalmente (determinado componente): *biscoito à base de manteiga.* • **ba.***sal* a2g.

baseado[1] (ba.se.*a*.do) *a.* Fundamentado.

baseado[2] (ba.se.*a*.do) *sm. Bras. Gír.* Cigarro de maconha.

basear (ba.se.*ar*) *v.* Tomar como base; FUNDAR(-SE). [*tdi.* + *em*: *Baseava seus argumentos em artigos que lera. pr.*: *Não se baseie em suposições.*] ▪ [▶ **13** bas*ear*]

● **baseball** (*Ing.*/bèisibol/) *sm. Esp.* Ver beisebol.

básico (*bá*.si.co) *a.* **1** Que serve de base (curso *básico*). **2** Que é fundamental ou essencial; BASILAR: *Essas são necessidades básicas do ser humano.* **3** Simples, sem sofisticação: *O modelo básico custa bem barato.*

basilar (ba.si.*lar*) *a2g.* **1** Básico (2). **2** Que está na base ou dela faz parte.

basílica (ba.*sí*.li.ca) *sf*. Igreja principal.
basilisco (ba.si.*lis*.co) *sm*. **1** *Mit*. Serpente lendária. **2** *Zool*. Tipo de lagarto encontrado do México à Colômbia.
basquete, basquetebol (bas.*que*.te, bas.que.te.*bol*) *sm*. *Esp*. Jogo no qual duas equipes, de cinco jogadores cada uma, tentam introduzir a bola em uma cesta suspensa defendida pela equipe adversária, ao mesmo tempo em que procuram defender a própria cesta.

📖 Inventado nos Estados Unidos em 1891, o basquete é até hoje um dos esportes mais populares em todo o mundo, inclusive no Brasil. É esporte olímpico em ambas as modalidades, masculina e feminina. Foi introduzido no Brasil em 1896, e sua evolução desde então levou o país a ser duas vezes campeão mundial masculino (1959 e 1963), uma vez campeão mundial feminino (1994) e, nas Olimpíadas, vice-campeão feminino (1996), terceiro colocado masculino (1948, 1960 e 1964) e feminino (2000).

bassê (bas.*sê*) *sm*. Raça de cães de corpo longo e pernas curtas.
basta (*bas*.ta) *sm*. **1** Parada, fim: *Acabamos dando um basta àquele abuso*. *interj*. **2** Ordem para interromper uma ação ou para que alguém se cale: *Basta! Não preciso ouvir mais nada*.
bastante (bas.*tan*.te) *a2g.sm*. **1** Que ou o que basta ou é suficiente: *Ele já deu demonstrações bastantes de que gosta de você*; *Os pais fazem tudo por ele, mas nunca é o bastante*. *pr.indef*. **2** Muito, numeroso: *Há bastantes mosquitos na mata*. *adv*. **3** Suficientemente, muito: *Sua explicação foi bastante clara*.
bastão (bas.*tão*) *sm*. **1** Vara longa e roliça de madeira, us. para apoio ou defesa. **2** Forma cilíndrica em que vários produtos são vendidos. [Pl.: *-tões*.]
bastar (bas.*tar*) *v*. **1** Ser o bastante, o suficiente. [*ti*. + *para*: *Não sei se essa comida basta para vinte pessoas*. *int*.: *Para ele, um mês de férias não basta*.] **2** Não necessitar do auxílio dos outros. [*pr*.: *Um país que se basta*.] [▶ **1** bastar̄]
bastardo (bas.*tar*.do) *a.sm*. Que ou quem nasceu de uma relação fora do casamento. ● **bas.tar.di.a** *sf*.
bastião (bas.ti.*ão*) *sm*. **1** *Fig*. O que apoia ou quem serve de apoio. **2** Muro de uma fortaleza que forma um ângulo saliente, us. como ponto de observação e de ataque; BALUARTE. [Pl.: *-ões* e *-ães*.]
bastidor (bas.ti.*dor*) [ô] *sm*. **1** Armação de madeira onde se prende o tecido para bordar. 🅱 **bastidores** *smpl*. **2** *Teat*. O espaço que contorna o palco e que não é visível à plateia. **3** *Fig*. As relações, tramas e intrigas que se desenvolvem dentro de uma organização, de um grupo etc., e que o público desconhece: *os bastidores de uma campanha política*.
basto (*bas*.to) *a*. **1** Que é denso e espesso (cabelos *bastos*). **2** Numeroso, inúmero.
bastonada (bas.to.*na*.da) *sf*. Golpe aplicado com bastão.
bastonete (bas.to.*ne*.te) [ê] *sm*. Bastão pequeno.
bata (*ba*.ta) *sf*. **1** Blusa feminina solta, us. por fora da calça ou saia: *As batas indianas voltaram à moda*. **2** Vestido longo e solto. **3** Jaleco.
batalha (ba.*ta*.lha) *sf*. **1** *Mil*. Conjunto de combates entre exércitos oponentes. **2** Qualquer luta ou confronto. **3** *Fig*. Tarefa que envolve esforço e empenho prolongados: *O Brasil vencerá a batalha contra o analfabetismo*.
batalhador (ba.ta.lha.*dor*) [ô] *a.sm*. Que ou quem batalha, se esforça muito para atingir seus objetivos; LUTADOR (3).
batalhão (ba.ta.*lhão*) *sm*. **1** *Mil*. Unidade de infantaria ou cavalaria pertencente a um regimento. **2** *Fig*. Grande número de pessoas: *um batalhão de repórteres aguardava a chegada da atriz*. [Pl.: *-lhões*.]
batalhar (ba.ta.*lhar*) *v*. **1** Empenhar-se para conseguir (algo). [*td*.: *batalhar um emprego*. *ti*. + *por*, *contra*: *batalhar contra a injustiça social*. *int*. (seguido ou não de indicação de finalidade): *Ele teve que batalhar muito (para passar no vestibular)*.] **2** *Bras*. *Pop*. Trabalhar. [*int*.: *Batalha de manhã à noite para se sustentar*.] **3** Participar de batalha, de combate. [*int*.: *Meu avô batalhou na última guerra*.] [▶ **1** batalhar̄] ● **ba.ta.lha.ção** *sf*.
batata (ba.*ta*.ta) *sf*. **1** Tubérculo comestível, redondo ou ovalado, largamente us. como alimento: *purê de batatas*. **2** *Bot*. Planta que dá a batata (1). 🅱 **~ da perna** Panturrilha, barriga da perna. **De ~** *Pop*. Que tem formato semelhante ao de uma batata: *nariz de batata*. **Ir plantar ~s** Afastar-se, deixar alguém em paz.
batata-baroa (ba.ta.ta-ba.*ro*.a) [ô] *sf*. Tipo de batata (1) amarelada e adocicada. [Pl.: *batatas-baroas*.] [Sin.: *mandioca-baroa, mandioquinha*.]
batata-doce (ba.ta.ta-*do*.ce) *sf*. Tipo de batata (1) que contém muito açúcar. [Pl.: *batatas-doces*.] [Sin.: *batata-da-ilha, batata-da-terra, jatica, jetica*.]
batata-inglesa (ba.ta.ta-in.*gle*.sa) [ê] *sf*. Tipo mais comum de batata (1). [Pl.: *batatas-inglesas*.] [Sin. (*Bras*.): *batatinha, escorva, papa*.]
batavo (ba.*ta*.vo) *a*. **1** Da Batávia (antigo nome da Holanda); tipico desse país ou de seu povo. *sm*. **2** Pessoa nascida na Batávia.
bate-boca (ba.te-*bo*.ca) [ô] *sm*. *Bras*. Discussão exaltada e barulhenta: *A conversa acabou em bate-boca*. [Pl.: *bate-bocas*.]
bate-bola (ba.te-*bo*.la) *sm*. **1** *Bras*. *Fut*. Partida informal de futebol entre amadores; PELADA. **2** *Bras*. *Fut*. Aquecimento feito por jogadores profissionais antes de um jogo, chutando a bola um para o outros. [Pl.: *bate-bolas*.] **sm2n**. **3** *RJ Etnogr*. Pessoa que, no carnaval, sai fantasiada com macacão colorido, capa e máscara, batendo com força no chão uma bola presa a um cordão.
batedeira (ba.te.*dei*.ra) [ê] *sf*. Eletrodoméstico us. para bater ovos, massas etc.
batedor (ba.te.*dor*) [ô] *sm*. **1** Objeto us. para bater, socar: *batedor de carne*. **2** Policial ou militar, ger. em motocicleta, que abre caminho para a passagem de autoridades em automóveis.
bate-estaca (ba.te-es.*ta*.ca) *sm*. **1** Máquina que, por meio de batidas, enterra estacas no solo. **2** *Bras*. *Pop*. *Mús*. Música eletrônica executada por meio de batidas percussivas. [Pl.: *bate-estacas*.]
bátega (*bá*.te.ga) *sf*. Pancada súbita de chuva, ou chuva forte. [Mais us. no pl.]
bateia (ba.*tei*.a) [ê] *sf*. Vasilha de madeira us. para garimpar ouro e diamante.
batel (ba.*tel*) *sm*. Barco pequeno. [Pl.: *-téis*.]
batelada (ba.te.*la*.da) *sf*. Grande quantidade: *uma batelada de documentos*.
batente (ba.*ten*.te) *sm*. **1** Estrutura na qual portas e janelas são fixadas e onde se apoiam ao fechar. **2** *Bras*. *Pop*. Trabalho, emprego: *Ela pega no batente às sete da manhã*.
bate-papo (ba.te-*pa*.po) *sm*. **1** Conversa informal, descontraída: *Ficamos no maior bate-papo até de manhã*. **2** Ver *chat*. [Pl.: *bate-papos*.]
bater (ba.*ter*) *v*. **1** Dar pancadas em (objeto ou pessoa). [*td*.: *bater um prego*. *ti*. + *em*: *Nunca brigou, nunca bateu em ninguém*.] **2** Dar batidas (em porta, janela) para chamar. [*ti*. + *a*: *Quem bateu à porta há pouco?*; (tb. sem complemento explícito) *Alguém está batendo*.] **3** Percutir, batucar. [*td*.: *bater tambor*.] **4** Fechar (porta) ou tocar (telefone) abruptamente. [*td*.] **5** Ir de encontro a; COLIDIR. [*int*. (seguido de indicação de lugar): *O caminhão bateu num poste*.] **6** Mexer ou misturar com força. [*td*.: *Bata a massa durante cinco minutos*.] **7** Incidir (em, sobre, seguido de indicação de lugar): *O sol bate na varanda à tarde*.] **8** Tirar (foto). [*td*.] **9** Estar (com o queixo) a tremer

bateria | bêbado, bêbedo

(por frio ou medo). [*td*.: *bater* queixo.] **10** Pulsar, palpitar. [*int*.: *Meu coração está batendo forte*.] **11** Soar ou fazer soar. [*td*.: *O sacristão foi bater o sino*.] **12** *Fig*. Alcançar ou superar (marca, cifra, valor). [*td*.: *bater um recorde*. *ti*. + *em*: *A inflação bateu nos 10%*.] **13** Derrotar, vencer. [*td*.: *O Brasil bateu o Uruguai por 2 a 0*.] **14** Estar na altura de. [*int*. (seguido de indicação de lugar): *A saia bate no joelho*.] **15** *Fig*. Estar conforme com; CONFERIR. [*ti*. + *com*: *Suas contas não batem com as minhas*. *int*.: *Os depoimentos estão batendo*.] **16** Usar muito (roupa, calçado). [*td*.] **17** *Fut*. Realizar cobrança de (falta, tiro de meta etc.). [*td*.: *bater pênaltis*.] **18** *Bras*. *Pop*. Furtar. [*td*.: *Bateram a carteira do meu pai*.] **19** *Bras*. *Pop*. Ter afinidade; COMBINAR. [*ti*. + *com*: *Meu santo não bate com o dele*.] **20** Datilografar. [*td*.: *bater uma carta*.] [▶ **2** bater]

bateria (ba.te.*ri*.a) *sf*. **1** *Elet*. Dispositivo que acumula e fornece energia elétrica contínua: *A bateria do carro descarregou*. **2** *Mús*. Instrumento de percussão composto de bombo, pratos, tarol e caixas. **3** *Mús*. Numa escola de samba, ala de músicos que tocam instrumentos de percussão. **4** Conjunto de utensílios de cozinha. **5** Conjunto de coisas similares: *O médico pediu uma bateria de exames*. **6** *Mil*. Conjunto de armas de artilharia (*bateria antiaérea*).

baterista (ba.te.*ris*.ta) *s2g*. Músico que toca bateria (2).

baticum (ba.ti.*cum*) *sm*. *Bras*. Som produzido por batidas sucessivas (ger. em instrumento de percussão). [Pl.: -*cuns*.]

batida (ba.*ti*.da) *sf*. **1** Ação ou resultado de bater. **2** *Bras*. Colisão de veículos. **3** Pulsação do coração; BATIMENTO. **4** *Bras*. Bebida feita com cachaça, fruta e açúcar: *batida de coco*. **5** *Bras*. Operação policial de busca e apreensão, realizada de surpresa. **6** *Bras*. *Pop*. Ritmo musical.

batido (ba.*ti*.do) *a*. **1** Que já foi muito usado (roupa batida). **2** *Bras*. *Pop*. Que é comum demais em função do uso repetido (exemplo batido). **3** Que sofreu uma batida (diz-se de veículo). **4** Que foi pisado, comprimido: *estrada de terra batida*. *adv*. **5** *Pop*. Com rapidez ou pressa: *Ele sempre sai batido da escola*.

batimento (ba.ti.*men*.to) *sm*. Pulsação do coração ou de artéria; BATIDA.

batina (ba.*ti*.na) *sf*. Veste longa, ger. de cor preta ou cinza, us. pelos padres.

batismo (ba.*tis*.mo) *sm*. **1** *Rel*. Cerimônia cristã em que a pessoa é purificada com água bento e torna-se membro da Igreja. **2** *Rel*. Iniciação e admissão em qualquer religião. **3** Ação ou resultado de dar nome a uma pessoa ou coisa. **4** Cerimônia de lançamento de navio, avião etc. ● **ba.tis.mal** *a2g*. (pia batismal).

batista (ba.*tis*.ta) *a2g*.*s2g*. *Rel*. Ref. a ou membro de corrente do protestantismo em que o batismo só é ministrado a adultos.

batistério (ba.tis.*té*.ri.o) *sm*. Local da igreja onde se encontra a pia batismal.

batizado (ba.ti.*za*.do) *sm*. **1** *Rel*. Cerimônia em que é ministrado o batismo. **2** Festa em que se comemora um batismo. *a*. **3** Que recebeu o batismo.

batizar (ba.ti.*zar*) *v*. **1** *Rel*. Fazer o batizado (1) de. [*td*.: *Já batizaram o bebê?*] **2** *Rel*. Servir de padrinho ou de madrinha de batismo a. [*td*.: *A tia vai batizar a primeira sobrinha*.] **3** *Fig*. Dar nome ou apelido a. [*td*./*tdi*. + *com*, *de*: *Batizou a bicicleta* (*com nome de gente*).] **4** *Bras*. *Pop*. Adulterar (bebida, gasolina etc.), adicionando água ou outro líquido. [*td*.] [▶ **1** batizar]

✡ **bat mitzvah** (Heb. /bat mitsvá/) *loc.subst*. *Rel*. **1** Iniciação religiosa da mulher judia, que ocorre aos 12 anos de idade. **2** A jovem iniciada. [Cf.: *bar mitzvah*.]

batom (ba.*tom*) *sm*. Cosmético ger. em forma de bastão, com que se hidrata e pinta os lábios. [Pl.: -*tons*.]

batoque (ba.*to*.que) *sm*. **1** Orifício na parte superior de pipas, tonéis etc. **2** Rolha com que se veda esse orifício.

batota (ba.*to*.ta) *sf*. **1** Trapaça em jogo de azar. **2** Casa de jogo. **3** *Lus*. Mentira. ● **ba.to.tei.ro** *a.sm*.

batráquio (ba.*trá*.qui:o) *sm*. *Zool*. Animal vertebrado que vive tanto em terra como na água, como o sapo, a rã e a perereca.

batucada (ba.tu.*ca*.da) *sf*. **1** Ação ou resultado de batucar. **2** Reunião festiva popular em que se toca o samba em instrumentos de percussão. [Sin. ger.: *batuque*.]

batucar (ba.tu.*car*) *v*. **1** Bater ritmadamente; TAMBORILAR. [*int*.: *Começamos a batucar e o pessoal se animou*.] **2** Dar ritmo musical a, por meio de percussão. [*td*.: *Batuçou um samba na caixa de fósforos*.] [▶ **11** batucar]

batuque (ba.*tu*.que) *sm*. **1** Ritmo criado por instrumentos de percussão. **2** Ver *batucada*. **3** Qualquer música ou dança afro-brasileira acompanhada por percussão.

batuta (ba.*tu*.ta) *sf*. **1** *Mús*. Pequeno bastão com que os maestros regem as orquestras. *a2g*.*s2g*. **2** *Bras*. *Pop*. Que ou quem é muito capaz em certo campo: *batuta em eletrônica*.

baú (ba.*ú*) *sm*. Caixa retangular, ger. de madeira, com tampa, em que se guardam objetos.

baunilha (bau.*ni*.lha) *sf*. **1** Essência aromática us. na preparação de sorvetes, bolos etc. **2** *Bot*. Planta da qual se extrai essa essência.

bauru (bau.*ru*) *sm*. *Bras*. Sanduíche quente feito de presunto, queijo, alface e tomate.

bauxita (bau.*xi*.ta) *sf*. *Petr*. Rocha argilosa que é o principal minério de alumínio.

bávaro (*bá*.va.ro) *a*. **1** Da Baviera (na Alemanha); típico dessa região ou do seu povo. *sm*. **2** Pessoa nascida na Baviera.

bazar (ba.*zar*) *sm*. **1** Loja em que se vendem artigos variados, ger. miudezas, louças, brinquedos. **2** Venda de artigos variados, em igrejas, clubes etc., por vezes para fins beneficentes: *Vai haver um bazar de Natal na igreja*. **3** Venda a preços bastante reduzidos realizada por grifes e lojas em geral.

bazófia (ba.*zó*.fi.a) *sf*. **1** Presunção, vaidade exageradas. **2** Atitude de quem se faz de valente, sem o ser; FANFARRICE.

bazofiar (ba.zo.fi.*ar*) *v*. Contar vantagem (sobre); VANGLORIAR-SE. [*td*.: *Bazofiava o seu poder de sedução*. *ti*. + *de*: *bazofiar de corajoso*. *int*.: *Pare de bazofiar*, *ninguém acredita em você*!] [▶ **1** bazofiar]

bazuca (ba.*zu*.ca) *sf*. Arma portátil em forma de tubo, para lançar pequenos mísseis.

▨ **BCG** Sigla de *bacilo de Calmette-Guérin* que dá nome à vacina contra tuberculose.

bê-á-bá (bê.á-*bá*) *sm*. **1** Abecedário, alfabeto. **2** *Fig*. Noções elementares de uma matéria: *De astronomia*, *só sei o bê-á-bá*. [Pl.: *bê-a-bás*.]

beatice (be.a.*ti*.ce) *sf*. *Bras*. *Irôn*. Devoção religiosa exagerada ou falsa.

beatificar (be:a.ti.fi.*car*) *v*. *td*. **1** *Rel*. Declarar beato, digno de veneração (membro da Igreja já falecido): *O papa beatificou a madre Teresa de Calcutá*. **2** *Fig*. Louvar excessivamente: *A população beatificava o político*. [Cf. *canonizar*.] [▶ **11** beatificar] ● **be:a.ti.fi.ca.ção** *sf*.

beatífico (be:a.*tí*.fi.co) *a*. Que causa êxtase ou é o seu resultado.

beatitude (be:a.ti.*tu*.de) *sf*. Estado de serenidade, de felicidade.

beato (be.*a*.to) *sm*. **1** Pessoa tida quase como santa pela Igreja Católica. **2** *Bras*. *Irôn*. Pessoa tida como excessivamente religiosa.

bêbado, bêbedo (*bê*.ba.do, *bê*.be.do) *a.sm*. **1** Que ou quem bebeu ou costuma beber muita bebida alcoólica. **2** *Fig.* Em estado de atordoamento; ZONZO: *Passou o dia bêbado de sono.*

bebê (be.*bê*) *s2g.* Criança recém-nascida; NENÉM. ▪ **~ de proveta** Feto resultante da fecundação *in vitro* (em tubo de ensaio) do óvulo da mãe por espermatozoide do pai, com reintrodução, para a gestação, do óvulo fecundado no útero da mãe.

bebedeira (be.be.*dei*.ra) *sf.* **1** Ação ou resultado de embriagar-se. **2** Estado de quem está bêbado; PILEQUE.

bebedor (be.be.*dor*) [ô] *a.sm.* **1** Que ou quem costuma se embriagar. **2** Que ou aquele que bebe.

bebedouro (be.be.*dou*.ro) *sm.* **1** Aparelho que esguicha água filtrada e fresca para se beber. **2** Qualquer lugar onde os animais bebem água.

beber (be.*ber*) *v.* **1** Tomar (líquido). [*td.*: *Bebam água.*] **2** Ingerir bebida alcoólica em excesso. [*int.*: *Parou de beber há um ano.*] **3** *Bras. Fig.* Consumir combustível (o veículo). [*int.*] [▶ **2** beber]

beberagem (be.be.*ra*.gem) *sf.* **1** Infusão caseira de ervas medicinais. **2** Bebida de gosto desconhecido e ruim. [Pl.: *-gens*.]

bebericar (be.be.ri.*car*) *v.* **1** Beber aos goles. [*td.*] **2** Beber pouco, porém com frequência. [*int.*] [▶ **11** bebericar] • **be.be.ri.ca.gem** *sf.*

beberrão (be.be.*rrão*) *a.sm.* Que ou quem bebe muita bebida alcoólica. [Pl.: *-rões*. Fem.: *-rona*.] [Ant.: *abstêmio, abstêmico, abstinente*.]

bebes (*be*.bes) *smpl.* Bebidas de todos os tipos. [Us. na loc. *comes e bebes*.]

bebida (be.*bi*.da) *sf.* **1** Todo líquido que se pode beber: *Guaraná é minha bebida preferida.* **2** Qualquer líquido alcoólico próprio para se beber: *É proibido vender bebidas a menores.* **3** O vício do álcool: *Curou-se da bebida pela força de vontade.*

bebido (be.*bi*.do) *a.* Em estado de embriaguez; BÊBADO: *Fica insuportável quando está bebido.*

bebum (be.*bum*) *a2g.s2g. Bras. Pop.* Que ou quem costuma se embriagar; BEBERRÃO. [Pl.: *-buns*.]

beca (*be*.ca) *sf.* Túnica longa us. por juízes ou formandos universitários.

beça (be.*ça*) *sf.* Us. na loc. **À ~ 1** Em grande quantidade, muito: *A atriz recebe cartas à beça.* **2** Com grande intensidade: *Correu à beça e venceu a prova.*

becape (be.*ca*.pe) *sm. Inf.* Forma aport. de *backup*.

beco (*be*.co) [ê] *sm.* Rua muito estreita e pequena, ger. sem saída. ▪ **~ sem saída** Situação difícil, embaraçosa; APERTO; DIFICULDADE.

bedel (be.*del*) *sm.* Empregado encarregado de tarefas administrativas em instituições de ensino. [Pl.: *-déis*.]

bedelho (be.*de*.lho) [ê] *sm.* Pequena tranca ou ferrolho de porta. ▪ **Meter o ~ (em)** Intrometer-se sem ser chamado (em conversa alheia, discussão etc.).

beduíno (be.du.*í*.no) *sm.* Árabe nômade do deserto.

bege (*be*.ge) *sm.* **1** A cor da lã natural. *a2g2n.* **2** Que é dessa cor (sapatos bege).

begônia (be.*gô*.ni.a) *sf.* **1** *Bot.* Planta ornamental. **2** A flor dessa planta.

beicinho (bei.*ci*.nho) *sm.* Lábio pequeno. ▪ **Fazer ~ 1** Projetar os lábios para frente como se fosse chorar. **2** Demonstrar aborrecimento, amuo.

beiço (*bei*.ço) *sm.* Lábio, esp. quando gordo e saliente. [Mais us. com sentido Pej., BEIÇORRA, *beiçorra.*] ▪ **Dar/Passar o ~ (em alguém)** Dar calote, deixar de pagar dívida. **Lamber os ~s** *Fam.* Ficar ou mostrar-se satisfeito, contente.

beiçola (bei.*ço*.la) *s2g.* **1** Beiço gordo e saliente. *s2g.* **2** Pessoa com esse beiço; BEIÇUDO.

beiçudo (bei.*çu*.do) *a.sm.* Que ou quem tem beiços grossos; BEIÇOLA.

beija-flor (bei.ja-*flor*) *sm. Zool.* Pequeno pássaro que suga o néctar das flores; COLIBRI. [Pl.: *beija-flores*.]

beija-mão (bei.ja-*mão*) *sm.* Gesto que consiste em beijar a mão de alguém em sinal de respeito. [Pl.: *beija-mãos*.]

BEIJA-FLOR

beija-pé (bei.ja-*pé*) *sm.* **1** Ato em que se beija o pé de alguém em sinal de humildade e respeito. **2** *Rel.* Cerimônia na qual os pés do papa são beijados, em Roma. [Pl.: *beija-pés*.]

beijar (bei.*jar*) *v.* Dar beijo(s) em (alguém, um ou outro). [*td.*: *Beijei meus pais e fui embora. pr.*: *O casal beijou-se ao se despedir.*] [▶ **1** beijar]

beijo (*bei*.jo) *sm.* Toque dos lábios, com leve sucção, em pessoa, animal ou objeto, em sinal de amor, carinho ou respeito: *beijo de despedida.*

beijoca (bei.*jo*.ca) *sf. Bras. Fam.* Beijo que produz um estalo; BICOTA.

beijocar (bei.jo.*car*) *v. td. pr.* Dar muitos beijos estalados (em alguém, um no outro). [▶ **11** beijocar]

beijoqueiro (bei.jo.*quei*.ro) *a.sm.* Que ou quem gosta de dar beijos ou beijocas; BEIJADOR, BEIJOCADOR.

beiju, biju (bei.*ju*, bi.*ju*) *sm. Cul.* Bolo feito com massa fina de mandioca assada.

beira (*bei*.ra) *sf.* **1** A extremidade de alguma coisa; BEIRADA: *beira do parapeito.* **2** Lugar em que a água do mar, rio etc. se encontra com a terra; MARGEM; BORDA: *beira do lago/do riacho.* **3** Área que margeia outra área, que fica na sua extremidade: *restaurante de beira de estrada.* ▪ **À ~ de 1** Na extremidade de; à margem de: *à beira da praia.* **2** *Fig.* A ponto de; prestes a; próximo a: *Encontrou-o à beira da morte.*

beirada (bei.*ra*.da) *sf.* **1** Beira, borda: *O treinador gritava da beirada do campo.* **2** Ver *beiral*.

beiral (bei.*ral*) *sm. Cons.* Extremidade do telhado; BEIRADA. [Pl.: *-rais*.]

beira-mar (bei.ra-*mar*) *sf.* Orla marítima; LITORAL: *O monumento fica à beira-mar.* [Pl.: *beira-mares*.]

beirar (bei.*rar*) *v.* **1** Ir à beira de. [*td.*: *Seguimos beirando o rio.*] **2** Situar-se à beira de. [*td.*: *A escola beira o parque. ti.* + *com*: *Minha cama beira com a janela.*] **3** *Fig.* Aproximar-se de; ter cerca de. [*td.*: *atitudes que beiram a loucura; Os pais dele beiram os cinquenta anos.*] [▶ **1** beirar]

beisebol (bei.se.*bol*) *sm. Esp.* Jogo disputado por dois times, em que a bola é rebatida com um bastão.

beladona (be.la.*do*.na) *sf. Bot.* Planta de uso medicinal e cosmético.

belas-artes (be.las-*ar*.tes) *sfpl.* As artes plásticas, esp. a pintura, a escultura e a arquitetura.

belas-letras (be.las-*le*.tras) *sfpl.* A literatura, a poesia, a filosofia etc., esp. quando vistas a partir do seu valor estético, literário e humanístico.

beldade (bel.*da*.de) *sf.* Pessoa muito bela.

beleguim (be.le.*guim*) *sm. Bras. Pej.* Agente de polícia. [Pl.: *-guins*.]

beleléu (be.le.*léu*) *sm. Bras. Pop.* Us. na loc. **Ir para o ~ 1** Morrer, falecer. **2** Fracassar ou danificar(-se): *Nossos planos foram para o beleléu; O celular caiu e foi para o beleléu.* **3** Sumir, desaparecer.

belenense (be.le.*nen*.se) *a2g.* De Belém, capital do Estado do Pará; típico dessa cidade ou de seu povo. *s2g.* **2** Pessoa nascida em Belém.

beleza (be.*le*.za) [ê] *sf.* **1** Qualidade do que é belo, admirável, que proporciona prazer; BELO (4); BONITEZA: *A beleza do Pantanal do impressionou.* **2** Pessoa ou coisa com essa qualidade: *A criança é uma beleza.* [Ant.: *feiura*.]

belezoca (be.le.*zo*.ca) *s2g. Bras. Pop.* Pessoa ou coisa bonita.

belga | bênção

belga (bel.ga) *a2g.* **1** Da Bélgica (Europa); típico desse país ou de seu povo. *s2g.* **2** Pessoa nascida na Bélgica.

beliche (be.li.che) *sf.* Cama com dois leitos, um sobreposto ao outro.

belicismo (be.li.cis.mo) *sm.* Tendência para a guerra: *O belicismo de certos governantes só causa sofrimento a sua pátria.* • **be.li.cis.ta** *a2g.s2g.*

bélico (bé.li.co) *a.* Ref. a guerra ou próprio dela (material bélico, conflito bélico).

belicoso (be.li.co.so) [ó] *a.* **1** Que tem propensão à guerra (povo belicoso). **2** Que é agressivo (temperamento belicoso). [Ant.: *pacífico*.] [Fem. e pl.: [ó].] • **be.li.co.si.da.de** *sf.*

belida (be.li.da) *sf. Med.* Mancha permanente da córnea.

beligerante (be.li.ge.ran.te) *a2g.* Que está em guerra ou faz guerra (países beligerantes). • **be.li.ge.rân.ci.a** *sf.*

beliscão (be.lis.cão) *sm.* Ação ou resultado de beliscar(-se); BELISCO. [Pl.: *-cões.*]

beliscar (be.lis.car) *v.* **1** Comprimir a pele com os dedos para provocar dor. [*td.: Para de me beliscar! pr.: Beliscou-se para ver se não estava sonhando.*] **2** *Fig.* Comer pouco ou aos bocadinhos; LAMBISCAR. [*td.: Beliscou um pão e saiu.*] [▶ **11** beliscar]

belisco (be.lis.co) *sm.* **1** Aperitivo salgado para acompanhar uma bebida. **2** Ver beliscão.

belizenho (be.li.ze.nho) *a.* **1** De Belize (América Central); típico desse país ou de seu povo. *sm.* **2** Pessoa nascida em Belize.

belo (be.lo) [é] *a.* **1** Muito bonito; LINDO: *um belo homem.* [Ant.: *feio*.] **2** Muito bom; EXCELENTE: *um belo exemplo.* **3** Certo, determinado: *Um belo dia ela partiu. sm.* **4** Qualidade que provoca admiração e prazer; BELEZA: *O belo não sai de moda.*

belo-horizontino (be.lo-ho.ri.zon.ti.no) *a.* **1** De Belo Horizonte, capital do Estado de Minas Gerais; típico dessa cidade ou de seu povo. *sm.* **2** Pessoa nascida em Belo Horizonte. [Pl.: *belo-horizontinos.*]

belonave (be.lo.na.ve) *sf. Bras.* Navio de guerra.

bel-prazer (bel-pra.zer) [ê] *sm.* Us. na loc. ▪ **Ao ~ (de)** Conforme a vontade, o desejo (de): *Premiado na loteria, passou a gastar ao seu bel-prazer.* [Pl.: *bel-prazeres.*]

beltrano (bel.tra.no) *sm.* Pessoa de nome ignorado ou que não se deseja declarar. [Us. na expressão *fulano, beltrano, sicrano*.]

belvedere, belveder (bel.ve.de.re, bel.ve.der) *sm.* Terraço em lugar alto para se admirar a vista; MIRANTE.

belzebu (bel.ze.bu) *sm.* Um dos nomes de Satanás; DIABO.

bem *adv.* **1** De modo agradável; com perfeição: *Fomos bem tratados; Ela canta bem.* [Ant.: *mal*.] **2** Muito: *A prova foi bem difícil.* **3** Exatamente: *Eles chegaram bem na hora. sm.* **4** O que é bom, o que traz felicidade. [Ant.: *mal*.] **5** Pessoa querida. [Pl.: *bens*.] ▪ **~ como** Do mesmo modo que, assim como: *Ele gosta de falar, bem como de ouvir.* **~ de consumo** *Econ.* Bem econômico destinado ao consumo individual (p.ex., produtos alimentícios, roupas etc.). **~ que** É verdade que: *Bem que ele nos avisou.* **Estar ~** Encontrar-se em boa situação de saúde ou de dinheiro. **Estar/Ficar de ~** Voltar ou ter voltado a falar com alguém, fazer as pazes. **Falar ~ de** Elogiar. **Nem ~** Assim que, mal: *Nem bem chegou, já começou a reclamar.* **Se ~ que** Apesar de que, embora: *Ele é precavido, se bem que às vezes se arrisque.* [Ver tb. *bens*.]

bem-acabado (bem-a.ca.ba.do) *a.* Feito com apuro; BEM-FEITO. [Ant.: *mal-acabado*.]

bem-amado (bem-a.ma.do) *a.sm.* Que ou quem é muito amado, querido. [Pl.: *bem-amados*.] [Ant.: *mal-amado*.]

bem-apessoado (bem-a.pes.so.a.do) *a.* Que tem boa aparência (homem bem-apessoado); BEM-PARECIDO. [Ant.: *mal-apessoado*.] [Pl.: *bem-apessoados*.]

bem-aventurado (bem-a.ven.tu.ra.do) *a.sm.* **1** Que ou quem é feliz. [Ant.: *mal-aventurado*.] **2** *Teol.* Que ou quem merece a graça divina. [Pl.: *bem-aventurados*.]

bem-aventurança (bem-a.ven.tu.ran.ça) *sf.* **1** Felicidade completa. **2** *Teol.* A felicidade eterna dos santos. [Pl.: *bem-aventuranças*.]

bem-bom (bem-bom) *sm.* Vida folgada, fácil: *Aposentou-se e agora está no bem-bom.* [Pl.: *bem-bons*.]

bem-comportado (bem-com.por.ta.do) *a.* Que tem bom comportamento. [Sin.: *comportado*. Ant.: *mal-comportado*.] [Pl.: *bem-comportados*.]

bem-disposto (bem-dis.pos.to) [ô] *a.* Com boa disposição e/ou saúde. [Ant.: *maldisposto*.] [Pl.: *bem-dispostos* [ó]. Fem.: [ó].]

bem-dotado (bem-do.ta.do) *a.* **1** Que tem dotes, qualidades. **2** *Vulg.* Diz-se de homem que tem o pênis grande. [Pl.: *bem-dotados*.]

bem-educado (bem-e.du.ca.do) *a.* Que tem boa educação; CORTÊS. [Ant.: *mal-educado*.] [Pl.: *bem-educados*.]

bem-estar (bem-es.tar) *sm.* **1** Boa disposição física e mental: *A natação me faz sentir um bem-estar imenso.* **2** A combinação de conforto, saúde e contentamento: *programas sociais que visam ao bem-estar da população.* [Pl.: *bem-estares*.] [Ant.: *mal-estar*.]

bem-feito (bem-fei.to) *a.* **1** Bem-acabado (trabalho bem-feito). **2** Bem proporcionado (corpo bem-feito). [Pl.: *bem-feitos*.] [Cf.: *bem feito* no verbete *feito*³.] [Ant. ger.: *malfeito*. NOTA: Escreve-se *benfeito* no sentido de 'benfeitoria'.]

bem-humorado (bem-hu.mo.ra.do) *a.* Que costuma ter bom humor ou que está de bom humor. [Ant.: *mal-humorado*.] [Pl.: *bem-humorados*.]

bem-intencionado (bem-in.ten.ci.o.na.do) *a.* Que tem boas intenções. [Ant.: *mal-intencionado*.] [Pl.: *bem-intencionados*.]

bem-me-quer (bem-me-quer) *sm.* **1** *Bot.* Planta ornamental que dá flores amarelas. **2** Essa flor. [Pl.: *bem-me-queres*.] [Sin. ger.: *malmequer*.]

bem-nascido (bem-nas.ci.do) *a.* Descendente de família ilustre ou rica. [Ant.: *malnascido*.] [Pl.: *bem-nascidos*.]

bemol (be.mol) *sm. Mús.* **1** Sinal (♭) que abaixa meio tom a nota que lhe segue. *a2g.* **2** Diz-se da nota por ele afetada (mi bemol). [Pl.: *-móis*.]

bem-parecido (bem-pa.re.ci.do) *a.* De boa aparência; BEM-APESSOADO. [Ant.: *malparecido*.] [Pl.: *bem-parecidos*.]

bem-passado (bem-pas.sa.do) *a.* Diz-se do alimento, esp. carne, que está bem cozido. [Ant.: *malpassado*.] [Pl.: *bem-passados*.]

bem-posto (bem-pos.to) [ô] *a.* Elegante no porte e no vestir. [Ant.: *malposto*.] [Pl.: *bem-postos* [ó]. Fem.: [ó].]

bem-querer (bem-que.rer) *sm.* **1** Pessoa que se ama; BEM-AMADO. **2** Sentimento de afeição; ESTIMA. [Pl.: *bem-quereres*.] *v.* **3** Querer bem, gostar. [*ti.* + *a*: *Ela bem-quer a todos. pr.: Bem-quiseram-se a vida toda.*] [Tb. *benquerer*.] [▶ **27** bem-querer] Part.: *bem-querido* e *benquisto*.] [Ant. ger.: *malquerer*.]

bem-sucedido (bem-su.ce.di.do) *a.* Que teve êxito, sucesso (médico bem-sucedido). [Ant.: *malsucedido*.] [Pl.: *bem-sucedidos*.]

bem-te-vi (bem-te.vi) *sm. Zool.* Pássaro de cabeça preta, e peito e abdome amarelos. [Pl.: *bem-te-vis*.]

bem-vindo (bem-vin.do) *a.* Recebido com prazer: *Você é sempre bem-vindo nesta casa.* [Ant. ger.: *bem-ido*.] [Pl.: *bem-vindos*.]

bem-visto (bem-vis.to) *a.* De boa reputação: *Ele é um profissional bem-visto*; BENQUISTO. [Ant.: *malvisto*.] [Pl.: *bem-vistos*.]

bênção (bên.ção) *sf.* **1** Ação ou resultado de abençoar ou de benzer. **2** Favor divino: *Curou-se graças às*

bendito | bequadro

bênçãos recebidas. **3** Fato benéfico e oportuno: *Foi uma bênção ela ser contratada.* [Pl.: *-ções.*]
bendito (ben.*di*.to) *a.* **1** Abençoado (terra <u>bendita</u>). **2** Feliz, venturoso: *O dia <u>bendito</u> em que nos conhecemos.*
bendizer (ben.di.*zer*) *v. td.* Dar glória a; declarar como bendito: *<u>Bendizei</u> o Senhor.* [Ant.: *maldizer.*] [▶ 20 ben<u>dizer</u>. Part.: *bendito.*]
beneditino (be.ne.di.*ti*.no) *a.* **1** Próprio da Ordem de São Bento ou de seus membros. *sm.* **2** *Rel.* Religioso da Ordem de São Bento.
beneficência (be.ne.fi.*cên*.ci:a) *sf.* Prática de fazer o bem, esp. a dedicação a obras de caridade.
beneficente (be.ne.fi.*cen*.te) *a2g.* **1** Que se destina a fazer caridade, a ajudar os pobres, os doentes etc. (instituição <u>beneficente</u>). **2** Organizado para arrecadar dinheiro para obra de caridade (concerto <u>beneficente</u>).
beneficiação (be.ne.fi.ci:a.*ção*) *sf.* Ação ou resultado de beneficiar; REPARO, BENFEITORIA: *a <u>beneficiação</u> de um prédio.* [Pl.: *-ções.*]
beneficiado (be.ne.fi.ci:a.do) *a.* **1** Que recebeu beneficiamento (trigo <u>beneficiado</u>). **2** Ver *beneficiário* (1).
beneficiador (be.ne.fi.ci:a.*dor*) [ô] *a.sm.* **1** Que ou quem beneficia. *sm.* **2** Pessoa que faz o beneficiamento de produtos agrícolas.
beneficiamento (be.ne.fi.ci:a.*men*.to) *sm.* **1** Ação ou resultado de beneficiar. **2** Processo de tratamento de matérias-primas agrícolas que visa a torná-las próprias para o consumo: *<u>beneficiamento</u> de grãos.*
beneficiar (be.ne.fi.ci:*ar*) *v. td.* **1** Conceder benefício, facilidade ou favor a: *<u>beneficiar</u> conhecidos.* **2** Tratar (produto agrícola) de forma a torná-lo adequado ao consumo: *máquina para <u>beneficiar</u> arroz.* [▶ 1 benefici<u>ar</u>]
beneficiário (be.ne.fi.ci:*á*.ri:o) *a.sm.* **1** Que ou quem recebe ou desfruta benefício ou vantagem; FAVORECIDO; BENEFICIADO. *sm.* **2** Pessoa que recebe pensão, aposentadoria etc. garantidos pela previdência social: *<u>beneficiário</u> dos pais.*
benefício (be.ne.*fí*.ci:o) *sm.* **1** O que se faz ou se concede em favor de alguém. **2** Vantagem, proveito: *Não teve <u>benefício</u> com aquele ato desonesto.* [Ant., nestas acps.: *malefício.*] **3** Melhoramento, benfeitoria: *Valorizamos a casa com vários <u>benefícios</u>.* **4** Serviço ou auxílio em dinheiro garantidos pela previdência social: *Tinha o <u>benefício</u> de uma aposentadoria.*
benéfico (be.*né*.fi.co) *a.* Que faz bem; FAVORÁVEL; BOM: *técnica <u>benéfica</u> ao cultivo de frutíferas.* [Ant.: *maléfico.* Superl.: *beneficentíssimo.*]
benemerência (be.ne.me.*rên*.ci:a) *sf.* Qualidade ou ato de benemérito.
benemerente (be.ne.me.*ren*.te) *a2g.* Ver *benemérito* (1).
benemérito (be.ne.*mé*.ri.to) *a.* **1** Que merece honras por bons serviços prestados; BENEMERENTE. **2** Que é ilustre, se distinguiu. **3** Indivíduo benemérito.
beneplácito (be.ne.*plá*.ci.to) *sm.* Aprovação, consentimento.
benesse (be.*nes*.se) *s2g.* **1** Benefício, privilégio. **2** Lucro ou rendimento fácil: *O deputado aproveita as <u>benesses</u> do poder.* **3** Emprego que rende muito e em que se trabalha pouco. [Mais us. no pl.]
benevolência (be.ne.vo.*lên*.ci:a) *sf.* Boa vontade ou compreensão para com alguém: *<u>benevolência</u> com os subordinados.* [Ant.: *malevolência.*]
benevolente (be.ne.vo.*len*.te) *a2g.* Ver *benévolo.* [Ant.: *malevolente.*]
benévolo (be.*né*.vo.lo) *a.* **1** Que procura fazer o bem; BONDOSO. **2** Compreensivo, tolerante: *<u>benévolo</u> para com seus críticos/nos julgamentos;* BENEVOLENTE, BENIGNO. [Ant. ger.: *malévolo.* Superl. *benevolentíssimo.*]
benfazejo (ben.fa.*ze*.jo) [ê] *a.* **1** Que faz o bem; CARIDOSO. **2** Benéfico, favorável. [Ant.: *malfazejo.*]

benfeitor (ben.fei.*tor*) [ô] *sm.* **1** Pessoa que pratica o bem. [Ant.: *malfeitor.*] **2** Pessoa que faz benfeitorias.
benfeitoria (ben.fei.to.*ri*.a) *sf.* Obra que recupera e/ou valoriza uma propriedade.
bengala (ben.*ga*.la) *sf.* Bastão de madeira ou outro material, ger. curvado numa das pontas, us. como apoio do corpo ao caminhar.
bengalada (ben.ga.*la*.da) *sf.* Golpe com bengala.
bengali (ben.ga.*li*) *a2g.* **1** De Bengala (entre a Índia e Bangladesh); típico desse país ou de seu povo. *s2g.* **2** Pessoa nascida em Bengala. *a2g.sm.* **3** *Gloss.* Da, ref. à ou a língua falada em Bengala.
benguela (ben.*gue*.la) *a2g.* **1** Dos benguelas, povo banto da região de Benguela (Angola); típico desse povo. *s2g.* **2** Pessoa pertencente a esse povo.
benigno (be.*nig*.no) *a.* **1** Ver *benévolo* (2). **2** Brando, agradável (brisa <u>benigna</u>). **3** Que não representa risco para a vida (diz-se de doença, tumor etc.): *Durante o exame descobriu um tumor <u>benigno</u>.* [Ant.: *maligno.*] ● **be.nig.ni.***da***.de** *sf.*
benim (be.*nim*) *a2g.* **1** De Benim, povo de um antigo reino ao sul da Nigéria (África); típico desse povo. *s2g.* **2** Pessoa pertencente a esse povo. [Pl.: *-nins.*]
beninense (be.ni.*nen*.se) *a2g.* **1** De Benim (África ocidental); típico desse país ou de seu povo. *s2g.* **2** Pessoa nascida em Benim.
benjamim[1] (ben.ja.*mim*) *sm.* **1** Filho preferido, ger. o caçula. **2** Membro mais jovem de um grupo. [Pl.: *-mins.*]
benjamim[2] (ben.ja.*mim*) *sm. Bras. Elet.* Peça que permite a conexão de dois ou mais aparelhos numa só tomada. [Pl.: *-mins.*]
benjoeiro (ben.jo:*ei*.ro) *sm. Bot.* Arbusto de cuja madeira se extrai o benjoim.
benjoim (ben.jo.*im*) *sm.* Bálsamo amarelo us. na fabricação de perfumes e medicamentos. [Pl.: *-ins.*]
benquerença (ben.que.*ren*.ça) *sf.* Bem-querer, afeto: *Os avós elogiam a <u>benquerença</u> entre Pedro e Paulo.* [Ant.: *malquerença.*]
benquisto (ben.*quis*.to) *a.* **1** De quem todos gostam; QUERIDO, ESTIMADO. **2** De boa reputação; BEM-VISTO. [Ant.: *malquisto.*]
bens *smpl.* O que pertence a uma pessoa e para ela tem valor material; POSSES.
bentinho (ben.*ti*.nho) *sm.* Pequeno objeto de devoção que se carrega pendurado ao pescoço, formado por dois quadrados de pano bento, com orações escritas ou uma relíquia; BREVE; PATUÁ; ESCAPULÁRIO.
bento (ben.to) *a.* **1** Que se benzeu; BENZIDO. *sm.* **2** *Rel.* Monge da Ordem de São Bento; BENEDITINO.
benzedeiro (ben.ze.*dei*.ro) *sm.* Pessoa que faz benzeduras.
benzedura (ben.ze.*du*.ra) *sf.* Ação ou resultado de benzer com rezas, simpatias etc.
benzeno (ben.*ze*.no) *sm. Quím.* Líquido incolor, volátil, us. como solvente e na fabricação de corantes, detergentes etc. ● **ben.***zê***.ni.co** *a.*
benzer (ben.*zer*) *v.* **1** Invocar favor divino, bênção para. [*td.*: *O padre <u>benzeu</u> os fiéis.*] **2** Submeter(-se) a benzedura. [*td.*: *É preciso <u>benzer</u> esse menino.* *tdi.* + *contra*: *<u>Benzeu</u> o filho <u>contra</u> quebranto. pr.*: *Decidiu <u>benzer-se</u> depois do acidente.*] [◪ **benzer-se** *pr.* **3** Fazer o sinal da cruz: *<u>Benza-se</u> todas as manhãs.* [▶ 2 ben.*zer*. Part.: *bento, benzido.*] ● **ben.ze.*dor*** *a.sm.*
benzido (ben.*zi*.do) *a.* Que se benzeu; BENTO.
benzina (ben.*zi*.na) *sf. Quím.* Nome comercial do benzeno, vendido como solvente.
beócio (be.*ó*.ci.o) *a.* **1** Da Beócia (Grécia antiga); típico dessa região ou de seu povo. *a.sm.* **2** *Pej.* Que ou quem é ignorante ou simplório. *sm.* **3** Pessoa nascida na Beócia.
bequadro (be.*qua*.dro) *sm. Mús.* Sinal que anula o efeito dos sustenidos e bemóis. [Anota-se nas partituras: ♮.] [Cf.: *bemol* e *sustenido.*]

beque (*be*.que) *sm.* Fut. Ver zagueiro.

bequilha (be.*qui*.lha) *sf.* Parte auxiliar do trem de aterrissagem de aeronave, que compõe um tripé de sustentação, à frente ou atrás da parte principal.

berbere (ber.*be*.re) *a2g.* **1** Dos berberes, povos que habitam o Norte da África e o Saara; típico desses povos. **2** Do ou ref. ao berbere (4). *s2g.* **3** Pessoa pertencente a um desses povos. *sm.* **4** Gloss. Grupo composto por várias línguas faladas nessa região.

berçário (ber.*çá*.ri.o) *sm. Bras.* Setor em maternidades, creches etc. onde ficam os berços dos recém-nascidos.

berço (*ber*.ço) [ê] *sm.* **1** Cama para crianças de colo. **2** *Fig.* Lugar de nascimento de alguém. **3** *Fig.* Lugar de origem: *Pernambuco é o berço do frevo.*

berenguendém (be.ren.guen.*dém*) *sm. Bras.* Ver balangandã. [Pl.: -*déns*.]

bergamota (ber.ga.*mo*.ta) *sf.* **1** Tipo de pera com muito sumo. **2** *S.* Tangerina. [Var. *vergamota*.]

bergamoteira (ber.ga.mo.*tei*.ra) *sf. Bot.* **1** Árvore que dá a bergamota. **2** *S.* Tangerineira; VERGAMOTEIRA.

bergantim (ber.gan.*tim*) *sm.* Antiga embarcação a vela ou a remo, esguia e veloz, com um ou dois mastros. [Pl.: -*tins*.]

beribéri (be.ri.*bé*.ri) *sm. Pat.* Doença causada pela falta de vitamina B₁, que provoca paralisia, anemia e problemas circulatórios.

berilo (be.*ri*.lo) *sm. Min.* Certo mineral e pedra semipreciosa.

berimbau (be.rim.*bau*) *sm. Bras. Mús.* Instrumento de percussão us. na capoeira, composto de um arco de madeira flexível e um fio de arame, com uma cabaça na ponta inferior, para ser tocado com uma vareta.

berinjela, beringela (be.rin.*je*.la, be.rin.*ge*.la) *sf.* **1** *Bot.* Planta cujo fruto, arroxeado e de forma alongada, é muito us. na alimentação humana. **2** Esse fruto.

berlinda (ber.*lin*.da) *sf.* Brincadeira infantil em que um participante de cada vez é alvo de comentários anônimos. ▪ **Estar/Ficar na ~** Ser (alguém) objeto de comentários, gozação etc.

berlinense (ber.li.*nen*.se) *a2g.* **1** De Berlim (capital da Alemanha); típico dessa cidade ou de seu povo. *s2g.* **2** Pessoa nascida em Berlim; BERLINÊS.

berloque (ber.*lo*.que) *sm.* Pequeno enfeite que se pendura em uma corrente, pulseira, colar etc.; PINGENTE.

bermuda (ber.*mu*.da) *sf. Bras.* Calça curta que vai até ou quase até os joelhos.

bermudão (ber.mu.*dão*) *sm. Bras.* Bermuda longa e ger. folgada. [Pl.: -*dões*.]

bernarda (ber.*nar*.da) *sf. Fam.* Revolta popular; LEVANTE; MOTIM.

berne (*ber*.ne) *sm. Zool.* Larva de certa mosca, que penetra na pele do homem ou dos animais.

berrante (ber.*ran*.te) *a2g.* **1** Muito vivo (diz-se de cor) (vermelho *berrante*). **2** De cor muito viva (camisa *berrante*). *sm.* **3** *Bras.* Buzina feita de chifre us. pelos boiadeiros para tanger o gado. **4** *Bras. Gír.* Revólver.

berrar (ber.*rar*) *v.* **1** Falar muito alto; GRITAR. [*td.*: *Berrou o nome do marido.* **ti.** + com: *A mulher berrava com a vizinha.* *int.*: *Não precisa berrar.*] **2** Chorar aos berros. [*int.*: *A criança berrou a noite toda.*] **3** Soltar berros (animal). [*int.*] [▶ **1** berr*ar*]

berreiro (ber.*rei*.ro) *sm.* **1** Choro com berros. **2** Gritaria; BERRARIA.

berro (*ber*.ro) *sm.* **1** Grito de raiva, dor etc. **2** Voz de alguns animais (boi, bode etc.). **3** *Bras. Gír.* Revólver.

berruga (ber.*ru*.ga) *sf. Bras. Pop.* Ver verruga.

berrugoso (ber.ru.*go*.so) [ô] *a. Bras. Pop.* Ver verrugoso. [Fem. e pl.: [ó].]

bertalha (ber.*ta*.lha) *sf. Bot.* Trepadeira rica em água e de folhas comestíveis.

besouro (be.*sou*.ro) *sm. Zool.* Nome de vários insetos, de asas anteriores espessas, que produzem forte zumbido ao voar; BESOIRO.

besta (*bes*.ta) [é] *sf.* Antiga arma, composta de um arco encaixado numa coronha, us. para disparar setas curtas.

besta (*bes*.ta) [ê] *sf.* **1** Quadrúpede us. para transportar pessoas ou cargas. **2** *Pej.* Pessoa estúpida, de inteligência curta. [**At!** Considerado ofensivo nesta acepção.] **3** Pessoa brutal, violenta; BESTA-FERA (2). *a2g.s2g.* **4** *Fam.* Que ou quem se julga superior aos outros: *Ele é muito besta, com aquela pose toda.*

besta-fera (bes.ta-*fe*.ra) *s2g.* **1** Animal feroz. **2** *Fig.* Pessoa cruel, selvagem; BESTA. [Pl.: *bestas-feras*.]

bestagem (bes.*ta*.gem) *sf. N.E. Pop.* Bobagem (1 e 2). [Pl.: -*gens*.]

bestar (bes.*tar*) *v. int. Bras. Pop.* Estar à toa: *Não fique aí bestando, faça alguma coisa.* [▶ **1** best*ar*]

besteira (bes.*tei*.ra) *sf. Bras.* **1** Ação ou dito de besta (2); ASNEIRA; TOLICE. **2** Coisa insignificante: *Não precisa me reembolsar, paguei uma besteira.*

besteirol (bes.tei.*rol*) *sm. Bras.* Tipo de humor (em teatro, televisão etc.) caracterizado pelo absurdo, ilógico e grotesco. [Pl.: -*róis*.]

bestial (bes.ti.*al*) *a2g.* **1** De ou próprio de besta (1). **2** *Fig.* Brutal, grosseiro (pessoa, ato etc.). [Pl.: -*ais*.]

bestialidade (bes.ti.a.li.*da*.de) *sf.* Qualidade do que é bestial, ou ação bestial.

bestializar (bes.ti.a.li.*zar*) *v. td.* Tornar embrutecido; BESTIFICAR: *Trabalhos degradantes que bestializam o homem.* [▶ **1** bestializ*ar*]

bestialógico (bes.ti.a.*ló*.gi.co) *a. Bras.* **1** *Fam.* Sem nexo, disparatado. *sm.* **2** Discurso cheio de besteiras (1).

bestiário (bes.ti.*á*.ri.o) *sm. Liter.* Livro medieval com histórias de animais.

bestice (bes.*ti*.ce) *sf.* **1** Ação ou dito de besta (2); BESTEIRA; BESTIDADE. **2** *Bras.* Qualidade de quem é presunçoso, vaidoso, convencido: *as bestices de uma menina mimada.*

bestidade (bes.ti.*da*.de) *sf.* Ver bestice (1).

bestificar (bes.ti.fi.*car*) *v. td.* **1** *Fig.* Causar surpresa a; PASMAR. **2** Ver *bestializar*. [▶ **1** bestific*ar*] • **bes.ti.fi.ca.do a.**

⊕ **best-seller** (*Ing.* /*best-séler*/) *sm.* Livro ou autor que é grande sucesso de venda.

bestunto (bes.*tun*.to) *sm. Fam.* **1** Memória, lembrança, pensamento. **2** *Pej.* Inteligência curta.

besuntão (be.sun.*tão*) *sm.* Pessoa suja ou que anda com roupas emporcalhadas, ger. de gordura. [Pl.: -*tões*.]

besuntar (be.sun.*tar*) *v.* Pôr ou passar (substância gordurosa) em excesso em; LAMBUZAR(-SE). [*td.*: *Besuntou o pão de manteiga.* *pr.*: *Besuntou-se de filtro solar.*] [▶ **1** besunt*ar*] • **be.sun.ta.do a.**

beta (*be*.ta) *sm.* Segunda letra do alfabeto grego. Corresponde ao *b* latino (B, β).

beterraba (be.ter.*ra*.ba) *sf.* **1** *Bot.* Erva de raiz grossa e cor vermelho-vinho, us. na alimentação e da qual se extrai açúcar. **2** Essa raiz.

betoneira (be.to.*nei*.ra) *sf.* Máquina us. no preparo do concreto.

bétula (*bé*.tu.la) *sf. Bot.* Árvore de madeira branca e de boa qualidade.

betume (be.*tu*.me) *sm.* **1** *Quím.* Substância escura, us. como impermeabilizante e na pavimentação de ruas, rodovias etc. **2** Massa para fixar vidros nos caixilhos; BATUME, BITUME. • **be.tu.mi.no.so a.**

bexiga (be.*xi*.ga) *sf.* **1** *Anat.* Bolsa, localizada na parte inferior do abdome, que serve de reservatório de urina. **2** *Pop.* Varíola. **3** Marca na pele deixada por esta doença. **4** *SP Pop.* Balão inflável de borracha colorida.

bexiguento (be.xi.*guen*.to) *a.sm.* Que ou quem tem bexiga (2 e 3).

bezerro (be.*zer*.ro) [ê] *sm.* Filhote de vaca de até um ano de idade.

bi *a2g2n.sm2n. Bras. Pop.* **1** F. red. de *bilhão*, *bicampeão(ã)* e *bicampeonato*. **2** F. red. de *bissexual*.

bianual (bi.a:nu:*al*) *a2g*. **1** Ref. a biênio. **2** Que dura dois anos. **3** Que acontece a cada dois anos. [Pl.: *-ais*.]

biaribi (bi:a.ri.*bi*) *sm. Bras.* Método indígena de assar a caça ou o peixe em covas na terra.

bibelô (bi.be.*lô*) *sm.* Pequeno objeto de enfeite que se põe sobre móveis.

bíblia (*bí*.bli:a) *sf.* **1** Livro que contém os textos da Bíblia: *Ela comprou uma bíblia com capa de couro.* **2** *Fig.* Livro que se considera fundamental, que serve de guia: *Este manual é minha bíblia no trabalho.s2g.* **3** *Bras. Pej.* Protestante, crente: *Ele é bíblia, e vai sempre às assembleias de sua igreja.* [At! Considerado ofensivo nesta acepção.] ◨ **Bíblia** *sf.* **4** Conjunto dos livros sagrados do Antigo e do Novo Testamento.

📖 A Bíblia, em suas várias versões, é o livro mais impresso, mais vendido e mais lido de todos os tempos. Foi o primeiro livro impresso (por Gutenberg, em 1450), e é praticamente incontável o número de edições e de exemplares já publicados em c. 300 línguas diferentes. O termo compreende duas versões distintas: o chamado 'Antigo Testamento', a Bíblia judaica, composta de três partes: o Pentateuco, os Profetas e os Escritos; e a Bíblia cristã, que acrescentou à Bíblia judaica um 'Novo Testamento', incluindo os quatro Evangelhos e os Atos dos Apóstolos, as Epístolas e os Proféticos (Apocalipse).

bíblico (*bí*.bli.co) *a.* Ref. à, da ou próprio da Bíblia (texto *bíblico*).

bibliófilo (bi.bli:ó.fi.lo) *a.sm.* Que ou quem ama os livros ou os coleciona.

bibliografia (bi.bli:o.gra.*fi*.a) *sf.* **1** Lista de livros e documentos sobre determinado assunto. **2** Lista das obras consultadas por um autor, ou sugeridas como leitura complementar, que se encontra ger. no fim de um trabalho, de um livro etc. **3** Estudo e classificação de livros e documentos impressos.

bibliográfico (bi.bli:o.*grá*.fi.co) *a.* Ref. a, de ou próprio de livros ou de bibliografia.

bibliógrafo (bi.bli:*ó*.gra.fo) *sm.* Especialista em bibliografia.

bibliologia (bi.bli:o.lo.*gi*.a) *sf.* Ciência que estuda a história e a produção dos livros.

bibliomania (bi.bli:o.ma.*ni*.a) *sf.* Mania de acumular livros. ● **bi**.**bli:o**.**ma**.**ni**.**a**.co *a.*; **bi**.**bli:ó**.**ma**.**no** *sm.*

biblioteca (bi.bli:o.*te*.ca) *sf.* **1** Coleção de livros e documentos para consulta, estudo e leitura. **2** Edifício ou sala onde se guarda essa coleção.

📖 As bibliotecas datam da Antiguidade (c. 3000 a.C.), como coleções de papiros, tabletes gravados (chamados 'tábulas'), e manuscritos vários. Nos sécs. XIX e XX, quando se desenvolveram sistemas modernos de conservação e classificação de livros e documentos, foram criadas grandes bibliotecas. No Brasil, a primeira biblioteca foi a do mosteiro de São Bento, Salvador, BA, em 1581. As mais importantes são a Biblioteca Nacional, na cidade do Rio de Janeiro, a Biblioteca Municipal de São Paulo, a da USP, a da Universidade de Brasília e a Biblioteca do Congresso.

bibliotecário (bi.bli:o.te.*cá*.ri:o) *sm.* Pessoa responsável por uma biblioteca.

biblioteconomia (bi.bli:o.te.co.no.*mi*.a) *sf.* Curso universitário e disciplina que trata da organização e administração de bibliotecas. ● **bi**.**bli:o**.**te**.**co**.**no**.***mis***.**ta** *s2g.*; **bi**.**bli:o**.**te**.***có***.**no**.**mo** *sm.*

biboca (bi.*bo*.ca) *sf. Bras.* **1** Armazém ou botequim pequeno e simples. **2** Habitação humilde.

bica (*bi*.ca) *sf.* **1** Torneira, calha, cano ou tubo, ou qualquer orifício de onde sai água ou outros líquidos. **2** Chafariz, fonte (ger. de água potável). ◨ **Na ~ de** Prestes a, na iminência de (algo acontecer). **Suar em ~(s)** Transpirar muito.

bicada (bi.*ca*.da) *sf.* Golpe ou picada com o bico.

bicama (bi.*ca*.ma) *sf.* Cama dupla, ficando uma, quando não em uso, guardada sob a outra.

bicameralismo (bi.ca.me.ra.*lis*.mo) *sm.* Sistema político em que o Poder Legislativo se divide em duas câmaras. ● **bi**.**ca**.**me**.***ral***.**a**

bicampeão (bi.cam.pe:*ão*) *a.sm.* Que ou quem (esportista, clube, escola de samba etc.) foi campeão duas vezes de um mesmo campeonato. [Pl.: *-ões*. Fem.: *-ã*.] [F. red.: *bi*.]

bicampeonato (bi.cam.pe:o.*na*.to) *sm.* Campeonato vencido pelo mesmo concorrente pela segunda vez consecutiva ou não.

bicanca (bi.*can*.ca) *sf.* **1** Nariz grande. **2** Grande bico. **3** *Bras. Fut.* Chute, ger. forte, desferido com o bico da chuteira.

bicar (bi.*car*) *v. td.* Tocar, pegar ou picar com o bico: *O canário bicava o poleiro.* [▶ **1 bi**[**car**]]

bicarbonato (bi.car.bo.*na*.to) *sm. Quím.* Qualquer sal que deriva do ácido carbônico.

bicentenário (bi.cen.te.*ná*.ri:o) *a.* **1** Que tem duzentos anos. **2** O segundo centenário. **3** O festejo em que se comemoram os duzentos anos de alguma coisa.

bíceps (*bí*.ceps) *sm2n. 1 Anat.* Músculo com dois ligamentos, localizado no braço. **2** *Gír.* Força muscular.

bicha (*bi*.cha) *sf.* **1** *Bras.* Lombriga. **2** *Bras.* Sanguessuga. **3** *Lus.* Fila. *a2g.s2g.* **4** *Bras. Vulg. Pej.* Homossexual masculino, homem efeminado. [At! Considerado depreciativo ou preconceituoso nesta acepção.] ● **bi**.***chi***.**ce** *sf.*

bichado (bi.*cha*.do) *a.* **1** Que foi atacado por bicho (3) (feijão *bichado*). **2** *Esp.* Que vive se machucando ou que tem problemas físicos permanentes (diz-se de jogador).

bichano (bi.*cha*.no) *sm.* Gato.

bichar (bi.*char*) *v. int.* Dar ou encher-se de bicho (fruta, madeira etc.): *O feijão bichou.* [▶ **1 bich**[**ar**]]

bicharada (bi.cha.*ra*.da) *sf.* Grande quantidade de bichos; BICHARIA.

bicharia (bi.cha.*ri*.a) *sf.* **1** Ver *bicharada*. **2** *Joc.* Ajuntamento de pessoas. **3** *Bras. Vulg. Pej.* Ajuntamento de bichas (4), de homossexuais masculinos. [At! Considerado depreciativo ou preconceituoso nesta acepção.]

bicheira (bi.*chei*.ra) *sf. Bras.* Ferida em animal que fica cheia de vermes.

bicheiro (bi.*chei*.ro) *sm. Bras.* **1** Aquele que banca o jogo do bicho. **2** Funcionário que trabalha na anotação dos talões do jogo do bicho.

bicho (*bi*.cho) *sm.* **1** Qualquer animal. **2** *Pej.* Pessoa muito feia ou de trato difícil, grosseira. [At! Considerado ofensivo nesta acepção.] **3** Verme, inseto. **4** Jogo do bicho: *jogar no bicho*.

bicho-cabeludo (bi.cho.ca.be.*lu*.do) *sm. Bras. Zool.* Lagarta peluda que produz queimadura na pele; TATURANA. [Pl.: *bichos-cabeludos*.]

bicho-carpinteiro (bi.cho.car.pin.*tei*.ro) *sm. Zool.* Escaravelho. [Pl.: *bichos-carpinteiros*.] ◨ **Ter/Estar com ~** Qualidade ou atitude de alguém que não para quieto, que está agitado e/ou travesso.

bicho-da-seda (bi.cho.da-*se*.da) *sm. Zool.* Inseto que produz, em seu próprio corpo, uma seda fina que é us. pela indústria. [Pl.: *bichos-da-seda*.]

bicho-de-pé, bicho-do-pé (bi.cho.de-*pé*, bi.cho.do-*-pé*) *sm. Bras. Zool.* Inseto que penetra sob a pele, ger. do pé, provocando uma infecção. [Pl.: *bichos-de-pé, bichos-do-pé*.]

bicho de sete cabeças (bi.cho de se.te ca.*be*.ças) *sm. Bras.* Coisa muito complicada, de difícil entendimento ou solução. [Pl.: *bichos de sete cabeças*.]

bicho do mato | bilhão

bicho do mato (bi.cho do *ma*.to) *sm.* Pessoa arredia, solitária. [Pl.: *bichos do mato.*]

bicho-grilo (bi.cho-*gri*.lo) *sm. Pop.* Quem se comporta fora dos padrões convencionais. [Pl.: *bichos-grilos.*]

bicho-papão (bi.cho-pa.*pão*) *sm.* Criatura imaginária, criada pelos adultos para amedrontar crianças; PAPÃO; BOITATÁ; CUCA². [Pl.: *bichos-papões.*]

bicho-pau (bi.cho-*pau*) *sm. Zool.* Nome de vários insetos, esp. um cuja forma lembra a de um graveto. [Pl.: *bichos-paus* e *bichos-pau.*]

bicicleta (bi.ci.*cle*.ta) *sf.* **1** Veículo de duas rodas impulsionado por pedais que se ligam à roda traseira por uma corrente. **2** *Fut.* Lance em que o jogador, de costas para o local ao qual pretende acertar a bola, ergue o corpo do chão e rapidamente movimenta as duas pernas no ar, chutando com um dos pés por cima do corpo.

bicicletário (bi.ci.cle.*tá*.ri:o) *sm. Bras.* Lugar para se guardar bicicletas.

bico (*bi*.co) *sm.* **1** Extremidade saliente na boca das aves; ROSTRO: *bico da galinha*. **2** Extremidade aguçada de um objeto qualquer: *bico do sapato*. **3** Dispositivo macio, ger. de borracha, us. na boca da mamadeira, para que o bebê possa sugar o leite. **4** Renda que tem um lado terminado em ponta: *renda de bico*. **5** *Pop.* Trabalho extra ou eventual: *Trabalhava no banco, mas arranjou um bico durante a noite.* [Verb. tb. *bicos.*] ▪ **Abrir o ~** *Bras. Gír.* **1** Delatar alguém, revelar segredo. **2** Ficar alegre (atleta, alguém que esteja fazendo esforço físico) ofegante, dar sinais de cansaço. **Calar/Fechar o ~** Calar, não revelar segredo. **De ~** *Pop. Fut.* Com o bico da chuteira. **Não ser para o ~ de alguém** *Bras. Fam.* Estar (algo) fora da possibilidade de alguém tê-lo, usufruí-lo, realizá-lo etc.

bico de papagaio (bi.co de pa.pa.*gai*.o) *sm.* **1** *Fig. Med.* Saliência anormal na coluna vertebral. **2** Nariz curvo, em forma de gancho. **3** *Bot.* Planta ornamental de flores avermelhadas (com hifens nesta acp.). [Pl.: *bicos de papagaio.*]

bicolor (bi.co.*lor*) [ô] *a2g.* De duas cores (bandeira *bicolor*).

bicôncavo (bi.*côn*.ca.vo) *a.* Côncavo dos dois lados. • **bi.con.ca.vi.da.de** *sf.*

biconvexo (bi.con.*ve*.xo) [cs] *a.* Que tem duas faces convexas opostas.

bicos (*bi*.cos) *smpl. Bras.* **1** Restos (de algo). **2** Quantia mínima, insignificante.

bicota (bi.co.ta) *sf. Bras. Fam.* Beijo que produz um pequeno estalo; BEIJOCA.

bicromia (bi.cro.*mi*.a) *sf. Art.Gr.* Processo de impressão em duas cores (com meio-tom) de um original de uma só cor: *Imprimiu o folheto em bicromia.*

bicudo (bi.*cu*.do) *a.* **1** Que tem bico (ave bicuda). **2** Que tem a ponta aguçada (sapato *bicudo*). **3** *Pop.* Que é difícil, complicado: *Estamos vivendo tempos bicudos.*

bidê, bidé (bi.*dê*, bi.*dé*) *sm.* Aparelho sanitário dotado de um chuveirinho que esguicha água para cima, destinado à lavagem das partes íntimas.

bidimensional (bi.di.men.si:o.*nal*) *a2g.* Que tem duas dimensões. [Pl.: *-nais.*]

biela (bi.*e*.la) *sf.* Barra destinada a transmitir movimento entre duas peças articuladas de um mecanismo.

bielorrusso (bi:e.lor.*rus*.so) *a.* **1** Da antiga Bielorrússia ou Rússia Branca, hoje Belarus; típico desse país ou de seu povo. *sm.* **2** Pessoa nascida ou que vive na Bielorrússia.

BIELA

bienal (bi:e.*nal*) *a2g.* **1** Ref. a biênio, ou que vale por um biênio (plano *bienal*). **2** Que ocorre de dois em dois anos (exposição bienal). *sf.* **3** Determinado evento bienal (2): *Foram todos à Bienal do Livro.* [Nesta acp., ger. grafado com maiúsc.] [Pl.: *-nais.*]

biênio (bi:*ê*.ni:o) *sm.* Período de dois anos.

biestável (bi:es.*tá*.vel) *a2g. Eletrôn.* Que tem dois pontos de funcionamento estável (diz-se de sistema). [Pl.: *-veis.*]

bife (*bi*.fe) *sm.* **1** Fatia de carne, ger. bovina, grelhada ou frita; FILÉ. **2** *Bras. Pop.* Pedaço de pele ou de carne que se corta acidentalmente do corpo.

bífido (*bí*.fi.do) *a. Biol.* Aberto ao meio, fendido em duas partes (língua bífida).

biflora (bi.*flo*.ro) *a. Bot.* Que tem duas flores ou grupos com duas flores cada um.

bifocal (bi.fo.*cal*) *a2g.* Que tem dois focos (lente bifocal). [Pl.: *-cais.*]

biforme (bi.*for*.me) *a2g.* Que tem duas formas (adjetivo biforme).

bifurcação (bi.fur.ca.*ção*) *sf.* **1** Ação ou resultado de bifurcar(-se). **2** Ponto em que algo se divide em dois: *bifurcação da estrada.* [Pl.: *-ções.*] • **bi.fur.ca.do** *a.*

bifurcar (bi.fur.*car*) *v.* Dividir(-se) em dois braços, em dois caminhos. [*td.*: *bifurcar um curso de água*. *pr.*: *A estrada se bifurca depois da ponte.*] [▶ **11** bifurcar]

biga (*bi*.ga) *sf.* Veículo da Roma antiga, puxado por dois cavalos.

bigamia (bi.ga.*mi*.a) *sf.* Estado ou condição de bígamo. [Cf.: *monogamia, poligamia.*]

bígamo (*bí*.ga.mo) *a.sm.* Que ou quem é casado ao mesmo tempo com duas pessoas.

• **big bang** (Ing. / big béng/) *sm.* Termo que designa teoria segundo a qual o universo foi criado a partir da grande explosão de uma massa de átomos de hidrogênio.

• **big data** (Ing. / big data/) *inf.* Termo em Tecnologia da Informação (TI) que designa grandes conjuntos de dados a serem processados e armazenados, inclusive novos dados que vão-se incorporando, regidos pelo que se chama de '3 Vs': cada vez mais velocidade, volume e variedade.

bigode (bi.*go*.de) *sm.* **1** Parte da barba que nasce entre o nariz e a boca. **2** *Pop.* Camada de espuma ou resíduo que fica acima do lábio superior de quem bebeu cerveja, leite, vitamina etc. • **bi.go.du.do** *a.*

bigodear (bi.go.de.*ar*) *v. td.* Enganar (alguém); ILUDIR. [▶ **13** bigodear]

bigodeira (bi.go.*dei*.ra) *sf.* Bigode grande, farto.

bigorna (bi.*gor*.na) *sf.* **1** Peça de ferro de base quadrangular em que se malham metais para amoldá-los. **2** *Anat.* Pequeno osso da orelha.

bigorrilha, bigorrilhas (bi.gor.*ri*.lha, bi.gor.*ri*.lhas) *s2g., s2g2n. Pop. Pej.* Pessoa desprezível; BILTRE; PULHA. [At! O termo é considerado ofensivo.]

biguá (bi.*guá*) *sm. Bras. Zool.* Ave de cor negra com tons acinzentados no dorso.

bijuteria, bijutaria (bi.ju.te.*ri*.a, bi.ju.ta.*ri*.a) *sf.* Objeto ger. delicado que se usa como enfeite no corpo ou na roupa (anel, brinco, pulseira, broche etc.).

bilabiado (bi.la.bi:*a*.do) *a.* Que tem dois lábios. • bi.la.bi.*al* *a2g.*

bilateral (bi.la.te.*ral*) *a2g.* **1** Que tem dois lados. **2** Que obriga as duas partes envolvidas a cumprirem determinadas obrigações (contrato bilateral). **3** Ref. a parentesco ou parente por parte tanto de pai quanto de mãe. [Pl.: *-rais.*] • **bi.la.te.ra.li.da.de** *sf.*

bilboquê (bil.bo.*quê*) *sm.* Brinquedo que consiste em enfiar uma bola na haste a que está ligada por um cordel, usando apenas o impulso da mão.

bile (*bi*.le) *sf.* Ver *bílis.*

bilha (*bi*.lha) *sf.* Vasilha bojuda, ger. de barro, para conter água ou outros líquidos potáveis.

bilhão (bi.*lhão*) *num.sm.* Mil milhões. [Pl.: *-lhões.*]

bilhar | biombo

bilhar (bi.*lhar*) *sm.* **1** Jogo que consiste em, sobre uma mesa forrada de feltro verde, com tabelas (e sem caçapas), impulsionar com um taco uma bola, de modo a que toque em seu movimento em duas outras bolas que estão sobre a mesa. **2** A mesa em que se joga bilhar (1). **3** Estabelecimento em que se pratica esse jogo: *Foi ao bilhar*. [Cf.: *sinuca* (1 e 2).]

bilhete (bi.*lhe*.te) [ê] *sm.* **1** Carta de poucas linhas, contendo recados, recomendações etc. **2** O papel onde está escrita esta carta. **3** Ingresso que permite a entrada em salas de espetáculos, reuniões etc.; ENTRADA. **4** Pequeno impresso que permite viajar em veículos coletivos. **5** Cédula numerada com a qual se concorre a concursos, sorteios ou prêmios: *bilhete de loteria*. ■ ~ **azul** Dispensa, demissão de emprego. ● **bi.lhe.ta.gem** *sf.*

bilheteiro (bi.lhe.*tei*.ro) *sm.* Vendedor de bilhetes.

bilheteria (bi.lhe.te.*ri*.a) *sf. Bras.* Lugar em que se vendem bilhetes.

bilião (bi.li.*ão*) *num.sm.* Ver *bilhão*. [Pl.: -*liões*.]

biliar (bi.li.*ar*) *a2g.* Ref. a bílis.

biliário (bi.li.*á*.ri:o) *a.* Ver *biliar*.

bilíngue (bi.*lin*.gue) *a2g.s2g.* **1** Que ou quem utiliza ou domina duas línguas (país *bilíngue*). *a2g.* **2** Feito ou editado em duas línguas diferentes.

bilinguismo (bi.lin.*guis*.mo) *sm.* Uso regular de duas línguas por indivíduo, país, comunidade etc.

bilionário (bi.li:o.*ná*.ri:o) *a.sm.* Que ou quem tem muito dinheiro.

bilionésimo (bi.li:o.*né*.si.mo) *num.* **1** Ordinal que, em uma sequência, corresponde a um bilhão: *Vou falar pela bilionésima vez. a.* **2** Que é um bilhão de vezes menor do que a unidade ou um todo (diz-se de parte): *a bilionésima parte da distância.* [Us. tb. como subst.: *um bilionésimo da distância*.]

bilioso (bi.li:o.so) [ô] *a.* **1** Que está cheio de bílis, ou a ela se assemelha (pela cor, aspecto etc.). **2** Que está costumado estar de mau humor. [Fem. e pl.: [ó].]

bílis (*bí*.lis) *sf2n., sf. Fisl.* Líquido esverdeado que é segregado pelo fígado e tem grande importância na digestão. **2** *Pop.* Mau humor.

biloma (bi.*lo*.ma) [ô] *sm. Med.* Acúmulo de bílis na cavidade do peritônio.

bilontra (bi.*lon*.tra) *a2g.s2g.* **1** Que ou quem pratica patifarias (pessoa); PATIFE. *a.sm.* **2** Que ou quem é dado a conquistas amorosas. ● **bi.lon.*tra*.gem** *sf.*

bilro (*bil*.ro) *sm.* Instrumento de madeira ou metal com que as rendeiras fazem rendas.

biltre (*bil*.tre) *a2g. s2g.* Que ou quem é dado a praticar vilezas; CANALHA; INFAME. [Aum.: *biltraço*.]

bímano (*bí*.ma.no) *a.* Que tem duas mãos.

bimbalhar (bim.ba.*lhar*) *v. td. int.* Soar ou fazer soar (sino); BADALAR. [▶ 1 bimbalhar]

bimensal (bi.men.*sal*) *a2g.* Que se realiza ou ocorre duas vezes por mês); QUINZENAL. [Pl.: -*sais*.]

bimestral (bi.mes.*tral*) *a2g.* Que se realiza ou ocorre de dois em dois meses. [Pl.: -*trais*.]

bimestre (bi.*mes*.tre) *sm.* Período de dois meses seguidos.

bimotor (bi.mo.*tor*) [ô] *a.* **1** Que tem dois motores (avião bimotor). *sm.* **2** Veículo de dois motores: *Viu o bimotor aterrissar na pista.*

bina (*bi*.na) *sf.* Dispositivo que se acopla ao telefone, ou já faz parte dele, e indica o número de quem está chamando; IDENTIFICADOR DE CHAMADAS.

binacional (bi.na.ci:o.*nal*) *a2g.* **1** Que pertence a duas nações. **2** Que se realiza entre duas nações. *sf.* **3** Empresa binacional (1). [Pl.: -*nais*.]

binário (bi.*ná*.ri:o) *a.* **1** Que é composto por dois elementos ou unidades. **2** *Mat.* Que tem por base o número dois (diz-se do sistema de numeração).

bingo (*bin*.go) *sm.* **1** Jogo de azar que inclui cartões numerados e sorteio de números. **2** Estabelecimento onde se joga bingo (1).

binóculo (bi.*nó*.cu.lo) *sm.* Instrumento portátil provido de duas lentes, com o qual se pode ver ao longe.

binômio (bi.*nô*.mi:o) *sm. Mat.* Expressão algébrica composta por dois termos.

biocenose (bi:o.ce.*no*.se) *sf. Biol.* Conjunto de animais e plantas que habitam uma mesma área ao mesmo tempo e formam uma comunidade.

biociclo (bi:o.*ci*.clo) *sm. Biol.* O total das etapas por que passam os seres vivos, do nascimento à morte.

biociência (bi:o.ci:*ên*.ci:a) *sf.* Qualquer ciência que estuda os seres vivos (biologia, bioquímica etc.).

biocombustível (bi:o.com.bus.*tí*.vel) *sm.* Diz-se de combustível de origem biológica, não fóssil. [Pl.: -*veis*.]

biodegradável (bi:o.de.gra.*dá*.vel) *a2g.* Que se decompõe pela ação de microrganismos (diz-se de substância). [Pl.: -*veis*.]

biodiversidade (bi:o.di.ver.si.*da*.de) *sf. Ecol.* O conjunto de todos os seres vivos (espécies animais, vegetais etc.) em determinada região.

📖 O termo 'biodiversidade', que ganhou importância durante o Rio-92, encontro internacional sobre preservação ambiental realizado no Rio de Janeiro, refere-se, em sentido lato, à existência e preservação de múltiplas espécies em um ambiente natural como condição de equilíbrio ambiental, o que implica medidas de preservação de espécies raras e em extinção.

bioenergia (bi:o.e.ner.*gi*.a) *sf. Ecol.* **1** Energia que se obtém da transformação química de matérias vivas. **2** Energia vital.

bioengenharia (bi:o.en.ge.nha.*ri*.a) *sf.* **1** *Gen.* Conjunto de técnicas que procuram realçar traços de seres vivos para desenvolver espécies mais úteis, e aplica-se, p.ex., no campo da agricultura. **2** Utilização da engenharia para o trabalho de adaptar equipamentos que sirvam aos organismos vivos, esp. o homem, e que cria sistemas de proteção para missões espaciais, submarinas etc.

biofísica (bi:o.*fí*.si.ca) *sf.* Estudo dos fenômenos biológicos pela física. ● **bi:o.*fí*.si.co.a** *sm.*

biogênese (bi:o.*gê*.ne.se) *sf. Biol.* Princípio que se fundamenta na ideia de que todo ser vivo provém de outro ser vivo.

biogeocenose (bi:o.ge:o.ce.*no*.se) *sf. Ecol.* Ver *ecossistema*.

biogeografia (bi:o.ge:o.gra.*fi*.a) *sf. Geog.* Ramo da ciência que estuda a distribuição geográfica dos seres vivos.

biografar (bi:o.gra.*far*) *v.* Fazer a biografia de; contar a vida de (alguém). [*td.*: *biografar o pintor. pr.*: *Costuma biografar-se em seus contos*.] [▶ 1 biografar]

biografia (bi:o.gra.*fi*.a) *sf.* **1** Relato da vida de alguém. **2** Livro, filme, peça de teatro etc. que apresenta uma biografia (1). ● **bi:o.*grá*.fi.co.a**

biógrafo (bi:*ó*.gra.fo) *sm.* Quem escreve biografias.

biologia (bi:o.lo.*gi*.a) *sf.* Ciência que estuda os seres vivos e os fenômenos ref. à vida. ● **bi:o.*ló*.gi.co.a**; **bi:o.lo.*gis*.ta s2g.**; **bi:*ó*.lo.go.sm.**

bioluminescência (bi:o.lu.mi.nes.*cên*.ci:a) *sf. Bioq.* Luminosidade produzida por alguns seres vivos.

bioma (bi:*o*.ma) [ô] *sm. Ecol.* Termo que designa comunidade(s) de plantas e animais que estão adaptados e convivem em uma determinada região com clima, relevo e outras condições ambientais determinadas: *o bioma da floresta amazônica*.

biomassa (bi:o.*mas*.sa) *sf.* **1** *Ecol.* Quantidade total de matéria orgânica em um determinado conjunto de ecossistema: *O incêndio destruiu metade da biomassa da floresta*. **2** Matéria vegetal considerada como fonte de energia.

biombo (bi:*om*.bo) *sm.* Móvel com várias peças (revestidas de madeira, tecido etc.) ligadas com dobradiças, us. como anteparo.

biometria | bisca

biometria (bi:o.me.*tri*.a) *sf. Biol.* Estudo das medidas das partes do corpo de seres vivos (esp. do corpo humano). • **bi:o.mé.tri.co** *a.* (dados biométricos).

biônica (bi:ô.ni.ca) *sf. Biol.* Ciência que aplica os conhecimentos da biologia na construção de máquinas e sistemas eletrônicos.

biônico (bi:ô.ni.co) *a.* **1** Em que há partes eletrônicas exercendo o papel de órgãos do corpo (braço biônico). **2** Ref. a biônica. **3** *Bras. Irôn.* Que assume um cargo sem ter sido eleito (diz-se de político).

biônimo (bi:ô.ni.mo) *sm. Biol.* Nome dado a um ser vivo.

biopolímero (bi:o.po.*li*.me.ro) *sm. Biol.* Molécula grande presente nos organismos vivos.

biopsia, biópsia (bi:op.si.a, bi:óp.si:a) *Med. sf.* **1** Retirada de pedaço de tecido vivo para exame ao microscópio. **2** Esse exame: *O resultado da biopsia considerou o tumor benigno.*

bioquímica (bi:o.*qui*.mi.ca) *sf. Bioq.* Ciência que estuda as reações químicas que ocorrem em organismos vivos. • **bi:o.quí.mi.co** *a.sm.*

biorritmo (bi:or.*rit*.mo) *sm. Biol.* Ritmo em que processos biológicos ocorrem no corpo humano.

biosfera (bi:os.*fe*.ra) *sf. Ecol.* Conjunto formado pela atmosfera, crosta terrestre, água e todas as formas de vida encontradas na Terra; ECOSFERA.

biossíntese (bi:os.*sin*.te.se) *sf. Quím.* Produção de uma substância química por um organismo vivo.

biossistema (bi:os.sis.*te*.ma) *sm. Ecol.* Ver ecossistema.

biota (bi:o.ta) *sf. Ecol.* Conjunto de seres vivos que habitam um determinado ambiente ecológico.

biotecnologia (bi:o.tec.no.lo.*gi*.a) *sf. Biol. Gen.* Uso científico e industrial de organismos vivos (como células e bactérias) para produzir medicamentos, produtos químicos etc. • **bi:o.tec.no.ló.gi.co** *a.*

biótico (bi:ó.ti.co) *a. Ecol.* Diz-se de componente vivo do meio ambiente. (Inclui fauna, flora, vírus, bactérias etc.).

biotipo, biótipo (bi:o.*ti*.po, bi:ó.ti.po) *sm.* **1** *Biol. Ecol.* Grupo de seres geneticamente iguais. **2** Tipo físico de um indivíduo.

bióxido (bi:ó.xi.do) [cs] *sm. Quím.* Óxido que tem dois átomos de oxigênio em sua molécula; DIÓXIDO.

bip *sm.* **1** Sinal curto e agudo emitido por certos aparelhos. **2** *Telc.* Aparelho eletrônico portátil, conectado a uma central de recados; BIPE: *Qual é o número do seu bip?*

bipar (bi.*par*) *v. td.* Entrar em contato com (alguém) por meio de bip (2): *Peça-lhe que bipe o dentista.* [▶ bipar]

bipartição (bi.par.ti.*ção*) *sf.* Ação ou resultado de bipartir, de dividir em duas partes. [Pl.: -*ções*.]

bipartidarismo (bi.par.ti.da.*ris*.mo) *sm. Pol.* Existência de apenas dois partidos políticos em um país: *Nos EUA vigora o bipartidarismo.* • **bi.par.ti.*dá*.ri:o** *a.*

bipartir (bi.par.*tir*) *v. td. pr.* Dividir(-se) em dois. [▶ bipartir] • **bi.par.ti.do** *a.*

bipartite (bi.par.*ti*.te) *a2g.* Que é formado por duas partes.

bipe (*bi*.pe) *sm.* Ver bip.

bipedal (bi.pe.*dal*) *a2g.* Ref. a sustentação dos animais bípedes, sobre dois pés (posição bipedal). [Pl.: -*dais*.]

bípede (*bi*.pe.de) *a2g.s2g.* Que ou aquele que possui dois pés ou anda sobre dois pés (diz-se de animal).

biplano (bi.*pla*.no) *a.sm.* Que ou o que tem duas asas ou superfícies de sustentação, uma superposta à outra (diz-se de aeronave).

bipolar[1] (bi.po.*lar*) *a2g.* **1** Que tem dois polos opostos (estrutura bipolar). **2** Dividido em duas partes principais, ger. conflitantes: *Durante a Guerra Fria o mundo era bipolar.* • **bi.po.la.ri.*da*.de** *sf.*

bipolar[2] (bi.po.*lar*) *a2g. Elet.* Em que se usa um ou mais de um bipolo (transistor bipolar).

bipolo (bi.*po*.lo) *sm. Elet.* Dispositivo ou circuito elétrico com dois terminais.

biquadrada (bi.qua.*dra*.da) *sf. Mat.* Equação algébrica de quarto grau com apenas as potências pares da incógnita, do tipo $x^4 - 2x^2 + 6 = 0$. [Tb. *equação biquadrada*.]

biqueira (bi.*quei*.ra) *sf.* **1** Acabamento ou reforço em forma de bico: *biqueira de sapato*. **2** *Arq.* Calha para escoar águas de chuva do telhado.

biqueiro (bi.*quei*.ro) *a.sm. Bras. Fam.* Que ou quem come ou bebe pouco.

biquíni (bi.*qui*.ni) *sm.* **1** Maiô de duas peças (ger. de tamanho muito reduzido). [Cf.: *maiô*.] **2** Calcinha pequena.

biriba (bi.*ri*.ba) *sm. Bras.* Certo jogo de cartas.

birita (bi.*ri*.ta) *sf. Bras. Gír.* **1** Bebida alcoólica. **2** Cachaça.

birmanês (bir.ma.*nês*) *a.* **1** Da Birmânia, atual Myanmar (Ásia); típico desse país ou de seu povo. *sm.* **2** Pessoa nascida na Birmânia; BIRMÃ, BIRMANE, MIANMARENSE. *a.sm.* **3** *Gloss.* Da, ref. à ou a língua falada na região de Myanmar e em Assam (Índia). [Pl.: -*neses*. Fem.: -*nesa*.]

birô (bi.*rô*) *sm.* **1** Local de trabalho, ger. intelectual ou burocrático; ESCRITÓRIO: *birô de investigações de auditoria*. **2** Empresa que faz serviços de editoração: *Fomos ao birô ver a arte-final do seu livro*.

birosca (bi.*ros*.ca) *sf. Pop.* Loja simples onde se vendem bebidas, comida (e, às vezes, mantimentos); BOTECO.

birra (*bir*.ra) *sf. Pop.* **1** Comportamento mal-humorado e desrespeitoso, ger. de crianças; PIRRAÇA: *Quando está com sono, faz birra*. **2** Insistência em fazer algo, mesmo errado ou ilógico; TEIMOSIA: *Saiu na chuva só por birra*. **3** Má vontade em relação a algo ou alguém; IMPLICÂNCIA: *ter birra com especuladores*. **4** Desentendimento entre duas pessoas; RIXA: *Mal se encontraram, reviveram a birra antiga*.

birrento (bir.*ren*.to) *a. Pop.* Que faz ou tem birra.

biruta (bi.*ru*.ta) *sf.* **1** Aparelho que indica a direção do vento. *a2g.s2g.* **2** *Bras. Pop.* Que ou quem é doido, amalucado. • **bi.ru.ti.ce** *sf.*

bis *interj.* **1** Us. para (público, audiência) pedir a repetição ou um pequeno prolongamento de uma apresentação artística: "*Bis!*", *gritava a plateia*. *sm2n.* **2** Repetição ou prolongamento de apresentação artística: *O público pediu bis, e o pianista atendeu*. **3** Repetição, ger. de um prato em refeição: *Comeu tudo e pediu bis*.

bisão (bi.*são*) *sm. Zool.* Mamífero selvagem da família do boi, de grande porte, chifres curtos, uma corcunda na região do dorso e pelos longos na parte da frente do corpo. [Pl.: -*sões*.]

bisar (bi.*sar*) *v. td.* Repetir (esp. apresentação artística de teatro, música etc.); dar bis de (2): *O sanfoneiro bisou duas músicas*. [▶ bisar]

bisavó (bi.sa.*vó*) *sf.* Mãe de um dos avós de uma pessoa em relação a essa pessoa.

bisavô (bi.sa.*vô*) *sm.* **1** O pai de cada um dos avós de uma pessoa em relação a essa pessoa. [Fem.: -*vó*. Pl. (de *bisavô*): -*vós* e -*vôs*.] [NOTA: *Bisavós* é menos us. que *bisavôs*.] ⬜ **bisavós** *smpl.* **2** *Fig.* Antepassados muito antigos; ANCESTRAIS: *Alguns dinossauros são os bisavós das aves de hoje*.

bisbilhotar (bis.bi.lho.*tar*) *v.* **1** Investigar, remexer por curiosidade ou mexerico (esp. o que não lhe diz respeito). [*td.*: *bisbilhotar os bolsos do marido*.] **2** Fazer fofoca, mexerico (de). [*td.*: *Bisbilhotava a vida de todos os colegas*. *int.*: *Passa o dia bisbilhotando*.] [▶ bisbilhotar]

bisbilhoteiro (bis.bi.lho.*tei*.ro) *a.sm. Pop.* Que ou quem bisbilhota, intromete-se em assuntos alheios; INTROMETIDO, MEXERIQUEIRO.

bisbilhotice (bis.bi.lho.*ti*.ce) *sf.* **1** Ação ou resultado de bisbilhotar, de investigar os assuntos dos outros. **2** Qualidade de bisbilhoteiro.

bisca (*bis*.ca) *sf.* **1** Nome de diferentes jogos de cartas para duas ou quatro pessoas. **2** *Fam.* Pessoa falsa, de mau caráter.

biscate (bis.*ca*.te) *sm.* **1** *Bras.* Trabalho eventual que rende dinheiro extra; BICO: *Fazia consertos de biscate.* **2** *Bras.* Remuneração obtida com esse trabalho; RICO. **3** *Bras. Gír.* Prostituta.

biscatear (bis.ca.te.*ar*) *v. int.* Fazer biscate, ocasionalmente ou como meio de vida: *Desempregado, começou a biscatear.* [▶ **13** bisca[ear]]

biscateiro (bis.ca.*tei*.ro) *sm.* Quem faz biscates (1).

biscoiteira (bis.coi.*tei*.ra) *sf.* Pote para guardar biscoitos, ger. com tampa.

biscoiteiro (bis.coi.*tei*.ro) *sm.* Quem fabrica ou vende biscoitos.

biscoito (bis.*coi*.to) *sm. Cul.* Alimento assado ao forno que leva farinha, ovos, leite, sal ou açúcar e outros ingredientes.

bisel (bi.*sel*) *sm.* **1** Tipo de corte (ger. em aresta ou quina) inclinado na borda de um objeto de vidro, metal etc.; CHANFRADURA. **2** A borda assim cortada. [Pl.: *-séis*.]

bisnaga (bis.*na*.ga) *sf.* **1** Pão comprido em forma de cilindro. **2** Tubo, ger. de plástico, us. como embalagem de substância cremosa: *bisnaga de tinta/de pasta de dente.*

bisneto (bis.*ne*.to) *sm.* **1** O filho do neto ou da neta de uma pessoa em relação a essa pessoa. ◘ **bisnetos** *smpl.* **2** *Fig.* Os parentes que sucedem alguém; DESCENDENTES: *Esta é a herança que vou deixar para meus bisnetos.* [Ver tb. *tataraneto.*]

bisonho (bi.*so*.nho) [ô] *a.* **1** Sem experiência, principiante, inábil (profissional *bisonho*). **2** Próprio de principiante: *Cometer um erro bisonho.* **3** Tímido.

bispado (bis.*pa*.do) *sm.* **1** Território sob a autoridade de um bispo; DIOCESE: *O bispado do Pará foi criado em 1720.* **2** Cargo ou função de bispo: *assumir o bispado.* **3** Período durante o qual alguém está nesse cargo.

bispar (bis.*par*) *v. td. Pop.* **1** Furtar: *Bispava os biscoitos da lata.* **2** Observar atentamente, às escondidas: *Bispava o esconderijo do irmão.* [▶ **1** bispa[r]]

bispo (*bis*.po) *sm.* **1** *Rel.* Padre que dirige uma diocese e tem autoridade sobre as igrejas situadas nesse território. **2** Peça do jogo de xadrez que faz movimentos diagonais no tabuleiro.

bissemanal (bis.se.ma.*nal*) *a2g.* Que acontece ou se publica duas vezes por semana (reuniões *bissemanais*, revista *bissemanal*). [Pl.: *-nais*.]

bissetor, bissector (bis.se.*tor*, bis.sec.*tor*) [ô] *a.sm. Geom.* Que (diz-se de plano) ou plano que passa pela reta de interseção de dois outros planos, dividindo o diedro formado por eles em dois diedros iguais.

bissetriz, bissectriz (bis.se.*triz*, bis.sec.*triz*) *sf. Geom.* Segmento de reta que passa pelo vértice de um ângulo e o divide ao meio.

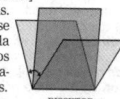

bissexto (bis.*sex*.to) [ês] *a.* **1** Diz-se de ano que tem 366 dias, e que ocorre de quatro em quatro anos. **2** *Fig.* Que exerce uma atividade (ger. artística) raramente (poeta *bissexto*, compositor *bissexto*). *sm.* **3** O dia 29 de fevereiro, que ocorre a cada quatro anos. **4** *Fig.* Pessoa bissexta (2).

bissexual (bis.se.xu.*al*) [cs] *a2g.s2g.* **1** Que ou quem tem relações sexuais tanto com homens quanto com mulheres. *a2g.* **2** Ref. a esse comportamento: *ter desejos bissexuais.* **3** *Biol.* Que tem os órgãos reprodutores masculino e feminino; HERMAFRODITA: *Minhocas, lesmas e caracóis são animais bissexuais.* [Pl.: *-ais*.] [F. red.: *bi.*] ● **bis.se.xu.a.li.***da***.de** *sf.*

bissexualismo (bis.se.xu.a.*lis*.mo) [cs] *sm.* **1** Atração sexual tanto por homens quanto por mulheres. **2** *Biol.* Condição de hermafrodita.

bisteca (bis.*te*.ca) *sf.* **1** Pedaço de carne, ger. de boi ou de porco, com osso. **2** O bife preparado com essa carne.

bistrô (bis.*trô*) *sm.* Restaurante pequeno e aconchegante.

bisturi (bis.tu.*ri*) *sm. Med.* Instrumento cortante us. por médicos em cirurgias.

⊕ **bit** (Ing. / bít/) *sm. Inf.* Abr. de *binary unit*, ou seja, unidade binária, que é a menor unidade em um sistema digital, base de todos os registros, comandos e instruções para computador. Insere-se num sistema binário de numeração, ou seja, comporta apenas dois valores possíveis, no caso 1 ou 0.

☐ O *bit* é como se fosse um tijolinho de montar *bytes*, estes sim, unidades significativas que já juntam para montar significados. O *byte* comporta 8 *bits*, ou seja, ele tem 8 espaços em que entram o zero e o número 1, assim: 00000000, 00000001, 00000010, 00000011, 00000100, 00000101 etc. São 256 combinações possíveis (que no sistema binário de numeração resultam em números de 0 a 255), o que significa que, num sistema de *bytes* de 8 *bits* cada um, estão disponíveis 256 signos de significado (letras, algarismos, sinais, símbolos etc.) que vão formar textos, fórmulas, instruções etc. Nas instruções ao processador de um computador podem ser us. como unidade de informação conjuntos de até 32 *bits*.

bitácula (bi.*tá*.cu.la) *sf. Mar.* Caixa em que fica guardada a bússola (ger. us. em navios).

⊕ **bitcoin** (Ing. /bitcóin/) *sm.* **1** Moeda virtual (ou digital) que permite transações financeiras, sem intermediários e de forma anônima, em termos mundiais, através do protocolo Bitcoin. **2** A unidade desta moeda. [Tb. BTC.]

bitola (bi.*to*.la) *sf.* **1** Medida-padrão para determinado uso ou tipo de objeto: *bitola de um filme.* **2** Distância entre os dois trilhos de uma ferrovia. **3** *Fig.* Regra inflexível: *Só sabe pensar pelas bitolas de sempre.*

bitolado (bi.to.*la*.do) *a.* **1** *Fig.* Que não tem uma mente aberta, que não aceita novas ideias etc. **2** Que teve o seu tamanho padronizado: *pedaços de ferro bitolados.*

bitolar (bi.to.*lar*) *v.* **1** *Bras. Fig.* Tornar(-se) limitado, bitolado, nas ações, no pensamento etc. [*td.*: *preconceitos que bitolam as pessoas. pr.*: *Certos grupos bitolam-se em ideais tolos.*] **2** Medir com bitola. [*td.*] [▶ **1** bitola[r]]

bitransitivo (bi.tran.si.*ti*.vo) *a. Gram.* Que requer dois complementos, além do sujeito: o objeto direto e o objeto indireto (diz-se de verbo).

bitributação (bi.tri.bu.ta.*ção*) *sf. Jur.* Ação ou resultado de acumular duas cobranças de impostos sobre a mesma mercadoria ou bem. [Pl.: *-ções*.]

biunívoco (bi.u.*ní*.vo.co) *a. Mat.* Em que para cada elemento de um conjunto corresponde apenas um elemento de outro, e vice-versa. [Cf.: *unívoco*.]

bivalve (bi.*val*.ve) *a2g.s2g.* Que ou aquilo que se abre em duas valvas (molusco *bivalve*).

bivaque (bi.*va*.que) *sm. Mil.* Acampamento em que os abrigos são naturais.

bivolt (bi.*volt*) [ô] *a2g. Elet.* Diz-se de aparelho elétrico que pode funcionar em duas voltagens diferentes.

bizantino (bi.zan.*ti*.no) *a.* **1** De Bizâncio (antiga colônia grega, atual Istambul); típico dessa cidade ou de seu povo. **2** Ref. ao Império Romano do Oriente (330-1453) (período *bizantino*). *sm.* **3** Pessoa nascida em Bizâncio.

bizarria (bi.zar.*ri*.a) *sf.* Qualidade de quem ou daquilo que é bizarro.

bizarro (bi.*zar*.ro) *a.* Que foge ao que é considerado normal (ideias *bizarras*); ESTRANHO.

blá-blá-blá (blá-blá-*blá*) *sm. Pop.* Conversa sem importância; ABOBRINHA.

⊕ **black tie** (Ing. /blék taí/) *loc.subst.* Terno especial para ocasiões formais, us. com gravata borboleta; SMOKING.

blague (*bla*.gue) *sf.* Comentário engraçado ou irônico.

blandícia, blandície (blan.*di*.ci.a, blan.*di*.ci.e) *sf.* **1** Carinho, afago. **2** Gesto meigo, gentil.

blasfemar (blas.fe.*mar*) *v.* **1** Ofender, desrespeitar com blasfêmias. [*td.*: *blasfemar o nome de Deus. ti.* +

blasfematório | boa-vida

contra: <u>Blasfemava</u> *contra as autoridades*.] **2** Dizer blasfêmias. [*int*.: *Chega de* <u>blasfemar</u>.] [▶ **1** blasfem[ar]
blasfematório (blas.fe.ma.tó.ri:o) *a*. Ver *blasfemo* (2).
blasfêmia (blas.fê.mi:a) *sf*. Insulto contra algo considerado sagrado ou pessoa digna de respeito.
blasfemo (blas.fê.mo) [ê] *a.sm*. **1** Que ou quem blasfema. *a*. **2** Que contém blasfêmia; BLASFEMATÓRIO.
blasonar (bla.so.*nar*) *v*. Exibir, alardear (qualidades, mesmo as que não possui). [*td*.: *Blasonava méritos imaginários*. *ti*. + *de*: <u>Blasonava de ter porte de manequim*. *int*.: *Convém não <u>blasonar</u>, todos o conhecem bem*. *pr*.: <u>Blasonava-se</u> *de importante*.] [▶ **1** blason[ar]
blástula (*blás*.tu.la) *sf. Biol*. Fase inicial do embrião, depois das primeiras divisões do zigoto.
blatário (bla.*tá*.ri:o) *Zool*. *a*. **1** Diz-se de inseto de corpo achatado e cabeça pequena como p.ex. as baratas. *sm*. **2** Esse inseto.
blaterar (bla.te.*rar*) *v*. **1** Falar sem parar, com veemência e em voz alta, tb. contra coisas ou pessoas; VOCIFERAR. [*td*.: *O padeiro* <u>blaterava</u> *que ia cobrar o prejuízo*. *ti*. + *contra*: <u>Blaterava</u> *contra tudo e todos*. *int*.: <u>Blaterava</u> *sem parar, afastando a freguesia*.] **2** Soltar (o camelo) a voz. [*int*.] [▶ **1** blater[ar]
⊕ **blazer** (*Ing*. /*blêiser*/) *sm*. Paletó para ser us. com calça social ou esportiva.
blecaute (ble.*cau*.te) *sm*. **1** Falta generalizada de luz em um bairro, cidade ou estado; APAGÃO. **2** *Hist. Mil*. Desligamento proposital de energia como defesa contra ataques aéreos em tempos de guerra.
blefar (ble.*far*) *v*. **1** Em jogo de cartas, fazer os oponentes acreditarem numa situação diversa da real. [*int*.] **2** Ludibriar, enganar. [*td*.: *O assaltante* <u>blefou</u> *a segurança do hotel e fugiu*. *int*.: *Não tinha provas concretas, apenas* <u>blefava</u>.] [▶ **1** blef[ar]
blefarite (ble.fa.*ri*.te) *sf. Med*. Inflamação das pálpebras.
blefe (*ble*.fe) [ê] ou [é] *sm*. Ação ou resultado de blefar, enganar: *Essas ameaças são puro* <u>blefe</u>.
blenorragia (ble.nor.ra.*gi*.a) *sf. Med*. Ver *gonorreia*.
blindado (blin.*da*.do) *a*. **1** Protegido por blindagem (2 e 3) (*carro* <u>blindado</u>). *sm*. **2** *Mil*. Veículo blindado us. em combates.
blindagem (blin.*da*.gem) *sf*. **1** Ação ou resultado de blindar. **2** Revestimento de proteção contra projéteis e artefatos de destruição. **3** Dispositivo de proteção contra campos elétricos, magnéticos etc. [Pl.: -*gens*.]
blindar (blin.*dar*) *v*. *td*. **1** Revestir com ou inserir camada de metal ou de aço à prova de bala ou de gás explosivas em. **2** *Pol. Fig*. Proteger (alguém) de possíveis ataques, denúncias, processos etc. [▶ **1** blind[ar]
blíster (*blís*.ter) *sm*. Invólucro projetado para conter pequenos produtos, como comprimidos e pilhas, feito de plástico semirrígido e transparente.
⊕ **blitz** (*Al*. /*blíts*/) *sf*. Batida policial: *Fizeram uma* <u>blitz</u> *na saída do túnel*. [Pl. (al.): *blitzen*.] [Em alemão, com inicial maiúsc.]
blocar (blo.*car*) *v*. *td*. *Edit*. Alinhar às margens e justificar as linhas de (texto). [▶ **11** bloc[ar]
bloco (*blo*.co) *sm*. **1** Porção sólida e volumosa: <u>bloco</u> *de gelo*. **2** Maço de folhas de papel destacáveis: <u>bloco</u> *de notas*. **3** Cada prédio de um conjunto de edifícios: *Moramos no* <u>bloco</u> *C*. **4** *Bras*. Grupo de carnaval de rua: *Fantasiou-se para sair no* <u>bloco</u>. **5** *Rád. Telv*. Cada uma das partes de um programa de TV ou de rádio. **6** Grupo, considerado homogêneo, de países, pessoas etc. (<u>bloco</u> *ocidental*).
⊕ **blog** (*Ing*. /*blóg*/) *sm. Int*. Abr. de *weblog*, que designa página da internet que pode ser criada por qualquer pessoa, com conteúdo livre, ger. pessoal, e que depende de autorização do criador para que os visitantes possam adicionar comentários. [Tb. *blogue*.]
blogar (blo.*gar*) *v*. **1** Ação de gerenciar e produzir conteúdo para um *blog*. [*int*.: *Acessou seu blog e* <u>blo-</u>

<u>gou</u> *a tarde toda*.]. **2** Criar e publicar conteúdo em um *blog*. [*int*.: <u>Blogou</u> *para expressar suas expressões na internet*.]. [▶ **1** blog[ar] · **blo.guei**.ro *sm*.]
bloqueador (blo.que:a.*dor*) [ô] *a.sm*. Que ou aquilo (sistema algoritmo, substância) <u>bloqueador</u>, <u>bloqueador</u> solar).
bloquear (blo.que.*ar*) *v*. *td*. **1** Impedir a passagem de ou através de: <u>bloquear</u> *uma estrada*. **2** Impedir ou proibir que se desenvolva, se realize ou se acesse: <u>bloquear</u> *um projeto/uma linha telefônica*. **3** Impedir o uso ou a movimentação de: <u>bloquear</u> *um cheque/bens*. **4** *Mil*. Sitiar (um país, uma região). [▶ **13** bloque[ar]
bloqueio (blo.*quei*.o) *sm*. **1** Interrupção ou restrição no desenvolvimento, funcionamento ou continuidade de algo: *Depois do assalto, pedi o* <u>bloqueio</u> *dos cheques*; <u>bloqueio</u> *econômico de um país*. **2** Obstrução da passagem por meio de obstáculo: *Usaram pneus como* <u>bloqueio</u> *na pista*. **3** *Mil*. Cerco que impede a entrada e saída de pessoas, informações, mantimentos etc. **4** *Esp*. Ação de impedir com o(s) braço(s) o ataque adversário (esp. no vôlei). **5** *Psiq*. Interrupção repentina de pensamento ou ação causada por fatores emocionais inconscientes.
⊕ **blue-jeans** (*Ing*. /*blu-djíns*/) *sm*. Calça comprida feita de brim azul. [Tb. apenas *jeans*.]
⊕ **bluetooth** (*Ing*. /*bluitús*/) *sm. Tec*. Sistema que, através de uma frequência de rádio, permite a troca de arquivos digitais entre aparelhos eletrônicos como celulares e computadores em uma curta distância: *Enviou a foto para a amiga por* <u>bluetooth</u>.
⊕ **blu-ray** (*Ing*. /*blurrei*/) *sm*. **1** Sistema empregado em aparelho ou disco de reprodução de som ou imagem que permite armazenar mais dados e reproduzir imagens com maior qualidade que o DVD: *O aparelho que ganhei utiliza o sistema* <u>blu-ray</u>. **2** Característica do disco ou aparelho que emprega o sistema *blu-ray*; o próprio aparelho: *Meu vizinho me deu um disco* <u>blu-ray</u>. *Então comprei um* <u>blu-ray</u>.
blusa (*blu*.sa) *sf*. Peça de roupa que cobre o tronco.
blusão (blu.*são*) *sm*. **1** Camisa folgada. **2** Agasalho esportivo. [Pl.: -*sões*.]
boa (*bo*.a) [ô] *a*. **1** Fem. de *bom*. **2** *Pop*. Diz-se de mulher com corpo atraente. ▪ **Escapar de ~** Escapar de uma situação difícil ou perigosa. **Na ~** *Bras. Pop*. **1** Numa boa. **2** Com aceitação, docilmente, resignadamente. **Numa ~** *Bras. Pop*. Em situação favorável, prazerosa, vantajosa.
boa-fé (bo.a-*fé*) *sf*. **1** Lisura ou pureza de intenções; HONESTIDADE. **2** Credulidade, ingenuidade: *Foi vítima da própria* <u>boa-fé</u>. [Pl.: *boas-fés*.]
boa-noite (bo.a-*noi*.te) *sm*. Cumprimento dirigido a alguém à noite: *Deu* <u>boa-noite</u> *e se foi*. [Pl.: *boas-noites*.]
boa-pinta (bo.a-*pin*.ta) *a2g.s2g. Pop*. Que ou quem é atraente, bonito. [Pl.: *boas-pintas*.]
boa-praça (bo.a-*pra*.ça) *a2g.s2g. Pop*. Que ou quem é simpático, confiável etc. [Pl.: *boas-praças*.]
boas-festas (bo.as-*fes*.tas) *sfpl*. Cumprimento us. no período das festas de Natal e ano-novo.
boas-vindas (bo.as-*vin*.das) *sfpl*. Saudação cordial com que se recebe alguém que chega de fora.
boa-tarde (bo.a-*tar*.de) *sm*. Cumprimento dirigido a alguém à tarde. [Pl.: *boas-tardes*.]
boataria (bo.a.ta.*ri*.a) *sf*. Onda de boatos: *Quem foi o responsável por essa* <u>boataria</u>?
boate (bo:*a*.te) *sf*. Casa noturna, ger. pequena e pouco iluminada, aonde se vai para dançar.
boateiro (bo:a.*tei*.ro) *a.sm*. Que ou quem espalha boatos.
boato (bo:*a*.to) *sm*. História ou notícia que se divulga sobre alguém ou alguma coisa, sem se poder constatar a sua origem ou veracidade.
boa-vida (bo.a-*vi*.da) *a2g.s2g*. Que ou quem leva a vida sem querer ou precisar fazer o mínimo de esforço. [Pl.: *boas-vidas*.]

boa-vistense (bo.a-vis.*ten*.se) *a2g*. **1** De Boa Vista, capital do Estado de Roraima; típico dessa cidade ou de seu povo. *s2g*. **2** Pessoa nascida em Boa Vista. [Pl.: *boa-vistenses*.]

boazuda (bo.a.zu.da) *sf. Bras. Gír.* Mulher de corpo bem-feito e atraente.

bobagem (bo.*ba*.gem) *sf.* **1** Ação ou dito bobo; ASNEIRA; TOLICE: *Foi bobagem você comprar isso.* **2** Coisa sem importância, irrelevante: *Não fique chateado por uma bobagem.* **3** Petisco, guloseima: *Nunca almoça, só come bobagem.* [Pl.: *-gens.*] [Col.: *bobajada, bobageira.*]

bobalhão (bo.ba.*lhão*) *a.sm. Pop.* Que ou quem é muito bobo; BOBOCA. [Pl.: *-lhões.*]

bobear (bo.be.*ar*) *v. int. Bras. Pop.* **1** Agir como bobo, ou sem atenção: *Se você bobear, levam as suas malas.* **2** Perder uma oportunidade: *O América não pode bobear, é o último jogo da rodada.* [▶ 13 bob**ear**]

bobeira (bo.*bei*.ra) *sf. Pop.* Ação ou atitude boba; TOLICE: *Foi bobeira sua não querer falar com ele.* **De ~ 1** À toa; sem ter o que fazer: *Fiquei de bobeira o domingo todo.* **2** Por descuido, falta de atenção etc.: *Perdemos pontos de bobeira.*

bobina (bo.*bi*.na) *sf.* Cilindro para enrolar cabos, papel, filmes etc.

bobinado (bo.bi.*na*.do) *sm. Elet.* Conjunto de condutores de um mesmo circuito elétrico; ENROLAMENTO.

bobinar (bo.bi.*nar*) *v. td.* Enrolar (linha, fita, papel etc.) em bobina. [▶ 1 bobin**ar**]

bobo (*bo*.bo) [ô] *a.* **1** Tolo, ingênuo, idiota. **2** Feliz, satisfeito: *Ficou toda boba com o elogio.* **3** *Bras.* Coisa à toa, insignificante (machucado *bobo*). *sm.* **4** Pessoa boba (1): *Não se faça de bobo.* [Aum.: *bobalhão.*]

bobó (bo.*bó*) *sm. Bras. Cul.* Prato africano feito com feijão, banana e dendê, acompanhado de aipim ou inhame. ■ **~ de camarão** *Bras. Cul.* Camarão refogado com dendê e leite de coco ao qual se adiciona creme de aipim.

boboca (bo.*bo*.ca) *a2g.s2g. Pop.* Que ou quem é muito bobo; BOBALHÃO.

boca (*bo*.ca) [ô] *sf.* **1** Cavidade do rosto, nos homens, ou da cabeça, nos animais, pela qual são introduzidos os alimentos. **2** Parte externa dessa cavidade, formada pelos lábios. **3** Abertura, entrada, início: *boca do túnel/do rio.* **4** Parte inferior da calça: *calça com boca larga.* **5** *Fam.* Pessoas que se deve alimentar: *Quantas bocas teremos pra jantar?* **6** *Bras. Fig.* Oportunidade vantajosa: *Esperto, não ia perder essa boca.* **7** *Bras. Gír.* Ver *boca de fumo.* [Aum.: *bocarra, boqueirão.*] ■ **À ~ pequena** Em voz baixa; em segredo. **Bater ~** *Bras.* Altercar, discutir. **Botar a ~ no mundo** Gritar, clamar. **Botar a ~ no trombone** *Bras. Pop.* **1** Denunciar, delatar. **2** Reclamar, protestar. **De ~** Oralmente. **Ser bom de ~** Comer muito e de tudo.

boca-aberta (bo.ca-a.*ber*.ta) *s2g. Pop.* Pessoa que se surpreende ou se deslumbra com tudo; SIMPLÓRIO. [Pl.: *bocas-abertas.*]

boca a boca (bo.ca a *bo*.ca) *a2g2n.* **1** Diz-se de método de respiração artificial para socorro, em que se sopra ar na boca da pessoa socorrida, fechando-lhe as narinas. *a2g2n.sm2n.* **2** Diz-se de ou forma de divulgação de algo de pessoa a pessoa, oralmente.

boca de fumo (bo.ca de *fu*.mo) *sf. Bras. Gír.* Ponto de venda de maconha e outras drogas; BOCA (7). [Pl.: *bocas de fumo.*]

boca de siri (bo.ca de si.*ri*) *sf. Bras. Pop.* **1** Atitude discreta; SILÊNCIO. *interj.* **2** Us. para pedir sigilo absoluto sobre determinado assunto: *Por favor, não comente; boca de siri!* [Pl.: *bocas de siri.*]

boca de urna (bo.ca de *ur*.na) *sf. Bras. Pol. Pop.* **1** Propaganda eleitoral feita no dia da eleição e perto do local de votação, proibida por lei: *Foi preso fazendo boca de urna.* **2** Área próxima de onde se vota. [Pl.: *bocas de urna.*]

bocado (bo.*ca*.do) *sm.* **1** Porção de alimento que cabe na boca; NACO; PEDAÇO: *A criança mordeu um bocado de pão e saiu.* **2** Fração ou parte de qualquer coisa, ger. pequena quantidade: *Só quero um bocado de suflê; estou sem fome.* **3** Porção considerável: *Esperei um bocado de tempo.*

boca do lixo (bo.ca do *li*.xo) *sf. Bras. Pop.* Zona urbana de prostituição, tráfico de drogas etc. [Pl.: *bocas do lixo.*]

bocaina (bo.*cai*.na) *sf. Bras. Geog.* **1** Abismo entre serras, morros etc. **2** Foz de rio.

bocaiuva (bo.cai.*u*.va) *sf.* **1** *Bot.* Palmeira de até 7m, nativa do Brasil e do Paraguai. **2** Seu fruto comestível, de polpa amarela e propriedades expectorantes.

bocal (bo.*cal*) *sm.* **1** Abertura em recipiente, garrafa, lanterna etc. **2** *Elet.* Peça onde se enrosca uma lâmpada. **3** *Cons.* Tubo curto com rosca para ligar canos etc. **4** *Mús.* Embocadura de certos instrumentos de sopro (corneta, trompete, tuba etc.). [Pl.: *-cais.*] [Cf.: *bucal.*]

boçal (bo.*çal*) *a2g.s2g.* **1** Que ou quem é ignorante, rude, insensível. *a2g.* **2** *Bras. Pop.* Enorme, descomunal: *Hércules tinha uma força boçal.* [Pl.: *-çais.*]

boçalidade (bo.ça.li.*da*.de) *sf.* Ignorância, grosseria, insensibilidade, estupidez.

boca-livre (bo.ca-*li*.vre) *sf. Bras. Pop.* Festa ou reunião de entrada livre em que se come e bebe de graça. [Pl.: *bocas-livres.*]

bocarra (bo.*ca*.rra) *sf.* Boca muito grande ou toda aberta; BOQUEIRÃO (1).

bocejar (bo.ce.*jar*) *v. int.* Abrir a boca, aspirando, devido a sono, tédio etc. [▶ 1 bocej**ar**]

bocejo (bo.*ce*.jo) [ê] *sm. Fisl.* Gesto involuntário de abrir a boca e inspirar por ela, ger. devido a sonolência ou tédio.

boceta (bo.*ce*.ta) [ê] *sf.* **1** *Tabu.* A vulva. **2** Caixinha oval ou cilíndrica. **3** Caixa de rapé.

bocha (*bo*.cha) *sf.* **1** Jogo com bolas de madeira grandes e uma pequena, que são lançadas de modo que parem próximas à bola menor. **2** Cada uma dessas bolas.

bochecha (bo.*che*.cha) *sf. Anat.* A parte mais carnuda, sem osso, de cada lado do rosto.

bochechar (bo.che.*char*) *v. td. int.* Agitar (líquido) na boca, movendo as bochechas. [▶ 1 bochech**ar**]

bochecho (bo.*che*.cho) [ê] *sm.* **1** Ação ou resultado de bochechar. **2** Porção de líquido que se bocheja.

bochechudo (bo.che.*chu*.do) *a.sm.* Que ou aquele que tem bochechas grandes.

bochicho (bo.*chi*.cho) *sm. Pop.* **1** Boato, rumor. **2** Agitação, agito.

bochorno (bo.*chor*.no) [ô] *sm.* Ar ou vento quente.

bócio (*bó*.ci.o) *sm. Med.* Aumento anormal da tireoide, que faz inchar o pescoço; PAPEIRA.

bocó (bo.*có*) *a2g.s2g. Bras. Pop.* Que ou quem é bobo, idiota; PACÓVIO, PASCÁCIO.

bodas (*bo*.das) [ô] *sfpl.* **1** Cerimônia de casamento: *Chegaram atrasados para as bodas da neta.* **2** Aniversário de casamento, ou festa para comemorá-lo. ■ **~ de ouro** O 50º aniversário de casamento. **~ de prata** O 25º aniversário de casamento.

bode (*bo*.de) *sm. Zool.* O macho da cabra. ■ **~ expiatório** Pessoa ou situação responsabilizada pelos erros de alguém ou fracasso de algo. **Dar ~** *Gír.* Resultar em confusão, encrenca: *Se souberem disso vai dar bode.* **Estar/Ficar de ~** *Gír.* **1** Sentir-se mal, física ou psicologicamente por ter ingerido drogas. **2** Ficar triste, deprimido.

bodeado (bo.de.*a*.do) *a. Gír.* Cansado, sem energia: *Acordei bodeado.*

bodega (bo.*de*.ga) *sf.* **1** Taberna, mercearia. **2** *Bras. Pop.* Coisa imprestável ou malfeita; PORCARIA: *Meu desenho ficou uma bodega.*

bodegueiro | bolas

bodegueiro (bo.de.*guei*.ro) *sm.* Dono de bodega; TABERNEIRO.

bodejar (bo.de.*jar*) *v. int.* Berrar (o bode). [▶ 1 bodejar]

bodoque (bo.*do*.que) *sm.* Artefato feito de forquilha e elástico, us. para lançar pedrinhas; ESTILINGUE.

bodum (bo.*dum*) *sm.* **1** Cheiro próprio de bode e cabra. **2** *Pej.* Mau cheiro; FEDOR. [Pl.: -*duns*.]

🌐 bodyboard (Ing. / *boribórd*/) *sm. Esp.* **1** Prancha us. para praticar *bodyboarding*. **2** Ver *bodyboarding*.

🌐 bodyboarding (Ing. / *boribórdin*/) *sm. Esp.* Esporte que consiste em surfar deitado de bruços sobre uma prancha pequena; BODYBOARD.

boemia, boêmia (bo.e.*mi*.a, bo.*ê*.mi:a) *sf.* **1** Vida de noitadas, sem muito horário ou regra: *Viveu na boemia até se casar*. **2** Conjunto de boêmios: *a boemia intelectual carioca*.

boêmio (bo:*ê*.mi:o) *a.sm.* **1** Que ou quem gosta de boemia (1). *a.* **2** Da Boêmia (que hoje é parte da República Tcheca); típico dessa região ou de seu povo. *sm.* **3** Pessoa nascida na Boêmia.

bôer (*bô*.er) *s2g.* **1** Sul-africano descendente de colonizadores holandeses. *a2g.* **2** Pertencente ou ref. a esses descendentes. [Cf. *africânder*.]

bofe (*bo*.fe) *sm.* **1** *Pop.* Pulmão. [Mais us. no pl.] **2** *Pej.* Pessoa muito feia. [**At!** Considerado ofensivo nesta acepção.] **3** *Gír.* Homem, na linguagem dos homossexuais masculinos. ◼ **bofes** *smpl. Pop.* **4** Vísceras de animais; MIÚDOS. **5** Temperamento, gênio: *pessoa de maus bofes*.

bofetada (bo.fe.*ta*.da) *sf.* Tapa no rosto dado com a mão aberta; BOLACHA (2); BOLACHADA.

bofetão (bo.fe.*tão*) *sm.* Bofetada forte. [Pl.: -*tões*.]

boi *sm. Zool.* **1** Grande mamífero ruminante, com chifres, criado para obtenção de carne e (ant.) para trabalhos agrícolas. **2** Touro castrado.

bói *sm. Bras.* Pessoa que faz pequenos serviços, internos e externos, para uma empresa ou escritório; BOY.

boia (*boi*.a) *sf.* **1** Objeto flutuante, us. no mar e em piscinas, e com o auxílio do qual a pessoa não afunda. **2** *Mar.* Flutuador marítimo us. para delimitar percurso ou sinalizar área perigosa para a navegação. **3** Material flutuante us. nas redes de pesca. **4** Peça flutuante que controla a entrada de água em filtros e caixas-d'água. **5** *Pop.* Refeição: *A boia já está na mesa*.

boiada (boi.*a*.da) *sf.* Rebanho de bois.

boiadeiro (boi.a.*dei*.ro) *sm.* Pessoa encarregada de guardar e conduzir os bois em marcha.

boia-fria (boi.a-*fri*.a) *sg. Bras.* Trabalhador rural que presta serviços temporários na época de plantio ou colheita. [Pl.: *boias-frias*.]

boião (boi.*ão*) *sm.* Pote de boca larga, us. para guardar doces, conservas etc. [Pl.: -*ões*.]

boiar (boi.*ar*) *v. int.* **1** Manter-se na superfície (de substância líquida); FLUTUAR: *Havia muitas algas boiando no mar*. **2** *Bras. Gír.* Ficar sem entender: *A maioria boia em matemática*. [▶ 1 boiar]

boi-bumbá (boi-bum.*bá*) *sm. Bras. Folc.* Ver *bumba meu boi*. [Pl.: *bois-bumbás* e *bois-bumbá*.] [Tb. se diz apenas *boi*.]

boicininga (boi.ci.*nin*.ga) *sf. Bras. Zool.* Cobra cascavel.

boicotar (boi.co.*tar*) *v. td.* **1** Recusar-se a participar de: *boicotar uma greve*. **2** Dificultar intencionalmente negócios ou interesses: *boicotar uma pessoa/uma firma*. **3** Recusar-se a comprar ou consumir: *boicotar produtos estrangeiros*. **4** Recusar-se a obedecer: *boicotar uma lei/o governo*. [▶ 1 boicotar]

boicote (boi.co.te) *sm.* Ação ou resultado de boicotar: *O ministro pediu boicote aos supermercados com preços elevados*.

boina (*boi*.na) [ó] *sf.* Boné redondo, sem pala e sem costura.

boiola (boi.*o*.la) *sm. Pej. Pop.* Homossexual do sexo masculino; BAITOLA. [**At!** O termo é considerado depreciativo ou preconceituoso.]

boitatá (boi.ta.*tá*) *sm.* **1** *Folc.* Cobra lendária, de olhos de fogo, que protege as florestas dos incêndios. **2** *Folc.* Bicho-papão. **3** *Pop.* Ver *fogo-fátuo*.

boiuna (boi.*u*.na) *sf.* **1** *Folc.* Enorme cobra lendária que afunda embarcações. **2** *AM Zool.* Cobra sucuri.

boizinho (boi.*zi*.nho) *sm. RS Folc.* Tipo de bumba meu boi.

bojo (*bo*.jo) [ô] *sm.* **1** Interior oco e largo de algo: *bojo do pote*. **2** Parte saliente e arredondada: *bojo do bandolim*. **3** *Fig.* Parte essencial; ÂMAGO: *Ja definimos o bojo do plano*. [Pl.: [ô].] • **bo.ju.do** *a.*

bola (*bo*.la) *sf.* **1** Qualquer corpo ou coisa em forma aproximada de esfera ou o que se dá essa forma: *Fez uma bola de papel*. **2** Circunferência: *Já sabe desenhar bolas*. **3** Objeto esférico ou oval us. em vários esportes: *bola de vôlei/de tênis*. **4** *Bras. Esp.* Jogada com bola: *Que boa bola do nosso meio-campo!* [Aum. (com valor de elogio): *bolaço, bolão* (sm.).] **5** *Bras.* O jogo de futebol: *Quebrou o pé jogando bola*. **6** Balão, bexiga: *Encheu cem bolas para a festa*. **7** *Bras.* Coisa (anedota, dito etc.) ou pessoa engraçada: *Ela é uma bola contando histórias*. **8** *Fam.* Cabeça (Fig.), juízo: *Não é muito bom da bola...* **9** *Gír.* Comprimido calmante, esp. us. como droga. **10** *Pop.* Pessoa gorda. **■ Bater uma** ~ *Bras. Fut.* Jogar futebol, ger. não em competição oficial. **Bom de** ~ *Bras. Esp.* Que é exímio jogador (um jogo com bola). **Comer a** ~ *Bras. Esp.* Jogar muito bem (um jogo com bola). [Cf.: *comer bola*.] **Comer/Levar/Dar** ~ *Bras. Gír.* **1** Dar confiança a (alguém); aceitar galanteio de (alguém). **2** Dar atenção a (alguém). **3** Subornar. **De/Com a** ~ **cheia** Com muito prestígio; em momento favorável. **Não dar** ~ **para** (algo) *Gír.* Não se importar com; não se abalar com; ficar indiferente a (algo). **Ser a** ~ **da vez** *Fig.* Ser (alguém) aquele que no momento é alvo de comentários, críticas etc. **Sofrer da** ~ *Bras. Fam.* Ser ou estar amalucado, mentalmente desequilibrado. **Trocar as** ~**s** Confundir uma coisa com outra.

bola ao cesto (bo.la ao *ces*.to) [ê] *sf. Esp.* Ver *basquete*. [Pl.: *bolas ao cesto*.]

bolacha (bo.*la*.cha) *sf.* **1** *Cul.* Biscoito achatado. **2** *Pop.* Tapa com a mão aberta; BOFETADA; BOLACHADA. **3** *Bras.* Rodela de papelão us. em bares e restaurantes para apoiar copos e garrafas: *Controlava o número de chopes pelas bolachas*. **4** Rótulo de CD.

bolachada (bo.la.*cha*.da) *sf. Pop.* Tapa com a mão aberta; BOFETADA; BOLACHA.

bolaço (bo.*la*.ço) *sm. Esp.* Aum. de *bola* (4); BOLÃO.

bolada (bo.*la*.da) *sf.* **1** Choque de uma bola em algo ou alguém. **2** *Pop.* Grande soma de dinheiro: *Ganhou uma bolada na loteria*.

bola de neve (bo.la de ne.ve) *sf. Fig.* Aquilo que progride ou se agrava rapidamente, saindo do controle: *A dívida virou uma bola de neve*. [Pl.: *bolas de neve*.]

bolado (bo.*la*.do) *a.* **1** *Pop.* Surpreso e chocado. **2** *Pop.* Chateado, preocupado. **3** *Gír.* Drogado.

bolandeira (bo.lan.*dei*.ra) *sf. Bras.* **1** Grande roda dentada do engenho de açúcar. **2** *N. N.E.* Máquina para descaroçar algodão.

bolão¹ (bo.*lão*) *sm.* **1** Bola grande. **2** *Esp.* Aum. de *bola* (4); BOLAÇO. **3** Porção grande (de coisas): *Comprou um bolão de revistas*. **4** *Bras.* Grande quantia. [Pl.: -*lões*.] **■ Jogar (ou bater) um** ~ *Bras. Pop.* Jogar (ger. futebol) com grande habilidade.

bolão² (bo.*lão*) *sm.* **1** Bolo grande **2** *Bras. Pop.* Ver *bolo* (5).

bolar (bo.*lar*) *v. td. Pop.* Inventar, conceber, criar, arquitetar: *bolar um slogan para a campanha*. [▶ 1 bolar] • **bo.la.ção** *sf.*

bolas (*bo*.las) *interj.* Exprime contrariedade.

bolchevique (bol.che.*vi*.que) *a2g.s2g.* Que ou quem é adepto do bolchevismo; BOLCHEVISTA. [Cf.: *menchevique*.]

bolchevismo (bol.che.*vis*.mo) *sm. Hist. Pol.* Prática ou movimento socialista marxista que liderou a Revolução Russa de 1917 e estabeleceu o comunismo na antiga União Soviética; BOLCHEVIQUISMO. ● **bol.che.vis.ta** *a2g.s2g.* [Cf.: *menchevismo*.]

boldo (*bol*.do) [ó] *sm. Bot.* Planta nativa do Chile de que se faz um chá que combate os males digestivos.

boldrié (bol.dri.*é*) *sm.* Correia que se traz a tiracolo e a que se prende espada ou arma de fogo, ou que serve de apoio à haste de bandeira ou estandarte.

boleadeiras (bo.le:a.*dei*.ras) *sfpl. RS* Instrumento com três bolas presas a tiras de couro, hoje pouco us. pelo vaqueiro gaúcho para laçar animais ou como arma.

boleado (bo.le.*a*.do) *a.* **1** Que tem superfície arredondada; que não é pontiagudo (ombros *boleados*); TORNEADO. **2** *RS* Que foi derrubado por boleadeiras (diz-se de animal).

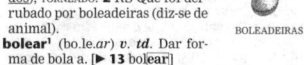

BOLEADEIRAS

bolear[1] (bo.le.*ar*) *v. td.* Dar forma de bola a. [▶ **13** bolear]

bolear[2] (bo.le.*ar*) *v. td. RS* Laçar (gado) usando boleadeiras. [▶ **13** bolear]

boleeiro (bo.le.*ei*.ro) *sm.* Cocheiro.

boleia (bo.*lei*.a) *sf.* **1** Assento do cocheiro, em carruagem. **2** Cabine de caminhão, onde vai o motorista.

boleiro (bo.*lei*.ro) *sm.* **1** Quem organiza um bolo (5) ou dele participa. **2** Apanhador de bola num jogo esportivo, ou quem cuida das bolas.

bolero (bo.*le*.ro) *sm.* **1** *Mús.* Canção e dança originárias da Espanha, com variantes na região do Caribe, esp. Cuba, e México. **2** Jaqueta curta, us. sobre uma peça do vestuário feminino.

boletim (bo.le.*tim*) *sm.* **1** Resenha noticiosa para circulação interna ou externa. **2** Publicação oficial de entidade pública ou privada. **3** Caderneta escolar ou outro documento que informe sobre as notas e o comportamento de um aluno. [Pl.: *-tins*.]

boleto (bo.*le*.to) [ê] *sm.* **1** *Econ.* Documento interno das bolsas de valores que traz a súmula das operações do dia. **2** *Econ.* Impresso de loja comercial, instituição financeira etc. próprio para pagamento de dívida. **3** *Esp.* Bilhete de aposta no turfe.

bolha (*bo*.lha) [ô] *sf.* **1** Bolsa que se forma na pele, devido ao acúmulo de serosidade, sangue ou pus; BORBULHA (2). **2** Bola ou glóbulo de ar, vapor ou gás, que se forma nos líquidos por ebulição, fermentação ou introdução de ar; BORBULHA (1). *a2g.s2g.* **3** *Fam.* Que ou quem é enfadonho, desinteressante.

boliche (bo.*li*.che) *sm.* **1** Jogo em que se lança uma bola por uma pista para derrubar dez garrafas de madeira posicionadas em seu final. **2** Estabelecimento em que se pratica esse jogo.

bólide, bólido (*bó*.li.de, *bó*.li.do) *s2g., sm. Astron.* Meteorito que ao entrar na atmosfera terrestre produz ruído com o impacto e pode deixar um rastro luminoso. **2** *Fig.* Objeto que se desloca em grande velocidade, como um míssil, um carro de corrida etc.

bolina (bo.*li*.na) *sf.* **1** *Pop.* Ação ou resultado de bolinar. **2** *Mar.* Cada um dos cabos de sustentação das velas de uma embarcação, destinados a orientá-las de modo a receberem o vento obliquamente. **3** *Mar.* Cada uma das duas chapas de aço fixadas sob a quilha da embarcação à vela, a fim de evitar grandes balanços.

bolinar (bo.li.*nar*) *v. td. Pop.* Encostar-se em (alguém) com fins libidinosos. [▶ **1** bolinar]

bolinho (bo.*li*.nho) *sm. Cul.* **1** Pequeno bolo de algum alimento (batata, arroz, aipim etc.), ger. frito. **2** Pequeno bolo de massa doce.

boliviano (bo.li.vi:a.no) *a.* **1** Da Bolívia (América do Sul); típico desse país ou de seu povo. *sm.* **2** Pessoa nascida na Bolívia.

bolo (*bo*.lo) [ô] *sm.* **1** *Cul.* Massa doce ou salgada feita à base de farinha, leite, ovos, manteiga etc. assada ao forno. **2** *Bras. Pop.* Amontoado de coisas (pano, papel etc.) que se embola: *Fez um bolo com o jornal e vedou o buraco na parede.* **3** *Bras. Pop.* Amontoado confuso de pessoas. **4** *Fam.* Pancada de palmatória. **5** *Bras. Pop.* Aposta coletiva em que cada um entra com determinada quantia ou cota; o dinheiro pago nessa aposta; BOLÃO[2]. **6** *Bras. Pop.* Confusão, conflito, rolo: *Quando as gangues se encontraram, armou-se o maior bolo.* ❖ **Dar (o) ~ (em)** *Bras.* Faltar a um encontro marcado, a um compromisso (com alguém).

bolo de rolo (bo.lo de *ro*.lo) [ô, ô] *sm. Bras. Cul.* Bolo em forma de rocambole, com camadas finas de massa e de um doce, ger. goiabada.

bolor (bo.*lor*) [ô] *sm. Bac.* Nome genérico para os fungos que se desenvolvem em matérias orgânicas; MOFO.

bolorento (bo.lo.*ren*.to) *a.* Que apresenta bolor; MOFADO.

bolota (bo.*lo*.ta) *sf.* **1** Fruto do carvalho; GLANDE. **2** Objeto pequeno de forma arredondada: *bolota de cera.* **3** Borla.

bolsa (*bol*.sa) [ô] *sf.* **1** Recipiente em forma de saco, sacola, carteira etc., com variados formatos e dimensões, de materiais diversos, que se traz à mão ou pendente de um dos ombros e onde se guardam coisas (dinheiro, documentos etc.). [Ger. peça integrante do traje feminino e opcional no do homem.] **2** Qualquer recipiente em forma de saco: *bolsa (para coleta) de sangue.* **3** *Anat. Zool.* Cavidade do corpo em forma de saco (e que pode conter fluido etc.) (*bolsa* escrotal/amniótica): *A fêmea do canguru carrega seus filhotes na bolsa.* **4** *Econ.* Instituição onde se compram e vendem títulos de empresas, ações, obrigações etc. [Tb. *bolsa de valores*.] **5** Pensão ou financiamento que se dá a estudantes, pesquisadores etc. [No caso de estudantes, tb. *bolsa de estudos*.]

bolsão (bol.*são*) *sm.* **1** Bolsa ou bolso grande. **2** Área ou conjunto de elementos isolados do meio em que se encontram, por terem as características diferenciadoras ou hostis: um *bolsão* de resistência em meio ao exército inimigo. [Pl.: *-sões*.]

bolsista (bol.*sis*.ta) *a2g.s2g.* **1** Que ou quem recebe bolsa (5). **2** Ref. a, da ou que é próprio da bolsa (4) ou quem nela trabalha.

bolso (*bol*.so) [ô] *sm.* **1** Parte externa ou interna de certas peças do vestuário, em que se guardam pequenos objetos; ALGIBEIRA. **2** *Fig.* Economias ou recursos financeiros de uma pessoa: *A alta de preços mexeu com o meu bolso.* [Pl.: [ó].] ❖ **Botar/Pôr (alguém) no ~** *Bras. Pop.* **1** Ludibriar, enganar (alguém): *Pôs o sócio no bolso e ficou com o lucro.* **2** Ser superior a: *Como organizador, ele põe todos no bolso.* **De ~** Pequeno, portátil.

bom *a.* **1** Que é benévolo, generoso, magnânimo, bondoso: *O homem bom não vê maldade nos outros.* **2** Que é eficiente, que cumpre seus deveres: *O bom aluno faz o dever de casa.* **3** Que é autêntico, válido, legítimo: *Pelas leis vigentes, o contrato é bom.* **4** Curado, sarado: *Ana já ficou boa da gripe.* **5** Que é competente em algo específico: *Vânia é boa no tênis.* **6** Que tem as qualidades esperadas ou necessárias; que funciona bem: *um bom quadro/carro/terno.* **7** Que é saboroso, gostoso: *Este camarão está bom demais.* **8** Que é proveitoso ou promissor: *Este é um bom negócio!* **9** Bonito, agradável, aprazível: *um bom tempo.* *sm.* **10** Pessoa de valor: *Só queremos contratar os bons.* **11** Coisa correta, aprazível: *Bom mesmo é ficar na rede do alpendre.* [Pl.: *bons.* Fem.: *boa.* Aum.: *bonzão.* Dim.: *bonzinho.* Superl.: *ótimo, boníssimo.*]

bomba (bom.ba) *sf.* **1** Artefato explosivo: *bomba nuclear/de S. João*. **2** Motor para pôr em movimento líquidos ou gases: *bomba de água/gasolina/ar*. **3** *Fut.* Chute violento, ger. para o gol. **4** *Fig.* Acontecimento surpreendente e inquietante. **5** *Fam.* Problema ou situação difícil: *Deixou a bomba para o seu sucessor*. **6** *Bras. Cul.* Doce de formato cilíndrico, coberto de glacê ou chocolate e recheado de creme; ECLER; ÉCLAIR. **7** *RS* Canudo de prata ou outro metal para tomar chimarrão; BOMBILHA. **8** *Bras. Gír.* Anabolizante us. para aumentar a massa muscular. ■ **~ A/atômica** Bomba (1) para uso bélico, que usa a energia libertada com a fissão (quebra) de átomos pesados (como os do urânio). Além de grande destruição, a explosão desencadeia radioatividade, que afeta extensa área durante muito tempo. **~ H/de hidrogênio** Bomba (1) para uso bélico, que usa a energia libertada com a fusão dos átomos leves do hidrogênio. **Como uma ~** *Fig.* De repente, surpreendentemente. **Levar/Tomar ~** Ser reprovado em prova ou exame.

bombachas (bom.*ba*.chas) *sfpl. S.* Calças típicas do gaúcho do campo, muito largas, cujas bocas se estreitam nos tornozelos, onde abotoam.

bombada (bom.*ba*.da) *sf.* **1** Cada um dos movimentos de uma bomba (2). **2** A quantidade de fluido aspirada ou impulsionada em cada bombada (1). **3** *Bras. Fig.* Prejuízo, perda.

bombar (bom.*bar*) *v. int. Bras. Gír.* Ser um sucesso ou muito animado: *A nova boate está bombando*; *A festa ontem bombou*. [▶ **1** bomb**ar**]

bombardão (bom.bar.*dão*) *sm. Bras. Mús.* Instrumento musical de sopro; BOMBARDINO; TUBA. [Pl.: -dões.]

bombardeado (bom.bar.de.*a*.do) *a.* **1** Que sofreu bombardeio. **2** Atacado, agredido. **3** *Bras. Fam.* Exausto, tomado pelo cansaço.

bombardear (bom.bar.de.*ar*) *v. td.* **1** Jogar bomba ou projétil em: *Os aviões bombardearam a ponte*. **2** *Fig.* Atacar ou assediar (com palavras, perguntas): *Bombardeou o médico com seu falatório.* [▶ **13** bombard**ear**]

bombardeio (bom.bar.*dei*.o) *sm.* **1** Ação ou resultado de bombardear (tb. *Fig.*); ataque com bombas: *o bombardeio de Bagdá*; *um bombardeio de perguntas*. **2** *Fig.* Série de ataques, investidas: *A seleção brasileira fez um tremendo bombardeio ao time adversário.*

bombardeiro (bom.bar.*dei*.ro) *sm. Aer.* Avião de bombardeio.

bombardino (bom.bar.*di*.no) *sm. Mús.* Ver *bombardão*.

bombástico (bom.*bás*.ti.co) *a.* **1** Que é estrondoso, altissonante. **2** Que é exagerado, espalhafatoso, empolado (texto bombástico, declaração bombástica).

bombear (bom.be.*ar*) *v. td.* Movimentar (líquido, ar) por meio de bomba (2): *bombear água da cisterna*. [▶ **13** bomb**ear**] • **bom.be:a.men.to** *sm.*

bombeiro (bom.*bei*.ro) *sm.* **1** Membro do Corpo de Bombeiros, que tem como missão combater incêndios, prestar auxílio e fazer salvamentos em caso de acidentes, catástrofes etc. **2** *Fam. Fig.* Pessoa que age como conciliadora. **3** Encanador. [Tb. *bombeiro hidráulico*.] **4** *BA PE* Frentista.

bombilha (bom.*bi*.lha) *sf. RS* Bomba (8).

bombo (*bom*.bo) *sm. Mús.* Grande tambor de sonoridade grave tocado com macetas em bandas e orquestras e na marcação do ritmo nos sambas-enredo; BUMBO ZABUMBA. [Cf.: *bomba*.]

bom-bocado (bom-bo.*ca*.do) *sm. Cul.* Doce feito de açúcar, gemas, farinha de trigo e coco ralado. [Pl.: *bons-bocados.*]

bombom (bom.*bom*) *sm. Cul.* Guloseima de chocolate, recheada ou não. [Pl.: *-bons.*]

bombordo (bom.*bor*.do) *sm. Mar.* Lado esquerdo da embarcação considerando o sentido popa-proa. [Cf.: *boreste* e *estibordo*.]

bombril® (bom.*bril*) *sm.* Esponja de aço us. esp. na limpeza de peças metálicas (talheres, panelas etc.). [A marca registrada, com inicial maiúsc.]

bom-dia (bom-*di*.a) *sm.* Cumprimento dirigido a alguém na parte da manhã: *O professor deu bom-dia à turma e começou a aula.* [Pl.: *bons-dias.*]

bom-moço (bom-*mo*.ço) [ô] *sm. Irôn.* Quem se mostra como honesto e bem-comportado, sem sê-lo. [Pl.: *bons-moços*.] • **bom-mo.ci**s**.**mo *sm.*

bom-senso (bom-*sen*.so) *sm.* Aptidão de distinguir o que é razoável, lógico, factível, etc. entre diferentes alternativas [Pl.: *bons-sensos*. Tb. na f. da loc. *bom senso*.]

bom-tom (bom-*tom*) *sm.* Desempenho social educado, fino, elegante: *É de bom-tom levar flores para a anfitriã da festa.* [Pl.: *bons-tons.*]

bonachão (bo.na.*chão*) *a.sm.* Que ou quem tem um misto de bondade, simplicidade, paciência e tolerância; BONACHEIRÃO. [Pl.: *-chões*. Fem.: *-chona*.]

bonacheirão (bo.na.chei.*rão*) *a.* Ver *bonachão*. [Pl.: *-rões*. Fem.: *-rona*.]

bonança (bo.*nan*.ça) *sf.* **1** Boas condições meteorológicas para a navegação. **2** *Fig.* Momento de vida tranquilo, venturoso, feliz.

bonançoso (bo.nan.*ço*.so) [ô] *a.* Que está calmo, sossegado, em bonança (2). [Fem. e pl.: [ó].]

bondade (bon.*da*.de) *sf.* **1** Qualidade do que é bom. **2** Ação boa, generosa, solidária. **3** Gentileza: *Teve a bondade de me chamar um táxi.* **4** Benevolência, indulgência.

bonde (*bon*.de) *sm.* **1** Veículo coletivo que se desloca sobre trilhos e é movido à eletricidade. **2** *Gír.* Mau jogador de futebol. **3** *Gír.* Deslocamento de bandidos em grupo. **4** *Gír.* Mau negócio. **5** *Gír.* Pessoa muito feia. ■ **Pegar o ~ andando** *Bras. Pop.* Entrar em conversa sem saber o que se falou antes; chegar em algum evento depois de ter sido começado. **Pegar/Tomar o ~ errado** *Bras. Pop.* Enganar-se (por ter mal avaliado) ao entrar em negócio, atividade etc., e com isso ter mau resultado.

bondinho (bon.*di*.nho) *sm.* **1** Bonde pequeno. **2** Teleférico.

bondoso (bon.*do*.so) [ô] *a.* Que tem bondade; BENÉVOLO; BOM: *bondoso com os pobres.* [Fem. e pl.: [ó].]

boné (bo.*né*) *sm.* Cobertura de cabeça com uma pala na frente.

boneca (bo.*ne*.ca) *sf.* **1** Brinquedo infantil que representa plasticamente a figura humana feminina, criança ou adulta. **2** *Fig.* Mulher ou menina bonita, ou bem arrumada. **3** Amarradinho de pano que envolve chumaço de algodão, com que se envernizam madeiras, metais etc. **4** *Bras.* Espiga de milho ainda nova, em formação. **5** *Art.Gr.* Projeto em forma de brochura de um livro em que se definem as características físicas; BONECO. **6** *Bras. Pej.* Homem efeminado. **7** *Gír. Pej.* Travesti. [**At!** Considerado depreciativo ou preconceituoso nas acps. 6 e 7.]

boneco (bo.*ne*.co) *sm.* **1** Representação plástica da figura humana masculina, criança ou adulta. **2** *Fig.* Pessoa que se deixa manipular; FANTOCHE; TÍTERE. **3** Desenho simples ger. de figura humana. **4** *Art.Gr.* Boneca (5).

bonificação (bo.ni.fi.ca.*ção*) *sf.* **1** Ação ou resultado de bonificar: *A diretoria aprovou a bonificação dos empregados.* **2** Bônus (1, 2 e 3). [Pl.: *-ções*.]

bonificar (bo.ni.fi.*car*) *v. td.* Dar bônus a: *Bonificaram os funcionários mais antigos.* [▶ **11** bonifi**car**]

bonifrate (bo.ni.*fra*.te) *sm.* **1** Cada um dos bonecos do teatro de marionete; MARIONETE; TÍTERE. **2** *Fig. Pej.* Pessoa que aceita ficar servilmente sob ordens de outra.

boniteza (bo.ni.*te*.za) [ê] *sf.* Qualidade do que é bonito; BELEZA.

bonitinho (bo.ni.*ti*.nho) *a.* **1** Dim. de *bonito* (1, 2 e 3). **2** Que é engraçadinho, meigo, doce e um tanto bo-

bonito [Ant.: *feioso*.] *adv.* **2** De modo ordenado e adequado: *Reclamou, mas fez bonitinho o que lhe mandaram.*

bonito (bo.*ni*.to) *a.* **1** Que afeta agradavelmente o sentido da visão (paisagem *bonita*); BELO; LINDO. **2** Que seduz, que encanta através da audição (música *bonita*). **3** Que, sem ser necessariamente belo, revela qualidade em seu desempenho, ou qualidade moral (gesto *bonito*). **4** *Irôn.* Que é lamentável: *Que bonita situação você me arranjou!* **5** Diz-se da situação, com tempo bom (manhã *bonita*). *sm.* **6** *Zool.* Certo tipo de peixe oceânico parecido com o atum, ainda que menor. *adv.* **7** Com graça, com habilidade: *Falou bonito.*

bonomia (bo.no.*mi*.a) *sf.* Bondade associada à simplicidade e alguma ingenuidade.

bônus (*bô*.nus) *sm2n. Econ.* **1** Benefício extraordinário pago pelo empregador; BONIFICAÇÃO. **2** Benefício, além dos dividendos, distribuído por empresa aos acionistas na ocasião do balanço anual; BONIFICAÇÃO. **3** Vantagem concedida por empresa a seus clientes, a título de prêmio; BONIFICAÇÃO: *bônus de 50% na adesão.* **4** Título da dívida pública ou da sociedade financeira, nominativo ou ao portador, no qual o emitente se compromete a pagar a seu detentor a quantia nele expressa na data ali declarada.

bonzo (*bon*.zo) *sm. Rel.* Monge budista, esp. do Japão e da China.

⊕ **book** (*Ing. / buk/*) *sm.* Espécie de portfólio que reúne fotos de modelo fotográfico ou manequim.

⊕ **boom** (*Ing. / bum/*) *sm. Econ.* Crescimento acentuado na venda de um produto ou da economia em geral (*boom* imobiliário).

⊕ **boot** (*Ing. / but/*) *sm. Inf.* Operação com que se inicia o funcionamento do computador; INICIAÇÃO.

boqueira (bo.*quei*.ra) *sf. Vet.* Ferimento no canto da boca das cavalgaduras causado pelo atrito do freio.

boqueirão (bo.quei.*rão*) *sm.* **1** Boca grande e muito aberta; BOCARRA. **2** Boca ou abertura em rio, canal, litoral etc. **3** Escavação profunda e ampla; COVÃO. **4** *RS* Saída larga para um campo depois de um desfiladeiro ou de passagem apertada. [Pl.: -*rões*.]

boquejar (bo.que.*jar*) *v.* **1** Falar mal (de alguém ou algo) às escondidas. [*ti.* + *de, sobre*: "A vizinhança começou a *boquejar sobre* a música dos vizinhos." (Marques Rebelo, *Marafa*).] **2** Falar baixo; MURMURAR; RESMUNGAR. [*td.*: *boquejar segredos. int.*: *Depois do jogo foi embora a boquejar.*] [▶ **1** boque*jar*]

boquiaberto (bo.qui.a.*ber*.to) *a.* **1** De boca aberta. **2** *Fig.* Cheio de pasmo, surpresa; ADMIRADO; PERPLEXO.

boquilha (bo.*qui*.lha) *sf.* **1** Tubinho em que se encaixa cigarro, cigarrilha etc. para fumar; PITEIRA. **2** Extremidade do cachimbo que se põe entre os dentes. **3** *Mús.* Peça em que se encaixa a palheta em instrumentos de sopro.

boquinha (bo.*qui*.nha) *sf.* Dim. de *boca*. ▪ **Fazer uma** ~ *Bras.* Fazer refeição ou lanche leve; beliscar.

boquirroto (bo.quir.*ro*.to) [ó] *a.* Que é incapaz de guardar informações confidenciais; FALADOR.

bórax (*bó*.rax) [cs] *sm2n. Quím.* Substância antisséptica medicinal.

borboleta (bor.bo.*le*.ta) [ê] *sf.* **1** *Zool.* Inseto com quatro asas membranosas ger. coloridas, que se desenvolve a partir de uma lagarta. **2** *Fig.* Pessoa inconstante, volúvel. **3** Mecanismo giratório instalado na entrada ou saída de certos recintos (ônibus, metrô, cinema, estádios de futebol etc.) para controlar e computar o número dos frequentadores; CATRACA. **4** *Esp.* Diz-se de certo tipo de nado em provas de natação.

borboletear (bor.bo.le.te.*ar*) *v. int.* **1** Esvoaçar (a borboleta, ou como borboleta). **2** Andar à toa; PERAMBULAR; VAGUEAR: *Passa o dia borboleteando pelo shopping.* **3** *Fig.* Ficar com pensamento solto; DEVANEAR: *Filmes românticos faziam-nos borboletear.* [▶ **13** borbolete*ar*]

borbotão (bor.bo.*tão*) *sm.* Golfada, jato impetuoso de líquido. [Pl.: -*tões*.]

borbotar (bor.bo.*tar*) *v.* **1** Expelir borbotões de. [*td.*: *Sua boca borbotava saliva.*] **2** Sair em borbotões. [*int.*: *Jatos de água borbotavam dos canos.*] [▶ **1** borbo*tar*]

borbulha (bor.*bu*.lha) *sf.* **1** Bolha de ar formada no meio líquido; BOLHA (2). **2** Bolha aquosa ou purulenta formada na epiderme; BOLHA (1). **3** *Bot.* Broto de plantas.

borbulhante (bor.bu.*lhan*.te) *a2g.* Que tem ou faz borbulhas; EFERVESCENTE.

borbulhar (bor.bu.*lhar*) *v. int.* **1** Produzir borbulhas, apresentar-se com borbulhas ou sair em borbulhas: *O leite borbulhava no fogo.* **2** *Fig.* Existir ou surgir em quantidade; FERVILHAR: *Mil pensamentos borbulham em sua cabeça.* [▶ **1** borbu*lhar*]

borco (*bor*.co) [ó] *sm.* Us. na loc. ▪ **De** ~ Com o lado superior voltado para baixo; de barriga para baixo.

borda (*bor*.da) *sf.* Extremidade de superfície, de objeto; BEIRA; ORLA: *borda do copo/do campo.*

bordadeira (bor.da.*dei*.ra) *sf.* Mulher cuja profissão é bordar.

bordado (bor.*da*.do) *sm.* **1** Trabalho manual com linhas coloridas e agulha feito em pano ou tela. **2** Ação ou resultado de bordar; o ornato feito com linhas e agulha: *Fez um lindo bordado na colcha. a.* **3** Recoberto com bordado (2): *toalha de mesa bordada com fios de seda.*

bordão[1] (bor.*dão*) *sm.* **1** Pedaço de pau que serve de apoio ou arrimo; CAJADO. **2** Cacete, porrete. **3** Proteção, arrimo. **4** Palavra ou frase frequente na fala ou escrita de alguém. [Pl.: -*dões*.]

bordão[2] (bor.*dão*) *sm. Mús.* **1** Nos instrumentos de corda aquela que, sendo grossa, emite som grave. **2** Nota grave e invariável que serve de baixo e acompanhamento na gaita de fole, sanfona e outros instrumentos. [Pl.: -*dões*.]

bordar (bor.*dar*) *v.* Enfeitar (tecido) com fios, lantejoulas, miçangas etc.; fazer bordado em. [*td.*: *Bordou suas iniciais no lenço. int.*: *Nunca aprendeu a bor*dar.] [▶ **1** bordar] ● bor.da.*dor a.sm.*

bordejar (bor.de.*jar*, bor.de.*ar*) *v.* **1** Navegar à vela sem destino (com ventos de bombordo e de estibordo). [*int.* (seguido ou não de indicação de lugar): *O barco bordejou (pela baía).*] **2** Deslocar-se ou localizar-se em torno de; CONTORNAR. [*td.*: *Seguiu pela trilha que bordeja a mata.*] [▶ **1** borde*jar*, ▶ **13** borde*ar*]

bordejo (bor.*de*.jo) [ê] *sm.* **1** Ação ou resultado de bordejar (1). **2** *Fig.* Ação ou resultado de andar a esmo, passear: *Estava dando um bordejo na praia.*

bordel (bor.*del*) *sm.* Prostíbulo. [Pl.: -*déis*.]

borderô (bor.de.*rô*) *sm.* **1** Relação detalhada das operações financeiras e comerciais ref. a um evento ou um período: *o borderô do jogo/da bilheteria em abril.* **2** *Econ.* Rol completo dos títulos remetidos a um banco para cobrança, desconto ou caução.

bordo[1] (*bor*.do) [ó] *sm.* **1** As laterais de uma embarcação. **2** Borda, beira. ▪ **A** ~ **1** Embarcado, dentro de embarcação. **2** Dentro de qualquer veículo de transporte coletivo (ônibus, trem, avião etc.).

bordo[2] (*bor*.do) *sm. Bot.* Certa árvore da América do Norte.

bordô (bor.*dô*) *sm.* **1** A cor vermelho-arroxeada do vinho tinto. **2** Da região de Bordéus (França). *a2g2n.* **3** Que é vermelho-arroxeado como o vinho tinto (vestidos *bordôs*).

bordoada (bor.do.*a*.da) *sf.* Golpe com bordão, bastão, borduna, cacete, pau etc.

bordoeira (bor.do.*ei*.ra) *sf. Bras.* Surra, sova, pancadaria.

borduna (bor.*du*.na) *sf. Bras.* Arma de indígenas do Brasil que consiste em um pedaço de pau roliço e duro com que desferem golpes.

boré (bo.*rê*) *sm. Bras.* Entre índios tupis, espécie de trombeta.

boreal (bo.re:*al*) *a2g.* Ref. ao, do ou situado no lado norte do globo terrestre (vento boreal, aurora boreal); SETENTRIONAL. [Pl.: -*ais*.]

boreste (bo.*res*.te) [ê] *sm. Mar.* Lado direito de uma embarcação no sentido popa-proa; ESTIBORDO.

boricado (bo.ri.*ca*.do) *a.* Que contém ácido bórico (água boricada).

bórico (*bó*.ri.co) *a. Quím.* Diz-se de ácido us. em indústria e medicina, que contém boro.

borla (*bor*.la) *sf.* 1 Bola ou campânula de passamanaria, de onde pendem fios. 2 Barrete us. por advogados e certos juízes.

bornal (bor.*nal*) *sm.* 1 Saco que se pendura a tiracolo para transportar alimentos. 2 Saco (com ração) que se pendura no focinho de animal para que dele coma. [Pl.: -*nais*.]

borocoxô (bo.ro.co.*xô*) *a2g. Pop.* Que está sem ânimo e sem coragem.

bororo, bororó (bo.ro.ro, bo.ro.*ró*) *a2g.* 1 Dos índios bororos (2) (arte bororo). *s2g.* 2 Indivíduo de tribo indígena dos estados de GO e MT. [É comum o uso da forma bororo tanto para o sing. como para o pl.]

borra (*bor*.ra) [ó] *sf.* Substância sólida que sobra depois de ter ficado suspensa em um líquido: *borra de café.*

borra-botas (bor.ra-*bo*.tas) *s2g2n.* 1 *Fig.* Pessoa sem importância; JOÃO-NINGUÉM. 2 *Fig.* Medroso, frouxo: *É um borra-botas, tem medo até de cachorro.*

borracha (bor.*ra*.cha) *sf.* 1 Substância (goma) elástica, sintética ou feita do látex da seringueira ou de outras árvores, us. para fazer pneus, brinquedos etc. 2 Pedaço dessa goma us. para apagar traços de lápis.

📖 Por suas características físicas (elástica e impermeável) a borracha é um insumo básico de inúmeros produtos industriais. Obtida do látex vegetal (seiva de certas plantas, como a seringueira, o caucho etc.), inicialmente a economia da borracha foi totalmente extrativa, com destaque, nos sécs. XVIII e XIX, para a borracha brasileira originária das seringueiras da Amazônia, depois contrabandeadas para a Ásia, onde foram plantadas metodicamente, com resultados excelentes. O declínio da borracha vegetal foi acelerado pela invenção da borracha sintética, primeiro a partir do carvão, depois do petróleo. Embora não tenha todas as qualidades da borracha natural, a borracha sintética domina a fabricação mundial, com destaque para a China e os Estados Unidos. O Brasil é o maior produtor da América Latina.

borracharia (bor.ra.cha.*ri*.a) *sf. Bras.* Oficina ou loja em que se consertam e vendem pneus.

borracheira (bor.ra.*chei*.ra) *sf.* Estado de quem toma bebida alcoólica em excesso; EMBRIAGUEZ.

borracheiro (bor.ra.*chei*.ro) *sm. Bras.* Pessoa ou loja que vende ou conserta pneus.

borrachento (bor.ra.*chen*.to) *a. Pop.* Que tem elasticidade ou consistência semelhante à da borracha; BORRACHUDO (1): *Esse pão está muito borrachento.*

borracho (bor.*ra*.cho) *a.sm.* 1 Que ou quem bebeu demais; BÊBADO. *sm.* 2 Filhote implume de pombo ou rola.

borrachudo (bor.ra.*chu*.do) *a. Bras.* 1 *Pop.* Com a consistência da borracha; BORRACHENTO. 2 *Gír.* Diz-se de cheque que, por não ter fundos, volta para quem o depositou. *sm.* 3 *Zool.* Certo mosquito cuja picada causa dor e coceira.

borrador (bor.ra.*dor*) [ô] *a.sm.* 1 Que ou aquele que borra. *sm.* 2 Livro de rascunho us. no comércio para registrar pagamentos e recebimentos.

borralheira (bor.ra.*lhei*.ra) *sf.* Lugar onde se acumula cinza ou borralho de fogão de lenha.

borralheiro (bor.ra.*lhei*.ro) *a.* Que gosta de ou costuma ficar na cozinha, junto ao borralho.

borralho, borralha (bor.*ra*.lho, bor.*ra*.lha) *sm., sf.* Conjunto de brasas acesas e cobertas de cinzas quentes.

borrão (bor.*rão*) *sm.* 1 Mancha de tinta: *A caneta vazou e fez um borrão na prova.* 2 Rascunho. [Pl.: -*rões*.]

borrar (bor.*rar*) *v.* 1 *Pop.* Sujar(-se), manchar(-se). [*td.* (seguido ou não de indicação de modo): *Borraram a toalha (com molho). int.: A pintura borrou. pr.: Borrou-se de tinta.*] 2 Riscar (o que se escreveu). [*td.: Na prova, procure não borrar as respostas.*] 3 *Fig.* Pintar mal em; fazer pintura tosca em. [*td.: Borrava telas e ainda achava-se um artista.*] 4 *Fig. Pop.* Sujar-se com fezes, defecando. [*pr.: Perdeu o controle e borrou-se todo.*] 5 *Fig. Gír.* Ficar aterrorizado, em pânico. [*pr.: Borrou-se de susto.*] [▶ 1 borrar] • **bor.**
ra.do a.

borrasca (bor.*ras*.ca) *sf.* 1 Vento forte que surge de repente, acompanhado de muita chuva. 2 Tempestade no mar.

borra-tintas (bor.ra-*tin*.tas) *s2g2n. S. Pej.* Mau pintor.

borrego (bor.*re*.go) [ê] *sm.* Filhote de carneiro com menos de um ano.

borrifar (bor.ri.*far*) *v.* 1 Salpicar borrifos (2) em. [*td.: Pegou perfume e borrifou a mãe.* (seguido ou não de indicação de modo) *Borrifou a namorada (de perfume). pr.: Borrifou-se toda com perfume.*] 2 Molhar(-se) com gotas miúdas; ORVALHAR. [*td.* (seguido ou não de indicação de modo): *A madrugada borrifou as flores (de sereno).*] 3 Aspergir, espalhar (líquido) em forma de borrifos (2). [*td.* (seguido de indicação de lugar): *Borrifou água nas plantas.*] [▶ 1 borrifar]

borrifo (bor.*ri*.fo) *sm.* 1 Ação ou resultado de borrifar, de difundir no ar gotas de água ou de outro líquido. 2 Porção de gotas de um líquido, no ar ou numa superfície.

borzeguim (bor.ze.*guim*) *sm.* Bota ou botina fechada com cadarço. [Pl.: -*guins*.]

bósnio (*bós*.ni:o) *a.* 1 Da Bósnia-Herzegovina (Europa); típico desse país ou de seu povo. *sm.* 2 Pessoa nascida na Bósnia-Herzegovina.

bóson (*bó*.son) *sm. Fís.nu.* Partícula elementar como,p. ex., os mésons. [Pl.: *bósons* e (p.us. no Brasil) *bósones*.]

bosque (*bos*.que) *sm.* 1 Porção de árvores próximas entre si. 2 Pequena floresta.

bosquejar (bos.que.*jar*) *v. td.* 1 Pintar ou desenhar em traços não definidos; ESBOÇAR. (seguido ou não de indicação de lugar): *Bosquejou uma paisagem (na tela).* 2 Descrever ou planejar (algo) sem detalhes. [▶ 1 bosquejar]

bosquejo (bos.*que*.jo) [ê] *sm.* Traços iniciais de um trabalho ou obra; ESBOÇO: *Apresentou dois bosquejos do cartaz.*

bosquímano (bos.*qui*.ma.no) *a.sm.* Ver *boximane*.

bossa (*bos*.sa) *sf.* 1 *Anat. Zool.* Protuberância no corpo de certos animais, como o camelo e o dromedário; CORCOVA. 2 *Anat.* Saliência arredondada de osso, esp. do crânio. 3 *Pop.* Jeito, pendor, vocação: *Tem bossa para desenhista.* 4 *Bras. Gír.* Qualidade específica de algo ou alguém, que o torna distinto e agradável: *Com essa bossa, ela vai ter sucesso como cantora.* ■ ~ **nova** *Mús.* Estilo musical que combina samba com harmonias do jazz.

bossa-nova (bos.sa-*no*.va) *a2g2n. Ref.* a ou próprio da bossa nova.

bosta (*bos*.ta) *sf.* 1 Fezes de boi e de outros animais. 2 *Fig. Pop.* Coisa que não presta.

bota (*bo*.ta) *sf.* Calçado de couro, borracha ou plástico que, além do pé, envolve parte da perna.

bota-fora (bo.ta-*fo*.ra) *sm.* Ato, cerimônia ou festa de despedida de alguém que vai viajar por longo período. [Pl.: *bota-foras*.]

botânica (bo.tâ.ni.ca) *sf. Biol.* Ciência que estuda as plantas.

botânico (bo.tâ.ni.co) *a.* **1** Ref. a botânica. *sm.* **2** Pessoa formada ou especialista em botânica.

botão (bo.tão) *sm.* **1** Peça, ger. circular, que se costura na vestimenta para fechá-la ou para prender duas das suas partes. **2** Peça de comando em aparelhos e dispositivos: *botão de elevador.* [Tb. virtual, em interface de programa ou computador.] **3** Broto de vegetal: *botão de rosa.* [Pl.: -tões.]

botar (bo.*tar*) *v.* **1** Colocar, pôr. [*td.* (seguido de indicação de lugar): *Botou a salada na geladeira. tdi. + a: Botou seus discos à venda.*] **2** Vestir (roupa), calçar (calçado), pôr (enfeite). [*td.*: *Botou o calção e saiu para caminhar;* (seguido de indicação de lugar) *Botou uma fita no cabelo.*] **3** Expelir (líquido). [*td.* (seguido ou não de indicação de origem): *Sentia-se mal e botava sangue (pela boca).*] **4** Tocar de leve; ENCOSTAR. [*td.* (seguido ou não de indicação de lugar): *Não bote a mão, a tinta está fresca*; *Botou a mão (no rosto do pai); estava frio.*] **5** Atirar, lançar, expelir (coisa, gente, animal). [*td.* (seguido de indicação de lugar): *"...foi* botar *o inquilino para fora!"* (Marques Rebelo, *O simples coronel Madureira*).] **6** Guardar, depositar. [*td.* (seguido de indicação de lugar): *Botou todo o seu dinheiro no banco.*] **7** Preparar devidamente; PÔR. [*td.*: *"Só faltou mesmo* botar *a mesa."* (Antonio Callado, *Bar Don Juan*).] **8** Fazer entrar em algum lugar ou juntar-se a outra coisa. [*td.* (seguido de indicação de lugar): *Meu pai costumava botar vinho no refogado.*] **9** Estabelecer (negócio). [*td.*: *Meu vizinho botou uma vendinha.*] **10** Deitar, estender. [*td.* (seguido de indicação de lugar): *Botou a toalha na areia.*] **11** Fazer ficar ou deixar(-se) ficar em certa situação ou estado de espírito. [*tdi. + em: A atitude do menino botou a colega em má situação. pr.: Botou-se numa cilada, ao aceitar o dinheiro.*] **12** Atribuir, declarar existência de (defeito, erro, pontos negativos, falhas). [*td. + em: ...bote a culpa em mim..."* (João Ubaldo Ribeiro, *O conselheiro come*).] **13** Pôr (ovos). [*int.*: *A galinha já* botou *hoje. td.*: *A tartaruga bota seus ovos e os enterra.*] **14** Fazer passar (texto) para outra língua; TRADUZIR. [*tdi. + em: Botou o texto de Balzac em português.*] **15** Investir, aplicar (recursos, dinheiro). [*td.* (seguido de indicação de lugar): *Botou muito dinheiro no negócio.*]. [▶ 1 botar] [NOTA: Us. como v. auxiliar seguido de *a* + infinit., significa "pôr-se a", "principiar": *A criança botou a chorar.*]

botaréu (bo.ta.*réu*) *sm. Arq.* Construção de alvenaria, ger. us. para reforçar paredes.

bote¹ (bo.te) *sm. Mar.* Barco pequeno ger. movido a remo.

bote² (bo.te) *sm.* **1** Investida súbita de animal sobre a presa: *bote de cobra.* **2** *Fig.* Ataque súbito: *O ladrão deu o bote na primeira esquina.*

boteco (bo.te.co) *sm. Bras. Fam.* Casa onde se vendem bebidas, cigarros etc.; BAR; BOTEQUIM.

botequim (bo.te.*quim*) *sm.* Bar popular; BOTECO. [Pl.: -*quins*.]

botequineiro (bo.te.qui.*nei*.ro) *sm.* Dono ou gerente de botequim.

botica (bo.ti.ca) *sf.* Farmácia.

boticão (bo.ti.*cão*) *sm. Od.* Instrumento de dentista us. para extrair dentes. [Pl.: -*cões*.]

boticário (bo.ti.*cá*.ri.o) *sm.* **1** Dono de botica. **2** Farmacêutico.

botija (bo.ti.ja) *sf.* Vasilha de barro, arredondada, de boca estreita e gargalo curto, us. para conter bebidas.

botijão (bo.ti.*jão*) *sm.* Recipiente para armazenar produtos voláteis como gás de cozinha; BUJÃO. [Pl.: -*jões*.]

botina (bo.ti.na) *sf.* Bota de cano curto. • **bo.ti.*na*.da** *sf.*

boto (*bo.*to) [ô] *sm. Zool.* Golfinho comum na Amazônia. [Pl.: [ô].]

botocudo (bo.to.*cu*.do) *a.* **1** Ref. a vários povos indígenas do Brasil que usam botoque. *sm.* **2** Indivíduo desses povos.

botoeira (bo.to.*ei*.ra) *sf.* **1** Pequena casa de botão, esp. aquela na lapela do paletó, na qual se prende uma flor, medalha etc. **2** Painel com botões de comando, como o de elevador etc.

botoque (bo.*to*.que) *sm.* Enfeite de madeira, de forma arredondada, que vários povos indígenas introduzem no lábio inferior e nas orelhas, alongando-os.

botox® (bo.*tox*) [cs] *sm.* **1** *Estét.* Cosmético que, tendo como base um tipo de toxina botulínica purificada, se injeta sob a pele do rosto para provocar a liberação de acetilcolina (neurotransmissor para a contração muscular), do que resulta a suavização das linhas e rugas de expressão. [A marca registrada, com inicial maiúsc.]

botulismo (bo.tu.*lis*.mo) *sm. Med.* Envenenamento alimentar causado por alimentos mal conservados que são contaminados por determinada toxina.

bouba (*bou*.ba) *sf. Med.* Doença tropical infecciosa.

bovídeo (bo.*vi*.de.o) *a.* **1** Ref. à família de mamíferos como carneiros, cabras, búfalos e bois. *sm.* **2** *Zool.* Espécime dos bovídeos.

bovino (bo.*vi*.no) *a.* **1** Ref. a ou que é próprio do boi. *sm.* **2** *Zool.* Indivíduo dos bovinos (que são os bois, as vacas e os touros).

boxe (*bo*.xe) [cs] *sm.* **1** Compartimento de banheiro destinado ao banho de chuveiro. **2** Compartimento separado de outros por divisória: *O carro foi para o boxe.* **3** *Esp.* Modalidade de luta a socos, num ringue, em que dois adversários usam luvas acolchoadas; PUGILISMO. **4** Caixa. **5** *Edit.* Trecho de texto que aparece inserido em um desenho ou moldura.

boxeador (bo.xe:a.*dor*) [cs, ô] *sm. Esp.* Lutador de boxe (3); PUGILISTA.

boxear (bo.xe.*ar*) [cs] *v.* **1** Praticar o boxe. [*int.*: *Seu maior prazer é* boxear.] **2** Enfrentarem-se a socos (duas ou mais pessoas); BOXAR. [*pr.*: *Os rapazes boxearam-se depois da festa.*] [▶ 13 boxear]

boxímane, boxímano (bo.*xí*.ma.ne, bo.*xí*.ma.no) [cs] *Etnôn. a2g.*, *a.* **1** Ref. a ou do povo dos boxímanes, nativos do sudoeste da África; típico desse povo. **2** Do ou ref. ao boxímane (4). *s2g.*, *sm.* **3** Indivíduo que pertence a esse povo: *Estudou os hábitos dos esquimós e dos boxímanos.* *sm.* **4** *Gloss.* Designação genérica das línguas faladas por esse povo.

🌐 **boy** (Ing. / bói/) *sm.* Ver **bói**.

bozó (bo.*zó*) *sm.* Certo jogo de dados que se joga com um copo de couro.

brabeira (bra.*bei*.ra) *sf.* Situação braba, difícil.

brabeza (bra.*be*.za) [ê] *sf.* **1** Raiva violenta: *A brabeza dela assustou a todos.* **2** Dificuldade muito grande: *O teste foi brabeza.*

brabo (*bra*.bo) *a.* **1** Com raiva, furioso, irritadiço (onça braba). **2** Malfeito ou mal executado; RUIM: *Eta, comidinha braba!* **3** Grande, forte, intenso: *O mau cheiro aqui está brabo...* **4** Difícil: *Probleminha brabo este aqui!*

braça (*bra*.ça) *sf.* Antiga medida de comprimento (2,2m).

braçada (bra.*ça*.da) *sf.* **1** Movimento do braço ao nadar. **2** Porção ou conjunto que se pode segurar com os braços: *braçada de flores.*

braçadeira (bra.ça.*dei*.ra) *sf.* **1** Faixa que se usa no braço. **2** Pequena peça que une ou firma outra, por pressão: *braçadeira para prender o fio na parede.*

braçal (bra.*çal*) *a2g.* **1** Ref. ao braço. **2** Feito com os braços (trabalho braçal). [Pl.: -*çais*.]

bracejar (bra.ce.*jar*) *v.* **1** Agitar o(s) braço(s). [*int.*: *Bracejava, na esperança de que a vissem ali.*] **2** Mover para um lado e para outro, como se fossem braços. [*td.* (seguido ou não de indicação de lugar): *As amendoeiras bracejam suas frondes (no ar).*] **3** Estender-se

bracelete como braço(s). [*int.* (seguido ou não de indicação de lugar): *Na ressaca, a água do mar braceja (pelo povoado).*] [▶ **1** bracej<u>ar</u>]

bracelete (bra.ce.*le*.te) [ê] *sm.* Enfeite que se prende em torno do pulso ou do braço.

braço (*bra*.ço) *sm.* **1** *Anat.* Membro superior do ser humano que se estende do ombro à mão ou, em sentido mais restrito, a parte que vai do ombro ao cotovelo. **2** Parte, peça ou aparelho cuja forma ou função lembra um braço humano: *braço mecânico/da cruz.* **3** Apoio para o antebraço em cadeiras, poltronas etc. **4** Haste de certos instrumentos de corda, sobre a qual pressionam-se as cordas: *braço do violão/do violino.* **5** Porção de mar ou de rio entre terras. **6** *Fig.* Pessoa com grande capacidade de trabalho: *Peça auxílio a ela; é um braço.* ■ **Abrir os ~s** Receber bem; acolher com simpatia. **~ direito** Assessor direto; auxiliar dedicado. **Cruzar os ~s** Não participar; não ajudar; ficar indiferente ou inativo. **Dar o ~ a torcer** *Bras.* Reconhecer o próprio erro; mudar de posição, ideia etc., deixando-se convencer. **De ~s abertos** Com hospitalidade, simpatia. **De ~s cruzados** Sem agir; sem trabalhar; sem ajudar.

bráctea (*brác*.te:a) *sf. Bot.* Folha pequena fixada abaixo de uma flor.

bradar (bra.*dar*) *v.* **1** Dizer aos gritos, aos brados. [*td.*: *O rouxinol bradou o nome do presidente eleito.* *tdi.* + *a*: *O comandante bradava ordens aos soldados.*] **2** Expressar aos gritos; RECLAMAR; PROTESTAR. [*td.*: *Os manifestantes bradavam sua insatisfação.* *tdi.* + *a*: *Bradou ao juiz sua indignação.* *ti.* + *por*: *"...tão alto bradara pela justiça e pela liberdade?"* (Cecília Meireles, *Rui*).] **3** Soltar brados. [*int.*: *Ele bradou enquanto lhe restavam forças.*] [▶ **1** brad<u>ar</u>]

bradicardia (bra.di.car.*di*.a) *sf. Med.* Redução do ritmo do batimento do coração para sessenta ou menos batidas por minuto.

brado (*bra*.do) *sm.* Grito ou expressão veemente de conclamação, protesto etc.: *um brado às autoridades/de alerta/contra a miséria.*

braga (*bra*.ga) *sf.* Calça curta us. antigamente. [Mais us. no pl.]

braguilha (bra.*gui*.lha) *sf.* Abertura na frente de calças, cuecas etc.

braile (*brai*.le) *sm.* Sistema de sinais em relevo que constitui a escrita destinada a deficientes visuais. *a2g2n.* **2** Ref. a esse sistema (notações braile).

brâmane (*brâ*.ma.ne) *s2g.* **1** Membro da casta mais alta ou dos sacerdotes da Índia. *a2g.* **2** Ref. aos brâmanes (1); [Sin. ger.: brâmine.]

bramanismo (bra.ma.*nis*.mo) *sm. Fil. Rel.* Religião e sistema social da Índia (séc. XII-VII a.C.), anterior ao hinduísmo.

bramar (bra.*mar*) *v. int.* **1** Soltar a voz (certos animais) dando bramidos: *Veados bramavam ao longe.* **2** Gritar de dor, de desespero. **3** Tornar-se colérico; ENFURECER-SE. **4** *Fig.* Produzir grande estrondo; BRAMIR: *As ondas bramavam ao quebrar na areia.* [▶ **1** bram<u>ar</u>]

bramido (bra.*mi*.do) *sm.* **1** Grito de certos animais; rugido de feras. **2** Grito forte; BERRO; BRADO. **3** Ruído ou som muito forte: *bramido do vento.*

bramir (bra.*mir*) *v.* Ver **bramar** (1, 2 e 4) [▶ **58** bram<u>ir</u>]. Defec. Não se conjuga na 1ª pess. sing. do pres. do ind. e no pres. do subj.]

brancacento (bran.ca.*cen*.to) *a.* De uma cor próxima ao branco; ESBRANQUIÇADO.

branco (*bran*.co) *sm.* **1** A cor do leite, da neve etc. *a.* **2** Que é dessa cor (flores <u>brancas</u>). **3** *Fig.* Sem cor (diz-se do rosto de alguém); PÁLIDO: *Ela ficou <u>branca</u> de susto.* **4** Diz-se do que tem cor mais clara do que os demais do mesmo tipo (farinha <u>branca</u>, vinho <u>branco</u>). *a.sm.* **5** Que ou quem tem pele clara (homem <u>branco</u>). ■ **Dar um ~ (em alguém)** *Pop.* Esquecer

| brasileiro | 114 |

algo ou ficar (alguém) momentaneamente sem orientação, ou sem clareza de raciocínio. **Em ~** Não escrito, não preenchido (item ou campo de documento escrito): *Entregou a prova em branco.*

brancura (bran.*cu*.ra) *sf.* Qualidade (ou estado) do que é branco: *a brancura da neve.*

brandir (bran.*dir*) *v.* **1** Empunhar (arma) antes de usá-la. [*td.*: *brandir a espada*.] **2** Agitar (objeto) em sinal de ameaça. [*td.*: *brandir o guarda-chuva*.] **3** Oscilar, vibrar. [*int.*: *O lustre da sala brandia com o vento.*] [▶ **58** brand<u>ir</u>. Defec. Não se conjuga na 1ª pess. sing. do pres. do ind. e no pres. do subj.] ● **bran.di.men.to** *sm.*

brando (*bran*.do) *a.* **1** Doce, meigo, suave: *Disse-lhe, com voz <u>branda</u>, o que devia fazer.* **2** Que não é muito forte ou exagerado (fogo <u>brando</u>, atitude <u>branda</u>); AMENO; MODERADO. **3** Macio, tenro (carne <u>branda</u>).

brandura (bran.*du*.ra) *sf.* Qualidade do que é brando; atitude branda: *brandura para com os idosos.*

branqueador (bran.que.a.*dor*) [ô] *a.sm.* Que ou aquilo que torna branco: *O maquiador usou um <u>branqueador</u> de pele.*

branquear (bran.que.*ar*) *v.* **1** Tornar(-se) branco ou mais branco. [*td.*: *A geada <u>branqueou</u> os campos.* *int./pr.*: *Com a idade, seus cabelos <u>branquearam</u> (-se).*] **2** Cobrir com cal ou outra substância branca. [*td.*: *<u>Branqueou</u> os casebres para disfarçar-lhes a sujeira.*] **3** Criar cãs; ENCANECER. [*int.*: *De tanto trabalhar duro, <u>branqueou</u>.*] [▶ **13** branque<u>ar</u>] ● **bran.que.a.men.to** *sm.*

brânquia (*brân*.qui:a) *sf. Anat. Zool.* Órgão de respiração de animais aquáticos que não respiram pelos pulmões. [Sin.: guelra.] ● **brân.qui.al** *a2g.*

branquinha (bran.*qui*.nha) *sf. Bras. Pop.* Aguardente, cachaça.

braquicéfalo (bra.qui.*cé*.fa.lo) *a.* **1** Diz-se de (crânio) ou de quem tem o crânio oval, curto e achatado na parte de trás (crânio <u>braquicéfalo</u>, indivíduo <u>braquicéfalo</u>). *sm.* **2** Indivíduo braquicéfalo. [Cf.: *dolicocéfalo.*]

braquigrafia (bra.qui.gra.*fi*.a) *sf.* Redução de palavra, de acordo com determinadas regras; a palavra assim reduzida (abreviatura, sigla etc.) ● **bra.qui.grá.fi.co** *a.*

braquigrama (bra.qui.*gra*.ma) *sm.* Palavra reduzida por braquigrafia.

braquilogia (bra.qui.lo.*gi*.a) *sf. Gram.* Redução de frase, expressão ou palavra, mantendo seu significado original (p. ex., *auto* por *automóvel*; *curta*, por *curta-metragem*). ● **bra.qui.ló.gi.co** *a.*

braquiópode (bra.qui.*ó*.po.de) *sm.* **1** Espécie de animais marinhos, com forma de molusco, providos de concha. *a2g.* **2** Ref. a essa espécie.

braquiossauro (bra.qui:os.*sau*.ro) *sm. Pal.* Espécime dos braquiossauros, gênero de dinossauros que mediam até 25m, incluindo a cauda, e chegavam a pesar 50t.

brasa (*bra*.sa) *sf.* **1** Carvão incandescente. **2** Incandescência: *ferro em <u>brasa</u>.* **3** Calor muito forte; ARDÊNCIA. **4** *Fig.* Paixão, ardor. ■ **Em ~** **1** Rubro de calor: *rosto em <u>brasa</u>.* **2** Muito quente. **3** Muito corado. **4** *Fig.* Entusiasmado, excitado, irritado, irado. **Mandar ~** *Bras. Gír.* Atuar com firmeza, dinamismo etc., na realização de algo.

brasão (bra.*são*) *sm. Her.* Conjunto de figuras trabalhadas que compõem o escudo de uma nação, família, soberano etc. [PL.: -sões.]

braseira (bra.*sei*.ra) *sf.* Ver **braseiro** (1).

braseiro (bra.*sei*.ro) *sm.* **1** Recipiente com brasas para assar ou aquecer; BRASEIRA. **2** Fogo que emana de brasas.

brasileirismo (bra.si.lei.*ris*.mo) *sm. Ling.* Palavra, locução ou modismo típicos da língua portuguesa do Brasil.

brasileiro (bra.si.*lei*.ro) *a.* **1** Do Brasil (América do Sul); típico desse país ou de seu povo. **2** Pessoa nascida no Brasil.

brasiliana (bra.si.li:a.na) *sf.* Coleção de obras (livros, peças musicais etc.) sobre o Brasil.
brasilianismo (bra.si.li:a.*nis*.mo) *sm.* Estudo de assuntos brasileiros.
brasilianista (bra.si.li.a.*nis*.ta) *a2g.s2g.* Que ou quem se especializou em assuntos brasileiros (diz-se esp. de estrangeiro).
brasílico (bra.*sí*.li.co) *a.* **1** Dos ou próprio dos indígenas do Brasil. *a.sm.* **2** *Bras.* Fracassar.
brasilidade (bra.si.li.*da*.de) *sf.* **1** Condição ou propriedade que caracteriza o que ou quem é brasileiro. **2** Amor ao Brasil.
brasiliense¹ (bra.si.li:*en*.se) *a2g.* **1** De Brasília (DF), capital do Brasil; típico dessa cidade ou de seu povo. *s2g.* **2** Pessoa nascida em Brasília.
brasiliense² (bra.si.li:*en*.se) *s2g.* Brasileiro.
brau *a.sm. BA Gír.* Diz-se de ou pessoa fora de moda, cafona.
braúna (bra.*ú*.na) *sf. Bot.* **1** Árvore nativa do Brasil, de madeira muito dura. **2** Certa árvore da caatinga. **3** A madeira dessas árvores.
bravata (bra.*va*.ta) *sf.* **1** Ameaça ou provocação arrogante. **2** Demonstração fingida de coragem.
bravatear (bra.va.te.*ar*) *v.* **1** Dizer bravatas. [*int.*: *Ele só sabe bravatear*.] **2** Gabar-se de. [*td.*: *Bravateia feitos heroicos*. *ti.* + *de* (seguido de qualificativo): *Bravateia de esperto*.] **3** Dizer (algo) em tom de ameaça. [*td.*: *Bravateia que vai ser rigoroso no exame*. *tdi.* + *a*: *Bravateou-lhes advertências*.] [▶ **13** bravat*ear*]
braveza (bra.*ve*.za) [ê] *sf.* Ver brabeza.
bravio (bra.*vi*:o) *a.* **1** Não domesticado (animal bravio); SELVAGEM. **2** Agitado, revolto, bravo (mar bravio). **3** Não cultivado (terreno bravio); AGRESTE.
bravo¹ (*bra*.vo) *a.sm.* **1** Que ou quem é corajoso, valente: *brava gente brasileira...*; "A vida é combate, | que os fracos abate, | que os fortes, os bravos | só pode exaltar". (Gonçalves Dias, *Canção do Tamoio*.) *a.* **2** Que se irrita com facilidade; IRACUNDO; IRRITADIÇO. **3** Furioso, irado: *Ficou bravo com os colegas.* **4** Muito agitado (mar bravo); BRAVIO; TEMPESTUOSO.
bravo² (*bra*.vo) *interj.* Expressa aplauso ou grande admiração.
bravura (bra.*vu*.ra) *sf.* **1** Qualidade de bravo; CORAGEM; VALENTIA. **2** Ação de bravo; FAÇANHA; PROEZA.
breado (bre.*a*.do) *a.* **1** Revestido de breu. **2** *N.E.* Sujo, emporcalhado: *breado de lama*
brear (bre.*ar*) *v.* **1** Revestir de breu ou matéria a ele semelhante. [*td.*: *brear um cabo*.] **2** *MG N.E. Pop.* Tornar ou ficar sujo e engordurado. [*td.*: *brear a roupa*. *pr.*: *brear-se todo*.] [▶ **13** br*ear*]
breca (*bre*.ca) *sf. Pop.* Cãibra. ‖ **Levado da ~** Muito travesso. **Levar a ~** Dar-se mal; morrer; sumir.
brecar (bre.*car*) *v. Bras.* **1** Acionar o breque (de); FREAR. [*td.*: *O motorista brecou o veículo. int.*: *Quando avistou o animal, o motorista brecou*.] **2** Impedir que se manifeste; REFREAR. [*td.*: *Brecou suas emoções*.] [▶ **11** br*ecar*]
brecha (*bre*.cha) *sf.* **1** Abertura estreita; FENDA; RACHADURA. **2** Lacuna, falha: *A nova lei tem algumas brechas.* **3** *Fig.* Oportunidade, ocasião: *Aproveitou a brecha e pediu um aumento.*
brechado (bre.*cha*.do) *a.* Que tem brecha; FENDIDO; RACHADO.
brechar (bre.*char*) *v. td.* **1** Abrir brecha em (Tb. *Fig.*): *Os presos brecharam a parede para fugir*; *brechar uma argumentação*. **2** *N.E. Gír.* Espreitar, espiar: *Brechou o aposento em busca de sinais.* [▶ **1** brech*ar*]
brechó (bre.*chó*) *sm. Bras.* Loja de roupas e objetos usados.
bredo (*bre*.do) [ê] *sm. Bot.* Erva de folhas verdes comestíveis; CARURU.
brega (*bre*.ga) *a2g.s2g. Bras. Pop.* Que ou quem é deselegante, sem refinamento; CAFONA. • **bre.*gui*.ce** *sf.*

brejeirice (bre.jei.*ri*.ce) *sf.* **1** Qualidade de brejeiro. **2** Ação ou dito de brejeiro.
brejeiro (bre.*jei*.ro) *a.sm.* **1** Que ou quem é brincalhão, travesso. **2** Que ou quem é malicioso, indecente.
brejo (*bre*.jo) *sm.* Terreno alagadiço; PÂNTANO. ‖ **Ir para o ~** *Bras.* Fracassar.
brenha (*bre*.nha) *sf.* Mata espessa, cerrada; MATAGAL.
breque (*bre*.que) *sm. Bras.* Freio de veículo automóvel. ‖ **Samba de ~** *Bras. Mús.* Tipo de samba em que se intercalam paradas súbitas ou mudanças de ritmo, acompanhadas de falas humorísticas.
bretão (bre.*tão*) *a.* **1** Da Grã-Bretanha (esp. da Inglaterra); típico desse reino ou de seu povo. [Cf.: *britânico*.] **2** Da Bretanha (França); típico dessa província ou de seu povo. *sm.* **3** Pessoa nascida na Grã-Bretanha ou na Bretanha. *a.sm.* **4** *Gloss.* Da, ref. à ou a língua falada na Bretanha. [Pl.: *-tões*. Fem.: *-tã*.]
breu *sm.* **1** Substância escura, inflamável, obtida da destilação da hulha. **2** *Fig.* Escuridão, trevas.
breve (*bre*.ve) *a2g.* **1** De pouca duração; RÁPIDO; CURTO: *Foi breve na visita*. [Ant.: *demorado*.] **2** Resumido, conciso (discurso breve). [Ant.: *longo*.] *adv.* **3** Em pouco tempo: *Breve voltarei à fazenda. sf.* **4** *Mús.* Figura que equivale a duas semibreves. **5** *Mús.* A representação gráfica desse tempo (⊠). *sm.* **6** Ver bentinho.
brevê (bre.*vê*) *sm. Aer.* Diploma de aviador.
brevetar (bre.ve.*tar*) *v.* Diplomar(-se) em curso de aviação; dar ou obter brevê. [*td.*: *A escola de aviação brevetou vinte pilotos*. *pr.*: *Brevetou-se ano passado*.] [▶ **1** brevet*ar*]
breviário (bre.vi.*á*.ri:o) *sm.* **1** *Ecles.* Livro de rezas diárias dos sacerdotes católicos. **2** Resumo, sinopse.
brevidade (bre.vi.*da*.de) *sf.* **1** Qualidade de breve. **2** *BA a SP MT Cul.* Bolo feito de polvilho e ovos.
brevilíneo (bre.vi.*lí*.ne:o) *a. Anat.* Que tem tronco e membros mais curtos que a média (diz-se de pessoa ou animal).
brida (*bri*.da) *sf.* Rédea. ‖ **A toda a ~** Em disparada; a toda velocidade.
bridão (bri.*dão*) *sm.* Espécie de freio de cavalgadura. [Pl.: *-dões*.]
⊕ **bridge** (Ing. /brídj/) *sm.* Certo jogo de cartas jogado entre duplas.
⊕ **brief** (Ing. /brif/) *sm.* Conjunto de instruções orais ou escritas.
⊕ **briefing** (Ing. /brífin/) *sm.* Ação de comunicar o *brief* para uma ação, operação etc.
brifar (bri.*far*) *v. int.* Apresentar *briefing*. [▶ **1** brif*ar*]
briga (*bri*.ga) *sf.* **1** Luta corporal. **2** Discussão, bate-boca. **3** Desavença, desentendimento: *briga entre comadres*; *briga por ingressos para o jogo.*
brigada (bri.*ga*.da) *sf. Mil.* Tropa composta de dois regimentos.
brigadeiro (bri.ga.*dei*.ro) *sm.* **1** *Mil. Aer.* F. red. de brigadeiro do ar, major-brigadeiro e tenente-brigadeiro. **2** *Bras. Cul.* Doce feito de leite condensado com chocolate.
brigadeiro do ar (bri.ga.dei.ro do *ar*) *sm.* **1** *Mil.* Patente militar. [Ver quadro *Hierarquia Militar Brasileira*.] **2** Militar com essa patente. [Pl.: *brigadeiros do ar*.]
brigalhada (bri.ga.*lha*.da) *sf. Bras.* Briga demorada ou entre várias pessoas.
brigão (bri.*gão*) *a.sm.* Que ou quem se mete em brigas com frequência; BRIGUENTO. [Pl.: *-gões*.]
brigar (bri.*gar*) *v.* **1** Lutar, combater corpo a corpo. [*int.*: *Esse menino gosta de brigar. ti.* + *com*: *Brigou com o colega.*] **2** Desentender-se verbalmente. [*ti.* + *com*: *Brigou com o vizinho por uma bobagem. int.*: *Ele briga por qualquer motivo.*] **3** Romper relações. [*ti.* + *com*: "Quis *brigar comigo*, que perigo..." (Ary Barroso, *Camisa amarela*.) **4** Lutar por conseguir; ESFORÇAR-SE.

brigue | brócolis, bróculos

[*ti.* + por: *Brigou pelo cargo.*] **5** Não condizer; DESTOAR. [*ti.* + com: *O verde da camisa briga com o estampado da saia.*] [▶ **14** brigar] ● **bri.ga.dor** *a.sm.*

brigue (*bri*.gue) *sm. Mar.* Antigo navio de dois mastros e velas quadrangulares.

briguento (bri.*guen*.to) *a.sm.* Ver **brigão**.

brilhante (bri.*lhan*.te) *a2g.* **1** Que tem brilho; CINTILANTE; RELUZENTE. **2** *Fig.* Que tem ou demonstra grande talento, inteligência, perícia (aluna *brilhante*, jogador *brilhante*). **3** *Fig.* Perfeito para uma dada situação; EXCELENTE; FORMIDÁVEL: *uma solução brilhante.* **4** *Fig.* De grandes méritos; ILUSTRE; CÉLEBRE: *homenagem ao brilhante senador.* **5** *Fig.* Maravilhoso, deslumbrante: *com seu brilhante futuro.* **6** *Fig.* Próspero, promissor: *"...pela sua posição independente, podiam aspirar a um futuro brilhante."* (José de Alencar, *A viuvinha*). *sm.* **7** Tipo de lapidação criada esp. para o diamante. **8** Diamante com lapidação brilhante (7).

brilhantina (bri.lhan.*ti*.na) *sf.* Cosmético para fixar e dar brilho aos cabelos.

brilhantismo (bri.lhan.*tis*.mo) *sm.* **1** Qualidade do que é brilhante; BRILHO. **2** Virtuosismo, excelência em alguma atividade ou ação: *O pianista se apresentou com brilhantismo.*

brilhar (bri.*lhar*) *v. int.* **1** Irradiar luz, apresentar brilho; RELUZIR; CINTILAR: *As estrelas brilham no firmamento.* **2** *Fig.* Ter atuação excelente; (seguido de indicação de circunstância) *"Capaz de brilhar nas competições internacionais."* (Josué Montello, *Sempre serás lembrada*). Fazer-se admirar; (seguido de indicação de circunstância) *A modelo brilhou na passarela.* **4** *Fig.* Fazer-se notar; TRANSPARECER; (seguido de indicação de lugar) *A paixão brilhava nos olhos daquela mulher.* [▶ brilhar]

brilho (*bri*.lho) *sm.* **1** Luz que um corpo emite ou reflete: *brilho das estrelas/do ouro.* **2** Pureza, limpidez: *Observe o brilho e o aroma deste vinho.* **3** *Fig.* Grandiosidade, pompa: *o brilho de uma cerimônia de formatura.* **4** *Fig.* Esplendor, glória: *o brilho da civilização grega.* [Dim. (*Joc.*): *brilhareco.*] ● **bri.lho.so** *a.*

brim *sm.* Tecido resistente de algodão, linho etc. [Pl.: *brins.*]

brincadeira (brin.ca.*dei*.ra) *sf.* **1** Ação ou resultado de brincar. **2** Divertimento, diversão. **3** Gracejo, chacota. **4** *Pop.* Coisa fácil de fazer: *Fazer a prova foi brincadeira.*

brincalhão (brin.ca.*lhão*) *a.sm.* **1** Que ou quem é alegre e vive brincando. **2** Que ou quem costuma fazer chacota com os outros. [Pl.: -*lhões.*]

brincante (brin.*can*.te) *s2g.* Pessoa que participa de festa folclórica ou popular, como o carnaval.

brincar (brin.*car*) *v.* **1** Entreter-se com um objeto ou uma atividade qualquer. [*int.*: *As crianças brincam o dia todo. ti.* + com: *Ela brinca com as bonecas da irmã.*] **2** Distrair-se com jogos de criança, representando ou simulando algo ou ação. [*int.* + *de* (seguido de especificação): *brincar de polícia e ladrão.*] **3** Agitar ou manipular por distração. [*ti.* + com: *Ela brincava com os cachinhos da filha.*] **4** Não levar em consideração; ZOMBAR. [*ti.* + com: *brincar com os sentimentos de alguém. int.*: *Ela brinca quando ele se declara apaixonado.*] **5** Gracejar. [*ti.* + com: *Evita brincar com o colega, pois sabe que ele fica sem graça. int.*: *"Por que acreditariam em mim, brincou."* (FolhaSP, 22.01.99).] **6** Agitar-se com movimentos graciosos. [*int.*: *Os galhos das árvores brincavam ao vento.*] **7** Tomar parte em (folguedos carnavalescos). [*td.*: *brincar o carnaval. int.*: *Vestida de colombina, ela brincou a noite inteira.*] [▶ **11** brincar]

brinco (*brin*.co) *sm.* Enfeite que se usa no lobo das orelhas. ▪ *Estar/Ficar um ~* Estar/Ficar limpo, arrumado, bem cuidado.

brinco-de-princesa (brin.co-de-prin.*ce*.sa) *sm. Bot.* Arbusto ornamental de flores roxas. [Pl.: *brincos-de-princesa.*]

brindar (brin.*dar*) *v.* **1** Beber à saúde de. [*td.*: *brindar o aniversariante. ti.* + *a*: *brindar aos noivos. int.*: *Todos os presentes brindaram. pr.*: *Ergueram os copos e brindaram-se.*] **2** Oferecer presente ou dádiva a. [*td.* (seguido ou não de indicação de modo/meio): *A empresa brindou seus funcionários (com um vinho de excelente cepa).*] **3** Conceder como favor. [*td.* (seguido de indicação de modo): *A crítica brindou-o com elogios.*] [▶ **1** brindar]

brinde (*brin*.de) *sm.* **1** Ação ou resultado de erguer copos e saudar algo ou alguém antes de beber; essa saudação. **2** Oferta ou presente de uma empresa a clientes, aos participantes de algum evento etc.

brinquedo (brin.*que*.do) [ê] *sm.* **1** Objeto com que as crianças brincam. **2** Brincadeira (1 e 2) de criança.

brio (*bri*:o) *sm.* **1** Sentimento de dignidade pessoal; AMOR-PRÓPRIO; ORGULHO. **2** Coragem, ânimo.

brioche (bri:o.che) *sm. Cul.* Pãozinho fofo feito de massa fermentada, ovos e manteiga.

briófito (bri:ó.fi.to) *sm. Bot.* Espécime dos briófitos, divisão de plantas que vivem em lugares úmidos (p.ex.: os musgos).

brioso (bri:o.so) [ó] *a.* **1** Que tem brio; ORGULHOSO. **2** Corajoso, valente. [Fem. e fig.: [ó].]

brisa (*bri*.sa) *sf.* **1** Vento fresco e suave; ARAGEM. **2** *Pop.* Nada.

brita (*bri*.ta) *sf.* Pedra fragmentada us. na construção civil e na pavimentação de estradas.

britadeira (bri.ta.*dei*.ra) *sf.* Máquina us. para quebrar pedras, asfalto etc., esp. o pavimento de ruas e calçadas; BRITADOR.

britador (bri.ta.*dor*) *sm.* Ver **britadeira**.

britânico (bri.*tâ*.ni.co) *a.* **1** Da Grã-Bretanha (ilha ocupada por Inglaterra, Escócia e País de Gales); típico dessa ilha ou de seu povo. *sm.* **2** Pessoa nascida na Grã-Bretanha. [Cf.: *inglês*.]

britar (bri.*tar*) *v. td.* **1** Quebrar em pequenos pedaços: *britar amêndoas.* **2** Quebrar (pedras) em fragmentos para fazer cascalho. [▶ **1** britar]

broa (*bro*.a) [ó] *sf. Cul.* Pão arredondado, feito ger. de fubá.

broca¹ (*bro*.ca) *sf.* **1** Instrumento com que se abrem orifícios circulares em madeira, pedra etc.; a ferramenta que se ajusta numa extremidade desse instrumento. **2** *Od.* Instrumento, acionado por motor, us. para perfurar e limpar cavidades dentárias.

broca² (*bro*.ca) *sf. Zool.* Qualquer inseto que corrói madeira, plantas, livros etc.

brocado (bro.*ca*.do) *sm.* Tecido de seda com relevos bordados a ouro ou prata.

brocar (bro.*car*) *v. td.* **1** Perfurar com broca¹ (1): *brocar uma parede.* **2** Fazer furo ou buraco em; FURAR: *Larvas brocaram o tronco de uma velha árvore.* [▶ **11** brocar]

brocardo (bro.*car*.do) *sm.* **1** *Jur.* Máxima jurídica que resume uma regra aceita por todos. **2** Ditado, provérbio.

brocha (*bro*.cha) *sf.* Prego curto de cabeça achatada. [Cf.: *broxa.*]

brochar (bro.*char*) *v. td.* **1** Pregar brocha(s) ou tacha(s) em: *brochar a sola do sapato.* **2** *Edit.* Dar acabamento de brochura em (livro etc.). [▶ **1** brochar] [Cf.: *broxar.*]

broche (*bro*.che) *sm.* Joia ou bijuteria com alfinete, us. ger. ao peito, para prender ou enfeitar uma peça de roupa.

brochete (bro.*che*.te) *sf. Cul.* Espetinho com pedaços de carne, frango etc. que se assa na brasa.

brochura (bro.*chu*.ra) *sf. Edit.* **1** Processo de encadernação que utiliza capa flexível, colada e/ou costurada ao miolo do livro pela lombada. **2** Livro encadernado por esse processo.

brócolis, bróculos (*bró*.co.lis, *bró*.co.los) *smpl. Bot.* Erva comestível, de que se aproveitam as folhas e os ramos.

bródio (*bró*.di.o) *sm.* Refeição farta e festiva; BANQUETE.

bromatologia (bro.ma.to.lo.*gi*.a) *sf.* Estudo dos alimentos. ● **bro.ma.to.ló.gi.co** *a.*

bromélia (bro.*mé*.li.a) *sf. Bot.* Planta de caule reduzido e flores coloridas, dispostas em roseta, esp. cultivadas como ornamentais.

brometo (bro.*me*.to) [ê] *sm. Quím.* Cada uma de um grupo de substâncias us. ger. como agrotóxicos.

BROMÉLIA

bronca (*bron*.ca) *sf. Pop.* **1** Repreensão, reprimenda. **2** Reclamação, protesto.

bronco (*bron*.co) *a.sm.* **1** Que ou quem tem modos rudes, grosseiros. **2** Que ou quem tem pouca inteligência; BURRO.

broncocele (bron.co.*ce*.le) *sf. Med.* Dilatação de um brônquio; BRONQUIOCELE.

broncodilatador (bron.co.di.la.ta.*dor*) *a.sm. Med.* Que ou o que provoca dilatação dos brônquios.

bronquear (bron.*que*.ar) *v. Bras. Gír.* **1** Repreender com severidade; dar bronca. [*ti.* + com: *Bronqueia com todos por causa do barulho. int.: Bronqueava sempre que ouvia a algazarra das crianças.*] **2** Manifestar insatisfação; RECLAMAR. [*ti.* + com: *Bronqueou com o carteiro porque ele atrasou. int.: Sentindo-se prejudicado, bronqueou.*] [▶ **13** bronqu*ear*]

brônquio (*brôn*.qui:o) *sm. Anat.* Cada um dos dois canais em que se bifurca a traqueia e cujas ramificações levam o ar aos pulmões. ● **bron.qui.al** *a2g.*

bronquiocele (bron.qui.o.*ce*.le) *sf. Med.* Ver *broncocele.*

bronquíolo (bron.*quí*:o.lo) *sm. Anat.* Cada uma das mais finas estruturas da ramificação dos brônquios.

bronquite (bron.*qui*.te) *sf. Med.* Inflamação dos brônquios. ● **bron.quí.ti.co** *a.*

brontossauro (bron.tos.*sau*.ro) *sm. Pal.* Dinossauro herbívoro de até 21m de comprimento, da cabeça à cauda, e cerca de 30t.

bronze (*bron*.ze) *sm.* **1** *Quím.* Liga metálica composta de cobre e estanho, de cor avermelhada e dourada. **2** Medalha de bronze (1), ger. a que se ganha pela conquista da terceira colocação em competições: *Ganhou bronze na maratona.* **3** *Bras. Pop.* Bronzeado (3). *a2g2n.* **4** Que tem a cor do bronze ou a ela se assemelha: *Vestiu uma camisa bronze.*

bronzeado (bron.ze.*a*.do) *a.* **1** Que tem a cor do bronze (1). **2** Que adquiriu a cor do bronze (1) pela exposição ao sol: *Ficou com o corpo bronzeado. sm.* **3** A cor da pele que se adquire pela exposição ao sol; BRONZE: *Ela tem um bronzeado bonito.*

bronzeador (bron.ze:a.*dor*) [ô] *a.sm.* **1** Que ou aquilo que bronzeia. **2** Que ou o que, com uma ação do sol, faz a pele ficar bronzeada (2): *Passou bronzeador antes de ir à praia.*

bronzear (bron.ze.*ar*) *v.* **1** Adquirir ou fazer adquirir tons ou coloração de bronze. [*td.: Usou bonê porque não queria bronzear o rosto. int.: O filtro solar evita que a pele bronzeie demais. pr.: bronzear-se ao sol.*] **2** Revestir ou guarnecer de bronze. [*td.: bronzear o escudo*; (tb. sem complemento explícito) *Em toda a região, não havia quem bronzeasse melhor.*] [▶ **13** bronz*ear*]

brônzeo (*brôn*.ze:o) *a.* **1** Ref. a ou feito de bronze (estátua *brônzea*). **2** Que apresenta características do bronze (tonalidade *brônzea*). **3** *Fig.* Firme nas convicções ou na vontade; TENAZ: *Tem uma personalidade brônzea.*

brotar (bro.*tar*) *v.* **1** Lançar (planta) rebentos, flores etc. [*td.: Essa planta brota flores de uma beleza rara.*] **2** Exalar de si; EXPELIR; SEGREGAR. [*td.: O pau-rosa brota um óleo perfumado.*] **3** *Bot.* Surgir (vegetal ou parte dele) em forma de rebento, flor, broto etc.; GERMINAR;

REBENTAR. [*int.: Os cajueiros brotaram*; (tb. com indicação de lugar) *Flores brotaram no solo ressequido.*] **4** Surgir, aparecer. [*int. "...as histórias brotam simplesmente na vida..."* (Cecília Meireles, *Crônicas de educação 4*).] **5** Emanar, fluir, jorrar. [*ti.* + *de: A água brotava do cano. int.: Tirou o torniquete e o sangue brotou.*] **6** *Fig.* Ter origem; DERIVAR. [*ti.* + *de: Do encontro brotaram ideias brilhantes.*] [▶ **1** brot*ar*] ● **bro.ta.ção** *sf.*; **bro.ta.men.to** *sm.*; **bro.ta.do** *a.*

brotinho (bro.*ti*.nho) *sm. Bras. Pop.* **1** Moça ou rapaz quase adolescente, ou no início da adolescência; BROTO (2). *a.* **2** *Bras.* Diz-se da coisa de menor tamanho (*pizza brotinho*).

broto (*bro*.to) [ô] *sm.* **1** Vegetal em início de crescimento: *broto de feijão.* **2** Pessoa muito jovem; BROTINHO (1).

brotoeja (bro.to:*e*.ja) [ê] *sf.* Erupção da pele, comum em crianças, que causa coceira e prurido.

⊕ **brownie** (*Ing.* /*bráuni*/) *sm. Cul.* Bolo muito fino de chocolate com nozes.

⊕ **browser** (*Ing.* /*bráuser*/) *sm. Inf.* Programa de computador (e sua interface) que permite navegar na internet. [Ver tb. *navegador* (2).]

broxa (*bro*.xa) *sf.* **1** Pincel grande de cerdas grossas, us. em caiação e pinturas rústicas. *a.sm.* **2** *Bras. Tabu.* Que ou quem não consegue ter ereção; IMPOTENTE. [Cf.: *brocha*.]

broxante (bro.*xan*.te) *a2g.* **1** *Bras. Tabu.* Que causa impotência sexual (chá *broxante*). **2** *Bras. Fig. Vulg.* Cansativo, que faz perder o interesse, desestimulante (assunto *broxante*).

broxar (bro.*xar*) *v.* **1** Pintar usando broxa. [*td.: broxar uma parede.*] **2** *Bras. Tabu.* Ficar (homem) sexualmente impotente, ocasional ou definitivamente. [*int.*] **3** *Bras. Fig. Vulg.* Perder o ânimo, o entusiasmo. [*int.*] [▶ **1** brox*ar*] [Cf.: *brochar.*]

bruaca (bru.*a*.ca) *sf.* **1** Mala de couro cru para transporte em cavalgadura. **2** *Gír. Pej.* Mulher muito feia ou má. [At! Considerado ofensivo nesta acepção.]

brucelose (bru.ce.*lo*.se) *sf. Vet.* Certa infecção em gado, transmissível ao homem.

bruços (*bru*.ços) *smpl.* Us. apenas na loc. ⬛ **De ~** Deitado (ref. a pessoa) com a parte anterior do corpo (rosto, barriga) voltada para baixo.

bruma (*bru*.ma) *sf.* **1** Nevoeiro, cerração, neblina: *A bruma cobriu a estrada.* **2** *Fig.* Falta de clareza, nitidez: *as brumas do esquecimento.*

brumoso (bru.*mo*.so) [ô] *a.* **1** Que está envolto em bruma; NEVOENTO: *um dia brumoso de inverno.* **2** *Fig.* Vago, impreciso (explicação *brumosa*). [Fem. e pl.: [ó].]

brunido (bru.*ni*.do) *a.* **1** Que foi polido ou lustrado (metal *brunido*). **2** Diz-se de roupa ou tecido engomados. **3** *Fig.* Aprimorado, bem-acabado. **4** *Fig.* Que demonstra afetação (discurso *brunido*); PEDANTE.

brunidor (bru.ni.*dor*) [ô] *a.sm.* **1** Que ou quem é encarregado de polir ou lustrar metais. *sm.* **2** Instrumento us. para polir ou lustrar metais.

brunidura (bru.ni.*du*.ra) *sf.* **1** Ação ou resultado de brunir. **2** O polimento ou o brilho obtido pelo brunidor.

brunir (bru.*nir*) *v. td.* **1** Tornar brilhante; POLIR. **2** *Fig.* Aprimorar, aperfeiçoar (o estilo, a linguagem etc.): *gosta de brunir a frase.* [▶ **58** brun*ir*. Não se conjuga na 1ª pess. do pres. do ind., nem no pres. do subj.]

brusco (*brus*.co) *a.* **1** Diz-se de atitudes ou movimentos inesperados e rápidos (resposta *brusca*, gestos *bruscos*). **2** De atitudes indelicadas, rude: *um homem brusco com os estranhos.* ● **brus.qui.dão** *sf.*

brutal (bru.*tal*) *a2g.* **1** Próprio de quem é bruto, grosseiro (comportamento *brutal*); *brutal com os clientes/de maneiras/no trato.* **2** Cruel, desumano (assassinato *brutal*). **3** Terrível, chocante, violento (acidente *brutal*). **4** *Pop.* Muito grande, excessivo: *uma diferença brutal.* [Pl.: *-tais*.]

brutalidade (bru.ta.li.*da*.de) *sf.* **1** Estado ou qualidade do que é brutal, irracional: *brutalidade do crime/da repressão*. **2** Ação brutal, violenta: *O terrorismo é uma brutalidade*. **3** Grosseria, indelicadeza: *Só se dirige aos empregados com brutalidade*.

brutalizar (bru.ta.li.*zar*) *v.* **1** Tornar(-se) bruto; EMBRUTECER(-SE). [*td.*: *A miséria brutaliza o homem. pr.*: *Brutalizou-se de tanto sofrimento*.] **2** Tratar com brutalidade; MALTRATAR; SEVICIAR. [*td.*: *Brutalizaram os detentos*.] **3** Estuprar, violar. [*td.*: *Milicianos invadiram as aldeias e brutalizaram as mulheres*.] [▶ **1** brutali*zar*]

brutamontes (bru.ta.*mon*.tes) *s2g2n.* **1** Pessoa corpulenta, muito forte, abrutalhada. **2** Pessoa rude, de modos grosseiros.

bruto (*bru*.to) *a.* **1** Que está no seu estado natural ou primitivo, inalterado; não manipulado (diamante *bruto*). **2** Que é malformado, tosco (feições *brutas*). **3** Que não tem bons modos, sem educação; RUDE. **4** Imenso, fora do comum, impressionante: "...uma *bruta* saudade atrapalha." (Antonio Callado, *Reflexos do baile*). **5** Calculado sem desconto (renda *bruta*, salário *bruto*, peso *bruto*); INTEGRAL.

bruxa (*bru*.xa) *sf.* **1** Mulher que faz bruxarias. **2** *Gír.* Mulher feia e má; MEGERA: *Sua madrasta é uma bruxa*. **3** *Zool.* Mariposa grande e escura.

bruxaria (bru.xa.*ri*.a) *sf.* **1** Acontecimento extraordinário, ger. maléfico, atribuído a poderes especiais de certas pessoas (bruxos) ou a forças sobrenaturais. **2** Ação ou prática de bruxo ou bruxa.

bruxo (*bru*.xo) *sm.* **1** Homem que pratica a bruxaria; FEITICEIRO. **2** *Fig.* Homem extraordinariamente habilidoso naquilo que faz: *É um bruxo na arte de pintar*. [Ver *Anexo*.]

bruxulear (bru.xu.le.*ar*) *v. int.* **1** Tremular, oscilar (chama ou luz): *Tochas bruxuleavam enquanto a procissão avançava*. **2** Brilhar fracamente; TREMELUZIR: *As estrelas bruxuleiam no céu*. **3** Estar prestes a se apagar: *A última vela bruxuleava na cozinha*. **4** *Fig.* Manifestar-se fracamente antes de se extinguir; AGONIZAR: *No seu coração bruxuleia o primeiro amor*. [▶ **13** bruxule*ar*] • **bru.xu.le.***an*.**te** *a2g.*; **bru.xu.lei.o** *sm.*

bubão (bu.*bão*) *sm. Pop. Med.* Inflamação de gânglio linfático. [Pl.: *-bões*.]

bubônica (bu.*bô*.ni.ca) *sf. Med.* Ver **peste bubônica** em *peste*.

bubônico (bu.*bô*.ni.co) *a. Med.* Que se caracteriza pelo surgimento de bubões.

bubu (bu.*bu*) *sm.* Espécie de túnica us. em alguns países africanos.

bucal (bu.*cal*) *a2g.* Da ou próprio da boca (higiene *bucal*); ORAL. [Pl.: *-cais*.] [Cf.: *bocal*.]

bucaneiro (bu.ca.*nei*.ro) *sm.* Aventureiro dos mares que atacava navios para pilhar mercadorias de valor; PIRATA.

bucha (*bu*.cha) *sf.* **1** *Bras.* Esponja de material fibroso us. no banho para limpar e massagear. **2** *Bras.* Pedaço de papel ou pano, us. para comprimir a carga no cano das armas de fogo: *bucha de canhão*. **3** *Bras.* Peça que se embute na parede para fixar parafusos. **4** Objeto us. para tapar orifícios, buracos, fendas etc. **5** *Bras.* Material embebido em combustível que se prende aos balões juninos para que, quando acesos o ar quente faça subir o balão. ▪ **Na ~** No mesmo instante; sem qualquer demora.

buchada (bu.*cha*.da) *sf.* **1** Bucho e outras entranhas de animais. **2** *N. N.E. Cul.* Prato preparado com as entranhas de cabrito, carneiro, ovelha ou bode.

bucho (*bu*.cho) *sm.* **1** *Anat.* O estômago dos animais mamíferos e dos peixes. **2** *Bras. Pop.* O estômago do homem; BARRIGA: *Tanto que ficou de bucho cheio*. **3** *Pop. Pej.* Mulher muito feia. [At! Considerado ofensivo nesta acepção.] [Cf.: *buxo*.]

buço (*bu*.ço) *sm.* Pelos ralos acima do lábio superior; PENUGEM; LANUGEM.

bucólica (bu.*có*.li.ca) *sf. Poét.* Poesia pastoril; ÉCLOGA.

bucólico (bu.*có*.li.co) *a.* **1** Ref. a vida no campo ou a quem lá vive (paisagem *bucólica*). **2** Que faz parte ou está próximo da natureza ou da vida natural: *uma casinha bucólica*. **3** Que se identifica com os valores da vida no campo: *uma alma bucólica*. **4** Singelo, ingênuo, puro.

bucolismo (bu.co.*lis*.mo) *sm.* **1** Qualidade do que é bucólico. **2** *Poét.* Estilo poético e literário ligado a temas pastoris.

buda (*bu*.da) *sm.* **1** *Fil. Rel.* No budismo, nome dado a todo aquele que atinge a iluminação, o mais alto grau de elevação espiritual. **2** *Fil. Rel.* Título de Siddharta Gautama (séc. VI-V a.C.), o fundador do budismo. [Com inicial maiúscula.] **3** Imagem (ger. uma pequena estatueta) que representa o fundador do budismo.

budismo (bu.*dis*.mo) *sm. Fil. Rel.* Doutrina filosófica e religiosa de elevação espiritual, criada pelo Buda (Siddharta Gautama), e que se espalhou esp. no Extremo Oriente. • **bu.*dis*.ta** *a2g.*

bueiro (bu:*ei*.ro) *sm.* **1** Cano ou buraco para escoamento de águas. **2** Abertura, natural ou construída, ger. com acabamento feito por uma caixa de ferro com tampa dotada de fendas.

buena-dicha (bu:e.na-*di*.cha) *sf.* Sorte ou destino a que alguém está ligado; SINA. [Pl.: *buenas-dichas*.]

búfalo (*bú*.fa.lo) *sm. Zool.* Grande mamífero ruminante, semelhante ao boi, de chifres bem curvos e cauda curta.

bufante (bu.*fan*.te) *a2g. Gal.* Diz-se de roupa ou parte dela, franzida e folgada, que fica com aspecto inflado, como se estivesse cheia de ar (calça *bufante*).

bufão (bu.*fão*) *sm.* **1** *Teat.* Ator que faz o público rir com seus gestos e caretas; BUFO². **2** Quem faz rir por falar ou agir de forma cômica ou inconveniente. **3** Quem tem o costume de contar vantagem, de se vangloriar. [Pl.: *-fões*.]

bufar (bu.*far*) *v.* **1** Expelir (ar, vapor etc.) com força. [*int.*: *Os turistas bufavam durante a caminhada*. *td.*: *O dragão bufou fogo pelas ventas*.] **2** Enfurecer-se, encolerizar-se. [*int.* (seguido ou não de indicação de causa): *O diretor saiu bufando (de raiva)*.] [▶ **1** bu*far*]

bufarinheiro (bu.fa.ri.*nhei*.ro) *sm.* Vendedor ambulante de objetos de pouco valor ou de pouca utilidade; MASCATE.

bufê (bu.*fê*) *sm. Bras.* **1** Mesa onde são colocadas as comidas e bebidas a serem servidas: *O bufê está na sala*. **2** *Cul.* As comidas que estão sobre essa mesa: *O bufê está uma delícia*. **3** Empresa especializada em comidas sob encomenda para aniversários, jantares, recepções, festas etc.: *Contrataram o melhor bufê da cidade*. ⊕ **buffer** (*Ing.* /*báfer*/) *sm. Inf.* Região us. para armazenamento temporário de dados transferidos entre dispositivos que trabalham em velocidades distintas.

bufo¹ (*bu*.fo) *sm.* **1** Ação ou resultado de bufar. **2** O som que se produz bufando.

bufo² (*bu*.fo) *sm. Teat.* Ator especializado em fazer o público rir; BUFÃO.

⊕ **bug** (*Ing.* /*bâg*/) *sm. Inf.* Defeito ou erro em programa de computador.

bugalho (bu.*ga*.lho) *sm.* **1** *Bot.* Galha que se forma na casca de carvalhos. **2** *Pop.* O globo ocular.

buganvília (bu.gan.*ví*.li.a) *sf. Bot.* Trepadeira de várias espécies, de folhas ovaladas e pequenas flores agrupadas.

⊕ **buggy** (*Ing.* /*bágui*/) *sm.* Veículo aberto, com pneus largos, motor traseiro, muito us. em terrenos arenosos e acidentados.

bugiganga (bu.gi.*gan*.ga) *sf.* Objeto de pouco valor e pouca utilidade; QUINQUILHARIA.

bugio (bu.*gi*:o) *sm. Zool.* Nome dado a várias espécies de macacos encontrados em diferentes localidades do continente americano.

bugre (*bu*.gre) *s2g.* **1** *Etnôn. Pej.* Índio que habita o Sul do Brasil. *sm.* **2** *Fig. Pej.* Qualquer pessoa selvagem ou bravia, rude, sem educação. [At! Considerado depreciativo ou preconceituoso nas acps. 1 e 2.] **3** *Fig.* Pessoa desconfiada, arredia.

bujão (bu.*jão*) *sm.* **1** Peça us. para fechar recipientes ou vedar orifícios. **2** *Bras.* Recipiente, ger. cilíndrico e bojudo, us. para armazenar gás de cozinha ou outros produtos voláteis; BOTIJÃO: *bujão de gás*. [Pl.: *-jões*.]

bujarrona (bu.jar.*ro*.na) *sf. Mar.* Vela triangular que é içada na proa de embarcação à vela.

bula (*bu*.la) *sf.* **1** *Ter.* Impresso que acompanha o medicamento com informações sobre a sua composição, contraindicações, uso etc. **2** *Ecles.* Documento solene expedido pela Igreja Católica em nome do papa (*bula* papal).

bulbo (*bul*.bo) *sm.* **1** *Anat.* Qualquer estrutura anatômica arredondada (*bulbo* capilar/dentário). **2** *Bot.* Estrutura vegetal subterrânea que armazena substâncias alimentícias para garantir a sobrevivência da planta (p.ex.: a cebola). ● **bul.***bo*.so.a.

buldogue (bul.*do*.gue) *sm.* Cão de raça originária da Inglaterra, de cabeça grande e arredondada, corpo musculoso, queixo proeminente e patas curtas.

bule (*bu*.le) *sm.* Recipiente com asa, tampa e bico, apropriado para servir bebidas quentes como café, chá, chocolate etc.

bulevar (bu.le.*var*) *sm.* Rua ou avenida arborizada; ALAMEDA.

búlgaro (*búl*.ga.ro) *a.* **1** Da Bulgária (Europa); típico desse país ou de seu povo. *sm.* **2** Pessoa nascida na Bulgária. *a.sm.* **3** *Gloss.* Da, ref. à ou a língua falada na Bulgária.

bulha (*bu*.lha) *sf.* **1** Barulho confuso de sons, vozes ou gritos. **2** Movimentação desordenada e intensa; TUMULTO.

bulhufas (bu.*lhu*.fas) *pr.indef. Bras. Pop.* Coisa nenhuma; NADA: *Não sabe bulhufas de matemática*.

bulício (bu.*li*.ci:o) *sm.* **1** Ruído de pouca intensidade causado por movimentação ou vozes; BURBURINHO; RUMOR. **2** Falta de tranquilidade; DESASSOSSEGO: *Minha vida está em bulício*.

buliçoso (bu.li.*ço*.so) [ô] *a.* **1** Que bole, que se movimenta sem parar (pernas *buliçosas*); AGITADO. **2** Que não para quieto (menino *buliçoso*); TRAVESSO. [Fem. e pl.: [ó].]

bulimia (bu.li.*mi*.a) *sf. Psiq.* Distúrbio que ocasiona um desejo incontrolável de ingerir quantidade excessiva de alimentos, culminando com vômitos provocados pelo próprio indivíduo, e forte sentimento de culpa. [Cf.: *anorexia*.]

bulir (bu.*lir*) *v.* **1** Mover(-se) ou agitar(-se) de leve. [*td.*: *Uma brisa bulia os galhos da árvore. int.*: *No ar parado, nem uma folha bulia.*] **2** Pôr as mãos levemente em; TOCAR. [*ti.* + *em*: *Não vá bulir na tomada!*] **3** Mencionar, referir-se a, tocar em. [*ti.* + *em*: *É melhor não bulir nesse assunto.*] **4** Provocar, mexer com, caçoar de (pessoa, sentimento). [*ti.* + *com*: "*...veio bulir com o coração da gente...*" (Guimarães Rosa, *Sagarana*).] [▶ 51 bul*ir*]

⊕ **bullying** (*Ing.* /*búlin*/) *sm.* **1** *Pedag. Psi.* Termo que compreende toda forma de agressão, intencional e repetida, sem motivo aparente, em que se faz uso do poder ou força para intimidar ou perseguir alguém, que pode ficar traumatizado, com baixa autoestima ou problemas de relacionamento. [A prática de *bullying* é mais comum em ambiente escolar, entre alunos, e caracteriza-se por atitudes discriminatórias, uso de apelidos pejorativos, agressões físicas, etc.]

bumba (*bum*.ba) *interj.* Imitação de pancada, explosão, queda etc.

bumba meu boi (*bum*.ba meu *boi*) *sm2n. Bras. Folc.* Dança cômico-dramática sobre a morte e ressurreição de um boi, popular em quase todo o Brasil, esp. no Norte e Nordeste; BOI-BUMBÁ.

bumbo (*bum*.bo) *sm. Mús.* Tambor grande de som grave; BOMBO, ZABUMBA.

bumbum (bum.*bum*) *sm. Bras. Fam.* O par de nádegas; TRASEIRO (2); BUNDA. [Pl.: *-buns*.]

bumerangue (bu.me.*ran*.gue) *sm.* Arma de indígenas australianos, na forma de peça curva de madeira que, arremessada, retorna ao ponto de origem; também us. como brinquedo.

bunda (*bun*.da) *sf. Vulg.* **1** A parte traseira do corpo, entre as costas e as pernas; região glútea. **2** As nádegas e o ânus.

bunda-mole (bun.da-*mo*.le) *s2g. Bras. Pej. Vulg.* Pessoa que se comporta com fraqueza, covardia. [At! O termo é considerado ofensivo.] [Pl.: *bundas-moles*.] [Sin.: *bundão*.]

bundão (bun.*dão*) *sm. Vulg.* **1** Aum. de *bunda*. **2** *Pej.* Pessoa moleirona, tola. [At! Considerado ofensivo nesta acepção.] [Pl.: *-dões*.]

bundear (bun.de.*ar*) *v.int. Bras. Pop.* Andar à toa; VAGABUNDEAR. [▶ 13 bund*ear*]

bundo (*bun*.do) *a.* **1** Dos bundos, indígenas bantos de Angola. **2** Do ou ref. ao bundo (4). *sm.* **3** Pessoa pertencente a esse povo. **4** *Gloss.* Língua banta dos bundos.

buquê (bu.*quê*) *sm.* **1** Arranjo de flores; RAMALHETE. **2** Aroma característico dos bons vinhos.

buraco (bu.*ra*.co) *sm.* **1** Abertura ou depressão numa superfície: *As obras do metrô deixaram vários buracos nas ruas.* **2** Pequeno furo arredondado: *buraco na parede.* **3** *Fig. Pop.* Local isolado, de difícil acesso: *Ninguém sabe onde fica o buraco em que ele mora.* ■ ~ **de ozônio** *Astr.* Área em que a camada de ozônio que envolve a Terra está destruída ou rarefeita por efeito de poluição ambiental. ~ **negro** *Astron.* Região do espaço com um campo gravitacional intenso, capaz de atrair todo tipo de matéria e energia.

buraqueira (bu.ra.*quei*.ra) *sf. Bras.* Terreno repleto de buracos: *A rua está uma buraqueira.*

burburejar (bur.bu.re.*jar*) *v. int.* Fazer ruído como que de água em borbulhas: *O arroio burburejava.* [▶ 1 burbure*jar*]

burburinho (bur.bu.*ri*.nho) *sm.* **1** Ruído contínuo provocado por inúmeras vozes; BULÍCIO. **2** Movimentação generalizada; AGITAÇÃO.

burca (*bur*.ca) *sf.* Veste de mulheres muçulmanas que cobre todo o corpo, inclusive o rosto.

burel (bu.*rel*) *sm.* **1** Tecido grosseiro de lã. **2** Hábitos us. por religiosos, feito com esse tecido. [Pl.: *-réis*.]

bureta (bu.*re*.ta) [ê] *sf. Quím.* Tubo graduado com uma torneira, us. em laboratórios de química.

burgo (*bur*.go) *sm.* **1** Na Idade Média, fortaleza, ou castelo, ou casa nobre, ou mosteiro etc., cercados de muralha para melhor se defenderem de ataques inimigos. **2** Pequena cidade medieval, fortificada ou murada. **3** Pequeno povoado.

burgomestre (bur.go.*mes*.tre) *sm.* Cargo municipal em cidades da Alemanha, Bélgica, Suíça etc., que equivale ao cargo de prefeito no Brasil.

burguês (bur.*guês*) *a.sm.* **1** Ref. a ou habitante de burgo ou cidade medieval. **2** Ref. a ou membro da burguesia (em distinção a camponeses, artesãos e nobres). **3** Que ou quem pertence à classe média, e vive com relativo conforto. **4** *Pej.* Que ou quem tem apego excessivo aos bens materiais e tem valores e hábitos conservadores. [Fem.: *-guesa* [ê]. Fem.: *-guesa* [ê].]

burguesia (bur.ge.*si*.a) *sf.* **1** Classe social ligada às atividades urbanas, formada por profissionais liberais e proprietários de negócios de comércio, indústria e finanças. [Surgiu ao final da Idade Média e tornou-se classe poderosa.] **2** Condição de burguês (3).

buril (bu.*ril*) *sm.* Instrumento us. para gravar em metal ou madeira. [Pl.: -*ris*.]

burilar (bu.ri.*lar*) *v. td.* **1** Gravar com buril.: *burilar gravuras.* **2** Aprimorar, aperfeiçoar, retocar (o estilo, a linguagem etc.); *burilar o texto.* **3** Tornar arraigado; INFUNDIR; INCUTIR: (seguido de indicação de lugar) *burilar na consciência a prática do bem.* [▶ 1 buril*ar*]

buriti (bu.ri.*ti*) *sm.* **1** *Bot.* Palmeira de cujas folhas se extraem fibras, e de cujo fruto se obtém óleo rico em caroteno; BURITIZEIRO. **2** Esse fruto.

buritizeiro (bu.ri.ti.*zei*.ro) *sm. Bot.* Ver *buriti.*

burla (*bur*.la) *sf.* **1** Ação ou resultado de burlar. **2** Engano propositai; LOGRO; FRAUDE: *Cometeu uma burla nas contas da empresa.* **3** Atitude de mau gosto ou irônica: *Gosta de fazer burla com os colegas.*

burlão (bur.*lão*) *a.sm.* **1** Que ou quem pratica a burla. **2** Que ou quem é criminoso. [Pl.: -*lões*. Fem.: -*lona*.]

burlar (bur.*lar*) *v. td.* **1** Praticar trampa, burla contra: *burlar o fisco.* **2** Enganar por meio de artimanhas; LUDIBRIAR. [▶ 1 burl*ar*]

burlesco (bur.les.co) [ê] *a.* **1** Cômico, engraçado. **2** Ridículo, grotesco: *É um filme burlesco.* **3** Que faz rir por misturar coisas sérias e ridículas. **4** Que gosta de burlar, lograr, agir dissimuladamente; ENGANADOR.

burleta (bur.*le*.ta) [ê] *sf. Teat.* Comédia musical de origem italiana.

burocracia (bu.ro.cra.*ci*.a) *sf.* **1** Estrutura formada pelos órgãos públicos e seus funcionários que administram a coisa pública segundo uma rígida hierarquia e divisão de tarefas. **2** Os funcionários dessa estrutura. **3** *Pej.* Série de procedimentos que tornam morosos os serviços prestados pelos órgãos públicos e privados: *É uma burocracia tirar esses documentos.*

burocrata (bu.ro.*cra*.ta) *s2g.* **1** Funcionário que faz parte da burocracia. **2** *Pej.* Funcionário que se acomoda numa burocracia e não trabalha com afinco.

burocrático (bu.ro.*crá*.ti.co) *a.* Da ou ref. a burocracia, ou típico de burocrata.

burocratizar (bu.ro.cra.ti.*zar*) *v.* **1** Imprimir método ou caráter burocrático a. [*td.*: *burocratizar um serviço.*] **2** *Pej.* Passar a ter, adquirir comportamento ou mentalidade de burocrata. [*pr.*: *Após tantos anos no serviço, burocratizou-se.*] [▶ 1 burocratiz*ar*] • bu.ro.cra.ti.za.*ção sf.*; bu.ro.cra.ti.*zan*.te *a2g.*

burra (*bur*.ra) *sf.* **1** A fêmea do burro; JUMENTA; ASNA. **2** Caixa para guardar objetos de valor; COFRE: *A burra está cheia.*

burrada (bur.*ra*.da) *sf.* **1** Agrupamento de burros; BURRAMA. **2** Ato estúpido; IDIOTICE; TOLICE: *Fez uma burrada na prova.*

burrama (bur.*ra*.ma) *sf.* V. *burrada* (1).

burrego (bur.*re*.go) [ê] *sm.* **1** Burro pequeno; BURRINHO. **2** Burro fraco, ordinário.

burrice (bur.*ri*.ce) *sf.* Qualidade, ação ou condição de burro; falta de inteligência.

burrico (bur.*ri*.co) *sm.* Ver *burrinho.*

burrinho (bur.*ri*.nho) *sm.* Burro pequeno; BURRICO.

burro (*bur*.ro) *sm.* **1** *Zool.* Mamífero equídeo us. como animal de tração e carga; JUMENTO. **2** *Zool.* Mamífero resultante do cruzamento da jumenta com égua, ou de cavalo com jumenta. *a.sm.* **3** *Pej. Pop.* Que ou aquele que é pouco inteligente; ESTÚPIDO; BRONCO (2). [**At!** Considerado ofensivo nesta acepção.] [Dim.: *burrico, burrinho.*] ▪ ~ **de carga** *Fig.* Pessoa que realiza trabalhos e tarefas que caberiam a outrem. **Dar com os ~s n'água** *Bras.* **1** Perder oportunidade, negócio etc.; não conseguir levar algo a bom termo. **2** Fazer uma bobagem. **Pra ~** *Gír.* Muito, em grande quantidade ou com grande intensidade: *Correu pra burro e ganhou a prova.*

burro sem rabo (bur.ro sem *ra*.bo) *MG RJ Pop. sm.* **1** Carreta de duas rodas us. para transportar coisas diversas. **2** Pessoa que puxa essa carreta. [Pl.: *burros sem rabo.*]

bursite (bur.*si*.te) *sf. Med.* Inflamação de bolsa de uma articulação (p.ex., junto ao ombro), que impede sua perfeita lubrificação: *Está com bursite no ombro direito.*

burundinês (bu.run.di.*nês*) *a.* **1** Do Burundi (centro-leste da África); típico desse país ou de seu povo. *sm.* **2** Pessoa nascida no Burundi. [Pl.: -*neses* [ê]. Fem.: -*nesa* [ê].]

busca (*bus*.ca) *sf.* **1** Ação ou resultado de buscar. **2** Esforço para encontrar ou descobrir algo: *A busca pelo tesouro foi infrutífera.* **3** Empenho para atingir um objetivo: *busca pela fama/para conseguir um emprego.*

busca-pé (bus.ca-*pé*) *sm.* Espécie de fogo de artifício que, quando aceso, serpenteia no chão exibindo fagulhas coloridas e acabando num estouro. [Pl.: *busca-pés.*]

buscar (bus.*car*) *v.* **1** Esforçar-se por descobrir ou encontrar; PROCURAR. [*td.*: *buscar a saída/trabalho*; (tb. seguido de indicação de lugar) *Foi buscar ouro em Serra Pelada.* *ti.* + *por* (seguido ou não de indicação de lugar): *Buscou pelo filho (em todos os lugares).*] **2** Tratar de conhecer; INVESTIGAR; PESQUISAR. [*td.*: *buscar as causas de um fenômeno.*] **3** Ir a (algum lugar) e trazer (de lá) (algo ou alguém). [*td.* (seguido de indicação de lugar): *"...fora buscar na sala o álbum de retratos..."* (Marques Rebelo, *Contos reunidos*).] **4** Esforçar-se por; empenhar-se em. [*td.*: *Buscava esquecer os momentos difíceis.*] **5** Recorrer a. [*td.*: *Ela sempre busca o apoio da família.*] **6** Encaminhar-se para; DIRIGIR-SE. [*td.*: *"No trem vazio, buscou o seu canto ao pé da janela."* (Josué Montello, *Um rosto de menina*).] **7** Imaginar. [*td.*: *Buscava o melhor jeito de lidar com a situação.*] **8** *Inf.* Tentar localizar (informação) por computador, usando como referência palavra(s)-chave. [*td.*: *Buscou 'baleia' e encontrou dezenas de referências.*] [▶ 11 busc*ar*] • **bus.ca.dor** *a.sm.*

busílis (bu.*sí*.lis) *sm2n.* Ponto central de um problema ou questão; CERNE; DIFICULDADE.

bússola (*bús*.so.la) *sf.* **1** Instrumento us. para orientação que consiste em uma agulha magnética que gira sobre um mostrador, indicando o norte magnético. **2** *Fig.* Qualquer coisa que sirva de guia, que oriente: *A honestidade é a nossa bússola.*

bustiê (bus.*ti*.ê) *sm.* Peça do vestuário feminino que serve para cobrir o busto.

busto (*bus*.to) *sm.* **1** Os seios da mulher. **2** A parte superior do corpo, da cintura para cima; TORSO. **3** *Art.Pl.* Representação de parte da figura humana que abrange cabeça, pescoço e peito.

butanês (bu.ta.*nês*) *a.* **1** Do Butão (sul da Ásia); típico desse país ou de seu povo. *sm.* **2** Pessoa nascida no Butão. *a.sm.* **3** *Gloss.* Da, ref. à ou a língua falada no Butão. [Pl.: -*neses* [ê]. Fem.: -*nesa* [ê].]

butano (bu.*ta*.no) *sm. Quím.* Gás utilizado como combustível.

butiá (bu.ti.*á*) *sm. Bras. Bot.* Palmeira encontrada em várias regiões do Brasil, cujo fruto é muito apreciado.

butim (bu.*tim*) *sm.* **1** Acervo de bens de inimigo vencido saqueados pelo vencedor. **2** Produto de qualquer saque².

butique (bu.*ti*.que) *sf.* Loja pequena, ger. especializada em vender artigos finos, bijuterias, pequenas peças de vestuário etc.

butírico (bu.*tí*.ri.co) *a.* Ref. a manteiga.

buxo (*bu*.xo) *sm. Bot.* Arbusto ornamental de flores brancas e madeira útil. [Cf. *bucho*.]

buzina (bu.*zi*.na) *sf.* **1** Aparelho que produz som forte. **2** O som desse aparelho, que dá sinal ou serve de alerta. **3** Chifre, concha ou instrumento de metal, que produz som forte quando soprado.

buzinaço (bu.zi.*na*.ço) *sm.* Manifestação feita ao som de buzinas: *Houve um buzinaço em favor da passagem gratuita para estudantes.*

buzinada (bu.zi.*na*.da) *sf.* **1** O som emitido pela buzina. **2** Ação ou resultado de buzinar.

buzinar (bu.zi.*nar*) *v.* **1** Tocar a buzina. [*int.* (seguido de indicação de lugar): *O motorista buzinou no cruzamento.*] **2** Soprar com força, imitando sons de buzina. [*int.*: *O velho índio buzinava para conjurar as forças da natureza.*] **3** *Bras.* Apregoar, alardear. [*td.*: *Vive buzinando as qualidades do irmão.*] **4** Falar, dizer (coisas) com insistência ou impertinência. [*td.* (com ou sem complemento explícito, seguido ou não de indicação de lugar): *Pare de buzinar (recomendações) (em meus ouvidos). td. + a: O assessor buzinava suas sugestões ao político.*] [▶ **1** buzin ar]

búzio (*bú*.zi:o) *sm.* **1** Nome dado às conchas de moluscos (algumas us. ant. como buzina, outras us. em práticas de adivinhação). **2** *Zool.* Designação de vários tipos de moluscos gastrópodes.

buzo (*bu*.zo) *sm. Bras.* Jogo popular que utiliza rodelas de casca de laranja, grãos de milho etc.

⊕ **byte** (*Ing.* /báit/) *sm. Inf.* Conjunto de *bits* (ger. 8) que forma uma unidade básica de informação em programas de computadores. [Ver achega enciclopédica no verbete *bit*.]

C c

Para os fenícios, o *gimel* (camelo) era a letra que representava o som de *g*. Foi herdado pelos gregos, que inventaram e o chamaram de *gama*. O gama chegou aos romanos pelos etruscos, que o usavam para os sons de *c* e de *g*. Foram os romanos os responsáveis pela diferenciação entre as letras *c* e *g*.

𐤂	Fenício
Γ	Grego
Γ	Grego
⋀	Etrusco
⊂	Romano
C	Romano
c	Minúscula carolina
C	Maiúscula moderna
c	Minúscula moderna

c [cê] *sm.* **1** A terceira letra do alfabeto. **2** A segunda consoante do alfabeto. *num.* **3** O terceiro em uma série (fila C).

C 1 O número cem em algarismos romanos. **2** *Fís.* Abr. de Celsius, nome de certa escala de temperatura. **3** *Quím.* Símb. de *carbono*.
⊠ **Ca** *Quím.* Símb. de *cálcio*.

cá¹ *adv.* **1** Aqui: *Eles estão vindo para cá.* **2** Este tempo; AGORA: *De lá para cá muita coisa aconteceu.*

cã *sf.* Cabelo branco da cabeça. [Mais us. no pl.: *cãs*.]

caaba (ca.a.ba) *sf. Rel.* **1** Grande pedra negra, em forma de cubo, sagrada para os muçulmanos. **2** Templo onde fica essa pedra, na cidade de Meca (Arábia Saudita).

caapora (ca.a.*po*.ra) *s2g. Bras.* **1** Pessoa que mora no mato. **2** *Folc.* Ver *caipira*.

caatinga, catinga (ca.a.*tin*.ga, ca.*tin*.ga) *sf. Bras.* **1** *Bot.* Vegetação típica do sertão nordestino, formada por pequenas árvores espinhosas, sem folhas na estação seca. **2** *Geog.* Região coberta por essa vegetação.

caba (*ca*.ba) *sf. Bras. Zool.* Marimbondo.

cabaça (ca.*ba*.ça) *sf.* **1** *Bot.* Fruto do cabaceiro, oco e de casca dura, com que se fazem cuias e cumbucas; CABAÇO (1). **2** Cuia ou cumbuca feita com esse fruto seco e sem a polpa; CABAÇO (1).

cabaceiro (ca.ba.*cei*.ro) *sm. Bot.* Árvore que dá a cabaça.

cabaço (ca.*ba*.ço) *sm.* **1** Cabaça. **2** *Tabu.* Ver *hímen*. **3** *Tabu.* Virgindade (da mulher). **4** *Tabu.* Mulher ou homem virgem.

cabal (ca.*bal*) *a2g.* **1** Que preenche todas as exigências; COMPLETO: *Que se faça uma investigação cabal do crime.* **2** Definitivo, decisivo, categórico: *Quero uma resposta rápida e cabal.* [Pl.: *-bais*.]

cabala (ca.*ba*.la) *sf.* **1** *Fil. Rel.* Tradição filosófica judaica que inclui aspectos místicos e mágicos. **2** *Fig.* Estratégia secreta de um grupo de pessoas para conseguir algo; CONSPIRAÇÃO. • **ca.ba.***lis***.ta** *a2g. s2g.*; **ca.ba.***lis***.ti.co** *a.*

cabalar (ca.ba.*lar*) *v.* **1** Fazer cabala (2), conspirar; CONSPIRAR; TRAMAR. [*ti.* + *contra*: *Os opositores cabalavam contra o candidato.* *int.*: *Todos sabiam que ele vivia a cabalar.*] **2** Conquistar (eleitores ou votos) mediante pedidos ou promessas. [*td.*: *O rapaz cabala votos pela cidade.*] [▶ 1 cabal**ar**]

cabana (ca.*ba*.na) *sf.* Casa pequena e simples, geralmente fora das cidades; CHOUPANA.

cabano (ca.*ba*.no) *a.* **1** Que tem chifres virados para baixo (diz-se de bovino); ACABANADO. **2** Que tem orelhas caídas (diz-se de equino); ACABANADO. **3** *RS* Diz-se de animal de montaria que tem uma só orelha caída.

cabaré (ca.ba.*ré*) *sm.* Casa de diversões, ger. com funcionamento noturno, onde se bebe, se dança e se assiste a espetáculos musicais e outras atrações; BOATE.

cabaz (ca.*baz*) *sm.* Cesto de palha com alças e tampa, para carregar frutas.

cabeça (ca.*be*.ça) [ê] *sf.* **1** *Anat.* Parte superior do corpo humano e parte semelhante (superior ou anterior) do corpo de outros animais vertebrados, que contém o cérebro e outros órgãos do encéfalo, e os órgãos da visão, audição, olfato e paladar. **2** *Anat.* Parte anterior do corpo dos invertebrados (insetos, crustáceos etc.). **3** *Pop.* Crânio. **4** *Pop.* Cabelos, couro cabeludo: *Lavo a cabeça todos os dias.* **5** *Fig.* Capacidade de raciocinar ou de criar no pensamento; INTELIGÊNCIA: *Use a cabeça para encontrar a solução.* **6** *Fig.* Habilidade para decidir ou escolher certo; BOM SENSO; JUÍZO: *Quando fica nervoso perde a cabeça.* **7** *Fig.* Lembrança, memória: *Aquela cena não me saía da cabeça.* **8** Cada animal ou pessoa considerada em um todo: *A fazenda tem duzentas cabeças de gado.* **9** *Fig.* A ponta mais larga de algo: *cabeça de alfinete/do fêmur.* **10** Parte inicial ou primeira em hierarquia: *cabeça de página.* **11** *Fig.* Pessoa que tem muito conhecimento: *Rui Barbosa foi das maiores cabeças do Brasil. s2g.* **12** Pessoa que comanda ou lidera; CHEFE; LÍDER: *A polícia capturou o cabeça do bando.* **13** Que ou quem está em primeiro lugar em lista, grupo, fila etc. *a.* **14** *Gír.* Que revela inteligência ou cultura (papo *cabeça*); INTELIGENTE. [Aum.: *cabeção*, *cabeçorra*.] ☷ Baixar a ~ *Fig.* Submeter-se, portar-se com humildade (em certa situação). ~ fria Calma, tranquilidade (esp. em situações difíceis). ~ oca Despreparado, imaturo. Cair de/Meter a ~ (em) *Gír.* Envolver-se totalmente (com/em algo), com muita energia e dedicação. Com a ~ no ar Distraído, desatento. De ~ **1** (Ref. a contas ou operações aritméticas) Sem fazer as contas por escrito e sem recorrer a dispositivos de cálculo: *Ele faz qualquer conta de cabeça.* **2** *Fam.* De memória, sem consultar material escrito: *Montou de cabeça a lista dos livros.* **3** *Fut.* Em que a bola foi acionada apenas com a cabeça: *gol de cabeça.* De ~ erguida Com orgulho, com altivez. De ~ quente Nervoso. Erguer/Levantar a ~ Portar-se com altivez; recuperar-se de revés, não se deixar abater. Esquentar a ~ *Fam.* Preocupar-se. Fazer a ~ de *Bras. Fam.* Convencer (alguém) a adotar certas ideias ou comportamento: *Seus argumentos não fizeram a minha cabeça.* Levar/Tomar na ~ *Pop.* Dar-se mal (em negócio, atividade etc.): *Não estudou para a prova e tomou na cabeça.* Perder

a ~ Perder o controle, enfurecer-se. **Quebrar a ~** Pensar, raciocinar, refletir muito tentando resolver um problema. **Usar a ~** Agir com inteligência, com habilidade: *Estava enrascado, mas usou a cabeça e saiu-se bem*. **Virar a ~** Mudar atitude ou comportamento de alguém, cativando ou exercendo influência.

cabeça-chata (ca.be.ça-*cha*.ta) *s2g*. Bras. Pej. Pessoa que nasce no Nordeste, esp. no Ceará. [**At!** O termo é considerado depreciativo ou preconceituoso.] [Pl.: *cabeças-chatas*.]

cabeçada (ca.be.*ça*.da) *sf*. **1** Choque com a cabeça: *A cabeçada no lustre abriu-lhe um corte na testa*. **2** *Fut*. Golpe com a cabeça para dar à bola a direção desejada: *Acertou a trave com a bola numa violenta cabeçada*. **3** *Fig*. Erro, bobagem, tolice (ao agir) ou ação errada, tola: *Só amadurecemos depois de algumas cabeçadas*.

cabeça de bagre (ca.be.ça de *ba*.gre) *s2g*. **1** *Esp. Pej*. Jogador (ger. de futebol) muito ruim. **2** *Bras. Pop*. Pessoa tola, imbecil. [Pl.: *cabeças de bagre*.]

cabeça de chave (ca.be.ça de *cha*.ve) *s2g*. *Esp*. Jogador ou time escolhido antes do sorteio dos outros concorrentes de uma chave (grupo), por ser um dos favoritos para ganhar um campeonato. [Pl.: *cabeças de chave*.]

cabeça de negro (ca.be.ça de *ne*.gro) *sf*. **1** *Pop*. Pequena bomba, típica do período das festas juninas, que explode com forte estrondo. **2** *Bras. Bot*. Planta medicinal us. no tratamento da diarreia, do reumatismo etc. [Com hifens nesta acp.] [Pl.: *cabeças de negro*.]

cabeça de ponte (ca.be.ça de *pon*.te) *sf*. *Mil*. Fortificação temporária estabelecida em terreno inimigo, do outro lado de um obstáculo (rio, vale etc.), para servir de ponto de partida ou de apoio para avanço das tropas. [Pl.: *cabeças de ponte*.]

cabeça de porco (ca.be.ça de *por*.co) [ô] *sf. Bras. RJ Pej. Pop*. Casa com vários cômodos, onde moram famílias pobres; CORTIÇO. [Pl.: *cabeças de porco*.]

cabeça de prego (ca.be.ça de *pre*.go) *sf. Bras*. Furúnculo pequeno. [Pl.: *cabeças de prego*.]

cabeça de rede (ca.be.ça de *re*.de) [ê] *sf. Rad. Telv*. Principal emissora de uma rede de televisão ou rádio. [Pl.: *cabeças de rede*.]

cabeça de vento (ca.be.ça de *ven*.to) *s2g*. Pessoa distraída, que pensa pouco. [Pl.: *cabeças de vento*.]

cabeça-dura (ca.be.ça-*du*.ra) *s2g*. Pessoa muito teimosa, que ninguém consegue convencer. [Pl.: *cabeças-duras*.]

cabeça-inchada (ca.be.ça-in.*cha*.da) *sf*. **1** *N.E. MG* Sofrimento causado por amor não correspondido. **2** *Bras*. Tristeza de quem foi derrotado esp. com relação a esportes. [Pl.: *cabeças-inchadas*.]

cabeçalho (ca.be.*ça*.lho) *sm*. Informações escritas na parte de cima de documento, carta, página de livro ou periódico etc.

cabeção (ca.be.*ção*) *sm*. **1** Cabeça grande; CABEÇORRA. **2** Gola larga, ger. branca, de vestidos, casacos etc. [Pl.: *-ções*.]

cabecear (ca.be.ce.*ar*) *v*. **1** *Fut*. Impulsionar (a bola) com a cabeça. [*td*. (tb. sem complemento explícito): "Bola na área sem ninguém para *cabecear*..." (Skank, *É uma partida de futebol*.)] **2** Mover a cabeça em qualquer direção (ger. como gesto ou sinal). [*int*.: *Ao ver a senhora, cabeceou para cumprimentá-la*.] **3** Fazer, expressar (sinal, gesto) com a cabeça. [*td*.: *Irritado, cabeceou um não*.] **4** Deixar pender a cabeça (por estar com sono) ger. reerguendo-a. [*int*.: *Vovó sempre cabeceia quando assiste à tevê*.] **5** Dar golpe com a cabeça (em). [*td*.: *Desatento, cabeceou a porta de vidro. Int*.: *Na luta só não valia cabecear*.] ▶ **13** cabec*ear* ● **ca.be.ce.*a*.da** *a.sm*.

cabeceira (ca.be.*cei*.ra) *sf*. **1** Parte da cama em que ger. fica a cabeça de quem nela se deita. **2** Cada uma das extremidades de uma mesa retangular. **3** *Bras*. Lugar onde nasce um rio; NASCENTE.

cabecilha (ca.be.*ci*.lha) *s2g*. Líder de um grupo ou de um bando.

cabeço (ca.*be*.ço) [ê] *sm*. **1** Topo curvo de um morro. **2** Dizeres impressos no alto de página de livro, envelope etc.; CABEÇALHO.

cabeçorra (ca.be.*çor*.ra) [ô] *sf*. Cabeça grande; CABEÇÃO.

cabeçote (ca.be.*ço*.te) *sm*. **1** *Eletrôn*. Peça magnética de um gravador ou videocassete que, à passagem da fita por ela, apaga, reproduz ou grava material sonoro ou audiovisual. **2** *Autom*. Parte de cima do motor a explosão, dele destacável, que cobre os cilindros e onde ficam as câmaras de combustão. **3** Dispositivo (de ferro) no qual se prende peça a ser trabalhada, torneada etc.

cabeçudo (ca.be.*çu*.do) *a.sm*. **1** Que ou quem tem cabeça grande. **2** *Fig*. Que ou quem é teimoso.

cabedal (ca.be.*dal*) *sm*. **1** *Fig*. Conhecimento e sabedoria adquiridos por meio da experiência e do estudo: *Contratamos um professor de cabedal elevado*. **2** Conjunto de bens e riquezas (materiais ou não) (*cabedal financeiro/tecnológico*). [Pl.: *-dais*.]

cabeleira (ca.be.*lei*.ra) *sf*. **1** Os cabelos da cabeça como um conjunto: *Tinha uma basta cabeleira ruiva*. **2** Cabelos artificiais arrumados; PERUCA. **3** *Astron*. O envoltório gasoso do núcleo de um cometa.

cabeleireiro (ca.be.lei.*rei*.ro) *sm*. **1** Pessoa cujo trabalho é cortar e arrumar o cabelo dos outros. **2** Estabelecimento comercial onde essa pessoa trabalha e que tb. oferece outros serviços, destinados aos cuidados de embelezamento do corpo; salão de beleza; SALÃO (2): *Vou ao cabeleireiro antes da festa*.

cabelo (ca.*be*.lo) [ê] *sm*. **1** Conjunto de pelos da cabeça. **2** Cada um dos pelos da cabeça. **3** Pelo. ▧ **De ~ na venta** Corajoso, valente, enérgico. **De arrepiar os ~s** Espantoso, de causar arrepios (de horror, espanto etc.)

cabelo de anjo (ca.be.lo de *an*.jo) *sm*. *S.E*. Macarrão muito fino, tb. us. em sopas e doces. [Pl.: *cabelos de anjo*.]

cabeluda (ca.be.*lu*.da) *sf*. **1** *Bras. Bot*. Arbusto que dá frutos cobertos de penugem. **2** Fruto desse arbusto.

cabeludo (ca.be.*lu*.do) *a*. **1** Que tem muitos pelos (*pernas cabeludas*). **2** *Bras. Fig*. Muito difícil de resolver (*problema cabeludo*); COMPLICADO. **3** *Fig*. Que ofende o pudor (*piada cabeluda*). *a.sm*. **4** Que ou quem tem o cabelo (1) comprido e/ou cheio.

caber (ca.*ber*) *v*. **1** Poder estar (por ter quantidade ou tamanho que o permite) ou ser contido em. [*int*. (seguido ou antecedido de indicação de lugar): "Em sua cama *caberiam* bem dez pessoas" (Guimarães Rosa, *Estas estórias*).] **2** Poder passar por, atravessar (abertura, passagem etc.) (por ter tamanho que o permite). [*int*. (seguido de indicação de lugar): *o armário não cabe pela janela*.] **3** Ser adequado, compatível. [*int*. (seguido de indicação do grupo de referência): *Palavras tão grosseiras não cabem a pessoas ilustres*.] **4** Poder ser feito ou realizado (em um certo tempo). [*int*. (seguido de indicação de tempo): *Essas cenas caberão em uma hora de espetáculo*.] **5** Ser da competência de; COMPETIR. [*ti. + a*: *Coube ao médico dar a boa notícia*.] **6** Ser de direito ou obrigação em partilha, atribuição, ou como herança; TOCAR. [*ti. + a*: "...recebeu o que lhe *coube* e mais a mulher na herança." (Aluísio Azevedo, *O mulato*): *Coube a mim lavar os pratos*.] [▶ **19** cab*er*]

cabide (ca.*bi*.de) *sm*. **1** Peça em forma de arco, com gancho, em que se penduram camisas, paletós, calças etc. **2** Móvel com haste e pequenos braços, apoiado num tripé, onde se penduram roupas; CABIDEIRO. **3** Série de ganchos fixos num suporte que fica preso a parede ou porta; CABIDEIRO. ■ **~ de empregos** *Bras. Joc.* Empresa, repartição pública etc. que oferece muitos, fáceis e bem pagos empregos.

cabideiro (ca.bi.*dei*.ro) *sm.* Ver *cabide* (2 e 3).

cabidela (ca.bi.*de*.la) *sf.* 1 *N.E. Lus. Cul.* Ensopado feito com os miúdos (fígado, moela etc.) e outros pedaços de galinha, misturados com o sangue da própria ave.

cabido (ca.*bi*.do) *sm.* Conjunto de padres de uma catedral.

cabilda (ca.*bil*.da) *sf.* 1 Tribo. 2 Cada uma das várias tribos nômades do norte da África.

cabimento (ca.bi.*men*.to) *sm.* 1 Qualidade daquilo que cabe (3), do que é apropriado ou conveniente: *Seus argumentos não têm cabimento.* 2 Aceitação. [Ant.: *descabimento.*]

cabina, cabine (ca.*bi*.na, ca.*bi*.ne) *sf.* 1 Parte de um avião, caminhão etc. onde fica o piloto, o motorista etc. 2 Abrigo us. por vigias ou policiais; GUARITA. 3 Pequeno espaço, com divisórias e cortinas, onde os clientes de uma loja experimentam roupas. 4 Pequeno espaço com divisórias ou compartimento onde se usa um telefone público. 5 Cada um dos compartimentos de um navio ou trem, destinados a passageiros.

cabineiro (ca.bi.*nei*.ro) *sm. Bras.* 1 Profissional que comanda um elevador; ASCENSORISTA. 2 Pessoa que toma conta das cabinas de um trem ou navio e ger. recolhe os bilhetes.

cabisbaixo (ca.bis.*bai*.xo) *a.* 1 Com a cabeça abaixada: *Trazia pelas rédeas um cavalo cabisbaixo.* 2 *Fig.* Desanimado: *Vive cabisbaixo depois que perdeu o cachorro.*

cabiúna (ca.bi.*ú*.na) *Bras. Bot. sf.* 1 Árvore de madeira escura e forte, us. na fabricação de móveis e na construção civil. 2 Madeira dessa árvore. [Ver tb. *jacarandá.*]

cabível (ca.*bí*.vel) *a2g.* Que tem ou pode ter cabimento: *Vou tomar a providência cabível.* [Pl.: *-veis.*]

cabo¹ (ca.bo) *sm.* 1 *Mil.* Patente militar. [Ver quadro *Hierarquia Militar Brasileira.*] 2 *Mil.* Militar que tem esse posto. 3 *Geog.* Ponta de terra que avança sobre o mar. 4 Fim, término. ■ **A/Ao ~ de** no fim de, ao final de: *Ao cabo de dez minutos já terminara a prova.* **~ eleitoral** Pessoa que trabalha para conseguir votos para determinado candidato em época de eleição. **Dar ~ de** Matar, eliminar. **De ~ a rabo** Do princípio até o fim. **Levar a ~** Levar até o fim, concluir, terminar.

cabo² (ca.bo) *sm.* 1 Parte pela qual se segura ou manuseia um objeto: *cabo de vassoura.* 2 *Elet.* Conjunto de fios trançados ou em feixe, isolados ou não, que serve para conduzir eletricidade, impulsos telefônicos, sinais de televisão etc.: *Conecte os cabos do computador; televisão a cabo.* 3 Fios trançados (de fibra ou metálicos) em forma de corda, de modo a suportar tensões ou pesos elevados: *Cabos de aço sustentam o teleférico.*

cabochão (ca.bo.*chão*) *sm.* 1 Tipo de lapidação lisa em que a parte superior da gema (2) é lapidada de forma arredondada, e a inferior é plana, levemente abobadada ou convexa. 2 Pedra (3) que tem esse tipo de lapidação. [Pl.: *-chões.*]

caboclada (ca.bo.*cla*.da) *sf. Bras.* Grupo de caboclos.

caboclinho (ca.bo.*cli*.nho) *sm. Bras.* 1 Passarinho do norte e do leste do Brasil, de cor marrom-amarelada e cocuruto preto.

caboclo (ca.*bo*.clo) [ô] *sm. Bras.* 1 Mestiço de branco com índio; CARIBOCA; CURIBOCA. 2 Pessoa que vive na roça, e que tem modos simples e rústicos; CAIPIRA. *a.* 3 De ou próprio de caboclo (vida *cabocla*). 4 De cor morena acobreada: *mulher de pele cabocla.*

cabo de guerra (ca.bo de *guer*.ra) *sm. Bras.* Competição em que duas equipes puxam as pontas de uma corda em direções contrárias, e vence a que consegue arrastar a outra para além de um limite marcado. [Pl.: *cabos de guerra.*]

cabograma (ca.bo.*gra*.ma) *sm.* Telegrama enviado por cabo² (2) submarino.

cabotagem (ca.bo.*ta*.gem) *sf. Mar.* Navegação comercial entre portos do mesmo país. [Pl.: *-gens.*]

cabotinismo (ca.bo.ti.*nis*.mo) *sm.* Ação ou jeito de cabotino.

cabotino (ca.bo.*ti*.no) *a.sm.* Que ou quem procura chamar a atenção, gabando-se de qualidades que ger. não tem.

cabo-verdiano (ca.bo-ver.di.*a*.no) *a.* 1 De Cabo Verde (África); típico desse país ou de seu povo. *sm.* 2 Pessoa nascida em Cabo Verde. [Pl.: *cabo-verdianos.*]

cabra (ca.bra) *sf.* 1 *Zool.* Animal ruminante de pequeno porte, fêmea do bode. *sm.* 2 *Bras.* Capanga, jagunço: *Vinte cabras protegem a fazenda.* 3 *Bras.* Pessoa, sujeito: *Pedro é um cabra corajoso.* ■ **~ da peste** *N.E.* Pessoa valente, decidida, enérgica.

cabra-cega (ca.bra-*ce*.ga) *sf.* Brincadeira em que uma criança, de olhos tapados, tenta agarrar outra, para trocar de lugar com ela. [Pl.: *cabras-cegas.*]

cabra-macho (ca.bra-*ma*.cho) *sm. Bras. Pop.* Pessoa corajosa, firme. [Pl.: *cabras-machos.*]

cabrão (ca.*brão*) *sm.* 1 *Zool.* Bode, macho da cabra. 2 *Pop. Vulg.* Homem que não se importa com outros namoros da própria mulher; CORNO. [Pl.: *-brões.*]

cábrea (*cá*.bre:a) *sf.* Guindaste robusto us. em portos e construções.

cabreiro (ca.*brei*.ro) *a.* 1 *Bras. Pop.* Que não confia, que suspeita (em geral ou em determinada pessoa); DESCONFIADO: *Marta está cabreira com a vizinha misteriosa. sm.* 2 Pessoa que toma conta de cabras.

cabrestante (ca.bres.*tan*.te) *sm. Mar.* Máquina para levantar âncoras ou grandes pesos.

cabresto (ca.*bres*.to) [ê] *sm.* 1 Correia que se amarra à cabeça de cavalos, burros etc., para prendê-los ou guiá-los. 2 *Fig.* Algo (influência, medida, regra etc.) que reprime, controla, subjuga.

cabril (ca.*bril*) *sm.* Curral para cabras. [Pl.: *-bris.*]

cabriola (ca.bri.*o*.la) *sf.* Cambalhota.

cabriolar (ca.bri.o.*lar*) *v. int.* 1 Dar cabriolas ou cambalhotas: *O menino cabriolava no quintal.* 2 *Fig.* Dar voltas ou fazer curvas; SERPEAR; VOLTEAR: *O rio cabriola entre as montanhas.* [▶ cabriol[ar]]

cabriolé (ca.bri.o.*lé*) *sm. Antq.* 1 Carruagem pequena, com duas rodas e capota móvel, puxada por um só cavalo. 2 Automóvel, com capota dobrável, para dois ou três passageiros.

cabrita (ca.*bri*.ta) *sf.* 1 Cabra nova. 2 *Bras. Gír. Vulg.* Moça, menina.

cabritar (ca.bri.*tar*) *v. int.* Andar saltando como os cabritos. [▶ cabrit[ar]]

cabrito (ca.*bri*.to) *sm.* Bode novo.

cabrocha (ca.*bro*.cha) *sf.* 1 Mulata jovem. *s2g.* 2 Mulato. 3 *AM* Mestiço de mulato e índio.

cabuchão (ca.bu.*chão*) *sm.* Ver *cabochão.* [Pl.: *-chões.*]

cábula (*cá*.bu.la) *sf.* 1 Falta às aulas; GAZETA. 2 *Bras.* Azar, urucubaca. *s2g.* 3 Pessoa esperta e malandra. 4 Aluno que falta às aulas com frequência.

cabular (ca.bu.*lar*) *v. int.* Faltar às aulas sem justificativa; GAZETEAR. [▶ cabul[ar]]

cabuloso (ca.bu.*lo*.so) [ô] *a. Bras.* 1 Que tem ou dá cábula (2); azar; AZARENTO. 2 Que importuna, aborrece; MAÇANTE. [Fem. e pl.: [ó].]

caburé (ca.bu.*rê*) *sm.* 1 *Bras.* Mestiço de negro e índio; CAFUZO. 2 *Zool.* Pequena coruja que tem um tufo na cabeça.

caca (*ca*.ca) *sf. Fam.* 1 Fezes, excremento. 2 Coisa malfeita ou ruim; PORCARIA.

caça (ca.ça) *sf.* **1** Ação ou resultado de caçar; CAÇADA: *É proibida a caça aos jacarés no Pantanal.* **2** Animais caçados: *Comer carne de caça.* **3** Animais que podem ser caçados: *Não há mais caça naquela região.* **4** Perseguição, caçada: *A caça ao fugitivo durou a noite toda. sm.* **5** *Avi. Mil.* Avião de combate us. para perseguir aviões inimigos ou escoltar aeronaves maiores. [Diz-se tb. *avião de caça.*] [Cf.: *cassa.*]

caçada (ca.ça.da) *sf.* **1** Ação ou resultado de caçar; CAÇA. **2** Expedição de caçadores: *Os amigos voltaram satisfeitos da longa caçada.* **3** Perseguição, caça (4).

caçador (ca.ça.*dor*) [ô] *a.sm.* Que ou quem pratica caça.

caçador-coletor (ca.ça.dor-co.le.*tor*) [ô] *a.sm. Antr.* Que ou quem vive da caça, pesca e colheita. [Pl.: *caçadores-coletores.*]

caça-dotes (ca.ça-*do*.tes) *s2g2n.* Pessoa que busca enriquecer casando-se com alguém rico.

caçamba (ca.*çam*.ba) *sf. Bras.* **1** Balde us. para tirar água de poços por meio de uma corda à qual está atado. **2** Qualquer recipiente (para carga, areia, cimento etc.), us. como carroceria de caminhões, ou em betoneira, escavadeira etc.

caça-minas (ca.ça-*mi*.nas) *sm2n. Mar.* Navio próprio para localizar e destruir minas submarinas.

caça-níqueis (ca.ça-*ní*.queis) *a2g2n.sm2n. Bras.* **1** Máquina de jogo em que se introduz uma moeda para se tentar obter prêmios, tb. em moedas. **2** *Pej.* Que ou o que é feito ou produzido (produção de arte, empreendimento etc.) com o intuito de ganhar dinheiro.

caçanje (ca.*çan*.je) *a2g.sm.* **1** *Gloss.* Do, ref. ao ou o dialeto do português falado em Angola. *sm.* **2** *Pej.* Português errado, na escrita ou na fala.

cação (ca.*ção*) *sm. Zool.* Peixe de tamanho médio ou pequeno, semelhante ao tubarão. [Pl.: *-ções.*]

caçapa (ca.*ça*.pa) *sf.* Cada um dos seis buracos da mesa de sinuca e as respectivas cestas.

caçapo (ca.ça.po) *sm.* **1** Filhote de coelho; LÁPARO. **2** *Fig.* Homem baixo e gordo.

caçar (ca.*çar*) *v. td.* **1** Perseguir animais selvagens ou silvestres para prendê-los ou matá-los: *"...caçou bicho grande, porco-do-mato."* (Guimarães Rosa, *Estas estórias*). **2** Fazer caçada(s) ou andar à caça de (com complemento explícito): *Foi à África para caçar.* **3** *Bras.* Perseguir ou procurar para prender: *Os policiais cacavam os traficantes.* **4** *Bras.* Tentar encontrar; BUSCAR; CATAR: *"Onde o pai vai caçar dinheiro?"* (Marques Rebelo, *Contos reunidos*). [Cf.: *cassar.*] [▶ 12 caça*r*]

cacareco (ca.ca.*re*.co) *sm. Bras.* Objeto velho ou muito usado, ger. sem utilidade.

cacarejar (ca.ca.re.*jar*) *v. int.* **1** Cantar (diz-se da galinha e outras aves de canto parecido). **2** *Fig. Pej.* Falar muitas coisas sem importância; TAGARELAR: *A faxineira cacareja o dia inteiro.* [▶ 1 cacareja*r*]

cacarejo (ca.ca.*re*.jo) [ê] *sm.* Som produzido pela galinha.

caçarola (ca.ça.*ro*.la) *sf. Cul.* Panela metálica, de bordas altas, com cabo e tampa.

cacatua (ca.ca.*tu*.a) *sf. Zool.* Tipo de papagaio, ger. branco, com um penacho arrepiado na cabeça.

cacau (ca.*cau*) *sm.* **1** Fruto do cacaueiro, com polpa adocicada, e sua semente, da qual, torrada, se fabrica o chocolate. **2** O pó que se produz dessa semente, us. na fabricação do chocolate.

cacaual (ca.cau.al) *sm.* Plantação de cacaueiros. [Pl.: *-ais.*]

cacaueiro (ca.cau.*ei*.ro) *sm. Bot.* Árvore que dá o cacau (1).

cacauicultura (ca.cau.i.cul.*tu*.ra) *sf. Bot.* Cultivo de cacau, plantação de cacau. • ca.cau.i.cul.*tor* *a.sm.* Que ou quem planta cacau.

cacaulista (ca.cau.*lis*.ta) *s2g.* Indivíduo que planta ou comercializa cacau.

cacetada (ca.ce.*ta*.da) *sf.* **1** Pancada desferida com cacete; BORDOADA; PORRETADA. **2** *Bras.* Situação que enfada, que chateia; CACETEAÇÃO. **3** *Bras. Fut.* Chute muito forte. **4** *Gír.* Muita quantidade, batelada de: *Compra sempre uma cacetada de coisas inúteis.*

cacete (ca.*ce*.te) [ê] *sm.* **1** Pedaço de pau com uma das extremidades mais grossa do que a outra; MAÇA; PORRETE. **2** *Tabu.* O pênis. *a2g.* **3** Enfadonho, chato (sujeito *cacete*). [Cf.: *cassete.*]

caceteação (ca.ce.te.a.*ção*) *sf.* **1** Ação ou resultado de cacetear. **2** *Bras.* Coisa enfadonha, maçante; CACETADA (2): *A festinha foi uma caceteação.* [Pl.: *-ções.*]

cacetear (ca.ce.te.*ar*) *v.* **1** Causar aborrecimento ou chateação em; ABORRECER; CHATEAR. [*td.*: *O longo discurso caceteou os convidados.*] **2** Ficar chateado ou aborrecido; ABORRECER-SE; CHATEAR-SE. [*pr.*: *O rapaz caceteia-se por qualquer motivo.*] [▶ 13 cacete*ar*]

cachaça (ca.*cha*.ça) *sf. Bras.* **1** Aguardente feita do mel ou borra da cana-de-açúcar, fermentados e destilados. **2** Qualquer bebida alcoólica, esp. a destilada. **3** *Fig.* Queda, mania, paixão: *O cinema é para ele uma cachaça.*

cachação (ca.cha.*ção*) *sm.* Pancada com a mão aberta no cachaço. [Pl.: *-ções.*]

cachaceiro (ca.cha.*cei*.ro) *a.sm. Bras.* Que ou quem bebe (cachaça, ou outra bebida alcoólica) demais; BIRITEIRO.

cachaço (ca.*cha*.ço) *sm.* A parte posterior do pescoço; NUCA; CANGOTE.

cachalote (ca.cha.*lo*.te) *sm. Zool.* Mamífero encontrado nos mares de todo o mundo, que atinge até 20m de comprimento, e do qual se extraem o espermacete e o âmbar.

cachão (ca.*chão*) *sm.* Jato que sai com ímpeto; BORBOTÃO. [Pl.: *-chões.*]

cache (ca.che) *sm. Inf.* Dispositivo de memória em computador que guarda dados que são acessados com frequência, agilizando o acesso a eles.

cachê (ca.*chê*) *sm.* **1** Salário pago a qualquer integrante do elenco ou equipe de teatro, cinema e televisão: *O cachê da atriz da novela das oito é altíssimo.* **2** Pagamento para participação avulsa ou especial em alguma atividade (filme, programa de televisão etc.).

cacheado (ca.che.*a*.do) *a.* Cheio de cachos, que forma cachos (cabelo).

cachear (ca.che.*ar*) *v.* **1** *Bras.* Fazer ou deixar fazer cacho(s) (no cabelo). [*td.*: *Foi ao salão cachear o cabelo.*] **2** Tornar-se (o cabelo) cacheado. [*int.*: *Com o tempo, seus cabelos cachearam.*] [NOTA: Nesta acp. é ger. unipessoal.] **3** Ficar cheio ou coberto de cachos (1) (diz-se de plantas). [*int.*: *A videira cacheava todos os anos.*] [▶ 13 cache*ar*]

cachecol (ca.che.*col*) *sm.* Tira (1) longa e estreita us. para agasalhar o pescoço, ger. feita de lã ou outro tecido mole. [Pl.: *-cóis.*]

cachenê (ca.che.*nê*) *sm.* Faixa comprida de tecido us. como agasalho em volta do pescoço, podendo cobrir até o nariz.

cachepô (ca.che.*pô*) *sm.* Vaso de metal, porcelana etc. us. para ocultar vasos de plantas ou outros recipientes.

cachimbada (ca.chim.*ba*.da) *sf.* Ação ou resultado de aspirar a fumaça do cachimbo.

cachimbar (ca.chim.*bar*) *v. int.* **1** Fumar cachimbo: *Meu avô cachimbava no sofá.* **2** *Fig.* Soltar fumaça ou vapor; FUMEGAR: *A velha locomotiva cachimba na serra.* [▶ 1 cachimba*r*]

cachimbo (ca.*chim*.bo) *sm.* Utensílio para fumar, com uma cavidade denominada fornilho, onde se põe e acende o fumo, um tubo e uma boquilha, pela qual se aspira a fumaça.

cachimônia (ca.chi.*mô*.ni.a) *sf.* **1** A cabeça (como lugar do pensamento, da memória etc.): *Isso não me*

cacho | **cadenciar** 126

sai da *cachimônia*. **2** Calma: *Irritou-se e perdeu a cachimônia.*

cacho (*ca*.cho) *sm.* **1** Conjunto de flores ou de frutos dispostos num eixo comum: *cacho de uvas*. **2** Anel de cabelo. **3** *Bras. Pop.* Caso amoroso, namoro; CASO (4). **4** *Bras. Pop.* Amante (1), caso (5): *Meu amigo é cacho dela.*

cachoeira (ca.cho*ei*.ra) *sf.* Queda de água volumosa; CATARATA; SALTO.

cachola (ca.*cho*.la) *sf. Pop.* Cabeça; mente: *Meteu na cachola que vai ficar rico.*

cacholeta (ca.cho.*le*.ta) [ê] *sf.* Pancada leve, com o dorso da mão, na cabeça de alguém; CASCUDO.

cachorra (ca.*cho*.rra) [ô] *sf.* **1** *Bras.* Qualquer cadela. **2** Cadela nova. **3** *Pej. Vulg.* Mulher libertina, devassa, imoral. [**At!** Considerado ofensivo nesta acepção.] ▪ **Com a ~** De mau humor; ZANGADO; IRRITADO: *O chefe está com a cachorra.*

cachorrada (ca.chor.*ra*.da) *sf.* **1** Grupo de cachorros. **2** *Pej.* Gente reles, desprezível. [**At!** Considerado ofensivo nesta acepção.] **3** *Bras. Fig.* Ação indigna, vil, torpe; CACHORRICE: *Fez uma cachorrada com o colega.*

cachorrice (ca.chor.*ri*.ce) *sf. Bras.* Ação indigna; CACHORRADA (3).

cachorro (ca.*cho*.rro) [ô] *sm.* **1** *Zool.* Cão. **2** *Zool.* Cria de animais como o tigre, o leão, o lobo etc. **3** *Pej.* Indivíduo canalha. [**At!** Considerado ofensivo nesta acepção.] [Fem.: *cadela* e (*Pop.*) *cachorra*.] [Pl.: [ô].] ▪ **Matar ~ a grito** *Bras. Gír.* Estar em situação muito difícil. **Pra ~** Muito, pra burro. **Soltar os ~s (em cima de alguém)** Ser agressivo, insultar (alguém).

cachorro-quente (ca.chor.ro-*quen*.te) *sm.* Sanduíche de salsicha quente, ger. com molho. [Pl.: *cachorros-quentes.*]

cacife (ca.*ci*.fe) *sm.* **1** Quantia mínima convencionada como fundo inicial de aposta de um jogador em certos jogos. **2** *Fig.* Recurso (dinheiro, capacitação, influência, poder etc.) que faculta a realização de algo.

cacimba (ca.*cim*.ba) *sf.* Poço cavado no solo para extração de água.

cacique (ca.*ci*.que) *sm. Bras.* **1** Chefe de tribo de índios; MORUBIXABA. **2** *Fig.* Chefe político ou indivíduo muito importante num partido político, grupo etc.

caco (*ca*.co) *sm.* **1** Fragmento ou pedaço de louça, cerâmica, vidro etc. **2** Objeto que se estragou, que se tornou inútil. **3** *Fig. Pej.* Pessoa envelhecida, enfraquecida ou doente: *Sofreu muito, e hoje está um caco!*

caçoada (ca.ço*a*.da) *sf.* Zombaria, deboche.

caçoar (ca.ço.*ar*) *v.* Fazer caçoada ou deboche; DEBOCHAR; ZOMBAR. [*ti. + de, com*: *Caçoavam com ele porque era preguiçoso demais*; (tb. sem complemento explícito) *O rapaz vive a caçoar*.] [▶ **16** caço*ar*]

cacoete (ca.co*e*.te) [ê] *sm.* **1** Tique ou trejeito involuntário de alguma parte do corpo: *Tinha o cacoete de piscar o olho esquerdo.* **2** Hábito típico (de pessoa ou grupo); MANIA. **3** *Pop.* Indício de uma vocação: *De cantor ele não tem sequer o cacoete.*

cacofagia (ca.co.fa.*gi*.a) *sf. Psiq.* Estado patológico em que o doente ingere matérias fecais. ● **ca.co.*fá*.gi.co** *a.*; **ca.*có*.fa.go** *a.sm.*

cacófato (ca.*có*.fa.to) *sm. Gram.* Formação sonora ridícula ou sugestão de palavra inconveniente resultante do encontro de sílabas de palavras contíguas (boca dela, fé demais etc.).

cacofonia (ca.co.fo.*ni*.a) *sf. Gram.* Modo de falar ou de combinar sons, ger. da fala, com efeito desagradável. ● **ca.co.*fô*.ni.co** *a.*

cacto (*ca*.cto) *sm. Bot.* Planta cheia de espinhos, de caule suculento, de regiões desérticas.

caçula (ca.*çu*.la) *a2g.s2g. Bras.* Que ou aquele que é o mais jovem dos filhos.

cacunda (ca.*cun*.da) *sf.* **1** *Bras.* As costas. **2** Corcunda.

cada (*ca*.da) *pr.indef.* **1** A parte de um todo, considerada individualmente: *Planejou cada dia de suas férias.* **2** Indica a repetição regular de algo: *As Olimpíadas se realizam a cada quatro anos.* [NOTA: Us. como intensificador: *Você tem cada ideia!*] ▪ **~ qual/um** Toda pessoa ou coisa de certo grupo, tomada em separado: *Vamos sentar, cada qual/cada um em seu lugar.*

cadafalso (ca.da.*fal*.so) *sm.* Tablado em que se executam condenados à morte; PATÍBULO.

cadarço (ca.*dar*.ço) *sm.* Cordão ou fita estreita de algodão, lã, seda etc., ger. us. para amarrar sapatos.

cadastrar (ca.das.*trar*) *v.* Fazer o cadastro ou o registro de; REGISTRAR(-SE). [*td.*: *O funcionário cadastrou os clientes do banco. pr.*: *Cadastrei-me na prefeitura.*] [▶ **1** cadastr*ar*] ● **ca.das.*tra*.do** *a.*; **ca.das.tra.*men*.to** *sm.*

cadastro (ca.*das*.tro) *sm.* **1** Registro ou documento público com anotação e descrição dos bens imóveis em um território. **2** Documento em que estabelecimentos comerciais registram dados financeiros de seus clientes. **3** Conjunto de registros de dados sobre pessoas consideradas como universo para um determinado fim (venda de produtos, participação em entidades etc.). ● **ca.das.*tral*** *a2g.*

cadáver (ca.*dá*.ver) *sm.* Corpo morto, esp. de ser humano; DEFUNTO.

cadavérico (ca.da.*vé*.ri.co) *a.* **1** Ref. a, de ou próprio de cadáver. **2** Que tem aspecto ou palidez de cadáver (rosto cadavérico).

cadê (ca.*dê*) *adv. Bras. Pop.* F. red. de *que é de*: *Cadê sua irmã?* [Tb. *quedê*.]

cadeado (ca.de*a*.do) *sm.* Fechadura portátil que se aplica em argolas ou orifícios nas partes móveis daquilo que se quer trancar.

cadeia (ca.*dei*.a) *sf.* **1** Corrente de elos metálicos ligados uns aos outros. **2** *Fig.* Sequência de pessoas, objetos, fatos sucessivos etc.: *uma cadeia de acontecimentos.* **3** Estabelecimento em ficam detidos os condenados por algum crime; PRISÃO; XADREZ. **4** Conjunto de estabelecimentos, lojas etc., que pertencem a uma mesma empresa, ou que atuam no mesmo ramo: *cadeia de supermercados/de cinemas.* **5** *Rad. Telv.* Rede de emissoras de rádio ou de televisão que transmitem o mesmo programa. **6** *Geog.* Sequência ininterrupta de montanhas. **7** *Fig.* Sujeição, servidão: *Para alguns, um compromisso é uma cadeia.* ▪ **Em ~** Sequenciado como causa e efeito: *reações em cadeia.*

cadeira (ca.*dei*.ra) *sf.* **1** Assento para uma só pessoa, com encosto e quatro pernas, às vezes com braços. **2** Disciplina ou matéria de curso: *cadeira de matemática*. ◨ **cadeiras** *sfpl.* **3** *Quadris*: *Quando andava, balançava as cadeiras.* ▪ **De ~ Com** a autoridade de quem conhece: *Sobre esse assunto, ele fala de cadeira.*

cadeirante (ca.dei.*ran*.te) *a2g.s2g.* Que ou quem se locomove em cadeira de rodas.

cadeirinha (ca.dei.*ri*.nha) *sf.* Antigamente, cadeira coberta, presa a longas varas, conduzida por homens ou animais e ger. usada no transporte de pessoa ilustre ou poderosa; LITEIRA.

cadela (ca.*de*.la) *sf.* A fêmea do cão.

cadência (ca.*dên*.ci.a) *sf.* **1** Sequência regular de movimentos ou de sons. **2** *Mús.* Num concerto para instrumento solo e orquestra, trecho executado apenas pelo solista, sem acompanhamento, ger. antes da conclusão de um movimento.

cadenciado (ca.den.ci.*a*.do) *a.* Que tem cadência (1); CADENTE; RITMADO.

cadenciar (ca.den.ci.*ar*) *v. td.* Dar ritmo, cadência a: *No desfile, os soldados cadenciam os passos.* [▶ **1** cadenci*ar*]

cadente (ca.*den*.te) *a2g.* **1** Que cai (estrela *cadente*). **2** Que tem cadência (1); CADENCIADO; RITMADO.

caderneta (ca.der.*ne*.ta) [ê] *sf.* Pequeno livro ou caderno para anotar endereços, números de telefones, recados etc. ▩ ~ **de poupança** *Bras. Econ.* Depósito em um tipo de conta bancária ao qual são acrescidos (ger. mensalmente) juros e correção monetária.

caderno (ca.*der*.no) *sm.* **1** Conjunto de folhas brancas ou pautadas, unidas (ger. por meio de grampos ou espiral) em formato de livro, para anotações, desenhos etc. **2** Um dos conjuntos de folhas impressas (com 8, 16, 32 ou 64 páginas) que, justapostos, formam um livro. **3** Conjunto de folhas sobrepostas que, num jornal, constituem uma seção ou divisão.

cadete (ca.*de*.te) [ê] *sm.* Estudante que cursa a escola militar superior do Exército, da Marinha ou da Aeronáutica. [Ver tb. *aspirante* (3 e 4).]

cadinho (ca.*di*.nho) *sm.* **1** Vaso utilizado para fundir minérios a temperaturas elevadas. **2** *Fig.* Lugar onde as coisas se misturam: *A região era um cadinho de raças.*

caducar (ca.du.*car*) *v. int.* **1** Ficar caduco ou senil; perder a lucidez. **2** Ficar ultrapassado ou fora de uso: *Alguns costumes já caducaram.* **3** *Jur.* Tornar-se nulo porque o prazo de validade terminou ou não se cumpriram as condições estabelecidas (diz-se de contrato, direito etc.); PRESCREVER. [▶ **11** cadu*car*]

caduceu (ca.du.*ceu*) *sm.* Bastão com duas serpentes enroscadas e duas asas na parte superior, insígnia do deus romano Mercúrio e símbolo da medicina.

caduco (ca.du.co) *a.* **1** Que perdeu a lucidez, ger. por velhice. **2** Que perdeu a validade (contrato *caduco*). • **ca.du.qui.ce** *sf.*   CADUCEU

cafajestada (ca.fa.jes.*ta*.da) *sf. Bras.* **1** Grupo de cafajestes. **2** Comportamento de cafajeste.

cafajeste (ca.fa.*jes*.te) *a2g.* **1** *Bras.* Que revela canalhice, vileza: *Sua atitude cafajeste revoltou todo mundo. s2g.* **2** Pessoa cafajeste. • **ca.fa.jes.***ta***.gem** *sf.*

café (ca.*fé*) *sm.* **1** Fruto do cafeeiro. **2** A bebida que se faz desse fruto. **3** Porção de café que se bebe ger. em xícara. **4** Estabelecimento onde se vendem cafés, bebidas, pequenas refeições. **5** *Bot.* Cafeeiro(s): *uma plantação de café.* **6** A cor marrom-escura do café torrado. *a2g2n.* **7** Da cor do café: *Comprou uma calça café.* ▩ ~ **pequeno** *Bras.* Coisa fácil, ou sem importância. *Cyber* ~ Estabelecimento que além de funcionar como bar ou lanchonete, oferece a seus clientes o uso de computadores com acesso à internet, mediante o pagamento de uma taxa.

📖 Difundido e muito consumido em todo o mundo como bebida estimulante e aromática, o café foi durante muito tempo o principal produto de exportação do Brasil, que ainda é o maior exportador e produtor mundial. O chamado 'ciclo do café' caracterizou importante segmento da economia brasileira até inícios do séc. XX.

café-concerto (ca.fé-con.*cer*.to) [ê] *sm.* Casa de diversões onde as pessoas podem beber e comer enquanto assistem a números de canto, dança, música etc. [Pl.: *cafés-concerto* e *cafés-concertos.*]

café da manhã (ca.fé da ma.*nhã*) *sm. Bras.* A primeira refeição do dia; DESJEJUM. [Pl.: *cafés da manhã.*]

cafeeiro (ca.fe.*ei*.ro) *sm.* **1** *Bot.* Planta que dá o café (1). *a.* **2** Ref. a café (indústria *cafeeira*).

cafeicultura (ca.fe.i.cul.*tu*.ra) *sf. Bras.* Cultura, lavoura de café. • **ca.fe.i.cul.***tor*** a.sm.**

cafeína (ca.fe.*i*.na) *sf.* Substância estimulante contida no café, no chá, no mate etc. • **ca.fe:***i***.na.do** *a.*

cafetã (ca.fe.*tã*) *sm.* Espécie de túnica usada esp. por árabes e turcos.

cafetão (ca.fe.*tão*) *sm. Pop.* Indivíduo que vive de explorar prostitutas; CÁFTEN. [Pl.: -*tões.* Fem.: -*tina.*]

cafeteira (ca.fe.*tei*.ra) *sf.* Vasilha ou máquina em que se serve ou se faz café (2).

cafeteria (ca.fe.te.*ri*.a) *sf.* Lugar em que se vendem e servem café (2), outras bebidas e refeições ligeiras.

cafetina, cáften (ca.fe.*ti*.na, caf.*ti*.na) *sf. Pop.* Mulher que explora o meretrício.

cafezal (ca.fe.*zal*) *sm.* Plantação de cafeeiros. [Pl.: -*zais.*]

cafezinho (ca.fe.*zi*.nho) *sm. Bras.* Café servido em xícara pequena.

cáfila (*cá*.fi.la) *sf.* **1** Grupo de camelos que transportam mercadorias. **2** *Fig.* Bando, corja, súcia.

cafofo (ca.*fo*.fo) [ô] *sm. Bras. Gír.* Casa, apartamento, morada.

cafona (ca.*fo*.na) *a2g.s2g. Bras. Pop.* Que ou quem revela mau gosto; BREGA. • **ca.fo.***ni***.ce** *sf.*

cafre (*ca*.fre) *a2g.* **1** Pertencente ou ref. aos cafres (2) ou ao cafre (3). *s2g.* **2** Nome de algumas populações da África, sobretudo as de uma antiga região chamada Cafraria. **3** *Ling.* Idioma dos cafres (2).

cáften (*cáf*.ten) *sm. Bras.* Ver *cafetão.*

cafua (ca.*fu*.a) *sf.* **1** Antro, esconderijo. **2** Habitação pobre. **3** *Bras.* Aposento escuro no qual, antigamente, na escola, colocavam-se alunos de castigo.

cafundó (ca.fun.*dó*) *sm.* Lugar distante, de difícil acesso: *Morava lá no cafundó.* [Tb. us. no pl.]

cafuné (ca.fu.*né*) *sm. Bras.* Ato de coçar a cabeça de alguém com afeto ou carinho.

cafungar (ca.fun.*gar*) *v. Gír.* Cheirar fungando. [*td.*: *Cafungar a comida. int.: Gosta de cafungar.*] [▶ **14** cafun*gar*] • **ca.fun.***ga***.da** *sf.*

cafuzo (ca.*fu*.zo) *Bras. a.sm.* Que ou quem é mestiço de índio com negro; CABURÉ.

cágado (*cá*.ga.do) *sm. Zool.* Réptil de água doce, semelhante à tartaruga, ger. de pescoço longo.

cagar (ca.*gar*) *v. Vulg.* **1** Expelir as fezes; DEFECAR. [*int.*] **2** Tornar(-se) imundo (com fezes ou não); BORRAR(-SE); SUJAR(-SE). [*td. pr.*] **3** *Fig.* Ter medo; ACOVARDAR-SE. [*pr.*] **4** *Fig.* Não dar importância a. [*ti.* + *para*: *Ela caga para os estudos.*] **5** *Fig.* Fazer mal (trabalho, tarefa etc.). [*td.*: *Ele cagou todo o desenho.*] **6** *Fig.* Dar muita sorte. [*int.*] [▶ **14** ca*gar*] • **ca.***ga***.da** *sf.*

caguetar (ca.gue.*tar*) *v. td. Bras. Pop.* Ver *alcaguetar.* [▶ **1** cague*tar*]

caguete (ca.*gue*.te) [ê] *s2g. Bras. Pop.* Ver *alcaguete.*

caiana (cai.*a*.na) *a2g.* **1** Que é originária de Caiena, na Guiana Francesa (diz-se de cana-de-açúcar). *sf.* **2** Essa cana.

caiaque (cai.*a*.que) *sm.* Espécie de canoa us. para esporte e lazer.

caiar (cai.*ar*) *v. td.* **1** Pintar (parede, muro, etc.) com tinta à base de cal. **2** *Fig.* Dar cor branca a; ALVEJAR; BRANQUEAR: *A neve caiou as árvores do bosque.* [▶ **1** cai*ar*] • **cai.a.***ção*** *sf.*

cãibra, câimbra (*cãi*.bra, *câim*.bra) *sf. Med.* Contração muscular súbita, involuntária e dolorosa.

caibro (*cai*.bro) *sm. Cons.* Peça de madeira longa, us. em estruturas de sustentação de telhados, assoalhos etc.

caiçara (cai.*ça*.ra) *sf.* **1** *Bras.* Cerca tosca feita de galhos, ramos ou varas. *s2g.* **2** *RJ SP* Caipira do litoral fluminense e paulista.

caído (ca.*í*.do) *a.* **1** *Fig.* Desanimado, prostrado: *Chegou do trabalho tão caído!* **2** *Bras. Fig.* Apaixonado: *Estava caído pela moça.*

caieira (cai.*ei*.ra) *sf.* **1** Forno us. para fazer cal.

caimão (cai.*mão*) *sm. Zool.* Crocodilo muito comum na América, cuja pele tem valor industrial. [Pl.: -*mões.*]

caimento (ca:i.*men*.to) *sm.* **1** Inclinação: *caimento do telhado*. **2** O modo como a roupa se ajusta ao corpo: *Essa calça tem bom caimento*.

caipira (ca:i.*pi*.ra) *a2g.* **1** *Bras.* Próprio da roça, do interior (festa *caipira*, traje *caipira*). *s2g.* **2** *Bras.* Indivíduo que vive na roça, ger. de modos simples e rústicos; CAIPAU. *a2g.s2g.* **3** *Pej.* Que ou quem é muito simples e rústico, nas maneiras e no vestir; SAQUAREMA; MATUTO. [**At!** Considerado depreciativo ou preconceituoso nesta acepção.] ● **ca:i.pi.***ra***.da** *sf.*; **ca:i.pi.***ri***.ce** *sf.*

caipirinha (ca:i.pi.*ri*.nha) *sf.* Bebida preparada com cachaça, limão, ou outras frutas, açúcar e gelo.

caipiríssima, **caipirosca** (ca:i.pi.*ris*.si.ma, ca:i.pi.*ros*.ca) *sf.* Caipirinha em que a vodca substitui a cachaça.

caipora (ca:i.*po*.ra) *s2g.* **1** *Folc.* Ser da mitologia tupi que vive nas matas e diz-se ser causador de má sorte. *a2g.s2g.* **2** *Fig.* Que ou quem é azarado ou traz azar.

caiporismo (ca:i.po.*ris*.mo) *sm.* Falta de sorte que se manifesta com frequência.

caíque (ca.*í*.que) *sm.* **1** *Bras.* Pequeno barco para curtas distâncias, us. em passeio, pesca, desembarque etc. **2** Antiga embarcação de pesca, transporte e comércio.

cair (ca.*ir*) *v.* **1** Ir ao chão; TOMBAR. [*int.* (seguido de indicação de lugar): *A pipa caiu no pátio.*] **2** Descer; baixar (tb. *Fig.*). [*int.*: *Naquele inverno caíram chuvas torrenciais.*] **3** Acontecer, ocorrer. [*int.* (seguido de indicação de tempo, data etc.): *A festa de formatura cairá no sábado.*] **4** Soltar-se do ponto de inserção, de raiz etc. [*int.*: *No outono, as folhas caem.*] **5** Perder a validade; tornar-se nulo. [*int.*: *Por decisão da Justiça, a lei caiu.*] **6** Sofrer redução em quantidade, valor etc.; BAIXAR. [*int.* (seguido ou não de complemento especificador): "O custo médio da cesta básica caiu (0,84%)..." (*FolhaSP*, 06.01.99).] **7** Perder a função ou o cargo; ser destituído. [*int.*: *O ministro e seus assessores caíram.*] **8** Ser dominado por, ficar submetido a; SUCUMBIR. [*ti.* + *em*: *As fortificações caíram nas mãos do inimigo.*] **9** Ser sorteado (ponto, matéria) em prova ou exame, ou ser o tema destes. [*int.*: *O que vai cair na prova de história?*] **10** Sofrer interrupção por falha; deixar de funcionar. [*int.*: *A internet caiu.*] **11** Descer de nível, de patamar, de qualidade. [*int.*: *O serviço dessa agência caiu muito.*] **12** Tornar-se, ficar. [*lig.*: "Você caiu doente com a minha chegada." (Aluísio Azevedo, *O cortiço*).] **13** Inclinar-se para, ir em direção a. [*ti.* + *para*: *A bola sempre caía para o centro do ataque.*] **14** Ser logrado, enganado. [*int.*: *Foi abordado pelo vigarista e caiu como um patinho*; (seguido de complemento especificador) *Caiu no embuste do vigário*.] **15** Mergulhar, atirar-se (tb. *Fig.*). [*int.* (seguido de indicação de lugar): *Caiu na piscina de roupa e tudo*; "*Caiu na cama e não tirou nem o sapato...*" (Ary Barroso, *Camisa amarela*).] **16** Incorrer; ser vencido por. [*ti.* + *em*: *cair em tentação*; *Caiu no sono*.] [**▶ 43** cair] **::** ~ **bem** Combinar (com). **2** Ser adequado; AGRADAR: *Sua proposta caiu bem*. ~ **de quatro** *Fig.* **1** Espantar-se, surpreender-se. **2** Encantar-se com aspectos positivos de alguém: *Diante de tanta beleza, caiu de quatro*. ~ **em si 1** Voltar à realidade. **2** Reconhecer seu erro: *Ao ver o mal que fizera, caiu em si*. ~ **fora** Sair, livrando-se de uma situação: *Quando a briga começou, caímos fora*. ~ **mal 1** Não combinar. **2** Ser inadequado, inoportuno, mal aceito.

cais *sm2n.* Lugar no porto onde o navio atraca para embarque e desembarque de passageiros e mercadorias.

caititu (cai.ti.*tu*) *sm. Zool.* Mamífero herbívoro da família do porco que tem pelos ásperos, pernas longas e patas com dedos pares e cascos curtos; PORCO-DO-MATO.

caixa (*cai*.xa) *sf.* **1** Objeto oco para guardar coisas: *caixa de joias*. [Dim.: *caixeta*.] **2** O que vem dentro desse tipo de objeto: *uma caixa de chocolates*. **3** Qualquer coisa com forma parecida à de uma caixa (1), ou oca como uma caixa: *caixa craniana*. **4** Lugar em banco, loja, etc. onde se fazem pagamentos e recebimentos de dinheiro. **5** *Econ.* A quantidade de dinheiro disponível, ger. em empresa comercial: *estar com a caixa alta*. **6** *Mús.* Instrumento de percussão pequeno e parecido com um tambor. **7** Livro onde se anotam receitas e despesas de uma empresa. *s2g.* **8** Funcionário que trabalha em caixa (4). **::** ~ **acústica** Caixa (em sistema de som) que contém alto-falantes. ~ **eletrônico** Máquina em banco ou lugar público na qual o cliente do banco pode realizar operações bancárias, retirar dinheiro etc. ~ **postal 1** Caixa em agência de correio, fechada a chave, para correspondência destinada à pessoa ou firma que a aluga. **2** *Inf.* Seção em computador onde se armazenam mensagens eletrônicas (*e-mails*).

caixa-alta (cai.xa-*al*.ta) *sf.* **1** *Tip.* A letra maiúscula. *a2g.s2g.* **2** *Bras. Gír.* Que ou quem é muito rico. [Pl.: *caixas-altas*.]

caixa-baixa (cai.xa-*bai*.xa) *sf. Tip.* A letra minúscula. [Pl.: *caixas-baixas*.]

caixa-d'água (cai.xa-d'*á*.gua) *sf.* Reservatório em forma de caixa (1) que serve para armazenar água (em casa, prédio, bairro etc.). [Pl.: *caixas-d'água*.]

caixão (cai.*xão*) *sm.* **1** Caixa (1) em que defuntos são sepultados; ATAÚDE. **2** Caixa (1) grande. [Pl.: -*xões*.]

caixa-preta (cai.xa-*pre*.ta) *sf.* **1** Caixa resistente em que são gravadas todas as ocorrências no voo de um avião. **2** *Fig.* Conjunto de informações sobre algo que é mantido inacessível, fechado. [Pl.: *caixas-pretas*.]

caixeiro (cai.*xei*.ro) *sm.* **1** Aquele que, em estabelecimento comercial, trabalha atendendo ao público; BALCONISTA. **2** Aquele que entrega mercadoria em domicílio; ENTREGADOR. **3** Fabricante de caixas.

caixilho (cai.*xi*.lho) *sm.* **1** Esquadria para instalação de janelas, portas etc. **2** Armação que enfeita, fixa e protege um pedaço de papel, uma pintura etc.; MOLDURA.

caixinha (cai.*xi*.nha) *sf.* **1** Coleta de dinheiro para determinado objetivo: *caixinha de Natal*. **2** O valor conseguido nessa coleta. **3** Coleta de gorjetas em estabelecimento comercial: *deixar o troco para a caixinha*. **4** Valor em dinheiro dado ilegalmente para agilização de serviço ou favorecimento em decisão: *Se não contribuir para a caixinha você não vai conseguir essa autorização*. **5** Caixa (1) pequena.

caixote (cai.*xo*.te) *sm.* **1** Caixa (1), ger. de madeira, para transportar mercadorias. **2** *Pop.* Onda que quebra inesperadamente.

cajá (ca.*já*) *sm.* Fruto da cajazeira, de polpa acridoce comestível, tb. us. em sucos e doces. **2** *Bot.* Cajazeira.

cajadada (ca.ja.*da*.da) *sf.* Golpe dado com cajado.

cajado (ca.*ja*.do) *sm.* **1** Vara us. por pastores, ger. com uma ponta em arco. **2** Vara us. como apoio para o corpo; BORDÃO: *Ele andava com o auxílio de um cajado*.

cajá-manga (ca.já-*man*.ga) *sm.* **1** Tipo de cajá maior do que o normal; CAJARANA. **2** *Bot.* A variedade de cajazeira que dá esse fruto. [Pl.: *cajás-mangas* e *cajás-manga*.]

cajarana (ca.ja.*ra*.na) *sf. Ver cajá-manga* (1).

cajazeira (ca.ja.*zei*.ra) *sf. Bot.* Árvore que dá o cajá; CAJAZEIRO; CAJÁ (2).

cajazeiro (ca.ja.*zei*.ro) *sm.* Ver *cajazeira*.

caju (ca.*ju*) *sm.* A parte carnosa e comestível do fruto do cajueiro, rica em vitamina C, com a qual tb. se

fazem suco e doces. [O verdadeiro fruto do cajueiro é a castanha, sendo a parte carnosa apenas a sua sustentação.]

cajuada (ca.ju:a.da) *sf.* Refresco ou doce feito com caju.

cajual, cajueiral (ca.ju:al, ca.ju:ei.ral) *sm.* Plantação de cajueiros. [Pl.: *-ais, -rais.*]

cajueiro (ca.ju:ei.ro) *sm. Bot.* Árvore que dá o caju.

cal *sf. Quím.* **1** Substância branca produzida a partir de rochas calcárias, us. em construção civil, cerâmica etc.: *A cal é um dos ingredientes usados na fabricação de gesso.* **2** Símb. de *caloria*.

calabouço (ca.la.*bou*.ço) *sm.* **1** Prisão subterrânea; MASMORRA; CÁRCERE. **2** *Pej. Pop.* Qualquer prisão; CADEIA.

calada (ca.*la*.da) *sf.* Silêncio profundo. [NOTA: Ger. us. na expr. *calada da noite: Fugiu na calada da noite.*]

calado[1] (ca.*la*.do) *a.* **1** Que está em silêncio. **2** Que ger. não fala muito: *É um rapaz calado, prefere ouvir.*

calado[2] (ca.*la*.do) *sm. Mar.* **1** Medida vertical da parte do casco de uma embarcação que fica mergulhada na água. **2** Profundidade de água necessária para que certa embarcação flutue sem encalhar: *O calado deste rio não é suficiente para o nosso barco.*

calafate (ca.la.*fa*.te) *sm.* Pessoa que calafeta, tapa fendas ou buracos (ger. de embarcação).

calafetar (ca.la.fe.*tar*) *v. td.* **1** Tapar ou vedar (buracos ou fendas) (em): *O marceneiro calafetou o piso.* **2** *Mar.* Tapar ou vedar buracos ou fendas de (uma embarcação): *O pescador calafetará a jangada.* [▶ 1 calafetar]

calafrio (ca.la.*fri*:o) *sm.* Contração muscular involuntária e arrepio na pele causados por frio, febre, medo etc.: *Com gripe, sentia calafrios.*

calamidade (ca.la.mi.*da*.de) *sf.* **1** Acontecimento que gera destruição e mortes (como guerras, furacões, vulcões etc.); CATÁSTROFE. **2** Grande infelicidade; INFORTÚNIO. **3** *Fam.* Fato, coisa que pessoa desastrada, desacertada, infeliz: *Estava num dia ruim, tudo o que fez foi uma calamidade.*

calamitoso (ca.la.mi.*to*.so) [ó] *a.* **1** Que tem o efeito de uma calamidade (1): *Essa guerra tem sido calamitosa.* **2** Muito negativo: *Suas decisões serão calamitosas para o grupo.* [Fem. e pl.: [ó].]

calandra (ca.*lan*.dra) *sf.* **1** *Emec.* Máquina de lustrar, alisar ou enrugar papel ou tecidos. **2** *Metal.* Máquina de desempenar ou curvar chapas de metal.
● **ca.lan.drar** *v.*

calango (ca.*lan*.go) *sm. Zool.* Nome dado a vários tipos de lagartos pequenos. **2** *MG RJ* Dança popular praticada aos pares no RJ e no sul de MG. **3** *N.E.* Desafio entre compositores que fazem versos de improviso alternadamente.

calão (ca.*lão*) *sm.* Linguagem considerada vulgar, gíria grosseira: *Neste ambiente não se deve usar calão.* [Pl.: *-lões.*]

calar[1] (ca.*lar*) *v.* **1** Impor silêncio a; SILENCIAR. [*td.*: *O ator calou os críticos com sua atuação.*] **2** Parar de falar, ficar em silêncio; EMUDECER. [*int.*: *Não tendo o que dizer, calou.* *pr.*: "*Fiz-lhe sinal que se calasse...*" (Machado de Assis, *Conto de escola* in *Novas seletas*).] **3** Não deixar transparecer; OCULTAR; ABAFAR. [*td.*: *A moça não conseguia calar sua irritação.*] **4** Não contar o que sabe, não divulgar algo. [*int./pr.*: *Apesar da pressão do interrogatório, calou(-se).*] [▶ 1 calar]

calar[2] (ca.*lar*) *v.* **1** Encaixar (baioneta) no fuzil. [*td.*: *O soldado cala cala as baionetas.*] **2** *Fig.* Alcançar ou atingir o íntimo; PENETRAR. [*ti.* + *em*: *O pedido aflito calara em seu coração.*] [▶ 1 calar]

calça (*cal*.ça) *sf.* Roupa de homens e mulheres que cobre a cintura, os quadris e as pernas. [Muito us. no pl.]

calçada (cal.*ça*.da) *sf.* Parte lateral de uma rua, pavimentada, reservada aos pedestres; PASSEIO.

calçadão (cal.ça.*dão*) *sm.* Calçada larga, que pode cobrir uma rua inteira: *correr no calçadão.* [Pl.: *-dões.*]

calçadeira (cal.ça.*dei*.ra) *sf.* Objeto que ajuda a calçar um sapato, bota etc.

calçado (cal.*ça*.do) *a.* **1** Protegido (o pé) por ou com sapato (pé calçado, pessoa calçada). **2** Coberto com concreto, pedras etc.; PAVIMENTADO: *pavimento calçado com ladrilhos.* **3** Escorado por um objeto: *muro calçado com grossos troncos.* *sm.* **4** Proteção para os pés, como sapatos, chinelos, botas etc. [Muito us. no pl.]

calçamento (cal.ça.*men*.to) *sm.* **1** Ação ou resultado de calçar, de cobrir com asfalto, pedras etc.; PAVIMENTAÇÃO: *Aquelas ruas precisam de calçamento e iluminação.* **2** Material que cobre uma rua ou outra superfície pavimentada: *recuperação do calçamento da estrada.* **3** Escoramento de algo com um objeto: *calçamento da porta/de um poste etc.*

calcâneo (cal.*câ*.ne:o) *sm.* **1** *Anat.* Osso do pé que forma o calcanhar. *a.* **2** Ref. ao calcanhar.

calcanhar (cal.ca.*nhar*) *sm.* **1** *Anat.* Parte de trás do pé humano, de forma arredondada. **2** Parte de meia ou calçado correspondente ao calcanhar (1).

calcanhar de aquiles (cal.ca.*nhar* de a.*qui*.les) *sm. Fig.* Ponto fraco: *O calcanhar de aquiles daquele jogador é seu preparo físico.* [Pl.: *calcanhares de aquiles.*]

calção (cal.*ção*) *sm.* **1** Tipo de calça curta que ger. só vai até o meio da coxa; SHORT. **2** Roupa de banho para homens. [Pl.: *-ções.*]

calcar (cal.*car*) *v.* **1** Pisar com o(s) pé(s), tornando compacto. [*td.*: *Calcou bem o terreno.*] **2** Apertar fortemente; COMPRIMIR. [*td.*: *Calcou, com raiva, o botão da campainha.*] **3** Copiar um desenho ou uma figura comprimindo contra o papel ou uma superfície; DECALCAR. [*td.*: *O aluno calcava o desenho no caderno.*] **4** *Fig.* Orientar, conduzir (algo) segundo um exemplo, um modelo. [*tdi.* + *em, sobre*: *Calcara a vida nos passos do pai.*] [▶ 11 calcar]

calçar (cal.*çar*) *v.* **1** Pôr luva, calçado, meia ou calças. [*td.*: *O menino calçava os patins*; (sem complemento explícito): *Encontrei um chinelo para calçar. pr.*: *Ela já se calça sozinha.*] [Ant.: *descalçar.*] **2** Usar calçado de um certo número. [*int.* (seguido de indicação numérica): *A moça calça 35.*] **3** Ajustar-se ao pé. [*int.*: *Esses tênis não calçam bem.*] **4** Firmar com calço. [*td.*: *Calcou o pé da mesa para firmá-la.*] **5** *Fut.* Derrubar adversário com uma rasteira. [*td.*: *Calcou o zagueiro e foi expulso do jogo.*] **6** Revestir (rua, calçada, pátio etc.) com pedras etc.; PAVIMENTAR. [*td.*: *A prefeitura mandou calçar toda a avenida.*] [▶ 12 calçar]

calcário (cal.*cá*.ri:o) *a.* **1** Ref. a carbonato de cálcio, ou que o contém (solo calcário). **2** Ref. a, ou da natureza da cal. *sm.* **3** *Geol.* Rocha que contém carbonato de cálcio, us. em construções, na fabricação de cal, cimento etc.

calceiro (cal.*cei*.ro) *sm.* **1** Armação para guardar calças, ger. dentro de armários. **2** Pessoa que faz calças.

calceta (cal.*ce*.ta) [ê] *sf. Antig.* **1** Argola de ferro presa ao tornozelo de um prisioneiro e ligada à sua cintura ou à argola de outro para dificultar a movimentação. *sm.* **2** Pessoa condenada a fazer trabalhos forçados.

calceteiro (cal.ce.*tei*.ro) *sm.* Pessoa especializada em calçar ruas com pedras portuguesas.

calcificação (cal.ci.fi.ca.*ção*) *sf.* **1** *Med.* Concentração de cálcio: *calcificação de uma fratura.* **2** *Agr.* Aplicação de cálcio ao solo para diminuir a sua acidez. [Pl.: *-ções.*]

calcificar (cal.ci.fi.car) v. **1** Med. Gerar ou sofrer calcificação. [td.: Levou muito tempo para calcificar a perna quebrada. int./pr.: Com a doença, seu joelho calcificou(-se).] **2** Dar (a algo) ou adquirir consistência e cor da cal. [td.: calcificar o gesso. int./pr.: A massa do pedreiro calcificou(-se).] [▶ 11 calcificar]

calcinar (cal.ci.nar) v. **1** Aquecer muito (carbonato de cálcio) para se obter a cal. [td.] **2** Fig. Aquecer(-se) muito, queimar; ABRASAR(-SE). [td.: O sol forte calcinava o terreno. int.: A carne calcinou na churrasqueira.] **3** Fig. Queimar até reduzir a carvão e cinzas. [td.: O incêndio calcinou o prédio.] [▶ 1 calcinar]

calcinha (cal.ci.nha) sf. Roupa íntima feminina que consiste em uma calça muito curta, ger. de tecido delicado, que vai da cintura ou dos quadris até às virilhas.

cálcio (cál.cio) sm. Quím. Elemento químico e maleável, importante na nutrição humana, tb. us. na metalurgia, na agricultura etc. [Símb.: Ca.]

calço (cal.ço) sm. **1** Aquilo que se põe debaixo de um móvel ou outro objeto para nivelá-lo, escorá-lo ou elevá-lo: Pôs um calço sob o pé do armário. **2** Pop. Golpe dado prendendo o pé ou a perna de alguém para fazê-lo cair ou impedir seus movimentos: O juiz viu o calço no atacante e apitou.

calcografia (cal.co.gra.fi.a) sf. **1** Gravura reproduzida em metal. **2** A técnica de reproduzir esse tipo de gravura.

calçola, calçolas (cal.ço.la, cal.ço.las) [ó] sf., sfpl. N.E. Calcinha.

calculadora (cal.cu.la.do.ra) [ó] sf. Máquina que faz cálculos matemáticos automaticamente; MÁQUINA DE CALCULAR.

calcular (cal.cu.lar) v. **1** Realizar cálculos matemáticos; CONTAR. [int.: Bem pequeno aprendeu a calcular.] **2** Chegar a um resultado por meio de cálculo(s); COMPUTAR. [td.: "...acabaram de calcular meu imposto de renda..." (João Ubaldo Ribeiro, O conselheiro come).] **3** Fazer estimativa de, baseado em indícios, experiência, intuição etc.; AVALIAR; ESTIMAR. [td.: Antes da tacada, o golfista calculou a inclinação do terreno.] **4** Ter ideia de; IMAGINAR; PRESUMIR. [td.: "Não foi eu que bebi por quê!" (José de Alencar, A viuvinha).] [▶ 1 calcular] • **cal.cu.lá.vel** a2g.

calculista (cal.cu.lis.ta) a2g.s2g. **1** Que ou quem busca antecipar os resultados de suas ações ou de acontecimentos: Calculista e prudente, arrisca-se pouco. **2** Que ou quem age com segundas intenções, em busca de benefício próprio; INTERESSEIRO.

cálculo (cál.cu.lo) sm. **1** Operação matemática; CONTA. **2** Mat. Área da matemática que estuda essas operações: Amanhã tenho prova de cálculo. **3** Fig. Avaliação do desenvolvimento ou dos resultados de algo: Pelos meus cálculos, estamos quase terminando. **4** Med. Massa concreta formada no rim, na vesícula etc.; PEDRA.

calda (cal.da) sf. **1** Líquido grosso e doce feito da mistura de água e açúcar (com outros ingredientes ou não) levada ao fogo: calda de maracujá. **2** Bras. Líquido que sobra da destilação de álcool ou cachaça.

caldear (cal.de.ar) v. **1** Pôr em brasa(s) (metal, vidro etc.); INCANDESCER. [td.] **2** Ligar ou soldar metais em brasa. [td.: Esses ourives caldeiam os mais puros metais. tdi. + com: O artesão caldeou a prata com o ouro.] **3** Fig. Miscigenar(-se), misturar(-se). [td.: O criador caldeará algumas raças de cães. tdi./pr. + com: No Brasil, índios caldearam(-se) com negros.] [▶ 13 caldear] • **cal.de:a.men.to** sm.

caldeira (cal.dei.ra) sf. Tanque de metal para esquentar líquidos, produzir vapor etc.

caldeirada (cal.dei.ra.da) sf. **1** A quantidade de líquido que uma caldeira pode conter. **2** A quantidade de líquido que se coloca em um recipiente. **3** Cul. Guisado à base de diversos tipos de peixes e frutos do mar.

caldeirão (cal.dei.rão) sm. **1** Panela grande e alta para cozinhar sopas, ensopados etc. **2** A quantidade de comida contida no caldeirão (1): Fez um caldeirão de feijoada para os amigos. **3** Bras. Escavação que as águas do rio fazem nas rochas, podendo-se ali encontrar ouro e pedras preciosas. **4** Fig. Situação tensa: A passeata se tornou um verdadeiro caldeirão. [Pl.: -rões.]

caldeireiro (cal.dei.rei.ro) sm. **1** Quem faz ou conserta caldeiras ou outros artefatos de metal. **2** Quem opera caldeira, ger. em indústria.

caldeirinha (cal.dei.ri.nha) sf. **1** Caldeira pequena. **2** Pequeno pote para água benta.

caldeu (cal.deu) a. **1** Da Caldeia (país asiático na Antiguidade); típico desse país ou de seu povo. sm. **2** Pessoa nascida na Caldeia. [Fem.: caldaia.]

caldo (cal.do) sm. **1** Líquido que se obtém acrescentando água no cozimento de vários tipos de alimento: caldo de carne. **2** Líquido que sai da planta, fruta etc., quando é espremida ou triturada: Ligou a moenda e tirou caldo de cana. **3** Ação ou resultado de mergulhar (ger. por brincadeira) a cabeça de alguém que está dentro da água (em piscina, no mar etc.). ⁑ **Entornar o ~** Fazer piorar uma situação.

caleche (ca.le.che) s2g. Antiq. Tipo de carruagem descoberta, de dois assentos e puxada por dois cavalos.

calefação (ca.le.fa.ção) sf. **1** Sistema de aquecimento do interior de casas. **2** Fís. Fenômeno que acontece quando um líquido entra em contato com uma superfície muito quente e forma uma camada de vapor entre os dois. [Pl.: -ções.]

caleidoscópio (ca.lei.dos.có.pi:o) sm. Tubo com espelhos dentro, no qual, a partir da incidência da luz, produzem-se inúmeras imagens refletidas em fragmentos de vidro colorido nele contidos, e que se movem à medida que se gira o tubo.

calejado (ca.le.ja.do) a. **1** Que tem calos. **2** Fig. Que é experiente: Preferiu um advogado calejado a um novato. **3** Fig. Tornado insensível pela experiência ou pelo sofrimento; EMPEDERNIDO.

calejar (ca.le.jar) v. **1** Causar calo(s) em ou formar calo(s). [td.: Calçados de mau caminho calejam os pés. int./ pr.: Os pés do atleta calejaram(-se) na corrida.] **2** Fig. Tornar(-se) indiferente, insensível; ENDURECER(-SE). [td.: O sofrimento o calejou. int./pr.: O sofredor caleja(-se) com a vida.] [▶ 1 calejar]

calendário (ca.len.dá.ri:o) sm. **1** Tabela que registra os dias de um ano, divididos em semanas e em meses. **2** Conjunto de datas previstas para determinados compromissos, eventos etc.; CRONOGRAMA: O calendário dos jogos da seleção brasileira. **3** Organização oficial do tempo, que, baseada principalmente na astronomia, o divide em ciclos que se repetem (dias, meses, anos).

calendas (ca.len.das) sfpl. O primeiro dia de um mês no antigo calendário romano.

calêndula (ca.lên.du.la) sf. **1** Bot. Erva cujas folhas são us. para fins terapêuticos e na indústria cosmética. **2** A flor dessa planta.

calha (ca.lha) sf. **1** Cano para escoar a água da chuva: Puseram calhas para tirar o excesso de água do telhado. **2** Qualquer cano ou canal que conduz líquidos, grãos etc.; CANALETA.

calhamaço (ca.lha.ma.ço) sm. **1** Pop. Caderno ou livro volumoso, com muitas folhas, ou o que se parece com esse objeto: Aquele manual era um verdadeiro calhamaço. **2** Pej. Livro grande de leitura cansativa.

calhambeque (ca.lham.be.que) sm. Pej. Carro velho ou malcuidado; LATA-VELHA.

calhandra (ca.*lhan*.dra) *sf. Zool.* Ave canora da família da cotovia.

calhar (ca.*lhar*) *v.* **1** Acontecer em certo tempo, por acaso. [*int.*: *Calhou que ele estava passando naquele momento.*] **2** Acontecer oportunamente. [*int.*: *Estava sem dinheiro, e o prêmio veio a calhar.*] [▶ **1** calh<u>ar</u>]

calhau (ca.*lhau*) *sm.* **1** Pedra dura e solta de diferentes tamanhos. **2** *Bras. Gír.* Em jargão de jornal, texto não importante que serve para preencher espaço vazio e completar uma coluna ou página.

calhorda (ca.*lhor*.da) *a2g.s2g.* Que ou quem não merece consideração; ORDINÁRIO.

calibrador (ca.li.bra.*dor*) [ó] *a.sm.* **1** Que ou quem faz calibragem (1 e 2). *sm.* **2** Aparelho us. para calibrar; CALIBRE.

calibragem (ca.li.*bra*.gem) *sf.* **1** Ação ou resultado de calibrar, de medir e dosar a pressão de ar de um pneu. **2** Ajuste de instrumentos de medição: *calibragem da balança.* **3** Determinação do calibre de algo. [Pl.: -*gens*.]

calibrar (ca.li.*brar*) *v.* **1** *Bras.* Dar a adequada pressão de ar a. [*td.*: *calibrar pneus.*] **2** Dar o adequado calibre a ou medir o calibre de. [*td.*: *O fabricante não calibrou bem os tubos.*] **3** *Fig.* Ajustar, regular (medida, especificação) de acordo com um padrão. [*td.*: *O técnico calibra as cores do escâner.*] [▶ **1** calibr<u>ar</u>]

calibre (ca.*li*.bre) *sm.* **1** Medida do diâmetro interno de um cilindro, tubo ou cano (esp. o de uma arma de fogo): *arma de calibre 38.* **2** Diâmetro externo de um projétil. **3** Calibrador (2). **4** Tamanho ou capacidade de algo: *calibre de uma ferramenta.* **5** *Fig.* Qualidade (ger. boa), importância de algo ou alguém; VALOR: *Eram profissionais do mesmo calibre.*

caliça (ca.*li*.ça) *sf.* Restos da destruição de obra de alvenaria; ENTULHO.

cálice¹ (*cá*.li.ce) *sm.* **1** Tipo de copo pequeno, ger. com pé longo e base redonda, us. para tomar bebidas alcoólicas. **2** A quantidade de bebida contida no cálice (1): *um cálice de vinho.* **3** *Rel.* Cálice (1) us. para a consagração do vinho em missas.

cálice² (*cá*.li.ce) *sm. Bot.* Parte externa de uma flor, que envolve o botão.

cálido (*cá*.li.do) *a.* **1** De temperatura alta; QUENTE: *O dia cálido pedia roupas leves.* **2** *Fig.* Muito intenso; ARDENTE: *Sentir uma paixão cálida.* [Ant.: *frio.*]

calidoscópio (ca.li.dos.*có*.pi:o) *sm.* Ver caleidoscópio.

califa (ca.*li*.fa) *sm.* Chefe político e religioso muçulmano.

califado (ca.li.*fa*.do) *sm.* **1** Título de califa. **2** Área sobre a qual um califa tem autoridade: *A notícia correu por todo o califado.* **3** O governo de um califa ou a sua duração: *O califado de Abu al-Abbas iniciou a dinastia dos Abássidas.*

caligrafia (ca.li.gra.*fi*.a) *sf.* **1** Desenho da escrita de quem escreve à mão: *A caligrafia revela a personalidade das pessoas.* **2** Normas que estabelecem padrões para uma escrita elegante e bela: *Comprou um caderno para praticar caligrafia.*

calígrafo (ca.*lí*.gra.fo) *sm.* Especialista em caligrafia (2): *Contratou um calígrafo para endereçar os convites.*

calipígio (ca.li.*pí*.gi:o) *a.* Que tem nádegas bonitas.

calista (ca.*lis*.ta) *s2g.* Profissional que trata da saúde e da beleza dos pés, esp. dos calos; PEDICURO.

calma (*cal*.ma) *sf.* **1** Serenidade, tranquilidade, paz. **2** Tranquilidade de espírito, domínio dos nervos: *Com muita calma afastou-se do cão que rosnava.* **3** Calor forte, sem vento; CALMARIA. **4** O momento mais quente do dia.

calmante (cal.*man*.te) *a.* **1** Que acalma, tranquiliza. *sm.* **2** Medicamento que acalma, tranquiliza; TRANQUILIZANTE: *Tomou um calmante e foi dormir.*

calmaria (cal.ma.*ri*.a) *sf.* **1** Falta prolongada de ventos e consequente escassez de ondas no mar. **2** Grande calor combinado com ausência de vento. **3** *Fig.* Calma, tranquilidade.

calmo (*cal*.mo) *a.* **1** Sereno, tranquilo: *Permanecia calmo nos momentos mais difíceis.* **2** Em que há calmaria (mar *calmo*).

calo (*ca*.lo) *sm.* **1** Endurecimento num ponto da pele, por atrito constante ou compressão; CALOSIDADE.

calombo (ca.*lom*.bo) *sm. Bras.* **1** Inchação, às vezes dura, que se forma na pele: *A pancada criou um calombo na testa dela.* **2** Saliência arredondada.

calor (ca.*lor*) [ó] *sm.* **1** Temperatura elevada: *dia de calor.* **2** Forma de energia, resultante da vibração de moléculas, que faz aumentar a temperatura de um corpo. **3** Sensação de aquecimento: *Nas noites frias, buscava o calor das cobertas.* **4** *Fig.* Animação, entusiasmo: *O artista foi recebido pelos fãs com muito calor.* **5** *Fig.* Cordialidade, cortesia.

calorento (ca.lo.*ren*.to) *a.* **1** Que sente muito calor (sujeito *calorento*). [Ant.: *friorento.*] **2** Em que faz muito calor (quarto *calorento*).

caloria (ca.lo.*ri*.a) *sf.* **1** *Fís.* Quantidade de calor necessária para elevar de um grau centígrado a temperatura de um grama de água. **2** Caloria (1) quando usada para determinar o valor energético dos alimentos. [Símb.: *cal.*]

calórico (ca.*ló*.ri.co) *a.* Ref. a calor ou a caloria: *valor calórico dos alimentos.*

calorífero (ca.lo.*rí*.fe.ro) *a.* Que tem ou produz calor.

calorífico (ca.lo.*rí*.fi.co) *a.* Que fornece energia por meio do calor produzido.

calorimetria (ca.lo.ri.me.*tri*.a) *sf. Fís.* Parte da física que trata da medição de calor recebido ou fornecido por um corpo, uma reação química etc.

caloroso (ca.lo.*ro*.so) [ó] *a.* **1** Cheio de calor. **2** Cheio de cordialidade, de afeto (recepção *calorosa*). [Fem. e pl.: [ó].]

calosidade (ca.lo.si.*da*.de) *sf.* **1** Endurecimento de um ponto na pele devido a calo. **2** Calo.

calota (ca.*lo*.ta) *sf.* **1** *Geom.* Parte de uma superfície esférica limitada por um plano. **2** Forma semelhante à calota (1) (*calota* polar). **3** Peça que protege e adorna a parte externa central das rodas dos automóveis: *A batida amassou a calota do carro.*

CALOTA (1)

calote (ca.*lo*.te) *sf.* Dívida não paga (ger. intencionalmente): *Deu um calote nos credores.*

calotear (ca.lo.te.*ar*) *v. td.* Não pagar dívida a (ger. intencionalmente), dar o calote em: *O cidadão caloteou o banco.* [▶ **13** calote<u>ar</u>]

caloteiro (ca.lo.*tei*.ro) *a.sm.* Que ou quem aplica calote.

calouro (ca.*lou*.ro) *sm.* **1** Estudante novato, esp. de curso universitário. **2** Indivíduo inexperiente, que faz algo pela primeira vez.

caluda (ca.*lu*.da) *interj.* Silêncio!: *Caluda! Tem gente ouvindo.*

calundu (ca.lun.*du*) *sm.* Mau humor, amuo.

calunga (ca.*lun*.ga) *s2g. Bras.* **1** *PE Etnog.* Boneco conduzido em cortejo de maracatu. **2** Qualquer coisa pequena. **3** Boneco pequeno.

calúnia (ca.*lú*.ni:a) *sf.* Acusação falsa, para difamar: *Aquela história sobre o diretor é uma calúnia.*

caluniar (ca.lu.ni.*ar*) *v. td.* **1** Difamar (alguém) com falsas acusações, maledicência etc.: *Invejoso e vingativo, caluniava o ex-amigo.* **2** *Jur.* Fazer uma falsa acusação; imputar falsamente crime a. [▶ **1** caluni<u>ar</u>] ● **ca.lu.ni:a.dor** *a.sm.*

calunioso (ca.lu.ni:*o*.so) [ó] *a.* Que contém calúnia ou que é us. para caluniar (palavras *caluniosas*). [Fem. e pl.: [ó].]

calva | cambiar

calva (cal.va) *sf.* Parte da cabeça que perdeu os cabelos; CARECA (1).

calvário (cal.vá.ri.o) *sm. Fig.* Sofrimento prolongado; MARTÍRIO. [NOTA: Nome do monte em que Jesus foi crucificado.]

calvície (cal.ví.ci.e) *sf.* Ausência parcial ou total de cabelos na cabeça; condição de calvo.

calvinismo (cal.vi.nis.mo) *sm.* Doutrina protestante fundada por Calvino. ● **cal.vi.nis.ta** *a2g.s2g.*

calvo (cal.vo) *a.sm.* Que ou quem não tem ou tem poucos cabelos na cabeça; CARECA (3).

cama (ca.ma) *sf.* **1** Móvel para dormir, sobre o qual ger. se coloca um colchão. **2** Lugar para deitar-se: *O pássaro preparou para os filhotes uma cama de folhas secas.* ☷ **De ~** Acamado, doente. **Fazer a ~** Arrumar a cama antes ou depois de (alguém) se deitar.

camada (ca.ma.da) *sf.* **1** Extensão, em espessura vária, de substância depositada sobre uma superfície: *bolo com uma camada de creme; Uma camada de poeira cobria a mesa.* **2** Porção formadora de um tudo, neste disposta em forma de camada (1): *camadas de rochas; doce em camadas.* **3** Nível social: *Era de uma camada social mais rica.*

cama de gato (ca.ma de ga.to) *sf.* **1** Brincadeira infantil em que, com certos movimentos das mãos, se dá formas diversas a um pedaço de barbante. **2** *Fut.* Jogada ilícita em que um jogador agacha-se sob outro, que está pulando, para provocar-lhe uma queda. [Pl.: *camas de gato*.]

camafeu (ca.ma.feu) *sm.* Pedra semipreciosa em duas camadas de diferentes cores, em que na superior (ger. mais clara) se talha uma figura.

camaleão (ca.ma.le.ão) *sm.* **1** *Zool.* Espécie de lagarto capaz de mudar de cor. **2** *Fig.* Indivíduo que muda de opinião e/ou de atitude para atender seus interesses pessoais. [Pl.: *-ões.*] ● **ca.ma.le.ô.ni.co** *a.*

camará (ca.ma.rá) *sm. Bras. Bot.* Arbusto ornamental de folhas aromáticas.

câmara (câ.ma.ra) *sf.* **1** Aposento de uma casa, esp. o quarto. **2** Qualquer compartimento fechado. **3** *Cine. Fot. Telv.* Aparelho de fotografar, de filmar ou de registrar imagens para a televisão. *s2g.* **4** Técnico que opera esses aparelhos. [Nas acps. 3 e 4, tb. *câmera*.] **5** Ver **câmara de ar**. ● **Câmara** *sf.* **6** Assembleia que tem função legislativa. **7** O lugar onde essa assembleia se realiza. ☷ **~ lenta** *Cine. Telv.* Recurso de filmagem (de filmar em velocidade acima daquela em que se exibirá o filme) que torna as cenas aparentemente mais lentas na exibição.

camarada (ca.ma.ra.da) *s2g.* **1** Pessoa que compartilha com outra trabalho, missão, moradia etc. de forma amistosa e solidária; COLEGA. **2** Pessoa ligada a outra por amizade. **3** Um indivíduo qualquer: *O camarada não quis conversa.* *a2g.* **4** Compreensivo, amistoso (conversa *camarada*, time *camarada*).

camaradagem (ca.ma.ra.da.gem) *sf.* **1** Convivência, sentimento entre camaradas (1 e 2). **2** Convívio íntimo e amistoso: *Viviam na maior camaradagem.* **3** Ato ou comportamento de camarada: *Foi muita camaradagem dela emprestar o vestido.* [Pl.: *-gens*.]

camarão (ca.ma.rão) *sm.* **1** *Zool.* Pequeno crustáceo de carne comestível. **2** Prato preparado com camarão. [Pl.: *-rões*.]

camarão-de-água-doce (ca.ma.rão-de-á.gua-do.ce) *sm.* Ver *pitu*. [Pl.: *camarões-de-água-doce.*]

camareiro (ca.ma.rá.ri.o) *a.* Ref. a câmara (6).

camareira (ca.ma.rei.ra) *sf.* **1** Aquela que, em hotéis, navios etc., atende hóspedes e passageiros. **2** Mulher que servia em câmara de rainhas, princesas etc.

camareiro (ca.ma.rei.ro) *sm.* **1** Empregado que arruma quartos, camareiro em hotéis, navios etc. **2** *Teat. Telv.* Pessoa que cuida da roupa e dos acessórios dos atores.

camarilha (ca.ma.ri.lha) *sf.* Grupo de pessoas que cercam um chefe ou líder, e em cujas decisões tentam influir.

camarim (ca.ma.rim) *sm. Cin. Teat. Telv.* Recinto num teatro, bastidores de televisão, estúdio de filmagem etc. onde os atores se preparam para entrar em cena. [Pl.: *-rins*.]

camarinha (ca.ma.ri.nha) *sf. N.E. Antq.* Quarto de dormir.

camaronês (ca.ma.ro.nês) *a.* **1** Da República dos Camarões (África); típico desse país ou de seu povo. *sm.* **2** Pessoa nascida na República dos Camarões. [Pl.: *-neses.* Fem.: *-nesa.*]

camarote (ca.ma.ro.te) *sm.* **1** Compartimento fechado em salas de espetáculos, destinado a pequeno grupo de espectadores. **2** Quarto de dormir nos navios. ☷ **De ~** Em posto ou de maneira em que se presencia um fato, uma situação, sem se envolver: *Eu assisti de camarote ao seu fracasso.*

camaroteiro (ca.ma.ro.tei.ro) *sm.* Camareiro que faz os serviços de quarto nos navios.

camartelo (ca.mar.te.lo) *sm.* **1** Martelo us. para desbastar pedras, assentar tijolos etc. **2** *Fig.* Tudo o que serve para demolir.

camba (cam.ba) *sf.* Peça das rodas de um veículo na qual se prendem os raios (4).

cambada (cam.ba.da) *sf.* **1** Porção de objetos, esp. quando pendurados; CAMBULHADA. **2** Molho de chaves. **3** Bando de pessoas desclassificadas; CORJA; MALTA.

cambado (cam.ba.do) *a.* Torto para um lado (sapato *cambado*).

cambaio (cam.bai.o) *a.sm.* Que ou quem tem pernas tortas; CAMBETA.

cambalacho (cam.ba.la.cho) *sm. Pop.* Transação astuciosa, às vezes ilegal, para a obtenção de algum ganho. ● **cam.ba.la.chei.ro** *a.sm.*

cambalear (cam.ba.le.ar) *v. int.* **1** Balançar, oscilar por falta de firmeza nas pernas: *A menina cambaleava de cansaço.* **2** Andar sem equilíbrio, sem firmeza; CAMBAR: "...bebia, vivia *cambaleando*..." (Marques Rebelo, *Contos reunidos*). **3** *Fig.* Demonstrar fragilidade, fraqueza, desequilíbrio: *Apesar dos investimentos, a economia cambaleia.* [▶ **13** cambal**ear**] ● **cam.ba.le.an.te** *a2g.*; **cam.ba.lei.o** *sm.*

cambalhota (cam.ba.lho.ta) *sf.* Movimento em que se gira o corpo sobre a própria cabeça, apoiando ou não as mãos no chão ou em qualquer superfície sólida; CAMBOTA; CABRIOLA.

cambar (cam.bar) *v.* **1** Andar sem equilíbrio, sem firmeza nas pernas; CAMBALEAR. [*int.*: *Doente, a ave cambava entre as folhagens.*] **2** Inclinar(-se), pender, entortar(se). [*td.*: *Fazendo abdominais, cambava o tronco.* *int.*: *Com o peso, as rodas cambaram;* (seguido de indicação de lugar) *A jaqueira cambou para o telhado.*] **3** Alterar o rumo ou deslocar(-se) de um para outro lado [*td.*: *O capitão cambou o veleiro.* *int.*: *Com a tempestade, os barcos cambaram.*] [▶ **1** camb**ar**]

cambará (cam.ba.rá) *sm. Bras. Bot.* **1** Arbusto de folhas aromáticas. **2** Pequena árvore de madeira útil.

cambaxirra, cambaxilra (cam.ba.xir.ra, cam.ba.xil.ra) *sf. Bras. Zool.* Pássaro de cor parda, com faixas negras nas asas e na cauda; GARRIÇA.

cambeta (cam.be.ta) [ê] *a2g.s2g.* Ver *cambaio*.

cambial (cam.bi.al) *a2g.* Ref. a câmbio. [Pl.: *-ais*.]

cambiante (cam.bi.an.te) *a2g.* **1** Que passa por mudanças, que cambia (4). **2** Que passa de uma cor a outra; FURTA-COR. **3** De cor indistinta, indefinida: *Quadro de cores cambiantes.* *sm.* **4** Cor indistinta, indefinida.

cambiar (cam.bi.ar) *v.* **1** Executar operações de câmbio; trocar a moeda de um país pela de outro. [*td.*: *Em viagem, cambiava seus reais.* *tdi.* + *em, por*: *Cambiou*

câmbio | campa

pesos *por euros.*] **2** Permutar; trocar. [*td.*: *Os amigos cambiaram postais.* **tdi.** + *em, por*: *Cambiamos discos por livros.*] **3** Abandonar situação, intenção etc. substituindo por outra; MUDAR; TROCAR. [*ti.* + *de*: *Os alunos cambiaram de turma.*] **4** *Fig.* Provocar ou passar por mudanças em; MUDAR; TRANSFORMAR(-SE). [*td.*: *O longo convívio cambiara seus gostos.* **tdi.** + *em*: *Cambiávamos amizade em amor.* **int.**: *As condições cambiaram.*] **5** Mudar de cor, de aspecto etc. [*int.*: *No outono as folhas cambiavam, passando do verde ao dourado.*] [▶ 1 cambiável]

câmbio (*câm*.bi:o) *sm.* **1** *Econ.* Ação ou resultado de cambiar (1 a 4): *câmbio de reais em dólares.* **2** *Mec.* Peça do automóvel que permite ao motorista mudar de marcha.

cambista (cam.*bis*.ta) *a2g.s2g.* **1** Que ou quem negocia em câmbio, comprando e vendendo moedas estrangeiras. *s2g.* **2** *Bras.* Indivíduo que compra ingressos para espetáculos, competições esportivas etc. para vender mais caro quando rareiam ou se esgotam.

cambito (cam.*bi*.to) *sm.* **1** Pernil de porco. **2** *Joc.* Perna fina; GAMBITO.

cambojano (cam.bo.*ja*.no) *a.* **1** Do Camboja (sudeste da Ásia); típico desse país ou de seu povo. *sm.* **2** Pessoa nascida no Camboja. *a.sm.* **3** *Gloss.* Da, ref. à ou a língua falada no Camboja.

cambota (cam.*bo*.ta) *sf.* **1** Parte circular da roda de um automóvel em que se fixam os raios (4) e o aro externo. **2** *Bras. Pop.* Ver *cambalhota*.

cambraia (cam.*brai*.a) *sf.* Tecido muito fino de algodão ou linho.

cambriano (cam.bri.*a*.no) *Geol. a.* **1** Diz-se do primeiro período da era Paleozoica, quando se desenvolveram os animais invertebrados. *sm.* **2** Esse período. [Nesta acp. com inicial maiúsc.]

cambucá (cam.bu.*cá*) *sm. Bras.* **1** *Bot.* Árvore frondosa de flores brancas com fruto amarelo comestível. **2** Esse fruto.

cambuci (cam.bu.*ci*) *sm. Bras.* **1** *Bot.* Pequena árvore de flores brancas e frutos semelhantes ao cambucá. **2** O fruto dessa árvore.

cambuizeiro (cam.bu:i.*zei*.ro) *sm. Bras. Bot.* Nome dado a uma espécie de árvore pequena e ao seu fruto comestível; CAMBUÍ.

cambulhada (cam.bu.*lha*.da) *sf.* Porção de coisas; CAMBADA.

camburão (cam.bu.*rão*) *sm.* Carro da polícia, ger. uma caminhonete, para transportar presos. [Pl.: *-rões*.]

cameleiro (ca.me.*lei*.ro) *a.sm.* Que ou quem conduz camelos.

camélia (ca.*mé*.li.a) *sf. Bot.* **1** Planta ornamental de flores grandes e belas. **2** A flor dessa planta.

camelo (ca.*me*.lo) [ê] *sm.* **1** *Zool.* Mamífero com duas corcovas, originário da Ásia. **2** *Bras. Gír.* Bicicleta.

CAMÉLIA

camelô (ca.me.*lô*) *sm.* Pessoa que comercia produtos na rua, ger. sem permissão legal.

camelódromo (ca.me.*ló*.dro.mo) *sm. Bras. Gír.* Lugar fixo de concentração de camelôs em atividade.

câmera (*câ*.me.ra) *sf.* **1** Ver *câmara* (5) *s2g.* **2** Ver *câmara* (6).

camerlengo (ca.mer.*len*.go) *sm.* Cardeal que substitui o papa, quando este morre, até à posse do seguinte.

caminhada (ca.mi.*nha*.da) *sf.* **1** Ação ou resultado de caminhar. **2** Jornada que se faz a pé: *Fez uma boa caminhada pelo bosque.* **3** Extensão do caminho: *A caminhada de sua rua à praça era longa.*

caminhante (ca.mi.*nhan*.te) *a2g.s2g.* Que ou quem caminha; CAMINHEIRO.

caminhão (ca.mi.*nhão*) *sm.* Veículo automóvel com carroceria na parte traseira, para transporte de carga. [Pl.: *-nhões*.]

caminhar (ca.mi.*nhar*) *v.* **1** Seguir a pé, fazer uma caminhada; percorrer andando. [*int.*: *Sempre gostou de caminhar*; (seguido de indicação de lugar) *Gostava de caminhar pelos campos.* **td.**: *caminhar um longo percurso*; (seguido de expressão de medida) *Caminhava seis quilômetros por dia.*] **2** *Fig.* Fazer progresso; andar para a frente; AVANÇAR; PROGREDIR. [*int.*: *As coisas estavam caminhando como tínhamos previsto.*] **3** Ter propensão, tendência a; seguir em direção de; TENDER. [*ti.* + *a, para*: "O país poderá caminhar para a plenitude de suas realizações." (Cecília Meireles, *Crônicas de educação* 2).] [▶ 1 caminhável]

caminheiro (ca.mi.*nhei*.ro) *a.sm.* Ver *caminhante*.

caminho (ca.*mi*.nho) *sm.* **1** Faixa de terreno, destinada ao trânsito de pessoas e veículos. **2** Espaço que se percorre andando: *Tinha ainda muito caminho a andar.* **3** Rumo, destino. ▪▪ ~ **das pedras** O roteiro adequado para se conseguir algo. **Meio ~ andado** Referência à situação em que parte dos problemas já se resolveu ou parte das tarefas já se realizou. **Pôr-se a** ~ Começar atividade, projeto, empreendimento etc.

caminhoneiro (ca.mi.nho.*nei*.ro) *sm.* Motorista profissional que dirige caminhão.

caminhonete (ca.mi.nho.*ne*.te) *sf.* Veículo automóvel que transporta passageiros e carga.

camisa (ca.*mi*.sa) *sf.* **1** Peça do vestuário, com gola, mangas curtas ou compridas, fechada com botões. **2** Invólucro de luz em certos aparelhos de iluminação.

camisa de força (ca.mi.sa de *for*.ça) [ô] *sf.* Camisa de tecido forte, de mangas fechadas com tiras nas extremidades que se amarram ao corpo, us. antigamente para imobilizar doentes mentais em estado de grande agitação. [Pl.: *camisas de força*.]

camisa de vênus (ca.mi.sa de *vê*.nus) *sf.* Ver *camisinha*. [Pl.: *camisas de vênus*.]

camisaria (ca.mi.sa.*ri*.a) *sf.* Estabelecimento em que se fabricam e/ou vendem camisas.

camiseiro (ca.mi.*sei*.ro) *a.sm.* **1** Que ou quem fabrica e/ou vende camisas. *sm.* **2** Armário para guardar camisas.

camiseta (ca.mi.*se*.ta) [ê] *sf.* Tipo de camisa sem gola, com ou sem mangas, ger. de malha, que pode ser usada por baixo da camisa ou blusa ou sozinha.

camisinha (ca.mi.*si*.nha) *sf.* Invólucro feito de látex, fino e maleável, que se coloca no pênis para reter o esperma durante o ato sexual; CAMISA DE VÊNUS; PRESERVATIVO; CONDOM.

camisola (ca.mi.*so*.la) *sf.* **1** Roupa para dormir, semelhante a um vestido, ger. folgada e com comprimento variável. **2** *Bras.* Tipo de vestido longo e folgado.

camita (ca.*mi*.ta) *a2g.* **1** Que supostamente descende de Cã, um dos filhos de Noé, personagem da Bíblia (diz-se de povo africano); CAMÍTICO. *s2g.* **2** Esse povo.

camito-semita (ca.mi.to-se.*mi*.ta) *a2g.* **1** Dos ou ref. aos camitas e aos semitas. *a2g.sm.* **2** *Gloss.* Da, ref. à ou a família linguística falada do norte da África ao sudoeste da Ásia. [Pl.: *camito-semitas*.]

camomila (ca.mo.*mi*.la) *sf. Bot.* Planta aromática cujas folhas são utilizadas em chás ger. com propriedades calmantes e digestivas.

camoniano (ca.mo.ni:*a*.no) *a.* **1** De ou próprio do poeta português Luís de Camões. *sm.* **2** Admirador ou estudioso da obra desse autor.

camorra (ca.*mor*.ra) [ô] *sf.* **1** Qualquer grupo organizado de malfeitores.

campa (*cam*.pa) *sf.* **1** Pedra ou lousa que cobre a sepultura. **2** Cova em que se sepultam os cadáveres; SEPULTURA. **3** Pequeno sino.

campainha (cam.pa.*i*.nha) *sf.* **1** Dispositivo (elétrico ou mecânico) instalado em portões ou portas, que emite som alto ao ser acionado por alguém que deseja entrar no recinto. **2** Dispositivo ligado a despertadores, telefones etc., que emite som agudo, programado para acordar ou chamar a atenção de alguém. **3** Sineta manual. **4** *Pop.* Úvula.

campal (cam.*pal*) *a2g.* **1** Que se realiza em campo aberto (batalha campal, missa campal). **2** De ou próprio do campo. [Pl.: *-pais*.]

campana (cam.*pa*.na) *sf.* **1** Sino. **2** *RJ Gír.* Ação de espionar alguém para roubá-lo ou prendê-lo.

campanário (cam.pa.ná.rio) *sm.* **1** Abertura na torre de igrejas onde ficam os sinos. **2** Torre de sinos.

campanha (cam.*pa*.nha) *sf.* **1** Conjunto de esforços para atingir um objetivo (campanha publicitária). **2** *Mil.* Conjunto de operações militares que visam a certo objetivo, numa mesma área geográfica. **3** Campo vasto e plano; PLANÍCIE.

campaniforme (cam.pa.ni.*for*.me) *a2g.* Em forma de campânula.

campanudo (cam.pa.*nu*.do) *a.* **1** Em forma de campânula ou sino. **2** *Fig.* Empolado, afetado, bombástico: *escritor de estilo campanudo.*

campânula (cam.*pâ*.nu.la) *sf.* **1** Objeto em forma de sino. **2** Redoma us. para proteger objetos do ar, da poeira etc.

campeão (cam.pe.*ão*) *sm.* Pessoa ou pugilo que vence um campeonato ou torneio. [Pl.: *-ões*. Fem.: *-ã*. Superl.: *campeoníssimo*.]

CAMPÂNULAS (1)

campear (cam.pe.*ar*) *v.* **1** Procurar (animais, esp. gado), percorrendo campo (a pé ou a cavalo). [*td*.: *O peão campeava bezerros fujões*. *int*.: "...lacava os fujões. Um peão campeava feito um todo vaqueiro..." (Guimarães Rosa, *Grande sertão: veredas*).] **2** Esforçar-se por encontrar (algo); BUSCAR; PROCURAR. [*td*.: *Campeou o livro na biblioteca*.] **3** Dominar, imperar. [*int*.: *No carnaval, a alegria campeia*.] **[▶ 13** campear] ● **cam.pe:a.ção** *sf.*; **cam.pe:a.dor** *a.sm.* **cam.pei.o** *sm.*

campeche (cam.*pe*.che) *sm. Bot.* Árvore de madeira vermelho-escura, da qual se extrai corante.

campeiro (cam.*pei*.ro) *a.sm.* **1** Que ou quem vive ou trabalha no campo. *a.* **2** Do ou próprio do campo; CAMPESTRE.

campeonato (cam.pe:o.*na*.to) *sm.* Competição na qual o vencedor recebe o título de campeão.

campesinato (cam.pe.si.*na*.to) *sm.* Grupo social formado por pequenos proprietários de terras e trabalhadores rurais.

campesino (cam.pe.*si*.no) *a.* Ver *campestre*.

campestre (cam.*pes*.tre) *a2g.* Do ou próprio do campo; CAMPESINO; CAMPONÊS.

campina (cam.*pi*.na) *sf.* Campo extenso sem árvores e ger. coberto de vegetação rasteira.

campineiro (cam.pi.*nei*.ro) *a.* **1** De Campinas (SP); típico dessa cidade ou de seu povo. *sm.* **2** Pessoa nascida em Campinas.

✦ **camping** (*Ing.* /*câmpin*/) *sm.* **1** Atividade que consiste em viajar e acampar ao ar livre, ger. em grupos. **2** Lugar destinado a essa atividade.

campista (cam.*pis*.ta) *sm.* Pessoa que campeia (1).

campo (*cam*.po) *sm.* **1** Terreno vasto sem árvores. **2** Grande terreno plantado; PLANTAÇÃO. **3** Zona distante das grandes cidades, onde ger. se pratica a agricultura. **4** *Fig.* Área de conhecimento ou de atividade; ÂMBITO; DOMÍNIO. **5** *Fig.* Assunto, matéria. **6** *Esp.* Terreno demarcado para a prática de certos esportes: *campo de golfe*. **7** Espaço destinado a receber determinado tipo de informações num formulário, questionário, base de dados etc. **▪▪ Alugar meio ~** *Fut.* Estar todo o time avançado durante algum tempo, com dez (ou quase) jogadores no campo adversário. **~ de concentração** Lugar no qual se mantêm como prisioneiros pessoas (ger. civis) que um governo, ou grupo no poder, considera serem nocivas à sociedade, ou prejudiciais a seus objetivos ideológicos e políticos. **Sair em ~** Pôr-se em ação para determinado fim.

campo-grandense (cam.po-gran.*den*.se) *a2g.* **1** De Campo Grande, capital do Estado de Mato Grosso do Sul; típico dessa cidade ou de seu povo. *s2g.* **2** Pessoa nascida em Campo Grande. [Pl.: *campo-grandenses*.]

camponês (cam.po.*nês*) *sm.* **1** Pessoa que mora e/ou trabalha no campo; CAMPÔNIO. *a.* **2** Do ou próprio do campo; CAMPESTRE. [Pl.: *-neses*. Fem.: *-nesa*.]

campônio (cam.*pô*.ni:o) *sm.* Ver *camponês* (1). [Us. ger. como *Pej*.]

campo-santo (cam.po-*san*.to) *sm.* Cemitério. [Pl.: *campos-santos*.]

✦ **campus** (*Lat.* /*câmpus*/) *sm.* Área onde ficam os edifícios e terrenos de uma universidade. [Pl.: *campi*.]

camuflar (ca.mu.*flar*) *v. td.* **1** *Mil.* Dissimular (tropas, armas, instalações militares etc.) com pintura, galhos, terra etc., de modo a não serem percebidos pelo inimigo. **2** *Fig.* Disfarçar, esconder: *O contrabandista camuflou a mercadoria*; *camuflar sentimentos*. [**▶ 1** camuflar] ● **ca.mu.fla.gem** *sf.*

camundongo (ca.mun.*don*.go) *sm. Zool.* Pequeno rato doméstico.

camurça (ca.*mur*.ça) *sf.* **1** *Zool.* Espécie de cabra montês. **2** Pele curtida desse animal, us. na confecção de calçados, luvas etc.

cana¹ (*ca*.na) *sf.* **1** *Bot.* Caule de várias plantas, como a cana-de-açúcar, o bambu etc. **2** *Bot.* F. red. de *cana-de-açúcar*. **3** *Bras. Gír.* Cachaça.

cana² (*ca*.na) *sf. Bras. Gír.* Cadeia, prisão.

cana-de-açúcar (ca.na-de-a.*çú*.car) *sf. Bot.* Planta us. na fabricação de açúcar, álcool e aguardente; CANA. [Pl.: *canas-de-açúcar*.]

canadense (ca.na.*den*.se) *a2g.* **1** Do Canadá (América do Norte); típico desse país ou de seu povo. *s2g.* **2** Pessoa nascida no Canadá.

canal (ca.*nal*) *sm.* **1** Sulco por onde corre água. **2** Passagem que liga mares, rios etc. **3** *Vet. ducto*. **4** *Telv.* Faixa de frequência para transmissão de imagens por televisão. **5** *Fig.* Via, trâmite: *Submetemos o assunto aos canais competentes*. **6** *Od.* Canal (3) que atravessa cada ramo de uma raiz dentária. [Tb. *canal pulpar*.] [Pl.: *-nais*. Dim.: *canaleta, canalete, canalículo*.] **▪▪ Misturar os canais** *Gír.* Confundir-se, trocar as bolas.

canaleta (ca.na.*le*.ta) [ê] *sf.* Ver *calha* (2).

canalha (ca.na.lha) *a2g.s2g.* **1** Que ou quem é desprezível, vil (atitude canalha).

canalhice (ca.na.*lhi*.ce) *sf.* Qualidade, ação ou dito próprios de canalha.

canalização (ca.na.li.za.*ção*) *sf.* **1** Ação ou resultado de canalizar. **2** Conjunto de canais ou canos. [Pl.: *-ções*]

canalizar (ca.na.li.*zar*) *v.* **1** Dispor ou instalar canais, tubos etc. para conduzir (fluido); conduzir (fluido) por meio de canais ou canos. [*td*.: *O secretário de obras mandou canalizar as águas da chuva*.] **2** Abrir canais em. [*td*.: *É necessário canalizar a região*.] **3** Construir redes de água e esgoto em. [*td*.: *O prefeito prometeu canalizar todo o município*.] **4** *Fig.* Mobilizar e encaminhar (trabalho, recursos etc.); DIRECIONAR. [*td.* + *contra, para*: *O governador canalizou recursos para a saúde*.] [**▶ 1** canalizar]

canapé (ca.na.*pé*) *sm.* **1** Espécie de sofá de madeira, com encosto e braços. **2** *Cul.* Aperitivo feito com uma pequena fatia de pão sobre a qual se colocam pastas condimentadas, frios etc.

canarino (ca.na.*ri*.no) *a*. **1** Das ilhas Canárias (costa oeste da África); típico desse arquipélago ou de seu povo. *sm*. **2** Pessoa nascida nas ilhas Canárias.

canário (ca.ná.ri:o) *sm*. *Zool*. Pequeno pássaro canoro, ger. amarelo.

canastra¹ (ca.*nas*.tra) *sf*. **1** Cesta larga feita com ripas de madeira flexível. **2** *Bras*. Caixa ou maleta de couro em que se guardam roupas brancas e objetos pessoais.

canastra² (ca.*nas*.tra) *sf*. Jogo de cartas de origem argentina, que é jogado por duas duplas.

canastrão (ca.nas.*trão*) *sm*. *Bras*. *Pop*. Ator sem talento. [Pl.: *-trões*. Fem.: *-trona*.]

canavial (ca.na.vi:*al*) *sm*. Plantação de cana-de-açúcar. [Pl.: *-ais*.]

canavieiro (ca.na.vi:*ei*.ro) *Bras*. *a*. **1** Ref. a, da ou próprio da cana-de-açúcar (indústria canavieira). *sm*. **2** Plantador de cana-de-açúcar.

cancã (can.*cã*) *sm*. Dança originária dos cabarés franceses, dançada por mulheres.

canção (can.*ção*) *sf*. **1** Qualquer composição musical (popular ou erudita) para ser cantada. **2** Poesia lírica. [Pl.: *-ções*.]

cancela (can.ce.la) *sf*. **1** Portão gradeado, ger. de madeira, à entrada de propriedades rurais; PORTEIRA. **2** Barreira móvel instalada em passagens de nível, postos de pedágio e outros tipos de acessos.

cancelar (can.ce.*lar*) *v*. *td*. **1** Riscar (texto, desenho etc.) para tornar nulo; ELIMINAR: *Cancelou os desenhos malfeitos*. **2** Considerar nulo ou sem valor; ANULAR: *Cancelou o cheque com o valor errado*. **3** Determinar que não se realize o que se planejou: *O ministro cancelou a visita*. [▶ **1** cancel**ar**] • **can.ce.la.men**.to *sm*.

câncer (*cân*.cer) *sm*. **1** *Med*. Doença causada pela multiplicação incontrolável de um grupo de células, ger. em forma de tumor maligno, e que pode se espalhar pelo organismo. ⌧ **Câncer** *sm*. *Astrol*. **2** Signo (do Zodíaco) das pessoas nascidas entre 21 de junho e 22 de julho. **3** Canceriano: *Vovó é Câncer*.

canceriano (can.ce.ri:a.no) *a.sm*. Que ou quem nasceu sob o signo de Câncer.

cancerígeno (can.ce.*rí*.ge.no) *a*. Que pode produzir câncer (1).

cancerizar (can.ce.ri.*zar*) *v*. Transformar-se em câncer, tornar-se canceroso. [*int./pr.*: *Infelizmente, o tumor cancerizou(-se)*.] [▶ **1** canceriz**ar**]

cancerologia (can.ce.ro.lo.*gi*.a) *sf*. *Med*. Parte da medicina que estuda o câncer e seu tratamento; ONCOLOGIA. • **can.ce.ro.lo.gis.ta** *s2g*.

canceroso (can.ce.ro.so) [ô] *a*. Típico do câncer (1) (tumor *canceroso*). *a.sm*. **2** Que ou quem sofre de câncer (1). [Fem. e pl.: [ó].]

cancha (*can*.cha) *sf*. *Bras*. **1** Pista para corrida de cavalos. **2** Campo demarcado para a prática de certos esportes, como o futebol, o tênis etc. **3** *Pop*. Grande experiência; TARIMBA: *Pode confiar nele, tem muita cancha*.

cancioneiro (can.ci:o.*nei*.ro) *sm*. **1** Coleção de canções. **2** Coleção de poesias ou canções populares. **3** *Liter*. Coleção de antigos poemas líricos das literaturas portuguesa, espanhola e galega.

cançoneta (can.ço.*ne*.ta) [ê] *sf*. *Mús*. Canção curta, de tema leve e jocoso.

cancro (*can*.cro) *sm*. **1** *Med*. Ferida localizada que surge no primeiro estágio de algumas doenças venéreas. **2** Doença infecciosa que ataca plantas. **3** *Fig*. Fonte de deterioração progressiva: *A negligência com a educação é um cancro na sociedade*. **4** *Med*. *Lus*. Câncer.

candango (can.*dan*.go) *sm*. *Bras*. **1** Operário que trabalhou na construção de Brasília (DF). **2** Qualquer dos primeiros habitantes de Brasília (DF).

candeeiro (can.de.*ei*.ro) *sm*. Aparelho de iluminação portátil a gás ou óleo inflamável; LAMPIÃO.

candeia (can.*dei*.a) *sf*. Pequeno aparelho de iluminação que se pendura à parede e funciona com a queima de um pavio embebido em óleo; CANDELA (1).

candela (can.*de*.la) *sf*. **1** Ver *candeia*. **2** *Ópt*. Unidade de medida de intensidade luminosa. [Símb.: *cd*.]

candelabro (can.de.*la*.bro) *sm*. Grande castiçal com vários braços e um ponto de luz em cada um deles.

candente (can.*den*.te) *a2g*. **1** Incandescente, quente como brasa; ABRASADO. **2** Entusiasmado, ardoroso (pronunciamento *candente*).

cândida (*cân*.di.da) *sf*. *Bac*. Fungo da flora bucal, intestinal, vaginal e também da pele.

candidatar-se (can.di.da.*tar*-se) *v*. *pr*. Apresentar-se como candidato: *Pretendia candidatar-se a vereador*. [▶ **1** candidat**ar**-se]

candidato (can.di.*da*.to) *sm*. **1** Pessoa que pretende eleger-se ou ser escolhida em eleição, nomeação etc. **2** Pessoa que disputa vaga em concursos para empregos, bolsas etc.

candidatura (can.di.da.*tu*.ra) *sf*. **1** Qualidade ou condição de quem é candidato: *O escândalo ameaçava sua candidatura*. **2** Ato de apresentar-se ou ser apresentado como candidato, ou registro desse ato: *Sua candidatura foi apresentada dentro do prazo*.

candidíase (can.di.*dí*.a.se) *sf*. *Med*. Infecção causada por cândida.

cândido (*cân*.di.do) *a*. **1** Que tem candura; INOCENTE; PURO. **2** Imaculado. • **can.di.*dez* *sf*.

candomblé (can.dom.*blê*) *sm*. *Rel*. **1** Religião afro-brasileira que cultua orixás por meio de cantos, danças e oferendas. **2** Local onde se realiza esse culto. **3** Ritual desse culto.

candonga (can.*don*.ga) *sf*. **1** Elogio interesseiro; BAJULAÇÃO; LISONJA. **2** Pessoa querida; BENZINHO; AMOR.

candor (can.*dor*) [ô] *sm*. Qualidade do que é puro; CANDURA; INOCÊNCIA.

candura (can.*du*.ra) *sf*. Qualidade do que ou de quem é puro, inocente, ingênuo; CANDOR; PUREZA.

caneca (ca.*ne*.ca) *sf*. Vasilha cilíndrica, com asa, para beber líquidos.

caneco (ca.*ne*.co) *sm*. **1** Caneca comprida. **2** *Pop*. Troféu concedido ao vencedor de uma competição; TAÇA. ⌧ **Pintar os ~s** Fazer travessuras, pintar o sete.

canela¹ (ca.*ne*.la) *sf*. **1** *Cul*. Condimento aromático, em pó ou em fragmentos, obtido pela trituração da casca da caneleira¹. **2** *Bot*. Ver caneleira¹. **3** A cor acastanhada da canela em pó. *a2g2n*. **4** Que é dessa cor (sofá *canela*).

canela² (ca.*ne*.la) *sf*. Parte dianteira da perna, do joelho ao pé. ⌧ **Esticar a(s) ~(s)** *Pop*. Morrer.

canelada (ca.ne.*la*.da) *sf*. Pancada na canela².

caneleira¹ (ca.ne.*lei*.ra) *sf*. Árvore da qual se extrai a canela¹ (1); CANELA¹ (2).

caneleira² (ca.ne.*lei*.ra) *sf*. Peça acolchoada que serve para proteger a canela².

canelone (ca.ne.*lo*.ne) *sm*. *Cul*. Massa alimentícia enrolada em cilindros, com recheios variados, e que vai ao forno para gratinar.

canelura (ca.ne.*lu*.ra) *sf*. *Arq*. Sulcos e ranhuras de efeito decorativo feitos de alto a baixo, ger. em pilastras e colunas.

caneta (ca.*ne*.ta) [ê] *sf*. Tubo de plástico ou de metal contendo um cilindro com tinta e uma ponta ou pena que serve para escrever.

canetar (ca.ne.*tar*) *v*. *td*. **1** *BA Gír*. Dedurar. **2** *Bras*. *Gír*. Multar. **3** *Bras*. Assinar uma determinação: *O presidente canetou a reforma*. **4** Marcar ger. com caneta. [▶ **1** canet**ar**]

caneta-tinteiro (ca.ne.ta-tin.*tei*.ro) *sf*. Caneta em cujo interior há um pequeno reservatório de tin-

cânfora | **canonização** 136

ta líquida, que pode ser reabastecido. [Pl.: *canetas-tinteiro*.]
cânfora (*cân*.fo.ra) *sf*. *Quím*. Substância cheirosa, us. em medicina e na indústria, extraída da canforeira ou produzida sinteticamente. ● **can.fo.ra.do** *a*. (álcool *canforado*.)
canforeira (can.fo.*rei*.ra) *sf*. *Bot*. Árvore originária da China, de madeira resinosa, da qual é extraída a cânfora.
canga¹ (*can*.ga) *sf*. Peça de madeira que junta dois bois pelo pescoço e se liga a carro ou arado por eles puxado; JUGO.
canga² (*can*.ga) *sf*. *MG Geol*. Concreções de minério da superfície do solo que podem apresentar alto teor de ferro.
canga³ (*can*.ga) *sf*. Tecido leve, retangular, que pode ser amarrado ao corpo de diversas formas, servindo ger. como saída de praia.
cangaceiro (can.ga.*cei*.ro) *sm*. *Bras*. Bandido de grupos armados do sertão do Nordeste brasileiro que atuaram mais intensamente na primeira metade do séc. XX; JAGUNÇO.
cangaço (can.*ga*.ço) *sm*. Modo de vida dos cangaceiros.
cangalha (can.*ga*.lha) *sf*. **1** Triângulo de madeira que se põe no pescoço de porcos para impedi-los de fuçar vegetais plantados. ◘ **cangalhas** *sfpl*. **2** Peça de ferro ou de madeira que serve para sustentar equilibradamente carga em lombo de burros.
cangambá (can.gam.*bá*) *sm*. *Zool*. Certo mamífero que lança um líquido malcheiroso pelas glândulas anais quando é atacado; JARITATACA.
cangote (can.*go*.te) *sm*. Parte traseira do pescoço; NUCA; CERVIZ.
cangulo (can.*gu*.lo) *sm*. **1** *Zool*. Peixe de água salgada que tem os dentes superiores muito salientes. **2** *Fig*. Pessoa dentuça.
canguru (can.gu.*ru*) *sm*. *Zool*. Mamífero marsupial com membros posteriores muito desenvolvidos e que se locomove aos saltos.
cânhamo (*câ*.nha.mo) *sm*. *Bot*. Planta cujo caule fornece fibra têxtil e de cujas folhas e flores são feitos a maconha e o haxixe: *colcha de cânhamo*.
canhão (ca.*nhão*) *sm*. **1** *Mil*. Arma pesada de guerra para lançamento de bombas, mísseis ou projéteis em alvos distantes. **2** *Bras. Pej*. Pessoa muito feia. [**At!** Considerado ofensivo nesta acepção.] **3** *Geog*. Garganta profunda, estreita e sinuosa, escavada por um curso d'água. **4** *Teat. Telv*. Projetor de base móvel. [Pl.: *-nhões*.]
canhestro (ca.*nhes*.tro) [ê] *a*. **1** Sem jeito; DESAJEITADO. [Ant.: *jeitoso*.] **2** Feito com imperfeição; MALFEITO.
canhonaço (ca.nho.*na*.ço) *sm*. Tiro de canhão.
canhonear (ca.nho.ne.*ar*) *v. td*. Atacar (alvo) atirando com canhões: *Os soldados canhonearam o inimigo*. [▶ 13 canhon**ear**]
canhoneira (ca.nho.*nei*.ra) *sf*. **1** Pequeno navio munido de canhões para defesa de rios ou litorais. **2** Vão ou abertura nas muralhas antigas (sécs. XV e XVI) para possibilitar os tiros de canhões ou outras armas.
canhoto (ca.*nho*.to) [ô] *a*. **1** Que é mais hábil com a mão ou perna esquerda: (tenista *canhoto*). [Ant.: *destro*.] *sm*. **2** Indivíduo canhoto: *Havia apenas um canhoto no grupo*. [Fem.: *-nhota* [ó ou ô].] **3** *Bras*. A parte do cheque, recibo, cupom etc. que não se destaca do talão. ◘ **canhota** *sf*. **4** Mão ou perna esquerda.
canibal (ca.ni.*bal*) *s2g*. **1** Pessoa que come carne humana; ANTROPÓFAGO. **2** Animal que devora outro da mesma espécie. *a2g*. **3** Ref. a canibalismo; CANIBALESCO. [Pl.: *-bais*.]
canibalesco (ca.ni.ba.*les*.co) [ê] *a*. Ver *canibal* (3).
canibalismo (ca.ni.ba.*lis*.mo) *sm*. Ato ou condição de canibal; ANTROPOFAGIA.
canibalizar (ca.ni.ba.li.*zar*) *v. td*. **1** Tirar peça(s) de (equipamento, máquina etc.) para usar em (outro),

ger. com adaptações: *O mecânico canibalizou o motor do carro*. **2** *Fig*. Reutilizar algo, fazendo adaptações; REAPROVEITAR: *O compositor canibalizou a sua ópera*. [▶ 1 canibaliz**ar**] ● **ca.ni.ba.li.za.ção** *sf*.
caniçada (ca.ni.*ça*.da) *sf*. Grade ou cerca feita com caniços.
canície (ca.*ni*.ci:e) *sf*. **1** Aparecimento de cabelos brancos, ou cãs. **2** *Fig*. Velhice.
caniço (ca.*ni*.ço) *sm*. **1** Vara de pescar. **2** *Bot*. Cana fina. **3** *Fig*. Pessoa muito magra. **4** *Pop*. Perna fina.
canícula (ca.*ni*.cu.la) *sf*. Época de forte calor; esse calor. ● **ca.ni.cu.***lar** *a2g*.
canicultura (ca.ni.cul.*tu*.ra) *sf*. Criação de cães. ● **ca.ni.cul.***tor* *sm*.
canil (ca.*nil*) *sm*. Lugar onde se alojam ou criam cães. [Pl.: *-nis*.]
caninana (ca.ni.*na*.na) *sf*. *Bras. Zool*. Cobra preta e amarela, não venenosa, com mais de 2m de comprimento.
canindé (ca.nin.*dé*) *sm*. *Bras. Zool*. Espécie de arara azul e amarela.
caninha (ca.*ni*.nha) *sf*. *Bras. Pop*. Cachaça.
canino (ca.*ni*.no) *a*. **1** Ref. a ou próprio de cão (fidelidade *canina*). *sm*. **2** *Od*. Cada um dos quatro dentes situados entre os incisivos e os pré-molares.
canitar (ca.ni.*tar*) *sm*. *Bras. Etnog*. Enfeite de penas us. na cabeça pelos índios.
canivete (ca.ni.*ve*.te) *sm*. Instrumento com uma ou mais lâminas e ger. outros acessórios retráteis, que se encaixam num cabo.
canja (*can*.ja) *sf*. **1** *Cul*. Sopa de galinha com arroz, cenoura e ger. salsa ou coentro. **2** *Bras. Fig*. Coisa fácil: *Foi canja resolver isso*. ▪▪ **Dar (uma) ~** *Bras. Pop*. Apresentar (ger. músico ou cantor) número gratuito e improvisado.
canjarana, canjerana (can.ja.*ra*.na, can.je.*ra*.na) *sf*. *Bras. Bot*. Árvore de madeira vermelha, boa para marcenaria; PAU-SANTO.
canjerê (can.je.*rê*) *sm*. *Bras*. **1** Reunião para a prática de feitiçaria. **2** Feitiço.
canjica (can.*ji*.ca) *sf*. *Bras. Cul*. Mingau de milho branco (ou verde) com leite de vaca (ou de coco), açúcar e canela.
canjiquinha (can.ji.*qui*.nha) *sf*. *Bras*. **1** Milho picado para alimentação de aves. **2** *RJ* Canjica.
canjirão (can.ji.*rão*) *sm*. Jarro com asa, de boca larga, us. para vinho ou cerveja. [Pl.: *rões*.]
cano (*ca*.no) *sm*. **1** Qualquer tubo para escoamento de líquidos, gases etc. **2** Tubo das armas de fogo, por onde sai a bala. **3** Em calçado ou luva, a parte que tem forma de tubo. **4** *Bras. Gír*. Calote, prejuízo: *Deu o cano nos credores*. ▪▪ **Dar (um/o) ~** *Pop*. Faltar a encontro, a compromisso. **Entrar pelo ~** *Gír*. Dar-se mal, fracassar.
canoa (ca.*no*.a) [ô] *sf*. *Mar*. Pequeno barco a remo. ● **ca.no.a.gem** *sf*.; **ca.no.***ís*.ta *s2g*.
canoeiro (ca.no.*ei*.ro) *sm*. **1** Quem dirige canoa. **2** Pessoa que faz canoas.
cânon (*câ*.non) *sm*. **1** Conjunto de regras ou princípios fundamentais: *os cânones da arquitetura*. **2** Padrão, norma: *comportamento fora dos cânones*. **3** Lista, relação: *Seu nome figura no cânon dos santos*. **4** *Rel*. Conjunto das leis da Igreja Católica. **5** *Litu*. A parte central da missa. [Sin. ger.: *cânone*.] [Pl.: *-nones*.] ● **ca.***nô*.ni.co *a*.
cânone (*câ*.no.ne) *sm*. **1** Ver *cânon*. **2** *Mús*. Composição cujo tema é iniciado por uma voz, e, em seguida, imitado por outra(s) em compassos diferentes.
canonical (ca.no.ni.*cal*) *a2g*. Ref. a cônego. [Pl.: *-cais*.]
canonicato (ca.no.ni.*ca*.to) *sm*. Dignidade de cônego.
canonisa (ca.no.*ni*.sa) *sf*. Religiosa com dignidade correspondente à de cônego.
canonização (ca.no.ni.za.*ção*) *sf*. **1** Ação ou resultado de canonizar. **2** *Fig*. Consagração de algo ou al-

guém: *A imprensa se encarregou da canonização do poeta.* [Pl.: -ções.]

canonizar (ca.no.ni.*zar*) *v. td.* **1** Reconhecer como santo: *A Igreja canonizou frei Galvão.* [Cf.: *beatificar.*] **2** *Fig.* Fazer muitos elogios a; EXALTAR: *A torcida canonizou o técnico.* **3** *Fig.* Abonar, consagrar: *O romance canonizou algumas expressões.* [▶ **1** canoniz*ar*]

canoro (ca.*no*.ro) *a.* Que canta melodiosamente (pássaro canoro).

cansaço (can.*sa*.ço) *sm.* Estado físico ou mental de quem se cansou, de quem está falto de forças ou energia devido a esforço ou doença; CANSEIRA.

cansado (can.*sa*.do) *a.* **1** Que se cansou; FATIGADO. **2** Que se entediou: *Está cansado desse lugar.*

cansanção (can.san.*ção*) *sm. Bras. Bot.* Nome dado a várias plantas que queimam a pele, como as urtigas. [Pl.: -ções.]

cansar (can.*sar*) *v.* **1** Provocar cansaço, fadiga a; FATIGAR. [*td.*: "Por vezes me *cansa* estar sempre cumprindo obrigações..." (Ana Maria Machado, *Texturas*).] **2** Ficar ou sentir-se cansado; FATIGAR-SE. [*int./pr.*: *O velho cavalo cansava(-se) facilmente.*] **3** Causar aborrecimento ou ficar aborrecido; ABORRECER(-SE), ENFADAR(-SE). [*td.*: *As reprises na televisão cansam o telespectador.* *int./pr.*: *O menino (se) cansou das reprimendas da professora.*] [▶ **1** cans*ar*] [NOTA: Us. tb. como v. auxiliar, seguido da prep. *de* + v. principal no infin., indicando "repetição da ação" ou "cessação da ação": *Depois que se aposentou, cansou de viajar pelo Brasil; Não cansava de me olhar.*]

cansativo (can.sa.*ti*.vo) *a.* **1** Que cansa; FATIGANTE. **2** Que entedia.

canseira (can.*sei*.ra) *sf.* Esforço que cansa; CANSAÇO.

cantada (can.*ta*.da) *sf. Bras. Pop.* Conversa atraente, para convencer ou seduzir alguém.

cantador (can.ta.*dor*) [ô] *a.* **1** Que ou quem canta. *sm.* **2** *N.E.* Cantor ou poeta popular que improvisa versos ao som de viola ou rabeca.

cantante (can.*tan*.te) *a2g.* **1** Que canta. **2** Próprio para ser cantado.

cantão (can.*tão*) *sm.* Divisão territorial adotada em alguns países: *os cantões suíços.* [Pl.: -tões.]

cantar (can.*tar*) *v.* **1** Expressar por meio do canto²; ENTOAR. [*td.*: *cantar um samba.* **tdi.** + *a, para*: *Cantou para ela uma canção de amor.*] **2** Produzir sons cadenciados. [*int.*: *As cigarras cantavam nas árvores.*] **3** Anunciar de forma clara e pausada; APREGOAR. [*td.*: *Os ambulantes cantavam seus produtos na feira.*] **4** Exaltar, louvar em poesia. [*td.*: *O poeta cantou as belezas da cidade.*] **5** *Bras. Pop.* Tentar conquistar ou obter favor de; SEDUZIR. [*td.*: *Metido a galã, cantou a vizinha; Cantava o irmão para emprestar o carro.*] **6** Anunciar, comunicar antecipadamente. *tdi.* + *a, para*: *Cantou ao amigo que ele seria promovido.*] *sm.* **7** Cantiga, canto². [▶ **1** cant*ar*] ● **can.*tá*.vel** *a2g.*

cantaria (can.ta.*ri*.a) *sf. Cons.* Pedra trabalhada esp. para construções.

cantárida (can.*tá*.ri.da) *sf. Zool.* Tipo de besouro da Europa, us. para fins medicinais.

cântaro (*cân*.ta.ro) *sm.* Vaso grande, arredondado, com asa, us. para armazenar líquidos. ■ **A ~s** Com muita intensidade (ref. a chuva), torrencialmente.

cantarolar (can.ta.ro.*lar*) *v.* **1** Cantar baixo; TRAUTEAR. [*td.*: *Cantarolei um acalanto.* (tb. sem complemento explícito) *Adora samba, e vive a cantarolar.*] **2** *Fig.* Emitir sons harmoniosos. [*td.*: *Ouvimos pássaros cantarolando suaves melodias.* *int.*: *Cantarolava durante o trabalho.*] [▶ **1** cantarol*ar*]

cantata (can.*ta*.ta) *sf. Mús.* Composição para voz(es), orquestra e coro.

canteiro (can.*tei*.ro) *sm.* **1** Pedaço de terreno para cultivo de plantas: *canteiro de rosas.* **2** Operário que trabalha em pedra de cantaria. **3** *Cons.* Espaço próximo a uma construção onde se realizam serviços auxiliares. [Tb. *canteiro de obras.*]

cântico (*cân*.ti.co) *sm. Litu. Mús.* Hino ou poema de louvor à divindade, a algo ou a alguém.

cantiga (can.*ti*.ga) *sf. Poesia* cantada; CANÇÃO.

cantil (can.*til*) *sm.* Pequeno recipiente us. para levar água em jornada. [Pl.: *-tis.*]

cantilena (can.ti.*le*.na) [ê] *sf.* **1** Cantiga delicada e breve. **2** *Fam. Fig.* Conversa monótona, queixosa: *Vem sempre com a mesma cantilena sobre doença.*

cantina (can.*ti*.na) *sf.* **1** Lanchonete instalada em escolas, quartéis etc. **2** Restaurante rústico, ger. italiano.

canto¹ (*can*.to) *sm.* **1** Lugar onde duas linhas ou superfícies se encontram, formando ângulo: *canto da página/da boca.* **2** Lugar retirado, ou onde se costuma ficar: *Não gosta de sair do seu canto.* **3** Lugar indeterminado: *Deve estar em algum canto.*

canto² (*can*.to) *sm.* **1** *Mús.* Som musical emitido pela voz do homem ou de outros animais. **2** *Mús.* Música vocal: *aula de canto.* **3** *Poét.* Divisão de poema longo: *poema em dez cantos.* ■ **~ do cisne** Última obra ou realização de um artista, de um virtuose etc.

cantochão (can.to.*chão*) *sm. Litu. Mús.* Canto litúrgico católico, entoado por homens, a uma só voz; canto gregoriano. [Pl.: *-chãos.*]

cantoneira (can.to.*nei*.ra) *sf.* **1** Peça de metal em forma de L para sustentar prateleiras. **2** Prateleira triangular que se encaixa num canto de parede. **3** Peça triangular para reforçar os cantos de pastas, capas de livros etc.

cantor (can.*tor*) [ô] *sm.* Quem canta, ger. como profissional.

cantoria (can.to.*ri*.a) *sf.* **1** Ação ou resultado de cantar. **2** Conjunto de vozes que cantam juntas. **3** *Bras. N.E.* Desafio de cantadores (2).

canudo (ca.*nu*.do) *sm.* **1** Tubo estreito e comprido us. para diversas finalidades, como, p.ex., para sorver bebidas (ger. de plástico). **2** *Pop.* Diploma, esp. o universitário.

cânula (*câ*.nu.la) *sf.* Tubo que se introduz em orifício ou cavidade do corpo para efetuar lavagens, drenagens etc.

canutilho (ca.nu.*ti*.lho) *sm.* Canudinho de vidro colorido, us. como enfeite em roupas femininas e fantasias.

canzoada (can.zo.*a*.da) *sf.* Bando ou barulheira de cães.

cão *sm.* **1** *Zool.* Mamífero domesticável, ger. de estimação, que tem vários comportamentos e usos: companhia, guarda, caça etc.; CACHORRO. [Fem.: *cadela.* Aum.: *canzarrão, canaz.* Dim.: *cãozinho, cãozito, canicho.*] **2** Peça de arma de fogo que percute a cápsula. **3** *Bras. Pop.* Diabo (1). [Pl.: *cães.*]

caolho (ca.*o*.lho) [ô] *a.sm. Bras.* **1** Que ou quem é cego de um olho; ZAROLHO. **2** Que ou quem tem estrabismo; VESGO.

caos (*ca*:os) *sm2n. Fil.* Estado de confusão total no universo, anterior à criação do mundo. **2** *Fig.* Confusão total, desordem. **3** *Fís.* Sistema extremamente instável, que varia enormemente no tempo e a cada pequena variação nas condições de seu início.

caótico (ca.*ó*.ti.co) *a.* **1** Ref. a caos. **2** Em estado ou situação de caos (2); totalmente confuso e desordenado.

cão-tinhoso (cão-ti.*nho*.so) [ô] *sm. Pop.* O diabo. [Pl.: *cães-tinhosos*[1].]

capa¹ (*ca*.pa) *sf.* **1** Peça de roupa que se veste por cima das outras com proteção contra o frio ou a chuva. **2** Cobertura de livros, revistas, cadernos etc. **3** Qualquer tipo de revestimento com a finalidade de proteção.

capa² (*ca*.pa) *sm.* A décima letra do alfabeto grego, correspondente ao *k* latino (K, k).

capação (ca.pa.*ção*) *sf.* Ação ou resultado de capar animais; CASTRAÇÃO. [Pl.: *-ções.*]

capacete (ca.pa.ce.te) [ê] sm. Peça de material resistente para proteger a cabeça.

capacho (ca.pa.cho) sm. **1** Tapete para nele se limpar a sola dos sapatos. **2** Fig. Pej. Pessoa servil e bajuladora.

capacidade (ca.pa.ci.da.de) sf. **1** Volume ou quantidade que pode caber em algo: *capacidade para vinte litros/dez pessoas*. **2** Qualidade de capaz; COMPETÊNCIA: *Tem capacidade para assumir a direção*. **3** Quanto (alguém ou algo) é capaz de fazer ou produzir: *capacidade de trabalho*. **4** Fig. Pessoa que tem muito talento ou saber: *Ela é uma capacidade*.

capacímetro (ca.pa.cí.me.tro) sm. Eletrôn. Instrumento para medir capacitância.

capacitância (ca.pa.ci.tân.ci:a) sf. Elet. Capacidade de certos dispositivos para armazenar energia elétrica; capacidade elétrica.

capacitar (ca.pa.ci.tar) v. **1** Tornar(-se) hábil ou capaz; HABILITAR(-SE). [*tdi. + a, para*: *Os exercícios capacitaram os remadores para a prova*; *pr.*: "Mais hospitais se aparelharam e se capacitaram para realizar os transplantes..." (FolhaSP, 19.01.99).] **2** Levar a ou adquirir certeza; CONVENCER(-SE); PERSUADIR(-SE). [*tdi. + de*: *O professor capacitou os alunos do valor da leitura*. *pr.*: *Capacitou-se da necessidade de levantar cedo*.] [▶ **1** capacit**ar**] • **ca.pa.ci.ta.ção de** sf.

capacitor (ca.pa.ci.tor) [ô] sm. Elet. Conjunto de condutores elétricos isolados entre si, que acumulam carga elétrica no campo eletrostático que se forma entre eles; CONDENSADOR.

capado (ca.pa.do) a. **1** Que se capou; CASTRADO. sm. **2** Animal castrado (ger. porco, ovinos) para engorda.

capadócio (ca.pa.dó.ci:o) a.sm. Bras. Pej. **1** Que ou quem tem procedimento de canalha, ou de trapaceiro. **2** Que ou quem tem pouca inteligência; IGNORANTE. **3** Que ou quem tenta enganar (outrem) assumindo ares de esperto; ESPERTALHÃO. [At! O termo é considerado ofensivo.]

capanga (ca.pan.ga) sf. Bras. **1** Pequena bolsa que se carrega na mão ou presa à cintura, ger. us. por homens. sm. **2** Guarda-costas.

capão¹ (ca.pão) sm. Animal capado para engorda (esp. frango). [Pl.: -pões.]

capão² (ca.pão) sm. Bras. Porção de mata em meio a um descampado. [Pl.: -pões.]

capar (ca.par) v. td. Tirar ou incapacitar os órgãos reprodutores de; CASTRAR: *O veterinário capou os gatos*. [▶ **1** cap**ar**]

capataz (ca.pa.taz) sm. **1** Chefe de grupo de trabalhadores. **2** Administrador de fazenda. **3** Encarregado da segurança em capitania do porto.

capatazia (ca.pa.ta.zi:a) sf. **1** Função de capataz. **2** Grupo chefiado por capataz.

capaz (ca.paz) a2g. **1** Que tem capacidade (1). **2** Que tem competência (profissional capaz); COMPETENTE. **3** Que tem possibilidade de: *capaz de chorar*. **4** Jur. Apto perante a lei. [Superl.: *capacíssimo*.]

capcioso (cap.ci:o.so) [ô] a. Que usa de astúcia para enganar ou induzir a erro (pergunta capciosa). [Fem. e pl.: /ó/.]

capear (ca.pe.ar) v. td. **1** Pôr capa em (capear cadernos); ENCAPAR. **2** Pôr revestimento em; COBRIR; REVESTIR: *O pedreiro capeou a parede*. **3** Fig. Tornar encoberto, oculto; ENCOBRIR; OCULTAR: *Seu sorriso capeava o nervosismo*. [▶ **13** cape**ar**]

capela (ca.pe.la) sf. **1** Igrejinha com apenas um altar; ERMIDA. **2** Divisão dentro de uma igreja, com altar próprio. **3** Espaço destinado ao culto, em hospitais, escolas etc.

capelão (ca.pe.lão) sm. Padre que reza missa em capela, ou que presta assistência espiritual em quartel, hospital, escola etc. [Pl.: -lães.] • **ca.pe.la ni:a** sf.

capelo¹ (ca.pe.lo) [ê] sm. **1** Capuz de frade. **2** Espécie de capa ou murça usada por doutores em solenidades acadêmicas.

capelo² (ca.pe.lo) [ê] sm. **1** Chapéu de cardeal. **2** Dignidade de cardeal.

capenga (ca.pen.ga) a2g.s2g. Bras. **1** Que ou quem puxa de uma perna; COXO. a2g. **2** Fig. Que está torto, ou incompleto (mesa capenga, texto capenga).

capengar (ca.pen.gar) v. int. **1** Caminhar desequilibradamente; COXEAR; MANCAR: *Capengava por ter machucado o pé*. **2** Fig. Não funcionar; FALHAR: *O som capengou na inauguração do bar*. [▶ **14** capeng**ar**]

capeta (ca.pe.ta) [ê] sm. **1** Bras. O diabo. a2g.s2g. **2** Fig. Que ou quem é travesso (ger. criança). • **ca.pe.ti.ce a**.

capiau (ca.pi:au) sm. Bras. Ver caipira (2). [Fem.: *capioa*.]

capilar (ca.pi.lar) a2g. **1** Ref. a, ou fino como cabelo (massagem capilar, tubo capilar). sm. **2** Anat. Vaso sangüíneo muito fino. • **ca.pi.la.ri.da.de** sf.

capilária (ca.pi.lá.ri:a) sf. Bot. Espécie de avenca.

capilé (ca.pi.lê) sm. Xarope de capilária.

capim (ca.pim) sm. Bras. Bot. Nome dado a várias plantas gramíneas que servem de pasto. [Pl.: *-pins*.]

capina (ca.pi.na) sf. Bras. Ação ou resultado de capinar.

capinadeira (ca.pi.na.dei.ra) sf. Máquina de capinar.

capinar (ca.pi.nar) v. **1** Retirar capim ou ervas daninhas de. [*td*.: *Capinaram o milharal*.] **2** Bras. Gír. Ir embora; PARTIR; SAIR. [*int*.: *A festa estava chata; capinei*.] [▶ **1** capin**ar**]

capinzal (ca.pin.zal) sm. Bras. Terreno coberto de capim. [Pl.: *-zais*.]

capista (ca.pis.ta) s2g. Profissional que desenha capas de livros, revistas etc.

capitação (ca.pi.ta.ção) sf. Imposto que se cobra igualmente por pessoa. [Pl.: *-ções*.]

capital (ca.pi.tal) a2g. **1** Principal, fundamental. sf. **2** Cidade onde fica a sede da administração de um país, estado etc. **3** Fig. Lugar que é o ponto de convergência (de uma atividade, religião etc.): *Meca é a capital do islamismo*. sm. **4** Econ. Bens disponíveis, riqueza. **5** Econ. Patrimônio de uma empresa que se constitui de ou que pode ser convertido em dinheiro. [Pl.: *-tais*.] ▩ – **aberto** Econ. Diz-se do capital (5) de empresas cujas ações (ger. em grande número) são negociadas em bolsa de valores. – **de giro** Econ. Parte do capital (5) de uma empresa us. no financiamento dos custos de produção.

capitalismo (ca.pi.ta.lis.mo) sm. Econ. Sistema econômico e social baseado na propriedade privada, na livre concorrência e na produção voltada para o lucro.

capitalista (ca.pi.ta.lis.ta) a2g. **1** De ou próprio de capital ou capitalismo. s2g. **2** Pessoa que vive dos rendimentos do capital.

capitalização (ca.pi.ta.li.za.ção) sf. **1** Ação ou resultado de capitalizar. **2** Econ. Aplicação financeira em que o investidor paga mensalidades que lhe dão direito a concorrer a prêmios e, ao fim de um prazo determinado, recebe o dinheiro de volta com juros. [Pl.: *-ções*.]

capitalizar (ca.pi.ta.li.zar) v. Acumular como capital (4). [*td*.: *A empresa capitalizou as verbas necessárias*. *int*.: *Os comerciantes, neste mês, capitalizaram muito*.] [▶ **1** capitaliz**ar**]

capitanear (ca.pi.ta.ne.ar) v. td. Comandar, governar, dirigir como capitão: *Capitaneava a empresa e a casa*. [▶ **13** capitane**ar**]

capitania (ca.pi.ta.ni:a) sf. **1** Hist. Cada uma das divisões administrativas do Brasil colonial. [Tb. *capitania hereditária*.] **2** Título ou cargo de capitão.

capitânia (ca.pi.tâ.ni:a) a.sf. Mar.G. Em que ou aquele/aquela em que viaja o comandante de uma esquadra (diz-se de navio/nau).

capitão (ca.pi.*tão*) *sm.* **1** *Mil.* Patente militar. [Ver quadro *Hierarquia Militar Brasileira*.] **2** *Mil.* Militar que tem essa patente. **3** *Mar.* Comandante de navio mercante. **4** *Fig.* Comandante, chefe. **5** *Esp.* Jogador que comanda o time e o representa perante o árbitro. [Pl.: *-tães*. Fem.: *-tã* (forma geral e única us. para a acp. 5), e *-toa* (p. us.) para as demais acps. Entre os militares, a f. usual é a masculina, mesmo ref. às mulheres.] [NOTA: Para todas as demais patentes militares de capitão, ver quadro *Hierarquia Militar Brasileira*.] ■ **~ de indústria** Grande industrial.

capitão do mato (ca.pi.tão do *ma*.to) *sm. Bras.* Indivíduo que capturava escravos fugidos. [Pl.: *capitães do mato*.]

capitão-mor (ca.pi.tão-*mor*) *sm. Hist.* **1** Autoridade que comandava a milícia de uma cidade ou vila. **2** Indivíduo que tinha autoridade sobre uma capitania (1). [Pl.: *capitães-mores*.]

capitari (ca.pi.ta.*ri*) *sm. Bras. Amaz.* **1** *Zool.* Macho da tartaruga. **2** *Bot.* Árvore que fornece óleo medicinal e madeira para marcenaria.

capitel (ca.pi.*tel*) *sm. Arq.* Parte superior, ger. ornamentada, de uma coluna ou pilastra. [Pl.: *-téis*.]

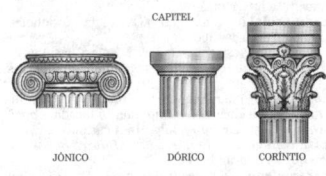

CAPITEL

JÔNICO   DÓRICO   CORÍNTIO

capitoso (ca.pi.*to*.so) [ô] *a.* Que embriaga (diz-se ger. de bebida). [Fem. e pl. [ó].]

capitulação (ca.pi.tu.la.*ção*) *sf.* **1** Ação ou resultado de capitular². **2** Acordo pelo qual um chefe militar entrega ao inimigo o território que defende; RENDIÇÃO. **3** Submissão, sujeição. [Pl.: *-ções*.]

capitular¹ (ca.pi.tu.*lar*) *a.* **1** Ref. a capítulo (2) ou a cabido. **2** Maiúsculo, capital (diz-se de letra) (letra capitular). *sf.* **3** Letra capitular (2).

capitular² (ca.pi.tu.*lar*) *v.* **1** Transigir, ceder a argumentos. [*int.*] **2** Entregar-se, render-se. [*int.*: *Cercado, o batalhão capitulou*.] **3** Dividir em capítulos. [*td.*] **4** Enumerar, fazer um elenco. [*td.*: *Decidiram capitular todos os colegas de turma*.] [▶ **1** capitul*ar*]

capítulo (ca.*pí*.tu.lo) *sm.* **1** Divisão de livro, lei, tratado etc. **2** *Ecles. Antq.* Assembleia de autoridades da Igreja Católica para tratar de determinado assunto.

capivara (ca.pi.*va*.ra) *sf. Zool.* Mamífero que vive em áreas alagadas, e que é o maior roedor do mundo.

capixaba (ca.pi.*xa*.ba) *a2g.* **1** Do Espírito Santo; típico desse estado ou de seu povo. *s2g.* **2** Pessoa nascida no Espírito Santo. [Sin. ger.: *espírito-santense*.]

capô (ca.*pô*) *sm.* Cobertura móvel que protege o motor de automóveis.

capoeira¹ (ca.po:*ei*.ra) *sf.* **1** Gaiola grande us. para criar capões e outras aves domésticas. **2** Conjunto dessas aves.

capoeira² (ca.po:*ei*.ra) *Bras. sf.* **1** Jogo atlético criado por escravos, tb. us. como técnica de ataque e defesa, em que se executam golpes com as pernas. **2** Terreno de mato roçado. *s2g.* **3** Ver *capoeirista*.

capoeiragem (ca.po:ei.*ra*.gem) *sf. Bras.* **1** Técnica de luta dos capoeiristas. **2** Vida de capoeirista. [Pl.: *-gens*.]

capoeirista (ca.po:ei.*ris*.ta) *s2g.* Pessoa que joga capoeira; CAPOEIRA.

caporal (ca.po.*ral*) *a2g.sm.* Diz-se de ou certa qualidade de fumo. [Pl.: *-rais*.]

capota (ca.*po*.ta) *sf.* Cobertura de automóvel conversível ou de caminhonetes, que protege os seus ocupantes.

capotar (ca.po.*tar*) *v. int.* **1** Tombar, virando de cabeça para baixo ou dando voltas no ar. **2** *Bras. Gír.* Adormecer rápida e profundamente por cansaço. [▶ **1** capot*ar*] ● **ca.po.ta.gem** *sf.*

capote (ca.*po*.te) *sm.* Agasalho de mangas compridas que cobre todo o tronco. ■ **De ~** Diz-se de vitória (em jogo, esporte etc.) com mais do dobro dos pontos do adversário.

capoteiro (ca.po.*tei*.ro) *sm. Bras.* Pessoa que faz, vende ou conserta capotas.

✱ **cappuccino** (*It.* /*caputchino*/) *sm.* Bebida quente preparada com café, leite e canela.

caprichar (ca.pri.*char*) *v.* Ter capricho em, fazer com esmero. [*ti.* + *em*: *Ele caprichou no desenho*. *int.*: *Capriche, e você fará boa prova*.] [▶ **1** caprich*ar*]

capricho (ca.*pri*.cho) *sm.* **1** Cuidado, esmero. **2** Vontade súbita, sem motivo aparente, na qual se insiste: *caprichos de menina mimada*. **3** Instabilidade, inconstância.

caprichoso (ca.pri.*cho*.so) [ô] *a.* **1** Que capricha ou que tem capricho (1, 2 e 3). **2** Feito com capricho (1) (trabalho *caprichoso*). [Fem. e pl. [ó].]

capricorniano (ca.pri.cor.ni:*a*.no) *a.sm.* Que ou quem nasceu sob o signo de Capricórnio.

Capricórnio (Ca.pri.*cór*.ni:o) *sm. Astrol.* **1** Signo (do Zodíaco) das pessoas nascidas entre 22 de dezembro e 19 de janeiro. **2** Capricorniano: *Sou Capricórnio*.

caprino (ca.*pri*.no) *a.* **1** Que, ou próprio de, ou semelhante a cabra ou bode. *sm.* **2** *Zool.* Cabra ou bode.

cápsula (*cáp*.su.la) *sf.* **1** Qualquer invólucro fechado. **2** Pelicula de goma que envolve certos medicamentos de uso oral. **3** Qualquer desses medicamentos. **4** *Astron.* Compartimento vedado, lançado com um foguete, em que se alojam astronautas e instrumentos de controle.

capsular¹ (cap.su.*lar*) *a2g.* Ref. a ou em forma de cápsula.

capsular² (cap.su.*lar*) *v.* Ver *encapsular*. [▶ **1** capsul*ar*]

captar (cap.*tar*) *v. td.* **1** Aperceber-se de, apreender mentalmente: *Atento, captou suas palavras em meio ao vozerio*. **2** Obter, conseguir (recursos, financiamento etc.): *Conseguiu captar recursos para seu projeto*. **3** Apreender, compreendendo (sentido ou significado ocultos): *Captou a mensagem nas entrelinhas do discurso*. **4** Receber (aparelho receptor) ondas de rádio ou televisão: *Este rádio não capta ondas curtas*. **5** Atrair, granjear: *Captou a simpatia de todos com seus modos gentis*. **6** Recolher, captar: *Captou as águas do riacho para a cisterna*. [▶ **1** capt*ar*] ● **cap.ta.ção** *sf.* [Cf.: *capitação*.]; **cap.ta.dor** *a.sm.*

captor (cap.*tor*) [ô] *sm.* Pessoa que captura.

captura (cap.*tu*.ra) *sf.* Ação ou resultado de capturar.

capturar (cap.tu.*rar*) *v. td.* Prender, aprisionar, deter: *A polícia capturou o bandido*. [▶ **1** captur*ar*]

capuchinho (ca.pu.*chi*.nho) *a.sm.* **1** *Ecl.* Que ou quem pertence a uma ordem franciscana (diz-se de religioso). *sm.* **2** Pequeno capuz.

capulho (ca.*pu*.lho) *sm. Bot.* Cápsula em que se forma o algodão.

capuz (ca.*puz*) *sm.* Cobertura para a cabeça, ger. presa a uma capa ou casaco. [Dim.: *capuchinho*.]

caquético (ca.*qué*.ti.co) *a.sm.* **1** Que ou quem sofre de caquexia. **2** *Fig.* Que está muito envelhecido, usado, em mau estado.

caquexia (ca.que.*xi*.a) [ch] *sf*. *Med*. Enfraquecimento profundo devido à desnutrição ou velhice.

caqui (ca.*qui*) *sm*. Fruto do caquizeiro, vermelho e de polpa macia e doce. [Cf.: cáqui.]

cáqui (*cá*.qui) *sm*. **1** A cor do barro. **2** Tecido dessa cor. *a2g2n*. **3** Que é dessa cor (uniformes cáqui). [Cf.: gostou.]

caquizeiro (ca.qui.*zei*.ro) *sm*. *Bot*. Árvore que dá o caqui.

cara (*ca*.ra) *sf*. **1** Parte frontal da cabeça, onde se localizam os olhos, o nariz e a boca; ROSTO. **2** Fisionomia, semblante (cara triste). **3** Aparência; aspecto: *Ela gostou da cara do doce*. **4** Face da moeda, oposta à coroa. *s2g*. **5** *Bras. Gír*. Indivíduo, pessoa. ▪ **Amarrar/Fechar a ~** Ficar zangado, fazendo cara feia. **~ a ~** Frente a frente. **Com a ~ e com a coragem** *Bras. Pop*. Sem dispor (ao entrar alguém num negócio, atividade etc.) de recursos, mas confiando em si mesmo. **Com ~ de tacho** *Bras. Pop*. Decepcionado, desorientado. **Dar as ~s** Comparecer. **Dar de ~ com** Encontrar de repente, deparar com. **De ~** Logo no início, antes de mais nada. **De ~ amarrada/Com ~ de poucos amigos** *Bras. Fam*. Aborrecido, zangado, com cara feia. **De ~ cheia** *Bras. Pop*. Embriagado. **Encher a ~** *Bras. Pop*. Embriagar-se. **Estar na ~** *Bras. Pop*. Ser evidente. **Ir com a ~ de** *Bras. Pop*. Simpatizar com. **Livrar a ~ (de)** *Bras. Fam*. Escapar (tirar alguém) de situação difícil. **Meter a ~** *Bras*. Apresentar-se em algum lugar ou evento com energia, sem hesitar: *Nem bati na porta, meti logo a cara*. **Meter a ~ em** *Bras. Pop*. Dedicar-se com afinco à atividade, empreendimento etc.: *Ela meteu a cara no estudo e conseguiu passar*. **Não ir com a ~ (de)** *Bras. Fam*. Antipatizar com. **Quebrar a ~** *Bras. Fam*. Sair-se mal, fracassar.

cará (ca.*rá*) *sm*. *Bras*. **1** *Bot*. Trepadeira de tubérculos comestíveis. **2** Esse tubérculo.

carabina (ca.ra.*bi*.na) *sf*. Espingarda de cano curto; CLAVINA.

carabineiro (ca.ra.bi.*nei*.ro) *sm*. Soldado armado de carabina.

caracará (ca.ra.ca.*rá*) *sm*. *Bras. Zool*. Ver carcará.

caracol (ca.ra.*col*) *sm*. **1** *Zool*. Pequeno molusco terrestre de concha espiralada. **2** Cacho (2) enrolado. [Pl.: -*cóis*.]

caracolar (ca.ra.co.*lar*) *v*. **1** Fazer mover ou mover-se em círculos. [*td*.: *Na aula de direção, o aluno aprende a caracolar o carro*. *int*.: *A pipa caracolava no céu*.] **2** Dar pequenos saltos em curva (o cavalo); CORCOVEAR; CURVETEAR. [*int*.: *O cavalo caracolou diante do incêndio*.] [▶ 1 caracolar]

caractere (ca.rac.*te*.re) *sm*. **1** Qualquer número, letra, símbolo ou sinal convencional us. na escrita. **2 caracteres** (ca.rac.*te*.res) *smpl*. **2** Elementos pelos quais se identifica alguém ou algo. [Cf.: caráter (1).]

característica (ca.rac.te.*rís*.ti.ca) *sf*. Algo que caracteriza (2), que distingue; PARTICULARIDADE.

característico (ca.rac.te.*rís*.ti.co) *a.sm*. Que ou aquilo que distingue alguém ou algo.

caracterização (ca.rac.te.ri.za.*ção*) *sf*. **1** Ação ou resultado de caracterizar. **2** *Cin. Teat. Telv*. Técnica de dar ao ator o aspecto de certo personagem, por meio de maquiagem e indumentária apropriados. [Pl.: -*ções*.]

caracterizar (ca.rac.te.ri.*zar*) *v*. **1** Descrever as características de (alguém ou alguma coisa). [*td*.: *Antes de apresentar a nova funcionária, o gerente caracterizou-a bem*.] **2** Evidenciar, definir, distinguir, identificar (alguém ou algo). *pr*.: "*O Rio de Janeiro se caracteriza por suas belezas naturais*." **3** Preparar(-se) (o ator) para atuar (em teatro, cinema, televisão). [*td*.: *O maquiador caracterizou o ator para a apre*-

sentação. *pr*.: *Os palhaços, antes da função, caracterizam-se com grande cuidado*.] [▶ 1 caracterizar]

caracu (ca.ra.*cu*) *sm*. *Bras. Zool*. **1** Boi de pelo curto e ruivo. *a2g*. **2** Diz-se desse boi.

cara de pau (ca.ra de pau) *a2g.s2g*. **1** *Bras. Pop*. Que ou quem é desavergonhado e cínico; CARADURA. *sf*. **2** Falta de vergonha; DESCARAMENTO; CARADURA: *a cara de pau do penetra*. [Pl.: *caras de pau*.]

caradura (ca.ra.*du*.ra) *a2g.s2g*. **1** Ver *cara de pau* (1). *sf*. **2** Ver *cara de pau* (2).

caradurismo (ca.ra.du.*ris*.mo) *sm*. *Bras*. Falta de vergonha; CINISMO.

caraíba (ca.ra.*í*.ba) *sm*. *Bras*. Homem branco ou europeu, na denominação dos índios brasileiros.

carajá (ca.ra.*já*) *a2g*. **1** Dos carajás, povo indígena que habita o Centro-Oeste do Brasil; típico desse povo. *s2g*. **2** *Etnôn*. Pessoa pertencente a esse povo.

caralho (ca.ra.lho) *Tabu*. *sm*. **1** O pênis. *interj*. **2** Us. para exprimir espanto, admiração. **3** Us. para demonstrar raiva. ▪ **Pra ~** *Bras. Tabu*. Em grande quantidade ou intensidade.

caramanchão (ca.ra.man.*chão*) *sm*. Estrutura simples, ger. coberta de vegetação, comum em parques e jardins. [Pl.: -*chões*.]

caramba (ca.*ram*.ba) *interj*. Expressa admiração, surpresa ou irritação.

carambola¹ (ca.ram.*bo*.la) *sf*. Fruto da caramboleira, amarelo e de sabor ácido.

carambola² (ca.ram.*bo*.la) *sf*. **1** Bola vermelha de bilhar. **2** Toque da bola (1) de bilhar em duas outras em sequência.

carambolar (ca.ram.bo.*lar*) *v. int*. No jogo de bilhar, atingir duas bolas com uma só tacada: *Caprichou na jogada e carambolou*. [▶ 1 carambolar]

caramboleira (ca.ram.bo.*lei*.ra) *sf*. *Bras. Bot*. Árvore que dá a carambola.

caramelado (ca.ra.me.*la*.do) *a.sm*. Diz-se de ou doce coberto com calda de açúcar quente, que se torna vítrea ao esfriar. ● ca.ra.me.*lar* v.; ca.ra.me.li.*za*.do a.

caramelo (ca.ra.*me*.lo) *sm*. **1** Calda de açúcar queimado us. como cobertura de doces e pudins. **2** Bala feita com essa calda.

cara-metade (ca.ra.me.*ta*.de) *sf*. Parceiro amoroso. [Pl.: *caras-metades*.]

caraminguá (ca.ra.min.*guá*) *sm*. *Bras. Pop*. **1** Dinheiro. **2 caraminguás** *smpl*. *Bras. Pop*. **2** Coisas velhas ou de pouco valor; CACARECOS. **3** Dinheiro miúdo; TROCADOS.

caraminholas (ca.ra.mi.*nho*.las) *sfpl*. Fantasias, invencionices.

caramujo (ca.ra.*mu*.jo) *sm*. *Zool*. Molusco aquático de concha sólida.

carancho (ca.*ran*.cho) *sm*. *Bras. Zool*. Ave de rapina semelhante ao falcão; CARCARÁ.

carango (ca.*ran*.go) *sm*. *Bras. Pop*. Carro, automóvel.

caranguejeira (ca.ran.gue.*jei*.ra) *sf*. *Bras. Zool*. Aranha grande, peluda e de picada muito dolorosa. [Tb. *aranha-caranguejeira*.]

caranguejo (ca.ran.*gue*.jo) [ê] *sm*. *Zool*. Crustáceo de dez patas e carapaça larga, us. na alimentação. [Pl.: -*jos*.]

caranguejola (ca.ran.gue.*jo*.la) *sf*. Armação de madeira pouco firme.

carantonha (ca.ran.*to*.nha) *sf*. Cara grande e feia; CARÃO.

carão (ca.*rão*) *sm*. **1** Ver carantonha. **2** *Fig*. Reprimenda, repreensão. [Pl.: -*rões*.]

caraoquê (ca.ra.o.*quê*) *sm*. **1** Casa noturna em que os clientes podem cantar ao microfone acompanhados por músicos da casa ou por fundos musicais gravados. **2** Essa atividade, realizada em qualquer lugar; KARAOKÊ.

carapaça (ca.ra.*pa*.ça) *sf*. *Zool*. Revestimento sólido que protege o corpo de alguns animais, como as

tartarugas, caranguejos etc. 2 *Fig.* Qualquer artifício us. para se proteger: *Aquela cara risonha era só carapaça para esconder a decepção.*

carapinha (ca.ra.*pi*.nha) *sf.* Cabelo muito crespo de pessoas negras.

carapinhada (ca.ra.pi.*nha*.da) *sf.* Refresco de frutas ou de xarope e gelo picado.

cara-pintada (ca.ra-pin.*ta*.da) *s2g.* Pessoa que participa de passeatas de protesto com o rosto pintado. [Pl.: *caras-pintadas*.]

carapuça (ca.ra.*pu*.ça) *sf.* **1** Gorro em forma de cone. **2** Qualquer objeto semelhante a esse. **3** Ferramenta usada pelos calafates para evitar que as cavilhas de madeira rachem. ▪ **Vestir a ~** Assumir (alguém) crítica ou comentário que não lhe foram claramente dirigidos, ou que foram dirigidos a outrem.

caratê (ca.ra.*tê*) *sm.* Arte marcial oriental, utilizada como método de ataque e defesa pessoal, em que são us. os pés e as mãos, e fundamentada no controle da vontade.

caráter (ca.*rá*.ter) *sm.* **1** Qualquer sinal, letra, figura etc. us. na escrita. [Cf.: *caractere*.] **2** Conjunto de traços da personalidade, comportamento etc. que distingue uma pessoa, ou um grupo: *É irmã gêmea dela, mas tem um caráter diferente.* **3** Qualidade específica de pessoa ou coisa: *Uma invenção de caráter revolucionário.* **4** A concepção ética e moral de uma pessoa, ger. expressando virtude, firmeza etc.: *O seu amigo é uma pessoa de caráter (caráter firme); Aquele advogado não tem caráter (um bom caráter).* ▪ **A ~ 1** Em que é necessário ou de uso, o uso estar usando, fantasia, traje específico ou traje típico: *As baianas serviam o acarajé a caráter.* **2** De maneira formal.

caratinga (ca.ra.*tin*.ga) *sm.* **1** *Bot.* Designação dada a vários tipos de trepadeira com raízes comestíveis. **2** *Zool.* Nome dado a algumas espécies de peixes encontradas em quase todo o litoral brasileiro.

caravana (ca.ra.*va*.na) *sf.* **1** Grupo de viajantes que se reúnem para atravessar o deserto. **2** Grupo de veículos que viajam juntos, formando uma fila na estrada. **3** Grupo de pessoas que viajam ou saem juntas para algum lugar.

caravançará (ca.ra.van.ça.*rá*) *sm.* **1** No Oriente Médio, abrigo que acolhia gratuitamente as caravanas que atravessavam o deserto. **2** *Fig.* Mistura, confusão: *Aquele apartamento é um caravançará de móveis.*

caravaneiro (ca.ra.va.*nei*.ro) *a.* **1** Ref. a caravana. *sm.* **2** Pessoa que conduz a cárcava.

caravela (ca.ra.*ve*.la) *sf.* **1** *Mar.* Espécie de embarcação com velas, muito utilizada pelos portugueses e espanhóis na época das viagens de descobrimento. **2** *Zool.* Tipo de medusa, animal marinho que vive em colônias, em águas quentes.

carboidrato (car.bo.i.*dra*.to) *sm. Quím.* Qualquer composto orgânico que tenha em sua fórmula carbono, hidrogênio e oxigênio (açúcares, amido etc.), presente em inúmeros alimentos.

carbonato (car.bo.*na*.to) *sm. Quím.* Qualquer sal ou éster do ácido carbônico, ou ânion dele derivado.

carbônico (car.*bô*.ni.co) *a. Quím* **1** Diz-se do gás (CO_2) produzido pela respiração dos seres vivos e pela queima de produtos orgânicos. **2** Diz-se do ácido (H_2CO_3) obtido pela dissolução do CO_2 em água.

carbonífero (car.bo.*ní*.fe.ro) *a.* **1** Que contém carvão ou o produz (mina *carbonífera*). **2** *Geol.* Diz-se do período geológico entre 360 e 290 milhões de anos antes da era atual. *sm.* **3** *Geol.* Esse período. [Nesta acp., com inicial maiúsc.]

carbonizar (car.bo.ni.*zar*) *v.* **1** Transformar(-se) em, reduzir(-se) a carvão. [*td.*: *As chamas carbonizaram a árvore.* *pr.*: *Aos poucos, toda a mobília carbonizou-se.*] **2** Queimar totalmente, consumir. [*td.*: *O acidente carbonizou o carro.* *pr.*: *Com a explosão*

a TV carbonizou-se.] [▶ **1** carboniz|ar̄| • **car.bo.ni.za.ção** *sf.*; **car.bo.ni.za.do** *a.*

carbono (car.*bo*.no) *sm.* **1** *Quím.* Elemento capaz de formar extensas cadeias de átomos, o que possibilita a formação de inúmeros compostos. [Simb.: *C*] **2** F. red. de *papel-carbono*. [Cf.: *diamante* e *grafita*.]

carbúnculo (car.*bún*.cu.lo) *sm.* **1** *Med.* Infecção profunda da pele que provoca lesões purulentas. **2** *Vet.* Doença infecciosa comum em ovinos, bovinos, caprinos e equinos.

carburação (car.bu.ra.*ção*) *sf.* **1** Ação ou resultado de carburar. **2** *Mec.* Mistura de ar e combustível que ocorre no interior de um carburador para provocar a combustão em motores de explosão. [Pl.: *-ções*.]

carburador (car.bu.ra.*dor*) [ô] *a.sm.* **1** Que ou o que carbura ou queima. *sm.* **2** *Mec.* Dispositivo onde ocorre a mistura de ar com combustível. [Nos automóveis mais modernos, o carburador foi substituído pela injeção eletrônica.]

carburante (car.bu.*ran*.te) *a2g.* **1** Que é utilizado para carburar. *sm.* **2** *Quím.* Combustível us. em motores de explosão.

carburar (car.bu.*rar*) *v. td.* Misturar (ger. o ar na mistura combustível de motor a explosão) com o carbono. [▶ **1** carbur|ar̄|

carbureto (car.bu.*re*.to) [ê] *sm. Quím.* Composto binário de carbono e outro elemento.

carcaça (car.*ca*.ça) *sf.* **1** Esqueleto de animal: *carcaça de boi.* **2** *Fig.* Estrutura, arcabouço. **3** *Fig.* Estrutura inacabada ou abandonada: *carcaça de navio.* **4** *Fig. Pej.* Corpo velho e alquebrado.

carcamano (car.ca.*ma*.no) *sm. Pej.* Pessoa nascida na Itália. [At! O termo é considerado depreciativo ou preconceituoso.]

carcará (car.ca.*rá*) *sm. Zool.* Ave da família do falcão, encontrada em todo o Brasil; CARANCHO.

carceragem (car.ce.*ra*.gem) *sf.* **1** Ação ou resultado de encarcerar. **2** Despesa com a manutenção dos presos. **3** Setor onde são mantidos os presos nas delegacias: *Os assaltantes estão na carceragem da 12ª DP.* [Pl.: *-gens*.]

carcerário (car.ce.*rá*.ri:o) *a.* Ref. a cárcere (população *carcerária*).

cárcere (*cár*.ce.re) *sm.* **1** Prisão subterrânea; CALABOUÇO. **2** Local em que os presos cumprem pena; PRISÃO; CADEIA. **3** Cela ou qualquer aposento que sirva de prisão: *O sequestrado ficou em cárcere privado.*

carcereiro (car.ce.*rei*.ro) *sm.* Pessoa responsável pela guarda de presidiários ou sequestrados em cativeiro.

carcinoma (car.ci.*no*.ma) *sm. Med.* Tumor maligno que pode se expandir, invadir outros tecidos e causar metástases.

carcinomatoso (car.ci.no.ma.*to*.so) [ô] *a.* **1** Ref. a, ou próprio, da natureza do carcinoma (aspecto *carcinomatoso*). **2** Que apresenta carcinoma (tecido *carcinomatoso*). [Fem e pl. [ó].]

carcoma (car.*co*.ma) [ô] *sf.* **1** Nome genérico dado a insetos ou larvas que perfuram a madeira, livros etc.; CARUNCHO. **2** O pó produzido por esses insetos. **3** *Fig.* Qualquer coisa que ataque e destrua lentamente.

carcomer (car.co.*mer*) *v. td.* **1** Roer (madeira), carunchar, reduzir (a madeira) a pó: *Cupins carcomeram o móvel.* **2** Corroer: *A ferrugem carcomeu o ferro.* **3** *Fig.* Arruinar, destruir aos poucos: *O vício carcomeu sua saúde e sua vida.* [▶ **2** carcom|er̄|

carcomido (car.co.*mi*.do) *a.* **1** Que foi corroído por carcoma. **2** Que apodreceu ou se deteriorou (tb. *Fig.*): *Uma administração carcomida, cheia de escândalos.* **3** *Fig.* Que está abatido, consumido: *Um homem carcomido pela doença.*

carda (*car*.da) *sf.* **1** Ação ou resultado de cardar. **2** *Tec.* Ferramenta ou máquina usada para desembaraçar fibras têxteis. **3** Prego pequeno para calçados.

cardamomo (car.da.*mo*.mo) *sm. Bot.* Planta utilizada como medicamento e condimento.

cardápio (car.*dá*.pi:o) *sm.* **1** Nos restaurantes, a relação dos pratos e bebidas com seus respectivos preços; MENU. **2** Os diferentes pratos servidos numa refeição; MENU: *Qual vai ser o cardápio de hoje?* [Na acp. 1, quando é referente apenas aos vinhos, chama-se carta (5) ou carta de vinhos.]

cardar (car.*dar*) *v. td.* Pentear, desenredar, desembaraçar (lã, algodão, pelo etc.). [▶ **1** car*dar*]

cardeal (car.de:al) *a2g.* **1** Que é fundamental; CARDINAL; PRINCIPAL. *Esta é a questão cardeal no projeto.* [Ver tb. *pontos cardeais*, abaixo.] *sm.* **2** *Rel.* Membro da hierarquia eclesiástica com poder de voto para eleger o papa. **3** Nome dado a várias espécies de aves. [Pl.: *-ais*.] [Cf.: *cardial*.] ▣ **Pontos cardeais** Os quatro principais pontos da rosa dos ventos: norte, sul, leste e oeste.

cárdia (*cár*.di:a) *sf. Anat.* Orifício que comunica o esôfago com o estômago.

cardíaco (car.*dí*.a.co) *a. Anat.* **1** Ref. ao, ou próprio do coração (doença cardíaca); CARDIAL. *a.sm.* **2** Que ou quem sofre de doença ou distúrbio no coração; CARDIOPATA: *Meu vizinho é cardíaco.*

cardial (car.di:*al*) *a2g.* Ver *cardíaco*. [Pl.: *-ais*.] [Cf.: *cardeal*.]

cardigã (car.di.*gã*) *sm.* Casaco ou suéter tricotado, aberto e abotoado na frente, sem gola, com decote redondo ou em V.

cardinal (car.di.*nal*) *a2g.* **1** Ver *cardeal* (1). **2** *Gram.* Diz-se do numeral que designa quantidade absoluta (p.ex. cinco, 16, noventa). [Pl.: *-nais*.]

cardinalato (car.di.na.*la*.to) *sm.* Título ou dignidade de cardeal.

cardinalício (car.di.na.*lí*.ci:o) *a.* Ref. a cardeal (2).

cardiografia (car.di:o.gra.*fi*.a) *sf.* Registro gráfico do estado ou das funções do coração. ● **car.di:o.***grá*.fi.co *a.*

cardiógrafo (car.di:*ó*.gra.fo) *sm.* Instrumento us. para registrar graficamente o estado ou as funções do coração.

cardiograma (car.di:o.*gra*.ma) *sm.* Gráfico dos movimentos do coração obtido por meio do cardiógrafo.

cardiologia (car.di:o.lo.*gi*.a) *sf. Med.* Especialidade médica que estuda e trata o coração e as doenças a ele relacionadas. ● **car.di:o.***ló*.gi.co *a.*

cardiologista (car.di:o.lo.*gis*.ta) *s2g.* Médico que se especializou em cardiologia.

cardiopata (car.di:o.*pa*.ta) *a2g.s2g.* Que ou quem é portador de cardiopatia; CARDÍACO.

cardiopatia (car.di:o.pa.*ti*.a) *sf. Med.* Qualquer doença ou afecção do coração.

cardiovascular (car.di:o.vas.cu.*lar*) *a2g. Anat.* Ref. ao coração e aos vasos sanguíneos.

cardo (*car*.do) *sm. Bot.* Nome dado a algumas espécies de plantas de folhas espinhentas e flores amarelas.

cardume (car.*du*.me) *sm.* Bando de peixes.

careca (ca.*re*.ca) *sf.* **1** Parte do couro cabeludo onde não crescem cabelos; CALVA: *Sente frio na careca.* **2** Estado do que ou de quem tem nisso ou perdeu os cabelos; CALVÍCIE: *Experimentou várias loções, mas não evitou a careca. a2g.s2g.* **3** Que ou quem tem o couro cabeludo total ou parcialmente desprovido de cabelos; CALVO. *a.* **4** Diz-se de pneu cujos frisos desgastaram-se. **5** Sem ou quase sem grama (diz-se de gramado).

carecer (ca.re.*cer*) *v.* **1** Necessitar, ter carência de; PRECISAR. [*ti.* + *de*: *O assunto carecia de uma melhor explicação.*] [NOTA: Nesta acp., seguido de verbo no infin., carecer flutua de regência *td*/*ti.*: *Não carece (de) se explicar.*] **2** Não ter. [*ti.* + *de*: *Ele carece de bom senso.*] [▶ **33** care*cer*] ● **ca.re.ci.***men*.to *sm.*

careiro (ca.*rei*.ro) *a.* **1** Que vende caro (loja careira). **2** Que cobra caro por serviço (dentista careiro). [Ant.: *barateiro*.]

carena (ca.*re*.na) *sf.* **1** *Cnav.* Parte do casco que fica imersa quando a embarcação está com carga máxima. **2** *Zool.* Crista em forma de quilha que se observa em alguns ossos de animais. **3** *Bot.* Conjunto formado pelas pétalas de algumas flores.

carenado (ca.re.*na*.do) *a.* Que tem carena (2).

carência (ca.*rên*.ci:a) *sf.* **1** Falta de algo que se quer ou de que se necessita: *carência de afeto/de vitaminas.* NECESSIDADE; PRECISÃO. **2** *Econ.* Período de tempo entre a concessão de empréstimo e o início de sua amortização. **3** Período de tempo estipulado por qualquer tipo de plano (de saúde, por exemplo), para que o segurado comece a usufruir suas vantagens.

carente (ca.*ren*.te) *a2g.s2g.* **1** Que ou quem possui pouco ou nada de algo (população carente): *ajuda aos carentes. a2g.* **2** Que tem carência, necessidade; NECESSITADO: *crianças carentes de carinho.*

carepa (ca.*re*.pa) *sf.* **1** Ver *caspa*. **2** Pó que se forma na cascas das frutas secas. **3** A superfície da madeira quando mal aplainada.

carestia (ca.res.*ti*.a) *sf.* **1** Escassez de gêneros alimentícios ou de produto específico. **2** *Fig.* Situação de preço(s) alto(s), ou de elevação de preço(s): *Este ano atravessamos um período de carestia.* **3** *Fig.* Qualidade do que é caro, do que tem preço elevado.

careta (ca.*re*.ta) [ê] *sf.* **1** Deformação voluntária ou não dos músculos da face: *Com os dedos, puxou os cantos dos lábios fazendo uma careta ridícula. a2g. s2g.* **2** *Bras. Gír.* Que ou quem é conservador, preso a valores tradicionais: *Os caretas não entendem a juventude.*

careteiro (ca.re.*tei*.ro) *a.sm.* Que ou quem faz caretas (1).

caretice (ca.re.*ti*.ce) *sf.* **1** *Bras. Gír.* Qualidade ou condição de careta (2): *A caretice dos mais velhos é normal.* **2** *Bras. Gír.* Ação ou dito de careta (2): *Seu discurso foi uma caretice.*

carga (*car*.ga) *sf.* **1** Ação ou resultado de carregar: *Encostou o caminhão para a carga.* **2** Aquilo que pode ser transportado: *Separou a carga no depósito.* **3** Quantidade ou volume de alguma coisa: *Temos uma grande carga de trabalho.* **4** *Fig.* O que representa grande responsabilidade ou grande fardo. **5** Munição para arma de fogo. ▣ **~ horária** Número de horas que por lei ou por contrato alguém (professor etc.) deve trabalhar.

carga-d'água (car.ga.*dá*.gua) *sf.* **1** Chuva forte. [Pl.: *cargas-d'água.*] ▣ **cargas-d'água** *sfpl.* **2** *Pop.* O motivo, a razão (ignorados ou inexplicados): *Por que cargas-d'água ele meio ou viajar?*

cargo (*car*.go) *sm.* **1** Função, dentro de uma empresa ou instituição: *O cargo de gerente está vago.* **2** Obrigação ou responsabilidade assumida por pessoa, grupo ou instituição: *A distribuição de alimentos está a cargo da prefeitura.*

cargueiro (car.*guei*.ro) *a.* **1** Que transporta carga (trem cargueiro). **2** *RS* Que não sabe montar a cavalo. *sm.* **3** Navio cargueiro (1).

cariar (ca.ri.*ar*) *v.* **1** *Od.* Produzir cáries em. [*td.*: *O açúcar pode cariar os dentes.*] **2** Corromper-se com cárie. [*int.*: *Tão moço e seus dentes já cariaram.*] [▶ **1** cariar]. Verbo defec., gen. conjugado nas 3ªˢ pess. do sing. e do pl.] ● **ca.ri.a.do** *a.*

caribe (ca.*ri*.be) *s2g.* **1** Indivíduo de um dos grupos indígenas conhecidos como caribes. *sm.* **2** *Ling.* Grupo linguístico desses povos. *a2g.* **3** Ref. a caribe (1 e 2).

caribenho (ca.ri.*be*.nho) *a.* **1** Do Caribe; típico dessa região ou de seu povo. *sm.* **2** Pessoa nascida no Caribe.

cariboca (ca.ri.*bo*.ca) *s2g.* Ver *caboclo* e *curiboca*.

caricato (ca.ri.*ca*.to) *a*. **1** Que parece caricatura; CARICATURESCO: *Tem um sorriso caricato*. **2** Que desperta zombaria por ser ridículo ou grotesco; BURLESCO. *a.sm.* **3** Diz-se de ou ator que interpreta personagens caricatos (2).

caricatura (ca.ri.ca.*tu*.ra) *sf.* **1** Desenho que representa uma pessoa com traços deformados ou exagerados, às vezes revelando aspectos grotescos ou ridículos. **2** *Fig.* Pessoa de aparência grotesca ou ridícula. **3** Exemplo malsucedido do que (algo ou alguém) pretende ou deveria ser: *Ele é uma caricatura de escultor*. **4** *Teat.* Representação de pessoas e fatos grotescos ou ridículos. ● ca.ri.ca.tu.*ral* a2g.; ca.ri.ca.tu.*res*.co *a*.; ca.ri.ca.tu.*ris*.ta *a2g.s2g.*

caricaturar (ca.ri.ca.tu.*rar*) *v. td.* Representar em (com) caricatura: *O desenhista caricaturou o rapaz no bar*. [▶ 1 caricaturar] ● ca.ri.ca.tu.*rá*.vel *a2g.*

carícia (ca.*rí*.cia) *sf.* Gesto de afeto, em que se toca suavemente o objeto de afeto; CARINHO; AFAGO: *Fazia carícias no seu gato*.

caridade (ca.ri.*da*.de) *sf.* **1** Sentimento e atitude de apoio aos necessitados: *Demonstrava caridade em seu trabalho social*. **2** Ação ou resultado de fazer o bem a quem necessita, de exercer caridade (1): *Fez uma caridade ao doar os alimentos*. **3** No cristianismo, a terceira das virtudes que levam a Deus.

caridoso (ca.ri.*do*.so) [ó] *a*. Que tem ou que demonstra caridade; CARITATIVO. [Fem. e pl.: [ó].]

cárie (*cá*.ri:e) *sf.* **1** *Od.* Destruição do esmalte e da dentina dos dentes pela ação de bactérias. **2** *Pat.* Destruição progressiva de um osso.

carijó (ca.ri.*jó*) *a2g.s2g.* *Bras.* **1** Diz-se de ou indígena pertencente ao grupo extinto dos carijós, que habitava principalmente o sul do Brasil. **2** Espécie de galináceo (galinha carijó).

caril (ca.*ril*) *sm.* **1** Condimento originário da Índia, composto de diversas especiarias, utilizado na preparação de molhos e diversos pratos e tb. como corante. **2** Esse molho. [Pl.: -*ris*.]

carimbar (ca.rim.*bar*) *v. td.* **1** Marcar ou ter marcado com carimbo: *Carimbei meu passaporte*. **2** *Esp.* Acertar com a bola: *O chute carimbou a trave*. [▶ 1 carimbar]

carimbo (ca.*rim*.bo) *sm.* **1** Instrumento de metal ou madeira, com uma base de borracha contendo letras ou figuras em relevo, que são molhadas com tinta para marcar documentos ou papéis. **2** As marcas feitas por esse instrumento.

carinho (ca.*ri*.nho) *sm.* Sentimento e/ou manifestação, física ou não, de afeto, de apreço: *Tem muito carinho pelo neto*.

carinhoso (ca.ri.*nho*.so) [ó] *a*. **1** Em que há demonstração de carinho (abraço carinhoso). **2** Que trata com carinho (pai carinhoso). [Fem. e pl.: [ó].]

carioca (ca.ri:*o*.ca) *a2g.* **1** Da cidade do Rio de Janeiro; típico desta cidade ou de seu povo. *s2g.* **2** Pessoa nascida no Rio de Janeiro.

cariocinese (ca.ri:o.ci.*ne*.se) *sf.* Ver *mitose*.

cariotina (ca.ri:o.*ti*.na) *sf. Cit.* Ver *cromatina*.

carisma (ca.*ris*.ma) *sm.* **1** Qualidade pessoal ou capacidade de despertar admiração, respeito, entusiasmo etc. e, com isso, de liderar, ter influência etc.: *Com seu carisma, mobilizou multidões para a causa*. **2** *Rel.* Dom divino concedido a uma pessoa ou a um grupo de pessoas.

carismático (ca.ris.*má*.ti.co) *a*. **1** Ref. a carisma (1 e 2). **2** Que tem carisma (ator carismático) (1).

caritativo (ca.ri.ta.*ti*.vo) *a*. Ver *caridoso*.

carlinga (car.*lin*.ga) *sf. Aeron.* Compartimento na fuselagem do avião (esp. aviões pequenos) dotado dos controles e instrumentos, e onde ficam piloto e copiloto.

carma (*car*.ma) *sm. Fil. Rel.* **1** No hinduísmo e no budismo, o conjunto de ações do homem que determinará seu aperfeiçoamento ou sua regressão em encarnações futuras. **2** Em diversas seitas e religiões, princípio da causalidade moral, que determina que as consequências das ações do homem reverterão sobre ele no mesmo sentido (bom ou mau) com que foram feitas, na vida presente ou em vida futura.

carmelita (car.me.*li*.ta) *a2g.s2g.* Que ou quem pertence à ordem religiosa de Nossa Senhora do Monte Carmelo; CARMELITANO (3).

carmesim (car.me.*sim*) *sm.* **1** A cor avermelhada do carmim. *a2g.* **2** Diz-se de ou que tem a cor carmim. [Pl.: -*sins*.]

carmim (car.*mim*) *sm.* **1** Substância corante de cor vermelha. **2** A cor desse corante. [Pl.: -*mins*.] *a2g2n.* **3** Que é da cor do carmim (1) (lençóis carmim).

carmona (car.*mo*.na) *sf.* Ver *cremona*.

carnação (car.na.*ção*) *sf.* **1** A cor da carne ou, por extensão, da pele humana. **2** *Art.Pl.* O corpo humano representado no e em sua cor natural. [Pl.: -*ções*.]

carnadura (car.na.*du*.ra) *sf.* **1** O aspecto externo do corpo humano; compleição física. **2** A parte carnuda do corpo; MUSCULATURA.

carnal (car.*nal*) *a2g.* **1** Ref. a carne. **2** Que é do corpo, em oposição ao que é do espírito. [Ant.: *espiritual*.] **3** Que é próprio do instinto sexual (desejo carnal). **4** Diz-se de parente próximo; CONSANGUÍNEO. [Pl.: -*nais*.]

carnaúba (car.na.*ú*.ba) *sf. Bot.* Espécie de palmeira nativa do Nordeste brasileiro; CARNAUBEIRA. **2** A cera extraída dessa palmeira.

carnaubal (car.na:u.*bal*) *sm. Bot.* Aglomerado de carnaúbas. [Pl.: -*bais*.]

carnaubeira (car.na:u.*bei*.ra) *sf. Bot.* Ver *carnaúba* (1).

carnaval (car.na.*val*) *sm.* **1** Festa profana originada na Antiguidade. **2** Período de três dias anteriores à quarta-feira de cinzas, dedicado a festas e folias. **3** Conjunto de festejos que ocorrem nesses três dias. **4** *Fig.* Alegria coletiva, festejo em virtude de algum acontecimento especial: *Foi um carnaval quando ganhou o carro*. **5** *Fig. Pop.* Confusão, bagunça: *O trânsito dessa cidade é um carnaval*. [Pl.: -*vais*.]

carnavalesco (car.na.va.*les*.co) [é] *a*. **1** Do, ref. ao ou próprio do carnaval (bloco carnavalesco). **2** Que participa dos festejos no carnaval. **3** Que é ridículo, grotesco. *sm.* **4** Profissional que planeja e organiza os desfiles das escolas de samba ou dos blocos carnavalescos.

carne (*car*.ne) *sf.* **1** Tecido muscular dos seres humanos e dos animais. **2** A parte material do ser humano, em oposição ao espírito. **3** A parte comestível de qualquer animal, esp. mamíferos e aves: *carne de coelho/de pato*. **4** O instinto sexual: *o pecado da carne*. **5** Parentesco próximo, consanguinidade: *Somos da mesma carne*. ▪ **Em ~ e osso** Em pessoa, presente (alguém) fisicamente. **Em ~ viva** Esfolada (ferida), sem a pele. **Ser ~ de pescoço** *Bras. Pop.* Ser alguém irredutível, difícil de tratar ou de negociar.

carnê (car.*nê*) *sm.* **1** Bloco com talões que correspondem às prestações a serem pagas (ger. mensalmente) por algum produto adquirido: *Meu carnê está quitado*. **2** Pequeno bloco ou caderno de apontamentos.

carnear (car.ne.*ar*) *v. RS* **1** Matar e esquartejar (rês). [*td*.] **2** Abater o gado e preparar as carnes para fazer o charque; CHARQUEAR. [*int*.] [▶ **13** carnear]

carne de sol (car.ne *de sol*) *N. N.E.* Carne bovina levemente salgada e seca ao sol; CHARQUE. [Pl.: *carnes de sol*.]

carnegão (car.ne.*gão*) *sm.* Parte central dos furúnculos, onde se acumula pus; CARNICÃO. [Pl.: -*gões*.]

carneirada (car.nei.*ra*.da) *sf.* **1** Rebanho de carneiros. **2** *Fig. Pej.* Grupo de pessoas sem vontade própria, que a tudo obedece.

carneiro¹ (car.nei.ro) sm. **1** Zool. Certo mamífero que fornece lã e carne. **2** Fig. Pessoa que se deixa levar pelos outros; sem vontade própria.

carneiro² (car.nei.ro) sm. Gaveta ou urna us. como sepultura.

carne-seca (car.ne-se.ca) [ê] sf. Bras. Ver charque. [Pl.: carnes-secas.]

carniça (car.ni.ça) sf. **1** Animal abatido para a alimentação humana. **2** Cadáver de animal em decomposição. **3** Fig. Carnificina, matança.

carnicão (car.ni.cão) sm. Ver carneção. [Pl.: -cões.]

carniceiro (car.ni.cei.ro) a. **1** Que se alimenta de carne; CARNÍVORO. a.sm. **2** Que ou aquele que é sanguinário. sm. **3** Pessoa que mata e esfola reses no matadouro; MAGAREFE; AÇOUGUEIRO. **4** Fig. Pej. Cirurgião que opera mal ou com negligência.

carnificina (car.ni.fi.ci.na) sf. Assassinato de muitas pessoas; CHACINA; MATANÇA.

carnívoro (car.ní.vo.ro) a.sm. **1** Que ou aquele que se alimenta de carne; CARNICEIRO (1). sm. **2** Zool. Mamífero cujos dentes e mandíbula são adaptados para dilacerar e triturar carne.

carnosidade (car.no.si.da.de) sf. Protuberância carnosa.

carnoso (car.no.so) [ô] a. **1** Repleto ou composto de carne; CARNUDO. **2** Com polpa consistente (diz-se de fruto). [Fem. e pl.: [ó].]

carnudo (car.nu.do) a. Que tem muita carne (boca carnuda); CARNOSO.

caro (ca.ro) a. **1** Que tem preço elevado. [Ant.: barato.] **2** Que exige grandes despesas; DISPENDIOSO. **3** Que custa grande esforço ou descontentamento: A disputa pela gerência saiu-lhe cara. **4** Querido, estimado (caro amigo). adv. **5** Por custo elevado ou acima do normal: Vendeu caro a derrota. [Ant.: barato.]

caroá (ca.ro:á) sm. N.E. Bot. Planta de cujas fibras se fazem cordas, tapetes, barbantes etc.

caroável (ca.ro:á.vel) a2g. Carinhoso, afetuoso. [Pl.: -veis.]

caroba (ca.ro.ba) sf. Bras. Bot. Pequena árvore de propriedades medicinais, cuja madeira se aproveita na marcenaria.

carochinha (ca.ro.chi.nha) sf. Bruxa, feiticeira.

caroço (ca.ro.ço) [ô] sm. **1** Núcleo duro de alguns frutos, como a manga e a ameixa. **2** Semente de vários frutos. **3** Pop. Erupção ou protuberância na pele. **4** Pop. Pequena porção de farinha que não se dissolve em mingaus, cremes etc. [Pl.: [ó].]

caroçudo (ca.ro.çu.do) a. Cheio de caroços.

carola (ca.ro.la) a2g.s2g. Que ou quem é muito devoto e vai à igreja com frequência.

carolice (ca.ro.li.ce) sf. Qualidade ou ação de carola; CAROLISMO.

carolíngio (ca.ro.lín.gi:o) a. Hist. Da ou próprio da dinastia de Carlos Magno (742-814), imperador do Ocidente.

carolismo (ca.ro.lis.mo) sm. Ver carolice.

carolo (ca.ro.lo) [ô] sm. **1** Pancada na cabeça com o nó dos dedos, com uma vara etc. **2** Espiga de milho debulhada.

carona (ca.ro.na) Bras. sf. **1** Condução gratuita em qualquer veículo. **2** Manta de couro que se põe por baixo da sela. s2g. **3** Pessoa que viaja de carona (1).

carotenο (ca.ro.te.no) sm. Quím. Substância amarela, laranja ou vermelha encontrada na gema do ovo, em alguns vegetais, na cenoura etc., rica em vitamina A.

carótida (ca.ró.ti.da) sf. Anat. Cada uma das duas grandes artérias simétricas que levam o sangue ao pescoço e à cabeça.

carpa (car.pa) sf. Zool. Peixe ornamental de água doce, ger. criado em tanques ou lagos.

⊕ **carpaccio** (It. /carpátcho/) sm. Cul. Finíssimas fatias de carne ou peixe cruas, temperadas com limão, azeite e molhos diversos.

carpelo (car.pe.lo) [ê] sm. Bot. Cada uma das folhas modificadas que formam o gineceu.

carpete (car.pe.te) [ê] sm. Bras. Tapete, colado no chão, em toda a extensão do piso de um cômodo.

carpideira (car.pi.dei.ra) sf. Mulher a quem se pagava para chorar os mortos.

carpina (car.pi.na) sm. Bras. Ver carpinteiro.

carpintaria (car.pin.ta.ri.a) sf. **1** Ofício do carpinteiro. **2** Oficina de carpinteiro.

carpinteiro (car.pin.tei.ro) sm. Profissional que faz obras, objetos etc. com madeira; CARPINA.

carpir (car.pir) v. **1** Dar expressão a, lamentando-se. [td.: carpir a dor.] **2** Chorar, lamentar-se. [int./pr.: Diante do caixão, a viúva carpia(-se) silenciosamente.] **3** Arrancar (mato, ervas daninhas). [td.] [▶ **3** carpir. Verbo defec.: não se usa na 1ª pess. do pres. do ind. nem em todo o pres. do subj.]

carpo (car.po) sm. **1** Anat. Conjunto de oito ossos que compõem a articulação da mão com o antebraço. **2** Bot. Fruto.

carpoteca (car.po.te.ca) sf. Bot. Coleção de frutos conservados, ger. para fins de pesquisa.

carqueja (car.que.ja) [ê] sf. Bras. Bot. Certa planta medicinal de gosto amargo.

carquilha (car.qui.lha) sf. Dobra na pele; RUGA.

carrada (car.ra.da) sf. **1** Carga que um carro transporta de uma vez. **2** Fig. Grande quantidade: Ele tem carradas de razões para agir assim.

carranca (car.ran.ca) sf. **1** Cara fechada, emburrada. **2** N.E. Figura ornamental que se põe ger. na proa de embarcações.

carrança (car.ran.ça) a2g.s2g. Que ou quem se apega ao passado.

carrancudo (car.ran.cu.do) a. Que tem ou está com carranca (1); EMBURRADO.

carrapateira (car.ra.pa.tei.ra) sf. Bot. Planta de que se extrai óleo de rícino; MAMONA.

carrapaticida (car.ra.pa.ti.ci.da) a2g.sm. Que ou o produto químico que mata carrapatos.

carrapato (car.ra.pa.to) sm. **1** Zool. Aracnídeo que adere à pele dos vertebrados e suga-lhes o sangue. **2** Bras. Fig. Pessoa que não se desgruda de outra.

carrapeta (car.ra.pe.ta) sf. **1** Pequeno pião que se gira com os dedos. **2** Peça da torneira, em forma de disco, que interrompe o fluxo de água.

carrapicho (car.ra.pi.cho) sm. Bras. **1** Bot. Planta cujos frutos, com pequenos espinhos ou ganchos, aderem à roupa, ao pelo dos animais etc. **2** Carapinha, pixaim.

carrascal (car.ras.cal) sm. Bot. Vegetação típica do Nordeste, miúda e áspera; CARRASCO². [Pl.: -cais.]

carrasco¹ (car.ras.co) sm. **1** Pessoa que executa a pena de morte; ALGOZ. **2** Fig. Pessoa cruel, desalmada.

carrasco² (car.ras.co) sm. Bot. Ver carrascal.

carraspana (car.ras.pa.na) sf. **1** Pop. Bebedeira. **2** Repreensão, repressão.

carrear (car.re.ar) v. **1** Transportar em carro. [td.: carrear mercadorias.] **2** Arrastar, carregar. [td. (seguido de indicação de lugar): O vento carreou areia para as casas.] **3** Acarretar, ocasionar. [tdi. + a: O temporal carreou transtornos à cidade.] [▶ **13** carrear]

carreata (car.re:a.ta) sf. Bras. Desfile de carros como comemoração, protesto, propaganda (ger. política) etc.

carregação (car.re.ga.ção) sf. **1** Ação ou resultado de carregar; CARGA; CARREGAMENTO. **2** Bras. Doença. [Pl.: -ções.] ▪ **De ~** Malfeito, de má qualidade.

carregado (car.re.ga.do) a. **1** Cheio, abarrotado: caminhão carregado de mercadorias. **2** Que apresenta nuvens escuras, anunciando tempestade (diz-se do céu, do tempo). **3** Sombrio, tenso (semblante carregado, ambiente carregado). **4** Em que se pôs munição (diz-se de arma de fogo) (revólver carregado).

carregador (car.re.ga.*dor*) *sm.* **1** Pessoa que transporta carga ou bagagem. **2** Aparelho para carregar (10) baterias. **3** Pente de balas de armas automáticas.

carregamento (car.re.ga.*men*.to) *sm.* **1** Ação ou resultado de carregar; CARREGAÇÃO. **2** Conjunto das coisas que se carregam. [Sin.: *carga*.]

carregar (car.re.*gar*) *v.* **1** Pôr (carga) em. [*td.*: *carregar um navio.*] **2** Transportar, levar. [*td.*: *O avião carregava muitos passageiros.*] **3** Levar ou trazer consigo. [*td.*: "...*carrega* a responsabilidade de manter o futebol brasileiro no topo." (*O Dia*, 31.08.03). *ti.* + *com*: *O furacão carregou com tudo.*] **4** *Fig.* Garantir o funcionamento, o bom desempenho de. [*td.*: *Carregava a empresa sozinho.*] **5** *Fig.* Saturar, impregnar. [*td.*: *O cheiro do curtume carregava o ar.*] **6** *Fig.* Ultrapassar a medida de; EXAGERAR. [*ti.* + *em*: *carregar no tempero/na repreensão.*] **7** *Fig.* Encher-se de nuvens densas e escuras. [*pr.*: *O céu carregou-se de repente.*] **8** *Fig.* Tornar(-se) sombrio ou severo. [*td.*: "...*carregou* ferozmente o semblante..." (Marques Rebelo, *Contos reunidos*). *pr.*: *Ao ler a carta, seu rosto carregou-se.*] **9** Pôr munição em. [*td.*: *carregar um revólver.*] **10** *Elet.* Acumular potencial elétrico em. [*td.*: *carregar a bateria do celular.*] **11** *Fot.* Pôr filme em. [*td.*: *carregar a câmera.*] [▶ **14** carre<u>gar</u>]

carreira (car.*rei*.ra) *sf.* **1** Corrida desordenada; CORRERIA. **2** Profissão, ou sequência de etapas de uma profissão, de uma atividade: *carreira de advogado*. **3** Caminho estreito, ou rastro no caminho; ATALHO; CARREIRO. **4** Fileira, fila: *carreira de árvores*.

carreirismo (car.rei.*ris*.mo) *sm.* Atitude ou conceito de quem dá importância prioritária à própria carreira (2). ● **car.rei.***ris***.ta** *a2g.s2g.*

carreiro (car.*rei*.ro) *sm.* **1** Pessoa que conduz o carro de boi. **2** Caminho estreito; ATALHO; CARREIRA.

carreta (car.*re*.ta) [*ê*] *sf.* **1** *Bras.* Caminhão robusto e de grande comprimento, para transportar cargas muito pesadas; JAMANTA. **2** Carroça.

carreteira (car.re.*tei*.ra) *sf.* *RS* Estrada para carroças e outros veículos.

carreteiro (car.re.*tei*.ro) *sm.* Condutor de carreta.

carretel (car.re.*tel*) *sm.* Pequeno cilindro com ressaltos nas extremidades, us. para enrolar fios de linha, barbante etc. [Pl.: *-téis*.]

carretilha (car.re.*ti*.lha) *sf.* **1** Pequena roldana. **2** Pequeno instrumento com cabo, a que se prende uma roda dentada, us. para cortar massas alimentícias e marcar tecidos.

carreto (car.*re*.to) [*ê*] *sm.* **1** Transporte de carga por aluguel. **2** Valor desse aluguel; FRETE.

carril (car.*ril*) *sm.* **1** Rastro deixado pelas rodas de carros. **2** *Lus.* Trilho (de ferrovia). [Pl.: *-ris*.]

carrilhão (car.ri.*lhão*) *sm.* **1** *Mús.* Conjunto de sinos com que se executam peças musicais. **2** Mecanismo de relógio (ger. de parede) que aciona os sinais sonoros das horas. [Pl.: *-lhões*.]

carrinho (car.*ri*.nho) *sm.* **1** Carro para transportar crianças de colo. **2** Carro para transporte de compras (ger. em supermercados). **3** *Bras. Fut.* Lance em que o jogador tenta tirar a bola do adversário com os pés, atirando-se ao chão e deslizando em sua direção. **4** Carro pequeno.

carro (*car*.ro) *sm.* **1** Veículo de transporte (de pessoas ou carga) sobre rodas. **2** Automóvel. **3** Peça móvel de máquina de escrever em que se encaixa o papel. ▮▮ ~ **de praça** Táxi.

carro-bomba (car.ro-*bom*.ba) *sm.* Carro munido de artefato explosivo, us. em atentados terroristas. [Pl.: *carros-bomba* e *carros-bombas*.]

carroça (car.*ro*.ça) *sf.* **1** Carro (1) ger. tosco e puxado por bestas, para transporte de carga. **2** *Bras. Pej.* Veículo velho, ou de baixo desempenho, ou de má qualidade.

carroçada (car.ro.*ça*.da) *sf.* Carga que uma carroça pode transportar.

carroção (car.ro.*ção*) *sm.* Grande carroça coberta para transporte de pessoas. [Pl.: *-ções*.]

carroçável (car.ro.*çá*.vel) *a2g.* Próprio para o tráfego de carroças ou outros veículos (estrada carro<u>çável</u>). [Pl.: *-veis*.]

carroceiro (car.ro.*cei*.ro) *sm.* Aquele que conduz carroça.

carroceria, carroçaria (car.ro.ce.*ri*.a, car.ro.ça.*ri*.a) *sf.* **1** Parte de veículo automóvel montada sobre o chassi, na qual se alojam o motorista e os passageiros. **2** A parte traseira de caminhões, que recebe a carga.

carro-chefe (car.ro-*che*.fe) *sm.* **1** Principal carro alegórico de um desfile. **2** *Fig.* Elemento de destaque num conjunto, o de maior qualidade, valor, procura etc.: *A feijoada é o carro-chefe deste restaurante*. [Pl.: *carros-chefes* e *carros-chefe*.]

carrocinha (car.ro.*ci*.nha) *sf.* **1** Carroça pequena. **2** *Bras.* Carrinho de duas rodas em que se preparam e vendem pipoca, milho verde cozido etc. **3** *Bras. Pop.* Veículo que recolhe cães abandonados.

carro de combate (car.ro de com.*ba*.te) *sm.* *Mil.* Veículo de guerra blindado, próprio para percorrer terrenos acidentados; TANQUE. [Pl.: *carros de combate*.]

carro-forte (car.ro-*for*.te) *sm.* Veículo blindado us. para transporte de grandes valores. [Pl.: *carros-fortes*.]

carro-pipa (car.ro-*pi*.pa) *sm.* Caminhão com tanque para transportar água. [Pl.: *carros-pipas* e *carros--pipa*.]

carrossel (car.ros.*sel*) *sm.* Brinquedo, típico de feiras e parques de diversões, com cavalinhos ou pequenos veículos que giram presos a um eixo. [Pl.: *-séis*.]

carruagem (car.ru:*a*.gem) *sf.* Carro de quatro rodas, puxado por cavalos, us. para transportar pessoas. [Pl.: *-gens*.]

carta (*car*.ta) *sf.* **1** Correspondência escrita que se envia a uma ou várias pessoas; MISSIVA; EPÍSTOLA. **2** Cada uma das peças do baralho. **3** Documento oficial que concede um título ou cargo; DIPLOMA. **4** Mapa. **5** Em restaurantes, impresso no qual consta a lista de vinhos. [Tb. *carta de vinhos*.] **6** *SP* Carteira de habilitação de motorista. [Ver tb. *carteira*.] ▮▮ ~ **branca** *Fig.* Autorização dada a alguém para que aja livremente. ~ **fora do baralho** Pessoa sem influência, sem prestígio. **Dar as ~s** Ter influência ou prestígio. **Mostrar as ~s/Pôr as ~s na mesa** Revelar abertamente a situação ou as intenções; agir às claras.

cartada (car.*ta*.da) *sf.* **1** Jogada numa partida de cartas. **2** *Fig.* Ação decisiva ou arriscada.

cartaginês (car.ta.gi.*nês*) *a.* **1** De Cartago (antiga cidade do norte da África); típico dessa cidade ou de seu povo; PÊNICO, PÚNICO. *sm.* **2** Pessoa nascida em Cartago. [Pl.: *-neses*. Fem.: *-nesa*.]

cartão (car.*tão*) *sm.* **1** *Tec.* Folha espessa formada por camadas coladas de papel ou fabricada na espessura que se quiser usando esse tipo de papel. **2** Pedaço retangular dessa folha. **3** Pedaço de plástico duro retangular, pouco espesso, ger. com faixa magnética e impressão em relevo, us. para identificar seu portador como usuário de crédito, conta bancária etc. [Pl.: *-tões*.] ▮▮ ~ **de crédito** Cartão (3) emitido por instituição financeira que permite a seu portador a aquisição de mercadorias ou serviços, que posteriormente ele pagará à instituição emissora. ~ **de visita** Pequeno cartão (2) em que constam o nome, mais endereço e/ou cargo, e/ou nome da firma, e/ ou telefone etc. da pessoa que o porta, e que é dado como forma de apresentação.

cartão-postal (car.tão-pos.*tal*) *sm.* **1** Cartão para correspondência, aberto, com ilustração numa das faces. [Tb. se diz apenas *postal*.] **2** *Fig.* Aquilo que é o símbolo representativo de (algo): *O Pão de Açúcar é um dos cartões-postais do Rio de Janeiro.* [Pl.: *cartões-postais.*]

cartão-resposta (car.tão-res.*pos*.ta) *sm.* **1** Cartão, com porte postal pago, enviado pelas empresas para facilitar ao destinatário solicitação de informações, pedidos de compra etc. **2** *Bras.* Cartão impresso em que se marcam respostas a questões de provas de múltipla escolha. [Pl.: *cartões-respostas* e *cartões-resposta.*]

cartapácio (car.ta.*pá*.ci:o) *sm.* Livro grande e antigo.

cartas (*car*.tas) *sfpl.* As cartas [Ver *carta* (2)] do baralho; o baralho; jogo de cartas: *Quer jogar cartas?*

cartaz (car.*taz*) *sm.* **1** *Publ.* Anúncio ou aviso de grande formato, que se afixa em locais públicos. **2** *Bras. Pop.* Popularidade, fama. **3** *Cin. Teat.* Exibição (de peça ou filme); essa peça ou filme: *O filme entrou em cartaz*; *O cartaz de hoje é uma comédia.*

carteado (car.te.*a*.do) *a.sm.* Jogo ou o que se joga com cartas de baralho (diz-se de jogo).

cartear (car.te.*ar*) *v. int.* **1** Jogar cartas: *Desocupado, vive para cartear.* **2** Distribuir as cartas num jogo: *É a sua vez de cartear.* [▶ 13 car**ear**]

carteira (car.*tei*.ra) *sf.* **1** Artefato, ger. de couro, com divisões para guardar documentos, dinheiro etc. **2** Mesa para escrever ou estudar. **3** Documento pessoal que atesta uma identidade, filiação, licença etc. (*carteira* profissional). **4** *Econ.* Conjunto de títulos de um investidor: *Ele tem uma carteira diversificada de ações.*

carteirada (car.tei.*ra*.da) *sf.* Apresentação de algum documento de identificação por pessoa influente como forma de intimidação ou para obter privilégios: *Deu uma carteirada para furar a fila.*

carteiro (car.*tei*.ro) *sm.* Pessoa que entrega cartas e demais correspondências.

cartel (car.*tel*) *sm. Econ.* Acordo entre empresas para dominar um ramo do mercado, ger. manipulando preços. [Pl.: *-téis.*]

cartela (car.*te*.la) *sf.* **1** Pequeno mostruário de tecidos, fitas etc. **2** Embalagem que contém pequenas unidades de um produto: *cartela de comprimidos.* **3** Cartão em que se marcam apostas de loteria. **4** Cartão em que se anotam os pontos de jogos como bingo e véspora.

cárter (*cár*.ter) *sm. Mec.* Envoltório rígido, protetor da parte inferior do motor de automóvel e que armazena o óleo lubrificante.

cartesianismo (car.te.si:a.*nis*.mo) *sm. Fil.* Doutrina de René Descartes (1596-1650), filósofo e matemático francês, baseada no racionalismo e no método para alcançar a verdade.

cartesiano (car.te.si:*a*.no) *a.* **1** Ref. ao, ou próprio do cartesianismo ou de Descartes. *a.sm.* **2** Que ou quem é partidário do cartesianismo. **3** Que ou quem confia exclusivamente na razão.

cartilagem (car.ti.*la*.gem) *sf. Anat.* Tecido consistente e flexível que reveste a superfície das articulações ósseas e forma as orelhas (1). [Pl.: *-gens.*]

cartilaginoso (car.ti.la.gi.*no*.so) [ó] *a.* Ref. a ou formado de cartilagem. [Fem. e pl.: [ó].]

cartilha (car.*ti*.lha) *sf.* **1** Livro em que se aprende a ler. **2** Compêndio de noções elementares sobre qualquer assunto. **3** *Fig.* Regra ou padrão de procedimento: *Paulo e Jorge seguem a mesma cartilha.* ‖ *Ler/Rezar pela ~ de alguém* Compartilhar com alguém ideias, opiniões, escolhas etc.

cartografia (car.to.gra.*fi*.a) *sf.* Ciência e técnica de elaborar cartas geográficas (mapas).

cartola (car.*to*.la) *sf.* **1** Chapéu masculino, de copa alta, ger. preto e brilhante. *sm.* **2** *Bras. Pej. Pop.* Dirigente de clube esportivo, esp. de futebol.

cartolina (car.to.*li*.na) *sf.* Papel um pouco mais fino que o utilizado em cartões, muito us. em trabalhos escolares.

cartomancia (car.to.man.*ci*.a) *sf.* Suposta arte de ler o passado, o presente e o futuro nas cartas de baralho.

cartomante (car.to.*man*.te) *s2g.* Pessoa que pratica a cartomancia.

cartonado (car.to.*na*.do) *a.* Diz-se de livro encadernado com capa de cartão duro revestido de papel mais fino, no qual vêm impressos título, nome do autor, editor etc.

cartonagem (car.to.*na*.gem) *sf.* **1** Fabricação de produtos de cartão. **2** Fábrica ou oficina onde são feitos tais produtos. **3** Encadernação de livro com capa dura de cartão. [Pl.: *-gens.*]

⊕ **cartoon** (Ing. /*cartúm*/) *sm.* Ver *cartum*.

cartório (car.*tó*.ri:o) *sm.* Repartição pública onde se podem registrar, autenticar ou emitir certidões e outros documentos.

cartuchame (car.tu.*cha*.me) *sm.* Provisão de cartuchos de armas de fogo.

cartucheira (car.tu.*chei*.ra) *sf.* Bolsa ou cinto us. para guardar cartuchos de armas.

cartucho (car.*tu*.cho) *sm.* **1** Invólucro que contém a carga das armas de fogo: *A polícia achou cartuchos vazios no chão.* **2** Embalagem comprida, cônica ou cilíndrica: *cartucho de amendoim.* **3** Tubo com carga de tinta: *O cartucho da impressora secou.* **4** Bobina de fita magnética. [Cf.: *cartuxo.*] ‖ *Queimar o último ~* Usar os últimos recursos disponíveis para obter um resultado.

cartum (car.*tum*) *sm.* **1** Desenho caricatural e humorístico, com ou sem legendas. **2** História em quadrinhos. **3** *Cin. Telv.* Desenho animado. [Pl.: *-tuns.*] [Cf.: *charge.*]

cartunista (car.tu.*nis*.ta) *a2g.s2g.* Que ou quem cria e desenha cartuns.

cartuxa (car.*tu*.xa) *sf.* **1** Ordem religiosa do séc. XI. **2** Convento dessa ordem.

cartuxo (car.*tu*.xo) *a.* **1** Ref. a cartuxa (1). *sm.* **2** Frade dessa ordem religiosa. [Cf.: *cartucho.*]

carunchar (ca.run.*char*) *v. int.* Encher-se de caruncho. [▶ 1 carunch**ar**]

caruncho (ca.*run*.cho) *sm.* **1** *Zool.* Pequeno besouro que perfura madeira e cereais e deles se alimenta; GORGULHO. **2** *Bras.* O pó da madeira ou cereal perfurado por esse besouro. • ca.run.*cho*.so *a.*

caruru (ca.ru.*ru*) *sm. Bot.* Certa erva de folhas verdes comestíveis. **2** *Cul.* Prato feito com caruru (1) ou quiabo, peixe, camarão seco e temperos.

carvalho (car.*va*.lho) *sm. Bot.* **1** Árvore grande de madeira dura, própria das regiões de clima temperado. **2** A madeira dessa árvore.

carvão (car.*vão*) *sm.* **1** Material combustível sólido e negro, resultante da queima parcial de matéria orgânica, esp. madeira. **2** Carvão (1) acumulado em jazidas durante séculos; CARVÃO DE PEDRA; HULHA. **3** Lápis ou bastão feito desse material. **4** Desenho feito com esse lápis ou bastão: *Expôs as aquarelas e os carvões.* [Pl.: *-vões.*]

carvão de pedra (car.vão de *pe*.dra) *sm.* Carvão (2), de origem fóssil, muito us. na indústria. [Pl.: *carvões de pedra.*]

carvoaria (car.vo:a.*ri*.a) *sf.* Lugar onde se fabrica, estoca ou comercializa carvão.

carvoeiro (car.vo:*ei*.ro) *a.* **1** Ref. a carvão (indústria *carvoeira*). *sm.* **2** Quem fabrica ou vende carvão.

casa (*ca*.sa) *sf.* **1** Construção destinada a habitação; MORADIA; RESIDÊNCIA. [Aum.: *casarão.*] **2** Local onde se vive; LAR. **3** Estabelecimento comercial; LOJA. **4** Nome de certas instituições. **5** Fenda por onde passa o botão: *Costurou as casas à mão.* **6** Cada quadrado do tabuleiro de dama ou xadrez. **7** Fração de uma década na idade: *Está na casa dos trinta.* ▪▪ ~ **Civil** Setor de um governo que trata das questões administrativas e políticas da área civil. ~ **da Moeda** Estabelecimento público no qual se cunham as moedas e se imprimem as cédulas de dinheiro de um país. ~ **de saúde** Clínica, hospital particular. ~ **de tolerância** Aquela na qual se alugam quartos para encontros amorosos. ~ **Militar** Setor de um governo que trata das questões da área militar. ~ **noturna** *Bras.* Boate, cabaré. **Ser de** ~ Ser íntimo de uma família ou de uma instituição; não ser de cerimônia.

casaca (ca.*sa*.ca) *sf.* Veste masculina para ocasiões solenes, ger. preta, curta na frente e com duas abas longas atrás. ▪▪ **Virar** ~ Mudar de partido, de lado, de clube etc.

casação (ca.sa.*cão*) *sm.* Casaco longo e quente; SOBRETUDO; CAPOTE. [Pl.: *-cões*.]

casaco (ca.*sa*.co) *sm.* Peça de roupa que cobre o tronco, aberta na frente e com mangas, própria para usar sobre outras roupas.

casado (ca.*sa*.do) *a.* **1** Unido por casamento. **2** Combinado, associado: *Usava vestido de cores casadas com a dos sapatos. sm.* **3** Sujeito que se casou: *jogo de solteiros contra casados.* ▪▪ **Venda casada** Venda condicionada à aquisição de determinado bem ou serviço ou a outra condição ou outro negócio.

casadouro (ca.sa.*dou*.ro) *a.* **1** Que está na idade de casar. **2** Que quer muito se casar.

casa-grande (ca.sa.*gran*.de) *sf. Bras.* Casa de dono de engenho ou fazenda, esp. na época da colônia ou do Império no Brasil. [Pl.: *casas-grandes.*]

casal (ca.*sal*) *sm.* **1** Par formado por macho e fêmea ou por seres que mantêm relação amorosa, ou estão sempre juntos etc. **2** Duas coisas iguais; PAR. [Pl.: *-ais.*]

casamata (ca.sa.*ma*.ta) *sf. Mil.* Abrigo subterrâneo à prova de bombardeios, dentro de um forte, us. para alojar tropas e estocar munição.

casamenteiro (ca.sa.men.*tei*.ro) *a.sm.* **1** Que ou quem arranja ou promove casamentos. *a.* **2** De ou ref. a casamento; MATRIMONIAL.

casamento (ca.sa.*men*.to) *sm.* **1** União conjugal entre homem e mulher; a relação e a forma de vida familiar dela decorrente: *Eram felizes no casamento*; CONSÓRCIO. **2** Cerimônia civil e/ou religiosa que efetivava essa união; MATRIMÔNIO: *O casamento aconteceu ao meio-dia.* **3** *Fig.* Associação, união: *casamento perfeito entre letra e música.*

casar (ca.*sar*) *v.* **1** Unir(-se) em matrimônio. [*td.*: *Aquele padre já casou muita gente.* **ti.** + *com*: *Ela vai casar com Bruno.* **int.**/***pr.***: *Ele ainda não [se] casou.*] **2** Promover o matrimônio de. [*td.*: *Já desistiu de casar a filha.* **tdi.** + *com*: "...*pensou em casá-lo com a cunhada*..." (Machado de Assis, *Esaú e Jacó*).] **3** Harmonizar(-se), combinar(-se), ou condizer. [*td.*: *Quer casar pontos de vista opostos.* **ti.**/***pr.*** + *com*: *Nem sempre a prática casa com a teoria.* **int.**: *Estes móveis não casam.*] **4** Reunir por grupos, par ou afinidade. [*td.*: *casar os pés de sapato/as cartas do baralho.*] [▶ **1 casar**]

casarão (ca.sa.*rão*) *sm.* **1** Casa muito grande e luxuosa; PALACETE. **2** Casa grande, de estilo colonial; SOBRADO: *Deveriam restaurar os casarões da cidade.* [Pl.: *-rões.*]

casario (ca.sa.*ri*.o) *sm.* Fileira de casas: *bairro de antigos casarios.*

casca (*cas*.ca) *sf.* **1** *Bot.* Camada externa, rija ou mole, espessa ou fina, que reveste troncos, frutos, sementes e raízes. **2** Camada externa que envolve ou recobre determinada coisa: *casca de ovo/de ferida.* **3** Carapaça protetora de certos animais: *camarão sem casca.*

cascabulho (cas.ca.*bu*.lho) *sm.* **1** *N.E.* Monte de cascas de frutas, legumes etc. **2** *Fig.* Coisa insignificante.

cascalho (cas.*ca*.lho) *sm.* **1** Lasca de pedra ou de pedra britada us. como material de construção. **2** *Bras.* Camada de areia ou barro onde se encontram ouro e diamantes. **3** *Bras.* Mistura de areia, pedras e conchas, encontrada no mar ou nas praias.

cascão (cas.*cão*) *sm.* **1** Casca endurecida; CROSTA. **2** Casca de ferida. **3** Camada de sujeira na pele. [Pl.: *-cões.*]

cascata (cas.*ca*.ta) *sf.* **1** Cachoeira de pequeno porte. **2** *Bras. Pop.* Conversa fiada; MENTIRA; LOROTA. ▪▪ **Efeito** ~ Resultado de um processo ou cadeia de eventos em cascata: *A inflação cria um efeito cascata no custo da vida.* **Em** ~ Processo no qual o resultado ou fato gerado por um evento vem a produzir novos fatos e consequências, e assim por diante: *Esse imposto gerou um aumento em cascata nos custos de produção.*

cascateiro (cas.ca.*tei*.ro) *a.sm. Bras. Pop.* Que ou quem costuma mentir ou contar vantagem; MENTIROSO.

cascavel (cas.ca.*vel*) *sf.* **1** *Zool.* Cobra venenosa, comum no Brasil, com guizo na cauda. **2** *Fig.* Pessoa traiçoeira. [Pl.: *-véis.*]

casco (*cas*.co) *sm.* **1** *Anat. Zool.* Unha de boi, cavalo, anta etc. **2** *Bras.* Garrafa de refrigerante, cerveja etc. vazia; VASILHAME. **3** *Cnav.* Carcaça de navio (costado e quilha): *Do navio só restara o casco.* **4** Couro cabeludo. **5** *N.* Canoa de madeira inteiriça.

cascuda (cas.*cu*.da) *sf. Zool.* Certo tipo de barata.

cascudo¹ (cas.*cu*.do) *a.* **1** Que tem ou de pele grossa e dura (pé *cascudo*). **2** *Pop.* Que já viveu ou sofreu bastante; EXPERIENTE; AMANTE: *Antônio é cascudo, não se ilude mais. sm.* **3** *Zool.* Peixe de rio que tem o corpo coberto de placas ósseas; ACARI.

cascudo² (cas.*cu*.do) *sm.* Pancada na cabeça com os dedos dobrados; COCOROTE.

casear (ca.se.*ar*) *v. td.* Abrir casas para botões em (peça de roupa): *A costureira caseou o colete.* [▶ **13 casear**]

casebre (ca.*se*.bre) *sm.* Casa pequena e miserável; CHOUPANA.

caseína (ca.se.*í*.na) *sf. Bioq.* Proteína rica em fósforo encontrada no leite.

caseiro (ca.*sei*.ro) *a.* **1** Ref. a casa (2) (lixo *caseiro*, rotina *caseira*); DOMÉSTICO. **2** Feito ou us. em casa (soro *caseiro*). **3** Que prefere ou gosta muito de ficar em casa (2): *Quase não sai, é muito caseiro.* [Nesta acp. ant.: *rueiro.*] *sm.* **4** Empregado encarregado de cuidar da casa, ger. de campo, de praia etc.

caserna (ca.*ser*.na) *sf.* Alojamento para soldados num forte ou quartel.

⊕ **cashmere** (*Ing.* /*quéchmir*/) *sm.* **1** Lã fina e macia feita do pelo de um tipo de cabra do Himalaia. **2** Fio dessa lã. **3** Tecido leve feito com essa lã. [Cf.: *casimira.*]

casimira (ca.si.*mi*.ra) *sf.* Certo tecido fino de lã, us. ger. em roupas masculinas. [Cf.: *cashmere.*]

casinha (ca.*si*.nha) *sf.* **1** Casa pequena. **2** *Pop.* Banheiro: *A casinha ficava no fundo do quintal.*

casinhola (ca.si.*nho*.la) *sf.* Casa pequena e bem modesta; CASEBRE.

casmurro (cas.*mur*.ro) *a.sm.* **1** Que ou quem é muito teimoso; TURRÃO: *Cismurro, nunca dá o braço a torcer.* **2** Que ou quem é retraído e entristecido; MELANCÓLICO; AMANTE: *Depois ficou calado, casmurro.*

caso (*ca*.so) *sm.* **1** Fato, ocorrência, acontecimento: *Fiquei sabendo do caso por um dos amigos.* **2** Situação, circunstância: *Esse caso não foi previsto.* **3** História, narrativa: *Conta casos muito bem.* **4** *Bras. Pop.* Aventura amorosa; ROMANCE; CACHO (3): *Teve um longo caso com ele.* **5** Pessoa com quem se tem uma aventura ou romance; AMANTE; CACHO (4): *Ela foi caso daquele escritor por dois anos.* **6** *Gram.* Flexão indicadora da função sintática da palavra na frase: *O* *caso nominativo* marca a função de sujeito. **7** Hipótese, eventualidade: *Leve agasalho para o caso de esfriar*. *conj*. **8** Na hipótese de; se: *Caso mude de ideia, me procure.* ∎ **Criar ~** Fazer intriga; provocar problemas. **De ~ pensado** Intencionalmente, premeditadamente. **Em todo ~** Apesar de tudo; por via das dúvidas. **Fazer ~** Dar importância; levar em consideração: *Não faz caso dos comentários dos outros.* **Vir ao ~** Vir a propósito; ter a ver (com algo): *Sua pergunta não vem ao caso.*

casório (ca.só.ri:o) *sm. Pop.* Casamento.

caspa (cas.pa) *sf.* Descamação do couro cabeludo; CASPEIRA: *Sua blusa preta ficou cheia de caspa.*

caspento (cas.*pen*.to) *a.* Que tem caspa.

casquento (cas.*quen*.to) *a.* Que tem casca grossa; CASCUDO.

casquete (cas.*que*.te) *sm.* Tipo de boné sem aba; BARRETE.

casquinada (cas.qui.*na*.da) *sf.* Risada ou gargalhada irônica.

casquinar (cas.qui.*nar*) *v. int.* Soltar várias casquinadas, risadas. [▶ **1** casquin<u>ar</u>]

casquinha (cas.*qui*.nha) *sf.* **1** *Cul.* Cone ou cestinha de massa crocante para servir sorvete. **2** *Cul.* Iguaria feita com carne de siri ou caranguejo misturada com temperos e servida nas respectivas carapaças ou em concha de ostra. **3** Casca pequena; casca ou pele fina. ∎ **Tirar (uma) ~** *Pop.* Aproveitar-se de algo; obter parte ou vantagem em algo.

cassa (*cas*.sa) *sf.* Tecido leve e transparente de algodão ou linho.

cassar (cas.*sar*) *v. td.* **1** Revogar, anular (mandato, licença, direitos políticos etc.). **2** Impedir a continuidade ou a realização de; PROIBIR: *O presidente da assembleia cassou sua palavra*; *cassar a campanha de um candidato*. [▶ **1** cass<u>ar</u>] • **cas.sa.ção** *sf.*; **cas.sa.do** *a.sm.*

⊕ **cassata** (It. /*cassáta*/) *sf. Cul.* Tipo de sorvete recheado de pão de ló e frutas cristalizadas.

cassete (cas.*se*.te) *sm.* **1** Estojo com fita magnética ou filme, para gravar ou reproduzir em aparelho de som, vídeo etc. **2** Gravador onde se introduz esse estojo; TOCA-FITAS.

cassetete (cas.se.*te*.te) [téte] *sm.* Bastão de madeira ou borracha us. por policiais para bater, intimidar.

cassino (cas.*si*.no) *sm.* Casa de diversões, com salão de jogos de azar como roleta, caça-níqueis etc.

cassiterita (cas.si.te.*ri*.ta) *sf. Min.* Minério de estanho, marrom ou preto brilhante.

casta (*cas*.ta) *sf.* **1** Grupo social hereditário, com membros de mesma etnia, profissão ou religião que casam entre si: *As castas são a base da sociedade indiana.* **2** *Fig.* Qualquer grupo social fechado com regras muito rígidas. **3** Tipo, espécie, qualidade: *casta de uvas.*

castanha (cas.*ta*.nha) *sf.* Fruto da castanheira ou do cajueiro.

castanha-do-pará (cas.ta.nha-do-pa.*rá*) *sf.* Fruto comestível do castanheiro-do-pará, que cresce dentro de uma casca muito dura. [Pl.: *castanhas-do-pará*.]

castanheira, castanheiro (cas.ta.*nhei*.ra, cas.ta.*nhei*.ro) *sf., sm. Bot.* Árvore europeia de até 30m que produz castanha comestível.

castanheta (cas.ta.*nhe*.ta) [ê] *sf.* Estalo produzido pelo dedo médio ao chocar-se com a base do polegar, depois de roçar na ponta deste.

castanho (cas.*ta*.nho) *sm.* **1** A cor amarronzada da castanha. *a.* **2** Que é dessa cor (cabelos *castanhos*).

castanholas (cas.ta.*nho*.las) *sfpl. Mús.* Instrumento de percussão, muito us. na dança flamenca espanhola, formado por duas peças de madeira que se faz baterem entre si, unidas por cordão e presas ao polegar.

castão (cas.*tão*) *sm.* Enfeite que arremata o topo de bengalas: *Exibia uma bengala com castão de prata.* [Pl.: *-tões*.]

castelã, casteloa, castelona (cas.te.*lã*, cas.te.*lo*:a, cas.te.*lo*.na) *sf.* **1** Esposa ou filha de castelão. **2** Dona de castelo.

castelão (cas.te.*lão*) *sm.* **1** Proprietário de castelo. **2** Castelo grande. [Pl.: *castelãos*, *castelães* ou *castelões*. Na acp. 1 fem.: *castelã*, *casteloa* ou *castelona*.]

castelhano (cas.te.*lha*.no) *a.* **1** De Castela (Espanha); típico dessa província ou de seus povos. **2** Pessoa nascida em Castela. *a.sm.* **3** *Gloss.* Da, ref. à ou a língua originária de Castela, falada na Espanha e nos países da América hispânica; ESPANHOL.

castelo (cas.*te*.lo) *sm.* **1** Residência real ou senhorial, fortificada com torres, muralhas etc. **2** Fortaleza construída como um castelo (1). **3** *Cnav.* A parte da embarcação que se eleva acima do convés.

castiçal (cas.ti.*çal*) *sm.* Suporte com um ou mais bocais para velas. [Pl.: *-ais*.]

castiço (cas.*ti*.ço) *a.* **1** Puro, de boa casta. **2** *Fig.* Diz-se da linguagem genuína, pura, sem estrangeirismos; VERNÁCULO: *Meu avô falava num português castiço.*

castidade (cas.ti.*da*.de) *sf.* **1** Qualidade de quem é puro e casto; INOCÊNCIA. **2** Privação voluntária de todo e qualquer prazer sensual; ABSTINÊNCIA: *Padres fazem votos de castidade.*

castigado (cas.ti.*ga*.do) *a.* **1** Que sofreu punição: *Os alunos castigados ficaram na escola até tarde.* **2** Exposto a maus-tratos; SOFRIDO: *Vivia uma infância castigada.* **3** Que ficou em mau estado por falta de cuidado; MALTRATADO: *pele castigada pelo sol.*

castigar (cas.ti.*gar*) *v.* **1** Infligir castigo ou punição a (alguém ou a si mesmo); PUNIR(-SE). [*td.*: *castigar o infrator. pr.*: *Vive castigando-se por atos do passado.*] **2** Usar contínua ou demasiadamente (roupa, instrumento etc.). [*td.*: *Castiga suas roupas preferidas.*] **3** Assolar. [*td.*: "*...as chuvas que castigaram Petrópolis...*" (*O Globo*, 16.02.03).] [▶ **14** castig<u>ar</u>]

castigo (cas.*ti*.go) *sm.* **1** Punição imposta a alguém (supostamente culpado); PENA. **2** Sofrimento, mortificação, tormento: *Essa espera por notícias é um castigo.*

casto (*cas*.to) *a.* **1** Que se priva de todos os prazeres carnais. **2** Que é puro, inocente, imaculado (pessoa casto).

castor (cas.*tor*) [ô] *sm.* **1** *Zool.* Roedor semiaquático encontrado na Europa e América do Norte. **2** Seu pelo.

castrador (cas.tra.*dor*) [ô] *a.sm.* **1** Que ou quem castra, capa. **2** *Fig.* Que ou quem reprime ou anula os desejos e as iniciativas de alguém.

castrar (cas.*trar*) *v.* **1** Privar(-se), por corte ou destruição, dos órgãos reprodutores; CAPAR. [*td. pr.*] **2** *Fig.* Impedir a eficácia ou a independência de. [*td.*: *Um chefe centralizador acaba castrando a equipe.*] [▶ **1** castr<u>ar</u>] • **cas.tra.ção** *sf.*

castrense (cas.*tren*.se) *a2g.* De ou ref. a acampamento ou à classe militar: *É dura a rotina castrense na mata.*

casual (ca.su:*al*) *a2g.* **1** Que acontece por acaso, sem planejamento (encontro *casual*). **2** Não frequente; OCASIONAL: *Sua presença era casual.* [Pl.: *-ais*.]

casualidade (ca.su.a.li.*da*.de) *sf.* **1** Qualidade de casual. **2** Aquilo que se dá por acaso; EVENTUALIDADE: *Aquele encontro foi uma casualidade.*

casuar (ca.su:*ar*) *sm. Zool.* Grande ave não voadora, semelhante ao avestruz, encontrada na Nova Guiné e na Austrália.

casuarina (ca.su.a.*ri*.na) *sf. Bot.* Árvore originária das praias da Austrália e introduzida no Brasil há longo tempo.

casuísmo (ca.su.ís.mo) *sm.* Deturpação de princípios morais, jurídicos etc. de modo a torná-los adequados a um interesse específico: "...não seria casuísmo mudar as regras." (FolhaSP, 27.12.99).

casula (ca.su.la) *sf.* Parte do vestuário do padre ao celebrar a missa.

casulo (ca.su.lo) *sm. Zool.* Envoltório fabricado pelas larvas de insetos em torno de seu próprio corpo.

cata (ca.ta) *sf.* **1** Ação ou resultado de catar; BUSCA. **2** *Bras.* Escavação para mineração.

catabolismo (ca.ta.bo.lis.mo) *sm. Bioq.* Parte do metabolismo em que acontece a liberação de energia por meio da decomposição de nutrientes complexos. [Cf.: *anabolismo* e *metabolismo*.] ● **ca.ta.bó.li.co** *a.*

catacego (ca.ta.ce.go) *a. Pop.* Que enxerga mal.

cataclismo (ca.ta.clis.mo) *sm.* **1** *Geol.* Alteração geológica muito brusca e de grande extensão: *Terremotos são cataclismos comuns no Japão.* **2** *Fig.* Grande desastre ou tragédia; CALAMIDADE.

catacrese (ca.ta.cre.se) *sf. Ling.* Uso de uma palavra já existente na língua para suprir a falta de um termo (p.ex.: *os pés da cama*; *embarcar no avião*). [Cf.: *metáfora*.]

catacumba (ca.ta.cum.ba) *sf.* Galeria subterrânea para enterrar os mortos.

catadióptrico (ca.ta.di.óp.tri.co) *a.sm. Ópt.* Diz-se de ou cada um dos sinalizadores que, dispostos ao longo das estradas ou na traseira de veículos, refletem e refratam a luz; OLHO DE GATO.

catadupa (ca.ta.du.pa) *sf.* **1** Queda de água corrente de grande altura e intensidade; CATARATA; QUEDA-D'ÁGUA. **2** *Fig.* Derramamento, jorro, jato: *catadupa de reclamações.*

catadura (ca.ta.du.ra) *sf.* Aparência, aspecto.

catafalco (ca.ta.fal.co) *sm.* Apoio sobre o qual se coloca um caixão.

catalão (ca.ta.lão) *a.* **1** Da Catalunha (Espanha); típico dessa região ou de seu povo. *sm.* **2** Pessoa nascida na Catalunha. *a.sm.* **3** *Gloss.* Da, ref. à ou a língua falada na Catalunha. [Pl.: *-lães.* Fem.: *-lã.*]

catalepsia (ca.ta.lep.si.a) *sf. Med.* Perda temporária da sensibilidade e do movimento. ● **ca.ta.lép.ti.co** *a.sm.*

catalisador (ca.ta.li.sa.dor) [ô] *a.sm.* **1** *Quím.* Que ou aquilo que provoca catálise. **2** *Fig.* Que ou aquilo que, com sua simples presença, mesmo sem ação direta, estimula mudanças ou acelera um processo. *sm.* **3** *Aut.* Abafador no cano de escape de veículos que reduz a emissão de gases poluentes.

catalisar (ca.ta.li.sar) *v. td.* **1** *Quím.* Provocar catálise em. **2** *Fig.* Incitar, estimular: *catalisar a conscientização da sociedade.* [▶ 1 cata<u>lisar</u>]

catálise (ca.tá.li.se) *sf. Quím.* Aumento da velocidade de uma reação química provocado pela presença de determinada substância.

catalogar (ca.ta.lo.gar) *v. td.* Organizar e listar em catálogo. [▶ **14** cata<u>logar</u>] ● **ca.ta.lo.ga.ção** *sf.*

catálogo (ca.tá.lo.go) *sm.* **1** Lista ordenada de nomes, produtos etc. (*catálogo telefônico*). **2** Relação de livros, revistas e documentos de uma biblioteca.

catamarã (ca.ta.ma.rã) *sm. Mar.* Barco com dois cascos, lado a lado.

catana (ca.ta.na) *sf.* **1** Espada curva e curta, de origem japonesa. **2** Faca comprida e larga.

catanduva, catanduba (ca.tan.du.va, ca.tan.du.ba) *sf.* **1** *Bot.* Árvore que produz flores amarelas. **2** Mato rasteiro e cheio de espinhos.

catão (ca.tão) *sm.* Pessoa muito rígida, severa. [Pl.: *-tões.*]

cata-piolho (ca.ta-pi:o.lho) [ô] *sm. Pop.* Dedo polegar da mão; MATA-PIOLHO. [Pl.: *cata-piolhos.*]

cataplasma (ca.ta.plas.ma) *s2g. Med.* Preparado medicinal que se aplica sobre alguma área do corpo com diversos fins: *cataplasma para clarear manchas de sol.*

catapora (ca.ta.po.ra) *sf. Bras. Pop. Med.* Doença contagiosa que causa o aparecimento de manchas vermelhas na pele, acompanhado de febre; VARICELA.

catapulta (ca.ta.pul.ta) *sf.* **1** *Mil.* Antiga arma de guerra us. para lançar pedras ou tochas incendiadas contra um alvo. **2** *Bras. Aer. Cnav.* Dispositivo muito us. a bordo de porta-aviões para ajudar no lançamento de aviões. ● **ca.ta.pul.tar** *v.*

catar (ca.tar) *v. td.* **1** Procurar, buscar: *Catou os óculos por toda a casa.* **2** Recolher um por um entre outras coisas: *catar lenha para a fogueira.* **3** Catar (1) e matar (piolhos, pulgas, carrapatos). **4** Limpar, selecionando (feijão, arroz, sementes etc.). [▶ **1** ca<u>tar</u>]

catarata (ca.ta.ra.ta) *sf.* **1** Queda d'água, cachoeira. **2** *Med.* Opacidade do cristalino (5), que prejudica a visão.

catarinense (ca.ta.ri.nen.se) *a2g.* **1** De Santa Catarina; típico desse estado ou de seu povo. *s2g.* **2** Pessoa nascida em Santa Catarina.

catarreira (ca.tar.rei.ra) *sf. Pop.* Grande quantidade de muco ou catarro.

catarrento (ca.tar.ren.to) *a.* Que está ou tende a ficar com muito catarro.

catarrino (ca.tar.ri.no) *a. Zool.* **1** Que pertence a uma certa espécie de primatas de narinas muito abertas. *sm.* **2** Indivíduo dessa espécie de primatas, como o gorila, o chimpanzé e o orangotango.

catarro (ca.tar.ro) *sm.* **1** *Med.* Substância produzida pelas mucosas; MUCO. **2** *Med.* Defluxo, constipação. **3** *N. N.E. Pop.* A polpa ainda macia do coco verde.

catarse (ca.tar.se) *sf. Psi.* **1** Sentimento de alívio ao se trazer à consciência sentimentos, traumas etc. que estavam reprimidos. **2** Liberação desses sentimentos através de encenação etc.

catártico (ca.tár.ti.co) *a.* Da ou ref. a catarse.

catástrofe (ca.tás.tro.fe) *sf.* Acontecimento grave; CALAMIDADE; DESGRAÇA. ● **ca.tas.tró.fi.co** *a.*

catatau (ca.ta.tau) *sm.* **1** Coisa grande, volumosa: *O livro é um catatau.* **2** Grande quantidade: *Recebeu um catatau de cartas.* **3** *N.* Pessoa muito baixa.

catatonia (ca.ta.to.ni.a) *sf. Psiq.* Tipo de esquizofrenia. ● **ca.ta.tô.ni.co** *a.*

cata-vento (ca.ta-ven.to) *sm.* **1** Aparelho ou objeto que indica direção e velocidade do vento. **2** Mecanismo acionado pela força do vento, us. para retirar água de poço. [Pl.: *cata-ventos.*]

⊕ **catch** (*Ing. /quétch/*) *sm.* Luta em que qualquer tipo de golpe é permitido.

catecismo (ca.te.cís.mo) *sm.* **1** Ensino da doutrina católica ou cristã. **2** Livro que contém esses ensinamentos.

catecúmeno (ca.te.cú.me.no) *sm.* Pessoa que se prepara para ser batizada.

cátedra (cá.te.dra) *sf.* **1** Cadeira (2) de nível universitário. **2** Cargo do titular de uma cátedra (1), o mais alto na carreira de professor universitário. **3** Assento de uma autoridade religiosa.

catedral (ca.te.dral) *sf.* Igreja principal de uma diocese ou arquidiocese. [Pl. *-drais.*]

catedrático (ca.te.drá.ti.co) *a.* **1** Ref. a cátedra (1). *sm.* **2** Professor que ocupa posto de titular de cátedra (2).

categoria (ca.te.go.ri.a) *sf.* **1** Classe de objetos ou pessoas que têm a mesma natureza; ESPÉCIE; TIPO: *Dez atletas na categoria feminina venceram.* **2** Habilidade, elegância: *Discurso com categoria.* **3** Alta qualidade: *hotel de categoria.*

categórico (ca.te.gó.ri.co) *a.* **1** Ref. a categoria. **2** Que não deixa dúvida, ou em que não há dúvida: *O chefe foi categórico em suas instruções.*

categorizado (ca.te.go.ri.za.do) *a.* **1** Organizado por categorias (*catálogo categorizado*). **2** Que tem

categoria (3), boa qualidade, idoneidade: *Era um funcionário categorizado.*

categorizar (ca.te.go.ri.*zar*) *v. td.* Ordenar por categorias ou classes; CLASSIFICAR. [▶ 1 categoriz**ar**]

categute (ca.te.*gu*.te) *sm. Med.* Fio, feito de tripa de animal (ger. carneiro), us. para suturas de ferimento ou em cirurgias.

catenária (ca.te.*ná*.ri.a) *sf. Geom.An.* Curva plana formada por um fio de espessura mínima quando pendurado por suas extremidades e unicamente sob a ação do próprio peso.

catequese (ca.te.*que*.se) *sf.* Doutrinação, ger. oral, de matéria religiosa.

catequista (ca.te.*quis*.ta) *a2g.s2g.* Que ou quem catequiza, ensina o catecismo.

catequizar (ca.te.qui.*zar*) *v. td.* **1** Instruir em uma doutrina religiosa: *Os jesuítas catequizavam os índios.* **2** Converter para ou convencer de (qualquer doutrina, princípio, ponto de vista etc.) (seguido de indicação de objetivo): *Catequizou-o para suas ideias políticas.* [▶ 1 catequiz**ar**] • **ca.te.qui.za.ção** *sf.*

cateretê (ca.te.re.*tê*) *sm. S. GO* Dança cantada e sapateada, acompanhada de palmas, executada em fileiras opostas.

caterva (ca.*ter*.va) *sf.* **1** Multidão. **2** Multidão de pessoas desprezíveis; CORJA; MALTA.

cateter (ca.te.*ter*) *[é] sm. Med.* Tubo de diâmetro milimétrico que se introduz no organismo para examinar uma região, colocar ou extrair líquidos, implantar dispositivos etc. [Cf.: *sonda* (3).]

cateterismo (ca.te.te.*ris*.mo) *sm. Med.* Ação de introduzir um cateter no organismo.

cateto (ca.*te*.to) *[ê] sm. Geom.* Cada um dos lados que formam ângulo reto no triângulo retângulo.

catilinária (ca.ti.li.*ná*.ri.a) *sf.* Acusação feita de forma violenta e convincente.

catimba (ca.*tim*.ba) *sf. Gír.* **1** Malícia, manha. **2** *Esp.* Recurso malicioso us. por jogadores para retardar o jogo, atrapalhar o adversário etc.; CERA. • **ca.tim.bar** *v.*

catimbau, catimbó (ca.tim.*bau*, ca.tim.*bó*) *sm. Bras. Rel.* Culto que combina elementos da feitiçaria, do candomblé e do baixo espiritismo.

catimplora (ca.tim.*plo*.ra) *sf.* Vasilha de metal us. para esfriar a água.

catinga (ca.*tin*.ga) *sf. Bras.* Mau cheiro que exala um corpo suado ou sujo. • **ca.tin.go.so** *a.*

catingar (ca.tin.*gar*) *v. int. Bras.* Cheirar mal; FEDER. [▶ 14 catin**gar**]

catingueiro (ca.tin.*guei*.ro) *a.sm. Bras.* Que ou quem habita a caatinga.

catinguento (ca.tin.*guen*.to) *a. Bras.* Que tem mau cheiro; CATINGOSO; FEDORENTO.

cátion (*cá*.ti.on) *sm. Fís. Quím.* Íon de carga elétrica positiva.

catita (ca.*ti*.ta) *a2g.* **1** Que se veste bem; ELEGANTE. **2** Que é bonito, atraente. *sm.* **3** Pessoa catita (1).

cativante (ca.ti.*van*.te) *a2g.* Que cativa, que atrai, seduz (sorriso *cativante*).

cativar (ca.ti.*var*) *v. td.* **1** Tornar cativo (2); CAPTURAR; ESCRAVIZAR. **2** *Fig.* Obter a estima, a amizade ou o amor de: *Cativou a criança e resolveu adotá-la.* **3** *Fig.* Seduzir. [▶ 1 cativ**ar**]

cativeiro (ca.ti.*vei*.ro) *sm.* **1** Prisão, gaiola ou jaula: *animais criados em cativeiro.* **2** Lugar em que se fica prisioneiro de sequestradores: *O empresário conseguiu fugir do cativeiro.*

cativo (ca.*ti*.vo) *a.* **1** Que é exclusivo de alguém: *Ele tem cadeira cativa no Maracanã.* **2** Que está preso ou mantido como escravo. *sm.* **3** Pessoa cativa (1).

catodo (ca.*to*.do) *[ó] sm. Elet.* Condutor metálico de carga elétrica negativa.

catolicismo (ca.to.li.*cis*.mo) *sm. Rel.* **1** Conjunto de dogmas, preceitos, crenças e instituições adotados por parte dos cristãos, pertencentes à Igreja Católica, e que reconhece a autoridade do papa. **2** A religião dos que adotam o catolicismo (1). **3** A totalidade dos que professam o catolicismo (2).

católico (ca.*tó*.li.co) *a.sm.* **1** Que ou quem segue o catolicismo (2). *a.* **2** Ref. ao, do ou próprio do catolicismo ou dos católicos (1) (moral *católica*). **3** *Fig.* Correto, adequado: *A costura não ficou muito católica.*

catorze (ca.*tor*.ze) *[ó] num.* Ver quatorze.

catraca (ca.*tra*.ca) *sf.* **1** *Bras.* Mecanismo de controle de acesso de pessoas em ônibus, metrô, estádios etc.; BORBOLETA; ROLETA. **2** Mecanismo que permite que, numa movimentação circular de roda, engrenagem etc., uma ação em sentido inverso não acarrete o movimento correspondente. CATRACA (2)

catraia (ca.*trai*.a) *sf. Mar.* Pequeno barco, ger. conduzido por uma só pessoa.

catraieiro (ca.trai.*ei*.ro) *sm.* Pessoa que conduz a catraia.

catre (*ca*.tre) *sm.* **1** Cama alternativa ou sobressalente, ger. dobrável. **2** Cama baixa, ger. desconfortável.

catuaba (ca.tu.*a*.ba) *sf.* **1** *Bras. Bot.* Arbusto de flores e frutos amarelos, com propriedades medicinais. **2** *Bras.* Bebida que se faz com a casca dessa planta.

catucada (ca.tu.*ca*.da) *sf. Bras. Pop.* **1** Ação ou resultado de catucar. **2** Gesto de tocar alguém ou alguma coisa com parte do corpo ou algum objeto; CUTUCADA: *À primeira catucada, a cobra respondeu com um bote.*

catucão (ca.tu.*cão*) *sm. Bras. Pop.* Gesto de tocar alguém ou alguma coisa com força; CUTUCÃO: *Disse o que não devia e levou um catucão.* [Pl.: -cões.]

catucar (ca.tu.*car*) *v. Bras. Pop.* **1** Tocar (alguém) rapidamente com o cotovelo, dedo etc., para chamar-lhe a atenção: *Catuquei-o para que não dormisse durante a aula.* **2** Introduzir o dedo ou objeto fino e pontudo em orifício de: *catucar* a orelha. **3** Tocar com insistência em: *Não catuque a ferida.* [▶ 11 catu**car**]

catulé (ca.tu.*lé*) *sm. Bot.* Palmeira de cujas sementes se extrai óleo doce.

caturra (ca.*tur*.ra) *sf.* **1** *Zool.* Ave de origem australiana que se assemelha ao periquito. **2** *Bot.* Espécie de banana. *a2g.s2g.* **3** *Fig.* Que ou quem gosta de discutir, de discordar.

caturrice (ca.tur.*ri*.ce) *sf.* Qualidade, ação ou dito de caturra (3); CATURRISMO; TEIMOSIA.

caturrismo (ca.tur.*ris*.mo) *sm.* Ver caturrice.

cauboi (cau.*bói*) *sm.* **1** Vaqueiro. **2** Pistoleiro do Velho Oeste norte-americano: *filme de cauboi.*

caução (cau.*ção*) *sf.* O que serve (ger. depósito em dinheiro, cheque etc.) de garantia de que se vai honrar uma dívida ou compromisso: *Deixou um cheque como caução no hospital.* [Pl.: -ções.]

caucho (*cau*.cho) *sm. Bot.* Árvore cujo látex é us. para fabricar borracha.

caucionar (cau.ci.o.*nar*) *v. td.* Dar caução ou garantia a; GARANTIR; AFIANÇAR. [▶ 1 caucion**ar**]

cauda (*cau*.da) *sf.* **1** *Anat. Zool.* Prolongamento móvel da parte traseira do corpo de certos animais; RABO: *Vi um lagarto de longa cauda.* **2** Parte alongada de um item do vestuário, que se arrasta pelo chão: *a cauda do véu da noiva.* **3** Rastro de luz que dá forma alongada a um cometa.

caudal (cau.*dal*) *sm.* **1** Torrente de água: *Afogaram-se naquele caudal.* *a2g.* **2** Ref. a cauda (1). **3** Ver *caudaloso.* [Pl.: *-dais.*]

caudaloso (cau.da.*lo*.so) *[ó] a.* Em que há muita água; CAUDAL: *O rio Amazonas é o mais caudaloso do mundo.* [Fem. e pl.: [ó].]

caudatário (cau.da.*tá*.ri:o) *sm.* **1** Em cerimônias solenes, pessoa que vai atrás de uma autoridade (p.ex., rei, papa), segurando a cauda de seu manto. **2** Partidário, simpatizante (de grupo, pessoa, ideia etc.).

caudilhismo (cau.di.*lhis*.mo) *sm.* Sistema ou atitudes de caudilho.

caudilho (cau.*di*.lho) *sm.* **1** Chefe militar. **2** Líder centralizador; DITADOR.

cauim (cau.*im*) *sm. Bras.* Bebida indígena feita com mandioca ou milho cozidos e fermentados. [Pl.: *-ins.*]

caule (*cau*.le) *sm. Bot.* Parte aérea das plantas, ligada à raiz, e que sustenta as folhas e os ramos.

caulifloria (cau.li.flo.*ri*.a) *sf. Bot.* Emissão de flores diretamente do tronco e dos ramos grossos de certas árvores.

caulim (cau.*lim*) *sm.* Argila branca us. na indústria de cerâmica: *tijolos de caulim.* [Pl.: *-lins.*]

caulinar, caulino (cau.li.*nar*, cau.*li*.no) *a2g.*, *a. Bot.* Ref. ou próprio de caule.

causa (*cau*.sa) *sf.* **1** Aquilo ou aquele que faz com que uma coisa seja ou exista: *A ausência é a causa da saudade.* **2** Aquilo ou aquele que faz com que algo aconteça: *Uma simples picada de inseto foi a causa da inflamação.* **3** Conjunto de ideias, ideais ou crenças pelo qual se age, ger. em grupo: *Defender a natureza é causa comum a todos os ecologistas.* **4** *Jur.* Questão levada aos órgãos de Justiça com a finalidade de se fazer respeitar a lei: *Contratou um advogado para assumir sua causa.*

causador (cau.sa.*dor*) [ô] *a.sm.* Que ou o que causa, provoca: *Este foi o fato causador da briga*; *O Aedes aegypti é o causador da doença.*

causal (cau.*sal*) *a2g.* **1** Ref. a causa: *A desnutrição é um fator causal de doenças.* **2** *Gram.* Diz-se da conjunção subordinativa que expressa causa (p.ex.: *porque*). [Pl.: *-sais.*]

causalidade (cau.sa.li.*da*.de) *sf.* Relação entre causa e efeito.

causar (cau.*sar*) *v.* Ser causa (1, 2) de; MOTIVAR; PROVOCAR. [*td*.: *O nevoeiro causou o acidente.* *tdi.* + *a*: *Sua precipitação causou prejuízo à empresa.*] [▶ 1 caus*ar*]

causativo (cau.sa.*ti*.vo) *a. Ling.* Diz-se de verbo cujo complemento é um agente influenciado pelo sujeito. [Na frase *"Marcos espantou o gato"*, o verbo é *causativo* porque o gato, por ter sido atingido pela ação (complemento da ação), é agente influenciado por Marcos.]

causídico (caus.*sí*.di.co) *sm.* Defensor de causas; ADVOGADO.

cáustico (*cáus*.ti.co) *a.* **1** Que destrói os tecidos orgânicos, queimando-os (ácido *cáustico*). **2** *Fig.* Destrutivo, corrosivo (humor *cáustico*).

cautela (cau.*te*.la) *sf.* **1** Cuidado que se toma para evitar um mal; PRECAUÇÃO: *O urso caminhava sobre o gelo fino com cautela.* **2** *Jur.* Documento que serve de recibo provisório. • cau.te.*lo*.so *a.*

cautelar[1] (cau.te.*lar*) *a2g. Jur.* Que serve para prevenir, resguardar (medidas *cautelares*).

cautelar[2] (cau.te.*lar*) *v.* Ver acautelar. [▶ 1 cautel*ar*]

cautério (cau.*té*.ri:o) *sm. Med.* **1** Meio químico (substância cáustica) ou físico (calor de instrumento aquecido ou por eletricidade) de queimar tecidos orgânicos, inclusive para facilitar cicatrização. **2** Cicatriz.

cauterizar (cau.te.ri.*zar*) *v. td.* Aplicar cautério em (ferimento, lesão, cicatriz). [▶ 1 cauteriz*ar*]

cauto (*cau*.to) *a.* Cauteloso, prudente.

cava (*ca*.va) *sf.* Corte de vestido, camisa, maiô etc. em volta do topo do braço (ao qual se encaixam, ou não, mangas), ou na virilha.

cavação (ca.va.*ção*) *sf.* **1** Ação ou resultado de cavar; ESCAVAÇÃO: *a cavação de um túnel.* **2** *Bras. Pop.* Negócio, emprego, vantagem etc. obtidos por proteção ou meio ilícito: *Esse contrato foi uma cavação.*

cavaco[1] (ca.*va*.co) *sm.* **1** Lasca de madeira: *um cavaco de lenha.* **2** *Mús. Pop.* Cavaquinho.

cavaco[2] (ca.*va*.co) *sm. Pop.* Conversa informal; BATE-PAPO.

cavado (ca.*va*.do) *a.* **1** Que se cavou. **2** Cuja cava é grande (camisetas *cavadas*, biquíni *cavado*). **3** Aprofundado no colo ou nas costas: *Usava um vestido com decote bem cavado.*

cavador (ca.va.*dor*) [ô] *a.sm.* **1** Que ou quem cava. **2** *Pop.* Que ou quem é esforçado e perseverante: *De tão cavador, conseguiu uma bolsa de estudos.* **3** *Bras. Pop.* Que ou quem usa proteção ou meio ilícito para fazer negócios ou obter vantagens: *José é conhecido cavador de empregos.*

cavala (ca.*va*.la) *sf. Zool.* Peixe marinho apreciado pela carne.

cavalar (ca.va.*lar*) *a2g.* **1** Próprio de cavalo. **2** *Fig.* Enorme, colossal (fome *cavalar*).

cavalaria (ca.va.la.*ri*.a) *sf.* **1** *Mil.* Tropa formada por soldados a cavalo: *A cavalaria abriu o desfile militar.* **2** Instituição medieval de nobres cavaleiros.

cavalariano (ca.va.la.ri.*a*.no) *sm. Bras.* Integrante da cavalaria (1).

cavalariça (ca.va.la.*ri*.ça) *sf.* Lugar que abriga os cavalos; ESTREBARIA.

cavalariço (ca.va.la.*ri*.ço) *sm.* Pessoa que cuida de animais na cavalariça.

cavaleiro (ca.va.*lei*.ro) *sm.* **1** Aquele que monta a cavalo: *Muitos cavaleiros participaram da caçada.* **2** Integrante da cavalaria (1): *cavaleiro do Exército.* [Cf.: *cavalheiro.*]

cavalete (ca.va.*le*.te) [ê] *sm.* **1** Armação móvel us. como suporte para telas, pranchas de desenho etc. **2** Qualquer suporte para apoiar diversos tipos de objetos, tabuleiro etc.: *As bancadas da feira são sustentadas por cavaletes.* **3** Peça que sustenta, mantendo elevadas, as cordas de instrumentos musicais como o violino, a viola, o violoncelo e o contrabaixo.

cavalgada (ca.val.*ga*.da) *sf.* **1** Ação ou resultado de cavalgar. **2** Marcha ou passeio de um grupo montado a cavalo.

cavalgadura (ca.val.ga.*du*.ra) *sf.* **1** Animal de montaria. **2** *Fig. Pej.* Pessoa grosseira e pouco inteligente; CAVALO (2). [**At!** Considerado ofensivo nesta acepção.]

cavalgar (ca.val.*gar*) *v. td.* Montar (em), andar (a) cavalo. [*td.*: *cavalgar um alazão.* *int*.: *Passa as tardes cavalgando.*] **2** Andar ou montar sobre, como em cavalo. [*ti*. + *em/td.*: *O palhaço cavalgava u/na vassoura para alegrar a criançada.*] [▶ 14 cavalg*ar*] • ca.val.ga.*men*.to *sm.*

cavalhada (ca.va.*lha*.da) *sf.* **1** *Bras.* Grande quantidade de cavalos. ◪ **cavalhadas** *sfpl.* **1** *Folc.* Festa popular em que há disputas entre cavaleiros: *São famosas as cavalhadas de Goiás.*

cavalheiresco (ca.va.lhei.*res*.co) [ê] *a.* Próprio de cavalheiro (gesto *cavalheiresco*).

cavalheirismo (ca.va.lhei.*ris*.mo) *sm.* Qualidade ou atitude de cavalheiro: *Seu cavalheirismo agrada às mulheres.*

cavalheiro (ca.va.*lhei*.ro) *sm.* **1** Homem educado e de modos finos. **2** *Poét.* ou *sm* masculino: *Para cavalheiros a entrada custa R$ 10,00.* **3** O par de uma mulher em uma dança. [Cf.: *cavaleiro.* Nas acps. 2 e 3, opõe-se a *dama.*]

cavalo (ca.*va*.lo) *sm.* **1** *Zool.* Animal quadrúpede e mamífero, us. para montaria e tração. **2** *Fig. Pej.*

Pessoa grosseira e ignorante; CAVALGADURA. **3** *Fig. Pej.* Pessoa violenta. [**At!** Considerado ofensivo nas acps. 2 e 3.] **4** Peça do jogo de xadrez: *O cavalo se move em L.* **5** *Agr.* Planta resistente em que se faz um enxerto de melhor qualidade. ⁑ **A ~ Montado** (sobre cavalo ou outra coisa). **Cair do ~** Ter grande surpresa, ger. associada a decepção. **~ de batalha 1** Dificuldade. **2** Área ou assunto preferidos de alguém, ou nos quais tem bom desempenho. **Tirar o ~ (cavalinho) da chuva** *Bras.* Desistir de um intento.

cavalo de pau (ca.va.lo de *pau*) *sm. Bras.* **1** Brinquedo que busca imitar um cavalo (), feito com um pedaço de pau ao qual se fixa a representação da cabeça do animal. **2** *Fig.* Freada brusca e giro que faz o veículo parar em posição invertida. [Pl.: *cavalos de pau.*]

cavalo-marinho (ca.va.lo-ma.ri.nho) *sm. Zool.* Pequeno peixe cuja cabeça lembra a de um cavalo; HIPOCAMPO. [Pl.: *cavalos-marinhos.*]

cavalo-vapor (ca.va.lo-va.*por*) *sm. Fís.* Unidade de potência de motores. [Tb. apenas *cavalo.*] [Símb.: *cv*] [Pl.: *cavalos-vapor.*]

cavanhaque (ca.va.*nha*.que) *sm.* Barba curta, em ponta, sob o queixo.

CAVALO-MARINHO

cavaquear (ca.va.que.*ar*) *v. Fam.* Bater papo; PAPEAR. [*int.*: *Para relaxar, gostava de cavaquear.* **ti. + com**: *O professor cavaqueava com a turma.*] [▶ **13** cavaquear]

cavaqueira (ca.va.*quei*.ra) *sf. Bras. Pop.* Bate-papo.

cavaquinha (ca.va.*qui*.nha) *sf. Zool.* Crustáceo de água salgada, semelhante à lagosta, porém menor, tb. chamado cigarra-do-mar e lagosta-da-pedra.

cavaquinho (ca.va.*qui*.nho) *sm.* **1** *Mús.* Viola pequena de quatro cordas, us. no samba e no choro. **2** Tocador de cavaquinho (1). ● **ca.va.***quis***.ta** *a2g.s2g.*

cavar (ca.*var*) *v.* **1** Revolver (a terra) ou nela abrir cavidade(s). [*td.* (seguido de indicação de finalidade): *Eles cavaram o quintal para plantar árvores.*] **2** Abrir buraco ou fenda em. [*td.*: *cavar a árvore/a parede.*] **3** Extrair (minério) mediante escavação. [*td.*] **4** Abrir decote ou cava em (blusa, camisa, maiô etc.). [*td.*] **5** *Fig.* Conseguir (algo) à custa de muito esforço ou de forma indevida, ou ilícita. [*td.*: "...para cavar cargos no governo paulistano." (FolhaSP, 27.08.99). **tdi. + para**: *Cavou um emprego para o sobrinho.*] **6** *Fig.* Concorrer para (algo). [*td.*: *Ele está cavando a sua própria desgraça.*] [▶ **1** cavar]

cavatina (ca.va.*ti*.na) *sf. Mús.* Na ópera, ária breve e sem repetição.

caveira (ca.*vei*.ra) *sf.* **1** *Pop.* Esqueleto da cabeça. **2** *Pop.* Conjunto de ossos de um ser humano ou animal. ⁑ **Fazer a ~ de** *Bras. Pop.* Fazer com que alguém seja malvisto por outrem.

caverna (ca.*ver*.na) *sf.* Cavidade grande e profunda na terra ou numa rocha; GRUTA.

cavername (ca.ver.*na*.me) *sm. Pop.* Conjunto de ossos de um vertebrado; ESQUELETO; OSSADA.

cavernoso (ca.ver.*no*.so) [ó] *a.* De som rouco e profundo (voz *cavernosa*). [Fem. e pl.: [ó].]

caviar (ca.vi.*ar*) *sm. Cul.* Conserva de ovas de esturjão.

cavidade (ca.vi.*da*.de) *sf.* Buraco de qualquer tipo ou tamanho.

cavilação (ca.vi.la.*ção*) *sf.* Argumento astucioso para enganar alguém. [Pl.: -*ções.*] ● **ca.vi.***lo*.so *a.*

cavilha (ca.*vi*.lha) *sf.* Espécie de pino de madeira ou metal para tapar orifícios, unir peças etc.

caviúna (ca.vi.*ú*.na) *sf. Bot.* Ver cabiúna.

cavo (*ca*.vo) *a.* **1** Cavado. **2** De som cavernoso.

cavoucar (ca.vou.*car*) *v. td.* Abrir cavoucos em (terra). [▶ **11** cavoucar]

cavouco (ca.*vou*.co) *sm.* Buraco cavado na terra (esp. para colocação de alicerces); VALA; FOSSO.

cavouqueiro (ca.vou.*quei*.ro) *sm.* Aquele que faz cavoucos.

caxambu (ca.xam.*bu*) *sm. Bras. Folc.* Dança afro-brasileira acompanhada de tambor com o mesmo nome.

caxangá (ca.xan.*gá*) *sm. Zool.* Siri de carapaça cinza ou azulada.

caxemira (ca.xe.*mi*.ra) *sf.* Tecido de lã fina, obtida do pelo de certa cabra da Caxemira (Índia). [Cf.: *caximira.*]

caxeta (ca.*xe*.ta) [ê] *sf. Bras. Bot.* Certa árvore, pequena, de madeira boa para marcenaria.

caxias (ca.*xi*.as) *a2g2n.s2g2n. Bras. Pop.* Que ou quem cumpre com rigor extremado suas obrigações: *Era um funcionário caxias; nunca faltou ao trabalho.*

caxinguelê (ca.xin.gue.*lê*) *sm. Bras. Zool.* Esquilo encontrado em florestas brasileiras; SERELEPE.

caxumba (ca.*xum*.ba) *sf. Bras. Med.* Doença contagiosa causada por vírus, que se caracteriza por febre e inflamação das glândulas salivares; PAROTIDITE.

⌦ **cd** *Ópt.* Simb. de candela.

⌦ **CD** *sm.* Sigla do ing. *Compact Disc* (disco compacto), disco de cerca de 12cm de diâmetro no qual são gravados digitalmente músicas e outros tipos de informação; CEDÊ. [Cf.: *CD player*; *CD-ROM.*]

⌦ **CDB** *Econ.* Sigla de *Certificado de Depósito Bancário* (depósito a prazo fixo que rende juros e correção monetária).

⊕ **CD player** (Ing. /sídí plêier/) *loc.subst.* Aparelho para tocar CDs.

⊕ **CD-ROM** (Ing. /sídí rôm/) *sm. Inf.* Tipo de CD us. em computadores, que contém grande quantidade de informações (texto, imagens e sons). [Tb. apenas *CD.*]

⊕ **CD-single** (Ing. /sídí singal/) *loc.subst.* CD que tem de uma a quatro músicas.

cear (ce.*ar*) *v.* **1** Fazer uma refeição entre o jantar e o sono noturno. [*int.*: *Hoje vamos cear, comi pouco o dia todo.*] **2** Comer (na ceia). [*td.*: *Resolveram cear uma sopa.*] [▶ **13** cear]

cearense (ce:a.*ren*.se) *a2g.* **1** Do Ceará; típico desse estado ou de seu povo. *s2g.* **2** Pessoa nascida no Ceará.

ceata (ce.*a*.ta) *sf.* Ceia farta.

cebola (ce.*bo*.la) [ô] *sf. Bot.* Planta de horta, de gosto forte e picante, cuja raiz é us. como tempero.

cebolada (ce.bo.*la*.da) *sf. Cul.* **1** Molho preparado com muita cebola. **2** Qualquer comida com esse molho.

cebolão (ce.bo.*lão*) *sm.* **1** Modelo antigo de relógio de bolso, grande e redondo. **2** Aum. de *cebola.* [Pl.: -*lões.*]

cebolinha (ce.bo.*li*.nha) *sf.* **1** *Bot.* Erva de talos longos e verdes us. como tempero. [Tb. conhecida como *cebolinha verde.*] **2** Cebola pequena.

cecear (ce.ce.*ar*) *v. int.* Pronunciar o *s*, o *z* e o *c* (antes de *e* ou de *i*) e o *x* (= ss) com a ponta da língua entre os dentes. [▶ **13** cear] ● **ce.***cei*.o *sm.*

cê-cedilha (cê-ce.*di*.lha) *sm.* Letra *c* com sinal gráfico da cedilha (ç). [Pl.: *cês-cedilha* e *cês-cedilhas.*]

ceco (*ce*.co) [é] *sm. Anat.* A primeira parte do intestino grosso.

cedê (ce.*dê*) *sm.* Ver CD.

cê-dê-efe (cê-dê-e.fe) *a2g. Bras. Pop.* Diz-se de aluno, funcionário etc. que, segundo os colegas, leva muito a sério seus estudos ou suas obrigações, ger. com sucesso. [Pl.: *cê-dê-efes.*]

cedente (ce.*den*.te) *a2g.s2g.* Que ou quem cede ou faz cessão.

ceder (ce.der) v. **1** Transferir (a alguém) a propriedade, a posse ou o direito sobre (algo). [tdi. + a: *ceder o lugar aos idosos*.] **2** Conceder precedência a. [tdi. + a: *ceder a vez a alguém numa fila*.] **3** Pôr (algo) à disposição de (outrem); ENTREGAR. [tdi. + a: *Cedi ao amigo o guarda-chuva*.] **4** Render-se, sucumbir. [ti. + a: "...e não ceder à tentação de interromper o trabalho..." (João Ubaldo Ribeiro, *Diário do farol*). int.: *Insistiram e ele cedeu*.] **5** Diminuir, abrandar, ou cessar, terminar. [int.: *A febre não cedia*.] **6** Sofrer abalo, deslocamento ou afundamento (por não resistir a esforço, peso etc.). [int.: *Quando a carreta passou a ponte cedeu*.] **7** Tornar-se mais largo ou mais frouxo. [int.: *Com o uso, o sapato cedeu*.] [▶ 2 ce<u>der</u>]

cediço (ce.di.ço) a. Fig. **1** Conhecido por todos. **2** Fora de uso; ANTIQUADO; ULTRAPASSADO.

cedilha (ce.di.lha) sf. Sinal gráfico que, colocado sob a letra c antes de a, o ou u, lhe dá o som de [ss].

cedilhar (ce.di.lhar) v. td. Pôr cedilha em. [▶ cedilh<u>ar</u>]

cedo (ce.do) [ê] adv. **1** De madrugada, ou nas primeiras horas da manhã: *Saio cedo para o trabalho*. **2** Antes da hora ou do momento previstos: *Sempre chega cedo aos encontros*. **3** Em breve; LOGO: *Cedo chegará o verão*. [Ant.: *tarde*.]

cedro (ce.dro) [ê] sm. **1** Bot. Certa árvore muito grande, de madeira aproveitável em escultura, marcenaria etc. **2** A madeira dessa árvore.

cédula (cé.du.la) sf. **1** Papel que representa o dinheiro de um país; NOTA: *cédula de dez reais*. **2** Bras. Em eleições, papel impresso com o nome e/ou número dos candidatos que se deposita em urna, como forma de votar.

cefaleia (ce.fa.lei.a) sf. Med. Dor de cabeça.

cefálico (ce.fá.li.co) a. Ref. a cabeça (cirurgia *cefálica*).

cefalópode (ce.fa.ló.po.de) Zool. a2g. **1** Ref. a certa classe de moluscos marinhos que têm tentáculos, como polvos, lulas etc. sm. **2** Animal dessa classe de moluscos marinhos.

cefalotórax (ce.fa.lo.tó.rax) [cs] sm2n. Anat. Zool. Entre os aracnídeos e crustáceos, a parte do corpo que resulta da união da cabeça com o tórax.

cegar (ce.gar) v. **1** Fazer perder ou perder a visão. [td.: *Um estilhaço o cegou*. pr.: *Cegou-se na infância*.] **2** Fig. Ofuscar, deslumbrar. [td.: *O farol do caminhão me cegou por um instante*; (tb. sem indicação de complemento) *O sol a pino cega*.] **3** Fig. Fazer perder ou perder a razão; PERTURBAR(-SE); ILUDIR(-SE). [td.: "...um amor arrebatado que o cegara." (Miguel Torga, *Senhor Ventura*). pr.: *Cegara-se com a promessa de riqueza fácil*.] **4** Fig. Fazer perder ou perder o fio ou gume; EMBOTAR. [td.: *O uso ininterrupto cegou a navalha*. int.: *Estas facas cegaram*.] [▶ 14 ce<u>gar</u>] • ce.gan.te a2g.

cega-rega (ce.ga-re.ga) sf. **1** Zool. Cigarra. **2** Fig. Pessoa que fala muito e tem voz desagradável. [Pl.: *cega-regas*.]

cegas (ce.gas) sf. Us. na loc. ▪ Às ~ Fig. Sem enxergar; no escuro.

cego (ce.go) a. **1** Sem visão: *É cego de nascença*. **2** Fig. Sem fino, sem corte (faca *cega*). **3** Fig. Difícil ou impossível de desatar (nó *cego*). **4** Fig. Que interfere no bom senso, impede a reflexão (amor *cego*). **5** Fig. Sem discernimento, sem capacidade de refletir, ser lógico etc.: *cego pelo ciúme*. **6** Fig. Incondicional, absoluto (submissão *cega*). sm. **7** Pessoa sem visão: *Com seu cão treinado, o cego se desloca pela cidade*.

cegonha (ce.go.nha) sf. **1** Zool. Grande ave europeia, migratória, de plumas brancas, pernas alongadas e finas e bico comprido. **2** Bras. Caminhão longo para transportar automóveis.

cegueira (ce.guei.ra) sf. **1** Estado de quem é cego. **2** Fig. Falta de bom senso por excesso de afeição: *Na sua cegueira não reconhece a culpa da filha*.

ceia (cei.a) sf. Refeição entre o jantar e o sono noturno.

ceifa (cei.fa) sf. **1** Ação ou resultado de ceifar. **2** Colheita de cereais. **3** Aquilo que foi ceifado.

ceifadeira (cei.fa.dei.ra) sf. Máquina para colher cereais; CEIFEIRA.

ceifar (cei.far) v. td. **1** Cortar, colher (esp. cereais) com foice ou outro instrumento; SEGAR. **2** Fig. Tirar (a vida de): *A guerra ceifa a vida de muitas pessoas*. [▶ 1 ceif<u>ar</u>]

ceifeira (cei.fei.ra) sf. **1** Ver ceifadeira. **2** Mulher que trabalha na ceifa.

ceifeiro (cei.fei.ro) a. **1** Da ceifa (instrumento ceifeiro). sm. **2** Homem que trabalha na ceifa.

ceitil (cei.til) sm. Nome de antigo dinheiro português de pouco valor. [Pl.: *-tis*.]

cela (ce.la) sf. **1** Quarto pequeno e modesto de convento ou mosteiro. **2** Compartimento em que se encerram prisioneiros.

celacanto (ce.la.can.to) sm. Zool. Peixe do sul da África com até 1,80m de comprimento, corpo e nadadeiras fortes e cabeça pequena.

celebrado (ce.le.bra.do) a. **1** Comemorado festivamente. **2** Muito conhecido e apreciado: *um ator celebrado*.

celebrar (ce.le.brar) v. td. **1** Comemorar (algo) com festa; FESTEJAR: *celebrar os 18 anos da filha*. **2** Receber com festejos ou com exaltação; COMEMORAR: *O povo celebrou nas ruas a libertação da cidade*. **3** Louvar, exaltar, enaltecer: *Camões celebra os feitos de Vasco da Gama*. **4** Realizar (algo) com as devidas formalidades, ou com solenidade: *celebrar um casamento; O presidente celebra hoje o acordo comercial*. **5** Rezar ou dizer (missa): (com ou sem complemento explícito) *O padre celebrou (uma missa) de manhã*. [▶ 1 celebr<u>ar</u>] • ce.le.bra.ção sf.; ce.le.bran.te a2g.s2g.

célebre (cé.le.bre) a2g. Famoso, conhecido. [Ant.: *obscuro, desconhecido*.] [Superl.: *celebérrimo* e *celebríssimo*.]

celebridade (ce.le.bri.da.de) sf. **1** Atributo, característica do que é célebre; FAMA: *A celebridade de Carmen Miranda espalhou-se pelo mundo*. **2** Pessoa célebre, famosa: *Várias celebridades participaram da festa*.

celebrizar (ce.le.bri.zar) v. Tornar(-se) célebre ou ilustre; NOTABILIZAR(-SE). [td.: *Aquele invento o celebrizou*. pr.: *Celebrizou-se já com o primeiro livro*.] [▶ 1 celebriz<u>ar</u>]

celeiro (ce.lei.ro) sm. Depósito de produtos agrícolas e provisões; TULHA; GRANEL: *Na fazenda há um grande celeiro*.

celenterado (ce.len.te.ra.do) sm. Zool. Espécime dos celenterados, antigo nome de animais marinhos gelatinosos como as águas-vivas. • ce.len.té.ri:o sm.

celerado (ce.le.ra.do) a.sm. Que ou quem é mau ou criminoso.

célere (cé.le.re) a2g. Ligeiro, veloz: *É célere nas respostas*. [Ant.: *vagaroso*.] [Superl.: *celérrimo* e *celeríssimo*.]

celeste (ce.les.te) a2g. **1** Ref. ao céu ou que nele se encontra (abóbada *celeste*, corpo *celeste*). **2** Ref. a Deus ou que dele provém (bênção *celeste*). **3** Fig. Que é magnífico ou sublime (canção *celeste*).

celestial (ce.les.ti:al) a2g. Ver celeste. [Pl.: *-ais*.]

celeuma (ce.leu.ma) sf. **1** Fig. Debate acalorado: *A proposta provocou muita celeuma*. **2** Algazarra ou barulho de vozes.

celibatário (ce.li.ba.tá.ri:o) a.sm. **1** Que ou quem não se casou; SOLTEIRO. a. **2** Em que não houve casamento (vida *celibatária*).

celibato (ce.li.ba.to) sm. Condição do adulto que não se casou.

celofane | censurar

celofane (ce.lo.*fa*.ne) *sm*. Tipo de papel fino e transparente, us. ger. para embrulhar objetos. [Tb. *papel celofane*.]

celso (*cel*.so) *a*. **1** Que é muito alto; ELEVADO. **2** *Fig.* Que é sublime, admirável, excelso.

celta (*cel*.ta) *a2g*. **1** Dos celtas, antigo povo indo-germânico; típico desse povo. **2** Do ou ref. ao celta (4). *s2g*. **3** Indivíduo dos celtas. *sm*. **4** *Gloss.* Denominação dada às línguas faladas por esse povo.

célula (*cé*.lu.la) *sf*. **1** *Biol.* Estrutura microscópica que constitui os seres vivos, composta basicamente de membrana, citoplasma e de um núcleo onde se encontra o material genético. **2** *Inf.* Numa planilha eletrônica, o espaço compreendido pela interseção de linhas e colunas, que pode conter alguma informação. **3** *Fig.* Grupo de pessoas que formam uma unidade no interior de uma organização ou movimento: *Eu pertencia a uma célula do partido.*

📖 A célula é a menor unidade orgânica de todo ser vivo, vegetal ou animal (num homem adulto são mais de cem trilhões). Sua forma varia de acordo com o órgão que compõe e com as funções que exerce. Alguns organismos são compostos de uma só célula (p.ex., as bactérias, os protozoários). Sua estrutura básica apresenta uma membrana externa que envolve o organismo, chamada protoplasma, por sua vez composto de citoplasma (basicamente água e proteína), e núcleo. O núcleo regula as funções metabólicas da célula e contém os fatores hereditários (cromossomos e genes). As células se multiplicam dividindo-se, em diferentes processos (é a divisão do núcleo que ger. rege o processo de multiplicação das células) e as novas células carregam o material genético das células originais.

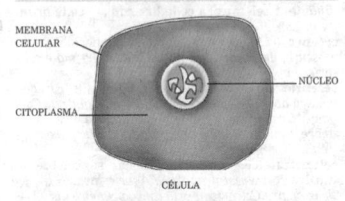

MEMBRANA CELULAR

NÚCLEO

CITOPLASMA

CÉLULA

célula-ovo (cé.lu.la-*o*.vo) [ó] *sf*. *Biol.* Célula originada da fertilização de um óvulo por um espermatozoide; ZIGOTO. [Pl.: *células-ovos* [ó] e *células-ovo*.]

celular (ce.lu.*lar*) *a2g*. **1** *Biol.* Ref. a célula ou próprio dela (estrutura *celular*). **2** *Biol.* Composto por células (organismo *celular*). *sm*. **3** Telefone celular (ver em *telefone*).

célula-tronco (cé.lu.la-*tron*.co) *sf*. Célula (1) que ainda não se diferenciou para uma função específica e que é capaz de fazê-lo e de multiplicar-se, podendo assim vir a constituir-se na base de tecidos especializados de órgãos, reconstituindo-os ou substituindo-os. [Pl.: *células-troncos* e *células-tronco*.]

celulite (ce.lu.*li*.te) *sf*. *Med.* Inflamação do tecido celular subcutâneo, em função do acúmulo de gordura, que causa rugosidades na superfície da pele.

celuloide (ce.lu.*loi*.de) *sm*. Substância plástica altamente inflamável, us. p. ex. na fabricação de filmes.

celulose (ce.lu.*lo*.se) *sf*. Substância de origem vegetal us. na fabricação de papel.

cem *num*. **1** Quantidade correspondente a dez dezenas. *sm*. **2** Número que representa essa quantidade (arábico: 100; romano: C).

cemento (ce.*men*.to) *sm*. *Od.* Camada óssea fina que recobre a raiz dos dentes, fixando-os nos maxilares. [Cf.: *cimento*.]

cemitério (ce.mi.*té*.ri.o) *sm*. **1** Local onde se enterram os mortos. **2** *Fig.* Lugar deserto e silencioso: *À noite, a rua é um verdadeiro cemitério.*

cena (ce.na) *sf*. **1** *Cin. Liter. Teat. Telv.* Cada uma das sequências de ações ou situações que constituem uma peça, um filme, uma novela ou obra literária: *A cena do trem foi a mais bela do filme.* **2** *Teat.* O palco de um teatro: *Os atores entraram em cena.* **3** Disposição dos objetos no local onde transcorreu algum fato relevante: *Não mexam na cena do crime.* **4** *Fig.* Acontecimento (ger. dramático ou cômico) em seu aspecto visual: *O juiz tropeçou na bola, foi uma cena hilária.* ● **cê.ni.co** *a*.

cenáculo (ce.*ná*.cu.lo) *sm*. **1** Antigamente, cômodo onde a ceia era servida. **2** *Fig.* Reunião de pessoas que compartilham dos mesmos ideais e objetivos.

cenário (ce.*ná*.ri.o) *sm*. **1** Conjunto de elementos que formam o ambiente no qual transcorrem as cenas de ópera, peça de teatro, filme, novela etc. **2** *Fig.* Local onde ocorre algum fato importante: *Essa casa foi cenário de uma grande paixão.* **3** *Fig.* Conjunto de acontecimentos e circunstâncias relevantes para uma área de atividade; CONJUNTURA: *O cenário econômico está melhorando.*

cenarista (ce.na.*ris*.ta) *s2g*. *Bras.* Ver *cenógrafo*.

cenho (ce.nho) *sm*. **1** Fisionomia, semblante: *Franziu o cenho ao ver a bagunça.* **2** Fisionomia carrancuda.

cenóbio (ce.*nó*.bi.o) *sm*. Local onde monges vivem em comunidade.

cenobita (ce.no.*bi*.ta) *s2g*. **1** Monge que vive em comunidade com outros monges. **2** *Fig.* Pessoa que tem uma vida ascética.

cenografia (ce.no.gra.*fi*.a) *sf*. *Cin. Teat. Telv.* Arte e técnica de conceber e produzir cenários para peças, filmes e novelas. ● **ce.no.*grá*.fi.co** *a*.

cenógrafo (ce.*nó*.gra.fo) *sm*. Profissional que concebe e produz cenários; CENARISTA.

cenologia (ce.no.lo.*gi*.a) *sf*. *Fís.* Parte da física que estuda o vácuo. [Cf.: *cinologia*.]

cenotáfio (ce.no.*tá*.fi.o) *sm*. Monumento fúnebre em homenagem a alguém que está sepultado em outro lugar.

cenotécnica (ce.no.*téc*.ni.ca) *sf*. *Cin. Teat. Telv.* Técnica de produção, montagem e manipulação de cenários.

cenotécnico (ce.no.*téc*.ni.co) *a*. **1** Ref. a cenotécnica. *sm*. **2** *Cin. Teat. Telv.* Profissional que produz, monta e manipula cenários.

cenoura (ce.*nou*.ra) *sf*. **1** Raiz comestível, rica em caroteno, de forma alongada e cor alaranjada. **2** *Bot.* A planta que tem essa raiz.

censitário (cen.si.*tá*.ri.o) *a*. Ref. a censo ou recenseamento.

censo (*cen*.so) *sm*. **1** Coleta dos dados estatísticos ref. à população de uma localidade; RECENSEAMENTO: *Trabalhei no último censo.* **2** O conjunto desses dados coletados: *O censo de 2000 revelou o aumento do número de idosos no Brasil.* ● **cen.su:*al* *a2g*.

censor (cen.*sor*) [ô] *sm*. **1** Funcionário que tem por atribuição censurar trabalhos artísticos ou informações veiculadas por meios de comunicação de massa. **2** Aquele que censura.

censura (cen.*su*.ra) *sf*. **1** Ação ou resultado de censurar. **2** Exame de produtos culturais ou artísticos com o propósito de liberar ou proibir sua divulgação, com base em padrões religiosos, morais, estéticos ou políticos: *submeter uma obra à censura.* **3** Instituição ou corporação responsável pela censura (1): *A censura não liberou a novela para aquele horário.* **4** Repreensão por ato cometido: *Ele merece censura pelo seu comportamento.*

censurar (cen.su.*rar*) *v. td*. **1** Exercer censura sobre; proibir, após censura (2), a atuação, divulgação, exi-

bição ou execução de: *censurar a imprensa/um filme.* **2** Criticar ou desaprovar: *censurar um texto (pelos erros gramaticais).* **3** Admoestar vigorosamente; REPREENDER: *Censurou-o na frente de todos (por sua irresponsabilidade).* [▶ **1** censurár] • **cen.su.rá.vel** *a2g.*

centauro (cen.*tau*.ro) *sm.* **1** *Mit.* Ente da mitologia grega, metade homem metade cavalo. **2** *Astron.* Certa constelação austral.

centavo (cen.*ta*.vo) *sm.* **1** A centésima parte do real. **2** Moeda divisionária cujo valor corresponde à centésima parte do valor da moeda adotada em alguns países. [Cf.: *cêntimo.*]

centeio (cen.*tei*.o) *sm. Bot.* Cereal muito us. para fazer pães, bolos etc. e produzir bebidas, destiladas ou fermentadas.

centelha (cen.*te*.lha) [ê] *sf.* **1** Partícula de fogo ou de luz que sai de um corpo incandescente ou que é produzida pelo choque entre dois corpos; FAÍSCA, FAGULHA. **2** *Fig.* Manifestação súbita de inspiração, brilho pessoal ou forte sentimento: *Uma centelha de raiva surgiu em seu olhar.*

centena (cen.*te*.na) *sf.* **1** Conjunto de cem unidades de qualquer coisa; CENTO. **2** *Bras.* Em sorteios lotéricos, qualquer número formado por três algarismos (*centena* premiada).

centenário (cen.te.*ná*.ri:o) *sm.* **1** Tempo transcorrido em cem anos. **2** O centésimo aniversário de algo ou alguém: *Comemoração do centenário do Rio de Janeiro.* **3** Pessoa que tem cem anos de idade ou mais. *a.* **4** Ref. a cem ou centena. **5** Que tem cem anos ou mais (*árvore centenária*).

centésimo (cen.*té*.si.mo) *num.* **1** Ordinal que, em uma sequência, corresponde ao número cem. *a.* **2** Que é cem vezes menor do que a unidade ou um todo (diz-se de parte): *A centésima parte do legado.* [Us. tb. como subst.: *Dois centésimos de segundo.*] • **cen.te.si.***mal** *a2g.*

centiare (cen.ti:*a*.re) *sm.* Unidade de medida agrária equivalente a um metro quadrado, que corresponde à centésima parte de um are.

centígrado (cen.*tí*.gra.do) *sm. Fís.* Unidade de temperatura na escala Celsius e que corresponde a um centésimo da diferença de temperatura existente, ao nível do mar, entre o ponto de congelamento e o ponto de ebulição da água. (Tb. *grau Celsius,* ou, impropriamente, *grau centígrado.*)

centigrama (cen.ti.*gra*.ma) *sm.* Unidade de peso que equivale à centésima parte do grama.

centilitro (cen.ti.*li*.tro) *sm.* Unidade de volume que equivale à centésima parte do litro. [Símb.: *cl*]

centímano (cen.*tí*.ma.no) *a.* Que tem cem mãos.

centímetro (cen.*tí*.me.tro) *sm.* Unidade de medida de comprimento que equivale à centésima parte do metro.

cêntimo (*cên*.ti.mo) *sm.* Moeda divisionária cujo valor corresponde à centésima parte do valor da moeda adotada em alguns países. [Cf.: *centavo.*]

cento (*cen*.to) *num.* **1** Cem. [Usa-se *cento* em vez de *cem* para formar os numerais cardinais entre cem e duzentos (*cento* e um etc.) ou como notação de percentagem: *dez por cento.*] *sm.* **2** Conjunto de cem unidades; CENTENA: *um cento de rosas.*

centopeia, centopéia (cen.to.*pei*.a, cen.to.*péi*.a) *sf. Zool.* Animal invertebrado dotado de muitos pares de patas; LACRAIA.

central (cen.*tral*) *a2g.* **1** Ref. ao centro ou que se situa nele: *Ponto central de uma figura.* **2** Que é muito importante; PRINCIPAL; FUNDAMENTAL: *Questão central de uma discussão.* *sf.* **3** Conjunto de instalações dotadas de equipamentos próprios para o abastecimento, a geração ou a distribuição de energia ou produto de outra natureza (*central* elétrica/telefônica). **4** Sede principal de uma empresa. [Pl.: *-trais.*]

centralismo (cen.tra.*lis*.mo) *sm.* Sistema político ou de organização que se caracteriza pela concentração do poder e das decisões em um pequeno grupo ou pessoa.

centralização (cen.tra.li.za.*ção*) *sf.* **1** Ação ou resultado de centralizar. **2** Concentração de decisões e atribuições em um pequeno grupo ou pessoa central: *A centralização do poder levará a empresa à ruína.* [Pl.: *-ções.*]

centralizar (cen.tra.li.*zar*) *v.* **1** Situar(-se) no centro de algo; CENTRAR. **2** *Bras.* (seguido ou não de indicação de lugar): *Centralizou a pintura (na tela). pr.*: *Os alunos centralizaram-se (no pátio).*] **2** Reunir(-se) num só lugar; CONCENTRAR(-SE). [*td*.: *centralizar serviços públicos. pr.*: *O comando centralizou-se no quartel-general.*] **3** Fazer convergir para si; ATRAIR. [*td*.: *O ator centralizou os olhares da plateia.*] [▶ **1** centralizár] • **cen.tra.li.***za*.do *a.*; cen.tra.li.za.*dor* *a.sm.*

centrar (cen.*trar*) *v.* **1** Colocar(-se) no centro de; CENTRALIZAR. [*td.*: *Convém centrar este quadro na parede.*] **2** *Fut.* Lançar (a bola) para a área adversária; CRUZAR. [*td.* (com ou sem complemento explícito): *Ele não sabe centrar (a bola). tdi.* + *para*: *Centrou a bola para o atacante.*] [▶ **1** centrár]

centrífuga (cen.*tri*.fu.ga) *sf.* **1** Eletrodoméstico us. para extrair sumos de frutas e legumes. **2** *Fís.* Máquina que separa substâncias de densidades diferentes por meio de rotação centrífuga em alta velocidade.

centrífugo (cen.*tri*.fu.go) *a.* Que se afasta do eixo de rotação (força *centrífuga*). [Ant.: *centrípeto.*] • **cen.tri.fu.ga.***ção* *sf.*; **cen.tri.fu.***gar* *v.*

centrípeto (cen.*tri*.pe.to) *a.* Que se aproxima do eixo de rotação (força *centripeta*). [Ant.: *centrífugo.*]

centrista (cen.*tris*.ta) *a2g.s2g.* Que ou quem tende a adotar posições políticas moderadas, nem de esquerda nem de direita.

centro (*cen*.tro) *sm.* **1** Ponto que se situa no meio de uma área ou de um espaço: *Colocuei o sofá no centro da sala.* **2** Parte das cidades onde há grande concentração de atividades comerciais e financeiras: *Meu escritório situa-se no centro.* **3** Ponto para o qual convergem coisas, pessoas etc.: *O novo bar era o centro das atenções.* **4** Local ou instituição onde pessoas se reúnem para realizar certas atividades ou funções específicas (*centro* esportivo/cirúrgico/ comercial). **5** *Fig.* Posição política moderada, equidistante dos extremos: *político de centro.* **6** *Geom.* Ponto situado a uma mesma distância de todos os pontos de uma circunferência ou da superfície de uma esfera.

centro-africano (cen.tro-a.fri.*ca*.no) *a.* **1** Da República Centro-Africana; típico desse país ou de seu povo. *sm.* **2** Pessoa nascida na República Centro-Africana. [Pl.: *centro-africanos.*]

centro-americano (cen.tro-a.me.ri.*ca*.no) *a.* **1** Da América Central; típico dessa região do continente americano ou de seu povo. *sm.* **2** Pessoa nascida na América Central. [Pl.: *centro-americanos.*]

centroavante (cen.tro:a.*van*.te) *s2g. Fut.* Antiga denominação de jogador cuja função era atacar pelo meio.

centroide (cen.*troi*.de) *sm. Geom.* Ponto no qual as coordenadas são as médias das coordenadas dos pontos que formam uma figura geométrica.

centro-oeste (cen.tro-o:*es*.te) *a2g.* **1** Que se situa no centro de uma área a oeste: *na zona centro-oeste de São Paulo.* *sm.* **2** Região ou conjunto de regiões que se estendem do centro ao oeste de um estado, continente etc.: *o centro-oeste de Minas Gerais.* [Pl.: *centro-oestes.*] ◘ **Centro-Oeste 3** *Bras. Geog.* Uma das cinco regiões em que é dividido o Brasil: *as chapadas do Centro-Oeste brasileiro.*

centrosfera (cen.tros.fe.ra) *sf.* Núcleo da Terra; BARISFERA; NIFE.

centuplicar (cen.tu.pli.car) *v.* **1** Multiplicar(-se) por cem. [*td.*] **2** Aumentar grandemente; EXACERBAR(-SE). [*td.: Centuplicou suas leituras. int./pr.: Suas preocupações centuplicaram(-se).*] [▶ 11 centuplicar]

cêntuplo (cên.tu.plo) *num.* **1** Cem vezes a quantidade, ou tamanho, usual ou de outro. *sm.* **2** Quantidade ou tamanho cem vezes maior que o usual ou de outro.

centúria (cen.tú.ri.a) *sf.* **1** *Mil.* Unidade do exército romano, formada por cem soldados. **2** Período de cem anos; SÉCULO. **3** Centena.

centurião (cen.tu.ri.ão) *sm. Mil.* O comandante de uma centúria (1). [Pl.: -ões.]

▨ **CEP** Sigla de *Código de Endereçamento Postal* (sistema de numeração de municípios e ruas, que visa facilitar a entrega de correspondência).

cepa (ce.pa) [ê] *sf.* **1** *Bot.* Tronco ou caule de videira. **2** *Biol.* Raça de uma mesma espécie, esp. micro-organismos. **3** *Fig.* Tronco ou linhagem de uma família.

cepilho (ce.pi.lho) *sm.* Pequena ferramenta us. para aplainar e alisar madeira.

cepo (ce.po) [ê] *sm.* **1** Pedaço de tronco de árvore ou tronco de árvore cortado transversalmente. **2** *Mús.* Nos pianos, cravos etc., grande peça de madeira em que se incrustam as cravelhas que mantêm tensas as cordas. **3** *Mús.* Em instrumentos de corda, a parte do braço que se une à caixa de ressonância.

cepticismo (cep.ti.cis.mo) *sm.* Ver *ceticismo*.

céptico (cép.ti.co) *a.sm.* Ver *cético*. [Cf. *séptico*.]

cera (ce.ra) [ê] *sf.* **1** Produto us. para polir e dar brilho a pisos, carros etc. **2** *Pop.* Substância que se acumula nos ouvidos; CERUME. **3** Substância produzida pelas abelhas e utilizada por elas na construção dos favos. **4** Substância vegetal com consistência semelhante à da cera de abelha. ▉ *Fazer* ~ *Bras.* **1** Propositalmente, trabalhar devagar ou fingir que trabalha. **2** *Esp.* Usar de qualquer artifício para interromper um jogo ou retardar seu prosseguimento.

cerâmica (ce.râ.mi.ca) *sf.* **1** Arte ou técnica de fabricação de vasos, potes e outros objetos de argila cozida: *Ele é um especialista em cerâmica.* **2** Os objetos produzidos dessa maneira: *Tenho muita cerâmica marajoara.* **3** A matéria-prima us. nessa fabricação: *vasos de cerâmica.*

ceramista (ce.ra.mis.ta) *s2g.* Que produz objetos de cerâmica.

ceratose (ce.ra.to.se) *sf. Med.* Doença caracterizada pela formação de pequenos tumores benignos ou escamas duras na pele.

cerca (cer.ca) [ê] *sf.* **1** Construção de madeira, arame etc. que delimita ou protege um terreno ou edificação. ▉ ~ *viva* Cerca feita com plantas. ~ *de* Aproximadamente, quase: *Cerca de três milhões de crianças foram vacinadas durante a campanha.* *Há* ~ *de* Faz quase (falando de tempo decorrido): *Vivem juntos há cerca de dois anos.* [Cf.: *acerca de* e *cerco*.]

cercado (cer.ca.do) *a.* **1** Que foi rodeado por uma cerca (lote *cercado*). **2** *Fig.* A que se impôs cerco ou sítio: *Os bandidos estão cercados. sm.* **3** Móvel quadrado ou retangular cercado de grade ou tela, ger. desmontável, no interior do qual crianças pequenas podem ficar em segurança. **4** Terreno rodeado por cerca ou muro.

cercadura (cer.ca.du.ra) *sf.* Ornamento que se localiza no contorno de objeto ou em bainha de roupa.

cerca-lourenço (cer.ca-lou.ren.ço) *sm. Bras.* Ação ou resultado do processo de se aproximar de alguém usando rodeios para se favorecer de algo ou fazer pedido. [Pl.: *cerca-lourenços*.]

cercania (cer.ca.ni.a) *sf.* Os arredores de uma região: *cercania do Pará*. [Mais us. no pl.]

cercar (cer.car) *v.* **1** Rodear (área ou terreno) com cerca, sebe, muro etc. [*td.*] **2** Circundar, rodear. [*td.: Os meninos cercaram o tio recém-chegado*; (tb. seguido de indicação de meio/modo) *cercar com árvores uma casa.*] **3** Impor, fazer cerco ou sítio a. [*td.: Os romanos cercaram Numância por muitos anos.*] **4** Fazer-se rodear de. [*pr.: Ele só se cerca de mestres.*] **5** *Fig.* Assediar. [*td.* (seguido de indicação de finalidade): *Cerco-o para obter um emprego.*] **6** *Fig.* Rodear, cumular, cobrir. [*td.:* "...*os preconceitos que cercavam o escravo..."* (Alberto da Costa e Silva, *A manilha e o libambo*). *tdi. + de: Cerca a noiva de atenção.*] [▶ 11 cercar]

cerce (cer.ce) *adv.* Pela raiz ou pela base; RENTE: *Cortar cerce a grama.*

cercear (cer.ce.ar) *v.* **1** Impor limites a; RESTRINGIR; LIMITAR. [*td.: cercear a liberdade. tdi. + a: Não se deve cercear ao indivíduo o direito de expressão.*] **2** Cortar cerce, rente, pela base ou pela raiz. [*td.: cercear espigas.*] [▶ 13 cercear] ● **cer.ce:a.men.to** *sm.*

cerco (cer.co) [ê] *sm.* **1** Ação ou resultado de cercar. **2** Operação policial ou militar de rodear em círculo algo ou alguém, ou de bloqueio de um lugar, com o fim de evitar a fuga dos que lá se encontram: *cerco dos invasores de Troia.* [Cf. *cerdo*.]

cerda (cer.da) [ê] *sf.* **1** Fibra sintética em forma de pelo, presente em escovas: *Prefiro escovas com cerdas macias.* **2** *Zool.* Pelo espesso e resistente encontrado em certos mamíferos na região próxima às cavidades do corpo. [Cf.: *cerdo*.]

cerdo (cer.do) [ê] *sm. Zool.* Ver *porco* (1). [Cf.: *cerda*.]

cereal (ce.re.al) *sm. Bot.* **1** Denominação comum a vários grãos, como arroz, aveia, centeio, trigo etc. **2** As plantas que produzem tais grãos. [Pl.: -*ais*.]

cerebelo (ce.re.be.lo) [ê] *sm. Anat.* Parte posterior e inferior do cérebro dos seres humanos e de outros vertebrados, responsável principalmente pela coordenação dos movimentos.

cerebral (ce.re.bral) *a.2g.* **1** Ref. a ou próprio do cérebro ou que nele ocorre (anatomia *cerebral*, derrame *cerebral*). **2** *Fig.* Que é produto de muita reflexão (poesia *cerebral*). [Pl.: *-brais*.]

cérebro (cé.re.bro) *sm.* **1** *Anat.* Principal órgão do sistema nervoso central, situado dentro do crânio, na parte anterior e superior do encéfalo, responsável pelos movimentos voluntários, pela sensibilidade e pelas capacidades emocionais e cognitivas. **2** *Fig.* Inteligência: *Com o cérebro dele, até eu resolveria essa equação.* **3** *Fig.* Pessoa a quem se atribui papel fundamental na organização de um grupo ou equipe: *cérebro da empresa/do governo.*

📖 Principal órgão do sistema nervoso animal, protegido pela caixa óssea do crânio, o cérebro recebe os estímulos sensoriais de todo o corpo e centraliza a resposta a eles, assim como a atividade de todos os órgãos. É o centro do pensamento, da memória (registro de informações) e das emoções. É formado basicamente por neurônios (cujas extremidades, as sinapses, transmitem os impulsos elétricos que conduzem as informações) e por células que sustentam e protegem os neurônios. O grau de evolução do cérebro de uma espécie animal determina sua inteligência e capacidade de adaptação, sendo o dos primatas, esp. o do homem, o mais desenvolvido e complexo.

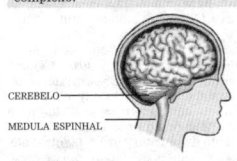

CEREBELO
MEDULA ESPINHAL

CÉREBRO

cerebrospinal (ce.re.bros.pi.n*al*) *a2g. Med.* Ref. ao cérebro e a medula espinhal. [Pl.: *-nais*.]

cereja (ce.re.ja) [ê] *sf.* **1** Fruta pequena e doce, própria de clima temperado, vermelha quando está madura. **2** *Bras.* O grão de café quando está maduro e ainda na casca. *sm.* **3** A cor da cereja (1). *a2g2n.* **4** Que é dessa cor (meias cerejas).

cerejeira (ce.re.*jei*.ra) *sf. Bot.* Árvore que dá a cereja e cuja madeira é muito utilizada na marcenaria.

cerífero (ce.*rí*.fe.ro) *a.* Que produz cera.

cerimônia (ce.ri.*mô*.ni:a) *sf.* **1** Conjunto de procedimentos formais em um ato (religioso ou não): *cerimônia de batismo/de posse*. **2** Conjunto de regras de etiqueta e polidez seguidas em relações formais: *Devemos tratar o embaixador com a devida cerimônia*. **3** Comportamento reservado: *Estamos entre amigos: não faça cerimônia*.

cerimonial (ce.ri.mo.ni:*al*) *sm.* **1** Conjunto de regras que determinam os procedimentos a serem seguidos em certos ritos ou eventos públicos: *cerimonial da missa*. **2** No serviço público, setor responsável pela formulação e observância dessas regras: *O cerimonial da presidência não permitiu a presença de repórteres*. *a2g.* **3** Ref. a cerimônia (1) (comportamento cerimonial). [Pl.: *-ais*.]

cerimonioso (ce.ri.mo.ni:*o*.so) [ô] *a.* Que se comporta de maneira muito cortês e polida. [Fem. e pl.: [ó].]

cernambi (cer.nam.*bi*) *Zool. sm.* Molusco comestível encontrável no litoral brasileiro.

cerne (*cer*.ne) *sm.* **1** *Fig.* O que há de mais central e fundamental em algo: *cerne do problema*. **2** *Bot.* Parte mais interna e dura do tronco das árvores, formada por células mortas, que não conduzem líquidos.

cerol (ce.*rol*) *sm.* **1** *Bras.* Mistura de vidro moído e cola de madeira que se passa na linha com que se empinam pipas ou papagaios, para cortar no ar as linhas de outros. **2** Mistura de cera, piche e sebo us. por sapateiros para encerar as linhas com que costuram as solas dos sapatos. [Pl.: *-róis*.]

ceroma (ce.*ro*.ma) *sf. Pat.* Tumor produzido em alguns tecidos pela degeneração de gordura. **2** *Zool.* Membrana saliente que reveste a base do bico de certas aves.

ceroso (ce.*ro*.so) [ô] *a.* **1** Que é feito de cera. **2** Que tem a cor da cera: *A pele cerosa conferia-lhe um ar doentio*. [Fem. e pl.: [ó].]

ceroulas (ce.*rou*.las) *sfpl.* Peça do vestuário de baixo masculino, de raro uso atualmente na maioria das regiões do Brasil, que veste o ventre e se abre em duas pernas juntas, até os tornozelos.

cerração (cer.ra.*ção*) *sf.* Nevoeiro denso, tanto em terra quanto no mar; BRUMA. [Pl.: *-ções*.] [Cf.: *serração*.]

cerrado (cer.*ra*.do) *a.* **1** Fechado ou vedado (olhos cerrados, compartimento cerrado). **2** Unido, comprimido, compacto: *Os grevistas fizeram uma barreira cerrada*. **3** Que é denso ou espesso (barba cerrada, floresta cerrada). *sm.* **4** Vegetação típica do Planalto Central brasileiro, com árvores de até 12m de altura, com folhas duras.

cerrar (cer.*rar*) *v.* **1** Fechar(-se). [*td.*: *Cerraram as janelas*. *pr.*: *Ante tanta luz, cerraram-se os olhos*.] **2** Unir(-se) fortemente; APERTAR(-SE). [*td.*: *cerrar os punhos/fileiras*; (tb. seguido de indicação de lugar) *Cerrou-o nos braços*. *pr.*: *Seus punhos cerraram-se na raiva contida*.] **3** Cobrir-se de noite; ENEVOAR-SE. [*pr.*: *Cerrou-se o céu de repente*.] [▶ **1** cerrar]

cerro (*cer*.ro) [ê] *sm.* Monte, colina, outeiro, ger. escarpado.

certa (*cer*.ta) *sf.* Us. na loc. ▪▪ **Na ~** Sem dúvida, certamente.

certame, certâmen (cer.*ta*.me, cer.*tâ*.men) *sm.* **1** Briga, luta. **2** Competição esportiva, campeonato, torneio etc. **3** Evento em que grupos diversos apresentam seus produtos, criações artísticas etc., visando ou não à premiação; CONCURSO. [Pl. de *certâmen: -mens*.]

certeiro (cer.*tei*.ro) *a.* **1** Que, bem dirigido, acerta o alvo com precisão: *Popó desfechou um cruzado certeiro*. **2** Que é certo (1), sensato, sem erro (raciocínio certeiro).

certeza (cer.*te*.za) [ê] *sf.* **1** Qualidade de certo; CORREÇÃO: *A certeza de suas respostas é impressionante*. **2** Percepção (certa ou enganosa) de que o que se pensa ou se sabe sobre algo (fato, ideia, lembrança etc.) é absolutamente certo; CONVICÇÃO: *"Volto ao jardim / na certeza que devo chorar..."* (Cartola, *As rosas não falam*); *Tenho certeza de que desliguei a luz*.

certidão (cer.ti.*dão*) *sf.* Documento declaratório firmado por autoridade competente e de fé pública: *certidão de nascimento/de casamento/de óbito*. [Pl.: *-dões*.]

certificado (cer.ti.fi.*ca*.do) *sm.* **1** Documento que declara algo: *certificado de pobreza*. **2** Documento no qual os efeitos ou validade daquilo que certifica têm duração determinada: *certificado de garantia*. *a.* **3** Que tem sua autenticidade assegurada: *Envie-me cópias certificadas*.

certificar (cer.ti.fi.*car*) *v.* **1** Confirmar como certo; ATESTAR. [*td.*: *O escrivão certificou a autenticidade da cópia*. *tdi.* + *a*: *O farmacêutico certificou-lhe que o remédio está correto*.] **2** Passar certidão de. [*td.*: *certificar um nascimento*.] **3** Tornar ciente. [*tdi.* + *de*: *Certificaram-no do ocorrido*.] ❑ certificar-se *v.* **4** Adquirir ou tentar adquirir certeza; CONVENCER(-SE). [*pr.*: *"O escudeiro esfregou os olhos para certificar-se do que via..."* (José de Alencar, *O guarani*).]

[▶ **11** certificar] • **cer.ti.fi.**can.**te** *a2g.s2g*; **cer.ti.fi.ca.ti.**vo *a.*

certo (*cer*.to) [ê] *a.* **1** Sem erro, correto (resposta certa). **2** Moralmente correto; JUSTO: *Não é o modo certo de tratá-la*. **3** Exato, preciso: *Seu relógio está certo?* **4** Que foi acertado, combinado: *Todo dia, na hora certa, iam bater bola*. **5** Infalível, inevitável: *Da morte não se escapa, isso é certo*. **6** Seguro, convicto: *Estou certo de que ele não teve culpa*. **7** Adequado, compatível: *Escolhemos a pessoa certa para substituí-la*. *sm.* **8** Atitude correta: *O certo é você ter se desculpado*. **9** Aquilo que se convencionou: *O certo é que fomos enganados*. *pr.indef.* **10** Algum, um: *"Tem certos dias em que penso em minha mente..."* (Chico Buarque, Vinícius de Moraes, Garoto, *Gente humilde*.) ▪▪ **Ao ~** Com certeza: *Não sabemos ao certo que dia eles chegam*. **Dar ~** Realizar-se conforme esperado; ter êxito: *Não se preocupe, tudo vai dar certo*.

cerúleo (ce.*rú*.le:o) *a.* Da cor do céu; AZUL.

cerume, cerúmen (ce.*ru*.me, ce.*rú*.men) *sm.* Matéria cerosa do canal auditivo externo; CERA (2). [Pl. de *cerúmen: cerumens* e (p.us.) *cerúmenes*.]

cervantesco (cer.van.*tes*.co) [ê] *a.* Que é próprio ou característico do escritor espanhol Miguel de Cervantes Saavedra, autor de *Dom Quixote de la Mancha*.

cerveja (cer.*ve*.ja) [ê] *sf.* **1** Bebida alcoólica produzida da fermentação da cevada, do malte e do lúpulo. **2** Garrafa ou lata que contém essa bebida: *Oi, três cervejas, por favor*.

cervejaria (cer.ve.ja.*ri*.a) *sf.* **1** Fábrica de cerveja. **2** Estabelecimento comercial especializado em vender e servir diversos tipos de cerveja.

cervejeiro (cer.ve.*jei*.ro) *a.* **1** Ref. a ou da cerveja (indústria cervejeira). *sm.* **2** Apreciador de cerveja. **3** Fabricante de cerveja ou comerciante que a distribui.

cervical (cer.vi.*cal*) *a2g. Anat.* Ref. a ou da cerviz, da nuca, do pescoço (coluna cervical). **2** Ref. a ou situado no colo de uma estrutura ou órgão (cárie cervical). *sf.* **3** *Anat.* Coluna cervical (1). [Pl.: *-cais*.]

cervídeo (cer.ví.de.o) *a.* **1** Ref. aos cervídeos. ❏ **cervídeos** *smpl.* **2** *Zool.* Família de animais mamíferos ruminantes, de pernas longas, chifres ramificados, a que pertencem veados, cervos, alces e renas.

cerviz (cer.*viz*) *sf. Anat.* **1** A parte posterior do pescoço; NUCA; CACHAÇO. **2** Cabeça.

cervo (cer.*vo*) *sm. Zool.* Mamífero ruminante da família dos cervídeos, das regiões pantanosas do Brasil, Bolívia e Paraguai, cujos machos têm chifres galhudos com até 0,50m de comprimento.

cerzideira (cer.zi.*dei*.ra) *sf.* **1** Mulher cuja especialidade é cerzir (1). **2** Agulha de cerzir.

cerzidor (cer.zi.*dor*) *a.sm.* Que ou quem cirze.

cerzidura (cer.zi.*du*.ra) *sf.* Ação ou resultado de cerzir: *A cerzidura está perfeita.*

cerzir (cer.*zir*) *v.* **1** Coser de modo a não se notar a costura. [*td.*: *Cerziu as meias do marido*; (tb. sem complemento explícito): *Quando não está na cozinha, está cerzindo.*] **2** Fig. Unir, juntar. [*tdi.* + *a*: *Cerziu ao texto notas e mapas.*] [▶ 49 cerzir • cer.zi.*men*.to *sm.*; cer.zi.do *a.sm.*

cesariana, cesárea (ce.sa.ri.*a*.na, ce.*sá*.re:a) *sf. Med.* Parto por meio de uma cirurgia que consiste em abrir as paredes do abdome e do útero da parturiente, retirando-se o feto pela abertura.

césio (*cé*.si:o) *sm. Quím.* Elemento químico cujos compostos são us. no fabrico de vidros especiais, baterias alcalinas, relógios atômicos etc. [O césio 137 é um isótopo radioativo us. em equipamentos de radiografia e radioterapia.] [Símb. Cs]

cessão (ces.*são*) *sf.* Ato de ceder (algo) em favor de outrem: *cessão de direitos/da palavra.* [Pl.: -sões.]

cessar (ces.*sar*) *v.* **1** Não continuar; PARAR. [*ti.* + *com*: *Cessaram com as demissões. int.*: *A dor é forte no início, mas depois cessa.*] **2** Pôr fim a; INTERROMPER. [*td.*: *Cessou imediatamente o choro quando viu o pai.*] [▶ **1** cessar] [NOTA: Como v. aux., + *de* seguido de in. fin., indicando término de processo ou atividade expressos no v. principal: *Cessou de acariciá-lo.*] **I** ces.sa.*ção sf.*

cessar-fogo (ces.sar-*fo*.go) [ô] *sm2n.* Cessação, definitiva ou não, de ações bélicas; TRÉGUA; ARMISTÍCIO.

cessionário (ces.si.o.*ná*.ri:o) *sm.* Pessoa física ou jurídica a quem se faz uma cessão.

cesta (ces.ta) [ê] *sf.* **1** Recipiente feito de varas trançadas, fibras etc., para depósito ou transporte de objetos de porte médio ou pequeno. **2** Recipiente de material variado (madeira, metal, plástico) us. para diversas finalidades domésticas: *cesta de lixo/de costura/de roupas.* **3** Quantidade de coisas contidas numa cesta: *cesta de flores.* **4** *Basq.* Rede de malha sem fundo, presa a um aro fixado numa tabela, e por onde se tenta fazer passar a bola. **5** *Basq.* Ponto(s) obtido(s) por um time, quando um de seus jogadores faz passar a bola pela cesta (4). ❏ **~ básica** Conjunto de produtos considerados (por instituição que controla índices da economia) de necessidade básica para o consumo mensal de uma família de quatro pessoas.

cesteiro (ces.*tei*.ro) *sm.* Fabricante ou vendedor de cestas e produtos afins.

cestinha (ces.*ti*.nha) *sf.* **1** Pequena cesta. *s2g.* **2** *Basq.* Jogador(a) de basquetebol que fez o maior número de cestas numa partida, no campeonato etc.

cesto [ê] *sm.* Cesta (1 e 2), ger. pequena.

cestoide (ces.*toi*.de) *sm. Bac.* Classe de vermes, vulgarmente conhecidos como *solitárias*, de corpo alongado, que vivem no interior de organismos animais.

cetáceo (ce.*tá*.ce:o) *a.* **1** Que pertence à ordem dos cetáceos. *sm.* **2** Animal cetáceo (1). ❏ **cetáceos** *smpl.* **3** *Zool.* Ordem de animais mamíferos aquáticos, ger. marinhos, que inclui famílias entre cujas espécies estão as baleias, os golfinhos, os botos etc.

ceticismo (ce.ti.*cis*.mo) *sm.* **1** *Fil.* Doutrina filosófica ou atitude que questiona a possibilidade de se ter conhecimento real, absoluto e indubitável de qualquer coisa. **2** *Fil.* Essa doutrina, tal como enunciada e adotada por alguns filósofos gregos da Antiguidade. **3** Atitude de quem duvida de tudo ou de alguma coisa em particular: *Em relação a este projeto, ele expressou todo o seu ceticismo.*

cético (*cé*.ti.co) *a.sm.* **1** Que ou quem tem ceticismo (3). *sm.* **2** *Fil.* Membro de escola filosófica da antiga Grécia para o qual o conhecimento do real é inatingível. **3** Todo pensador que em seu tempo sustenta a inacessibilidade do conhecimento do real. *a.* **4** Que é próprio dos céticos ou do ceticismo. [Cf.: *séptico*.]

cetim (ce.*tim*) *sm.* **1** Tecido de seda fina, macio e lustroso. **2** *Fig.* Coisa macia e cetinosa: *Sua pele era um cetim.* [Pl.: -*tins*.]

cetinoso (ce.ti.*no*.so) [ô] *a.* Liso, macio e brilhante como o cetim, acetinado. [Fem. e pl.: [ó].]

cetona (ce.*to*.na) [ô] *sf. Quím.* Qualquer composto orgânico que tem como grupamento característico um oxigênio ligado a um carbono secundário.

cetro (*ce*.tro) *sm.* **1** Bastão que simboliza a autoridade real. **2** *Fig.* O poder da realeza. **3** *Fig.* Sinal de primazia, de predominância, de excelência: *A quem cabe o cetro de melhor ginasta da história?*

céu *sm.* **1** O espaço ilimitado no qual estão os astros. **2** O que está acima de nós, a nossa volta, no alto, limitado pelo horizonte. **3** *Rel.* Lugar de bem-aventurança para onde, segundo algumas religiões, vão as almas dos justos. **4** *Fig.* Lugar ou circunstância em que se é ou se pode ser feliz; PARAÍSO: *Reencontrou o amor de sua vida, e sentiu-se no céu.* **5** *Rel.* A comunidade celestial, formada por anjos, santos e justos, que compõe a corte de Deus: "Deus brinca de gangorra no *playground* do céu | com os santos..." (Zeca Baleiro, *Heavy metal do Senhor*). **6** A Providência divina; DEUS. **7** No jogo da amarelinha, o ponto de chegada, espaço delimitado por uma linha em arco. ❏ **céus** *interj.* **8** Expressa espanto, admiração, dor etc. ❏ **A ~ aberto** Ao ar livre. **Cair do ~** Conseguir algo inesperadamente, fazendo ou não esforço para tal: *O seu novo emprego caiu do céu.* **Cair dos ~s** Ficar surpreso, cair das nuvens. **~ da boca** Palato, abóbada palatina. **~ de brigadeiro** Céu claro, sem nuvens. **No sétimo ~** Muito feliz.

ceva (ce.va) [ê] *sf.* **1** Ação de cevar; ENGORDA: *A ceva do gado dura poucos meses.* **2** *CE* Ação de ralar a mandioca: *A ceva é causa de muitos acidentes de trabalho.* **3** A ração us. para cevar animais.

cevada (ce.*va*.da.) *sf.* **1** *Bot.* Planta com flores em forma de espigas densas, de grãos amarelados e ovais. **2** O grão alimentício e forrageiro dessa planta, us. na fabricação de cerveja e outras bebidas.

cevado (ce.*va*.do) *a.* **1** Que está alimentado, nutrido: *Crianças bem cevadas.* **2** Que foi engordado com ceva (diz-se de animal): *Porco cevado com lavagem.* *sm.* **3** Porco cevado (2).

cevar (ce.*var*) *v.* **1** Tornar gordo, alimentando; ENGORDAR. [*td.*: *Há meses cevam um leitão.*] **2** Nutrir, alimentar. [*td.*: *O leite da res ceva o menino.*] **3** *Fig.* Saciar(-se), satisfazer(-se). [*td.*: *cevar os instintos. pr.*: *Cevava-se nauseabundas delícias.*] **4** *Fig.* Tornar(-se) rico; ENRIQUECER(-SE). [*td.*: *Tal política contribuiu para cevar os especuladores. pr.*: *Cevou-se nos cofres públicos.*] [▶ 1 cevar]

ceviana (ce.vi.*a*.na) *sf. Geom.* **1** Reta que corta o vértice de um triângulo e em nenhum do lado oposto àquele. **2** Segmento de reta que liga o vértice de um triângulo a um ponto no lado oposto àquele.

⌧ **CFC** Sigla de *Clorofluorcarboneto*.
⌧ **CGC** Ver *CNPJ*.

⊠ **C.G.S.** Sigla do sistema de medida que utiliza três unidades básicas: *centímetro*, *grama* e *segundo*.

chá *sm.* **1** *Bot.* Árvore ou arbusto originário da Índia e da China, cultivado por suas folhas, com as quais se prepara infusão aromática muito apreciada como bebida; CHÁ-DA-ÍNDIA. **2** Folha de chá preparada para a infusão. **3** A infusão da folha de chá. **4** Infusão preparada com folhas ou raízes de outras plantas. **5** Refeição intermediária entre o almoço e o jantar em que o chá (3 e 4) é um dos componentes. ∷ **Tomar ~ de cadeira** Esperar sentado, por muito tempo, por alguém ou algo. **Tomar ~ de sumiço** Deixar (alguém) de comparecer a lugar que frequentava habitualmente.

chã *sf.* **1** *AL PB* Planalto. **2** Ver *chã de dentro*.

chacal (cha.*cal*) *sm. Zool.* Animal selvagem da Ásia e da África aparentado com a raposa e o lobo, que se nutre de cadáveres ou de restos deixados por outras feras. [Pl.: *-cais*.]

chácara (*chá*.ca.ra) *sf.* Propriedade no campo ou no cinturão verde das regiões metropolitanas utilizada para cultivo de produtos hortifrutigranjeiros ou apenas como casa de campo; SÍTIO.

chacareiro (cha.ca.*rei*.ro) *sm.* Proprietário ou administrador de chácara.

chacina (cha.*ci*.na) *sf.* Assassínio de várias pessoas numa mesma ação; MATANÇA.

chacinar (cha.ci.*nar*) *v. td.* Assassinar várias pessoas numa mesma ação. [▶ 1 chacin*ar*]

chacoalhar (cha.co:a.*lhar*) *v.* **1** Sacudir, produzindo barulho. [*td.*: *Chacoalhou os dados antes de jogá-los.*] **2** Fazer oscilar ou oscilar; SACUDIR(-SE), BALANÇAR(-SE). [*td.*: *A turbulência chacoalhou o avião. int.: O carro não parava de chacoalhar. pr.: Chacoalhava-se todo, de medo e de excitação.*] **3** Agitar (líquido num recipiente). [*td.*] [▶ 1 chacoalh*ar*]

chacota (cha.co.ta) *sf.* Dito burlesco e zombeteiro sobre alguém; GRACEJO; MOFA.

chacotear (cha.co.te.*ar*) *v.* Fazer troça ou gracejo (de); ZOMBAR. [*td.*: *Chacoteia o irmão. ti. + de: Chacoteia de tudo e de todos. int.: Seu maior prazer é chacotear.*] [▶ 13 chacote*ar*]

chacrinha (cha.*cri*.nha) *sf.* **1** *Fam.* Roda de pessoas que conversam animada e descontraidamente. **2** *Fam.* Agitação desordenada e barulhenta; BAGUNÇA; CONFUSÃO. **3** Pequena chácara.

chá-da-índia (chá-da-*ín*.di:a) *sm. Bot.* Arbusto originário da Índia e da China, de folha verde-escura de que se faz chá (3); CHÁ. [Pl.: *chás-da-índia.*]

chã de dentro (chã de *den*.tro) *sf.* Peça de carne bovina localizada na parte posterior da coxa; CHÃ; COXÃO MOLE. [Pl.: *chãs de dentro.*]

chafariz (cha.fa.*riz*) *sm.* **1** Construção em lugar público, ger. em alvenaria, ladrilhos etc., com bica da qual verte água, us. como bebedouro e/ou ornamento. **2** Dispositivo instalado em lugar público, ger. num lago, com mecanismo eletricamente acionável por meio do qual se elevam uma ou mais colunas de água que saem em jatos.

chafurdar (cha.fur.*dar*) *v.* **1** Atolar(-se) (em lama, lodo etc.). [*int.*: *Os porcos gostam de comer, fuçar e chafurdar*; (tb. seguido de indicação de lugar) *Os porcos chafurdam satisfeitos no lamaçal. td.* (seguido de indicação de lugar): *chafurdar o pé no lodaçal.*] **2** *Fig.* Envolver-se (em vícios). [*ti. + em: Chafurdava em torpezas da pior espécie.*] [▶ 1 chafurd*ar*]

chaga (*cha*.ga) *sf.* **1** Ferida aberta. **2** A cicatriz deixada por uma chaga (1). **3** *Fig.* O que produz prejuízo, desgraças, males: *As chagas da escravidão ainda não se cicatrizaram.*

chagado (cha.*ga*.do) *a.* Que está coberto de chagas.

chagásico (cha.*gá*.si.co) *a.* **1** Ref. à doença de Chagas ou que sofre dela. *sm.* **2** Pessoa chagásica (1).

chalaça (cha.*la*.ça) *sf.* Gracejo zombeteiro ou crítico; PILHÉRIA.

chalaceiro (cha.la.*cei*.ro) *a.sm.* Que ou quem diz chalaças; GALHOFEIRO; GOZADOR.

chalé (cha.*lé*) *sm.* **1** Habitação típica dos Alpes suíços, em madeira, e que se caracteriza por um telhado com beirais avançados. **2** Qualquer habitação nesse estilo: *O hotel tem chalés de um ou dois quartos.*

chaleira (cha.*lei*.ra) *sf.* **1** Vasilha com tampa e bico, em que se aquece água para fazer chá ou para outros fins. *a2g.s2g.* **2** *Bras. Fig.* Que ou quem é bajulador.

chaleirar (cha.lei.*rar*) *Bras. Fig. v. td.* Adular de modo servil; BAJULAR. [▶ 1 chaleir*ar*]

chalrar, chalrear (chal.re.*ar*, chal.*rar*) *v.* **1** Conversar à toa, alegremente. [*int.: Encontram-se para chalrear.*] **2** Chilrear, gorjear. [*int. Um bando de maritacas chalreia ruidosamente.*] [▶ 13 chalre*ar*, ▶ 1 chalr*ar*]

chalupa (cha.*lu*.pa) *sf.* Embarcação à vela com dois mastros, us. antigamente para navegação de cabotagem.

chama (*cha*.ma) *sf.* **1** Mistura de gases em combustão; LABAREDA: *As chamas atingiam alturas inimagináveis.* **2** Claridade emitida pela chama (1): *Lia à chama de uma lamparina.* **3** *Fig.* Paixão ardente, grande entusiasmo.

chamada (cha.*ma*.da) *sf.* **1** Ação de chamar a atenção, de repreender; REPREENSÃO: *Deu uma chamada no assistente por sua teimosia.* **2** Ação ou resultado de proferir em ordem alfabética os nomes inscritos numa relação, para verificar se estão ou não presentes. **3** Relação ou lista dos nomes para a chamada (2). **4** Ligação telefônica; TELEFONEMA: *chamada a cobrar.* **5** Ação de convocar alguém para que compareça a certo lugar; CHAMADO; CONVOCAÇÃO.

chamado (cha.*ma*.do) *a.* **1** Que assim se chama, que assim se diz: *O chamado azar me pegou de jeito. a.sm.* **2** Que ou quem é chamado, convocado. *sm.* **3** Ação ou resultado de chamar ou convocar; CHAMAMENTO; CHAMADA. **4** Convite, convocação.

chamalote (cha.ma.*lo*.te) *sm.* **1** Tecido de lã de camelo. **2** Tecido em que o reflexo da luz nos fios produz efeito ondulado e furta-cor.

chamamento (cha.ma.*men*.to) *sm.* Ver *chamado* (3).

chamar (cha.*mar*) *v.* **1** Pronunciar o nome de (alguém) para que venha ou se apresente. [*td.*: *A atendente chamou o paciente da vez.*] [É frequente, nesta acp., o uso do verbo acompanhado de objeto direto preposicionado: *O menino chamou pela mãe.*] **2** Fazer vir (usando a voz, gesto, sinal sonoro ou qualquer outro meio) [*td.*: *Chamou um táxi*; (tb. seguido de indicação de destino) *"...a sineta chamava os escravos a jantar"* (Bernardo Guimarães, *A escrava Isaura*).] **3** Enviar instrução ou pedido a, para que se apresente; CONVOCAR. [*td.: O juiz chamou a primeira testemunha. tdi. + a, para: Chamou os fiéis para a oração.*] **4** Escolher, convidar (para cargo ou emprego); DESIGNAR; NOMEAR. [*td.* (seguido de qualificação): *Chamei-o para gerente.*] **5** Fazer com que (algo, alguém) venha, se manifeste, aconteça; ATRAIR. [*td.*: *Desgraça chama desgraça. tdi. + a, para: Chamou sua atenção para o problema.*] **6** Invocar para auxílio, proteção. [*ti. + por: Chamou por Deus e por Nossa Senhora.*] **7** Soar (o telefone ou aparelho similar) em sinal de chamada. [*int.: O telefone não parava de chamar.*] **8** Fazer despertar do sono; ACORDAR. [*td.: Pediu que o chamassem às seis horas.*] **9** Dar nome a. [*td.* (seguido do nome): *Os pais a chamam Ana*; (tb. + de seguido de nome) *Chamam-na de Manu.*] **10** Atribuir qualidade ou nome a; QUALIFICAR; TACHAR. [*td.* (seguido de qualificação): *"Capitu chamava-me às vezes bonito..."* (Machado de Assis, *Dom Casmurro*); (tb. + de seguido de qualificação) *Chamam-no de traidor.*] **11** Ter por nome. [*pr.: Ela se chama Clara.*] [▶ 1 cham*ar*]

chamariz (cha.ma.*riz*) *sm.* Coisa ou pessoa que serve para atrair.

chá-mate (chá-*ma*.te) *sm.* Mate (bebida). [Pl.: *chás-mates* e *chás-mate*.]

chamativo (cha.ma.*ti*.vo) *a.* Que chama a atenção, ger. apelando para o exagero ou espalhafato.

chamego (cha.*me*.go) [ê] *sm.* 1 Carícias ardentes: *Os pombinhos vivem no chamego.* 2 Apego ou afeição a algo ou alguém: *Tem muito chamego por sua coleção de selos.*

chamejar (cha.me.*jar*) *v.* 1 Lançar chamas; ARDER. [*int.*: *As fogueiras chamejam.*] 2 Brilhar, fulgurar. [*int.*: *O sol chameja no céu de meio-dia.*] 3 Fig. Emitir como se fossem chamas; DARDEJAR. [*td.*: *Seus olhos chamejam ira.*] [▶ 1 chame*jar*] ● **cha.me.***jan*.**te** *a2g.*

chaminé (cha.mi.*né*) *sf.* 1 Tubulação que dá passagem ao ar e vazão à fumaça das fornalhas, dos fogões e das lareiras para o ar livre. 2 Fornilho do cachimbo. 3 Abertura em galeria subterrânea ou em túneis para a renovação do ar; RESPIRADOURO. 4 Lareira.

champanha, champanhe (cham.*pa*.nha, cham.*pa*.nhe) *sm.* 1 Vinho branco espumante muito apreciado, produzido na região de Champagne, França. 2 Vinho desse tipo, mas de outra procedência.

chamusca, chamuscadela, chamusco (cha.*mus*.ca, cha.mus.ca.*de*.la, cha.*mus*.co) *sf.* Ação ou resultado de chamuscar.

chamuscar (cha.mus.*car*) *v.* Queimar(-se) levemente. [*td.*: *A chama chamuscou seu cabelo.* *pr.*: *Chamuscou-se ao chegar perto do fogo.*] [▶ 11 chamus*car*] ● **cha.***mus*.**ca.do** *a.*

chanca (*chan*.ca) *sf.* 1 *Pop.* Pé grande. 2 Chuteira.

chance (*chan*.ce) *sf.* 1 Ocasião ou circunstância favorável à realização de algo, que vem a propósito; OPORTUNIDADE: *"...quantas chances desperdicei..."* (Renato Russo, *Quase um querer*). 2 Possibilidade ou probabilidade de ocorrência de um dado evento: *A chance de se ganhar sozinho na loteria é mínima.*

chancela (chan.*ce*.la) *sf.* 1 Ação ou resultado de chancelar. 2 Selo, marca institucional ou declaração assinada que atesta e garante a qualidade de produto; APROVAÇÃO; SANÇÃO: *O livro tem a chancela da academia.*

chancelar (chan.ce.*lar*) *v. td.* 1 Pôr chancela (selo, carimbo, rubrica) em: *chancelar um documento.* 2 Dar aprovação a; APROVAR; SANCIONAR: *O presidente chancelou a proposta do ministro.* [▶ 1 chance*lar*]

chancelaria (chan.ce.la.*ri*.a) *sf.* 1 Ministério ou departamento de um Estado encarregado das relações exteriores. 2 Em certos Estados, cuja forma de governo é parlamentarista, cargo, função ou departamento de Estado da chefia do governo, do primeiro-ministro. 3 O escritório de embaixada ou consulado em país estrangeiro: *A chancelaria do Brasil em Buenos Aires fica na Recoleta.*

chanceler (chan.ce.*ler*) *s2g.* 1 Ministro ou ministra das Relações Exteriores, em alguns países. 2 Em certos países com regime de governo parlamentarista, chefe de governo: *O chanceler alemão foi convocado pelo Parlamento.*

chanchada (chan.*cha*.da) *sf. Bras. Cin. Teat.* Gênero cinematográfico ou teatral caracterizado por seu apelo popularesco, com base em humor ingênuo, chavões, músicas da moda etc.

chanfalho (chan.*fa*.lho) *sm.* Espada velha, gasta, sem corte.

chanfradura (chan.fra.*du*.ra) *sf.* 1 Ação ou resultado de chanfrar. 2 Corte ou recorte oblíquo na extremidade de uma superfície; CHANFRO: *A fotografia tinha chanfraduras nas quatro pontas.*

chanfrar (chan.*frar*) *v. td.* Cortar em ângulo ou obliquamente, fazer chanfradura em: *chanfrar a madeira.* [▶ 1 chan*frar*] ● **chan.fra.***dor* *a.sm.*

chanfro (*chan*.fro) *sm.* Ver chanfradura (2).

chantagear (chan.ta.ge.*ar*) *v.* Fazer chantagem. [*td.*: *Usou as fotos para chantagear o empresário;* (tb. sem complemento explícito) *Foi preso em flagrante chantageando.*] [▶ 13 chanta*gear*]

chantagem (chan.*ta*.gem) *sf.* Ação ou resultado de extorquir dinheiro ou vantagens sob ameaças de revelação de algo comprometedor ou de ação indesejada. [Pl.: *-gens*.]

chantagista (chan.ta.*gis*.ta) *a2g.s2g.* Que ou quem faz chantagem.

chantili (chan.ti.*li*) *sm.* Creme espesso à base de manteiga e açúcar us. em sobremesas e bolos.

chantre (*chan*.tre) *sm.* Na igreja, o responsável pela direção do coro.

chão *sm.* 1 Qualquer superfície em que se pisa; PISO; SOLO. 2 *Fig.* Extensão de terra: *Daqui até a próxima cidade ainda tem muito chão.* [Pl.: *chãos*.]

chapa (*cha*.pa) *sf.* 1 Placa delgada e lisa de aço, vidro etc. 2 Peça metálica de fogão, resistente ao calor, em que se cozem ou fritam alimentos: *bife na chapa.* 3 Peça metálica com caracteres em relevo, destinada à impressão. 4 *SP* Placa na frente e na traseira de automóveis, com o número de licenciamento. 5 *Pop.* Imagem radiográfica: *Tirou uma chapa do pulmão.* 6 Relação de candidatos a cargos eletivos (*chapa eleitoral*). *s2g.* 7 *Pop.* Amigo muito chegado: *Ele é meu chapa desde a infância.*

chapada (cha.*pa*.da) *sf.* Terreno plano de grande extensão, no topo de montanha; PLANALTO.

chapadão (cha.pa.*dão*) *sm.* 1 Chapada extensa. 2 Sequência de chapadas. [Pl.: *-dões*.]

chapado (cha.*pa*.do) *a.* 1 Que se chapou. 2 Estatelado, estirado: *O gato caiu do telhado e ficou chapado no chão.* 3 *Pop.* Prostrado, devido a muito cansaço ou uso excessivo de álcool ou drogas.

chapar (cha.*par*) *v.* 1 Pôr chapas em; revestir de chapa(s); CHAPEAR. [*td.*: *Chapou as portas da igreja;* (seguido de indicação de meio ou modo) *Chapou de ouro o baú.*] 2 Dar forma de chapa a. [*td.*: *chapar um metal.*] 3 *Pop.*: *Chapou-se no piso escorregadio.*] 4 *Pop.* Ficar prostrado devido a excessivos cansaço, uso de álcool ou drogas. [*int.*: *Caiu na cama e chapou.*] [▶ 1 cha*par*]

chapear (cha.pe.*ar*) *v. td.* 1 Ver chapar (1). 2 Cobrir com argamassa, cimento ou barro, de maneira que o revestimento fique áspero e desigual. [▶ 13 cha*pear*]

chapelaria (cha.pe.la.*ri*.a) *sf.* 1 Local onde se fabricam e/ou se vendem chapéus. 2 Num teatro, lugar onde se guardavam os chapéus e hoje se guardam casacos, guarda-chuvas etc.

chapeleira (cha.pe.*lei*.ra) *sf.* 1 Mulher que confecciona e/ou vende chapéus. 2 Recipiente para guardar chapéus. 3 Cabide para pendurar chapéus.

chapeleiro (cha.pe.*lei*.ro) [ê] *sm.* Homem que confecciona e/ou vende chapéus.

chapeleta (cha.pe.*le*.ta) [ê] *sf.* 1 Chapéu pequeno. 2 Válvula us. em bombas d'água.

chapéu (cha.*péu*) *sm.* 1 Peça us. para cobrir a cabeça, em forma de copa, com aba: *chapéu de palha.* 2 *Fut.* Jogada em que a bola é lançada por cima da cabeça do adversário e recuperada em seguida pelo mesmo jogador que a lançou. [Aum.: *chapelão.* Dim.: *chapeuzinho, chapeleta, chapelinho.*]

chapéu de chuva (cha.péu de *chu*.va) *sm.* Ver *guarda-chuva*. [Pl.: *chapéus de chuva*.]

chapéu de couro (cha.péu de *cou*.ro) *sm.* 1 Chapéu típico nordestino. 2 *Bot.* Erva nativa do Brasil, com propriedades medicinais (com hifens nesta acp.). [Pl.: *chapéus de couro*.]

chapéu de sol (cha.péu de *sol*) *sm.* Ver *guarda-sol*. [Pl.: *chapéus de sol.*]
chapinhar (cha.pi.*nhar*) *v.* **1** Agitar (lama, água) (de) com os pés, as patas ou as mãos. [*td*.: *Crianças chapinhavam a lama/as poças. int.: Os pássaros ficavam na beira do charco, chapinhando.*] **2** Bater ou cair de chapa em. [*td*.: *Os remos chapinhavam a água. int.* (seguido de indicação de lugar): *A chuva chapinhava na vidraça*.] [▶ **1** chapinh**ar**]
chapisco (cha.*pis*.co) *sm.* Argamassa de areia e cimento aplicada à parede antes de emboçá-la.
charada (cha.*ra*.da) *sf.* **1** Enigma que consiste em adivinhar palavras a partir de elementos que as compõem ou de indicações vagas sobre elas. **2** Problema, mistério.
charadista (cha.ra.*dis*.ta) *a2g.s2g.* Que ou quem cria ou resolve charadas.
charanga (cha.*ran*.ga) *sf.* **1** *Pop.* Carro muito velho. **2** Pequena banda musical. **3** *Pej.* Qualquer banda que toca mal.
charão (cha.*rão*) *sm.* Verniz de laca. [Pl. (p. us.): -rões.]
charco (*char*.co) *sm.* **1** Água parada, suja e lamacenta; LAMAÇAL. **2** Terreno alagadiço, pouco profundo; BREJO; PÂNTANO.
charge (*char*.ge) *sf.* Desenho caricatural, em jornais ou revistas, satirizando um fato, um político etc. [Cf.: *cartum*.]
chargista (char.*gis*.ta) *s2g.* Pessoa que faz charges.
charivari (cha.ri.va.*ri*) *sm.* Balbúrdia, tumulto.
charlar (char.*lar*) *v. int.* Falar à toa; PALRAR; TAGARELAR: *Passam a tarde charlando.* [▶ **1** charl**ar**] ● *char.la g*.; *char.la.dor a.sm.*
charlatanesco (char.la.ta.*nes*.co) [ê] *a.* Próprio de charlatão.
charlatão (char.la.*tão*) *a.sm.* Que ou quem ilude as pessoas com falsas promessas ou fazendo-se passar pelo que não é (médico charlatão). [Pl.: -*tães* e -*tões*. Fem.: -*tã* e -*tona*.] ● **char.la.ta.***ni***.ce** *sf.*; **char.la.ta.***ta.nis*.mo *sm.*
charme (*char*.me) *sm.* Qualidade de quem ou do que é atraente, simpático, elegante: *Essa atriz tem muito charme.* ▪ **Fazer** ~ Fazer-se de difícil ou de desinteressado, embora interessado.
charmoso (char.*mo*.so) [ô] *a.* Que tem charme (moça charmosa, restaurante charmoso). [Fem e pl.: [ó].]
charneca (char.*ne*.ca) *sf.* Terreno arenoso onde só crescem plantas rasteiras.
charola (cha.*ro*.la) *sf.* Padiola em que se carregam imagens sacras nas procissões; ANDOR.
charque (*char*.que) *sm.* Carne de vaca, salgada e seca ao sol; CARNE-SECA; CARNE DE SOL.
charqueada (char.que.*a*.da) *sf.* Lugar onde é preparado o charque.
charquear (char.que.*ar*) *v. td. Bras.* Cortar em mantas, salgar e secar (a carne) para a produção do charque (com ou sem complemento explícito): *Eles sabem a estação propícia para charquear (a carne).* [▶ **13** charque**ar**] ● **char.que.***a***.dor** *a.sm.*
charrete (char.*re*.te) *sf.* Veículo puxado por cavalo, com duas rodas grandes e assento para duas ou três pessoas.
charrua (char.*ru*.a) *sf.* Instrumento de ferro com que se revolve e se prepara o solo para o plantio.
⊕ **charter** (Ing. /*chárter*/) *sm.* **1** Avião alugado para fins específicos, ger. para turismo. *a.* **2** Diz-se de voo fretado, não regular: *O voo charter parte em dez minutos.* [Pl.: *charters*.]
charutaria (cha.ru.ta.*ri*.a) *sf.* Estabelecimento em que se vendem charutos, cigarros etc.; TABACARIA.
charuteira (cha.ru.*tei*.ra) *sf.* Estojo para guardar charutos.

charuteiro (cha.ru.*tei*.ro) *sm.* **1** Pessoa que faz charutos. **2** Dono de charutaria.
charuto (cha.*ru*.to) *sm.* Rolo de folhas secas de tabaco para ser fumado.
chassi (chas.*si*) *sm.* **1** Armação de aço que serve de base para a carroceria de um veículo. **2** Caixilho onde se colocam os filmes em certas máquinas fotográficas.
⊕ **chat** (Ing. /*chét*/) *sm. Int.* **1** Conversa entre usuários de computador em tempo real, via internet: *Participei de um chat como diretor do filme.* [Tb. *bate-papo*.] **2** Sala virtual ou ambiente na internet onde usuários participam de um *chat* (1); sala de bate-papo: *Entrou no chat para fazer novas amizades*.
chata (*cha*.ta) *sf.* Embarcação, de formato quadrangular, para transporte de carga.
chateação (cha.te:a.*ção*) *sf.* **1** Ação ou resultado de chatear. **2** O que chateia, aborrece; CHATICE. [Pl.: -*ções*.]
chatear (cha.te.*ar*) *v.* **1** *Pop.* Causar ou ter aborrecimento; ABORRECER(-SE); APOQUENTAR(-SE). [*td*. (com ou sem complemento explícito): *Esse menino gosta de chatear (os colegas). pr.: Chateou-se quando viu as suas notas.*] **2** *Pop.* Causar ou ter tédio; ENTEDIAR(-SE). [*td*.: *Discursos muito compridos chateiam qualquer um*; (tb. seguido de indicação de meio) *Chateava os ouvintes com detalhes desnecessários. pr.: Chateou-se com aquela cantilena.*] [▶ **13** chate**ar**]
chatice (cha.*ti*.ce) *sf.* **1** Qualidade do que é chato. **2** Aquilo que é chato; CHATEAÇÃO: *Ficar na fila é uma chatice.*
chato (*cha*.to) *a.* **1** Que tem a superfície plana. **2** *Pop.* Que chateia, entedia ou irrita; MAÇANTE (filme chato). *sm.* **3** *Pop.* Pessoa chata (2).
chauvinismo (chau.vi.*nis*.mo) [chô] *sm.* **1** Patriotismo ou nacionalismo exagerado. **2** Atitude que demonstra essa característica. ● **chau.vi.***nis*.**ta** *a2g.s2g.*
chavão (cha.*vão*) *sm.* Sentença que representa um lugar-comum; CLICHÊ: *Seu discurso é cheio de chavões.* [Pl.: -*vões*.]
chave (*cha*.ve) *sf.* **1** Peça com que se movimenta a lingueta de fechaduras para trancar ou destrancar portas, gavetas etc. **2** Peça com que se liga ou desliga ignição de motores. **3** Peça us. para dar corda em relógio de parede. **4** Sinal gráfico ({) para reunir um conjunto de itens. **5** *Esp.* Numa luta, golpe que imobiliza o oponente: *chave de braço*. **6** *Esp.* Cada subgrupo num torneio esportivo. **7** *Fig.* Elemento essencial: *Confiança é a chave do comércio eletrônico.* ▪ **A sete ~s** Bem trancado. ~ **de fenda** Ferramenta us. para apertar ou desapertar parafusos. ~ **de ouro** *Fig.* Remate bem-sucedido: *Fechou o concerto com chave de ouro.* ~ **mestra** Chave especial que abre qualquer fechadura. [Aum.: *chaveirão*.]
chaveamento (cha.ve:a.*men*.to) *sm. Elet.* **1** Ação ou resultado de chavear. **2** Ação ou resultado de abrir ou fechar equipamentos ou circuitos elétricos.
chavear (cha.ve.*ar*) *v. td.* Trancar à chave: *chavear uma gaveta.* [▶ **13** chave**ar**]
chaveiro (cha.*vei*.ro) *sm.* **1** Artefato em que se prendem chaves. **2** Profissional que faz, copia ou conserta chaves.
chavelho (cha.*ve*.lho) [ê] *sm. Anat. Zool.* Ver *corno* (1).
chávena (*chá*.ve.na) *sf. Lus.* Xícara.
chaveta (cha.*ve*.ta) [ê] *sf.* **1** Peça que fixa uma roda na extremidade de um eixo. **2** Peça para fixar ou segurar cavilha.
checar (che.*car*) *v.* **1** Conferir, para verificar a exatidão, a presença, a realização, o bom estado de: *Checou os aparelhos.* **2** Estabelecer comparação; CONFRONTAR. [*tdi.* + *com*: *O gerente checou os preços*

dos produtos com os da tabela.] [▶ **11** che car] • **che.ca.gem** *sf.*

check-in (Ing. /tchéc-in/) *sm.* **1** Nos aeroportos, local onde o passageiro apresenta o bilhete e despacha as bagagens. **2** Registro de hóspede na chegada ao hotel.

checklist (Ing. /tchéclist/) *sm.* Numa atividade ou trabalho, lista das coisas a fazer e serem checadas.

checkout (Ing. /tchécaut/) *sm.* Num hotel, horário e procedimento em que o hóspede deixa o quarto em que esteve hospedado e fecha a conta.

check-up (Ing. /tché-ap/) *sm.* Med. Exame médico geral.

checo (che.co) *a.* Ver *tcheco*.

checoslovaco (che.cos.lo.va.co) *a.sm.* Ver *tchecoslovaco*.

cheeseburger (Ing. /tchisburguer/) *sm.* Sanduíche feito de hambúrguer com queijo derretido.

chef (Fr. /chéf/) *s2g.* **1** Profissional do campo da culinária que domina com maestria conhecimento e prática desta profissão: *Ele estudou muito para ser chef.* **2** Profissional de destaque na área culinária que ocupa posição de líder no funcionamento da cozinha: *O ajudante atendia às ordens do chef.* **3** Aquele que é responsável pela preparação dos pratos de um restaurante: *O cliente enviou seus agradecimentos à chef do restaurante.*

chefatura (che.fa.tu.ra) *sf.* **1** Local onde um chefe exerce sua função: *chefatura de polícia.* **2** O cargo de chefe; CHEFIA.

chefe (che.fe) *s2g.* **1** Pessoa que exerce função de dirigente. **2** Pessoa que representa um grupo: *chefe de família.* [Dim. pej.: *chefete* [ê].]

chefia (che.fi.a) *sf.* **1** Cargo de chefe: *Ainda não se sabe quem vai assumir a chefia.* **2** Pop. Chefe.

chefiar (che.fi.ar) *v.* **1** Dirigir como chefe; COMANDAR. [*int.* (com ou sem complemento explícito): *Liderança é qualidade necessária para chefiar (uma empresa).*] **2** Exercer a chefia de. [*td.*] [▶ **1** che fi ar]

chega (che.ga) [ê] *sm.* **1** Advertência, repreensão: *Levou um chega da coordenadora.* **interj.** **2** Não mais!

chegada (che.ga.da) *sf.* **1** Ação ou resultado de chegar: *Houve alteração no horário de chegada do voo.* [Ant.: *partida.*] **2** Aproximação: *Foi anunciada a chegada de uma frente fria.* **3** Pop. Ida rápida a algum lugar; PULO: *Vou dar uma chegada na casa do meu primo.*

chegado (che.ga.do) *a.* **1** Que é afetivamente ligado: *Ele é muito chegado ao cunhado.* **2** Que é dado a ou se interessa por algo: *Não sou muito chegada a filmes de terror.*

chegança (che.gan.ça) *sf.* N.E. Festa popular natalina.

chegar (che.gar) *v.* **1** Completar ação de ir a ou vir de algum lugar. [*int.* (seguido de indicação de lugar): *Chegaremos no Rio logo; Mamãe chegou da loja cansada.*] **2** Vir. [*int.* (seguido de lugar, tempo etc.): *Chegou da Paraíba sonhando com uma vida melhor; Os dias passam e ela não chega; Tradições que chegaram do passado e se renovam.*] **3** Acontecer, ter início: [*int.*: *Chegou o dia da formatura; Finalmente as férias chegaram.*] **4** Atingir, alcançar (um ponto determinado). [*int.* (seguido ou não de indicação de lugar): *Custou, mas cheguei; Chegamos cedo (ao clube).*] **5** Alcançar (qualidade, situação) após desenvolvimento. [*ti. + a*: *A astronáutica chegou a grandes conquistas.*] **6** Bras. Ser suficiente; BASTAR. [*int.* (seguido ou não de indicação de finalidade): *Essa quantia não chega (para as despesas)*; *"As batatas apenas chegam para alimentar uma das tribos..."* (Machado de Assis, *Quincas Borba*).] **7** Atingir, alcançar, igualando (medida, montante, valor, qualidade etc.) [*ti. + a* (seguido de quantidade, parâmetro etc.): *Sua dívida chega a dez milhões;*

Não chega aos pés do concorrente.] **8** Pôr(-se) perto; APROXIMAR(-SE). [*td.*: *Chegue a cadeira para cá, pediu.* *pr.*: *Chegaram-se ao mestre para tirar dúvidas.*] [▶ **14** che gar] [NOTA: a) Us. como auxiliar, seguido da prep. *a* + v. principal no infinit., indicando 'resultado de ação ou estado anterior': *Não cheguei a vê-la./ Chegou a passar fome.*; também indicando o 'modo como o falante enuncia a ação': *Faminto, chegava a salivar diante de pratos tão bonitos.* (Ver *auxiliar*, *aspecto* e *modalidade*.) b) A 1ª pess. do pret. perf. do ind. *cheguei* é us. no Brasil como aposto de nome, esp. nome de cor bem viva, que atrai muita atenção, p.ex.: *amarelo cheguei.*]

cheia (chei.a) *sf.* Aumento do nível de um rio ou lago; ENCHENTE.

cheio (chei.o) *a.* **1** Lotado, repleto: *O cinema estava cheio.* [Ant.: *vazio.*] **2** Que contém muita quantidade: *sala cheia de mosquitos.* **3** Muito atarefado, ocupado (diz-se de dia, semana etc.). **4** Gordo, redondo (rosto cheio). **5** *Pop.* Que perdeu o interesse; FARTO: *Está cheia do namorado.* **6** *Pop.* Aborrecido e/ou desanimado: *Anda cheio, sem vontade de nada.* [Superl.: *cheíssimo.*] ‖ **Em ~** Totalmente, com precisão: *Arriscou a resposta e acertou em cheio.*

cheirar (chei.rar) *v.* **1** Sentir ou tentar sentir o cheiro de; aplicar o olfato a. [*td.*: *Cheirar a comida abriu-lhe o apetite*; *Cheirava a flor, mas não lhe sentia o perfume.*] **2** Usar o sentido do olfato, sentir cheiro. [*int.*: *Gripado, não conseguia cheirar.*] **3** Introduzir no nariz e aspirar (droga, rapé etc.). [*td.*: *Vovô gostava de cheirar rapé*; (tb. sem complemento explícito) *Cheirava demais (cocaína) e teve de se internar.*] **4** Exalar cheiro (de). [*ti. + a*: *"...toda a casa cheirava a cera e a incenso..."* (Eça de Queirós, *O crime do padre Amaro*). *int.*: *Certas flores não cheiram.*] **5** *Fig.* Tentar descobrir, bisbilhotando. [*td.*: *Lá vem ela cheirar novidades.*] **6** Ter aparência de ou semelhança com. [*ti. + a*: *Este negócio cheira a falcatrua.*] [▶ **1** cheir ar]

cheiro (chei.ro) *sm.* **1** Exalação de odor percebida pelo olfato: *cheiro de queimado.* **2** Fragrância, aroma. **3** Mau cheiro (1); FEDOR.

cheiroso (chei.ro.so) [ó] *a.* Que tem cheiro agradável (comida *cheirosa*). [Ant.: *fedorento.*] [Fem. e pl.: [ó].]

cheiro-verde (chei.ro-ver.de) [ê] *sm.* Cul. Ramo de salsa com cebolinha, us. como tempero. [Pl.: *cheiros-verdes.*]

cheque (che.que) *sm.* Documento fornecido por um banco a quem nele tem conta, e que equivale a dinheiro, uma vez preenchido com determinada quantia e assinado pelo titular da conta. ‖ **ao portador** Cheque não preenchido com nome de pessoa ou firma, sendo pagável a qualquer pessoa que o apresente ao banco. **~ nominal** Cheque preenchido com o nome da pessoa ou firma a ser paga. **~ pré-datado** Cheque emitido para pagamento em data futura.

cherne (cher.ne) *sm.* Zool. Grande peixe, de cor escura e carne clara, muito apreciada.

chester (ches.ter) *sm.* Zool. Frango que, com métodos de engenharia genética, possui o peito e as coxas maiores do que os demais da sua espécie. [Pl.: -*teres* ou -*ters*.]

chiadeira (chi.a.dei.ra) *sf.* **1** Ruído contínuo e inoportuno; CHIADO. **2** Peça que fica próxima do eixo nos carros de boi.

chiado (chi.a.do) *sm.* **1** Ação ou resultado de chiar. **2** Ruído prolongado; CHIADEIRA; CHIO.

chiar (chi.ar) *v.* **int.** **1** Produzir chio (som ou voz agudos): *No verão as cigarras chiam.* **2** *Fig.* Manifestar cólera: *O pai chiou, porque o filho faltou à aula.* **3** Ranger: *As rodas chiavam.* **4** *Fig. Gír.* Reclamar, protestar: *Com a alta dos preços, os consumidores chiaram.* [▶ **1** chi ar]

chibata (chi.*ba*.ta) *sf.* Vara delgada e longa us. para fustigar animais e pessoas: *Os escravos apanhavam de chibata.*

chibatada (chi.ba.*ta*.da) *sf.* Golpe aplicado com chibata.

chibatar, chibatear (chi.ba.*tar*, chi.ba.te.*ar*) *v. td.* Bater com chibata em; CHICOTEAR. [▶ 1 chibat[ar], ▶ 13 chibat[ear]]

chibé (chi.*bê*) *sm. Bras. Cul.* Ver *jacuba*.

chicana (chi.*ca*.na) *sf.* **1** *Jur.* Dificuldade criada num processo judicial, por abuso de recursos, formalidades ou sutilezas jurídicas. **2** Manobra feita de má-fé; TRAPAÇA; FRAUDE.

chicane (chi.*ca*.ne) *sf. Autom.* Desvio feito em pista de corrida para torná-la menos veloz.

chicaneiro, chicanista (chi.ca.*nei*.ro, chi.ca. *nis*. ta) *a.sm.* Que ou quem participa de chicanas (1 e 2).

chicle (*chi*.cle) *sm.* **1** Goma retirada do sapotizeiro, utilizada na fabricação de goma de mascar. **2** Goma de mascar; CHICLETE.

chiclete (chi.*cle*.te) *sm.* Goma de mascar; CHICLE (2). [A marca registrada é Chiclets®.]

chico (*chi*.co) *sm.* **1** *Fam.* Macaco doméstico. **2** *Pop.* Menstruação.

chicória (chi.*có*.ri:a) *sf. Bot.* Certa planta de folhas comestíveis.

chicotada (chi.co.*ta*.da) *sf.* Golpe aplicado com chicote.

chicote (chi.*co*.te) *sm.* Correia de couro us. ger. para açoitar animais.

chicotear (chi.co.te.*ar*) *v. td.* Bater com chicote em; AÇOITAR; CHIBATEAR: *O feitor chicoteava os escravos.* [▶ 13 chicot[ear]] • chi.co.te.a.do *a.*; chi.co.te:a.men.to *sm.*

chicote-queimado (chi.co.te-quei.*ma*.do) *sm.* Brincadeira em que um objeto é escondido para que os participantes o encontrem. [Pl.: *chicotes-queimados*.]

chicungunha (chi.cun.gu.nha) *sf.* **1** Doença viral transmitida pela picada do mosquito *Aedes aegypti*, que provoca sintomas semelhantes aos da dengue, mas que se diferencia pela intensidade das dores articulares e pela possibilidade de extensão destas dores por longo período após o desaparecimento dos outros sintomas: *Carmen não foi trabalhar por causa da chicungunha.*

chifrada (chi.*fra*.da) *sf.* Golpe dado com chifre(s).

chifrar (chi.*frar*) *v. td.* **1** Atingir ou ferir com chifre: *O touro tentou chifrar o toureiro.* **2** Ver *cornear.* [▶ 1 chifr[ar]]

chifre (*chi*.fre) *sm.* Apêndice ósseo na cabeça de alguns animais (bois, cabras, antílopes etc.).

chifrudo (chi.*fru*.do) *a.* **1** Que tem chifres. *a.sm.* **2** *Pop. Pej.* Que ou quem é traído pela mulher. [At! Considerado ofensivo nesta acepção.]

chileno (chi.*le*.no) *a.* **1** Do Chile (América do Sul); típico desse país ou de seu povo. *sm.* **2** Pessoa nascida no Chile. ⬛ **chilena** *sf.* **3** *Fut.* Toque na bola com o calcanhar. **4** Espora grande com roseta graúda. [Mais us. no pl.]

chilique (chi.*li*.que) *sm. Pop.* **1** Ataque de nervosismo ou impaciência; FANIQUITO: *Teve um chilique porque nos atrasamos.* **2** Desmaio.

chilrear, chilrar (chil.re.*ar*, chil.*rar*) *v.* **1** Soltar a voz, cantar (os pássaros); CHALRAR; GORJEAR. [*int.*: *Os sabiás chilrearam ao amanhecer.*] **2** Fazer soar (canto, melodia) chilreando (1). [*td.*: *O canário chilreava seu alegre canto.*] **3** *Fig.* Falar muito e animadamente. [*int.*: *Na hora do recreio, a criançada chilreava.*] [▶ 13 chilr[ear], ▶ 1 chilr[ar]] [NOTA: No sentido estrito da acp. 1, só us. na 3ª pes. do sing. e do pl.]

chilreio, chilro (chil.*rei*.o, *chil*.ro) *sm.* Canto dos pássaros.

chimarrão (chi.mar.*rão*) *sm.* RS Mate quente, sem açúcar. [Pl.: -*rões*.]

chimpanzé, chipanzé (chim.pan.*zé*, chi.pan.*zé*) *sm. Zool.* Grande macaco africano com alto grau de inteligência.

china¹ (*chi*.na) *s2g. Pop.* Pessoa nascida na China; CHINÊS.

china² (*chi*.na) *sf. Bras.* Mulher indígena ou cabocla.

chinchila (chin.*chi*.la) *sf. Zool.* **1** Roedor, nativo dos Andes, de pelo cinzento e macio. **2** A pele desse animal.

chinela (chi.*ne*.la) *sf.* Ver *chinelo*.

chinelada (chi.ne.*la*.da) *sf.* Golpe dado com chinelo.

chinelo (chi.*ne*.lo) *sm.* Calçado confortável de uso doméstico.

chinês (chi.*nês*) *a.* **1** Da China (Ásia); típico desse país ou de seu povo. *sm.* **2** Pessoa nascida na China. *a.sm.* **3** *Gloss.* Do, ref. ao ou o grupo de línguas faladas na China. [Pl.: -*neses*. Fem.: -*nesa*.]

chinfrim (chin.*frim*) *a2g. Pop.* **1** De má qualidade ou de mau gosto (tecido chinfrim); ORDINÁRIO. **2** Insignificante, sem importância (diz-se de pessoa). [Pl.: -*frins*.]

chinó (chi.*nó*) *sm. Bras.* Peruca.

chio (*chi*.o) *sm.* Ver *chiado*.

⊕ **chip** (*Ing.* /chip/) *sm. Inf.* Pastilha de silício que pode conter mais de quarenta milhões de transistores responsáveis por receber, decodificar e enviar a maior parte das informações que circulam pelo computador.

chique (*chi*.que) *a2g.* **1** Que é elegante, de bom gosto (roupa chique, mulher chique). *sm.* **2** Aquilo que é chique (1).

chiquê (chi.*quê*) *sm. Pop.* **1** Refinamento pretensioso: *Uso roupas de grife por puro chiquê.* **2** Frescura (2): *Faz chiquê para comer galinha com as mãos.*

chiqueiro (chi.*quei*.ro) *sm.* **1** Curral de porcos. **2** *Fig.* Lugar muito sujo.

chispa (*chis*.pa) *sf.* **1** Fagulha pequena; CENTELHA. **2** Brilho que só dura um instante; LAMPEJO.

chispada (chis.*pa*.da) *sf.* Ação ou resultado de chispar (3), de correr rapidamente; DISPARADA.

chispar (chis.*par*) *v. int.* **1** Emitir chispas, faíscas ou lampejos (tb. *Fig.*): *As rodas do trem chisparam nos trilhos; Seus olhos chispavam.* **2** *Fig.* Estar ou ficar encolerizado, irritado: *O motorista chispava (de raiva).* **3** *Bras.* Sair em disparada: *O menino chispou dali.* [▶ 1 chisp[ar]]

chispe (*chis*.pe) *sm.* Pé de porco.

chiste (*chis*.te) *sm.* Comentário espirituoso.

chistoso (chis.*to*.so) [ô] *a.* Engraçado, espirituoso (conto chistoso). [Fem. e pl.: [ó].]

chita (*chi*.ta) *sf.* Pano de algodão estampado, de baixa qualidade.

chitão (chi.*tão*) *sm.* Chita com estampas grandes. [Pl.: -*tões*.]

choça (*cho*.ça) *sf.* Casa humilde e rústica.

chocadeira (cho.ca.*dei*.ra) *sf.* **1** Dispositivo para chocar ovos. *a.* **2** A ave que choca os ovos (galinha chocadeira).

chocalhar (cho.ca.*lhar*) *v.* **1** Sacudir, produzindo som parecido com o do chocalho. [*td.*: *Os foliões pulavam, chocalhando os guizos.*] **2** Agitar (líquido num recipiente). [*td.*: *Chocalhou o iogurte antes de abrir.*] **3** Tocar chocalho. [*int.*: *Os músicos chocalharam, pontuando o ritmo.*] [▶ 1 chocalh[ar]] • cho.ca.lhan.te *a2g.*

chocalho (cho.*ca*.lho) *sm.* **1** Brinquedo ou instrumento que produz som ao ser sacudido. **2** Campainha que se prende ao pescoço de animais.

chocante (cho.*can*.te) *a2g.* **1** Que choca, impressiona, espanta (notícia chocante). **2** *Gír.* Muito bom, ou bonito (filme chocante).

chocar¹ (cho.*car*) *v. t.* **1** Ir de encontro, esbarrar. [*ti. + em*: *O trem descarrilou e chocou no muro.* *pr.*: *O menino correu e chocou-se com a árvore.* (com sentido de reciprocidade) *Dois caças chocaram-se durante a exibição.*] **2** Provocar em ou sentir choque, surpresa; ESCANDALIZAR(-SE); MELINDRAR(-SE). [*td.*: *A irreverência chocou o público.* *int.* (seguido de indicação de causa): *O texto choca pela crueza do seu estilo. pr.*: *Chocou-se com as palavras da mãe.*] [▶ **11** cho<u>car</u>]

chocar² (cho.*car*) *v.* **1** Cobrir (ovos) aquecendo-os com o corpo, para desenvolver-lhes o germe. [*td.* (com ou sem complemento explícito): *A galinha está chocando (os ovos).*] **2** *Bras. Fig.* Esperar longamente. [*int.* (com ou sem indicação de lugar): *Fiquei chocando (na fila).*] [▶ **11** cho<u>car</u>]

chocarreiro (cho.car.*rei*.ro) *a.sm.* Que ou aquele que diz chocarrices.

chocarrice (cho.car.*ri*.ce) *sf.* Comentário zombeteiro, ger. desrespeitoso.

chocho (*cho*.cho) [ó] *a.* **1** Murcho, seco (diz-se de fruta). **2** *Fig.* Desanimado, fraco. **3** *Fig.* Sem interesse (conversa *chocha*). • **cho**.*char v.*

choco¹ (*cho*.co) [ô] *sm.* **1** Ação ou resultado de chocar (ovos). **2** Período de incubação.

choco² (*cho*.co) [ô] *a.* **1** Que está chocando (diz-se de ave) (pata *choca*). **2** Diz-se do ovo em que o embrião está se desenvolvendo. **3** *Fig.* Que está estragado, deteriorado, podre (ovos *chocos*, água *choca*). [Fem.: [ó].]

chocolataria (cho.co.la.ta.*ri*.a) *sf.* **1** Fábrica de chocolate (1). **2** Loja onde se vendem doces de chocolate.

chocolate (cho.co.*la*.te) *sm.* **1** Substância, à base de cacau, com que se fazem bombons, doces, bolos, sorvetes etc.: *bolo de chocolate.* **2** Bebida feita com esse pó, leite e açúcar (chocolate quente). **3** Doce (ger. em forma de tablete) feito com chocolate (1), em vários formatos.

chocolateira (cho.co.la.*tei*.ra) *sf.* Pote us. para preparar ou servir chocolate (2).

chocolateiro (cho.co.la.*tei*.ro) *sm.* **1** Pessoa que fabrica ou vende chocolate (1). **2** Pessoa que cultiva ou vende cacau.

chocólatra (cho.có.la.tra) *s2g.* Quem adora chocolate, e/ou que come muito chocolate.

chofer (cho.*fer*) *sm.* Pessoa que dirige automóvel; MOTORISTA.

chofre (*cho*.fre) [ó] *sm.* Batida ou golpe repentino. ■ **De ~** De repente, subitamente.

choldra (*chol*.dra) [ó] *sf.* **1** Grupo de criminosos, desordeiros ou pessoas malvistas. **2** Coisa inútil.

chopada (cho.*pa*.da) *sf.* **1** Reunião de amigos para beber chope. **2** Rodada de chope.

chope (*cho*.pe) [ó] *sm.* **1** Cerveja armazenada em barril e servida sob pressão. **2** Dose de chope (1) servida em copo especial.

choperia (cho.pe.*ri*.a) *sf.* Estabelecimento onde se servem comida, bebidas, esp. chope; CERVEJARIA.

choque (*cho*.que) *sm.* **1** Batida entre dois corpos; COLISÃO. **2** Conflito entre pessoas ou grupos: *choque de gerações.* **3** Grande surpresa. **4** Abalo emocional: *A vítima ficou em estado de choque.* **5** Efeito produzido por contato da pele com uma descarga elétrica.

choradeira (cho.ra.*dei*.ra) *sf.* **1** Choro contínuo, insistente. **2** *Fig.* Queixa, lamentação.

chorado (cho.*ra*.do) *a.* **1** Pranteado, lamentado (morte *chorada*). **2** Cantado ou tocado em tom triste (samba *chorado*). **3** *Fig.* Conseguido com muito esforço, insistência (gorjeta *chorada*).

choramingar (cho.ra.min.*gar*) *v.* **1** Chorar baixinho ou por motivos fúteis. [*int.*: *A criança não parava de choramingar.*] **2** Dizer ou pedir em voz chorosa. [*td.*: *Passou o dia choramingando as mágoas. tdi. + a, para*: *Choramingou ao guarda que retirasse a multa.*] [▶ **14** choramin<u>gar</u>]

choramingas (cho.ra.*min*.gas) *s2g2n.* Pessoa que está sempre choramingando.

chorão (cho.*rão*) *a.sm.* **1** Que ou quem chora muito. **2** Que ou quem toca choro (3). *sm.* **3** *Bot.* Ver *salgueiro.* [Pl.: *-rões.* Fem.: *-rona.*]

chorar (cho.*rar*) *v.* **1** Deixar correr, derramar lágrimas. [*int.*: *O menino não parava de chorar. ti. + de, por, sobre*: *Chorava de dor.*] **2** Deixar correr, verter (lágrimas). [*td.*] **3** Sentir profundo pesar por (ausência, perda ou infelicidade) (de). [*td.*: *Choraram a ausência do amigo. ti. + por*: *Choro por esse menino infeliz.*] **4** *Fig.* Emitir ([em forma de] sons plangentes). [*td.*: *O bandolim chora uma melodia triste. int.*: *"...chora* (chorando), o morro inteiro..." (Herivelto Martins, *Praça Onze*).] **5** Lamentar(-se). [*int.*: *Chorou o ano inteiro, até conseguir o que queria. td.*: *Não adianta chorar o que passou.*] **6** *Pop.* Discutir o preço; PECHINCHAR. [*int.*: *Não compra nada sem chorar.*] [▶ **1** chor<u>ar</u>]

chorinho (cho.*ri*.nho) *sm. Mús.* Choro (3) de andamento vivo.

choro (*cho*.ro) [ó] *sm.* **1** Ação ou resultado de chorar. **2** *Fig.* Reclamação, queixa. **3** *Mús.* Gênero musical de origem carioca, ger. tocado por conjunto de flauta, violão, cavaquinho e pandeiro.

chorona (cho.*ro*.na) [ó] *a.sf.* **1** Fem. de *chorão* (1). **2** *Bot.* Diz-se de ou plantas cujas folhas pendem. *sf.* **3** Planta chorona.

chororô (cho.ro.*rô*) *sm.* **1** *Bras. Pop.* Choro, choradeira: "Não adianta começar com aquele *chororô* de novo. O árbitro Rodrigo Cintra até errou ao marcar o primeiro pênalti contra o Botafogo." (Marcelo Senna, *Extra online* 9/9/2007)

choroso (cho.*ro*.so) [ô] *a.* **1** Que está chorando ou a ponto de chorar. **2** *Fig.* Triste ou emocionado: *Ficamos chorosos ao nos despedirmos.* **3** Que exprime emoção (voz *chorosa*, olhar *choroso*). [Fem. e pl.: [ó].]

chorrilho (chor.*ri*.lho) *sm.* Grande quantidade de pessoas ou coisas; SÉRIE: *Tinha sempre um chorrilho de sugestões.*

chorumela (cho.ru.*me*.la) *sf.* **1** Fala desinteressante; CONVERSA FIADA: *Sempre fala as mesmas chorumelas.* **2** Coisa sem importância ou valor; NINHARIA: *Discutir por chorumelas.*

choupana (chou.*pa*.na) *sf.* Casa pequena e simples; CASEBRE.

choupo (*chou*.po) *sm. Bot.* Grande árvore cultivada para ornamentação ou extração de madeira.

chouriço (chou.*ri*.ço) *sm.* Embutido feito de tripa de porco ou outro animal cheia de carne, sangue e temperos, e defumado ou fumegante ao forno.

chouto (*chou*.to) *sm.* Trote curto de cavalo, ger. incômodo para quem o monta.

chove não molha (cho.ve não *mo*.lha) *s2mn.* Situação de dúvida ou indefinição; INDECISÃO: *Fica no chove não molha e nada resolve.*

chover (cho.*ver*) *v.* **1** Cair chuva. [*int.*: *Ontem choveu o dia todo.*] **2** Fazer cair como chuva. [*td.* (seguido ou não de indicação de lugar): *A árvore choveu frutos (no chão); Os convidados choveram arroz (sobre os noivos).*] **3** *Fig.* Cair ou sobrevir em abundância. [*int.* (seguido ou não de indicação de lugar): *Choviam desgraças; Bênçãos divinas choviam (sobre a casa).*] [▶ **2** chov<u>er</u>] **V.** *Impess.*, conjugado somente na 3ª pess. sing. Em sentido figurado, porém, pode-se conjugar em todas as pess.] ■ **~ no molhado** Repetir ou mencionar o que já foi dito ou que já se sabe sem obter o que se deseja; propor ou tentar solução para problema já resolvido.

chuchar (chu.*char*) *v. td.* Fazer movimento de sucção com; MAMAR; CHUPAR. [▶ **1** chuch<u>ar</u>]

chuchu (chu.*chu*) *sm.* **1** *Bot.* Planta trepadeira que produz um fruto comestível. **2** Esse fruto. *s2g.* **3** *Fam.* Pessoa por quem se tem carinho; QUERIDO: *Não fique triste, meu chuchu.*

chuço (*chu*.ço) *sm.* Pedaço de pau com aguilhão numa das pontas.

chucrute (chu.*cru*.te) *sm. Cul.* Alimento de origem alemã, feito à base de repolho fermentado.

chué (chu:é) *a2g.* **1** Sem importância; INSIGNIFICANTE. **2** Sem cuidado; DESLEIXADO. **3** De má qualidade, ordinário.

chula (*chu*.la) *sf. Mús.* **1** Certa música popular e dança de Portugal. **2** Gênero de música que acompanha a capoeira.

chulé (chu.*lé*) *sm. Pop.* Cheiro desagradável causado por sujeira ou suor dos pés.

chulear (chu.le.*ar*) *v. td.* Costurar a orla de (tecido) para que não se desfie (com ou sem complemento explícito): *Chuleou a (bainha da) saia; Vovó ainda é capaz de chulear (roupas)*. [▶ **13** chulear]

chuleio (chu.*lei*.o) *sm.* **1** Ação ou resultado de chulear. **2** Ponto de costura us. para chulear: *A velha almofada tinha vários chuleios*.

chulo (*chu*.lo) *a.* Que é ofensivo ou grosseiro; RUDE: *Por laver, não use palavras chulas*.

chumaço (chu.*ma*.ço) *sm.* Porção de algodão, gaze etc., ger. us. em curativos, ou como enchimento de roupa.

chumbada (chum.*ba*.da) *sf.* **1** Tiro com munição de chumbo: *dar uma chumbada em um alvo*. **2** Pedaço de chumbo colocado como peso em redes ou linhas de pesca.

chumbado (chum.*ba*.do) *a.* **1** Que se chumbou; em que se aplicou chumbo ou soldado com chumbo: *cofre chumbado ao chão*. **2** *Fig.* Muito cansado, doente ou bêbado.

chumbar (chum.*bar*) *v.* **1** Soldar, prender com chumbo ou outro metal. [*td.*: *Mandou chumbar a grade da janela.*] **2** Ferir ou matar com projétil de chumbo ou com tiro de arma de fogo. [*td.*: *A polícia chumbou o marginal.*] **3** Munir com pesos de chumbo. [*td.*: *Chumbaram a rede de pesca.*] **4** Fechar hermeticamente. [*td.*: *Chumbou o recipiente do material radioativo.*] **5** *Gír.* Embriagar(-se), estar doente ou cansar(-se) demais. [*td.*: *A gripe chumbou-o completamente; A caminhada chumbou-o demais.* *pr.*: *Chumbou-se com a cachaça.*] [▶ **1** chumbar]

chumbinho (chum.*bi*.nho) *sm.* **1** Projétil pequeno, ger. para arma de ar comprimido. **2** *Pop.* Certo veneno para ratos.

chumbo (*chum*.bo) *sm.* **1** *Quím.* Metal cinzento e muito denso, us. como solda, em ligas metálicas e vários outros fins. [Símb.: *Pb*] **2** Projétil desse material. **3** Peso feito com esse material, que se ata às redes de pesca. ■ **Levar ~ 1** Ser ferido por tiro. **2** Dar-se mal em algo.

chupada (chu.*pa*.da) *sf.* Ação ou resultado de chupar (1).

chupão (chu.*pão*) *sm.* **1** *Gír.* Beijo forte que deixa marca na pele. *a.sm.* **2** Que ou quem chupa, ou costuma chupar. [Pl.: -*pões*. Fem.: -*pona*.]

chupar (chu.*par*) *v. td.* **1** Aspirar com a boca; SUGAR; SORVER: *O bebê chupava o leite com avidez.* **2** Sorver (1) o suco de: *Chupar uma laranja.* **3** Manter na boca, salivando: *Distraía-se chupando balas.* **4** Pôr na boca e fazer com esta movimento de sucção sobre: *chupar o dedo/um picolé.* **5** Absorver (líquido) por sucção: *Usou papel absorvente para chupar o café derramado.* **6** Copiar (informação, texto etc.) ger. sem mencionar a fonte: *Chupou os dados da internet.* [▶ **1** chupar]

chupa-sangue (chu.pa-*san*.gue) *sm. Pop.* Aquele que se aproveita do trabalho de outro. [Pl.: *chupa-sangues*.]

chupeta (chu.*pe*.ta) [ê] *sf.* **1** Objeto com ponta arredondada de borracha que se dá a bebês para chupar. **2** *Bras. Gír.* Ligação provisória da bateria de um automóvel para a de um outro, para fornecer a esta a carga necessária para acionar o motor de arranque.

chupim (chu.*pim*) *sm.* **1** *Zool.* Ave pequena que engana o tico-tico para que este choque os ovos dela junto com os seus; ANU. **2** *Fig.* Marido sustentado pela mulher. [Pl.: -*pins*.]

chupitar (chu.pi.*tar*) *v. td.* Chupar ou beber aos poucos: *Chupitou o suco.* [▶ **1** chupitar]

churrascaria (chur.ras.ca.*ri*.a) *sf.* Restaurante especializado em servir churrasco.

churrasco (chur.*ras*.co) *sm.* **1** Carne assada na brasa, em grelha ou espeto. **2** Refeição com esse prato principal: *Depois do churrasco, fomos passear.* **3** Reunião em que se serve esse prato: *Vamos ao churrasco?*

churrasqueira (chur.ras.*quei*.ra) *sf.* Construção ou estrutura própria para fazer churrasco.

churrasqueiro (chur.ras.*quei*.ro) *sm.* Aquele que faz churrasco.

churrasquinho (chur.ras.*qui*.nho) *sm.* Tipo popular de churrasco, feito com pedaços pequenos de carne espetados em palitos; ESPETINHO.

churro (*chur*.ro) *sm. Cul.* Massa de farinha de forma alongada, frita, coberta de açúcar e canela, ger. recheada com doce de leite.

chusma (*chus*.ma) *sf.* Grande quantidade (de coisas ou de pessoas): *Os torcedores acorreram em chusmas ao estádio.*

chutar (chu.*tar*) *v. Esp.* Impelir (a bola) com chute ou arremesso. [*td.* (com ou sem complemento explícito, seguido ou não de indicação de lugar): *O atacante driblou o zagueiro e chutou (a bola); Chutou a bola (para fora da área) e afastou o perigo.*] **2** Dar chute ou pontapé (em). [*td.* (seguido de indicação de lugar): *Irritado, chutou o irmão (na canela).*] **3** *Pop.* Tentar acertar no palpite resposta de (prova, questionário etc.). [*td.*: *Chutou a prova toda. int.*: *Não sabia a resposta, chutou.*] **4** *Pop.* Desprezar, dispensar, romper com. [*td.*: *Chutou o namorado.*] [▶ **1** chutar]

chute (*chu*.te) *sm.* **1** Golpe dado com um dos pés; PONTAPÉ (1): *chute na bola/em alguém.* **2** *Gír.* Informação pouco confiável, na base da adivinhação; PALPITE: *— Quanto custou? — Vou dar um chute: cem reais; Na prova vou tentar o chute marcando todas as respostas na letra c.*

chuteira (chu.*tei*.ra) *sf.* Tipo de calçado us. para jogar futebol; CHANCA.

chuva (*chu*.va) *sf.* **1** *Met.* Precipitação, em forma de gotas de água, do vapor de água da atmosfera condensado ao se resfriar. **2** *Fig.* Grande quantidade de coisas que caem, ou que se manifestam, ou que são atiradas etc.: *chuva de papel picado/de protestos/de balas/de gols.*

chuvarada, chuvada (chu.va.*ra*.da, chu.*va*.da) *sf.* Chuva forte; TORÓ.

chuveirada (chu.vei.*ra*.da) *sf.* Banho de chuveiro ger. rápido: *Tomou uma chuveirada e saiu.*

chuveiro (chu.*vei*.ro) *sm.* **1** Objeto de plástico ou metal com vários furos que, colocado na saída de um cano, espalha a água sobre quem toma banho. **2** Banho de chuveiro (1). **3** Parte do banheiro, ger. fechada e com piso mais baixo que o do banheiro, destinada ao banho de chuveiro (1): *Depois do banho, limpou o chuveiro.*

chuviscar (chu.vis.*car*) *v. int.* Chover pouco e miúdo: *Chuviscava quando ela saiu.* [▶ **11** chuviscar] V. impess., conjugado somente na 3ª pess. sing.]

chuvisco (chu.*vis*.co) *sm.* **1** Chuva fraca. **2** *Cul.* Doce em forma de gota de chuva. **3** *Telv. Fig.* Interferência na imagem da televisão.

chuvoso (chu.*vo*.so) [ô] *a.* **1** Em que se vem sinais de ou em que ocorre chuva (diz-se com relação ao tempo); PLUVIOSO: *Tarde chuvosa de janeiro.* **2** Em que chove frequentemente: *Moro numa região chuvosa*. [Fem. e pl.: [ó].]

ciano (ci.a.no) *sm*. **1** Azul básico, uma das três cores primárias. *a2g*. **2** Que é dessa cor (tinta ciano, carro ciano).

cianose (ci:a.no.se) *sf*. *Med*. Cor azulada que a pele adquire devido à deficiência na oxigenação do sangue. • ci**a**.nó.ti.co *a*.

ciática (ci:á.ti.ca) *sf*. *Med*. Dor em nervo ciático (2).

ciático (ci:á.ti.co) *a*. *Anat*. **1** Ref. aos, dos ou pertencente aos quadris. **2** Diz-se de cada um dos dois grandes nervos dos membros inferiores.

ciberespaço (ci.be.res.*pa*.ço) *sm*. *Inf*. Ambiente virtual criado por uma rede de computadores.

cibernética (ci.ber.*né*.ti.ca) *sf*. Estudo comparativo dos mecanismos de comunicação e de controle nas máquinas e nos seres vivos, do modo como se organizam, regulam e aprendem. • ci.ber.*né*.ti.co *a*.

📖 O fundamento dessa ciência é, a exemplo do cérebro animal, realimentar um sistema de tomada de decisão (o que fazer) para acionar uma consequente ação (fazer) com os dados de determinada situação, inclusive aqueles resultantes da ação do próprio sistema, num círculo que se realimenta constantemente. Essa retroalimentação de informação para propiciar uma ação adequada (em inglês, *feedback*) é à base dos robôs e dos sistemas ditos 'inteligentes' formulados na cibernética, os chamados 'servossistemas', ou 'servomecanismos'.

cibório (ci.*bó*.ri)o *sm*. *Litu*. Vaso sagrado em que se guardam hóstias.

⊠ **CIC** Sigla de *Cartão de Identificação do Contribuinte* (do imposto de renda).

cica (*ci*.ca) *sf*. *Bras*. Gosto amargo das frutas verdes ou ricas em tanino.

cicatriz (ci.ca.*triz*) *sf*. **1** Marca deixada por uma ferida depois de curada. **2** *Fig*. Lembrança duradoura de um sofrimento, ofensa, calamidade, destruição etc.: *O fim do namoro deixou-lhe profundas cicatrizes*; *A guerra deixou cicatrizes em populações inteiras*.

cicatrizar (ci.ca.tri.*zar*) *v*. **1** Promover a cicatrização (de). [*td*. (com ou sem complemento explícito): *Este óleo desinfeta e cicatriza (feridas)*.] **2** Fechar-se (ferida, lesão) formando cicatriz (1). [*int./pr*.: *A ferida no meu braço cicatrizou(-se)*.] **3** *Fig*. Dissipar(-se) (um sofrimento). [*td*.: *O tempo cicatriza a dor*. *int./pr*.: *Sua mágoa cicatrizou(-se)*.] [▶ **1** cicatrizar] • ci.ca.tri.za.*ção sf*.; ci.ca.tri.*zan*.te *a2g.sm*.

cícero (*cí*.ce.ro) *sm*. *Art.Gr*. Unidade de medida tipográfica equivalente a 4,512mm.

cicerone (ci.ce.ro.ne) *s2g*. Pessoa que guia turistas ou visitantes.

ciciar (ci.ci.*ar*) *v*. **1** Produzir leve rumor; RUMOREJAR. [*int*.: *O trigal ciciava à brisa da manhã*.] **2** Dizer em voz baixa; MURMURAR. [*td*. (com ou sem complemento explícito): *Ficavam no canto, ciciando (segredos)*.] [▶ **1** ciciar]

cicio (ci.*ci*:o) *sm*. **1** Ação ou resultado de ciciar. **2** Sussurro, murmúrio.

ciclagem (ci.*cla*.gem) *sf*. *Elet*. Frequência (de ciclos) de uma corrente alternada. [Pl.: -*gens*.]

ciclamato (ci.cla.*ma*.to) *sm*. Substância artificial derivada do petróleo, com poder adoçante trinta vezes maior que o da sacarose.

ciclâmen, cíclame, ciclame (ci.*clâ*.men, *cí*.cla.me, ci.*cla*.me) *sm*. **1** *Bot*. Certa planta ornamental de flores vistosas; cada uma dessas flores. **2** Cor arroxeada típica das flores dessa planta. *a2g*. **3** Que tem essa cor. [Pl.: -*mens* ou -*menes* (p.us.) para a forma *ciclâmen*.]

cíclico (*cí*.cli.co) *a*. **1** De ou ref. a ciclo. **2** Que se repete periodicamente: *As marés são um fenômeno cíclico*.

ciclismo (ci.*clis*.mo) *sm*. **1** Prática de andar de bicicleta. **2** *Esp*. Esporte em que se disputam corridas de bicicletas. • ci.*clis*.ta *s2g*.

ciclo (*ci*.clo) *sm*. **1** Série de fenômenos ou fatos que se sucedem periodicamente numa determinada ordem; essa ordem: *ciclo das estações*. **2** *Astr*. Duração do tempo em que transcorre um ciclo (1) astronômico: *O ciclo de translação da Terra é de cerca de 365 dias*. **3** Cadeia de acontecimentos históricos marcados por certas características, práticas etc.: *o ciclo da borracha no Brasil*.

ciclometria (ci.clo.me.*tri*.a) *sf*. Técnica de medir círculos ou ciclos. • ci.*clô*.me.tro *sm*.

ciclone (ci.*clo*.ne) [ô] *sm*. *Met*. Tempestade que se desloca em círculos com enorme velocidade.

ciclope (ci.*clo*.pe) *sm*. *Mit*. Gigante com um só olho na testa.

ciclópico (ci.*cló*.pi.co) *a*. **1** *Mit*. De ou próprio de ciclope. **2** *Fig*. Gigantesco, colossal.

ciclosporina (ci.clos.po.*ri*.na) *sf*. *Med*. Medicamento para evitar a rejeição por parte do organismo receptor de órgão transplantado.

ciclotron (ci.clo.*tron*) *sm*. *Enuc*. Acelerador de partículas que funciona por eletroímãs em forma de D.

ciclovia (ci.clo.*vi*.a) *sf*. **1** Pista para circulação exclusiva de bicicletas. **2** *Esp*. Pista para ciclismo.

coconídeo (ci.co.ni.*í*.de:o) *sm*. *Zool*. **1** Espécime de família de aves pernaltas, de bico longo, reto ou curvo, como a cegonha. *a*. **2** De ou pertencente a essa ave.

cicuta (ci.*cu*.ta) *sf*. **1** *Bot*. Certa planta venenosa. **2** Veneno que se extrai dessa planta.

cidadania (ci.da.da.*ni*.a) *sf*. **1** Condição de cidadão, com seus direitos e obrigações (*cidadania* brasileira). **2** O conjunto dos cidadãos.

cidadão (ci.da.*dão*) *sm*. **1** Pessoa no gozo dos seus direitos políticos e civis. **2** *Pop*. Indivíduo, pessoa. [Pl.: -*dãos*. Fem.: -*dã* e -*doa*.]

cidade (ci.*da*.de) *sf*. **1** Concentração populacional, social e econômica que centraliza atividades comerciais, industriais, culturais etc. **2** Conjunto dos habitantes da cidade • *A cidade inteira pede o fim da violência*. **3** *Bras*. Sede de município. **4** Outra forma de se referir ao centro comercial de uma cidade (1).

📖 A origem das cidades remonta à pré-história, mas só a partir do fim da Idade Média elas se tornaram a base da expansão da economia e da sociedade. A partir do séc. XIX as cidades cresceram enormemente nas estatísticas populacionais. Como exemplo, no Brasil, a população urbana, de representação minoritária na estatística geral, passou a concentrar no fim do séc. XX c. 80% da população total. Entre as maiores cidades do mundo (em torno de mais de 20 milhões de habitantes) estão Tóquio, Nova Delhi, Xangai, São Paulo, Mumbai, Cidade do México, Pequim, Osaka, Cairo, Nova Iorque. No Brasil, além de São Paulo, as maiores cidades são Rio de Janeiro, Brasília, Salvador, Fortaleza, Belo Horizonte, Manaus, Curitiba.

cidade-dormitório (ci.da.de-dor.mi.*tó*.ri)o *sf*. Cidade cuja maioria dos moradores trabalha em outras cidades e retorna a ela apenas para dormir. [Pl.: *cidades-dormitórios* e *cidades-dormitório*.]

cidadela (ci.da.*de*.la) *sf*. Fortaleza que protege uma cidade.

cidade-satélite (ci.da.de-sa.*té*.li.te) *sf*. Cidade localizada na periferia de outra, da qual depende economicamente. [Pl.: *cidades-satélites* e *cidades-satélite*.]

CICLÂMEN (1)

cidra (*ci.*dra) *sf.* Fruto de cuja grossa casca obtém-se um óleo medicinal, us. tb. para fabricar doces.

cidreira (ci.*drei.*ra) *sf. Bras. Bot.* Árvore que dá a cidra.

ciência (ci:*ên.*ci:a) *sf.* **1** Atividade humana baseada na utilização de um método definido, por meio do qual se produzem, se testam e se comprovam conhecimentos: *as novas descobertas da ciência.* **2** O conjunto desses conhecimentos voltado para determinado ramo de atividade: *a ciência médica.* **3** Informação, conhecimento: *Tomamos ciência do fato.*

ciências (ci:*ên.*ci:as) *sfpl.* Disciplinas que tratam do estudo da natureza ou do cálculo matemático etc. (p.ex.: biologia, física, matemática etc.).

ciente (ci:*en.*te) *a2g.* Que tem conhecimento (de algo); SABEDOR: *cidadãos cientes de seus direitos e deveres.*

cientificar (ci.en.ti.fi.*car*) *v.* Tornar(-se) ciente de; INFORMAR(-SE). [*tdi.* + *de*: *Cientificaram os pais da mudança de horário. pr.: Cientifiquei-me do ocorrido.*] [▶ **11** cientific**ar**]

cientificismo (ci:en.ti.fi.*cis.*mo) *sm. Fil.* **1** Doutrina que só reconhece como verdadeiro o que pode ser provado cientificamente. **2** Atitude que considera os métodos científicos capazes de resolver todos os problemas da humanidade; CIENTISMO.

científico (ci:en.*tí.*fi.co) *a.* **1** Ref. a, da ou próprio da ciência (*revista científica*). **2** Que tem o rigor da ciência (*análise científica*).

cientismo (ci:en.*tis.*mo) *sm.* Ver *cientificismo*.

cientista (ci:en.*tis.*ta) *s2g.* Pessoa que se especializou em ou se dedica a alguma ciência.

cientologia (ci:en.to.lo.*gi.*a) *sf. Fil Rel.*Corrente filosófico-religiosa com base no dogma de que o homem é um ser espiritual imortal.

cifoscoliose (ci.fos.co.li:*o.*se) *sf. Med.* Presença de cifose e escoliose.

cifose (ci.*fo.*se) *sf. Med.* Desvio da coluna vertebral em que o corpo fica arqueado para a frente. [Cf.: *lordose e escoliose.*]

cifra (*ci.*fra) *sf.* **1** Zero. **2** Escrita enigmática, ou sua explicação. **3** Importância total, soma. **4** *Mús.* Cada um dos caracteres que representam um acorde. **5** Algarismos ou números que se usam para representar ou registrar algo.

cifrado (ci.*fra.*do) *a.* Escrito em forma de cifra (2).

cifrão (ci.*frão*) *sm.* Sinal ($) us. para expressar unidades monetárias. [Pl.: *-frões.*] [Ver tb. *cifrões.*]

cifrar (ci.*frar*) *v. td.* **1** Escrever em código, em cifra (2): *cifrar uma mensagem.* **2** Registrar (dados, medições etc.) em cifras (5): *Cifrou os dados compilados.* [▶ **1** cifr**ar**]

cigano (ci.*ga.*no) *sm.* **1** Pessoa de um povo nômade originário da Índia, presente em vários países, com cultura e ética próprias. **2** Ref. aos, dos ou próprio dos ciganos (*música cigana*).

cigarra (ci.*gar.*ra) *sf. Zool.* Inseto cujo macho tem órgãos que emitem som estridente; CEGA-REGA. **2** *Fig.* Campainha elétrica de som estridente.

cigarreira (ci.gar.*rei.*ra) *sf.* Estojo para guardar cigarros.

cigarrilha (ci.gar.*ri.*lha) *sf.* Cigarro enrolado em folha de tabaco.

cigarro (ci.*gar.*ro) *sm.* Pequeno cilindro feito de tabaco picado, enrolado em papel, para se fumar.

cilada (ci.*la.*da) *sf.* **1** Ato de se ocultar para esperar o inimigo e atacá-lo; EMBOSCADA. **2** *Fig.* Plano ardiloso para enganar alguém; LOGRO; EMBUSTE: *A proposta de sociedade na firma era uma cilada.* **3** *Fig.* Traição, deslealdade.

cilha (*ci.*lha) *sf.* Correia que passa por baixo do ventre das cavalgaduras para apertar a sela ou fixar no dorso da carga.

ciliado (ci.li:*a.*do) *sm. Zool.* Protozoário que apresenta cílios em volta do corpo, com os quais se movimenta e captura alimentos.

ciliar (ci.li:*ar*) *a2g.* **1** Dos ou ref. aos cílios. **2** *Bot.* Que cresce às margens de rio, lago ou lagoa (diz-se de vegetação).

cilício (ci.*lí.*ci:o) *sm.* **1** Túnica, cinto ou cordão com pontas lacerantes que se usava sobre a pele como penitência. **2** *Fig.* Tormento, aflição. [Cf.: *silício.*]

ciliforme (ci.li.*for.*me) *a2g.* Com forma de cílio (1).

cilindrada (ci.lin.*dra.*da) *sf. Mec.* Volume máximo da mistura de gás e combustível aspirado pelos cilindros de um motor de explosão durante um ciclo completo.

cilíndrico (ci.*lín.*dri.co) *a.* Em forma de cilindro.

cilindro (ci.*lin.*dro) *sm.* **1** *Geom.* Sólido gerado pela rotação de um retângulo ou quadrado em torno de um de seus lados, formando uma superfície curva (dita *cilíndrica*), limitada por duas bases circulares. **2** Corpo alongado e roliço com o diâmetro igual em todo o seu comprimento. **3** *Mec.* Cada um dos cilindros (2) ocos do motor de explosão, onde se dá a explosão da mistura de ar com combustível e onde se movimentam os pistões.

CILINDRO (2)

cílio (*cí.*li:o) *sm.* **1** Pelo da borda das pálpebras; PESTANA. **2** *Biol.* Formação móvel, semelhante ao pelo, que serve de meio de locomoção e de captura de alimentos em organismos unicelulares ou outros mais complexos.

cima (*ci.*ma) *sf.* Us. em locuções e expressões como: ❏ **Ainda por ~** Além disso, além do mais. **Dar em ~ de** *Pop.* Paquerar, cortejar. **De ~** Da parte mais elevada; do alto. **Em ~** Em parte mais elevada; no alto. **Em ~ de** Na parte superior de; sobre. **Para/Pra ~** Para o alto: *Olhe para cima.* **2** *Fig.* Alegre, otimista: *uma pessoa pra cima, fácil de se lidar.* **Para ~ e para baixo** Por todo lugar: *Anda para cima e para baixo com aquele rádio.* **Por ~** Sobre a superfície; sobre: *É melhor colocar uma proteção por cima.* **2** *Fig.* Com poder, com prestígio: *Agora que ela está por cima, está menos amigável.* **Por ~ de** Em posição superior a; sobre: *O avião voava por cima das nuvens.*

cimalha (ci.*ma.*lha) *sf. Arq.* Moldura saliente da parte mais alta da parede, onde se assentam os beirais.

címbalo (*cím.*ba.lo) *sm. Mús.* **1** Certo instrumento de cordas, que se percutem. **2** Instrumento de percussão formado de dois pratos de metal que se percutem um contra o outro; PRATO. [Us. ger. no pl.]

cimeira (ci.*mei.*ra) *sf.* **1** Cume, topo. **2** *Lus.* Reunião de cúpula. **3** Enfeite no alto de capacetes.

cimeiro (ci.*mei.*ro) *a.* Diz-se do que fica no cimo, no topo.

cimentado (ci.men.*ta.*do) *a.* **1** *Cons.* Ligado com cimento ou revestido de cimento. **2** *Fig.* Consolidado, firmado: *Um acordo cimentado em concessões mútuas. sm.* **3** *Cons.* Cimento (2). *Escorregou no cimentado molhado da manhã.*

cimentar (ci.men.*tar*) *v. td.* **1** Unir, tapar ou pavimentar com cimento. [*td.*: *cimentou o buraco.*] **2** *Fig.* Firmar(-se), consolidar(-se). [*td.*: *Anos de convivência cimentaram nossa amizade. pr.* A paz *cimentou-se finalmente.*] [▶ **1** cimentar]

cimento (ci.*men.*to) *sm.* **1** Substância em pó, que, misturada com água, ou com argamassa, e endurece à medida que seca. **2** Chão revestido de cimento; CIMENTADO. [Cf.: *cemento.*]

cimitarra (ci.mi.*tar.*ra) *sf.* Sabre de lâmina larga e curva.

cimo (*ci*.mo) *sm.* Parte mais alta; CUME; TOPO.

cinamomo (ci.na.*mo*.mo) *sm. Bot.* Árvore ornamental da qual se extraem substâncias aromatizantes e medicinais.

cincada (cin.*ca*.da) *sf.* Erro, engano, deslize; CINCA.

cinco (*cin*.co) *num.* **1** Quantidade correspondente a quatro unidades mais uma. **2** Número que representa essa quantidade (arábico: 5; romano: V).

cindir (cin.*dir*) *v.* **1** Dividir(-se), separar(-se). [*td.*: *O raio cindiu a rocha*; "Deu início à Reforma, que cindiu a Igreja, no decorrer do século XVI" (Machado de Assis, *Helena*). *pr.*: *O Congresso cindiu-se nas questões políticas*.] **2** Passar, atravessando; CORTAR; CRUZAR. [*td.*: *Um cometa cindiu o céu*.] **3** Abrir traço fundo em; SULCAR. [*td.*: *Rugas cindiam seu rosto cansado*.] [▶ 3 cindir]

cine (*ci*.ne) *sm.* F. red. de *cinema*.

cineasta (ci.ne.*as*.ta) *s2g.* **1** Profissional que se dedica à arte e à técnica cinematográficas. **2** Diretor de cinema.

cineclube (ci.ne.*clu*.be) *sm.* Associação para a difusão, o estudo e a apreciação de filmes e da arte do cinema.

cinéfilo (ci.*né*.fi.lo) *a.sm.* Que ou quem gosta muito de cinema.

cinegética (ci.ne.*gé*.ti.ca) *sf.* Arte de caçar, esp. com cães.

cinegrafista (ci.ne.gra.*fis*.ta) *s2g. Cin.* **1** Operador de câmera cinematográfica. **2** Cineasta (1).

cinejornal (ci.ne.jor.*nal*) *sm. Cin. Jorn.* Noticiário em forma de filme, exibido em cinema. [Pl.: *-nais*.]

cinema (ci.*ne*.ma) *sm.* **1** Arte e técnica de fazer filmes cinematográficos. **2** Cinematografia. **3** Sala em que se exibem filmes cinematográficos. ■ *Fazer ~ Fam.* Exagerar um sentimento ou sensação para impressionar outrem.

cinemateca (ci.ne.ma.*te*.ca) *sf.* Instituição que reúne, conserva, programa e exibe filmes de valor artístico; o local em que ela funciona.

cinemática (ci.ne.*má*.ti.ca) *sf. Fís.* Ramo da mecânica que estuda o movimento como tal, sem considerar causa ou natureza dos corpos que se movem; CINÉTICA.

cinemático (ci.ne.*má*.ti.co) *a.* Ref. ao, do ou próprio do movimento.

cinematografia (ci.ne.ma.to.gra.*fi*.a) *sf.* **1** Conjunto de técnicas de registro e projeção de imagens animadas, cinema. **2** Conjunto da obra de um cineasta; CINEGRAFIA.

cinematográfico (ci.ne.ma.to.*grá*.fi.co) *a.* **1** Dau ou próprio da cinematografia (indústria cinematográfica). **2** *Fig.* Com determinadas características especiais (beleza, graça, esquisitice etc.) que tornam algo digno de ser filmado (rosto cinematográfico, tombo cinematográfico).

cinematógrafo (ci.ne.ma.*tó*.gra.fo) *sm.* Aparelho que projeta imagens em movimento numa tela por meio de uma sequência de fotografias.

cinerama (ci.ne.*ra*.ma) *sm.* Tipo de projeção cinematográfica que cria no espectador, ao circundá-lo, a impressão de estar dentro da cena.

cinerário (ci.ne.*rá*.ri.o) *a.* **1** Ref. a cinzas. **2** Que contém os restos mortais de alguém. *sm.* **3** Urna cinerária (2).

cinéreo (ci.*né*.re.o) *a. Poét.* Cinzento.

cinescópio (ci.nes.*có*.pi.o) *sm. Eletrôn.* Tubo (5) em que se forma a imagem nos televisores.

cinesioterapia (ci.ne.si:o.te.ra.*pi*.a) *sf. Ter.* Tratamento curativo ou de reabilitação baseado em movimentos ativos e passivos do corpo.

cinestesia (ci.nes.te.*si*.a) *sf. Fisl.* Sensação dos movimentos do corpo. [Cf.: *sinestesia*.]

cinética (ci.*né*.ti.ca) *sf. Fís.* Ver *cinemática*.

cinético (ci.*né*.ti.co) *a. Fís.* Ref. a movimento.

cinetose (ci.ne.*to*.se) *sf. Med.* Qualquer distúrbio causado por movimento não habitual em meio de transporte.

cingalês (cin.ga.*lês*) *a.* **1** Da antiga ilha de Ceilão (hoje República do Sri Lanka); típico desse país ou de seu povo. *sm.* **2** Pessoa nascida na ilha de Ceilão. [Pl.: *-leses*. Fem.: *-lesa*.]

cingapuriano (cin.ga.pu.ri.*a*.no) *a.* **1** De Cingapura (sudeste da Ásia); típico desse país ou de seu povo. *sm.* **2** Pessoa nascida em Cingapura.

cingir (cin.*gir*) *v.* **1** Envolver, cercando; RODEAR; CERCAR. [*td.*: *Uma cadeia de montanhas cinge a cidade*; (tb. seguido de indicação de meio) *Cingiu o terreno de muros*.] **2** Envolver(-se), apertando; ABRAÇAR(-SE); APERTAR(-SE). [*td.* (seguido de indicação de lugar): *Cingiu o menino contra o peito*; *pr.*: *Cingiu-se nos braços do marido*.] **3** Envolver(-se), enfeitando; COROAR(-SE); ORNAR(-SE). [*td.*: *Um diadema cingia a cabeça da princesa*; (tb. seguido de indicação de meio/instrumento) *Cingiu o dedo com uma aliança de brilhantes*. *pr.*: *Cingiu-se de colares e braceletes*.] **4** Prender à cintura. [*td.* (tb. seguido de indicação de lugar): *Cingiu a espada à cinta*.] **5** Seguir estritamente; RESTRINGIR(-SE); LIMITAR(-SE). [*tdi. + a*: *Cingiram a conversa a temas políticos. pr.*: *Procurou cingir-se às determinações da diretoria*.] [▶ 46 cingir]

cínico (*cí*.ni.co) *a.sm.* Que ou quem é desavergonhado, impudente, transgressor de convenções.

cinismo (ci.*nis*.mo) *sm.* Atitude ou ato de cínico; falta de vergonha, impudência.

cinografia (ci.no.gra.*fi*.a) *sf.* Tratado que descreve raças de cães. ● **ci**.**no**.*grá*.fi.co *a.*

cinologia (ci.no.lo.*gi*.a) *sf.* Ciência que estuda os cães. [Cf.: *cenologia*.] ● **ci**.**no**.*ló*.gi.co *a.*

cinquenta (cin.*quen*.ta) *num.* **1** Quantidade correspondente a 49 unidades mais uma. **2** Número que representa essa quantidade (arábico: 50; romano: L).

cinquentão (cin.quen.*tão*) *a.sm. Pop.* Que ou quem tem entre cinquenta e 59 anos; QUINQUAGENÁRIO. [Pl.: *-tões*. Fem.: *-tona*.]

cinquentenário (cin.quen.te.*ná*.ri:o) *sm.* **1** Aniversário de cinquenta anos. **2** A comemoração deste aniversário.

cinta (*cin*.ta) *sf.* **1** Peça íntima feminina entremeada de elástico, us. para diminuir a barriga e moldar a cintura. **2** Faixa elástica que sustenta a barriga durante a recuperação de cirurgias. **3** Tira de couro ou tecido us. em volta da cintura. **4** Cintura. **5** Tira de papel para cingir jornais, revistas, livros etc.

cintar (cin.*tar*) *v. td.* **1** Pôr cinta (1) em: *Cintou o abdome*. **2** Cingir (1) com cinta (5): *cintar um jornal/ um livro*. **3** Dar cava da cintura a: *Cintou um terninho*. [▶ 1 cintar] ● **cin**.**ta**.*do a.*

cintilação (cin.ti.la.*ção*) *sf.* Brilho forte e intermitente: *a cintilação das estrelas*. [Pl.: *-ções*.]

cintilar (cin.ti.*lar*) *v. int.* **1** Brilhar tremeluzindo; CORISCAR: *As estrelas cintilam*. **2** Brilhar muito; RESPLANDECER: *O brilhante cintilava no dedo*. [▶ 1 cintilar] ● **cin**.**ti**.*lan*.te *a2g.*

cinto (*cin*.to) *sm.* Tira de couro ou tecido, ger. com fivela, us. na cintura. ■ *~ de segurança* Equipamento instalado em assento de veículos (automóvel, avião etc.) para cingir (1) o passageiro, com isso impedindo que seja projetado em caso de acidente ou parada brusca. [Obs.: Tb. usado na prática de esportes e em alguns tipos de trabalhos perigosos.] *Apertar o ~ Fig.* Limitar despesas, por falta de recursos ou para poupá-los.

cintura (cin.*tu*.ra) *sf.* **1** Região do corpo entre o estômago e a barriga. **2** Parte de uma saia, calça etc. que rodeia essa região: *calça de cintura baixa*.

cinturão (cin.tu.*rão*) *sm.* **1** Cinto largo em que se penduram armas ou outros utensílios. **2** *Esp.* Cinto com emblema de campeão de uma categoria do boxe: *Ganhou o cinturão de prata na luta de ontem.* **3** Faixa de terreno ao redor de uma área, cidade etc. [Pl.: -*rões*.] ■ ~ **verde** Área de vegetação e de cultivo agrícola em volta de uma cidade.

cinza (*cin.za*) *sf.* **1** Pó que resta depois da queima completa de um material. *sm.* **2** A cor desse pó. *a2g2n.* **3** Que é desse cor: *calças cinza.* ◨ **cinzas** *sfpl.* **4** Restos de cadáver cremado: *Pediu que jogassem suas cinzas no mar.*

cinzeiro (cin.*zei*.ro) *sm.* Objeto em que se depositam cinzas e pontas de cigarro e charuto.

cinzel (cin.*zel*) *sm.* Ferramenta com uma ponta de metal afiado, us. para esculpir materiais duros. [Pl.: -*zéis*.]

cinzelar (cin.ze.*lar*) *v. td.* **1** Lavrar ou esculpir com cinzel: *cinzelar a madeira.* **2** *Fig.* Fazer com esmero; APRIMORAR; APURAR: *Demorou porque ficou cinzelando o poema.* [▶ **1** cinzel*ar*]

cinzento (cin.*zen*.to) *a.* **1** De cor cinza. **2** *Fig.* Escuro, nebuloso: *O dia amanheceu cinzento.* *sm.* **3** A cor cinza.

cio (*ci*.o) *sm.* Período próprio para o acasalamento dos animais.

cioso (ci.*o*.so) [ô] *a.* Cuidadoso, zeloso: *cioso de suas tarefas.* [Fem. e pl.: [ó].]

cipó (ci.*pó*) *sm.* Bras. Bot. Planta cujos ramos se entrelaçam às árvores como se fossem cordas; LIANA.

cipoal (ci.po.*al*) *sm.* Bras. Mata cheia de cipós. [Pl.: -*ais*.]

cipreste (ci.*pres*.te) *sm.* **1** Bot. Árvore alta, de galhos curtos e folhas verde-escuras. **2** A madeira dessa árvore.

cipriota (ci.pri.*o*.ta) *a2g.* **1** De Chipre, ilha do mar Mediterrâneo; típico dessa ilha ou de seu povo. *s2g.* **2** Pessoa nascida em Chipre.

ciranda (ci.*ran*.da) *sf.* **1** Dança de roda; CIRANDINHA. **2** *Fig.* Movimentação que não para: *Vive na ciranda dos seus afazeres.* **3** Peneira grossa.

cirandar (ci.ran.*dar*) *v. td.* **1** Dançar ciranda (1). [*int.*: *Hoje vou cirandar a noite inteira.*] **2** Fazer passar pela ciranda (3); PENEIRAR. [*td.*: *cirandar o trigo.*] [▶ **1** cirand*ar*]

cirandinha (ci.ran.*di*.nha) *sf.* Ver *ciranda* (1).

circense (cir.*cen*.se) *a2g.* De circo (espetáculo *circense*, artista *circense*).

circo (*cir*.co) *sm.* **1** Grande tenda de lona onde se assiste a espetáculos de acrobacia, mágica, palhaços e animais amestrados. **2** Conjunto dos artistas e animais que se apresentam nesses espetáculos: *A cidade está em festa porque o circo chegou.* **3** Arte circense: *escola de circo.*

circuito (cir.*cui*.to) *sm.* **1** Elet. Eletrôn. Conjunto de condutores interligados pelo qual circula uma corrente elétrica. **2** Série de aparelhos interligados com uma função determinada: *circuito interno de televisão.* **3** Linha que marca os limites de uma área; PERÍMETRO. **4** *Fig.* Ambiente em que se vive ou trabalha: *Ficou famoso no circuito da moda.* **5** Cin. Conjunto de cinemas que exibem o mesmo filme, ou que pertencem a uma mesma companhia. **6** Esp. Trajeto com curvas em que se realizam corridas de automóvel, de moto etc. ■ ~ **acrobático** Modalidade de ginástica que imita os exercícios de uma apresentação circense, e na qual os alunos se exercitam em camas elásticas, trapézios e cordas.

circulação (cir.cu.la.*ção*) *sf.* **1** Ação ou resultado de circular: *A circulação da água refrigera o motor.* **2** Fisl. Movimento do sangue pelas artérias e veias. **3** Trânsito (de veículos ou pessoas) em locais públicos. **4** Movimentação ou distribuição de mercadoria, dinheiro etc.: *O escândalo fez dobrar a circulação da revista.* [Pl.: -*ções*.]

circulador (cir.cu.la.*dor*) [ô] *a.sm.* Que ou aquilo que faz circular (o ar, a água etc.).

circular[1] (cir.cu.*lar*) *a2g.* **1** Em forma de círculo (pista *circular*); REDONDO. **2** Que termina no ponto em que começou: *linha de ônibus circular.* *a2g.sf.* **3** Que ou aquilo que é enviado para várias pessoas (diz-se de carta ou comunicação escrita e formal): *Todos os funcionários receberam a circular.* [Tb. *carta circular.*]

circular[2] (cir.cu.*lar*) *v.* **1** Estar ou pôr ao redor de, ger. fazendo círculo; CIRCUNDAR. [*td.*: *Uma corrente circula o baú.* *tdi. + com, de:* *Circulou o baú com uma corrente.*] **2** Deslocar-se, locomover-se, dando volta(s) completa(s). [*int.*: *Os patinadores circulam velozmente;* (tb. seguido de indicação de lugar, circunstância etc.) *O sangue circula pelas veias.*] **3** Renovar-se (o ar). [*int.*: *O calor é maior quando o ar não circula.*] **4** Ter valor no comércio; ter curso (moeda, dinheiro etc.). [*int.*: *As notas de cruzeiro não circulam mais.*] **5** Deslocar-se em diversas direções; LOCOMOVER-SE; TRANSITAR. [*int.* (tb. seguido de indicação de lugar/modo/tempo): *Os gatos circulam pelos telhados.*] **6** Passar de mão em mão, ou de boca em boca. [*int.*: *A notícia circulou rapidamente.*] **7** Dar volta completa em torno de; RODEAR. [*td.*: *As crianças, correndo, circularam o lago.*] [▶ **1** circul*ar*] ● cir.cu.*lan*.te *a2g.*; cir.cu.la.ri.*da*.de *sf.*

circulatório (cir.cu.la.*tó*.ri:o) *a.* Ref. à circulação do sangue (problemas *circulatórios*).

círculo (*cír*.cu.lo) *sm.* **1** Geom. Espaço delimitado por uma circunferência. **2** Linha circular; CIRCUNFERÊNCIA; ARO. **3** *Fig.* Pessoas que fazem parte do mesmo grupo: *Tenho um bom círculo de amigos.* ■ ~ **vicioso** Processo no qual uma situação (ação, ideia etc.) conduz a consequências ou conclusões que acabam por levar à situação inicial, reiniciando-se o processo.

circum-navegar (cir.cum-na.ve.*gar*) *v. td.* Dar volta em torno de (a Terra, uma ilha etc.), navegando: *Adoraria circum-navegar a Terra num veleiro.* [▶ **14** circum-naveg*ar*] ● cir.cum-na.ve.ga.*ção* *sf.*

circuncidado, **circunciso** (cir.cun.ci.*da*.do, cir.cun.*ci*.so) *a.sm.* Que ou quem passou por circuncisão (1).

circuncidar (cir.cun.ci.*dar*) *v. td.* Fazer circuncisão (1) em. [▶ **1** circuncid*ar*]

circuncisão (cir.cun.ci.*são*) *sf.* **1** Med. Corte total da pele que cobre a extremidade do pênis. **2** Rel. Ritual judaico e muçulmano em que se realiza essa operação. [Pl.: -*sões*.]

circundar (cir.cun.*dar*) *v. td.* **1** Estar ou ficar ao redor de, cercar, circular, rodear: *Árvores frondosas circundam o lago.* **2** Dar a volta em torno de; CIRCULAR[2] (7): *O navegador circundou o Polo Sul.* [▶ **1** circund*ar*] ● cir.cun.*dan*.te *a2g.*

circunferência (cir.cun.fe.*rên*.ci:a) *sf.* **1** Geom. Linha curva fechada, em que todos os pontos têm a mesma distância de um ponto central. **2** Contorno mais ou menos circular: *A circunferência da Terra mede 39.450km.*

circunflexo (cir.cun.*fle*.xo) [cs] *a.* Gram. Diz-se do sinal gráfico indicativo de vogal fechada (*a*, *e*, *o*) em palavras proparoxítonas, ou (*e*) em certas palavras oxítonas.

circunlocução (cir.cun.lo.cu.*ção*) *sf.* Ver *circunlóquio*. [Pl.: -*ções*.]

circunlóquio (cir.cun.*ló*.qui:o) *sm.* Fala ou escrita em que se rodeia um assunto, sem ir diretamente ao ponto; CIRCUNLOCUÇÃO; RODEIO.

circunscrever (cir.cuns.cre.*ver*) *v.* **1** Determinar os limites de; estabelecer como limites de. [*td.*: *circunscrever as funções dos empregados.* *tdi. + a, em:* *circunscrever as aulas às matérias do currículo.*] **2** Conter em si; ABRANGER. [*td.*: *Nossas regras circunscrevem punições aos infratores.*] **3** Restringir-se, limitar-se. [*pr.*: *A crise ambiental não se circunscreve* *a uma parte do planeta.*] **4** Traçar uma linha em torno de. [*td.: Circunscreveu o nome da amiga a lápis.*] [▶ **2** circunscrever. Part.: *circunscrito.*]

circunscrição (cir.cuns.cri.*ção*) *sf.* **1** Ação ou resultado de circunscrever. **2** Divisão administrativa de uma região (circunscrição eleitoral). [Pl.: *-ções.*]

circunscrito (cir.cuns.*cri*.to) *a.* **1** Limitado, demarcado (terreno circunscrito). **2** *Fig.* Que deve que ser mantido dentro de certos limites; RESTRITO: *O governante tem autoridade circunscrita à lei.*

circunspeção, circunspecção (cir.cuns.pe.*ção*, cir.cuns.pec.*ção*) *sf.* **1** Qualidade de circunspeto; SERIEDADE; SISUDEZ. **2** Exame minucioso de um assunto. [Pl.: *-ções.*]

circunspeto, circunspecto (cir.cuns.*pe*.to, cir.cuns.*pec*.to) *a.* Sério, reservado, discreto.

circunstância (cir.cuns.*tân*.ci:a) *sf.* **1** Situação, condição ou estado de alguém ou algo num dado momento: *Diante das circunstâncias, teve de mudar de planos.* **2** Característica de uma situação ou fato: *Conte-me em que circunstâncias isso ocorreu.*

circunstancial (cir.cuns.tan.ci.*al*) *a2g.* **1** Ref. a circunstância: *uma solução circunstancial para o problema.* **2** Que resulta de circunstância: *as causas circunstanciais de uma derrota.* **3** *Gram.* Que indica circunstância de tempo, lugar etc. (diz-se de complemento ou adjunto). [Pl.: *-ais.*]

circunstante (cir.cuns.*tan*.te) *a2g.s2g.* Que ou quem presencia um acontecimento.

circunvagar (cir.cun.va.*gar*) *v.* **1** Mover em movimento circular. [*td.* (seguido de indicação de lugar): "...*circunvaga* os olhos em torno de si." (Aluísio Azevedo, *O cortiço*).] **2** Andar sem destino; VAGUEAR. [*int.* (seguido de indicação de lugar): *Com pernas bambas, circunvagou pelo deserto.*] [▶ **14** circunva*gar*]

circunvizinhança (cir.cun.vi.zi.*nhan*.ça) *sf.* **1** Cercanias, arredores. **2** População vizinha.

circunvizinho (cir.cun.vi.*zi*.nho) *a.* Situado nos arredores (cidades circunvizinhas); VIZINHO.

circunvolução (cir.cun.vo.lu.*ção*) *sf.* **1** Giro em torno de um centro ou eixo: *Os acrobatas faziam circunvoluções espantosas.* **2** *Anat.* Cada dobra na superfície do cérebro. [Pl.: *-ções.*]

círio (*cí*.ri:o) *sm.* **1** Grande vela de cera us. em igrejas. **2** Procissão em que se carrega essa vela.

cirro (*cir*.ro) *sm. Met.* Nuvem muito alta e branca, formada de cristais de gelo. [Ver ilustr. em *nuvens.*]

cirro-cúmulo (cir.ro-*cú*.mu.lo) *sm. Met.* Conjunto de nuvens formadas por grupos de flocos brancos enfileirados. [Pl.: *cirros-cúmulos.*]

cirro-estrato (cir.ro-es.*tra*.to) *sm. Met.* Nuvem de grande altitude, não volumosa, formada de cristais de gelo; ESTRATO-CIRRO. [Pl.: *cirros-estratos* e *cirros-estrato.*]

cirrose (cir.*ro*.se) *sf. Med.* Inflamação crônica do fígado. ● **cir.***ró***.ti.co** *a.*

cirurgia (ci.rur.*gi*.a) *sf. Cir.* **1** Ramo da medicina que intervém diretamente no corpo, cortando-o para diagnosticar, reparar ou remover a região afetada. **2** Essa intervenção. ● **ci.***rúr***.gi.co** *a.* (instrumento *cirúrgico*).

cirurgião (ci.rur.gi.*ão*) *sm.* Médico que se especializou em cirurgia. [Pl.: *-ões* e *-ães.* Fem.: *-ã.*]

cirurgião-dentista (ci.rur.gi.ão-den.*tis*.ta) *sm. Od.* Dentista que faz cirurgias. [Pl.: *cirurgiões-dentistas.* Fem.: *cirurgiã-dentista.*]

cisalpino (ci.sal.*pi*.no) *a.* Que fica aquém dos Alpes.

cisandino (ci.san.*di*.no) *a.* Que fica aquém da cordilheira dos Andes, na América do Sul.

cisão (ci.*são*) *sf.* **1** Ação ou resultado de cindir(-se). **2** Divisão, separação causada por diferenças de opinião; DISSIDÊNCIA. [Pl.: *-sões.*]

cisatlântico (ci.sa.*tlân*.ti.co) *a.* Que fica aquém do oceano Atlântico.

ciscar (cis.*car*) *v.* **1** *Bras.* Revolver (aves) o cisco (2) ou o solo em busca de alimento. [*int.: As galinhas ciscam no quintal.*] **2** *Bras.* Retirar do cisco (2), da terra. [*td.: As galinhas estão ciscando minhocas.*] **3** Limpar de cisco (2), gravetos, folhas etc. [*td.: Gosto de ciscar o quintal pela manhã.*] **4** *Fut. Pop.* Em espaço pequeno, fazer dribles curtos e sem resultado. [*int.: Ciscou, ciscou, mas perdeu a bola.*] [▶ **11** cis*car*]

cisco (*cis*.co) *sm.* **1** *Bras.* Partícula de poeira, esp. a que entra no olho. **2** Pequeno monte de sujeira.

cisma (*cis*.ma) *sf.* **1** Ideia que não sai da mente; MANIA: *Tem cisma de limpeza.* **2** *Bras.* Antipatia, implicância, desconfiança: *Por que essa cisma com meu irmão?* **3** *Bras.* Insistência em fazer algo; TEIMOSIA. *sm.* **4** *Rel.* Afastamento de uma religião por divergência em relação à doutrina.

cismado (cis.*ma*.do) *a. Bras.* Que tem cisma (1, 2); DESCONFIADO.

cismar (cis.*mar*) *v.* **1** *Bras.* Meter na cabeça; convencer-se de. [*td.: "...cismou que os ouvia falar; primeira parte da alucinação" (Machado de Assis, Esaú e Jacó).*] **2** Insistir em fazer (algo); TEIMAR. [*ti. + de, em: Roberta cismou em estudar ouvindo música.*] **3** Pensar insistente ou preocupadamente (em); MEDITAR (EM). [*int.: Ficou a tarde inteira cismando. ti. + em: Ele está caladão, cismando nas provas. td.: Passa o tempo cismando mil planos.*] **4** *Bras.* Demonstrar antipatia; ANTIPATIZAR; IMPLICAR. [*ti. + com: A menina cismou com a nova vizinha.*] **5** *Bras.* Desconfiar, suspeitar de. [*ti. + com: Cismamos com o vendedor e fomos embora.*] [▶ **1** cis*mar*]

cisne (*cis*.ne) *sm. Zool.* Ave aquática ger. branca, de pescoço comprido.

cisplatino (cis.pla.*ti*.no) *a.* Que fica do lado uruguaio do rio da Prata.

cissiparidade (cis.si.pa.ri.*da*.de) *sf. Biol.* Forma de reprodução assexuada em que um organismo (p.ex., uma bactéria) se divide em dois outros iguais.

cisterna (cis.*ter*.na) *sf.* **1** Reservatório de água potável. **2** Reservatório para recolher a água das chuvas.

cístico (*cís*.ti.co) *a.* **1** Ref. a ou da vesícula biliar. **2** Ref. a ou que contém quisto.

cistite (cis.*ti*.te) *sf. Pat.* Inflamação da bexiga.

cisto (*cis*.to) *sm. Med.* Tumor ou cavidade fechada que contém secreções acumuladas; QUISTO.

cistocele (cis.to.*ce*.le) *sf. Med.* Hérnia da bexiga.

citação (ci.ta.*ção*) *sf.* **1** Ação ou resultado de citar. **2** Frase ou passagem de obra escrita: *Usou uma citação de Eça de Queirós na redação.* **3** *Jur.* Intimação para comparecer diante do juiz. [Pl.: *-ções.*]

citadino (ci.ta.*di*.no) *a.sm.* **1** Que ou quem mora na cidade (1). *a.* **2** Da cidade (1) (hábitos *citadinos*).

citar (ci.*tar*) *v. td.* **1** Mencionar o nome de; REFERIR: *Leu o trecho e citou o autor.* **2** Mencionar (texto [de], autor de texto) oralmente ou por escrito como autoridade, ou exemplo, ou em apoio do que se afirma: *citar a Bíblia.* **3** *Jur.* Intimar para comparecer em juízo ou cumprir ordem judicial: *O juiz mandou citar as testemunhas.* [▶ **1** ci*tar*]

cítara (*cí*.ta.ra) *sf. Mús.* Instrumento de cordas, sem braço, tocado com palheta.

citologia (ci.to.lo.*gi*.a) *sf. Biol.* Parte da biologia que estuda as células. ● **ci.to.***ló***.gi.co** *a.*; **ci.to.lo.***gis***.ta** *a2g.s2g.*

citoplasma (ci.to.*plas*.ma) *sm. Biol.* Parte da célula que envolve o núcleo.

citoscopia (ci.tos.co.*pi*.a) *sf. Pat.* Exame das células. ● **ci.***tos***.***có***.pi.co** *a.*

cítrico (*cí*.tri.co) *a.* **1** Diz-se do ácido encontrado em certas frutas. **2** Diz-se de fruta que contém esse ácido, como o limão, a laranja etc.

citricultura (ci.tri.cul.*tu*.ra) *sf. Agr.* Cultivo de frutas cítricas. ● **ci.tri.cul.***tor*** *a.sm.*

citrino | classe

citrino (ci.*tri*.no) *a.* **1** Que tem a cor ou o sabor do limão. *sm.* **2** Fruta cítrica. **3** Variedade de quartzo, de cor amarela.

citronela (ci.tro.*ne*.la) *sf. Bot.* Designação de plantas do gênero *Citronella*, us. na fabricação de velas e óleos repelentes.

ciumada (ci:u.*ma*.da) *sf.* Demonstração de ciúme exagerada; CIUMEIRA.

ciúme (ci.*ú*.me) *sm.* **1** Insegurança em relação a uma pessoa querida; medo de perdê-la, por motivos reais ou imaginários. **2** Zelo excessivo: *Laura tem ciúmes de seus CDs.* **3** Inveja das qualidades, posses, ou sucesso de outrem: *ciúme do sucesso do amigo.*

ciumeira (ci:u.*mei*.ra) *sf.* Ver *ciumada.*

ciumento (ci:u.*men*.to) *a.sm.* Que ou quem tende a sentir ciúme.

cível (*cí*.vel) *a2g. Jur.* Do direito civil, por oposição ao criminal (ação cível). [Pl.: -*veis*.]

cívico (*cí*.vi.co) *a.* **1** Do conjunto de cidadãos de um país: *O serviço militar é um dever cívico.* **2** Em honra da pátria (cerimônia cívica, sentimento cívico); PATRIÓTICO.

civil (ci.*vil*) *a2g.* **1** Do cidadão (responsabilidade civil). **2** Que regula as relações entre os cidadãos (direito civil). **3** Que não é militar (polícia civil). **4** Que não é religioso (casamento civil). **5** Que é cortês, educado. *sm.* **6** Pessoa não militar. **7** Registro civil (4) de casamentos: *Eles vão casar só no civil.* [Pl.: -*vis*.]

civilidade (ci.vi.li.*da*.de) *sf.* Respeito e cortesia entre as pessoas de uma coletividade.

civilismo (ci.vi.*lis*.mo) *sm.* Ideologia que defende o exercício do governo pelos civis.

civilista (ci.vi.*lis*.ta) *a2g.s2g.* **1** Que ou aquele que é a favor do civilismo. **2** Que ou aquele (advogado) que se dedica somente às causas do direito civil.

civilização (ci.vi.li.za.*ção*) *sf.* **1** Ação ou resultado de civilizar(-se). **2** Estado avançado de desenvolvimento cultural, tecnológico e material de uma sociedade. **3** Tipo de cultura e de sociedade desenvolvido por um povo em determinada época: *a civilização romana.* [Pl.: -*ções*.]

civilizado (ci.vi.li.*za*.do) *a.* **1** Que se civilizou (povos civilizados). **2** Que é educado e cortês. **3** Em que há cortesia e respeito mútuos: *Tivemos uma conversa civilizada.*

civilizar (ci.vi.li.*zar*) *v.* **1** Tornar(-se) civil, bem-educado. [*td*.: *Temos de civilizar essa criança rebelde. pr.*: *O rapaz adquiriu modos e civilizou-se aos poucos.*] **2** Levar civilização (2) a ou adquirir civilização. [*td*.: *civilizar tribos primitivas. pr.*: *Muitos povos civilizaram-se ao longo do tempo.*] [▶ 1 civilizar] ● ci.vi.li.za.*tó*.ri:o *a.*

civismo (ci.*vis*.mo) *sm.* **1** Amor e dedicação à pátria; PATRIOTISMO. **2** Dedicação ao que interessa à coletividade.

cizânia (ci.*zâ*.ni:a) *sf.* Rompimento de convivência amigável; DESAVENÇA.

⌧ **cl** Símb. de *centilitro*.

⌧ **Cl** Símb. de *cloro*.

clã *sm.* **1** Grupo de famílias que têm os mesmos ancestrais. **2** Grupo constituído por uma família. **3** *Fig.* Grupo de pessoas com os mesmos objetivos.

clamar (cla.*mar*) *v.* **1** Gritar com energia (algo); BRADAR. [*td*.: *Clamou que parassem de brigar.*] **2** Protestar com veemência e em voz alta. [*ti*. + *contra*: *O réu clamava contra a decisão do juiz.*] **3** Pedir com insistência; ROGAR; SUPLICAR. [*td*.: *Arrependidos, clamavam perdão. ti.* + *por*: *Os fiéis clamavam por um milagre.*] **4** Exigir com urgência; INSTAR. [*ti.* + *por*: *Todos clamaram por liberdade. tdi.* + *a*: *Clamavam justiça ao juiz.*] [▶ 1 clamar]

clamor (cla.*mor*) [ó] *sm.* **1** Ação ou resultado de clamar. **2** Grito de protesto, queixa etc.

clamoroso (cla.mo.*ro*.so) [ó] *a.* **1** Em que há clamor. **2** *Fig.* Muito evidente, claríssimo (falha clamorosa). [Fem. e pl.: [ó].]

clandestino (clan.des.*ti*.no) *a.* **1** Feito às escondidas. **2** Ilegal. **3** Que embarca secretamente em navio, avião etc., para viajar sem documentos e/ou passagem. *sm.* **4** Indivíduo clandestino (3). ● clan.des.ti.ni.*da*.de *sf.*

clangor (clan.*gor*) [ô] *sm.* Som estridente como o da trombeta.

claque (*cla*.que) *sf.* **1** Grupo de pessoas contratadas para aplaudir um espetáculo. **2** Grupo de admiradores de alguém.

clara (*cla*.ra) *sf.* **1** Parte transparente do ovo, que envolve a gema. 🔲 **claras** *sfpl.* **2** Us. na loc. **Às ~ Abertamente**, sem ocultar nada: *Ela costuma agir às claras.*

claraboia (cla.ra.*boi*.a) *sf. Arq.* Espécie de janela, ger. no teto ou no telhado de uma construção, para deixar entrar luz.

clarão (cla.*rão*) *sm.* Luz intensa e viva, que dura um instante. [Pl.: -*rões*.]

clarear (cla.re.*ar*) *v.* **1** Tornar(-se) claro. [*td*.: *Esse sabão clareia a roupa. int.*: *Depois do tratamento, os dentes clarearam.*] **2** Romper a aurora; AMANHECER. [*int.*: *No verão, o dia clareia mais cedo.*] **3** Tornar(-se) nítido, claro, inteligível. [*td*.: *A explicação clareou minhas ideias. int.*: *Com as consultas, minhas dúvidas clarearam.*] [▶ 13 clarear]; V. impess. na acp. 2.]

clareira (cla.*rei*.ra) *sf.* Terreno sem árvores, numa floresta ou mata.

clareza (cla.*re*.za) [ê] *sf.* **1** Qualidade do que é claro, fácil de entender. **2** Transparência, limpidez.

claridade (cla.ri.*da*.de) *sf.* **1** Qualidade de claro. **2** Luz intensa.

clarificar (cla.ri.fi.*car*) *v.* Tornar(-se) claro, límpido; PURIFICAR(-SE). [*td*.: *O fogo brando clarificou a manteiga. pr.*: *Com as medidas de proteção, as águas do rio clarificaram-se.*] [▶ 11 clarificar]

clarim (cla.*rim*) *sm. Mús.* Pequena trombeta us. para toques militares. [Pl.: -*rins*.]

clarinada (cla.ri.*na*.da) *sf.* Toque de clarim.

clarinete, clarineta (cla.ri.*ne*.te, cla.ri.*ne*.ta) [ê] *sm., sf. Mús.* Instrumento de sopro de madeira, com bocal de palheta e orifícios. ● cla.ri.ne.*tis*.ta *s2g.*

clarividente (cla.ri.vi.*den*.te) *a2g.* **1** Que vê as coisas com clareza. **2** Esperto, sagaz. *s2g.* **3** Pessoa clarividente. ● cla.ri.vi.*dên*.ci:a *sf.*

claro (*cla*.ro) *a.* **1** Em que há luz (quarto claro, noite clara). **2** Em que o Sol já nasceu: *Já era dia claro quando fui dormir.* **3** Fácil de entender (explicação clara). **4** Cuja pele é muito branca (diz-se de pessoa). **5** Diz-se de olho azul ou verde. **6** Transparente, límpido (águas claras). **7** Não carregado, pouco intenso (diz-se de cor). *adv.* **8** Com clareza; CLARAMENTE: *Falemos claro.* **9** Com certeza (us. para expressar concordância, compreensão etc.): — *Aceita um aperitivo?* — *Claro.* **Em ~** Sem dormir.

claro-escuro (cla.ro-es.*cu*.ro) *sm. Art.Pl.* Imitação, em desenho, pintura etc., dos efeitos de luz e sombra. [Pl.: *claros-escuros* e *claro-escuros*.]

classe (*clas*.se) *sf.* **1** Grupo em que se dividem, ou arrumam, por algum critério, seres ou coisas; CATEGORIA; ORDEM. **2** Categoria de cidadãos definida por

CLARINETE

critérios econômicos, sociais etc. **3** Qualidade, categoria: *um escritor de primeira classe*. **4** Grupo de pessoas que exerce as mesmas atividades: *classe dos advogados*. **5** Categoria de meio de transporte, conforme as acomodações e o preço: *Vamos viajar na primeira classe*. **6** Aula em que se ensina determinada matéria. **7** Conjunto de alunos que a frequentam; TURMA. **8** *Bras*. Finura de modos, polidez, educação: *uma mulher de classe*.

classicismo (clas.si.*cis*.mo) *sm*. **1** Qualidade do que é clássico. **2** *Art.Pl. Lit*. Conjunto das manifestações artísticas baseadas na tradição clássica (1, 2).

classicista (clas.si.*cis*.ta) *a2g*. **1** Do ou próprio do classicismo. *s2g*. **2** Seguidor ou admirador do classicismo.

clássico (*clás*.si.co) *a*. **1** *Art.Pl*. Da ou próprio da arte e da cultura dos antigos gregos e romanos. **2** *Art.Pl*. Que, nas artes em geral, segue o modelo dos antigos gregos e romanos. **3** Que serve de modelo, de exemplo; EXEMPLAR. **4** Fundado na tradição ou no costume (cerimônia *clássica*). *sm*. **5** Obra artística consagrada: *Lê apenas os clássicos*. **6** Autor de obra artística consagrada de tradição. **7** *Fut*. Partida entre clubes de tradição.

classificação (clas.si.fi.ca.*ção*) *sf*. **1** Ação ou resultado de classificar. **2** Ordenação ou distribuição de seres ou coisas, segundo algum critério. **3** Posição de um candidato ou concorrente num exame ou prova. [Pl.: *-ções*.]

classificado (clas.si.fi.*ca*.do) *a.sm*. **1** Que ou quem se classificou. *sm*. **2** Ver *anúncio classificado* em *anúncio*.

classificador (clas.si.fi.ca.*dor*) [ó] *a.sm*. **1** Que ou o que classifica ou se usa para classificar. *sm*. **2** Pasta para guardar papéis segundo uma determinada classificação (2).

classificar (clas.si.fi.*car*) *v*. **1** Distribuir(-se) ou poder distribuir-se (um conjunto) em grupos de acordo com padrões de referência estabelecidos. [*td*. (seguido ou não de especificação de modo): *classificar livros (por autor)*. *pr.*: *Os animais podem classificar-se em vertebrados e invertebrados*.] **2** Distinguir e demarcar num conjunto as categorias em que se pode distribui-lo. [*td*.: *classificar os gêneros de filme da locadora*.] **3** *Biol*. Determinar a classe, ordem, família, gênero e espécie de. [*td*.: *classificar um inseto/uma planta*.] **4** Aprovar ou ser aprovado para etapa em concurso, competição etc. [*td*.: *Os juízes só classificaram três concorrentes*. *pr.*: *Meu time classificou-se para a final*.] **5** Considerar, qualificar. [*td*. (seguido de qualificação): "...com aquela cara que tia Alzira classificava de 'cara de boi sonso'..." (Marques Rebelo, *Contos reunidos*). *pr.*: *Ele se classifica de muito inteligente*.] [▶ **11** classif|car| • clas.si.fi.ca.*tó*.ri:o *a*.

classista (clas.*sis*.ta) *a2g.s2g*. Que ou quem representa uma classe (juiz *classista*).

claudicar (clau.di.*car*) *v*. **1** Não ter firmeza em um dos pés; MANCAR; CAPENGAR. [*int*.: *A dor o fazia claudicar*.] **2** *Fig*. Ter mau desempenho; FALHAR. [*ti. + em*: *Claudicou nas respostas*. *int*.: *A memória do avô já claudicava*.] [▶ **11** claudi|car| • clau.di.*can*.te *a2g*.

claustro (*claus*.tro) *sm*. **1** *Fig*. Vida monástica. **2** Convento, mosteiro. **3** Pátio interno dos conventos.

claustrofobia (claus.tro.fo.*bi*.a) *sf. Psiq*. Medo doentio de permanecer em lugares fechados.

claustrofóbico (claus.tro.*fó*.bi.co) *Psiq. a*. **1** Ref. a claustrofobia. **2** Que causa claustrofobia. *a.sm*. **3** Que ou quem sofre de claustrofobia.

cláusula (*cláu*.su.la) *sf. Jur*. Cada uma das condições específicas de um contrato.

clausura (clau.*su*.ra) *sf*. **1** Ambiente fechado. **2** Parte do convento destinada aos frades ou às freiras, na qual não podem entrar estranhos. **3** Vida em convento. **4** *Fig*. Vida reclusa; RECLUSÃO.

clava (*cla*.va) *sf*. Pau pesado, mais grosso numa das extremidades, us. antigamente como arma; MAÇA. [Dim.: *clávula*.]

clave (*cla*.ve) *sf. Mús*. Sinal colocado no início da pauta musical para servir de referência à identificação das notas.

clavícula (cla.*ví*.cu.la) *sf. Anat*. Osso, situado na parte superior do peito, que une o esterno ao ombro.

clavina (cla.*vi*.na) *sf*. Ver *carabina*.

clemência (cle.*mên*.ci.a) *sf*. **1** Inclinação para perdoar; MISERICÓRDIA. **2** Amenidade: *a clemência do clima*.

clemente (cle.*men*.te) *a2g*. **1** Que perdoa; INDULGENTE. **2** Que é ameno.

clepsidra (clep.*si*.dra) *sf*. Antigo relógio que marcava o tempo pelo escoamento da água.

cleptomania (clep.to.ma.*ni*.a) *sf. Psiq*. Impulso doentio e incontrolável de furtar. • clep.to.ma.*ní*.a.co *a.sm*.

clericalismo (cle.ri.ca.*lis*.mo) *sm*. **1** Influência do clero ou da Igreja em questões seculares. **2** Atitude dos que apoiam incondicionalmente o clero e suas diretrizes.

clérigo (*clé*.ri.go) *sm*. **1** Pessoa que recebeu as ordens sacras. **2** Sacerdote cristão.

clero (*cle*.ro) *sm*. **1** Corporação dos sacerdotes de uma religião, esp. a católica. **2** Representante da classe clerical. • cle.ri.*cal a*.

clicar (cli.*car*) *v*. **1** *Inf*. Pressionar e soltar botão do *mouse* estando o cursor devidamente posicionado em (ponto na tela). [*ti. + em*, *sobre*: *Clique no ícone para começar o jogo*.] **2** *Inf*. Pressionar e soltar botão do *mouse*. [*int*.: *Arrastou o cursor e clicou*.] **3** *Bras. Pop*. Fotografar (algo ou alguém). [*td*.: *clicar uma modelo*.] [▶ **11** cli|car|]

clichê (cli.*chê*) *sm*. **1** *Art.Gr*. Chapa metálica de textos e imagens em relevo a serem impressos por meio da prensa. **2** *Fig*. Ideia, expressão muito repetida; LUGAR-COMUM; CHAVÃO.

clicheria (cli.che.*ri*.a) *sf. Art.Gr*. **1** Oficina onde se fazem clichês. **2** A técnica de fabricação de clichês.

cliente (cli.*en*.te) *s2g*. **1** Pessoa que recorre aos serviços e produtos de outrem mediante pagamento. **2** Pessoa que recorre com frequência a um mesmo estabelecimento; FREGUÊS.

clientela (cli:en.*te*.la) *sf*. **1** Conjunto de frequentadores de um estabelecimento comercial; FREGUESIA. **2** Conjunto de clientes de um médico, dentista, advogado etc.

clientelismo (cli:en.te.*lis*.mo) *sm. Bras. Pej*. Prática política de trocar favores pessoais por votos.

clima (*cli*.ma) *sm*. **1** Conjunto de condições do tempo (pressão, temperatura, umidade, vento etc.) que determinam o estado médio da atmosfera nas diversas regiões da Terra. **2** *Fig*. Atmosfera emocional ou moral que envolve um ambiente: *O clima na reunião ficou tenso*. • cli.*má*.ti.co *a*.

climatério (cli.ma.*té*.ri:o) *sm. Med*. Período da vida que, na mulher, corresponde ao final de sua capacidade reprodutiva e, no homem, ao declínio de sua potência sexual.

climatização (cli.ma.ti.za.*ção*) *sf*. **1** Conjunto dos procedimentos capazes de criar, em recinto fechado, um clima artificial: *climatização de um estúdio*. **2** Preparação de produto, material etc. para resistir a certas condições climáticas. [Pl.: *-ções*.] • cli.ma.ti.*zar v*.

climatologia (cli.ma.to.lo.*gi*.a) *sf*. Ciência que estuda os climas. • cli.ma.to.*ló*.gi.co *a*.

clímax (*cli*.max) [cs] *sm2n*. **1** O ponto máximo; AUGE: *o clímax de uma peça*. **2** *Fig*. Orgasmo.

clínica (*clí*.ni.ca) *sf*. **1** Estabelecimento particular ou casa de saúde onde as pessoas fazem consultas,

clinicar (cli.ni.*car*) *v. int.* Exercer a profissão de médico: *Clinicou nesta cidade por toda sua vida.* [▶ 11 clini*car*]

clínico (*clí*.ni.co) *a.* **1** Ref. a clínica. *sm.* **2** *Med.* Médico que se dedica à medicina geral.

clipagem (cli.*pa*.gem) *sf. Jorn.* **1** Ato de recortar, de revistas e jornais, todas as publicações sobre um assunto, pessoa etc. de interesse específico. **2** O resultado da clipagem (1). **3** Resumo atualizado das principais notícias de jornais e revistas. [Em todas as acps. usa-se tb. *clipping*.] [Pl.: *-gens*.]

clipe¹ (*cli*.pe) *sm.* **1** Espécie de grampo de plástico ou de metal us. para prender papéis. **2** Joia com pequena mola, us. como brinco ou broche.

clipe² (*cli*.pe) *sm.* F. red. de *videoclipe*.

⊕ **clipping** (Ing. /*clípin*/) *sm. Jorn.* Ver *clipagem*.

clique (*cli*.que) *sm.* **1** Ação ou resultado de clicar. **2** Ruído seco e breve, produzido por certos mecanismos; ESTALIDO. **3** *Inf.* Ação ou resultado de apertar o botão do *mouse*. ✱ **Dar um ~** – Ter uma ideia súbita ou lembrar-se subitamente de algo.

⊕ **clique** (Fr. /*clic*/) *sf.* **1** Grupo de pessoas com os mesmos interesses. **2** *Pej.* Grupo de indivíduos que trama contra alguém ou algo.

clister (clis.*ter*) *sm. Med.* Introdução de água ou de medicamento líquido nos intestinos, através do ânus; ENEMA; LAVAGEM.

clitóris (cli.*tó*.ris) *sm2n. Anat.* Pequeno órgão, situado na parte anterior da vulva.

clivagem (cli.*va*.gem) *sf.* **1** *Min.* Fragmentação de certos cristais em determinados planos. **2** *Fig.* Ação de separar (algo) por níveis ou planos. [Pl.: *-gens*.]

cloaca (clo.*a*.ca) *sf.* **1** *Anat. Zool.* Orifício para a saída de material fecal, reprodutor e urinário das aves, répteis, marsupiais etc. **2** Cano que conduz dejetos; ESGOTO. **3** Fossa que recebe imundícies. **4** *Fig.* Qualquer lugar ou coisa fétida ou ambiente moralmente corrompido.

clonagem (clo.*na*.gem) *sf. Gen.* Produção de clones em laboratório através de técnicas de engenharia genética. [Pl.: *-gens*.]

clonar (clo.*nar*) *v. td.* **1** *Gen.* Reproduzir (células, organismos, ser vivo) usando material genético idêntico. **2** *Pop.* Produzir cópia ou imitação idêntica de: *clonar um cartão de crédito.* [▶ 1 clon*ar*]

clone (*clo*.ne) *sm.* **1** *Gen.* Reprodução artificial de um ser vivo, com o mesmo código genético do ser original. **2** *Pop.* Cópia idêntica.

📖 A recentemente desenvolvida tecnologia da clonagem — ou seja, da criação de clones (seres vivos com características genéticas idênticas as de um outro ser original) sem reprodução sexual — abre caminho para o aperfeiçoamento de espécies, mas desperta questões éticas ainda não resolvidas (esp. no que tange à reprodução de seres humanos). Experiências foram feitas com sucesso em ovelhas e bezerros, mas ainda não decorreu tempo suficiente para se julgar as consequências da clonagem, seja no próprio clone, seja no ambiente natural e social.

clorar (clo.*rar*) *v. td.* **1** Tratar (água) com cloro: *clorar a piscina.* **2** Adicionar cloro a. [▶ 1 clor*ar*]

cloreto (clo.*re*.to) [ê] *sm. Quím.* Qualquer sal derivado do ácido clorídrico. ✱ **~ de sódio** Sal de cozinha.

clorídrico (clo.*rí*.dri.co) *a. Quím.* Diz-se de ácido resultante da combinação do cloro e do hidrogênio, muito us. na indústria.

cloro (*clo*.ro) *sm. Quím.* Elemento químico, de número atômico 17, de cor esverdeada e cheiro muito forte, us. como alvejante e desinfetante. [Símb.: Cl]

clorofila (clo.ro.*fi*.la) *sf. Bot.* Pigmento verde das plantas, presente esp. nas folhas, e responsável pela fotossíntese.

clorofórmio (clo.ro.*fór*.mi:o) *sm. Quím.* Líquido incolor, us. antigamente como anestésico.

clorose (clo.*ro*.se) *sf. Med.* Anemia em jovens causada por perturbações menstruais.

⊕ **close-up, close** (Ing. /*clôus-ap*/, /*clôus*/) *sm. Fot. Telv.* Imagem de fotografia, cinema ou vídeo captada de um detalhe do ambiente ou pessoa; primeiro plano.

clube (*clu*.be) *sm.* **1** Local onde, mediante pagamento de cota e/ou mensalidade, pessoas se reúnem para a prática de esportes, recreações diversas, atividades culturais etc. **2** Associação em que são discutidos assuntos literários, políticos, econômicos, científicos etc.; GRÊMIO; SOCIEDADE.

⊠ **cm** Símb. de *centímetro*.

⊠ **CNBB** Sigla de *Conferência Nacional dos Bispos do Brasil*.

⊠ **CNPJ** Sigla de *Cadastro Nacional de Pessoa Jurídica* (cadastro administrado pela Receita Federal e que registra as informações cadastrais das pessoas jurídicas e de algumas entidades não caracterizadas como tais). [Substituiu o CGC (Cadastro Geral de Contribuintes).]

⊠ **Co** *Quím.* Símb. de *cobalto*.

coabitar (co.a.bi.*tar*) *v.* **1** Habitar, ou morar, conjuntamente. [*td.*: *os estudantes coabitam a mesma casa. ti.* + *com*: *Coabitei com meus pais até os 25 anos. int.*: *Aqui coabita uma família feliz.*] **2** Viver junto como marido e mulher. [*ti.* + *com*: *Eles coabitam há muitos anos.*] [▶ 1 coabit*ar*] ● co.a.bi.*ta*.*ção sf.*

coação¹ (co:a.*ção*) *sf.* Ação de coar, de fazer passar por coador, filtro ou peneira. [Pl.: *-ções*.]

coação² (co:a.*ção*) *sf.* Ação ou resultado de coagir, de obrigar ou causar constrangimento a alguém; COERÇÃO; INTIMIDAÇÃO. [Pl.: *-ções*.]

coadjutor (co:ad.ju.*tor*) [ô] *a.sm.* Que ou quem coadjuva; ajudante, esp. de sacerdote.

coadjuvante (co:ad.ju.*van*.te) *a2g.* **1** *Cin. Teat. Telv.* Diz-se de ator ou atriz que atua em papéis secundários. *a2g.s2g.* **2** Que ou quem auxilia, coopera. *s2g.* **3** *Cin. Teat. Telv.* Ator ou atriz coadjuvante (1).

coadjuvar (co:ad.ju.*var*) *v.* Prestar ajuda a; AJUDAR; AUXILIAR. [*td.*: *O monitor coadjuvou os colegas mais atrasados. pr.* (com sentido de reciprocidade): *Em certos momentos eles coadjuvam-se.*] [▶ 1 coadjuv*ar*]

coador (co:a.*dor*) [ô] *sm.* **1** O que serve para coar. **2** Filtro de papel, tecido ou metal us. para coar café, chá, leite, suco etc.

coadunar (co:a.du.*nar*) *v.* Pôr(-se) em harmonia; HARMONIZAR(-SE). [*td.*: *coadunar posições contrárias. tdi.* + *com*: *coadunar ideias com atitudes. pr.*: *Nossos gostos não se coadunam.*] [▶ 1 coadun*ar*]

coagir (co:a.*gir*) *v.* Obrigar (alguém) a fazer alguma coisa; CONSTRANGER; FORÇAR; COATAR. [*td.*: *Não se deve coagir ninguém. tdi.* + *a*: *Coagiram-nos a aceitar o regulamento.*] [▶ 46 coag*ir*]

coagulação (co:a.gu.la.*ção*) *sf.* Passagem de certos líquidos para o estado semissólido: *coagulação do sangue.* [Pl.: *-ções*.]

coagulador (co:a.gu.la.*dor*) [ô] *a.sm.* **1** Que ou o que faz coagular ou coalhar. *sm.* **2** *Anat. Zool.* Última cavidade do estômago dos ruminantes.

coagular (co:a.gu.*lar*) *v.* Tornar-se (líquido) semissólido; causar a coagulação de ou sofrer coagulação; COALHAR(-SE). [*td.*: *O limão coagula o leite. int.*; *pr.*: *O sangue coagula(-se).*] [▶ 1 coagul*ar*] ● co:a.gu.*lan*.te *a2g.*; co:a.gu.*lá*.vel *a2g.*

coágulo (co.á.gu.lo) *sm.* *Fisl. Med.* Matéria semissólida de sangue ou de linfa; COALHO.

coala (co.a.la) *sm.* *Zool.* Marsupial australiano, noturno, semelhante a um pequeno urso, que vive nas árvores.

coalescer (co:a.les.*cer*) *v.* Unir(-se) fortemente; AGLUTINAR(-SE). [*td.*: *O cicatrizante coalesceu as bordas da ferida.* *int.*: *Os caules daquela planta se juntaram e coalesceram.*] [▶ 33 coalesc**er**]

COALA

coalhada (co:a.*lha*.da) *sf.* Pasta espessa comestível que se obtém adicionando coalho ao leite.

coalhado (co:a.*lha*.do) *a.* 1 Que se coalhou; TALHADO. 2 Muito cheio; ABARROTADO: *salão coalhado de gente*.

coalhar (co:a.*lhar*) *v.* 1 Tornar(-se) sólido; COAGULAR. [*td.*: *Há substâncias que coalham o sangue.* *int./pr.*: *O leite coalhou(-se).*] 2 *Fig.* Encher(-se) ou cobrir(-se) por completo; APINHAR(-SE). [*tdi. + de*: *A primavera coalhou de flores o campo.* *pr.*: *O porto coalhou-se de barcos.*] [▶ 1 coalh**ar**]

coalheira (co:a.*lhei*.ra) *sf.* *Anat. Zool.* Parte do estômago dos ruminantes onde ocorre a digestão.

coalho (co:a.lho) *sm.* 1 Substância coagulante us. na fabricação de queijos. 2 *Fisl. Med.* Ver *coágulo*.

coalizão (co:a.li.*zão*) *sf.* Aliança entre nações, partidos políticos etc. visando a um objetivo comum; COLIGAÇÃO. [Pl.: -*zões*.]

coar (co.*ar*) *v.* 1 Fazer passar por coador, filtro, peneira etc. [*td.*: *coar o café/o suco*.] 2 Deixar passar através de si. [*td.*: *A cortina leve coa a luz do dia.*] 3 Passar através de; INTRODUZIR-SE. [*pr.*: *O sol coava-se pelas nuvens de chuva.*] 4 Fazer escorrer (o metal fundido) para dentro de um molde; VAZAR. [*td.*: *coar o chumbo/o ouro*.] [▶ 16 co**ar**]

coarctar, coartar (co:arc.*tar*, co:ar.*tar*) *v.* Restringir(-se), reduzir(-se). [*td.*: *O governo-geral coarctou a autoridade dos donatários.* *pr.*: *Limitado pelo tempo, o deputado coarctou-se em seu discurso.*] [▶ 1 coarct**ar**, ▶ 1 coart**ar**]

coatar (co:a.*tar*) *v.* Ver *coagir*. [▶ 1 coat**ar**]

coativo (co:a.*ti*.vo) *a.* 1 Que tem o direito ou o poder de impor obediência. 2 Que constrange ou força alguém a fazer algo.

coautor (coau.*tor*) [ô] *sm.* 1 Pessoa que divide a autoria de trabalho ou obra de arte. 2 Pessoa que contribui para a execução de um crime; CÚMPLICE. [Pl.: *coautores*.]

coautoria (coau.to.*ri*.a) *sf.* Autoria conjunta num trabalho, obra de arte, crime etc.: *roteiro de filme escrito em coautoria*; *A coautoria do roubo foi imputada à namorada do ladrão*. [Pl.: *coautorias*.]

coaxar (co:a.*xar*) *v.* 1 Soltar a voz (a rã ou o sapo). [*int.*: *Os sapos coaxam na lagoa.*] 2 *Fig.* Exprimir em voz como a da do sapo. [*td.*: *O monstro coaxava ameaças ao herói.*] [▶ 1 coax**ar**] *sm.* 3 Ver *coaxo*.

coaxial (coa.xi.*al*) [cs] *a2g.* Que tem um eixo em comum (cabo coaxial). [Pl.: *coaxiais*.]

coaxo (co:a.xo) *sm.* 1 A voz dos sapos e rãs. 2 Ação ou resultado de coaxar. [Sin. ger.: *coaxar*.]

cobaia (co.*bai*.a) *sf.* 1 *Zool.* Tipo de roedor muito us. em experimentos científicos; PORQUINHO-DA-ÍNDIA. 2 Qualquer bicho ou pessoa us. em experimentos: *cobaias da nova vacina*.

cobalto (co.*bal*.to) *sm.* *Quím.* Metal branco-prateado us. na indústria de aço, em cerâmicas, corantes etc. [Símb.: Co]

cobarde (co.*bar*.de) *a2g.s2g.* Ver *covarde*.

cobardia (co.bar.*di*.a) *sf.* Ver *covardia*.

coberta (co.*ber*.ta) *sf.* 1 Tudo que serve para cobrir ou abrigar. 2 Colcha de cama.

coberto (co.*ber*.to) *a.* 1 Que se cobriu ou revestiu: *bolo coberto com glacê*. 2 Que se tapou ou encobriu: *um colo coberto*; *céu coberto de nuvens*. 3 Cheio, repleto: *uma pessoa coberta de razão*. 4 Protegido, resguardado: *carro coberto pelo seguro*. 5 Pago, liquidado (dívidas cobertas). 6 Excedido (lanço coberto). 7 Percorrido: *trajeto coberto em tempo recorde*.

cobertor (co.ber.*tor*) [ô] *sm.* Coberta de lã, sintética ou não, us. como agasalho.

cobertura (co.ber.*tu*.ra) *sf.* 1 O que serve para cobrir: *O bolo tinha cobertura de glacê*. 2 *Jorn. Rád. Telv.* Registro jornalístico de um fato: *a cobertura televisiva da eleição*. 3 *Bras. Arq.* Apartamento que se constrói sobre a laje mais alta de um prédio. 4 Fundo para pagamento: *O cheque não tinha cobertura*. 5 *Fig.* Apoio ou proteção numa situação de ataque e defesa: *O guarda nos deu cobertura*. 6 Conjunto de serviços oferecidos por um plano de saúde, seguro etc.

cobiça (co.*bi*.ça) *sf.* Ganância por bens e riquezas.

cobiçar (co.bi.*çar*) *v. td.* Ter cobiça, desejo ardente de; AMBICIONAR. [▶ 12 cobi**çar**]

cobiçoso (co.bi.*ço*.so) [ô] *a.* Que se caracteriza pela cobiça; GANANCIOSO. [Fem. e Pl.: [ó].]

cobogó (co.bo.*gó*) *sm.* *Bras. Cons.* Tijolo ou cerâmica vazada, us. em paredes externas para permitir a entrada de luz natural e ventilação.

cobra (co.bra) *sf.* 1 *Zool.* Réptil venenoso ou não, de corpo fino e comprido; SERPENTE. 2 *Fig.* Pessoa má. *s2g.* 3 *Pop.* Pessoa que sabe muito sobre determinado assunto: *Ela é cobra em química*. ■ **Dizer ~s e lagartos de** Dizer coisas desabonadoras, insultuosas a respeito de (algo ou alguém).

cobrador (co.bra.*dor*) [ô] *s.m.* Que ou quem faz cobranças (inclusive como profissional).

cobrança (co.*bran*.ça) *sf.* Ação ou resultado de cobrar.

cobrar (co.*brar*) *v.* 1 Pedir (determinada quantia) por produto ou serviço oferecido e/ou realizado. [*td.*: *A proprietária veio cobrar o aluguel.* *tdi. + a, por*: *Cobra aos fiéis o dízimo*; *Cobrou 50 reais pelo serviço.* *int.*: *Esse marceneiro cobra muito caro.*] 2 Exigir o cumprimento de (promessa). [*td./tdi. + a, de*: *Cobrou (do pai) o CD prometido.*] [▶ 1 cobr**ar**]

cobre (co.bre) *sm.* 1 *Quím.* Metal castanho-avermelhado us. em fios elétricos, moedas, medalhas etc. [Símb.: Cu] 2 *Fig.* Dinheiro: *É preciso ter cobre pra viver assim*. ▫ **cobres** *smpl.* 3 Dinheiro miúdo, ger. em moedas; TROCADOS.

cobrir (co.*brir*) *v.* 1 Tapar ou encobrir (algo, alguém ou si mesmo). [*td.* (seguido ou não de indicação de modo ou meio): *Cobriu o pai (de areia)*. *pr.*: *Cobriu-se (com o roupão) ao levantar*.] 2 Espalhar-se por cima de. [*td.*: *Nuvens escuras cobriam a cidade.*] 3 Encher: *A tia cobriu o sobrinho de beijos*. 4 Ser suficiente para. [*td.*: *O salário dele não cobre as despesas.*] 5 Percorrer (distância). [*td.*: *O atleta cobriu os 100m em tempo recorde.*] 6 *Jorn. Rád. Telv.* Fazer reportagem sobre. [*td.*: *Todos os jornais cobriram o evento.*] 7 Ter (animais) cópula com. [*td.*: *O pequinês cobriu a fêmea.*] [▶ 51 cobr**ir**] Part.: *coberto*.

coca (co.ca) *sf.* 1 *Bot.* Arbusto cuja folha fornece estimulantes, entre os quais a substância com que se produz cocaína e *crack*. 2 *Pop.* Cocaína.

coça (co.ça) *sf.* *Pop.* Sova, surra.

cocada (co.ca.da) *sf.* *Cul.* Doce feito de coco ralado.

cocaína (co.ca.*í*.na) *sf.* 1 *Quím.* Substância extraída da folha da coca (1). 2 Droga viciante, ger. em pó, fabricada a partir dessa substância.

cocainomania (co.ca:i.no.ma.*ni*.a) *sf.* *Psiq.* Dependência química de cocaína. ● **co.ca:i.**_nó_**.ma.no** *sm.*

cocar¹ (co.*car*) *sm.* Enfeite de penas us. pelos índios na cabeça.

cocar² (co.*car*) *v.* **td.** **int.** Estar ou ficar à espreita de; observar espreitando. [▶ 1 co**car**]

coçar (co.*çar*) *v.* **1** Roçar (parte do corpo) para aliviar a coceira. [*td.* (seguido ou não de indicação de modo ou meio): *Cocei as suas costas* (*com as unhas*). *pr*.: *O macaco cocava-se* (*sem parar*).] **2** Produzir coceira; COMICHAR. [*int.*: *A picada do inseto cocava muito.*] [▶ **12** co**çar**]

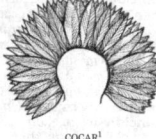

COCAR¹

cocção (co.*ção*) [cs] *sf.* Ação ou resultado de cozinhar; COZIMENTO. [Pl.: *-ções*.]

cóccix (*cóc*.cix) [csis] *sm2n.* *Anat.* Pequeno osso da extremidade inferior da coluna vertebral.

cócega (*có*.ce.ga) *sf.* **1** Sensação peculiar quando são tocados certos pontos sensíveis do corpo, acompanhada de contração muscular e riso: *Sinto cócega debaixo do braço.* **2** Toque nesses pontos sensíveis: *Ana não parava de fazer cócegas no irmão.* **3** *Fig.* Desejo quase incontrolável; TENTAÇÃO: *Tive cócegas de contar tudo para ela.* [Mais us. no pl.]

coceira (co.*cei*.ra) *sf.* Irritação na pele que faz a pessoa querer se coçar; COMICHÃO; PRURIDO.

coche (*co*.che) [ô] *sm.* Carruagem antiga, fechada, de luxo.

cocheira (co.*chei*.ra) *sf.* Abrigo para cavalos; ESTREBARIA.

cocheiro (co.*chei*.ro) *sm.* Pessoa que conduz o coche.

cochichar (co.chi.*char*) *v.* Dizer (algo) em voz baixa ou ao pé do ouvido; SUSSURRAR; SEGREDAR. [*td.*: *Ele cochichou um nome que não ouvi.* *ti.* + *com, entre*: *Pare de cochichar com ela!* *int.*: *As duas cochicham o tempo todo.*] [▶ 1 cochich**ar**]

cochicho (co.*chi*.cho) *sm.* **1** Ação ou resultado de cochichar. **2** Fala em voz baixa, ger. em tom de segredo; SUSSURRO.

cochilar (co.chi.*lar*) *v.* **int.** **1** Dormir um sono leve e curto; DORMITAR: *Cochilar no sofá.* **2** *Fig.* Distrair-se; descuidar-se. [▶ **1** cochil**ar**] ● **co.chi.***la***.da.da** *sf.*

cochilo (co.*chi*.lo) *sm.* **1** Sono breve e pouco profundo: *tirar um cochilo.* **2** *Fig.* Desatenção ou erro causado por desatenção: *Essa falha foi um cochilo do mecânico.*

cocho (*co*.cho) [ô] *sm.* Vasilha us. para dar de comer ou beber ao gado, lavar mandioca etc.

cochonilha (co.cho.*ni*.lha) *sf.* *Zool.* Inseto parasita que vive da seiva vegetal.

cociente (co.ci*en*.te) *sm.* *Mat.* Ver **quociente**.

⊕ **cockpit** (*Ing.* /*cóckit*/) *sm.* Cabine do piloto e/ou copiloto em carro de corrida, avião ou nave espacial.

cóclea (*có*.cle:a) *sf.* *Anat.* Na orelha interna, parte anterior do labirinto.

coco (co.*co*) *sm.* *Bac.* Bactéria arredondada.

coco (co.*co*) [ô] *sm.* **1** Fruto do coqueiro, de polpa comestível tb. us. na indústria. **2** *Pop.* Cabeça, crânio.

cocó (co.*có*) *Bras.* *sf.* **1** *Infan.* Galinha. *sm.* **2** Penteado que junta os cabelos na altura da nuca; COQUE.

cocô (co.*cô*) *sm.* *Bras. Fam.* Fezes.

cócoras (*có*.co.ras) *sfpl.* Us. na loc. ■ **De ~** Agachado, sentado sobre os próprios calcanhares.

cocoricar (co.co.ri.*car*) *v.* **int.** Soltar a voz (o galo). [▶ 11 cocoric**ar**]

cocorico, **cocorocó** (co.co.ri.*có*, co.co.ro.*có*) *sm.* *Bras.* Onomatopeia do canto do galo.

cocorote (co.co.*ro*.te) *sm.* *Bras.* Pancada na cabeça dada com os nós dos dedos; CASCUDO.

cocota (co.*co*.ta) *sf.* *Bras. Antq.* Mocinha vaidosa.

cocuruto (co.cu.*ru*.to) *sm.* **1** O alto da cabeça. **2** O ponto mais alto de algo ou de um lugar; CUME: *Morava no cocuruto do morro.*

côdea (*cô*.de:a) *sf.* **1** Parte externa e dura; CASCA: *côdea do pão.* **2** Crosta de sujeira, ger. em roupa.

códice (*có*.di.ce) *sm.* *Bibl.* **1** Manuscrito em pergaminho cujas folhas se unem como num livro. **2** Compilação metódica de documentos históricos, leis etc.

codicilo (co.di.*ci*.lo) *sm.* *Jur.* Documento posterior ao testamento, que o modifica em certos aspectos.

codificação (co.di.fi.ca.*ção*) *sf.* Ação ou resultado de codificar. [Pl.: *-ções*.]

codificador (co.di.fi.ca.*dor*) [ô] *a.sm.* **1** Que ou aquilo que transforma algo em código. *sm.* **2** *Eletrôn.* Circuito que codifica sinais eletrônicos.

codificar (co.di.fi.*car*) *v.* **td.** **1** Agrupar (conjunto de leis, princípios etc.) de forma sistemática; SISTEMATIZAR. **2** Reunir, compilar (manuscritos, documentos, leis etc.). **3** Produzir (mensagens, dados etc.) em código, em sinais (tb. *Inf.*). **4** Determinar os sinais de um código: *codificar a sinalização do trânsito.* [▶ 11 codific**ar**] ● **co.di.fi.***ca***.do a.**

código (*có*.di.go) *sm.* **1** Coleção de leis, disposições ou regulamentos sobre qualquer matéria (*código penal*). **2** Conjunto de preceitos ou normas de comportamento: *código de conduta.* **3** Sistema cifrado de linguagem, que a torna incompreensível para quem não o conheça: *Escreveu o bilhete num código secreto.* **4** Senha. ■ **~ de barras** *Inf.* Sistema de representação de série alfanumérica (para, p.ex., identificar um produto e seu preço) por meio de barras paralelas que são interpretadas por dispositivo leitor. **~ genético** *Gen.* Estrutura de moléculas que caracterizam e são exclusivas de um indivíduo ou de uma espécie. **~ Morse** *Telc.* Sistema (inventado por Samuel Morse) de representação de letras e números por pontos (sons ou lampejos curtos) e traços (sons ou lampejos longos) us. em telegrafia, sinais luminosos etc.

codinome (co.di.*no*.me) [ô] *sm.* Nome falso us. para ocultar a identidade de uma pessoa, um grupo etc.

codorna (co.*dor*.na) *sf.* *Zool.* Pequena ave de carne delicada e muito apreciada. [Tb. chamada codorniz.]

coeditar (co.e.di.*tar*) *v.* **td.** Publicar em associação com outra ou outras editoras. [▶ 1 coedit**ar**] ● **coe.di.***ção* *sf.*

coeducar (co.e.du.*car*) *v.* **td.** Educar (alunos de ambos os sexos) em conjunto. [▶ **11** coeduc**ar**] ● **coe.du.***ca***.ção** *sf.*

coeficiente (co:e.fi.ci:*en*.te) *sm.* **1** *Mat.* Número que multiplica outro. **2** Nível; grau: *alto coeficiente de aproveitamento.*

coelheira (co:e.*lhei*.ra) *sf.* Lugar próprio para criar coelhos.

coelho (co:*e*.lho) [ê] *sm.* *Zool.* Mamífero roedor de pequeno porte, pelo macio e orelhas longas.

coentro (co:*en*.tro) *sm.* **1** *Bot.* Erva aromática de pequenas flores brancas. **2** Suas folhas e sementes, us. como tempero.

coenzima (co:en.*zi*.ma) *sf.* *Bioq.* Molécula não proteica que se associa a uma enzima.

coerção (co:er.*ção*) *sf.* Ação de coagir; REPRESSÃO. [Pl.: *-ções*.]

coercitivo, **coercivo** (co:er.ci.*ti*.vo, co:er.*ci*.vo) *a.* Que exerce coerção, que reprime (*normas coercitivas*).

coercível (co:er.*ci*.vel) *a2g.* **1** Que se pode coagir. **2** Que pode ser comprimido e ocupar menor espaço (*gás coercível*). [Pl.: *-veis*.]

coerdeiro (co:er.*dei*.ro) *sm.* Cada um de dois ou mais herdeiros da mesma herança.

coerência (co:e.*rên*.ci.a) *sf.* Relação lógica entre ideias ou atos; CONGRUÊNCIA: *A coerência do depoimento com os fatos reais.*

coerente (co:e.ren.te) *a2g.* **1** Que tem coerência: *Foi coerente com o que acredita.* **2** Que tem nexo: *Esta frase não está coerente.*

coesão (co:e.são) *sf.* **1** *Fís.* Propriedade que define o grau de união de moléculas ou partículas; AGLUTINAÇÃO. **2** *Fig.* Harmonia e equilíbrio entre as partes de um todo ou entre os membros de um grupo; UNIDADE: *Falta coesão ao grupo.* **3** Caráter lógico de um pensamento, discurso, texto etc.; COERÊNCIA. **4** *Ling.* Expressão formal das conexões de sentido que ligam entre si as partes de um texto. [Pl.: *-sões*.]

coeso (co:e.so) [ê] *a.* Que tem coesão; UNIDO; HARMÔNICO.

coestaduano (co:es.ta.du:a.no) *a.sm.* Que ou quem é do mesmo estado de outro.

coetâneo (co:e.tâ.ne:o) *a.sm.* **1** Que ou quem é da mesma época de outro (escritores *coetâneos*); CONTEMPORÂNEO; COEVO. **2** Que ou quem é da mesma idade do outro.

coevo (co:e.vo) [é] *a.sm.* Ver coetâneo (1).

coexistir (co:e.xis.*tir*) *v. int. ti.* + *com* Existir ao mesmo tempo e no mesmo lugar: *Nas restingas coexistem vários tipos de vegetação.* [▶ **3** *coexistir* ● *co:e.xis.ten.te a2g.*; *co:e.xis.tên.ci:a sf.*

cofiar (co.fi.*ar*) *v. td.* Alisar (barba, bigode ou cabelo) com a mão. [▶ **1** *cofiar*]

cofo (co.fo) [ô] *sm.* Cesto bojudo para carregar pescado, caranguejo etc.; SAMBURÁ.

cofre (co.fre) *sm.* Caixa ou móvel, ger. com segredo na fechadura, próprio para guardar dinheiro, joias etc.

cogitação (co.gi.ta.*ção*) *sf.* **1** Ação ou resultado de cogitar; REFLEXÃO: *cogitações sobre a vida e a morte.* **2** Ação ou resultado de imaginar ou tencionar algo futuro; PLANO: *A viagem só era uma cogitação.* [Pl.: *-ções*.]

cogitar (co.gi.*tar*) *v.* **1** Pensar a respeito de; CONSIDERAR. [*td.*: *Cogitamos sair à noite.* *ti.* + *de, em, sobre*: *Orgulhoso, nem cogitou em pedir ajuda.* *int.*: *Depois de muito cogitar, encontrei uma solução.*] **2** Ter intenção de; TENCIONAR. [*td.*: *Não cogito sair tão cedo.*] [▶ **1** *cogitar*]

cognato (cog.na.to) *sm. Gram.* **1** Palavra que tem a mesma raiz que outra(s) (p.ex. *livro* e *livraria*). *a.* **2** Diz-se desse tipo de palavra (vocábulo *cognato*).

cognição (cog.ni.*ção*) *sf.* Capacidade ou processo de adquirir e assimilar percepções, conhecimentos etc.: *a cognição da realidade.* [Pl.: *-ções*.] ● *cog.ni.ti.vo a.*

cognome (cog.no.me) *sm.* Apelido, alcunha.

cognominar (cog.no.mi.*nar*) *v.* **1** Designar(-se) por cognome; APELIDAR(-SE), ALCUNHAR(-SE). [*td.*: *Cognominaram Ronaldinho "Fenômeno". pr.*: *O grupo cognominou-se Turma Dez.*] [▶ **1** *cognominar*]

cognoscível (cog.nos.*cí*.vel) *a2g.* Que se pode conhecer; CONHECÍVEL. [Pl.: *-veis*.]

cogote (co.go.te) *sm. Pop.* Cangote, nuca.

cogula (co.*gu*.la) *sf.* Túnica larga, us. por certos monges.

cogulo (co.*gu*.lo) *sm.* **1** Porção que transborda, esp. numa medida de grãos. **2** *Fig.* O que excede; EXCESSO.

cogumelo (co.gu.*me*.lo) *sm. Bot.* Nome comum a certos tipos de fungos, que podem ser comestíveis, venenosos ou alucinógenos.

coibir (co:i.*bir*) *v.* Fazer parar; frear; impedir. [*td.*: *coibir o aumento abusivo de preços.* *tdi.* + *de*: *O médico coibiu-o de fumar.*] [▶ **54** *coibir*]

coice (*coi*.ce) *sm.* **1** Golpe com as patas traseiras, dado por cavalo, burro etc.; PATADA. **2** Recuo de arma de fogo no instante do disparo. **3** *Fig.* Atitude grosseira; ESTUPIDEZ: *Mal-humorado, só responde com coices.*

coifa (coi.fa) [ô] *sf.* **1** Exaustor para fogão, aquecedor a gás etc. **2** Touca feminina tecida em rede. **3** *Bot.* Membrana que reveste a ponta das raízes.

coima (*coi*.ma) [ô] *sf.* Multa por pequenos furtos ou infrações; PENALIDADE.

coincidência (co:in.ci.*dên*.ci:a) *sf.* **1** Aquilo que parece intencional, mas ocorre por acaso: *Foi a maior coincidência nos encontrarmos.* **2** Situação em que as coisas acontecem ao mesmo tempo, no mesmo lugar, ou às mesmas pessoas: *Devido à coincidência de horários, não poderei ir à sua peça.* **3** Similaridade entre ideias, opiniões etc.: *A coincidência de interesses uniu-os.* ● *co:in.ci.den.te a2g.*

coincidir (co:in.ci.*dir*) *v.* **1** Acontecer ao mesmo tempo. [*ti.* + *com*: *Minha chegada coincidiu com a dela.* *int.*: *Os dois cursos coincidirão.*] **2** Ser igual (a). [*ti.* + *com*: *Essa assinatura não coincide com a dele.* *int.*: *Nossos pontos de vista coincidem.*] [▶ **3** *coincidir*]

coió (coi.*ó*) *sm.* **1** *Bras. Zool.* Peixe encontrado na costa do Atlântico, conhecido como peixe-voador. *a2g.sm.* **2** *Pop.* Que ou quem é bobo.

coiote (coi.o.te) *sm. Zool* Mamífero similar ao lobo, encontrado na América do Norte.

coirmão (co:ir.*mão*) *a.sm.* **1** Que ou quem é primo em primeiro grau. *a.* **2** Que pertence ao mesmo grupo ou tem interesses em comum (emissoras *coirmãs*). [Pl.: *-mãos*. Fem.: *-mã*.]

coisa (*coi*.sa) *sf.* **1** Tudo que existe ou pode existir. **2** Qualquer ser inanimado, sem vida. **3** Fato real ou palpável; acontecimento; assunto: *Preciso falar umas coisas com você.* ■ ~ *de* Cerca de; aproximadamente: *Chegou há coisa de duas horas. Não dizer* ~ *com* ~ Falar sem nexo; dizer coisas disparatadas.

coisa-feita (coi.sa-*fei*.ta) *sf. Bras.* Ver bruxaria. [Pl.: *coisas-feitas*.]

coisar (coi.*sar*) *v. Bras. Pop.* Verbo us. em lugar de qualquer outro verbo que não vem à mente na hora: *Você já coisou o documento?* [▶ **1** *coisar*]

coisa-ruim (coi.sa-ru:*im*) *sm. Pop.* Diabo, capeta. [Pl.: *coisas-ruins*.]

coitado (coi.*ta*.do) *a.sm.* **1** Que ou quem é digno de pena; DESGRAÇADO: *O coitado não tem o que comer. interj.* **2** Us. para exprimir compaixão: *Coitado, não conseguiu o emprego com que tanto sonhou!*

coiteiro (coi.*tei*.ro) *sm.* **1** Pessoa que guarda os animais no pasto. **2** *N.E.* Pessoa que dá asilo a ou protege bandidos.

coito (*coi*.to) [ô] *sm.* O ato sexual; CÓPULA.

coivara (coi.*va*.ra) *sf.* **1** Conjunto de galhos e ramagens queimados e cujas cinzas são us. como adubo. **2** Conjunto de galhos e ramagens que descem os rios nas cheias.

cola (co.la) *sf.* **1** Substância feita para colar³ (1). **2** *Bras. Pop.* Subterfúgio us. para obter fraudulentamente resposta(s) certa(s) em exame; essa(s) resposta(s). **3** Rastro, encalço: *O detetive estava na cola do agiota.*

colaboração (co.la.bo.ra.*ção*) *sf.* **1** Ação ou resultado de prestar ajuda para; participar na realização de algo; COOPERAÇÃO: *O projeto é fruto de uma colaboração entre as equipes.* **2** Contribuição para a execução de algo; AJUDA: *Vou precisar da colaboração de todos.* [Pl.: *-ções*.]

colaboracionista (co.la.bo.ra.ci:o.*nis*.ta) *a2g.s2g.* Que ou quem apoia ou colabora com as forças que ocupam o seu país.

colaborador (co.la.bo.ra.*dor*) [ô] *a.sm.* **1** Que ou quem ajuda pessoa ou grupo num trabalho qualquer. **2** Que ou quem ajuda outra pessoa a exercer a sua função. **3** Que ou quem colabora (3) sistematicamente.

colaborar (co.la.bo.*rar*) *v. int. ti.* **1** Prestar colaboração (1); AJUDAR; COOPERAR. [+ *em, com*: *As freiras colaboram nas quermesses.*] **2** Contribuir. [+ *com, para*: *A bebida colabora para aumentar os acidentes.*] **3** Escrever artigos (para jornal, publicação). [+

em: *Ele colabora na Folha de São Paulo.*] [▶ 1 colabor`ar`]

colação (co.la.ção) *sf.* **1** Concessão de título, grau, direito, ou benefício eclesiástico: *a colação de grau dos formandos.* **2** Comparação, cotejo. **3** Refeição leve. [Pl.: -*ções.*]

colaço (co.la.ço) *a.sm.* Diz-se de ou pessoa em relação a outra que, sem ser seu irmão, foi amamentada pela mesma mulher.

colagem (co.la.gem) *sf.* **1** Ação ou resultado de colar³ (1). **2** Composição artística em que se colocam superpostos ou lado a lado recortes, fotos etc. [Pl.: -*gens.*]

colágeno (co.lá.ge.no) *sm.* Bioq. Proteína presente nos tecidos conjuntivos de animais.

colante (co.lan.te) *a2g.* **1** Que cola, adere. **2** Diz-se de roupa que adere ao corpo (calça *colante*).

colapso (co.lap.so) *sm.* **1** Med. Falência do sistema nervoso ou circulatório. **2** Fig. Paralisação, ruína, queda: *O país entrou em colapso econômico.*

colar¹ (co.lar) *sm.* Ornato us. em volta do pescoço: *colar de pérolas.*

colar² (co.lar) *v.* **1** Receber (título, grau) ao terminar curso superior. [*td.*: *Meu irmão cola grau em janeiro.*] **2** Investir (alguém) na posse de cargo, função, grau etc.; empossar [*tdi.* + *em.*] **3** Ecles. Nomear para benefício eclesiástico vitalício. [*td.*] [▶ 1 col`ar`]

colar³ (co.lar) *v.* **1** Fazer aderir com cola; GRUDAR. [*td.*: *Preciso colar a capa do meu livro*; (seguido de indicação de lugar) *Colou o adesivo no vidro do carro.*] **2** Bras. Pop. Copiar às escondidas em exame escrito. [*td.*: *Colou a prova toda. int.*: *Ele só passou de ano porque colou.*] **3** Pôr junto, encostar. [*tdi.* + *a, contra, em*: *Colou o radinho no ouvido para ouvir o jogo.*] **4** Gír. Ser aceito ou acreditado. [*int.*: *Sua desculpa não cola.*] **5** *Inf.* Inserir (em documento ou pasta) texto, imagem ou arquivo previamente copiado. [*td.* (seguido de indicação de lugar).] [▶ 1 col`ar`]

colarinho (co.la.ri.nho) *sm.* **1** Gola de camisa de pano. **2** Espuma que se forma na borda de um copo de cerveja ou chope.

colarinho-branco (co.la.ri.nho-*bran*.co) *sm.* Bras. Nome dado ao profissional cujo cargo exige que ele trabalhe de terno e gravata. [Pl.: *colarinhos-brancos.*] ■ **De** ~ Diz-se de ato ilegal praticado por executivos ou profissionais graduados: *crimes de colarinho-branco.*

colateral (co.la.te.ral) *a2g.* **1** Que está paralelo ou ao lado: *Sua mesa é colateral à minha.* **2** Que é parente indireto. **3** Diz-se do efeito maléfico de certos medicamentos: *Antibióticos têm efeitos colaterais.* [Pl.: -*rais.*]

cola-tudo (co.la-*tu*.do) *sm2n.* Substância extremamente aderente para colar materiais.

colcha (col.cha) [ô] *sf.* Coberta de cama, tb. us. como decoração.

colchão (col.*chão*) *sm.* Armação ger. de madeira, recheada de espuma, com ou sem molas, que se usa para, sobre ela, deitar o corpo. [Pl.: -*chões.*]

colcheia (col.*chei*.a) [ê] *sf.* Mús. **1** Duração de tempo correspondente à metade da semínima. **2** A representação gráfica desse tempo (♪).

colchete (col.*che*.te) [ê] *sm.* **1** Conjunto de gancho e argola pequenos que servem para prender uma parte da roupa a outra; esse gancho. **2** Gram. Sinal de pontuação [ ] us. para isolar palavras ou frases de um texto. [Us. ger. no pl.] **3** Mat. Sinal us. como símbolo de associação.

colchoaria (col.cho:a.*ri*.a) *sf.* Local onde se fabricam ou se vendem colchões, travesseiros e afins.

colchoeiro (col.*choei*.ro) *sm.* Aquele que fabrica ou vende colchões, travesseiros etc.

colchonete (col.cho.*ne*.te) [é] *sm.* Colchão fino, maleável e fácil de ser dobrado ou enrolado.

coldre (*col*.dre) [ô] *sm.* **1** Estojo de couro que se pendura no arção de sela para carregar armas de fogo. **2** Estojo de couro para carregar revólver ou pistola.

colear (co.le.*ar*) *v. int.* Mover-se sinuosamente. [▶ 13 col`ear`]

coleção (co.le.ção) *sf.* **1** Conjunto de objetos (ger. conservados em grupo) que têm alguma relação entre si: *coleção de chaveiros*; *a nova coleção do estilista de moda.* **2** Conjunto de obras divididas por autor ou por assunto, publicadas pela mesma editora: *a coleção de Guimarães Rosa.* [Pl.: -*ções.*]

colecionar (co.le.ci.o.*nar*) *v. td.* Fazer coleção de: *colecionar selos.* [▶ 1 colecion`ar`] ● **co.le.ci.o.na.dor** *sm.*

colecistite (co.le.cis.*ti*.te) *sf.* Med. Inflamação da vesícula biliar.

colectomia (co.lec.to.*mi*.a) *sf.* Cir. Retirada cirúrgica, total ou parcial, do cólon.

colega (co.*le*.ga) *s2g.* **1** Companheiro de trabalho, colégio, profissão etc. **2** Quem exerce a mesma profissão ou função.

colegiado (co.le.gi.*a*.do) *a.sm.* **1** Que ou quem se reúne com outras pessoas em colégio (2). *sm.* **2** Órgão dirigente cujos membros têm os mesmos poderes e o mesmo direito a voto.

colegial (co.le.gi*al*) *a2g.* **1** De ou ref. a colégio. *s2g.* **2** Aluno de colégio (1). [Pl.: -*ais.*]

colégio (co.*lé*.gi:o) *sm.* **1** Escola de ensino fundamental e/ou médio. **2** Grupo de pessoas com poder representativo para deliberar e/ou votar. ■ ~ **eleitoral 1** A totalidade de eleitores de uma mesma circunscrição que exercem o voto: *colégio eleitoral de Copacabana.* **2** Grupo de indivíduos encarregados de eleger alguém para ocupar cargo.

coleguismo (co.le.*guis*.mo) *sm.* Sentimento de companheirismo e solidariedade para com os colegas.

coleio (co.*lei*.o) *sm.* Movimento sinuoso ou serpenteante: *o coleio da cobra.*

coleira (co.*lei*.ra) *sf.* Peça que se coloca em torno do pescoço dos animais (esp. cães) para identificá-los, e a que se pode prender correia ou corrente.

colemia (co.le.*mi*.a) *sf.* Med. Presença de bílis ou de pigmentos biliares no sangue.

colendo (co.*len*.do) *a.* Diz-se de quem é respeitável ou digno de consideração (*colendo* magistrado).

coleóptero (co.le.*óp*.te.ro) *sm.* Zool. Espécime de inseto, mais conhecido como besouro.

cólera (*có*.le.ra) *sf.* **1** Sentimento violento de revolta ou raiva; IRA. *s2g.* **2** Med. Doença infecciosa aguda, endêmica ou epidêmica, que provoca forte diarreia e pode levar à morte.

colérico (co.*lé*.ri.co) *a.* **1** Que tem propensão a ou está cheio de cólera; FURIOSO: *Fica colérico com tantos abusos.* [Ant.: *sereno, calmo.*] *a.sm.* **2** Que ou quem contraiu cólera (2) (doentes *coléricos*).

colesterol (co.les.te.*rol*) *sm.* Bioq. Substância presente em todas as células do corpo, cujo nível elevado provoca problemas cardiovasculares dela consequentes. [Pl.: -*róis.*]

coleta (co.*le*.ta) *sf.* **1** Ação ou resultado de coletar. **2** Recolhimento de dinheiro ou donativo: *coleta de alimentos para os flagelados.* **3** Imposto a ser recolhido. **4** Recolhimento, na natureza, de recursos naturais (alimentos, matéria-prima etc.) que não foram cultivados.

coletânea (co.le.*tâ*.ne:a) *sf.* Conjunto de várias obras ou textos: *coletânea de contos brasileiros.*

coletar (co.le.*tar*) *v. td.* Fazer coleta de; COLHER; ARRECADAR: *coletar dados.* [▶ 1 colet`ar`]

colete (co.*le*.te) [ê] *sm.* **1** Peça de vestuário, sem mangas nem bolsa, que se usa por cima de camisa ou blusa. **2** Ver *espartilho.*

coletiva (co.le.*ti*.va) *sf.* **1** Art.Pl. Exposição ou mostra de arte que reúne trabalhos de dois ou mais ar-

coletividade | coloide

tistas num mesmo local: _coletiva de fotógrafos brasileiros_. **2** _Jorn._ F. red. de _entrevista coletiva_.
coletividade (co.le.ti.vi.da.de) _sf._ **1** Qualidade de coletivo. **2** Grupo de indivíduos que partilham dos mesmos interesses, costumes e hábitos; COMUNIDADE.
coletivismo (co.le.ti.vis.mo) _sm. Pol._ Sistema socioeconômico em que os meios de produção pertencem à coletividade (2). • **co.le.ti.vis.ta** _a2g.s2g._
coletivo (co.le.ti.vo) _a._ **1** Que abrange todas as pessoas ou a elas pertence (interesse coletivo, bens coletivos). [Ant.: _individual_.] **2** _Gram._ Diz-se do subst. sing. que designa um conjunto de indivíduos ou objetos da mesma espécie (p.ex., o coletivo de _quadros_ é _pinacoteca_). _sm._ **3** O que diz respeito a toda uma comunidade: _Governos devem pensar no coletivo_. **4** _Bras._ Meio de transporte coletivo (1): _O coletivo estava superlotado_. **5** _Bras. Fut._ F. red. de treino coletivo, treino de futebol em que se simula um jogo: _O coletivo da seleção foi produtivo_. **6** _Gram._ F. red. de substantivo coletivo (2). • **co.le.ti.vi.zar** _v._
coletor (co.le.tor) [ô] _a.sm._ **1** Que, o que, ou quem coleta. **2** Que, o que, ou quem colige, faz compilações. **3** _Eletrôn._ Diz-se de ou eletrodo de um componente elétrico ou eletrônico. **4** Diz-se do cano principal de esgotos.
coletoria (co.le.to.ri.a) _sf._ Repartição onde se pagam os impostos públicos.
colheita (co.lhei.ta) _sf._ **1** Ação ou resultado de colher. **2** Reunião dos produtos colhidos em determinada época: _A última colheita superou as expectativas_.
colheitadeira (co.lhei.ta.dei.ra) _sf. Agr._ Máquina us. para colher produtos agrícolas.
colher (co.lher) [ê] _sf._ Talher com cabo e concha rasa na ponta, us. para misturar ou servir alimentos, ou comer alimentos líquidos ou pastosos. ▪ **Dar uma ~ de chá** _Bras. Gír._ Facilitar algo para alguém; dar oportunidade. **De ~** _Bras. Fam._ Fácil de fazer, que não requer esforço. **Meter a ~ em** Intrometer-se, dar palpite sem ter sido convidado. [Aum.: _colheraça_.]
colher (co.lher) [ê] _v. td._ **1** Desprender (flores, frutos) da haste: _Colheu uma flor._ **2** _Fig._ Receber como recompensa ou consequência: _Está agora colhendo os frutos de seu esforço_. **3** Fazer coleta de; COLETAR: _colher urina/informações_. **4** Retirar, recolher: (seguido de indicação de lugar) _colher água do poço_. [▶ **2** colher]
colherada (co.lhe.ra.da) _sf._ A porção de uma colher: _uma colherada de xarope_.
colibri (co.li.bri) _sm. Zool._ Ver _beija-flor_.
cólica (có.li.ca) _sf. Med._ Dor aguda na região do abdome, com causas variadas (cólica intestinal/menstrual).
colidir (co.li.dir) _v._ Ir de encontro; ABALROAR. [_ti._ + _com_: _O barco colidiu com o cais. int._: _Os dois caminhões colidiram._] [▶ **3** colidir]
coliforme (co.li.for.me) _sm. Bac._ Nome dado aos bacilos gram-negativos encontrados no intestino de homens e animais.
coligação (co.li.ga.ção) _sf._ Aliança de pessoas, grupos ou organizações que têm a intenção de atingir objetivos comuns (coligação partidária). [Pl.: _-ções_.]
coligar (co.li.gar) _v._ **1** Promover a união entre; UNIR. [_td._: _Um interesse comum coligava os adversários._] **2** Fazer aliança política. [_pr._: _O partido vai se coligar com o governo._] [▶ **14** coligar] • **co.li.ga.do** _a.sm._
coligir (co.li.gir) _v._ **1** Reunir, juntar (o que estava disperso). [_td._: "... _coligindo os petrechos da costura_..." (Machado de Assis, _Dom Casmurro_).] **2** Deduzir; concluir por inferência. [_tdi._ + _de_: _O detetive coligiu a hora do crime das pistas reunidas._] [▶ **46** coligir]

colimar (co.li.mar) _v._ **1** Ter por objetivo; visar a. [_td._: _As medidas colimam o fim da epidemia._] **2** Ter como resultado último; levar a; CULMINAR. [_ti._ + _com_, _em_: _O esforço do piloto colimou em um merecido terceiro lugar._] [▶ **1** colimar]
colina (co.li.na) _sf._ Elevação de terreno de pouca altitude e declive suave.
colinear (co.li.ne.ar) _a2g. Geom._ Diz-se de elementos que pertencem à mesma reta (pontos colineares).
colírio (co.lí.ri.o) _sm._ **1** _Med._ Medicamento que se aplica nos olhos para tratamento de doenças ou para aliviar irritações. **2** _Bras. Fam. Pop._ Pessoa muito bonita, que chama a atenção: _Aquele modelo é um colírio_.
colisão (co.li.são) _sf._ Encontro violento entre dois corpos; CHOQUE: _colisão entre veículos_. [Pl.: _-sões_.]
coliseu (co.li.seu) _sm._ Anfiteatro us. na Antiguidade para a realização de jogos e competições.
colite (co.li.te) _sf. Med._ Inflamação do cólon.
🌐 **collant** (_Fr._ /_colã_/) _sm._ **1** Roupa de fibra elástica aderente ao corpo: _collant de ginástica_. **2** Roupa colante inteiriça que substitui sutiã e calcinha. **3** Meia-calça de malha.
colmeia (col.mei.a) _sf._ Cortiço (2) construído pelas abelhas para sua habitação.
colmo (col.mo) [ô] _sm._ **1** _Bot._ O caule das gramíneas, caracterizado pela presença de nós: _o colmo do bambu_. **2** Palha comprida us. para cobrir cabanas.
colo (co.lo) _sm._ **1** _Anat._ O pescoço. **2** _Anat._ Qualquer estreitamento de órgão: _colo do útero_. **3** _Anat._ Ver _cólon_. **4** Nome dado à parte do corpo que, quando sentado, compreende as coxas e o abdome; REGAÇO: _Só dormia no colo da mãe_.
colocação (co.lo.ca.ção) _sf._ **1** Ação ou resultado de colocar. **2** Lugar obtido numa competição: _Obteve a terceira colocação na maratona_. **3** Emprego ou trabalho: _Conseguiu ótima colocação numa multinacional_. [Pl.: _-ções_.]
colocar (co.lo.car) _v._ **1** Pôr sobre si mesmo ou outra pessoa; vestir; calçar; aplicar. [_td._: _colocar casaco/meias/filtro solar._] **2** Pôr, depositar. [_td._ (seguido de indicação de lugar): _Você pode colocar as garrafas na garagem?_] **3** Situar(-se), dispor(-se) (em lugar, posição, situação etc.); POSICIONAR. [_td._ (seguido de indicação de lugar): "_Mas o destino colocara-o à frente de um país_..." (Cecília Meireles, _Rui_). _pr._: _Colocou-se no meio da fila_; _Colocaram-se à disposição do professor_.] **4** Situar em hierarquia (esportiva, social, moral). [_td._ (seguido de indicação de lugar): _O tropeço colocou a ginasta na última posição. pr._: _Coloque-se no seu devido lugar._] **5** Propor, apresentar para consideração (em votação, debate). [_td._: "O MST _coloca_ como eixo do assentamento de um milhão de famílias..." (Antonio Callado, _Entre o Deus e a vasilha_).] **6** Empregar(-se); dar cargo a ou assumir cargo. [_td._: _O supervisor está tentando colocar o irmão na firma. pr._: _Lucas colocou-se em uma farmácia._] **7** Investir ou aplicar. [_td._ (seguido de indicação de lugar): _colocar dinheiro na poupança_.] [▶ **11** colocar]
colofão, cólofon (co.lo.fão, có.lo.fon) _sm. Edit._ Nos livros, nota final que fornece informações sobre o impressor, o lugar e a data em que foi feita a sua impressão. [Pl. de _colofão_: _-fões_ e de _cólofon_: _cólofons_ e (p.us. no Brasil) _colofones_.]
cologaritmo (co.lo.ga.rit.mo) _sm. Mat._ Logaritmo do inverso de um número. [Pl.: _cologaritmos_.]
coloidal (co.loi.dal) _a2g._ Ref. ou semelhante a coloide; COLOIDE. [Pl.: _-dais_.]
coloide (co.loi.de) _sm._ **1** _Fís. Quím._ Substância de propriedades especiais, dividida em partículas que se dispersam em meio gasoso, líquido e sólido. _a2g._ **2** Ver _coloidal_.

colombiano (co.lom.bi.a.no) *a.* **1** Da Colômbia (América do Sul); típico desse país ou de seu povo. *sm.* **2** Pessoa nascida na Colômbia.

colombina (co.lom.*bi*.na) *sf.* **1** Personagem de comédia italiana, amiga do Pierrô e do Arlequim. **2** Fantasia de carnaval inspirada nessa personagem.

cólon (*có*.lon) *sm. Anat.* Porção média do intestino grosso que vai do íleo ao reto; COLO. [Pl.: *cólons* e (p.us. no Brasil) *cólones*.]

colônia¹ (co.*lô*.ni:a) *sf.* **1** Território ocupado e administrado por um Estado, que se situa fora de suas fronteiras geográficas; POSSESSÃO, DOMÍNIO: *O Brasil foi colônia de Portugal.* **2** Grupo de pessoas que emigram e se fixam numa região estranha, ger. mantendo vivos seus costumes originais (língua, cultura etc.): *a colônia de italianos em São Paulo.* **3** Grupo de pessoas que se estabelecem com o mesmo fim; o lugar em que se estabelecem: *colônia de pescadores.* **4** *Biol.* Conjunto de organismos de uma mesma espécie e que vivem juntos: *colônia de bactérias*. ■ **– de férias** Lugar preparado (com instalações adequadas) para oferecer a grupos (ger. de jovens, colegiais etc.) o gozo de férias com atividades esportivas, culturais etc.

colônia² (co.*lô*.ni:a) *sf.* Ver *água-de-colônia*.

colonial (co.lo.ni:*al*) *a2g.* **1** Ref. a colônia ou a colonos. **2** *Biol.* Que vive em colônia (4). **3** *Bras.* Ref. ao período em que o Brasil era colônia (1) de Portugal (esp. à arte, arquitetura etc.). [Pl.: *-ais*.]

colonialismo (co.lo.ni:a.*lis*.mo) *sm. Pol.* Concepção e sistema que preconiza e estabelece a colonização e/ou o domínio político e econômico de um território ou país por outro país. [Cf.: *imperialismo*.] • co.lo.ni:a.*lis*.ta *a2g.s2g.*

colonização (co.lo.ni.za.*ção*) *sf.* Ação ou resultado de colonizar. [Pl.: *-ções*.]

colonizar (co.lo.ni.*zar*) *v. td.* Ocupar com colonos e administrar (região ou país): *A Inglaterra colonizou a Jamaica.* [▶ **1** colonizar] • co.lo.ni.za.*dor* *a.sm.*

colono (co.*lo*.no) *sm.* **1** Pessoa que faz parte de uma colônia (2). **2** Homem do campo que trabalha na lavoura em troca de salário.

coloquial (co.lo.qui:*al*) *a2g.* Ref. ao espontâneo da língua; próprio da conversação: *Escreveu o livro num estilo coloquial.* [Pl.: *-ais*.]

colóquio (co.*ló*.qui:o) *sm.* **1** Conversa entre duas ou mais pessoas. **2** Conversa íntima (ger. entre duas pessoas): *colóquio amoroso.* **3** Reunião entre especialistas de uma mesma área para discutir assuntos específicos: *colóquio sobre a obra de Manuel Bandeira.*

coloração (co.lo.ra.*ção*) *sf.* **1** Ação ou resultado de colorir: *A coloração do cabelo deve ser feita por especialistas.* **2** O efeito ou a sensação produzidos pelas cores; COLORIDO: *Com a queimadura, a pele adquiriu uma coloração avermelhada.* [Pl.: *-ções*.]

colorau (co.lo.*rau*) *sm. Cul.* Pó vermelho, feito de pimentão ou urucum (no Brasil), us. para condimentar e/ou colorir o alimento.

colorido (co.lo.*ri*.do) *a.* **1** Que tem, apresenta, recebeu ou é feito de cor(es) (desenho *colorido*). **2** *Fig.* Que tem brilho, vivacidade (prosa *colorida*, estilo *colorido*). *sm.* **3** Ver *coloração* (2): *o colorido das flores.*

colorir (co.lo.*rir*) *v.* **1** Conferir cor a ou tomar cor. [*td*.: *colorir uma parede. pr*.: *O céu da manhã aos poucos coloria-se.*] **2** Tornar mais alegre, vivo ou expressivo. [*td*.: *A boa notícia coloriu o dia.*] **3** *Fig.* Encobrir aspecto(s) negativo(s) de; DISFARÇAR. [*td*.: *Não tente colorir a dura realidade da fome.*] [▶ **58** colorir]

colorista (co.lo.*ris*.ta) *a2g.s2g.* **1** Que ou aquele que colore. **2** *Art.Pl.* Que ou aquele que usa cores vivas em seus quadros (diz-se de pintor). **3** Que ou aquele que se especializou na mistura e aplicação de tinturas de cabelo (diz-se de esteticista). **4** *Fig.* Que ou aquele que possui estilo imaginativo e brilhante (diz-se de escritor).

colossal (co.los.*sal*) *a2g.* **1** De grande tamanho; IMENSO; GIGANTESCO. [Ant.: *minúsculo*.] **2** *Fig.* Fora do comum, extraordinário (obra *colossal*). [Pl.: *-sais*.]

colosso (co.*los*.so) [ó] *sm.* **1** Estátua imensa. **2** Objeto, construção etc. de tamanho fora do comum: *O Maracanã é um colosso.* **3** *Fig.* Pessoa muito grande e forte. **4** *Fig.* Pessoa que tem qualidades extraordinárias: *Camões foi um colosso da língua portuguesa.* **5** *Fam.* Algo muito bom: *O jantar está um colosso!*

colostomia (co.los.to.*mi*.a) *sf.* **1** *Cir.* Operação que cria um canal entre o intestino grosso e o meio exterior, através do abdome, para a eliminação das fezes. **2** Abertura criada nessa operação.

colostro (co.*los*.tro) [ó] *sm.* Líquido nutritivo, amarelado, que sai junto com o leite materno nos primeiros dias após o parto.

colpite (col.*pi*.te) *sf. Med.* Inflamação da vagina. VAGINITE.

columbário (co.lum.*bá*.ri:o) *sm.* Construção com nichos onde se conservam as cinzas de cadáveres humanos.

coluna (co.*lu*.na) *sf.* **1** *Arq.* Pilar em forma de cilindro us. para sustentar ou enfeitar edificações. **2** Qualquer objeto semelhante à coluna. **3** *Cons.* Viga vertical que sustenta parte do peso de uma edificação. **4** *Fig.* Base, apoio, sustentáculo. **5** *Fig.* Pessoa ou coisa muito forte. **6** Linha vertical de algarismos. **7** *Edit.* Cada uma das disposições verticais de texto em página de livro, revista etc. **8** *Jorn.* Seção, ger. assinada, de jornal ou revista. **9** *Mil.* Tropa de soldados em linha, que se desloca sobre um objetivo militar. **10** *Bras.* Coluna vertebral. ■ **– vertebral** *Anat.* Série de vértebras alinhadas na parte dorsal do corpo dos vertebrados, formando o eixo de sua estrutura óssea. [Tb. se diz apenas *coluna*.]

colunável (co.lu.*ná*.vel) *a2g.s2g.* Que ou quem consta ou merece constar das colunas (8) sociais. [Pl.: *-veis*.]

colunata (co.lu.*na*.ta) *sf. Arq.* Fileira de colunas.

colunista (co.lu.*nis*.ta) *s2g. Bras. Jorn.* Pessoa que escreve uma coluna periódica em jornal ou revista.

com *prep.* **1** Na companhia de: *Por que você não quis sair com eles?* **2** Indica meio ou instrumento: *É melhor limpar isso com detergente.* **3** Especifica modo: *A vendedora me tratou com grosseria.* **4** Indica estado ou condição: *Ele está com uma gripe braba.* **5** Levando consigo: *Saio sempre com o celular.* **6** Junto a: *na esquina da Rio Branco com a rua do Ouvidor.* **7** Em relação a: *Deixe de implicância com ele!* **8** Us. como partícula de realce: *Parem com essa batucada!*

coma¹ (*co*.ma) *sf.* **1** Cabeleira grande e farta. **2** Juba, crina, plumagem. **3** Copa de árvore. **4** *Astron.* A cauda de um cometa.

coma² (*co*.ma) *sm. Med.* Perda prolongada da consciência, ger. causada por traumatismo ou doença.

comadre (co.*ma*.dre) *sf.* **1** Madrinha de uma criança em relação aos pais desta. **2** Mãe de uma criança em relação aos padrinhos desta. **3** *Fam.* Amiga, companheira. **4** *Pej.* Mulher bisbilhoteira. **5** *Pop.* Espécie de urinol us. por doentes que não podem sair da cama.

comandante (co.man.*dan*.te) *a2g.* Que comanda. *sm.* **2** Pessoa que comanda. **3** *Mar.* Oficial da Marinha que exerce o comando de um navio. **4** *Mil.* Chefe de qualquer força militar. **5** *Aer.* Aquele que exerce o comando de uma aeronave ou espaçonave.

comandar (co.man.*dar*) *v.* **1** Conduzir ou dirigir como líder; CHEFIAR. [*td*.: *comandar uma equipe/uma empresa/uma operação. int.*: *Era um executivo que sabia comandar.*] **2** Exercer controle ou domínio so-

bre. [*td.*: *comandar o barco.*] **3** Ser fator preponderante em (conduta de). [*td.*: *A ambição comandava seus atos.*] [▶ 1 comand<u>ar</u>]

comando (co.*man*.do) *sm.* **1** Ação ou resultado de comandar. **2** Posto ou função de comandante. **3** Liderança, chefia, governo. **4** *Mil.* Grupo militar treinado para missões especiais. **5** *Inf.* Qualquer instrução dada ao computador, para a execução de operação.

comarca (co.*mar*.ca) *sf. Jur.* Circunscrição judiciária de um estado controlada por juiz de direito.

comatoso (co.ma.*to*.so) [ó] *a.* Ref. a coma². [Fem. e pl.: [ó].]

combalir (com.ba.*lir*) *v.* Destituir de força ou vitalidade; ENFRAQUECER(-SE); DEBILITAR(-SE). [*td.*: *A doença combaliu o atleta. pr.*: *A economia combaliu-se com a alta do dólar.*] [▶ 59 combal<u>ir</u>] • **com.ba.li.do** *a.*

combate (com.*ba*.te) *sm.* **1** Ação ou resultado de combater. **2** Luta, batalha. **3** *Fig.* Esforço para vencer, dominar ou extinguir (um problema, uma doença etc.): *O combate às drogas conta com a ajuda de todos.*

combater (com.ba.*ter*) *v.* **1** Lutar (contra ou a favor de). [*td.*: *combater o exército inimigo. ti.* + *a favor de, contra, por*: *Combatemos pela justiça e contra a desigualdade. int.*: *Os oficiais nunca combateram naquela região. pr.*: *Os soldados combateram-se até a morte.*] **2** Providenciar a eliminação, o fim de. [*td.*: *combater um incêndio/um resfriado.*] [▶ 2 combat<u>er</u>] • **com.ba.***ten*.te *a2g.s2g.*

combatividade (com.ba.ti.vi.*da*.de) *sf.* **1** Qualidade ou caráter de quem é combativo. **2** Tendência a combater.

combativo (com.ba.*ti*.vo) *a.* **1** Que tem ânimo ou inclinação para combater (time *combativo*). **2** Que não se recusa a lutar (povo *combativo*).

combinação (com.bi.na.*ção*) *sf.* **1** Ação ou resultado de combinar(-se). **2** Disposição de coisas reunidas numa certa ordem. **3** Aquilo que se combina ou combinou; ACORDO: *A combinação não foi cumprida.* **4** Sequência de números ou letras us. para abrir um cofre. **5** *Mat.* Agrupamento de elementos selecionados de um conjunto, sem considerar sua ordem. **6** Roupa íntima feminina que cobre desde o busto até a borda da saia. [Pl.: -*ções*.]

combinado (com.bi.*na*.do) *a.* **1** Que se combinou (preço *combinado*); ACERTADO. **2** Disposto em arranjo harmônico. *sm.* **3** Aquilo que se combinou; ACORDO: *Conforme o combinado, hoje vamos ao cinema.* **4** *Esp.* Time formado por jogadores de diferentes clubes; SELECIONADO: *Formaram um combinado para jogar alguns amistosos.* **5** *Cul.* Prato típico da cozinha japonesa contendo porções de *sushi* e *sashimi*.

combinar (com.bi.*nar*) *v.* **1** Deixar acertado; ACORDAR. [*td.*: *combinar uma viagem de férias. ti.* + *de, em*: "Eu sei que a gente *combinou* de não se telefonar." (Ana Maria Machado, *A audácia dessa mulher*). *tdi.* + *com*: *Combine o pagamento com o cliente.*] **2** Misturar, aliar ou fazer coexistir. [*td.*: *Aquele baterista combina técnicas diferentes. tdi.* + *com*: *combinar leite com manga. pr.*: *Razão e emoção combinaram-se na sua decisão.*] **3** Estar em relação de harmonia; AJUSTAR-SE. [*ti.* + *com*: *Meu jeito combina com o seu. int.*: *Essas cores não combinam.*] [▶ 1 combin<u>ar</u>]

combinatório (com.bi.na.*tó*.ri:o) *a.* **1** Ref. a combinação ou combinações. **2** Em que há combinação ou combinações.

comboiar (com.boi.*ar*) *v. td.* **1** Acompanhar (comboio) oferecendo proteção; ESCOLTAR: *Navios ingleses comboiaram a esquadra portuguesa.* **2** *Aut.* Manter-se (um carro de corrida) logo atrás de (outro): *O piloto alemão comboiou o inglês até o fim da corrida.* [▶ 1 combo<u>iar</u>]

comboio (com.*boi*.o) *sm.* **1** Grupo de veículos que se dirige para um mesmo destino transportando pessoas, mantimentos etc. **2** *Mar.* Grupo de navios mercantes que navegam juntos escoltados por navios de guerra. **3** *Mil.* Conjunto de carros com munições e mantimentos que acompanha uma força militar em campanha. **4** *Lus.* Trem.

comburente (com.bu.*ren*.te) *a2g.sm.* **1** Que ou aquilo que queima. **2** *Quím.* Que ou aquilo que reage com o combustível para provocar a combustão.

combustão (com.bus.*tão*) *sf.* **1** Ação ou resultado de queimar. **2** Estado de um corpo que se consome pelo fogo, produzindo calor e luz; IGNIÇÃO. **3** *Quím.* Emissão de calor e de luz decorrente de reação química entre substâncias combustíveis e o oxigênio. [Pl.: -*tões*.]

combustível (com.bus.*ti*.vel) *a2g.* **1** Que tem a propriedade de queimar-se (substância *combustível*); INFLAMÁVEL. *sm.* **2** Matéria que se queima para aproveitar calor ou energia produzidos: *O petróleo é um combustível natural.* [Pl.: -*veis*.]

combustor (com.bus.*tor*) [ô] *a.sm.* **1** Que ou aquilo que queima. *sm.* **2** *Bras.* Poste de iluminação pública, ger. us. em praças e jardins.

começar (co.me.*çar*) *v.* **1** Dar início a. [*td.*: "...ajoelhou e *começou* uma prece." (José de Alencar, *A viuvinha*).] **2** Ter começo; ter princípio. [*int.*: *O filme vai começar.*] **3** Iniciar-se (de determinada maneira). [*lig.*: *A música começa altíssima.*] [▶ 12 come[ç<u>ar</u>] [NOTA: Us. tb. como auxiliar, seguido das prep. *a* ou *por* + verbo principal no infinitivo, indicando 'início de ação': *bebê começou a andar com 11 meses*.]

começo (co.*me*.ço) [ê] *sm.* **1** O momento em que algo passa a existir ou a acontecer; ORIGEM; PRINCÍPIO. 🔲 **começos** *smpl.* **2** Primeiras tentativas ou experiências: *os começos da civilização.*

comédia (co.*mé*.di:a) *sf. Cin. Teat. Telv.* Obra feita para teatro, cinema ou televisão com conteúdo cômico. **2** *Bras. Pop.* Fato, pessoa ou coisa cômica ou ridícula: *O desfile foi uma comédia.*

comediante (co.me.di:*an*.te) *s2g.* Ator ou atriz de comédia.

comedido (co.me.*di*.do) *a.* Que age com moderação e prudência.

comedimento (co.me.di.*men*.to) *sm.* **1** Ação ou resultado de comedir(-se). **2** Moderação, compostura. [Ant.: *imoderação*.]

comediógrafo (co.me.di:*ó*.gra.fo) *sm.* Autor de comédias (1).

comedir (co.me.*dir*) *v.* Moderar(-se); controlar (atitudes, gastos etc.). [*td.*: *comedir os gastos. pr.*: *O noivo ciumento prometeu comedir-se mais.*] [▶ 58 comed<u>ir</u>. V. defec.: não é us. na 1ª pess. sing. do pres. do ind. e no pres. do subj.]

comemoração (co.me.mo.ra.*ção*) *sf.* **1** Ação ou resultado de comemorar, de trazer à lembrança (data, fato, acontecimento etc.). **2** Festa ou cerimônia em que se comemora alguma coisa. [Pl.: -*ções*.]

comemorar (co.me.mo.*rar*) *v. td.* **1** Festejar (data, acontecimento ou ocasião especial); CELEBRAR: *Vamos comemorar o aniversário.* **2** Trazer à memória; RECORDAR: *O ano de 2012 comemora o centenário de Nelson Rodrigues.* [▶ 1 comemor<u>ar</u>]

comemorativo (co.me.mo.ra.*ti*.vo) *a.* Que comemora, que lembra um acontecimento importante (selo *comemorativo*).

comenda (co.*men*.da) *sf.* **1** Benefício, ger. financeiro, que eclesiásticos ou cavaleiros de ordens militares recebiam antigamente. **2** Condecoração honorífica. **3** Distintivo de comendador.

comendador (co.men.da.*dor*) *sm.* **1** Pessoa que recebeu uma comenda de alguma ordem religiosa ou militar. **2** Pessoa que possui um distintivo ou condecoração honorífica.

comenos (co.*me*.nos) *sm2n.* Espaço muito pequeno de tempo; INSTANTE. ▪ **Neste ~** Neste instante; nesta mesma ocasião: *Neste comenos começou o tumulto.*

comensal (co.men.*sal*) *s2g.* Cada um daqueles que fazem uma refeição juntos: *um banquete para duzentos comensais.* [Pl.: -*sais*.]

comensurável (co.men.su.*rá*.vel) *a2g.* Que pode ser medido; MENSURÁVEL. [Pl.: -*veis*.]

comentar (co.men.*tar*) *v.* **1** Falar sobre; tecer comentários acerca de. [*td./tdi.* + *com*: *Comentaram o escândalo (com a vizinhança).*] **2** Analisar criticamente. [*td.*: *O professor comentará as provas amanhã.*] **3** Dizer de passagem. [*td.*: *Ingrid comentou que seus avós eram suecos.*] **4** Fazer observações maliciosas. [*td.*: *comentar a vida dos outros.*] [▶ **1** coment*ar*]

comentário (co.men.*tá*.ri:o) *sm.* **1** Opinião ou consideração sobre uma pessoa, fato etc. **2** Observação crítica ou esclarecedora, oral ou escrita, sobre um texto, uma obra de arte etc.

comentarista (co.men.ta.*ris*.ta) *a2g.s2g. Jorn. Rád. Telv.* Que ou quem habitualmente faz comentários (2) em um meio de comunicação (*comentarista* esportivo).

comer (co.*mer*) *v.* **1** Ingerir (alimento) depois de mastigá-lo. [*td.*: *comer tangerinas.*] **2** Alimentar-se; fazer refeições. [*td.* (sem complemento explícito): *Nunca comi nesse restaurante.*] **3** Provocar desgaste ou destruição de; CORROER. [*td.*: *As traças vão comer esses livros.*] **4** Consumir ou gastar rapidamente (dinheiro, tempo etc.). [*td.*: *A inflação já comeu o meu salário.*] **5** Suprimir; deixar de incluir (sílabas, palavras); SALTAR. [*td.*: *Nervosa, ela comia palavras e não terminava as frases.*] **6** Experimentar sentimento intenso de (raiva, ódio, solidão etc.); CONSUMIR-SE. [*pr.*: *O rapaz estava se comendo de inveja.*] **7** *Tabu.* Ter relação sexual com. [*td.*] [▶ **2** com*er*] ▪ **~ com os olhos** Observar (algo, alguém) intensamente, ger. com admiração ou desejo.

comercial (co.mer.ci:*al*) *a2g.* **1** Do ou próprio do comércio (transação *comercial*). **2** De fácil aceitação no mercado (filme *comercial*). *sm.* **3** *Publ.* Mensagem publicitária transmitida pela televisão ou rádio.

comercialização (co.mer.ci:a.li.za.*ção*) *sf.* Ação ou resultado de pôr um produto no circuito comercial. [Pl.: -*ções*.]

comercializar (co.mer.ci:a.li.*zar*) *v. td.* Fazer entrar em circuito comercial; VENDER. [▶ **1** comercializ*ar*] ● **co.mer.ci:a.li.za.vel** *a2g.*

comerciante (co.mer.ci:*an*.te) *s2g.* **1** Pessoa que comercia. **2** Pessoa que possui um estabelecimento comercial. [Cf.: *comerciário*.]

comerciar (co.mer.ci:*ar*) *v.* Travar relações comerciais; fazer negócios. [*ti.* + *com*, *em*: *O Brasil comercia com a Europa. int.*: *Os portugueses comerciavam na África.*] [▶ **1** comerci*ar*]

comerciário (co.mer.ci:*á*.ri:o) *sm. Bras.* Empregado de um estabelecimento comercial. [Cf.: *comerciante*.]

comércio (co.*mér*.ci:o) *sm.* **1** Atividade ou ramo econômico de compra e venda de mercadorias ou serviços: *o comércio de eletrodomésticos.* **2** Loja ou conjunto de lojas onde se pratica essa atividade: *Hoje o comércio fechou.*

comes (*co*.mes) *smpl.* Us. na loc. ▪ **~ e bebes** Comidas e bebidas que se servem em festas, cerimônias etc.

comestível (co.mes.*tí*.vel) *a2g.* **1** Que se pode comer (fruto *comestível*); COMÍVEL. [Pl.: -*veis*.] ◨ **comestíveis** *smpl.* **2** Alimentos, víveres.

cometa (co.*me*.ta) [ê] *sm. Astron.* Astro envolvido por uma nuvem de vapor que se prolonga em forma de cauda, visível da Terra quando passa perto do Sol.

◨ O cometa é um corpo celeste que gira em torno do Sol, composto de um núcleo de elementos congelados (quando está afastado do Sol), que se transformam em gases ao se aproximar do Sol, formando uma cauda (sempre voltada para o lado oposto ao do Sol). O primeiro registro de observação de um cometa é de 240 a.C., referente ao cometa Halley, que completa sua órbita em ciclos de c. 76 anos. As mais recentes verificações da existência de grandes cometas foram em 1973 do Kohoutek, cuja órbita completa dura c. 75.000 anos), em 1976 do West, que completa sua órbita em c. 500.000 anos), em 1995 do Hale-Bopp, em 1996 do Hyakutake, em 1997 e em 2007 do McNaught.

cometer (co.me.*ter*) *v.* **1** Realizar ou praticar (ger. ato negativo, erro). [*td.*: *"...pede perdão para o crime que vai cometer."* (José de Alencar, *A viuvinha*).] **2** Designar (missão, encargo, tarefa); ENCARREGAR. [*tdi.* + *a*: *O chefe cometeu a mim essa venda.*] [▶ **2** comet*er*]

cometimento (co.me.ti.*men*.to) *sm.* **1** Ação ou resultado de cometer. **2** Tarefa arriscada ou muito difícil; AVENTURA.

comezaina (co.me.*zai*.na) *sf. Pop.* **1** Refeição farta. **2** Festa em que as pessoas se reúnem para comer e beber; PATUSCADA.

comezinho (co.me.*zi*.nho) *a.* **1** Bom ou fácil de comer. **2** *Fig.* Fácil de entender (livro *comezinho*); SIMPLES. **3** Próprio da vida doméstica (tarefa *comezinha*); CASEIRO.

comichão (co.mi.*chão*) *sf.* **1** Sensação incômoda na pele que leva uma pessoa a se coçar; PRURIDO. **2** *Fig.* Desejo incontrolável de fazer alguma coisa. [Pl.: -*chões*.]

comichar (co.mi.*char*) *v.* **1** Provocar ou experimentar sensação de coceira, prurido (em parte do corpo). [*td.*: *Um formigamento comichava os dedos do pianista. int.*: *Meu corpo inteiro está comichando.*] **2** *Fig.* Sentir vontade intensa de fazer algo (ger. emitido). [*int.*: *Prometeu segredo, mas sua língua comichava.*] [▶ **1** comich*ar*]

comício (co.*mí*.ci:o) *sm.* Reunião pública, ger. ao ar livre, em que se reivindica alguma coisa ou em que um político expõe sua plataforma eleitoral.

cômico (*có*.mi.co) *a.* **1** Ref. a comédia; BURLESCO. **2** Que, por ser engraçado ou ridículo, provoca riso. *sm.* **3** Pessoa que faz rir: *Era um cômico.* **4** Ator de comédia; COMEDIANTE: *Grande Otelo foi um grande cômico.* ● **co.mi.ci.da.de** *sf.*

comida (co.*mi*.da) *sf.* **1** O que se come ou o que é próprio para comer; ALIMENTO. **2** Ação de comer. **3** Conjunto de pratos típicos de uma região ou país (*comida* baiana).

comigo (co.*mi*.go) *pr.pess.* **1** Com a pessoa que fala: *Isso só acontece comigo.* **2** Em minha companhia: *Você não quer sair comigo?* **3** Em meu poder; sob minha responsabilidade: *Ainda tenho comigo dois CDs seus.* **4** De mim para mim: *Esse garoto é esperto, pensei comigo mesmo.* [Nesta acp., *comigo* ger. vem acompanhado de *mesmo*.]

comigo-ninguém-pode (co.mi.go-nin.guém-*po*.de) *sm2n. Bras. Bot.* Planta originária da Amazônia, de folhas verdes com pintas brancas, muito venenosa.

comilança (co.mi.*lan*.ça) *sf. Bras. Pop.* **1** Ação de comer muito. **2** Comida abundante.

comilão (co.mi.*lão*) *a.sm.* Aquele que come muito; GLUTÃO. [Pl.: -*lões*.]

cominar (co.mi.*nar*) *v. tdi. Jur.* Impor ou prescrever (penalidade); ameaçar (com sanções). [+ *a*: *o juiz cominou ao infrator uma multa maior.*] [▶ **1** comin*ar*] ● **co.mi.na.ção** *sf.*; **co.mi.na.ti.vo** *a.*

cominatório (co.mi.na.*tó*.ri:o) *a. Jur.* Que determina uma penalidade em caso de infração.

cominho (co.*mi*.nho) *sm. Bot.* Erva aromática cujas folhas e sementes são us. como tempero.

comiseração (co.mi.se.ra.*ção*) *sf.* Sentimento de piedade pela infelicidade ou pelo sofrimento de outra pessoa; COMPAIXÃO. [Pl.: -*ções*.]

comiserar-se (co.mi.se.*rar*-se) *v. pr.* Sentir compaixão por; COMPADECER-SE: *Quem vai se comiserar do pobre órfão?* [▶ 1 comiser*ar*]

comissão (co.mis.*são*) *sf.* **1** Grupo de pessoas encarregadas de uma tarefa: *Coube à comissão investigar o acidente.* **2** Percentagem paga a vendedor ou corretor sobre o negócio realizado. **3** Incumbência, missão, tarefa. [Pl.: -*sões*.]

comissariado (co.mis.sa.ri.*a*.do) *sm.* **1** Cargo, função ou atividade de comissário (3): *comissariado de polícia.* **2** Lugar onde o comissário trabalha.

comissário (co.mis.*sá*.ri.o) *sm.* **1** Funcionário que, em aviões comerciais, atende os passageiros. [Tb. se diz comissário de bordo. [Cf.: *aeromoça*.] **2** Pessoa que desempenha uma comissão (3). **3** Representante de um governo ou de uma organização: *Ele é comissário da ONU.* **4** Autoridade policial.

comissionar (co.mis.si.o.*nar*) *v. td.* Confiar (tarefa ou missão) a; encarregar de: *O general comissionou três oficiais para a missão.* [▶ 1 comission*ar*]

comissura (co.mis.*su*.ra) *sf.* **1** Ponto em que duas ou mais coisas se juntam ou se unem. **2** *Anat.* Ponto de união de certas partes do corpo: *comissura dos lábios.*

comitê (co.mi.*tê*) *sm.* **1** Grupo de pessoas nomeadas para desempenhar uma missão: *o comitê central da campanha.* **2** Local onde essas pessoas se reúnem.

comitente (co.mi.*ten*.te) *a2g.s2g* Que ou quem encarrega alguém de executar certos atos em seu nome; CONSTITUINTE.

comitiva (co.mi.*ti*.va) *sf.* **1** Grupo de pessoas que acompanha alguém ou alguma coisa; SÉQUITO: *a comitiva do presidente.* **2** Conjunto de pessoas que vão juntas a algum lugar: *A pequena comitiva rumou para Brasília.*

comível (co.*mí*.vel) *a2g.* **1** Que se pode comer; COMESTÍVEL. **2** *Tabu.* Diz-se de pessoas com quem é aceitável manter relações sexuais. [Pl.: -*veis*.]

⊕ **commodity** (Ing. /*comóditi*/) *sf. Econ.* Matéria-prima (como café, soja, ouro, petróleo) produzida em larga escala, ger. destinada ao comércio externo.

como (co.mo) *adv.interr.* **1** De que maneira: *Como se deleta um arquivo?* *adv.* Com que intensidade; quão: *Como é bom revê-lo! conj.adit.* **3** Mas também (us. na correlação não só... como (também)): *Gostei não só das danças como das músicas. conj.caus.* **4** Porque; já que: *Como o convite era individual, ela não pôde me levar. conj.comp.* **5** Tanto quanto; tal qual: *Nem todos se divertiram como você. conj.conf.* **6** Conforme: *Como se vê na foto, ela mudou muito. conj.integr.* **7** O modo de; a maneira pela qual: *O guia explicou como chegar ao centro histórico. pr.rel.* **8** Pelo qual: *É bonito o modo como os dois se tratam.* ∺ *Assim* ~ Do mesmo modo que. ~ *que* Parece que: *O céu como que encostava no mar.*

comoção (co.mo.*ção*) *sf.* **1** Emoção forte: *Foi tomado de intensa comoção ao reencontrar o pai.* **2** Agitação, alvoroço: *O decreto do prefeito causou comoção na cidade.* [Pl.: -*ções*.]

cômoda (*cô*.mo.da) *sf.* Móvel de madeira com gavetas, ger. us. para guardar roupas.

comodatário (co.mo.da.*tá*.ri.o) *sm. Jur.* Pessoa que recebe alguma coisa em comodato.

comodato (co.mo.*da*.to) *sm. Jur.* Empréstimo gratuito de alguma coisa por tempo determinado ou indeterminado: *Júlia entregou a casa em comodato.*

comodidade (co.mo.di.*da*.de) *sf.* **1** Qualidade ou condição de cômodo. **2** Conforto, bem-estar: *Ligue o ar, para sua comodidade.* **3** O que é cômodo: *Ter motorista particular é uma comodidade!*

comodismo (co.mo.*dis*.mo) *sm.* Modo de agir de quem evita dificuldades e responsabilidades. ● **co.mo.dis.ta** *a2g.s2g.*

cômodo (*cô*.mo.do) *a.* **1** Que oferece conforto; CONFORTÁVEL. **2** Útil ou vantajoso: *O horário flexível era muito cômodo para o empregado. sm.* **3** Acomodação, aposento: *Todos os cômodos do hotel estavam ocupados.* **4** Cada uma das divisões de uma residência: *A casa tem oito cômodos.*

comodoro (co.mo.*do*.ro) *sm.* **1** *Mar.* Oficial de Marinha encarregado do comando de um grande navio ou do cargo de inspetor de uma companhia de navegação. **2** O presidente ou diretor de um clube náutico.

comover (co.mo.*ver*) *v.* **1** Provocar emoção em; EMOCIONAR; COMPUNGIR. [*td.*: *"...aquelas palavras tocantes de Lúcia me comoviam."* (José de Alencar, *Luciola*); (tb. sem complemento explícito) *O discurso não comoveu*; (tb. seguido de indicação de meio/modo) *O menino comoveu a mãe com sua sinceridade.*] **2** Sentir emoção, comoção: *Ela... Se facilmente.*] [▶ 2 comov*er*] ● **co.mo.ve.dor** *a.*; **co.mo.ven.te** *a2g.*

compactação (com.pac.ta.*ção*) *sf.* Ação ou resultado de compactar(-se); UNIR; JUNTAR: *O terreno sofreu compactação antes de ser asfaltado.* [Pl.: -*ções*.]

compactar (com.pac.*tar*) *v. td.* **1** Unir (partes, segmentos etc.) de modo a reduzir tamanho, dimensão ou volume; CONDENSAR: *Compactou a obra num único volume.* **2** *Inf.* Abreviar codificação de dados para diminuir o espaço de memória ocupado: *compactar arquivos.* **3** Aplicar pressão, comprimindo, para reduzir volume de (material ou materiais), ou tornar mais denso: *compactar lixo/concreto.* [▶ 1 compact*ar*]

⊕ **compact disc** (Ing. /*cómpct disc*/) *sm.* Pequeno disco óptico em que se podem gravar programas de computador, dados ou música (mais conhecido pela sigla CD).

compacto (com.*pac*.to) *a.* **1** Que tem os elementos, partes ou unidades bem unidos entre si (madeira *compacta*). **2** Denso, espesso, cerrado (floresta *compacta*). **3** Breve, conciso (discurso *compacto*). **4** De tamanho reduzido (apartamento *compacto*). *sm.* **5** Pequeno disco de vinil com uma ou duas músicas gravadas de cada lado. **6** *Rad. Telv.* Edição resumida de um programa esportivo, jornalístico etc.: *À noite será transmitido o compacto do jogo.*

compactuar (com.pac.tu.*ar*) *v. ti.* Tomar parte em; agir em convivência com; PACTUAR. [+ *com*: *Não compactuem com essa injustiça!*] [▶ 1 compactu*ar*]

compadecer (com.pa.de.*cer*) *v.* **1** Inspirar dó, compaixão em. [*td.*: *O sofrimento da amiga a compadecia.*] **2** Sentir compaixão por; APIEDAR-SE. [*pr.*: *Ao ver tanto sofrimento, o médico compadeceu-se.*] [▶ 33 compadec*er*]

compadre (com.*pa*.dre) *sm.* **1** Padrinho de uma criança em relação aos pais desta. **2** Pai de uma criança em relação aos padrinhos desta. **3** *Fam.* Amigo, companheiro.

compadrio (com.pa.*dri*.o) *sm.* **1** Relação entre compadres. **2** Ambiente de gentileza e companheirismo; CORDIALIDADE: *compadrio entre vizinhos.* **3** Favorecimento indevido de um protegido; PROTEÇÃO: *Não prestou concurso, sua contratação foi puro compadrio.*

compaixão (com.pai.*xão*) *sf.* Sentimento de simpatia e identificação com quem sofre ou tem dificuldades; PIEDADE. [Pl.: -*xões*.]

companheira (com.pa.*nhei*.ra) *sf.* **1** Fem. de *companheiro*. **2** Mulher casada ou que vive maritalmente com alguém, em relação a essa pessoa: *Ela foi minha companheira por trinta anos.*

companheirismo (com.pa.nhei.*ris*.mo) *sm.* Relacionamento entre companheiros; CAMARADAGEM.

companheiro (com.pa.*nhei*.ro) *a.sm.* **1** Que ou quem acompanha alguém: *companheiro de viagem*. *sm.* **2** Aquele que tem uma convivência íntima e harmoniosa com alguém; PARCEIRO: *Aqueles irmãos são companheiros em tudo*. **3** Homem casado ou que vive maritalmente com alguém, em relação a essa pessoa.

companhia (com.pa.*nhi*.a) *sf.* **1** Contato com alguém ou algo; situação de estar junto (de alguém ou algo): "...não arredava pé de casa senão em companhia da família..." (Aluísio Azevedo, *O cortiço*). **2** Pessoa que está em companhia (1) de alguém, que acompanha (1) alguém: *Virá jantar e trará companhia*. **3** Firma comercial ou industrial com vários acionistas (*companhia* telefônica). [Abr. nesta acp.: *Cia* (com inicial maiúsc.).] **4** Grupo de artistas que organizam apresentações públicas: *companhia de teatro/de dança*. **5** *Mil.* Grupamento de pelotões sob o comando de um capitão.

comparação (com.pa.ra.*ção*) *sf.* **1** Ação ou resultado de comparar, de pôr duas coisas ou pessoas lado a lado e perceber suas semelhanças e diferenças: *comparação de uma coisa com outra/entre coisas*. **2** *Ling.* Confronto entre dois termos numa construção sintática, definindo-se um deles a partir de uma qualidade conhecida do outro (p.ex.: *Saquarema tem ondas mais altas do que Cabo Frio*). [Pl.: -ções.]

comparador (com.pa.ra.*dor*) [ô] *a.sm.* Que ou quem faz comparações.

comparar (com.pa.*rar*) *v.* **1** Confrontar (elementos distintos) identificando semelhanças, diferenças, relações; COTEJAR. [*td.*: *É sempre bom comparar preços*. *tdi.* + *a*, *com*: *O cientista comparou homens com macacos*.] **2** Tomar como igual ou equivalente a. [*tdi.* + *a*, *com*: *A crítica compara o jovem poeta a Drummond*.] **3** Rivalizar com; IGUALAR-SE; EQUIPARAR-SE. [*pr.*: *Nada se compara a uma boa noite de sono*.] [▶ 1 comparar]

comparativo (com.pa.ra.*ti*.vo) *a.* **1** Que envolve comparação: *estudo comparativo das obras de dois escritores*. **2** *Gram.* Diz-se do grau dos adjetivos e advérbios (p.ex., *melhor* é a forma do adjetivo *bom* no grau comparativo de superioridade). **3** *Gram.* Diz-se da conjunção subordinativa que introduz o segundo termo de um confronto ou comparação (p.ex., em *Nada é tão gostoso como um suco bem gelado no verão*, o *como* tem valor comparativo).

comparável (com.pa.*rá*.vel) *a2g.* **1** Que se pode comparar (com outra coisa): *São produtos diferentes, não comparáveis*. **2** Que tem (algo, alguém) qualidades semelhantes (às de outro); ANÁLOGO: *análise comparável à de grandes especialistas*. [Pl.: -veis.]

comparecer (com.pa.re.*cer*) *v. int.* Apresentar-se em lugar determinado: (seguido ou não de indicação de lugar) *Apesar da forte chuva, não deixou de comparecer (à aula)*. [▶ 33 comparecer]

comparecimento (com.pa.re.ci.*men*.to) *sm.* Ação ou resultado de comparecer, de estar presente em um lugar (tb. por intimação): *Seu comparecimento foi solicitado*.

comparsa (com.*par*.sa) *s2g.* Quem acompanha alguém, colaborando, ger. em ato condenável ou ilícito; CÚMPLICE.

compartilhar (com.par.ti.*lhar*) *v.* **1** Dividir ou repartir (com alguém); PARTILHAR. [*td.*: *Precisamos compartilhar a água do planeta*. *tdi.* + *com*: *compartilhar o quarto com a irmã*.] **2** Ter ou tomar parte em; participar de. [*ti.* + *de*: "*Compartilhava* plenamente *da* opinião secretarial..." (Marques Rebelo, *Contos reunidos*).] **3** *Inf.* Utilizar em rede um mesmo recurso computacional. [*td.*: *compartilhar impressoras/arquivos*.] [▶ 1 compartilhar] • com.par.ti.lha.*men*.to *sm.*

compartimento (com.par.ti.*men*.to) *sm.* Divisão no interior de algo (caixa, bolsa, casa etc.).

compartir (com.par.*tir*) *v.* Partilhar, dividir, compartilhar. [*td.*: *As crianças compartiram o lanche*. *tdi.* + *com*: *A cantora compartiu o palco com grandes músicos*. *ti.* + *de*: *Compartimos do seu entusiasmo*.] [▶ 3 compartir]

compassado (com.pas.*sa*.do) *a.* **1** Que se desenvolve com ritmo regular a; CADENCIADO: *A banda avançava em marcha compassada*. **2** Pausado, vagaroso (ritmo *compassado*). **3** *Mús. Poét.* Que tem métrica regular (samba *compassado*, poema *compassado*).

compassar (com.pas.*sar*) *v. td.* **1** Conferir cadência ou ritmo regular a; CADENCIAR: *Os soldados compassaram a marcha*. **2** Tornar mais lento; ESPAÇAR: *Grandes silêncios compassavam o diálogo*. [▶ 1 compassar]

compassivo (com.pas.*si*.vo) *a.* Que sente compaixão ou a demonstra; PIEDOSO.

compasso (com.*pas*.so) *sm.* **1** Instrumento de desenho us. para fazer círculos ou marcar medidas. **2** *Mús.* Uma das divisões de trecho musical em intervalos de tempo, com limitado na pauta musical por travessões verticais. **3** *Mús.* A medida do tempo do compasso (2), em que se anota o número de unidades de tempo que o integra e a especificação dessa unidade (*compasso* ternário/quaternário).

📖 A notação do compasso musical, em forma de fração ordinária, dispõe no numerador o número de unidades de tempo que o compõem, e no denominador a especificação dessa unidade. O compasso 3/8, p.ex., é um compasso de três tempos (chamado, portanto, *ternário*), sendo cada tempo representado por uma colcheia (expressa pelo número oito).

compatibilidade (com.pa.ti.bi.li.*da*.de) *sf.* **1** Qualidade do que é compatível, do que se adapta a situação, funcionamento etc.: *compatibilidade de temperamentos*. **2** *Mat.* Característica de um sistema de equações com ao menos uma solução satisfatória; CONSISTÊNCIA.

compatibilizar (com.pa.ti.bi.li.*zar*) *v.* Tornar(-se) conciliável ou compatível. [*td.*: *Como compatibilizar desejos tão diferentes? tdi.* + *com*: "...há muito já se fala de *compatibilizar* o bem-estar do ambiente *com* o de seres humanos..." (*FolhaSP*, 03.10.99). *pr.*: *As duas propostas compatibilizam-se*.] [▶ 1 compatibilizar] • com.pa.ti.bi.li.za.*ção* *sf.*; com.pa.ti.bi.li.za.*do* *a.*

compatível (com.pa.*tí*.vel) *a2g.* **1** Que tem (algo ou alguém) possibilidade de coexistir com harmonia com outros (atividades *compatíveis*); CONCILIÁVEL. **2** Que pode se ligar ou desarpar a outro elemento, sem conflito: *Enfim encontraram um coração para transplante compatível*. [Pl.: -veis.]

compatriota (com.pa.tri.*o*.ta) *a2g.s2g.* Que ou quem nasceu no mesmo país que outra pessoa; PATRÍCIO.

compelir (com.pe.*lir*) *v. tdi.* Forçar, impelir, obrigar. [+ *a*: *A timidez compelia-o a recusar a carona*.] [▶ 50 compelir]

compendiar (com.pen.di.*ar*) *v. td.* Registrar ou resumir (em compêndio, texto, manual, publicação etc.): *O antropólogo compendiou as lendas daquela tribo*. [▶ 1 compendiar]

compêndio (com.*pên*.di.o) *sm.* **1** Livro que se estuda na escola: *compêndio de geografia*. **2** Apresentação resumida de uma teoria ou doutrina.

compenetrado (com.pe.ne.*tra*.do) *a.* **1** Muito concentrado; ATENTO. **2** Consciente de uma obrigação, uma qualidade pessoal etc.; CONVENCIDO: *Era um negociador compenetrado da importância de sua missão*. **3** Sério, sisudo.

compenetrar (com.pe.ne.*trar*) *v.* Fazer adquirir ou adquirir certeza, convicção íntima (de algo); CONVENCER(-SE). [*tdi.* + *de*: *compenetrar* de seus defeitos. *pr.*: *Compenetrou-se* de suas responsabilidades.] [▶ 1 compenetrar]

compensação (com.pen.sa.*ção*) *sf.* **1** Ação ou resultado de compensar, de equilibrar um ato, um acontecimento etc. com outro de valor oposto: *compensação de prejuízos/de injustiças*. **2** Aquilo que serve para estabelecer esse equilíbrio: *compensação para o investidor pela sua perda*. **3** *Cont.* Pagamento do valor de um cheque depositado em conta bancária. [Pl.: *-ções*.]

compensado (com.pen.*sa*.do) *a.* **1** Que teve compensação. *sm.* **2** *Bras.* Placa formada a partir de várias camadas de madeira ou serragem coladas e compactadas.

compensador (com.pen.sa.*dor*) [ô] *a.* **1** Que compensa: *Trabalhou muito, mas teve resultados compensadores*. **2** Que traz vantagens (investimento *compensador*). *sm.* **3** *Tec.* Mecanismo que serve para corrigir oscilações ou variações de funcionamento de algo.

compensar (com.pen.*sar*) *v.* **1** Neutralizar os efeitos de (algo negativo); EQUILIBRAR; CONTRABALANÇAR. [*tdi.* + *com*: *Compensava* a falta de dinheiro *com* criatividade.] **2** Reparar (dano ou prejuízo); INDENIZAR. [*tdi.* + *de, por*: *Compensaram-no pelas* perdas com a enchente.] **3** Trazer consequências positivas (a). [*td.*: "O retorno financeiro não *compensou* os investimentos." (FolhaSP, 02.12.99). *int.*: O grande esforço *compensou*.] **4** *Cont.* Pagar, fazer valer; passar por compensação (cheque de outro banco). [*td.*: *compensar* um cheque. *int.*: Aguardou os cheques *compensarem*.] [▶ **1** compensar] ● **com.pen.sa.***tó***.ri.**o *a.*

competência (com.pe.*tên*.ci.a) *sf.* **1** Capacidade de realizar algo de modo satisfatório; APTIDÃO. **2** Possibilidade de realizar tarefas, considerando uma hierarquia ou a necessidade de qualificação; ALÇADA: *Isso não é de minha competência*.

competente (com.pe.*ten*.te) *a2g.* **1** Que realiza suas obrigações satisfatoriamente; CAPAZ. **2** Que tem autoridade ou qualificação para uma tarefa. **3** Que é adequado; PRÓPRIO: *requisição a órgão competente*.

competição (com.pe.ti.*ção*) *sf.* **1** Ação ou resultado de competir (1); disputa entre dois ou mais oponentes por um prêmio ou resultado; CONCORRÊNCIA. **2** Evento em que essa disputa ocorre (*competição* esportiva): *uma competição entre amigos; competição pelo título sul-americano*. [Pl.: *-ções*.]

competidor (com.pe.ti.*dor*) [ô] *a.sm.* Que ou quem compete; RIVAL.

competir (com.pe.*tir*) *v.* **1** Entrar em disputa (por prêmio, posição, objeto de desejo etc.). [*ti.* + *com, por*: "...não existira homem capaz de *competir com* ele na afeição..." (Machado de Assis, *Dom Casmurro*). *int.*: As ginastas não vão *competir* este ano.] **2** Ser da responsabilidade de; CABER. [*ti.* + *a*: *A decisão compete ao juiz*.] [▶ **50** competir]

competitivo (com.pe.ti.*ti*.vo) *a.* **1** Ref. a competição. **2** Que tem gosto para a competição (pessoa), ou aptidão para competir com sucesso (pessoa, grupo, produto etc.): *É muito competitivo, mas não sabe perder*. **3** Em que há forte ambiente de competição (diz-se de atividade ou evento) (mercado *competitivo*). **4** Que pode, em competição, oferecer vantagens sobre os demais (preços *competitivos*).

compilador (com.pi.la.*dor*) [ô] *a.sm.* **1** Que ou quem compila, junta elementos: *compilador dos textos de um livro*. *sm.* **2** *Inf.* Programa que converte instruções escritas em linguagem de programação para linguagem de máquina, ou executável.

compilar (com.pi.*lar*) *v. td.* **1** Coletar ou reunir em um só texto (dados, escritos, leis etc.): *O estagiário compilou material sobre Anita Garibaldi*. **2** *Inf.* Converter (programa em linguagem de alto nível) para linguagem de máquina. [▶ 1 compilar] ● **com.pi.***la***.ção** *sf.*

complacência (com.pla.*cên*.ci:a) *sf.* **1** Aceitação ou tendência a aceitar o comportamento dos outros, mesmo sem concordar com ele; TOLERÂNCIA: *complacência com os erros dos amigos*. **2** Disposição para fazer concessões; TRANSIGÊNCIA: *Sua complacência tem nos ajudado nas negociações*. ● **com.pla.***cen***.te** *a2g.*

compleição (com.plei.*ção*) *sf.* **1** Características físicas de alguém (*compleição* franzina). **2** Traço da personalidade (*compleição* severa); TEMPERAMENTO. [Pl.: *-ções*.]

complementar¹ (com.ple.men.*tar*) *a2g.* Que completa algo, que serve como complemento (instrução *complementar*, lei *complementar*).

complementar² (com.ple.men.*tar*) *v.* Acrescentar (algo) a ou fazer-se completo; COMPLETAR(-SE). [*td.*: *O vale-transporte complementa o salário. pr.*: *O diagnóstico complementou-se* com o hemograma.] [▶ **1** complementar] ● **com.ple.men.ta.***ção*** *sf.*

complemento (com.ple.*men*.to) *sm.* **1** Aquilo que complementa algo: *Trabalhou horas extras para ter um complemento do salário*. **2** O que serve como acabamento; REMATE: *Não terminou a pintura, faltam alguns complementos*. **3** *Gram.* Palavra ou expressão que completa ou amplia o sentido de um verbo ou substantivo (*complemento* verbal/nominal).

completar (com.ple.*tar*) *v.* **1** Preencher(-se) ou inteirar(-se), tornar (reciprocamente) completo. [*td.*: *completar* o tanque/o orçamento. *pr.*: *O côncavo e o convexo se completam*.] **2** Levar a termo; CONCLUIR(-SE); TERMINAR. [*td.*: *Um agente completará a missão. pr.*: *O ciclo não se completou*.] **3** Atingir (idade, valor etc.). [*td.*: "Amaro *completava* então seis anos." (Eça de Queirós, *O crime do padre Amaro*).] [▶ **1** completar] ● **com.ple.***tu***.de** *sf.*

completo (com.*ple*.to) *a.* **1** A que nada falta para ser ou estar como deveria; ACABADO. **2** Que atingiu o máximo; PERFEITO; TOTAL: *A liquidação foi um sucesso completo*. **3** Que tem todas as habilidades esperadas para exercer uma atividade: *um cantor completo*. **4** Que abrange todas as modalidades ou etapas possíveis: *revisão completa de um carro*.

complexado (com.ple.*xa*.do) [cs] *a.sm.* Que ou quem tem complexo (4).

complexidade (com.ple.xi.*da*.de) [cs] *sf.* Qualidade do que ou de quem é complexo (1 e 2): *a complexidade de um problema*. [Ant.: *simplicidade*.]

complexo (com.*ple*.xo) [cs] *a.* **1** Que é difícil; COMPLICADO. [Ant.: *simples*.] *a.sm.* **2** Que ou aquilo que é formado por várias partes reunidas, ger. com diversos tipos de relações entre elas (estrutura *complexa, complexo* esportivo). **3** *Ling.* Em qualquer nível da língua, que (ref. a termo) ou o termo que é analisável em mais de um constituinte (no nível fonético, p.ex., a palavra "pó" é *complexa* porque possui dois constituintes: a consoante /p/ e a vogal /ó/. [Ver tb. *simples*.] **4** *Psi.* Conjunto de sentimentos e ideias que influencia (ger. negativamente) o comportamento de alguém: *complexo de inferioridade*.

complicação (com.pli.ca.*ção*) *sf.* **1** Ação ou resultado de complicar(-se), de tornar(-se) confuso ou difícil: *complicação da situação econômica*. **2** Qualidade do que é complicado; CONFUSÃO: *a complicação de um mapa rodoviário*. **3** Situação complicada; ENRASCADA: *Não sei como sair dessa complicação*. **4** *Med.* Agravamento do quadro médico de um paciente: *Tivera complicações cardíacas*. [Pl.: *-ções*.]

complicado (com.pli.*ca*.do) *a.* Que é confuso, difícil, enredado (algo ou alguém) (situação *complicada*, texto *complicado*); COMPLEXO. [Ant.: *simples*.]

complicar (com.pli.*car*) *v*. **1** Tornar(-se) mais difícil, confuso ou complexo. [*td*.: *A chuva complicou o trânsito*. *pr*.: *A vida moderna complicou-se*.] **2** Dificultar a solução de. [*td*.: *O atentado complica a crise política no país*.] [▶ **11** compli*car*] • com.pli.ca.*dor a.sm*.

complô (com.*plô*) *sm*. **1** Acordo feito por um grupo de pessoas para prejudicar alguém. **2** Esse tipo de acordo feito contra uma instituição: *complô contra um governo*.

componente (com.po.*nen*.te) *a2g.sm*. **1** Que ou aquilo que faz parte de um conjunto organizado: *as peças componentes de um motor; os componentes do computador*. *a2g.s2g*. **2** Que ou quem participa de um grupo; INTEGRANTE: *as cantoras componentes do coral*.

compor (com.*por*) [ô] *v*. **1** Formar, constituir (pela união de partes ou elementos), ou ser constituído de. [*td*.: *O delegado compôs uma unidade de elite*. *pr*.: *O corpo compõe-se de células*.] **2** Criar artisticamente (ger. música ou poesia): *O sambista compôs um grande sucesso*; (tb. sem objeto explícito) *Desde quando você compõe?*] **3** Integrar, entrar na constituição de; CONSTITUIR. [*td*.: *Aqueles intelectuais compõem a banca*.] **4** Fazer entrar ou entrar em acordo; conciliar(-se). [*td*.: *A ONU compôs os países litigantes*. *tdi*. + *com*: *A mãe conseguiu compor o pai com o filho*. *pr*.: *O governo compôs-se com a oposição*.] **5** Pôr-(se) em ordem; ARRUMAR(-SE). [*td*.: *compor arranjos florais*. *pr*.: "*O deputado subiu ao quarto para se compor...*" (Machado de Assis, *Esaú e Jacó*).] **6** Transformar (textos originais de livro, jornal etc.) em textos graficamente organizados por tipo e tamanho de letra, largura de coluna etc., armazenados de forma a permitir sua posterior organização em páginas, arquivos etc. [*td*.: *compor um texto (em duas colunas)*.] [▶ **60** com|*por*. Part.: *composto*.]

comporta (com.*por*.ta) *sf*. Tipo de porta que regula a saída de água de uma barragem. [Us. ger. no pl.]

comportado (com.por.*ta*.do) *a*. Ver *bem-comportado*.

comportamento (com.por.ta.*men*.to) *sm*. Modo de agir, em geral ou em uma determinada situação; CONDUTA: *Seu comportamento é exemplar*. • com.por.ta.men.*tal a2g*.

comportar (com.por.*tar*) *v*. **1** Agir ou portar-se (de determinada maneira). [*pr*.: *O lutador já se comportava como campeão*.] **2** Proceder de forma correta ou esperada. [*pr*.: *A menina prometeu comportar-se*.] **3** Ter capacidade para receber ou acomodar. [*td*.: *O tanque comporta setenta litros de gasolina*.] **4** Poder conter (em si); ADMITIR. [*td*.: *A boa redação comercial não comporta muitos adjetivos*.] [▶ **1** comport|*ar*]

composição (com.po.si.*ção*) *sf*. **1** Ação ou resultado de compor. **2** Conjunto dos elementos que compõem algo: *A composição química da água é H₂O*. **3** Redação. **4** Obra musical ou literária: *as composições de Caetano Veloso*. **5** *Gram*. Reunião de palavras (ou de partes de palavras) para criar uma outra, com nova significação (p.ex., pé de moleque, vinagre). [Pl.: -ções.] [Cf.: *justaposição* e *aglutinação*.]

compositor (com.po.si.*tor*) [ô] *a.sm*. Que ou quem compõe uma música, ou se dedica à composição de músicas: *Bach é um compositor famoso*.

composta (com.*pos*.ta) *sf*. *Bot*. Espécime de uma família muito variada de ervas e arbustos que podem ser daninhos, medicinais, alimentícios etc.

composto (com.*pos*.to) [ô] *a*. **1** Formado por mais de um elemento (fórmula *composta*). **2** *Gram*. Que é formado pela junção de duas ou mais palavras: '*Beija-flor*' *é uma palavra composta*. *sm*. **3** Substância composta (1). [Fem. e pl.: [ó].]

compostura (com.pos.*tu*.ra) *sf*. Comportamento correto e adequado a uma situação; COMEDIMENTO.

compota (com.*po*.ta) *sf*. Doce de frutas cozidas em calda açucarada.

compoteira (com.po.*tei*.ra) *sf*. **1** Pote para guardar compota. **2** O conteúdo de uma compoteira: *Devoraram uma compoteira de goiaba*.

compra (*com*.pra) *sf*. **1** Ação ou resultado de comprar; AQUISIÇÃO. **2** O que se comprou: *Mandou entregar as compras no escritório*. 🔲 **compras** *sfpl*. **3** Evento de percorrer lojas para comprar diversos produtos: *Depois de tomar banho, vou às compras*.

comprar (com.*prar*) *v*. **1** Adquirir (algo) em troca de pagamento. [*td*.: *Compramos um sítio*; (tb. sem complemento explícito) *Comprar em shopping é mais seguro*. *tdi*. + *a, de*: *Comprou a casa do irmão*.] **2** Conseguir à custa de esforço. [*td*.: *Comprou sossego indo morar sozinho*.] **3** Dar propina a; SUBORNAR. [*td*.: *O marginal comprou a testemunha*.] **4** Aceitar ou acreditar em (história, desculpa etc.). [*td*.: *Ninguém comprou aquela versão dos fatos*.] **5** Sacar (carta de baralho, peças) em certos jogos. [*td*.: *Comprei um sete de ouros*.] [▶ **1** compr|*ar*] • com.*pra*.do *a*.; com.pra.*dor a.sm*.

comprazer-se (com.pra.*zer*-se) *v. pr*. Sentir alegria ou prazer; deleitar-se: *A avó comprazia-se em divertir os netos com suas histórias*. [▶ **37** com|*prazer*-se] [NOTA: Apresenta tb. as variantes *comprazi* etc. (pret. perf.), e suas derivações.]

compreender (com.pre.en.*der*) *v. td*. **1** Alcançar (com o raciocínio, a inteligência), perceber o sentido de; assimilar com clareza; ENTENDER: *compreender uma explicação/um problema/uma situação*. **2** Proceder de modo compreensivo ou tolerante em relação a: "*Tente compreender seu pai*, acrescentou..." (João Ubaldo Ribeiro, *Diário do farol*). **3** Incluir ou conter em si; ABRANGER: *O processo de seleção compreende duas etapas*. [▶ **2** compreen|*der*]

compreensão (com.pre.en.*são*) *sf*. **1** Ação ou resultado de compreender: *Ele tem uma compreensão rápida*. **2** Habilidade de perceber o significado de algo: *Adquiriu boa compreensão do inglês*. **3** O domínio de um assunto: *A minha compreensão da astronomia é mínima*. **4** Atitude e disposição de aceitar e respeitar questões alheias; INDULGÊNCIA: *Posso contar com a sua compreensão quanto ao meu atraso?* [Pl.: -sões.]

compreensível (com.pre.en.*si*.vel) *a2g*. Que pode ser compreendido; INTELIGÍVEL. [Pl.: -veis.]

compreensivo (com.pre.en.*si*.vo) *a*. **1** Que compreende, abrange grupos, situações etc. **2** Que tem ou demonstra compreensão (4); INDULGENTE: *Gostava do aluno, e foi muito compreensivo (com ele)*.

compressa (com.*pres*.sa) *sf*. Pano, gaze ou algodão (umedecido com medicamento ou não) que é aplicado sobre a pele para limpá-la, tratar feridas, baixar febre etc.

compressão (com.pres.*são*) *sf*. Ação ou resultado de comprimir, de aplicar pressão sobre algo. [Pl.: -sões.] • com.pres.*sí*.vel *a2g*.; com.pres.si.bi.li.da.de *sf*.

compressor (com.pres.*sor*) [ô] *a.sm*. **1** Que ou aquilo que comprime: *um rolo compressor*; *compressor de ar*. *sm*. **2** F. red. de *rolo compressor*.

comprido (com.*pri*.do) *a*. **1** De grande extensão no sentido do comprimento (caminho *comprido*, dedos *compridos*); LONGO. **2** Extenso no sentido da altura (árvore *comprida*, rapaz *comprido*); ALTO. **3** De longa duração: *explicação comprida e cansativa*.

comprimento (com.pri.*men*.to) *sm*. Extensão de algo no sentido longitudinal, ou de ponta a ponta: *tábuas com dois metros de comprimento; o comprimento de uma ferrovia*.

comprimido (com.pri.*mi*.do) *a*. **1** Que se comprimiu (ar *comprimido*). *sm*. **2** Pastilha de remédio.

comprimir (com.pri.*mir*) *v*. **1** Compactar(-se) por meio ou efeito de pressão; APERTAR(-SE). [*td*.: *O peso* *comprimiu as molas do colchão*. *pr*.: "Na entrada do anfiteatro *comprimia-se* a multidão..." (Raul Pompeia, *O Ateneu*).] **2** *Fig.* Refrear ou impedir expansão, crescimento etc. [*td*.: *A importação comprime a demanda pelo produto nacional*.] [▶ **3** comprim**ir**] ● com.pri.*mí*.vel *a2g.*

comprobatório (com.pro.ba.*tó*.ri:o) *a.* Que serve para comprovar algo (documento comprobatório).

comprometer (com.pro.me.*ter*) *v.* **1** Ter efeito negativo sobre; PREJUDICAR. [*td*.: *Noites mal dormidas comprometem a saúde*.] **2** Obrigar(-se) por compromisso. [*tdi*. + *a*, *com*, *em*: *A lei compromete o cidadão ao pagamento de impostos*. *pr*.: "...*comprometia-se a cobrar o aluguel dos outros inquilinos*..." (Aluísio Azevedo, *Casa de pensão*).] **3** Expor (alguém ou a si próprio) a situação constrangedora ou perigosa; envolver(-se). [*td*.: *Calou-se para não comprometer o amigo*. *tdi*. + *em*: *Seu testemunho comprometeu o chefe nas irregularidades*. *pr*.: *Comprometeu-se ao falar o que não devia*.] **4** Empenhar ou arriscar (palavra, honra, dinheiro etc.). [*td*.: *Para fazer o negócio, comprometi todas as minhas economias*.] [▶ **2** comprometer] ● com.pro.me.te.*dor* *a.*; com.pro.me.ti.*men*.to *sm.*

compromisso (com.pro.*mis*.so) *sm.* **1** Acordo entre pessoas que as obriga a fazer algo: *Temos o compromisso de ajudá-lo*; "Lúcia não tinha compromissos para comigo..." (José de Alencar, *Lucíola*). **2** Obrigação social: *Tinha muitos compromissos*.

comprovação (com.pro.va.*ção*) *sf.* **1** Ação ou resultado de comprovar, de demonstrar que uma informação é verdadeira: *Esforçou-se na comprovação do que afirmara*. **2** O serve para comprovar; PROVA: *Usou os recibos como comprovação do pagamento*. [Pl.: -ções.]

comprovante (com.pro.*van*.te) *a2g.sm.* Que ou aquilo que comprova: *comprovante de residência*.

comprovar (com.pro.*var*) *v.* Atestar a veracidade de; confirmar com provas. [*td*.: "Tenho exames que comprovam a contusão." (FolhaSP, 31.08.99). *tdi*. + *a*, *para*: *Falta ainda comprovar o milagre para os fiéis*.] [▶ **1** comprov**ar**]

compulsão (com.pul.*são*) *sf.* **1** *Psi.* Impulso repetitivo e difícil de controlar; tendência a ter esse impulso: *compulsão para a bebida/de comer*. **2** Ação ou resultado de compelir, coagir, forçar: *Pressionado pelo amigo, não resistiu à compulsão*. [Pl.: -sões.]

compulsar (com.pul.*sar*) *v. td.* Examinar, consultar ou folhear (textos, documentos etc.): *A comissão compulsou os currículos*. [▶ **1** compuls**ar**]

compulsivo (com.pul.*si*.vo) *a.* Ref. a compulsão (comportamento compulsivo). *a.sm.* **2** Que ou quem tem compulsão (1).

compulsória (com.pul.*só*.ri:a) *sf.* Aposentadoria obrigatória, por idade.

compulsório (com.pul.*só*.ri:o) *a.* **1** Que é obrigatório (contribuição compulsória). *sm.* **2** Imposto, depósito bancário etc. criado pelo governo federal, e que é temporário e obrigatório.

compunção (com.pun.*ção*) *sf.* **1** Sentimento de profundo pesar. **2** Sentimento de culpa por ter cometido ação má ou condenável; ARREPENDIMENTO. [Pl.: -ções.]

compungir (com.pun.*gir*) *v.* **1** Despertar pesar, enternecimento ou compaixão em; COMOVER. [*td*.: *O drama dos desabrigados compungiu a cidade*.] **2** Sentir-se pesaroso, aflito ou moralmente arrependido. [*pr*.: *Foi cruel, e não se compungiu*.] [▶ **46** compun**gir**]

computação (com.pu.ta.*ção*) *sf.* **1** *Inf.* Os conhecimentos ref. à construção e uso de computadores. **2** Ação ou resultado de computar, de fazer cálculos, registrar ou processar informações. [Pl.: -ções.] ▪ ~ **gráfica** *Inf.* Técnica e atividade de usar recursos de computação (1) na criação, animação, armazenamento e apresentação de imagens. ● **com.pu.ta.ci:o.***nal* *a2g.*

computador (com.pu.ta.*dor*) [ó] *sm. Inf.* Aparelho eletrônico que funciona a partir de princípios matemáticos e pode ser programado para desempenhar tarefas variadas, como armazenar, processar, buscar, classificar, organizar, formatar e apresentar informações.

computadorizado (com.pu.ta.do.ri.*za*.do) *a.* **1** Que é feito com o auxílio de ou exclusivamente por computadores (cálculo computadorizado, imagem computadorizada). **2** Que é operado por computadores (alarme computadorizado). **3** Equipado com computadores (escritório computadorizado); INFORMATIZADO.

computadorizar (com.pu.ta.do.ri.*zar*) *v. td. Inf.* Automatizar (por meio de computadores); INFORMATIZAR: *O gerente computadorizou o setor de vendas*. [▶ **1** computadoriz**ar**]

computar (com.pu.*tar*) *v. td.* **1** Calcular o montante; CONTAR: *computar os votos*. **2** *Inf.* Processar ou analisar (em computador): *computar os dados de uma pesquisa*. [▶ **1** comput**ar**]

cômputo (*côm*.pu.to) *sm.* **1** Ação ou resultado de computar (1), de contar; CONTAGEM: *cômputo dos inativos*. **2** Ação ou resultado de computar (2): *cômputo do lucro da empresa*.

comum (co.*mum*) *a2g.* **1** Que ou o que (coisa, atitude etc.) segue o padrão geral e habitual, sem se distinguir em sua espécie; banal, costumeiro, trivial: *um restaurante comum*; *Adotou o procedimento comum nesses casos*. **2** Que é muito frequente; costumeiro, USUAL: *defeito comum em automóveis*. **3** Que pertence ou se estende a mais de um, a muitos ou a todos (patrimônio comum, interesse comum, amigo comum). **4** *Ling.* Que nomeia classes de seres com propriedades relativamente constantes e essenciais (diz-se de substantivo) (p.ex.: mesa, gato, nuvem). [Cf.: *próprio*.] *sm.* **5** Aquilo que é habitual: *O comum aqui é chover todo dia*. [Pl.: -*muns*. Superl.: *comuníssimo*.]

comum de dois (co.mum de *dois*) *a2g. Ling.* Que tem uma só forma para o masculino e para o feminino (diz-se de substantivo) (p.ex., a palavra *artista* é comum de dois: *o artista/a artista*). [Pl.: *comuns de dois*.] [Cf.: *epiceno* e *sobrecomum*.]

comuna (co.*mu*.na) *sf.* **1** *Hist.* Cidade medieval emancipada, que podia se governar. **2** Pequena divisão administrativa na França e em Portugal. *s2g.* **3** *Bras. Pop.* Adepto do comunismo; COMUNISTA.

comungante (co.mun.*gan*.te) *a2g.s2g.* Que ou quem comunga.

comungar (co.mun.*gar*) *v.* **1** *Rel.* Administrar ou receber o sacramento da eucaristia, a hóstia. [*td*.: *comungar os fiéis*. *int*.: *O jovem confessou-se antes de comungar*.] **2** Compartilhar (sentimentos, ideias etc.). [*ti*. + *com*, *de*: *José não comunga com as ideias radicais do irmão*.] [▶ **14** comung**ar**]

comunhão (co.mu.*nhão*) *sf.* **1** Coincidência de objetivos, gostos etc.: *Estão em perfeita comunhão de ideias*. **2** Posse mútua; COMPARTILHAMENTO: *casamento em comunhão de bens*. **3** *Rel.* Ação ou resultado de comungar, de receber a eucaristia. **4** *Rel.* O momento, numa missa, em que se comunga. [Pl.: -*nhões*.]

comunicação (co.mu.ni.ca.*ção*) *sf.* **1** Ação ou resultado de comunicar(-se), de transmitir e receber mensagens: *Precisamos melhorar a comunicação entre os departamentos*. **2** Mensagem transmitida: *Chegou uma comunicação do escritório central*. **3** O conceito, a capacidade, o processo e as técnicas de transmitir e receber ideias, mensagens etc., com vistas a ministrar e trocar informações e conhecimento, formar opinião etc.: *A boa comunicação é condição básica para o desenvolvimento de uma sociedade*. **4** Capacidade de dialogar; ENTENDIMENTO: *A* *comunicação* entre casais é essencial. **5** Ligação, passagem (entre dois lugares): *Este quarto tem comunicação com a biblioteca.* [Pl.: *-ções.*] ■ **a comunicações** *sfpl.* **6** Meios técnicos instalados para estabelecer comunicação (3); TELECOMUNICAÇÕES: *As comunicações têm progredido muito.* **7** Meios de transporte: *Com as enchentes, as comunicações terrestres entraram em colapso.* ■■ **~ de massa** Comunicação (3) endereçada a um grande e heterogêneo público, valendo-se de meios apropriados (televisão, rádio, jornal etc.).

comunicado (co.mu.ni.ca.do) *sm.* **1** Informação transmitida pelos meios de comunicação (*comunicado* oficial). *a.* **2** Que se comunicou, transmitiu: *A notícia comunicada não foi esta.*

comunicador (co.mu.ni.ca.*dor*) [ô] *a.* **1** Que comunica, que envia e recebe mensagens (dispositivo *comunicador*). *sm.* **2** Aquele que apresenta programas de televisão, rádio etc. **3** Especialista em comunicação (3); COMUNICÓLOGO.

comunicar (co.mu.ni.*car*) *v.* **1** Transmitir ou divulgar (informação). [*td.*: *O secretário comunicou que as praias estão liberadas. tdi.* + *a, para: comunicar uma decisão a todos.*] **2** Estar ou entrar em comunicação (1), entendimento com. [*pr.*: *Comunique-se com o gerente da loja.*] **3** Estabelecer ou ter conexão entre (lugares); UNIR(-SE). [*tdi.* + *com: Um corredor comunicava a sala com os quartos. pr.: Atlântico e Pacífico comunicam-se pelo canal do Panamá.*] [▶ **11** comuni*car*]. ● **co.mu.ni.can.te** *a2g.*

comunicativo (co.mu.ni.ca.*ti*.vo) *a.* Que tem facilidade para se comunicar com outras pessoas; SOCIÁVEL. [Ant.: *retraído, tímido.*]

comunicável (co.mu.ni.cá.vel) *a2g.* Que pode ser comunicado: *Este relatório é comunicável; veja outro, sigiloso.* [Pl.: *-veis.*] ● **co.mu.ni.ca.bi.li.da.de** *sf.*

comunicólogo (co.mu.ni.*có*.lo.go) *sm. Bras.* Pessoa formada em curso de comunicação (3) ou que conhece muito o assunto; COMUNICADOR.

comunidade (co.mu.ni.*da*.de) *sf.* **1** Qualidade, ou condição do que é comum: *comunidade de objetivos.* **2** Conjunto de pessoas que partilham, ger. em determinado contexto geográfico, o mesmo hábitat e/ou religião, e/ou cultura, e/ou tradições, e/ou interesses etc.: *comunidade da Rocinha*, a *comunidade judaica.*

comunismo (co.mu.*nis*.mo) *sm. Econ. Pol.* Sistema e ideologia política, social e econômica que se baseiam na propriedade coletiva, na distribuição dos bens segundo as necessidades individuais e no fim das classes sociais. ● **co.mu.nis.ta** *a2g.s2g.*

comunitário (co.mu.ni.*tá*.ri.o) *a.* Ref. a, de ou próprio de comunidade (2) (instituições *comunitárias*).

comutação (co.mu.ta.*ção*) *sf.* **1** Substituição, troca. **2** *Jur.* Redução ou atenuação de uma pena. **3** *Ling.* Substituição de uma unidade linguística por outra, na mesma construção, para verificar se assim se chega a outra forma da língua (p.ex., em *cantava*, do imperfeito do indicativo, ao se substituir a desinência *-va* pela desinência *-sse*, muda-se o modo verbal, passando ao imperfeito do subjuntivo: *cantasse*). **4** *Elet.* Em corrente elétrica, conversão de alternada em contínua e vice-versa, ou inversão de sentido, ou abertura e fechamento de terminais de um circuito. **5** *Inf.* Estabelecimento de conexão discada entre um computador e um terminal. [Pl.: *-ções.*]

comutador (co.mu.ta.*dor*) [ô] *a.* **1** Que comuta. *sm.* **2** *Elet.* Interruptor.

comutar (co.mu.*tar*) *v.* Substituir (uma coisa por outra); TROCAR. [*td.*: *O videoclipe comutava imagens em ritmo vertiginoso. tdi.* + *por: comutar bens por serviços.*] **2** *Jur.* Atenuar ou tornar mais branda (penalidade). [*td.*: *comutar uma pena.*] [▶ **1** comu*tar*]

comutatividade (co.mu.ta.ti.vi.*da*.de) *sf. Mat.* Propriedade de uma operação matemática segundo a qual a ordem de operação dos elementos não altera o resultado.

comutável (co.mu.*tá*.vel) *a2g.* Que se pode comutar. [Pl.: *-veis.*] ● **co.mu.ta.bi.li.da.de** *sf.*

concatenação (con.ca.te.na.*ção*) *sf.* Ação ou resultado de concatenar; ligação de fatos, ideias etc. entre si: *A concatenação dos acontecimentos levou à descoberta do crime.* [Pl.: *-ções.*]

concatenar (con.ca.te.*nar*) *v. td.* Articular de forma apropriada; ENCADEAR: *Nervoso, não concatenava bem as frases.* [▶ **1** concate*nar*]

concavidade (con.ca.vi.*da*.de) *sf.* Qualidade ou estado do que é côncavo: *a concavidade de uma lente.* [Ant.: *convexidade.*]

côncavo (*côn*.ca.vo) *a.* Que tem a superfície mais funda no centro do que na borda. [Ant.: *convexo.*]

CÔNCAVO

conceber (con.ce.*ber*) *v. td.* **1** Compreender, aceitar: "...não *concebiam* que se pudesse viver sem ler..." (Ana Maria Machado, *Texturas*). **2** Formar na mente (ideia, pensamento): *Concebeu a hipótese de renunciar.* **3** Criar, inventar ou imaginar (algo): *conceber um novo sistema de segurança.* **4** Gerar (embrião): *conceber gêmeos.* [▶ **2** conce*ber*] ● **con.ce.bí.vel** *a2g.*

conceder (con.ce.*der*) *v.* **1** Dar, conferir ou outorgar (algo). [*td.*: *O juiz concedeu que o rapaz saísse da cidade. tdi.* + *a: Concedeu mais autonomia ao vice.*] **2** Permitir, dar consentimento a. [*td./tdi.* + *a:* "...(lhe) *concedia* certas intimidades..." (João Ubaldo Ribeiro, *Diário do farol*).] **3** Admitir ou reconhecer (ideias, opiniões, atitudes). [*td.*: *Concedo que fui um pouco grosseiro.*] [▶ **2** conce*der*]

conceição (con.cei.*ção*) *sf. Rel.* **1** Concepção sem pecado de Maria. **2** Festa que comemora esse evento. [Nesta acp., com inicial maiúsc.] [Pl.: *-ções.*]

conceito (con.*cei*.to) *sm.* **1** Entendimento que se tem sobre algo ou alguém; sua formulação por meio de palavras; IDEIA; CONCEPÇÃO; DEFINIÇÃO: *O conceito de liberdade varia entre os povos.* **2** Opinião que se tem sobre alguém; REPUTAÇÃO: *Aquele médico tem bom conceito entre os clientes.* **3** Frase com conteúdo moral; MÁXIMA. **4** No meio educacional, avaliação do aproveitamento do estudante expresso por letras: *A maioria dos alunos teve conceito B.* **5** Em charadas, a parte em que se indica a chave para sua solução. ● **con.cei.tu:al** *a2g.*

conceituado (con.cei.tu.*a*.do) *a.* Que tem boa reputação: *Niemeyer é um arquiteto conceituado.*

conceituar (con.cei.tu.*ar*) *v. td.* **1** Formar ou exprimir conceito, definição ou explicação para: *Como conceituar a arte moderna?* **2** Contribuir para formação de conceito (bom ou mau) sobre: *Seu comportamento o conceituava bem entre os colegas.* [▶ **1** conceitu*ar*] ● **con.cei.tu.a.***ção* *sf.*

conceituoso (con.cei.tu:*o*.so) [ô] *a.* Que contém conceito (3). [Fem. e pl.: [ó].]

concentração (con.cen.tra.*ção*) *sf.* **1** Ação ou resultado de concentrar(-se). **2** Reunião de muitas pessoas ou objetos em um determinado lugar: *Há uma grande concentração de veículos na ponte.* [Ant. nesta acp.: *dispersão.*] **3** *Esp.* Isolamento de esportistas antes de um jogo ou de uma competição: *A concentração para as Olimpíadas será longa.* **4** *Esp.* Lugar onde ficam esses esportistas em concentração (3): *A concentração da seleção brasileira foi em Teresópolis.* **5** Mobilização de energia e atenção para um objetivo determinado: *Sem concentração não conseguirá passar no concurso; concentração nos objetivos.* [Pl.: *-ções.*]

concentrado (con.cen.*tra*.do) *a.* **1** Reunido num mesmo centro ou ponto: *sambistas concentrados para o desfile.* [Ant. nesta acp.: *disperso.*] **2** Que contém grande quantidade de substâncias dissolvidas (diz-se de líquido): *suco de frutas concentrado.* **3** Muito atento; ABSORTO: *um cientista concentrado nas suas pesquisas.* [Ant. nesta acp.: *dispersivo.*] *a.sm.* **4** Que ou aquele que teve o volume reduzido pela extração da água (diz-se de alimento): *caldo de galinha concentrado.*

concentrar (con.cen.*trar*) *v.* **1** Fazer convergir ou convergir (para um único ponto ou lugar). [*tdi.* + *em: Concentrou numa sf frase toda a sua ideia. pr.: Os alunos concentraram-se no pátio.*] **2** Dedicar (grande atenção ou esforço) a. [*tdi.* + *em: "João concentrava toda sua atenção no que ouvia..."* (Antonio Callado, *Bar Don Juan*).] **3** Evitar pensamentos ou atitudes dispersivas. [*pr.: Você precisa aprender a se concentrar mais.*] **4** Tornar mais denso, mais forte ou menos diluído. [*td.: concentrar o molho.*] **5** *Esp.* Reunir-se (time) em local isolado antes de uma partida ou durante competição. [*pr.: Onde a seleção vai se concentrar?*] [▶ **1** concentr**ar**]

concêntrico (con.*cên*.tri.co) *a. Geom.* Que tem o mesmo centro (círculos *concêntricos*). ● **con.cen.tri.ci.***da***.de** *sf.*

concepção (con.cep.*ção*) *sf.* **1** Geração de um ser vivo: *a concepção de uma criança.* **2** Ação ou resultado de conceber; CONCEITO (1). [Pl.: *-ções*.]

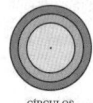

CÍRCULOS CONCÊNTRICOS

concernir (con.cer.*nir*) *v. ti.* Dizer respeito a. [+ *a: Minha vida particular concerne somente a mim.*] [▶ **50** concern**ir**]. ◊ Us. somente na 3ª pess. do sing. e do pl.] ● **con.cer.***nen***.te** *a2g.*

concertar (con.cer.*tar*) *v. td.* **1** Chegar a acordo em relação a; CONCILIAR: *Prefeito e governador concertaram suas posições.* **2** Combinar ou predeterminar (linha de ação ou evento futuro): *Os sócios concertaram um plano para salvar a empresa.* **3** Fazer ficar harmônico, disposto de forma correta; ENDIREITAR: *Concertou o cabelo na hora da foto.* [▶ **1** concert**ar**] [Cf.: *consertar.*]

concertina (con.cer.*ti*.na) *sf. Mús.* Instrumento parecido com o acordeão, de formato hexagonal e com dois teclados de botões.

concertista (con.cer.*tis*.ta) *s2g.* Músico que se apresenta em concerto(s) (2).

concerto (con.*cer*.to) [*ê*] *sm.* **1** *Mús.* Obra musical para instrumento(s) solista(s) e orquestra: *concerto para flauta.* **2** *Mús.* Apresentação pública de obras musicais: *O concerto foi um sucesso.* **3** Condição de harmonia e arrumação; ARRANJO; ORDEM: *dar concerto à balbúrdia.* **4** Conjunto abrangente, totalidade de algo: *o concerto das nações.*

concessão (con.ces.*são*) *sf.* **1** Ação ou resultado de conceder (1); AUTORIZAÇÃO; LICENÇA: *Obteve concessão para abrir uma franquia.* **2** Permissão oficial para exploração de bens naturais ou serviços públicos: *concessão de um canal de televisão.* **3** Ação ou resultado de conceder (2), de permitir alguma coisa por tolerância: *O casal fez concessões mútuas para manter a união.* [Pl.: *-sões.*]

concessionária (con.ces.si.o.*ná*.ri:a) *sf.* **1** *Bras.* Empresa que comercializa veículos de uma determinada marca. **2** Empresa que recebeu uma concessão: *concessionária das barcas.*

concessionário (con.ces.si:o.*ná*.ri:o) *a.sm.* Que ou quem tem uma concessão (2); *concessionário para limpeza pública.*

concessivo (con.ces.*si*.vo) *a. Gram.* Diz-se da conjunção subordinativa que expressa uma dificuldade que não impede um fato (p.ex.: *embora*).

concessor (con.ces.*sor*) [*ô*] *a.sm.* Que ou quem concede ou faz concessão.

concha (*con*.cha) *sf.* **1** *Anat. Zool.* Envoltório curvo e rígido de certos moluscos, como caracóis e mariscos. **2** Colher grande e funda para servir sopas e outros alimentos líquidos. ⌘ ~ **acústica** *Arq.* Construção em lugar aberto, em forma de concha (1), que serve para refletir o som na direção do público presente.

conchavo (con.*cha*.vo) *sm.* Acordo, ajuste (ger. com objetivo interesseiro ou ilícito): *Fizeram um conchavo para vencer a concorrência.*

conchegar (con.che.*gar*) *v.* Aproximar(-se) de, apertar(-se) contra; ACONCHEGAR(-SE). [*tdi.* + *a: Conchegou o filho ao peito. pr.: Os filhotes conchegavam-se à gata.*] [▶ **14** concheg**ar**]

concidadão (con.ci.da.*dão*) *sm.* Pessoa que é da mesma cidade ou país que outra. [Pl.: *-dãos.* Fem.: *-dã.*]

conciliábulo (con.ci.li:*á*.bu.lo) *sm.* Reunião secreta com objetivos maléficos; CORRILHO.

conciliação (con.ci.li:a.*ção*) *sf.* Harmonização entre pessoas, coisas ou ideias: *conciliação de horários/entre as partes.* [Pl.: *-ções.*] ● **con.ci.li:a.***tó***.ri:o** *a.*

conciliador (con.ci.li:a.*dor*) [*ô*] *a.sm.* Que ou quem tem tendência para conciliar (temperamento *conciliador*); APAZIGUADOR: *Paulo é o conciliador da família.*

conciliar (con.ci.li.*ar*) *v.* **1** Combinar, compatibilizar (coisas diferentes). [*td.: conciliar trabalho e estudos. tdi.* + *a, com: Os pais conciliavam o rigor com a tolerância.*] **2** Harmonizar; pôr de acordo; reconciliar. [*td.: O juiz conciliara marido e mulher. tdi.* + *a, com: conciliar o interesse dos patrões com as reivindicações dos empregados. int.: Um político sempre disposto a conciliar. pr.: Depois da conversa, eles se conciliaram-se.*] **3** Conseguir atingir (o sono). [*td.*] [▶ **1** concili**ar**] ● **con.ci.li:a.***ção* *sf.*; **con.ci.li:***á***.vel** *a2g.*

concílio (con.*cí*.li:o) *sm. Rel.* Assembleia de bispos católicos, aprovada pelo papa, para deliberar sobre fé, doutrina, costumes e disciplina.

concisão (con.ci.*são*) *sf.* Brevidade e exatidão no falar e no escrever. [Ant.: *prolixidade.*] [Pl.: *-sões.*]

conciso (con.*ci*.so) *a.* **1** Breve e preciso na forma escrita ou oral (texto *conciso*, discurso *conciso*). **2** Que se expressa de forma concisa (escritor *conciso*). [Ant.: *prolixo, verboso.*]

concitar (con.ci.*tar*) *v. tdi.* **1** Convocar, exortar, instigar. [+ *a: Concitou a população a participar da campanha.*] **2** Concitar (1) a algo negativo. [+ *a: Concitou-os a desobedecer.*] [▶ **1** concit**ar**]

conclamar (con.cla.*mar*) *v. td.* **1** Convocar, incitar, chamar: (seguido ou não de indicação de finalidade) *O ministro conclamou a população (para colaborar no combate ao dengue).* **2** Declarar conjuntamente; ACLAMAR: *conclamar um herói/um líder.* [▶ **1** conclam**ar**] ● **con.cla.ma.***ção* *sf.*

conclave (con.*cla*.ve) *sm.* **1** *Rel.* Reunião de cardeais para eleger o papa. **2** Reunião para discussão de um tema importante; ENCONTRO.

concludente (con.clu.*den*.te) *a2g.* Que conclui, prova, demonstra (prova *concludente*); CONVINCENTE; DECISIVO.

concluir (con.clu.*ir*) *v.* **1** Finalizar, terminar de fazer. [*td.: concluir uma leitura/um percurso.*] **2** Deduzir, inferir, chegar à conclusão. [*td.: "Logo concluiu que lhe fitavam armado uma cilada."* (Josué Montello, *Um rosto de menina*).] **3** Chegar a acordo/ajuste sobre; FIRMAR. [*td.: Os empresários concluíram a venda das ações por preço justo.*] **4** Terminar um texto, uma declaração etc.; ARREMATAR. [*int.: Para concluir, agradeço a todos os que aqui estão.*] **5** *Fut.* Finalizar uma jogada. [*int.: Apesar do passe maravilhoso, o atacante não concluiu bem.*] [▶ **56** conclu**ir**]

conclusão (con.clu.*são*) *sf.* **1** Ação ou resultado de concluir, finalizar; TÉRMINO: *Comemoraram a conclusão das obras.* **2** Epílogo, fecho: *A conclusão do romance é surpreendente.* **3** Entendimento que se al-

cança a partir de observação e análise: *as conclusões do perito*. [Pl.: -sões.]
conclusivo (con.clu.si.vo) *a*. **1** Que contém, indica ou exprime uma conclusão. **2** *Gram*. Diz-se da conjunção coordenativa que expressa conclusão (p.ex.: *portanto*).
concomitante (con.co.mi.tan.te) *a2g*. Que acontece (fato, situação) ao mesmo tempo que outro(s); SIMULTÂNEO. ● **con.co.mi.tân.ci:a** *sf*.
concordância (con.cor.dán.ci:a) *sf*. **1** Ação ou resultado de concordar. **2** Acordo entre pessoas ou coisas: *Houve concordância com o inquilino em todos os detalhes; concordância de objetivos*. **3** *Gram*. Adaptação da flexão de uma palavra a outra com que se relaciona e da qual depende na frase (*concordância nominal/verbal*). [Ant. ger.: *discordância*.]
concordante (con.cor.dan.te) *a2g*. Que concorda, que é harmônico.
concordar (con.cor.dar) *v*. **1** Pôr de acordo, harmonizar. [*td*.: *Concordou os interesses de todos*. *tdi*. + *a*, *com*: *Concordava sua vontade com a do amigo*.] **2** Estar de acordo; ter a mesma opinião. [*ti*. + *com*, *em*, *sobre*: *Ninguém precisa concordar sobre todos os assuntos*. NOTA: Quando o objeto indireto é uma oração, costuma-se omitir a preposição: *Concordou (em) que precisava de férias*. *tdi*. + *com*: *Concordou com ele que eram necessárias mudanças*. *int*.: *Vocês podem concordar ou discordar*.] **3** Consentir, aceitar. [*it*. + *em*: "...a tia da moça concordou logo em trazê-la..." (Machado de Assis, *Casa velha*). *int*.: *Não concordarei de jeito nenhum!*] **4** *Gram*. Compartilhar traços gramaticais, como flexões de gênero, número, pessoa etc. [*ti*. + *com*, *em*: *Os adjetivos e substantivos concordam em gênero e número*.] [▶ **1** concordar]
concordata (con.cor.da.ta) *sf*. *Jur*. Acordo legal entre negociante que não pode pagar o que deve e seus credores, que prevê redução dos débitos e alongamento de prazo para seu pagamento.
concordatário (con.cor.da.tá.ri:o) *a.sm*. *Jur*. Que ou quem ou a que (empresa etc.) pediu concordata ou é favorecido por ela.
concorde (con.cor.de) *a2g*. De acordo, concordante, da mesma opinião: *concorde com a lógica; concordes em tudo*. [Ant.: *discorde*.]
concórdia (con.cór.di:a) *sf*. Situação em que prevalece a harmonia de propósitos, o entendimento; conciliação. [Ant.: *discórdia*.]
concorrência (con.cor.rên.ci:a) *sf*. **1** Ação ou resultado de concorrer; COMPETIÇÃO; DISPUTA: *concorrência entre produtos similares*. **2** Comparecimento simultâneo de pessoas no mesmo lugar: *O coquetel teve enorme concorrência*. **3** *Com*. Pesquisa de preços para compra e venda de materiais ou prestação de serviços.
concorrente (con.cor.ren.te) *a2g.s2g*. Que ou o que concorre.
concorrer (con.cor.rer) *v*. **1** Candidatar-se a um cargo, uma vaga). [*ti*. + *a*: *O político concorrerá ao Senado*.] **2** Competir, disputar. [*ti*. + *a*, *com*: *O nadador concorrerá com atletas experientes*. *int*.: *Nossa empresa desistiu de concorrer*.] **3** Ir juntamente com outros ao mesmo lugar; confluir. [*ti*. + *a*: *Os torcedores concorreram ao estádio*.] **4** Contribuir, ajudar. [*ti*. + *para*: "Os seus gestos concorreram para aumentar o terror da multidão..." (Franklin Távora, *O cabeleira*).] **5** Juntar-se para ação ou efeito comum. [*ti*. + *para*: *As providências tomadas concorreram para o êxito do projeto*.] [▶ **2** concorrer]
concorrido (con.cor.ri.do) *a*. Frequentado ou disputado por muitas pessoas (espetáculo *concorrido*, concurso *concorrido*).
concreção (con.cre.ção) *sf*. Ação ou resultado de tornar(-se) concreto, sólido ou real; SOLIDIFICAÇÃO; MATERIALIZAÇÃO: *concreção do cimento/de planos*. [Pl.: *-ções*.]
concretar (con.cre.tar) *v*. *td*. Colocar concreto armado em; construir usando concreto armado: *Concretaram a laje da casa*. [▶ **1** concretar] ● **con.cre.ta.gem** *sf*.
concretismo (con.cre.tis.mo) *sm*. *Art.Pl. Liter*. Movimento do início do séc. XX, cuja característica é a dissociação da forma de qualquer modelo natural, concentrando-se nos elementos materiais e visuais da própria obra. ● **con.cre.tis.ta** *a2g.s2g*.
concretizar (con.cre.ti.zar) *v*. *td*. Tornar concreto; REALIZAR: *Concretizaram o sonho de ter uma casa própria*. [▶ **1** concretizar] ● **con.cre.ti.za.ção** *sf*.
concreto (con.cre.to) *a*. **1** Que existe materialmente; PALPÁVEL: *Um livro é um objeto concreto*. **2** Claramente definido, determinado (objetivos *concretos*). **3** *Gram*. Diz-se do substantivo que representa o que é percebido pelos sentidos ou pela imaginação (p.ex., *árvore*, *fada*). [Ant. ger.: *abstrato*.] *sm*. **4** *Cons*. Massa feita de cimento, areia, pedra e água us. em construções, que se solidifica após a secagem: *muro de concreto*. ♦ ~ **armado** *Cons*. Concreto com estrutura interna de vergalhões de ferro para torná-lo mais resistente. ● **con.cre.tu.de** *sf*.
concubina (con.cu.bi.na) *sf*. Mulher que vive com um homem sem ser casada com ele. ● **con.cu.bi.na.to** *sm*.
conculcar (con.cul.car) *v*. *td*. Pisar, desprezar: *Certos ditadores conculcam as leis e os direitos humanos*. [▶ **11** conculcar]
concunhada (con.cu.nha.da) *sf*. Esposa do cunhado de uma pessoa em relação a essa pessoa.
concunhado (con.cu.nha.do) *sm*. Marido da cunhada de uma pessoa em relação a essa pessoa.
concupiscência (con.cu.pis.cên.ci:a) *sf*. **1** Apetite sexual desmedido. **2** Ambição material exagerada. ● **con.cus.pis.cen.te** *a2g*.
concursado (con.cur.sa.do) *a.sm*. Que ou quem passou em concurso (funcionário *concursado*).
concurso (con.cur.so) *sm*. **1** Prova de seleção entre vários candidatos para obtenção de cargo ou conquista de prêmio: *concurso para juiz/de contos*. **2** Afluência. **3** Evento público (artístico, esportivo etc.) em que se apresentam várias entidades, concorrendo a prêmio, título etc.
concussão (con.cus.são) *sf*. **1** Pancada violenta ou o seu resultado (*concussão* cerebral); CHOQUE. **2** *Jur*. Extorsão de dinheiro ou exigência de vantagens indevidas por funcionário público em exercício: *crime de concussão*. [Pl.: *-sões*.]
condado (con.da.do) *sm*. **1** Divisão territorial de alguns países: *A Inglaterra é dividida em condados*. **2** Título de conde ou área sob sua administração.
condão (con.dão) *sm*. Suposto poder sobrenatural que produz o bem ou o mal; DOM. ♦ **Vara/Varinha de** ~ Em contos infantis, varinha com supostos poderes mágicos, geralmente manipulada por fadas.
conde (con.de) *sm*. **1** O senhor de um condado. **2** Título de nobreza, imediatamente superior ao de visconde e inferior ao de marquês. [Fem.: *-dessa*.]
condecoração (con.de.co.ra.ção) *sf*. **1** Ação ou resultado de condecorar: *A cerimônia de condecoração será no palácio*. **2** Insígnia (p.ex., uma medalha) com que se presta honra e homenagem a alguém por seu mérito: "Esse policial merece uma promoção e uma *condecoração*." (FolhaSP, 17.10.99). [Pl.: *-ções*.]
condecorar (con.de.co.rar) *v*. *td*. Conceder uma condecoração (2) a; entregar essa condecoração ao condecorado: *O general condecorou o soldado (com uma medalha)*. [▶ **1** condecorar]
condenação (con.de.na.ção) *sf*. **1** Ação ou resultado de condenar. **2** *Jur*. Sentença a réu julgado culpado; a pena imposta por um juiz nessa sentença: *con-*

denação a cinco anos de prisão. [Ant.: *absolvição*.] **3** *Fig.* Reprovação, crítica enérgica a alguém ou alguma coisa: *condenação a uma má conduta.* [Ant.: *aprovação*.] [Pl.: -*ções*.]

condenado (con.de.na.do) *a.sm.* **1** Que ou quem recebeu condenação: *O condenado cumprirá pena de dez anos.* [Ant.: *absolvido*.] **2** *Fig.* Que ou quem tem doença incurável (paciente condenado). *a.* **3** Inadequado, impróprio, reprovável: *Por usar métodos condenados, fracassou.* **4** Bras. Diz-se de construção considerada irrecuperável, prestes a desabar (prédio condenado).

condenar (con.de.nar) *v.* **1** *Jur.* Proferir (o juiz) sentença de punição contra (réu). [*td./tdi.* + *a*: *Condenou o réu (a dois anos de prisão).*] [Ant.: *absolver*.] **2** Atribuir a (alguém ou si próprio) culpa. [*td.*: *Condenava o sócio pelo roubo. pr.*: *Não se condene por tão pouco.*] **3** Indicar (indícios, evidências etc.) a possível culpa de. [*td.*: *Parecia inocente, mas suas contradições o condenaram.*] **4** Censurar, reprovar. [*td.*: "*Condenou a ideia de remover-se o doente...*" (Raul Pompeia, *O Ateneu*).] **5** Considerar (um doente) incurável ou (alguma coisa) irrecuperável, em más condições. [*td.*: *Os engenheiros condenaram o prédio depois da vistoria.*] [▶ 1 condenar] • con.de.na.tó.ri.o *a.*

condenável (con.de.ná.vel) *a2g.* Merecedor de condenação (3) (atitude condenável); REPROVÁVEL. [Ant.: *louvável*.] [Pl.: -*veis*.]

condensação (con.den.sa.ção) *sf.* **1** Síntese, resumo: *Trabalhou na condensação do livro.* **2** *Fís.* Fenômeno que ocorre na passagem de um corpo em estado de vapor para o estado líquido. [Pl.: -*ções*.]

condensador (con.den.sa.dor) [ô] *a.sm.* **1** Que condensa. *sm.* **2** *Elet.* Dispositivo para armazenar ou conservar energia elétrica; CAPACITOR. **3** *Mec.* Recipiente resfriado por serpentinas ou água em máquinas a vapor ou turbinas. **4** *Mec.* Peça do sistema de ignição de motor a explosão, paralela ao platinado.

condensar (con.den.sar) *v.* **1** Resumir (um livro, uma obra). [*td.*: *Na adaptação para o cinema, condensaram o livro.*] **2** Transformar(-se) (gás, vapor) em líquido. [*td.*: *Esse aparelho condensa o vapor. pr.*: *As nuvens se condensam e caem na forma de chuva.*] **3** Tornar(-se) mais espesso; ENGROSSAR. [*td.*: *Condensar o mingau acrescentando farinha. pr.*: *A fumaça condensou-se impedindo a visão.*] [▶ 1 condensar] • con.den.sa.do *a.*

condescendência (con.des.cen.dên.ci.a) *sf.* **1** Ação ou resultado de condescender. **2** Qualidade de condescendente; TOLERÂNCIA; TRANSIGÊNCIA: *O patrão teve condescendência com os funcionários e descontou as faltas.* [Ant.: *intransigência*.]

condescendente (con.des.cen.den.te) *a2g.* Disposto ou que tende a ceder à vontade de outrem; que aceita de outrem ideias, comportamento etc., mesmo os não condizentes com os próprios; TOLERANTE; TRANSIGENTE: *Era um chefe condescendente (com as pequenas faltas dos empregados).* [Ant.: *intransigente*.]

condescender (con.des.cen.der) *v.* Ser tolerante; CONCORDAR; CEDER. [*ti.* + *com*, *em*: *Condescendeu em dar outra chance ao rapaz. int.*: *Ante tanta insistência, condescendeu.*] [▶ 2 condescender]

condessa (con.des.sa) [ê] *sf.* Fem. de *conde*.

condição (con.di.ção) *sf.* **1** Estado, situação ou circunstância de pessoa(s) ou coisa(s): *A condição do doente melhorou.* **2** Qualidade, estado, índole de alguém (ou) circunstância necessários para que algo ou alguém tenha o desempenho adequado: *Beatriz está doente, não tem condição de trabalhar; Esse projeto não tem condição de ser aprovado.* **3** Situação social, profissional, familiar etc.: *Ele trabalhou muito e hoje desfruta de boa condição.* **4** Exigência imposta a alguém para que algo seja aceito ou aconteça: *Aceitou o cargo, com a condição de que seria por tempo limitado.* [Pl.: -*ções*.]

condicionado (con.di.ci.o.na.do) *a.* Dependente de (condição); VINCULADO: *reajuste salarial condicionado ao aumento das vendas.*

condicionador (con.di.ci.o.na.dor) [ô] *a.sm.* **1** Que ou aquilo que condiciona. **2** Que ou o que torna os cabelos mais soltos e macios (diz-se de produto). ▪ ~ **de ar 1** Aparelho que regula a temperatura e a umidade do ar em um ambiente. **2** Aparelho que abaixa a temperatura de um ambiente; AR-CONDICIONADO.

condicional (con.di.ci.o.nal) *a2g.* **1** Que envolve ou depende de condição (4): *Meu amor por ele não é condicional.* **2** *Gram.* Diz-se da conjunção subordinativa que expressa condição (p.ex.: *se*). *sf.* **3** *Jur.* Permissão ao condenado de cumprir em liberdade o restante de sua pena, após certo tempo preso e julgado reabilitado; liberdade condicional. [Pl.: -*nais*.]

condicionar (con.di.ci.o.nar) *v.* **1** Estabelecer condições (4) para algo ser realizado. [*tdi.* + *a*: *O banco condicionou o empréstimo à apresentação de um fiador.*] **2** Tornar (alguém) adequado às condições. [*tdi.* + *a*: *condicionar os jogadores à altitude.*] **3** Determinar um comportamento; fazer adquirir ou adquirir um hábito. [*tdi.* + *a*: *O treinador condicionou o cão a só obedecer a um apito. pr.*: *Condicionou-se a beber mais líquido.*] **4** Determinar características de um ser. [*td.*: *A genética condiciona a cor dos olhos do indivíduo.*] [▶ 1 condicionar] • con.di.ci.o.na.men.to *sm.*; con.di.ci.o.nan.te *a2g.s2g.* [Cf.: *acondicionar*.]

condigno (con.dig.no) *a.* Que corresponde ao mérito (remuneração condigna); MERECIDO.

condimentar (con.di.men.tar) *v. td.* Colocar tempero (condimento) em; TEMPERAR: (seguido ou não de indicação de meio/modo) *condimentar (com pimenta) a comida.* [▶ 1 condimentar] • con.di.men.ta.do *a.*

condimento (con.di.men.to) *sm.* O que realça o sabor da comida; TEMPERO.

condimentoso (con.di.men.to.so) [ô] *a.* Que condimenta (ervas condimentosas). [Fem. e pl.: [ó].]

condiscípulo (con.dis.cí.pu.lo) *sm.* Colega de classe.

condizer (con.di.zer) *v. ti.* Estar de acordo; CONCORDAR. [+ *com*: *A explicação de Pedro não condiz com a realidade.*] [▶ 20 condizer] • con.di.zen.te *a2g.*

condoer (con.do.er) *v.* **1** Sentir pena, compaixão. [*td.*: *A enfermeira condoeu-se do paciente.*] **2** Provocar compaixão em. [*td.*: *O drama do cantor condoeu seus admiradores.*] [▶ 36 condoer]

condoído (con.do.í.do) *a.* Dominado por pena, por compaixão: *menino condoído do cão doente.*

condolência (con.do.lên.ci.a) *sf.* **1** Estado de quem está condoído. ▫ **condolências** *sfpl.* **2** Ver *pêsames*.

🌐 **condom** (Ing. /cándom/) *sm.* Ver *camisinha*.

condomínio (con.do.mí.ni.o) *sm.* **1** O bem possuído em condomínio (4): *Foi posto à venda um condomínio campestre.* **2** O conjunto de proprietários de um condomínio (1): *O condomínio decidiu fazer obras no prédio.* **3** Taxa, ger. mensal, que cada integrante do condomínio (2) paga para a sua manutenção: *Meu condomínio é muito caro.* **4** *Jur.* Domínio comum (sobre uma propriedade) de várias pessoas; COPROPRIEDADE: *propriedade em condomínio.*

condômino (con.dô.mi.no) *sm.* **1** Quem participa de um condomínio: *Os condôminos se reuniram para eleger o síndico.* **2** *Jur.* Coproprietário.

condor (con.dor) [ô] *sm.* *Zool.* Grande ave de rapina de cor negra e pescoço pelado que vive nos Andes e na Califórnia.

condoreiro (con.do.rei.ro) *Bras. Liter. A.* **1** Diz-se da poesia romântica de tom elevado, grandiloquente (escola condoreira). *sm.* **2** Poeta que tem esse estilo: *Castro Alves é um condoreiro.*

condução (con.du.*ção*) *sf.* **1** Ação ou resultado de conduzir: _condução dos negócios/do carro_. **2** Bras. Transporte, esp. coletivo: _Perdeu a condução para casa_. [Pl.: -ções.]

conducente (con.du.*cen*.te) *a2g.* Que conduz ou tende (para um fim); TENDENTE: _estratégia conducente ao sucesso_.

conduíte (con.du.í.te) *sm.* Cons. Elet. Tubo flexível, ger. embutido, para passagem de fiação elétrica; ELETRODUTO.

conduta (con.*du*.ta) *sf.* Modo de alguém proceder ou se portar; COMPORTAMENTO.

condutância (con.du.*tán*.ci:a) *sf.* Elet. Capacidade de um meio para conduzir (3) eletricidade.

condutibilidade (con.du.ti.bi.li.*da*.de) *sf.* Qualidade (de um corpo, substância etc.) de ser conduzido, propagado.

condutividade (con.du.ti.vi.*da*.de) *sf.* Qualidade (de um corpo, substância etc.) de ser condutor² (2).

conduto (con.*du*.to) *sm.* **1** Tubo ou canal para conduzir fluidos. **2** Anat. Canal do organismo (_conduto lacrimal_).

condutor¹ (con.du.*tor*) [ô] *sm.* Quem cobra e/ou recolhe passagens em bondes e trens.

condutor² (con.du.*tor*) [ô] *a.sm.* **1** Que ou aquele que conduz. *sm.* **2** Elet. O que é capaz de transportar corrente elétrica; condutor elétrico.

conduzir (con.du.*zir*) *v.* **1** Acompanhar (alguém) a algum lugar, guiando. [*td.* (seguido ou não de indicação de lugar): _O mordomo conduziu o visitante (até a sala)_.] **2** Comandar, governar, dirigir. [*td.*: "O dr. Cláudio conduzia os trabalhos com verdadeira perícia..." (Raul Pompeia, _O Ateneu_).] **3** Levar, transmitir. [*td.* (seguido ou não de indicação de lugar): _A tubulação conduz a água (para a caldeira)_.] **4** Fig. Comportar-se, apresentar uma conduta. [*pr.*: _Conduzia-se bem em ocasiões formais_.] **5** Dirigir um veículo. [*td.*: _Aprendeu a conduzir caminhões_.] [▶ 57 cond**uzir**]

cone (*co*.ne) *sm.* Geom. Sólido de base circular, corpo afunilado e um vértice.

conectar (co.nec.*tar*) *v.* **1** Fazer conexão de, ligação entre duas coisas; unir (uma coisa a outra). [*td.*: _O encanador conectou os dois canos_. *tdi.* + *a, em*: "...esperamos conectar os movimentos do médico às câmeras e aos instrumentos..." (FolhaSP, 21.03.99).] **2** Inf. Ligar(-se) à rede de computadores (ger. internet); entrar em contato através da rede. [*td.*: _Assim que ativou a rede, conectou o computador_. *tdi.* + *a, com*: _conectar o computador com a internet_. *pr.*: _Milhões de pessoas conectam-se à internet_.] **3** Relacionar acontecimentos, fatos, ideias. [*tdi.* + *a, com*: _Conectou um fato ao outro e descobriu a verdade_.] [▶ 1 conect**ar**]

conectividade (co.nec.ti.vi.*da*.de) *sf.* **1** Qualidade do que é conectivo. **2** Inf. Capacidade (de um computador, programa etc.) de operar em ambiente de rede. **3** Int. Capacidade de conectar-se à internet.

conectivo (co.nec.*ti*.vo) *a.* **1** Que liga ou conecta (1) (_tecido conectivo_). *sm.* **2** Gram. Elemento que serve de ligação entre palavras ou orações.

conector (co.nec.*tor*) [ô] *a.sm.* Elet. Eletrôn. Inf. Que ou aquilo que estabelece ligações elétricas ou eletrônicas entre dois dispositivos.

cônego (*cô*.ne.go) *sm.* Rel. Padre secular que pertence a um cabido.

conexão (co.ne.*xão*) [cs] *sf.* **1** Ligação entre coisas. **2** Relação lógica: _Não há conexão entre os dois crimes_. **3** Cons. Peça que liga dois tubos ou fios. [Pl.: -xões.]

conexo (co.*ne*.xo) [cs] *a.* Que possui ou em que há conexão (_temas conexos_).

confabular (con.fa.bu.*lar*) *v.* Conversar, ger. sobre tema sigiloso. [*ti.* + *com*: _Um grupo confabulou com o outro_. *int.*: _Os políticos confabulavam antes da votação_.] [▶ 1 confabul**ar**] ● **con.fa.bu.la.ção** *sf.*

confecção (con.fec.*ção*) *sf.* **1** Ação ou resultado de confeccionar. **2** Pequena indústria de roupas. **3** Roupa confeccionada industrialmente. [Pl.: -ções.]

confeccionar (con.fec.ci:o.*nar*) *v. td.* Executar (obra, trabalho etc.): _confeccionar fantasias para o carnaval_. [▶ 1 confeccion**ar**]

confederação (con.fe.de.ra.*ção*) *sf.* **1** União de vários estados independentes que reconhecem um governo comum. **2** Reunião de pessoas, de Estados etc. com um fim determinado; LIGA; ASSOCIAÇÃO. **3** Reunião de associações ou federações profissionais, sindicais, esportivas etc.: _Confederação Brasileira de Futebol_. [Pl.: -ções.]

confederar (con.fe.de.*rar*) *v.* Associar(-se), unir(-se) em confederação. [*td.*: _Um ideal comum confederou todas as tribos_. *pr.*: _Os clubes confederaram-se, criando uma nova entidade_.] [▶ 1 confeder**ar**] ● **con.fe.de.ra.do** *a.sm.*

confederativo (con.fe.de.ra.*ti*.vo) *a.* Ref. a confederação.

confeitar (con.fei.*tar*) *v. td.* **1** Cobrir (doce, iguaria etc.) com açúcar. **2** Bras. Enfeitar (um bolo, uma torta) com cobertura à base de açúcar: _Minha avó confeitava os bolos com glacê_. [▶ 1 confeit**ar**] ● **con.fei.*tei*.ro** *sm.*

confeitaria (con.fei.ta.*ri*.a) *sf.* **1** Loja onde se fazem e/ou vendem doces, bolos, salgados etc. **2** Bras. Tipo de restaurante onde se servem chá, chocolate, café, acompanhados de torradas, biscoitos, bolos etc.

confeito (con.*fei*.to) *sm.* **1** Cul. Bala. **2** Pequenas pastilhas ou bolinhas coloridas us. para confeitar bolos e doces. **3** Cul. Semente envolvida em uma preparação açucarada.

conferência (con.fe.*rên*.ci:a) *sf.* **1** Reunião para debater assunto importante, ger. de interesse internacional; CONVENÇÃO. **2** Palestra sobre tema cultural, científico etc. **3** Ação ou resultado de conferir. ● **con.fe.ren.*cis*.ta** *a2g.s2g.*

conferenciar (con.fe.ren.ci.*ar*) *v.* **1** Trocar ideias; ter conferência (1). [*ti.* + *com*: _Conferenciou com os assessores_.] **2** Discutir, conversar. [*int.*: _Conferenciaram durante uma hora_.] [▶ 1 conferenci**ar**]

conferente (con.fe.*ren*.te) *a2g.s2g.* **1** Que ou quem confere. **2** Que ou quem faz conferências, palestras etc.; CONFERENCISTA.

conferir (con.fe.*rir*) *v.* **1** Verificar ou comparar para saber se algo está correto. [*td.*: _conferir uma conta_. *tdi.* + *com*: _Conferimos as respostas com as do livro_.] **2** Dar, conceder. [*tdi.* + *a*: _O júri conferiu prêmios aos melhores concorrentes_.] **3** Estar conforme. [*ti.* + *com*: _A descrição do suspeito não confere com o depoimento do porteiro_. *int.*: _A contagem dos votos confere_.] [▶ 50 confer**ir**]

confessar (con.fes.*sar*) *v.* **1** Contar (um segredo); revelar o que antes ocultava. [*td.*: "Confesso agora que fiquei ansioso." (Josué Montello, _Sempre serás lembrada_). *tdi.* + *a*: _A modelo confessou ao repórter que não resiste a um doce_.] **2** Admitir culpa; reconhecer um erro, um crime. [*td.* (com ou sem complemento explícito): _O culpado acabará confessando (o crime)_. *tdi.* + *a, para*: _Carlos confessou o furto à polícia. pr.*: _Confessou-se responsável pelo desaparecimento da agenda_.] **3** Declarar-se, reconhecer-se. [*pr.*: _Marta confessou-se cansada_.] **4** Rel. Contar um pecado ou ouvir a confissão de um pecado de. [*tdi.* + *a*: _Confessei ao padre que menti_. *td.*: _O padre confessou seus paroquianos_. *pr.*: _Confessou-se antes de comungar_.] [▶ 1 confess**ar**]

confessionário (con.fes.si:o.*ná*.ri:o) *sm.* Rel. Numa igreja, lugar onde o padre ouve confissões.

confesso (con.fes.so) [é] *a.* **1** Que confessou sua culpa (assassino confesso). **2** Que foi objeto de confissão (segredo confesso). *a.sm.* **3** Que ou quem se converteu ao cristianismo.

confessor (con.fes.sor) [ô] *a.sm. Rel.* Que ou quem ouve confissões (diz-se de padre).

confete (con.fe.te) [ê] *sm.* Rodelinhas de papel colorido que as pessoas atiram umas nas outras durante o carnaval. ■ **Jogar ~** *Bras. Pop.* Elogiar, adular.

confiado (con.fi.a.do) *a.sm. Pop.* Que ou quem é atrevido, folgado.

confiança (con.fi.an.ça) *sf.* **1** Sentimento de quem confia em algo ou em alguém: *Ganhou a confiança de todos.* **2** Segurança íntima: *agir com confiança.* **3** Bom conceito: *profissional de confiança.* **4** *Pop.* Petulância, atrevimento, fidúcia.

confiante (con.fi.an.te) *a2g.* **1** Que confia, crê, que tem esperança (*povo confiante*). **2** Que tem autoconfiança, segurança: *O atleta confiante estava bastante calmo.*

confiar (con.fi.ar) *v.* **1** Ter confiança; ACREDITAR. [*ti. + em*: "É por isso mesmo que eu não confio muito na tal justiça." (Aluísio Azevedo, *Casa de pensão*). *int.*: *Confie e tudo dará certo.*] **2** Contar (um segredo). [*tdi. + a*: *Não confiava suas angústias a ninguém.*] **3** Deixar a cargo de. [*tdi. + a*: *Confiou a turma ao monitor.*] ▶ confiar

confiável (con.fi.á.vel) *a2g.* Que merece confiança (*informação confiável*). [Pl.: *-veis.*] ● **con.fi.a.bi.li.da.de** *sf.*

confidência (con.fi.dên.ci.a) *sf.* Informação secreta ou íntima revelada a alguém.

confidencial (con.fi.den.ci.al) *a2g.* Que foi comunicado em segredo (*assunto confidencial*); SECRETO. [Pl.: *-ais.*]

confidenciar (con.fi.den.ci.ar) *v. tdi.* Contar um segredo; fazer confidências. [*+ a*: *O entrevistado confidenciou ao repórter sua preocupação.*] ▶ **1** confidenciar

confidente (con.fi.den.te) *a2g.s2g.* Diz-se de ou pessoa a quem se fazem confidências.

configuração (con.fi.gu.ra.ção) *sf.* **1** A forma exterior das coisas; CONFORMAÇÃO; FEITIO. **2** Disposição geral, organização. **3** *Inf.* Conjunto dos elementos que determinam a capacidade de um sistema de computador. [Pl.: *-ções.*]

configurar (con.fi.gu.rar) *v.* **1** *Inf.* Definir padrões para o funcionamento de um programa, um acessório, uma máquina. [*td.*: *configurar o formato de texto.*] **2** Caracterizar(-se); representar; tomar a forma de. [*td.*: *O número de casos da doença é insuficiente para configurar uma epidemia. pr.*: *O plágio configura-se crime.*] ▶ **1** configurar

confinar (con.fi.nar) *v.* **1** Prender, isolar. [*td.* (seguido ou não de indicação de lugar): *confinar as crianças (no quarto). pr.*: "...admitia que a jovem viúva se confinasse na solidão..." (Cecília Meireles, *Crônicas de educação 4*).] **2** Cercar, prender, limitar. [*td.*: *O fazendeiro confinou o gado.*] **3** Fazer limite com. [*ti. + com*: *O sítio confina com terreno da Marinha.*] ▶ **1** confinar ● **con.fi.na.do** *a.*; **con.fi.na.men.to** *sm.*

confins (con.fins) *smpl.* **1** Limites, fronteiras: *os confins do Acre com o Amazonas.* **2** Lugar muito distante: *confins do mundo.* [Raramente us. no sing.]

confirmação (con.fir.ma.ção) *sf.* Ação ou resultado de confirmar(-se). **2** *Rel.* Crisma. [Pl.: *-ções.*]

confirmar (con.fir.mar) *v.* Certificar, ratificar, reafirmar com certeza. [*td.*: *As experiências confirmaram essa hipótese. tdi. + a*: *Confirmou ao pai tudo que eu havia dito.*] ▶

confiscar (con.fis.car) *v. td.* Apreender; apoderar-se de: *Os policiais confiscaram milhares de CDs falsificados.* [▶ **11** confiscar]

confissão (con.fis.são) *sf.* **1** Ação ou resultado de confessar(-se). **2** *Rel.* Entre os católicos, sacramento que consiste na revelação voluntária dos próprios pecados ao sacerdote e na absolvição do pecador; PENITÊNCIA. **3** *Rel.* Neste sacramento, a revelação dos próprios pecados ao sacerdote. **4** Confidência, segredo. **5** Declaração de uma crença ou doutrina. [Pl.: *-sões.*] ● **con.fes.si.o.nal** *a2g.*

conflagração (con.fla.gra.ção) *sf.* **1** Luta ou guerra generalizada (*conflagração mundial*). **2** Grande incêndio. [Pl.: *-ções.*]

conflagrar (con.fla.grar) *v. td.* **1** Dar início a um conflito, uma rebelião: *O atentado conflagrou a guerra contra o terrorismo.* **2** Incendiar completamente: *A queda do balão conflagrou a floresta.* [▶ **1** conflagrar]

conflitar (con.fli.tar) *v.* Estar em desacordo, conflito. [*ti. + com*: *Esse dado conflita com aquele. int.*: *Nossas ideias conflitam.*] [▶ **1** conflitar] ● **con.fli.tan.te** *a2g.*

conflito (con.fli.to) *sm.* **1** Luta, guerra (*conflito internacional*). **2** Oposição de ideias, sentimentos ou interesses: *conflito de gerações.*

conflituoso (con.fli.tu:o.so) [ô] *a.* **1** Em que há conflito (*relacionamento conflituoso*). **2** Propenso a conflitos. [Fem. e pl.: [ó].]

confluência (con.flu.ên.ci.a) *sf.* **1** Ponto de encontro; CONVERGÊNCIA: *confluência dos rios.* **2** Reunião, junção: *confluência de fatores.*

confluente (con.flu.en.te) *a2g.* **1** Que conflui (*ruas confluentes*). *sm.* **2** Rio que deságua na mesma foz que outro rio.

confluir (con.flu.ir) *v. int.* Dirigir-se para um mesmo ponto; CONVERGIR: (com ou sem indicação de lugar) *Os rios confluem para o mar; Os interesses dos partidários confluem.* [▶ **56** confluir]

conformação (con.for.ma.ção) *sf.* **1** Forma, feitio, configuração. **2** Resignação. [Pl.: *-ções.*]

conformado (con.for.ma.do) *a.sm.* Que ou quem se conforma; RESIGNADO.

conformar (con.for.mar) *v.* **1** Aceitar com resignação. [*pr.*: *O jogador não se conformava em ficar na reserva.*] **2** Tornar adequado a; CONCILIAR; ADEQUAR. [*tdi. + a*: *É preciso conformar o projeto à legislação.*] [▶ **1** conformar]

conformativa (con.for.ma.ti.va) *a. Gram.* Diz-se da conjunção subordinativa que expressa realização de um fato em conformidade com outro (p.ex.: *conforme*).

conforme (con.for.me) *conj.* **1** Como; de acordo com: *Fiz tudo conforme você pediu.* **2** À medida que: *conforme passam as horas.* **3** Assim que: *Conforme chegou já foi tirando os sapatos. a2g.* **4** Que é igual ou parecido (*opiniões conformes*). ▭ **conformes** *smpl.* **5** O que serve de modelo ou padrão: *Tudo correu dentro dos conformes.*

conformidade (con.for.mi.da.de) *sf.* **1** Qualidade do que é conforme: *conformidade de padrões.* **2** Resignação.

conformismo (con.for.mis.mo) *sm.* Tendência de se conformar com tudo. ● **con.for.mis.ta** *a2g.s2g.*

confortar (con.for.tar) *v.* Dar ou receber conforto, CONSOLAR(-SE). [*td.*: *Sua missão é confortar as pessoas que sofrem. pr.*: *A senhora confortou-se com a presença dos amigos.*] [▶ conformar] ● **con.for.ta.dor** *a.sm.*

confortável (con.for.tá.vel) *a2g.* Que oferece conforto[2] (*ambiente confortável*). [Pl.: *-veis.*]

conforto[1] (con.for.to) [ô] *sm.* Consolo, alívio: *Buscou conforto na religião.*

conforto[2] (con.for.to) [ô] *sm.* Comodidade, bem-estar, aconchego.

confrade (con.fra.de) *sm.* **1** Companheiro, colega. **2** Membro de confraria.

confranger-se (con.fran.ger-se) v. pr. Entristecer-se, afligir-se: *Confrangia-se com o sofrimento da filha.* [▶ 35 confranger-se]

confraria (con.fra.ri.a) sf. 1 Associação religiosa; IRMANDADE; CONGREGAÇÃO. 2 Associação de pessoas com interesses e objetivos comuns.

confraternizar (con.fra.ter.ni.zar) v. 1 Comemorar com outras pessoas. [int.: *Os premiados confraternizaram após a cerimônia.*] 2 Conviver pacificamente. [ti. + com: *Procura sempre confraternizar com os vizinhos.*] [▶ 1 confraternizar] ● con.fra.ter.ni.za.ção sf.

confrontação (con.fron.ta.ção) sf. Ver confronto (1 e 2). [Pl.: -ções.]

confrontante (con.fron.tan.te) a2g. Que confronta (casas *confrontantes*.)

confrontar (con.fron.tar) v. 1 Comparar, cotejar, contrapor, contrastar. [td.: *confrontar várias propostas.* tdi. + com: *O cartório confronta as assinaturas com as de seu cadastro.*] 2 Enfrentar; entrar em confronto; ficar frente a frente. [td.: *Nosso maior desafio é confrontar a pobreza.* pr.: *O mocinho confrontou-se com o vilão.*] [▶ 1 confrontar]

confronto (con.fron.to) sm. 1 Ação ou resultado de confrontar(-se); CONFRONTAÇÃO. 2 Comparação, cotejo, confrontação: *confronto entre a cópia e o original.* 3 Combate, disputa (*confronto* militar/esportivo).

confucionismo (con.fu.ci.o.nis.mo) sm. Hist. Fil. Pol. Doutrina moral, religiosa e política de Confúcio, filósofo chinês da Antiguidade. ● con.fu.ci.o.nis.ta a2g.s2g.

confundir (con.fun.dir) v. 1 Tomar por outro (coisa, pessoa); não distinguir. [td.: *Confundi as datas de aniversário e de casamento.* tdi. + com: *"...não o confundiria com qualquer outro homem."* (José de Alencar, *Senhora*). pr.: *Alguns sintomas de dengue confundem-se com os da gripe.*] 2 Ficar atrapalhado, confuso. [pr.: *A defesa confundiu-se e Pedrinho fez o gol.*] 3 Misturar-se, fundir-se. [pr.: *A cor do camaleão confundia-se com a da planta.*] [▶ 3 confundir]

confusão (con.fu.são) sf. 1 Ação ou resultado de confundir(-se). 2 Mistura desordenada: *confusão de caixas amontoadas.* 3 Falta de clareza ou de exatidão: *confusão de ideias.* 4 Tumulto, desordem: *A confusão impera na cidade.* 5 Briga: *O debate terminou em confusão.* 6 Equívoco: *confusão de nomes/de horários.* [Pl.: -sões.]

confuso (con.fu.so) a. 1 Desordenado. 2 Perplexo, desorientado (viajante *confuso*). 3 Pouco claro, ambíguo (texto *confuso*).

confutar (con.fu.tar) v. td. Exprimir opinião ou argumento contrário a; REBATER; REFUTAR: *O advogado confutou a tese da defesa.* [▶ 1 confutar]

conga (con.ga) sf. Mús. Tipo de música cubana, acompanhada por tambor do mesmo nome.

congada (con.ga.da) sf. Bras. Etnog. Dança folclórica afro-brasileira em que se representa a coroação de um rei do Congo.

congelado (con.ge.la.do) a. 1 Que se congelou (lago *congelado*). 2 Que está muito frio (mãos *congeladas*); GÉLIDO. 3 Econ. Que sofreu congelamento (salário *congelado*). sm. 4 Comida pronta conservada em congelador.

congelador (con.ge.la.dor) [ó] sm. 1 Compartimento da geladeira ou aparelho próprio para fazer gelo e congelar alimentos; FREEZER. a. 2 Ver congelante.

congelamento (con.ge.la.men.to) sm. 1 Ação ou resultado de congelar. 2 Econ. Estabilização (ger. compulsória) de preços, salários etc., ou imobilização de fundos bancários.

congelante (con.ge.lan.te) a2g. Que congela (frio *congelante*); CONGELADOR.

congelar (con.ge.lar) v. 1 Fazer passar ou passar para o estado sólido por resfriamento. [td.: *A cozinheira congelou as refeições.* int./pr.: *Estava tão frio que a água congelou(-se).*] 2 Fig. Tornar(-se) frio como gelo. [td.: *O ar-condicionado congelou meu nariz.* int/pr.: *Com o frio, meus pés congelaram(-se).*] 3 Fig. Tornar ou ficar fixo, paralisado, imobilizado. [td.: *O governo congelou os preços dos medicamentos.* int.: *Ficou com medo e congelou.*] 4 Cin. Telv. Paralisar (uma imagem, uma cena). [td.] 5 Inf. Parar de responder (o computador e o programa em execução) a comandos. [int.: *Meu computador congelou.*] [▶ 1 congelar] ● con.ge.la.ção sf.

congeminar¹ (con.ge.mi.nar) v. td. Imaginar, pensar: *Começaram a congeminar estratégias de solução.* [▶ 1 congeminar]

congeminar² (con.ge.mi.nar) v. td. pr. Multiplicar(-se). [▶ 1 congeminar]

congênere (con.gê.ne.re) a2g. Que é do mesmo gênero ou tem a mesma natureza que outro (animais *congêneres*); SIMILAR.

congênito (con.gê.ni.to) a. Que vem de nascença (mal *congênito*); INATO.

congestão (con.ges.tão) sf. Pat. Afluxo excessivo de fluidos, esp. sangue, num órgão (*congestão* cerebral/nasal). [Pl.: -tões.]

congestionado (con.ges.ti.o.na.do) a. 1 Bras. Em que há congestionamento (2) (trânsito *congestionado*). 2 Em que há congestão (nariz *congestionado*). 3 Fig. Avermelhado (rosto *congestionado*).

congestionamento (con.ges.ti.o.na.men.to) sm. 1 Ação ou resultado de congestionar(-se). 2 Bras. Fluxo excessivo de pessoas, veículos etc. dificultando ou impedindo a livre circulação.

congestionar (con.ges.ti.o.nar) v. 1 Sobrecarregar(-se) via de passagem ou fluxo. [td.: *O grande número de telefonemas congestionou as linhas.* int./pr.: *O trânsito congestiona(-se) às 18h.*] 2 Acumular (sangue ou outro líquido corporal) em excesso. [td.: *Os resfriados congestionam as vias nasais.*] [▶ 1 congestionar]

congestivo (con.ges.ti.vo) a. Ref. a congestão: *estado congestivo de um órgão.*

conglomeração (con.glo.me.ra.ção) sf. 1 Ação ou resultado de conglomerar(-se). 2 Agregado, conglomerado. [Pl.: -ções.]

conglomerado (con.glo.me.ra.do) sm. 1 Aglomeração, agrupamento, conglomeração: *conglomerado de casas.* 2 Bras. Com. Econ. Grande grupo econômico-financeiro de setores e ramos diversos.

conglomerar (con.glo.me.rar) v. Reunir(-se), agregar(-se), associar(-se). [td.: *A associação conglomera pequenos comerciantes.* pr.: *As emissoras conglomeraram-se em rede nacional.*] [▶ 1 conglomerar]

congo (con.go) a. 1 Ver congolês (1 e 3). sm. 2 Ver congolês (4). 3 Gloss. Ver congolês (6). 4 N. N.E. Etnog. Tipo de dança afro-brasileira.

congolês (con.go.lês) a. 1 Da República do Congo (África); típico desse país ou de seu povo; CONGO. 2 Da República Democrática do Congo (antigo Zaire, África); típico desse país ou de seu povo. 3 Do ou ref. ao congolês (6); CONGO. sm. 4 Pessoa nascida na República do Congo; CONGO. 5 Pessoa nascida na República Democrática do Congo. 6 Gloss. Língua banta falada pelos congos; CONGO. [Pl.: -leses. Fem. nas acps. 1 a 5: -lesa.]

congonha (con.go.nha) sf. Bras. Bot. Nome de vários arbustos semelhantes à erva-mate.

congraçar (con.gra.çar) v. Reunir, harmonizando; reconciliar. [td.: *O prêmio congraça os profissionais da área.* tdi. + com: *congraçar jornalistas com políticos.* pr.: *Enfim congraçou-se com o irmão.*] [▶ 12 congraçar] ● con.gra.ça.men.to sm.

congratulações (con.gra.tu.la.ções) sfpl. Palavra us. para cumprimentar pessoas por algo bom; FELICITAÇÕES; PARABÉNS: *congratulações pela formatura.*

congratular | conjurar

congratular (con.gra.tu.*lar*) *v.* **1** Parabenizar, cumprimentar. [*td.*: *Congratulou a equipe (pelo sucesso). pr.*: *Congratulou-se pelo resultado obtido;* (tb. com sentido de reciprocidade) *Os atletas congratularam-se após a partida.*] **2** Regozijar-se, alegrar-se. [*pr.*: *Congratulamo-nos com a notícia.*] [▶ **1** congratul*ar*] ● con.gra.tu.la.*tó*.ri.o *a.*

congregação (con.gre.ga.*ção*) *sf.* **1** Ação ou resultado de congregar. **2** *Rel.* Associação de caráter religioso; reunião de fiéis de uma religião. **3** Conselho de professores em faculdades e universidades. [Pl.: -*ções*.] ● con.gre.ga.ci.o.*nal* a2g.

congregar (con.gre.*gar*) *v. td.* Unir em torno de um interesse comum: *O sindicato congrega 35 mil profissionais.* [▶ **14** congreg*ar*]

congressista (con.gres.*sis*.ta) *s2g.* **1** Pessoa que toma parte em congresso. **2** Membro do Congresso. *a2g.* **3** Ref. a congresso.

congresso (con.*gres*.so) [é] *sm.* **1** Reunião de delegados representantes de determinada área de atividade para discutir e eventualmente tomar decisões sobre questões importantes daquela área; CONVENÇÃO: *congresso de cardiologistas.* ◪ **Congresso** *sm.* **2** O poder legislativo federal constituído, que reúne a Câmara dos Deputados e o Senado Federal.

congro (*con*.gro) *sm.* Zool. Peixe de corpo longo e fino, de até 3m de comprimento, e que habita águas profundas.

congruência (con.gru.*ên*.ci.a) *sf.* **1** Adequação de uma coisa ao fim a que se destina; COERÊNCIA; HARMONIA: *congruência de opiniões.* **2** Geom. Propriedade de dois ângulos cujas medidas diferem em 360 graus.

congruente (con.gru.*en*.te) *a2g.* Em que há congruência.

conhaque (co.*nha*.que) *sm.* Bebida alcoólica resultante da destilação de vinhos.

conhecedor (co.nhe.ce.*dor*) [ô] *a.sm.* Que ou quem conhece, é sabedor ou especialista em certo assunto.

conhecer (co.nhe.*cer*) *v.* **1** Travar conhecimento, manter relações sociais (com alguém). [*td.*: *O menino não conheceu o avô. pr.*: "*Conheceram-se na academia e ficaram amigos...*" (Machado de Assis, *A mão e a luva*).] **2** Ser bom conhecedor de (um assunto, um conceito etc.); SABER. [*td.*: "*...fala umas poucas línguas, e conhece bastantes ciências.*" (Júlio Ribeiro, *A carne*).] **3** Reconhecer, distinguir. [*td.*: *Ficou tão diferente que não o conheci.*] **4** Nomear, intitular. [*td.*: *Conhecemos esse período da história como paleolítico.*] [▶ **33** conhe*cer*] ● co.nhe.*cí*.vel *a2g.*

conhecido (co.nhe.*ci*.do) *a.* **1** Diz-se do que se conhece ou sabe: *Este é um fato conhecido.* **2** Famoso, célebre (artista *conhecido*). *sm.* **3** Pessoa com a qual se mantém relações superficiais: *Tem muitos conhecidos, mas poucos amigos.*

conhecimento (co.nhe.ci.*men*.to) *sm.* **1** Ação ou resultado de conhecer. **2** Informação que se adquire sobre algo ou alguém por meio de estudo ou experiência. ◪ **conhecimentos** *smpl.* **3** Instrução, erudição.

cônico (*cô*.ni.co) *a.* Que tem forma de cone; CONIFORME.

conífera (co.*ní*.fe.ra) *sf. Bot.* Tipo de planta cujos frutos têm forma de cone (p.ex.: o pinheiro).

coniforme (co.ni.*for*.me) *a2g.* Ver cônico.

conivência (co.ni.*vên*.ci.a) *sf.* **1** Ação ou resultado de ser conivente. **2** Colaboração, cumplicidade, conluio: *Houve conivência de um funcionário no assalto.*

conivente (co.ni.*ven*.te) *a2g.* **1** Que finge não ver ou encobre ações ilícitas cometidas por outra pessoa. **2** Cúmplice.

conjetura (con.je.*tu*.ra) *sf.* Opinião baseada em incertezas; HIPÓTESE; SUPOSIÇÃO.

conjeturar, conjecturar (con.je.tu.*rar*, con.jec.tu.*rar*) *v.* Imaginar; fazer suposições; presumir. [*td.*: *A gestante conjeturava se nasceria menino ou menina. ti.* + *sobre*: *Conjeturávamos sobre nosso futuro. int.*: *É melhor aguardar os resultados do que conjeturar.*] [▶ **1** conjetur*ar*, ▶ **1** conjectur*ar*]

conjugação (con.ju.ga.*ção*) *sf.* **1** Ação ou resultado de conjugar(-se). **2** Junção; reunião: *conjugação de fatores.* **3** *Gram.* Ação de conjugar (um verbo). **4** *Gram.* Conjunto das flexões de modo, tempo, pessoa e número de um verbo. **5** *Gram.* Classe morfológica do verbo, ger. indicada por sua vogal temática (1ª *conjugação*, 3ª *conjugação*). [Pl.: -*ções*.]

conjugado (con.ju.*ga*.do) *a.* **1** Que é ou está ligado ou junto. *sm.* **2** Apartamento composto por quarto e sala unidos em uma só peça, banheiro e cozinha. [Tb. se diz apartamento conjugado.]

conjugal (con.ju.*gal*) *a2g.* De ou pertencente aos cônjuges ou ao casamento (vida *conjugal*). [Pl.: -*gais*.]

conjugar (con.ju.*gar*) *v.* **1** Juntar(-se), reunir(-se). [*td.*: *A proposta conjugava todas as necessidades. tdi.* + *com*: *O livro conjuga textos com imagens. pr.*: *Na exposição conjugavam-se os primeiros e os mais recentes trabalhos.*] **2** *Gram.* Flexionar(-se) (um verbo). [*td.*: *conjugar um verbo no subjuntivo. pr.*: *O verbo 'deter' conjuga-se pelo 'ter'.*] [▶ **14** conjug*ar*]

conjugável (con.ju.*gá*.vel) *a2g.* Que pode ser conjugado. [Pl.: -*veis*.]

cônjuge (*côn*.ju.ge) *sm.* A esposa em relação ao marido, e o marido em relação à esposa; CONSORTE.

conjuminar (con.ju.mi.*nar*) *v. Bras. Pop.* Combinar, juntar. [*td.*: *Não consegui conjuminar as peças. tdi.* + *com*: *conjuminar uma ideia com outra. pr.*: *Diversos fatores conjuminaram-se para que surgisse vida na Terra.*] [▶ **1** conjumin*ar*]

conjunção (con.jun.*ção*) *sf.* **1** Encontro, união, combinação: *Uma conjunção de fatores acarretou o fenômeno.* **2** *Astron.* Alinhamento de dois astros na mesma linha visual a partir de observação terrestre: *A conjunção da Lua e do Sol resultam em eclipse solar.* **3** *Gram.* Palavra invariável que liga dois termos ou duas orações. [Pl.: -*ções*.] ● con.jun.*ti*.vo *a.*

conjuntiva (con.jun.*ti*.va) *sf. Anat.* Membrana que reveste a parte externa do globo ocular e a interna da pálpebra.

conjuntivite (con.jun.ti.*vi*.te) *sf. Med.* Inflamação da conjuntiva.

conjunto (con.*jun*.to) *a.* **1** Que é junto e simultâneo (esforços *conjuntos*). **2** Ligado (casas *conjuntas*). **3** Adjacente, contíguo (terrenos *conjuntos*). *sm.* **4** Reunião de partes da mesma natureza, formando um todo: *o conjunto da obra de um artista.* **5** Músicos que tocam juntos. **6** Vestimenta feminina de duas ou três peças combinadas.

conjuntura (con.jun.*tu*.ra) *sf.* **1** Situação considerada como a convergência de diferentes fatores e circunstâncias (*conjuntura* econômica). **2** Momento, ocasião, oportunidade: *Naquela conjuntura, preferiu abandonar a festa.* ● con.jun.tu.*ral* a2g.

conjuração (con.ju.ra.*ção*) *sf.* **1** Ação ou resultado de conjurar. **2** Conspiração, sublevação, trama: *A mais famosa conjuração brasileira ocorreu em Minas Gerais.* [Pl.: -*ções*.]

conjurado (con.ju.*ra*.do) *a.sm.* Que ou quem faz parte de uma conjuração.

conjurar (con.ju.*rar*) *v.* **1** Afastar (um perigo, uma doença). [*td.*: *O médico conseguiu conjurar seu mal.*] **2** Convocar, chamar (para malefício, conjuração). [*td.*: "*...falando às estrelas, conjurando os maus espíritos...*" (José de Alencar, *Iracema*).] **3** Desfazer (feitiço, magia). [*td.*: *Só ele poderá conjurar o feitiço.*] **4** Planejar, tramar, maquinar (revolta, conjuração). [*td.*: *conjurar um motim.*] **5** Instigar, incitar. [*td.*: *Conjurou os descontentes e deu início à manifesta-*

ção. tdi. + *a, contra, para: Conjurou-os contra o rei.* **6** Insurgir-se, revoltar-se. [*ti.* + *contra: Conjuraram contra o tirano. pr.: Decidido a combater o regime, conjurou-se.*] [▶ **1** conjur**ar**]

conluiar (con.lui.*ar*) *v.* Unir(-se) em aliança, em conluio. [*td.: O tratado conluia vários países do continente. pr.: Conluiou-se com o inimigo.*] [▶ **1** conluiar]

conluio (con.*lui.*o) *sm.* Acordo entre pessoas para prejudicar alguém; TRAMA; CONSPIRAÇÃO.

conosco (co.*nos.*co) [ô] *pr.pess.* **1** Com a pessoa que fala, juntamente com outra(s) pessoa(s): *Eles concordaram conosco.* **2** Em nossa companhia: *Passe o Natal conosco.* **3** Em nosso poder; sob nossa responsabilidade: *Deixou conosco o gabarito da prova.* **4** Dirigido a ou próprio para/de nós: *O assovio era conosco; Esforço físico não é conosco.*

conotação (co.no.ta.*ção*) *sf.* Sentido não literal, ger. de teor afetivo, que uma palavra é capaz de sugerir ou evocar: *Beiço e lábio designam a mesma coisa, mas têm conotações diferentes.* [Pl.: -*ções.*] [Cf.: *denotação.*] ● co.no.ta.*ti.*vo *a.*

conotar (co.no.*tar*) *v. td.* Evocar sentido(s) ou significado(s) sobreposto(s) ao conceito objetivo de uma palavra ou expressão: *Sua postura tímida pode conotar covardia.* [▶ **1** conot**ar**] [Cf.: *conotação* e *denotação.*]

conquanto (con.*quan.*to) *conj.* Posto que; se bem que; EMBORA: *Conquanto faminto, não quis almoçar.*

conquista (con.*quis.*ta) *sf.* **1** Ação ou resultado de conquistar: *Partiu para a conquista de uma medalha.* **2** Pessoa ou coisa que se conquistou: *Elisa foi sua última conquista.*

conquistador (con.quis.ta.*dor*) [ô] *a.sm.* **1** Que ou aquele que conquista alguém ou algo: *conquistador de terras.* **2** *Fam.* Que ou quem faz conquistas amorosas: *Bonito e insinuante, é um grande conquistador.*

conquistar (con.quis.*tar*) *v. td.* **1** Alcançar (vitória, prêmio etc.): *conquistar a fama.* **2** Cativar; ganhar, granjear (afeição, admiração etc.): *"...duvido que não conquiste a confiança absoluta de todos eles..."* (João Ubaldo Ribeiro, *Diário do farol*). **3** Dominar pela força: *Os antigos romanos conquistaram vastos territórios.* [▶ **1** conquist**ar**]

consagração (con.sa.gra.*ção*) *sf.* **1** Ação ou resultado de consagrar(-se). **2** Condição daquilo ou daquele que se consagrou (1): *Embriagado em sua consagração, perdeu a modéstia.* **3** *Rel.* Oferenda de algo ou alguém a uma divindade. **4** *Rel.* Parte da missa católica em que a hóstia e o vinho representam o corpo e o sangue de Jesus. [Pl.: -*ções.*]

consagrar (con.sa.*grar*) *v.* **1** Dar ou receber reconhecimento público, notoriedade. [*td.: O prêmio Nobel consagrou-o (como físico). pr.: O jovem piloto consagrou-se (como o melhor de seu esquadrão).*] **2** Dedicar(-se), devotar(-se). [*tdi.* + *a: O amor fraternal que consagrava a seu irmão e a Isabel..."* (José de Alencar, *O guarani*). *pr.: Consagrou-se ao trabalho beneficente.*] **3** *Rel.* Abençoar; tornar sagrado. [*td.: O sacerdote consagrou o casamento.*] [▶ **1** consagr**ar**] ● con.sa.gra.*dor a.*

consanguíneo (con.san.*gui.*ne.o) *a.sm.* **1** Que ou quem é do mesmo sangue (parente *consanguíneo*). **2** *Jur.* Que ou quem é irmão apenas por parte de pai.

consanguinidade (con.san.gui.ni.*da.*de) *sf.* Relação de parentesco em que há um ascendente comum.

consciência (cons.ci.*ên.*ci.a) *sf.* **1** *Med.* Estado em que uma pessoa tem percepção do que se passa à sua volta e dentro de sua mente. **2** Capacidade de julgar o que é certo e o que é errado de acordo com os seus valores: *agir de acordo com sua consciência.* **3** Conhecimento, percepção: *Tinha consciência do que fizera.* **4** Cuidado na execução de uma tarefa: *Realizou o trabalho com consciência.* **5** Retidão, honradez. ❙❙ **Em sã ~ Com** muita sinceridade.

consciencioso (cons.ci.en.ci.*o.*so) [ô] *a.* Que tem consciência (4) (profissional *consciencioso*); MINUCIOSO; CUIDADOSO. [Fem. e pl.: [ó].]

consciente (cons.ci.*en.*te) *a2g.* **1** Que está de posse de seus sentidos: *Desmaiou, mas agora está consciente.* **2** Que tem consciência (2 e 4). **3** Que tem consciência (3); que está ciente, informado (de algo): *Estava consciente das novas regras.* ● *m.* **4** *Psi.* Processos e fatos psíquicos de que temos consciência (3). [Cf.: *inconsciente* e *subconsciente.*]

conscientizado (cons.ci.en.ti.za.*do*) *a.* **1** Que se conscientizou. **2** Que tem ou adquiriu consciência política: *povo conscientizado (de seus direitos e deveres).*

conscientizar (cons.ci.en.ti.*zar*) *v.* **1** Tornar consciente. [*tdi.* + *de: A campanha conscientizou a população do perigo. pr.: Conscientizou-se dos benefícios da dieta.*] **2** Incutir consciência política em. [*td.: Precisamos conscientizar o povo.*] [▶ **1** conscientiz**ar**] ● cons.ci.en.ti.za.*ção sf.*

cônscio (*côns.*ci.o) *a.* Que tem consciência (do que faz ou deve fazer); CIENTE: *cônscio de seus deveres.*

conscrição (cons.cri.*ção*) *sf.* Alistamento para o serviço militar. [Pl.: -*ções.*]

conscrito (cons.*cri.*to) *a.sm.* Que ou quem foi alistado no serviço militar; RECRUTADO.

consecução (con.se.cu.*ção*) *sf.* Ação ou resultado de conseguir: *Trabalharão para a consecução de seus objetivos.* [Pl.: -*ções.*]

consecutivo (con.se.cu.*ti.*vo) *a.* **1** Que se segue imediatamente a outro; CONSEGUINTE; SEQUENTE: *três dias consecutivos de festa.* **2** *Gram.* Diz-se da conjunção subordinativa que expressa o efeito ou a consequência de um fato (p.ex.: *que*). [Ger. usa-se um termo intensivo (*tal, tanto, tamanho*) na oração principal: *Foi tanta a dor, que desmaiou.*]

conseguinte (con.se.*guin.*te) *a2g.sm.* Que ou aquilo que se segue; CONSECUTIVO; SEQUENTE.

conseguir (con.se.*guir*) *v. td.* Obter com esforço; alcançar, ter como resultado: *Conseguira o emprego.* [▶ **55** conseg**uir**]

conselheiro (con.se.*lhei.*ro) *a.sm.* **1** Que ou quem aconselha. *sm.* **2** *Bras.* Título honorífico do Império. **3** Membro de um conselho (2).

conselho (con.*se.*lho) [ê] *sm.* **1** Opinião ou aviso que se dá a alguém. **2** Grupo de pessoas que se reúne para debater e decidir sobre algum assunto: *conselho de família/de classe.*

consenso (con.*sen.*so) *sm.* Acordo ou concordância de ideias ou opiniões: *Depois de muita discussão, chegaram a um consenso.* ● con.sen.su:*al a2g.*

consentâneo (con.sen.*tâ.*ne.o) *a.* **1** Apropriado, conveniente: *linguagem consentânea à ocasião.* **2** Coerente: *Seu comportamento é consentâneo com suas crenças.*

consentimento (con.sen.ti.*men.*to) *sm.* **1** Ação ou resultado de consentir. **2** Autorização ou permissão que se dá a alguém para fazer algo.

consentir (con.sen.*tir*) *v.* Concordar; dar permissão (para). [*td.: Não consentia que conversassem durante a aula.* ***ti.*** + *a: Jamais consentirei desrespeito aos mais velhos. ti.* + *com, em: O autor consentiu com a publicação. int.: Quem cala, consente.*] [▶ **50** cons**e**nt**ir**]

consequência (con.se.*quên.*ci.a) *sf.* **1** Resultado de uma ação ou de um fato: *Este engarrafamento é consequência da chuva.* **2** *Med.* Complicação resultante de uma doença; SEQUELA: *Essa pneumonia trouxe algumas consequências.* **3** Implicação, dedução: *Que consequências tirar de tal proposta?*

consequente (con.se.*quen.*te) *a2g.* **1** Que segue a ou resulta de algo. **2** Coerente, lógico, racional.

consertar (con.ser.*tar*) *v. td.* **1** Recuperar (algo quebrado, estragado etc.): *O técnico consertou o aparelho.* **2** Corrigir (erro, mal-entendido etc.): *Tentou consertar a gafe.* **3** Reverter (situação de conflito): *Fez de tudo para consertar seu casamento.* [▶ 1 consert*ar*]

conserto (con.*ser*.to) [ê] *sm.* Ação ou resultado de consertar; REPARO.

conserva (con.*ser*.va) *sf.* **1** Líquido ou calda em que se conservam alimentos. **2** Qualquer alimento assim conservado.

conservação (con.ser.va.*ção*) *sf.* **1** Ação ou resultado de conservar(-se). **2** Manutenção, preservação do bom estado de algo. [Pl.: -*ções*.]

conservacionismo (con.ser.va.ci.o.*nis*.mo) *sm.* Conjunto de princípios e técnicas que buscam a utilização racional dos recursos naturais, garantindo a preservação ou a recuperação ambiental. • con.ser.va.ci.o.*nis*.ta *a2g.s2g.* (agricultura conservacionista).

conservador (con.ser.va.*dor*) [ó] *a.sm.* **1** Que ou aquele que conserva algo. **2** Que ou quem defende ideias, valores e costumes ultrapassados; que ou quem é contrário a mudanças.

conservadorismo (con.ser.va.do.*ris*.mo) *sm.* Atitude de apego às tradições e aversão a mudanças, esp. políticas ou sociais; CONSERVANTISMO.

conservante (con.ser.*van*.te) *a2g.sm.* **1** Que ou aquilo que conserva. **2** Que ou o que é colocado em alimentos a fim de que eles mantenham por mais tempo a sua vida útil (diz-se de substância, produto etc.).

conservantismo (con.ser.van.*tis*.mo) *sm.* Ver *conservadorismo*.

conservar (con.ser.*var*) *v.* **1** Preservar(-se); manter(-se) em bom estado. [*td.*: *Esse sabão conserva a cor das roupas. pr.*: *A tumba do faraó conservou-se por séculos.*] **2** Manter; não perder; não mudar. [*td.*: *Ana conservou a calma. pr.*: *O aluno conservou-se na mesma turma.*] [▶ 1 conserv*ar*]

conservatório (con.ser.va.*tó*.ri.o) *a.* **1** Que serve para conservar. *sm.* **2** Escola onde se ensinam artes, esp. música.

consideração (con.si.de.ra.*ção*) *sf.* **1** Ação ou resultado de considerar. **2** Respeito ou estima que se tem por alguém. **3** Apreciação, exame: *Seu pedido de aumento exige consideração.* [Pl.: -*ções*.]

considerado (con.si.de.*ra*.do) *a.* Que recebe consideração; ESTIMADO; RESPEITADO.

considerar (con.si.de.*rar*) *v.* **1** Julgar, qualificar. [*td.*: *Considero Paulo o melhor aluno. pr.*: "Se não a conhece, não se pode considerar revolucionário." (Cecília Meireles, *Crônicas de educação* 2).] **2** Ter respeito, admiração por. [*td.*: *Todos consideram sua opinião.*] **3** Levar em conta; PESAR; PONDERAR. [*td.*: *O juiz considerou as circunstâncias atenuantes.*] **4** Pensar, refletir sobre. [*td.*: *Considere minha proposta.*] [▶ 1 consider*ar*]

considerável (con.si.de.*rá*.vel) *a2g.* **1** Que deve ser considerado; IMPORTANTE. **2** Muito grande. [Pl.: -*veis*.]

consignar (con.sig.*nar*) *v. td.* **1** Colocar (o distribuidor) ou receber (o revendedor) produto para venda sem cobrar ou pagar por ele, deixando o pagamento para ser feito depois: *A livraria consignou cem exemplares do livro.* **2** Estabelecer, declarar, registrar: *Interrogou as testemunhas e consignou o fato.* [▶ 1 consign*ar*] sin.*si*.gna.*ção sf.*

consignatário (con.sig.na.*tá*.ri.o) *sm.* Aquele que recebe mercadorias em consignação.

consigo (con.*si*.go) *pr.pess.* **1** Com a pessoa de quem se fala: *O menino levou consigo o cachorrinho.* **2** Em poder dele; sob a responsabilidade dele: *Ficou consigo o relógio do pai.* **3** Com ele mesmo: *"Que longa espera", falou consigo mesmo.* [NOTA: Na acp. 3, *consigo* ger. vem acompanhado de *mesmo*.]

consistência (con.sis.*tên*.ci:a) *sf.* **1** Dureza, firmeza, rigidez: *A ginástica deu mais consistência a seus músculos.* **2** Densidade: *Repare na consistência deste creme.* **3** *Fig.* Coerência: *Sua explicação tem consistência.*

consistente (con.sis.*ten*.te) *a2g.* **1** Que é firme, rijo. **2** Denso, viscoso. **3** *Fig.* Coerente. **4** Que consta ou consiste.

consistir (con.sis.*tir*) *v. ti.* **1** Compor-se de; ser formado por. [+ *de, em*: *O rebanho consiste em vinte bois.*] [NOTA: É comum, mas convém evitar, o uso da prep. *de.*] **2** Basear-se, ter como fundamento. [+ *em*: *Seu sucesso consiste no seu talento.*] **2** Resumir-se a, limitar-se a. [+ *em*: *Sua cultura consiste em saber falar inglês.*] [▶ 1 consist*ir*]

consistório (con.sis.*tó*.ri:o) *sm.* **1** Assembleia de cardeais presidida pelo papa. **2** Lugar onde se realiza essa assembleia. **3** Qualquer assembleia em que sejam tratados assuntos importantes.

consoada (con.so:*a*.da) *sf.* **1** Pequena refeição noturna que se faz em dia de jejum. **2** Ceia da noite de Natal.

consoante (con.so:*an*.te) *sf.* **1** *Ling.* Fonema que encontra obstáculo, total ou parcial, à passagem do ar ao ser pronunciado e que, sozinho, não forma sílaba. **2** Letra que representa esse fonema: *As consoantes da palavra 'revista' são r, v, s, t. a2g.* **3** *Ling.* Diz-se desse fonema ou dessa letra. *prep.* **4** De acordo com; segundo: *Agiu consoante o regulamento. conj.* **5** Conforme, como: *Recebia os convidados consoante determinava a etiqueta.*

consogra (con.*so*.gra) [ó] *sf.* Mãe de um dos cônjuges em relação à mãe do outro.

consogro (con.*so*.gro) [ô] *sm.* Pai de um dos cônjuges em relação ao pai do outro. [Pl.: [ó]. Fem.: [ó].]

consolação (con.so.la.*ção*) *sf.* **1** Ação ou resultado de consolar(-se). **2** Alívio, conforto. **3** Pessoa ou coisa que consola. [Sin. ger.: *consolo* [ô].] [Pl.: -*ções*.]

consolar (con.so.*lar*) *v.* Trazer alívio ao sofrimento ou decepção de (alguém ou si mesmo). [*td.*: *Tentavam consolar o viúvo. pr.*: *Só me consolei quando consegui outro emprego.*] [▶ 1 consol*ar*]

console¹ (con.*so*.le) *sm. Bras.* Ver *consolo* [ô].

console² (con.*so*.le) *sm. Inf.* Terminal de controle para acesso direto do operador ao computador.

consolidação (con.so.li.da.*ção*) *sf.* **1** Ação ou resultado de consolidar(-se). **2** Fortalecimento, solidificação. **3** *Jur.* Junção de leis semelhantes de acordo com determinado sistema ou ordem; CÓDIGO: *Consolidação das Leis Trabalhistas.*

consolidar (con.so.li.*dar*) *v.* **1** Tornar mais firme, fixo ou estável. [*td.*: *Fred consolidou sua formação musical na Escola de Música. int./pr.*: *O cimento consolidou(-se) em poucas horas.*] **2** Estabilizar uma tendência; confirmar. [*td.*: *A empresa consolidou sua posição no mercado. pr.*: *A marca consolidou-se como líder em seu segmento.*] **3** *Med.* Fazer formar em (fratura) um calo ósseo para fortalecer a junção. [*td.*: *Imobilizou o braço para consolidar a fratura.*] [▶ 1 consolid*ar*]

consolo (con.*so*.lo) [ô] *sm.* Tipo de mesa pequena, de madeira ou outro material, que fica ger. presa à parede; CONSOLE¹. [Pl.: [ó].] [Cf.: *consolo* [ô].]

consolo (con.*so*.lo) [ô] *sm.* Ver *consolação*. [Pl.: [ô].] [Cf.: *consolo* [ó].]

⊕ **consommé** (*Fr.* /consomê/) *sm. Cul.* Caldo claro, feito de carne, peixe ou galinha, servido frio ou quente.

consonância (con.so.*nân*.ci:a) *sf.* **1** *Fig.* Concordância, acordo: *Puniu em consonância com a lei.* **2** Conjunto de sons harmoniosos. • con.so.*nan*.te *a2g.*

consonantal (con.so.nan.*tal*) *a2g. Gram.* Ref. a ou formado por consoantes (encontro consonantal). [Pl.: -*tais*.]

consorciar(con.sor.ci.ar) v. Unir(-se), associar(-se), fazer parceria. [td.: O prefeito consorciou empresas para realizar o projeto. tdi. + a, com: consorciar nossos interesses aos dos parceiros. pr.: A escola pretende consorciar-se com outras da região.] [▶ 1 consorciar]

consórcio (con.sór.ci:o) sm. **1** Sistema de autofinanciamento em que pessoas se associam pagando uma prestação mensal e no qual, ao fim de cada mês, há um sorteio para entrega dos bens adquiridos. **2** União de empresas, ger. para execução de um grande projeto. **3** Casamento (1).

consorte (con.sor.te) [ó] s2g. Ver cônjuge.

conspícuo (cons.pí.cu:o) a. **1** Que chama a atenção, visível. **2** Ilustre, importante.

conspiração (cons.pi.ra.ção) sf. **1** Ação ou resultado de conspirar. **2** Maquinação secreta contra alguém. [Pl.: -ções.]

conspirar (cons.pi.rar) v. **1** Planejar secretamente. [td.: conspirar uma revolta. ti. + contra: Aquele grupo está conspirando contra as mudanças.] **2** Ter condições favoráveis/desfavoráveis para algo ou alguém. [ti. + contra, para: Tudo conspirou para o sucesso do empreendimento.] [▶ 1 conspirar] • cons.pi.ra.dor a.sm.; cons.pi.ra.ti.vo a.

conspurcar (cons.pur.car) v. Sujar(-se), corromper(-se) (tb. Fig.). [td.: Essa atitude conspurcará sua reputação. pr.: Com o escândalo, sua imagem conspurcou-se.] [▶ 1 conspurcar] • cons.pur.cá.vel a2g.

constância (cons.tân.ci:a) sf. **1** Qualidade de constante. **2** Tenacidade nos propósitos e nos projetos; DETERMINAÇÃO; PERSEVERANÇA: Do atleta se exige constância no treinamento.

constante (cons.tan.te) a2g. **1** Que é ou se mostra permanente, incessante: Impressiona seu constante bom humor. **2** Que é persistente, tenaz: Ele é constante na luta por seus ideais. **3** Que é habitual, frequente (por constante). **4** Que consta de algo, que está presente: os depoimentos constantes do processo. sf. Algo (algum dia, situação, fato) que se repete em seu contexto: A preocupação com a ética é uma constante em sua obra.

constar (cons.tar) v. **1** Ser composto de, consistir em, conter. [ti. + de: A prova consta de dez questões.] **2** Estar incluído (ger. um escrito) em. [ti. + de, em: Este poema consta da antologia do poeta.] **3** Ser conhecido ou reconhecido. [ti. + a: Não me consta que seja preciso nova matrícula. int.: "Não consta qual deles a beijou primeiro." (Machado de Assis, Esaú e Jacó).] [▶ 1 constar]

constatar (cons.ta.tar) v. td. **1** Determinar ou confirmar a veracidade de (fato, afirmação etc.): O inquérito constatará se a testemunha disse a verdade. **2** Verificar, perceber, ter confirmação de: A professora constatava o progresso dos alunos. [▶ 1 constatar] • cons.ta.ta.ção sf.

constelação (cons.te.la.ção) sf. **1** Conjunto de estrelas batizadas com um nome: constelação do Cruzeiro do Sul. **2** Fig. Grupo de pessoas importantes e notáveis: Participou do projeto uma constelação de arquitetos. **3** Coletivo de coisas: constelações de flores. [Pl.: -ções.]

consternar (cons.ter.nar) v. Provocar tristeza ou abatimento em, ou senti-los. [td.: A morte do ídolo consternou o país. pr.: Todos consternaram-se com a tragédia.] [▶ 1 consternar] • cons.ter.na.ção sf.; cons.ter.na.do a.

constipação (cons.ti.pa.ção) sf. Med. Prisão de ventre. [Tb. us. para designar, impropriamente, resfriado.] [Pl.: -ções.]

constipar (cons.ti.par) v. td. int. pr. Causar, adquirir ou sofrer de constipação. [▶ 1 constipar]

constitucional (cons.ti.tu.ci:o.nal) a2g. **1** Ref. à, da ou próprio da Constituição (direito constitucional). **2** Que tem o respaldo da Constituição (garantias constitucionais). **3** Pol. Cujos poderes são limitados pela Constituição (diz-se de regime político). **4** Que é próprio da organização físico-psíquica do indivíduo. [Pl.: -nais.] • cons.ti.tu.ci:o.na.li.da.de sf. [Cf.: constituinte.]

constitucionalismo (cons.ti.tu.ci:o.na.lis.mo) sm. Pol. **1** Doutrina que defende o princípio de que os poderes do Estado devem derivar-se de uma Constituição (4). **2** Regime político de um Estado em que os poderes derivam de uma Constituição (4).

constitucionalista (cons.ti.tu.ci:o.na.lis.ta) a2g. **1** Ref. ao, do ou próprio do constitucionalismo (tradição constitucionalista). s2g. **2** Adepto do constitucionalismo: Os constitucionalistas sucederam aos absolutistas. **3** Jur. Jurista especializado em direito constitucional.

constituição (cons.ti.tu.i.ção) sf. **1** Ação ou resultado de constituir; estabelecimento, formação: constituição de uma empresa. **2** Maneira como está formado ou composto um todo; ORGANIZAÇÃO; FORMAÇÃO: constituição de uma célula eletroquímica. **3** Compleição de um indivíduo. ▣ **Constituição** sf. **4** Jur. Lei fundamental e suprema que regula a organização de um Estado, estabelecendo-lhe a forma de governo, os poderes públicos, a distribuição de competências, os direitos e deveres dos cidadãos etc. [Pl.: -ções.]

📖 A Constituição de um Estado (instância política de um país) é sua lei fundamental, ou seja, o conjunto das normas e princípios que regerão todas as leis do Estado, em todos os níveis. Assim, nenhuma lei, ou decreto, ou medida, seja municipal, estadual ou federal, poderá em seu teor contrariar o que está estabelecido na Constituição. O Brasil já teve várias constituições aprovadas (ger., a não ser em situações de exceção, por corpo de representantes da sociedade esp. designado para isso: a Assembleia Constituinte): a monarquista, de 1824 (seguida de atos adicionais em 1834, 1840, 1847); a primeira republicana, de 1891, reformada em 1926; a segunda republicana, de 1934 (extinta em 1937 pelo Estado Novo); a terceira republicana, de 1946; as de 1967 e 1969 (sob o regime militar) e a de 1988, novamente sob regime democrático.

constituinte (cons.ti.tu.in.te) a2g. **1** Que constitui ou integra algo: as peças constituintes de um carro. **2** Cuja finalidade é estabelecer uma Constituição (4) (assembleia constituinte, deputado constituinte). s2g. **3** Cada um dos componentes de algo: Alguns constituintes desse produto são importados. **4** Parlamentar eleito para participar da elaboração e aprovação de uma Constituição (4). sf. **5** Assembleia constituinte (2): A constituinte de 1988 elegeu Ulysses Guimarães seu presidente.

constituir (cons.ti.tu.ir) v. **1** Formar, organizar. [td.: Os alunos constituíram um coral; constituir família.] **2** Representar, consistir em. [td.: O voto consciente constitui um dever e um direito do cidadão. pr.: A indústria hoje se constitui na principal atividade econômica.] **3** Dar poderes a. [td.: "...desejo constituí-lo meu conselheiro e diretor." (Machado de Assis, Helena).] **4** Ser a parte principal, a base de; COMPOR. [td.: As células constituem os tecidos de vegetais e animais.] **5** Ser composto de, ter como parte(s). [pr.: O corpo humano constitui-se de três partes principais.] [▶ 56 constituir]

constitutivo (cons.ti.tu.ti.vo) a. Que constitui, que entra na constituição de algo, componente: elemento constitutivo de um sistema.

constranger (cons.tran.ger) v. **1** Forçar (alguém) a fazer algo; COAGIR. [tdi. + a: Constrangeram-no a desmentir tudo.] **2** Impedir (alguém) de agir livre-

constrangido | **consumidor** 198

mente; REPRIMIR. [td.: A pressão do advogado cons-
trangeu a testemunha.] **3** Deixar ou ficar (alguém)
embaraçado ou envergonhado. [td.: Falava aos gritos, a ponto de constranger os colegas. pr.: Ele cons-
trangia-se ao ver o comportamento do irmão.] [▶ **35**
constranger] • **cons.tran.ge.dor** a.

constrangido (cons.tran.gi.do) a. **1** Coagido, sem
opção, forçado, contrafeito: funcionários constrangi-
dos (a uma disciplina severa). **2** Que expressa constrangimento (2) (semblante constrangido).

constrangimento (cons.tran.gi.men.to) sm. **1** Ação
ou resultado de constranger; COAÇÃO; CERCEAMENTO:
constrangimento da liberdade. **2** Situação embaraçosa e incômoda: Passou por um constrangimento
desnecessário. **3** Embaraço, acanhamento: "O médico receber o abraço sem constrangimento..." (Machado de Assis, Helena).

constrição (cons.tri.ção) sf. **1** Estreitamento de diâmetro de um corpo causado por pressão circular
sobre o mesmo; CONTRAÇÃO. **2** A área assim estreita-
da. [Pl.: -ções]

constringir (cons.trin.gir) v. Apertar(-se), con-
trair(-se). [td.: A emoção constringe seu coração. pr.:
Com a emoção, seu coração constringiu-se.] [▶ **46**
constringir]

constritor (cons.tri.tor) [ô] a. Que constringe, cinge,
apertando: O torniquete é um instrumento constritor.

construção (cons.tru.ção) sf. **1** Ação ou resultado de construir (1): construção de uma casa. [Ant.:
destruição.] **2** Ação de elaborar, organizar: construção de um plano. **3** Ling. Conjunto de unidades
que formam, segundo regras de combinação, uma
unidade maior na hierarquia linguística (p.ex.:
o, cedinho, saiu e trabalhador são as unidades de
construção da frase: O trabalhador saiu cedinho).
4 Edificação, casa, edifício (construção sólida).
[Pl.: -ções.]

constructo (cons.tru.to) sm. **1** Construção puramente mental, criada a partir de elementos simples
a partir de fenômenos observáveis, para auxiliar a
compreensão de uma parte específica de uma teoria.
2 Psicol. Objeto de percepção ou do pensamento do
indivíduo derivado da combinação de experiências
passadas e presentes.

construir (cons.tru.ir) v. td. **1** Erguer obras de engenharia; edificar (casas, prédios, pontes etc.). **2** Montar (algo) juntando partes que se combinam; FABRI-
CAR: Os homens são capazes de construir máquinas
incríveis. **3** Formar, conceber, elaborar (tb. Fig.):
Jorge Amado construiu personagens incríveis. [▶ **56**
construir]. No pres. do ind., as formas usuais são
(tu) constróis, (ele) constrói e (eles) constroem, e no
imper. afirm., constrói (tu).]

construtivismo (cons.tru.ti.vis.mo) sm. Art.Pl. Estilo não figurativo de arte que floresceu na União
Soviética durante a terceira década do séc. XX. •
cons.tru.ti.vis.ta a2g.s2g.

construtivo (cons.tru.ti.vo) a. Que se constrói, que é
edificante, que visa melhorar (crítica construtiva,
atitude construtiva). [Ant.: destrutivo.]

construtor (cons.tru.tor) [ô] a.sm. **1** Que ou quem
constrói (1). sm. **2** Pessoa cuja profissão é construir edifícios. **3** Pessoa que projeta, faz planos, organiza ou constrói (2 e 3): os construtores da rede-
mocratização. [Ant.: demolidor, destruidor.]

construtora (cons.tru.to.ra) [ô] sf. Empresa de engenharia que constrói, reforma, repara edifícios e
vias públicas.

consubstanciação (con.subs.tan.ci.a.ção) sf. **1**
Ação ou resultado de consubstanciar; aquilo que se
consubstanciou; CONCRETIZAÇÃO; REALIZAÇÃO. **2** Teol.
Doutrina segundo a qual a substância do corpo e do
sangue de Jesus coexiste na substância do pão e do
vinho. [Pl.: -ções.]

consubstanciar (con.subs.tan.ci.ar) v. **1** Concretizar. [td.: O projeto consubstancia as ideias de renovação da firma. pr.: Essas ameaças podem se consubstanciar em agressão.] **2** Unir partes numa só
substância; CONSOLIDAR. [td.: O relatório consubstancia as conclusões da reunião.] [▶ **1** consubstanciar]

consuetudinário (con.su.e.tu.di.ná.ri.o) a. Que se
fundamenta nos usos e costumes (direito consuetudinário); COSTUMEIRO; USUAL.

cônsul (côn.sul) sm. **1** Representante diplomático
de uma nação em país estrangeiro. **2** Hist. Cada
um dos dois magistrados supremos da antiga república romana. [Pl.: -sules. Fem.: consulesa.] • **con.
su.lar** a2g.

consulado (con.su.la.do) sm. **1** Função do cônsul. **2**
Período em que uma pessoa exerce essa função. **3**
Escritório em que um cônsul exerce sua função ou
sua residência.

consulente (con.su.len.te) a2g.s2g. Que ou quem
faz uma consulta.

consulta (con.sul.ta) sf. **1** Ação ou resultado de consultar, de buscar informação, ou opinião, ou parecer profissional: consulta ao dicionário/aos astros/
ao advogado. **2** Tempo e circunstância de consulta
(1) a profissional (ger. na área de saúde): Tenho uma
consulta (com o cardiologista) às 14h.

consultar (con.sul.tar) v. **1** Pedir a (alguém ou a especialista em determinado assunto) parecer, conselho etc. [td.: Laís consultou uma astróloga. tdi. +
acerca de, quanto a, sobre: Meu tio consultou o engenheiro sobre a obra. pr.: Flávio consultou-se com
um médico.] **2** Buscar informação ou fazer pesquisa em (tb. Fig.). [td.: "Logo ia consultar um manual
para esclarecer uma hipótese." (Pepetela, A geração
da utopia); consultar a consciência.] **3** Dar consulta ou parecer (a). [int.: O velho advogado parou de consultar.] [▶
1 consultar]

consultivo (con.sul.ti.vo) a. Que assessora com opinião ou parecer (conselho consultivo).

consultor (con.sul.tor) [ô] sm. **1** Profissional que
dá parecer sobre assunto de sua especialidade. a. **2**
Que emite parecer (firma consultora).

consultoria (con.sul.to.ri.a) sf. **1** Cargo ou função
do consultor (1): profissional de consultoria. **2** Lugar
em que trabalham os consultores (1).

consultório (con.sul.tó.ri.o) sm. Gabinete de trabalho de profissional da área de saúde (consultório
dentário).

consumação¹ (con.su.ma.ção) sf. **1** Ação ou resultado de consumar: consumação do crime/do casamento. **2** Fim, final, término: É hora da consumação das
incertezas. [Pl.: -ções.]

consumação² (con.su.ma.ção) sf. Bras. Quantia mínima de consumo, efetivada ou não, cobrada por alguns bares, boates etc. [Pl.: -ções.]

consumado (con.su.ma.do) a. **1** Que se consumou,
que se realizou; terminado (fato consumado). **2** Que
é abalizado, perfeito (consumada experiência).

consumar (con.su.mar) v. **1** Realizar, concretizar. [td.: Primeiro ameaçou, depois consumou a
agressão.] **2** Fazer chegar ou chegar ao término;
completar(-se). [td.: O pintor consumou sua obra-
-prima. pr.: Apesar de todos os avisos, consumou-se
o atentado.] **3** Ter como desfecho; resultar. [pr.: Sua
desatenção consumou-se num grave acidente.] [▶ **1**
consumar]

consumição (con.su.mi.ção) sf. **1** Ação ou resultado
de consumir(-se). **2** Bras. Inquietação, preocupação.
[Pl.: -ções.]

consumidor (con.su.mi.dor) [ô] a. **1** Que consome
(mercado consumidor). sm. **2** Pessoa que consome
ou faz uso de algo habitualmente; USUÁRIO: consumidor de vinhos. **3** Econ. Pessoa ou organização que

usa ou adquire produtos ou serviços: *A retração dos consumidores segurou a inflação.*
consumir (con.su.*mir*) *v.* **1** Absorver (comida ou bebida); INGERIR. [*td.*: *No verão consumimos muito líquido.*] **2** Comprar (bens de consumo). [*td.*: *Consome metade do salário. ti.* + *com*: *consumir com supérfluos. int.*: *Há anos deixei de consumir além do necessário.*] **3** Usar, gastar (tempo, dinheiro, serviços etc.). [*td.*: *Estas obras consumirão três anos*; *consumir gás/energia.*] **4** Tirar as forças de ou perder as forças; ABATER(-SE), ENFRAQUECER(-SE). [*td.*: "*...em menos de um mês a tuberculose consumiu-a...*" (Marques Rebelo, *Contos reunidos*). *pr.*: *Consumiu-se em prolongada doença.*] **5** Queimar (no fogo) ou ser queimado até o fim. [*td.*: *As chamas consumiram a plantação. pr.*: *Os livros consumiram-se no incêndio.*] [▶ **53** consu‖mir‖] • con.su.*mí*.vel *a2g.*
consumismo (con.su.*mis*.mo) *sm.* Hábito de consumir ou comprar compulsivamente. • con.su.*mis*.ta *a2g.s2g.*
consumo (con.*su*.mo) *sm.* **1** Ação ou resultado de consumir, de se usar ou gastar algo; a quantidade do que se consome: *controlar o consumo de combustível.* **2** Ação de ingerir, de comer ou beber algo; INGESTÃO: *É proibido o consumo de bebidas alcoólicas.* **3** Ação ou resultado de consumir, de adquirir mercadorias e serviços: *A crise afetou-lhe o poder de consumo.*
conta (*con*.ta) *sf.* **1** Realização de uma operação aritmética; essa operação; CÁLCULO: *conta de somar.* **2** Registro contábil do movimento de entrada e de saída de valores e de mercadorias: *Feitas as contas, apuramos um pequeno lucro.* **3** Documento ao comprador que indica o valor a pagar por mercadoria ou serviço; NOTA; FATURA. **4** Total a ser pago por serviço ou mercadoria; DESPESA: *pagar a conta.* **5** Registro de despesas de um comprador a serem pagas no futuro: *Ponha a despesa na minha conta.* **6** Pequenas peças de material e formato variados com que se fazem rosários, colares, pulseiras e demais artesanatos. **7** *Fig.* Obrigação moral, respeito: *Só devo contas a mim mesma.* ▮ **Afinal de ~s** Finalmente, enfim. **Ajustar ~s** Acertar pendência (financeira, emocional etc.) com alguém, de forma amigável ou litigiosa. **~ corrente** Escrituração dos créditos e débitos de pessoa física ou jurídica em instituições bancárias ou em firmas **~ de chegar** Aquela em que, para atingir valor preestabelecido, modificam-se valores de parcelas, fatores etc. **~ redonda** Aquela em que se desprezam, no resultado, valores decimais. **Dar ~ de/Dar ~ do recado** Desincumbir-se a contento de (tarefa, missão). **Em ~ Barato**, com bom preço. **Fazer de ~ (que)** Fingir (na atitude ou no pensamento): *Faz de conta que você me conhece.* **Levar em ~** Levar em consideração; dar importância a. **Por ~** *Bras. Fam.* Irritado, indignado. **Ter na ~ de** Considerar, reputar. **Tomar ~ de** Guardar, vigiar, cuidar.
contábil (con.*tá*.bil) *a2g.* Ref. a contabilidade (registro contábil). [Pl.: -*beis*.]
contabilidade (con.ta.bi.li.*da*.de) *sf.* **1** *Cont.* Técnica, método e atividade de arquivar os registros financeiros de uma firma ou instituição. **2** O setor de uma empresa responsável por sua contabilidade (1). **3** *Fam.* Cálculo, computação, balanço.
contabilista (con.ta.bi.*lis*.ta) *s2g.* Pessoa formada em contabilidade e/ou que exerce essa atividade; CONTADOR.
contabilizar (con.ta.bi.li.*zar*) *v. td.* Registrar sistematicamente (dados numéricos que movimentação comercial, financeira etc.): *A empresa contabilizou a receita e a despesa do mês.* [▶ **1** contabiliz‖ar‖] [*contabilizáveis* (pl. *contabilizável* [a2g.]).]

contactar (con.tac.*tar*) *v.* Ver *contatar*. [▶ **1** contact‖ar‖]
contacto (con.*tac*.to) *sm.* Ver *contato*.
contador (con.ta.*dor*) [ó] *sm.* **1** Ver *contabilista.* **2** Aquele que narra histórias, relata: *contador de histórias.* **3** Aparelho ou dispositivo que faz o registro da quantidade de algo (eletricidade, água, gás etc.); MEDIDOR. *a.* **4** Que conta ou mede (aparelho *contador*).
contadoria (con.ta.do.*ri*.a) *sf.* Firma ou setor de empresa pública ou privada encarregado dos pagamentos e recebimentos de valores, bem como da verificação das contas.
conta-fios (con.ta-*fi*.os) *sm2n.* *Art.Gr.* Lupa para exame de detalhes da imagem gráfica, como retícula, registro etc.
contagem (con.*ta*.gem) *sf.* **1** Ação ou resultado de contar, de verificar a quantidade de coisas ou a frequência de um evento: *contagem de hemácias.* **2** Ação de contar, enumerando: *O pugilista mal ouvia a contagem do juiz.* **3** *Bras. Esp.* Resultado parcial ou final de um jogo; ESCORE; PLACAR: *A contagem foi até a zero para o Brasil.* [Pl.: -*gens*.]
contagiar (con.ta.gi.*ar*) *v.* **1** Fazer adquirir ou adquirir doença por contato direto ou indireto com (pessoa ou coisa transmissora da doença); CONTAMINAR(-SE). [*td.*: *Estava com conjuntivite e contagiou todo o departamento. pr.*: *A enfermeira não se contagiou.*] **2** *Fig.* Transmitir a ou adquirir (sentimento, emoção etc.) a. [*td.* (seguido de indicação de modo: *Contagiou o amigo com seu entusiasmo. pr.* (seguido de indicação de modo): *Contagiou-se com a tristeza do ambiente.*] **3** Transmitir-se a ou absorver (sentimento, sensação etc.). [*td.*: *O carisma do cantor contagiou a plateia. pr.*: *A cidade contagiou-se com o clima de festa.*] [▶ **1** contagi‖ar‖] • con.ta.gi.*a*.do *a.*; con.ta.gi.*an*.te *a2g.*
contágio (con.*tá*.gi:o) *sm.* Ação ou resultado de contagiar, de transmitir (doença, emoção, vício etc.) por contato.
contagioso (con.ta.gi:*o*.so) [ó] *a.* Que se transmite ou se alastra por contágio (doença *contagiosa*, gargalhada *contagiosa*). [Fem. e pl.: [ó].]
conta-giros (con.ta-*gi*.ros) *sm2n.* *Emec. Fís.* Aparelho que mede a velocidade de rotação de um motor ou de um eixo; TAQUÍMETRO.
conta-gotas (con.ta-*go*.tas) [ó] *sm2n.* Pequeno tubo de vidro ou plástico us. para pingar as gotas de um líquido.
contaminar (con.ta.mi.*nar*) *v.* **1** Transmitir a ou adquirir doença ou agente de doença; CONTAGIAR(-SE) (1). [*td.*: *Gripado, contaminara a família. pr.*: *No hospital, cuidado para não se contaminar.*] **2** Transmitir-se a ou adquirir (agente de doença). [*td.*: *O vírus da dengue contaminou os moradores do bairro. pr.*: *Os cariocas contaminaram-se a conjuntivite.*] **3** Espalhar-se (substância nociva, sentimento negativo etc.) em. [*td.*: *Os detritos contaminaram a lagoa.*] [▶ **1** contamin‖ar‖] • con.ta.mi.na.*ção sf.*
contanto (con.*tan*.to) *adv.* Us. na loc. ▮ **~ que** Desde que; com a condição de: *Chegaremos a tempo, contanto que nos apressemos.*
contar (con.*tar*) *v.* **1** Efetuar a contagem de; verificar ou atestar a quantidade de. [*td.*: *Contei cinco barcos na lagoa.*] **2** Ter, dispor de. [*ti.* + *com*: *A escola conta com três professores novos.*] **3** Obter, incluir. [*ti.* + *com*: "...*o evento contou com cerca de 1.500 pessoas...*" (*FolhaSP*, 13.11.99).] **4** Esperar a, ou confiar na participação, ajuda etc. de (alguém). [*ti.* + *com*: *Conto com você no mutirão.*] **5** Ter expectativa ou esperança de. [*td.*: "...*não contava haver-me tanto!*" (Joaquim Manuel de Macedo, *A moreninha*). *ti.* + *com*: *Estou contando com a queda da inflação.*] **6**

contatar Levar ou ser levado em consideração. [*td.*: *Paga luz e gás, sem contar a alimentação.* *int.*: *A honestidade conta muito.*] **7** Relatar, narrar (fato, história etc.). [*td.*: *Ela contou que havia morado no Sul.* **tdi.** + *a, para*: *Ele contou o final do filme para os amigos.*] [▶ **1** con[tar]]

contatar (con.ta.*tar*) *v.* *td.* Estabelecer conta(c)to com: *A secretária vai contatar os alunos bolsistas.* [▶ **1** conta[tar]]

contato (con.*ta*.to) *sm.* **1** Ação ou resultado de tocar (um corpo em outro); o estado dos corpos que se tocam: "*O contato com a areia contaminada pode causar micoses.*" (FolhaSP, 30.12.99). **2** Comunicação, conexão: *O piloto conseguiu contato com a torre.* **3** Interação entre pessoas, grupos, ideias etc., direta ou indireta: *contatos imediatos com extraterrestres.* **4** Aquele que serve de ligação entre alguém com pessoa ou instituição: *Ele é meu contato naquela empresa.* **5** *Publ.* Profissional que serve de intermediário entre agência de publicidade e um cliente. **6** *Fot.* Cópia do negativo (7) feita sobre papel fotográfico [Tb. se diz cópia por contato.]

contêiner (con.*têi*.ner) *sm.* Receptáculo de dimensões, materiais e formas diversas destinado a acondicionar mercadorias a serem ali conservadas ou transportadas.

contemplação (con.tem.pla.*ção*) *sf.* **1** Ação ou resultado de contemplar, de observar admirado, extasiado. **2** Aplicação das forças mentais em abstrações; MEDITAÇÃO. **3** Observação silenciosa, atenta e refletida sobre um tema. **4** Benevolência, consideração. [Pl.: *-ções*.]

contemplado (con.tem.*pla*.do) *a.* **1** Que foi premiado ou agraciado: *Os convidados contemplados subiram no palco.* *sm.* **2** Pessoa premiada, sorteada.

contemplar (con.tem.*plar*) *v.* **1** Olhar com atenção ou admiração. [*td.*: "*...Peri continuava a contemplar a sua senhora.*" (José de Alencar, *O guarani*). *pr.*: *A moça contempla-se no espelho.*] **2** Levar em consideração. [*td.*: *O acordo contempla os pedidos dos estudantes.*] **3** Dar algo como reconhecimento. [*tdi.* + *com*: *A Academia contemplou a atriz com um prêmio.*] [▶ **1** contemp[lar]]

contemplativo (con.tem.pla.*ti*.vo) *a.* **1** Ref. a ou em que há contemplação. **2** Que habitualmente entra em estado de contemplação. **3** Que causa contemplação ou é próprio para levar à contemplação (música contemplativa).

contemporâneo (con.tem.po.*râ*.ne:o) *a.sm.* Que ou o que pertence à mesma época ou à do tempo atual (músicos contemporâneos, arte contemporânea). • con.tem.po.ra.nei.*da*.de *sf.*

contemporizar (con.tem.po.ri.*zar*) *v.* **1** Adequar-se à situação, ger. sem entrar em litígio; TRANSIGIR. [*int.*: *Nas reuniões, não discute, contemporiza sempre.*] **2** Aceitar posições alheias; CONDESCENDER. [*ti.* + *com*: *Contemporizava com os pequenos deslizes do amigo.*] [▶ **1** contemporiz[ar]] • con.tem.po.ri.za.*ção* *sf.*

contenção (con.ten.*ção*) *sf.* *Bras.* Ação ou resultado de conter(-se): *contenção de despesas.* [Pl.: *-ções*.] [Cf.: *contensão*.]

contencioso (con.ten.ci:o.so) [ó] *a.* **1** Em que há litígio, contenda (questão contenciosa). **2** Duvidoso, incerto. **3** Órgão de uma repartição pública ou de uma empresa privada onde se examinam as questões litigiosas. [Fem. e pl.: [ó].]

contenda (con.*ten*.da) *sf.* **1** Debate em que há objeção ou oposição de ideias entre as partes. **2** Briga, luta armada, guerra.

contender (con.ten.*der*) *v.* Entrar ou ter disputa, discussão, contenda (com alguém). [*ti.* + *com*: *Não queria contender com ninguém.* *int.*: *É melhor conciliar do que contender.*] [▶ **2** contend[er]]

contendor (con.ten.*dor*) [ô] *a.sm.* **1** Que ou quem contende com outro. **2** Que ou quem é rival, oposto, adversário.

contensão (con.ten.*são*) *sf.* Contenda, luta, confronto. [Pl.: *-sões*.] [Cf.: *contenção*.]

contentamento (con.ten.ta.*men*.to) *sm.* Satisfação, alegria, prazer. [Ant.: *descontentamento, desgosto, tristeza*.]

contentar (con.ten.*tar*) *v.* Tornar(-se) contente, satisfeito; SATISFAZER(-SE). [*td.*: *É impossível contentar todo mundo.* *pr.*: *As crianças contentam-se com brinquedos simples.*] [▶ **1** contenta[tar]]

contente (con.*ten*.te) *a2g.* **1** Alegre, prazenteiro, feliz: *Sentia-se contente em poder participar dos festejos.* **2** Que teve seus desejos atendidos; SATISFEITO.

contento (con.*ten*.to) *sm.* Contentamento, satisfação. ▓ *A ~ De* maneira satisfatória: *A festa saiu a contento.*

conter (con.*ter*) *v.* **1** Ter em si, encerrar, incluir. [*td.*: *Este livro contém mapas e ilustrações.*] **2** Refrear, reprimir. [*td.*: *Tentava conter o choro.* *pr.*: *Ela não se conteve e caiu na gargalhada.*] [▶ **7** con[ter]. Recebem acento agudo no *e* da desinência as formas (tu) *contêns*, (ele) *contém* e *contêm* (tu).]

conterrâneo (con.ter.*râ*.ne:o) *a.sm.* Que é ou nasceu da mesma terra que outro; COMPATRÍCIO, COMPATRIOTA, PATRÍCIO. [Ant.: *estrangeiro, forasteiro*.]

contestação (con.tes.ta.*ção*) *sf.* **1** Ação de contestar opondo-se, objetando; a expressão dessa ação: *A contestação do advogado foi brilhante.* **2** Debate, polêmica. [Pl.: *-ções*.]

contestar (con.tes.*tar*) *v.* **1** Negar a veracidade ou a exatidão de; CONTRADIZER; REFUTAR. [*td.*: *Contestou a crítica, por tendenciosa.*] [Ant.: *aceitar, acatar*.] **2** Responder, replicar refutando. [*ti.* + *a*: *Contestarei à sua carta com uma ação no tribunal. int.*: *Ao ouvir aquilo, Ana contestou com veemência.*] [▶ **1** contes[tar]] • con.tes.ta.*dor* *a.*; con.tes.ta.*tó*.ri:o *a.*

conteste (con.*tes*.te) *a2g.* Que depõe ou afirma o mesmo que outra pessoa (testemunhas contestes).

conteúdo (con.te.*ú*.do) *sm.* **1** O que está contido ou se encerra em algo: *conteúdo de uma garrafa.* **2** Substância, materialidade de algo: *Sua fala foi bonita, mas sem conteúdo.* **3** Assunto; teor: *conteúdo do artigo.*

contexto (con.*tex*.to) [ê] *sm.* **1** Aquilo que constitui o texto na sua totalidade: *Conforme o contexto, a palavra "manga" nomeia diversos objetos.* **2** Conjunto de circunstâncias ou fatos que envolve um evento particular, uma situação etc. • con.tex.tu.*al* *a2g.*

contextualizar (con.tex.tu:a.li.*zar*) *v.* **1** Apresentar as circunstâncias e o contexto de (fato, ideia, comportamento etc.): *O jornalista contextualizou suas declarações.* [▶ **1** contextualiz[ar]]

contextura (con.tex.*tu*.ra) *sf.* **1** Maneira como as partes se dispõem significativamente as partes de um todo; ENCADEAMENTO. **2** Entrelaçamento dos fios de um tecido; TEXTURA: *a contextura de um pano.*

contigo (con.*ti*.go) *pr.pess.* **1** Com a pessoa com quem se fala: *Ela também fez isso contigo?* **2** Em tua companhia: *Queria muito ir contigo, mas não vai dar.* **3** Em teu poder; sob tua responsabilidade: *Posso deixar essas coisas contigo?* **4** Dirigido a ti ou próprio para/de ti: *A crítica era contigo; Ser compreensivo não é contigo.*

contiguidade (con.ti.gui.*da*.de) *sf.* Qualidade ou estado de contíguo; PROXIMIDADE; VIZINHANÇA; ADJACÊNCIA.

contíguo (con.*tí*.guo) *a.* Que está ao lado, junto, próximo; ADJACENTE: *A sala de jantar é contígua à cozinha.*

continência (con.ti.*nên*.ci:a) *sf.* **1** *Mil.* Cumprimento ou saudação formal e reverente entre militares ou de um militar para uma autoridade civil ou religiosa de alto escalão. **2** Atitude de abster-se de prazeres. **3** Comedimento, moderação. **4** *Med.* Capacidade de retardar a realização de necessidades fisiológicas (continência urinária).

continental (con.ti.nen.*tal*) *a2g.* **1** Que se localiza no continente: *O Rio de Janeiro é uma cidade continental.* **2** Do ou próprio do continente (águas continentais, dimensões continentais). [Pl.: *-tais*.]

continente (con.ti.*nen*.te) *sm.* **1** *Geog.* Território vastíssimo cercado por águas oceânicas, e que constitui cada uma das seis grandes divisões da Terra (Europa, Ásia, África, América, Oceania e Antártida). **2** *Geog.* Parte continental de uma região em relação a outra que é insular: *Parte da população da ilha de Paquetá trabalha no continente.* **3** O que contém ou é feito para conter algo; RECIPIENTE.

contingência (con.tin.*gên*.ci:a) *sf.* **1** Condição do que é contingente (4), casual; EVENTUALIDADE. **2** Possibilidade de algo acontecer ou não. • **con.tin.gen.ci:***al* **2g.**

contingenciar (con.tin.gen.ci.*ar*) *v. td. Econ.* Impor (ger. o governo) limites e regras a (uso de recursos e verbas, orçamento etc.). [▶ **1** contingenci**ar**]

contingente (con.tin.*gen*.te) *sm.* **1** Conjunto de pessoas formado para executar determinada tarefa: *contingente de atendimento aos flagelados.* **2** *Mil.* Destacamento de militares de uma unidade para desempenho de certa tarefa ou missão eventual. **3** Quinhão, porção, parcela: *Deu seu contingente de ajuda.* *a2g.* **4** Que é incerto ou que pode acontecer por acaso; EVENTUAL; CIRCUNSTANCIAL.

continuação (con.ti.nu:a.*ção*) *sf.* **1** Ação ou resultado de continuar; PROSSEGUIMENTO; PROSSECUÇÃO: *Decidiram pela continuação do projeto.* **2** Prolongamento: *Esta rua é uma continuação daquela.* **3** Sucessão, seguimento, sequência: *Este filme é uma continuação do primeiro.* [Pl.: *-ções*.]

continuado (con.ti.nu.*a*.do) *a.* **1** Que não tem interrupção (esforço continuado); CONTÍNUO. **2** Assíduo, sucessivo, seguido: *Telefonei continuadas vezes mas não o encontrei em casa.*

continuar (con.ti.nu.*ar*) *v.* **1** Dar seguimento a. [*td.*: *Continuou o discurso sem interrupção.* **ti.** + *com*: *Ela continuou com a pesquisa.*] **2** Seguir adiante em (ação); prosseguir em. [*td.*: "O trem pode continuar sua marcha veloz..." (Kurban Said, *Ali e Nino*). **ti.** + *em*: *Continuou em sua caminhada.*] **3** Manter (qualidade ou estado). [*lig.*: "E o Cachimbo da Paz continua proibido." (Gabriel, o Pensador, *Cachimbo da paz*).] **4** Ter prosseguimento; PERDURAR. [*int.*: *Apesar da chuva, a missa campal continuou.*] [▶ **1** continu**ar**] • Us. tb. como v. aux., seguido de gerúndio ou da prep. *a* + v. principal no infinit., indicando continuação da ação: *Continuaram pedindo doações*; *Você continua a trabalhar à noite?*] • **con.ti.nu:a.***dor* *a.sm.*

continuidade (con.ti.nu:i.*da*.de) *sf.* **1** Qualidade ou condição do que é contínuo. **2** Prosseguimento ou persistência de um fato, acontecimento ou contexto: *Sem verbas não daremos continuidade aos trabalhos.* **3** *Cin. Telv.* Num filme, novela, programa etc., o modo como as sequências se desenvolvem.

continuísmo (con.ti.nu.*ís*.mo) *sm. Bras. Pol.* A manutenção do poder político nas mãos das mesmas pessoas ou do mesmo grupo.

continuísta (con.ti.nu.*ís*.ta) *a2g.s2g.* **1** Que ou quem é a favor do continuísmo. *s2g.* **2** *Cin. Telv.* Pessoa responsável pela continuidade (3) de um filme, novela, programa etc.

contínuo (con.*tí*.nu:o) *a.* **1** Que se estende no tempo ou no espaço sem interrupções; CONTINUADO: *a rotação contínua da Terra.* **2** Que se prolonga sem pausas ou sem divisões: *faixa contínua de pedestres.* **3** Que se repete consecutivamente com intervalos regulares. **4** Que tem coerência ou lógica (discurso contínuo). *sm.* **5** Funcionário encarregado de transportar papéis e documentos, ir a bancos etc.; BÓI.

contista (con.*tis*.ta) *s2g. Liter.* Aquele que escreve contos.

conto (*con*.to) *sm.* **1** *Liter.* Narrativa menor que o romance, com pequeno número de personagens em torno de um único conflito. **2** Mentira que se conta a alguém.

conto do vigário (con.to do vi.*gá*.ri:o) *sm. Bras.* Golpe vs. para enganar pessoas ingênuas, oferecendo-lhes falsas vantagens. [Pl.: *contos do vigário*.]

contorção (con.tor.*ção*) *sf.* **1** Ação ou resultado de contorcer(-se). **2** Movimento exagerado de um ou mais músculos do corpo (contorção facial). **3** Arqueamento de qualquer material flexível: *contorção da vara de pescar.* [Pl.: *-ções*.]

contorcer (con.tor.*cer*) *v.* Torcer (parte do corpo, o corpo), contraindo. [*td.*: *A cobra contorceu o corpo antes do bote.* *pr.*: *O menino contorcia-se de tanto rir.*] [▶ **33** contorc**er**]

contorcionista (con.tor.ci:o.*nis*.ta) *a2g.s2g.* **1** Que ou quem tem facilidade em contorcer o próprio corpo. **2** Que ou aquele que se apresenta realizando contorções (diz-se de artista, ginasta etc.).

contornar (con.tor.*nar*) *v. td.* **1** Dar volta(s) em torno de: *Para chegar à igreja, contorne a praça.* **2** *Fig.* Solucionar parcialmente ou descartar (situação problemática, dificuldade): *contornar uma crise.* [▶ **1** contorn**ar**]

contorno (con.*tor*.no) [ô] *sm.* **1** Linha que limita exteriormente um corpo ou objeto: *contorno dos olhos.* **2** Limite arredondado de certas formas do corpo humano: *contorno dos quadris.* **3** Caminho opcional em torno de algo; DESVIO: *Fez o contorno para fugir do trânsito.*

contra (*con*.tra) *prep.* **1** Em oposição, em combate a: *lutar contra a violência*; *seguro contra roubo.* **2** Em direção oposta a: *É difícil nadar contra a corrente.* **3** Em desacordo com; em objeção a: *Você é contra ou a favor da pena de morte?* **4** Ao encontro a: *O caminhão chocou-se contra o barranco.* **5** Com objetivo hostil a: *crimes contra o meio ambiente.* *adv.* **6** De modo desfavorável, contrariamente (votar contra). *sm.* **7** O lado negativo de alguma coisa: *Serão avaliados os prós e os contras da sua decisão.* [Mais us. no pl.] **8** Contestação negativa; OBJEÇÃO: *Não vou poder ir, meu pai deu o contra.* ▪ **Ser do ~** *Bras. Pop.* Divergir, discordar sempre de tudo.

contra-almirante (con.tra-al.mi.*ran*.te) *sm. Mar.G.* **1** Patente militar. [Ver quadro *Hierarquia Militar Brasileira*.] **2** Militar que tem essas patente. [Pl.: *contra-almirantes*.]

contra-atacar (con.tra-a.ta.*car*) *v.* Atacar (adversário, oponente) depois de sofrer investida. [*td.*: *Contra-atacava o orador com apartes inflamados.* *int.*: *O time se defendia bem e contra-atacava rapidamente.*] [▶ **11** contra-atac**ar**]

contra-ataque (con.tra-a.*ta*.que) *sm.* **1** *Mil.* Ataque lançado para repelir o ataque inimigo. **2** *Esp.* Tática que consiste em tomar a bola do adversário que está atacando e partir em velocidade para pegar a sua defesa desguarnecida. [Pl.: *contra-ataques*.]

contrabaixista (con.tra.bai.*xis*.ta) *s2g.* Pessoa que toca contrabaixo; CONTRABAIXO.

contrabaixo (con.tra.*bai*.xo) *sm.* **1** *Mús.* O maior e mais grave instrumento de cordas, com formato semelhante ao do violino. *s2g.* **2** Ver *contrabaixista*.

CONTRABAIXO

contrabalançar (con.tra.ba.lan.*çar*) *v.* Obter (contrapondo peso, medidas, atribuição de importância etc. à situação, ideia, fato etc.) equilíbrio ou compensação de; EQUILIBRAR; COMPENSAR. [*td.*: *A distribuição de recursos procura contrabalançar as desigualdades regionais*. **tdi.** + com: *Contrabalançou sua falta às aulas com muito estudo*.] [▶ **12** contrabalan*çar*]

contrabandear (con.tra.ban.de.*ar*) *v. td.* Introduzir ou tentar introduzir mercadorias estrangeiras num país sem pagar os devidos tributos. [▶ **13** contraband*ear*]

contrabandista (con.tra.ban.*dis*.ta) *s2g.* Pessoa que faz contrabando.

contrabando (con.tra.*ban*.do) *sm.* **1** Ato de importar ou exportar mercadorias proibidas ou sem o pagamento de taxas e impostos devidos. **2** A mercadoria contrabandeada; MUAMBA: *Foi pego em flagrante com o carro cheio de contrabando.*

contração (con.tra.*ção*) *sf.* **1** Ação ou resultado de contrair(-se) (*contração* muscular); CONSTRIÇÃO; CONTRATURA. **2** *Líng.* Aglutinação de preposições, como *de* e *em*, p.ex., com artigo ou com pron. pess., dem. e indef., formando uma única palavra (p.ex.: *da*, *dele*, *numa*, *nessa*, *naquele*, *doutro*). [Ver tb. *crase*.] [Pl.: -*ções*.]

contracapa (con.tra.*ca*.pa) *sf. Edit.* Cada um dos lados internos da capa de livros, revistas etc.

contracena (con.tra.ce.na) *sf.* **1** Ação de contracenar. **2** *Teat.* Cena secundária onde os diálogos são simulados, desenvolvendo-se paralelamente à cena principal.

contracenar (con.tra.ce.*nar*) *v. Cin. Teat. Telv.* Atuar (em cena de peça, filme, televisão etc.) com outro ator; dialogar com outro ator em cena paralela à principal. [**int.** + com: *Tarcísio Meira contracenou com Glória Menezes inúmeras vezes*. **int.**: *Fernanda Montenegro e Marília Pera contracenaram no filme 'Central do Brasil'*.] [▶ **1** contracen*ar*]

contracepção (con.tra.cep.*ção*) *sf. Biol.* **1** Método ou técnica que impede a fecundação do óvulo. **2** Infecundidade decorrente do uso de contraceptivos. [Pl.: -*ções*.]

contraceptivo (con.tra.cep.*ti*.vo) *a.sm. Med.* Diz-se de ou o medicamento, método ou técnica que impede a fecundação; ANTICONCEPCIONAL.

contracheque (con.tra.*che*.que) *sm.* Documento entregue pelo empregador ao empregado que relaciona os ganhos salariais e os descontos devidos, e que serve de garantia de recebimento do salário.

contracorrente (con.tra.cor.*ren*.te) *sf.* **1** *Oc.* Corrente marítima ou fluvial que flui em sentido oposto ao da corrente principal. **2** *Tec.* Processo em que duas correntes interagem, fluindo em sentidos opostos. **3** *Fig.* Aquilo que se coloca contra a opinião geral ou o senso comum: *Esse escritor está na contracorrente da literatura brasileira.*

contracosta (con.tra.*cos*.ta) *sf.* **1** *Oc.* Costa litorânea que se opõe a uma outra, no mesmo continente ou na mesma ilha. **2** *PA* A costa norte da ilha de Marajó.

contráctil (con.*trác*.til) *a2g.* Ver contrátil. [Pl.: -*teis*.]

contracultura (con.tra.cul.*tu*.ra) *sf.* **1** Movimento cultural surgido na década de 1960, que questionou os valores e práticas da sociedade ocidental e pregava a sua mudança. **2** Prática cultural que rejeita os valores culturais dominantes. [Cf.: *cultura* (5).]

contradança (con.tra.*dan*.ça) *sf.* **1** Dança em que os pares formam filas e executam movimentos contrários. **2** *Mús.* A música que acompanha esse tipo de dança.

contradição (con.tra.di.*ção*) *sf.* **1** Qualquer afirmação ou atitude que seja incoerente com uma afirmação ou atitude feita anteriormente: *cair em contradição*. **2** Qualquer manifestação que esteja em desacordo com os valores de outra pessoa ou instituição. [Pl.: -*ções*.]

contradita (con.tra.*di*.ta) *sf.* **1** Declaração que consiste em contradizer ou contestar uma outra. **2** *Jur.* Num pleito, alegação que uma parte faz contra outra. [Cf.: *contradição*.]

contraditar (con.tra.di.*tar*) *v. td.* **1** Desmentir, contestar: *contraditar uma teoria*. **2** *Jur.* Opor contradita (2) a (ger. testemunha). [▶ **1** contradit*ar*]

contraditório (con.tra.di.*tó*.ri:o) *a.* **1** Que se contradiz (pessoa *contraditória*). **2** Em que há o que constitui uma contradição (discurso *contraditório*, métodos *contraditórios*); DIVERGENTE.

contradizer (con.tra.di.*zer*) *v.* **1** Dizer ou expressar o oposto de. [*td.*: *O relatório contradiz as afirmações do diretor*.] **2** Contestar afirmação, declaração, ideia de (alguém); redarguir a. [*td.*: *Convicto de sua razão, contradisse o advogado*.] **3** Afirmar o contrário do que afirmara. [*pr.*: *A testemunha se contradisse várias vezes*.] [▶ **20** contradi*zer*]

contraente (con.tra.*en*.te) *a2g.s2g.* Que ou aquele que contrai.

contrafação (con.tra.fa.*ção*) *sf.* **1** Ação ou resultado de contrafazer; FINGIMENTO: *Toda aquela gentileza foi uma contrafação*. **2** Falsificação de produtos, assinaturas etc.: *Vivia da contrafação de obras de arte*. [Pl.: -*ções*.]

contrafazer (con.tra.fa.*zer*) *v. td.* **1** Imitar, reproduzir (falsificando ou zombando): *contrafazer quadros de artistas famosos*. ■ **contrafazer-se** *pr.* **2** Reprimir-se; ir contra a própria vontade ou índole. [▶ **22** contra*fazer*. Part.: *contrafeito*.]

contrafé (con.tra.*fé*) *sf. Jur.* Cópia autêntica de uma citação ou intimação judicial que se entrega a quem foi citado ou intimado.

contrafeito (con.tra.*fei*.to) *a.* **1** Que foi falsificado ou imitado (pintura *contrafeita*). **2** Que demonstra constrangimento, incômodo. **3** Feito sem vontade, obrigado, coagido: *Contrafeito, pediu desculpas*.

contrafilé (con.tra.fi.*lé*) *sm. Bras.* Carne retirada da parte média do dorso do bovino, us. para fazer bifes.

contraforte (con.tra.*for*.te) *sm.* **1** Forro us. para reforçar calçados e roupas. **2** *Cons.* Estrutura para reforçar ou escorar construções. **3** *Geog.* Ramificação montanhosa que se defronta com a cadeia principal.

contragolpe (con.tra.*gol*.pe) *sm.* **1** Golpe que se desfere como reação a um golpe recebido. **2** Reação defensiva que visa anular antecipadamente os efeitos de um golpe a ser dado contra si.

contragosto (con.tra.*gos*.to) [ô] *sm.* Ausência de vontade ou gosto: *Comeu o doce a contragosto*.

contraído (con.tra.*í*.do) *a.* **1** Que sofreu contração, encolhimento (músculos *contraídos*); APERTADO; ESTREITADO. **2** Que se contraiu ou assumiu (doenças *contraídas*). **3** *Fig.* Que é tímido.

contraindicação (con.train.di.ca.*ção*) *sf.* Indicação que anula ou se opõe a outra. **2** *Med.* Qualquer manifestação medicamentosa que possa afetar a saúde do paciente. [Pl.: *contraindicações*.]

contraindicar (con.train.di.*car*) *v.* Opor-se a determinado uso ou procedimento (ger. médico ou odontológico). [*td.*: *O médico contraindicou uma cirurgia no meu caso*. **tdi.** + a: *O dentista contraindicou ao paciente o uso de açúcar*.] [▶ **11** contraindi*car*]

contrair (con.tra.*ir*) *v.* **1** Encolher(-se), retrair(-se), realizar(-se) a contração de. [*td.*: *contrair os braços*. *pr.*: *Seu rosto contraiu-se numa careta*.] **2** Adquirir. [*td.*: *contrair uma doença/uma mania*.] **3** Assumir a responsabilidade de. [*td.*: *contrair matrimônio/dívidas*.] [▶ **43** contra*ir*]

contralto (con.*tral*.to) *sm. Mús.* **1** A voz feminina mais grave. [Cf.: *soprano*.] **2** Instrumento com essa tonalidade. **3** Mulher que canta com essa voz.

contramão (con.tra.*mão*) *sf.* **1** Sentido oposto ao fluxo de veículos permitido em ruas ou avenidas. **2** *Fig.* Posição que indica opinião ou atitude contrária ao que está estabelecido ou ao senso comum: *Há artistas na contramão da história.* [Pl.: -*mãos*.] *a2g2n.* **3** *Fig.* Que é de difícil acesso ou distante: *O lugar onde eu estudo é contramão.*

contramarcha (con.tra.*mar*.cha) *sf.* Marcha que segue o caminho oposto ao de seu início.

contramedida (con.tra.me.*di*.da) *sf.* Medida ou providência destinada a anular ou atenuar o efeito de outra.

contramestre (con.tra.*mes*.tre) *sm.* Profissional encarregado de chefiar um grupo de trabalhadores.

contraofensiva (con.tra.o.fen.*si*.va) *sf.* Estratégia que tem como objetivo sair de uma posição defensiva para tomar a iniciativa do ataque: *A contraofensiva russa contra os nazistas foi devastadora.* [Pl.: *contraofensivas*.]

contraordem (con.tra.*or*.dem) *sf.* Ordem que anula uma ordem anterior ou se opõe a ela. [Pl.: *contraordens*.]

contraparente (con.tra.pa.*ren*.te) *s2g.* **1** Parente afastado, longínquo. **2** Parente por afinidade, cujo vínculo se dá pelo casamento (genros e sogros, p.ex.).

contraparte (con.tra.*par*.te) *sf. Mús.* Trecho musical em contraponto a outro.

contrapartida (con.tra.par.*ti*.da) *sf.* **1** *Cont.* Lançamento contábil que corresponde e se contrapõe a outro. **2** O que serve de compensação; CONTRAPESO: *Ficou desempregado, mas, em contrapartida, ganhou na loteria.*

contrapeso (con.tra.*pe*.so) [ê] *sm.* **1** Peso us. para equilibrar ou anular a força de um outro peso. **2** *Fig.* Qualquer coisa que sirva para compensar, ou equilibrar outra: *O carinho dos filhos é um contrapeso para as dificuldades do dia a dia.*

contraponto (con.tra.*pon*.to) *sm.* **1** *Mús.* Técnica e arte de composição musical em que se sobrepõem melodias executadas simultaneamente. **2** *Mús.* Trecho musical em que ocorre essa simultaneidade de melodias; POLIFONIA. **3** *Fig.* O que contrasta com e complementa (algo) ao mesmo tempo: *O segundo discurso foi um contraponto ao primeiro.*

contrapor (con.tra.*por*) [ô] *v.* **1** Pôr contra; pôr lado a lado, um contra o outro (objetos, ideias etc.), para comparar, contrastar etc.; confrontar. [*td.*: *No livro, o autor contrapõe duas personagens. tdi.* + *a*: *Contrapôs o escudo à lança.*] **2** Apresentar(-se) em oposição (a algo ou alguém). [*td.*: *Na defesa, o advogado contrapôs bons argumentos. tdi.* + *a*: *A diretora contrapôs sua opinião à dos professores. pr.*: "...*sua política procurou não se contrapor aos interesses portugueses...*" (Alberto da Costa e Silva, *A manilha e o libambo*).] [▶ **60** contra*por*. Part.: *contraposto*.] ● **con.tra.po.si.*ção* sf**.

contraproducente (con.tra.pro.du.*cen*.te) *a2g.* Que não produz o que se esperava ou produz resultado oposto (*trabalho contraproducente*).

contrapropaganda (con.tra.pro.pa.*gan*.da) *sf. Publ.* Propaganda cujo intuito é o de se opor a outra ou anulá-la.

contrapropor (con.tra.pro.*por*) *v. td.* Apresentar proposta de, como alternativa a outra: *Os patrões contrapropõem um aumento menor.* [▶ **60** contrapro*por*. Part.: *contraproposto*.]

contraproposta (con.tra.pro.*pos*.ta) *sf.* Proposta que alguém apresenta como alternativa a uma outra recebida e não aceita.

contraprova (con.tra.*pro*.va) *sf.* **1** *Jur.* Contestação jurídica dos argumentos contra o réu. **2** Prova que anula ou se opõe a uma prova anterior.

contrarregra (con.trar.*re*.gra) *Cin. Rád. Teat. Telv.* *s2g.* **1** Profissional responsável pela sonorização, cenários, objetos de cena, vestuário, indicação de entrada e saída dos atores etc. *sf.* **2** O trabalho do contrarregra (1): *Ele se encarregará da contrarregra.* [Pl.: *contrarregras*.]

contrarrevolução (con.tra.re.vo.lu.*ção*) *sf.* Revolução que pretende anular ou se opor a outra que a antecedeu. [Pl.: *contrarrevoluções*.]

contrariado (con.tra.ri.*a*.do) *a.* **1** Que se contrariou ou sofreu oposição (*opinião contrariada*). **2** Que se aborreceu com alguma coisa; DESGOSTOSO: *O resultado do jogo o deixou contrariado.*

contrariar (con.tra.ri.*ar*) *v. td.* **1** Estar em oposição a; ir de encontro a: *Essa medida contraria os interesses da comunidade.* **2** Fazer ou dizer algo oposto ao esperado: "...*tinha o danado defeito de contrariar qualquer coisa que a gente falava.*" (Guimarães Rosa, *Grande sertão: veredas*). **3** Aborrecer, incomodar: *A atitude do gerente contrariou os clientes.* [▶ **1** contrari*ar*]

contrariedade (con.tra.ri.e.*da*.de) *sf.* **1** Qualidade ou condição do que é contrário. **2** Oposição entre coisas: *contrariedade de interesses.* **3** Resistência a alguma coisa: *Demonstrou contrariedade ao pedido de aumento.* **4** Desgosto ou aborrecimento com algo ou alguém: *Teve grande contrariedade com a batida do carro.*

contrário (con.*trá*.ri.o) *a.* **1** Que se opõe a ou difere de: *Tem uma personalidade contrária à do pai.* **2** Que tem sentido oposto (*pista contrária*). **3** Que não concorda com: *opinião contrária à legalização das drogas.* **4** Que está no avesso: *Vestiu a blusa do lado contrário.* **5** Que não é favorável; PREJUDICIAL: *alimentação contrária à boa forma física. sm.* **6** Qualquer coisa que seja contrária a outra: *O contrário do amor é o ódio.* ✱ **Ao ~** De maneira inversa. **Ao ~ de** De maneira inversa a. **Caso ~/Do ~** Se não (for assim). **Pelo ~** Ver *ao contrário*.

contrassenha (con.tras.*se*.nha) *sf.* Qualquer conjunto de caracteres (palavra, frase, número, símbolo, sinal, fórmula etc.), previamente convencionado para servir de resposta a uma senha. [Pl.: *contrassenhas*.]

contrassenso (con.tras.*sen*.so) *sm.* Dito ou ato que contraria a lógica, o senso comum; DESPROPÓSITO. [Pl.: *contrassensos*.]

contrastar (con.tras.*tar*) *v.* **1** Comparar, salientando as diferenças; CONFRONTAR. [*td.*: *contrastar poemas de épocas distintas. tdi.* + *com*: *Ana contrastou a atitude do filho com a do sobrinho.*] **2** Estar em oposição a; apresentar disparidade. [*ti.* + *com*: *A formalidade do marido contrastava com a descontração da mulher.*] [▶ **1** contrast*ar*] ● **con.tras.*tan*.te** *a2g*.

contraste (con.*tras*.te) *sm.* **1** Diferença ou oposição marcante entre coisas análogas ou que se apresentam no mesmo contexto de percepção: *o contraste do branco com o preto/entre a alegria e a tristeza/de temperamento entre os dois amigos.* **2** Variação de tonalidade e luz numa fotografia, pintura etc.: *Esta foto está com muito contraste.* **3** *Med.* Substância introduzida (por via oral, intravenosa etc.) no paciente para a realização de exames radiológicos.

contratador (con.tra.ta.*dor*) [ô] *a.sm.* Que ou quem contrata; CONTRATANTE.

contratante (con.tra.*tan*.te) *a2g.s2g.* **1** Ver *contratador.* **2** *Jur.* Que ou quem é parte em um contrato.

contratar (con.tra.*tar*) *v. td.* **1** Empregar, assalariar: *A loja contratou mais cinco vendedores.* **2** Fazer um acordo de negócio: *contratar um engenheiro para a obra.* [▶ **1** contrat*ar*] ● **con.tra.ta.*ção* sf**.

contratempo (con.tra.*tem*.po) *sm.* **1** Acontecimento inconveniente que modifica o desenrolar esperado de uma ação ou fato: *Tivemos um pequeno contratempo no trabalho.* **2** Situação inoportuna ou desvantajosa: *Morar longe do trabalho é um contratempo.*

contrátil (con.*trá*.til) *a2g.* Que pode contrair(-se) ou encolher(-se) (músculo contrátil). [Pl.: -teis.]

contrato (con.*tra*.to) *sm.* **1** Ação ou resultado de contratar. **2** Acordo entre pessoas, empresas, instituições, governos etc., que estabelece uma série de direitos e deveres a que estão sujeitos. **3** Documento que formaliza e ratifica esse acordo. • **con.tra.tu:al** *a2g.*

contratorpedeiro (con.tra.tor.pe.*dei*.ro) *sm.* Mar.G. Navio veloz munido de torpedos, armas antissubmarinas ou mísseis; DESTRÓIER.

contratura (con.tra.*tu*.ra) *sf.* **1** Ação ou resultado de contrair(-se); CONTRAÇÃO. **2** Med. Contração muscular ocasionada por contusão, pela paralisação de músculos antagônicos ou por problemas neurológicos.

contravenção (con.tra.ven.*ção*) *sf.jur.* Violação ou infração de dispositivos legais, contratuais ou regulamentares. [Pl.: -ções.]

contraveneno (con.tra.ve.*ne*.no) *sm.* Med. Substância que neutraliza ou atenua a ação de um veneno; ANTÍDOTO.

contraventor (con.tra.ven.*tor*) [ô] *sm.* Quem pratica contravenção; INFRATOR.

contribuição (con.tri.bu:i.*ção*) *sf.* **1** Ação ou resultado de contribuir; COOPERAÇÃO: *Foi notável sua contribuição para a causa da democracia.* **2** Renda despesa coletiva, parte que cabe a cada pessoa. **3** Qualquer bem destinado a suprir determinada carência: *Deu uma contribuição para os orfanatos.* **4** Bras. Quantia paga pelo cidadão ao Estado para o custeio de despesas públicas (contribuição previdenciária). **5** Fig. Qualquer colaboração de caráter não material (contribuição científica). [Pl.: -ções.] • **con.tri.bu.ti.vo** *a.*

contribuinte (con.tri.bu:*in*.te) *a2g.s2g.* **1** Que ou quem contribui. **2** Jur. Diz-se de ou todo cidadão que está sujeito ao pagamento de tributos.

contribuir (con.tri.bu.*ir*) *v. ti.* **1** Cooperar para que algo ocorra; COLABORAR. [+ *com, para*: *contribuir para a construção do orfanato.*] **2** Ter participação em determinado resultado. [+ *para*: *A chuva contribuiu para apagar o incêndio.*] **3** Econ. Pagar impostos ao Estado. [+ *com*: *Com a nova lei, as empresas contribuirão com 20% de seu lucro*; (tb. sem complemento explícito) *Toda empresa deve contribuir.*] [▶ 56 contribuir]

contrição (con.tri.*ção*) *sf.* Rel. **1** Sentimento de culpa ou arrependimento por pecados cometidos ou ofensa a Deus. **2** A prece feita pelo cristão com a intenção de mostrar esse sentimento. [Pl.: -ções.]

contristar (con.tris.*tar*) *v.* Tornar(-se) muito triste; afligir(-se). [*td*.: *A indiferença dos pais contristou o filho. pr*.: *Todos contristam-se com o drama dos desabrigados.*] [▶ 1 contristar]

contrito (con.*tri*.to) *a.* Que se sente e/ou revela contrição, arrependimento (criminoso contrito).

controlar (con.tro.*lar*) *v.* **1** Manter (algo ou alguém) sob domínio. [*td*.: *controlar o mundo.*] **2** Não deixar (algo) exceder. [*td*.: *controlar as despesas.*] **3** Fiscalizar. [*td*.: *O prefeito quer controlar o trabalho nas creches.*] **4** Refrear sentimento ou emoção; CONTER(-SE). [*td*.: *A aeromoça controlava seu nervosismo. pr*.: *Controlou-se e ficou calado.*] [▶ 1 controlar] • **con.tro.la.do** *a.*; **con.tro.la.dor** *a.sm.*; **con.tro.lá.vel** *a2g.*

controle (con.*tro*.le) [ô] *sm.* **1** Ação ou resultado de controlar. **2** Fiscalização ou monitoramento exercidos sobre certas atividades, ou o poder de exercê-los: *A prefeitura detém o controle do trânsito na cidade.* **3** Tec. Chave, botão ou circuito que se destina a comandar o mecanismo de máquina, aparelho ou instrumento. **4** Domínio sobre as próprias emoções; AUTOCONTROLE: *Perdeu o controle na reunião.* **5** Capacidade de dominar uma situação com discernimento, reflexos adequados etc.: *Teve controle para evitar a colisão.*

controvérsia (con.tro.*vér*.si:a) *sf.* Divergência de opinião quanto a uma ação, proposta ou questão: *a controvérsia nas pesquisas de opinião.*

controverso (con.tro.*ver*.so) *a.* **1** Que provoca ou sobre o que há controvérsia (assunto controverso). **2** Diz-se de pessoa cujas ações suscitam controvérsia (político controverso). [Sin. ger.: *controvertido*.]

controverter (con.tro.ver.*ter*) *v. td.* Apresentar objeção a; QUESTIONAR: *controverter falsas afirmativas*. [▶ 2 controverter]

controvertido (con.tro.ver.*ti*.do) *a.* Ver *controverso*.

contudo (con.*tu*.do) *conj.advers.* Expressa contraposição entre termos de uma mesma frase, ou de frases diferentes, com nuances de ressalva, concessão etc.; PORÉM: *O filme agradou no exterior. No Brasil, contudo, não fez sucesso.*

contumácia (con.tu.*má*.ci:a) *sf.* **1** Teimosia extrema; OBSTINAÇÃO. **2** Jur. Falta a qualquer intimação judicial ou desobediência às ordens judiciais.

contumaz (con.tu.*maz*) *a2g.* **1** Que se tornou usual, habitual; COSTUMEIRO: *o contumaz exagero dos sensacionalistas*. *a2g.s2g.* **2** Que ou quem é extremamente teimoso; INSISTENTE: *Os contumazes em suas críticas acabam ganhando antipatias.* **3** Jur. Diz-se de ou pessoa que não cumpre ordem ou intimação judicial. [Superl.: *contumacíssimo.*]

contundente (con.tun.*den*.te) *a2g.* **1** Que pode causar contusão (objeto contundente). **2** Que é incontestável, decisivo: *O promotor apresentou provas contundentes.* **3** Que agride ou causa sofrimento (palavras contundentes).

contundir (con.tun.*dir*) *v.* Provocar lesão em ou sofrer lesão; MACHUCAR(-SE). [*td*.: *Contundiu o pé na jogada. pr*.: *O levantador contundiu-se na jogada.*] [▶ 3 contundir]

conturbação (con.tur.ba.*ção*) *sf.* **1** Ação ou resultado de conturbar(-se). **2** Alteração das emoções, agitação emocional; PERTURBAÇÃO. **3** Fig. Perturbação da ordem; REVOLTA; MOTIM. [Pl.: -ções.]

conturbar (con.tur.*bar*) *v.* Causar perturbação, confusão em, ou senti-las; PERTURBAR(-SE). [*td*.: *As obras estão conturbando o trânsito. pr*.: *Conturbou-se com o problema insolúvel.*] [▶ 1 conturbar] • **con.tur.ba.do** *a.*; **con.tur.ba.dor** *a.sm.*

contusão (con.tu.*são*) *sf.* Med. **1** Ação ou resultado de contundir(-se). **2** Traumatismo causado por pancada: *A contusão deixou Guga fora da final.* [Pl.: -sões.]

conúbio (co.*nú*.bi:o) *sm.* **1** Casamento, matrimônio. **2** Fig. Ligação, união.

conurbação (co.nur.ba.*ção*) *sf.* O conjunto formado por cidades e vilarejos em um lado do outro. [Pl.: -ções.]

convalescença (con.va.les.*cen*.ça) *sf.* **1** Período de restabelecimento da saúde após doença grave ou cirurgia. **2** Ação ou resultado de convalescer. • **con.va.les.cen.te** *a2g.s2g.*

convalescer (con.va.les.*cer*) *v.* Recuperar a saúde depois de doença, acidente, abalo etc.; RESTABELECER(-SE). [*ti.* + *de*: *convalescer de uma forte gripe. int.*: *Foi para o campo convalescer.*] [▶ 33 convalescer]

convenção (con.ven.*ção*) *sf.* **1** Encontro de pessoas reunidas para discutir assuntos de interesse co-

convencer (con.ven.cer) *v.* Persuadir (alguém ou a si próprio) com argumentos. [*tdi.* + *a*: *Eu o convenci a estudar de novo.* *pr.*: *Ele convenceu-se de que estava errado.*] [▶ 33 conven**cer**]

convencido (con.ven.*ci*.do) *a.* 1 Que se convenceu de alguma coisa; CONVICTO. *a.sm.* 2 *Bras.* Que ou quem revela pretensão, arrogância; PRESUNÇOSO: *O convencido continuava a exibir-se.*

convencimento (con.ven.ci.*men*.to) *sm.* 1 Ação ou resultado de convencer alguém ou a si mesmo de algo. 2 *Bras.* Atitude presunçosa, falta de modéstia.

convencional (con.ven.cio.*nal*) *a2g.* 1 Ref. a ou resultante de convenção. 2 Que é aprovado pela tradição ou uso: *coador de pano convencional.* 3 *Pej.* Em que não há sinceridade; ARTIFICIAL: *Mandava sempre o abraço convencional.* [Pl.: -*nais*.]

convencionar (con.ven.ci.o.*nar*) *v. td.* Estabelecer de comum acordo; COMBINAR: *Convencionaram uma senha para entrar no clube.* [▶ 1 convencion**ar**]

conveniência (con.ve.ni.*ên*.ci.a) *sf.* Qualidade do que está de acordo com os interesses de alguém.

conveniente (con.ve.ni.*en*.te) *a2g.* 1 Que convém por ser útil, vantajoso ou oportuno. 2 Adequado, apropriado.

convênio (con.*vê*.ni.o) *sm.* 1 Convenção, pacto (*convênio cultural*). 2 Acordo entre órgão público e empresa privada para prestação de serviços. 3 *Jur.* Contrato entre órgãos públicos. • **con.ve.ni.***a***.do** *a.sm.*

convento (con.*ven*.to) *sm.* Casa de comunidade religiosa. [Dim.: *conventículo*.]

conventual (con.ven.tu.*al*) *a2g.* 1 Ref. a ou próprio de convento. *s2g.* 2 Pessoa que vive em convento. [Pl.: -*ais*.]

convergência (con.ver.*gên*.ci.a) *sf.* 1 Afluência de várias coisas para um mesmo ponto. 2 *Fig.* Coincidência ou afinidade de ações ou pensamentos; CONFLUÊNCIA: *convergência de esforços/de opiniões.*

convergente (con.ver.*gen*.te) *a2g.* 1 Que concorre para um mesmo ponto (linhas *convergentes*). 2 Que segue a mesma linha ou tende a um mesmo fim que outro (ideais *convergentes*).

convergir (con.ver.*gir*) *v.* 1 Dirigir-se para um mesmo ponto. [*int.* (com ou sem indicação de lugar): *Todos os olhares convergiam (para o altar).*] 2 Tender para um mesmo objetivo ou ideia. [*ti.* + *para*: *As verbas convergiram para a saúde.* *int.*: *Depois do debate, as opiniões convergiram.*] [▶ 45 conver**gir**]

conversa (con.*ver*.sa) *sf.* 1 Diálogo entre duas ou mais pessoas. 2 Acerto de contas, busca de entendimento: *Vamos chamá-lo para uma conversa.* 3 *Pop.* Invenção, mentira: *Disse que ia me ajudar, mas era conversa.* 4 *Pop.* Diálogo com que se pretende persuadir alguém obtendo-se vantagem; LÁBIA; ASTÚCIA: *conversa de vendedor.* ▪ ~ **fiada** *Pop.* 1 Promessa, proposta, planos de pessoa que não pretende cumpri-los ou realizá-los. 2 Conversa que não leva a nada, sem propósito. [Cf.: *conversa-fiada*.] ~ **mole** *Bras. Pop.* Ver *conversa fiada* (2). **Ir na** ~ **(de)** *Bras. Pop.* Deixar-se convencer; acreditar no que lhe é dito: *Fui na conversa dele e me deu mal.* **Jogar** ~ **fora** *Bras. Pop.* Conversar sobre banalidades; bater papo. **Passar uma** ~ **em** *Bras. Pop.* Argumentar com lábia tentando convencer (alguém) de algo.

conversador (con.ver.sa.*dor*) [ô] *a.sm.* 1 Que ou quem gosta de conversar ou conversa em excesso; FALADOR. *sm.* 2 Ver *conversa-fiada* (2).

conversa-fiada (con.ver.sa-fi.*a*.da) *s2g. Bras.* 1 Pessoa que não pretende cumprir o que promete. 2 Pessoa que conta vantagem; CONVERSADOR. [Pl.: *conversas-fiadas.*] [Cf.: *conversa fiada* no verbete *conversa*.]

conversão (con.ver.*são*) *sf.* 1 Ação ou resultado de converter(-se). 2 Mudança de religião, de partido político, de estilo de vida etc. 3 Mudança de sentido ou direção: *Faça a primeira conversão à esquerda.* 4 *Econ.* Troca de moeda de um país pela de outro. [Pl.: -*sões*.]

conversar (con.ver.*sar*) *v.* 1 Falar com uma ou mais pessoas, trocando ideias. [*ti.* + *com* (seguido ou não de indicação de assunto): *O diretor conversou com os atores (sobre o filme). int.*: *As comadres conversaram três horas seguidas.*] 2 Tratar, discutir. [*ti.* + *de*: *Conversava de todos os assuntos.*] [▶ 1 conversa**r**] • **con.ver.sa.***ção* *sf.*

conversível (con.ver.*sí*.vel) *a2g.* 1 Que se pode converter, trocar; CONVERTÍVEL. 2 Diz-se do carro ou embarcação que possui capota dobrável ou removível. *sm.* 3 Carro com este tipo de capota. [Pl.: -*veis*.] • **con.ver.si.bi.li.***da***.de** *sf.*

converso (con.*ver*.so) *a.sm.* 1 Que ou quem se converteu. *sm.* 2 Religioso que fez votos mas não recebeu ordens sacras.

conversor (con.ver.*sor*) [ô] *sm.* 1 *Elet.* Aparelho que transforma corrente contínua em alternada e vice-versa. 2 *Eletrôn.* Dispositivo que transforma a frequência de um sinal.

converter (con.ver.*ter*) *v.* 1 Persuadir (alguém) a adotar uma religião, ideologia, estilo de vida etc. [*td.*: *A tarefa dos jesuítas era converter os pagãos. tdi.* + *a*: *Convertia o amigo ao vegetarianismo. pr.*: *Na velhice, ele converteu-se ao cristianismo.*] 2 Transformar uma coisa, uma tarefa, uma característica etc., em outra. [*tdi.* + *em*: "...querem *converter* em escândalo o que foi apenas uma brincadeira." (*FolhaSP*, 22.10.99). *pr.*: *A televisão converteu-se no principal lazer da família.*] 3 *Esp.* Aproveitar (penalidade) para marcar (gol, cesta, pontos etc.). [*td.*: *O atacante converteu o pênalti. int.*: *Mirou a cesta, arremessou e converteu.*] 4 *Econ.* Trocar um valor (ger. moeda) por outro. [*tdi.* + *em*: *converter reais em dólares.*] [▶ 1 converte**r**]

convertível (con.ver.*tí*.vel) *a2g.* Ver *conversível* (1). [Pl.: -*veis*.]

convés (con.*vés*) *sm. Cnav.* Pavimento ou piso de navio, esp. os descobertos ou cobertos com toldo; DECK. [Pl.: -*veses*.]

convescote (con.ves.*co*.te) *sm. Bras. P.us.* Passeio, com refeição, ao ar livre; PIQUENIQUE.

convexo (con.*ve*.xo) [cs] *a.* Que forma uma saliência arredondada na parte externa. [Ant.: *côncavo*.] • **con.ve.xi.***da***.de** *sf.*

CONVEXO

convicção (con.vic.*ção*) *sf.* 1 Certeza inabalável em alguma coisa. 2 Princípios, ideias que norteiam a vida de alguém: *Mantendo minhas convicções.* [Na acp. 2 us. ger. no pl.] [Pl.: -*ções*.]

convicto (con.*vic*.to) *a.* 1 Que tem certeza de algo; CONVENCIDO. 2 Diz-se do réu que teve seu crime provado (assassino *convicto*).

convidado (con.vi.*da*.do) *sm.* Pessoa que recebeu um convite.

convidar (con.vi.*dar*) *v.* 1 Chamar (alguém) para comparecer a algum lugar ou participar de algo. [*td.*: *No meu aniversário, convido todos os meus amigos. tdi.* + *a*: "Leôncio *convidara-a* a vir visitar a irmã..." (Bernardo Guimarães, *A escrava Isaura*).] 2 Sugerir, induzir. [*tdi.* + *a*: *O bom ambiente na firma nos convida a trabalhar*; (tb. sem obj. direto explícito): *A marcha acelerada do progresso convida à reflexão.*] 3 Aparecer em um lugar ou fazer algo sem ter sido chamado. [*pr.*: *Ignorado pelo anfitrião, ele convidou-se para a festa.*] [▶ 1 convida**r**]

convidativo (con.vi.da.*ti*.vo) *a.* Que convida, que exerce atração sobre alguém (preço convidativo); ATRAENTE.

convincente (con.vin.*cen*.te) *a2g.* Que tem poder de convencer (argumentos convincentes); PERSUASIVO.

convir (con.*vir*) *v.* **1** Ser apropriado ou proveitoso. [*tdi.* + *a*: *Convém a* um líder ser respeitoso. *int.*: *Convém* reduzir o consumo de sal.] **2** Admitir, concordar. [*ti.* + *em*: *Conveio* comigo em que estava errado. NOTA: Pode ocorrer elipse da prep. *em*: *Conveio comigo que estava errado*.] [▶ **42** con*vir*. Part.: *convindo*. Observar as formas *convém* (3ª pess. sing.) e *convêm* (3ª pess. pl.).]

convite (con.*vi*.te) *sm.* **1** Solicitação para que alguém esteja presente ou participe de algo. **2** A própria mensagem escrita ou falada para solicitar a presença: *Recebi o convite ontem.* **3** *Fig.* Aquilo que atrai, que convida: *A torta na cozinha era um convite à gula.*

conviva (con.*vi*.va) *s2g.* Pessoa que participa de um jantar, banquete etc. como convidada.

convivência (con.vi.*vên*.ci:a) *sf.* Ação ou resultado de viver ou estar junto com frequência; CONVÍVIO: *convivência com os familiares.*

conviver (con.vi.*ver*) *v.* **1** Viver na mesma comunidade ou residência de (uma pessoa), tendo contato com ela). [*ti.* + *com*: *Convivi com meus primos por mais de dez anos.*] **2** Habitar o mesmo espaço, temporariamente ou não. [*int.*: *No Pantanal, várias espécies convivem em harmonia.*] **3** Aceitar (uma situação). [*ti.* + *com*: *Ele aprendeu a conviver com a doença.*] [▶ **2** con*vi*ver]

convívio (con.*vi*.vi:o) *sm.* Ver *convivência*.

convocação (con.vo.ca.*ção*) *sf.* **1** *Esp.* Chamado para integrar uma seleção. **2** Ação ou resultado de convocar. **3** *Mil.* Chamada para o serviço militar ou para operações de guerra. [Pl.: *-ções*.]

convocar (con.vo.*car*) *v.* *td.* **1** Solicitar ou comparecimento de: *A Secretaria de Educação convocou os candidatos aprovados.* **2** Constituir, formar: *convocar uma assembleia/uma junta.* **3** *Esp.* Chamar jogadores para participar de seleção: *O técnico convocou o goleiro do Palmeiras.* **4** *Mil.* Chamar para serviço militar ou para a guerra: *O governo convocou os jovens para o alistamento.* [▶ **11** convo*car*] [NOTA: Em todas as acps., seguido ou não de indicação de finalidade.] • con.vo.*ca*.do *a.sm.*; con.vo.ca.*tó*.ri:o *a.*

convosco (con.*vos*.co) [ó] *pr.pess.* **1** Com a pessoa, ou as pessoas, com que se fala: *Desejo falar convosco.* **2** Em vossa companhia: *Que Deus esteja convosco.* **3** Em vosso poder; sob vossa responsabilidade: *A tarefa ficou convosco.* [NOTA: No Brasil é pouco us., e praticamente se restringe à linguagem religiosa.]

convulsão (con.vul.*são*) *sf.* **1** *Med.* Contração violenta e involuntária dos músculos do corpo por problemas no sistema nervoso central. **2** Agitação social de grandes proporções; REVOLUÇÃO. [Pl.: *-sões*.]

convulsionar (con.vul.si:o.*nar*) *v.* Causar transtorno e confusão. [*td.*: *O temporal convulsionou a rotina dos cidadãos.*] **2** Estimular a revolta de (alguém). [*td.*: *convulsionar os insatisfeitos.*] **3** *Med.* Sofrer convulsões. [*int.*: *Depois de medicado, parou de convulsionar.*] [▶ **1** convulsi*o*nar]

convulsivo (con.vul.*si*.vo) *a.* **1** Em que há convulsão; CONVULSO. **2** Que provoca convulsão (medicamento convulsivo). **3** *Fig.* Sobre o que não se tem controle (choro convulsivo); DESCONTROLADO.

convulso (con.*vul*.so) *a.* Ver *convulsivo* (1).

coobrigado (co.o.bri.*ga*.do) *a.sm.* Que ou quem assumiu obrigação junto com outro(s).

🌐 **cookie** (*Ing.* /*cúqui*/) *sm.* **1** *Inf.* Arquivo de texto gerado pelo navegador de internet após sua utilização, contendo informações de identificação do usuário, mantido temporariamente no disco rígido. **2** *Cul.* Tipo de biscoito feito de massa de bolo, crocante e salpicado com nozes, chocolate etc.

coonestar (co.o.nes.*tar*) *v. td.* Dar aparência de honestidade, probidade a. [▶ **1** coones*tar*] • co.o.nes.ta.*ção sf.*

cooperação (co.o.pe.ra.*ção*) *sf.* Ação ou resultado de cooperar, de prestar ajuda; COLABORAÇÃO; CONTRIBUIÇÃO. [Pl.: *-ções*.]

cooperar (co.o.pe.*rar*) *v. ti.* Atuar em conjunto para um fim comum; contribuir para que algo ocorra; COLABORAR. [+ *com*, *para*: *A geada cooperou para a alta dos preços das hortaliças*; (tb. sem complemento explícito) *Preciso que todos cooperem.*] [▶ **1** coope*rar*] • co.o.pe.ra.*dor a.sm.*

cooperativa (co.o.pe.ra.*ti*.va) *sf.* Sociedade comercial composta por membros de determinado grupo econômico ou social, visando ao benefício de seus associados.

cooperativado (co.o.pe.ra.ti.*va*.do) *sm.* Membro de cooperativa.

cooperativismo (co.o.pe.ra.ti.*vis*.mo) *sm. Econ.* Sistema econômico que reconhece as cooperativas como a base da produção e comercialização de bens.

cooperativo (co.o.pe.ra.*ti*.vo) *a.* Que coopera ou que envolve cooperação.

cooptar (co.op.*tar*) *v. td.* Atrair (alguém) para participar de um movimento, ideologia, partido, ideal etc.: *O partido cooptou mais integrantes.* [▶ **1** coop*tar*] • co.op.ta.*ção sf.*

coordenação (co.or.de.na.*ção*) *sf.* **1** Ação ou resultado de coordenar. **2** *Gram.* Ligação sintática entre termos ou orações independentes. [Cf.: *subordinação*.] **3** *Med.* Atividade do sistema nervoso central que permite ao indivíduo controlar e dirigir seus movimentos (coordenação motora). [Pl.: *-ções*.]

coordenada (co.or.de.*na*.da) *sf.* **1** *Geom.* Referência que permite localizar um ponto no plano ou no espaço. **2** *Fig.* Elemento de orientação; DIRETRIZ: *Vou lhe dar as coordenadas para sua tarefa.* [Us. ger. no pl.] **3** *Gram.* Oração da mesma natureza que outra a que se liga em sequência, com ou sem conectivo.

coordenado (co.or.de.*na*.do) *a.* **1** Organizado segundo certa ordem e método. **2** *Gram.* Ligado por meio de coordenação (oração coordenada).

coordenadoria (co.or.de.na.do.*ri*.a) *sf.* **1** Função ou cargo de coordenador. **2** Local onde o coordenador exerce suas funções.

coordenar (co.or.de.*nar*) *v.* **1** Dispor ou organizar ou realizar segundo certo método ou certa ordem. [*td.*: *Na dança, é preciso coordenar os movimentos.*] **2** Orientar, dirigir (equipe, departamento, projeto etc.). [*td.*: *coordenar a equipe de combate ao dengue.*] **3** Ligar, interligar, associar. [*td.* + *com*: *coordenar uma coisa com a outra*.] **4** *Gram.* Ligar (termos ou orações) por meio de conjunção coordenativa. [*td.*, *tdi.* + *a.*] [▶ **1** coorden*ar*] • co.or.de.na.*dor a.sm.*

coordenativo (co.or.de.na.*ti*.vo) *a.* **1** Ref. a coordenação; que coordena: *o grupo coordenativo do projeto.* **2** *Gram.* Diz-se da conjunção que coordena dois termos ou duas orações (p.ex., *Jorge e Pedro jantaram e saíram em seguida*), (Ver tb. *subordinativo*.)

coorte (co.*or*.te) [ó] *sf.* **1** Grupo armado; TROPA. **2** Grande número de pessoas.

copa (*co*.pa) *sf.* **1** *Esp.* Torneio em que se disputa uma taça ou copa (5). **2** Cômodo ao lado da cozinha onde se guardam seus utensílios e gêneros alimentícios e onde ger. há uma mesa de refeições. **3** *Bot.* Parte superior da árvore, formada pela ramagem. **4** Parte central e mais alta do chapéu, circundada pela aba. **5** Taça, vaso. 🞂 **copas** *sfpl.* **6** Naipe de baralho onde figuram corações vermelhos. [Ver ilustr. em *naipe*.]

copado (co.*pa*.do) *a.* **1** Que tem grande copa (3) (árvore copada); FRONDOSO. **2** Que apresenta forma de copa.

copaíba (co.pa.*í*.ba) *sf. Bras. Bot.* Árvore que produz óleo medicinal e madeira avermelhada muito us. em marcenaria; copaibeira.

copal (co.*pal*) *a2g.* Diz-se de resinas vítreas, extraídas de diversas árvores tropicais, us. na fabricação de vernizes e lacas. [Pl.: *-pais*.]

copar (co.*par*) *v.* **1** Podar ramos de (árvore), dando forma a uma copa. [*td.*] **2** Formar copa (a árvore). [*int/pr.*: *A mangueira copou(-se).*] [▶ 1 copar]

coparticipar (co.par.ti.ci.*par*) *v. ti.* Participar juntamente com outra(s) pessoa(s). [+ *de*, *em*: *Os moradores coparticiparam na reforma da igreja.*] [▶ 1 coparticipar]

copeiro (co.*pei*.ro) *sm.* Profissional que se ocupa do serviço de copa, serve à mesa e faz outros serviços domésticos.

cópia (*có*.pi.a) *sf.* **1** Reprodução de um texto original. **2** Reprodução de texto ou gravura em máquina copiadora; fotocópia; xerocópia; xerox. [Tb. se diz cópia xerográfica.] **3** Reprodução de obra de arte, fotografia etc. **4** *Fig.* Pessoa muito semelhante a outra: *Ele é a cópia do avô.* ❡ ~ **de segurança** *Inf.* O mesmo que *back-up*.

copiador (co.pi.a.*dor*) [ô] *sm.* **1** Profissional que copia; COPISTA; ESCREVENTE. **2** Livro onde são feitas cópias de documentos.

copiadora (co.pi.a.*do*.ra) [ô] *sf.* **1** Casa comercial especializada em fotocópias. **2** A máquina que faz fotocópias. **3** *Cin. Fot.* Aparelho que faz cópias de filmes, negativos ou *slides*.

copiar (co.pi.*ar*) *v.* **1** Fazer a cópia de. [*td.*: *copiar um texto.*] **2** Obter (de algo ou alguém) por meio de cópia. [*td.* (seguido ou não de indicação de lugar/origem): *Copiou (da loja) aquele vestido azul.*] **3** *Inf.* Gravar (texto, imagem ou arquivo) para colá-los em outro lugar. [*td.*] **4** Reproduzir por qualquer processo. [*td.*: *copiar fotos/um desenho.*] **5** Imitar ou fazer ter semelhanças reciprocamente. [*td.*: *Copiava todos os trejeitos de seu ídolo. pr.*: *As irmãs copiavam-se ao se maquiar.*] [▶ 1 copiar]

copidescar (co.pi.des.*car*) *v. td.* Fazer trabalho de copidesque em. [▶ 11 copidescar]

copidesque (co.pi.*des*.que) *Edit. sm.* **1** Revisão de um texto a ser publicado tendo em vista a correção gramatical, a clareza, seu ajuste aos critérios editoriais etc. *s2g.* **2** Pessoa que faz esse trabalho. [Aport. de *copydesk*.]

copiloto (co.pi.*lo*.to) [ô] *sm. Aer.* Piloto auxiliar do comandante de avião; segundo piloto. [Pl.: *copilotos*.]

copioso (co.pi.*o*.so) [ô] *a.* **1** Em que há grande quantidade (argumentos copiosos); ABUNDANTE; FARTO. **2** Extenso, prolongado. [Fem. e pl.: [ó].]

copirraite (co.pir.*rai*.te) *sm. Jur.* Direito exclusivo sobre uma obra artística, científica ou literária quanto à sua impressão, reprodução e venda; direito autoral. [Símb.: ©. Aport. de *copyright*.]

copista (co.*pis*.ta) *s2g.* **1** Ver *copiador* (1). **2** *Fig.* Pessoa que imita ideias de outros; PLAGIADOR; PLAGIÁRIO. **3** Pessoa que, antes da invenção da imprensa, copiava manuscritos; ESCRIBA.

copla (*co*.pla) *sf. Poét.* Pequena composição poética, em quadras, para ser cantada.

copo (*co*.po) *sm.* **1** Recipiente cilíndrico sem asas, de vidro, plástico, alumínio etc., us. para ingerir líquidos. **2** O conteúdo de um copo: *Bebeu dois copos de leite.* [Aum.: *copação* e *copázio*.]

copo-de-leite (co.po-de-*lei*.te) *sm. Bot.* Planta ornamental de flores brancas, de textura encorpada, miolo amarelo em forma de bastão e folhas largas. [Pl.: *copos-de-leite*.]

copropriedade (co.pro.pri.e.*da*.de) *sf.* Bem comum a duas ou mais pessoas; CONDOMÍNIO. [Pl.: *copropriedades*.]

coproprietário (co.pro.pri.e.*tá*.ri:o) *sm.* Pessoa que é dona de um bem junto com outro ou outros; CONDÔMINO. [Pl.: *coproprietários*.]

cópula (*có*.pu.la) *sf.* **1** O ato sexual; COITO; COPULAÇÃO. **2** Ligação, união.

copular (co.pu.*lar*) *v.* **1** Ligar, unir, juntar. [*td.*: *copular as peças da pulseira. tdi.* + *a*: *copular o elo à corrente.*] **2** Ter cópula, relação sexual (com). [*int. ti.* + *com.*] [▶ 1 copular] ● **co.pu.la.***ção* *sf.*

🌐 **copyright** (*Ing.* /*cópirait*/) *sm.* Ver *copirraite*.

coque[1] (co.que) *sm.* Golpe na cabeça com o nó dos dedos; CASCUDO.

coque[2] (co.que) *sm. Quím.* Resíduos da queima de carvão mineral.

coque[3] (co.que) *sm. Bras.* Penteado que consiste em enrolar e prender os cabelos no alto ou atrás da cabeça.

coqueiral (co.quei.*ral*) *sm.* Aglomeração ou plantação de coqueiros. [Pl.: *-rais*.]

coqueiro (co.*quei*.ro) *sm. Bot.* Nome comum a todas as palmeiras que dão cocos.

coqueiro-da-baía (co.quei.ro-da-ba.*í*.a) *sm. Bras. Bot.* Tipo de palmeira alta cujos cocos, que encerram um líquido nutritivo e polpa esbranquiçada, são aproveitados como alimento. [Sin.: *coco-da-baía*.] [Pl.: *coqueiros-da-baía*.]

coqueluche (co.que.*lu*.che) *sf.* **1** *Med.* Doença infecciosa e contagiosa, mais comum na infância, e que se caracteriza por acessos de tosse convulsa. **2** *Fig.* Fato, pessoa ou objeto que está no auge da moda.

coquete (co.*que*.te) [ê] *a2g.s2g.* **1** Que ou quem, esp. mulher, procura despertar a admiração dos outros por sua aparência física, ger. apenas pelo prazer de seduzir. **2** Que ou quem é volúvel, inconstante.

coquetel (co.que.*tel*) *sm.* **1** Drinque preparado com mistura de bebidas alcoólicas a que se pode adicionar gelo, suco de frutas etc. **2** Reunião social onde se servem canapés e coquetéis (1). **3** *Fig.* Combinação de medicamentos. [Pl.: *-téis*.]

coquetismo (co.que.*tis*.mo) *sm.* Modos de coquete.

cor [ô] *sm. Antq.* O coração. [Cf.: *cor* [ó].] ❡ **De** ~ **De** memória. **De** ~ **e salteado** De memória sem esquecer nada: *Recitou o poema de cor e salteado.*

cor [ó] *sf.* **1** Resultado visível do reflexo da luz sobre os corpos percebidos pela visão; COLORIDO; MATIZ. **2** Qualquer cor, exceto o branco e o preto, que na verdade não são cores. **3** Marca distintiva ou simbólica de um país, clube esportivo, partido etc. **4** Substância corante que se mistura em tintas. [Cf.: *cor* [ô].]

coração (co.ra.*ção*) *sm. Anat.* Órgão muscular situado na cavidade torácica que recebe e bombeia o sangue do corpo em contrações ritmadas. **2** A parte do peito que se convencionou estar o coração: *Apertou a carta contra o coração.* **3** Qualquer objeto que tenha a forma convencionada como sendo a do coração. **4** *Fig.* O ponto central ou mais importante de um lugar: *o coração da cidade.* **5** *Fig.* Sede das emoções e dos sentimentos: *As palavras tocaram-me o coração.* **6** *Fig.* Caráter, índole (bom coração, mau coração). **7** *Fig.* Bondade, generosidade. [Pl.: *-ções*.] ❡ **Abrir o ~** Ser sincero; fazer confidência. **Com o ~ nas mãos 1** Angustiado, preocupado. **2** Com sinceridade. **De cortar o ~** Que pode causar muita tristeza: *Era uma história de cortar o coração.* **De (todo o) ~** Com muito e sincero afeto.

corado | **cordial** 208

▣ O coração é o principal órgão do aparelho circulatório, responsável pela circulação de sangue por todo o organismo. É a bomba que aciona o sangue pelas veias e artérias, num ciclo completo em que recebe dos pulmões o sangue rico em oxigênio e o impulsiona pelas artérias a todo o corpo, onde recebe dos tecidos o gás carbônico, que conduz de volta pelas veias aos pulmões, para ser expirado, e daí recomeça o ciclo. É um músculo oco dividido em quatro compartimentos: duas aurículas (direita e esquerda), na metade superior, e dois ventrículos (direito e esquerdo) na metade inferior. Entre aurícula e ventrículo, uma válvula impede que o sangue retorne. O lado direito, onde circula o sangue com gás carbônico, é fisicamente separado do esquerdo, onde circula o sangue rico em oxigênio. Para impulsionar o sangue, o coração se contrai e se distende c. 80 vezes por minuto. Ao se expandir, recebe sangue das veias: em sua aurícula direita, sangue com gás carbônico, e em sua aurícula esquerda, sangue oxigenado dos pulmões. Ao se contrair, expele o sangue das aurículas para os ventrículos, e para fora pelas artérias: do ventrículo direito, o sangue com gás carbônico para os pulmões; do ventrículo esquerdo, o sangue oxigenado para o corpo.

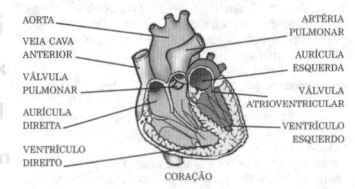

AORTA
VEIA CAVA ANTERIOR
VÁLVULA PULMONAR
AURÍCULA DIREITA
VENTRÍCULO DIREITO
ARTÉRIA PULMONAR
AURÍCULA ESQUERDA
VÁLVULA ATRIOVENTRICULAR
VENTRÍCULO ESQUERDO
CORAÇÃO

corado (co.ra.do) *a*. **1** Que tem a face rosada ou avermelhada. **2** *Fig*. Envergonhado, acanhado. **3** Tostado pelo calor do fogo (frango corado). **4** Roupa branqueada pela exposição ao sol (camisa corada).

coradouro (co.ra.dou.ro) *sm*. *Bras*. Lugar onde se estende a roupa para branqueá-la; QUARADOR.

coragem (co.ra.gem) *sf*. **1** Força moral diante de situações perigosas ou difíceis; BRAVURA; DESTEMOR. **2** Atitude firme e perseverante no enfrentamento de situações emocionalmente difíceis. **3** *Pej*. Atitude desaforada; DESACATO; OUSADIA: *coragem de insultar um amigo*. **4** Grandeza de espírito; DIGNIDADE; NOBREZA: *coragem de assumir os próprios erros*. [Pl.: -*gens*.]

corajoso (co.ra.jo.so) [ó] *a.sm*. **1** Que ou quem tem ou demonstra coragem; BRAVO; VALENTE. **2** Que ou quem demonstra força e disposição diante de obstáculos, problemas. [Fem. e pl.: ó.]

coral¹ (co.ral) *sm*. **1** *Zool*. Animal marinho, vermelho-alaranjado, cujo esqueleto calcário forma estruturas rochosas chamadas recifes: *Em torno dos corais vivem várias espécies marinhas*. **2** A cor desse animal. [Pl.: -*rais*.] *a2g.sm*. **3** Que é dessa cor (brincos coral).

coral² (co.ral) *sf*. *Zool*. Cobra venenosa, cujo corpo é vermelho-amarelado com anéis pretos. [Pl.: -*rais*.]

coral³ (co.ral) *a2g*. **1** Ref. a coro. *sm*. **2** *Mús*. Grupo de pessoas que cantam juntas; CORO: *Vamos participar do coral da escola*. **3** *Mús*. O canto desse grupo: *O coral era dos mais bonitos que já ouvi*. [Pl.: -*rais*.]

coralino (co.ra.li.no) *a*. **1** Ref. aos corais marinhos: *Certos peixes preferem áreas com fundo raso, rochoso e coralino*. **2** Da cor do coral (casca coralina); CORAL.

corante (co.ran.te) *a2g.sm*. Que ou aquilo que dá cor, tinge (produto corante): *O corante natural usado pelos índios é o urucum*.

Corão (Co.rão) *sm*. *Rel*. Ver Alcorão. [Pl.: -*rões* e -*rães*.]

corar (co.rar) *v*. **1** Enrubescer no rosto, de vergonha, raiva, constrangimento etc. [*int*. (com ou sem indicação de causa): *Sempre cora (de vergonha) quando encontra o rapaz*.] **2** Dar cor a. [*td*.] **3** Expor ou ser exposta (roupa) ao sol para branquear; QUARAR. [*td*: *corar a roupa*. *int*.: *Descansou enquanto a roupa corava*.] **4** Adquirir (fritura ou assado) cor de tostado; DOURAR. [*int*.] [▶ 1 corado]

corbelha (cor.be.lha) [é] *sf*. Pequena cesta, ger. de vime ou madeira, com flores, frutas, doces etc. us. para presentear alguém ou decorar um ambiente.

corça (cor.ça) [ó] *sf*. Fêmea do corço ou do veado.

corcel (cor.cel) *sm*. Cavalo muito veloz. [Pl.: -*céis*.]

corço (cor.ço) [ó] *sm*. *Zool*. Pequeno veado.

corcova (cor.co.va) [ó] *sf*. **1** Protuberância nas costas ou no peito; CORCUNDA: *O dromedário tem uma corcova e o camelo duas*. **2** Curva acentuada, saliente.

corcovado (cor.co.va.do) *a*. Que tem corcova; CORCUNDA: *De tão corcovado, o morro recebeu esse nome*.

corcovear (cor.co.ve.ar) *v*. Dar corcovos; dar saltos arqueando o lombo (cavalo). [*int*./*pr*.: *Assustado, o cavalo corcoveava(-se)*.] [▶ 13 corcovear]

corcovo (cor.co.vo) [ó] *sm*. **1** Salto de cavalgadura, em que o animal arqueia o dorso; PINOTE: *Conseguiu manter-se na sela apesar dos corcovos do cavalo*. **2** Elevação de terreno. [Pl.: ó.]

corcunda (cor.cun.da) *a2g.s2g*. **1** Que ou quem apresenta protuberância disforme nas costas ou no peito. *sf*. **2** Essa protuberância.

corda (cor.da) *sf*. **1** Fios torcidos que formam um cabo, us. para diversos fins. **2** *Mús*. Fio de aço, náilon etc. que, ao ser tocado, vibra, produzindo som em vários instrumentos musicais: *corda de violão/de piano*. **3** Mecanismo que faz funcionar relógios, brinquedos etc.: *brinquedo de corda*. ▪ **Com a ~ no pescoço** *Fig*. *Pop*. Em dificuldades (ger. financeiras); em apuros. **Dar ~ (a)** *Bras*. *Fam*. **1** Provocar, instigar. **2** Estimular (alguém) para que conte algo. **Na ~ bamba** *Fig*. Em situação difícil, instável. **Roer a ~** *Fig*. *Pop*. Faltar a um compromisso; deixar de fazer o combinado; abandonar um projeto ou negócio.

cordado (cor.da.do) *sm*. *Zool*. Animal que, em alguma fase de seu desenvolvimento, apresenta um cordão agregado ao dorso.

cordame (cor.da.me) *sm*. Conjunto de cordas; CORDOALHA.

cordão (cor.dão) *sm*. **1** Corrente us. em volta do pescoço. **2** Corda fina; CORDEL. **3** *Bras*. Grupo de foliões carnavalescos. [Pl.: -*dões*.] ▪ **~ umbilical 1** *Anat*. Estrutura que liga o feto à placenta e o provê de oxigênio e dos nutrientes necessários. **2** *Fig*. Laço forte que une uma pessoa a outra ou fato do passado.

cordato (cor.da.to) *a*. **1** Que tende a se pôr ou se põe facilmente de acordo. **2** Que age com prudência; SENSATO.

cordeiro (cor.dei.ro) *sm*. **1** *Zool*. Filhote novo de ovelha; ANHO. **2** *Fig*. Pessoa dócil.

cordel (cor.del) *sm*. **1** Corda muito fina; CORDÃO; BARBANTE. **2** *Bras*. *Liter*. F. red. de *literatura de cordel*. [Pl.: -*déis*.]

cor-de-rosa (cor-de-ro.sa) *s2m.s2n*. **1** A cor que se obtém da mistura de vermelho com branco. *a2g.s2n*. **2** Que é dessa cor (chinelos cor-de-rosa). **3** *Fig*. Em que tudo está bem (vida cor-de-rosa).

cordial (cor.di.al) *a2g*. **1** Ref. ao ou do coração **2** Que é amistoso, afável, franco, sincero. *sm*. **3** Bebida ou remédio que revigora, conforta: *Tomou um cordial e se reanimou*. [Pl.: -*ais*.] ● **cor.di:a.li.da.de** *sf*.

cordilheira (cor.di.*lhei*.ra) *sf. Geog.* Conjunto de altas montanhas dispostas em cadeia.

cordoalha (cor.do:*a*.lha) *sf.* Conjunto de cordas de vários tipos; CORDAME.

cordoaria (cor.do:a.*ri*.a) *sf.* **1** Lugar onde se fabricam ou se vendem cordas. **2** *BA* Certo tipo de rede para pesca.

cordovão (cor.do.*vão*) *sm.* Couro de cabra que foi curtido para a fabricação de calçados: *botas de cordovão*. [Pl.: -*vões*.]

cordura (cor.*du*.ra) *sf.* Qualidade de quem é cordato.

coreano (co.re:*a*.no) *a.* **1** Da Coreia do Norte ou da Coreia do Sul (Ásia); típico desses países ou de seus povos. *sm.* **2** Pessoa nascida na Coreia do Norte ou na Coreia do Sul. *a.sm.* **3** *Gloss.* Da, ref. à ou a língua falada na Coreia do Norte e na Coreia do Sul.

coreia (co.*rei*.a) *sf.* **1** Bailado, dança. **2** *Med.* Doença dos nervos cujos sintomas são movimentos de contração involuntária dos músculos. **3** *N.E. MG Pop.* Região de uma cidade onde trabalham pessoas que praticam a prostituição.

coreografia (co.re:o.gra.*fi*.a) *sf.* **1** Arte de criar sequências de passos e movimentos corporais na dança: *É um mestre da coreografia.* **2** Sequências desses movimentos: *Foi assistir ao balé e adorou a coreografia.* ● **co.re:ó.gra.fo** *sm.*; **co.re:o.gra.far** *v.*

corresponsável (cor.res.pon.*sá*.vel) *a2g.* Que divide uma responsabilidade com outra pessoa. [Pl.: *corresponsáveis*.]

coreto (co.*re*.to) [ê] *sm.* Espaço abrigado em praça pública, para apresentações musicais: *A banda vai tocar no coreto.*

coriáceo (co.ri:*á*.ce:o) *a.* Com textura semelhante a couro.

coriscar (co.ris.*car*) *v. int.* **1** Relampejar: *Ontem à noite coriscou muito.* **2** Brilhar como coriscos; CINTILAR: *Os brincos de Cíntia coriscavam.* [▶ **11** coris**car**]

corisco (co.*ris*.co) *sm.* Faísca elétrica da atmosfera; RAIO.

corista (co.*ris*.ta) *s2g.* **1** Pessoa que canta em um coro. **2** Pessoa que canta e dança em musicais.

coriza (co.*ri*.za) *sf.* **1** Eliminação de secreção mucosa pelo nariz. **2** *Med.* Inflamação da mucosa nasal de origem infecciosa ou alérgica. [Sin.: *defluxo*.]

corja (*cor*.ja) [ó] *sf.* Grupo de pessoas ruins, de má índole.

cornada (cor.*na*.da) *sf.* Golpe dado com os cornos; CHIFRADA.

córnea (*cór*.ne:a) *sf. Anat.* Membrana transparente e curva que compõe a parte anterior do olho. [Fem. de córneo.]

cornear (cor.ne.*ar*) *v. td.* **1** Atingir ou ferir com chifre: *O touro tentou cornear o toureiro.* **2** *Vulg.* Ser infiel a (pessoa com quem se tem compromisso amoroso); CHIFRAR. [▶ **13** corn**ear**]

córneo (*cór*.ne:o) *a.* **1** Ref. à córnea (tecido *córneo*). **2** Fe, a, de ou semelhante a chifre. **3** Que é duro como o chifre.

córner (*cór*.ner) *sm. Fut.* **1** No futebol, cada um dos quatro cantos do campo. **2** Infração em que a bola é tocada para fora do campo pela linha de fundo, por um jogador do time que defende; a penalidade decorrente dessa infração; ESCANTEIO.

corneta (cor.ne.ta) [ê] *sf.* Instrumento de sopro com forma de cone.

corneteiro (cor.ne.*tei*.ro) *sm.* Pessoa que toca corneta, esp. num batalhão.

cornífero (cor.*ní*.fe.ro) *a.* Que possui cornos, chifres.

cornija (cor.*ni*.ja) *sf.* Moldura sobreposta que arremata o alto de paredes, portas etc.

corno (*cor*.no) [ó] *sm.* **1** *Anat. Zool.* Prolongamento duro sobre a cabeça de alguns animais mamíferos; CHIFRE; CHAVELHO. *a.sm.* **2** *Vulg. Pej.* Que ou quem sofreu traição amorosa; CORNUDO. [At! Considerado ofensivo nesta acepção.]

cornucópia (cor.nu.*có*.pi:a) *sf. Mit.* Corno (1) mitológico que simboliza riqueza e plenitude.

cornudo (cor.*nu*.do) *a.sm.* **1** Que ou aquele que tem chifres. **2** *Vulg. Pej.* Ver corno (2). [At! Considerado ofensivo nesta acepção.]

coro (*co*.ro) [ô] *sm. Mús.* **1** Grupo de pessoas que cantam juntas; CORAL. **2** O canto desse grupo.

coroa (co.*ro*.a) [ô] *sf.* **1** Enfeite circular us. sobre a cabeça como sinal de soberania ou nobreza (ger. de ouro ou pedras preciosas), como enfeite ou simbolizando uma vitória. **2** *Fig.* O poder real, a monarquia: *Estava a serviço da Coroa.* [Inicial ger. maiúsc.] **3** O monarca ou soberano: *a sucessão da Coroa.* [Inicial ger. maiúsc.] **4** Arranjo de flores, feito sobre uma base circular, us. em ocasiões fúnebres. **5** É o lado da moeda no qual está o seu valor. *s2g.* **6** *Bras. Gír.* Pessoa de idade avançada.

coroação (co.ro:a.*ção*) *sf.* **1** Ação ou resultado de coroar; COROAMENTO. **2** Cerimônia em que se coroa alguém; COROAMENTO. **3** *Fig.* Desfecho magnífico de algo: *A vitória foi a coroação da ótima atuação.* [Pl.: -*ções*.]

coroado¹ (co.ro:*a*.do) *a.* **1** Que recebeu coroa. **2** *Fig.* Premiado: *as obras coroadas de um autor.*

coroado² (co.ro:*a*.do) *sm. Etnol.* Antiga denominação atribuída pelos portugueses aos indígenas que usavam um tipo de coroa de plumas na cabeça.

coroamento (co.ro:a.*men*.to) *sm.* Ver coroação (1 e 2).

coroar (co.ro.*ar*) *v. td.* **1** Pôr coroa em: *coroar a musa do verão.* **2** Proclamar como rei ou pontífice; ACLAMAR: *Coroaram d. Pedro imperador do Brasil.* **3** *Fig.* Concluir solenemente: *"...e só faltou um gol para coroar a sua bela atuação."* (*O Dia*, 22.06.02). **4** *Fig.* Recompensar com prêmio: *A classificação para as Olimpíadas coroa o esforço de um atleta.* [▶ **16** cor**oar**]

coroca (co.*ro*.ca) *a2g. Bras. Pop. Pej.* Diz-se de pessoa velha, que está enfraquecida ou confusa. [At! O termo é considerado ofensivo.]

coroinha (co.ro.*i*.nha) *sm.* Menino que ajuda o padre nas cerimônias religiosas.

corola (co.*ro*.la) [ó] *sf. Bot.* Conjunto de partes que formam a flor, composto pelas pétalas.

corolário (co.ro.*lá*.ri:o) *sm.* Verdade que deriva de outra.

coronária (co.ro.*ná*.ri:a) *sf. Anat.* Cada uma das duas artérias que transportam o sangue para o coração. [Tb. se diz artéria coronária.]

coronariano (co.ro.na.ri:*a*.no) *a.* Ref. às ou das coronárias (moléstia *coronariana*).

coronário (co.ro.*ná*.ri:o) *a.* **1** *Anat.* Diz-se de vasos, ligamentos etc. de formato sinuoso ou circular (artérias *coronárias*). **2** Ref. a ou próprio de coroa ou coroação. **3** Que tem forma de coroa.

coronel (co.ro.*nel*) *sm.* **1** *Mil.* Patente militar. [Ver quadro *Hierarquia Militar Brasileira*.] **2** Militar que tem essa patente. **3** *Bras.* Chefe político, ger. proprietário de terras no interior. [Pl.: -*néis*.]

coronelismo (co.ro.ne.*lis*.mo) *sf. Bras. Pol.* **1** Estrutura de poder dos grandes proprietários de terras e das oligarquias agrárias entre o fim do Império e o começo da República. **2** Domínio político, social e econômico exercido ger. por grandes latifundiários em certas regiões rurais.

coronha (co.*ro*.nha) *sf.* **1** Parte da arma de fogo, ger. de madeira, em que está encaixado o cano. **2** *Bot.* Planta medicinal do Norte, Nordeste e Sudeste do Brasil.

coronhada (co.ro.*nha*.da) *sf.* Golpe dado com coronha.

corpanzil (cor.pan.*zil*) *sm.* Corpo grande. [Pl.: -*zis*.]

corpete (cor.*pe*.te) [ê] *sm.* Peça justa de roupa feminina que cobre o corpo do peito à cintura.

corpo (cor.po) [ô] *sm.* **1** *Anat.* Parte física do homem ou dos animais. **2** *Anat.* O tronco humano ou animal. **3** Cadáver. **4** Qualquer objeto material. **5** Conjunto de profissionais do mesmo ramo: *corpo de baile do teatro*. [Pl.: [ó]. Aum.: *corpaço, corpanzil*. Dim.: *corpúsculo*.] **De ~ e alma** De maneira total; com dedicação total: *Mergulhou no projeto de corpo e alma*. **Fazer ~ mole** Não se empenhar, não se dedicar a algo. **Tirar o ~ fora** Esquivar-se de uma incumbência, de uma situação; não assumir responsabilidade.

corpo a corpo (cor.po.a *cor*.po) *sm2n. Bras.* **1** Luta de confronto com contato físico. **2** *Pol.* Contato pessoal de um candidato com os eleitores visando à obtenção de votos.

corporação (cor.po.ra.*ção*) *sf.* **1** Conjunto de pessoas que exercem a mesma atividade profissional, sujeitas às mesmas regras: *corporação dos bombeiros*. **2** Associação, agremiação. [Pl.: -*ções*.]

corporal (cor.po.*ral*) *a2g. Do, ref. ao ou próprio do corpo* (expressão *corporal*); CORPÓREO. [Pl.: -*rais*.]

corporativismo (cor.po.ra.ti.*vis*.mo) *sm.* Atitude de defesa exclusiva dos interesses de uma corporação, ger. contra os interesses públicos.

corpóreo (cor.*pó*.re:o) *a.* Ver *corporal*.

corporificar (cor.po.ri.fi.*car*) *v.* **1** Atribuir corpo a (algo que não o tem). [*td.: corporificar uma imagem divina*.] **2** Reunir (o que está disperso) em um corpo. [*td.: corporificar os funcionários num grêmio*.] **3** Tomar corpo. [*pr.: Seus pressentimentos corporificaram-se numa ameaça concreta*.] [▶ **11** corporific**ar**] ● cor.po.ri.fi.ca.*ção sf.*

corpulento (cor.pu.*len*.to) *a.* **1** De corpo grande (nadador *corpulento*). **2** Gordo, obeso. ● **cor.pu.lên.ci:a** *sf.*

✜ **corpus** (*Lat. /córpus/*) *sm. Ling.* Coleção de textos da língua efetivamente em uso reunidos de publicações, documentos de vários tipos etc. [Pl.: *corpora*.]

corpúsculo (cor.*pús*.cu.lo) *sm.* Corpo muitíssimo pequeno.

correame (cor.re:*a*.me) *sm.* Conjunto de correias, ger. as de uniforme militar.

correão (cor.re.*ão*) *sm.* Correia grande. [Pl.: -*ões*.]

correção (cor.re.*ção*) *sf.* **1** Ação ou resultado de corrigir: *O professor dedicou o domingo à correção das provas*. **2** Qualidade do que ou de quem é correto: *A correção do seu gesto, ao pedir desculpas, foi admirável*. [Pl.: -*ções*.] ✜ **~ monetária** *Econ.* Reajuste de valores nominais (de depósitos, preços etc.) de acordo com índices de desvalorização da moeda, para tentar manter estável seu poder aquisitivo.

correcional (cor.re.ci:o.*nal*) *a2g. Ref.* a pena que se aplica por faltas não muito graves. [Pl.: -*nais*.]

corre-corre (cor.re-*cor*.re) *sm. Bras. Pop.* **1** Muita pressa; CORRERIA. **2** Confusão, briga, ger. em locais amplos e com grande afluência de pessoas. [Pl.: *corres-corres* e *corre-corres*.]

corredeira (cor.re.*dei*.ra) *sf. Bras.* Parte em que as águas do rio correm mais rápido.

corrediço (cor.re.*di*.ço) *a.* **1** Que corre ou escorrega com facilidade (portão *corrediço*); CORRENTIO. **2** Habitual, corrente, correntio.

corredor (cor.re.*dor*) [ô] *sm.* **1** Que ou o que corre. *sm.* **2** *Esp.* Atleta que pratica corrida. *sm.* **3** *Arq.* Passagem, ger. estreita, em uma casa, em um edifício etc., que serve para ligar um compartimento a outro. **4** Espaço virtual de passagem, ou de trânsito de coisas, ideias, pessoas etc. (*corredor* cultural): *Vislumbrou um corredor livre e lançou a bola*.

correeiro (cor.re:*ei*.ro) *sm.* Pessoa que fabrica ou vende correias.

corregedor (cor.re.ge.*dor*) [ô] *sm. Jur.* Magistrado cuja tarefa é corrigir os erros e abusos de pessoas que trabalham para a justiça.

corregedoria (cor.re.ge.do.*ri*.a) *sf.* Cargo ou área territorial de ação do corregedor.

córrego (*cór*.re.go) *sm. Bras.* Pequeno rio; RIACHO.

correia (cor.*rei*.a) *sf.* **1** Tira, ger. de couro, que serve para unir ou apertar. **2** *Mec.* Tira de borracha, lona ou outro material, cujas pontas estão ligadas, e que serve para transmitir movimento circular de um ponto a outro: *correia da máquina de costura*.

correição (cor.rei.*ção*) *sf.* **1** Ação ou resultado de corrigir(-se); CORREÇÃO. **2** *Jur.* Função administrativa do corregedor. **3** *Jur.* Visita e inspeção realizada por autoridade competente. [Pl.: -*ções*.]

correio (cor.*rei*.o) *sm.* **1** Repartição pública que recebe e distribui cartas, encomendas etc. **2** Lugar onde funciona essa repartição. **3** Aquele que entrega cartas; CARTEIRO. **4** Conjunto dessas cartas; CORRESPONDÊNCIA. [Us. tb. no pl. nas acps. 1 e 2.] ✜ **~ eletrônico** *Int.* **1** Serviço de envio e recebimento de mensagens e arquivos por rede de computadores; E-MAIL. **2** Mensagem enviada ou recebida por meio desse serviço; E-MAIL.

correlação (cor.re.la.*ção*) *sf.* **1** Relação que se estabelece entre uma coisa e outra: *correlação da teoria com a prática*. **2** Ver *correspondência* (4). [Pl.: -*ções*.]

correlacionar (cor.re.la.ci:o.*nar*) *v.* Pôr(-se) em correlação. [*tdi. + com: Devemos correlacionar nosso peso com a altura*. *pr.: Os testemunhos correlacionam-se*.] [▶ **1** correlacion**ar**]

correlato (cor.re.*la*.to) *a.* Em que há correlação: *Já resolvi um problema correlato a esse*.

correligionário (cor.re.li.gi:o.*ná*.ri:o) *a.sm.* Que ou quem é da mesma religião ou partido político.

corrente (cor.*ren*.te) *a2g.* **1** Que corre, flui sem encontrar empecilho (água *corrente*). **2** Que está em curso ou em vigor atualmente (mês *corrente*, moeda *corrente*). **3** *Fig.* Que é usualmente aceito, admitido: *uma expressão de uso corrente em português*. **4** Amplamente conhecido; NOTÓRIO: *A versão corrente é que as duas firmas vão se fundir*. *sf.* **5** O fluxo das águas, ger. forte e contínuo; CORRENTEZA. **6** Movimento do ar; CORRENTEZA. **7** Conjunto de elos de metal, us. ger. em máquinas, engrenagens ou para atar fortemente. **8** Enfeite formado por conjunto de elos, us. ger. em volta do pescoço, pulso ou tornozelo. **9** *Elet.* Fluxo de carga elétrica. *a2g.sm.* **10** Que ou aquilo que é usual (reclamação *corrente*); HABITUAL: *O corrente é grafar os séculos em algarismos romanos*. ✜ **Ao ~ De** Informado sobre; a par de: *Leu o jornal e ficou ao corrente das últimas novidades*. **Contra a ~** *Fig.* Em oposição à opinião ou às posições da maioria.

correnteza (cor.ren.*te*.za) [ê] *sf.* Ver *corrente* (5 e 6).

correntio (cor.ren.*ti*:o) *a.* **1** Que corre com facilidade; CORREDIÇO; CORRENTE. **2** Ver *corrediço* (1).

correntista (cor.ren.*tis*.ta) *s2g.* Cliente de banco que nele tem conta corrente.

correr (cor.*rer*) *v.* **1** Locomover-se a grande velocidade (pessoa, carro etc.). [*int.: Corri, mas não o alcancei*.] **2** Participar de (corrida). [*td.: Você vai correr a maratona?*] **3** Fazer algo apressadamente; APRESSAR-SE. [*int.: Corre, senão vamos perder o início do filme*.] **4** Fluir, escorrer, jorrar. [*int.* (seguido ou não de indicação de lugar): *O rio corre através de bosques e vales*.] **5** Estar exposto a (perigo ou risco). [*td.*] **6** Ir a, percorrer ou visitar (algum lugar). [*td.: Corri todas as livrarias e não encontrei o livro*.] **7** Espalhar-se, propagar-se. [*int.: Corre o boato de que ele vai ser expulso*.] **8** Passar de mão em mão por; CIRCULAR. [*int.* (seguido de indicação de lugar): *A carta correu entre os alunos da escola inteira*.] **9** Transcorrer, decorrer. [*int.* (seguido de indicação de estado ou condição): *Os dias correm* *tranquilos por aqui.*] **10** Passar de leve. [*td.* (seguido de indicação de lugar): *João correu a mão pelos cabelos, pensativo.*] [▶ **2** corre**r**] ▓ ~ por conta de Ser pago por: *As despesas hospitalares correram por conta do seguro.*

correria (cor.re.*ri*.a) *sf.* Movimentação desordenada.

correspondência (cor.res.pon.*dên*.ci;a) *sf.* **1** Ação ou resultado de corresponder(-se). **2** Troca regular de cartas: *curso por correspondência.* **3** Essas cartas: *A correspondência chegou.* **4** Relação de conformidade de algo ou alguém, de certo conjunto ou contexto, com outro, em outro conjunto ou contexto; CORRELAÇÃO: *A correspondência entre as línguas latinas.*

correspondente (cor.res.pon.*den*.te) *a2g.* **1** Que corresponde; que tem (com algo ou alguém) relação de correspondência (4): *Uma relação de livros e outra dos autores correspondentes.* *s2g.* **2** Pessoa com quem se mantém relação de troca regular por carta ou outro meio: *Ela é minha correspondente há anos.* **3** *Jorn.* Jornalista que representa órgão de imprensa em outro estado ou país: *correspondente de guerra.*

corresponder (cor.res.pon.*der*) *v.* **1** Ter relação com; REFLETIR. [*ti.* + *a*: *A imagem que temos dele não corresponde à realidade.*] **2** Trocar correspondências (cartas, *e-mails*) entre si. [*pr.*: *Diego e Beatriz correspondem-se há anos.*] **3** Retribuir com a mesma intensidade. [*ti.* + *a*: *A tia correspondia ao afeto da criança.*] **4** Ser proporcional. [*ti.* + *a*: *Seu talento não corresponde à fama que tem.*] [▶ **2** correspond**er**]

corretagem (cor.re.*ta*.gem) *sf.* **1** Trabalho do corretor². **2** Comissão do corretor²: *Paguei 5% de corretagem pela venda do apartamento.* [Pl.: -*gens.*]

corretivo (cor.re.*ti*.vo) *a.* **1** Que corrige ou serve para corrigir (medidas *corretivas*). *sm.* **2** Castigo, punição. **3** Cosmético próprio para disfarçar olheiras e manchas no rosto. **4** Líquido opaco branco com que se apaga erros de escrita.

correto (cor.*re*.to) *a.* **1** Que não apresenta erros (resposta *correta*). **2** Que é adequado ou apropriado: *Agiu de maneira correta.* **3** Que é moralmente certo: *Não é correto roubar.* **4** Honesto, íntegro (sócio *correto*). [Ant. ger. *incorreto, errado.*]

corretor¹ (cor.re.*tor*) [ô] *a.* Que serve para corrigir. ▓ ~ ortográfico *Inf.* Função em processadores de texto por meio da qual palavras com erros de ortografia são corrigidas.

corretor² (cor.re.*tor*) [ô] *sm.* Profissional cuja função é intermediar a compra e venda de imóveis, ações e seguros.

corretora (cor.re.*to*.ra) [ô] *sf.* **1** Instituição que efetua operações na Bolsa de Valores. **2** Fem. de *corretor².*

corrida (cor.*ri*.da) *sf.* **1** Ação ou resultado de correr. **2** *Esp.* Competição em que o vencedor é o primeiro a alcançar a linha de chegada (*corrida* automobilística). **3** Percurso feito por passageiro em táxi sobre o qual é calculado o pagamento: *O motorista disse que a corrida custaria dez reais.*

corrido (cor.*ri*.do) *a.* **1** Que se corre (quilômetro *corrido*). **2** Sem folga, intervalos ou interrupção (dia *corrido*, texto *corrido*, jogo *corrido*). **3** Decorrido, transcorrido: *dez dias corridos desde a viagem.* **4** Expulso.

corrigenda (cor.ri.*gen*.da) *sf.* Ver **errata**.

corrigir (cor.ri.*gir*) *v.* **1** Apontar os erros e acertos em (exame, exercício etc.). [*td.*: *corrigir uma prova.*] **2** Eliminar (defeito, hábito etc.). [*td.*: *lentes que corrigem defeitos da visão.*] **3** Melhorar a própria conduta; REGENERAR-SE. [*pr.*: *É teimoso, mas não se corrige.*] **4** Repreender, censurar. [*td.*: *Corrigiu o aluno diante de toda a turma.*] [▶ **46** corrig**ir**]

corrilho (cor.*ri*.lho) *sm.* Reunião secreta com fins de intriga ou malefício; CONCILIÁBULO.

corrimão (cor.ri.*mão*) *sm.* Barra fixada ao longo de uma escada, que serve de apoio à mão. [Pl.: -*mãos.*]

corrimento (cor.ri.*men*.to) *sm. Med.* Secreção anormal de um órgão.

corríola (cor.*ri*;o.la) [ó] *sf. Bras. Pop.* Bando, quadrilha. [Tb. us. pejorativamente.]

corriqueiro (cor.ri.*quei*.ro) *a.* Que é comum e banal (questões *corriqueiras*).

corroborar (cor.ro.bo.*rar*) *v. td.* Confirmar, comprovar, ratificar: *estudos que corroboram uma teoria.* [▶ **1** corrobor**ar**] ● **cor.ro.bo.ra.***ção* *sf.*

corroer (cor.ro.*er*) *v.* **1** Roer gradativamente; CARCOMER. [*td.*: *Os cupins corroeram parte do móvel.*] **2** Destruir lentamente. [*td.*: *A maresia corrói os metais.*] **3** *Fig.* Sofrer, mortificar-se. [*pr.*: *Ele até hoje se corrói de remorso.*] [▶ **36** corro**er**] ● **cor.ro.***í*.do *a.*

corromper (cor.rom.*per*) *v.* **1** Ter má influência sobre ou sofrer má influência de; PERVERTER(-SE). [*td.*: *Nem o dinheiro nem a fama o corromperam.* *pr.*: *Ele vai acabar corrompendo-se com as más companhias.*] **2** Subornar ou deixar-se subornar (juiz, funcionário etc.). [*td. pr.*] **3** Alterar(-se), adulterar(-se), estragar(-se). [*td.*: *O vírus corrompeu vários arquivos.* *pr.*: *Os produtos corrompem-se devido à umidade.*] [▶ **2** corromp**er**] ● **cor.rom.***pi*.do *a.*

corrosão (cor.ro.*são*) *sf.* **1** Ação ou resultado de corroer (tb. *Fig.*). **2** Deterioração gradativa de metal, ferro etc. por motivos químicos e físicos. [Pl.: -*sões.*]

corrosivo (cor.ro.*si*.vo) *a.* **1** Que corrói, que produz corrosão (2): *a ação corrosiva dos ácidos sobre os metais.* **2** *Fig.* Destruidor: *os efeitos corrosivos da calúnia.* **sm. 3** Substância corrosiva (1).

corrupção (cor.rup.*ção*) *sf.* **1** Ação ou resultado de corromper(-se). **2** Suborno. **3** Depravação ou degeneração moral. [Pl.: -*ções.*]

corrupião (cor.ru.pi.*ão*) *sm. Bras. Zool.* Pássaro conhecido por imitar o canto de outras aves. [Pl.: -*ões.*]

corrupiar (cor.ru.pi.*ar*) *v. td. int.* Fazer girar ou girar, rodopiar. [▶ **1** corrupi**ar**]

corrupio (cor.ru.*pi*;o) *sm.* Brincadeira em que duas crianças, de mãos dadas, rodopiam velozmente. **2** Volta que se dá em torno de si mesmo; GIRO; RODOPIO.

corruptela (cor.rup.*te*.la) *sf.* Palavra ou expressão pronunciada ou grafada incorretamente.

corruptível, corrutível (cor.rup.*ti*.vel, cor.ru.*ti*.vel) *a2g.* **1** Que se pode corromper. **2** Capaz de se deixar subornar (juiz *corruptível*). [Pl.: -*veis.*] ● **cor.rup.ti.bi.li.***da*.de *sf.*

corrupto, corruto (cor.*rup*.to, cor.*ru*.to) *a.* **1** Que se deixa subornar (policial *corrupto*). **2** Moralmente degenerado (sociedade *corrupta*). **3** Que sofreu corrupção, adulteração. *sm.* **4** Pessoa corrupta. [Ant.: *incorrupto.*]

corruptor, corrutor (cor.rup.*tor*, cor.ru.*tor*) [ô] *a.sm.* Que ou quem corrompe.

corsário (cor.*sá*.ri;o) *sm.* **1** Navio que pratica o corso¹ (1). **2** O capitão desse navio. **3** Pirata.

corso¹ (cor.so) [ô] *sm.* **1** Ataque a navio mercante de uma nação inimiga. **2** *Antq.* Cortejo de carnaval com carros ou carruagens.

corso² (cor.so) [ô] *a.* **1** Da Córsega (no Mediterrâneo); típico dessa ilha ou de seu povo. *sm.* **2** Pessoa nascida na Córsega.

cortada (cor.*ta*.da) *sf. Esp.* Em determinados esportes, batida súbita e violenta em bola alta.

cortado (cor.*ta*.do) *a.* **1** Que se cortou: *cabelo cortado a navalha.* **2** Interrompido, interceptado: *linha telefônica cortada.* **3** Apuro, dificuldade: *Passei um cortado quando descobriram tudo.*

cortador (cor.ta.*dor*) [ô] *a.sm.* Que ou o que (utensílio ou máquina) serve para cortar: *cortador de grama.*

cortante (cor.*tan*.te) *a2g.* **1** Que corta, que tem gume. **2** Frio, gélido (vento <u>cortante</u>). **3** Agudo, estridente (diz-se de som). **4** Mordaz, ferino (ironia <u>cortante</u>).

cortar (cor.*tar*) *v.* **1** Dividir ou partir com instrumento cortante. [*td.*: *cortar uma corda.*] **2** Ferir(-se) com instrumento cortante. [*td.*: *Cortou o dedo com a faca afiada.* *pr.*: *Cuidado para não se cortar!*] **3** Aparar (o cabelo, a grama). [*td.*] **4** Reduzir, diminuir. [*td.*: *cortar despesas.*] **5** Pôr fim a; INTERROMPER; SUSPENDER. [*td.*: *cortar relações com alguém.*] **6** Talhar sobre um molde. [*td.*: *cortar um vestido.*] **7** Suprimir, eliminar. [*td.*: *Cortei os doces para emagrecer.*] **8** Cruzar com; ATRAVESSAR. [*td.*: *Essa rua <u>corta</u> a avenida Rio Branco.*] **9** Ter bom gume. [*int.*: *Esta tesoura não <u>corta</u>.*] **10** *Esp.* Dar cortada. [*int.*] **11** Encurtar, diminuir (distância). [*td.*: *Se <u>cortarmos</u> caminho, chegaremos mais rápido.*] **12** Ultrapassar (um carro) passando repentinamente à sua frente. [*td.*] [▶ **1** cor<u>tar</u>]

corte (*cor*.te) [ó] *sm.* **1** Ação ou resultado de cortar(-se). **2** Talho, ou ferimento, feito por objeto cortante. **3** Gume de objeto cortante. **4** Pedaço de tecido suficiente para fazer uma roupa. **5** Modo de talhar a roupa: *Esta calça tem ótimo <u>corte</u>.* **6** Diminuição ou supressão: *<u>corte</u> de verbas.* **7** Interrupção, interceptação: *corte de energia.*

corte (*cor*.te) [ó] *sf.* **1** O soberano e as pessoas que o cercam, esp. a nobreza: *A <u>corte</u> portuguesa mudou-se para o Brasil em 1808.* **2** Residência de um soberano ou a cidade onde ele reside. **3** *Jur.* Tribunal: *corte de apelações.*

cortejar (cor.te.*jar*) *v. td.* **1** Tentar conquistar (uma mulher); GALANTEAR. **2** Tratar com cortesia, de interesse; ADULAR. **3** Cumprimentar com cortesia. [▶ **1** corte<u>jar</u>] ● cor.te.ja.*dor a.sm.*

cortejo (cor.*te*.jo) [ê] *sm.* **1** Ação ou resultado de cortejar. **2** Grupo de pessoas ou carros que acompanham um enterro, personalidades etc.

cortês (cor.*tês*) *a2g.* Que tem ou revela cortesia, gentileza, amabilidade (pessoas <u>cortês</u>, elogio <u>cortês</u>). [PL.: *-teses.*] [Ant.: *descortês.*]

cortesã (cor.te.*sã*) *sf.* **1** Dama da corte. **2** Prostituta de vida luxuosa. [PL.: *-sãs.*]

cortesão (cor.te.*são*) *sm.* **1** Homem que frequenta uma corte. **2** Homem polido e gentil. *a.* **3** Próprio da corte. [PL.: *-sãos e -sões.* Fem.: *-sã.*]

cortesia (cor.te.*si*.a) *sf.* **1** Qualidade de pessoa cortês; GENTILEZA: *Por <u>cortesia</u>, cedeu o lugar à senhora.* **2** Atitude ou gesto educado, amável: *Foi uma <u>cortesia</u> telefonar agradecendo.* **3** Presente oferecido por empresa aos clientes: *O aperitivo foi <u>cortesia</u> da casa.*

córtex (*cor*.tex) [cs] *sm2n.* **1** *Bot.* Casca de árvore. **2** *Biol.* A camada externa de vários órgãos (<u>córtex</u> cerebral).

cortiça (cor.*ti*.ça) *sf. Bot.* Casca porosa de certas árvores, com que se fabricam rolhas, boias etc.

cortiço (cor.*ti*.ço) *sm.* **1** *Bras.* Casa grande em bairros pobres, onde se alugam quartos. **2** Casa de abelhas.

corticoide (cor.ti.*coi*.de) *sm.* **1** *Med.* Cada um dos hormônios produzidos pelo córtex das glândulas suprarrenais, ou substância sintética similar. *a2g.* **2** Ref. a corticoide. **3** Que é us. como anti-inflamatório.

cortina (cor.*ti*.na) *sf.* Peça de tecido com que se cobre ou enfeita janelas e portas.

cortinado (cor.ti.*na*.do) *sm.* **1** Cortina grande. **2** Armação com cortinas em torno de cama ou do berço, para proteção contra os insetos.

cortisona (cor.ti.*so*.na) [ô] *sf. Quím.* Hormônio produzido natural ou sinteticamente, us. como anti-inflamatório.

coruja (co.*ru*.ja) *sf.* **1** *Zool.* Ave noturna de rosto arredondado e olhos grandes, que se alimenta de roedores e répteis. [Masc.: *coruja macho.*] *a2g.* **2** Que é excessivamente orgulhoso de um filho, ou de sobrinho, neto etc. que o equivalha (mãe <u>coruja</u>, avó <u>coruja</u>).

corvejar (cor.ve.*jar*) *v. int.* Gritar, crocitar (o corvo). [▶ **1** corve<u>jar</u>]

corveta (cor.*ve*.ta) [ê] *sf. Antq.* Navio de guerra de médio porte.

corvina (cor.*vi*.na) *sf. Zool.* Peixe marinho com estrias escuras e dorso dourado.

corvo (*cor*.vo) [ó] *sm. Zool.* Pássaro grande, negro, de grasnido estridente. [PL.: [ó].]

cós *sm2n.* Tira de pano costurada que circunda a cintura de calças, saias etc.

coser (co.*ser*) *v.* Ver costurar. [▶ **2** co<u>ser</u>] [Cf.: *cozer.*]

cosmético (cos.*mé*.ti.co) *sm.* **1** Produto para tratar e/ou embelezar a pele do rosto ou do corpo e dos cabelos. *a.* **2** Diz-se desse produto. **3** *Fig.* Que é superficial, insignificante.

cosmetologia (cos.me.to.lo.*gi*.a) *sf.* Estudo dos cosméticos.

cósmico (*cós*.mi.co) *a.* Ref. ou pertencente ao cosmo: *o espaço <u>cósmico</u>.*

cosmo (*cos*.mo) [ó] *sm.*, *sm2n.* O universo.

cosmogonia (cos.mo.go.*ni*.a) *sf. Astron.* **1** A origem do mundo, do universo. **2** Qualquer teoria que trata da origem do universo.

cosmologia (cos.mo.lo.*gi*.a) *sf. Astron.* Ciência que estuda a origem, estrutura e evolução do universo. ● cos.mo.*ló*.gi.co *a.*

cosmonauta (cos.mo.*nau*.ta) *s2g. Astron.* Tripulante ou passageiro de nave espacial.

cosmonáutica (cos.mo.*náu*.ti.ca) *sf. Astnáut.* Ciência e técnica do voo espacial.

cosmonave (cos.mo.*na*.ve) *sf. Astnáut.* Nave que realiza viagens espaciais; ESPAÇONAVE.

cosmopolita (cos.mo.po.*li*.ta) *a2g.* **1** Em que vivem pessoas de várias partes do mundo: *Londres é uma cidade <u>cosmopolita</u>.* **2** Que habitou, conhece ou viaja por muitos países: *Os diplomatas são necessariamente pessoas <u>cosmopolitas</u>.* **3** Que demonstra conhecimento e influência de vários povos e países (mentalidade <u>cosmopolita</u>). *s2g.* **4** Pessoa cosmopolita (2 e 3). [Ant. ger.: *provinciano.*]

cosmopolitismo (cos.mo.po.li.*tis*.mo) *sm.* Qualidade de cosmopolita; estilo de vida de cosmopolita.

cosmos (*cos*.mos) [ó] *sm2n.* Ver cosmo.

cossaco (cos.*sa*.co) *sm.* **1** Soldado do exército russo czarista, recrutado entre os cossacos. ▢ **cossacos** *smpl.* **2** Povos guerreiros do sul da Rússia.

cosseno (cos.*se*.no) *sm. Trig.* Seno do complemento de um ângulo.

costa (*cos*.ta) [ó] *sf.* **1** *Geog.* Faixa de terra firme ao longo do mar; LITORAL. **2** *Geog.* Faixa marítima ao longo da terra firme: *A <u>costa</u> brasileira é rica em pescado.* ▢ **costas** *sfpl.* **3** *Anat.* Parte de trás do tronco humano; DORSO: *dor nas <u>costas</u>.* **4** Parte de trás dos objetos; VERSO. **5** Encosto de cadeira ou poltrona; ESPALDAR. ▪▪ **Carregar (algo) nas ~s** Realizar sozinho (um trabalho, projeto etc.) cumprindo tarefas que caberiam a outro(s). **Ter ~s largas** Aceitar responsabilidades que caberiam a outrem. **Ter ~s quentes** Contar com a proteção de alguém. **Voltar as ~s a** Eximir-se de apoiar; manifestar indiferença por.

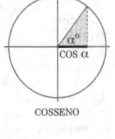

costado (cos.*ta*.do) *sm. Cnav.* Revestimento exterior do casco de uma embarcação.

costa-riquenho (cos.ta.ri.*que*.nho) *a.* **1** Da Costa Rica (América Central); típico desse país ou de seu povo. *sm.* **2** Pessoa nascida na Costa Rica. [Pl.: *costa--riquenhos*.]

costear (cos.te.*ar*) *v. td.* **1** Seguir junto à costa de: *O barco costeou toda a ilha*. **2** Ir ao longo de; CONTORNAR: *costear um parque.* [▶ 13 cost[ear]] [Cf.: *custear*.]

costeiro (cos.*tei*.ro) *a.* **1** Ref. a costa ou que nela navega (patrulhamento costeiro). **2** Situado na costa (país costeiro).

costela (cos.*te*.la) [é] *sf. Anat.* Cada um dos 24 ossos (12 pares) recurvados do tórax.

costeleta (cos.te.*le*.ta) [ê] *sf.* **1** Costela de certos animais, com a carne, us. como alimento humano. **2** *Bras.* Faixa de barba aparada, nas laterais da face do homem, junto às orelhas. [Nesta acp., mais us. no pl.]

costumar (cos.tu.*mar*) *v. td.* Ter por costume ou hábito: *Vitor costuma sentar-se na primeira fila*. [▶ 1 costum[ar]] [NOTA: Us. somente como v. auxiliar seguido de infinitivo para indicar ação ou processo habitual.]

costume¹ (cos.*tu*.me) *sm.* **1** Prática ou comportamento habitual: *Tenho o costume de tomar chá sem açúcar*. **2** Prática ou modo de viver comum a uma comunidade ou povo: *A inglesa já se adaptou aos costumes brasileiros*.

costume² (cos.*tu*.me) *sm.* **1** *Bras.* Conjunto de duas peças, composto de casaco e saia. **2** *Bras.* Traje social ger. masculino composto de calça, paletó e colete. **3** Traje característico.

costumeiro (cos.tu.*mei*.ro) *a.* Que é comum ou frequente; USUAL; HABITUAL.

costura (cos.*tu*.ra) *sf.* **1** Ação ou resultado de costurar. **2** Conjunto de técnicas empregadas quando se costura: *curso de costura*. **3** Linha de junção de duas peças de tecido costuradas uma à outra: *A costura do bolso está se desfazendo*.

costurar (cos.tu.*rar*) *v.* **1** Unir (peças de tecido) com linha e agulha; COSER. [*td.*: *Costurou a calça rasgada. int.*: *Não sei costurar.*] **2** Trabalhar como costureira. [*td.*: *costurar vestidos de noiva. int.*: *Costuraria para fora.*] [▶ 1 costur[ar]]

costureiro (cos.tu.*rei*.ro) *sm.* **1** Pessoa que costura profissionalmente. **2** Profissional que idealiza coleções de roupas e dirige confecção de alta costura.

cota, quota (co.ta, quo.ta) [ó] *sf.* **1** Parcela de um todo; PRESTAÇÃO: *O imposto pode ser pago integralmente ou em cotas*. **2** Parte de um todo destinada a cada pessoa; QUINHÃO: *Ele tem direito a uma cota da herança*. **3** Quantia que cabe a cada um em despesa ou negócio compartilhado. **4** Quantidade estabelecida.

cotação (co.ta.*ção*) *sf. Econ.* Ação ou resultado de cotar. **2** *Econ.* Valor atribuído pelo mercado a moedas, ações etc. **3** *Fig.* Conceito, reputação. [Pl.: -*ções*.]

cota-parte, quota-parte (co.ta-*par*.te, quo.ta-*par*.te) *sf.* Parcela individual a pagar ou receber. [Pl.: *cotas-partes, quotas-partes*.]

cotar (co.*tar*) *v. td.* **1** Avaliar o preço de: *cotar um serviço*. **2** Avaliar, taxar: (seguido de indicação de valor) *Cotaram o jogador em dez milhões de dólares*. [▶ 1 cot[ar]]

cotejar (co.te.*jar*) *v.* Comparar, confrontar. [*td.*: *Ao cotejar as duas assinaturas, viu que uma delas era falsa. tdi.* + *com*: *Cotejou o texto original com a tradução.*] [▶ 1 cotej[ar]]

cotejo (co.*te*.jo) [ê] *sm. Fig.* Comparação entre coisas ou pessoas: *O autor fez o cotejo do livro com o original*.

cotidiano, quotidiano (co.ti.di.*a*.no, quo.ti.di.*a*.no) *sm.* **1** Conjunto das atividades diárias de uma pessoa ou de uma comunidade; DIA A DIA. *a.* **2** Que ocorre diariamente (engarrafamento cotidiano).

cotilédone (co.ti.*lé*.do.ne) *sm. Bot.* Folha embrionária responsável pela nutrição da planta, no início do seu desenvolvimento, tanto como órgão de reserva e transportador de substâncias, como órgão fotossintético.

cotista, quotista (co.*tis*.ta, quo.*tis*.ta) *a2g.s2g.* Que ou quem possui cotas de empresa ou clube.

cotizar, quotizar (co.ti.*zar*, quo.ti.*zar*) *v.* **1** Pagar uma cota cada um. [*pr.*: *Eles se cotizaram para financiar a festa.*] **2** Dividir por cotas. [*td.*: *cotizar uma despesa.*] [▶ 1 cotiz[ar], ▶ 1 quotiz[ar]]

coto (*co*.to) [ó] *sm.* **1** *Med.* Parte restante de membro amputado; COTOCO. **2** Resto de vela, tocha etc.; TOCO. [Pl.: [ó].]

cotó (co.*tó*) *a2g.s2g. Bras. Pop.* **1** Que ou quem tem braço ou perna amputado. **2** Que ou aquele que não tem rabo ou tem o rabo mutilado (diz-se de animal). [Var. de *coto* (ó).]

cotoco (co.*to*.co) [ó] *sm.* **1** Pedaço muito pequeno de qualquer coisa: *Do meu lápis só sobrou um cotoco*. **2** Pessoa muito pequena. **3** Ver *coto* (1). [Pl.: [ó].]

cotonete (co.to.*ne*.te) *sm.* Haste flexível de plástico com algodão nas extremidades, us. ger. para higiene (2). [A marca registrada é Cotonetes®.]

cotonicultura (co.to.ni.cul.*tu*.ra) *sf.* Plantação de algodão. • **co.to.ni.cul**.*tor* *sm.*

cotonifício (co.to.ni.*fí*.ci.o) *sm.* Local onde se fabricam fios e tecidos de algodão; ALGODOARIA.

cotovelada (co.to.ve.*la*.da) *sf.* Golpe dado com o cotovelo.

cotovelo (co.to.*ve*.lo) [ê] *sm.* **1** *Anat.* Ver *ulna*. **2** Parte da manga de uma roupa, que fica sobre o cotovelo (1). **3** *Fig.* Curva ou ângulo fechado: *cotovelo de rio/ estrada*. ▪▪ **Falar pelos ~s** *Fam.* Falar muito, falar demais.

cotovia (co.to.*vi*.a) *sf. Zool.* Ave pequena, de canto apreciado, que vive em descampados e constrói ninhos no chão.

coturno (co.*tur*.no) *sm. Bras.* Bota de cano alto amarrada com cordões, ger. us. por militares. ▪▪ **De alto/baixo ~** Que está em alta/baixa posição hierárquica ou social.

coudelaria (cou.de.la.*ri*.a) *sf.* Ver *haras*.

couraça (cou.*ra*.ça) *sf.* **1** *Anat. Zool.* Placas ou escamas que envolvem e/ou protegem o corpo de determinados animais. **2** *Mar.* Revestimento de aço us. para armadura que protege grandes navios de combate. **3** Parte de armadura que protege o tronco.

couraçado (cou.ra.*ça*.do) *a.sm. Mar.* Que ou o que é protegido por couraça (diz-se de navio); ENCOURAÇADO.

courama (cou.*ra*.ma) *sf.* **1** Grande quantidade de couro. **2** *N.E.* Roupa protetora de couro us. por vaqueiros.

couro (*cou*.ro) *sm.* **1** Pele grossa de certos animais: *couro de jacaré/de boi*. **2** Essa pele curtida, preparada para a confecção de roupas, bolsas etc. **3** *Pop.* Pele humana. ▪▪ **~ cabeludo** Pele que reveste a cabeça onde nascem os cabelos. **Dar no ~** *Bras. Gír.* Ser apto a cumprir bem tarefa ou trabalho: *Podemos confiar-lhe a missão, ele dá no couro*.

coutada (cou.*ta*.da) *sf.* **1** Terra onde é proibido caçar. **2** Terra para o gado pastar.

couteiro (cou.*tei*.ro) *sm.* Quem vigia uma coutada.

couto (*cou*.to) *sm.* Lugar onde se pode ficar abrigado ou escondido.

⊕ **couvade** (Fr. /cuváde/) *sf. Antr.* Costume de algumas sociedades conforme o qual, durante a gravidez da mulher e depois do nascimento do filho, o pai obedece a uma série de restrições e ritos.

couve (*cou*.ve) *sf. Bot.* Planta comestível de folhas largas e grossas.

couve-flor (cou.ve-*flor*) *sf. Bot.* Tipo de couve de caule curto, de cujo centro saem flores brancas comestíveis. [Pl.: *couves-flores* e *couves-flor*.]

⊕ **couvert** (Fr. /cuvér/) *sm.* Iguarias (azeitonas, torradas, pastas etc.) servidas antes do primeiro prato. ▪ **~ artístico** Quantia que se soma à conta, cobrada em bares, restaurantes etc., ger. ref. a música ao vivo.

cova (co.va) [ó] *sf.* **1** Buraco cavado no chão para se enterrarem pessoas ou animais mortos; SEPULTURA. **2** *Agr.* Abertura feita na terra para plantação de sementes ou mudas de vegetais. **3** Buraco onde vivem ou se escondem certos animais; TOCA. **4** Qualquer buraco ou concavidade.

côvado (cô.va.do) *sm.* Medida antiga de comprimento, equivalente a 66cm.

covarde (co.*var*.de) *a2g.s2g.* **1** Que ou quem não tem coragem; MEDROSO. **2** Que ou quem é desleal, desonesto: *Foi covarde ao sabotar o projeto do adversário.*

covardia (co.var.*di*.a) *sf.* **1** Falta de coragem. **2** Ação desleal, esp. aproveitando a fraqueza de outrem.

coveiro (co.*vei*.ro) *sm.* **1** Quem trabalha em cemitérios abrindo covas. **2** *Fig.* Aquele que contribui para o fracasso de projeto, instituição etc.: *Com seus desmandos, ele foi o coveiro de nossa firma.*

⊕ **cover** (Ing. /*cóver*/) *s2g.* **1** Nova versão, ou gravação, de música já anteriormente gravada: *Ela apresentou um cover daquela música.* [Tb. us. como adjetivo: *uma versão cover.*] **2** Aquele (pessoa ou grupo) que imita um artista, cantor ou banda famosa: "Um dos maiores *covers* dos Beatles se apresentou junto à Orquestra Sinfônica..." (G1, 17.01.2020). **3** O ato de apresentar um cover (1): *Fizeram um belo cover dos Imagine Dragons.*

covil (co.*vil*) *sm.* **1** Toca de feras: *covil de lobos/do urso.* **2** *Fig.* Lugar onde se esconde um ou se reúnem bandidos; ANTRO. [Pl.: *-vis*.]

covinha (co.*vi*.nha) *sf.* **1** Cova pequena. **2** Pequena cavidade no queixo ou que se forma nas bochechas ao sorrir.

covo (co.vo) [ó] *sm.* **1** Armadilha de pesca composta de um cercado de esteiras. **2** Tipo de gaiola para criação de galinhas. [Cf.: *covo* [ó].]

covo (co.vo) [ó] *a.* Côncavo, fundo. [Cf.: *covo* [ó].]

⊕ **cowboy** (Ing. /*cáuboi*/) *sm.* Ver *caubói*.

coxa (co.xa) [ó] *sf. Anat.* Parte da perna entre o quadril e o joelho.

coxear (co.xe.*ar*) *v. int.* Andar puxando de uma perna; MANCAR: *Foi coxeando até o balcão.* [▶ 13 *coxear*]

coxia (co.*xi*.a) *sf.* **1** Passagem entre duas fileiras de bancos, camas etc. **2** Espaço ocupado por cada cavalo na estrebaria; BAIA. **3** Assento extra colocado nas laterais de um auditório, teatro etc. ▣ **coxias** *sfpl.* **4** *Teat.* Área oculta em volta do palco; BASTIDORES.

coxilha (co.*xi*.lha) *sf. S.* Campo extenso com relevo ondulado em que se desenvolve a pecuária.

coxim (co.*xim*) *sm.* **1** Tipo de almofada na qual as pessoas se sentam. **2** Espécie de sofá sem encosto; DIVÃ. **3** Parte da sela que serve de assento para o cavaleiro. [Pl.: *-xins*.]

coxinha (co.*xi*.nha) *sf.* **1** Coxa de galinha preparada como alimento. **2** Salgadinho em forma de coxinha (1).

coxo (co.xo) [ô] *a.sm.* Que ou quem anda sem se apoiar firmemente em uma das pernas; MANCO.

cozedura (co.ze.*du*.ra) *sf.* **1** Ação ou resultado de cozer, de preparar alimentos ao fogo; COZIMENTO; COCÇÃO. **2** Aquecimento de uma matéria-prima no fogo como etapa da fabricação de um produto: *cozedura do gesso/do barro.*

cozer (co.*zer*) *v.* Ver *cozinhar*. [▶ 2 *cozer*] [Cf.: *coser*.]

cozido (co.*zi*.do) *a.* **1** Que se cozinhou (batatas *cozidas*). *sm.* **2** *Cul.* Prato ger. composto de carnes, legumes, algumas verduras cozidas e pirão de farinha. [Part. de *cozer*.]

cozimento (co.zi.*men*.to) *sm.* Ver *cozedura*.

cozinha (co.*zi*.nha) *sf.* **1** Parte da casa onde se preparam as refeições. **2** Os pratos característicos, de um país, uma região etc. (*cozinha* italiana/mineira). **3** *Cul.* Técnica e arte de cozinhar.

cozinhar (co.zi.*nhar*) *v.* **1** Preparar (alimento) ao fogo. [*td.*: *cozinhar as batatas. int.: Meu pai não sabe cozinhar.*] **2** Trabalhar como cozinheiro. [*int.*: *Cozinha num restaurante francês.*] **3** *Pop.* Embromar, enrolar, iludir. [*td.*: *Cozinhava* o locatário quanto ao *pagamento do aluguel.*] [Sin. ger.: *cozer*.] [▶ 1 *cozinhar*]

cozinheiro (co.zi.*nhei*.ro) *sm.* Aquele que cozinha, esp. o que o faz profissionalmente.

◻ **CPF** Sigla de *Cadastro de Pessoa Física*.

◻ **CPU** Sigla de *unidade central de processamento*, em inglês (a parte responsável pelo funcionamento básico de um computador). [Tb. *UCP*]

◻ **Cr** *Quím.* Simb. de *cromo*.

craca (*cra*.ca) *sf. Zool.* Tipo de crustáceo marinho que gruda em rochas, corais etc.

crachá (cra.*chá*) *sm.* Cartão com dados pessoais, que se prende à roupa ou se pendura no pescoço para identificação em congressos, empresas etc.

⊕ **crack** (Ing. /*créc*/) *sm.* Droga derivada da cocaína, comercializada em forma de cristais.

⊕ **cracker** (Ing. /*créquer*/) *sm. Inf.* Especialista em programas, sistemas e redes de computador que invade sistemas e computadores alheios com a intenção de causar dano, roubar dados, valores etc. [Cf.: *hacker*.]

craniano (cra.ni.a.no) *a.* **1** Ref. ao crânio. **2** Do crânio (radiografia *craniana*).

crânio (*crâ*.nio) *sm.* **1** *Anat.* Caixa óssea dentro da qual fica o cérebro. **2** *Bras. Fig. Pop.* Pessoa muito inteligente ou que conhece muito certo assunto: *Ela é um crânio em português.*

crápula (*crá*.pu.la) *s2g.* **1** Pessoa vil e/ou desonesta; SALAFRÁRIO. *sf.* **2** Modo de vida desregrado, libertino. ● cra.pu.*lo*.so *a.*

craque[1] (*cra*.que) *s2g.* **1** Pessoa muito boa em certa atividade ou área de conhecimento: *É um craque no violão.* **2** *Fut.* Jogador excelente.

craque[2] (*cra*.que) *sm.* Ruína financeira; QUEBRA.

crase (*cra*.se) *sf.* **1** *Ling.* Fusão de duas vogais idênticas (ger. da preposição *a* com artigo *a(s)* ou com os pronomes demonstrativos *a(s)*, *aquela(s)*, *aquele(s)*, *aquilo*). **2** Acento grave que indica essa fusão na escrita (p.ex., em *ir à biblioteca*, á tem crase. [Cf.: *contração*.]

crasear (cra.se.*ar*) *v. td. Bras. Gram.* Pôr o acento grave sobre (a partícula *a*, em geral), para indicar a crase. [▶ 13 *crasear*]

crasso (*cras*.so) *a.* **1** Extremo, terrível: *erros crassos de português.* **2** Excessivo, desmedido (*ignorância crassa*).

cratera (cra.*te*.ra) *sf.* **1** Buraco grande: *A explosão abriu uma cratera no chão.* **2** A abertura de um vulcão.

cravar (cra.*var*) *v.* **1** Fazer penetrar ou penetrar profundamente; FINCAR(-SE). [*td.* (seguido de indicação de lugar): *O gato cravou as garras no sofá. pr.*: *O machado cravou-se no tronco.*] **2** Fixar(-se) (o olhar). **3** *Ind.* + em: *João cravou os olhos em Cecília. pr.*: *Seus olhos cravaram-se nos meus.*] **3** Engastar (pedraria) em joia. [*tdi.*] [▶ 1 *cravar*] ● cra.va.*ção* *sf.*

craveira (cra.*vei*.ra) *sf.* **1** Abertura em ferradura para a fixação do cravo[2] (1). **2** Régua para medir a altura de pessoas. **3** Instrumento us. por sapateiros para medir pés. **4** Medida padronizada; BITOLA.

craveiro (cra.*vei*.ro) *sm.* **1** *Bot.* Planta que dá o cravo[1] (1). **2** Pessoa que faz cravos[2] (2) e ferraduras.

craveiro-da-índia (cra.vei.ro-da-*ín*.di.a) *sm. Bot.* Árvore que dá o cravo-da-índia. [Pl.: *craveiros-da-índia*.]

cravejar (cra.ve.*jar*) *v.* **1** Pregar com cravos[2] (2). [*td.*: *O peão cravejou as ferraduras do cavalo.*] **2** Engastar (pedraria) em joia. [*tdi.*] [▶ 1 *cravejar*]

cravelha | crescer

cravelha (cra.ve.lha) [ê] sf. Peça com que se afina instrumentos de corda (violão, guitarra etc.).

cravo¹ (cra.vo) sm. Bot. 1 Flor aromática com pétalas recortadas nas bordas. 2 Ver cravo-da-índia.

cravo² (cra.vo) sm. 1 Med. Ponto escuro na pele, esp. do rosto, surgido por obstrução sebácea do poro. 2 Tipo de prego para prender ferraduras.

cravo³ (cra.vo) sm. Mús. Instrumento que precedeu o piano, similar a este. ● **cra.vis.ta** s2g.

cravo-da-índia (cra.vo-da-ín.di:a) sm. Bot. Botão da flor do craveiro-da-índia, us. para dar gosto em doces; CRAVO. [Pl.: cravos-da-índia.]

⊕ **crawl** (Ing. /cróu/) sm. Nado livre.

creche (cre.che) sf. Instituição, pública ou privada, que cuida durante o dia de crianças pequenas cujos pais ger. trabalham ou são carentes (no caso da pública).

credencial (cre.den.ci.al) a2g. 1 Que confere crédito, poder, autoridade. sf. 2 Cartão de identificação que autoriza a participação em determinado evento: Não consegui _credencial_ para trabalhar na Copa. 3 Comprovante de qualificação: O homem foi detido com falsa _credencial_ de piloto. 4 Aquilo que abona, valoriza algo ou alguém: Usa o nome famoso do ex-marido como sua principal _credencial_. ◘ **credenciais** sfpl. 5 Documento que autoriza um embaixador, delegado etc. a representar o seu país no exterior.

credenciar (cre.den.ci.ar) v. 1 Dar credenciais a. [td. (seguido de indicação de lugar): O governo _credenciou_ o diplomata na Coreia.] 2 Dar direito, crédito ou poderes a. [td.: A experiência que tem a _credencia_ como chefe. tdi. + a: O diploma o _credencia a exercer a profissão_.] [▶ 1 credenci̅ar̅]

crediário (cre.di.á.ri:o) sm. 1 Plano de pagamento de compra a prestações: Fiz um _crediário para comprar o som._ 2 Dívida contraída nesse tipo de compra: Faltam muitas prestações para liquidar o _crediário_. ● **cre.di:a.ris.ta** s2g.

credibilidade (cre.di.bi.li.da.de) sf. Qualidade do que ou de quem merece crédito (1): A notícia infundada afetara a _credibilidade_ da imprensa.

creditar (cre.di.tar) v. 1 Considerar como causa ou autor de. [tdi. + a: _Creditaram_ o resultado à inexperiência da equipe.] 2 Depositar (uma quantia) na conta bancária de alguém. [td. (seguido de indicação de lugar): A firma _creditou_ R$ 500,00 na conta dele.] [▶ 1 credit̅ar̅]

crédito (cré.di.to) sm. 1 Confiança: uma pessoa digna de _crédito_. 2 Empréstimo ou pagamento a prazo. 3 Valor obtido num empréstimo a prazo: A empresa conseguiu um _crédito_ de R$ 10.000,00. 4 Quantia a que se tem direito: Tenho um _crédito_ de R$ 50,00 com a butique. 5 Quantia depositada em conta bancária: O extrato registra um _crédito_ de R$ 100,00. 6 Indicação dos artistas e colaboradores em filme, programa de TV, ou dos colaboradores em livro, projeto etc.: Os _créditos_ aparecem quando acaba o filme.

credo (cre.do) [é] sm. Rel. 1 Os princípios básicos de uma crença religiosa. 2 Oração católica que contém os princípios da crença nessa religião; CREIO EM DEUS--PAI. 3 Momento, na missa, em que se reza essa oração. [Substv. de _credo_, 1ª pess. do pres. ind. do lat. credere.]

credor (cre.dor) [ô] a.sm. 1 Que ou quem emprestou dinheiro ou fez venda por crediário a alguém. [Ant.: devedor.] a. 2 Merecedor de consideração, respeito.

crédulo (cré.du.lo) a.sm. Que ou quem acredita facilmente em qualquer coisa; INGÊNUO. ● **cre.du.li.da.de** sf.

creio em deus pai (crei.o em deus pai) sm2n. Rel. Ver credo (2).

creiom (crei.om) sm. 1 Lápis de cera para desenho. 2 Desenho feito com esse lápis. [Pl.: -ons.]

cremalheira (cre.ma.lhei.ra) sf. 1 Peça dentada que se encaixa a outras na estrutura de engrenagens. 2 Trilho dentado de linha férrea, em trechos íngremes.

cremar (cre.mar) v. td. Incinerar (cadáver). [▶ 1 crem̅ar̅] ● **cre.ma.ção** sf.

crematório (cre.ma.tó.ri:o) sm. 1 Lugar onde se fazem cremações: O funeral será realizado no _crematório_. a. 2 Ref. a cremação. 3 Us. para cremar (forno _crematório_).

creme (cre.me) sm. 1 Substância cosmética ou farmacêutica de consistência pastosa: _creme_ de barbear. 2 Cul. Substância grossa e pastosa feita com leite, açúcar e ovos. 3 A nata do leite. 4 A cor amarelada dessa substância. **a2g2n.** 5 Que é dessa cor (paredes _creme_).

cremona (cre.mo.na) sf. Tipo de tranca de ferro para portas e janelas; CARMONA.

cremoso (cre.mo.so) [ô] a. Que tem consistência de creme (sopa _cremosa_). [Fem. e pl.: [ó].]

crença (cren.ça) sf. 1 Fé religiosa. 2 Aquilo que se tem como verdadeiro; CONVICÇÃO: a _crença_ na astrologia.

crendice (cren.di.ce) sf. Crença (ger. popular) considerada absurda; SUPERSTIÇÃO.

crente (cren.te) a2g.s2g. 1 Que ou quem acredita em algo. 2 Que ou quem é seguidor de uma religião; FIEL. 3 Que ou quem é membro de uma igreja protestante; EVANGÉLICO.

creolina (cre:o.li.na) sf. Substância líquida us. como desinfetante.

crepe (cre.pe) [é] sm. 1 Tecido de seda, fino e transparente. 2 Cul. Tipo de panqueca, servida com recheios doces ou salgados.

creperia (cre.pe.ri.a) sf. Restaurante especializado em servir crepes (2).

crépido (cré.pi.do) a. Poét. Crespo, ondulado.

crepitante (cre.pi.tan.te) a2g. Que crepita, que produz estalo (fogueira _crepitante_).

crepitar (cre.pi.tar) v. int. Dar estalidos ao queimar-se: A lenha _crepitava_ na fogueira. [▶ 1 crepit̅ar̅] ● **cre.pi.ta.ção** sf.

crepom (cre.pom) a. 1 Diz-se de papel de seda encrespado. sm. 2 Tipo de tecido crespo, ondulado. [Pl.: -pons.]

crepúsculo (cre.pús.cu.lo) sm. 1 Claridade fraca e indireta dos períodos de transição do dia para a noite e vice-versa. 2 Fig. Proximidade do fim: _crepúsculo_ da vida. ● **cre.pus.cu.lar** a2g.

crer v. 1 Acreditar, confiar. [ti. + em: Meu pai _crê_ na medicina chinesa.] 2 Considerar como real a existência de. [ti. + em: _Creio_ em Deus.] 3 Julgar, supor. [td.: Luísa _crê_ que ele teve razão.] [▶ 34 cr̅er̅]

crescendo (cres.cen.do) sm. 1 Aumento gradual da intensidade de um som. 2 Mús. O crescendo (1) aplicado na execução de um trecho de música. 3 Fig. Desenvolvimento progressivo de algo: O suspense segue num _crescendo_.

crescente (cres.cen.te) a2g. 1 Que está crescendo, aumentando: a violência _crescente_ nos centros urbanos. 2 Diz-se da lua na fase anterior à lua cheia. 3 Ling. Constituído de semivogal mais vogal (diz-se de ditongo) (p.ex. a palavra ioiô tem dois ditongos crescentes). sm. 4 Fase crescente (2); quarto crescente. 5 O formato semicircular da lua nessa fase; MEIA-LUA.

crescer (cres.cer) v. 1 Desenvolver-se, aumentando em tamanho, altura, comprimento, volume, intensidade etc. [int.: "Ela _cresce_ — nem é mais a menina." (Guimarães Rosa, Ave, palavra).] 2 Aumentar (algo) na quantidade; MULTIPLICAR-SE. [int.: A população urbana _cresceu_ vertiginosamente.] 3 Fig. Aumentar em adquirir (qualidade, importância, autoridade etc.). [ti. + em: Depois do curso, ele _cresceu em competência e eficiência._ int.: Meu pai _cresceu_ na empresa este

ano.] **4** Desenvolver-se (em determinado estado ou condição). [*lig*.: *Crescia saudável*.] [▶ 33 cre**cer**] • cres.ci.*men*.to *sm*.
crescido (cres.*ci*.do) *a*. **1** Que cresceu: *Eles já têm filhos crescidos*. **2** Volumoso: *Tem a barriga crescida por estar grávida*.
créscimo (*crés*.ci.mo) *sm*. O que sobra; EXCEDENTE.
crespo (*cres*.po) [ê] *a*. **1** Ondulado, encaracolado (cabelos crespos). **2** Que é áspero (tecido crespo). **3** Agitado, encapelado (diz-se do mar).
crestar (cres.*tar*) *v*. **1** Queimar(-se) superficialmente. [*td*.: *Minha mãe crestou o pão no forno*. *pr*.: *Crestava-se ao sol da tarde*.] **2** Secar, ger. por ação de frio ou calor. [*td*.: *O frio crestou os lábios da criança*. *pr*.: *O solo crestou-se com a seca*.] [▶ 1 crest**ar**]
cretáceo (cre.*tá*.ce.o) *Geol. a*. **1** Ref. ao último período da era Mesozoica, quando surgem os primeiros mamíferos e plantas florescentes. *sm*. **2** Esse período. [Nesta acp., com inicial maiúsc.]
cretense (cre.*ten*.se) *a2g*. **1** De Creta (Grécia); típico dessa ilha ou de seu povo. *s2g*. **2** Pessoa nascida em Creta.
cretinice (cre.ti.*ni*.ce) *sf*. Qualidade ou comportamento de cretino; CRETINISMO; IMBECILIDADE.
cretinismo (cre.ti.*nis*.mo) *sm*. **1** Cretinice, estupidez. **2** *Med.* Deficiência físico-mental causada pela ausência ou mau funcionamento da glândula tireoide.
cretino (cre.*ti*.no) *a*.*sm*. **1** Que ou o que é ridículo, tolo ou pouco inteligente (ideia cretina); IMBECIL; ESTÚPIDO. **2** Que ou quem sofre de cretinismo; RETARDADO.
cretone (cre.*to*.ne) *sm*. Tecido grosso de linho ou algodão us. em cortinas, colchas etc.
cria (*cri*.a) *sf*. **1** Filhote recém-nascido: *A leoa defende com fúria sua cria*. **2** *Bras.* Pessoa criada em casa alheia; AGREGADO: *Veio do interior e virou cria da família*.
criação (cri:a.*ção*) *sf*. **1** Ação ou resultado de criar; INVENÇÃO; CONCEPÇÃO. **2** Produto realizado; OBRA: *Esse romance foi sua melhor criação*. **3** Ato atribuído a Deus de dar existência aos seres e ao mundo. **4** Os seres criados, a totalidade do universo. [Nas acps. 3 e 4, inicial ger. maiúsc.] **5** Processo de alimentar e educar uma criança: *Esmerou-se na criação do filho*. **6** Conjunto de animais domésticos mantidos para abate, venda, extração de produtos etc.: *criação de cabras*. [Pl.: -ções.]
criadagem (cri:a.*da*.gem) *sf*. Conjunto dos empregados de uma casa. [Pl.: -*gens*.]
criadeira (cri:a.*dei*.ra) *sf*. **1** Ama de leite. **2** Incubadeira para pintos; CHOCADEIRA.
criado (cri:a.do) *a*. **1** Que se criou. **2** Que se alimentou e educou; crescido, adulto (filhos criados). *sm*. **3** Pessoa que presta serviços domésticos; empregado doméstico.
criado-mudo (cri:a.do-*mu*.do) *sm*. Ver *mesa de cabeceira*. [Pl.: *criados-mudos*.]
criador (cri:a.*dor*) [ô] *a*.*sm*. **1** Que ou quem cria, inventa, concebe. **2** Que ou quem se dedica à criação de animais para abate, venda etc.: *criador de cabras*. ◪ Criador *sm*. **3** *Rel.* Aquele que deu origem a todos os seres e ao mundo; DEUS.
criança (cri:*an*.ça) *sf*. **1** Ser humano, menino ou menina, no começo da vida. *a2g*.*sf*. **2** *Fig.* Diz-se de ou pessoa ingênua, inexperiente, infantil.
criançada (cri:an.*ça*.da) *sf*. **1** Grupo de crianças. **2** Atitude infantil; CRIANCICE.
criancice (cri:an.*ci*.ce) *sf*. Atitude imatura, própria de criança; INFANTILIDADE; IMATURIDADE.
criançola (cri:an.*ço*.la) *s2g*. Adulto que se porta como criança.
criar (cri.*ar*) *v*.*td*. **1** Dar origem a, a partir do nada: "*No princípio, criou Deus os céus e a Terra*." (*Gêne-*

se, I, 1). **2** Formular na mente; INVENTAR; CONCEBER: *O desenhista William Steig criou o ogro Shrek*. **3** Educar e sustentar (uma criança): *Muitas mães criam os filhos sozinhas*. **4** Manter (animais) para fazer procriar, ou por gosto: *criar gado/um cachorro*. **5** Cultivar (planta): *criar orquídeas*. **6** Passar a ter; ADQUIRIR: *criar coragem/raízes*. **7** Ser a causa de; CAUSAR: *Vou embora para não criar confusão*. ◪ **criar-se** *pr*. **8** Crescer e desenvolver-se: *Meu pai criou-se no campo*. [▶ 1 cri**ar**]
criatividade (cri:a.ti.vi.*da*.de) *sf*. **1** Capacidade de inventar, inovar, conceber na imaginação. **2** Qualidade do que ou de quem é inovador, original (2 e 3).
criativo (cri:a.*ti*.vo) *a*. **1** Ref. a criatividade (capacidade criativa). **2** Que possui muita imaginação e criatividade (publicitário criativo); INVENTIVO.
criatório (cri:a.*tó*.ri:o) *sm*. Local para criação de animais: *criatório de peixes*.
criatura (cri:a.*tu*.ra) *sf*. **1** Ser ou coisa resultante de criação. **2** Pessoa: *Laura é uma ótima criatura*.
criceto (cri.*ce*.to) [ê] *sm*. Ver *hamster*.
criciúma (cri.ci:*ú*.ma) *sf*. *Tipo de bambu nativo do Brasil, us. para fazer cestos.
cri-cri (*cri-cri*) *Bras. sm*. **1** Onomatopeia que imita a voz dos grilos. *a2g*.*s2g*. **2** *Pop.* Que ou quem é implicante, maçante.
crime (*cri*.me) *sm*. **1** *Jur.* Violação da lei penal; DELITO: *Tráfico de animais silvestres é crime inafiançável*. **2** Atividade ilegal; DELINQUÊNCIA; CRIMINALIDADE: *A polícia luta contra o crime*. **3** *Fig.* Ato ou situação condenáveis, de consequências negativas: *Tanta criança fora da escola é um crime*. *a2g2n*. **4** Criminal (denúncia crime, processo crime).
criminal (cri.mi.*nal*) *a2g*. Ref. a crime (processo criminal, antecedentes criminais). [Pl.: -*nais*.]
criminalidade (cri.mi.na.li.*da*.de) *sf*. **1** Atividade ilegal; DELINQUÊNCIA; CRIME: *cair na criminalidade*. **2** Conjunto de crimes cometidos em certo espaço de tempo e lugar: *índice de criminalidade*.
criminalista (cri.mi.na.*lis*.ta) *a2g*.*s2g*. *Jur.* Que ou quem se especializou em direito criminal (advogado criminalista); PENALISTA.
criminalística (cri.mi.na.*lís*.ti.ca) *sf*. *Jur.* Conjunto de conhecimentos e técnicas desenvolvidos para esclarecer um crime: *O policial sabia tudo do criminalística*.
criminalizar (cri.mi.na.li.*zar*) *v*. *td*. Considerar ou classificar como crime: *criminalizar a ação dos hackers*. [▶ 1 criminaliz**ar**]
criminologia (cri.mi.no.lo.*gi*.a) *sf*. *Jur.* Estudo das teorias do direito criminal. I **cri**.mi.no.*ló*.gi.co *a*.; cri.mi.no.lo.*gis*.ta *a2g*.*s2g*.
criminoso (cri.mi.*no*.so) [ô] *a*. **1** Em que há culpa ou crime (ato criminoso, intenção criminosa). **2** *Fig.* Tão condenável que equivale a um crime: *Cortar verbas da saúde é ato criminoso*. *a*.*sm*. **3** Que ou quem comete crime. [Fem. e pl.: [ó].]
crina (*cri*.na) *sf*. *Anat. Zool.* Pelagem longa do pescoço e do rabo de cavalo, burro, zebra etc.
criogenia (cri:o.ge.*ni*.a) *sf*. *Fís.* Estudo da produção de baixas temperaturas e dos seus efeitos em materiais e sistemas diversos.
criogênico (cri:o.*gê*.ni.co) *a*. *Fís.* **1** Ref. a temperaturas baixíssimas. **2** Capaz de produzir e/ou manter temperaturas muito baixas (recipiente criogênico).
crioterapia (cri:o.te.ra.*pi*.a) *sf*. *Med.* Tratamento baseado em aplicações frias (gelo, neve carbônica etc.).
crioulo (cri:*ou*.lo) *a*.*sm*. **1** *Pej.* Que ou quem é negro. [At! Considerado depreciativo ou preconceituoso nesta acepção.] **2** Dizia-se antigamente de pessoa negra nascida na América do Sul; essa pessoa. **3** Dizia-se de ou pessoa de ascendência euro-

peia nascida nas colônias europeias da América. **4** Que ou quem é nativo de certa região. *sm.* **5** *Gloss.* Cada uma das línguas essencialmente orais nascidas da mistura da língua europeia colonizadora com a língua nativa: *No Haiti fala-se crioulo francês.* *a.* **6** De ou ref. a cada uma dessas línguas (vocabulário crioulo).

cripta (*crip*.ta) *sf.* Galeria subterrânea de antigas igrejas, us. como capela ou cemitério; CAVERNA; GRUTA.

criptoanálise (crip.to:a.*ná*.li.se) *sf.* **1** Conjunto de técnicas us. para decifrar caracteres de uma escrita desconhecida. **2** Ação de aplicar essas técnicas.

criptocarpo (crip.to.*car*.po) *a.* *Bot.* Que tem frutos ocultos (diz-se de vegetal).

criptografar (crip.to.gra.*far*) *v.* *td.* **1** Transcrever (um texto) em código, de modo que somente quem conhece esse código possa entendê-lo. **2** *Inf.* Codificar (dados) para impedir sua compreensão por quem não conheça esse código. [▶ **1** criptografar] ● crip.to.gra.*fa*.do *a.*

criptografia (crip.to.gra.*fi*.a) *sf.* **1** Escrita cifrada: *usar criptografia na transmissão de dados pela internet.* **2** Conjunto de técnicas us. para cifrar um texto: *técnico em criptografia.* ● **crip**.to.*grá*.fi.co *a.*

criptograma (crip.to.*gra*.ma) *sm.* **1** Mensagem cifrada. **2** Sinal de significado oculto, ger. us. para cifrar mensagem.

criptologia (crip.to.lo.*gi*.a) *sf.* **1** Conjunto de conhecimentos us. na criação ou decodificação de criptogramas. **2** Ciência oculta; OCULTISMO. ● crip.to.*ló*.gi.co *a.*

criptônio (crip.*tô*.ni;o) *sm.* *Quím.* Gás nobre us. em lâmpadas fluorescentes, fotografias etc. [Símb.: Kr]

críquete (*crí*.que.te) *sm.* *Esp.* Jogo inglês disputado em gramado entre duas equipes de 11 jogadores munidos de bastões de madeira, e em que uma pequena bola é arremessada para que entre numa baliza, defendida por um jogador do time adversário.

crisálida (cri.*sá*.li.da) *sf.* *Zool.* **1** Estágio intermediário da metamorfose de mariposas e borboletas. **2** Casulo que as envolve nesse estágio; PUPA.

crisântemo (cri.*sân*.te.mo) *sm.* *Bot.* Planta ornamental de flores amarelas, róseas ou alaranjadas; MONSENHOR.

crise (*cri*.se) *sf.* **1** *Med.* Alteração repentina no quadro de doença ou estado crônico; surgimento ou agravamento repentino de problema de saúde: *crise de asma.* **2** Estado de súbito desequilíbrio mental ou emocional: *crise de choro.* **3** Fase difícil na evolução de um processo ou situação (crise econômica). **4** Estado de incerteza ou ruptura em relação a escolhas, crenças etc. (crise ideológica). **5** Surgimento ou manifestação repentina de um sentimento: *crise de ciúme.* **6** Falta, deficiência: *crise no fornecimento de energia.*

crisma (*cris*.ma) *sf.* **1** *Rel.* Sacramento católico de confirmação do batismo. *sm.* **2** Óleo consagrado us. nesse sacramento.

crismar (cris.*mar*) *v.* Dar ou receber o sacramento da crisma. [*td.*: *O bispo crismou meu irmão ontem.* *pr.*: *Eu me crismei no ano passado.*] [▶ **1** crismar]

crisoberilo (cri.so.be.*ri*.lo) *sm.* *Min.* Pedra semipreciosa esverdeada, da qual se obtém o berílio, metal us. em computadores, reatores atômicos etc.

crisol (cri.*sol*) *sm.* *Quím.* Recipiente de material metálico ou refratário us. em experiências químicas; CADINHO. [Pl.: -*sóis*.]

crisólita, crisólito (cri.*só*.li.ta, cri.*só*.li.to) *sm.* *Min.* Pedra preciosa dourada ou verde-amarelada.

crisóstomo (cri.*sós*.to.mo) *a.sm.* **1** Que ou quem tem os dentes da frente obturados ou banhados a ouro. **2** *Fig.* Que ou quem tem discurso expressivo, eloquente. [Tb. se diz *boca de ouro*.]

crispar (cris.*par*) *v.* **1** Contrair ou contrair-se de dor, frio, raiva, ansiedade etc. [*td.*: *Júlia silenciou e crispou os lábios.* *pr.*: *O rosto de Rodrigo crispou-se de dor.*] **2** Franzir, encrespar. [*td.*: *O vento crispa as águas da lagoa.*] [▶ **1** crispar] ● cris.pa.*ção* *sf.*; cris.pa.do *a.*

crista (*cris*.ta) *sf.* **1** *Anat.* *Zool.* Saliência carnosa na cabeça de determinadas aves, como galo, galinha etc. **2** *Anat.* *Zool.* Topete de penas; PENACHO. **3** O ponto mais alto; TOPO: *crista da onda.* ⚙ **De ~ caída** *Fam.* Sem ânimo. **Na ~ da onda** *Fig.* Na moda; em momento de sucesso ou evidência.

cristal (cris.*tal*) *sm.* **1** *Fís.* Sólido com átomos, íons ou moléculas geometricamente dispostos. **2** *Min.* Quartzo vítreo, transparente e incolor. **3** Vidro muito límpido e delicado. **4** Objeto feito desse vidro: *Pôs a mesa com todos os seus cristais.* [Pl.: -*tais*.]

cristaleira (cris.ta.*lei*.ra) *sf.* Móvel envidraçado para guardar objetos finos, ger. de cristal.

cristalífero (cris.ta.*lí*.fe.ro) *a.* Que contém cristais (rocha cristalífera).

cristalino (cris.ta.*li*.no) *a.* **1** Pertencente a ou da natureza do cristal. **2** Sem ruídos, interferências etc. (som cristalino). **3** Que é claro, transparente (água cristalina). **4** *Fig.* Que possui clareza: *um discurso cristalino.* *sm.* **5** *Anat.* Corpo transparente, situado no globo ocular, que funciona como lente na refração dos raios luminosos.

cristalizar (cris.ta.li.*zar*) *v.* **1** Transformar(-se) em cristal ou cristais. [*td.*: *cristalizar o açúcar.* *int./pr.*: *O mel cristalizou(-se).*] **2** Manter-se em um mesmo estado ou situação. [*int./pr.*: *Seu modo de pensar cristalizou(-se) há anos.*] **3** Tratar ou cobrir com açúcar. [*td.*: *cristalizar frutas.*] [▶ **1** cristalizar] ● cris.ta.li.za.*ção* *sf.*; cris.ta.li.*zá*.vel *a2g.*

cristalografia (cris.ta.lo.gra.*fi*.a) *sf.* Ciência que estuda os cristais, sua formação, estrutura etc. ● cris.ta.lo.*grá*.fi.co *a.*

cristandade (cris.tan.*da*.de) *sf.* **1** O conjunto dos cristãos. **2** Característica de cristão.

cristão (cris.*tão*) *a.sm.* **1** *Teol.* Que ou quem prega ou segue o cristianismo (família cristã). *a.* **2** *Teol.* Que é relacionado ou compatível com o cristianismo (procedimento cristão, ética cristã). *sm.* **3** *Pop.* Qualquer pessoa: *Não tem um cristão que me ajude?* [Pl.: -*tãos*. Fem.: -*tã*. Superl.: *cristianíssimo.*]

cristão-novo (cris.tão-*no*.vo) *sm.* Judeu convertido ao cristianismo. [Pl.: *cristãos-novos*. Fem.: *cristã-nova*.]

cristianismo (cris.ti:a.*nis*.mo) *sm.* *Teol.* O conjunto das religiões baseadas nos ensinamentos e na vida de Jesus Cristo.

cristianizar (cris.ti:a.ni.*zar*) *v.* Tornar(-se) cristão. [*td.*: *Os jesuítas cristianizavam os índios.* *pr.*: *Muitos africanos cristianizaram-se.*] [▶ **1** cristianizar] ● cris.ti:a.ni.za.*ção* *sf.*; cris.ti:a.ni.*za*.do *a.*

cristo (*cris*.to) *sm.* **1** A imagem de Jesus na cruz: *Tinha um cristo na cabeceira.* **2** *Bras.* *Pop.* Vítima de injustiça, perseguição etc.: *Esse nasceu pra cristo.* ◪ **Cristo** *sm.* **3** *Teol.* Jesus.

cristologia (cris.to.lo.*gi*.a) *sf.* Estudo da vida e dos ensinamentos de Jesus Cristo.

critério (cri.*té*.ri:o) *sm.* **1** O que serve como base para comparação, avaliação e escolha: *Experiência foi o critério principal da seleção.* **2** Faculdade de identificar o que é correto ou verdadeiro; DISCERNIMENTO.

criterioso (cri.te.ri:*o*.so) [ô] *a.* Que tem ou revela critério; SENSATO; PONDERADO. [Fem. e pl.: [ó].]

crítica (*crí*.ti.ca) *sf.* **1** Análise para avaliação qualitativa de algo. **2** Arte ou atividade de apreciar e avaliar obra artística, científica etc. (crítica literária/musical). **3** O conjunto daqueles que exercem a crítica; CRÍTICOS: *A crítica foi unânime; todos elogia-*

ram a obra. 4 *Pop.* Avaliação desfavorável; CENSURA; REPROVAÇÃO: *Seu comportamento foi alvo da crítica de todos.*

criticar (cri.ti.*car*) *v. td.* **1** Analisar (uma obra) e comentar sobre suas qualidades e defeitos: *O jornalista criticou o filme com bom humor.* **2** *Pop.* Fazer comentários desfavoráveis sobre (uma pessoa ou suas atitudes); CENSURAR. [▶ **11** criti**car** ● **cri.ti.***cá*.vel *a2g.*

criticismo (cri.ti.*cis*.mo) *sm.* **1** Tendência para criticar, julgar, censurar: *Seu criticismo não constrói nada.* **2** *Fil.* Doutrina do filósofo Immanuel Kant (1724-1804), baseada na teoria do conhecimento.

crítico (*crí*.ti.co) *a.* **1** Que contém crítica, julgamento ou censura (olhar *crítico*). **2** De ou pertencente a crise (momento *crítico*); CRUCIAL; GRAVE. *sm.* **3** Profissional que faz crítica literária, musical etc.: *Os críticos elogiaram a peça.* **4** Quem aponta defeitos, falhas etc.: *Os críticos do governo foram severos.* ● **cri.ti.ci.***da*.de *sf.*

crivar (cri.*var*) *v.* **1** Fazer muitos furos em. [*td.* (seguido ou não de indicação de meio/modo): *O atirador crivou o alvo (de balas).*] **2** *Fig.* Encher. [*tdi.* + *de*: *Os repórteres crivaram o cantor de perguntas.*] [▶ **1** cri**var**]

crível (*crí*.vel) *a2g.* Em que se pode acreditar; VEROSSÍMIL: *Sua desculpa não é crível.* [Pl.: *-veis.* Superl.: *credibilíssimo.*]

crivo (*cri*.vo) *sm.* **1** Peneira de arame. **2** Ralo. **3** *Fig.* Avaliação minuciosa: *Passou pelo crivo do examinador.*

croata (cro.*a*.ta) *a2g.* **1** Da Croácia (Europa); típico desse país ou de seu povo. *s2g.* **2** Pessoa nascida na Croácia.

crocante (cro.*can*.te) *a2g.* Que faz um barulho seco ao ser mordido (biscoito *crocante*).

crochê, croché (cro.*chê*, cro.*chê*) *sm.* Trama de linha tecida à mão, com um tipo de agulha que tem gancho na ponta: *blusa de crochê.*

crocitar (cro.ci.*tar*) *v.* **1** Soltar a voz (o corvo, o abutre, a coruja etc.). [*int.*: *Um bando de corvos crocitava.*] **2** *Fig.* Dizer (algo), imitando a voz dessas aves. [*td.*: *A bruxa crocitava insultos.*] [▶ **1** croci**tar**]

crocodiliano (cro.co.di.li.*a*.no) *sm.* **1** *Zool.* Tipo de réptil aquático de grande porte, com cauda e focinho longos, que inclui os crocodilos e os jacarés. *a.* **2** Ref. a ou próprio desse tipo de réptil.

crocodilo (cro.co.*di*.lo) *sm.* **1** *Zool.* Grande réptil carnívoro, de mandíbulas fortes, encontrado em águas doces, salgadas e salobras. **2** O couro desse réptil, us. em sapatos, cintos etc.

⊕ **croissant** (*Fr.* /croassã/) *sm. Cul.* Pãozinho amanteigado em forma de meia-lua.

cromado (cro.*ma*.do) *a.* **1** Revestido de cromo[1] ou que o contém (metal *cromado*, estante *cromada*). *sm.* **2** Acessório cromado de um veículo.

cromar (cro.*mar*) *v. td. Quím.* Revestir (objeto de metal) com fina camada de cromo. [▶ **1** cro**mar**]

cromática (cro.*má*.ti.ca) *sf.* **1** *Ópt.* Ciência que estuda as cores. **2** Arte de combinar cores e os sons.

cromático (cro.*má*.ti.co) *a.* **1** *Ópt.* Da ou pertencente à cromática (1). **2** Ref. a cores ou à percepção delas: *O daltonismo traz alterações cromáticas.* **3** *Mús.* Formado por semitons (escala *cromática*).

cromatina (cro.ma.*ti*.na) *sf. Cit.* Substância do núcleo celular formadora dos cromossomos; CARIOTINA.

cromatismo (cro.ma.*tis*.mo) *sm.* **1** Emprego harmonioso das cores. **2** *Mús.* Uso de escala cromática, formada por semitons.

cromatografia (cro.ma.to.gra.*fi*.a) *sf. Quím.* Técnica para separar os componentes de uma mistura.

cromo[1] (*cro*.mo) *sm. Quím.* Metal prateado e maleável, us. na fabricação de aço inoxidável. [Símb.: Cr]

cromo[2] (*cro*.mo) *sm.* **1** *Art.Gr. Fot.* Fotografia transparente em cores. **2** Tipo de estampa colorida que se cola em álbuns, cadernos etc.

cromosfera (cro.mos.*fe*.ra) *sf.* Camada vermelha da atmosfera solar, composta esp. de hidrogênio.

cromossomo, cromossoma (cro.mos.*so*.mo, cro.mos.*so*.ma) *sm. Cit. Gen.* Componente do núcleo celular que contém o código genético.

cromotipia (cro.mo.ti.*pi*.a) *sf. Art.Gr.* Qualquer método de impressão tipográfica colorida; CROMOTIPOGRAFIA.

cromotipografia (cro.mo.ti.po.gra.*fi*.a) *sf. Art.Gr.* Ver *cromotipia.*

crônica (*crô*.ni.ca) *sf.* **1** *Liter.* Narrativa curta sobre temas cotidianos e atuais. **2** *Jorn.* Coluna ou seção especializada dentro de revista ou jornal (*crônica* esportiva/política). **3** *Hist.* Narração de fatos históricos em ordem cronológica (*crônica* republicana).

crônico (*crô*.ni.co) *a.* **1** *Med.* Diz-se de estado doentio prolongado (alergia *crônica*, tosse *crônica*). [Ant.: *agudo.*] **2** *Fig.* Que persiste ou não se modifica (pessimista *crônico*); INVETERADO.

cronista (cro.*nis*.ta) *s2g.* Pessoa que escreve crônicas.

cronobiologia (cro.no.bi.o.lo.*gi*.a) *sf. Biol.* Estudo dos ritmos das atividades biológicas. ● **cro.no.bi.***o*.*ló*.gi.co *a.*

cronógrafo (cro.*nó*.gra.fo) *sm.* Aparelho que registra e situa no tempo o momento em que se observou uma ação ou intervalos de tempo.

cronograma (cro.no.*gra*.ma) *sm.* Representação gráfica da previsão das etapas e dos prazos para a execução de um trabalho.

cronologia (cro.no.lo.*gi*.a) *sf.* **1** Estudo das divisões do tempo e o estabelecimento de datas. **2** Ordem de ocorrência dos fatos.

cronológico (cro.no.*ló*.gi.co) *a.* Ref. a ou que envolve cronologia.

cronometragem (cro.no.me.*tra*.gem) *sf.* Medição de duração por meio de cronômetro. [Pl.: *-gens.*]

cronometrar (cro.no.me.*trar*) *v. td.* Marcar com o cronômetro a duração de: *cronometrar uma corrida.* [▶ **1** cronome**trar**] ● **cro.no.me.***tra*.do *a.*; **cro.no.me.***tris*.ta *s2g.*

cronometria (cro.no.me.*tri*.a) *sf. Emec.* Estudo das técnicas para medição dos intervalos de tempo e manutenção de sua unidade. ● **cro.no.***mé*.tri.co *a.*

cronômetro (cro.*nô*.me.tro) *sm. Emec.* Relógio de precisão us. para medir intervalos de tempo em frações de segundo.

⊕ **crooner** (*Ing.* /crúner/) *s2g.* Vocalista que acompanha pequena orquestra ou conjunto musical.

croquete (cro.*que*.te) [é] *sm. Cul.* Bolinho frito de carne moída.

croqui (cro.*qui*) *sm.* Esboço de pintura ou desenho feito à mão.

⊕ **cross-country** (*Ing.* /crós-cantri/) *sm. Esp.* Corrida de atletismo, ciclismo ou esqui realizada em trilhas ou terreno acidentado. [Cf.: *enduro.*]

crosta (*cros*.ta) [ó] *sf.* **1** Camada que se forma sobre um corpo. **2** A superfície da Terra. **3** Casca que se forma numa ferida. **4** Casca de pão.

cru *a.* **1** Que não está cozido (peixe *cru*). **2** Não preparado (couro *cru*). **3** *Fig.* Inexperiente: *O novo funcionário ainda está muito cru.* [Fem.: *crua.*]

crucial (cru.ci.*al*) *a2g.* Essencial; muito importante; decisivo: *Uma boa alimentação é crucial para o desenvolvimento da criança.* [Pl.: *-ais.*]

cruciante (cru.ci.*an*.te) *a2g.* Que aflige, tortura, martiriza. ● **cru.ci.***ar* *v.*

cruciferário (cru.ci.fe.*rá*.ri:o) *sm.* Pessoa que carrega a cruz em procissões ou cerimônias religiosas.

crucificar (cru.ci.fi.*car*) *v. td.* **1** Pregar numa cruz: *Crucificaram Jesus e os dois ladrões.* **2** *Fig.* Causar grande aflição ou tormento a. **3** *Fig.* Criticar duramente; falar mal de: *Jorge é estranho, mas não é justo crucificá-lo.* [▶ **11** crucifi car] ● **cru.ci.fi.ca.ção** *sf*.; **cru.ci.fi.ca.do** *a.sm*.

crucifixo (cru.ci.*fi*.xo) [cs] *sm*. Imagem de Cristo pregado na cruz.

cruciforme (cru.ci.*for*.me) *a2g*. Que tem a forma de cruz.

crudívoro (cru.*di*.vo.ro) *a.sm*. Que ou quem ingere alimentos crus.

cruel (cru.*el*) *a2g*. **1** Que é malvado, que maltrata (inimigo *cruel*). **2** Que causa sofrimento (vida *cruel*, destino *cruel*); DOLOROSO. **3** Desagradável, terrível (doença *cruel*). **4** Rigoroso, intransigente (patrão *cruel*). [Pl.: *-éis.* Superl.: *crudelíssimo, cruelíssimo*.]

crueldade (cru.el.*da*.de) *sf*. Qualidade de cruel; MALDADE; PERVERSIDADE.

cruento (cru.*en*.to) *a*. **1** Em que há derramamento de sangue; SANGRENTO. **2** Cruel, sanguinário.

crupe (*cru*.pe) *sm. Med.* Doença infantil que provoca muita tosse e dificuldade de respirar.

crupiê (cru.pi.*ê*) *sm*. Funcionário de cassino que dirige os jogos, paga e recolhe o dinheiro das apostas.

crustáceo (crus.*tá*.ce:o) *sm. Zool.* Animal marinho recoberto por uma casca dura, como a lagosta ou o siri.

cruz *sf*. **1** Figura ou objeto formado por duas retas ou peças transversais. **2** Antigo instrumento de suplício em forma de cruz (1), em que se pregavam as mãos e os pés das vítimas. **3** *Fig.* Sofrimento, martírio: *Os problemas familiares são a sua cruz.* [Dim.: *cruzeta*.] **4** *Rel.* Símbolo do cristianismo (por ser o instrumento us. na crucificação de Jesus). [Ger. com inicial maiúsc.] [☐ **cruzes** *interj*. **5** Us. para exprimir horror, medo ou susto. ▪ **Assinar em ~ 1** Assinar (o analfabeto) desenhando uma cruz. **2** *Fig.* Assinar sem ler o que está assinando.

cruzada (cru.*za*.da) *sf*. **1** Expedição cristã, na Idade Média, para expulsar os muçulmanos da Terra Santa. **2** *Fig.* Movimento ou campanha em defesa de um projeto ou objetivo: *O governo lançou uma cruzada contra as drogas.*

cruzado¹ (cru.*za*.do) *sm*. Pessoa que tomava parte das cruzadas (1) na Idade Média.

cruzado² (cru.*za*.do) *a*. **1** Que se cruzou. **2** Posto ou disposto em forma de cruz. **3** Diz-se do cheque em que se colocam dois traços para que não possa ser trocado por dinheiro, mas apenas depositado. *sm*. **4** Moeda brasileira que substituiu o cruzeiro em 1986. [Em 1989, foi introduzido o cruzado novo, que vigorou até 1990, com a volta do cruzeiro.]

cruzador (cru.za.*dor*) [ô] *sm. Mar.G.* Navio de combate veloz, us. para lançamento de mísseis, escolta de comboios etc. *a*. **2** *Esp.* No boxe, diz-se da categoria para lutadores entre 79,379 e 86,183kg.

cruzamento (cru.za.*men*.to) *sm*. **1** Ação ou resultado de cruzar. **2** Ponto onde duas ruas ou avenidas se cruzam. **3** Acasalamento entre animais.

cruzar (cru.*zar*) *v*. **1** Pôr em forma de cruz; dar forma de cruz a. [*td.: cruzar as pernas.*] **2** Cortar, interceptar(-se) (linhas, ruas etc.). [*td.: Essa rua cruza a avenida Paulista.* **tdi.** + *com/pr.: Essa rua cruza(-se) com a avenida Paulista.*] **3** Encontrar, transpor (algo ou alguém), vindo de e continuando em direções diferentes. [*ti.* + *com: Cruzei com João quando ia para a escola.* *pr.: Foguetes e rojões cruzavam-se no ar.*] **4** Juntar (animais) para que procriem; ACASALAR. [*td.: cruzar raças diferentes.* **tdi.** + *com: O meu cachorro cruzou com uma cadela de raça.*] **5** Percorrer, atravessar. [*td.: Cruzou mares e oceanos.*] **6** Apor dois riscos paralelos diagonalmente (em cheque), indicando que deve ser depositado e não sacado. [*td.*] **7** Estabelecer ligação, correspondência entre. [*td.: cruzar informações.*] [▶ **1** cruzar] **▪ ~ os braços** *Fig.* Não fazer nada; não intervir; parar.

cruz-credo (cruz-*cre*.do) *interj*. Expressão de susto, medo ou repugnância.

cruzeiro (cru.*zei*.ro) *sm*. **1** Grande cruz erguida em igrejas, cemitérios, praças etc. **2** Parte da igreja entre a nave e a capela. **3** Moeda brasileira que vigorou de 01.11.1942 até 12.02.1967, e de 16.03.1990 a 31.07.1993. **4** Viagem turística em navio de passageiros: *Foram até o Ceará num cruzeiro.* **▪ Cruzeiro do Sul** Constelação austral em forma de cruz, vista esp. no hemisfério Sul.

cruzeta (cru.*ze*.ta) [ê] *sf*. **1** Cruz pequena. **2** *SP* Local onde se encontram duas correntezas de rio. **3** *Constr.* Régua em forma de T, us. em construção civil para nivelar.

cruzetado (cru.ze.*ta*.do) *a*. Que tem forma de cruzeta (1).

✄ **Cs** *Quím.* Símb. de *césio*.

csi *sm*. A 14ª letra do alfabeto grego. Corresponde ao *x* latino (X, x).

cu *sm. Tabu.* Ver *ânus*.

✄ **Cu** *Quím.* Símb. de *cobre*.

cuba (*cu*.ba) *sf*. **1** Vasilha grande para líquidos. **2** Recipiente para uso industrial. **3** A bacia de uma pia.

cubagem (cu.*ba*.gem) *sf*. **1** Cálculo da capacidade de um recipiente ou recinto. **2** Quantidade de unidades cúbicas que cabem em certo espaço. [Pl.: *-gens*.]

cuba-libre (cu.ba-*li*.bre) *sf*. Bebida feita com rum e refrigerante à base de cola. [Pl.: *cubas-libres*.]

cubano (cu.*ba*.no) *a*. **1** De Cuba (América Central); típico desse país ou de seu povo. *sm*. **2** Pessoa nascida em Cuba.

cubar (cu.*bar*) *v. td.* Medir ou avaliar em unidades cúbicas: *Vamos cubar o quarto para instalar o ar-condicionado.* [▶ **1** cubar]

cubatão (cu.ba.*tão*) *sm. Geog.* Pequena elevação na base de uma cadeia de montanhas. [Pl.: *-tões*.]

cúbico (*cú*.bi.co) *a*. **1** Que tem a forma de cubo (1); CUBOIDE. **2** Ref. a cubo, medida de volume (metro *cúbico*).

cubículo (cu.*bí*.cu.lo) *sm*. **1** Pequeno compartimento ou aposento. **2** Cela de convento. **3** *Bras.* Cela de cadeia.

cubismo (cu.*bis*.mo) *sm*. Movimento artístico do início do séc. XX, caracterizado por representar as coisas por meio de formas geométricas. ● **cu.***bis*.ta *a2g.s2g*.

cúbito (*cú*.bi.to) *sm. Anat.* **1** Articulação do braço com o antebraço; ULNA. [*Cúbito* substituiu *cotovelo* na nova terminologia anatômica.] ● Ver *ulna*.

cubo (*cu*.bo) *sm*. **1** *Geom.* Objeto composto de seis faces quadradas do mesmo tamanho. **2** Qualquer sólido semelhante a esse objeto: *cubos de gelo.* **3** *Alg.* A terceira potência de um número.

cuboide (cu.*boi*.de) *a2g*. Que tem a forma de cubo (1); CÚBICO.

cuca¹ (*cu*.ca) *sm. Bras. Cul.* F. red. de *mestre-cuca*.

cuca² (*cu*.ca) *sf. Bras.* Ver *bicho-papão*.

cuca³ (*cu*.ca) *sf. Bras. Gír.* Mente, cabeça: *Ele anda com a cuca meio ruim.* **▪ Fundir a ~** *Bras. Gír.* Ficar perturbado, desorientado, mental ou emocionalmente confuso: *Com tantos problemas, ele fundiu a cuca.*

cuco (*cu*.co) *sm*. **1** *Zool.* Ave europeia cujo canto é composto de duas notas. **2** Relógio de pêndulo em que cada hora é anunciada por um cuco mecânico que sai da caixa.

cuculo (*cu*.cu.lo) *sm*. **1** Espécie de capuz para a cabeça. **2** *N.E.* Quantidade ou porção de alguma coisa.

cucumbi (cu.cum.*bi*) *sm. BA* Antiga dança dramática dos negros.

cu de ferro (cu de fer.ro) *a2g.s2g. Bras. Gír.* Que ou quem é extremamente dedicado aos estudos ou ao trabalho. [Pl.: *cus de ferro.*]

cueca (cu:e.ca) *sf.* Peça íntima do vestuário masculino, us. sob as calças; CUECAS.

cuecas (cu:e.cas) *sfpl.* Ver *cueca*.

cueiro (cu:ei.ro) *sm.* Pano com que se envolvem as crianças de colo.

cuia (cui.a) *sf.* **1** Fruto cuja casca tem a forma de uma baga ovoide. **2** Recipiente feito da casca dessa fruta. **3** Qualquer recipiente com formato de cuia (2).

cuiabano (cui.a.ba.no) *a.* **1** De Cuiabá, capital do Estado de Mato Grosso; típico dessa cidade ou de seu povo. *sm.* **2** Pessoa nascida em Cuiabá.

cuíca (cu:í.ca) *sf.* **1** *Mús.* Instrumento semelhante a um tambor, em cuja pele se amarra uma vara que produz ronco peculiar quando friccionada. **2** *Zool.* Mamífero similar ao gambá.

cuidado (cui.da.do) *sm.* **1** Atenção especial ou precaução: *Tenha cuidado ao atravessar a rua.* **2** Responsabilidade, encargo: *As crianças ficarão sob meus cuidados.* [Nesta acp. mais us. no pl.] **3** Zelo, desvelo: *os cuidados com o paciente.* **4** Que teve bom trato: *apartamento bem cuidado. interj.* **5** Exprime um aviso ou advertência: *Cuidado! O sinal fechou.*

cuidadoso (cui.da.do.so) [ô] *a.* Que tem ou mostra cuidado, zelo (*trabalho cuidadoso*). [Ant.: *descuidado.*] [Fem. e pl.: [ó].

cuidar (cui.dar) *v.* **1** Ter cuidados (3) com (algo, alguém ou si próprio); tratar; tomar conta de (alguém ou algo). [*ti. + de*: "...seria melhor que cada um *cuidasse da* sua vida..." (Aluísio Azevedo, *O mulato*). *pr.*: *Eu já sei me cuidar.*] **2** Encarregar-se de. [*ti. + de*: *Minha irmã cuida do jantar.*] **3** Prestar atenção (naquilo que faz). [*ti. + de*: *Cuide da sua tarefa que eu cuido da minha.*] **4** Imaginar, julgar, supor. [*td.*: "Em que mundo *cuidava* ele que vivia?" (Miguel Torga, *Senhor Ventura*). *tdi. + de*: *Depois do que fez, o que devemos cuidar desse rapaz?*] **5** Ter precaução; PREVENIR-SE. [*pr.*: *Procure se cuidar na festa.*] [▶ **1 cuidar**]

cuieira (cui.ei.ra) *sf. Bot.* Árvore que dá cuias (1).

cuinchar (cu:in.char) *v. int.* Berrar (o porco). [▶ **1 cuinchar**]

cuincho (cu:in.cho) *sm.* O grunhido do porco.

cujo (cu.jo) *pr.rel.* Indica a posse do que representa o substantivo que o segue: *A senhora cujo carro está à venda mora ali.* [NOTA: *Cujo* concorda em gênero e número com o substantivo que o segue (*cujo carro, cuja casa*).]

culatra (cu.la.tra) *sf.* A parte de trás do cano de qualquer arma de fogo.

culinária (cu.li.ná.ri:a) *sf.* **1** A arte de cozinhar: *curso de culinária.* **2** O conjunto de pratos característicos de determinada região: *A culinária francesa é muito apreciada.*

culinário (cu.li.ná.ri:o) *a.* Ref. à cozinha ou à culinária.

culminância (cul.mi.nân.ci:a) *sf.* Auge, apogeu.

culminante (cul.mi.nan.te) *a2g.* Que atingiu o ponto mais elevado ou mais importante: *O nascimento do filho foi o momento culminante de sua vida.*

culminar (cul.mi.nar) *v.* Ter como ponto culminante; chegar ao ponto culminante. [*ti. + em, com*: *As faltas do jogador culminaram com a sua expulsão.* *int.*: *A pressão do ar culminou, e o balão explodiu.*] [▶ **1 culminar**]

culote (cu.lo.te) *sm.* **1** *Pop. Anat.* Gordura situada na parte lateral dos quadris. **2** *Bras.* Calça larga nos quadris e justa do joelho para baixo.

culpa (cul.pa) *sf.* **1** Responsabilidade atribuída a alguém por algum mal ou dano: *Foi um acidente, não tive culpa.* **2** Ação ou negligência que resulta em crime, pecado ou falta reprovável: *O desmatamento implica enorme culpa.* **3** Sentimento de peso na consciência por ter agido mal, faltado com alguma obrigação ou ter se omitido em alguma causa: *Sente muita culpa pelo que fez.*

culpado (cul.pa.do) *a.* **1** Que tem culpa; responsável por ato reprovável ou criminoso. **2** Tomado por sentimento de culpa: *Sente-se culpado pelo que aconteceu. sm.* **3** Pessoa culpada (1).

culpar (cul.par) *v.* **1** Atribuir(-se) culpa; declarar(-se) culpado; INCRIMINAR(-SE). [*td.*: *culpar um réu. tdi. + de, por*: *Ninguém pode culpá-lo pelo ocorrido. pr.*: *Ele se culpa pelo fracasso do projeto.*] **2** Indicar como causa. [*tdi. + por*: *Culpou a chuva pelo atraso.*] [▶ **1 culpar**]

culpável (cul.pá.vel) *a2g.* Que pode ser responsabilizado por algo. ● **cul.pa.bi.li.da.de** *sf.*

culposo (cul.po.so) [ô] *a.* **1** Que tem ou demonstra culpa. **2** *Jur.* Diz-se de ação que, embora denote culpa, não foi intencional. [Fem. e pl.: [ó]. [Cf.: *doloso.*] [Fem. e pl.: [ó].

cultismo (cul.tis.mo) *sm.* **1** Característica de quem é culto. **2** *Liter.* Estilo barroco que prioritava a forma.

cultivador (cul.ti.va.dor) [ô] *sm.* Pessoa que cultiva; CULTOR.

cultivar (cul.ti.var) *v.* **1** *Agr.* Plantar e cuidar para que se desenvolva. [*td.*: *Cultivamos hortaliças na escola.*] **2** *Agr.* Preparar (a terra) e trabalhar para que produza. [*td.*: *cultivar a terra/os campos.*] **3** Desenvolver(-se) pelo estudo ou pelo exercício; fazer adquirir ou adquirir (cultura). [*td.*: *Este livro cultiva o amor pela arte. pr.*: *Cultivou-se estudando música e história da arte.*] **4** Manter, preservar. [*td.*: "...deves respeitar e *cultivar* nobre sentimento que te liga a d. Joaninha!" (Joaquim Manuel de Macedo, *A moreninha*).] **5** Dedicar-se a; aperfeiçoar-se em. [*td.*: *Márcia cultiva a poesia como poucas crianças.*] [▶ **1 cultivar**]

cultivo (cul.ti.vo) *sm. Agr.* Ação ou resultado de cultivar: *cultivo de feijão.*

culto¹ (cul.to) *sm.* **1** *Rel.* Veneração a uma divindade: *o culto à Virgem Maria.* **2** *Rel.* Ritual religioso: *No Brasil existe a liberdade de culto.* **3** Adoração extrema por alguém ou algo: *culto a um cantor.* ● **cul.tu:al.** *a2g.*

culto² (cul.to) *a.* Que é bem instruído; que tem muitos conhecimentos (*professor culto*).

cultor (cul.tor) [ô] *sm.* **1** Quem se dedica a determinado assunto ou trabalho: *cultor da teologia.* **2** Ver *cultivador.*

cultuar (cul.tu.ar) *v. td.* **1** Dedicar culto a; ADORAR: *Os antigos egípcios cultuavam o sol.* **2** Tratar como objeto de culto; IDOLATRAR: *Cultuam essa atriz como a uma deusa.* [▶ **1 cultuar**]

cultura (cul.tu.ra) *sf.* **1** *Agr.* Ação de cultivar. **2** Atividade voltada para a criação de plantas e animais: *cultura de peixes.* **3** O conjunto de conhecimentos de um indivíduo. **4** A soma de conhecimentos que os homens acumulam e transmitem através das gerações: *a cultura milenar japonesa.* **5** *Antr.* Costumes de um grupo social. [Cf.: *contracultura* (2).] **6** Os valores e tradições de um certo período (*cultura clássica*); CIVILIZAÇÃO.

cultural (cul.tu.ral) *a2g.* Ref. a cultura (3, 4 e 5) (*diferença cultural*).

culturismo (cul.tu.ris.mo) *sm.* Esporte que visa à formação muscular pela musculação. Fisiculturismo.

cumbuca (cum.bu.ca) *sf.* Espécie de cuia para líquidos, feito de cabaça.

cume (cu.me) *sm.* **1** O ponto mais elevado; CIMO: *o cume da montanha.* **2** *Fig.* O ponto máximo que se pode atingir; ÁPICE: *Atingiu o cume da carreira.*

cumeada (cu.me:a.da) *sf.* Série de cumes de montanhas.

cumeeira (cu.me:ei.ra) *sf.* A parte mais alta de um telhado.

cúmplice (cúm.pli.ce) *s2g.* **1** Pessoa que ajudou alguém na realização de um crime. **2** *Pop.* Parceiro de alguém em algum trabalho ou projeto. ● **cum.pli.ci.da.de** *sf.*

cumprimentar (cum.pri.men.*tar*) *v.* **1** Dirigir cumprimento, saudação a; SAUDAR(-SE). [*td.*: *Todo dia cumprimento aquele velhinho simpático. pr.*: *Os vizinhos se cumprimentaram.*] **2** Dirigir elogios a; ELOGIAR; FELICITAR. [*td.* (com ou sem indicação de motivo): *Foi cumprimentar o ator pelo espetáculo.*] [▶ 1 cumprimen**tar**]

cumprimento (cum.pri.men.to) *sm.* **1** Ação ou resultado de cumprir, executar algo: *cumprimento do dever.* **2** Gesto ou palavra de elogio ou saudação: *Fez um cumprimento com a cabeça.* [Cf.: *comprimento.*]

cumprir (cum.*prir*) *v.* **1** Pôr em prática; executar (algo predeterminado). [*td.*: *Os jogadores cumpriram à risca o plano do técnico. ti.* + *com*: *cumprir com o combinado.*] **2** Completar (tempo em prisão, mandato etc.). [*td.*: *Os bandidos cumpriram três anos de prisão.*] **3** Ser necessário ou conveniente. [*int.*: *Cumpre impedir a volta da febre amarela.*] **4** Ser de responsabilidade de. [*ti.* + *a*: *Cumpre aos pais a educação dos filhos.*] ◘ **cumprir-se** *pr.* **5** Realizar-se, acontecer: *Cumpriu-se a profecia.* [▶ **3** cump**rir**]

cumular (cu.mu.*lar*) *v.* **1** Dar ou conceder em quantidades generosas; ENCHER. [*tdi* + *com, de*: *O marido cumulava a mulher de atenções.*] **2** Ter como desfecho ou resultado; CULMINAR. [*ti.* + *em*: *As brigas constantes cumularam no divórcio.*] [▶ 1 cumu**lar**]

cumulativo (cu.mu.la.*ti*.vo) *a.* Que aumenta gradativamente à medida que algo ocorre ou é acrescido: *O progresso científico é cumulativo e constante.*

cúmulo (*cú*.mu.lo) *sm.* **1** O ponto ou grau mais elevado; o extremo: *O que ele fez foi o cúmulo da burrice.* **2** *Met.* Nuvem grande e muito branca.

cúmulo-cirro (cú.mu.lo-*cir*.ro) *sm. Met.* Nuvem constituída por diminutos cristais de gelo. [Pl.: *cúmulos-cirros* e *cúmulos-cirro.*]

cúmulo-estrato (cú.mu.lo-es.*tra*.to) *sm. Met.* Nuvem composta de massas escuras arredondadas, dispostas em grupos. [Pl.: *cúmulos-estratos* e *cúmulos-estrato.*]

cúmulo-nimbo (cú.mu.lo-*nim*.bo) *sm. Met.* Nuvem escura, responsável por trovões e tempestades. [Pl.: *cúmulos-nimbos* e *cúmulos-nimbo.*]

cuneiforme (cu.nei.*for*.me) *a2g.* Que tem forma de cunha (ferramenta cuneiforme, escrita cuneiforme).

cunha (*cu*.nha) *sf.* Peça afilada em uma das extremidades, us. para rachar, calçar, levantar etc. objetos. ▪▪ À ~ Abarrotado, apinhado.

cunhã (cu.*nhã*) *sf.* AM Mulher jovem; CUNHATÃ; CUNHATÃ.

cunhada (cu.*nha*.da) *sf.* **1** A irmã de um dos cônjuges em relação ao outro cônjuge. **2** A mulher do irmão de uma pessoa em relação a esta pessoa.

cunhadio (cu.nha.*di*.o) *sm.* Parentesco entre cunhados.

cunhado¹ (cu.*nha*.do) *sm.* **1** O irmão de um dos cônjuges em relação ao outro cônjuge. **2** O marido da irmã de uma pessoa em relação a esta pessoa.

cunhado² (cu.*nha*.do) *a.* Que se cunhou.

cunhagem (cu.*nha*.gem) *sf.* Ação de cunhar moedas.

cunhal (cu.*nhal*) *sm.* Ângulo formado por duas paredes. [Pl.: -*nhais.*]

cunhar (cu.*nhar*) *v. td.* **1** Introduzir na língua do país: *A palavra "funqueiro" foi cunhada não faz muito tempo.* **2** *Fig.* Tornar notável; evidenciar. **3** Fabricar (moeda) imprimindo nela um sinal ou desenho: *Quando vão começar a cunhar as novas moedas?* [▶ 1 cunh**ar**]

cunhatã, cunhantã (cu.nha.*tã*, cu.nhan.*tã*) *sf.* AM Ver *cunhã*.

cunho (*cu*.nho) *sm.* **1** Chapa de metal com figuras ou dizeres entalhados, com que se marcam moedas, medalhas etc. **2** Marca impressa por essa chapa. **3** *Fig.* Caráter, especialidade: *filme de cunho autobiográfico.*

cunicultura (cu.ni.cul.*tu*.ra) *sf.* Criação de coelhos. ● **cu.ni.cul.tor** *sm.*

cupê (cu.*pê*) *sm.* **1** Carro de passeio de duas portas. **2** Antiga carruagem para dois passageiros.

cupidez (cu.pi.*dez*) [ê] *sf.* Qualidade de quem é cúpido; COBIÇA.

cupidinoso (cu.pi.di.*no*.so) [ó] *a.* **1** Que se caracteriza pela cupidez. **2** Em que há cupidez. [Fem. e pl.: [ó].]

cupido (cu.*pi*.do) *sm.* **1** Pessoa responsável pela união amorosa de um casal. ◘ **Cupido** *sm.* **2** *Mit.* O deus grego do amor, representado por um menino com asas, munido de arco e flecha.

cúpido (*cú*.pi.do) *a.* **1** Que cobiça dinheiro ou bens materiais; COBIÇOSO; AMBICIOSO. **2** Tomado por desejos amorosos.

cupim (cu.*pim*) *sm. Zool.* Inseto mínimo que se alimenta de madeira. [Pl.: -*pins.*]

cupincha (cu.*pin*.cha) *s2g. Bras. Pop.* Pessoa muito amiga; CAMARADA: *Ele é meu cupincha desde a infância.*

cupinzeiro, cupineiro (cu.pin.*zei*.ro, cu.pi.*nei*.ro) *sm.* Ninho construído por cupins.

cupom (cu.*pom*) *sm.* **1** Cartão ou papel impresso destacável (ger. em revistas) que dá direito a descontos, a concorrer a prêmios etc. **2** *Econ.* Papel impresso destacável de títulos, que indica os juros ou dividendos a que o portador tem direito. [Pl.: -*pons.*]

cúpreo (*cú*.pre:o) *a.* **1** Ref. a cobre. **2** Que apresenta a cor do cobre.

cupuaçu, cupu (cu.pu:a.*çu*, cu.*pu*) *sm.* **1** *Bot.* Árvore nativa da Amazônia, com fruto comestível. **2** Esse fruto.

cúpula (*cú*.pu.la) *sf. Arq.* **1** A parte superior de certas construções que, exteriormente, é convexa e, interiormente, é côncava; ABÓBADA. **2** *Arq.* Ver *domo*. **3** *Fig.* Conjunto dos principais dirigentes de um partido, instituição etc.; DIREÇÃO. **4** Reunião internacional com os dirigentes de diversos países, ger. os mais ricos: *Moscou sediou a última cúpula.* ● **cu.pu.lar** *a2g.*

cura (*cu*.ra) *sf.* **1** Ação ou processo de curar(-se); recuperação da saúde: *Sua cura foi rápida.* **2** Processo pelo qual se secam ou defumam carnes, peixes etc. ao fogo ou ao calor: *A cura do queijo é uma tradição mineira.* **3** *Fig.* Solução; recuperação: *Sua paixão pelo futebol não tem cura.* *sm.* **4** Vigário de aldeia.

curaçau (cu.ra.*çau*) *sm.* Licor feito com casca de laranja-da-terra.

curado (cu.*ra*.do) *a.* **1** Recuperado de doença; SARADO. **2** Que foi seco ou defumado ao fogo ou calor (carnes curadas).

curador (cu.ra.*dor*) [ô] *sm.* **1** Pessoa responsável pelas obras de arte de um museu. **2** *Jur.* Pessoa encarregada legalmente ou judicialmente de zelar pelos bens e interesses de pessoa individua incapaz de fazê-lo por si.

curadoria (cu.ra.do.*ri*.a) *sf.* **1** Cargo ou função de curador (1). **2** *Jur.* Cargo, poder ou função de curador (2); CURATELA.

curandeirismo (cu.ran.dei.*ris*.mo) *sm.* Atividade ou prática de curandeiro.

curandeiro (cu.ran.*dei*.ro) *sm.* **1** Pessoa que cura doentes por meio de rezas e feitiçarias. **2** Pessoa que trata de doentes sem ter diploma de médico.

curar (cu.*rar*) *v.* **1** Recuperar a saúde de. [*td.*: *Passou a vida curando doentes.*] **2** Sarar ou livrar de. [*td.*: *A pomada curou a ferida. tdi. + de*: *As ervas curaram Joana da infecção. pr.*: *Você já se curou da sinusite?*] **3** Secar (alimento) ao sol ou ao calor. [*td.*: *Vá logo pondo a carne para curar.*] [▶ **1** cur**ar** • cu.*rá*.vel *a2g.*

curare (cu.*ra*.re) *sm. Bras.* Veneno de ação paralisante, extraído de certos cipós, com que os índios impregnam as suas flechas.

curatela (cu.ra.*te*.la) *sf. Jur.* Cargo, poder ou função de curador (2); CURADORIA.

curativo (cu.ra.*ti*.vo) *a.* **1** Que cura ou serve para curar: *o poder curativo de certas plantas. sm.* **2** Limpeza e aplicação de remédio em ferida ou corte: *fazer um curativo.* **3** Material (gaze, esparadrapo etc.) us. nesse tratamento: *O curativo tem que ser trocado diariamente.*

curato (cu.*ra*.to) *sm.* **1** Cargo de cura (4). **2** Residência de cura (4). **3** Local pastoreado por cura.

curau (cu.*rau*) *sm. Cul.* **1** *GO MT SP* Creme de milho verde, polvilhado com canela. **2** *N.* Prato que consiste de carne salgada pilada com farinha de mandioca.

curdo (*cur*.do) *sm.* **1** Indivíduo dos curdos, grupo étnico sem país próprio que vive nas fronteiras do Iraque, Irã, Turquia, Síria e partes da antiga União Soviética. **2** *Gloss.* Língua falada pelos curdos. *a.* **3** De ou ref. a esse povo ou à sua língua.

cureta (cu.*re*.ta) [ê] *sf. Cir.* Instrumento cirúrgico semelhante a uma colher, us. para curetagem.

curetagem (cu.re.*ta*.gem) *sf. Cir.* Raspagem da parede interna de um órgão (para remover lesões, ou em abortos etc.). [Pl.: *-gens*.]

curetar (cu.re.*tar*) *v. td. Cir.* Extrair ou raspar com cureta: *curetar o foco de pus.* [▶ **1** curet**ar**]

cúria (*cú*.ri:a) *sf.* Conjunto de autoridades eclesiásticas que colaboram com o papa no Vaticano, ou com os bispos nas dioceses. • **cu.ri:***al a2g.*

curiango (cu.ri:*an*.go) *sm. Bras. Zool.* Ave noturna amarelada.

curiboca (cu.ri.*bo*.ca) *s2g. N. N.E.* Mestiço de branco com índio; CABOCLO; CARIBOCA.

curie (cu.*ri*.e) *sm. Fís.nu.* Unidade de medida de radioatividade.

curimã (cu.ri.*mã*) *sf. Bras. Zool.* Pequena tainha.

curinga (cu.*rin*.ga) *sm.* Carta de baralho que, em certos jogos, assume qualquer valor.

curió (cu.ri.*ó*) *sm. Bras. Zool.* Pássaro cantor, cujo macho é preto e a fêmea, parda.

curiosa (cu.ri:*o*.sa) *sf. Pop.* Parteira sem habilitação.

curiosidade (cu.ri:o.si.*da*.de) *sf.* **1** Característica de quem é curioso. **2** Interesse por conhecer ou saber algo: *Você não tem curiosidade de/em conhecer a China?*; *Sempre tive curiosidade por astrologia.* **3** *Pej.* Vontade intensa de saber sobre a vida alheia; INDISCRIÇÃO; BISBILHOTICE. **4** Objeto original e/ou raro: *Encontraram no local mapas antigos e uma curiosidades.* **5** Fato ou coisa interessante: *Uma curiosidade é que 58% dos gols foram feitos por canhotos.*

curioso (cu.ri:*o*.so) [ô] *a.sm.* **1** Que ou quem se interessa por saber ou aprender coisas novas. **2** *Pej.* Que ou quem procura se inteirar da vida alheia, do que não lhe diz respeito; INDISCRETO; BISBILHOTEIRO. **3** *Bras. Pop.* Que ou quem se dedica a uma arte ou atividade como amador. *a.* **4** Que é original, interessante ou estranho: *Soube de um caso muito curioso.* **5** Que revela curiosidade (olhar *curioso*). ◘ **curiosos** *smpl.* **6** Espectadores em lugar público onde ocorreu algo sério ou inusitado: *A polícia afastou os curiosos do local do crime.* [Fem. e pl.: [ó].]

curitibano (cu.ri.ti.*ba*.no) *a.* **1** De Curitiba, capital do Estado do Paraná; típico dessa cidade ou de seu povo. *sm.* **2** Pessoa nascida em Curitiba.

curra (*cur*.ra) *sf. Bras. Pop.* Violência sexual praticada por mais de uma pessoa.

curral (cur.*ral*) *sm.* Área cercada onde se abriga o gado. [Pl.: *-rais*.]

currar (cur.*rar*) *v. td. Bras. Pop.* Violentar sexualmente; ESTUPRAR. [▶ **1** curr**ar**]

curricular (cur.ri.cu.*lar*) *a2g.* Ref. a currículo[1].

currículo[1] (cur.*rí*.cu.lo) *sm.* O conjunto de matérias de um curso: *É extenso o currículo do curso de medicina.*

currículo[2] (cur.*rí*.cu.lo) *sm.* F. red. e adaptada de *curriculum vitae*.

⊕ **curriculum vitae** (*Lat.* /curriculum vite/) *loc. subst.* Documento com dados sobre a escolaridade e experiência profissional, que a pessoa deve apresentar quando se candidata a um emprego. [Pl.: *curricula vitae*.]

cursar (cur.*sar*) *v. td.* Frequentar ou seguir (curso): *Curso a primeira série.* [▶ **1** curs**ar**]

cursilho (cur.*si*.lho) *sm. Rel.* Encontro de católicos destinado à reflexão acerca da fé cristã.

cursinho (cur.*si*.nho) *sm.* **1** *Bras.* Curso preparatório para o vestibular. **2** Dim. de *curso*.

cursivo (cur.*si*.vo) *a.* **1** Escrito à mão; MANUSCRITO. *sm.* **2** Letra ou escrita cursiva.

curso (*cur*.so) *sm.* **1** Programa para a formação em determinada área, constituído de uma série de lições ou matérias: *curso de inglês.* **2** Cada uma das divisões da formação escolar ou universitária: *curso de pós-graduação.* **3** Estabelecimento de ensino: *Não a vi no curso ontem.* **4** Fluxo, escoamento (de um rio). ‖ **Dar ~ a** Deixar ou fazer algo seguir; manifestar-se.

cursor (cur.*sor*) [ô] *sm. Inf.* Sinal que se movimenta na tela por meio do *mouse*, e que indica a posição onde o próximo caractere a ser digitado deve aparecer.

curta (*cur*.ta) *sm. Cin.* F. red. de *curta-metragem*.

curta-metragem (cur.ta-me.*tra*.gem) *sm. Cin.* Filme de curta duração. [Pl.: *curtas-metragens*.] [Cf.: *longa-metragem*.]

curtição (cur.ti.*ção*) *sf.* **1** *Pop.* Atividade muito prazerosa; ótima diversão: *O passeio de barco foi uma curtição.* **2** Ver *curtimento*. [Pl.: *-ções*.]

curtimento (cur.ti.*men*.to) *sm.* Ação e processo de curtir couros e peles animais; CURTIÇÃO; CURTUME.

curtir (cur.*tir*) *v. td.* **1** Preparar (couro, pele) para ser industrializado, deixando-o de molho em líquido apropriado: *É preciso curtir o couro antes de usá-lo.* **2** Conservar (comida) em molho adequado: *curtir azeitonas.* **3** *Pop.* Divertir-se (com) [tb. *int.*]; DESFRUTAR: *Passou a manhã curtindo desenhos animados.* **4** *Pop.* Gostar muito de (uma pessoa, uma música, uma postagem ou matéria em rede social, etc.): *Joana curte muito os primos.* [▶ **3** curt**ir**] • **cur.*ti*.do** *a.*

curto[1] (*cur*.to) *a.* **1** Pequeno em comprimento (cabelo *curto*, saia *curta*). **2** De pouca duração (filme *curto*, viagem *curta*). **3** Escasso ou insuficiente: *Como o dinheiro anda curto, não sai.*

curto[2] (*cur*.to) *sm.* F. red. de *curto-circuito*.

curto-circuito (cur.to-cir.*cui*.to) *sm. Elet.* Num circuito elétrico, interrupção da passagem de corrente provocada pela baixa resistência entre dois pontos de potencial diferente. [Pl.: *curtos-circuitos*.]

curtume (cur.*tu*.me) *sm.* **1** Estabelecimento onde se curtem couros e peles. **2** Curtimento de couro ou pele animal: *indústria de curtume*.

curtumeiro (cur.tu.*mei*.ro) *sm.* **1** Dono de curtume (1). **2** Pessoa que trabalha em curtume (1).

curumba (cu.*rum*.ba) *s2g*. *N.E.* **1** *Pej.* Andarilho maltrapilho. **2** Retirante que deixa o sertão em busca de trabalho. **3** Pessoa que trabalha em canavial ou usina de açúcar.

curumi, curumim (cu.ru.*mi*, cu.ru.*mim*) *sm. AM* Menino, garoto. [Pl. de *curumim*: -*mins*.]

curupira, currupira (cu.ru.*pi*.ra, cur.ru.*pi*.ra) *sm. Bras. Folc.* Ente fantástico tido como um índio com os pés virados para trás e que protege as matas e os animais.

cururu (cu.ru.*ru*) *sm. Zool.* Espécie de sapo.

curva (*cur*.va) *sf.* **1** Linha ou superfície arqueada. **2** Ver *curvatura* (2). **3** Trecho de rodovia que apresenta sinuosidade. **4** Trajetória sinuosa de um corpo no espaço: *A bola de golfe fez uma curva antes de entrar no buraco*. **5** Alterações representadas num gráfico: *A curva mostra uma variação grande de temperatura*. ▣ **curvas** *sfpl.* **6** As formas bem-feitas do corpo de uma mulher.

curvado (cur.*va*.do) *a.* Que se curvou (costas *curvadas*); CURVO.

curvar (cur.*var*) *v.* **1** Tornar(-se) curvo; ENVERGAR(-SE). [*td.*: *O vento curvou a árvore. pr.: O bambu, de tão alto, curvou-se.*] **2** Inclinar(-se) para diante ou para baixo. [*td.*: *Curvou a cabeça, envergonhado. pr.: Curvei-me sobre a bicicleta para consertá-la.*] **3** Inclinar a cabeça ou o corpo para cumprimentar, ou em sinal de respeito. [*pr.: curvar-se diante do altar.*] [▶ **1** curv*ar*]

curvatura (cur.va.*tu*.ra) *sf.* **1** Ação ou resultado de curvar; ARQUEAMENTO; INCLINAÇÃO. **2** A parte curva de um corpo ou objeto; CURVA (2).

curveta (cur.*ve*.ta) [ê] *sf.* Movimento em que o cavalo se ergue e dobra as patas dianteiras.

curvetear (cur.ve.te.*ar*) *v. int.* **1** Erguer-se, dobrando as patas dianteiras: *O cavalo curveteava, irritado*. **2** Movimentar-se, fazendo pequenas curvas: *As borboletas curveteavam no jardim*. [▶ **1** curvete*ar*]

curvilíneo (cur.vi.*li*.ne:o) *a.* **1** Que tem linhas curvas (corpo *curvilíneo*). **2** Que forma curvas (movimento *curvilíneo*).

curvo (*cur*.vo) *a.* Ver *curvado*.

cuscuz (cus.*cuz*) *sm. Cul.* **1** *BA PE* Doce feito com farinha de tapioca, coco, leite e açúcar. **2** *MG SP* Bolo salgado feito com farinha de milho, legumes, peixes e camarão, assado no vapor; CUSCUZ-PAULISTA.

cuscuzeira (cus.cu.*zei*.ra) *sf.* Forma para assar cuscuz (2).

cuscuz-paulista (cus.cuz-pau.*lis*.ta) *sm. MG SP Cul.* Ver *cuscuz* (2). [Pl.: *cuscuzes-paulistas*.]

cusparada (cus.pa.*ra*.da) *sf. Bras.* **1** Ação ou resultado de cuspir; CUSPIDELA. **2** Grande quantidade de cuspe. [Sin. ger.: *cuspidura*.]

cuspe (*cus*.pe) *sm.* Secreção de saliva.

cúspide (*cús*.pi.de) *sf.* Ponta aguda e longa; VÉRTICE.

cuspidela (cus.pi.*de*.la) *sf.* Ver *cuspidura* (1).

cuspido (cus.*pi*.do) *a.* **1** Em que se cuspiu ou que foi cuspido (chiclete *cuspido*). **2** Que foi lançado para fora: *A lava cuspida destruía toda a cidade*. **3** *Fig.* Desacreditado, humilhado (orgulho *cuspido*).

cuspidura (cus.pi.*du*.ra) *sf.* **1** Ação ou resultado de cuspir; CUSPIDELA. **2** Ver *cusparada*.

cuspinhar, cuspilhar (cus.pi.*nhar*, cus.pi.*lhar*) *v. int.* Cuspir repetidamente e pouco de cada vez. [▶ **1** cuspinh*ar*, ▶ **1** cuspilh*ar*]

cuspir (cus.*pir*) *v.* **1** Expelir saliva da boca. [*int.*: *Cuspiu de lado e continuou a falar.*] **2** Lançar da boca (comida, sangue etc.). [*td.*: *A criança cuspiu o bombom.*] [▶ **53** cusp*ir*] • **cus.pi.da** *sf.*

cuspo (*cus*.po) *sm.* Ver *cuspe*.

custa (*cus*.ta) *sf.* Us. na loc. ▣ **À ~ de 1** Ao preço de; com o sacrifício de: *Dedicou-se à família à custa de sua carreira*. **2** Graças a; por meio de: *Passou de ano à custa de muito esforço*. **3** Com dinheiro de: *Sustenta as filhas à custa do irmão*. [Cf.: *custas*.]

custar (cus.*tar*) *v.* **1** Ter determinado valor ou preço. [*int.*: *O prato que ela pediu custa caro*; (seguido de indicação de custo) *Este chapéu custou dez reais.*] **2** Ter como resultado certa perda ou revés. [*tdi.* + *a*: *Essa ofensa pode custar a ele o emprego. ti.* + *a*: *A grosseria custou-lhe caro.*] **3** Ser difícil ou trabalhoso. [*ti.* + *a*: *Não me custa fazer isso para você. int.*: *Custava você ter dado uma carona a ele?*] **4** Levar tempo; DEMORAR. [*int.*: *Custaram, mas chegaram a tempo.*] [▶ **1** cust*ar*] [NOTA: Us. tb. como v. auxiliar modal, seguido da prep. *a* + v. principal no infinitivo, com o sentido 'ter dificuldade de': *Ela custou a entender*.] [Cf.: *auxiliar* e *modal*.]

custas (*cus*.tas) *sfpl.* Jur. Despesas ref. a processo judicial. [Cf.: *custa*.]

custear (cus.te.*ar*) *v. td.* Pagar as despesas de; FINANCIAR: *A empresa custeou sua viagem*. [▶ **13** cust*ear*]

custeio (cus.*tei*.o) *sm.* **1** Ação de custear. **2** Soma de despesas: *A produtora vai arcar com o custeio do evento*. **3** Financiamento, dinheiro: *A empresa buscava custeio para realizar o projeto*.

custo (*cus*.to) *sm.* **1** Trabalho, tempo, dinheiro etc. gastos na produção de bens e serviços. **2** *Econ.* Quantia a ser paga por um bem ou serviço: *O custo de um plano de saúde subiu 25%*. **3** Dificuldade, esforço: *Foi um custo carregar isso até lá*. ▣ **A ~** Com dificuldade; com esforço: *A custo consegui estacionar o carro*. **A todo ~** Seja como for; custe o que custar: *Temos que resolver isso a todo custo*. **~ Brasil** *Econ.* O nível de custo (1) necessário à produção de bens no Brasil. **~ de vida** Nível de recursos necessários para atender às necessidades básicas (de uma família, de um setor da sociedade): *O custo de vida subiu muito*.

custódia (cus.*tó*.di:a) *sf.* **1** *Jur.* Guarda ou proteção de pessoa ou coisa: *A mãe perdeu a custódia dos filhos*. **2** *Jur.* Local seguro para guardar algo ou manter alguém detido. **3** *Rel.* Na missa católica, repositório da hóstia consagrada.

custodiar (cus.to.di.*ar*) *v. td. Jur.* Manter em custódia; PROTEGER; GUARDAR. [▶ **1** custodi*ar*]

custódio (cus.*tó*.di:o) *a.* Que guarda, protege e defende.

custoso (cus.*to*.so) [ó] *a.* **1** Que custa muito dinheiro (jantar *custoso*); CARO; DISPENDIOSO. **2** Que é difícil; ÁRDUO; TRABALHOSO: *A escalada da montanha será custosa*. **3** *Bras.* Que é lerdo, vagaroso (tarefa *custosa*). [Fem. e pl.: [ó].]

cutâneo (cu.*tâ*.ne:o) *a. Anat.* Ref. à ou da cútis, da pele (infecção *cutânea*).

cutelaria (cu.te.la.*ri*.a) *sf.* **1** Oficina ou estabelecimento de cuteleiro. **2** O trabalho do cuteleiro.

cuteleiro (cu.te.*lei*.ro) *sm.* Pessoa que fabrica ou vende objetos para cortar, como tesouras, facas etc.

cutelo (cu.*te*.lo) [ê] *sm.* Instrumento composto de uma lâmina semicircular e cabo de madeira us. para cortar carnes.

cutia (cu.*ti*.a) *sf. Bras. Zool.* Mamífero roedor, do tamanho de um coelho, encontrado em matas. [Masc.: *cutia macho*.]

cutícula (cu.*tí*.cu.la) *sf. Anat.* Pele que fica em torno das unhas. • **cu.ti.cu.*lo*.so** *a.*

cutilada (cu.ti.*la*.da) *sf.* Golpe de cutelo, espada etc.

cútis (*cú*.tis) *sf2n. Anat.* **1** Pele do rosto; TEZ. **2** A pele das pessoas.

cutuba (cu.*tu*.ba) *a2g. N. N.E.* **1** Que tem força e coragem; VALENTE. **2** Que é inteligente. **3** Que é importante ou poderoso. **4** Que tem boa aparência; BONITO. **5** Que é bom; BONDOSO.

cutucada (cu.tu.*ca*.da) *sf. Bras. Pop.* Ver *catucada*.

cutucão (cu.tu.*cão*) *sm. Bras. Pop.* Ver *catucão*. [Pl.: *-cões*.]

cutucar (cu.tu.*car*) *v.td.* Ver *catucar*.

cuvilheiro (cu.vi.*lhei*.ro) *a.sm.* Que ou quem se mete ou se mostra curioso com a vida alheia; ALCOVITEIRO.
cuxiú (cu.xi:*ú*) *sm. Bras. Zool.* Macaco similar ao sagui.
⊠ **cv** *Fís.* Símb. de *cavalo-vapor*.
czar *sm. Hist.* Título que tinham os soberanos russos, búlgaros e sérvios; TZAR. [Fem.: *czarina*.]

czarina (cza.*ri*.na) *sf. Hist.* Título que tinha a imperatriz na Rússia imperial; TZARINA
czarismo (cza.*ris*.mo) *sm. Hist. Pol.* Sistema político autocrático que vigorou na Rússia do séc. XVI até a revolução bolchevique de 1917; TZARISMO. ● **cza.***ris*.**ta** *a2g.s2g.*

Com suas origens na escrita hierática egípcia, o ancestral mais antigo do *d* recebeu o nome de *deret* (mão). Ao ser adotado pelos fenícios, passou a se chamar *daleth* (porta). Os gregos, ao empregarem a letra fenícia, deram-lhe a forma de um triângulo, chamando-a *delta*. O delta chegou ainda aos etruscos e romanos, que foram os responsáveis pelo desenho do *d* que conhecemos hoje.

◁	Fenício
Δ	Grego
△	Grego
ᗡ	Etrusco
ᗡ	Romano
D	Romano
d	Minúscula carolina
D	Maiúscula moderna
d	Minúscula moderna

d [dê] *sm.* **1** A quarta letra do alfabeto. **2** A terceira consoante do alfabeto. *num.* **3** O quarto em uma série (fila D).
⊠ **D** No sistema romano de numeração, equivale ao número 500.
⊠ **D.** Abr. de *Dom* ou *Dona*. [Tb. us. a minúscula *d*.]
da¹ Contr. da prep. *de* com o art. def. fem. *a*: *a professora da turma*.
da² Contr. da prep. *de* com o pr. dem. fem. *a*.
dactilografar (dac.ti.lo.gra.*far*) *v.* Ver *datilografar*.
dactilografia (dac.ti.lo.gra.*fi*.a) *sf.* Ver *datilografia*.
dactilógrafo (dac.ti.*ló*.gra.fo) *a.sm.* Ver *datilógrafo*.
dactiloscopia (dac.ti.los.co.*pi*.a) *sf.* Ver *datiloscopia*.
dádiva (*dá*.di.va) *sf.* Aquilo que se dá; DONATIVO; OFERTA; DOM.
dadivoso (da.di.*vo*.so) [ó] *a.* Que gosta de dar ou que costuma dar; GENEROSO. [Fem. e pl.: [ó].]
dado¹ (*da*.do) *sm.* Objeto cúbico pequeno, com as faces numeradas de 1 a 6, us. em jogos.
dado² (*da*.do) *sm.* **1** Que se deu; que se entregou: *Este livro é dado, e aquele, emprestado.* **2** Sociável, comunicativo: *Ele fala com todo mundo, é muito dado.* **3** Que gosta ou tem o costume de fazer algo: *Ele é dado a essas brincadeiras.* *pr.indef.* **4** Determinado, certo: *Em dado momento ouvimos um estrondo.* *sm.* **5** Informação sobre algo ou alguém: *Preencha o formulário com os seus dados.* ■ ~ **que** Considerando que; já que: *Dado que todos já estavam lá, iniciaram o jogo.*
⊠ **dag** Símb. de *decagrama*.
daí (da.*í*) Contr. da prep. *de* com o adv. *aí*. **1** Desse lugar: *Você está enxergando bem daí?* **2** Desse ponto; desse momento: *Leia daí até o fim do parágrafo.* **3** Por isso; disso: *Tinha um ligeiro sotaque; deduzi daí que era estrangeiro.* [NOTA: Acompanhado ger. de locuções que expressam espaço, tempo etc.: *daí de cima, daí em diante* etc.]. ■ ~ **a** Depois de: *Disse para eu voltar daí a uma semana.* **E** ~ **? 1** Qual é o problema?; o que você tem com isso?; *Sou feio, e daí?* **2** O que aconteceu depois?: *Ele ameaçou se vingar, e daí?*
dalai-lama (da.lai-*la*.ma) *sm. Rel.* O grande chefe do lamaísmo. [Pl.: *dalai-lamas*.]
dalém (da.*lém*) Contr. da prep. *de* com o adv. *além*.
dali (da.*li*) Contr. da prep. *de* com o adv. *ali*. **1** Desse ou daquele lugar: *Dali até o fim do terreno são 50 metros.* **2** Desse ou daquele momento. [NOTA: Acompanhado ger. de locuções que expressam espaço, tempo etc.: *dali de cima, dali em diante* etc.].
dália (*dá*.li.a) *sf.* **1** *Bot.* Planta ornamental que produz belas flores. **2** Essa flor. **3** *Bras. Cin. Teat. Telv.* Texto que fica oculto dos espectadores para que atores, locutores etc. dele se utilizem.

daltônico (dal.*tô*.ni.co) *a.sm.* Que ou quem sofre de daltonismo.
daltonismo (dal.to.*nis*.mo) *sm. Med.* Distúrbio da visão que impede a percepção correta das cores, esp. o vermelho e o verde.
⊠ **dam** Símb. de *decâmetro*.
dama (*da*.ma) *sf.* **1** Mulher nobre. **2** Designação honorífica ou respeitosa de qualquer mulher: *O salão tinha grande número de damas.* **3** A mulher que dança com um homem: *Escolheu sua dama para a primeira dança.* **4** Peça do jogo de xadrez, a mais importante depois do rei. **5** Carta do baralho que tem figura feminina: *dama de copas/ de espadas.* ◪ **damas** *sfpl.* **6** Jogo com tabuleiro de 64 quadrados alternadamente brancos e pretos, em que dois jogadores movimentam suas peças em diagonal visando eliminar todas as do adversário.

DÁLIA (2)

damasceno (da.mas.*ce*.no) [ê] *a.* **1** De Damasco, capital da Síria (Ásia); típico dessa cidade ou de seu povo. *sm.* **2** Pessoa nascida em Damasco.
damasco (da.*mas*.co) *sm.* **1** Fruta semelhante ao pêssego, de cor amarela. **2** A cor dessa fruta. **3** Tecido de seda com desenhos em relevo. *a2g2n.* **4** Que tem a cor do damasco (blusas *damasco*).
damasqueiro (da.mas.*quei*.ro) *sm. Bot.* Árvore que dá o damasco.
danação (da.na.*ção*) *sf.* **1** Ação ou resultado de danar(-se). **2** *Rel.* Condenação das almas aos castigos eternos. **3** Fúria, raiva. **4** *Bras. Fam.* Confusão provocada por diabruras ou travessuras: *As crianças estavam na maior danação.*
danado (da.*na*.do) *a.* **1** Furioso, zangado. **2** Que tem má índole, que pratica maldades. **3** *Bras. Fam.* Que pratica travessuras (garoto *danado*); TRAVESSO. *sm.* **4** Pessoa danada (2 e 3). ■ ~ **de** *Bras. Pop.* Muito: *sorvete danado de bom.*
danar (da.*nar*) *v.* **1** Causar dano em ou sofrer dano, prejuízo; ESTRAGAR(-SE), DANIFICAR(-SE). [*td.*: *O calor danou o leite.* *pr.*: *Com aquela chuva, nosso canteiro danou-se.*] **2** *Fig.* Causar a ou sentir grande irritação; ENFURECER(-SE). [*td.*: *A algazarra das crianças danava o motorista.* *pr.*: *Danou-se com o engarrafamento.*] ◪ **danar-se** *pr.* **3** *Fig.* Esforçar-se muito (para alcançar ou realizar algo); EXTENUAR-SE: *Danava-se para sustentar os filhos.* [▶ **1** dan*ar*] ■ **Pra** ~ *Bras. Pop.* Muito.
dança (*dan*.ça) *sf.* **1** Arte e técnica de acompanhar o ritmo de música com movimentos do corpo. **2** *Pop.* Baile: *Esta noite vai ter dança.*

dançante | datilógrafo

dançante (dan.*çan*.te) *a2g.* **1** Em que há dança (festa dançante, chá dançante). *s2g.* **2** Pessoa que dança.

dançar (dan.*çar*) *v.* **1** Executar movimentos ou passos de (dança, ou certa dança). [*td.*: *dançar forró*. *int.*: *Ele adora dançar*.] **2** *Bras. Fig. Gír.* Não ser bem-sucedido. [*int.*: *Dançou no exame de direção*.] **3** *Fig.* Estar solto, frouxo. [*int.*: *Mandou ajustar a calça que estava dançando*.] **4** *Fig.* Oscilar, balançar. [*int.*: *Depois que recebeu um calço, a mesa parou de dançar*.] [▶ **12** dança̱r] • **dan.ça.dor** *a.sm.*

dançarino (dan.ça.*ri*.no) *sm.* Pessoa que dança, ger. por profissão.

danceteria (dan.ce.te.*ri*.a) *sf.* Casa noturna onde se dança.

dândi (*dân*.di) *sm.* **1** Homem que se veste de modo requintado. **2** *Pej.* Pessoa que se veste de modo afetado; JANOTA.

danificar (da.ni.fi.*car*) *v.* **1** Provocar dano (físico ou moral) em. [*td.*: *A queda de energia danificou a geladeira*.] **2** Sofrer dano. [*pr.*: *Sua imagem danificou-se após o escândalo*.] [▶ **11** danifica̱r] • **da.ni.fi.ca.ção** *sf.*; **da.ni.fi.ca.do** *a.*

daninho (da.*ni*.nho) *a.* Que causa dano (ervas daninhas); NOCIVO.

dano (*da*.no) *sm.* Mal ou prejuízo causado a alguém (danos morais/materiais).

danoso (da.*no*.so) [ó] *a.* Que causa dano. [Fem. e pl.: [ó].]

dantes (*dan*.tes) *adv.* Antes, anteriormente.

dantesco (dan.*tes*.co) [ê] *a.* **1** Ref. ao poeta italiano Dante Alighieri (séc. XIII-XIV). **2** *Fig.* Que é horripilante, que causa horror (cena dantesca).

daomeano (da:o.me.*a*.no) *a.* **1** Do antigo Daomé (atual Benim, África); típico desse país ou de seu povo. **2** Pessoa nascida no Daomé.

daquele (da.*que*.le) [ê] Contr. da prep. *de* com o pr. dem. *aquele*: *Depois daquele dia nunca mais a vi*. [NOTA: No uso popular, o pl. é muito us. para intensificar o sentido de um substantivo: *Hoje está um frio daqueles!*]

daqui (da.*qui*) Contr. da prep. *de* com o adv. *aqui*. **1** Deste lugar: *Daqui se vê o mar*. **2** Deste ponto: *Lemos daqui até o fim do capítulo*. [NOTA: Acompanhado de locuções que expressam espaço, tempo etc.: *daqui a cinco, daqui em diante, daqui pra frente* etc.] ▦ ~ **a** Depois de: *Chegam daqui a uma semana*.

daquilo (da.*qui*.lo) Contr. da prep. *de* com o pr. dem. *aquilo*: *Como é mesmo o nome daquilo?*

dar *v.* **1** Transferir (bens) sem remuneração; DOAR. [*td.*: *Resolveu dar toda a sua coleção de selos*. *tdi.* + *a*: *Deu seus livros à biblioteca da escola*.] **2** Oferecer como presente; PRESENTEAR. [*tdi.* + *a*: *Deu um anel à noiva*.] **3** Conceder (favor, poder, atenção, consentimento etc.). [*tdi.* + *a*: "São coisas lindas que a minha vida dava pra te dar..." (Tom Jobim, *Wave*).] **4** Atribuir (nome, título etc.). [*tdi.* + *a*: *Deu ao filho o nome de Eliaquim*.] **5** Atribuir (valor, importância); dedicar (tempo, atenção). [*tdi.* + *para*: *Não dava a mínima para a televisão*.] **6** Oferecer como pagamento; PAGAR. [*tdi.* + *por*: *Deram uma ninharia pelo carro*.] **7** Promover, organizar, oferecer (festa, encontro, evento). [*td.*: *A faculdade sempre dá cursos nas férias*. *tdi.* + *a*: *Deu um jantar aos convidados*.] **8** Transmitir (notícia, informação); COMUNICAR. [*td.*: *Os jornais deram a notícia*. *tdi.* + *a*: *Esqueceu de dar o recado ao patrão*.] **9** Levar a efeito (uma ação). [*tdi.*: *Dei uma olhada no jornal de hoje*.] **10** Ser a causa de; resultar em; PROVOCAR. [*td.*: *Comida salgada dá sede*. *ti.* + *em*: *A festa deu em briga*. *tdi.* + *a*: *A alegria da neta dava ânimo ao avô*.] **11** Deparar com; TOPAR. [*ti.* + *com*: *Ao pular o muro, deu com a dona da casa*.] **12** Ter vocação para. [*ti.* + *para*: *Meu filho dá para música*.] **13** Ter acesso ou vista para. [*int.* (seguido de indicação de lugar): *Esta porta dá para o quintal*.] **14** Ministrar (aula). [*td. tdi.* + *a*.] **15** Aplicar (pancada, surra, beijo etc.). [*tdi.* + *em*: *O cachorro deu uma mordida no gato*. *ti.* + *em* (ref. só a surra, pancada etc.): *Deu no cachorro e depois se arrependeu*.] **16** Ser suficiente; BASTAR. [*ti.* + *para*: "Não sei se o dinheiro vai dar para tanta bugiganga..." (Marques Rebelo, *O simples coronel Madureira*).] **17** Produzir; fazer brotar. [*td.*: *dar frutos*; *Essa fonte dá água cristalina*.] **18** Soar, bater. [*td.*: *Já deram nove horas*.] **19** Dar-se conta de, perceber. [*ti.* + *por*: *Quando deu pela coisa, já era tarde*.] **20** Acontecer, ocorrer. [*pr.*: *Esse fato deu-se no ano passado*.] **21** Adaptar-se; ter boa relação. [*pr.*: *Ela não se dá (bem) com a vizinha*; *Eles não se dão (bem)*.] **22** Ter êxito (bom ou mau); HAVER-SE. [*pr.*: *Deu-se muito bem naquele empreendimento*.] **23** *Tabu.* Consentir em ter relação sexual (diz-se ger. de mulher). [*int. ti.* + *para*] **24** Ter (tipo de) consequência. [*lig.*: *O negócio deu certo/errado*.] [▶ **8** da̱r] [NOTA: a) Us. como suporte quando, seguido de um subst., forma uma locução que substitui um verbo de sentido específico, p.ex., nas acps.: *dar a notícia* = *noticiar*, **9**; *dar uma olhada* = *olhar*, e **15**: *dar uma mordida* = *morder*, *dar um beijo* = *beijar*. b) Us. como auxiliar, seguido das preps. *de* ou *para* + verbo principal no infinitivo, indicando início de uma ação habitual: *Deu de/para falar mal de mim*. Ver *auxiliar*[1], *aspecto* e *locução*.] ▦ ~ **com** Topar com; deparar com: *Ao sair, dei com ela me esperando*. ~ **de/para** Habituar-se a; cismar de: *Ultimamente ele deu de roer as unhas*. ~ **duro** *Bras. Gír.* Trabalhar muito, esforçar-se muito. ~ **em cima de** *Bras.* Assediar (alguém) visando conquista amorosa. ~ **em nada/Não** ~ **em nada** Não resultar em nada, não ter sucesso. ~ **para trás 1** Recuar, voltar atrás: *Na hora de fechar o acordo, ele deu para trás*. **2** Piorar, degringolar: *O projeto ia bem, mas começou a dar para trás*. **Não se** ~ **por achado 1** Não dar (alguém) importância ao que se diz a seu respeito. **2** Fingir que não entende; fazer-se de desentendido. **3** Não mudar de ideia nem argumentos ou opiniões contrários; não dar o braço a torcer.

dardejar (dar.de.*jar*) *v.* **1** *Fig.* Lançar (algo) contra, como se fosse(m) dardo(s). [*td.* (seguido de indicação de instrumento): *Dardejaram o médico com perguntas*.] **2** *Fig.* Cintilar, tremeluzir. [*int.*: *Seu anel dardejava como uma estrela*.] [▶ **1** dardeja̱r] • **dar.de.jan.te** *a2g.*

dardo (*dar*.do) *sm.* Haste com ponta metálica aguçada, us. como arma por guerreiros, ou em jogos e no atletismo.

✉ **DARF** Sigla de *documento de arrecadação de receitas federais*.

darwinismo (dar.wi.*nis*.mo) *sm.* *Biol.* Sistema científico do inglês Charles Darwin que defende a ideia de uma origem comum para todos os seres organizados e a formação de novas espécies por processos de seleção natural.

data (*da*.ta) *sf.* **1** Indicação exata do dia, mês e ano da ocorrência de algum fato. **2** Época, tempo.

datar (da.*tar*) *v.* **1** Pôr data em. [*td.*: *Esqueceu de datar a carta*.] **2** Acontecer (fato único) em certa data, ou existir (fato ou coisa) desde certa época. [*int.* (seguido de indicação de tempo): *A fundação de Brasília data de 1960*.] [▶ **1** data̱r] • **da.ta.ção** *sf.*; **da.ta.do** *a.*

datilografar (da.ti.lo.gra.*far*) *v.* Escrever ou saber escrever à máquina datilográfica. [*td.*: *datilografar um documento*. *int.*: *Ela datilografa muito bem*.] [▶ **1** datilografa̱r]

datilografia (da.ti.lo.gra.*fi*.a) *sf.* Técnica de produzir textos utilizando máquina de escrever.

datilógrafo (da.ti.*ló*.gra.fo) *sm.* Pessoa que sabe utilizar e/ou usa profissionalmente a máquina de escrever.

datiloscopia (da.ti.los.co.*pi*.a) *sf.* Método para obter e/ou identificar as impressões digitais.

dativo (da.*ti*.vo) *a.* **1** Nomeado por magistrado, e não por lei. *sm.* **2** *Ling.* Caso de declinação que, em algumas línguas, exprime a relação de objeto indireto.

⊠ **dB** *Fís.* Simb. de decibel.
⊠ **d.C.** Abr. de depois de Cristo.
⊠ **DDD** *Telc.* Sigla de discagem direta a distância.
⊠ **DDI** *Telc.* Sigla de discagem direta internacional.

de *prep.* **1** Indica origem: *Voltou do trabalho entusiasmado.* **2** Indica condição, modo: *Você estava de férias?*; *Saiu de camisa listrada.* **3** Entre: *Um de vocês pode ganhar esse prêmio.* **4** Indica motivo ou causa: *Caiu de cansaço.* **5** Para: *creme de alisar cabelo.* **6** Com relação a: *Sua avó está bem de saúde?* **7** Indica quantidade, preço, medida: *turma de 25 alunos*; *blusa de R$15,00*; *muro de três metros.* **8** Indica lugar, posição: *A unha do pé apareceu.* **9** Indica meio, instrumento: *Fomos de carro.* **10** Indica posse: *O gato de sua irmã já apareceu?* **11** Feito de: *blusa de seda.* **12** Sobre: *Fale de suas férias.* **13** Característico de, próprio de: *expressão de criança levada.* **14** Indica tempo: *Só choveu de noite.* **15** Introduz complemento de verbos e de nomes: *Nunca se esqueça de mim*; *liquidação de inverno.* **16** Us. após um adjetivo para torná-lo mais expressivo: *A tonta da Joana perdeu meu livro.*

deão (de.*ão*) *sm.* **1** Decano (1). [Fem.: -ã.] **2** *Rel.* Eclesiástico que preside o cabido, o conjunto dos cônegos de uma catedral. [Pl.: -ãos, -ães e -ões.]

debaixo (de.*bai*.xo) *adv.* Na parte inferior; sob algo ou alguém: *O que tem aí debaixo?* ▪ **~ de 1** Na parte inferior de; embaixo de; sob: *O baile está debaixo da escada.* **2** Sob a proteção de: *Esconderam-se debaixo de um toldo.* **3** Recebendo, ou sendo atingido por (fig. Fig.): *Desfilamos debaixo de chuva*; *Saiu do palco debaixo de vaias.*

debalde (de.*bal*.de) *adv.* Inutilmente, em vão: *Debalde tentavam esquecer a derrota.*

debandada (de.ban.*da*.da) *sf.* Fuga precipitada, desordenada, de várias pessoas.

debandar (de.ban.*dar*) *v.* **1** Pôr(-se) em fuga; DISPERSAR(-SE). [*td.*: *Os guardas debandaram os baderneiros.* *int.*: *Os baderneiros debandaram.*] **2** Sair ou separar-se de um grupo. [*int.*: *Mal o navio aportou, os marinheiros debandaram.*] [▶ **1** deband**ar**]

debate (de.*ba*.te) *sm.* Discussão em que se apresentam argumentos a favor ou contra alguma coisa.

debater (de.ba.*ter*) *v.* **1** Trocar ideias sobre (um assunto), conversando; DISCUTIR. [*td.*: *Debatiam os pontos centrais do projeto.* *int.*: *Agora vão debater até a cerveja acabar.* *tdi.* + *com*: *O cineasta debatia com os jornalistas o sucesso do festival.*] ▣ **debater-se** *pr.* **2** Agitar-se (fig. Fig.); CONTORCER-SE: "...debati-me no leito em agitada violenta..." (Joaquim Manoel de Macedo, *A luneta mágica*); *Os peixes debatiam-se na rede.* [▶ **2** debat**er** • **de.ba.te.dor** *a.sm.*

debelar (de.be.*lar*) *v. td.* **1** Vencer, sujeitar: *Os policiais debelaram a rebelião.* **2** Pôr fim a (algo ruim); EXTINGUIR: *debelar fogo/doença.* [▶ **1** debel**ar**]

debênture (de.bên.tu.re) *sf. Econ.* Título de crédito ao portador, emitido por sociedade comercial, e que pode ser amortizado a longo prazo.

debicar (de.bi.*car*) *v. td.* **1** Tocar delicadamente com o bico. [*ti.* + *em*: *Os pombos debicavam no milho.*] **2** Comer pequena quantidade de, como que debicando (1). [*td./ti.* + *em*: *Debicava (n)o pão, distraidamente.*] **3** *Fig.* Zombar, gozar. [*td.*: *Divertia-se debicando os novatos.* *ti.* + *de*: *Debicava das cores do meu vestido.*] [▶ **11** debic**ar**]

débil (*dé*.bil) *a2g.* **1** Sem força ou energia (movimento débil, voz débil); FRACO. **2** Que tem pouco vigor, pouca resistência ou eficiência (organismo débil); FRÁGIL. **3** *Pop.* Parvo, tolo. [Pl.: -beis.] • **de.bi.li.*da*.de** *sf.*

debilitar (de.bi.li.*tar*) *v.* Tornar(-se) débil ou fraco, física ou moralmente. [*td.*: *Infecções debilitam o organismo.* *pr.*: *O governo debilitou-se com a crise.*] [▶ **1** debilit**ar**] • **de.bi.li.ta.ção** *sf.*; **de.bi.li.ta.do** *a.*

debiloide (de.bi.*loi*.de) *a2g.s2g. Bras. Pop.* Que ou quem tem dificuldade para entender as coisas ou é bobo.

debique (de.*bi*.que) *sm.* Escárnio, zombaria.

debitar (de.bi.*tar*) *v.* Anotar ou registrar como dívida. [*td.*: *debitar as compras.* *tdi.* + *a*: *O banco debitou os juros à conta do cliente.*] [▶ **1** debit**ar**] • **de.bi.ta.do** *a.*

débito (*dé*.bi.to) *sm.* **1** Ver *dívida* (1). **2** *Cont.* Lançamento de despesa ou dívida em contabilidade.

deblaterar (de.bla.te.*rar*) *v.* Falar com veemência, protestar; BRADAR. [*td.*: *Deblaterava que existia respeito.* *ti.* + *contra*: *A paciente deblaterou contra o mau atendimento.*] [▶ **1** deblater**ar**]

debochado (de.bo.*cha*.do) *a.* **1** Que zomba, caçoa (menino debochado). **2** Que revela deboche, zombaria (sorriso debochado). **3** Devasso, libertino. *sm.* **4** Pessoa debochada.

debochar (de.bo.*char*) *v. ti. Bras.* **1** Expor (alguém ou algo) ao ridículo; ZOMBAR. [+ *de*.] **2** Fazer pouco de (alguém ou algo); MENOSPREZAR. [+ *de*.] [▶ **1** debochar]

deboche (de.*bo*.che) *sm.* **1** Troça, zombaria, gozação. **2** Devassidão, libertinagem.

debrear (de.bre.*ar*) *v. td. int. Bras.* Acionar a embreagem (de veículo); EMBREAR. [▶ **1** debr**ear**. Recebe acento agudo no *e* do radical nas 1ᵃˢ, 2ᵃˢ e 3ᵃˢ pess. sing. e 3ᵃˢ pess. pl. do pres. do ind. (*debreio, debreias, debreia, debreiam*) e do subj. (*debreie, debreies, debreie, debreiem*) e nas 2ᵃˢ e 3ᵃˢ pess. sing. e 3ᵃˢ pess. pl. do imper. afirm. (*debreia, debreie, debreiem*) e neg. (*debreies, debreie, debreiem*).]

debruar (de.bru.*ar*) *v. td.* Enfeitar com debrum. [▶ **1** debru**ar**]

debruçar (de.bru.*çar*) *v.* **1** Inclinar (peito, tronco ou si mesmo) para a frente. [*td.*: *Debruçava o peito sobre o volante.* *pr.*: *debruçar-se na janela.*] ▣ **debruçar-se** *pr.* **2** *Fig.* Dedicar-se a (estudo, trabalho): "Alfredo Bosi debruça-se sobre o enigma da obra de Machado de Assis." (*FolhaSP*, 10.07.93). [▶ **12** debruç**ar**]

debrum (de.*brum*) *sm.* **1** Tira que se costura dobrada sobre a beira de um tecido, como ornamento ou reforço. **2** Fita que se prega ou cola em torno de quadro, gravura etc. [Pl.: -*bruns*.]

debulhar (de.bu.*lhar*) *v. td.* **1** Retirar os grãos ou os bagos (de fruta, cereal); *debulhar o trigo*. ▣ **debulhar-se** *pr.* **2** *Fig.* Desfazer-se: *debulhar-se em lágrimas.* [▶ **1** debul**har**] • **de.bu.lha.do.ra** *sm.*

debutante (de.bu.*tan*.te) *Gal. s2g.* **1** Moça que faz sua entrada formal na vida em sociedade: *baile de debutantes.* *a2g.s2g.* **2** Que ou quem se inicia em algo (atriz debutante).

debutar (de.bu.*tar*) *v. int.* Estrear em certa atividade, esp. na vida social. [▶ **1** debut**ar**]

debuxar (de.bu.*xar*) *v. td.* Fazer desenho inicial ou planejamento de; ESBOÇAR: *debuxar um vestido.* [▶ **1** debux**ar**]

debuxo (de.*bu*.xo) *sm.* Desenho de um objeto ou de um projeto sem precisão ou detalhes; BOSQUEJO; ESBOÇO.

década (*dé*.ca.da) *sf.* **1** Período de dez anos; DECÊNIO: *A crise durou uma década.* **2** Determinada década (1), marcada pela ordem das dezenas dos anos: *A televisão surgiu na década de 1950*.

decadência (de.ca.*dên*.ci.a) *sf.* Estado de alguém ou de algo que decai; DECLÍNIO: *O escritor estava em decadência.* • **de.ca.*den*.te** *a2g.*

decaedro (de.ca.*e*.dro) *sm. Geom.* Poliedro formado por dez faces.

decágono (de.*cá*.go.no) *sm. Geom.* Polígono de dez lados.

decagrama (de.ca.*gra*.ma) *sm.* Medida de peso que equivale a dez gramas. [Símb.: *dag*]

decaído (de.ca.*í*.do) *a.sm.* **1** Que ou quem decaiu. **2** Que ou quem se empobreceu. **3** Que ou quem se tornou decrépito.

decair (de.ca.*ir*) *v.* **1** Sofrer redução; BAIXAR; DIMINUIR. [*int.*: *A produção decaiu pela metade.*] **2** Deixar de ter merecimento, ou perder valor, dignidade, poder, eficiência etc. [*ti.* + *de*: *decair da confiança de alguém. int.*: *A antiga elite decaiu.*] **3** Tornar-se pior [*int.*: *O aluno decaí nos estudos a cada dia.*] [▶ **43** decair]

decalcar (de.cal.*car*) *v. td.* Copiar (imagem) por meio de decalque (1). [▶ **11** decalcar]

decalcomania (de.cal.co.ma.*ni*.a) *sf.* Transposição de um desenho ou figura de um papel para outro por meio de processo de compressão.

decálogo (de.*cá*.lo.go) *sm.* **1** Conjunto de dez leis. **2** *Rel.* Os dez mandamentos bíblicos.

📖 O decálogo mencionado na Bíblia representa um resumo, em dez mandamentos, dos preceitos para uma conduta compatível com princípios religiosos e com uma ética de comportamento. Segundo o relato bíblico, teriam sido entregues por Deus a Moisés, no monte Sinai, gravados em duas tábuas de pedra. Os conceitos nele expressos se constituíram em uma base de fé e de sistema moral das religiões monoteístas e das relações sociais.

decalque (de.*cal*.que) *sm.* **1** Transferência de uma imagem gráfica de uma superfície para outra, por compressão ou cópia. **2** Essa imagem. **3** *Fig.* Imitação, plágio: *O quadro era mero decalque de uma obra do século anterior.*

decâmetro (de.*câ*.me.tro) *sm.* Unidade de comprimento que equivale a dez metros. [Símb.: *dam*]

decanato (de.ca.*na*.to) *sm.* Dignidade de decano ou deão.

decano (de.*ca*.no) *sm.* **1** O membro mais velho ou mais antigo de uma instituição ou corporação; DEÃO. **2** Sub-reitor de uma universidade.

decantação (de.can.ta.*ção*) *sf.* Ação ou resultado de decantar. [Pl.: *-ções*]

decantado (de.can.*ta*.do) *a.* Celebrado, famoso, notável: *O decantado poeta acumulou vários prêmios.*

decantar¹ (de.can.*tar*) *v. td.* Elogiar (alguém ou algo), ger. em versos; ENALTECER. [▶ **1** decantar]

decantar² (de.can.*tar*) *v. td. Quím.* Separar as impurezas que se depositaram no fundo de (líquido). [▶ **1** decantar]

decapitar (de.ca.pi.*tar*) *v. td.* **1** Cortar a cabeça de; DEGOLAR. **2** *Fig.* Privar (país, organização, revolta etc.) de seu chefe. [▶ **1** decapitar] • **de.ca.pi.ta.*ção*** *sf.*

decápode (de.*cá*.po.de) *a2g.* **1** Que tem dez pés. *sm.* **2** *Zool.* Nome dado a animais marinhos com cinco pares de patas.

decasségui (de.cas.*sé*.gui) *a2g.s2g.* Diz-se de ou estrangeiro, esp. de ascendência japonesa, que vai trabalhar no Japão, estabelecendo-se lá apenas por um certo tempo.

decassílabo (de.cas.*sí*.la.bo) *a.* **1** Que tem dez sílabas (palavra) ou dez sílabas métricas (verso). *sm.* **2** Palavra decassílaba (1). **3** Verso decassílabo (1): *poema em decassílabos.*

decatlo (de.*ca*.tlo) *sm. Esp.* Prova de atletismo composta por dez modalidades (quatro corridas, três saltos e três lançamentos). • **de.ca.*tle*.ta** *a2g.s2g.*

decenal (de.ce.*nal*) *a2g.* **1** Que dura dez anos. **2** Que se realiza de dez em dez anos. [Pl.: *-nais*.]

decência (de.*cên*.ci.a) *sf.* **1** Qualidade de decente. **2** Decoro na aparência; pudor. [Ant.: *indecência.*] **3** Correção moral; HONESTIDADE.

decêndio (de.*cên*.di.o) *sm.* Período de dez dias.

decênio (de.*cê*.ni.o) *sm.* Período de dez anos; DÉCADA.

decente (de.*cen*.te) *a2g.* **1** Que revela pudor, decoro (roupa decente). [Ant.: *indecente.*] **2** Que é honesto, digno (trabalho decente). **3** Que é satisfatório, adequado: *vida sem luxo, mas decente.* [Cf.: *docente.*]

decepar (de.ce.*par*) *v. td.* Extrair (parte de um todo) por corte; CORTAR: *decepar galhos de uma árvore.* [▶ **1** decepar]

decepção (de.cep.*ção*) *sf.* Tristeza resultante de frustração (2); DESAPONTAMENTO; DESILUSÃO. [Pl.: *-ções*.]

decepcionar (de.cep.ci:o.*nar*) *v.* Provocar ou sofrer decepção; DESAPONTAR(-SE). [*td.*: *Sua irresponsabilidade decepciona os pais. pr.*: *Todos decepcionaram-se (com o resultado do jogo).*] [▶ **1** decepcionar] • **de.cep.ci:o.*nan*.te** *a2g.*

decerto (de.*cer*.to) *adv.* Com certeza; CERTAMENTE: *Ela decerto desconfia.*

decibel (de.ci.*bel*) *sm. Fís.* Unidade de medida da variação relativa de potência elétrica ou sonora; expressa na prática a intensidade do som: *Sons de intensidade superior a 80 decibéis causam danos aos ouvidos.* [Símb.: *dB*] [Pl.: *-béis*.]

decidido (de.ci.*di*.do) *a.* **1** Que tomou uma decisão: *Ele está decidido a voltar a estudar.* **2** Que é resoluto, determinado: *Ela sempre foi uma moça muito decidida.* **3** Que foi resolvido: *O tema decidido ainda não foi revelado.*

decidir (de.ci.*dir*) *v.* **1** Tomar decisão (sobre); RESOLVER. [*td.*: *Decidiram viajar na última hora. int.*: *Gosto de pessoas que decidem sem pestanejar.*] **2** Emitir juízo sobre (questões, problemas etc.); DELIBERAR. [*td./ti.* + *sobre*: *Coube à câmara decidir (sobre) as verbas para os hospitais.*] **3** Optar por. [*pr.*: *Os funcionários decidiram-se pela greve.*] [▶ **3** decidir]

decíduo (de.*ci*.du:o) *a.* **1** Que não é permanente: *dente molar decíduo.* **2** *Bot.* Cujas folhas caem em certa época do ano (diz-se de planta).

decifrar (de.ci.*frar*) *v. td.* **1** Ler (texto cifrado, ilegível etc.): *É impossível decifrar esta letra.* **2** Captar o sentido de; COMPREENDER; RESOLVER: *decifrar enigmas.* **3** Desvendar (sistema de código etc.). [▶ **1** decifrar]

decigrama (de.ci.*gra*.ma) *sm.* Décima parte de um grama. [Símb.: *dg*]

decilitro (de.ci.*li*.tro) *sm.* Décima parte de um litro. [Símb.: *dl*]

décima (*dé*.ci.ma) *sf.* **1** Cada uma das dez partes iguais em que se divide a unidade. **2** Imposto cujo valor é resultado da divisão por dez daquilo que se ganha. **3** *Poét.* Estrofe de dez versos.

decimal (de.ci.*mal*) *a2g.* **1** Ref. a dez ou à décima parte. **2** Diz-se do sistema de medida ou monetário que tem por base o número 10. *a2g.sm.* **3** *Mat.* Diz-se de um número menor que a unidade ou que possua uma parte que seja menor que a unidade: 0,75 e 2,8 são números *decimais*. *s2g.* **4** *Mat.* Em um número decimal, cada algarismo à direita da vírgula. [Pl.: *-mais*.]

decímetro (de.*cí*.me.tro) *sm.* Décima parte de um metro. [Símb.: *dm*]

décimo (*dé*.ci.mo) *num.* **1** Ordinal que, em uma sequência, corresponde ao número 10: *Moro no décimo andar. a.* **2** Que é dez vezes menor do que a unidade ou um todo (diz-se de parte): *Pagou a décima parte do preço.* [Us. tb. como subst.: *Pagou um décimo do preço.*]

decisão (de.ci.*são*) *sf.* **1** Resolução que se toma a respeito de alguma coisa: *Os pais apoiaram sua decisão de ser músico.* **2** Capacidade de decidir. **3** *Esp.* Partida final de um campeonato, ou aquela cujo resultado determina quem é campeão. [Pl.: -sões.]

decisivo (de.ci.*si*.vo) *a*. **1** Que decide, que leva a um resultado definitivo (jogo <u>decisivo</u>). **2** Categórico, terminante: *Sua resposta foi um não <u>decisivo</u>*. **3** Crítico, grave (momento <u>decisivo</u>).

decisório (de.ci.*só*.ri:o) *a*. Que tem o poder de decidir.

⊕ **deck** (Ing. /déc/) *sm*. Ver **deque**.

declamar (de.cla.*mar*) *v*. Falar em voz alta, com entonação expressiva. [*td*.: <u>Declamou</u> *versos de Cecília Meireles. int*.: *Ela <u>declama</u> muito bem*.] [▶ **1** declamar] • **de.cla.ma.ção** *sf*. • **de.cla.ma.tó.ri:o** *a*.

declaração (de.cla.ra.*ção*) *sf*. **1** Ação ou resultado de declarar(-se). **2** Afirmação verbal ou escrita sobre algo. **3** Afirmação de sentimento de amor: *Esperava que ele me fizesse uma <u>declaração</u>*. **4** Ato de anunciar solenemente: <u>declaração</u> *de guerra*. [Pl.: -ções.]

declarar (de.cla.*rar*) *v*. **1** Tornar público, verbalmente ou por escrito. [*td*.: *A última não quis <u>declarar</u> o nome dos culpados*. *tdi*. + *a*: *O vereador <u>declarou</u> seus receios <u>à</u> <u>população</u>*.] **2** Anunciar solenemente; DECRETAR. [*td./tdi*. + *a*: <u>declarar</u> *guerra* (<u>aos</u> <u>invasores</u>).] **3** Qualificar ou julgar como. [*td*. (seguido de indicação de atributo): *Os jurados <u>declararam</u> o réu inocente. pr*.: *<u>Declarou-se</u> culpado*.] **4** Submeter (bens, renda, gastos) à fiscalização do Estado. [*td*.: <u>declarar</u> *imposto de renda* (us. no sentido de *declarar renda para pagamento de imposto*). *tdi*. + *a*: *<u>Declarou</u> as compras <u>à</u> <u>alfândega</u>*.] ◪ **declarar-se** *pr*. **5** Confessar amor: <u>Declarou-se</u> *ao rapaz*. [▶ **1** declarar] • **de.cla.*ran*.te** *a2g.s2g*.

declarativo (de.cla.ra.*ti*.vo) *a*. **1** Em que há declaração. **2** *Ling*. Diz-se do verbo que expressa o que o falante vai dizer (p.ex., afirmar, falar, perguntar: "As gentes <u>falavam</u>/E eles pálidos <u>bradavam</u>:/ — São os do Norte que vêm!" [Manuel Bandeira, *Poesia e prosa*].) **3** *Ling*. Diz-se da frase que não expressa dúvida sobre o que foi declarado.

declinação (de.cli.na.*ção*) *sf*. **1** Ação ou resultado de declinar(-se). **2** *Ling*. Em certas línguas, o conjunto de desinências que modificam um substantivo, pronome ou adjetivo para expressar sua função sintática na oração. [Pl.: -ções.] [Cf.: *caso*, *desinência* e *língua*.]

declinar (de.cli.*nar*) *v*. **1** Entrar em decadência; DECAIR. [*int*.: *Os negócios começaram a <u>declinar</u>*.] **2** Baixar, descer. [*int*. (seguido ou não de indicação de lugar): *O terreno <u>declina</u> (em direção ao riacho)*.] **3** Não aceitar; RECUSAR. [*td*.: <u>Declinou</u> *o cargo de coordenador. ti*. + *de*: *Resolvemos <u>declinar</u> <u>do</u> convite*.] [▶ **1** declinar]

declinável (de.cli.*ná*.vel) *a2g*. *Ling*. Diz-se de língua em que há declinação (2). [Pl.: *-veis*.]

declínio (de.*clí*.ni:o) *sm*. **1** Queda, diminuição: *o <u>declínio</u> da produção de café no Brasil*. **2** Decadência: *Depois de certa idade, o organismo entra em <u>declínio</u>*.

declive (de.*cli*.ve) *sm*. Inclinação para baixo de um terreno ou solo. • **de.cli.vi.*da*.de** *sf*.

decodificador (de.co.di.fi.ca.*dor*) [ô] *a.sm*. Que ou o que decifra uma mensagem emitida em código.

decodificar (de.co.di.fi.*car*) *v*. *td*. Interpretar (sequência de sinais, códigos), transformando em linguagem comum; DECIFRAR: <u>decodificar</u> *uma senha*. [▶ **1** decodificar] • **de.co.di.fi.ca.ção** *sf*.

decolar (de.co.*lar*) *v*. *int*. **1** Levantar voo (avião). **2** *Fig*. Começar a ter êxito: *Sua carreira, enfim, <u>decolou</u>*. [▶ **1** decolar] • **de.co.*la*.gem** *sf*.

decompor (de.com.*por*) *v*. **1** Separar os elementos que compõem (algo). [*td*.: <u>decompor</u> *uma substância*.] **2** Fazer entrar ou entrar em decomposição; APODRECER; ESTRAGAR(-SE). [*td*.: *O calor <u>decompôs</u> as frutas. pr*.: *O cadáver do animal <u>decompunha-se</u> aos poucos*.] [▶ **60** decompor]. [Part.: *decomposto*.] [Cf.: *descompor*.] • **de.com.po.*nen*.te** *a2g*., **de.com.po.*ní*.vel** *a2g*.

decomposição (de.com.po.si.*ção*) *sf*. **1** Ação ou resultado de decompor(-se). **2** Separação dos elementos de um todo. **3** Apodrecimento. [Pl.: -*ções*.] • **de.com.*pos*.to** *a*.

decoração (de.co.ra.*ção*) *sf*. **1** Ação ou resultado de decorar²: *A <u>decoração</u> do quarto ficou linda*. **2** Aquilo que decora; ENFEITE: *artigos para <u>decoração</u>*. [Pl.: -*ções*.]

decorador¹ (de.co.ra.*dor*) [ô] *a.sm*. Que ou quem aprende um texto de cor, de memória: *Ele é um ótimo <u>decorador</u> de poemas*.

decorador² (de.co.ra.*dor*) [ô] *a*. **1** Que decora (enfeita) um ambiente (elemento <u>decorador</u>). *sm*. **2** Pessoa especializada em decoração de ambientes.

decorar¹ (de.co.*rar*) *v*. Aprender ou tentar aprender (texto, informações) de cor; reter na memória; MEMORIZAR. [*td*.: <u>decorar</u> *a matéria. int*.: *Tem facilidade para <u>decorar</u>*.] [▶ **1** decorar]

decorar² (de.co.*rar*) *v*. Colocar enfeites em; ORNAMENTAR: <u>decorar</u> *a casa*. [▶ **1** decorar] • **de.co.ra.*ti*.vo** *a*.

decoreba (de.co.*re*.ba) *sf*. **1** *Bras. Gír*. Ação ou resultado de decorar¹, sem entender. *s2g*. **2** Quem tem por hábito ou método decorar¹ textos como forma de estudar.

decoro (de.*co*.ro) [ô] *sm*. Decência, honestidade; compostura, dignidade. ■ ~ **parlamentar** *Pol*. Padrão de comportamento ético esperado de um parlamentar.

decoroso (de.co.*ro*.so) [ô] *a*. Em que há decoro (atitudes <u>decorosas</u>); DECENTE. [Fem. e pl.: [ó].]

decorrência (de.cor.*rên*.ci:a) *sf*. Consequência, resultado: *A festa foi cancelada em <u>decorrência</u> da chuva*.

decorrer (de.cor.*rer*) *v*. **1** Passar (o tempo); TRANSCORRER. [*int*.: *Já <u>decorreram</u> dez anos desde sua chegada*.] **2** Acontecer, suceder, ocorrer. [*int*. (seguido de indicação de modo/tempo/lugar): *Muitos acidentes <u>decorreram</u> durante o feriado*.] **3** Ter origem em; ser consequência de; DERIVAR. [*ti*. + *de*: "<u>Decorreu</u> dessa fiscalização a maioria das multas aplicadas..." (*FolhaSP*, 20.08.99).] [▶ **2** decorrer] *sm*. **4** Ação ou circunstância de decorrer (o tempo); DECURSO; TRANSCURSO: *A entrevista será exibida no <u>decorrer</u> da semana*. • **de.cor.*ren*.te** *a2g*.; **de.cor.*ri*.do** *a*.

decotado (de.co.*ta*.do) *a*. Em que existe decote, ger. grande (vestido <u>decotado</u>).

decotar (de.co.*tar*) *v*. *td*. Fazer decote em (roupa). [▶ **1** decotar]

decote (de.*co*.te) *sm*. Abertura em blusa ou vestido, por onde passa a cabeça, ger. deixando à mostra o pescoço e parte do peito.

decrépito (de.*cré*.pi.to) *a*. Que está muito idoso, velho ou gasto.

decrepitude (de.cre.pi.*tu*.de) *sf*. Estado de decrépito, de decadência, velhice avançada, senilidade: *As paredes rachadas da casa revelavam sua <u>decrepitude</u>*; *Suas palavras incoerentes eram sinais claros de <u>decrepitude</u>*.

decrescente (de.cres.*cen*.te) *a2g*. **1** Que decresce: *em ordem <u>decrescente</u>*. **2** *Gram*. Diz-se do ditongo formado por vogal seguida de semivogal (p.ex.: *viu*, *herói*, *chapéu*).

decrescer (de.cres.*cer*) *v*. *int*. Tornar-se menor; DIMINUIR: *As vendas para o Natal <u>decresceram</u>*; (tb. seguido de especificação da circunstância) *Há pessoas que <u>decrescem</u> em dignidade*. [▶ **33** decrescer] • **de.*crés*.ci.mo** *sm*.

decretar (de.cre.*tar*) *v*. **1** Estipular por decreto ou por lei. [*td*.: <u>decretar</u> *estado de emergência*.] **2** Mandar que se faça; DETERMINAR. [*td*.: *O professor <u>decretou</u> que cada um traria um livro. tdi*. + *a*: *<u>Decretou</u> <u>ao</u> filho algumas obrigações domésticas*.] [▶ **1** decretar]

decreto (de.*cre*.to) *sm.* Determinação escrita emitida por chefe de Estado ou qualquer poder competente.

decreto-lei (de.cre.to-*lei*) *sm. Jur.* Decreto com força de lei, assinado pelo presidente da República, cujo conteúdo, sob a forma de projeto, não foi previamente discutido pelo poder legislativo. [Pl.: *decretos-leis* e *decretos-lei*.]

decriptar (de.crip.*tar*) *v. td.* Decifrar (texto cifrado). [▶ 1 decript*ar*]

decúbito (de.*cú*.bi.to) *sm.* Posição do corpo de quem está deitado: *em decúbito ventral* (de barriga para baixo).

decupar (de.cu.*par*) *v. td. Cin. Telv.* Dividir (roteiro) em partes, para facilitar a filmagem ou gravação. [▶ 1 decup*ar*] ● **de.cu.pa.do** *a.*; **de.cu.pa.gem** *sf.*

decuplicar (de.cu.pli.*car*) *v. td. int. pr.* Tornar(-se) dez vezes maior. [▶ 1 decuplic*ar*]

décuplo (*dé*.cu.plo) *num.* **1** Que é dez vezes a quantidade ou o tamanho de um. *sm.* **2** Quantidade ou tamanho dez vezes maior.

decurso (de.*cur*.so) *sm.* **1** Ação ou resultado de decorrer (o tempo); passagem do tempo: *Com o decurso das horas, ia escurecendo.* **2** Período de tempo limitado; DURAÇÃO: *O decurso de seu mandato foi muito longo.* **3** Sequência, sucessão: *o decurso dos acontecimentos.*

dedada (de.*da*.da) *sf.* **1** Ação ou resultado de tocar algo com o dedo: *O bebê deu uma dedada no olho da tia.* **2** Marca de dedo sobre uma superfície. **3** Quantidade que se pega com o dedo: *Lambeu uma dedada de mel.*

dedal (de.*dal*) *sm.* **1** Peça us. no dedo de quem cose para empurrar a agulha sem feri-lo. **2** *Fig.* Pequena porção (ger. de líquido): *Sirva-me um dedal desse licor.* [Pl.: *-dais*.]

dedaleira (de.da.*lei*.ra) *sf. Bot.* Planta medicinal cujas flores nascem em forma de vários dedos em cacho.

dédalo (*dé*.da.lo) *sm.* Lugar confuso, no qual se cruzam caminhos, corredores etc.; LABIRINTO.

dedão (de.*dão*) *sm.* **1** O dedo polegar da mão. **2** O dedo maior do pé. [Pl.: *-dões*.]

dedar (de.*dar*) *v. Bras. Pop.* Ver *dedurar*. [▶ 1 ded*ar*]

dedeira (de.*dei*.ra) *sf.* **1** Peça de couro, pano ou borracha com que se envolve um dedo. **2** Objeto que o violonista coloca no dedo polegar a fim de fazer vibrar as cordas. **3** *Art.Gr.* Tipo de entalhe no corte de livro ou brochura, que permite abri-los diretamente na página assinalada pelo entalhe.

dedetizar (de.de.ti.*zar*) *v. td.* Aplicar inseticida em: *dedetizar a casa.* [▶ 1 dedetiz*ar*] [NOTA: O termo vem da generalização do nome de um inseticida, o DDT.]
● **de.de.ti.za.ção** *sf.*

dedicação (de.di.ca.*ção*) *sf.* **1** Ação ou resultado de dedicar(-se): *dedicação aos estudos.* **2** Qualidade de quem cuida de alguém ou algo com cuidado e atenção: *Cuidou de sua mãe com muita dedicação.* [Pl.: *-ções*.]

dedicado (de.di.*ca*.do) *a.* **1** Que se dedica a algo ou alguém: *museu dedicado à cultura indígena.* **2** Oferecido como expressão de respeito, gratidão ou afeto, ou como homenagem: *monumento dedicado aos bandeirantes.* **3** Que se empenha ou se sacrifica (profissional *dedicado*). **4** *Telc.* Diz-se de linha que está sempre ligada entre dois pontos.

dedicar (de.di.*car*) *v.* **1** Empregar (tempo, esforço) para, em benefício de. [*tdi. + a*: "...jamais *dedicaria* mais de dois minutos a uma questão dessas." (Ana Maria Machado, *A Audácia dessa mulher*).] **2** Oferecer com carinho, ger. expresso em palavras. [*tdi. + a*: *O radialista dedicou o programa às donas de casa.*] **3** Destinar ao culto de; CONSAGRAR. [*tdi. + a*: *Dedicaram a capela a Nossa Senhora Aparecida.*] **4** Pôr-se a serviço de, empenhar-se por, ger. com carinho e devoção. [*pr.*: *Dedicou-se ao marido a vida toda.*] [▶ 11 dedic*ar*]

dedicatória (de.di.ca.*tó*.ri.a) *sf.* Texto escrito no qual alguém dedica alguma coisa a outra pessoa.

dedignar-se (de.dig.*nar*-se) *v. pr.* Julgar indigno de si; não se dignar a: *A freira não se dedignava de acolher os necessitados.* [▶ 1 dedignar-se] [NOTA: Us. ger. na forma negativa, e tendo por si mesmo conotação negativa (não se dignar a) compõe, com isso, o significado positivo de 'dignar-se a'. O ex. acima corresponde, pois, a: *A freira dignava-se de acolher os necessitados.*]

dedilhar (de.di.*lhar*) *v. td. Mús.* **1** Fazer vibrar, com os dedos, corda de (instrumento): *dedilhar o violão.* **2** Executar (música) em instrumento de cordas dedilhadas: *dedilhar acordes de uma valsa.* [▶ 1 dedilh*ar*]

dedo (*de*.do) [ê] *sm.* **1** Cada uma das extensões articuladas que compõem a mão e o pé dos seres humanos e de certos animais. **2** Medida equivalente à largura de um dedo: *Coloque dois dedos de óleo na massa.* **3** A parte da luva em que se enfia o dedo (1) correspondente. ■ **A ~ Com** muito cuidado e critério: *auxiliares escolhidos a dedo.* **Dois ~s** Um pouco; em pequena quantidade. **Não levantar um ~** Não ajudar nem tentar ajudar. **Pôr o ~ na ferida** Atingir ou mostrar com palavras ou atos o ponto fraco de alguém.

dedo-duro (de.do-*du*.ro) *s2g. Bras. Gír.* Quem denuncia, delata o autor de um ato supostamente ilícito ou reprovável; DELATOR; ALCAGUETE. [Pl.: *dedos--duros*.]

dedução (de.du.*ção*) *sf.* **1** Ação ou resultado de deduzir. **2** Subtração, desconto: *Conseguiu dedução na taxa de matrícula.* **3** Maneira de pensar em que se analisam os fatos a fim de se tirar conclusão; essa conclusão: *desvendar um caso por dedução*; *A dedução do inspetor foi surpreendente.* [Cf.: *indução*.]

dedurar (de.du.*rar*) *v. td. Bras. Gír.* Delatar, denunciar (alguém ou algo). [▶ 1 dedur*ar*]

dedutivo (de.du.*ti*.vo) *a.* Que se realiza por dedução (raciocínio *dedutivo*). [Cf.: *indutivo*.]

deduzir (de.du.*zir*) *v.* **1** Chegar a conclusão (por fatos, suposições, raciocínio); INFERIR. [*td.*: *Pelo horário, deduzi que não viriam mais.*] [*td. + de*: *O que você deduziu da conversa com ele?*] **2** Subtrair, abater. [*tdi. + de*: *Deduziu do pagamento o valor das passagens.*] [▶ 57 dedu*zir*]

⊕ **de facto** (Lat. /de*fácto*/) *loc.adj. Jur.* De fato. [Cf.: *de fato*.]

defasado (de.fa.*sa*.do) *a.* **1** Que é de fase ao momento (anterior ou posterior). **2** Que não é próprio do momento presente (informação *defasada*).

defasagem (de.fa.*sa*.gem) *sf.* **1** Diferença de fase; não coincidência entre dois fatos, processos, fenômenos etc.: *defasagem entre o ano lunar e o ano solar.* **2** *Fig.* Não concordância; DIFERENÇA; DISCREPÂNCIA: *Existe defasagem de idade entre as crianças da turma.* [Pl.: *-gens*.]

defasar (de.fa.*sar*) *v. Fig.* Atrasar(-se) (esp. no tempo). [*td.*: *A falta de verbas defasou o término da pesquisa. pr.*: *Defasou-se na pesquisa.*] [▶ 1 defas*ar*]

⊕ **default** (Ing. /difôu/) *a2g.sm.* **1** Que constitui ou aquilo que é modelo, padrão (língua *default*). **2** *Inf.* Que é utilizado ou informação utilizada automaticamente pelo sistema, quando não especificada pelo usuário (configuração *default*).

defecar (de.fe.*car*) *v. int.* Expelir fezes; EVACUAR. [▶ 11 defec*ar*]

defecção (de.fec.*ção*) *sf.* **1** Abandono de um grupo ou de uma causa; DESERÇÃO: *O presidente não contava com a defecção dos deputados de seu partido.* **2**

Desaparecimento: *a defecção do vírus e da doença.* [Pl.: *-ções.*]

defectivo (de.fec.*ti*.vo) *a.* **1** Em que falta alguma coisa; DEFEITUOSO. **2** *Gram.* Diz-se dos verbos que não se conjugam em todas as formas normalmente possíveis.

defeito (de.*fei*.to) *sm.* **1** Mau funcionamento; erro, falha ou desarranjo em algo: *defeito na fabricação/no sistema.* **2** Imperfeição física ou moral: *Entre seus defeitos se conta a deslealdade.* ▪ **Para ninguém botar ~** *Bras. Fam.* Muito bom; acima de toda crítica.

defeituoso (de.fei.tu:o.so) [ó] *a.* Que apresenta defeito. [Fem. e pl.: [ó].]

defender (de.fen.*der*) *v.* **1** Proteger(-se) de ataque. [*td.*: *Nunca deixaria de defender o irmão.* **tdi.** + contra, de: *Fechou as janelas para defender a casa contra os insetos.* **pr.**: *Esconderam-se para defender-se da ofensiva inimiga.*] **2** Manifestar-se favoravelmente a; lutar em favor de. [*td.*: *É preciso defender o direito à cidadania.* **tdi.** + de: *Sempre defendia a amiga das críticas.*] **3** *Esp.* Não deixar que (ataque ou bola) do adversário atinja o objetivo. [*td.*: *defender um pênalti.*] **4** *Bras. Pop.* Obter (sustento, dinheiro). [*td.*: *defender o pão de cada dia.* **pr.**: *Faz biscates para se defender.*] [▶ 2 defender] • de.fen.*sor* *a.sm.*

defensável (de.fen.*sá*.vel) *a2g.* Que pode ser defendido (chute defensável, argumento defensável). [Ant.: *indefensável.*] [Pl.: *-veis.*]

defensiva (de.fen.*si*.va) *sf.* **1** Atitude ou posição de quem se defende: *Como não queria brigar, ficou só na defensiva.* **2** Meios de defesa: *Ante as ameaças, reforçaram a defensiva.* [Ant.: *ofensiva.*]

defensivo (de.fen.*si*.vo) *a.* Que se defende ou está disposto a se defender: *A postura defensiva do lutador mostrava seu cansaço.* [Ant.: *ofensivo.*] ▪ **~ agrícola** *Quím.* Produto químico us. para combater pragas e doenças em plantações; AGROTÓXICO.

deferência (de.fe.*rên*.ci.a) *sf.* **1** Respeito, consideração: *Falou do avô com deferência e carinho.* **2** Benevolência, condescendência: *Tratou o mendigo com deferência.*

deferente (de.fe.*ren*.te) *a2g.* **1** Que manifesta ou revela deferência; RESPEITOSO. **2** *Anat.* No homem ou em mamíferos machos, diz-se do canal por onde passam os espermatozoides.

deferimento (de.fe.ri.*men*.to) *sm.* **1** Ação ou resultado de deferir. **2** Concordância com algo que foi pedido por escrito; APROVAÇÃO: *Deu deferimento ao pedido de matrícula.* [Ant. ger.: *indeferimento.*]

deferir (de.fe.*rir*) *v.* **1** Atender a. [*td.*: *deferir um requerimento.* **ti.** + *a:* *O juiz deferiu ao pedido de habeas corpus.*] **2** Oferecer (prêmio, privilégio etc.); CONCEDER. [*tdi.* + *a:* *A empresa deferiu aos bônus aos melhores funcionários.*] [▶ 50 deferir] • de.fe.*ri*.do *a.*

defesa (de.*fe*.sa) [ê] *sf.* **1** Ação ou resultado de defender(-se): *Partiu para a defesa do amigo.* **2** Meios, estratégia, preparação etc., empregados para (se) defender ante ataque: *consolidar a defesa de um país contra possível agressão.* **3** Meios empregados, argumentos, estratégia etc. para se defender de uma acusação; aquele(s) que defende(m) (tb. *Jur.*): *Preparou muito bem a defesa do réu.* **4** *Esp.* Grupo de jogadores encarregados de defender (gol, cesta etc.): *O gol resultou de uma falha da defesa.* **5** *Esp.* Jogada que evita a marcação de ponto pelo adversário (evitando que a bola entre no gol, atinja o solo, entre na cesta etc.). ▪ **Legítima ~** *Jur.* Uso em certo limite, mas aceito por ser praticado por alguém em defesa própria; circunstância desse ato.

defeso (de.*fe*.so) [ê] *a.* Proibido, interditado: *área defesa (ao tráfego de veículos).* *sm.* **2** Período em que pesca ou caça são proibidas.

deficiência (de.fi.ci:*ên*.ci.a) *sf.* **1** Carência, falta, insuficiência: *A deficiência de vitaminas causa doen-* *ças.* **2** *Med.* Insuficiência de um órgão no exercício de suas funções (deficiência auditiva/visual). **3** Falha, defeito: *O apagão resultou de uma deficiência na central elétrica.*

deficiente (de.fi.ci:*en*.te) *s2g.* **1** Pessoa portadora de deficiência física e/ou psíquica (deficiente auditivo). *a2g.* **2** Diz-se de qualquer realização em que há deficiência (1); não satisfatório (desempenho deficiente).

déficit (*dé*.fi.cit) *sm.* **1** Quantia que falta para inteirar o orçamento previsto ou pagar todas as despesas: *déficit de fundos.* **2** Quantidade que falta para atender a uma demanda: *déficit de vagas.* **3** *Econ.* Excesso de despesa em relação a receita. [Ant. ger.: *excedente, superávit.* O VOLP só registra a forma latina *deficit.*]

deficitário (de.fi.ci.*tá*.ri.o) *a.* Que apresenta ou gera déficit: *O campeonato foi deficitário para o clube.*

definhar (de.fi.*nhar*) *v.* Tornar(-se) magro, enfraquecido, abatido. [*td.*: *A doença o definhou.* **int.**: *definhar de tristeza/por enfermidade.* **pr.**: *Em meio à seca, definha-se o gado.*] [▶ 1 definhar] • de.fi.*nha*.do *a.*; de.fi.nha.*men*.to *sm.*

definição (de.fi.ni.*ção*) *sf.* **1** Explicação do significado de uma palavra, expressão, frase ou conceito. **2** Decisão a respeito de algo pendente: *Preciso de uma definição sua para fazer a reserva.* **3** *Cin. Fot. Inf. Telv.* Grau de nitidez de uma imagem. [Pl.: *-ções.*]

definido (de.fi.*ni*.do) *a.* **1** Que se definiu. **2** Estabelecido, determinado: *Ainda não temos um projeto definido.* **3** *Gram.* Que identifica o substantivo quando preciso (diz-se de artigo).

definir (de.fi.*nir*) *v. td.* **1** Explicar, mostrar o significado de uma palavra, ou expressar a natureza de uma pessoa ou coisa: *O glossário definia termos de informática; Aquele gesto definiu bem o caráter de Maria.* **2** Determinar a extensão ou os limites de: *"...não tem competência para definir as zonas de reforma agrária."* (Antonio Callado, *Entre o Deus e a vasilha*). **3** Determinar em resolução; FIXAR; DECIDIR; ESTABELECER: *A assembleia definiu o novo plano de ação.* ☐ **definir-se** *pr.* **4** Chegar a uma conclusão; tomar partido ou resolução (quanto a algo); DECIDIR-SE: *O Congresso definiu-se a favor da reforma.* [▶ 3 definir] • de.fi.ni.*dor* *a.sm.*

definitivo (de.fi.ni.*ti*.vo) *a.* **1** Final sem retorno: *Quando será a sua mudança definitiva para Friburgo?* **2** Que não sofrerá mais nenhuma alteração (documento definitivo, versão definitiva); FINAL. **3** Terminante, decisivo (argumento definitivo).

deflação (de.fla.*ção*) *sf. Econ.* Diminuição geral do preço de produtos e serviços. [Ant.: *inflação.*] [Pl. (p.us.): *-ções.*]

deflacionar (de.fla.ci.o.*nar*) *v. td. Econ.* Causar deflação em: *A recessão deflacionou a economia do país.* [▶ 1 deflacionar]

deflagração (de.fla.gra.*ção*) *sf.* **1** Ação ou resultado de deflagrar; INÍCIO; IRRUPÇÃO: *a deflagração de uma revolução.* **2** Combustão, explosão repentina: *a deflagração de um explosivo.* [Pl.: *-ções.*]

deflagrar (de.fla.*grar*) *v.* **1** Fazer arder ou arder, subitamente, em chamas ou explosões. [*td.*: *Uma explosão deflagrou o incêndio.* **int.**: *A bomba deflagrou antes do tempo.*] **2** *Fig.* Fazer irromper ou irromper, subitamente. [*td.*: *Os jovens deflagraram um movimento pacífico.* **int.**: *Um temporal está por deflagrar.*] [▶ 1 deflagrar]

deflectir, defletir (de.flec.*tir*, de.fle.*tir*) *v.* Provocar desvio da posição de (alguém ou algo) para (um dos lados); DESVIAR(-SE); DECLINAR(-SE). [*td.* (seguido de indicação de lugar/direção): *O vidro deflectia a luz (para a direita).* **pr.**: *Deflectiu-se a luz da lanterna.*] [▶ 50 deflectir, ▶ 50 defletir] • de.fle.*xão* *sf.*

deflorar (de.flo.rar) v. 1 Fazer (mulher virgem) perder a virgindade; DESVIRGINAR. [td.] 2 Fazer perder ou perder (planta, árvore) as flores; DESFLORAR(-SE). [td.: A ventania deflorou todo o roseiral. pr.: Os flamboaiãs deflorarem-se no outono.] [▶ 1 deflorar] • de.flo.ra.ção sf.; de.flo.ra.men.to sm.

defluxo (de.flu.xo) [cs] ou [ss] sm. Med. Ver coriza.

deformação (de.for.ma.ção) sf. 1 Ação ou resultado de deformar(-se). 2 Perda ou inexistência da forma original: a deformação das rochas. 3 Fig. Alteração (ger. para pior); desvio: O alcoolismo é uma doença e não uma deformação de caráter. [Pl.: -ções.]

deformar (de.for.mar) v. 1 Fazer perder ou perder a forma original. [td.: O tempo deformou a ferramenta. pr.: O corpo deforma-se com a idade.] 2 Mudar para pior; desviar; adulterar; deturpar. [td.: Os maus hábitos deformam o caráter.] [▶ 1 deformar] • de.for.ma.do a.

deformidade (de.for.mi.da.de) sf. Defeito físico, congênito ou adquirido: O acidente deixou-a com uma deformidade na face.

defraudar (de.frau.dar) v. Espoliar ou lesar (alguém, instituição etc.) mediante fraude ou dolo; FRAUDAR. [td.: Todos sabem que ele defrauda o amigo. tdi. + de: O advogado defraudou os herdeiros de seus bens.] [▶ 1 defraudar] • de.frau.da.ção sf.

defrontar (de.fron.tar) v. 1 Estar ou encontrar(-se) defronte de. [td.: Minha casa defronta o parque. ti. + com: Sua casa defronta com a minha. pr.: Nossas casas defrontam-se.] 2 Pôr(-se) frente a frente; CONFRONTAR(-SE); COMPARAR(-SE). [td.: Defrontou duas traduções do mesmo texto. tdi. + com: Defrontou a versão da vítima com a do réu. pr.: João defrontou-se com o primo, para superar as desavenças.] 3 Não temer; ENFRENTAR; ARROSTAR. [td.: Defrontar um adversário. pr.: "...ali estavam os dois rivais a se defrontarem." (Josué Montello, Sempre serás lembrada).] 4 Ver-se frente a frente; TOPAR; ENCONTRAR(-SE). [ti. + com: Todos os dias defronta com o conhecido no metrô. pr.: O ministro defrontou-se com um problema inesperado.] [▶ 1 defrontar]

defronte (de.fron.te) adv. Em frente: Tem música no bar ali defronte. ▪▪ ~ de/a Em frente a; diante de: Defronte do armazém havia uma pracinha.

defumador (de.fu.ma.dor) [ô] a. 1 Que defuma. sm. 2 Substância para defumar ou perfumar. 3 Recipiente onde se queima o defumador (2).

defumar (de.fu.mar) v. td. 1 Expor a fumo ou fumaça, para secar; FUMAR: defumar peixe/carne. 2 Expor (algo, alguém ou lugar) à fumaça de substância aromática, para perfumar ou purificar: O padre defumava o altar. [▶ 1 defumar] • de.fu.ma.do a.

defunto (de.fun.to) sm. Pessoa que morreu; MORTO.

degelar (de.ge.lar) v. 1 Derreter(-se) (aquilo que estava congelado); DESCONGELAR(-SE). [td.: Degelou a carne para o almoço. int./pr.: Logo os rios começarão a degelar(-se).] 2 Fig. Tornar(-se) mais brando ou menos rígido; ABRANDAR(-SE); SUAVIZAR(-SE). [td.: A música degelou o ambiente. int./pr.: O pai degelou(-se) com o pedido de desculpas.] [▶ 1 degelar]

degelo (de.ge.lo) [ê] sm. Derretimento de gelo ou neve.

degeneração (de.ge.ne.ra.ção) sf. 1 Perda ou deterioração das qualidades originais; DEGENERESCÊNCIA: O Alzheimer causa a degeneração do cérebro. 2 Fig. Depravação, perversão (de pessoa, sociedade). [Pl.: -ções.]

degenerado (de.ge.ne.ra.do) a. 1 Que se degenerou. 2 Depravado, pervertido. sm. 3 Pessoa degenerada (2).

degenerar (de.ge.ne.rar) v. 1 Perder as qualidades originais. [int./pr.: As espécies podem degenerar(-se). ti. + de: É uma espécie que degenerou de seus ancestrais.] 2 Tornar(-se) em ou ser origem de algo pior; ESTRAGAR(-SE); CORROMPER(-SE). [td.: O vício degenerou-o. ti. + em: "O transporte coletivo na cidade de SP degenera em confusão..." (FolhaSP, 09.12.99). int./pr.: Roma degenerou(-se) com Nero.] [▶ 1 degenerar]

degenerativo (de.ge.ne.ra.ti.vo) a. Que causa degeneração: O câncer é uma doença degenerativa.

degenerescência (de.ge.ne.res.cên.ci:a) sf. Ver degeneração (1).

deglutir (de.glu.tir) v. td. Fazer com que (algo) passe da boca para o estômago; ENGOLIR: (com ou sem complemento explícito) Deglutiu cada garfada sofregamente; O paciente não consegue deglutir. [▶ 3 deglutir] • de.glu.ti.ção sf.

degolar (de.go.lar) v. 1 Cortar o pescoço de (outrem ou si mesmo). [td. pr.] 2 Cortar fora a cabeça de; DECAPITAR. [td.] 3 Art.Gr. Aparar miolo de (livro) atingindo o texto impresso. [td.] [▶ 1 degolar] • de.go.la sf.; de.go.la.ção sf.

degradação (de.gra.da.ção) sf. 1 Ação ou resultado de degradar(-se). 2 Destituição humilhante de um cargo. [Pl.: -ções.]

degradar (de.gra.dar) v. 1 Tornar(-se) inferior, indigno ou infame; AVILTAR(-SE); REBAIXAR(-SE). [td.: A corrupção degrada o homem. pr.: Submisso, degradava-se diante dos superiores.] 2 Causar deterioração a; ESTRAGAR. [td.: A umidade degrada os livros.] 3 Privar (de grau, dignidade, título etc.). [td.: Diante do escândalo, foram obrigados a degradá-lo. tdi. + de: O governo vai degradá-lo de seus títulos.] [▶ 1 degradar] • de.gra.da.do a.; de.gra.dan.te a2g.

degradê (de.gra.dê) a2g. 1 Diz-se da cor com variação de tons, gradativamente mais pálidos. sm. 2 Esse tipo de cor.

DEGRADÊ

degrau (de.grau) sm. Cada um dos planos horizontais de uma escada, onde se coloca o pé para subir ou descer.

degredar (de.gre.dar) v. td. Impor a pena de degredo a; EXILAR; DESTERRAR: (seguido ou não de indicação de lugar) Naquele ano o rei degredou muitos súditos (para as colônias). [▶ 1 degredar] • de.gre.da.do a.sm.

degredo (de.gre.do) [ê] sm. 1 Pena de expulsão para outras terras, que a justiça impõe a criminosos; DESTERRO. 2 O lugar para onde vai o degredado. [Cf.: exílio.]

degringolar (de.grin.go.lar) v. 1 Sofrer decadência, ruína ou aviltamento; DECAIR; DEGENERAR. [int.: Por sua própria culpa, a vida de João degringolou.] 2 Decair para (situação, condição). [ti. + em: Com invasões nórdicas, a civilização antiga degringolou em barbárie.] 3 Perder a ordem ou a organização. [int.: Com a chegada dos bagunceiros, o jogo degringolou.] [▶ 1 degringolar] • de.grin.go.la.da sf.

degustação (de.gus.ta.ção) sf. Ação ou resultado de degustar: degustação de vinhos. [Pl.: -ções.]

degustar (de.gus.tar) v. td. 1 Experimentar (comida ou bebida) para saber-lhe o sabor ou a qualidade; PROVAR: degustar um queijo/um prato. 2 Saborear, comendo ou bebendo: Degustava cada doce que lhe ofereciam. [▶ 1 degustar]

deidade (de.i.da.de) sf. Divindade; deus ou deusa.

deísmo (de.ís.mo) sm. Fil. Sistema ou atitude dos que admitem a existência de um Deus, mas que negam a autoridade de qualquer Igreja. • de.ís.ta a2g.s2g.

deitar (dei.tar) v. 1 Estender(-se) na cama ou como se fosse em uma cama, para descanso ou sono. [td. (seguido ou não de indicação de lugar): A babá deitou o menino (no berço). pr.: Deitei-me (na rede) para um cochilo.] 2 Pôr ao comprido ou em posição inclinada, ou deixar apoiado. [td. (ger. seguido de indicação de lugar): A moça *deitava os vestidos sobre a cama*; "...deitou a mão sobre o ombro do moço." (José de Alencar, *A viuvinha*).] **3** Pôr, fazendo cair. [*tdi. + a, em: deitar açúcar no café.*] **4** Deixar escorrer (líquido); DERRAMAR; VERTER. [*td.* (com ou sem complemento explícito; seguido ou não de indicação de lugar): *A torneira não para de deitar (água) (na pia)*; "...viu-o deitar algumas gotas de ópio no cálice de licor..." (José de Alencar, *A viuvinha*).] **5** Expelir (substância animal ou vegetal). [*td.: Estas laranjas quase não deitam suco.*] **6** Emitir (palavras ou qualquer som). [*td.: O náufrago deitava gritos para que o ouvissem do navio.*] **7** Irradiar (luz, calor etc.); DIFUNDIR. [*td.: O sol deita frios raios mais brilhantes no verão.*] [▶ **1** deitar] [NOTA: Us. como aux. + a seguido de infinitivo, indica início súbito de um processo (*Deitou a falar e não parou mais*).] ■ **~ abaixo** Derrubar. **~ a perder** Ser causa, por ação ou inação, do fracasso de algo: *Sua indiferença deitou tudo a perder.* **~ e rolar** *Gír.* Fazer alguém o que bem entende, por ter facilidade no que faz ou capacidade. **~ fora** Ver no verbete *fora*. ● **de.i.ta.do** *a.*

deixa (*dei.*xa) *sf.* **1** Circunstância ou fala que alguém aproveita para dar sua opinião ou agir. **2** *Teat.* Gesto ou palavra de um ator, que indica o momento da entrada ou a fala de outro.

deixa-disso (dei.xa-*dis.*so) *sm2n.* Us. na loc. ■ **Turma do ~** *Bras. Pop.* Grupo de pessoas que intervêm numa briga para apaziguar os adversários.

deixar (dei.*xar*) *v.* **1** Sair do interior ou de perto de. [*td.: Deixamos a escola assim que terminou a aula.*] **2** Desligar-se de; apartar-se de; ABANDONAR. [*td.: deixar o partido/o marido/o vício.*] **3** Pedir demissão de; abandonar (tarefa, trabalho); LARGAR. [*td.: deixar o emprego.*] **4** Não mais segurar, não mais usar nem reter (algo), pondo em algum lugar. [*td.* (seguido de indicação de lugar): *Deixou o livro sobre a cama.*] **5** Afastar de si (recordações, sentimentos); ESQUECER. [*td.: deixar as ilusões e os sonhos.*] **6** Pôr de lado; parar de se ocupar de. [*td.: Deixe por ora as questões mais difíceis.*] **7** Dar permissão a; PERMITIR. [*td.* (seguido de verbo no infinitivo que expressa a ação permitida): *A mãe os deixou brincar no quintal.*] **8** Dar ocasião a; PERMITIR(-SE). [*td.* (seguido de verbo no infinitivo que expressa a ação permitida): *O céu sem nuvens nos deixou ver o eclipse.*] **9** Produzir, ao afastar-se ou morrer. [*td.: deixar lembranças/saudades.*] **10** Transmitir em herança; LEGAR. [*td.: O banqueiro deixou muitos imóveis. tdi. + para: Deixará muitos bens para a mulher.*] **11** Transmitir, suscitando no incutindo. [*td.* (ger. seguido de indicação de lugar): *A fruta deixou um gosto ácido (na boca).*] **12** Ser a causa de; PROVOCAR. [*td.: A guerra deixou muito sofrimento.*] **13** Cessar, interromper ou não realizar (ação nomeada por verbo). [*td.: Ele não podia deixar de dizer o que pensava.*] **14** Adiar, postergar. [*tdi. + para: Deixamos a viagem para o ano que vem.*] **15** Tornar, fazer. [*td.* (com indicação de estado): *Deixa o pai feliz com as boas notas.*] [▶ **1** deixar] [NOTA: Us. como acp. 13, indica cessação de um hábito (*deixar de fumar/de se exercitar*).] ■ **~ a desejar** Não corresponder ao que se esperava ou pretendia. **~ correr** Deixar que ocorra, sem tentar interferir ou modificar. **~ para lá** Não dar importância a. **~ rolar** *Gír.* Ver *deixar correr*.

dejeção (de.je.*ção*) *sf.* **1** Evacuação de fezes. **2** A matéria evacuada. [Pl.: *-ções.*]

dejetar (de.je.*tar*) *v. int.* Expelir fezes; DEFECAR. [▶ **1** dejetar]

dejeto (de.*je.*to) [ê] *sm.* **1** Excremento, fezes. **2** Resíduos imprestáveis que vão para o lixo ou esgoto.

⊕ **de jure** (*Lat. /de júre/*) *loc.adv. Jur.* De direito. [Cf.: *de facto.*]

delação (de.la.*ção*) *sf.* Ação de delatar, acusar; DENÚNCIA; ACUSAÇÃO. [Pl.: *-ções.*] ■ **~ premiada** *Jur.* Termo que designa o recurso jurídico de um réu auferir benefício legal (como redução de pena) durante o curso de uma ação penal, se fizer delação de fatos ou pessoas ligados caso. O réu conta tudo o que sabe e o juiz homologa (ou não) a delação.

delatar (de.la.*tar*) *v.* **1** Denunciar (crime ou delito, ou algo com ele relacionado, ou alguém culpado). [*td.: Vou delatar o roubo do carro. tdi. + a: A vítima delatou o agressor à polícia. pr.: Com a consciência culpada, delatou-se ao delegado.*] **2** Fazer ou deixar perceber. [*td.: O tremor na voz delatava sua emoção.*] [▶ **1** delatar] [Cf.: *delatar.*]

delator (de.la.*tor*) [ô] *sm.* Pessoa que delata (1) alguém, acusando-o de delito ou crime.

dele (*de.*le) [ê] **1** Contr. da prep. *de* com o pr.pess. *ele: Gosto muito dele. pr.poss.* **2** Que pertence à pessoa ou coisa de que se fala (ele): *Ana devolveu a Pedro o retrato dele.* [NOTA: Esta é uma forma usual no português falado no Brasil, equivalente a 'seu' (2).]

delegação (de.le.ga.*ção*) *sf.* **1** Ação de conferir poderes a uma ou mais pessoas. **2** Grupo de pessoas às quais se dão esses poderes. **3** Comissão que representa uma cidade, um país etc.: *A delegação brasileira foi a Genebra.* [Pl.: *-ções.*]

delegacia (de.le.ga.*ci.*a) *sf.* **1** Estabelecimento em que o delegado exerce suas funções (*delegacia policial*). **2** Cargo de delegado.

delegado (de.le.*ga.*do) *sm.* **1** Chefe das atividades da polícia numa certa localidade ou região. **2** Pessoa que representa uma instituição, órgão ou empresa (p. ex., numa reunião, congresso etc.); ENVIADO.

delegar (de.le.*gar*) *v.* **1** Transmitir, conceder ou conferir (poder, incumbência etc.). [*td.: delegar tarefas. tdi. + a: O imperador delegou o poder à sua filha.*] **2** Enviar (alguém) com representatividade e poder para resolver. [*tdi. + para: Todos os partidos delegaram um representante para o encontro.*] [▶ **14** delegar]

deleitar (de.lei.*tar*) *v.* Provocar deleite, dar satisfação em; DELICIAR(-SE). [*td.: Aquele filme deleitou os espectadores. pr.: Deleitava-se com a boa comida.*] [▶ **1** deleitar] ● **de.lei.ta.**vel *a2g.*

deleite (de.*lei.*te) *sm.* **1** Prazer intenso: *Lançarão um novo disco, para o deleite dos fãs.* **2** Satisfação íntima: *Contar piadas era seu deleite.*

deletar (de.le.*tar*) *v. td. Inf.* Suprimir (texto, arquivo etc.); APAGAR: *Deletou sem querer um arquivo importante.* [▶ **1** deletar]

deletério (de.le.*té.*ri.o) *a.* **1** Que prejudica a saúde; NOCIVO. **2** *Fig.* Que corrompe.

delével (de.*lé.*vel) *a2g.* Que se pode apagar (tinta *delével*). [Pl.: *-veis.*]

delfim (del.*fim*) *sm. Zool.* Ver *golfinho* (1). [Pl.: *-fins.*]

delgado (del.*ga.*do) *a.* **1** Que tem pouca espessura; FINO. **2** Que é magro: *um rapaz alto e delgado.*

deliberado (de.li.be.*ra.*do) *a.* **1** Que foi decidido; RESOLVIDO. **2** Que foi feito de propósito; INTENCIONAL.

deliberar (de.li.be.*rar*) *v.* **1** Decidir(-se), após discussão ou reflexão. [*td.: "...depois de hesitar um pouco, deliberou entrar na sacristia..."* (Machado de Assis, *Casa velha*). *pr.: Deliberou-se a casar.*] **2** Examinar ou discutir (sobre algo), para decidir. [*ti. + sobre: deliberar sobre um processo. int.: É preciso deliberar antes de decidir.*] [▶ **1** deliberar] ● **de.li.be.ra.**ção *sf.*

deliberativo (de.li.be.ra.*ti.*vo) *a.* Que tem poder para decidir, ger. por voto.

delicadeza (de.li.ca.*de.*za) *sf.* **1** Qualidade de quem ou daquilo que é delicado: *Ele me ofereceu o assento por delicadeza.* **2** Qualidade do que é frá-

delicado | democracia

gil: *a delicadeza da porcelana*. **3** *Fig.* Qualidade do que é difícil ou embaraçoso: *a delicadeza de uma situação*.

delicado (de.li.ca.do) *a.* **1** Que é gentil no trato com as pessoas; amável. **2** Que é frágil, precário: *estado de saúde delicado*. **3** Que causa constrangimento: *Fiquei numa situação delicada*.

delícia (de.lí.ci.a) *sf.* **1** Sensação de muito prazer; deleite. **2** Coisa deliciosa ou que dá prazer: *A água do mar estava uma delícia*.

deliciar (de.li.ci.ar) *v.* Provocar em ou ter deleite, satisfação; deleitar-se. [*td.*: *A interpretação do ator deliciou a plateia. pr.*: *O casal deliciava-se com os doces.*] [▶ 1 deliciar]

delicioso (de.li.ci:o.so) [ó] *a.* **1** De ótimo sabor (torta deliciosa). **2** Muito agradável (férias deliciosas); prazeroso. [Fem. e pl.: [ó].]

delimitar (de.li.mi.tar) *v. td.* Determinar os limites; pôr limites a: *Um pacto delimitou as novas fronteiras*; *É preciso delimitar as atribuições de cada um.* [▶ 1 delimitar] ● **de.li.mi.ta.ção** *sf.*

delinear (de.li.ne.ar) *v. td.* **1** Desenhar os traços ou contornos gerais de; esboçar: *delinear rapidamente um quadro*. **2** Descrever brevemente, de modo sucinto: *O orador delineou o caráter de seu oponente.* ◻ **delinear-se** *pr.* **3** Surgir pouco a pouco, à maneira de esboço: *Na alvorada, delineava-se o panorama do vale.* [▶ 13 delinear] ● **de.li.ne:a.men.to** *sm.*

delinquência (de.lin.quên.ci.a) *sf.* Ação ou comportamento criminoso. ● **de.lin.quen.te** *a2g.s2g.* (jovens delinquentes).

delinquir (de.lin.quir) *v.* Cometer crime ou falta grave. [*ti.* + *contra*, em: *delinquir contra o Código Penal. int.*: *É missão da justiça punir os que delinquem.*] [▶ 58 delinquir]

deliquio (de.lí.qui:o) *sm. Med.* Ver *desmaio*.

delir (de.lir) *v.* Fazer desaparecer ou desaparecer; apagar(-se), dissipar(-se). [*td.* (seguido ou não de indicação de lugar): *Márcia conseguiu delir aquela tristeza do coração). pr.*: *Seus sonhos deliam-se ante a realidade.*] [▶ 58 delir]

delirante (de.li.ran.te) *a2g.* **1** Que está fora de si por efeito de febre, drogas ou perturbação mental. **2** Produzido por, ou como se sob efeito de delírio (cena delirante).

delirar (de.li.rar) *v. int.* **1** Encontrar-se em estado de delírio ou alucinação: *Delirou devido à febre alta*. **2** *Fig.* Dizer coisas que sejam ou pareçam insensatas: *Pedir essa fortuna por uma casa! Você está delirando!* **3** *Fig.* Encontrar-se em estado de exaltação positiva: *A plateia delirou e pediu bis.* [▶ 1 delirar]

delírio (de.lí.ri:o) *sm.* **1** *Med.* Estado mental em que a pessoa tem ideias que não condizem com a realidade, ou alucinações, e que pode ser causado por febre alta, doença etc. **2** *Fig.* Entusiasmo excessivo; frenesi: *O cantor levou a multidão ao delírio.*

delito (de.li.to) *sm.* **1** Crime. **2** Ação má, errada; falta, culpa.

delituoso (de.li.tu:o.so) [ó] *a.* Que constitui ou em que há delito, crime (ato delituoso). [Fem. e pl.: [ó].]

delonga (de.lon.ga) *sf.* Demora, atraso.

delongar (de.lon.gar) *v.* **1** Tornar demorado ou demorar; prolongar(-se). [*td.*: *Delongaram a assembleia até a noite. pr.*: *A festa delongou-se além do esperado.*] **2** Transferir para outra ocasião; adiar. [*td.*: *O pai delongou a resposta por muito tempo.*] [▶ 14 delongar]

delta (del.ta) *sm.* **1** *Geog.* Conjunto de ilhas ou terreno de forma mais ou menos triangular, que fica contido entre dois braços de um rio e sua foz. **2** A quarta letra do alfabeto grego. Corresponde ao *d* latino (Δ, δ).

demagogia (de.ma.go.gi.a) *sf.* **1** Ação, método ou doutrina de demagogo. **2** Prática de aparentar qualidades como humildade, honestidade etc., para ganhar a simpatia das pessoas. ● **de.ma.gó.gi.co** *a.*

demagogo (de.ma.go.go) [ô] *Pej. Pol. sm.* **1** Líder ou político que procura obter apoio manipulando os sentimentos e paixões populares. *a.* **2** Em que há ou que faz uso de demagogia (discurso demagogo).

demais (de.mais) *adv.* **1** Em demasia; muito: *Fomos embora porque já tínhamos esperado demais. pr.indef.* **2** Outros: *Os demais chegarão mais tarde.*

demanda (de.man.da) *sf.* **1** Ação ou resultado de buscar; procura: *A demanda por computadores cresceu.* **2** *Jur.* Ação judicial; litígio: *Dois fazendeiros estavam em demanda pela posse do terreno.*

demandar (de.man.dar) *v.* **1** Requerer, exigir ou necessitar de (algo ou alguém). [*td.*: *O bom estudo demanda dedicação*; *Os filhos demandam a atenção dos pais.*] **2** Propor (questão) ou exigir (resposta, explicação, satisfação etc.) a. [*tdi.* + *a*: *Demandou ao amigo as razões daquela maneira de agir.*] **3** *Jur.* Abrir processo judicial contra (pessoa física ou jurídica). [*td.* (com ou sem complemento explícito): *O advogado convenceu-o a demandar (o patrão).*] **4** Sair ou partir em busca de; buscar; procurar. [*td.*: *Os navegadores portugueses demandavam novos continentes.*] [▶ 1 demandar]

demão (de.mão) *sf.* Cada camada (de tinta, verniz etc.) passada numa superfície. [Pl.: *-mãos*.]

demarcar (de.mar.car) *v. td.* **1** Determinar os marcos, os limites de; delimitar: *demarcar um terreno e ocupá-lo*. **2** Determinar ou estabelecer (o caráter, a abrangência ou o tempo de); definir: *O professor demarcou o prazo para a entrega dos trabalhos.* [▶ 11 demarcar] [Cf.: *desmarcar*.] ● **de.mar.ca.ção** *sf.*; **de.mar.ca.do** *a.*; **de.mar.ca.dor** *a.sm.*

demasia (de.ma.si.a) *sf.* O que é demais; excesso. ■ Em ≈ Excessivamente, demais: *Os vendedores aumentam em demasia os preços dos produtos.*

demasiado (de.ma.si:a.do) *a.* **1** Que ultrapassa os limites; excessivo: *Corremos riscos demasiados naquela escalada. adv.* **2** Muito; em demasia: *uma ferida demasiado dolorosa.*

demência (de.mên.ci.a) *sf.* **1** *Psiq.* Perda de capacidade mental. **2** *Pop.* Loucura, insensatez.

demente (de.men.te) *a2g.s2g.* **1** *Psiq.* Que ou quem sofre de demência. **2** *Pop.* Que ou quem é louco, insensato, desmiolado.

demérito (de.mé.ri.to) *sm.* **1** Falta de mérito. *a.* **2** Que perdeu ou não tem mérito.

demissão (de.mis.são) *sf.* **1** Ação ou resultado de demitir um empregado; exoneração. **2** Ação ou resultado de pedir ou comunicar a própria saída de cargo. [Pl.: *-sões*.]

demissionário (de.mis.si:o.ná.ri:o) *a.* Diz-se da pessoa que foi demitida ou que pediu demissão de cargo ou emprego.

demitir (de.mi.tir) *v.* Privar(-se) de cargo, de emprego, de dignidade; despedir(-se), exonerar(-se). [*td.* (seguido ou não de indicação de lugar ou posto): *A empresa os demitiu (dos seus respectivos cargos). pr.*: *Os empregados demitiram-se em massa.*] [▶ 3 demitir] ● **de.mi.ti.do** *a.sm.*

demo¹ (de.mo) *sm.* **1** Demônio. **2** *Fig.* Pessoa inquieta e turbulenta.

demo² (de.mo) *a2g.sm.* Diz-se de ou disco, fita ou CD de vídeo, áudio, programa ou jogo de computador produzido para demonstração e/ou divulgação (versão demo).

democracia (de.mo.cra.ci.a) *sf.* **1** *Pol.* Governo do povo. **2** Sistema político em que o povo participa do governo diretamente ou elegendo livremente seus representantes. **3** Estado que tem essa forma de governo. **4** Igualdade política e social.

📖 A palavra, de origem grega, significa 'poder do povo'. Assim como a palavra, a democracia nasceu na Grécia antiga. A democracia moderna surgiu nos sécs. XVII e XVIII, sobre o princípio da separação dos três poderes: o Executivo, o Legislativo e o Judiciário, e do direito de cada cidadão poder eleger e ser eleito. A Revolução Francesa foi um marco histórico para o fim do absolutismo e da aristrocracia, mas a primeira democracia moderna, baseada numa Constituição, foram os Estados Unidos da América. No Brasil, o parágrafo único do artigo 1º da Constituição de 1988 reza: "Todo o poder emana do povo, que o exerce por meio de representantes eleitos, ou diretamente, nos termos desta Constituição."

democrata (de.mo.cra.ta) *a2g.s2g.* Que ou quem defende e pratica os princípios da democracia.

democrático (de.mo.crá.ti.co) *a.* **1** Ref. à, da ou próprio da democracia ou de seus princípios (convicções democráticas). **2** Cujo poder emana do povo (Estado democrático).

democratizar (de.mo.cra.ti.zar) *v.* Fazer(-se) democrático ou democrata. [*td.*: *democratizar as relações internacionais.* *pr.*: *O país democratizou-se.*] [▶ 1 democratizar]

demodulação (de.mo.du.la.ção) *sf. Telc.* Reconstituição da informação transmitida por meio de uma onda portadora, no momento da recepção. [Pl.: *-ções.*]

demografia (de.mo.gra.fi.a) *sf.* Estudo estatístico das populações humanas — seu crescimento ou diminuição, composição, migrações etc., e suas condições sociais e vitais: nascimentos e mortes, casamentos etc. ● **de**.**mo.grá**.**fi**.**co** *a.*; **de**.**mó**.**gra**.**fo** *sm.*

demolir (de.mo.lir) *v. td.* **1** Desfazer (uma construção) ou fazê-la cair; derrubar, pôr abaixo: *Vão demolir o antigo prédio.* **2** *Fig.* Anular, destruir, extinguir, abalar inteiramente (ideias, instituições etc.): *Demoliu os argumentos do adversário.* **3** *Fig.* Derrotar mediante violência física: *As tropas invasoras demoliram a resistência.* **4** *Fig.* Vencer de forma esmagadora: *A seleção demoliu o adversário.* [▶ 58 demolir] ● **de**.**mo**.**li**.**ção** *sf.*

demoníaco (de.mo.ní.a.co) *a.* **1** Do ou próprio do demônio; muito mau; SATÂNICO; DIABÓLICO. **2** Que parece dominado pelo demônio (fúria demoníaca).

demônio (de.mô.ni:o) *sm.* **1** Espírito do mal; DIABO. **2** *Fig.* Pessoa má, ruim, perversa, malvada, cruel. **3** *Fam. Fig.* Criança travessa e irrequieta.

demonizar (de.mo.ni.zar) *v. td.* Atribuir característica demoníaca a (algo ou alguém). [▶ 1 demonizar]

demonologia (de.mo.no.lo.gi.a) *sf.* **1** Estudo sobre os demônios ou das crenças que se têm deles. **2** A doutrina sobre os demônios. ● **de**.**mo**.**no**.**ló**.**gi**.**co** *a.*

demonstração (de.mons.tra.ção) *sf.* **1** Ação ou resultado de demonstrar, de dar mostras, de tornar evidente: *demonstração de carinho.* **2** Fato, ideia, gesto etc. que evidenciam ou provam uma verdade; PROVA; SINAL; TESTEMUNHO: *Sua ajuda foi uma grande demonstração de amizade.* **3** Raciocínio com que se infere uma verdade, se comprova uma hipótese: *demonstração do teorema de Pitágoras.* **4** Exibição, apresentação: *O vendedor fez uma empolgada demonstração das mercadorias.* [Pl.: *-ções.*]

demonstrar (de.mons.trar) *v.* **1** Mostrar que (algo) é correto ou verdadeiro por meio de provas ou de raciocínio conclusivo; COMPROVAR. [*td.*: *demonstrar uma ideia.* *tdi.* + *a*: *O professor demonstrou à classe o teorema.*] **2** Exprimir (intenções, sentimentos, inclinações etc.); MOSTRAR. [*td.*: *demonstrar simpatia.* *tdi.* + *a*: *Demonstra ao filho todo o seu amor.*] **3** Dar(-se) a conhecer; PATENTEAR(-SE); MOSTRAR(-SE). [*tdi.* + *a*: *Demonstramos a todos o seu valor.* *pr.*: *Diante das dificuldades é que as pessoas se demonstram.*] [▶ 1 demonstrar]

demonstrativo (de.mons.tra.ti.vo) *a.* **1** Que serve para demonstrar (raciocínio demonstrativo); INDICATIVO; MOSTRADOR. **2** *Gram.* Diz-se do pronome com que a pessoa que fala ou escreve localiza em relação a si objetos e ideias a que se refere no discurso (este / esse / aquele papel). *sm.* **3** Coisa com que se demonstra algo: *o demonstrativo das contas.* **4** *Gram.* Pronome demonstrativo (2): *'Este' e 'isto' são demonstrativos.*

demora (de.mo.ra) *sf.* **1** Ação ou resultado de demorar(-se). **2** Atraso: *A demora do filho preocupou-a.* **3** Duração de pausa, parada, permanência: *A demora do trem na estação foi de vinte segundos.*

demorado (de.mo.ra.do) *a.* **1** Que tem longa duração: *uma cirurgia demorada.* **2** Que custou a ocorrer: *O demorado e esperado resultado por fim chegou.*

demorar (de.mo.rar) *v.* **1** Permanecer muito tempo ou além de um limite; RETARDAR(-SE); ATRASAR(-SE). [*int./pr.*: *O funcionário demorou(-se) no escritório.*] **2** Tardar a que se realize ou se cumpra. [*int.*: *A felicidade demora.*] [▶ 1 demorar] [NOTA: Us. como aux. + *a* seguido de infinitivo, indica o retardo do início ou da realização de um fato (*Não demore a telefonar*).]

demorou (de.mo.rou) *interj. Bras. Gír.* Tudo bem! Legal!

demover (de.mo.ver) *v.* **1** Motivar (alguém) a desistir (de intenção, decisão etc.); DISSUADIR. [*td.*: *Ela queria viajar, mas consegui demovê-la.* *tdi.* + *de*: *Demovi-a da ideia de viajar agora.* *pr.*: "...não podia demover-me do cumprimento de meu dever..." (João Ubaldo Ribeiro, *Diário do farol*).] **2** Mudar de lugar; DESLOCAR(-SE). [*td.* (seguido de indicação de lugar): *Demoveram a árvore (da estrada/até o acostamento).* *pr.*: *Demoveu-se para os seus aposentos.*] [▶ 2 demover]

demudado (de.mu.da.do) *a.* Que está alterado.

dendê (den.dê) *sm.* **1** *Bras. Bot.* Ver dendezeiro. **2** Fruto do dendezeiro, de cuja polpa se extrai um óleo: *azeite de dendê.*

dendezeiro (den.de.zei.ro) *sm. Bot.* Tipo de palmeira originária da África; DENDÊ.

dendrologia (den.dro.lo.gi.a) *sf. Bot.* Ramo da botânica que estuda as árvores e os arbustos.

denegar (de.ne.gar) *v.* **1** Não aceitar a veracidade de; NEGAR. [*td.*: *O advogado denegou as palavras do promotor.*] **2** Não dar, não emprestar; RECUSAR. [*tdi.* + *a*: *Denegou o dinheiro ao colega.*] **3** Dar despacho negativo; INDEFERIR. [*td.*: *O juiz denegou o requerimento da defesa.*] **4** Não sujeitar-se; RECUSAR-SE. [*pr.*: *Denegou-se a colaborar no empreendimento.*] [▶ 14 denegar] ● **de**.**ne**.**ga**.**ção** *sf.*

denegrir (de.ne.grir) *v.* **1** Manchar ou infamar (a honra, a reputação etc. de]); CONSPURCAR(-SE). [*td.*: *Invejoso, vive a tentar denegrir o caráter do bom homem.* *pr.*: *Denegriu-se o deputado por ser envolvimento com a corrupção.*] **2** Fazer(-se) negro ou escuro; ENEGRECER(-SE), OBSCURECER(-SE). [*td.*: *A poluição denegre paredes.* *pr.*: *Com o tempo denigrem-se as pinturas.*] [▶ 49 denegrir]

dengo (den.go) *sm. Bras.* **1** Choradeira, birra de criança; DENGUE. **2** Demonstração de fragilidade para ser paparicado. **3** Afetação para chamar atenção ou seduzir.

dengoso (den.go.so) [ô] *a.* Que faz dengo. [Fem. e pl.: [ó].]

dengue (den.gue) *sm.* **1** *Med.* Doença transmitida pelo mosquito *Aedes aegypti.* **2** Ver denguice. **3** Ver dengo (1).

denguice (den.gui.ce) *sf.* Qualidade de dengoso, de quem faz dengo; DENGUE.

denodado (de.no.da.do) *a.* **1** Que é corajoso, destemido (soldado denodado). **2** Que mostra ou expressa coragem, destemor (discurso denodado).

denodo (de.*no*.do) [ô] *sm*. Vigor ou firmeza com que se encaram riscos e perigos; CORAGEM.

denominação (de.no.mi.na.*ção*) *sf*. **1** Ação de dar nome a: *A denominação das ruas cabe à Câmara Municipal*. **2** Nome, designação: *"Hacker" é a denominação de quem invade arquivos de computadores*. **3** *Rel*. Cada uma das igrejas, seitas etc. de uma religião. [Pl.: -*ções*.]

denominador (de.no.mi.na.*dor*) [ô] *sm*. **1** *Mat*. Numa fração, o termo que fica abaixo do traço e que designa em quantas partes está dividida uma quantidade. *a.sm*. **2** Que ou quem denomina. ▆ **~ comum 1** *Mat*. Em um conjunto de frações ordinárias, um múltiplo de todos os denominadores do conjunto. **2** *Fig*. Em um grupo de pessoas, a opinião, atitude, característica etc. comum a todas, em meio a outras em que há divergência.

denominar (de.no.mi.*nar*) *v*. **1** Dar nome a; NOMEAR; DESIGNAR. [*td*.: *Os botânicos denominam as espécies vegetais*.] **2** Dar qualificativo, título ou alcunha a (alguém ou a si mesmo); INTITULAR(-SE). [*td*. (seguido de indicação de atributo): *Denominaram-no mestre*. *pr*.: *Aquele louco denomina-se imperador*.] **3** Receber o nome de; CHAMAR-SE. [*pr*.: *Em 1994 a moeda passou a denominar-se "real"*.] [▶ **1** denomin**ar**]

denominativo (de.no.mi.na.*ti*.vo) *a*. *Gram*. Que deriva de um nome (diz-se de verbo): *'Macaquear' é um verbo denominativo*.

denotação (de.no.ta.*ção*) *sf*. *Ling*. Significado básico e objetivo de uma palavra, um signo, um símbolo etc., sem derivações, sentido figurado etc. [Pl.: -*ções*.] [Cf.: *conotação*.]

denotar (de.no.*tar*) *v*. *td*. **1** Evidenciar, deixar ver por certos sinais ou indícios; INDICAR: *Seus olhos denotam alegria*. **2** Representar (ideia etc.) como símbolo ou como signo; SIMBOLIZAR; SIGNIFICAR: *A pomba branca denota paz*. [▶ **1** denot**ar**] ● **de.no.ta.*ti*.vo** *a*.

densidade (den.si.*da*.de) *sf*. **1** Qualidade de denso: *A densidade do chumbo é maior que a do ferro*. **2** Grau de concentração de pessoas num dado espaço (*densidade demográfica*).

denso (*den*.so) *a*. **1** Que tem muita massa em relação ao volume. **2** Grosso, espesso (líquido *denso*). **3** Que é ou está compacto, cerrado (mata *densa*). **4** *Fig*. Que tem conteúdo intenso, profundo (discurso *denso*).

dentada (den.*ta*.da) *sf*. **1** Ação de morder; MORDIDA. **2** Marca ou ferida feita com os dentes.

dentado (den.*ta*.do) *a*. **1** Que tem dentes; DENTEADO. **2** Que foi mordido ou cortado com os dentes.

dentadura (den.ta.*du*.ra) *sf*. **1** Conjunto de dentes naturais do homem e do animal; DENTIÇÃO. **2** Conjunto de dentes artificiais que substituem os dentes naturais.

dental (den.*tal*) *a2g*. **1** Dos dentes. **2** Que se usa para a higiene dos dentes (fio *dental*). **3** *Fon*. Em cuja articulação a língua toca nos dentes frontais superiores: *As consoantes /t/ e /d/ são oclusivas dentais*. [Pl.: -*tais*.]

dentar (den.*tar*) *v*. **1** Fazer dentes em; DENTEAR. [*td*.: *O serralheiro dentava a lâmina de aço*.] **2** Morder. [*td*.: *Um gatinho dentava delicadamente sua mão*.] **3** Começar a ter dentes. [*int*.: *Este bebê dentou muito cedo*.] [▶ **1** dent**ar**]

dentário (den.*tá*.ri:o) *a*. **1** Ref. aos dentes; dos dentes (tratamento *dentário*). **2** Diz-se de onde o dentista exerce sua profissão (consultório *dentário*).

dente (*den*.te) *sm*. **1** *Anat*. Cada uma das estruturas ósseas presas na gengiva e que servem para morder e mastigar. **2** Qualquer objeto similar a um dente (1): *dente de alho*. **3** Cada uma das saliências pontudas de certos objetos ou instrumentos, como engrenagens etc. ▆ **~ de coelho** Coisa estranha; mistério: *Nessa história tem dente de coelho*. **~ de leite** *Anat*. Cada um dos dentes da primeira dentição. **Falar entre os ~s** Resmungar, rosnar. ⌑ É nos dentes do homem, com a mastigação, que começa a preparação do alimento para deles se extraírem os elementos necessários ao crescimento e à preservação do corpo e para a energia que consome ao viver e atuar. Daí sua importância e a de bem cuidar deles. A higiene bucal e uma alimentação rica em cálcio favorecem o fortalecimento dos dentes, esp. na infância e na adolescência. Na primeira dentição (os chamados 'dentes de leite') há vinte dentes temporários, dez em cada arcada. A dentição definitiva tem 16 dentes em cada arcada, e só se completa entre os 17 e 21 anos, com o aparecimento dos últimos molares, chamados 'dentes de siso'.

denteado (den.te.*a*.do) *a*. Ver *dentado* (1).

dentear (den.te.*ar*) *v*. Ver *dentar* (1). [▶ **13** dent**ear**]

dentição (den.ti.*ção*) *sf*. **1** O conjunto dos dentes. **2** Formação dos dentes nos bebês e nas crianças (primeira *dentição*). [Pl.: -*ções*.]

dentículo (den.*ti*.cu.lo) *sm*. Pequeno dente.

dentifrício (den.ti,*frí*.ci:o) *a.sm*. Que ou o que serve para limpar os dentes (tubo de *dentifrício*, pasta etc.).

dentina (den.*ti*.na) *sf*. *Anat*. O marfim dos dentes, recoberto por esmalte, na coroa, e por cemento, na raiz.

dentista (den.*tis*.ta) *s2g*. Profissional que trata dos dentes.

dentre (*den*.tre) Contr. da prep. *de* com a prep. *entre*. Indica inclusão, associação, exceção, seleção etc.: *Um dentre os mais novos não sabia nadar*.

dentro (*den*.tro) *adv*. No interior: *Dentro fazia mais frio que lá fora*. ▆ **~ de** No interior de: *Dentro da caixa encontrou o anel*. **~ em pouco** Em pouco tempo; logo: *Dentro em pouco o filme vai começar*. **Estar por ~** Pop. Estar bem informado, sabendo das coisas. **Por ~** No íntimo: *A aparência calma escondia o que ia por dentro*.

dentuça (den.*tu*.ça) *sf*. *Fam*. Arcada dentária cujos dentes incisivos superiores são salientes.

dentuço (den.*tu*.ço) *a.sm*. *Bras*. Que ou quem tem dentuça.

denúncia (de.*nún*.ci:a) *sf*. **1** Ação ou resultado de denunciar. **2** Acusação, verdadeira ou falsa, que se faz contra alguém por falta ou crime cometido: *O diretor foi afastado sob denúncia de corrupção*. **3** *Jur*. Documento oficial com que o Ministério Público inicia uma ação penal.

denunciar (de.nun.ci.*ar*) *v*. **1** Fazer ou oferecer denúncia de; DELATAR. [*td*.: *O jornalista denunciou o crime e os criminosos*. *tdi*. + *a*: *A funcionária denunciará a irregularidade à justiça*. *pr*.: *Os delinquentes denunciaram-se à polícia*.] **2** Mostrar, revelar, dar a perceber (algo oculto, ou seus próprios segredos). [*td*.: *O seu comportamento denuncia o seu caráter*; "... um ovo choco que mal denuncia na casca a podridão interior." (Aluísio Azevedo, *O mulato*). *tdi*. + *a*: *Seu silêncio denunciou a todos sus timidez*. *pr*.: *Com suas atitudes, denunciou-se*.] [▶ **1** denunci**ar**] ● **de.nun.ci.a.*ção*** *sf*.; **de.nun.ci.a.*dor*** *a.sm*.; **de.nun.ci:*an*.te** *a2g.s2g*.

denunciativo (de.nun.ci.a.*ti*.vo) *a*. Que denuncia (mensagem *denunciativa*).

denuncismo (de.nun.*cis*.mo) *sm*. Tendência de fazer denúncia(s), nem sempre fundamentada(s).

deparar (de.pa.*rar*) *v*. **1** Encontrar(-se), dar inesperadamente com; DEFRONTAR(-SE); TOPAR. [*td*.: *Caminhando pela rua, deparou o amigo*. *ti*. + *com*: *Ao nos virarmos, deparamos com o belo crepúsculo*. *pr*.: *Deparei-me com um obstáculo*.] **2** Surgir, vir, suceder de repente. [*A quem se deparará sorte igual à dele?*] [▶ **1** depar**ar**]

departamento (de.par.ta.*men*.to) *sm*. **1** Seção administrativa de uma empresa, indústria, repartição pública ou loja: *departamento de vendas.* **2** Nas universidades ou institutos, cada uma das divisões que agrupa disciplinas afins de um dado campo do saber.

depauperar (de.pau.pe.*rar*) *v.* **1** Privar de recursos, causar ruína econômica a; EMPOBRECER. [*td.*: *Maus negócios o depauperaram.*] **2** Causar fraqueza ou esgotamento físico a (outrem ou si mesmo); DEBILITAR(-SE); EXAURIR(-SE). [*td.*: *O trabalho duro nos depaupera. pr.*: *Com a gripe, depauperou-se rapidamente.*] [▶ **1** depauperar] • de.pau.pe.ra.*men*.to *sm.*

depenar (de.pe.*nar*) *v.* **1** Arrancar(-se) ou perder as penas. [*td.*: *Sua tarefa era depenar as aves abatidas. pr.*: *Algumas aves depenam-se em certas ocasiões.*] **2** *Pop.* Tirar, tomar ou extorquir de (alguém) o dinheiro ou os bens. [*td.*: *O escroque depenou o velho.*] **3** *Pop.* Furtar peças de (veículo). [*td.*: *Os ladrões depenaram o carro.*] [▶ **1** depenar] • de.pe.*na*.do *a.*

dependência (de.pen.*dên*.ci.a) *sf.* **1** Situação em que se depende de alguém ou algo para sobreviver ou ter êxito. **2** Vício: *A nicotina causa dependência; dependência das drogas.* **3** Cômodo de casa ou apartamento. **4** Situação em que aluno passa de ano mas tem de cursar novamente matéria em que foi reprovado.

dependente (de.pen.*den*.te) *a2g.* **1** Que depende. **2** *Ling.* Que, na hierarquia gramatical, é inferior a outro termo e a ele está subordinado (oração *dependente*). *s2g.* **3** Pessoa sustentada economicamente por outra. **4** Pessoa viciada em droga, álcool ou medicamento (dependente *químico*).

depender (de.pen.*der*) *v. ti.* **1** Estar necessitado de sustento, proteção, ajuda etc. [+ *de*: *Para cursar a faculdade, depende da ajuda do pai.*] **2** Estar sujeito a, ser determinado ou decidido por. [+ *de*: *Grande parte da população depende do transporte coletivo.*] **3** Ter como causa necessária. [+ *de*: *A boa colheita depende das chuvas.*] [▶ **2** depender]

dependurar (de.pen.du.*rar*) *v.* Pendurar(-se). [*td.* (seguido ou não de indicação de lugar): *A arrumadeira dependurou a roupa (no cabide). pr.* (seguido ou não de indicação de lugar): *Quando menino, vivia dependurando-se (nos galhos da mangueira).*] [▶ **1** dependurar]

depenicar (de.pe.ni.*car*) *v. td.* Arrancar aos poucos as penas ou os pelos de. [▶ **11** depenicar]

deperecer (de.pe.re.*cer*) *v. int.* Perecer, morrer pouco a pouco, ou debilitar-se progressivamente: *A doença o fez deperecer.* [▶ **33** deperecer]

de per si (de per *si*) *loc. adv.* Por si mesmo: *Resolveu de per si não entrar em disputas.*

depilar (de.pi.*lar*) *v.* Remover pelos (de). [*td.*: *depilar as pernas. pr.*: *Ana só se depila com cera quente.*] [▶ **1** depilar] • de.pi.la.*ção* *sf.*; de.pi.la.*dor* *a.sm.*

depilatório (de.pi.la.*tó*.ri:o) *a.* Próprio para depilar (creme depilatório).

deplorar (de.plo.*rar*) *v. td.* **1** Sentir desagrado ou revolta com; REPROVAR: *Deploro seu comportamento egoísta!* **2** Sentir grande tristeza ou pesar por; LAMENTAR: *Todos deploraram a morte do amigo.* [▶ **1** deplorar] • de.plo.ra.*ção* *sf.*

deplorável (de.plo.*rá*.vel) *a.* Que deve ser deplorado, ou despertar pesar, aversão etc.; LAMENTÁVEL; PÉSSIMO: *Há hospitais públicos em estado deplorável.* [Pl.: *-veis.*]

depoente (de.po:*en*.te) *s2g. Jur.* Pessoa que depõe em juízo.

depoimento (de.po:i.*men*.to) *sm.* **1** Declaração pública a respeito de algo: *O depoimento do senador foi convincente.* **2** *Jur.* Testemunho dado em juízo.

depois (de.*pois*) *adv.* **1** Em seguida; posteriormente: *Lancharam, depois foram dormir.* [Ant.: *antes.*] **2** Além disso; ademais: *Afinal concordou; depois, adiantava teimar à toa?* **3** Outro momento: *Resolvemos deixar o cinema para depois.* ▪▪ **~ de 1** Em seguida a: *Depois da cerimônia, começou a festa.* **2** Atrás de: *Meu ônibus chegou depois do seu.* **3** Adiante de, além: *Essa rua fica depois da pracinha.* ~ **que** Quando: *"Tudo tomou seu lugar / Depois que a banda passou."* (Chico Buarque, *A banda*).

depor (de.*por*) *v.* **1** Prestar declarações em investigação oficial; TESTEMUNHAR. [*int.*: *Paulo foi intimado a depor amanhã.*] **2** Destituir de cargo, posto, função. [*td.*: *Uma conspiração depôs o presidente.*] **3** Fornecer indícios (favoráveis ou desfavoráveis) sobre. [*ti.* + *contra/a favor de*: *Sua história depõe contra você.*] [▶ **60** depor]. Part.: *deposto.*]

deportar (de.por.*tar*) *v. td.* Expulsar do país; EXPATRIAR: *Decidiram deportar o terrorista.* [▶ **1** deportar] • de.por.ta.*ção* *sf.* • de.por.*ta*.do *a.sm.*

deposição (de.po.si.*ção*) *sf.* Ação ou resultado de depor, de tirar alguém do poder. [Pl.: *-ções.*]

depositante (de.po.si.*tan*.te) *s2g.* Pessoa que deposita dinheiro em conta bancária.

depositar (de.po.si.*tar*) *v.* **1** Pôr, colocar em. [*td.* (seguido de indicação de lugar): *Deposite seu voto na urna.*] **2** Colocar (dinheiro, cheque) em conta bancária. [*td.*] **3** Transmitir ou comunicar (algo) em confiança. [*td.* (seguido de indicação de lugar): *Depositou a herança nas mãos da viúva.*] **4** Projetar (esperança, fé etc.) em. [*td.* (seguido de indicação de lugar): *Depositava esperança no futuro.*] **5** Acumular(-se) (substância) no fundo de. [*td.* (seguido de indicação de lugar): *As correntes depositam sedimentos no canal. pr.*: *O pó do café depositou-se na xícara.*] [▶ **1** depositar]

depositário (de.po.si.*tá*.ri:o) *sm.* **1** Pessoa que recebe em depósito: *João foi o depositário da aposta.* **2** Pessoa a quem se confia algo, a quem se faz uma confidência: *O psicanalista é o depositário dos problemas de seus pacientes.*

depósito (de.*pó*.si.to) *sm.* **1** Ação de depositar. **2** Aquilo que se depositou. **3** Local em que se deposita, em que se guarda algo (como armazém ou reservatório). **4** Dinheiro depositado em banco, esp. como pagamento: *Fez um depósito de 10% do valor da transação.*

depravação (de.pra.va.*ção*) *sf.* Corrupção, perversão, degeneração.

depravar (de.pra.*var*) *v.* **1** Prejudicar(-se), estragar(-se). [*td. pr.*] **2** Tornar(-se) moralmente inferior; DEGENERAR(-SE). [*td.*: *A inveja deprava as relações humanas. pr.*: *Sob a influência de péssimas companhias, depravou-se.*] [▶ **1** depravar] • de.pra.*va*.do *a.sm.*

deprecar (de.pre.*car*) *v.* **1** Pedir de forma submissa e persistente; IMPLORAR; SUPLICAR. [*tdi.* + *a*: *Arrependido, o assaltante lhe deprecar perdão à vítima. int.*: *Chorava e deprecava, desesperado.*] **2** *Jur.* Fazer (um juiz) um pedido (a outro), por meio de documento específico. [*int.*] [▶ **11** deprecar]

depreciação (de.pre.ci:a.*ção*) *sf.* Baixa de preço ou valor; DESVALORIZAÇÃO: *O real teve nova depreciação frente ao dólar.*

depreciar (de.pre.ci.*ar*) *v.* **1** Diminuir ou desdenhar os méritos de (algo, alguém ou si próprio); MENOSPREZAR(-SE). [*td.*: *Não é correto depreciar os concorrentes. pr.*: *Reconheça seu talento e pare de depreciar-se!*] **2** Reduzir preço ou valor de (ou perder valor, utilidade). [*td.*: *A estabilidade econômica depreciou os importados. pr.*: *Novos equipamentos depreciam-se rapidamente.*] [Ant. ger.: *valorizar.*] [▶ **1** depreciar]

depreciativo (de.pre.ci.a.*ti*.vo) *a.* Ref. a ou em que há depreciação; que rebaixa, desvaloriza, despreza (comentário depreciativo).

depredar (de.pre.*dar*) *v. td.* **1** Causar a destruição de: *Depredaram a prisão.* **2** Apossar-se de bens alheios; praticar roubo, furto de: *O advogada depredou a herança do cliente.* [▶ **1** depredar] • de.pre.da.*ção* *sf.*

depreender (de.pre.en.*der*) *v.* **1** Concluir por inferência; DEDUZIR. [*tdi.* + *de*: *Depreendi de sua carta que José voltará ao Rio.*] **2** Atingir a compreensão de (algo difícil); COMPREENDER. [*td.*: *Depreenderam que nada mais havia a fazer.*] [▶ **2** depreend**er**]

depressa (de.*pres*.sa) *adv.* Em pouco tempo; com pressa; sem demora; rapidamente.

depressão (de.pres.*são*) *sf.* **1** Ação ou resultado de deprimir(-se). **2** *Psiq.* Estado patológico, de natureza orgânica e psicológica, que envolve abatimento, desânimo, inércia, às vezes ansiedade. **3** Redução, diminuição: *depressão nos preços*. **4** Concavidade pouco profunda: *depressão no terreno*. **5** *Econ.* Período de baixa atividade econômica com desemprego generalizado. **6** *Geog.* Terreno ou região emersa situados abaixo do nível do mar. [Pl.: -*sões.*]

depressivo (de.pres.*si*.vo) *a.* **1** Que causa depressão; DEPRESSOR. *a.sm.* **2** Que ou quem sofre de depressão (2).

depressor (de.pres.*sor*) [ó] *a.sm.* Que ou aquilo que deprime ou é usado para tal.

deprimir (de.pri.*mir*) *v.* **1** Tirar ou perder o ânimo; abater(-se) moral ou fisicamente; enfraquecer(-se) ou entristecer(-se). [*td.*: *A má notícia deprimiu toda a família.* **pr.**: *Quem não se deprime com tais acontecimentos?*] [▶ **3** deprim**ir**] ● de.pri.*men*.te *a2g.*; de.pri.*mi*.do *a.*

depurar (de.pu.*rar*) *v.* Livrar(-se) de (impurezas, imperfeições etc.); tornar mais puro ou mais apurado. [*td.*: *depurar a água/o espírito.* *tdi.* + *de*: *Faltou depurar o poema dos erros de métrica.* **pr.**: *Com o tratamento, a água do reservatório depurou-se.*] [▶ **1** depur**ar**]

depurativo (de.pu.ra.*ti*.vo) *a.sm.* Que ou o que depura o organismo de toxinas e resíduos.

deputação (de.pu.ta.*ção*) *sf.* **1** Delegação (1) de poder. **2** Grupo de pessoas incumbidas de determinada missão. [Pl.: -*ções.*]

deputado (de.pu.*ta*.do) *sm.* **1** Aquele que recebe de outra(s) pessoa(s) poder para representá-la(s) em reuniões e decisões oficiais, esp. em assembleia. **2** Aquele que é eleito para participar do parlamento, de Câmara Legislativa.

deputar (de.pu.*tar*) *v. tdi.* Incumbir (de tarefa, missão); encarregar de. [+ *a*, *para*: *O ministro deputou um delegado para a conferência.*] [▶ **1** deput**ar**]

deque (*de*.que) *sm.* **1** O piso dos pavimentos de bordo de uma embarcação; CONVÉS. **2** Terraço recoberto de madeira ger. contíguo a uma piscina, ou plataforma de madeira à beira-mar ou beira-rio.

deriva (de.*ri*.va) *sf. Aer. Mar.* Desvio de rota de embarcação ou de avião por ação de correntes marítimas ou aéreas. ▪▪ À ~ Desgarrado, sem rumo.

derivação (de.ri.va.*ção*) *sf.* **1** Ação ou resultado de derivar. **2** *Ling.* Processo de multiplicação e reaproveitamento de um vocábulo pelo acréscimo de sufixos e prefixos (p.ex.: *ferreiro*, *ferrugem*, *ferragem* etc. são *derivações* do substantivo *ferro*, assim como *compor*, *repor*, *transpor* etc. são *derivações* do verbo *pôr*). [Pl.: -*ções.*]

derivado (de.ri.*va*.do) *a.sm.* **1** Que ou o que provém ou se origina de: *A gasolina e o querosene são derivados do petróleo*; *O português é uma língua derivada do latim.* **2** *Ling.* Que ou o que sofre derivação (2) (diz-se de vocábulo).

derivar (de.ri.*var*) *v.* **1** Fazer provir ou provir (de algo); ORIGINAR(-SE). [*ti.* + *de*: *Todo ser vivo deriva de outros.* *tdi.* + *de*: *Derivei a ideia de um sonho que tive.*] **2** Alterar o rumo ou a direção (de algo). [*ti.* + *para*: *A conversa dos dois sempre deriva para música.*] **3** *Ling.* Formar(-se) (uma palavra) a partir de (outra). [*ti.* + *de*: "*Panelaço*" *deriva de "panela".*] **4** Mover-se a esmo, sem rumo. [*int.* (seguido de indicação de lugar, tempo etc.): *O bote derivou em alto mar durante dias.*] **5** *Mat.* Calcular a derivada de (uma função). [*td.*] [▶ **1** deriv**ar**]

derivativo (de.ri.va.*ti*.vo) *a.* **1** Ref. a derivação. *sm.* **2** Ocupação que serve para distrair; DISTRAÇÃO.

derma (*der*.ma) [ê] *sm. Anat.* Pele.

dermatite (der.ma.*ti*.te) *sf. Med.* Inflamação da pele.

dermatologia (der.ma.to.lo.*gi*.a) *sf. Med.* Ramo da medicina que estuda as doenças da pele. ● der.ma.to.lo.*gis*.ta *s2g.*

dermatose (der.ma.*to*.se) *sf. Med.* Qualquer doença da pele.

derme (*der*.me) *sf. Histl.* Camada de pele localizada abaixo da epiderme.

derradeiro (der.ra.*dei*.ro) *a.* Final, último.

derrama (der.*ra*.ma) *sf. Bras. Hist.* Cobrança extorsiva de impostos feita no período colonial.

derramar (der.ra.*mar*) *v.* **1** Entornar (líquido, areia etc.), com ou sem intenção. [*td.*: *Cuidado para não derramar o café*; (tb. com indicação de lugar) *Derrame o molho sobre a carne.*] **2** Fazer correr; VERTER. [*td.*: *Não derramei uma só lágrima na despedida.*] **3** *Fig.* Manifestar de forma excessiva (sentimentos, cumprimentos etc.). [*td.*: *derramar lamúrias.* **pr.**: *Joana derramou-se em elogios para a colega.*] [▶ **1** derram**ar**] ● der.ra.*men*.to *sm.*

derrame (der.*ra*.me) *sm.* **1** *Med.* Presença anormal de líquidos (como sangue ou bile) em cavidades do corpo. **2** *Pop.* Hemorragia no cérebro.

derrapar (der.ra.*par*) *v. int.* Deslizar, por perda de aderência dos pneus (diz-se de veículo): *A moto derrapou na curva.* [▶ **1** derrap**ar**] ● der.ra.*pa*.gem *sf.*

derrear (der.re.*ar*) *v.* **1** Curvar(-se), inclinar(-se). [*td.*: *O vento forte derreava as palmeiras.* **pr.**: *Derreou-se para beijar a criança.*] **2** Cansar(-se); abater ou ficar abatido. [*td.*: *Nada parecia derrear o lavrador.* **pr.**: *Constatando a derrota, o advogado derreou-se.*] [▶ **13** derre**ar**] ● der.re.*a*.do *a.*

derredor (der.re.*dor*) [ó] *adv.* Em volta, ao redor: *Gritou e todos ouviram derredor.* ▪▪ Em/Ao ~ de Em volta de; ao redor de.

derreter (der.re.*ter*) *v.* **1** Converter(-se) em estado líquido ou pastoso; LIQUEFAZER(-SE). [*td.*: *O calor derreteu parte do asfalto.* *int./pr.*: *O sorvete já está (se) derretendo.*] **2** *Fig.* Tornar terno ou emotivo. [*td.*: *Os carinhos do cachorro a derretiam.*] ▪ **derreter-se** *pr.* **3** Enamorar-se, encantar-se: *Ele ainda derrete-se pela ex-namorada.* [▶ **2** derret**er**] ● der.re.*ti*.do *a.*

derretimento (der.re.ti.*men*.to) *sm.* **1** Ação ou resultado de derreter(-se); DERRETEDURA. **2** *Fig.* Encantamento, enlevo: *Não escondia o seu derretimento pelo caçula.* **3** Denguice, faceirice: *José era só derretimento com a namorada.*

derrisão (der.ri.*são*) *sf.* **1** Riso de zombaria. **2** Ironia, sarcasmo. [Pl.: -*sões.*] ● der.ri.*só*.ri:o *a.*

derrocada (der.ro.*ca*.da) *sf.* Desmoronamento, desabamento, ruína (tb. *Fig.*).

derrocar (der.ro.*car*) *v.* **1** Destituir do poder. [*td.*: *derrocar um governo/um ditador.*] **2** Pôr ou vir abaixo; destruir, derrubar, desmoronar. [*td.*: *O terremoto derrocou o centro histórico da cidade.* *int.*: *Segundo o engenheiro, o velho túnel não tarda a derrocar.*] [▶ **11** derro**car**]

derrogar (der.ro.*gar*) *v. td.* **1** *Jur.* Modificar ou abolir em parte (lei, regulamento): *O ministro negou-se a derrogar a lei ambiental.* **2** *Fig.* Transgredir ou tornar nulos (ideias ou costumes estabelecidos): *derrogar princípios éticos.* [▶ **14** derrog**ar**]

derrota¹ (der.*ro*.ta) *sf.* **1** Perda de batalha ou de guerra. **2** Fracasso no esporte, no amor, nos negócios, na política etc.: *Choraram a derrota da equipe.*

derrota² (der.ro.ta) *sf. Náut.* A trajetória de uma embarcação; ROTA.

derrotar (der.ro.*tar*) *v. td.* Vencer em disputa ou combate: *derrotar um time/um exército.* [▶ 1 derrotar] • **der.ro.ta.do a.sm.**

derrotismo (der.ro.*tis*.mo) *sm. Bras.* Atitude de quem acha que tudo sempre vai dar errado. • **der.ro.tis.ta** *a2g.s2g.*

derrubada (der.ru.ba.da) *sf. Bras.* 1 Ação ou resultado de derrubar. 2 Ato de derrubar árvores. 3 *Fig.* Demissão em massa.

derrubar (der.ru.*bar*) *v. td.* 1 Causar a queda de (algo ou alguém): *Cuidado para não derrubar o vaso!* 2 Pôr abaixo; DEMOLIR: *Vão derrubar o prédio dos correios.* 3 Destituir de poder ou influência; DEPOR: *Articulou-se um golpe para derrubar o ditador.* 4 *Pop.* Afetar negativamente ou prejudicar: *Tudo o que ela diz é para me derrubar.* [▶ 1 derrubar] • **der.ru.ba.do a.**

derruir (der.ru.*ir*) *v. td.* Abalar muito, destruir, anular, fazer desmoronar (coisas, instituições etc.): *Intrigas derruíram a união do grupo.* [▶ 56 derruir]

dervixe (der.*vi*.xe) *sm. Rel.* Religioso muçulmano que ger. faz votos de pobreza, castidade e humildade e manifesta sua devoção por meio de danças, gritos etc.

desabado (de.sa.*ba*.do) *a.* 1 Que desabou (edifício desabado). 2 De aba caída (diz-se de chapéu).

desabafar (de.sa.ba.*far*) *v.* Expressar (tristeza, raiva etc.) para alívio emocional. [*td.*: *Desabafou sua antipatia pela madrasta.* *int./pr.*: *Não tinha com quem (se) desabafar.*] [▶ 1 desabafar]

desabafo (de.sa.*ba*.fo) *sm.* 1 Ação ou resultado de desabafar(-se). 2 Expressão sincera e espontânea de sentimentos e pensamentos: *Em seu desabafo disse tudo o que sentia.*

desabalado (de.sa.ba.*la*.do) *a. Pop.* Que não tem freio ou limite; DESEMBESTADO: *Partiu numa corrida desabalada.*

desabar (de.sa.*bar*) *v. int.* 1 Cair por terra; DESMORONAR: *Por sorte, nenhuma casa desabou.* 2 Cair com força (diz-se de tempestade, chuva): *Um temporal desabou sobre o centro da cidade.* 3 *Fig.* Perder o controle: *Ao vê-la, desabou num choro incontido.* [▶ 1 desabar] • **de.sa.ba.men.to sm.**

desabilitar (de.sa.bi.li.*tar*) *v. td.* 1 Tornar inapto para exercer atividade ou função: *A Fifa desabilitou o jogador em março.* 2 *Inf.* Desativar (recurso computacional): *desabilitar botões/comandos.* [▶ 1 desabilitar]

desabitado (de.sa.bi.*ta*.do) *a.* Sem habitantes (local desabitado); DESERTO, ERMO.

desabituar (de.sa.bi.tu.*ar*) *v. td.* Fazer perder ou perder o hábito de; DESACOSTUMAR(-SE). [*tdi.* + *de*: *Os anos no campo desabituaram Lia da vida urbana.* *pr.*: *Desabituei-me de sair aos domingos.*] [▶ 1 desabituar] • **de.sa.bi.tu.a.do a.**

desabonar (de.sa.bo.*nar*) *v. td.* Fazer perder a credibilidade, autoridade ou estima; DESACREDITAR: *Descobriram coisas que desabonam o vereador.* [▶ 1 desabonar] • **de.sa.bo.na.do a.**; **de.sa.bo.na.dor a.sm.**

desabono (de.sa.*bo*.no) *sm.* 1 Ação ou resultado de desabonar. 2 Descrédito: *Nada consta em desabono à sua conduta.* 3 Menosprezo, depreciação: *Não perceberá qualquer desabono em sua voz.*

desabotoar (de.sa.bo.to.*ar*) *v. td.* 1 Tirar (botão) da casa (na roupa). 2 Abrir (roupa) desabotoando (1): *desabotoar o casaco.* [▶ 16 desabotoar]

desabrido (de.sa.*bri*.do) *a.* 1 Áspero, grosseiro (temperamento desabrido). 2 Atrevido, insolente.

desabrigado (de.sa.bri.*ga*.do) *a.* 1 Sem proteção ou abrigo: *Alojou-se no albergue, pois estava desabrigado.* 2 Que não oferece abrigo ou proteção (diz-se de lugar) (pátio desabrigado); ABERTO. *sm.* 3 Pessoa desabrigada, esp. a que perdeu sua casa.

desabrigar (de.sa.bri.*gar*) *v. td.* Deixar sem abrigo, sem moradia: *A enchente desabrigou muitas famílias.* [▶ 14 desabrigar]

desabrigo (de.sa.*bri*.go) *sm.* 1 Falta de, ou condição em que falta abrigo, proteção: *O terremoto causou o desabrigo de milhares de pessoas.* 2 Desamparo: *Separou-se da família, deixando-a ao desabrigo.*

desabrochar (de.sa.bro.*char*) *v.* 1 Abrir(-se) o botão (de flor). [*int./pr.*: *A rosa desabrochou(-se) rápido.* *td.*: *As chuvas vão desabrochar as violetas.*] 2 *Fig.* Começar a manifestar-se, ganhar vulto; DESENVOLVER-SE. [*int.*: *Um novo estilo literário desabrochou na virada do século.*] [▶ 1 desabrochar] • **de.sa.bro.cha.men.to sm.**

desabusado (de.sa.bu.*za*.do) *a.* 1 Insolente, atrevido (menino desabusado, humor desabusado). 2 Inconveniente (comentário desabusado).

desacatar (de.sa.ca.*tar*) *v. td.* Desrespeitar a autoridade de; faltar com o respeito a: *O motorista afirma que não desacatou o policial.* [▶ 1 desacatar]

desacato (de.sa.*ca*.to) *sm.* 1 Falta de respeito; desprezo, desobediência: *Foi preso por desacato à lei.* 2 *Bras. Gír.* Pessoa que causa admiração pela beleza, talento etc.

desacelerar (de.sa.ce.le.*rar*) *v.* 1 Fazer perder ou perder a velocidade (veículo). [*td.*: *Desacelere o carro nas curvas.* *int.*: *A moto não desacelerou.*] 2 Moderar desenvolvimento, ritmo ou progresso (de algo). [*td.*: *O problema de saúde talvez desacelere a carreira do ator.* *int.*: *Há boas chances de a inflação desacelerar.*] [▶ 1 desacelerar]

desacertar (de.sa.cer.*tar*) *v.* 1 Não acertar; ERRAR. [*td.*: *desacertar a resposta.*] 2 Tirar (de algo), ou perder o acerto (ordenação, ritmo etc.). [*td.*: *A saída do treinador desacertou o time.* *int.*: *O violão desacertou quando caiu.* *pr.*: *A bateria da escola de samba desacertou-se.*] 3 Desajustar(-se) (aparelho, equipamento etc.). [*td.*: *O contato com a água desacerta meu relógio.* *pr.*: *O carburador desacertou-se.*] 4 Entrar em discordância; DESENTENDER-SE. [*pr.*: *China e Japão desacertaram-se durante as negociações.*] [▶ 1 desacertar]

desacerto (de.sa.*cer*.to) [ê] *sm.* 1 Falta de acerto; EQUÍVOCO; ERRO: *Sua atuação foi um desacerto do começo ao fim.* 2 Tolice, bobagem: *Quantos desacertos nessa redação!* 3 Mal-entendido, equívoco: *Ocorreu um desacerto entre o assistente e a coordenadora.*

desacomodar (de.sa.co.mo.*dar*) *v.* 1 Tirar o acomodação ou o conforto de; DESALOJAR. [*td.*: *Ficaram num hotel para não desacomodar os avós.*] 2 Alterar a ordem de; DESORGANIZAR; DESORDENAR. [*td.*: *desacomodar os móveis para pintar o quarto.*] 3 Reagir a estado de inércia ou conformismo. [*pr.*: *Finalmente desacomodou-se e pediu o divórcio.*] [▶ 1 desacomodar] • **de.sa.co.mo.da.do a.**

desacompanhado (de.sa.com.pa.*nha*.do) *a.* 1 Sem companhia; SÓ; SOZINHO. 2 Sem a presença de (alguém ou algo): *A câmera veio desacompanhada das instruções.*

desacompanhar (de.sa.com.pa.*nhar*) *v. td.* 1 Deixar de oferecer companhia, proteção ou apoio de: *Desacompanhou os amigos quando se casou.* 2 Perder a harmonia ou o compasso em: *A ioga prega que a mente não deve desacompanhar o corpo.* [▶ 1 desacompanhar]

desaconselhar (de.sa.con.se.*lhar*) *v.* Aconselhar que não se adote (ação, atitude etc.). [*td.*: *Os homeopatas desaconselham o uso de antibióticos.* *tdi.* + *a*: *Desaconselhou o rapaz a cursar medicina; Desaconselhou ao paciente cigarros.* NOTA: Os complementos direto e indireto permutam em relação a quem é desaconselhado.] [▶ 1 desaconselhar] • **de.sa.con.se.lhá.vel a2g.**

desacorçoar | desagrado

desacorçoar (de.sa.cor.ço.ar) v. Ver *descorçoar*. [▶ 16 desacorçoar]

desacordado (de.sa.cor.da.do) a. Que desmaiou, perdeu os sentidos; DESMAIADO.

desacordo (de.sa.cor.do) [ô] sm. **1** Falta de acordo, de entendimento; DISCORDÂNCIA; DIVERGÊNCIA: *A votação revelou desacordo entre os jurados*. **2** Falta de harmonia: *Viviam num total desacordo*.

desacorrentar (de.sa.cor.ren.tar) v. Livrar-se de correntes (desprendendo-as ou rompendo-as) ou (tb. *Fig.*) de algo que prende ou oprime. [*td.*: *O domador desacorrentou o tigre*. *pr.*: *Desacorrentou-se da rotina*.] [▶ 1 desacorrentar]

desacostumar (de.sa.cos.tu.mar) v. Fazer perder ou perder hábito ou costume; DESABITUAR(-SE). [*tdi.* + *de*: *O uso do computador desacostumou-o de escrever à mão*. *pr.*: *Quer parar de roer as unhas, mas não consegue desacostumar-se*.] [▶ 1 desacostum**ar**] • **de.sa.cos.tu.ma.do** a.

desacreditado (de.sa.cre.di.ta.do) a. **1** Que perdeu a credibilidade, a confiança dos outros: *Após tantas derrotas, esse partido está desacreditado*. **2** Que perdeu o bom conceito, a reputação. [Ant. nesta acp.: *conceituado*.]

desacreditar (de.sa.cre.di.tar) v. Fazer perder ou perder crédito, boa fama. [*td.*: *Sua preguiça o desacreditou na firma*. *pr.*: *Com suas mentiras, desacreditou-se em casa*.] [▶ 1 desacreditar]

desafeição (de.sa.fei.ção) sf. Falta de afeto ou de amizade; DESAMOR. [Pl.: -ções.]

desafeiçoar¹ (de.sa.fei.ço.ar) v. Fazer perder ou perder afeição ou gosto por. [*tdi* + *de*: *O tempo a desafeiçoou do namorado*. *pr.*: *Desafeiçoara-se da vida urbana*.] [▶ 16 desafeiçoar]

desafeiçoar² (de.sa.fei.ço.ar) v. td. Alterar as feições de; DESFIGURAR. [▶ 16 desafeiçoar]

desafeito (de.sa.fei.to) a. Que não está afeito, acostumado (a algo); DESACOSTUMADO: *Era um homem desafeito a facilidades e mordomias*.

desaferrar (de.sa.fer.rar) v. **1** Soltar(-se) (o que estava preso com ferro). [*td.*: *desaferrar um navio*. *pr.*: *desaferrar-se das correntes*.] **2** *Fig.* Desprender(-se) com dificuldade. [*td.*: *desaferrar a base do liquidificador*. *pr.*: *desaferrar-se de maus pensamentos*.] **3** *Fig.* Fazer abandonar ou renunciar a (planos, intenções, hábitos). [*tdi.* + *de*: *Não há quem a desaferre da ideia de virar freira*. *pr.*: *O casal desaferrou-se da ideia de mudar de casa*.] [▶ 1 desaferr**ar**]

desaferrolhar (de.sa.fer.ro.lhar) v. td. Abrir (o que está fechado com ferrolho): *desaferrolhar o portão*. [▶ 1 desaferrolh**ar**]

desafetação (de.sa.fe.ta.ção) sf. Falta de afetação na maneira de agir; NATURALIDADE. [Pl.: -ções.]

desafeto¹ (de.sa.fe.to) sm. Falta de afeto; DESAMOR; DESAFEIÇÃO.

desafeto² (de.sa.fe.to) a. **1** Que é contrário a (alguma coisa); ADVERSO; OPOSTO: *homem desafeto a novas ideias*. sm. **2** *Bras.* Adversário, inimigo (desafeto político).

desafiar (de.sa.fi.ar) v. **1** Provocar (alguém) a tomar parte em (disputa ou combate). [*td.* (seguido ou não de indicação de objetivo): *desafiar o oponente (para uma disputa)*.] **2** Incitar (alguém) a praticar ação considerada difícil. [*tdi.* + *a*: *Desafio você a subir na árvore*.] **3** *Fig.* Pôr à prova; exigir o empenho máximo de. [*td.*: *O mistério desafiava a nossa inteligência*.] **4** *Fig.* Enfrentar (grande dificuldade ou perigo). [*td.*: *Os trapezistas desafiavam a morte*.] **5** *Fig.* Opor-se abertamente a (lei, autoridade, instituição); CONTESTAR. [*td.*: *Desafiou a proibição do prefeito*.] [▶ 1 desafi**ar**] • **de.sa.fi:a.dor** a.sm.; **de.sa. fi:an.te** a2g.

desafinado (de.sa.fi.na.do) a. **1** *Mús.* Que está fora do tom; não afinado (violão *desafinado*, vozes *desa-*

finadas). **2** *Fig.* Desarmônico, discordante (opiniões *desafinadas*).

desafinar (de.sa.fi.nar) v. *Mús.* Fazer ficar ou ficar fora do tom certo. [*td.*: *A umidade e o calor desafinaram o violão*. *int.*: *cantar uma música sem desafinar*.] [▶ 1 desafin**ar**] • **de.sa.fi.na.ção** sf.

desafio (de.sa.fi:o) sm. **1** Ação ou resultado de desafiar. **2** Ação muito difícil de realizar; problema que exige coragem ou esforço: *"...fazer as reformas será o principal desafio da economia brasileira..."* (*FolhaSP*, 19.12.99); *O alpinista enfrentou o desafio daquela escalada*. **3** Provocação para luta ou qualquer tipo de competição: *Aceitou o desafio e venceu o jogo*. **4** Atitude de desrespeito e provocação: *olhar de desafio*. **5** *Bras. Mús.* Disputa musical em que dois cantadores se alternam com versos improvisados; esses versos cantados.

desafivelar (de.sa.fi.ve.lar) v. td. Abrir ou soltar, desapertando a fivela ou presilha; DESFIVELAR: *desafivelar o cinto/o sapato/os cabelos*. [▶ 1 desafivel**ar**]

desafogar (de.sa.fo.gar) v. **1** Fazer reduzir ou reduzir aquilo que sobrecarrega (ruas, serviços públicos etc.). [*td.*: *desafogar o sistema judiciário*. *pr.*: *O trânsito desafogou-se*.] **2** *Fig.* Manifestar com franqueza (sentimentos ou emoções opressivas). [*td.*: *"...desafogou em prantos e soluços a dor que tinha..."* (José de Alencar, *A pata da gazela*).] **3** *Fig.* Livrar(-se) de dificuldades financeiras, espirituais etc. [*td.*: *A herança desafogou a viúva*. *pr.*: *Desafogou-se com o 13º salário*.] [▶ 14 desafog**ar**]

desafogo (de.sa.fo.go) [ô] sm. **1** Ação ou resultado de desafogar. **2** Situação ou estado de quem se desafogou, desabafou, aliviou-se; ALÍVIO; DESABAFO: *Precisa de um desafogo para a alma*. **3** *Fig.* Fartura financeira; ABASTANÇA.

desaforado (de.sa.fo.ra.do) a.sm. Que ou quem demonstra desrespeito; INSOLENTE.

desaforar (de.sa.fo.rar) v. td. **1** *Jur.* Transferir (processo) de uma circunscrição judiciária para outra. **2** Tornar-se atrevido ou desrespeitoso com; OFENDER: *Furou a fila e ainda veio me desaforar!* [▶ 1 desafor**ar**]

desaforo (de.sa.fo.ro) [ô] sm. Falta de respeito no modo de agir ou falar; INSOLÊNCIA; ATREVIMENTO.

desafronta (de.sa.fron.ta) sf. Ação ou resultado de desafrontar(-se); DESAGRAVO.

desafrontar (de.sa.fron.tar) v. Vingar(-se) ou livrar(-se) de ofensa ou injúria; DESAGRAVAR(-SE). [*td.*: *Desafrontou a dignidade do irmão*. *tdi.* + *de*: *Desafrontou o irmão das calúnias e injúrias*. *pr.*: *Caluniado, esperava desafrontar-se um dia*.] [▶ 1 desafront**ar**]

desagasalhado (de.sa.ga.sa.lha.do) a. Sem agasalho ou abrigo (ambiente *desagasalhado*, bebê *desagasalhado*); DESABRIGADO.

deságio (de.sá.gi:o) sm. *Econ.* **1** Diferença para menos entre o preço de tabela de uma mercadoria e o preço realmente praticado; DESCONTO: *Os automóveis foram vendidos com 30% de deságio*. **2** Diferença para menos entre o valor nominal de um título de crédito, moeda etc. e seu valor de mercado: *O dólar foi trocado com 3% de deságio*.

desagradar (de.sa.gra.dar) v. Causar desprazer ou reação desfavorável em; DESCONTENTAR: *O novo visual desagrada os fãs*. *ti.* + *a*: *A peça desagradou aos críticos*.] [▶ 1 desagrad**ar**]

desagradável (de.sa.gra.dá.vel) a2g. Que não agrada (ambiente *desagradável*, pessoa *desagradável*). [Pl.: -*veis*.]

desagrado (de.sa.gra.do) sm. **1** Ação ou resultado de desagradar. **2** Falta de agrado, de prazer; DESPRAZER.

desagravar | desaparafusar

O espetáculo provocou desagrado geral. **3** Falta de satisfação; DESCONTENTAMENTO: *Os jogadores manifestaram o seu desagrado.*

desagravar (de.sa.gra.*var*) *v.* **1** Reparar(-se) (de dano ofensa ou injúria); DESAFRONTAR(-SE). [*td.*: *Tentava desagravar a sua honra.* *pr.*: *Desagravou-se apontando os culpados.*] **2** Diminuir a gravidade de. [*td.*] [▶ **1** desagrav̄ar̄]

desagravo (de.sa.gra.vo) *sm.* Ação ou resultado de desagravar(-se); reparação de dano físico ou moral; DESAFRONTA: *Publicou um artigo em desagravo ao juiz ofendido.*

desagregar (de.sa.gre.*gar*) *v.* **1** Separar(-se), desunir(-se). [*td.*: *As brigas desagregam as equipes.* *td. + em*: *A competição desagregou a turma em grupos rivais.* *pr.*: *As rochas desagregaram-se.*] **2** Fazer sair de seu meio; DESARRAIGAR. [*tdi. + de*: *desagregar um índio de sua tribo.*] [▶ **14** desagreḡar̄] • **de.sa.gre.ga.ção** *sf.*; **de.sa.gre.ga.do** *a.*; **de.sa.gre.ga.dor** *a.sm.*; **de.sa.gre.gan.te** *a2g.*

desaguadouro (de.sa.gua.*dou*.ro) *sm.* Vala ou rego para escoamento de águas.

desaguar (de.sa.*guar*) *v. int.* Lançar (um rio) sua água em (mar, outro rio); DESEMBOCAR: (seguido de indicação de lugar) *O rio Pardo deságua no mar.* [▶ **17** desaguār]

desaguisado (de.sa.gui.*sa*.do) *sm.* Briga, rixa.

desaire (de.*sai*.re) *sm.* **1** Falta de distinção, de elegância. **2** Falta de decência, de compostura. **3** Falta de honra; DESCRÉDITO.

desairoso (de.sai.*ro*.so) [ó] *a.* Em que há desaire; DESELEGANTE; INDECOROSO. [Fem. e pl.: [ó].]

desajeitado (de.sa.jei.*ta*.do) *a.* **1** Sem jeito (andar desajeitado); DESENGONÇADO. **2** Que não é habilidoso: *um dançarino desajeitado.* **3** Sem graça, embaraçado: *um pedido de desculpas meio desajeitado.* **4** Desarrumado, deselegante.

desajuizado (de.sa.ju.i.*za*.do) *a.sm.* Que ou quem não tem juízo; INSENSATO; INCONSEQUENTE.

desajustado (de.sa.jus.*ta*.do) *a.* **1** *Psi.* Que não está emocional ou socialmente ajustado, equilibrado. **2** Que perdeu o ajuste (freio desajustado). *sm.* **3** *Psi.* Pessoa desajustada (1).

desajustamento (de.sa.jus.ta.*men*.to) *sm.* **1** Ação ou resultado de desajustar(-se). **2** *Psi.* Falta de equilíbrio emocional, de adaptação ao meio em que vive.

desajustar (de.sa.jus.*tar*) *v.* **1** Tirar ou perder o ajuste, a medida ou da sintonia certa. [*td.*: *desajustar um mecanismo.* *pr.*: *O relógio desajustou-se.*] **2** *Psi.* Desequilibrar(-se) emocionalmente. [*td.*: *As drogas desajustam qualquer um.* *pr.*: *Desajustou-se com a perda do emprego.*] [▶ **1** desajust̄ar̄] • **de.sa.jus.te** *sm.*

desalentar (de.sa.len.*tar*) *v.* Fazer perder ou perder o alento; DESANIMAR(-SE). [*td.*: *Os maus resultados desalentaram o time.* *pr.*: *Desalentou-se ao ser reprovado.*] [▶ **1** desalent̄ar̄] • **de.sa.len.ta.do** *a.*; **de.sa.len.ta.do.r** *a.sm.*

desalento (de.sa.*len*.to) *sm.* Falta de alento; DESÂNIMO: *"Essas frequentes crises de desalento, de tédio (...) na alma dos jovens..."* (Cecília Meireles, *O respeito pela mocidade*).

desalinhado (de.sa.li.*nha*.do) *a.* **1** Fora do alinhamento ou do lugar: *A roda desalinhada da motocicleta causou o acidente.* **2** De aparência descuidada; DESARRUMADO.

desalinhar (de.sa.li.*nhar*) *v.* **1** Tirar ou sair do alinhamento. [*td.*: *O vento desalinhou os estandartes.* *pr.*: *Cuidava para que as filas não se desalinhassem.*] **2** Desfazer a boa ordem de; DESARRUMAR(-SE). [*td.*: *Desalinharam a roupa antes mesmo de sair.* *pr.*: *O cabelo desalinhou-se com a ventania.*] [▶ **1** desalinh̄ar̄]

desalinhavar (de.sa.li.nha.*var*) *v. td.* Tirar o alinhavo de (costura, roupa). [▶ **1** desalinhav̄ar̄]

desalinho (de.sa.*li*.nho) *sm.* Desarrumação, desmazelo: *cabelos em desalinho.*

desalmado (de.sal.*ma*.do) *a.sm.* Que ou quem é desumano, cruel.

desalojar (de.sa.lo.*jar*) *v.* Fazer sair ou sair (de local em que se instalou). [*td.* (seguido ou não de indicação de lugar): *A avó o desalojou (da poltrona).* *pr.*: *Depois das chuvas, desalojaram-se das encostas.*] [▶ **1** desaloj̄ar̄]

desamarrar (de.sa.mar.*rar*) *v.* **1** Livrar (alguém, algo ou si mesmo) de amarras; SOLTAR(-SE). [*td.*: *desamarrar os pacotes.* *pr.*: *O bezerro desamarrou-se.*] **2** *Fig.* Desfazer expressão de mau humor de (cara, semblante). [*td.*: *desamarrar a cara.*] [▶ **1** desamarr̄ar̄]

desamarrotar (de.sa.mar.ro.*tar*) *v.* Desfazer(-se) o amarrotado de; ALISAR. [*td.*: *desamarrotar a roupa.* *int.*: *O lençol desamarrotava aos poucos.*] [▶ **1** desamarrot̄ar̄]

desamassar (de.sa.mas.*sar*) *v.* Desfazer(-se) o amassado, as dobras de; ALISAR. [*td.*: *Desamassou o capô do carro.* *int.*: *O tecido não desamassava facilmente.*] [▶ **1** desamass̄ar̄]

desambição (de.sam.bi.*ção*) *sf.* Ausência de ambição. [Pl.: -ções.]

desambientado (de.sam.bi:en.*ta*.do) *a.* Fora de seu ambiente próprio. • **de.sam.bi:en.tar** *v.*

desamor (de.sa.*mor*) [ó] *sm.* Falta de amor; DESAFEIÇÃO.

desamparar (de.sam.pa.*rar*) *v. td.* **1** Deixar desprotegido ou sem sustento; DESPROTEGER. **2** Deixar sem amparo, sem apoio moral: *Nunca desamparou um amigo.* [▶ **1** desampar̄ar̄] • **de.sam.pa.ra.do** *a.sm.*

desamparo (de.sam.pa.ro) *sm.* Ausência de amparo, de proteção; ABANDONO: *viver em desamparo.*

desancar (de.san.*car*) *v. td.* **1** Espancar; bater em: *Desvairado, desancava quem lhe aparecia na frente.* **2** Criticar ou acusar com severidade: *Desancou o trabalho do colega.* [▶ **11** desanc̄ar̄]

desandar (de.san.*dar*) *v.* **1** Entrar em declínio; DECAIR. [*int.*: *Sua vida amorosa desandou.*] **2** Resultar (ger. em algo ruim); DESCAMBAR. [*ti. + em*: *"Desanda tudo em muita pancadaria."* (Martins Pena, *O noviço*).] **3** *Bras. Cul.* Não obter a consistência desejada. [*int.*: *A massa do bolo desandou.*] **4** *Bras. Pop.* Apresentar diarreia. [*int./pr.*: *Comeu o que não devia e desandou(-se).*] [NOTA: Us. tb. como *v.* auxiliar, seguido da prep. *a* + *v.* principal no infinitivo, indicando 'início da ação': *Desandou a falar do casamento.*]

desanimado (de.sa.ni.*ma*.do) *a.* Sem ânimo; que revela desânimo; DESALENTADO.

desanimar (de.sa.ni.*mar*) *v.* **1** Tirar o ânimo de, fazer perder o alento. [*td.*: *A demora desanimou o público.*] **2** Perder o ânimo. [*ti. + de*: *Com o frio desanimaram de prosseguir a escalada.* *int./pr.*: *Apesar dos problemas, não (se) desanimaram.*] [▶ **1** desanim̄ar̄] • **de.sa.ni.ma.dor** *a.*

desânimo (de.*sâ*.ni.mo) *sm.* Falta de ânimo, de entusiasmo; ABATIMENTO; DESALENTO: *Perdiam de goleada e seu desânimo era evidente.*

desanuviar (de.sa.nu.vi.*ar*) *v.* **1** Tornar(-se) (céu, tempo) limpo, sem nuvens. [*td.*: *O vento desanuviou o céu.* *pr.*: *O tempo desanuviou-se.*] **2** *Fig.* Afastar preocupação; tornar(-se) sereno. [*td.*: *Sua presença desanuvia o ambiente.* *int./pr.*: *Foi dar uma volta para desanuviar(-se).*] [▶ **1** desanuvīar̄]

desapaixonado (de.sa.pai.xo.*na*.do) *a.* **1** Que não tem ou em que não há paixão: *Era um amor desapaixonado.* **2** Que revela imparcialidade; imparcial: *uma crítica desapaixonada.*

desaparafusar (de.sa.pa.ra.fu.*sar*) *v.* **1** Tirar ou afrouxar os parafusos de. [*td.*: *Desaparafusou o pé da mesa.*] **2** Ter os parafusos afrouxados ou soltos. [*int./*

desaparecer (de.sa.pa.re.cer) v. **1** Ocultar(-se) às vistas; SUMIR. [*int*.: "...o desconhecido deixou a flor e desapareceu." (José de Alencar, *A viuvinha*). *ti*. + *com*: *Desapareceram com minha caneta*.] **2** Fazer deixar ou deixar de existir; ACABAR(-SE); EXTINGUIR(-SE). [*ti*. + *com*: *A fisioterapia desapareceu com as dores*. *int*.: *Muitas empresas estão desaparecendo*.] **3** Perder-se, extraviar-se. [*int*.: *Mandei os livros pelo correio, e eles desapareceram*.] **4** Deixar de ser parte, de acontecer, ou de ser usado. [*int*.: *Felizmente, a solidariedade ainda não desapareceu*.] [▶ 33 desaparec̄er] • **de.sa.pa.re.ci.do** *a.sm*.; **de.sa.pa.re.ci.men.to** *sm*.; **de.sa.pa.re.ci.ção** *sf*.

desapartar (de.sa.par.tar) v. **1** Ver *apartar* (1). **2** Pôr fim à (briga). [*td*.: *desapartar uma briga*.] [▶ 1 desapartar̄]

desapegar (de.sa.pe.gar) v. **1** Libertar(-se) de apego, de envolvimento. [*tdi*. + *de*: *A fé desapegou-o de sua vida luxuosa*. *pr*.: *A criança custou a desapegar-se da babá*.] [▶ 14 desapeḡar] • **de.sa.pe.ga.do** *a*.

desapego (de.sa.pe.go) [ê] *sm*. **1** Ausência de apego, de afeição. **2** Falta de interesse, INDIFERENÇA: *Desapego por bens materiais*.

desapercebido (de.sa.per.ce.bi.do) *a*. **1** Que não foi percebido; DESPERCEBIDO: *Foi uma irritação desapercebida (ao amigo)*. **2** Desprovido: *uma despesa desapercebida (de provisões)*. • **de.sa.per.ce.ber** *v*.

desapertar (de.sa.per.tar) v. **1** Tornar(-se) menos apertado, mais frouxo; AFROUXAR. [*td*.: *desapertar a gravata*. *pr*.: *Com o balanço, a correia desapertou-se*.] **2** *Fig*. Livrar(-se) de dificuldades financeiras. [*td*.: *Desapertou o amigo em dificuldades*. *pr*.: *Com a ajuda do amigo, desapertou-se*.] [▶ 1 desapertar̄]

desapiedado (de.sa.pi.e.da.do) *a*. Que não tem piedade; CRUEL.

desaplicar (de.sa.pli.car) v. *td*. Retirar de aplicação financeira: *Não desaplique seu dinheiro sem falar com o gerente*. [▶ 11 desaplicar̄]

desapoiar (de.sa.poi.ar) v. **1** Tirar o apoio, a sustentação de; deixar de estar apoiado. [*td*.: *desapoiar uma mesa*. *pr*.: *Desapoie-se desta grade*.] **2** Recusar apoio a (alguém). [*td*.] [▶ 1 desapoiar̄]

desapontado (de.sa.pon.ta.do) *a*. Que sofreu desapontamento; DESILUDIDO: *Ficaram desapontados (com o resultado)*.

desapontamento (de.sa.pon.ta.men.to) *sm*. **1** Sentimento de tristeza por não se ter concretizado uma boa expectativa; DECEPÇÃO: "...me mandou em recado expressando seu desapontamento com o meu texto." (FolhaSP, 17.11.99).] **2** Fato ou condição surpreendente que causa desapontamento (1): *O resultado da prova foi um grande desapontamento*.

desapontar (de.sa.pon.tar) v. *td*. Causar desapontamento a ou sentir desapontamento; DECEPCIONAR(-SE). [▶ 1 desapontar̄] [Cf.: *despontar*.]

desapossar (de.sa.pos.sar) v. Privar(-se) da posse (de algo); despojar(-se) de. [*tdi*. + *de*: *Desapossaram Carlos do paletó*. *pr*.: *Desapossou-se de todos os bens*.] [Sin.: *desempossar*.] [▶ 1 desapossar̄]

desapreço (de.sa.pre.ço) [ê] *sm*. Falta de apreço, de consideração; MENOSPREZO: *desapreço por bajuladores*.

desaprender (de.sa.pren.der) v. Esquecer (o que se aprendera). [*td*.: *desaprender a lição*. *ti*. + *a*, *de*: *Desaprendeu a brincar*.] [▶ 1 desaprender̄]

desapropriar (de.sa.pro.pri.ar) v. Privar alguém da posse (de algo). [*td*.: *desapropriar uma fazenda improdutiva*. *tdi*. + *de*: *desapropriar o criminoso de seus bens*.] [▶ 1 desapropriar̄] • **de.sa.pro.pri:a.ção** *sf*.

desaprovar (de.sa.pro.var) v. *td*. Não aprovar; REPROVAR. [▶ 1 desaprovar̄] • **de.sa.pro.va.ção** *sf*.; **de.sa.pro.va.dor** *a.sm*.

desaproveitar (de.sa.pro.vei.tar) v. *td*. Não tirar proveito de; DESPERDIÇAR. [▶ 1 desaproveitar̄]

desaprumar (de.sa.pru.mar) v. **1** Tirar ou sair do prumo; INCLINAR(-SE). [*td*.: *A chuva desaprumou a cerca*. *pr*.: *Cansado, desaprumou-se*.] **2** *Fig*. Perturbar(-se). [*td*.: *A pergunta indiscreta desaprumou o entrevistado*. *pr*.: *Desaprumou-se ao ser criticado*.] [▶ 1 desaprumar̄]

desarmamentismo (de.sar.ma.men.tis.mo) *sm*. Movimento político que condena e luta contra a manutenção e utilização de armas, esp. as de destruição em massa. • **de.sar.ma.men.tis.ta** *a2g*.*s2g*.

desarmamento (de.sar.ma.men.to) *sm*. **1** Ação ou resultado de desarmar(-se). **2** *Mil*. Processo, ou política, ou o conceito de reduzir os efetivos militares (de um exército, de um país, do mundo etc.). **3** Processo, ou política, ou o conceito de reduzir ou eliminar a quantidade de armas em poder de cidadãos, de grupos, de países etc.

desarmar (de.sar.mar) v. **1** Eliminar ou tirar as armas a. [*td*.: *campanha para desarmar a população*.] **2** *Fig*. Tirar ou perder a braveza, a hostilidade; serenar(-se). [*td*.: *A sinceridade do político desarmou o jornalista*. *pr*.: *Desarmou-se quando recebeu o elogio*.] **3** Desfazer (mecanismo, jogada [de], plano). [*td*.: *desarmar uma arapuca*.] [▶ 1 desarmar̄] • **de.sar.me** *sm*.

desarmonia (de.sar.mo.ni.a) *sf*. **1** Ausência de harmonia (tb. em música), de combinação, de entendimento: *desarmonia de acordes/de uma cor com outra*; *desarmonia entre pronunciamentos*. **2** *Fig*. Divergência: *Nesse assunto, há uma total desarmonia entre nós*.

desarmonizar (de.sar.mo.ni.zar) v. Pôr(-se) em desarmonia. [*td*.: *As intrigas desarmonizaram o grupo*. *pr*.: *Desarmonizaram-se com tantas desconfianças*.] [▶ 1 desarmonizar̄] • **de.sar.mô.ni.co** *a*.

desarraigar (de.sar.rai.gar) v. **1** Afastar, desenraizar (alguém) de algum lugar. [*td*. (seguido de indicação de lugar): *Desarraigou o avó da terra natal*.] **2** *Fig*. Pôr fim a; livrar(-se) de. [*td*.: *desarraigar vícios*. *tdi*. + *de*: *A mãe desarraigou do menino os maus hábitos*. *pr*.: *Desarraigou-se da dominação paterna*.] [▶ 14 desarraigar̄]

desarranjado (de.sar.ran.ja.do) *a*. **1** Que se desarranjou, desarrumou (quarto desarranjado); DESARRUMADO. **2** Que enguiçou ou não está funcionando bem (motor desarranjado); ESCANGALHADO. **3** *Pop*. Que apresenta indigestão ou diarreia: *Comeu alguma coisa estragada, e está desarranjado*.

desarranjar (de.sar.ran.jar) v. **1** Desarrumar(-se), desordenar(-se). [*td*.: *desarranjar o armário*. *pr*.: *Os cabelos desarranjaram-se*.] **2** Causar indigestão ou diarreia a, ou sofrê-la. [*td*.: *Essa mistura desarranjou seus intestinos*. *pr*.: *Comeu demais e desarranjou-se*.] [▶ 1 desarranjar̄]

desarranjo (de.sar.ran.jo) *sm*. **1** Ausência de ordem, de arrumação. **2** Enguiço, quebra. **3** *Pop*. Diarreia. [Tb. *desarranjo intestinal*.]

desarrazoado (de.sar.ra.zo.a.do) *a*. Em que não há razão, que não é razoável; DESCABIDO; DESPROPOSITADO: *um argumento desarrazoado*.

desarrazoar (de.sar.ra.zo.ar) v. *int*. Falar ou agir insensatamente; DISPARATAR. [▶ 16 desarrazoar̄]

desarrear (de.sar.re.ar) v. *td*. Tirar os arreios de (cavalgadura). [▶ 13 desarrear̄] • **de.sar.re.a.do** *a*.

desarrochar (de.sar.ro.char) v. *td*. Desapertar, afrouxar. [▶ 1 desarrochar̄]

desarrolhar (de.sar.ro.lhar) v. *td*. Tirar a rolha de. [▶ 1 desarrolhar̄]

desarrumar (de.sar.ru.mar) v. **1** Desfazer a arrumação, a ordem de; DESARRANJAR(-SE). [*td*.: *desarrumar o quarto*. *pr*.: *O penteado desarrumou-se com a chuva*.] [▶ 1 desarrumar̄] • **de.sar.ru.ma.ção** *sf*.; **de.sar.ru.ma.do** *a*.

desarticulação (de.sar.ti.cu.la.ção) *sf*. **1** Ação ou resultado de desarticular(-se) (2 e 3): *Sofreu com a de-*

sarticulação do cotovelo; O ataque visava à desarticulação do exército inimigo. **2** Falta de articulação, de coordenação, de união: *A desarticulação do time foi a causa da derrota.* [Pl.: -*ções*.]

desarticular (de.sar.ti.cu.*lar*) *v.* **1** Ter desfeita articulação de. [*td.*: *O atleta desarticulou o tornozelo.*] **2** Tirar ou ser tirado de articulação (2 e 3). [*td.*: *desarticular o pulso. pr.*: *O pé desarticulou-se.*] **3** *Fig.* Pôr ou ficar fora de ação; desorganizar(-se); desativar(-se). [*td.*: "...está preparando um conjunto de ações para desarticular o crime organizado..." (*O Globo*, 25.12.03). *pr.*: *O bando de assaltantes desarticulou-se.*] [▶ **1** desarticul<u>ar</u>]

desarvorado (de.sar.vo.*ra*.do) *a.* **1** Sem rumo, sem governo; DESNORTEADO: *Os jogadores estavam inteiramente desarvorados.* **2** Que navega (a embarcação) sem governo. **3** Que fugiu de maneira desordenada: *Perseguidos, vagavam desarvorados e famintos.* **4** Transtornado, confuso, desorientado: *Desarvorado por ter perdido o emprego, não sabia o que fazer.*

desarvorar (de.sar.vo.*rar*) *v.* **1** Retirar-se apressadamente; FUGIR. [*int.*: *Ao ver o cão, desarvorou.*] **2** *Bras.* Fazer perder ou perder o controle; DESORIENTAR(-SE). [*td.*: *A escuridão desarvorou os escoteiros. pr.*: *Ante tantos problemas, desarvorou-se.*] [▶ **1** desarvor<u>ar</u>]

desasado (de.sa.*sa*.do) *a.* **1** De asas caídas ou feridas. **2** *Fig.* Que ficou derreado, prostrado. [Cf.: *desazado.*]

desasseio (de.sa.*sei*.o) *sm.* Ausência de asseio, de limpeza.

desassimilação (de.sas.si.mi.la.*ção*) *sf. Fisl.* Processo fisiológico de eliminação de substâncias que restaram da assimilação do alimento pelo organismo. [Pl.: *-ções*.]

desassisado (de.sas.si.*sa*.do) *a.sm.* Que ou quem não tem siso, juízo; DESATINADO.

desassistir (de.sas.sis.*tir*) *v.* Privar de auxílio; suspender a ajuda a; DESAMPARAR. [*td.*/*tdi.* + *a*: *Desassistius/aos mais favorecidos.*] [▶ **3** desassist<u>ir</u>] • **de.sas.sis.*tên*.ci.a** *sf.*; **de.sas.sis.***ti*.do *a*.

desassociar (de.sas.so.ci.*ar*) *v.* Desfazer sociedade ou vínculo de. [*td.*: *A inveja desassociou velhos amigos. tdi.* + *de*: *Desassociará a empresa do convênio. pr.*: *Desassociou-se dos empreendimentos do irmão.*] [▶ **1** desassoci<u>ar</u>]

desassombrado (de.sas.som.*bra*.do) *a.* **1** Que não é sombrio; que recebe a luz do sol. **2** *Fig.* Que demonstra franqueza, sinceridade. **3** *Fig.* Que demonstra coragem, ousadia.

desassombrar (de.sas.som.*brar*) *v.* Livrar(-se) de assombração, de medo, de tristeza: *A esperança desassombrou sua alma. pr.*: *Desassombrara-se com as boas notícias.*] [▶ **1** desassombr<u>ar</u>]

desassombro (de.sas.*som*.bro) *sm.* **1** Coragem, intrepidez: *Agiu com desassombro ao enfrentar o leão.* **2** Franqueza, sinceridade: *Seu depoimento impressionou pelo desassombro.*

desassossegar (de.sas.sos.se.*gar*) *v.* Tirar o sossego a, ou perdê-lo; INQUIETAR(-SE). [*td.*: *A previsão do tempo desassossegou o agricultor. pr.*: *Desassossega-se com o tumulto.*] [▶ **14** desassosseg<u>ar</u>] • **de.sas.sos.se.*ga*.do** *a*.

desassossego (de.sas.sos.*se*.go) [ê] *sm.* Ausência de sossego; AFLIÇÃO; INQUIETAÇÃO.

desastrado (de.sas.*tra*.do) *a.* **1** Que resultou em fracasso total, em desastre (3): *Foi um projeto desastrado. a.sm.* **2** Que ou quem não tem habilidade, jeito; DESAJEITADO: *Que garçom desastrado; derrubou a bandeja duas vezes!*

desastre (de.*sas*.tre) *sm.* **1** Acontecimento ger. inesperado que acarreta dano, ferimento ou morte: *A fumaça sinalizava um desastre de grandes proporções.* **2** Acidente (ger. choque, queda, afundamento etc. de meio de transporte): *desastre de trem/de avião.* **3** *Fig.* Insucesso, fracasso: "Nosso último *show* aqui na cidade foi um desastre." (*FolhaSP*, 24.10.99).

desastroso (de.sas.*tro*.so) [ô] *a.* **1** Em que há ou ocorre(m) desastre(s): *Foi um fim de semana desastroso devido às chuvas.* **2** Que provoca desastre, ruína, perda (manobra desastrosa). **3** *Fig.* Que malogrou ou fracassou: *Sua carreira teve final desastroso.* [Fem. e pl.: [ó].]

desatar (de.sa.*tar*) *v.* **1** Desfazer (nó, laçada, amarra). [*td.*] **2** Soltar o nó de; libertar-se do que amarra. [*td.*: *desatar um embrulho. pr.*: *Os cavalos desataram-se e fugiram.*] **3** *Fig.* Encontrar solução para; RESOLVER. [*td.*: *Só o pai desataria suas dúvidas.*] **4** *Fig.* Livrar(-se) de; desembaraçar(-se). [*tdi.* + *de*: *Desatou a família das dívidas. pr.*: *Custou a desatar-se da bebida.*] [▶ **1** desat<u>ar</u>] [NOTA: Us. tb. como v. auxiliar, seguido da prep. *a* + v. principal no infinitivo indicando 'início da ação': *Desatou a falar.*]

desatarraxar (de.sa.tar.ra.*xar*) *v.* Soltar ou desapertar tarraxa ou parafuso. [▶ **1** desatarrax<u>ar</u>]

desatavíar (de.sa.ta.vi.*ar*) *v.* Livrar(-se) de atavios, de enfeites. [*td.*: *desataviar uma fantasia. pr.*: *Destaviou-se para dormir.*] [Ant.: *enfeitar.*] [▶ **1** desataviar] • **de.sa.ta.vi.*a*.do** *a*.

desatenção (de.sa.ten.*ção*) *sf.* **1** Falta de atenção: *Seus erros provêm de sua desatenção.* **2** Falta de cortesia, de consideração: *Era chocante sua desatenção para com o mestre.* [Pl.: -*ções*.]

desatencioso (de.sa.ten.ci.*o*.so) [ô] *a.* Que tem ou demonstra desatenção: *operário desatencioso às instruções/com as visitas.* [Fem. e pl.: [ó].]

desatender (de.sa.ten.*der*) *v.* **1** Não levar em consideração; IGNORAR. [*td.*: *Este procedimento desatende as normas da instituição. ti.* + *a*: *Desatendia às recomendações paternas.*] **2** Não prestar assistência ou responder a. [*td.*: *A clínica foi punida por desatender os acidentados. ti.* + *a*: *desatender a pedidos/apelos/súplicas.*] [▶ **2** desatend<u>er</u>]

desatento (de.sa.*ten*.to) *a.* Que está ou se mostra distraído, desinteressado: *Alunos desatentos na aula terão de estudar mais em casa.*

desatinar (de.sa.ti.*nar*) *v.* Fazer perder ou perder o tino, o juízo. [*td.*: *O sofrimento desatinou-o. int.*: *O homem desatinou e quebrou todo o escritório.*] [▶ **1** desatin<u>ar</u>]

desatino (de.sa.*ti*.no) *sm.* **1** Falta de tino, de equilíbrio, de juízo: *Seu desatino era evidente em seu comportamento.* **2** Ação ou palavras que denotam desatino (1): *Cometeu um desatino ao abandonar a família.* • **de.sa.ti.*na*.do** *a*.

desativar (de.sa.ti.*var*) *v. td.* Tornar inoperante: *desativar uma bomba/uma indústria.* [▶ **1** desativ<u>ar</u>]

desatolar (de.sa.to.*lar*) *v. td. int. pr.* Fazer sair ou sair de atoleiro. [▶ **1** desatol<u>ar</u>]

desatracar (de.sa.tra.*car*) *v.* **1** *Mar.* Afastar(-se) (embarcação atracada). [*td.*: *desatracar um barco (do cais). int.*: *O navio desatracou (do porto) à meia-noite.*] **2** Separar(-se) (pessoas ou animais que brigam); DESENGALFINHAR(-SE). [*td.*: *desatracar os cães. pr.*: *Os lutadores desatracaram-se.*] [▶ **1** desatrac<u>ar</u>]

desatravancar (de.sa.tra.van.*car*) *v. td.* **1** Desocupar ou desobstruir (espaço, caminho). **2** *Fig.* Facilitar, desembaraçar o andamento de: *Novos procedimentos desatravancam processos.* [▶ **11** desatravanc<u>ar</u>]

desatrelar (de.sa.tre.*lar*) *v.* Desprender(-se), desengatar(-se). [*td.*: *desatrelar cães. pr.*: *O bote desatrelou-se.*] [▶ **1** desatrel<u>ar</u>]

desautorar (de.sau.to.*rar*) *v. td. pr.* Destituir(-se) de honras, cargo, dignidade; rebaixar(-se). [▶ **1** desautor<u>ar</u>]

desautorizar (de.sau.to.ri.*zar*) *v.* **1** Tirar ou perder a autoridade, o prestígio; DESACREDITAR(-SE). [*td.*: *O diretor desautorizou o gerente diante dos funcionários.*

desavença | descalçar

pr.: *Quando bebe desautoriza-se diante dos subordinados.*] **2** Negar permissão para. [*td.*: *O juiz desautorizou a venda do imóvel.*] [▶ **1** desautoriz**ar**]

desavença (de.sa.*ven*.ça) *sf.* Rompimento de boas relações; DESENTENDIMENTO; DISCÓRDIA: *desavenças de/entre marido e mulher*; *desavenças com o advogado*.

desavergonhado (de.sa.ver.go.*nha*.do) *a.sm.* Que ou quem não tem ou perdeu a vergonha, tornando-se cínico, descarado; SEM-VERGONHA.

desavindo (de.sa.*vin*.do) *a.* Que está em desacordo, em desavença: *irmãos desavindos entre si*.

desavir (de.sa.*vir*) *v.* **1** Suscitar ou ter desavença (com, entre). [*td.*: *Intrigas desavêm namorados.* *tdi.* + *com*: *A intriga desavio Luís com o irmão.* *pr.*: *Desaveio-se com os colegas de trabalho*; (tb. com sentido de reciprocidade) *Desavieram-se sobre aquele assunto.*] **2** Discordar. [*pr.*: *Desavieram-se quanto às medidas a tomar.*] [▶ **42** desa**vir**. Part.: *desavisto.*]

desavisado (de.sa.vi.*sa*.do) *a.sm.* **1** Que ou quem está desprevenido. **2** Que ou quem é imprudente, estouvado, leviano.

desazado (de.sa.*za*.do) *a.* Que demonstra falta de jeito, que não tem aptidão; INAPTO. [Cf.: *desasado*.]

desazo (de.sa.*zo*) *sm.* Falta de jeito, de habilidade; INAPTIDÃO.

desbancar (des.ban.*car*) *v. td.* **1** Tornar-se superior a ou mais cotado que; SUPLANTAR: *Desbancou o titular e foi escalado.* **2** Ganhar o dinheiro da banca de jogo: *Com dois pares de damas desbancou os demais.* [▶ **11** desban**car**]

desbaratar (des.ba.ra.*tar*) *v.* **1** Gastar imprópria e descomedidamente (dinheiro ou bens); MALBARATAR; ESBANJAR. [*td.* (com ou sem indicação de circunstância): *Desbaratou a herança (em coisas supérfluas).*] **2** Fazer debandar ou debandar. [*td.*: *A operação visa desbaratar as quadrilhas.* *pr.*: *A infantaria desbaratou-se com o contra-ataque.*] [▶ **1** desbarat**ar**] • des.ba.*ra*.ta.do *a.*; des.ba.ra.ta.*men*.to *sm.*

desbarrancar (des.bar.ran.*car*) *v.* Desfazer(-se) barranco na encosta de. [*td.*: *desbarrancar um terreno.* *pr.*: *A encosta desbarrancou-se com as chuvas.*] [▶ **11** desbarran**car**] • des.bar.ran.ca.*men*.to *sm.*

desbastar (des.bas.*tar*) *v.* **1** Tornar menos basto, denso ou grosso: *desbastar o cabelo/um arbusto.* **2** Tornar menos grosso ou grosseiro, cortando, aplainando, polindo etc.: *desbastar uma peça de mármore.* [▶ **1** desbast**ar**] • des.bas.*ta*.do *a.*; des.bas.ta.*men*.to *sm.*

desbaste (des.*bas*.te) *sm.* **1** Ação ou resultado de desbastar. **2** *N.E. Agr.* Operação agrícola de, após a semeadura e o brotamento, eliminar rebentos de modo que a distância entre os restantes seja a adequada.

desbeiçar (des.bei.*çar*) *v. td.* **1** Cortar o beiço ou os beiços de. **2** Cortar ou quebrar a beirada de (prato, muro etc.). [▶ **12** desbei**çar**]

desbloquear (des.blo.que.*ar*) *v. td.* **1** Livrar de bloqueio, de obstrução; DESOBSTRUIR: *desbloquear uma estrada/uma artéria.* **2** Permitir acesso a (o que estava bloqueado): *O banco desbloqueou a sua conta.* [▶ **13** desblo**que**ar] • des.blo.que.*a*.do *a.*; des.blo.*quei*.o *sm.*

desbocado (des.bo.*ca*.do) *a.sm. Fig. Pop.* Que ou quem usa ou costuma usar palavras grosseiras ou obscenas.

desbotado (des.bo.*ta*.do) *a.* **1** Que perdeu a nitidez ou o brilho (diz-se de cor). **2** Que perdeu sua cor original ou que a teve desbotada (1) (vestido *desbotado*); DESCORADO.

desbotar (des.bo.*tar*) *v.* Fazer perder ou perder a cor original, esmaecendo-a; DESCORAR. [*td.*: *O sol desbotou as cortinas. int.*: *A calça desbotou.*] [▶ **1** desbot**ar**] • des.bo.ta.*men*.to *sm.*

desbragado (des.bra.*ga*.do) *a.* **1** Que não tem comedimento, moderação: *Manifestava um desbraga-do ciúme.* *a.sm.* **2** Que ou quem não tem pudor; INDECOROSO.

desbragamento (des.bra.ga.*men*.to) *sm.* Qualidade de desbragado; ato de desbragado (2).

desbravar (des.bra.*var*) *v. td.* **1** Explorar (lugares desconhecidos): *desbravar o interior do Brasil.* **2** Abrir caminho em: *desbravar uma floresta.* **3** *Agr.* Preparar (terreno) para plantar: *Desbravou a roça e plantou milho.* **4** Pesquisar, estudar: *desbravar novas tecnologias.* [▶ **1** desbrav**ar**] • des.bra.*va*.do *a.*; des.bra.va.*dor a.sm.*; des.bra.va.*men*.to *sm.*

desbundar (des.bun.*dar*) *v. Gír.* **1** Perder a compostura. [*int.*: *Bebeu demais e desbundou.*] **2** Causar ou sentir deslumbramento, impacto. [*td.*: *O espetáculo desbundou os jovens.* *int.*: *Foi assistir ao espetáculo e desbundou.*] **3** Ficar desconcertado com algo inesperado. [*int.*: *Não esperava aquela resposta e desbundou.*] [▶ **1** desbund**ar**] • des.*bun*.de *sm.*

desburocratizar (des.bu.ro.cra.ti.*zar*) *v. td.* Eliminar ou reduzir a burocracia de: *desburocratizar o serviço público.* [▶ **1** desburocratiz**ar**] • des.bu.ro.cra.ti.*za*.*ção sf.*; des.bu.ro.cra.ti.*za*.do *a.*

descabelado (des.ca.be.*la*.do) *a. Fam.* Que tem os cabelos desarrumados, em desalinho; DESGRENHADO. **2** Que teve o cabelo arrancado. **3** *Fig.* Desmedido, excessivo: *Fez-lhe uma crítica descabelada.*

descabelar (des.ca.be.*lar*) *v. td.* **1** Despentear(-se), desgrenhar(-se). [*td.*: *O vento me descabelou.* *pr.*: *Descabela-se toda fazendo ginástica.*] **2** Arrancar os cabelos a. [*td.*: *Engalfinhou-se com ele e o descabelou.* *pr.*: *Na briga acabaram descabelando-se.*] [▶ **1** descabel**ar**]

descabido (des.ca.*bi*.do) *a.* Que não tem cabimento; que é impróprio, inoportuno: *Seu argumento descabido não convenceu ninguém.*

descadeirado (des.ca.dei.*ra*.do) *a. Bras.* **1** Que caminha (animal) arrastando as patas traseiras por estar estropiado. **2** Que tem dor nas cadeiras (ger. pessoa idosa). **3** *Pop.* Cansado, exausto.

descadeirar (des.ca.dei.*rar*) *v.* **1** Causar dor nas cadeiras de; sentir dor nas cadeiras. [*td.*: *O peso excessivo descadeirou o carregador. pr.*: *Eu descadeirei-me correndo sete quilômetros.*] **2** *Pop.* Extenuar(-se), cansar(-se). [*td.*: *O time brasileiro descadeirou a equipe russa. pr.*: *Eles descadeiraram-se limpando o quintal.*] [▶ **1** descadeir**ar**]

descafeinado (des.ca.fe.i.*na*.do) *a.* De que se extraiu a cafeína (diz-se do café).

descaída (des.ca.*í*.da) *sf.* **1** Ação ou resultado de descair: *Com a doença, sua descaída foi rápida.* **2** *Pop.* Descuido, lapso.

descaído (des.ca.*í*.do) *a.* Que descaiu.

descaimento (des.ca.i.*men*.to) *sm.* **1** Ação ou resultado do que ou de quem descaiu. **2** Abatimento, desalento.

descair (des.ca.*ir*) *v. int.* **1** Curvar-se, vergar-se: *Com a idade, o corpo descai.* **2** Inclinar-se: (seguido ou não de indicação de modo) *Aquela árvore descaiu (para a direita) com a ventania.* **3** Baixar, pender, cair: (seguido ou não de indicação de lugar) *Adormeceu, sua cabeça descaiu (sobre o peito).* **4** Sofrer diminuição; entrar em decadência; DECAIR: *Seu rendimento descaiu, e com ele seu prestígio.* [▶ **43** desc**air**]

descalabro (des.ca.*la*.bro) *sm.* **1** Grande dano, perda ou prejuízo: *o descalabro de alguns setores da economia.* **2** Escândalo: *o descalabro de uma gestão fraudulenta.*

descalçadela (des.cal.ça.*de*.la) *sf. Pop.* Repreensão.

descalçar (des.cal.*çar*) *v.* **1** Tirar calçados, meias ou luvas a. [*td.*: *Todo dia descalçava o marido. pr.*: *Descalçar-se, guardou as luvas na cômoda.*] **2** Tirar (calçados, meias ou luvas). [*td.*: *descalçar as luvas.*] **3** Tirar o calço ou apoio de. [*td.*: *Por que descalça-*

ram esta mesa?] [▶ **12** descal**çar**. Part.: *descalçado* e *descalço*.]

descalcificação (des.cal.ci.fi.ca.*ção*) *sf*. *Med*. Perda do cálcio do organismo. [Pl.: *-ções*.]

descalço (des.*cal*.ço) *a*. Sem calçado(s); com os pés nus, ou apenas com meias.

descalibrado (des.ca.li.*bra*.do) *a*. Que não está calibrado ou que não tem o calibre adequado.

descamar (des.ca.*mar*) *v*. Retirar ou perder (escamas, pele etc.); ESCAMAR(-SE). [*td*.: *A cozinheira descamava o badejo*. *pr*.: *Ressecado pelo sol, seu rosto descamou-se.*] [▶ **1** descam**ar**] ● **des.ca.ma.***ção* *sf*.; **des.ca.***ma*.do *a*.

descambar (des.cam.*bar*) *v*. *int*. **1** Afastar-se ou sair da direção prevista; TENDER; DERIVAR: (seguido de indicação de direção, lugar etc.) *A moto descambou para a esquerda*. **2** Cair, desabar, despencar: (seguido ou não de indicação de lugar) *O temporal descambou (sobre a cidade) à tarde*. **3** *Fig*. Mudar para pior: (seguido de indicação de modo) *O bate-boca descambou para o xingamento*. [▶ **1** descamb**ar**]

descaminho (des.ca.*mi*.nho) *sm*. **1** Ação ou resultado de desviar(-se) do caminho certo ou apropriado: *Abandonou os vícios e outros descaminhos*. **2** Extravio, sumiço: *descaminho de mercadorias*.

descamisado (des.ca.mi.*sa*.do) *a.sm*. **1** Que ou quem não tem camisa. **2** *Fig*. Que ou quem é pobre, ou maltrapilho.

descampado (des.cam.*pa*.do) *a*. **1** Que é desabitado, aberto, sem árvores (diz-se de campo, de terreno). *sm*. **2** Campo ou terreno descampado (1).

descansado (des.can.*sa*.do) *a*. **1** Que descansou ou não se cansou: *Substituiu-o por um jogador descansado*. **2** *Fig*. Que está sem fazer nada; OCIOSO. **3** Que é ou se mostra despreocupado: *É um sujeito descansado, nada o abala*; "Pode ficar descansado, que não há novidades..." (Aluísio Azevedo, *Casa de pensão*).

descansar (des.can.*sar*) *v*. **1** Livrar(-se) do cansaço, com repouso. [*td*.: *descansar o corpo/a mente*. *ti*. + *de*: *Enfim pude descansar de tanto estudo*. *tdi*. + *de*: *A viagem nos descansou de um duro ano*. *td*.: *Acabada a obra, foi descansar*.] **2** *Bras*. Morrer, falecer. [*int*.: *Depois de velhice tão sofrida, descansou*.] **3** Estar sepultado. [*int*.: *Aqui ele descansa em paz*.] **4** Tranquilizar(-se), serenar(-se). [*td*.: *O professor descansou-o quanto às notas do filho*. *int*.: *Descanse: sua saúde está perfeita*.] **5** Deixar de empenhar-se por algo; SOSSEGAR. [*int*.: *O detetive não descansou até descobrir o culpado*.] **6** Apoiar(-se), firmar(-se). [*td*. (seguido de indicação de lugar): "...não tardou a descansar a cabeça no recosto do banco..." (Josué Montello, *Um rosto de menina*). *int*. (seguido de indicação de lugar): *Aquela construção descansa sobre sólidos pilotis*.] **7** Ficar de repouso (a terra), para readquirir a fertilidade. [*int*.] **8** *Cul*. Ficar de lado (massa de pão, de torta etc.), para que fermente. [*int*.] [▶ **1** descans**ar**]

descanso (des.*can*.so) *sm*. **1** Pausa ou repouso: *descanso do domingo*. **2** Lentidão tranquila ou morosidade: *Demonstrava tranquilidade e descanso em cada gesto*. **3** Sensação de alívio ou de consolo: *Foi um descanso livrar-me daquele barulho*. **4** Objeto destinado a servir de apoio a outro ou a parte do corpo: *descanso para pratos/para o braço*.

descapitalizar (des.ca.pi.ta.li.*zar*) *v*. *Econ*. Causar ou sofrer diminuição de capital ou de patrimônio. [*td*.: *O aumento dos custos descapitalizou a empresa*. *pr*.: *Descapitalizou-se para reformar a casa*.] [▶ **1** descapitaliz**ar**] ● **des.ca.pi.ta.li.za.***ção* *sf*.; **des.ca.pi.ta.li.***za*.do *a*.

descaracterizar (des.ca.rac.te.ri.*zar*) *v*. **1** Fazer perder ou perder a(s) característica(s). [*td*.: *Tanta inovação descaracterizou sua obra*. *pr*.: *Ao tentar agradar, ele descaracterizou-se*.] **2** Desfazer(-se) de caracterização artística. [*td*.: *O diretor descaracterizou os atores no meio do filme*. *pr*.: *Descaracterizou-se, ao remover a maquiagem*.] [▶ **1** descaracteriz**ar**] ● **des.ca.rac.te.ri.za.***ção* *sf*.; **des.ca.rac.te.ri.***za*.do *a*.; **des.ca.rac.te.ri.***za*.do *a*.

descarado (des.ca.*ra*.do) *a.sm*. **1** Que ou quem não tem vergonha; SEM-VERGONHA; DESAVERGONHADO. **2** Que ou quem é insolente, impudente.

descaramento (des.ca.ra.*men*.to) *sm*. Falta de vergonha; qualidade ou ação de descarado; DESCARO: *Furou a fila no maior descaramento*.

descarga (des.*car*.ga) *sf*. **1** Ação ou resultado de descarregar; DESCARREGAMENTO: *Providenciaram a descarga do caminhão*. **2** Disparo de uma ou de várias armas de fogo: *uma descarga de fuzis*. **3** Válvula que controla o jorro de água que limpa o vaso sanitário. **4** *Elet*. Condução de eletricidade por meio de um gás, a partir de uma bateria ou capacitor (*descarga elétrica*). **5** Volume de vazão de um fluido por unidade de tempo: *descarga de uma represa*.

descarnado (des.car.*na*.do) *a*. **1** Escasso de carne (osso *descarnado*). **2** Muito magro, macérrimo.

descarnar (des.car.*nar*) *v*. **1** Tirar a carne dos ossos de. [*td*.: *O lobo descarnou sua presa*.] **2** *Fig*. Tornar(-se) muito magro. [*td*.: *A fome o descarnou*. *pr*.: *Doente, descarnou-se em poucos meses*.] [▶ **1** descarn**ar**]

descaro (des.*ca*.ro) *sm*. Ver *descaramento*.

descaroçador (des.ca.ro.ça.*dor*) [ó] *sm*. Aparelho para descaroçar.

descaroçar (des.ca.ro.*çar*) *v*. *td*. Retirar o(s) caroço(s) de (fruto). [▶ **12** descaro**çar**] ● **des.ca.ro.***ça.men*.to *sm*.

descarregamento (des.car.re.ga.*men*.to) *sm*. Ver *descarga* (1).

descarregar (des.car.re.*gar*) *v*. **1** Aliviar(-se) de carga ou carregamento. [*td*. (com ou sem complemento explícito): *O navio não pôde descarregar* (*a mercadoria*).] **2** Retirar (carga ou carregamento). [*td*.: *Os estivadores já descarregaram os sacos de café*.] **3** *Fig*. Aliviar-se de, desafogar (frustração, preocupação) sendo agressivo com algo ou alguém. [*td*. (seguido de indicação do alvo): *Descarregou no juiz toda a sua frustração*.] **4** Transferir (a outrem) (o que não é de responsabilidade deste). [*td*. (seguido de indicação do alvo): *Costuma descarregar a culpa nos outros*.] **5** Suavizar-se, descontrair-se. [*pr*.: *O ambiente descarregou-se com a sua partida*.] **6** Despejar (um rio as suas águas); DESAGUAR. [*td*. (seguido de indicação de lugar): *Alguns rios descarregam suas águas em lagos*.] **7** Retirar a carga explosiva de (arma). [*td*.: *Descarregou a arma antes de guardá-la*.] **8** Esvaziar arma de sua carga atirando. [*td*. (seguido ou não de indicação de alvo): *O policial descarregou a pistola (nos sequestradores)*.] **9** *Elet*. Fazer perder ou perder carga elétrica. [*td*.: *O curto-circuito descarregou a bateria*. *int*.: *A bateria do celular descarregou*.] [▶ **14** descarr**egar**] ● **des.car.***re.ga*.do *a*.; **des.car.***re.ga.dor a.sm*.

descarrilar, descarrilhar (des.car.ri.*lar*, des.car.ri.*lhar*) *v*. **1** Fazer sair ou sair dos carris ou trilhos. [*td*.: *Uma pedra nos trilhos pode descarrilar uma locomotiva*. *int*.: *O trem descarrilou*.] **2** *Fig*. Sair do bom caminho, passar a ter mau comportamento. [*int*.] [Sin. ger.: *desencarrilar, desencarrilhar*.] [▶ **1** descarril**ar**] ● **des.car.ri.***la.men*.to *sm*.

descartar (des.car.*tar*) *v*. **1** Rejeitar (carta de baralho). [*td*.: *Descartou o rei de copas*.] **2** *Fig*. Não levar em conta, desconsiderar. [*td*.: *Descartei aquela hipótese*.] **3** *Fig*. Jogar fora ou pôr de lado depois de usar. [*td*.: *Aplicou a injeção e descartou a seringa*.] **4** Livrar-se de (algo ou alguém). [*td*.: *Descartou os fãs e partiu num táxi*. *pr*.: *Descartou-se dos fotógrafos*.] [▶ **1** descart**ar**]

descartável (des.car.*tá*.vel) *a2g.* **1** Que pode ser descartado ou jogado fora depois do uso (embalagem *descartável*). **2** *Fig.* Que pode ou merece ser dispensado ou abandonado por não ser importante, ou por não ter a qualidade necessária (hipótese *descartável*). [Pl.: *-veis*.]

descarte (des.*car*.te) *sm.* **1** Ação ou resultado de descartar(-se). **2** Carta(s) de baralho descartada(s).

descasar (des.ca.*sar*) *v.* **1** Desfazer casamento (de); DIVORCIAR(-SE). [*td.*: *O juiz, com o divórcio, descasou os dois.* *int./pr.*: *Descasaram(-se) pouco depois das bodas.*] **2** Desemparelhar, desfazer combinação harmônica de. [*td.*: *descasar um par de meias.*] [▶ **1** descasar] • des.ca.*sa*.do *a.*

descascador (des.cas.ca.*dor*) [ô] *a.* **1** Que descasca (aparelho *descascador*). *sm.* **2** Aparelho para descascar: *descascador de batatas.*

descascar (des.cas.*car*) *v.* Tirar ou perder a casca ou outra camada externa. [*td.*: *descascar frutas*; *O sol descascou* minhas costas. *int.*: *O muro está descascando.*] [▶ **11** descas*car*] • des.cas.*ca*.do *a.*; des.cas.ca.*men*.to *sm.*

descaso (des.*ca*.so) *sm.* Falta de atenção, de consideração; desprezo: "Cardiologistas alertam para o *descaso* da mulher com a própria saúde." (*O Dia*, 23.11.03).

descavalgar (des.ca.val.*gar*) *v.* Fazer descer ou descer de (cavalgadura); DESMONTAR. [*td.*: *João descavalgou o filho. int.*: *Descavalgou para tomar um refresco.*] [▶ **14** descaval*gar*]

descendência (des.cen.*dên*.ci:a) *sf.* **1** Parentesco determinado por filiação: *Seus traços revelam sua descendência.* **2** Grupo de pessoas aparentadas por filiação a um antepassado comum: *Seus feitos eram o orgulho de toda a sua descendência.*

descendente (des.cen.*den*.te) *a2g.* **1** Que desce ou decresce (escala *descendente*), desempenho *descendente*). **2** Que descende: *esportista descendente de esportistas.* *s2g.* **3** Indivíduo que descende de outro: *Era a única descendente daquela família.*

descender (des.cen.*der*) *v.* **ti.** Provir de (determinada família, raça etc.). [+ *de*: *Ele descende de franceses e alemães.*] **2** Originar-se, derivar. [+ *de*: *A língua espanhola descende do latim.*] [▶ **2** descen*der*]

descenso (des.*cen*.so) *sm.* Descida: *O time estava a caminho do descenso (da primeira para a segunda divisão).*

descentralizar (des.cen.tra.li.*zar*) *v. td.* **1** Espalhar instalações, atribuições, funções etc. que estavam centralizadas em: *É preciso descentralizar esta empresa.* **2** Fazer com que deixe de ser centralizado: *descentralizar impostos/o poder.* [▶ **1** descentrali*zar*] • des.cen.tra.li.za.*ção* *sf.*; des.cen.tra.li.*za*.do *a.*; des.cen.tra.li.za.*dor* *a.sm.*; des.cen.tra.li.*zan*.te *a2g.*

descentrar (des.cen.*trar*) *v. td. pr.* Afastar(-se) ou desviar(-se) do centro. [▶ **1** descen*trar*]

descer (des.*cer*) *v.* **1** Percorrer de cima para baixo. [*td.*: *Os alpinistas estão descendo a montanha.*] **2** Deslocar-se de cima para baixo. [*int.*: *Está lá em cima, mas já vai descer.*] **3** Saltar, apear-se. [*int.* (seguido ou não de indicação de lugar): *descer do cavalo/avião/trem/automóvel*; *Para, por favor, motorista, que eu vou descer.*] **4** Deslocar (algo) (de algum ponto para baixo). [*td.* (seguido ou não de indicação de lugar): *Vamos descer a mudança (do caminhão)*; "Antes de sair, *desça* a caixa, tire a poeira..." (Ana Maria Machado, *A audácia dessa mulher*).] **5** Deslocar-se para o sul de determinado ponto. [*int.* (seguido de indicação de lugar): *De São Paulo desceram de ônibus até Montevidéu.*] **6** Deslocar-se para (qualquer lugar). [*int.* (seguido de indicação de lugar): *Todo dia desce até a cidade vizinha.*] **7** Aumentar a extensão para baixo. [*td.*: *descer a bainha da calça.*] **8** Baixar de nível ou de grau. [*int.*: *Com a estiagem, o rio desceu.*] **9** Desferir, desfechar (golpes, pancadas) com. [*td.* (seguido de indicação de alvo): "A polícia *desceu* o pau num ajuntamento de estudantes..." (Marques Rebelo, *O simples coronel Madureira*).] **10** *Fig.* Baixar de posto, nível social ou econômico, perder prestígio etc. [*int.* (seguido de indicação de lugar concreto ou virtual): *descer numa empresa/no conceito de amigos.*] **11** Cair (um time, agremiação etc.) para categoria inferior. [*int.*] **12** Pousar, baixar. [*int.* (seguido de indicação de lugar): *O aviãozinho desceu em campo aberto.*] [▶ **33** des*cer*]

descerrar (des.cer.*rar*) *v.* **1** Abrir(-se). [*td.*: *descerrar as portas. pr.*: *Descerraram-se as suas pálpebras.*] **2** *Fig.* Revelar, descobrir (o que estava oculto ou escondido). [*td.*: *descerrar um segredo/um enigma.*] [▶ **1** descer*rar*]

descida (des.*ci*.da) *sf.* **1** Ação ou resultado de descer: *O ônibus iniciou a descida.* **2** Terreno inclinado ou declive, do ponto de vista de quem desce: *Quase caiu ao correr na descida.* **3** Diminuição, baixa: *Esperou pela descida dos preços.*

desclassificação (des.clas.si.fi.ca.*ção*) *sf.* **1** Ação ou resultado de desclassificar(-se), de ser eliminado de competição, concurso etc.: *Sua desclassificação do torneio foi uma surpresa.* **2** Ação ou resultado de desclassificar(-se), de deixar de ser considerado em certa classe. **3** Condição de desclassificado (2): *O abandono do estudo e os vícios configuravam sua desclassificação.* [Pl.: -*ções*.]

desclassificado (des.clas.si.fi.*ca*.do) *a.* **1** Que não obteve classificação: *Foi grande o número de candidatos desclassificados.* **2** *Pej.* Que não goza ou que é indigno de consideração social. [At! Considerado ofensivo nesta acepção.] *sm.* **3** Aquele ou aquilo que é desclassificado.

desclassificar (des.clas.si.fi.*car*) *v.* **1** Eliminar (concorrente ou candidato) em competição esportiva, concurso etc. [*td.*: *O júri desclassificou a escola de samba.*] **2** Desacreditar(-se). [*td.*: *A falta de ética desclassifica um político. pr.*: *Assim ele desclassificou-se aos olhos de todos.*] **3** Retirar (de classe ou categoria em que estava classificado). [*td.*: *A censura desclassificou o filme da categoria dos proibidos para menores.*] [▶ **11** desclassifi*car*] • des.clas.si.fi.*can*.te *a2g.*

descoberta (des.co.*ber*.ta) *sf.* **1** Ação ou resultado de descobrir, de conhecer ou fazer conhecer o que não era conhecido; DESCOBRIMENTO: *a descoberta de novas rotas marítimas.* **2** Aquilo que se descobriu, por invenção, por pesquisa ou por acaso: *as descobertas da ciência.* **3** Terra que se descobriu: *As descobertas de Colombo.* **4** Achado engenhoso; solução inteligente: *Este método é uma descoberta e tanto!*

descoberto (des.co.*ber*.to) *a.* **1** Que não está ou que deixou de estar coberto (carga *descoberta*). **2** Sem tampa ou cobertura (carro *descoberto*). **3** Que se descobriu (terra *descoberta*). **4** Que foi revelado (segredos *descobertos*).

descobridor (des.co.bri.*dor*) [ô] *a.sm.* Que ou quem descobre ou inventa: *Colombo foi um descobridor de terras.*

descobrimento (des.co.bri.*men*.to) *sm.* Ação ou resultado de descobrir; DESCOBERTA.

descobrir (des.co.*brir*) *v.* **1** Remover cobertura de, ou o que cobre (algo, alguém ou si mesmo), deixando exposto. [*td.*: *Cumprimentou-o descobrindo a cabeça. pr.*: *Está frio, não se descubra.*] **2** Inventar, criar. [*td.*: *Pasteur descobriu a vacina antirrábica.*] **3** Encontrar (algo) até então desconhecido. [*td.*: *Ele descobre talentos para o cinema.*] **4** Encontrar (alguém, algo, situação) que não estava aparente. [*td.*: *descobrir um tesouro/uma conspiração.*] **5** *Fig.* Adquirir consciência de; dar-se conta de algo que não sabia; PERCEBER. [*td.*: "Agora *descobria* na mulher virtudes e belas qualidades..." (Aluísio Azevedo, *O mulato*).] **6** Encontrar casualmente (alguém ou algo) que se perdera. [*td.* (seguido de indicação de lugar): *Descobri o relógio no bolso do paletó*.] **7** Tornar público; REVELAR. [*td.*: *Descobriu todos os seus segredos*.] [▶ 51 desco**brir**. Part.: *descoberto*.]

descoco (des.*co.co*) [ô] *sm*. *Pop*. Atrevimento, insolência. [Pl.: [ó].]

descolar (des.*co.lar*) *v*. **1** Fazer deixar ou deixar de estar colado; DESGRUDAR(-SE). [*td.*: *descolar um adesivo. pr.*: *Os selos descolaram-se todos*.] **2** *Fig.* Afastar-se, deixar de estar sempre junto. [*pr./ti.* + *de*: *A menina não (se) descola do pai*.] **3** *Bras. Gír.* Obter, arranjar. [*td.*: *Descolou um emprego*.] [▶ 1 desco**lar**] ● des.co.la.**men**.to *sm*.

descoloração (des.co.lo.ra.*ção*) *sf*. Ação ou resultado de descolorir. [Pl.: -*ções*.]

descolorar (des.co.lo.*rar*) *v*. Ver *descolorir*. [▶ 1 descolo**rar**]

descolorir (des.co.lo.*rir*) *v*. Fazer perder ou perder a cor; DESCORAR; DESCOLORAR. [*td.*: *O sol descoloriu a cortina. int./pr.*: *A cortina descoloriu(-se)*.] [▶ 58 descolo**rir**] ● des.co.lo.**ri**.do *a*.

descomedido (des.co.me.*di*.do) *a*. Que não tem moderação, equilíbrio: *Tinha modos descomedidos, quase escandalosos*. [Ant.: *moderado*.]

descomedimento (des.co.me.di.*men*.to) *sm*. Ausência de comedimento, de moderação.

descomedir-se (des.co.me.*dir*-se) *v. pr.* Passar dos limites; cometer excesso(s); EXCEDER-SE: *Descomediu-se na discussão com o chefe*. [▶ 59 descome**dir**]

descompasso (des.com.*pas*.so) *sm*. **1** *Mús*. Falta no saída de compasso, de ritmo: *O descompasso da orquestra irritou o maestro*. **2** Falta de sincronização, de ajuste; DIVERGÊNCIA: "...esse resultado pode indicar um *descompasso* entre a avaliação e o que é ensinado." (FolhaSP, 24.11.99).

descomplicar (des.com.pli.*car*) *v. td.* Fazer perder a complicação; SIMPLIFICAR: *descomplicar o discurso*. [▶ 11 descompli**car**] ● des.com.pli.ca.**ção** *sf*.

descompor (des.com.*por*) *v.* **1** Fazer perder ou perder a composição, o arranjo, a arrumação; DESALINHAR(-SE); DESARRANJAR(-SE). [*td.*: *A ventania descompôs a ornamentação da sala. pr.*: *Vestiram-se com apuro, mas no caminho descompuseram-se*.] **2** Repreender (outrem ou um ao outro); INJURIAR(-SE). [*td.*: *Tem o mau hábito de descompor os auxiliares em público. pr.*: *Vivem a descompor-se diante de todos*.] **3** Fazer perder o aspecto original; DESFIGURAR. [*td.*: *A raiva descompôs sua fisionomia*.] **4** Perder a compostura; DESCOMEDIR-SE. [*pr.*: "Não se conformava, descompunha-se: — Que burro!" (Marques Rebelo, *Marafa*).] [▶ 60 descom**por**. Part.: *descomposto*.] [Cf.: *decompor*.]

descomposto (des.com.*pos*.to) [ô] *a*. Sem ordem ou arranjo, sem composição; DESARRUMADO; DESFIGURADO: *Estava descomposto, com as roupas amarrotadas*. [Fem. e pl.: [ó].]

descompostura (des.com.pos.*tu*.ra) *sf*. Repreensão ou censura áspera.

descompromisso (des.com.pro.*mis*.so) *sm*. Falta ou recuo de compromisso: *descompromisso com um objetivo/com a ética/com alguém*.

descomunal (des.co.mu.*nal*) *a2g*. Que é fora do comum, enorme, colossal (força *descomunal*). [Pl.: -*nais*.]

desconcentrar (des.con.cen.*trar*) *v*. Fazer perder ou perder a concentração (mental), o foco; DISTRAIR(-SE); DISPERSAR(-SE). [*td.* (com sem indicação de objeto): *O barulho na rua desconcentrou os alunos (da aula). pr.*: *desconcentrar-se da leitura*.] [▶ 1 desconcen**trar**] ● des.con.cen.tra.**ção** *sf*.; des.con.cen.*tra*.do *a*.

desconcertado (des.con.cer.*ta*.do) *a*. Contrafeito; sem jeito; embaraçado: *Ficou desconcertada quando gracejaram com ela*.

desconcertante (des.con.cer.*tan*.te) *a2g*. Que desconcerta, embaraça: *uma crítica desconcertante*.

desconcertar (des.con.cer.*tar*) *v*. **1** Fazer perder ou perder o concerto, a ordem, a arrumação; DESARRANJAR(-SE). [*td.*: *A inflação desconcerta a economia. pr.*: *Aquele país desconcertou-se com a violência*.] **2** Fazer ficar ou ficar embaraçado, desorientado; ATRAPALHAR(-SE); DESNORTEAR(-SE); EMBARAÇAR(-SE). [*td.*: *Desconcertei meu chefe, quando critiquei o regulamento. pr.*: *Desconcertou-se quando percebeu a confusão em que se metera*.] [▶ 1 desconcer**tar**]

desconcerto (des.con.*cer*.to) [ê] *sm*. **1** Ação ou resultado de desconcertar(-se); EMBARAÇO: *Era visível seu desconcerto ao ser criticado*. **2** Desordem, desarranjo. **3** Discórdia, contenda: *Havia muito desconcerto entre eles*. [Cf.: *desconserto*.]

desconchavo (des.con.*cha*.vo) *sm*. Bobagem, tolice.

desconexo (des.co.*ne*.xo) [cs] *a*. Desunido, desligado (fios *desconexos*). **2** Que não tem ou não apresenta conexão ou coerência: *Fez um discurso desconexo*.

desconfiado (des.con.fi.*a*.do) *a*. **1** Que não tem confiança, que desconfia. **2** Cheio de suspeitas.

desconfiança (des.con.fi.*an*.ça) *sf*. **1** Caráter ou condição de desconfiado: *A sua desconfiança na namorada é exagerada*. **2** Falta de confiança, dúvida, suspeita: *Expressou sua desconfiança quanto ao projeto*.

desconfiar (des.con.fi.*ar*) *v*. **1** Supor, conjeturar, julgar. [*td.*: "...não seria capaz de *desconfiar* que ela morava em cortiço." (Aluísio Azevedo, *O cortiço*). *ti.* + *de*: *Desconfio de que não saiba a verdade*.] **2** Duvidar, suspeitar. [*ti.* + *de*: *O rapaz desconfia de tudo e de todos*; *Desconfia de que tudo seja verdade*. NOTA: Quando o objeto é uma oração, como no segundo ex., a regência pode ser direta: *O rapaz desconfia que tudo seja verdade*.] [▶ 1 desconfi**ar**]

desconfiômetro (des.con.fi.*ô*.me.tro) *sm*. *Bras. Joc. Pop*. Capacidade de uma pessoa perceber que está tendo atitudes inconvenientes, embaraçosas etc., tentando evitá-las; SEMANCOL: *Falava sem parar, sem o menor desconfiômetro*.

desconforme (des.con.*for*.me) *a2g*. **1** Que não está conforme, de acordo; DESCONFORME com o regulamento. **2** Desproporcionado, desmedido: *uma cabeça pequena num corpo desconforme*. ● des.con.for.**mi**.da.de *sf*.

desconforto (des.con.*for*.to) [ô] *sm*. **1** Falta de conforto, de comodidade: *Roupas apertadas causam desconforto*. **2** Sensação de mal-estar, desconsolo, aflição: *As más notícias trouxeram-lhe desconforto e preocupação*. ● des.con.for.**tá**.vel *a2g*.

descongelar (des.con.ge.*lar*) *v*. **1** Fazer derreter ou derreter(-se) (o gelo ou o que estava congelado); DEGELAR(-SE). [*td.*: *Descongele o peixe para o jantar. int./pr.*: *O rio ainda não (se) descongelou*.] **2** *Fig.* Fazer deixar ou deixar de sentir frio excessivo; AQUECER(-SE). [*td.*: *descongelou as mãos. int./pr.*: *Vou para perto da lareira, para descongelar(-me)*.] **3** *Econ.* Desbloquear ou liberar (salários, preços etc.). [*td.*: *O governo descongelou os preços dos remédios*.] [▶ 1 descongelar] ● des.con.ge.*la*.do *a*.; des.con.ge.la.**men**.to *sm*.

descongestionar (des.con.ges.ti.o.*nar*) *v*. **1** Livrar(-se) de congestão, de anomalia na circulação sanguínea. [*td.*: *descongestionar os olhos. pr.*: *Com o colírio, seus olhos descongestionaram-se*.] **2** Desobstruir(-se). [*td.*: *Estas gotas vão descongestionar as vias respiratórias. pr.*: *Descongestionou-se com o remédio*.] **3** Restabelecer fluxo de trânsito normal em (rua, bairro, cidade etc.). [*td.*: *Essas medidas pretendem descongestionar o centro de São Paulo*.] **4** Desinchar(-se). [*td.*: *Esta pomada descongestio-*

desconhecer (des.co.nhe.*cer*) *v.* **1** Não conhecer (algo ou alguém); não ter informação sobre; IGNORAR. [*td.*: "Porfírio aceitou o cargo, embora não <u>desconhecesse</u> os espinhos que trazia..." (Machado de Assis, *O alienista*).] **2** Não reconhecer; não identificar (algo ou alguém). [*td.*: *No delírio <u>desconhece</u> os próprios parentes*. *pr.*: *Está tão magro que já <u>se desconhece</u> no espelho*.] **3** Não ter experiência ou vivência de (algo). [*td.*: *Aquele homem <u>desconhecia</u> o verdadeiro amor*.] **4** Não admitir; não aceitar. [*td.*: *<u>Desconheceu</u> as críticas e seguiu com o trabalho*.] **5** Fingir que não reconhece (por ingratidão, empáfia etc.). [*td.*: *Passeou pelo salão <u>desconhecendo</u> os amigos*.] [▶ **33** desconhecer]

desconhecido (des.co.nhe.*ci*.do) *a.* **1** Que não é conhecido: *Era um assunto <u>desconhecido</u> para todos*. **2** Que ainda não foi experimentado ou sentido (sabor desconhecido, sensação desconhecida). *sm.* **3** Indivíduo desconhecido (1): *Havia muitos <u>desconhecidos</u> na festa*. **4** Qualquer coisa que não se conhece: *O <u>desconhecido</u> é às vezes assustador*.

desconhecimento (des.co.nhe.ci.*men*.to) *sm.* **1** Ação ou resultado de desconhecer. **2** Falta de conhecimento; IGNORÂNCIA. **3** Falta de reconhecimento, de atenção, de gratidão: *Só teve dela <u>desconhecimento</u> e indiferença*.

desconjuntado (des.con.jun.*ta*.do) *a.* **1** Que se desconjuntou, desarticulou: *Perdeu os parafusos e tornou-se uma máquina <u>desconjuntada</u>*. **2** *Fig.* Desajeitado, desengonçado.

desconjuntar (des.con.jun.*tar*) *v.* **1** Fazer sair ou sair (ossos) da(s) junta(s), de articulação (de), ou causar tal sensação. [*td.*: *Fazia acrobacias de <u>desconjuntar</u> o esqueleto*. *pr.*: *Com o esforço <u>desconjuntei-me</u> todo*.] **2** Desmantelar(-se), desunir(-se). [*td.*: *O transporte <u>desconjuntou</u> a estante*. *pr.*: *A poltrona <u>desconjuntou-se</u>*.] **3** *Fig.* Desbaratar, desmanchar. [*td.*: *Esses contratempos <u>desconjuntaram</u> meus planos*.] [▶ **1** desconjuntar]

desconsideração (des.con.si.de.ra.*ção*) *sf.* **1** Ação ou resultado de desconsiderar: *A <u>desconsideração</u> dessa cláusula pode criar problemas*. **2** Falta de consideração, de respeito, de apreço; DESRESPEITO; ULTRAJE: *Foi <u>desconsideração</u> não ter ido à festa*. [Pl.: *-ções*.]

desconsiderar (des.con.si.de.*rar*) *v. td.* **1** Não levar em conta; não considerar; DESPREZAR: *O patrão <u>desconsiderou</u> o pedido de aumento*. **2** Desrespeitar, não dar atenção a (alguém): *<u>Desconsiderou</u> a professora e foi suspenso*. [▶ **1** desconsiderar] • **des.con.si.de.ra.do** *a.*

desconsolado (des.con.so.*la*.do) *a.* Que não tem ou está sem consolo; TRISTE: *torcedor <u>desconsolado</u> com a derrota do seu time*.

desconsolar (des.con.so.*lar*) *v.* Causar ou sofrer grande aflição ou tristeza. [*td.*: *O fim do namoro <u>desconsolou</u> o rapaz*. *pr.*: *Não <u>se desconsole</u>, tudo passa*.] [▶ **1** desconsolar]

desconsolo (des.con.*so*.lo) [ô] *sm.* Falta de consolo, de alívio, de lenitivo: *Está no maior <u>desconsolo</u> por que perdeu a promoção*.

desconstruir (des.cons.tru.*ir*) *v. td.* Desfazer uma construção, para refazê-la em outros padrões: *<u>desconstruir</u> uma obra de arte*. [▶ **56** desconstruir]

descontar (des.con.*tar*) *v.* **1** Diminuir (quantidade, quantia ou parte) de uma soma ou de um total; ABATER. [*td.* (com ou sem indicação da fonte): *O patrão <u>descontou</u> o adiantamento (do seu salário)*.] **2** Trocar (título, cheque, vale etc.) por dinheiro. [*td.*: *<u>Descontar</u> um cheque/um título*.] **3** Não levar em consideração (parte) de algo. [*td.*: *De tudo que ele lhe contar, <u>desconte</u> a metade*.] **4** *Fam.* Revidar; desforrar-se de (agressão, insucesso, frustração). [*td.*: *O jogador foi expulso por <u>descontar</u> uma cotovelada*. *tdi.* + *em*: *<u>Descontava</u> nos amigos o seu insucesso amoroso*.] **5** *Fut.* Em uma partida, diminuir, marcando gol (a diferença de gols entre os times). [*td.* (com ou sem objeto explícito): *A Argentina <u>descontou</u> (a diferença) no fim do jogo*.] **6** Compensar. [*td.*: "...recostei-me no sofá e <u>descontei</u> quase uma hora do sono perdido na véspera..." (Antonio Callado, *Bar Don Juan*).] [▶ **1** descontar]

descontentamento (des.con.ten.ta.*men*.to) *sm.* Sentimento de insatisfação, frustração, decepção: *O <u>descontentamento</u> (com as medidas adotadas) era geral*.

descontentar (des.con.ten.*tar*) *v.* Tornar(-se) descontente, insatisfeito, triste; frustrar(-se). [*td.*: *Suas travessuras <u>descontentavam</u> seus pais*. *pr.*: *As crianças <u>descontentaram-se</u> com o castigo*.] [▶ **1** descontentar]

descontente (des.con.*ten*.te) *a2g.s2g.* Que ou quem nutre sentimento de descontentamento, de desgosto.

descontinuidade (des.con.ti.nu.i.*da*.de) *sf.* **1** Qualidade ou condição de descontínuo. **2** Falta ou interrupção de continuidade: *Novas obras causarão <u>descontinuidade</u> no fornecimento de água*.

descontínuo (des.con.*tí*.nu:o) *a.* **1** Não contínuo, que apresenta interrupção em algum ponto (trabalho descontínuo). **2** Que não tem regularidade, que é interrompido: *Foi uma transmissão <u>descontínua</u>, truncada*. **3** *Ling.* Que se constitui de dois ou mais termos, formando uma unidade sintática mesmo que outros termos se interponham entre eles (diz-se, p.ex., do grau comparativo: *É <u>mais</u> alto <u>do que</u> o irmão*).

desconto (des.*con*.to) *sm.* **1** Ação ou resultado de descontar, de desconsiderar algo no cômputo geral: *Na análise do discurso, deu um <u>desconto</u> pelo seu nervosismo*. **2** Diminuição ou abatimento de preço: *dar um <u>desconto</u> (de 10%)*. **3** *Econ.* Negociação de título de crédito em data anterior à marcada para seu vencimento.

descontrair (des.con.tra.*ir*) *v.* **1** Fazer perder ou perder a contração; RELAXAR(-SE). [*td.*: *Um banho morno <u>descontrai</u> os músculos*. *pr.*: *Quando me viu, seu rosto <u>descontraiu-se</u>*.] **2** Fazer perder ou perder o constrangimento. [*td.*: *Suas brincadeiras <u>descontraem</u> o ambiente*. *pr.*: *A menina <u>descontraiu-se</u> quando contei uma piada*.] [▶ **43** descontrair] • **des.con.tra.ção** *sf.*; **des.con.tra.í.do** *a.*

descontrolado (des.con.tro.*la*.do) *a.* **1** Que perdeu o controle; que não tem controle. **2** Descomedido, desequilibrado.

descontrolar (des.con.tro.*lar*) *v.* Fazer perder ou perder o controle, ou o equilíbrio (tb. emocional); DESGOVERNAR(-SE); DESEQUILIBRAR(-SE). [*td.*: *O imã <u>descontrolou</u> a bússola*. *pr.*: *Meu irmão <u>descontrola-se</u> quando lhe negam algo*.] [▶ **1** descontrolar]

descontrole (des.con.*tro*.le) [ô] *sm.* Perda ou falta de controle: *<u>descontrole</u> emocional/dos gastos*.

desconversar (des.con.ver.*sar*) *v. int.* Em uma conversa, mudar de assunto ou fingir que não entendeu: *Não queria falar sobre o assunto, e <u>desconversou</u>*. [▶ **1** desconversar] • **des.con.ver.sa** *sf.*

descorado (des.co.*ra*.do) *a.* Que perdeu a cor; PÁLIDO; DESBOTADO.

descorar (des.co.*rar*) *v.* Desbotar; DESCOLORIR. [*td.*: *O tempo <u>descorara</u> seu vestido*. *int./pr.*: *Exposta ao sol, o tecido <u>descorou</u>(-se)*.] [▶ **1** descorar] • **des.co.ra.***men*.to *sm.*

descorçoar, descoroçoar (des.cor.ço.*ar*, des.co.ro.ço.*ar*) *v.* Fazer perder ou perder a esperança, o entusiasmo, o ânimo; DESENCORAJAR(-SE); DESANIMAR(-SE). [*td.*: *As dificuldades o <u>descorçoavam</u>*. *int.*: *Diante do policial, o valentão <u>descoroçoou</u>*.] [Ant.: *acorçoar*.] [▶ **16** descorçoar, ▶ **16** descoroçoar] • **des.cor.ço.a.do** *a.*; **des.co.ro.ço.a.do** *a.*

descortês (des.cor.*tês*) *a2g*. Que não é cortês; que não é gentil. [Pl.: *-teses*.]

descortesia (des.cor.te.*si*.a) *sf*. Falta de cortesia, de gentileza.

descortinar (des.cor.ti.*nar*) *v*. *td*. **1** Fazer(-se) conhecer, mostrar(-se) (correndo ou não a cortina); revelar(-se). [*td*.: *O relatório descortinava todos os problemas ocorridos*. *pr*.: "*Longe descortinava-se o campo dos Aimorés...*" (José de Alencar, *O guarani*).] **2** Ver, enxergar (ger. à distância); AVISTAR. [*td*.: *Da janela descortino as crianças na rua*.] [▶ **1** descortin|ar|]

descortino (des.cor.*ti*.no) *sm*. Capacidade de antevisão, percepção aguda; PERSPICÁCIA.

descoser (des.co.*ser*) *v*. Desfazer(-se) a costura (de); DESCOSTURAR(-SE). [*td*.: *A costureira descoseu a bainha*. *int./pr*.: *A manga do vestido descoseu(-se)*.] [▶ **2** descos|er|]

descosido (des.co.*si*.do) *a*. Que tem as costuras desfeitas (bainha descosida); DESCOSTURADO.

descosturar (des.cos.tu.*rar*) *v*. Ver descoser. [▶ **1** descostur|ar| ● **des.cos.tu.***ra*.do *a*.]

descrédito (des.*cré*.di.to) *sm*. Perda ou falta de crédito, de confiança.

descrença (des.*cren*.ça) *sf*. Perda ou falta de crença, de fé; CETICISMO.

descrente (des.*cren*.te) *a2g*. **1** Que não crê; que não acredita; CÉTICO. *s2g*. **2** Pessoa que não crê nem em Deus; ATEU; AGNÓSTICO.

descrer (des.*crer*) *v*. Não crer ou deixar de crer em fé; não dar crédito a. [*td*.: *Descrê tudo que seus sentidos não percebem*. *ti*. + *de*: *Não posso descrer dessa informação*.] [Ant.: *acreditar*.] [▶ **34** descr|er|]

descrever (des.cre.*ver*) *v*. *td*. **1** Expor em palavras como é ou foi (algo, um fato, um sentimento etc.): *descrever uma paisagem/uma sensação*. **2** Relatar com detalhes: *Descreveu sua viagem, dia a dia*. **3** Ter trajetória ou movimento em forma de: *A bola descreveu uma curva*. [▶ **2** descrev|er|. Part.: *descrito*.]

descrição (des.cri.*ção*) *sf*. Ação ou resultado de descrever (1 e 2), oralmente ou por escrito: *Fez uma descrição fiel da situação*. [Pl.: *-ções*.] [Cf.: *discrição*.]

descriminalizar (des.cri.mi.na.li.*zar*) *v*. Ver descriminar. [▶ **1** descriminaliz|ar|]

descriminar (des.cri.mi.*nar*) *v*. *td*. **1** Considerar ou declarar inocente; INOCENTAR: *O júri descriminou-o*. **2** *Jur*. Retirar a qualificação de crime a: *A Holanda descriminou o uso de maconha*. [Sin. ger.: *descriminalizar*.] [▶ **1** descrimin|ar|] [Cf.: *discriminar*.] ● **des.cri.mi.na.***ção* *sf*.

descritivo (des.cri.*ti*.vo) *a*. **1** Que descreve, que retrata uma pessoa, um objeto, uma situação etc.: *um poema descritivo*. **2** *Gram*. Diz-se do estudo gramatical que descreve e registra como os usuários da língua constroem e empregam as palavras em enunciados (gramática descritiva). [Cf.: *normativo*.]

descruzar (des.cru.*zar*) *v*. *td*. Apartar, separar o que estava cruzado: *descruzar os braços*. [▶ **1** descruz|ar|]

descuidado (des.cui.*da*.do) *a.sm*. **1** Que ou quem não tem cuidado, zelo; DESLEIXADO; RELAPSO. [Ant.: *cuidadoso*.] *a*. **2** Que não foi cuidado (assunto descuidado).

descuidar (des.cui.*dar*) *v*. **1** Tratar sem cuidado (algo, alguém ou si mesmo), não lhe dar importância; DESCURAR(-SE); NEGLIGENCIAR. [*td*.: *Descuidou a ferida*. *ti*. + *de*: *Descuidei dos estudos*. *pr*.: *Descuidou-se dos afazeres de casa*.] **2** Deixar de prevenir-se; distrair-se. [*pr*.: *O herói descuidou-se, e o bandido acertou-lhe um soco*.] [▶ **1** descuid|ar|]

descuido (des.*cui*.do) *sm*. Falta de cuidado; DESATENÇÃO: *Caiu da bicicleta por descuido*.

desculpa (des.*cul*.pa) *sf*. **1** Ação ou resultado de desculpar(-se). **2** Perdão por erro ou falta cometida. **3** Justificativa apresentada para desfazer culpa: *Não aceitou suas desculpas*. **4** Evasiva, pretexto: *Saiu da sala com a desculpa de que queria tomar água*.

desculpar (des.cul.*par*) *v*. **1** Perdoar (falta cometida). [*td*.: *Não sabe desculpar os erros alheios*. *tdi* + *a, de*: *A mãe desculpou o filho das más-criações*; *A mãe desculpou ao filho as más-criações*. NOTA: Os complementos direto e indireto permutam em relação a que ou quem é desculpado.] **2** Pedir desculpas, justificando-se ou não. [*pr*.: "*...a moça desculpou-se dizendo que a valsa lhe fazia vertigens.*" (Machado de Assis, *Helena*).] [▶ **1** desculp|ar|]

descumprir (des.cum.*prir*) *v*. *td*. Não cumprir: *descumprir um acordo*. [▶ **3** descumpr|ir| ● **des.cum.***pri***.***men*.to *sm*.

descurar (des.cu.*rar*) *v*. **1** Deixar de dar amparo ou cuidado a (algo, alguém ou si mesmo); descuidar(-se); desleixar(-se). [*td*.: *Descurou as suas obrigações*. *ti*. + *de*: *A prefeitura não deve descurar das áreas pobres*. *pr*.: *Descurava-se da própria aparência*.] **2** Fazer que se torne descuidado ou desleixado. [*td*.: *As más companhias descuraram-no*. *tdi*. + *de*: *A preguiça a descura de seus deveres*.] [▶ **1** descur|ar|]

desdar (des.*dar*) *v*. Desfazer(-se) (nó, laço etc.); DESATAR(-SE). [*td*.: *desdar o nó*. *pr*.: *O laço desdeu-se*.] [▶ **8** desd|ar|]

desde (*des*.de) [ê] *prep*. **1** A partir de (no espaço, no tempo): *Estão trabalhando desde ontem*. **2** Começando por (numa atividade, numa enumeração etc.); DE: *Fazia de tudo: desde faxina até lavagem de roupa*. ▪▪ − **que 1** A partir do momento em que: *Desde que engravidou, parou de fumar*. **2** Já que; porque: *Desde que tem a febre passou, o médico lhe dará alta*. **3** Se: *Poderiam ir ao cinema, desde que tivessem estudado*.

desdém (des.*dém*) *sm*. Pouco caso com alguém ou algo; MENOSPREZO. [Pl. (p.us.): *-déns*.]

desdenhar (des.de.*nhar*) *v*. **1** Manifestar desdém a ou tratar com desdém ou desprezo; DESPREZAR. [*td*.: *Ele às vezes desdenha os amigos*.] **2** Fazer pouco caso de; ESCARNECER. [*ti*. + *de*: *Ele tem o mau hábito de desdenhar dos mais fracos*.] [▶ **1** desdenh|ar|]

desdenhoso (des.de.*nho*.so) [ô] *a*. Que encerra ou demonstra desdém. [Fem. e pl.: [ó].]

desdentado¹ (des.den.*ta*.do) *a*. Que perdeu alguns ou todos os dentes.

desdentado² (des.den.*ta*.do) *sm*. *Zool*. Mamífero que tem a dentição imperfeita ou que não tem dentição, como o tamanduá e o tatu.

desdita (des.*di*.ta) *sf*. Falta de sorte; INFELICIDADE; DESVENTURA. ● **des.di.***to*.so *a.sm*.

desdizer (des.di.*zer*) *v*. **1** Dizer o oposto (do que se havia dito); NEGAR. [*td*.: *Desdigo tudo que você afirmou*.] **2** Contradizer o que foi dito por; DESMENTIR(-SE). [*td*.: *Ouviu sua versão e desdisse o amigo*. *pr*.: *Confuso, desdisse-se várias vezes*.] [▶ **20** desd|izer|. Part.: *desdito*.]

desdobramento (des.do.bra.*men*.to) *sm*. **1** Ação, processo ou resultado de desdobrar. **2** Desenvolvimento ou repercussão de um fato: *os desdobramentos de um escândalo*.

desdobrar (des.do.*brar*) *v*. **1** Abrir(-se), estender(-se) (algo que estava dobrado). [*td*.: *desdobrar a toalha*. *pr*.: *Os estandartes desdobraram-se ao vento*.] **2** Desenvolver-se, multiplicar-se. [*pr*.: *As tarefas desdobravam-se à medida que o projeto avançava*.] **3** *Fig*. Esforçar-se ao máximo; EMPENHAR-SE. [*pr*.: *Minha mãe desdobra-se para dar conta de seus afazeres*.] [▶ **1** desdobr|ar|]

desdourar (des.dou.*rar*) *v*. *Fig*. Manchar, obscurecer (o nome, a reputação, a honra) de; deslustrar. [*td*.: *Boatos maldosos desdouraram sua reputação*.] **2** Fazer perder ou perder o brilho (tb. *Fig*.). [*td*.: *O ácido desdourou meu anel*. *pr*.: *Sem o homenageado, a*

deseducar | **desemparelhar** 250

cerimônia *desdourou-se*.] [▶ 1 desdour**ar**] • **des.dou.ro** *sm.*

deseducar (de.se.du.*car*) *v. td.* **1** Educar mal ou inadequadamente. **2** Prejudicar a educação de: *Certos programas de tevê deseducam as crianças.* [▶ 11 deseduc**ar**]

desejar (de.se.*jar*) *v.* **1** Ter desejo ou vontade de; QUERER. [*td.*: *Ele deseja que o filho seja um homem de bem.*] **2** Querer ter; COBIÇAR. [*td.*: *Desejava um som novo.*] **3** Exprimir o desejo de que (alguém) tenha. [*tdi. + a*: *...apertou-lhe a mão, desejando-lhe um futuro vitorioso."* (Marques Rebelo, *Marafa*).] **4** Ter interesse sexual em. [*td.*: *Ele a desejava e não lhe escondia isso. pr.*: *Desejavam-se e amavam-se com paixão.*] [▶ 1 desej**ar**] • **de.se.**ja**.do** *a.*; **de.se.**já**.vel** *a2g.*

desejo (de.se.jo) [ê] *sm.* **1** Vontade, anseio ou ambição por alguma coisa: *O desejo do pai era que o filho seguisse a sua profissão.* **2** Vontade de possuir alguém sexualmente. **3** *Pop.* Vontade repentina de determinada comida ou bebida sentida pela mulher grávida.

desejoso (de.se.*jo*.so) [ô] *a.* Que tem muita vontade (de possuir ou de realizar alguma coisa). [Fem. e pl.: [ó].]

deselegância (de.se.le.*gân*.ci.a) *sf.* **1** Falta de elegância no vestir ou nas maneiras. **2** Ato ou atitude deselegante.

deselegante (de.se.le.*gan*.te) *a2g.* Que revela falta de elegância, de gosto, de educação etc. (atitude deselegante).

desemaranhar (de.se.ma.ra.*nhar*) *v.* **1** Desfazer(-se) o emaranhado de; DESEMBARAÇAR(-SE). [*td.*: *Vovó desemaranhou seu tricô. pr.*: *Meus cabelos desemaranharam-se.*] **2** Tornar compreensível; ELUCIDAR. [*td.*: *desemaranhar um crime/um problema.*] [▶ 1 desemaranh**ar**]

desembaçador (de.sem.ba.ça.*dor*) [ô] *sm.* Dispositivo (ger. de veículo) que desembaça.

desembaçar (de.sem.ba.*çar*) *v.* Fazer recuperar ou recuperar (objeto embaçado) o brilho ou a transparência [*td.*: *desembaçar as vidraças/os talheres. pr.*: *Meus óculos desembaçaram-se.*] [▶ 12 desembaç**ar**] • **de.sem.ba.**ça**.do** *a.*; **de.sem.ba.ça.**men**.to** *sm.*

desembainhar (de.sem.ba.i.*nhar*) *v. td.* **1** Tirar (ger. arma branca) da bainha: *desembainhar a espada.* **2** Descoser a bainha de (peça do vestuário): *desembainhar uma calça.* [▶ 1 desembainh**ar**]

desembalar¹ (de.sem.ba.*lar*) *v. td.* Tirar a embalagem; DESEMBRULHAR: *Posso desembalar meu presente?* [▶ 1 desembal**ar**]

desembalar² (de.sem.ba.*lar*) *v.* Fazer perder ou perder o embalo (impulso). [*td.*: *O piloto desembalou o carro. int.*: *O carro desembalou na subida.*] [▶ 1 desembal**ar**]

desembaraçado (de.sem.ba.ra.ça.do) *a.* **1** Que não é tímido, que demonstra ter expediente, autoconfiança (diz-se de pessoa). **2** De que se tiraram os nós ou o embaraço (cabelo desembaraçado).

desembaraçar (de.sem.ba.ra.*çar*) *v.* **1** Desfazer o embaraço, os nós de; DESEMARANHAR. [*td.*: *desembaraçar um novelo/os cabelos.*] **2** Livrar(-se) de (incômodos ou obstruções); DESIMPEDIR(-SE). [*td.*: *desembaraçar o trânsito. tdi. + de*: *desembaraçar as calçadas do entulho. pr.*: *Ele precisa desembaraçar-se dos problemas.*] **3** Fazer perder ou perder o constrangimento, a timidez; DESINIBIR(-SE). [*td.*: *O contato com os colegas desembaraçou-a. pr.*: *Elaine desembaraçou-se depois que entrou no grupo.*] **4** *Fig.* Apressar a tramitação de. [*td.*: *desembaraçar um processo.*] [▶ 12 desembaraç**ar**] • **de.sem.ba.ra.ça.**men**.to** *sm.*

desembaraço (de.sem.ba.ra.ço) *sm.* Atitude ou comportamento de quem é desembaraçado (1).

desembaralhar (de.sem.ba.ra.*lhar*) *v.* **1** Pôr em ordem (o que estava embaralhado). [*td.*: *desembaralhar um novelo.*] **2** *Fig.* Tornar compreensível. [*td.*: *desembaralhar um caso policial.*] **3** Tornar(-se) claro, nítido. [*int./pr.*: *A visão desembaralhou(-se).*] [▶ 1 desembaralh**ar**]

desembarcadouro (de.sem.bar.ca.do.ro) *sm.* Local de desembarque.

desembarcar (de.sem.bar.*car*) *v.* Fazer descer ou descer (alguém ou algo de um meio de transporte). [*td.* (seguido ou não de indicação de lugar): *Os americanos desembarcaram suas tropas no golfo Pérsico*). *int.* (seguido ou não de indicação de lugar): *Duzentos passageiros desembarcaram (do trem) (na estação central)*.] [▶ 11 desembarc**ar**]

desembargador (de.sem.bar.ga.*dor*) [ô] *sm. Jur.* Juiz de Tribunal de Justiça ou de Tribunal de Apelação.

desembargar (de.sem.bar.*gar*) *v.* **1** Livrar (alguém ou algo) de embaraço ou obstáculo; DESEMBARAÇAR; DESOBSTRUIR. [*td./tdi. + de*: *desembargar o funcionário (das dívidas).*] **2** *Jur.* Suspender o embargo de. [*td.*] [▶ 14 desembarg**ar**]

desembargo (de.sem.*bar*.go) *sm. Jur.* Ato de suspender a apreensão judicial de bens de um devedor por meio de sentença definitiva; DESIMPEDIMENTO.

desembarque (de.sem.*bar*.que) *sm.* **1** Ação de desembarcar, de descer ou sair de qualquer meio de transporte: *O desembarque é no portão D.* **2** Local em que se desembarca.

desembestado (de.sem.bes.ta.do) *a.* **1** Apressado, desabalado. **2** Sem controle; DESENFREADO.

desembestar (de.sem.bes.*tar*) *v. int. Bras.* Sair a toda velocidade; DESABALAR: (seguido ou não de indicação de lugar) *Pegou a bicicleta e desembestou (morro abaixo).* [▶ 1 desembest**ar**] [NOTA: Usa-se como auxiliar, seguido de *a* + infinitivo, para indicar o início de uma ação ou processo que se desenrola com vontade e ímpeto: *Laura desembestou a rir da piada.*]

desembocadura (de.sem.bo.ca.du.ra) *sf. Geog.* Local onde um rio despeja suas águas no mar ou em outro rio; FOZ.

desembocar (de.sem.bo.*car*) *v. int.* **1** Desaguar ou ir ter (em algum lugar): (seguido de indicação de lugar) *O rio Amazonas desemboca no mar.* **2** Dar em; TERMINAR; ACABAR: (seguido de indicação de circunstância) *As ofensas desembocaram numa briga feia.* [▶ 11 desemboc**ar**]

desembolsar (de.sem.bol.*sar*) *v. td.* **1** Tirar da bolsa ou do bolso. **2** Fazer gasto de; GASTAR: *desembolsar muito dinheiro.* [▶ 1 desembols**ar**]

desembolso (de.sem.*bol*.so) [ô] *sm.* **1** Ação ou resultado de desembolsar certa quantia. **2** Quantia que se desembolsou.

desembrear (de.sem.bre.*ar*) *v. td. int.* Soltar(-se) a embreagem de (um veículo); DESENGRENAR. [▶ 13 desembre**ar**]

desembrulhar (de.sem.bru.*lhar*) *v. td.* Desfazer (um embrulho) ou retirar de (embrulho); DESEMBALAR; DESEMPACOTAR; DESENROLAR: *desembrulhar o pacote/os copos.* [▶ 1 desembrulh**ar**]

desembuchar (de.sem.bu.*char*) *v. td. Pop.* Dizer francamente (o que não se queria ou não se ousava dizer); DECLARAR; DESABAFAR: *Desembuche logo o que pretende fazer!* [▶ 1 desembuch**ar**]

desemoldurar (de.se.mol.du.*rar*) *v. td.* Tirar da moldura. [▶ 1 desemoldur**ar**]

desempacar (de.sem.pa.*car*) *v.* Fazer voltar ou voltar a andar (cavalgadura empacada). [*td.*: *Desempacou o cavalo com muito esforço. int.*: *Muito tempo depois, a mula desempacou.*] [▶ 11 desempac**ar**]

desempacotar (de.sem.pa.co.*tar*) *v.* Ver *desembrulhar*. [▶ 1 desempacot**ar**]

desemparelhar (de.sem.pa.re.*lhar*) *v.* Separar(-se) (o que estava emparelhado). [*td./pr.*: *Desemparelharam(-se) os cavalos.*] [▶ 1 desemparelh**ar**]

desempatar | desencardir

desempatar (de.sem.pa.*tar*) *v.* Tirar ou sair do empate. [*td.*: *Os votos finais desempataram a eleição.* *int.*: *A partida acaba de desempatar.*] [▶ 1 desempat**ar**]

desempate (de.sem.*pa*.te) *sm.* Ação ou resultado de se desfazer um empate, em jogo ou votação.

desempenado (de.sem.pe.*na*.do) *a.* Que desempenou (1); que está reto ou plano.

desempenar (de.sem.pe.*nar*) *v.* **1** Fazer ficar ou ficar desempenado; DESENTORTAR. [*td.*: *desempenar um aro.* *int./pr.*: *O cartão de crédito desempenou(-se).*] **2** Tornar plana uma superfície. [*td.*: *desempenar o emboço da parede.*] [▶ 1 desempen**ar**]

desempenhar (de.sem.pe.*nhar*) *v.* **1** Cumprir os deveres ou obrigações de (função, cargo); EXERCER. [*td.*: "Eu ia ser padre, ia *desempenhar* (...) uma missão nobre..." (João Ubaldo Ribeiro, *Diário do farol*).] **2** Realizar, executar (tarefa, trabalho). [*td.*: *O citoplasma desempenha a maior parte do trabalho da célula.* *pr.*: *Desempenhou-se bem de sua nova tarefa.*] **3** *Cin. Teat.* Representar, interpretar. [*td.*: *Desempenha um papel de destaque na peça.* *int.*: *O renomado ator desempenhava bem.*] **4** Representar, exercer. [*td.*: *As exportações desempenham importante papel na economia.*] **5** *Jur.* Resgatar (um bem penhorado). [*td.*] [▶ 1 desempenh**ar**]

desempenho (de.sem.*pe*.nho) *sm.* **1** Ação ou resultado de desempenhar. **2** Execução ou modo de executar uma tarefa ou atividade: *O desempenho da atriz foi medíocre.* **3** Funcionamento de um serviço, máquina, veículo etc.

desempeno (de.sem.*pe*.no) *sm.* **1** Ação ou resultado de desempenar; NIVELAMENTO. **2** Instrumento us. por carpinteiros para verificar se uma superfície está plana.

desemperrar (de.sem.pe.*rar*) *v.* **1** Fazer voltar ou voltar a mover-se ou funcionar (o que estava emperrado). [*td.*: *desemperrar a fechadura.* *int./pr.*: *A porta do elevador já (se) desemperrou.*] **2** *Fig.* Fazer perder ou perder a inibição; SOLTAR(-SE). [*td.*: *desemperrar a língua.* *int./pr.*: *Quando está entre amigos, desemperra(-se).*] [▶ 1 desemperr**ar**]

desempilhar (de.sem.pi.*lhar*) *v. td.* Tirar de pilha (coisas empilhadas). [▶ 1 desempilh**ar**]

desempoar (de.sem.po.*ar*) *v.* **1** Limpar do pó, da poeira. [*td.*: *desempoar os móveis.*] **2** *Fig.* Fazer perder ou perder os preconceitos ou a arrogância. [*td.*: *A doença desempoou-a.* *int./pr.*: *Com as dificuldades, aquele homem petulante desempoou(-se).*] [▶ 16 desemp**oar**]

desempoçar (de.sem.po.*çar*) *v. td.* **1** Desfazer as poças de: *Desempocem o quintal para evitar o dengue.* **2** Tirar (alguém ou algo) de poço, poça etc. [▶ 12 desempo**çar**] [Cf.: *desempossar*.]

desempoleirar (de.sem.po.lei.*rar*) *v. td. int.* Fazer descer ou descer do poleiro. [▶ 1 desempoleir**ar**]

desempossar (de.sem.pos.*sar*) *v.* Ver *desapossar*. [▶ 1 desempos**sar**] [Cf.: *desempoçar*.]

desempregado (de.sem.pre.*ga*.do) *a.sm.* Que ou quem está sem emprego.

desempregar (de.sem.pre.*gar*) *v. td.* Fazer perder o emprego ou cargo; DESPEDIR; EXONERAR. [▶ 14 desempreg**ar**]

desemprego (de.sem.*pre*.go) [ê] *sm.* Falta de emprego.

desencabeçar (de.sen.ca.be.*çar*) *v.* **1** *Pop.* Tirar da cabeça, da ideia; DISSUADIR. [*tdi.* + *de*: *Desencabeçou o filho de sair de casa.*] **2** *Fig.* Desviar do bom caminho, por maus conselhos ou exemplos; DESENCAMINHAR. [*td.*] [▶ 12 desencabeç**ar**]

desencabrestar (de.sen.ca.bres.*tar*) *v.* **1** Tirar ou soltar-se do cabresto. [*td.*: *desencabrestar um cavalo.* *pr.*: *Os potros desencabrestaram-se à noite.*] **2** *Fig.* Tornar(-se) impetuoso, descomedido. [*td.*: *Liberdade em excesso desencabresta os jovens.* *pr.*: *Com a ausência dos pais, desencabrestou-se.*] [▶ 1 desencabrest**ar**]

desencadear (de.sen.ca.de.*ar*) *v.* **1** Fazer ter ou ter início, provocar o início de (processo, ação, reação etc.), ger. com ímpeto. [*td.*: *Sua atitude desencadeou uma onda de protestos*; "...o abraço do tio *desencadeia* a memória emotiva da infância..." (*O Dia*, 25.12.03). *int./pr.*: *Ao entardecer, uma tempestade desencadeou(-se).*] **2** Desunir(-se) o que estava unido, preso ou atrelado (por cadeias ou outro tipo de conexão); SOLTAR(-SE). [*td.*: *desencadear um prisioneiro.* *pr.*: *Sua ambição desencadeou-se de seus medos, e ele resolveu arriscar.*] [▶ 13 desencade**ar**] • de.sen.ca.de:a.*men*.to *sm.*

desencaixar (de.sen.cai.*xar*) *v.* Fazer sair ou sair do encaixe. [*td.*: *A vibração desencaixou o calço do motor.* *int./pr.*: *Com a vibração, o calço do motor desencaixou(-se).*] [▶ 1 desencaix**ar**] • de.sen.cai.xa.do a.; de.sen.*cai*.xe *sm.*

desencaixotar (de.sen.cai.xo.*tar*) *v. td.* Tirar de caixa ou caixote: *Você já desencaixotou os livros?* [▶ 1 desencaixot**ar**] • de.sen.cai.xo.*ta*.do *a.*; de.sen.cai.xo.ta.*men*.to *sm.*

desencalacrar (de.sen.ca.la.*crar*) *v.* Fazer sair ou livrar-se de problemas, ger. financeiros. [*td.*: *Ajudou a desencalacrar o amigo endividado.* *pr.*: *Atolado em problemas, não conseguia desencalacrar-se.*] [▶ 1 desencalacr**ar**]

desencalhar (de.sen.ca.*lhar*) *v.* **1** Soltar(-se) uma embarcação presa (em areia, rochas etc.). [*td.*: *A Marinha está tentando desencalhar o navio.* *int.*: *O pesqueiro desencalhou e seguiu viagem.*] **2** Devolver ao uso (algo encostado, sem uso). [*td.*: *Desencalhou o velho guarda-chuva e enfrentou o temporal.*] **3** *Bras.* Voltar a vender ou a ser vendido (estoque, mercadorias encalhadas). [*td. int.*] **4** *Pop.* Dar andamento a, ou voltar a ter andamento, processo, negociação etc. obstruídos. [*td. int.*] **5** *Bras. Joc.* Arranjar namorado(a) ou esposo(a). [*int.*: *O solteirão finalmente desencalhou.*] [▶ 1 desencalh**ar**] • de.sen.ca.lhe *sm.*

desencaminhar (de.sen.ca.mi.*nhar*) *v.* Desviar(-se) do caminho que parecia apropriado. [*td.*: *A ambição desmedida o desencaminhou.* *pr.*: *Desencaminhou-se na vida e perdeu tudo.*] [▶ 1 desencaminh**ar**] • de.sen.ca.mi.*nha*.do *a.*; de.sen.ca.mi.nha.*men*.to *sm.*

desencanar (de.sen.ca.*nar*) *v. int. SP Gír.* Deixar de se preocupar; esquecer. [▶ 1 desencan**ar**]

desencantamento (de.sen.can.ta.*men*.to) *sm.* **1** Ato de desapontar-se com alguém ou alguma coisa; DECEPÇÃO; DESILUSÃO. **2** Ação ou resultado de retirar o feitiço.

desencantar (de.sen.can.*tar*) *v.* **1** Quebrar o encanto de. [*td.*: *O príncipe desencantou a princesa adormecida.*] **2** *Pop.* Mostrar habilidade ou capacidade que estava oculta. [*int.*: "Ele *desencantou* na partida decisiva contra o Vitória, fazendo um gol..." (*FolhaSP*, 14.11.99).] **3** Provocar decepção em ou ficar decepcionado; DESILUDIR(-SE); DECEPCIONAR(-SE). [*td.*: *Seu novo livro desencantou os leitores.* *pr.*: *Os eleitores desencantaram-se com o prefeito que elegeram.*] [▶ 1 desencant**ar**] • de.sen.can.*ta*.do *a.*

desencanto (de.sen.*can*.to) *sm.* Decepção, desencantamento.

desencapar (de.sen.ca.*par*) *v. td.* Tirar a cobertura ou capa de: *desencapar um caderno/um fio.* [▶ 1 desencap**ar**]

desencarcerar (de.sen.car.ce.*rar*) *v. td.* Tirar da prisão ou cárcere; LIBERTAR. [▶ 1 desencarcer**ar**]

desencardir (de.sen.car.*dir*) *v. td.* Limpar algo que tem sujeira acumulada, deixando mais claro: *sabão em pó para desencardir roupas brancas.* [▶ 3 desencard**ir**]

desencargo (de.sen.*car*.go) *sm.* **1** *Fig.* Alívio. [NOTA: Us. na expressão *desencargo de consciência*: Por *desencargo de consciência*, decidiram reexaminar o caso.] **2** Cumprimento de um encargo: *o desencargo de obrigações*.

desencarnar (de.sen.car.*nar*) *v. int. Espt.* Sair do corpo físico a alma de (alguém); MORRER: *Sem sofrer, serenamente, desencarnou*. [▶ **1** desencarn[ar]] • **de.sen.car.na.do** *a.sm.*

desencarrilar, desencarrilhar (de.sen.car.ri.*lar*, de.sen.car.ri.*lhar*) *v. Ver descarrilar*. [▶ **1** desencarril[ar], ▶ **1** desencarrilh[ar]]

desencasquetar (de.sen.cas.que.*tar*) *v. Fam.* **1** Dissuadir (alguém ou a si próprio) de (ideia fixa, mania, preocupação etc.); DESPERSUADIR(-SE). [*tdi.* + *de*: *Desencasqueto o amigo de fumar*. *pr.*: *Está noutra fase, desencasquetou-se de tudo!*] **2** Tirar (ideia, intenção) da cabeça. [*tdi.*: *Desencasquetou a ideia de ser astronauta*.] [▶ **1** desencasquet[ar]]

desencastoar (de.sen.cas.to.*ar*) *v. td.* **1** Tirar o castão de (bengala). **2** Desprender (gema, pedra) de engaste de joia. [▶ **16** desencast[oar]]

desencavar (de.sen.ca.*var*) *v. td.* Trazer à mostra o que estava guardado ou escondido; DESENCOVAR: *Viajando pelo interior, desencavei antiguidades fantásticas*. [▶ **1** desencav[ar]]

desencobrir (de.sen.co.*brir*) *v. td.* Revelar, tirando a cobertura de. [▶ **51** desenco[brir], Part.: *desencoberto*.]

desencomendar (de.sen.co.men.*dar*) *v. td.* Cancelar (pedido ou encomenda): *Como a loja atrasou, desencomendei a segunda remessa*. [▶ **1** desencomend[ar]]

desencontrado (de.sen.con.*tra*.do) *a.* **1** Que segue direção oposta a ou diferente da de outro (passos *desencontrados*). **2** Não sincronizado: *dublagem e movimento labial desencontrados*. **3** Em que não há lógica, nexo entre ou convergência de ideias, fatos etc. (conversa *desencontrada*).

desencontrar (de.sen.con.*trar*) *v.* Fazer com que não se encontre ou deixar de se encontrar; deixar de comparecer a encontro com (alguém), por mal-entendido quanto à hora e/ou lugar. [*tdi.*: *Muitos incidentes acabaram desencontrando os dois*. *pr.*: *As engrenagens desencontraram-se*.] **2** *Fig.* Discordar. [*int./pr.*: *Quase sempre nossas ideias desencontram(-se)*.] [▶ **1** desencontr[ar]]

desencontro (de.sen.*con*.tro) *sm.* **1** Ação ou resultado de desencontrar(-se) (1): *O atraso do voo causou o nosso desencontro*. **2** Discordância, divergência: *desencontro de informações*.

desencorajar (de.sen.co.ra.*jar*) *v.* Tirar a coragem ou o estímulo a; perder a coragem, o estímulo. [*tdi.*: *Os perigos da jornada o desencorajaram, e ele não partiu*; (seguido de especificação) *Eu o desencorajei de seguir viagem*. *pr.*: *Ante tantos perigos, desencorajou-se*.] [Ant.: estimular.] [▶ **1** desencoraj[ar]] • **de.sen.co.ra.ja.do** *a.*; **de.sen.co.ra.ja.men.to** *sm.*

desencordoar (de.sen.cor.do.*ar*) *v. td.* Tirar as cordas de: *desencordoar o violão*. [▶ **16** desencord[oar]]

desencorpar (de.sen.cor.*par*) *v. td.* Diminuir o volume de: *Para desencorpar os cabelos, use condicionador*. [▶ **1** desencorp[ar]]

desencostar (de.sen.cos.*tar*) *v.* Afastar(-se) do local onde (se) estava apoiado. [*td.* (seguido de indicação de lugar): *Desencoste o ombro da parede*. *int./pr.* (seguido de indicação de lugar): *Quer desencostar(-se) da cômoda, por favor?*] [▶ **1** desencost[ar]]

desencovar (de.sen.co.*var*) *v. td.* **1** Tirar de buraco ou cova: *desencovar os ovos da tartaruga*. **2** *Fig.* Trazer à mostra o que estava guardado ou escondido; DESENCAVAR: *De onde você desencovou essas velharias?* [▶ **1** desencov[ar]]

desencravar (de.sen.cra.*var*) *v. td.* **1** Arrancar (prego, cravo etc.) a: *desencravar uma tábua*. **2** Soltar o que está cravado, pregado: (seguido ou não de indicação de lugar) *desencravar um espinho (do dedo)*. [▶ **1** desencrav[ar]]

desencrespar (de.sen.cres.*par*) *v.* **1** Tornar(-se) liso o que era crespo ou encaracolado; ALISAR. [*td.*: *desencrespar os cabelos*. *pr.*: *Depois de muita loção, seus cabelos desencresparam-se*.] **2** Tornar-se calmo (o mar); DESENCAPELAR. [*int.*: *Depois da tormenta, o mar desencrespou*.] [▶ **1** desencresp[ar]]

desencurvar (de.sen.cur.*var*) *v. td.* Endireitar (o que está curvo ou encurvado): *desencurvar as costas*. [▶ **1** desencurv[ar]]

desendividar (de.sen.di.vi.*dar*) *v.* Livrar(-se) de dívidas (pagando-as ou contribuindo para isso). [*td.*: *medidas para desendividar o Brasil*. *pr.*: *Com esforço ele conseguiu desendividar-se*.] [▶ **1** desendivid[ar]]

desenfadar (de.sen.fa.*dar*) *v.* Distrair (quem está aborrecido ou entediado). [*td.*: *A menina disse coisas engraçadas para desenfadar as amigas*. *pr.*: *Joga paciência para desenfadar-se*.] [▶ **1** desenfad[ar]]

desenfado (de.sen.*fa*.do) *sm.* Passatempo, divertimento que alivia o enfado: *Começou a ler apenas por desenfado*.

desenfaixar (de.sen.fai.*xar*) *v. td.* Tirar faixas ou tiras a: *Os arqueólogos desenfaixaram a múmia*. [▶ **1** desenfaix[ar]] • **de.sen.fai.xa.do** *a.*

desenfardar (de.sen.far.*dar*) *v. td.* Desembalar, tirar do(s) fardo(s): *desenfardar mercadorias*. [▶ **1** desenfard[ar]]

desenfastiar (de.sen.fas.ti.*ar*) *v. td.* **1** Afastar o tédio a; DIVERTIR: *Inventou brincadeiras para desenfastiar as crianças*. **2** Tirar o fastio a; despertar apetite em: *O cheirinho de comida desenfastiou-nos num instante*. [▶ **1** desenfasti[ar]]

desenfeitar (de.sen.fei.*tar*) *v. td.* Tirar os enfeites e adornos de. [*td.*: *Após a festa, desenfeitamos o salão*. *pr.*: *A cidade desenfeitou-se depois do carnaval*.] [▶ **1** desenfeit[ar]]

desenfeitiçar (de.sen.fei.ti.*çar*) *v.* Livrar de encantou o feitiço. [*td.*: *O beijo da princesa desenfeiticou o sapo*. *tdi.* + *de*: *A fada desenfeitiçou o povo do castigo da bruxa*.] [▶ **12** desenfeitiç[ar]]

desenferrujar (de.sen.fer.ru.*jar*) *v.* **1** Tirar a ferrugem de. [*td.*: *Passe óleo nas dobradiças para desenferrujá-las*.] **2** *Fig.* Exercitar (o que estava parado ou sem uso). [*td.*: *Na Argentina, desenferrujei meu castelhano*. *int./pr.*: *Está fazendo ginástica para desenferrujar(-se)*.] [▶ **1** desenferruj[ar]]

desenfiar (de.sen.fi.*ar*) *v.* **1** Retirar (o que está enfiado ou embutido). [*td.*: *um jogo infantil de enfiar e desenfiar pecinhas*.] **2** Tirar (pedras, contas etc.) de fio ou linha. [*tdi.* + *de*: *Desenfiei as pérolas do colar*.] **3** Tirar o fio ou linha de. [*tdi.* + *de*: *desenfiar a linha da agulha*.] [▶ **1** desenfi[ar]]

desenfreado (de.sen.fre.*a*.do) *a.* Sem freio ou controle: *o aumento desenfreado do custo de vida*.

desenfrear (de.sen.fre.*ar*) *v.* **1** Soltar os freios de. [*td.*: *desenfrear os cavalos*.] **2** Desencadear (comportamento, emoção etc.) e deixar correr livremente. [*td.*: *A época do Natal faz desenfrear um espírito consumista*. *pr.*: *Não devemos nos desenfrear em atitudes impensadas*.] [Ant.: *refrear*.] [▶ **13** desenfre[ar]]

desenfurnar (de.sen.fur.*nar*) *v.* **1** Retirar para fora (guardados). [*td.* (com ou sem indicação de lugar): *Desenfurnei uns chapéus antigos (do baú)*.] **2** *Fam.* Voltar a conviver socialmente. [*int./pr.*: *Já é hora de ele desenfurnar(-se) e sair com os amigos*.] [▶ **1** desenfurn[ar]]

desengaiolar (de.sen.gai.o.*lar*) *v. td.* Tirar de gaiola: *Os meninos desengaiolaram o canário*. [▶ **1** desengaiol[ar]]

desengajado (de.sen.ga.*ja*.do) *a.sm.* Que ou quem não assume posição política ou que não é adepto de uma corrente ideológica.

desengajar (de.sen.ga.*jar*) *v.* Deixar de participar de; DESLIGAR-SE. [*int./pr.*: *Resolveu desengajar(-se) da campanha.*] [▶ 1 desengajar]

desenganado (de.sen.ga.*na*.do) *a.* **1** Diz-se de doente a quem não foi dada mais esperança de vida. **2** Sem esperança (amor *desenganado*).

desenganar (de.sen.ga.*nar*) *v. td.* **1** Tirar do engano; mostrar a realidade: *É melhor desenganá-lo, para ele não ter falsas esperanças.* **2** Não dar mais esperança de vida a: *Os médicos desenganaram o paciente.* [▶ 1 desenganar]

desenganchar (de.sen.gan.*char*) *v. td.* Liberar o que estava preso (ger. com gancho): *Não consegui desenganchar o fecho da mala.* [▶ 1 desenganchar]

desengano (de.sen.*ga*.no) *sm.* Desilusão, desesperança.

desengarrafar (de.sen.gar.ra.*far*) *v. td.* **1** Liberar o acúmulo de elementos que obstruem o andamento: *desengarrafar o trânsito*. **2** Retirar de garrafa. [▶ 1 desengarrafar]

desengasgar (de.sen.gas.*gar*) *v. td. pr.* Livrar(-se) de engasgo. [▶ 14 desengasgar]

desengastar (de.sen.gas.*tar*) *v.* Retirar (pedra, contaeto.) do engaste. [*td*.: *desengastar diamantes*. *tdi*. + *de*: *O joalheiro desengastou o rubi do anel*.] [▶ 1 desengastar]

desengatar (de.sen.ga.*tar*) *v.* **1** Desprender de engate. [*td.: Os astronautas desengataram as naves*. *tdi*. + *de*: *O mecânico desengatou o carro do reboque*.] **2** Soltar a embreagem de; DESENGRENAR. [*td.: O motorista desengatou a marcha na descida*.] [▶ 1 desengatar]

desengatilhar (de.sen.ga.ti.*lhar*) *v. td.* **1** Soltar o gatilho de (arma de fogo). **2** *Fig.* Provocar, desencadear: *O estresse pode desengatilhar doenças.* [▶ 1 desengatilhar]

desengonçado (de.sen.gon.*ça*.do) *a.* Que se mostra desajeitado, sem elegância, proporção ou harmonia (andar *desengonçado*).

desengonçar (de.sen.gon.*çar*) *v. td. pr.* Tirar ou sair dos engonços, das dobradiças (portão, janela etc.); DESENCAIXAR(-SE). [▶ 12 desengonçar]

desengordurar (de.sen.gor.du.*rar*) *v. td.* Retirar o excesso de gordura de: *Para desengordurar o caldo, deixe-o esfriar*; (tb. sem complemento explícito) *um produto que desengordura e remove manchas.* [▶ 1 desengordurar]

desengraçado (de.sen.gra.*ça*.do) *a.* Que não tem graça, espírito, graciosidade.

desengrenar (de.sen.gre.*nar*) *v. td.* Soltar engrenagem de; DESENGATAR; DESEMBREAR: *desengrenar a marcha do carro.* [▶ 1 desengrenar]

desengrossar (de.sen.gros.*sar*) *v. td.* Tornar delgado ou ralo: *desengrossar um mingau*. [▶ 1 desengrossar]

desenhar (de.se.*nhar*) *v.* **1** Fazer desenho (1) (de). [*td*.: *Desenhe uma rosa*. *int*.: *Não sei desenhar*.] **2** Conceber o projeto de (arquitetura, moda etc.). [*td*.: *Meu tio desenha móveis para uma loja*.] ◻ **desenhar-se** *pr.* **3** Aparecer os contornos ou indícios de; DELINEAR-SE: *Uma tempestade desenhava-se no céu.* [▶ 1 desenhar]

desenhista (de.se.*nhis*.ta) *s2g.* Pessoa que desenha, por profissão ou por prazer.

desenho (de.se.*nho*) *sm.* **1** Representação de coisas ou pessoas por meio de traços feitos a lápis, tinta etc., ger. sobre papel: *o desenho de uma árvore*. **2** Arte e técnica dessa representação: *curso de desenho.* **3** Feitio, configuração: *o desenho dos lábios*. ▪▪ ~ **animado** *Cin. Telv.* Filme feito com sucessivas imagens desenhadas ou criadas em computador, dando sensação de movimento.

desenlaçar (de.sen.la.*çar*) *v.* Desprender(-se). [*td*.: *desenlaçar as mãos*. *pr*.: *A criança desenlaçou-se do abraço da mãe*.] [▶ 12 desenlaçar]

desenlace (de.sen.*la*.ce) *sm.* **1** Resultado final; DESFECHO: *o desenlace de uma história.* **2** *Fig.* Morte.

desenlamear (de.sen.la.me.*ar*) *v. td.* **1** Tirar a lama de: *desenlamear um carro.* **2** *Fig.* Restabelecer a reputação ou honra de: *Com custo, conseguiu desenlamear seu nome.* [▶ 13 desenlamear]

desenlatar (de.sen.la.*tar*) *v. td.* Retirar da lata. [▶ 1 desenlatar]

desenovelar (de.se.no.ve.*lar*) *v. td.* **1** Desenrolar o que estava enrolado ou confuso: *Demorei para desenovelar o problema*. ◻ **desenovelar-se** *pr.* **2** Desenvolver-se, ocorrer: *A tragédia desenovelava-se diante de nossos olhos.* [▶ 1 desenovelar]

desenquadrar (de.sen.qua.*drar*) *v. td.* **1** Excluir (algo ou alguém) de um quadro, de uma lista, de um grupo: (seguido de indicação de lugar) *Vão desenquadrar da equipe os que não treinaram*. **2** *Cin. Fot. Telv.* Tirar do enquadramento: *desenquadrar a cena.* [▶ 1 desenquadrar]

desenraizar (de.sen.ra.i.*zar*) *v.* **1** Arrancar (vegetal) pela raiz. [*td*.: *Desenraizaram as nossas roseiras*.] **2** Fazer sair ou sair (da terra natal ou de onde foi criado). [*td*. (seguido de indicação de lugar): *O trabalho o desenraizou de seu país*. *pr*.: *Desenraizou-se de São Paulo ainda pequena*.] [▶ 1 desenraizar. Quanto ao acento do *i*, ver paradigma 18.]

desenrascar (de.sen.ras.*car*) *v.* **1** Livrar(-se) de enrascadas, confusão, apuros. [*td*.: *O defensor desenrascou o réu*. *pr*.: *Desenrasquei-me das tarefas mais trabalhosas*.] **2** *Mar.* Desembaraçar (cabos, velas etc.). [*td*.] [▶ 11 desenrascar]

desenredar (de.sen.re.*dar*) *v.* **1** Desembaraçar, desemaranhar. [*td*.: *desenredar a meada*.] **2** *Fig.* Livrar(-se) de dificuldade, confusão ou engano; DESENRASCAR(-SE). [*td*.: *pr*.: *Ele precisa desenredar-se das dívidas*.] **3** *Fig.* Esclarecer(-se), desvendar(-se). [*td*.: *A polícia desenredará este crime*. *pr*.: *Nem todos os mistérios desenredam-se*.] [▶ 1 desenredar]

desenrolar (de.sen.ro.*lar*) *v.* **1** Desfazer(-se) um rolo ou a forma de rolo de (algo): *desenrolar um pergaminho*. *pr*.: *A linha desenrolou-se do carretel*.] **2** Desembrulhar, desempacotar. [*td*.] **3** *Fig.* Desenvolver(-se), desdobrar(-se), prolongar(-se). [*td*.: *desenrolar longamente um assunto*. *pr*.: "*...a beleza das cenas que se desenrolavam aos nossos olhos...*" (José de Alencar, *Lucíola*).] **4** *Fig.* Resolver (dificuldade, confusão); DESEMBARAÇAR. [*td*.: *O contador desenrolara suas finanças*.] [▶ 1 desenrolar] ●
desen.ro.la.*men***.to** *sm.*

desenroscar (de.sen.ros.*car*) *v.* **1** Desfazer(-se) a rosca ou a forma de rosca de (algo); ESTIRAR(-SE). [*td*.: *Desenroscou as tranças*. *pr*.: *A jiboia desenroscou-se*.] **2** *Fig.* Sair de dificuldade ou confusão. [*pr*.: *Enfim desenroscou-se financeiramente*.] [▶ 11 desenroscar]

desenrugar (de.sen.ru.*gar*) *v.* Tirar ou perder as rugas. [*td*.: *desenrugar a testa*. *pr*.: *O tecido não se desenrugava*.] [▶ 14 desenrugar]

desensacar (de.sen.sa.*car*) *v. td.* Tirar de saco ou saca. [▶ 1 desensacar]

desentaipar (de.sen.tai.*par*) *v. td. Cons.* Tirar de entre taipas: *Desentaiparam as janelas da casa abandonada.* [▶ 1 desentaipar]

desentalar (de.sen.ta.*lar*) *v. Pop.* Desengasgar(-se). [*td*.: *Com tapinhas desentalou a criança*. *pr*.: *Tossiu e desentalou-se*.] **2** Retirar a(s) tala(s) de. [*td*.: *Desentalarão sua perna hoje*.] [▶ 1 desentalar]

desentediar (de.sen.te.di.*ar*) *v. td. pr.* Livrar(-se) de tédio ou fastio; ALEGRAR(-SE). [▶ 1 desentediar]

desentender-se (de.sen.ten.*der*-se) *v. pr.* Entrar ou estar em desavença; DESAVIR(-SE): *Desentendeu-se com*

desentendido | desesperar 254

o pai sem razão; Os irmãos às vezes desentendem-se. [▶ **2** desenten<u>der</u>-se]

desentendido (de.sen.ten.di.do) *a.sm.* Que ou quem não entende: *Fez-se de <u>desentendido</u> para não se aborrecer.*

desentendimento (de.sen.ten.di.*men*.to) *sm.* **1** Desavença, briga: *Acabaram tendo um <u>desentendimento</u>.* **2** Falta de entendimento, compreensão ou acordo.

desenterrar (de.sen.te*.rar*) *v. td.* **1** Fazer sair de sob a terra: *<u>desenterrar</u> fósseis.* **2** Tirar (cadáver) da sepultura; EXUMAR. **3** Fazer sair de onde estava metido ou cravado: (seguido de indicação de lugar) *<u>Desenterrou</u> a chave do fundo da bolsa.* **4** *Fig.* Descobrir, encontrar (algo que estava oculto): *<u>Desenterraram</u> os originais de um Evangelho.* [▶ **1** desenter<u>rar</u>]

desentoado (de.sen.to.a.do) *a. Mús.* Que canta ou toca fora do tom (coro <u>desentoado</u>); DESAFINADO.

desentoar (de.sen.to*.ar*) *v. td. int. Mús.* Sair do tom; DESAFINAR. [▶ **16** desen<u>toar</u>]

desentocar (de.sen.to*.car*) *v. td. pr.* **1** Fazer sair ou sair de toca ou de cova. **2** Fazer sair ou sair de isolamento. [▶ **11** desento<u>car</u>]

desentorpecer (de.sen.tor.pe*.cer*) *v.* Fazer perder ou perder o entorpecimento. [*td*.: *O medicamento <u>desentorpeceu</u> o paciente. int./pr.*: *Demorou a <u>desentorpecer(-se)</u> após a cirurgia.*] [▶ **33** desentorpe<u>cer</u>]

desentortar (de.sen.tor*.tar*) *v.* Endireitar o que estava torto ou curvado; APRUMAR. [*td*.: *<u>desentortar</u> talheres. pr.*: *Com o alongamento <u>desentortou</u>-se.*] [▶ **1** desentor<u>tar</u>]

desentranhar (de.sen.tra.*nhar*) *v. td.* **1** Tirar as entranhas ou vísceras de; ESTRIPAR: *<u>desentranhar</u> um frango.* **2** *Fig.* Tirar (algo) de onde está oculto ao arraigado; EXTRAIR: (com ou sem indicação de lugar) *<u>desentranhar</u> minérios (da terra).* [▶ **1** desentra<u>nhar</u>]

desentristecer (de.sen.tris.te*.cer*) *v. td. int. pr.* Fazer perder ou perder a tristeza ou a melancolia; ALEGRAR(-SE). [▶ **33** desentriste<u>cer</u>]

desentrosado (de.sen.tro.sa.do) *a.* **1** Que não está entrosado, sincronizado: *um time <u>desentrosado</u>.* **2** Que não se adaptou a um meio ou situação; DESAMBIENTADO: *O novo aluno está <u>desentrosado</u> na turma.*
● de.sen.tro.*sar v.*

desentupir (de.sen.tu*.pir*) *v. td.* Livrar de entupimento ou obstrução; DESOBSTRUIR: *<u>desentupir</u> o tanque/o cano.* [▶ **53** desentu<u>pir</u>]

desenvernizar (de.sen.ver.ni.*zar*) *v. td.* Tirar o verniz ou o brilho de; DESLUSTRAR. [▶ **1** desenverni<u>zar</u>]

desenvolto (de.sen.*vol*.to) [ô] *a.* **1** Que é desembaraçado, desinibido (candidata <u>desenvolta</u>). **2** Que é fluido, fluente (estilo <u>desenvolto</u>).

desenvoltura (de.sen.vol.*tu*.ra) *sf.* **1** Desembaraço: *A atriz novata mostrou <u>desenvoltura</u> no palco.* **2** Fluidez, fluência: *Escreve com <u>desenvoltura</u>.*

desenvolver (de.sen.vol.*ver*) *v. td.* **1** Fazer crescer ou tornar-se maior, mais forte. [*td*.: *<u>desenvolver</u> a musculatura. pr.*: *O filhote <u>desenvolveu-se</u> bem.*] **2** Fazer progredir ou progredir. [*pr*.: *O negócio <u>desenvolveu-se</u>.*] **3** Expor (raciocínio, projeto, técnica etc.). [*td*.] **4** Mostrar-se progressivamente; DESENROLAR-SE. [*pr*.: *O filme <u>desenvolve-se</u> lentamente.*] **5** Avançar, evoluir. [*pr*.: *Não deixemos que se <u>desenvolva</u> a corrupção.*] **6** Dar ou ter origem; REPRODUZIR(-SE); PROPAGAR(-SE). [*td*.: *<u>desenvolver</u> uma nova raça de cães. pr.*: *Daquela ideia inicial <u>desenvolveu-se</u> todo este plano.*] **7** Produzir veículo ou máquina, em termos de potência. [*int*.: *Aquela moto <u>desenvolve</u> muito bem.*] [▶ **2** desenvol<u>ver</u>]

desenvolvido (de.sen.vol.*vi*.do) *a.* **1** Que se desenvolveu (menino <u>desenvolvido</u>, músculos <u>desenvolvidos</u>); CRESCIDO; GRANDE. **2** Que alcançou certo nível de desenvolvimento econômico, social, cultural etc. (diz-se de país, povo).

desenvolvimento (de.sen.vol.vi.*men*.to) *sm.* **1** Ação ou resultado desenvolver(-se). **2** Crescimento global de um país ou região, acompanhado de melhoria das condições de vida da população. [Cf.: *subdesenvolvimento*.] ▪▪ **~ sustentável** Planejamento e processo de desenvolvimento (2) que preserva o equilíbrio (ecológico, econômico etc.), o que o torna viável e estável por muito tempo.

desenxabido (de.sen.xa.*bi*.do) *a.* Sem graça, insosso (conversa <u>desenxabida</u>).

desequilibrado (de.se.qui.li.*bra*.do) *a.* **1** Que não tem equilíbrio, estabilidade. **2** Em que há desigualdade entre as partes (jogo <u>desequilibrado</u>). *a.sm.* **3** *Psiq.* Que ou quem carece de equilíbrio emocional.

desequilibrar (de.se.qui.li.*brar*) *v.* **1** Fazer perder ou perder o equilíbrio físico. [*td*.: *Esbarrando nele, <u>desequilibrou-o</u>. pr.*: *<u>Desequilibrou-se</u> na descida íngreme.*] **2** *Fig.* Romper a harmonia, a proporção ou a estabilidade de; DESESTABILIZAR. [*td*.: *O desajeitamento <u>desequilibrou</u> as finanças familiares.*] **3** *Psiq.* Provocar grave perturbação psicológica a; DESATINAR. [*td*.: *Tantas desgraças acabaram por <u>desequilibrá-la</u>.*] [▶ **1** desequili<u>brar</u>]

desequilíbrio (de.se.qui.*li*.bri:o) *sm.* **1** Falta de equilíbrio. **2** *Psiq.* Distúrbio emocional.

deserção (de.ser.*ção*) *sf.* Ação ou resultado de desertar. [Pl.: *-ções*.]

deserdado (de.ser.da.do) *a.sm.* Que ou quem foi excluído de herança.

deserdar (de.ser.*dar*) *v. td. Jur.* Privar da herança a que se teria direito: *Sem nenhuma explicação, <u>deserdou</u> o filho.* [▶ **1** deser<u>dar</u>]

desertar (de.ser.*tar*) *v. td. int. Mil.* Abandonar (força armada), fugindo: (seguido ou não de indicação de lugar) *Ambos <u>desertaram</u> (da marinha/do quartel).* **2** Passar para outro partido, país etc.; BANDEAR-SE: (seguido ou não de indicação de lugar) *O traidor <u>desertou</u> para o lado inimigo.* [▶ **1** deser<u>tar</u>]

desertificação (de.ser.ti.fi.ca.*ção*) *sf. Geog.* Transformação gradual de uma região em deserto pela ação da natureza ou do homem.

🕮 Inúmeros fatores podem provocar — e em certa medida estão provocando — a desertificação de áreas e regiões na Terra, entre eles a má utilização ou a utilização predatória do solo, como o uso excessivo de agrotóxicos, as queimadas e o desflorestamento. O aquecimento global, a destruição da camada de ozônio da atmosfera e o efeito estufa, ao alterarem o clima e o regime das chuvas, tb. provocam a desertificação.

deserto (de.*ser*.to) *sm.* **1** *Geog.* Região seca, coberta de areia, com vegetação pobre e população escassa. *a.* **2** Desabitado (ilha <u>deserta</u>). **3** Pouco frequentado ou movimentado; VAZIO: *O clube estava <u>deserto</u> ontem.*
● de.*sér*.ti.co *a.*

desertor (de.ser.*tor*) [ô] *sm.* **1** Militar que desertou. **2** *Fig.* Pessoa que abandona uma causa, um partido.

desesperação (de.ses.pe.ra.*ção*) *sf.* Ver *desespero*. [Pl.: *-ções*.]

desesperado (de.ses.pe.*ra*.do) *a.* **1** Tomado de desespero, angústia; ATORMENTADO: *<u>desesperado</u> de fome.* **2** Próprio de quem está nesse estado (olhar <u>desesperado</u>). **3** Irritado, enraivecido: *O barulho dos vizinhos o deixa <u>desesperado</u>.* *sm.* **4** Pessoa desesperada.

desesperança (de.ses.pe.*ran*.ça) *sf.* Falta ou perda de esperança; DESENGANO.

desesperar (de.ses.pe.*rar*) *v.* **1** Fazer perder ou perder a esperança, a confiança em; DESANIMAR(-SE). [*td*.: *A notícia <u>desesperou</u> os parentes. int./pr.*: *Enquanto houver vida, não devemos (<u>nos</u>) <u>desesperar</u>.*] **2** Angustiar(-se) ou exasperar(-se). [*td*.: *Os problemas* *a desesperam.* int./*pr.*: *Eu desesperava(-me) com a falta de resposta.*] [▶ 1 desesperar]

desespero (de.ses.*pe*.ro) [ê] *sm.* 1 Angústia, tormento. 2 Irritação, raiva. [Sin. ger.: *desesperação*.]

desestabilizar (de.ses.ta.bi.li.*zar*) *v.* Fazer perder ou perder a estabilidade ou a solidez. [*td.*: *O desemprego desestabiliza qualquer nação. pr.*: *O governo desestabilizou-se com as greves.*] [▶ 1 desestabilizar] • **de.ses.ta.bi.li.za.ção**.

desestimular (de.ses.ti.mu.*lar*) *v.* Desanimar(-se), desencorajar(-se). [*td.*: *A falta de dinheiro o desestimulou. pr.*: *Ele desestimula-se facilmente.*] [▶ 1 desestimular] • **de.ses.ti.mu.lan.te** *a2g;* **de.ses.tí.mu.lo** *sm.*

desfaçado (des.fa.*ça*.do) *a.* Descarado, cínico. [Cf.: *disfarçado*.]

desfaçatez (des.fa.ça.*tez*) [ê] *sf.* Descaramento, cinismo.

desfalcar (des.fal.*car*) *v.* 1 Suprimir ou subtrair (uma parte) (de um todo, de uma quantia); DESINTEGRAR. [*td.*: *Desfalcou boa quantia de sua poupança. tdi.* + *de*: *Não desfalque de tantos selos a sua coleção.*] 2 Defraudar, roubar. [*td.*: *desfalcar o cofre de um banco.*] 3 *Fut.* Fazer faltar ou faltar (jogador) a (time). [*td.*: *Os contusões desfalcaram o time; O craque vai desfalcar o time.*] [▶ 11 desfalcar] • **des.fal.ca.do** *a.*

desfalecer (des.fa.le.*cer*) *v.* 1 Desmaiar. [*int.*: *Desfaleceu ao ver o acidente.*] 2 Esmorecer, fraquejar. [*ti.* + *em*: *Não desfaleceram na determinação de vencer.*] [▶ 33 desfalecer] • **des.fa.le.ci.do** *a.*

desfalecimento (des.fa.le.ci.*men*.to) *sm.* 1 Estado de quem desfalece; perda da força física e/ou da consciência; DESMAIO. 2 Redução da atividade; DECÁSNIMO.

desfalque (des.*fal*.que) *sm.* 1 Ação ou resultado de desfalcar: *O time sentiu o desfalque do goleiro titular.* 2 Redução ou retirada de parte de um todo, de uma quantia: *Notou um desfalque na sua coleção de selos.* 3 Desvio fraudulento de dinheiro: *Foi descoberto um desfalque no banco.* 4 O que foi desfalcado: *O desfalque foi de R$25.000,00.*

desfastio (des.fas.*ti*.o) *sm.* 1 Ausência de fastio; APETITE. 2 *Fig.* Satisfação com a vida; bom humor.

desfavor (des.fa.*vor*) [ô] *sm.* 1 Falta de apoio, de proteção; DESGRAÇA: *cair em desfavor.* 2 Desserviço, prejuízo: *Nunca agiu em desfavor do irmão.* 3 Antipatia, desprezo: *Sempre tratam-me mal; o desfavor para comigo é evidente.*

desfavorável (des.fa.vo.*rá*.vel) *a2g.* 1 Que não é favorável; INADEQUADO: *clima desfavorável à prática de esportes.* 2 Que é adverso, contrário: *Essa lei é desfavorável aos interesses dos trabalhadores.* [Pl.: *-veis.*]

desfavorecer (des.fa.vo.re.*cer*) *v. td.* Privar (alguém) (de algo que lhe seria favorável); PREJUDICAR: *Desfavoreceu os aliados na distribuição do ministérios.* [▶ 33 desfavorecer]

desfazer (des.fa.*zer*) *v.* 1 Desmanchar(-se), desmontar(-se). [*pr.*: *Os marceneiros desfizeram o armário. pr.*: *O palanque desfez-se sob excesso de peso.*] 2 Despedaçar(-se), destroçar(-se). [*td.*: *O maremoto desfez o barco. pr.*: *Com o furacão, as casas desfizeram-se.*] 3 Desatar(-se), desamarrar(-se). [*td.*: *desfazer um nó cego. pr.*: *O laço desfez-se.*] 4 Descosturar, descoser. [*td.*: *desfazer o bordado. pr.*: *A bainha desfez-se.*] 5 Dispersar(-se), dissolver(-se). [*td.*: *A polícia desfez a passeata. pr.*: *O partido desfez-se.*] 6 Dissolver(-se) em líquido; DERRETER(-SE). [*td.*: *desfazer o leite em pó na água. pr.*: *O comprimido desfez-se na água.*] 7 Dissipar(-se). [*td.*: *O vento talvez desfaça a tempestade. pr.*: *Já se desfez a cerração.*] 8 *Fig.* Fazer deixar ou deixar de vigorar. [*td.*: *Desfizeram o contrato. pr.*: *O casamento desfez-se.*] 9 *Fig.* Dar fim a; EXTINGUIR. [*td.*: *A assembleia desfez o grêmio.*] 10 Privar-se, despojar-se de algo. [*pr.*: *Um monge tem de se desfazer de seus bens.*] 11 Livrar-se, desvencilhar-se (de alguém ou algo). [*pr.*: *Vou me desfazer desta tralha.*] 12 *Fig.* Chegar ao fim; QUEBRAR-SE. [*pr.*: "E apesar de tudo a esperança não se desfaz..." (Roberto Carlos e Erasmo Carlos, *Jesus Cristo*).] 13 *Fig.* Elucidar(-se), esclarecer(-se), resolver(-se). [*td.*: *desfazer dúvidas. pr.*: *As dúvidas desfizeram-se.*] 14 Manifestar-se de modo exagerado; DESMANCHAR-SE; DERRAMAR-SE. [*pr.*: "Desfiz-me em agradecimentos, que me saíam do coração." (Joaquim Manuel de Macedo, *Luneta mágica*).] 15 Desdenhar, menosprezar. [*ti.*: *Ninguém deve desfazer dos outros.*] [▶ 22 desfazer. Part.: *desfeito.*]

desfechar (des.fe.*char*) *v. td.* 1 Dar (tiro) com (arma de fogo); DISPARAR. 2 Dar, aplicar, acertar (golpe violento); DESFERIR. [▶ 1 desfechar]

desfecho (des.*fe*.cho) [ê] *sm.* 1 Conclusão de um fato ou acontecimento. 2 Parte final, conclusão de uma obra literária, peça teatral etc.

desfeita (des.*fei*.ta) *sf.* Ofensa, desconsideração: *Recusar meu convite foi uma desfeita.*

desfeitear (des.fei.te.*ar*) *v. td.* Dirigir desfeita; tratar sem respeito ou consideração; DESCONSIDERAR; OFENDER. [▶ 13 desfeitear]

desfeito (des.*fei*.to) *a.* 1 Que se desfez. 2 Que foi revogado (acordo *desfeito*); ANULADO. 3 Que se desmanchou (penteado *desfeito*).

desferir (des.fe.*rir*) *v. td.* Dar, aplicar, acertar (golpe violento); DESFECHAR. [▶ 50 desferir]

desferrar (des.fer.*rar*) *v.* Tirar ou retirar a ferradura. [*td.*: *desferrar um cavalo. pr.*: *Na cavalgada a égua desferrou-se.*] [▶ 1 desferrar]

desfiar (des.fi.*ar*) *v.* 1 Desfazer(-se) em fios (um tecido, uma peça de roupa etc.). [*td.*: *Desfiou a barra da calça. pr.*: *O pulôver desfiou-se na lavagem.*] 2 Reduzir a fibras. [*td.*: *desfiar um frango.*] 3 Passar as contas do (rosário, terço etc.) uma a uma pelos dedos. [*td.*: *Desfia muitos rosários (pedindo pela saúde do filho).*] 4 *Fig.* Contar, narrar ou descrever minuciosamente. [*td.*: *O pescador continua a desfiar suas histórias.*] [▶ 1 desfiar]

desfibrado (des.fi.*bra*.do) *a.* 1 Que perdeu as fibras. *a.sm.* 2 *Fig.* Que ou quem demonstra fraqueza, falta de energia, física ou moral.

desfibrar (des.fi.*brar*) *v.* 1 Retirar as fibras de ou reduzir(-se) a fibras (carne, sisal etc.). [*td. pr.*] 2 Esmiuçar. [*td.*] 3 *Fig.* Fazer perder ou perder o ânimo, a coragem. [*td. pr.*] [▶ 1 desfibrar]

desfibrilador (des.fi.bri.la.*dor*) [ô] *sm. Med.* Que ou o que (diz-se de aparelho) emite descarga elétrica no tórax do paciente para evitar ou reverter fibrilação cardíaca.

desfigurado (des.fi.gu.*ra*.do) *a.* 1 Que teve aparência ou características originais alteradas: *As queimaduras deixaram-no desfigurado; texto desfigurado pela tradução.* 2 Que sofreu alteração mental ou comportamental; TRANSTORNADO.

desfigurar (des.fi.gu.*rar*) *v. td.* 1 Alterar ou ter alteradas as feições ou o aspecto. [*td.*: *O acidente o desfigurou. pr.*: *A raiva o fez desfigurar-se.*] 2 *Fig.* Falsear, deturpar. [*td.*: *No debate, desfigurava o pensamento dos oponentes.*] [▶ 1 desfigurar]

desfilada (des.fi.*la*.da) *sf.* 1 Ver *desfile.* 2 Corrida feita com ímpeto; DISPARADA.

desfiladeiro (des.fi.la.*dei*.ro) *sm. Geog.* Passagem apertada entre vertentes de montanhas; GARGANTA.

desfilar (des.fi.*lar*) *v.* 1 *Mil.* Caminhar, marchar em fila(s) ou coluna(s). [*int.*] 2 Caminhar por uma passarela exibindo ao público produtos (roupas, joias etc.) de uma grife. [*int.*: *Modelos famosos já desfilaram aqui.*] 3 Seguir-se um após o outro; SUCEDER-SE. [*int.*: *Na África, viu desfilar uma multidão de animais.*] 4 *Fig.* Passar em sequência pelo espírito. [*int.* (seguido de indicação de lugar)]: *As suas campanhas desfi-*

desfile | **desgrudar** 256

laram então por sua mente.] **5** *Bras.* Exibir-se escola de samba, grupo de maracatu, frevo etc. ao longo de uma via. [*int.*] **6** *Fras.* Ostentar, exibir. [*td.*: *Gosta de desfilar a bela namorada.*] [▶ **1** desfilar]

desfile (des.*fi*.le) *sm.* **1** Ação ou resultado de desfilar. **2** Evento em que modelos apresentam produtos (roupas, joias etc.) de um estilista ou de uma grife.

desfloração (des.flo.ra.*ção*) *sf.* **1** *Bot.* Queda (ger. prematura) das flores. **2** Perda da virgindade. [Pl.: *-ções*.]

desfloramento (des.flo.ra.*men*.to) *sm.* Ver *desfloração*.

desflorar (des.flo.*rar*) *v.* **1** Fazer perder ou perder as flores; DEFLORAR(-SE). [*td.*: *A ventania desflorou as árvores. pr.*: *No outono os jardins desfloram-se*.] **2** *Fig.* Fazer perder ou perder a virgindade; DEFLORAR(-SE); DESVIRGINAR(-SE). [*td. pr.*] [▶ **1** desflorar]

desflorestar (des.flo.res.*tar*) *v. td. Bras. Ecol.* Derrubar floresta de (região) ou boa parte dela; DESMATAR. [▶ **1** desflorestar ● des.flo.res.ta.*men*.to *sm.*

desfocar (des.fo.*car*) *v. td.* **1** Tirar o foco de (câmera, filmadora etc.). **2** Tornar (algo) impreciso, fora de foco, em fotografia ou filme: *O fotógrafo desfocou as suas feições*. [▶ **11** desfocar]

desfolhar (des.fo.*lhar*) *v.* Despojar(-se) das folhas ou das pétalas. [*td.*: *O outono desfolha as árvores. pr.*: *O girassol desfolhou-se.*] [▶ **1** desfolhar]

desforço (des.*for*.ço) [ô] *sm.* Vingança, desagravo.

desforra (des.*for*.ra) [ô] *sf.* **1** Reparação de um ultraje ou ofensa; VINGANÇA. **2** Recuperação de vantagem perdida: *Meu time perdeu, mas vai à desforra na próxima partida*.

desforrar¹ (des.for.*rar*) *v. td.* Retirar o forro de: *desforrar o paletó/a poltrona*. [▶ **1** desforrar]

desforrar² (des.for.*rar*) *v. td. pr.* Tirar a desforra; vingar-se de (ofensa, derrota, surra). [▶ **1** desforrar]

desfraldar (des.fral.*dar*) *v.* **1** Dar, abrir ao vento (vela, bandeira etc.); DESPREGAR. [▶ **1** desfraldar]

desfrutar (des.fru.*tar*) *v.* **1** Gozar de (algum bem material ou moral); USUFRUIR. [*td./ti. + de*: *Desfrutamos (de) bela casa de campo.*] **2** Deleitar-se com a visão de (algo ou alguém); APRECIAR. [*td.*: *desfrutar a natureza.*] [▶ **1** desfrutar]

desfrutável (des.fru.*tá*.vel) *a2g.* **1** Que se pode usufruir ou desfrutar. **2** Que se presta à zombaria, chacota: *Seus trejeitos são desfrutáveis, e ele gosta disso*. **3** *Bras.* Que se deixa aproveitar sexualmente. [Pl.: *-veis*.]

desfrute (des.*fru*.te) *sm.* **1** Ação ou resultado de desfrutar; aproveitamento de ocasião favorável ou oportuna. **2** Zombaria, chacota. **3** *Bras.* Atitude de pessoa desfrutável (3).

desgalhar (des.ga.*lhar*) *v. td.* Cortar, tirar os galhos de; ESGALHAR. [▶ **1** desgalhar]

desgarrar (des.gar.*rar*) *v.* **1** Apartar(-se) do rumo ou caminho; EXTRAVIAR(-SE); DESVIAR(-SE). [*td.*: *Uma rajada de vento desgarrou a asa-delta. pr.*: *A esquadra desgarrou-se.*] **2** Afastar(-se), perder(-se) de (grupo, rebanho, companhia etc.); TRESMALHAR(-SE). [*td.*: *O estrondo desgarrou a manada. pr.*: *Na caminhada desgarrou-se dos irmãos.*] [▶ **1** desgarrar]

desgastar (des.gas.*tar*) *v.* **1** Gastar(-se) aos poucos; consumir(-se). [*td.*: *A maresia desgasta a lataria dos carros. pr.*: *O piso de cerâmica desgastou-se com o tempo.*] **2** Fazer perder ou perder (valor, qualidade etc.). [*td.*: *A inflação desgasta o poder de compra do salário; pr.*: *Sua amizade desgastou-se com o tempo*.] **3** Consumir (energia, força física ou mental) (de). [*td.*: *Esse trabalho está desgastando minhas forças. pr.*: *Ele desgasta-se muito nesse cargo.*] [▶ **1** desgastar ● des.*gas*.*tan*.te *a2g.*

desgaste (des.*gas*.te) *sm.* **1** Ação ou resultado de desgastar(-se): *Com esses boatos, sua reputação sofreu sensível desgaste*. **2** *Fig.* Perda de capacidade ou redução do desempenho por esforço, envelhecimento etc.: *O jogador sofreu um desgaste muscular*. **3** Corrosão gradual devido a atrito ou decomposição: *As vigas metálicas sofreram desgaste*.

desgostar (des.gos.*tar*) *v.* **1** Dar desgosto, aborrecimento a ou sentir-se aborrecido, magoado. [*td.*: *A notícia desgostou as crianças*; (tb. seguido de objeto direto preposicionado) *Sua atitude desgosta a todos. pr.*: *Desgostei-me com meu melhor amigo.*] **2** Não gostar ou deixar de gostar. [*ti. + de*: *Não desgosto de peixe, mas prefiro massa. pr.*: *Desgostou-se da profissão.*] [▶ **1** desgostar]

desgosto (des.*gos*.to) [ô] *sm.* **1** Sentimento de tristeza, pesar, mágoa: *Enfrentavam o desgosto de ver o filho em más companhias*. **2** Ausência de gosto; DESPRAZER: *Tive o desgosto de assistir a essa peça*.

desgostoso (des.gos.*to*.so) [ô] *a.* **1** Que sente ou demonstra desgosto; TRISTE; ABORRECIDO: *Após tantos contratempos, hoje é um homem desgostoso (com a vida).* **2** Que expressa desgosto, descontentamento: *Proferiu um discurso desgostoso*. [Fem. e pl.: [ó].]

desgovernar (des.go.ver.*nar*) *v.* **1** Governar(-se) mal. [*td. pr.*] **2** Fazer perder ou perder (o governo, a orientação, o controle etc.). [*td.*: *A surpresa o desgovernou momentaneamente. pr.*: *O helicóptero desgovernou-se e caiu*.] **3** Perder o rumo, o governo (embarcação). [*int.*] [▶ **1** desgovernar ● des.go.ver.*na*.do *a.*

desgoverno (des.go.*ver*.no) [ê] *sm.* **1** Governo mal exercido. **2** *Bras.* Falta de governo; DESORIENTAÇÃO: *"...sensação de descontrole e de desgoverno..."* (FolhaSP, 09.10.99). **3** *Fig.* Desregramento, esbanjamento: *desgoverno dos gastos públicos*.

desgraça (des.*gra*.ça) *sf.* **1** Má sorte, adversidade: *Enfrentou muita desgraça na vida*. **2** Fato ou acontecimento trágico, infeliz: *A enchente foi uma desgraça para a cidade*. **3** Miséria: *Perdeu tudo, e ficou na desgraça*. **4** *Pop.* Pessoa incapaz, inapta, desajeitada etc.; coisa malfeita: *Esse motorista é uma desgraça*; *Esta redação está uma desgraça*. **5** Desprestígio, desfavor: "Fábio, em *desgraça* com a torcida, pede paciência..." (*O Dia*, 21.02.03). [Sin. ger. (pop.): *desgrama*.]

desgraçado (des.gra.*ça*.do) *a.* **1** Que tem má sorte; INFELIZ. **2** Que vive em estado de miséria; INDIGENTE: *A população desgraçada da Etiópia*. **3** Infame, vil: *Que bandido desgraçado!* *sm.* **4** Pessoa desgraçada: *O desgraçado finalmente foi preso*.

desgraçar (des.gra.*çar*) *v.* **1** Causar desgraça, infelicidade a; tornar(-se) infeliz. [*td.*: *As bebidas desgraçou sua vida. pr.*: *Desgraçou-se por causa das drogas*.] **2** *Pop.* Tirar virgindade de; deflorar, sem se casar. [*td.*: *Desgraçou a moça e sumiu*.] [▶ **12** desgraçar]

desgraceira (des.gra.*cei*.ra) *sf. Bras.* Grande quantidade ou sequência de desgraças.

desgracioso (des.gra.ci.*o*.so) [ó] *a.* Que é desprovido de graça; DESAJEITADO. [Fem. e pl.: [ó].]

desgrenhado (des.gre.*nha*.do) *a.* **1** Não penteado (diz-se do cabelo); REVOLTO. **2** Que tem o cabelo desgrenhado (1): *Saiu correndo, alvoroçado e desgrenhado*.

desgrenhar (des.gre.*nhar*) *v.* **1** Despentear(-se) o cabelo. [*td. pr.*] **2** Ficar despenteado ou desalinhado: *Esperneou, desgrenhou-se, mas não conseguiu nada.*] [▶ **1** desgrenhar ● des.gre.nha.*men*.to *sm.*

desgrudar (des.gru.*dar*) *v.* **1** Soltar(-se), descolar(-se). [*td.* (com ou sem indicação de lugar): *Desgrude essa mão (do meu ombro). int.* (com ou sem indicação de lugar): *Mexa bem, até a massa desgrudar (da panela). pr.*: *A etiqueta desgrudou.*] **2** *Fig.* Separar(-se), afastar(-se). [*tdi. + de*: *Não desgrudava os olhos da tela. int./pr.*: *O menino não (se) desgruda da mãe*.] [▶ **1** desgrudar]

desguarnecer (des.guar.ne.*cer*) *v.* **1** Desproteger(-se); deixar ou ficar sem (armas, proteção etc.). [*td.*: *A ausência do cão desguarneceu a casa.* *pr.*: *Com a sua saída, a defesa desguarneceu-se.*] **2** Retirar (guarnição, enfeites, objetos etc.) a. [*td.*: *O decorador desguarneceu o salão.*] [▶ **33** desguarne*cer*] • des.guar.ne.*ci*.do *a.*

desguiar (des.gui.*ar*) *v. int.* RS *Gír.* Ir embora; cair fora. [▶ **1** desgui*ar*]

desiderato (de.si.de.*ra*.to) *sm.* Aquilo que é objeto de desejo; ASPIRAÇÃO.

desídia (de.*sí*.di:a) *sf.* **1** Atitude ou característica de quem é indolente, não procura agir; INÉRCIA; PREGUIÇA. **2** Falta de atenção; DESLEIXO; NEGLIGÊNCIA.

desidioso (de.si.di:*o*.so) [ó] *a.* Que tem ou manifesta desídia; INDOLENTE; NEGLIGENTE. [Fem. e pl.: [ó].]

desidratação (de.si.dra.ta.*ção*) *sf.* **1** Ação ou resultado de desidratar(-se). **2** *Med.* Alteração orgânica decorrente de perda excessiva de água corporal. **3** Processo de retirada ou redução de água de frutas, legumes ou de qualquer substância. [Pl.: -*ções.*]

desidratado (de.si.dra.*ta*.do) *a.sm.* Que ou quem se desidratou ou sofreu processo de desidratação.

desidratar (de.si.dra.*tar*) *v.* Fazer perder ou perder água, líquidos. [*td.*: *Há várias técnicas de desidratar flores.* *int./pr.*: *O menino desidratou(-se) com o calor.*] [Ant.: *hidratar.*] [▶ **1** desidrat*ar*]

⊕ **design** (*Ing. /dizáin/*) *sm.* A concepção física, formal e funcional de um produto; desenho industrial: *O design desse automóvel é futurista.*

designação (de.sig.na.*ção*) *sf.* **1** Ação ou resultado de designar; INDICAÇÃO: *A designação do professor substituto será feita amanhã.* **2** Representação, qualificação por meio de signo, termo etc.: *O desenho de um crânio humano é designação de perigo.* **3** Denominação: *Ainda não há uma designação para essa espécie de planta.* [Pl.: -*ções.*]

designar (de.sig.*nar*) *v.* **1** Denominar(-se), chamar(-se). [*td.*: *Esse termo designa uma doença.* *pr.*: *A avenida passou a designar-se Ayrton Senna.*] **2** Indicar (alguém) para cargo, função. [*td.*: *O chefe da equipe designou o assistente.* *tdi.* + *para*: *Designei João para coordenar o projeto.*] **3** Determinar, atribuir. [*td.*: *Falta designar local e data.* *tdi.* + *a. para*: *"Mas o copeiro assumiu o posto que lhe designaram..."* (Aluísio Azevedo, *Casa de pensão*).] **4** Ser o sinal, o símbolo, a representação de. [*td.*: *A pomba branca designa a paz.*] [▶ **1** design*ar*] Observar a sílaba tônica nas formas do sing. e da 3ª pess. do pl. do pres. do ind. (de.*sig*.no, de.*sig*.nam) e subj. (de.*sig*.ne, de.*sig*.nem).] • **de.sig.na.ti.vo** *a.*

⊕ **designer** (*Ing. /dizáiner/*) *s2g.* Profissional que concebe o *design* de um produto.

desígnio (de.*síg*.ni:o) *sm.* O que se pretende realizar (desígnios divinos); INTENÇÃO; PROPÓSITO.

desigual (de.si.*gual*) *a2g.* **1** Que não é igual; DIFERENTE: *Têm ideias desiguais sobre o assunto.* **2** Que está sujeito a variações (comportamento desigual); INCONSTANTE. **3** Em que não há equilíbrio de forças ou capacidades (concorrência desigual, combate desigual). [Pl.: -*guais.*]

desigualar (de.si.gua.*lar*) *v.* Tornar(-se) desigual; considerar(-se) desigual. [*td.*: *O regulamento do concurso não pode desigualar os candidatos.* *pr.*: *Fazem de tudo para desigualar-se dos outros.*] [▶ **1** desigual*ar*]

desigualdade (de.si.gual.*da*.de) *sf.* **1** Qualidade ou estado do que é desigual; ausência de igualdade; DIFERENÇA. **2** Ausência de constância; INCONSTÂNCIA: *A desigualdade de seu comportamento preocupa.* **3** Ausência de equilíbrio: *desigualdade de forças.*

desiludir (de.si.lu.*dir*) *v.* **1** Tirar ilusões, esperanças a, ou perdê-las; DECEPCIONAR(-SE); DESENGANAR(-SE). [*td.*: *O resultado da prova desiludiu muita gente.* *pr.*: *Não sonhe demais, você pode desiludir-se.*] [▶ **3** desilud*ir*]

desilusão (de.si.lu.*são*) *sf.* Perda de ilusão; DECEPÇÃO: *A desilusão com a política o afastou da vida pública.* [Pl.: -*sões.*]

desimpedido (de.sim.pe.*di*.do) *a.* **1** Que está desobstruído; LIVRE: *terreno desimpedido para edificação.* **2** Que está livre (de compromissos ou deveres).

desimpedimento (de.sim.pe.di.*men*.to) *sm.* **1** Ação ou resultado de desimpedir; retirada de obstáculo; DESOBSTRUÇÃO. **2** Ausência de comprometimento ou obrigatoriedade.

desimpedir (de.sim.pe.*dir*) *v. td.* Retirar obstáculo, impedimento a; DESOBSTRUIR: *Rebocaram o carro para desimpedir a rua.* [▶ **44** desimpe*dir*]

desinchar (de.sin.*char*) *v.* **1** Fazer ficar ou ficar sem inchação ou menos inchado. [*td.*: *Aplicou compressa fria para desinchar os olhos.* *int./pr.*: *Com o repouso, os pés desincharam(-se).*] **2** *Fig.* Fazer diminuir ou diminuir a vaidade, presunção de. [*td.*: *As críticas o desincharam.* *int./pr.*: *Com a repreensão, desinchou(-se).*] [▶ **1** desinch*ar*]

desincompatibilizar (de.sin.com.pa.ti.bi.li.*zar*) *v.* **1** *Pol.* Deixar cargo, função (incompatíveis com candidatura) para candidatar-se em eleição. [*pr.*: *O candidato deve desincompatibilizar-se antes do pleito.*] **2** Tirar ou perder incompatibilidade de; tornar(-se) compatível; HARMONIZAR(-SE). [*td.*: *O interesse comum desincompatibilizou-os.* *pr.*: *Depois de muita conversa, suas propostas desincompatibilizaram-se.*] [▶ **1** desincompatibiliz*ar*]

desincorporar (de.sin.cor.po.*rar*) *v.* **1** Fazer sair ou sair de corporação; DESLIGAR(-SE). [*td.*: *O Exército desincorporou o excesso de contingente.* *pr.*: *Terminado o período, desincorporou-se da marinha.*] **2** Retirar de (corpo principal de). [*tdi.* + *de*: *A lei desincorpora gratificações do salário.*] **3** *Bras. Rel.* Deixar (espírito, entidade) corpo de médium. [*int.*] [▶ **1** desincorpor*ar*]

desincumbir (de.sin.cum.*bir*) *v.* **1** Realizar, cumprir (missão, incumbência). [*pr.*: *Quis desincumbir-se logo da difícil tarefa.*] **2** Tirar o encargo a; DESOBRIGAR. [*tdi.* + *de*: *Desincumbiu o jardineiro de regar as plantas.*] [▶ **3** desincumb*ir*]

desindexar (de.sin.de.*xar*) [cs] *v. Econ.* Dissociar (de índices econômicos, preços), valores, correção etc. [*td.*: *desindexar a economia.* *tdi.* + *de*: *desindexar contratos do dólar.*] [▶ **1** desindex*ar*] • **de.sin.de.xa.***ção* *sf.*; **de.sin.de.xa.do** *a.*

desinência (de.si.*nên*.ci:a) *sf. Ling.* Unidade de significado, tb. chamada *sufixo flexional*, que se acrescenta ao tema de uma palavra variável para indicar categorias gramaticais obrigatórias (desinência modo-temporal). **2** Terminação, extremidade.

desinfecção (de.sin.fec.*ção*) *sf.* **1** Eliminação de agentes infecciosos; ASSEPSIA: *É necessário fazer a desinfecção periódica dos hospitais.* **2** Cura de uma infecção: *a desinfecção de uma ferida.* [Pl.: -*ções.*] • **de.sin.fec.ci:o.nar** *v.*

desinfeliz (de.sin.fe.*liz*) *a2g.s2g. Pop.* Ver *infeliz.*

desinfetante, desinfectante (de.sin.fe.*tan*.te, de.sin.fec.*tan*.te) *a2g.sm.* Que ou o que desinfeta.

desinfetar, desinfectar (de.sin.fe.*tar*, de.sin.fec.*tar*) *v.* **1** Livrar do que infe(c)ta ou pode infe(c)tar (matando micróbios). [*td.*: *desinfetar uma ferida/instrumentos cirúrgicos.*] **2** *Bras. Gír.* Sair; ir embora. [*int.*] [▶ **1** desinfet*ar*]

desinflação (de.sin.fla.*ção*) *sf. Econ.* Redução generalizada de preços, ou da demanda de bens e/ou serviços; DEFLAÇÃO. [Pl.: -*ções.*]

desinflacionar (de.sin.fla.ci:o.*nar*) *v. td. Econ.* Reduzir a inflação de; promover a deflação de: *As medidas visam a desinflacionar a economia.* [▶ **1** desinflacion*ar*]

desinflamar (de.sin.fla.*mar*) *v.* Fazer cessar ou diminuir ou cessar ou diminuir inflamação de. [*td.*:

desinflamar as gengivas. *int./pr.*: *Sua garganta desinflamou(-se).*] | ▶ **1** desinflamar ● **de.sin.fla.ma.***ção sf.*; **de.sin.fla.ma.do** *a.*

desinformação (de.sin.for.ma.*ção*) *sf.* **1** Ação ou resultado de desinformar. **2** Condição de quem está desinformado: *A desinformação dele quanto a este assunto é total.* **3** Informação desvirtuada ou falseada para confundir ou induzir a uma apreciação incorreta dos fatos: *Visando a obter lucros, veiculava desinformações no mercado.* [Pl.: -ções.]

desinformado (de.sin.for.*ma*.do) *a.* Mal informado ou não informado: *A população estava desinformada sobre seus direitos.*

desinformar (de.sin.for.*mar*) *v. td.* Informar erradamente ou não informar: *Preferiu desinformar os leitores a dar aquela notícia*; (tb. sem complemento explícito) *Citações erradas desinformam mais que esclarecem.* [▶ **1** desinformar]

desinibido (de.si.ni.*bi*.do) *a.* Que não tem ou demonstra ter inibição ou timidez; DESCONTRAÍDO; DESEMBARAÇADO.

desinibir (de.si.ni.*bir*) *v.* Livrar(-se) de inibição, vergonha, timidez. [*td.*: *Os ensaios desinibem os atores. pr.*: *A dança fez a adolescente desinibir-se.*] | ▶ **3** desinibir ● **de.si.ni.bi.***ção sf.*

desinquietar (de.sin.qui.e.*tar*) *v.* Tirar ou perder a calma, o sossego; tornar(-se) desinquieto; INQUIETAR(-SE). [*td.*: *O barulho desinquietava o bebê. pr.*: *Após uma hora de espera, começou a desinquietar-se.*] [▶ **1** desinquietar ● **de.sin.qui.e.ta.***ção sf.*

desinquieto (de.sin.qui*e*.to) *a.* **1** Que não é ou não fica quieto; AGITADO; INQUIETO. **2** *Fam.* Levado, travesso.

desinsofrido (de.sin.so.*fri*.do) *a.* Impaciente, agitado.

desintegração (de.sin.te.gra.*ção*) *sf.* **1** Ação ou resultado de desintegrar(-se). **2** Desmanche da integridade de um corpo, substância, ideia etc.: *desintegração do meteoro.* [Pl.: -ções.]

desintegrar (de.sin.te.*grar*) *v.* Fazer perder ou perder a integridade; decompor(-se), desunir(-se). [*td.*: *As divergências desintegraram o grupo. pr.*: *O foguete desintegrou-se ao regressar à Terra.*] [▶ **1** desintegrar]

desinteligência (de.sin.te.li.*gên*.ci.a) *sf.* **1** Discordância entre pessoas, pontos de vista etc.; DIVERGÊNCIA: *O horário foi o motivo da desinteligência (do diretor com seu vice).* **2** Malquerença, inimizade. **3** Falta de inteligência.

desinteressado (de.sin.te.res.*sa*.do) *a.* **1** Que se desinteressou ou não tem interesse(s), envolvimento: *Mostrou-se desinteressado pelo projeto.* **2** Que é isento (julgamento *desinteressado*); IMPARCIAL. **3** Que não visa compensações ou vantagens (amizade *desinteressada*).

desinteressante (de.sin.te.res.*san*.te) *a2g.* Que não tem ou desperta interesse; que não é interessante.

desinteressar-se (de.sin.te.res.*sar*-se) *v. pr.* Não ter interesse ou perder o interesse (em algo ou alguém): *Ele se desinteressa de política.* [▶ **1** desinteressar-se]

desinteresse (de.sin.te.*res*.se) [ê] *sm.* **1** Falta de interesse, de envolvimento: "Eu próprio não jogava, por *desinteresse* e incapacidade..." (João Ubaldo Ribeiro, *Diário do farol*). **2** Isenção, imparcialidade: *Opinou com desinteresse e ponderação.* **3** Generosidade, desprendimento: *Deu-lhe toda a ajuda, com dedicação e desinteresse.*

desintoxicação (de.sin.to.xi.ca.*ção*) [cs] *sf.* **1** Ação ou resultado de desintoxicar(-se). **2** Retirada ou anulação dos efeitos de veneno no corpo. **3** *Med. Psiq.* Tratamento que se destina a livrar uma pessoa dos efeitos ou da dependência de certas drogas. [Pl.: -ções.]

desintoxicar (de.sin.to.xi.*car*) [cs] *v.* **1** Livrar(-se) de intoxicação e/ou de seus efeitos. [*td.*: *desintoxicar o organismo. Desintoxicou-se com leite.*] **2** *Med.* Aplicar tratamento médico a (dependente químico para livrá-lo do vício). [*td.*] [▶ **11** desintoxicar]

desintumescer (de.sin.tu.mes.*cer*) *v.* Fazer reduzir ou reduzir intumescimento de; DESINCHAR(-SE). [*td.*: *Aplicou compressa para desintumescer as pálpebras. int.*: *Com o descanso seus pés desintumesceram.*] [▶ **33** desintumescer]

desirmanado (de.sir.ma.*na*.do) *a.* Afastado de alguém ou algo que lhe era próximo, com que(m) estava irmanado.

desirmanar (de.sir.ma.*nar*) *v. td.* Desunir, separar, desemparelhar (coisas iguais ou análogas, ou pessoas unidas, irmanadas): *O litígio desirmanou a família.* [▶ **1** desirmanar]

desistir (de.sis.*tir*) *v.* **1** Renunciar a (algo ou alguém); não prosseguir em (ação, atitude). [*ti.* + *de*: *Ele vai desistir da luta.*] **2** Renunciar a algo, alguém, intento, ação etc. [*int.*: *Ainda estamos longe, mas não vamos desistir.*] [Ant. ger.: *persistir, insistir, perseverar.*] [▶ **3** desistir ● **de.sis.tên.**ci:a ● **de.sis.ten.**te *a2g.s2g.*

desjejum (des.je.*jum*) *sm.* Refeição que se faz ao acordar e que quebra o jejum da noite; CAFÉ DA MANHÃ. [Pl.: -*juns.*]

🌐 **desktop** (*Ing. /désktop/*) *sm. Inf.* Representação gráfica, na tela do computador, dos documentos, pastas, programas e arquivos armazenados, bem como dos periféricos respectivos, feita por meio de ícones dispostos de forma que a tela se assemelhe a uma mesa de trabalho; ÁREA DE TRABALHO.

deslacrar (des.la.*crar*) *v. td.* Tirar o lacre, o selo de segurança a: *Cuidado para não deslacrar o envelope.* [▶ **1** deslacrar]

deslanchar (des.lan.*char*) *v. Bras. Pop.* Dar impulso a ou ganhar impulso. [*td.*: *A chegada do Dia das Mães deslanchou as vendas. int.*: *As vendas de Natal só deslancharam no último dia.*] [▶ **1** deslanchar]

deslavado (des.la.*va*.do) *a.* **1** Que expressa petulância ou descaramento; ATREVIDO. **2** Que perdeu a cor em sucessivas lavagens; DESBOTADO.

desleal (des.le:*al*) *a2g.* **1** Que não respeita compromissos morais ou de outra natureza (sócio *desleal*); FALSO; TRAIÇOEIRO; INFIEL. **2** Que não segue princípios ou regras estabelecidos previamente (concorrência *desleal*). [Pl.: -*ais.*]

deslealdade (des.le:al.*da*.de) *sf.* **1** Característica do que ou de quem é desleal. **2** Ação ou resultado de trair a confiança depositada por alguém.

desleixar (des.lei.*xar*) *v.* Descuidar(-se) de; agir com negligência, desleixo. [*td.*: *desleixar a aparência. pr.*: *Desanimado, desleixou-se totalmente.*] [▶ **1** desleixar ● **de.slei.xa.***do a.sm.*

desleixo (des.*lei*.xo) *sm.* Falta de atenção ou dedicação em relação a algo ou a uma atividade; NEGLIGÊNCIA; DESCUIDO.

deslembrar (des.lem.*brar*) *v.* Esquecer(-se) de; omitir por esquecimento. [*td.*: *Não podemos deslembrar nossos deveres. ti.* + *de*: *Não deslembrou dos preceitos da lei. pr.*: *Deslembrou-se de sua obrigação.*] [▶ **1** deslembrar ● **de.slem.bran.**ça *sf.*; **des.lem.***bra*.do *a.*

desligado (des.li.*ga*.do) *a.* **1** Que não está ligado ou em funcionamento (geladeira *desligada*). **2** Que foi desvinculado de uma rede de serviços e teve seu funcionamento interrompido: *telefone desligado por falta de pagamento.* **3** Que foi expulso de uma instituição ou movimento: *soldado desligado do Exército.* **4** Que se afastou e se encontra distante: *desligado dos amigos.* **5** *Fig.* Diz-se de pessoa que é ou está desatenta ou distraída.

desligamento (des.li.ga.*men*.to) *sm.* **1** Interrupção do funcionamento de algo: *desligamento das máquinas.* **2** Afastamento ou desvinculação de algo (instituição, família etc.). **3** Característica própria de quem é desatento ou distraído. **4** Ação ou resultado de desligar(-se).

desligar (des.li.gar) v. **1** Interromper (funcionamento, ligação etc.); DESCONECTAR. [td.: Não se esqueça de desligar o aquecedor! tdi. + de: É bom desligar os aparelhos da tomada quando viajar. int.: A pessoa desligou, mas voltará a telefonar.] **2** Separar(-se), afastar(-se), demitir(-se). [td.: Desligou o funcionário faltoso. pr.: Ofendido, desligou-se do grupo.] **3** Ficar alheio; esquecer (algo ou tudo); não se importar. [int./pr.: Cansado de problemas, resolveu desligar(-se) (de tudo).] [▶ 14 desligar]

deslindar (des.lin.dar) v. td. **1** Apurar, elucidar: Não conseguiu deslindar o mistério. **2** Esmiuçar, investigar: Resolveu deslindar todos os aspectos da questão. [▶ 1 deslindar]

deslinde (des.lin.de) sm. Ação ou resultado de deslindar.

deslizamento (des.li.za.men.to) sm. **1** Deslocamento de grande quantidade de terra em encostas, produzido por chuvas ou outros fatores. **2** Ação ou resultado de deslizar. [Sin. ger.: deslize.]

deslizar (des.li.zar) v. int. **1** Escorregar; mover-se com uma superfície do que move em contacto com outra: A chuva fez o barranco deslizar; O barquinho desliza na água. **2** Fig. Movimentar-se suavemente: A bailarina deslizava no palco; As nuvens deslizam no céu. **3** Incorrer em deslize, em falha: Pressionado, deslizou muitas vezes, mas conseguiu corrigir-se. [▶ 1 deslizar]

deslize (des.li.ze) sm. **1** Falta moral ou desvio na conduta, sem muita importância: O chefe compreendeu o deslize da secretária. **2** Pequeno engano ou lapso: Ao discursar, cometeu um deslize, mas logo se recuperou. **3** Ver deslizamento.

deslocado (des.lo.ca.do) a. **1** Que não combina bem com certo contexto ou situação: convidado deslocado na festa. **2** Que se encontra fora de seu lugar habitual: A mobília deslocada destinava-se à venda. **3** Diz-se de pessoa que foi transferida de local de trabalho: general deslocado de Fortaleza para Natal. **4** Med. Diz-se dos membros que se encontram fora das juntas ou desarticulados (ombro deslocado).

deslocamento (des.lo.ca.men.to) sm. **1** Ação ou resultado de deslocar(-se), de mudar de lugar. **2** Ação ou resultado de transferir pessoas, esp. por razões profissionais. **3** Med. Saída de um osso de sua articulação natural; LUXAÇÃO; DESARTICULAÇÃO.

deslocar (des.lo.car) v. **1** Tirar do lugar; mover(-se) de um lugar para outro. [td.: Usou um galho para deslocar a pedra. pr.: Ninguém vai se deslocar até sua casa.] **2** Desarticular(-se) ou ter desarticulada (uma parte articulada do corpo). [td.: deslocar o pé. pr.: Com a queda, meu pulso deslocou-se.] [▶ 11 deslocar]

deslumbrado (des.lum.bra.do) a. **1** Que ficou fascinado ou maravilhado por algo. sm. **2** Bras. Pop. Pessoa considerada ingênua, tola ou superficial por se entusiasmar facilmente por qualquer coisa.

deslumbramento (des.lum.bra.men.to) sm. **1** Algo que fascina ou encanta: O desfile foi um deslumbramento. **2** Fig. Sensação vivida por aquele que está fascinado ou encantado por algo: deslumbramento com o sucesso repentino. **3** Fig. Perturbação no entendimento.

deslumbrante (des.lum.bran.te) a2g. **1** Que fascina e encanta; FASCINANTE. **2** Luxuoso.

deslumbrar (des.lum.brar) v. **1** Encantar(-se); maravilhar(-se); causar ao sentir assombro. [td.: A paisagem deslumbra os turistas. pr.: Deslumbrou-se com a beleza do espetáculo.] **2** Ofuscar(-se); não enxergar por ação de muita luz ou brilho (tb. Fig.). [td.: A luz do refletor deslumbrou o ator. pr.: Ele deslumbrou-se com o próprio sucesso.] [▶ 1 deslumbrar]

deslustrar (des.lus.trar) v. **1** Tirar ou diminuir lustre, valor, brilho de. [td.: Nada poderia deslustrar aquela homenagem.] **2** Fazer perder ou perder a honra, reputação etc.; DESACREDITAR(-SE); INFAMAR(-SE). [td.: Os escândalos deslustraram seu nome. pr.: Deslustrou-se ao aceitar suborno.] [▶ 1 deslustrar]

deslustre (des.lus.tre) sm. **1** Falta de lustre, brilho. **2** Fig. Mácula moral; DESONRA; DESCRÉDITO.

desmaiado (des.mai.a.do) a. **1** Que perdeu os sentidos temporariamente; DESFALECIDO. **2** Diz-se de cor sem intensidade, que parece desbotada (amarelo desmaiado).

desmaiar (des.mai.ar) v. int. **1** Perder os sentidos, a consciência; DESFALECER. **2** Perder o brilho: Com o sol, as cores da barraca desmaiaram. [▶ 1 desmaiar]

desmaio (des.mai.o) sm. Perda passageira da consciência, ocasionada ger. por queda da pressão sanguínea ou distúrbio no sistema nervoso central; DESFALECIMENTO.

desmamar (des.ma.mar) v. Finalizar ou ter finalizado o período de amamentação de. [td.: Tenho hora de desmamar os bezerros. int.: O bebê já desmamou.] [▶ 1 desmamar]

desmancha-prazeres (des.man.cha-pra.ze.res) [ê] s2g2n. Fam. Pessoa que, voluntária ou involuntariamente, estraga a alegria alheia.

desmanchar (des.man.char) v. **1** Desfazer(-se), destruir(-se). [td.: Não chore para não desmanchar a maquiagem! pr.: Os móveis desmancharam-se com a enchente.] **2** Desarrumar. [td.: O vento desmanchou o penteado.] **3** Diluir(-se); perder a forma ou consistência original. [td.: Desmanche a farinha no leite. int.: Mexa até o tomate desmanchar.] **4** O sal desmancha-se na água.] **4** Cancelar, anular ou dissolver. [td.: desmanchar um namoro/um contrato/uma sociedade.] **5** Exceder-se em; descomedir-se. [pr.: A crítica desmanchava-se em elogios.] [▶ 1 desmanchar]

desmanche (des.man.che) sm. Bras. **1** Oficina clandestina onde veículos (ger. roubados) são desmontados, para que suas peças sejam revendidas. **2** Essa prática ilícita.

desmandar (des.man.dar) v. **1** Dar ordens abusivas (a); abusar do poder. [ti. + em: Mandava e desmandava em todos. int.: Adorava mandar e desmandar.] **2** Abusar, exceder-se. [pr.: Em geral controla sua raiva, mas desta vez desmandou-se.] [▶ 1 desmandar]

desmando (des.man.do) sm. **1** Ação arbitrária e excessiva. [Us. ger. no pl.] **2** Violação de ordens; DESOBEDIÊNCIA; INDISCIPLINA.

desmantelar (des.man.te.lar) v. td. Demolir; destruir (edificação, organização etc.): Os pedreiros desmantelaram o muro; Ajudou a desmantelar a quadrilha. [▶ 1 desmantelar] • des.man.te.la.do a.; des.man.te.la.men.to sm.

desmarcado (des.mar.ca.do) a. **1** Que foi cancelado ou adiado (consulta desmarcada). **2** Esp. Diz-se de jogador que se encontra livre, sem a marcação (3) de um adversário (atacante desmarcado).

desmarcar (des.mar.car) v. **1** Cancelar. [td.: O presidente desmarcou a reunião.] **2** Tirar (marca, sinal etc.). [td.: Não desmarque a página do livro.] **3** Esp. Livrar-se de marcação (3). [pr.: Conseguiu desmarcar-se e fez o gol.] [▶ 1 desmarcar] [Cf.: demarcar.]

desmascarar (des.mas.ca.rar) v. **1** Tirar a máscara a. [td.: Desmascarou o palhaço e reconheceu o amigo. Quando deu meia-noite, os convidados se desmascararam.] **2** Fig. Revelar as intenções ocultas de (ger. desmoralizando). [td.: Seu intuito era desmascarar a farsa.] **3** Desfazer ou ter desfeito disfarce ou encobrimento de. [td.: A investigação desmascarou o ladrão. pr.: Cometeu um erro, e desmascarou-se.] [▶ 1 desmascarar] • des.mas.ca.ra.do a.; des.mas.ca.ra.men.to sm.

desmastrear (des.mas.tre.ar) v. Fazer perder ou perder o(s) mastro(s) (a) (embarcação). [td.: A ventania desmastreou o barco. pr.: O barco desmastreou-se na tempestade.] [▶ 13 desmastrear]

desmatar (des.ma.*tar*) *v.* Desflorestar; destruir árvores ou mata (de). [*td.*: *Queimadas estão desmatando a Amazônia. int.*: *Pode-se cultivar a terra sem desmatar.*] [▶ 1 desmat**ar**] ● **des.ma.ta.do** *a.*; **des.ma.ta.men.to** *sm.*

desmazelado (des.ma.ze.*la*.do) *a.sm.* Diz-se de ou pessoa desleixada, negligente.

desmazelar-se (des.ma.ze.*lar*-se) *v. pr.* Deixar de se cuidar, de se arrumar; DESLEIXAR-SE: *Deprimido, desmazelou-se completamente.* [▶ 1 desmazel**ar**-se]

desmazelo (des.ma.ze.lo) [ê] *sm.* Descuido, desleixo.

desmedido (des.me.*di*.do) *a.* 1 Que é excessivo, exagerado (orgulho desmedido). 2 Que possui dimensão ou intensidade muito maiores do que o habitual (crescimento desmedido). [Sin. ger.: *desmesurado.*]

desmedir-se (des.me.*dir*-se) *v. pr.* Exceder(-se); exagerar, descomedir-se: *Desmediu-se em elogios ao colega.* [▶ 44 desme**dir**-se]

desmembramento (des.mem.bra.*men*.to) *sm.* 1 Ação ou resultado de dividir um todo em partes. 2 Retirada dos membros de um corpo.

desmembrar (des.mem.*brar*) *v.* 1 Cortar membro(s) de. [*td.*: *desmembrar um boneco.*] 2 Separar(-se) em partes; DIVIDIR(-SE). [*td.*: *Resolveram desmembrar a comissão. tdi.* + *em*: *Vamos desmembrar o texto em parágrafos. pr.*: *A turma desmembrou-se em grupos.*] 3 Retirar de participação em; DESAGREGAR. [*tdi.* + *de*: *Decidiu desmembrar sua casa do condomínio.*] [▶ 1 desmembr**ar**]

desmemoriado (des.me.mo.ri.*a*.do) *a.* 1 Que possui memória fraca ou que não a tem; ESQUECIDO. *a.sm.* 2 Que ou quem sofreu perda patológica da memória; AMNÉSICO.

desmemoriar-se (des.me.mo.ri.*ar*) *v.* Fazer perder ou perder a memória. [*td.*: *A velhice desmemoriou-o. pr.*: *Com o choque, desmemoriou-se por um tempo.*] [▶ 1 desmemori**ar**]

desmentido (des.men.*ti*.do) *a.* 1 Que foi contraditado, contestado (afirmação desmentida). *sm.* 2 Declaração oral ou escrita com o fim de desmentir alguma afirmação.

desmentir (des.men.*tir*) *v.* 1 Afirmar que (alguém) mentiu ou não disse a verdade; CONTRADIZER. [*td.*: "Foi ele, sim! — desmentiu-o Florinda." (Machado de Assis, *O alienista*).] 2 Não pôr (texto ou fato [por outrem] anteriormente); CONTESTAR. [*td.*: *O promotor desmentiu a declaração do réu.*] 3 Negar a veracidade de (algo). [*td.*: *desmentir uma notícia.*] 4 Contradizer; afirmar ou demonstrar o contrário de. [*td.*: *Seus atos desmentem suas palavras.*] 5 Afirmar (alguém) o contrário do que antes afirmara. [*pr.*: *Pressionado pelo juiz, desmentiu-se várias vezes.*] [▶ 50 desm**entir**]

desmerecedor (des.me.re.ce.*dor*) [ô] *a.* Que não é digno de algo: *desmerecedor de nossa confiança.*

desmerecer (des.me.re.*cer*) *v.* 1 Não merecer ou deixar de merecer; já não ser digno de. [*td.*: *Nunca desmereceu a confiança do diretor.*] 2 Deixar de merecer reconhecimento de valor; perder o merecimento. [*int.*: *Agiu tão mal que acabou desmerecendo.*] 3 Menosprezar(-se), depreciar(-se). [*td.*: *Invejoso, desmerece tudo o que não é seu. pr.*: *Vive desmerecendo-se diante de todos.*] [▶ 33 desmere**cer**] ● **des.me.re.ci.men.to** *sm.*

desmesurado (des.me.su.*ra*.do) *a.* Ver *desmedido*.

desmilinguir-se (des.mi.lin.*guir*-se) *v. pr. Bras. Gír.* 1 Desfazer-se, desmanchar-se: *O velho mapa desmilinguiu-se.* 2 Ficar fraco; perder o vigor; ENFRAQUECER-SE; DEBILITAR-SE: *Desmilingue-se com o calor.* [▶ 3 desmilingu**ir**-se (O *i* de *lin* recebe acento agudo sempre que esta sílaba é tônica (desmi*lin*gue-me, desmi*lin*guem-se etc.).]

desmilitarizar (des.mi.li.ta.ri.*zar*) *v. td. pr.* 1 Fazer perder ou perder o caráter militar. 2 Privar(-se) (uma região, um país etc.) de forças armadas. [▶ 1 desmilitariz**ar**]

desmiolado (des.mi:o.*la*.do) *a.sm. Fig.* 1 Que ou quem não age de forma sensata, prudente. 2 Que ou quem é escoucido.

desmistificar (des.mis.ti.fi.*car*) *v. td.* 1 Eliminar o caráter místico de: *Desmistificou a história daquele herói.* 2 Despojar (alguém ou algo) do que mistifica ou engana; DESMASCARAR: *desmistificar um curandeiro.* [▶ 11 desmistifi**car**] ● **des.mis.ti.fi.ca.ção** *sf.*

desmobiliar, desmobilhar (des.mo.bi.li.*ar*, des.mo.bi.*lhar*) *v. td. Bras.* Retirar a mobília de (casa, cômodo etc.). [▶ 1 desmobili**ar**, 1 desmobilh**ar**] Para a variante *desmobiliar*, é tônica a sílaba '*bi*' – grafada '*bí*' – em todas as pessoas do sing. e na 3ª pess. do pl. dos seguintes tempos: pres. do ind. e do subj. e imper. afirm. e neg. (desmo*bí*lio, desmo*bí*lie, não desmo*bí*liem etc.).]

desmobilizar (des.mo.bi.li.*zar*) *v.* Desfazer(-se) mobilização de (exército, tropa, grupo etc.). [*td.*: *desmobilizar uma esquadra/uma tropa. pr.*: *Os grevistas já desmobilizaram-se.*] [▶ 1 desmobiliz**ar**] ● **des.mo.bi.li.za.ção** *sf.*

desmodontídeo (des.mo.don.*tí*.de:o) *sm. Zool.* Tipo de morcego que se alimenta do sangue de animais adormecidos, o que lhe valeu a alcunha popular de 'vampiro'.

desmontar (des.mon.*tar*) *v.* 1 Fazer descer ou descer (de cavalgadura); APEAR(-SE). [*td.* (seguido ou não de indicação de lugar): *Desmontei a criança (do pônei). int./pr.* (seguido ou não de indicação de lugar): *Cansado, desmontei(-me) (do cavalo).*] 2 Desfazer (um todo, um conjunto); desarmar; desmantelar. [*td.*: *desmontar uma boneca/uma máquina*; "Polícia de SP *desmonta* quadrilha de policiais civis." (*O Dia*, 27.11.03).] 3 *Fig.* Desconcertar, desnortear. [*td.*: *Saber a verdade o desmontou.*] [▶ 1 desmont**ar**] ● **des.mon.ta.do** *a.*; **des.mon.tá.vel** *a2g.*

desmonte (des.*mon*.te) *sm.* 1 Ação ou resultado de separar as peças componentes de uma máquina ou equipamento. 2 Ação ou resultado de apear de um animal.

desmoralização (des.mo.ra.li.za.*ção*) *sf.* 1 Perda da credibilidade e confiança públicas: *desmoralização do ministro.* 2 Perda dos sentimentos e noções que constituem a moralidade; *desmoralização de uma sociedade.* 3 Perda do ânimo e da autoconfiança: *desmoralização da tropa.* [Pl.: -ções.]

desmoralizado (des.mo.ra.li.*za*.do) *a.* 1 Diz-se de pessoa ou instituição que perdeu a credibilidade e o respeito (jornal desmoralizado). 2 Que perdeu os parâmetros morais. 3 Que está desmotivado, sem ânimo (time desmoralizado).

desmoralizar (des.mo.ra.li.*zar*) *v.* 1 Fazer perder ou perder o senso moral; CORROMPER(-SE). [*td.*: *Os vícios desmoralizam a sociedade. pr.*: *Perdeu a noção do bem e do mal; desmoralizou-se.*] 2 Fazer perder ou perder a boa reputação; DESONRAR(-SE); DESACREDITAR(-SE). [*td.*: *Sua irresponsabilidade acabou por desmoralizá-lo. pr.*: *Mentiu tanto que se desmoralizou.*] [▶ 1 desmoraliz**ar**] ● **des.mo.ra.li.za.dor** *a.*

desmoronar (des.mo.ro.*nar*) *v.* Fazer vir ou vir abaixo; fazer ruir ou ruir (fig. *Fig.*). [*td.*: *A crise econômica desmoronou seus planos. int./pr.*: *O terremoto fez a casa desmoronar.*] [▶ 1 desmoron**ar**] ● **des.mo.ro.na.men.to** *sm.*

desmotivar (des.mo.ti.*var*) *v.* Fazer perder ou perder a motivação, o estímulo; DESESTIMULAR(-SE). [*td.*: *A falta de perspectivas desmotiva qualquer um. pr.*: *Desmotivei-me com tantos obstáculos.*] [▶ 1 desmotiv**ar**] ● **des.mo.ti.va.ção** *sf.*; **des.mo.ti.va.do** *a.*

desmunhecado (des.mu.nhe.ca.do) *a.sm. Bras. Gír.* Que ou quem desmunheca (diz-se de homem); EFEMINADO.

desmunhecar (des.mu.nhe.*car*) *v. Bras.* **1** *Gír.* Comportar-se (um homem) com maneira, gestos ou atitudes de mulher. [*int.*] **2** Abrir ou quebrar a munheca (ou pulso, ou a mão) a. [*td.*] [▶ **11** desmunhe*car*]

desnacionalizar (des.na.ci:o.na.li.*zar*) *v.* **1** Fazer perder ou perder o caráter nacional. [*td.*: *desnacionalizar costumes. pr.*: *Com a globalização, algumas culturas desnacionalizaram-se.*] **2** Passar (empresa ou atividade estatal) para o setor privado. [*td.*] [▶ **1** desnacionaliz*ar*] ● **des.na.ci:o.na.li.za.***ção* *sf.*

desnastrar (des.nas.*trar*) *v. td.* Tirar ou desfazer o(s) nastro(s) de; DESTRANÇAR: *Foi ao salão desnastrar os cabelos.* [▶ **1** desnastr*ar*]

desnatadeira (des.na.ta.*dei*.ra) *sf.* Aparelho que possibilita retirar a nata do leite.

desnatar (des.na.*tar*) *v. td.* Tirar a nata de: *desnatar o leite.* [▶ **1** desnat*ar*] ● **des.na.***ta*.do *a.*

desnaturado (des.na.tu.*ra*.do) *a.sm.* **1** Que ou quem age de forma cruel e egoísta, contrariando o que se espera da natureza humana. *a.* **2** *Quím.* Diz-se de substância que teve algumas de suas propriedades originais artificialmente alteradas (álcool desnaturado).

desnaturalizar (des.na.tu.ra.li.*zar*) *v.* **1** Privar da nacionalidade ou de cidadania; DESNATURAR(-SE). [*td.*: *desnaturalizar imigrantes. pr.*: *Insatisfeitos com o país, desnaturalizaram-se e emigraram.*] **2** Adulterar o caráter ou a natureza de; DESNATURAR. [*td.*: *Os retoques desnaturalizaram a obra.*] [▶ **1** desnaturaliz*ar*] ● **des.na.tu.ra.li.za.***ção* *sf.* ● **des.na.tu.ra.li.za.do** *a.*

desnaturar (des.na.tu.*rar*) *v.* **1** Ver *desnaturalizar.* **2** Tornar(-se) cruel ou insensível; DESUMANIZAR(-SE). [*td.*: *O ódio desnaturou o homem. pr.*: *Seu filho desnaturou-se.*] [▶ **1** desnatur*ar*]

desnecessário (des.ne.ces.*sá*.ri:o) *a.* Que não é necessário, que é dispensável; PRESCINDÍVEL; SUPÉRFLUO.

desnível (des.*ni*.vel) *sm.* **1** Diferença de nível em uma superfície plana: *Os desníveis da estrada quebraram o amortecedor do carro.* **2** Desigualdade em relação a determinado parâmetro (desnível cultural). [Pl.: -*veis*.]

desnivelar (des.ni.ve.*lar*) *v. td.* **1** Tirar o nivelamento de (algo): *O calor desnivelou o asfalto.* **2** Causar desnível, diferença de nível entre: *O grau de educação desnivelava os candidatos.* [▶ **1** desnivel*ar*] ● **des.ni.ve.la.***men*.to *sm.*

desnorteado (des.nor.te.*a*.do) *a.* *Fig.* Que ficou desorientado e confuso: *Ao ser demitido, ficou desnorteado.* **2** Que perdeu o senso de direção: *Localizaram o barco desnorteado.*

desnorteamento (des.nor.te.a.*men*.to) *sm.* Ação ou resultado de perder o rumo ou a orientação.

desnortear (des.nor.te.*ar*) *v.* **1** Fazer perder ou perder o norte, a direção ou o rumo. [*td.*: *A escuridão desnorteou a ciclista. pr.*: *Com a escuridão, desnortearam-se no bosque.*] **2** *Fig.* Perturbar(-se), aturdir(-se). [*td.*: *"...a pergunta da baronesa desnorteou-a um pouco."* (Machado de Assis, *A mão e a luva*). *int./pr.*: *A revelação a fez desnortear(-se).*] [▶ **13** desnorte*ar*] ● **des.nor.te.a.***dor* *a.sm.*

desnudar (des.nu.*dar*) *v.* **1** Fazer ficar ou ficar nu; DESPIR(-SE). [*td.*: *Os ladrões o desnudaram. pr.*: *Sozinha na praia, desnudou-se.*] **2** Privar (algo) do que o cobre. [*td.*: *O vendaval desnudou as amendoeiras.*] **3** *Fig.* Pôr a nu; MOSTRAR; REVELAR. [*td.*: *Desnudei as suas verdadeiras intenções.*] [▶ **1** desnud*ar*] ● **des.nu.***da*.do *a.*, **des.nu.da.***men*.to *sm.*

desnudo (des.*nu*.do) *a.* Que não está coberto por roupas; NU; DESPIDO.

desnutrição (des.nu.tri.*ção*) *sf.* Nutrição em nível muito abaixo do necessário ou ausência de nutrição; enfraquecimento. [Pl.: -*ções*.]

desnutrido (des.nu.*tri*.do) *a.sm.* Que ou quem apresenta desnutrição.

desnutrir (des.nu.*trir*) *v.* **1** Nutrir mal ou não nutrir. [*td.*: *Por falta de informação, desnutriu o bebê.*] **2** Emagrecer por falta de alimentação. [*pr.*: *Deprimido e infeliz, desnutriu-se e adoeceu.*] [▶ **3** desnutr*ir*]

desobedecer (de.so.be.de.*cer*) *v. ti.* **1** Não obedecer; não acatar ordens ou a autoridade de. [+ *a*: *Nunca desobedeço ao pai.*] **2** Infringir, transgredir. [+ *a*: *desobedecer a uma lei/a uma determinação judicial.*] [▶ **33** desobede*cer*] [NOTA: No português do Brasil é comum, na fala e na escrita, usar este verbo como *td.*, sem preposição.]

desobediência (de.so.be.di:*ên*.ci:a) *sf.* Ação ou resultado de desobedecer; não obediência; INSUBMISSÃO. ● **de.so.be.di:***en*.te *a2g.s2g.*

desobrigar (de.so.bri.*gar*) *v.* Livrar(-se) ou isentar(-se) (de obrigação). [*tdi.* + *de*: *A forte gripe desobrigou-o da palestra. pr.*: *Não tendo recebido o livro, desobrigamo-nos do pagamento.*] [▶ **14** desobrig*ar*]

desobstrução (de.sobs.tru.*ção*) *sf.* Ação ou resultado de desobstruir(-se). [Pl.: -*ções*.]

desobstruir (de.sobs.tru.*ir*) *v.* Livrar(-se) do que obstrui; DESIMPEDIR(-SE). [*td.*: *desobstruir uma artéria/uma passagem. pr.*: *Com o aumento da pressão, o cano desobstruiu-se.*] [▶ **56** desobstr*uir*]

desocupação (de.so.cu.pa.*ção*) *sf.* **1** Ação ou resultado de desocupar(-se). **2** Saída de um local onde se estava instalado: *desocupação do apartamento para o novo inquilino.* **3** Falta de emprego, de ocupação; OCIOSIDADE: *A desocupação preocupa o governo.* [Pl.: -*ções*.]

desocupado (de.so.cu.*pa*.do) *a.sm.* **1** Que ou quem vive no ócio, sem ocupação definida; OCIOSO. *a.* **2** Que não está ocupado, tomado ou sendo usado: *Esta cadeira está desocupada?* **3** Que está livre, sem compromisso: *Você vai estar desocupado no fim de semana?*

desocupar (de.so.cu.*par*) *v.* **1** Deixar, sair de (o lugar que se ocupava). [*td.*: *desocupar um terreno/um país.*] **2** Deixar (função que se cumpria em dado lugar). [*td.*: *Desocupou o posto na embaixada.*] **3** Livrar(-se) de ou terminar (trabalho, serviço etc.). [*tdi.* + *de*: *desocupar alguém de sua tarefa. pr.*: *Viajo assim que me desocupar (da tradução).*] **4** Deixar vazio; ESVAZIAR. [*td.*: *desocupar um cômodo/um armário.*] **5** Deixar de usar (algo). [*td.*: *desocupar o computador/o telefone.*] [▶ **1** desocup*ar*]

desodorante (de.so.do.*ran*.te) *a2g.sm.* Que ou o que (substância, produto) serve para prevenir ou combater maus odores.

desodorizar (de.so.do.ri.*zar*) *v. td.* Eliminar o odor ou o mau odor de. [▶ **1** desodoriz*ar*]

desoficializar (de.so.fi.ci:a.li.*zar*) *v. td.* Tirar o caráter oficial de: *O governo desoficializou aquela instituição.* [▶ **1** desoficializ*ar*] ● **de.so.fi.ci:a.li.za.***ção* *sf.*

desolação (de.so.la.*ção*) *sf.* **1** Ação ou resultado de desolar(-se). **2** Devastação de um lugar; RUÍNA: *A guerra deixou um rastro de desolação e morte.* **3** Tristeza profunda; CONSTERNAÇÃO. **4** Solidão e desamparo: *Abandonado, restou-lhe a desolação e a saudade.* [Pl.: -*ções*.]

desolado (de.so.*la*.do) *a.* **1** Que foi devastado e abandonado (diz-se de lugar). **2** Que demonstra grande tristeza e desamparo.

desolar (de.so.*lar*) *v.* **1** Transformar(-se) em deserto; despovoar(-se); devastar(-se). [*td.*: *Os invasores desolaram o país. pr.*: *Abandonada, aquela região desola-se pouco a pouco.*] **2** Consternar, afligir, entristecer. [*td.*: *A tragédia desolou toda a população.*] [▶ **1** desol*ar*] ● **de.so.la.***dor* *a.sm.*

desonerar (de.so.ne.*rar*) *v.* **1** Livrar(-se) de ônus, dever ou encargo; DESOBRIGAR(-SE); ISENTAR(-SE). [*td.* + *de*: *desonerar um devedor.* *tdi.* + *de*: *Desonerei-o da tarefa. pr.*: *Desonerou-se da dívida.*] **2** *Fig.* Desvencilhar, desembaraçar (algo) de. [*tdi.* + *de*: *desonerar a empre-*

desonestidade | despegar

sa *dos projetos deficitários*.] [▶ 1 desonerar] • de.so.ne.ra.*ção* sf.

desonestidade (de.so.nes.ti.*da*.de) *sf.* **1** Falta de honestidade, de probidade ou de sinceridade: *a desonestidade do falsário*. **2** Ação desonesta, que revela desonestidade (1): *A mentira é uma forma comum de desonestidade*.

desonesto (de.so.*nes*.to) *a.sm.* Que ou quem revela desonestidade [↑] em suas ações.

desonra (de.*son*.ra) *sf.* **1** Ausência ou perda da honra, da dignidade, do respeito dos outros: *agir com desonra*. **2** Ação, fato ou circunstância responsável por essa perda: *Não ter assumido o que fez foi sua desonra*.

desonrado (de.son.*ra*.do) *a.sm.* Que ou quem não tem ou perdeu a honra.

desonrar (de.son.*rar*) *v.* **1** Ferir a honra de (algo, alguém ou si mesmo); DESACREDITAR(-SE). [*td.*: *O escândalo desonrou a família. Nada o faria desonrar-se*.] **2** *Pus.* Fazer perder ou perder (mulher não casada) a virgindade. [*td. pr.*] [▶ 1 desonrar]

desonroso (de.son.*ro*.so) [ó] *a.* **1** Que causa desonra; HUMILHANTE. **2** Em que há desonra (atitude desonrosa). [Fem. e pl.: [ó].]

desopilar (de.so.pi.*lar*) *v. td.* Desobstruir (esp. o fígado, para que flua o excesso de bile, supostamente causa de mau humor); aliviar das tensões. [▶ 1 desopilar] ■ **~ o fígado** Aliviar(-se), ficando alegre e bem-disposto.

desopressão (de.so.pres.*são*) *sf.* Ação ou resultado de desoprimir(-se). **2** Alívio do estado de opressão; DESAFOGO. [Pl.: -*sões*.]

desoprimir (de.so.pri.*mir*) *v.* **1** Livrar(-se de (algo que oprime, angustia). [*td.*: *As boas notícias o desoprimiram. Confessar o erro o fez desoprimir-se*.] **2** Libertar de opressão, tirania ou jugo. [*td.*: *desoprimir povos escravizados*.] [▶ 3 desoprimir]

desoras (de.*so*.ras) *sfpl.* Us. na loc. ■ **A ~** Muito tarde; altas horas da noite; fora de hora.

desordeiro (de.sor.*dei*.ro) *a.sm.* Que ou quem provoca desordem ou tumulto; ARRUACEIRO.

desordem (de.*sor*.dem) *sf.* **1** Falta de arrumação, organização: *a desordem da gaveta*. **2** Tumulto, distúrbio, confusão: *Um bando semeou a desordem no local*. [Pl.: -*dens*.]

desordenado (de.sor.de.*na*.do) *a.* Que não está em ordem; DESORGANIZADO.

desordenar (de.sor.de.*nar*) *v.* **1** Fazer sair ou sair (algo) de ordem, arrumação, alinhamento. [*td.*: *O vento desordenou os meus papéis. pr.*: *O desfile desordenou-se por falta de ensaio*.] **2** Dispersar(-se), desbaratar(-se). [*td.*: *desordenar o exército inimigo. pr.*: *O rebanho desordenou-se*.] **3** Embaralhar, confundir. [*td.*: *desordenar as ideias/as lembranças*.] **4** Exceder-se, descomedir-se. [*pr.*: *Desordenaram-se nos gastos*.] [▶ 1 desordenar] • de.sor.de.na.*ção* sf.

desorganização (de.sor.ga.ni.za.*ção*) *sf.* Falta de organização; CONFUSÃO. [Pl.: -*ções*.]

desorganizado (de.sor.ga.ni.*za*.do) *a.* Que não é ou não está organizado (quarto desorganizado).

desorganizar (de.sor.ga.ni.*zar*) *v.* Transtornar(-se), desfazer(-se) a organização, a ordem ou a estrutura de. [*td.*: *O desemprego desorganizou a sua vida. pr.*: *A economia desorganizou-se com a crise política*.] [▶ 1 desorganizar]

desorientação (de.so.ri.en.ta.*ção*) *sf.* **1** Ação ou resultado de desorientar(-se). **2** Falta de rumo; DESNORTEAMENTO. [Pl.: -*ções*.]

desorientado (de.so.ri.en.*ta*.do) *a.* **1** Que não tem ou perdeu a orientação; DESNORTEADO. **2** Que apresenta certo desequilíbrio emocional.

desorientar (de.so.ri.en.*tar*) *v.* **1** Fazer perder ou perder a orientação ou o rumo; DESNORTEAR(-SE). [*td.*: *A luz ofuscante o desorientou. pr.*: *Eles desorientaram-se na cidade desconhecida*.] **2** *Fig.* Desconcertar(-se), perturbar(-se). [*td.*: *Seu comportamento estranho me desorientou. pr.*: *Desorientamo-nos com a censura*.] [▶ 1 desorientar]

desossar (de.sos.*sar*) *v. td.* Retirar os ossos a; despojar dos ossos: *desossar um frango*. [▶ 1 desossar]

desova (de.*so*.va) [ó] *sf.* **1** Ação ou resultado de desovar. **2** Período de reprodução de peixes e anfíbios. **3** *Bras. Gír.* Ato de esconder cadáveres ou veículos roubados em lugares desertos.

desovar (de.so.*var*) *v.* **1** Pôr ovos (o peixe, a tartaruga etc.) [*int.*] **2** *Bras. Gír.* Largar em algum lugar (cadáver ou carro roubado). [*td.*] [▶ 1 desovar]

desoxirribonucleico (de.so.xir.ri.bo.nu.*clei*.co) [cs] *a. Bioq.* Diz-se de ácido (ADN) que, em combinação com o ácido ribonucleico (ARN), forma os reservatórios moleculares da informação genética dos seres vivos.

despachado (des.pa.*cha*.do) *a.* **1** Que tem desenvoltura e desembaraço para resolver situações. **2** Que já foi resolvido (processo despachado).

despachante (des.pa.*chan*.te) *s2g.* Profissional autônomo que encaminha documentos e processos em repartições públicas.

despachar (des.pa.*char*) *v.* **1** Expedir, enviar, remeter. [*td.*: *despachar uma encomenda*.] **2** *Jur.* Pôr despacho ou decisão em; DESEMBARGAR; SENTENCIAR. [*td.*: *O juiz despachou a petição, deferindo-a*.] **3** Deliberar, decidir. [*td.*: *despachar uma ação judicial. tdi. + com*: *Despachará a questão com o secretário-geral. int.*: *Sempre despachava no palácio*.] **4** Incumbir de missão ou serviço. [*td.*: *despachar um emissário*.] **5** Proceder rápida ou prontamente. [*pr.*: *Vamos, despachem-se!*] **6** Atender, servir. [*td.*: *despachar um cliente*.] **7** Despedir, dispensar. [*td.*: *despachar um funcionário/uma visita inoportuna*.] **8** *Gír.* Matar. [*td.*] [▶ 1 despachar]

despacho (des.*pa*.cho) *sm.* **1** Ação ou resultado de despachar. **2** Documento assinado por uma autoridade para julgar ou autorizar algo. **3** *Bras. Rel.* Oferenda feita a um orixá, ger. para pedir um favor.

desparafusar [▶ 1 desparafusar] *v.* Ver *desaparafusar*.

despautério (des.pau.*té*.ri.o) *sm.* Grande asneira, tolice.

despedaçar (des.pe.da.*çar*) *v.* **1** Fazer(-se) em pedaços; QUEBRAR(-SE); PARTIR(-SE). [*td.* (seguido ou não de indicação de meio ou lugar): *despedaçar uma janela com uma pedra*; *despedaçar um copo contra a parede. pr.*: *O bibelô despedaçou-se no chão*.] **2** *Fig.* Afligir(-se), atormentar(-se). [*td.*: *As notícias de guerra a despedaçam. pr.*: *Meu coração despedaçou-se com a notícia*.] [▶ 12 despedaçar] • des.pe.da.ça.do *a.*; des.pe.da.ça.*men*.to *sm.*

despedida (des.pe.*di*.da) *sf.* **1** Ação ou resultado de despedir(-se). **2** Cumprimento por parte de quem sai de algum lugar ou termina uma mensagem.

despedir (des.pe.*dir*) *v.* **1** Mandar ir ou ir-se embora (de emprego ou serviço); DEMITIR(-SE); EXONERAR(-SE). [*td.*: *A fábrica despediu cem operários. pr.*: *Despediu-se do emprego*.] **2** Mandar que se retire, ou retirar-se. [*td.*: *Recebeu a encomenda e despediu o carteiro. pr.*: *Despedi-me assim que ele deu o recado*.] **3** Cumprimentar em despedida. [*pr.*: *Despediu-se (de todos) e partiu*.] **4** Ver pela última vez antes de partir. [*pr.*: *Quero despedir-me dos amigos antes da viagem*.] **5** Acabar-se, findar-se. [*pr.*: *O ano despediu-se com fogos e chuva*.] **6** Atirar, arremessar, lançar. [*td.*: *"...despediu vinte e nos todas as maldições de Senhor!"* (Eça de Queirós, *A relíquia*).] **7** Exalar, soltar. [*td.*: *As rosas despedem um cheiro agradável*.] [▶ 44 despedir]

despegar (des.pe.*gar*) *v.* **1** Descolar(-se), despregar(-se). [*td.* (seguido ou não de indicação de lugar):

despeitado | despido

Conseguiu *despegar* o selo (do envelope). *int./pr.*: A etiqueta *despegou(-se)* do caderno.] **2** Afastar(-se), apartar(-se), separar(-se). [*tdi.* + *de*: *Não pude despegá-lo dos livros*. *pr.*: *A ovelha despegou-se do rebanho*.] **3** *Fig.* Desapegar(-se), desafeiçoar(-se), desinteressar(-se). [*tdi.* + *de*: *A idade o despegou dos antigos prazeres*. *pr.*: *Despegaram-se de seus ideais*.] [▶ 14 despe**gar**]

despeitado (des.pei.*ta*.do) *a.* Que sente despeito, inveja por ter sido preterido.

despeitar (des.pei.*tar*) *v.* Provocar despeito em, ou sentir despeito. [*td.*: *Suas críticas despeitaram o colega*. *pr.*: *Despeitou-se com o sucesso do desafeto*.] [▶ 1 despeit**ar**]

despeito (des.*pei*.to) *sm.* Sentimento misto de rancor e inveja por não se ter ou se conseguir a coisa ou pessoa desejada. ▪▪ **A ~ de** Apesar de: *Acho-a uma boa amiga, a despeito do que dizem*.

despejado (des.pe.*ja*.do) *a.* **1** Que se derramou; ENTORNADO. **2** *Jur.* Que foi expulso de sua moradia por falta de pagamento de aluguel ou por recusar-se a sair ao ser solicitado.

despejar (des.pe.*jar*) *v. td.* **1** Verter, entornar, deitar: (seguido ou não de indicação de lugar) *despejar o café (no bule)*. **2** Verter o conteúdo de: (seguido ou não de indicação de lugar) *despejar a garrafa (na pia)*. **3** *Fig.* Lançar ou aplicar com energia: (seguido de indicação de objetivo) *Despeja todas as suas forças na tarefa*. **4** *Jur.* Fazer sair (alguém), por ordem judicial, do imóvel que ocupa (ger. por aluguel): *Quer despejar o inquilino*. **5** *Gír.* Esvaziar o conteúdo de, bebendo: *Despejou uma garrafa inteira (de refrigerante)*. [▶ 1 despej**ar**]

despejo (des.*pe*.jo) [ê] *sm.* **1** Ação ou resultado de despejar. **2** *Jur.* Saída obrigatória de um inquilino do imóvel onde mora: *ordem de despejo*.

despencar (des.pen.*car*) *v. Bras.* Cair de muito alto. [*int./pr.*: *O caminhão despencou(-se) da ponte*.] **2** Soltar(-se) da penca ou do cacho (esp. banana). [*td. int. pr.*] **3** Desprender(-se) de onde estava preso. [*td.*: *O tufão despencou telhas e janelas*. *int./pr.*: *As goiabas já (se) despencam*.] **4** *Bras.* Correr precipitadamente. [*pr.*: *Despenquei-me atrás do ônibus*.] [▶ 11 despen**car**] [NOTA: Us. como auxiliar seguido de *a* + infinitivo para indicar o início repentino de uma ação ou o processo (*A menina despencou a chorar*).] ● **des.pen.ca.do** *a.*

despender (des.pen.*der*) *v.* **1** Ter despesa ou dispêndio; GASTAR. [*td.* (com ou sem complemento explícito; seguido ou não de indicação daquilo em que se despende): *Despende (seu dinheiro) além do que pode*; *Eles despendem todo o salário na compra de roupas*).] **2** Dar com liberalidade; PRODIGALIZAR; DISTRIBUIR. [*td.* (com ou sem complemento explícito): *Passa o dia despendendo* (esmolas). *tdi.* + *a*: *Despende benefícios a quem não necessita*.] **3** *Fig.* Empregar, aplicar, gastar (energia etc.). [*td.*: *Despendeu muitos esforços para resolver o problema*.] [▶ 2 despend**er**]

despendurar (des.pen.du.*rar*) *v. td.* Tirar do lugar (algo ou alguém que estava pendurado): (seguido ou não de indicação de lugar) *despendurar um quadro (da parede)*. [▶ 1 despendur**ar**] ● **des.pen.du.ra.do** *a.*

despenhadeiro (des.pe.nha.*dei*.ro) *sm.* Escarpa rochosa alta e de difícil acesso; PRECIPÍCIO.

despenhar (des.pe.*nhar*) *v.* **1** Atirar(-se), lançar(-se) de grande altura (tb. *Fig.*). [*td.* (seguido ou não de indicação de lugar): *O carro despenhou (no precipício)*. *pr.*: *Despenhou-se do alto rochedo*.] **2** *Fig.* Precipitar (em algum mal, situação angustiante etc.). [*td.* (seguido de indicação de condição ou situação): *A bebida o despenhou na indigência*. *pr.*: *Com a ameaça atômica, o mundo despenhou-se no medo*.] [▶ 1 despenh**ar**]

despensa (des.*pen*.sa) *sf.* Parte de uma casa, estabelecimento etc. onde se guardam os mantimentos. [Cf.: *dispensa*.]

despenseiro (des.pen.*sei*.ro) *sm.* Empregado responsável pelo estoque e pela distribuição dos produtos de uma despensa.

despentear (des.pen.te.*ar*) *v.* Desmanchar(-se) o penteado (de). [*td.*: *Despenteou o irmão de brincadeira*. *pr.*: *Seu cabelo despenteia-se a toda hora*.] [▶ 13 despent**ear**] ● **des.pen.te.a.do** *a.*

desperceber (des.per.ce.*ber*) *v. td.* Não perceber, não notar: *Despercebeu a presença do espião*. [▶ 2 desperceb**er**]

despercebido (des.per.ce.*bi*.do) *a.* Que não foi percebido, notado; DESAPERCEBIDO.

desperdiçado (des.per.di.*ça*.do) *a.* Que foi gasto ou usado inutilmente, sem proveito.

desperdiçar (des.per.di.*çar*) *v. td.* **1** Gastar descomedidamente ou sem proveito; ESBANJAR. **2** Desaproveitar, perder (tempo, energia etc.). [▶ 12 desperdiç**ar**]

desperdício (des.per.*dí*.ci.o) *sm.* **1** Ação ou resultado de desperdiçar. **2** Gasto ou uso exagerado e sem proveito: *Devemos evitar o desperdício de água*.

despersonalizar (des.per.so.na.li.*zar*) *v.* **1** Fazer perder ou mudar, ou perder ou mudar a personalidade, a identidade (de). [*td.*: *A chamada cultura de massa pode despersonalizar o homem*. *pr.*: *Com tanta propaganda, as pessoas despersonalizam-se em gostos e preferências*.] [▶ 1 despersonaliz**ar**] ● **des.per.so.na.li.za.ção** *sf.*; **des.per.so.na.li.za.do** *a.*

despersuadir (des.per.su.a.*dir*) *v.* **1** Fazer mudar ou mudar de intenção ou de opinião; DISSUADIR. [*td.*: *Ela parece decidida, mas você tentar despersuadi-la*. *pr.*: *Antes convictos quanto ao projeto, depois despersuadiram-se*.] **2** Convencer (alguém) a não fazer algo; DISSUADIR. [*tdi.* + *de*: *Conseguiram despersuadi-lo de pedir demissão*.] [▶ 3 despersuad**ir**] ● **des.per.su.a.são** *sf.*

despertador (des.per.ta.*dor*) [ô] *a.sm.* **1** Que ou o que desperta. **2** Que ou o que é munido de mecanismo que o faz emitir som em hora programada, ger. para acordar alguém (diz-se de relógio).

despertar (des.per.*tar*) *v.* **1** Fazer sair ou sair do sono; ACORDAR. [*td.*: *A buzina despertou o bebê*. *int.*: *Nunca desperta cedo*.] **2** Fazer sair ou sair (de ilusão, inércia, distração, ignorância etc.). [*tdi.* + *de*: *Os deveres familiares o despertaram do devaneio*. *ti.* + *de*: *Despertou do sonho de enriquecer*. *int.*: *A festa despertou com a chegada da banda*.] **3** Provocar, estimular. [*td.*: "A presença do infeliz despertara a piedade de quase todos..." (Franklin Távora, *O cabeleira*). *tdi.* + *em*: *A palestra despertou nele a vontade de voltar a estudar*.] **4** Acordar ou amanhecer (em certo estado). [*lig.*: *Hoje despertei alegre*.] **5** Surgir, manifestar-se. [*int.*: *O interesse pelo outro sexo despertava aos poucos*.] [▶ 1 despert**ar**. Part.: *despertado* e *desperto*.] *sm.* **6** Ação ou resultado de despertar (tb. *Fig.*): *um despertar tranquilo*; *o despertar de uma vocação*.

desperto (des.*per*.to) [ê] *a.* Que não está adormecido; ACORDADO.

despesa (des.*pe*.sa) *sf.* **1** Ação ou resultado de despender. **2** Gasto financeiro.

despetalar (des.pe.ta.*lar*) *v.* **1** Arrancar as pétalas de. [*td.*: *despetalar uma rosa*.] **2** Perder as pétalas. [*pr.*: *A margarida despetalou-se*.] [▶ 1 despetal**ar**]

despicar (des.pi.*car*) *v.* Vingar(-se) de um pique, de uma ofensa); DESFORRAR(-SE); DESAGRAVAR(-SE). [*td.*: *Viveria para despicar o inimigo*. *pr.*: *despicar-se de uma afronta*.] [▶ 11 despic**ar**]

despiciendo (des.pi.ci.*en*.do) *a.* Que não merece ser descrito; DESPREZÍVEL.

despido (des.*pi*.do) *a.* **1** Que não está vestido; NU; DESNUDO. **2** *Fig.* Livre, isento de algo: *Era uma mulher despida de sofisticações*.

despique (des.*pi*.que) *sm.* **1** Ação ou resultado de despicar(-se). **2** Vingança, desforra.

despir (des.*pir*) *v.* **1** Tirar a (alguém ou si mesmo) toda a roupa ou peças dela; DESNUDAR(-SE). [*td.*: *despir o bebê para banhá-lo. pr.*: *Despi-me do casaco.*] **2** Privar(-se) do que o cobre; DESNUDAR(-SE). [*td.*: *O vento despiu as árvores. pr.*: *Despiu-se da pesada maquiagem.*] **3** *Fig.* Deixar de lado; ABANDONAR; DESPOJAR-SE. [*td.*: *Despiu o orgulho e pediu desculpas. pr.*: *despir-se da vaidade.*] **4** *Fig.* Despojar ilicitamente da posse; ESPOLIAR. [*tdi.* + *de*: *Despiu-a da sua parte nos lucros.*] [▶ 50 despir]

despistar (des.pis.*tar*) *v. td.* **1** Fazer perder a pista, o rastro: *Conseguiu despistar o cão farejador.* **2** *Fig.* Iludir, ludibriar: *Despistou-o quanto à situação da firma.* [▶ 1 despistar]

desplante (des.*plan*.te) *sm.* **1** *Fig.* Atrevimento, ousadia: *Foi mal-educado e teve o desplante de pedir gorjeta.* **2** *Esp.* Na esgrima, posição em que o corpo se apoia na perna esquerda.

desplumar (des.plu.*mar*) *v. td.* Arrancar as plumas ou penas a (uma ave); DEPENAR. [▶ 1 desplumar]

despojado (des.po.*ja*.do) *a.* **1** Privado da posse de algo: *despojado de seus bens.* **2** Desprovido de exagero; SIMPLES: *Ela tem um estilo despojado de vestir-se.*

despojamento (des.po.ja.*men*.to) *sm.* Ação ou resultado de despojar(-se).

despojar (des.po.*jar*) *v.* **1** Espoliar, roubar, defraudar, saquear. [*td.*: *Os piratas despojaram o navio.*] **2** Privar(-se) da posse (de). [*tdi.* + *de*: *Despojou-o de todos os bens. pr.*: *Tive de despojar-me dos imóveis.*] **3** Privar(-se) do que o cobre; despir(-se), desnudar(-se). [*tdi.* + *de*: *despojar a ovelha de sua lã. pr.*: *Despojou-se do vestido e foi dormir.*] **4** Deixar de lado; LARGAR. [*pr.*: *despojar-se da vaidade.*] [▶ 1 despojar]

despojo (des.*po*.jo) [ó] *sm.* **1** O que é saqueado do inimigo depois de um embate. [PL.: [ó].] ▣ **despojos** *smpl.* **2** Restos mortais: *Os despojos do poeta foram transportados para sua cidade natal.*

despolir (des.po.*lir*) *v. td. pr.* Fazer perder ou perder o polimento, o lustre, o brilho; DESLUSTRAR(-SE). [▶ 52 despolir]

despolpar (des.pol.*par*) *v. td.* Tirar a polpa de (fruto). [▶ 1 despolpar]

despoluir (des.po.lu.*ir*) *v.* **1** Livrar(-se) de poluição. [*td.*: *despoluir um rio/o ar. pr.*: *Certas cidades já não conseguem despoluir-se.*] **2** *Fig.* Livrar(-se) de algo nocivo ou corruptor). [*tdi.* + *de*: *Despoluímos o bairro dos delinquentes. pr.*: *despoluir-se de maus pensamentos.*] [▶ 56 despoluir] ● **des.po.lu.i.***ção* *sf.*

despontar (des.pon.*tar*) *v.* **1** Começar a aparecer; NASCER; SURGIR. [*int.* (ger. seguido de indicação de lugar): "A estrela d'alva no céu desponta..." (Noel Rosa e João de Barro, *As pastorinhas*).] **2** Desfazer(-se) ou gastar(-se) a ponta de. [*td.*: *Com uma lixa, despontou os lápis do irmão. int./pr.*: *O lápis despontou(-se) quando caiu.*] **3** Fazer ficar ou ficar sem gume. [*td.*: *O uso inadequado pode despontar a navalha. pr.*: *A faca logo despontou-se.*] [▶ 1 despontar] [Cf.: *desapontar.*]

desporte, desporto (des.*por*.te, des.*por*.to) [ó], [ô] *sm.* Atividade esportiva (*desportes* aquáticos); ESPORTE. ● **des.por.***tis*.ta *a2g.s2g.*; **des.por.***ti*.vo *a.*

desposar (des.po.*sar*) *v.* **1** Contrair núpcias com; CASAR(-SE). [*td.*: *Ela desposou o primeiro namorado. pr.*: *Vai desposar-se com uma linda moça; Desposaram-se ontem.*] **2** Promover, acertar o casamento de. [*td.*: *Quer desposar logo todos os filhos.* *tdi.* + *com*: *Seu sonho é desposar a filha com João.*] **3** *Fig.* Unir(-se) espiritualmente (com). [*ti.* + *com/a*: *A alma do religioso desposa(-se) com Cristo.*] [▶ 1 desposar]

déspota (*dés*.po.ta) *a2g.s2g.* **1** Que ou quem governa arbitrária ou opressivamente (rei *déspota*); TIRANO. **2** Que ou quem exerce a autoridade como um tirano.

despótico (des.*pó*.ti.co) *a.* **1** Que comanda como um déspota. **2** Em que há despotismo.

despotismo (des.po.*tis*.mo) *sm.* **1** Condição de déspota. **2** Ação de déspota; TIRANIA. **3** Sistema de governo baseado numa autoridade absoluta não limitada pelas leis.

despovoado (des.po.vo.*a*.do) *a.* Diz-se de lugar em que não há habitantes nem casas; DESABITADO; ERMO.

despovoar (des.po.vo.*ar*) *v.* Fazer ficar ou ficar com poucos habitantes, ou sem eles. [*td.*: *A guerra despovoou muitas aldeias. pr.*: *A cidade despovoou-se com o fechamento da fábrica.*] [▶ 16 despovoar]

desprazer (des.pra.*zer*) *v.* **1** Desagradar, desaprazer. [*int./ti.* + *a*: *Seus maus modos desprazem (a todos).*] [▶ 37 desprazer] **2** Falta de prazer; DESAGRADO.

desprecatar-se (des.pre.ca.*tar*-se) *v. pr.* Descuidar-se, desprevenir-se. [▶ 1 desprecatar-se]

despregado (des.pre.*ga*.do) *a.* Que se despregou; que está solto.

despregar¹ (des.pre.*gar*) *v.* **1** Tirar os pregos de. [*td.*] **2** Desunir(-se), soltar(-se) o que estava pregado ou preso. [*td.* (seguido ou não de indicação de lugar): *despregar um quadro (da parede). pr.*: *O encosto da cadeira despregou-se.*] **3** Desviar (a atenção, o olhar etc.) de. [*td.* (seguido ou não de indicação de lugar): "O velho bebeu, sem despregar os olhos do prato." (Aluísio Azevedo, *O cortiço*). *pr.*: *Seu pensamento não despregava do filho.*] [▶ 14 despregar]

despregar² (des.pre.*gar*) *v.* **1** Abrir(-se), soltar(-se) no ar; DESFRALDAR(-SE). [*td.*: *Todo dia despregam a bandeira nacional. pr.*: *Os lenços despregavam-se no adeus.*] **2** Desenrolar(-se), estender(-se). [*td.*: *despregar uma peça de tecido. int./pr.*: *Dali via despregar(-se) a planície.*] **3** Levantar, alçar. [*td.*: *O avião despregou voo.*] **4** Desfazer(-se) pregas em rugas de; alisar(-se); desenrugar(-se). [*td. pr.*: [▶ 14 despregar]

despreguiçar-se (des.pre.gui.*çar*-se) *v. pr.* Esticar os membros por causa de cansaço ou sono; ESPREGUIÇAR-SE. [▶ 12 despreguiçar-se]

desprender (des.pren.*der*) *v.* **1** Livrar(-se) (do que o prendia); desatar(-se); desamarrar(-se). [*td.* (seguido ou não de indicação de fonte/origem): *Desprendi-o (da corda). pr.*: *Conseguiu desprender-se das correntes.*] **2** Passar a ter desapego por; DESLIGAR-SE. [*pr.*: *desprender-se das riquezas.*] **3** Afastar-se, desviar-se. [*pr.*: *Disse que se desprenderá das manias.*] **4** Emitir, soltar (som). [*td.*: *O sabiá desprendeu seu canto.*] **5** Exalar, emanar. [*td.*: *desprender um forte odor. pr.*: "...o perfume da água-de-colônia a desprender-se de seu corpo..." (Josué Montello, *Um rosto de menina*).] [▶ 2 desprender]

desprendido (des.pren.*di*.do) *a.* Diz-se de pessoa que não se apega a bens materiais; DESAPEGADO.

desprendimento (des.pren.di.*men*.to) *sm.* **1** Ação ou resultado de desprender(-se). **2** Desapego a valores materiais. **3** Gesto ou comportamento generosos; ALTRUÍSMO.

despreocupação (des.pre.o.cu.pa.*ção*) *sf.* Estado de quem se encontra sem preocupação; TRANQUILIDADE. [PL.: -*ções.*]

despreocupado (des.pre.o.cu.*pa*.do) *a.* Que está livre de preocupação; TRANQUILO; SOSSEGADO.

despreocupar (des.pre.o.cu.*par*) *v.* **1** Livrar(-se) de preocupação; TRANQUILIZAR(-SE). [*td.*: *Ler a sua carta me despreocupou.*] **2** *Despreocupem-se quanto a isto.*] [▶ 1 despreocupar]

despreparo (des.pre.*pa*.ro) *sm.* Falta de preparo para uma atividade profissional ou tarefa; INABILIDADE; INCOMPETÊNCIA. ● **des.pre.pa.***ra*.do *a.*

despressurizar (des.pres.su.ri.*zar*) *v. td. pr.* Fazer cessar ou cessar a pressurização (em avião, nave espacial etc.). [▶ 1 despressurizar] ● **des.pres.su.ri.***za*.*ção* *sf.*

desprestigiar (des.pres.ti.gi.*ar*) *v*. Fazer perder ou perder o prestígio; DESACREDITAR(-SE). [*td*.: *A interdição desprestigiou o bar*. *pr*.: *O político desprestigiou-se por ter desrespeitado um eleitor*.] [▶ 1 desprestigiar]

desprestígio (des.pres.*tí*.gi:o) *sm*. Falta ou perda de prestígio; DESCRÉDITO.

despretensão (des.pre.ten.*são*) *sf*. Falta de pretensão ou de ambição; MODÉSTIA. [Pl.: -*sões*.]

despretensioso (des.pre.ten.si:*o*.so) [ô] *a*. Que não tem pretensão nem ambição; MODESTO. [Fem. e pl.: [ó].]

desprevenido (des.pre.ve.*ni*.do) *a*. 1 Que não está prevenido; DESPRECAVIDO. 2 *Pop*. Sem dinheiro suficiente.

desprevenir (des.pre.ve.*nir*) *v*. Não(se)prevenir; desaperceber(-se); descuidar(-se). [*td*.: *Despreveniu a comunidade para não causar pânico*. *pr*.: *desprevenir-se dos riscos*.] [▶ 49 desprevenir]

desprezar (des.pre.*zar*) *v*. 1 Tratar com desprezo ou desdém (outrem ou si mesmo); DESRESPEITAR(-SE); DESDENHAR(-SE). [*td*.: *Respeitava todos e não desprezava ninguém*. *pr*.: *Desprezava-se por julgar-se incompetente*.] 2 Não levar em consideração; DESATENDER. [*td*.: *desprezar conselhos*.] [▶ 1 desprezar]

desprezível (des.pre.*zi*.vel) *a2g*. 1 Que merece desprezo; VERGONHOSO. 2 Mínimo, imperceptível: *aumento desprezível no salário*. [Pl.: -*veis*.]

desprezo (des.*pre*.zo) [ê] *sm*. Falta de apreço ou de estima por algo ou alguém.

desprimor (des.pri.*mor*) [ô] *sm*. 1 Falta de primor; IMPERFEIÇÃO. 2 Falta de delicadeza; DESCORTESIA.

desprimoroso (des.pri.mo.*ro*.so) [ô] *a*. 1 Em que não há primor; IMPERFEITO. 2 Em que não há delicadeza; DESCORTÊS. [Fem. e pl.: [ó].]

desproporção (des.pro.por.*ção*) *sf*. Falta de proporção; inadequação ao tamanho padrão. [Pl.: -*ções*.]

desproporcionado (des.pro.por.ci:o.*na*.do) *a*. Ver *desproporcional*.

desproporcional (des.pro.por.ci:o.*nal*) *a2g*. Que está fora da proporção adequada; DESPROPORCIONADO. [Pl.: -*nais*.]

despropositado (des.pro.po.si.*ta*.do) *a*. Que não tem ou perdeu o propósito (pedido despropositado); ABSURDO.

despropositar (des.pro.po.si.*tar*) *v. int*. Dizer ou fazer despropósitos ou disparates; DESNORTEADO, passou a despropositar. [▶ 1 despropositar]

despropósito (des.pro.*pó*.si.to) *sm*. 1 Dito ou feito inoportuno ou sem propósito; DISPARATE. 2 *Fam*. Grande quantidade: *Compraram um despropósito de comida*.

desproteger (des.pro.te.*ger*) *v. td*. Faltar com ou tirar a proteção a; DESAMPARAR. [▶ 35 desproteger] • des.pro.te.gi.do *a*.

desproveito (des.pro.*vei*.to) *sm*. 1 Falta de aproveitamento; DESPERDÍCIO. 2 Prejuízo, detrimento.

desprover (des.pro.*ver*) *v*. Privar(-se) de provisões ou do necessário. [*td*.: *Desprovê os empregados (de condições adequadas)*. *pr*.: *Desproveem-se de tudo para dar aos outros*.] [▶ 26 desprover]

desprovido (des.pro.*vi*.do) *a*. Que é carente ou necessitado de algo: *pessoas desprovidas de fé*.

despudor (des.pu.*dor*) [ô] *sm*. Falta de pudor, de decoro, de decência.

despudorado (des.pu.do.*ra*.do) *a.sm*. Que ou quem tem ou demonstra despudor.

desqualificação (des.qua.li.fi.ca.*ção*) *sf*. 1 Qualidade do que perdeu a excelência. 2 Condição da pessoa que perdeu suas boas qualidades, sua reputação. 3 Exclusão de um ou mais concorrentes de um torneio ou concurso; DESCLASSIFICAÇÃO. [Pl.: -*ções*.]

desqualificado (des.qua.li.fi.*ca*.do) *a.sm*. 1 Que ou o que perdeu a excelência. 2 Que ou quem perdeu seu valor, sua reputação; DESACREDITADO. 3 Que ou quem perdeu o direito de participar de torneio ou concurso.

desqualificar (des.qua.li.fi.*car*) *v*. 1 Fazer perder as boas qualidades a. [*td*.: *A mentira acabou por desqualificá-lo*.] 2 Fazer perder a qualificação a. [*td*.: "É uma tática muito comum tentar desqualificar as pessoas que estão investigando..." (*FolhaSP*, 07.08.99).] 3 Eliminar ou ser eliminado de disputa; DESCLASSIFICAR(-SE). [*td*.: *desqualificar um atleta*. *pr*.: *Desqualificou-se na prova de direção*.] 4 *Jur*. Retirar (de um crime) as circunstâncias que o qualificam. [*td*.] [▶ 11 desqualificar]

desquitado (des.qui.*ta*.do) *a.sm*. Que ou quem se separou do cônjuge por meio de desquite.

desquitar (des.qui.*tar*) *v*. Separar(-se) (um cônjuge do outro) mediante desquite. [*td*.: *O juiz vai desquitá-los hoje*. *pr*.: *Desquitaram-se há muito tempo*.] [▶ 1 desquitar]

desquite (des.*qui*.te) *sm*. *Jur*. Separação de um casal e de seus bens sem quebra do vínculo do matrimônio. [Cf.: *divórcio*.]

desratizar (des.ra.ti.*zar*) *v. td*. Eliminar os ratos de (um lugar). [▶ 1 desratizar]

desregrado (des.re.*gra*.do) *a*. 1 Que não segue as normas estabelecidas; DESCOMEDIDO. 2 Desordenado, irregular. 3 Que não tem moral; DEVASSO; LIBERTINO.

desregramento (des.re.gra.*men*.to) *sm*. 1 Falta de norma; DESCONTROLE. 2 Desordem, irregularidade. 3 Depravação, libertinagem.

desregrar (des.re.*grar*) *v*. Fazer sair ou sair da regra ou do comedimento. [*td*.: *Alguns poucos alunos conseguiram desregrar toda a classe*. *pr*.: *A classe desregrou-se*.] [▶ 1 desregrar]

desregulamentar (des.re.gu.la.men.*tar*) *v. td*. Cancelar regras ou normas de. [▶ 1 desregulamentar] • des.re.gu.la.men.ta.*ção* *sf*.

desrespeitar (des.res.pei.*tar*) *v. td*. 1 Faltar com o respeito a; DESACATAR: *Educado, não desrespeitava ninguém*. 2 Violar, infringir, transgredir: *desrespeitar as leis de trânsito*. [▶ 1 desrespeitar]

desrespeito (des.res.*pei*.to) *sm*. Falta de respeito; DESCASO; DESACATO.

desrespeitoso (des.res.pei.*to*.so) [ô] *a*. Falto de respeito ou consideração; DESAFORADO; INSOLENTE. [Fem. e pl.: [ó].]

dessalinizar (des.sa.li.ni.*zar*) *v. td*. Extrair o sal da água do mar para se obter água pura ou potável. [▶ 1 dessalinizar] • des.sa.li.ni.za.*ção* *sf*.

desse (des.se) Contr. da prep. *de* com o pr. dem. *esse*: *Lembra desse retrato?* [NOTA: Popularmente, é muito us. para intensificar o sentido de um substantivo: *Preciso de um desses shorts compridos*.]

dessecar (des.se.*car*) *v. td*. Tornar completamente seco; SECAR; ENXUGAR. [▶ 11 dessecar] [Cf.: *dissecar*.]

dessedentar (des.se.den.*tar*) *v. td. pr*. Matar a sede a (alguém ou si mesmo); SACIAR(-SE). [▶ 1 dessedentar]

dessemelhança (des.se.me.*lhan*.ça) *sf*. Ausência de semelhança; DIFERENÇA; DISPARIDADE.

dessemelhante (des.se.me.*lhan*.te) *a2g*. Que é diferente, desigual.

dessentir (des.sen.*tir*) *v. td*. Deixar de sentir, ou de perceber. [▶ 50 dessentir]

desserviço (des.ser.*vi*.ço) *sm*. Ação que causa dano a pessoas ou a instituições: *O vereador prestou um desserviço à cidade*.

desservir (des.ser.*vir*) *v. td. pr*. Prestar desserviço; causar prejuízo ou transtorno a (outrem ou si mesmo). [▶ 50 desservir]

dessexuado (des.se.xu:*a*.do) [cs] *a*. 1 Privado das características de seu sexo; ASSEXUADO. 2 *Fig*. Que não experimenta desejos ou prazeres sexuais.

dessoldar (des.sol.*dar*) *v. td. pr*. Fazer perder ou perder a solda. [▶ 1 dessoldar]

dessorar | destocar

dessorar (des.so.*rar*) *v.* **1** Transformar(-se) em soro. [*td. pr.*] **2** *Fig.* Debilitar(-se), enfraquecer(-se). [*td.*: *A saudade o dessora*. *pr.*: *Seu vigor dessora-se a cada dia*.] [▶ 1 dessorar]

destabocado (des.ta.bo.*ca*.do) *a.sm. Bras. Fam.* **1** Que ou quem não age adequadamente; INCONVENIENTE; ATREVIDO. **2** Que ou quem fala muito; TAGARELA. **3** Que ou quem perdeu a timidez. **4** Que ou quem é brincalhão, gozador.

destacamento (des.ta.ca.*men*.to) *sm.* **1** Ação ou resultado de destacar. **2** Desligamento, separação. **3** *Mil.* Grupo que se separa da tropa para cumprir uma missão específica.

destacar (des.ta.*car*) *v.* **1** Encarregar (alguém) (de tarefa, de missão especial etc.). [*td.* (seguido de indicação de finalidade): *O general destacou alguns homens para sua guarda pessoal*.] **2** Separar(-se), desligar(-se). [*td.* (com ou sem indicação de fonte/origem): *destacar folhas (de um livro)*. *pr.*: *As pétalas destacam-se com a ventania*.] **3** Dar destaque a ou ter destaque, realce; DISTINGUIR(-SE). [*td.* (com ou sem indicação de fonte/origem): *Seu belo rosto a destacava (das outras)*. *pr.*: "Senhorinha destacava-se do grupo, na sua timidez de menina..." (Aluísio Azevedo, *O cortiço*).] [▶ 11 destacar ● des.ta.*ca*.do *a*.

destacável (des.ta.*cá*.vel) *a2g.* **1** Que é digno de ser realçado. **2** Que pode ser separado do conjunto. [Pl.: *-veis*.]

destampar (des.tam.*par*) *v.* Tirar ou retirar a tampa ou o tampo de. [*td.*: *destampar uma panela*. *pr.*: *O tonel destampou-se com o sacolejo*.] [▶ 1 destampar]

destampatório (des.tam.pa.*tó*.ri.o) *sm.* **1** Discussão violenta com gritos. **2** Despropósito, destempero. **3** *Pop.* Repreensão, descompostura.

destapar (des.ta.*par*) *v.* Tirar ou soltar-se qualquer cobertura de. [*td.*: *Destapou a boca, tirando a mordaça*. *pr.*: *A lata caiu no chão e destapou-se*.] [▶ 1 destapar]

destaque (des.*ta*.que) *sm.* **1** Qualidade do que sobressai; EVIDÊNCIA; REALCE. **2** Aquilo que se distingue em seu meio: *Cinema brasileiro é destaque em Cannes*. **3** Pessoa, coisa ou assunto relevante: *A guerra do Iraque foi destaque em todos os jornais do mundo*; *Desfilou como destaque da escola de samba*.

destarte (des.*tar*.te) *adv.* Assim sendo; assim; deste modo: *Chovia muito; destarte, resolveu não sair de casa*.

deste (*des*.te) [ê] Contr. da prep. *de* com o pr. dem. *este*: *Em agosto deste ano saio de férias*.

destelhar (des.te.*lhar*) *v. td. pr.* Arrancar ou quebrar telhas de (edificação), ou tê-las arrancadas. [▶ 1 destelhar]

destemido (des.te.*mi*.do) *a.* Que não tem medo; CORAJOSO; VALENTE.

destemor (des.te.*mor*) [ô] *sm.* Ausência de medo; CORAGEM; VALENTIA.

destemperado (des.tem.pe.*ra*.do) *a.* **1** Que não tem moderação; DESCOMEDIDO; DESREGRADO. **2** A que se juntou água alterando a consistência, o gosto ou a cor (tinta *destemperada*).

destemperança (des.tem.pe.*ran*.ça) *sf.* Qualidade de quem não tem moderação; DESCOMEDIMENTO; IMODERAÇÃO.

destemperar (des.tem.pe.*rar*) *v.* **1** Despropositar-se, desatinar-se, exaltar-se. [*pr.*: *O motorista destemperava-se com o engarrafamento*.] **2** Fazer perder ou perder a têmpera (um metal). [*td.*: *destemperar o aço*. *int./pr.*: *O ferro destemperou(-se)*.] **3** Tornar menos forte ou o sabor de (comida ou bebida). [*td.*] [▶ 1 destemperar]

destempero (des.tem.*pe*.ro) [ê] *sm.* Falta de comedimento; DESATINO; DESCOMEDIMENTO.

desterrar (des.ter.*rar*) *v.* Fazer deixar ou deixar a terra natal ou de adoção; EXPATRIAR(-SE); EXILAR(-SE).
[*td.*: *A ditadura desterrou os oposicionistas*. *pr.*: *Desterrou-se voluntariamente*.] [▶ 1 desterrar]

desterro (des.*ter*.ro) [ê] *sm.* **1** Ação ou resultado de sair da terra natal ou domicílio, por imposição penal ou voluntariamente. **2** Lugar onde se vive desterrado: *A África foi o seu desterro*. **3** Solidão, isolamento.

destilação (des.ti.la.*ção*) *sf. Quím.* Operação que consiste em passar um líquido para o estado gasoso, por meio do calor, e desse estado gasoso de volta para o líquido, depurando-o de substâncias indesejáveis: *destilação do álcool*. [Pl.: *-ções*.]

destilador (des.ti.la.*dor*) [ô] *a.* **1** Que destila. *sm.* **2** Aparelho us. na destilação; ALAMBIQUE.

destilar (des.ti.*lar*) *v. td.* **1** Deixar que saia em gotas; GOTEJAR; RESSUMAR: *A seringueira destila o látex*. **2** *Fig.* Deixar perceber; INSTILAR: *Suas palavras destilavam ódio*. **3** *Quím.* Operar a destilação ou separação de (líquidos) por evaporação e condensação de vapores; ESTILAR. [▶ 1 destilar ● des.ti.*la*.do *a*.

destilaria (des.ti.la.*ri*.a) *sf.* Local onde se faz destilação.

destinação (des.ti.na.*ção*) *sf.* **1** Ação ou resultado de reservar alguma coisa para determinado fim: *destinação de recursos*. **2** Objetivo a ser atingido ou local a ser alcançado; DESTINO; DIREÇÃO. [Pl.: *-ções*.]

destinar (des.ti.*nar*) *v.* **1** Dar destino a; determinar antecipadamente. [*td.*: *Quem destina a vida dos homens?*] **2** Fazer com que se dedique ou dedicar-se a. [*td.* (seguido de indicação de finalidade): *Destina o filho à advocacia*. *pr.*: *Destinou-se a cuidar dos pobres*.] **3** Reservar (algo) (para determinado destino ou fim); DESIGNAR. [*td.* (seguido de indicação de finalidade): "O Brasil destinou, no ano passado, cerca de 20% das exportações à Argentina." (FolhaSP, 15.07.99).] [▶ 1 destinar]

destinatário (des.ti.na.*tá*.ri.o) *sm.* Pessoa a quem se destina ou envia alguma coisa: *Faltava o endereço do destinatário na carta*.

destingir (des.tin.*gir*) *v.* Fazer perder ou perder a tinta; DESBOTAR. [*td.*: *Uma só lavagem destingiu a calça*. *int./pr.*: *Alguns tecidos destingem(-se) mais facilmente*.] [▶ 46 destingir]

destino (des.*ti*.no) *sm.* **1** Força ou poder superior que supostamente determinaria todos os fatos da vida humana; FATALIDADE; SORTE. **2** Aquilo que vai acontecer com alguém; FUTURO. **3** Finalidade ou aplicação para que se designa algo: *Dei um bom destino às minhas economias*. **4** Local para onde se pretende ir; DESTINAÇÃO; META: SAIR SEM DESTINO.

destituição (des.ti.tu.i.*ção*) *sf.* **1** Ação ou resultado de destituir(-se); DEMISSÃO; DEPOSIÇÃO: *destituição do ministro*. **2** Falta, privação. [Pl.: *-ções*.]

destituído (des.ti.tu.*í*.do) *a.* **1** Afastado de um cargo, de uma função ou honraria; DEPOSTO; DEMITIDO. **2** Carente, desprovido, necessitado.

destituir (des.ti.tu.*ir*) *v.* **1** Demitir de ou renunciar a (cargo, dignidade, emprego). [*td.*: *O deputado destituirá o assessor*. *pr.*: *Destituímo-nos da direção*.] **2** Privar (alguém ou si mesmo) da posse de (algo); ESPOLIAR(-SE); DESAPOSSAR(-SE). [*tdi. + de*: *Vão destituí-lo do imóvel*. *pr.*: *A freira destituiu-se de seus bens*.] [▶ 56 destituir]

destoante (des.to.*an*.te) *a2g.* **1** Que não está de acordo; DISCORDANTE; DIVERGENTE. **2** *Fig.* Que não condiz; INADEQUADO; INCONVENIENTE. **3** Que sai do tom; DESAFINADO.

destoar (des.to.*ar*) *v.* **1** Perder o tom ou a afinação; DESAFINAR. [*int.*] **2** Divergir, discordar. [*ti. + de*: *Nunca destoa dos pais*.] **3** Não combinar com ou não ser próprio de. [*ti. + de*: *Seus trajes destoavam da ocasião*.] [▶ 16 destoar]

destocar (des.to.*car*) *v. td.* Arrancar toco(s) de (árvores). [▶ 11 destocar]

destorcer (des.tor.*cer*) *v.* Endireitar(-se) (o que estava torcido). [*td.*: *destorcer* um fio de arame. *pr.*: A alça do vestido *destorceu-se*.] [▶ **33** destor<u>cer</u>] [Cf.: *distorcer*.]

destra (*des*.tra) [ê] *sf.* A mão direita. [Cf.: *sinistra*.]

destrambelhado (des.tram.be.*lha*.do) *a.sm. Fam. Fig.* **1** Que ou quem é confuso, desorganizado. **2** Que ou quem comete desatinos.

destrambelhar (des.tram.be.*lhar*) *v. Fig.* **1** Passar a levar vida irregular ou desregrada. [*int.*: *Destrambelhou* de vez e já nem trabalha.] **2** Escangalhar. [*int.*: Com a queda, meu celular *destrambelhou*.] **3** Transtornar ou ficar transtornado. [*td.*: A perda do marido a *destrambelhou*. *int.*: É difícil ele *destrambelhar*.] [▶ **1** destrambe<u>lhar</u>]

destrancar (des.tran.*car*) *v. td.* Tirar a tranca de; ABRIR: *destrancar* um cofre. [▶ **11** destran<u>car</u>]

destrançar (des.tran.*çar*) *v. td.* **1** Desfazer a trança de: *destrançar* o cabelo. **2** Desenredar (fios). [▶ **12** destran<u>çar</u>]

destratar (des.tra.*tar*) *v. td. Bras.* Tratar mal; DESRESPEITAR. [▶ **1** destra<u>tar</u>] [Cf.: *distratar*.]

destravar (des.tra.*var*) *v.* Soltar(-se) (o que estava travado). [*td.*: *destravar* um mecanismo. *pr.*: A porta da garagem *destravou-se*.] [▶ **1** destra<u>var</u>]

destreinado (des.trei.*na*.do) *a.* Que está sem treino (atleta *destreinado*).

destreza (des.*tre*.za) [ê] *sf.* **1** Agilidade corporal e/ou habilidade manual; PERÍCIA. **2** Aptidão, engenho. **3** *Fig.* Demonstração de esperteza. **4** Qualidade de destro.

destrinçar, destrinchar (des.trin.*çar*, des.trin.*char*) *v. td.* **1** Analisar pormenorizadamente: *destrinçar* um mistério. **2** Encontrar solução para; RESOLVER: *destrinchar* uma equação/uma questão. **3** Separar fios ou fibras de. [▶ **12** destrin<u>çar</u>, ▶ **1** destrin<u>char</u>]

destripar (des.tri.*par*) *v. td.* Tirar as tripas de; ESTRIPAR. [▶ **1** destri<u>par</u>]

destro (*des*.tro) [ê] *a.* **1** Diz-se de pessoa que usa preferencialmente a mão direita; DIREITO. [Cf.: *sinistro*.] **2** Que fica do lado direito. **3** Dotado de habilidade. **4** Ágil, desembaraçado.

destrocar (des.tro.*car*) *v. td.* Desfazer a troca de. [▶ **11** destro<u>car</u>]

destroçar (des.tro.*çar*) *v.* **1** Derrotar, desbaratar: *Destroçaram* o exército inimigo. **2** Arruinar, destruir: *destroçar* uma cidade. **3** Fazer em pedaços: *destroçou* o copo. [▶ **12** destro<u>çar</u>] • **des.tro.ça.do** *a.*

destroço (des.*tro*.ço) [ô] *sm.* **1** Ação ou resultado de destroçar. **2** Aquilo que foi, ou resto do que foi destroçado; RUÍNA. [Nesta acp., mais us. no pl.] [PL.: *ó*.]

destróier (des.*trói*.er) *sm. Bras. Mar.G.* Contratorpedeiro. [PL.: *-eres*.]

destronar (des.tro.*nar*) *v. td.* **1** Derrubar (um soberano) do trono. **2** Fazer perder a liderança, o prestígio etc.: *A jovem atriz destronou* a antiga diva. [▶ **1** destro<u>nar</u>] • **des.tro.na.do** *a.*; **des.tro.na.men.to** *sm.*

destroncar (des.tron.*car*) *v.* Fazer sair ou sair de articulação ou junta; DESLOCAR. [*td.*: *Destroncou* o tornozelo. *int.*: *Seu braço destroncou*.] [▶ **11** destron<u>car</u>] • **des.tron.ca.do** *a.*

destruidor (des.tru.i.*dor*) [ô] *a.sm.* Que ou quem destrói; DESTRUTIVO.

destruir (des.tru.*ir*) *v. td.* **1** Arruinar, aniquilar, devastar (algo, alguém ou si mesmo). [*td.*: *O terremoto destruiu* a catedral. *pr.*: *Destruiu-se* com o fumo.] **2** *Fig.* Ter efeito deletério; reduzir a nada. [*td.*: *O escândalo destruiu* a sua boa reputação.] **3** *Fig.* Extinguir, desfazer. [*td.*: *destruir* uma ilusão/um sonho.] **4** *Bras. Gír.* Ter grande sucesso, ou ótimo desempenho. [*int.*: *Entrou* em campo no segundo tempo e *destruiu*.] [▶ **56** destr<u>uir</u>. F. alternativas mais us.: pres. ind.

2ª pess. sing.: *destróis*; 3ª pess. sing.: *destrói*; 3ª pess. pl.: *destroem*; imper. afirm. 2ª pess. sing.: *destrói*.] • **des.tru.i.ção** *sf.*

destruível, destrutível (des.tru.*í*.vel, des.tru.*tí*.vel) *a2g.* Que pode ser destruído, aniquilado (matéria <u>destruível</u>). [PL.: *-veis*.]

destrutivo (des.tru.*ti*.vo) *a.* Diz-se do que destrói e é us. para destruir; DESTRUIDOR. [Ant.: *construtivo*.]

desumanidade (de.su.ma.ni.*da*.de) *sf.* **1** Falta de humanidade. **2** Atitude desumana.

desumano (de.su.*ma*.no) *a.* **1** Que não é humano. **2** Que demonstra desumanidade (tratamento <u>desumano</u>); ÍMPIEDOSO.

desunião (de.su.ni.*ão*) *sf.* **1** Separação, afastamento: <u>desunião</u> de um casal. **2** Desavença, discórdia (<u>desunião</u> familiar). [PL.: *-ões*.]

desunir (de.su.*nir*) *v.* **1** Desfazer(-se) ou desmembrar(-se) o que estava unido ou unificado. [*td.*: *desunir fios*. *pr.*: *Os sócios acabaram por desunir-se*.] **2** Desavir(-se), desarmonizar(-se). [*td.*: *O dinheiro desune os homens. pr.*: *Os irmãos desuniram-se por ciúmes*.] [▶ **3** desun<u>ir</u>]

desusado (de.su.*sa*.do) *a.* **1** Que caiu em desuso (modelo <u>desusado</u>); ANTIQUADO. **2** Que não costuma ocorrer: *Havia um rumor desusado no andar de cima*.

desuso (de.su.*so*) *sm.* **1** Falta de utilização, de emprego: *palavras em <u>desuso</u>*. **2** Falta de hábito, de costume.

desvairado (des.vai.*ra*.do) *a.* **1** Que perdeu o controle de si; TRESLOUCADO. **2** Desorientado, desnorteado.

desvairar (des.vai.*rar*) *v.* Fazer cair ou cair em desvario ou alucinação. [*td.*: *Uma ambição sem medida a desvairou*. *int.*: *Com a miragem da riqueza, desvairaram*.] [▶ **1** desvai<u>rar</u>] • **des.vai.ra.men.to** *sm.*

desvalia (des.va.*li*.a) *sf.* **1** Falta ou perda de valor ou serventia; DESVALOR. **2** Falta de proteção.

desvalido (des.va.*li*.do) *a.sm.* **1** Que ou quem é desprotegido, desamparado. **2** Que ou quem é pobre, miserável. **3** Que ou quem não tem valia.

desvalor (des.va.*lor*) [ô] *sm.* Ver **desvalia** (1).

desvalorização (des.va.lo.ri.za.*ção*) *sf.* **1** *Econ.* Perda do valor de troca de uma moeda em relação ao ouro ou a outra moeda mais forte no mercado; DEPRECIAÇÃO. **2** Diminuição do valor de alguma coisa: *desvalorização do projeto*. [PL.: *-ções*.]

desvalorizar (des.va.lo.ri.*zar*) *v.* **1** Fazer perder ou perder o valor; DEPRECIAR(-SE). [*td.*: *desvalorizar uma moeda. pr.*: *O ouro desvalorizou-se*.] **2** *Fig.* Fazer perder ou perder a reputação, o crédito; DESACREDITAR(-SE). [*td.* (seguido de indicação de lugar, ambiente etc.): *A má-fé o desvalorizou entre os amigos. pr.*: *Desvaloriza-se com esse tipo de atitude*.] [▶ **1** desvalori<u>zar</u>]

desvanecer (des.va.ne.*cer*) *v.* **1** Fazer desaparecer ou desaparecer; EXTINGUIR(-SE), DISSIPAR(-SE). [*td.*: *O vento desvaneceu a tempestade. int./pr.*: *A antiga desavença (se) desvaneceu*.] **2** Perder a cor; DESBOTAR-SE. [*pr.*] **3** Envaidecer(-se), esvaecer(-se). [*td.*: *Honras não desvanecem uma pessoa segura. pr.*: *Ele desvanece-se por qualquer elogio*.] [▶ **33** desvane<u>cer</u>]

desvanecido (des.va.ne.*ci*.do) *a.* **1** Que desbotou ou desapareceu (lembrança <u>desvanecida</u>). **2** *Fig.* Que está cheio de orgulho; ENVAIDECIDO. **3** *N.E. Fam.* Que tem modos exagerados; ESPEVITADO; SALIENTE.

desvanecimento (des.va.ne.ci.*men*.to) *sm.* **1** Ação ou resultado de extinguir-se, apagar-se. **2** Orgulho, vaidade, presunção. **3** *N.E. Fam.* Descomedimento, saliência.

desvantagem (des.van.*ta*.gem) *sf.* Situação de inferioridade (<u>desvantagem</u> social). [PL.: *-gens*.]

desvantajoso (des.van.ta.*jo*.so) [ô] *a.* Em que há prejuízo ou desvantagem (negócio <u>desvantajoso</u>); DESFAVORÁVEL. [Fem. e pl.: *ó*.]

desvão (des.*vão*) *sm.* **1** Recanto us. como esconderijo. **2** *Arq.* Parte superior da casa entre o forro e o telhado; SÓTÃO. **3** *Arq.* Espaço sob escadas onde ger. se guardam coisas. [Pl.: -*vãos*.]

desvario (des.va.*ri*.o) *sm.* Procedimento enlouquecido: *Cometeu o desvario de dar-lhe um tapa.*

desvelado¹ (des.ve.*la*.do) *a.* Que demonstra muito cuidado com alguém ou algo; ATENCIOSO.

desvelado² (des.ve.*la*.do) *a.* Que se descobriu; REVELADO: *Segredos desvelados não são mais segredos.*

desvelar¹ (des.ve.*lar*) *v.* **1** Tirar o sono a. [*td*.: *Os problemas financeiros a desvelam*.] **2** Passar (a noite) sem dormir; VELAR. [*td*. (com ou sem complemento explícito): *Desvela (noites) ao lado do seu leito*.] **3** Atuar, agir diligentemente; APLICAR-SE; EMPENHAR-SE. [*pr*.: *desvelar-se por um ideal*.] [▶ **1** desvel*ar*]

desvelar² (des.ve.*lar*) *v.* **1** Pôr(-se) à vista, tirando o véu. [*td*.: *desvelar o rosto*. *pr*.: *A viúva desvelou-se*.] **2** *Fig.* Revelar, elucidar. [*td*.: *desvelar um crime/um mistério*.] [▶ **1** desvel*ar*]

desvelo (des.*ve*.lo) [ê] *sm.* **1** Cuidado extremo, dedicação: *Era um pai cheio de desvelos.* **2** O objeto do desvelo (1): *Seu desvelo era a gata malhada.*

desvencilhar (des.ven.ci.*lhar*) *v.* Desprender(-se), desembaraçar(-se), livrar(-se). [*tdi*. + *de*: *Desvencilhou os pulsos das algemas*. *pr*.: *O antílope desvencilhou-se do leão*.] [▶ **1** desvencilh*ar*]

desvendar (des.ven.*dar*) *v.* **1** Tirar a venda dos olhos de. [*td*.: *O policial a desvendou*.] **2** Dar(-se) a conhecer; REVELAR(-SE). [*td*.: *Busca desvendar o mistério de seu desaparecimento*. *tdi*. + *a*: *Desvendou a ela a razão da sua indignação*. *pr*.: *O mistério enfim desvendou-se*.] [▶ **1** des.ven.*da*.do *a.*

desventura (des.ven.*tu*.ra) *sf.* Infortúnio, má sorte; DESDITA: *Teve a desventura de se associar a um homem desonesto e incompetente.*

desventurado (des.ven.tu.*ra*.do) *a.sm.* Que ou quem sofreu ou sofre desventura(s), desdita(s), má sorte.

desvestir (des.ves.*tir*) *v.* *td.* *pr.* Despir(-se). [▶ **50** desves*tir*]

desviar (des.vi.*ar*) *v.* **1** Mudar a direção de (algo, alguém ou si mesmo). [*td*. (seguido ou não de indicação de direção): *Desviei sua atenção (para o quadro)*. *pr*.: *Desvie-se (do caminho de sempre)*.] **2** Deslocar, arredar. [*td*.: *Desviou o corpo para não ser atingido*.] **3** Evitar, rechaçando. [*td*.: *desviar um soco*.] **4** Subtrair de maneira fraudulenta ou alterar o destino de; EXTRAVIAR. [*td*.: *desviar dinheiro dos cofres públicos*.] **5** Demover(-se), dissuadir(-se). [*tdi*. + *de*: *A lição o desviou do mau caminho*. *pr*.: *Não me desvio do meu objetivo*.] [▶ **1** desvi*ar*] ● **des.vi.a.do** *a.*

desvincar (des.vin.*car*) *v.* *td.* Tirar o vinco de; ALISAR. [▶ **11** desvin*car*]

desvincular (des.vin.cu.*lar*) *v.* Livrar(-se) de vínculo; DESLIGAR(-SE). [*tdi*. + *de*: *Desvincularam da escola os alunos desordeiros*. *pr*.: *desvincular-se de um partido*.] [▶ **1** desvincul*ar*] ● **des.vin.cu.la.ção** *sf.*; **des.vin.cu.la.do** *a.*

desvio (des.*vi*:o) *sm.* **1** Ação ou resultado de desviar(-se) do caminho ou posição original: *Houve um desvio na rota do avião.* **2** Caminho ou passagem alternativos (em estrada, ferrovia etc.): *Entrou com o carro em um desvio.* **3** Sinuosidade, curva: *Cuidado com o desvio na estrada.* **4** Subtração fraudulenta de valores; EXTRAVIO: *A prefeitura descobriu um desvio de milhões em seus cofres.*

desvirar (des.vi.*rar*) *v.* *td.* Fazer voltar ao normal (o que estava virado ou dobrado): *Desvire a bainha da calça.* [▶ **1** desvir*ar*]

desvirginar (des.vir.gi.*nar*) *v.* *td.* *pr.* Fazer perder ou perder a virgindade. [▶ **1** desvirgin*ar*]

desvirtuar (des.vir.tu.*ar*) *v.* **1** Desviar(-se), adulterar(-se). [*td*.: *desvirtuar os objetivos de uma instituição*. *pr*.: *Os costumes desvirtuam-se naquele ambiente*.] **2** Dar má interpretação a; DETURPAR. [*td*.: *O jornalista desvirtuou o discurso do candidato*.] **3** Depreciar a virtude ou o merecimento de. [*td*.: *Sempre tentam desvirtuar sua boa-fé*.] [▶ **1** desvirtu*ar*] ● **des.vir.tu.a.do** *a.*; **des.vir.tu:a.men.to** *sm.*

desvitalizar (des.vi.ta.li.*zar*) *v.* Privar de vitalidade, ou perdê-la; DEBILITAR(-SE); ENFRAQUECER(-SE). [*td*.: *O esforço extremo o desvitalizou*. *pr*.: *Desvitaliza-se pela doença*.] [▶ **1** desvitaliz*ar*]

detalhar (de.ta.*lhar*) *v.* *td.* Expor ou narrar com detalhes; PORMENORIZAR: *detalhar um acontecimento*. [▶ **1** detalh*ar*] ● **de.ta.lha.men.to** *sm.*

detalhe (de.*ta*.lhe) *sm.* Minúcia, pormenor: *Ficou observando os detalhes da decoração.*

detecção (de.tec.*ção*) *sf.* Ação ou resultado de detectar, de perceber algo ou de captar sinais. [Pl.: -*ções*.]

detectar (de.tec.*tar*) *v.* *td.* **1** Perceber, notar: *Ninguém detectou suas segundas intenções.* **2** Localizar (o que se procura) mediante sonar, radar etc.: *detectar uma mina/um submarino.* [▶ **1** detect*ar*]

detector (de.tec.*tor*) [ô] *sm.* Aparelho que detecta ou revela variações de alguma natureza (sonora, elétrica etc.).

detença (de.*ten*.ça) *sf.* Demora, delonga: *Sem mais detença, concluiu seu discurso.*

detenção (de.ten.*ção*) *sf.* **1** Ação ou resultado de deter: *Foi preso pela detenção de armas em sua casa.* **2** Prisão provisória: *O delegado ordenou a detenção do suspeito.* **3** *Jur.* Pena menos rigorosa que a reclusão. [Pl.: -*ções*.]

detento (de.*ten*.to) *sm.* *Bras.* Preso, prisioneiro.

detentor (de.ten.*tor*) [ô] *a.sm.* Que ou quem detém: *o detentor do recorde mundial.*

deter (de.*ter*) *v.* **1** Fazer parar ou parar. [*td*.: *deter uma epidemia*. *pr*.: *O homem deteve-se antes de o trem passar*.] **2** Conter(-se), reprimir(-se). [*td*.: *Não pôde deter o grito de susto*. *pr*.: *Quis dizer-lhe umas verdades, mas deteve-se*.] **3** Ter ou manter em seu poder. [*td*.: *deter uma escritura*.] **4** Fazer demorar ou demorar(-se). [*td*. (seguido de indicação de lugar): *Detive-a em casa, até que você chegasse*. *pr*.: *Detêm-se sempre nas livrarias*.] **5** Fixar-se demoradamente (em algo). [*pr*.: *O professor de história tende a deter-se em datas*.] **6** Suspender, postergando. [*td*.: *deter uma investigação*.] [▶ **7** det*er*]. Acento agudo no *e* das desinências nas 2ª e 3ª pess. sing. do pres. do ind. e 2ª pess. sing. do imper. afirm.]

detergente (de.ter.*gen*.te) *a2g.* **1** Que limpa, purifica (diz-se de substância ou agente químico). *sm.* **2** Produto doméstico destinado à limpeza.

detergir (de.ter.*gir*) *v.* *td.* Limpar com substância ou agente químico. [▶ **45** deter*gir*. Defec. ger. impess.]

deteriorar (de.te.ri:o.*rar*) *v.* **1** Danificar(-se), estragar(-se), apodrecer. [*td*.: *A maresia deteriora os metais*. *pr*.: *Com o calor, as frutas deterioram-se*.] **2** *Fig.* Piorar, agravar(-se). [*td*.: *O frio deteriorava a sua asma*. *pr*.: *A situação no país deteriorou-se*.] [▶ **1** deteriorar*] ● **de.te.ri:o.ra.ção** *sf.*; **de.te.ri:o.rá.vel** *a2g.*

determinação (de.ter.mi.na.*ção*) *sf.* **1** Ação ou resultado de determinar(-se). **2** Resolução, decisão: *Ouviu a determinação do chefe.* **3** Capacidade de ser firme, decidido, persistente. [Pl.: -*ções*.]

determinado (de.ter.mi.*na*.do) *a.* **1** Que se determinou, particularizou ou estabeleceu: *O encontro ocorreu no dia determinado.* **2** Que tomou decisão, resolução; DECIDIDO; RESOLUTO. *sm.* **3** *Ling.* Numa construção sintática, o núcleo principal ao qual se subordinam os outros termos (p.ex.: na construção oracional *As flores amarelas abriram*, o sujeito *As flores amarelas* é o determinado; já na construção nominal *as flores amarelas*, o determinado é o subst. *flores*. [Ver *determinante* (2), *núcleo* (1) e *subordinação* (2).] *pr.indef.* **4** Anteposto a um subst., acrescenta-lhe sentido não

identificável, indefinido, e se assemelha a 'algum': *Em determinados pontos, o vapor transformou-se em líquido.*

determinador (de.ter.mi.na.*dor*) [ô] *a.sm.* Que, quem ou o que determina, define, ocasiona; DETERMINANTE: *O forte calor foi o determinador de seu desmaio.*

determinante (de.ter.mi.*nan*.te) *a2g.sm.* 1 Que o aquilo que determina ou provoca algo; DETERMINADOR. *sm.* 2 *Ling.* Elemento (ger. de palavra composta) que qualifica (o) outro, formando com este uma unidade de significado (p.ex., na palavra composta *banana-prata*, *prata* é o determinante). 3 *Ling.* Função semântica das palavras gramaticais (artigos, pr. poss. etc.) que em geral precedem o substantivo. 4 *Mat.* Certa função da álgebra.

determinar (de.ter.mi.*nar*) *v.* 1 Indicar com precisão; PRECISAR; DEFINIR. [*td.*: *Ainda não se conseguiu determinar a origem do vírus.*] 2 Ordenar, prescrever, decretar. [*td.*: *O juiz determinou a prisão preventiva do corrupto.* **tdi.** + *a*: *Eles determinaram à filha que não voltasse depois de meia-noite.*] 3 Causar, ocasionar. [*td.*: *Uma briga entre os herdeiros determinou a venda da casa.*] 4 Estabelecer, marcar (dia, hora, prazo etc.); fixar. [*td.*] 5 Fazer tomar ou tomar decisão, resolução; RESOLVER(-SE), DECIDIR(-SE). [*td.*: *Determinei que se marcasse a reunião.* **tdi.** + *a*: *O frio me determinou a antecipar o retorno.* *pr.*: *Determinou-se a voltar a estudar.*] [▶ 1 determin<u>ar</u>]

determinismo (de.ter.mi.*nis*.mo) *sm. Fil.* Sistema de ideias segundo o qual cada fenômeno é rigorosamente condicionado pelos que o antecederam, e dos quais é consequência. ● **de.ter.mi.*nis*.ta** *a2g.s2g.*

detestar (de.tes.*tar*) *v.* Sentir ódio, aversão ou horror a. [*td.*: *Detesto a injustiça.* *pr.*: *Os dois detestam-se há anos.*] [▶ 1 detest<u>ar</u>]

detestável (de.tes.*tá*.vel) *a2g.* Que desperta aversão, repulsa, indignação, nojo etc. [Pl.: *-veis*.]

detetive (de.te.*ti*.ve) *sm.* 1 Agente policial que trabalha em investigações. 2 Investigador particular.

detido (de.*ti*.do) *a.* 1 Que foi impedido de prosseguir, de fazer algo): *veículo detido ao cruzar a fronteira*. 2 Que foi preso temporariamente (suspeito detido). *sm.* 3 Indivíduo detido, preso temporariamente: *Os detidos estavam no pátio*. 4 Preso, prisioneiro.

detonação (de.to.na.*ção*) *sf.* 1 Ação ou resultado de detonar. 2 Barulho súbito causado por explosão. [Pl.: *-ções*.]

detonador (de.to.na.*dor*) [ô] *a.sm.* 1 Que ou aquilo que detona, que faz explodir. *sm.* 2 Dispositivo destinado a provocar a detonação de uma carga explosiva.

detonar (de.to.*nar*) *v.* 1 Provocar forte explosão de ou estrondear pela explosão de (bomba, dinamite, granada etc.). [*td. int.*] 2 Disparar (arma de fogo). [*td. int.*] 3 *Fig.* Deflagrar, desencadear. [*td.*: *Os escândalos detonaram grave crise política.*] 4 *Gír.* Devorar. [*td.*: *Detonou a feijoada.*] [▶ 1 deton<u>ar</u>] ● **de.to.*nan*.te** *a2g.*

detração (de.tra.*ção*) *sf.* 1 Ação ou resultado de detrair, de detratar. 2 Maledicência, calúnia. 3 Menosprezo. [Pl.: *-ções*.]

detrair (de.tra.*ir*) *v.* 1 Detratar ou depreciar. [*td.*: *Não se deve detrair ninguém.*] 2 Dizer mal de; MALDIZER. [*ti.* + *de*: *Detraía do caráter do chefe.*] [▶ 43 detr<u>air</u>]

⊗ **Detran** Sigla de *Departamento Estadual de Trânsito.*

detrás (de.*trás*) *adv.* Na parte posterior. ‖ ~ **de/Por** ~ **de** Na parte posterior de; atrás de: *Ele se escondeu detrás do muro.*

detratar (de.tra.*tar*) *v. td. Bras.* Dizer mal de; DETRAIR; DIFAMAR. [▶ 1 detrat<u>ar</u>]

detrator (de.tra.*tor*) [ô] *a.sm.* Que ou quem detrata.

detrimento (de.tri.*men*.to) *sm.* Prejuízo, perda: *Enriqueceu bastante, mas em detrimento dos sócios.* [Us. ger. na forma *em detrimento de*.]

detrito (de.*tri*.to) *sm.* Resíduo, resto.

deturpar (de.tur.*par*) *v. td.* Interpretar equivocadamente; deformar o sentido de; ADULTERAR: *Deturpava as palavras alheias.* [▶ 1 deturp<u>ar</u>] ● **de.tur.pa.*ção*** *sf.*

deus *sm.* 1 *Rel.* Divindade masculina em religiões politeístas. 2 *Fig.* Aquilo que se cultua ou se deseja com muita intensidade: *Seu deus era o sucesso, a fama.* ◩ **Deus** *sm.* 3 O ser supremo e perfeito, criador de todas as coisas.

deusa (*deu*.sa) *sf.* 1 *Rel.* Divindade feminina em religiões politeístas. 2 *Fig.* Mulher de grande beleza. 3 *Fig.* Mulher que é alvo de grande admiração, de adoração: "A *deusa* da minha rua..." (Jorge Faraj e Newton Teixeira, *Deusa da minha rua*).

deus-dará (deus-da.*rá*) *sm.* Us. na loc. ◼ **Ao** ~ **À toa**; ao acaso; à sorte.

deus nos acuda (deus nos a.*cu*.da) *s2n.* Grande confusão ou tumulto: *O filme foi bom, mas a entrada foi um deus nos acuda.* [NOTA: Us. sempre antecedido do artigo *um*.]

devagar (de.va.*gar*) *adv.* 1 Lentamente, suavemente: *Este rio corre devagar.* 2 Sem pressa: *Tinha tempo, arrumaria a mala devagar.* [NOTA: Us. tb. no diminutivo, expressando 'muito lentamente': *Abriu a porta devagarinho para não acordá-lo.*] *a2g.* 3 *Pop.* Que é ou está lento, mole: *Hoje estou tão devagar...* *Pop.* Com pouca aptidão para aprender ou executar tarefas; sem expediente: *Esse garoto é meio devagar.* *interj.* 5 Us. para pedir calma ou comportamento educado: *Devagar! A pipoca não vai fugir!* ‖ ~ **quase parando** *Pop.* Lento, mole demais (diz-se de pessoa). [Cf.: *divagar.*]

devanear (de.va.ne.*ar*) *v.* 1 Pensar (coisas vãs ou fantasiosas); FANTASIAR; SONHAR. [*td.* (com ou sem complemento explícito): *Vive a devanear (grandes conquistas).*] 2 Entregar-se a cogitações; DIVAGAR. [*int.*: *Sempre devaneia depois da leitura de um livro.*] [▶ 13 devane<u>ar</u>]

devaneio (de.va.*nei*.o) *sm.* Produto da imaginação; SONHO; FANTASIA; QUIMERA: *Ficou deitada na cama, perdida em devaneios.*

devassa (de.*vas*.sa) *sf.* Investigação e apuração de fatos para averiguar possíveis irregularidades: *Foi feita uma devassa na empresa.*

devassado (de.vas.*sa*.do) *a.* 1 Que foi alvo de devassa. 2 Exposto à vista do público (diz-se de lugar aberto, casas, apartamentos etc.).

devassar (de.vas.*sar*) *v. td.* 1 Invadir, penetrar para descobrir ou revelar (o que está vedado): *devassar uma conta bancária.* 2 Penetrar na intimidade ou essência de: *O jornalista devassa a vida das celebridades.* 3 Ter vista para dentro de: *O prédio recém-construído devassa o meu quarto.* [▶ 1 devass<u>ar</u>]

devassidão (de.vas.si.*dão*) *sf.* Depravação de costumes; LIBERTINAGEM. [Pl.: *-dões*.]

devasso (de.*vas*.so) *a.sm.* Que ou quem é imoral, depravado.

devastação (de.vas.ta.*ção*) *sf.* 1 Ação ou resultado de devastar; grande destruição em consequência de guerra ou vandalismo: *O bombardeio levou à devastação da cidade.* 2 Ruína proveniente de acontecimento desastroso: *Uma epidemia trouxe devastação ao campo.* 3 *Fig.* Infelicidade ou desgraça: *O divórcio causou uma devastação em sua vida.* [Pl.: *-ções*.]

devastar (de.vas.*tar*) *v. td.* 1 Arrasar, assolar: *O furacão devastou os trigais.* 2 Pilhar, saquear: *Os vândalos devastaram a cidade.* 3 Tornar desabitado: *A miséria devastara as aldeias.* 4 Arruinar, destruir: *Os cupins devastam os móveis.* [▶ 1 devast<u>ar</u>] ● **de.vas.ta.*dor*** *a.sm.*

deve (de.ve) [é] *sm. Cont.* **1** Débito lançado em livro comercial, chamado 'razão'. **2** A coluna desse livro em que se registram os débitos.

devedor (de.ve.*dor*) [ô] *a.* **1** Que deve (empresa *devedora*). **2** Que apresenta débito (saldo *devedor*). *sm.* **3** Indivíduo que deve, que tem dívida: *os devedores do imposto de renda*. [Ant.: *credor*.]

dever (de.*ver*) *v.* **1** Estar obrigado a pagar (uma soma). [*td*. (com ou sem complemento explícito): *Ele deve muito (dinheiro)*. *tdi.* + *a*: *Devo muitas prestações à loja*.] **2** Estar agradecido por qualquer coisa (a alguém ou algo). [*tdi.* + *a*: *Deve sua boa redação à sugestão do tema pela amiga*.] [▶ **2** de*ver*] [NOTA: Us. como v. auxiliar mod., seguido de infinitivo para indicar: a) obrigação: *Você deve respeitar os mais velhos*. b) necessidade: *Devo tomar este remédio para ficar bom*. c) probabilidade, e/ou futuro próximo: *Deve fazer calor amanhã*.] *sm.* **3** Obrigação moral por cumprir: *Temos o dever de ajudar os necessitados*. **4** Exercício, tarefa escolar: *Não posso sair, tenho muito dever de casa*. ⊠ **dg** Simb. de *decigrama*.

deveras (de.*ve*.ras) [é] *adv.* Na verdade, realmente: *Mereciа, deveras, um severo castigo*.

deverbal (de.ver.*bal*) *Ling. a2g.* **1** Diz-se da palavra cuja origem é um verbo. *sm.* **2** Substantivo formado de um verbo por derivação (p.ex.: *corte*, de *cortar*). [Pl.: -*bais*.]

devoção (de.vo.*ção*) *sf.* **1** Ação ou resultado de devotar(-se), de dedicar-se a alguém ou algo: *Sua devoção à causa é entusiasmante*. **2** Forte sentimento religioso: *devoção a são Jorge*. **3** Forte sentimento de veneração, de admiração, de amor: *devoção pelo pai*. [Pl.: -*ções*.]

devoluto (de.vo.*lu*.to) *a.* Que não está ocupado ou habitado (terras *devolutas*).

devolver (de.vol.*ver*) *v.* **1** Dar ou mandar de volta (o que foi recebido, entregue, esquecido etc.); RESTITUIR. [*td*.: *Devolveu o guarda-chuva do amigo*. *tdi.* + *a*: *Devolvi à loja o aparelho com defeito*.] **2** *Fig.* Retorquir, retrucar. [*td*.: *Sempre devolve as ofensas*. *tdi.* + *a*: *Devolveu ao adversário a acusação*.] **3** Recompensar, corresponder (atitude, gesto, sentimento etc.) para; RESTITUIR. [*tdi.* + *a*: *A viagem devolveu-lhe a paz de espírito*.] [▶ **2** de*vol*ver] ● **de**.**vo**.lu.*ção sf*.

devorador (de.vo.ra.*dor*) [ô] *a.sm.* Que ou quem devora.

devorar (de.vo.*rar*) *v.* **1** Comer com sofreguidão; (tb. *Fig.*) engolir de uma vez só. [*td*. (com ou sem complemento explícito): *Esse menino não come, devora (a comida)*.] **2** Consumir, destruir rápida e inteiramente (tb. *Fig.*). [*td*.: *Os gafanhotos devoram as plantações*; *O incêndio devorou a cidade*.] **3** *Fig.* Absorver (um escrito) com rapidez e sofreguidão. [*td*.: *Devorava as cartas do filho*.] **4** *Fig.* Afligir(-se), atormentar(-se) lenta e longamente. [*td*.: "Vem matar esta paixão que [me] *devora* o coração..." (Pixinguinha e João de Barro, *Carinhoso*)]. *pr.*: *Devorava-se num ciúme insano*.] [▶ **1** devo*rar*]

devotado (de.vo.*ta*.do) *a.* **1** Que foi oferecido em voto, em promessa. **2** Que é muito dedicado a alguma coisa.

devotar (de.vo.*tar*) *v.* Dedicar, oferecer (a vida, o trabalho, um sentimento), ou dedicar-se inteiramente a algo. [*tdi.* + *a*: *Devota todo o seu carinho à esposa. pr.*: *Ela devota-se inteiramente à caridade*.] [▶ **1** devo*tar*]

devoto (de.*vo*.to) [ô] *a.* **1** Que tem ou manifesta devoção (2); PIEDOSO; DEVOTADO (2): *devoto das artes*. *sm.* **3** Indivíduo devoto (1).

dez *num.* Quantidade correspondente a nove unidades mais uma. **2** Número que representa essa quantidade (arábico: 10; romano: X).

dezembro (de.*zem*.bro) *sm.* O duodécimo mês do ano. (Com 31 dias.)

dezena (de.*ze*.na) *sf.* **1** Conjunto de dez unidades. **2** Período de dez dias; DECÊNDIO.

dezenove (de.ze.*no*.ve) *num.* **1** Quantidade correspondente a 18 unidades mais uma. **2** Número que representa essa quantidade (arábico: 19; romano: XIX).

dezesseis (de.zes.*seis*) *num.* **1** Quantidade correspondente a 15 unidades mais uma. **2** Número que representa essa quantidade (arábico: 16; romano: XVI).

dezessete (de.zes.*se*.te) *num.* **1** Quantidade correspondente a 16 unidades mais uma. **2** Número que representa essa quantidade (arábico: 17; romano: XVII).

dezoito (de.*zoi*.to) *num.* **1** Quantidade correspondente a 17 unidades mais uma. **2** Número que representa essa quantidade (arábico: 18; romano: XVIII). ⊠ **dg** Simb. de *decigrama*.

dia (*di*.a) *sm.* **1** O período de tempo que vai do começo da manhã ao pôr do sol (por oposição a *noite*): *Vou trabalhar durante o dia*. **2** O período de tempo que, aproximadamente, dura a rotação da Terra em torno de seu eixo, e que, incluindo o dia e a noite, é dividido em 24 horas: *Seu plantão dura um dia inteiro*. **3** Marcação convencional de uma dia (2) no calendário, começando na hora zero e terminando na hora zero do dia seguinte: *o dia 7 de setembro*. **4** Momento propício, ocasião: *Chegara o dia de iniciar seu novo projeto*. **5** As condições atmosféricas; o tempo: *dia quente e úmido*. [Ver tb. *dias*.] ▌▌ **De** ~ Durante o período em que há luz solar. ~ **D** Dia decisivo (de início de operação militar, de realização de um negócio etc.). **Em** ~ **(com)** **1** Sem atraso (no cumprimento de tarefas, no pagamento de dívidas etc.). **2** Atualizado; a par das últimas informações. **Estar com/Ter os ~s contados** Ter pouco tempo de vida restante.

dia a dia (di.a a *di*.a) *sm.* O cotidiano; o conjunto de atividades desenvolvidas no correr dos dias: *Essas são tarefas do meu dia a dia*. [Pl.: *dia a dias*.] [NOTA: Não confundir com a loc. adv. *dia a dia*: *Dia a dia ele foi construindo sua casa*.]

diabetes, diabete (di.a.*be*.tes, di.a.*be*.te) [é] *s2g2n*., *s2g.* **1** *Med.* Nome genérico de doenças que provocam eliminação abundante de urina. **2** *Restr.* Nome atribuído (impropriamente) a uma forma de diabetes (1), a *diabetes melito*, causada pela insuficiência da secreção de insulina pelo pâncreas.

diabético (di.a.*bé*.ti.co) *a.sm.* Que ou quem sofre de diabetes.

diabo (di.*a*.bo) *sm.* **1** *Rel.* Suposta entidade maligna, de grande poder, que induz os seres humanos a atos condenáveis; DEMÔNIO; LÚCIFER; SATÃ; SATANÁS. [Ger. com inicial maiúsc.] **2** *Fig.* Indivíduo perverso. **3** *Fig.* Pessoa esperta, ou travessa: *É um diabo, dá jeito em tudo!* *interj.* **4** Exprime raiva, impaciência etc.: *Que diabo, o trem atrasou outra vez!* [Tb. us. no pl.] [Dim.: *diabrete*.] ▌▌ **Dizer o** ~ Dizer coisas desabonadoras (de algo, alguém); criticar violentamente. **Dos ~s** Excessivo (ger. em sentido negativo); infernal: *Era um barulho dos diabos!* **Estar com/Ter o** ~ **no corpo** Estar irrequieto, travesso, assanhado. **Fazer o** ~ Fazer coisas inacreditáveis.

diabólico (di.a.*bó*.li.co) *a.* **1** Ref. ao, do ou próprio do diabo; DEMONÍACO. **2** Que é atroz, terrível, funesto (plano *diabólico*).

diabrete (di.a.*bre*.te) [ê] *sm.* **1** *Fig.* Criança inquieta, travessa. **2** Diabo pequeno.

diabrura (di.a.*bru*.ra) *sf.* **1** *Fig.* Travessura ou traquinagem de criança. **2** O que é próprio do diabo.

diacho (di.*a*.cho) *sm.* **1** Diabo. *interj.* **2** Exprime raiva, impaciência etc.: *Que diacho, perdi minha caneta!*

diaconato (di:a.co.*na*.to) *sm.* Dignidade ou função de diácono.

diácono (di:á.co.no) *sm*. Clérigo de ordem imediatamente inferior à do padre.
diacrítico (di:a.crí.ti.co) *a. Gram.* Que, em grande parte dos casos, confere um valor fonético ou de duração a uma letra (diz-se de sinal gráfico).
diacronia (di:a.cro.ni.a) *sf.* **1** *Ling.* Estudo da evolução de uma língua através do tempo; esse desenvolvimento. [Cf.: *sincronia.*] **2** *Antr.* Conjunto dos fenômenos sociais e culturais em função de sua evolução no tempo; o estudo dessa evolução.
diadema (di:a.de.ma) [ê] *sm*. **1** Faixa que ornamenta a cabeça de soberanos. **2** Enfeite de forma circular ou semicircular que as mulheres usam nos cabelos.
diáfano (di:á.fa.no) *a*. Que deixa passar a luminosidade, sem ser transparente (cortina *diáfana*).
diafragma (di:a.frag.ma) *sm*. **1** *Anat.* Músculo que separa a a- cavidade torácica da abdominal. **2** Dispositivo elástico, resistente, us. como contraceptivo pelas mulheres. **3** *Cin. Fot. Telv.* Dispositivo que regula a entrada de luz na câmara.

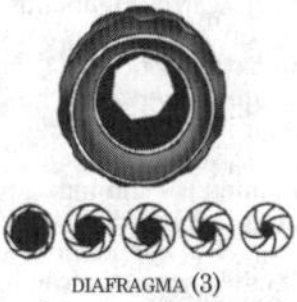

DIAFRAGMA (3)
(LÂMINAS SE FECHAM REGULANDO A ABERTURA)

diagnosticar (di:ag.nos.ti.car) *v. td.* Fazer o diagnóstico de (uma enfermidade): *O médico diagnosticou uma virose.* [▶ **11** diagnosti*car*]
diagnóstico (di:ag.nós.ti.co) *sm*. Reconhecimento e determinação de uma doença por meio da observação de seus sintomas e de exames diversos.
diagonal (di:a.go.nal) *a2g.* **1** Que é oblíquo, transversal. *sf.* **2** *Geom.* Segmento de reta que une vértices não adjacentes de um polígono. **3** *Geom.* Segmento de reta que, num poliedro, une dois vértices não pertencentes à mesma face. **4** Sentido diagonal (1); linha diagonal: *Essa rua vai em diagonal até a praça.* [Pl.: -*nais*.]

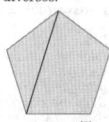

DIAGONAL (2)

diagrama (di:a.gra.ma) *sm*. Representação gráfica de um fenômeno.
diagramar (di:a.gra.mar) *v. td. Art.Gr.* Dispor e/ou determinar os elementos e a estrutura de (publicações em geral). [▶ **1** diagra*mar*] • **di.a.gra.ma.ção** *sf*; **di.a.gra.ma.dor** *sm*.
dial (di:al) *sm. Radt.* Indicador de sintonia (de rádio etc.); dispositivo que muda a sintonia e a sua marcação no indicador. [Pl.: -*ais*.]
dialética (di:a.lé.ti.ca) *sf.* **1** *Fil.* Processo e arte de se buscar uma verdade pelo diálogo e pela discussão. **2** *Fil.* Tipo de lógica que interpreta os processos (históricos, p.ex.) como oposição de forças (antítese) que tendem a se resolver numa solução (síntese). • **di.a.lé.ti.co** *a*.
dialeto (di:a.le.to) [ê] *sm*. Variante de uma língua, ger. regional, com ou sem tradição literária escrita.
dialogar (di:a.lo.gar) *v*. **1** Conversar, falar, manter diálogo (com). [*ti.* + com: *Dialoga muito com seu filho. int.*: *Alguns irmãos dialogam sempre.*] **2** Buscar entender-se (com). [*ti.* + com: *Não quer dialogar com o oponente. int.*: *Eles dialogaram para superar as discordâncias.*] [▶ **14** dialo*gar*]
diálogo (di:á.lo.go) *sm*. **1** Conversação entre duas ou mais pessoas: *Entabularam animado diálogo.* **2** Troca de ideias, opiniões etc.: *o diálogo em sala de aula.*
diamante (di:a.man.te) *sm*. **1** *Min.* Mineral constituído de carbono puro, duríssimo e muito brilhante, valioso como pedra preciosa: *mina de diamantes.* **2** Gema feita de diamante (1) lapidado. **3** Objeto us. para cortar vidro, em cuja ponta há um diamante (2). **4** Joia feita com diamante (2): *Usa um diamante no dedo.*

📖 Mineral composto exclusivamente de carbono, o diamante, por sua dureza, tem ampla utilização industrial, mas, com seu alto índice de refração e de reflexão internas, é como gema, após a lapidação, que é altamente valorizado. Origina-se em rochas vulcânicas antigas, podendo ser encontrado em leitos de rios que o arrastaram de sua locação primitiva ou em minas. Os maiores produtores atuais de diamante são Rússia, Botsuana, Canadá, Congo, Austrália, África do Sul e Angola. O Brasil concorre com c. 0,12% da produção mundial. Com a descoberta da mina de diamante em Nordestina, BA em 2013, o Brasil será capaz de multiplicar a produção numa escala superior a dez vezes.

diamantífero (di:a.man.tí.fe.ro) *a*. Em que há diamante (diz-se de solo, terreno) (região *diamantífera*).
diamantino (di:a.man.ti.no) *a*. Ref. a, ou similar ao diamante (em brilho, dureza etc.).
diâmetro (di:â.me.tro) *sm*. **1** *Geom.* Linha reta que liga dois pontos de uma circunferência, passando pelo centro. **2** Medida dessa linha: *diâmetro de 1m.*

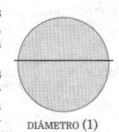

DIÂMETRO (1)

diante (di:an.te) *prep.* Us. nas locs. ◼ **~ de 1** Em frente: *Perdeu a chance diante do gol.* **2** Na presença de: *Prestou depoimento diante do juiz.* **3** Por efeito de: *Diante do seu pedido de desculpas, teve de fazer as pazes.* **Em/Por ~** Para a frente (posição mais adiantada, no tempo ou no espaço): *Deste ponto em diante a estrada tem muitas curvas; Daqui por diante valem as novas regras.*
dianteira (di:an.tei.ra) *sf*. A parte ou o ponto mais avançado; FRENTE: *Tomou a dianteira na corrida.* [Ant.: *traseira.*]
dianteiro (di:an.tei.ro) *a*. Que está na frente: *roda dianteira do carro.* [Ant.: *traseiro.*]
diapasão (di:a.pa.são) *sm. Mús.* **1** Nota de referência (ger. o lá) para afinar instrumentos e vozes. **2** Pequeno instrumento metálico que, ao vibrar, emite essa nota. **3** Alcance, extensão atingida por voz ou instrumento musical. [Pl.: -*sões*.]
diapositivo (di:a.po.si.ti.vo) *sm. Fot.* **1** Fotografia em material transparente, para ser projetada em tela ou similar. **2** Ver *slide.*
diarca (di:ar.ca) *sm*. Cada um dos dois reis ou dois soberanos de uma diarquia.
diária (di:á.ri.a) *sf.* **1** Preço cobrado por dia em hotéis, hospitais etc. **2** Quantia cobrada por dia de trabalho: *A diária da faxineira aumentou.* **3** Valor relativo a gastos comuns com um dia: *Recebeu do chefe duas diárias para a viagem.*
diário (di:á.ri:o) *a*. **1** Que se faz ou ocorre diariamente (jornal *diário*, tarefas *diárias*). *sm*. **2** Caderno, livro etc., em que alguém registra diária ou quase diariamente os acontecimentos de sua vida, seus pensamentos etc. **3** Registro dos acontecimentos do dia a dia de uma atividade, instituição, profissão etc.: *diário de classe/de bordo.* **4** Jornal diário.
diarista¹ (di:a.ris.ta) *Bras. a2g.s2g.* **1** Que ou quem é especializado em serviços domésticos prestados em várias residências em dias variados. *a2g.* **2** Que presta um serviço e recebe por dia trabalhado (enfermeira *diarista*).
diarista² (di:a.ris.ta) *s2g.* Profissional que escreve em jornal diário.
diarquia (di:ar.qui.a) *sf.* **1** País com dois governantes, ger. reis: *A Aquitânia passou a ser uma diarquia.* **2** Essa forma de governo.

diarreia (di:ar.*rei*.a) *sf. Med.* Evacuação de fezes líquidas ou moles com aumento da frequência normal.

dias (*di*.as) *smpl.* Tempo de existência: *Estava com os dias contados.*

diáspora (di:ás.po.ra) *sf.* **1** *Hist.* A dispersão dos judeus pelo mundo, a partir do séc. I. **2** Dispersão de um povo ou de uma classe pelo mundo ao longo dos anos ou séculos: *diáspora das tribos africanas pelas Américas.*

diástole (di:ás.to.le) *sf. Fisl.* Pausa muito breve do batimento do coração, na qual ele se descontrai e os ventrículos se enchem de sangue. [Cf.: *sístole.*]

diatérmico (di:a.*tér*.mi.co) *a.* Que faculta, ou não impede a transmissão de calor (material diatérmico).

diatômico (di:a.*tô*.mi.co) *a. Fís.* Que possui dois átomos (molécula diatômica).

diatônico (di:a.*tô*.ni.co) *a. Mús.* Que procede por sucessão natural de tons e semitons (escala diatônica).

diatribe (di:a.*tri*.be) *sf.* Crítica amarga e violenta: *O deputado lançou da tribuna veemente diatribe contra o projeto de lei.*

dibrânquio (di.*brân*.qui:o) *sm. Zool.* Animais marinhos que possuem duas brânquias (órgãos respiratórios) e uma bolsa de tinta, como p.ex. as lulas e os polvos.

dica (*di*.ca) *sf. Bras. Pop.* **1** Informação útil que é pouco conhecida. **2** Indicação, orientação: *Se eu der uma dica você decifra o enigma.*

dicção (dic.*ção*) *sf.* Maneira de pronunciar ou articular as palavras quando se fala: *Para ser bom locutor, deve melhorar sua dicção.* [PL.: -ções.]

dicionário (di.ci:o.*ná*.ri:o) *sm.* **1** Obra que reúne, em ordem alfabética, as palavras de uma língua ou os termos referentes a uma matéria específica, e descreve seu significado, uso, etimologia etc., na mesma língua ou em outra: *dicionário de cinema/de inglês.* [Sin. (*Fam.*) nesta acp.: *pai dos burros, tira-teima(s).*] **2** O conjunto das palavras ou termos de um dicionário (1); LÉXICO. [Cf.: *glossário.*]

dicionarista (di.ci:o.na.*ris*.ta) *s2g.* Pessoa especializada em elaborar dicionários; LEXICÓGRAFO.

dicionarizar (di.ci:o.na.ri.*zar*) *v. td.* **1** Registrar em dicionário: *dicionarizar novos usos de palavras existentes.* **2** Organizar em forma de dicionário: *dicionarizar as dificuldades da língua espanhola.* [▶ **1** dicionariz[ar] • **di.ci:o.na.ri.za.***ção* *sf.*; **di.ci:o.na.ri.***za*.do *a.*; **di.ci:o.na.ri.***zá*.vel *a2g.*

dicotilédone, dicotiledôneo (di.co.ti.*lé*.do.ne, di.co.ti.le.*dô*.ne:o) *a2g., a. Bot.* Ref. às dicotiledôneas, espécie de planta cujo grão abriga dois cotilédones (folhas embrionárias) (caule dicotiledôneo).

dicotomia (di.co.to.*mi*.a) *sf.* **1** Método de classificação em divisões que incluem, cada uma, no máximo dois elementos. **2** Qualquer divisão de um conceito em apenas dois componentes, ger. opostos em algum aspecto (p.ex.: *democracia/ditadura; amadorismo/ profissionalismo.*) • **di.co.*tô*.mi.co** *a.*

dicroico (di.*croi*.co) *a.* **1** Que tem a propriedade de refletir certas cores e de desviar outras (refletor dicroico). **2** Que tem a propriedade de desviar parte da cor, reduzindo a radiação térmica (lâmpada dicroica). • **di.*cro*.ís.mo** *sm.*

dictério (dic.*té*.ri:o) *sm.* Gozação ou zombaria dirigida a alguém.

didata (di.*da*.ta) *s2g.* **1** Pessoa que domina os (bons) métodos de ensino. **2** Quem escreve livros de ensino.

didática (di.*dá*.ti.ca) *sf.* **1** A (boa) técnica de ensinar. **2** Conjunto de conhecimentos relativos ao processo de ensinar e aprender.

didático (di.*dá*.ti.co) *a.* **1** Que usa de boa didática (1); que facilita a aprendizagem: *uma palestra muito didática.* **2** Próprio para ensinar (material didático).

diedro (di:*e*.dro) [é] *sm.* **1** *Geom.* Ângulo formado por dois planos a partir de uma mesma aresta de origem. *a.* **2** Ref. a esse ângulo.

DIEDRO

dielétrico (di.e.*lé*.tri.co) *a.sm. Elet.* Que ou aquilo que não conduz eletricidade.

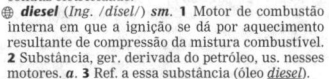

⊕ **diesel** (*Ing. /dísel/*) *sm.* **1** Motor de combustão interna em que a ignição se dá por aquecimento resultante de compressão da mistura combustível. **2** Substância, ger. derivada do petróleo, us. nesses motores. *a.* **3** Ref. a essa substância (óleo diesel).

⊕ **diet** (*Ing. /dáiet/*) *a2g2n.* Termo que designa alimentos indicados para dietas com restrição ou proibição de algum nutriente (açúcar, carboidrato, gordura, proteínas etc.) (refrigerantes *diet*).

dieta¹ (di:*e*.ta) *sf.* **1** *Med.* Regime alimentar que contempla dosagens de substâncias nutritivas, de acordo com condições específicas: *dieta rica em proteínas.* **2** Tipo de alimentação usualmente consumida por um indivíduo, um grupo, uma cultura: *A dieta dos índios brasileiros é baseada em mandioca e milho.* **3** Regime alimentar prescrito por um médico com privação total ou parcial de alimento: *Faz dieta para emagrecer.*

dieta² (di:*e*.ta) *sf.* Assembleia política ou legislativa (em alguns Estados, esp. na Europa).

dietética (di:e.*té*.ti.ca) *sf. Med.* Estudo sobre dietas: *curso de nutrição e dietética.*

dietético (di:e.*té*.ti.co) *a.* Ref. a dieta¹. **2** Que segue (diz-se de alimento, regime etc.) ou é feito de acordo com alguma forma de dieta¹ (1 e 3).

dietista (di:e.*tis*.ta) *s2g.* Pessoa especializada em dietética.

difamar (di.fa.*mar*) *v. td.* Destruir a boa fama de (alguém), difundindo informações, falsas ou verdadeiras; INFAMAR; DETRATAR: *Enciumado, ele tentou difamar o rival.* [▶ **1** difam[ar] • **di.fa.ma.***ção* *sf*; **di.fa.ma.***dor* *a.sm.*; **di.fa.ma.***tó*.ri:o *a.*

diferença (di.fe.*ren*.ça) *sf.* **1** Aquilo que distingue uma coisa de outra: *a diferença entre os gêmeos.* [Ant.: *semelhança.*] **2** Distinção, separação: *A avó não fazia diferença entre os netos.* **3** Mudança, transformação: *Via diferença no tom da voz.* **4** *Arit.* Resultado de uma subtração. • **diferenças** *sfpl.* **5** Discordância de ideias, conceitos, comportamentos etc.: *Nossas diferenças impediram a assinatura do contrato.*

diferençar (di.fe.ren.*çar*) *v.* Ver *diferenciar.* [▶ **12** diferenç[ar]

diferenciação (di.fe.ren.ci:a.*ção*) *sf.* Ação ou resultado de diferenciar(-se): *fazer diferenciação entre coisas distintas.* [PL.: -ções.]

diferenciador (di.fe.ren.ci:a.*dor*) [ó] *a.sm.* Que ou o que faz a diferença entre duas ou mais pessoas ou coisas: *A idade será um diferenciador no grupo.*

diferencial (di.fe.ren.ci:*al*) *a2g.sm.* **1** Que ou o que apresenta ou implica uma diferença em relação a coisas do mesmo gênero: *O diferencial desta loja é o atendimento.* *sm.* **2** *Mec.* Dispositivo de veículos automotivos que permite que as rodas motrizes direita e esquerda tenham rotações diferentes (nas curvas), mantendo o equilíbrio do veículo. **3** *Mat.* Produto da derivada de um função pela variação infinitesimal da variável. [PL.: *-ais.*]

diferenciar (di.fe.ren.ci:*ar*) *v.* **1** Tornar(-se), fazer(-se) diferente(s), distinto(s) ou dessemelhante(s). [*td.*: *Precisamos diferenciar este produto, fazê-lo único no mercado. tdi.* + *de*: *Vamos diferenciar este carro de todos os concorrentes. pr*.: "...as formigas se diferenciavam dos outros, porque jagunço não é muito de conversa..." (Guimarães Rosa, *Grande sertão: veredas*).] **2** Distinguir, discriminar. [*td.*: *diferenciar*

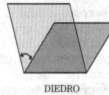

os caracteres. tdi. + de, entre: diferenciar uma coisa de outra.] [Sin. ger.: *diferençar*.] [▶ **1** diferenciar]
• di.fe.ren.ci.a.do *a*.

diferente (di.fe.*ren*.te) *a2g*. **1** Que se distingue de outras coisas ou pessoas: *Esta praia é muito diferente da outra*. **2** Não igual, não semelhante (conceitos *diferentes*); DESSEMELHANTE. **3** Em que houve uma mudança ou alteração: *Olhou-me de um jeito diferente.* **4** Fora do comum; especial: *uma aula diferente.* **5** Diverso, variado: *Existem diferentes maneiras de jogar ioiô.* [Ant. nas acps. 1, 2 , 3 e 5: *igual.*] [Cf.: *deferente*.]

diferir (di.fe.*rir*) *v*. *ti*. **1** Ser diferente, dessemelhante; DISTINGUIR-SE. [*ti. + de*: *Ele difere muito do pai*. *int.*: *É difícil dois irmãos diferirem tanto.*] **2** Divergir, discordar. [*ti. + de, entre*: *Diferiam entre si em quase tudo, mas continuavam conversando.* *int.*: *Tentam chegar a um acordo, mas ainda diferem muito.*] **3** Adiar, postergar. [*td.*: *Diferiu a data do casamento.*] [▶ **50** diferir] [Cf.: *deferir.*] • di.fe.ri.*men*.to *sm*.

difícil (di.*fi*.cil) *a2g*. **1** Que é complicado, penoso, trabalhoso, custoso: *uma viagem difícil*. **2** Pouco provável: *É difícil aprovarem tal proposta.* **3** Que é pouco amistoso ou sociável (pessoa *difícil*). **4** Embaraçoso, preocupante: *Perdeu dinheiro e passaporte, e ficou em situação difícil*. *sm*. **5** Coisa difícil (1); dificuldade: *O difícil é conseguir financiamento.* *adv*. **6** De maneira difícil (1): *Ele fala difícil, não dá para entender.* [Ant. ger.: *fácil*.] [Pl.: *-ceis.* Superl.: *dificílimo, dificilíssimo*.]

dificuldade (di.fi.cul.*da*.de) *sf*. **1** Qualidade ou condição de difícil. **2** Situação difícil (1): *Enfrentou dificuldades ao longo do projeto*. **3** Obstáculo, impedimento: *dificuldade de falar com a boca anestesiada*. **4** Coisa complicada, intricada, complexa. **5** Situação de falta de dinheiro ou de recursos materiais: *Nunca passou dificuldade.*

dificultar (di.fi.cul.*tar*) *v*. Tornar difícil, penoso ou complicado. [*td.*: *Sua teimosia dificultará o entendimento*. *tdi. + a*: *Seu sotaque dificultou a todos a compreensão do discurso.*] [▶ **1** dificultar]

dificultoso (di.fi.cul.*to*.so) [ô] *a*. Que oferece dificuldade (2 e 3) (tarefa *dificultosa*). [Fem. e pl.: [ó].]

difração (di.fra.*ção*) *sf*. Fís. Conjunto de efeitos produzidos quando uma onda (de luz, de som ou de eletricidade) esbarra em alguma coisa. [Pl.: *-ções*.]

difteria (dif.te.*ri*.a) *sf*. Med. Certa doença infecciosa causada por bactéria, que provoca formação de placas brancas na garganta. • dif.*té*.ri.co *a*.

difundir (di.fun.*dir*) *v*. **1** Tornar amplamente conhecido (uma notícia, uma ideia, um conteúdo cultural etc.); PROPAGAR(-SE); DIVULGAR(-SE). [*td.*: *difundir a boa música popular*. *pr*.: *O boato difundiu-se muito rapidamente.*] **2** Disseminar(-se), espargir(-se), irradiar(-se). [*td.*: *As flores difundiam um doce perfume*. *pr*.: *A luz da lamparina difundia-se fracamente pelo quarto.*] [▶ **3** difundir] • di.fu.*sor* sm.

difusão (di.fu.*são*) *sf*. **1** Ação ou resultado de difundir(-se). **2** Estado ou condição do que se difundiu (2); espalhamento; dispersão: *difusão de partículas no ar*. **3** Fig. Divulgação para o público: *difusão de informações*. **4** Ópt. Dispersão de raios luminosos após passarem por meio óptico que apresenta pequenas partículas ou irregularidades na superfície. [Pl.: *-sões*.]

difusionismo (di.fu.si:o.*nis*.mo) *sm*. Antr. Transmissão ou troca de elementos culturais (objetos, costumes, linguagens) entre povos diferentes (*difusionismo tecnológico*).

difuso (di.*fu*.so) *a*. **1** Em que houve difusão (2 e 4); espalhamento: *iluminação por luz difusa*. **2** Em que não há precisão; que excede o necessário; prolixo

(texto *difuso*). **3** *Med*. Não concentrado em um só ponto ou órgão (infecção *difusa*).

digerir (di.ge.*rir*) *v*. *td*. **1** Fazer a digestão de: (com ou sem complemento explícito) *Digere mal (os alimentos)*. **2** *Fig*. Absorver (algo) intelectual ou moralmente: (com ou sem complemento explícito) *Ele já digeriu (a agressão).* [▶ **50** digerir]

digestão (di.ges.*tão*) *sf*. Fis. Processo de transformação dos alimentos em substâncias nutritivas e nos restantes detritos. [Pl.: *-tões*.] [Ver *digestório*.]

digestivo (di.ges.*ti*.vo) *a*. **1** Ref. a digestão (processo *digestivo*). *a.sm*. **2** Que ou aquilo que facilita a digestão (chá *digestivo*).

digesto (di.*ges*.to) [é] *sm*. Obra ou conjunto de obras que reúne regras e leis (*digesto* romano/presbiteriano).

digestório (di.ges.*tó*.ri:o) *a*. **1** Digestivo (1). **2** Anat. Diz-se de sistema formado por órgãos cuja função é fazer a digestão dos alimentos.

📖 O sistema digestório dos animais superiores é composto de órgãos que, num processo sequencial denominado digestão, recebem os alimentos por via oral, absorvem as substâncias nutrientes e eliminam os resíduos. A digestão já começa na boca, com a mastigação e a salivação do alimento; a faringe é a via de acesso ao esôfago, e como é comum ao sistema respiratório, a passagem do alimento para este é bloqueada pela epiglote. O esôfago é um tubo que atravessa o diafragma e leva o alimento ao estômago, onde os ácidos do suco gástrico atuam quimicamente sobre o alimento, preparando-o para a digestão completa e impelindo-o para os intestinos. No intestino delgado verifica-se a fase principal da digestão e absorção dos nutrientes. Os resíduos são impelidos para o intestino grosso, de onde são eliminados através do reto e do ânus. Órgãos acessórios do sistema digestório são o fígado, o pâncreas e a vesícula biliar, contribuindo esta para a absorção das gorduras, a eliminação de toxinas e a antissepsia dos intestinos.

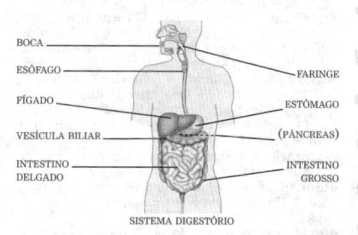

BOCA
ESÔFAGO
FARINGE
FÍGADO
ESTÔMAGO
VESÍCULA BILIAR
(PÂNCREAS)
INTESTINO DELGADO
INTESTINO GROSSO

SISTEMA DIGESTÓRIO

digitação (di.gi.ta.*ção*) *sf*. **1** Ação ou resultado de digitar, de inserir dados, senhas num computador usando os dedos e o teclado. **2** Processo ou técnica de digitar textos etc.: *serviços de digitação*. [Pl.: *-ções*.]

digitado (di.gi.*ta*.do) *a*. **1** Que passa por digitação (1) (texto *digitado*). **2** Que tem a forma de dedo humano; DIGITIFORME.

digital¹ (di.gi.*tal*) *a2g*. **1** Ref. aos ou dos dedos (impressões *digitais*). **2** Ref. a dígito, que se apresenta em dígitos (mostrador *digital*). **3** *Inf*. Que é processado na forma de dígitos (algarismos) por microcomputador (biblioteca *digital*). **4** *Inf*. Que tem o intervalo entre dois valores dividido num número finito de divisões (relógio *digital*). [Pl.: *-tais*.] [Cf.: *analógico*.]

digital² (di.gi.*tal*) *sf. Bot.* Planta venenosa cujas flores têm forma de dedo. [Pl.: *-tais*.]

digitalizador (di.gi.ta.li.za.*dor*) [ô] *sm. Inf.* Equipamento que lê texto, imagem ou voz, transformando-os em linguagem digital¹ (3).

digitalizar (di.gi.ta.li.*zar*) *v. td. Inf.* Converter (informação em formato analógico) em formato digital, para que se possa processar por computador e armazenar em arquivo. [▶ 1 digitaliz<u>ar</u>] ● di.gi.ta.li.za.*ção sf.*

digitar (di.gi.*tar*) *v. Inf.* **1** Introduzir, registrar (informação, dados, texto etc.) em computador, pressionando teclas do teclado com os dedos. [*td.*] **2** Pressionar com os dedos teclas do teclado de um computador para digitar (1) algo. [*int.*: *Tinha muito trabalho, e passou a noite <u>digitando</u>.*] [▶ 1 digit<u>ar</u>] ● di.gi.ta.*dor a.sm.*

digitiforme (di.gi.ti.*for*.me) *a2g.* Ver *digitado* (2).

digitígrado (di.gi.*tí*.gra.do) *a.* **1** Que anda apoiado nas pontas dos dedos (diz-se de animal) (p.ex.: gato e hiena). *sm.* **2** *Zool.* Animal digitígrado.

dígito (*dí*.gi.to) *sm.* **1** Qualquer algarismo de 0 a 9: *Preencha o ano de nascimento com quatro <u>dígitos</u>.* **2** *Inf.* Elemento de um conjunto de símbolos numéricos. **3** Dígito (1) que se segue a um número de código, separado deste por traço, para efeito de verificação ou controle: *conta 0000, <u>dígito</u> -0.* [Tb. *dígito de verificação* ou *dígito de controle*.]

digladiar (di.gla.di.*ar*) *v.* **1** Bater-se, enfrentar de corpo a corpo usando espada ou gládio. [*int./pr.*: *No circo romano, escravos eram obrigados a <u>digladiar(-se)</u>.*] **2** *Fig.* Combater; argumentar ou discutir ardorosamente. [*int./pr.*: *Embora amigos, <u>digladiam(-se)</u> sobre tudo e sobre todos.*] [▶ 1 digladi<u>ar</u>]

dignar-se (dig.*nar*-se) *v. pr.* Ter a bondade, a condescendência de: *Não <u>se dignou</u> a atender o pedido.* [▶ 1 dign<u>ar</u>-se]

dignidade (dig.ni.*da*.de) *sf.* **1** Qualidade de digno. **2** Amor-próprio, respeito a si mesmo, honradez pessoal, altivez. **3** Função ou cargo honroso; honraria: *<u>dignidade</u> de reitor.* **4** Decência, honestidade.

dignificar (dig.ni.fi.*car*) *v.* **1** Tornar(-se) digno; ENGRANDECER(-SE). [*td.*: *A caridade <u>dignifica</u> o homem. pr.*: *Estudar é <u>dignificar-se</u> pelo conhecimento.*] **2** Honrar. [*td.*: *"Precisamos <u>dignificar</u> a camisa do Guarani, afirmou o treinador..." (FolhaSP, 16.05.99).*] **3** Elevar a determinada dignidade (3). [*td.*: *<u>Dignificou-o</u> com uma embaixada na Europa.*] [▶ 11 dignific<u>ar</u>] ● dig.ni.fi.ca.*ção sf.*; dig.ni.fi.*can*.te *a2g.*

dignitário (dig.ni.*tá*.ri:o) *sm.* Quem ocupa um cargo importante e elevado.

digno (*dig*.no) *a.* **1** Merecedor de: *livro <u>digno</u> de ser lido.* **2** Honesto, decente: *trabalho <u>digno</u> e qualificado.*

dígrafo (*dí*.gra.fo) *sm. Gram.* Duas letras escritas em sequência, representando um único som (p.ex., *rr, ss, nh* etc.).

digressão (di.gres.*são*) *sf.* **1** Ação ou resultado de se desviar do assunto tratado: *um discurso cheio de <u>digressões</u>.* **2** Viagem, passeio. **3** Evasiva, pretexto. [Pl.: *-sões*.]

dilação (di.la.*ção*) *sf.* **1** Adiamento, prorrogação: *<u>dilação</u> de prazo.* **2** Demora, delonga: *Cumpra a tarefa sem <u>dilação</u>.* [Pl.: *-ções*.]

dilacerante (di.la.ce.*ran*.te) *a2g.* **1** Que dilacera, que parte em pedaços (mordida <u>dilacerante</u>). **2** *Fig.* Que choca; que tortura, e faz sofrer (grito <u>dilacerante</u>, tristeza <u>dilacerante</u>).

dilacerar (di.la.ce.*rar*) *v.* **1** Rasgar despedaçando; LACERAR. [*td.*: *O leão <u>dilacerou</u> a presa.*] **2** *Fig.* Afligir(-se), mortificar(-se). [*td.*: *A saudade a <u>dilacera</u>. pr.*: *Seu coração <u>dilacerava-se</u> de ciúme.*] [▶ 1 dilacer<u>ar</u>] ● di.la.ce.*ra*.do *a.*; di.la.ce.ra.*men*.to *sm.*

dilapidação (di.la.pi.da.*ção*) *sf.* **1** Ação ou resultado de dilapidar, de demolir, destruir (tb. *Fig.*): *<u>dilapidação</u> de monumentos públicos/da capacidade financeira.* **2** Ação ou resultado de gastar muito, de esbanjar recursos: *Impediu a <u>dilapidação</u> dos bens do tio.* [Pl.: *-ções*.]

dilapidar (di.la.pi.*dar*) *v. td.* **1** Destruir, arruinar, estragar: *<u>Dilapidaram</u> a antiga sede da Prefeitura.* **2** Extinguir, gastando descomedidamente: (seguido ou não de indicação de circunstância) *<u>Dilapidou</u> toda a sua fortuna (no jogo).* [▶ 1 dilapid<u>ar</u>]

dilatação (di.la.ta.*ção*) *sf.* **1** Ação ou resultado de dilatar; aumento de tamanho em volume ou largura: *a <u>dilatação</u> do metal pela ação do calor.* **2** *Fig.* Aumento de tempo ou prazo. [Pl.: *-ções*.]

dilatado (di.la.*ta*.do) *a.* **1** Em que há dilatação, aumento de tamanho (pupilas <u>dilatadas</u>). **2** Que teve acréscimo de tempo (prazo <u>dilatado</u>).

dilatar (di.la.*tar*) *v.* **1** Fazer aumentar ou aumentar de volume, de diâmetro, de extensão ou de duração. [*td.*: *Estafado, o cavalo <u>dilatava</u> as narinas. pr.*: *Sua perspectiva de vida <u>dilatou-se</u> com o tratamento.*] **2** Fazer durar ou adiar, retardar. [*td.*: *<u>dilatou</u> o encontro/o horário do dentista.*] **3** Demorar-se. [*pr.*: *Entusiasmados, <u>dilataram-se</u> em sua visita ao museu.*] [▶ 1 dilat<u>ar</u>]

dileção (di.le.*ção*) *sf.* Afeição ou carinho especial, preferência por alguém ou por alguma coisa. [Pl.: *-ções*.]

dilema (di.*le*.ma) [è] *sm. Fig.* Situação problemática para a qual há duas saídas, gerando indecisão.

diletante (di.le.*tan*.te) *a2g.s2g.* Que ou quem exerce uma atividade por prazer, e não por obrigação (esp. no que se refere à música). ● di.le.tan.*tis*.mo *sm.*

dileto (di.*le*.to) [é] *a.* Que é preferido, muito querido.

diligência¹ (di.li.*gên*.ci:a) *sf.* **1** Cuidado, zelo: *Embrulhou o presente com muita <u>diligência</u>.* **2** Rapidez, presteza: *"...até os próprios vadios desempregados, aparentavam <u>diligência</u> e prontidão." (Aluísio Azevedo, O mulato).* **3** Medida, providência: *Este caso requer <u>diligências</u> urgentes.* **4** Investigação, busca (<u>diligências</u> policiais).

diligência² (di.li.*gên*.ci:a) *sf.* Veículo puxado a cavalos, us. antigamente para transportar pessoas e objetos.

diligenciar (di.li.gen.ci.*ar*) *v.* Empenhar-se, esforçar-se por. [*td.*: *<u>Diligenciamos</u> concluir o projeto no prazo. ti. + para, por*: *<u>Diligenciava</u> por satisfazer a filha.*] [▶ 1 diligenci<u>ar</u>]

diligente (di.li.*gen*.te) *a2g.* **1** Que é cuidadoso e dedicado: *O enfermeiro prestou assistência <u>diligente</u>.* **2** Rápido, ligeiro: *Um funcionário <u>diligente</u> em suas tarefas.*

diluir (di.lu.*ir*) *v.* **1** Tornar menos densa (solução) acrescentando líquido. [*td.*: *Vamos <u>diluir</u> esse suco, está muito concentrado.*] **2** Dissolver(-se) algo, substância, em um líquido (ger. água). [*td.*: *<u>diluir</u> um comprimido. pr.*: *O azeite não <u>se dilui</u> na água.*] **3** *Fig.* Desvanecer(-se) ou enfraquecer(-se). [*td.*: *As boas notícias <u>diluíram</u> sua tristeza. pr.*: *"Mas logo o nervosismo se <u>diluiu</u>..." (João Ubaldo Ribeiro, Diário do farol).*] [▶ 56 dil<u>uir</u>] ● di.lu:i.*ção sf.*; di.lu:*en*.te *a2g.*

diluviano (di.lu.vi:*a*.no) *a.* Ref. a dilúvio, esp. o universal: *período <u>diluviano</u> da Terra.*

dilúvio (di.*lú*.vi:o) *sm.* **1** Segundo a Bíblia, inundação total da Terra que ocorreu como castigo de Deus. **2** *Fig.* Chuva muito forte e duradoura que provoca inundação.

dimanar (di.ma.*nar*) *v.* **1** Fluir, manar, brotar. [*int.* (seguido de indicação de lugar): *Este rio dimana por entre pedras.*] **2** Fig. Provir, originar-se. [*ti.* + *de*: *A justiça dimana de Deus.*] [▶ **1** dimanar]

dimensão (di.men.*são*) *sf.* **1** Extensão de uma porção do espaço que se pode medir em todos os sentidos (convencionados como três). **2** Cada um dos três sentidos que configuram essa extensão mensurável: altura, largura e profundidade ou espessura. **3** Tamanho, volume: *Não faço ideia da dimensão do espaço.* **4** Fig. Importância: *É grande a dimensão da obra desse artista.* [Pl.: -*sões.*] • **di.men.si:o.nal** *a2g.*

dimensionalidade (di.men.si:o.na.li.*da*.de) *sf.* **1** Qualidade do que tem dimensão. **2** Conjunto de dimensões de um espaço.

dimensionar (di.men.si:o.*nar*) *v. td.* Calcular as dimensões ou as proporções de (algo). [▶ **1** dimensionar] • **di.men.si:o.na.men.to** *sm.*

dímer (*di*.mer) *sm. Elet.* Aparelho que permite regular a intensidade da iluminação elétrica.

diminuendo (di.mi.nu:*en*.do) *sm. Mat.* Numa subtração, número que representa a quantidade da qual se tira outra; MINUENDO.

diminuente (di.mi.nu:*en*.te) *a2g.* Que diminui.

diminuição (di.mi.nu:i.*ção*) *sf.* **1** Ação ou resultado de diminuir, de reduzir a quantidade de elementos de um conjunto; SUBTRAÇÃO: *diminuição do número de vagas de um concurso.* [Ant.: *aumento.*] **2** Redução de grau, intensidade ou extensão de algo: *diminuição do interesse.* **3** *Arit.* Operação de subtrair quantidades; SUBTRAÇÃO.

diminuidor (di.mi.nu:i.*dor*) [ô] *a.sm.* **1** Que ou aquilo que diminui; REDUTOR: *medida diminuidora da violência. sm.* **2** Numa subtração, número que representa a quantidade que se tira de outra; SUBTRAENDO.

diminuir (di.mi.nu.*ir*) *v.* **1** Tornar(-se) menor; reduzir(-se) quantidade, medida, intensidade ou duração de. [*td.*: *diminuir o tempo de espera. int.*: *Com a economia, os gastos diminuíram.*] **2** Fazer parecer menor. [*td.*: *Tenta diminuir a idade com a maquiagem.*] **3** Ver ou apresentar como menor (qualidade, valor, atos, ideias de alguém ou de si mesmo); DEPRECIAR(-SE). [*td.*: *Invejoso, diminuía sempre as iniciativas do colega. pr.*: *Vivia diminuindo-se diante do chefe.*] **4** *Arit.* Deduzir (número, valor, parcela) de; SUBTRAIR. [*td.* (seguido da indicação da quantidade da qual se subtrai): *É preciso diminuir o valor dos impostos do resultado obtido.*] [▶ **56** diminuir]

diminutivo (di.mi.nu.*ti*.vo) *Gram. sm.* **1** Grau de substantivos e adjetivos (por vezes tb. de advérbios) que pode indicar pouco tamanho ou intensidade, envolvimento afetivo ou intenção depreciativa (p.ex.: *queridinha, belezoca, rapidinho*). *a.* **2** Que dá ideia de diminuição (**1** e **2**) (sufixo *diminutivo*).

diminuto (di.mi.*nu*.to) *a.* **1** De tamanho muito pequeno (*jardim diminuto*). **2** Em quantidade muito menor do que a necessária ou esperada (*plateia diminuta*).

dinamarquês (di.na.mar.*quês*) *a.* **1** Da Dinamarca (Europa); típico desse país ou de seu povo. **2** *Zool.* Ref. a certa raça de cães grandes com pelo curto, de uma cor só ou manchado. *sm.* **3** Pessoa nascida na Dinamarca. **4** *Zool.* Cão dinamarquês (**2**). *a.sm.* **5** *Gloss.* Da, ref. à ou a língua falada na Dinamarca. [Pl.: -*queses.* Fem.: -*quesa.*]

dinâmica (di.*nâ*.mi.ca) *sf.* **1** *Fís.* Parte da mecânica que estuda os movimentos dos corpos relacionando-os às forças que os provocam. **2** O potencial ou o movimento de alterações em situação, processo, desenvolvimento etc., por ação das forças ou energias neles presentes: *a dinâmica do desenvolvimento sustentável.*

dinâmico (di.*nâ*.mi.co) *a.* **1** Ref. a dinâmica. **2** Que é ativo; ENÉRGICO. **3** Que está em constante alteração (*mercado dinâmico*).

dinamismo (di.na.*mis*.mo) *sm.* Qualidade de quem ou daquilo que é dinâmico (**2** e **3**).

dinamitar (di.na.mi.*tar*) *v. td.* Fazer explodir com dinamite. [▶ **1** dinamitar]

dinamite (di.na.*mi*.te) *sf. Quím.* Material explosivo feito à base de nitroglicerina.

dinamizar (di.na.mi.*zar*) *v. td.* Insuflar energia e dinamismo em; emprestar caráter dinâmico a: *dinamizar uma atuação.* [▶ **1** dinamizar] • **di.na.mi.za.ção** *sf.*

dínamo (*di*.na.mo) *sm.* **1** *Elet.* Aparelho que transforma energia mecânica em elétrica. **2** *Fig.* Aquele ou aquilo que, com seu dinamismo, é fator importante de mudanças, desenvolvimento etc.

dinamômetro (di.na.*mô*.me.tro) *sm.* **1** *Fís.* Aparelho que mede a intensidade de uma força mecânica. **2** *Mec.* Aparelho que mede a potência de um motor. **3** *Med.* Aparelho que mede o trabalho muscular.

dinar (di.*nar*) *sm.* **1** Nome do dinheiro us. em vários países (ger. árabes), entre eles Argélia, Iraque, Jordânia, Kuwait e Líbia. **2** Unidade dos valores desse dinheiro, us. em notas e moedas: *uma nota de cem dinares.*

dinastia (di.nas.*ti*.a) *sf.* **1** Sequência de soberanos de uma mesma família. **2** Sequência de pessoas, da mesma família ou com afinidade ideológica, numa mesma atividade profissional: *dinastia de sambistas/de diplomatas.*

dindinho (din.*di*.nho) *sm. Fam.* Padrinho (em tratamento carinhoso).

dinheirada (di.nhei.*ra*.da) *sf.* **1** Quantidade grande de dinheiro (em espécie); BOLADA; DINHEIRAMA; DINHEIRÃO. **2** Alta soma em dinheiro; DINHEIRAMA; DINHEIRÃO: *Gastou uma dinheirada com a mansão.*

dinheirama (di.nhei.*ra*.ma) *sf.* Ver *dinheirada.*

dinheirão (di.nhei.*rão*) *sm.* Ver *dinheirada.* [Pl.: -*rões.*]

dinheiro (di.*nhei*.ro) *sm.* **1** Representação de valor material por um sistema de unidades convencionado; MOEDA (**2**): *O dinheiro brasileiro é o real.* **2** Objeto (ger. nota de papel ou moeda de metal), us. como dinheiro (**1**): *O caixa eletrônico está sem dinheiro.* **3** Qualquer soma (definida ou não) de riquezas que pode ser convertida em dinheiro (**2**): *Ganhei muito dinheiro com esse trabalho.* [Sin. (gir.): gaita, grana.] **4** Qualquer representação de valor (créditos, cheques etc.) que pode ser convertida em dinheiro (**2**): *Ele tem muito dinheiro em joias.* ■ ~ **sujo** *Pop.* Dinheiro obtido ilegalmente. ~ **vivo** Dinheiro em moeda ou cédula; dinheiro em espécie: *Pagarei a compra em dinheiro vivo.* **Fazer ~** Ganhar dinheiro.

▢ O dinheiro é a representação física de um valor econômico, como um bem material, um serviço, até mesmo uma expectativa futura de bem material ou serviço. No complexo sistema de trocas necessárias para a satisfação das necessidades de uma sociedade, o dinheiro substitui a troca direta, ou escambo. Para isso, é necessário que o valor representado pelo dinheiro realmente exista, em forma de bem ou serviço. Hoje, o próprio dinheiro tem sua representação em outras formas (cheque, título, cartão de crédito etc.) evitando que seja necessário dispor dele, fisicamente, a cada momento.

dinossauro (di.nos.*sau*.ro) *sm.* **1** *Pal.* Nome dado a um grupo de gigantescos répteis pré-históricos. **2**

Animal pertencente a esse grupo. **3** *Fig. Pej.* Pessoa ou coisa que se considera ultrapassada.

📖 Os dinossauros (nome genérico para vários tipo de répteis fósseis, que abrangiam várias ordens e gêneros) nem sempre foram gigantescos, como ger. são representados. Seu tamanho variava, de acordo com a espécie, desde o de um gato até o dos brontossauros, que pesavam cinquenta toneladas. Podiam ser herbívoros (braquiossauro, brontossauro, iguanodonte etc.) ou carnívoros (tiranossauro, triceráptor etc.). Desapareceram da Terra no fim da era geológica chamada Cretáceo.

dinotério (di.no.*té*.ri:o) *sm. Pal.* Mamífero antepassado do elefante.

dintel (din.*tel*) *sm.* **1** *Cons.* Verga us. na parte superior de portas e janelas. **2** Suporte lateral para prateleiras de estantes. [Pl.: *-téis.*]

diocesano (di:o.ce.*sa*.no) *a.* Ref. a, de ou próprio de diocese (seminário diocesano).

diocese (di:o.*ce*.se) [é] *sf.* Território eclesiástico administrado por um bispo ou um arcebispo; BISPADO.

diodo (di:*o*.do) [ó] *sm. Eletrôn.* Dispositivo que só permite a passagem da corrente elétrica em uma direção.

dioico (di.*oi*.co) *a. Bot.* Que tem os órgãos sexuais masculinos e femininos em indivíduos diferentes (diz-se de espécie de planta).

dionisíaco (di:o.ni.*sí*.a.co) *a.* **1** Ref. a Dioniso, deus da mitologia grega. **2** Que tem as qualidades de Dioniso, como desinibição, espontaneidade etc. [Ant. nesta acp.: *apolíneo*.]

dióptrica (di:*óp*.tri.ca) *sf. Fís.* Estudo da refração da luz em diferentes meios (esp. lentes).

dióptrico (di:*óp*.tri.co) *a. Fís.* Ref. à dióptrica.

dióxido (di:*ó*.xi.do) [cs] *sm. Quím.* Composto com dois átomos de oxigênio.

diplococo (di.plo.*co*.co) [ó] *sm. Bac.* Bactéria esférica que se apresenta aos pares.

diploma (di.*plo*.ma) *sm.* **1** Certificado de conclusão de um curso, que tb. pode conferir um título a quem o recebe. **2** Documento que confere um título, cargo etc. a alguém.

diplomacia (di.plo.ma.*ci*.a) *sf.* **1** Modalidade política que trata das relações entre países. **2** Ciência que regula o exercício dessa modalidade política. **3** Carreira de diplomata: *Abandonou a diplomacia e virou escritor.* **4** O conjunto dos diplomatas de um país: *A atuação da diplomacia brasileira foi muito elogiada.* **5** *Fig.* Habilidade para lidar com pessoas e resolver impasses; TATO: *O mediador da reunião terá de ter muita diplomacia.*

diplomar (di.plo.*mar*) *v.* Dar diploma a, ou recebê-lo. [*td.*: *A faculdade diplomou 150 alunos. pr.*: *Elas diplomaram-se em medicina.*] [▶ **1** diplom**ar** ● di.plo.ma.*ção* *sf.*; di.plo.ma.*do* *a.sm.*

diplomata (di.plo.*ma*.ta) *s2g.* **1** Profissional que exerce a diplomacia (3). **2** Profissional que representa um país junto ao governo de outro. **3** *Fig.* Quem é habilidoso em negociações.

diplomático (di.plo.*má*.ti.co) *a.* **1** Ref. a diplomacia ou a diplomata (imunidade *diplomática*). **2** Que revela diplomacia (5) (resposta *diplomática*).

diplópode (di.*pló*.po.de) *sm.* **1** *Zool.* Animal semelhante à lacraia, com o corpo dividido em várias partes, cada uma delas com um par de patas. *a2g.* **2** Ref. a esse tipo de animal.

dipolo (di.*po*.lo) [ó] *sm. Fís.* Sistema com duas cargas elétricas iguais e opostas, dispostas a pequena distância.

dipsomania (dip.so.ma.*ni*.a) *sf. Psiq.* Tendência doentia e incontrolável de ingerir bebidas alcoólicas.

díptero (*díp*.te.ro) *a.* **1** *Zool.* Que tem duas asas (diz-se de inseto). *sm.* **2** *Zool.* Inseto como a mosca e o mosquito, com apenas um par de asas. **3** *Arq.* Construção de estilo grego, com duas séries de colunas percorrendo o perímetro.

dique (*di*.que) *sm. Cons.* Construção que serve para impedir a passagem da água de um rio ou do mar; BARRAGEM.

direção (di.re.*ção*) *sf.* **1** Ação ou resultado de dirigir. **2** Administração, comando. **3** O cargo de quem exerce a direção (2): *Começou como mensageiro; agora está na direção.* **4** A pessoa ou equipe que ocupa esse cargo: *A direção da empresa estava toda presente.* **5** Departamento de uma empresa onde trabalham os diretores: *Vamos reclamar na direção.* **6** Orientação de um deslocamento; RUMO: *Sigamos andando na direção sul.* **7** *Fig.* O sentido do progresso de uma ação, que indica o seu resultado: *As pesquisas continuam em direção à ansiada descoberta.* **8** *Mec.* A parte de um veículo que orienta o seu deslocamento: *automóvel com problemas de direção.* **9** O volante de um veículo. **10** *Cin. Mús. Teat. Telv.* Orientação artística para a confecção de um filme, da montagem de uma peça teatral, de um *show* musical etc. [Pl.: *-ções.*]

direcional (di.re.ci:o.*nal*) *a2g.* **1** Ref. a direção (6) (controle *direcional*). **2** Que indica a direção de um deslocamento (lanternas *direcionais*). [Pl.: *-nais.*]

direcionar (di.re.ci:o.*nar*) *v.* Dar certa direção ou orientação a (tb. *Fig.*); APONTAR; DIRIGIR; ORIENTAR. [*td.*: *Usava sua experiência para direcionar os filhos. tdi.* + *a, para*: *Direcionou sua campanha para o combate à miséria.*] [▶ **1** direcion**ar** ● di.re.ci:o. na.*men*.to *sm.*; di.re.ci:o.*ná*.vel *a2g.*

direita (di.*rei*.ta) *sf.* **1** O lado oposto àquele em que o coração fica, no peito. **2** A direção ou a região que fica desse mesmo lado: *Siga e vire à direita na esquina.* **3** *Pol.* Postura política de orientação ger. conservadora: *bancada de direita.* **4** Os partidários dessa postura política: *A direita não se manifestou sobre essa questão.* [Ant.: *esquerda.*]

direiteza (di.rei.*te*.za) [ê] *sf.* Ver *direitura* (2).

direitinho (di.rei.*ti*.nho) *adv. Bras.* **1** Com perfeição; EXATAMENTE: *Fiz o que você mandou direitinho.* **2** De modo adequado: *Comporte-se direitinho, por favor.* **3** Sem errar; CORRETAMENTE: *Os alunos resolvem equações direitinho.* **4** Completamente, totalmente: *Enganou os amigos direitinho com seus disfarces.*

direitista (di.rei.*tis*.ta) *a2g.s2g.* **1** Que ou quem tem postura política de direita (3). **2** Que ou quem é conservador, reacionário.

direito (di.*rei*.to) *a.* **1** Que fica à direita (braço *direito*). [Ant.: *esquerdo.*] **2** Ver *destro* (1). [Ant.: *esquerdo, canhoto.*] **3** Que é reto, linear. [Ant.: *curvo, torto.*] **4** Cujo comportamento é considerado honrado, louvável etc. (moça *direita*): DIGNO. **5** Que é justo; CORRETO: *Não é direito enganar as pessoas.* **6** Com boa aparência; ARRUMADO: *Seu cabelo não está direito. sm.* **7** O que deve ser possível a cada um na vida em sociedade, e de acordo com suas leis, sua ética etc.: *Ter acesso à educação e à saúde são direitos do cidadão.* **8** Autoridade para cobrar algo para si: *Eu fiz o bolo e tenho direito a um pedaço.* **9** Normas e leis que regulam a vida em sociedade, ou um de seus aspectos (*direito* comercial/penal). **10** Ciência que estuda as leis das sociedades, individual ou comparativamente: *faculdade de direito.* **11** O lado de uma roupa, toalha, colcha etc. que foi feito para ficar exposto. [Ant.: *avesso.*] *adv.* **12** Bem, corretamente, normalmente: *Sente-se direito ou vai ficar com dor nas costas.*

direitura (di.rei.*tu*.ra) *sf.* **1** Qualidade do que é direito, reto. **2** Direção reta, sem desvios ou irregularidades; DIREITEZA. **3** *Fig.* Qualidade de quem é considerado honesto, digno.

diretiva (di.re.*ti*.va) *sf.* **1** Linha, orientação de um caminho, procedimento, negócio, política etc.; DIRETRIZ: *diretivas de uma empresa*. **2** Norma, instrução para ação ou atitude: *A CBF recebe diretivas da FIFA*.

diretivo (di.re.*ti*.vo) *a.* Ver *diretor* (1).

direto (di.*re*.to) *a.* **1** Que segue em linha reta; RETO: *Daqui não há uma estrada direta até lá*. **2** Sem paradas intermediárias (voo direto). **3** Sem intermediários: *Foi um negócio direto com o vendedor*. **4** *Elet. Eletrôn.* Que une a fonte de energia ao dispositivo que a consome, ou possibilita conexão, sem passar por dispositivos intermediários: *O modem permite a ligação direta do computador às linhas telefônicas*. **5** *Gram.* Que completa o sentido de um verbo transitivo sem uso de preposição (objeto direto). **6** *Liter.* Ver *discurso*. *sm.* **7** Tipo de soco desferido (ger. no boxe) em movimento perpendicular ao corpo. *adv.* **8** Sem fazer desvios, escalas ou interrupções: *Dali fomos direto para casa*; *Vá direto ao assunto.* [

diretor (di.re.*tor*) [ô] *a.* **1** Que dirige, que orienta (plano diretor); DIRETIVO. [Fem.: diretora e diretriz.] *sm.* **2** Aquele que dirige ou toma parte na direção (de instituição), projeto, empresa, departamento, atividade etc.); DIRIGENTE.: *diretor de arte/de escola* **3** *Cin. Mús. Teat. Telv.* Aquele que é responsável pela orientação artística de um filme, uma peça teatral, novela etc.

diretoria (di.re.to.*ri*.a) *sf.* **1** Cargo de diretor: *Foi promovido para a diretoria*. **2** Equipe que dirige uma instituição: *reunião de diretoria*. **3** Período de permanência de um diretor nesse cargo; GESTÃO: *As últimas diretorias tiveram problemas parecidos*.

diretório (di.re.*tó*.ri.o) *sm.* **1** Equipe com função de direção; DIRETORIA: *diretório de um partido*. **2** *Inf.* Subdivisão de um disco ou de outro suporte físico na qual se armazenam organizadamente arquivos, programas etc.; PASTA: *Abra o diretório principal e crie um arquivo novo*. **3** *Inf.* Na lista dos arquivos contidos nesse diretório: *Aquele arquivo não aparece no diretório*. *a.* **4** Que tem função de direção (conselho diretório). ▪▪ **~ acadêmico** Órgão eleito por estudantes universitários para defender seus interesses e representar suas posições.

diretriz (di.re.*triz*) *sf.* **1** Fem. de diretor (1). **2** Ver *diretiva* (1).

dirigente (di.ri.*gen*.te) *a2g.s2g.* Ver *diretor* (2).

dirigir (di.ri.*gir*) *v.* **1** Administrar, governar, comandar. [*td.*: *dirigir uma empresa/um país*.] **2** *Cin. Teat. Telv.* Planejar, comandar e coordenar a feitura de filme, peça teatral ou programa de televisão. [*td.*] **3** *Mús.* Conduzir (orquestra, banda etc.); REGER. [*td.*] **4** Guiar, conduzir (veículo). [*td.* (com ou sem complemento explícito): *Minha prima não dirige (carro)*.] **5** Fazer tomar ou tomar certo rumo; DIRECIONAR(-SE); ENCAMINHAR(-SE). [*tdi. + a, para*: *Dirigiu um requerimento ao chefe*. *pr.*: "...*nunca se dirigiam a mim para tocar no assunto*." (João Ubaldo Ribeiro, *Diário do farol*).] [▶ **46** diri*gir*] ● dis.ri.*gi*.do *a.*

dirigível (di.ri.*gí*.vel) *sm.* **1** *Aer.* Aeronave, ger. com um grande reservatório em forma de charuto cheio de gás mais leve que o ar (que a faz flutuar), impulsionada por hélices. *a2g.* **2** Que pode ser dirigido. [Pl.: *-veis*.]

dirimente (di.ri.*men*.te) *a2g.* **1** Que dirime (questão, sentença, litígio etc.). **2** Que resolve; DECISIVO. **3** *Jur.* Que anula (sentença etc.) ou isenta de culpa ou de pena. *sf.* **4** *Jur.* Causa de anulação (de sentença etc.) ou isenção de culpa ou de pena.

dirimir (di.ri.*mir*) *v.* *td.* Eliminar, suprimir, resolvendo: *O livro dirimiu suas dúvidas*. [▶ **3** dirim*ir*]

dirupção (di.*rup*.ção) *sf.* **1** Ação ou resultado de diruir. **2** Desabamento, desmoronamento, ruína: *Chuvas fortes causaram a dirupção da encosta*. **3** *P.ext.* Rasgamento, rompimento: *a dirupção no relacionamento de um casal*. [Pl.: -ções.]

discar (dis.*car*) *v. Bras.* **1** Girar disco ou pressionar tecla de aparelho telefônico para compor (o número que se quer chamar). [*td.* (com ou sem complemento explícito): *Levantou o fone e discou (o número do telefone).*] **2** Fazer chamada telefônica; TELEFONAR; LIGAR. [*ti. + para*: *Vou discar para ele amanhã*.] [▶ **11** dis*car*] ● dis.*ca*.gem *sf.*

discente (dis.*cen*.te) *a2g.* Ref. a, de ou do próprio de aluno(s) (representante discente). [Cf.: *decente* e *docente*.] ● dis.*cên*.ci:a *sf.*

discernimento (dis.cer.ni.*men*.to) *sm.* **1** Ação ou resultado de discernir. **2** Capacidade de perceber, compreender, avaliar; PERSPICÁCIA. **3** Capacidade de julgar, de distinguir valores; TINO. **4** Apreciação, avaliação: *Envio-lhe o contrato para seu discernimento*.

discernir (dis.cer.*nir*) *v.* Perceber com clareza (diferenças, algo em especial etc.); DISTINGUIR. [*td.*: *Não sabe discernir um bom vinho*. *ti.* + *entre*: *Já pode discernir entre o certo e o errado*. *tdi.* + *de*: *discernir o belo do feio*.] [▶ **50** discern*ir*]

disciforme (dis.ci.*for*.me) *a2g.* Ver *discoide*.

disciplina (dis.ci.*pli*.na) *sf.* **1** Princípios de ordem estabelecidos para o funcionamento adequado de instituição, atividade etc. (disciplina militar). **2** Sujeição a esses princípios e sua observância, espontânea ou imposta: *A disciplina do atleta é rigorosa*. **3** Disposição e constância para realizar algo; PERSISTÊNCIA: *É preciso muita disciplina para manter essa dieta*. **4** Área do conhecimento humano, esp. aquela estudada no ensino escolar; MATÉRIA: *Leciona duas disciplinas*. ☑ **disciplinas** *sfpl.* **5** *Rel.* Tipos de chicotes ou correias com as quais os frades e devotos se açoitam por penitência.

disciplinador (dis.ci.pli.na.*dor*) [ô] *a.sm.* **1** Que ou quem impõe disciplina (2). **2** Que ou quem estabelece princípios de disciplina (1).

disciplinar¹ (dis.ci.pli.*nar*) *a2g.* Ref. a, ou que impõe a disciplina (2) (medida disciplinar).

disciplinar² (dis.ci.pli.*nar*) *v.* Submeter(-se) a, impor(-se) disciplina. [*td.*: *disciplinar os filhos*. *pr.*: *Eles só disciplinaram-se com castigos*.] [▶ **1** disciplin*ar*] ● dis.ci.pli.*na*.do *a.*; dis.ci.pli.na.*men*.to *sm.*; dis.ci.pli.*ná*.vel *a2g.*

discípulo (dis.*cí*.pu.lo) *sm.* Pessoa que recebe ensinamentos ou segue as ideias de um mestre.

🌐 **disc jockey** (Ing. /disc djóqui/) *s2g.* **1** Profissional que seleciona e toca discos em festas, danceterias etc. **2** Profissional que apresenta músicas gravadas em programa de rádio.

disco (dis.co) *sm.* **1** Objeto achatado e circular: *O menino fez um disco de massinha*. **2** Disco (1) metálico ou de vinil no qual se gravam sons para posterior reprodução: *uma gravação em disco*. **3** Esse objeto, com músicas gravadas: *um disco de forró*. ▪▪ **~ flexível** *Inf.* Disquete. **~ laser** Disco (2) em que se armazenam som e/ou imagem processados digitalmente. **~ rígido** *Inf.* Dispositivo instalado em computador no qual se armazenam arquivos, programas etc. (tb. HD, do inglês *hard disk*).

discografia (dis.co.gra.*fi*.a) *sf.* **1** O conjunto dos discos (3) produzidos por um artista. **2** Relação desses discos.

discoide (dis.*coi*.de) *a2g.* Que tem forma de disco; DISCIFORME.

discolor (dis.co.*lor*) [ô] *a2g. Bot.* Que tem duas cores diferentes em cada lado (folha discolor).

discordância (dis.cor.dân.ci:a) *sf.* **1** Falta de concordância; diferença de opiniões ou de posições; ponto ou assunto em que há essa diferença; DISCÓRDIA; DIVERGÊNCIA: *Tentam chegar a um acordo, mas ainda há muitas discordâncias.* **2** Falta de harmonia, de adequação, de coerência; DISCREPÂNCIA; DISPARIDADE: *Há grande discordância entre o que ele fala e faz.* [Ant. ger.: *concordância* (1).]

discordar (dis.cor.*dar*) *v.* Não concordar (com algo ou alguém); DIVERGIR. [*int.*: *Debatem sempre o assunto, e discordam. ti.* + *de*: *Discordou do diagnóstico do colega.*] [Ant.: *concordar* (2).] [▶ **1** discord**ar**] • **dis.cor.dan.**te *a2g.*

discorde (dis.*cor*.de) [ó] *a2g.* **1** Que não concorda; DISCORDANTE: *Era uma opinião discorde das outras.* **2** Que se opõe a algo: *um voto discorde.* **3** Em que há discordância (2) (sons *discordes*).

discórdia (dis.*cór*.di:a) *sf.* **1** Ver *discordância* (1). **2** Desarmonia, desentendimento: *Usou de intrigas para semear a discórdia no departamento.* [Ant. ger.: *concórdia.*]

discorrer (dis.cor.*rer*) *v. ti.* Falar, pronunciar-se. [+ *acerca de, a respeito de, sobre*: *O candidato discorreu sobre questões econômicas.*] [▶ **2** discorr**er**]

discoteca (dis.co.*te*.ca) *sf.* **1** Casa noturna em que se vai para dançar; DANCETERIA. **2** Coleção de discos.

discrepância (dis.cre.*pân*.ci:a) *sf.* Ver *discordância* (2).

discrepar (dis.cre.*par*) *v.* **1** Divergir, discordar. [+ *de*: *Minhas ideias discrepam das dele. int.*: *Nossas opiniões nunca discreparam.*] **2** Ser diferente, diverso; DIFERIR. [*ti.* + *de, em*: *Sua alegria discrepava do humor reinante. int.*: *São irmãos gêmeos, mas suas personalidades discrepam.*] [▶ **1** discrep**ar**] • **dis.cre.pan.**te *a2g.*

discreto (dis.*cre*.to) *a.* **1** Que não chama atenção: *Usava uma gravata discreta.* **2** Que sabe guardar segredos: *Pode confiar-lhe o caso, é muito discreto.* **3** Reservado, calado.

discrição (dis.cri.*ção*) *sf.* Qualidade de quem ou do que é discreto. [Pl.: *-ções.*] [Cf.: *descrição.*]

discricionário (dis.cri.ci:o.*ná*.ri:o) *a.* Sem regulação ou limite; IRRESTRITO: *poderes discricionários de um ditador.*

discriminação (dis.cri.mi.na.*ção*) *sf.* **1** Ação ou resultado de discriminar. **2** Tratamento diferenciado dado a pessoas a partir de suas características raciais, sociais etc. (discriminação *racial*). [Cf.: *descriminação.*]

discriminador (dis.cri.mi.na.*dor*) [ô] *a.sm.* Que ou quem discrimina. [Cf.: *descriminador.*]

discriminar (dis.cri.mi.*nar*) *v.* **1** Perceber ou estabelecer diferenças entre; DISTINGUIR. [*td.*: *discriminar sons. ti.* + *entre*: *Ele sabe discriminar entre um bom e um mau filme. tdi.* + *de*: *Discrimine o certo do errado.*] **2** Manter grupo à parte por razões étnicas, religiosas etc. [*td.*: *O apartheid discriminava os negros na África do Sul. pr.*: *Discriminavam-se como forma de manter sua identidade.*] **3** Tratar de modo injusto por razões étnicas, religiosas etc. [*td.*: *No Brasil, é crime discriminar minorias de qualquer espécie.*] [▶ **1** discrimin**ar**] [Cf.: *descriminar.*] • **dis.cri.mi.na.**do *a.*; **dis.cri.mi.nan.**te *a2g.*; **dis.cri.mi.na.tó.ri:o** *a.*

discursar (dis.cur.*sar*) *v.* Proferir discurso (1). [*ti.* + *acerca de, a respeito de, sobre*: *O paraninfo discursou sobre moral e ética. int.*: *Ele discursa muito bem.*] [▶ **1** discurs**ar**]

discursivo (dis.cur.*si*.vo) *a.* **1** Ref. a discurso. **2** Em forma de texto dissertativo (prova *discursiva*). [Em exames, questão que pede resposta por extenso, em oposição à múltipla escolha.]

discurso (dis.*cur*.so) *sm.* **1** Exposição oral dirigida ao público: *Preparou um discurso para a cerimônia.* **2** Ato ou modo de expressar oralmente pensamentos, opiniões: *Tinha um discurso convincente.* **3** Pop. Discurso (2) longo e entediante visando dar lição de moral: *Não me venha com esse discurso, já corrigi meu erro.* ⁕ ~ **direto** *Ling.* Num texto, reprodução exata da fala de uma pessoa (p.ex.: *João perguntou-lhe: — O que aconteceu?*). ~ **indireto** *Ling.* Aquele em que o narrador descreve a fala ou as ideias de uma pessoa (p.ex.: *João perguntou-lhe o que tinha acontecido.*).

discussão (dis.cus.*são*) *sf.* **1** Diálogo, debate sobre um assunto. **2** Briga, altercação verbal. [Pl.: *-sões.*]

discutir (dis.cu.*tir*) *v.* **1** Trocar ideias sobre; DEBATER. [*td.*: *discutir um projeto.*] **2** Pôr em dúvida. [*td.*: *Não estamos discutindo a sua intenção.*] **3** Altercar, desentender-se. [*int.*: *Eles discutem sempre por ninharias. ti.* + *com*: *Não quero discutir com você.*] [▶ **3** discut**ir**]

discutível (dis.cu.*ti*.vel) *a2g.* **1** Que é questionável (argumento *discutível*). **2** Que se pode discutir: *O aumento salarial ainda é discutível.* [Pl.: *-veis.*]

disenteria (di.sen.te.*ri*.a) *sf. Med.* Inflamação intestinal que causa dores abdominais e diarreia.

disfarçado (dis.far.*ça*.do) *a.* Que se disfarça ou usa disfarce: *Atendi o telefone com voz disfarçada.* [Cf.: *desfaçado.*]

disfarçar (dis.far.*çar*) *v.* **1** Tornar menos ou nada perceptível ou reconhecível; DISSIMULAR; ESCONDER. [*td.*: *Tentou disfarçar seu desânimo.*] **2** Pôr disfarce em. [*tdi.* + *de, em*: *Disfarçou o amigo de garçom para que entrasse na festa. pr.*: *Os policiais vão disfarçar-se em simples moradores.*] **3** Comportar-se de modo a ocultar ação, sentimento etc. [*int.*: *Embaraçado, disfarçou e foi saindo.*] [▶ **12** disfarç**ar**] • **dis.far.çá.**vel *a2g.*

disfarce (dis.*far*.ce) *sm.* **1** Ação de disfarçar(-se). **2** O que serve para esconder ou dissimular o verdadeiro aspecto de algo ou alguém: *Este chapéu será meu único disfarce.*

disfasia (dis.fa.*si*.a) *sf. Med.* Ver *afasia.* • **dis.**fá.**si.**co *a.sm.*

disforme (dis.*for*.me) *a2g.* Com forma alterada ou anormal (rosto *disforme*); DEFORMADO; MONSTRUOSO.

disfunção (dis.fun.*ção*) *sf. Med.* Anomalia no funcionamento de um órgão, glândula etc. [Pl.: *-ções.*]

disjungir (dis.jun.*gir*) *v. td.* **1** Soltar do jugo ou canga: *O peão disjungiu a parelha de bois.* **2** *Fig.* Separar, desunir: *O ódio disjunge os homens.* [▶ **3** disjung**ir**. Ver tb. paradigma 58; verbo defectivo: não se conjuga na 1ª pess. do pres. do ind., nem no pres. do subj. inteiro (Mais us. na 3ª pess. sing. e pl.).]

disjunto (dis.*jun*.to) *a.* Não junto; DESUNIDO; SEPARADO.

disjuntor (dis.jun.*tor*) [ô] *sm. Elet.* Dispositivo que, por segurança, desliga automaticamente um circuito elétrico sobrecarregado.

dislalia (dis.la.*li*.a) *sf. Med.* Distúrbio na pronunciação das palavras. • **dis.**lá.**li.**co *a.sm.*

dislate (dis.*la*.te) *sm.* Disparate, asneira, estupidez.

dislexia (dis.le.*xi*.a) [cs] *sf. Med. Psi.* Dificuldade de ler devido à leve disfunção cerebral. • **dis.**lé.**xi.**co *a.sm.*

díspar (*dís*.par) *a2g.* Que não é semelhante; DESIGUAL; DIFERENTE.

disparada (dis.pa.*ra*.da) *sf.* Corrida desenfreada.

disparar (dis.pa.*rar*) *v.* **1** Atirar com (arma de fogo). [*td.* (com ou sem complemento explícito): *Os policiais não cessavam de disparar (suas armas). ti.* + *contra, em*: *O soldado disparou duas vezes no bandido.*] **2** Dar (tiro). [*td.*: *Disparou três tiros certeiros.*] **3** *Fig.* Lançar, arremessar. [*td.*: *disparar flechas. tdi.* + *a, contra, sobre*: *Disparou suas setas* _contra_ o inimigo.] **4** _Bras._ Pôr-se a correr precipitadamente. [_int._: _Com o susto, o cavalo disparou._] **5** _Eletrôn._ Acionar (circuito, dispositivo), ou passar este a funcionar. [_td._: _O ladrão se descuidou e disparou o alarme. int._: _Assim que entraram na montanha-russa, o mecanismo disparou._] **6** _Bras._ Aumentar, subir de repente. [_int._: _Os preços dispararam._] [▶ **1** disparar]

disparatado (dis.pa.ra.ta.do) _a._ Em que há disparate, despropósito.

disparatar (dis.pa.ra.tar) _v. int._ Falar ou cometer disparates. [▶ **1** disparar]

disparate (dis.pa.ra.te) _sm._ **1** Ação, ideia ou dito sem nexo ou coerência; DESPROPÓSITO. **2** Asneira, tolice, bobagem.

disparidade (dis.pa.ri.da.de) _sf._ Qualidade de díspar; DESIGUALDADE; DIFERENÇA.

disparo (dis.pa.ro) _sm._ Detonação de arma de fogo; TIRO.

dispêndio (dis.pên.di.o) _sm._ Aquilo que se teve de gasto ou de consumo: _dispêndio de tempo._

dispendioso (dis.pen.di:o.so) [ô] _a._ De alto custo; CARO. [Fem. e pl.: ósa.]

dispensa (dis.pen.sa) _sf._ Permissão para não realizar ou cumprir um dever ou obrigação: _Pediu e obteve dispensa do serviço._

dispensar (dis.pen.sar) _v._ **1** Dar dispensa a. [_td._: _O chefe dispensará mais cedo os funcionários. tdi._ + _de_: _O médico ainda não o dispensou da fisioterapia._] **2** Não necessitar de; prescindir de. [_td._: _Este escritor dispensa apresentações._] **3** Não aceitar; RECUSAR. [_td._: _Nunca dispensou os conselhos do pai._] **4** Conceder, dar. [_tdi._ + _a_: "Os jovens não lhe dispensaram a menor confiança." (Marques Rebelo, _Contos reunidos_).] **5** Demitir. [_td._: _A firma dispensará muitos empregados._] [▶ **1** dispensar] • dis.pen.sa.do _a._

dispensário (dis.pen.sá.ri:o) _sm._ Estabelecimento que dispensa atendimento médico a pessoas pobres e as assiste com remédios, alimentos, roupas etc.

dispensável (dis.pen.sá.vel) _a2g._ Que pode ser dispensado; DESNECESSÁRIO: _Sua intervenção era perfeitamente dispensável._ [Pl.: -veis.]

dispepsia (dis.pep.si.a) _sf. Med._ Má digestão; INDIGESTÃO. • **dis.pép.ti.co** _a.sm._

dispersão (dis.per.são) _sf._ **1** Ação de dispersar(-se): _Os tiros provocaram a dispersão dos manifestantes._ **2** Estado do que está disperso: _a dispersão dos poluentes no ar._ [Pl.: -sões.]

dispersar (dis.per.sar) _v._ **1** Fazer ir ou ir para diferentes lugares. [_td._: _A guarda dispersou os manifestantes. pr._: _Os papéis dispersam-se com o vento._] **2** Fazer desaparecer ou desaparecer. [_td._: _A brisa dispersou a fumaça. pr._: _A cerração já dispersou-se._] **3** Desconcentrar(-se), distrair(-se). [_td._: _O estrondo dispersou a plateia. pr._: _Sua atenção sempre dispersa-se._] [▶ **1** dispersar]. Part.: _dispersado_ e _disperso._]

dispersivo (dis.per.si.vo) _a._ **1** Que provoca dispersão (agente _dispersivo_). **2** Que não concentra a atenção no que faz: _É um aluno dispersivo._

disperso (dis.per.so) [é] _a._ Espalhado, separado: _uma família dispersa; um povo disperso._

displasia (dis.pla.si.a) _sf. Pat._ Crescimento ou desenvolvimento anormal de tecido ou órgão. • **dis.plá.si.co** _a._

✦ **display** (Ing. /displêi/) _sm._ **1** Visor que exibe informações em aparelhos eletrônicos; MOSTRADOR. **2** _Publ._ Qualquer material destinado a expor produtos.

displicência (dis.pli.cên.ci:a) _sf._ Falta de empenho ou de cuidado; DESCASO: _A displicência do médico enervou o paciente._

displicente (dis.pli.cen.te) _a2g.s2g._ Que ou quem demonstra displicência.

dispneia (disp.nei.a) _sf. Med._ Dificuldade na respiração.

disponibilidade (dis.po.ni.bi.li.da.de) _sf._ **1** Condição do que é disponível: _Não há disponibilidade de leitos nos hospitais públicos._ **2** Situação de funcionário público afastado temporariamente de suas funções: _O funcionário foi posto em disponibilidade._

disponibilizar (dis.po.ni.bi.li.zar) _v. Bras._ Tornar disponível ou acessível. [_td._: "...o _site disponibiliza_ 2.520 oportunidades de emprego..." (_O Dia_, 24.02.02). _tdi_ + _a, para_: _Prometeu disponibilizar mais recursos para a saúde._] [▶ **1** disponibilizar] • **dis.po.ni.bi.li.za.ção** _sf._; **dis.po.ni.bi.li.za.do** _a._

disponível (dis.po.ní.vel) _a2g._ Que está à disposição (livros _disponíveis_, pessoa _disponível_). [Pl.: -_veis._]

dispor (dis.por) _v._ **1** Pôr em determinada ordem; ORDENAR; ARRUMAR. [_td._ (seguido de indicação de modo e/ou lugar): _Dispôs os livros por autor na estante._] **2** Preparar(-se) para; prestar-se a. [_td_ (seguido de indicação de modo ou circunstância): _A coragem dispõe o homem à luta. pr._: _Dispôs-se a dialogar._] **3** Ter, possuir. [_ti._ + _de_: "Dispunha apenas de espingarda e faca, o revólver botara fora..." (Guimarães Rosa, _Tutameia_).] **4** Usar, usufruir, por concessão ou pela força. [_ti._ + _de_: _Precisando, disponha de nós._] **5** Controlar, dominar. [_ti._ + _de_: _Não deixe ninguém dispor da sua vontade._] **6** Determinar, estabelecer. [_td._: _Dispôs que legaria sua riqueza ao hospital. ti._ + _sobre_: _A Constituição dispõe sobre toda a vida nacional._] **7** Ter a intenção de. [_pr._: _Maria dispõe-se a voltar para a faculdade._] **8** Decidir-se, resolver-se. [_pr._: _Já era noite quando nos dispusemos a partir._] [▶ **60** dispor] _sm._ **9** Disposição: _Estou ao seu inteiro dispor._

disposição (dis.po.si.ção) _sf._ **1** Distribuição segundo certa ordem: _a disposição das salas de aula._ **2** Estado de espírito ou de ânimo: _Acorda sempre com boa disposição._ **3** Estado de espírito ou de ânimo favorável para algo: _Estava com muita disposição para trabalhar._ **4** Tendência, vocação. **5** Prescrição, regulamento: _A disposição da lei é clara._ [Pl.: -ções.]

dispositivo (dis.po.si.ti.vo) _sm._ **1** Peça ou conjunto de peças que aciona um mecanismo ou realiza uma função: _O dispositivo reduz o consumo de combustível._ **2** Determinação, ordem, artigo de lei: _Há na lei um dispositivo que obriga o uso do cinto de segurança._

disposto (dis.pos.to) [ô] _a._ **1** Organizado, ordenado, arrumado: _CDs dispostos (em ordem alfabética)._ **2** Inclinado, decidido: _Estava disposta a ir ao banco pela manhã. sm._ **3** O que está determinado em regra, regulamento, lei: _conforme o disposto no art. 256 da Lei n° 6._ [Fem. e pl.: [ó].] ☷ **Bem/Mal ~** Com boa/má disposição (2): _Acordou bem disposto._

disputa (dis.pu.ta) _sf._ **1** Contenda, discussão: _A discordância entre eles culminou em disputa feroz._ **2** Concorrência, competição: _A disputa por uma das vagas vai começar._

disputar (dis.pu.tar) _v._ **1** Lutar para conseguir (algo desejado tb. por outrem). [_td._: _disputar uma vaga/um prêmio. tdi._ + _com, entre_: _Disputa com o colega o cargo de chefia;_ (sem objeto indireto explícito) _Os vegetais disputam o solo entre si._] **2** Não estar abaixo de; RIVALIZAR. [_tdi._ + _com_: _A poesia brasileira disputa com as melhores do mundo._] **3** _Esp._ Jogar com intuito de vencer e/ou alcançar o primeiro lugar na classificação. [_td._: _disputar um campeonato. tdi._ + _com, contra_: _disputar uma partida contra o time da casa._] **4** Discutir, altercar, contender. [_ti._ + _com_: _Disputava com ele sobre todos os assuntos._] [▶ **1** disputar] • **dis.pu.ta.do** _a._

disquete (dis.*que*.te) [é] *sm. Inf.* Pequeno disco plástico flexível e fino revestido de material magnético em que se armazenam arquivos e programas de computador.

disritmia (dis.rit.*mi*.a) *sf. Med.* Distúrbio do ritmo, p.ex., da fala, dos batimentos cardíacos. [Cf.: *arritmia*.]

disrupção (dis.*rup*.ção) *sf.* **1** Ruptura, rompimento, dirupção. **2** *Elet.* Restabelecimento súbito de uma corrente elétrica. [Pl.: -*ções*.] ● **dis.***rup*.**ti.vo** *a.*

dissabor (dis.sa.*bor*) [ô] *sm.* Desgosto, desprazer, descontentamento.

dissecação (dis.se.ca.*ção*) *sf.* **1** Ação de dissecar. **2** *Anat.* Secionamento de cadáver ou órgão para fins de análise ou estudo. [Pl.: -*ções*.]

dissecar (dis.se.*car*) *v. td.* **1** *Anat.* Secionar e separar, com método, as partes de um organismo (ser humano, vegetal, animal, órgão). **2** *Fig.* Examinar minuciosamente: *dissecar a obra de um artista.* [▶ **11** disse*car*] [Cf.: *dessecar*.]

disseminação (dis.se.mi.na.*ção*) *sf.* **1** Ação ou resultado de disseminar. **2** Dispersão, espalhamento: *a disseminação do pólen.* **3** *Fig.* Propagação, difusão: *Dedica-se à disseminação de seus ideais.* [Pl.: -*ções*.]

disseminar (dis.se.mi.*nar*) *v.* **1** Espalhar(-se), propagar(-se). [*td.* (seguido de indicação de lugar): *O vento disseminou a poeira pela casa. pr.: A doença disseminou-se por todo o corpo.*] **2** *Fig.* Divulgar(-se), difundir(-se). [*td.*: *disseminar novas ideias. pr.: O preconceito dissemina-se rápido.*] [▶ **1** dissemi*nar*] ● **dis.se.mi.***na*.**do** *a.*; **dis.se.mi.na.***dor*** *a.sm.*

dissensão (dis.sen.*são*) *sf.* **1** Divergência de ideias, opiniões, posições, interesses; DISSÍDIO; DISSIDÊNCIA. **2** Desavença, discórdia. [Pl.: -*sões*.]

dissentir (dis.sen.*tir*) *v. ti.* **1** Discordar, divergir, discrepar. [+ *de*, *em*, *sobre*: *Dissentimos em tudo.*] **2** Não combinar; estar em desarmonia com. [+ *de*: *A sua prática dissente da teoria.*] [▶ **50** dissen*tir*]

dissertação (dis.ser.ta.*ção*) *sf.* **1** Discurso em que se expõe ou examina um assunto. **2** Trabalho escrito apresentado e defendido por graduando ou mestrando para a obtenção do certificado de conclusão de curso. [Pl.: -*ções*.] ● **dis.ser.ta.***ti*.**vo** *a.*

dissertar (dis.ser.*tar*) *v. ti.* **1** Expor um assunto de forma sistemática e abrangente; DISCORRER. [+ *sobre*: *O conferencista dissertou sobre o Império Romano.*] **2** Fazer dissertação (2) ou trabalho escolar escrito. [+ *sobre*: *O professor pediu que dissertássemos sobre política.*] [▶ **1** disser*tar*]

dissidência (dis.si.*dên*.ci.a) *sf.* **1** Ver *dissensão* (1). **2** Rachas entre membros de uma corporação, seita ou partido. **3** A parte dissidente (2) dessa corporação, seita ou partido.

dissidente (dis.si.*den*.te) *s2g.* **1** Pessoa que diverge de opinião, princípio ou crença: *Os dissidentes foram expulsos do partido. a2g.* **2** Que diverge (grupo *dissidente*).

dissídio (dis.*sí*.di:o) *sm.* **1** Ver *dissensão* (1). **2** *Jur.* Controvérsia individual ou coletiva submetida à Justiça do Trabalho (*dissídio* coletivo).

dissílabo (dis.*sí*.la.bo) *Gram. a.* **1** Que possui duas sílabas (p.ex.: *ca.sa*). *sm.* **2** Palavra dissílaba.

dissimulado (dis.si.mu.*la*.do) *a.* **1** Que esconde seus sentimentos ou intenções; FINGIDO. **2** Que está encoberto, disfarçado. *sm.* **3** Pessoa dissimulada.

dissimular (dis.si.mu.*lar*) *v.* **1** Ocultar astuciosamente; não deixar perceber, calando; ENCOBRIR. [*td.*: *dissimular o erro/o ciúme.*] **2** Disfarçar, fingir. [*td.*: *Tentou dissimular a voz. int.*: *Muitas vezes é sábio dissimular.*] [▶ **1** dissimu*lar*] ● **dis.si.mu.la.***ção*** *sf.*

dissipação (dis.si.pa.*ção*) *sf.* **1** Ação ou resultado de dissipar(-se). **2** Gasto desmedido ou total de dinheiro, herança etc.: *Levava uma vida de jogatina e dissipação.* **3** *Fís.* Processo de perda de energia ou calor: *As frestas no vidro da cabine auxiliam a dissipação de calor.* [Pl.: -*ções*.]

dissipar (dis.si.*par*) *v.* **1** Fazer desaparecer ou desaparecer, dispersando(-se). [*td.*: *O vento dissipou as nuvens de chuva. pr.: A névoa já se dissipou.*] **2** Desperdiçar, malbaratar, esbanjar. [*td.*: *Dissipa todo o dinheiro que ganha.*] [▶ **1** dissi*par*]

disso (*dis*.so) Contr. da prep. *de* com o pr. dem. *isso*: *Você já sabia disso?*

dissociar (dis.so.ci.*ar*) *v.* Separar (quem ou o que está associado); DISUNIR. [*td.*: *É impossível dissociar essas ideias. tdi.* + *de*: *É difícil dissociar a economia da política. pr.*: *Dissociei-me do projeto.*] [Ant. ger.: *associar*.] [▶ **1** disso*ciar*] ● **dis.so.ci.a.***ção*** *sf.*; **dis.so.ci.***a*.**do** *a.*

dissolução (dis.so.lu.*ção*) *sf.* **1** Ação ou resultado de dissolver(-se). **2** Rompimento ou anulação de um contrato: *a dissolução de um casamento.* **3** *Fís. Quím.* Liquefação de um sólido em contato com um líquido: *dissolução do açúcar.* **4** *Fig.* Depravação dos costumes; DEVASSIDÃO. [Pl.: -*ções*.]

dissoluto (dis.so.*lu*.to) *a.* Depravado, devasso (pessoa *dissoluta*, vida *dissoluta*).

dissolúvel (dis.so.*lú*.vel) *a2g.* **1** Que se dissolve ou se pode dissolver (diz-se de substância). **2** Que pode anular (contrato *dissolúvel*). [Pl.: -*veis*.]

dissolvente (dis.sol.*ven*.te) *a2g.* **1** Que tem a propriedade de dissolver (tb. *Fig.*). *sm.* **2** Líquido dissolvente (1). [Sin. ger.: *solvente*.]

dissolver (dis.sol.*ver*) *v.* **1** Desfazer(-se) substância sólida em meio líquido. [*td.*: *dissolver um corante. pr.*: *O chocolate já se dissolveu.*] **2** *Fig.* Dispersar(-se), dissipar(-se). [*td.*: *O vento dissolveu as nuvens. pr.*: *As balas dissolveram-se na boca.*] **3** *Fig.* Pôr fim a, ou ter fim, desmembrando(-se) ou dissipando(-se). [*td.*: "O Comandante ia *dissolver* a guerrilha na Bolívia…" (Antonio Callado, *Bar Don Juan*.) *pr.*: *O partido resolveu dissolver-se.*] **4** *Jur.* Anular, romper. [*td.*: *dissolver um contrato/uma sociedade.*] [▶ **2** dissol*ver*]

dissonância (dis.so.*nân*.ci.a) *sf.* **1** Som ou conjunto de sons que destoam. **2** *Fig.* Falta de harmonia entre formas, cores, opiniões etc.

dissonante (dis.so.*nan*.te) *a2g.* **1** Que produz ou apresenta dissonância, desarmonia (voz *dissonante*). **2** *Fig.* Que destoa (propostas *dissonantes*); DISCORDANTE.

dissuadir (dis.su.a.*dir*) *v.* **1** Fazer desistir ou desistir de algum propósito ou ideia. [*td.*: *Ele já se decidiu, mas vamos tentar dissuadi-lo. tdi.* + *de*: *Conseguiram dissuadi-la de viajar. pr.*: *Dissuadi-me de pedir demissão.*] [Ant.: *persuadir*.] [▶ **3** dissua*dir*] ● **dis.su.a.***são*** *sf.*; **dis.su.a.***si*.**vo** *a.*

distância (dis.*tân*.ci.a) *sf.* **1** Espaço existente entre dois pontos ou lugares. **2** Intervalo de tempo entre duas ocorrências. **3** Afastamento, separação.

distanciar (dis.tan.ci.*ar*) *v.* Tornar(-se) distante, afastar(-se) no espaço, no tempo ou na mente. [*td.*: *Caminhos diversos distanciaram os velhos amigos. tdi.* + *de*: *Distancie a mesa do sofá um pouco. pr.*: *Distancia-se cada dia mais daquela obsessão.*] [▶ **1** distanci*ar*] ● **dis.tan.ci.***a*.**do** *a.*; **dis.tan.ci.a.***men*.**to** *sm.*

distante (dis.*tan*.te) *a2g.* **1** Que está longe no espaço ou no tempo: *um bairro distante do centro.* **2** Que tem relação de parentesco afastada (parentes *distantes*). **3** Absorto, distanciado, alheio: *Tinha o olhar distante. adv.* **4** Longe; a distância: *Eles moram distante daqui.*

distar (dis.*tar*) *v.* **1** Estar distante ou a certa distância de. [*tdi.* + *de* (com ou sem indicação da distância): *Sua casa dista (dois quilômetros) da faculdade.* *int.*: *O clube não dista muito, é no próximo quartei-*

rão.] **2** Distinguir-se, diferenciar-se. [*tdi.* + *de*: *O filme dista muito do livro.*] **3** Ser ou estar inferior com relação a. [*ti.* + *de*: *Esse pintor dista pouco do seu mestre.*] [▶ **1** dist*ar*]

distender (dis.ten.*der*) *v*. **1** Tornar(-se) teso ou esticado; ESTICAR(-SE); RETESAR(-SE). [*tdi.*: *distender um fio de arame. pr.*: *A musculatura distendeu-se.*] **2** Estender(-se) muito ou em diversas direções. [*td.*: *distender os braços. pr.*: *A bruma distendia-se pela floresta.*] **3** Fazer que fique ou fique frouxo, relaxado; RELAXAR(-SE), AFROUXAR(-SE). [*td.*: *Para relaxar, tente distender o corpo. pr.*: *Passado o susto, seu corpo distendeu-se.*] **4** *Med.* Sofrer distensão (2) em. [*td.*: *Distendeu a coxa.*] [▶ **2** distend*er*]

distensão (dis.ten.*são*) *sf.* **1** Ação ou resultado de distender(-se). **2** *Med.* Tensão demasiada (*distensão muscular*); ESTIRAMENTO. **3** *Pol.* Diminuição ou término das tensões entre países, ou entre população e governo, ou entre grupos sociais etc. [Pl.: -*sões*.]

dístico (*dís*.ti.co) *sm.* **1** *Poét.* Estrofe de dois versos. **2** Provérbio de dois versos.

distinção (dis.tin.*ção*) *sf.* **1** Ação ou resultado de distinguir(-se); DIFERENCIAÇÃO. **2** Qualidade ou característica por que uma pessoa ou coisa difere da outra; DIFERENÇA: *Não vejo distinção entre as duas propostas.* **3** Honraria, prêmio, privilégio. **4** Modos que demonstram polidez, elegância e educação apurada: *Todos apreciam a sua distinção.* [Pl.: -*ções*.]

distinguir (dis.tin.*guir*) *v.* **1** Perceber diferença entre; perceber qualidade; DISCERNIR. [*td.*: *Não sabe distinguir boa poesia.* *tdi.* + *de*: *distinguir o bem do mal.*] **2** Perceber por um dos sentidos. [*td.*: *distinguir um som/um cheiro.*] **3** Ser ou mostrar-se diferente, distinto. [*pr.*: *Este pintor distingue-se por suas cores vibrantes.*] **4** Ser o traço distintivo de; CARACTERIZAR. [*td.*: *A juba distingue o leão.*] **5** Fazer sobressair ou sobressair; DESTACAR(-SE). [*td.*: *Seu porte altivo o distingue na multidão. pr.*: *"... no meio do túnel distinguia-se a voz de falsete do Couto..."* (Aluísio Azevedo, *O mulato*).] **6** Outorgar (prêmio, condecoração, honraria etc.) a. [*tdi.* + *com*: *A Legião o distinguiu com sua comenda.*] [▶ **47** distingu*ir*]

distintivo (dis.tin.*ti*.vo) *sm.* **1** Sinal característico; insígnia, emblema. *a.sm.* **2** Que ou o que distingue, marca, diferencia.

distinto (dis.*tin*.to) *a.* **1** Que revela fina educação, polidez (*modos distintos*). **2** Que se destaca por suas qualidades; NOTÁVEL. **3** Diverso, diferente (objetos distintos).

disto (*dis*.to) Contr. da prep. *de* com o pr. dem. *isto*: *Não gostei nada disto.*

distopia (*dis*.to.pia) *sf. Med.* **1** Situação anômala de um órgão. **2** Cenário ou estado, ambiente ou época imaginários em que prevalece uma situação de extrema pressão, opressão, submissão etc., o contrário do que seria uma *utopia*. ● **dis.***tó***.pi.co**

distorção (dis.tor.*ção*) *sf.* **1** Desvio, deturpação, adulteração: *distorções de comportamento.* **2** Alteração de características estruturais; DEFORMAÇÃO. **3** *Eletrôn. Ópt.* Deformação de imagem em um sistema óptico, ou de som em um sistema sonoro. [Pl.: -*ções*.]

distorcer (dis.tor.*cer*) *v. td.* **1** Mudar o sentido, a intenção, o uso de; DESVIRTUAR; TORCER: *Vive distorcendo as palavras dos adversários.* **2** Alterar a forma ou o padrão de; DEFORMAR: *O alto-falante está distorcendo o som.* [▶ **33** distor*cer*] [Cf.: *destorcer*.]

distração (dis.tra.*ção*) *sf.* **1** Desatenção, irreflexão: *Você errou por pura distração.* **2** Entretenimento, diversão, recreação: *Jardinagem é uma distração para ela*. [Pl.: -*ções*.]

distraído (dis.tra.*í*.do) *a.* **1** Desatento: *O pedestre distraído caiu no buraco.* **2** Entretido, ocupado: *Os alunos distraídos (na leitura) nem ouviram a sineta tocar.*

distrair (dis.tra.*ir*) *v.* **1** Desviar ou ter desviada (a atenção ou concentração). [*td.*: *A beleza da morena distraiu sua atenção.* *tdi.* + *de*: *A música o distraiu dos estudos. pr.*: *As passadeira distraíu-se e queimou a calça.*] **2** Fazer esquecer ou esquecer (trabalho, preocupação, tristeza etc.). [*td.*: *Conversava com o amigo para distraí-lo. tdi.* + *de*: *Contava anedotas para distraí-la das preocupações. pr.*: *Vou passear para me distrair.*] **3** Ocupar(-se) prazerosamente; DIVERTIR(-SE). [*td.*: *O parque distrai as crianças. pr.*: *Gosta de se distrair praticando esportes.*] [▶ **43** distra*ir*]

distratar (dis.tra.*tar*) *v. td.* Desfazer, anular (trato, contrato, acordo); RESCINDIR. [▶ **1** distrat*ar*] [Cf.: *destratar*.] ● **dis.***tra***.to** *sm.*

distribuição (dis.tri.bu:i.*ção*) *sf.* **1** Ação ou resultado de distribuir. **2** Modo como algo foi disposto, organizado; DISPOSIÇÃO. [Pl.: -*ções*.] ▬ **~ de renda** *Econ. Soc.* O rateio da renda nacional (considerada quantitativamente) entre os diversos grupos e segmentos da sociedade (considerados qualitativamente).

distribuidor (dis.tri.bu:i.*dor*) [ô] *sm.* **1** Quem ou o que está encarregado da distribuição, repartição ou entrega de um produto para diferentes pessoas e lugares: *distribuidor de bebidas.* **2** *Mec.* Dispositivo que distribui a centelha elétrica para os cilindros em motor a explosão. *a.* **3** Que distribui.

distribuir (dis.tri.bu.*ir*) *v.* **1** Dar, fornecer, repartir amplamente (tb. *Fig.*). [*td.*: *Jesus já voltou a distribuir a merenda; Distribuía sorrisos e abraços.* *tdi.* + *a*, *entre*, *para*, *por*: *distribuir o pão entre os pobres.*] **2** Dispor (coisas ou pessoas) especialmente ou em categorias. [*td.*: *Distribuiu os artigos por assunto.*] **3** *Jur.* Designar o encarregado de julgar (um processo). [*td.*: *Já distribuíram o nosso processo. tdi.* + *a*: *Distribuíram o processo à 4ª vara de família.*] [▶ **56** distribu*ir*] ● **dis.tri.bu.***ti***.vo** *a.*

distrito (dis.*tri*.to) *sm.* Subdivisão administrativa de um município, província etc., ou de corporação pública, como a polícia etc. (*distrito policial*).

distúrbio (dis.*túr*.bi:o) *sm.* **1** Desarranjo, perturbação de um mecanismo, de um órgão (*distúrbio visual*). **2** Confusão, desordem, alvoroço: *A polícia conseguiu controlar o distúrbio.*

dita (*di*.ta) *sf.* Sorte feliz, ventura, fortuna. [Ant.: *desdita*.]

ditado (di.*ta*.do) *sm.* **1** Ação ou resultado de ditar algo para outro escrever. **2** O texto escrito num ditado (1). **3** Frase popular por meio da qual se passa um conselho; PROVÉRBIO.

ditador (di.ta.*dor*) [ô] *sm.* **1** Autoridade máxima numa ditadura. **2** *Fig.* Pessoa autoritária, despótica.

ditadura (di.ta.*du*.ra) *sf.* **1** Forma de governo em que o Poder Executivo é soberano sobre o Legislativo e o Judiciário, e é detido por um grupo que se perpetua autoritariamente no poder. **2** *Fig.* Qualquer forma de poder exercido arbitrariamente: *a ditadura da moda.*

ditame (di.*ta*.me) *sm.* Aviso, conselho, preceito, ordem: *ditames da consciência.*

ditar (di.*tar*) *v.* **1** Pronunciar em voz alta (texto, palavras) para que outrem escreva. [*td.*: *ditar uma carta.* *tdi.* + *a*: *ditar um exercício aos alunos.*] **2** *Fig.* Sugerir como inspiração; INSPIRAR. [*td.*: *O amor dita aos artistas suas mais belas peças.*] **3** *Fig.* Impor, determinar. [*td.*: *O perigo ditava medidas urgentes. tdi.* + *a*: *O medo ditou-lhe prudência.*] [▶ **1** dit*ar*]

ditatorial (di.ta.to.ri:*al*) *a2g.* Ref. a ou próprio da ditadura (decreto ditatorial). [Pl.: *-ais.*]

dito (*di.*to) *a.sm.* **1** Que ou o que foi mencionado, referido, aludido. *sm.* **2** Provérbio.

dito-cujo (di.to-*cu.*jo) *sm. Bras. Joc.* Pessoa desconhecida ou que não se quer mencionar o nome; FULANO; INDIVÍDUO; SUJEITO. [Pl.: *ditos-cujos*. Fem.: *dita-cuja*.]

ditongo (di.*ton.*go) *sm. Gram.* Grupo constituído de duas vogais (vogal + semivogal) pronunciadas na mesma sílaba (p.ex.: *pau*, *cárie*). [Ver tb. *crescente* (1), *decrescente* (2), *vogal* (1 e 2), *semivogal* e *hiato* (1).]

ditoso (di.*to.*so) [ó] *a.* Feliz, venturoso, afortunado. [Fem. e pl.: [ó].]

⊠ **DIU** *Med.* Sigla de dispositivo intrauterino (aparelho contraceptivo colocado no útero).

diurese (di.u.*re.*se) *sf. Med.* Excreção de urina.

diurético (di.u.*ré.*ti.co) *a.sm.* Que ou o que aumenta ou facilita a excreção da urina (remédio diurético).

diurno (di:*ur.*no) *a.* **1** Que se passa no período de um dia (1) (acontecimentos diurnos). **2** Cuja atividade é durante o dia (vigia diurno).

diuturno (di.u.*tur.*no) *a.* Que tem longa duração (amizade diuturna).

diva (*di.*va) *sf.* **1** Deusa. **2** Cantora ou atriz notável.

divã (di.*vã*) *sm.* Sofá sem braços nem encosto.

divagar (di.va.*gar*) *v. int.* **1** Abandonar o assunto de que se tratava, falando ou pensando sobre outra coisa: *No meio da conversa, começou a divagar.* **2** Fantasiar, devanear, sonhar: *Após a leitura, ela fica a divagar.* [▶ **14** divagar] [Cf.: *devagar*.] ● **di.va.ga.***ção* *sf.*

divergência (di.ver.*gên.*ci:a) *sf.* **1** Ação ou resultado de divergir. **2** Afastamento gradativo de duas linhas. **3** Discordância, desacordo: *"...na harmonia exemplar de muitos anos de convívio, sem uma divergência..."* (Josué Montello, *Sempre serás lembrada*). [Ant.: *concordância*.] ● **di.ver.***gen.*te *a2g.*

divergir (di.ver.*gir*) *v.* **1** Estar ou entrar em desacordo ou dissensão; DISCORDAR. [*ti.* + *de, entre*: *Sempre divergem do ministro.*] [Ant.: *concordar*.] **2** Estar em desarmonia; DISCREPAR. [*tdi.* + *de*: *Sua vida diverge da sua filosofia.*] **3** Apartar-se progressivamente; ir em direção diferente. [*int.*: *Neste ponto, nossos caminhos divergem.*] [Ant.: *convergir*.] [▶ **46** divergir]

diversão (di.ver.*são*) *sf.* **1** Divertimento, entretenimento. **2** Desvio de atenção. [Pl.: *-sões*.]

diversidade (di.ver.si.*da.*de) *sf.* **1** Qualidade da condição de diferente: *A diversidade entre dois produtos.* **2** Divergência, oposição: *A diversidade de suas posições impediu um acordo.* **3** Multiplicidade: *preservar a diversidade das espécies.* [Ver tb. *biodiversidade*.]

diversificar (di.ver.si.fi.*car*) *v.* Tornar(-se) diverso, variado. [*tdi.*: *Por segurança, diversificou seus investimentos.* *pr.*: *Os meios de comunicação diversificaram-se muito.*] [▶ **11** diversificar]

diverso (di.*ver.*so) [ê] *a.* **1** Que é diferente, distinto: *Preparou duas propostas diversas.* **2** Vário, variado: *Este problema tem diversas soluções possíveis.* **3** Modificado, alterado: *Apresentou uma análise diversa da que fizera antes.* **4** Discordante: *Minha opinião é diversa da dele.* *a diversos pr.indef.* **5** Vários, alguns: *Diversos alunos compareceram hoje.*

divertido (di.ver.*ti.*do) *a.* **1** Que diverte, que alegra (filme divertido). **2** Que gosta de divertir ou de se divertir: *É um cara alegre, divertido.*

divertir (di.ver.*tir*) *v.* **1** Entreter(-se), distrair(-se), alegrar(-se). [*td.*: *O palhaço diverte as crianças.* *pr.*: *Diverte-se praticando esportes.*] **2** Fazer esquecer [*tdi.* + *de*: *A música o diverte do sofrimento.*] [▶ **50** divertir] ● **di.ver.ti.***men.*to *sm.*

dívida (*dí.*vi.da) *sf.* **1** O que se deve; DÉBITO: *Tenho uma dívida de mil reais.* **2** Obrigação moral, dever: *Tinha uma dívida com o colega que o ajudara.* ⁂ **~ externa** *Econ.* O total da dívida de um país com credores do exterior. **~ pública** *Econ.* A quantia total devida por órgãos públicos federais, estaduais e municipais.

dividendo (di.vi.*den.*do) *sm.* **1** *Arit.* Na operação de divisão, o número que se divide por outro. [Cf.: *divisor* (3).] **2** *Econ.* Parte do lucro de uma sociedade anônima que cabe a cada uma das ações em que foi subdividido seu capital.

dividir (di.vi.*dir*) *v.* **1** Partir(-se), separar(-se) (um todo) em partes. [*td.*: *Pegou a faca e dividiu o bolo.* *tdi.* + *em*: *Dividiu os recrutas em dois grupos.* *pr.*: *A turma dividiu-se em relação à eleição do monitor.*] **2** Repartir, ratear. [*td.*: *dividir as despesas de casa.* *tdi.* + *com, entre*: *A empresa divide parte dos lucros com os operários.*] **3** Delimitar, demarcar, separando. [*td.*: *Uma cerca divide as duas propriedades.* *tdi.* + *de*: *O rio divide uma cidade da outra.*] **4** Classificar(-se), catalogar(-se). [*tdi.* + *em*: *A taxonomia divide os organismos em espécies.* *pr.*: *Os animais dividem-se em várias classes.*] **5** *Fig.* Compartilhar, compartir. [*tdi.* + *com*: *"Pela primeira vez a cantora vai dividir o palco com o filho..."* (*O Dia*, 23.03.03).] **6** *Fig.* Causar ou entrar em desentendimento. [*td.*: *Aquela tese dividiu os cientistas.* *pr.*: *Os parlamentares dividiram-se quanto ao projeto de lei.*] **7** *Arit.* Efetuar operação de divisão. [*td.* com indicação do divisor): *dividir 15 por 3.*] **8** *Fut.* Disputar (a bola, uma jogada). [*td.* + *com*: *Dividiu o lance (com o zagueiro).*] [▶ **3** dividir]

divinação (di.vi.na.*ção*) *sf.* **1** Arte de adivinhar. **2** Adivinhação. [Pl.: *-ções*.] ● **di.vi.na.***tó.*ri:o *a.*

divinal (di.vi.*nal*) *a2g.* Ver *divino* (2). [Pl.: *-nais.*]

divindade (di.vin.*da.*de) *sf.* **1** Qualidade da condição de divino. **2** Qualquer deus ou deusa.

divinizar (di.vi.ni.*zar*) *v. td.* **1** Tornar ou considerar divino: *Os gregos divinizavam seus heróis.* **2** *Fig.* Atribuir suma importância a coisas materiais; IDOLATRAR: *divinizar o dinheiro/o poder/a beleza.* [▶ **1** divinizar] ● **di.vi.ni.za.***ção* *sf.*

divino (di.*vi.*no) *a.* **1** Ref. a, de ou próprio de Deus ou de um deus. **2** Sublime, cheio de encanto; DIVINAL: *um coral de vozes divinas.* **3** Muito bonito, que agrada muito: *Veja que roupa divina ela comprou!*

divisa (di.*vi.*sa) *sf.* **1** Sinal ou marco que divide ou separa: *divisa entre o Rio de Janeiro e Minas Gerais.* **2** Sentença que representa um lema, um princípio, uma norma etc.: *A divisa de JK era '50 anos em 5'.* **3** Cada um dos galões que representam patentes militares: *Tinha as divisas de tenente.* **4** *Econ.* Toda representação de valor (dinheiro, cheque, letra, título etc.) que se pode converter em moeda estrangeira. ⊠ **divisas** *sfpl.* **5** Reservas em moeda estrangeira de que dispõe uma nação.

divisão (di.vi.*são*) *sf.* **1** Ação ou resultado de dividir: *fazer a divisão dos bens.* **2** Divergência, discórdia: *Não chegaram a um acordo, havia muita divisão entre eles.* **3** *Arit.* Operação aritmética que consiste em dividir (7) um número por outro. **4** *Gram.* Ação de separar uma palavra em sílabas. **5** Linha que o objeto que divide, que separa: *A cerca é a divisão entre os dois terrenos.* **6** Grande unidade organizacional de instituição, associação, liga etc.: *as divisões de uma empresa; os clubes da primeira divisão.* **7** *Mil.* Unidade do Exército que reúne efetivos e recursos de todas as armas. [Pl.: *-sões*.]

divisar (di.vi.*sar*) *v. td.* Avistar, enxergar, perceber: *Divisei-o ao longe*; *Divisamos sua real intenção.* [▶ **1** divisar]

divisionário (di.vi.si:o.ná.ri:o) *a.* **1** Ref. a divisão (7). **2** *Bras.* Ref. a moeda fracionária da unidade monetária.

divisível (di.vi.*sí*.vel) *a2g.* **1** Que se pode dividir: *Essa responsabilidade não é divisível, ele tem de assumi-la toda.* **2** *Mat.* Que pode ser dividido com exatidão, sem sobra: *Oito é divisível por dois.* [Pl.: *-veis.*]

divisor (di.vi.*sor*) [ô] *a.* **1** Que divide. *sm.* **2** Aquilo ou aquele que divide. **3** *Arit.* Na operação de divisão, número pelo qual se divide outro. [Cf.: *dividendo* (1).]. ∷ **Máximo ~ comum** *Mat.* Para um grupo de números inteiros, o maior dos números que é divisor exato de todos os números do grupo.

divisório (di.vi.*só*.ri:o) *a.* **1** Que divide, delimita. **2** Ref. a divisão. ⊠ **divisória** *sf.* **3** Linha divisória; DIVISÃO (5). **4** Parede, biombo etc. que divide um espaço.

divorciar (di.vor.ci.*ar*) *v.* **1** Decretar o divórcio de. [*td.*: *O juiz vai divorciá-los hoje.*] **2** Separar-se por divórcio. [*pr.*: *Divorciaram-se há pouco tempo.*] ● **1** divorci[ar] ● di.vor.ci.*a*.do *a.sm.*

divórcio (di.*vór*.ci:o) *sm.* **1** Dissolução legal do casamento. **2** *Fig.* Separação, rompimento: *divórcio entre as facções.*

divulgar (di.vul.*gar*) *v. td.* Tornar público; DIFUNDIR; PUBLICAR: *O jornal divulgou os detalhes da reunião.* [▶ **14** divul[gar] ● di.vul.ga.*ção* *sf.*; di.vul.ga.*dor* *a.sm.*

dizer (di.*zer*) *v.* **1** Exprimir por meio de palavras (falando, escrevendo etc.) ou por outros meios. [*td.*: *Falou pouco, mas disse o que sentia.* *tdi.* + *a, para*: *Dizia ao dentista, por gestos, que estava doendo.*] **2** Pronunciar. [*td.*: *Disse 'poblema' em vez de 'problema'.*] **3** Contar, narrar. [*td.*: *Disse maravilhas de sua viagem.* *ti.* + *de*: *Na crônica, diz das suas angústias.* *tdi.* + *a*: *Disse a todos o que fizera.*] **4** Celebrar, rezar (missa). [*td.*] **5** Recitar (oração, verso). [*td.*: *dizer o pai-nosso.*] **6** Afirmar, declarar, determinar, ordenar. [*td.*: *A lei diz que isso é proibido.* *tdi.* + *a*: *Disse-lhe que se retirasse.*] **7** Considerar(-se), julgar-se. [*td.*: *Ele o diz bonom. pr.*: "...a rapariga chorava quase sempre, dizia-se infeliz..." (Aluísio Azevedo, *Casa de pensão*).] ● *Que* **20** dizer] *sm.* **8** Palavra ou sentença proferida ou escrita: *São belos os dizeres daquela inscrição.* ∷ **Até ~ chega** *Bras. Pop.* Muito: *Comeu até dizer chega.*

dízima (*dí*.zi.ma) *sf.* Imposto que equivale à décima parte de um rendimento. ∷ **~ periódica** *Mat.* Representação decimal de um número na qual, a partir de uma ordem decimal, um algarismo ou uma série de algarismos se repete indefinidamente.

dizimar (di.zi.*mar*) *v. td.* **1** Aniquilar, exterminar, arruinar: *As guerras modernas dizimaram milhões de pessoas.* **2** *Fig.* Desfalcar, dissipar, tornar raro: *Dizimou a herança; A falta de leitura dizima o conhecimento.* [▶ **1** dizim[ar]

dízimo (*dí*.zi.mo) *sm.* **1** Tributo pago pelos fiéis em algumas religiões. **2** A décima parte.

diz que diz que (diz que *diz* que) *sm2n.* Mexerico, falatório, fofoca, disse me disse.

⊕ **DJ** (*Ing. /di djêi/*) *s2g.* Abr. de *disk jockey*, programador(a) de músicas em danceterias etc.

djibutiano (dji.bu.ti:*a*.no) *a.* **1** Da República de Djibuti (África); típico desse país ou de seu povo. *sm.* **2** Pessoa nascida em Djibuti.

⊠ **dl** Símb. de *decilitro.*
⊠ **dm** Símb. de *decímetro.*
⊠ **DNA** *sm. Ing.* Sigla do inglês *deoxyribonucleic acid* (ácido desoxirribonucleico). [Ver *ADN.*]

do **1** Contr. da prep. *de* com o art.def. *o*: *a casa do Pedro.* **2** Contr. da prep. *de* com o pr. dem. *o* (aquele, aquilo): *Lembra do que eu lhe disse?*

dó¹ *sm.* Compaixão, pena: *Não tinha dó de ninguém.*

dó² *sm. Mús.* **1** A primeira nota da escala de dó. **2** Sinal que representa essa nota na pauta.

doação (do:a.*ção*) *sf.* **1** Ação de doar. **2** Aquilo que foi doado: *A doação em dinheiro foi bem recebida.* **3** Entrega, dedicação: *Sua doação à música era comovente.* [Pl.: *-ções.*]

doar (do.*ar*) *v.* **1** Ceder gratuitamente (algo que se possui); fazer doação de. [*td.*: *Sem herdeiros, doou todos os seus bens.* *tdi.* + *a*: *Doaram sua biblioteca à universidade.*] **2** *Fig.* Dedicar(-se), devotar(-se). [*tdi.* + *a*: *Doou toda a sua vida à caridade. pr.*: *Doava-se inteiramente ao estudo.*] [▶ **16** [oar] ● do.*a*.do *a.sm.*

dobar (do.*bar*) *v. td.* Enrolar (fio de meada). [▶ **1** dob[ar]

dobra (*do*.bra) [ô] *sf.* **1** Parte de material, ger. flexível ou mole, virada sobre si mesma. **2** Vinco, prega.

dobradiça (do.bra.*di*.ça) *sf.* Peça metálica formada por duas chapas unidas por um pino, sobre o qual giram porta, janela, tampa etc.

dobradinha (do.bra.*di*.nha) *sf. Bras.* **1** A parte do intestino do boi us. na alimentação. **2** Prato preparado com ela. **3** Dupla de competidores, ger. em esporte, que obtêm primeiro e segundo lugares e pertencem ao mesmo time ou grupo.

dobrado (do.*bra*.do) *a.* **1** Que se dobrou (3) ou se voltou sobre si mesmo (lençol *dobrado*). **2** Que foi duplicado: *Com as horas extras, ganhou salário dobrado. sm.* **3** *Bras. Mús.* Música de marcha militar. ∷ **Cortar um ~** *Bras. Pop.* Enfrentar dificuldades; trabalhar muito para certo fim.

dobrar (do.*brar*) *v.* **1** Multiplicar(-se) por dois; DUPLICAR. [*td.*: *O diretor dobrará nosso salário.* *int.*: *As nossas despesas dobraram.*] **2** Aumentar muito. [*td.*: *O chefe dobrou minhas tarefas.* *int.*: *Suas preocupações dobraram.*] **3** Virar parte(s) de (algo) sobre ele próprio, fazendo-lhe dobra(s). [*td.*: *Dobre a roupa passada.*] **4** Fazer vergar ou vergar; CURVAR(-SE). [*td.*: *dobrar os joelhos. pr.*: *dobrar-se em reverência.*] **5** *Fig.* Vencer resistência de, ou ter vencida a própria resistência; abater(-se). [*td.*: *A doença acabou por dobrá-lo.* "...foi ele quem conseguiu dobrar o pai da Carminha, que não queria concordar com o casamento..." (Josué Montello, *Um rosto de menina*). *int./pr.*: *Dobrei(-me) ante seus argumentos.*] **6** *Fig.* Passar por (lugar) dando-lhe volta, mudando de direção; VIRAR. [*td.*: *dobrar uma esquina/o cabo da Boa Esperança.*] **7** Ir para outra direção, mudando a direção em que estava. [*int.* (com indicação da direção): *Andou 2km em linha reta, depois dobrou (à direita) e andou mais 1km.*] **8** Soar (um sino). [*int.*: *Os sinos dobram anunciando a vitória.*] [▶ **1** dobr[ar] ● do.bra.*du*.ra *sf.*; do.*brá*.vel *a2g.*

dobre (do.bre) [ô] *sm.* **1** Ação ou resultado de dobrar, de soar (sino). **2** Toque de sinos em atos litúrgicos.

dobro (*do*.bro) [ô] *sm.* **1** Duas vezes a quantidade ou o tamanho de outro: *Ela tem o dobro da sua idade.* **2** Quantidade bem maior: *Desde a maratona, meu joelho requer o dobro de cuidados.* ∷ **Em ~ 1** Duas vezes; duplicado: *Que Deus te dê em dobro.* **2** Bem mais, muito mais: *diversão em dobro.* [Pl.: [ó].]

doca (*do*.ca) [ó] *sf.* Setor de um porto onde atracam os navios para carga e descarga.

doce (*do*.ce) [ô] *a2g.* **1** Que tem o sabor semelhante ao do açúcar ou do mel. **2** *Fig.* Que é brando, suave, ameno: *Era um sujeito de maneiras doces.* **3** *Fig.* Meigo, carinhoso: *uma pessoa doce.* [Superl.: *docíssimo, dulcíssimo.*] *sm.* **4** *Cul.* Alimento ou iguaria em que entra açúcar ou outro adoçante. ∷ **Fazer ~** *Bras. Pop.* Fingir não querer (algo), querendo.

doceiro (do.*cei*.ro) *sm.* Pessoa que faz e/ou vende doces.

docência (do.cên.ci:a) *sf.* **1** Qualidade de docente. **2** O exercício do ensino, do magistério.

docente (do.cen.te) *a2g.* **1** Que ensina, que dá aulas. **2** Ref. a ensino e a professores. *s2g.* **3** Professor. [Cf.: *decente* e *discente*.]

dócil (dó.cil) *a2g.* **1** Fácil de lidar, conduzir, ensinar (cavalo dócil, aluno dócil). **2** Que aceita facilmente conselho, orientação: *Um de seus filhos era rebelde; o outro, extremamente dócil.* [Pl.: *-ceis.* Superl.: *docílimo, docilíssimo.*] ● **do.ci.li.da.de** *sf.*

documentação (do.cu.men.ta.ção) *sf.* **1** Ação de documentar: *Passou horas fazendo a documentação do projeto.* **2** Conjunto de documentos: *Traga toda a sua documentação.* [Pl.: *-ções.*]

documentar (do.cu.men.tar) *v.* **1** Munir(-se) de, juntar documentos a (como prova, confirmação); provar com documento(s). [*td.*: *documentar uma acusação.* pr.: *Documentei-me para provar que havia pago tudo.*] **2** Registrar (algo) mediante documentos. [*td.*: *Documentei toda a minha estada na Espanha.*] [▶ **1 documentar**]

documentário (do.cu.men.tá.ri:o) *a.* **1** Ref. a documento; que documenta. *sm.* **2** *Cin. Telv.* Filme ou vídeo que registra aspectos históricos, científicos etc. da realidade. ● **do.cu.men.ta.ris.ta** *s2g.*

documento (do.cu.men.to) *sm.* Papel escrito que registra prova ou confirma algo. ● **do.cu.men.tal** *a2g.*

doçura (do.çu.ra) *sf.* **1** Característica do que é doce. DULCOR. **2** *Fig.* Qualidade de quem é meigo, terno; MEIGUICE.

dodecaedro (do.de.ca.e.dro) *sm. Geom.* Poliedro de 12 faces. ● **do.de.ca.é.dri.co** *a.*

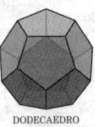

dodecafonismo (do.de.ca.fo.nis.mo) *sm. Mús.* Técnica de composição em que se usam os 12 tons das escalas diatônica e cromática. ● **do.de.ca.fô.ni.co** *a.*

dodecágono (do.de.cá.go.no) *sm. Geom.* Polígono composto por 12 lados. ● **do.de.ca.go.nal** *a2g.*

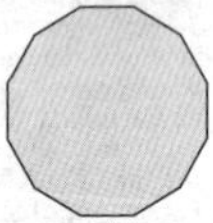

dodecassílabo (do.de.cas.sí.la.bo) *a.sm.* Que ou o que tem 12 sílabas (diz-se de vocábulo ou verso). ● **do.de.cas.si.lá.bi.co** *a.*

DODECAEDRO

DODECÁGONO

dodói (do.dói) *a2g.* **1** *Infan.* Que está doente: *Papai está dodói.* *sm.* **2** *Infan.* Doença, dor, machucado.

doença (do.en.ça) *sf.* **1** Perturbação da saúde; ENFERMIDADE; MOLÉSTIA. **2** *Fig.* Obsessão, mania.

doente (do.en.te) *a2g.* **1** Que tem doença (1). **2** *Fig.* Dominado por paixão, mania etc.: *doente por esporte.* *s2g.* **3** Indivíduo doente (1): *Os doentes foram atendidos primeiro.*

doentio (do.en.ti:o) *a.* **1** Que adoece com facilidade, que tem pouca saúde. **2** Que faz mal à saúde: *Dormir pouco é um hábito doentio.* **3** Que tem caráter de doença; MÓRBIDO: "Ela contou ainda que fez tudo em nome do amor doentio que sentia..." (*O Dia*, 17.10.03).

doer (do.er) *v.* **1** Estar dolorido. [*int.*: *Minha perna dói.*] **2** Experimentar dor moral; CONDOER-SE. [*int.*: *Meu coração dói ao ver tanta miséria.* pr.: *Como não se doer dos enfermos?*] **3** Provocar dor (física ou moral). [*ti. + a, em: Como me dói o sofrimento dela... int.*: *Esta injeção doeu*; "Amor (...) é ferida que dói, e não se sente" (Luís de Camões, *Amor é um fogo que arde sem se ver*).] [▶ **36** doer]. Como *ti.* e *int.*, *doer* só se conjuga na 3ª. pess. sing. e pl.; acompanhado de pr. refl., conjuga-se em todas as pessoas.] ▮▮ **De ~** *Pej.* Muito, demais (ref. a algo negativo): *A burrice dele é de doer.*

dogma (dog.ma) *sm.* **1** Ponto básico e incontestável de doutrina religiosa. **2** *Fig.* Ideia ou preceito apresentado como irrefutável por doutrinas políticas, sistemas ideológicos etc.

dogmático (dog.má.ti.co) *a.* **1** Ref. a dogma. **2** Que não admite contestação (pessoa dogmática).

dogmatismo (dog.ma.tis.mo) *sm.* **1** Convicção absoluta, sem abertura à crítica, da verdade dos dogmas religiosos ou ideológicos. **2** *Fig.* Atitude arrogante de quem se julga o dono da verdade: *O dogmatismo dele é irritante.*

doideira, doidice (doi.dei.ra, doi.di.ce) *sf.* **1** Ato ou comportamento insensato, inconsequente: *Que doideira, ele gastou todo o salário nas compras.* **2** Atos, palavras, comportamento de doido; MALUQUICE.

doidivanas (doi.di.va.nas) *s2g2n. Fam.* Indivíduo inconsequente, leviano.

doido (doi.do) *a.* **1** Louco, demente: *Ele é doido, e precisa ser internado.* **2** Que não é sensato; TEMERÁRIO: *Que ideia mais doida.* **3** Aficionado, arrebatado; com muita vontade: "...Américo vive doido por ser ministro..." (Joaquim Manuel de Macedo, *A luneta mágica*). *sm.* **4** Indivíduo doido (1).

doído (do.í.do) *a.* **1** Que dói ou que manifesta dor (tb. moral) (braço doído, grito doído); DOLORoso. **2** Que sente mágoa; MAGOADO: *Estava doído com aquela rejeição.*

dois *num.* **1** Quantidade correspondente a uma unidade mais uma. **2** Número que representa essa quantidade (arábico: 2; romano: II).

dois-pontos (dois-pon.tos) *sm2n.* Sinal (:) us. na escrita antes de citação, enumeração ou esclarecimento (p.ex., *Duração: 1h.*), ou depois do vocativo em cartas, requerimentos etc.

dólar (dó.lar) *sm.* **1** Nome do dinheiro un. nos Estados Unidos e outros países, como Canadá, Austrália, Nova Zelândia etc. **2** Unidade dos valores em dólar, us. em notas e moedas: *uma nota de dez dólares.* [1 dólar = 100 *cents*; simb.: $] [NOTA: Ger. a não menção de país significa que se está referindo ao dólar norte-americano.]

dolarização (do.la.ri.za.ção) *sf. Econ.* Processo monetário de substituição da moeda nacional de um país pelo dólar norte-americano como medida de valor ou meio de pagamento. [Pl.: *-ções.*] ● **do.la.ri.zar** *v.*

doleiro (do.lei.ro) *sm.* Aquele que compra e vende dólar no mercado paralelo.

dolência (do.lên.ci:a) *sf.* Aflição, lástima, mágoa. ● **do.len.te** *a2g.*

dolicocéfalo (do.li.co.cé.fa.lo) *a.sm. Antr.* Que ou quem tem o crânio oval, com diâmetro transversal um quarto menos que o longitudinal. [Cf.: *braquicéfalo.*]

dólmã (dól.mã) *sm.* Espécie de casaco militar.

dolo (do.lo) [ó] *sm.* **1** Intenção consciente de induzir alguém a cometer ou manter erro; MÁ-FÉ. **2** *Jur.* Intenção consciente de levar a cometer, ou cometer, ou assumir o risco de ato criminoso.

dolorido (do.lo.ri.do) *a.* **1** Em que há dor; que provoca dor; DORIDO: *um ferimento dolorido.* **2** Que se lastima, lastimoso: *um tom de voz dolorido.*

dolorosa (do.lo.ro.sa) *sf. Bras. Gír.* Conta que se deve pagar: *O garçom trouxe a dolorosa, e o cliente quase desmaiou.*

doloroso (do.lo.ro.so) [ô] *a.* **1** Que causa dor: *O ferimento do braço era doloroso.* **2** Que causa ou exprime sofrimento: *A dolorosa notícia pegou-os desprevenidos.* [Fem. e pl.: [ó].]

doloso (do.lo.so) [ô] *a.* Em que há dolo ou que foi causado por dolo. [Fem. e pl.: [ó].] [Cf.: *culposo.*]

dom¹ *sm.* **1** Qualidade inata: *Tinha o dom da oratória.* **2** Dádiva, presente: *Parecia ter recebido um dom divino.* [Pl.: *dons.*]

dom² *sm.* Título de honra de alguns nobres e de personalidades importantes da Igreja. [F. red.: *D* ou *d.*]

domar (do.*mar*) *v. td.* **1** Submeter (animal), tornando-o obediente; DOMESTICAR; AMANSAR: *Domou o potro.* **2** *Fig.* Submeter, fazer ceder (um adversário); SUBJUGAR: *Acabarão por domar os rebeldes.* **3** *Fig.* Reprimir, conter: *Domar a raiva.* [▶ 1 domar] ● do.ma.*ção* *sf.*; do.ma.*dor* *a.sm.*

doméstica (do.*més*.ti.ca) *sf.* Empregada que trabalha em casas de família em serviços domésticos (1).

domesticar (do.mes.ti.car) *v. td.* Ver *domar* (1). [▶ 11 domesticar] ● do.mes.ti.ca.*ção* *sf.*; do.mes.ti.*cá*.vel *a2g.*

doméstico (do.*més*.ti.co) *a.* **1** Da casa ou da vida familiar (tarefa *doméstica*). **2** Que vive ou foi criado em casa (animal *doméstico*). *sm.* **3** Empregado que faz serviços domésticos.

domiciliar¹ (do.mi.ci.li.*ar*) *a2g.* Ref. a, do ou próprio do domicílio (entrega *domiciliar*).

domiciliar² (do.mi.ci.li.*ar*) *v.* **1** Receber em seu domicílio; dar domicílio a. [*td.*: *domiciliar desabrigados.*] **2** Fixar(-se) em domicílio, residência ou sede. [*td.*: *A prefeitura domiciliou os imigrantes. pr.*: *A montadora domiciliou-se em Contagem.*] [▶ 1 domiciliar]

domicílio (do.mi.*cí*.li:o) *sm.* Casa ou lugar onde se vive; RESIDÊNCIA. ▪ **A/Em ~** No lugar de residência. [NOTA: Us. ger. na loc. 'entrega a/em domicílio'. *A domicílio* é us. quando o verbo pede a prep. *a*: *Leva-se gelo a domicílio.* (Levar algo a um local.) *Em domicílio* é us. se o verbo pede a prep. *em*: *Dá-se aula de piano em domicílio.* (Fazer algo em algum lugar.)]

dominação (do.mi.na.*ção*) **1** *sf.* Ação ou resultado de dominar. **2** Poder ou uso de poder sobre algo, alguém, país, grupo etc.; DOMÍNIO: *Aceitava de bom grado a dominação imposta.* [Pl.: -*ções.*]

dominância (do.mi.*nân*.ci:a) *sf.* **1** Qualidade ou condição de dominante. **2** Predomínio, preponderância: *Sua dominância sobre os demais concorrentes é evidente.*

dominante (do.mi.*nan*.te) *a2g.* **1** Que domina, que detém poder: *Os grupos dominantes sabem defender seus interesses.* **2** Que predomina: *A cor dominante era o azul. sf.* **3** *Mús.* Designação do quinto grau de escala tonal: *Na escala de dó, o sol é a dominante.*

dominar (do.mi.*nar*) *v.* **1** Exercer domínio, autoridade sobre. [*td.*: *Um pequeno grupo dominava toda a empresa.*] **2** Exercer grande influência sobre. [*td.*: *Seu pensamento dominou por muito tempo as artes.*] **3** Conter(-se), refrear(-se). [*td.*: *O segurança dominou o tumulto. pr.*: *"...apertou-me o coração (...), mas dominei-me e fui."* (Machado de Assis, *O enfermeiro* in *Novas seletas*).] **4** Ter conhecimento perfeito de. [*td.*: *dominar um idioma.*] **5** Sobressair, prevalecer, preponderar sobre. [*int.* (seguido de indicação de lugar ou circunstância): *Os romances históricos dominam em sua obra.*] **6** Ser ou estar sobranceiro a; elevar-se acima de. [*td.*: *Aquele pico domina toda a região.*] [▶ 1 dominar] ● do.mi.na.*dor* *a.sm.*

domingo (do.*min*.go) *sm.* Dia que inicia a semana.

domingueira (do.min.*guei*.ra) *sf.* *Bras.* Qualquer reunião festiva, esportiva etc. realizada aos domingos.

domingueiro (do.min.*guei*.ro) *a.* Próprio de domingo (roupa *domingueira*).

dominical (do.mi.ni.*cal*) *a2g.* Ref. a domingo (passeio *dominical*). [Pl.: -*cais.*]

dominicano (do.mi.ni.*ca*.no) *a.* **1** Que pertence à Ordem de São Domingos (convento *dominicano*). **2** Da República Dominicana ou de sua capital, São Domingos (Antilhas); típico desse país ou dessa cidade, ou de seus povos *sm.* **3** Religioso da Ordem de São Domingos. **4** Pessoa nascida na República Dominicana ou em São Domingos.

domínio (do.*mí*.ni:o) *sm.* **1** Ação ou resultado de dominar. **2** Autoridade, poder: *o domínio de um líder.* **3** Posse: *As joias ficaram em meu domínio.* **4** Possessão de território: *domínio português na África.* **5** Posse individual de grandes terrenos; PROPRIEDADE. [Mais us. no pl.] **6** Campo de uma arte ou ciência: *domínio da física.* **7** Conhecimento profundo: *domínio da língua inglesa.* **8** Soberania, supremacia: *domínio dos países ricos.* **9** Alçada, competência: *os domínios deste tribunal.* [Mais us. no pl.] **10** *Inf.* Parte final do endereço de rede de computadores que indica a entidade proprietária do endereço (no Brasil, p.ex.: .br, .org, .gov). ▪ **~ do fato** *Jur.* Termo jurídico que caracteriza o fato de o autor de crime ou delito ter tido a intenção do crime ou delito, conhecer suas consequências etc. Diferencia entre autores e partícipes casuais ou inadvertidos, para que cada um seja punido de forma justa e legal conforme seu delito e ofensa.

dominó (do.mi.*nó*) *sm.* Jogo de 28 peças retangulares, marcadas com pontos de zero a seis cada uma das metades ▪ **Efeito ~** Circunstância em que a consequência de determinado fato torna-se causa de novo fato, e assim por diante.

domo (do.mo) *sm. Arq.* Cobertura exterior da cúpula de grandes edifícios (igr. igrejas), de forma esférica ou convexa; ZIMBÓRIO; CÚPULA (2).

dona (do.na) *sf.* **1** Proprietária. **2** Tratamento de respeito e/ou cortesia para mulheres, us. antes do nome próprio: *Dona Sílvia é a mulher do médico.* **3** Tratamento honorífico dado a rainhas e princesas: *Dona Maria, rainha de Portugal.* **4** *Bras. Pop.* Mulher, moça.

dona de casa (do.na de *ca*.sa) *sf. Bras.* Mulher que administra e/ou realiza as tarefas do lar. [Pl.: *donas de casa.*] [NOTA: Pode-se considerar tb. como uma expressão, e não palavra composta: *dona de casa.*]

donaire (do.*nai*.re) *sm.* **1** Elegância, distinção: *Encantava os convidados com seu donaire.* **2** Adorno, enfeite. **3** Gracejo, pilhéria.

donatário (do.na.*tá*.ri:o) *sm. Jur.* Pessoa ou entidade que recebeu doação. **2** *Hist.* Termo atribuído a proprietário de capitania hereditária no tempo do Brasil colonial.

donativo (do.na.*ti*.vo) *sm.* Doação que se faz com finalidade beneficente.

donde (*don*.de) Contr. da prep. *de* com o adv. *onde.* **1** Indica origem, ponto de partida: *Donde surgiu essa ideia?* [Mais us. como locução 〈*de onde*〉.] **2** Daí; por consequência: *Aqui não tem cinema, donde a principal diversão ser a praia.*

dondoca (don.*do*.ca) *sf. Bras. Pop.* Mulher rica, que não trabalha e é fútil.

doninha (do.*ni*.nha) *sf. Zool.* Mamífero carnívoro raro, com cerca de 30cm de comprimento e pelagem apreciada; FURÃO.

dono (do.no) *sm.* Proprietário: *Você conhece o dono da fazenda?*

donzela (don.*ze*.la) *sf.* **1** *Antq.* Mulher virgem. **2** Na Idade Média, moça solteira de origem nobre.

dopar (do.*par*) *v. Bras.* **1** *Esp.* Ministrar ilegalmente estimulante a (atleta ou animal), para seu rendimento. [*td.*: *dopar um cavalo.*] **2** Fazer tomar ou tomar entorpecente. [*td.*: *O médico teve que dopá-lo para acalmar a dor. pr.*: *Não dorme sem se dopar.*] [▶ 1 dopar] ● do.*pa*.do *a.*

⊕ **doping** (Ing. /*dópin*/) *sm.* Uso ilegal de medicamentos para aumentar o rendimento de atleta ou animal em uma competição.

dor [ó] *sf.* **1** *Med.* Sensação dolorosa em qualquer parte do corpo. **2** Sofrimento moral causado por desgosto, perda etc.

doravante (do.ra.*van*.te) *adv.* De agora em diante: *Doravante, nada de atrasos!*

dorido (do.*ri*.do) *a.* **1** Em que há dor (pés <u>doridos</u>); DOÍDO; DOLORIDO. **2** Que está ferido em seus sentimentos; MAGOADO.

dormência (dor.*mên*.ci:a) *sf.* **1** *Med.* Insensibilidade que ocorre ger. nas extremidades dos membros, dando a sensação de formigamento. **2** *Fig.* Inércia, marasmo.

dormente (dor.*men*.te) *a2g.* **1** Que dorme ou está adormecido. **2** Que está momentaneamente sem movimento ou sensibilidade (diz-se de membro). *sm.* **3** Cada uma das vigas transversais sobre as quais se colocam os trilhos da linha férrea.

dormida (dor.*mi*.da) *sf.* **1** Ação ou resultado de dormir. **2** Período de sono. **3** Hospedagem ou pousada onde se pernoita.

dormideira (dor.mi.*dei*.ra) *sf.* **1** *Bot.* Planta que fecha suas folhas ao serem tocadas; SENSITIVA. **2** Estado de sonolência.

dormido (dor.*mi*.do) *a.* **1** Que dormiu, adormeceu. **2** *Pop.* Diz-se de alimento, esp. pão, que é de véspera.

dorminhoco (dor.mi.*nho*.co) [ô] *a.sm.* Que ou quem dorme muito. [Fem.: [ó].]

dormir (dor.*mir*) *v.* **1** Repousar no sono. [*int.*: *O neném <u>dorme</u> tranquilo.*] **2** Pegar no sono; ADORMECER. [*int.*: *Está tão cansado que vai <u>dormir</u> logo.*] **3** Experimentar (sono de certo tipo). [*td.*: *Está <u>dormindo</u> a sesta.*] **4** *Fig.* Ter relação sexual. [*ti.* + *com*: *"...ele nunca <u>dormiu</u> com uma mulher."* (Kurban Said, Ali e Nino). *int.*: *<u>Dormiram</u> juntos na noite de núpcias.*] **5** *Fig.* Estar ou ficar latente. [*int.*: *Vamos deixar essa ideia <u>dormir</u> por um tempo*.] [▶ **51** d<u>or</u>m<u>ir</u>] ❖ ~ **no ponto** *Bras. Gír.* Não agir com a devida atenção ou presteza; BOBEAR.

dormitar (dor.mi.*tar*) *v. int.* Dormir levemente; COCHILAR. [▶ **1** dormit<u>ar</u>]

dormitório (dor.mi.*tó*.ri:o) *sm.* **1** Aposento com várias camas, como em quartel, internato etc. **2** Quarto de dormir.

dorsal (dor.*sal*) *a2g.* Ref. ao dorso. [Pl.: -*sais*.]

dorso (*dor*.so) [ô] *sm.* **1** *Anat.* Região posterior do tronco; COSTAS. **2** Lado superior ou posterior de qualquer parte do corpo ou de qualquer objeto: *<u>dorso</u> da mão.*

⌧ **DOS** *sm. Inf.* Sigla (em inglês) de *sistema operacional de disco*, que dispõe de recursos para gerenciar arquivos em disco.

dosar (do.*sar*) *v. td.* **1** Fixar a dose exata de (medicamento, poção etc.). **2** Ministrar ou combinar na proporção certa ou adequada: *É preciso <u>dosar</u> os exercícios físicos.* [▶ **1** dos<u>ar</u>] ● **do.sa.gem** *sf.*

dose (*do*.se) *sf.* **1** Quantidade de medicamento ou bebida que se toma por vez. **2** Porção determinada de substância us., p.ex., em uma composição medicamentosa. **3** *Fig.* Quantidade, porção: *grande <u>dose</u> de paciência.* ⁑ **Ser ~ (para elefante/leão)** *Bras. Pop.* Ser cansativo, árduo, tedioso etc.

dossel (dos.*sel*) *sm.* Cobertura de madeira ou tecido, sustentada por colunas, us. para ornamentar leito, altar, leito etc.; SOBRECÉU. [Pl.: -*séis*.]

dossiê (dos.si:*ê*) *sm.* Coleção de documentos referentes a um processo, uma pessoa, empresa etc.

dotação (do.ta.*ção*) *sf.* **1** Ação ou resultado de dotar. **2** Renda destinada à manutenção de uma entidade ou pessoa, ou outro fim específico. [Pl.: -*ções*.]

dotar (do.*tar*) *v.* **1** Atribuir, conceder dom, qualidade a. [*td.*: *A Providência não o <u>dotou</u> prodigamente.* *tdi.* + *com, de*: *A natureza <u>dotou-a</u> de grande beleza.*] **2** Prover (alguém ou algo) com (poder, recursos etc.). [*tdi.* + *de*: *<u>Dotaram</u> a faculdade <u>de</u> uma grande biblioteca.*] [▶ **1** dot<u>ar</u>] ● **do.ta.do** *a.*

dote (*do*.te) *sm.* **1** Bem que quem vai se casar ganha, ger. de algum ascendente. **2** Bem que um religioso dos ao convento no qual ingressa. **3** *Fig.* Qualidade física, intelectual ou moral; DOM. [Nesta acp., mais us. no pl.]

dourado (dou.*ra*.do) *sm.* **1** A cor do ouro. **2** *Zool.* Peixe de rio, de carne muito apreciada. *a.* **3** Que é da cor do ouro (carro <u>dourado</u>). **4** Que foi revestido de ou banhado em ouro (pulseira <u>dourada</u>) **5** *Fig.* Alegre, feliz (anos <u>dourados</u>).

dourar (dou.*rar*) *v. td.* **1** Revestir com camada de ouro, ou de cor dourada: *<u>dourar</u> uma pulseira/uma moldura.* **2** *Cul.* Assar ou fritar (frango, peixe etc.) até adquirir mais cor. **3** *Art.Gr.* Estampar com ouro (capa, lombada etc.). [▶ **1** dour<u>ar</u>] ● **dou.ra.ção** *sf.*; **dou.ra.dor** *a.sm.*; **dou.ra.du.ra** *sf.*

douto (*dou*.to) *a.sm.* **1** Que ou aquele que sabe muito, tem vastos conhecimentos; CULTO; ERUDITO. *a.* **2** Que demonstra sabedoria, erudição (narrativa <u>douta</u>).

doutor (dou.*tor*) [ô] *sm.* **1** Médico. **2** Pessoa que completou o doutorado. **3** Pessoa sábia ou muito experiente.

doutorado (dou.to.*ra*.do) *sm.* **1** Curso de pós-graduação posterior ao mestrado e que confere o título de doutor; DOUTORAMENTO. **2** O grau de doutor. *a.* **3** Que recebeu o grau de doutor.

doutoral (dou.to.*ral*) *a2g.* **1** Ref. a ou próprio de doutor. **2** *Pej.* Pedante, pretensioso: *Fala sempre com ar <u>doutoral</u>.* [Pl.: -*rais*.]

doutoramento (dou.to.ra.*men*.to) *sm.* **1** Ver *doutorado* (1). **2** Ação ou resultado de doutorar(-se).

doutorando (dou.to.*ran*.do) *sm.* Pessoa que está se preparando para defender a tese que lhe dará o grau de doutor.

doutorar (dou.to.*rar*) *v.* Conferir, ou receber, o grau de doutor. [*td.*: *A banca examinadora não o <u>doutorou</u>. pr.*: *<u>Doutorou-se</u> em medicina.*] [▶ **1** doutor<u>ar</u>]

doutrina (dou.*tri*.na) *sf.* Conjunto de princípios de um sistema religioso, político ou filosófico (<u>doutrina</u> cristã).

doutrinar (dou.tri.*nar*) *v.* **1** Instruir (alguém) em doutrina, ideia etc. [*td.*: *<u>Doutrinou</u> o discípulo (em filosofia).*] **2** Pregar doutrina. [*int.*: *O velho mestre vivia a <u>doutrinar</u>.*] **3** Incutir ideia em (alguém), para que proceda de certa maneira. [*td.*: *<u>Doutrinou</u> o filho (a dar valor ao trabalho).*] [▶ **1** doutrin<u>ar</u>] ● **dou.tri.na.ção** *sf.*

doutrinário (dou.tri.*ná*.ri:o) *a2g.* Ref. a doutrina ou que contém doutrina.

🌐 **down** (*Ing.* /dáun/) *sm. Fís.* Partícula subatômica elementar com carga elétrica fracionária. [Símb.: *d*]

🌐 **download** (*Ing.* /dáunloud/) *sm. Inf.* **1** Envio de cópia de arquivos de um servidor ou computador para outro, por meio de rede ou de *modem*. **2** Envio de dados armazenados em disco para a memória da impressora. ⁑ **Fazer ~** *Inf.* Baixar arquivo, programa etc.

doze (*do*.ze) *num.* **1** Quantidade correspondente a 11 unidades mais uma. **2** Número que representa essa quantidade (algarismo: 12; romano: XII).

dracma (*drac*.ma) *sf.* **1** Nome do dinheiro us. na Grécia até a adoção do euro. **2** Unidade dos valores em dracma, us. em notas e moedas. **3** Unidade de peso em alguns países (<u>dracma</u> inglesa).

draconiano (dra.co.ni:*a*.no) *a.* Que é extremamente rigoroso ou severo; INFLEXÍVEL.

draga (*dra*.ga) *sf.* Espécie de escavadeira us. para retirar areia, lodo etc. do fundo de rios, lagos ou mares.

dragão (dra.*gão*) *sm.* **1** Monstro imaginário de grande tamanho, ger. representado com asas de morcego e garras de leão. **2** *Hist. Mil.* Soldado de cavalaria. [Pl.: *-gões*.]

dragar (dra.*gar*) *v. td.* Limpar ou desobstruir (rio, canal etc.) com draga. [▶ **14** dra[gar] • **dra.ga.gem** *sf.*

drágea (*drá*.ge:a) *sf.* Comprimido recoberto de fina camada açucarada.

dragona (dra.*go*.na) *sf.* Ornamento us. nos ombros pelos militares como distintivo de seu posto.

⊕ **drag queen** (*Ing.* /*drég quin*/) *sf.* Homem que se veste de mulher, exagerando na maquiagem, nas roupas etc., para ir a eventos sociais.

drama (*dra*.ma) *sm.* **1** *Cin. Liter. Teat. Telv.* Filme, texto de ficção, peça teatral de caráter trágico. **2** *Teat.* Qualquer obra teatral. **3** *Fig.* Sucessão de acontecimentos tumultuosos: *Os últimos dias foram um drama.* **4** Acontecimento doloroso; CATÁSTROFE: *o drama dos reféns.* **5** Exagero na expressão de um fato que não tem a dimensão que se lhe atribui: *Pare de fazer drama.*

dramalhão (dra.ma.*lhão*) *sm. Pej. Teat. Telv.* Drama de pouco valor artístico, exagerado nos lances trágicos. [Pl.: *-lhões*.]

dramático (dra.*má*.ti.co) *a.* **1** Que tem as características do drama. **2** Ref. a teatro. **3** Grave, terrível: "...no final de outubro, aconteceu a mais dramática rebelião do ano..." (*FolhaSP*, 29.12.99). **4** Comovente, tocante: *A vítima fez um apelo dramático.* • **dra.ma.ti.ci.da.de** *sf.*

dramatizar (dra.ma.ti.*zar*) *v.* **1** Tornar dramático; fazer drama (5) (de). [*td.*: *Dramatiza tudo o que lhe acontece. int.*: *Vive dramatizando para convencer o chefe.*] **2** Dar forma de drama ou peça teatral a (texto). [*td.*] [▶ **1** dramati[zar] • **dra.ma.ti.za.ção** *sf.*

dramaturgia (dra.ma.tur.*gi*.a) *sf.* **1** *Cin. Liter. Teat. Telv.* A arte de escrever roteiros, textos de ficção, peças teatrais, novelas etc. **2** *Cin. Liter. Telv.* A arte de atuar em filmes, peças teatrais, novelas etc. **3** *Teat.* A arte dramática; TEATRO. **4** *Liter. Teat.* Conjunto de peças teatrais de um autor ou de um período: *a dramaturgia de Nelson Rodrigues.*

dramaturgo (dra.ma.*tur*.go) *sm.* Autor de peças teatrais; TEATRÓLOGO.

drapejar (dra.pe.*jar*) *v.* **1** Dispor de forma harmoniosa (dobras de fazenda ou de roupa). [*td.*] **2** Ondular, agitar-se. [*int.*: *A bandeira drapejava ao vento.*] [▶ **1** drape[jar]

drástico (*drás*.ti.co) *a.* Rigoroso, severo, radical.

drenagem (dre.*na*.gem) *sf.* **1** Ação ou resultado de drenar. **2** *Agr. Emec.* Conjunto de instalações e operações que visam retirar a água de um terreno muito úmido ou alagado. [Pl.: *-gens*.]

drenar (dre.*nar*) *v. td.* **1** Fazer a drenagem, o escoamento das águas de (terreno, gramado etc.). **2** *Med.* Retirar, com dreno, líquido, secreção etc. de: *drenar um cisto.* [▶ **1** dre[nar]

dreno (*dre*.no) [é] *sm.* **1** *Med.* Tubo ou canal próprio para o escoamento de líquidos e secreções para o exterior do corpo. **2** Tubo ou vala para escoar o excesso de água de um terreno.

driblar (dri.*blar*) *v.* **1** *Esp.* Enganar (o adversário) com jogo de corpo para ultrapassá-lo com a bola; FINTAR. [*td.*: *Driblou o zagueiro e sofreu o pênalti. int.*: *Saiu driblando e fez o gol.*] **2** *Basq.* Quicar a bola. [*int.*] **3** *Fig.* Ultrapassar, superar (dificuldades, tristeza etc.). [*td.*: "...levou na bagagem opções para driblar a solidão..." (*O Dia*, 27.03.03).] [▶ **1** dribl[ar]

drible (*dri*.ble) *sm. Esp.* Ação ou resultado de driblar; FINTA.

drinque (*drin*.que) *sm.* Bebida alcoólica tomada fora das refeições, ou como aperitivo.

⊕ **drive** (*Ing.* /*dráiv*/) *sm. Inf.* Dispositivo eletromecânico de entrada e saída, capaz de ler e gravar informações em discos; UNIDADE DE DISCO: *drive de CD.*

⊕ **drive-in** (*Ing.* /*dráiv-in*/) *sm.* Estabelecimento comercial (cinema, lanchonete etc.) a que se vai, é atendido ou usufrui os serviços no seu próprio carro.

⊕ **driver** (*Ing.* /*dráiver*/) *sm. Inf.* Programa que permite ao sistema operacional usar seus dispositivos: *driver de impressora.*

droga (*dro*.ga) *sf.* **1** Substância entorpecente, alucinógena etc. cujo consumo pode causar dependência química. **2** Qualquer substância us. em química, farmácia etc.; FÁRMACO. **3** *Pop.* Coisa de pouco valor, insignificante ou de má qualidade: *Esse filme é uma droga!*

📖 O consumo de drogas (1) assumiu proporções alarmantes no mundo inteiro por seu efeito devastador na saúde física e mental de um número cada vez maior de usuários, e pelas consequências de sua difusão e comercialização. Enquanto o fumo e o álcool são aceitos há séculos, o consumo e o comércio dos alucinógenos, por seus efeitos mais rápidos e mais nocivos, são criminalizados, o que fez surgir o crime do tráfico, e a consequente violência de seu confronto com a lei e com a sociedade. LSD, heroína, ópio, haxixe, maconha, cocaína, anfetaminas e tóxicos 'improvisados' de produtos (como cola e verniz), ou variantes, como o *crack*, têm cada vez mais causado dependência, causa direta da degradação física e moral dos usuários e do tecido social. O combate à droga, em níveis locais e mundiais, revela-se complexo, envolvendo fatores policiais, políticos e sociais, educacionais, legais, de prevenção e reabilitação.

drogadicto, drogadito (dro.ga.*dic*.to, dro.ga.*di*.to) *sm.* Pessoa viciada em drogas (1). • **dro.ga.dic.ção, dro.ga.di.ção** *sf.*

drogar (dro.*gar*) *v. td.* Pej. Fazer ingerir ou ingerir; fazer inocular ou inocular (entorpecente, alucinógeno etc.). [▶ **14** dro[gar] • **dro.ga.do** *a.sm.*

drogaria (dro.ga.*ri*.a) *sf.* Estabelecimento onde se vendem medicamentos; FARMÁCIA.

dromedário (dro.me.*dá*.ri.o) *sm. Zool.* Mamífero ruminante, com apenas uma corcova nas costas, us. como montaria e animal de carga.

drope (*dro*.pe) [ó] *sm.* **1** Tipo de bala. [Mais us. no pl.] **2** *Esp.* Descida vertical em uma onda, rampa de *skate* ou de bicicleta, duna etc. • **dro.par** *v.int.*

druida (*drui*.da) *sm.* Antigo sacerdote dos povos gauleses e bretões. [Fem.: *-desa* e *-disa*.]

drumete (dru.*me*.te) [é] *sm.* Parte mais carnuda da asa do frango, servida como churrasco.

drupa (*dru*.pa) *sf.* Fruto carnoso que tem dentro um caroço duro, como azeitona, ameixa, manga etc.

⊠ **DST** *sf. Med.* Sigla de *doença sexualmente transmissível*.

dual (du:*al*) *a2g.* **1** Formado por duas partes. **2** Ref. a dois. [Pl.: *-ais*.]

dualismo (du:a.*lis*.mo) *sm.* **1** *Fil.* Doutrina que afirma a coexistência de dois princípios opostos. **2** Característica do que é dual ou duplo; DUALIDADE. • **du:a.lis.ta** *a2g.s2g.*

duas (*du*.as) *num.* Fem. de *dois*.

dúbio (*dú*.bi.o) *a.* **1** Que permite diferentes interpretações (palavras dúbias); AMBÍGUO. **2** Que se mostra indeciso; HESITANTE. **3** *Fig.* Que não se pode definir (cor dúbia); IMPRECISO; VAGO. • **du.bi:e.da.de** *sf.*

dubitativo (du.bi.ta.*ti*.vo) *a.* Que exprime ou em que há dúvida.

dublagem (du.*bla*.gem) *sf. Cin. Telv.* **1** Substituição do idioma original falado em filme ou progra-

dublê | **dureza** 288

ma de televisão por outro. **2** Gravação posterior à filmagem de todas as falas e/ou cantos. **3** Interpretação mímica que um cantor faz com *playback*. [Pl.: *-gens*.]

dublar (du.*blar*) v.

dublê (du.*blê*) *s2g. Bras.* **1** *Cin. Telv.* Profissional que toma o lugar do ator em certas cenas perigosas etc. **2** Pessoa fisicamente semelhante a outra, ger. celebridade ou autoridade, a quem substitui em aparições públicas, por motivos de segurança.

ducado¹ (du.*ca*.do) *sm.* **1** Título e dignidade de duque. **2** Domínio territorial de um duque.

ducado² (du.*ca*.do) *sm. Hist.* Moeda de ouro de diferentes países (*ducado* italiano/holandês).

ducal (du.*cal*) *a2g.* Ref. ou pertencente a duque. [Pl.: *-cais*.]

ducentésimo (du.cen.*té*.si.mo) *num.* **1** Ordinal que, em uma sequência, corresponde ao número 200: *Ficou em ducentésimo lugar no concurso. a.* **2** Que é 200 vezes menor do que a unidade ou um todo (diz-se de parte): *A ducentésima parte de 1.000 é 5.* [Us. tb. como subst.: *O ducentésimo de 1.000 é 5.*]

ducha (du.cha) *sf.* **1** Jato de água lançado sobre o corpo para lavagem, massagem ou terapia. **2** Banho de chuveiro com jato forte de água. **3** *Fig.* Aquilo que acalma a tensão. ■ **~ de água fria** *Fig.* Circunstância que causa decepção, abala o entusiasmo, desestimula: *A lista de exigências foi uma ducha de água fria em suas pretensões.*

dúctil (*dúc*.til) *a2g.* **1** Que se pode distender ou comprimir sem se romper (aço *dúctil*); FLEXÍVEL. **2** *Fig.* Adaptável às circunstâncias: *povo dúctil e pacífico.* [Pl.: *-teis*. Superl.: *ductilíssimo* e *ductílimo*.]

ducto (*duc*.to) *sm.* **1** *Cons.* Tubulação para conduzir gás ou líquidos entre longas distâncias: *ducto de gás.* **2** *Anat.* Estrutura tubular por onde passam os fluidos e excreções do corpo animal. [*Ducto* substituiu *canal* na nova terminologia anatômica.]

duelar (due.*lar*) *v.* Bater-se em duelo. (fig.) [*int.*: *Resolveram duelar à moda antiga.* *ti.* + *com*: *Duelou com seu professor de esgrima, e venceu.*] [▶ **1** duel**ar**]

duelista (due.*lis*.ta) *s2g.* Pessoa que duela.

duelo (du:*e*.lo) *sm.* **1** Combate previamente marcado entre duas pessoas, com testemunhas e armas iguais. **2** *Fig.* Qualquer forma de combate ou oposição entre pessoas ou grupos: *Travaram um duelo verbal.*

duende (du:*en*.de) *sm.* Ser imaginário de baixa estatura, orelhas pontudas, que apareceria à noite nas casas fazendo travessuras.

dueto (du:*e*.to) *sm.* [ê] *Mús.* Composição musical para dois instrumentos ou duas vozes. **2** *Mús.* Conjunto formado por dois executantes. **3** *Pop.* Qualquer atividade executada por duas pessoas.

dulcificar (dul.ci.fi.*car*) *v. td.* Tornar doce; ADOÇAR. [▶ **11** dulcific**ar**]

dulçor (dul.*çor*) [ô] *sm.* Ver doçura (1).

dulçoroso (dul.ço.*ro*.so) [ô] *a.* Que possui doçura (1). [Fem. e pl.:

⊕ ***dumping*** (Ing. /*dámpin*/) *sm. Com.* Venda por preço inferior ao do mercado a fim de afastar os concorrentes.

duna (du.na) *sf. Geol.* Monte de areia que se forma e se movimenta pela ação do vento.

duo (du.o) *sm.* **1** *Mús.* Composição para ser executada por dois instrumentos ou duas vozes: *um duo para violões.* **2** *Mús.* Conjunto de dois músicos: *Os irmãos formam um duo afinado.* **3** Bailado executado por duas pessoas.

duodécimo (du.o.*dé*.ci.mo) *num.* **1** Ordinal que, em uma sequência, corresponde ao número 12. *a.* **2** Que é 12 vezes menor do que a unidade ou um todo (diz-se de parte): *O valor correspondia à duodécima parte do seu salário.* [Us. tb. como subst.: *O valor correspondia a um duodécimo do seu salário.*]

duodeno (du:o.*de*.no) [ê] *sm. Anat.* A parte inicial do intestino delgado.

dupla (du.pla) *sf.* **1** Grupo de duas pessoas que atuam juntas (tb. *Esp.*): *a dupla Zezé di Camargo e Luciano*; *Dupla brasileira chega à semifinal do campeonato de vôlei de praia.* **2** *Esp.* Jogo em que dois pares de jogadores se enfrentam: *Guga ganhou nas duplas no Chile.* **3** Combinação de duas coisas: *Carro e bebida alcoólica, uma dupla que não combina.*

duplex, dúplex (du.*plex*, *dú*.plex) [cs] *a2g2n. sm2n. Bras.* Que ou o que foi construído em dois pavimentos, esp. apartamento.

duplicar (du.pli.*car*) *v.* **1** Tornar(-se) duas vezes maior; DOBRAR. [*td.*: *Preciso duplicar minha renda.* *int./pr.*: *Nossa população duplicou(-se) em pouco tempo.*] **2** Fazer aumentar ou multiplicar muito. [*td.*: *Os filhos duplicam as responsabilidades dos pais. int./pr.*: *Por causa dos furtos, a vigilância duplicou(-se).*] **3** *Arit.* Multiplicar (uma quantidade) por dois. [*td.*] ● [▶ **11** duplic**ar**] ● **du.pli.ca.ção** *sf.*; **du.pli.ca.do** *a.*

duplicata (du.pli.*ca*.ta) *sf.* **1** Qualquer objeto ou ser que se pareça, represente ou tenha a mesma função de outro; CÓPIA. **2** *Econ.* Título de crédito que obriga o comprador a pagar, em data preestabelecida, a quantia correspondente ao valor da mercadoria adquirida.

dúplice (*dú*.pli.ce) *a2g.* **1** Que é duplo. **2** Que é dissimulado (caráter *dúplice*); FALSO. ● **du.pli.ci.da.de** *sf.*

duplo (du.plo) *num.* **1** Que é duas vezes a quantidade ou o tamanho de um. *a.* **2** Que contém duas partes ou elementos: *avenida de mão dupla.* **3** Que é para os de duas pessoas (quanto duplo, duplo assassinato). **4** Que tem duas facetas ou significados (vida dupla, duplo sentido). *sm.* **5** Pessoa muito similar a outra; SÓSIA. **6** Quantidade ou tamanho duas vezes maior; DOBRO.

duque¹ (du.que) *sm.* Título de nobreza dado ao soberano de um ducado.

duque² (du.que) *sm.* Em alguns jogos, carta ou pedra que vale dois pontos.

duração (du.ra.*ção*) *sf.* **1** Espaço temporal, definido ou não, em algo dura: *duração da vida.* **2** Qualidade de resistente ou duradouro; DURABILIDADE. [Pl.: *-ções*.]

duradouro (du.ra.*dou*.ro) *a.* Que dura ou tende a durar muito (amizade *duradoura*).

duralumínio (du.ra.lu.*mí*.ni:o) *sm. Quím.* Liga metálica de alumínio, magnésio, manganês e cobre.

dura-máter (du.ra-*má*.ter) *sf. Anat.* A membrana mais externa e espessa das três que envolvem o cérebro e a medula espinhal. [Pl.: *duras-máteres*.]

durante (du.*ran*.te) *prep.* **1** Dentro de um determinado espaço de tempo: *Durante a semana não saio, só estudo.* **2** Em certa altura num espaço de tempo: *Ele saiu durante a noite.*

durar (du.*rar*) *v. int.* **1** Perdurar, prolongar-se (seguido ou não de indicação de tempo) *A chuva já dura nove dias.* **2** Continuar a existir ou viver: (seguido ou não de indicação de tempo) *Doente, não vai durar muito.* **3** Manter-se em bom estado: (seguido ou não de indicação de tempo) *Os eletrodomésticos tendem a durar só três anos.* [▶ **1** dur**ar**]

durável (du.*rá*.vel) *a2g.* Que dura (3) (roupa *durável*); RESISTENTE. [Pl.: *-veis*. Superl.: *durabilíssimo*.] ● **du.ra.bi.li.da.de** *sf.*

durex® (du.*rex*) [cs] *sm2n. Bras.* Fita adesiva. [A marca registrada, com inicial maiúsc.]

dureza (du.*re*.za) [ê] *sf.* **1** Qualidade ou estado do que é duro. **2** Característica do que é difícil de suportar. **3** Severidade, inflexibilidade. **4** *Bras. Gír.* Situação de penúria financeira; falta de dinheiro.

duro (*du*.ro) *a*. **1** Diz-se de material não flexível, rígido. **2** Que é difícil de suportar (vida <u>dura</u>); ÁRDUO; PENOSO. **3** Que é severo, vigoroso. **4** Que não entende ou não se sensibiliza (cabeça <u>dura</u>, coração <u>duro</u>). **5** *Bras. Gír.* Que está sem dinheiro. ▪▪ **Dar (um) ~** *Bras.* Esforçar-se muito; trabalhar muito. **~ na queda** Difícil de ser derrotado. **No ~** *Bras. Pop.* De verdade; com certeza.

duto (*du*.to) *sm*. Ver *ducto*.

dúvida (*dú*.vi.da) *sf*. **1** Ausência de clareza ou certeza sobre fatos, informações ou ideias: *Essa <u>dúvida</u> pode ser resolvida com um telefonema*. **2** Descrença ou ceticismo. **3** Desconfiança. ▪▪ **Em ~** Que não está pronto para tomar uma decisão: *Apesar dos esclarecimentos, ainda há pessoas em <u>dúvida</u>*. **Sem ~** Com certeza.

duvidar (du.vi.*dar*) *v*. **1** Ter dúvida ou suspeita a respeito de. [*td*.: *Ainda <u>duvida</u> que o irmão volte*. *ti*. + *de*: *<u>Duvida</u> da amizade dela*.] **2** Não crer; DESCRER. [*td*.: *<u>Duvido</u> que ele consiga chegar a tempo*. *ti*. + *de*: *Após tantas derrotas, <u>duvida</u> <u>da</u> capacidade de seu time*.] [▶ **1** duvid<u>ar</u>]

duvidoso (du.vi.*do*.so) [ô] *a*. **1** Que transmite ou inspira dúvidas; INCERTO; IMPRECISO. **2** Que não merece confiança (intenções <u>duvidosas</u>). **3** Indeciso, hesitante. [Fem. e pl.: [ó].]

duzentos (du.*zen*.tos) *num*. **1** Quantidade correspondente a 199 unidades mais uma. **2** Número que representa essa quantidade (arábico: 200; romano: CC).

dúzia (*dú*.zi:a) *sf*. Conjunto de 12 elementos da mesma natureza: *uma <u>dúzia</u> de limões*.

⊠ **DVD** *sm*. *Tec*. Sigla do ing. *digital video disk* (disco digital de vídeo), que dá nome a um tipo de CD que armazena digitalmente arquivos de imagens, sons e textos.

⊕ **DVD player** (*Ing.* /dividí plèier/) *sm*. *Tec*. Aparelho que reproduz DVDs.

dzeta (*dze*.ta) *sm*. A sexta letra do alfabeto grego. Corresponde ao *z* latino (Z, ζ).

A letra fenícia *he*, que representava aproximadamente um som do *h* aspirado, foi o provável ancestral do nosso *e*. Quando os gregos adotaram o alfabeto fenício, tiveram dificuldade em pronunciar a primeira parte do nome desse caractere e a abandonaram, conservando apenas o som do *e*. A esta letra os gregos deram o nome de *épsilon*. Com o tempo, simplificaram seu desenho virando os traços horizontais para a direita.

⅄	Fenício
⋺	Grego
E	Grego
⋺	Etrusco
⋺	Romano
E	Romano
e	Minúscula carolina
E	Maiúscula moderna
e	Minúscula moderna

e¹ [é] *sm.* **1** A quinta letra do alfabeto. **2** A segunda vogal do alfabeto. *num.* **3** O quinto em uma série (grupo E).

e² *conj.adit.* **1** Liga palavras, termos da oração e orações com a mesma função (p.ex: *André e Laura; Lamenta e chora*). **2** Expressa adição; mais: *Pique dois tomates e uma cebola*. **3** Us. para associar ou somar números: *Duzentos e noventa e cinco*. **4** Introduz o que cronologicamente acontece em seguida: *Matou a bola e chutou para o gol*. **5** Expressa consequência: *Faltou muita gente e sobrou comida*. *conj.advers.* **6** Introduz uma contraposição ao que foi dito anteriormente; mas: *Cortei o cabelo, e ele nem percebeu*.
⊠ **e** *Fís.* Símb. de *elétron*.
⊠ **E.** Abr. de *este*.

ébano (é.ba.no) *sm.* **1** *Bot.* Árvore de madeira muito escura e resistente. **2** Essa madeira.

ebola (e.bo.la) *sm. Med.* Vírus altamente letal que provoca hemorragia interna nas pessoas infectadas.

ebonite (e.bo.*ni*.te) *sf. Quím.* Material feito de borracha vulcanizada, muito us. como isolante elétrico.

⊕ **e-book** (*Ing. /ibúk/*) *sm. Inf.* Livro virtual, distribuído pela internet.

ébrio (é.bri:o) *a.sm.* Que ou quem está embriagado ou tem o vício de beber; BÊBADO.

ebulição (e.bu.li.*ção*) *sf.* **1** *Fís.* Fervura de um líquido. **2** *Fig.* Agitação, rebuliço: *A cidade fica em ebulição no Carnaval*. [Pl.: *-ções*.]

ebuliente (e.bu.li.*en*.te) *a2g.* Ver *fervente* (1).

ebúrneo (e.*búr*.ne:o) *a.* **1** De marfim. **2** Branco como o marfim; ELEFANTINO.

ecdêmico (ec.*dê*.mi.co) *a. Med.* Diz-se de enfermidade causada por agente oriundo de local diferente daquele em que a doença ocorre. [Cf.: *endêmico*.]

echarpe (e.*char*.pe) *sf.* Espécie de lenço us. ao redor do pescoço como enfeite ou agasalho.

eciano (e.ci:a.no) *a.* **1** Ref. ao autor português Eça de Queirós. **2** Admirador da obra desse autor.

⊕ **éclair** (*Fr. /eclér/*) *sm.* Ver *bomba* (6).

eclâmpsia, eclampsia (e.*clâmp*.si:a, e.clamp.*si*.a) *sf. Med.* Doença que pode ocorrer no final da gravidez, caracterizada por grande aumento da pressão arterial e convulsão.

ecler (e.*cler*) *sm.* Ver *bomba* (6).

eclesiástico (e.cle.si:*ás*.ti.co) *a.* **1** Ref. à Igreja ou a seus sacerdotes (vestes *eclesiásticas*). *sm.* **2** Padre, sacerdote.

eclético (e.*clé*.ti.co) *a.* **1** Que inclui uma mistura de vários estilos, tendências etc.: *Ela tem um gosto eclético para música*. **2** Que adota o que acha melhor de diferentes ideias, tendências, estilos etc., em vez de seguir uma só linha. *sm.* **3** Pessoa eclética (2).

ecletismo (e.cle.*tis*.mo) *sm.* **1** Reunião de diferentes correntes de pensamento, arte etc. **2** Qualidade de quem é eclético.

eclipsar (e.clip.*sar*) *v.* **1** *Astron.* Tornar(-se) obscuro por eclipse. [*td.*: *A Terra eclipsou a Lua. pr.*: *A Lua eclipsou-se.*] **2** *Fig.* Fazer perder o destaque, o prestígio, o valor etc.; OFUSCAR. [*td.*: *O chef pretende eclipsar os concorrentes com seu novo restaurante.*] **3** *Fig.* Deixar de estar presente ou de existir; DESAPARECER. [*pr.*: *A civilização greco-romana já eclipsara-se.*] [▶ **1** eclipsar]

eclipse (e.*clip*.se) *sm. Astron.* Obscurecimento total ou parcial de um astro por outro. [Ger. us. em referência ao eclipse do Sol pela Lua, ou da Lua pela Terra.]

📖 O eclipse solar ocorre quando a Lua, em sua rotação em torno da Terra (movimento chamado *revolução*), passa entre esta e o Sol num alinhamento tal que sua sombra atinge alguma área na Terra. Nessa área, o observador do Sol verá a Lua ir cobrindo o Sol totalmente (nos eclipses totais, observáveis nas áreas em que o cone de sombra se concentra) ou parcialmente (nos eclipses parciais, observáveis nas áreas mais externas do cone de sombra). O eclipse lunar ocorre quando a Terra se interpõe entre o Sol e a Lua, num alinhamento tal que sua sombra se projeta sobre a Lua, escurecendo-a total (se o cone de sombra da Terra cobre totalmente a Lua) ou parcialmente (se o cone de sombra da Terra se projeta apenas em parte da superfície lunar visível).

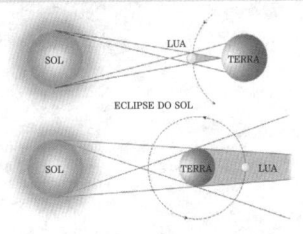

ECLIPSE DO SOL

ECLIPSE DA LUA

eclíptica (e.*clíp*.ti.ca) *sf. Astron.* **1** Plano da órbita da Terra. **2** Círculo máximo da esfera celeste.

eclíptico (e.*clíp*.ti.co) *a.* Ref. a eclipse ou a eclíptica.

eclodir (e.clo.*dir*) *v. int.* **1** Irromper violentamente; DEFLAGRAR: *Em 1939 eclodiu a Segunda Guerra Mun-*

dial. **2** Nascer, surgir: *A doença eclodiu na China.* [▶ **58** eclod**ir**]. Assim como *explodir*, este v. é considerado defec.: só se conjuga nas formas em que ao 'd' se segue 'i' ou 'e'. Usos menos formais da língua, no entanto, já abonam formas como *eclodo* [ó].]

écloga (é.clo.ga) *sf. Liter.* Tipo de poesia sobre as coisas do campo, ger. em diálogo.

eclosão (e.clo.*são*) *sf.* **1** Ação de eclodir: *a eclosão de novas tecnologias.* **2** Abertura, desabrochamento. **3** Desenvolvimento, crescimento. [Pl.: -*sões*.]

eclusa (e.*clu*.sa) *sf.* Dique construído em rio com desnível do leito, para permitir a navegação.

eco (*e*.co) *sm.* **1** *Fís.* Fenômeno físico em que se observa a repetição de um som. **2** *Ling.* Figura de linguagem que consiste na repetição de palavras ou sons. **3** *Fig.* Boa aceitação; REPERCUSSÃO. ■■ **não encontrar ~** Não despertar interesse ou apoio.

ecoar (e.co.*ar*) *v.* **1** Produzir eco. [*int.*: *Uma gargalhada sonora ecoou no ar.*] **2** Repercutir, ressoar. [*int.*: *A frase ecoou em minha mente.*] **3** Repetir, reproduzir. [*td.*: *Aceita as minhas palavras, e as ecoa.*] [▶ **16** eco**ar**]

🌐 **ecobag** (*Ing. / ecobég/) sm.* **1** Bolsa simples, geralmente de tecido reciclável, e reutilizável, utilizada para carregar compras: *Arrumou suas compras de mercado na ecobag.* **2** Bolsa que substituiu a sacola plástica para carregar compras, como alternativa sustentável; SACOLA REUTILIZÁVEL: *Ambientalista convicto, só usa ecobag para carregar as compras.*

ecocardiografia (e.co.car.di:o.gra.*fi*.a) *sf. Med.* Exame através do qual se verifica a estrutura e o funcionamento cardíacos.

ecocardiograma (e.co.car.di:o.*gra*.ma) *sm. Med.* Registro gráfico da ecocardiografia.

ecointeligente (e.co:in.te.li.*gen*.te) *a2g.* Que é projetado, ou feito, ou funciona de maneira a não agredir o meio ambiente, a ser ecologicamente correto.

ecologia (e.co.lo.*gi*.a) *sf. Biol.* Ramo da biologia que estuda as relações dos seres vivos entre si e com o meio ambiente em que vivem.

📖 O termo e o conceito da ecologia já existem desde meados do séc. XIX, mas sua importância e aplicação prática ganharam vulto mais recentemente, com o agravamento das condições de meio ambiente (poluição, extinção de espécies, efeito estufa, aquecimento global etc.) resultante, em grande parte, da ação do homem sobre ele. A preservação dos ciclos básicos da natureza, da diversidade das espécies e do equilíbrio do ecossistema tornou-se questão urgente, mobilizando governos e órgãos não governamentais na busca de medidas que reduzam ou eliminem os efeitos nocivos da ação do homem sobre a biosfera (como o uso excessivo de combustíveis fósseis, de gases que destroem a camada de ozônio da atmosfera, de agrotóxicos, de desflorestamento etc.).

ecológico (e.co.*ló*.gi.co) *a.* **1** Ref. a ecologia (equilíbrio *ecológico*). **2** Que diz respeito à natureza e ao meio ambiente ou visa a preservá-los.

ecologista (e.co.lo.*gis*.ta) *s2g.* Pessoa que se especializa em ecologia.

econometria (e.co.no.me.*tri*.a) *sf. Econ.* Método estatístico de análise das relações econômicas.

economia (e.co.no.*mi*.a) *sf.* **1** *Econ.* Ciência que estuda a produção, distribuição e consumo de bens. **2** Sistema produtivo de um país, estado ou cidade. **3** Controle ou moderação nos gastos. **4** *Fig.* Moderação em qualquer atividade: *economia de gestos.* ■ **economias** *sfpl.* **5** Dinheiro que se conseguiu juntar; POUPANÇA.

econômico (e.co.*nô*.mi.co) *a.* **1** Ref. a economia (crescimento *econômico*). **2** Que gasta pouco, que controla os gastos. **3** Que não acarreta muitos gastos.

economista (e.co.no.*mis*.ta) *s2g.* Pessoa formada em economia.

economizar (e.co.no.mi.*zar*) *v.* **1** Juntar (dinheiro); POUPAR. [*td.*: *Economizou o suficiente para comprar uma bicicleta.*] **2** Gastar com parcimônia; POUPAR. [*td.*: *Economizei bem o salário do mês;* (sem complemento explícito) *Ela sabe economizar.*] **3** Deixar de ter despesa com. [*ti.* + *em*: *Vamos economizar nos supérfluos.*] [Ant. ger.: *dispender, gastar.*] [▶ **1** economiz**ar**]

ecônomo (e.*cô*.no.mo) *sm.* Pessoa encarregada de administrar uma casa ou uma instituição leiga ou religiosa; MORDOMO.

ecosfera (e.cos.*fe*.ra) *sf. Ecol.* Conjunto de todos os ecossistemas que existem no planeta Terra; BIOSFERA.

ecossistema (e.cos.sis.*te*.ma) *sm. Ecol.* Conjunto das relações de interdependência dos seres vivos com seu meio ambiente; BIOGEOCENOSE.

ecotáxi (e.co.*tá*.xi) *sm.* **1** Veículo de transporte de passageiros, mediante pagamento, sem motor de combustão interna, portanto não poluente, geralmente um triciclo com lugar para o condutor e dois passageiros.

ecoturismo (e.co.tu.*ris*.mo) *sm. Ecol.* Atividade turística que incentiva a conservação do meio ambiente e promove a educação ambiental; turismo ecológico.

ectipografia (ec.ti.po.gra.*fi*.a) *sf. Art.Gr.* Impressão tipográfica com caracteres em relevo, destinada à leitura por pessoas cegas.

ectoparasito, ectoparasita (ec.to.pa.ra.*si*.to, ec.to. pa.ra.*si*.ta) *sm. Biol.* Parasita que vive sobre a superfície do hospedeiro. [Cf.: *endoparasito.*]

ectoplasma (ec.to.*plas*.ma) *sm.* **1** *Biol.* Parte mais externa do citoplasma, formada pelo líquido do citoplasma, com consistência de gelatina mole. **2** Na parapsicologia, substância visível que flui do corpo de certos médiuns.

ecumênico (e.cu.*mê*.ni.co) *a.* **1** De todo o mundo habitado; UNIVERSAL. **2** Que reúne ou aceita todas as religiões (culto *ecumênico*). **3** Ref. ao ecumenismo.

ecumenismo (e.cu.me.*nis*.mo) *sm. Rel.* Movimento que prega a unificação das igrejas cristãs.

ecúmeno (e.*cú*.me.no) *sm.* **1** O conjunto das áreas habitáveis da Terra. **2** O todo, o geral, o universal.

eczema (ec.*ze*.ma) *sm. Med.* Doença de pele que se caracteriza por reação inflamatória, com formação de vesículas e crostas.

edáfico (e.*dá*.fi.co) *a.* Pertencente ou ref. ao solo.

edaz (e.*daz*) *a2g.* Que come muito ou devora; GLUTÃO; VORAZ. [Superl.: *edacíssimo.*]

edema (e.*de*.ma) *sm. Med.* Inchação de tecido ou órgão, por acúmulo anormal de líquido no organismo.

éden (*é*.den) *sm.* **1** *Fig.* Lugar muito bonito e tranquilo; PARAÍSO. ■ **Éden** *sm.* **2** *Rel.* Jardim onde, segundo a Bíblia, viveram Adão e Eva; PARAÍSO.

edição (e.di.*ção*) *sf.* **1** Ação ou resultado de editar. **2** Publicação de uma obra (livro, revista etc.), inédita ou não. **3** *Art.Gr.* Conjunto de exemplares de uma obra, impressos em uma ou duas tiragens. **4** A obra editada. **5** *Cin. Rád. Telv.* Seleção e organização de materiais filmados, para elaboração de filme, programa etc.: *edição de videoclipe.* **6** *Rád. Telv.* Cada uma das transmissões de um telejornal. [Pl.: -*ções*.]

edícula (e.*dí*.cu.la) *sf.* **1** Construção pequena. **2** Nicho us. para abrigar imagens de santos.

edificação (e.di.fi.ca.*ção*) *sf.* **1** Ação ou resultado de edificar(-se). **2** Construção, prédio, casa. **3** *Fig.* Evolução moral. [Pl.: -*ções*.]

edificante | eficácia

edificante (e.di.fi.*can*.te) *a2g.* **1** Que leva ao aperfeiçoamento moral. **2** Que instrui.

edificar (e.di.fi.*car*) *v.* **1** Erguer, levantar. [*td.*: *edificar um prédio.*] **2** Instituir, fundar (doutrina, teoria etc.). [*td.*: *Maomé edificou o islamismo.*] **3** Levar ou ser levado à virtude. [*td.*: *Seu exemplo edificou todo um povo*; (sem complemento explícito) *As artes edificam.* *pr.*: *Os jovens edificam-se com a leitura.*] [▶ 11 edifi*car*]

edifício (e.di.*fí*.ci:o) *sm.* Construção de vários andares; PRÉDIO.

edifício-garagem (e.di.fí.ci:o-ga.*ra*.gem) *sm.* Edifício com mais de um andar, destinado ao estacionamento de veículos. [Pl.: *edifícios-garagens* e *edifícios-garagem.*]

edil (e.*dil*) *sm.* Ver *vereador.* [Pl.: *edis.*]

edipiano (e.di.pi:*a*.no) *a.* **1** Ref. a Édipo, personagem de uma tragédia grega. **2** Ref. ao complexo de Édipo. *sm.* **3** Pessoa com complexo de Édipo. [O complexo de Édipo é um conceito freudiano, ref. à atração de um filho pela mãe.]

edital (e.di.*tal*) *sm.* Aviso oficial afixado em lugares públicos ou publicado na imprensa. [Pl.: *-tais.*]

editar (e.di.*tar*) *v. td.* **1** Publicar (livro ou outro impresso). **2** Preparar (texto, imagem etc.) para publicação, verificando conteúdo, erros, aprimorando a linguagem. **3** *Cin. Rád. Telv.* Fazer a edição ou a montagem de (filme, programa de TV ou de rádio etc.). [▶ 1 edi*tar*] [Cf.: *editorar.*]

edito (e.*di*.to) *sm. Jur.* Ordem oficial, decreto.

édito (*é*.di.to) *sm. Jur.* Ordem judicial divulgada por meio de edital.

editor (e.di.*tor*) [ó] *a.* **1** Que edita. *sm.* **2** Pessoa responsável pela publicação de uma obra (livro, revista, *software* etc.). **3** Pessoa que prepara textos para publicação ou que supervisiona esse trabalho. ▪▪ **~ de texto** *Inf.* Programa de computador com recursos para escrever, editar, pesquisar, formatar textos etc.

editora (e.di.*to*.ra) [ó] *sf.* Instituição que publica livros, revistas etc.

editoração (e.di.to.ra.*ção*) *sf. Art.Gr. Inf.* Ação, processo ou resultado de editorar. [Tb. editoração eletrônica, dado que o termo hoje se refere especificamente à preparação, diagramação, formatação etc. de um texto, de um *site*, utilizando os recursos da informática.] [Pl.: *-ções.*]

editorador (e.di.to.ra.*dor*) *sm. Art.Gr. Inf.* Profissional especializado em editoração.

editorar (e.di.to.*rar*) *v. td. Art.Gr. Inf.* Diagramar, formatar, paginar (originais, uma *home page* etc.), segundo as linhas de um projeto gráfico. [▶ 1 edito*rar*] [NOTA: Atualmente, com a aplicação dos recursos da informática à atividade editorial, consagrou-se o uso desse verbo especificamente para o processo eletrônico de edição.] [Cf.: *editar.*]

editoria (e.di.to.*ri*.a) *sf.* Cada uma das seções de uma editora, revista, jornal etc., que fica a cargo de um editor: *editoria de moda.*

editorial (e.di.to.ri:*al*) *a2g.* **1** Ref. a editor, editora ou edição. *sm.* **2** *Jorn.* Artigo que exprime a opinião do próprio jornal ou revista. [Pl.: *-ais.*]

editorialista (e.di.to.ri:a.*lis*.ta) *s2g.* Pessoa que escreve editoriais.

edredom, edredão (e.dre.*dom*, e.dre.*dão*) *sm.* Coberta acolchoada para forrar camas ou para ser us. como cobertor. [Pl.: *-dons, -dões.*]

educação (e.du.ca.*ção*) *sf.* **1** Ação ou resultado de educar(-se). **2** Ensino, instrução: *A educação é fundamental para o desenvolvimento.* **3** Formação e desenvolvimento da capacidade física, moral e intelectual do ser humano visando à integração social. **4** Cortesia, polidez. [Pl.: *-ções.*]

educacional (e.du.ca.ci:o.*nal*) *a2g.* Ref. à educação; EDUCATIVO: *sistema educacional brasileiro.* [Pl.: *-nais.*]

educado (e.du.ca.do) *a.* **1** Que recebeu educação, instrução. **2** Cortês, civilizado.

educador (e.du.ca.*dor*) [ó] *a.sm.* Que ou quem educa: *O método utilizado é o do educador Paulo Freire*; *Tinha métodos educadores excelentes.*

educandário (e.du.can.*dá*.ri:o) *sm.* Instituição que tem como objetivo educar.

educando (e.du.*can*.do) *sm.* Pessoa que está recebendo educação; ALUNO.

educar (e.du.*car*) *v.* **1** Promover o aperfeiçoamento moral, intelectual e físico de; ensinar boas maneiras a. [*td.*: *Cabe aos pais educar seus filhos.*] **2** Transmitir conhecimentos a; INSTRUIR. [*td.*] **3** Cultivar-se, aperfeiçoar-se. [*pr.*: *Nunca é tarde para que a pessoa se eduque.*] [▶ 11 edu*car*]

educativo (e.du.ca.*ti*.vo) *a.* **1** Que educa, que visa e promove o desenvolvimento intelectual e moral (jogos *educativos*). **2** Ver *educacional.*

edulcorante (e.dul.co.*ran*.te) *a2g.sm.* Que ou aquilo que adoça (substância *edulcorante*); ADOÇANTE: *produtos dietéticos com edulcorantes artificiais.* ● **e.dul.co.***rar** v.*

efebo (e.*fe*.bo) [ê] *sm.* Rapaz jovem.

efeito (e.*fei*.to) *sm.* **1** Consequência, resultado. **2** Eficácia, resultado favorável: *Suas palavras tiveram um grande efeito.* **3** Impressão, sensação. ▪▪ **Com ~** Sem dúvida: *Disseram que ela é eficiente.* *Com efeito, seu trabalho o demonstra.* **~ estufa** O que resulta da absorção na atmosfera do calor dos raios solares irradiado da superfície terrestre, favorecido pela poluição com gás carbônico e outros poluentes. **~s especiais** *Cin. Telv.* Truques us. no cinema e na televisão para criar cenas de impacto visual difíceis ou impossíveis de se obter na realidade. **Fazer ~** Ter o resultado esperado. **Para todos os ~s** Para todos os fins; de qualquer modo.

efeméride (e.fe.*mé*.ri.de) *sf.* **1** Acontecimento importante. **2** A data de comemoração desse acontecimento.

efêmero (e.*fê*.me.ro) *a.* Que dura pouco; TRANSITÓRIO. ● **e.fe.me.ri.***da.de sf.*

efeminado (e.fe.mi.*na*.do) *a.sm.* **1** Diz-se de ou homem que tem jeito feminino. **2** Diz-se de ou homem que é homossexual.

eferente (e.fe.*ren*.te) *a2g.* **1** Que conduz para fora. **2** *Fisl.* No corpo humano, diz-se de qualquer parte que conduza material que sai de um órgão. [Ant.: *aferente.*]

efervescência (e.fer.ves.*cên*.ci:a) *sf.* **1** Agitação de um líquido formando-se bolhas que sobem à sua superfície; EBULIÇÃO; FERVURA. **2** *Fig.* Agitação, excitação (*efervescência* cultural). ● **e.fer.ves.***cer v.*

efervescente (e.fer.ves.*cen*.te) *a2g.* **1** Que apresenta ou produz efervescência (comprimido *efervescente*). **2** *Fig.* Agitado, excitado: *vida social efervescente.*

efetivar (e.fe.ti.*var*) *v.* **1** Tornar(-se) efetivo, permanente. [*td.*: *O jornal efetivará os estagiários. pr.*: *O secretário efetivou-se no cargo.*] **2** Realizar(-se), efetuar(-se). [*td.*: *efetivar medidas/soluções. pr.*: *A campanha sanitária efetivou-se.*] [▶ 1 efeti*var*] ● **e.fe.ti.***va.do a.*

efetivo (e.fe.*ti*.vo) *a.* **1** Real, verdadeiro: *Há uma melhora efetiva da educação.* **2** Permanente, fixo (cargo *efetivo*). *sm.* **3** *Mil.* Conjunto de militares ou policiais: *um efetivo de cem soldados.* ● **e.fe.ti.***vi.da.de sf.*

efetuar (e.fe.tu.*ar*) *v.* Fazer, efetivar(-se), realizar(-se). [*td.*: *Pode-se efetuar o pagamento pela internet. pr.*: *A operação efetuou-se com êxito.*] [▶ 1 efetu*ar*]

eficácia (e.fi.*cá*.ci:a) *sf.* Qualidade do que é eficaz; EFICIÊNCIA.

eficaz (e.fi.*caz*) *a2g*. **1** Que produz ou realiza bem aquilo a que se propõe (vacina <u>eficaz</u>). **2** Que é capaz, produtivo (secretária <u>eficaz</u>); EFICIENTE. [Superl.: *eficacíssimo*.]

eficiência (e.fi.ci.*ên*.ci:a) *sf*. Capacidade de produzir bem o efeito desejado ou realizar bem tarefas.

eficiente (e.fi.ci:*en*.te) *a2g*. Que consegue o efeito esperado; que realiza bem tarefa.

efígie (e.*fí*.gi:e) *sf*. Representação, ger. em relevo, da imagem de uma pessoa real ou imaginária ou de uma divindade: *Ganhou uma medalha com a <u>efígie</u> da bisavó*.

eflorescência (e.flo.res.*cên*.ci:a) *sf*. **1** Formação e surgimento de flores. **2** *Pat*. Erupção na pele. **3** *Fig*. Aparecimento.

eflúvio (e.*flú*.vi:o) *sm*. **1** Emanação imperceptível que se desprende de substâncias líquidas ou gasosas. **2** *Poét*. Cheiro agradável, perfume.

efluxo (e.*flu*.xo) [cs] *sm*. Saída de um líquido através de uma abertura.

efó (e.*fó*) *sm*. *BA Cul*. Prato típico da culinária baiana, de consistência pastosa, feito à base de hortaliças, camarão seco e azeite de dendê.

efusão (e.fu.*são*) *sf*. **1** Saída de um líquido ou gás; DERRAMAMENTO. **2** *Fig*. Expressão espontânea de sentimentos como afeto, alegria etc. [Pl.: *-sões*.]

efusivo (e.fu.*si*.vo) *a*. **1** Que demonstra efusão (2). **2** Em que há efusão (1). • **e.fu.si.vi.da.de** *sf*.

égide (é.gi.de) *sf*. *Fig*. **1** Escudo (esp. o de Palas Atena, deusa grega). **2** Amparo, defesa, proteção: *Estamos sob a <u>égide</u> da lei*.

egípcio (e.*gíp*.ci:o) *a*. **1** Do Egito (África); típico desse país ou de seu povo. *sm*. **2** Pessoa nascida no Egito. *a.sm*. **3** *Gloss*. Da, ref. à ou a língua falada no Egito antigo.

egiptologia (e.gip.to.lo.*gi*.a) *sf*. Estudo do Egito antigo e tudo que se relaciona a ele. • **e.gip.*tó*.lo.go** *sm*.

égloga (*é*.glo.ga) *sf*. *Liter*. Ver *écloga*.

ego (*e*.go) *sm*. O eu (2) das pessoas, responsável pela individualidade dos seres humanos.

egocêntrico (e.go.*cên*.tri.co) *a.sm*. Que ou quem toma a si próprio como referência para tudo; que se acredita o centro de tudo. • **e.go.cen.tris.mo** *sm*.

egoísmo (e.go.*ís*.mo) *sm*. Dedicação excessiva que uma pessoa tem por si própria, esquecendo-se de considerar as necessidades e o bem dos outros. [Ant. ger.: *altruísmo*.]

egoísta (e.go.*ís*.ta) *a2g.s2g*. Que ou quem só pensa em si mesmo; EGOCÊNTRICO.

egrégio (e.*gré*.gi:o) *a*. Que é muito importante, que se sobressai aos demais; ILUSTRE; NOTÁVEL: *egrégia instituição de ensino*.

egresso (e.*gres*.so) *a*. **1** Que saiu ou se afastou de algum lugar ou do grupo. *sm*. **2** Quem deixou convento ou prisão.

égua (*é*.gua) *sf*. *Zool*. A fêmea do cavalo. ▪ **Lavar a ~** *Bras*. *Pop*. Ter grande sucesso em algo, ganhar muito dinheiro, vencer competição com grande vantagem etc.

eh *interj*. Us. para animar, estimular alguém: *Eh! Vamos em frente!*

ei *interj*. **1** Us. para chamar a atenção de alguém: *Ei! Venha aqui!* **2** *MG* Expressa um cumprimento.

eia *interj*. Us. para estimular animais.

eira (*ei*.ra) *sf*. **1** Terreno us. para debulhar, trilhar, secar e limpar legumes e cereais. **2** Lugar próximo das marinhas onde se acumula o sal. ▪ **Sem ~ nem beira** Na miséria.

eis *adv*. Aqui está; olhe aqui: *<u>Eis</u> o troféu que tanto buscavam*. ▪ **~ que**, **~ quando** Subitamente: *Mas <u>eis que</u> o Saci aparecera*.

eito (*ei*.to) *sm*. **1** Plantação onde os escravos trabalhavam. **2** Série de coisas alinhadas. **3** Trabalho pesado.

eiva (*ei*.va) *sf*. **1** Rachadura ou fenda em vidro, porcelana, cerâmica etc. **2** Mancha que marca o início do apodrecimento de um fruto. **3** *Fig*. Defeito moral ou físico.

eivar (ei.*var*) *v*. *td*. Contaminar, manchar, macular (tb. *Fig*.): *A compulsão de mentir <u>eiva</u> o seu caráter*. [▶ **1** eivar] • **ei.va.do a**.

eixo (*ei*.xo) *sm*. **1** Reta imaginária ou haste real que passa pelo centro de um corpo e em torno da qual esse corpo executa movimentos rotatórios: <u>eixo</u> *de rotação da Terra/de uma engrenagem*. **2** Linha imaginária que divide um corpo em partes simétricas ou equilibradas: *o <u>eixo</u> do corpo humano*. **3** *Mec*. Barra longa e cilíndrica, em cujas extremidades se fixam as rodas de um veículo ou máquina. **4** *Mec*. Barra de um conjunto mecânico à qual se articulam peças que giram ou se movimentam movidas por sua rotação. **5** Reta imaginária entre dois pontos geográficos que serve de referência às áreas a ela vizinhas: <u>eixo</u> *Rio-São Paulo*. **6** *Fig*. A ideia central, o ponto mais importante: *Esse texto é o <u>eixo</u> de sua filosofia*. **7** *Geom*. Reta comum a planos de um feixe que se entrecortam. [Dim.: *axículo*.] ▪ **Entrar nos ~s/Sair dos ~s** Voltar ou passar a/deixar de comportar-se ajuizadamente. **Pôr nos ~s** Regularizar, pôr em ordem (negócio, projeto, assunto etc.).

ejacular (e.ja.cu.*lar*) *v*. **1** Lançar esperma. [*int*.] **2** Lançar (líquido) de si. [*td*.] [▶ **1** ejacular] • **e.ja.cu.la.ção** *sf*.; **e.ja.cu.la.dor** *a.sm*.; **e.ja.cu.la.tó.ri:o a**.

ejetar (e.je.*tar*) *v*. *td*. Fazer a ejeção ou expulsão de; EXPULSAR; EXPELIR. [▶ **1** ejetar] • **e.je.ção** *sf*.; **e.je.tor a.sm**.

elã (e.*lã*) *sm*. **1** Arrebatamento repentino; IMPULSO. **2** Energia, entusiasmo: *Trabalhava com <u>elã</u>*.

elaborar (e.la.bo.*rar*) *v*. *td*. **1** Preparar lenta e cuidadosamente: <u>elaborar</u> *um plano*. **2** Tornar mais complexo ou profundo: *Preciso <u>elaborar</u> mais a minha redação*. [▶ **1** elaborar] • **e.la.bo.ra.ção** *sf*.; **e.la.bo.ra.do a**.

elasticidade (e.las.ti.ci.*da*.de) *sf*. **1** *Fís*. Propriedade que um corpo tem de se deformar e voltar a sua forma original. **2** Qualidade de quem possui flexibilidade corporal; MALEABILIDADE: *Os ginastas olímpicos têm muita <u>elasticidade</u>*.

elástico (e.*lás*.ti.co) *a*. **1** Que pode ser esticado, comprimido ou curvado, e retorna à forma primitiva após cessação da força que deforma (corda <u>elástica</u>); FLEXÍVEL. **2** *Fig*. Que é abrangente; não delimitado: *Suas ideias são <u>elásticas</u>*. **3** *Fig*. Condescendente, flexível (temperamento <u>elástico</u>). *sm*. **4** Anel fino de borracha, us. para envolver objetos. **5** Tecido feito com fios emborrachados, us. na fabricação de cintas, suspensórios, ligas. **6** *Bras*. *Fut*. Drible em que o jogador leva a bola com o lado externo do pé e a traz de volta, num movimento rapidíssimo.

eldorado (el.do.*ra*.do) *sm*. **1** Local fictício, de riquezas abundantes, que os primeiros exploradores acreditavam existir na América do Sul. **2** *Fig*. Lugar que oferece muitas oportunidades de prosperidade.

ele (*e*.le) [ê] *pr.pess*. **1** Indica a pessoa ou o assunto de que se fala e funciona como sujeito: *<u>Ele</u> mora longe*. **2** Us. em complementos preposicionados: *Você conversou com <u>ele</u>?* **3** *Pop*. No lugar dos pronomes *o* e *lhe*: *Diga a <u>ele</u> que chego às cinco*.

elefante (e.le.*fan*.te) *sm*. **1** *Zool*. Mamífero de grande porte encontrado na Ásia e na África. **2** *Pop*. *Pej*. Pessoa obesa. [At! Considerado ofensivo nesta acepção.] ▪ **~ branco** Coisa (ger. recebida de presente) de que se dispõe, supostamente boa, mas que se revela um grande incômodo.

elefantíase | eletrocardiograma

elefantíase (e.le.fan.tí.a.se) *sf. Med.* Doença crônica causada por falta de circulação linfática e que aumenta excessivamente a espessura das pernas.

elefantino (e.le.fan.ti.no) *a.* **1** Ref. a ou próprio de elefante; EBÚRNEO. **2** Ref. a elefantíase.

elegância (e.le.gân.ci:a) *sf.* **1** Qualidade de quem revela graça na maneira de ser e de se portar: *Ela mantém a elegância em qualquer situação*. **2** Bom gosto na escolha da roupa e no modo de usá-la. **3** Demonstração de cortesia; GENTILEZA: *Trata as mulheres com muita elegância*. **4** Gosto estético apurado; REQUINTE: *A decoração da casa revela a elegância da anfitriã*.

elegante (e.le.gan.te) *a2g.* **1** Que se veste ou se porta com elegância (1 e 2): *uma mulher elegante*. **2** Que revela elegância (4): "A sala da casinha era simples e pequena, mas muito *elegante*..." (Aluísio Azevedo, *O cortiço*). **3** Diz-se de local frequentado por pessoas requintadas: *Esse restaurante é muito elegante. s2g.* **4** Pessoa elegante (1).

eleger (e.le.ger) *v.* **1** Escolher ou ser escolhido mediante votação. [*td.*: *O povo elegerá hoje os novos governadores*; (seguido de indicação de condição) *Os associados o elegeram presidente do clube. pr.*: *Ele elegeu-se síndico do prédio.*] **2** Manifestar preferência por; ESCOLHER. [*td.*: *A revista elegeu as melhores músicas do ano.*] [▶ **35** eleger] ● **e.le.gi.bi.li.da.de** *sf.*; **e.le.gi.vel** *a2g.*

elegia (e.le.gi.a) *sf. Poét.* Poema melancólico e triste.

eleição (e.lei.ção) *sf.* **1** Ação ou resultado de eleger (1). **2** *Pol.* Escolha, por meio de votos, de pessoa para ocupar um cargo público (*eleição* presidencial). [Pl.: -ções.] ● **e.lei.to.ral** *a2g.* (zona *eleitoral*).

📖 A eleição pelos cidadãos de seus representantes é a forma elementar da realização da democracia. Basicamente, de acordo com regulamentações específicas de cada país, estado etc., todo cidadão é um eleitor e pode ser eleito. No Brasil, na área pública, realizam-se eleições periódicas (ger. de quatro em quatro anos) para os legislativos municipal (câmaras de vereadores), estadual (assembleias legislativas) e federal (Câmara dos Deputados e Senado) e para os executivos municipal (prefeitura), estadual (governo do estado) e federal (presidência da República). Um setor específico do Judiciário, a Justiça Eleitoral, cujo órgão máximo federal é o Tribunal Superior Eleitoral, organiza e controla as eleições, realizadas em quase todo o país por meio de urnas eletrônicas.

eleito (e.*lei*.to) *a.sm.* **1** Que ou quem foi escolhido por meio de eleição: *o preferido eleito. sm.* **2** *Fig.* Aquele que é o preferido: *O caçula é o eleito da mãe*.

eleitor (e.lei.*tor*) [ó] *a.sm.* Que ou quem elege ou tem o direito de eleger.

eleitorado (e.lei.to.*ra*.do) *sm.* Grupo de pessoas que têm o direito de eleger. **::** **Conhecer o seu ~** *Bras. Pop.* Conhecer as características, defeitos etc. da pessoa com quem se está lidando: *Não levo a sério as promessas dele, conheço o meu eleitorado*.

eleitoreiro (e.lei.to.*rei*.ro) *a. Pej.* Que visa atrair votos do eleitorado, sem preocupação com os reais interesses da sociedade (discurso *eleitoreiro*).

elementar (e.le.men.*tar*) *a2g.* **1** Que é simples em sua composição ou funcionamento. **2** Ref. às noções primárias de qualquer forma de conhecimento. **3** Que é de fácil entendimento.

elemento (e.le.*men*.to) *sm.* **1** Cada parte identificável que compõe um todo. **2** Subsídio, informe, recurso: *A polícia não dispõe de elementos para desvendar o crime.* **3** *Quím.* Substância que não pode ser decomposta em outra mais simples. **4** Sujeito, indivíduo: *É um mau elemento.* **5** Ambiente habitual: *É bom nadador, a água é seu elemento.* 🔲 **elementos**

smpl. **6** Rudimentos; noções elementares. **::** **Estar no seu ~** Estar à vontade na situação, lugar etc. em que se está.

elenco (e.*len*.co) *sm.* **1** Relação, lista, rol: *o elenco de providências a tomar*. **2** *Cin. Rád. Teat. Telv.* Conjunto de atores: *Ela vai ser a atriz principal do elenco da novela das oito*. ● **e.len.car** *v.td.*

elepê (e.le.*pê*) *sm. Mús.* Disco fonográfico, feito ger. de vinil, gravado em sulcos e tocado à velocidade de 33 1/3 rotações por minuto.

eletivo (e.le.*ti*.vo) *a.* **1** Ref. a ou próprio de eleição. **2** Que se pode escolher ou optar (matérias *eletivas*, cirurgia *eletiva*). **3** Diz-se de cargo preenchido por meio de eleição.

eletracústico (e.le.tra.*cús*.ti.co) *a.* **1** Ref. a eletracústica. **2** *Mús.* Diz-se da música feita de sons produzidos ou controlados por meios eletrônicos. 🔲 **eletracústica** *sf.* **3** *Fís.* Especialidade da física que estuda a conversão da energia elétrica em energia sonora e vice-versa.

eletricidade (e.le.tri.ci.*da*.de) *sf.* **1** *Elet. Fís.* Forma de energia baseada na capacidade de atração e repulsão de partículas, e que pode ser aproveitada de diversas maneiras **2** *Fís.* Especialidade da física que estuda esses fenômenos.

📖 O fenômeno elétrico baseia-se na movimentação de elétrons (elementos atômicos de carga negativa) que 'escapam' de sua órbita em torno dos prótons (elementos atômicos de carga positiva), e são atraídos pelos prótons de outros átomos. Com isso quebram o equilíbrio atômico, pois seu átomo original adquire carga positiva e o átomo para o qual são atraídos adquire carga negativa. A busca de equilíbrio resulta numa *corrente elétrica*, movimento de átomos que geram energia, transformável por equipamentos específicos em outras formas de energia e de trabalho (mecânica, química, luminosa, térmica etc.). As principais formas de geração de energia elétrica utilizadas são a *hidrelétrica*, que usa a energia mecânica do deslocamento de massas de água (captadas de rios em represas) para acionar geradores, a *termelétrica*, que aciona os geradores com a energia gerada pela queima de combustíveis fósseis, e a *nuclear*, que transforma a energia libertada de fissão de átomos. No Brasil, praticamente a totalidade da eletricidade é gerada em usinas hidrelétricas.

eletricista (e.le.tri.*cis*.ta) *s2g.* Pessoa que trabalha com aparelhos elétricos ou em instalações elétricas; especialista em eletricidade.

elétrico (e.*lé*.tri.co) *a.* **1** Ref. a eletricidade. **2** Que funciona por meio de eletricidade (ferro *elétrico*). **3** *Fig.* Que é muito agitado: *O menino está elétrico hoje.*

eletrificar (e.le.tri.fi.*car*) *v. td.* **1** *Elet.* Dotar de propriedades elétricas: *Muitas pessoas eletrificaram as cercas de suas casas.* **2** Levar a eletricidade a: *O candidato promete eletrificar a região.* [▶ **11** eletrificar] ● **e.le.tri.fi.ca.do** *a.*

eletrizante (e.le.tri.*zan*.te) *a2g. Fig.* Que extasia, encanta; ARREBATADOR: *Assistimos a um espetáculo eletrizante.*

eletrizar (e.le.tri.*zar*) *v. td.* **1** *Fig.* Extasiar, maravilhar: *A cantora eletrizou o público.* **2** *Fís.* Criar propriedades elétricas em. [▶ **1** eletrizar]

eletro (e.*le*.tro) *sm. Med.* **1** F. red. de *eletrocardiograma.* **2** F. red. de *eletroencefalograma.*

eletrocardiógrafo (e.le.tro.car.di.*ó*.gra.fo) *sm.* Aparelho com que se faz um eletrocardiograma. ● **e.le.tro.car.di:o.gra.fi.a** *sf.*

eletrocardiograma (e.le.tro.car.di:o.*gra*.ma) *sm. Med.* Registro gráfico do ritmo cardíaco.

eletrocoagulação (e.le.tro.co:a.gu.la.ção) *sf. Med.* Coagulação de vasos sanguíneos por meio de corrente elétrica. [Pl.: -ções.]

eletrocutar (e.le.tro.cu.tar) *v. td.* Matar com choque elétrico. [▶ **1** eletroc**utar**] ● **e.le.tro.cus.são** *sf.*

eletrodinâmica (e.le.tro.di.nâ.mi.ca) *sf. Fís.* Estudo das cargas elétricas em movimento e dos campos eletromagnéticos. ● **e.le.tro.di.nâ.mi.co** *a.*

eletrodo, **elétrodo** (e.le.tro.do, e.lé.tro.do) [ó] *sm.* **1** *Fís.* Condutor ger. metálico através do qual a corrente elétrica entra ou sai de um sistema. **2** Cada uma das placas de um capacitor.

eletrodoméstico (e.le.tro.do.més.ti.co) *sm.* Qualquer aparelho elétrico de uso doméstico (p.ex., geladeira).

eletroduto (e.le.tro.du.to) *sm. Cons. Elet.* Ver conduite.

eletroencefalógrafo (e.le.tro:en.ce.fa.ló.gra.fo) *sm.* Aparelho com que se faz um eletroencefalograma. ● **e.le.tro:en.ce.fa.lo.gra.fi.a** *sf.*

eletroencefalograma (e.le.tro:en.ce.fa.lo.gra.ma) *sm. Med.* Registro gráfico das correntes elétricas no encéfalo. [Cf.: *encefalograma*.]

eletroímã (e.le.tro.í.mã) *sm. Fís.* Ímã formado por material com alto índice de magnetismo (ger. ferro) envolto por fio isolado em espiral, pelo qual se faz passar corrente elétrica; ELETROMAGNETO.

eletrólise (e.le.tró.li.se) *sf. Quím.* Conjunto de reações químicas provocadas pela passagem de corrente elétrica numa solução condutora. ● **e.le.tro.lí.ti.co** *a.*

eletrólito (e.le.tró.li.to) *sm.* **1** *Elet.* Condutor elétrico que transporta cargas por meio de íons. **2** *Quím.* Solução com a propriedade de conduzir corrente elétrica.

eletrologia (e.le.tro.lo.gi.a) *sf. Fís.* Estudo dos fenômenos eletromagnéticos.

eletromagnético (e.le.tro.mag.né.ti.co) *a.* Ref. a eletromagnetismo.

eletromagnetismo (e.le.tro.mag.ne.tis.mo) *sm. Fís.* Ramo da física que estuda os fenômenos nos quais participam os campos elétricos e magnéticos.

eletromagneto (e.le.tro.mag.ne.to) *sm. Fís.* Ver eletroímã.

eletromecânico (e.le.tro.me.câ.ni.co) *a.* Que funciona por meios elétricos e mecânicos simultaneamente (diz-se de aparelho).

eletromotriz (e.le.tro.mo.triz) *a. Elet.* Diz-se de força ou energia que pode produzir corrente em um circuito elétrico.

elétron (e.lé.tron) *sm. Fís.* Partícula elementar do átomo, com carga elétrica negativa. [Pl.: *elétrons* e (p. us.) *elétrones*.] [Símb.: *e*] [Ver ach. encicl. em *átomo*.]

eletrônico (e.le.trô.ni.co) *a.* **1** Ref. a eletrônica. **2** Diz-se de aparelho ou equipamento que funciona por meio de circuitos eletrônicos. **☑ eletrônica** *sf.* **3** *Fís.* Ciência que estuda as propriedades e aplicações de circuitos baseados no movimento de elétrons.

elétron-volt (e.lé.tron-volt) *sm. Fís.* Unidade de medida de energia, equivalente à energia necessária para acelerar um elétron por uma diferença de potencial de um volt. [Pl.: *elétron-volts*.]

eletroquímica (e.le.tro.quí.mi.ca) *sf. Fís. Quím.* Ramo da físico-química que estuda as reações provocadas pela passagem de corrente elétrica em um meio e as transformações das energias elétrica e química. ● **e.le.tro.quí.mi.co** *a.*

eletrostática (e.le.tros.tá.ti.ca) *sf. Fís.* Estudo das propriedades e do comportamento de cargas elétricas em repouso. ● **e.le.tros.tá.ti.co** *a.*

eletrotecnia (e.le.tro.tec.ni.a) *sf. Elet.* Ciência que estuda as aplicações da eletricidade. ● **e.le.tro.téc.ni.co** *a.*

eletroterapia (e.le.tro.te.ra.pi.a) *sf. Ter.* Terapia por meio de eletricidade.

eletrotermia (e.le.tro.ter.mi.a) *sf.* Produção de calor por meio de eletricidade.

elevação (e.le.va.ção) *sf.* **1** Ação ou resultado de elevar(-se). **2** Subida, aumento. **3** Ponto elevado (ger. de terreno). [Pl.: -ções.]

elevado (e.le.va.do) *a.* **1** Que se elevou. **2** De grande altura, nível ou intensidade; alto (temperaturas elevadas). **3** Que é superior (inteligência elevada). *sm.* **4** Via para tráfego de automóveis ou trens, situada acima do nível do solo.

elevador (e.le.va.dor) [ó] *sm.* Cabine acionada por máquina, que transporta verticalmente pessoas ou cargas; ASCENSOR.

elevar (e.le.var) *v.* **1** Pôr(-se) num plano mais alto; ERGUER(-SE). [*td.*: *Eleve a cabeça e estique as costas*. *pr.*: *O mar brilha à luz do sol que se eleva no horizonte.*] **2** Dirigir para cima. [*td.*: *elevar os olhos*.] **3** Aumentar em número, nível, custo etc. [*td.*: *O governo elevou os impostos*. *pr.*: *A temperatura na superfície do planeta elevou-se em 3,5 graus*.] **4** Aumentar o tom de (voz). [*td.*] **5** Aparecer em destaque (em altura). [*pr.*: *A casa fica num morro que se eleva no meio de uma planície.*] **6** Promover(-se). [*td.* (seguido ou não de indicação de condição): *A direção o elevou (a secretário-geral)*. *pr.*: *Elevou-se a líder do movimento.*] [▶ **1** elev**ar**]

elevatório (e.le.va.tó.ri:o) *a.* **1** Que é próprio para elevar. **2** Ref. a elevação.

elidir (e.li.dir) *v. td.* Fazer elisão de; ELIMINAR: *elidir irregularidades/impostos*. [▶ **3** elid**ir**]

eliminar (e.li.mi.nar) *v.* **1** Cortar, excluir. [*td.*: *A lesão eliminou o atleta da competição.* **tdi.** + *de: Eliminei doces da minha dieta.*] **2** Fazer desaparecer; EXTINGUIR. [*td.*: *É preciso eliminar a pobreza.* **tdi.** + *de: Eliminamos da cabeça esta preocupação.*] **3** Expelir (elemento) de organismo vivo. [*td.*: *eliminar toxinas.* **tdi.** + *de: eliminar toxinas do organismo.*] **4** Matar(-se). [*td.*: *Tiveram de eliminar o cão raivoso.* *pr.*: *O infeliz eliminou-se com veneno.*] [▶ **1** elimin**ar**] ● **e.li.mi.na.ção** *sf.*

eliminatório (e.li.mi.na.tó.ri:o) *a.* **1** Que elimina, exclui. **☑ eliminatória** *sf.* **2** Prova ou competição que visa eliminar os mais fracos: *A seleção estreará nas eliminatórias da Copa.* [Ger. us. no pl.]

elipse (e.lip.se) *sf.* **1** *Geom.* Figura num plano (curva) em que a soma das distâncias de qualquer de seus pontos a dois pontos fixos (focos) é constante. [Na figura, portanto, a + b = c + d.] **2** *Gram.* Numa frase, omissão de palavra que se subentende (em *Saímos ontem* há elipse do sujeito *nós*). [Cf. *zeugma*.]

ELIPSE (1)

elíptico, **elítico** (e.líp.ti.co, e.lí.ti.co) *a.* **1** *Geom.* Ref. a elipse; que tem forma de elipse (1). **2** *Gram.* Que foi suprimido por elipse (2). **3** *Gram.* Diz-se de enunciado em que ocorre elipse (2).

elisão (e.li.são) *sf.* **1** Ação ou resultado de suprimir, elidir; ELIMINAÇÃO; SUPRESSÃO. **2** *Fon. Gram.* No encontro de duas palavras, supressão da vogal átona final de uma ao contato da vogal inicial da outra: *Há elisão do 'a' final de 'roupa' em 'roupa elegante'.* [Pl.: -sões.]

elite (e.li.te) *sf.* Grupo de pessoas influentes numa sociedade, quer por estarem em posição de poder ou por serem altamente competentes em determinada área: *os times que formam a elite do futebol brasileiro*.

elitismo (e.li.tis.mo) *sm.* **1** Sistema que privilegia as elites. **2** Crença na superioridade das elites. ● **e.li.tis.ta** *a2g.s2g.*

elitizar (e.li.ti.zar) *v. td.* Tornar elitista, destinar a uma elite: *O preço alto dos ingressos elitiza o teatro.* [▶ **1** elitiz**ar**] ● **e.li.ti.za.ção** *sf.*

élitro (é.li.tro) *sm*. Anat. Zool. Asa anterior dos besouros.

elixir (e.li.*xir*) *sm*. **1** Bebida medicamentosa com propriedades balsâmicas e/ou relaxantes. **2** *Fig.* Bebida com suposto efeito mágico ou miraculoso.

elmo (*el*.mo) *sm*. **1** Capacete que protegia a cabeça nas armaduras medievais. **2** *Fig.* Crosta que se forma no couro cabeludo das crianças, por falta de limpeza.

⊕ **el niño** (*Espn.* /el *nínho*/) *sm*. Corrente marinha quente na América do Sul; pode alterar o clima.

elo (e.lo) *sm*. **1** Cada uma das argolas de uma corrente. **2** *Fig.* Ligação ou relação que existe entre pessoas ou coisas; CONEXÃO; UNIÃO: *O elo entre eles era muito forte.*

elocução (e.lo.cu.*ção*) *sf*. Modo de expressão, oral ou escrito. **2** Escolha e arranjo de palavras e frases; ESTILO. [Pl.: -*ções*.]

elogiar (e.lo.gi.*ar*) *v. td*. Fazer elogio(s) a; LOUVAR. [▶ **1** elogi*ar*]

elogio (e.lo.*gi*.o) *sm*. **1** Enunciação que exprime admiração, aprovação: *Fez um elogio ao professor.* **2** Discurso em favor ou em louvor de alguém. ● e.lo.gi:o.so *a*.

eloquência (e.lo.*quên*.ci.a) *sf*. **1** Capacidade de expressar-se facilmente. **2** A arte ou o poder de persuadir pelo discurso: *Convencia todos com sua eloquência.*

eloquente (e.lo.*quen*.te) *a2g*. **1** Que fala ou se exprime bem. **2** *Fig.* Que é expressivo, convincente.

elucidar (e.lu.ci.*dar*) *v. td*. Esclarecer, explicar: *elucidar um crime/uma questão.* [▶ **1** elucid*ar*] ● e.lu.ci.da.*ção* *sf*.; e.lu.ci.da.*ti*.vo *a*.

elucidário (e.lu.ci.*dá*.ri:o) *sm*. Publicação que esclarece coisas ininteligíveis ou obscuras.

elucubração (e.lu.cu.bra.*ção*) *sf*. Reflexão profunda acerca de algo. [Pl.: -*ções*.]

elucubrar (e.lu.cu.*brar*) *v. ti*. Refletir longamente (acerca de). [*td*.: *Vive elucubrando seus problemas.* *ti*. + *acerca de, a respeito de, sobre: elucubrar sobre um plano.* *int*.: *Não elucubre tanto, e aja mais.*] [▶ **1** elucubr*ar*]

em *prep*. **1** Dentro de: *Leve a merenda na mochila.* **2** Diante de: *Só era extrovertido em família.* **3** Indica: a) lugar: *Minha avó mora no centro.* b) tempo: *Em dez minutos será atendido.* c) modo, estado: *Ela estava em pânico.* d) meio, instrumento: *Disputaram no cara ou coroa.* e) finalidade: *Pediu-a em casamento.* f) direção: *Finalmente, chegou em casa.* **4** Introduz complemento: *Penso sempre em você.*

ema (e.ma) *sf*. Zool. Ave semelhante à avestruz, considerada a maior ave brasileira, que pode atingir 1,70m; NHANDU.

emagrecer (e.ma.gre.*cer*) *v*. Tornar(-se) magro ou mais magro. [*td*.: *Os exercícios o emagreceram.* *int*.: *Estou tentando emagrecer.*] [▶ **33** emagre*cer*]

⊕ **e-mail** (*Ing.* /í-mêiou/) *sm*. *Inf*. **1** Sistema que possibilita o envio e recebimento de mensagens pelo computador; CORREIO ELETRÔNICO. **2** Mensagem enviada ou recebida através desse sistema: *Recebi em e-mail dela ontem.* **3** Notação que identifica um usuário de rede de computadores, e que serve de endereço para envio e recebimento de mensagens; ENDEREÇO ELETRÔNICO: *Anote o meu e-mail.* [Pl.: *e-mails*.]

emanar (e.ma.*nar*) *v. ti*. **1** Originar-se, provir. [+ *de*: *o calor que emana do sol.*] **2** Exalar, soltar-se. [+ *de*: *Um doce perfume emanava do jardim.*] [▶ **1** eman*ar*] ● e.ma.na.*ção* *sf*.

emancipação (e.man.ci.pa.*ção*) *sf*. **1** Ação ou resultado de emancipar(-se). **2** *Jur*. Instituto que, no Brasil, concedia direitos civis aos maiores de 18 anos e menores de 21, quando a legislação estabelecia a maioridade a partir dos 21 anos. [Pl.: -*ções*.]

emancipar (e.man.ci.*par*) *v*. Tornar(-se) livre ou independente. [*td*.: *A princesa Isabel emancipou os escravos.* *tdi*. + *de*: *O amor o emancipou da tristeza.* *pr*.: *emancipar-se do pátrio poder.*] [▶ **1** emancip*ar*] ● e.man.ci.pa.do *a*.

emaranhado (e.ma.ra.*nha*.do) *a.sm*. Que ou aquilo que está emaralhado, misturado confusamente (tb. *Fig*.) (linhas emaranhadas, pensamento emaranhado): *um emaranhado de fios.*

emaranhar (e.ma.ra.*nhar*) *v*. **1** Misturar(-se), embaraçar(-se). [*td*.: *Sem querer, emaranhou as fitas.* *pr*.: *As cortinas emaranharam-se com o vento.*] **2** Confundir(-se), complicar(-se), atrapalhar(-se). [*td*.: *Um novo dado emaranhou a questão.* *pr*.: *Atrapalhado, emaranha-se nas explicações.*] [▶ **1** emaranh*ar*]

emascular (e.mas.cu.*lar*) *v. td. pr*. Fazer que perca, ou perder a virilidade; CASTRAR(-SE). [▶ **1** emascul*ar*] ● e.mas.cu.la.*ção* *sf*.

emassar (e.mas.*sar*) *v. td*. Cobrir com massa: *emassar uma parede.* [▶ **1** emass*ar*]

embaçar (em.ba.*çar*) *v*. Tornar(-se) baço ou embaçado. [*td*.: *O vapor embaçou os óculos.* *pr*.: *As vidraças se embaçam com altas temperaturas.*] [▶ **12** emba*çar*] ● em.ba.ça.do *a*.; em.ba.*ça*.*men*.to *sm*.

embainhar (em.ba:i.*nhar*) *v. td*. Introduzir em bainha (2): *embainhar a espada.* [▶ **1** embainh*ar*] ● em.ba:i.*nha*.do *a*.

embaixada (em.bai.*xa*.da) *sf*. **1** Cargo ou função de embaixador. **2** Habitação ou local de trabalho de embaixador. **3** *Fut*. Ação de controlar a bola com um ou dois pés, chutando-a repetidas vezes para cima, levemente, de modo que a mesma não caia no chão.

embaixador (em.bai.xa.*dor*) [ó] *sm*. **1** O mais alto posto de representação diplomática de um Estado junto a outro ou a uma organização internacional. **2** Qualquer indivíduo incumbido de uma missão; EMISSÁRIO. [Fem.: *embaixadora*.]

embaixadora (em.bai.xa.*do*.ra) [ó] *sf*. **1** Mulher que exerce função de embaixador. **2** *Pop*. Mulher encarregada de missão particular: *embaixadora dos desabrigados.* [Cf.: *embaixatriz*.]

embaixatriz (em.bai.xa.*triz*) *sf*. Esposa de embaixador. [Cf.: *embaixadora*.]

embaixo (em.*bai*.xo) *adv*. Situado em ponto inferior: *A oficina fica embaixo, no porão.* ▪▪ ~ **de** Em posição física inferior a, ou submetido a; SOB: *A bicicleta está embaixo da escada*; *Bateram em retirada embaixo do fogo inimigo.* [Ant.: *em cima*.]

embalado¹ (em.ba.*la*.do) *a*. **1** Em alta velocidade: *O carro estava embalado quando bateu.* **2** Às pressas, apressadamente: *O garoto passou embalado pela porta do colégio.*

embalado² (em.ba.*la*.do) *a*. Que se embalou²: *presentes embalados com papel de seda.*

embalagem¹ (em.ba.*la*.gem) *sf*. Impulso ou aceleração: *O trem ganhou embalagem na descida.* [Pl.: -*gens*.]

embalagem² (em.ba.*la*.gem) *sf*. **1** Ação de embalar²: *seção de embalagem.* **2** Invólucro utilizado para embalar: *embalagem de plástico.* [Pl.: -*gens*.]

embalar¹ (em.ba.*lar*) *v*. **1** Ninar, acalentar uma criança). [*td*.] **2** Mover(-se), balançar(-se). [*td*.: *Embalou a rede para que ele dormisse.* *pr*.: *embalar-se numa cadeira de balanço.*] **3** Acelerar. [*td*.: *embalar a moto.* *int*.: *Na ladeira, o caminhão embalou.*] [▶ **1** embal*ar*]

embalar² (em.ba.*lar*) *v. td*. Acondicionar (mercadoria) em caixa, pacote etc. [▶ **1** embal*ar*]

embalo (em.ba.lo) *sm*. **1** Oscilação de um corpo; BALANÇO. **2** *Bras*. Movimento repentino; IMPULSO: *Subiu a ladeira no embalo.* **3** *Bras. Gír*. Agitação: *festa de embalo.* **4** *Bras. Gír*. Festa muito animada: *Ia aos embalos de fim de semana.*

embalsamar (em.bal.sa.*mar*) *v. td.* Introduzir em (cadáver) substâncias que impedem sua decomposição: *Alguns povos antigos embalsamavam seus mortos.* [▶ 1 embalsam**ar**] • em.bal.sa.*ma*.do *a.*; em.bal.sa.ma.*men*.to *sm.*

embananar (em.ba.na.*nar*) *v. Bras. Pop.* Tornar(-se) confuso. [*td.*: *Embananei a cabeça dele com minhas perguntas. pr.*: *Ele embananou-se todo na prova.*] [▶ 1 embanan**ar**] • em.ba.na.*na*.do *a.*; em.ba.na.na.*men*.to *sm.*

embandeirar (em.ban.dei.*rar*) *v. td. pr.* Adornar(-se) com bandeiras. [▶ 1 embandeir**ar**] • em.ban.dei.*ra*.do *a.*

embaraçado (em.ba.ra.*ça*.do) *a.* 1 Que se embaraçou (1) (cabelos *embaraçados*); EMARANHADO. 2 Que se mostra complicado, dificultado (tarefa *embaraçada*); DIFÍCIL. 3 Que está incomodado, constrangido: "Amaro, embaraçado, curvou-se logo para um canto do sofá..." (Eça de Queirós, *O crime do padre Amaro*). [Ant. ger.: *desembaraçado.*]

embaraçar (em.ba.ra.*çar*) *v.* 1 Misturar(-se) desordenadamente; EMBOLAR(-SE). [*td.*: *O gatinho embaraçou o novelo. pr.*: *Meu cabelo embaraçou-se com o vento.*] 2 Provocar ou sentir embaraço, confusão, perturbação; ATRAPALHAR(-SE); CONFUNDIR(-SE). [*td.*: *O excesso de leis embaraça o povo. pr.*: *Ainda se embaraça com o computador.*] [▶ 12 embaraç**ar**] • em.ba.ra.*ça*.do *a.*

embaraço (em.ba.*ra*.ço) *sm.* 1 Aquilo que atrapalha, dificulta ou impede: *O orçamento apertado é um embaraço para o projeto.* 2 Perturbação, constrangimento.

embaraçoso (em.ba.ra.*ço*.so) [ó] *a.* Que causa ou em que há embaraço (situação *embaraçosa*). [Fem. e pl.: [ó].]

embarafustar (em.ba.ra.fus.*tar*) *v. Bras.* Entrar impetuosa ou precipitadamente. [*int./pr.*: *O jogador embarafustou(-se) pelo meio da defesa.*] [▶ 1 embarafust**ar**]

embaralhar (em.ba.ra.*lhar*) *v.* 1 Misturar (as cartas do baralho). [*td.*] 2 Pôr em desordem; DESARRUMAR; BARALHAR. [*td.*: *Não embaralhe os documentos.*] 3 *Fig.* Confundir(-se), misturar(-se), embolar(-se). [*td.*: *O choque embaralhou suas ideias. pr.*: *Sua vida embaralhou-se de repente.*] [▶ 1 embaralh**ar**] • em.ba.ra.lha.*men*.to *sm.*

embarcação (em.bar.ca.*ção*) *sf.* Estrutura flutuante que se destina à navegação. [Pl.: *-ções.*]

embarcadiço (em.bar.ca.*di*.ço) *sm.* Pessoa que está embarcada; MARINHEIRO.

embarcadouro (em.bar.ca.*dou*.ro) *sm.* Lugar de embarque de passageiros e/ou carga em embarcações; CAIS.

embarcar (em.bar.*car*) *v.* 1 Pôr ou entrar em embarcação, avião etc. [*td.* (seguido ou não de indicação de lugar): *Embarcou o filho (no navio) e voltou para o trabalho. int.*: *Estava ansioso para embarcar (no avião).*] 2 *Bras.* Cair (em logro ou ardil). [*int.*: *Como pude embarcar (naquela mentira toda)?*] 3 *Bras. Pop.* Morrer. [*int.*] [▶ 11 embarc**ar**]

embargar (em.bar.*gar*) *v. td.* 1 Opor embargo ou obstáculo a; IMPEDIR: *Nada pode embargar seus estudos.* 2 Impedir, conter, refrear: *A forte emoção embargou suas palavras.* 3 *Jur.* Opor obstáculo a, valendo-se de embargo (2). [▶ 14 embarg**ar**] • em.bar.*ga*.do *a.*

embargo (em.*bar*.go) *sm.* 1 Qualquer coisa que represente um obstáculo; EMPECILHO; IMPEDIMENTO. 2 *Jur.* Institutos jurídicos que tratam de impedir a conquista de algum direito. ▪ **~ de declaração** *Jur.* Um recurso que é julgado pelo próprio órgão que proferiu uma decisão. **~ infringente** *Jur.* Um recurso usado pelo réu quando ele não concorda com uma decisão dada pelo Supremo Tribunal Desde que esta não tenha sido unânime. **Sem ~** Não obstante.

embarque (em.*bar*.que) *sm.* Ação ou resultado de embarcar.

embasamento (em.ba.sa.*men*.to) *sm.* 1 *Arq.* Base que sustenta uma construção. 2 *Fig.* Qualquer coisa que sirva de base; FUNDAMENTO: "...as denúncias foram consideradas sem *embasamento* e não geraram inquérito policial." (*FolhaSP*, 28.02.99).

embasar (em.ba.*sar*) *v.* Usar como base ou fundamento a; BASEAR(-SE); FUNDAR(-SE). [*td.*: *Embasa seu pensamento na filosofia grega. pr.*: *Seu livro embasa-se em longa pesquisa.*] [▶ 1 embas**ar**] • em.ba.*sa*.do *a.*

embasbacar (em.bas.ba.*car*) *v.* Causar que fique ou ficar pasmo, surpreso; PASMAR(-SE). [*td.*: *Embasbacou todos (com sua bela voz). int./pr.*: *Os turistas se embasbacaram com as belezas do Brasil.*] [▶ 11 embasbac**ar**]

embate (em.*ba*.te) *sm.* Abalo ou choque violento (tb. *Fig.*): *o embate entre os pugilistas.*

embatucar (em.ba.tu.*car*) *v.* 1 Deixar ou ficar sem palavras com sua ação. [*td.*: *As respostas contundentes o embatucaram. int.*: *Pego em flagrante, embatucou.*] 2 *Pop.* Preocupar-se grandemente; CISMAR. [*ti. + com*: *Embatuquei com seu comportamento estranho.*] [▶ 11 embatuc**ar**] • em.ba.tu.*ca*.do *a.*

embebedar (em.be.be.*dar*) *v.* Tornar(-se) bêbado; EMBRIAGAR(-SE). [*td.*: *O embebedo-o para tentar saber o seu segredo. pr.*: *Ele embebeda-se toda noite.*] [▶ 1 embebed**ar**] • em.be.be.*da*.do *a.*; em.be.be.da.*men*.to *sm.*

embeber (em.be.*ber*) *v.* 1 Fazer absorver ou absorver (líquido). [*td.*: *A terra embebeu a água da chuva*; (seguido ou não de indicação de meio/modo): *de água uma esponja. pr.*: *Os tecidos embebem-se de tinturas.*] 2 Ensopar, empapar, encharcar. [*td.* (seguido ou não de indicação de meio/modo): *Embebi a camisa de suor.*] 3 *Fig.* Infiltrar ou fazer se infiltrado na mente. [*tdi. + em*: *Embebe nos alunos ideias elevadas. pr.*: *Embebeu-se das doutrinas realistas.*] [▶ 2 embeb**er**] • em.be.*bi*.do *a.*

embeiçado (em.bei.*ça*.do) *a.* 1 *GP.* Apaixonado: *Está embeiçado (pela vizinha).* 2 *Bras. Pop.* Que tem as bordas deformadas (meia *embeiçada*, punho *embeiçado*).

embelezar (em.be.le.*zar*) *v.* Tornar(-se) belo, atraente; AFORMOSEAR(-SE). [*td.*: *A síndica quer embelezar a fachada do prédio. pr.*: *Embeleza-se para agradar o noivo.*] [▶ 1 embelez**ar**] • em.be.le.*za*.do *a.*; em.be.le.*za*.dor *a.sm.*; em.be.le.za.*men*.to *sm.*

embevecer (em.be.ve.*cer*) *v.* Extasiar(-se), enlevar(-se), encantar(-se). [*td.*: *Com sua poesia, ela embeveceu os ouvintes. pr.*: *Embeveci-me com aquele filme.*] [▶ 33 embevec**er**] • em.be.ve.*ci*.do *a.*; em.be.ve.ci.*men*.to *sm.* [Var. de *embebecer*, de *embeber*.]

embicar (em.bi.*car*) *v.* 1 Fazer descer, mergulhar de bico. [*td.*: *embicar uma canoa.*] 2 Tomar a direção, o rumo de; ENCAMINHAR-SE. [*ti. + para, por*: *O ciclista embicou para o atalho.*] 3 Esbarrar em, deparar com (obstáculo, impedimento). [*ti. + em*: *Pedalou com vontade, até embicar numa barreira.*] 4 Dar a forma de bico a. [*td.*] [▶ 11 embic**ar**]

embira (em.*bi*.ra) *sf. Bot.* Nome dado a várias espécies de árvores que produzem fibras para confecção de cordas e estopa.

embirrar (em.bir.*rar*) *v.* 1 Ter implicância ou má vontade com; IMPLICAR. [*ti. + com*: *Embirra com todo mundo.*] 2 Ficar ou mostrar-se birrento, facilmente amuado. [*int.*: *Ele embirrou por qualquer coisa.*] 3 Obstinar-se, teimar. [*ti. + em*: *A menina embirrou em não comer.*] [▶ 11 embirr**ar**]

emblema (em.*ble*.ma) [ê] *sm.* 1 Imagem ou sinal representativos de ideia, instituição, associação etc.; INSÍGNIA; DISTINTIVO: *A pomba branca é o emblema da*

emblemático | **embrião** 298

paz. **2** Objeto na forma de um emblema (1): *Levava no peito o emblema de seu time.*
emblemático (em.ble.*má*.ti.co) *a.* **1** Ref. a emblema (1). **2** Que representa simbolicamente a essência de algo: *Einstein é o gênio emblemático da física.*
emboaba (em.bo.a.ba) *s2g.* Bras. Hist. Alcunha dada por descendentes de bandeirantes paulistas aos que chegavam às minas para buscar ouro, esp. aos portugueses.
embocadura (em.bo.ca.*du*.ra) *sf.* **1** Peça do freio que entra pela boca da cavalgadura. **2** *Oc.* A foz de um rio. **3** *Mús.* Modo de posicionar os lábios nos instrumentos de sopro.
embocar (em.bo.*car*) *v.* **1** Aplicar a boca em (instrumento de sopro), para tocá-lo. [*td.*: *embocar a flauta.*] **2** Penetrar, entrar. [*int.*: *Dirigiu-se ao salão e embocou sem hesitar;* (seguido de indicação de lugar) *Embocou pelos corredores da repartição.*] [▶ 11 embo[car] • **em.bo.ca.men**.to *sm.*
emboçar (em.bo.*çar*) *v. td.* Aplicar emboço, ou base do reboco, em: *emboçar uma parede.* [▶ 12 embo[çar] • **em.bo.ça.do** *a.*
emboço (em.bo.ço) [ô] *sm.* Camada de argamassa que serve de base para o reboco. [Pl.: [ô].]
embolada (em.bo.*la*.da) *sf. N.E. Mús.* Poesia popular cantada em compasso binário e andamento rápido.
embolar[1] (em.bo.*lar*) *v.* Atracar-se (com alguém), rolando pelo chão. [*ti.* + *com*: *Embolou com o adversário e o dominou. int./pr.*: *Já sem fôlego, embolaram(-se) até serem apartados.*] [▶ 1 embo[lar]
embolar[2] (em.bo.*lar*) *v.* **1** Dar ou adquirir forma de bolo ou rolo; ENROLAR(-SE); EMARANHAR(-SE). [*td.*: *Embolou a roupa e guardou-a assim mesmo. int./pr.*: *A linha (se) embolou.*] **2** Misturar(-se), embaralhar(-se), confundir(-se). [*td.*: *Cansado, o orador embolava as ideias. int./pr.*: *Na arrumação a papelada embolou(-se).*] [▶ 1 embo[lar] • **em.bo.la.do** *a.*
embolia (em.bo.*li*.a) *sf. Med.* Bloqueio da passagem do sangue por algum vaso, causado por um corpo estranho.
êmbolo (*êm*.bo.lo) *sm.* **1** Cilindro ou disco que se move dentro de seringas, bombas, cilindros de motor a explosão etc.; PISTOM. **2** *Med.* Coágulo sanguíneo ou qualquer fragmento que, ao passar por um vaso, acaba por obstruí-lo, causando embolia.
embolorar (em.bo.lo.*rar*) *v.* Cobrir(-se) de bolor ou mofo; MOFAR. [*td.*: *A umidade embolora a madeira. int./pr.*: *Os enlatados embolgoraram(-se).*] [▶ 1 embolo[rar] • **em.bo.lo.ra.do** *a.*; **em.bo.lo.ra.men.to** *sm.*
embolsar (em.bol.*sar*) *v. td.* **1** Pôr no bolso ou na bolsa. **2** Ganhar, receber: *embolsar uma bolada.* [Ant. nas acps. 1 e 2: *desembolsar.*] **3** Pagar o que se deve a; REEMBOLSAR: *Paguei pelo amigo, e este o embolsou.* [▶ 1 embol[sar] • **em.bol.sa.do** *a.*
embolso (em.*bol*.so) [ô] *sm.* **1** Ação ou resultado de embolsar. **2** Aquilo que se paga ou se ganha. [Pl.: [ô].]
embonecar (em.bo.ne.*car*) *v.* Enfeitar(-se) com algum exagero. [*td.*: *Vive embonecando a filha. pr.*: *Emboneca-se tanto que chega a ser ridículo.*] [▶ 11 embone[car] • **em.bo.ne.ca.do** *a.*; **em.bo.ne.ca.men.to** *sm.*
embora (em.*bo*.ra) *conj.conces.* **1** Ainda que; posto que: *Embora soubesse do perigo, não tomou precauções.* [NOTA: Pode ser intensificado por 'muito': *Muito embora soubesse do perigo, não...*] *adv.* **2** Expressa ideia de partida, desligamento, afastamento: *João já foi embora, mas volta nas férias.*
emborcar (em.bor.*car*) *v.* **1** Fazer virar ou virar de borco, de boca ou cabeça para baixo. [*td.*: *emborcar um copo.* [*td.*: *O barquinho emborcou.*] **2** *Bras. Gír.* Sofrer uma queda; CAIR. [*int.*: *Tropeçou e acabou emborcando na rua.*] [▶ 11 embor[car] • **em.bor.ca.do** *a.*

embornal (em.bor.*nal*) *sm.* **1** Saco com alimento que se coloca no focinho das bestas. **2** *Bras.* Pequena bolsa ou saco para transporte de alimentos, ferramentas etc. [Pl.: *-nais.*]
emborrachado (em.bor.ra.*cha*.do) *a.* **1** Que contém, é revestido de ou semelhante a borracha. *sm.* **2** Tecido ou material impermeável, com características de borracha. • **em.bor.ra.char** *v.*
emborrascado (em.bor.ras.*ca*.do) *a.* Com aspecto de tempestade (diz-se de céu, tempo, mar); TEMPESTUOSO. • **em.bor.ras.car** *v.*
emboscada (em.bos.*ca*.da) *sf.* **1** Espera, às ocultas, do inimigo para atacá-lo; TOCAIA. **2** Ação que visa enganar, trair; ARAPUCA.
emboscar (em.bos.*car*) *v.* Pôr(-se) em emboscada, ocultar(-se) para atacar de repente. [*td.*: *O comandante emboscou alguns homens atrás do muro. pr.*: *Os soldados emboscaram-se entre as árvores.*] [▶ 11 embos[car]
embotar (em.bo.*tar*) *v.* **1** Fazer perder ou perder o gume. [*td.*: *embotar uma faca. pr.*: *Esta tesoura já se embotou.*] **2** *Fig.* Fazer perder ou perder a força, o vigor; DEBILITAR(-SE); ENFRAQUECER(-SE). [*td.*: *A idade embotou seus reflexos. pr.*: *Seu raciocínio embotou-se.*] **3** *Fig.* Fazer perder ou perder a sensibilidade. [*td.*: *A guerra embota os homens. pr.*: *De tanto sofrer, embotou-se.*] [▶ 1 embo[tar] • **em.bo.ta.men.to** *sm.*
embranquecer (em.bran.que.*cer*) *v.* Tornar(-se) branco. [*td.*: *Centenas de gaivotas embranqueciam o céu. int./pr.*: *Sua cabeça embranqueceu(-se) totalmente.*] [▶ 33 embranque[cer] • **em.bran.que.ci.do** *a.*; **em.bran.que.ci.men.to** *sm.*
embravecer (em.bra.ve.*cer*) *v.* **1** Tornar(-se) bravo, furioso. [*td.*: *Sua irresponsabilidade o embraveceu. int./pr.*: *Embraveci(-me) ante tanta maldade.*] **2** Encapelar-se, agitar-se. [*int./pr.*: *Com a tormenta, o mar embraveceu(se).*] [▶ 33 embrave[cer] • **em.bra.ve.ci.do** *a.*; **em.bra.ve.ci.men.to** *sm.*
embreagem (em.bre.a.gem) *sf. Aut.* Mecanismo que, por meio de discos de fricção, conecta e desconecta a transmissão do motor. [Pl.: *-gens.*]
embrear (em.bre.*ar*) *v.* Acionar a embreagem de: *embrear o carro.* [▶ 13 embre[ar]
embrenhar (em.bre.*nhar*) *v.* Internar(-se) ou ocultar(-se) em (brenha, mato etc.). [*td.* (seguido de indicação de lugar): *O sargento embrenhou seus homens na selva. pr.*: *Os escoteiros embrenharam-se no bosque.*] [▶ 1 embrenh[ar]
embriagado (em.bri.a.*ga*.do) *a.* **1** Que se embriagou; que ingeriu grande quantidade de bebida alcoólica. [Ant.: *sóbrio.*] **2** *Fig.* Que se encantou; EXTASIADO: *Ficou embriagado com a beleza da moça.*
embriagar (em.bri.a.*gar*) *v.* **1** Fazer ficar ou ficar embriagado, bêbado; EMBEBEDAR(-SE). [*td.*: *Poucos goles bastaram para embriagá-lo. pr.*: *Vive embriagando-se.*] **2** Causar embriaguez (tb. *Fig.*). [*int.*: *Esta paixão embriaga mais que o álcool.*] **3** *Fig.* Arrebatar(-se), enlevar(-se), inebriar(-se). [*td.*: *Seu perfume me embriaga. pr.*: *"...deixei embriagar-me pelo sucesso..."* (João Ubaldo Ribeiro, *O conselheiro come*).] [▶ 14 embriag[ar]
embriaguez (em.bri.a.*guez*) [ê] *sf.* **1** Perturbação dos sentidos causada pela ingestão excessiva de bebida alcoólica. **2** *Fig.* Arrebatamento causado por admiração ou alegria; ÊXTASE.
embrião (em.bri.*ão*) *sm.* **1** *Biol.* Qualquer organismo em seu estágio inicial de desenvolvimento (no ser humano, até a oitava semana). **2** *Bot.* Rudimento de planta que se desenvolve no interior da semente. **3** *Fig.* Qualquer coisa que dá origem a outra, ou que está em seu estágio inicial; INÍCIO: *Esta ideia é o embrião de todos os futuros projetos.* [Pl.: *-ões.*]

embriologia | emissão

embriologia (em.bri:o.lo.*gi*.a) *sf. Biol. Med.* Ciência que estuda a formação e o desenvolvimento do embrião. • em.bri:o.ló.gi.co a.; em.bri:o.lo.gis.ta *s2g*.

embrionário (em.bri:o.*ná*.ri:o) *a*. **1** Ref. a embrião. **2** Que constitui embrião. **3** *Fig.* Que está por se formar (projeto embrionário).

embrocação (em.bro.ca.*ção*) *sf. Med.* **1** Aplicação por fricção de medicamento líquido em parte do corpo. **2** Líquido utilizado para esse fim. [Pl.: -ções.]

embromar (em.bro.*mar*) *v. Bras.* **1** Esquivar-se de fazer algo, com pretextos ou fingindo fazê-lo. [*td.*: *Embromou* o dia inteiro e não fez nada.] **2** Enganar (alguém) com pretextos etc., protelando ou evitando a realização de tarefa, compromisso etc. [*td.*: *Embromou* o cliente e acabou não consertando a TV.] [▶ **1** embromar] • em.bro.ma.*ção sf*.

embrulhada (em.bru.*lha*.da) *sf.* **1** Qualquer coisa que demonstre falta de organização; CONFUSÃO: *Fizeram uma embrulhada com esses papéis.* **2** Acontecimento ou coisa que dificulta ou impede; EMBARAÇO: *Devido a uma embrulhada no trânsito, perdemos o avião.*

embrulhar (em.bru.*lhar*) *v.* **1** Envolver em papel, pano etc., para formar pacote. [*td.* (seguido ou não de indicação de meio/modo): *Embrulhe* este livro *(com papel de presente).*] **2** *Fig.* Enganar, enrolar, tapear. [*td.* (seguido ou não de indicação de meio/modo): *Tenta sempre embrulhar* o patrão *(com desculpas esfarrapadas).*] **3** *Fig.* Complicar(-se), atrapalhar(-se), enrolar(-se). [*td.*: *Ao passar à informação, embrulhou tudo. pr.*: *Ao tentar mentir, embrulhou-se todo.*] **4** *Fig.* Revirar (o estômago), provocando náusea ou mal-estar. [*td.*: *O cheiro de fritura embrulha o meu estômago.*] [▶ **1** embrulhar] • em.bru.*lha*.do a.

embrulho (em.*bru*.lho) *sm.* **1** Objeto que foi embrulhado (1), colocado em invólucro; PACOTE. **2** *Fig.* Situação confusa, complicada; TRAPALHADA: *Nosso sócio meteu-nos num embrulho.*

embrutecer (em.bru.te.*cer*) *v.* Tornar(-se) bruto, estúpido, tosco. [*td.*: *Os anos de combate o embruteceram. int./pr.*: *Sofreram maus-tratos e embruteceram-se.*] [▶ **33** embrutecer] • em.bru.te.*ci*.do *a.*; em.bru.te.ci.*men*.to *sm*.

embuço (em.*bu*.ço) *sm.* **1** Disfarce. **2** Parte da capa que cobre a face. [Ant. ger.: desembuço.]

emburrar (em.bu.*rrar*) *v.* **1** Tornar(-se) burro, estúpido; EMBURRECER. [*td.*: *A desinformação pode emburrar qualquer um. int.*: *Deixou de ler e está emburrando.*] **2** Ficar aborrecido e calado; AMUAR-SE. [*int.*: *O pai malhou com ela, e ela emburrou.*] [▶ **1** emburrar] • em.bur.*ra*.do a.

emburrecer (em.bur.re.*cer*) *v.* Ver emburrar (1). [▶ **33** emburrecer] • em.bur.re.ci.*men*.to *sm*.

embuste (em.*bus*.te) *sm.* Mentira astuciosa; ENGODO.

embusteiro (em.bus.*tei*.ro) *a.sm.* Que ou quem faz uso de embustes; IMPOSTOR.

embutido (em.bu.*ti*.do) *a.* **1** Que foi inserido ajustadamente dentro de outra coisa, ger. sem ressaltos (fig. *Fig.*) (armário embutido; ENCAIXADO: *novas ideias embutidas num projeto.* **2** Que se introduziu à força. *sm.* **3** *Bras.* Nome dado aos alimentos constituídos de carne metidas em tripas, como o paio, a linguiça, a salsicha etc.; ENCHIDO.

embutir (em.bu.*tir*) *v. td.* Introduzir, incluir, integrar, engastar (alguma coisa) em algo: (seguido de indicação de lugar) *Embutiu* um armário na parede; *O comércio embute os impostos nos preços.* [▶ **3** embutir]

emenda (e.*men*.da) *sf.* **1** Ação ou resultado de emendar(-se), corrigir erro, falta ou defeito: *emenda de um tecido; proceder a emenda de um texto.* **2** Aquilo que constitui a emenda (1): *O revisor fez várias emendas no texto.* **3** Objeto que se junta a outro para corrigir algum defeito ou aumentar o tamanho: *O fio precisa de uma emenda para chegar até a tomada.* **4** Local em que se aplica uma emenda (3): *A corda arrebentou na emenda.* **5** *Jur.* Alteração proposta para modificar um projeto de lei.

emendar (e.men.*dar*) *v.* **1** Suprimir ou reparar erros ou defeitos de; CORRIGIR. [*td.*: *Ainda está emendando* a tradução.] **2** Alterar, modificar. [*td.*: *O Congresso vai emendar* a legislação fiscal.] **3** Pôr emenda ou remendo em. [*td.* (seguido ou não de indicação de meio/modo): *Já emendei* o fio *(com fita isolante).*] **4** Ligar, para formar um todo. [*td.*: *emendar fios. tdi.* + *com, em*: *emendar um trapo com outro.*] **5** *Fut.* Chutar a bola (com ela em movimento). [*int.*: *Emendou de primeira e quase fez um gol.*] **6** Corrigir-se moralmente. [*pr.*: "Ouviam (...) os conselhos, mas não se emendavam" (Marques Rebelo, *Marafa*).] [▶ **1** emendar]

ementa (e.*men*.ta) *sf.* **1** Nota, apontamento. **2** Resumo, sinopse, sumário.

emergência (e.mer.*gên*.ci.a) *sf.* **1** Ação ou resultado de emergir. **2** Situação ou momento crítico, grave, perigoso: *A cidade está em estado de emergência por causa das fortes chuvas.* **3** *Med.* Caso de urgência (emergência cirúrgica). • e.mer.gen.ci.*al a2g*.

emergente (e.mer.*gen*.te) *a2g.* **1** Que emerge. **2** Que está ascendendo socialmente (família emergente). **3** Que está no rumo do desenvolvimento (países emergentes). *s2g.* **4** Pessoa emergente (2).

emergir (e.mer.*gir*) *v.* **1** Fazer vir ou vir à tona. [*td.*: *O salva-vidas conseguiu emergir* o afogado. *int.*: *Viu enfim o mergulhador emergir.*] **2** *Fig.* Aparecer, manifestar-se. [*int.*: *Um dia emergirão os motivos dessa atitude.*] [Ant. ger.: *imergir.*] [▶ **46** emergir. Part.: *emergido e emerso.*]

emérito (e.*mé*.ri.to) *a.* Que, reconhecidamente se destacou em ciência, arte etc., o que é de notório saber ou competência (professor emérito).

emersão (e.mer.*são*) *sf.* **1** Ação ou resultado de emergir: *emersão do submarino.* **2** *Astr.* Fenômeno que consiste no reaparecimento de um astro depois de eclipsado pela sombra ou interposição de um outro. [Pl.: -sões.]

emerso (e.*mer*.so) *a.* Que emergiu.

emético (e.*mé*.ti.co) *a.sm.* Que ou quem provoca vômito.

emigrado (e.mi.*gra*.do) *a.sm.* Que ou quem emigrou.

emigrante (e.mi.*gran*.te) *a2g.s2g.* Que ou quem emigra, sai de sua região para viver em outra.

emigrar (e.mi.*grar*) *v.* **1** Deixar um país para viver em outro. [*ti.* + *de...para*: *Muitos emigraram do Japão (para o Brasil). int.*: *Sem perspectivas em seu país, emigrou.*] **2** Mudar regularmente de hábitat (diz-se de animal). [*int.*: *As andorinhas emigram no inverno.*] [Ant.: *imigrar.*] [▶ **1** emigrar] • e.mi.gra.*ção sf.*; e.mi.gra.*tó*.ri:o a. [Cf. *imigrar.*]

eminência (e.mi.*nên*.ci.a) *sf.* **1** Condição ou qualidade do que é eminente. **2** O que aparece em relevo; SALIÊNCIA. **3** *Fig.* Quem tem superioridade moral, profissional ou intelectual: *Aquele médico é uma eminência na sua especialidade.* **4** Tratamento dado aos cardeais. ■ – **parda** Aquele que, sem fazer alarde ou se em aparecer, tem grande influência em decisões, condução de processos, políticas etc.

eminente (e.mi.*nen*.te) *a2g.* **1** Que ocupa ou está em posição elevada (igreja eminente). **2** Que supera os demais; EXCELENTE (deputado eminente).

emir (e.*mir*) *sm.* Título de soberanos muçulmanos de certas tribos ou províncias.

emirado (e.mi.*ra*.do) *sm.* **1** Estado, província ou região governada por emir. **2** Cargo de emir.

emissão (e.mis.*são*) *sf.* **1** Ação ou resultado de emitir, de expelir, de projetar: *emissão de gases/de som.*

emissário | empastar

2 Ação ou resultado de pôr em circulação: *emissão de moeda*. [Pl.: *-sões*.]

emissário (e.mis.*sá*.ri:o) *a.sm.* **1** Que ou quem é enviado ou sai em missão: *O emissário do governador cumpriu sua tarefa*. *sm.* **2** *Bras.* Parte de uma rede sanitária e/ou pluvial que conduz o material ao local de lançamento (ger. mar aberto).

emissor (e.mis.*sor*) *a.sm.* **1** Que ou quem emite algo; EMITENTE: *emissor de passagens*. **2** *Telc.* Que ou o que é responsável pela transmissão de uma mensagem ao receptor através de um canal de comunicação. ⌦ **emissora** *sf.* Rád. Telv. **3** Estação que transmite sinais de rádio e de televisão; RADIODIFUSORA. **4** Organização que produz e transmite programas de rádio e televisão.

emitente (e.mi.*ten*.te) *a2g.s2g.* **1** Ver *emissor* (1). **2** Que ou quem emite cheque ou qualquer outro título que representa um valor.

emitir (e.mi.*tir*) *v.* **1** Lançar de si (luz, som, cheiro etc.). [*td*.: *As estrelas emitem raios luminosos*.] **2** Manifestar, exprimir oralmente ou por escrito. [*td*.: *emitir um parecer*.] **3** *Econ.* Fazer circular (dinheiro). [*td*.: *O governo emitiu as novas moedas*.] *int*.: *Emitir pode causar inflação*.] [▶ **3** emit**ir**]

emoção (e.mo.*ção*) *sf.* Estado de ânimo que se manifesta como alegria, tristeza, raiva etc., provocado por situações diversas. [Pl.: *-ções*.] ● **e.mo.ci:o.nal** *a2g.*

emocionar (e.mo.ci.o.*nar*) *v.* Causar ou sentir emoção; COMOVER(-SE). [*td*.: *Sua história emocionou os ouvintes.* *pr*.: *Emocionei-me com o poema*.] [▶ **1** emocion**ar**] ● **e.mo.ci:o.na.do** *a*.; **e.mo.ci:o.nan.te** *a2g.*

emoji (e.*mo*.ji) *sm. Int.* Imagem ou conjunto de imagens utilizado em textos de redes sociais (especialmente em conversas), que expressam emoções, intenções, ou representação do assunto que está sendo mencionado. O termo provém do japonês *e* (imagem) + *moji* (letra, no caso um símbolo).

emoldurar (e.mol.du.*rar*) *v. td.* Pôr em moldura: *emoldurar um retrato*. [▶ **1** emoldur**ar**] ● **e.mol.du.ra.do** *a*.

emoliente (e.mo.li:*en*.te) *a2g.sm. Med.* Que ou o que amacia, amolece (sabonete *emoliente*).

emolumento (e.mo.lu.*men*.to) *sm.* **1** Qualquer coisa que represente lucro ou vantagem. **2** Dinheiro ou objeto de valor dado como recompensa; GRATIFICAÇÃO. **3** Parte do rendimento que ultrapassa o salário fixo.

emotivo (e.mo.*ti*.vo) *a.* **1** Que tende a se emocionar facilmente: *A postura firme escondia uma pessoa emotiva*. **2** Próprio de quem é emotivo (1) (atitude *emotiva*). ● **e.mo.ti.vi.da.de** *sf.*

empacar (em.pa.*car*) *v. int. Bras.* **1** Estacar, parar (o burro, o cavalo). **2** Não prosseguir, não ir adiante: *O aluno empacou e não completou a resposta*. [▶ **11** empa**car**]

empachado (em.pa.*cha*.do) *a. BA Gír.* Que comeu demais.

empacotar (em.pa.co.*tar*) *v.* **1** Pôr em pacote(s). [*td*. (seguido ou não de indicação de lugar/meio/modo): *Empacotei os livros (em caixotes)*.] **2** Pop. Morrer, falecer. [*int*.] [▶ **1** empacot**ar**] ● **em.pa.co.ta.dei.ra** *sf.*; **em.pa.co.ta.men.to** *sm.*

empada (em.*pa*.da) *sf. Cul.* Iguaria feita de massa, com recheios variados e assada em formas [ô].

empáfia (em.*pá*.fi.a) *sf.* Orgulho afetado; ARROGÂNCIA: *Trata os empregados com empáfia*.

empalhar (em.pa.*lhar*) *v. td.* **1** Encher de palha a pele de (animal morto). **2** Pôr palha em, tecendo: *empalhar uma cadeira*. [▶ **1** empa**lhar**] ● **em.pa.lha.do** *a*.; **em.pa.lha.dor** *sm*.; **em.pa.lha.men.to** *sm.*

empalidecer (em.pa.li.de.*cer*) *v.* Tornar(-se) pálido, sem cor, sem viço. [*td*.: *O esforço empalideceu*. *int.*:

Com a doença, emagreceu e empalideceu.] [▶ **33** empalid**ecer**]

empalmar (em.pal.*mar*) *v. td.* **1** Ocultar na palma da mão: *Esse mágico empalma qualquer coisa*. **2** *Fig.* Passar a mão em, roubando; SURRUPIAR; AFANAR: *Empalmaram a minha carteira*. [▶ **1** empalm**ar**]

empanada (em.pa.*na*.da) *sf.* **1** *Cul.* Empada assada em forma [ô] grande. **2** Esquadria de janela que, em vez de vidro, é tapada com pano ou com papel. **3** *N.E.* Toldo de estabelecimento comercial.

empanado (em.pa.*na*.do) *a.* **1** Coberto com pano. **2** Que está encoberto; OCULTO. **3** *Cul.* Diz-se de alimento (peixe, carne etc.) passado no ovo e na farinha de trigo antes de ser frito (frango *empanado*). **4** Que não tem brilho; OPACO; EMBAÇADO. **5** *N.E.* Que ou quem veste roupa de pano, ao contrário do encourado, que veste roupa de couro, própria do vaqueiro.

empanar[1] (em.pa.*nar*) *v.* **1** Fazer que perca ou perder brilho, transparência ou reflexão; EMBAÇAR(-SE). [*td*.: *O vapor empanou as lentes dos meus óculos*; *Uns poucos deslizes não empanaram seu desempenho*. *pr*.: *Os vidros do carro empanaram-se*.] **2** *Fig.* Macular(-se), conspurcar(-se), desonrar(-se). [*td*.: *As denúncias empanaram o seu mandato*. *pr*.: *Sua reputação empanou-se da noite para o dia*.] [▶ **1** empan**ar**]

empanar[2] (em.pa.*nar*) *v. td. Cul.* Mergulhar (peixe, frango etc.) em ovo batido, envolvê-lo em farinha de trigo ou de rosca, e fritá-lo. [▶ **1** empan**ar**]

empanturrar (em.pan.tu.*rrar*) *v.* **1** Abarrotar(-se) (de comida); EMPANZINAR(-SE). [*td*.: *Estão gordos porque a mãe os empanturra*. *tdi. + de*: *O noivo a empanturrou de doces*. *pr*.: *Empanturrei-me de queijos*.] [▶ **1** empanturr**ar**] ● **em.pan.tur.ra.do** *a.*

empanzinar (em.pan.zi.*nar*) *v.* Ver *empanturrar*. [▶ **1** empanzin**ar**]

empapar (em.pa.*par*) *v.* **1** Fazer ficar ou ficar muito molhado, saturado de líquido; EMBEBER(-SE); ENCHARCAR(-SE). [*td*.: *empapar uma esponja*. *pr*.: *empapar-se de suor*.] **2** Dar consistência de papa a. [*td*.: *A chuva empapou a terra*.] [▶ **1** empa**par**] ● **em.pa.pa.do** *a.*

empapuçado (em.pa.pu.*ça*.do) *a.* **1** Cheio de papos, pregas: *A costura ficou defeituosa, empapuçada*. **2** Inchado: *A noite em claro deixa seu rosto empapuçado*. ● **em.pa.pu.çar** *v.*

emparedar (em.pa.re.*dar*) *v.* **1** Encerrar no interior de parede. [*td*.: *Emparedou as joias para escondê-las*.] **2** Encerrar(-se) entre paredes ou muros; ENCLAUSURAR(-SE). [*td*. (seguido ou não de indicação de lugar): *O tirano emparedou seus oponentes (num calabouço)*. *pr*.: *Resolveu emparedar-se num convento*.] **3** Rodear de paredes (qualquer espaço). [*td*.] [▶ **1** empared**ar**] ● **em.pa.re.da.do** *a.*

emparelhar (em.pa.re.*lhar*) *v.* **1** Pôr ou ficar lado a lado. [*td*.: *A comerciante emparelhou as mercadorias na vitrine*. *tdi. + a, com*: "...emparelha o seu cavalo com o meu, para lhe fazer companhia..." (Guimarães Rosa, *Sagarana*). *int./pr.*: *Os carros emparelhavam(-se) na curva*.] **2** Mostrar(-se), ser, considerar(-se) ou tornar(-se) parelho, igual; EQUIPARAR(-SE). [*tdi. + a, com*: *O exportador emparelhou seus produtos com os demais*. *int./pr.*: *Seus produtos emparelhavam(-se) com os melhores do mercado*.] **3** Estar em harmonia; CONDIZER. [*ti. + com*: *Seu comportamento emparelha com o mau exemplo que teve*.] [▶ **1** emparelh**ar**] ● **em.pa.re.lha.do** *a.*; **em.pa.re.lha.men.to** *sm.*

empastar (em.pas.*tar*) *v.* Transformar(-se) em pasta, ou cobrir(-se) de pasta. *Fig.*). [*td*.: *Empastou o chão com cera*. *pr*.: *Seu cabelo empastou-se de tanto gel*.] [▶ **1** empast**ar**] ● **em.pas.ta.do** *a.*; **em.pas.ta.men.to** *sm.*

empastelar (em.pas.te.*lar*) *v*. *td*. *Art.Gr*. **1** Misturar ou desordenar (caracteres tipográficos). **2** Inutilizar temporariamente (oficina gráfica, redação de jornal ou revista etc.), danificando equipamento. [▶ **1** empastel<u>ar</u>] ● em.pas.te.*la*.do *a*.; em.pas.te.la.*men*.to *sm*.

empatar (em.pa.*tar*) *v*. **1** Obter ou resultar em resultado igual (número de gols, de votos, colocação em competição etc.) (ao de competidor) (em) (jogo, competição, disputa etc.). [*td*.: *O time já empatou três jogos*. *ti*. + *com*, *em*: *O Ibis empatou com o Milan*. *int*.: *Os candidatos empataram*; (seguido de especificação de circunstância) *O jogo empatou em 0x0*; *Os dois refrigerantes empataram na preferência do público*.] **2** Impedir o prosseguimento de. [*td*.: *A falta de dados empata o nosso trabalho*.] **3** Empregar (tempo ou dinheiro) em algo) sem retorno evidente. [*tdi*. + *em*: *Empatou suas economias na loja da família*.] [▶ **1** empat<u>ar</u>] ● em.pa.*ta*.do *a*.

empate (em.*pa*.te) *sm*. **1** Ação ou resultado de empatar. **2** Numa disputa, situação em que não há vencedor. **3** Falta de determinação ou decisão; IRRESOLUÇÃO.

empatia (em.pa.*ti*.a) *sf*. *Psi*. Capacidade de se identificar com outra pessoa e compreendê-la emocionalmente. **2** Capacidade de compreensão emocional e/ou estética de um objeto. [Cf.: *simpatia* e *antipatia*.] ● em.*pá*.ti.co *a*.

empavonado (em.pa.vo.*na*.do) *a*. *CE Gír*. Enfeitado.

empecilho (em.pe.*ci*.lho) *sm*. Qualquer coisa ou indivíduo que dificulte ou impeça algo; OBSTÁCULO.

empedernido (em.pe.der.*ni*.do) *a*. **1** Duro como pedra; PETRIFICADO; ENDURECIDO. **2** *Fig*. Que é ou se mostra inflexível; INSENSÍVEL ● em.pe.*der*.*nir* *v*.

empedrar (em.pe.*drar*) *v*. Tornar(-se) parcial ou totalmente duro ou encaroçado. [*td*.: *A umidade do porão empedrou o cimento*. *int*.: *O leite da mãe empedrou*.] [▶ **1** empedr<u>ar</u>] ● em.pe.*dra*.do *a*.

empelotar (em.pe.lo.*tar*) *v*. Formar caroços, bolotas; EMBOLOTAR. [*int*. *Adicione a farinha aos poucos, para ela não empelotar*. *pr*.: *Com a picada das formigas*, *empelotou-se*.] [▶ **1** empelot<u>ar</u>] ● em.pe.lo.*ta*.do *a*.

empena (em.*pe*.na) *sf*. **1** Deformação sofrida pela madeira. **2** *Cons*. Parte superior de uma parede em construções com telhados de duas águas, com a forma de triângulo. **3** *Arq*. Cada um dos lados inclinados que vão da cumeeira até a beirada dos telhados. **4** *Bras*. *Cons*. A parede da casa que está na divisa do terreno.

empenado[1] (em.pe.*na*.do) *a*. Cheio de ou enfeitado com penas; EMPLUMADO.

empenado[2] (em.pe.*na*.do) *a*. **1** Que se empenou[2] (madeira empenada); TORTO. **2** Que não está aprumado (estaca *empenada*).

empenar[1] (em.pe.*nar*) *v*. *int*. Cobrir-se de penas ou plumas; EMPLUMAR: *Muitos filhotes de aves morrem antes de empenar*. [▶ **1** empen<u>ar</u>]

empenar[2] (em.pe.*nar*) *v*. Entortar devido ao calor, umidade ou choque. [*td*.: *O sol empenou o disco*. *int*.: *Com a batida, as rodas do carro empenaram*.] [▶ **1** empen<u>ar</u>]

empenhar (em.pe.*nhar*) *v*. **1** Empregar (conhecimento, esforço etc.) para determinado fim. [*td*.: *Cientistas empenharam seu saber para descobrir a cura da Aids*. *pr*.: *Os alunos empenharam-se mais nos estudos*.] **2** Pegar empréstimo dando (um bem) como garantia. [*td*.: *empenhar joias*.] **3** Reservar dinheiro para um gasto específico. [*td*.: *A prefeitura empenhou 30% de sua verba para as creches*.] [▶ **1** empenh<u>ar</u>] ▪ ~ **a palavra** Prometer, comprometer-se a: *Ela empenhou a palavra em nos ajudar no que for preciso*.

empenho (em.*pe*.nho) *sm*. **1** Ação ou resultado de empenhar(-se) (1 e 2). **2** Grande comprometimento; DISPOSIÇÃO; INTERESSE: *Demonstrou empenho na realização do trabalho*. **3** Poder de influência; PRESTÍGIO: *O empenho do pai tirou-o da cadeia*. **4** Ação ou resultado de empenhar (3); a verba assim obtida.

empeno (em.*pe*.no) *sm*. **1** Ação ou resultado de empenar[2]. **2** Deformação do que empenou[2]. **3** *Fig*. Aquilo que impõe dificuldade; IMPEDIMENTO.

emperiquitar-se (em.pe.ri.qui.*tar*-se) *v*. *pr*. *Bras*. *Pop*. Enfeitar-se com cuidado ou exagero: *Ela se emperiquitou toda para ir ao baile*. [▶ **1** emperiquit<u>ar</u>-se]

emperrar (em.per.*rar*) *v*. **1** Tornar(-se) difícil de mover; TRAVAR. [*td*.: *A falta de óleo emperrou a engrenagem da máquina*. *int*.: *Essa gaveta sempre emperra*.] **2** Dificultar a realização ou o progresso de; não progredir. [*td*.: *A oposição ameaça emperrar a votação das reformas*. *int*.: *As negociações emperraram*.] [▶ **1** emperr<u>ar</u>] ● em.per.*ra*.do *a*.; em.per.*ra*.*men*.to *sm*.

empertigado (em.per.ti.*ga*.do) *a*. **1** Que se empertigou, colocou-se em posição ereta; APRUMADO. **2** *Fig*. Que demonstra altivez (comportamento *empertigado*); ORGULHOSO.

empertigar-se (em.per.ti.*gar*-se) *v*. *pr*. Esticar a coluna, de modo a ficar com o corpo ereto; APRUMAR-SE: *O jovem empertigou-se e iniciou o discurso*. [▶ **14** empertig<u>ar</u>]

empestar (em.pes.*tar*) *v*. **1** Infectar(-se) com peste. [*td*.: *Os ratos empestaram a Europa na Idade Média*. *pr*.: *A cidade empestou-se*.] **2** Contaminar(-se). [*td*. *pr*.] **3** *Fig*. Espalhar-se por (um ambiente). [*td*.: *A fumaça de seu charuto empestou a reunião*. *pr*.: *A casa toda empestou-se com o cheiro do peixe*.] [▶ **1** empest<u>ar</u>] ● em.pes.*ta*.do *a*.

empetecar (em.pe.te.*car*) *v*. *Bras*. Arrumar(-se) ou vestir(-se) com exagero. [*td*.: *Empetecava o cãozinho antes de sair com ele*. *pr*.: *Empetecou-se toda para o encontro*.] [▶ **11** empetec<u>ar</u>] ● em.pe.te.*ca*.do *a*.

empilhadeira (em.pi.lha.*dei*.ra) *sf*. Máquina móvel us. para empilhar e arrumar produtos ou carga em armazéns, fábricas, portos etc.

empilhar (em.pi.*lhar*) *v*. Colocar(-se) em pilha; AMONTOAR(-SE) (tb. *Fig*.). [*td*.: *Empilharam as cadeiras para abrir espaço*. *pr*.: *As crianças empilharam-se para ver Papai Noel chegar*.] [▶ **1** empilh<u>ar</u>] ● em.pi.*lha*.do *a*.; em.pi.lha.*men*.to *sm*.

empinado (em.pi.*na*.do) *a*. Em posição ereta; reta; ERGUIDO.

empinar (em.pi.*nar*) *v*. **1** Erguer(-se), levantar(-se). [*td*.: *Empine as costas, você está muito corcunda*. *pr*.: *Pedrinho empinou-se por cima do muro*.] **2** Fazer ressaltar. [*td*.: *As modelos tendem a empinar o bumbum*.] **3** Soltar até os ares. [*td*.: *empinar uma pipa*.] **4** Levantar as patas da frente. [*int*./*pr*.: *Assustada, a égua empinou(-se)*.] [▶ **1** empin<u>ar</u>]

empipocar (em.pi.po.*car*) *v*. *int*. Criar bolhas: *Minha mão empipocou com a picada do inseto*. [▶ **11** empipoc<u>ar</u>] ● em.pi.po.*ca*.do *a*.

empírico (em.*pí*.ri.co) *a*. **1** Ref. ao empirismo. **2** Que se baseia na experiência e no desenvolver e não em uma teoria.

empirismo (em.pi.*ris*.mo) *sm*. **1** *Fil*. Doutrina que acredita na experiência como única maneira de se chegar ao conhecimento, negando a transcendência, o misticismo e o racionalismo. **2** *Pej*. Prática médica que descarta a metodologia e se baseia na experiência; CHARLATANISMO.

emplacamento (em.pla.ca.*men*.to) *sm*. Colocação de placa; emplacamento de automóvel.

emplacar (em.pla.*car*) *v*. **1** Colocar placa em (veículo). [*td*.: *Você emplacou o carro no Detran*.] **2** *Pop*. Obter êxito. [*td*.: *O grupo de pagode emplacou três sucessos seguidos*. *int*.: *É um bom escritor mas não emplacou*.] **3** Atingir (um número significativo).

emplastrar | empresariar

[*td.*: *A empresa de celulares emplacou um milhão de telefones vendidos.*] [▶ **11** empla**car**] • **em.pla.ca.do** *a.*

emplastrar (em.plas.*trar*) *v. td.* **1** Aplicar emplastro em. **2** Cobrir com (pasta, massa, tinta etc.): *Emplastrou a parede com massa.* [▶ **1** emplas**trar**]

emplastro (em.*plas*.tro) *sm.* **1** Medicamento anti-inflamatório que se aplica sobre a pele. **2** *Fig. Pop.* Pessoa impresтávеl, inútil.

empoar (em.po.*ar*) *v. td. pr.* **1** Cobrir(-se) de pó ou poeira; POLVILHAR(-SE); EMPOEIRAR(-SE). **2** Colocar pó de arroz em, ou no próprio rosto. [▶ **16** empo**ar**] • **em.po.a.do** *a.*

empobrecer (em.po.bre.*cer*) *v.* **1** Tornar(-se) pobre. [*td.*: *O vício do jogo empobrece muita gente. int.*: *Ele empobreceu da noite para o dia.*] **2** Tornar(-se) pouco produtivo ou menos dotado. [*td.*: *A falta do hábito da leitura empobrece o vocabulário. int.*: *Com os desmatamentos, muitas florestas empobreceram.*] [▶ **33** empobre**cer**] • **em.po.bre.ci.do** *a.*; **em.po.bre.ci.men.to** *sm.*

empoçar (em.po.*çar*) *v. int.* Acumular-se (líquido) sobre o solo ou outra superfície, formando poças: *Não deixe a água empoçar nos pratinhos dos vasos.* [▶ **12** empo**çar**] • **em.po.ça.do** *a.*

empoderamento (em.po.de.ra.men.to) *sm.* **1** Ação ou resultado de empoderar. **2** *Soc.* Capacidade natural ou adquirida por meio da conscientização e da informação, de desempenhar qualquer ação de forma consciente com o objetivo de promover mudanças sempre com o foco nas pessoas.

empoeirar (em.po.ei.*rar*) *v.* Cobrir(-se) de poeira no pó. [*td.*: *O vento empoeirou a estrada. int.*: *Os livros estão empoeirando na estante.*] [▶ **1** empoei**rar**] • **em.po.ei.ra.do** *a.*

empola (em.*po*.la) [ô] *sf.* **1** *Med.* Bolha na pele contendo líquido seroso; VESÍCULA. **2** Bolha de água fervente.

empolado (em.po.*la*.do) *a.* **1** Que se empolou, cobriu-se de empolas ou bolhas: *A catapora deixou-o todo empolado.* **2** *Fig.* Que é afetado, pomposo (discurso empolado).

empolar (em.po.*lar*) *v.* **1** Fazer surgir ou surgir empolas em, encher(-se) de empolas, de bolhas. [*td.*: *O sol o empolou. int./pr.*: *Ficou tempo demais na praia, e suas costas (se) empolaram.*] **2** *Fig.* Tornar(-se) pomposo ou afetado. [*td.*: *empolar a fala. pr.*: *A atriz empola-se toda nas entrevistas.*] [▶ **1** empo**lar**] • **em.po.la.men.to** *sm.*

empoleirar (em.po.lei.*rar*) *v.* Colocar(-se) sobre um poleiro ou lugar elevado. [*td.*: *João empoleirou o canário. pr.*: *O papagaio tem mania de empoleirar-se no meu ombro.*] [▶ **1** empoleirar] • **em.po.lei.ra.do** *a.*

empolgação (em.pol.ga.*ção*) *sf.* **1** Ação ou resultado de empolgar(-se). **2** *Bras.* Animação exagerada; ENTUSIASMO. [Pl.: -*ções*].

empolgante (em.pol.*gan*.te) *a2g.* Que empolga, entusiasma (jogo empolgante).

empolgar (em.pol.*gar*) *v.* Causar admiração e interesse em, ou senti-los; ENTUSIASMAR(-SE). [*td.*: *A banda empolgou a plateia. int.*: *Mesmo sem empolgar, o Grêmio venceu. pr.*: *As fãs se empolgaram quando viram o galã.*] [▶ **14** empol**gar**] • **em.pol.ga.do** *a.*

emponderar (em.po.de.*rar*) *v.* Outorgar, atribuir poderes (para desempenho de um cargo, obrigação, tarefa etc.) a si próprio ou a outrem. [*td.*]

emporcalhar (em.por.ca.*lhar*) *v.* Tornar(-se) muito sujo. [*td.*: *Não emporcalhe a rua com papéis de bala. pr.*: *O menino emporcalhou-se todo na lama.*] [▶ **1** emporca**lhar**] • **em.por.ca.lha.do** *a.*

empório (em.*pó*.ri.o) *sm.* **1** Local de grande atividade comercial. **2** Casa comercial onde são vendidos diversos tipos de mercadorias. **3** *Bras.* Armazém de secos e molhados.

empossar (em.pos.*sar*) *v.* **1** Investir (alguém) em um cargo. [*td.*: *A diretoria empossou o novo presidente. tdi.* + *em*: *Os moradores empossaram o sr. Ari no cargo de síndico.*] **2** Assumir oficialmente um cargo. [*pr.*: *Ele não se empossou no prazo, e acabou perdendo o cargo.*] [▶ **1** empos**sar**] • **em.pos.sa.do** *a.*

empreender (em.pre.en.*der*) *v. td.* **1** Pôr em prática; REALIZAR: *Empreendeu uma viagem de estudos à Amazônia.* **2** Decidir e/ou tentar realizar tarefa difícil, demorada etc.: *empreender o reflorestamento de uma região.* [▶ **2** empreen**der**] • **em.pre.en.de.dor** *a.sm.*; **em.pre.en.de.do.ris.mo** *sm.*

empreendimento (em.pre.en.di.*men*.to) *sm.* **1** Ação ou resultado de empreender; EMPRESA. **2** Aquilo que se empreendeu ou que se vai empreender; negócio, obra, realização: *Investiu em empreendimentos imobiliários.*

empregado (em.pre.*ga*.do) *a.* **1** Que se empregou. **2** Usado, colocado em uso. *sm.* **3** Pessoa com emprego remunerado; FUNCIONÁRIO. **~ doméstico** O que presta serviços realizando trabalhos caseiros.

empregador (em.pre.ga.*dor*) [ô] *a.* **1** Que emprega. *sm.* **2** Pessoa física ou jurídica que emprega outras pessoas.

empregar (em.pre.*gar*) *v.* **1** Admitir (alguém) em emprego (3). [*td.*: *As lojas empregam mais gente no Natal.*] [Ant.: *demitir*.] **2** Passar a trabalhar como assalariado. [*pr.*: *Aos 17 anos, empreguei-me como auxiliar de projetista.*] **3** Utilizar. [*td.*: *empregar um recurso/uma ferramenta.*] **4** Aplicar. [*tdi.* + *em*: *Certas empresas empregam parte de seus rendimentos em obras sociais.*] [▶ **14** empre**gar**]

emprego (em.*pre*.go) [ê] *sm.* **1** Ação ou resultado de empregar. **2** Prática de utilização de alguma coisa; USO: *É contra o emprego de agrotóxicos na agricultura.* **3** Atividade, cargo, ocupação remunerada: *Conseguiu emprego como mecânico.* **4** Local onde essa atividade é realizada: *José deixa o emprego todos os dias às 20 horas.* • **em.pre.ga.tí.ci.o** *a.* (vínculo em pregatício).

empreguismo (em.pre.*guis*.mo) *sm. Bras.* Propensão a contratar pessoas para cargos públicos a fim de atender a objetivos políticos.

empreitada (em.prei.*ta*.da) *sf.* **1** Trabalho contratado a terceiros, com valor de pagamento combinado antecipadamente e pago somente ao final; esse sistema de trabalho. **2** Trabalho ou tarefa árdua, demorada: *Arrumar essa estante foi uma empreitada!*

empreitar (em.prei.*tar*) *v. td.* Fazer ou contratar (obra ou serviço) por empreitada (1): *O diretor decidiu empreitar a reforma do prédio.* [▶ **1** emprei**tar**]

empreiteira (em.prei.*tei*.ra) *sf. Bras.* Firma que executa obras por empreitada (1).

empreiteiro (em.prei.*tei*.ro) *a.sm.* Que ou quem executa uma obra por empreitada (1).

emprenhar (em.pre.*nhar*) *v.* Tornar(-se) prenhe, grávida (diz-se de fêmea); ENGRAVIDAR. [*td.*: *Comprou um touro para emprenhar suas vacas. int.*: *Nem todas as vacas emprenharam.*] [▶ **1** empre**nhar**]

empresa (em.*pre*.sa) [ê] *sf.* **1** Ver *empreendimento* (1). **2** Organização que produz, vende e/ou oferece bens e serviços.

empresar (em.pre.*sar*) *v.* Ver *empresariar*. [▶ **1** empre**sar**]

empresariado (em.pre.sa.ri.*a*.do) *sm.* A categoria dos empresários.

empresarial (em.pre.sa.ri.*al*) *a2g.* Ref. a empresa, empresário ou empresariado. [Pl.: -*ais*.]

empresariar (em.pre.sa.ri.*ar*) *v. td.* **1** Cuidar dos compromissos e negócios de (artistas, atletas etc.): *Tem talento, só precisa de quem o empresarie.* **2** Realizar ou financiar um empreendimento ou projeto; PRODUZIR: *Aquele artista resolveu empresariar os pró-*

prios espetáculos. [Sin. ger.: *empresar*.] [▶ **1** empresariar]

empresário (em.pre.sá.ri:o) *sm.* **1** Dono de ou responsável por empresa (2). **2** Agente responsável pelos assuntos profissionais de pessoas com carreira pública: *empresário de cantores*. *a.* **3** Ref. a empresa; EMPRESARIAL.

emprestar (em.pres.tar) *v.* **1** Ceder (objetos, dinheiro etc.), a serem restituídos posteriormente. [*td.*: *Não gosto de emprestar minhas coisas. tdi. + a, para*: "D. Úrsula emprestara-lhe um vestido de amazona..." (Machado de Assis, *Helena*).] **2** Ceder (dinheiro), a ser devolvido com juros. [*td.*: *Este banco emprestou grandes quantias. tdi. + a, para*: *A financeira emprestou cinco mil reais ao meu pai*; (tb. sem complemento direto explícito) *Os países ricos deveriam emprestar mais aos países pobres*.] **3** Dar, transmitir, conferir. [*ti. + a, para*: *Sua atitude emprestou seriedade à negociação*.] [▶ **1** emprestar] • em.pres.ta.do *a*.

empréstimo (em.prés.ti.mo) *sm.* **1** Ação ou resultado de emprestar: *Pediu um empréstimo de mil reais*. **2** O que foi emprestado, cedido por tempo determinado: *Não posso anotar no livro, é um empréstimo*. **3** *Ling*. Inclusão de vocábulo de outra língua no vocabulário da língua vernácula.

emproado (em.pro.a.do) *a*. Que se supõe melhor ou superior aos outros; PRESUNÇOSO; PRETENSIOSO.

emproar-se (em.pro.ar-se) *v. pr.* Ficar orgulhoso ou cheio de si. [▶ **16** emproar-se]

empulhar (em.pu.lhar) *v. td.* Enganar, ludibriar: *Um vigarista empulhou minha tia*. [▶ **1** empulhar] • em.pu.lha.ção *sf*.

empunhadura (em.pu.nha.du.ra) *sf*. **1** Parte por onde se segura certos instrumentos (arma, ferramenta etc.): *empunhadura de espada*. **2** Maneira de segurar em algo: *Você precisa melhorar sua empunhadura da raquete*.

empunhar (em.pu.nhar) *v. td.* Segurar um objeto (ger. por empunhadura) (tb. *Fig.*): *empunhar uma espada/um revólver*. [▶ **1** empunhar]

empurra-empurra (em.pur.ra-em.pur.ra) *sm*. *Bras*. Situação em que pessoas aglomeradas se empurram no intuito de chegar a algum lugar: *Na saída do vestibular houve um grande empurra-empurra*. [Pl.: *empurras-empurras* e *empurra-empurras*.]

empurrar (em.pur.rar) *v.* **1** Impelir algo ou alguém. [*td.*: *O carro enguiçou e tive de empurrá-lo*.] **2** Dar encontrões em. [*td.*: *Empurrava quem lhe estivesse à frente. pr.*: *Na briga, os moleques se empurraram*.] **3** Persuadir a aceitar; IMPINGIR. [*tdi. + a, para*: *Com muita conversa, o vendedor empurrou a mercadoria ao cliente*.] [▶ **1** empurrar] • em.pur.rão *sm*.

empuxo (em.pu.xo) *sm.* **1** Ação ou resultado de impulsionar com força. **2** Força que age impulsionando. **3** *Fis*. Num corpo imerso em fluido, a força que o impele para cima. • em.pu.xar *v*.

emu (e.mu) *sf*. *Zool*. Ave que pode medir até 1,5m de altura, com asas tão pequenas que não lhe permitem o voo.

emudecer (e.mu.de.cer) *v.* Tornar(-se) silencioso ou calado. [*td.*: *A emoção da despedida a emudeceu*. *int.*: *Com a chuva, os telefones emudeceram*.] [▶ **33** emudecer] • e.mu.de.ci.do *a*.; e.mu.de.ci.men.to *sm*.

emulação (e.mu.la.ção) *sf*. **1** Ação ou resultado de emular. **2** Sentimento de competição que impele a se tentar igualar ou superar concorrente, adversário etc.; a própria competição, disputa. *Usava a emulação como método de fazer os alunos estudarem*. **2** Incentivo, estímulo: *Aumentou o prêmio como emulação aos concorrentes*. [Pl.: -ções.]

emulador (e.mu.la.dor) *a.sm.* **1** Que ou quem compete ou empenha-se para igualar algo ou alguém. *sm.* **2** *Inf*. Programa, dispositivo etc. designado para fazer com que um computador, programa, sistema etc. emule (2) outro.

emular (e.mu.lar) *v.* **1** Competir com; rivalizar com. [*td.*: *Desafiado por ele, resolveu emulá-lo. tdi. + com*: *Admirador do irmão, emula com ele em tudo*.] **2** *Inf*. Simular programa, ambiente etc. [*td.*: *jogo que emula uma corrida de Fórmula 1*.] [▶ **1** emular]

êmulo (ê.mu.lo) *a.sm*. Que ou quem tem emulação (2), compete, disputa; COMPETIDOR.

emulsão (e.mul.são) *sf*. **1** Dispersão de um líquido dentro de um outro líquido. **2** Preparado farmacêutico, ger. de uso interno, que contém líquidos de densidades diferentes em suspensão. [Pl.: -sões.]

enaltecer (e.nal.te.cer) *v. td.* Elogiar muito; EXALTAR: *O professor enalteceu a aplicação da turma*. [▶ **33** enaltecer] • e.nal.te.ce.dor *a*.; e.nal.te.ci.men.to *sm*.

enamorar-se (e.na.mo.rar-se) *v. pr*. Apaixonar-se: *Enamorou-se da vizinha assim que a viu*. [▶ **1** enamorar-se] • e.na.mo.ra.do *a.sm*.

encabeçar (en.ca.be.çar) *v. td.* **1** Ser o chefe de; LIDERAR: *Mário de Andrade encabeçou o movimento modernista*. **2** Estar na frente em: *O Brasil encabeçou o ranking da FIFA ano passado*. [▶ **12** encabeçar] • en.ca.be.ça.do *a*.; en.ca.be.ça.men.to *sm*.

encabulado (en.ca.bu.la.do) *a.sm*. *Bras*. Que ou quem é ou está acanhado, envergonhado etc.: *Que menino encabulado, nem levanta os olhos!*

encabular (en.ca.bu.lar) *v.* Tornar(-se) acanhado; ENVERGONHAR(-SE). [*td.*: *Sua indiscrição encabulou a moça. int.*: *O rapaz fez gestos de encabular. pr.*: *Encabula-se diante de estranhos*.] [▶ **1** encabular] • en.ca.bu.la.ção *sf*.

encaçapar (en.ca.ça.par) *v. td.* **1** Jogar (bola de sinuca) para dentro da caçapa. **2** *Bras. Pop*. Dar uma surra em. [▶ **1** encaçapar] • en.ca.ça.pa.do *a*.

encadeamento (en.ca.de:a.men.to) *sm*. **1** Ação ou resultado de encadear; disposição de coisas ou fatos de forma sequencial, encadeada ou conexa. **2** Relação ou dependência entre duas coisas conexas. **3** *Poét*. Recurso us. em poesia, no qual uma rima, uma palavra etc. se repete verso a verso ou estrofe a estrofe.

encadear (en.ca.de.ar) *v.* Ligar(-se) de forma ordenada [*td.*: *Encadeava os pensamentos. pr.*: *Os acordes da música encadeavam-se harmoniosamente*.] [▶ **13** encadear] • en.ca.de.a.do *a*.

encadernação (en.ca.der.na.ção) *sf*. **1** Ação ou resultado de encadernar. **2** Capa de livro encadernado: *encadernação em tecido, gravada a ouro*. [Pl.: -ções.]

encadernar (en.ca.der.nar) *v. td.* **1** Reunir (folhas impressas, desenhadas etc., ou cadernos), unindo-os pelo dorso e recobrindo-os com capa. **2** Pôr capa em (livro, brochura etc.). [▶ **1** encadernar] • en.ca.der.na.do *a*.; en.ca.der.na.dor *a.sm*.

encafifar (en.ca.fi.far) *v. int*. *Bras. Pop*. Ficar intrigado. [▶ **1** encafifar]

encaixar (en.cai.xar) *v.* **1** Fixar(-se) (uma peça em outra de modo a haver um ajuste perfeito. [*td.*: *Você encaixou bem a tomada? int./pr.*: *As peças não se encaixavam*.] **2** Incluir em meio a; INSERIR. [*td.*: *Encaixou em seu discurso uma citação de Homero*.] **3** Ser compatível com ou convir a; ADEQUAR-SE. [*int./pr.*: *O tipo físico da atriz (se) encaixa bem com a personagem*.] **4** *Fut*. Agarrar o goleiro (a bola), apertando-a contra o corpo. [*td./int.*: *Chutou violentamente, mas o goleiro encaixou (a bola)*.] [▶ **1** encaixar]

encaixe (en.cai.xe) *sm*. **1** Ação ou resultado de encaixar. **2** Espaço destinado a receber uma peça. **3** Lugar onde elementos se juntam ou encaixam.

encaixotar (en.cai.xo.tar) *v. td.* Pôr dentro de caixa ou caixote: *encaixotar mercadorias*. [▶ **1** encaixotar] • en.cai.xo.ta.men.to *sm*.

encalacrar (en.ca.la.*crar*) *v. Pop.* Envolver(-se) em situação difícil (ger. financeira). [*td.*: *O que o encalacrou foi o cartão de crédito.* *pr.*: *Viciado em jogo, encalacrava-se cada vez mais.*] [▶ 1 encalacrar̄] • en.ca.la.*cra*.do *a.*

encalço (en.*cal*.ço) *sm.* 1 Ação ou resultado de perseguir, seguir a pista (de pessoa, animal etc.). 2 Vestígio, rasto, pista.

encalhar (en.ca.*lhar*) *v.* 1 Reter ou ficar retido (diz-se de embarcação ou animal marinho). [*td.*: *Mau navegador que era, encalhou o barco.* *int.*: *Foi num recife que a baleia encalhou.*] 2 Não progredir ou continuar progredindo. [*int.*: *Minha escola de samba encalhou no segundo grupo.*] 3 Não vender de acordo com o previsto ou esperado. [*int.*: *A julgar pela crítica, o disco talvez encalhe.*] 4 *Gír.* Não conseguir se casar; ficar solteiro. [*int.*: *Meu tio tanto fez que encalhou.*] [▶ 1 encalhar̄] • en.ca.*lha*.do *a.*

encalhe (en.ca.lhe) *sm.* 1 Ação ou resultado de encalhar. 2 Interrupção no andamento de algo; obstáculo; obstrução: *A nova equipe causou encalhes na produção.* 3 Sobra não vendida de mercadorias.

encalorado (en.ca.lo.*ra*.do) *a.* Com muito calor; acalorado; calorento.

encaminhar (en.ca.mi.*nhar*) *v.* 1 Dirigir(-se) para. [*td.*: *O inspetor encaminhou os novos alunos para o refeitório.* *pr.*: *Que tal irmos nos encaminhando para a saída?*] 2 Providenciar que siga pelos canais competentes (proposta, pedido etc.). [*td.*: *A secretária já encaminhou o seu pedido de demissão.* *tdi.* + *a*: *Os alunos vão encaminhar um abaixo-assinado ao diretor.*] 3 Fazer avançar. [*td.*: *Soube encaminhar bem a conversa.*] 4 Prover orientação moral a. [*td.*: *É tarefa do padre encaminhar os fiéis.*] [▶ 1 encaminhar̄]

encampar (en.cam.*par*) *v. td.* 1 Adotar ou apoiar (ideia, projeto etc.): *A comunidade encampou o programa de coleta seletiva de lixo.* 2 Adquirir (o governo) a posse de (empresa) mediante indenização: *O governo do estado pretende encampar a transportadora.* 3 *Jur.* Anular contrato de arrendamento. [▶ 1 encampar̄] • en.cam.pa.*ção sf.*

encanador (en.ca.na.*dor*) [ô] *sm. Bras.* Pessoa que instala ou conserta encanamentos.

encanamento (en.ca.na.*men*.to) *sm.* 1 Ação ou resultado de encanar. 2 Rede de canos para gás, água ou esgoto; tubulação.

encanar¹ (en.ca.*nar*) *v. td.* Instalar rede de tubulação para conduzir (água, esgoto, gás). [▶ 1 encanar̄]

encanar² (en.ca.*nar*) *v.* 1 *Gír.* Pôr em cadeia; encarcerar. [*td.*: *Já encanaram o trambiqueiro?*] 2 *Gír.* Preocupar-se em excesso com algo. [*int.*: *Vê se não encana; tudo se resolve no final! ti.* + *com*: *Encanava com as críticas que recebia.*] 3 *Med.* Colocar em talas (osso fraturado); entalar. [*td.*] [▶ 1 encanar̄]

encanecer (en.ca.ne.*cer*) *v.* 1 Tornar(-se) (o cabelo) branco ou grisalho. [*td.*: *Os problemas encaneceram os cabelos do empresário.* *int.*: *Com o tempo, a pele perde o viço e o cabelo encanece.*] 2 Fazer perder ou perder a vitalidade; envelhecer. [*td.*: *A viuvez encanecera-o.* *int.*: *O poeta negava-se a criar; dizia que sua alma encanecera.*] [▶ 33 encanecer̄]

encantado (en.can.*ta*.do) *a.* 1 Que sofreu encantamento, feitiço; enfeitiçado: *A poção deixou-a encantada; parecia um zumbi.* 2 Que possui encantamento (3) (príncipe *encantado*). 3 Que ficou deslumbrado; fascinado. *sm.* 4 *Bras. Etnog.* Para indígenas e caboclos, nome dado a alguns seres sobrenaturais: *O fundo dos rios é o território dos encantados.*

encantador (en.can.ta.*dor*) [ô] *a.* Que encanta.

encantamento (en.can.ta.*men*.to) *sm.* 1 Ação ou resultado de encantar(-se). 2 Palavra, frase ou poção supostamente capaz de enfeitiçar algo ou alguém; feitiço; magia: *Lançou-lhe um encantamento poderoso.* 3 Sensação de quem sente ou qualidade de quem provoca fascínio; deslumbramento.

encantar (en.can.*tar*) *v.* 1 Encher(-se) de admiração ou fascínio; deslumbrar(-se). [*td.*: *As histórias orientais encantam o mundo inteiro.* *pr.*: *Pedro encantou-se com a irmã do amigo.*] 2 Deixar muito contente; causar prazer a. [*td.*: *A vista dos amigos encanta a velha senhora.*] 3 Lançar feitiço ou magia sobre (algo ou alguém); enfeitiçar: *O mago encanta cavalos, que se tornam alados.*] [▶ 1 encantar̄]

encanto (en.*can*.to) *sm.* 1 Fórmula supostamente mágica, capaz de enfeitiçar; encantamento: *Desfez o encanto com um beijo.* 2 Quem ou o que causa fascínio, enlevo etc.: *O seu chalé é um encanto.*

encapar (en.ca.*par*) *v. td.* Revestir ou envolver com capa ou algum material protetor: *encapar cadernos.* [▶ 1 encapar̄] • en.ca.*pa*.do *a.*

encapelar (en.ca.pe.*lar*) *v.* Tornar(-se) (o mar) agitado, encrespado. [*td.*: *A ventania encapelava o mar, sacudindo os barcos.* *pr.*: *As ondas encapelaram-se, mas o pescador não se intimidou.*] [▶ 1 encapelar̄] • en.ca.pe.*la*.do *a.*

encapetado (en.ca.pe.*ta*.do) *a. Bras.* Que é endiabrado, inquieto, travesso.

encapotar (en.ca.po.*tar*) *v.* Proteger(-se) com capa ou capote; agasalhar(-se). [*td.*: *Encapotou as crianças com medo da ventania.* *pr.*: *Costumava encapotar-se todo por qualquer chuvinha.*] [▶ 1 encapotar̄] • en.ca.po.*ta*.do *a.*

encapsular (en.cap.su.*lar*) *v. td.* Meter dentro de cápsula ou invólucro protetor: *O laboratório encapsulou o medicamento.* [▶ 1 encapsular̄]

encapuzar (en.ca.pu.*zar*) *v. td. pr.* Cobrir(-se) com capuz. [▶ 1 encapuzar̄] • en.ca.pu.*za*.do *a.*

encaracolar (en.ca.ra.co.*lar*) *v.* Tornar(-se) (o cabelo) anelado ou cacheado. [*td.*: *Para viver dona Flor, a atriz encaracolou as madeixas.* *int./pr.*: *Na adolescência, cabelos lisos às vezes encaracolam(-se).*] 2 Enroscar-se. [*pr.*: *A jiboia foi se encaracolando no tronco da árvore.*] [▶ 1 encaracolar̄] • en.ca.ra.co.*la*.do *a.*

encarapinhado (en.ca.ra.pi.*nha*.do) *a.* Diz-se de cabelo ou pelo crespo, frisado.

encarapinhar (en.ca.ra.pi.*nhar*) *v.* Tornar(-se) (o cabelo) muito crespo. [*td.*: *O cloro da piscina encarapinhou meus cabelos.* *int./pr.*: *Minha franja encarapinhou(-se).*] [▶ 1 encarapinhar̄]

encarapitar (en.ca.ra.pi.*tar*) *v. td. pr.* Colocar(-se) no alto, em cima de algo. [▶ 1 encarapitar̄]

encarar (en.ca.*rar*) *v.* 1 Olhar (alguém) de frente; fitar detidamente. [*td.*: *encarar o adversário.*] 2 Considerar ou compreender (de determinada forma). [*td.*: *Encare a crise como uma oportunidade de crescer.*] 3 Enfrentar (perigo ou desafio); fazer frente a. [*td.*: *"...envergonhado de si mesmo, sem coragem de encarar o público..."* (Josué Montello, *Um rosto de menina*).] 4 Ver-se frente a frente, deparar-se. [*ti.* + *com*: *Encarou com a criança desaparecida.*] [▶ 1 encarar̄]

encarcerar (en.car.ce.*rar*) *v.* 1 Pôr em prisão, cárcere etc.; prender. [*td.*: *O delegado encarcerou os arruaceiros.*] 2 Isolar-se do convívio social; enclausurar-se: *Greta Garbo se encarcerou em casa no fim da vida.*] [▶ 1 encarcerar̄] • en.car.ce.*ra*.do *a.*; en.car.ce.ra.*men*.to *sm.*

encardido (en.car.di.do) *a.* 1 Amarelado ou acinzentado pela ação do tempo ou de lavagens malfeitas (diz-se de tecido, roupa etc.). 2 Que está sujo, imundo. 3 *Fig.* Diz-se de pele que perdeu a aparência saudável, o viço: *Tinha o rosto encardido e enrugado.*

encardir (en.car.*dir*) *v.* Tornar(-se) amarelecido ou sujo. [*td.*: *A tintura de cabelo encardiu a roupa.* *int.*: *A roupa encardiu na lavagem.*] [▶ 3 encardir̄] • en.car.di.*men*.to *sm.*

encarecer (en.ca.re.*cer*) *v.* Tornar(-se) mais caro. [*td.*: *O aumento da gasolina encarecerá as passagens.* *int.*: *Os produtos importados encareceram.*] [▶ **33** encarecer] • en.ca.re.ci.*men*.to *sm.*

encargo (en.*car*.go) *sm.* **1** O que se torna obrigação de alguém; INCUMBÊNCIA; RESPONSABILIDADE. **2** Tributo, taxa, imposto (encargo fiscal). **3** Cargo ou função. [Ant. na acp. 1: *desencargo*.]

encarnação (en.car.na.*ção*) *sf.* **1** Rel. Materialização de divindade ou espírito: *Acreditava ser a encarnação do Salvador.* **2** Rel. Para o espiritismo, cada uma das várias vidas de um espírito no mundo material: *Na última encarnação ela foi imperatriz.* **3** Pop. Ato de chatear importunando, perseguindo; IMPLICÂNCIA: *Largue-a, pare com essa encarnação!* **4** Fig. Personificação, representação: *Gandhi foi a encarnação da paz.* [Pl.: -*ções*.]

encarnado (en.car.*na*.do) *sm.* **1** Cor avermelhada da carne ou do sangue. *a.* **2** Que é dessa cor. **3** Que se corporificou (espírito *encarnado*); MATERIALIZADO.

encarnar (en.car.*nar*) *v.* **1** Fig. Cin. Teat. Telv. Representar um personagem. [*td.*: *Encarnou Hamlet na peça.*] **2** Ser um representante típico ou a personificação de. [*td.*: *Betinho encarnou a luta contra a fome.*] **3** Bras. Pop. Fazer gozações ou implicar (com). [*ti.* + *em*: *Os veteranos sempre encarnam nos novatos.*] **4** Rel. Adquirir (o espírito) corpo humano. [*int.*: *Os fiéis esperavam que a santa encarnasse de novo.*] [▶ **1** encarnar]

encarniçado (en.car.ni.*ça*.do) *a.* Fig. **1** Que possui ferocidade (hienas *encarniçadas*); SANGUINÁRIO. **2** Furioso, inflamado (debate *encarniçado*).

encarniçar (en.car.ni.*çar*) *v.* Tornar(-se) enraivecido, pronto para um embate [*td.*: *encarniçar cães de caça.* *pr.*: *Encarniça-se contra tudo.*] [▶ **12** encarniçar]

encaroçar (en.ca.ro.*çar*) *v.* Encher(-se) de caroços. [*td.*: *As picadas encaroçaram todo o meu braço.* *int.*: *Cuidado para o creme não encaroçar.*] [▶ **12** encaroçar] • en.ca.ro.*ça*.do *a.*

encarquilhar (en.car.qui.*lhar*) *v.* Tornar(-se) enrugado, sulcado. [*td.*: *Sol e vento encarquilharam seu rosto.* *int./pr.*: *A pele cedo (se) encarquilha sob o sol forte da caatinga.*] [▶ **1** encarquilhar]

encarregado (en.car.re.*ga*.do) *a.sm.* **1** Que ou quem é responsável por alguma tarefa, trabalho etc. *sm.* **2** Substituto de mestre de obras, incumbido de fiscalizar os operários.

encarregar (en.car.re.*gar*) *v.* Dar (a alguém) ou tomar para si a incumbência de; INCUMBIR(-SE). [*tdi.* + *de*: *Encarregaram o arquiteto de realizar o projeto.* *pr.*: *Encarregou-se de pintar a casa.*] [▶ **14** encarregar]

encarreirar (en.car.rei.*rar*) *v. td.* **1** Dispor em linha ou fileira: *O guarda encarreirou os caminhões na única faixa liberada.* **2** Orientar para um bom caminho, encaminhar bem: *Ao sair da prisão, não sabia como encarreirar sua vida.* [▶ **1** encarreirar]

encarrilar, encarrilhar (en.car.ri.*lar*, en.car.ri.*lhar*) *v. td.* **1** Colocar nos trilhos: *encarrilar os vagões.* **2** Fazer seguir pelo bom caminho: *encarrilar os filhos na vida.* [▶ **1** encarrilar, ▶ **1** encarrilhar]

encartar (en.car.*tar*) *v. td.* Inserir em uma publicação (material suplementar e avulso): *A editora encartou um suplemento para os professores no livro.* [▶ **1** encartar]

encarte (en.*car*.te) *sm. Art.Gr.* **1** Inserção de suplemento (folheto, revista) avulso em uma publicação (*encarte* literário). **2** Esse suplemento.

encasacar (en.ca.sa.*car*) *v.* Vestir (alguém ou a si próprio) com casaco, para agasalhar. [*td.*: *encasacar uma criança.* *pr.*: *Encasacou-se para sair na neve.*] **2** Vestir (alguém ou a si próprio) com traje formal (ger. casaca). [*td. pr.*] [▶ **11** encasacar]

encasquetar (en.cas.que.*tar*) *v. td. Pop.* Fixar-se em (ideia, desejo, plano etc.); CISMAR: *Encasquetou que vai ser astronauta.* [▶ **1** encasquetar]

encastelar (en.cas.te.*lar*) *v.* **1** Proteger(-se) dentro de castelo ou fortificação. [*td.*: *O rei encastelou a família até o perigo passar.* *pr.*: *Sob bombardeio, as tropas recuaram e encastelaram-se.*] **2** Evitar o confronto com a realidade; ALIENAR-SE. [*pr.*: *Ela encastelava-se num mundo de sonhos.*] [▶ **1** encastelar] • en.cas.te.*la*.do *a.*; en.cas.te.la.*men*.to *sm.*

encastoar (en.cas.to.*ar*) *v. td.* **1** Pôr castão em (bengala). **2** Embutir ou incrustar (pedras preciosas, ornamentais) em; ENGASTAR. [▶ **16** encastoar]

encasular (en.ca.su.*lar*) *v.* **1** Envolver-se em casulo. [*int./pr.*: *A lagarta, quando adulta, encasula(-se).*] **2** Fig. Recolher-se em busca de proteção, tempo para reflexão etc. [*pr.*: *Traumatizada, ela encasulou-se em seu quarto.*] [▶ **1** encasular] • en.ca.su.*la*.do *a.*

encatarrar-se (en.ca.tar.*rar*-se) *v. pr.* Acumular catarro (ger. nas vias respiratórias): *Não cuidou do resfriado, e logo encatarrou-se.* [▶ **1** encatarrar-se] • en.ca.tar.*ra*.do *a.*

encefalite (en.ce.fa.*li*.te) *sf. Med.* Inflamação do encéfalo, causada por vírus ou infecção.

encéfalo (en.*cé*.fa.lo) *sm. Anat.* Ver *cérebro*.

encefalograma (en.ce.fa.lo.*gra*.ma) *sm. Rlog.* Radiografia de contraste das cavidades do encéfalo. [Cf.: *eletroencefalograma*.]

encenação (en.ce.na.*ção*) *sf. Teat.* Montagem de espetáculo teatral; REPRESENTAÇÃO. **2** Fig. Atitude dissimulada para impressionar ou iludir; FINGIMENTO: *Seu choro foi pura encenação.* [Pl.: -*ções*.]

encenar (en.ce.*nar*) *v.* **1** Teat. Montar e apresentar ao público (peça de teatro). [*td.*: *O grupo encenou a nova peça.*] **2** Fig. Manifestar(-se) de forma insincera ou exagerada para iludir alguém; FINGIR. [*td.*: *encenar um desmaio.* *int.*: *Pare de encenar, você não se machucou tanto assim.*] [▶ **1** encenar] • en.ce.na.*men*.to *sm.*

enceradeira (en.ce.ra.*dei*.ra) *sf. Bras.* Eletrodoméstico para encerar pisos.

encerado (en.ce.*ra*.do) *a.* **1** Que se encerou (piso *encerado*). *sm.* **2** Lona impermeável; OLEADO.

encerar (en.ce.*rar*) *v. td.* Aplicar sobre (madeira, couro etc.) cera ou produto feito para dar brilho. [▶ **1** encerar]

encerrar (en.cer.*rar*) *v.* **1** Concluir(-se), terminar. [*td.*: *Encerrou o discurso com um agradecimento.* *int./pr.*: *O dia (se) encerrou com o dólar em queda.*] **2** Trazer em si; CONTER. [*td.*: *As palavras do padre encerravam grande indignação.*] **3** Manter(-se) (algo, alguém) em local fechado. [*td.* (seguido de indicação de lugar): *Encerrou o prisioneiro na masmorra.* *pr.*: *"...encerrava-se naquele asilo e aí vivia."* (José de Alencar, *A pata da gazela*).] [▶ **1** encerrar] • en.cer.ra.*men*.to *sm.*

encestar (en.ces.*tar*) *v. td.* **1** Basq. Jogar (bola) dentro da cesta. **2** Bras. Arremessar (um objeto) em um cesto **3** Gír. Agredir com pancadas. [▶ **1** encestar]

encetar (en.ce.*tar*) *v. td.* Iniciar, começar: *encetar uma tarefa.* [▶ **1** encetar] • en.ce.*ta*.do *a.*; en.ce.ta.*men*.to *sm.*

encharcar (en.char.*car*) *v.* **1** Molhar(-se) muito; ENSOPAR(-SE). [*td.*: *Encharquei um lenço de tanto chorar.* *pr.*: *Mariana encharcou-se na chuva.*] **2** Converter(-se) em charco (tb. *Fig.*); encher(-se) de água; ALAGAR(-SE), INUNDAR(-SE). [*td.*: *A chuva encharcou o gramado do estádio.* *pr.*: *O porão encharcou-se com o temporal.*] [▶ **11** encharcar] • en.char.*ca*.do *a.*

enchente (en.*chen*.te) *sf.* **1** Inundação causada por chuvas, subida de maré etc.; CHEIA. **2** *Mar.* estiagem.] **2** Fig. Quantidade excessiva: *uma enchente de turistas.*

encher (en.*cher*) *v.* **1** Fazer ficar ou ficar cheio. [*td.* (seguido ou não de indicação de meio/modo): *encher um balde (com água). int./pr.*: *Na hora do show, a praça encheu(-se) de gente.*] **2** Satisfazer(-se), saciar(-se). [*td.* (seguido de indicação de meio/modo): *Enchi o estômago (de doces). pr.*: *Parei na sorveteria e me enchi (de sorvete).*] **3** Dar ou conceder (algo) em grande quantidade a; CUMULAR. [*tdi.* + *com, de*: *O pai encheu o filho de presentes.*] **4** Fazer-se sentir em todo o espaço de. [*td.*: *O barulho da máquina encheu o ambiente.*] **5** *Pop.* Causar aborrecimento (a); ABORRECER(-SE); CHATEAR(-SE). [*td.*: *Essa história já está me enchendo. int.*: "*Mulher muito apaixonada enche.*" (Antonio Callado, *Pedro Mico*). *pr.*: *Encheu-se com tantas faltas e saiu do jogo.*] [▶ **2** encher]

enchido (en.*chi*.do) *a.* **1** Que se encheu; CHEIO. *sm.* **2** Ver *embutido* (3).

enchimento (en.chi.*men*.to) *sm.* **1** Ação ou resultado de encher(-se). **2** O que se usa para encher: *travesseiros com enchimento antialérgico*.

enchova (en.*cho*.va) [ó] *sf. Zool.* Ver *anchova*.

encíclica (en.*cí*.cli.ca) *sf. Rel.* Carta papal ao clero sobre temas da doutrina católica.

enciclopédia (en.ci.clo.*pé*.di.a) *sf.* Obra de referência que abrange todos os conhecimentos humanos ou de determinada área específica, estruturando-os em ordem alfabética ou temática. ● **en.ci.clo.**pé.**di.co** *a.*; **en.ci.clo.pe.**dis.**ta** *s2g.*

encilhamento (en.ci.lha.*men*.to) *sm.* **1** Ação ou resultado de encilhar(2); ENCILHADA. **2** *Bras. Hist.* Período de intensa especulação na Bolsa de Valores brasileira após a Proclamação da República.

encilhar (en.ci.*lhar*) *v. td.* **1** Apertar as cilhas de (cavalgadura). **2** Pôr arreios em (cavalgadura). [▶ encilhar] ● **en.ci.**lha.**da** *sf.* [Cf. *ensilar*.]

encimar (en.ci.*mar*) *v. td.* **1** Encontrar-se acima de: *Nuvens densas encimam a montanha.* **2** Pôr em cima de: *Comprou um pinguim para encimar a geladeira.* **3** Rematar estando em cima de; COROAR: *Uma coroa de flores encimava sua cabeça.* [▶ **1** encimar]

enciumar (en.ci:u.*mar*) *v.* Encher(-se) de ciúme. [*td.*: *Suas brincadeiras enciumavam a namorada. pr.*: *Enciumou-se ao ver a namorada conversar com o amigo.*] [▶ **1** enciumar]. Quanto ao acento do *u*, ver paradigma 18.] ● **en.ci**.u.**ma.do** *a.*

enclausurar (en.clau.su.*rar*) *v.* Pôr(-se), fechar(-se) em clausura, ou em qualquer lugar fechado. [*td.*: *Enclausurou a filha (num convento). pr.*: *Deprimido, enclausurou-se.*] [▶ **1** enclausurar]

enclave (en.*cla*.ve) *sm.* Território, terreno ou reduto encravado em território alheio; ENCRAVE: *A feira de São Cristóvão é um enclave nordestino no Rio de Janeiro.*

ênclise (*ên*.cli.se) *sf. Gram.* Fenômeno de pronúncia que integra, como sílaba final, um vocábulo átono (ger. pron. pess. *me, te, se, o, a, lhe* etc.) ao vocábulo que o precede (p.ex.: *deu-lhe, viu-as* etc.).

encoberto (en.co.*ber*.to) *a.* **1** Diz-se dos tempos enevoado (céu *encoberto*); NUBLADO. **2** Que está disfarçado, escondido, velado: *Tinha muitos medos encobertos.*

encobrir (en.co.*brir*) *v.* **1** Impedir que se veja ou ouça; OCULTAR. [*td.*: *O barulho do trânsito encobria a música.*] **2** Impedir que se revele; OCULTAR. [*td.*: *Não podemos encobrir essas falcatruas. tdi.* + *a, de*: *A família tentou encobrir o escândalo da imprensa.*] **3** Não deixar que se perceba; DISSIMULAR. [*td.*: *O rapaz tentava encobrir seu constrangimento.*] **4** *Fut.* Arremessar a bola sobre. [*td.*: *O atacante encobriu o goleiro e fez gol.*] [▶ **51** encobrir]. Part.: *encoberto.*] ● **en.co.bri.**men.**to** *sm.*

encolerizado (en.co.le.ri.*za*.do) *a.* Cheio de cólera; RAIVOSO; FURIOSO.

encolerizar (en.co.le.ri.*zar*) *v.* Causar cólera a ou encher-se de cólera; IRRITAR(-SE); ENFURECER(-SE). [*td.*: *Seu atraso encolerizou o patrão. pr.*: *Ao ser destratado, encolerizou-se.*] [▶ **1** encolerizar] ● **en.co.le.ri.**zá.**vel** *a2g.*

encolher (en.co.*lher*) *v.* **1** Tornar-se menor; DIMINUIR. [*int.*: *Meu vestido encolheu depois de lavado.*] **2** Retrair(-se), contrair(-se). [*td.*: *Encolha as pernas para eu passar. pr.*: "*...encolheu-se toda a um canto, a tremer...*" (Eça de Queirós, *A relíquia*).] **3** *Fig.* Sentir-se intimidado, acanhado. [*pr.*: *Sempre se encolhe quando é alvo de atenção.*] [▶ **2** encolher] ● **en.co.**lhi.**do** *a.*; **en.co.**lhi.**men.to** *sm.*

encomenda (en.co.*men*.da) *sf.* **1** Pedido de compra, de prestação de um serviço etc. **2** Aquilo que foi encomendado. ■ *De ~ Pop.* Em boa hora; a calhar: *Esse prêmio veio de encomenda, estava precisando de grana.* Sair melhor que a ~ *Pop.* Pior que o esperado.

encomendação (en.co.men.da.*ção*) *sf.* **1** Encomenda. **2** *Litu.* Oração por um defunto, feita de corpo presente: *Fez a encomendação pouco antes do enterro.* [Pl.: *-ções*.]

encomendar (en.co.men.*dar*) *v.* **1** Mandar fazer e/ou entregar, adquirindo. [*td.*: *Encomendou livros pela internet. tdi.* + *a*: *Encomendamos os doces a dona Linda.*] **2** Entregar(-se) à proteção de. [*tdi.* + *a, para*: *Dona Maria encomendou o filho à babá e saiu. pr.*: *Encomendou-se a Deus e deitou-se.*] **3** Incumbir. [*tdi.* + *a*: *Encomendou ao marceneiro o conserto das cadeiras.*] **4** Orar por (um morto, alma). [▶ **1** encomendar] ● **en.co.men.**da.**do** *a.*

encomiar (en.co.mi.*ar*) *v. td.* Dirigir encômios a; ELOGIAR. [▶ **1** encomiar]

encômio (en.*cô*.mi:o) *sm.* Fala ou discurso elogioso; LOUVOR; ELOGIO.

encompridar (en.com.pri.*dar*) *v. td.* **1** Tornar mais comprido. **2** *PE* Fazer durar; PROLONGAR. [▶ **1** encompridar]

encontradiço (en.con.tra.*di*.ço) *a.* Fácil de encontrar: *É um peixe encontradiço em todas as regiões.*

encontrão (en.con.*trão*) *sm.* Choque físico entre seres ou coisas; ENCONTRO; ESBARRÃO. [Pl.: *-trões*.]

encontrar (en.con.*trar*) *v.* **1** Achar (quem ou o que se procura). [*td.*: *Procurou o amigo até encontrá-lo.*] **2** Dar com; DEPARAR. [*td.*: *Encontrei um erro nessa frase. pr.*: "*Ao tomar posse do Brasil, encontraram-se os portugueses com os índios...*" (Joaquim Nabuco, *A escravidão*).] **3** Ir de encontro a; topar em. [*td.*: *Encontrou um galho e tropeçou.*] **4** Achar-se (em certo estado ou situação). [*pr.*: *Meus avós encontram-se bem de saúde.*] **5** Estar localizado; ACHAR-SE. [*pr.*: *O fígado encontra-se do lado direito do abdome.*] **6** Ir ter com (alguém). [*ti.* + *com/pr.*: *Marta encontrou(-se) com o namorado na praça.*] **7** Descobrir(-se). [*td.*: *Os cientistas querem encontrar a cura para a AIDS. pr.*: *Nesta casa, eu me encontrei.*] [▶ **1** encontrar] ● **en.con.**tra.**da** *a.*; **en.con.**trá.**vel** *a2g.*

encontro (en.*con*.tro) *sm.* **1** Ação ou resultado de encontrar(-se), de achar: *Marcamos um encontro às seis; Comemorou o encontro do livro que julgava perdido.* **2** Colisão entre coisas ou seres; ENCONTRÃO. **3** Reunião de especialistas para discutir temas da sua área de interesse; CONGRESSO: *III Encontro de Psiquiatria.* **4** Competição, disputa. **5** *Bras.* Confluência: *encontro de rios.* ❑ *encontros smpl.* **6** Os ombros. **7** Parte intermediária nos cascos do cavalo. ■ ~ **consonantal** *Gram.* Encontro de duas consoantes (p.ex.: *bloco, creme*). Ir/Vir ao ~ de Ir/Vir em direção a, em busca de, em favor de: *Não saia daí, nós iremos ao seu encontro; Suas ideias são boas, vêm ao encontro de nossos planos.* Ir/Vir de ~ a Ir/Vir contra, em oposição a: *O carro foi de encontro ao muro; Suas ideias não servem, vão de encontro a nossos planos.*

encorajar (en.co.ra.*jar*) *v.* Dar coragem a ou tomar coragem; INCENTIVAR(-SE); ANIMAR(-SE). [*td.*: *Vendo a*

hesitação do amigo, resolveu *encorajá-lo*. **tdi.** + **a**: *Encoraje-o a estudar para a prova*. **pr.**: *Encorajou-se e voltou a tentar*.] [▶ 1 encora|jar| • en.co.ra.ja.*dor* a.; en.co.ra.ja.*men*.to sm.

encordoamento (en.cor.do:a.*men*.to) sm. 1 Ação ou resultado de encordoar. 2 Conjunto das cordas colocadas em instrumentos musicais, raquetes etc.: *O encordoamento do bandolim tem quatro cordas duplas*.

encordoar (en.cor.do.*ar*) v. Colocar cordas em. [**td.**: *Preciso encordoar meu violão*.] 2 RS Andar em fila (ger. animais). [**pr.**: *Os cavalos encordoaram-se na estreita trilha*.] [▶ 16 encord|oar|

encorpar (en.cor.*par*) v. 1 Dar mais corpo a ou ganhar corpo; tornar(-se) mais espesso. [**td.**: *Encorpar um tecido*. **int.**: *Deixe o molho encorpar em fogo baixo*. **pr.**: *Aos poucos o mingau encorpou-se*.] 2 Ampliar, aumentar. [**td.**: *Precisamos acrescentar mais texto para encorpar o livro*.] [▶ 1 encor|par|

encosta (en.*cos*.ta) sf. Face inclinada de monte, montanha, serra etc.

encostado (en.cos.*ta*.do) a. 1 Apoiado em algo ou alguém; AMPARADO: *Deixei a bengala encostada na parede*. 2 Localizado junto a; COLADO: *O hospital fica encostado à escola*. 3 Diz-se do que não tem procura, utilidade ou aplicação: *Depois que emagreceu ficou com muita roupa encostada*. **a.sm.** 4 *Pej.* Que ou quem vive às custas dos outros.

encostar (en.cos.*tar*) v. 1 Pôr(-se) muito perto, tocando ou quase tocando (em algo). [**td.**: *Encostaram as cadeiras para conversar*; (seguido de indicação de lugar) *Estela encostou o telefone ao ouvido*. **int./ pr.**: *Os dois carros encostaram(-se) perigosamente*.] 2 Apoiar(-se), para firmar(-se) ou para descanso breve. [**td.** (seguido de indicação de lugar): *Encoste a escada no muro*. **pr.**: *Encostou-se na mesa para descansar*.] 3 Pôr de lado; ABANDONAR. [**td.**] 4 Fechar (não completamente) (porta ou janela). [**td.**] 5 *Bras. Pop.* Tornar-se dependente de. [**pr.**: *Encostou-se no sogro e não procurou mais emprego*.] [▶ 1 encos|tar|

encosto (en.*cos*.to) [ô] sm. 1 Lugar ou objeto us. como apoio. 2 Costas de cadeira, poltrona etc.; ESPALDAR. 3 *Rel.* Espírito ruim que acompanha e perturba alguém.

encouraçado (en.cou.ra.*ça*.do) a. 1 Provido de couraça; BLINDADO; COURAÇADO. sm. 2 *Bras. Mar.G.* Navio de guerra revestido com couraça de aço e fortemente armado.

encouraçar (en.cou.ra.*çar*) v. td. Revestir de couraça ou chapas de aço; BLINDAR: *encouraçar um navio de guerra*. [▶ 12 encoura|çar|

encovado (en.co.*va*.do) a. 1 Que se meteu em cova ou buraco. 2 Diz-se de olhos que ficam bem no fundo das órbitas. 3 *Fig.* Diz-se de rosto magro; CAVADO.

encovar (en.co.*var*) v. 1 Tornar(-se) encovado (2 e 3). [**td.**: *O jejum de três dias encovou-lhe os olhos*. **pr.**: "Caiu de cama (...). *Encovaram-se-lhe as faces*." (Monteiro Lobato, "*O comprador de fazendas*" in *Mar de Histórias 10*).] 2 Pôr em cova ou sepultura; SEPULTAR. [**td.**] 3 Ocultar(-se), esconder(-se). [**td., pr.**: *Na fuga, encovou-se no bosque*.] [▶ 1 encov|ar|

encravado (en.cra.*va*.do) a. 1 Preso com cravos ou pregos. 2 Que está fincado, incrustado (espinho *encravado*). 3 Que tem em si algo encravado (2); CRAVEJADO: *anel encravado de rubis*. 4 Diz-se da unha que quando cresce penetra dolorosamente nas laterais do dedo.

encravar (en.cra.*var*) v. 1 Fazer penetrar (prego, cravo). [**td.**] 2 Penetrar na carne. [**int.**: *A unha do meu dedão encravou*.] 3 Incrustar, embutir (pedraria). 2 (seguido de indicação de lugar): *Mandei encravar uma pedra em meu anel*.] [▶ 1 encrav|ar|

encrave (en.*cra*.ve) sm. Ver enclave.

encrenca (en.*cren*.ca) sf. *Bras. Pop.* 1 Situação difícil, problemática, perigosa. 2 Situação tumultuosa de briga ou desavença: *Provocou a maior encrenca com suas fofocas*.

encrencar (en.cren.*car*) v. *Pop.* 1 Criar encrenca, conflito. [**int.**: *É um baderneiro; adora encrencar*. **ti.** + **com**: *Costuma encrencar com o vizinho*.] 2 Pôr ou ficar em dificuldades; COMPLICAR(-SE). [**td.**: *Essa história acabou por encrencar meu amigo*. **pr.**: *Tentou explicar, mas encrencou-se cada vez mais*.] 3 Parar de funcionar; EMPERRAR; NEGAR. [**int.**: *O motor do carro encrencou*.] [▶ 11 encren|car|

encrenqueiro (en.cren.*quei*.ro) a.sm. *Bras. Pop.* Que ou quem tumultua, criando caso, briga, intriga.

encrespado (en.cres.*pa*.do) a. 1 Diz-se do cabelo crespo ou ondulado. 2 Diz-se do mar quando está muito agitado. 3 *Fig.* Irritado, indignado.

encrespar (en.cres.*par*) v. 1 Tornar(-se) crespo. [**td.**: *encrespar os cabelos*. **pr.**: *A franja encrespou-se*.] 2 Agitar(-se), ondular(-se) (diz-se de mar, ondas). [**td. pr.**] 3 Ficar irritado; IRRITAR(-SE). [**pr.**] [▶ 1 encres|par|

encruar (en.cru.*ar*) v. 1 Parar de crescer ou de progredir; ESTAGNAR-SE. [**int.**: *Por falta de dinheiro, a reforma encruou*.] 2 Tornar(-se) cruel, desumana (a dor, às vezes, encrua as pessoas. **int.**: *Ao amanhecer, o combate encruou*.] 3 Não cozinhar direito. [**td.**: *O forno defeituoso encruou o bolo*. **int.**: *O feijão encruou*.] [▶ 1 encru|ar| • en.cru.a.do a.

encruzilhada (en.cru.zi.*lha*.da) sf. 1 Ponto em que se cruzam ruas, caminhos etc.; CRUZAMENTO. 2 *Fig.* Situação embaraçosa ou momento crucial.

encucar (en.cu.*car*) v. *Bras. Pop.* Deixar ou ficar muito preocupado; CISMAR.: *Aquele telefonema me encucou*. **ti.** + **com**: *Encucou com aquele sujeito esquisito*. **int.**: *Ela encuca à toa*.] [▶ 11 encu|car| • en.cu.ca.do a.

encurralar (en.cur.ra.*lar*) v. td. 1 Prender em curral, ou em lugar sem saída: *encurralar o gado/os bandidos*. 2 Impedir as possibilidades de ataque de (adversário, inimigo etc.). [▶ 1 encurral|ar| • en.cur.ra.*la*.do a.; en.cur.ra.la.*men*.to sm.

encurtar (en.cur.*tar*) v. 1 Tornar(-se) curto ou mais curto. [**td.**: *encurtar um vestido*. **int./pr.**: *Suas roupas encurtaram(-se)*.] 2 Tornar(-se) menor; REDUZIR(-SE). [**td.**: *encurtar as horas de lazer*. **int./pr.**: *O tempo da competição encurtou(-se)*.] [▶ 1 encurt|ar| • en.cur.*ta*.do a.; en.cur.ta.*men*.to sm.

encurvar (en.cur.*var*) v. Tornar(-se) curvo; ARQUEAR; CURVAR(-SE). [**td.**: *O vento encurvou a árvore*. **int./pr.**: *O galho encurvou(-se) com o peso dos frutos*.] [▶ 1 encurv|ar| • en.cur.*va*.do a.

endemia (en.de.*mi*.a) sf. *Med.* Doença infecciosa que atinge frequentemente certa região e/ou população. [Cf.: epidemia (1).]

endêmico (en.*dê*.mi.co) a. 1 Restrito a determinada região (espécie *endêmica*). 2 Ref. a endemia (surto *endêmico*). [Cf.: *ecdêmico*.]

endemoninhado (en.de.mo.ni.*nha*.do) a.sm. Que ou quem está possuído pelo demônio; POSSESSO.

endereçar (en.de.re.*çar*) v. 1 Pôr endereço em; SOBRESCRITAR. [**td.**] 2 Enviar, remeter. [**tdi.** + **a**] 3 Dirigir, encaminhar. [**tdi.** + **a**, **para**: *Endereçou as críticas ao candidato*.] [▶ 12 endere|çar| • en.de.re.ça.*men*.to sm.

endereço (en.de.*re*.ço) [ê] sm. 1 Conjunto de dados que localizam um imóvel. 2 Inscrição do nome e residência em envelope, bilhete etc. 3 *Fig.* Aquilo ou aquele a que(m) se dirige algo; DESTINATÁRIO: *Ela era o endereço de seus elogios*. ■ ~ **eletrônico** *Inf.* Ver *e-mail* (3).

endeusar (en.deu.*sar*) v. 1 Considerar (alguém ou alguma coisa) um deus; DIVINIZAR. [**td.**: *Os egípcios endeusavam o sol*.] 2 Admirar(-se) em demasia. [**td.**:

endiabrado | enérgico

Ela *endeusava* os Rolling Stones. *pr.*: *Esse artista se endeusa.*] [▶ **1** endeus**ar**]
endiabrado (en.di.a.*bra*.do) *a.sm. Fig.* Que ou quem é muito travesso, levado (moleque *endiabrado*).
endinheirado (en.di.nhei.*ra*.do) *a.* Que possui muito dinheiro; RICO; ABASTADO.
endireitar (en.di.rei.*tar*) *v.* **1** Pôr(-se) direito (o que ou quem estava torto ou fora do lugar); AJEITAR(-SE). [*td.*: *Endireitou os óculos. pr.*: *Endireitou-se na cadeira e falou.*] **2** Fazer passar ou passar a agir corretamente; CORRIGIR(-SE). [*td.*: *A disciplina do colégio endireitou a criança. pr.*: *Meu tio não se endireita.*] [▶ **1** endireit**ar**]
endívia (en.*di*.vi.a) *sf. Bot.* Tipo de chicória nativa da Ásia e Europa.
endividar (en.di.vi.*dar*) *v.* Encher(-se) de dívidas. [*td.*: *A sua doença endividou toda a família. pr.*: *Endividou-se para fazer a festa.*] [▶ **1** endivid**ar**]
endocárdio (en.do.*cár*.di.o) *sm. Anat.* Membrana que reveste o coração por dentro.
endocardite (en.do.car.*di*.te) *sf. Med.* Inflamação do endocárdio.
endocarpo (en.do.*car*.po) *sm. Bot.* Camada mais interna dos frutos, que fica em contato com as sementes.
endocraniano (en.do.cra.ni.*a*.no) *a.* Que se situa dentro do crânio (coágulo *endocraniano*).
endócrino (en.*dó*.cri.no) *a.* Ref. a ou próprio das glândulas de secreção interna.
endocrinologia (en.do.cri.no.lo.*gi*.a) *sf. Med.* Ramo da medicina que trata das glândulas endócrinas, produtoras de hormônios. • **en.do.cri.no.*ló*.gi.co** *a.*
endocrinologista (en.do.cri.no.lo.*gis*.ta) *s2g. Med.* Médico ou que se especializou em endocrinologia.
endodontia (en.do.don.*ti*.a) *sf. Od.* Ramo da odontologia que cuida da parte interna e central dos dentes.
endoenças (en.do:*en*.ças) *sfpl. Rel.* Solenidades e rituais católicos realizados na Quinta-Feira Santa.
endoesqueleto (en.do:es.que.*le*.to) [ê] *sm. Anat. Zool.* Esqueleto interno dos animais.
endogamia (en.do.ga.*mi*.a) *sf. Antr.* Casamento entre parentes ou entre pessoas da mesma casta, etnia, grupo social etc. [Cf.: *exogamia*.]
endógeno (en.*dó*.ge.no) *a.* **1** Que se origina internamente ou que ocorre por fatores internos. **2** *Biol.* Que ocorre ou se desenvolve na parte interna de um órgão ou organismo (infecção *endógena*). [Ant. ger.: *exógeno*.]
endoidar (en.doi.*dar*) *v. td. int.* Fazer ficar ou ficar doido; ENDOIDECER. [▶ **1** endoid**ar**] • **en.doi.*da*.do** *a.*
endoidecer (en.doi.de.*cer*) *v.* Ver *endoidar.* [▶ **33** endoidec**er**] • **en.doi.de.*ci*.do** *a.*
endométrio (en.do.*mé*.tri:o) *sm. Anat.* Membrana mucosa que reveste a face interna do útero.
endoparasito, endoparasita (en.do.pa.ra.*si*.to, en.do.pa.ra.*si*.ta) *a2g.sm. Biol.* Que ou o que vive dentro de outro organismo. [Cf.: *ectoparasito*.]
endorfina (en.dor.*fi*.na) *sf. Bioq.* Hormônio presente no cérebro, com ação analgésica.
endoscopia (en.dos.co.*pi*.a) *sf. Med.* Exame visual de uma cavidade do corpo, feito por meio de endoscópio. • **en.dos.*có*.pi.co** *a.*
endoscópio (en.dos.*có*.pi:o) *sm. Med.* Aparelho provido de tubo flexível, iluminação e câmera objetiva, próprio para fazer endoscopia.
endosperma (en.dos.*per*.ma) *sm. Bot.* Tecido que envolve e nutre o embrião na semente de certas plantas; ALBUME.
endosqueleto (en.dos.que.*le*.to) *sm. Anat. Zool.* Ver *endoesqueleto.*
endossado (en.dos.*sa*.do) *a.* **1** Com endosso (documento *endossado*). *sm.* **2** Aquele a quem se endossou um título de crédito.

endossar (en.dos.*sar*) *v.* **1** Assinar no verso de (cheque, letra de câmbio etc.) para ceder a alguém o direito de receber o valor correspondente. [*td.*] **2** Transferir a outrem (encargo, responsabilidade etc.). [*td./tdi.* + *a*: *Endossou-lhe o serviço pesado.*] [▶ **1** endoss**ar**]
endosso (en.*dos*.so) [ô] *sm.* Declaração no verso de um título de crédito, transferindo a sua propriedade.
endovenoso (en.do.ve.*no*.so) [ô] *a.* **1** Aplicado na veia (remédio *endovenoso*). **2** Ref. ao interior da veia (fluxo *endovenoso*); INTRAVENOSO. [Fem. e pl.: [ó].]
endurecer (en.du.re.*cer*) *v.* **1** Tornar(-se) duro; ENRIJECER. [*td.*: *O frio endurece a manteiga. int.*: *O chocolate endurece com o frio.*] **2** Tornar(-se) cruel, indiferente ou insensível. [*td.*: *As decepções o endureceram. int.*: *Amargurado, o homem endureceu.*] [▶ **33** endurec**er**] • **en.du.re.*ce.dor*** *a.sm.*
endurecimento (en.du.re.ci.*men*.to) *sm.* **1** Ação ou resultado de endurecer. **2** *Fig.* Mudança para ou atitude (mais) rígida, inflexível: *endurecimento das normas.*
enduro (en.*du*.ro) *sm. Esp.* Prova de automobilismo ou motociclismo realizada em terreno muito acidentado. [Cf.: *cross-country*.]
eneágono (e.ne:*á*.go.no) *sm. Geom.* Polígono de nove lados. • **e.ne:a.go.*nal*** *a2g.*
enegrecer (e.ne.gre.*cer*) *v. td. int. pr.* Tornar(-se) negro; ESCURECER. [▶ **33** enegrec**er**] • **e.ne.gre.*ci*.do** *a.*; **e.ne.gre.ci.*men*.to** *sm.*
êneo (*ê*.ne:o) *a.* De bronze ou semelhante a bronze; BRÔNZEO.
enérgetico (e.ner.*gé*.ti.co) *a.* **1** Ref. a energética ou a energia (crise *energética*). *sm.* **2** Bebida energética. ◪ **energética** *sf.* **3** Ciência que estuda a energia.
energia (e.ner.*gi*.a) *sf.* **1** *Fís.* Capacidade que um corpo, substância ou sistema físico de realizar trabalho. **2** Vigor, disposição: *Acordou cheio de energia.* **3** *Fig.* Firmeza, rigor: *A polícia soube agir com energia.* **4** *Pop.* Eletricidade, luz: *Os ladrões cortaram a energia.* ▪ ~ **atômica** Energia nuclear. ~ **nuclear** *Fís.* Energia que mantém o equilíbrio interno entre o núcleo e os elétrons de um átomo, e que pode ser libertada numa reação nuclear para ser aproveitada para inúmeros fins (transformação em energia elétrica, bombas nucleares etc.).

📖 Energia é a capacidade, ou potencialidade, de se processar mudança de estado físico. Portanto, energia é a base de tudo que acontece, desde os sofisticados fenômenos biológicos que caracterizam a vida até os sofisticados fenômenos tecnológicos da computação, da cibernética, ou a simples utilização da luz elétrica. Classicamente, são consideradas quatro fontes fundamentais de energia como origem de todas as outras: duas forças (forte e fraca) no interior do átomo, que geram a energia atômica, a eletricidade e as reações químicas; a força de gravitação, que rege a mecânica cósmica, as marés etc.; e a força eletromagnética, que relaciona os fenômenos elétricos e magnéticos. Associa-se toda noção de progresso à possibilidade de se dispor de energia farta e barata. Com o encarecimento e previsível esgotamento das fontes de energia fóssil (petróleo, carvão), com o quase total aproveitamento da energia hidrelétrica, com os problemas e limitações do uso de energia nuclear, pesquisam-se fontes alternativas de energia, como a dos movimentos das marés, do vento (eólica), do calor do sol (solar), do hidrogênio etc.

enérgico (e.*nér*.gi.co) *a.* **1** Que tem energia física; VIGOROSO. **2** Que demonstra ou age com dureza, rigidez; RIGOROSO.

energizar (e.ner.gi.*zar*) *v.* **td.** Transmitir energia a (tb. *Fig.*): *energizar cercas elétricas; Seu entusiasmo energizou todo o grupo.* [▶ **1** energiz**ar** ● e.ner.gi.za.ção *sf.*; e.ner.gi.z*an*.te *a2g.*

energúmeno (e.ner.*gú*.me.no) *sm.* **1** Pessoa possessa, ou que age como tal. **2** *Fig.* Boçal, estúpido.

enervante (e.ner.*van*.te) *a2g.* Que provoca nervosismo, irritação; IRRITANTE.

enervar (e.ner.*var*) *v.* **1** Fazer ficar ou ficar nervoso, irritado; IRRITAR(-SE). [**td.**: *A teimosia da criança enervou a mãe.* **pr.**: *Enervou-se e foi embora.*] **2** Tornar(-se) débil, sem vigor. [**td. pr.**] [▶ **1** enerv**ar**]

enésimo, enegésimo (e.*né*.si.mo, e.ne.*gé*.si.mo) *num.* **1** Ordinal que, em uma sequência, corresponde à posição do número *n*. *sm.* **2** O que é *n* vezes menor do que a unidade: *Fez um enésimo do que deveria.* *a.* **3** Que corresponde a um número indefinidamente grande: *Pela enésima vez da a mesma desculpa.*

enevoar (e.ne.vo.*ar*) *v.* **1** Envolver(-se) de névoa ou de nevoeiro. [**td.**: *A massa de ar frio enevoou a cidade.* **pr.**: *A estrada enevoou-se.*] **2** Tornar sem brilho, embaciado. [**td.**: *A tristeza enevoou seus olhos.*] [▶ **16** enev**oar**] ● e.ne.vo.a.do *a.*; e.ne.vo.a.*men*.to *sm.*

enfadar (en.fa.*dar*) *v.* Causar ou sentir enfado, tédio; ABORRECER(-SE); ENTEDIAR(-SE). [**td.**: *Aquele jogo enfadou as crianças.* **pr.**: *Costumava enfadar-se durante as palestras.*] [▶ **1** enfad**ar**] ● en.fa.*da*.do *a.*

enfado (en.*fa*.do) *sm.* Sensação de tédio; AGASTAMENTO.

enfadonho (en.fa.*do*.nho) *a.* Que causa tédio (conversa enfadonha); MONÓTONO.

enfaixar (en.fai.*xar*) *v.* **td.** Envolver ou atar com faixas. [▶ **1** enfaix**ar**] ● en.fai.*xa*.do *a.*

enfardadeira (en.far.da.*dei*.ra) *sf.* Máquina agrícola que junta em feixes cereais, palha e feno.

enfaro (en.*fa*.ro) *sm.* **1** Sensação de enjoo ou asco; FASTIO. **2** Sensação de tédio ou desprazer; ABORRECIMENTO.

enfarruscar (en.far.rus.*car*) *v.* **1** Manchar(-se) de carvão, fuligem etc. [**td. pr.**] **2** Zangar(-se). [**td. pr.**] **3** *Bras.* Cobrir-se de nuvens escuras; NUBLAR-SE. [**pr.**] [▶ **11** enfarrus**car**]

enfartar (en.far.*tar*) *v.* Ver *infartar*. [▶ **1** enfart**ar**]

enfarte (en.*far*.te) *sm.* Ver *infarto*.

ênfase (*ên*.fa.se) *sf.* Valorização de certa parte, aspecto ou elemento de um discurso, narrativa etc.; DESTAQUE: *A campanha presidencial se caracterizou pela ênfase no desemprego.*

enfastiar (en.fas.ti.*ar*) *v.* Causar fastio a ou sentir fastio, tédio; ABORRECER(-SE); ENTEDIAR(-SE). [**td.**: *A conversa monótona enfastia o ouvinte*; (tb. sem complemento explícito) *Relatos longos enfastiam.* **pr.**: *Enfastiou-se de ver televisão.*] [▶ **1** enfasti**ar**] ● en.fas.ti.*a*.do *a.*

enfático (en.*fá*.ti.co) *a.* Que contém ênfase; VEEMENTE.

enfatiotar (en.fa.ti:o.*tar*) *v.* **td. pr.** *Bras.* Vestir (alguém ou a si próprio) com elegância. [▶ **1** enfatio**tar**]

enfatizar (en.fa.ti.*zar*) *v.* **td.** Pôr ênfase em; RESSALTAR; SALIENTAR: *Enfatizou o direito da criança à educação.* **2** Comentar ou afirmar com ênfase: *O presidente enfatizou que fará reforma agrária.* [▶ **1** enfatiz**ar**]

enfear (en.fe.*ar*) *v.* Tornar(-se) feio; AFEAR(-SE). [**td.**: *A poluição enfeia e degrada o meio ambiente.* **pr.**: *Ela enfeou-se com tanta maquiagem.*] [▶ **13** enf**ear**]

enfeitar (en.fei.*tar*) *v.* **1** Pôr enfeite ou adorno em (alguém ou a si mesmo); ADORNAR(-SE). [**td.**: *Enfeitamos o salão com flores.* **pr.**: *Ela se enfeitou toda para o namorado.*] **2** Passar a ser bonito ou mais bonito. [**int.**: *Ela enfeitou na adolescência.*] **3** *Fut.* Introduzir manobra de efeito em (jogada), para torná-la mais vistosa. [**td.**: *enfeitar um passe.* **int.**: *Porque tentou enfeitar, falhou.*] [▶ **1** enfeit**ar**] ● en.fei.*ta*.do *a.*

enfeite (en.*fei*.te) *sm.* Aquilo que se usa para tornar algo ou alguém mais vistoso, bonito, atraente, gracioso etc.; ADORNO; ORNAMENTO.

enfeitiçar (en.fei.ti.*çar*) *v.* **td.** **1** Pôr sob a ação de feitiço: *A bruxa enfeitiçou a princesa.* **2** Buscar fazer mal a (alguém) mediante rituais diabólicos: *Enfeitiçava os inimigos com bonecos vodus.* **3** Atrair o amor ou interesse de; SEDUZIR; CATIVAR: *Seu talento enfeitiçou o maestro.* [▶ **12** enfeiti**çar**] ● en.fei.ti.*ça*.do *a.*; en.fei.ti.*ça.men*.to *sm.*

enfeixar (en.fei.*xar*) *v.* **td.** **1** Atar, prender em feixe(s): *enfeixar lenha.* **2** Juntar, reunir (o que estava disperso): *Enfeixei as revistas e as pus na pasta.* [▶ **1** enfeix**ar**] ● en.fei.*xa*.do *a.*

enfermagem (en.fer.*ma*.gem) *sf.* **1** Técnica e função de tratar de pessoas enfermas ou muito idosas, fazendo curativos, auxiliando com remédios, higiene etc. **2** Conjunto de enfermeiros em hospital, clínica etc. **3** Os serviços de enfermaria. [PL.: *-gens.*]

enfermar (en.fer.*mar*) *v.* **1** Fazer que fique ou ficar enfermo, doente. [**td.**: *A umidade os enfermou.* **int.**: "...mas *enfermou* e morreu dias depois" (Alberto da Costa e Silva, *A manilha e o libambo*).] **2** Afligir, mortificar. [**td.**: *A saudade o enferma.*] [▶ **1** enferm**ar**]

enfermaria (en.fer.ma.*ri*.a) *sf.* **1** Local destinado aos enfermos, em hospitais, escolas etc. **2** Quarto coletivo em hospitais.

enfermeiro (en.fer.*mei*.ro) *sm.* Pessoa que se formou em enfermagem e trabalha cuidando de enfermos.

enfermiço (en.fer.*mi*.ço) *a.* Que adoece facilmente.

enfermidade (en.fer.mi.*da*.de) *sf.* Desequilíbrio no estado de saúde de um ser vivo; DOENÇA; MOLÉSTIA.

enfermo (en.*fer*.mo) [ê] *a.sm.* Que ou quem está doente.

enferrujar (en.fer.ru.*jar*) *v.* **1** Cobrir(-se) de ferrugem; OXIDAR(-SE). [**td.**: *A maresia está enferrujando a geladeira.* **int./pr.**: *O serrote enferrujou(-se).*] **2** *Fig.* Fazer perder ou perder a flexibilidade, a qualidade, a fluência etc. [**td.**: *A inatividade enferruja a musculatura.* **int./pr.**: *Meu inglês enferrujou(-se).*] [▶ **1** enferruj**ar**] ● en.fer.ru.*ja*.do *a.*

enfestar (en.fes.*tar*) *v.* **td.** Dobrar (pano ou papel) pelo meio, na largura. [▶ **1** enfest**ar**] ● en.fes.*ta*.do *a.*

enfezado (en.fe.*za*.do) *a.* Que está zangado, aborrecido.

enfezar (en.fe.*zar*) *v.* Enraivecer(-se), irritar(-se). [**td.**: *O barulho enfezou os vizinhos.* **int./pr.**: *Ele (se) enfeza por qualquer coisa.*] [▶ **1** enfez**ar**] ● en.fe.za.*men*.to *sm.*

enfiada (en.fi.*a*.da) *sf.* **1** Conjunto de objetos dispostos em fileira ou enfiados em fio ou linha: *enfiada de argolas.* **2** Sequência de frases, palavras, ações etc.: *A enfiada de palavras me deixou tonto.* **3** *Bras. Fut.* Goleada: *O time levou uma enfiada de cinco a zero.* ■ De ~ Em sequência.

enfiar (en.fi.*ar*) *v.* **1** Introduzir (fio, linha) em orifício. [**td.** (seguido de indicação de lugar): *Sem óculos não consigo enfiar a linha na agulha.*] **2** Pôr em um fio (pérolas, contas). [**td.**] **3** Meter, introduzir. [**td.**: *Dá para enfiar mais uma mala aí?*] **4** Fazer penetrar com força e/ou profundidade; FINCAR; CRAVAR. [**td.** (seguido de indicação de lugar): *Enfiou o facão na fera.*] **5** *Fig.* Ir, meter-se. [**pr.**: *Ninguém sabe onde os meninos se enfiaram.*] **6** *Fig.* Vestir ou calçar. [**td.**: *Enfiou a roupa às pressas e saiu.*] [▶ **1** enfi**ar**] ● en.fi.*a*.do *a.*

enfileirar (en.fi.lei.*rar*) *v.* Dispor(-se) em fileira ou fila; ALINHAR(-SE). [**td.**: *O menino enfileirou os soldadinhos de chumbo.* **pr.**: *As pessoas enfileiraram-se para o desfile.*] [▶ **1** enfileir**ar**] ● en.fi.lei.*ra*.do *a.*

enfim (en.*fim*) *adv.* **1** Por fim; finalmente: *Enfim sós.* **2** No discurso, assinala a necessidade de con-

enfisema (en.fi.se.ma) *sm. Med.* Infiltração anormal de ar em órgão ou tecido.

enfocar (en.fo.*car*) *v. td.* **1** Pôr em foco; obter imagem de: *Os astrônomos pretendem enfocar o centro da galáxia.* **2** *Fig.* Ter por assunto; DEBATER; ANALISAR: *O vídeo enfoca a pesca no rio Amazonas.* [Sin. ger.: *focalizar*.] [▶ 11 enfo*car*] ● en.fo.*ca*.do *a.*

enfoque (en.*fo*.que) *sm.* Maneira de abordar ou focalizar um assunto, um tema: *Seu enfoque do problema é muito pessimista.*

enforcar (en.for.*car*) *v.* **1** Matar(-se) na forca ou num laço. [*td.*: *enforcar um condenado*. *pr.*: *O presidiário enforcou-se na cela*.] **2** *Bras. Fig.* Faltar às aulas ou ao trabalho em (ger. dia entre um feriado e um fim de semana). [*td.*: *Você vai enforcar a sexta-feira?*] [▶ 11 enfor*car*] ● en.for.*ca*.do *a.sm.*; en.for.ca.*men*.to *sm.*

enfraquecer (en.fra.que.*cer*) *v.* **1** Tornar(-se) fraco; DEBILITAR(-SE). [*td.*: *A anemia o enfraqueceu muito*. *int./pr.*: *Enfraqueceu(-se) por não comer direito*.] **2** Fazer que perca ou perder o ânimo, a intensidade etc. [*td.*: *As dificuldades enfraqueceram sua determinação*. *int./pr.*: *Ele não se enfraquece diante de nada*.] [▶ 33 enfraque*cer*] ● en.fra.que.*ci*.do *a.*; en.fra.que.ci.*men*.to *sm.*

enfrentar (en.fren.*tar*) *v.* **1** Fazer frente a; ENCARAR. [*td.*: *É preciso enfrentar os desafios da vida*.] **2** Bater-se com; LUTAR. [*td.*: *Enfrentaram bravamente a artilharia inimiga*. *pr.*: *A polícia e os bandidos enfrentam-se todo dia*.] **3** *Esp.* Travar disputa. [*td.*: *O Brasil enfrentará a Inglaterra este sábado*. *pr.*: *Enfrentam-se hoje as duas melhores seleções do vôlei*.] [▶ 1 enfren*tar*] ● en.fren.*ta*.do *a.*; en.fren.*ta*.men.to *sm.*

enfronhar (en.fro.*nhar*) *v.* **1** Pôr fronha em. [*td.*] **2** Tornar(-se) informado (sobre); INSTRUIR(-SE). [*tdi.* + *em*: *Procura sempre enfronhar os alunos em temas sociais. pr.: Precisamos nos enfronhar melhor nisso.*] [▶ 1 enfron*har*] ● en.fro.*nha*.do *a.*

enfumaçar (en.fu.ma.*çar*) *v. td.* Encher ou cobrir de fumaça. [▶ 12 enfuma*çar*] ● en.fu.ma.*ça*.do *a.*

enfunar (en.fu.*nar*) *v. td. pr.* **1** Inflar pela ação do vento (diz-se de vela ou pano). **2** *Fig.* Encher(-se) de vaidade, de orgulho. [▶ 1 enfu*nar*] ● en.fu.*na*.do *a.*

enfurecer (en.fu.re.*cer*) *v.* **1** Fazer que fique ou ficar furioso; ENCOLERIZAR(-SE). [*td.*: *Aquela afronta o enfureceu. pr.: Eles se enfurecem diante de tamanha injustiça.*] **2** *Fig.* Tornar-se revolto (o mar). [*pr.*] [▶ 33 enfure*cer*] ● en.fu.re.*ci*.do *a.*; en.fu.re.ci.*men*.to *sm.*

enfurnar (en.fur.*nar*) *v.* **1** Ocultar(-se) em furna, toca ou covil. [*td.*: *Farejando perigo, a loba enfurnou os filhotes. pr.: Os fugitivos enfurnaram-se.*] **2** *Fig.* Esconder(-se), isolar(-se). [*td.*: *Enfurnou as joias no fundo do armário. pr.: Enfurna-se no quarto quando está chateado.*] [▶ 1 enfur*nar*] ● en.fur.*na*.do *a.*

engabelar (en.ga.be.*lar*) *v. td. Bras.* Enganar, burlar, lograr. [▶ 1 engabe*lar*] ● en.ga.be.*la*.do *a.*

engaiolar (en.gai.o.*lar*) *v. td.* **1** Meter em gaiola ou jaula. **2** *Pop.* Pôr na cadeia; PRENDER. [▶ 1 engaio*lar*] ● en.gai.o.*la*.do *a.*; en.gai.o.*la*.*men*.to *sm.*

engajamento (en.ga.ja.*men*.to) *sm.* **1** Ação ou resultado de engajar(-se). **2** Contrato para prestação de certos serviços. **3** Comprometimento, envolvimento (*engajamento político*). **4** Alistamento ou recrutamento para serviço militar.

engajar (en.ga.*jar*) *v.* **1** Alistar(-se) no serviço militar. [*td.*: *Quer engajar o filho na Marinha. pr.: Engajou-se nos Fuzileiros Navais.*] **2** Atrair (para si); aderir a (partido, causa etc.). [*td.*: *O instituto está engajando associados. pr.: Muitos jovens engajaram-se nessa campanha.*] [▶ 1 enga*jar*] ● en.ga.*ja*.do *a.sm.*

engalanar (en.ga.la.*nar*) *v.* Ornar(-se) com gala, adorno, requinte etc.; ENFEITAR(-SE). [*td.*: *Os alunos engalanaram o salão para a festa de formatura. pr.: O casal engalanou-se para a solenidade.*] [▶ 1 engala*nar*] ● en.ga.la.*na*.do *a.*

engalfinhar-se (en.gal.fi.*nhar*-se) *v. pr.* **1** Atracar-se em luta corporal. **2** Travar discussão veemente. [▶ 1 engalfi*nhar*-se] ● en.gal.fi.*nha*.do *a.*; en.gal.fi.nha.*men*.to *sm.*

engambelar (en.gam.be.*lar*) *v.* Ver *engabelar*. [▶ 1 engambe*lar*]

enganar (en.ga.*nar*) *v.* **1** Impingir a (alguém), algo não verdadeiro; ILUDIR; LOGRAR. [*td.*: *Tentou enganar o chefe, mas não conseguiu. pr.: Tenta enganar-se quanto à saúde do amigo.*] **2** Causar a (pessoa, grupo) falsa impressão. [*td.*: *Sua cara de bonzinho engana muita gente*; (tb. sem complemento explícito) *Suas belas palavras enganam*.] **3** Incorrer em erro ou avaliar erroneamente algo. [*pr.*: *"Íamos, se não me engano, pela rua das Mangueiras..."* (José de Alencar, *Luciola*).] **4** Trair (cônjuge) por adultério. [*td.* (com ou sem indicação de circunstância): *Enganava o marido (quando ele viajava)*.] [▶ 1 enga*nar*] ● en.ga.na.*ção* *sf.*; en.ga.*na*.do *a.*; en.ga.*na*.*dor* *a.sm.*

enganchar (en.gan.*char*) *v.* **1** Prender em gancho, com gancho, ou algo similar. [*td.*: *O bombeiro enganchou a escada no parapeito.*] **2** Grudar(-se) ou prender(-se). [*int./pr.*: *Minha camisa (se) enganchou num prego.*] [▶ 1 engan*char*] ● en.gan.*cha*.do *a.*

engano (en.ga.no) *sm.* Erro que se comete ao agir, falar ou pensar, por descuido ou ignorância: *Cometeu um engano ao julgar mal o rapaz.* ⁜ *Ledo* ~ Equívoco ou ilusão gerados por boa-fé, falta de malícia: *Achou que ela viajaria só? Ledo engano.*

enganoso (en.ga.no.so) [ó] *a.* **1** Que engana; ENGANADOR. **2** Ilusório, falacioso (*propaganda enganosa*). [Fem. e pl.: [ó].]

engarrafamento (en.gar.ra.fa.*men*.to) *sm.* **1** Ação ou resultado de engarrafar: *engarrafamento de sucos*. **2** Acúmulo de veículos em estrada, rua etc. devido a perturbação no trânsito; CONGESTIONAMENTO.

engarrafar (en.gar.ra.*far*) *v.* **1** Pôr em garrafa. [*td.*: *engarrafar bebidas.*] **2** *Fig.* Impedir ou dificultar o trânsito em, ou tê-lo impedido ou dificultado; CONGESTIONAR(-SE). [*td.*: *O ônibus enguiçado engarrafou a avenida. int.: Esta rua nunca engarrafa.*] [▶ 1 engarra*far*] ● en.gar.ra.*fa*.do *a.*

engasgar (en.gas.*gar*) *v.* **1** Causar ou ter engasgo. [*td.*: *"De repente, um pedaço de carne (...) engasgou-o seriamente."* (Aluísio Azevedo, *O cortiço*). *int./pr.*: *A menina engasgou(-se) com a espinha.*] **2** Impedir ou dificultar a fala a. [*td.*: *A emoção o engasgou no meio do discurso. int./pr.: Emocionado, engasgou(-se) durante a entrevista.*] **3** Causar ou sofrer interrupção ou embaraço em processo, funcionamento etc. [*td.: Não sei o que está engasgando a máquina. int.: O motor engasgou.*] [▶ 14 engas*gar*] ● en.gas.*ga*.do *a.*

engasgo (en.*gas*.go) *sm.* **1** Ação ou resultado de engasgar(-se). **2** Obstrução na garganta por qualquer motivo. **3** Dificuldade de falar, ou aquilo que a motiva.

engastar (en.gas.*tar*) *v. td.* Embutir (pedra preciosa, marfim etc.) em; ENCASTOAR: (seguido de indicação de lugar) *Mandei engastar a esmeralda no anel.* [▶ 1 engas*tar*] ● en.gas.*ta*.do *a.*

engaste (en.*gas*.te) *sm.* **1** Ação ou resultado de engastar. **2** Peça que prende a pedraria nas joias.

engatar (en.ga.*tar*) *v.* **1** Prender, ligar por meio de engate ou similar; ENGANCHAR. [*td.*: *engatar os vagões de um trem. tdi. + a: engatar bois a um carro.*] **2** Engrenar (marcha) de carro. [*td.*: *engatar a primeira.*]

engate | engrinaldar

3 *Fig*. Dar início a; ENCETAR. [*td.*: *Engatou uma conversa interminável.*] [▶ 1 engat⎡ar⎤] • en.ga.ta.do a.

engate (en.ga.te) *sm*. **1** Peça ou conjunto de peças que permite a ligação de coisas entre si. **2** Dispositivo mecânico para atrelar carros, vagões etc.

engatilhar (en.ga.ti.lhar) *v. td*. **1** Armar gatilho de (arma de fogo) para disparar. **2** *Fig*. Armar (sorriso, resposta etc.) visando certo fim: *Engatilhou um sorriso tranquilizador.* [▶ 1 engatilh⎡ar⎤] • en.ga.ti.lha.do a.

engatinhar (en.ga.ti.nhar) *v*. **1** Andar de gatinhas ou de quatro. [*int.*: *Meu filho ainda engatinha.*] **2** *Fig*. Estar-se iniciando (em ciência, arte etc.). [*ti.* + *em*: *Ele ainda engatinha em física.*] [▶ 1 engatinh⎡ar⎤]

engavetamento (en.ga.ve.ta.men.to) *sm*. **1** Ação ou resultado de engavetar. **2** *Bras*. *Fig*. Colisão que, pela violência do choque, deixa veículos encaixados uns nos outros. [Ant. *gen*: *desengavetamento*.]

engavetar (en.ga.ve.tar) *v. td*. **1** Pôr ou guardar em gaveta. [*td.*] **2** *Bras*. Arquivar ou retardar o trâmite de (processo, requerimento etc.). [*td.*: *Engavetaram o processo do reclamante.*] **3** *Bras*. *Fig*. Entrar, ao colidir (vagões ou veículos) um no outro. [*int./pr.*: *Os vagões engavetaram(-se).*] [▶ 1 engavet⎡ar⎤]

engendrar (en.gen.drar) *v. td*. **1** Dar origem a; GERAR: *engendrar um filho*. **2** Criar, inventar: *engendrar planos/pretextos*. [▶ 1 engendr⎡ar⎤] • en.gen.dra.do a.

engenharia (en.ge.nha.ri.a) *sf*. Ciência e técnica das construções civis, da fabricação de máquinas e do aproveitamento dos recursos da natureza em benefício do homem e suas necessidades. ▪▪ ~ **genética** *Biog*. Disciplina e conjunto de técnicas que visam à transformação artificial de genes, permitindo a reprodução de organismos com características genéticas programadas (transgênicos, clones etc.).

engenheiro (en.ge.nhei.ro) *sm*. Pessoa formada em engenharia; profissional que a exerce.

engenho (en.ge.nho) *sm*. **1** Capacidade de criar, de inventar: *É de engenho e da perseverança que surgem as invenções*. **2** Faculdade de quem é hábil; DESTREZA: *Mostrou todo o seu engenho ao consertar o brinquedo*. **3** Qualquer máquina ou aparelho. **4** *Bras*. Moenda de cana-de-açúcar. **5** *Bras*. Fazenda onde se cultiva cana e fabrica açúcar.

engenhoca (en.ge.nho.ca) *sf*. *Pop*. **1** Aparelho simples, de fácil invenção. **2** Máquina improvisada, mas rara de funcionamento precário. **3** *N.E*. Pequeno engenho (4).

engenhoso (en.ge.nho.so) [ô] *a*. **1** Que tem engenho, criatividade (inventor *engenhoso*). **2** Feito com engenho, com habilidade (maquinismo *engenhoso*). [Fem. e pl.: [ó].] • en.ge.nho.si.da.de *sf*.

engessar (en.ges.sar) *v. td*. **1** Cobrir de gesso: *engessar uma parede*. **2** Pôr gesso sobre (membro do corpo), para sanar fratura: *engessar um braço*. [▶ 1 engess⎡ar⎤] • en.ges.sa.do a.

englobar (en.glo.bar) *v. td*. Reunir(-se) ou incluir(-se) num todo ou conjunto: *Este livro engloba todos os seus poemas*. [▶ 1 englob⎡ar⎤] • en.glo.ba.do a.

engodo (en.go.do) [ô] *sm*. **1** Isca para pegar peixes, pássaros etc. **2** Aquilo que se utiliza para enganar: *A promessa de aumento foi um engodo para interessá-lo no projeto*.

engolir (en.go.lir) *v. td*. **1** Fazer passar (alimento) da boca para o estômago; DEGLUTIR. **2** Comer com sofreguidão; DEVORAR. **3** *Fig*. Aceitar como verdadeiro (o que é falso): *Engoliu a história sem desconfiar de nada*. **4** Sofrer calado ou resignadamente: *"...Ronaldo teve que engolir as vaias dirigidas a ele..."* (*O Dia*, 10.03.03). [▶ 51 engol⎡ir⎤]

engomadeira (en.go.ma.dei.ra) *sf*. Mulher que engoma e passa roupa.

engomar (en.go.mar) *v. td*. **1** Cobrir de goma (roupa, tecido). **2** Passar (roupa). [▶ 1 engom⎡ar⎤] • en.go.ma.do a.

engonço (en.gon.ço) *sm*. Encaixe que permite a movimentação de peças interligadas. • en.gon.çar *v*. [V. tb. *dobradiça* e *gonzo*.]

engorda (en.gor.da) *sf*. **1** Ação ou resultado de engordar. **2** *Bras*. Pasto destinado a engordar o gado.

engordar (en.gor.dar) *v*. **1** Tornar(-se) gordo. [*td.*: *Vai engordar o porco para o banquete*. *int.*: *Ele não para de engordar*.] **2** *Fig*. Fazer que aumente ou amentar. [*td.*: *Foi com trabalho que engordou sua fortuna*. *int.*: *Aos poucos, seu salário engordou*.] [▶ 1 engord⎡ar⎤]

engordurar (en.gor.du.rar) *v*. Cobrir(-se) ou manchar(-se) de gordura. [*td.*: *Engordurou o vestido no almoço*. *pr.*: *A cozinha toda engordurou-se*.] [▶ 1 engordur⎡ar⎤] • en.gor.du.ra.do a.

engraçado (en.gra.ça.do) *a*. Que tem graça; que faz rir ou diverte.

engraçar (en.gra.çar) *v*. **1** Simpatizar, agradar-se. [*ti.* + *com*, *de*: *Engraçou da moça e convidou-a para sair*.] **2** Tomar confiança, ser atrevido. [*pr.*: *Engraçou-se com a prima*.] [▶ 12 engraç⎡ar⎤] • en.gra.ça.men.to *sm*.

engradado (en.gra.da.do) *a*. **1** Cercado por grade. *sm*. **2** *Bras*. Armação de ripas de madeira, ou outro material, para transporte e proteção de carga (garrafas, animais etc.).

engradar (en.gra.dar) *v. td*. **1** Pôr grade(s) em ou em volta de; GRADEAR: *A prefeitura engradou a praça*. **2** Pôr em engradado (2): *Engradou toda a louça para a mudança*. [▶ 1 engrad⎡ar⎤] • en.gra.da.men.to *sm*.

engrandecer (en.gran.de.cer) *v*. **1** Tornar(-se) grande ou maior do que era (tb. moralmente). [*td.*: *Sua obra engrandeceu a cultura nacional*. *pr.*: *Com essa atitude, ela se engrandeceu ainda mais*.] **2** *Bras*. Enaltecer(-se), gabar(-se). [*td.*: *Engrandeceu o amigo no discurso de homenagem*. *pr.*: *Vaidoso e convencido, vive se engrandecendo*.] [▶ 33 engrandec⎡er⎤] • en.gran.de.ci.do a.; en.gran.de.ci.men.to *sm*.

engravatar-se (en.gra.va.tar-se) *v. pr*. **1** Colocar gravata. **2** Vestir-se com apuro; ENFATIOTAR-SE. [▶ 1 engravat⎡ar⎤-se] • en.gra.va.ta.do a.sm.

engravidar (en.gra.vi.dar) *v*. Tornar(-se) grávida (de alguém). [*td.*: *Engravidou-a na noite de núpcias*. *ti.* + *de*: *Depois do tratamento, engravidou do segundo marido*. *int.*: *Engravidou no ano passado*.] [▶ 1 engravid⎡ar⎤]

engraxar (en.gra.xar) *v. td*. Passar graxa e dar lustro em (calçado). [▶ 1 engrax⎡ar⎤] • en.gra.xa.do a.

engraxate (en.gra.xa.te) *s2g*. Pessoa que engraxa sapatos como profissão.

engrenagem (en.gre.na.gem) *sf*. **1** Conjunto de rodas dentadas que se destinam a transmitir movimento ou força em maquinismos; cada uma dessas rodas. **2** *Fig*. Organização, estrutura de funcionamento: *Novo na firma, não conhecia sua engrenagem*. [Pl.: -*gens*.]

engrenar (en.gre.nar) *v*. **1** *Aut*. Fazer se acoplarem as engrenagens que acionam as rodas motrizes com as do motor de (veículo automotivo). [*td.*: *engrenar um carro/um ônibus/uma moto*.] **2** *Aut*. Fazer se acoplarem as engrenagens do motor de veículo automotivo com as de (determinada marcha). [*td.*: *engrenar a ré*.] **3** *Fig*. Encetar, entabular. [*td.*: *Engrenaram uma conversa que durou toda a noite*.] **4** Entrar em funcionamento (carro, motor). [*int.*: *Após um empurrãozinho, o carro engrenou*.] **5** *Fig*. Dar certo. [*int.*: *Acho que agora a sociedade deles vai engrenar*.] [▶ 1 engren⎡ar⎤]

engrinaldar (en.gri.nal.dar) *v*. Pôr grinalda em (alguém ou si próprio). [*td*. (seguido ou não de indicação de modo): *Engrinaldou a noiva (com lindas flo-*

engrolar | enojar

res). *pr.*: *Engrinaldou-se com uma coroa de flores.*] [▶ 1 engrinaldar]

engrolar (en.gro.*lar*) *v. td.* Pronunciar indistintamente, confusamente: *Com sono, engrolou palavras incompreensíveis.* [▶ 1 engrolar] • en.gro.*la*.do *a.*

engrossar (en.gros.*sar*) *v.* **1** Tornar(-se) grosso ou mais grosso; ESPESSAR(-SE). [*td.*: *engrossar uma sopa.* *int.*: *O livro engrossou muito com o apêndice.*] **2** Fazer que fique ou ficar mais forte, mais volumoso. [*td.*: *O exercício engrossou suas pernas.* *int.*: *O rio engrossou muito e pode transbordar.*] **3** Tornar(-se) (a voz) mais grave ou dura. [*td.*: *O pai engrossou a voz para repreendê-la.* *int.*: *A voz dos garotos engrossa na adolescência.*] **4** *Bras. Fig.* Agir de forma grosseira ou violenta. [*ti. + com*: *Não devia ter engrossado com o colega.* *int.*: *Irascível, engrossa por qualquer coisa.*] [▶ 1 engrossar] • en.gros.*sa*.do *a.*; en.gros.sa.*men*.to *sm.*

engrupir (en.gru.*pir*) *v. td. Bras. Gír.* Enganar, iludir, tapear. [▶ 3 engrupir]

enguia (en.*gui*.a) *sf. Zool.* Peixe em forma de cobra, de carne comestível.

enguiçar (en.gui.*çar*) *v. Bras.* Provocar ou sofrer enguiço; fazer que pare ou parar de funcionar. [*td.*: *A umidade enguiçou o relógio.* *int.*: *Espero que o carro não enguice na estrada.*] [▶ 12 enguiçar] • en.gui.*ça*.do *a.*

enguiço (en.*gui*.ço) *sm.* **1** *Bras.* Desarranjo no funcionamento de máquina, motor etc. **2** *Fig.* Mau-olhado.

engulho (en.*gu*.lho) *sm.* Sensação de náusea, ânsia de vômito: *O balanço do barco lhe dava engulhos.* • en.gu.*lhar* o.

enigma (e.*nig*.ma) *sm.* **1** Questão, pergunta, problema difícil de interpretar e resolver. **2** Coisa misteriosa, de difícil compreensão: *A vida daquele rapaz era um enigma para ela.*

enigmático (e.nig.*má*.ti.co) *a.* **1** Que contém enigma. **2** De compreensão difícil (texto enigmático). **3** Que é misterioso (olhar enigmático).

enjaular (en.jau.*lar*) *v. td.* **1** Prender (animal) em jaula. **2** *Fig.* Pôr em cadeia ou cela; ENCARCERAR. [▶ 1 enjaular] • en.jau.*la*.do *a.*

enjeitar (en.jei.*tar*) *v.* **1** Rejeitar, recusar, reprovar (alguém, algo ou a si mesmo). [*td.*: *enjeitar uma oferta.* *pr.*: *O desleixo era a sua maneira de enjeitar-se.*] **2** Abandonar, rejeitar (filho recém-nascido ou de tenra idade). [*td.*: *Enjeitou o filho, e entregou-o para adoção.*] [▶ 1 enjeitar] • en.jei.*ta*.do *a.sm.*

enjoado (en.jo.*a*.do) *a.* **1** Que tem enjoo; NAUSEADO: *Ficou enjoado com o sorvete.* **2** *Fig.* Que aborrece: *Que menino enjoado, não para de fazer perguntas!*

enjoar (en.jo.*ar*) *v.* **1** Provocar ou sentir enjoo. [*td.*: *O cheiro de tinta o enjoava.* *int.*: *Não enjoou durante a gravidez.*] **2** Tomar enjoo por. [*ti. + de*: *Não enjoo de feijão.*] **3** Provocar ou sentir aversão; REPUGNAR(-SE). [*td.*: *A falsidade a enjoa.* *ti. + de*: *Enjoamos das mentiras dele.*] **4** Entediar(-se), enfastiar(-se). [*td.*: *As viagens já me enjoaram.* *ti. + de*: *Não enjoa de ouvir música.* *pr.*: *Enjoa-se com as novelas.*] [▶ 16 enjoar]

enjoativo (en.jo:a.*ti*.vo) *a.* **1** Que causa enjoo (1) (comida enjoativa). **2** Que causa tédio, aborrecimento (conversa enjoativa).

enjoo (en.*jo*.o) *sm.* **1** Sensação de náusea; ânsia de vômito: *Quando a roda-gigante girou, ela sentiu enjoo.* **2** Enfado, aborrecimento: *Essa conversa está me dando enjoo.*

enlaçar (en.la.*çar*) *v.* **1** Prender com laço. [*td.*: *enlaçar as tranças.* *tdi. + a, em*: *Enlaçou uma flor ao cabelo.*] **2** Prender com laçada; LAÇAR. [*td.*: *enlaçar um potro.*] **3** Abraçar(-se), cingir(-se). [*td.* (seguido ou não de indicação de lugar): *Enlaçou a noiva (pela cintura).* *pr.*: *Enlaçaram-se num longo abraço.*] **4** *Fig.* Unir, aliar. [*td.*: *Um objetivo comum os enlaça.*

tdi. + a: *Enlaçou seu futuro ao da empresa.*] [▶ 12 enlaçar] • en.la.*ça*.do *a.*; en.la.ça.*men*.to *sm.*

enlace (en.*la*.ce) *sm.* **1** Ação ou resultado de enlaçar. **2** Casamento. [Tb. enlace matrimonial.]

enlamear (en.la.me.*ar*) *v.* **1** Manchar(-se), cobrir(-se) de lama. [*td.*: *O carro passou pela poça e me enlameou.* *pr.*: *Enlameou-se na caminhada.*] **2** *Fig.* Manchar (alguém ou a si próprio, ou sua reputação, honra etc.); AVILTAR(-SE). [*td.*: *O escândalo enlameou sua reputação.* *pr.*: *Enlamearam-se ao aceitar propinas.*] [▶ 13 enlamear] • en.la.me.*a*.do *a.*

enlanguescer (en.lan.gues.*cer*) *v.* **1** Debilitar(-se), definhar(-se). [*int./pr.*: *Enlanguesce(-se) o olhos vistos.*] **2** Entristecer(-se), acabrunhar(-se). [*int./pr.*: *Ela (se) enlanguescia com a ausência do irmão.*] **3** Tornar(-se) lânguido (2). [*td. pr.*] [▶ 33 enlanguescer] • en.lan.gues.*ci*.do *a.*

enlatado (en.la.*ta*.do) *a.* **1** Posto ou conservado em lata. *sm.* **2** Comestível enlatado: *Os enlatados estão na despensa.* **3** *Pej. Telv.* Filmes importados, ger. seriados, produzidos para a televisão e de baixa qualidade.

enlatar (en.la.*tar*) *v. td.* Pôr ou conservar em lata. [▶ 1 enlatar]

enlear (en.le.*ar*) *v.* **1** Atar com lios ou liames; AMARRAR. [*td.*: *enlear feixes de espigas.*] **2** *Fig.* Envolver (alguém ou a si mesmo) (em algo ou com alguém). [*tdi. + com, em*: *Enleou o subalterno na conspiração.* *pr.*: *Enleou-se no movimento de protesto.*] **3** *Fig.* Embaraçar(-se), confundir(-se). [*td.*: *As emoções a enleavam e perturbavam seu julgamento.* *pr.*: *Enleou-se com tantos dados contraditórios.*] [▶ 13 enlear] • en.le.*a*.do *a.*

enleio (en.*lei*.o) *sm.* **1** Ação ou resultado de enlear(-se). **2** *Fig.* Envolvimento, enredamento. **3** Confusão, indecisão. **4** Embaraço, acanhamento: *Tratava o namorado com um enleio apaixonado.*

enlevar (en.le.*var*) *v.* Provocar ou sentir enlevo; ENCANTAR(-SE); EXTASIAR(-SE). [*td.*: *O concerto enlevou a plateia.* *pr.*: *Enleva-se quando ora.*] [▶ 1 enlevar] • en.le.*va*.do *a.*; en.le.va.*men*.to *sm.*

enlevo (en.*le*.vo) [ê] *sm.* Encantamento, êxtase: *Contemplava o filhinho com enlevo.*

enlouquecer (en.lou.que.*cer*) *v.* **1** Fazer que perca ou perder o uso da razão ou a calma; ENDOIDECER. [*td.*: *O sofrimento o enlouqueceu.* *int.*: *Enlouqueceu por não suportar tanta dor.*] **2** ENLOUQUECER] • en.lou.que.ce.*dor* *a.*; en.lou.que.*ci*.do *a.*; en.lou.que.ci.*men*.to *sm.*

enluarado (en.lu:a.*ra*.do) *a.* Banhado pela luz da lua (noite enluarada).

enlutar (en.lu.*tar*) *v.* **1** Causar ou sofrer grande tristeza; MORTIFICAR(-SE). [*td.*: *Sua morte enlutou a família.* *pr.*: *Toda a nação enlutou-se com aquela tragédia.*] **2** Cobrir-se, vestir-se de luto. [*pr.*: *Enlutaram-se para comparecer ao velório.*] [▶ 1 enlutar] • en.lu.*ta*.do *a.sm.*

enobrecer (e.no.bre.*cer*) *v.* **1** Tornar(-se) nobre por carta ou diploma de nobreza; NOBILITAR(-SE). [*td. pr.*] **2** *Fig.* Dignificar(-se), engrandecer(-se). [*td.*: *Sua arte o enobrece.* *pr.*: *Enobrecia-se com sua generosidade.*] **3** *Fig.* Ornamentar, embelezar. [*td.*: *Essa escultura enobreceu o pátio.*] [▶ 33 enobrecer] • e.no.bre.ce.*dor* *a.sm.*; e.no.bre.*ci*.do *a.*; e.no.bre.ci.*men*.to *sm.*

enodoar (e.no.do.*ar*) *v.* **1** Cobrir de nódoas; MANCHAR. [*td.*: *Enodoou o vestido na brincadeira.*] **2** *Fig.* Desonrar(-se), macular(-se). [*td.*: *Sua falta de ética enodoa a empresa.* *pr.*: *Enodoa-se com seu vício.*] [▶ 16 enodoar] • e.no.do.*a*.do *a.*

enófilo (e.*nó*.fi.lo) *a.sm.* Que ou quem gosta de vinho. • e.no.fi.*li*.a *sf.*

enojar (e.no.*jar*) *v.* **1** Provocar nojo em ou senti-lo; NAUSEAR(-SE). [*td.*: *Enoja-o essa falta de asseio.* *pr.*: *A* menina *enojou-se com a sujeira*.] **2** Provocar repulsa ou senti-la. [*td*.: *Tantos desmandos enojam os funcionários*. *pr*.: *Enojei-me ao saber do escândalo*.] [▶ • enojar] • **e.no.ja.do** *a*.

enologia (e.no.lo.gi.a) *sf*. Estudo sobre vinhos. • *e.nó.lo.go sm*.

enorme (e.*nor*.me) *a2g*. Muito grande; muito intenso; muito grave.

enormidade (e.nor.mi.*da*.de) *sf*. **1** Qualidade do que é enorme. **2** Quantidade, intensidade ou tamanho enorme: *Falou uma enormidade de bobagens*. **3** Coisa enorme: *Gastou mil reais, uma enormidade!*

enovelar (e.no.ve.*lar*) *v*. **1** Enrolar(-se) (fio de algodão, lã, seda etc.) em novelo; DOBAR. [*td*. *pr*.] **2** *Fig*. Tornar confuso, emaranhado; EMARANHAR. [*td*.: *Um dado inesperado enovelou o caso*.] [▶ • enovelar] • **e.no.ve.la.do** *a*.; **e.no.ve.la.men.to** *sm*.

enquadrar (en.qua.*drar*) *v*. **1** Pôr (pintura, vidro, espelho etc.) em quadro ou moldura; EMOLDURAR. [*td*.] **2** Encaixar-se; ser compatível; adaptar-se. [*pr*.: "...*terá que se enquadrar à nova realidade do clube*" (*Jornal Extra*, 13.12.03).] **3** *Bras*. Incluir, integrar, compreender. [*td*.: *O projeto enquadra todos os itens debatidos*.] **4** *Cin*. *Fot*. *Telv*. Limitar, na câmara, o que se quer fotografar ou filmar. [*td*.: *enquadrar um grupo de pessoas*; (sem indicação de complemento) *É um fotógrafo que enquadra muito bem*.] **5** *Bras*. *Pop*. Fazer que tenha obediência ou disciplina; DISCIPLINAR. [*td*.: *Disse que vai enquadrar o funcionário relapso*.] [▶ **1** enquadrar] • **en.qua.dra.do** *a*.; **en.qua.dra.men.to** *sm*.

enquanto (en.*quan*.to) *conj*.*temp*. **1** Durante o tempo em que: *Joaquim estudava, trabalhava na padaria*. **2** No mesmo momento em que; ao mesmo tempo que: *Desfiei a galinha enquanto ela fazia o molho*. *conj*.*prop*. **3** Na mesma proporção que; ao passo que: *Enquanto uns se decepcionaram, outros aplaudiram maravilhados*. *conj*.*conf*. **4** Como: *Está se colocando bem enquanto artista*. ■ ~ **isso** Nesse ínterim: *Enquanto isso, o sol se pôs*. **Por** ~ Por ora, por agora: *Vou ficar lá na casa da minha tia por enquanto*.

enquete (en.*que*.te) [ê] *sf*. Pesquisa de opinião.

enquistar (en.quis.*tar*) *v*. **1** Formar quisto ou tornar-se quisto. [*pr*.: *Cuidado com essa espinha no rosto, pode enquistar*(-*se*).] **2** Introduzir(-se), inserir(-se). [*pr*.: *Um grupo estranho enquistou-se no partido*.] [▶ **1** enquistar] • **en.quis.ta.do** *a*.; **en.quis.ta.men.to** *sm*.

enrabichar (en.ra.bi.*char*) *v*. Apaixonar(-se), enamorar(-se). [*td*.: *Enrabichou a bela morena*. *pr*.: *Acho que ele se enrabichou por ela*.] [▶ **1** enrabichar] • **en.ra.bi.cha.do** *a*.

enraivecer (en.rai.ve.*cer*) *v*. Provocar ou experimentar sentimento de raiva; IRAR(-SE), ENCOLERIZAR(-SE). [*td*.: *O ciúme o enraivece*. *int*./*pr*.: *Ela enraiveceu*(-*se*) *com toda a razão*.] [▶ **33** enraivecer] • **en.rai.ve.ci.do** *a*.; **en.rai.ve.ci.men.to** *sm*.

enraizar (en.ra.i.*zar*) *v*. **1** Fixar(-se) em raiz (planta); ARRAIGAR(-SE). [*td*.: *Vou enraizar aquela roseira*. *int*./*pr*.: *Algumas árvores demoram a enraizar*(-*se*).] **2** *Fig*. Criar relações, condições de vida etc.; ESTABELECER(-SE); FIXAR(-SE). [*td*.: *O trabalho no campo enraizou muitos imigrantes*. *int*./*pr*.: *Já (se) enraizou na nova cidade*.] [▶ **1** enraizar] Quanto ao acento do *i*, ver paradigma 18.] • **en.ra.i.za.do** *a*.

enrascada (en.ras.*ca*.da) *sf*. Situação de aperto, de dificuldade: *meter-se em uma enrascada*.

enrascar (en.ras.*car*) *v*. *Fig*. Pôr (alguém ou a si mesmo) em enrascada; ENROLAR(-SE). [*td*.: *Tentou defender o amigo e o enrascou ainda mais*. *pr*.: *Enrascou-se ao tentar defender o colega*.] [▶ **11** enrascar] • **en.ras.ca.do** *a*.

enredar (en.re.*dar*) *v*. **1** Prender(-se) em rede. [*td*. *pr*.] **2** Tolher(-se), embaraçar(-se) em lugares ou coisas intricadas. [*td*.: *A selva enreda os que nela se aventuram*. *pr*.: "*Minha mão enredou-se em seus cabelos negros*..." (Kurban Said, *Ali e Nino*).] **3** *Fig*. Confundir(-se), complicar(-se). [*td*.: *Novas condições enredaram as negociações*. *pr*.: *O negócio enredou-se em dificuldades inesperadas*.] **4** *Fig*. Armar enredo ou intriga (a, para); INTRIGAR. [*td*. (seguido de complemento): *Com sua lábia, conseguiu enredar a jovem com o namorado*. *int*.: *É um especialista em enredar*.] [▶ **1** enredar] • **en.re.da.do** *a*.; **en.re.da.men.to** *sm*.

enredo (en.*re*.do) [ê] *sm*. **1** Ação ou resultado de enredar(-se). **2** Linha de ação de uma obra de ficção; INTRIGA; TRAMA. **3** Intriga, futrica: *Criou o maior enredo sobre a vida íntima do escritor*.

enregelar (en.re.ge.*lar*) *v*. **1** Tornar(-se) muito gelado; CONGELAR(-SE). [*td*.: *O forte frio enregelou minhas mãos*. *int*./*pr*.: *O jardim enregelou*(-*se*) *com a neve*.] **2** *Fig*. Provocar ao sentir grande medo. [*td*.: *A visão do vulto enregelou-a*. *int*./*pr*.: *Enregelaram*(-*se*) *com a visão do abismo*.] [▶ **1** enregelar] • **en.re.ge.la.do** *a*.

enricar (en.ri.*car*) *v*. Tornar(-se) rico; ENRIQUECER. [*td*.: *O trabalho perseverante acabou por enricá*(-*lo*. *int*./*pr*.: *Enricou*(-*se*) *com muito trabalho e alguma sorte*.] [▶ **11** enricar]

enrijar (en.ri.*jar*) *v*. Ver enrijecer. [▶ **1** enrijar]

enrijecer (en.ri.je.*cer*) *v*. Tornar(-se) rijo, duro, ou forte; ENDURECER(-SE); FORTALECER(-SE). [*td*.: *Os sofrimentos enrijecem o homem*. *int*./*pr*.: *Os músculos (se) enrijeceram com o exercício*.] [▶ **33** enrijecer] • **en.ri.je.ci.da** *a*.; **en.ri.je.ci.men.to** *sm*.

enriquecer (en.ri.que.*cer*) *v*. **1** Tornar(-se) rico; ENRICAR. [*td*.: *Talento, dedicação e sorte o enriqueceram*. *int*.: *Só enriqueceu na velhice*.] **2** *Fig*. Melhorar, aumentar. [*td*. (seguido de indicação de meio/modo): *Enriqueceu o poema com rimas incomuns*. *int*./*pr*.: *Sua experiência enriqueceu*(-*se*) *com os anos de prática*.] **3** *Fig*. Ornar, abrilhantar. [*td*.: *Os novos móveis enriqueceram a casa*.] [▶ **33** enriquecer] • **en.ri.que.ce.dor** *a*.; **en.ri.que.ci.do** *a*.; **en.ri.que.ci.men.to** *sm*.

enrodilhar (en.ro.di.*lhar*) *v*. **1** Dar ou tomar a forma de rodilha, de rosca; ENROSCAR(-SE). [*td*.: "*Os vaqueiros (...) enrodilhavam os laços em pequenas voltas*..." (Guimarães Rosa, *Noites do sertão*). *pr*.: *A serpente enrodilhou-se para dar o bote*.] **2** Ficar atrapalhado, sem saber como agir. [*pr*.] [▶ **1** enrodilhar] • **en.ro.di.lha.do** *a*.

enrolação (en.ro.la.*ção*) *sf*. *Gír*. Ação ou resultado de enrolar, de tapear: *Essa conversa é uma enrolação, nada disso é verdade*. [Pl.: -ções.]

enrolado (en.ro.*la*.do) *a*. **1** Que se enrolou ou que forma um rolo. **2** *Gír*. Que é confuso, complicado.

enrolador (en.ro.la.*dor*) [ô] *a*.*sm*. **1** Que ou o que enrola. **2** *Gír*. Que ou quem engana, tapeia. **3** *Gír*. Que ou quem complica as coisas.

enrolamento (en.ro.la.*men*.to) *sm*. **1** Ação ou resultado de enrolar(-se). **2** *Elet*. Conjunto de fios enrolados em bobina ou motor.

enrolar (en.ro.*lar*) *v*. **1** Dar ou adquirir forma de rolo. [*td*.: *enrolar uma peça de tecido*. *int*./*pr*.: *Fora da moldura, o diploma enrolou*(-*se*).] **2** Dar ou adquirir forma de espiral; ESPIRALAR(-SE). [*td*.: *Enrolou o cabelo para a festa*. *pr*.: *Com a idade seus cabelos (se) enrolaram*.] **3** Embrulhar(-se), envolver(-se). [*td*.: *Pegou o papel e enrolou os pãezinhos*; (seguido de indicação de meio) *Enrolou a cabeça em uma toalha*. *pr*.: *Enrolou-se no edredom*.] **4** *Gír*. Tapear, enganar. [*td*.: *Enrolou todos com sua lábia*.] **5** *Fig*. Embromar, retardar algo. [*int*.: *Ficou enrolando, e nada de trabalhar*.] **6** *Fig*. Complicar(-se), enredar(-se). [*td*.: *A mentira o enrolou ainda mais*. *pr*.: *Enrolou-se todo na hora de pedir aumento*.] [▶ enrolar]

enroscar (en.ros.*car*) *v.* **1** Enrolar(-se), cingir(-se) dando voltas. [*tdi.* + *em*: *Enroscou* as rédeas na estaca. *pr.*: Essa cobra *enroscou-se* em árvores.] **2** Girar em forma de rosca ou espiral. [*td.*: Falta *enroscar* um parafuso.] **3** Abraçar-se, envolver-se. [*pr.*: A menina *enroscou-se* no urso de pelúcia; O gato *enroscou-se* para dormir.] [▶ **11** enros*car* • en.ros.ca.do *a*.

enroupar (en.rou.*par*) *v.* Pôr roupa em (alguém ou si mesmo); VESTIR(-SE), AGASALHAR(-SE). [*td.*: Fazia frio, e a mãe *enroupou* o neném. *pr.*: *Enroupou-se* para a noite de gala.] [▶ **1** enrou*par* • en.rou.pa.do *a*.

enrouquecer (en.rou.que.*cer*) *v.* Fazer que fique ou ficar rouco. [*td.*: Dar tantas aulas a *enrouqueceu*. *int.*: O cantor *enrouqueceu* depois do show.] [▶ **33** enrouque*cer* • en.rou.que.ci.do *a*.; en.rou.que.ci.men.to *sm.*

enrubescer (en.ru.bes.*cer*) *v.* Encher(-se) de rubor ou vermelhidão; CORAR; RUBORIZAR(-SE). [*td.*: A corrida e a excitação a *enrubesceram*. *int./pr.*: Tímido, ele *se enrubesce* por qualquer elogio.] [▶ **33** enrubes*cer* • en.ru.bes.ci.men.to *sm*.

enrugar (en.ru.*gar*) *v.* **1** Encher(-se) de rugas. [*td.*: O sofrimento *enrugou* seu rosto. *int./pr.*: Apesar da idade avançada, não *se enrugou*.] **2** Amassar(-se), amarrotar(-se). [*td.*: Ao sentar-se, *enrugou* o vestido. *int./pr.*: O linho *enruga*(-se) fácil.] [▶ **14** enru*gar* • en.ru.ga.do *a*.; en.ru.ga.men.to *sm*.

enrustido (en.rus.ti.do) *a.sm Bras. Pop.* **1** Que ou quem é muito introvertido. **2** Que ou quem oculta sua homossexualidade.

enrustir (en.rus.*tir*) *v. td. Bras. Pop.* Enganar, iludir. [▶ **3** enrus*tir*]

ensaboar (en.sa.bo.*ar*) *v.* Lavar(-se) com sabão. [*td.*: *Ensaboou* a criança. *pr.*: Teve de *ensaboar-se* muitas vezes para tirar a sujeira.] [▶ **16** ensabo*ar* • en.sa.bo.a.do *a*.

ensacar (en.sa.*car*) *v. td.* Meter em saco ou saca. [▶ **11** ensa*car* • en.sa.ca.do *a*.; en.sa.ca.men.to *sm*.

ensaiar (en.sai.*ar*) *v.* **1** Experimentar, tentar, testar. [*td.*: O bebê *ensaia* seus primeiros passos.] **2** Treinar, exercitar(-se). [*td.*: *Ensaiou* a orquestra para a estreia. *int.*: A companhia teatral vai *ensaiar* hoje.] **3** Repetir (texto artístico, discurso etc.) para memorizá-lo. [*td.*] [▶ **1** ensai*ar* • en.sai.a.do *a*.

ensaio[1] (en.*sai*:o) *sm.* **1** Treino para uma atividade ou algum evento: Assistiu ao *ensaio* do coral. **2** Experiência, experimento: *ensaio* para o lançamento de um foguete. **3** Tentativa: Fez um *ensaio* de andar sem as muletas, mas ainda era cedo para isso.

ensaio[2] (en.*sai*:o) *sm. Liter.* Trabalho literário ou artístico sobre determinado assunto: Escreveu um *ensaio* sobre Machado de Assis. • en.sa.*is*.ti.ca *sf.*; en.sa.*is*.ti.co *a*.

ensaísta (en.sa.*ís*.ta) *s2g. Liter.* Pessoa que escreve ensaios.

ensanchas (en.*san*.chas) *sfpl.* Azo, ensejo, oportunidade.

ensandecer (en.san.de.*cer*) *v.* **1** Enlouquecer, endoidecer. [*td.*: A morte do amigo o *ensandeceu*. *int.*: Seu comportamento indica que está *ensandecendo*.] **2** Tornar(-se) sandeu, idiota, tolo; APATETAR(-SE). [*int.*] [▶ **33** ensande*cer* • en.san.de.ci.do *a*.

ensanguentar (en.san.guen.*tar*) *v.* Cobrir(-se) de sangue. [*td.*: A ferida abriu e *ensanguentou* a atadura. *pr.*: *Ensanguentou-se* na queda.] [▶ **1** ensanguen*tar*] • en.san.guen.ta.do *a*.

ensarilhar (en.sa.ri.*lhar*) *v. td.* **1** Enrolar (fio) em sarilho. **2** Embaraçar, emaranhar: Na confusão, *ensarilhou* suas linhas de pesca. **3** Apoiar em sarilho ou pôr (armas) no chão apoiadas umas nas outras pelo cano ou pela baioneta. **4** Depor (armas). [▶ **1** ensarilh*ar*] • en.sa.ri.lha.do *a*.

enseada (en.se.*a*.da) *sf.* Pequena baía, que pode abrigar porto ou ancoradouro; ANGRA.

ensebado (en.se.*ba*.do) *a.* **1** Untado com sebo. **2** Sujo ou engordurado (roupas ensebadas).

ensebar (en.se.*bar*) *v.* **1** Passar sebo em (algo, alguém ou si mesmo). [*td. pr.*] **2** Sujar(-se), enodoar(-se) com gordura, ou pelo uso. [*td.*: O manuseio *ensebou* estes livros. *pr.*: Sem coifa, a cozinha logo *ensebou-se*.] [▶ **1** ense*bar*]

ensejar (en.se.*jar*) *v.* **1** Dar ensejo a, ser motivo de; MOTIVAR; POSSIBILITAR. [*td.*: A vitória do time *ensejou* uma grande comemoração. *tdi.* + *a*: O livro *ensejou-lhe* novas ideias.] **2** Aproveitar-se ocasião de. [*pr.*: *Ensejou-se* a João uma ótima oportunidade de trabalho.] [▶ **1** ense*jar*]

ensejo (en.*se*.jo) [ê] *sm.* Ocasião, oportunidade: Aproveitando o *ensejo*, pediu-a em casamento.

ensilar (en.si.*lar*) *v. Bras.* Armazenar em silo: *Ensilou* grande quantidade de cereais.

ensimesmar-se (en.si.mes.*mar*-se) *v. pr.* Absorver-se em si mesmo, sem interesse pelo que se encontra ao redor. [▶ **1** ensimes*mar*] • en.si.mes.ma.do *a*.

ensinamento (en.si.na.*men*.to) *sm.* **1** Ação ou resultado de ensinar. **2** Conjunto de ideias ou valores que se ensina: os *ensinamentos* do velho mestre. **3** Aquilo que serve de exemplo, de lição: Extraiu um grande *ensinamento* daquela experiência.

ensinar (en.si.*nar*) *v.* **1** Orientar, educar. [*td.*: Uma das missões dos pais é *ensinar* os filhos.] **2** Dar aulas (de); lecionar. [*td.*: *Ensinava* matemática e física. *tdi.* + *a*: *Ensinou* a turma a nadar. *int.*: Aposentou-se mas continuou a *ensinar*.] **3** Fazer adquirir ou adotar, por ensinamento (2) ou por experiência. [*td.*: O tempo *ensina* a paciência. *tdi.* + *a*: "...e *ensinava* aos homens a prática do bem..." (Cecília Meireles, *Rui*).] **4** Mostrar, indicar. [*td.*: *ensinar* um rumo. *tdi.* + *a*: *Ensinou* aos turistas o caminho.] **5** Adestrar (animal). [*td.*] [▶ **1** ensi*nar*] • en.si.na.do *a*.

ensino (en.*si*.no) *sm.* **1** Ação, resultado ou processo de ensinar, de transmitir conhecimentos. **2** O conjunto de métodos e técnicas utilizados nesse processo. ▪ **~ fundamental** Aquele (anteriormente denominado primeiro grau) ministrado no Brasil da 1ª à 9ª série. **~ médio** Aquele ministrado no Brasil aos alunos a partir da 9ª série do ensino fundamental, durante três anos letivos (1ª à 3ª séries), correspondendo ao antigo segundo grau. **~ superior** Ensino universitário.

ensolarado (en.so.la.*ra*.do) *a.* Cheio de sol (dia ensolarado).

ensopado (en.so.*pa*.do) *a.* Que está muito molhado; ENCHARCADO. *sm.* **2** *Cul.* Carne em pequenos pedaços (no camarão, peixe etc.) cozida em molho, com batatas ou legumes.

ensopar (en.so.*par*) *v.* **1** Encharcar(-se), empapar(-se). [*td.*: *Ensopou* o pano para limpar o vidro. *pr.*: *Ensopou-se* na chuva.] **2** *Cul.* Preparar ensopado (2) de. [*td.*: *ensopar* a carne.] [▶ **1** enso*par*]

ensurdecer (en.sur.de.*cer*) *v.* **1** Tornar(-se) surdo. [*td.*: O barulho das máquinas *ensurdecia* os operários. *int.*: *Ensurdeceu* aos oitenta anos.] **2** Causar surdez. [*int.*: Certas doenças podem *ensurdecer*.] **3** Abafar (o som de), ou ficar abafado. [*td.*: Fechamos as janelas para *ensurdecer* as buzinas. *int.*: O rumor da cachoeira *ensurdecia* com a distância.] [▶ **33** ensurde*cer*] • en.sur.de.ce.dor *a*.; en.sur.de.ci.do *a*.; en.sur.de.ci.men.to *sm*.

entabular (en.ta.bu.*lar*) *v. td.* **1** Guarnecer ou revestir de tábuas. **2** Dar início a (conversa, negociação). [▶ **1** entabu*lar*] • en.ta.bu.la.do *a*.

entaipar (en.tai.*par*) *v. td.* **1** Cobrir ou envolver com taipas. **2** Emparedar. [▶ **1** entai*par*]

entalar (en.ta.*lar*) *v.* **1** Colocar tala(s) em. [*td.*: O médico *entalou* o braço quebrado.] **2** Pôr ou entrar em lugar estreito, de difícil retirada ou saída. [*td*.: *Entalou* o pé no buraco. *int*./*pr*.: Cheio de bolsas, *entalou(-se)* na roleta do ônibus.] **3** Fazer que fique ou ficar com a garganta obstruída. [*td*.: Esta espinha de peixe quase me *entala*. *int*./*pr*.: *Entalou(-se)* com a farofa.] **4** *Fig*. Meter(-se) em situação difícil; ENCALACRAR(-SE); ENROLAR(-SE). [*td*.: As dívidas o *entalaram*. *int*./*pr*.: Não estudou e acabou *entalando(-se)* na prova.] ▶ 1 ental**ar** ● en.ta.*la*.do *a*.

entalhador (en.ta.lha.*dor*) [ô] *a.sm*. **1** Que ou quem entalha, que faz trabalhos, ger. artísticos, em madeira. *sm*. **2** Instrumento próprio para entalhar.

entalhar (en.ta.*lhar*) *v*. *td*. *int*. Talhar (madeira) para fazer escultura, entalhe ou matriz de xilogravura; ESCULPIR; GRAVAR. [▶ 1 entalh**ar**] ● en.ta.*lha*.do *a*.; en.ta.lha.*men*.to *sm*.; en.ta.lha.*du*.ra *sf*.

entalhe, entalho (en.*ta*.lhe, en.*ta*.lho) *sm*. **1** Incisão feita em madeira, ger. por entalhador (1): *cadeira com delicados entalhes*. **2** Escultura ou gravura em madeira. **3** Peça que apresenta figuras entalhadas.

entanto (en.*tan*.to) *sm*. Us. na loc. ▪ **No ~** Entretanto; apesar disso: *O filme é ótimo, no entanto, não fez sucesso*.

então (en.*tão*) *adv*. **1** Nesse ou naquele momento: *Foi então que percebi como tinha sido ingênua*. **2** Naquela época: *Namorava-se então no portão de casa*. **3** Nesse caso: *Se isso é verdade, então vamos denunciá-lo*. **4** No discurso, com forma interrogativa, reclama continuação do que está sendo contado: *E então? O que ela respondeu?* *conj.concl*. **5** Portanto, logo: *Grande parte fizemos juntos, então vamos continuar assim*.

entardecer (en.tar.de.*cer*) *v*. *int*. **1** Vir chegando a tarde; cair a tarde. [▶ **33** entardec**er**]. V. impess.] *sm*. **2** O cair da tarde; o pôr do sol.

ente (*en*.te) *sm*. **1** O que existe, ou o que se supõe que exista; SER. **2** Indivíduo, pessoa (*ente* querido).

enteado (en.te:*a*.do) *sm*. Filho de casamento anterior em relação ao cônjuge atual de alguém.

entediar (en.te.di.*ar*) *v*. Provocar ou sentir tédio; ENFADAR(-SE), ABORRECER(-SE). [*td*.: A televisão o *entediava*. *pr*.: *Entediei-me naquela festa*.] [▶ 1 entedi**ar**] ● en.te.*di:a*.do *a*.; en.te.*di:an*.te *a2g*.

entender (en.ten.*der*) *v*. **1** Perceber ou captar pela inteligência o sentido de algo, uma situação etc.; COMPREENDER. [*td*.: Não *entendeu* o que leu; Já *entendi* o problema; (sem complemento explícito) *Vou desistir, entendeu?*] **2** Ter conhecimento de, ou experiência, habilidade em; CONHECER; SABER. [*td*.: *entender* um idioma. *ti*. + *de*: Você não *entende de mecânica*.] **3** Ouvir. [*td*.: Daqui não é possível *entender* o que dizem.] **4** Deduzir, depreender. [*td*.: "Ouvindo passos no corredor, *entendeu* que alguém se aproximava..." (Manuel Antônio de Almeida, *Memórias de um sargento de milícias*)] **5** Resolver-se a; DECIDIR. [*td*.: *Eles entenderam* que seria melhor adiar a greve. *ti*. + *de*: *E ela entendeu de se ausentar logo agora*...] **6** Entrar ou estar em entendimento, ou em acordo com; AVIR-SE. [*pr*.: *Não consegue se entender com o colega*.] [▶ 2 entend**er**] *sm*. **7** Entendimento: *No meu entender, não devemos continuar a experiência*. ● en.ten. de.*dor* *a.sm*.

entendido (en.ten.*di*.do) *a.sm*. **1** Que ou quem entende de determinado assunto: *Ele é entendido em informática*. *sm*. **2** *Bras*. *Gír*. Homossexual masculino.

entendimento (en.ten.di.*men*.to) *sm*. **1** Compreensão, conhecimento: *Usou todo o seu entendimento para diagnosticar a doença*. **2** Parecer, opinião: *No meu entendimento, este trabalho deve ser refeito*. **3** Combinação, acordo: *Discutiram muito mas não chegaram a um entendimento*.

entenebrecer (en.te.ne.bre.*cer*) *v*. Cobrir(-se) ou encher(-se) de trevas; ENTREVAR²(-SE). [*td*.: *Nuvens negras entenebreceram a cidade. int*./*pr*.: *O céu entenebreceu(-se), anunciando a tempestade*.] [▶ **33** entenebre**cer**] ● en.te.ne.bre.*ci*.do *a*.; en.te.ne.bre. ci.*men*.to *sm*.

⊕ **enter** (*Ing*. /ênter/) *sm*. *Inf*. Comando (ou a tecla que o executa) que complementa e aciona instrução do usuário ao computador.

enterite (en.te.*ri*.te) *sf*. *Med*. Inflamação no intestino.

enternecer (en.ter.ne.*cer*) *v*. Tornar(-se) terno, brando, ou compadecer-se. [*td*.: *A dor do adversário o enterneceu*. *pr*.: *Homem duro, nada o faz enternecer-se*.] [▶ **33** enterne**cer**] ● en.ter.ne.ce.*dor* *a*.; en.ter.ne.*ci*.do *a*.; en.ter.ne.ci.*men*.to *sm*.

enterologia (en.te.ro.lo.*gi*.a) *sf*. Estudo do intestino e de suas funções. ● en.te.ro.*ló*.gi.co *a*.; en.te.ro.lo. *gis*.ta *s2g*.

enterovírus (en.te.ro.*ví*.rus) *sm2n*. *Micbiol*. Vírus que atua no tubo digestivo.

enterrada (en.ter.*ra*.da) *sf*. *Basq*. Ação e resultado de enfiar a bola na cesta com força, de cima para baixo.

enterrar (en.ter.*rar*) *v*. **1** Pôr debaixo da terra. [*td*.: *O cão enterrou o osso*.] **2** Pôr (pessoa falecida) em túmulo; SEPULTAR. [*td*.: *A família enterrará hoje seu patriarca*.] **4** Sobreviver a (alguém). [*td*.: *Já enterrou todos os amigos da infância*.] **5** *Fig*. Provocar o morte de. [*td*.: *Os descaminhos do filho acabarão por enterrá-la*.] **6** *Fig*. Cravar, enfiar profundamente. [*di*. + *em*: *enterrar um prego na madeira*.] **7** *Fig*. Esconder, ocultar. [*td*.: *Enterraram o escândalo entre quatro paredes*.] **8** *Fig*. Dar por encerrado, esquecer (discussão, discórdia, assunto etc.). [*td*.: *Vamos enterrar de vez essa briga*.] **9** *Bras*. *Fig*. Levar ao fracasso de (algo, alguém ou si mesmo); ARRUINAR(-SE). [*td*.: "Um eventual fracasso (...) poderá *enterrar* seus planos futuros" (*O Globo*, 04.01.04). *pr*.: *Investiu mal e se enterrou*.] **10** *Basq*. Meter (a bola) na cesta com força, de cima para baixo. [*td*. sem complemento explícito: *Driblou dois adversários e enterrou (a bola)*.] [▶ 1 enterr**ar**] ● en.ter.*ra*.do *a*.; en.ter.ra.*men*.to *sm*.

enterro (en.*ter*.ro) [ê] *sm*. **1** Ato de enterrar um defunto: *Providenciaram o enterro da vítima*. **2** Funeral: *Compareceu ao enterro do cantor*.

entesourar (en.te.sou.*rar*) *v*. *td*. Acumular (dinheiro, bens etc.). [▶ 1 entesour**ar**] ● en.te.sou. *ra*.do *a*.

entidade (en.ti.*da*.de) *sf*. **1** Tudo o que existe ou que se supõe existir; ENTE; SER. **2** Empresa, organização: *Era uma entidade beneficente, sem fins lucrativos*.

entoação (en.to:a.*ção*) *sf*. **1** Ação ou resultado de entoar. **2** Inflexão na voz, ao se falar ou cantar; ENTONA-ÇÃO. **3** *Ling*. Ver entonação. [Pl.: -ções].

entoar (en.to.*ar*) *v*. *td*. **1** Cantar (melodia, canção etc.); *entoar uma canção de ninar*. **2** Recitar, declamar, enunciar: *entoar um poema*. **3** Dar o tom de (melodia, música): *O maestro entoou a ária para a cantora*. [▶ **16** ent**oar**] ● en.to.*a*.do *a*.; en.to:*a*. *men*.to *sm*.

entocar (en.to.*car*) *v*. *Bras*. **1** Meter(-se) ou esconder(-se) em toca; ENCAFURAR(-SE). [*td*.: *O urso entocou os filhotes para a hibernação*. *pr*.: *A raposa entocou-se*.] **2** *Fig*. Enclausurar-se, esconder-se, trancar-se. [*pr*.: *Queria sossego por uns tempos, e entocou-se em casa*.] [▶ 11 ento*car*] ● en.to.*ca*.do *a*.

entojo (en.*to*.jo) [ô] *sm*. **1** Nojo que sente, eventualmente, uma mulher grávida. **2** Desejo súbito de algo que acomete, eventualmente, mulher grávida.

entômico (en.*tô*.mi.co) *a*. *Ent*. Referente a insetos.

entomófago (en.to.*mó*.fa.go) *a*. *Bot*. *Zool*. Que se alimenta de insetos (diz-se de animais e plantas).

entomofilia (en.to.mo.fi.*li*.a) *sf*. *Bot*. Transporte do pólen de uma flor para outra por intermédio de insetos.

entomologia | entre

entomologia (en.to.mo.lo.*gi*.a) *sf. Zool.* Estudo dos insetos. ● en.to.mo.*ló*.gi.co *a.*; en.to.mo.lo.*gis*.ta *s2g.*

entonação (en.to.na.*ção*) *sf.* **1** Modulação no tom da voz, ou modo de emitir as palavras. **2** *Ling.* Entonação (1) na pronúncia de uma frase e que faz dela uma pergunta, uma afirmação, uma demonstração de surpresa etc. [Sin. ger.: *entoação*.] [Pl.: -*ções*.]

entono (en.*to*.no) *sm.* **1** Altivez, orgulho. **2** Arrogância, empáfia.

entontecer (en.ton.te.*cer*) *v.* **1** Provocar tontura em, ou ficar tonto. [*td.*: *A sensação de altura o entontece*. *int./pr.*: *Andou no corrimão e entonteceu(-se)*.] **2** *Fig.* Fazer que fique ou ficar aturdido. [*td.*: *O barulho e a gritaria o entontecem*. *int./pr.*: *Entonteceu(-se) com a beleza do espetáculo*.] [▶ 33 entontec*er*] ● en.ton.te.*ci*.do *a.*; en.ton.te.ce.*dor a.*; en.ton.te.ci.*men*.to *sm.*

entornar (en.tor.*nar*) *v.* **1** Virar (recipiente), despejando seu conteúdo. [*td.*: *Entornar um copo d'água*.] **2** Derramar(-se), extravasar(-se), transbordar. [*td.*: *Entornou o café ao encher a xícara*. *int./pr.*: *O leite ferveu na panela e entornou(-se)*.] **3** Despejar, derramar espalhando (líquido, grãos, coisas pequenas). [*td.* (seguido de indicação de lugar): *Abriu o cofrinho e entornou as moedas na mesa*.] **4** *Pop.* Tomar (bebida alcoólica). [*td.*: *Entornou três copos de cerveja*.] [▶ 1 entorn*ar*]

entorno (en.*tor*.no) [ó] *sm.* **1** Adjacência, circunvizinhança. **2** *Arq.* Área adjacente a um bem tombado. **3** *Mat.* Área em torno de um determinado ponto.

entorpecente (en.tor.pe.*cen*.te) *a2g.* **1** Que entorpece. *sm.* **2** Substância tóxica que pode causar sensações inebriantes, mas age sobre os centros nervosos provocando dependência do usuário à substância e danos físicos e mentais. [V. tb. *estupefaciente*.]

entorpecer (en.tor.pe.*cer*) *v.* **1** Causar torpor a ou ficar em torpor. [*td.*: *O remédio entorpeceu o paciente*. *int./pr.*: *Passou a noite em claro e entorpeceu(-se)*.] **2** Debilitar, enfraquecer. [*td.*: *A desnutrição entorpece o corpo e o espírito*.] [Ant.: *animar, avivar, escitar*.] [▶ 33 entorpec*er*] ● en.tor.pe.*ci*.do *a.*; en.tor.pe.ci.*men*.to *sm.*

entorse (en.*tor*.se) [ó] *sf. Med.* Lesão dos tendões ou ligamentos de uma articulação, ger. causada por torcedura.

entortar (en.tor.*tar*) *v.* **1** Fazer que fique ou fique torto. [*td.*: *A umidade entortou a madeira*. *int./pr.*: *Seu corpo entortou(-se) com a idade*.] **2** Dar forma de arco a, ARQUEAR. [*td.*] [▶1 entort*ar*] ● en.tor.*ta*.do *a.*; en.tor.ta.*men*.to *sm.*

entozoário (en.to.zo.á.ri:o) *sm. Zool.* Organismo animal que vive dentro de outro animal, como parasito.

entrada (en.*tra*.da) *sf.* **1** Ação ou resultado de entrar: *O cantor fez uma entrada triunfal*. **2** Admissão: *Sua entrada no clube não foi permitida*. **3** Ingresso: *A entrada custava dez reais*. **4** Lugar por onde se entra: *a entrada de uma loja*. **5** *Cul.* O primeiro prato servido em almoço, ceia etc. **6** Parte da cabeça, acima das fontes, onde começam a rarear os cabelos. **7** Palavra que introduz um verbete em dicionário. **8** *Com.* Primeira parcela de pagamento em aquisição ou negócio. **9** *Esp.* Investida, ger. com certa violência, de um jogador sobre o adversário, para interromper a jogada. **10** *Bras. Hist.* Expedição que, na época colonial, avançava pelo interior do país, para explorar suas potencialidades. **11** *Inf.* Transferência de informação para computador: *entrada de dados*.

entrançar (en.tran.*çar*) *v.* **1** Fazer trança em; TRANÇAR. [*td.*: *entrançar os cabelos*.] **2** Entrelaçar(-se), entretecer(-se). [*td.*: *"...fiavam, teciam, entrançavam cestas e esteiras..."* (Alberto da Costa e Silva, *A manilha e o libambo*). *tdi.* + *com*: *entrançar uma fita com outra*. *pr.*: *Estes arbustos se entrançaram*.] [▶ 12 entrançar] ● en.tran.*ça*.do *a.sm.*; en.tran.ça.*men*.to *sm.*

entranha (en.*tra*.nha) *sf.* **1** Víscera do abdome ou do tórax. **2** entranhas *sfpl.* **2** O conjunto dos órgãos do ventre de homens e animais. **3** O útero materno: *Sentia a criança se debater em suas entranhas*. **4** *Fig.* A parte mais profunda, mais íntima de algo: *O fogo parecia surgir das entranhas da terra*.

entranhado (en.tra.*nha*.do) *a.* **1** Que se arraigou, que se fixou (hábitos entranhados). **2** Íntimo, profundo (ódio entranhado).

entranhar (en.tra.*nhar*) *v.* **1** Fazer penetrar nas entranhas de; CRAVAR. [*tdi.* + *em*: *Entranhou a faca na fera*.] **2** Fixar-se, arraigar-se (tb. *Fig.*). [*pr.*: *As raízes buscam entranhar-se na terra*.] **3** *Fig.* Internar-se, embrenhar-se. [*pr.*: *"...cada vez mais nos entranhávamos pelas montanhas..."* (Álvares de Azevedo, *Noite na taverna*).] **4** *Fig.* Absorver-se, concentrar-se, mergulhar. [*pr.*: *Entranhou-se no trabalho*.] [▶ 1 entranh*ar*]

entrante (en.*tran*.te) *a2g.* **1** Que entra. **2** Que já vai entrar, ou começar: *No mês entrante estarei em Brasília*.

entrar (en.*trar*) *v.* **1** Passar de fora para dentro. [*ti.* + *em*: *entrar em casa*.] **2** Introduzir-se, insinuar-se, penetrar. [*int.* (seguido de indicação de lugar): *O sol entra pelas janelas*.] **3** Começar; ter início; abrir. [*int.*: *O novo ano entrou com muitas esperanças*.] **4** Começar a exercer (função, atividade etc.), ou a fruir. [*ti.* + *de, em, para*: *Entramos de férias; Ricardo vai entrar na política*.] **5** Começar a participar (de instituição, grupo etc.); ser aceito, admitido. [*ti.* + *em, para*: *Entrou na orquestra da escola*.] **6** Passar a (determinado estado, situação, condição etc.). [*ti.* + *em*: *entrar em pânico*; *"...ambulantes e guardas também entraram em confronto..."* (FolhaSP, 23.12.99).] **7** Alcançar (certa altura, cifra, idade, período etc.). [*ti.* + *em*: *Já entrei na casa dos quarenta*.] **8** Apresentar, interpor. [*ti.* + *com*: *entrar com uma ação judicial*.] **9** Considerar; ter em conta. [*ti.* + *em*: *entrar em detalhes*.] **10** Intrometer-se, meter-se, envolver-se. [*ti.* + *em*: *Não entro em brigas alheias*.] **11** Ser parte componente de, ou estar incluído em. [*ti.* + *em*: *Essa palavra não entrou no dicionário*.] **12** Contribuir, concorrer (com). [*ti.* + *com*: *Ele entra com o capital, e eu com o trabalho*.] **13** Dar início a trabalho. [*int.*: *Este turno entra às 20h*.] **14** *Bras. Pop.* Comer ou beber excessivamente. [*ti.* + *em*: *Entrou no uísque e passou mal*.] **15** *Inf.* Conectar-se com, abrir (programa, sítio). [*ti.* + *em*: *Entrou na internet*.] [▶ 1 entrar] [NOTA: Us. tb. como v. auxiliar, com a prep. *a* e seguido de infinitivo, para indicar o início de determinada ação: *Entramos a falar sobre receitas*.] **■** ~ **bem** *Bras. Joc.* Fracassar; ficar em má situação; dar-se mal. ● en.*tra*.do *a.*

entravar (en.tra.*var*) *v. td.* **1** Pôr entrave(s) a, OBSTRUIR. **2** Tornar impossível ou impraticável. [▶ 1 entrav*ar*] ● en.*tra*.va.do *a.*

entrave (en.*tra*.ve) *sm.* Obstáculo, empecilho: *A falta de dinheiro era um entrave para os meus planos*.

entre (en.tre) *prep.* **1** Indica espaço que separa duas ou mais pessoas ou coisas: *Sentou-se entre nós dois*. **2** Indica espaço linear que vai de uma coisa ou pessoa a outra: *uma estrada entre duas cidades*. **3** Expressa período de tempo que separa dois acontecimentos ou duas épocas: *Morreu entre o fim do Império e o começo da República*. **4** A meio termo de: *Havia entre dez e 12 pessoas na sala*. **5** Dentro de; cercado por: *Como aguenta viver entre quatro paredes?* **6** No âmbito de: *Passou a virada de ano entre amigos*. **7** Indica alternativas para escolha ou preferência: *Entre o louro e o moreno, escolheu o segundo*. **■** ~ **si** Em relação de reciprocidade: *Discutiram entre si, antes de apresentar a proposta*.

entreaberto (en.tre:a.*ber*.to) *a*. Parcialmente aberto.

entreabrir (en.tre:a.*brir*) *v*. **1** Abrir(-se) um pouco. [*td*.: *entreabrir uma porta/um livro*. *pr*.: *Viu de longe as cortinas se entreabrirem*.] **2** Começar a desabrochar. [*int./pr*.: *Esta noite as rosas entreabriram(-se)*.] [▶ **3** entreabr*ir*. Part.: *entreaberto*.]

entreato (en.tre.*a*.to) *sm*. Teat. Intervalo entre os atos de peça teatral, ópera etc.

entrecasca (en.tre.*cas*.ca) *sf*. Bot. Parte interna da casca das árvores.

entrecerrar (en.tre.ce.*rrar*) *v*. *td*. Cerrar parcialmente; ENTREFECHAR: *Entrecerrou os olhos, fingindo dormir*. [▶ **1** entrecerr*ar*]

entrecho (en.*tre*.cho) [ê] *sm*. Enredo ou trama de obra de ficção.

entrechocar (en.tre.cho.*car*) *v*. **1** Fazer bater um no outro ou chocar-se reciprocamente; *entrebater*. [*td*.: *Entrechocou bolas de bilhar*. *pr*.: *Os carros entrechocaram-se*.] **2** Fig. Estar em contradição. [*pr*.: *Estes conceitos se entrechocam*.] [▶ **11** entrecho*car*]

entrechoque (en.tre.*cho*.que) *sm*. **1** Choque entre duas ou mais coisas, pessoas etc. **2** Confronto de ideias, planos, conceitos etc. contrários.

entrecortado (en.tre.cor.*ta*.do) *a*. Que é interrompido repetidas vezes (*conversa entrecortada*).

entrecortar (en.tre.cor.*tar*) *v*. **1** Cortar em forma de cruz; cruzar cortes em. [*td*.: *entrecortar um pano*.] **2** Fig. Interromper em intervalos. [*td*. (seguido de indicação de meio/modo): *Entrecortou o discurso com alegorias*.] **3** Atravessar-se, cruzar-se. [*pr*.: *As vozes entrecortavam-se acaloradamente*.] [▶ **1** entrecort*ar*]

entrecosto (en.tre.*cos*.to) [ô] *sm*. Bras. Carne bovina situada entre as costelas do animal.

entrecruzar (en.tre.cru.*zar*) *v*. **1** Entrelaçar, cruzar. [*td*.: *Nervoso, entrecruzava os dedos*.] **2** Cruzar-se, atravessar-se. [*pr*.: *Entrecruzaram-se várias vezes no dia*.] [▶ **1** entrecruz*ar*]

entrefechar (en.tre.fe.*char*) *v*. Ver *entrecerrar*. [▶ **1** entrefech*ar*]

entrega (en.*tre*.ga) *sf*. **1** Ação de dar ou passar para alguém alguma coisa. **2** Aquilo que é dado ou passado. **3** Ação de conceder título de propriedade ou de outra natureza: *entrega das chaves/do diploma*. **4** Dedicação total a uma situação, a algo ou a alguém.

entregador (en.tre.ga.*dor*) *sm*. Pessoa que realiza entregas de produtos em domicílio ou outro lugar.

entregar (en.tre.*gar*) *v*. **1** Fazer chegar às mãos de alguém. [*td*.: *Vou entregar uma encomenda*. *tdi*. + *a*: *Entregou o embrulho ao comprador*.] **2** Devolver, restituir. [*tdi*. + *a*: *Já entreguei ao João o livro que me emprestou*.] **3** Pôr(-se) sob a responsabilidade ou os cuidados de; CONFIAR(-SE). [*tdi*. + *a*: *Entregou o trabalho a uma equipe competente*. *pr*.: *Entregou-se às mãos da amada*.] **4** Denunciar, delatar. [*td*.: *Vai entregar o cúmplice*. *tdi*. + *a*: *Entregou o assaltante ao delegado*.] **5** Dar-se por vencido; desistir; render-se. [*pr*.: *Cercados, os ladrões entregaram-se à polícia*.] **6** Dedicar-se, consagrar-se. [*pr*.: *Entregaram-se a obras de caridade*.] **7** Deixar-se dominar ou subjugar; ABANDONAR-SE. [*pr*.: *"Não se entregue ao desespero..."* (Paulo Coelho, *O alquimista*).] [▶ **14** entreg*ar*. Part.: *entregado* e *entregue*.]

entregue (en.*tre*.gue) *a2g*. **1** Que foi dado ou confiado a alguém. **2** Que está completamente dedicado a algo: *entregue aos estudos*. **3** Bras. Que está extremamente cansado e sem vitalidade: *Ficamos entregues o resto da viagem*.

entreguerras (en.tre.*guer*.ras) *sm*. **1** Hist. Período situado entre o fim da Primeira Guerra Mundial e o começo da Segunda: *O fascismo surgiu na Europa no entreguerras*. *a2g*. **2** Ref. a esse intervalo de tempo.

entrelaçar (en.tre.la.*çar*) *v*. **1** Enlaçar(-se), entrecer(-se), entrançar(-se) (um no outro). [*td*.: *entrelaçar fios/as mãos*. *tdi*. + *com*, *em*: *entrelaçar um cordão com outro*. *pr*.: *Nesta floresta os ramos se entrelaçam*.] **2** Fig. Embaralhar(-se), confundir(-se), misturar(-se). [*td*.: *entrelaçar sons/cheiros*. *tdi*. + *com*: *Entrelaçava arte com ciência*. *pr*.: *Vaias e aplausos entrelaçaram-se ruidosamente*.] [▶ **12** entrela*çar*] ● en.tre.la.*ça*.do *a*.; en.tre.la.ça.*men*.to *sm*.

entrelinha (en.tre.*li*.nha) *sf*. **1** Espaço existente entre duas linhas consecutivas de texto. **2** O que se escreve nesse espaço. ☑ **entrelinhas** *sfpl*. **3** Sentido implícito em um texto, comentário etc.: *Preste atenção às entrelinhas do artigo*.

entrelinhar (en.tre.li.*nhar*) *v*. *td*. Escrever em entrelinha(s): *Entrelinhei várias observações no relatório*. [▶ **1** entrelinh*ar*] ● en.tre.li.nha.*men*.to *sm*.

entreluzir (en.tre.lu.*zir*) *v*. *int*. **1** Começar a luzir, a irradiar luz. **2** Luzir fraca ou intermitentemente; BRUXULEAR; TREMELUZIR: *As estrelas entreluziam ao amanhecer*. [▶ **57** entrelu*zir*. No sentido literal é unipessoal, só se conjuga nas 3as pessoas. [Cf. *espacejar*.]

entremear (en.tre.me.*ar*) *v*. Pôr(-se) de permeio; ENTREMETER(-SE); INTERCALAR(-SE). [*td*.: *entremear cordões/fios*; (seguido de indicação de lugar) *Entremeou suas observações no texto do relatório*. *tdi*. + *com*, *de*: *Entremeia sua prosa com versos*. *pr*.: *Entremeou-se entre os rivais para evitar a briga*.] [▶ **13** entrem*ear*] ● en.tre.me.*a*.do *a*.

entremeio (en.tre.*mei*.o) *sm*. **1** Aquilo que se situa entre duas coisas ou se passa entre dois acontecimentos; INTERVALO. **2** Tira bordada ou renda costurada entre duas peças lisas.

entrementes (en.tre.*men*.tes) *adv*. Nesse meio tempo; nesse ínterim. [NOTA: Us. como subst. nas locuções *no entrementes*, *neste ou nesse entrementes*.]

entremeter (en.tre.me.*ter*) *v*. Ver *entremear*. [▶ **2** entremet*er*]

entremostrar (en.tre.mos.*trar*) *v*. Mostrar(-se) parcialmente. [*td*.: *Finalmente entremostrava um sorriso*. *tdi*. + *a*: *Aquele fato entremostrou-lhe a verdade*. *pr*.: *A moça entremostrou-se na janela*.] [▶ **1** entremostr*ar*]

entrenó (en.tre.*nó*) *sm*. Bot. Parte do caule que fica entre dois nós.

entreolhar-se (en.tre:o.*lhar*-se) *v*. *pr*. Olhar-se mutuamente. [▶ **1** entreolh*ar*-se]

entreouvir (en.tre:ou.*vir*) *v*. *td*. Ouvir (algo) indistintamente ou parcialmente. [▶ **40** entreou*vir*]

entreperna (en.tre.*per*.na) *sf*. **1** Parte interna das coxas, situada nas proximidades da junção entre as pernas. **2** Parte das calças próxima da junção entre as pernas. **3** Bras. Porção de carne retirada da região entre as pernas de boi ou porco. **4** Bras. Churrasco ou assado feito dessa carne.

entreposto (en.tre.*pos*.to) [ô] *sm*. **1** Grande depósito de mercadorias; ARMAZÉM. **2** Local onde ficam guardadas mercadorias que esperam liberação alfandegária. **3** Local onde são armazenadas e negociadas mercadorias pertencentes a uma única companhia privada ou ao Estado. [Pl.: *ó*].

entressafra (en.tres.*sa*.fra) *sf*. Agr. Período entre duas safras de um mesmo produto.

entressola (en.tres.*so*.la) *sf*. Peça que fica entre a palmilha e a sola de um calçado.

entretanto (en.tre.*tan*.to) *conj.advers*. **1** Porém, mas: *O livro é bom e oportuno; entretanto, vendeu pouco*. *adv*. **2** Enquanto isso, nesse ínterim. ‖ **No ~** No entanto; todavia: *O dia estava lindo; no entretanto, a corrida foi adiada*.

entretecer (en.tre.te.*cer*) *v*. **1** Entrelaçar(-se), entremear(-se). [*td*.: *entretecer cordões*. *pr*.: *As trepadeiras*

entretela | **entupir** 318

se entretecem tronco acima.] **2** Inserir, intercalar. [*td.* (seguido de indicação de lugar): *Entretece vários assuntos em seus discursos*. *tdi.* + *com, de*: *Entretece seus discursos com vários assuntos.*] **3** *Fig.* Armar, urdir (intriga ou trama de obra ficcional). [*td.*] [▶ 33 entreter] • en.tre.te.ci.do *a*.

entretela (en.tre.*te*.la) *sf*. Tecido que se coloca entre o forro e a fazenda de uma peça de roupa para torná-la mais encorpada.

entretempo (en.tre.*tem*.po) *sm*. Intervalo de tempo entre dois momentos determinados; INTERIM.

entretenimento (en.tre.te.ni.*men*.to) *sm*. **1** Ação de entreter (2). **2** Aquilo que distrai ou diverte; DIVERSÃO.

entreter (en.tre.*ter*) *v*. **1** Desviar a atenção de; DISTRAIR. [*td.*: *Entreteve a criança enquanto lhe dava o remédio.*] **2** Recrear(-se), distrair(-se). [*td.*: *Contratou um animador para entreter os convidados*; (seguido de indicação de meio/modo) *Vamos entreter o público com um número musical*. *pr.*: "...tinha velhos livros, e com eles se entretinha..." (Josué Montello, *Sempre serás lembrada*).] **3** Ser motivo de distração ou entretenimento. [*int.*: *Uma boa música sempre entretém.*] **4** Deter(-se), reter(-se), desviando a atenção. [*td.*: *Entretiveram-na em casa enquanto preparavam a festa*. *pr.*: *Entreteve-se na conversa e perdeu a hora.*] [▶ 7 entreter] • en.tre.ti.do *a*.

entretítulo (en.tre.*ti*.tu.lo) *sm*. *Jorn.* Cada um dos títulos que encabeçam as diversas partes que compõem uma matéria jornalística. [Cf.: *subtítulo*.]

entrevar[1] (en.tre.*var*) *v*. Tornar(-se) paralítico. [*td.*: *Um acidente entrevou o rapaz*. *int./pr.*: *O soldado entrevou(-se) com o tiro.*] [▶ 1 entrevar] • en.tre.va.do *a*.

entrevar[2] (en.tre.*var*) *v*. Ver *entenebrecer*. [▶ 1 entrevar] • en.tre.va.do *a*.

entrever (en.tre.*ver*) *v*. **1** Ver indistintamente ou rapidamente. [*td.*: *Pela veneziana entreviu a amiga.*] **2** Pressentir, prever. [*td.*: *Como poderia entrever a tragédia?*] **3** Ver-se (a si mesmo ou reciprocamente) de passagem; AVISTAR-SE. [*pr.*: *Entreviu-se rapidamente no espelho*; *Entrevíramo-nos quando se cruzaram na multidão.*] [▶ 32 entrever]. Part.: *entrevisto*.]

entrevero (en.tre.*ve*.ro) [ê] *sm*. **1** *Bras.* Desavença, desentendimento. **2** *RS* Mistura ou confusão entre pessoas, animais ou objetos. **3** *RS* Combate em que os integrantes das tropas adversárias se misturam e lutam individualmente.

entrevista (en.tre.*vis*.ta) *sf*. **1** *Jorn.* Diálogo conduzido por um repórter, com o objetivo de realizar matéria jornalística: *O repórter fez uma entrevista com o diretor do filme*. **2** *Jorn.* A matéria produzida a partir desse diálogo: *Você leu a entrevista do presidente?* **3** Encontro formal para obtenção de informações ou avaliação de uma pessoa: *O processo seletivo inclui a realização de uma entrevista*. ▪ ~ **coletiva** *Bras. Jorn.* Entrevista, previamente marcada, concedida a um grupo de jornalistas. ▪ **exclusiva** *Bras. Jorn.* Entrevista concedida com exclusividade a uma empresa jornalística.

entrevistar (en.tre.vis.*tar*) *v*. **1** Fazer entrevista com. [*td.*: *O jornalista o entrevistará amanhã*; (seguido de indicação de assunto) *O repórter entrevistou o cantor sobre seu novo álbum.*] **2** Ter entrevista, encontro, reunião (com alguém). [*pr.*: *Ela entrevistou-se com o empresário.*] [▶ 1 entrevistar] • en.tre.vis.ta.do *a.sm.*; en.tre.vis.ta.dor *sm*.

entrincheirar (en.trin.chei.*rar*) *v*. Proteger(-se) com trincheiras ou barricadas. [*td.*: *As tropas entrincheiraram suas posições*. *pr.*: *As facções rivais entrincheiraram-se na praça.*] [▶ 1 entrincheirar] • en.trin.chei.ra.do *a*.; en.trin.chei.ra.men.to *sm*.

entristecer (en.tris.te.*cer*) *v*. Fazer que fique ou ficar triste; AFLIGIR(-SE). [*td.*: *Aquela notícia a entris-*

teceu. *int./pr.*: *Entristeceu(-se) ao saber que ela não viria.*] [▶ 33 entristecer] • en.tris.te.ce.dor *a*.; en.tris.te.ci.do *a*.; en.tris.te.ci.men.to *sm*.

entrombar (en.trom.*bar*) *v*. *int.* *Bras.* Ficar de tromba ou de cara feia; AMUAR-SE. [▶ 1 entrombar] • en.trom.ba.do *a*.

entroncado (en.tron.*ca*.do) *a*. Diz-se de pessoa corpulenta e de estatura baixa.

entroncamento (en.tron.ca.*men*.to) *sm*. Ponto de encontro de duas ou mais estradas ou vias férreas.

entroncar (en.tron.*car*) *v*. **1** Criar, adquirir tronco; robustecer(-se). [*int./pr.*: *Aquela árvore ainda não (se) entroncou.*] **2** Desembocar; ir dar (um caminho em outro). [*ti.* + *com*: *Esta estrada entronca com a rodovia.*] [▶ 11 entroncar]

entronizar (en.tro.ni.*zar*) *v*. **1** Elevar(-se) ao trono. [*td.*: *entronizar um rei*. *pr.*: *Um novo papa está por entronizar-se.*] **2** *Fig.* Glorificar, engrandecer, exaltar. [*td.*: *Seus livros entronizam as virtudes morais.*] **3** Pôr (imagem ou quadro de santo) em altar ou em lugar nobre. [*td.*: *Entronizaram uma Virgem Maria no oratório.*] [▶ 1 entronizar] • en.tro.ni.za.ção *sf.*; en.tro.ni.za.do *a*.

entropia (en.tro.*pi*.a) *sf*. *Fís.* Medida que expressa o grau de desordem de um sistema termodinâmico em função da temperatura.

entrosamento (en.tro.sa.*men*.to) *sm*. **1** Ação ou resultado de entrosar(-se); ENTENDIMENTO: *Havia um ótimo entrosamento entre os alunos*. **2** Bom ajuste entre elementos de um todo: *O time com melhor entrosamento ganhará o jogo*.

entrosar (en.tro.*sar*) *v*. **1** Ambientar(-se), adaptar(-se), encaixar(-se) (em um ambiente, grupo, trabalho etc.). [*td.*: *A simples convivência com os colegas entrosará o novato*; (seguido de indicação de lugar, condição etc.) *entrosar alguém num grupo*. *int./pr.*: *Já está com a turma há tempo, mas ainda não (se) entrosou.*] [▶ 1 entrosar] • en.tro.sa.do *a*.

entrouxar (en.trou.*xar*) *v. td.* Pôr em trouxa. [▶ 1 entrouxar]

entrudo (en.*tru*.do) *sm. Bras. Hist.* Antiga comemoração carnavalesca em que as pessoas jogavam água aromatizada, tinta, farinha etc. uns nos outros.

entubar (en.tu.*bar*) *v. td.* **1** Introduzir tubo em: *entubar um canal de drenagem*. **2** *Med.* Introduzir tubo em cavidade de (paciente). **3** *Bras. Esp.* No surfe, entrar surfando numa onda em forma de tubo. [▶ 1 entubar] • en.tu.ba.ção *sf*.

entulhar (en.tu.*lhar*) *v*. **1** Encher de entulho. [*td.*: *entulhar o quintal.*] **2** Encher(-se) demasiadamente; ABARROTAR(-SE). [*td.*: *entulhar um quarto*; (seguido de indicação de modo, instrumento) *Ela entulha a casa de quinquilharias*. *pr.*: *Com o temporal as ruas entulharam-se de detritos.*] [▶ 1 entulhar] • en.tu.lha.do *a*.

entulho (en.*tu*.lho) *sm*. **1** Lixo oriundo de construção ou demolição. **2** Quantidade de objetos, materiais etc. sem serventia; LIXO. **3** Mistura de terra, areia, pedras etc., us. para aterrar ou tornar plano um terreno.

entupigaitar (en.tu.pi.gai.*tar*) *v. Bras.* Embaraçar(-se), atrapalhar(-se), confundir(-se). [*td.*: *Entupigaitou o amigo com suas perguntas*. *pr.*: *Entupigaitou-se tentando responder ao entrevistador.*] [▶ 1 entupigaitar]

entupir (en.tu.*pir*) *v*. **1** Obstruir(-se), vedar(-se), tapar(-se). [*td.*: *A sujeira entupiu o cano*. *tdi.* + *com, de*: *Ela vive entupindo de cabelos o ralo*. *int./pr.*: *O túnel entupiu(-se) de tanto carro.*] **2** Encher(-se) demasiadamente. [*td.*: *Os camelôs entopem as calçadas do Rio*. *tdi.* + *com, de*: *Entupiu a garagem com pneus*. *pr.*: "...não quer mais se entupir de analgésicos..." (*Jornal Extra*, 15.09.98).] **3** Fartar(-se), empanturrar(-se) de. [*tdi.* + *de*: *A babá entope o*

menino de doces. *pr.*: *Entupi-me de salgadinhos, e não quero mais jantar.*] [▶ **53** entu**pir**. O *u* do rad. pode variar para *o* na 2ª pess. sing. e na 3ª pess. sing. e pl. do pres. do ind.] ● en.tu.*pi*.do *a.*; en.tu.pi.*men*.to *sm.*

enturmar (en.tur.*mar*) *v.* Bras. Fazer que participe ou participar de turma ou grupo de pessoas. [*td.*: *Fizeram de tudo para enturmá-lo*, mas sem sucesso. *tdi.* + *com*, *em*: *enturmar um recém-chegado com a vizinhança*. *pr.*: *Esse rapaz enturma-se facilmente.*] [▶ **1** enturm**ar**] ● en.tur.*ma*.do *a.*

entusiasmar (en.tu.si.as.*mar*) *v.* Provocar entusiasmo em ou ficar entusiasmado. [*td.*: *As perspectivas de lucro o entusiasmaram. pr.*: *Entusiasmei-me com sua poesia.*] [▶ **1** entusiasm**ar**] ● en.tu.si.*as*.*ma*.do *a.*; en.tu.si.as.*man*.te *a2g.*

entusiasmo (en.tu.si.*as*.mo) *sm.* **1** Forte alegria e animação; JÚBILO: *O entusiasmo tomou conta de todos depois da vitória.* **2** Arrebatamento, fervor com que se age: *O deputado sempre discursa com entusiasmo.* **3** Admiração por alguém ou algo: *O entusiasmo das fãs comoveu o cantor.* ● en.tu.si.*ás*.ti.ca *a2g.s2g.*; en.tu.si.*ás*.ti.co *a.* [Ant. ger.: *desentusiasmo.*]

enumerar (e.nu.me.*rar*) *v. td.* **1** Fazer enumeração de; indicar um a um: *Enumerou os muitos livros que comprou.* **2** Listar, relacionar: *enumerar as tarefas do dia.* [▶ **1** enumer**ar**] ● e.nu.me.ra.*ção sf.*

enunciado (e.nun.ci.*a*.do) *a.* **1** Expresso ou formulado por meio de palavras: *questão mal enunciada.* *sm.* **2** *Ling.* Frase, texto ou fragmento de texto (oral ou escrito) produzido em uma situação real de comunicação. ● e.nun.ci.a.*ção sf.*

enunciar (e.nun.ci.*ar*) *v.* Expressar oralmente ou por escrito. [*td.*: *enunciar ideias. tdi.* + *a, para: Enunciou para o auditório os princípios de sua doutrina.*] [▶ **1** enunci**ar**]

enurese (e.nu.*re*.se) *sf.* Med. Emissão involuntária de urina.

envaidecer (en.vai.de.*cer*) *v.* Tornar(-se) vaidoso ou presunçoso. [*td.*: *Suas conquistas o envaidecem. pr.*: *Envaideceu-se com o sucesso na carreira.*] [▶ **33** envaide**cer**] ● en.vai.de.ce.*dor a.*; en.vai.de.*ci*.do *a.*; en.vai.de.ci.*men*.to *sm.*

envasilhar (en.va.si.*lhar*) *v. td.* Pôr em vasilha, tonel, garrafa etc. [▶ **1** envasilh**ar**] ● en.va.si.lha.*men*.to *sm.*

envelhecer (en.ve.lhe.*cer*) *v.* **1** Tornar(-se) velho ou mais velho. [*td.*: *A doença o envelheceu. int.*: *Envelheceu e ganhou sabedoria.*] **2** Fazer que pareça ou parecer mais velho. [*td.* com ou sem complemento explícito: *Certas roupas (nos) envelhecem. int.*: *Ele envelhece com a barba.*] [▶ **33** envelhe**cer**] ● en.ve.lhe.*ci*.do *a.*; en.ve.lhe.ci.*men*.to *sm.*

envelopar (en.ve.lo.*par*) *v. td.* Bras. Pôr em envelope. [▶ **1** envelop**ar**]

envelope (en.ve.*lo*.pe) *sm.* Invólucro de papel us. para guardar ou enviar carta, impresso, documento etc.

envenenar (en.ve.ne.*nar*) *v.* **1** Pôr veneno em (alimento, remédio). [*td.*] **2** Ministrar veneno a ou tomar veneno. [*td.*: *Envenenou os ratos da casa. pr.*: *Envenenou-se bebendo cicuta.*] **3** Contaminar ou poluir. [*td.*: *O pesticida envenenou a plantação.*] **4** Intoxicar(-se). [*td.*: *O mercúrio o envenenou. pr.*: *Envenenou-se com agrotóxicos.*] **5** Fig. Estragar(-se) ou corromper(-se). [*td.*: "...a corrupção envenena a polícia..." (FolhaSP, 19.06.99). *pr.*: *Nossas relações envenenaram-se com as fofocas.*] [▶ **1** envenen**ar**] ● en.ve.ne.*na*.do *a.*; en.ve.ne.na.*men*.to *sm.*

enverdecer (en.ver.de.*cer*) *v.* **1** Tornar(-se) verde. [*td.*: *enverdecer uma peça de roupa. int./pr.*: *Seu rosto enverdeceu-se de tanto enjoo.*] **2** Cobrir(-se) de verdor, de vegetação verde. [*td.*: *A primavera enverdeceu os campos. int./pr.*: *Os campos enverdeceram(-se) na primavera.*] [▶ **33** enverde**cer**] ● en.ver.de.*ci*.do *a.*

enveredar (en.ve.re.*dar*) *v. ti.* **1** Tomar vereda ou caminho. [+ *para*, *por*: *Enveredou pelo atalho.*] **2** Fig. Dirigir-se, encaminhar-se. [+ *para*: *A conversa enveredou para assuntos pessoais.*] [▶ **1** envered**ar**]

envergadura (en.ver.ga.*du*.ra) *sf.* **1** Distância existente entre as extremidades das asas de um pássaro ou de um avião. **2** Fig. Capacidade, competência: *Esse jornalista é homem de grande envergadura intelectual.* **3** Fig. Importância, peso: *Precisamos de um especialista para uma tarefa dessa envergadura.*

envergar (en.ver.*gar*) *v.* **1** Tornar(-se) curvo; VERGAR(-SE); ARQUEAR(-SE). [*td.*]: *Envergou o arco com facilidade. int./pr.*: *Envergou(-se) ainda mais com a idade.*] **2** Vestir, trajar. [*td.*]: *Na recepção ele envergava seu uniforme.*] [▶ **14** enverg**ar**] ● en.ver.*ga*.do *a.*; en.ver.ga.*men*.to *sm.*

envergonhar (en.ver.go.*nhar*) *v.* **1** Provocar vergonha em, ou sentir vergonha, por vexação ou timidez. [*td.*: *Seu comportamento envergonha os pais. pr.*: "...nunca *me envergonhei* de sentar à mesa de seu pai rico..." (José de Alencar, *A viuvinha*).] **2** Desonrar, aviltar. [*td.*: *Uma decisão que envergonha quem a tomou.*] [▶ **1** envergonh**ar**] ● en.ver.go.*nha*.do *a.*

envernizar (en.ver.ni.*zar*) *v. td.* **1** Cobrir de verniz. **2** Dar brilho a; LUSTRAR. [▶ **1** enverniz**ar**] ● en.ver.ni.*za*.do *a.*

enviado (en.vi.*a*.do) *a.* **1** Que foi remetido ou expedido. *sm.* **2** Pessoa que, a pedido de alguém, leva correspondência ou objeto para entregar; PORTADOR. **3** Representante diplomático nomeado para missões específicas: *O enviado do governo está negociando o cessar-fogo.*

enviar (en.vi.*ar*) *v.* **1** Fazer seguir (para endereço, lugar etc.); DESPACHAR; EXPEDIR; REMETER. [*td.*: *enviar uma carta. tdi.* + *a*, *para*: *Enviou os originais do livro ao editor.*] **2** Fazer (alguém) ir (a algum lugar); MANDAR; ENCAMINHAR. [*td.* (seguido de indicação de lugar): *Enviou o filho para uma universidade europeia.*] **3** Mandar (alguém) em missão. [*td.* (seguido de indicação de lugar, missão etc.): "...enviar tropas francesas para o Iraque." (O Globo, 19.01.04).] [▶ **1** envi**ar**]

envidar (en.vi.*dar*) *v. td.* Aplicar com afinco ou empenho: *Envidarei todos os esforços para que tudo saia bem.* [▶ **1** envid**ar**]

envidraçado (en.vi.dra.*ça*.do) *a.* **1** Cercado por vidraças (varanda *envidraçada*). **2** Fig. Sem brilho, embaçado (olhos *envidraçados*).

envidraçar (en.vi.dra.*çar*) *v. td.* Guarnecer de vidro ou vidraça: *envidraçar à área de serviço.* [▶ **12** envidra**çar**] ● en.vi.dra.ça.*men*.to *sm.*

enviesar (en.vi.e.*sar*) *v. td.* **1** Pôr, cortar, arremessar de viés, em linha ou em posição oblíqua: *O tenista enviesou o golpe*; *A costureira enviesou o corte da manga da blusa.* **2** Pôr de esguelha; fazer ficar vesgo (o olhar). [▶ **1** enviesar**ar**] ● en.vi.e.*sa*.do *a.*; en.vi.e.sa.*men*.to *sm.*

envilecer (en.vi.le.*cer*) *v.* **1** Tornar(-se) vil ou desprezível; AVILTAR(-SE); DESONRAR(-SE). [*td.*: *A cobiça o envilecia. int./pr.*: *Ele (se) envilece com essas trapaças.*] **2** Reduzir(-se) o valor ou o preço de; DEPRECIAR(-SE). [*td.*: *A concorrência acabou envilecendo os produtos. int./pr.*: *O ouro envileceu(-se) ultimamente.*] [▶ **33** envile**cer**] ● en.vi.le.*ci*.do *a.*; en.vi.le.ci.*men*.to *sm.*

envio (en.*vi*.o) *sm.* Ação de enviar; EXPEDIÇÃO; REMESSA: *Solicitou o envio da segunda via da conta.*

enviuvar (en.vi.u.*var*) *v.* Tornar(-se) viúvo ou viúva. [*td.*: *Um trágico acidente a enviuvou. int.*: *Depois que enviuvou não saiu mais de casa.*] [▶ **1** enviuv**ar**]

envolta (en.*vol*.ta) [ô] *sf.* Falta de ordem; CONFUSÃO; TUMULTO.

envolto (en.*vol*.to) [ô] *a.* **1** Que está coberto ou embrulhado. **2** *Fig.* Que está cercado por algo (físico, ambiental etc.).

envoltório (en.vol.*tó*.ri.o) *sm.* Aquilo que serve para envolver ou embrulhar alguma coisa; INVÓLUCRO.

envolvente (en.vol.*ven*.te) *a2g.* Que é atraente, sedutor: *Com seu sorriso envolvente, ela cativa todos.*

envolver (en.vol.*ver*) *v.* **1** Cobrir(-se) em toda a volta; ENROLAR(-SE); CINGIR(-SE) (tb. *Fig.*). [*td.*: *Um papel brilhante envolvia o presente.* **tdi.** + *com, de, em*: *envolver a mão com uma atadura*; *Envolveu-me num abraço.* *pr.*: *Envolveu-se com uma manta.*] **2** Abranger, conter, encerrar. [*td.*: *Seu discurso envolve sérias advertências.*] **3** Implicar, importar. [*td.*: *A beleza de Verônica o envolveu.* **tdi.** + *com*: *Grande silêncio envolveu o auditório.*] **4** Atrair, cativar. [*td.*: *A beleza de Verônica o envolveu.* **tdi.** + *com*: *Ela envolve todos com seu saber.*] **5** Ter relação amorosa. [*pr.*: *Envolveu-se com um rapaz e largou o emprego.*] **6** Tomar conta de; DOMINAR; INVADIR. [*td.*: *Grande silêncio envolveu o auditório.*] **7** Implicar(-se), comprometer(-se). [*td.*: "...a fraude envolvia 11 pessoas." (FolhaSP, 09.10.99). **tdi.** + *com, em*: *Ele a envolveu num negócio sujo.* *pr.*: *Não gosto de envolver-me em brigas.*] **8** Intrometer-se, imiscuir-se. [*pr.*: *Você não deve se envolver na vida alheia.*] [▶ **2** envolver̄]. Part.: *envolvido* e *envolto*.] • en.vol.*vi*.do *a.*; en.vol.vi.*men*.to *sm.*

enxada (en.*xa*.da) *sf.* Utensílio formado por uma haste de madeira e uma lâmina de metal, us. para cavar a terra.

enxadão (en.xa.*dão*) *sm.* Enxada de lâmina mais longa e estreita que as comuns. [Pl.: *-dões*.]

enxadrezar (en.xa.dre.*zar*) *v. td.* Dispor ou elaborar em forma de xadrez. [▶ **1** enxadrez̄ar] • en.xa. dre.*za*.do *a.*

enxadrismo (en.xa.*dris*.mo) *sm.* Técnica ou arte de jogar xadrez. • en.xa.*dris*.ta *a2g.s2g.*

enxaguar (en.xa.*guar*) *v. td.* Passar em água para tirar o sabão. [▶ **17** enxagu̅ar] • en.xa.*gua*.do *a.*; en.*xá*.gue *sm.*

enxame (en.*xa*.me) *sm.* **1** Conjunto de muitas abelhas. **2** *Fig.* Grande quantidade de pessoas, animais ou coisas: *Um enxame de fãs invadiu o palco.*

enxamear (en.xa.me.*ar*) *v.* **1** Reunir (abelhas) em colmeia. [*td.*: *O apicultor enxameou as abelhas.*] **2** Encher (cortiço, colmeia) de abelhas; encher muito (algo), como se fosse enxame. [*td.*: *O apicultor enxameou suas colmeias; Milhares de formigas enxameavam o jardim.*] **3** Formar enxame. [*int.*: *As vespas enxamearam.*] **4** *Fig.* Juntar-se em grande quantidade; PULULAR; FERVILHAR. [*int./pr.*: *Os peixes enxameavam(-se) no aquário.*] [▶ **13** enxame̅ar]

enxaqueca (en.xa.*que*.ca) [ê] *sf. Med.* Dor de cabeça muito forte, ger. acompanhada de náuseas e vômitos.

enxárcia (en.*xár*.ci.a) *sf. Cnav.* Conjunto dos cabos fixos que sustentam o mastro de um navio a vela.

enxaropar (en.xa.ro.*par*) *v.* **1** Fazer virar xarope ou como que xarope. [*td.*: *Pôs tanto açúcar que enxaropou o suco.*] **2** *Pop.* Embebedar-se. [*pr.*:] [▶ **1** enxarop̅ar]

enxerga (en.*xer*.ga) [ê] *sf.* **1** Espécie de colchão rústico, ger. de palha. **2** Cama tosca ou simples.

enxergão (en.xer.*gão*) *sm.* **1** Colchão grosseiro que se coloca sob o colchão da cama. **2** Estrutura sobre a qual se coloca o colchão; ESTRADO. [Pl.: *-gões*.]

enxergar (en.xer.*gar*) *v.* **1** Perceber pela visão; VER. [*td.*: *Com essa neblina não enxergo nada*; (seguido de indicação de lugar) *Enxergou-o no meio da multidão.* **int.**: *Aos oitenta anos deixou de enxergar.*] **2** Ver o que está distante; DESCORTINAR; AVISTAR. [*td.*: *Do alto do morro enxergava o gado.*] **3** *Fig.* Perceber, concluir. [*td.*: *Você não é capaz de enxergar que errou?*] **4** *Fig. Pop.* Pôr-se no seu devido lugar. [*pr.*: *Esse desaforado não se enxerga!*] [▶ **14** enxerg̅ar] ▪ *~ longe* Ser perspicaz; perceber em que direção as coisas estão se desenvolvendo.

enxerido (en.xe.*ri*.do) *a.sm. Pop.* Que ou quem é indiscreto, intrometendo-se em coisas que não lhe dizem respeito; ABELHUDO; INTROMETIDO.

enxerir-se (en.xe.*rir*-se) *v. pr.* Intrometer-se, imiscuir-se. [▶ **50** enxer̅ir-se]

enxertar (en.xer.*tar*) *v.* **1** Fazer enxerto em ou aplicar como enxerto. [*td.*: *enxertar uma árvore.* **tdi.** + *em*: *Vão enxertar nova pele em seu rosto.*] **2** *Fig.* Introduzir, inserir. [*tdi.* + *em*: *Sempre enxerta citações em seus discursos.*] [▶ **1** enxert̅ar] • en.xer.*ta*.do *a.*; en.*xer*.ti.a *sf.*

enxerto (en.*xer*.to) [ê] *sm.* **1** *Agr.* Introdução de uma parte viva de uma planta em outra, com produção de frutos ou flores das duas plantas originárias. **2** *Agr.* A parte viva de uma planta que se introduz em outra. **3** *Agr.* A planta enxertada. **4** *Cir.* Cirurgia em que se transfere para uma região do corpo de uma pessoa pedaço de tecido retirada de outra parte de seu próprio corpo ou do corpo de outrem.

enxó (en.*xó*) *sf.* Instrumento de cabo curvo e lâmina de aço, us. para desbastar madeira, esp. na fabricação de tonéis e barris.

enxofre (en.*xo*.fre) [ô] *sm. Quím.* Elemento químico de odor forte, us. na produção de ácido sulfúrico, pólvora, pasta de papel, inseticidas etc. [Símb.: S]

enxotar (en.xo.*tar*) *v. td.* Fazer sair ou expulsar: *Enxotou o cachorro da sala.* [▶ **1** enxot̅ar] • en.xo.*ta*.do *a.*

enxoval (en.xo.*val*) *sm.* Conjunto de roupas e acessórios necessários para quem se casa, para recém-nascidos etc. [Pl.: *-vais*.]

enxovalhar (en.xo.va.*lhar*) *v.* **1** Sujar(-se), manchar(-se), emporcalhar(-se). [*td.*, *pr.*] **2** *Fig.* Macular(-se), desonrar(-se), deslustrar(-se). [*td.*: *Eles enxovalham a memória dos pais.* *pr.*: *Seu nome enxovalhou-se com a corrupção.*] **3** *Fig.* Insultar, ofender. [*td.*: *Enxovalhou-o na frente dos amigos.*] **4** Amarrotar(-se), amarfanhar(-se). [*td.*, *pr.*] [▶ **1** enxovalh̅ar] • en.xo.va.*lha*.do *a.*; en.xo.va.lha.*men*.to *sm.*

enxovia (en.xo.*vi*.a) *sf.* Parte subterrânea das antigas cadeias, onde ficavam os presos mais perigosos; masmorra, calabouço.

enxugar (en.xu.*gar*) *v.* **1** Fazer que fique ou fique seco; SECAR(-SE). [*td.* (seguido ou não de indicação de meio): *Enxugou a testa (com o lenço).* *int./pr.*: *Com este sol a roupa logo vai enxugar(-se).*] **2** Estancar (lágrimas, o choro). [*td.*: *enxugar as lágrimas.*] **3** *Fig.* Eliminar ou reduzir o excessivo ou supérfluo. [*td.*: *enxugar um texto/o quadro de funcionários.*] **4** *Econ.* Reduzir a quantidade de moeda, títulos etc. circulantes em. [*td.*: *enxugar a economia/o mercado.*] [▶ **14** enxug̅ar]. Part.: *enxugado* e *enxuto*.] • en.xu.ga.*dou*.ro *sm.*; en.xu. ga.*men*.to *sm.*

enxúndia (en.*xún*.di.a) *sf.* **1** Gordura de porco ou de galinha. **2** *Fig.* O que é excessivo e dispensável: *O bom escritor exibe um estilo preciso, sem enxúndias.*

enxurrada (en.xur.*ra*.da) *sf.* **1** Corrente de água ocasionada por fortes chuvas: *Forte enxurrada chega a arrastar veículos.* **2** *Fig.* Grande quantidade de qualquer coisa: *Recebeu uma enxurrada de críticas.*

enxuto (en.*xu*.to) *a.* **1** Que não está molhado ou que se secou: *Apesar da chuva, chegou enxuto.* **2** *Fig. Pop.* Diz-se de pessoa bem conservada e de boa aparência: *um coroa enxuto.* **3** *Fig.* Que não apresenta nada que seja supérfluo ou excessivo (texto enxuto).

enzima (en.*zi*.ma) *sf. Bioq.* Proteína que aumenta a velocidade de certas reações químicas em seres vivos.

eólico (e:ó.li.co) *a.* Que diz respeito ao vento (energia eólica).

eolítico (e:o.lí.ti.co) *Geol. a.* **1** Diz-se do período mais antigo do Paleolítico. *sm.* **2** Esse período.

epicarpo (e.pi.*car*.po) *sm. Bot.* Película externa que envolve e protege os frutos.

epicaule (e.pi.*cau*.le) *a2g. Bot.* Que cresce sobre o caule de outra planta (diz-se de planta).

epiceno (e.pi.*ce*.no) [ê] *a. Gram.* Que, com uma só forma gramatical, se aplica igualmente aos dois gêneros gramaticais (diz-se de animais, como onça, jacaré etc.). [Cf.: *comum de dois e sobrecomum*.]

epicentro (e.pi.*cen*.tro) *sm.* **1** *Geof.* Ponto da superfície terrestre que se encontra sobre o centro de um terremoto, sendo, por isso, atingido com maior intensidade pelas ondas sísmicas. **2** *Fig.* Ponto central, núcleo: *O partido era o epicentro do escândalo.*

épico (é.pi.co) *sm.* **1** *Liter.* Poema narrativo extenso que relata feitos grandiosos de algum herói histórico ou lendário. **2** Autor de épico (1): *Camões foi o maior épico da língua portuguesa. a.* **3** Ref. a épico (1) e a seu autor (herói épico).

epicurismo (e.pi.cu.*ris*.mo) *sm.* **1** *Fil.* Doutrina criada por Epicuro, na Grécia Antiga, que via o bem supremo no prazer comedido e espiritual. **2** Postura de quem busca somente o prazer sensual. • **epi.cu.ris.ta** *a2g.s2g.* [Cf.: *hedonismo*.]

epidemia (e.pi.de.*mi*.a) *sf.* **1** *Med.* Doença que se alastra rapidamente, atingindo grande número de pessoas. [Cf.: *endemia*.] **2** *Fig.* Comportamento ou costume adotado por muitas pessoas: *Há hoje, em nossa língua, uma epidemia de palavras de origem inglesa.* • **e.pi.dê.mi.co** *a.*

epidemiologia (e.pi.de.mi:o.lo.gi.a) *sf. Med.* Ramo da medicina que se ocupa do estudo das epidemias. • **e.pi.de.mi:o.lo.gis.ta** *s2g.*

epiderme (e.pi.*der*.me) *sf.* **1** *Histl.* Camada mais externa da pele. **2** *Bot.* Camada de células que reveste algumas partes das plantas, protegendo-as esp. contra a perda de água. • **e.pi.dér.mi.co** *a.*

epifania (e.pi.fa.*ni*.a) *sf. Rel.* **1** Manifestação ou aparição de Deus. **2** A festa religiosa que ocorre no dia 6 de janeiro para comemorar a aparição dos reis magos.

epífise (e.*pí*.fi.se) *sf. Anat.* **1** Cada uma das extremidades dos ossos longos. **2** Corpúsculo oval situado no cérebro, ao qual se atribuem funções endocrinológicas.

epífito (e.*pí*.fi.to) *sm.* **1** *Bot.* Planta que vive sobre uma outra, sem contudo retirar dela seus nutrientes. *a.* **2** Ref. a essa forma de viver: *Orquídeas são plantas de hábitos epifíticos.*

epigástrico (e.pi.*gás*.tri.co) *a.* Ref. ao epigástrio.

epigástrio (e.pi.*gás*.tri:o) *sm. Anat.* A região superior do abdome. [Popularmente conhecido como boca do estômago.]

epigenia (e.pi.ge.*ni*.a) *sf.* **1** *Min.* Modificação da composição química de um mineral sem alteração de seu aspecto. **2** *Gen.* Modificação da carga genética de um organismo sem alteração de suas características exteriores. • **e.pi.gê.ni.co** *a.*

epiglote (e.pi.*glo*.te) [ó] *sf. Anat.* Válvula cartilaginosa que cobre a glote, impedindo que se engasgue durante a deglutição.

epígono (e.*pí*.go.no) *sm.* **1** Seguidor ou imitador da obra artística ou teórica de um grande mestre. **2** Continuador da produção de um movimento artístico ou teórico: *epígono do surrealismo.*

epígrafe (e.*pí*.gra.fe) *sf.* **1** Pequeno texto colocado antes do começo de um livro, capítulo, sintetizando sua ideia ou conteúdo. **2** *Jur.* Texto que antecede uma lei para esclarecer seus propósitos e informar sua data. **3** Inscrição gravada em monumentos, medalhas etc.

epigrama (e.pi.*gra*.ma) *sf.* **1** *Liter.* Poema curto de tom satírico ou irônico. **2** Dito malicioso e picante. **3** Frase ou palavra dita com o propósito de zombaria.

epilepsia (e.pi.lep.*si*.a) *sf. Med.* Doença neurológica crônica, caracterizada pela ocorrência súbita de convulsões acompanhadas de perda da consciência.

epiléptico, epiléptico (e.pi.*lé*.ti.co, e.pi.*lép*.ti.co) *a.* **1** Ref. a epilepsia (ataque epiléptico). **2** Que sofre de epilepsia. *sm.* **3** Pessoa epiléptica.

epílogo (e.*pí*.lo.go) *sm.* **1** *Liter.* Parte final e conclusiva de uma obra literária. **2** *Teat.* Última fala ou cena em peça teatral. **3** Parte final de algum processo ou acontecimento: *Aquelas eleições tiveram um triste epílogo.* [Ant.: *prólogo*.]

episcopado (e.pis.co.*pa*.do) *sm. Ecles.* **1** Área que se encontra sob a autoridade eclesiástica de um bispo, abrangendo as paróquias nela existentes; DIOCESE. **2** Função de um bispo. **3** Período em que essa função é exercida. **4** Congregação de bispos; BISPADO.

episcopal (e.pis.co.*pal*) *a2g.* **1** Ref. a bispo (função episcopal). **2** Ref. à Igreja Anglicana ou a algum de seus ramos. [Pl.: *-pais*.]

episódio (e.pi.*só*.di:o) *sm.* **1** Fato ou acontecimento: *Espero que esse episódio desagradável não se repita mais.* **2** *Rád. Telv.* Parte de uma série: *Você viu o episódio de ontem do seriado americano?* **3** *Liter.* Parte de obra literária que possui relativa autonomia em relação ao todo: *O episódio da luta de dom Quixote contra o moinho é o que mais me agrada.* • **e.pi.só.di.co** *a.*

epistaxe (e.pis.*ta*.xe) [cs] *sf. Med.* Sangramento nasal.

epistemologia (e.pis.te.mo.lo.*gi*.a) *sf. Fil.* Disciplina que trata da origem, do alcance e da justificação do conhecimento.

epístola (e.*pís*.to.la) *sf.* **1** *Rel.* Carta escrita pelos apóstolos aos fiéis. **2** Qualquer carta. **3** *Liter.* Texto literário escrito em forma de carta. • **e.pis.to.lar** *a2g.v.*

epitáfio (e.pi.*tá*.fi:o) *sm.* **1** Inscrição feita sobre um túmulo. **2** Elogio a um morto, pronunciado em cerimônia de despedida.

epitalâmio (e.pi.ta.*lâ*.mi:o) *sm. Liter. Mús.* Música, canto ou poema esp. compostos para uma cerimônia de casamento.

epitélio (e.pi.*té*.li:o) *sm. Histl.* Tecido celular que reveste a parte externa do corpo (pele), bem como as paredes das cavidades internas (mucosas). • **e.pi.te.li:al** *a2g.* (tecido epitelial).

epíteto (e.*pí*.te.to) *sm.* **1** Palavra ou expressão acrescida a um nome ou pronome para qualificá-lo: *"Batista", epíteto de São João, significa 'que ou aquele que batiza'.* **2** Termo us. para qualificar alguém de maneira positiva ou negativa; ALCUNHA; APELIDO.

epítome (e.*pí*.to.me) *sm.* **1** *Liter.* Resumo de obra literária, histórica ou científica, destinada ger. ao uso didático. **2** Resumo ou síntese de qualquer natureza. • **e.pi.tô.mi.co** *a.*

epizootia (e.pi.zo.o.*ti*.a) *sf. Vet.* Doença que subitamente atinge um grande número de animais. • **e.pi.zo.ó.ti.co** *a.*

época (*é*.po.ca) *sf.* **1** Determinado período de tempo: *Naquela época, não havia televisão.* **2** Período de tempo considerado a partir de algum acontecimento histórico, social ou cultural marcante: *a época dos dinossauros.* **3** Período do ano em que ger. ocorrem certos fenômenos ou eventos: *época das chuvas/das férias escolares.* **4** *Geol.* Divisão de um período geológico. ■ **Fazer ~** Destacar-se; ter atuação marcante em certo campo de atividade: *A seleção de 1958 fez época no futebol mundial.*

epopeia (e.po.*pei*.a) *sf.* **1** *Liter.* Longo poema que celebra um herói ou um feito memorável. **2** *Fig.*

epóxi | **eremita** 322

Conjunto de ações consideradas heroicas: *Chegar ao aeroporto, em meio ao caos, foi uma verdadeira epopeia.*

epóxi (e.pó.xi) [cs] *sm. Quím.* Denominação comum a certas resinas us. em revestimentos ou em adesivos.

épsilon, épsilo (*ép*.si.lon, *ép*.si.lo) *sm.* É a quinta letra do alfabeto grego. Corresponde a um *e* breve latino (E, ε).

equação (e.qua.*ção*) *sf.* **1** *Mat.* Sentença matemática de igualdade condicional entre expressões, na qual ao menos uma delas contém no mínimo um termo variável. **2** *Fig.* Disposição simples e clara dos dados que constituem um problema difícil: *Ainda não encontrei a equação de meus problemas financeiros.* [Pl.: -ções.] [Cf.: *inequação*.]

equacionar (e.qua.cio.*nar*) *v. td.* Pôr, dispor (problema, situação etc.) em forma de equação (2), para melhor localizar as variáveis e assim facilitar sua solução. [▶ 1 equacionar] ● **e.qua.ci.o.na.do** *a.*; **e.qua.ci.o.na.men.to** *sm.*

equador (e.qua.*dor*) [ô] *sm. Geog.* Linha imaginária que corta a Terra, perpendicularmente ao seu eixo, a uma igual distância do Polo Norte e do Polo Sul. ● **e.qua.to.ri.***al** *a2g.*

equalização (e.qua.li.za.*ção*) *sf.* **1** Ação ou resultado de equalizar (1). **2** *Eletrôn.* Redução da distorção de um sinal, através de um dispositivo que amplia a intensidade de algumas frequências e diminui a de outras. [Pl.: -ções.]

equalizar (e.qua.li.*zar*) *v. td.* **1** Igualar, fazer ficar uniforme; UNIFORMIZAR: *equalizar o tratamento de um texto.* **2** *Eletrôn.* Fazer equalização (2) de. [▶ 1 equalizar]

equânime (e.*quâ*.ni.me) *a2g.* Que é equilibrado, sereno e imparcial.

equatoriano (e.qua.to.ri.*a*.no) *a.* **1** Do Equador (América do Sul); típico desse país ou de seu povo. *sm.* **2** Pessoa nascida no Equador.

equestre (e.*ques*.tre) *a2g.* Ref. a cavalo, cavalaria ou cavaleiro (competição equestre).

equiângulo (e.qui.*ân*.gu.lo) *a. Geom.* Que tem ângulos iguais (triângulo equiângulo).

equidade (e.qui.*da*.de) *sf.* **1** Reconhecimento de que os direitos são iguais para todos. **2** Imparcialidade, justiça no modo de julgar ou agir.

equídeo (e.*qui*.de:o) *a.* **1** Ref. a cavalo (rebanho equídeo). *sm.* **2** *Zool.* Nome genérico para mamíferos como o cavalo, o asno e a zebra.

equidistante (e.qui.dis.*tan*.te) *a2g.* Que se situa a igual distância: *um ponto equidistante entre o Atlântico e o Pacífico.* ● **e.qui.dis.tân.ci:a** *sf.*

equilátero (e.qui.*lá*.te.ro) *a. Geom.* Que tem todos os lados iguais (triângulo equilátero).

equilibrado (e.qui.li.*bra*.do) *a.* **1** Em que há equilíbrio; posto em equilíbrio. **2** *Fig.* Que demonstra estabilidade mental e emocional: *Rodrigo é equilibrado mesmo em situações difíceis.* **3** Que inclui coisas ou pessoas de diferentes tipos, na medida certa (dieta equilibrada).

equilibrar (e.qui.li.*brar*) *v.* **1** Pôr(-se), conservar(-se) em equilíbrio, ou restituir equilíbrio a. [*td.*: *O garçom equilibrava bem as bandejas.* *pr.*: *equilibrar-se na corda bamba.*] **2** Compensar, contrabalançar. [*td.*: *equilibrar grupos em uma competição.* *tdi.* + *com*: *equilibrar autoridade com humanidade.*] **3** Dar o devido peso a; harmonizar(-se); estabilizar(-se). [*td.*: *Ele precisa equilibrar suas opiniões.* *pr.*: *Depois da viuvez ele ainda não se equilibrou.*] [▶ 1 equilibrar]

equilíbrio (e.qui.*lí*.bri:o) *sm.* **1** Estado de um corpo que se mantém sobre um apoio, sem inclinar-se para nenhum dos lados: *O acrobata mantinha o equilíbrio na corda bamba.* **2** *Fig.* Estabilidade emocional; COMEDIMENTO; CONTROLE: *Mostrou equilíbrio em sua decisão.* **3** Estado em que forças opostas têm, ou a elas é dada, igual importância: *a busca do equilíbrio entre o homem e a natureza.* **4** Boa proporção; HARMONIA. [Ant. ger.: *desequilíbrio*.]

equilibrista (e.qui.li.*bris*.ta) *s2g.* Acrobata especializado em números de difícil equilíbrio (1). ● **e.qui.li.bris.mo** *sm.*

equimose (e.qui.*mo*.se) *sf. Med.* Mancha na pele causada por pancada ou contusão.

equino (e.*qui*.no) *a.* Ref. a cavalo.

equinócio (e.qui.*nó*.ci:o) *sm. Astron.* Dia do ano em que o dia e a noite têm a mesma duração em todas as partes do mundo. (Há dois equinócios: em 21 de março e em 23 de setembro.)

equinodermo (e.qui.no.*der*.mo) *sm.* **1** *Zool.* Animal marinho cujo corpo é coberto por espinhos (p.ex., o ouriço-do-mar). *a.* **2** Ref. a equinodermo.

equipagem (e.qui.*pa*.gem) *sf.* Tripulação de navio mercante ou do avião. [Pl.: -*gens*.]

equipamento (e.qui.pa.*men*.to) *sm.* Conjunto de aparelhos ou apetrechos necessários a determinada atividade.

equipar (e.qui.*par*) *v.* Prover(-se) do necessário. [*td.*: *equipar um navio.* *pr.*: *O caçador equipou-se (de seus apetrechos) e partiu.*] [▶ 1 equipar] ● **e.qui.pa.do** *a.*

equiparar (e.qui.pa.*rar*) *v.* **1** Considerar ser ou ser equivalente, semelhante etc. àquele com que se é comparado. [*td.*: *O crítico equiparou os dois filmes.* *tdi.* + *a*: *Eu o equiparo aos maiores escultores.* *pr.*: *Seus dois últimos livros equiparam-se.*] **2** Conceder igualdade ou paridade a. [*td.*: *equiparar funcionários/entidades.* *tdi.* + *a*: *Equipararam seus salários aos da matriz.*] [▶ 1 equiparar]

equipe (e.*qui*.pe) *sf.* **1** Grupo de pessoas que realizam uma tarefa comum (equipe técnica). **2** *Esp.* Grupo que forma um time: *a equipe brasileira de vôlei.*

equitação (e.qui.ta.*ção*) *sf.* Arte ou prática de cavalgar. [Pl.: -ções.]

equitativo (e.qui.ta.*ti*.vo) *a.* Em que há equidade; JUSTO; IMPARCIAL.

equivalente (e.qui.va.*len*.te) *a2g.sm.* Que ou aquilo que equivale a, que tem o mesmo valor de: *A altura da torre é equivalente à de um prédio de vinte andares; A escritora ganhou em dólares o equivalente a dez milhões de reais.* ● **e.qui.va.*lên*.ci:a** *sf.*

equivaler (e.qui.va.*ler*) *v.* Ser igual ou quase igual em valor, peso, força etc., mesmo se expresso em unidades de medida diferentes. [*ti.* + *a*: *Um metro equivale a cem centímetros.* *pr.*: *Os dois times se equivalem.*] [▶ 31 equivaler]

equivocar-se (e.qui.vo.*car*-se) *v. pr.* Enganar-se ou confundir-se. [▶ 11 equivocar-se] ● **e.qui.vo.ca.ção** *sf.*; **e.qui.vo.ca.do** *a.*

equívoco (e.*quí*.vo.co) *sm.* **1** Resultado de equivocar-se; ERRO; ENGANO; MAL-ENTENDIDO: *Desculpou-se pelo equívoco que cometeu.* *a.* **2** Ambíguo, duvidoso. **3** Que provoca suspeita.

era (*e*.ra) *sf.* **1** Período histórico que se distingue de outros por determinados eventos, movimentos ou progressos: *a era digital.* **2** Qualquer período de tempo; ÉPOCA. **3** *Geol.* Divisão do tempo geológico que abrange vários períodos.

erário (e.*rá*.ri:o) *sm.* **1** O conjunto dos recursos financeiros do país. **2** Órgão governamental responsável pelo erário (1): *A firma teve que indenizar o erário por poluir o meio ambiente.*

ereção (e.re.*ção*) *sf.* **1** Ação ou resultado de erguer(-se). **2** Endurecimento e elevação do pênis. [Pl.: -ções.]

eremita (e.re.*mi*.ta) *s2g.* **1** Religioso que vive isolado por penitência. **2** Pessoa solitária; ANACORETA, ERMITÃO.

erétil (e.ré.til) *a2g.* **1** Que é capaz de ereção. **2** Que é capaz de manter-se em condição de ereção. [Pl.: *-teis*.]

ereto (e.re.to) *a.* **1** Levantado, erguido, aprumado (cabeça ereta, corpo ereto). **2** Endurecido, duro.

ergometria (er.go.me.tri.a) *sf.* Medição de trabalho ou esforço muscular feita por aparelho próprio. • er.go.**mé**.tri.co *a.*

ergômetro (er.*gô*.me.tro) *sm.* Aparelho que mede o trabalho muscular.

ergonomia (er.go.no.mi.a) *sf.* Estudo das relações entre o homem e a máquina, esp. no ambiente de trabalho, com o objetivo de aumentar a produtividade. • er.go.**nô**.mi.co *a.*

erguer (er.*guer*) *v.* **1** Pôr em plano alto ou mais alto; ALÇAR; LEVANTAR. [*td.*: *erguer o braço*.] **2** Edificar, construir, levantar (tb. *Fig.*). [*td.*: *erguer um edifício*.] **3** Pôr(-se) em posição vertical, ou de pé; LEVANTAR(-SE). [*td.*: *erguer a cabeça*. *ps.*: *Ergueram-se à entrada do professor*.] **4** Mostrar-se ereto, sobranceiro. [*pr.*: *O monumento ergue-se no meio da praça*.] **5** Dirigir para cima (os olhos). [*td.*] **6** Surgir, aparecer, à medida que sobe. [*pr.*: *O sol ergue-se sobre o horizonte*.] **7** Altear, levantar (a voz). [*td.*] **8** Fazer-se ouvir. [*pr.*: "...nem uma voz *se* ergueu em sua defesa..." (FolhaSP, 22.11.99).] **9** Dar alento, dar força a. [*td.*: *erguer a empresa/os ânimos*.] [▶ **21** erguer] • er.**gui**.do *a.*; er.**gui**.**men**.to *sm.*

eriçar (e.ri.*çar*) *v.* **1** Tornar(-se) arrepiado ou ouriçado. [*td.*: *eriçar os cabelos*. *pr.*: *Seus pelos eriçaram-se de medo*.] **2** Irritar-se, enfurecer-se. [*pr.*] [▶ **12** eriçar] • e.ri.**ça**.do *a.*; e.ri.**ça**.**men**.to *sm.*

erigir (e.ri.*gir*) *v.* **1** Pôr em posição vertical ou ereta; ERGUER. [*td.*: *Cabral erigiu uma cruz e mandou celebrar uma missa*.] **2** Levantar, erguer (obra arquitetônica). [*td.*: *erigir uma catedral*. *tdi.* + *a*: *Erigiram um monumento ao soldado desconhecido*.] **3** Formar, instituir, erguer. [*td.*: *erigir uma nação*.] **4** Conceder(-se), atribuir(-se) qualidade ou atributo alto ou mais alto. [*td.* + *em*: *O povo o erigiu em salvador da pátria*. *pr.*: *Erigiu-se em salvador da pátria*.] [▶ **46** erigir. Part.: *erigido e ereto*.] • e.ri.**gi**.do *a.*

erisipela (e.ri.si.*pe*.la) *sf. Med.* Doença infecciosa caracterizada por inflamação aguda da pele.

eritema (e.ri.*te*.ma) [ê] *sm. Med.* Doença da pele caracterizada por manchas vermelhas.

ermida (er.*mi*.da) *sf.* Capela situada em lugar pouco povoado.

ermitão (er.mi.*tão*) *sm.* **1** Pessoa solitária. **2** Pessoa que cuida de uma ermida. [Pl.: *-tões, -tães e -tãos*. Fem.: *-tã e -toa*.]

ermo (er.mo) [ê] *a.* Diz-se de lugar desabitado, deserto.

erodir (e.ro.*dir*) *v. td.* Provocar erosão em. [▶ **3** erodir] • e.ro.**di**.do *a.*

erógeno (e.*ró*.ge.no) *a.* Que provoca desejo sexual (zonas erógenas).

erosão (e.ro.*são*) *sf. Geol.* Desgaste causado pelas águas dos rios e mares, pelo vento, pelas gotas de chuva e pelo gelo: *erosão do solo/da costa*. [Pl.: *-sões*.]

erosivo (e.ro.*si*.vo) *a.* Que causa erosão; em que ocorre erosão.

erótico (e.*ró*.ti.co) *a.* **1** Que mostra, descreve ou envolve cenas de sexo (filme erótico, conto erótico). **2** Que é sensual, libidinoso.

erotismo (e.ro.*tis*.mo) *sm.* Estilo ou qualidade do que é erótico.

erradicar (er.ra.di.*car*) *v.* **1** Arrancar pela raiz; DESARRAIGAR. [*td.*: *erradicar uma roseira*. *tdi.* + *de*: *Erradicou as mudas do solo ressequido*.] **2** *Fig.* Extirpar, eliminar. [*td.*: *erradicar uma epidemia*. *tdi.* + *de*: *É preciso erradicar a violência das grandes cidades*.] [▶ **11** erradicar] • er.ra.di.**ca**.ção *sf.*

erradio (er.ra.*di*:o) *a.* Ver *errante*.

errado (er.*ra*.do) *a.* **1** Que apresenta erro: *Esta conta está errada*. **2** Que cometeu um engano; em que há um engano. **3** Que é moralmente ou socialmente incorreto ou inaceitável: *É errado tratar as pessoas mal*. **4** Que não é o que se devia usar, ou fazer, ou seguir etc.: *Pegamos o ônibus errado*. [Ant. ger.: *certo*.] ❚❚ **Dar** ~ Não ter o resultado esperado; não ter êxito.

errante (er.*ran*.te) *a2g.* **1** Que vagueia; que anda sem rumo; ERRADIO: "Corri até aqui com este ar errante..." (Alfredo Panzini, *Mar de histórias*). **2** Que não tem habitação fixa (povo errante).

errar (er.*rar*) *v.* **1** Cometer erro ou engano (em). [*td.*: *errar uma questão de prova*. *ti.* + *em*: *errar numa conta*. *int.*: *Errei* ao recomendar-lhe a viagem.] **2** Deixar de acertar em (alvo). [*td.*] **3** Vaguear, percorrer. [*int.*: "...errava pelos corredores desertos, como uma alma penada!" (Aluísio Azevedo, *Casa de pensão*).] [▶ **1** errar]

errata (er.*ra*.ta) *sf. Tip.* Relação de erros e correções que acompanha uma obra impressa após a sua publicação com o fim de informar ao leitor o que deve ser corrigido; CORRIGENDA.

erro (er.ro) [ê] *sm.* **1** Falta de correção; INCORREÇÃO: *A redação continha apenas um erro*. **2** Conceito, ideia, julgamento ou ação incorretos (erro médico); ENGANO; EQUÍVOCO. **3** Ato ou procedimento reprovável: *O filho reconheceu o seu erro*.

errôneo (er.*rô*.ne:o) *a.* **1** Que contém ou que constitui erro (diagnóstico errôneo). **2** Que é impróprio ou inadequado: *O tratamento errôneo acabou agravando os sintomas e a doença*.

eructar (e.ruc.*tar*) *v. int.* Arrotar. [▶ **1** eructar] • e.ruc.ta.**ção** *sf.*

erudição (e.ru.di.*ção*) *sf.* Vasto saber adquirido esp. pela leitura: *Impressiona sua erudição em literatura brasileira*. [Pl.: *-ções*.]

eruditismo (e.ru.di.*tis*.mo) *sm.* **1** Ato de alardear erudição. **2** Mania de erudição: *O eruditismo de Hugo cansava os colegas*.

erudito (e.ru.di.to) *a.* **1** Que tem erudição (professor erudito). **2** Diz-se da música clássica. *sm.* **3** Pessoa erudita (1).

erupção (e.rup.*ção*) *sf.* **1** Surgimento súbito: *a erupção dos dentes de leite*. **2** *Geol.* Emissão violenta de lavas, cinzas e fumaça pela cratera de um vulcão. **3** *Med.* Aparecimento de manchas ou bolhas na pele. [Pl.: *-ções*.] • e.rup.**ti**.vo *a.*

erva (er.va) *sf.* **1** *Bot.* Planta pequena, de talo macio, cujas partes verdes morrem em menos de um ano. **2** *Bras. Gír.* Dinheiro. **3** *Bras. Gír.* Maconha. ❚❚ ~ **daninha 1** *Bot.* Planta que nasce em meio a outras, prejudicando-as. **2** *Fig.* Elemento prejudicial num sistema.

erva-cidreira (er.va-ci.*drei*.ra) *sf. Bot.* Planta medicinal, com flores pequenas e brancas, us. como calmante e contra cólicas. [Pl.: *ervas-cidreiras*.]

erva-de-passarinho (er.va-de-pas.sa.*ri*.nho) *sf. Bras. Bot.* Planta parasita e disseminada por pássaros, que comem seus frutos e eliminam as sementes junto com as fezes. [Pl.: *ervas-de-passarinho*.]

ervado (er.*va*.do) *a.* **1** Coberto de ervas. **2** Envenenado por ervas.

erva-doce (er.va-*do*.ce) [ô] *sf. Bot.* Planta aromática e medicinal da qual se faz chá que alivia problemas estomacais, e cujas sementes são us. para produzir licores; ANIS; FUNCHO. [Pl.: *ervas-doces*.]

erval (er.*val*) *sm. Bras.* Plantação de erva-mate. [Pl.: *-vais*.]

erva-mate (er.va-*ma*.te) *sf. Bot.* Planta do Sul do Brasil e regiões vizinhas, e de cujas folhas se faz chá. [Mais conhecida como 'mate'.] [Pl.: *ervas-mates, ervas-mate*.]

ervateiro (er.va.*tei*.ro) *a.* **1** Ref. ao cultivo e/ou ao comércio de erva-mate. *sm.* **2** S. Pessoa que cultiva e/ou negocia erva-mate.

ervilha (er.*vi*.lha) *sf.* **1** *Bot.* Certa trepadeira cujas vagens contêm sementes comestíveis. **2** Essa vagem. **3** A semente dessa vagem, conhecida como *petit-pois*.

ervilhal (er.vi.*lhal*) *sm.* Plantação de ervilhas. [Pl.: -*lhais*.]

esbaforido (es.ba.fo.*ri*.do) *a.* **1** Ofegante devido ao esforço feito ou a pressa: *Voltou da corrida esbaforido*. **2** Apressado: *Saiu esbaforida pela rua atrás do filho.*

esbagaçar (es.ba.ga.*çar*) *v. td. Bras.* Reduzir a bagaço(s), ou a cacos; DESPEDAÇAR (tb. *Fig.*). [▶ **12** esbagaçar] ● **es.ba.ga.ça.do** *a.*

esbaldar-se (es.bal.*dar*-se) *v. pr. Pop.* Atirar-se com grande entusiasmo a um divertimento. [▶ **1** esbaldar-se]

esbandalhar (es.ban.da.*lhar*) *v.* **1** Reduzir(-se) a bandalhos (1), trapos. [*td.: As traças esbandalharam toda a sua roupa. pr.: Seus sapatos esbandalharam-se na escalada.*] **2** Reduzir(-se) a pedaços ou cacos; DESPEDAÇAR(-SE). [*td.: O garoto esbandalhou o brinquedo novo em um dia. pr.: Seus livros esbandalharam-se de tanto uso.*] **3** Corromper-se ou perverter-se. [*pr.*] [▶ **1** esbandalhar] ● **es.ban.da.lha.do** *a.*

esbanjar (es.ban.*jar*) *v. td.* Gastar de modo pedulário; DISSIPAR; DILAPIDAR: *Esbanjou a herança em menos de um ano.* **2** *Fig.* Ter muito (de alguma qualidade): *Esbanja talento e simpatia.* [▶ **1** esbanjar] ● **es.ban.ja.do** *a.*; **es.ban.ja.dor** *a.sm.*; **es.ban.ja.men.to** *sm.*

esbarrada (es.bar.*ra*.da) *sf. Bras.* Ver esbarrão.

esbarrão (es.bar.*rão*) *sm. Bras.* Batida acidental em alguém ou algo; ESBARRADA. [Pl.: -*rões*.]

esbarrar (es.bar.*rar*) *v.* **1** Chocar(-se) fisicamente com. [*ti. + em: Esbarrou sem querer na moça. pr.: Distraídos, esbarraram-se no corredor.*] **2** Topar com (alguém ou algo) por casualidade. [*ti. + com: Voltava do trabalho quando esbarrou com a noiva.*] **3** Deparar (dificuldade, problema etc.). [*ti. + com, em: Esbarrou com um problema quase insolúvel.*] [▶ **1** esbarrar]

esbelto (es.*bel*.to) *a.* **1** Elegante, garboso: *corpo bonito e esbelto*. **2** Magro, esguio: *Com a dieta, ficou esbelto.*

esbirro (es.*bir*.ro) *sm.* **1** Oficial de nível inferior em tribunais. **2** Agente de polícia.

esboçar (es.bo.*çar*) *v.* **1** Fazer esboço de. [*td.: esboçar uma pintura.*] **2** Dar forma inicial a, ou ganhar os primeiros contornos. [*td.: Esboçou uma reação. pr.: O roteiro do filme esboçou-se em sua mente.*] **3** Deixar(-se) entrever; ENTREMOSTRAR(-SE). [*td.: esboçar um sorriso. pr.: Um ar de tristeza esboçou-se em seu rosto.*] **4** Traçar, planejar. [*td.: esboçar um plano de ação.*] [▶ **12** esboçar] ● **es.bo.ça.do** *a.*

esboço (es.*bo*.ço) [ô] *sm.* **1** Primeiras anotações que vão dar origem a um desenho ou obra de arte: *O artista concluiu o esboço de seu quadro.* **2** Trabalho ou obra que está no começo. **3** Primeiras ideias sobre alguma coisa; RUDIMENTO. **4** Ação que não se realiza porque foi interrompida no começo: *Fez um esboço de fuga diante do animal feroz, mas o medo o paralisou.* **5** Resumo, síntese (esboço biográfico). [Pl.: [ó].]

esbodegar (es.bo.de.*gar*) *v. Bras. Pop.* **1** Escangalhar, destruir, arruinar. [*td.: esbodegar um brinquedo.*] **2** Deixar-se, desmazelar-se. [*pr.*] **3** Fatigar-se, esfalfar-se. [*pr.*] [▶ **14** esbodegar] ● **es.bo.de.ga.do** *a.*

esbofetear (es.bo.fe.te.*ar*) *v. td.* Dar bofetada(s) em. [▶ **13** esbofetear]

esbordoar (es.bor.do.*ar*) *v. td.* Bater ou golpear em (ger. com bastão, cajado etc.); dar bordoadas em: *Paula salvou a menina, esbordoando o cão raivoso.* [▶ **16** esbordoar]

esbórnia (es.*bór*.ni:a) *sf. Bras.* Farra, boemia.

esboroar-se (es.bo.ro.*ar*-se) *v.* Tornar(-se) pó; desfazer(-se). [*td.: A ventania esboroou a escultura de areia. int./pr.: O edifício esboroou(-se) com a implosão.*] [▶ **16** esboroar-se]

esborrachar (es.bor.ra.*char*) *v.* **1** Destruir ou arrebentar por esmagamento. [*td.: esborrachar um mosquito.*] **2** Danificar(-se) seriamente em decorrência de golpe ou colisão. [*td.: Esborrachou o nariz na porta de vidro. pr.: O carro se esborrachou contra um poste.*] **3** Cair no chão, estatelando-se. [*pr.: O menino esborrachou-se no chão.*] [▶ **1** esborrachar] ● **es.bor.ra.cha.do** *a.*

esbranquiçado (es.bran.qui.*ça*.do) *a.* **1** Que apresenta tom de branco ou quase branco; ALVACENTO. **2** Descolorido, desbotado.

esbravejar (es.bra.ve.*jar*) *v.* Falar alto e de modo enfurecido; VOCIFERAR. [*td.: esbravejar insultos. ti. + contra: Esbravejava contra as injustiças. int.: Esbravejava sem razão.*] [▶ **1** esbravejar]

esbugalhado (es.bu.ga.*lha*.do) *a.* Arregalado ou projetado para fora (diz-se de olho).

esbugalhar (es.bu.ga.*lhar*) *v. td.* Arregalar bastante (os olhos). [▶ **1** esbugalhar]

esbulhar (es.bu.*lhar*) *v.* **1** Agir desonestamente, causando (a alguém) a perda de (suas posses, direitos); USURPAR. [*tdi. + de: Esbulhou o herdeiro de seu patrimônio.*] **2** Tomar posse, ilegalmente, do que pertence a (outrem). [*td.: O vigarista esbulhava as pobres viúvas.*] [▶ **1** esbulhar] ● **es.bu.lho** *sm.*

esburacar (es.bu.ra.*car*) *v. td.* Fazer buraco repleto de buracos: *O encanador esburacou o banheiro para consertar o vazamento.* [▶ **11** esburacar] ● **es.bu.ra.ca.do** *a.* (rua esburacada).

escabeche (es.ca.*be*.che) *sm. Cul.* Molho preparado com cebola, tomate, azeite, vinagre etc., para peixe ou carne.

escabelo (es.ca.*be*.lo) [ê] *sm.* **1** Banco, ger. com encosto e braços, cujo assento é a tampa de arca ou baú. **2** Banquinho para apoiar os pés.

escabiose (es.ca.bi:*o*.se) *sf. Med.* Afecção contagiosa e parasitária da pele caracterizada por lesões em forma de vesículas e muita coceira. ● **es.ca.bi:o.so** *a.*

escabreado (es.ca.bre.*a*.do) *a.* **1** *Bras.* Desconfiado, esquivo. **2** Zangado, mal-humorado. **3** Agitado, inquieto. **4** *BA* Acanhado, tímido.

escabroso (es.ca.*bro*.so) [ô] *a.* **1** Escarpado, íngreme (penhasco escabroso). **2** Que não é liso; ÁSPERO. **3** Difícil, árduo. **4** Que é contra o decoro (escândalo escabroso); INDECENTE; INDECOROSO. [Fem. e pl.: [ó].]

escachar (es.ca.*char*) *v. td.* Abrir ou rachar pelo meio, à força: *Escachamos o baú com um golpe de machado.* [▶ **1** escachar]

escada (es.*ca*.da) *sf.* **1** Estrutura dotada de degraus pela qual se pode subir ou descer. **2** *Fig.* Qualquer procedimento, meio etc. us. para se obter alguma coisa: *Usou o prestígio do pai como escada para conseguir o emprego.* ▪ **~ rolante** Escada cujos degraus se movimentam mecanicamente para cima ou para baixo.

escadaria (es.ca.da.*ri*.a) *sf.* Escada grande, com muitos lances, ger. separados por patamares.

escafandrista (es.ca.fan.*dris*.ta) *s2g.* Mergulhador que usa o escafandro.

escafandro (es.ca.*fan*.dro) *sm.* Roupa impermeável, provida de aparelho respiratório, us. para trabalhos demorados debaixo d'água.

escafeder-se (es.ca.fe.*der*-se) *v. pr. Pop.* **1** Escapar apressadamente; SAFAR-SE: *Escafedeu-se na hora da briga.* **2** Sumir sem deixar vestígio: *O dinheiro escafedeu-se do cofre.* [▶ **2** escafeder-se]

escafoide (es.ca.*foi*.de) *a2g.* **1** Que tem a forma do casco de um barco. *sm.* **2** *Anat.* Osso do carpo. **3** *Anat.* Osso do tarso.

escala (es.*ca*.la) *sf.* **1** Linha dividida em partes iguais que mostra a relação entre objetos, lugares etc. em suas distâncias reais e suas distâncias representadas em um plano: *mapa em escala 10/100.* **2** Local onde param os aviões ou os navios em trânsito entre seu ponto de partida e seu destino: *O avião fez escala em Paris.* **3** Tempo que dura esta parada. **4** Tabela que indica os horários de trabalho: *escala do plantão médico.* **5** *Fig.* Sistema de parâmetros que indica a maior ou menor importância de pessoas ou coisas (*escala* social). **6** *Mús.* Sucessão das sete notas musicais. [Ger. toma-se a escala de dó maior como referência.]

escalada (es.ca.*la*.da) *sf.* **1** Ação de escalar. **2** *Esp.* Esporte que consiste em escalar montanhas, rochas, ou paredes construídas em lugares cobertos, simulando rochas. [Tb. *alpinismo* ou *montanhismo*, quando praticado em montanhas ou rochas.] **3** *Fig.* Aumento, intensificação: *a escalada da violência.*

escalador (es.ca.la.*dor*) [ô] *sm.* Esportista que pratica escalada (2).

escalafobético (es.ca.la.fo.*bé*.ti.co) *a.* **1** Que é esquisito, excêntrico (diz-se de pessoa ou coisa). **2** Desajeitado (diz-se de pessoa ou coisa).

escalão (es.ca.*lão*) *sm.* **1** Ponto sucessivo de uma série; NÍVEL; GRAU. **2** *Fig.* Conjunto de elementos de uma mesma categoria: *Pertencia ao alto escalão do governo.* [Pl.: -lões.]

escalar¹ (es.ca.*lar*) *a2g.* **1** Que tem uma série de degraus ou escalas. **2** Representado por meio de escala (1) (quadro *escalar*).

escalar² (es.ca.*lar*) *v. td.* **1** Subir (montanha ou elevação íngreme) ger. até o topo: *Escalou o monte Aconcágua.* **2** *Esp.* Determinar os jogadores que irão compor (equipe esportiva): *escalar um time.* **3** *Bras.* Convocar (alguém) a fazer parte de elenco, grupo de trabalho etc.: *escalar uma atriz.* **4** *Bras.* Progredir por etapas de modo a atingir níveis cada vez mais altos: *A inflação escalou dez pontos percentuais ao longo dos últimos meses.* **5** *Bras.* Designar (pessoas) para realizar tarefas (ger. em horários distintos): *O chefe da emergência escalava duas enfermeiras.* [▶ 1 escal*ar*] • es.ca.la.*ção sf.*

escalavrar (es.ca.la.*vrar*) *v. td.* **1** Esfolar, ferir a pele; escoriar: *Escalavrou o pé nos recifes de coral.* **2** Causar a deterioração de; arruinar: *O excesso de sol escalavra a pele.* [▶ 1 escalavr*ar*] • es.ca.la.*vra*.do *a.*

escaldado (es.cal.*da*.do) *a.* **1** Posto em água fervente (bacalhau *escaldado*). **2** Em que se jogou água fervente (louça *escaldada*). **3** *Fig.* Que aprendeu uma lição por meio de sofrimento: *Depois de tantas decepções, já é um homem escaldado.* sm. **4** *Bras. Cul.* Pirão feito com caldo fervente de peixe, ou carne etc. e farinha, sem ser mexido.

escalda-pés (es.cal.da-*pés*) *s2m2n.* Banho dos pés com água quente.

escaldar (es.cal.*dar*) *v.* **1** Lavar pondo em água fervente. [*td.*] **2** Tornar(-se) muito quente ou seco. [*td.*: *O sol do deserto escalda o rosto dos viajantes. int.*: *A parede do vulcão escaldava sob as lavas que escorriam.*] **3** *Cul.* Cozinhar (um alimento) com refogado; GUISAR. [*td.*: *escaldar a carne.*] [▶ 1 escald*ar*] • es.cal.*dan*.te *a2g.*

escaleno (es.ca.*le*.no) [ê] *a. Geom.* Que tem os lados desiguais (diz-se de triângulo).

escaler (es.ca.*ler*) *sm. Mar.G.* Pequena embarcação, movida a remo, vela ou motor, us. para transporte e para outros serviços de um navio.

escalonar (es.ca.lo.*nar*) *v. td.* **1** Dispor em sequência ordenada; classificar conforme graus: *O detetive escalonou os suspeitos em ordem crescente de periculosidade.* **2** Galgar etapas ou subir por degraus: *escalonar um alto posto da empresa.* [▶ 1 escalon*ar*] • es.ca.lo.*na*.do *a.*; es.ca.lo.na.*men*.to *sm.*

escalope (es.ca.*lo*.pe) *sm.* Fatia pequena e fina de filé, ger. de vitela.

escalpelar¹ (es.cal.pe.*lar*) *v. td.* **1** Usar escalpelo ou bisturi para rasgar; DISSECAR: *O cientista escalpelou a rã para a experiência.* **2** *Fig.* Examinar, investigar minuciosamente: *O perito escalpelou o local do crime.* [▶ 1 escalpel*ar*]

escalpelar² (es.cal.pe.*lar*) *v. td.* Retirar o couro cabeludo de (tb. *Fig.*). [▶ 1 escalpel*ar*]

escalpelo (es.cal.*pe*.lo) [ê] *sm. Med.* Bisturi us. em cirurgiões ou estudos anatômicos para separar órgãos ou partes de órgãos.

escalpo (es.*cal*.po) *sm.* Couro cabeludo arrancado do crânio.

escalvado (es.cal.*va*.do) *a.* **1** Que não tem cabelos; CALVO; CARECA. **2** *Fig.* Em que não há vegetação; ÁRIDO.

escama (es.*ca*.ma) *sf.* **1** *Anat. Zool.* Cada uma das lâminas que cobrem o corpo de peixes e répteis. **2** *Med.* Crosta que se desprende da pele devido a doença.

escamado (es.ca.*ma*.do) *a.* Sem escamas (peixe *escamado*).

escamar (es.ca.*mar*) *v.* **1** Retirar as escamas de (peixe). [*td.*] **2** Descascar-se ou esfolar-se (a pele do corpo). [*int./pr.*: *Meus mãos escamaram(-se) por alergia ao detergente.*] [Sin. ger.: *descamar.*] [▶ 1 escam*ar*] • es.ca.ma.*ção sf.*

escambo (es.*cam*.bo) *sm.* **1** Troca de mercadorias ou serviços sem uso de dinheiro. **2** Qualquer troca.

escamoso (es.ca.*mo*.so) [ô] *a.* **1** Coberto de escamas. **2** *SP Pop.* Difícil de se lidar; desagradável (diz-se de pessoa). [Fem. e pl.: *[ó].*]

escamotear (es.ca.mo.te.*ar*) *v.* **1** Ocultar, fazer desaparecer de vista sem que se perceba como. [*td.*: *O mágico escamoteou uma carta do baralho.*] **2** Encobrir, esconder (a verdade, os fatos) com rodeios. [*td.*: *A imprensa escamoteou a gravidade da epidemia.*] **3** Furtar. [*td.*: *O punguista escamoteou minha carteira em segundos.*] **4** Escapar sorrateiramente. [*pr.*: *Aproveitou a confusão para escamotear-se.*] [▶ 13 escamote*ar*] • es.ca.mo.te.a.*ção sf.*; es.ca.mo.te.*a*.do *a.*

escâncara (es.*cân*.ca.ra) *sf.* Us. na loc. **às ~s** Abertamente; à vista de todos: *Confessou, às escâncaras, que a amava.*

escancarado (es.can.ca.*ra*.do) *a.* **1** Totalmente descoberto; CLARO; EVIDENTE. **2** Totalmente aberto (portão *escancarado*).

escancarar (es.can.ca.*rar*) *v. td.* **1** Abrir totalmente: *O carro só passa se você escancarar a porteira.* **2** Trazer ao conhecimento de todos; expor abertamente: *Pressionado, escancarou suas intenções.* [▶ 1 escancar*ar*]

escandalizar (es.can.da.li.*zar*) *v.* Causar escândalo (3) a; chocar(-se). [*td.* (com ou sem indicação de complemento): *Seu discurso arrogante escandalizou (o público). pr.*: *Escandalizou-se com a atitude do amigo.*] [▶ 1 escandaliz*ar*] • es.can.da.li.*za*.do *a.*

escândalo (es.*cân*.da.lo) *sm.* **1** Fato que vai contra as convenções morais, sociais ou religiosas: *o escândalo da compra de votos.* **2** Tumulto, desordem, escarcéu: *Fez um escândalo na rua.* **3** Sentimento de indignação ante um escândalo (1): *Sua atitude causou escândalo no público.*

escandaloso (es.can.da.*lo*.so) [ô] *a.* Que escandaliza (decote *escandaloso*). [Fem e pl.: *[ó].*]

escandinavo (es.can.di.*na*.vo) *a.* **1** Da Escandinávia (região na Europa que compreende a Dinamarca, a Suécia e a Noruega); típico dessa região ou de seu povo. *sm.* **2** Pessoa nascida na Escandinávia; NÓRDICO.

escanear (es.ca.ne.*ar*) *v. td.* **1** *Inf.* Reproduzir digitalmente com uso de um escâner: *escanear uma foto*. **2** *Med.* Obter informações minuciosas sobre (órgão do corpo) com auxílio de um escâner: *escanear o fígado*. [▶ **13** escane*ar*] • **es.ca.ne.a.do** *a.*

escâner (es.*cá*.ner) *sm. Bras. Inf. Med.* Aparelho que transforma dados ou imagens captados por um feixe eletrônico em dados digitais, que podem ser reproduzidos em um computador.

escangalhado (es.can.ga.*lha*.do) *a.* Que não está funcionando; danificado; destruído (tb. *Fig.*).

escangalhar (es.can.ga.*lhar*) *v.* **1** Estragar(-se), quebrar(-se). [*int./pr.*: *Meu relógio escangalhou(-se)*. *td.*: *Cuidado para não escangalhar a televisão*.] [▶ **1** escangalh*ar*] ▪ **~ -se de rir** Rir muito.

escanhoar (es.ca.nho.*ar*) *v.* Passar a navalha ou lâmina também no sentido contrário ao dos pelos (da barba [de]), finalizando o barbear. [*td.*: *Pedi ao barbeiro para não escanhoar o pescoço*. *pr.*: *Tinha preguiça de escanhoar-se*.] [▶ **16** escanh*oar*] • **es.ca.nho.a.do** *a.*; **es.ca.nho.a.men.to** *sm.*

escanifrado (es.ca.ni.*fra*.do) *a.* Muito magro (corpo escanifrado); DESCARNADO; MAGRELO.

escaninho (es.ca.*ni*.nho) *sm.* **1** Compartimento pequeno em armários, gavetas, caixas etc. para guardar papéis ou outras coisas. **2** Lugar escondido.

escansão (es.can.*são*) *sf.* **1** Ato de pronunciar bem as sílabas de uma palavra ou de um verso. **2** *Poét.* Divisão de um verso em seus elementos métricos. [Pl.: *-sões*.]

escanteio (es.can.*tei*.o) *sm. Bras. Fut.* **1** Infração que consiste em a bola ser colocada para fora do campo, pela linha de fundo, por jogador que defende essa linha. **2** A cobrança dessa falta; CÓRNER. ▪ **Chutar para ~** Abandonar alguém ou algo, desistindo, livrando-se, desfazendo-se etc.

escanzelado (es.can.ze.*la*.do) *a.* Magro como um cão esfomeado.

escapada (es.ca.*pa*.da) *sf.* **1** Fuga repentina, ger. às escondidas. **2** Fuga de uma obrigação que não se quer cumprir. **3** Fuga de uma situação difícil ou desagradável; ESCAPELDELA.

escapadela (es.ca.pa.*de*.la) *sf.* Ausência por período curto; ESCAPULIDA.

escapamento (es.ca.pa.*men*.to) *sm.* **1** Ação ou resultado de escapar; ESCAPE. **2** Ação ou resultado de vazar. **3** Saída de gases resultados da combustão em motor a explosão; o equipamento que origina essa saída; ESCAPE.

escapar (es.ca.*par*) *v.* **1** Fugir de local de confinamento; livrar-se de perseguição; ESCAPULIR. [*int.*: *Os prisioneiros escaparam*.] **2** Salvar-se (de perigo, acidente etc.); SOBREVIVER. [*ti.* + *de*: *Escapei por um triz de ser atropelado*. *int.*: *O barco explodiu mas o piloto escapou*.] **3** Evitar (algo indesejável); ESQUIVAR-SE. [*ti.* + *a*, *de*: *Tomou outro caminho para escapar do engarrafamento*.] **4** Sair (substância) do recipiente que deveria contê-la; VAZAR. [*int.*: *Há perigo de o gás escapar?*] **5** Fugir ao conhecimento, entendimento, percepção ou controle de. [*ti.* + *a*: "...via e ouvia tudo (...); não lhe *escapava* nada." (Aluísio Azevedo, *O mulato*).] **6** Soltar-se ou desprender-se (de algum lugar). [*ti.* + *de*: *Uma das maçãs escapou das minhas mãos*.] [▶ **1** esca*par*]. Part.: *escapado*, *escape* e *escapo*.]

escapatória (es.ca.pa.*tó*.ri.a) *sf.* Justificativa para um compromisso, ou promessa etc., que não se quer cumprir; DESCULPA: *Trânsito ruim não serve de escapatória para seu atraso*.

escape (es.*ca*.pe) *sm.* **1** Ação ou resultado de escapar(-se); ESCAPAMENTO. **2** Fuga, escapada. **3** Orifício ou cano por onde se lançam gases ou líquidos; ESCAPAMENTO.

escapo (es.*ca*.po) *sm.* **1** Peça que regula os movimentos do relógio. **2** *Mús.* Peça do piano que libera o martelo a nota tocada.

escápula (es.*cá*.pu.la) *sf.* **1** Prego de cabeça dobrada us. para pendurar objetos. **2** *Fig.* Apoio, arrimo, esteio. **3** *Anat.* Osso triangular e achatado que é a base do ombro. [*Escápula* substituiu *omoplata* na nova terminologia anatômica.]

escapulário (es.ca.pu.*lá*.ri:o) *sm.* **1** Faixa de pano com imagem religiosa que frades e freiras usam pendurada no pescoço. **2** Objeto formado por dois pedaços de pano bento, com uma imagem ou texto religioso, us. por devotos; BENTINHO; BREVE.

escapulida (es.ca.pu.*li*.da) *sf. Bras.* Escapada rápida; ESCAPADELA.

escapulir (es.ca.pu.*lir*) *v.* Fugir; livrar-se ou soltar-se de; ESCAPAR. [*ti.* + *de*: *Escapuliu da festa sem ninguém ver*. *int.*: *A presa tentou escapulir mas foi pega*.] [▶ **51** escap*ulir*]

escara (es.*ca*.ra) *sf. Med.* Ferida que surge em pessoas acamadas durante muito tempo, devido ao atrito constante com o colchão.

escarafunchar (es.ca.ra.fun.*char*) *v. td.* **1** Investigar ou examinar de forma minuciosa e persistente: *Escarafunchava o passado do noivo*. **2** Revirar, remexer: *Escarafunchou o baú atrás de um colar*. **3** Limpar (com dedo, palito etc.); ESGARAVATAR: *Escarafunchava a junção dos ladrilhos com um palito*. [▶ **1** escarafunch*ar*]

escaramuça (es.ca.ra.*mu*.ça) *sf.* **1** Combate ou briga de pouca importância. **2** *Bras.* Mudança repentina nas águas de um rio devido a rochas no meio de seu trajeto.

escaramuçar (es.ca.ra.mu.*çar*) *v.* Travar pequeno combate; lutar, brigar. [*ti.* + *com*: *Os soldados escaramuçavam com os inimigos*. *int.*: *As duas famílias rivais pareciam sempre prontas a escaramuçar*.] [▶ **12** escaramuç*ar*]

escaravelho (es.ca.ra.*ve*.lho) [ê] *sm. Zool.* Besouro que se alimenta dos excrementos de animais herbívoros; BESOURO-DO-ESTERCO.

escarcéu (es.car.*céu*) *sm.* **1** Grande onda que se forma quando o mar está muito agitado; VAGALHÃO. **2** *Fig.* Alvoroço, gritaria: "Nunca vi *escarcéu* maior na minha vida. Era feito a gente trancar um temporal num barraco e ouvir ele se espremendo pelas frinchas pra sair..." (Antonio Callado, *Pedro Mico*). **3** *Fig.* Reação exagerada, escândalo.

⊕ **escargot** (Fr. /escargô/) *sm. Zool.* Caracol terrestre us. como alimento.

escarlate (es.car.*la*.te) *sm.* **1** Cor vermelha muito forte. *a2g.* **2** Que é dessa cor (lenço escarlate).

escarlatina (es.car.la.*ti*.na) *sf. Med.* Doença infecciosa que produz manchas vermelhas na pele, febre alta e dor de garganta.

escarmento (es.car.*men*.to) *sm.* **1** Correção, castigo, punição: *Cumpriu o escarmento na cadeia*. **2** Repreensão, censura. **3** Lição aprendida por meio de experiência dolorosa. **4** Desengano, desilusão. • **es.car.men.tar** *v.*

escarnecer (es.car.ne.*cer*) *v.* Ridicularizar (algo ou alguém); zombar de. [*td.*: *Venceu com vantagem e escarneceu o time adversário*. *ti.* + *de*: *A malvada escarneceu de meus sentimentos mais puros*.] [▶ **33** escarne*cer*] • **es.car.ne.ci.do** *a.*; **es.car.ne.ci.men.to** *sm.*

escarninho (es.car.*ni*.nho) *a.* **1** Em que há escárnio (riso escarninho). **2** Zombaria, troça: *Seu rosto tinha um ar de escarninho*.

escárnio (es.*cár*.ni:o) *sm.* **1** Aquilo que é dito ou feito para caçoar de alguém ou de alguma coisa; ZOMBARIA; TROÇA. **2** Desdém, menosprezo.

escarola (es.ca.*ro*.la) *sf.* Variedade de chicória, de folhas crespas, que se come em salada.

escarpa (es.*car*.pa) *sf.* Terreno muito íngreme.

escarpado (es.car.*pa*.do) *a.* Que tem escarpa; ÍNGREME.

escarpim (es.car.*pim*) *sm.* Sapato feminino que deixa à mostra o peito do pé. [Pl.: *-pins*.]

escarradeira (es.car.ra.*dei*.ra) *sf. Antq.* Recipiente em que se escarra; CUSPIDEIRA.

escarrado (es.car.*ra*.do) *a.* **1** Cuspido, expectorado. **2** *Fig.* Muito semelhante a uma pessoa ou coisa: *O menino era o avô escarrado.*

escarranchar (es.car.ran.*char*) *v. td. pr.* Sentar(-se) ou montar (em animal) com as pernas bastante abertas. [▶ **1** escarranch*ar*] ● **es.car.ran.cha.do** *a.*

escarrapachar (es.car.ra.pa.*char*) *v.* **1** Abrir muito (as pernas). [*td.*] **2** Ficar à vontade, esparramando o corpo. [*pr.*: *Ele adora se escarrapachar no sofá.*] [▶ **1** escarrapach*ar*] ● **es.car.ra.pa.cha.do** *a.*

escarrar (es.car.*rar*) *v. td. int.* Cuspir (escarro, sangue). [▶ **1** escarr*ar*]

escarro (es.*car*.ro) *sm.* Secreção que se expele pela boca após expectoração.

escarvar (es.car.*var*) *v. td.* Revolver superficialmente (o solo). [▶ **1** escarv*ar*] ● **es.car.va.do** *a.*

escassear (es.cas.se.*ar*) *v.* Tornar(-se) menos frequente ou abundante; RAREAR. [*td.*: *O governo anda escasseando as verbas para a cultura.* *int.*: *Na seca, a comida escasseia.*] [▶ **13** escass*ear*]

escassez (es.cas.*sez*) [ê] *sf.* **1** Pouca quantidade: *Há escassez de água no momento.* **2** Falta, privação, pobreza: *A família enfrenta tempos de escassez.*

escasso (es.*cas*.so) *a.* **1** Minguado, limitado (dinheiro escasso, tempo escasso). **2** Carente, desprovido: *país escasso de recursos naturais.*

escatologia¹ (es.ca.to.lo.*gi*.a) *sf.* Tratado ou estudo sobre os excrementos. ● **es.ca.to.ló.gi.co** *a.*

escatologia² (es.ca.to.lo.*gi*.a) *sf.* Doutrina sobre o fim do mundo. ● **es.ca.to.ló.gi.co** *a.*

escavação (es.ca.va.*ção*) *sf.* **1** Ação ou resultado de escavar. **2** Cova, buraco. **3** Remoção de terra ou entulho de um terreno. [Pl.: *-ções*.]

escavadeira (es.ca.va.*dei*.ra) *sf.* Máquina para escavar ou retirar terra de um terreno; ESCAVADORA.

escavado (es.ca.*va*.do) *a.* **1** Que se escavou. **2** Mais baixo no meio que nas bordas; CAVADO; CÔNCAVO.

escavar (es.ca.*var*) *v. td.* **1** Fazer buracos em: *O pesquisador escavou as encostas arenosas do deserto.* **2** *Fig.* Investigar a fundo: *Resolveu escavar a história da família.* [▶ **1** escav*ar*] ● **es.ca.va.dor** *a.sm.*

esclarecer (es.cla.re.*cer*) *v.* **1** Fornecer uma explicação para; ELUCIDAR. [*td.*: *esclarecer dúvidas.*] **2** Deixar claro, entendido. [*td.*: *Ela esclareceu que não é parente de Lúcia.* *tdi.* + *a*: *O professor esclareceu aos alunos que o trabalho não valia nota.*] **3** Iluminar(-se), tornar(-se) claro. [*td. int. pr.*] [▶ **33** esclare*cer*] ● **es.cla.re.ce.dor** *a.*

esclarecido (es.cla.re.*ci*.do) *a.* **1** Iluminado, claro: *Com a luz do candeeiro, o quarto ficou mais esclarecido.* **2** Explicado, desvendado: *um crime esclarecido.* **3** Culto, instruído: *um homem esclarecido.* **4** *Fig.* Ilustre, distinto.

esclarecimento (es.cla.re.ci.*men*.to) *sm.* **1** Ação ou resultado de esclarecer(-se). **2** Explicação, elucidação, aclaração. **3** Informação.

esclera (es.*cle*.ra) *sf. Anat.* Membrana externa do globo ocular, que constitui a parte branca do olho. [*Esclera* substituiu *esclerótica* na nova terminologia anatômica.]

esclerênquima (es.cle.*rên*.qui.ma) *sm. Bot.* Tecido vegetal rígido que sustenta o caule, a raiz e a semente.

esclerosado (es.cle.ro.*sa*.do) *a.* **1** Que se esclerosou. **2** *Pop.* Diz-se de pessoa que teve esclerose no sistema nervoso central. **3** *Pej. Pop.* Que perdeu o juízo; MALUCO. [At! Considerado ofensivo nesta acepção.]

esclerosar (es.cle.ro.*sar*) *v.* **1** Perder a lucidez; ficar caduco. [*int./pr.*: *Se ele começar a rasgar dinheiro é porque esclerosou(-se) de vez.*] **2** Fazer contrair ou contrair esclerose. [*td.*: *O excesso de gordura tende a esclerosar as artérias.* *int./pr.*: *Essas veias não são propensas a esclerosar(-se)*; *Essa planta esclerosou.*] [▶ **1** esclero*sar*]

esclerose (es.cle.*ro*.se) *sf.* **1** *Bot.* Enrijecimento das paredes celulares das plantas. **2** *Med.* Processo de endurecimento de tecidos ou órgãos devido a aumento anormal de tecido conjuntivo.

esclerótica (es.cle.*ró*.ti.ca) *sf. Anat.* Ver *esclera*.

escoadouro (es.co.a.*dou*.ro) *sm.* Cano ou vala para saída de líquidos, dejetos etc.

escoar (es.co.*ar*) *v.* **1** Escorrer ou fazer escorrer (líquido) lentamente (por orifício, calha, canal etc). [*int.*: *A água não escoava da pia entupida.* *td.*: *Construiremos um canal para escoar a água do lago.*] **2** Levar (produtos comerciais) ao mercado consumidor. [*td.*: *Planejou escoar a safra de feijão pelas rodovias.*] **3** Fluir ou fazer fluir (o trânsito). [*int.*: *O trânsito escoou melhor à tarde.* *td.*: *Inverteu a mão da rua para escoar o trânsito.*] **4** Esvair-se (tb. *Fig.*). [*int./pr.*: *Sua saúde escoava(-se) enquanto envelhecia.*] [▶ **16** esco*ar*] ● **es.co.a.men.to** *sm.*

escocês (es.co.*cês*) *a.* **1** Da Escócia (Reino Unido); típico desse país ou de seu povo. *sm.* **2** Pessoa nascida na Escócia. *a.sm.* **3** *Gloss.* Da, ref. à ou a língua falada minoritariamente na Escócia. [Pl.: *-ceses*. Fem.: *-cesa*.]

escoicear (es.coi.ce.*ar*) *v.* **1** Dar coices ou pancadas (em). [*td.*: *O animal enfurecido escoiceou o vaqueiro.* *int.*: *O burro começou a escoicear.*] **2** *Fig.* Tratar de forma agressiva; INSULTAR. [*td.*: *Vive a escoicear seus desafetos.*] [▶ **13** escoic*ear*]

escoimar (es.coi.*mar*) *v.* Livrar(-se) (de impurezas, imperfeições, defeitos); DEPURAR. [*td.*: *Escoimou o texto antes de entregá-lo à editora.* *tdi.* + *de*: *É preciso escoimar o artigo do excesso de adjetivos.* *pr.*: *Conseguiu escoimar-se dos vícios.*] [▶ **1** escoim*ar*] ● **es.coi.ma.do** *a.*

escol (es.*col*) *sm.* Aquilo que há de melhor numa sociedade ou num grupo; ELITE. [Pl.: *-cóis*.]

escola (es.*co*.la) *sf.* **1** Estabelecimento de ensino coletivo (escola primária). **2** Conjunto dos alunos, professores e pessoal de uma escola (1). **3** Conjunto de seguidores de uma doutrina, teoria ou autor. **4** Prédio onde funciona escola (1). ■ **~ de samba** *Bras.* Agremiação recreativa centrada no samba como expressão popular, cuja principal atividade é criar e organizar um desfile carnavalesco. **Fazer ~** Criar ou granjear seguidores, adeptos etc.: *uma teoria que fez escola.*

escolado (es.co.*la*.do) *a. Bras.* **1** Sabido, vivido, esperto: *Ele é escolado, não entra em fria.* **2** Conhecedor, experiente: *violonista escolado em música clássica.*

escolar (es.co.*lar*) *a2g.* **1** Ref. a escola (calendário escolar). **2** Destinado à escola (pesquisa escolar). **3** Utilizado na escola (material escolar). *s2g.* **4** Estudante, aluno. ● **es.co.lás.ti.co** *a.*

escolaridade (es.co.la.ri.*da*.de) *sf.* Formação escolar; grau de aprendizado: *Não conseguiu emprego por causa da baixa escolaridade.*

escolarizar (es.co.la.ri.*zar*) *v.* Fazer passar ou passar por ensino na escola. [*td.*: *É preciso escolarizar toda a população.* *pr.*: *Resolveu escolarizar-se.*] [▶ **1** escolari*zar*] ● **es.co.la.ri.za.do** *a.*; **es.co.la.ri.za.ção** *sf.*

escolástica (es.co.*lás*.ti.ca) *sf. Fil.* Filosofia medieval que se caracterizou por tentar combinar a fé e a razão. ● **es.co.lás.ti.co** *a.*

escolha (es.*co*.lha) [ô] *sf.* **1** Ação ou resultado de escolher. **2** Opção entre duas coisas ou mais; PREFERÊNCIA. ■ **Múltipla ~** Técnica us. em provas e concursos na qual o aluno ou o candidato deve escolher a única resposta certa entre as várias opções apresentadas para cada questão.

escolher (es.co.*lher*) *v.* Optar por (coisas ou pessoas) levando em conta alternativas. [*td*.: *Entre várias, escolheu uma camisa azul. int*.: *Ante tantas ofertas, é preciso saber escolher*.] [▶ **2** escol**her**] • **es.co.lhi.do** *a.sm.*

escolho (es.co.lho) [ô] *sm.* **1** Rocha à superfície da água. **2** *Fig.* Dificuldade, impedimento.

escolinha (es.co.*li*.nha) *sf.* **1** *Bras.* Curso de esportes, artes etc. para crianças ou jovens: *escolinha de futebol.* **2** Escola pequena.

escoliose (es.co.li:o.se) *sf. Med.* Desvio lateral da coluna vertebral. [Cf.: *cifose* e *lordose*.]

escolta (es.*col*.ta) *sf.* Pessoa ou grupo de pessoas, policiais, veículos que acompanham ou protegem pessoas ou coisas.

escoltar (es.col.*tar*) *v. td.* **1** Acompanhar oferecendo proteção (contra perigos): *A Polícia Militar escoltava os carros-fortes.* **2** Manter-se junto de; ACOMPANHAR: *O secretário escoltou o cônsul durante a recepção.* [▶ **1** escol**tar**] • **es.col.ta.do** *a.*

escombros (es.*com*.bros) *smpl.* Destroços e entulhos que restam de uma obra derrubada ou em ruínas: *os escombros da implosão de um edifício.*

esconde-esconde (es.con.de-es.*con*.de) *sm. Infan.* Brincadeira infantil em que uma criança procura por outras que se esconderam. [Pl.: *esconde-escondes* ou *esconde-esconde*.]

esconder (es.con.*der*) *v.* **1** Colocar(-se) em lugar oculto, para não ser encontrado. [*td.*: *Escondeu o presente até o aniversário do filho. pr.*: *O menino escondeu-se atrás da porta.*] **2** Impedir que (algo) venha ao conhecimento (de outrem); OCULTAR. [*td*.: *esconder um crime.* **tdi**. + *de*: *O deputado escondeu seu passado dos eleitores.*] **3** Não demonstrar; DISFARÇAR. [*td.*: "...consciente de sua velhice e que não procurava escondê-la." (Kurban Said, *Ali e Nino*). **tdi**. + *de*: *Escondeu do amigo sua decepção.*] **4** Impedir a visibilidade de; TAPAR. [*td.*: *A folhagem escondia o ninho do joão-de-barro.*] [▶ **2** esconder] • **es.con.di.do** *a.*

esconderijo (es.con.de.*ri*.jo) *sm.* Lugar onde alguém se esconde ou esconde alguma coisa.

escondidas (es.con.*di*.das) *sfpl.* Us. na loc. ▪ **Às ~** De maneira oculta: *Saiu às escondidas.*

esconjurar (es.con.ju.*rar*) *v. td.* **1** Afastar (demônio, espírito mau) do corpo de alguém, por meio de exorcismo, magia etc.; EXORCIZAR: *esconjurar o demônio.* **2** Afastar, fazer desaparecer (coisa ruim): *Esconjurou seus maus pensamentos.* **3** Dirigir pragas ou maldições a; AMALDIÇOAR: *Irritadíssimo, esconjurava quem lhe surgisse à frente*; (sem complemento explícito) *Nervoso, não parava de esconjurar*. [▶ **1** esconju**rar**] • **es.con.ju.ra.ção** *sf.*; **es.con.ju.ra.do** *a.*

esconjuro (es.con.*ju*.ro) *sm.* **1** Expressão dirigida contra uma pessoa desejando-lhe algum mal; MALDIÇÃO; PRAGA. **2** Oração para afastar o demônio ou os espíritos maus.

esconso (es.*con*.so) *a.* **1** Inclinado, enviesado, oblíquo. *sm.* **2** Qualidade de esconso (1). **3** Canto, ângulo: *Revirou cada esconso da biblioteca.*

escopeta (es.co.*pe*.ta) [ê] *sf.* Espingarda de recarregamento rápido, pequena e de cano curto.

escopo (es.*co*.po) [ô] *sm.* **1** Alvo, mira. **2** Objetivo, intenção.

escopro (es.*co*.pro) [ô] *sm.* **1** Ferramenta de metal us. para fazer gravações em pedra, madeira etc.; CINZEL. **2** *Med.* Instrumento cirúrgico de ponta cortante us. em operações nos ossos.

escora (es.*co*.ra) *sf.* **1** Peça para apoiar ou sustentar; ESTEIO. **2** *Mar.* Peça de madeira ou aço que serve para sustentar uma embarcação em construção ou reparo. **3** *Fig.* Apoio, amparo, proteção.

escorar (es.co.*rar*) *v.* **1** Colocar escora, esteio em. [*td*.] **2** Encostar(-se) para não cair; APOIAR(-SE). [*td*.: *Escore a moto no muro. pr.*: *...veio arrastando os pés, escorando-se em um bordão..."* (Júlio Ribeiro, *A carne*).] **3** *Fig.* Buscar sustentação ou proteção (em alguém ou algo). [*ti*. + *em/pr.*: *Escorar(-se) na religião.*] [▶ **1** escor**ar**] • **es.co.ra.do** *a.*; **es.co.ra.men.to** *sm.*

escorbuto (es.cor.*bu*.to) *sm. Med.* Doença causada por falta de vitamina C, cujos sintomas são hemorragias e queda da resistência às infecções.

escorchar (es.cor.*char*) *v.* **1** Tirar a pele ou a casca de. [*td.*] **2** *Fig.* Roubar, espoliar. [*tdi. + de*: *Os vândalos escorcharam a loja de suas mercadorias.*] **3** *Fig.* Cobrar caro de; EXPLORAR. [*td.*: *Esta casa de espetáculos escorcha seu público.*] [▶ **1** escorch**ar**] • **es.cor.cha.do** *a.*; **es.cor.chan.te** *a2g.*

escorço (es.*cor*.ço) [ô] *sm.* **1** *Art.Pl.* Pintura ou desenho que representa um objeto em tamanho reduzido. **2** *Art.Pl.* Figura representada desse modo. **3** *Fig.* Síntese, resumo.

escore (es.*co*.re) *sm. Esp.* Resultado numérico de uma competição esportiva; PLACAR.

escória (es.*có*.ri:a) *sf.* **1** Resíduo resultante da fusão de metais. **2** *Fig.* Coisa sem valor. **3** *Fig.* Grupo de cafajestes: *lugar frequentado pela escória do bairro.*

escoriação (es.co.ri:a.*ção*) *sf.* Ferimento superficial: *O tombo causou-lhe uma escoriação no joelho.* [Pl.: -ções.]

escoriar (es.co.ri.*ar*) *v. td. pr.* Ferir(-se) levemente; ARRANHAR(-SE). [▶ **1** escori**ar**] • **es.co.ri:a.do** *a.*

escorpiano (es.cor.pi:a.no) *a.sm. Astrol.* Que ou quem nasceu sob o signo de Escorpião.

escorpião (es.cor.pi.*ão*) *sm.* **1** *Zool.* Artrópode dotado de um par de pinças dianteiras e com um ferrão na barriga us. para inocular seu veneno; LACRAU. **2** *Astrol.* **Escorpião** *sm. Astrol.* **1** *Astr.* **2** Signo (do Zodíaco) das pessoas nascidas entre 23 de outubro e 21 de novembro. **3** Escorpiano: *Eu sou Escorpião.*

escorpionismo (es.cor.pi:o.*nis*.mo) *sm. Med.* Envenenamento causado pela ferroada do escorpião.

escorraçar (es.cor.ra.*çar*) *v. td.* Mandar embora com maus modos; ENXOTAR. [▶ **12** escorra**çar**] • **es.cor.ra.ça.do** *a.*; **es.cor.ra.ça.men.to** *sm.*

escorrega (es.cor.*re*.ga) *sm.* Ver *escorregador.*

escorregadela (es.cor.re.ga.*de*.la) *sf.* **1** Ação ou resultado de escorregar; ESCORREGÃO: *A escorregadela me fez cair de joelhos.* **2** *Fig.* Deslize, erro, engano: *Cometeu uma escorregadela em sua palestra.*

escorregadio, **escorregadiço** (es.cor.re.ga.*di*:o, es.cor.re.ga.*di*.ço) *a.* Em que se pode escorregar (chão *escorregadio*).

escorregador (es.cor.re.ga.*dor*) [ô] *sm.* Brinquedo infantil composto por uma escada e uma superfície inclinada por onde as crianças deslizam sentadas; ESCORREGA.

escorregão (es.cor.re.*gão*) *sm.* Ver *escorregadela.* [Pl.: -gões.]

escorregar (es.cor.re.*gar*) *v.* **1** Deslizar sob a ação do próprio peso, caindo ou não. [*int.*: *Pisou numa casca de banana e escorregou.*] **2** *Fig.* Cair em erro, em contradição etc. [*ti*. + *em*: *Escorregava nas explicações, revelando sua culpa.*] [▶ **14** escorre**gar**]

escorreito (es.cor.*rei*.to) *a.* **1** Sem defeito ou falha (procedimento *escorreito*). **2** Que é correto (texto *escorreito*). **3** Que tem boa aparência (jovem *escorreito*).

escorrer (es.cor.*rer*) *v.* **1** Fazer correr, verter (líquido) ou tirar líquido de (algo). [*td.*: *escorrer o excesso do molho/o macarrão.*] **2** Gotejar ou correr (líquido) com mais intensidade. [*int.*: *O suor escorria pelo corpo.*] [▶ **2** escor**rer**] • **es.cor.ri.do** *a.*; **es.cor.ri.men.to** *sm.*

escorva (es.*cor*.va) [ô] *sf.* Dispositivo us. para provocar explosão, composto por um cordão detonante, uma espoleta elétrica ou um detonador: *bomba de escorva.*

escorvar (es.cor.*var*) *v. td.* Colocar explosivo em (arma de fogo, foguete). [▶ 1 escorv*ar*]

escoteiro[1] (es.co.*tei*.ro) *a.* **1** Que anda sem companhia, sozinho. **2** Que viaja sem bagagem. *sm.* **3** Pessoa escoteira (2).

escoteiro[2] (es.co.*tei*.ro) *sm.* Praticante do escotismo.

escotilha (es.co.*ti*.lha) *sf. Cnav.* Abertura numa embarcação para entrada de ar, luz, pessoas ou carga.

escotismo (es.co.*tis*.mo) *sm.* **1** Movimento mundial cujo objetivo é o aprimoramento físico e moral de meninos e rapazes. **2** Os princípios e a prática desse movimento.

escova[1] (es.co.va) [ó] *sf.* Objeto composto de uma placa onde são colocados fios de metal ou sintéticos, us. para limpar sapatos, tecidos, pentear cabelos etc.

escova[2] (es.co.va) [ó] *sf.* **1** Ação de escovar; ESCOVADELA. **2** Penteado feito com a ajuda de escova e secador: *Fez escova no salão.*

escovadela (es.co.va.*de*.la) *sf.* **1** Ação de escovar. **2** Ação de escovar rapidamente: *Deu uma escovadela nos cabelos.* **3** *Fig.* Reprimenda, censura. **4** *Fig.* Castigo, punição.

escovado (es.co.*va*.do) *a.* **1** Que foi limpo ou penteado com escova. **2** *Bras. Pop.* Diz-se de indivíduo bem-arrumado. **3** *Bras.* Esperto, manhoso.

escovão (es.co.*vão*) *sm.* **1** Escova grande. **2** Escova de cabo longo us. para limpar ou encerar piso. [Pl.: -*vões*.]

escovar (es.co.*var*) *v. td.* Alisar ou limpar com escova: *escovar os cabelos/os sapatos.* [▶ 1 escov*ar*]

escovinha (es.co.*vi*.nha) *sf.* **1** Escova pequena. **2** *Bot.* Planta ornamental de flores azuis. ⚏ **À ~** Cortado rente ao couro cabeludo (diz-se de cabelo).

escrachar (es.cra.*char*) *v. td. Bras. Pop.* Desmoralizar, esculachar. [▶ **1** escrach*ar*] ● **es.cra.cha.do** *a.*; **es.cra.cho** *sm.*

escravatura (es.cra.va.*tu*.ra) *sf.* **1** Sistema social em que uma pessoa é propriedade de outra, e obrigada a trabalhar para ela; ESCRAVIDÃO; ESCRAVISMO. **2** Estado ou condição de escravo; ESCRAVIDÃO. **3** Conjunto de escravos.

escravidão (es.cra.vi.*dão*) *sf.* **1** Servidão, cativeiro. **2** Ver *escravatura* (1 e 2). **3** Falta de liberdade; DEPENDÊNCIA; SUJEIÇÃO: *Antigamente, as mulheres viviam na escravidão.* **4** Condição de quem é dependente de alguma coisa (paixão, vício etc.): *O fumo para ele era uma escravidão.* [Pl.: -*dões*.]

escravismo (es.cra.*vis*.mo) *sm.* Ver *escravatura* (1). ● **es.cra.vis.ta** *a2g.s2g.*

escravizar (es.cra.vi.*zar*) *v.* **1** Tornar escravo. [*td.*] [Ant.: *alforriar*.] **2** *Fig.* Tornar(-se) submisso; SUBJUGAR(-SE). [*td.*: "...como a paixão mais violenta *escraviza* (...) a sua vítima." (Joaquim Manuel de Macedo, *Luneta mágica*). *pr.*: *Escravizou-se aos caprichos do marido.*] [▶ **1** escraviz*ar*] ● **es.cra.vi.za.do** *a.*; **es.cra.vi.za.ção** *sf.*

escravo (es.*cra*.vo) *a.* **1** Diz-se de pessoa que está submetida a um dono, a quem pertence como propriedade privada. **2** *Fig.* Diz-se daquele que está submetido a alguém ou a alguma coisa: *Era um homem escravo do trabalho. sm.* **3** Pessoa escrava (1 e 2). **4** *Fig.* Aquele que trabalha como criado; SERVO. ● **es.cra.va.ri.a** *sf.*

escravocracia (es.cra.vo.cra.*ci*.a) *sf.* Predomínio dos escravocratas.

escravocrata (es.cra.vo.*cra*.ta) *a2g.* **1** Em que há escravidão (estado escravocrata). *a2g.s2g.* **2** Que ou aquele que é partidário da escravidão; ESCRAVISTA.

escrete (es.*cre*.te) [é] *sm. Esp.* Grupo de atletas escolhidos entre os melhores; SELEÇÃO.

escrevente (es.cre.*ven*.te) *s2g.* **1** Aquele cuja profissão é copiar o que outro escreveu ou ditou; ESCRITURÁRIO. **2** Serventuário da justiça auxiliar, que o substitui em seus impedimentos.

escrever (es.cre.*ver*) *v.* **1** Representar ou exprimir por meio da escrita. [*td.* com. um complemento explícito): *Ainda não escreve (o próprio nome)*.] **2** Ser escritor. [*int.*] **3** Redigir (carta, bilhete etc.). [*td./tdi. + a, para*: *Costumava escrever cartas (para a família) à noite.*] [▶ **2** escrev*er*. Part.: *escrito*.] [Cf. *escrivão*.]

escrevinhar (es.cre.vi.*nhar*) *v.* **1** Escrever com letra ruim; RABISCAR. [*td.*] **2** Escrever (futilidades, tolices, ou textos sem qualidade). [*td. int.*] [▶ **1** escrevinh*ar*] ● **es.cre.vi.nha.dor** *a.sm.*

escriba (es.*cri*.ba) *s2g.* **1** Profissional que escrevia à mão o que lhe ditavam, ou passava a limpo escritos alheios. **2** *Pop.* Aquele que é mau escritor.

escrínio (es.*crí*.ni:o) *sm.* **1** Mesa própria para escrever; ESCRIVANINHA. **2** Cofre pequeno para guardar joias.

escrita (es.*cri*.ta) *sf.* **1** Ação ou resultado de escrever; ESCRITURA. **2** Representação da língua falada por sinais gráficos. **3** Conjunto de símbolos e letras adotado em um sistema de escrita (*escrita* japonesa); ALFABETO. **4** Sistema de sinais gráficos us. para representar alguma coisa (*escrita* musical). **5** Modo, técnica ou arte de expressão literária; ESTILO: *Sua escrita sempre foi emocionante.* **6** Maneira própria de escrever; LETRA; CALIGRAFIA: *Ninguém conseguia ler sua escrita.* **7** *Fig.* Fato que se repete quase como uma rotina: "Defendendo uma *escrita* de mais de vinte anos sem perder para o rival..." (*O Dia*, 06.12.03).

escrito (es.*cri*.to) *a.* **1** Representado por sinais gráficos (língua *escrita*). **2** Que está redigido: *ideias escritas e claras. sm.* **3** Aquilo que está representado por signos gráficos, em papel ou outro meio adequado. **4** Pequena mensagem por escrito; BILHETE.

escritor (es.cri.*tor*) [ó] *sm.* Pessoa que escreve livros, esp. literários.

escritório (es.cri.*tó*.ri:o) *sm.* **1** Cômodo de um imóvel destinado ao trabalho intelectual ou burocrático. **2** Sala ou conjunto de salas onde se realizam trabalhos administrativos ou se atendem clientes.

escritura (es.cri.*tu*.ra) *sf.* **1** Ação ou resultado de escrever; ESCRITA. **2** *Jur.* Forma escrita de um ato jurídico: *escritura de compra e venda.* **3** Maneira ou estilo de escrever: *uma escritura barroca.* **4** *Rel.* A Bíblia. ● **es.cri.tu.ral** *a2g.*

escriturar (es.cri.tu.*rar*) *v. td.* Anotar (transações comerciais) em livro próprio; CONTABILIZAR. [▶ **1** escritur*ar*] ● **es.cri.tu.ra.ção** *sf.*

escriturário (es.cri.tu.*rá*.ri:o) *sm.* **1** Pessoa que escritura. **2** Ver *escrevente* (1).

escrivaninha (es.cri.va.*ni*.nha) *sf.* Mesa para escrever, ger. com gavetas.

escrivão (es.cri.*vão*) *sm.* Funcionário público que escreve documentos legais (autos, atas, termos de processo etc.) junto a diversas autoridades ou tribunais. [Pl.: -*vães*. Fem.: -*vã*.]

escroque (es.*cro*.que) *sm.* Pessoa que se apropria de bens alheios por meio de fraudes; VIGARISTA.

escroto (es.*cro*.to) [ó] *sm. Anat.* Bolsa que contém os testículos. *a.sm.* **2** *Bras. Pej. Vulg.* Que ou quem é desonesto, sem caráter ou feio, desajeitado etc. [At! Considerado ofensivo nesta acepção.] ● **es.cro.tal** *a2g.* (bolsa escrot*al*).

escrúpulo (es.*crú*.pu.lo) *sm.* **1** Inquietação de consciência quanto à forma de agir; INCERTEZA; HESITAÇÃO. **2** Caráter, moral: *Agiu sem o menor escrúpulo.* **3** Cuidado extremo; ZELO: *Revisavam tudo com muito escrúpulo.*

escrupuloso (es.cru.pu.*lo*.so) [ô] *a.* **1** Cheio de escrúpulo; HESITANTE, IRRESOLUTO. **2** Zeloso, cuidadoso: *Presta contas de cada centavo, de tão escrupuloso.* [Fem. e pl.: [ó].]

escrutar (es.cru.*tar*) *v.* *td.* Procurar informações sobre; SONDAR: *escrutar as testemunhas do crime.* [▶ 1 escrutar]

escrutinar (es.cru.ti.*nar*) *v.* Contar votos. [*int.*] [▶ 1 escrutinar] • **es.cru.ti.na.dor** *a.sm.*

escrutínio (es.cru.*ti*.ni:o) *sm.* **1** Votação em urna. **2** Apuração dos votos: *Manteve-se na dianteira desde o primeiro escrutínio.* **3** A urna onde se põem os votos. **4** *Fig.* Exame cuidadoso, detalhado.

escudar (es.cu.*dar*) *v.* **1** Defender(-se), proteger(-se) (contra alguma ameaça). [*td./tdi.* + *contra.*] **2** *Fig.* Ter como apoio. [*pr.*: *Escudava-se na influência da família.*] [▶ 1 escudar] • **es.cu.da.do** *a.*

escudeiro (es.cu.*dei*.ro) *sm.* **1** Na Idade Média, jovem que levava o escudo de seu cavaleiro. **2** Soldado armado de lança e escudo que fazia a guarda dos imperadores. **3** Título de nobreza de ordem inferior.

escudela (es.cu.*de*.la) *sf.* Tigela rasa de madeira, própria para colocar comida.

escuderia (es.cu.de.*ri*.a) *sf. Aut.* Empresa de carros de corrida, com equipes de técnicos e pilotos preparados para disputar campeonatos.

escudo (es.*cu*.do) *sm.* **1** Anteparo de defesa contra golpes de espada ou lança. **2** *Fig.* Qualquer coisa que sirva de proteção: *O policial usou o veículo como escudo.* **3** *Fig.* Emblema de time esportivo. **4** Peça em que se representam as armas do país ou brasões de famílias. **5** Nome do dinheiro us. em Portugal até a adoção do euro.

esculachar (es.cu.la.*char*) *v. td. Bras. Pop.* Ver *esculhambar.* [▶ 1 esculachar] • **es.cu.la.cha.do** *a.sm.*; **es.cu.la.cho** *sm.*

esculhambação (es.cu.lham.ba.*ção*) *sf. Bras. Pop.* **1** Grande desordem; AVACALHAÇÃO; CONFUSÃO: *Era impressionante a esculhambação do quarto.* [Ant.: ordem; organização.] **2** Crítica violenta e desmoralizadora. **3** Ação de zombar, de escarnecer; DEBOCHE. [Pl.: -ções.]

esculhambar (es.cu.lham.*bar*) *v. td. Bras. Pop.* **1** Criticar severamente, sem respeito; DESMORALIZAR; ESCULACHAR. **2** Bagunçar, estragar, esculachar. [▶ 1 esculhambar] • **es.cu.lham.ba.do** *a.sm.*

esculpir (es.cul.*pir*) *v. td.* Desbastar terra, pedra, madeira para criar escultura: *esculpir uma estátua.* [▶ 1 esculpir]

escultor (es.cul.*tor*) [ó] *sm.* Artista que faz esculturas: *Leonardo da Vinci foi um grande escultor.*

escultura (es.cul.*tu*.ra) *sf. Art.Pl.* Representação estética tridimensional de um objeto em diversos materiais (bronze, madeira, mármore etc.); ESTATUÁRIA.

escultural (es.cul.tu.*ral*) *a2g.* **1** Ref. a escultura. **2** *Fig.* Cujas formas são perfeitas (corpo *escultural*). [Pl.: -*rais.*]

escuma (es.*cu*.ma) *sf.* Ver *espuma* (1).

escumadeira (es.cu.ma.*dei*.ra) *sf.* Colher rasa com muitos orifícios, us. para retirar a espuma de líquidos ou a fritura da gordura quente; ESPUMADEIRA.

escumar (es.cu.*mar*) *v.* Ver *espumar.* [▶ 1 escumar]

escumilha (es.cu.*mi*.lha) *sf.* **1** Chumbo miúdo para a pesca e para caçar pássaros. **2** *Bot.* Planta ornamental. **3** Tecido fino e transparente de lã ou seda.

escuna (es.*cu*.na) *sf. Mar.* Tipo de embarcação pequena, ligeira, com dois mastros.

escuras (es.*cu*.ras) *sfpl.* Us. na loc. ■ **Às ~** **1** No escuro, sem iluminação: *Ficamos dois dias às escuras no apartamento.* **2** Sem informações precisas, escuras: *O projeto não poderia ser aprovado às escuras.* **3** Às escondidas: *Não confie nele, costuma agir às escuras.*

escurecer (es.cu.re.*cer*) *v.* **1** Tornar(-se) escuro, sem brilho ou claridade. [*td.*: *O colega escureceu o rio. int.*: *Com as cortinas, a sala escurecerá.*] **2** Dar ou adquirir cor escura; ENEGRECER. [*td.*: *Escureça mais este desenho. int.*: *Seus cabelos escureceram.*] **3** Anoitecer. [*int.*: *No horário de verão escurece mais tarde.*] [▶ 33 escurecer]. V. impess. na acp. 3.] • **es.cu.re.ci.men.to** *sm.*

escuridão (es.cu.ri.*dão*) *sf.* **1** Falta de luz; BREU; TREVAS. [Ant.: *claridade, luz.*] **2** *Fig.* Ausência de conhecimento; IGNORÂNCIA. **3** *Fig.* Impossibilidade de ver; CEGUEIRA. [Pl.: -*dões.*]

escuro (es.*cu*.ro) *a.* **1** Que não é claro; em que falta luz (sala *escura*). **2** Cuja tonalidade é próxima do preto. **3** *Bras.* Diz-se de pessoa negra ou mulata. *sm.* **4** Escuridão, negrume: *Minha irmã ainda tem medo do escuro.*

escusa (es.*cu*.sa) *sf.* Desculpa ou justificativa para algo que se deixou de fazer.

escusado (es.cu.*sa*.do) *a.* Que é dispensável; DESNECESSÁRIO: *Escusado é falar sobre sua honestidade.*

escusar (es.cu.*sar*) *v.* **1** Perdoar, desculpar. [*td.*: *escusar um erro.*] **2** Pedir perdão, desculpar-se. [*pr.*: *Escusou-se de não ter lhe dado a devida atenção.*] **3** Dispensar-se, liberar-se. [*pr.*: *Escusou-se de lhe dar satisfações.*] [▶ 1 escusar] • **es.cu.sá.vel** *a2g.*

escuso (es.*cu*.so) *a.* **1** Suspeito, clandestino, ilícito (negócios *escusos*). **2** Escondido, oculto.

escuta (es.*cu*.ta) *sf.* **1** Ação ou resultado de escutar. **2** Lugar de onde se escuta. *s2g.* **3** Pessoa que fica a postos para ouvir; ESPIÃO. ■ **~ telefônica** Sistema us. para ouvir e, muitas vezes, gravar conversas telefônicas de outrem ger. de maneira ilegal; GRAMPO. [Tb. *escuta.*]

escutar (es.cu.*tar*) *v.* **1** Ouvir com atenção. [*td.*: *O rapaz escutou tudo com imenso interesse. int.*: *Ela falava e ele escutava, calado.*] **2** Captar (som) pela audição; OUVIR. [*td.*: *Escutei o telefone tocar. int.*: *Fale mais alto, não estou escutando bem.*] **3** Dar atenção a conselho, advertência. [*td.*: *Ela só escuta as amigas.*] [▶ 1 escutar]

esdrúxulo (es.*drú*.xu.lo) *a.* **1** Que é esquisito, fora do comum; EXTRAVAGANTE; EXÓTICO. **2** *Poét.* Diz-se de verso que termina em palavra proparoxítona.

esfacelar (es.fa.ce.*lar*) *v.* **1** Quebrar(-se) em pedaços; DESPEDAÇAR(-SE). [*td.*] **2** *Fig.* Vencer, destroçar. [*td.*] [▶ 1 esfacelar] • **es.fa.ce.la.do** *a.*; **es.fa.ce.la.men.to** *sm.*

esfaimado (es.fai.*ma*.do) *a.sm.* Que ou quem tem muita fome; FAMINTO; ESFOMEADO.

esfalfar (es.fal.*far*) *v. td. pr.* Cansar(-se) muito; FATIGAR(-SE). [▶ 1 esfalfar] • **es.fal.fa.do** *a.*; **es.fal.fa.men.to** *sm.*

esfaquear (es.fa.que.*ar*) *v. td. pr.* Ferir(-se) ou matar com faca. [▶ 13 esfaquear] • **es.fa.que.a.do** *a.*; **es.fa.que.a.men.to** *sm.*

esfarelar (es.fa.re.*lar*) *v. td. pr.* Transformar(-se) em farelo; ESMIGALHAR(-SE). [▶ 1 esfarelar] • **es.fa.re.la.do** *a.*; **es.fa.re.la.men.to** *sm.*

esfarrapado (es.far.ra.*pa*.do) *a.* **1** Que está rasgado, em frangalhos; MOLAMBENTO. **2** *Fig.* Incoerente, desconexo: *Deram uma desculpa esfarrapada.*

esfarrapar (es.far.ra.*par*) *v. td.* Transformar em farrapos; RASGAR. [▶ 1 esfarrapar]

esfenocéfalo (es.fe.no.*cé*.fa.lo) *a.* Que tem a cabeça pontiaguda.

esfenoide (es.fe.*noi*.de) *sm. Anat.* Osso situado na base do crânio. • **es.fe.noi.dal** *a2g.*

esfera (es.*fe*.ra) *sf.* **1** Superfície geométrica curva em que todos os pontos são equidistantes de um ponto central em seu interior. **2** Qualquer objeto sólido em forma de bola. **3** *Fig.* Ambiente, meio social em que uma pessoa exerce autoridade, poder etc.: *Sua esfera de influência é grande.* ■ **~ celeste** *Astron.* O espaço astronômico em torno da Terra, imaginado como uma esfera na qual a Terra está no centro, e em cuja superfície interna se visualizam os demais astros. • **es.fé.ri.co** *a.*

esferográfica (es.fe.ro.*grá*.fi.ca) *sf.* Caneta com ponta esférica por onde sai a tinta.

esfiapar (es.fi:a.*par*) *v. td. int.* Fazer ficar ou ficar em fiapos; DESFIAR(-SE). [▶ 1 esfiapar] • es.fi:a.*pa*.do *a.*

esfíncter, esfincter (es.*fínc*.ter, es.finc.*ter*) *sm. Anat.* Músculo circular que abre e fecha o orifício de um canal do corpo (*esfíncter* anal).

esfinge (es.*fin*.ge) *sf. Mit.* Monstro lendário com corpo de leão, busto e cabeça humanos, e asas.

esfirra (es.*fir*.ra) *sf. Cul.* Tipo de pastel árabe, com recheio de carne, queijo ou verduras.

esfolar (es.fo.*lar*) *v.* 1 Ferir(-se) levemente, ger. soltando a pele. [*td.*: *esfolar o joelho*. *pr.*: *Eu me esfolei andando de patins.*] 2 *Fig. Pop.* Cobrar caro de. [*td.*: *Há bares que esfolam os turistas no carnaval.*] [▶ 1 esfolar] • es.fo.*la*.do *a.*

esfoliar (es.fo.li.*ar*) *v.* 1 Retirar as células mortas e as impurezas de (pele). [*td.*: *Use uma bucha para esfoliar o rosto.*] 2 Separar(-se), desprender(-se) em lâminas a superfície de. [*td.*: *esfoliar um mineral*. *int.*: *Com o calor e o vento, a pintura esfoliou.*] [▶ 1 esfoliar] • es.fo.li:a.*ção sf.* [Cf.: *esfolhar*.]

esfomeado (es.fo.me.a.do) *a.sm.* Que ou quem está com muita fome; FAMINTO; ESFAIMADO.

esforçado (es.for.*ça*.do) *a.* Que se esforça, se empenha na execução de tarefas, para obter algo etc.

esforçar-se (es.for.*çar*.se) *v. pr.* Fazer esforço; EMPENHAR-SE. [*td.*: *Vou me esforçar para tirar notas melhores.*] [▶ 12 esforçar-se]

esforço (es.*for*.ço) [ô] *sm.* 1 Empenho para realizar alguma coisa. 2 Intensificação de atividade muscular. [Pl.: [ó].]

esfrangalhar (es.fran.ga.*lhar*) *v. td.* Deixar em frangalhos; DILACERAR. [▶ 1 esfrangalhar] • es.fran.ga.*lha*.do *a.*

esfrega (es.*fre*.ga) *sf.* 1 Ação de esfregar; ESFREGAÇÃO. 2 *Pop.* Repreensão, reprimenda: *O professor deu-lhe a maior esfrega.*

esfregação (es.fre.ga.*ção*) *sf.* 1 Ação de esfregar. 2 *Pop.* Troca de carícias físicas; SARRO. [Pl.: -*ções.*]

esfregão (es.fre.*gão*) *sm.* Pano us. para esfregar, limpar. [Pl.: -*gões.*]

esfregar (es.fre.*gar*) *v.* 1 Friccionar(-se) (uma superfície sobre a outra). [*td.*: *esfregar as mãos*; seguido de indicação de lugar) *Para decalcar, esfregue a unha sobre a figura*. *pr.*: *O cachorro não para de se esfregar no chão.*] 2 Limpar(-se), fazendo fricção. [*td.*: *esfregar o chão*. *pr.*: *Esfregue-se direito no banho.*] [▶ 14 esfregar]

esfriar (es.fri.*ar*) *v.* 1 Tornar(-se) frio ou mais frio. [*td.*: *Preciso esfriar esse café para bebê-lo. int.*: *Voltou a esfriar na cidade. pr.*: *A parafina derretida solidifica ao se esfriar.*] 2 *Fig.* Tornar(-se) distante, indiferente, insensível. [*td.*: *A desconfiança esfriou nossa amizade. int.*: *O namoro esfriou.*] 3 Acalmar(-se), tranquilizar(-se). [*td.*: *Fui caminhar para esfriar a cabeça. int.*: *Os ânimos esfriaram.*] [▶ 1 esfriar] • es.fri:a.*men*.to *sm.*

esfumaçar (es.fu.ma.*çar*) *v. td.* 1 Encher (ambiente) de fumaça. 2 *Bras.* Secar (alimento) expondo à fumaça; DEFUMAR. [▶ 12 esfumaçar] • es.fu.ma.*ça*.do *a.*

esfuminho (es.fu.*mi*.nho) *sm.* Rolo de papel, pelica ou feltro, us. para tornar menos nítido o traçado de desenhos e dar sombreamento.

esfuziante (es.fu.zi:*an*.te) *a2g.* 1 Muito alegre; RADIANTE: *Ficaram esfuziantes com a chegada do trem.* 2 Barulhento, ruidoso.

esfuziar (es.fu.zi.*ar*) *v. int.* 1 Soprar forte: *O vento esfuziava, batendo as janelas.* 2 Produzir ruído agudo e sibilante; ZUNIR: *As hélices esfuziavam na cabeceira da pista.* [▶ 1 esfuziar]

esgalgado (es.gal.*ga*.do) *a.* 1 Magro e alto como um cão galgo. 2 *Fig.* Estreito e comprido.

esganação (es.ga.na.*ção*) *sf.* 1 Ação de esganar(-se); ESTRANGULAMENTO. 2 Ação ou atividade feita com ansiedade, sofreguidão. [Pl.: -*ções.*]

esganado (es.ga.*na*.do) *a.* 1 Estrangulado. 2 Esfomeado, faminto. 3 Sôfrego, ávido. *sm.* 4 Pessoa esganada (2 e 3).

esganar (es.ga.*nar*) *v. td.* Apertar o pescoço de, provocando asfixia; ESTRANGULAR. [▶ 1 esganar]

esganiçar (es.ga.ni.*çar*) *v.* 1 Tornar (a voz) aguda, estridente. [*td.*] 2 Falar ou cantar com voz estridente. [*pr.*: *Esganiçava-se ao microfone.*] [▶ 12 esganiçar] • es.ga.ni.*ça*.do *a.* (voz esganiçada).

esgar (es.*gar*) *sm.* Careta intencional de desprezo, desdém, escárnio.

esgaravatador (es.ga.ra.va.ta.*dor*) [ô] *a.* 1 Que esgaravata ou esgravata. *sm.* 2 Instrumento us. para revirar as brasas de forja, lareira etc.

esgarçar (es.gar.*çar*) *v.* Afastar(em-se), soltar(em-se) os fios de (um tecido). [*td.*: *O atrito acabou esgarçando o pano. int./pr.*: *Com o atrito, o pano esgarçou(-se).*] [▶ 12 esgarçar] • es.gar.*ça*.do *a.*

esgazeado (es.ga.ze.*a*.do) *a.* 1 Diz-se de olhar que expressa desnorteamento, espanto ou ira. 2 De cor esbranquiçada; ALVACENTO; DESBOTADO.

esgazear (es.ga.ze.*ar*) *v. td.* Revirar (os olhos), parecendo louco. [▶ 13 esgazear]

esgoelar (es.go:e.*lar*) *v.* 1 Dizer gritando; falar gritando; BERRAR. [*td.*: *Irritado, esgoelou reclamações e impropérios. int./pr.*: *Na ânsia de uma solução, esgoelava(-se) sem resultado.*] 2 Estrangular. [*td.*] [▶ 1 esgoelar] • es.go:e.*la*.do *a.*; es.go:e.la.*men*.to *sm.*

esgotado (es.go.*ta*.do) *a.* 1 Que terminou (tempo esgotado). 2 *Fig.* Extremamente cansado; EXAUSTO; EXTENUADO. 3 Totalmente vendido (estoque esgotado).

esgotamento (es.go.ta.*men*.to) *sm.* 1 Esvaziamento total. 2 *Fig.* Cansaço excessivo; EXTENUAÇÃO.

esgotar (es.go.*tar*) *v.* 1 Gastar tudo, acabar (com). [*td.*: *As viagens esgotou nossas forças. int./pr.*: *As reservas de petróleo vão (se) esgotar um dia.*] 2 Acabar (por ter sido vendido). [*int./pr.*: *Os ingressos esgotaram(-se) rapidamente.*] 3 Dizer ao estudar tudo sobre (um assunto). [*td.*: *É impossível esgotar esse tema tão fascinante.*] 4 Acabar com a água de; SECAR. [*td.*: *esgotar um poço.*] 5 Fazer ficar ou ficar exausto; CANSAR(-SE). [*td.*: "...*dançar direito por quase duas horas esgota qualquer um...*" (*O Dia*, 09.09.03). *pr.*: *Esgotava-se para sustentar a família.*] [▶ 1 esgotar]

esgoto (es.*go*.to) [ô] *sm.* Sistema de tubulação subterrâneo ou cano por onde escorrem os dejetos de uma casa ou cidade e a água das chuvas.

esgravatar, esgaravatar (es.ga.va.*tar*, es.ga.ra.va.*tar*) *v. td.* 1 Remexer usando objeto ou os dedos, ger. para limpar. 2 *Fig.* Investigar, inquirir: *Esgravatou o local até achar uma pista.* [▶ 1 esgravatar, esgaravatar] [Ver *esgaravatador*.]

esgrima (es.*gri*.ma) *sf. Esp.* 1 Luta entre duas pessoas com florete, espada ou sabre. 2 Conjunto de técnicas e táticas desse esporte ou luta.

esgrimir (es.gri.*mir*) *v.* 1 Jogar ou lutar com (armas brancas). [*td.*: *Esgrimia sua espada com perfeição.*] 2 *Fig.* Batalhar no combate a; LUTAR. [*ti.* + *contra*: *Esgrimir contra as injustiças.*] 3 *Fig.* Discutir, polemizar. [*int.*: *Os jogadores da seleção esgrimiam a cada erro.*] [▶ 3 esgrimir]

esgrimista (es.gri.*mis*.ta) *a2g.s2g.* Que ou quem pratica esgrima.

esgueirar-se (es.guei.*rar*-se) *v. pr.* Retirar-se às escondidas: *Esgueirou-se para não ser reconhecido.* [▶ 1 esgueirar-se]

esguelha (es.*gue*.lha) [ê] *sf.* 1 Qualidade ou condição do que é oblíquo; TRAVÉS. 2 Pedaço de tecido cortado em viés. ▪ **De ~** De soslaio, enviesadamente.

esguichar (es.gui.*char*) *v. td.* Fazer sair (líquido) em jato, com força. [*td.*: *A mangueira esguichava água. int.*: *O leite esguichava sem parar.*] [▶ 1 esguichar] • es.gui.*cha*.do *a.*

esguicho | espaçoso

esguicho (es.*gui*.cho) *sm.* **1** Ação ou resultado de esguichar. **2** Expulsão de líquido por um cano ou passagem estreita. **3** Peça adaptada à mangueira ou tubo, para esguichar.

esguio (es.*gui*:o) *a.* Que é alto e fino (palmeira *esguia*, homem *esguio*).

eslavo (es.*la*.vo) *a.* **1** Da Polônia, República Tcheca, Eslováquia, Bulgária, Croácia, Eslovênia, Sérvia, Rússia ou Ucrânia; típico desses países ou de seus povos. *sm.* **2** Pessoa nascida em um desses países.

eslavônio (es.la.*vô*.ni:o) *a.* **1** Da Eslavônia (região na Europa); típico dessa região ou de seu povo. *sm.* **2** Pessoa nascida na Eslavônia.

eslovaco (es.lo.*va*.co) *a.* **1** Da Eslováquia (região na Europa); típico dessa região ou de seu povo. *sm.* **2** Pessoa nascida na Eslováquia.

esloveno (es.lo.*ve*.no) *a.* **1** Da Eslovênia (região na Europa); típico dessa região ou de seu povo. *sm.* **2** Pessoa nascida na Eslovênia.

esmaecer (es.ma:e.*cer*) *v. int.* **1** Perder a cor ou o brilho; DESBOTAR: *Algumas cores esmaecem com facilidade.* **2** Perder a importância, a força; ENFRAQUECER: *A saudade da família não esmaecia.* **3** Desmaiar. [▶ **33** esmae<u>cer</u>] ● es.ma:e.ci.do *a.*; es.ma:e.ci.*men*.to *sm.*

esmagador (es.ma.ga.*dor*) [ô] *a.* **1** Que comprime até amassar e/ou despedaçar. **2** *Fig.* Que causa opressão (domínio <u>esmagador</u>); TIRÂNICO. **3** *Fig.* Que é indiscutível (argumento <u>esmagador</u>); IRREFUTÁVEL. *sm.* **4** Máquina de moer: *esmagador de tomates.*

esmagar (es.ma.*gar*) *v. td.* **1** Apertar até que se desfaça; ESMIGALHAR: *esmagar frutas.* **2** *Fig.* Acabar com; DESTRUIR: *esmagar uma revolta.* **3** *Fig.* Vencer com vantagem; mostrar-se melhor: *Vamos esmagar aquele time!* [▶ **14** esma<u>gar</u>] ● es.ma.*ga*.do *a.*; es.ma.ga.*men*.to *sm.*

esmaltar (es.mal.*tar*) *v. td.* Revestir com esmalte. [▶ **1** esmal<u>tar</u>] ● es.mal.*ta*.do *a.*; es.mal.ta.*gem sf.*

esmalte (es.*mal*.te) *sm.* **1** Substância líquida, opaca ou transparente, de diversas cores, us. como proteção ou adorno em diversas superfícies: *esmalte de unha.* **2** *Art.Gr.* Camada de cola de peixe ou goma-laca us. na gravação de um clichê. **3** *Od.* Camada que recobre a coroa do dente.

esmerado (es.me.*ra*.do) *a.* Feito com esmero; CAPRICHADO; APRIMORADO.

esmeralda (es.me.*ral*.da) *sf. Min.* Pedra preciosa verde. **2** A cor verde da esmeralda. *a2g2n.* **3** Que é dessa cor (vestidos <u>esmeralda</u>).

esmeraldino (es.me.ral.*di*.no) *a.* Que apresenta tom de esmeralda.

esmerar-se (es.me.*rar*-se) *v. pr.* Empenhar-se em realizar (algo) da melhor maneira possível: *Os alunos esmeraram-se na preparação da exposição.* [▶ **1** esmer<u>ar</u>-se]

esmeril (es.me.*ril*) *sm.* **1** Pedra us. para amolar ferramentas e utensílios, movida à manivela ou a motor. **2** Pó de pedra ferruginosa que serve para polir metais, vidros etc. [Pl.: -*ris.*]

esmerilar, esmerilhar (es.me.ri.*lar*, es.me.ri.*lhar*) *v. td.* **1** Lixar com esmeril. **2** *Fig.* Investigar: *esmerilar segredos.* [▶ **1** esmeri<u>lar</u>, esmerilh<u>ar</u>] ● es.me.ri.*la*.*men*.to *sm.*; es.me.ri.lha.*men*.to *sm.*

esmero (es.*me*.ro) [ê] *sm.* **1** Atitude de desempenhar qualquer atividade com extremo cuidado, buscando a perfeição; DESVELO. **2** Grande requinte no acabamento; REFINAMENTO.

esmigalhar (es.mi.ga.*lhar*) *v. td.* Reduzir a migalhas; ESMAGAR: *esmigalhar grãos.* [▶ **1** esmigalh<u>ar</u>] ● es.mi.ga.*lha*.do *a.*; es.mi.ga.lha.*men*.to *sm.*

esmiuçar (es.mi:u.*çar*) *v. td.* Examinar em todos os detalhes: *Uma nave espacial está esmiuçando o planeta Marte.* [▶ **12** esmiu<u>çar</u>. Quanto ao acento do *u*, ver paradigma 18.] ● es.mi:u.*ça*.do *a.*

esmo (es.mo) [ê] *sm.* Avaliação aproximada; CONJETURA; ESTIMATIVA: *Segundo seu esmo, quase todos compareceriam.* ▦ A ~ Sem intenção definida; ao acaso: *Desorientado, andava a esmo pela cidade.*

esmola (es.*mo*.la) *sf.* **1** Oferta de dinheiro feita aos necessitados; ESPÓRTULA; DONATIVO. **2** Graça, favor, concessão: *A comida era de esmola.*

esmolambado (es.mo.lam.*ba*.do) *a. Bras.* Que anda com a roupa esfarrapada; MOLAMBENTO.

esmolar (es.mo.*lar*)*v.int.* Pedir esmola; MENDIGAR. [▶ **1** esmol<u>ar</u>]

esmoler (es.mo.*ler*) [ê] *a2g.* **1** Que dá esmolas; CARIDOSO; CARITATIVO. *s2g.* **2** Pessoa esmoler (1). **3** Pessoa encarregada de distribuir esmolas. **4** *Bras. Pop.* Mendigo, pedinte.

esmorecer (es.mo.re.*cer*) *v. int.* **1** Perder o ânimo, o entusiasmo; DESANIMAR: *Mesmo diante da dificuldade, ela não esmoreceu.* **2** Tornar-se menos intenso, vivo: *O debate foi esmorecendo aos poucos.* [▶ **33** esmore<u>cer</u>] ● es.mo.re.ci.do *a.*; es.mo.re.ci.*men*.to *sm.*

esmurrar (es.mur.*rar*) *v. td.* Dar soco em (alguém ou algo). [▶ **1** esmurr<u>ar</u>]

esnobar (es.no.*bar*) *v.* Agir como esnobe (com), ou mostrar-se superior (a). [*td.*: *Esnobou o convite que eu mandei. int.*: *Depois de ganhar na loteria, vive esnobando.*] [▶ **1** esno.*ba*.do *sf.*

esnobe (es.*no*.be) *a2g.s2g.* Que ou quem demonstra esnobismo.

esnobismo (es.no.*bis*.mo) *sm.* **1** Comportamento de quem prefere relacionar-se com os que têm alta posição social, desprezando as relações com gente humilde. **2** Sentimento exagerado de superioridade; PRESUNÇÃO.

esôfago (e.*sô*.fa.go) *sm. Anat.* Canal musculoso e membranoso que liga a faringe ao estômago. ● e.so.fa.gi:a.no *a.*; e.so.*fá*.gi.co *a.*

esoterismo (e.so.te.*ris*.mo) *sm. Fil.* Doutrina que se fundamenta em fenômenos sobrenaturais e cujos princípios são ensinados apenas aos escolhidos (os iniciados); OCULTISMO. [Cf.: *exotérico*] ● e.so.té.ri.co *a.*

espaçar (es.pa.*çar*) *v.* Dar ou ter intervalo (de lugar ou tempo) entre; ESPACEJAR. [*td.*: *espaçar os enfeites da árvore de Natal. pr.*: *As crises de asma espaçaram-se com o remédio.*] [▶ **12** espa<u>çar</u>]● es.pa.*ça*.do *a.*; es.pa.ça.*men*.to *sm.*

espacejar (es.pa.ce.*jar*) *v.* **1** Ver espaçar. **2** *Tip.* Deixar intervalo entre elementos do texto. [*td.*: *espacejar letras.*] [▶ **1** espacej<u>ar</u>] ● es.pa.ce.*ja*.do *a.*; es.pa.ce.ja.*men*.to *sm.*

espacial (es.pa.ci:*al*) *a2g.* Ref. ao espaço (viagem *espacial*). [Pl.: -*ais.*]

espaço (es.*pa*.ço) *sm.* **1** Extensão ilimitada que contém todos os seres existentes (<u>espaço</u> aéreo). **2** Extensão limitada (<u>espaço</u> territorial); LUGAR. **3** Distância que separa uma coisa da outra: *Dê um espaço de 5cm entre as mudas.* **4** Duração de tempo: *Esperou por um espaço de duas horas.* **5** *Fig.* Oportunidade: *O professor dava espaço para que os alunos se manifestassem.* **6** *Publ.* Tempo em rádio ou TV, ou área em jornal e revista: *A notícia ocupou grande espaço na mídia.* **7** *Mús.* Intervalo entre as linhas na pauta. **8** *Art.Gr.* Pequena peça de metal us. para separar as palavras. **9** *Tip.* O claro entre as palavras e/ou letras.

espaçonave (es.pa.ço.*na*.ve) *sf. Astr.* Veículo construído para realizar viagens espaciais.

espaçoso (es.pa.*ço*.so) [ó] *a.* **1** Que é extenso; AMPLO; VASTO. [Ant.: *diminuto, reduzido.*] **2** *Pop.* Que não respeita a área de atuação ou de interesse dos outros; ABUSADO; INTROMETIDO. [Fem. e pl.: [ó].]

espaço-tempo (es.pa.ço-*tem*.po) *sm*. *Fís*. Segundo a teoria da relatividade de Einstein, o quarto espaço, constituído pelo tempo, necessário para que a posição de um fenômeno seja determinada. [Pl.: *espaços-tempos* e *espaços-tempo*.]

espada (es.*pa*.da) *sf*. **1** Arma com lâmina comprida e pontiaguda, de um ou dois gumes. ⚐ **espadas** *sfpl*. **2** Naipe de baralho de cor preta. [Aum.: *espadão* e *espadagão*. Dim.: *espadim*.] [Ver ilustr. de (2) em *naipe*.]

espadachim (es.pa.da.*chim*) *sm*. **1** Pessoa que luta armada de espada. **2** *Fig*. Brigão, valentão. [Pl.: *-chins*.]

espadana (es.pa.*da*.na) *sf*. Qualquer coisa similar à espada.

espadarte (es.pa.*dar*.te) *sm*. *Zool*. Mamífero cetáceo da família dos delfins; PEIXE-ESPADA.

espadaúdo (es.pa.da.*ú*.do) *a*. Que tem os ombros largos.

espádua (es.*pá*.du:a) *sf*. *Anat*. Articulação do braço com o tórax, onde se juntam a escápula, o úmero e a clavícula; OMBRO.

espaguete (es.pa.*gue*.te) *sm*. **1** Macarrão muito fino. **2** *Eletrôn*. Fio de plástico maleável us. para encapar e isolar fios condutores.

espairecer (es.pai.re.*cer*) *v*. Afastar(-se) dos problemas e da tensão; DISTRAIR(-SE). [*td*.: *Alice viajou para espairecer as ideias*. *int*.: *Tirei férias, e vou tentar espairecer*.] [▶ 33 espair̄ecer] • es.pai.re.ci.*men*.to *sm*.

espalda (es.*pal*.da) *sf*. Ombro, espádua.

espaldar (es.pal.*dar*) *sm*. Encosto de cadeira, banco ou cama.

espalhafato (es.pa.lha.*fa*.to) *sm*. **1** Situação em que há alvoroço e barulho; BARULHEIRA, ESTARDALHAÇO: *Riam com espalhafato*. **2** Exibição, ostentação; ALARDE: *A festa foi um verdadeiro espalhafato*. • es.pa.lha.fa.*to*.so *a*.

espalhar (es.pa.*lhar*) *v*. **1** Separar sem muita ordem; ESPARRAMAR. [*td*.: *Espalhei as fotos sobre a mesa*.] **2** Estender(-se) para diversas direções; DISPERSAR(-SE). [*td*.: *O vento espalha as sementes das plantas*. *pr*.: *Os brasileiros se espalham por todo o mundo*.] **3** Tornar(-se) público; DIFUNDIR(-SE). [*td*.: *O repórter espalhou boatos*. *pr*.: *A notícia espalhou-se rapidamente*.] **4** Propagar(-se) (sentimento, doença etc.), alastrar-(se). [*td*.: *Boatos espalharam o medo de uma epidemia*. *pr*.: *"Uma onda de pavor parecia (...) espalhar-se por seu corpo inteiro."* (Paulo Coelho, *Brida*.)] **5** *Pop*. Sentar ou deitar à vontade, ocupando muito espaço; ESPARRAMAR-SE. [*pr*.: *espalhar-se no sofá*.] [▶ 1 espalh̄ar] • es.pa.*lha*.do *a*.; es.pa.lha.*men*.to *sm*.

espalmar (es.pal.*mar*) *v*. **1** Abrir totalmente (a mão). [*td*.: *Nervoso, espalmou as mãos sobre a mesa*.] **2** *Fut*. Aparar (a bola) com as mãos sem agarrá-la. [*td*.: *O goleiro espalmou a bola para escanteio*. *int*.: *Ronaldo chutou e o goleiro espalmou*.] [▶ 1 espalm̄ar] • es.pal.*ma*.do *a*.

espanador (es.pa.na.*dor*) *sm*. Vassoura com cabo curto, feita de tiras de pano ou penas, us. para remover o pó de superfícies.

espanar (es.pa.*nar*) *v. td*. Limpar a poeira de, ger. com espanador. [▶ 1 espan̄ar] • es.pa.*na*.do *a*.

espancar (es.pan.*car*) *v. td*. Dar pancada, surra em; SURRAR: *Revoltados, espancaram o assassino*. [▶ 11 espanc̄ar] • es.pan.ca.*do a*.; es.pan.ca.*men*.to *sm*.

espanhol (es.pa.*nhol*) *a*. **1** Da Espanha (Europa); típico desse país ou de seu povo. *sm*. **2** Pessoa nascida na Espanha. **a**.*sm*. **3** *Gloss*. Da, ref. à ou a língua falada esp. na Espanha e América Latina. [Pl.: *-nhóis*. Fem.: *-nhola*.]

espanhola (es.pa.*nho*.la) *sf*. **1** Nome da gripe epidêmica de 1918: *A espanhola matou milhões de pessoas em todo o mundo*. **2** Fem. de *espanhol*. *a*. **3** *N.E*. Diz-se de vaca de chifres grandes e de formato esquisito.

espantadiço (es.pan.ta.*di*.ço) *a*. Que se assusta à toa; AMEDRONTADO.

espantado (es.pan.*ta*.do) *a*. **1** Que se assustou; INTIMIDADO, ATEMORIZADO. **2** Que se surpreendeu; PASMO, PERPLEXO: *Fiquei espantado com a coragem deles*.

espantalho (es.pan.*ta*.lho) *sm*. **1** Boneco ger. em tamanho natural, us. nas plantações para afastar roedores e pássaros. **2** *Fig. Pej*. Pessoa descuidada, feia. [At! Considerado ofensivo nesta acepção.]

espantar (es.pan.*tar*) *v*. **1** Causar ou sentir susto, ou medo. [*td*.: *Aquela máscara espantou as crianças*. *pr*.: *Todos se espantaram com os gritos*.] **2** Causar ou sentir surpresa ou admiração; SURPREENDER(-SE). [*td*.: *Os métodos do professor espantaram os alunos*. *pr*.: *Espantou-se quando soube minha idade*.] **3** Afugentar (tb. *Fig*.). [*td*.: *Você sabe como espantar os pombos?*; *"...vai falando no escuro para espantar o pavor..."* (Cecília Meireles, *Crônicas de educação 4*.)] [▶ 1 espant̄ar]

espanto (es.*pan*.to) *sm*. **1** Estado de assombro; SUSTO: *O espanto era visível no rosto dos mais velhos*. **2** Admiração, perplexidade: *Os deputados reagiram com espanto*. • es.pan.*to*.so *a*.

esparadrapo (es.pa.ra.*dra*.po) *sm*. Tira aderente para fixar curativos ou fazer imobilizações.

espargir (es.par.*gir*) *v. td*. **1** Espalhar (líquido) em borrifos; BORRIFAR: *espargir água benta*. **2** Espalhar, difundir: *O sol espargia seus raios sobre a clareira*. [▶ 46 espar̄gir] Raramente us. na 1ª. pess. do pres. ind. e no pres. subj. inteiro.] • es.par.*gi*.do *a*.; es.par.gi.*men*.to *sm*.

esparramar (es.par.ra.*mar*) *v*. **1** Espalhar(-se) completamente e sem muita ordem. [*td*.: *Deve-se esparramar o café para que seque ao sol*. *pr*.: *O gado esparramou-se pelo pasto*.] **2** Derramar. [*td*.: *Ela esparramou o leite todo*.] **3** *Pop*. Ocupar muito espaço; ESPALHAR-SE (5). [*pr*.: *Esparramou-se na cama*.] [▶ 1 esparram̄ar] • es.par.ra.*ma*.do *a*.

esparrela (es.par.*re*.la) *sf*. **1** *Fig*. Recurso para iludir; CILADA: *Apesar de prevenido, caiu numa esparrela*. **2** Armadilha de caça.

esparso (es.*par*.so) *a*. Que não está junto (objetos esparsos, notícias esparsas); DISPERSO, ESPALHADO.

espartano (es.par.*ta*.no) *a*. **1** De Esparta (Grécia antiga); típico dessa cidade ou de seu povo. **2** *Fig*. Austero, rigoroso: *indivíduo de hábitos espartanos*. *sm*. **3** Pessoa nascida em Esparta.

espartilho (es.par.*ti*.lho) *sm*. Cinta com barbatanas que as mulheres usavam para modelar o corpo.

espasmo (es.*pas*.mo) *sm*. *Med*. Contração repentina e involuntária de um ou mais músculos.

espasmódico (es.pas.*mó*.di.co) *a*. **1** Ref. a espasmo. **2** Que se manifesta por espasmos (cólicas espasmódicas). **3** *Fig*. Que tem mudanças bruscas e inconstantes: *crescimento econômico espasmódico*.

espata (es.*pa*.ta) *sf*. *Bot*. Folha modificada, ger. colorida, que envolve a inflorescência de muitas plantas.

espatifar (es.pa.ti.*far*) *v*. **1** Fazer(-se) em pequenos pedaços. [*td*.: *A bola espatifou a vidraça da janela*; (seguido de indicação de lugar) *Espatifou o carro na árvore*. *pr*.: *O copo espatifou-se no chão*.] **2** *Pop*. Cair no chão com estardalhaço. [*pr*.: *Escorregou e se espatifou na calçada*.] [▶ 1 espatif̄ar] • es.pa.ti.*fa*.do *a*.

espátula (es.*pá*.tu.la) *sf*. **1** Espécie de faca sem fio, para cortar papéis, abrir folhas de livros, envelopes etc. **2** Espátula (1) larga, us. para misturar, espalhar ou raspar substâncias pastosas.

espavento (es.pa.*ven*.to) *sm*. **1** Medo repentino; SUSTO; ASSOMBRO. **2** Exibição para impressionar; OSTENTAÇÃO. • es.pa.ven.*to*.so *a*.

espavorido (es.pa.vo.ri.do) *a*. Dominado pelo medo: *Correu espavorido, fugindo do cão.*

espavorir (es.pa.vo.rir) *v*. Causar medo ou susto a, ou sentir medo ou susto; AMEDRONTAR(-SE). [*td*.: *Suas caretas podem espavorir as crianças. pr*.: *Ao ouvir o barulho espavoriu-se e fugiu.*] [▶ 59 espavorir]

espécar (es.pe.car) *v. td*. Sustentar (ger. com esque): *especar uma barraca.* [▶ 11 especar] • **es.pe.ca.do** *a*.

especial (es.pe.ci.al) *a2g*. **1** Que não é geral (autorização *especial*); ESPECÍFICO; PARTICULAR. **2** Exclusivo para um grupo ou pessoa: *transporte especial do condomínio.* **3** Que tem aplicação específica: *produto especial para diabéticos.* **4** Fora do comum; EXTRAORDINÁRIO: *um dia muito especial.* [Pl.: -ais.]

especialidade (es.pe.ci.a.li.da.de) *sf*. **1** Qualidade ou condição de especial. **2** Atividade profissional ou conjunto de conhecimentos que domina: *Informática é a sua especialidade.* **3** Prato de destaque de um restaurante ou região: *Comida nordestina é a especialidade do restaurante.* **4** Aquilo que alguém faz bem: *A especialidade desse jogador é bater faltas.*

especialista (es.pe.ci.a.lis.ta) *a2g.s2g*. Que ou quem tem grande domínio sobre algum assunto ou atividade: *especialista em medicina legal.*

especialização (es.pe.ci.a.li.za.ção) *sf*. Processo ou resultado de especializar(-se): *Antônio fez especialização em biologia.* [Pl.: -ções.]

especializar (es.pe.ci.a.li.zar) *v*. **1** Tratar de maneira especial ou particular. [*td*.: *Vamos especializar algumas dessas questões.*] **2** Aprimorar(-se) ou formar(-se) em área específica de atividade. [*td*.: *A fábrica vai especializar seus operários. tdi*. + *em*: *Especializou-se profissionais na área ambiental. pr*.: *Especializou-se em fotos de crianças.*] [▶ 1 especializar] • **es.pe.ci.a.li.za.do** *a*.

especiaria (es.pe.ci.a.ri.a) *sf*. Erva aromática us. para dar sabor e cheiro aos alimentos preparados (p.ex., pimenta, cravo, canela).

espécie (es.pé.cie) *sf*. **1** *Biol*. Grupo de indivíduos animais ou vegetais que pertencem à mesma família e possuem características comuns: *Há várias espécies de banana.* **2** Denominação de uma coisa que não se pode definir com exatidão; TIPO: *Toda perda é uma espécie de morte.* **3** Marca como aquela que separa os indivíduos em grupos; CLASSE: *O lugar é frequentado por gente de toda espécie.* ■ **Causar** ■ Causar estranheza, surpresa. **Em ~ Em** dinheiro: *Aceitavam cheque, mas ele preferiu pagar em espécie.*

especificação (es.pe.ci.fi.ca.ção) *sf*. Descrição detalhada de um produto, material etc. [Pl.: -ções.]

especificar (es.pe.ci.fi.car) *v. td*. **1** Determinar a espécie de; CARACTERIZAR: *O diretor vai especificar a função de cada um.* **2** Mostrar individualmente; PARTICULARIZAR: *Especificou a tarefa a ser realizada.* **3** Explicar em detalhes: *Especificou os motivos de sua renúncia.* [▶ 11 especificar] • **es.pe.ci.fi.ca.dor** *a.sm*.

especificidade (es.pe.ci.fi.ci.da.de) *sf*. Qualidade do que é específico: *a especificidade da sociedade brasileira.*

específico (es.pe.cí.fi.co) *a*. **1** Exclusivo de uma espécie: *A fala é uma característica específica dos humanos.* **2** Destinado a um indivíduo ou situação particular: *remédio específico para gripe.*

espécime, **espécimen** (es.pé.ci.me, es.pé.ci.men) *sm. Bot. Zool*. Qualquer indivíduo de uma espécie (1): *um espécime comum de borboleta.* [Pl. de *espécimen*: *-mens.*]

especioso (es.pe.ci.o.so) [ó] *a*. **1** Verdadeiro só na aparência; ENGANADOR. **2** Bonito, delicado: *trabalho especioso nos detalhes.* [Fem. e pl.: [ó].]

espectador (es.pec.ta.dor) [ô] *sm*. **1** Pessoa que assiste a (espetáculo musical, teatral, TV etc.). **2** Pessoa que presencia um fato: *A briga ocorreu diante de vários espectadores.*

espectro (es.pec.tro) *sm*. **1** Visão imaginária de um morto ou de um espírito; FANTASMA: *Segundo a lenda, espectros habitam o castelo.* **2** O que é um perigo ameaçador: *o espectro da guerra.* **3** *Fig*. Pessoa muito alta e magra. • **es.pec.tral** *a2g*.

especulação (es.pe.cu.la.ção) *sf*. **1** *Econ*. Operação financeira que aproveita as oscilações do mercado para obter lucros elevados: *Ganhou uma fortuna na especulação com o dólar.* **2** Suposição maldosa ou sem fundamento: *A denúncia de fraude era especulação.* [Pl.: -ções.]

especular¹ (es.pe.cu.lar) *a2g*. Ref. a espelho, ou que reflete como espelho.

especular² (es.pe.cu.lar) *v*. **1** Fazer suposições, levantar hipóteses; CONJECTURAR. [*ti*. + *sobre*: "*...especularam (...) sobre a veracidade do casamento...*" (*FolhaSP*, 21.07.99).] **2** Aproveitar-se (de cargo, situação etc.) para obter vantagens. [*ti*. + *com*: *Especula com seu prestígio junto ao chefe.*] **3** Examinar, pesquisar, observar. [*td*.: *O predador especulou sua presa. ti*. + *sobre*: *O sr. José quer especular sobre o emprego do genro.*] **4** Pensar, refletir. [*ti*. + *sobre*: *Gosta de especular sobre ética e moral. int*.: *Quanto mais especulava, menos fazia.*] **5** *Econ*. Fazer transações financeiras para lucrar com flutuações do mercado. [*ti*. + *com*: *Especula com o dólar. int*.: *Quem só especula, nada cria.*] [▶ 1 especular] • **es.pe.cu.la.dor** *a.sm*.

especulativo (es.pe.cu.la.ti.vo) *a*. Ref. a especulação, em que há especulação (negócio *especulativo*).

espéculo (es.pé.cu.lo) *sm. Med*. Instrumento para dilatar certas cavidades do corpo e permitir o exame do seu interior.

espelhante (es.pe.lhan.te) *a2g*. Que tem o brilho ou a reflexão de um espelho.

espelhar (es.pe.lhar) *v*. **1** Refletir(-se) (imagem ou imagem de) como (n)um espelho. [*td*.: *O lago espelhava o incêndio no bosque. pr*.: *As chamas espelhavam-se nas águas do lago.*] **2** *Fig*. Expressar, retratar, reproduzir. [*td*.: *A peça espelha os problemas sociais.*] **3** Cobrir de espelhos. [*td*.: *Mandei espelhar uma parede do banheiro.*] **4** Tomar como modelo. [*pr*.: *Em sua carreira, espelhou-se no pai.*] [▶ 1 espelhar] • **es.pe.lha.do** *a.s*, **es.pe.lha.men.to** *sm*.

espelho (es.pe.lho) [ê] *sm*. **1** Superfície metalizada e polida que reflete imagens: *Ela adora se olhar no espelho.* **2** *Fig*. Exemplo para ser seguido; MODELO: *Madre Tereza foi um espelho de bondade.* **3** *Fig*. Imagem, reflexo: "*...ambígua trajetória/de que sou o espelho e a história...*" (Cecília Meireles, *Memória*). **4** Chapa que circunda fechadura, tomada, interruptor etc.

espelho-d'água (es.pe.lho-d'á.gua) *sm*. Superfície de uma grande extensão de água: *o espelho-d'água do lagoa.* [Pl.: *espelhos-d'água.*]

espelunca (es.pe.lun.ca) *sf. Pej*. Local, ger. público, sujo e mal frequentado.

espeque (es.pe.que) *sm*. Peça de madeira us. como escora.

espera (es.pe.ra) *sf*. Ação ou resultado de nada fazer ou poder fazer até que determinado fato ou circunstância ocorra, ou alguém chegue ou faça algo: *A espera pelo médico foi longa.*

esperança (es.pe.ran.ça) *sf*. **1** Expectativa otimista da realização daquilo que se almeja: *O advogado tem esperança de ganhar a causa.* **2** *Fig*. Aquilo ou aquele em que(m) se deposita uma expectativa: *O contrato é a esperança de salvação da empresa.* **3** *Zool*. Inseto saltador, ger. verde.

esperançoso (es.pe.ran.ço.so) [ô] *a*. **1** Cheio de esperança; CONFIANTE: *O diretor está esperançoso no sucesso da peça.* **2** Que dá esperança; PROMETEDOR: *O país vive um momento esperançoso.* [Fem. e pl.: [ó].]

esperanto (es.pe.*ran*.to) *sm. Gloss.* Língua artificial concebida como meio de comunicação internacional.

esperar (es.pe.*rar*) *v.* **1** Estar ou ficar à espera de; AGUARDAR. [*td.*: *Esperou* a abertura da bilheteria. *ti.* + *por*: Vera *esperou por* seu namorado mais de uma hora. *int.*: "Vem, vamos embora, que esperar não é saber" (Geraldo Vandré, *Para não dizer que não falei de flores*).] **2** Desejar, ter esperança (de). [*td.*: *Esperamos* que vocês sejam felizes na casa nova. *int.*: Quem *espera* sempre alcança.] **3** Supor, imaginar. [*td.*: Ninguém *esperava* que ele chegasse tão cedo.] **4** Contar com. [*td.*: *Esperávamos* uma reação do time.] [▶ **1** esper*ar*. Us. como v. auxiliar modal, seguido de v. no infinit., para expressar esperança ou confiança na realização de um fato: *Espero* passar no vestibular.] • **es.pe.ra.do** *a.sm.*; **es.pe.rá.vel** *a2g.*

esperma (es.*per*.ma) *sm. Biol.* Líquido produzido pelos órgãos genitais masculinos, e que contém os espermatozoides; SÊMEN.

espermacete (es.per.ma.*ce*.te) *sm.* Espécie de gordura extraída da cabeça de baleias, us. na fabricação de velas.

espermatogênese (es.per.ma.to.*gê*.ne.se) *sf. Biol.* Formação dos espermatozoides.

espermatozoide (es.per.ma.to.*zoi*.de) *sm. Biol.* Célula masculina presente no sêmen e responsável pela reprodução.

espermicida (es.per.mi.*ci*.da) *a2g.sm.* Que ou o que destrói espermatozoides (diz-se de substância, produto etc).

espernear (es.per.ne.*ar*) *v.* **1** Agitar as pernas com vigor. [*int.*: *Sem* o brinquedo, a criança começou a *espernear*.] **2** *Fig.* Reclamar, protestar. [*ti.* + *contra*: A população *esperneou contra* o novo imposto. *int.*: A atriz *esperneou* tanto que o diretor adiou a estreia.] [▶ **13** espern*ear*] • **es.per.nei.o** *sm.*

espertalhão (es.per.ta.*lhão*) *a.sm. Pej.* Que ou quem tenta enganar os outros. [Pl.: *-lhões*. Fem.: *-lhona*.]

esperteza (es.per.*te*.za) [ê] *sf.* **1** Qualidade ou ação de quem é esperto; VIVACIDADE: A *esperteza* da criança encanta a família. **2** Habilidade para enganar; ASTÚCIA: Com sua *esperteza*, ele nos passou para trás.

esperto (es.*per*.to) *a.* **1** Inteligente, vivo: É uma menina *esperta*, aprende tudo rápido. **2** Hábil em enganar os outros; ESPERTALHÃO. O vendedor *esperto* tentou me enganar no troco. **3** *Bras. Pop.* Bacana. [Cf.: *experto*.]

espesso (es.*pes*.so) [ê] *a.* **1** Grosso (madeira *espessa*). **2** Pastoso (sopa *espessa*). **3** Muito denso (barba *espessa*, mata *espessa*); CERRADO. • **es.pes.sar** *v.*

espessura (es.pes.*su*.ra) *sf.* **1** Característica do que é espesso (1); GROSSURA. **2** Medida de grossura: *espessura* de 1cm. **3** Consistência: a *espessura* de um molho. **4** Aproximação que forma um conjunto cerrado: a *espessura* das sobrancelhas.

espetacular (es.pe.ta.cu.*lar*) *a2g.* **1** Que encanta pela beleza, luxo, originalidade etc. **2** De grande qualidade, excelente; SENSACIONAL; MARAVILHOSO.

espetáculo (es.pe.*tá*.cu.lo) *sm.* **1** Apresentação pública de teatro, música, dança etc.: *Fomos a um espetáculo de balé no Teatro Municipal*. **2** Conjunto de imagens que impressionam a visão: *O espetáculo de fogos no Ano-Novo é um espetáculo memorável*. **3** Qualquer tipo de diversão em que haja beleza, técnica e brilhantismo: *A final da Copa do Mundo é um espetáculo aguardado por todos*. ▪▪ **Dar ~** *Pop.* Agir escandalosamente: *Bebeu demais e deu um espetáculo no restaurante*. Um **~** Muito bom; excepcional.

espetaculoso (es.pe.ta.cu.*lo*.so) [ô] *a.* **1** Feito com pompa: *As cerimônias da realeza são espetaculosas*. **2** Espalhafatoso, ridículo. [Fem. e pl.: [ó].]

espetada (es.pe.*ta*.da) *sf.* **1** Ação ou resultado de espetar(-se) com espeto ou outro objeto pontiagudo. **2** Conjunto de pedaços de alimento enfiados em espeto (1).

espetar (es.pe.*tar*) *v.* **1** Furar(-se), ferir(-se), atravessar ou cutucar com algo pontudo ou áspero. [*td.*: *espetar* uma azeitona; Este suéter está me *espetando*. *pr.*: *Espetei-me* com um espinho.] **2** Prender com um objeto pontiagudo. [*td.* (seguido de indicação de lugar): *Pode espetar* o convite no quadro de avisos.] **3** *Fig.* Criticar sem muita intensidade. [*td.*: *Vivia espetando* o irmão com suas ironias.] **4** Fixar (peça, dispositivo) por pressão, no lugar adequado. [*td.*: *Vou espetar* esta placa e religar o computador.] [▶ **1** espet*ar*] • **es.pe.ta.do.a** *a.*

espetinho (es.pe.*ti*.nho) *sm.* **1** *Cul.* Churrasquinho, brochete: *espetinho de carne*. **2** Espeto pequeno.

espeto (es.*pe*.to) [ê] *sm.* **1** Vareta de madeira ou metal para assar carne, peixe etc. no fogo ou na brasa. **2** *Fig.* Pessoa muito alta e magra. **3** *Bras. Fig.* Pessoa, coisa ou situação difícil, que aborrece: *Essa vizinha é um espeto, não para de reclamar*.

espevitado (es.pe.vi.*ta*.do) *a. Fig.* Muito animado no falar e nos gestos (moça *espevitada*); IRREQUIETO.

espezinhar (es.pe.zi.*nhar*) *v. td.* Tratar com desrespeito ou desdém; HUMILHAR: O bom esportista não *espezinha* os adversários. [▶ **1** espezinh*ar*] • **es.pe.zi.nha.do.a** *a.*; **es.pe.zi.nha.dor** *a.sm.*

espia[1] (es.*pi*.a) *s2g.* Ver espião.

espia[2] (es.*pi*.a) *sf. Mar.* Cabo para amarrar embarcações ao cais, a uma boia etc.

espiada (es.pi.*a*.da) *sf.* Ação ou resultado de espiar, de olhar rapidamente: *Dei uma espiada nas vitrines, mas não comprei nada*. • **es.pi.a.de.la** *sf.*

espião (es.pi.*ão*) *sm.* **1** Agente secreto que se infiltra entre os inimigos para obter informações e fornecê-las ao governo ou entidade a que serve; ESPIA[1]. **2** Pessoa que observa algo ou alguém secretamente. [Pl.: *-ões*. Fem.: *-ã*.]

espiar (es.pi.*ar*) *v.* **1** Observar sem ser notado. [*td.*: *Vivia espiando* o vizinho.] **2** Olhar, observar. [*td.*: *espiar* os pássaros no ninho. *int.* (seguido de indicação de lugar, meio etc.): *espiar* pela janela.] [▶ **1** espi*ar*] [Cf.: *expiar*.]

espicaçar (es.pi.ca.*çar*) *v. td.* **1** Incitar, instigar: *Suas aulas espicaçam o interesse dos alunos*. **2** Magoar, torturar, afligir. **3** Ferir com o bico (ave) ou com objeto pontiagudo. [▶ **12** espica*çar*] • **es.pi.ca.ça.do.a** *a.*

espichar (es.pi.*char*) *v.* **1** Esticar(-se), estender(-se). [*td.*: *Os meninos espicharam o pescoço para ver a moça passar. pr.*: *Espichou-se* para limpar a janela.] **2** Crescer. [*int.*: *Nossa, como esse menino espichou!*] **3** Deitar-se, esticando-se. [*pr.*: *Espichou-se* à sombra de uma árvore.] [▶ **1** espich*ar*] • **es.pi.cha.do.a** *a.*

espiciforme (es.pi.ci.*for*.me) *a2g.* Que tem forma de espiga.

espiga (es.*pi*.ga) *sf. Bot.* Parte de certas plantas, como o milho e o trigo, onde se fixam os seus grãos. [Dim.: *espícula*.]

espigado (es.pi.*ga*.do) *a.* **1** Crescido, alto (diz-se de pessoa). **2** Diz-se de cabelo arrepiado, levantado.

espigão (es.pi.*gão*) *sm.* **1** O ponto mais alto de uma serra ou monte. **2** *Bras. Pop.* Prédio de muitos andares. [Pl.: *-gões*.]

espigar (es.pi.*gar*) *v. int.* **1** *Bot.* Botar espiga (pé de trigo, milho etc.). **2** *Fig.* Crescer: *A menina espigou* da noite para o dia. [▶ **14** espig*ar*]

espinafrar (es.pi.na.*frar*) *v. td. Bras. Pop.* Passar um pito em; criticar duramente; REPREENDER: A imprensa *espinafrou* o técnico da seleção. [▶ **1** espinafr*ar*] • **es.pi.na.fra.ção** *sf.*

espinafre (es.pi.*na*.fre) *sm. Bot.* Planta comestível de folhas verdes pontudas.

espingarda (es.pin.*gar*.da) *sf.* Arma de fogo portátil com cano longo.

espinha (es.*pi*.nha) *sf.* **1** Qualquer osso de peixe. **2** *Med.* Erupção da pele, ger. no rosto: *Chocolate me dá espinhas.* ▪▪ ~ **dorsal 1** *Anat.* Coluna vertebral. [Tb. apenas *espinha*.] **2** *Fig.* O sustentáculo de algo: *Este departamento é a espinha dorsal da empresa.*

espinhaço (es.pi.*nha*.ço) *sm. Pop.* Coluna vertebral.

espinhal (es.pi.*nhal*) *a2g.* **1** Ref. a espinha (dorsal e de peixe). *sm.* **2** Lugar onde crescem plantas espinhosas. [Pl.: *-nhais.*]

espinhar-se (es.pi.*nhar*-se) *v. pr.* Irritar-se, aborrecer-se. [▶ **1** espinhar-se] ● es.pi.*nha*.do a.

espinheiro (es.pi.*nhei*.ro) *sm. Bot.* Arbusto coberto de espinhos.

espinhela (es.pi.*nhe*.la) *sf. Pop.* A extremidade inferior do osso esterno.

espinhento (es.pi.*nhen*.to) *a.* Cheio de espinhas ou espinhos (pele espinhenta, arbusto espinhento).

espinho (es.*pi*.nho) *sm.* **1** *Bot.* Ponta dura e afiada que aparece no caule de certas plantas. **2** *Fig.* Situação complicada; DIFICULDADE.

espinhoso (es.pi.*nho*.so) [ô] *a.* **1** Que tem espinhos (caule espinhoso); ESPINHENTO. **2** *Fig.* Cheio de dificuldades (luta espinhosa). [Fem. e pl.: [ó].]

espinossauro (es.pi.nos.*sau*.ro) *sm. Pal.* Dinossauro que viveu há 110 milhões de anos, com 3m de comprimento e que chegava a pesar 600kg.

espinotear (es.pi.no.te.*ar*) *v. int.* Dar pinotes, espernear (tb. *Fig.*): *Não adianta espinotear, hoje não vamos ao cinema.* [▶ **1** espinotear]

espionar (es.pi.o.*nar*) *v.* **1** Observar, investigar secretamente, como espião. [*td.*: *Espionava os treinos do time adversário.*] **2** Ter como atividade investigar secretamente. [*int.*: *Foi despedido porque espionava para os concorrentes.*] [▶ **1** espionar] ● es.pi.o.*na*.gem *sf.*

espique (es.*pi*.que) *sm. Bot.* Ver estipe.

espira (es.*pi*.ra) *sf.* **1** Cada volta do espiral ou de parafuso. **2** *Bot.* Volta em espiral de qualquer parte de um vegetal.

espiral (es.pi.*ral*) *sf.* **1** Linha curva que vai circulando um ponto fixo (no plano) ou um eixo (no espaço), sem se fechar. [No segundo caso, também chamada *hélice*.] **2** Qualquer coisa que tenha essa forma. *a2g.* **3** Que tem forma de espiral (escada espiral). [Pl.: *-rais.*]

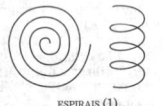

ESPIRAIS (1)

espiralado (es.pi.ra.*la*.do) *a.* **1** Que tem forma de espiral (arame espiralado). **2** Cujas folhas (2) contêm furos por onde passa um fio em espiral que as mantém presas (caderno espiralado).

espiralar (es.pi.ra.*lar*) *v.* **1** Dar forma de espiral a, ou adquiri-la. [*td.*: *Espiralou o arame à guisa de mola. pr.*: *A fumaça subia, espiralando-se.*] **2** Tornar espiralado (2). [*td.*: *espiralar um trabalho escolar.*] [▶ **1** espiralar]

espírita (es.*pi*.ri.ta) *a2g.* **1** *Rel.* Ref. ao espiritismo (centro espírita). **2** *Rel.* Que é adepto do espiritismo: *Tenho uma amiga espírita. s2g.* **3** Pessoa espírita (2).

espiritismo (es.pi.ri.*tis*.mo) *sm. Rel.* Doutrina cristã baseada na crença na imortalidade da alma e na comunicação entre vivos e mortos através dos médiuns.

espírito (es.*pí*.ri.to) *sm.* **1** A parte não material do ser humano; ALMA. **2** Modo de ser de uma pessoa; CARÁTER; ÍNDOLE: *Minha mãe tem um espírito franco.* **3** Intelecto, fina inteligência: *pessoa de espírito.* **4** O lado psicológico de uma pessoa ou grupo: *povo de espírito belicoso.* **5** Significado, sentido: *Ela não entendeu o espírito da campanha.* **6** Entidade imaginária ou sobrenatural: *espírito do mal.* **7** Bebida alcoólica. ▪▪ **Em** ~ Em pensamento; pela lembrança: *Estava longe de nós, mas presente em espírito.* ~ **de porco** *Bras. Pop.* Pessoa que costuma contrariar, criar problemas ou embaraços (em negócio, atividade etc.).

espírito-santense (es.pí.ri.to-san.*ten*.se) *a2g.* **1** Do Espírito Santo; típico desse estado ou de seu povo. *s2g.* **2** Pessoa nascida no Espírito Santo. [Sin. ger.: *capixaba.*] [Pl.: *espírito-santenses.*]

espiritual (es.pi.ri.tu.*al*) *a2g.* **1** Ref. ao espírito (1), em oposição ao corpo ou à mente (vida espiritual). **2** Ref. a religião; MÍSTICO. [Pl.: *-ais.*]

espiritualidade (es.pi.ri.tu.a.li.*da*.de) *sf.* **1** Qualidade ou natureza do que é espiritual. **2** Forte religiosidade ou misticismo: *rituais que despertam a espiritualidade das pessoas.*

espiritualismo (es.pi.ri.tu.a.*lis*.mo) *sm. Fil. Rel.* Doutrina que afirma a existência do espírito (1), considerando-o uma realidade independente da matéria, do corpo, e superior a ela. ● es.pi.ri.tu.a.*lis*.ta *a2g.s2g.*

espiritualizar (es.pi.ri.tu.a.li.*zar*) *v.* Tornar(-se) voltado para coisas não materiais (*td.*: *espiritualizar a mente. pr.*: *Espiritualizei-me mais.*] [▶ **1** espiritualizar] ● es.pi.ri.tu.a.li.*za*.do *a.*; es.pi.ri.tu.a.li.za.*ção sf.*

espirituoso (es.pi.ri.tu.*o*.so) [ô] *a.* Cheio de humor e inteligência (história espirituosa). [Fem. e pl.: [ó].]

espirradeira (es.pir.ra.*dei*.ra) *sf. Bot.* Arbusto tóxico que produz flores rosas ou brancas.

espirrar (es.pir.*rar*) *v.* **1** Soltar espirro. [*int.*: *Não parei de espirrar o dia todo.*] **2** Expelir ou ser expelido com força; ESGUICHAR. [*td.*: *Cuidado para não espirrar água em mim. int.*: *Ao abrir a caixa, o leite espirrou para todo lado.*] [▶ **1** espirrar]

espirro (es.*pir*.ro) *sm.* Expiração violenta e espasmódica, acompanhada de ruído, causada por irritação da membrana nasal.

esplanada (es.pla.*na*.da) *sf.* Área plana de grandes dimensões diante de um prédio importante: *a esplanada dos ministérios.*

esplêndido (es.*plên*.di.do) *a.* Que deslumbra; GRANDIOSO; MAGNÍFICO: *um banquete esplêndido.*

esplendor (es.plen.*dor*) [ô] *sm.* **1** Brilho forte: *o esplendor de uma estrela real.* **2** *Fig.* Qualidade do que é deslumbrante: *o esplendor das joias reais.*

esplendoroso (es.plen.do.*ro*.so) [ô] *a.* De grande esplendor (decoração esplendorosa); MAGNÍFICO. [Fem. e pl.: [ó].]

espocar (es.po.*car*) *v. int. Bras.* Estalar, pipocar: *Mal o ator apareceu, os flashes começaram a espocar.* [▶ **11** espocar]

espojar-se (es.po.*jar*-se) *v. pr.* Deitar-se rolando e agitando o corpo. [▶ **1** espojar-se]

espoleta (es.po.*le*.ta) [ê] *sf.* **1** Artefato destinado a inflamar a pólvora dos projéteis das armas de fogo. **2** *Bras. Fig.* Pessoa agitada, travessa, irrequieta.

espoletado (es.po.le.*ta*.do) *a. BA Gír.* Que se irrita facilmente.

espoliar (es.po.li.*ar*) *v. td.* Roubar (alguém) de forma violenta ou fraudulenta: *Os ladrões espoliavam os camponeses.* [▶ **1** espoliar] ● es.po.li.a.*ção sf.*; es.po.li.a.do *a.*

espólio (es.*pó*.li:o) *sm.* Conjunto de bens deixados por alguém que morreu.

esponja (es.*pon*.ja) *sf.* **1** *Zool.* Animal marinho de corpo poroso. **2** O esqueleto desse animal, macio e poroso, us. para esfregar o corpo no banho. **3** Qualquer objeto feito com material macio, poroso e absorvente: *esponja para lavar louças.* **4** *Pop.* Pessoa que bebe muito; BEBERRÃO. ▪▪ **Passar uma** ~ **em** Esquecer.

esponjoso (es.pon.*jo*.so) [ó] *a*. Poroso e macio como a esponja: *colchão de material esponjoso.* [Fem. e pl.: [ó].]

esponsal (es.pon.*sal*) *a2g*. **1** Ref. a esposo. ◼ **esponsais** *smpl*. **2** Compromisso de casamento; NOIVADO.

espontâneo (es.pon.*tâ*.ne:o) *a*. **1** Que é natural, sincero (atitude espontânea). **2** Feito sem obrigação, por iniciativa própria (colaboração espontânea); VOLUNTÁRIO. **3** *Bot*. Não cultivado (vegetação espontânea). • **es.pon.ta.nei.da.de** *sf*.

espora (es.*po*.ra) *sf*. Peça metálica pontuda presa no calcanhar do calçado de um cavaleiro, que com ela roça a barriga do animal para apressar sua marcha.

esporada (es.po.*ra*.da) *sf*. Toque de espora.

esporádico (es.po.*rá*.di.co) *a*. Que ocorre poucas vezes e sem regularidade (visitas esporádicas).

esporângio (es.po.*rân*.gi:o) *sm*. *Biol*. Célula que dá origem aos esporos.

esporão (es.po.*rão*) *sm*. *Zool*. **1** Saliência curva e pontuda no pé de aves como galos, perus etc., us. como arma defensiva. **2** *Med*. Saliência em osso. [Pl.: -rões.]

esporear (es.po.re.*ar*) *v. td*. Cutucar com a espora: *Esporeou o cavalo para que ele andasse*; (sem complemento explícito) *Em torneios, o peão deve esporear para ganhar mais pontos.* [▶ 13 esporear]

esporífero (es.po.*rí*.fe.ro) *a*. *Biol*. Que produz ou contém esporos.

esporo (es.*po*.ro) [ó] *sm*. *Biol*. Célula que em determinadas condições é capaz de germinar e reproduzir assexuadamente certas plantas e micro-organismos.

esporófito (es.po.*ró*.fi.to) *sm*. *Bot*. Vegetal que tem esporos.

esporro (es.*po*.rro) [ó] *sm*. *Bras*. *Vulg*. **1** Grande bronca; DESCOMPOSTURA. **2** Manifestação escandalosa, barulhenta; ALGAZARRA.

esporte (es.*por*.te) *sm*. **1** Atividade, ger. de recreação competitiva, que envolve exercícios físicos: *O futebol é o esporte mais popular do Brasil.* **a2g2n**. **2** De estilo informal (roupas esporte). ◼ **Por** ~ **Por** diversão; sem visar a vantagem ou remuneração: *Pescava por esporte, não para comer.*

esportista (es.por.*tis*.ta) *a2g.s2g*. Que ou quem pratica esporte.

esportividade (es.por.ti.vi.*da*.de) *sf*. Qualidade de quem é esportivo (3).

esportivo (es.por.*ti*.vo) *a*. **1** Que é destinado à prática de esportes (equipamento esportivo). **2** Ref. ao esporte (loteria esportiva). **3** Que gosta de praticar esportes. **4** Que tem esportiva. **5** Informal, descontraído. *óculos de modelo esportivo.* ◼ **esportiva** *sf*. **6** Qualidade de quem sabe ganhar e perder ao praticar esportes; espírito esportivo. **7** *Fig. Pop*. Atitude tranquila diante de uma situação aborrecedora; SERENIDADE: *Meu pai perde a esportiva em engarrafamentos.*

espórtula (es.*pór*.tu.la) *sf*. **1** Ver *gorjeta*. **2** Ver *esmola*.

esporulação (es.po.ru.la.*ção*) *sf*. *Biol*. Ação ou resultado de produzir esporos. [Pl.: -ções.] • **es.po.ru.lar** *v*.

esposa (es.*po*.sa) [ó] *sf*. Pessoa com a qual um homem é casado; MULHER.

esposar (es.po.*sar*) *v*. **1** Unir(-se) em matrimônio; CASAR(-SE). [*td*.: *Luís deseja esposar Ana.* **tdi**. + *com*: *Padre Sérgio esposou Lúcia com Joaquim.* *pr*.: *Jonas e Rosa se esposaram contra a vontade dos pais.*] **2** Defender (causa, tese, teoria etc.). [*td*.: *Muitos políticos esposaram a causa da globalização.*] [▶ esposar] • **es.po.sa.do** *a*.

esposo (es.*po*.so) [ô] *sm*. Homem com o qual uma mulher é casada; MARIDO.

espreguiçadeira (es.pre.gui.ça.*dei*.ra) *sf*. Cadeira reclinável, para repouso.

espreguiçar (es.pre.gui.*çar*) *v*. Esticar (os membros) com lentidão, preguiça, ger. após período de sono ou por cansaço. [*td*.: *espreguiçar as pernas. int./pr*.: *Cansado, vivia espreguiçando(-se) no trabalho.*] [▶ 12 espreguiçar]

espreita (es.*prei*.ta) *sf*. **1** Ação ou resultado de espreitar; VIGIA. **2** Ação ou resultado de esconder-se para atacar alguém; TOCAIA.

espreitar (es.prei.*tar*) *v. td*. Espiar, espionar, observar: *O leão espreitava a presa antes de atacar.* [▶ 1 espreitar] • **es.prei.ta.do** *a*.; **es.prei.ta.dor** *sm*.

espremedor (es.pre.me.*dor*) [ó] *a*. **1** Que espreme. *sm*. **2** Objeto que serve para espremer coisas: *espremedor de laranjas.*

espremer (es.pre.*mer*) *v*. **1** Comprimir para extrair o suco ou líquido de. [*td*.: *espremer limões.*] **2** Comprimir(-se), apertar(-se), pressionar. [*td*.: *Espremeu os dentes no elevador. pr*.: *A multidão se espremia na entrada do estádio.*] [▶ 2 espremer]

espuma (es.*pu*.ma) *sf*. **1** Conjunto de bolhas pequenas que se formam ao redor de sabão, xampu etc., ou à superfície de um líquido, quando agitado, fervido ou fermentado; ESCUMA. **2** Baba com aparência de espuma (1). **3** Material sintético, poroso e macio: *colchão de espuma.*

espumadeira (es.pu.ma.*dei*.ra) *sf*. Ver *escumadeira*.

espumante (es.pu.*man*.te) *a2g*. **1** Que forma espuma; ESPUMOSO: *Este sabonete é bem espumante.* *sm*. **2** Tipo de vinho que produz espuma, como o champanhe.

espumar (es.pu.*mar*) *v*. **1** Fazer ou soltar espuma. [*int*.: *O mar espuma em dias de ressaca; O cão rosnava e espumava.*] **2** Recobrir de espuma; ENSABOAR. [*td*.] **3** *Fig*. Demonstrar emoção forte, como que espumando (1). [*int*.: *Ele espumou de ódio com a notícia.*] [▶ 1 espumar] [Sin.: *escumar*.]

espumoso (es.pu.*mo*.so) [ó] *a*. **1** Ver *espumante* (1). **2** Em que há espuma (1). [Fem. e pl.: [ó].]

espúrio (es.*pú*.ri:o) *a*. **1** Que não é autêntico; FALSIFICADO: *Enriqueceu comerciando produtos espúrios.* **2** Concebido fora do casamento (diz-se de filho); BASTARDO. **3** Que não segue os princípios da lei, de hábitos e costumes, da gramática etc. (comportamento espúrio, linguagem espúria).

esquadra (es.*qua*.dra) *sf*. **1** *Mar.G*. Conjunto de navios de guerra. **2** *Mar.G*. Os navios de guerra de um país: *a esquadra brasileira.* **3** *Fig*. Grupo, ger. de esportistas; EQUIPE; ESQUADRÃO: *Na final do campeonato enfrentarão a esquadra argentina.*

esquadrão (cs.qua.*drão*) *sm*. **1** *Mil*. Unidade militar. **2** Ver *esquadra* (3). [Pl.: -drões.]

esquadrejar (es.qua.dre.*jar*) *v. td*. Cortar (madeira, vidro etc.) em formato de esquadria: *Esquadrejou a moldura do painel.* [▶ 1 esquadrejar] • **es.qua.dre.ja.do** *a*.; **es.qua.dre.ja.men.to** *sm*.

esquadria (es.qua.*dri*.a) *sf*. **1** Ângulo de 90 graus. **2** Corte ou estrutura com essa medida angular. **3** *Cons*. Armação em que se fixam portas e janelas.

esquadrilha (es.qua.*dri*.lha) *sf*. **1** Agrupamento de dois a quatro aviões, ger. militares. **2** *Mar.G*. Esquadra (1) composta de navios de guerra de pequeno porte.

esquadrinhar (es.qua.dri.*nhar*) *v. td*. Investigar minuciosamente: *O detetive esquadrinhou o local à procura de pistas.* [▶ 1 esquadrinhar] • **es.qua.dri.nha.do** *a*.; **es.qua.dri.nha.men.to** *sm*.

esquadro (es.*qua*.dro) *sm*. **1** Instrumento de desenho de forma triangular, us. para traçar ângulos retos e linhas perpendiculares ou paralelas. **2** *Cons*. Instrumento com esse mesmo formato us. para medir esquadrias.

esquálido (es.*quá*.li.do) *a*. **1** Muito magro. **2** Muito sujo ou desarrumado. **3** *Fig*. Muito pequeno ou muito pobre (casa esquálida).

esquartejar (es.quar.te.*jar*) *v. td.* Cortar (um corpo) em pedaços: *O assassino esquartejava suas vítimas.* [▶ 1 esquartejar] ● **es.quar.te.ja.do** *a.*; **es.quar.te.ja.men.to** *sm.*

esquecer (es.que.*cer*) *v.* Não lembrar(-se). [*td.*: *Nunca esqueci o meu primeiro amor. int.*: *Viajou para esquecer. pr.*: *Nunca me esqueci do meu primeiro carro.*] [NOTA: Na linguagem atual, a construção pronominal *esquecer-se* de vem sendo substituída frequentemente pela regência *ti.* *esquecer de* (sem o pronome): *Nunca esqueci do meu primeiro carro.*] [▶ 33 esquecer]

esquecido (es.que.*ci*.do) *a.* **1** Que não foi lembrado: *Os convites esquecidos não farão falta.* **2** Quem não tem boa memória: *Ela anda muito esquecida ultimamente.*

esquecimento (es.que.ci.*men*.to) *sm.* **1** Ação ou resultado de esquecer(-se). **2** Falta de lembrança; DESCUIDO: *Não paguei a conta por puro esquecimento.* **3** Desconsideração da importância de algo ou alguém: *Grandes homens não podem cair no esquecimento.*

esqueite (es.*quei*.te) *sm.* Ver skate.

esquelético (es.que.*lé*.ti.co) *a.* **1** Muito magro (modelos *esqueléticos*). **2** Ref. a esqueleto.

esqueleto (es.que.*le*.to) [ê] *sm.* **1** *Anat.* Estrutura de ossos que sustenta o corpo dos vertebrados: *o esqueleto humano.* **2** Essa estrutura quando exposta, depois da morte do animal; OSSADA: *Achamos um esqueleto de sapo.* **3** *Fig.* Estrutura básica de algo; ARCABOUÇO: *o esqueleto de uma construção.*

ESQUELETO (1)
CRÂNIO
CLAVÍCULA
ESTERNO
ÚMERO
COSTELAS
ILÍACO
ULNA
FÊMUR
COLUNA VERTEBRAL
FÍBULA

esquema (es.*que*.ma) [ê] *sm.* Esboço, resumo, ger. por meio de figura ou diagrama: *o esquema* *de um circuito eletrônico.* **2** Plano, programa: *Já foi definido o esquema de segurança para o carnaval.*

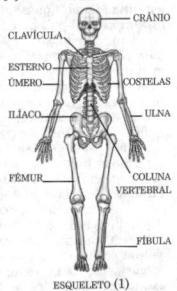

esquemático (es.que.*má*.ti.co) *a.* **1** Elaborado segundo um esquema (1): *diagrama esquemático das frentes frias.* **2** Sintético: *quadro esquemático das ciências.*

esquematizar (es.que.ma.ti.*zar*) *v. td.* **1** Representar graficamente ou por meio de esquema: *Esquematizou a evolução do consumo de energia.* **2** Fazer um esboço genérico de: *esquematizar um plano de ação.* [▶ 1 esquematizar] ● **es.que.ma.ti.za.do** *a.*; **es.que.ma.ti.za.ção** *sf.*

esquentado (es.quen.*ta*.do) *a.* **1** Que se esquentou; AQUECIDO. **2** *Fig.* Que está irritado ou tende a se irritar; EXALTADO; IRRITADIÇO: *Pessoas esquentadas tendem a arrumar briga.*

esquentar (es.quen.*tar*) *v.* **1** Elevar(-se) a temperatura de; AQUECER(-SE). [*td.*: *Já esquentei o jantar. int.*: *A calota polar está esquentando e derretendo. pr.*: *Tomou um chocolate quente para se esquentar.*] **2** *Fig.* Animar(-se), agitar(-se). [*td.*: *O entrevistador tentou esquentar o debate. int.*: *Agora a temporada musical vai esquentar!*] **3** *Pop. Fig.* Irritar(-se), preocupar(-se). [*td.*: *A expulsão do jogador esquentou os ânimos. int.*: *Não esquenta, isso passa! pr.*: *Você se esquentou à toa!*] **4** *Fig.* Preparar (instrumento, dispositivo etc.) para o uso, aquecendo, fazendo funcionar um pouco antes. [*td.*: *esquentar o motor.*] [▶ 1 esquentar] ◼ **~ a cabeça** Preocupar-se. **~ cadeira** Ficar muito tempo num lugar: *Não es-* *quenta cadeira, está sempre mudando de emprego.* ● **es.quen.ta.men.to** *sm.*

esquerdista (es.quer.*dis*.ta) *a2g.s2g. Pol.* Que ou aquele que tem postura política de esquerda (4 e 5). ● **es.quer.dis.mo** *sm.*

esquerdo (es.*quer*.do) [ê] *a.* **1** Que fica à esquerda (perna *esquerda*). [Ant.: *direito.*] ◼ **esquerda** *sf.* **2** O lado do corpo em que se situa o coração. **3** A direção ou o espaço que fica desse lado: *Entre na próxima rua à esquerda.* **4** *Pol.* Partido ou grupo político que defende os ideais do socialismo, em oposição ao capitalismo. **5** *Pol.* A ideologia (ideias, valores, crenças) dessas pessoas, grupos ou partidos: *jornal de esquerda.* [Ant. ger.: *direita.*]

esquete (es.*que*.te) *sf. Rád. Teat. Telv.* Encenação curta, ger. cômica.

esqui (es.*qui*) *sm.* **1** Cada uma das pranchas finas e alongadas que se calçam nos pés para deslizar na neve. **2** *Esp.* Esporte praticado com esquis (1): *pista de esqui.*

esquiar (es.qui.*ar*) *v. int.* Deslizar usando esquis. [▶ 1 esquiar] ● **es.qui.a.ção** *sf.*; **es.qui.a.dor** *sm.*

esquife (es.*qui*.fe) *sm.* Ver caixão (1).

esquilo (es.*qui*.lo) *sm. Zool.* Mamífero roedor, hábil saltador, corredor e escalador, que ger. vive em árvores.

esquimó (es.qui.*mó*) *s2g.* **1** Indivíduo dos esquimós, povo que habita as regiões geladas próximas ao Ártico (Norte da Groenlândia, do Alasca, do Canadá e da Sibéria). *a2g.* **2** Ref. ou pertencente a esse povo. *a2g.sm.* **3** *Gloss.* Das, ref. às ou a duas línguas faladas por esse povo.

esquina (es.*qui*.na) *sf.* **1** Cruzamento de duas ruas. **2** Ângulo formado pelo encontro de duas paredes; CANTO.

esquisito (es.qui.*si*.to) *a.* **1** Que é incomum (roupa *esquisita*). **2** Que causa estranheza; difícil de entender ou explicar (reação *esquisita*). ● **es.qui.si.ti.ce** *sf.*

esquistossomídeo (es.quis.tos.so.*mí*.de:o) *sm. Zool.*

esquistossomo (es.quis.tos.*so*.mo) [ô] *sm. Zool.* Verme parasita, causador da esquistossomose; ESQUISTOSSOMÍDEO.

esquistossomose (es.quis.tos.so.*mo*.se) *sf. Med.* Doença infecciosa que ataca os intestinos e o fígado, causada pelo esquistossomo.

esquiva (es.*qui*.va) *sf.* **1** Ação de esquivar-se para evitar um golpe. **2** *Fig.* Ação de evitar alguém ou algo nos desagrada; ESQUIVANÇA.

esquivança (es.qui.*van*.ça) *sf.* **1** Ver esquiva (2). **2** Recusa, negativa.

esquivar-se (es.qui.*var*-se) *v. pr.* Evitar, escapar: *O boxeador esquivou-se do golpe do adversário.* [▶ 1 esquivar-se]

esquivo (es.*qui*.vo) *a.* **1** Que evita contato social com as pessoas; ARREDIO: *Depois do acidente, Fernando tornou-se esquivo.* **2** Que é tímido, desconfiado.

esquizofrenia (es.qui.zo.fre.*ni*.a) *sf. Psiq.* Doença mental que provoca perda do contato com a realidade e desagregação da personalidade. ● **es.qui.zo.frê.ni.co** *a.sm.*

essa (*es*.sa) [ê] *sf.* Estrado armado em igreja, sobre o qual se põe o caixão, em cerimônias fúnebres; CATAFALCO.

esse (*es*.se) [ê] *pr.dem.* **1** Indica pessoa ou coisa próxima do ouvinte ou com ele relacionada: *Maria, esses seus brincos são grandes demais!* **2** Refere-se a tempo meio afastado do momento presente: *Por essa época eu morava no interior.* **3** Refere-se a algo distante ou desconhecido: *Que barulho foi esse?* [No uso popular, esse frequentemente substitui *este*: *Essa blusa aqui é velhinha, mas gosto dela.*]

essência (es.*sên*.ci.a) *sf.* **1** O traço fundamental de uma pessoa ou coisa: *a essência da arte.* **2** Ideia ou ponto principal: *a essência de uma questão.* **3** Óleo perfumado extraído de uma planta ou flor: *essência de eucalipto.*

essencial (es.sen.ci:*al*) *a2g.* **1** Que faz parte da essência; FUNDAMENTAL: *A liberdade de expressão é elemento essencial de uma democracia.* **2** Indispensável, imprescindível: *O cálcio é essencial para a formação dos ossos e dentes.* **3** Ref. a essência (3). *sm.* **4** Aquilo que é essencial (2): *Quando acampo, levo somente o essencial.* [Pl.: *-ais.*]

estabanado (es.ta.ba.*na*.do) *a.* **1** Que é desastrado, por descuido ou por pressa. **2** Que é desajeitado, pouco habilidoso.

estabelecer (es.ta.be.le.*cer*) *v.* **1** Determinar, instituir. [*td.*: *Vamos estabelecer as regras do jogo.*] **2** Criar, dar início a; INSTAURAR. [*td.*: *Os gregos estabeleceram as bases da filosofia ocidental; estabelecer contato.*] **3** Fixar moradia. [*pr.*: *"...estabeleceu-se Guiomar (...) em casa da madrinha..."* (Machado de Assis, *A mão e a luva*).] **4** Abrir (loja, estabelecimento etc.). [*td.*: *estabelecer seu próprio negócio.* *pr.*: *Uma locadora de vídeos estabeleceu-se no bairro.*] [▶ 33 estabele*cer*] • es.ta.be.le.*ci*.do *a.*

estabelecimento (es.ta.be.le.ci.*men*.to) *sm.* **1** Ação ou resultado de estabelecer(-se): *o estabelecimento de regras.* **2** Casa comercial; LOJA. **3** Instituição pública ou privada: *estabelecimento de ensino.*

estabilidade (es.ta.bi.li.*da*.de) *sf.* **1** Qualidade do que ou de quem é estável: *A estabilidade do clima é afetada pelo aquecimento global.* **2** Firmeza, equilíbrio: *a estabilidade de um andaime.* **3** Situação profissional segura, sem risco de demissão.

estabilizador (es.ta.bi.li.za.*dor*) [ó] *a.* **1** Que estabiliza. *sm.* **2** *Elet.* Peça ou mecanismo que regulariza a tensão de uma corrente elétrica. **3** *Mec.* Peça que diminui as vibrações da suspensão de um veículo. **4** *Aer.* Pequena asa que dá estabilidade (2) à aeronave.

estabilizar (es.ta.bi.li.*zar*) *v.* Tornar(-se) estável; EQUILIBRAR(-SE). [*td.*: *As medidas econômicas estabilizaram o câmbio.* *pr.*: *Estabilizou-se no emprego.*] [▶ 1 estabili*zar*] • es.ta.bi.li.za.*ção* *sf.*; es.ta.bi.li.*za*.do *a.*

estábulo (es.*tá*.bu.lo) *sm.* Lugar onde se abriga gado bovino, ou cavalos.

estaca (es.*ta*.ca) *sf.* Peça alongada de madeira, concreto etc. que se enfia no solo para demarcar limites, sustentar uma estrutura etc. ⬛ **Voltar à ~ zero** *Bras.* Voltar ao início, recomeçar.

estacada (es.ta.*ca*.da) *sf.* Fileira de estacas próximas umas das outras; ESTACARIA.

estação (es.ta.*ção*) *sf.* **1** Ponto de parada de trens ou ônibus, para embarque ou desembarque de passageiros: *estação de metrô.* **2** Cada uma das quatro partes do ano (primavera, verão, outono e inverno), constando de três meses cada. **3** Período do ano caracterizado por condições ou eventos próprios: *estação das chuvas/de caça.* **4** Período em que são feitas determinadas culturas ou colheitas; ÉPOCA. **5** Lugar destinado a uma atividade específica (lazer, tratamento de saúde etc.): *estação de esqui.* **6** *Rád. Telv.* Lugar de onde se irradiam programas de rádio e televisão; EMISSORA. **7** Repartição ou local destinado a determinado serviço ou pesquisa: *estação de tratamento de água.* [Pl.: -ções.] ⬛ **Alta/Baixa ~** Época em que uma estação (2) do ano ou período de concertos, espetáculos, eventos no mundo da moda etc. está no auge/declínio de suas características ou atividades. **~ espacial/orbital** *Astron.* Nave espacial tripulada que permanece em órbita por longo tempo, para realizar missão de pesquisa e estudo.

estacar (es.ta.*car*) *v.* **1** Parar, imobilizar(-se). [*td.*: *Estacou a montaria na beira do lago.* *int.*: *Assustado, o animal estacou.*] **2** Colocar estacas para escorar. [*td.*: *estacar um muro para que não desabe.*] [▶ 11 esta*car*] • es.ta.ca.*men*.to *sm.*

estacaria (es.ta.ca.*ri*.a) *sf.* **1** Grande quantidade de estacas. **2** Conjunto de estacas que servem de base para uma construção. **3** Ver *estacada.*

estacionamento (es.ta.ci:o.na.*men*.to) *sm.* **1** Ação ou resultado de estacionar, de parar um veículo em uma vaga. **2** Área com vagas demarcadas para veículos. **3** Vaga para guardar um veículo: *O ingresso dá direito a estacionamento.* ⬛ **~ rotativo** Aquele em que os veículos ficam por tempo determinado.

estacionar (es.ta.ci:o.*nar*) *v.* **1** Parar ou ficar parado. [*td.*: *Estacionou o carro em local proibido.* *int.* (seguido ou não de indicação de lugar): *A frente fria estacionou (no sul do país).*] **2** Impedir ou deixar de aumentar ou evoluir; ESTABILIZAR. [*td.*: *estacionar a propagação da doença.* *int.* (seguido de indicação de lugar): *A taxa de desemprego estacionou no índice atual.*] [▶ 1 estacio*nar*]

estacionário (es.ta.ci:o.*ná*.ri:o) *a.* **1** Que está estacionado, parado. **2** Que não se desenvolve, não progride.

estada (es.*ta*.da) *sf.* Ver *estadia* (1 e 2).

estadia (es.ta.*di*.a) *sf.* **1** Permanência em um lugar; ESTADA: *Durante a estadia em Natal comemos muito peixe.* **2** O tempo de duração dessa permanência; ESTADA: *pacote turístico com estadia de cinco dias.* **3** *Mar.* Prazo para carga e descarga de um navio ancorado.

estádio (es.*tá*.di:o) *sm.* **1** Lugar destinado à realização de disputas esportivas. **2** Ver *estágio* (2).

estadista (es.ta.*dis*.ta) *s2g.* Líder de um país que governa com conhecimento e habilidade.

estado (es.*ta*.do) *sm.* **1** Condição de uma pessoa ou coisa em determinado momento: *A menina ficou em estado de choque; A bicicleta está em ótimo estado.* **2** Situação de um grupo numa sociedade ou da sociedade em geral: *A cidade decretou estado de calamidade devido às enchentes.* **3** Cada uma das divisões político-geográficas de uma nação como o Brasil, os EUA etc.: *O Amazonas é o maior estado brasileiro.* **4** Forma de apresentação da matéria de acordo com a sua estrutura molecular: *A água pode estar em três estados: sólido, líquido e gasoso.* 🔲 **Estado** *sm.* **5** País politicamente organizado; NAÇÃO. **6** A organização política instituída em um país, que possibilita a sua administração: *O Estado é responsável pela segurança do povo.* **~ civil** Condição de uma pessoa em relação à cônjuge (solteiro, casado, desquitado, divorciado ou viúvo). **~ de direito** *Pol.* O que é regulado por uma constituição, prevendo órgãos distintos com competências determinadas. **~ de sítio** Suspensão temporária das garantias constitucionais, parcial ou totalmente, para combater ameaça externa ou interna ao país. **No ~** Na condição em que está (objeto, bem). [Us. ger. para descrever coisa que está sendo negociada.]

estado-maior (es.ta.do-mai.*or*) *sm. Mil.* Grupo de oficiais que auxiliam um comandante de operações militares. [Pl.: *estados-maiores.*]

estadual (es.ta.du:*al*) *a2g.* Ref. a estado (3) (*campeonato estadual*). [Pl.: *-ais.*] [Cf.: *estatal.*]

estadunidense (es.ta.du.ni.*den*.se) *a2g.* **1** Dos Estados Unidos (América do Norte); típico desse país ou de seu povo. *s2g.* **2** Pessoa nascida nos Estados Unidos. [Sin. ger.: *americano*, *norte-americano*.]

estafa (es.*ta*.fa) *sf.* Cansaço profundo; ESGOTAMENTO.

estafar (es.ta.*far*) *v.* Fazer ficar exausto ou cansar(-se) em demasia. [*td.*: *Engarrafamentos estafam os motoristas.* *pr.*: *Ele se estafa de trabalhar.*] [▶ 1 esta*far*] • es.ta.*fan*.te *a2g.*

estafermo (es.ta.*fer*.mo) [ê] *sm. Pej. Pop.* **1** Pessoa incompetente, sem utilidade. **2** Quem ou aquilo que dificulta a realização de algo; ESTORVO. [At! O termo é considerado ofensivo.]

estafeta (es.ta.*fe*.ta) [ê] *sm. Bras.* **1** Pessoa que transmite mensagens; MENSAGEIRO. **2** Funcionário do correio; CARTEIRO.

estafilino (es.ta.fi.*li*.no) *a.* Ref. a úvula; UVULAR.

estafilococo (es.ta.fi.lo.co.co) [ó] *sm. Bac.* Grupo de cocos [ó] que formam estruturas em forma de cachos e causam doenças infecciosas, como a septicemia e a furunculose.

estagflação (es.tag.fla.*ção*) *sf. Econ.* Associação de estagnação econômica (caracterizada por aumento do desemprego) com inflação (caracterizada por aumento de preços). [Pl.: -*ções*.]

estagiar (es.ta.gi.*ar*) *v. int.* Trabalhar como aprendiz, para treinamento profissional (seguido de indicação de lugar): *Estagiou na empresa e depois foi efetivado.* [▶ **1** estagi*ar*]

estagiário (es.ta.gi.*á*.ri.o) *a.sm.* Que ou quem faz estágio.

estágio (es.*tá*.gi.o) *sm.* **1** Período de aprendizado prático e avaliação de que um profissional cumpre, até que seja contratado ou não: *estágio em firma de publicidade.* **2** Cada uma das etapas de um processo; FASE; ESTÁDIO.

estagnação (es.tag.na.*ção*) *sf.* **1** Situação do que estagnou, do que está sem se mover; INÉRCIA: *estagnação das águas de um lago.* **2** *Fig.* Situação do que não progride: *estagnação dos salários/das vendas.* **3** *Econ.* Situação em que há baixo movimento e pouco crescimento econômico. [Pl.: -*ções*.]

estagnar (es.tag.*nar*) *v.* **1** Interromper(-se) o fluxo de (um líquido); ESTANCAR(-SE). [*td.*: *O fechamento das comportas estagnou a água do reservatório.* *int./pr.*: *O vazamento estagnou/se estagnou.*] **2** *Fig.* Não evoluir ou não deixar evoluir. [*int./pr.*: "...*os salários estagnaram e o desemprego aumentou.*" (*O Globo*, 29.07.00). *td.*: *A recessão estagnou a indústria.*] [▶ **1** estagn*ar*]
• es.tag.*na*.do *a.*

estai (es.*tai*) *sm. Mar.* Cabo de aço preso a um mastro, que aguenta o seu peso e outras forças (como a do vento) que atuem sobre ele.

estalactite (es.ta.lac.*ti*.te) *sf. Min.* Estrutura pontiaguda no teto de cavernas, formada a partir da acumulação de sedimentos minerais dissolvidos em água. [Cf.: *estalagmite.*]

estalagem (es.ta.*la*.gem) *sf.* **1** Local que abriga viajantes. **2** Conjunto de casas modestas. [Pl.: -*gens*.]

estalagmite (es.ta.lag.*mi*.te) *sf. Min.* Estrutura pontiaguda no chão de cavernas, formada pela acumulação de sedimentos minerais contidos em pingos d'água que caem do teto. [Cf.: *estalactite.*]

estalajadeiro (es.ta.la.ja.*dei*.ro) *sm.* Dono ou gerente de uma estalagem (1).

estalar (es.ta.*lar*) *v.* **1** Produzir ruído seco ou estalido (em, com). [*td.*: *estalar os dedos.* *int.*: *As folhas secas estalavam quando pisadas.*] **2** Rachar (vidro, gelo etc.) produzindo ruído. [*int.*: *O copo do liquidificador estalou.*] **3** *Bras.* Fritar (ovo) sem misturar a gema com a clara; ESTRELAR. [*td.*] [▶ **1** estal*ar*]

estaleiro (es.ta.*lei*.ro) *sm.* **1** Lugar, ger. próximo ao mar, onde se constroem ou consertam navios. **2** *N.E.* Armação de madeira us. para secar cereais, carne etc.

estalido (es.ta.*li*.do) *sm.* Ver *estalo* (1). **2** Som semelhante ao estalo, mas de menor intensidade: *o estalido de um graveto se partindo.*

estalo (es.*ta*.lo) *sm.* **1** Som seco ger. produzido por algo que racha ou se parte; ESTALIDO. **2** Som produzido por madeira ou carvão queimando; CREPITAÇÃO. **3** *Bras. Fig.* Ideia ou percepção repentina; LUZ: *Tive um estalo e descobri como resolver o problema.* ■ **De ~** De repente, subitamente.

estame (es.*ta*.me) *sm. Bot.* Órgão masculino das flores, onde fica o pólen.

estampa (es.*tam*.pa) *sf.* **1** Desenho, figura ou ilustração que se imprime em papel ou tecido (*estampas florais*). [Dim.: *estampinha* e *estampilha*.] **2** *Fig.* Aparência: *moça de bela estampa.*

estampado (es.tam.*pa*.do) *a.* **1** Que tem estampas (1) (*vestido estampado*). **2** Que foi impresso; PUBLICADO: *a notícia estampada em todos os jornais.* **3** *Fig.* Facilmente perceptível; VISÍVEL: *alegria estampada no rosto. sm.* **4** *Bras.* Tecido com estampas: *alguns metros de estampado.* **5** *Bras.* As estampas impressas ou gravadas em cada estampado que representam; ESTAMPARIA: *O lençol tinha um estampado infantil.*

estampagem (es.tam.*pa*.gem) *sf.* **1** Ação ou resultado de estampar, de imprimir ou gravar imagens em uma superfície. **2** Processo, ger. industrial, de estampar objetos. [Pl.: -*gens*.]

estampar (es.tam.*par*) *v. td.* **1** Imprimir (figura, desenho, ger. com um padrão) em tecido, papel etc. (seguido ou não de indicação de lugar): *O fabricante estampou o símbolo do clube nas camisas).* **2** Demonstrar, mostrar: *Sua fisionomia estampava alegria.* **3** Mostrar com destaque (em jornal, revista, vitrine etc.): *O jornal de ontem estampava a fotografia dele.* [▶ **1** estamp*ar*]

estamparia (es.tam.pa.*ri*.a) *sf.* **1** Fábrica ou setor de fábrica onde se estampam objetos. **2** Loja que vende estampas. **3** Ver *estampado* (5).

estampido (es.tam.*pi*.do) *sm.* Estouro forte e repentino; ESTRONDO; EXPLOSÃO: *estampido de tiros.*

estampilha (es.tam.*pi*.lha) *sf.* Selo postal ou de documentos oficiais.

estancar (es.tan.*car*) *v.* **1** Fazer parar ou parar de fluir (líquido); ESTAGNAR(-SE). [*td.*: *estancar o sangue com uma atadura.* *int./pr.*: *A hemorragia estancou(-se).*] **2** Aplacar, saciar (a sede, a vontade etc.). [*td.*] **3** *Fig.* Fazer cessar ou extinguir(-se). [*td.*: *estancar o aumento da violência.* *int./pr.*: *As vendas estancam(-se) depois do Natal.*] **4** Deter-se, parar. [*int.*: *O guia da excursão estancou subitamente.*] [▶ **1** estan*car*] • es.tan.ca.*men*.to *sm.*

estância[1] (es.*tân*.ci.a) *sf.* **1** Lugar onde as pessoas passam temporadas (a descanso, em tratamento etc.). **2** Lugar que serve de moradia; HABITAÇÃO. **3** *Poét.* Ver *estrofe.*

estância[2] (es.*tân*.ci.a) *sf. RS* Grande propriedade rural; FAZENDA. [Dim.: *estanciola.*]

estancieiro (es.tan.ci.*ei*.ro) *sm. Bras.* Dono ou administrador de estância[2]; FAZENDEIRO.

estandarte (es.tan.*dar*.te) *sm.* Símbolo de uma nação, exército, corrente política, escola de samba etc.; BANDEIRA.

estande (es.*tan*.de) *sm.* **1** Espaço reservado para exposição ou venda de produtos. **2** Lugar fechado onde se pratica tiro ao alvo.

estanhar (es.ta.*nhar*) *v. td.* Recobrir com estanho ou liga de estanho: *Antes de soldar, é preciso estanhar os fios de cobre.* [▶ **1** estanh*ar*]

estanho (es.*ta*.nho) *sm. Quím.* Metal branco-prateado, maleável, us. na fabricação de ligas metálicas. [Símb.: Sn]

estanque (es.*tan*.que) *a2g.* **1** Sem buracos por onde líquidos possam entrar; IMPERMEÁVEL: *embarcação com compartimentos estanques.* **2** Sem interligações; ISOLADO: *Não faz associações; seus conhecimentos são estanques.* **3** Que secou ou estancou (poço *estanque*); Seco. *sm.* **4** Ação ou resultado de estancar.

estante (es.*tan*.te) *sf.* **1** Móvel com prateleiras onde se guardam ou dispõem livros, discos, enfeites etc. **2** Estrutura, ger. de metal, que serve de apoio para a leitura de textos, partituras etc.

estapafúrdio (es.ta.pa.*fúr*.di.o) *a.* Muito estranho; fora do comum (ideia/pessoa *estapafúrdia*).

estapear (es.ta.pe.*ar*) *v. td. Bras.* Dar tapas em. [▶ 13 estapear]

estar (es.*tar*) *v.* **1** Encontrar-se em certo estado, condição, ou situação no tempo e no espaço. [*lig.*: *O abacate está maduro?* *int.*: *Estou de malas prontas*; *Estive com uns amigos em Maricá.*] **2** Comparecer. [*int.*: *Esteve apenas no início da festa.*] **3** Visitar, ir. [*int.*: *Você esteve na exposição?*] **4** Us. em saudação de cortesia. [*int.*: *Como está? Tudo bem?*] **5** Custar. [*int.*: *Quanto está o melão?*] **6** Vestir. [*int.*: *Ele estava de preto.*] **7** Localizar-se, ficar. [*int.*: *A loja está a duas quadras daqui.*] **8** Ter relação afetiva, ou de casamento, com alguém. [*int.*: *Ele está com Helena há uns dois anos.*] **9** Compartilhar ideias, opiniões etc. [*int.*: *Tem razão, estou com você.*] **10** Exercer (cargo, função). [*lig.*: *Agora só está de diretor, não tem tempo para nada.*] **11** Consistir. [*ti. + em*: *O problema está na falta de recursos.*] [▶ **4 estar** [NOTA: a) Us. como v. auxiliar seguido de gerúndio, para indicar ação contínua: *Estou fazendo um curso de inglês*. b) Us. tb. como v. impess.: 1) seguido de indicação climática: *Está muito frio.* 2) us. para introduzir estado, condição, circunstância: *Estava bom para ambas as partes; Estava na hora de ir dormir.*] ▓ **~ em todas** Frequentar vários círculos ou atuar em várias atividades. **~ para** Estar prestes a: *Ela está para ter neném por estes dias.* **~ por 1** Estar prestes a. **2** Restar (algo a ser feito): *A parte final está por fazer.* **Não ~ nem aí (para)** Não ligar a mínima, não dar a mínima importância (a): *Não estava nem aí para o que o pai dizia.*

estardalhaço (es.tar.da.*lha*.ço) *sm.* **1** Muito barulho ou gritaria: *A janela quebrou com estardalhaço.* **2** Fig. Manifestação espalhafatosa: *Anunciou seu número com estardalhaço.*

estarrecer (es.tar.re.*cer*) *v.* Fazer ficar ou ficar espantado ou amedrontado. [*td.*: *A notícia estarreceu o povo da região.* *int.*: *Histórias de vampiros são de estarrecer.* *pr.*: *O delegado estarreceu-se com o depoimento do criminoso.*] [▶ **33** estarre**cer**]

estatal (es.ta.*tal*) *a2g.* **1** Ref. ou pertencente ao Estado (política estatal). *sf.* **2** Empresa que pertence ao Estado: *Algumas estatais foram privatizadas.* [Pl.: *-tais.*] [Cf.: *estadual.*]

estatelar (es.ta.te.*lar*) *v.* **1** Atirar (algo) ou cair estendido. [*td.* (seguido de indicação de lugar): *Estatelou o copo na parede.* *pr.*: *Tropeçou e estatelou-se no chão.*] **2** Provocar surpresa, espanto ou admiração em. [*td.*: *Sua confissão estatelou-me.*] [▶ estatela**r**] ● es.ta.te.*la*.do *a.*

estático (es.*tá*.ti.co) *a.* **1** Sem movimento; PARADO: *Assustado, ficou estático diante do perigo.* **2** Sem progredir ou se desenvolver; ESTAGNADO: *O nível de emprego continuava estático.* [Ant. ger.: *dinâmico.*] ◪ **estática** *sf.* **3** *Fís.* Ramo da mecânica que estuda o equilíbrio dos corpos e as circunstâncias desse fenômeno. **4** *Radt.* Ruído produzido por receptores de sinais de rádio devido à interferência da eletricidade da atmosfera.

estatístico (es.ta.*tís*.ti.co) *a.* **1** Ref. a estatística. *sm.* **2** Pessoa formada em estatística. ◪ **estatística** *sf.* **3** *Mat.* Ramo da matemática que se dedica à captação de dados numéricos para sua análise, comparação e interpretação. **4** Resultados numéricos desse tipo de estudo: *As estatísticas sinalizam quem vencerá a eleição.* [Ger. us. no pl.]

estatizar (es.ta.ti.*zar*) *v. td.* Passar o controle ou posse de (algo) para o Estado: *O governo estatizou o banco.* [▶ **1** estatiza**r**] ● es.ta.ti.za.*ção* *sf.*; es.ta.ti.*za*.do *a.*

estator (es.ta.*tor*) [ô] *sm. Elet.* A parte estática de uma máquina elétrica rotativa.

estátua (es.*tá*.tu:a) *sf.* Figura em três dimensões esculpida em pedra, mármore etc., ou fundida em metal; peça de escultura.

estatuária (es.ta.tu:*á*.ri:a) *sf.* Conjunto de estátuas.

estatuário (es.ta.tu:*á*.ri:o) *a.* **1** Ref. a estátua (galeria estatuária). *sm.* **2** Pessoa que faz estátuas; ESCULTOR. ◪ **estatuária** *sf.* **3** Arte de esculpir estátuas.

estatueta (es.ta.tu:*e*.ta) [ê] *sf.* Estátua pequena.

estatuir (es.ta.tu.*ir*) *v. td. Jur.* Determinar (norma, lei etc.): *O decreto estatui a cobrança desse imposto.* [▶ **56** estat**uir**] ● es.ta.tu.*í*.do *a.*

estatura (es.ta.*tu*.ra) *sf.* **1** A medida vertical do corpo de alguém; ALTURA. **2** *Fig.* A importância de algo ou de alguém; RELEVÂNCIA: *Ele é um escritor de estatura internacional.*

estatutário (es.ta.tu.*tá*.ri:o) *a.* **1** Ref. a, de ou próprio de estatuto (mudança estatutária). **2** Registrado em estatuto (dispositivo estatutário). *a.sm.* **3** Que ou aquele que tem a situação trabalhista regulada por um estatuto específico (diz-se de funcionário). [Cf.: *celetista.*]

estatuto (es.ta.*tu*.to) *sm.* Documento que estabelece regras para o funcionamento de uma instituição (empresa, associação etc.); REGULAMENTO.

estável (es.*tá*.vel) *a2g.* **1** Sem variações ou alterações; REGULAR: *quadro de saúde estável.* **2** Que demonstra firmeza (construção estável); SÓLIDO. **3** De longa duração; DURADOURO: *união amorosa estável.* **4** Que não corria risco de demissão (funcionário estável). [Ant. ger.: *instável.*] [Pl.: *-veis.* Superl.: *estabilíssimo.*]

este (es.te) [ê] *a2g2n.sm.* Ver *leste.* [Abr.: *E.*]

este (es.te) [ê] *pr.dem.* **1** Indica pessoa ou coisa próxima do falante ou com ele relacionada: *Este boné me agrada mais que aquele.* **2** Refere-se a algo ou alguém que acabou de ser mencionado no discurso: *Procurava esmeraldas porque estas eram as pedras mais cobiçadas.*

esteio (es.*tei*.o) *sm.* **1** Peça que suporta algo; ESCORA. **2** *Fig.* Quem ou o que ampara emocionalmente, financeiramente etc. [Sin. ger.: *apoio, arrimo.*]

esteira¹ (es.*tei*.ra) *sf.* **1** Tecido feito de material fibroso (junco, palha etc.) ger. us. para forrar o chão. **2** Espécie de tapete, ger. de material sintético, ligado a um mecanismo que o faz se deslocar, us. para transporte de objetos e pessoas, exercícios de caminhada ou corrida etc. (esteira rolante).

esteira² (es.*tei*.ra) *sf.* **1** *Mar.* Rastro de água agitada e espumosa deixado ger. por embarcações motorizadas. **2** *Fig.* Vestígio deixado por algo (animal, veículo etc.); TRILHA. ▓ **Ir na ~** de Seguir de perto, ir no encalço de.

estelar (es.te.*lar*) *a2g.* **1** Ref. a, de ou próprio de estrela (brilho estelar). **2** *Cin. Teat. Telv.* Composto por estrelas (4): *elenco estelar de uma peça.*

esteliforme (es.te.li.*for*.me) *a2g.* Que tem forma de estrela.

estelionatário (es.te.li:o.na.*tá*.ri:o) *sm. Jur.* Pessoa que pratica estelionato.

estelionato (es.te.li:o.*na*.to) *sm. Jur.* Crime de enganar alguém para conseguir vantagem (ger. financeira); FRAUDE: *Vender produtos falsificados é estelionato.*

estêncil (es.*tên*.cil) *sm. Art.Gr.* Folha de papel parafinado que, depois de perfurada e fixada em um mimeógrafo, tinge outras folhas, fazendo cópias do que se escreveu ou desenhou nela; MATRIZ: *Preparou os panfletos no estêncil e fez mil cópias.* [Pl.: *-ceis.*] [V. tb. *mimeógrafo.*]

estender (es.ten.*der*) *v.* **1** Tornar mais extenso. [*td.*: *Estendeu a sala, retirando a divisória.*] **2** Aumentar (duração); PROLONGAR. [*td.*: *A pesquisa genética estenderá a expectativa de vida. pr.*: *A consulta estendeu-se mais do que o esperado.*] **3** Espichar, esticar. [*td.*: *Dá para estender mais o fio? pr.*: *Os dedos estenderam-se para o alto, acenando.*] **4** Espalhar-se, alastrar-se. [*pr.*: *A floresta tropical estende-se por vários estados do país.*] **5** Pôr(-se) deitado; DEITAR(-SE). [*td.*

estenia | esticar

(seguido de indicação de lugar): *Estendeu a criança na cama.* **pr.**: *Vou me estender na areia para me bronzear.*] **6** Pendurar para secar. [**td.** (seguido ou não de indicação de lugar): *Já estendi toda a roupa (no varal).*] **7** Desdobrar. [**td.**: *Estendeu a toalha na mesa.*] **8** Fazer abranger; DESTINAR. [**tdi.** + **a**: *Estenda meus pêsames aos seus familiares.*] [▶ **2** estender] • es.ten.di.do *a*.

estenia (es.te.*ni*.a) *sf. Med.* Estado orgânico num momento de atividade e esforço físico. [Ant.: *astenia*.] • es.*te*.ni.co *a*.

estenografar (es.te.no.gra.*far*) *v. td. int.* Transcrever (fala, ditado etc.) utilizando abreviações; TAQUIGRAFAR. [▶ **1** estenografar]

estenografia (es.te.no.gra.*fi*.a) *sf.* Técnica de escrita abreviada que possibilita uma grande velocidade nas anotações; TAQUIGRAFIA. • es.te.no.*grá*.fi.co *a*.; es.te.*nó*.gra.fo *sm*.

estenose (es.te.*no*.se) *sf. Med.* Diminuição anormal da largura de um canal ou orifício corporal.

estentóreo (es.ten.*tó*.re:o) *a*. **1** Que é muito forte (diz-se de som); RETUMBANTE. **2** Que tem grande potência de voz.

estepe (es.*te*.pe) *sf*. **1** *Geog.* Vegetação pouco densa, em que predominam plantas pequenas e ger. rasteiras. **2** *Geog.* Região onde ocorre esse tipo de vegetação. *sm*. **2** Pneu reserva de veículos terrestres.

éster (*és*.ter) *sm. Quím.* Tipo de composto orgânico líquido ou sólido produzido a partir da combinação de um ácido com um álcool.

estercar (es.ter.*car*) *v. td.* Colocar (adubo animal, esterco) em (solo, terra). [▶ **11** estercar]

esterçar (es.ter.*çar*) *v. td.* Girar (o volante) de um veículo. [▶ **12** esterçar]

esterco (es.*ter*.co) [ê] *sm.* **1** Excremento animal; FEZES. **2** Matéria orgânica, como excrementos animais e pedaços de vegetais, us. para adubar a terra; ESTRUME. • es.ter.co.*rá*.ri:o *a*. (resíduos estercorários).

estéreo (es.*té*.re:o) *a2g2n.* **1** *Acús.* Que reproduz sons dividindo-os em dois canais, ligados a alto-falantes, e gera um efeito de distribuição acústica do som gravado (roca-fitas estéreo); ESTEREOFÔNICO. *sm.* **2** Aparelho de som que funciona dessa forma.

estereofonia (es.te.re:o.fo.*ni*.a) *sf. Acús.* Técnica de gravação e reprodução estéreo.

estereofônico (es.te.re:o.*fô*.ni.co) *a. Acús.* Ver *estéreo* (1).

estereoma (es.te.re:*o*.ma) *sm. Bot.* Estrutura, composta por tecidos e células vegetais, que dá suporte à planta.

estereoscopia (es.te.re:os.co.*pi*.a) *sf. Cin. Fot.* Processo que produz a impressão tridimensional em projeções e fotos. • es.te.re:os.*có*.pi.co *a*.

estereoscópio (es.te.re:os.*có*.pi:o) *sm. Ópt.* Aparelho binocular pelo qual se veem imagens produzidas com efeito tridimensional.

estereotipar (es.te.re:o.ti.*par*) *v.* **1** Tornar(-se) típico; PADRONIZAR(-SE). [**td.**: *O cinema estereotipou a personagem do mocinho.* **pr.**: *De tanto fazer o mesmo papel, o ator estereotipou-se.*] [▶ **1** estereotipar] • es.te.re:o.*ti*.pa.gem *sf*.

estereotipia (es.te.re:o.ti.*pi*.a) *sf.* **1** *Tip.* Reprodução de uma composição tipográfica em uma chapa a partir da moldagem de uma matriz sólida (de gesso, cartão etc.). **2** Seção de uma oficina tipográfica onde esse tipo de reprodução é feito. **3** *Psiq.* Comportamento repetitivo e automático, desligado da realidade.

estereótipo (es.te.re:*ó*.ti.po) *sm.* **1** Compreensão muito generalizada, preconcebida e empobrecida de algo: *Segundo certo estereótipo, o Brasil se resume a futebol e carnaval.* **2** Ideia repetitiva, sem originalidade; LUGAR-COMUM. **3** *Tip.* Chapa com reprodução de caracteres tipográficos obtida pelo processo de estereotipia.

estéril (es.*té*.ril) *a2g.* **1** Impossibilitado de procriar (homem estéril). **2** Incapaz de produzir ou criar (terras estéreis, escritor estéril); IMPRODUTIVO. **3** *Fig.* Que não tem o efeito desejado (reunião estéril); INÚTIL. **4** Não infectado; ASSÉPTICO: *material cirúrgico estéril.* [Pl.: *-reis.*]

esterilidade (es.te.ri.li.*da*.de) *sf.* Qualidade ou condição de estéril; INFERTILIDADE. [Ant.: *fecundidade*.]

esterilizador (es.te.ri.li.za.*dor*) [ô] *a.sm.* **1** Que ou o que esteriliza, elimina a fertilidade de algo ou alguém (cirurgia esterilizadora). *sm.* **2** Aparelho que esteriliza (1) objetos, alimentos ou o ambiente.

esterilizar (es.te.ri.li.*zar*) *v.* **1** Eliminar (micróbios, bactérias etc.) (de); DESINFETAR. [**td.**: *O enfermeiro esterilizou as mãos antes de fazer o curativo.* **int.**: *Na mamadeira, use água fervendo para esterilizar.*] **2** Tornar(-se) estéril; realizar procedimento para impedir a procriação. [**td.**: *Depois da ninhada, decidiu esterilizar a gata.* **pr.**: *É mais frequente as mulheres esterilizarem-se.*] [▶ **1** esterilizar] • es.te.ri.li.za.*ção sf*.; es.te.ri.li.*za*.do *a*.

esterlino (es.ter.*li*.no) *a*. **1** Ref. a libra, dinheiro us. no Reino Unido. *sm.* **2** Ver *libra esterlina* em *libra*.

esterno (es.*ter*.no) *sm. Anat.* Osso chato que fica na parte da frente do tórax, no homem e nos demais vertebrados (à exceção dos peixes).

esteroide (es.te.*roi*.de) *sm. Quím.* Composto orgânico que tem função metabólica e hormonal no corpo humano.

esterqueira (es.ter.*quei*.ra) *sf.* Ver *estrumeira*.

estertor (es.ter.*tor*) [ô] *sm.* **1** Respiração rouca de pessoa que está agonizando: *Apenas os estertor do moribundo interrompia o silêncio.* **2** *Med.* Ruído respiratório anormal ouvido através de estetoscópio. **estertores** *smpl.* **3** *Fig.* Momentos finais, período final: *nos estertores do regime militar.*

estesiologia (es.te.si:o.lo.*gi*.a) *sf. Med.* Parte da neurologia que estuda os sentidos e a sensibilidade.

esteta (es.*te*.ta) *s2g.* **1** Pessoa que cultua o belo. **2** *Fil.* Especialista em estética (7).

esteticista (es.te.ti.*cis*.ta) *a2g.s2g. Bras.* Profissional especializado em tratamentos de beleza.

estético (es.*té*.ti.co) *a*. **1** Que encerra ou revela bom gosto: *Criou um ambiente estético e agradável.* **2** Ref. a beleza (cirurgia estética). **3** *Fil.* Ref. a estética. **estética** *sf*. **4** Caráter ou concepção do que é belo; BELEZA. **5** *Pop.* Beleza física, esp. do corpo: *Evita doces para manter a estética.* **6** Ramo ou atividade do esteticista: *clínica de estética.* **7** *Fil.* Estudo do belo e de suas propriedades.

estetoscópio (es.te.tos.*có*.pi:o) *sm. Med.* Instrumento para auscultar o coração e os pulmões.

estévia (es.*té*.vi:a) *sf. Bot.* Erva de que se extrai adoçante natural.

estiada (es.ti:*a*.da) *sf.* Tempo seco de curta duração entre dois períodos chuvosos.

estiagem (es.ti:*a*.gem) *sf.* **1** Período longo sem chuvas. **2** Tempo seco que se segue a chuvas ou tempestades; ESTIADA. [Pl.: *-gens.*]

estiar (es.ti:*ar*) *v. int.* Parar de chover; parar (a chuva): *Aproveite para sair agora que (a chuva) estiou.* [▶ **1** estiar]

estibordo (es.ti.*bor*.do) *sm. Mar.* Parte direita de uma embarcação, para quem olha de frente para a proa; BORESTE. [Cf.: *bombordo*.]

esticada (es.ti.*ca*.da) *sf.* **1** Ação ou resultado de esticar. **2** *Pop. Fig.* Prolongamento de programa social ou viagem, indo de um lugar para outro: *Aproveitamos para dar uma esticada até Ilhéus.*

esticado (es.ti.*ca*.do) *a*. **1** Que se esticou. **2** Sem dobras ou rugas; LISO.

esticar (es.ti.*car*) *v.* **1** Tornar(-se) mais comprido ou extenso; ESTENDER(-SE); ESPICHAR(-SE). [**td.**: *Esticou tanto a linha que ela partiu.* **int.**: *Este tecido é bom,* ele não *estica*.] **2** Alongar(-se); prolongar(-se). [*td*.: *Esticava* a história até o menino dormir. *pr*.: A reunião *esticou-se* além da hora.] **3** *Pop*. Prolongar (um programa, uma viagem). [*td*.: Todo mundo *esticou* o feriado. *int*.: Depois da praia, *esticamos* em um barzinho.] **4** *Pop*. Alisar (cabelos). [*td*.] [▶ **11** estic[ar] • es.ti.ca.men.to *sm*.

estigma (es.*tig*.ma) *sm*. **1** *Fig*. Visão negativa e muito arraigada, numa sociedade, a respeito de determinada prática, comportamento, doença etc.: *O estigma da Aids gera preconceito contra as suas vítimas.* **2** *Fig*. Marca, rótulo (negativos): *Carregava o estigma de traidor, apesar de inocente.* **3** *Bot*. Ponta da parte central da flor, cuja função é receber os grãos de pólen que formarão novas sementes. **4** Marca deixada por ferida, doença etc.; CICATRIZ.

estigmatizar (es.tig.ma.ti.*zar*) *v. td*. Marcar (alguém) negativamente; condenar moralmente: *Essa doença, além de tudo, estigmatiza o paciente.* [▶ **1** estigmatiz[ar] • es.tig.ma.ti.za.do a.

estilete (es.ti.*le*.te) [ê] *sm*. **1** Punhal dotado de lâmina fina. **2** Lâmina fina em vários formatos e para diversos usos. **3** *Bot*. Parte intermediária do pistilo, entre o ovário e o estigma (3).

estilhaçar (es.ti.lha.*car*) *v*. Despedaçar(-se), quebrar(-se). [*td*.: *A batida estilhaçou os faróis do carro.* *pr*.: *O prato caiu e estilhaçou-se.*] [▶ **12** estilhaç[ar] • es.ti.lha.ça.do a.

estilhaço (es.ti.*lha*.ço) *sm*. Lasca de objeto que se estilhaçou; FRAGMENTO: *estilhaço de vidraça.*

estiliforme (es.ti.li.*for*.me) *a2g*. Com formato de estilete.

estilingue (es.ti.*lin*.gue) *sm*. *Bras*. Instrumento composto por uma forquilha (de madeira) na qual se amarra uma tira elástica, us. para arremessar objetos a distância; ATIRADEIRA.

estilista (es.ti.*lis*.ta) *s2g*. **1** Profissional que cria modelos de roupas, penteados, móveis etc. **2** Artista que tem um estilo apurado e inconfundível. **3** Pessoa que escreve com perfeição, requinte.

estilístico (es.ti.*lís*.ti.co) *a*. *Ling*. **1** Ref. a estilística. **2** Ref. a estilo (3). **◘ estilística** *sf*. **3** *Ling*. Estudo do estilo (3), dos recursos de linguagem e de seus efeitos expressivos.

estilizar (es.ti.li.*zar*) *v*. **1** Imprimir estilo a; aprimorar, aperfeiçoar. [*td*.: *Sempre estiliza suas crônicas.*] **2** *Art.Pl*. Representar criativamente (alguém ou algo) através de desenho, pintura etc. [*td*.: *O pintor especializou-se em estilizar a figura humana.*] [▶ **1** estiliz[ar] • es.ti.li.za.do a.; es.ti.li.za.ção *sf*.

estilo (es.*ti*.lo) *sm*. **1** Modo de ser ou de se expressar de uma pessoa, de um artista, de um grupo, de uma certa região etc. **2** Elegância, requinte, charme: *Essa roupa tem muito estilo.* **3** *Ling*. Conjunto dos recursos expressivos (fônicos, sintáticos, figuras de linguagem etc.) que caracterizam a linguagem de um autor ou de uma época: *o estilo de Jorge Amado.*

estima (es.*ti*.ma) *sf*. **1** Sentimento de carinho; AFETO: *estima pelos sobrinhos.* **2** Consideração, respeito: *estima pelos funcionários de sua empresa.*

estimação (es.ti.ma.*ção*) *sf*. Ação ou resultado de estimar. ▪▪ De ~ Que tem valor sentimental, afetivo: *animal de estimação.*

estimado (es.ti.*ma*.do) *a*. **1** Que é querido ou respeitado. **2** Calculado aproximadamente; PREVISTO: *Os custos estimados desse projeto são altos.*

estimar (es.ti.*mar*) *v*. **1** Ter estima por; gostar de. [*td*.: *Ela estima muito ao avô.* *pr*.: *Estimavam-se muitíssimo.*] **2** Fazer o cálculo aproximado de; AVALIAR. [*td*.: *estimar prejuízos.* *tdi. + em*: *A prefeitura estimou o custo da obra em dois milhões.*] **3** Fazer votos de, desejar. [*td*.: *Estimo suas melhoras!*] [▶ **1** estim[ar]

estimativo (es.ti.ma.*ti*.vo) *a*. **1** Baseado em informações aproximadas ou com base em evidências (cálculo *estimativo*). **2** Ref. a estima, afeto: *anel de valor estimativo*. **◘ estimativa** *sf*. **3** Previsão de um valor, circunstância ou resultado: *estimativa de lucros*; *Pelas minhas estimativas, ele não virá.*

estimulante (es.ti.mu.*lan*.te) *a2g*. **1** Que estimula, incentiva; ANIMADOR. **2** *Pop*. Que acelera a atividade do corpo ou da mente (diz-se de substância): *O café é uma bebida estimulante.* [Nesta acp. ant.: *calmante*.] *sm*. **3** *Pop*. O que é (inclusive droga, medicamento) estimulante (2).

estimular (es.ti.mu.*lar*) *v*. **1** Incentivar, encorajar. [*tdi*. + *a*: *Sempre estimulou o filho a estudar.*] **2** Provocar, causar (reação). [*td*.: *O remédio estimula a digestão.*] [▶ **1** estimul[ar] • es.ti.mu.la.ção *sf*.; es.ti.mu.la.do a.

estímulo (es.*tí*.mu.lo) *sm*. **1** O que estimula, anima; INCENTIVO. **2** *Med. Psi*. Fator externo ou interno que provoca uma reação no corpo ou no comportamento de uma pessoa ou animal.

estio (es.*ti*.o) *sm*. Ver *verão*.

estiolar (es.ti.o.*lar*) *v. td*. Causar degeneração por insuficiência de luz: *A falta de iluminação pode estiolar as plantas.* [▶ **1** estiol[ar] • es.ti.o.la.men.to *sm*.

estipe (es.*ti*.pe) *sm. Bot*. Tipo de caule sem divisões e terminado em uma coroa de folhas, como o das palmeiras. ESPIQUE.

estipendiar (es.ti.pen.di.*ar*) *v. td*. Pagar estipêndio a: *O juiz determinou quem deve estipendiar o advogado.* [▶ **1** estipendi[ar]

estipêndio (es.ti.*pên*.di.o) *sm*. O que se dá como pagamento por serviços prestados; REMUNERAÇÃO.

estipular (es.ti.pu.*lar*) *v. td*. Estabelecer (regra, prazo etc.): *O contrato estipula prazo para realizar a obra.* [▶ **1** estipul[ar] • es.ti.pu.la.ção *sf*.; es.ti.pu.la.do a.

estirada (es.ti.*ra*.da) *sf*. **1** Caminhada longa. **2** Grande distância separando dois pontos; ESTIRÃO.

estiramento (es.ti.ra.*men*.to) *sm*. **1** Ação ou resultado de estirar(-se). **2** *Med*. Ver *distensão* (2).

estirão (es.ti.*rão*) *sm*. Ver *estirada* (1). [Pl.: -rões.]

estirar (es.ti.*rar*) *v*. **1** Esticar, estender. [*td*.: *Cuidado para não estirar demais os fios.*] **2** Distender (músculo, ligamento etc.). [*td*.: *Estirou o tendão durante o jogo.*] **3** Estirar(-se); estender(-se). [*td*. (seguido ou não de indicação de lugar): *Estiramos o tapete (na entrada). pr*.: *Exausto, estirou-se na cama e dormiu.*] [▶ **1** estir[ar] • es.ti.ra.do a.

estireno (es.ti.*re*.no) *sm. Quím*. Substância orgânica que se combina com outras para formar polímeros.

estirpe (es.*tir*.pe) *sf*. **1** A sequência das gerações anteriores; LINHAGEM. **2** Raça de origem (*estirpe* italiana). **3** *Fig*. Categoria, classe: *cronista da melhor estirpe*.

estiva (es.*ti*.va) *sf. Mar*. **1** Serviço de armazenar ou retirar cargas de navios. **2** Compartimento onde se armazenam cargas em um navio. **3** *Bras*. Equipe de estivadores.

estivador (es.ti.va.*dor*) [ô] *a.sm. Mar*. Que ou quem trabalha com carga e descarga de navios.

estival (es.ti.*val*) *a2g*. **1** Referente ao estio, ao verão (período *estival*). **2** Que acontece no verão (calor *estival*). [Pl.: -*vais*.]

estocada (es.to.*ca*.da) *sf*. **1** Golpe com espada ou outra arma perfurante. **2** *Fig*. Provocação ou agressão rude e inesperada.

estocar (es.to.*car*) *v. td*. Guardar, armazenar: *Com medo de racionamento, estocou bastante comida.* [▶ **11** estoc[ar] • es.to.ca.do a.; es.to.ca.gem *sf*.

estofa (es.*to*.fa) [ô] *sf*. **1** Ver *estofo* (1). **2** Condição (ger. social); CLASSE: *pessoas de mesma estofa.*

estofado (es.to.*fa*.do) *a*. **1** Recheado ou coberto com estofo (2). *sm*. **2** Sofá e/ou cadeira com esse tipo de preparação. **3** Tecido espesso para revestir móveis.

estofador (es.to.fa.*dor*) [ô] *a.sm.* Que ou quem estofa móveis.

estofamento (es.to.fa.*men*.to) *sm.* **1** Ação ou resultado de estofar. **2** Material (algodão, espuma etc.) com que se recheiam assentos estofados; ESTOFO.

estofar (es.to.*far*) *v. td.* Colocar (estofo, enchimento) e/ou revestir (móveis) com tecido. [▶ 1 estof̲ar̲] • [Cf.: *estufar* (1 e 2).]

estofo (es.to.fo) [ô] *sm.* **1** Tecido decorativo resistente (ger. de algodão, seda, lã) us. para cobrir poltronas, cadeiras etc.; ESTOFA. **2** Material macio para rechear sofás, colchões etc.; ESTOFAMENTO. **3** *Fig.* Determinação, fibra.

estoicismo (es.toi.*cis*.mo) *sm.* **1** *Fil.* Doutrina filosófica que prega a rigidez moral e a serenidade diante das dificuldades. **2** Atitude inabalável diante da felicidade ou da tristeza; IMPASSIBILIDADE. **3** Aceitação serena dos problemas e do sofrimento; RESIGNAÇÃO.

estoico (es.*toi*.co) *a.sm.* **1** Que ou quem segue o estoicismo (1). **2** Que ou quem revela estoicismo (2, 3).

estojo (es.*to*.jo) [ô] *sm.* Objeto, ger. em forma de caixa, cuja configuração interna se adapta àquilo que se destina a guardar: *estojo de óculos*.

estola (es.*to*.la) *sf.* **1** Tira de pano, comprida e larga, us. no pescoço como enfeite e/ou para aquecê-lo; XALE. **2** *Rel.* Fita que os padres usam sobre o pescoço durante a celebração da missa.

estômago (es.*tô*.ma.go) *sm.* **1** *Anat.* Órgão que, situado na parte superior do abdome, realiza importante fase do processo digestivo. **2** *Fig.* Disposição, paciência: *Não tinha estômago para suportar aquelas brigas.* [Ver achega encicl. em *digestório*, sistema.] • **es.to.ma.cal** *a2g.*

estomatite (es.to.ma.*ti*.te) *sf. Pat.* Inflamação da mucosa da boca.

estômato (es.*tô*.ma.to) *sm. Bot.* Estrutura na epiderme dos órgãos aéreos dos vegetais, por meio da qual se efetua a troca gasosa com o meio.

estoniano (es.to.ni:*a*.no) *a.* **1** Da Estônia (Europa); típico desse país ou de seu povo. *sm.* **2** Pessoa nascida na Estônia. *a.sm.* **3** *Gloss.* Da, ref. à ou a língua falada na Estônia.

estontear (es.ton.te.*ar*) *v.* **1** Tornar(-se) tonto, atordoado. [*td.*: *A bebida estonteou o rapaz*. *pr.*: *Rodopiou até estontear-se.*] **2** *Fig.* Maravilhar, deslumbrar. [*td.*: *Sua beleza estonteava o público*; (tb. sem complemento explícito) *O espetáculo dos fogos de artifício foi de estontear.*] [▶ 13 estont̲ear̲] • **es.ton.te.a.do** *a.*; **es.on.te.an.te** *a2g.*

estopa (es.*to*.pa) [ô] *sf.* **1** Resíduo fibroso que resulta do processamento de tecidos, em tecelagem. **2** Chumaço de fios têxteis próprios para limpeza.

estopada (es.to.*pa*.da) *sf. Pop.* Coisa maçante, amolação, chateação.

estopim (es.to.*pim*) *sm.* **1** Fio ou acessório que serve para deflagrar uma carga explosiva: *Acendeu o estopim e esperou pela explosão.* **2** *Fig.* Elemento que provoca uma ação, uma briga etc.: *A suspeita foi o estopim da separação.* [Pl.: *-pins.*]

estoque[1] (es.*to*.que) *sm.* **1** Espécie de espada longa que só fere na ponta. **2** *Bras.* Faca rudimentar.

estoque[2] (es.*to*.que) *sm.* **1** Quantidade acumulada de produtos: *Lá em casa o estoque de leite é sempre grande.* **2** Quantidade de mercadorias disponível para venda. **3** Lugar onde se armazenam essas mercadorias.

estore (es.*to*.re) *sm.* Tipo de cortina para janelas que se enrola e desenrola por meio de mecanismo próprio.

estória (es.*tó*.ri:a) *sf. Bras.* Ver *história* (3). [A palavra foi proposta para designar narrativa de ficção, mas a forma preferencial é *história.*]

estornar (es.tor.*nar*) *v. td.* Devolver (valor debitado ou creditado): *O banco estornou o débito indevido.* [▶ 1 estorn̲ar̲] • **es.tor.no** *sm.*

estorricar (es.tor.ri.*car*) *v.* Secar muito, a ponto de queimar(-se). [*td.*: *O calor estorricou a horta. int.*: *A horta estorricou com o calor.*] [▶ 11 estorric̲ar̲]

estorvar (es.tor.*var*) *v.* **1** Causar estorvo, transtorno a; ATRAPALHAR. [*td.*: *Não quero estorvar seu trabalho.*] **2** Impedir, privar. [*td.*: *A greve estorvou a realização do show. tdi.* + *de*: *Sua crianciçe estorvou-a de um relacionamento mais sério.*] [▶ 1 estorv̲ar̲] • **es.tor.va.ção** *sf.*; **es.tor.va.do** *a.*; **es.tor.va.men.to** *sm.*

estorvo (es.*tor*.vo) [ô] *sm.* **1** Dificuldade, embaraço: *Foi um estorvo carregar a mala escada acima.* **2** Pessoa que incomoda, importuna.

estourado (es.tou.*ra*.do) *a.* **1** Que estourou ou rebentou. **2** *Fig.* Que se irrita facilmente **3** *Fig.* Que atingiu seu limite (tempo estourado). **4** *Bras. Pop.* Muito cansado, esgotado: *Ficou estourado com a caminhada.*

estourar (es.tou.*rar*) *v.* **1** Arrebentar(-se), romper(-se), furar. [*td.*: *A força da água estourou os canos. int.*: *O pneu da bicicleta estourou.*] **2** Explodir ou produzir ruído de explosão. [*int.*: *Trovões estouravam ao longe.*] **3** *Fig.* Fazer muito sucesso. [*int.*: *Sua música estourou nas paradas.*] **4** *Fig.* Perder as estribeiras; descontrolar-se. [*int.*: *A raiva era tanta que ele quase estourou.*] **5** *Fig.* Tornar-se conhecido súbita e surpreendentemente. [*int.*: *A notícia estourou como uma bomba.*] [▶ 1 estour̲ar̲]

estouro (es.*tou*.ro) [ô] *sm.* **1** Barulho produzido por algo que arrebenta, que explode: *o estouro de uma bomba.* **2** *Fig.* Acontecimento imprevisto, de grande repercussão. **3** *Fig.* Manifestação ruidosa de raiva, de agressividade. **4** *Bras. Pop.* Acontecimento ou pessoa espetacular, sensacional: *A festa foi um estouro.*

estouvado (es.tou.*va*.do) *a.* Que é estabanado, precipitado, imprudente. • **es.tou.va.men.to** *sm.*

estrábico (es.*trá*.bi.co) *a.sm. Med.* Que ou quem sofre de estrabismo; VESGO.

estrabismo (es.tra.*bis*.mo) *sm. Med.* Desvio ocular eixo faz com que os dois olhos não consigam fixar um mesmo ponto ao mesmo tempo.

estraçalhar (es.tra.ça.*lhar*) *v.* **1** Rasgar, destruir. [*td.*: *O cachorro estraçalhou a almofada.*] **2** *Fig. Pop.* Fazer algo muito bem; fazer sucesso; ARREBENTAR. [*int.*: *O guitarrista estraçalhou!*] [▶ 1 estraçal̲har̲] • **es.tra.ça.lha.do** *a.*; **es.tra.ça.lha.men.to** *sm.*

estrada (es.*tra*.da) *sf.* **1** Via que liga uma cidade, estado ou país a outro. **2** *Fig.* Meio de atingir determinado objetivo: *estrada da fama.* ▪ **~ de ferro** Ferrovia. **~ de rodagem** Rodovia.

estrado (es.*tra*.do) *sm.* **1** Armação larga que forma uma espécie de plataforma, onde ficam pessoas ou objetos que devem ser destacados. **2** Parte da cama em que se assenta o colchão.

estragado (es.tra.*ga*.do) *a.* **1** Que se estragou, danificou ou azedou (máquina estragada, carne estragada). **2** *Fig.* Prejudicado por excesso de mimos ou de agrados: *caçula mimado e estragado.*

estragão (es.tra.*gão*) *Bot.* Planta de folhas de sabor picante, us. como condimento. [Pl.: *-gões.*]

estragar (es.tra.*gar*) *v.* Causar ou sofrer prejuízo, dano físico, psicológico etc. [*td.*: *A chuva estragou o passeio. int.*: *A comida estragou fora da geladeira. pr.*: *Ela se estragou com tantas plásticas.*] [▶ 14 estrag̲ar̲]

estrago (es.*tra*.go) *sm.* **1** Destruição; dano: *A batida fez um estrago no carro.* **2** Desperdício, esbanjamento: *A ceia natalina foi um estrago de castanhas.* **3** Prejuízo moral: *A declaração causou um estrago em sua reputação.*

estralada (es.tra.*la*.da) *sf.* Barulheira ou gritaria.

estrambótico (es.tram.*bó*.ti.co) *a.* Extravagante ou ridículo.

estrangeirice (es.tran.gei.*ri*.ce) *sf.* Aquilo que se faz ou se diz sob a influência de costumes estrangeiros.

estrangeirismo (es.tran.gei.*ris*.mo) *sm.* Emprego de, ou palavra ou construção sintática estrangeira: *Gostava de usar estrangeirismos, como 'know-how'.*

estrangeiro (es.tran.*gei*.ro) *a.* **1** Que é ou vem de outro país (roupas estrangeiras). *sm.* **2** País que não é o nosso; EXTERIOR: *viver no estrangeiro.* **3** Indivíduo de outro país. **4** Forasteiro: *Chegou um estrangeiro à cidade.*

estrangular (es.tran.gu.*lar*) *v.* **1** Apertar o pescoço de (alguém ou si próprio) para impedir a respiração; ESGANAR(-SE); SUFOCAR(-SE). [*td. pr.*] **2** Estreitar, comprimir. [*td.*: *A gravata o estrangulava.*] [▶ **1** estrangul̄ar] • **es.tran.gu.la.ção** *sf.*; **es.tran.gu.la.men.to** *sm.*

estranhar (es.tra.*nhar*) *v.* **1** Considerar estranho, incomum ou inexplicável. [*td.*: *Estranhamos ela não ter mais aparecido.*] **2** Não se adaptar a. [*td.*: *Creio que eles estranharão o novo país.*] **3** Mostrar-se hostil com. [*td.*: *Meu cão estranha todas as visitas. pr.*: *Esses dois viven se estranhando.*] [▶ **1** estranh̄ar] • **es.tra.nha.men.to** *sm.*

estranheza (es.tra.*nhe*.za) *sf.* **1** Qualidade do que é estranho, diferente, incomum. **2** Surpresa, espanto.

estranho (es.*tra*.nho) *a.* **1** Que não é comum, que está fora dos padrões usuais (comportamento estranho); ANORMAL. **2** Que é de fora, de outro lugar. **3** Que denota algum mistério, que parece enigmático: *uma casa estranha.* **4** Que se revela esquisito ou extravagante. *sm.* **5** Indivíduo estranho (2): *O estranho chegou na frente dos outros.* **6** Situação estranha (1, 3): *O estranho é que ele não compareceu.*

estratagema (es.tra.ta.*ge*.ma) *sm.* **1** *Mil.* Artifício us. na guerra para burlar ou surpreender o inimigo. **2** Artifício que se emprega visando a um objetivo; ARDIL.

estratégia (es.tra.*té*.gi:a) *sf.* **1** *Mil.* Arte militar que consiste em planejar operações de guerra. **2** Arte de utilizar os meios de que se dispõe para conseguir alcançar determinados objetivos. [Cf.: *tática*.]

estratégico (es.tra.*té*.gi.co) *a.* **1** Ref. a estratégia (planejamento estratégico). **2** Em que há estratégia, feito de acordo com certa estratégia (avanço estratégico).

estrategista (es.tra.te.*gis*.ta) *a2g.s2g.* Que ou quem é perito em estratégia: *Na empresa, ele é o estrategista das vendas.*

estratificação (es.tra.ti.fi.ca.*ção*) *sf.* **1** Ação ou resultado de estratificar(-se). **2** *Geol.* Processo pelo qual os sedimentos se dispõem em camadas sobrepostas, ou estratos. **3** *Soc.* Organização da sociedade em estratos ou camadas sociais, que se distinguem umas das outras por critérios políticos, econômicos etc. **4** *Fig.* Sedimentação, estabilização: *estratificação de ideias.* [Pl.: *-ções.*]

estratificar (es.tra.ti.fi.*car*) *v.* **1** Dispor(-se) em estratos ou camadas. [*td. pr.*] **2** *Fig.* Não sofrer mudança; ESTAGNAR. [*pr.*: *Em certa idade as opiniões se estratificam.*] [▶ **11** estratifīcar]

estrato (es.*tra*.to) *sm.* **1** *Geol.* Cada uma das camadas em que se dispõem as rochas. **2** *Soc.* Grupo ou camada social de uma população, definido em relação ao nível de renda, educação etc. **3** *Met.* Conjunto de nuvens baixas, com base bem definida e camadas horizontais uniformes. [Ver ilustr. em *nuvem.*]

estrato-cirro (es.tra.to-*cir*.ro) *sm. Met.* Ver *cirro-estrato*. [Pl.: *estratos-cirros* e *estratos-cirro.*] [Ver ilustr. em *nuvem.*]

estrato-cúmulo (es.tra.to-*cú*.mu.lo) *sm. Met.* Nuvem escura de formas arredondadas; CÚMULO-ESTRATO. [Pl.: *estratos-cúmulos* e *estratos-cúmulo.*] [Ver ilustr. em *nuvem.*]

estratosfera (es.tra.tos.*fe*.ra) *sf.* Parte da atmosfera acima de 12 mil metros de altitude, situada entre a troposfera e a ionosfera. • **es.tra.tos.fé.ri.co** *a.*

estrear (es.tre.*ar*) *v.* **1** Usar pela primeira vez. [*td.*: *Vou estrear meus brincos hoje.*] **2** Apresentar ou ser apresentado ao público pela primeira vez. [*td.*: *O Cruzeiro deve estrear Guilherme, domingo, contra o Guarani. int.*: *Filmes programados para estrear este ano.*] **3** Desempenhar pela primeira vez uma função, uma profissão etc. [*int.*: *Fernanda Lima vai estrear como atriz ao lado de Rodrigo Santoro.*] **4** Iniciar ou ser iniciado; INAUGURAR. [*td.*: *Estreou sua carreira no futebol aos 19 anos. int.*: *Transmissões de TV em alta definição podem estrear em 2005.*] [▶ **13** estr̄ear. Quando tônica, a vogal 'e' tem timbre aberto e grafa-se 'é': *estreiem.*] • **es.tre.an.te** *a2g.s2g.*

estrebaria (es.tre.ba.*ri*.a) *sf.* Local onde se abrigam animais, esp. cavalos.

estrebuchar (es.tre.bu.*char*) *v. int./pr.* Estremecer, contorcer-se ou sacudir-se convulsivamente: *O animal acabara de estrebuchar(-se) no chão.* [▶ **1** estrebuch̄ar]

estreia (es.*trei*.a) *sf.* **1** Ação ou resultado de estrear. **2** O primeiro uso: *estreia da roupa nova.* **3** A primeira apresentação de um artista, espetáculo etc. **4** A primeira obra de um escritor, cientista, figurinista etc. **5** Inauguração, abertura: *estreia do parque aquático.*

estreitar (es.trei.*tar*) *v.* **1** Tornar(-se) estreito ou menor. [*td.*: *A lavagem estreitou o vestido. int./pr.*: *Com as obras, a rua estreitou(-se).*] **2** Tornar mais intenso ou rigoroso. [*td.*: *O novo governo promete estreitar o policiamento.*] **3** Apertar, abraçar. [*td.* (seguido ou não de indicação de lugar): *Estreitou a irmã (contra o peito).*] **4** Tornar(-se) íntimo ou mais íntimo. [*tdi. + com*: *Estreitou laços de amizade com o novo vizinho. pr.*: *Nossas relações nunca estreitaram-se.*] [▶ **1** estreit̄ar] • **es.trei.ta.men.to** *sm.*

estreiteza (es.trei.*te*.za) [ê] *sf.* Qualidade do que é estreito.

estreito (es.*trei*.to) *a.* **1** Pouco largo (caminho estreito). **2** Fino, delgado (cinto estreito). **3** Apertado, justo (colete estreito). **4** Íntimo: *laços estreitos de amizade.* **5** Sem grandeza, mesquinho, limitado (mentalidade estreita). **6** Rigoroso, exato (significado estreito); ESTRITO. *sm. Geog.* **7** Canal natural que liga dois mares. **8** Passagem apertada entre montanhas; DESFILADEIRO.

estrela (es.*tre*.la) [ê] *sf.* **1** *Astr.* Astro que possui luz própria: *O Sol é uma estrela.* **2** *Astr.* Qualquer astro. **3** Figura convencional, ger. de cinco ou seis pontas, que representa uma estrela. **4** *Cin. Teat. Telv.* Atriz principal de um filme, telenovela etc. **5** *Fig.* Pessoa que se torna célebre em determinada atividade; ASTRO: *estrela do atletismo.* **6** *Fig.* Sorte, destino. ▪ **~ cadente** Visualização da entrada de um meteorito na atmosfera e que provoca incandescência ao se atritar com gases, mostrando-se como o traçado de um risco luminoso no céu noturno. **Ver ~s** Ficar atordoado ou com dores devido à pancada, esp. na cabeça.

estrela-d'alva | estrogonofe

📖 Uma estrela é um astro de luz própria, ou seja, um sol. Sua energia vem do núcleo, onde se verificam reações nucleares, resultantes da atração, pelo núcleo, dos gases que o circundam (principalmente o hidrogênio), aumentando a temperatura do núcleo. O nível dessa temperatura determina a luminosidade da estrela, classificada em seis 'grandezas', sendo cada nível de luminosidade 2,5 vezes maior que o anterior. Uma estrela de primeira grandeza é, assim, cerca de cem vezes mais luminosa que uma de sexta grandeza. Existem bilhões de estrelas, sendo a mais próxima da Terra a Alfa, da constelação de Centauro, assim mesmo 300.000 vezes mais distante que o Sol.

estrela-d'alva (es.tre.la-d'al.va) *sf. Astr.* Ver *Vênus.* [Pl.: *estrelas-d'alva*.]
estrelado (es.tre.la.do) *a.* **1** Cheio de estrelas (céu <u>estrelado</u>). **2** Que tem forma de estrela. **3** *Cul.* Diz-se de ovo frito sem ser mexido; ESTALADO.
estrela-do-mar (es.tre.la-do-*mar*) *sf. Zool.* Animal marinho com forma de estrela. [Pl.: *estrelas-do-mar*.]
estrelar (es.tre.*lar*) *v.* **1** Cobrir(-se) de estrelas ou de algo que as lembre. [*td*.: *Segundo a Bíblia, Deus estrelou os céus. int.*: *Há dias que o céu não estrela. pr.*: *O céu estrelou-se após a chuva.*] **2** *Bras.* Interpretar o papel principal em (filme, peça, novela etc.); PROTAGONIZAR. [*td.*: *A atriz vai estrelar o novo filme nacional.*] **3** Frigir (ovo), sem mexer. [*td.*] [▶ **1** estrel<u>ar</u>]
estrelato (es.tre.la.to) *sm. Bras.* Situação de grande destaque desfrutada por quem adquire prestígio em determinada atividade, esp. estrelas de cinema, teatro e televisão; FAMA; GLÓRIA: *Com um só filme alcançou o <u>estrelato</u>.*
estrelinha (es.tre.li.nha) *sf.* **1** *Cul.* Massa para sopa em forma de pequenas estrelas. **2** Pequeno fogo de artifício, que se segura na mão e emite faíscas.
estrelismo (es.tre.lis.mo) *sm. Bras. Fig.* Comportamento arrogante de quem exige tratamento privilegiado.
estremadura (es.tre.ma.du.ra) *sf. Geo.* Limite de um país ou região extrema de um país no confinamento com outro; FRONTEIRA.
estreme (es.*tre*.me) *a2g.* Que não tem mistura; PURO.
estremeção (es.tre.me.*ção*) *sm.* Tremor breve. [Pl.: *-ções*.]
estremecer (es.tre.me.*cer*) *v.* **1** Provocar ou sofrer tremor. [*td.*: *O terremoto <u>estremeceu</u> a cidade vizinha. int.*: *<u>Estremeceu</u> de susto.*] **2** *Fig.* Provocar ou sofrer qualquer abalo. [*td.*: *A intriga não <u>estremeceu</u> sua amizade. int.*: *A credibilidade do partido <u>estremeceu</u> com o escândalo.*] [▶ **33** estreme<u>cer</u>] • es.tre.me.ci.*men*.to *sm.*
estremecido (es.tre.me.ci.do) *a.* **1** Que sofreu estremeção. **2** *Fig.* Diz-se de relacionamento que sofreu abalo (amizade <u>estremecida</u>). **3** Assustado, trêmulo (voz <u>estremecida</u>).
estremunhar (es.tre.mu.*nhar*) *v. int./pr.* Acordar subitamente: *<u>Estremunhou(-se)</u>, ainda cheio de sono.* [▶ **1** estremunh<u>ar</u>]
estrênuo (es.*trê*.nu:o) *a.* **1** Valente, intrépido. **2** Esforçado, persistente. **3** Diligente, cuidadoso.
estrepar-se (es.tre.*par*-se) *v. pr.* **1** Ferir-se com estrepe. **2** *Bras.* Dar-se mal: *<u>Estrepou-se</u> no vestibular.* [▶ **1** estrep<u>ar</u>-se]
estrepe (es.*tre*.pe) *sm.* **1** Pequeno pedaço de madeira, ou outro objeto, pontiagudo ou em forma de espinho. **2** *Fig.* Dificuldade, embaraço: *Carregar esse peso vai ser um <u>estrepe</u>.* **3** *Fig.* Pessoa incômoda, desagradável: *Esse sujeito é um <u>estrepe</u>.* **4** *Fig. Bras. Gír.* Pessoa feia, mal-ajambrada.
estrepitar (es.tre.pi.*tar*) *v. int.* Soar com estrépito, com estrondo. [▶ **1** estrepit<u>ar</u>]

estrépito (es.*tré*.pi.to) *sm.* Ruído forte, estrondoso. • es.tre.pi.*to*.so *a.*
estrepolia, estripulia (es.tre.po.li.a, es.tri.pu.li.a) *sf.* Travessura, bagunça.
estreptococo (es.trep.to.co.co) [ó] *sm. Bac.* Tipo de coco [ó] (gênero de bactéria) que se apresenta em cadeia.
estreptomicina (es.trep.to.mi.ci.na) *sf. Quím.* Certo antibiótico, us. contra diversas infecções.
estressar (es.tres.*sar*) *v. td. pr.* Provocar ou sentir estresse. [▶ **1** estress<u>ar</u>] • es.tres.sa.do *a.sm.*
estresse (es.*tres*.se) *sm. Med.* Esgotamento físico ou emocional causado por agentes de natureza diversa (trauma, doença, emoção, tensão, cansaço etc.).
estria (es.*tri*.a) *sf.* Pequena linha ou ranhura na superfície de um corpo qualquer.
estriar (es.tri.*ar*) *v. td.* Abrir ou formar estrias em. [▶ **1** estri<u>ar</u>] • es.tri.a.do *a.*
estribar (es.tri.*bar*) *v.* **1** Firmar(-se) em estribo(s). [*td.*: *Estribou-se nos pés. pr.*: *Estribou-se bem para galopar.*] **2** Fazer que se apoie, ou apoiar-se, em. [*td.* (tb. seguido de indicação de lugar): *estribar uma estátua num pedestal. int.* (seguido de indicação de lugar): *Esta casa <u>estriba</u> em sólidos alicerces. pr.*: *Nosso condomínio <u>estriba-se</u> numa rocha.*] **3** *Fig.* Fundamentar(-se), basear(-se). [*tdi.* + *em*: *Ele <u>estriba</u> sua tese numa antiga teoria. ti.* + *em*: *Sua vida <u>estriba</u> numa rígida moral. pr.*: *Em seus estudos, <u>estriba-se</u> em extensa bibliografia.*] [▶ **1** estrib<u>ar</u>]
estribeira (es.tri.*bei*.ra) *sf.* Ver *estribo* (1 e 2). ⁂ **Perder as ~s** Perder o controle, o comedimento; descomedir-se (por irritação, indignação etc.).
estribilho (es.tri.*bi*.lho) *sm.* Verso(s) repetido(s) no fim de cada estrofe (de música ou poesia).
estribo (es.*tri*.bo) *sm.* **1** Peça colocada de cada lado de uma sela de montaria, e na qual o cavaleiro apoia o pé. **2** Degrau de viaturas (carros, ônibus etc.). **3** *Anat.* Pequeno osso da orelha média.
estricnina (es.tric.*ni*.na) *sf. Quím.* Substância encontrada na noz-vômica, us. como estimulante nervoso, mas letal quando aplicada em doses elevadas.
estridente (es.tri.*den*.te) *a2g.* Diz-se de som agudo, penetrante.
estridor (es.tri.*dor*) *sm.* Som forte e desagradável; ESTRÉPITO. **2** Ruído parecido com um apito, ou silvo.
estridular (es.tri.du.*lar*) *v. int.* Emitir som agudo. [▶ **1** estridul<u>ar</u>]
estrídulo (es.*trí*.du.lo) *a.sm.* Que ou o que é estridente (diz-se de som).
estrilar (es.tri.*lar*) *v. int. Bras.* **1** Esbravejar, vociferar. **2** Protestar com vigor. [▶ **1** estril<u>ar</u>]
estrilo (es.*tri*.lo) *sm. Bras. Pop.* **1** Grito de protesto, de revolta: *Seu <u>estrilo</u> afinal foi ouvido.* **2** Reclamação áspera, bronca: *Deu um <u>estrilo</u> nos alunos barulhentos.*
estripar (es.tri.*par*) *v. td.* Retirar as tripas de; DESTRIPAR. [▶ **1** estrip<u>ar</u>] • es.tri.pa.*dor* a.sm.
estrito (es.*tri*.to) *a.* **1** Que não dá margem a analogias, ilações etc.; RESTRITO: *São ordens <u>estritas</u>, não as interprete.* **2** Exato, rigoroso: *Este texto tem de ser preciso, use terminologia <u>estrita</u>.*
estro (es.tro) [é] *sm.* Imaginação criadora: *o <u>estro</u> dos poetas.*
estrofe (es.*tro*.fe) *sf. Poét.* Cada um dos grupos de versos em que se divide um poema; ESTÂNCIA[1].
estrogênio (es.tro.*gê*.ni:o) *sm. Fisl.* Designação dos hormônios femininos responsáveis pelo desenvolvimento das condições necessárias à fertilização do embrião e dos caracteres femininos secundários.
estrogonofe (es.tro.go.*no*.fe) *sm. Cul.* Iguaria que consiste em carne guisada com molho de creme de leite, condimentos (ger. *ketchup* e mostarda) e cogumelos.

estroina (es.*troi*.na) *a2g.s2g.* Que ou quem é leviano e esbanjador ou perdulário. ● **es.troi.ni.ce** *sf.*

estrompado (es.trom.*pa*.do) *a. Pop.* **1** Estragado pelo uso; DETERIORADO. **2** Cansado demais; FATIGADO; EXAURIDO. ● **es.trom.par** *v.*

estrondoso (es.tron.*do*.zo) [ô] *a.* **1** Que produz estrondo (1). **2** Em que há estrondo (2) (comemoração estrondosa). [Fem. e pl.: [ó].]

estropear (es.tro.pe.*ar*) *v. int.* Fazer tropel, fazer muito barulho ou confusão. [▶ **13** estrope<u>ar</u>]

estropiar (es.tro.pi.*ar*) *v.* **1** Cortar algum membro de (alguém ou si mesmo); ALEIJAR(-SE), MUTILAR(-SE). [*td. pr.*] **2** *Fig.* Desfigurar. [*td.*: *estropiar uma notícia*; *Ela estropia toda música que canta.*] **3** Esfalfar, fatigar. [*td.*] [▶ **1** estropi<u>ar</u>]

estropício (es.tro.*pí*.ci.o) *sm.* Dano, transtorno.

estrugir (es.tru.*gir*) *v.* Fazer vibrar ou vibrar fortemente. [*td.*: *Um som agudo estrugiu meus tímpanos. int.*: *De repente ouvimos uma explosão estrugir.*] [▶ **46** estrug<u>ir</u>] ● **es.tru.gi.do** *a.sm.*

estrumar (es.tru.*mar*) *v. td.* Pôr estrume em (terra) para fertilizá-la; ADUBAR. [▶ **1** estrum<u>ar</u>]

estrume (es.*tru*.me) *sm.* **1** Excremento de animal. **2** Adubo constituído de excrementos animais e resíduos de folhas, ramos etc.

estrumeira (es.tru.*mei*.ra) *sf.* Local onde se acumula o estrume; ESTERQUEIRA.

estrupício (es.tru.*pí*.ci:o) *sm. Bras. Pop.* **1** Alvoroço, confusão. **2** Coisa grande ou despropositada.

estrutura (es.tru.tu.ra) *sf.* **1** Modo como se ordenam e/ou articulam as partes de um todo: *estrutura molecular/de um dicionário*. **2** A parte que constitui o elemento de sustentação de um todo e de sua resistência a cargas (*ib. Fig.*); ARCABOUÇO: *O esqueleto forma a estrutura do corpo dos vertebrados*; *Não lhe confie essa missão, ele não tem estrutura para isso.* **3** *Fig.* Aquilo que é mais essencial em algo: *Ignore os detalhes e considere a estrutura do negócio.* **4** Obra construída pela junção ou articulação de partes: *A Torre Eiffel é uma estrutura metálica.*

estrutural (es.tru.tu.*ral*) *a2g.* **1** Ref. a, de ou próprio de estrutura. **2** Que se relaciona com a estrutura (2 e 3) de um conceito ou situação, e não com aspectos secundários ou circunstanciais (inflação estrutural, ineficiência estrutural). [Pl.: -*rais*.]

estruturalismo (es.tru.tu.ra.*lis*.mo) *sm.* Nas ciências humanas, corrente de pensamento que se baseia na ideia de que os fenômenos e fatos culturais podem ser analisados como estruturas, isto é, totalidades constituídas de elementos funcionalmente interligados. ● **es.tru.tu.ra.lis.ta** *a2g.s2g.*

estruturar (es.tru.tu.*rar*) *v.* **1** Prover de estrutura; CONSTRUIR. [*td.*: *estruturar um edifício.*] **2** Planejar, elaborar. [*td.*: *estruturar uma campanha publicitária.*] **3** *Fig.* Adquirir estabilidade emocional ou financeira. [*pr.*: *Estruturou-se para enfrentar a discussão.*] [▶ **1** estrutur<u>ar</u>] ● **es.tru.tu.ra.ção** *sf.*

estuário (es.tu.*á*.ri:o) *sm.* **1** *Geog.* Tipo de foz em que um rio se alarga. **2** *Fig.* Lugar para onde convergem todas as coisas (fatos, ideias, palavras etc.): *O dicionário é o estuário das palavras de uma língua.*

estudante (es.tu.*dan*.te) *s2g.* Pessoa que estuda.

estudantil (es.tu.dan.*til*) *a2g.* De estudante ou próprio dele (passeata estudantil). [Pl.: -*tis*]

estudar (es.tu.*dar*) *v.* **1** Aplicar o raciocínio para aprender. [*td.*: *estudar uma língua/filosofia etc. int.*: *Chamou o filho para estudar.*] **2** Frequentar curso ou ser estudante (de). [*td.*: *estudar engenharia. int.*: *Trabalha e estuda.*] **3** Decorar, memorizar. [*td.*: *O ator estudou sua fala.*] **4** Analisar, refletir a respeito de. [*td.*: *O governo estudará suas reivindicações.*] **5** Observar (algo, alguém ou si mesmo) detidamente. [*td.*: *Estuda o comportamento do filho para tentar entendê-lo. pr.*: *Estudou-se procurando um sinal.*] **6** Treinar, exercitar. [*td.*: *estudar a coreografia.*] [▶ **1** estud<u>ar</u>]

estúdio (es.*tú*.di:o) *sm.* **1** Oficina de artista ou artesão. **2** Qualquer cômodo reservado para trabalho intelectual ou artístico. **3** Local equipado para atividades artísticas (filmagem, fotografia, gravação de músicas etc.). **4** Pequeno apartamento ger. destinado a pessoa solteira.

estudioso (es.tu.di:*o*.so) [ó] *a.sm.* Que ou quem se aplica no estudo (de algo) (rapaz estudioso); *um estudioso de cinema.* [Fem. e pl.: [ó].]

estudo (es.*tu*.do) *sm.* **1** Ação ou resultado de estudar: *Concentrou-se no estudo.* **2** Aplicação das faculdades intelectuais com objetivo de adquirir conhecimentos: *O estudo é o fundamento do saber.* **3** Análise, exame: *Fez um estudo das alternativas de investimento.* **4** Trabalho artístico ou científico sobre determinado assunto: *O médico escreveu um estudo sobre o sarampo.*

estufa (es.*tu*.fa) *sf.* **1** Aparelho para aquecer ambientes. **2** Parte do fogão, perto do forno, indiretamente aquecida. **3** Recinto aquecido, com paredes ou telhado de vidro, para o cultivo de plantas e/ ou flores. **4** *Fig.* Qualquer recinto muito quente e abafado.

estufado (es.tu.*fa*.do) *a.* **1** Colocado em estufa. **2** Que se estufou, inflou; INFLADO: *Andava sempre de peito estufado.* *sm.* **3** *Cul.* Refogado de carne cozida em fogo lento.

estufar[1] (es.tu.*far*) *v. td.* Aquecer ou secar em estufa. [▶ **1** estuf<u>ar</u>] [Cf.: *estofar*.]

estufar[2] (es.tu.*far*) *v.* **1** *Bras.* Inflar(-se) ou tornar(-se) mais volumoso. [*td.*: *O vento estufava a vela do barco. pr.*: *Ela estufou-se de tanto doce.*] **2** *Bras. Fig.* Envaidecer-se, inchar-se. [*pr.*: *Nunca estufou-se com o sucesso.*] [▶ **1** estuf<u>ar</u>] [Cf.: *estofar*.]

estugar (es.tu.*gar*) *v.* **1** Apressar (o passo). [*td.*] **2** Incitar, estimular. [*td.*: *estugar uma cavalgadura.*] [▶ **14** estug<u>ar</u>]

estultícia, **estultice** (es.tul.*ti*.ci:a, es.tul.*ti*.ce) *sf.* Qualidade, ação ou dito de estulto.

estulto (es.*tul*.to) *a.* Que não tem discernimento; TOLO. [Ant.: *perspicaz*.]

estupefação (es.tu.pe.fa.*ção*) *sf.* **1** Entorpecimento. **2** *Fig.* Estado de quem está aturdido, assombrado; ASSOMBRO; PERPLEXIDADE. [Pl.: -*ções*.]

estupefaciente (es.tu.pe.fa.ci:*en*.te) *a2g.* **1** Que causa estupefação. **2** *Med.* Diz-se de droga estupefaciente (1). *sm.* **3** *Med.* Substância que produz efeito analgésico e euforizante, e que pode provocar intoxicação e dependência.

estupefato, **estupefacto** (es.tu.pe.*fa*.to, es.tu.pe.*fac*.to) *a.* **1** Entorpecido. **2** Perplexo, atônito.

estupendo (es.tu.*pen*.do) *a.* Que é admirável, extraordinário: *um filme estupendo.*

estupidez (es.tu.pi.*dez*) [ê] *sf.* **1** Falta de inteligência ou de discernimento: *Sua estupidez o desqualifica para o cargo.* **2** Atitude ou ação que denota estupidez (1): *Desrespeitar o sinal foi estupidez.* **3** *Bras.* Grosseria: *Tratou o subordinado com estupidez.*

estupidificar (es.tu.pi.di.fi.*car*) *v. td. pr.* Tornar(-se) estúpido, parvo, idiota. [▶ **11** estupidific<u>ar</u>]

estúpido (es.*tú*.pi.do) *a.* **1** Sem inteligência (plano estúpido). **2** *Bras.* Bruto, grosseiro (modos estúpidos): *Não seja estúpido com os colegas.*

estupor (es.tu.*por*) [ô] *sm.* **1** *Med.* Estado mórbido em que o enfermo não reage aos estímulos externos. **2** *Pop.* Paralisia momentânea devido a choque ou grande espanto: *Ficou em estupor ao ver a cena.* **3** *Fig. Pej.* Pessoa muito feia ou muito desagradável.

estuporar | etnografia

estuporar (es.tu.po.*rar*) *v.* **1** Fazer cair ou cair em estupor (1, 2). [*td. pr.*] **2** *Fig.* Ficar exausto, estafar-se. [*pr.*: *Estuporou-se capinando o quintal.*] **3** Estragar-se, deteriorar-se. [*pr.*] [▶ 1 estupo*rar*]

estuprar (es.tu.*prar*) *v. td.* Cometer estupro contra; VIOLENTAR. [▶ 1 estup*rar*]

estupro (es.*tu*.pro) *sm.* Crime que consiste em forçar alguém a manter relação sexual mediante constrangimento, ameaça ou violência.

estuque (es.*tu*.que) *sm.* **1** Ver taipa. **2** Massa de gesso, pó de mármore, cal e areia, us. para revestir paredes, tetos etc. **3** Revestimento feito com essa massa.

esturjão (es.tur.*jão*) *sm.* Zool. Peixe dos mares temperados, de cuja ova se faz o caviar. [Pl.: -*jões.*]

esturricar (es.tur.ri.*car*) *v.* Ver *estorricar*. [▶ 11 esturri*car*] ● **es.tur.ri.ca.do** *a.*

esturro (es.*tu*.ro) *sm.* **1** Estado ou condição de algo queimado. **2** Cheiro resultante da queima: *A cozinha ficou tomada por um esturro insuportável.* **3** *Bras.* Urro de onça; RUGIDO; BRAMIDO.

esvaecer, esvanecer (es.va.e.*cer*, es.va.ne.*cer*) *v.* **1** Fazer desaparecer ou desaparecer; EXTINGUIR(-SE). [*td.*: *O tempo esvaeceu as cores do retrato. int./pr.*: *O medo esvaeciu(-se) aos poucos.*] **2** Perder o entusiasmo; ESMORECER. [*int.*: *Quando viu a escadaria, esvaeceu.*] **3** Desfazer-se, evaporar-se. [*pr.*: *A fumaça esvaeceu-se no ar.*] [▶ 33 esvae*cer*, ▶ 33 esvane*cer*]

esvair (es.va.*ir*) *v.* **1** Dissipar(-se), evaporar(-se). [*td.*: *O sol esvaiu a neblina. pr.*: *Pouco a pouco esvaiu-se o perfume.*] **2** Fugir; DESVANECER-SE. [*pr.*: "Mas a esperança logo se esvaiu..." (João Ubaldo Ribeiro, *Diário do farol*).] **3** *Fig.* Exaurir-se, desfazer-se. [*pr.*: *esvair-se em lágrimas.*] **4** Passar rapidamente o tempo, uma época etc.; ESCOAR-SE. [*pr.*: *Nossos melhores anos se esvaem.*] **5** Desmaiar, desfalecer. [*pr.*] [▶ 43 esv*air*]

esvaziar (es.va.zi.*ar*) *v.* **1** Tornar(-se) vazio. [*td. pr.*] **2** *Fig.* Fazer perder ou perder a importância ou a significação. [*td.*: "...a intenção (...) é esvaziar a autoridade do árbitro..." (*O Dia,* 28.01.04). *pr.*: *Sua arte acabou por esvaziar-se.*] [▶ 1 esvazi*ar*]

esverdeado (es.ver.de.a.do) *a.* Que apresenta tom de verde ou quase verde (água esverdeada). **2** *Fig.* Que é ou está pálido: *A falta de sol deixa a pele esverdeada.*

esverdear (es.ver.de.*ar*) *v.* Dar ou adquirir cor verde ou esverdeada. [*td.*: *A irrigação esverdeou o gramado. int.*: *Os olhos do bebê esverdearam(-se).*] [▶ 13 esverde*ar*]

esvoaçar (es.vo.a.*çar*) *v. int. pr.* **1** Bater as asas para alçar voo. **2** Agitar(-se) ao vento (bandeira, cabelo etc.). [▶ 12 esvoa*çar*] ● **es.vo.a.çan.te** *a2g.*

⊠ **ET** [e.*tê*] Ver *extraterrestre* (2).

eta (*e*.ta) [ê] *sm.* A sétima letra do alfabeto grego. Corresponde a um *e* longo latino (Η, η).

eta (*e*.ta) [ê] *interj. Bras.* Indicativo de surpresa, espanto, alegria.

etano (*e*.ta.no) *sm. Quím.* Hidrocarboneto incolor encontrado no gás natural.

etanol (e.ta.*nol*) *sm. Quím.* Ver *álcool*.

etapa (e.*ta*.pa) *sf.* Cada período ou parte do desenvolvimento de um processo, negócio, marcha etc.; ESTÁGIO; FASE.

etário (e.*tá*.ri:o) *a.* Ref. a ou próprio da idade (faixa etária).

⊠ **etc.** Abr. de *et cetera*. [Esta fórmula substitui as enumerações longas.]

⊕ **et cetera** (Lat. /èti cètera/) *loc. conj.* E as demais coisas. [Abr.: *etc.*]

eteno (e.*te*.no) *sm. Quím.* Ver *etileno*.

éter (*é*.ter) *sm.* **1** *Quím.* Substância de cheiro forte us. como anti-séptico e solvente. **2** *Fig.* Espaço celeste.

etéreo (e.*té*.re:o) *a.* **1** Que é volátil, fluido (substância etérea). **2** *Fig.* Que não pertence ao mundo material; CELESTIAL; DIVINO. **3** *Fig.* Que é puro, delicado, sublime (música etérea).

eternidade (e.ter.ni.*da*.de) *sf.* **1** Qualidade do que não tem início nem fim. **2** Para algumas religiões, a vida sem fim que começa depois da morte. **3** *Fig.* Demora longa e indefinida: *O discurso durou uma eternidade.*

eternizar (e.ter.ni.*zar*) *v.* **1** Tornar(-se) eterno ou imortal. [*td. pr.*] **2** *Fig.* Dar ou conquistar fama duradoura; IMORTALIZAR(-SE). [*td.*: *A invenção do avião eternizou Santos Dumont. pr.*: *Camões eternizou-se por seu poema* Os Lusíadas.] **3** *Fig.* Prolongar(-se) a duração de. [*td.*: *A impaciência parece eternizar a espera. pr.*: *A espera parece eternizar-se quando se está impaciente.*] [▶ 1 eterni*zar*]

eterno (e.*ter*.no) *a.* **1** Que não tem início nem fim: *Só Deus é eterno.* **2** *Fig.* Que parece não ter fim: *Vive em eterna preocupação.* **3** *Fig.* Que será sempre lembrado ou reconhecido (clássicos eternos); IMORTAL.

ética (*é*.ti.ca) *sf. Filos.* **1** Ramo da filosofia que trata das questões e dos preceitos relacionados aos valores morais e à conduta humana. **2** Conjunto de princípios e normas para o bom comportamento moral.

ético (*é*.ti.co) *a.* **1** Ref. a ou próprio da ética. **2** Que tem ou revela ética (2).

etileno (e.ti.*le*.no) *sm. Quím.* Hidrocarboneto us. em petroquímica e na produção de plásticos; ETENO.

etílico (e.*tí*.li.co) *a.* **1** *Quím.* Diz-se de álcool ou éter que contém o radical etila. **2** Causado pelo consumo de álcool (estado etílico, torpor etílico); ALCOÓLICO.

étimo (*é*.ti.mo) *sm. Ling.* Palavra ou forma que é a base da formação e evolução de outras palavras na língua.

etimologia (e.ti.mo.lo.*gi*.a) *sf. Ling.* **1** Estudo da origem, formação e evolução das palavras. **2** A origem de uma palavra. ● **e.ti.mo.lo.gis.ta** *a2g.s2g.*; e.ti.*mó*.lo.go *sm.*

etiologia (e.ti:o.lo.*gi*.a) *sf.* **1** Ciência que estuda as origens e causas das coisas. **2** A origem de algo. **3** *Med.* Estudo ou pesquisa das causas de uma doença. ● **e.ti:o.ló.gi.co** *a.*

etíope (e.*tí*:o.pe) *a2g.* **1** Da Etiópia (África); típico desse país ou do seu povo. *s2g.* **2** Pessoa nascida na Etiópia. *a2g.s2g.* **3** *Gloss.* Da, ref. à ou à língua falada na Etiópia.

etiqueta (e.ti.*que*.ta) *sf.* **1** Conjunto de normas de conduta us. em ocasiões formais: *aulas de etiqueta.* **2** Rótulo que, afixado num objeto, o identifica: *etiqueta de roupa.* **3** Marca ou condição de produto feito ou vendido por fabricante ou lojista de prestígio: *roupas de etiqueta.*

etiquetar (e.ti.que.*tar*) *v. td.* **1** Por etiqueta ou rótulo em (mercadorias). **2** *Fig.* Qualificar (alguém) de modo simplista; ROTULAR. [▶ 1 etique*tar*]

etmoide (et.*moi*.de) *Anat. sm.* **1** Osso do crânio localizado atrás do nariz e entre os olhos. *a2g.* **2** Diz-se desse osso.

etnia (et.*ni*.a) *sf. Antr.* Grupo social diferenciado de outros por laços peculiares de cultura, religião, língua, comportamento etc.

étnico (*ét*.ni.co) *a. Antr.* **1** Que pertence a uma etnia (grupo étnico). **2** Ref. a ou próprio de etnia (conflitos étnicos, laços étnicos).

etnocentrismo (et.no.cen.*tris*.mo) *sm. Antr.* Concepção do mundo característica de quem considera os valores e regras de sua própria sociedade como os únicos parâmetros válidos para julgar outras culturas e sociedades. ● **e.t.no.cên.tri.co** *a.*

etnografia (et.no.gra.*fi*.a) *sf. Antr.* Estudo e registro descritivo de povos e etnias, suas culturas, características etc. ● **et.no.*grá*.fi.co** *a.*

etnologia (et.no.lo.*gi*.a) *sf. Antr.* **1** Parte da antropologia que analisa, interpreta e compara culturas a partir de material etnográfico. **2** *Bras.* Estudo dos povos indígenas. ● **et.no.***ló***.gi.co** *a.*

etnônimo (et.*nô*.ni.mo) *sm. Antrop.* Palavra que designa tribo, casta, etnia, nação etc.

etologia (e.to.lo.*gi*.a) *sf.* **1** *Biol.* Estudo do comportamento dos animais. **2** *Psi.* Ramo da pesquisa do comportamento humano cuja base é considerada instintiva. ● **e.to.***ló***.gi.co** *a.*

etos (*e*.tos) *sm2n. Antr. Soc.* O que é próprio e predominante no comportamento dos indivíduos de um povo, grupo, etnia etc.

etrusco (e.*trus*.co) *Hist. a.* **1** Da Etrúria (atual Toscana); típico dessa antiga província italiana ou de seu povo. *sm.* **2** Pessoa nascida na Etrúria. *a.sm.* **3** *Gloss.* Da, ref. à ou a língua falada na Etrúria.

eu *pr.pess.* **1** Indica a pessoa que fala e funciona como sujeito: *Eu acordo muito cedo.* *sm.* **2** O modo de ser de uma pessoa em momento determinado: *Onde está o seu eu de sambista?* [NOTA: Quando a forma do verbo apresenta desinência de primeira pessoa, o pron. *eu* pode ficar oculto: *Posso ir com vocês?*]

eucalipto (eu.ca.*lip*.to) *sm. Bot.* Árvore muito cultivada para reflorestamento e produção de lenha, celulose e óleo aromático.

eucaliptol (eu.ca.lip.*tol*) *sm. Quím.* Principal substância do óleo de eucalipto. [PL.: -*tóis*.]

eucarionte (eu.ca.ri:*on*.te) *a2g.sm. Cit.* Ver *eucarioto*.

eucarioto (eu.ca.ri:o.to) [ó] *a.sm. Cit.* Que ou o que tem seu núcleo envolvido por membrana (organismo *eucarioto*, célula *eucariota*). EUCARIONTE. [Fem.: [ó].] [Cf.: *procarioto*.]

eucarístia (eu.ca.*ris*.ti.a) *sf. Litu.* **1** Sacramento católico da comunhão em que o pão e o vinho passam a ser o corpo e o sangue de Jesus. **2** Ato principal do culto cristão. **3** A hóstia sagrada. [Inicial ger. maiúsc.] ● **eu.ca.***rís***.ti.co** *a.*

euclidiano (eu.cli.di:*a*.no) *a.* **1** Do, pertencente ou ref. ao escritor brasileiro Euclides da Cunha (1866-1909). *O estilo euclidiano é admirável.* *a.sm.* **2** Que ou aquele que é admirador, estudioso ou seguidor de sua obra: *Como escritor sempre foi um euclidiano assumido.* **3** Ref. ou do geômetra grego Euclides (geometria *euclidiana*).

eufemismo (eu.fe.*mis*.mo) *sm. Ling.* Figura de linguagem baseada na substituição de palavra ou expressão de sentido grosseiro, indecente ou desagradável por outra de sentido mais leve e conveniente (p.ex., o uso de *forte* no lugar de *gordo*, de *traseiro* no lugar de *bunda* etc.).

eufonia (eu.fo.*ni*.a) *sf.* Resultado agradável na sucessão de sons e/ou fonemas. ● **eu.***fô***.ni.co** *a.*

euforbiácea (eu.for.bi:*á*.ce:a) *sf. Bot.* Espécime das euforbiáceas, família de plantas que inclui a seringueira e a mandioca.

euforia (eu.fo.*ri*.a) *sf.* Estado de alegria intensa e expansiva. ● **eu.***fó***.ri.co** *a.*; **eu.fo.ri.***zan***.te** *a2g*

eugenia (eu.ge.*ni*.a) *sf. Med.* Ciência que busca o aprimoramento genético da espécie humana. ● **eu.***gê***.ni.co** *a.*

eulalia (eu.la.*li*.a) *sf.* Modo de falar com perfeita dicção. [Ant.: *dislalia*.]

eunuco (eu.*nu*.co) *sm.* Homem que era castrado para guardar os haréns.

eurasiano, eurásico (eu.ra.si:*a*.no,eu.*rá*.si.co) *a.sm.* Ver *eurasiático*.

eurasiático (eu.ra.si:*á*.ti.co) *a.* Pertencente ou ref. à Eurásia (conjunto da Europa e Ásia).

eureca (eu.*re*.ca) [é] *interj.* Ver *heureca*.

euribionte (eu.ri.bi:*on*.te) *sm. Ecol.* Espécie capaz de se adaptar a uma grande variedade de ambientes; EURIOICO.

eurioico (eu.ri:*oi*.co) *sm. Ecol.* Ver *euribionte*.

euro (*eu*.ro) *sm. Econ.* **1** Nome do dinheiro us. em vários países da União Europeia (a partir de 1999). **2** Unidade dos valores em euro, us. em notas e moedas: *uma nota de um euro*.

eurocético (eu.ro.*cé*.ti.co) *a.* **1** Que é contra a União Europeia ou que não acredita nas suas propostas e no seu sucesso: "...líder *eurocético* anuncia a criação de nova legenda." (*J. de Notícias*, 12.04.2019) *sm.* **2** Aquele que é eurocético (1): *Os eurocéticos se impuseram no Reino Unido.*

eurodólar (eu.ro.*dó*.lar) *sm. Econ.* Dólar americano depositado e investido em bancos comerciais europeus.

europeu (eu.ro.*peu*) *a.* **1** Da Europa; típico desse continente ou de seu povo (cultura *europeia*, mercado *europeu*). *sm.* **2** Pessoa nascida na Europa. [Fem.: -*peia*.]

eutanásia (eu.ta.*ná*.si:a) *sf. Med.* O conceito de e as questões éticas ref. ao ato de dar morte indolor a um doente incurável.

eutroficação (eu.tro.fi.ca.*ção*) *sf. Ecol.* Processo em que o aumento de nutrientes da água causa um acúmulo de algas e matéria orgânica decomposta. [PL.: -*ções*.]

eutrófico (eu.*tró*.fi.co) *a.* Diz-se de rios e lagos cujas águas têm pouco oxigênio e nutrientes abundantes.

evacuar (e.va.cu.*ar*) *v.* **1** Sair de (um lugar), deixando-o vazio; DESOCUPAR. [*td.*: *Os invasores evacuaram o prédio.*] **2** *Mil.* Remover (população, grupo de pessoas etc.) de zona perigosa. [*td.*] **3** Expelir matéria fecal; DEFECAR. [*int.*] [▶ 1 evacu*ar*] ● **e.va.cu:a.***ção*** *sf.*

evadir (e.va.*dir*) *v.* **1** Evitar, escapar de; ESQUIVAR(-SE). [*td.*: *evadir um encontro.* *pr.*: *evadir-se* *a uma conversa.*] **2** Escapar sorrateiramente. [*pr.*: *Conseguiu evadir-se dos fãs.*] **3** Fugir da prisão. [*pr.*] [▶ 3 evad*ir*]

evalve (e.*val*.ve) *a2g. Bot.* Diz-se de fruto que não se abre ao ficar maduro; INDEISCENTE.

evangelho (e.van.*ge*.lho) *sm.* **1** *Rel.* Todo o ensinamento de Jesus contido no Novo Testamento. **2** *Rel.* Cada um dos quatro livros incluídos no Novo Testamento, que narram a vida, doutrina e ressurreição de Jesus. [Nestas acps., com inicial maiúsc.] **3** *Fig.* Doutrina indiscutível; DOGMA: *A ética médica é seu evangelho.*

evangélico (e.van.*gé*.li.co) *a.* **1** Ref. ao Evangelho ou que segue seus princípios (educação *evangélica*). **2** *Rel.* Ref. ou pertencente a certas igrejas que seguem esp. os Evangelhos (2). *sm.* **3** *Rel.* Membro de uma dessas igrejas: *Cresceu muito o número de evangélicos.*

evangelismo (e.van.ge.*lis*.mo) *sm. Rel.* Qualquer doutrina ou sistema moral/religioso fundamentado no Evangelho.

evangelista (e.van.ge.*lis*.ta) *sm.* **1** *Rel.* Cada um dos quatro autores do Evangelho: Mateus, Marcos, Lucas e João. *a2g.s2g.* **2** Que ou quem evangeliza ou divulga uma doutrina em pregações; EVANGELIZADOR. **3** *Rel. Bras.* Que ou quem é seguidor da Igreja Evangélica.

evangelizar (e.van.ge.li.*zar*) *v. td. Rel.* Converter (alguém) à religião, pregando o Evangelho. [▶ 1 evangeliz*ar*] ● **e.van.ge.li.za.***dor*** *a.sm.*

evaporação (e.va.po.ra.*ção*) *sf. Quím.* Passagem gradual do estado líquido ao gasoso. [PL.: -*ções*.]

evaporar (e.va.po.*rar*) *v.* **1** Converter(-se) em vapor ou gás. [*td.*: *O calor evaporou a água das nuvens.* *int.*/*pr.*: *O álcool evapora(-se) rapidamente.*] **2** *Fig.* Fazer desaparecer ou desaparecer. [*td.*: *A última pesquisa eleitoral evaporou suas esperanças.* *int.*/*pr.*: *João evaporou(-se), nunca mais o vi.*] [▶ 1 evapor*ar*]

evasão (e.va.*são*) *sf.* **1** Ação ou resultado de evadir(-se); FUGA. **2** Desistência, abandono. [PL.: -*sões*.]

evasiva | examinar 350

~ escolar Diminuição do número de estudantes na escola por abandono do estudo antes de completado o curso.

evasiva (e.va.si.va) *sf.* Resposta intencionalmente vaga, pouco clara; SUBTERFÚGIO: *Reagiu com evasivas ao pedido de esclarecimentos.*

evasivo (e.va.si.vo) *a.* Que usa pretextos e subterfúgios para não dizer algo claramente (resposta evasiva, discurso evasivo).

evento (e.ven.to) *sm.* **1** Acontecimento; FENÔMENO; OCORRÊNCIA: *Chuva de granizo é evento raro na região.* **2** Acontecimento social, como festa, solenidade, espetáculo etc.

eventual (e.ven.tu:al) *a2g.* **1** Que é incerto, podendo ocorrer ou não: *Uma eventual mudança de planos.* **2** Que ocorre de vez em quando; OCASIONAL: *Tínhamos encontros eventuais.* [Ant.: *frequente*.] [Pl.: *-ais*.]

eventualidade (e.ven.tu:a.li.da.de) *sf.* **1** Condição de eventual. **2** Acontecimento incerto ou imprevisto; ACASO; CONTINGÊNCIA: *Havendo qualquer eventualidade, você sabe a quem recorrer.*

evidência (e.vi.dên.ci.a) *sf.* **1** Qualidade do que é evidente, claro. **2** O que esclarece, que não deixa dúvida; PROVA: *Não é possível ignorar evidências tão fortes.* **3** Destaque, visibilidade.

evidenciar (e.vi.den.ci.ar) *v.* **1** Tornar(-se) evidente, patente, manifesto: [*td.*: "...o empate em 6 a 6 evidenciava a igualdade entre os times." (*O Globo*, 12.06.03.) *pr.*: *As causas do acidente não se evidenciaram.*] **2** Ganhar evidência (3), destaque (por algum motivo); SOBRESSAIR-SE. [*pr.*: *Evidenciar-se por sua competência.*] [▶ 1 evidenci**ar**]

evidente (e.vi.den.te) *a2g.* Que não pode ser contestado; CLARO; MANIFESTO.

eviscerar (e.vis.ce.rar) *v. td.* Retirar (vísceras) de. [▶ 1 eviscer**ar** • e.vis.ce.ra.ção *sf.*]

evitar (e.vi.tar) *v.* **1** Esquivar-se de (algo ou alguém). [*td.*: *evitar uma pessoa/um lugar*.] **2** Buscar não praticar determinada ação. [*td.*: *Ela evita passar por lugares desertos.*] **3** Não permitir que suceda; IMPEDIR. [*td.*: *evitar uma crise.*] **4** Impedir que sobrevenha (algo ruim ou desagradável) a (alguém); POUPAR. [*td.* + *a*: *Tenta evitar tristezas aos filhos.*] [▶ 1 evit**ar**]

evocar (e.vo.car) *v. td.* **1** Invocar ou convocar (esp. algo sobrenatural): *evocar a ajuda dos santos.* **2** Fazer presente na lembrança ou na imaginação: *evocar uma pessoa ausente; Vive evocando um mundo perfeito.* [▶ 11 evoc**ar**] • e.vo.ca.ção *sf.*; e.vo.ca.dor *a.sm.*

evocativo (e.vo.ca.ti.vo) *a.* Que faz vir (algo) à memória: *O tom evocativo do discurso o emocionou.*

evolução (e.vo.lu.ção) *sf.* **1** Processo de transformação progressiva e gradual (evolução tecnológica); PROGRESSO; DESENVOLVIMENTO. [Ant.: *retrocesso*.] **2** Movimento harmonioso e progressivo: *Os dançarinos fizeram uma bela evolução.* **3** *Biol.* Série de transformações por que passam os seres vivos: *evolução das espécies.* [Pl.: *-ções*.]

evolucional (e.vo.lu.ci:o.nal) *a2g.* Ver *evolutivo*. [Pl.: *-nais*.]

evolucionismo (e.vo.lu.ci:o.nis.mo) *sm.* **1** *Biol.* Teoria da evolução natural das espécies animais e vegetais. **2** *Antrop.* Teoria da evolução das sociedades humanas rumo a padrões culturais e comportamentais mais complexos. • **e.vo.lu.ci:o.nis.ta** *a2g.s2g.*

evoluído (e.vo.lu.í.do) *a.* **1** Que atingiu, por evolução (1, 3), um estágio avançado. **2** *Fig.* Arrojado, aberto aos novos valores (diz-se de pessoa): *Teresa é uma mulher evoluída, sem preconceitos.*

evoluir (e.vo.lu.ir) *v.* **1** Sofrer processo de evolução ou transformação. [*ti.* + *para, de*: *O latim evoluiu para diversas línguas.* *int.*: *Todas as sociedades evoluem.*] **2** Executar evoluções (2) ou movimentos graduais. [*int.* (seguido de indicação de modo e/ou lugar): *O batalhão evoluiu elegantemente na parada.*] [▶ **56** evol**uir**]

evolutivo (e.vo.lu.ti.vo) *a.* **1** Ref. a evolução ou desenvolvimento de algo. **2** Que evolui ou causa evolução; EVOLUCIONAL.
⊠ **Ex.ª** Abr. de *excelência* (2).

exação (e.xa.ção) [z] *sf.* **1** *Jur.* Cobrança rigorosa de taxa, dívida etc. **2** Exatidão, correção: *O juiz interpretou os autos com exação.* [Pl.: *-ções*.]

exacerbação (e.xa.cer.ba.ção) [z] *sf.* **1** Ação ou resultado de exacerbar, intensificar, agravar algo: *O pânico é a exacerbação do medo.* **2** Irritação, exasperação. [Pl.: *-ções*.]

exacerbar (e.xa.cer.bar) [z] *v.* **1** Tornar(-se) mais violento, intenso ou grave. [*td.*: *A disputa eleitoral exacerbou os ânimos. pr.*: *Suas crises de asma se exacerbaram.*] **2** Irritar(-se). [*td.*: *A ofensa exacerbou o delegado. pr.*: *Exacerba-se com ironias.*] [▶ 1 exacerb**ar**] • e.xa.cer.ba.do *a.*

exagerado (e.xa.ge.ra.do) [z] *a.* **1** Com que há exagero (3); EXCESSIVO; DESMEDIDO. *a.sm.* **2** Que ou aquele que tende a exagerar: *Não usa o bom senso, é um exagerado.*

exagerar (e.xa.ge.rar) [z] *v.* **1** Dizer ou fazer algo atribuindo (ao que é dito ou feito) intensidade, valor, medida etc. acima do cabível ou normal. [*int.*: *Quando elogia o amigo, ele exagera sempre.*] **2** Aumentar além do cabível a dose de. [*ti.* + *em*: *Exagerou nos exercícios/no sal.*] **3** Atribuir valor, peso, importância etc. maior do que a real a. [*td.*: *Ele exagera suas dificuldades.*] [▶ 1 exager**ar**]

exagero (e.xa.ge.ro) [z, ê] *sm.* **1** Ação ou resultado de exagerar(-se), exceder(-se). **2** Coisa excessiva, desmedida; EXCESSO. **3** O que ultrapassa a medida cabível ou normal de algo.

exalação (e.xa.la.ção) [z] *sf.* Emissão de vapores ou odores; EMANAÇÃO: *Sentia a exalação da terra depois da chuva.* [Pl.: *-ções*.]

exalar (e.xa.lar) [z] *v.* **1** Lançar, emitir (odor, gás, sopro etc.), ou emanar. [*td.*: "Simplesmente as rosas exalam o perfume que roubam de ti..." (Cartola, *As rosas não falam*); *Exalou o último suspiro. int.* (seguido de indicação de lugar): *Vimos um vapor exalar do vulcão.*] **2** Evaporar-se. [*pr.*] [▶ 1 exal**ar**]

exaltação (e.xal.ta.ção) [z] *sf.* **1** Estado de euforia, entusiasmo; ARREBATAMENTO. **2** Estado de forte irritação: *exaltação dos ânimos.* **3** Ação ou resultado de exaltar, engrandecer, louvar; GLORIFICAÇÃO: *Fez uma verdadeira exaltação da obra.* [Pl.: *-ções*.]

exaltado (e.xal.ta.do) [z] *a.sm.* **1** Que ou quem está irritado ou se irrita facilmente. *a.* **2** Muito agitado; EXCITADO. **3** Que expressa euforia, entusiasmo (gritos exaltados).

exaltar (e.xal.tar) [z] *v.* **1** Dizer da excelência ou glória de (algo ou alguém). [*td.*: *Exaltou o governo do antecessor.*] **2** Dignificar, enobrecer. [*td.*: *O saber exalta o homem.*] **3** Tornar mais intenso; INTENSIFICAR. [*td.*: *A natureza exalta a imaginação artística.*] **4** Provocar grande entusiasmo em. [*td.*: *O filme exaltou a plateia.*] **5** Irritar(-se), exasperar(-se). [*td.*: *A mentira o exalta. pr.*: "...o vereador exaltou-se e chorou três vezes..." (*FolhaSP*, 05.04.99).] **6** Vangloriar-se, jactar-se. [*pr.*] [▶ 1 exalt**ar**]

exame (e.xa.me) [z] *sm.* **1** Ação ou resultado de examinar, de observar algo atentamente. **2** Avaliação da capacidade, habilidade ou conhecimento de alguém com relação a tarefas, assuntos etc. (exame vestibular); PROVA. **3** Verificação do funcionamento de equipamento, serviço etc.; INSPEÇÃO. **4** *Med.* Procedimento médico para observação de aspectos do funcionamento do organismo: *exame de vista/de sangue.*

examinar (e.xa.mi.nar) [z] *v.* **1** Analisar ou observar atentamente (algo ou alguém). [*td.*: *examinar o céu*,

exangue | exclusivo

à espera do cometa.] **2** Submeter (algo ou alguém) a exame ou teste. [*td.*: *examinar as amostras de tecidos.*] **3** Fazer autoexame. [*pr.*: *Examinava-se para prevenir o câncer de mama.*] [▶ **1** examin<u>ar</u>] • **e.xa.mi.na.dor** *a.sm.*

exangue (e.*xan*.gue) [z] *a2g.* **1** Que perdeu todo o sangue. **2** *Fig.* Desprovido de forças; EXAUSTO.

exânime (e.*xâ*.ni.me) [z] *a2g.* **1** Sem sinais de vida, que parece morto. **2** *Fig.* Sem disposição; APÁTICO.

exantema (e.xan.*te*.ma) [z] *sm. Med.* Lesão avermelhada na pele, causada por diferentes doenças infecciosas.

exarar (e.xa.*rar*) [z] *v. td.* Registrar por escrito; CONSIGNAR; LAVRAR: *O juiz exarou a sentença.* [▶ **1** exar<u>ar</u>]

exasperar (e.xas.pe.*rar*) [z] *v.* Enfurecer(-se), encolerizar(-se). [*td.*: *A acusação exasperou o senador. pr.*: *Exaspera-se por qualquer coisa.*] [▶ **1** exasper<u>ar</u>] • **e.xas.pe.ra.ção** *sf.*; **e.xas.pe.ran.te** *a2g.*

exatidão (e.xa.ti.*dão*) [z] *sf.* **1** Qualidade do que é exato; PRECISÃO. **2** Correção absoluta; PERFEIÇÃO. [Pl.: *-dões.*] [Ant. ger.: *inexatidão.*]

exato (e.*xa*.to) *a.* **1** Totalmente preciso (cálculo *exato*). **2** Sem atrasos ou adiantamentos (hora *exata*). **3** Perfeitamente adequado; CERTO: *palavras exatas para expressar uma emoção.*

exaurir (e.xau.*rir*) [z] *v.* **1** Despejar, esvaziar(-se) até a última gota. [*td.*: *exaurir a bebida de uma garrafa. pr.*: *Os açudes se exauriram.*] **2** Tornar(-se) exausto; EXTENUAR(-SE). [*td.*: *O trabalho na mina exaure suas forças. pr.*: *Exauriu-se cuidando dos doentes.*] **3** Consumir(-se), esgotar(-se). [*td.*: *Gastos excessivos exauriram sua herança. pr.*: *Sua criatividade já se exauriu.*] [▶ **58** exaur<u>ir</u>]

exaustão (e.xaus.*tão*) [z] *sf.* **1** Ação ou resultado de exaurir(-se). **2** Esgotamento das forças físicas, mentais etc.; EXTENUAÇÃO. **3** Situação de quem passou por esse esgotamento. **4** Consumo completo de um recurso: *exaustão de riquezas.* [Pl.: *-tões.*] • **e.xaus.ti.vo** *a.*

exausto (e.*xaus*.to) [z] *a.* **1** Que se exauriu. **2** Extremamente cansado; ESGOTADO.

exaustor (e.xaus.*tor*) [z, ô] *sm.* Aparelho que faz a renovação do ar de um espaço fechado.

exceção (ex.ce.*ção*) *sf.* **1** Ação ou resultado de exceptuar, de excluir. **2** Não correspondência a uma regra. **3** O que não confirma uma regra ou generalização: *Seus bolinhos são ótimos; esta fornada insossa é exceção.* [Pl.: *-ções.*]

excedente (ex.ce.*den*.te) *a2g.sm.* Que ou o que excede, extrapola medida ou limite.

exceder (ex.ce.*der*) *v.* **1** Ir além de (em peso, extensão, valor etc.); SUPERAR(-SE). [*td.*: *O peso das malas excede o permitido*; (seguido de indicação de atributo) *Ninguém a excedia em beleza. ti.* + *a*: *As suas intenções excedem à sua capacidade. pr.*: *O nadador excedeu-se e bateu seu próprio recorde.*] **2** Ir além do conveniente ou natural; DESCOMEDIR(-SE). [*pr.*: *exceder-se numa discussão/na bebida.*] [▶ **2** exced<u>er</u>]

excelência (ex.ce.*lên*.ci.a) *sf.* **1** Qualidade do que ou de quem é excelente; PRIMAZIA. **2** Tratamento us. para altas autoridades. [Abr.: *Ex.ª*] ¶ **Por** ~ Acima de qualquer outra coisa: *Sua prosa é boa, mas é poeta por excelência.*

excelente (ex.ce.*len*.te) *a2g.* **1** De qualidades notáveis (filme *excelente*). **2** Muito melhor do que os outros; EXCEPCIONAL: *Aqueles restaurantes são bons, mas este é excelente.*

excelentíssimo (ex.ce.len.*tís*.si.mo) *a.* **1** Muito excelente. **2** Tratamento us. para altas autoridades. [Abr.: *Ex.mo*]

excelso (ex.*cel*.so) *a.* Muito elevado; SUBLIME.

excentricidade[1] (ex.cen.tri.ci.*da*.de) *sf.* Qualidade do que é excêntrico[1], do que não está no centro.

excentricidade[2] (ex.cen.tri.ci.*da*.de) *sf.* Qualidade do que é excêntrico[2], estranho; EXTRAVAGANTE.

excêntrico[1] (ex.*cên*.tri.co) *a.* Afastado do centro (colunas *excêntricas*).

excêntrico[2] (ex.*cên*.tri.co) *a.sm.* **1** Que ou quem tem comportamento incomum (milionário *excêntrico*); EXTRAVAGANTE. *a.* **2** Que não é normal (situação *excêntrica*).

excepcional (ex.cep.ci.o.*nal*) *a2g.* **1** Que é raro ou incomum (acontecimento *excepcional*). **2** Que é muito melhor do que os outros, ou do que a média (desempenho *excepcional*). *a2g.s2g. Med.* **3** Que ou quem, por deficiência física, mental etc., precisa de cuidados especiais. [Pl.: *-nais.*] • **ex.cep.ci.o.na.li.da.de** *sf.*

excerto (ex.*cer*.to) [ê] *sm.* Trecho de um texto; FRAGMENTO; PASSAGEM.

excessivo (ex.ces.*si*.vo) *a.* Em que há excesso (1); EXAGERADO: *Fez um esforço excessivo.*

excesso (ex.*ces*.so) [é] *sm.* **1** O que excede o normal: *excesso de peso.* **2** O que sobra: *excesso de funcionários.* **3** Abuso, desmando: *Foi afastado da chefia porque cometeu excessos.*

exceto (ex.*ce*.to) *prep.* À exceção de; MENOS: *Faremos tudo, exceto isso.*

excetuar (ex.ce.tu.*ar*) *v.* Excluir(-se) ou isentar(-se). [*td.*: *A partilha dos bens não excetuou ninguém*; (tb. seguido de indicação de lugar) *Excetuou alguns nomes da lista de convidados. pr.*: *Ao apontar os culpados, não se excetuou.*] [▶ **1** excetu<u>ar</u>]

excipiente (ex.ci.pi.*en*.te) *sm.* Substância neutra que se adiciona a um medicamento para facilitar sua ingestão.

excitação (ex.ci.ta.*ção*) *sf.* **1** Ação ou resultado de excitar(-se) (1). **2** Alvoroço, agitação: *A descoberta causou excitação.* **3** Desejo ou provocação sexual. [Pl.: *-ções.*]

excitante (ex.ci.*tan*.te) *a2g.* **1** Que excita: *uma aventura excitante. sm.* **2** Substância ou droga estimulante.

excitar (ex.ci.*tar*) *v.* **1** Provocar a ação ou reação de; ESTIMULAR(-SE); INFLAMAR(-SE). [*td.*: *excitar os nervos/a imaginação.*] **2** Provocar em ou sentir desejo sexual. [*td. pr.*] [▶ **1** excit<u>ar</u>] • **ex.ci.tá.vel** *a2g.*; **ex.ci.ta.bi.li.da.de** *sf.*

exclamação (ex.cla.ma.*ção*) *sf.* **1** Grito, palavra ou frase que exprime surpresa, prazer, dor etc. **2** *Ling.* Sinal de pontuação (!) colocado após uma exclamação (1). [Pl.: *-ções.*]

exclamar (ex.cla.*mar*) *v.* Expressar ou bradar (algo) em tom exclamativo. [*td.*: — *Como você é bonita!* — *exclamou ao vê-la. ti.* + *contra*: *A passeata exclamava contra a violência.*] [▶ **1** exclam<u>ar</u>] • **ex.cla.ma.ti.vo** *a.*

excluir (ex.clu.*ir*) *v.* **1** Não ser compatível com. [*td.*: *A sabedoria exclui a arrogância.*] **2** Pôr(-se) de lado; descartar(-se); afastar(-se); retirar(-se). [*td.*: *Seus planos excluíam o casamento*; (tb. seguido de indicação de lugar) *excluir o refrigerante da dieta. pr.*: *Excluiu-se da lista de candidatos.*] [Ant. ger.: *incluir.*] [▶ **56** exclu<u>ir</u>] • **ex.clu.den.te** *a2g.*; **ex.clu.í.do** *a.sm.*

exclusão (ex.clu.*são*) *sf.* Ação ou resultado de excluir ou retirar: *a exclusão de um membro do clube.* [Ant.: *inclusão.*] [Pl.: *-ções.*]

exclusive (ex.clu.*si*.ve) *adv.* Com exclusão de: *Esta é a quantia a pagar, exclusive juros.* [Ant.: *inclusive.*]

exclusivismo (ex.clu.si.*vis*.mo) *sm.* **1** Espírito de exclusão, de intolerância (*exclusivismo* religioso). **2** Atitude de quem apenas algo exclusivamente para si. • **ex.clu.si.vis.ta** *a2g.s2g.*

exclusivo (ex.clu.*si*.vo) *a.* **1** Particular ou restrito (uso *exclusivo*). **2** Que exclui: *A idade não será fator exclusivo na seleção dos candidatos.* • **ex.clu.si.vi.da.de** *sf.*

excogitar (ex.co.gi.*tar*) *v.* **1** Cogitar, imaginar. [*td.*: *excogitar um meio de melhorar de vida*.] **2** Investigar, examinar (algo ou alguém). [*td.*: *excogitar uma questão científica*.] **3** Ruminar, meditar. [*int.*] [▶ 1 excogitar]

ex-combatente (ex-com.ba.*ten*.te) *s2g.* Pessoa que lutou em guerra, esp. como membro das Forças Armadas de seu país. [Pl.: *ex-combatentes*.]

excomungar (ex.co.mun.*gar*) *v. td.* **1** Afastar (um ou mais membros) da Igreja Católica, por excomunhão. **2** *Fig.* Expulsar ou excluir de qualquer grupo. [▶ **14** excomungar] ● **ex.co.mun.ga.***ção*) [z]; **ex.co.mun.***ga*.do *a.sm.*

excomunhão (ex.co.mu.*nhão*) *sf. Rel.* Expulsão da Igreja Católica. [Pl.: -*nhões*.]

excreção (ex.cre.*ção*) *sf.* **1** Expulsão, pelo corpo, dos resíduos da nutrição. **2** A matéria excretada. [Pl.: -*ções*.] ● **ex.cre.***tar* *v.*

excremento (ex.cre.*men*.to) *sm.* Matéria fecal; FEZES. ● **ex.cre.men.***ti*.ci.o *a.*

excrescência (ex.cres.*cên*.ci.a) *sf.* **1** Saliência, protuberância. **2** *Fig.* Coisa inútil ou feia; aberração. **3** *Pat.* Tumor.

excretor (ex.cre.*tor*) [ó] *a.* Que realiza a excreção (canal *excretor*); EXCRETÓRIO.

excretório (ex.cre.*tó*.ri.o) *a.* V. *excretor*.

excruciante (ex.cru.ci.*an*.te) *a2g.* Aflitivo, lancinante (dor *excruciante*).

excursão (ex.cur.*são*) *sf.* **1** Passeio pelas redondezas com propósitos de estudo ou de simples divertimento: *uma excursão ao Jardim Botânico*. **2** Viagem turística, ger. em grupo, com guia e roteiro predeterminado: *uma excursão ao Nordeste*. [Pl.: -*sões*.]

excursionar (ex.cur.si:o.*nar*) *v. int.* Empreender excursão. [▶ **1** excursionar] ● **ex.cur.si:o.***nis*.mo *sm.*; **ex.cur.si:o.***nis*.ta *a2g.s2g.*

execração (ex.se.cra.*ção*) [z] *sf.* **1** Ação ou resultado de execrar. **2** Ódio profundo, abominação: *caso digno de execração pública*. [Pl.: -*ções*.]

execrando (ex.se.*cran*.do) [z] *a.* V. *execrável*.

execrar (ex.se.*crar*) [z] *v. td.* **1** Sentir aversão ou ódio por (alguém ou si mesmo); ABOMINAR(-SE); DETESTAR(-SE). [*td.*: *execrar a violência*. *pr.*: *Execrava-se por não ser corajoso*.] **2** Desejar mal a (alguém); AMALDIÇOAR. [*td.*] [▶ 1 execrar]

execrável (ex.se.*crá*.vel) [z] *a2g.* Que é motivo de execração (vício *execrável*); ABOMINÁVEL. [Pl.: -*veis*.]

execução (ex.se.cu.*ção*) [z] *sf.* **1** Ação ou resultado de executar: *execução de uma ordem*. **2** Interpretação musical: *execução de uma sinfonia*. **3** Cumprimento de pena de morte: *execução de um condenado*. [Pl.: -*ções*.]

executante (ex.se.cu.*tan*.te) [z] *a2g.s2g.* Que ou quem executa.

executar (ex.se.cu.*tar*) [z] *v. td.* **1** Levar a efeito; EFETUAR; REALIZAR: *executar obra/plano*. **2** Tornar efetiva (uma prescrição ou ordem); CUMPRIR. **3** Representar, desempenhar (um papel artístico) **4** *Mús.* Cantar ou tocar (peça musical). **5** Tirar legalmente a vida a (alguém); SUPLICIAR. **6** *Pop.* Assassinar, matar. **7** *Jur.* Obrigar a pagar, mediante ação judicial: *O juiz mandou executar a empresa devedora*. **8** *Inf.* Rodar (tarefa ou programa de computador). [▶ **1** executar]

executável (ex.se.cu.*tá*.vel) [z] *a2g.* **1** V. *exequível*. *a2g.sm.* **2** *Inf.* Que ou o que pode ser executado por computador (diz-se de programa, arquivo etc.). [Pl.: -*veis*.]

executiva (ex.se.cu.*ti*.va) [z] *sf.* **1** Fem. de *executivo*. **2** *Bras.* Comissão executiva (1).

executivo (ex.se.cu.*ti*.vo) [z] *a.* **1** Que executa (cargo *executivo*). **2** Ref. a execução das leis (mandado *executivo*). *sm.* **3** Pessoa que exerce função de comando numa empresa. ◪ **Executivo** *sm.* **4** O Poder Executivo, representado pelo chefe de Estado e seus ministros.

executor (e.xe.cu.*tor*) [z, ó] *a.sm.* Que ou quem executa.

executoria (e.xe.cu.to.*ri*.a) [z] *sf.* Repartição que cuida da cobrança dos créditos de uma comunidade.

executório (e.xe.cu.*tó*.ri:o) [z] *a.* Que dá o poder de executar (ordem *executória*).

exegese (e.xe.*ge*.se) [z, gê] *sf.* Explicação ou interpretação de um texto, de uma obra artística etc.

exegeta (e.xe.*ge*.ta) [z, gê] *s2g.* Pessoa que faz exegese.

exemplar (e.xem.*plar*) [z] *a2g.* **1** Que serve de exemplo ou modelo (funcionário *exemplar*). **2** Que serve de ensinamento (caso *exemplar*). *sm.* **3** Cada unidade de uma edição, coleção etc.: *um exemplar da Bíblia/da cerâmica grega*. **4** Cada indivíduo de uma mesma espécie: *um exemplar de bananeira*.

exemplário (e.xem.*plá*.ri:o) [z] *sm.* Coleção de exemplos.

exemplificação (e.xem.pli.fi.ca.*ção*) [z] *sf.* **1** Ação ou resultado de exemplificar. **2** Exemplo ou conjunto de exemplos. [Pl.: -*ções*.]

exemplificar (e.xem.pli.fi.*car*) [z] *v. td.* Elucidar com exemplos, ou dar como exemplo: *exemplificar uma tese*; (tb. seguido de indicação de meio/modo) *Exemplificou a evolução linguística com o latim*. [▶ **11** exemplificar] ● **e.xem.pli.fi.ca.***dor* *a.*

exemplo (e.*xem*.plo) [z] *sm.* **1** Aquilo que deve ser imitado; MODELO: *Era um exemplo de honestidade*. **2** Fato de que se pode tirar ensinamento; LIÇÃO: *O castigo serviu-lhe de exemplo*. **3** Coisa, fato etc. que serve de ilustração, representação ou confirmação daquilo de que se está falando: *Citou o caju como exemplo de fruta tropical*. ◪ **A ~ de** Tomando (o que foi citado anteriormente) como exemplo. **Por ~** Segue(m)-se exemplo(s) (do que foi citado anteriormente).

exéquias (e.*xé*.qui:as) [z] *sfpl.* Cerimônias fúnebres; FUNERAIS.

exequível (e.xe.*qui*.vel) [z] *a2g.* Que se pode executar; EXECUTÁVEL. [Pl.: -*veis*.] ● **e.xe.qui.bi.***li*.da.de *sf.*

exercer (e.xer.*cer*) [z] *v. td.* **1** Produzir ou fazer sentir (um efeito). (seguido ou não de indicação de lugar): *O manifesto exerceu pressão (sobre o governo)*. **2** Desempenhar, cumprir as obrigações de (cargo, função, profissão): *exercer o magistério*. [▶ **33** exercer]

exercício (e.xer.*ci*.ci:o) [z] *sm.* **1** Ação ou resultado de exercer: *o exercício da profissão*. **2** Atividade física: *Caminhar é um ótimo exercício*. **3** Treinamento regular: *exercício de piano/milícia*. **4** Trabalho escolar: *caderno de exercícios*. **5** *Fin.* Período entre dois orçamentos ou balanços.

exercitar (e.xer.ci.*tar*) [z] *v.* **1** Exercer, fazer valer. [*td.*: *exercitar um direito*.] **2** Adestrar(-se), habilitar(-se). [*td.*: *exercitar a inteligência/o corpo*; (tb. seguido de indicação de finalidade) *O escultor exercita o músculo no uso do cinzel*. *pr.*: *As crianças exercitam-se para a vida social*.] [▶ **1** exercitar]

exército (e.*xér*.ci.to) [z] *sm.* **1** A força militar terrestre de um país. **2** Conjunto das tropas em combate. **3** *Fig.* Multidão: *Um exército de jornalistas esperava o famoso cantor*.

exérese (e.*xé*.re.se) [z] *sf. Cir.* Qualquer operação para extrair um órgão, tumor ou corpo estranho.

exibição (e.xi.bi.*ção*) [z] *sf.* **1** Ação ou resultado de exibir(-se). **2** Apresentação (de um artista, um filme etc.). **3** *Pej.* Ostentação. [Pl.: -*ções*.]

exibicionismo (e.xi.bi.ci:o.*nis*.mo) [z] *sm.* **1** Mania de exibição (3). **2** *Psiq.* Impulso doentio de exibir as partes sexuais. ● **e.xi.bi.ci:o.***nis*.ta *a2g.s2g.*

exibido (e.xi.*bi*.do) [z] *a.sm. Fam.* Que ou quem gosta de exibir-se (2).

exibir (e.xi.*bir*) [z] *v.* **1** Mostrar(-se), expor(-se), apresentar(-se). [*td.*: *exibir um talento/um filme/roupas em vitrine*. *pr.*: *O pianista vai exibir-se este fim de*

exigência | expectoração

semana.] **2** Mostrar(-se) com ostentação; OSTENTAR. [*td.*: *Exibe* erudição só para impressionar. *pr.*: *Modesto, não gosta de exibir-se.*] [Ant. ger.: esconder, ocultar.] [▶ **3** exibir**ir** • **e.xi.bi.dor** *a.sm*.

exigência (e.xi.*gên*.ci:a) [z] *sf.* **1** Reclamação, reivindicação: *A empresa satisfez às exigências dos clientes.* **2** Imposição: *as exigências de um contrato.* **3** Pedido impertinente: *Vive fazendo exigências.* **4** Necessidade básica para um fim: *A criatividade é uma exigência da arte.*

exigente (e.xi.*gen*.te) [z] *a2g.* **1** Que exige: *um chefe exigente.* **2** Que dificilmente se satisfaz: *um artista exigente.*

exigir (e.xi.*gir*) [z] *v.* **1** Reclamar ou reivindicar. [*td.*: *exigir um direito/justiça.* *tdi. + de: Exigiu do filho uma explicação.*] **2** Ordenar, impor. [*tdi. + a, de: Ele exige disciplina aos subordinados.*] **3** Preceituar, estabelecer. [*td.*: *seguir o que o regulamento exige.*] **4** Necessitar, requerer. [*td.*: *Toda criança exige cuidados especiais.*] [▶ **46** exi**gir**]

exíguo (e.*xí*.gu:o) [z] *a.* **1** Muito pequeno (espaço *exíguo*). **2** Escasso, insuficiente (prazo *exíguo*). • **e.xi.gui.da.de** *sf.*

exilado (e.xi.*la*.do) [z] *a.sm* Que ou quem foi para o exílio (2). [Cf.: *asilado.*]

exilar (e.xi.*lar*) [z] *v.* **1** Mandar ao exílio ou impor-se exílio voluntário; EXPATRIAR(-SE). [*td. pr.*] **2** *Fig.* Afastar(-se), isolar(-se). [*tdi. + de: Sua chatice o exilou dos amigos. pr.: Já há algum tempo se exila no campo.*] [▶ **1** exil**ar**]

exílio (e.*xí*.li:o) [z] *sm.* **1** Expatriação forçada ou voluntária. **2** Lugar onde vive o exilado. **3** *Fig.* Lugar solitário, retirado. [Cf.: *exílio.*]

exímio (e.*xí*.mi:o) [z] *a.* Excelente naquilo que faz (*exímio* pintor).

eximir (e.xi.*mir*) [z] *v.* **1** Isentar(-se), desobrigar(-se). [*td.*: *O direito não exime ninguém.* *tdi. + a, de: A lei exime os idosos de pagar passagem de ônibus. pr.*: *"As obrigações e respeitos (...), não me eximi de cumpri-los..."* (José de Alencar, *Senhora*).] **2** Esquivar-se, furtar-se. [*pr.*: *eximir-se a comparecer.*] **3** Escapar ou livrar-se. [*pr.*: *eximir-se de um acidente.*] [▶ **3** exim**ir**]

existência (e.xis.*tên*.ci:a) [z] *sf.* **1** Condição de alguém ou algo que existe. **2** Vida, maneira de viver. • **e.xis.ten.ci.al** *a2g.*

existencialismo (e.xis.ten.ci:a.*lis*.mo) [z] *sm.* Fil. Corrente de pensamento que destaca a importância filosófica da existência individual e segundo a qual o homem é livre e responsável por seu destino. • **e.xis.ten.ci.a.lis.ta** *a2g.s2g.*

existente (e.xis.*ten*.te) [z] *a2g.s2g.* Que ou aquilo que existe.

existir (e.xis.*tir*) [z] *v. int.* **1** Ter existência ou realidade (material ou psicológica); ser; haver: *Fantasmas não existem; Para tudo existe uma explicação.* **2** Viver, estar, permanecer: *Nossos avós existirão para sempre na lembrança.* [▶ **3** exist**ir**]

êxito (*ê*.xi.to) [z] *sm.* **1** Bom resultado; SUCESSO. [Ant.: *fracasso.*] **2** Resultado, efeito (mau *êxito*).

⌧ **Ex.**ᵐᵒ Abr. de *excelentíssimo* (2).

exócrino (e.*xó*.cri.no) [z] *a.* Fisl. Diz-se de glândula de secreção externa.

êxodo (*ê*.xo.do) [z] *sm.* **1** Saída em massa; EMIGRAÇÃO. ⓘ **Êxodo** *sm.* **2** *Rel.* Livro da Bíblia em que se narra a saída dos hebreus do Egito.

exoesqueleto (e.xo:es.que.*le*.to) [z, lê] *sm.* Anat. Zool. Esqueleto externo (de aracnídeos, insetos, crustáceos etc.) Tb. *exosqueleto.*

exogamia (e.xo.ga.*mi*.a) [z] *sf. Antr.* Sistema social em que os casamentos se realizam entre indivíduos pertencentes a grupos distintos.

exógeno (e.*xó*.ge.no) [z] *a.* Que tem causas externas: *Fatores exógenos contribuíram para a crise econômica.* [Ant.: *endógeno.*]

exonerar (e.xo.ne.*rar*) [z] *v.* **1** Tirar (um ônus) ou ficar sem ele; ISENTAR(-SE); DESOBRIGAR(-SE). [*tdi. + de: O credor nos exonerou da dívida. pr.*: *exonerar-se de uma responsabilidade.*] **2** Demitir(-se), destituir(-se). [*td.* (seguido ou não de indicação de cargo, função): *O governo o exonerou (do cargo); "...a governadora poderia exonerar os maus policiais."* (*O Globo*, 24.12.03). *pr.*: *exonerar-se de uma função.*] [▶ **1** exoner**ar**] • **e.xo.ne.ra.ção** *sf.*

exorar (e.xo.*rar*) [z] *v. td.* Suplicar, implorar. [▶ **1** exor**ar**]

exorbitância (e.xor.bi.*tân*.ci:a) [z] *sf.* **1** Excesso, exagero: *O aluguel é uma exorbitância.* **2** Ação de exorbitar: *exorbitância no exercício de um cargo.*

exorbitar (e.xor.bi.*tar*) [z] *v.* Desviar-se (de regra, norma etc.), ou exceder o razoável. [*td. + de: exorbitar da moral.* *int.*: *Os preços exorbitaram.*] [▶ **1** exorbit**ar**] • **e.xor.bi.tan.te** *a2g.*

exorcismo (e.xor.*cis*.mo) [z] *sm.* Ritual religioso que pretende expulsar do corpo de alguém supostos demônios, maus espíritos etc. • **e.xor.cis.ta** *a2g.s2g.*

exorcizar (e.xor.ci.*zar*) [z] *v. td.* **1** Usar de exorcismo para expulsar (demônio) de alguém. **2** Espantar ou afugentar (qualquer mal) mediante esconjuro; ESCONJURAR, EXORCISAR. [▶ **1** exorciz**ar**]

exórdio (e.*xór*.di:o) [z] *sm.* A primeira parte de um discurso.

exortar (e.xor.*tar*) [z] *v.* **1** Estimular, animar. [*td.*: *No campo de batalha, exortava seus soldados.*] **2** Aconselhar, persuadir. [*tdi. + a: Exortou o cliente a fazer o negócio.*] [▶ **1** exort**ar**] • **e.xor.ta.ção** *sf.*

exosfera (e.xos.*fe*.ra) [z] *sf. Geof.* Camada superior da atmosfera.

exosqueleto (e.xos.que.*le*.to) *sm.* Anat. Zool. Ver *exoesqueleto.*

exotérico (e.xo.*té*.ri.co) [z] *a.* Que pode ser ensinado em público (diz-se de doutrinas filosóficas e religiosas). [Cf.: *esotérico,* derivado de *esoterismo.*]

exótico (e.*xó*.ti.co) [z] *a.* **1** Esquisito, extravagante (penteado *exótico*). **2** Que não é do país ou região onde se habita (fauna *exótica*); ESTRANGEIRO. • **e.xo.tis.mo** *sm.*

expandir (ex.pan.*dir*) *v.* **1** Tornar(-se) inchado ou inflado; INFLAR(-SE). [*td.*: *O vento expandiu o lençol no varal. pr.*: *O parapente expandiu-se no ar.*] **2** Tornar(-se) mais extenso ou amplo; AMPLIAR(-SE). [*td.*: *expandir domínios/fronteiras. pr.*: *A empresa expandiu-se.*] **3** Difundir(-se), propagar(-se) [*td.*: *expandir ideias/doutrina. pr.*: *A culinária clandestina expandiu-se por todo o país.*] [▶ **3** expand**ir**]

expansão (ex.pan.*são*) *sf.* **1** Ação ou resultado de expandir(-se). **2** Manifestação espontânea e comunicativa de sentimentos: *Tem raros momentos de expansão.* [Pl.: -*sões.*]

expansionismo (ex.pan.si:o.*nis*.mo) *sm.* Tendência para a expansão (diz-se de país, empresa etc.). • **ex.pan.si:o.nis.ta** *a2g.s2g.*

expansivo (ex.pan.*si*.vo) *a.* **1** *Fig.* Comunicativo. **2** Que pode expandir-se: *Os gases são expansivos.* • **ex.pan.*sí*.vel** *a2g.*; **ex.pan.si.vi.da.de** *sf.*

expatriar (ex.pa.tri.*ar*) *v. td. pr.* Expulsar da pátria ou deixá-la; EXILAR(-SE). [▶ **1** expatri**ar**] • **ex.pa.tri.a.ção** *sf.*

expectante (ex.pec.*tan*.te) *a2g.* Que está na expectativa ou que a demonstra (olhar *expectante*).

expectativa (ex.pec.ta.*ti*.va) *sf.* **1** Espera baseada em probabilidade ou promessa; PERSPECTIVA: *expectativa de chuva.* **2** Atitude de quem espera observando: *Por enquanto, ficaremos na expectativa.*

expectoração (ex.pec.to.ra.*ção*) *sf. Med.* **1** Expulsão, por tosse, de matéria produzida nos brônquios e nos pulmões. **2** A matéria expectorada; ESCARRO. [Pl.: -*ções.*]

expectorante (ex.pec.to.*ran*.te) *a2g.sm.* Que ou o que facilita a expectoração (diz-se de substância, remédio etc.).

expectorar (ex.pec.to.*rar*) *v. td. int.* Expelir (catarro); ESCARRAR. [▶ 1 expector**ar**]

expedição (ex.pe.di.*ção*) *sf.* **1** Ação ou resultado de expedir alguma coisa (encomenda, documento etc.). **2** Viagem em grupo para explorar ou pesquisar uma região: *expedição à Patagônia*. **3** Mil. Envio de forças militares para determinado fim. **4** *Bras.* Setor de um estabelecimento que se encarrega de expedir mercadorias, material etc. [Pl.: *-ções*.]

expedicionário (ex.pe.di.ci.o.*ná*.ri.o) *a.sm.* **1** Que ou quem faz parte de expedição. *sm.* **2** *Bras.* Mil. Combatente da Força Expedicionária Brasileira durante a Segunda Guerra Mundial.

expediente (ex.pe.di.*en*.te) *sm.* **1** Horário de funcionamento ou serviço (meio *expediente*). **2** Meio para alcançar um fim ou resolver uma dificuldade: *Recorreu a vários expedientes*. **3** Requerimento, ofício: *Recebeu um expediente solicitando autorização*. ▪▪ Ter ~ Ser desembaraçado, jeitoso, diligente (esp. ao resolver situações complicadas).

expedir (ex.pe.*dir*) *v.* **1** Enviar (algo) para (alguém ou algum lugar). [*td.: expedir uma carta/encomenda. tdi.* + *para: Expediu os livros para o amigo.*] **2** Fazer (alguém) partir com determinado objetivo. [*td.: expediu um mensageiro.*] **3** Emitir ou despachar. [*td.:* "Já expediram a ordem de prisão." (Kurban Said, *Said e Ali*).] **4** Publicar (lei, decreto etc.); PROMULGAR. [▶ **44** exped**ir**]

expedito (ex.pe.*di*.to) *a.* Ativo, despachado.

expelir (ex.pe.*lir*) *v. td.* **1** Lançar de si, ou pôr para fora: *expelir catarro; Os habitantes expeliram (da cidade) os invasores.* **2** Arremessar à distância (projétil, bala etc.). [▶ **50** exp**el**ir. Part.: *expelido* e *expulso*.]

expensas (ex.*pen*.sas) *sfpl.* Us. na loc. ▪▪ A/Às ~ de Com as despesas pagas por; às custas de.

experiência (ex.pe.ri.*ên*.ci.a) *sf.* **1** Ação ou resultado de experimentar. **2** Habilidade ou conhecimento adquiridos com a prática: *experiência de vida/profissional*. **3** Experimentação, experimento (*experiências* químicas). • **ex.pe.ri.en.ci.ar** *v*.

experiente (ex.pe.ri.*en*.te) *a2g.s2g.* Que ou quem tem experiência (2); EXPERIMENTADO.

experimentação (ex.pe.ri.men.ta.*ção*) *sf.* Experiência, investigação (esp. científica). [Pl.: *-ções*.] • **ex.pe.ri.men.to** *sm*.

experimentado (ex.pe.ri.men.*ta*.do) *a.sm.* Ver *experiente*.

experimental (ex.pe.ri.men.*tal*) *a2g.* Ref. a, ou baseado em experiência (estágio *experimental*, ciência *experimental*). [Pl.: *-tais*.]

experimentar (ex.pe.ri.men.*tar*) *v.* **1** Submeter (algo ou alguém) à experiência ou à prova. [*td.: Experimentou a nova receita do cozinheiro; Experimentou os recrutas com duros exercícios.*] **2** Vestir (roupa) ou calçar (sapatos, luvas etc.), para ver como ficam. [*td.*] **3** Conhecer, ou sofrer. [*td.: experimentar o amor/um desgosto.*] **4** Testar-se, avaliando sua capacidade. [*pr.: A pequena criança experimentava-se para ver se já conseguia andar sozinha.*] [▶ **1** experiment**ar**] • **ex.pe.ri.men.to** *sm*.

experto (ex.*per*.to) *a.sm.* Que ou quem é especialista; PERITO. [Cf.: *esperto*.]

expiação (ex.pi.a.*ção*) *sf.* Ação ou resultado de expiar; PENITÊNCIA; CASTIGO: *a expiação de uma culpa/de um pecado*. [Pl.: *-ções*.]

expiar (ex.pi.*ar*) *v. td.* **1** Remir, reparar (culpa ou falta): *expiar pecados (com penitências).* **2** Padecer as consequências de: *Expia (na prisão) o crime que cometeu.* [▶ 1 expi**ar**]

expiatório (ex.pi.a.*tó*.ri.o) *a.* Que envolve ou serve de expiação (sacrifício *expiatório*).

expiração (ex.pi.ra.*ção*) *sf.* **1** Ação de expulsar dos pulmões o ar inspirado. [Cf.: *inspiração* e *respiração*.] **2** Fim de prazo; VENCIMENTO: *a expiração de um contrato*. [Pl.: *-ções*.]

expirar (ex.pi.*rar*) *v.* **1** Expelir (o ar) dos pulmões. [*td.*] **2** Exalar, recender a. [*td.: expirar perfume.*] **3** *Fig.* Revelar ou emitir. [*td.: expirar insatisfação/lamúrias.*] **4** Morrer, falecer. [*int.*] **5** *Fig.* Terminar, encerrar-se. [*int.: O prazo já expirou.*] [▶ 1 expir**ar**]

explanar (ex.pla.*nar*) *v. td.* **1** Tornar plano, fácil de entender, por explicação pormenorizada: *explanar uma teoria*. **2** Expor ou narrar minuciosamente: *explanar razões/um acontecimento*. **3** Dar (explicação, esclarecimento). [▶ **1** expla.na.*ção sf*.

expletivo (ex.ple.*ti*.vo) *a.sm. Gram.* Que ou o que (termo ou expressão) serve para realçar a frase, sem ser necessário ao sentido.

explicação (ex.pli.ca.*ção*) *sf.* **1** Ação de explicar ou fazer entender; o que é explicado; esclarecimento: *explicação de um texto/de um problema*. **2** Causa, motivo: *Não há explicação para tantas mudanças*. **3** Justificação, desculpa: *Ficou devendo uma explicação*. [Pl.: *-ções*.]

explicar (ex.pli.*car*) *v.* **1** Esclarecer, interpretar ou explanar. [*td.: explicar um mistério/uma questão. tdi.* + *a:* "Maria explicou ao homem que o velho era seu tio." (França Júnior, *Os dois irmãos*).] **2** Dar os motivos dos próprios atos ou palavras; JUSTIFICAR(-SE). [*td.: explicar uma ausência/uma falha. pr.: O policial corrupto explicou-se perante a Justiça*.] [▶ **11** expli**car**]

explicativo (ex.pli.ca.*ti*.vo) *a.* **1** Que explica ou serve para explicar; ELUCIDATIVO: *um breve texto explicativo*. **2** *Gram.* Diz-se da conjunção coordenativa que expressa explicação (p.ex.: *porque*).

explicitar (ex.pli.ci.*tar*) *v. td.* Tornar explícito ou claro: *explicitar as reais intenções*. [▶ **1** explicit**ar**]

explícito (ex.*plí*.ci.to) *a.* Expresso com clareza; que não deixa dúvida (apoio *explícito*). [Ant.: *implícito*.]

explodir (ex.plo.*dir*) *v.* Causar ou sofrer explosão (1, 2 e 3) (tb. *Fig.*); irromper. [*td.: explodir o alvo militar. int.: A dinamite explodiu; explodir de ódio. ti.* + *em: Os assistentes explodiram em aclamações.*] [▶ **58** explod**ir**. Na língua corrente, tanto falada quanto escrita, só é comum o emprego da 1ª pess. sing. do pres. do ind., *explodo* [ó], e das formas do pres. do subj., *explode* [ó] etc.]

exploração (ex.plo.ra.*ção*) *sf.* **1** Ação ou resultado de explorar, de descobrir, pesquisar: *exploração de um terreno/do espaço*. **2** Aproveitamento, uso para determinado fim: *exploração de jazidas*. **3** Desenvolvimento de atividade econômica: *exploração de um negócio/de um serviço*. **4** Ação de abusar ou tirar proveito de outrem, de coisa alheia, de situação etc. [Pl.: *-ções*.]

explorador (ex.plo.ra.*dor*) [ô] *a.* **1** Que explora. *sm.* **2** Pessoa dada a explorar (1) ou desvendar regiões, coisas; DESCOBRIDOR. **3** *Pej.* Quem se aproveita das pessoas e das situações para tirar vantagens; OPORTUNISTA.

explorar (ex.plo.*rar*) *v. td.* **1** Percorrer (território, região, linhas militares etc.) para conhecer ou sondar: *explorar uma área*. **2** Submeter à análise ou a testes: *explorar um novo remédio*. **3** Investigar, estudar, para conhecer, entender: *explorar mistérios da mente*. **4** Desenvolver, para extrair resultados econômicos: *explorar uma mina de ouro*. **5** Tirar proveito de alguém. **6** Pagar salário aviltante a (alguém), ou fazê-lo trabalhar excessivamente. [▶ **1** explor**ar**] • **ex.plo.rá.vel** *a2g*.

explosão (ex.plo.*são*) *sf.* **1** Abalo violento, ger. seguido de estrondo (*explosão* atômica). **2** *Fig.* Manifestação repentina e intensa: *explosão de entu-*

explosivo | expurgatório

siasmo/de criatividade. **3** *Fig.* Aumento súbito e excessivo: *explosão de preços.* [Pl.: -sões.]

explosivo (ex.plo.si.vo) *a.* **1** Capaz de explodir ou provocar explosão. **2** *Fig.* Exaltado, impulsivo. *sm.* **3** Substância que produz explosão.

expoente (ex.po:en.te) *s2g.* **1** Pessoa eminente em sua área: *expoente da música. sm.* **2** *Mat.* Número colocado acima e à direita de outro, indicando a potência a que ele é elevado.

exponencial (ex.po.nen.ci:al) *a2g.* **1** Que tem caráter de expoente (1) (figura *exponencial*). **2** *Fig.* Extraordinário (aumento *exponencial*). [Pl.: -*ais*.]

expor (ex.*por*) *v.* **1** Pôr(-se) em exposição, em exibição ou em evidência; EXIBIR(-SE). [*td.*: *expor pinturas. tdi.* + *a: expor novos carros ao público. pr.*: *O homem público tem de se expor.*] **2** Deixar ou ficar a descoberto, ou visível. [*td.*: *O vento expôs suas pernas. tdi.* + *a: Seus olhos expunham a todos sua tristeza. pr.*: *expor-se a um médico para exame.*] **3** Pôr(-se) em risco, ou desproteger(-se); arriscar(-se). [*td.* (seguido de indicação de circunstância): *A bebida expõe os motoristas a acidentes. tdi.* + *a: O boxeador distraiu-se e expôs o rosto ao adversário. pr.*: *Os alpinistas expõem-se ao perigo.*] **4** Revelar, explicar, ou narrar. [*td.*: *No comunicado expôs os problemas econômicos. tdi.* + *a*: "...o receio de expor *ao* pai a sua resolução." (Marques Rebelo, *Contos reunidos*).] **5** Sujeitar(-se) a (algo, à ação de, ao ridículo, a constrangimento etc.). [*tdi.* + *a: expor o corpo ao sol. pr.*: *expor-se ao descrédito.*] **6** Fazer exposição. [*int.*: *Esse pintor expõe todo ano.*] [▶ 60 ex̄por. Part.: ex̄posto.]

exportação (ex.por.ta.*ção*) *sf.* **1** Ação ou resultado de exportar. **2** Tudo quanto se exporta. [Pl.: -*ções*.]

exportador (ex.por.ta.*dor*) [ó] *a.sm.* Que ou aquele que exporta.

exportar (ex.por.*tar*) *v. td.* **1** Vender (algo) para outro país, estado ou município (com ou sem complemento explícito) *exportar produtos agrícolas*; *Deveriam exportar em vez de importar.* **2** Enviar (ideias, cultura, artistas, cientistas etc.) para outro país, estado ou município. **3** *Inf.* Mudar formato de (arquivo, programa etc.) para que possam ser transferidos e lidos por outros aplicativos. [▶ 1 exportar̄.]

exposição (ex.po.si.*ção*) *sf.* **1** Ação ou resultado de expor(-se). **2** Mostra de obras artísticas ou artesanais, produtos industriais ou agrícolas etc. **3** Apresentação ou explanação de um assunto. [Pl.: -*ções*.]

expositivo (ex.po.si.*ti.vo*) *a.* Ref. a, em ou para exposição (aula *expositiva*, espaço *expositivo*).

expositor (ex.po.si.*tor*) [ó] *sm.* Aquele que expõe.

exposto (ex.*pos*.to) [ó] *a.sm.* Que ou quem ou aquilo que se expôs.

expressão (ex.pres.*são*) *sf.* **1** Ação ou resultado de exprimir(-se). **2** Manifestação de pensamento ou sentimento através de palavras, gestos, arte etc.: *liberdade de expressão.* **3** Sentença, frase (*expressão* chula). **4** Semblante, ar: *expressão de enfado.* **5** (Intensidade de) manifestação de sentimento; EXPRESSIVIDADE: *Seus quadros têm muita expressão.* **6** Importância, vulto: *músico de expressão.* **7** Personificação: *Ela é a maior expressão do teatro nacional.* [Pl.: -*sões*.] ▪ ~ **idiomática** *Ling.* Sequência de palavras com significado próprio, não construído pelo nexo dos significados das palavras que a formam. (P.ex., a expressão idiomática *tirar uma casquinha* não significa 'extrair, obter casca pequena' de algo, e sim 'tirar vantagem' de algo.)

expressar (ex.pres.*sar*) *v.* Ver *exprimir*. [▶ 1 expressar̄. Part.: *expressado* e *expresso*.]

expressionismo (ex.pres.si.o.*nis*.mo) *sm. Art.Pl.* Forma de arte em que se procura representar a realidade valorizando a (intensidade da) expressão (5).
● ex.pres.si.o.*nis*.ta *a2g.s2g.*

expressividade (ex.pres.si.vi.*da*.de) *sf.* Qualidade do que é expressivo.

expressivo (ex.pres.*si*.vo) *a.* **1** Que tem expressão (5): *um sorriso expressivo.* **2** Que expressa com viveza ou eficácia: *Adotou o expressivo pseudônimo de Graça Angélica.* **3** Que demonstra algum tipo de importância; SIGNIFICATIVO: *colaboração expressiva de todos os moradores.*

expresso (ex.*pres*.so) *a.* **1** Que se expressou ou foi manifestado, esp. por palavras. **2** Que é feito ou enviado de maneira rápida (café *expresso*, carta *expressa*). **3** Sem parada (ônibus *expresso*). *sm.* **4** Trem expresso.

exprimir (ex.pri.*mir*) *v.* **1** Manifestar(-se), pronunciar(-se) por palavras, gestos, atitudes, ou forma artística. [*td.*: *exprimir ideias. tdi.* + *a: Exprimiu ao filho seu amor. pr.*: *Ele se exprime em seus filmes.*] **2** Manifestar. [*td.*: "...o seu rosto exprimia grande surpresa..." (José de Alencar, *O guarani*).] **3** Significar, representar; EXPRESSAR. [*td.*: *A música exprime a harmonia do universo.*] [▶ 3 exprim̄ir. Part.: *exprimido* e *expresso*.]

exprobação, **exprobração** (ex.pro.ba.*ção*, ex.pro.bra.*ção*) *sf.* **1** Ação de exprobar ou exprobrar. **2** Repreensão áspera (*exprobração* pública). **3** Acusação. [Pl.: -*ções*.]

exprobar, **exprobrar** (ex.pro.*bar*, ex.pro.*brar*) *v.* Criticar, censurar. [*td.*: *Exprobava a preguiça do amigo. tdi.* + *a: Exprobou ao colega sua inércia.*] [▶ 1 exprobar̄, ▶ 1 exprobrar̄]

expropriação (ex.pro.pri.a.*ção*) *sf. Jur.* **1** Ação ou resultado de expropriar. **2** Retirada definitiva e por meios legais de bens particulares da posse de seus proprietários; DESAPROPRIAÇÃO. [Pl.: -*ções*.]

expropriar (ex.pro.pri.*ar*) *v. Jur.* Tirar legalmente (propriedade ou posse) a (alguém); DESAPROPRIAR. [*td.*: *O governo já não quer expropriar fazendas. tdi.* + *a, de: Expropriaram-lhe seus terrenos*; *Expropriaram-no de seus terrenos.* NOTA: Os complementos direto e indireto podem alternar-se em relação ao que ou a quem é expropriado.] [▶ 1 exprop̄riar.]

expugnar (ex.pug.*nar*) *v. td.* Conquistar (uma base militar, uma fortificação etc.) pela força das armas. [▶ 1 expuḡnar.]

expulsão (ex.pul.*são*) *sf.* **1** Ação ou resultado de expulsar. **2** Saída forçada: *a expulsão dos holandeses do Maranhão.* [Pl.: -*sões*.]

expulsar (ex.pul.*sar*) *v. td.* **1** Pôr (alguém) para fora, por violência, pena ou castigo: (seguido ou não de indicação de lugar) *A direção expulsará (do partido) os rebeldes.* **2** *Med.* Fazer expelir, evacuar. [▶ 1 expulsar̄. Part.: *expulsado* e *expulso*.]

expulso (ex.*pul*.so) *a.* **1** Que foi forçado a se retirar (lavradores *expulsos*). **2** Excluído, eliminado: *atleta expulso (de competição).*

expurgação (ex.pur.ga.*ção*) *sf.* **1** Ação ou resultado de expurgar. **2** Retirada completa do que é nocivo ou prejudicial: *cirurgia para expurgação do tumor*; *expurgação de alguns membros do clube.* **3** Purificação, limpeza, expurgo. [Pl.: -*ções*.]

expurgado (ex.pur.*ga*.do) *a.* Que foi objeto de expurgação.

expurgar (ex.pur.*gar*) *v.* **1** Purgar, purificar, limpar. [*td.*: *expurgar feridas/o sangue/a água.*] **2** *Fig.* Livrar (algo ou alguém) de (aquilo que é pernicioso ou imoral). [*td.*: *É preciso expurgar a política. tdi.* + *de: expurgar a sociedade das drogas.*] **3** Limpar(-se) de (erros ou falhas); APURAR(-SE); POLIR(-SE). [*td.*: *expurgar um texto. tdi.* + *de: O dramaturgo expurgou a peça de seus exageros. pr.*: *Sua linguagem ainda não se expurgou.*] [▶ 14 expurgar̄.]

expurgatório (ex.pur.ga.*tó*.ri:o) *a.* **1** Que expurga, que tem capacidade de expurgar. *sm.* **2** Lista de livros condenados pela Igreja Católica.

expurgo (ex.*pur*.go) *sm. Bras.* **1** Retirada de impurezas ou sujeira; EXPURGAÇÃO. **2** Afastamento de pessoas por não aceitarem doutrinas políticas ou religiosas de seu grupo: *expurgo dos rebeldes*.

exstante (exs.*tan*.te) *a2g.* Que sobreviveu a um processo de eliminação ou destruição; SUBSISTENTE.

exsudar (ex.su.*dar*) [ˈessu] *v. td. int.* Segregar ou sair em forma de gotas ou de suor. [▶ 1 exsud**ar**] • ex.su.da.*ção sf.*

exsudato (ex.su.da.to) *sm. Pat.* Resíduo de uma área inflamada que se deposita nos tecidos.

êxtase (*êx*.ta.se) *sm.* **1** Estado espiritual de profundo enlevo, us. esp. no sentido religioso; ENCANTAMENTO: *"...cada passo conduzia a um êxtase, e a alma se cobria de um luxo radioso de sensações!"* (Eça de Queiroz, *Primo Basílio*). **2** Alegria extrema; DELEITE.

extasiado (ex.ta.si.*a*.do) *a.* Que está em estado de êxtase; MARAVILHADO: *A beleza da paisagem deixava todos extasiados*.

extasiar (ex.ta.si.*ar*) *v.* Provocar êxtase ou enlevo, ou senti-lo; ENLEVAR(-SE); MARAVILHAR(-SE). [*td.*: *A música a extasiava*. *pr.*: *Extasiava-se com a poesia*.] [▶ 1 extasi**ar**]

extático (ex.*tá*.ti.co) *a.* Que foi ou está tomado pelo êxtase; EMBEVECIDO. [Cf.: *estático*.]

extemporâneo (ex.tem.po.*râ*.ne:o) *a.* **1** Que acontece ou chega fora da época esperada ou apropriada (frutos *extemporâneos*). **2** Inoportuno (queixa *extemporânea*).

extensão (ex.ten.*são*) *sf.* **1** Ação ou efeito de estender(-se). **2** Medida do espaço ocupado por algo; TAMANHO; DIMENSÃO: *extensão do pátio*. **3** Tempo de duração: *O curso teve a extensão de seis meses*. **4** Linha telefônica dependente do aparelho principal. **5** Alcance, dimensão, importância: *Qual foi a extensão da tragédia?* [Pl.: *-sões*.]

extensível (ex.ten.*sí*.vel) *a2g.* Que pode ser estendido ou esticado: *um tecido extensível*; *Meus votos de felicidade são extensíveis à família*. [Pl.: *-veis*.] • ex.ten.si.bi.li.*da*.de *sf.*

extensivo (ex.ten.*si*.vo) *a.* **1** Que se estende. **2** Que se aplica a situações semelhantes ou da mesma natureza.

extenso (ex.*ten*.so) *a.* Que tem muita extensão; GRANDE; LONGO; AMPLO: *um extenso caminho*; *uma palestra extensa*; *uma extensa experiência em medicina*.

extensor (ex.ten.*sor*) [ô] *sm.* **1** *Anat.* Músculo cuja ação produz extensão (1) nos dedos dos pés e das mãos. *a.* **2** Diz-se desse músculo. **3** Que estende ou faz estender.

extenuação (ex.te.nu:a.*ção*) *sf.* Estado de grande cansaço; ESGOTAMENTO. [Pl.: *-ções*.]

extenuar (ex.te.nu.*ar*) *v. td. pr.* Enfraquecer(-se), debilitar(-se) extremamente. [▶ 1 extenu**ar**]

exterior (ex.te.ri:*or*) [ô] *a2g.* **1** Que se encontra na parte externa. **2** Ref. a países estrangeiros. *sm.* **3** A parte externa: *Os banheiros ficavam no exterior das casas*. **4** Qualquer país estrangeiro: *Cursou medicina no exterior*.

exterioridade (ex.te.ri:o:ri.*da*.de) *sf.* **1** Característica ou condição de exterior. **2** Aspecto exterior; APARÊNCIA.

exteriorizar (ex.te.ri:o.ri.*zar*) *v.* Ver externar. [▶ 1 exterioriz**ar**] • ex.te.ri:o.ri.za.*ção sf.*

exterminar (ex.ter.mi.*nar*) *v. td.* **1** Destruir eliminando totalmente: *exterminar o exército inimigo/os insetos da casa*. **2** Expulsar ou eliminar, suprimir: *Exterminou todos os empecilhos*. [▶ 1 exterminar] • ex.ter.mi.na.*ção sf.* • ex.ter.mi.na.*dor a.sm.*

extermínio (ex.ter.*mí*.ni:o) *sm.* Ação ou resultado de exterminar; EXTERMINAÇÃO.

externa (ex.*ter*.na) *sf. Mid.* Gravação ou filmagem fora de estúdio: *As externas da novela foram gravadas numa praia*.

externar (ex.ter.*nar*) *v.* Tornar(-se) externo; dar(-se) a conhecer; EXTERIORIZAR(-SE). [*td.*: *externar opiniões/sentimentos*. *pr.*: *O tímido não consegue externar-se*.] [▶ 1 externar]

externato (ex.ter.*na*.to) *sm.* Estabelecimento educacional onde só estudam alunos não residentes.

externo (ex.*ter*.no) *a.* **1** Exterior ou de fora. *sm.* **2** Aluno que não reside no local onde estuda.

extinção (ex.tin.*ção*) *sf.* **1** Ação ou resultado de extinguir(-se). **2** *Ecol.* Desaparecimento definitivo de uma espécie animal ou vegetal. [Pl.: *-ções*.]

extinguir (ex.tin.*guir*) *v.* **1** Fazer cessar a combustão de ou apagar-se (o fogo). [*td. pr.*] **2** Exterminar, aniquilar. [*td.*: *O fazendeiro extinguiu a praga de gafanhotos*.] **3** Dissipar(-se), desvanecer(-se). [*td.*: *Os últimos acontecimentos extinguiram suas esperanças*. *pr.*: *Seu entusiasmo extinguiu-se logo*.] **4** Dissolver(-se), acabar(-se). [*td.*: *extinguir uma agremiação*. *pr.*: *Alguns partidos extinguem-se rapidamente*.] **5** Abolir, revogar. [*td.*: *extinguir um costume/uma lei*.] **6** Saldar, quitar (um débito ou dívida). [*td.*] [▶ 47 extingu**ir**. Part.: *extinguido* e *extinto*.] • ex.tin.*guí*.vel *a2g.*

extinto (ex.*tin*.to) *a.* **1** Que se extinguiu; suprimido; acabado. **2** Que não brilha mais ou já não arde (estrela *extinta*, fogo *extinto*). *sm.* **3** Pessoa morta; FINADO.

extintor (ex.tin.*tor*) [ô] *a.* **1** Que extingue. *sm.* **2** Aparelho para extinguir.

extirpar (ex.tir.*par*) *v. td.* **1** Arrancar (vegetal) pela raiz; DESARRAIGAR: (seguido ou não de indicação de lugar) *extirpar ervas daninhas (do jardim)*. **2** *Med.* Extrair (tumor, cisto etc.). **3** *Fig.* Eliminar, extinguir: *extirpar um mau costume*; (tb. seguido de indicação de lugar) *extirpar os desordeiros da cidade*. [▶ 1 extirp**ar**] • ex.tir.pa.*ção sf.*

extorquir (ex.tor.*quir*) *v.* Obter (algo) de (alguém) mediante violência, ameaça ou astil. [*td.*: *O chantagista vive de extorquir dinheiro*. *tdi.* + *a. de*: *Extorquiu o segredo da irmã com uma mentira*.] [▶ 58 extorqu**ir**. Verbo defec.: não é conjugado na 1ª pess. do pres. ind., e não tem o pres. subj. inteiro.]

extorsão (ex.tor.*são*) *sf.* **1** Ação ou resultado de extorquir. **2** Crime caracterizado por recebimento de dinheiro ou valores de uma pessoa sob pressão violenta ou ameaça. **3** *Fig.* Imposto ou taxa cobrados de maneira abusiva: *Essa mensalidade é uma extorsão*. [Pl.: *-sões*.]

extorsionário (ex.tor.si:o.*ná*.ri:o) *sm.* **1** Pessoa que pratica o delito de extorsão. **2** Ver *extorsivo*.

extorsivo (ex.tor.*si*.vo) *a.* Ref. a ou que implica extorsão; EXTORSIONÁRIO.

extra (*ex*.tra) *a2g.* **1** Que é fora do comum; EXTRAORDINÁRIO. **2** Que não faz parte regular de um sistema adicional: *Haverá uma edição extra do jornal*. *s2g.* **3** *Cin. Teat. Telv.* Pessoa que tem um papel pequeno, ger. sem fala; FIGURANTE.

extração (ex.tra.*ção*) *sf.* **1** Ação ou resultado de extrair; RETIRADA: *extração de um dente*. **2** Origem, procedência: *uma pessoa de extração humilde*. **3** Sorteio de bilhetes e jogos de aposta de loteria. [Pl.: *-ções*.]

extraclasse (ex.tra.*clas*.se) *a2g2n.* Que se realiza fora das aulas regulares, mas se relaciona a elas (atividades *extraclasse*).

extraconjugal (ex.tra.con.ju.*gal*) *a2g.* Que está ou é feito fora do matrimônio; EXTRAMATRIMONIAL. [Pl.: *-gais*.]

extracurricular (ex.tra.cur.ri.cu.*lar*) *a2g.* Que não pertence ao currículo regular de um curso ou de uma escola (disciplina *extracurricular*).

extradição (ex.tra.di.*ção*) *sf.* **1** Ação ou resultado de extraditar. **2** Processo judicial de entrega de criminoso ou refugiado ao país que o reclama. [Pl.: *-ções*.]

extraditar (ex.tra.di.*tar*) *v. td.* Entregar (refugiado, criminoso etc.) ao governo de país que o reclama. [▶ 1 extraditar]

extrair (ex.tra.*ir*) *v. td.* **1** Tirar do interior de onde estava: *extrair o suco (da laranja).* **2** Extirpar ou arrancar: *extrair um dente.* **3** Retirar, tirar: *extrair ouro/carvão (das minas).* **4** Copiar ou transcrever (trecho) (de um texto): *Extraiu versos (dos* Lusíadas) *para citar em seu romance.* **5** Fazer derivar de; TIRAR: *extrair sabedoria (dos próprios erros).* [Nestas acps., seguido ou não de indicação de lugar.] **6** *Mat.* Calcular a raiz de um número: *extrair a raiz quadrada.* [▶ **43** extrair]

extrajudicial (ex.tra.ju.di.ci:*al*) *a2g.* Que ocorre fora dos trâmites judiciais (acordo extrajudicial); EXTRAJUDICIÁRIO. [Pl.: *-ais*.]

extrajudiciário (ex.tra.ju.di.ci.á.ri:o) *a.* Ver *extrajudicial.*

extramatrimonial (ex.tra.ma.tri.mo.ni:*al*) *a2g.* Ver *extraconjugal.* [Pl.: *-ais*.]

extramuros (ex.tra.*mu*.ros) *adv.a2g2n.* Do lado de fora ou além dos limites de uma cidade, vila, recinto etc. (povoado extramuros, vacinação extramuros): *A trégua foi decidida extramuros.*

extranatural (ex.tra.na.tu.*ral*) *a2g.* **1** Que não faz uso de métodos considerados naturais; ARTIFICIAL. **2** Que não tem explicação fundamentada nas leis naturais (fenômeno extranatural); SOBRENATURAL. [Pl.: *-rais*.]

extranumerário (ex.tra.nu.me.*rá*.ri:o) *a.sm.* **1** Que ou o que está ou foi calculado além do número esperado. **2** Que ou quem não é do quadro regular de funcionários de uma empresa.

extraoficial (ex.tra.o.fi.ci:*al*) *a2g.* **1** Que está fora do sistema oficial (resultado extraoficial). **2** Que não tem relação com assuntos públicos: *O político se ausentou para resolver um assunto extraoficial.* [Pl.: *extraoficiais*.]

extraordinário (ex.tra.or.di.*ná*.ri:o) *a.* **1** Que está fora do que é comum, previsto ou estabelecido; de exceção (situação extraordinária). **2** Digno de ser admirado (artista extraordinária); NOTÁVEL. **3** De excelente qualidade (vinho extraordinário). **4** Que é encarregado de tarefas especiais (ministro extraordinário).

extrapolar (ex.tra.po.*lar*) *v.* **1** Ir além de; EXCEDER. [*td.*: *Sua tese extrapolou as expectativas.*] **2** *Pop.* Ultrapassar os limites do bom senso; EXCEDER-SE. [*int.*: *Na discussão ela extrapolou e perdeu a razão.*] [▶ 1 extrapolar]

extrassensorial (ex.tras.sen.so.ri:*al*) *a2g.* Que não pode ser registrado pelos sentidos humanos (percepção extrassensorial). [Pl.: *extrassensoriais*.]

extrassístole (ex.tras.*sís*.to.le) *sf. Med.* Contração cardíaca que se produz antes da sístole, fora do ritmo normal do batimento cardíaco. [Pl.: *extrassístoles*.]

extraterreno (ex.tra.ter.*re*.no) *a.* Que é feito ou está localizado fora da Terra.

extraterrestre (ex.tra.ter.*res*.tre) *a2g.* **1** Que acontece ou vem de fora da Terra. *s2g.* **2** Ser supostamente originário de fora da Terra; ET.

extraterritorial (ex.tra.ter.ri.to.ri:*al*) *a2g.* Que não pertence à jurisdição de um território (disputa extraterritorial). [Pl.: *-ais*.]

extrativismo (ex.tra.ti.*vis*.mo) *sm.* **1** Atividade econômica de extração de produtos da natureza, não cultivados. **2** Método predador de extração, como o da pesca de alguns mamíferos aquáticos. ● ex.tra.ti.*vis*.ta *a2g.*

extrativo (ex.tra.*ti*.vo) *a.* **1** Ref. a extração. **2** Que atua pela extração (mineração extrativa).

extrato (ex.*tra*.to) *sm.* **1** Produto de uma extração: *extrato de tomate.* **2** Pequeno trecho de um texto para ilustração ou exemplificação. **3** Comprovante de operações bancárias: *Já verificamos seu extrato do mês de outubro.*

extrauterino (ex.trau.te.*ri*.no) *a.* Que acontece ou se localiza fora do útero (gravidez extrauterina). [Pl.: *extrauterinos*.]

extravagância (ex.tra.va.*gân*.ci:a) *sf.* **1** Qualidade do que é extravagante. **2** Atitude que se afasta do bom senso; EXCENTRICIDADE: *Que extravagância na maneira de vestir-se!* **3** Coisa ou feito extravagante: *(Comprar) aquele carrão foi uma extravagância.*

extravagante (ex.tra.va.*gan*.te) *a2g.* **1** Que chama a atenção, esp. por sua estranheza (ideias extravagantes). **2** Que se afasta do que é tido como comum (penteado extravagante); EXCÊNTRICO. *s2g.* **3** Indivíduo extravagante.

extravasar (ex.tra.va.*sar*) *v.* **1** Fazer transbordar ou transbordar (um rio, qualquer líquido). [*td.*: *As chuvas extravasaram o rio. int./pr.*: *A água da banheira extravasou(-se).*] **2** *Fig.* Tornar(-se) evidente, público. [*td.*: *extravasar a notícia. int./pr.*: *Seu ressentimento (se) extravasava em cada palavra.*] **3** Sair do âmbito a que estava restrito. [*int./ti. + de*: *A lista extravasou (da diretoria).*] [▶ 1 extravasar] ● ex.tra.va.sa.*men*.to *sm.*

extravasor (ex.tra.va.*sor*) [ó] *sm.* **1** Sistema para extravasar o excesso das águas em rios. *a.* **2** Diz-se do tubo ou dispositivo que controla a passagem da água em barragens ou em válvulas de descarga.

extraviar (ex.tra.vi.*ar*) *v.* **1** Fazer sair ou sair do caminho; DESVIAR(-SE). [*td.*: *Meu pedido extraviou os caminhantes. pr.*: *Extraviamo-nos nos subúrbios.*] **2** Perder(-se). [*td.*: *A transportadora extraviou um quadro meu. pr.*: "Cartas registradas (...) também se extraviam..." (Josué Montello, *Um rosto de menina*).] **3** Apossar-se fraudulentamente de; ROUBAR. [*td.*: *extraviar dinheiro/documentos importantes.*] [▶ 1 extraviar]

extravio (ex.tra.*vi*.o) *sm.* **1** Ação ou resultado de extraviar(-se). **2** Desvio proposital ou involuntário do destino de objetos: *extravio de bagagem/da correspondência.*

extremado (ex.tre.*ma*.do) *a.* **1** Que chega ao extremo: *gesto extremado de amizade.* **2** Que exagera na manifestação; RADICAL.

extremar (ex.tre.*mar*) *v.* Tornar(-se) extremo ou máximo. [*td.*: *A seca extrema a fome no Nordeste. pr.*: *Os tiranos extremam-se no uso da violência.*] [▶ 1 extremar]

extrema-unção (ex.tre.ma-un.*ção*) *sf. Rel.* Sacramento ministrado por representantes da Igreja Católica a enfermos graves ou moribundos; santos óleos. [Pl.: *extremas-unções* e *extrema-unções*.]

extremidade (ex.tre.mi.*da*.de) *sf.* **1** Parte em que começa ou termina algo; PONTA: *O arranjo de flores ficava numa das extremidades da mesa.* **2** O ponto extremo (3).

extremismo (ex.tre.*mis*.mo) *sm.* Tendência para resolver situações com medidas radicais ou extremas; RADICALISMO. ● ex.tre.*mis*.ta *a2g.s2g.* [*extremo + -ismo*, ou. do fr. *extrêmisme*.]

extremo (ex.*tre*.mo) *a.* **1** Que se localiza no limite: *O ponto extremo do norte do Brasil é o cabo Orange.* **2** Que está no grau máximo: *Encontrou-os num estado de extrema pobreza.* **3** Ponto mais distante do centro de algo; EXTREMIDADE. **4** Capacidade máxima; o mais alto nível de intensidade; auge: *O atleta chegou ao extremo de ser capacidade.* ◪ **extremos** *smpl.* **5** Demonstração exagerada de carinho e afetividade: *Abraçou-o com extremos.*

extremófilo (ex.tre.*mó*.fi.lo) *a.sm. Biol.* Diz-se de ou microrganismo, ger. bactéria, que vive em ambientes totalmente hostis.

extremoso (ex.tre.*mo*.so) [ô] *a*. **1** Que tem ou demonstra muito afeto e carinho (pai extremoso); AFETUOSO. **2** Que chega a extremos; EXAGERADO. [Fem. e pl.: [ó].]

extrínseco (ex.*trín*.se.co) *a*. Que não é inerente nem é da essência de alguma coisa ou de alguém: *razões extrínsecas (ao assunto discutido)*. [Ant.: *intrínseco*.]

extroversão (ex.tro.ver.*são*) *sf*. **1** Interesse maior pelo mundo exterior do que pelo interior. **2** Facilidade ou tendência de externar opiniões e sentimentos. [Ant.: *introversão*.] [Pl.: -sões.]

extroverter-se (ex.tro.ver.*ter*-se) *v. pr*. Tornar-se extrovertido ou comunicativo. [▶ **2** extroverter-se]

extrovertido (ex.tro.ver.*ti*.do) *a*. **1** Que tem ou demonstra extroversão; EXPANSIVO. **2** Que se volta mais para as situações externas a si; COMUNICATIVO. [Ant.: *introvertido*.]

Exu (E.*xu*) *sm*. *Bras. Rel.* Entidade considerada maléfica em cultos afro-brasileiros como o candomblé e a umbanda; DIABO.

exuberância (e.xu.be.*rân*.ci:a) [z] *sf*. **1** Qualidade ou característica do que é exuberante. **2** Grande abundância; FARTURA: *O mundo inteiro se impressiona com a exuberância da Amazônia*.

exuberante (e.xu.be.*ran*.te) [z] *a2g*. **1** Muito abundante (vegetação exuberante). **2** Que é rico em ornamentação (linguagem exuberante, estilo exuberante). **3** Que chama a atenção pelo viço (beleza exuberante).

exultação (e.xul.ta.*ção*) [z] *sf*. **1** Estado de quem está exultante. **2** Grande alegria; REGOZIJO. [Pl.: -ções.]

exultante (e.xul.*tan*.te) [z] *a2g*. Que sente e/ou expressa grande alegria, júbilo etc.

exultar (e.xul.*tar*) [z] *v. int*. Sentir e/ou expressar grande júbilo ou alegria. [▶ **1** exultar]

exumar (e.xu.*mar*) [z] *v. td*. **1** Tirar (cadáver) da sepultura; DESENTERRAR. [Ant.: *inumar*.] **2** *Fig*. Fazer vir à lembrança: *Na conversa exumou antigas desavenças*. [▶ **1** exumar]

ex-voto (ex-*vo*.to) *sm*. Peça de cera ou madeira representando uma parte do corpo, ou outro objeto, posto numa igreja pelos fiéis como pagamento de promessa por graça recebida. [Pl.: *ex-votos*.]

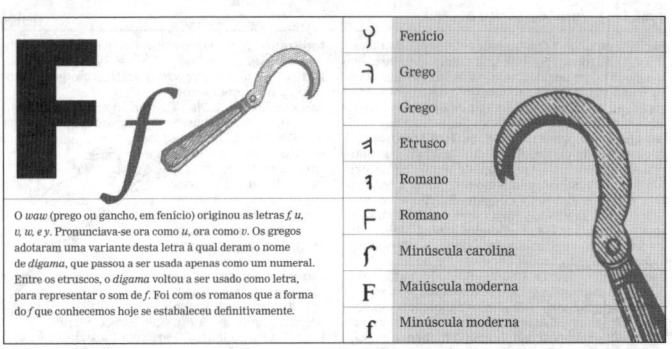

Y	Fenício
ㄱ	Grego
	Grego
ㅋ	Etrusco
ᛉ	Romano
F	Romano
ſ	Minúscula carolina
F	Maiúscula moderna
f	Minúscula moderna

O *waw* (prego ou gancho, em fenício) originou as letras *f*, *u*, *v*, *w*, e *y*. Pronunciava-se ora como *u*, ora como *v*. Os gregos adotaram uma variante desta letra à qual deram o nome de *digama*, que passou a ser usada apenas como um numeral. Entre os romanos, o *digama* voltou a ser usado como letra, para representar o som de *f*. Foi com os romanos que a forma do *f* que conhecemos hoje se estabeleceu definitivamente.

f [éfe] *sm.* **1** A sexta letra do alfabeto. **2** A quarta consoante do alfabeto. *num.* **3** O sexto em uma série (poltrona F).
⌦ **F 1** *Quím.* Símb. de *flúor*. **2** *Fís.* Símb de *fahrenheit*. **3** *Fís.* Símb. de *força*.

fá *sm. Mús.* **1** A quarta nota da escala de dó. **2** Sinal que representa essa nota na pauta.

fã *s2g.* Quem cultiva admiração por alguém ou algo: *fã de um cantor/de carros importados*.

fábrica (*fá*.bri.ca) *sf.* Instalação industrial em que se usam máquinas e mão de obra para transformar matéria-prima em objetos de consumo: *fábrica de brinquedos*.

fabricação (fa.bri.ca.*ção*) *sf.* Ação ou resultado de fabricar ou criar (objetos, fatos, ideias etc.); FABRICO: *fabricação de sapatos/de textos*. [Pl.: -ções.]

fabricante (fa.bri.can.te) *a2g.s2g.* Que, quem ou o que (estabelecimento, empresa etc.) fabrica ou é responsável pela fabricação de algo: *empresa fabricante de embalagens; acordo entre os fabricantes de automóveis*.

fabricar (fa.bri.*car*) *v. td.* **1** Produzir (artefatos) a partir de matéria-prima, esp. em fábrica; MANUFATURAR: *Resolveu fabricar bolsas*; (tb. sem complemento explícito) *Devido à crise, a indústria parou de fabricar*. **2** Criar, construir: *O joão-de-barro usa o barro para fabricar seu ninho*. **3** Forjar, inventar (algo): *fabricar boatos/ideias*. [▶ **11** fabri*car*]

fabrico (fa.*bri*.co) *sm.* Ação ou resultado de fabricar alguma coisa; FABRICAÇÃO: *Dedicava-se ao fabrico de queijo*.

fabril (fa.*bril*) *a2g.* Ref. a, de ou próprio de fábrica: *O setor fabril vai muito bem*. [Pl.: -bris.]

fábula (*fá*.bu.la) *sf.* **1** História curta de onde se tira uma lição moral. **2** História mentirosa ou fantástica; LENDA: *Não acredite, é tudo fábula*. **3** *Bras. Pop.* Muito dinheiro: *Aquele jogador ganha uma fábula*.

fabulário (fa.bu.*lá*.ri:o) *sm.* Conjunto de fábulas (1 e 2).

fabulista (fa.bu.*lis*.ta) *s2g.* Pessoa que escreve ou conta fábulas.

fabuloso (fa.bu.*lo*.so) [ó] *a.* **1** Que não existe realmente; IMAGINÁRIO: *O dragão é um personagem fabuloso*. **2** *Bras.* Que é ótimo, fantástico: *Ganhou um disco fabuloso*. [Fem. e pl.: [ó].]

faca (*fa*.ca) *sf.* Instrumento cortante composto de uma lâmina e um cabo. **Entrar na ~** *Fam.* Passar por cirurgia. **Estar com/Ter a ~ e o queijo na mão** *Fam.* Dominar uma situação; dispor de todos os instrumentos ou do poder para algo. **Pôr/Encostar a ~ no peito de alguém** *Bras. Fam.* Tentar obrigar alguém a algo com ameaça, chantagem etc.

facada (fa.*ca*.da) *sf.* **1** Ação ou resultado de golpear com faca: *Escapou da facada do ladrão*. **2** *Fig. Pop.* Ação ou resultado de pedir dinheiro a alguém: *Deu uma facada no tio rico*. **3** *Fig. Pop.* Alto preço de produto, serviço etc.: *A conta da reforma foi uma facada*.

façanha (fa.*ça*.nha) *sf.* **1** Ato admirável e difícil de realizar; PROEZA: *a façanha de acabar com o analfabetismo*. **2** *Irôn.* Ação perversa ou imprudente. • **fa.ça.nho.so** *a.*

facão (fa.*cão*) *sm.* Faca grande de lâmina larga: *Abriu o coco com um facão*. [Pl.: -cões.]

facção (fac.*ção*) *sf.* **1** Grupo de pessoas que age ou pensa diferentemente da maioria ou do grupo ou partido a que pertence. **2** Partido político. **3** Grupo de pessoas que perturba a ordem pública (*facção criminosa*). [Pl.: -ções.]

faccioso (fac.ci:o.so) [ó] *a.* **1** Que fica do lado de um grupo ou facção (jornal *faccioso*); PARCIAL. **2** Revoltoso, subversivo. [Fem e pl.: [ó].] • **fac.ci:o.sis.mo** *sm.*

face (fa.ce) *sf.* **1** Parte da frente da cabeça; ROSTO: *Escondeu a face para não ser reconhecido*. **2** Cada um dos lados do rosto: *Tem uma espinha na face direita*. **3** Aparência, semblante, fisionomia (*face descansada*). **4** *Fig.* Aspecto ou característica particular de alguém: *a face artística da professora*. **5** Um dos lados de alguma coisa: *edredom de dupla face*. **6** Lado de medalha ou da moeda em que se vê a efígie. ∎ **Em ~ de 1** Na frente de, na presença de: *Ao entrar, viu-se em face de uma grande plateia*. **2** Devido a, em virtude de: *Em face da situação, mudou de ideia*. **Fazer ~ a 1** Enfrentar (inimigo, situação etc.). **2** Arcar com (custos): *Fez face a todas despesas*. **3** Ter frente, fachada voltada para: *O prédio faz face a uma praça*.

⊕ **facebook** (Ing. /*féisbuc*/) *sm.* Site de rede social na internet no qual seus usuários registrados trocam informações pessoais e uma série de conteúdos.

facécia (fa.*cé*.ci:a) *sf.* Dito zombeteiro.

faceiro (fa.*cei*.ro) *a.* **1** Que gosta de se enfeitar; GARBOSO. **2** *Bras.* Risonho, alegre. • **fa.cei.ri.ce** *sf.*

faceta (fa.*ce*.ta) *sf.* **1** Pequena superfície ou face: *faceta do dado*. **2** Particularidade de alguém ou de alguma coisa: *Não conhecia sua faceta de músico*.

fachada (fa.*cha*.da) *sf.* **1** Um dos lados de uma casa ou edifício (*fachada lateral*). **2** Lado que fica de frente para a rua: *Foram para a fachada do prédio para ver o desfile*. **3** *Fig.* Aparência, aspecto, ger. ilusório: *Seu interesse em ajudar era só fachada*.

facho (*fa*.cho) *sm.* Tocha, archote. **2** Objeto que emite luz. ∎ **Abaixar o ~** Diminuir ou ter diminuído o entusiasmo, a vitalidade; acalmar-se. **De ~ baixo** Com entusiasmo ou vitalidade diminuídos.

facial (fa.ci:*al*) *a2g.* Ref. ou pertencente à face, ao rosto (expressão *facial*). [Pl.: -ais.]

fácil (fá.cil) *a2g.* **1** Que se pode fazer sem dificuldade ou esforço (prova fácil). **2** Que é simples e claro; que se pode compreender sem dificuldade ou esforço (texto fácil). **3** Que é provável de acontecer ou de se realizar: *É fácil cair quando se está aprendendo a patinar.* **4** Dócil, amável (criança fácil). [Ant. ger.: *difícil*.] [Pl.: *-ceis*. Superl.: *facílimo* e (P.us.) *facilíssimo*.]

facilidade (fa.ci.li.da.de) *sf.* **1** Qualidade ou condição do que é fácil: *a facilidade da prova.* **2** Ausência de dificuldades, impedimentos ou obstáculos: *Escalou a montanha com facilidade.* **3** Propensão, aptidão: *Tenho facilidade para aprender línguas.* [Ant. ger.: *dificuldade*.] ☐ **facilidades** *sfpl.* **4** Meios para se fazer ou obter algo com facilidade (2): *Ofereceram-lhe todas as facilidades para estudar na capital.*

facilitar (fa.ci.li.*tar*) *v.* **1** Tornar fácil ou mais fácil. [*td.*: *O uso da internet facilitou a pesquisa.* *tdi.* + *a, para*: *A bolsa facilitou para João a continuação dos estudos.*] [Ant.: *dificultar*.] **2** Agir sem cautela; DESCUIDAR-SE. [*int.*: *Agasalhe-se, convém não facilitar.*] **3** Tornar disponível, pôr à disposição. [*tdi.* + *a*: *Facilitou ao repórter todos os documentos.*] [▶ 1 facilitar] ● **fa.ci.li.ta.ção** *sf.*

facínora (fa.cí.no.ra) *a2g.s2g.* Que ou quem comete crimes com perversidade: *Era um bandido facínora. Formavam uma gangue de facínoras.*

fã-clube (fã-*clu*.be) *sm.* Grupo organizado de fãs de artista, jogador famoso etc. [Pl.: *fã-clubes*.]

fac-símile (fac-*sí*.mi.le) *sm.* Reprodução ou cópia exata de um texto, desenho etc. [Ver tb. *fax*.] [Pl.: *fac-símiles*.] ● **fac-si.mi.*lar*** *a2g.*

factível (fa.c.tí*vel*) *a2g.* Que pode ser feito ou realizado: *Faça apenas propostas factíveis.* [Pl.: *-veis*.] ● **fac.ti.bi.li.da.de** *sf.*

factoide (fac.*toi*.de) *sm. Bras. Gír.* Fato, real ou fictício, apresentado com personalismo, como forma de propaganda política etc.

factótum (fac.tó.tum) *sm.* Pessoa encarregada de fazer tudo para uma outra: *Era o factótum do chefe.* [Pl.: *-tuns*.]

factual, fatual (fac.tu.*al*, fa.tu.*al*) *a2g.* Ref. a, ou que diz respeito a, ou se baseia somente em fato(s): *Fez uma descrição factual da situação.* [Pl.: *-ais*.]

faculdade (fa.cul.*da*.de) *sf.* **1** Possibilidade, capacidade de: *A faculdade de articular palavras é exclusiva do ser humano.* **2** Estabelecimento de ensino superior: *Quer entrar para a faculdade de medicina.* **3** O prédio em que funciona essa instituição: *Moro perto da faculdade.* **4** Reunião das disciplinas relacionadas com cada uma das áreas do ensino superior.

facultar (fa.cul.*tar*) *v.* **1** Fazer que ou não impedir que (algo) se realize, ou que seja possível ou viável; FACILITAR; PERMITIR. [*td.*: *O aniversariante facultou a entrada de todos na festa. tdi.* + *a*: *facultar aos mais carentes o acesso à universidade.*] **2** Facilitar ou dar ocasião, ensejo a que se manifeste ou se realize (algo); ENSEJAR; PROPORCIONAR. [*td.*: *Bons investimentos facultaram a criação de empregos. tdi.* + *a*: *Estudar faculta a todos melhores perspectivas de vida.*] [Ant. ger.: *impedir*.] [▶ 1 facultar]

facultativo (fa.cul.ta.*ti*.vo) *a.* **1** Que oferece opção de ser ou não feito ou exercido; não obrigatório (ponto facultativo); OPCIONAL. [Ant.: *obrigatório*.] *sm.* **2** Médico.

facúndia (fa.*cún*.di.a) *sf.* Facilidade para falar em público; ELOQUÊNCIA. ● **fa.*cun*.do** *a.*

fada (*fa*.da) *sf.* **1** Personagem feminina de histórias, com poderes mágicos ou, ger. para o bem: *a fada e a bruxa.* **2** *Fig.* Mulher bondosa e especial: *Minha mãe é uma fada.*

fadado (fa.*da*.do) *a.* Destinado a alguma coisa; PREDESTINADO: *fadado ao sucesso.*

fadário (fa.*dá*.ri.o) *sm.* **1** Vida difícil: *o fadário dos tempos de guerra.* **2** Destino traçado por um poder sobrenatural; SINA.

fadiga (fa.*di*.ga) *sf.* Sensação de cansaço ou perda de energia.

fadista (fa.*dis*.ta) *a2g.s2g. Lus.* Que ou quem compõe ou interpreta fados (1).

fado (*fa*.do) *sm.* **1** *Mús.* Canção popular de Portugal, ger. sobre temas tristes. **2** Dança que acompanha essa canção. **3** Destino, sina.

fagote (fa.*go*.te) *sm. Mús.* Instrumento de sopro, feito de madeira, com tubo cônico, longo e dobrado, e palheta dupla.

fagotista (fa.go.*tis*.ta) *a2g.s2g. Mús.* Que ou quem toca fagote.

fagueiro (fa.*guei*.ro) *a.* **1** Que é carinhoso e meigo. **2** Agradável, suave (tardes fagueiras). **3** *Fig.* Satisfeito, contente.

FAGOTE

fagulha (fa.*gu*.lha) *sf.* Partícula incandescente que se desprende de um objeto que está sendo queimado pelo fogo; CENTELHA; FAÍSCA: *Uma fagulha pode provocar um incêndio.*

● **fahrenheit** (*Ing.* /*farenráit*/) *sm.* **1** Escala de medida de temperatura na qual a água ferve a 212 graus e o gelo funde a 32 graus. [Símb.: *F*] *a2g2n.* **2** De acordo com essa escala (termômetro fahrenheit).

faia (*fa*.ia) *sf. Bot.* Árvore grande, de madeira branca, originária da Europa e cultivada como ornamental e pelas sementes, de que se extrai um óleo.

faiança (fai.*an*.ça) *sf.* Louça feita de barro (esmaltado ou vidrado) ou pó de pedra.

faina (*fai*.na) *sf.* **1** *Mar.* Conjunto das atividades de trabalho da tripulação de um navio. **2** *Fig.* Trabalho constante; LIDA: *Olhava as formigas em sua faina.*

● **fair-play** (*Ing.* /*fér-plei*/) *sm.* **1** Respeito às regras de um esporte, de uma negociação etc. **2** *Fig.* Moderação, frieza, na aceitação de uma situação desfavorável ou complicada: *agir com fair-play.*

faisão (fai.*são*) *sm. Zool.* Ave galinácea de plumagem muito colorida. [Pl.: *-sães* e *-sões*. Fem.: *-sã* e *-soa*.]

faísca (fa.*ís*.ca) *sf.* **1** Partícula que se desprende de um corpo em brasa ou do atrito entre corpos; CENTELHA. **2** Brilho luminoso que acompanha uma descarga elétrica. **3** Raio: *Antes da chuva, uma faísca cortou o céu.*

faiscar (fa:is.*car*) *v.* **1** Produzir (faíscas). [*td.*: *O atrito das pedras faiscou centelhas. int.*: *A velhinha faiscava no bolo de aniversário.*] **2** Brilhar como faísca. [*int.*: *Seus olhos faiscavam de raiva.*] [▶ 11 faiscar] Quanto à acentuação da vogal *i* do radical, ver paradigma 18.] ● **fa:is.ca.*ção*** *sf.*; **fa:is.*can*.te** *a2g.*

faixa (*fai*.xa) *sf.* **1** Tira de elástico, de pano etc., muito mais longa do que larga. **2** Intervalo entre dois limites (de idade, distância ou valor) (faixa etária/ salarial/marítima). **3** *Esp.* Tira de tecido us. na cintura por lutadores e que indica, de acordo com a cor, seu grau de habilidade. **4** Cada uma das músicas de um CD: *Lançou um CD com 11 faixas inéditas.* **5** *Bras.* Parte da rua, transversal, destinada à travessia de pedestres. **6** *Bras.* Na via urbana, espaço longitudinal destinado ao trânsito específico de cada tipo de veículo (faixa seletiva).

faixa-preta (fai.xa-*pre*.ta) *s2g.* **1** Grau mais alto de lutas marciais como judô, caratê etc.: *Joga fará exame para faixa-preta. a2g.s2g.* **2** Que ou quem obtém essa faixa: *Ela é faixa-preta em judô.* [Pl.: *faixas-pretas*.]

faixa-título (fai.xa-*tí*.tu.lo) *sf. Mús.* Faixa (4) musical que possui o mesmo nome do CD em que é gravada. [Pl.: *faixas-título*.]

fajuto, farjuto (fa.*ju*.to, far.*ju*.to) *a. Bras. Pop.* **1** De pouca qualidade (poesia fajuta). **2** Que não é original; falsificado: *Apresentou um diploma fajuto.*

fake news (Ing. /fêik níus/) *sm.* Informações noticiosas que não representam a realidade, mas que são compartilhadas na internet como se fossem verídicas, principalmente através das redes sociais.

fala (*fa*.la) *sf.* **1** Ação ou resultado de falar. **2** Aptidão ou capacidade de se expressar verbalmente. **3** Exposição oral: *Sua fala foi muito convincente.* **4** Maneira de pronunciar, dicção: *problemas da fala.* **5** Fada parte de texto dita por um ator, apresentador ou locutor: *Esqueceu sua fala na primeira cena.* **6** O som produzido pelos animais.

falação (fa.la.*ção*) *sf.* **1** Exposição oral preparada para ser apresentada em público: *a falação do advogado.* **2** *Bras. Pop.* Fala contínua; reclamação: *Não aguentava mais tanta falação por causa dos atrasos.* **3** Fada (3) de quem não cumpre com o que enuncia: *A promessa de ajuda era só falação.* **4** Rumor produzido por muitas pessoas falando; FALATÓRIO. [Pl.: -*ções*.] ▪▪ **Deitar ~** Falar longamente: "...e deitaram falação sobre ética e honradez na política." (*O Globo*, 08.03.01).

falacha (fa.*la*.cha) *a2g.* **1** Dos falachas, grupo judeu originário da Etiópia; típico desse povo. *s2g.* **2** Pessoa pertencente a esse grupo. [Desus., por ser considerado *Pej.*] [O termo foi abandonado por ser de natureza pejorativa 'estranhos', 'exaltados' substituído por *beta Israel* 'casa de Israel'.]

falácia (fa.*lá*.ci:a) *sf.* Raciocínio ou afirmação falsa ou errônea com aparência de verdadeira.

falacioso (fa.la.ci:*o*:so) [ô] *a.* Que é intencionalmente enganador, ardiloso (raciocínio *falacioso*). [Fem. e pl.: ó].

falado (fa.la.do) *a.* **1** Que está dito: *Falei e está falado.* **2** Expresso oralmente (retrato falado). **3** Famoso. **4** *Bras.* Com má fama: *Mentia muito, e ficou falado.*

falador (fa.la.*dor*) [ô] *a.sm.* **1** Que ou quem fala muito (papagaio *falador*). **2** *Bras.* Que ou quem costuma falar mal dos outros; MALDIZENTE.

falange (fa.*lan*.ge) *sf.* **1** Cada um dos ossos dos dedos da mão e do pé. **2** Grupo numeroso; multidão.

📖 As falanges (1), na ordem de sua proximidade ao punho, dividem-se em: falange (ou falange proximal); falanginha (ou falange medial); e falangeta (ou falange distal).

falante (fa.*lan*.te) *a2g.s2g.* **1** Que ou quem fala (boneca *falante*). **2** Que ou quem fala em excesso ou é indiscreto. *s2g.* **3** *Ling.* Quem sabe falar determinada língua: *Meus filhos são falantes de espanhol.*

falar (fa.*lar*) *v.* **1** Usar a voz para articular palavras. [*int.*: *Falou, falou, e não disse nada.*] **2** Expressar(-se) por meio de palavras, oralmente ou por escrito. [*int.*: *Essa criança já tem três anos e ainda não fala*; (tb. seguido de indicação de modo) *Falou o tempo todo em alemão.* **td.**: *Em seu livro, só falou a verdade.* **tdi.** + *a*: *Vai falar tudo que sabe ao delegado.* **ti.** + *a, para*: *Falou para uma multidão.*] **3** *Fig.* Fazer(-se) entender, ser expressivo (de algo). [*td.*: *Seus olhos falavam muitas verdades.* **ti.** + *de*: *Seus textos falam de amor.* **int.**: *gestos que falam.*] **4** Conversar, comunicar(-se) por meio de palavras. [*ti.* + *com*: *Quando precisar, fale com a gente.* **pr.**: *Eles se falam todo dia.*] **5** Exprimir(-se) em (alguma língua). [*td.*: *Fala alemão desde criança.* **tdi.** + *com*: *Falava italiano com os turistas.*] **6** Manter relacionamento social. [*ti.* + *com*: *Após dez anos, o pai voltou a falar com a filha.* **pr.**: *Pai e filha voltaram a se falar.*] **7** Contar, relatar (algo); discorrer ou conversar sobre (algo). [*td.*: *Falou que perdeu o ônibus, e por isso atrasou.* **ti.** + *a, de, em, sobre*: *Esse jornal só fala em crise.*] **8** Mencionar. [*ti.* + *em*: "E por falar em crise..." (Vinicius de Moraes e Hermano Silva, *Onde anda você?*).] **9** Maldizer (2), dizer coisas ruins sobre (alguém ou algo). [*ti.* + *de*: "Falam de mim, mas eu não ligo..." (Noel Rosa, Édem Silva e Aníbal Silva, *Falam de mim*).] [▶ **1** fa*lar*]
▪▪ **~ grosso** Demonstrar segurança ou autoridade, falar duramente. **~ (mais) alto** Prevalecer, sobrepor-se: *Na dúvida, falou (mais) alto a prudência.* **~ sozinho 1** Falar consigo mesmo. **2** Não ser ouvido, não ter quem preste atenção no que está falando: *Percebeu, durante o debate, que estava falando sozinho.* **Falou!** *Bras. Gír.* Isso mesmo! Apoiado!

falastrão (fa.las.*trão*) *a.sm.* Que ou quem fala demais e comete indiscrições. [Pl.: -*trões*. Fem.: -*trona*.]

falatório (fa.la.*tó*.ri:o) *sm.* **1** Barulho de várias pessoas falando ao mesmo tempo; FALAÇÃO: *Com esse falatório, é impossível estudar.* **2** Maledicência, boato.

falaz (fa.*laz*) *a2g.* Que engana, mente: *Deixou-se iludir por um falaz vendedor.* [Superl.: *falacíssimo*.]

falcão (fal.*cão*) *sm. Zool.* Ave forte, de bico curto, que captura a presa com suas garras. [Pl.: -*cões*.]

falcatrua (fal.ca.*tru*.a) *sf.* Ação desonesta feita para enganar alguém: *Uma falcatrua favoreceu a vitória do time.*

falda (*fal*.da) *sf.* Parte localizada na base da montanha, morro etc.; *sopé.*

falecer (fa.le.*cer*) [ê] *v. int.* Deixar de viver; MORRER. [▶ **33** fale*cer*]

falecido (fa.le.*ci*.do) *a.sm.* Que ou quem já morreu.

falecimento (fa.le.ci.*men*.to) *sm.* Ação ou resultado de falecer; MORTE; ÓBITO.

falência (fa.*lên*.ci:a) *sf.* **1** Perda das condições de continuidade dos negócios de empresa ou pessoa por falta de dinheiro para pagar os credores; QUEBRA: *Sem recursos, a firma entrou em falência.* **2** *Jur.* Execução de devedor (pessoa ou empresa) decretada pela Justiça para permitir o pagamento das dívidas ou parte delas aos credores: *O juiz decretou a falência da firma.* **3** Interrupção do funcionamento normal de (órgãos) (falência renal).

falésia (fa.*lé*.si:a) *sf.* Terras ou rochas altas e escarpadas à beira-mar.

falha (*fa*.lha) *sf.* **1** Falta de perfeição; defeito, erro, engano: "Vivia brigando com o diretor (...) pelas falhas do serviço..." (Marques Rebelo, *Marafa*). **2** Imperfeição física ou moral: *falha de caráter.* **3** *Geol.* Fenda, rachadura: *Existem falhas na superfície da Terra.* **4** *Fig.* Aquilo que foi omitido, que ficou faltando; LACUNA: *as falhas no depoimento.*

falhar (fa.*lhar*) *v.* **1** Não dar certo, frustrar(-se), malograr(-se). [*int.*: *Nossa estratégia falhou.*] **2** Deixar de funcionar ou funcionar mal. [*int.*: *A memória dele anda falhando.*] **3** Não cumprir, não corresponder a (confiança, expectativa etc.). [*ti.* + *com*: *Falhou à promessa de ir ao cinema.*] **4** Deixar de ocorrer, ou não ocorrer como esperado. [*int.*: *Ganha-se pouco, mas é pagamento que não falha.*" (Josué Montello, *Um rosto de menina*).] [▶ **1** fa*lhar*] • **fa.lha**.do *a.*

falho (*fa*.lho) *a.* Que tem falha ou que é desprovido de (algo): *O treinamento foi falho, faltou empenho e constância.*

fálico (*fá*.li.co) *a.* Ref. ao falo ou que se assemelha a ele (símbolo *fálico*, forma *fálica*).

falir (fa.*lir*) *v. int.* **1** Não ter recursos (pessoa ou estabelecimento, empresa etc.) para pagar a quem deve: *O dono da padaria/a padaria faliu.* **2** *Jur.* Ter decretada a falência (2). **3** Não ser bem-sucedido; FRACASSAR: *Faliram todas as tentativas de conciliação.* [▶ **59** fa*lir*] • **fa.li.do** *a.sm.*

falível (fa.*li*.vel) *a2g.* **1** Que pode falhar ou faltar, deixar de executar uma função ou cumprir uma tarefa: *A memória é falível.* **2** Passível de falha, engano ou erro (análise *falível*). [Pl.: -*veis*. Superl.: *falibilíssimo*.] • **fa.li.bi.li.da.de** *sf.*

falo (*fa*.lo) *sm.* **1** Representação do pênis como símbolo da fecundidade. **2** *Anat.* O pênis.

falsário (fal.*sá*.ri:o) *sm.* Que ou quem elabora documentos, notas etc. falsos.

falsear (fal.se.*ar*) *v*. **1** Criar, imitando (algo autêntico, ger. valioso), uma cópia falsa; FALSIFICAR. [*td*.: *Falseava quadros famosos*.] **2** Deturpar, adulterar; FALSIFICAR. [*td*.: *Falseou os documentos*.] **3** Induzir (alguém) em logro; ENGANAR. [*td*.: *Falseou o amigo*.] **4** Pisar em falso (com). [*int*.: *Falseou (no meio-fio) e caiu. td*.: *Ao subir a escada, falseou o pé*.] [▶ **13** fals<u>ear</u>]

falseta (fal.se.ta) [ê] *sf. Bras. Pop.* Atitude desleal: *Fez-lhe a falseta de contar a todos seu segredo*.

falsete (fal.se.te) [ê] *sm*. Voz masculina mais aguda que a voz normal do homem: *Alguns cantores de rock utilizam o falsete*.

falsidade (fal.si.*da*.de) *sf*. **1** Característica do que não é verdadeiro, do que não é autêntico; INAUTENTICIDADE: *falsidade do documento*. [Ant.: *veracidade*.] **2** Atitude de fingimento; deslealdade; HIPOCRISIA. **3** Calúnia, mentira, difamação: *Seu depoimento foi uma falsidade*. ∎ ~ **ideológica** *Jur*. Crime de usar (em declaração, documentação etc.) de afirmação falsa.

falsificação (fal.si.fi.ca.*ção*) *sf*. **1** Ação ou resultado de falsificar. **2** Adulteração de um objeto; FRAUDE; IMITAÇÃO: *falsificação de moedas*. **3** Objeto falsificado. [Pl.: *-ções*.]

falsificado (fal.si.fi.*ca*.do) *a*. Que é falso; INAUTÊNTICO.

falsificar (fal.si.fi.*car*) *v. td*. **1** Imitar ou adulterar como fraude; FALSEAR (1 e 2): <u>*falsificar passaporte*</u>. **2** Adulterar (bebidas e alimentos): *Pecado*, <u>*falsificar vinhos*</u>. **3** *Fig*. Interpretar falsamente: <u>*falsificar fatos históricos*</u>. [▶ **11** falsifi<u>car</u>] ∙ **fal.si.fi.*cá*.vel** *a2g*.; **fal.si.fi.ca.*dor*** *a.sm*.

falso (*fal*.so) *a*. **1** Que não é autêntico. **2** Que não corresponde à verdade ou à realidade; IMPROCEDENTE; INFUNDADO: *Era falsa a notícia da separação*. [Ant.: *verdadeiro*.] **3** Que é desleal, fingido; DISSIMULADO: *O falso amigo não demorou a sumir*. **4** Que sofreu falsificação (2): *O documento falso foi aceito como legítimo*. **5** Que é artificial (unhas falsas); POSTIÇO. ∎ **Em** ~ **De mau jeito**: *Pisou em falso e torceu o pé*.

falta (*fal*.ta) *sf*. **1** Ação ou resultado de faltar; AUSÊNCIA: *Todos sentiram sua falta*. **2** Engano, erro: *Cometi a falta por não ter lido o regulamento*. **3** Carência, privação: *falta de vitaminas no organismo*. **4** *Esp*. Infração, transgressão: *O jogador cometeu três faltas*. **5** Pecado, culpa: *pedir perdão pelas nossas faltas*. ∎ **Bater/Cobrar** ~ *Esp*. Chutar bola parada como penalidade por infração cometida pelo adversário. **Sem** ~ Certamente, infalivelmente: *Estarei lá às dez, sem falta*.

faltar (fal.*tar*) *v*. **1** Sentir o ocorrer ausência, necessidade, carência de. [*ti. + a*: *Faltou-lhe fôlego. int*.: *Na hora de falar, faltou coragem*.] [NOTA: No exemplo acima, 'coragem' é sujeito, não complemento de 'faltou'.] **2** Não comparecer. [*ti. + a*: *Faltou ao encontro com o sócio. int*.: *Faltou no dia da formatura de seu filho*.] **3** Falecer ou desaparecer. [*int*.: *O pai faltou quando o filho mais precisava dele. ti. + a*: *A mãe faltou-lhe muito cedo*.] **4** Não cumprir; FALHAR. [*ti. + a*: *"Mas faltou à promessa e foi à casa deles..."* (França Júnior, *Os dois irmãos*). *int*.: *Disse que cumpriria a promessa, e não faltou*.] **5** Não dar ajuda, auxílio, apoio a. [*ti. + a*: *Quando precisou, faltaram-lhe seus amigos*.] **6** Ser o necessário para (se atingir um ponto, um momento, uma quantidade etc.). [*int*.: *Vamos esperar um pouco, ainda faltam dez minutos. ti. + a, para*: *Faltam dez quilômetros para chegarmos em casa*.] [NOTA: Nos dois exs. acima, 'dez minutos', e 'dez quilômetros' são sujeitos, e não complementos.] [▶ **1** fal<u>tar</u>]

falto (*fal*.to) *a*. Carente, desprovido, necessitado: *O projeto era falto de apoio*.

faltoso (fal.to.so) [ô] *a*. **1** Que faltou, que não compareceu (eleitor faltoso); AUSENTE. **2** Em que há falta (jogada faltosa). [Fem. e pl.: *-ós*.]

fama (*fa*.ma) *sf*. **1** Opinião pública, boa ou má, sobre outra pessoa; REPUTAÇÃO: *Tinha fama de bom jogador*. **2** Condição do que é conhecido por muita gente; NOTORIEDADE: *Na carreira, buscava o sucesso e a fama*.

famélico (fa.*mé*.li.co) *a*. Que tem fome; FAMINTO; ESFOMEADO.

famigerado (fa.mi.ge.*ra*.do) *a. Pej*. Que tem má fama: *Declarou guerra ao famigerado bandido*.

família (fa.*mí*.li.a) *sf*. **1** Grupo de pessoas que têm parentesco entre si, esp. pai, mãe e filhos. **2** Pessoas originárias dos mesmos ascendentes; DESCENDÊNCIA; LINHAGEM. **3** *Biol*. Uma das classificações científicas dos organismos, constituída por vários gêneros que possuem muitas características comuns: *família das leguminosas*. **4** Grupo de pessoas ou coisas que, por algum critério, possuem características comuns. **5** *Ling*. Conjunto de vocábulos que têm a mesma origem: *família de palavras*. **6** *Ling*. Conjunto de línguas que derivam de um tronco comum (família indo-europeia). ∎ **Ser** ~ Ser recatado, modesto, casto: *Comporte-se como ela, ela é muito família*.

familiar (fa.mi.li.*ar*) *a2g*. **1** Que diz respeito a família; DOMÉSTICO. **2** Que já é habitual; conhecido, com que se está habituado: *Encontrou no álbum rostos familiares*. *s2g*. **3** Pessoa da família.

familiaridade (fa.mi.li.a.ri.*da*.de) *sf*. **1** Conhecimento ou experiência; PRÁTICA: *Tem grande familiaridade com o produto*. **2** Atitude que denota confiança ou intimidade; CAMARADAGEM: *Agradou-lhes a familiaridade com que foram tratados*.

familiarizar (fa.mi.li.a.ri.*zar*) *v*. **1** Tornar(-se) familiar, íntimo. [*tdi. + com*: *Queria familiarizar o namorado com os pais. pr*.: *Preciso familiarizar-me com meus novos colegas*.] **2** Tornar(-se) habituado ou acostumado; HABITUAR(-SE), ACOSTUMAR(-SE). [*tdi. + com*: *Deu-lhe o manual para familiarizá-lo com os procedimentos da firma. pr*.: *Rapidamente familiarizou-se com a máquina*.] [▶ **1** familiari<u>zar</u>] ∙ **fa.mi.li.a.ri.za.*ção*** *sf*.; **fa.mi.li.a.ri.za.do** *a*.

faminto (fa.*min*.to) *a.sm*. **1** Que ou quem tem fome; ESFOMEADO; FAMÉLICO. **2** *Fig*. Que quer muito alguma coisa; sôfrego, ávido.

famoso (fa.*mo*.so) [ô] *a*. **1** Que é muito conhecido; CÉLEBRE; ILUSTRE. **2** Excepcional, fora do comum. [Fem. e pl.: *ó*.]

fanar (fa.*nar*) *v*. Fazer perder ou perder o viço; MURCHAR(-SE). [*td*.: *A seca fanou as flores. pr*.: *As plantas fanaram-se com o forte calor*.] [▶ **1** fan<u>ar</u>]

fanático (fa.*ná*.ti.co) *a*. **1** Que demonstra afeto exagerado por alguém ou alguma coisa (torcedor fanático). **2** Que crê cegamente em uma doutrina política ou religiosa e manifesta essa crença com excessos. **3** Que se julga inspirado por um ser divino. *sm*. **4** Pessoa fanática.

fanatismo (fa.na.*tis*.mo) *sm*. Sentimento de admiração cega e obstinada por alguém ou algo.

fandango (fan.*dan*.go) *sm*. **1** Dança popular espanhola sapateada ao som de castanholas e violão. **2** *Mús*. A música para essa dança, ger. cantada. **3** *Bras. S.* Baile rural animado.

fanfarra (fan.*far*.ra) *sf*. Banda de música.

fanfarrão (fan.far.*rão*) *a.sm*. Que ou quem se gaba de ser melhor, que faz alarde de sua falsa valentia; FAROLEIRO; GABOLA. [Pl.: *-rões*.] ∙ **fan.far.*ri*.ce** *sf*.

fanfarronada (fan.far.ro.*na*.da) *sf*. Ver *fanfarronice*.

fanfarronice (fan.far.ro.*ni*.ce) *sf*. Ato de contar valentias mentirosas; BRAVATA; FANFARRONADA.

fanho (*fa*.nho) *a*. Ver *fanhoso*.

fanhoso (fa.*nho*.so) [ô] *a*. **1** Que fala com a voz saindo pelo nariz. **2** Diz-se da voz de quem fala desse modo; FANHO. [Fem. e pl.: *-ó*.]

faniquito (fa.ni.*qui*.to) *sm. Pop*. Crise nervosa, curta e sem gravidade; CHILIQUE; FRICOTE.

fantasia (fan.ta.*si*.a) *sf*. **1** Coisa criada pela imaginação. **2** *Bras*. Vestimenta que imita traje típico, us. esp. no carnaval. **3** *Bras.* Joia falsa; BIJUTERIA. **4** Gos-

fantasiar | farol

to excêntrico; CAPRICHO: *Procurava satisfazer as mais absurdas fantasias da filha.*
fantasiar (fan.ta.si.ar) v. **1** Vestir(-se) com fantasia (2). [*td.* (com ou sem indicação de modo): *Fantasiou as crianças (de índio) no carnaval. pr.: Fantasiou-se e foi ao baile.*] **2** Criar na fantasia, na imaginação. [*td.*: "...fantasiara a possibilidade de viver com Amâncio..." (Aluísio Azevedo, *Casa de pensão*). **3** Soltar o pensamento; DEVANEAR; SONHAR. [*int.: Deitada na rede, fantasiava e suspirava.*] [▶ **1** fantasiar]
fantasioso (fan.ta.si:o.so) [ó] *a.* Cheio de fantasia(s) (1). [Fem. e pl.: [ó].]
fantasma (fan.tas.ma) *sm.* **1** Suposta aparição de pessoa que já morreu, alma penada; ASSOMBRAÇÃO; ES-PECTRO. **2** *Fig.* Lembrança ou possibilidade de algo ruim que atormente alguém: *fantasma do desemprego.*
fantasmagoria (fan.tas.ma.go.ri.a) *sf.* **1** *Teat.* Técnica de simular aparições com efeitos visuais. **2** Conjunto de visões irreais e fantásticas. **3** Aparência falsa, ilusória.
fantasmagórico (fan.tas.ma.gó.ri.co) *a.* **1** Ref. a ou semelhante a fantasmas. **2** Ilusório, imaginário.
fantástico (fan.tás.ti.co) *a.* **1** Criado pela imaginação: *Sacis e lobisomens são seres fantásticos.* **2** Que parece inacreditável; EXTRAORDINÁRIO: *As viagens do homem à lua são fantásticas.* **3** *Liter.* Diz-se de gênero literário em que elementos sobrenaturais se misturam à realidade: *Murilo Rubião escreveu contos fantásticos.*
fantoche (fan.to.che) *sm.* **1** Boneco manipulado por dedos ou fios para interpretar papéis em teatro; BON-FRATE, MARIONETE, TÍTERE: *teatro de fantoches.* **2** *Fig. Pej.* Pessoa que é controlada por outra.
fanzine (fan.zi.ne) *sm.* *Jorn.* Publicação sobre cinema, música ou ficção científica, feita de modo artesanal por fãs.
fanzineiro (fan.zi.nei.ro) *sm.* Pessoa que publica ou aprecia fanzines.
✉ **FAQ** Sigla de *Frequently Asked Questions* (perguntas mais frequentes), que é um conjunto de perguntas e respostas sobre um tema, apresentadas de antemão em *sites* de internet.
faqueiro (fa.quei.ro) *sm.* Jogo de talheres do mesmo material e marca, ger. vendido em estojo: *faqueiro de prata.*
faquir (fa.quir) *sm.* **1** Religioso e mendicante hindu que vive fazendo jejum e penitências. **2** Pessoa que fica sem comer e se deixa ferir exibindo resistência às dores e privações: *Um faquir deitado sobre pregos impressionava os turistas.* ● **fa.qui.ris.mo** *sm.*
farândola (fa.rân.do.la) *sf.* **1** Dança da Provença, sul da França. **2** *Fig.* Bando de pessoas mal-afamadas; CAMBADA; CORJA.
faraó (fa.ra.ó) *sm.* Título dos reis do Egito antigo.
faraônico (fa.ra.ô.ni.co) *a.* **1** Próprio dos faraós ou de seu tempo. **2** *Fig.* Grandioso, monumental (obra faraônica).
farda (far.da) *sf.* Traje de militares ou de corporação civil; UNIFORME; FARDAMENTO.
fardamento (far.da.men.to) *sm.* **1** Conjunto de fardas. **2** Ver *farda.*
fardão (far.dão) *sm. Bras.* **1** Uniforme de gala dos militares. **2** Traje simbólico dos membros da Academia Brasileira de Letras. [Pl.: *-dões.*]
fardar (far.dar) *v.* Vestir(-se) com farda. [*td.: Fardar a tropa. pr.: Fardou-se para o desfile.*] [▶ **1** fardar]
fardo (far.do) *sm.* **1** Pacote volumoso e/ou pesado destinado a transporte. **2** *Fig.* Aquilo que é difícil, penoso de fazer, carregar ou suportar: *É um fardo dirigir com engarrafamento.*
farejar (fa.re.jar) *v.* **1** Localizar ou perseguir guiado pelo cheiro (fr.). [*td.: Os cães farejaram sua presa.*] **2** Cheirar, ou tentar sentir cheiro. [*int.: Meu cachorro*

não para de farejar.] **3** *Fig.* Procurar (algo), guiando-se por sinais, indícios etc. [*td.: Farejava uma explicação para aquele fenômeno.*] **4** *Fig.* Ter pressentimento de. [*td.: Farejou o perigo.*] [▶ **1** farejar] ● **fa.re.ja.dor** *a.sm.*
farejo (fa.re.jo) [ê] *sm.* Ação ou resultado de farejar.
farelo (fa.re.lo) [é] *sm.* **1** A parte mais grossa da farinha de trigo e de outros cereais. **2** Migalhas, restos: *Sujou-se com os farelos de biscoito.*
farfalhante (far.fa.lhan.te) *a2g.* Que produz som como o do vento em folhas.
farfalhar (far.fa.lhar) *v. int.* Produzir sons rápidos e indefinidos: *As folhas farfalham ao vento.* [▶ **1** farfalhar]
farináceo (fa.ri.ná.ce:o) *a.* **1** Ref. a farinha ou que a contém. *sm.* **2** Alimento semelhante à farinha.
faringe (fa.rin.ge) *sf.* *Anat.* Região situada entre a boca e a parte superior do esôfago.
faringite (fa.rin.gi.te) *sf.* *Med.* Inflamação da faringe.
farinha (fa.ri.nha) *sf.* Pó que se obtém moendo grãos, sementes ou raízes: *farinha de milho.* ⬛ Ser ~ do mesmo saco *Fig. Pop.* Ter (duas ou mais pessoas) os mesmos defeitos de caráter ou o mesmo comportamento.

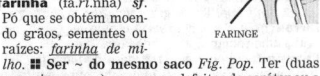

FARINGE

farinheira (fa.ri.nhei.ra) *sf.* Vasilha que vai à mesa com farinha.
farinhento (fa.ri.nhen.to) *a.* **1** Que é semelhante à farinha ou que contém muita farinha. **2** Envolvido em farinha.
fariseu (fa.ri.seu) *a. sm.* Que ou quem procura aparentar uma honestidade que não possui; HIPÓCRITA; FINGIDO.
farmacêutico (far.ma.cêu.ti.co) *a.* **1** Ref. à farmácia (2) (produto *farmacêutico*). *sm.* **2** Indivíduo que se diplomou em farmácia (2); BOTICÁRIO.
farmácia (far.má.ci.a) *sf.* **1** Estabelecimento onde se preparam e/ou se vendem medicamentos. **2** Parte da farmacologia e atividade que se dedica ao preparo e à conservação dos medicamentos: *Formou-se em farmácia.* **3** Conjunto de produtos farmacêuticos.
farmacologia (far.ma.co.lo.gi.a) *sf.* *Med.* Estudo dos medicamentos e de sua aplicação. ● **far.ma.co.ló.gi.co** *a.*
farmacologista (far.ma.co.lo.gis.ta) *s2g.* Especialista em farmacologia.
farmacopeia (far.ma.co.pei.a) *sf.* Catálogo com as nomenclaturas das drogas, fórmulas e processos de preparação de medicamentos.
farnel (far.nel) *sm.* **1** Saco com comida para uma viagem ou piquenique. **2** A comida do farnel (1). [Pl.: *-néis.*]
faro (fa.ro) *sm.* **1** Olfato dos animais, esp. dos cães. **2** *Fig.* Instinto, discernimento.
faroeste (fa.ro:es.te) *sm.* *Cin.* Filme com lutas e tiroteios inspirado na colonização do oeste norte-americano no séc. XIX; BANGUE-BANGUE. **2** *Bras.* Local de brigas e violências.
farofa (fa.ro.fa) *sf.* *Bras. Cul.* Prato preparado à base de farinha de mandioca, gordura, ovos, cebola e outros ingredientes.
farofeiro (fa.ro.fei.ro) *a.sm.* **1** *Bras. Pop.* Que ao aquele que ao ir à praia leva seu almoço, lanche etc. **2** Fanfarrão, presunçoso.
farol (fa.rol) *sm.* **1** Torre, ger. construída na costa, que tem na

FAROL (1)

parte superior um foco de luz para orientar os navegantes. **2** Cada uma das lanternas de um carro. **3** *Fig.* Pessoa ou coisa que serve de guia, de direção. **4** *Bras. Pop.* Conversa fiada de quem quer se vangloriar; FAROLICE. **5** *SP* Sinal luminoso de trânsito, semáforo. [Pl.: *-róis*.]

faroleiro (fa.ro.*lei*.ro) *sm.* **1** Pessoa encarregada do funcionamento do farol (1). *a.sm.* **2** *Gír.* Que ou quem gosta de contar vantagens.

farolete (fa.ro.*le*.te) [ê] *sm.* Cada um dos pequenos faróis que um veículo traz em suas partes dianteira e traseira.

farpa (*far*.pa) *sf.* **1** Ponta de metal em forma de seta. **2** Lasca de madeira que por acidente atinge a pele ou a carne. **3** Vara com uma ponta de ferro aguda para picar touros nas corridas; AGUILHÃO. **4** *Fig.* Crítica ferina, mordaz: "...houve troca de *farpas* entre senadores". (*O Globo*, 06.05.04).

farpado (far.*pa*.do) *a.* Que tem pontas agudas e penetrantes como espinhos (arame *farpado*).

farpela (far.*pe*.la) *sf.* **1** Vestimenta pobre. **2** Pequeno gancho agudo em uma das pontas da agulha de crochê.

farra (*far*.ra) *sf.* **1** Diversão ruidosa de pessoas; FOLIA. **2** *Bras. Pop.* Troça, gozação: *Falei só por farra.*

farrancho (far.*ran*.cho) *sm.* **1** Grupo de pessoas que vai a uma romaria. **2** Grande farra.

farrapo (far.*ra*.po) *sm.* **1** Pedaço de pano já gasto pelo uso; ANDRAJO; TRAPO. **2** Peça de roupa muito velha e rasgada. **3** *Bras. Hist.* Apelido que os republicanos ganharam dos legalistas na Guerra dos Farrapos, no RS, em 1835. **4** *Fig.* Frangalho (2).

farrear (far.re.*ar*) *v. int. Bras.* Fazer farra ou participar dela. [▶ **13** farr<u>ear</u>]

farripas (far.*ri*.pas) *sfpl.* Cabelos curtos e escassos.

farrista (far.*ris*.ta) *a2g.s2g.* Que ou quem gosta de fazer farras; BOÊMIO, PÂNDEGO.

farroupilha (far.rou.*pi*.lha) *s2g.* **1** *Bras. Hist.* Rebelde gaúcho da Revolução Farroupilha, ou Guerra dos Farrapos (1835); FARRAPO. **2** Pessoa que se veste com trapos.

farsa (*far*.sa) *sf.* **1** *Teat.* Peça teatral que exagera nas cenas cômicas e ridículas. **2** Ato ou sequência de atos que visam aparentar algo, para enganar.

farsante (far.*san*.te) *a2g.s2g.* **1** *Fig.* Que ou aquele que não é confiável; IMPOSTOR; TRAPACEIRO. **2** Farsista (1). *s2g.* **3** Ator ou atriz que faz rir com suas representações.

farsista (far.*sis*.ta) *a2g.s2g.* **1** Que ou quem vive fazendo graça; farsante (2). *a2g.* **2** Cômico, engraçado[Sin. ger.: *boêmio, pândego.*]

fartar (far.*tar*) *v.* **1** Aplacar (fome ou sede). [*td.*: *Aquele refrigerante fartou sua sede.*] **2** Aplacar fome ou sede a (alguém ou a si mesmo). [*td.*: *Um sanduíche bastou para fartá-lo.* *pr.*: *Entrou no restaurante e fartou-se.*] **3** Tornar(-se) cheio; ABARROTAR(-SE). [*tdi.* + *com, de*: *O anfitrião fartou os convidados de petiscos.* *pr.*: *Seu coração fartou-se com amores passageiros.*] **4** Satisfazer (vontade, desejo, sentimento). [*td.*: *O carro novo fartou sua ambição.*] **5** Provocar ou sentir aborrecimento, cansaço. [*td.*: *Aquele discurso enfadonho fartou os ouvintes.* *pr.*: "...não se fartavam de olhar para eles..." (Ana Maria Machado, *A audácia dessa mulher*).] [▶ **1** fart<u>ar</u>]

farto (*far*.to) *a.* **1** Em que há abundância (cabelos *fartos*). **2** Saciado, satisfeito: *Comeu até ficar farto.* **3** *Fig.* Que está muito aborrecido; ENFASTIADO: *Já estávamos fartos de sua irresponsabilidade.*

fartum (far.*tum*) *sm.* Mau cheiro de certas substâncias ou de animais; CATINGA; FEDOR. [Pl.: *-tuns*.]

fartura (far.*tu*.ra) *sf.* Grande quantidade, abundância de provisões: "Porque dá peixes, por aí, com *fartura*..." (João Guimarães Rosa, *Grande sertão: veredas*) [Ant. ger.: *carência, escassez.*]

fascículo (fas.*cí*.cu.lo) *sm.* **1** *Edit.* Cada uma das partes que integram uma obra publicada a intervalos regulares de tempo: *O último fascículo da enciclopédia já está nas bancas.* **2** *Med.* Pequeno feixe de fibras de nervos, tendões etc.

fascinação (fas.ci.na.*ção*) *sf.* **1** Ação ou resultado de fascinar. **2** Forte atração, deslumbramento; FASCÍNIO: *Tenho fascinação pelo circo.* [Pl.: *-ções.*]

fascinado (fas.ci.*na*.do) *a.* Atraído, encantado: *Ficou fascinado com a beleza da região.*

fascinante (fas.ci.*nan*.te) *a2g.* Que fascina; DESLUMBRANTE; MARAVILHOSO: *uma excursão fascinante pelo rio Amazonas.*

fascinar (fas.ci.*nar*) *v. td.* **1** Provocar forte atração em: *A vitrine iluminada fascinava o menino.* **2** Seduzir irresistivelmente: *Sua beleza o fascinou.* **3** Provocar encantamento em; DESLUMBRAR; ENCANTAR: *Seu discurso fascinou o público*; (tb. sem complemento explícito) *A música fascina.* [▶ **1** fascin<u>ar</u>]

fascínio (fas.*cí*.ni:o) *sm.* Ver *fascinação* (2).

fascismo (fas.*cis*.mo) *sm. Pol.* Regime político de direita, totalitário e nacionalista, adotado por Alemanha e Itália nas décadas de 1930 e 1940.

fascista (fas.*cis*.ta) *a2g.* **1** Ref. a ou próprio do fascismo (discurso *fascista*). *a2g.s2g.* **2** Que ou quem é partidário do fascismo (oficiais *fascistas*).

fase (*fa*.se) *sf.* **1** Etapa ou estágio de um processo: *A infância é a primeira fase da vida.* **2** Cada um dos diferentes aspectos de planetas e satélites segundo suas condições de iluminação quando vistos da Terra: *as fases da Lua.*

⊕ **fashion** (*Ing.* /*fêchon*/) *a2g2n.* **1** Ref. a moda: *mundo fashion.* **2** Que está na moda; que se veste de acordo com a moda (saia *fashion*, jovens *fashion*).

⊕ **fast-food** (*Ing.* /*fést-fud*/) *sm.* **1** Tipo de comida, como hambúrguer, batatas fritas etc., preparada e servida com rapidez em lanchonetes. **2** Lanchonete que serve *fast-food* (1).

fastio (fas.*ti*:o) *sm.* **1** Falta de apetite, inapetência. **2** Tédio, enfado. **3** Aversão, repugnância: *Sentia fastio por aproveitadores.* ● **fas.ti.di:o.so** *a.*

fastos (*fas*.tos) *smpl.* Anais, registros públicos de fatos e obras memoráveis: *Tiveram seus nomes registrados nos fastos.*

fastuoso (fas.tu:*o*.so) [ô] *a.* Magnífico, pomposo, luxuoso: *Os fastuosos salões do palácio imperial.* [Fem. de: [ó].]

fatal (fa.*tal*) *a.* **1** Determinado pelo destino ou fado: *A morte é o fim fatal de todos.* **2** Inevitável: *Após tantas brigas, veio a fatal separação.* **3** Funesto, desastroso, nocivo: "...foi fatal jogar a 3ª partida em cinco dias sob sol forte..." (*O Globo*, 12.01.04). **4** Irrevogável, improrrogável, final (prazo *fatal*). **5** Que pode por aparecer levar à um destino funesto (decisão *fatal*) **6** Que anuncia ou causa ou pode causar a morte (acidente *fatal*). [Pl.: *-tais*.]

fatalidade (fa.ta.li.*da*.de) *sf.* **1** Fado, destino: *Acreditava poder mudar o rumo da fatalidade e da sorte.* **2** Acontecimento atribuído à fatalidade (1): *Para ele, o acidente foi uma fatalidade.* **3** Qualidade de fatal: *A fatalidade de sua decisão logo se concretizou em desastre.*

fatalismo (fa.ta.*lis*.mo) *sm.* Crença dos que atribuem os acontecimentos a um destino prefixado, negando com isso a possibilidade de alterá-lo com ações.

fatalista (fa.ta.*lis*.ta) *a2g.* **1** Ref. ao ou que é próprio do fatalismo: *visão fatalista da História.* *a2g.s2g.* **2** Que ou quem crê no fatalismo.

fatia (fa.*ti*.a) *sf.* **1** Pedaço de algo (ger. pão, queijo, bolo, doce) cortado ao comprido em forma de lâmina mais ou menos grossa. **2** Segmento, parte de um todo: *Uma expressiva fatia do eleitorado compareceu às eleições.* **3** Parte que cabe a alguém; QUINHÃO.

fatiar (fa.ti.*ar*) *v.* *td.* **1** Cortar em fatias: *Não conseguiu fatiar a pizza.* **2** Reduzir a pedaços; DESPEDAÇAR: *Fatiou o brinquedo com o pisão.* [▶ 1 fati̱ar̲] ● fa.ti.*a*.do *a.*

fatídico (fa.*tí*.di.co) *a.* Que causa ou traz desgraça; TRÁGICO; FATAL: *uma decisão fatídica.*

fatiga (fa.*ti*.ga) *sf.* Ver *fadiga*.

fatigado (fa.ti.ga.do) *a.* Que está com ou expressa fadiga, cansaço, tédio: *Tinha um ar fatigado.*

fatigante (fa.ti.*gan*.te) *a2g.* Que causa fadiga física ou mental (tarefa *fatigante*); CANSATIVO.

fatigar (fa.ti.*gar*) *v.* **1** Provocar ou sentir fadiga; CANSAR(-SE). [*td.*: *O passeio fatigou as crianças. pr.*: *Fatigava-se quando fazia exercícios.*] **2** Causar ou sentir fastio (2); ABORRECER(-SE); ENFADAR(-SE). [*td.*: *A palestra fatigou os ouvintes. pr.*: *Fatigou-se ao assistir ao programa de TV.*] [▶ 14 fati̱gar̲]

fatiota (fa.ti:o.ta) *sf.* Roupa, vestimenta.

fato¹ (fa.to) *sm.* **1** Ato, feito, acontecimento, evento, circunstância: *O fato de o time ter perdido não abateu o técnico.* **2** O que é real ou verdadeiro; VERDADE; REALIDADE: *A exploração espacial já é um fato.* ▪▪ **De ~** Realmente, com efeito.

fato² (fa.to) *sm.* **1** Roupa. **2** *Lus.* Terno.

fator (fa.*tor*) [ó] *sm.* **1** Coisa que concorre para um resultado: *A dedicação é um fator importante do sucesso.* **2** *Arit.* Cada um dos termos de uma multiplicação: *Na multiplicação, a ordem dos fatores não altera o produto.* **3** Quem faz, executa algo.

fatorar (fa.to.*rar*) *v. td. Mat.* Decompor (número) em fatores primos. [▶ 1 fator̲ar̲] ● fa.to.ra.*ção sf.*

fátuo (*fá*.tu:o) *a.* **1** Tolo, estúpido. **2** Vaidoso, pretensioso. **3** Transitório, fugaz.

fatura (fa.*tu*.ra) *sf.* Documento comercial remetido ao comprador em que se relacionam e se especificam as mercadorias remetidas. ▪▪ **Liquidar a ~** *Bras. Fam.* Levar até o fim, pôr um ponto final em tarefa, disputa, pendência, negócio etc.

faturar (fa.tu.*rar*) *v.* **1** Fazer, em fatura, a relação de (mercadorias vendidas com os respectivos preços). [*td.*: *Faturaram todo o pedido. tdi. + a, para: Faturou-lhe os produtos rapidamente.*] **2** Acrescentar (mercadoria) em fatura. [*td.*: *Faturou o dicionário também.*] **3** Ganhar (dinheiro, remuneração); obter vantagens. [*td.*: *Faturava um bom dinheiro com o seu trabalho. int.*: *Desde que abriu o negócio, está faturando muito.*] **4** *Bras. Tabu.* Conseguir ter relações sexuais com. [*td.*: *Insistiu tanto que faturou a vizinha.*] [▶ 1 fatur̲ar̲] ● fa.tu.ra.*men.*to *sm.*

fauna (*fau*.na) *sf.* **1** Conjunto dos animais que vivem numa dada região. **2** *Fig. Pej.* Conjunto de pessoas.

fauno (*fau*.no) *sm. Mit.* Divindade rural romana, com corpo humano cabeludo e pés e chifres de cabrito.

fausto¹ (*faus*.to) *sm.* Luxo, pompa, ostentação, magnificência. ● **faus.***to*.so *a.*

fausto² (*faus*.to) *a.* Feliz, ditoso (notícia *fausta*).

fava (*fa*.va) *sf.* **1** *Bot.* Hortaliça cuja fruta é uma vagem verde ou preta comestível, com várias sementes. **2** A vagem ou as sementes dessa planta. ▪▪ **~ contadas** Coisa garantida, certa, inevitável: *Pelas pesquisas, a eleição dele já são favas contadas.* **Mandar às ~s** Mandar embora, livrar-se de (pessoa ou coisa importuna ou desagradável).

favela (fa.*ve*.la) *sf. Bras.* Comunidade de habitações modestas construídas principalmente nas encostas dos morros das áreas urbanas, e ger. desprovida de saneamento básico e infraestrutura.

favelado (fa.ve.*la*.do) *a.sm.* Que ou quem mora em favela: *Era filho de pais favelados.*

faviforme (fa.vi.*for*.me) *a2g.* Que tem o feitio de um favo ou alvéolo.

favo (*fa*.vo) *sm.* **1** Cada um dos alvéolos ou cavidades de cera em que as abelhas depositam o mel. **2** O conjunto de alvéolos de cera ligados uns aos outros, formando uma espécie de peça inteiriça.

favor (fa.*vor*) [ô] *sm.* **1** Ato de caráter amistoso e generoso que se dispensa em prol de alguém; OBSÉQUIO: *Você me faria esse enorme favor?* **2** Ajuda ou benefício concedido: *Devo-lhe muitos favores.* **3** Simpatia, agrado: *As duas disputam o favor do professor.* ▪▪ **A ~ de** Favorável a: *Sou a favor dessa campanha.* **Em ~ de** Em benefício de, em prol de: *um líder que sempre trabalhou em favor do povo.* **Fazer ~, fazer o ~ de** Expressão de cortesia para pedidos: *Aguarde um pouco, faz favor*; *Faça o favor de retornar o livro até amanhã.*

favorável (fa.vo.*rá*.vel) *a2g.* **1** Que é a favor de, que apoia alguém ou algo: *Você é favorável à pena de morte?* **2** Que favorece, que auxilia (condições *favoráveis*); PROPÍCIO. **3** Positivo, bom (resultado *favorável*). [Pl.: *-veis*].

favorecer (fa.vo.re.*cer*) *v.* **1** Ser favorável a (inclusive dando preferência, com parcialidade); BENEFICIAR. [*td.*: *Favorece o irmão sempre que pode. tdi. + com*: *Favorecerá o neto com uma boa herança.*] **2** Dar força ou condições a, permitindo ou fortalecendo. [*td.*: "Segundo o livro, o abacaxi favorece a digestão." (*O Dia*, 17.01.03).] **3** Auferir vantagens para si. [*pr.*: *Favorece-se de suas amizades.*] [▶ 33 favorecer̲] ● fa.vo.re.*ci*.do *a.*

favorecimento (fa.vo.re.ci.*men*.to) *sm.* Concessão de benefícios, privilégios ou facilidades a alguém: *Na decisão final houve nítido favorecimento daquele concorrente.*

favoritismo (fa.vo.ri.*tis*.mo) *sm.* **1** Prática política ou administrativa que consiste na concessão de favores ou facilidades a alguém em função de seu prestígio ou influência; NEPOTISMO. **2** Pressuposição de vitória de que goza uma das partes em uma competição esportiva, política etc.: *A equipe venceu, e confirmou o favoritismo.* **3** Condição de favorito (1).

favorito (fa.vo.*ri*.to) *a.* **1** Preferido, predileto: *Cinema é meu divertimento favorito.* **2** Que é mais cotado para vencer (time *favorito*). *sm.* **3** O competidor favorito (2). ⚑ **favorita** *sf Restr.* Amante favorita (1) de um soberano: *Domitila era a favorita de D. Pedro I.*

fax [cs] *sm2n. Telc.* **1** Sistema de transmissão e reprodução de material gráfico por meio de sinais transmitidos por linha telefônica. **2** Equipamento que possibilita esse tipo de transmissão. **3** A mensagem assim transmitida.

faxina (fa.*xi*.na) *sf.* **1** Limpeza geral. **2** Cercado de varas entrançadas em sentido vertical.

faxineiro (fa.xi.*nei*.ro) *sm.* **1** Pessoa encarregada da faxina (1). *a.* **2** Que faz faxina.

◉ **fax-modem** (*Ing.* /facs-môudem/) *sm. Inf.* Dispositivo de transmissão e recepção de imagens e mensagens escritas acoplado a computador, que possui tanto a função do *modem* quanto a do fax.

faz de conta (faz de *con*.ta) *sm2n.* **1** Fingimento, simulação, hipocrisia: *Tudo isso é um faz de conta ignóbil.* **2** Brincadeira infantil que se baseia na imaginação, na fantasia, na ficção: *Vamos brincar de faz de conta?*

fazenda (fa.*zen*.da) *sf.* **1** Grande propriedade rural destinada à lavoura ou à criação de gado. **2** Tecido, pano. **3** Reserva aquática onde se criam frutos do mar. **4** *Econ.* Conjunto de bens e rendas do Estado; TESOURO; ERÁRIO. [Nesta acp. tb. chamado *fazenda pública*.]

fazendário (fa.zen.*dá*.ri:o) *a.* **1** Ref. a fazenda (4) (política *fazendária*). **2** Que diz respeito às finanças públicas, financeiro: *É necessário que a área fazendária participe da decisão. sm.* **3** Servidor público que pertence aos quadros do Ministério da Fazen-

fazendeiro | **fecho**

da ou aos da Secretaria de Fazenda de um estado ou município.

fazendeiro (fa.zen.*dei*.ro) *a.sm.* Que ou quem possui fazenda (1).

fazer (fa.*zer*) *v.* **1** Criar, elaborar, produzir. [*td.*: *fazer um filme/um poema.* **tdi.** + *para*: *Farei um arranjo de flores para ela.*] **2** Construir, fabricar. [*td.*: *O pedreiro fez o muro em um dia.*] **3** Pôr em prática; EXECUTAR; REALIZAR. [*td.*: *Você já fez tudo que ela pediu?*] **4** Dedicar-se a (esporte, atividade); trabalhar em. [*td.*: *Agora resolveu fazer judô; O que seu pai faz?*] **5** Atuar em ou como; INTERPRETAR. [*td.*: *Ficou famosa ao fazer Capitu.*] **6** Dizer, proferir; expressar. [*td.*: *Ela fez que sim com a cabeça.* **tdi.** + *para*: *Fez o discurso para um público grande.*] **7** Tornar, deixar. [*td.* (seguido de indicação de qualidade, estado ou condição): *Essa notícia o fez feliz.* **ti.** + *de* (seguido de indicação de qualidade ou condição): *A idade fez dele uma pessoa séria.*] **8** Causar, provocar. [*td.*: *fazer barulho/confusão.* **tdi.** + *a*: *O antibiótico fez mal a ele.*] **9** Cometer. [*td.*: *Ele fez uma grande besteira.* **tdi.** + *a, contra*: *Fez uma desfeita à mãe.*] **10** Oferecer; conceder. [*td.*: *fazer um favor.* **tdi.** + *a, para*: *A empresa vai fazer um donativo para a instituição.*] **11** Completar (idade, aniversário). [*int.* (seguido de indicação de idade e de tempo): *Helena fez 19 anos ontem.*] **12** Vender por certo preço. [*tdi.* + *para*: *Ele fez a prancha por R$80,00 para mim.*] **13** Percorrer, perfazer. [*td.*: *Fizemos o trajeto Rio-São Paulo em 5h. int.* (seguido de indicação de distância: *Faz 6km a pé todo dia.*] **14** Fingir(-se). [*td.*: *Bem que me ouviu, mas fez que dormia.* **pr.**: *Ele se faz de bonzinho, mas é uma peste.*] **15** Arrumar. [*td.*: *fazer a cama.*] **16** Tratar, embelezar (parte do corpo). [*td.*: *fazer as unhas.*] [▶ **22 fazer**]. Part.: *feito.* [NOTA: a) Us. tb. como v. impess.: 1) seguido de indicação de tempo decorrido: *Já faz dois anos que me formei.* 2) seguido de indicação de fenômeno atmosférico: *Hoje está fazendo muito calor.* b) Us. como v. auxiliar seguido de infinitivo, com o sentido de causa: *A luz fazia brilhar seu cabelo.* c) Us. seguido de infinitivo, para realçar a ação expressa pelo infinitivo: *Ela só fazia chorar.* d) Us. antes de substantivo, como v. suporte, substituindo verbo de sentido específico: *fazer anos* (= aniversariar), *fazer drama* (= dramatizar) etc.] **▪▪** **~ com que** Ser a causa de; CAUSAR; ACARRETAR: *O Carnaval fez com que as vendas caíssem.* **~ de tudo** Esforçar-se, fazer tentativas de várias maneiras: *Fez de tudo para ser o escolhido.* **~ por onde 1** Procurar maneira(s) de (fazer ou conseguir algo): *Não conseguiu passar, mas também não fez por onde.* **2** Dar motivo a: *Recebeu castigo sem ter feito por onde.* **Não ~ por menos** Agir ou reagir rápida e resolutamente: *Provocado, não fez por menos: respondeu à altura.* [NOTA: Us. tb. como v. impess.: a) seguido de indicação de tempo decorrido: *Já faz dois anos que me formei.* 2) seguido de indicação de fenômeno atmosférico: *Hoje está fazendo muito calor.* b) us. como v. auxiliar seguido de infinitivo, com o sentido de causa: *a luz fazia brilhar seu cabelo.* c) us. seguido de infinitivo, para realçar a ação expressa pelo infinitivo: *ela só fazia chorar.* d) us. antes de substantivo, como v. suporte, substituindo v. de sentido específico: *fazer anos* (= aniversariar), *fazer drama* (= dramatizar) etc]

faz-tudo (faz-*tu*.do) *s2g2n.* **1** Pessoa que tem múltiplas habilidades que pode explorá-las, ou não, profissionalmente. **2** Firma em que se restauram, consertam, reformulam objetos dos mais diversos tipos.

fé *sf.* **1** Crença nos dogmas de uma religião: *Qual é a sua fé?* **2** Confiança, crédito: *Perdi a fé em você.* **▪▪** **Dar ~ (de)** Assegurar como verdadeiro, testificar: *Atesto e dou fé.* **Fazer/Levar ~ (em)** Ter fé (2) (em), acreditar (em).

fealdade (fe:al.*da*.de) *sf.* Condição ou estado de quem ou do que é feio; FEIURA.

febre (*fe*.bre) *sf.* **1** *Med.* Temperatura do corpo acima do normal devido a uma doença. **2** *Med.* Doença que causa febre (febre tropical). **3** *Fig.* Estado de exaltação, de excitação. **4** *Fig.* Mania, moda.

⟶ O funcionamento do corpo humano gera calor, e o corpo tem mecanismos de regular esse calor, como o suor. O aumento da temperatura sinaliza uma anomalia, que pode ser passageira (aquecimento externo, esforço físico), mas pode significar que o corpo está combatendo uma doença, uma infecção etc. Uma elevação de temperatura acima dos 37°C é chamada *febre*, e suas causas devem ser identificadas para permitir um tratamento adequado. Mede-se a febre com um instrumento chamado termômetro, do qual há diversos modelos.

febrento (fe.*bren*.to) *a.* Que está com febre, febril.

febrífugo (fe.*brí*.fu.go) *a.sm.* Que ou o que faz cessar a febre (medicamento febrífugo); ANTITÉRMICO.

febril (fe.*bril*) *a2g.* **1** Que está com febre, febrento: *Sentia-me febril, quando acordei.* **2** *Fig.* Excitado, exaltado. [Pl.: -*bris.*]

fecal (fe.*cal*) *a2g.* **1** Que se constitui de fezes (bolo fecal). **2** Que vive nas fezes (coliforme fecal). **3** Cuja causa são as fezes: *contaminação fecal da água.* [Pl.: -*cais.*]

fechado (fe.*cha*.do) *a.* **1** Que se fechou; que não está aberto (porta fechada, olhos fechados). **2** Cicatrizado (diz-se de corte, ferida). **3** Encerrado, concluído: *O período de inscrição já está fechado.* **4** Com as atividades interrompidas; DESATIVADO: *A quantidade de lojas fechadas é um indicador da crise.* **5** Sem muita amplitude (curva fechada). **6** Acertado, realizado (negócio fechado). **7** Sério, circunspecto; pouco comunicativo: *José é muito fechado*; *Ela acordou de cara fechada.* **8** Escuro, nublado (diz-se do céu, do tempo). **9** *Gram.* Diz-se do timbre das vogais [ê], [ô], [i], [u], como em *lê, vovô, mil, sul.* **10** *Gram.* Diz-se da consoante articulada com total ou parcial fechamento do canal bucal (p.ex.: [p]).

fechadura (fe.cha.*du*.ra) *sf.* Maquinismo de metal que, por meio de uma ou mais linguetas acionadas por chave, serve para abrir e fechar portas, gavetas etc. em que está aplicado.

fechar (fe.*char*) *v.* **1** Vedar a abertura de ou em. [*td.*: *fechar janelas/buraco.*] **2** Unir as partes de. [*td.*: *fechar um guarda-chuva.*] **3** Cicatrizar. [*int.*: *A ferida está custando a fechar.*] **4** Impedir o acesso ou a passagem (por). [*td.*: *fechar uma rua.* **ti.** + *para*: *O semáforo fechou para os pedestres.* **tdi.** + *a, para*: *Fecharam o viaduto para os caminhões.* **int.**: *Cuidado, o sinal vai fechar.*] **5** Manter(-se) dentro de; TRANCAFIAR(-SE). [*td.* (seguido de indicação de lugar): *À noite, fechavam o papagaio na gaiola.* **pr.**: *Fechou-se no quarto para estudar.*] **6** Encerrar o expediente ou o funcionamento (de). [*td.*: *Eles só fecham a loja às 20h. int.*: *O restaurante fechou por falta de clientes.*] **7** *Inf. Int.* Remover da tela por meio de comando. [*td.*: *fechar um arquivo.*] **8** Finalizar; CONCLUIR. [*td.*: *fechar um acordo/uma cota.*] **9** Tornar-se retraído, circunspecto; RETRAIR-SE. [*pr.*: *Ela se fecha na frente de estranhos.*] **10** Tornar-se escuro e/ ou chuvoso (o tempo). [*int.*: *O tempo fechou de repente.*] [▶ **1** fechar] **▪** **fe.cha.men.to** *sm.*

fecho (*fe*.cho) [▶] *sm.* **1** Peça us. para fechar ou cerrar objetos: *fecho da pulseira.* **2** Ponto em que se unem as partes de um todo para fechá-lo: *Vestira a saia com o fecho para a frente.* **3** *Fig.* Remate, acabamento. **▪▪** **~ éclair** Ver fecho ecler.

FECHO ECLER

fecho ecler (fe.cho e.*cler*) *sm. Bras.* Fecho (2) muito us. em bolsas, roupas etc. em cuja extremidade está fixada uma fileira de pequenos dentes que se encaixam para fechar e se desencaixam para abrir; ZÍPER. [Pl.: *fechos ecler.*]

fécula (fé.cu.la) *sf.* Substância farinácea, rica em carboidratos, extraída de tubérculos e raízes (trigo, mandioca, milho, batata etc.); AMIDO; POLVILHO.

fecundação (fe.cun.da.*ção*) *sf.* **1** Ação ou resultado de fecundar(-se). **2** *Biol.* Formação da célula reprodutora resultante da união de dois gametas de sexos opostos; FERTILIZAÇÃO. [Pl.: *-ções.*] • **fe.cun.dá.vel** *a2g.*

fecundar (fe.cun.*dar*) *v.* **1** Transformar(-se) em embrião ou óvulo (de), possibilitando a geração de um ser. [*td.*: *O homem fecunda a mulher. pr.*: *Os óvulos das flores se fecundam com o pólen.*] **2** Tornar fértil, produtivo. [*td.*: *fecundar a terra.*] [▶ **1** fecund*ar*]

fecundidade (fe.cun.di.da.de) *sf.* **1** Capacidade de fecundar; FERTILIDADE. **2** Produtividade, fertilidade: *a fecundidade da terra.* **3** *Fig.* Capacidade criativa, inventividade: *a fecundidade do escritor.*

fecundo (fe.*cun*.do) *a.* **1** Capaz de fecundar, de reproduzir (terra *fecunda*); FÉRTIL; PRODUTIVO. **2** Que gera com abundância (árvore *fecunda*); FRUTÍFERO. **3** *Fig.* Criativo, imaginativo (artista *fecundo*). **4** Cuja produção é abundante e de qualidade: *um governo fecundo em realizações.*

fedegoso (fe.de.go.so.) [ô] *sm.* **1** *Bot.* Designação de variados arbustos, alguns medicinais, de flores amarelas com frutos em forma de vagem. *a.* **2** Fétido, fedorento. [Pl. e fem. de (2): [ó].]

fedelho (fe.*de*.lho) [ê] *sm.* **1** Criança recém-saída da fase das fraldas. **2** *Pej.* Rapaz tido como pouco amadurecido; CRIANÇOLA.

fedentina (fe.den.*ti*.na) *sf.* Exalação de mau cheiro; FEDOR.

feder (fe.*der*) *v.* Exalar mau cheiro (de). [*ti.* + *a*: *Ele estava fedendo à cebola. int.*: *Esse queijo fede muito.*] [▶ **2** fed*er*. O e do radical é aberto nas formas rizotônicas, quando o *d* é seguido de *e*.]

federação (fe.de.ra.*ção*) *sf.* **1** União político-econômica entre Estados autônomos submetidos a um governo central: *No Brasil a federação dos estados veio ser a República.* **2** Associação, liga, aliança, união: *Os times de vôlei criaram uma federação.* **3** A Federação dos estados do Brasil. [Nesta acp., com inicial maiúsc.] [Pl.: *-ções.*]

federal (fe.de.*ral*) *a2g.* **1** Ref. ou pertencente à federação (3), à União (Polícia *Federal*, poderes federais). **2** *Bras. Fig. Gír.* Muito grande, intenso, incomum (tumulto *federal*). [Pl.: *-rais.*]

federalismo (fe.de.ra.*lis*.mo) *sm.* Forma de governo em que uma união de Estados reconhece a soberania de uma autoridade central, ainda que mantida a autoridade local. • **fe.de.ra.lis.ta** *a2g.s2g.*

📖 O federalismo preconiza que um país, como unidade nacional, seja formado pela União, ou federação, de unidades políticas autônomas (estados, departamentos, províncias etc.). Com isso, respeitam-se tradições e perfis sociais, culturais e políticos locais, assumindo a União o papel de poder regulador e unificador nacional nos assuntos externos e de segurança, e, de acordo com o modelo adotado, na manutenção do equilíbrio econômico, social e cultural entre as unidades federadas. Esse sistema difere, assim, dos sistemas de poder centralizado, em que todas as decisões partem de um único centro político. O primeiro país a adotar o federalismo foi a Suíça, mas foram os Estados Unidos da América, em 1787, os primeiros a formular uma constituição federalista. O Brasil adotou o federalismo com a proclamação da República, em 1889, definido na Constituição de 1891. Após alguns retrocessos (de 1937 a 1945) as Constituições de 1946 e de 1988 reafirmaram o Brasil como República Federativa.

federalizar (fe.de.ra.li.*zar*) *v. td. pr.* Tornar(-se) federal. [▶ **1** federaliz*ar*] • **fe.de.ra.li.za.ção** *sf.*

federar (fe.de.*rar*) *v.* Unir(-se) em federação; CONFEDERAR(-SE). [*td.*: *federar partidos políticos. pr.*: *Vários Estados independentes se federaram.*] [▶ **1** feder*ar*]

federativo (fe.de.ra.*ti*.vo) *a.* Ref. ou pertencente a uma federação (unidade *federativa*).

fedido (fe.*di*.do) *a. Bras.* Que fede ou tem mau cheiro; FÉTIDO; MALCHEIROSO.

fedor (fe.*dor*) [ô] *sm.* Exalação de mau cheiro; FEDENTINA.

fedorento (fe.do.*ren*.to) *a.* Que tem mau cheiro; FÉTIDO; FEDIDO.

🌐 **feedback** (*Ing. /fídbec/*) *sm.* Num sistema ou processo, resposta a um estímulo que, por sua vez, serve de estímulo, realimentando o processo.

feérico (fe.é.ri.co) *a.* Que tem magia, que deslumbra; MÁGICO.

feição (fei.*ção*) *sf.* **1** Feitio que se dá a algo ou que algo tem; FORMA; FIGURA. **2** Aspecto, aparência: *O caso ganhou novas feições.* **3** *Fig.* Modo, maneira: *Exigia que tudo fosse feito à sua feição.* [Pl.: *-ções.*] ☑ **feições** *sfpl.* **4** Traços fisionômicos; ROSTO; SEMBLANTE.

feijão (fei.*jão*) *sm.* **1** *Bot.* Feijoeiro: *plantar feijão no quintal.* **2** *Bot.* A semente do feijão consumível depois de seca, como alimento. **3** *Cul.* Feijão (2) cozido em caldo: *Comi feijão no almoço.* [Pl.: *-jões.*]

📖 O feijão é um dos alimentos básicos do regime alimentar dos brasileiros, e de grande utilização em todo o mundo, inclusive por ser rico em proteínas e em fibras e de fácil adaptação a solos e climas diversos. Cultivado desde a pré-história, o cruzamento de espécies criou centenas de variedades, algumas delas nativas do Brasil. É no Extremo Oriente que se encontra a maior área de cultivo do feijão. Alguns dos pratos mais característicos da culinária brasileira são à base de feijão, como a feijoada de feijão preto, o feijão tropeiro, do virado à paulista.

feijão com arroz (fei.jão com ar.*roz*) [ô] *sm. Bras. Pop.* Coisa corriqueira, trivial. [Pl.: *feijões com arroz.*]

feijão-fradinho (fei.jão-fra.*di*.nho) *sm. Bot.* Planta leguminosa cujo fruto, em forma de vagem, tem sementes comestíveis; essa semente. [Pl.: *feijões-fradinhos* e *feijões-fradinho.*] [Sin.: *feijão-careta, feijão-chicote, feijão-de-corda, feijão-de-frade, feijão-frade.*]

feijoada (fei.jo.a.da) *sf. Bras. Cul.* Prato típico brasileiro, preparado com feijão cozido com carnes diversas, acompanhado de couve cortada fina, farofa, laranja fatiada e pimenta a gosto.

feijoal (fei.jo.*al*) *sm.* Plantação de feijoeiros. [Pl.: *-ais.*]

feijoeiro (fei.jo.*ei*.ro) *sm. Bot.* Planta que dá o feijão.

feio (*fei*.o) *a.* **1** De aparência desagradável, desprovido de beleza. [Ant.: *belo, lindo.*] **2** Que revela desconsideração ou má intenção, ou que agride a moral etc. (gesto *feio*). **3** Diz-se de situação ou condição difícil, perigosa etc.: *o negócio estava feio.* **4** Que está nublado ou chuvoso (diz-se do tempo). *sm.* **5** Aquilo ou aquele que é feio (1 e 2). *adv.* **6** De maneira intensa (ref. a ação ou acontecimento negativo): "E com os que erram *feio* e bastante/Que você consiga ser tolerante..." (Frejat, *Amor pra recomeçar*). [Superl.: *feiíssimo.*] ▣ **Fazer ~** Ter mau desempenho.

feioso (fei.o.so) [ô] *a.sm. Bras.* Que ou aquele que é um bocado feio. [Fem. e Pl.: [ó].]

feira (*fei*.ra) *sf.* **1** Lugar público, ger. ao ar livre, onde são expostas mercadorias para compra e venda. **2** *Mkt.* Evento no qual são apresentados produtos e serviços: *feira de informática.*

feirante (fei.*ran*.te) *a2g.* **1** Ref. a feira. *s2g.* **2** Pessoa que trabalha em feira (1).

feita (*fei*.ta) *sf.* **1** Obra resultante de uma ação. **2** Momento, ocasião, vez: *Desta feita você me enganou.*

feitiçaria (fei.ti.ça.*ri*.a) *sf.* Prática de atos mágicos através dos quais se pretende obter alguma coisa; BRUXARIA, FEITIÇO, MAGIA, SORTILÉGIO. ● **fei.ti.cei.ro** *a.sm.*

feitiço (fei.*ti*.ço) *a.* **1** Que não é natural; ARTIFICIAL. *sm.* **2** Ação ou resultado de praticar feitiçarias. ▪▪ Virar/Voltar-se o ~ contra o feiticeiro Voltarem-se contra alguém as consequências de ação feita para prejudicar outrem.

feitio (fei.*ti*:o) *sm.* **1** Aspecto, formato de um ser ou objeto qualquer: "...onde se viam pássaros de várias cores e *feitios*..." (Aluísio Azevedo, *O cortiço*). **2** *Fig.* Maneira de ser, índole: *Mentir não era do seu feitio.*

feito[1] (fei.to) *sm.* Acontecimento, fato, ger. extraordinário: *A chegada à lua foi um grande feito do homem.*

feito[2] (fei.to) *a.* **1** Executado, realizado, pronto (prato feito). **2** Adulto, amadurecido: *Está com vinte anos, já é um homem feito.* *conj.* **3** Tal qual, como: "Ela torcia-se no chão, *feita* cobra." (Roberto Gomes, *A casa fechada*). ▪▪ Bem ~ Dito que exprime satisfação irônica com algo que penaliza ação errada, imprudente etc. [Cf.: *bem-feito*.]

feitor (fei.*tor*) [ô] *a.* **1** Que faz. *sm.* **2** Pessoa que administra bens de outrem. **3** Empregado que fiscalizava o trabalho dos escravos.

feitoria (fei.to.*ri*.a) *sf.* **1** Administração ou cargo de feitor. **2** Entreposto nas colônias portuguesas onde se guardavam mercadorias que iam para a metrópole.

feitura (fei.*tu*.ra) *sf.* Ação ou resultado de fazer; CONFECÇÃO; EXECUÇÃO.

feiura (fei.u.ra) *sf. Bras.* **1** Qualidade daquele ou daquilo que é feio. **2** Ausência de beleza.

feixe (*fei*.xe) *sm.* **1** Apanhado de materiais finos presos por fita, corda etc.; MOLHO: *feixe de capim.* **2** *Anat.* No corpo de alguns seres vivos, conjunto de fibras de qualquer tipo. **3** *Ópt.* Conjunto de raios luminosos cuja fonte é comum. [Dim.: *fascículo*.]

fel *sm.* **1** Substância amarga produzida pelo fígado; BILIS. **2** Qualquer substância amarga, acre. **3** *Fig.* Amargura, azedume, ressentimento: *palavras cheias de fel.* [Pl.: *féis* e *feles*.]

feldspato (felds.*pa*.to) *sm. Min.* Metal que entra na composição de várias rochas.

felicidade (fe.li.ci.*da*.de) *sf.* **1** Qualidade de quem está ou é feliz. **2** Bem-estar, contentamento: "— Nem todo choro é de *felicidade* / Nem toda saudade faz um samba bom..." (Sidney Miller, *Chorinho do retrato*). **3** Boa sorte, sucesso. [Ant. ger.: *infelicidade*.] ▫ **felicidades** *sfpl.* **4** Congratulações com que se cumprimenta alguém por algum evento importante.

felicitação (fe.li.ci.ta.*ção*) *sf.* **1** Ação ou resultado de felicitar(-se). [Pl.: *-ções*.] ▫ **felicitações** *sfpl.* **2** Cumprimentos dados a alguém por algum acontecimento importante.

felicitar (fe.li.ci.*tar*) *v.* Dar(-se) felicitações, parabéns; CONGRATULAR(-SE). [*tdi. + por*: *Felicitamos o professor pelo seu aniversário.* *pr.*: *Ao fim das negociações, as partes se felicitaram.*] [▶ felicit**ar**]

felídeo (fe.*lí*.de:o) *a.sm. Zool.* Que ou animal que pertence à família dos felídeos, mamíferos dos quais fazem parte os gatos, os leões e as panteras.

felino (fe.*li*.no) *a.* **1** Ref. a gato ou outros felídeos. **2** *Fig.* De grande agilidade; HÁBIL. **3** *Fig.* Que se mostra desleal, traiçoeiro. **4** *Fig.* Sensual, atraente (mulher *felina*). *sm.* **5** *Zool.* Qualquer animal da família dos felídeos.

feliz (fe.*liz*) *a2g.* **1** Que é ou está contente, alegre. **2** Que tem boa sorte: *Mariana é feliz no jogo e no amor.* **3** Que ocorreu satisfatoriamente, que foi bem-sucedido (final *feliz*). [Superl.: *felicíssimo*.]

felizardo (fe.li.*zar*.do) *sm.* Pessoa de muita sorte.

felonia (fe.lo.*ni*.a) *sf.* **1** Deslealdade, infidelidade, traição. **2** Maldade, selvageria.

felpa (*fel*.pa) [ê] *sf.* **1** Pelo saliente em certos tecidos; FELPO. **2** Tecido fabricado com esse pelo, muito us. para toalhas de banho, roupões etc.; FELPO. **3** Lanugem de alguns animais. **4** Penugem que recobre certos frutos.

felpo (*fel*.po) [ê] *a.* **1** Provido de muitos pelos; FELPUDO. *sm.* **2** Ver *felpa* (1).

felpudo (fel.*pu*.do) *a.* Que tem muito pelo.

feltro (*fel*.tro) [ê] *sm.* **1** Tecido feito de lã ou de pelo. **2** Chapéu feito com esse tecido.

fêmeo (*fê*.me:o) *a.* **1** Ref. a ou característico de fêmea. ▫ **fêmea** *sf.* **2** *Zool.* Qualquer animal do sexo feminino.

feminino (fe.mi.*ni*.no) *a.* **1** Ref. a mulher. *a.sm.* **2** *Gram.* Diz-se de ou gênero gramatical que se opõe ao masculino, mas não designa, obrigatoriamente, o sexo feminino. ● **fe.mi.ni.li.***da*.de *sf.*

feminismo (fe.mi.*nis*.mo) *sm.* Movimento que luta pela igualdade de direitos da mulher, em relação aos do homem.

feminista (fe.mi.*nis*.ta) *a2g.s2g.* Que ou aquele que é a favor da igualdade de direitos preconizada pelo feminismo.

femoral (fe.mo.*ral*) *a2g.* Ref. ao fêmur. [Pl.: *-rais*.]

fêmur (*fê*.mur) *sm. Anat.* Osso da coxa humana.

fenda (*fen*.da) *sf.* Abertura ou rachadura em uma superfície: *fenda na parede.*

fender (fen.*der*) *v.* **1** Abrir fenda ou rachadura em; RACHAR(-SE). [*td.*: *Num só golpe de machado, fendeu o tronco.* *pr.*: *A terra se fendeu.*] **2** Dividir(-se) em dois; formar sulco em. [*td.*: *O navio fendia as águas.* *pr.*: *Segundo a Bíblia, o mar Vermelho fendeu-se.*] [▶ 2 fend**er**]

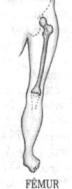

fenecer (fe.ne.*cer*) *v. int.* **1** Deixar de viver; MORRER. **2** Ter fim; ACABAR-SE: *uma civilização que feneceu.* **3** Murchar (vegetal). [▶ 33 fenec**er**] ● **fe.ne.ci.***men*.to *sm.*

fenício (fe.*ní*.ci:o) *a. Hist.* Da antiga Fenícia (Oriente Médio); típico dessa região ou de seu povo. *sm.* **2** Pessoa nascida na Fenícia. *a.sm.* **3** *Gloss.* Ref. à ou a língua semita falada pelos fenícios, cujo alfabeto serviu de fonte para a constituição de diversos alfabetos.

fênix (*fê*.nix) [s] ou [cs] *sf2n.* **1** *Mit.* Ave mitológica que renasce das próprias cinzas. **2** *Fig.* Pessoa ou objeto de rara qualidade.

feno (*fe*.no) *sm.* Erva seca us. para alimentar animais.

fenol (fe.*nol*) *sm. Quím.* Substância sólida ou líquida de odor forte, bastante tóxica. [Pl.: *-nóis*.] ● **fê.ni.co** *a.*

fenomenal (fe.no.me.*nal*) *a2g.* **1** Ref. a fenômeno (1). **2** Que causa admiração; ESPANTOSO; EXTRAORDINÁRIO. [Pl.: *-nais*.]

fenômeno (fe.*nô*.me.no) *sm.* **1** Acontecimento da natureza ou da sociedade que pode ser observado. **2** Fenômeno (1) surpreendente. **3** Pessoa que tem talento muito acima do normal.

fera (*fe*.ra) *sf.* **1** Animal carnívoro e violento. **2** *Fig.* Pessoa ríspida, severa, muito irritável. *a2g.s2g.* **3** *Bras.Fig.* Diz-se de ou pessoa muito competente em determinado assunto ou área: *uma atleta fera*; *João é uma fera do volante.* **4** *PE* Que ou quem é recém-aprovado no vestibular.

feraz (fe.*raz*) *a2g.* Muito produtivo; FECUNDO; FÉRTIL (terra *feraz*). [Superl.: *feracíssimo*.] ● **fe.ra.ci.***da*.de *sf.*

féretro (fé.re.tro) *sm*. Caixa grande e longa, na qual é colocado o morto e ser sepultado; CAIXÃO; ATAÚDE.

fereza (fe.re.za) [ê] *sf*. Ver ferocidade.

féria (fé.ri:a) *sf*. **1** Dinheiro que um comerciante apura pela venda de seus produtos ou serviços: *Guardou a féria do dia.* **2** Salário, remuneração por trabalho realizado: *O taxista conseguiu uma boa féria.* ⚑ férias *sfpl*. **3** Dias concedidos para descanso de trabalhadores e de estudantes, após certo período de atividade.

feriado (fe.ri.a.do) *a.sm*. Diz-se do ou dia em que se comemora uma festa religiosa ou cívica e, por isso, não se trabalha ou estuda.

ferida (fe.ri.da) *sf*. **1** Lesão, ulceração em parte do corpo causada por doença, pancada, corte etc.; FERIMENTO. **2** *Fig*. Ofensa ou dor moral; MÁGOA. ▪▪ **Tocar na ~** Lembrar ou fazer alusão a situação dolorosa, difícil, sobre a qual não se quer falar.

ferido (fe.ri.do) *a.sm*. **1** Que ou aquele que sofreu um ferimento (2). **2** Que ou quem se encontra magoado, ressentido com alguém ou algo.

ferimento (fe.ri.men.to) *sm*. **1** Ação ou resultado de ferir(-se). **2** Machucado, ferida (1).

ferino (fe.ri.no) *a*. **1** *Fig*. Que ofende, que magoa (comentário ferino). **2** Semelhante a ou próprio de fera.

ferir (fe.rir) *v*. **1** Causar ferimento (2) (a), ou sofrê-lo. [*td*.: *O espinho a feriu*. *int*.: *Esta ferramenta fere*. *pr*.: *Ele se feriu escalando o morro*.] **2** Magoar(-se), ofender(-se). [*td*.: *Sua ingratidão fere os pais*; (seguido de indicação de modo) *Ele a feriu com seu comentário*. *pr*.: *É muito sensível, fere-se com qualquer crítica*.] **3** Contrariar; prejudicar. [*td*.: *A medida fere os interesses dos trabalhadores*.] [▶ 50 fer<u>ir</u>]

fermentação (fer.men.ta.ção) *sf*. Reação química em substância, provocada pela presença de fermento; a efervescência (1) provocada por essa reação. **2** *Fig*. Agitação (de ideias, conceitos etc.). [Pl.: *-ções*.]

fermentar (fer.men.tar) *v*. Produzir ou sofrer fermentação. [*td*.: *A levedura fermenta a massa do pão*. *int*.: *Ao fermentar, o sumo da uva transforma-se em vinho*.] [▶ 1 ferment<u>ar</u>]

fermento (fer.men.to) *sm*. Substância em que há agentes orgânicos capazes de provocar reações químicas em outras substâncias, utilizada na fabricação de bebidas alcoólicas (como a cerveja, o vinho etc.), pães, bolos etc.

fernando-noronhense (fer.nan.do-no.ro.nhen.se) *a2g*. **1** De Fernando de Noronha (PE); típico dessa ilha ou de seu povo. *s2g*. **2** Pessoa nascida em Fernando de Noronha. [Pl.: *fernando-noronhenses*.]

fero (fe.ro) [é] *a*. **1** Que tem características de fera (1). **2** De grande vigor, força.

ferocidade (fe.ro.ci.da.de) *sf*. Qualidade de feroz; FEREZA: *Ficamos assustados com a ferocidade do jovem.*

feromônio (fe.ro.mô.ni:o) *sm*. *Biol*. Substância química secretada no ambiente por mamífero ou inseto, que age como atraente sexual ou marcador de trilha.

feroz (fe.roz) *a2g*. Que tem características de fera (1); SELVAGEM; VIOLENTO. [Superl.: *ferocíssimo*.]

ferrabrás (fer.ra.brás) *a2g.s2g*. Que ou aquele que gosta de se passar por valente; VALENTÃO. [Pl.: *-brases*.]

ferrado (fer.ra.do) *a*. **1** Que recebeu ferradura (diz-se de cavalo, mula, burro etc.). **2** *Bras*. *Pop*. Em situação difícil, sem saída. *sm*. **3** Ação ou resultado de ferrar.

ferrador (fer.ra.dor) [ô] *sm*. Pessoa que trabalha ferrando cavalgaduras.

ferradura (fer.ra.du.ra) *sf*. Objeto de ferro semicircular, us. para proteger os cascos de cavalos, burros etc.

ferrageiro (fer.ra.gei.ro) *sm*. Pessoa que comercializa ferro e peças feitas desse metal; FERREIRO. • **fer.ra.gís.ta** *a2g.s2g*.

ferragem (fer.ra.gem) *sf*. Peças de ferro ou metal us. em construção e em objetos manufaturados. [Pl.: *-gens*.]

ferramenta (fer.ra.men.ta) *sf*. **1** Qualquer instrumento us. para executar trabalhos manuais ou mecânicos. **2** *Fig*. Conhecimento, habilidade, instrumento, de que alguém se serve para trabalhar: *A voz é a ferramenta do cantor*. **3** *Fig*. Meio us. para atingir determinado objetivo.

ferramenteiro (fer.ra.men.tei.ro) *sm*. Profissional que fabrica ferramentas.

ferrão (fer.rão) *sm*. *Zool*. Órgão em forma de agulha que serve de defesa a certos insetos e alguns peixes: *ferrão da abelha*. [Pl.: *-rões*.]

ferrar (fer.rar) *v*. **1** Pôr ferro em, ou revestir de ferro. [*td*.] **2** Pôr ferradura(s) em. [*td*.] **3** Pôr marca em (animal de carga, cavalgadura etc.) com ferro em brasa. [*td*.] **4** Cravar(-se), enterrar(-se) (em). [*td*.: *A lança ferrou o javali*. *pr*.: *A flecha ferrou-se na árvore*.] **5** *Fig*. Entregar-se a. [*ti*. + *em*: *Estava cansado, e ferrou no sono*.] **6** *Bras*. *Gír*. Causar mal ou dano a (alguém), ou sofrê-lo. [*td*.: *Assim você vai ferrar seu parceiro*. *pr*.: *Fui irresponsável e me ferrei*.] [▶ 1 ferr<u>ar</u>]

ferraria (fer.ra.ri.a) *sf*. **1** Lugar onde se fabricam ou se vendem ferragens. **2** Grande quantidade de ferro.

ferreiro (fer.rei.ro) *sm*. Profissional que trabalha com ferro; FERRAGEIRO.

ferrenho (fer.re.nho) *a*. *Fig*. Que não cede, que não chega a acordo; FÉRREO; INFLEXÍVEL: *Era um defensor ferrenho do irmão*. **2** Ref. a ferro.

férreo (fér.re:o) *a*. **1** Feito de ferro. **2** *Fig*. Que não é flexível (vontade <u>férrea</u>); INTRANSIGENTE.

ferrete (fer.re.te) [ê] *sm*. **1** Ferro us. para marcar escravos (antigamente) e gado. *a2g*. **2** Chegado ao preto (diz-se de cor): *O uniforme de gala é azul ferrete*.

ferro (fer.ro) *sm*. **1** *Metal*. Metal cinza ou preto, maleável, facilmente oxidável, cuja principal liga é o aço. **2** Designação de vários artefatos compostos, entre outras coisas, desse metal: *ferro de passar*. ▪▪ **A ~ e (a) fogo** De todas as formas ou por todos os meios possíveis: *Está difícil, mas vou terminar essa tarefa a ferro e (a) fogo*. **Levar ~** Dar-se mal, ser malsucedido.

📖 Conhecido desde a Pré-história, sendo inclusive referência para uma das eras históricas (a Idade do Ferro), é a partir da Revolução Industrial, no séc. XVIII, que o ferro ganhou importância econômica fundamental, como insumo obrigatório da indústria siderúrgica e da indústria em geral. Entra em diversas ligas (com manganês, silício, cromo etc.) mas é com o carbono que o ferro vai constituir o aço, em diversos formatos. O Brasil tem a quinta maior reserva de minério de ferro do mundo e o segundo em produção.

ferroada (fer.ro.a.da) *sf*. **1** Picada com ferrão. **2** *Fig*. Crítica muito forte e irônica.

ferroar (fer.ro.ar) *v*. Dar ferroada(s) (em). [*td*.: *Um marimbondo o ferroou*. *int*.: *Esse mosquito ferroa dolorosamente*.] [▶ 16 ferr<u>oar</u>]

ferro-gusa (fer.ro.gu.sa) *sm*. *Metal*. Ferro liquefeito, com algumas impurezas, intermediário para a produção do aço; GUSA. [Pl.: *ferros-gusas* e *ferros-gusa*.]

ferrolho (fer.ro.lho) [ô] *sm*. Peça de ferro com a qual se fecham portas e janelas; TRINCO.

ferro-velho (fer.ro-ve.lho) *sm*. **1** Qualquer objeto de metal velho; SUCATA. **2** Estabelecimento onde se comercializam essas peças: *O carro batido foi vendido a um ferro-velho*. [Pl.: *ferros-velhos*.]

ferrovia (fer.ro.vi.a) *sf*. Sistema formado por trilhos metálicos por onde circulam trens; ESTRADA DE FERRO.

ferroviário (fer.ro.vi:á.ri:o) *a*. **1** Ref. a, da ou (transporte) que se faz por ferrovia (rede <u>ferroviária</u>, transporte ferroviário). *sm.* **2** Profissional que trabalha em estrada de ferro.

ferrugem (fer.*ru*.gem) *sf.* **1** Óxido que se forma na superfície do ferro ou de outros metais, por ação do oxigênio e da umidade; OXIDAÇÃO. **2** *Pop.* Endurecimento das juntas. **3** *Bot.* Certa doença do trigo e de outros grãos. [Pl.: *-gens*.] • **fer.ru.gen.to** *a.*; **fer.ru.gi.no.so** *a.sm.*

⊕ **ferryboat** (*Ing.* /ferríbbóut/) *sm.* Espécie de embarcação na qual pessoas e automóveis atravessam canais marítimos, rios, lagos etc.

fértil (*fér*.til) *a2g.* **1** Diz-se daquele ou daquilo que produz com facilidade (mulher *fértil*, imaginação *fértil*, solo *fértil*). **2** Em grande número, abundante, farto. [Pl.: *-teis*.] • **fer.ti.li.da.de** *sf.*

fertilizante (fer.ti.li.*zan*.te) *a2g.* **1** Que torna fértil, produtivo. *sm.* **2** Substância que se aplica à terra para torná-la mais fértil; ADUBO.

fertilizar (fer.ti.li.*zar*) *v.* Tornar(-se) fértil, produtivo. [*td.*: *Os adubos fertilizam a terra.* *int./pr.*: *O solo do sertão não (se) fertiliza facilmente.*] [▶ **1** fertiliz*ar*] • **fer.ti.li.za.ção** *sf.*

férula (*fé*.ru.la) *sf.* **1** *Bot.* Planta, com flores amarelas, natural da África e da Ásia. **2** Palmatória.

fervedouro (fer.ve.*dou*.ro) *sm.* **1** *Fig.* Movimento ou situação agitados, análogos aos da água em ebulição; FERVILHAMENTO. **2** Grande ajuntamento; aglomeração.

fervente (fer.*ven*.te) *a2g.* **1** Que está em ebulição. EBULIENTE. **2** *Fig.* Que demonstra fervor (discurso *fervente*); CALOROSO.

ferver (fer.*ver*) *v.* **1** Fazer entrar, ou entrar em fervura ou ebulição. [*td.*: *ferver a água.* *int.*: *Desligou o fogo quando o leite ferveu.*] **2** Cozinhar em líquido, ou esterilizar com água, em ebulição. [*td.*: *ferver a agulha de uma seringa.*] **3** Estar muito quente ou escaldante. [*int.*: *Com este calor as paredes da casa fervem.*] **4** *Fig.* Exaltar-se, ou abrasar-se. [*int.*: *O ambiente político está fervendo*; seguido de indicação de causa ou lugar) *Ferveu de ódio por aquela injustiça*; "...todas as paixões que deviam ferver no coração daquelas mulheres." (José de Alencar, *Luciola*.).] **5** *Fig.* Pulular, fervilhar (2). [*int.* (seguido de indicação de lugar): *Ferviam mosquitos na mata.* *ti.* + *de*: *A cidade está fervendo de turistas.*] [▶ **2** ferv*er*] • **fer.vi.do** *a.*

férvido (*fér*.vi.do) *a.* **1** Que é muito quente ou foi aquecido (tardes *férvidas*, bebida *férvida*). **2** Cheio de alegria (festa *férvida*); ANIMADO. **3** Que revela veemência, arrebatamento (paixão *férvida*). **4** Que se mostra zeloso; CUIDADOSO.

fervilhar (fer.vi.*lhar*) *v.* **1** Estar fervente. [*int.*: *O feijão ainda fervilha.*] **2** *Fig.* Existir ou possuir em grande quantidade; PULULAR. [*int.*: *Os insetos fervilham na floresta amazônica.* *ti.* + *de*: *Seu espírito vive fervilhando de ideias.*] **3** *Fig.* Deslocar-se em quantidade e com rapidez de um ponto a outro; PULULAR. [*int.*: *Transeuntes fervilham no centro da cidade.*] [▶ **1** fervilh*ar*] • **fer.vi.lhan.te** *a2g.*; **fer.vi.lha.men.to** *sm.*

fervor (fer.*vor*) *sm.* **1** Ação ou resultado de ferver. **2** Estado do que se submete à fervura. **3** Calor intenso; ARDÊNCIA. **4** *Fig.* Intensidade de sentimentos religiosos; DEVOÇÃO: *rezar com fervor.* **5** *Fig.* Empenho, dedicação, entusiasmo: *Treinava com fervor.*

fervura (fer.*vu*.ra) *sf.* **1** Ação ou resultado de ferver; EBULIÇÃO. **2** *Fig.* Estado de excitação; ALVOROÇO.

festa (*fes*.ta) *sf.* **1** Reunião de pessoas para fins comemorativos e/ou recreativos: *festa de aniversário.* **2** Solenidade civil ou religiosa em que se celebra fato ou figura histórica ou religiosa etc.: *festa da Independência/da Pátria.* **3** Afago, carícia: *Pode fazer festa, que ele não morde.* 🞏 **festas** *sfpl.* **4** A comemoração pela passagem do Natal e do Ano-Novo. [Aum. (1 e 2): *festança, festão.*] 🏿 **Fazer a** ~ Aproveitar situação ou condições favoráveis para fazer algo normalmente difícil: *O time adversário cansou, e o meu fez a festa*: *goleou por 5x0.* **No melhor da** ~ *Pop.* No melhor momento, no auge da animação.

festança (fes.*tan*.ça) *sf.* Festa de grandes proporções, muito animada; FESTÃO.

festão (fes.*tão*) *sm.* **1** Ver *festança.* **2** Pequeno ramo de flores e folhagens; GRINALDA. **3** Faixa bordada us. na extremidade de roupas de cama e mesa. [Pl.: *-tões*.]

festeiro (fes.*tei*.ro) *a.sm.* **1** Que ou quem frequenta festas. **2** Que ou quem organiza, realiza e/ou patrocina festas. *a.* **3** Que faz carinho, que afaga.

festejar (fes.te.*jar*) *v. td.* **1** Celebrar com festa(s); COMEMORAR: *festejar o campeonato*; (seguido ou não de indicação de meio, companhia etc.) *Vai festejar seu aniversário (com um almoço).* **2** Saudar, aclamar, ou fazer agrados a: *As pessoas festejaram os atletas no aeroporto*; (seguido ou não de indicação de meio) *A crítica festejou o escritor (com palavras elogiosas).* **3** Louvar ou aprovar: *festejar uma decisão.* [▶ **1** festej*ar*]

festejo (fes.*te*.jo) [ê] *sm.* **1** Ação ou resultado de festejar. **2** Ver *festividade.* **3** Manifestação de carinho.

festim (fes.*tim*) *sm.* **1** Pequena festa. **2** Reunião em que são servidas refeições sofisticadas e fartas; BANQUETE. **3** Cartucho sem projétil, us. em manobras militares de treinamento, simulação de tiro etc. [Pl.: *-tins*.]

festival (fes.ti.*val*) *sm.* **1** *Mús. Teat. Cin.* Série de eventos ou espetáculos culturais, com diversas apresentações, podendo ocorrer periodicamente: *festival de rock.* **2** Festa de grandes dimensões. **3** *Fig.* Coisas que se sucedem sem interrupção: *O locutor disse um festival de besteiras.* [Pl.: *-vais*.]

festividade (fes.ti.*vi*.da.de) *sf.* Grande festa, ger. de cunho religioso ou cívico; FESTEJO.

festivo (fes.*ti*.vo) *a.* **1** Ref. a, ou próprio de festa. **2** Que é alegre, divertido (ambiente *festivo*). **3** Diz-se de quem gosta de festa(s). **4** *Bras. Pop.* Que não tem seriedade.

fetiche (fe.*ti*.che) *sm.* **1** Objeto ao qual se atribuem poderes sobrenaturais ou mágicos e se presta culto. **2** *Psiq.* Objeto ou parte do corpo que desperta interesse sexual ou erótico.

fetichismo (fe.ti.*chis*.mo) *sm.* **1** Culto de objetos que se presume possuírem poderes mágicos ou sobrenaturais. **2** Veneração por pessoa ou coisa. **3** *Psiq.* Condição em que o interesse sexual é dirigido a um objeto ou a uma parte do corpo. • **fe.ti.chis.ta** *a2g.s2g.*

fétido (*fé*.ti.do) *a.* Que tem odor desagradável; FEDORENTO. • **fe.ti.dez** *sf.*

feto (*fe*.to) *sm.* **1** *Fisl.* O ser humano enquanto no útero materno, após a nona semana de gestação e até seu nascimento. **2** Qualquer embrião de animal vivíparo (que pare filhos) após adquirir a forma da espécie a que pertence. • **fe.tal** *a2g.*

feudal (feu.*dal*) *a2g.* Ref. a feudo ou a feudalismo (senhor *feudal*). [Pl.: *-dais*.]

feudalismo (feu.da.*lis*.mo) *sm. Hist.* Sistema político, econômico e social que vigorou na Europa durante a Idade Média e que se baseava na propriedade da terra, cedida pelo senhor feudal ao vassalo em regime de servidão.

feudo (*feu*.do) *sm. Hist.* **1** Propriedade cedida pelo senhor feudal ao vassalo. **2** Direito ou dignidade feudal.

fevereiro (fe.ve.*rei*.ro) *sm.* O segundo mês do ano. (Com 28 dias, ou 29 nos anos bissextos.)

fezes (*fe*.zes) *sfpl.* Matéria constituída de resíduo de alimento não digerido, excretado pelo organismo através do ânus.

fezinha (fe.*zi*.nha) *sf.* **1** Pouca fé. **2** *Bras. Pop.* Aposta de pequeno valor.

FGTS Sigla de *Fundo de Garantia por Tempo de Serviço*, que se refere a depósitos mensais feitos pelas empresas em nome de seus empregados, que deles poderão dispor quando demitidos ou em determinadas circunstâncias.

fi *sm.* A 21ª letra do alfabeto grego. Corresponde ao *f* latino (F, f).

fiação (fi:a.*ção*) *sf.* **1** Ação ou resultado de fiar²; FIADURA. **2** Lugar onde se fabricam ou se manuseiam produtos têxteis. **3** O conjunto de fios que formam a instalação elétrica: *A fiação da casa foi trocada.* [Pl.: *-ções.*]

fiacre (fi:*a*.cre) *sm.* Antiga carruagem de aluguel, ger. puxada por um só cavalo.

fiada (fi.*a*.da) *sf.* **1** Uma porção de fios: *fiada de fio.* **2** Uma série de coisas enfileiradas, unidas por fios; ENFIADA: *fiada de bandeirolas.* **3** Carreira de pedras, tijolos etc., alinhados na altura: *O pedreiro acrescentou uma fiada de tijolos ao muro.*

fiador (fi.a.*dor*) [ó] *sm.* Quem se compromete a honrar compromisso assumido por outrem, caso este não o faça: *Para alugar a casa, preciso de um fiador.*

fiambre (fi:*am*.bre) *sm.* **1** Carne (esp. presunto) preparada e cozida, que se come fria. **2** *RS* Fiambre (1) para viagem.

fiança (fi:*an*.ça) *sf.* **1** Ação ou resultado de fiar¹ (3), de assumir papel de fiador. **2** Valor da garantia assumida pelo fiador. **3** *Jur.* Quantia paga por réu ao tribunal a fim de que possa responder a processo em liberdade.

fiandeira (fi:an.*dei*.ra) *sf.* **1** Mulher que realiza fiação (1). **2** *Zool.* Parte do abdome das aranhas de onde saem os fios para a teia.

fiapo (fi:*a*.po) *sm.* Fio fino e curto.

fiar¹ (fi.*ar*) *v.* **1** Ter fé ou confiança em; CONFIAR. [*td.*: *Todos fiamos que o rapaz não volte ao vício.* **ti.** + *em*: *Eu fio em tudo o que ela diz.* **pr.**: *fiar-se em Deus.*] **2** Vender fiado, ou a prazo. [*td.*: *Esta padaria não fia nada.* **ti.** + *a*: *Esse comerciante só fia aos amigos.* **tdi.** + *a*: *Fiou à costureira várias peças de tecido.* **int.**: *Se fia, é porque confia.*] **3** Ser o fiador ou o abonador de; AFIANÇAR; ABONAR. [*td.*: *Olavo aceitou fiá-la na compra da casa; Eu fio sua aptidão para o cargo.*] [▶ **1** f**iar**]
● **fi.a.do** *a. adv.*

fiar² (fi.*ar*) *v.* **1** Transformar (matéria têxtil ou filamentosa) em fio. [*td.*: *fiar a lã.* **int.**: *Ela ainda fia com roca.*] **2** Urdir (tecido ou trama) com fios; TECER. [*td.*: *fiar um pulôver.*] **3** *Zool.* Secretar ou produzir (fios). [*td.*: *A aranha fia a substância com que tece suas teias.* **int.**: *A larva do bicho-da-seda fia para formar o casulo.*] [▶ **1** f**iar**] ● **fi.a.do** *a.sm.*

fiasco (fi:*as*.co) *sm.* Resultado desfavorável e vergonhoso ou insuficiente; fracasso: *Contrariando as expectativas, o show foi um fiasco.*

fibra (*fi*.bra) *sf.* **1** *Anat. Bot.* Qualquer das estruturas alongadas agrupadas em feixes que constituem tecido animal ou vegetal (*fibra muscular*): *alimento rico em fibras.* **2** Fio ou filamento de material diverso: *fibra de vidro.* **3** *Fig.* Firmeza, energia, empenho: *Ela nunca desistiu de lutar, sempre teve muita fibra.* ■ *~ óptica* Material us. ger. em cabos de comunicações, capaz de transmitir sinais ópticos.

fibrilação (fi.bri.la.*ção*) *sf. Med.* Sequência de contrações rápidas e involuntárias de fibras musculares, esp. as cardíacas. [Pl.: *-ções.*] ● **fi.bri.lar** *v.*

fibroma (fi.*bro*.ma) [ó] *sm. Med.* Tumor benigno constituído em grande parte de tecido fibroso.

fibroso (fi.*bro*.so) [ó] *a.* **1** Ref. a fibra (1) ou a ela semelhante (consistência *fibrosa*). **2** Que tem fibras (1) ou é formado por elas (carne *fibrosa*). [Fem. e pl.: [ó].]

fíbula (*fí*.bu.la) *sf. Anat.* Osso longo e fino que forma com a tíbia o esqueleto da perna. [*Fíbula* substituiu *perônio* na nova terminologia anatômica.]

ficar (fi.*car*) *v.* **1** Encontrar-se, alojar-se, ou permanecer. [*int.* (seguido de indicação de lugar, tempo, de situação ou de posição): *O vilarejo fica num vale; Ficou 15 dias no hospital; Ficou imóvel de medo; Ficamos deitados toda a manhã na rede; Santos-Dumont ficou como o pai da aviação; O vice ficará como presidente uma semana; A resolução do problema ficou em suspenso; Os livros ficaram na casa de Cláudia.*] **2** Tornar-se, fazer-se, ou resultar, sair. [*lig.* (seguido de indicação de qualidade, de estado, de condição): *Seus cabelos ficam bonitos quando crescem; A jarra ficou em pedaços; A jovem ficou lívida do susto; Ela sempre fica bem nas fotos.*] **3** Usa-se para dizer se algo ou alguém forma com outra coisa ou pessoa conjunto de aparência harmoniosa. [*lig.*: *Esta citação fica perfeita no artigo.*] **4** Ser adiado, postergado, ou marcado. [*int.* (seguido de indicação de tempo): *A viagem vai ter de ficar para o mês que vem; O aumento fica para o dia de São Nunca; Para quando ficou a reunião?*] **5** Subsistir, perdurar, ou restar. [*ti.* + *para*: *Ficaram para ela as boas recordações; Ainda ficou para Renato algum capital.* **int.** (seguido ou não de indicação de finalidade): *Dos velhos palacetes só ficou um; Ficaram poucos para contar o acidente.* **pr.**: *"Vão-se os anéis, ficam-se os dedos" (provérbio).*] **6** Não ir além de, deter-se em. [*int.*: *A discussão ficou nisso; Nossos planos ficam por aqui.*] **7** Fazer companhia a. [*int.* (seguido ou não de indicação de companhia, lugar, tempo etc.): *A mãe ficou (com ela) (na fazenda durante a gravidez).*] **8** Apossar-se ou apoderar-se de. [*ti.* + *com*: *O ladrão ficou com seu carro.*] **9** Adquirir, comprar, ou sair por, custar. [*int.* (seguido de indicação de valor): *A casa vai ficar por um preço astronômico; A conta ficou em R$ 50,00.*] **10** Caber por quinhão, direito ou mérito, ou receber por sorte. [*ti.* + *com*, *para*: *Com a morte do pai, ficou para ele uma grande fortuna; Fiquei com o prêmio da rifa; As crianças vão ficar com a mãe.*] **11** Estar de acordo (com alguém); CONCORDAR. [*ti.* + *com*: *Nesse assunto fico com ele.*] **12** Comprometer-se a; PROMETER; COMBINAR. [*tdi.* + *com*] **13** Ser mantido em segredo. [*int.* (seguido de circunstância de lugar, companhia): *Que esta informação fique entre nós.*] **14** *Pop.* Namorar sem compromisso. [*ti.* + *com*: *Nas festas, sempre fica com alguém.* **int.**: *Ficaram uma única vez.*] [▶ **11** f**icar**]
[NOTA: a) Us. tb. como v. auxiliar: 1) seguido de gerúndio, com o sentido de início de ação, 'passar a': *Já fiquei sabendo de seu êxito.* 2) seguido de gerúndio ou de preposição *a* + infinitivo, para exprimir continuidade de ação: *Eles ficaram conversando (a conversar) a noite toda.* 3) seguido da preposição *de* + infinitivo, indica compromisso no futuro: *Fiquei de ir jantar com ela.* b) Us. como modalizador, para expressar que a ação ainda não foi cumprida: 1) seguido da preposição *por* + infinitivo: *O pedreiro ficou por terminar o muro.* 2) seguido da preposição *para* + infinitivo na voz passiva: *O muro ficou para ser terminado amanhã.*] ■ *~ atrás de* Ser inferior em qualidade, em desempenho: *João é bom nisso, mas Maria não (lhe) fica atrás.* *~ bem/mal* Ser (ou não) conveniente: *Brigar fica mal para você.* *~ de* Assumir compromisso de, combinar: *Ele ficou de passar aqui para dar uma ajuda.* *~ de bem/mal (com)* Reatar/romper relações (com alguém). *~ para titio/titia* Não casar; ficar solteirona ou solteirão. *~ por dentro/fora* Passar a saber (ou a não saber); passar a ter conhecimento. *~ por isso mesmo* Não ter consequências, não ter punição (ação faltosa ou criminosa): *Desrespeitou os colegas e ficou por isso mesmo.*

ficção (fic.ção) *sf.* **1** Ação ou resultado de fingir: *Esse entusiasmo dele é só ficção.* **2** Criação imaginosa, fantástica: *Os contos de fadas são pura ficção.* [Ant.: *realidade.*] **3** Ramo de criação artística (literatura, cinematografia, teatro etc.) baseada em elementos imaginários (ficção científica). **4** Obra de ficção (3): *Já li muitos ensaios, agora quero ler ficção.* [Pl.: -ções.] ● **fic.ci:o.nal** *a2g.*

ficcionista (fic.ci:o.*nis*.ta) *a2g.s2g.* Que ou quem cria obras de ficção (3).

ficha (*fi*.cha) *sf.* **1** Peça com que se marcam pontos (em certos jogos) ou que tem determinado valor de troca por dinheiro: *Apostou todas as fichas na roleta; comprar uma ficha para o cafezinho.* **2** Pedaço de papel ou cartão que serve para anotações variadas; o que está anotado nela: *O que diz a ficha?* **3** Anotações pessoais que ficam registradas em repartições, bancos, consultórios etc.: *Precisou atualizar sua ficha bancária.* [Cf. *fixa* [cs], fem. de *fixo*.] ⁑ **Cair a** ~ *Pop.* Dar-se conta de algo; finalmente perceber algo.

fichar (fi.*char*) *v. td.* Anotar em ficha(s), com fim de classificação, registro ou resumo. [▶ 1 fich**ar**] ● **fi.cha.men.to** *sm.*

fichário (fi.*chá*.ri:o) *sm.* **1** Local, peça ou móvel onde se guardam, colecionam ou arquivam fichas (2, 3), ger. organizadas por algum critério. **2** Caderno de folhas soltas que são presas a ganchos que se fecham e abrem para a troca dessas folhas.

fictício (fic.*tí*.ci:o) *a.* **1** Que é fruto da imaginação (história fictícia); IMAGINÁRIO. **2** Fingido, simulado (arrependimento *fictício*).

ficus (*fi*.cus) *sm2n. Bot.* Gênero de diversas plantas, entre as quais a figueira.

fidalgaria (fi.dal.ga.*ri*.a) *sf.* **1** O conjunto ou a classe dos fidalgos. **2** Atitude ou comportamento característico dos fidalgos.

fidalgo (fi.*dal*.go) *a.sm.* **1** Que ou quem ostenta um título de nobreza. **2** Que ou quem demonstra generosidade (gesto fidalgo). ● **fi.dal.gui.a** *sf.*

fidedigno (fi.de.*dig*.no) *a.* Que é merecedor de confiança, de crédito: *Fez uma fidedigna exposição dos problemas da firma.*

fidelidade (fi.de.li.*da*.de) *sf.* **1** Qualidade ou atributo do que ou de quem é fiel: *Contestou a fidelidade da tradução.* **2** Respeito aos compromissos assumidos ou ao vínculo com alguém ou algo; LEALDADE: *fidelidade à causa; Sempre acreditou na fidelidade do marido.*

fidúcia (fi.*dú*.ci:a) *sf.* Ver *confiança* (4). ● **fi.du.ci:al** *a2g.*; **fi.du.ci:á.ri:o** *a.*

fiel (fi:*el*) *a2g.* **1** Que é digno de fé, que não abandona seus compromissos e vínculos; LEAL: *É um amigo fiel; um ativista fiel à causas partidárias.* **2** Que mantém os mesmos hábitos e atitudes: *É um cliente fiel desse restaurante.* **3** Conforme com a verdade ou com o padrão: *"...fizeram um retrato fiel e realista do futebol do Rio..."* (*O Globo,* 12.01.04). *a2g.sm.* **4** *Rel.* Que ou quem segue os ensinamentos de uma religião. *A congregação tem 100 mil fiéis.* **sm. 5** Ponteiro indicador de equilíbrio entre os pratos de uma balança. [Pl.: -éis. Superl.: *fidelíssimo*.]

figa (*fi*.ga) *sf.* **1** Amuleto na forma de mão fechada, com o dedo polegar entre os dedos indicador e médio. **2** Gesto que imita esse amuleto, feito com a intenção de repelir o azar ou desgraça. ⁑ **De uma/Duma** ~ Expressão autêntica ou fingida de irritação com alguém ou algo: *Este computador duma figa congelou.*

figadal (fi.ga.*dal*) *a2g.* **1** Ref. ao ou do fígado; HEPÁTICO. **2** *Fig.* Visceral, de longo tempo, profundo (inimigos figadais). [Pl.: -dais.]

fígado (*fí*.ga.do) *sm. Anat.* Grande glândula anexa ao tubo digestivo, responsável, entre outras coisas, pela secreção da bile. [Ver ilustr. em *digestório* (sistema).]

▭ O fígado é uma glândula, a maior do organismo, e tem mais de duzentas funções. Uma das principais é a reguladora, mantendo a estabilidade do organismo durante as funções fisiológicas do metabolismo. Produz a bílis (que elimina toxinas, metais, colesterol etc.), filtra as impurezas do sangue, limpa este de hemácias inativas, transformando-as em proteínas, forma a vitamina A, acumula vitaminas, água e ferro, atua na regulação do volume do sangue, e tem fundamental ação antitóxica. As doenças mais comuns do fígado são a hepatite e a cirrose, esta grave e irreversível, em geral causada por grande e continuado consumo de bebidas alcoólicas.

figo (*fi*.go) *sm.* Fruto doce, arredondado, com casca fina, ger. arroxeada, e polpa vermelha quando maduro.

figueira (fi.*guei*.ra) *sf. Bot.* Árvore que dá o figo.

figura (fi.*gu*.ra) *sf.* **1** Desenho, pintura, gravura etc. de pessoa, animal ou coisa; ilustração: *Decorei a capa com figuras de revistas.* **2** A forma de um corpo: *Esculpiu a figura de um homem.* **3** Pessoa: *O avô foi uma figura importante na sua vida.* **4** *Geom.* Forma geométrica (p.ex., uma esfera, um triângulo). **5** *Mús.* Representação simbólica da duração de um som (p.ex., uma semibreve, uma colcheia). ⁑ **Fazer boa/má etc.** ~ Ter bom/mau etc. desempenho: *Fez boa figura na reunião.* ~ **de linguagem** *Ling.* Forma que assume a linguagem para efeito expressivo que a afasta do uso normal da língua (p.ex., a metáfora, a prosopopeia). **Ser uma** ~ *Bras.* Ser uma pessoa diferente, excêntrica ou engraçada: *Seu irmão é uma figura.*

figuração (fi.gu.ra.*ção*) *sf.* **1** Ação ou resultado de figurar. **2** Imagem ou contorno de alguém ou de algo; FIGURA. **3** *Cin. Teat. Telv.* Papel insignificante de ator: *Ele só fez uma figuração na novela.* [Pl.: -ções.]

figurado (fi.gu.*ra*.do) *a.* **1** Que se figurou; que se tornou figura: *Reconheceu na estátua um Hércules figurado.* **2** Que contém figura(s) ou alegoria(s). **3** Diz-se do sentido, da linguagem ou do estilo que se valem da metáfora, da metonímia: *Abismo, em sentido figurado, significa também uma grande distância.*

figurante (fi.gu.*ran*.te) *a2g.s2g.* Que ou quem (ator) tem participação insignificante em produções televisivas, teatrais ou cinematográficas.

figurão (fi.gu.*rão*) *sm. Pop.* Pessoa importante no seu meio: *É um figurão do governo.* [Pl.: -rões. Fem.: -rona.] [NOTA: *Figurão* pode ter um certo valor pejorativo que não se repete na forma feminina.]

figurar (fi.gu.*rar*) *v.* **1** Traçar a figura de, ou assemelhar-se a. [*td.*: *A nuvem figurava um grande cogumelo.*] **2** Simbolizar, ou descrever. [*td.*: *O touro figura a força;* (seguido de indicação de qualidade) *O romancista figurou a guerra como apocalíptica.*] **3** Simular, fingir, ou imaginar(-se). [*td.*: *O general figurou uma retirada para enganar o inimigo;* (seguido de indicação de qualidade) *Rogério o figurava mais robusto.* *pr.*: *O menino gosta de figurar-se pirata.*] **4** Incluir-se, ou tomar parte de. [*ti.* + *em, entre*: *O filme figura entre os melhores do ano.*] **5** Aparecer, ocorrer. [*int.*: *"...a tuberculose figurava como doença extinta no Brasil..."* (*FolhaSP,* 25.07.99).] [▶ 1 figur**ar**]

figurativo (fi.gu.ra.*ti*.vo) *a.* **1** Que figura; REPRESENTATIVO; SIMBÓLICO: *Seus desenhos eram expressões figurativas de sua alegria.* **2** *Art.Pl.* Diz-se da expressão artística que busca reproduzir a forma real das coisas (arte figurativa).

figurinha (fi.gu.*ri*.nha) *sf.* **1** Figura pequena. **2** *Bras.* Estampa para colecionadores (esp. crianças), que,

figurinista (fi.gu.ri.*nis*.ta) *a2g.s2g.* **1** Que ou quem cria e/ou desenha figurinos. **2** *Cin. Teat. Telv.* Que ou quem é responsável pelo figurino dos atores.

figurino (fi.gu.*ri*.no) *sm.* **1** Desenho ou modelo de roupa criado por profissionais da alta-costura. **2** *Antq.* Revista de modas: *Comprava todos os figurinos franceses.* **3** *Fig.* Modelo, padrão: *Sua atuação não segue o figurino dos líderes.* ■ **Como manda o ~** Como deve ser, como é de praxe.

fijiano (fi.ji.*a*.no) *a.* **1** Da República de Fiji (Oceania); típico desse país ou de seu povo. *sm.* **2** Pessoa nascida na República de Fiji.

fila¹ (*fi*.la) *sf.* **1** Alinhamento, série de pessoas ou coisas em linha; FILEIRA. **2** Fileira de pessoas que se vão colocando uma atrás da outra, na ordem de chegada. ■ **Furar ~** *Bras.* Não respeitar a ordem em fila (2), entrando à frente de quem chegou antes.

fila² (*fi*.la) *sm. Bras.* Cão de certa raça desenvolvida no Brasil, ger. de índole agressiva. [Tb. *cão de fila³, fila brasileiro*.]

fila³ (*fi*.la) *sf.* Ação ou resultado filar (2), de agrarar, prender com os dentes.

filactério (fi.lac.*té*.ri:o) *sm. Rel.* Cada uma de duas caixinhas de couro contendo pergaminho com certo texto do Pentateuco, presas a correias de couro (sendo uma para cingir à cabeça, outra ao braço esquerdo) us. pelos judeus nas preces matinais dos dias úteis.

filamento (fi.la.*men*.to) *sm.* **1** Fio muito fino. **2** *Bot. Zool.* Estrutura vegetal ou animal composta de uma célula alongada ou de uma série linear de células. **3** *Elet.* Em certas lâmpadas, filamento (1) feito de metal que se aquece e fica incandescente com a passagem da corrente elétrica. • fi.la.men.*to*.so *a.*

filante (fi.*lan*.te) *a2g.s2g. Bras.* Que ou quem tem o hábito de filar (1).

filantropia (fi.lan.tro.*pi*.a) *sf.* **1** Amor ao ser humano. **2** Bondade, generosidade para com o próximo; CARIDADE. • fi.lan.*tró*.pi.co *a.*

filantropo (fi.lan.tro.po) [ô] *a.sm.* **1** Que ou quem tem amor pela humanidade. **2** Que ou quem pratica a filantropia (2); CARIDOSO.

filão (fi.*lão*) *sm.* **1** *Geol.* Camada contínua de uma mesma matéria (minério, tipo de rocha, etc.) depositada na crosta terrestre. **2** *Min.* Em uma mina, o filão (1) explorável do minério; VEIO. **3** *Fig.* Fonte de onde se podem extrair coisas valiosas: *Esse negócio é um filão.* [Pl.: *-lões*.]

filar (fi.*lar*) *v. Bras.* **1** *Pop.* Usufruir gratuitamente de, ou pedir de graça. [*td.: filar uma refeição.* *tdi.* + *de: Vive filando cigarros dos outros.*] **2** Agarrar com os dentes (presa). [*td. int.*] [▶ **1 filar**]

filária (fi.*lá*.ri:a) *sf. Zool.* Nome dado a certos vermes parasitas de aves e mamíferos.

filarmônica (fi.lar.*mô*.ni.ca) *sf. Mús.* **1** Grupo ou sociedade musical. **2** Grande conjunto instrumental de músicos: *a Filarmônica de Berlim.* • fi.lar.*mô*.ni.co *a.*

filatelia (fi.la.te.*li*.a) *sf.* **1** Análise e pesquisa de selos de correio; FILATELISMO. **2** Atividade ou *hobby* que consiste em colecionar esses selos. • fi.la.*té*.li.co *a.*; fi.la.te.*lis*.ta *s2g.*

filé (fi.*lé*) *sm.* **1** Carne retirada da região lombar de bois, porcos e outros animais. **2** *Cul.* Bife feito com essa carne. **3** *Bras.* Qualquer fatia fina de carne (de peito de ave etc.). **4** Fatia longitudinal de carne de peixe, sem espinha.

fileira (fi.*lei*.ra) *sf.* **1** Agrupamento de pessoas, animais ou coisas alinhadas uma após a outra; FILA: *fileira de soldados.* ▣ **fileiras** *sfpl.* **2** *Mil.* O ambiente militar, a vida militar: *Passou a vida nas fileiras do exército.*

filé-mignon (fi.lê-mi.*gnon*) [nh] *sm.* **1** Ver *filé* (1). **2** Essa carne cortada em partes de espessura média, preparada com temperos. **3** *Bras. Pop.* A melhor parte: *Na partilha dos bens, os filhos ficaram com o filé-mignon.* [Pl.: *filés-mignons*.]

filete (fi.*le*.te) [ê] *sm.* **1** Fio de tamanho reduzido, ou fino: *joia feita de filetes de ouro.* **2** Algo que se assemelhe a um filete (1): *Só um filete de água saía da torneira.* **3** *Anat.* Ramificação fina de um nervo. **4** *Art.Gr.* Traço fino que serve de vinheta ou moldura, ou que (ger. gravada a ouro) enfeita capa de livros; FIO. **5** *Bot.* Porção do estame das flores que serve de suporte à antera.

filha (*fi*.lha) *sf.* Descendente do sexo feminino em relação àqueles que a geraram.

filharada (fi.lha.*ra*.da) *sf.* Grande quantidade de filhos.

filho (*fi*.lho) *sm.* **1** Descendente do sexo masculino em relação àqueles que o geraram. [Dim.: *filhote*.] **2** Descendente de certo grupo: *os filhos de Israel.* **3** *Fig.* Quem tem origem em certo local: *Os beduínos são filhos do deserto.* **4** Indivíduo em relação a Deus ou a quem ou o quê o educou ou influenciou: *Somos todos filhos de Deus*; "Somos os filhos da revolução..." (Renato Russo, *Geração coca-cola*). **5** *Rel.* No cristianismo, o segundo componente da Santíssima Trindade; Jesus Cristo. [Nesta acp. com inicial maiúsc.]

filhó, filhós (fi.*lhó*, fi.*lhós*) *s2g. Cul.* Espécie de bolinho ou biscoitinho preparado com farinha e ovos, frito e coberto com açúcar e canela ou calda doce.

filhote (fi.*lho*.te) *sm.* **1** Animal recém-nascido; CRIA. **2** *Bras.* Dim. de *filho*. **3** *Econ.* Cada uma das ações dadas aos acionistas de uma empresa a título de bônus.

filiação (fi.li:a.*ção*) *sf.* **1** Relação de parentesco entre filhos e pais. **2** Os pais de uma pessoa: *Não quis revelar sua filiação.* **3** Ação ou resultado de filiar-se (a associação, clube, partido etc.) **4** Relação de coisas com uma mesma origem ou inspiração: *É evidente a filiação de todas essas doutrinas.* [Pl.: *-ções*.]

filial (fi.li:*al*) *a2g.* **1** Ref. a, ou que é próprio de filho (respeito *filial*). *sf.* **2** Estabelecimento comercial, ou escritório de empresa, subordinado a outro que é a matriz; SUCURSAL. [Pl.: *-ais*]

filiar (fi.li:*ar*) *v.* **1** Receber legalmente como filho; PERFILHAR. [*td.*] **2** Tornar(-se) filiado, membro ou sócio. [*td.*: *O partido já filiou muita gente. tdi.* + *a: Filiaram o rapaz à agremiação. pr.: Não o deixaram filiar-se ao clube.*] **3** *Fig.* Relacionar-se, ou vincular(-se). [*tdi.* + *a: Ele filia a corrupção à impunidade. pr.: Suas teses não se filiam à globalização.*] [▶ **1 filiar**]

filiforme (fi.li.*for*.me) *a2g.* Em forma de fio ou delgado como um fio.

filigrana (fi.li.*gra*.na) *sf.* **1** Obra de ourivesaria formada por fios de ouro ou prata entrelaçados. **2** Marca-d'água. **3** *Fig.* Minúcia, pormenor: *Atente ao principal, o resto é filigrana.*

filipeta (fi.li.*pe*.ta) [ê] *sf. Bras. Pop.* Pequeno impresso promocional para ser distribuído pelas ruas.

filipino (fi.li.*pi*.no) *a.* **1** Das ilhas Filipinas (Ásia); típico desse país ou de seu povo. *sm.* **2** Pessoa nascida nas Filipinas. *a.sm.* **3** *Gloss.* Da, ref. à ou a língua falada nas Filipinas.

filipluma (fi.li.*plu*.ma) *sf.* Pena de ave com haste delgada, filiforme.

filisteu (fi.lis.*teu*) *a.* **1** *Hist.* Ref. aos filisteus, povo que habitava o litoral da antiga Palestina. *sm.* **2**

filmadora | **fingimento** 374

Hist. Indivíduo filisteu. **3** *Fig. Pej.* Pessoa de gostos vulgares, estreito de espírito. [Fem.: *-teia*.]

filmadora (fil.ma.do.ra) [ó] *sf.* Máquina de filmar.

filmagem (fil.*ma*.gem) *sf.* Ação ou resultado de filmar. [Pl.: *-gens*.]

filmar (fil.*mar*) *v. Cin. Telv.* **1** Fazer, ou registrar em (filme ou vídeo). [*td.*: *filmar um épico/uma festa*; (sem complemento explícito) *A equipe ainda não começou a filmar*. *int.*: *Quer aprender a filmar*.] **2** Adaptar para o cinema. [*td.*: *O diretor filmou uma novela de Guimarães Rosa*.] [▶ **1** filmar]

filme (fíl.me) *sm.* **1** *Fot. Cin.* Rolo de película de celulóide em que se registram imagens fotográficas: *Vou comprar filme para minha câmera*. **2** *Cin. Telv.* Sequência de cenas projetadas numa tela: *um filme de propaganda*. **3** *Cin.* Obra cinematográfica: *Vão exibir todos os filmes de Capra*. **4** *Art.Gr.* Fotolito. **5** Folha muito fina de plástico, celofane etc., para envolver e proteger (ger. alimentos).

filmografia (fil.mo.gra.fi.a) *sf.* Lista completa dos filmes de um diretor, ator etc. • **fil.mo.grá**.fi.co *a.*

filmoteca (fil.mo.*te*.ca) *sf.* **1** Coleção de filmes. **2** Lugar onde se colecionam filmes.

filo (fí.lo) *sm. Biol.* Na classificação de animais e vegetais, a primeira grande subdivisão, logo abaixo de reino.

filó (fi.*ló*) *sm.* Tecido fino e transparente, em forma de rede, us. em véus, cortinados etc.

filologia (fi.lo.lo.*gi*.a) *sf.* Estudo de uma língua através da análise crítica de seus textos. • **fi**.lo.*ló*.gi.co *a.*; **fi**.*ló*.lo.go *sm.*

filosofal (fi.lo.so.*fal*) *a2g.* Ver *filosófico*. [Ver tb. *pedra filosofal* no verbete *pedra*.] [Pl.: *-fais*.]

filosofar (fi.lo.so.*far*) *v.* **1** Discorrer ou refletir com raciocínios filosóficos. [*ti.* + *sobre*: *filosofar sobre a vida*. *int.*: *Já não consegue filosofar*.] **2** *Irôn.* Discorrer ou refletir como se fosse com raciocínios filosóficos. [*int.*: *Deixe de filosofar, e vamos direto ao assunto*.] [▶ **1** filosofar]

filosofia (fi.lo.so.*fi*.a) *sf.* **1** Conjunto dos estudos que visam compreender a realidade absoluta, as causas elementares, os fundamentos dos valores humanos, o sentido da existência. **2** Sistema particular de princípios e valores que rege uma conduta: *Cada um tem sua filosofia de vida*; *a filosofia de uma instituição*.

filosófico (fi.lo.*só*.fi.co) *a.* Ref. a filosofia ou a filósofo.

filósofo (fi.*ló*.so.fo) *a.sm.* **1** Que ou quem se dedica à, ou é formado em filosofia (1). **2** *Fig. Pop.* Que ou quem manifesta atitudes serenas, contemplativas quanto a situações, problemas etc.: *Não se abala com nada, é um filósofo*.

filtrar (fil.*trar*) *v.* **1** Fazer passar ou passar por filtro. [*td.*: *filtrar a água*. *int./pr.*: *A água ainda não (se) filtrou toda*.] **2** Impedir que passe inteira ou parcialmente. [*td.*: *filtrar raios solares*.] **3** *Fig.* Selecionar ou separar. [*td.* + *de*: *Filtrar candidatos. tdi.* + *de*: *Filtrei as informações úteis das desnecessárias*.] [▶ **1** filtrar] • **fil**.*tra*.ção *sf.*; **fil**.*tra*.gem *sf.*

filtro (fíl.tro) *sm.* **1** Dispositivo que purifica a água retendo partículas que a contém. **2** Tudo que serve para filtrar, reter ou selecionar (filtro solar): *filtro de café*. **3** Poção mágica, elixir: *filtro do amor*. ■ **~ de linha** *Elet.* Dispositivo que elimina ou atenua oscilações da tensão elétrica que alimenta aparelho elétrico. **~ solar** Substância que, aplicada na pele, atenua os efeitos nocivos de certas radiações solares, principalmente as ultravioletas.

fim *sm.* **1** Término, encerramento: *o fim do milênio*. **2** Ponto extremo, limite: *o fim da estrada*. **3** Desfecho, conclusão: *o fim de uma história*. [Ant. ger.: *começo, início*.] **4** Objetivo, meta: *Luta para alcançar o fim desejado*. [Pl.: *fins*.] ■ **A ~ Com vontade**, com

disposição: *Todos foram à praia, mas ela não estava a fim*. **A ~ de 1** Com o propósito de, para: *Saiu a fim de arejar a cabeça*. **2** *Pop.* Atraído por: *Ficou a fim da colega*. **Ser o ~ (da picada)** Ser desagradável, penoso, inconveniente: *Este atraso é o fim da picada!*

fímbria (*fim*.bri.a) *sf.* **1** Extremidade inferior de vestido, manto etc. **2** Orla, borda, ou a linha que as define: *a fímbria do horizonte*.

fimose (fi.*mo*.se) *sf. Med.* Estreitamento do prepúcio, impedindo a exposição da glande.

finado (fi.*na*.do) *a.* **1** Que se acabou, ou morreu: *o finado avô*. *sm.* **2** Morto, defunto. • **fi**.*nar v.*

final (fi.*nal*) *a2g.* **1** Do fim; ÚLTIMO: *É dele a decisão final*. [Ant.: *inicial*.] **2** *Gram.* Diz-se da oração subordinativa que expressa intenção ou finalidade (p.ex.: *que*, *para que*). *sm.* **3** Fim, término: *no final do dia*. [Ant.: *começo, início*.] *sf.* **4** *Esp.* Última prova ou partida de uma competição. [Pl.: *-nais*.]

finalidade (fi.na.li.*da*.de) *sf.* Objetivo, alvo, fim (4).

finalíssima (fi.na.*lis*.si.ma) *sf.* A grande final (4) de uma competição.

finalista (fi.na.*lis*.ta) *a2g.s2g.* Que ou aquele que disputa uma final (4) ou finalíssima.

finalizar (fi.na.li.*zar*) *v.* **1** Dar fim a ou ter fim; ACABAR(-SE); CONCLUIR(-SE). [*td.*: *finalizar a obra*. *int./pr.*: *Sua gestão finalizou(-se) com êxito*.] [Ant.: *iniciar*.] **2** Dizer em conclusão. [*td.*: "*Que isso não se repita*", *finalizou o pai*.] **3** *Fut.* Chutar para o gol; CONCLUIR. [*int.*] [▶ **1** finalizar] • **fi**.na.li.*za*.ção *sf.*; **fi**.na.li.za.do.ra *a.*

finanças (fi.*nan*.ças) *sfpl.* **1** Situação financeira: *as finanças de um país*. **2** Administração dos recursos financeiros: *setor de finanças*.

financeiro (fi.nan.*cei*.ro) *a.* **1** Ref. a finanças. ◪ **financeira** *sf.* **2** *Bras.* Empresa de crédito e financiamento.

financiar (fi.nan.ci.*ar*) *v.* Custear, bancar, ou prover de recursos financeiros. [*td.*: *a: O banco financiou à empresa R$ 300.000,00*.] [▶ **1** financiar] • **fi**.nan.ci.a.*men*.to *sm.*

financista (fi.nan.*cis*.ta) *s2g.* **1** Especialista em finanças. *a2g.* **2** Próprio de financista: *uma visão financista*.

fincar (fin.*car*) *v.* **1** Cravar(-se), enterrar(-se) ou fixar(-se). [*td.*: *fincar pregos*; (seguido de indicação de lugar) *O gato fincou as garras no sofá*. *pr.*: *Seus olhos fincaram-se na moça*.] **2** Firmar(-se), apoiar(-se), ou estacar. [*td.* (seguido de indicação de lugar): "...fincou a cabeça no travesseiro, e dormiu..." (José de Alencar, *Senhora*). *pr.*: *O asno fincou-se na trilha*.] **3** *Fig.* Basear de maneira sólida; ARRAIGAR-SE. [*tdi.* + *em*: *Fincava sua proposta em cálculos corretos*. *pr.*: *Sua sabedoria finca-se na prudência*.] [▶ **1** fincar]

findar (fin.*dar*) *v.* **1** Pôr fim a ou ter fim; TERMINAR(-SE). [*td.*: *Vamos findar logo essa discussão*. *int./pr.*: *Ao (se) findar o ano, as esperanças renascem*.] **2** Dar em; RESULTAR. [*ti.* + *em*: *O namoro findou em casamento*.] [▶ **1** findar]

findo (fín.do) *a.* **1** Que findou, passou (mês findo). **2** Concluído, encerrado.

fineza (fi.*ne*.za) [ê] *sf.* **1** Qualidade de fino (1), delgado: *a fineza de uma lâmina*. **2** Boa educação, gentileza, ou comportamento que as atesta: *Teve a fineza de não incomodar*. **3** Delicadeza, elegância, requinte: *Foi um jantar de grande fineza*. **4** Favor, obséquio: *Faça-me a fineza de abrir a janela*. [Sin. acps. 1, 2 e 3: *finura*. Ant. acps. 1, 2 e 3: *grosseria*.]

fingido (fin.*gi*.do) *a.* **1** Que finge ou simula; em que há fingimento, simulação (lágrimas fingidas). **2** Que é falso, hipócrita (arrependimento fingido). *sm.* **3** Pessoa fingida (1 e 2).

fingimento (fin.gi.*men*.to) *sm.* **1** Ação ou resultado de fingir. **2** Falsidade, hipocrisia: *Seus elogios são puro fingimento*. ■

fingir (fin.*gir*) *v.* **1** Fazer parecer real (o que não é); SIMULAR. [*td.*: *Fingiu interesse*. *int.*: *Pare de fingir, seja sincero.*] **2** Querer passar por algo que não é. [*td.*: *Finge que é indiferente às ofensas*. *ti.* + *de/pr.*: *fingir(-se) de inocente.*] **3** Fazer de conta. [*td.*: *Não se pode fingir que tudo é belo.*] [▶ **46** fing**ir**]

finito (fi.*ni*.to) *a.* Que tem fim ou limite: *um número finito de possibilidades*. ● fi.**ni**.*tu*.de *sf.*

finlandês (fin.lan.*dês*) *a.* **1** Da Finlândia (Europa); típico desse país ou de seu povo. *sm.* **2** Pessoa nascida na Finlândia. *a.sm.* **3** *Gloss.* Da, ref. à ou a língua falada na Finlândia. [Pl.: *-deses*. Fem.: *-desa.*]

fino (fi.no) *a.* **1** Que tem pouca grossura, espessura ou largura (cintura *fina*, livro *fino*); DELGADO. **2** Agudo (diz-se de voz). **3** Bem-educado, polido, delicado: *É uma pessoa fina no trato*. **4** De bom gosto, requintado, elegante (louça *fina*). **5** De qualidade superior (vinho *fino*). ■■ Tirar um ~ (de) *Bras.* Passar raspando (por), ou fazer (veículo) passar raspando (por): *Ao ultrapassar, o carro tirou um fino do caminhão*.

finório (fi.*nó*.ri:o) *a.sm.* Que, ou quem é esperto, astuto.

fintar (fin.*tar*) *v. td. Esp.* Driblar. [▶ **1** fint**ar**] ● *fin.*ta *sf.*

finura (fi.*nu*.ra) *sf.* Ver *fineza* (1 a 3).

fio (*fi*:o) *sm.* **1** Fibra comprida e delgada de matéria têxtil: *fios de algodão*. **2** Qualquer porção de material flexível, de diâmetro circular e muito reduzido em relação ao comprimento: *fio de arame/de cabelo*. **3** Gume, corte: *A faca está sem fio*. **4** Qualquer coisa tênue ou frágil: *um fio d'água/de esperança*. **5** Série, encadeamento: *Procurou seguir o fio da memória*. ■■ A ~ Continuamente, seguidamente: *Trabalhou sete dias a fio*. **Bater um ~** *Fam.* Telefonar, conversar por telefone. **De ~ a pavio** Do início ao fim. **~ dental** Fio us. para remover restos de alimento de entre os dentes e da gengiva. **Perder o ~ da meada** Perder (por desorientação, esquecimento etc.) a sequência ou continuidade de ideia, relato etc. **Por um ~** Por pouco, por um triz (ver em *triz*): *Escapou por um fio*. **2** No limite; próximo de (se romper): *O casamento deles está por um fio*.

fiorde (fi:*or*.de) *sm. Geog.* Golfo estreito e profundo entre montanhas altas e íngremes.

🌐 **firewall** (*Ing. /fáiruol/*) *sm. Inf.* Sistema de segurança que tem por objetivo filtrar o acesso a uma rede.

firma (*fir*.ma) *sf.* **1** Empresa comercial ou industrial; SOCIEDADE. **2** Assinatura.

firmamento (fir.ma.*men*.to) *sm.* Abóbada celeste; CÉU.

firmar (fir.*mar*) *v.* **1** Tornar(-se) firme, fixo. [*td.* (seguido ou não de indicação de lugar): *firmar uma estante (no chão). pr.*: *Os arbustos se firmaram no solo.*] **2** Dar ou buscar sustentação em algo sólido; AMPARAR(-SE). [*td.*: *É preciso firmar este muro. pr.*: *Os passageiros se firmaram para não cair.*] **3** Dar ou alcançar estabilidade ou segurança. [*td.*: *O sofrimento firmou o caráter do rapaz. pr.*: *Firmou-se como titular do time.*] **4** Fundamentar(-se), apoiar(-se). [*tdi.* + *em*: *O advogado firmou a defesa nos bons antecedentes do réu. pr.*: *Firma-se na sua religião.*] **5** Realizar ou validar (acordo, contrato), ger. apondo firma (assinatura). [*td. Firmar um acordo. tdi.* + *com*: *Os estagiários firmaram um contrato com a empresa.*] **6** Tornar-se firme, sem chuvas (diz-se do tempo). [*int./pr.*] [▶ **1** firm**ar**]

firme (*fir*.me) *a2g.* **1** Fixo, sólido, seguro (construção *firme*). **2** Que não vacila ou treme (mão *firme*). **3** Determinado, decidido: *Mostrou uma atitude firme*. **4** Estável, constante (tempo *firme*). *adv.* **5** De modo impassível, imperturbável: *Aguentou firme na chuva*. ● fir.**me**.za *sf.*

firula (fi.*ru*.la) *sf.* **1** *Bras.* Rodeio, floreio (3): *Esse discurso tem muita firula, não vai ao ponto*. **2** *Fut.* Jogada de efeito, de malabarismo, ger. sem objetividade: *Perdeu o gol por excesso de firulas*.

fiscal (fis.*cal*) *a2g.* **1** Ref. ao ou do fisco (sonegação *fiscal*). *s2g.* **2** Pessoa que fiscaliza algo ou alguém. [Pl.: *-cais.*]

fiscalização (fis.ca.li.za.*ção*) *sf.* **1** Ação ou resultado de fiscalizar. **2** Quem ou instituição que fiscaliza. [Pl.: *-ções.*]

fiscalizar (fis.ca.li.*zar*) *v. td.* Averiguar o funcionamento, o uso ou o comportamento de; SUPERVISIONAR: *fiscalizar aeroportos*. [▶ **1** fisc**aliz**ar]

fisco (*fis*.co) *sm. Econ.* Setor da administração pública que cuida da arrecadação e fiscalização de impostos.

fisga (*fis*.ga) *sf.* Arpão de pesca.

fisgada (fis.*ga*.da) *sf.* **1** Dor aguda mas de pouca duração; PONTADA. **2** Espetada (com fisga, garfo etc.).

fisgar (fis.*gar*) *v. td.* **1** Pescar com anzol ou arpão. **2** *Fig.* Capturar, prender (fugitivo). **3** *Bras. Fig. Pop.* Conquistar o afeto, a paixão de (alguém); CATIVAR. [▶ **14** fis**gar**]

física (*fí*.si.ca) *sf.* Ciência que estuda as propriedades gerais da matéria e da energia e suas leis fundamentais.

físico (*fí*.si.co) *a.* **1** Ref. à física ou à matéria (leis *físicas*, espaço *físico*). **2** Ref. ao corpo (prazer *físico*); CARNAL; CORPÓREO. **3** Pessoa formada em física. **4** Constituição do corpo: *um físico atlético*.

fisiculturismo (fi.si.cul.tu.*ris*.mo) *sm.* Musculação que tem o objetivo de fortalecer e aumentar a massa muscular, ger. para fins competitivos.

fisiologia (fi.si:o.lo.*gi*.a) *sf. Biol. Med.* Ciência que estuda as funções dos órgãos e processos vitais. ● fi.si:o.**ló**.gi.co *a.*

fisiologismo (fi.si:o.lo.*gis*.mo) *sm. Bras. Pej. Pol.* Prática (de alguns políticos, funcionários públicos etc.) caracterizada pela obtenção de cargos ou vantagens em troca de apoio ao governo.

fisiologista (fi.si:o.lo.*gis*.ta) *s2g.* Pessoa que se especializou em fisiologia.

fisionomia (fi.si:o.no.*mi*.a) *sf.* **1** Os traços ou a expressão do rosto (fisionomia tensa); SEMBLANTE. **2** Caráter ou aspecto peculiar: *Quis reconstituir a fisionomia do Rio antigo*. ● fi.si:o.**nó**.mi.co *a.*

fisionomista (fi.si:o.no.*mis*.ta) *s2g.* Quem guarda bem na memória fisionomias.

fisioterapeuta (fi.si:o.te.ra.*peu*.ta) *s2g.* Pessoa que se especializou em fisioterapia.

fisioterapia (fi.si:o.te.ra.*pi*.a) *sf. Med. Ter.* Tratamento de doenças por meio de agentes físicos (como luz, água, calor), massagens e exercícios. ● fi.si:o.te.**rá**.pi.co *a.*; fi.si:o.te.ra.*pis*.ta *s2g.*

fissão (fis.*são*) *sf. Fis.nu.* Divisão de um átomo pesado, ger. urânio ou plutônio, mediante bombardeio com nêutrons, liberando enorme quantidade de energia. [Pl.: *-sões.*] ● fis.si:o.*nar* *v.*; fis.si:o.**ná**.vel *a2g.*

fissura (fis.*su*.ra) *sf.* **1** Pequena fenda ou greta; RACHADURA. **2** *Bras. Pop.* Desejo cego, incontrolável.

fissurado (fis.su.*ra*.do) *a.* **1** *Bras. Pop.* Que ou quem tem obsessão por; VIDRADO: *É fissurado por jogos eletrônicos*. *a.* **2** Que tem fissura (1); RACHADO.

fístula (*fís*.tu.la) *sf. Pat.* Lesão caracterizada pelo surgimento de um canal através do qual se eliminam secreções.

fita (*fi*.ta) *sf.* **1** Tira estreita e comprida de pano ou papel. **2** Qualquer tira de material flexível. **3** *Fig.* Atitude ou fala que visa atrair a atenção, impressionar ou iludir; FINGIMENTO.

fitar (fi.*tar*) *v.* Olhar(-se) fixamente. [*td.*: *Ela o fitou com um olhar sofrido. pr.*: *As crianças fitaram-se perplexas.*] [▶ **1** fit**ar**]

fiteiro (fi.*tei*.ro) *a.sm.* Que ou quem faz fita (3); FINGIDO.

fito¹ (*fi*.to) *sm.* Alvo, objetivo: *Seu fito é vencer.*

fito² (*fi*.to) *a.* Fixo, pregado (olhar fito).

fitogenia (fi.to.ge.*ni*.a) *sf. Bot.* Origem, evolução e desenvolvimento dos vegetais.

fitologia (fi.to.lo.*gi*.a) *sf. Bot.* Botânica.

fitoplâncton (fi.to.*plânc*.ton) *sm. Bot.* Plâncton vegetal. [Pl.: -*tones* e -*tons*.]

fitoterapia (fi.to.te.ra.*pi*.a) *sf. Med. Ter.* Tratamento ou prevenção de doenças por meio do uso de plantas medicinais. ● **fi.to.te.***rá***.pi.co** *a.*

fivela (fi.*ve*.la) *sf.* Peça ger. metálica, com um ou mais pinos, que serve para prender cintos, sapatos etc. **2** *Bras.* Tipo de prendedor de cabelos.

fixador (fi.xa.*dor*) [cs, ô] *a.sm.* Que ou aquilo que fixa (loção fixadora): *fixador de cabelo.*

fixar (fi.*xar*) [cs] *v.* **1** Tornar fixo, imóvel; FIRMAR. [*td.*: *É preciso fixar a cama, está rangendo muito.*] **2** Estabelecer residência. [*td.* (seguido ou não de indicação de lugar): *Fixou os filhos (na capital). pr.*: *Fixou-se em Teresina.*] **3** Reter (olhar, atenção); deter-se em. [*td.*: *Fixou a vista no horizonte. pr.*: *Procurava não se fixar nos problemas do trabalho.*] **4** Memorizar. [*td.*: *Não consigo fixar o nome dessa rua.*] **5** Estabelecer, determinar. [*td.*: *A diretora fixou o prazo para entrega das notas.*] [▶ **1** fix**ar**] ● **fi.xa.***ção* *sf.*

fixo (*fi*.xo) [cs] *a.* **1** Pregado, preso: *fixo no chão.* **2** Sem se desviar (olhar fixo). **3** Constante, inalterável (prestações fixas). **4** Estável, permanente (emprego fixo, endereço fixo). **5** Determinado, definido: *Esse jogo não tem regras fixas.* **6** Imóvel (alvo fixo).

flã *sm. Cul.* Pudim cremoso feito com leite e ovos.

flácido (*flá*.ci.do) *a.* Sem firmeza ou elasticidade; MOLE; FROUXO. ● **fla.ci.***dez** *sf.*

flagelado (fla.ge.*la*.do) *a.sm.* Que ou quem foi vítima de flagelo ou calamidade: *um flagelado da seca.*

flagelar (fla.ge.*lar*) *v.* **1** Afetar, afligir. [*td.*: *as doenças que flagelam a população indígena.*] **2** Castigar(-se), torturar(-se). [*td. pr.*] [▶ **1** flagel**ar**]

flagelo (fla.*ge*.lo) *sm.* **1** Chicote, açoite. **2** Tortura, suplício: *Foi submetido a terrível flagelo.* **3** Grande desgraça; CALAMIDADE: *o flagelo da fome.*

flagra (*fla*.gra) *sm. Bras. Gír.* Ver *flagrante* (3). ‖ **Dar o/Pegar no** ~ Apanhar alguém em flagrante (3).

flagrante (fla.*gran*.te) *a2g.* **1** Que evidencia algo condenável (diz-se de ato). **2** Que é evidente, notório, claro: *Era uma flagrante demonstração de má vontade. sm.* **3** Ato em que alguém é surpreendido por outrem: *Registrou o flagrante na delegacia.* **4** Comprovação, registro (p. ex., uma foto) desse ato. [Cf. *fragrante*.]

flagrar (fla.*grar*) *v. td.* Apanhar em flagrante (3): *O segurança flagrou o visitante riscando o muro.* [▶ **1** flagr**ar**]

flama (*fla*.ma) *sf.* **1** Chama, labareda: *as flamas de um incêndio.* **2** *Fig.* Calor, entusiasmo: *a flama da paixão.* [Dim.: *flâmula*.]

flambar (flam.*bar*) *v. td.* **1** *Cul.* Despejar bebida alcoólica e atear fogo em (alimento). **2** Passar em chama, para desinfetar. [▶ **1** flamb**ar**]

flamboaiã (flam.bo:ai.*ã*) *sm. Bot.* Árvore de flores vermelhas ou alaranjada.

flamejante (fla.me.*jan*.te) *a2g.* **1** Que lança flamas, que flameja (tochas flamejantes). **2** *Fig.* Que chama a atenção, que é vistoso (olhar flamejante).

flamejar (fla.me.*jar*) *v. int.* **1** Lançar chamas; CHAMEJAR; ARDER. **2** Brilhar, cintilar. [▶ **1** flamej**ar**]

ⓖ **flamenco** (Esp. /flamênco/) *a.* **1** Ref. a *flamenco* (2). *sm.* **2** *Folc.* Música e dança típicas da Andaluzia (Espanha).

flamengo¹ (fla.*men*.go) *a.* **1** De Flandres (França, Holanda e Bélgica); típico dessa região ou de seu povo. *sm.* **2** Pessoa nascida em Flandres.

flamengo² (fla.*men*.go) *sm. Zool.* Ver *flamingo*.

flamingo (fla.*min*.go) *sm. Zool.* Ave pernalta, de pescoço comprido e coloração rosada, semelhante à garça; FLAMENGO².

flâmula (*flâ*.mu.la) *sf.* **1** Pequena flama (1). **2** Pequena bandeira triangular, que ger. contém emblema de clube, escola etc. **3** Bandeira: "E diga o verde-louro desta flâmula/Paz no futuro e glória no passado..." (Joaquim Osório Duque Estrada, *Hino Nacional Brasileiro*).

flanar (fla.*nar*) *v. int.* Andar sem rumo; PERAMBULAR. [▶ **1** flan**ar**]

flanco (*flan*.co) *sm.* **1** *Anat.* Parte lateral do tórax de homem ou de animal. **2** *Fig.* Lado de qualquer objeto. **3** *Mil.* Lado de um corpo de tropa ou de um exército: *Os soldados atacavam o inimigo pelo flanco esquerdo.*

flanela (fla.*ne*.la) *sf.* Tecido macio e leve, de lã ou de algodão.

flanelinha (fla.ne.*li*.nha) *sf.* **1** Pequena flanela. *s2g.* **2** *RJ Pop.* Pessoa que toma conta de veículos estacionados na rua em troca de gorjetas.

flanelógrafo (fla.ne.*ló*.gra.fo) *sm.* Quadro revestido de lã ou feltro, no qual se inserem figuras ou objetos, us. em processos de ensino.

flanquear (flan.que.*ar*) *v. td.* **1** Caminhar ou estar ao lado de; LADEAR. **2** Atacar ou defender os flancos, as laterais de. [▶ **13** flanque**ar**]

ⓖ **flash** (Ing. /flésh/) *sm.* **1** *Fot.* Lâmpada ou dispositivo que produz forte clarão, para tirar fotografias em lugares pouco iluminados. **2** *Cin. Telv.* Cena extremamente curta. **3** *Jorn.* Notícia dada de forma breve, às vezes interrompendo a programação normal da emissora que a transmite.

ⓖ **flashback** (Ing. /fléchbec/) *sm.* **1** *Cin. Liter. Teat. Telv.* Cena que recorda ou mostra acontecimento do passado. **2** *Fig.* Lembrança, recordação.

flato (*fla*.to) *sm* Ver *flatulência*.

flatulência (fla.tu.*lên*.ci:a) *sf.* **1** Acúmulo de gases no estômago ou no intestino. **2** *Fig.* Jactância, vaidade. ● **fla.tu.***len***.to** *a.*

flauta (*flau*.ta) *sf. Mús.* Instrumento musical de sopro que consiste num tubo comprido e fino, dotado de orifícios e chaves. ‖ **Levar na** ~ *Bras. Pop.* Ser pouco responsável em relação a alguém ou alguma coisa: *Leva a vida na flauta.*

FLAUTA DOCE

flautim (flau.*tim*) *sm. Mús.* Instrumento musical de sopro, semelhante à flauta, mas menor e mais fino. [Pl.: -*tins*.]

flautista (flau.*tis*.ta) *a2g. s2g. Mús.* Que ou quem toca flauta.

FLAUTA TRANSVERSA

flebite (fle.*bi*.te) *sf. Pat.* Inflamação das veias.

flecha (*fle*.cha) *sf.* **1** Arma que consiste em uma haste de ponta afiada que se arremessa com um arco. **2** *Arq.* Extremidade em ponta de uma torre. ‖ **Como uma** ~ muito rápido.

flechada (fle.*cha*.da) *sf.* Golpe com flecha (1).

flechar (fle.*char*) *v.* **1** Atingir com flecha [*td.*] **2** Atirar flecha. [*int.*] [▶ **1** flech**ar**]

flertar (fler.*tar*) *v.* Dar a (alguém) sinais de que quer namorar; namorar rápida e/ou superficialmente; PAQUERAR. [*ti.* + com: *Flertava com aquela ruivinha. int.*: *Tímido, nunca flertara.*] [▶ **1** flert**ar**]

flerte (*fler*.te) [ê] *sm.* Namoro superficial ou tentativa de namoro; PAQUERA.

fletir, flectir (fle.*tir*, flec.*tir*) *v.* Ver *flexionar* (1). [▶ 50 fletir, ▶ 50 flectir]

fleuma, fleugma (*fleu*.ma, *fleug*.ma) [ê] *sf.* **Fig. 1** Ânimo controlado, impassível. **2** *Fig.* Indolência, lentidão: *Fazia tudo com fleuma, sem pressa.* ● **fleu.** *má*.ti.co, fleug.*má*.ti.co *a*.

⊕ **flex** (*Ing.*/flécs/) *a*. **1** Característica de motor de combustão interna que pode funcionar tanto com gasolina quanto com álcool. P. ext., característica de veículo que é movido por tal motor. *O carro novo da empresa é flex.*

flexão (fle.*xão*) [cs] *sf.* **1** Ação ou resultado de flexionar: *flexão de um arco.* **2** Exercício físico em que se flexionam os braços, apoiados no chão, elevando e baixando o corpo esticado. **3** *Gram.* Variação das desinências das palavras de uma língua. [Pl.: *-xões*.]
● **fle.xi:o.***nal* *a2g*.

flexibilizar (fle.xi.bi.li.*zar*) [cs] *v. td./pr.* Tornar(-se) flexível: *O chefe flexibilizou o horário de trabalho.* [▶ 1 flexibilizar] ● **fle.xi.bi.li.za.***ção* *sf.*

flexionado (fle.xi:o.*na*.do) [cs] *a.* Que se flexionou, que fez uma curvatura ou que deu lugar a flexões (3).

flexionar (fle.xi:o.*nar*) [cs] *v.* **1** Fazer curvar ou curvar-se (algo flexível, o corpo, um membro do corpo etc.); DOBRAR(-SE); VERGAR(-SE); FLETIR(-SE). [*td*.: *Flexionou o arco para atirar a flecha.* *pr*.: *Flexionou-se todo, e tocou os pés com as mãos.*] **2** *Gram.* Dar a flexão (3) ou as flexões de uma palavra ou assumir esta uma das suas flexões. [*td*.: *Vamos flexionar um verbo.* *pr*.: *Os advérbios não se flexionam.*] [▶ 1 flexionar]

flexível (fle.*xí*.vel) [cs] *a2g*. **1** Que se pode dobrar ou curvar. **2** Que tem elasticidade (tecido flexível). **3** *Fig.* Falto de rigidez; MALEÁVEL. **4** *Fig.* Fácil de ser convencido ou manobrado: *Ele aceita mudanças, é um sujeito flexível.* [Pl.: *-veis*.] ● **fle.xi.bi.li.***da*.de *sf.*

flexor (fle.*xor*) [cs, ô] *a.* **1** Que faz dobrar ou curvar. *sm.* **2** *Anat.* Músculo flexor.

fliperama (fli.pe.*ra*.ma) *sm.* **1** Máquina para jogos eletrônicos. **2** Lugar onde essas máquinas são usadas.

floco (*flo*.co) *sm.* **1** Pequeno amontoado de filamentos leves e sem consistência: *floco de neve/de algodão*. **2** Conjunto de filamentos soprados no ar. [Dim.: *flóculo*.]

flóculo (*fló*.cu.lo) *sm.* Pequeno floco.

flog *sm. Int.* F. red. de *fotolog*.

flor (flor) *sf.* **1** *Bot.* Órgão de plantas que contém aparelhos reprodutores e que ger. têm odor agradável. **2** *Bot.* Qualquer planta que dá flores (1). **3** *Fig.* Época da vida em que se está de posse de todo o vigor: *Ela estava na flor da idade.* **4** *Fig.* Elite, nata: *O grupo representava a fina flor do samba.* **5** *Fig.* Pessoa boa, muito agradável, ou bonita: "Eu na tua vida já fui uma flor/Hoje sou espinho em seu amor..." (Nelson Cavaquinho, Guilherme de Brito e Alcides Caminha, *A flor e o espinho*). ✱ À ~ **de** Na superfície de: *à flor da pele.* **Não ser ~ que se cheire** *Fam.* Não ser confiável, honesto, bem-intencionado etc.

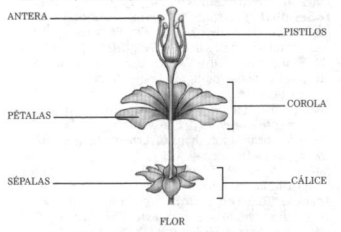

⊡ A flor é, na verdade, o suporte dos órgãos de reprodução de certas plantas. Uma flor completa compreende a haste, ou cabo, o perianto (a parte mais vistosa, mas estéril) e, no interior deste, os órgãos de reprodução. Além de sua importância funcional, a flor se destaca por sua beleza, seu colorido e seu perfume, o que faz dela um valorizado e requisitado produto, e de seu cultivo uma atividade econômica.

flora (*flo*.ra) *sf.* **1** *Bot.* O conjunto de espécies vegetais de uma região. **2** *Bras.* Loja que vende flores. [Dim.: florula.]

floração (flo.ra.*ção*) *sf.* **1** *Bot.* Aparecimento das flores nas plantas. **2** *Fig.* Surgimento de algo novo. *Assiste-se a uma floração de músicos talentosos.* [Pl.: *-ções*.]

floral (flo.*ral*) *a2g*. **1** Ref. a flor ou a flora. **2** Que só contém flores. *sm. Med.* **3** Substância, extraída de certas flores, us. em tratamento de saúde. [Pl.: *-rais*.]

florão (flo.*rão*) *sm.* Enfeite circular, com aspecto de flor, em centro de teto, abobada etc. [Pl.: *-rões*.]

flor-da-quaresma (flor-da-qua.*res*.ma) *sf. Bras. Bot.* Designação comum a diversas árvores e arbustos, comuns em parques e jardins, de flores ger. roxas; QUARESMA. [Pl.: *flores-da-quaresma*.]

flor-de-lis (flor-de-*lis*) *sf. Bot.* **1** Planta bulbosa de flor vermelha. **2** Essa flor. [Pl.: *flores-de-lis*.]

floreado (flo.re.*a*.do) *a.* **1** Que tem muitos floreios (texto floreado). **2** Adornado, enfeitado: *Era um cenário todo floreado.* *sm.* **3** Adorno, enfeite: *Desenhou uns floreados na capa do caderno.* **4** Sequência de variações musicais: *floreados de violino*. **5** Requinte (floreados literários).

florear (flo.re.*ar*) *v. td.* **1** Enfeitar com flor(es). **2** *Fig.* Enfeitar (fala ou escrita) com ornatos, floreios, imagens etc., supostamente artísticos: *florear a caligrafia/um discurso*. **3** Manejar com destreza (arma branca): *Floreava o florete como um Dartagnan.* [▶ 13 florear]

floreio (flo.*rei*.o) *sm.* **1** Ação ou resultado de florear. **2** Ornato ou enfeite, esp. quando exagerado: *roupas cheias de floreios*. **3** Recurso retórico que procura dar brilho à linguagem: *O discurso tinha floreios em excesso.* **4** Ornato em uma composição musical: *O segundo movimento do concerto é cheio de floreios*.

floreira (flo.*rei*.ra) *sf.* Vaso para flores.

florescente (flo.res.*cen*.te) *a2g*. **1** Que está florescendo, surgindo, nascendo. **2** *Fig.* Em processo de desenvolvimento: *uma carreira florescente.* **3** *Fig.* Cheio de vida; VIÇOSO.

florescer (flo.res.*cer*) *v.* **1** Cobrir(-se) de flores ou deitar flores. [*td*.: *a primavera floresce os campos. int*.: *Os pessegueiros já floresceram.*] **2** *Fig.* Prosperar, desenvolver-se. [*int*.: *A cultura floresce junto com a educação.*] [▶ 33 florescer]

floresta (flo.*res*.ta) *sf.* **1** Grande extensão de terreno coberto de grandes árvores. **2** *Fig.* Grande quantidade de seres ou coisas muito juntas: *uma floresta de guarda-chuvas abertos*.

florestal (flo.res.*tal*) *a2g*. Ref. a floresta (1) (reserva florestal). [Pl.: *-tais*.]

florete (flo.*re*.te) [ê] *sm.* Arma branca composta de cabo e lâmina comprida e fina, us. em esgrima.

florianopolitano (flo.ri:a.no.po.li.*ta*.no) *a.* **1** De Florianópolis, capital do Estado de Santa Catarina; típico dessa cidade ou de seu povo. **2** Pessoa nascida em Florianópolis.

floricultura (flo.ri.cul.*tu*.ra) *sf.* **1** Arte de plantar e cultivar flores. **2** Lugar onde se vendem flores e plantas. ● **flo.ri.cul.***tor* *sm.*

florido (flo.*ri*.do) *a.* **1** Cheio de flores (jardim florido). **2** Enfeitado, ornado: *um vestido florido*. **3** *Fig.* Cheio de viço e de alegria: *uma alma florida.*

ANTERA
PISTILOS
COROLA
PÉTALAS
SÉPALAS
CÁLICE
FLOR

florífero (flo.rí.fe.ro) *a.* Diz-se do que (planta, árvore etc.) tem ou produz flores.

florim (flo.*rim*) *sm. Econ.* **1** Nome dado ao dinheiro us. em Aruba e no Suriname. **2** Nome dado ao dinheiro us. na Holanda até a adoção do euro. **3** Unidade dos valores em florim (1 e 2), us. em notas e moedas: *uma moeda de 50 florins*. [Pl.: *-rins.*]

florir (flo.*rir*) *v.* **1** Deitar flor(es) ou cobrir-se de flores; FLORESCER (1). [*int*.: *O jardim está florindo*.] **2** Enfeitar com flores. [*td*.: *Floriu toda a casa*.] **3** Desabrochar (tb. *Fig.*). [*int*.: *Um sorriso floriu em seus lábios*.] [▶ **59** flor**ir**]

florista (flo.*ris*.ta) *s2g.* **1** Pessoa que vende flores. **2** Fabricante de flores artificiais.

flotilha (flo.*ti*.lha) *sf. Mar.* **1** Frota de pequeno tamanho. **2** Conjunto de embarcações pequenas e semelhantes.

fluência (flu.*ên*.ci.a) *sf.* **1** Qualidade de fluente; FLUIDEZ. **2** *Fig.* Facilidade, naturalidade com que alguém se expressa.

fluente (flu:*en*.te) *a2g.* **1** Que flui, que corre com facilidade (águas *fluentes*). **2** *Fig.* Que fala ou escreve de maneira fácil, espontânea: *O professor era fluente em três línguas.*

fluidez (flui.*dez*) [ê] *sf.* Ver **fluência** (1).

fluidificar (flu.i.di.fi.*car*) *v. td. pr.* Transformar(-se) em fluido. [▶ **11** fluidifi**car**] • **flu.i.di.fi.ca.ção** *sf.*

fluido (*flu*.i.do) *a.* **1** Diz-se das substâncias líquidas e gasosas. **2** Que corre ou se expande como água ou gás (Diz-se de substância). **3** Leve, suave: *O homem tinha gestos fluidos.* **4** Fácil, fluente (2): *Sua escrita era fluida.* *sm.* **5** Corpo líquido ou gasoso que adquire a forma do recipiente que o contém. **6** Líquido inflamável utilizado em isqueiros.

fluir (flu.*ir*) *v.* **1** Brotar ou correr (líquido). [*ti*. + *de, para, por*: *Lágrimas sinceras fluíam de seus olhos*. *int*.: *Este córrego flui o ano todo*.] **2** *Fig.* Transcorrer, decorrer, ter curso. [*int*.: *Os dias fluíam tranquilos*.] **3** *Fig.* Der originar-se em; DERIVAR. [*ti*. + *de*: *Essas atitudes fluem de seu caráter*.] [▶ **56** flu**ir**]

fluminense (flu.mi.*nen*.se) *a2g.* **1** Do Rio de Janeiro; típico desse estado ou de seu povo. *s2g.* **2** Pessoa nascida no Estado do Rio de Janeiro.

flúor (*flu*.or) *sm. Quím.* Elemento de número atômico 9, utilizado em tratamento dos dentes. [Símb.: *F*]

fluoração (flu.o.ra.*ção*) *sf. Od.* Tratamento odontológico com flúor, para prevenir cáries dentárias. [Pl.: *-ções*.]

fluorescente (flu:o.res.*cen*.te) *a2g.* Que absorve a luz e volta a emiti-la novamente, devido à propriedade de converter energia em radiação (diz-se de certos corpos). [Cf.: *florescente*.] • **flu.o.res.cên.ci.a** *sf.*

flutuação (flu.tu:a.*ção*) *sf.* **1** Ação ou resultado de flutuar. **2** Permanência de um corpo na superfície de um líquido. **3** Movimento daquilo que flutua: *As crianças observavam a flutuação do barquinho.* **4** Movimento de ondulação: *flutuação das águas.* **5** *Fig.* Incerteza, indecisão: *Vivia numa flutuação de sentimentos.* **6** *Econ.* Instabilidade de preços e valores no mercado financeiro: *flutuação do dólar*. [Pl.: *-ções*.]

flutuador (flu.tu:a.*dor*) [ô] *a.sm.* **1** Que ou o que flutua. *sm.* **2** Cada uma das peças do hidravião que o mantém sobre a superfície da água. **3** Plataforma flutuante para embarcações; FLUTUANTE.

flutuante (flu.tu:*an*.te) *a2g.* **1** Que flutua. **2** *Fig.* Indeciso, irresoluto: *Personalidade flutuante, dificilmente tomava decisões.* **3** Oscilante, variável: *cotação flutuante do euro.* **4** Flutuador (3).

flutuar (flu.tu:*ar*) *v. int.* **1** Manter-se na superfície de líquido, sem afundar; BOIAR. **2** Ficar suspenso no ar (tb. *Fig.*); PAIRAR: *O astronauta flutuou no espaço; Seu pensamento flutuava.* **3** Agitar-se ao vento: *Bandeiras flutuam no estádio.* **4** *Fig.* Manter-se hesitante ou inconstante; VACILAR: *Flutuava entre duas propostas de trabalho.* **5** Oscilar (moeda, preço, cotação etc.): *A cotação do dólar flutuou durante o dia.* [▶ **1** flutu**ar**]

fluvial (flu.vi:*al*) *a2g.* Ref. a rio ou próprio de rio (transporte *fluvial*). [Pl.: *-ais*.]

fluxo (*flu*.xo) [cs] *sm.* **1** Ação ou resultado de fluir. **2** Movimento incessante de coisas líquidas: *fluxo do sangue.* **3** Movimento alternado da maré: *o fluxo das águas do mar.* **4** *Fig.* Sucessão de acontecimentos, de fatos: *o fluxo das notícias.* **5** Movimento intenso de veículos, de pessoas etc.: *fluxo do trânsito.*

fluxograma (flu.xo.*gra*.ma) [cs] *sm.* Representação gráfica, por meio de símbolos geométricos, da solução algorítmica de um problema, de uma série de operações etc.

⊠ **FM** Sigla de *Frequência Modulada*.

⊠ **FMI** Sigla de *Fundo Monetário Internacional*, fundo que presta assistência a economias em dificuldade.

fobia (fo.*bi*.a) *sf. Psiq.* Medo mórbido ou patológico de algo específico (escuro, altura, aranhas etc.).

foca[1] (*fo*.ca) *sf. Zool.* Mamífero carnívoro de patas curtas, comum nas regiões marinhas mais frias.

foca[2] (*fo*.ca) *s2g.* **1** *Bras. Gír.* Jornalista novato, sem experiência. **2** *Gír.* Pessoa inexperiente.

focal (fo.*cal*) *a2g.* Ref. a foco (distância *focal*). [Pl.: *-cais*.]

focalizar (fo.ca.li.*zar*) *v. td.* **1** *Ópt.* Ajustar (lente, sistema óptico) de modo que a imagem do objeto visado fique nítida. **2** Ajustar sistema óptico em relação a (objeto, paisagem etc.) de modo que sua imagem fique nítida: *focalizar a cena*. **3** *Fig.* Pôr em foco (3), colocar em destaque, concentrar-se em: *Vamos focalizar primeiro a questão do aumento.* [Sin. ger.: *focar*.] [▶ **1** focali**zar**] • **fo.ca.li.za.ção** *sf.*

focar (fo.*car*) *v.* Ver **focalizar**. [▶ **11** fo**car**]

focídeo (fo.*cí*.de.o) *a.sm. Zool.* Diz-se de um animal carnívoro desprovido de orelhas, que caminha por impulsos do ventre, como os elefantes-marinhos e os leões-marinhos.

focinheira (fo.ci.*nhei*.ra) *sf.* **1** Focinho de porco. **2** Correia que envolve o focinho do animal.

focinho (fo.ci.*nho*) *sm.* **1** Parte saliente e anterior da cabeça de alguns animais, onde ficam o nariz e a boca. **2** *Pop.* O rosto: *O menino bateu com o focinho na porta.*

foco (*fo*.co) *sm.* **1** *Ópt.* Ponto para o qual um sistema óptico (lentes etc.) faz convergirem raios luminosos e onde a imagem fica nítida. **2** *Ópt.* Ponto para onde convergem ou de onde divergem raios de luz: *O foco de luz atingia o alto do morro.* **3** *Fig.* Ponto principal: *O foco da questão.* **4** Ponto de onde se propaga uma doença, uma epidemia: *O foco da doença estava no norte do município.*

foda (*fo*.da) *sf. Tabu.* **1** Cópula, relação sexual. **2** Coisa que exige sacrifício ou que é difícil de suportar: *Subir oito andares a pé é foda.*

foder (fo.*der*) *v. Tabu.* **1** Ter relação sexual com; COPULAR. [*td./ti.* + *com*] **2** *Bras. Fig.* Provocar(-se) dano em ou dar-se mal; ARRUINAR(-SE). [*td. pr.*] [▶ **2** fod**er**]
✠ **Foda(m)-se!/Que se foda(m)!** *Tabu.* Expressa irritação, desistência, ou desejo de que algo, ou alguém, seja malsucedido.

fofo (*fo*.fo) [ô] *a.sm.* **1** Que é macio, mole ou que cede facilmente a pressão (travesseiro *fofo*). **2** *Bras. Fam.* Que é encantador, bonito, gracioso: *Que gatinho mais fofo!* • **fo.fu.ra** *sf.*

fofoca (fo.*fo*.ca) *sf. Bras. Pop.* Comentário sobre a vida alheia; MEXERICO.

fofocar (fo.fo.*car*) *v. Bras. Pop.* Fazer fofoca; MEXERICAR. [*ti.* + *com*: *fofocar com o vizinho*. *int*.: *Se fofocasse menos, teria mais amigos*.] [▶ **11** fofo**car**]

fofoqueiro (fo.fo.*quei*.ro) *a.sm. Bras. Pop.* Que ou quem faz fofoca (vizinha fofoqueira): *os fofoqueiros de sempre.*

fogacho (fo.*ga*.cho) *sm.* **1** Chama pequena. **2** *Fig.* Sensação de calor que sobe ao rosto.

fogão (fo.*gão*) *sm.* Aparelho a gás ou lenha us. para cozinhar ou esquentar alimentos ao fogo. [Pl.: *-gões.*]

fogareiro (fo.ga.*rei*.ro) *sm.* Fogão portátil, para cozinhar ou aquecer: *Levei o fogareiro para o acampamento.*

fogaréu (fo.ga.*réu*) *sm.* **1** Material inflamável aceso, us. para sinalizar, iluminar etc.; FOGUEIRA; TOCHA. **2** Fogo que se expandiu em muitas labaredas: *Com o vento, a fogueira virou um fogaréu.*

fogo (*fo*.go) [ó] *sm.* **1** Produção de calor e luz em forma de chama, pela queima de material combustível. **2** Incêndio: *O fogo na floresta começou de uma fogueira.* **3** Disparo de arma que usa a combustão de pólvora para impelir projétil: *O tanque foi alvo do fogo inimigo.* **4** *Pop.* Bebedeira, embriaguez: *Chegou em casa num fogo terrível.* **5** *Fig.* Entusiasmo exagerado: *Está na hora de acalmar o fogo dessas crianças.* **interj. 6** Ordem para disparo de arma de fogo (3). **7** Aviso de incêndio. [Pl.: [ó].] ▪ **fogos** *smpl.* **8** Explosivos de uso comemorativo (tb. se diz *fogos de artifício*): *Foram ver os fogos na praia.* ▪▪ **Brincar com ~** Arriscar-se, meter-se afoitamente em situações perigosas ou desagradáveis. **Estar de ~** *Gír.* Estar bêbado, embriagado. **Fazer ~** Disparar arma de fogo, atirar. **~ de palha** Entusiasmo que dura pouco. **Negar ~** **1** Não disparar quando acionada (arma de fogo). **2** *Fig.* Falhar, desencorajar-se, esmorecer. **Pegar ~** Incendiar-se. **Ser ~ (na roupa)** *Bras.* **1** Ser complicado, difícil etc. (algo, alguém, situação). [Us. tb. como exclamação: *É fogo (na roupa)!*] **2** Ser bom, eficiente, adequado etc. (algo ou alguém): *Meu time é fogo, não perde há oito rodadas.*

fogo-fátuo (fo.go-*fá*.tu:o) *sm.* Combustão espontânea de gás emanado de substâncias vegetais e animais em estado de decomposição (ger. em cemitérios, pântanos etc.). [Pl.: *fogos-fátuos* [ó].]

fogoso (fo.*go*.so) [ô] *a.* **1** Ardoroso, arrebatado (amorado fogoso). **2** Irrequieto, impaciente: *Era um cavalo fogoso, difícil de domar.* **3** Em que há fogo ou calor; ARDENTE: *dias fogosos de verão.* [Fem. e pl.: [ó].]

fogueira (fo.*guei*.ra) *sf.* Arranjo de lenha em que se ateia fogo; este arranjo já aceso: *Nossa fogueira iluminou todo o pátio.*

foguete (fo.*gue*.te) [ê] *sm.* **1** Elemento de propulsão (de mísseis, projéteis) baseado na reação (em forma de impulso para a frente) ao impulso para trás dos gases resultantes da queima do combustível. **2** *Astr.* Veículo espacial impulsionado por foguete (1). **3** Engenho pirotécnico impulsionado por foguete (1); ROJÃO: *Soltou um foguete na festa de São João.* **4** *Bras.* Pessoa, ger. criança, muito vivaz e ativa: *Esse menino é um foguete!* ▪▪ **Soltar ~(s)** Comemorar, regozijar-se.

fogueteiro (fo.gue.*tei*.ro) *sm.* **1** Pessoa que fabrica, ou vende ou solta foguetes (2). **2** *Bras. Fig.* Mentiroso.

foguista (fo.*guis*.ta) *s2g.* Quem cuida de fornalha, em máquinas movidas a vapor.

foice (*foi*.ce) *sf. Agr.* Ferramenta em forma de gancho us. para ceifar.

folclore (fol.*clo*.re) [ó] ou [ô] *sm.* Conjunto das manifestações da cultura popular e das tradições de um povo: *Músicas, danças, lendas e crenças fazem parte do folclore de uma nação.* ● **fol.cló.ri.co** *a.*

folclorista (fol.clo.*ris*.ta) *s2g.* Pessoa especializada em folclore.

fólder (*fól*.der) *sm. Edit. Publ.* Impresso composto por uma única folha com uma ou mais dobras us. na divulgação de eventos, projetos etc.

fole (*fo*.le) *sm.* **1** Mecanismo ger. feito de papelão grosso dobrado em gomos cujo manuseio pode abri-los ou fechá-los em forma de leque, gerando uma corrente de ar que sai por um bico. **2** Qualquer dispositivo semelhante ao fole (1). **3** *N.E.* Sanfona: *Ao ouvir o som do fole, começaram a dançar.*

fôlego (*fô*.le.go) *sm.* **1** Respiração: *Ficou sem fôlego depois de correr.* **2** Capacidade de prender o ar nos pulmões: *Prendeu o fôlego para mergulhar.* **3** Disposição, ânimo: *"Quem tiver fôlego para enfrentar supermercados cheios..."* (*Jornal Extra*, 01.01.04).

folga (*fol*.ga) *sf.* **1** Descanso, pausa: *Os jogadores tiveram dois dias de folga.* **2** Margem, diferença: *O projeto foi aprovado com folga (de votos).* **3** Espaço a mais, desaperto: *uma calça com folga na cintura.* **4** *Bras. Pop.* Atrevimento, abuso: *Que folga, entrar sem pedir licença!*

folgado (fol.*ga*.do) *a.* **1** Que tem folga ou está de folga: *Ele é um cara folgado, não trabalha nem estuda.* **2** Sem preocupação ou aperto; com grande margem: *O time é líder folgado.* **3** Largo, amplo: *O sapato está muito folgado no pé.* **a.sm. 4** *Bras. Pop.* Que ou quem é atrevido, abusado: *Que sujeito folgado, levou meu livro sem pedir.*

folgança (fol.*gan*.ça) *sf.* **1** Folga, descanso: *domingos de folgança.* **2** Divertimento, brincadeira, festa; FOLGUEDO.

folgar (fol.*gar*) *v.* **1** Dar ou ter folga (1). [*td.*: *Folgou as pernas depois da caminhada.* *int.*: *Os padeiros folgam uma vez por semana.*] **2** Tornar mais largo, menos apertado; AFROUXAR. [*td.*: *folgar uma saia.*] **3** *Bras. Pop.* Abusar da confiança (de); ATREVER-SE. [*ti. + com*: *"...se ele folgar com a gente, meto-lhe a mão..."* (*O Dia*, 10.03.03).] **4** *P.us.* Ter satisfação; alegrar-se. [*int.* (seguido de indicação de causa): *Folgo em vê-la com saúde.*] [▶ **14 folgar**]

folgazão (fol.ga.*zão*) *a.sm.* Que ou quem gosta muito de se divertir; BRINCALHÃO. [Pl.: *-zãos* e *-zões.* Fem.: *-zã* e *-zona.*]

folguedo (fol.*gue*.do) [ê] *sm.* Festa ou dança popular com tema tradicional de um município ou região: *o folguedo do bumba meu boi.* **2** Ver folgança (2).

folha (*fo*.lha) *sf.* **1** *Bot.* Parte da planta, ger. de coloração verde, plana e fina: *folhas de hortelã.* [Dim.: *foliolo.*] **2** Pedaço de papel de dimensão, espessura, cor e finalidade variáveis. **3** Placa muito fina (de metal ou outro material rígido); CHAPA: *Cobriu o telhado com folhas de cobre.* **4** Relação mensal dos funcionários (de empresa, instituição) e seus respectivos cargos, salários etc. [Dim.: *folícula.*] ▪▪ **~ corrida** *Jur.* Certidão solicitada por juiz, em que diferentes escrivães atestam se alguém tem ou não culpa registrada em seus respectivos cartórios. **Novo em ~** – Novíssimo, sem uso.

folha de flandres (fo.lha de *flan*.dres) *sf.* Fina chapa de ferro estanhado us. na fabricação de diversos utensílios. [Pl.: *folhas de flandres.*]

folhagem (fo.*lha*.gem) *sf.* **1** Conjunto de folhas de uma planta: *a folhagem das árvores.* **2** Qualquer planta ornamental de folhas bonitas, e ger. sem flores. **3** Ornato que representa ou se assemelha a folhagem. [Pl.: *-gens.*]

folheado (fo.lhe.*a*.do) *a.* **1** Em que há uma ou várias camadas de alguma coisa. **2** Que se folheou² (3): *anel folheado a ouro.* *sm.* **3** Lâmina de madeira ou metal us. para revestir superfícies. **4** *Cul.* Doce ou salgado de camadas finas e leves de massa de farinha de trigo. [Nesta acp., tb. *folhado.*]

folhear¹ (fo.lhe.*ar*) *a2g.* Ref. a ou que é constituído de folha(s).

folhear² (fo.lhe.*ar*) *v.* **1** Virar seguidamente as folhas de (livro, jornal etc.). [*td.*: *folhear a revista.*] **2** Ler sem atenção as folhas de. [*td.*: *Já folheei este manuscrito, e gostei do texto.*] **3** Revestir de folha, de lâmina muito fina (de madeira, metal etc.). [*td.* (seguido ou não de indicação de meio/modo/instrumento): *Folhear uma aliança (de ouro).*] [▶ 13 folh[ear]]

folhetim (fo.lhe.*tim*) *sm*. **1** *Jorn.* História trágica ou dramática que se publica em capítulos nos jornais. **2** *Pej.* Jornal ou obra literária considerada de baixa qualidade. [Pl.: *-tins.*] ● **fo.lhe.ti.*nes*.co** *a.*

folheto (fo.*lhe*.to) [ê] *sm. Edit. Publ.* Impresso informativo ou publicitário, ger. de poucas páginas; PROSPECTO.

folhinha (fo.*lhi*.nha) *sf. Bras. Pop.* Folha em que estão impressos os meses e dias do ano; CALENDÁRIO.

folhudo (fo.*lhu*.do) *a.* Que tem muitas folhas.

folia (fo.*li*.a) *sf.* Brincadeira, farra.

folião (fo.li.*ão*) *a.sm.* Que ou quem gosta de cair na folia. [Pl.: *-ões.* Fem.: *-ona.*]

folículo (fo.*lí*.cu.lo) *sm. Anat.* Estrutura orgânica pequena e em forma de saco: *O folículo ovariano contém o óvulo feminino.*

fome (*fo*.me) *sf.* **1** Falta de alimento: *A fome ainda é um problema social.* **2** Necessidade, desejo de alimento: *Estou com uma fome canina.* **3** *Fig.* Vontade intensa: *fome de (jogar) bola.*

fomentar (fo.men.*tar*) *v. td.* **1** Criar meios para o crescimento de; ESTIMULAR. [*td.*: "Projeto do governo [fomenta] distribuição e produção de filmes." (*O Globo*, 18.08.99).] **2** Provocar (reação, sentimento); INCITAR. [*td.*: *fomentar a discórdia.*] **3** Friccionar com medicamento líquido ou aplicar compressa úmida (pele, local do corpo etc.). [*td.*: *fomentar o cotovelo.*] [▶ 1 fomentar] ● **fo.men.ta.*ção* o** *f.*

fomento (fo.*men*.to) *sm.* **1** Ajuda para o desenvolvimento de algo: *lei de fomento à cultura.* **2** *Fig.* Aumento suscitado por estímulo: *o fomento da indignação popular.* **3** Medicamento us. para fomentar (3).

fonação (fo.na.*ção*) *sf.* Conjunto de elementos que possibilitam a produção da voz; a produção da voz: *aparelho de fonação.* [Pl.: *-ções.*] ● **fo.na.*dor*** *a.; fô*.ni.co *a.*

fonado (fo.*na*.do) *a.* Que é transmitido pelo telefone (telegrama fonado).

fone (*fo*.ne) *sm.* **1** F. red. de *telefone.* **2** *Bras.* Parte do telefone que se leva ao ouvido. **3** *Bras.* Aparelho que se coloca no ouvido para ouvir som, música com privacidade: *fone de ouvido.*

fonema (fo.*ne*.ma) [ê] *sm. Ling.* Menor unidade de som de uma língua, com valor distintivo.

fonética (fo.*né*.ti.ca) *sf. Ling.* Área do conhecimento linguístico que estuda os sons da fala. ● **fo.*né*.ti.co** *a.*

foneticista (fo.ne.ti.*cis*.ta) *s2g.* Linguista que se especializou em fonética.

foniatria (fo.ni.a.*tri*.a) *sf. Med.* Área da medicina que trata dos problemas do aparelho fonador.

fonoaudiologia (fo.no:au.di:o.lo.*gi*.a) *sf. Med.* Especialidade médica que trata dos problemas relacionados com a fonação e a audição. ● **fo.no.au.di:o.*ló*.gi.co** *a.;* **fo.no.au.di:*ó*.lo.go** *sm.*

fonógrafo (fo.*nó*.gra.fo) *sm. Acús. Antq.* Antigo aparelho que servia para reproduzir os sons gravados em discos. ● **fo.no.*grá*.fi.co** *a.* [Cf.: *gramofone.*]

fonograma (fo.no.*gra*.ma) *sm. Bras.* Mensagem transmitida por telefone.

fonologia (fo.no.lo.*gi*.a) *sf. Ling.* Estudo das características linguísticas dos sons de uma língua. ● **fo.no.*ló*.gi.co** *a.;* **fo.no.lo.*gis*.ta** *s2g.;* **fo.*nó*.lo.go** *sm.*

fonoteca (fo.no.*te*.ca) *sf.* **1** Coleção de documentos sonoros, como discos, fitas etc. **2** Estabelecimento onde são arquivados esses documentos.

fontanela (fon.ta.*ne*.la) *sf. Anat.* Espaço entre os ossos do crânio do recém-nascido, que se ossifica progressivamente; MOLEIRA.

fonte (*fon*.te) *sf.* **1** Local em que brota a água proveniente do solo; MINA: *Foi até a fonte saciar a sede.* **2** Chafariz, bica: *A fonte da praça está seca.* **3** *Fig.* Aquilo que dá origem; MOTIVO: "A principal fonte de renda local hoje é o turismo..." (*FolhaSP*, 20.12.99). **4** *Fig.* Procedência de uma informação: *A denúncia veio de uma fonte da polícia.* **5** *Fís.* Sistema que produz ondas luminosas, elétricas, sonoras etc.: *fonte de energia.* **6** *Fig.* Texto do qual se extraem informações ou que serve de base para outras obras: *Selecionou as fontes para sua pesquisa.* **7** *Art.Gr.* Conjunto de letras e sinais de mesmo estilo: *O diagramador determinou a fonte a ser usada no livro.*

⊕ **footer** (Ing. /*fúter*/) *sm. Int.* Parte inferior de uma página; RODAPÉ.

foquista (fo.*quis*.ta) *sm. Cin. Fot.* Pessoa especializada em marcar os focos em câmara fotográfica ou cinematográfica.

fora (*fo*.ra) *adv.* **1** No lado externo. [Ant.: *dentro.*] **2** Em corpo mais: *Morei por dois anos.* **3** Em lugar ao qual não se tem acesso: *Está fora de seu alcance.* **4** Em algum lugar que não seja em casa (almoçar fora). **5** Ao longo de, sempre além; AFORA: *pelo mundo fora.* *prep.* **6** Com exceção de, exceto: *Fora a professora, todos riram.* **7** Além de, afora: *Ganhou três presentes, fora a boneca.* *interj.* **8** Exclamação que expressa ordem para sair. ∷ **Dar o ~** Ir-se embora, fugir. **Dar um ~** *Bras.* Cometer uma gafe, fazer ou dizer algo inconveniente. **Dar um ~ em** *Bras.* Rejeitar namoro, convite de; ou tratar alguém com desdém. **De ~ a 1** À mostra: *pernas de fora.* **2** Sem ter participação em ou conhecimento de (empreendimento, assunto etc.): *Todos estavam informados, mas ele ficou de fora.* **Deitar/Jogar/Pôr ~** Livrar-se de algo que não se quer mais. **Levar um ~ (de)** *Bras.* Ter recusada proposta de namoro, ou atenção, ou convite (s). **Por ~** *Gír.* Que serve de, ou propina, pagamento não contabilizado ou registrado. [Tb. se diz *pê∙efe*.] **Por ~ (de)** Sem conhecimento de ou participação em: *No que diz respeito à moda, ela estava por fora.*

fora da lei (fo.ra da *lei*) *a2g2n.s2g2n.* Que ou quem cometeu ato não permitido por lei; CRIMINOSO; DELINQUENTE.

foragido (fo.ra.*gi*.do) *a.sm.* Que ou quem é fugitivo da Justiça.

foragir-se (fo.ra.*gir*-se) *v. pr.* Fugir de (algo ou alguém) ou para (algum lugar): *Os ladrões foragiram-se da cadeia; Foragiu-se em uma fazenda.* [▶ 46 foragir-se]

forasteiro (fo.ras.*tei*.ro) *a.sm.* Que ou quem é de fora; ESTRANGEIRO.

forca (*for*.ca) [ô] *sf.* **1** Instrumento para execução de pena capital composto por uma estrutura na qual se pendura uma corda de forma própria para estrangulamento. **2** *Bras.* Jogo de adivinhação das letras que compõem uma palavra.

força (*for*.ça) [ô] *sf.* **1** Poder físico: *Hércules tinha uma força extraordinária.* **2** Firmeza moral: *força para suportar o infortúnio.* **3** O poder ou a influência de alguma coisa: *a força do vento/da lei.* **4** Firmeza, empenho: *força de vontade.* **5** Intensidade, veemência: *a força de um discurso.* **6** Esforço para atingir um objetivo: *faz força para pagar suas dívidas.* **7** Energia elétrica: *Acabou a força e ficamos no escuro.* **8** *Fís.* Agente físico capaz de alterar a aceleração de um corpo material. [Símb.: F] **9** *Mil.* Conjunto de tropas, navios ou aviões estabelecidos para fins específicos (força aérea). ∷ **À ~** Com coação, com violência: *Conseguiu, à força, que o obedecessem.* **Fazer ~** Esforçar-se. ~ **maior** Causa incontrolável e irremediável de uma situação (ger. impeditiva de algo): *Não compareceu por motivos de força maior.*

forcado (for.ca.do) sm. Instrumento composto de haste longa, terminada com duas, três ou quatro pontas, us. no campo.

forçado (for.ça.do) a. **1** Feito sob pressão, obrigatório (pouso forçado). **2** Sem naturalidade, artificial (riso forçado).

forçar (for.çar) v. **1** Abrir ou deslocar algo usando a força. [td.: forçar a janela.] **2** Obrigar ou incitar (alguém ou si mesmo) a (fazer algo). [td.: forçaram a contratação do funcionário. tdi. + a: Forçou o irmão a estudar. pr.: Forçava-se a comer feijão.] **3** Fig. Submeter (algo) a um esforço excessivo. [td.: forçar o joelho contundido.] **4** Fig. Agir premeditadamente para que algo ocorra. [td.: forçar um reencontro.] **5** Fig. Fazer algo sem naturalidade; FINGIR. [td.: forçar um sorriso.] [▶ **12** forçar] • **for.ça.ção** sf.

força-tarefa (for.ça-ta.re.fa) sf. Mar. Mil. Grupo de especialistas indicados para missão específica e temporária. [Pl.: forças-tarefas e forças-tarefa.] [Pl.: forças-tarefas e forças-tarefa.]

fórceps (fór.ceps) sm2n. Cir. Instrumento cirúrgico us. para retirar o bebê do útero em casos excepcionais.

forçoso (for.ço.so) [ó] a. **1** Forte, vigoroso. **2** Necessário, obrigatório: É forçoso combater o mosquito do dengue. [Fem. e pl.: [ó].]

forense (fo.ren.se) a2g. Ref. a foro, a tribunais de Justiça (estágio forense).

forja (for.ja) sf. **1** Conjunto dos instrumentos us. por aqueles que trabalham com metal. **2** Oficina onde se trabalha o metal, ger. o ferro.

forjar (for.jar) v. td. **1** Fundir ou modelar (metal) na forja. **2** Fig. Inventar (coisa falsa); SIMULAR: Forjou uma desculpa para não ir à festa. **3** Fig. Criar (algo falso): forjar um documento. [▶ **1** forjar]

forma (for.ma) [ô] sf. **1** Contorno, aspecto, configuração de um objeto ou de um corpo: biscoito em forma de meia-lua. **2** Maneira de agir ou de se manifestar: O cachorro latia de forma estranha. **3** Alinhamento de pessoas: No colégio, fazemos a forma para cantar o Hino Nacional. **4** Condição física: Ela está em ótima forma. **5** Gram. Qualquer unidade que integre o sistema gramatical da língua (p.ex.: fonema, sílaba, palavra, oração etc.). [Cf.: forma [ó].] ▣ ~ **de tratamento** Gram. Pronome, ou expressão, com que se designa o ouvinte ou leitor numa comunicação oral ou escrita, e que varia em função de convenções sociais (p.ex.: você, o senhor, doutor, vossa excelência etc.).

forma (for.ma) [ô] sf. **1** Molde onde se coloca algo para que tome a forma desejada. **2** Utensílio us. para assar bolos, tortas etc. [Cf.: forma [ó].]

formação (for.ma.ção) sf. **1** Ação ou resultado de formar(-se) (1, 2, 4); CONSTITUIÇÃO: a formação de nuvens no céu; a formação do caráter. **2** Ação ou resultado de instruir, educar (formação profissional). **3** Disposição, organização: Corrigiu a formação dos alunos no pátio. [Pl.: -ções.]

formado (for.ma.do) a.sm. Que ou aquilo que se formou.

formador (for.ma.dor) [ô] sm. **1** Quem forma, pessoa especializada em formar; EDUCADOR. a.sm. **2** Que ou quem organiza ou cria alguma coisa.

formal (for.mal) a2g. **1** Que atende às normas e leis: Constatou-se o crescimento do emprego formal no interior. **2** Com estilo cerimonioso: Apertou-lhe a mão de modo bem formal. **3** Oficial: pronunciamento formal do presidente. **4** Que satisfaz formalidade (2) mas sem autenticidade no conteúdo: Fez um convite apenas formal. [Pl.: -mais.]

formalidade (for.ma.li.da.de) sf. **1** Conjunto de regras a serem seguidas para que certos atos sejam válidos: A compra de um terreno requer certas formalidades. **2** Comportamento regido por regras: Quebrou a formalidade ao beijar o presidente.

formalismo (for.ma.lis.mo) sm. Consideração extrema por formalidades: O formalismo do protocolo caracteriza as solenidades diplomáticas.

formalizar (for.ma.li.zar) v. td. **1** Elaborar regras, normas para: formalizar o atendimento ao público. **2** Dar condição de formal (1) a; OFICIALIZAR: formalizar um contrato. [▶ **1** formalizar]

formando (for.man.do) a.sm. Que ou quem está em processo final de conclusão de um curso.

formão (for.mão) sm. Utensílio de carpintaria, de extremidade chata e cortante e cabo ger. de madeira. [Pl.: -mões.]

formar (for.mar) v. **1** Fazer, construir, produzir. [td.: A inundação formou um lago.] **2** Constituir ou criar, organizar. [td.: formar uma banda de rock/uma biblioteca.] **3** Fazer concluir ou concluir (curso, faculdade). [td.: A empresa forma os seus técnicos. pr.: Formou-se dentro do Exército.] **4** Estruturar(-se) moralmente; ORIENTAR(-SE), EDUCAR(-SE). [td.: Preocupava-se em formar o caráter do filho. pr.: Formava-se no convívio com o pai.] **5** Dispor(-se) em linha, em ordem; ENFILEIRAR. [td.: formar os soldados para a revista. pr.: A tropa formou-se rapidamente.] [▶ **1** formar]

formatação (for.ma.ta.ção) sf. **1** Ação ou resultado de formatar. **2** Adaptação de um conjunto de elementos a determinado padrão. **3** Inf. Padrão pelo qual está organizado um disco magnético ou outro meio análogo de armazenamento. **4** Inf. Disposição dos elementos visuais na tela do computador. [Pl.: -ções.]

formatar (for.ma.tar) v. td. **1** Inf. Preparar (disquete, disco rígido) para receber dados. **2** Art.Gr. Adaptar (texto, arquivo) de acordo com um padrão. [▶ **1** formatar]

formativo (for.ma.ti.vo) a. **1** Que dá forma a algo. **2** Que participa na formação (1) de algo.

formato (for.ma.to) sm. **1** Forma exterior ou configuração física de um objeto. **2** Edit. Dimensões de papel, livro, revista etc. **3** Rád. Telv. Forma de apresentação de um programa de rádio ou televisão. **4** Inf. Padrão que se cria por quem faz uma formatação (de arquivo, disquete, impressora etc.).

formatura (for.ma.tu.ra) sf. **1** Ação ou resultado de formar(-se). **2** Graduação ou colação de grau em algum curso.

fórmica® (fór.mi.ca) sf. Material laminado us. para revestir móveis, paredes etc. [A marca registrada, com inicial maiúsc.]

formicida (for.mi.ci.da) a2g.sm. Bras. Diz-se de ou preparado químico venenoso para matar formigas (agentes formicidas): um formicida de ação rápida.

formidável (for.mi.dá.vel) a2g. **1** Bras. Digno de admiração (ideia formidável); MAGNÍFICO; EXCELENTE. **2** Que tem intensidade ou tamanho descomunal: Hércules tinha uma força formidável. [Pl.: -eis.]

formiga (for.mi.ga) sf. Zool. **1** Certo inseto, que vive em grupos organizados. **2** Fig. Pessoa que tem grande capacidade de trabalho e/ou que economiza muito.

formigamento (for.mi.ga.men.to) sm. Sensação de seguidas e leves picadas em parte do corpo que está dormente; DORMÊNCIA.

formigar (for.mi.gar) v. **1** Ter sensação de picadas (o corpo ou parte dele). [int.: Minha perna parou de formigar.] **2** Estar cheio. [int./ti. + de: As ruas formigam (de gente).] [▶ **14** formigar]

formigueiro (for.mi.guei.ro) sm. **1** Lugar, ger. um buraco na terra ou em um tronco de árvore, em que vivem as formigas. **2** Grande número de formigas. **3** Fig. Grande quantidade de pessoas concentradas num só lugar: O centro da cidade estava um formigueiro.

forminha (for.mi.nha) sf Fôrma pequena circular, us. para bolos, empadas, doces etc.

formol (for.*mol*) *sm*. *Quím*. Solução líquida us. como desinfetante e antisséptico. [Pl.: -*móis*.]

formoso (for.*mo*.so) [ó] *a*. Que tem bela forma física ou é agradável, harmonioso. [Fem. e pl.: [ó].]

formosura (for.mo.*su*.ra) *sf*. **1** Qualidade de formoso. **2** Pessoa ou coisa bonita: *Ela era uma formosura*.

fórmula (*fór*.mu.la) *sf*. **1** Expressão de uma regra, princípio etc.: *fórmula de conduta*. **2** Modo ou padrão que se estabelece para declarar, requerer algo etc. **3** Indicação das substâncias que entram na composição de um medicamento. **4** Modo de agir para se alcançar determinado objetivo; CHAVE; SEGREDO: *fórmula de beleza/do sucesso*. **5** *Quím*. Forma de representação simbólica da molécula de uma substância ou mistura. **6** Ideias, frases ou ditos sem originalidade, que não trazem novos conceitos: *Era uma crítica cheia de fórmulas já conhecidas*.

formular (for.mu.*lar*) *v*. *td*. **1** Elaborar, criar: *formular teorias*. **2** Expor, exprimir: *formular um protesto*. [▶ **1** formul<u>ar</u>] • **for.mu.la.<u>ção</u>** *sf*.

formulário (for.mu.*lá*.ri.o) *sm*. **1** Conjunto de fórmulas. **2** Modelo impresso que segue um padrão, e no qual são escritas as informações solicitadas: *Preencheu um formulário para candidatar-se ao emprego*.

fornada (for.*na*.da) *sf*. **1** Conjunto de coisas (pães, biscoitos, tijolos etc.) assadas de uma só vez num forno. **2** *Fig. Pop*. Porção de coisas feitas de uma só vez.

fornalha (for.*na*.lha) *sf*. **1** Forno de grande tamanho. **2** Qualquer recipiente onde se queima combustível. **3** *Fig*. Ver *forno* (3).

fornecedor (for.ne.ce.*dor*) [ô] *a.sm*. **1** Que ou quem fornece. *sm*. **2** Profissional ou empresa que fornece produtos, ger. regularmente, aos clientes: *fornecedor de bebidas/de congelados*.

fornecer (for.ne.*cer*) *v*. *td*. **1** Dar, oferecer; tornar disponível. [*tdi*.: *Não se deve fornecer dados pessoais por telefone*. *tdi*. + *para*, *a*: *O patrocinador forneceu uniformes ao time*.] **2** Abastecer, munir. [*tdi*. + *a*, *de*: *A cooperativa fornece os fazendeiros de adubo*.] **3** Produzir, gerar. [*td*.: *A velha usina parou de fornecer energia*.] [▶ **33** forne<u>cer</u>] • **for.ne.ci.men.to** *sm*.

forneiro (for.*nei*.ro) *sm*. Profissional que se encarrega do forno (controlando o ponto certo dos alimentos).

fornicar (for.ni.*car*) *v*. Ter relação sexual; COPULAR. [*int*./ *ti*. + *com*.] [▶ **11** forni<u>car</u>]

fornido (for.*ni*.do) *a*. **1** Que foi abastecido. **2** Robusto, nutrido: *Era uma garota bem fornida*.

fornilho (for.*ni*.lho) *sm*. **1** Forno pequeno. **2** A parte do cachimbo onde queima o fumo.

forno (for.no) [ô] *sm*. **1** Construção, feita de tijolo, pedra ou ferro que, aquecida com carvão, lenha ou outros combustíveis, armazena o calor para cozer ou assar pães, tijolos, louças etc. **2** A parte do fogão em que se preparam os assados. **3** *Fig*. Lugar muito quente; FORNALHA: *A casa fechada era um forno só*. [Pl.: [ó].]

foro (*fo*.ro) [ó] *sm*. **1** Centro de atividades, esp. debates. **2** *Hist*. Praça pública, nas antigas cidades de Roma. [Sin. ger.: *fórum*.]

foro (*fo*.ro) [ó] *sm*. **1** *Jur*. Local em que estão instalados os órgãos do Poder Judiciário, entre eles o Tribunal de Justiça; FÓRUM. **2** Uso ou regalia garantido pelo tempo ou pela lei. **3** Alçada, jurisdição (*foro eclesiástico*).

forquilha (for.*qui*.lha) *sf*. **1** Pedaço de pau que se abre em dois ramos. **2** Forcado de três pontas.

forra (*for*.ra) *sf*. *Bras. Pop*. Desforra, vingança: *Foi à forra de tudo que lhe haviam feito*.

forrado (for.*ra*.do) *a*. **1** Que tem forro (*vestido forrado*). **2** *Gír*. Que está alimentado (estômago *forrado*). **3** *Gír*. Que está com dinheiro: *Recebeu a herança e está forrado*.

forrageiro (for.ra.*gei*.ro) *a*. Que pode ser us. como forragem (planta *forrageira*).

forragem (for.*ra*.gem) *sf*. Planta ou grão us. na alimentação do gado. [Pl.: -*gens*.]

forrar¹ (for.*rar*) *v*. **1** Colocar forro¹ em. [*td*. (seguido ou não de indicação de meio): *Forrou o vestido (com seda)*.] **2** Colocar capa, revestimento em; REVESTIR. [*td*. (seguido ou não de indicação de meio): *Forraram as cadeiras (com plástico)*. *pr*.: *O céu forrou-se de nuvens*.] [▶ **1** forr<u>ar</u>] • **for.ra.<u>ção</u>** *sf*.

forrar² (for.*rar*) *v*. **1** Livrar(-se), poupar(-se) de; EVITAR. [*tdi*. + *a*, *de*: *Estes documentos vão forrá-lo de falsas acusações*. *pr*.: *Forrou-se dos aborrecimentos conjugais*.] **2** *Pop*. Ganhar ou juntar (dinheiro). [*td*.: *Forrou o dinheiro das despesas*.] [▶ **1** forr<u>ar</u>]

forro¹ (*for*.ro) [ô] *sm*. **1** *Cons*. Revestimento interno do teto de uma construção. **2** Tecido ou enchimento que reveste interna ou externamente peças de vestuário ou mobiliário: *forro do paletó/do sofá*. **3** Qualquer forma de revestimento da parte interna de algo (parede, casa etc.).

forro² (*for*.ro) [ô] *a*. **1** Liberto da escravidão; ALFORRIADO. **2** Livre, isento (de algo): *forro de um compromisso*.

forró (for.*ró*) *sm*. *Bras*. **1** Baile popular ao som de música nordestina; ARRASTA-PÉ. **2** *Mús*. Esse tipo de música.

forrobodó (for.ro.bo.*dó*) *sm*. *Bras. Pop*. **1** Baile popular; ARRASTA-PÉ. **2** Confusão, tumulto: *O jogo acabou no maior forrobodó*.

fortalecer (for.ta.le.*cer*) *v*. **1** Tornar(-se) mais forte ou mais sólido. [*td*.: *fortalecer os músculos/ um muro*. *pr*.: *Nossa amizade fortaleceu-se*.] **2** *Fig*. Dar ânimo, força a. [*td*.: *A fé fortalece o homem*.] **3** Tornar(-se) melhor defendido. [*td*.: *fortalecer uma fronteira*. *pr*.: *O país se fortaleceu*.] [Sin. ger.: *fortificar*. Ant. ger.: *enfraquecer*.] [▶ **33** fortale<u>cer</u>] • **for.ta.le.ci.men.to** *sm*.

fortaleza (for.ta.*le*.za) [ê] *sf*. **1** Qualidade de quem é forte; FORÇA: *a fortaleza do lutador*. **2** *Mil*. Construção fortificada para a defesa de uma cidade, uma região etc.; FORTE; FORTIFICAÇÃO. **3** *Fig*. Força moral; VEEMÊNCIA: *Sua fortaleza transparecia no olhar*. **4** *Fig*. Solidez, consistência: *a fortaleza de seus ideais*.

fortalezense (for.ta.le.*zen*.se) *a2g*. **1** De Fortaleza, capital do Estado do Ceará; típico dessa cidade ou de seu povo. *s2g*. **2** Pessoa nascida em Fortaleza.

forte (*for*.te) *a2g*. **1** Que tem força: *Que vença o mais forte*. **2** Que é robusto, cheio de corpo. **3** Que é valente, ousado: *Invadir aquele covil era missão para homens fortes*. **4** Que é poderoso (empresa *forte*). **5** Que tem valor, qualidade (caráter *forte*). **6** Que é nutritivo (alimento *forte*). **7** Que tem consistência, peso, densidade: *O filme tem uma história forte*. **8** Que tem possibilidades de sucesso (candidato *forte*). **9** De alto teor alcoólico (bebida *forte*). **10** De aroma ou sabor marcante (perfume *forte*, tempero *forte*). *sm*. **11** Aquilo em que alguém é muito bom: *O forte dela é a natação*. **12** Construção fortificada para defender cidade, região etc.; FORTALEZA; FORTIFICAÇÃO. *s2g*. **13** Pessoa forte, valente: *Só os fortes ficaram na linha de frente*.

fortificação (for.ti.fi.ca.*ção*) *sf*. **1** Ação ou resultado de fortificar(-se). **2** Forte (12); fortaleza (2). [Pl.: -*ções*.]

fortificante (for.ti.fi.*can*.te) *a2g*. **1** Que fortifica. *sm*. **2** Medicamento para restaurar as forças.

fortificar (for.ti.fi.*car*) *v*. Ver *fortalecer*. [▶ **11** fortifi<u>car</u>]

fortim (for.*tim*) *sm*. Fortificação (2) de pequeno porte. [Pl.: -*tins*.]

fortuito (for.*tui*.to) *a*. Que acontece sem ter sido planejado (encontro *fortuito*); EVENTUAL; IMPREVISTO.

fortuna (for.*tu*.na) *sf.* **1** *Bras.* Acúmulo de bens, de riqueza. **2** Sorte, êxito, felicidade: *Tem a fortuna de ser querida por todos*. **3** Casualidade: *Alcançou o que queria por mera fortuna*. **4** Sina, destino.

fórum (*fó*.rum) *sm.* **1** Ver *foro* [ó]. **2** Ver *foro* [ó] (1). [Pl.: -*runs*.]

fosco (*fos*.co) [ó] *a.* Sem brilho (vidro fosco); EMBAÇADO; OPACO.

fosfato (fos.*fa*.to) *sm. Quím.* Composto derivado do ácido fosfórico.

fosforescência (fos.fo.res.*cên*.ci:a) *sf.* **1** Qualidade de fosforescente. **2** Luminosidade. **3** Luminosidade apresentada, por vezes, pelas águas do mar agitadas por ação dos ventos ou pela proa de embarcações devido a presença de certos animais microscópicos.

fosforescente (fos.fo.res.*cen*.te) *a2g.* Que brilha na obscuridade sem irradiar calor.

fósforo (*fós*.fo.ro) *sm.* **1** *Quím.* Elemento não metálico, luminoso na obscuridade. [Símb.: *P*] **2** Palito com cabeça feita dessa substância, que produz fogo por atrito. ● **fo.***fó***.ri.co** *a.*

fossa (*fos*.sa) *sf.* **1** Cavidade aberta no solo, mais ou menos ampla e profunda; FOSSO. **2** Buraco aberto no solo, onde se despejam detritos, excrementos etc. **3** *Anat.* Depressão ou área oca (fossas nasais). **4** *Bras. Gír.* Depressão, tristeza, abatimento: *Perdeu o namorado e ficou na fossa*. [Dim.: *fosseta* [ê].]

fóssil (*fós*.sil) *sm.* **1** *Pal.* Resto petrificado dos seres vivos que habitaram a Terra em épocas remotas. **2** *Fig. Pej.* Indivíduo de mentalidade ou hábitos antiquados. *a2g.* **3** Ref. a fóssil (1) ou que é um fóssil (1 (animal fóssil). [Pl.: -*seis*.]

fossilizar (fos.si.li.*zar*) *v.* **1** Transformar(-se) em fóssil. [*td./pr.*] **2** *Fig.* Impedir a evolução de (alguém ou si próprio); ESTAGNAR(-SE). [*td.*: *A falta de diálogo fossiliza o homem.* *pr.*: *Se a direção se fossilizar, a empresa não cresce.*] [▶ 1 fossilizar]

fosso (*fos*.so) [ô] *sm.* **1** Ver *fossa* (1). **2** Vala extensa feita em volta de fortificação, trincheiras etc. para dificultar ataques. **3** Valeta ao longo de estradas e caminhos. [Pl.: [ó]. Dim.: *fossete*.]

fotelétrico (fo.te.*lé*.tri.co) *a. Fís.* Ver *fotoelétrico*.

foto (*fo*.to) *sf.* Ver *fotografia*.

fotocélula (fo.to.*cé*.lu.la) *sf. Elet.* Dispositivo fotoelétrico que transforma a radiação luminosa em eletricidade.

fotocomposição (fo.to.com.po.si.*ção*) *sf. Art.Gr.* **1** Processo de composição (de textos) a frio que utiliza técnicas de fotografia e de eletrônica. **2** Trabalho que se obtém por esse meio. **3** Ação ou resultado de trabalhar em fotocompositora. [Pl.: -*ções*.]

fotocompositora (fo.to.com.po.si.*to*.ra) [ô] *sf. Art.Gr.* **1** Equipamento de fotocomposição (1). **2** Estúdio de fotocomposição (1).

fotocópia (fo.to.*có*.pi:a) *sf. Art.Gr.* **1** Processo de reprodução que utiliza a ação da luz ou de outras radiações. **2** A cópia obtida por esse meio.

fotocopiar (fo.to.co.pi.*ar*) *v. td.* Fazer fotocópia (2) de. [▶ 1 fotocopiar]

fotoelétrico (fo.to.e.*lé*.tri.co) *a. Fís.* Que transforma energia luminosa em elétrica.

fotofobia (fo.to.fo.*bi*.a) *sf. Med.* Aversão à luz resultante de dor ou desconforto visual provocado pela sua incidência sobre os olhos. ● **fo.to.***fó***.bi.co** *a.*

fotogênico (fo.to.*gê*.ni.co) *a.* Que aparece bonito ou expressivo nas fotografias: *Embora não fosse bonito, era muito fotogênico*.

fotografar (fo.to.gra.*far*) *v.* **1** Tirar fotografia de. [*td.*: *fotografar uma paisagem*.] **2** Sair (bem ou mal) em fotos. [*int.*: *Ele não fotografa bem*.] [▶ 1 fotografar]

fotografia (fo.to.gra.*fi*.a) *sf.* **1** Técnica ou arte de registrar imagens por meio da ação da luz sobre um filme, com a utilização de uma câmara fotográfica. **2** A imagem obtida por essa técnica; FOTO; RETRATO. **3** *Fig.* A cópia fiel de algo ou alguém. ● **fo.to.***grá***.fi.co** *a.*

fotógrafo (fo.*tó*.gra.fo) *sm.* Pessoa que fotografa, profissionalmente ou como amador.

fotogravura (fo.to.gra.*vu*.ra) *sf. Art.Gr.* Processo fotomecânico de produzir formas para impressão.

fotolegenda (fo.to.le.*gen*.da) *sf. Jorn.* Fotografia acompanhada de legenda explicativa, mais extensa que o normal, em jornais, revistas etc.

fotolito (fo.to.*li*.to) *sm. Art.Gr.* **1** Pedra ou placa metálica para impressão ou gravação de matriz. **2** Filme us. para gravar texto ou imagem em fotolito (1) ou chapa para impressão.

fotolog (fo.to.*log*) *sm. Int.* **1** Serviço disponível gratuitamente na internet que possibilita a qualquer pessoa criar uma página de fotos, com espaço para comentários de outros usuários ou não, e ter acesso a fotologs de outras pessoas. **2** Página de fotos assim criada: *Você já visitou o meu fotolog?*

fotômetro (fo.*tô*.me.tro) *sm. Opt.* Aparelho us. pelos fotógrafos para medir a intensidade da luz.

fotonovela (fo.to.no.*ve*.la) *sf. Antq.* História em forma de quadrinhos constituídos de fotos, com textos breves em legendas e balões; FOTORROMANCE.

fotorromance (fo.tor.ro.*man*.ce) *sm.* Ver *fotonovela*.

fotossensível (fo.tos.sen.*sí*.vel) *a2g.* Que é sensível à luz. [Pl.: -*veis*.] ● **fo.tos.sen.si.***bi***.li.da.de** *sf.*

fotossíntese (fo.tos.*sín*.te.se) *sf. Biol.* Capacidade que têm os vegetais de sintetizar a matéria orgânica a partir da luz solar, com desprendimento de oxigênio.

☐ A fotossíntese é um dos processos básicos da natureza, pois sintetiza substâncias simples em substâncias mais complexas que vão constituir o alimento. Baseia-se na propriedade de as plantas verdes (e alguns outros organismos, como algas e bactérias) transformarem a energia luminosa (do Sol) em energia química, para sintetizar dióxido de carbono, água e sais minerais em substâncias orgânicas, portanto alimento. O principal elemento captador da luz é a clorofila, responsável pela cor verde dessas plantas. No processo, além de absorverem dióxido de carbono da atmosfera, liberam oxigênio, e daí a ideia (não unânime) de que as florestas (principalmente a Amazônica) são o pulmão da Terra.

fototerapia (fo.to.te.ra.*pi*.a) *sf. Med.* Tratamento de enfermidades pela ação da luz.

foxtrote (fox.*tro*.te) [cs] *sm.* Música e dança de salão de origem norte-americana, de ritmo saltitante, muito popular nas décadas de 1930 a 1950.

⊕ **foyer** (*Fr.* /foaiê/) *sm.* Recinto, nos teatros, onde os espectadores aguardam o início ou reinício do espetáculo

foz *sf.* Ponto onde um rio deságua no mar, num lago ou noutro rio; DESEMBOCADURA.

fracalhão (fra.ca.*lhão*) *a.sm. Pej.* Que ou quem é muito fraco ou medroso; COVARDE. [Pl.: -*lhões*. Fem.: -*lhona*.]

fração (fra.*ção*) *sf.* **1** Parte de um todo: *fração de segundo*. **2** *Mat.* Número que representa uma ou mais partes de número, grandeza etc. que foi dividido em partes iguais. [Pl.: -*ções*.]

fracassado (fra.cas.*sa*.do) *a.sm.* Que ou quem fracassou, foi malsucedido e não conseguiu atingir seus objetivos.

fracassar (fra.cas.*sar*) *v.* Ser malsucedido, não dar certo; MALOGRAR. [*ti. + em*: *Se não estudar, fracassará no vestibular.* *ti.*: *Mais uma tentativa que fracassou.*] [Ant.: *triunfar*.] [▶ 1 fracassar]

fracasso (fra.*cas*.so) *sm.* **1** Mau êxito; MALOGRO: *O concerto foi um fracasso*. **2** Estrondo produzido por algo que se parte ou cai.

fracionar | franquear

fracionar (fra.ci:o.*nar*) *v.* Dividir(-se) em frações, em partes; FRAGMENTAR(-SE). [*td./tdi.* + *em*: *Fracionaram a sala (em pequenos módulos)*. *pr.*: *A caneca fracionou-se em pedacinhos*.] [▶ 1 fracion*ar*]

fracionário (fra.ci:o.*ná*.ri:o) *a.* **1** Em que há fração; que representa uma fração de um todo (número fracionário). **2** *Gram.* Diz-se do numeral (3) que indica uma fração de um todo (p.ex.: *terço*).

fraco (*fra*.co) *a.* **1** Que não tem força física ou moral. **2** Que não tem autoridade, que cede facilmente à vontade alheia, às tentações etc.: *Era fraco com os filhos*. **3** Que não tem muita aptidão em determinada atividade: *fraco em matemática*. **4** Que não tem poder ou influência (politicamente fraco). **5** De pouca ou nenhuma expressão ou qualidade (filme fraco). **6** Que tem baixa concentração de seu componente principal (café fraco). **7** De pouca intensidade (luz fraca). **8** Com a carga elétrica baixa (bateria fraca). *sm.* **9** Pessoa covarde ou desvalida: *defender os fracos e oprimidos*. **10** Tendência, preferência: *ter um fraco por morenas*. **11** O ponto vulnerável; tendência ou hábito forte; FRAQUEZA: *Seu fraco era a bebida*. [Aum.: *fracalhão, fraqueirão*. Dim.: *fracote, fraquete*.]

frade¹ (*fra*.de) *sm. Rel.* Membro de ordem religiosa em que se emitem votos solenes; FREI. [Fem.: *freira*. Aum.: *fradalhão* e *fradaço*.]

frade² (*fra*.de) *sm. Bras.* Bloco colocado em ruas ou calçadas ger. para impedir o acesso de veículos.

fraga (*fra*.ga) *sf. Geog.* Rocha muito íngreme; PENHASCO.

fragata (fra.*ga*.ta) *sf. Mar.* Navio de guerra de tamanho médio, us. ger. para escolta ou para ataques a submarinos.

frágil (*frá*.gil) *a2g.* **1** Que pode se partir ou quebrar com facilidade (vasos frágeis). **2** Que é delicado e indefeso: *Ainda se pode dizer que as mulheres são o sexo frágil?* **3** *Fig.* Que é pouco resistente do ponto de vista emocional e psicológico. **4** *Fig.* Que é instável e de curta duração (relacionamento frágil). [Pl.: *-geis*. Superl.: *fragilíssimo* e *fragílimo*.] ● **fra.gi.li.**da.de *sf.*

fragilizado (fra.gi.li.*za*.do) *a.* **1** Que se tornou fisicamente fraco e pouco resistente: *Depois da explosão, a estrutura do prédio ficou fragilizada.* **2** Que ficou emocionalmente abalado e vulnerável: *Ele está muito fragilizado desde o acidente.*

fragilizar (fra.gi.li.*zar*) *v.* Tornar(-se) frágil e/ou inseguro. [*td.*: *As críticas a fragilizaram. pr.*: *Sem os três jogadores, a equipe se fragilizou.*] [Ant.: *fortalecer*.] [▶ 1 fragiliz*ar*]

fragmentar (frag.men.*tar*) *v. td. pr.* Partir(-se) em fragmentos, em pedaços. [▶ 1 fragment*ar*] ● **frag.men.ta.ção** *sf.*; **frag.men.ta.do** *a.*

fragmento (frag.*men*.to) *sm.* **1** Cada pedaço de um objeto que se partiu ou quebrou: *fragmentos da vidraça.* **2** *Fig.* Partes que restam de textos artísticos, filosóficos ou científicos perdidos ou destruídos: *os fragmentos dos filósofos gregos.* **3** Trechos retirados de texto literário ou de outra natureza: *Lerei apenas alguns fragmentos da crônica.*

fragor (fra.*gor*) [ó] *sm.* Ruído estrondoso ou que lembra algo que se quebra: *fragor da tempestade*.

fragoroso (fra.go.*ro*.so) [ô] *a.* **1** Que produz fragor, estrondo. **2** *Fig.* Fora do comum, extraordinário (notícia fragorosa). [Fem. e pl.: *-osos*.]

fragrância (fra.*grân*.cia) *sf.* Cheiro agradável das flores, plantas etc.; AROMA; PERFUME: *a fragrância da colônia*.

fragrante (fra.*gran*.te) *a2g.* Que tem bom odor (jardim fragrante); CHEIROSO; PERFUMADO. [Cf.: *flagrante*.]

frajola (fra.*jo*.la) *a2g.s2g. Bras. Pop.* Que ou quem se veste com apuro exagerado.

fralda (*fral*.da) *sf.* **1** Peça feita de material macio e absorvente, com que se cobrem as nádegas e a região entre as pernas do bebê ou de pessoa, ger. idosa, com o propósito de coletar urina e excrementos. **2** Parte inferior (de montanha, serra); SOPÉ. **3** A parte da camisa que fica abaixo da cintura. [Dim.: *fraldica*.]

framboesa (fram.bo:*e*.sa) [ê] *sf.* Pequena fruta vermelha comestível, com a qual se produzem geleias, licores e xaropes.

framboeseira (fram.bo:e.*sei*.ra) *sf. Bot.* Planta que dá a framboesa.

⊕ **frame** (*Ing.* /*frêim*/) *sm. Inf.* Quadro ou moldura de documento que se encontra em uma página da internet.

francês (fran.*cês*) *a.* **1** Da França (Europa); típico desse país ou de seu povo. *sm.* **2** Pessoa nascida na França. *a.sm.* **3** *Gloss.* Da, ref. à ou da língua falada na França, Bélgica, Mônaco, Luxemburgo, em parte da Suíça e do Canadá, bem como em certos países da América Central, África e Ásia. [Pl.: *-ceses*. Fem: *-cesa*.]

⊕ **franchise** (*Ing.* /*fránCháiz*/) *sm. Com.* **1** Sistema comercial no qual uma empresa detentora de uma marca permite que outras empresas utilizem essa marca desde que cumpridas certas condições. **2** Empresa criada a partir desse sistema. [Sin.: *franquia*.]

franciscano (fran.cis.*ca*.no) *sm.* **1** *Rel.* Religioso pertencente à Ordem de São Francisco de Assis. *a.* **2** *Rel.* Ref. a essa ordem ou a seus religiosos (regras franciscanas). **3** *Fig.* Que é extremamente pobre: *As pessoas levam uma vida franciscana naquele vilarejo.*

franco (*fran*.co) *a.* **1** Que é sincero e aberto (pessoas francas, opinião franca). **2** Que é livre e desimpedido: *Com este crachá, teremos franco acesso ao evento.* **3** Que é livre do pagamento de tributos, impostos etc. (entrada franca). **4** *Hist.* Ref. aos francos, antigo povo germânico que invadiu e conquistou a Gália nos sécs. III e IV. *sm.* **5** Pessoa pertencente a esse povo. **6** Nome do dinheiro us. na Suíça, e anteriormente us. na França, Bélgica, entre outros países, até a adoção do euro.

franco-atirador (fran.co-a.ti.ra.*dor*) [ô] *sm.* **1** Combatente que, não pertencendo a nenhuma unidade regular de um exército, age por conta própria. **2** *Fig.* Quem trabalha por um ideal, mas sem estar vinculado a um grupo ou organização. [Pl.: *franco- -atiradores*.]

franga (*fran*.ga) *sf.* **1** Galinha que ainda não bota ovos por ser nova demais. **2** *Bras. Pop.* Mulher muito jovem. [Dim.: *franguinha*.] ▪ **Soltar a ~** *Pop.* Desinibir-se, perder o acanhamento.

frangalho (fran.*ga*.lho) *sm.* **1** Pedaço de pano rasgado ou muito usado: *Ele vestia frangalhos*. **2** *Fig.* Pessoa ou coisa acabada (4, 6) destruída; CACO; FARRAPO: *Depois da falência da firma, ele virou um frangalho.*

frango (*fran*.go) *sm.* **1** Galo jovem que ainda não atingiu idade de reprodução. **2** *Fut. Pop.* Gol causado por uma falha muito grave do goleiro: *Nosso goleiro já engoliu três frangos.* [Dim.: *frangote* e *franguinho*.]

frango-d'água (fran.go-*d'á*.gua) *sm. Zool.* Tipo de ave aquática. [Pl.: *frangos-d'água*.]

frangote (fran.*go*.te) *sm.* **1** *Fig.* Rapaz bem novo; RAPAZOLA: *O frangote ainda tentou desafiar o policial.* **2** *Fig.* Rapaz presunçoso e travesso. **3** Frango pequeno. [Fem.: *-gota*.]

franja (*fran*.ja) *sf.* **1** Porção do cabelo que cobre a testa de uma pessoa até a altura das sobrancelhas. **2** Enfeite constituído ger. de fios ou tranças que pendem da borda de um tecido.

franquear (fran.que.*ar*) *v.* **1** Retirar impedimentos; LIBERAR; FACULTAR. [*td./tdi.* + *a*: *Franqueou(-nos) a entrada no clube.*] [Ant.: *impedir*.] **2** Liberar de impostos. [*td.*: *O Congresso aprovou leis que franqueiam a* *importação de vacinas.*] **3** Conceder franquia a. [*td.*: *A rede de farmácias franqueará 12 lojas.*] [▶ **13** franquear]

franqueza (fran.que.za) [ê] *sf.* Qualidade de quem é franco (1), sincero, leal.

franquia (fran.qui.a) *sf.* **1** Isenção de certas obrigações ou do pagamento de certas taxas. **2** Em contratos de seguro de veículos, parcela das despesas a serem pagas pelo próprio segurado em caso de acidente. **3** Sistema pelo qual uma empresa cede a outra, em troca de uma compensação financeira, o direito de usar seu nome, padrão de funcionamento e identidade visual; FRANCHISE. **4** Negócio ao qual foi concedido tal licença: *Meu pai abriu uma franquia de uma conhecida lanchonete.*

franzido (fran.zi.do) *a.* **1** Que apresenta dobras ou pregas (testa *franzida*, vestido *franzido*). *sm.* **2** Conjunto de dobras ou pregas: *o franzido da saia.*

franzino (fran.zi.no) *a.* Diz-se de pessoa pequena e pouco encorpada.

franzir (fran.zir) *v.* **1** Formar pequenas dobras ou rugas (em). [*td.*: *A costureira franziu o cós da saia. pr.*: *Este tecido franze-se facilmente.*] **2** Contrair(-se), enrugar(-se). [*td.*: *franzir a testa. pr.*: *O rosto dela franziu-se, intrigado.*] [▶ **3** franzir]

fraque (*fra*.que) *sm.* Casaco masculino de cerimônia, curto na parte da frente e com longas abas na parte de trás.

fraquejar (fra.que.jar) *v. int.* **1** Perder as forças ou o vigor; DEBILITAR-SE; ENFRAQUECER: *O cansaço o fez fraquejar.* **2** Perder a coragem; ACOVARDAR-SE: *fraquejar diante do perigo.* [▶ **1** fraquejar]

fraqueza (fra.que.za) [ê] *sf.* **1** Estado ou qualidade daquele a quem falta força física: *Ele não consegue caminhar por causa de sua fraqueza.* **2** Estado ou qualidade daquele a quem falta firmeza moral: *Não resistiu às pressões, revelando sua fraqueza.* **3** Aquilo a que uma pessoa não consegue resistir; PONTO FRACO: *O cigarro é a sua fraqueza.*

frasco (*fras*.co) *sm.* Pequeno recipiente de vidro, cristal etc. no qual se guardam substâncias líquidas, tais como perfumes, óleos e remédios.

frase (*fra*.se) *sf.* **1** *Gram.* Unidade de comunicação linguística dotada de uma estrutura e com sentido completo. **2** *Mús.* Trecho de música no qual se reconhece unidade interna e certa autonomia. ▪▪ ~ **feita** *Gram.* Expressão idiomática. ● **fra.sal** *a2g.*

fraseado (fra.se.a.do) *sm.* **1** Maneira de se dizer ou escrever algo: *Seu fraseado era simples e direto.* **2** *Mús.* Maneira de desenvolver uma linha melódica.

frasear (fra.se.ar) *v. td.* (com ou sem complemento) **1** Expor as ideias em frases (escritas ou faladas): *Fraseou (seu discurso) calmamente.* **2** *Mús.* Executar as frases de (uma composição musical) de modo particular e com sensibilidade: *frasear uma ária; Pavarotti fraseia muito bem.* [▶ **13** frasear]

fraseologia (fra.se:o.lo.gi.a) *sf.* **1** Modo de construção de frase peculiar a um determinado escritor ou a uma determinada língua: *a fraseologia de Guimarães Rosa/do latim.* **2** Conjunto de frases e de expressões peculiares a um escritor ou a uma língua.

frasqueira (fras.quei.ra) *sf.* **1** *Bras.* Pequeno estojo de viagem no qual se colocam perfumes, cremes e outros produtos de toalete. **2** Lugar em que se guardam pequenas quantidades de garrafas e frascos.

fraternal (fra.ter.nal) *a2g.* Ver *fraterno.* [Pl.: -*nais.*]

fraternidade (fra.ter.ni.da.de) *sf.* **1** Convivência harmoniosa e afetiva entre as pessoas. **2** Relação de parentesco entre irmãos; IRMANDADE.

fraternizar (fra.ter.ni.zar) *v.* **1** Unir(-se) como irmãos, de modo fraterno. [*td.*: *As dificuldades acabaram por fraternizar a turma. ti.* + *com*: *Esquecendo a briga, fraternizou com o colega. int.*: *Após anos de conflito, os vizinhos fraternizaram.*] **2** Partilhar das mesmas convicções; CONFRATERNIZAR-SE; HARMONIZAR-SE. [*ti.* + *com*: *O empresário fraternizou com seus funcionários. int.*: *Políticos e povo fraternizaram.*] [▶ **1** fraternizar]

fraterno (fra.ter.no) *a.* **1** Ref. a ou próprio de irmãos (amor *fraterno*). **2** Que demonstra carinho ou afeto (sorriso *fraterno*). [Sin.: *fraternal.*]

fratricida (fra.tri.ci.da) *a2g.s2g.* **1** Que ou quem mata o irmão ou a irmã. *a2g.* **2** Diz-se de guerra ou conflito armado em que os habitantes de um mesmo país ou os membros de um mesmo povo se matam uns aos outros. ● **fra.tri.cí.di.o** *sm.*

fratura (fra.tu.ra) *sf.* **1** *Med. Od.* Quebra de um osso, cartilagem ou dente, ger. em função de um choque muito forte. **2** *Geol.* Ruptura em placa geológica causado por movimento sismológico.

fraturar (fra.tu.rar) *v. td.* Partir, quebrar, ou ter partido, quebrado (osso, dente): *Caiu e fraturou o tornozelo.* [▶ **1** fraturar]

fraudar (frau.dar) *v. td.* **1** Cometer fraude que causa prejuízo para (pessoa física ou jurídica): *fraudar a Previdência/os clientes.* **2** Falsificar, adulterar: *fraudar documentos/uma assinatura.* [▶ **1** fraudar] ● **frau.da.dor** *a.*

fraude (*frau*.de) *sf.* **1** Ação desonesta realizada com o propósito de enganar alguém ou burlar regras e leis vigentes: *As fraudes do contador foram descobertas.* **2** Falsificação de marca, produtos patenteados, documentos etc. **3** Contrabando.

fraudulento (frau.du.len.to) *a.* **1** Realizado ou obtido por meio de fraude (certidão *fraudulenta*). **2** Que tende a realizar fraudes (instituição *fraudulenta*).

freada (fre.a.da) *sf. Bras.* Ação ou resultado de frear, de acionar o freio de um veículo; BRECADA.

frear (fre.ar) *v.* **1** Apertar o freio de (um veículo, uma máquina). [*td.*: *frear a moto*; (tb. sem complemento explícito) *Para não bater o carro, teve de frear.*] **2** Parar, porque se apertou o freio. [*int.*: *O trem freou na curva.*] **3** *Fig.* Interromper, controlar ou diminuir o desenvolvimento de; CONTER(-SE); REFREAR(-SE). [*td.*: *frear a violência urbana. pr.*: *Freou-se para não rir da situação.*] [▶ **13** frear] ● **fre:a.gem** *sf.*

⊕ **freelance** (*Ing.* /friláns/) *s2g.* **1** Trabalho avulso para uma empresa, ger. do ramo de comunicação, realizado por profissional que não pertence ao seu corpo de funcionários; FRILA. **2** Profissional que faz esse tipo de trabalho; FREELANCER.

⊕ **freelancer** (*Ing.* /friláncer/) *s2g.* Ver *freelance* (2).

⊕ **freeware** (*Ing.* /friuér/) *sm. Inf.* Programa de computador que se pode usar gratuitamente.

⊕ **freezer** (*Ing.* /fríser/) *sm.* Eletrodoméstico us. para congelar alimentos ou fabricar gelo; CONGELADOR.

freguês (fre.guês) *sm.* **1** Cliente habitual de um estabelecimento comercial: *Meu pai é freguês dessa padaria.* **2** Qualquer cliente ou comprador. [Pl.: -*gueses.* Fem.: -*guesa.*]

freguesia (fre.gue.si.a) *sf.* **1** Conjunto dos clientes habituais de um estabelecimento comercial; CLIENTELA. **2** Área de atuação de uma paróquia ou o conjunto de pessoas que nela vivem. **3** *Lus.* Nas províncias e cidades de Portugal, a menor das divisões administrativas.

frei *sm.* Membro de ordem religiosa; FRADE. [Fem.: SÓROR.]

freio (*frei*.o) *sm.* **1** Mecanismo para diminuir a velocidade de ou fazer parar um veículo. **2** Peça de metal presa às rédeas da cavalgadura, que serve para guiá-la e controlá-la. **3** *Fig.* Aquilo que serve para moderar ou impedir algo: *A alta dos preços é um*

freira | frigir 386

freio no consumo. **4** _Anat._ Prega que reduz ou impede o movimento de um órgão: _o freio da língua._

freira (frei.ra) *sf.* Mulher que pertence a uma ordem religiosa.

fremir (fre.mir) *v.* **1** Tremer ou fazer tremer. [*int.*: "Glória _fremia_ de ira..." (Guimarães Rosa, _Noites do sertão._) *td.*: _A brisa fremia o lençol estendido._] **2** Fazer grande ruído; BRAMIR; RUGIR. [*int.*: _Os trovões fremiam lá fora._] [▶ **58** fremir]

frêmito (frê.mi.to) *sm.* **1** Leve tremor corporal provocado por emoção súbita: _Um frêmito percorreu-lhe o corpo._ **2** Murmúrio abafado de vozes: _Depois do discurso, ouviu-se um frêmito no auditório._

frenesi (fre.ne.si) *sm.* Estado de grande agitação ou excitação: _A multidão entrou em frenesi quando o espetáculo começou._

frenético (fre.né.ti.co) *a.* Muito agitado (ritmo _frenético_).

frente (_fren_.te) *sf.* **1** Parte anterior de pessoas, animais ou objetos. **2** Posição anterior em uma ordem: _Havia oito pessoas na minha frente._ **3** Presença: _Isso aconteceu na frente dele._ **4** União ou coalizão de grupos diversos: _Organizaram na Câmara uma frente de oposição._ ■ **À/Na ~ (de) 1** Adiante, na dianteira: _Segue à frente do pelotão._ **2** Na direção, na chefia: _Está à frente de bons projetos._ **Da ~** Dianteiro: _os faróis da frente._ **De ~ (para) 1** De cabeça erguida, orgulhosamente: _Olhe de frente seus detratores._ **2** Diante de: _Terrenos de frente para o mar._ **Em ~ (a, de) 1** Defronte a: _A praça fica em frente ao prédio._ **2** Na presença de: _São calminhos apenas na frente dos pais._ **3** Por diante, além: _Assim que aprenderu, foi em frente._ **~ a ~** Face a face. **~ de trabalho** Obra, empreendimento que dá ocupação à mão de obra inativa, para diminuir o desemprego. **~ fria** _Met._ Superfície em que uma massa de ar frio (mais densa) pressiona e toma o lugar da mais quente. **~ quente** _Met._ Superfície em que uma massa de ar quente pressiona e toma o lugar da mais fria. **~ única** Blusa feminina amarrada ao pescoço e às costas, deixando-as praticamente nuas. **Pra ~** _Pop._ Atualizado, moderno: _Minha avó é toda pra frente._

frentista (fren.tis.ta) *s2g.* Empregado de posto de gasolina que atende os clientes.

frequência (fre.quên.ci:a) *sf.* **1** Repetição sistemática (de som, fato ou comportamento): _Aquele professor chega atrasado com frequência._ **2** Comparecimento regular a compromisso de estudo ou de trabalho: _Tirei boas notas, mas fui reprovado por falta de frequência._ **3** Número de pessoas que vão regularmente a reunião ou evento de algum tipo: _A frequência nos jogos do campeonato diminuiu muito._ **4** _Fís._ Quantidade de repetições de um fato por unidade de tempo: _Com que frequência ele tem tido febre?_ **5** _Fís._ Repetição de um ciclo periódico (p.ex., de uma onda sonora) por unidade de tempo (baixa _frequência_). ■ **~ modulada** Forma de transmissão de ondas de rádio em que a modulação das frequências que reproduz o som transmitido.

frequentador (fre.quen.ta.dor) [ó] *a.sm.* Que ou quem vai regularmente a um certo lugar.

frequentar (fre.quen.tar) *v.* **td.** **1** Ir com frequência (1 e 2) (a um lugar): _Frequento esse cinema há dez anos._ **2** Conviver com: _frequentar a alta sociedade._ [▶ **1** frequentar]

frequentativo (fre.quen.ta.ti.vo) *a.* _Gram._ Diz-se de verbo, preposição, advérbio, conjunção ou sufixo que expressam ação durável, repetida, habitual (p.ex., _estudar, durante, sempre_ etc.) [V. tb. _aspecto_].

frequente (fre.quen.te) *a2g.* Que ocorre com certa regularidade.

fresa (fre.sa) *sf. Emec.* Ferramenta rotativa que serve para cortar e trabalhar peças de madeira ou metal.

fresar (fre.sar) *v.* **td.** Desbastar ou cortar (metal) com fresa. [▶ **1** fresar]

fresca (fres.ca) [ê] *sf.* Brisa amena que sopra no começo ou no fim do dia: _Meus avós sempre tomam a fresca na varanda._

fresco (fres.co) [ê] *a.* **1** Que é um pouco frio: _Por aqui corre um vento fresco._ **2** Que é ventilado: _A nova casa é bem fresca._ **3** Que é novo e apresenta aspecto saudável (legumes _frescos_). *a.sm.* **4** _Pej. Vulg._ Que ou que se comporta de maneira efeminada: _Ele é um (sujeito) fresco._ [At! Considerado depreciativo ou preconceituoso nesta acepção.] **5** Que ou quem tem frescura (2).

frescobol (fres.co.bol) *sm.* Jogo em que duas pessoas com raquetes de madeira rebatem uma para a outra uma bola de borracha. [Pl.: -_bóis._]

frescor (fres.cor) [ô] *sm.* Qualidade de fresco (1 a 3).

frescura (fres.cu.ra) *sf.* **1** Qualidade do que é fresco; FRESCOR: _a frescura da manhã._ **2** _Pop._ Afetação; sensibilidade exagerada a pequenos inconvenientes ou deslizes; MELINDRE. **3** _Pop._ Atitude ou modos de fresco (4 e 5).

fresta (fres.ta) *sf.* Abertura estreita em parede, telhado etc.

fretar (fre.tar) *v.* **td.** Dar ou tomar (um veículo) a frete; ALUGAR: _Fretamos um ônibus para o passeio._ [▶ **1** fretar]

frete (fre.te) [ê] *sm.* **1** Transporte de material ou mercadoria mediante pagamento. **2** Preço pago por esse transporte.

freudiano (freu.di:a.no) [ói] *a.* **1** Ref. a Sigmund Freud, médico austríaco, ou à teoria psicanalítica criada por ele (psicanalista _freudiano_). *sm.* **2** Seguidor da teoria psicanalítica de Freud.

frevo (fre.vo) [ê] *sm. Bras.* **1** Dança carnavalesca, típica de Pernambuco, na qual os dançarinos seguram uma sombrinha aberta e movimentam pernas e braços rapidamente. **2** O ritmo musical que acompanha essa dança.

fria (fri.a) *sf. Bras. Pop._ Situação problemática e complicada: _Entrei numa fria ontem._

friagem (fri.a.gem) *sf.* **1** Ar frio: _Tome cuidado para que o bebê não pegue friagem._ **2** Queda súbita da temperatura atmosférica causada pela chegada de massas de ar frio. [Pl.: -_gens._]

frialdade (fri:al.da.de) *sf.* **1** Característica ou condição de ser frio; FRIEZA. **2** _Fig._ Qualidade daquele que é insensível; INSENSIBILIDADE.

fricção (fric.ção) *sf.* Ação ou resultado de esfregar um objeto em outro ou em uma superfície; ATRITO. [Pl.: -_ções._]

friccionar (fric.ci:o.nar) *v.* **td.** **1** Esfregar (um medicamento de uso externo, um hidratante etc.) em: _O massagista friccionou o joelho do jogador._ **2** Esfregar, atritar: (seguido ou não de indicação de lugar) _Friccionou uma flanela (na madeira)._ [▶ **1** friccionar]

fricote (fri.co.te) *sm. Bras. Pop._ Ataque nervoso sem motivo aparente; CHILIQUE. • **fri.co.tei.ro** *a.sm.*

frieira (fri:ei.ra) *sf.* Infecção da pele por fungos, que provoca rachaduras entre os dedos dos pés.

frieza (fri:e.za) [ê] *sf.* **1** Condição daquilo que é frio. **2** _Fig._ Falta de entusiasmo ou de simpatia: _Recebeu-os com frieza._ **3** _Fig._ Calma e autocontrole: _Sua frieza diante do perigo é espantosa._

frigideira (fri.gi.dei.ra) *sf.* Utensílio de cozinha, us. para fritar alimentos.

frígido (fri.gi.do) *a.* **1** Que é muito frio. **2** _Fig._ Que não fica sexualmente excitado (mulher _frígida_). [Superl.: _frigidíssimo._] • **fri.gi.dez** *sf.*

frigir (fri.gir) *v.* Ver _fritar._ [▶ **39** frigir. Part.: _frigido e frito._] ■ **No ~ dos ovos** Considerando tudo, no fim das contas.

frigobar (fri.go.*bar*) *sm.* Geladeira pequena de quarto de hotel com bebidas e alimentos pagos pelo hóspede se consumidos.

frigorífico (fri.go.*rí*.fi.co) *a.* **1** Que gera e conserva o frio (câmara frigorífica). *sm.* **2** O fluido que produz o frio. **3** Aparelho para conservar e/ou congelar alimentos.

frila (*fri*.la) *s2g. Bras. Pop.* Ver *freelance*.

frincha (*frin*.cha) *sf.* Abertura estreita; FENDA; FRESTA.

frio (*fri*:o) *sm.* **1** Sensação que a baixa temperatura atmosférica provoca nos homens e animais. **2** Estação do inverno: *Já se aproxima o frio.* *a.* **3** Que tem ou está com a temperatura baixa (comida fria). **4** *Pop.* Fraudado ou que não tem valor legal (cheque frio); FALSO. **5** *Fig.* Sem sentimentos (assassino frio); CRUEL; DESALMADO. **6** Que se mostra contido; INDIFERENTE; IMPASSÍVEL. **7** Que não tem desejo sexual; FRÍGIDO. [Superl.: *friíssimo* e *frigidíssimo*.] [□] **frios** *smpl.* **8** Carnes e salsichas conservadas e/ou defumadas.

friorento (fri.o.*ren*.to) *a.* Que sente mais frio que a maioria das pessoas; FRIENTO. [Ant.: *calorento*.]

frisa (*fri*.sa) *sf.* **1** Camarote de teatro um nível acima da plateia. **2** Tecido de lã de qualidade inferior. **3** Máquina de frisar lã.

frisar¹ (fri.*sar*) *v.* **1** Anelar(-se), encrespar(-se) (o cabelo). [*td. pr.*] **2** Fazer ficar ou ficar encrespado, enrugado. [*td.*: *frisar a testa. pr.: A brisa fez o lago frisar-se.*] [▶ **1** frisar]

frisar² (fri.*sar*) *v. td.* **1** Colocar friso em. **2** *Fig.* Chamar a atenção para (algo que se diz ou se escreve); DESTACAR; RESSALTAR: *frisar os pontos mais relevantes.* [▶ **1** frisar]

friso (*fri*.so) *sm.* **1** Faixa pintada ou esculpida em parede ou teto com fins decorativos. **2** Filete, traço: *A moldura tem um friso prateado.*

fritada (fri.*ta*.da) *sf.* **1** Aquilo que é frito de uma só vez. **2** *Cul.* Prato preparado com ovos fritos, legumes, carne picada, cebola e outros ingredientes.

fritar (fri.*tar*) *v. td.* Cozer na frigideira, com óleo, manteiga etc.; FRIGIR. [▶ **1** fritar]

fritas (*fri*.tas) *sfpl. Bras. Cul.* F. red. de batatas fritas: *bife com fritas.*

frito (*fri*.to) *a.* **1** Que se fritou (bolinho frito). **2** *Pop.* Que está em situação crítica, em apuros: *Se descobrem isso, estou frito.*

fritura (fri.*tu*.ra) *sf. Cul.* Alimento que se cozinhou em óleo quente até fritar.

friúra (fri.*ú*.ra) *sf.* Estado do que está frio; FRIAGEM; FRIALDADE.

frivolidade (fri.vo.li.*da*.de) *sf.* Qualidade do que tem pouco valor; FUTILIDADE.

frívolo (*fri*.vo.lo) *a.* **1** De pouca importância ou valor (interesses frívolos); SUPERFICIAL. *sm.* **2** Pessoa de caráter leviano; FÚTIL.

fronde (*fron*.de) *sf.* A ramagem das árvores; COPA.

frondoso (fron.*do*.so) [ô] *a.* Que tem abundância de ramos e folhas; COPADO. [Fem. e pl.: [ó].]

fronha (*fro*.nha) *sf.* Capa com que se reveste o travesseiro.

frontal (fron.*tal*) *a2g.* **1** Que fica na parte da frente. **2** Que é direto (oposição frontal). *sm.* **3** *Anat.* Osso situado na parte anterior do crânio (testa). [Pl.: *-tais*.]

frontão (fron.*tão*) *sm. Arq.* Ornamento triangular ou arredondado sobre portas, janelas ou fachada de edifício. [Pl.: *-tões*.]

frontaria (fron.ta.*ri*.a) *sf. Arq.* Parte da frente de um edifício ou monumento; FACHADA; FRONTISPÍCIO.

fronte (*fron*.te) *sf.* **1** Testa. **2** Todo o rosto; CARA; FACE.

fronteira (fron.*tei*.ra) *sf.* **1** Linha divisória entre territórios ou países; DIVISA; LIMITE. **2** Região próxima a essa divisa. **3** *Fig.* Limite (de atitude, rendimento, situação etc.): *fronteira da resistência.*

fronteiriço (fron.tei.*ri*.ço) *a.* **1** Que está na fronteira de, no limite. *sm.* **2** Pessoa que nasce na fronteira. **3** *Psiq.* Indivíduo que está no limiar de uma doença mental ou psicopatia.

fronteiro (fron.*tei*.ro) *a.* **1** Que está em frente: *Saiu de casa, atravessou a rua e entrou na casa fronteira.* **2** Situado na fronteira; FRONTEIRIÇO.

frontispício (fron.tis.*pí*.ci.o) *sm.* **1** *Arq.* Parte da frente de um edifício ou monumento; FACHADA; FRONTEIRA. **2** *Edit.* Folha de rosto de um livro.

frota (*fro*.ta) *sf.* **1** Conjunto de veículos de uma empresa: *frota de táxis.* **2** Conjunto de navios mercantes (frota petrolífera). **3** Conjunto de navios de guerra; ARMADA.

frouxo (*frou*.xo) *a.* **1** Pouco apertado; LASSO; SOLTO. [Ant.: *apertado; retesado*.] **2** Que está muito cansado; EXAUSTO; FATIGADO. **3** Que é mole (musculatura frouxa); FLÁCIDO. [Ant.: *firme; rijo*.] *a.sm.* **4** *Bras. Pop.* Que ou quem é medroso; COVARDE. **5** *Bras. Pop.* Que ou quem é sexualmente impotente. [At! Considerado ofensivo nas acps. 4 e 5.] • **frou.xi.**dão *sf.*

fru-fru (fru-*fru*) *sm.* **1** *Pop.* Aquilo que é infantilizado, ingênuo, típico de meninas. **2** *Pop.* Conjunto de enfeites, babadinhos etc. com que se ornam as roupas. **3** Rumor de folhas ou tecido, que se roça; ruído de seda.

frugal (fru.*gal*) *a2g.* **1** Que se alimenta pouco e quase que só de frutas. **2** Moderado, sóbrio. [Pl.: *-gais*.] • **fru.ga.li.**da.de *sf.*

fruir (fru.*ir*) *v.* Aproveitar o prazer ou as vantagens de; DESFRUTAR. [*td.*: *fruir os privilégios do cargo. ti. + de: Ele merece fruir dos bens que herdou.*] [▶ **56** fruir] • **fru.i.**ção *sf.*

frustração (frus.tra.*ção*) *sf.* **1** Ação ou resultado de frustrar(-se). **2** Sentimento de insatisfação diante do fracasso de expectativas; DECEPÇÃO. [Pl.: *-ções*.]

frustrar (frus.*trar*) *v.* **1** Levar ao fracasso ou fracassar; MALOGRAR(-SE). [*td.*: *O policial frustrou o assalto ao banco. pr.*: *Minhas esperanças frustraram-se*.] **2** Causar decepção a (alguém ou a si mesmo); DECEPCIONAR(-SE). [*td.*: *O time frustrou seus torcedores. pr.*: *O lojista frustrou-se com as baixas vendas.*] [▶ **1** frustrar] • **frus.**tra.do *a.*; **frus.**tran.te *a2g.*

fruta (*fru*.ta) *sf.* **1** Nome comum a todos os frutos comestíveis. **2** *Gír. Pej.* Homossexual masculino. [At! Considerado depreciativo ou preconceituoso nesta acepção.]

fruta-de-conde (fru.ta-de-*con*.de) *sf.* Fruto adocicado de polpa branca e macia, com sementes pretas; ANONA, ATA, PINHA. [Pl.: *frutas-de-conde*.]

fruta-pão (fru.ta-*pão*) *sf.* Fruto grande que lembra o pão pela consistência e sabor, comido cru ou assado. [Pl.: *frutas-pães* e *frutas-pão*.]

fruteira (fru.*tei*.ra) *sf.* **1** Recipiente onde se colocam frutas. **2** Árvore ou planta que dá frutos. **3** Mulher que vende frutas.

fruteiro (fru.*tei*.ro) *a.* **1** Que gosta muito de frutas. **2** Que dá frutos. *sm.* **3** Homem que vende frutas.

fruticultura (fru.ti.cul.*tu*.ra) *sf.* Cultivo de plantas ou árvores frutíferas. • **fru.ti.cul.**tor *sm.*

frutífero (fru.*tí*.fe.ro) *a.* **1** Que produz frutos, esp. os comestíveis. **2** *Fig.* Que é proveitoso; PROFÍCUO; VANTAJOSO.

frutificar (fru.ti.fi.*car*) *v. int.* **1** Dar frutos: *A mangueira frutificou.* **2** Produzir resultado proveitoso, lucrativo: *O trabalho dela frutificou.* [▶ **11** frutificar] • **fru.ti.fi.**ca.ção *sf.*

fruto (*fru*.to) *sm.* **1** *Bot.* Resultado da maturação do ovário da flor, que contém a semente. **2** Animal produzido pela terra ou pelo mar. **3** *Fig.* Filho, prole: *Como fruto da união, nasceu-lhes Jorge.* **4** *Fig.* Ganho, renda: *O investimento deu frutos.* [Ant. nesta acp.: *perda, prejuízo*.] **5** *Fig.* Consequência, resultado: *Agora cada um colherá os frutos do que plantou.*

📖 O fruto é na verdade um desenvolvimento do ovário (órgão feminino da flor), e pode ser fértil (quando contém sementes) ou estéril (sem sementes ou com sementes atrofiadas). É ger. composto de cabo (que é o pedúnculo da flor), parede e sementes. A parede, quando completa, apresenta o pericarpo (a pele ou casca), o mesocarpo (a polpa, comestível ou não – na laranja, por exemplo, é a película branca entre a casca e os gomos) e o endocarpo, que envolve as sementes (na laranja, o endocarpo – o gomo – é que é comestível). Os frutos podem ser, quanto à forma, de vários tipos, entre os quais as bagas (banana, uva, laranja), as drupas (ameixa, azeitona, coco, manga, pêssego) e os frutos complexos (maçã, pera).

frutose (fru.*to*.se) *sf. Quím.* Açúcar das frutas.

frutuoso (fru.tu:*o*.so) [ó] *a.* **1** Que gera frutos. **2** *Fig.* Que dá bons resultados; FÉRTIL. [Fem. e pl.: *-osos*.]

fubá (fu.*bá*) *sm.* **1** Farinha de milho ou de arroz us. em culinária: *angu de fubá.* **2** *N.E. Pop.* Bagunça, confusão.

fuça (*fu*.ça) *sf.* **1** Cada uma das ventas; FOCINHO. ▣ **fuças** *sfpl.* **2** *Pej.* Cara, rosto: *Falei nas fuças dele.*

fuçar (fu.*çar*) *v.* **1** *Bras.* Revolver (terra, plantações etc.) com fuça ou focinho. [*td.*: *Os cães fuçaram meu jardim. int.*: *Esses porcos só sabem fuçar!*] **2** *Fig.* Procurar (objetos, informações) com curiosidade (em); BISBILHOTAR. [*td.*: *Gosta de fuçar a vida dos vizinhos. pr.*: *Tanto fuçou que encontrou o livro.*] [▶ **12** fu*çar*]

fúcsia (*fúc*.si:a) *sf.* **1** Planta ornamental de flores vermelho-violáceas, conhecida como brinco-de-princesa. **2** A cor da flor do brinco-de-princesa. **a2g2n**. **3** Que é dessa cor: *O roqueiro usou terno fúcsia.*

fuga¹ (*fu*.ga) *sf.* **1** Ação ou resultado de fugir. **2** Saída às pressas para escapar de alguém ou de algum perigo; EVASÃO; DEBANDADA. **3** *Fig.* Alívio, lenitivo: *Encontrava fuga na música.* **4** Orifício por onde escapa algum líquido ou gás.

fuga² (*fu*.ga) *sf. Mús.* Composição de vários tons simultâneos dentro de um tema único.

fugaz (fu.*gaz*) *a2g.* Que desaparece rápido, que passa depressa; EFÊMERO; FUGIDIO. [Superl.: *fugacíssimo.*] • fu.ga.ci.*da*.de *sf.*

fugida (fu.*gi*.da) *sf. Bras.* Ação de ir a algum lugar e voltar sem demora; ESCAPADA; ESCAPULIDA: *Demos uma fugida até a esquina para vê-lo.*

fugidio (fu.gi.*di*:o) *a.* **1** Que foge; EFÊMERO; FUGAZ. **2** Que é arredio; ESQUIVO; FUGITIVO.

fugir (fu.*gir*) *v.* **1** Retirar-se às pressas para escapar (de pessoa, lugar ou situação perigosa ou desagradável). [*int.* (seguido ou não de indicação de lugar, meio, modo, companhia): *O ladrão fugiu (da delegacia) (pelo túnel).*] **2** Evitar por todos os meios, afastando-se; LIVRAR-SE. [*ti. + a, de*: *fugir às más influências.*] **3** Não vir (à mente) na ocasião necessária. [*ti. + de*: *As palavras fogem-me da mente.*] [NOTA: *fugir a* = evitar (diz-se somente antes de se encontrar em determinada situação); *fugir de* = sair de, livrar-se de (diz-se também quando já se está em determinada situação).] *O j* substitui o *g* antes de *a* e de *o.*] [▶ **53** fu*gir*]

fugitivo (fu.gi.*ti*.vo) *a.* **1** Que fugiu, que escapou. **2** Fugaz, fugidio: "seus braços longos e brancos / tão fugitivos e flutuantes / como as nuvens filhas do campo." (Cecília Meireles, *Metal rosicler*). *sm.* **3** Pessoa ou animal que fugiu.

fuinha (fu:*i*.nha) *sf.* **1** *Zool.* Pequeno mamífero carnívoro parecido com o gato e que exala mau cheiro. *Fig.* **2** Pessoa de cara magra e estreita. **3** Pessoa bisbilhoteira; MEXERIQUEIRA. **4** Sovina, avaro.

fujão (fu.*jão*) *a.sm.* Que ou quem foge ou escapa com frequência. [Pl.: *-jões*.]

fulano (fu.*la*.no) *sm.* Nome us. para se referir a uma pessoa desconhecida ou que não se quer nomear; INDIVÍDUO; SUJEITO: *Tem um fulano aí esperando você.*

fulcro (*ful*.cro) *sm.* **1** Ponto de apoio; BASE; SUSTENTÁCULO. **2** *Fís.* Ponto de apoio de uma alavanca. **3** *Fig.* Aquilo que constitui a essência de uma coisa; ÂMAGO; CERNE: *O fulcro do plano econômico era o controle da inflação.*

fuleiro (fu.*lei*.ro) *a.sm.* Que ou quem não tem valor; ORDINÁRIO.

fulgente (ful.*gen*.te) *a2g.* Que brilha; CINTILANTE; FULGURANTE; FÚLGIDO. [Ant.: *apagado; obscuro.*]

fúlgido (*fúl*.gi.do) *a.* Ver *fulgente.*

fulgir (ful.*gir*) *v.* **1** Fazer brilhar, ou brilhar; RESPLANDECER. [*td.*: *A luz fulgia a pedra preciosa. int.*: *O metal fulgia ao sol.*] **2** Atrair atenção de maneira favorável; DISTINGUIR-SE. [*int.*] [▶ **58** ful*gir*]

fulgor (ful.*gor*) [ó] *sm.* Brilho muito intenso; RESPLENDOR: *o fulgor de seus olhos.*

fulgurante (ful.gu.*ran*.te) *a2g.* Que brilha com intensidade; RELUZENTE; RESPLANDECENTE.

fulgurar (ful.gu.*rar*) *v. int.* Emitir fulgores; BRILHAR: *As estrelas fulguram (no céu).* **2** Sobressair, destacar-se: *Aquela atriz fulgura no cenário mundial.* [▶ **1** fulgu*rar*]

fuligem (fu.*li*.gem) *sf.* Pó negro e pegajoso resultante da queima de combustível. [Pl.: *-gens*.]

fuliginoso (fu.li.gi.*no*.so) [ó] *a.* Que se tornou negro pela fuligem (teto *fuliginoso*). [Fem. e pl.: *-osos*.]

fulminante (ful.mi.*nan*.te) *a2g.* **1** Que mata ou destrói instantaneamente: *Morreu de infarto fulminante.* **2** *Fig.* Cruel, terrível: *Lançou-nos um olhar fulminante.*

fulminar (ful.mi.*nar*) *v.* **1** Matar no mesmo instante. [*td.*: *Um infarto o fulminou.*] **2** Abater, derrubar fisica ou moralmente. [*td.*: *Com um soco, fulminei o lutador.*] **3** *Fig.* Deixar sem ação, estarrecido. [*td.*: *As acusações fulminaram o político.*] **4** *Fig.* Pôr fim a. [*td.*: *fulminar as esperanças.*] **5** Lançar raios. [*int.*: *À noite, os céus fulminaram.*] [▶ **1** fulmi*nar*] • ful.mi.*na*.do *a.*

fulo (*fu*.lo) *a.* **1** *Pop.* Com muita raiva; ENCOLERIZADO; FURIOSO. *a.sm.* **2** Que ou quem é de cor parda; MULATO.

fumaça (fu.*ma*.ça) *sf.* **1** Espécie de vapor acinzentado que sobe de coisa queimada: *fumaça do cigarro.* **2** *Fig.* Coisa passageira: *suas esperanças eram só fumaça.*

fumaçar (fu.ma.*çar*) *v. int.* **1** Soltar fumaça: *A máquina está fumaçando.* **2** *Bras. Pop.* Estar ou mostrar-se furioso: *Entrou fumaçando na sala.* [▶ **12** fuma*çar*]

fumacê (fu.ma.*cê*) *sm.* Veículo que lança no ar fumaça de substância que mata mosquitos, esp. os da dengue.

fumaceira (fu.ma.*cei*.ra) *sf.* Grande quantidade de fumaça; FUMAÇADA; FUMARADA.

fumacento (fu.ma.*cen*.to) *a.* Que solta fumaça; FUMARENTO.

fumante (fu.*man*.te) *a2g.s2g.* Diz-se ou aquele que tem o hábito de fumar. ▪ **~ passivo** Aquele que inala fumaça de cigarro, charuto etc. fumados por outros.

fumar (fu.*mar*) *v.* Aspirar o fumo de (cigarro, charuto, cachimbo etc.). [*td.*: *Ele fumava dez cigarros por dia*; (tb. sem complemento explícito) *Ninguém aqui fuma.*] **2** Expelir fumo (3). [*int.*] [▶ **1** fu*mar*]

fumegante (fu.me.*gan*.te) *a2g.* Que desprende fumaça ou vapor (sopa *fumegante*).

fumegar (fu.me.*gar*) *v. int.* Lançar de si fumaça ou vapores: *O chá está fumegando no bule.* [▶ **14** fume*gar*]

fumeiro (fu.*mei*.ro) *sm.* **1** Cano por onde sobe a fumaça do fogão ou da lareira; CHAMINÉ. **2** Lugar onde se dependura ou a carne para defumar. **3** *Gír.* Pessoa que fuma maconha.

fumicultura (fu.mi.cul.*tu*.ra) *sf.* Cultivo do fumo ou tabaco.

fumigar (fu.mi.*gar*) *v. td.* **1** Tratar com (fumaça, vapores ou gases), para eliminar germes ou pragas: (seguido ou não de indicação de lugar) *fumigar inseticida (na plantação).* **2** Destruir (plantações), borrifando veneno: *A polícia fumigou plantações suspeitas.* [▶ **14** fumi*gar*]

fumo (*fu*.mo) *sm.* **1** Ato ou hábito de fumar: *Não largava o fumo.* **2** *Bot.* Planta de folhas largas e verdes das quais se fabrica o fumo (3); TABACO. **3** Produto, a partir da folha de fumo (2), preparado para ser fumado (em cigarro, cachimbo ou charuto) ou mascado; TABACO. **4** Fumaça cinza-azulada dos cigarros e cachimbos acesos. **5** O cheiro dessa fumaça. **6** *Bras. Gír.* Maconha.

fumódromo (fu.*mó*.dro.mo) *sm. Pop.* Área ou recinto nos quais é permitido fumar, ger. adjacente a recinto ou ambiente onde isso é proibido.

funambulismo (fu.nam.bu.*lis*.mo) *sm.* Ofício de funâmbulo.

funâmbulo (fu.*nâm*.bu.lo) *sm.* **1** Equilibrista que anda no fio ou na corda; ACROBATA. **2** *Fig.* Pessoa inconstante nas suas opiniões e posições partidárias.

função (fun.*ção*) *sf.* **1** Ação ou atividade própria de alguém ou de algo (função materna). **2** Atividade própria de um emprego, ofício ou cargo: *a função de professor.* **3** Serventia, utilidade: *Qual a função dessa ferramenta?* **4** Espetáculo, exibição, esp. de circo: *A função vai começar.* **5** *Mat.* Correspondência entre dois conjuntos, a partir de uma variável de um deles. [Pl.: -*ções.*]

funcho (*fun*.cho) *sm. Bot.* Planta aromática de frutos e folhas medicinais; ERVA-DOCE; ANIS-DOCE.

funcional (fun.ci.o.*nal*) *a2g.* **1** Ref. a função, ao modo em que algo funciona: *a semelhança funcional entre o cérebro e o computador.* **2** Que se atribui à função exercida por uma pessoa, uma entidade etc.: *O senador reside num apartamento funcional em Brasília.* **3** Projetado com vistas à praticidade; PRÁTICO; ÚTIL: *A mesa não é bonita, mas é funcional.* [Pl.: -*nais.*] ● fun.ci.o.na.li.*da*.de *sf.*

funcionalismo (fun.ci:o.na.*lis*.mo) *sm.* A classe dos funcionários públicos.

funcionamento (fun.ci:o.na.*men*.to) *sm.* Ação ou resultado de funcionar: *Qual o horário de funcionamento dos bancos?*

funcionar (fun.ci:o.*nar*) *v. int.* **1** Exercer suas funções; TRABALHAR: *Essa geladeira não funciona bem; A diretoria agora funciona nessa sala.* **2** Estar em atividade: *A escola não funciona hoje.* **3** Desempenhar determinada função: (seguido de indicação de função) *"...o esporte (...) funciona como terapia..."* (*O Dia*, 12.02.04). **4** Ter bom resultado: *Seu plano não funcionou.* [▶ **1** funcio*nar*]

funcionário (fun.ci:o.*ná*.ri:o) *sm.* Pessoa que desempenha função em estabelecimento comercial, empresa etc.: *O funcionário da loja foi muito prestativo.* ■ ▪ **público** Pessoa que exerce função ou cargo em instituição pública governamental.

fundação (fun.da.*ção*) *sf.* **1** Ação ou resultado de fundar. **2** *Eci.* Camada sólida de cimento, tijolos, pedras etc. sobre a qual se ergue uma construção, e que a sustenta. **3** Instituição privada ou do Estado criada para fins de utilidade pública ou de caridade: *A produção de vacinas é uma das atividades da Fundação Oswaldo Cruz.* [Pl.: -*ções.*]

fundado (fun.*da*.do) *a.* Que se apoia na razão ou em bons motivos: *Eram argumentos fundados.*

fundador (fun.da.*dor*) [ô] *a.sm.* Que ou quem funda: *Ele foi o fundador da escola.*

fundamental (fun.da.men.*tal*) *a2g.* **1** Que constitui o fundamento, a base de algo (causa fundamental); BÁSICO. **2** Extremamente necessário; ESSENCIAL: *"Fundamental é mesmo o amor/É impossível ser feliz sozinho..."* (Tom Jobim, *Wave*). [Pl.: -*tais.*]

fundamentalismo (fun.da.men.ta.*lis*.mo) *sm.* **1** *Rel.* Doutrina ou prática, em setores de várias religiões, que consiste em interpretar literalmente os textos sagrados, tomando suas palavras como únicas verdades. **2** *Fig.* Qualquer sistema (político, econômico etc.) que se apresenta como portador exclusivo da verdade e de solução única para problemas.

fundamentalista (fun.da.men.ta.*lis*.ta) *a2g.* **1** Ref. a fundamentalismo. *a2g.s2g.* **2** Seguidor do fundamentalismo.

fundamentar (fun.da.men.*tar*) *v.* **1** Apresentar justificativa convincente para. [*td.*: *O advogado fundamentou sua defesa.*] **2** Apresentar ou dar como fundamento ou como base; BASEAR(-SE); FUNDAR(-SE). [*tdi.* + *em*: *Ele fundamentou sua defesa em provas materiais.* *pr.*: *Minha pesquisa fundamenta-se nesses livros.*] **3** *Cons.* Lançar os fundamentos ou alicerces de (prédio, casa etc.); FUNDAR. [*td.*] [▶ **1** fundamen*tar*] ● fun.da.men.ta.*ção* *sf.*

fundamento (fun.da.*men*.to) *sm.* **1** Aquilo em que se baseia um pensamento, uma doutrina etc.; BASE: *o fundamento de uma teoria.* **2** Motivo, razão: *A sua preocupação não tem fundamento.*

fundão (fun.*dão*) *sm.* **1** Parte mais funda de um mar, um lago etc. **2** Lugar ermo, distante. [Pl.: -*dões.*]

fundar (fun.*dar*) *v.* **1** Dar início a; CRIAR; INSTITUIR. [*td.*: *A prefeitura fundou essa escola em 1985.*] **2** *Fig.* Ver *fundamentar* (2). **3** Ver *fundamentar* (3). [▶ **1** fun*dar*]

fundeado (fun.de.*a*.do) *a.* **1** Que deitou âncora ou ancorou. **2** Que foi ao fundo.

fundear (fun.de.*ar*) *v.* Lançar ao fundo (âncora, ferro ou outro objeto pesado); ANCORAR. [*td.*: *fundear a embarcação.* *int.*: *O navio fundeou na Baía de Guanabara.*] [▶ **13** fund*ear*]

fundiário (fun.di.*á*.ri:o) *a.* Ref. a terras; AGRÁRIO.

fundição (fun.di.*ção*) *sf.* **1** Ação ou resultado de fundir. **2** Fábrica de fundir (2). **3** Técnica de fundir. [Pl.: -*ções.*]

fundilho (fun.*di*.lho) *sm.* Parte das calças, bermudas etc. que cobre o assento. [Mais us. no pl.]

fundir (fun.*dir*) *v.* **1** Derreter (esp. metal) por ação do calor. [*td.*] **2** Despejar metal derretido em fôrma para moldar (um objeto). [*td.*: *fundir uma estátua.*] **3** Juntar(-se) (duas ou mais coisas), para formar uma só. [*tdi.* + *com*, *em*: *O poeta fundiu vozes indígenas com africanas.* *pr.*: *As duas empresas fundiram-se.*] [▶ **3** fun*dir*] ● fun.*di*.do *a.*

fundo (*fun*.do) *a.* **1** Que tem grande profundidade (poço fundo). **2** Reentrante, cavado (olheiras fundas). **3** Que é sólido, firme (fundas convicções). **4** Que vem do íntimo (suspiro fundo). **5** *Bras. Gír.* Despreparado, fraco: *Ela está muito funda em matemática.* *sm.* **6** Parte que, num objeto ou cavidade, fica mais distante da abertura ou da borda: *o fundo da caverna.* **7** A parte mais baixa em que repousam ou correm as águas: *o fundo do mar.* **8** Parte mais afastada de um lugar ou região: *no fundo da floresta.* **9** *Fig.* Âmago, cerne: *Falava do fundo do coração.* **10** *Econ.* Conjunto de recursos administrados por um banco de investimentos ou sociedade corretora, visando a determinado fim: *fundo de pensão.* *adv.* **11** Até o fundo (9) (ib. *Fig.*): *Seu exemplo calou fundo; o espinho penetrou fundo.* ■ **fundos** *smpl. Econ.* **12** Recursos financeiros que uma pessoa tem num banco, e sobre os quais pode emitir cheques. **13** Recursos financeiros disponíveis para um determinado negócio. ■ ▪ **A** ~ Com profundidade, com largueza: *Estudou a fundo todas as possibilidades.* **No** ~ Essencialmente, intrinsicamente: *Ele é duro no tratar, mas, no fundo, é amável e cordial.*

fundura (fun.*du*.ra) *sf.* Ver *profundidade.*

fúnebre (fú.ne.bre) *a2g.* **1** Ref. à morte e aos mortos (oração fúnebre). **2** Ref. a funeral (cerimônia fúnebre). **3** *Fig.* Lúgubre, sombrio (fisionomia fúnebre); FUNÉREO.

funeral (fu.ne.ral) *sm.* Ritual de enterro, sepultamento. [Us. tb. no pl.] [Pl.: -rais.]

funerária (fu.ne.rá.ri.a) *sf. Bras.* Estabelecimento que se encarrega de sepultamentos. ● fu.ne.rá.ri:o *a.*

funéreo (fu.né.re:o) *a.* Ver fúnebre.

funesto (fu.nes.to) *a.* **1** Que fere de morte; MORTAL (acidente funesto). **2** Que faz prever desgraça (notícia funesta). **3** Que produz amargura, aflição (ação funesta).

fungar (fun.gar) *v. int.* **1** Inspirar com força pelo nariz, fazendo ruído. **2** *Fig.* Choramingar, inspirando pelo nariz. [▶ 14 fungar]

fungicida (fun.gi.ci.da) *a2g.* **1** Que combate fungos (diz-se de substância tóxica). *sm.* **2** Essa substância.

fungo (fun.go) *sm.* Vegetal esbranquiçado que ger. cresce sobre plantas e substâncias em decomposição, das quais extrai a clorofila de que precisa para viver.

funicular (fu.ni.cu.lar) *a2g.* **1** Que funciona por meio de cordas ou cabos. *sm.* **2** Veículo que se desloca por meio de cabo acionado por motor elétrico, us. para transportar passageiros ou carga de um ponto baixo a um monte, ou de um monte a outro; TELEFÉRICO.

funil (fu.nil) *sm.* Utensílio em forma de cone, us. para pôr líquidos, substâncias em pó ou em grão etc. em recipientes com aberturas estreitas. [Pl.: -nis.]

funilaria (fu.ni.la.ri.a) *sf.* **1** Oficina onde se realizam trabalhos de funileiro. **2** Técnica de trabalhar em lata, em folhas de flandres. **3** Oficina em que se reparam latarias de carros.

funileiro (fu.ni.lei.ro) *sm.* Fabricante de funis e de outros utensílios confeccionados em folhas de flandres.

🌐 **funk** (Ing. /fânc/) *sm.* **1** *Mús.* Música popular de origem norte-americana, dançante, de marcação rítmica vigorosa e repetitiva. *a2g2n.* **2** Ref. a *funk* (1) (bailes *funk*).

funqueiro (fun.quei.ro) *a.sm.* Que ou quem toca ou é admirador de *funk*.

fura-bolo (fu.ra-bo.lo) [ô] *sm. Bras. Fam.* O dedo indicador. [Pl.: fura-bolos.]

furacão (fu.ra.cão) *sm.* **1** Vento forte e destruidor que pode alcançar a velocidade de 300km por hora. **2** *Fig.* O que tem o ímpeto de um furacão (1): *Entrou como um furacão na sala.* [Pl.: -cões.]

furada (fu.ra.da) *sf.* **1** *Bras. Gír.* Aquilo que, além de frustrar expectativas, ainda traz prejuízos: *Não se fie nessa promessa: é furada.* **2** Ação ou resultado de furar. **3** *Fut.* Ação ou resultado de furar (5).

furadeira (fu.ra.dei.ra) *sf.* Aparelho elétrico para furar madeira, parede, metal etc.

furado (fu.ra.do) *a.* **1** Que tem furo(s) (sapato furado). **2** *Pop.* Que é mal concebido, que não pode dar certo: *um plano furado.* **3** *Ver papo furado*, em *papo*.

furador (fu.ra.dor) [ô] *a.* **1** Que fura. *sm.* **2** Utensílio para fazer furos, quebrar gelo etc.

furão (fu.rão) *sm. Zool.* Certo mamífero carnívoro mustelídeo. *a.sm. Pop.* **2** Que ou quem abre caminho de qualquer maneira para criar boas oportunidades para si mesmo: *Jornalista furão, sempre obtinha as melhores notícias.* **3** *Bras. Pop.* Que ou quem falta a compromisso: *Não adianta marcar encontro com esse furão.* [Pl.: -rões. Fem.: -rona.]

furar (fu.rar) *v.* **1** Abrir furo(s) em. [*td.*: *furar as orelhas.*] **2** Adquirir furo(s); ROMPER-SE. [*int.*: *O pneu furou.*] **3** *Gír.* Não acontecer; não se realizar. [*int.*: *O passeio furou.*] **4** *Bras. Pop.* Não respeitar; não acatar. [*td.*: *furar uma greve.*] **5** *Fut.* Não atingir a bola, ao tentar um chute. [*int.*: *O jogador furou.*] [▶ 1 furar]

furgão (fur.gão) *sm.* Veículo us. para o transporte de pequenas cargas. [Pl.: -gões.]

fúria (fú.ri.a) *sf.* **1** Grande raiva; IRA: *Ela teve um acesso de fúria.* **2** Pessoa furiosa: *O diretor ficou uma fúria.* **3** Ímpeto forte: *As encostas não resistiram à fúria das águas.*

furibundo (fu.ri.bun.do) *a.* Enraivecido, furioso: *Entrou furibundo na sala, a gritar.*

furioso (fu.ri:o.so) [ó] *a.* Dominado pela fúria, pela raiva; FURIBUNDO. [Fem. e pl.: [ó].]

furna (fur.na) *sf.* Caverna, gruta.

furo (fu.ro) *sm.* **1** Buraco, orifício. **2** *Bras. Jorn.* Notícia transmitida em primeira mão ou pela primeira vez, por jornal, rádio, televisão etc.

furor (fu.ror) [ô] *sm.* Intensa exaltação de ânimo; FÚRIA.

furreca (fur.re.ca) [é] *a. Bras. Gír.* Mixuruca.

furta-cor (fur.ta-cor) *sm.* **1** Cor cujo tom muda conforme a luz que recebe. *a2g2n.* **2** Que é dessa cor (tecidos furta-cor).

furtar (fur.tar) *v.* **1** Pegar para si, às escondidas (coisa alheia). [*td.*: *Foi preso por furtar minha carteira.* *tdi.* + *de*, *a*: *O ladrão furtou o carro do taxista.*] **2** Esquivar-se de; EVITAR. [*pr.*: "...não *me posso furtar a este rápido comentário.*" (Cecília Meireles, *Crônicas de educação* 3).] [▶ 1 furtar]

furtivo (fur.ti.vo) *a.* **1** Que é feito ou que funciona às ocultas; que visa a não detecção (aeronaves furtivas, táticas furtivas). **2** Disfarçado, dissimulado: *Trocamos olhares furtivos.*

furto (fur.to) *sm.* **1** Ação ou resultado de furtar. **2** Aquilo que foi furtado: *A polícia conseguiu recuperar o furto.*

furúnculo (fu.rún.cu.lo) *sm. Med.* Pequeno tumor na pele, causado por bactérias.

furunculose (fu.run.cu.lo.se) *sf. Med.* Erupção de furúnculos.

fusa (fu.sa) *sf. Mús.* Duração de tempo correspondente à metade da semicolcheia, ou 1/8 da semínima. **2** A representação gráfica desse tempo (♫).

fusão (fu.são) *sf.* **1** Ação ou resultado de fundir. **2** *Fís.* Passagem de uma substância do estado sólido para o líquido. **3** União total, de agremiações, empresas, partidos etc., formando num só. [Pl.: -sões.]

fusca (fus.ca) *sm. Bras. Pop.* Denominação dada ao carro Volkswagen de 1.200 ou 1.300 cilindradas.

fusco (fus.co) *a.* Que é escuro, pardo.

fuselagem (fu.se.la.gem) *sf. Aer.* O corpo do avião, onde ficam passageiros, tripulação e carga. [Pl.: -gens.]

fusível (fu.sí.vel) *a2g.* **1** Que pode ser fundido. *sm.* **2** *Bras. Eletr.* Dispositivo que protege sistemas elétricos, evitando os perigos da sobrecarga de eletricidade. [Pl.: -veis.]

fuso (fu.so) *sm.* **1** Peça roliça sobre a qual se forma a maçaroca (3), durante o processo de fiar. **2** Dispositivo em torno do qual se enrola a corda do relógio. ■ **~ horário** Cada uma das 24 faixas de latitudes em que se divide convencionalmente a Terra, e na qual a hora é a mesma.

fustão (fus.tão) *sm.* Tecido que tem o lado direito formado por cordões justapostos. [Pl.: -tões.]

fuste (fus.te) *sm.* **1** Haste, cabo. **2** *Arq.* Parte da coluna entre o capitel e a base.

fustigar (fus.ti.gar) *v. td.* **1** Bater com força em; AÇOITAR: *O homem mau fustigou o cavalo.* **2** *Fig.* Maltratar, castigar: *A saudade fustiga a alma.* **3** *Fig.* Instigar, estimular: *O desafio fustiga os atletas.* [▶ 14 fustigar]

futebol (fu.te.bol) *sm. Esp.* Jogo disputado por duas equipes de 11 jogadores cada, num campo que possui dois gols, e cuja finalidade é, sem usar as mãos, fazer com que a bola entre no gol do adversário. ■ **~ de salão** Ver *futsal*.

futebolista | fuzuê

▢ O mais popular dos esportes no mundo parece ter-se originado na China no séc. III, mas só ganhou popularidade na Inglaterra medieval (quando se jogava com os pés e com as mãos). Em 1846, a Universidade de Cambridge publicou o primeiro regulamento, e em 1863 fundou-se a liga dos que praticavam o esporte usando apenas os pés. A FIFA (Federação Internacional de Futebol Association) foi criada em 1904, e desde então é a responsável pelas regras, pela Copa do Mundo (a partir de 1930) e por outros torneios internacionais. A primeira partida de futebol no Brasil foi em 1895. Desde então, o Brasil tem-se destacado como uma das principais arenas de futebol no mundo, tendo conquistado muitos títulos, entre os quais o de pentacampeão mundial (1958 na Suécia, 1962 no Chile, 1970 no México, 1994 nos Estados Unidos, 2002 no Japão e na Coreia do Sul).

futebolista (fu.te.bo.*lis*.ta) *s2g*. Jogador de futebol.
futevôlei (fu.te.*vô*.lei) *sm*. *Esp*. Futebol jogado ger. na praia, em uma quadra de vôlei, e cujo objetivo é, sem usar as mãos, chutar a bola por cima da rede ao piso do campo contrário, e impedir que a bola toque o piso de seu próprio campo.
fútil (*fú*.til) *a2g*. **1** Que é frívolo, superficial; FRÍVOLO (menino fútil). **2** Sem importância, insignificante (conversa fútil). [Pl.: *-teis*.]
futilidade (fu.ti.li.*da*.de) *sf*. **1** Caráter do que é fútil. **2** Coisa fútil.
futrica (fu.*tri*.ca) *sf*. *Bras. Pop*. Intriga, mexerico.
futricar (fu.tri.*car*) *v*. **1** *Bras*. Fazer futrica, intriga, fofoca; FUXICAR. [*int*.] **2** *Bras*. Ver *futucar* (3). [▶ 11 futri car]
futsal (fut.*sal*) *sm*. *Fut*. Futebol jogado em quadra pequena com cinco jogadores em cada time; FUTEBOL DE SALÃO. [Pl.: *-sais*.]

▢ O esporte começou a ser praticado por volta de 1940, em São Paulo, por jovens que improvisavam peladas em quadras de basquete e hóquei devido à falta de campos de futebol nas áreas urbanas.

futucar (fu.tu.*car*) *v*. *td*. *Bras*. **1** Introduzir (o dedo ou objeto fino e pontudo) em (orifício): *futucar a orelha*. **2** Coçar ou bulir com insistência em (ferida, machucado). **3** Mexer e remexer em (algo), por curiosidade; FUTRICAR; FUXICAR: *futucar as gavetas*. [▶ 11 futu car]
futurismo (fu.tu.*ris*.mo) *sm*. *Art.Pl. Liter*. Movimento artístico modernista que combatia os valores tradicionais e exaltava a tecnologia.
futurista (fu.tu.*ris*.ta) *a2g*. **1** Ref. ao futurismo. **2** *Fig*. Excêntrico, diferente; moderno. *s2g*. **3** Adepto do futurismo.
futuro (fu.*tu*.ro) *sm*. **1** O tempo que ainda virá: *A família pretende se mudar no futuro*. **2** Destino, realização pessoal: *Essa moça vai ter um belo futuro*. **3** Existência que está por vir; o estado das coisas no futuro (1): *Ela já tem quem cuide de seu futuro*; *o futuro da humanidade*. *a*. **4** Que está por vir (tempos futuros).
futurologia (fu.tu.ro.lo.*gi*.a) *sf*. Especulação sobre o futuro com base nos conhecimentos do presente. fu.tu.*ró*.lo.go *sm*.
fuxicar (fu.xi.*car*) *v*. *Bras*. **1** Ver *futricar* (1). **2** Ver *futucar* (3). [▶ 11 fuxi car]
fuxico (fu.*xi*.co) *sm*. *Bras*. **1** *Pop*. Intriga, mexerico, fofoca. **2** Roseta feita com pequenos pedaços de pano: *roupa com apliques de fuxico*.
fuxiqueiro (fu.xi.*quei*.ro) *a.sm*. *Bras. Pop*. Que ou quem faz fuxicos (1).
fuzarca (fu.*zar*.ca) *sf*. *Bras. Pop*. Farra: *Ele caiu na fuzarca no Carnaval*.
fuzil (fu.*zil*) *sm*. Arma de fogo de repetição, automática e de cano longo, semelhante a uma espingarda. [Pl.: *-zis*.]
fuzilar (fu.zi.*lar*) *v*. *td*. **1** Matar com tiros de fuzil ou de outra arma de fogo. **2** *Fig*. Demonstrar ódio, rancor para com (por meio do olhar): (seguido de indicação de meio) *O promotor fuzilava o réu com o olhar*. [▶ 1 fuzilar] • **fu.zi.la.men.to** *sm*.
fuzilaria (fu.zi.la.*ri*.a) *sf*. Série de tiros disparados ao mesmo tempo.
fuzileiro (fu.zi.*lei*.ro) *sm*. **1** Soldado armado de fuzil. **2** *Bras. Mar*. Militar de corporação especial destinada a realizar desembarques à viva força, oferecer serviço de proteção em estabelecimento de terra etc.
fuzuê (fu.zu.*ê*) *sm*. *Bras. Pop*. Confusão, balbúrdia: *O fuzuê na entrada do clube atraiu até a polícia*.

Os fenícios e demais povos semitas usavam uma forma gráfica simples para representar tanto o *c* quanto o *g* e chamavam-na gimel. Quando foi adotado pelos gregos, o *gimel* recebeu o nome de gama e sofreu algumas alterações em seu desenho. O *gama* foi empregado ainda pelos etruscos e pelos romanos, que foram os responsáveis pela diferenciação dos dois sons. A forma de *c* passou a designar o som de *k* ou de *s*, como em "casa" ou "cesta", e um pequeno traço foi acrescentado à letra para designar o som de *g*.

𐤂	Fenício
𐌂	Grego
Γ	Grego
𐌂	Etrusco
C	Romano
C	Romano
g	Minúscula carolina
G	Maiúscula moderna
g	Minúscula moderna

g [gê] *sm.* **1** A sétima letra do alfabeto. **2** A quinta consoante do alfabeto. *num.* **3** O sétimo em uma série (poltrona G).
⊠ **g** Simb. de *grama*.

gabar (ga.*bar*) *v.* Fazer elogios em demasia (a alguém ou si próprio); VANGLORIAR(-SE). [*td*.: *O avô gabava seu único neto. pr.: Gabam-se de ser a única banda nacional de fama mundial*.] [▶ **1** gabar]

gabardine, gabardina (ga.bar.*di*.ne, ga.bar.*di*.na) *sf.* Tecido de seda ou algodão us. para fazer ternos, calças, capas de chuva etc.

gabaritar (ga.ba.ri.*tar*) *v.* **1** Acertar todas as questões de (teste, exame). [*td. int.*] **2** Tornar apto para; HABILITAR. [*td.* (seguido de indicação de finalidade): *O curso vai gabaritá-los a usar novas técnicas.*] [▶ **1** gabarit**ar**] • ga.ba.ri.*ta*.do *a.*

gabarito (ga.ba.*ri*.to) *sm.* **1** O conjunto das respostas corretas às questões de uma prova. **2** Medida que deve ser observada durante a execução de uma obra: *o gabarito dos prédios da região.* **3** Medida padrão: *A largura da calçada estava fora do gabarito.* **4** Instrumento us. para verificar essa medida. **5** Nível de qualidade, ger. considerado positivamente; CATEGORIA: *pesquisadores de gabarito.*

gabarola (ga.ba.*ro*.la) *a2g.s2g.* Ver gabola.

gabarolice (ga.ba.ro.*li*.ce) *sf.* Ver gabolice.

gabinete (ga.bi.*ne*.te) [ê] *sm.* **1** Quarto isolado de uma casa, ger. us. para o trabalho e o estudo; ESCRITÓRIO. **2** Esse tipo de espaço us. por um funcionário, ger. um dirigente, em uma instituição: *O prefeito vai recebê-lo em seu gabinete.* **3** Equipe de ministros, secretários ou auxiliares de um governante: *O governador convocou uma reunião com o seu gabinete.* **4** *Inf.* Caixa ger. de metal que protege as peças (placas, *drives* etc.) de um computador.

gabiru (ga.bi.*ru*) *sm. Pop.* **1** Pessoa desajeitada, acanhada. **2** Pessoa que trapaceia; TRAIÇOEIRO. **3** Pessoa que ri e brinca muito; TRAVESSO. **4** *Zool.* Rato de pelo escuro, muito encontrado em habitações de regiões secas e interioranas, que pode chegar a 20cm de comprimento; GUABIRU; RATAZANA.

gabola (ga.*bo*.la) *a2g.s2g.* Que ou quem elogia muito as próprias qualidades; GABAROLA; FANFARRÃO.

gabolice (ga.bo.*li*.ce) *sf.* Comportamento de gabola, de fanfarrão; GABAROLICE.

gadanho (ga.*da*.nho) *sm.* **1** Unha comprida e pontuda de ave de rapina; GARRA. **2** *Pej.* Unha, dedo ou mão humana: *Tire os gadanhos de cima de mim!* **3** Tipo de ancinho com dentes compridos; FORCADO.

gado (*ga*.do) *sm.* Grupo de animais criados em fazendas (*gado* bovino/suíno).

gafanhoto (ga.fa.*nho*.to) [ô] *sm. Zool.* Inseto saltador esverdeado, de pernas e asas longas, que vive em bando e é nocivo para a agricultura.

gafe (*ga*.fe) *sf.* Ação descuidada e indiscreta; MANCADA: *Cometeu um gafe ao perguntar a idade da anfitriã.*

gafieira (ga.fi.*ei*.ra) *sf.* **1** Baile popular noturno, com entrada paga, no qual se dança aos pares ao som de uma orquestra. **2** Lugar onde esses bailes são realizados.

gaforina, gaforinha (ga.fo.*ri*.na, ga.fo.*ri*.nha) *sf.* Cabeleira despenteada.

gagá (ga.*gá*) *a2g.s2g. Pej.* Que ou aquele que tem as capacidades mentais prejudicadas devido à idade avançada; CADUCO.

gago (*ga*.go) *a.sm.* Que ou quem fala gaguejando.

gagueira (ga.*guei*.ra) *sf. Psi.* Perturbação da fala por contrações musculares que causam repetições anormais de sons, sílabas ou palavras, ou mesmo dificuldade de iniciar a pronúncia; GAGUEZ.

gaguejar (ga.gue.*jar*) *v.* **1** Falar com dificuldade, repetindo sons; TARTAMUDEAR. [*int*.] **2** Falar com hesitações. [*td*.: *O rapaz gaguejou uma desculpa e se foi. int*.: *A testemunha respondeu sem gaguejar.*] [▶ **1** gaguej**ar**]

gaguez (ga.*guez*) [ê] *sf.* Ver gagueira.

gaiacol (gai.a.*col*) *sm.* Ver guaiacol. [Pl.: -*cóis*.]

⊕ **gaijin** (*Jap.* /*gaíjin*/) *smpl.* Estrangeiros (em denominação atribuída pelos japoneses).

gaio¹ (*gai*.o) *sm. Zool.* Tipo de ave que tem cauda e asas negras e corpo marrom, como p. ex. o corvo.

gaio² (*gai*.o) *a.* Alegre, vistoso.

gaiola (gai.*o*.la) *sf.* **1** Objeto em forma de uma pequena casa, ger. de metal, us. para prender pássaros ou animais pequenos. **2** Ver *jaula*. **3** *Fig. Pop.* Ver *cadeia*. **4** Barco a vapor, para transporte de passageiros, us. nos rios do Brasil.

gaita (*gai*.ta) *sf.* **1** Instrumento musical alongado e com vários furos que se toca correndo-o pelos lábios e soprando. **2** *Pop.* Ver *dinheiro*.

gaiteiro (gai.*tei*.ro) *a.sm.* **1** Que ou quem toca gaita. **2** *Pop.* Que ou quem é festeiro, animado.

gaivota (gai.*vo*.ta) *sf. Zool.* Ave, ger. de cor branca, que vive no mar e se alimenta de peixes.

gajo (*ga*.jo) *sm.* **1** *Bras. Joc. Pop.* Pessoa de origem portuguesa. **2** *Pop.* Uma pessoa qualquer; FULANO. **3** Pessoa abrutalhada.

GAIVOTA

gala¹ (*ga*.la) *sf.* **1** Ostentação, pompa. **2** Roupa luxuosa, para solenidades.

gala² (*ga*.la) *sf.* Mancha germinativa presente no interior do ovo.

galã (ga.*lã*) *sm.* **1** *Cin. Rád. Teat. Telv.* Personagem masculino bonito e atraente, que, numa história, ger.

tem envolvimentos amorosos. **2** *Cin. Rád. Teat. Telv.* Ator que representa frequentemente esse tipo de papel. **3** *Fig.* Homem que tem as qualidades de um galã (1).

galactagogo (ga.lac.ta.go.go) [ô] *a.sm.* Que ou aquilo (alimento ou medicamento) que faz a produção de leite aumentar.

galactófago (ga.lac.tó.fa.go) *a.* Que se alimenta de leite (animal galactófago).

galactóforo (ga.lac.tó.fo.ro) *a. Anat.* Que conduz leite (diz-se dos canais localizados nas mamas).

galalau (ga.la.*lau*) *sm. Fam.* Homem muito alto.

galalite (ga.la.*li*.te) *sf.* Material plástico resistente fabricado com caseína e formol, us. em botões, adornos etc.

galante (ga.*lan*.te) *a2g.* **1** Que age com delicadeza, procurando agradar as mulheres; que é prestativo; OBSEQUIOSO. **2** De boa aparência; ELEGANTE: *Mateus era o soldado mais galante do desfile.* **s2g. 3** Pessoa galante.

galantear (ga.lan.te.*ar*) *v. td.* Fazer ou dizer galanteios a. [▶ **13** galantear]

galanteio (ga.lan.*tei*.o) *sm.* Gentileza, ger. feita ou dita com a intenção de causar boa impressão e atrair o interesse de uma pessoa.

galantaria (ga.lan.te.*ri*.a) *sf.* Ação ou resultado de galantear, de tentar, por elogios, gentilezas etc., atrair o interesse de uma pessoa.

galão¹ (ga.*lão*) *sm.* **1** Enfeite feito com fios dourados, us. em roupas, cortinas etc. **2** Enfeite desse tipo us. em uniformes militares. [Pl.: -*lões*.]

galão² (ga.*lão*) *sm.* **1** Objeto us. para armazenar líquidos: *Pegue o galão e vá buscar gasolina.* **2** A quantidade de líquido que cabe nesse recipiente (cerca de 4,5 litros): *Nesta piscina cabem mais de 300 galões de água.* [Pl.: -*lões*.]

galardão (ga.lar.*dão*) *sm.* Recompensa por um mérito; PRÊMIO. [Pl.: -*dões*.]

galardoar (ga.lar.do.*ar*) *v. td.* Dar prêmio a; PREMIAR: *galardoar trabalhos científicos de real valor.* [▶ **16** galardoar]

galáxia (ga.*lá*.xi.a) [cs] *sf. Astron.* Conjunto de estrelas e de outros corpos celestes (planetas, satélites etc.) que formam um sistema em equilíbrio; SISTEMA ESTELAR. • **ga.***lác*.ti.co *a.*

📖 O conceito de galáxia, até a metade do séc. XVIII, contemplava apenas a única então conhecida, a Via Láctea (onde se encontra a Terra e o sistema solar a que pertence), por isso chamada 'a Galáxia'. Hoje muitíssimas são conhecidas, identificadas por códigos alfanuméricos. Uma galáxia é um sistema complexo de corpos celestes (esp. estrelas e planetas) que se move harmonicamente. Por sua forma podem ser elípticas, em espiral ou irregulares. O número de astros numa galáxia e a distância entre eles são imensos. Há na Via Láctea estrelas cuja luminosidade é mais de um milhão de vezes maior que a do Sol.

galé (ga.*lé*) *sf.* **1** *Mar.* Embarcação movida a vela e remos, us. da Antiguidade até o séc. XVIII. **sm. 2** *Antq. Mar.* Pessoa condenada a remar nas galés. [Dim.: *galeota*.]

galeão (ga.le.*ão*) *sm. Antq. Mar.* Grande embarcação de guerra, com quatro mastros, us. do séc. XVI ao XVIII. [Pl.: -*ões*.]

galego (ga.*le*.go) [ê] *a.* **1** Da Galiza (Espanha); típico dessa região ou de seu povo. *sm.* **2** Pessoa nascida na Galiza. **3** *Bras. Pop.* Pessoa nascida em Portugal. **4** *N.E.* Pessoa loura. *a.sm.* **5** *Gloss.* Da, ref. à ou a língua falada na Galiza.

galena (ga.*le*.na) *sf.* **1** *Min.* O principal minério do chumbo, com propriedades semicondutoras, us. na detecção de sinais de rádio. **2** *Bras.* Aparelho em que se usa o cristal de galena para fazer essa detecção.

galeota (ga.le.*o*.ta) *sf. Antq. Mar.* Galé pequena, com até vinte remos.

galera¹ (ga.*le*.ra) *sf.* **1** *Antq. Mar.* Embarcação a vela, de três mastros, us. para transporte comercial ou para guerra. **2** *Antq.* Carro para transporte de bombeiros.

galera² (ga.*le*.ra) *sf.* **1** *Gír.* Grupo de pessoas (ger. jovens); PESSOAL: *A galera adorou a festa.* **2** *Gír. Fut.* Grupo de torcedores; TORCIDA.

galeria (ga.le.*ri*.a) *sf.* **1** Espaço amplo us. para exposição de obras de arte. **2** Loja em que se expõem e vendem obras desse tipo. **3** Passagem coberta entre duas ruas, ger. no térreo de um edifício. **4** Corredor com várias lojas (ger. em *shoppings*). **5** Sistema de passagens subterrâneas para escoamento de água e esgoto, para deslocamento ou transporte de pessoas e cargas etc. **6** *Teat.* Nos teatros, as acomodações localizadas no andar mais alto e distante do palco.

galés (ga.*lés*) *sfpl.* **1** Pena de trabalhos forçados. **2** *Antq.* Condenação a remar nas galés.

galês (ga.*lês*) *a.* **1** Do País de Gales (Reino Unido); típico desse país ou de seu povo. *sm.* **2** Pessoa nascida no País de Gales. *a.sm.* **3** *Gloss.* Da, ref. à ou a língua celta falada no País de Gales. [Pl.: -*leses*. Fem.: -*lesa*.]

galeto (ga.*le*.to) [ê] *sm. Bras.* **1** Frango novo. **2** Frango novo assado e servido como refeição. **3** Restaurante especializado em servir galeto (2).

galgar (gal.*gar*) *v. td.* **1** Subir: *Galgou os muitos lances da escada.* **2** Passar por cima: *O cavaleiro galgava montanhas com seu cavalo branco.* **3** Percorrer com passos largos: *Luisa galgou os poucos metros que a separavam da porta.* **4** Superar, transpor; atingir em pouco tempo uma posição elevada: *galgar obstáculos à presidência.* [▶ **14** galgar]

galgo (*gal*.go) *sm.* Cão de corpo longo e pernas compridas, corredor veloz, us. como cão de caça.

galha (*ga*.lha) *sf. Bot. Pop.* Desenvolvimento anormal de um vegetal, que pode se apresentar sob diferentes formas.

galhada (ga.*lha*.da) *sf.* **1** *Bot.* Galho grande que se ramifica em outros menores; GALHARADA, GALHARIA. **2** *Zool.* Cada um dos chifres de certos animais ruminantes, como os veados e alces, que têm formato de galhada (1); GALHO.

galharada (ga.lha.*ra*.da) *sf.* Ver *galhada* (1).

galhardete (ga.lhar.*de*.te) [ê] *sm.* **1** Tipo de bandeira, ger. em forma de trapézio, us. para sinalização. **2** Bandeira us. como enfeite em eventos festivos; FLÂMULA.

galhardia (ga.lhar.*di*.a) *sf.* **1** Qualidade de quem ou do que é galhardo; ELEGÂNCIA. **2** *Fig.* Coragem para enfrentar dificuldades ou perigos; BRAVURA. **3** *Fig.* Atitude generosa e delicada; GENTILEZA.

galhardo (ga.*lhar*.do) *a.* **1** De aparência harmoniosa, agradável e espontânea; ELEGANTE. **2** De temperamento generoso e delicado; GENTIL.

galharia (ga.lha.*ri*.a) *sf.* **1** Grande quantidade de galhos de árvore. **2** Ver *galhada* (1).

galheta (ga.*lhe*.ta) [ê] *sf.* **1** Pote, ger. de vidro, us. para servir azeite ou vinagre. **2** Tipo de pote de vidro no qual se guardam substâncias químicas em laboratórios.

galheteiro (ga.lhe.*tei*.ro) *sm.* Armação na qual se guardam as galhetas e outros potes de temperos.

galho (*ga*.lho) *sm.* **1** *Bot.* Parte de uma planta (ger. uma árvore) que sai do caule; RAMO. **2** Essa parte da planta quando separada do caule: *Depois da poda, a rua ficou cheia de galhos.* **3** *Zool.* Ver *galhada* (2). ▪ **Dar** ~ – Complicar-se, criar aborrecimento: *Essa brincadeira ainda vai dar galho...* **Quebrar um** ~ *Gír.* Ajudar a resolver um problema.

galhofa (ga.*lho*.fa) *sf.* **1** Ação ou resultado de galhofar, de zombar de algo ou de alguém; DEBOCHE; ZOMBARIA.

galhofar (ga.lho.*far*) *v.* **1** Fazer gracejos; DEBOCHAR. [*int.*: — *Quer dizer que você tem medo de morcego?* —

galhofeiro (ga.lho.fei.ro) *a.sm.* **1** Que ou quem gosta de galhofar, de zombar de coisas ou pessoas; DEBOCHADO. *a.* **2** Que exprime galhofa, deboche (riso galhofeiro).

galhudo (ga.lhu.do) *a.* **1** *Bot.* Que tem muitos galhos (goiabeira galhuda). **2** *Zool.* Que tem chifres grandes (rena galhuda). *sm.* **3** *Vulg. Pej.* Homem traído pela esposa ou companheira; CORNO.

galicismo (ga.li.cis.mo) *sm.* Palavra, expressão ou construção sintática de origem francesa adotada por outro idioma (p. ex., *chique*, *abajur*).

galileu (ga.li.leu) *a.* **1** Da Galileia (região no norte da Palestina); típico dessa região ou de seu povo. *sm.* **2** Pessoa nascida na Galileia. [Fem.: -leia.]

galináceo (ga.li.ná.ce.o) *a.* **1** Ref. aos galos, perus, faisões, e a suas fêmeas. *sm.* **2** *Zool.* Qualquer uma dessas aves.

galinha (ga.li.nha) *sf.* **1** A fêmea do galo. **2** A carne desse animal: *empadão de galinha*. *a2g.s2g. Bras. Pej. Pop.* **3** Que ou quem não tem coragem; COVARDE. **4** Que ou quem tende a ter muitos parceiros sexuais. [At! Considerado ofensivo nas acps. 3 e 4.] ◼ **Deitar/Ir dormir com as ~s** Ir dormir cedo.

galinha-d'angola (ga.li.nha-d'an.go.la) *sf. Zool.* Ave semelhante à galinha, com plumagem cinzenta e pintas brancas. [Pl.: *galinhas-d'angola*.]

galinha-morta (ga.li.nha-mor.ta) *s2g. Bras. Gír.* **1** Pessoa sem coragem; covarde. **2** Pessoa sem ânimo, apática. *sf.* **3** *Pop.* Mercadoria comprada por preço muito baixo; PECHINCHA. **4** Qualquer coisa muito fácil de fazer ou aprender: *Fritar um ovo é galinha-morta*. [Pl.: *galinhas-mortas*.]

galinheiro (ga.li.nhei.ro) *sm.* **1** Lugar onde se criam e/ou se vendem galos, galinhas e outras aves. **2** Pessoa que cria ou vende esses animais.

galo (ga.lo) *sm.* **1** *Zool.* Macho da galinha, de tamanho maior e crista carnuda. [Fem.: galinha] **2** *Fig.* Inchaço na cabeça ou testa que resulta de uma pancada. ◼ **Cantar de ~** *Fam.* Mostrar-se autoritário; impor sua vontade.

galocha (ga.lo.cha) *sf.* Tipo de bota us. por cima de outros calçados, ou diretamente no pé, como proteção esp. da chuva e da lama.

galo de briga (ga.lo de bri.ga) *sm.* **1** Galo criado para lutar em competições de rinha. **2** *Fig.* Pessoa que tem tendência a entrar em brigas; BRIGUENTO. [Pl.: *galos de briga*.]

galopada (ga.lo.pa.da) *sf.* Ação ou resultado de galopar, de (o cavalo) correr; GALOPE.

galopante (ga.lo.pan.te) *a2g.* **1** Que galopa (diz-se de cavalo). **2** *Fig.* Que se desenvolve rapidamente e com grande intensidade (febre galopante).

galopar (ga.lo.par) *v. int.* Andar a galope (cavalo ou cavaleiro). [▶ **1** galopar]

galope (ga.lo.pe) *sm.* **1** Ver *galopada*. **2** A maior velocidade de deslocamento dos cavalos.

galpão (gal.pão) *sm.* Construção ampla e sem parede em um dos lados, us. para armazenamento de material ou em atividades que requerem espaço. [Pl.: -pões.]

galvanizar (gal.va.ni.zar) *v. td.* **1** Cobrir um metal com outro, para evitar corrosão: *É necessário galvanizar os canos antes de instalá-lo*. **2** Dourar ou pratear (metal). **3** *Fig.* Atrair (alguém) em torno de um mesmo interesse: *A fome no mundo galvanizou a atenção da comunidade internacional*. **4** *Fig.* Dar vida a; REANIMAR: *O tão esperado orador galvanizou a plateia*. [▶ **1** galvanizar] ● **gal.va.ni.za.ção** *sf.*; **gal.va.ni.za.do** *a.*

gama (ga.ma) *sm.* **1** A terceira letra do alfabeto grego. Corresponde ao *g* latino (Γ, γ). *sf.* **2** Conjunto de coisas variadas; SÉRIE: *O hábil vendedor oferecia uma gama de opções*. **3** *Mús.* Ver *escala*.

gamado (ga.ma.do) *a. Pop.* Que está apaixonado; VIDRADO.

gamão (ga.mão) *sm.* Jogo de tabuleiro, com dados e peças, disputado por dois competidores. [Pl.: -mões.]

gamar (ga.mar) *v. ti. Bras. Pop.* Ficar encantado, apaixonado, por (algo ou alguém). [+ *em*, *por*: *gamar pelo novo vizinho/apartamento*.] [▶ **1** gamar] ● **ga.ma.ção** *sf.*

gambá (gam.bá) *s2g. Zool.* Pequeno mamífero marsupial, de pelagem ger. preta, cinza ou avermelhada e com o dorso branco, e que tem hábitos noturnos.

gambarra (gam.bar.ra) *sf. AM* Embarcação a vela, com dois mastros, us. para transporte de carga (ger. gado).

gambiarra (gam.bi.ar.ra) *sf. Elet.* **1** Extensão de fio com um ou mais bocais de lâmpada: *Vamos estender uma gambiarra para iluminar o terreiro*. **2** *Pop.* Extensão feita ilegalmente para levar eletricidade a um lugar; GATO. **3** *Pop.* Solução improvisada para um problema: *Fez uma gambiarra para levar o carro enguiçado até a oficina*. **4** *Teat.* Fileira de refletores suspensa acima do palco. **5** *BA Gír.* Amante.

gambiense (gam.bi.en.se) *a2g.* **1** Da Gâmbia (África); típico desse país ou de seu povo. *s2g.* **2** Pessoa nascida na Gâmbia.

gambito (gam.bi.to) *sm.* **1** Estratégia para enganar e vencer adversários; ARTIMANHA. **2** No jogo de xadrez, tipo de abertura em que se sacrifica um peão para obter posição favorável das peças. **3** Ver *cambito* (2).

gamela (ga.me.la) *sf.* Tigela de madeira ou barro para servir alimentos (ger. a animais).

gameleira (ga.me.lei.ra) *sf. Bot.* Árvore grande cuja madeira é us. para fazer gamelas e outros objetos.

gameta (ga.me.ta) [ê] *sm. Biol.* Célula reprodutora, masculina ou feminina, que se une à sua complementar na fecundação.

gametófito (ga.me.tó.fi.to) *sm. Bot.* Organismo da planta (ou parte dele) que produz células reprodutoras.

gâmico (gâ.mi.co) *a. Biol.* **1** Ref. aos gametas (sua produção, combinação etc.). **2** Que começa a se desenvolver depois da fecundação (diz-se de ovo).

gamo (ga.mo) *sm. Zool.* Mamífero da família do veado, malhado e dotado de cornos.

gana (ga.na) *sf.* **1** Vontade forte ou impulso de fazer algo; GARRA: *"Mas é preciso ter força, é preciso ter raça/é preciso ter gana sempre…"* (Milton Nascimento, *Maria, Maria*). **2** Muita raiva; ÓDIO.

ganância (ga.nân.ci.a) *sf.* Ambição desmedida de acumular riquezas ou obter lucro.

ganancioso (ga.nan.ci.o.so) [ó] *a.* **1** Que tem ganância (apostador ganancioso). **2** Que indica ganância: *Segundo o vereador, o aumento das tarifas é ganancioso*. [Fem. e pl.: [ó].]

gancho (gan.cho) *sm.* **1** Objeto curvo, ger. de metal, us. para pendurar ou suspender algo. **2** *Bras. Telc.* Parte dos aparelhos telefônicos fixos na qual se apoia o fone. **3** Parte de encontro das duas pernas de uma calça. **4** *Esp.* No boxe, soco cuja trajetória tem a forma de um gancho (1). **5** *Fig.* Comentário, assunto, fato etc. do qual se aproveita para argumentar, explicar, propor, divulgar etc. uma outra coisa: *O jornalista usou a resposta do entrevistado como gancho para sua próxima pergunta*.

gandaia (gan.dai.a) *sf. Pop.* Farra, diversão com excessos; VADIAGEM: *cair na gandaia*; *viver na gandaia*.

gandula (gan.du.la) *s2g. Esp.* Pessoa que, em competições esportivas (esp. no futebol), é responsável por buscar a bola que sai de campo.

ganense (ga.nen.se) *a2g.* **1** De Gana (África); típico desse país ou de seu povo. *s2g.* **2** Pessoa nascida em Gana.

ganga¹ (gan.ga) *sf.* **1** *Min.* Parte impura, não aproveitável de um minério. **2** *Fig.* Restos ou coisas de má qualidade, imprestáveis.

ganga² (gan.ga) *sf.* Tecido de baixa qualidade, ger. azul ou amarelo, que era fabricado na Índia.

ganga³ (gan.ga) *sm.* Feiticeiros em Angola ou no Congo.

gangliectomia (gan.gli:ec.to.mi.a) *sf. Cir.* Cirurgia pela qual se elimina um gânglio.

gânglio (gân.gli:o) *sm.* **1** *Anat.* Ver *nódulo* (3). **2** *Pat.* Inchação de um nódulo linfático, ger. no pescoço, axilas ou virilhas.

ganglionite (gan.gli:o.ni.te) *sf. Med.* Inflamação de um gânglio.

gangorra (gan.gor.ra) [ó] *sf.* Brinquedo com uma tábua comprida apoiada no centro, em crianças, sentadas uma em cada ponta, sobem e descem alternadamente.

gangrena (gan.gre.na) *sf.* **1** *Med.* Apodrecimento de um tecido ou órgão, por falta de circulação do sangue; NECROSE. **2** *Fig.* Diminuição da dignidade, da virtude; DEGENERAÇÃO.

gangrenar (gan.gre.nar) *v.* Provocar gangrena em, ou ser atacado de gangrena. [*td.*: *Um vírus de laboratório gangrenou as patas de ratos sadios.* *int.*: *A ferida não foi bem cuidada e gangrenou.*] [▶ **1** gangren<u>ar</u>]

gângster (gângs.ter) *sm.* Integrante de um bando de malfeitores.

gangsterismo (gangs.te.ris.mo) *sm.* Atividade realizada por gângster.

gangue (gan.gue) *sf.* **1** Grupo organizado de criminosos; BANDO. **2** *Pej. Pop.* Grupo de jovens ger. agressivos e rebeldes. **3** *Gír.* Turma, grupo.

ganha-pão (ga.nha-pão) *sm.* **1** Trabalho com que se ganha a vida. **2** O instrumento de trabalho de alguém: *O fogão é o seu ganha-pão.* [Pl.: *ganha-pães*.]

ganhar (ga.nhar) *v.* **1** Receber (algo que lhe é ofertado). [*td.*/*tdi.* + *de*: *Ganhara um livro (da avó).*] **2** Obter, auferir (dinheiro, remuneração etc. em trabalho ou negócio). [*td.*: *Ganharam muito dinheiro na Bolsa.* *int.*: *Quanto você ganha por mês?*] **3** Obter êxito em disputa, torneio, jogo etc. [*td.*: *O advogado ganhou a causa que defendeu.* *ti.* + *de*: *O boxeador brasileiro ganhou do argentino.*] **4** Conseguir; alcançar. [*td.*: *ganhar o mais alto posto na empresa.*] **5** Passar a ter. [*td.*: *Os movimentos ecológicos ganharam mais espaço na mídia.*] **6** Adquirir. [*td.*: *"Em casa todavia ganhara fama de extravagante..."* (Aluísio Azevedo, *O mulato*); *ganhar flexibilidade com a ginástica.*] **7** Obter o melhor proveito de. [*td.*: *Para ganhar tempo, faço curso intensivo.*] **8** *Fam.* Dar à luz; ter bebê. [▶ **58** ganhar um menino.] **9** *Gír.* Conquistar. [*td.*: *Ganha todas as meninas que apareçera.*] **10** Ser superior, exceder. [*ti.* + *de* (seguido de indicação de qualidade): *Ganha do irmão em esperteza.*] [▶ **1** ganh<u>ar</u>. *Part.*: *ganhado* e *ganho*.] • **ga.nha.dor** *a.sm.*

ganho (ga.nho) *a.* **1** Que se ganhou (brinquedo *ganho*); RECEBIDO. **2** Do qual se saiu vencedor (jogo *ganho*). *sm.* **3** Resultado (ger. financeiro) favorável; LUCRO: *ganhos anuais da poupança.* [Ant. nesta acp.: *perda*.] **4** *Eletrôn.* Total do aumento de um valor de entrada (como corrente, voltagem etc.) que um dispositivo, equipamento ou circuito pode proporcionar.

ganido (ga.ni.do) *sm.* **1** Som de lamento emitido por cão. **2** *Fig.* Voz aguda e estridente.

ganir (ga.nir) *v. int.* Emitir (cão) sons de gemido: *O filhote gania e uivava.* [▶ **58** gan<u>ir</u>]

ganso (gan.so) *sm. Zool.* Ave aquática de plumagem branca ou acinzentada, bico curto e pescoço comprido.

ganzá (gan.zá) *sm. Bras.* Espécie de chocalho, composto de um cilindro com sementes ou pedrinhas dentro.

garagem (ga.ra.gem) *sf.* **1** Lugar protegido que serve para estacionar veículos. **2** Oficina onde se consertam veículos. [Pl.: *-gens*.]

garagista (ga.ra.gis.ta) *s2g.* Quem é proprietário de ou trabalha em garagem.

garanhão (ga.ra.nhão) *sm.* **1** Cavalo destinado a fecundar a fêmea e gerar filhotes de qualidade. **2** *Fig.* Homem mulherengo. [Pl.: *-nhões*.]

garantia (ga.ran.ti.a) *sf.* **1** Ação ou resultado de garantir. **2** Comprovação da verdade ou efetividade de uma informação, uma decisão etc.: *Não temos garantia de que este seja o caminho certo.* **3** Compromisso pelo qual, durante um prazo determinado, alguém se responsabiliza pelo bom funcionamento de um produto: *O HD tinha garantia de um ano.* **4** Período de vigência desse compromisso: *A geladeira ainda está na garantia.* **5** Algo de valor que se oferece para certificar o pagamento de um empréstimo: *Para conseguir o dinheiro, ofereceu a casa como garantia.*

garantir (ga.ran.tir) *v.* **1** Afirmar (algo) com toda certeza; ASSEGURAR. [*td.*: *"...moradores garantiram ter ouvido tiros..."* (*O Globo*, 08.12.03). *tdi.* + *a*: *O porteiro garantiu ao síndico que falou a verdade.*] **2** Fazer com que (algo) aconteça. [*td.*: *Uma dieta alimentar adequada garante uma boa saúde.*] **3** Responsabilizar-se por; AFIANÇAR. [*td.*: *O fabricante deve garantir a qualidade de seus produtos.*] [▶ **3** garant<u>ir</u>] • **ga.ran.ti.do** *a.*

garantismo (ga.ran.tis.mo) *Jur.* Conceito, princípio e tendência jurídicos que priorizam a defesa dos direitos constitucionais e do acesso aos bens essenciais à vida dos indivíduos ou de coletividades, quando há conflitos com outros interesses, inclusive do estado. **2** Especificamente, conceito e princípio jurídico que advoga a não aplicação da pena um réu condenado até que se esgotem todos os recursos jurídicos admissíveis.

garantista (ga.ran.tis.ta) *a.* Que pertence ou se refere ao garantismo; que professa ou atua segundo os princípios do garantismo: *juiz garantista.*

garapa (ga.ra.pa) *sf.* **1** Caldo da cana moída. **2** Refresco doce, feito de mel ou açúcar diluídos em água.

garatuja (ga.ra.tu.ja) *sf.* **1** Escrita à mão irregular e/ou ilegível: *Não consigo entender estas garatujas.* **2** Desenho malfeito; RABISCO. **3** Ver *careta.* • **ga.ra.tu.jar** *v.*

garbo (gar.bo) *sm.* **1** Aprumo no vestir e/ou no porte; ELEGÂNCIA; DONAIRE. **2** Altivez, brio, distinção.

garboso (gar.bo.so) [ô] *a.* Que tem garbo; DISTINTO, ELEGANTE. [Fem. e pl.: [ó].]

garça (gar.ça) *sf. Zool.* Ave de corpo alongado, bico fino e pontudo, que vive em pântanos ou charcos.

GARÇA

garção (gar.ção) *sm.* Ver *garçom.* [Pl.: *-ções*.]

garçom (gar.çom) *sm.* Empregado que serve as pessoas em restaurantes, coquetéis, bares etc.

garçonete (gar.ço.ne.te) *sf.* Empregada que serve as pessoas ger. em cafés, lanchonetes, alguns restaurantes, eventos etc.

gardênia (gar.dê.ni.a) *sf. Bot.* Arbusto cultivado para ornamentação e para utilização das

GARDÊNIA

flores e frutos no fabrico de perfumes, tinturas e medicamentos; JASMIM-DO-CABO.

gare (*ga*.re) *sf.* Estação de trens destinada ao embarque e desembarque de passageiros.

garfada (gar.*fa*.da) *sf.* **1** Ação ou resultado de espetar (ger. comida) com um garfo. **2** A quantidade de comida que cabe em um garfo.

garfar (gar.*far*) *v. td.* **1** *Bras. Pop.* Roubar, lesar: *Garfou a herança do irmão.* **2** Espetar ou remexer com o garfo: *garfar os pedaços de frango.* [▶ **1** garfar]

garfo (*gar*.fo) *sm.* **1** Utensilio com dentes pontudos, ger. de metal, us. para levar alimentos à boca ou sustentá-los para serem cortados com a faca. **2** Utensílio com dentes pontudos us. na agricultura para remover palha, feno etc.; FORCADO. **3** Peça de bicicleta que sustenta a roda dianteira e o guidom. ∎ **Ser um bom ~** Ter o hábito de comer bem (em qualidade ou quantidade).

gargalhada (gar.ga.*lha*.da) *sf.* Risada forte, alta e demorada.

gargalhar (gar.ga.*lhar*) *v. int.* Rir de forma barulhenta; dar gargalhadas: *O palhaço fez as crianças gargalharem.* [▶ **1** gargalhar]

gargalo (gar.*ga*.lo) *sm.* **1** Parte mais estreita de uma garrafa, vaso etc. **2** *Fig.* Dificuldade ou impedimento na continuidade de qualquer processo: *A produção tem um gargalo na área de empacotamento.*

garganta (gar.*gan*.ta) *sf.* **1** *Anat.* Parte interna do pescoço por onde passam os alimentos ingeridos, a caminho do estômago; GORJA; GASGANETE. **2** *Fig.* Voz potente: *Esse cantor tem garganta.*! **3** *Fig.* Passagem estreita. **4** *Geog.* Ver *desfiladeiro*. **5** *Fig. Pop.* Bazófia, bravata: *Conta seus atos de heroísmo, mas é pura garganta.* a**2**g.**2**s**2**g. **Pop.** Que ou quem conta muita vantagem: *Teu primo é o maior garganta, hein?* ∎ **Estar com um nó na ~** Estar angustiado, triste, emocionado. **Molhar a ~** *Pop.* Beber bebida alcoólica. **Não passar pela ~** Ser intolerável, impossível de aceitar. **Ter/Estar com algo/alguém atravessado na ~** Ter sofrido com algo ou alguém (ofensa, ação prejudicial etc.) e não ter esquecido, perdoado ou resolvido a questão.

gargantilha (gar.gan.*ti*.lha) *sf.* Colar que se usa mais ou menos ajustado em volta do pescoço.

gargarejar (gar.ga.re.*jar*) *v. td.* Agitar um líquido na garganta sem engoli-lo; fazer gargarejo: *gargarejar um germicida/um anti-inflamatório.* [▶ **1** gargarejar] ● **gar.ga.re.ja.***men*.to *sm.*

gargarejo (gar.ga.*re*.jo) [ê] *sm.* **1** Ação ou resultado de gargarejar. **2** O líquido (ger. antisséptico ou medicamentoso) com que se gargareja. **3** *Pop.* A primeira fileira de um auditório, teatro etc.

gari (*ga*.ri) *s2g.* Pessoa cujo trabalho é varrer as ruas.

garimpar (ga.rim.*par*) *v.* **1** Procurar (metais ou pedras preciosas) em ambientes naturais (minas, barrancos, rios etc.). [*td.: garimpar ouro. int.* (seguido de indicação de lugar): *Foram acusados de garimpar em área de preservação ambiental.*] **2** *Fig.* Procurar algo raro ou escondido. [*td.: garimpar raridades em antiquários.*] **3** *Fig.* Selecionar e reunir o melhor dentre várias coisas. [*td.:* "...garimpar craques para o futebol brasileiro..." (*O Dia*, 22.05.03).] [▶ **1** garimpar] ● **ga.rim.***pa*.gem *sf.*

garimpeiro (ga.rim.*pei*.ro) *sm.* Pessoa que trabalha extraindo da terra pedras e metais preciosos.

garimpo (ga.*rim*.po) *sm.* **1** Lugar de onde se extraem metais preciosos. **2** Atividade ou profissão de garimpeiro.

garnisé (gar.ni.*sé*) a**2**g.s**2**g. **1** Diz-se de galináceo de porte pequeno, originário da Grã-Bretanha. **2** *Fig. Bras.* Que ou quem é pequeno e briguento.

garoa (ga.*ro*.a) [ó] *sf.* Chuva fina que cai por longo tempo.

garoar (ga.ro.*ar*) *v. int. Bras.* Cair chuva fina; CHUVISCAR: *Garoava sem parar.* [▶ **16** garoar. V. impess.]

garota (ga.*ro*.ta) [ó] *sf.* **1** Criança, adolescente ou pós-adolescente do sexo feminino; MENINA. [Aum.: *garotona.*] **2** Namorada. *a.* **3** Que é jovem, moça: *Voce é muito garota para usar batom.*

garotada (ga.ro.*ta*.da) *sf.* Grupo de garotos e/ou garotas; MENINADA.

garotice (ga.ro.*ti*.ce) *sf.* Comportamento ou dito de garoto ou garota.

garoto (ga.*ro*.to) [ô] *sm.* **1** Criança, adolescente ou pós-adolescente do sexo masculino; MENINO. **2** *Bras.* Chope servido em copo pequeno. *a.* **3** Que é jovem, moço: *Ele é muito garoto para se casar.*

garoto-propaganda (ga.ro.to-pro.pa.*gan*.da) *sm. Bras.* Pessoa contratada para fazer propaganda de produtos na mídia. [Pl.: *garotos-propagandas* e *garotos-propaganda*. Fem.: *garota-propaganda*.]

garoupa (ga.*rou*.pa) *sf. Zool.* Peixe de água salgada, de corpo alongado, boca grande e carne saborosa.

garra¹ (*gar*.ra) *sf.* **1** Unha curva e pontuda das aves de rapina, das feras etc. **2** Peça em forma de garra (1) que serve para prender algo. **3** *Fig.* Persistência, determinação, disposição: *É preciso enfrentar os desafios com garra.* ■ **garras** *sfpl.* **4** *Fig.* Mãos: *Tire suas garras de mim.* **5** *Fig.* Poder, domínio: *O super-herói livrou-se das garras do vilão.* ∎ **Mostrar as ~s** Revelar agressividade, rebeldia, força (quem parecia cordato e/ou fraco).

garra² (*gar*.ra) *sf. Mar.* Ação de garrar (uma embarcação). ∎ **À ~** Ao léu, sem rumo.

garrafa (gar.*ra*.fa) *sf.* **1** Recipiente de plástico ou vidro, com gargalo estreito, para armazenar líquidos. **2** Quantidade de líquido que cabe nesse recipiente: *Fez uma garrafa de refresco.*

garrafada (gar.ra.*fa*.da) *sf.* **1** Golpe dado com garrafa. **2** *N. N.E.* Medicamento líquido guardado em garrafa.

garrafal (gar.ra.*fal*) *a2g.* De tamanho grande, legível (diz-se de letra) (subtítulos garrafais). [Pl.: *-fais*.]

garrafão (gar.ra.*fão*) *sm.* **1** Garrafa grande, ger. de bojo arredondado, revestida de palha trançada: *garrafão de vinho*. **2** *Basq.* Cada uma das duas áreas que ficam mais próximas das tabelas, uma em cada extremidade da quadra de basquete. [Pl.: *-fões*.]

garrafeira (gar.ra.*fei*.ra) *sf.* **1** Depósito de garrafas. **2** Grande quantidade de garrafas.

garrafeiro (gar.ra.*fei*.ro) *sm.* **1** Comprador de garrafas. **2** Utensílio para guardar ou transportar garrafas.

garrancho (gar.*ran*.cho) *sm.* Letra difícil de se ler.

garrar (gar.*rar*) *v. int. Mar.* Afastar-se (embarcação) por ter-se soltado a âncora ou amarra. [▶ **1** garrar] ● *garro* (fl.), *garre* (a.sm.).

garridice (gar.ri.*di*.ce) *sf.* Sofisticação no vestir.

garrido (gar.*ri*.do) *a.* **1** Vistoso, vivo, exuberante. **2** Muito enfeitado. **3** Elegante, alinhado. **4** Produtivo: "Do que a terra mais garrida / seus risonhos, lindos campos têm mais flores" (Joaquim Osório Duque Estrada, *Hino Nacional Brasileiro*).

garrote¹ (gar.*ro*.te) *sm.* **1** Pau curto com que se apertava a corda presa ao pescoço do condenado, para estrangulá-lo. **2** Faixa us. para estancar hemorragia, ou para tornar uma veia saliente para retirar sangue, ou para diminuir o afluxo de sangue para o coração. ● **gar.ro.te.***ar* *v.*

garrote² (gar.*ro*.te) *sm.* Bezerro de dois a quatro anos. [Fem.: *-ta*.]

garrucha (gar.*ru*.cha) *sf.* Arma de fogo que é carregada pela culatra.

gárrulo (*gár*.ru.lo) *a.sm.* **1** Que ou aquele que canta muito (diz-se de pássaro); CHILREADOR. **2** Que ou quem fala muito; TAGARELA. ● **gar.***ru*.li.ce *sf.*

garupa (ga.ru.pa) *sf.* **1** A parte do dorso de cavalos, burros etc. que vai do lombo ao traseiro; ANCA. **2** A parte de uma bicicleta ou motocicleta que fica atrás do assento do motorista.

gás *sm.* **1** *Fís.* Matéria cujas moléculas estão muito afastadas, o que a torna fluida e expansível com comprimível. **2** *Fig.* Energia para fazer algo; DISPOSIÇÃO: *Começaremos a pintura amanhã com o maior gás.* ◪ **gases** *smpl.* **3** Combinação do ar engolido durante a alimentação com vapores produzidos no estômago e nos intestinos durante a digestão; VENTOSIDADES.

📖 Do ponto de vista da tecnologia e da economia, consideram-se dois tipos de gás: o natural e o manufaturado. O gás natural resulta da decomposição de matéria orgânica e da ação de altíssimas pressões sobre certos tipos de rocha. Encontra-se na natureza em forma de camadas sobrepostas às jazidas subterrâneas de petróleo. É explorado esp. para fabricação de gasolina e gás liquefeito de petróleo. O gás manufaturado é obtido do carvão mineral (hulha) ou do processo de refino do petróleo. A utilização dos dois tipos vai desde a doméstica (fogões, fornos e aquecedores) até o uso industrial, como acionadores de turbinas, combustível, insumo das indústrias petroquímica e siderúrgica etc.

gaseificar (ga.se:i.fi.car) *v. td.* Fazer passar para o estado gasoso: *Investigam-se métodos para gaseificar o lixo das cidades.* [▶ **11** gaseificar] ● **ga.se:i.fi.ca.do** *a.*

gasganete (gas.ga.ne.te) [ê] *sm.* Ver *garganta* (1).

gasoduto (ga.so.du.to) *sm.* Estrutura feita com tubos para conduzir gases ou derivados de petróleo de um lugar a outro (*gasoduto* Brasil-Bolívia).

gasogênio (ga.so.gê.ni:o) *sm.* **1** Aparelho que produz gás. **2** Aparelho que produz gás combustível, us. ger. como substituto da gasolina. **3** Gás combustível produzido por esse aparelho: *carro movido a gasogênio.*

gasolina (ga.so.li.na) *sf.* Combustível líquido e volátil, fabricado a partir do petróleo.

gasômetro (ga.sô.me.tro) *sm.* **1** Reservatório em que o gás us. para iluminação ou combustível é mantido em condições controladas. **2** Aparelho que mede a quantidade de gás existente em uma mistura.

gasosa (ga.so.sa) *sf.* Bebida (água, refresco etc.) à qual se acrescentou gás.

gasoso (ga.so.so) [ô] *a.* **1** Diz-se do estado próprio do gás: *água em estado gasoso.* **2** A que se acrescentou gás (ger. gás carbônico): *água mineral gasosa.* **3** Que envolve gases ou com eles se relaciona: *As trocas gasosas entre pulmão e coração oxigenam o sangue.* [Fem. e pl.: [ó].]

gastador (gas.ta.dor) [ô] *a.sm.* Que ou quem gasta muito dinheiro; PERDULÁRIO. [Fem.: -deira.]

gastar (gas.tar) *v.* **1** Usar dinheiro para pagar (por algo); DESPENDER. [*td.*: *Gastou uma fortuna em remédios*; (tb. sem indicação de complemento): *O presidente disse: "É proibido gastar."*] **2** Usar, consumir. [*td.*: *Este carro está gastando muita gasolina.*] **3** Aplicar, empregar, investir. [*td.*: *gastar o tempo livre*; (seguido de indicação de modo): *Gastaram todo o lucro na ampliação da firma.*] **4** Usar ou ser us. ao ponto de esgotar(-se); CONSUMIR(-SE). [*td.*: *Gastei o açúcar todo no bolo. int./pr.*: *A carga da caneta gastou(-se) em uma semana.*] **5** Desgastar(-se) com o uso ou o atrito; ESTRAGAR(-SE); DANIFICAR(-SE). [*td.*: *Aquele piso gastou meu tênis. int./pr.*: *O terno gastou(-se) logo.*] **6** Passar (tempo). [*td.* (seguido de indicação de modo): "Gastou quase o dia inteiro na diligência." (Franklin Távora, *O cabeleira*).] [▶ **1** gastar]. Part.: *gastado* e *gasto*.]

gasto (gas.to) *a.* **1** Que envelheceu e se corroeu pelo uso (sapatos *gastos*); DETERIORADO. **2** Desembolsado, despendido: *dinheiro bem gasto.* *sm.* **3** Ação ou resultado de gastar, de consumir (dinheiro, energia etc.). **4** A quantidade de dinheiro us. para pagar algo; DESPESA: *diminuir os gastos com transporte.*

gastralgia (gas.tral.gi.a) *sf. Med.* Dor de estômago; cólica gástrica.

gastrenterite (gas.tren.te.ri.te) *sf. Med.* Inflamação que ataca as mucosas do estômago e do intestino.

gástrico (gás.tri.co) *a.* Ref. ao estômago (suco gástrico).

gastrintestinal (gas.trin.tes.ti.nal) *a2g.* Ref. ao estômago e ao intestino (lesão gastrintestinal). [Pl.: -nais.]

gastrite (gas.tri.te) *sf. Med.* Inflamação que ataca a mucosa do estômago.

gastronomia (gas.tro.no.mi.a) *sf.* **1** Conjunto de conhecimentos relacionados à preparação de alimentos saborosos com apresentação atraente: *curso de gastronomia.* **2** A arte de apreciar a boa mesa: *clube de gastronomia.* ● **gas.tro.nô.mi.co** *a.*

gastrônomo (gas.trô.no.mo) *sm.* Aquele que aprecia e/ou tem conhecimento acerca de iguarias, alimentos de bom sabor e boa apresentação.

gastrópode (gas.tró.po.de) *sm. Zool.* Molusco terrestre ou aquático que tem concha inteiriça, como o caracol e o caramujo.

gastroscopia (gas.tros.co.pi.a) *sf. Med.* Exame que permite visualizar o interior do estômago. ● **gas.tros.có.pi.co** *a.*; **gas.tros.có.pi:o** *sm.*

gastura (gas.tu.ra) *sf. BA* Sensação de fome; nervosismo.

gata (ga.ta) *sf.* **1** *Zool.* Fêmea do gato. **2** *Pop.* Mulher bonita e atraente.

gataria (ga.ta.ri.a) *sf.* Grande quantidade de gatos.

gatil (ga.til) *sm.* Loja onde se criam ou alojam gatos. [Pl.: *-tis.*]

gatilho (ga.ti.lho) *sm.* **1** Peça de arma de fogo que, quando premida, aciona o disparo. **2** *Fig.* Aquilo que desencadeia determinado(s) efeito(s): *A demissão em massa foi o gatilho da greve.* ✂ ~ **salarial** Sistema de correção de salários pelo qual só se realiza a correção quando a inflação atinge determinado nível.

gatimanhos, **gatimonha** (ga.ti.ma.nhos, ga.ti.mo.nha) *smpl., sf.* **1** Gestos feitos com a mão. **2** Gesticulação ridícula ou cômica; TREJEITO.

gatinha (ga.ti.nha) *sf.* **1** Gata (animal) jovem e/ou pequena. **2** *Pop.* Mulher jovem e bonita. ◪ **gatinhas** *sfpl.* **3** Us. na loc. ✂ **De** ~ Com as mãos e os joelhos apoiados no chão.

gato (ga.to) *sm.* **1** *Zool.* Mamífero felino, ger. pequeno e peludo, criado como bicho de estimação. **2** *Bras. Gír.* Homem bonito, charmoso. [Aum.: *gatarrão.*] **3** *Pop.* Ligação elétrica clandestina. ✂ **Comer/Comprar** ~ **por lebre** Ser enganado, recebendo algo de qualidade inferior à do que deveria ter recebido. **Fazer** ~ **e sapato (de)** Ver *fazer gato-sapato de*, em *gato-sapato.* ~ **escaldado** Pessoa experiente, que não se deixa surpreender. **Vender** ~ **por lebre** Enganar, passando a alguém algo de qualidade inferior à do que deveria ter passado.

gato-do-mato (ga.to-do-ma.to) *sm. Zool.* Felino selvagem semelhante ao gato. [Pl.: *gatos-do-mato.*]

gato-sapato (ga.to-sa.pa.to) *sm. Pop.* O que não tem importância. [Pl.: *gatos-sapatos.*] ✂ **Fazer** ~ **de** Tratar com desprezo, fazendo (com alguém) o que bem se quer.

gatunagem (ga.tu.na.gem) *sf.* Ação de gatuno; FURTO. [Pl.: *-gens.*]

gatuno (ga.tu.no) *a.sm.* Que ou quem rouba ou furta; LADRÃO, LARÁPIO. ● **ga.ti.nar** *v.*

gaturamo (ga.tu.ra.mo) *sm. Zool.* Ave pequena da família do sanhaço, de cores vivas e canto apreciado.

gauchada (ga.u.*cha*.da) *sf.* **1** Grande quantidade de gaúchos. **2** Ver *gaucharia*.

gaucharia (ga:u.cha.*ri*.a) *sf.* Comportamento próprio de gaúcho; GAUCHADA.

gauchesco (ga:u.*ches*.co) [ê] *a.* Ref. a gaúcho (tradição gauchesca).

gaúcho (ga.*ú*.cho) *sm.* **1** Quem nasceu e/ou vive no Rio Grande do Sul. *a.* **2** Ref. a essas pessoas ou a esse estado brasileiro (serra gaúcha).

gaudério (gau.*dé*.ri:o) *a.sm.* **1** Que ou o que (pessoa ou animal) é vagabundo; VADIO. *sm.* **2** Ver *gáudio* (2).

gáudio (*gáu*.di:o) *sm.* **1** Grande alegria; JÚBILO. **2** Alegria festiva; FOLIA; GAUDÉRIO.

gaulês (gau.*lês*) *a.* **1** Da Gália (antiga região da atual França); típico dessa região ou de seu povo. **2** Ref. aos franceses. *sm.* **3** Antigo habitante da Gália. *a.sm.* **4** *Gloss.* Da, ref. à ou a língua que era falada na Gália. [Pl.: *-leses.* Fem.: *-lesa.*]

gávea (*gá*.ve:a) *sf. Mar.* **1** Mastro suplementar que se encaixa em um dos mastros de antigas naus à vela. **2** Estrutura circular no alto de um mastro grande, que serve de guarita para um vigia.

gavela (ga.*ve*.la) *sf.* Grande quantidade de espigas colhidas, amarradas em feixe.

gaveta (ga.*ve*.ta) [ê] *sf.* Compartimento como uma caixa sem tampa, que corre para fora e para dentro de um móvel, no qual se guardam objetos: *gaveta de meias*.

gaveteiro (ga.ve.*tei*.ro) *sm.* Parte do móvel na qual se encaixam gavetas.

gavial (ga.vi.*al*) *sm. Zool.* Grande réptil semelhante ao crocodilo ou ao jacaré, ger. encontrado na Índia. [Pl.: *-ais.*]

gavião (ga.vi.*ão*) *sm. Zool.* Grande ave caçadora semelhante à águia e ao falcão. [Pl.: *-ões.* Fem.: *-ã* e *-oa.*]

gavinha (ga.*vi*.nha) *sf. Bot.* Órgão com que certas plantas (ger. trepadeiras) se fixam a outras ou a estacas.

GAVIÃO

⊕ **gay** (*Ing.* / *guêi*) *sm.* **1** Homem homossexual. *a2g.* **2** Homossexual. **3** Próprio ou típico de homossexual (festa gay).

gaze (*ga*.ze) *sf.* **1** Tecido fino, transparente, de algodão ou de seda. **2** *Med.* Bandagem de tecido leve de algodão, esterilizada e us. para curativos.

gazela (ga.*ze*.la) *sf. Zool.* Espécie de antílope de porte médio e chifres espiralados

gazeta[1] (ga.*ze*.ta) [ê] *sf.* Publicação periódica, ger. especializada em alguma área; jornal.

gazeta[2] (ga.*ze*.ta) [ê] *sf.* Ação ou resultado de faltar à aula ou ao trabalho por vadiagem.

gazetear (ga.ze.te.*ar*) *v. td. int.* Faltar à aula ou ao trabalho para vadiar. [▶ 13 gazet<u>ear</u>]

gazeteiro[1] (ga.ze.*tei*.ro) *a.sm. Pej.* Que ou quem redige numa gazeta[1]; jornalista, redator.

gazeteiro[2] (ga.ze.*tei*.ro) *a.sm. Bras.* Que ou quem faz gazeta[2].

gazetilha (ga.ze.*ti*.lha) *sf.* **1** Seção noticiosa de jornal ou revista. **2** Suplemento literário de um jornal.

gazua (ga.*zu*.a) *sf.* Ferramenta curva com que, na falta de chave, se abrem fechaduras.

⊠ **GB** Sigla do antigo Estado da Guanabara.

geada (ge.*a*.da) *sf.* Orvalho congelado, formando fina camada de gelo sobre a superfície em que se deposita.

gear (ge.*ar*) *v. int.* Formar-se orvalho congelado: *Ontem geou forte em diversas cidades do Sul.* [▶ 13 g<u>ear</u>] [NOTA: Verbo impess., us. somente na 3ª pess. sing.]

geena (ge.*e*.na) *sf.* Lugar de suplício; o inferno.

gêiser (*gêi*.ser) *sm. Geol.* Fonte natural que, em intervalos regulares, esguicha do solo água quente e vapor.

gel *sm.* **1** *Quím.* Solução coloidal que tem consistência gelatinosa. **2** Cosmético para fixar e dar brilho aos cabelos. [Pl.: *géis* e *geles.*]

geladeira (ge.la.*dei*.ra) *sf.* **1** Aparelho equipado com um sistema de refrigeração e isolado termicamente, destinado a manter frio seu interior, onde se conservam alimentos e líquidos. **2** *Fig.* Qualquer lugar muito frio.

gelado (ge.*la*.do) *a.* **1** Muito frio (água gelada). **2** *Fig.* Destituído de emoção (olhar gelado). **3** *Fig.* Petrificado, imobilizado por emoção ou choque: *A notícia deixou-o gelado, sem fala*. *sm.* **4** *Bras.* Bebida gelada.

geladura (ge.la.*du*.ra) *sf.* **1** *Bot.* Queimadura em planta causada por geada. **2** *Med.* Lesão de tecido (ger. a pele) causada por frio.

gelar (ge.*lar*) *v.* **1** Esfriar(-se) muito. [*td.*: *Gelou a bebida antes de servir.* *int.*: *Estava sem meias, seus pés gelaram.*] **2** Fazer passar ou passar (com o frio) do estado líquido ou cremoso para sólido; CONGELAR(-SE). [*td.*: *gelar o creme de abacate para fazer sorvete.* *int./pr.*: *O refresco gelou(-se) no congelador.*] **3** Causar ou sentir muito medo; apavorar(-se). [*td.*: *A ameaça gelou-o na hora.* *int./pr.*: *Ao receber o boletim, gelou(-se).*] [▶ 1 gel<u>ar</u>]

gelatina (ge.la.*ti*.na) *sf.* **1** *Quím.* Proteína transparente que se extrai de tecidos animais (ossos, cartilagens etc.), us. como alimento ou na fabricação de vários produtos. **2** *Cul.* Iguaria feita com gelatina (1).

gelatinoso (ge.la.ti.*no*.so) [ô] *a.* **1** Que é da natureza da gelatina ou é feito com ela. **2** Viscoso, pegajoso, glutinoso. [Fem. e pl.: [ó].]

geleia (ge.*lei*.a) *sf. Cul.* **1** Iguaria de frutas cozidas em açúcar, de consistência pastosa ou gelatinosa. **2** Substância gelatinosa de largo uso na culinária, obtida do cozimento em água fervente de mocotó, patas, peles, ossos de aves, espinhas de peixe etc.

geleira (ge.*lei*.ra) *sf. Geol.* Massa de gelo de grandes proporções que se desloca a partir de grandes acúmulos glaciais.

gélido (*gé*.li.do) *a.* **1** Frio, congelado. **2** *Fig.* Sem calor humano, insensível, impassível: *Recebeu a notícia com uma expressão gélida.*

gelo (*ge*.lo) [ê] *sm.* **1** Água em estado sólido. **2** Qualquer fragmento de gelo: *Quer gelo no refresco?* **3** Frio muito forte: *Porto Alegre está um gelo.* **4** *Fig.* Frieza, indiferença, falta de comunicação ▪ **Dar um ~ em** Tratar com indiferença, ignorando a presença de. **Quebrar o ~** Ser cortês, amável no primeiro contato com alguém ou um grupo, criando um ambiente menos frio ou formal.

gelose (ge.*lo*.se) *sf.* Ver *ágar-ágar*.

gelosia (ge.lo.*si*.a) *sf.* Grade de sarrafos cruzados no vão de porta ou janela, que permite a quem está dentro do recinto ver o exterior sem ser visto.

gema (*ge*.ma) *sf.* **1** *Biol.* Parte amarela do ovo de ave ou réptil. **2** *Min.* Pedra preciosa. **3** *Bot.* Saliência do corpo do vegetal que dá origem a ramificações, folhas etc. ▪ **Da ~** *Pop.* Autêntico: *Sou carioca da gema.*

gemação (ge.ma.*ção*) *sf. Bot.* Desenvolvimento das gemas (3), dos gomos e botões das plantas vivazes. [Pl.: *-ções.*]

gemada (ge.*ma*.da) *sf.* Gema de ovo batida com açúcar a que facultativamente se adiciona líquido quente, como leite ou vinho do Porto.

gêmeo (*gê*.me:o) *a.sm.* **1** Que ou quem nasceu no mesmo parto com outra ou outras pessoas (irmãos gêmeos, gêmeos univitelinos). *a.* **2** Que pertence ao mesmo ramo (frutos gêmeos). **3** Que apresenta afinidade ou é exatamente igual (almas gêmeas, flores gêmeas). ▪ **Gêmeos** *Astrol. smpl.* **4** Signo (do Zodíaco) das pessoas nascidas entre 21 de maio e 20 de junho. *s2g2n*. **5** Geminiano: *Minha irmã é Gêmeos*.

gemer (ge.*mer*) *v. int*. Emitir voz ou som choroso, devido a dor ou emoção. [▶ **2** gemer]

gemido (ge.*mi*.do) *sm*. **1** Som vocal de expressão lamentosa, sentida, que denota sofrimento ou dor. **2** *Fig*. Lamento, queixume. **3** *Fig*. Som choroso, plangente: *o gemido da cuíca*. *a*. **4** Murmurado de modo choroso: *A sua voz gemida me incomodava*.

geminado (ge.mi.*na*.do) *a*. **1** Que forma um par, com coisa igual ou semelhante, e fica junto a ela (colunas geminadas); DUPLICADO. **2** Igual e contíguo ou conjugado (casas geminadas). **3** Que nasceu ou foi ligado aos pares (flores geminadas).

geminiano (ge.mi.ni.*a*.no) *a.sm*. Que ou quem nasceu sob o signo de Gêmeos.

gemíparo (ge.*mí*.pa.ro) *a*. *Biol*. Cuja reprodução se dá por meio de gema (3) (organismo gemíparo).

genciana (gen.ci.*a*.na) *sf*. **1** *Bot*. Planta de flores amarelas de cuja raiz se extrai substância amargosa us. como tônico. **2** A flor dessa planta.

gene (ge.ne) [ê] *sm*. *Biol*. Unidade hereditária funcional presente no cromossomo, que tem influência específica sobre as características do indivíduo. [Ver tb. *genética*.]

genealogia (ge.ne:a.lo.*gi*.a) *sf*. **1** Registro ou diagrama dos descendentes de uma família, grupo ou indivíduo. **2** Estudo da origem das famílias. **3** Linhagem, estirpe. **4** *Fig*. Origem, fonte, cadeia evolutiva de uma coisa. • ge.ne:a.*ló*.gi.co *a*.

genebra (ge.*ne*.bra) *sf*. Bebida alcoólica feita a partir da destilação de cereais com o zimbro.

general (ge.ne.*ral*) *sm*. **1** *Mil*. Patente militar. [Ver quadro *Hierarquia Militar Brasileira*.] **2** Militar que tem essa patente. [Pl.: *-rais*.]

generalato, **generalado** (ge.ne.ra.*la*.to, ge.ne.ra.*la*.do) *sm*. *Mil*. **1** Posto de general: *Chegou ao generalato relativamente moço*. **2** Exercício da função de general.

generalidade (ge.ne.ra.li.*da*.de) *sf*. **1** Qualidade do que é geral; abrangência. **2** Maioria, maior parte: *Estivemos com a generalidade dos eleitores*. ▪ **generalidades** *sfpl*. **3** Princípios gerais, esboços: *generalidades sobre a lei da relatividade*.

generalíssimo (ge.ne.ra.*lís*.si.mo) *sm*. *Mil*. Chefe supremo de um exército.

generalizar (ge.ne.ra.li.*zar*) *v*. **1** Aplicar (conceito, qualidade, conclusão de análise etc.) a todos os elementos de um grupo ou a todo um conceito geral, com base em apenas uma parte deles. [*td*.: *Generalizou suas conclusões sobre o departamento, aplicando-as a toda a firma*.] **2** Tornar abrangente. [*int*.: *O relatório acontinuou apontando falhas individuais, sem generalizar*.] **3** Tornar(-se) geral; PROPAGAR(-SE); DIFUNDIR(-SE). [*td*.: *A imprensa nasceu na Holanda, mas foi Gutenberg quem generalizou seu uso*. *int./pr*.: *Com a chegada de mais manifestantes, o tumulto (se) generalizou*.] [▶ **1** generalizar] • ge.ne.ra.li.*za*.do *a*.; ge.ne.ra.li.za.*ção sf*.

generativo (ge.ne.ra.*ti*.vo) *a*. Que tem a possibilidade ou a propriedade de gerar; GERATIVO; PRODUTIVO.

genérico (ge.*né*.ri.co) *a*. **1** Geral, vago, indeterminado (sentido genérico). **2** De ou pertencente ao gênero (características genéricas). **3** *Med*. Designado por seu princípio ativo (medicamento genérico). *sm*. *Med*. Medicamento genérico (3).

gênero (*gê*.ne.ro) *sm*. **1** Espécie, tipo: *Aprecia todo gênero de música*. **2** *Antr. Biol*. Conjunto de seres ou coisas que têm como característica a semelhança entre si ou a mesma origem. **3** *Biol*. Categoria de animais ou de vegetais que se situa abaixo da família e acima da espécie. **4** *Gram*. Categoria gramatical que classifica nomes e pronomes de uma língua, distinguindo-os, p.ex., em masculino, feminino e neutro. **5** *Liter*. Categoria distintiva de composição literária: *A poesia épica e o drama são gêneros literários*. **6** *Antr*. A forma que a diferença sexual assume, nas diversas sociedades e culturas, e que determina os papéis e o *status* atribuídos a homens e mulheres e a identidade sexual das pessoas. ▪ **gêneros** *smpl*. **7** Produtos, víveres: *gêneros de primeira necessidade*. ▪ **Fazer ~** *Pop*. Fingir ser o que não é, para impressionar. **Não fazer o ~** De Não ser do gosto de, ou adequado a.

generosidade (ge.ne.ro.si.*da*.de) *sf*. **1** Atitude generosa; PRODIGALIDADE. **2** Qualidade do que é generoso.

generoso (ge.ne.*ro*.so) [ô] *a*. **1** Que tem benevolência, que gosta de presentear; PRÓDIGO. **2** Dotado de caráter e sentimentos nobres. **3** Que é fértil (terra generosa). [Fem. e pl.: [ó].]

gênese (*gê*.ne.se) *sf*. **1** Formação, constituição, origem: *a gênese do mal*. ▫ **Gênese** *sm*. **2** *Rel*. Livro bíblico onde se registra a história da criação da vida e da humanidade.

genésico (ge.*né*.si.co) *a*. Ver *genético*.

genética (ge.*né*.ti.ca) *sf*. *Biol*. **1** Ramo da biologia que estuda os mecanismos da transmissão hereditária e a variação das características do organismo. **2** Constituição genética de um indivíduo, grupo ou classe. • ge.ne.ti.*cís*.ta *s2g*.

📖 A genética estuda como se transmitem de geração em geração os caracteres dos seres vivos: sua forma, estrutura, fisiologia, comportamento etc. Charles Darwin já reconhecera a transmissão hereditária desses caracteres, mas foi Gregor Mandel em 1866, quem estabeleceu as primeiras leis que a regulam. Basicamente, o processo genético é regulado pelos genes (do nome ou do nome), elementos formados por um ácido chamado desoxirribonucleico (ADN, ou, em inglês, DNA), que carregam em si todas as informações genéticas do indivíduo, ou seja, seu tipo, sexo, a cor dos cabelos, dos olhos etc. Os genes ficam no cromossomo, cada elemento dos 23 pares existentes no núcleo da célula, cuja combinação determina as características do indivíduo. Na fecundação de um novo ser, metade dos cromossomos do pai se une à metade dos cromossomos da mãe em nova combinação, formando um novo indivíduo que traz consigo a contribuição dos genes materno e paterno. A engenharia genética tem pesquisado e conseguido formas de induzir a transmissão de características genéticas de modo a 'criar' indivíduos (plantas ou animais) com características predeterminadas.

genético (ge.*né*.ti.co) *a*. *Biol*. **1** Que diz respeito à transmissão de genes (alteração genética); HEREDITÁRIO; GENÉSICO. **2** Que se refere à genética (engenharia genética).

gengibirra (gen.gi.*bir*.ra) *sf*. *Bras*. Bebida fermentada semelhante à cerveja, feita com gengibre, frutos, açúcar, ácido tartárico, fermento de pão e água.

gengibre (gen.*gi*.bre) *sm*. **1** *Bot*. Planta de flores verde-amareladas, com caule subterrâneo em forma de tubérculos suculentos. **2** *Cul*. O tubérculo do gengibre us. como tempero na culinária.

gengiva (gen.*gi*.va) *sf*. *Anat*. Tecido duro conjuntivo que envolve a arcada maxilar e circunda a base dos dentes.

gengivite (gen.gi.*vi*.te) *sf*. *Od*. Inflamação das gengivas.

genial (ge.ni:*al*) *a*. **1** *Bras. Pop*. Muito bom, formidável: *Foi um concerto genial*. **2** Que tem ou revela gênio (2); extremamente talentoso, criativo, inteligente (artista genial). [Pl.: *-ais*.] • ge.ni:a.li.*da*.de *sf*.

gênio (*gê*.ni:o) *sm*. **1** Pessoa dotada de extraordinária capacidade intelectual, extremamente criativa e talentosa: *Picasso foi um gênio da pintura*. **2** *Fig*.

genioplastia | geologia

Inspiração, inventividade, criatividade: *É um artista de gênio*. **3** Índole, temperamento: *Tem um gênio difícil*. **4** Espírito que influencia fortemente o caráter, a conduta ou o destino de uma pessoa, de um grupo etc.

genioplastia (ge.ni:o.plas.*ti*.a) *sf. Cir.* Cirurgia plástica no queixo.

genioso (ge.ni:*o*.so) [ô] *a.* Irascível, raivoso, irritado, mal-humorado. [Fem. e pl.: [ó].]

genital (ge.ni.*tal*) *a.* **1** *Anat.* Que se refere à geração (aparelho genital). [Pl.: *-tais*.] ■ genitais *smpl.* **2** *Anat.* Os órgãos que compõem o sistema reprodutor masculino ou feminino.

genitália (ge.ni.*tá*.li.a) *sf. Anat.* O conjunto dos órgãos genitais, esp. os externos.

genitor (ge.ni.*tor*) [ô] *sm.* Aquele que gera; pai biológico.

genocídio (ge.no.*cí*.di:o) *sm.* Extermínio parcial ou total de um grupo nacional, étnico, religioso. • **ge.no.cí.di.da** *a2g.s2g.*

📖 Ao longo da história ocorreram casos de extermínio intencional e programado de grupos humanos inteiros, identificados por algum critério arbitrado pelos exterminadores. Mesmo na modernidade, houve extermínio de populações inteiras. Durante a Segunda Guerra Mundial essa ação ganhou cunho ideológico, isto é, uma suposta justificação baseada numa ideia, num conceito. Milhões de pessoas foram exterminadas sistematicamente, em fuzilamentos, câmaras de gás, ou de fome e doença em campos de concentração. Em 1946, após o julgamento em Nuremberg (Alemanha) dos crimes de guerra nazistas, a ONU estabeleceu o genocídio como "crime pela lei internacional", e "crime contra a humanidade", sendo seus perpetradores e realizadores puníveis por isso.

genoma (ge.*no*.ma) [ô] *sm. Gen.* O conjunto de genes de um indivíduo e sua estrutura. [F.: Do al. *Genom* (< al. *Gen* + *-om*, como em *Chromosom*), pelo ingl. *genome*; ver *gene* e *-oma*².]

genoplastia (ge.no.plas.*ti*.a) *sf. Cir.* Cirurgia plástica na face.

genótipo (ge.*nó*.ti.po) *sm. Gen.* **1** Constituição genética de uma célula. **2** Grupo de indivíduos com uma constituição genética comum. **3** Soma total de genes transmitidos pelos pais à sua descendência.

genro (ge.rro) *sm.* Marido da filha em relação aos pais dela. [Fem.: *nora*.]

gentalha (gen.*ta*.lha) *sf. Bras. Pej.* Grupo de pessoas de baixa classe social baixa; RALÉ; GENTINHA. [At! O termo é considerado depreciativo ou preconceituoso.]

gente (gen.te) *sf.* **1** Indivíduo humano. **2** Ser humano por oposição a um ser de outra espécie. **3** *Bras.* Pessoa a serviço de outrem: *Se é gente dos Ferreira, é de confiança*. **4** Pessoa importante: *Quando eu for gente, quero ser como ele*. **5** Povo, população: *A gente daquele lugar tem hábitos diferentes dos nossos*. **6** Quantidade indeterminada de pessoas: *Havia muita gente no casamento*. ■ **Como ~ (grande)** Como deve ser; bem: *Ela usava como gente grande*. **~ boa/fina** Pessoa de bom caráter. **Ser ~** **1** Ter importância, afirmar-se em algo. **2** Ser humano, compreensivo.

gentil (gen.*til*) *a.* **1** Amável, cortês: *Ele foi muito gentil ao ceder o lugar para a moça*. **2** Garboso, elegante. **3** Gracioso, mimoso: *Gentis miniaturas de cristal*. [Pl.: *-tis*. Superl.: *gentílimo*.]

gentileza (gen.ti.*le*.za) [ê] *sf.* Ato ou gesto que demonstra cortesia, delicadeza, urbanidade: *Fez a gentileza de me servir um copo de água*.

gentil-homem (gen.til-*ho*.mem) *sm.* **1** Homem nobre, fidalgo. **2** Pessoa distinta, de procedimento nobre; CAVALHEIRO. [Pl.: *gentis-homens*.]

gentílico (gen.*tí*.li.co) *a. Gram.* Que dá nome a povo ou raça (adjetivo): *'Brasileiro' é o adjetivo gentílico de quem nasceu no Brasil*. *sm.* **2** Esse adjetivo.

gentinha (gen.*ti*.nha) *sf. Bras. Pej.* **1** Pessoa ou grupo de pessoas desqualificado socialmente; GENTALHA; RALÉ. **2** Pessoa mesquinha, mexeriqueira. [At! O termo é considerado depreciativo ou preconceituoso.]

gentio (gen.*ti*:o) *sm.* **1** No Novo Testamento, o conjunto dos pagãos: *evangelizar os gentios*. **2** O conjunto dos índios.

genuflectir, genufletir (ge.nu.flec.*tir*, ge.nu.fle.*tir*) *v.* **1** Ajoelhar (ger. como forma de reverência e respeito). [*int.*: *Genuflectiu e orou.*] **2** Dobrar (a perna) na altura do joelho. [*td.*] [▶ 50 genuflectir, ▶ 50 genufletir]

genuflexão (ge.nu.fle.*xão*) [cs] *sf.* **1** Ação ou resultado de dobrar a perna, flexionando o joelho. **2** *Rel.* Ato de dobrar a perna e tocar o joelho no chão antes de levantar-se em reverência. [Pl.: *-xões*.]

genuflexório (ge.nu.fle.*xó*.ri:o) [cs] *sm. Rel.* Estrado us. em ritual católico romano para se ajoelhar e orar.

genuíno (ge.nu.*í*.no) *a.* Que não é falso ou misturado; puro, autêntico (samba genuíno, uísque genuíno).

geocentrismo (ge:o.cen.*tris*.mo) *sm. Astron.* Sistema cosmológico segundo o qual a Terra é o centro do sistema planetário, em torno da qual girariam todos os astros. [Cf.: *heliocentrismo*.] • **ge.o.cên.tri.co** *a.*

geociências (ge:o.ci.ên.ci:as) *sfpl.* As ciências que se ocupam do estudo da Terra, como cristalografia, geofísica, geologia, mineralogia e sismologia.

geodesia, geodésia (ge:o.de.*si*.a, ge:o.*dé*.si:a) *sf. Geol.* Ciência geológica que estuda a forma e a medida da Terra.

geofagia (ge:o.fa.*gi*.a) *sf. Med.* Prática patológica de comer material terroso, esp. barro e giz.

geofísica (ge:o.*fí*.si.ca) *sf. Geol.* Estudo físico da Terra que inclui, entre outros, oceanografia e sismologia.

geografia (ge:o.gra.*fi*.a) *sf. Geog.* **1** Estudo científico da Terra, e suas características físicas, da distribuição da vida sobre ela, incluindo a vida humana e os efeitos das atividades do homem. **2** O conjunto das características geográficas de uma área. • **ge:o.grá.fi.co** *a.*

📖 A geografia é o estudo da Terra em sua superfície, levando em consideração aspectos físicos (a forma, o clima etc.), biológicos (fauna e flora) e humanos (a interação entre o homem e o ambiente em que vive, a distribuição das populações etc.). Os primeiros estudos geográficos (o termo da ciência) vêm da Grécia, ainda no séc. III a.C., e depois de Roma. Nos sécs. XI e XII foram retomados pelos árabes. A partir dos sécs. XVIII e XIX, a geografia passou a ser estudada e desenvolvida em universidades, e novas tecnologias e instrumentais deram grande impulso à observação precisa dos fenômenos e consequentes conclusões, e propiciaram a subdivisão da geografia em setores especializados. Na geografia física, a morfologia (estudo das formas físicas), a climatologia, a oceanografia, a biogeografia etc. Na geografia humana, a demografia, a geografia econômica, a geografia urbana, a geografia política etc.

geoide (ge.*oi*.de) *sm. Geof.* Sólido geométrico cuja forma é similar à da Terra.

geologia (ge:o.lo.*gi*.a) *sf. Geol.* **1** Estudo científico da origem, história e estrutura da Terra ou de outro corpo celestial. **2** Estrutura de uma região específica da superfície terrestre. • **ge:o.ló.gi.co** *a.*

geometria (ge:o.me.*tri*.a) *sf. Mat.* **1** A matemática das propriedades, medida e relações dos pontos, linhas, ângulos, superfícies e sólidos. **2** Sistema geométrico (geometria euclidiana). **3** Geometria restrita a uma classe de problemas ou objetos: *geometria dos sólidos.* • **ge:ó.me.tra** *s2g.*; **ge:o.mé.tri.co** *a.*

□ Como expressa (em grego) o termo, na Antiguidade a geometria se ocupava da medição de terras (no Egito, séc. IV a.C.). Modernamente, faz parte da matemática e estuda o espaço, as formas que ele pode conter e as propriedades dessas formas. O primeiro grande organizador da geometria foi o grego Euclides, no séc. III a.C., daí chamar-se a geometria básica de *euclidiana*, que identificou as formas espaciais regulares de duas e três dimensões e as fórmulas que relacionavam as medidas de cada uma delas. As figuras de duas dimensões são os *polígonos* (triângulo, quadrado, retângulo, paralelogramo, trapézio, pentágono etc.), as de três dimensões são os *poliedros* (tetraedro, cubo, octaedro, prisma etc.), o cilindro, o cone e a esfera. No séc. XIX surgiu a geometria não euclidiana, que se estende ao estudo de formas matemáticas abstratas.

geopolítica (ge:o.po.*lí*.ti.ca) *sf. Geog. Pol.* Campo de estudo que focaliza a importância da inter-relação de fatores geográficos e políticos nas relações internacionais. • **ge:o.po.***lí***.ti.co** *a.*
georama (ge:o.*ra*.ma) *sm. Geog.* Representação em relevo da superfície terrestre.
geosfera (ge:os.*fe*.ra) *sf. Geof.* A parte sólida do globo terrestre.
geotérmico (ge:o.*tér*.mi.co) *a. Geof.* Ref. ao calor interno do globo terrestre (energia geotérmica).
geotropismo (ge:o.tro.*pis*.mo) *sm. Biol.* Propriedade dos organismos vegetais cujas raízes crescem para o centro da Terra, por efeito da gravidade.
geração (ge.ra.*ção*) *sf.* **1** Ação ou processo de gerar; PROCRIAÇÃO; PRODUÇÃO: *a geração de filhos/de empregos.* **2** Conjunto de pessoas da mesma idade ou que nasceram num mesmo período histórico: *O lugar é frequentado por pessoas de diversas gerações*; *a geração hippie.* **3** Conjunto de membros de uma família que têm a mesma idade: *a quarta geração dos Albuquerque.* **4** Período de tempo (aprox. 25 anos) entre o nascimento de uma pessoa e o nascimento de seus filhos. [Pl.: -*ções.*] ▪ **De última** ~ Produzido com a mais avançada tecnologia existente: *computadores de última geração.*
gerador (ge.ra.*dor*) [ô] *a.* **1** Que gera. *sm.* **2** Aquilo que gera: *o turismo como gerador de empregos.* **3** Máquina que converte qualquer forma de energia em eletricidade: *Na fazenda, a luz é fornecida por um gerador.*
geral (ge.*ral*) *a2g.* **1** Que é comum a todas as pessoas ou coisas. **2** Que inclui a maioria ou todas as pessoas ou coisas de um conjunto (greve geral). **3** Que não é específico (cultura geral, ideias gerais). **4** Responsável por todos os setores de uma instituição, empresa etc. (diretor geral). *sm.* **5** A maior parte, o maior número. *sf.* **6** Setor em estádios, teatros etc. no qual são cobrados preços mais baixos. [Pl.: -*rais.* Superl.: *generalíssimo.*] ▪ **Dar uma** ~ Fazer uma verificação ou arrumação em tudo.
gerânio (ge.*râ*.ni:o) *sm. Bot.* Planta ornamental, com flores em cachos de variadas cores que vão do branco ao roxo.
gerar (ge.*rar*) *v.* **1** Dar existência a ou nascer; PROCRIAR; GERMINAR. [*td*.: *gerar um filho/frutos. pr.*: *Ge-* *ram-se flores nos pântanos.*] **2** Dar origem a ou originar-se; PRODUZIR(-SE). [*td.*: *gerar vagas/eletricidade.*] **3** Causar, provocar. [*td.*: *Algumas questões sobre educação de filhos geram discussões.*] [▶ 1 ger*ar*]
gerativo (ge.ra.*ti*.vo) *a.* Que gera; PRODUTIVO.
geratriz (ge.ra.*triz*) *a.* **1** Que gera (força geratriz). *sf.* **2** *Geom.* Reta que, movendo-se de determinada maneira, gera uma superfície.
gerbão (ger.*bão*) *sm. Bot.* Ver *gervão.* [Pl.: -*bões.*]
gerência (ge.*rên*.ci:a) *sf.* **1** Ação ou resultado de gerir; GERENCIAMENTO. **2** O conjunto dos gerentes. **3** Sala em que está instalado o gerente e seus auxiliares. **4** Lapso de tempo em que alguém foi gerente: *Isso não ocorreria na minha gerência.* • **ge.ren.ci:***al* *a2g.*
gerenciar (ge.ren.ci.*ar*) *v. td.* Administrar, gerir, na condição de gerente. [▶ 1 gerenci*ar*] • **ge.ren.ci.a.men.to** *sm.*
gerente (ge.*ren*.te) *s2g.* Profissional que gere ou administra um negócio.
gergelim (ger.ge.*lim*) *sm. Bot.* Planta que produz sementes comestíveis e da qual se extrai óleo para uso culinário e industrial. **2** A semente dessa planta. [Tb. *sésamo.*] [Pl.: -*lins.*]
geriatria (ge.ri:a.*tri*.a) *sf. Med.* Ramo da medicina que trata das doenças típicas da terceira idade. • **ge.ri:***a***.tra** *s2g.*
geringonça (ge.rin.*gon*.ça) *sf.* **1** Linguagem grosseira; GÍRIA; PALAVRÃO. **2** Objeto precário, que não funciona a contento: *Esse automóvel é uma geringonça.*
gerir (ge.*rir*) *v. td.* Coordenar recursos, atividades, medidas de (empresa, departamento, entidade, instituição etc.), de modo a que se atinjam (com eficiência) os objetivos aos quais se propõem; ADMINISTRAR; GERENCIAR: *Ele geriu bem nossa cooperativa.* [▶ 50 ger*ir*]
germânico (ger.*mâ*.ni.co) *a.* **1** Da antiga Germânia; típico dessa região ou de seu povo. **2** Da Alemanha (Europa); típico desse país ou de seu povo. *sm.* **3** Pessoa nascida na antiga Germânia ou na Alemanha. *a.sm.* **4** *Gloss.* Do, ref. ao ou ramo linguístico que inclui as línguas escandinavas, o alemão, o inglês, o holandês etc.
germanismo (ger.ma.*nis*.mo) *sm.* **1** Palavra ou enunciado característico da língua alemã. **2** Sentimento de adoração e admiração pela cultura e civilização alemãs. **3** Imitação dos hábitos e costumes alemães.
germano[1] (ger.*ma*.no) *a.* **1** Da antiga Germânia; típico dessa região ou de seu povo. *sm.* **2** Pessoa nascida na região da Germânia.
germano[2] (ger.*ma*.no) *a.* **1** Que tem o mesmo pai e a mesma mãe (diz-se de irmão). **2** *Fig.* Que não é adulterou; PURO; GENUÍNO. *sm.* **3** Irmão germano.
germanófilo (ger.ma.*nó*.fi.lo) *a.sm.* Que ou quem é admirador, amigo ou estudioso da Alemanha e de seu povo.
germe, gérmen (*ger*.me, *gér*.men) *sm.* **1** Estágio inicial do desenvolvimento de um ser. **2** A origem de qualquer coisa: *A pesquisa é o germe das grandes descobertas.* **3** Microrganismo capaz de provocar doenças. [Pl.: de *gérmen*: *germens* e (p. us. no Brasil) *gérmenes.*]
germicida (ger.mi.*ci*.da) *a2g.sm.* Que ou o que é capaz de matar germes (diz-se de substância, produto etc).
germinal (ger.mi.*nal*) *a2g.* **1** Ref. a germe. **2** *Biol.* Ref. às células reprodutivas, aos gametas. **3** *Fig.* Que se encontra no estágio inicial de desenvolvimento. [Pl.: -*nais.*]
germinar (ger.mi.*nar*) *v. int.* **1** Começar a se desenvolver (semente de plantas); BROTAR: *A semente germinou.* **2** *Fig.* Crescer, desenvolver-se. (seguido ou

germiníparo | **ginástica**

não de indicação de lugar): *Boa publicidade não germina (apenas nos grandes centros)*. [▶ 1 germin**ar**]
● **ger.mi.na.***ção* sf.; **ger.mi.na.***ti.vo* a.
germiníparo (ge.mi.*ní*.pa.ro) a. Cuja reprodução se dá por meio de germes.
gerôntico (ge.*rôn*.ti.co) a. *Med*. Que está na fase senil.
gerontocracia (ge.ron.to.cra.*ci*.a) sf. **1** *Pol*. Governo ou sistema político baseado na autoridade dos anciãos. **2** *Soc*. Grupo social em que a dominação é exercida por anciãos.
gerontologia (ge.ron.to.lo.*gi*.a) sf. *Med*. Ciência que estuda todos os aspectos relacionados com o envelhecimento do ser humano. ● **ge.ron.to.lo.***gis.ta* s2g.
gerúndio (ge.*rún*.di:o) sm. *Gram*. Forma nominal do verbo, formada pelo sufixo -ndo (p.ex., *falando, correndo*).
gerundivo (ge.run.*di*.vo) sm. *Gram*. Forma de gerúndio latino que exprime uma ação que está por se realizar. [NOTA: Em português, derivou adjetivos e substantivos, como *memorando, adendo, agenda, fazenda* etc.]
gervão, gerbão (ger.*vão*, ger.*bão*) sm. *Bot*. Tipo de planta herbácea; VERBENA. [Pl.: *-vões, -bões*.]
gesso (*ges*.so) [ê] sm. Sulfato de cálcio, de cor branca, que, misturado com água, forma uma massa us. em vários tipos de moldagem.
gesta (*ges*.ta) sf. **1** Feito heroico; FAÇANHA. **2** *Mús*. Canção que celebra em versos esses feitos.
gestação (ges.ta.*ção*) sf. **1** Ação ou resultado de gestar. **2** Ver *gravidez*. **3** *Fig*. A elaboração de algo: *A gestação do livro levou anos*. [Pl.: *-ções*.]
gestante (ges.*tan*.te) a2g. **1** Que leva o embrião no útero. **2** Que está em gestação. *sf*. **3** Mulher grávida.
gestão (ges.*tão*) sf. **1** Ação ou resultado de gerir; ADMINISTRAÇÃO. **2** Período de tempo em determinado cargo: *Ele teve duas gestões como presidente da República*. [Pl.: *-tões*.]
gestar (ges.*tar*) v. Dar existência a, conceber. [*td*.: *gestar uma menina*. *int*.: *Logo gestaria*.] [▶ 1 gest**ar**]
gestatório (ges.ta.*tó*.ri:o) a. **1** Ref. a gestação. **2** Que pode ser levado, carregado.
gesticular (ges.ti.cu.*lar*) v. **1** Mexer muito com partes do corpo (ger. mãos e braços) enquanto fala. [*int*.: *O repórter evitava gesticular*.] **2** Exprimir (algo) por meio de gestos. [*td*.: *gesticular um adeus*. *int*. (seguido de indicação de modo): *Não falava, apenas gesticulava com a cabeça*.] [▶ 1 gesticul**ar**]
● **ges.ti.cu.la.***ção* sf.
gesto¹ (*ges*.to) sm. Modo de se expressar utilizando as mãos, os braços ou outras partes do corpo para substituir ou complementar a fala; MÍMICA: *Expulsou os intrusos com um gesto*. ● **ges.tu.***al* a2g.
gesto² (*ges*.to) sm. Maneira de proceder, agir; ATITUDE: *Convidar o inimigo foi um gesto de benevolência*.
getulismo (ge.tu.*lis*.mo) sm. *Hist*. **1** Movimento político-social cujo mentor e líder foi Getúlio Vargas. **2** O desempenho político e social de Getúlio Vargas. **3** Período em que Getúlio Vargas dominou a cena política brasileira. ● **ge.tu.***lis.ta* a2g.s2g.
▨ **GHz** *Fís*. Símb. de *giga-hertz*.
giárdia (gi.*ár*.di:a) sf. *Bac*. Nome dado a um tipo de protozoário, cujo corpo tem simetria bilateral e oito flagelos, parasita do intestino humano.
giardíase (gi:ar.*di*.a.se) sf. *Med*. Infecção intestinal que provoca forte diarreia, causada pelo parasita flagelado giárdia.
giba (*gi*.ba) sf. **1** Qualquer saliência ou proeminência em forma de corcova no homem ou no animal; CORCUNDA. **2** *Mar*. Vela triangular localizada na proa do navio. **3** *Mar*. Pau onde é amurada essa vela. ● **gi.***bo.so* a.
gibão¹ (gi.*bão*) sm. **1** *Bras*. Casaco de couro us. por vaqueiros. **2** Casaco curto us. sobre a camisa. [Pl.: *-bões*.]

gibão² (gi.*bão*) sm. *Zool*. Espécie de primata que vive em árvores, é vegetariano e habita o sul da Ásia e a Indonésia. [Pl.: *-bões*.]
gibi (gi.*bi*) sm. *Bras*. **1** Nome dado às revistas em quadrinhos, ger. infanto-juvenis. **2** *Gír*. Menino negro; NEGRINHO. ■ **Não estar no ~** *Bras*. *Pop*. Ser fora do comum, extraordinário.
giga¹ (*gi*.ga) sf. **1** Vaso de madeira redondo, baixo e largo. **2** Cesta de vime, larga e de pouca altura.
giga² (*gi*.ga) sf. *Mús*. **1** Antiga dança inglesa do séc. XVI. **2** Antiga dança italiana dos sécs. XVII e XVIII. **3** Instrumento de cordas medieval.
giga³ (*gi*.ga) sm2n. *Inf*. F. red. de *gigabyte*: *Meu disco rígido tem 40 giga de memória*.
● **gigabyte** (*Ing*. /*gigabait*/) sm. *Inf*. Unidade de medida que equivale a 2^{30} *bytes*. [Símb.: GB]
giga-hertz (gi.ga-*hertz*) sm2n. *Fís*. Unidade de frequência que equivale a um bilhão de hertz ou 10^9 Hz. [Símb.: GHz]
gigâmetro (gi.*gâ*.me.tro) sm. Um bilhão de metros.
gigante (gi.*gan*.te) sm. **1** *Mit*. Homem de estatura imensa, comum em relatos mitológicos e na literatura. **2** Homem ou animal de estatura elevada e/ou muito corpulento: *os gigantes do basquete*. **3** *Fig*. Pessoa que sobressai no desempenho de uma atividade ou profissão: *o gigante da literatura/do teatro*. **4** *Fig*. Organização ou empreendimento grande e de muito poder: *os gigantes da indústria*. *a2g*. **5** Que é muito grande ou superior aos demais (tubarão *gigante*); ENORME; EXTRAORDINÁRIO. [Fem.: *giganta*.] [F: Do lat. *gigas*, *antis*, do gr. *Gigas, antos*.]
gigantesco (gi.gan.*tes*.co) [ê] a. **1** Que tem estatura, tamanho ou volume exagerados (bolsa *gigantesca*). **2** *Fig*. De proporções grandiosas; DESMESURADO: *Temos um trabalho gigantesco pela frente*.
gigantismo (gi.gan.*tis*.mo) sm. **1** Crescimento anormal de qualquer ser vivo (*gigantismo* vegetal). [Ant.: *nanismo*.] **2** Desenvolvimento ou crescimento extraordinário (de empresa, cidade, população etc.).
gigolô (gi.go.*lô*) sm. *Bras*. Homem que é sustentado por prostituta ou amante.
gilete (gi.*le*.te) sf. **1** Qualquer lâmina de barbear. [A marca registrada é Gillette®.] *s2g*. **2** *Bras*. *Tabu*. Quem se relaciona sexualmente com homens e mulheres.
gilvaz (gil.*vaz*) sm. Cicatriz na face provocada por ferida.
gim sm. Aguardente preparada com cereais (cevada, trigo, aveia) e zimbro; GENEBRA. [Pl.: *gins*.]
gimnanto (gim.*nan*.to) a. *Bot*. Que tem flores sem perianto ou perigônio.
gimnodermo (gim.no.*der*.mo) a. *Anat*. *Zool*. Sem pelos.
gimnosperma (gim.nos.*per*.ma) sf. *Bot*. Tipo de planta comum em climas temperados.
ginarquia (gi.nar.*qui*.a) sf. *Biol*. Entre alguns insetos, maneira de organizar a colônia tendo somente as fêmeas como responsáveis.
ginásio (gi.*ná*.si:o) sm. **1** Local destinado à prática da ginástica. **2** *Desus*. Curso ginasial. (Cf.: *ensino fundamental* em *ensino*.) ● **gi.na.si:***a.no* a.sm.; **gi.na.si:***al* a2g.sm.
ginasta (gi.*nas*.ta) a2g.s2g. Que ou quem pratica ou tem habilidade em exercícios de ginástica.
ginástica (gi.*nás*.ti.ca) sf. **1** Técnica ou arte que visa dar força, tonicidade e agilidade ao corpo por meio de exercícios específicos (*ginástica* olímpica/rítmica). **2** O conjunto dos exercícios realizados com essa finalidade ou a arte em que eles são feitos. **3** *Fam*. *Fig*. Esforço físico, moral, intelectual ou econômico para se atingir determinado objetivo: *Faz uma ginástica para pagar todas as contas*.

📖 A ginástica já era cultivada pelos gregos antigos, mas só a partir do séc. XVIII começou a ganhar a forma e as regras que a definem como esporte, sendo regulamentada a partir de 1881, com a criação da Federação Internacional de Ginástica. Contemporaneamente é um dos mais representativos esportes olímpicos em suas várias modalidades. As masculinas são: exercícios de solo, argolas, barras paralelas, barra fixa, cavalo com alças e salto sobre o cavalo. As femininas: exercícios de solo, barras assimétricas, salto sobre o cavalo, trave de equilíbrio e ginástica rítmica (com bolas, maças, arcos, cordas e fitas).

gincana (gin.ca.na) sf. Competição entre equipes que devem cumprir determinadas tarefas com rapidez e habilidade.

gineceu (gi.ne.ceu) sm. 1 Na Grécia antiga, parte da habitação destinada às mulheres. 2 Bot. Órgão feminino das flores, constituído de ovário, estilete e estigma. [Cf.: androceu.]

ginecofobia (gi.ne.co.fo.bi.a) sf. Psiq. Medo doentio ou aversão às mulheres; GINOFOBIA.

ginecologia (gi.ne.co.lo.gi.a) sf. Med. Especialidade médica que trata das doenças específicas das mulheres, esp. as do aparelho genital. ● **gi.ne.co.ló.gi.co** a.; gi.ne.co.lo.gis.ta s2g.

ginete (gi.ne.te) [ê] sm. 1 Cavalo de raça, bem adestrado. 2 S. Cavaleiro hábil. 3 N.E. Sela us. pelos vaqueiros do sertão.

ginga (gin.ga) sf. 1 Mar. Remo localizado na popa da embarcação para movimentá-la em zigue-zague. 2 Bras. Na capoeira, movimento corporal us. para iludir o adversário e aplicar golpes. 3 Modo característico de movimentar o corpo que denota malícia e destreza; GINGADO.

gingado (gin.ga.do) a. 1 Que se gingou. sm. 2 Bras. Movimento de corpo; GINGA.

gingar (gin.gar) v. int. 1 Sambar, requebrar com graciosidade: *A passista gingava*. 2 Balançar o corpo com se estivesse dançando: *O jogador gingou para driblar o adversário*. [▶ 14 gin*gar*]

ginja (gin.ja) sf. 1 Fruto da ginjeira, semelhante à cereja. 2 Bebida feita desse fruto. *s2g.* 3 Pessoa idosa e magra. 4 Pessoa idosa que se prende a velhos hábitos. 5 Bras. Pessoa obcecada por dinheiro; AVARENTO.

ginjeira (gin.jei.ra) sf. Bot. Tipo de cerejeira, de frutos de sabor agridoce ou ácido.

ginofobia (gi.no.fo.bi.a) sf. Psiq. Ver ginecofobia.

ginseng (gin.seng) sm. Bot. Tipo de planta de raízes aromáticas us. para fins terapêuticos.

gípseo (gíp.se:o) a. Que é feito de gesso.

gira (gi.ra) sf. 1 Passeio curto; GIRO. *a2g.s2g.* 2 Bras. Lus. Pop. Que ou quem é doido ou age como tal; AMALUCADO.

girafa (gi.ra.fa) sf. Zool. Mamífero ruminante africano, de pescoço muito comprido e pernas longas, podendo atingir seis metros de altura.

girândola (gi.rân.do.la) sf. 1 Roda ou travessão onde são colocados fogos de artifício para serem lançados e estourarem simultaneamente. 2 O conjunto desses foguetes queimando.

girar (gi.rar) v. 1 Dar volta(s) completa(s), mover-se em círculo; RODAR; RODEAR. [*int.*: *A Terra gira em torno do Sol*.] 2 Virar para um ou outro lado. [*td.*: *Girando a antena, a imagem da TV melhora*. *int.*: *Lúcia girou e esbarrou em mim*.] 3 Focalizar. [*int.*: *A conversa girou sobre nossos problemas*.] 4 Constituir-se, consistir. [*int.*: *A frota de ônibus gira em torno de cinquenta veículos*.] 5 Centrar-se, concentrar-se. [*int.*: *Seu dia a dia girava em torno do trabalho*.] 6 Negociar. [*td./ti. + com*: *O mercado de informática girou (com) US$ 150 milhões ano passado*.] [▶ girar]

girassol (gi.ras.sol) sm. 1 Bot. Planta ornamental de grande porte, flores amarelas, e de cuja semente se extrai óleo comestível. 2 Min. Tipo de opala com reflexos multicoloridos. [Pl.: -sóis.]

giratório (gi.ra.tó.ri:o) a. Que gira ou se movimenta de modo circular, em giros (cadeira giratória).

GIRASSOL (1)

gíria (gí.ri.a) sf. 1 Linguagem peculiar que se origina de um grupo social restrito e alcança, pelo uso, outros grupos, tornando-se de uso corrente. 2 Linguagem própria de pessoas que exercem a mesma profissão ou atividade (gíria publicitária); JARGÃO. 3 Linguajar chulo; CALÃO.

girino (gi.ri.no) sm. Zool. Nome dado às larvas dos anfíbios anuros, como os sapos, que se desenvolvem ger. na água.

giro (gi.ro) sm. 1 Movimento giratório; VOLTA: *o giro da roda-gigante*. 2 Fam. Passeio curto; GIRA: *Dei um giro por aí*. 3 Numa sequência de turnos, a vez de cada um: *O giro da noite cabe a você*. 4 Uso excessivo de palavras antecedendo o assunto principal; RODEIO. 5 Atividade comercial; NEGÓCIO.

giroscópio (gi.ros.có.pi:o) sm. Fís. Dispositivo constituído por um corpo simétrico capaz de girar rapidamente em torno de um eixo, e que, suspenso, mantém invariável a direção desse eixo.

giz sm. 1 Calcário em pó, moldado em forma de pequeno bastão, us. para escrever em quadros-negros. 2 N.E. Traço retilíneo a ferro quente com o qual se marca o gado. [Pl.: *gizes*.]

glabro (gla.bro) a. Que não tem pelos ou barba (rosto glabro, planta glabra).

glace (gla.ce) sf. Ver glacê (1).

glacê (gla.cê) sm. 1 Cul. Camada, à base de açúcar e clara de ovo, com que se recobre ou confeita bolos e doces; GLACE. *a2g.* 2 Cul. Diz-se de frutas secas cobertas com açúcar cristalizado. 3 Diz-se de seda que brilha e tem reflexos metálicos.

glaciação (gla.ci.a.ção) sf. 1 Ação ou resultado de congelar; CONGELAMENTO. 2 Geol. Ação exercida pelas geleiras na superfície terrestre. [Pl.: -ções.]

glacial (gla.ci:al) a2g. 1 Ref. a gelo. 2 Muito gelado; GÉLIDO. 3 Fig. Que revela falta de calor humano, frieza (abraço glacial); INDIFERENTE. 4 Diz-se de região próxima aos polos. 5 Geol. Que se refere à época geológica em que grande parte do globo terrestre foi coberta por geleiras. [Pl.: -ais.]

glaciário (gla.ci:á.ri:o) a. 1 Ref. a gelo ou a geleira. 2 Geol. Ref. à época glacial.

gladiador (gla.di.a.dor) [ô] sm. Na Roma antiga, lutador que enfrentava outros lutadores ou feras para divertir o público.

gládio (glá.di:o) sm. 1 Espada de dois gumes. 2 Qualquer tipo de espada. 3 Ação ou resultado de combater; LUTA; GUERRA. 4 Fig. Energia física e/ou moral; PODER.

gladíolo (gla.dí.o.lo) sm. Bot. Planta herbácea, mais conhecida como palma-de-santa-rita.

glande (glan.de) sf. 1 Fruto do carvalho, comumente denominado bolota. 2 Qualquer objeto semelhante a esse fruto. 3 Anat. A cabeça do pênis. 4 Anat. A extremidade do clitóris.

glândula (glân.du.la) sf. 1 Pequena glande (1 e 2). 2 Anat. Conjunto de células que produzem substâncias que são lançadas no sangue ou eliminadas. 3 Bot. Estrutura

GLADÍOLO

glandulífero | **goiabeira**

secretora, muito difundida no reino vegetal. • glan.du.*lar* a2g.

glandulífero (glan.du.*lí*.fe.ro) a. Que tem ou origina glândulas.

glanduliforme (glan.du.li.*for*.me) a2g. Que tem aparência de glândula; GLANDULAR.

glauco (*glau*.co) a. De tom verde-claro ou verde-azulado.

glaucoma (glau.co.ma) [ô] sm. Med. Doença que se caracteriza pelo aumento da pressão intraocular, e que acarreta o endurecimento do globo ocular, podendo levar à cegueira.

gleba (*gle*.ba) sf. 1 Terreno para cultivo; LEIVA. 2 Terreno que contém minério. 3 Hist. Porção de terra a que os servos estavam ligados. 4 Urb. Terreno não urbanizado. [Cf. *leiva*.]

glia (*gli*.a) sf. Anat. Ver *neuroglia*.

glicemia (gli.ce.*mi*.a) sf. Med. Taxa de açúcar no sangue.

glicerídeo (gli.ce.*rí*.de:o) sm. Bioq. Qualquer éster da glicerina.

glicerina (gli.ce.*ri*.na) sf. Quím. Substância líquida, incolor e viscosa, us. como emoliente, solvente etc.

glicídio (gli.*cí*.di:o) sm. Bioq. Nome dado aos açúcares, carboidratos e substâncias afins.

glicoproteína (gli.co.pro.te.*í*.na) sf. Bioq. Qualquer proteína que contém em sua estrutura ao menos um carboidrato.

glicose (gli.co.se) sf. Quím. Açúcar sólido, incolor, encontrado no sangue, nas plantas e nos seus frutos.

glifodonte (gli.fo.*don*.te) a2g. Zool. Diz-se das cobras cujas presas têm sulcos para a passagem do veneno.

global (glo.*bal*) a2g. 1 Ref. ao globo terrestre: *O aumento do efeito estufa é um problema global.* 2 Que se considera como um todo, por inteiro (pesquisa global). [Pl.: -bais.]

globalização (glo.ba.li.za.ção) sf. 1 Ação ou resultado de globalizar(-se). 2 Econ. Pol. Processo que conduz a uma integração cada vez mais estreita das economias e das sociedades, esp. no que diz respeito à produção e troca de mercadorias e de informação. [Pl.: -ções.]

globalizar (glo.ba.li.zar) v. 1 Considerar (elementos distintos) como um todo. [td.: *Globaliza os problemas da escola.*] 2 Econ. Fazer participar ou participar da integração das economias de vários países. [td.: *Muitos países globalizaram seus mercados de trabalho.* int.: *A empresa conseguiu globalizar e diversificar.*] [▶ 1 globalizar]

globo (glo.bo) [ô] sm. 1 Algo com formato esférico ou redondo (globo ocular). 2 O planeta Terra. 3 Reprodução esférica de um corpo celeste ou do sistema planetário. [Dim.: *glóbulo*.] • glo.*bo*.so a.

globular (glo.bu.*lar*) a2g. Que tem formato de globo; GLOBOSO.

globulina (glo.bu.*li*.na) sf. Quím. Qualquer proteína insolúvel em água, mas solúvel em soluções salinas, ácidas ou básicas.

glóbulo (*gló*.bu.lo) sm. 1 Pequeno globo. 2 Bioq. Componente encontrado em alguns líquidos orgânicos como o sangue. ▪ ~ **branco** Leucócito. ~ **vermelho** Hemácia.

glória (*gló*.ri:a) sf. 1 Reputação alcançada através de realizações excepcionais: *Alcançou a glória com seu último romance.* 2 Pessoa famosa; CELEBRIDADE. 3 Expressividade em algum sentido; BRILHANTISMO; ESPLENDOR: *a glória da civilização egípcia.* 4 Homenagem. 5 Rel. Cântico sagrado cantado na missa.

glorificar (glo.ri.fi.*car*) v. td. 1 Conferir valor eterno a; EXALTAR: *O documentário glorificava o pintor Di Cavalcanti.* 2 Render homenagem a (ger. Deus ou santos). [▶ 11 glorificar] • glo.ri.fi.ca.ção sf.

glorioso (glo.ri:*o*.so) [ô] a. 1 Que é repleto de glória; RECONHECIDO: *os gloriosos compositores brasileiros*. 2 Que proporciona glória (vitória gloriosa). 3 Que é iluminado, deslumbrante (orador glorioso). [Fem. e pl.: [ó].]

glosa (*glo*.sa) sf. 1 Explicação que se encontra num texto para tornar claro algo mencionado; COMENTÁRIO. 2 Comentário que se faz à margem. 3 Análise crítica. 4 Divergência com alguma conta, orçamento ou quantia apresentados, por não serem devidos. 5 Pop. Supressão, cancelamento.

glosar (glo.*sar*) v. td. 1 Repetir, modificando um pouco: *No resumo, limitou-se a glosar afirmações de outros textos.* 2 Não aceitar: *As autoridades glosaram as contas da empresa.* 3 Fazer observação explicativa à margem de um texto; COMENTAR. 4 Liter. Elaborar um poema em que as estrofes terminam em um mote. [▶ 1 glosar]

glossário (glos.*sá*.ri:o) sm. 1 Vocabulário que vem anexo a uma obra para explicar palavras e expressões regionais ou pouco usadas. 2 Dicionário de termos específicos de determinada área: *glossário de termos médicos*. [Cf.: *dicionário*.]

glote (*glo*.te) sf. Anat. Abertura, em forma de pequena língua, localizada na parte mais estreita da laringe.

⊠ **GLS** Pop. Abr. de *gays*, *lésbicas* e *simpatizantes*.

gluma (*glu*.ma) sf. Bot. Espécie de folha que protege as flores das gramíneas.

glúon (*glú*.on) sm. Fís.nu. Partícula de massa nula e sem carga elétrica, que atua nas fortes interações entre *quarks* e é responsável por sua coesão.

glutão (glu.*tão*) a.sm. Que ou quem come muito e com voracidade; COMILÃO. [Pl.: -tões. Fem.: -tona.]

glúten, glute (*glú*.ten, glu.te) sm. Substância pouco calórica e rica em proteínas, que se extrai dos cereais. [Pl. de *glúten*: glutens e (p.us. no Brasil) glútenes.] • glu.ti.*no*.so a.

glúteo (*glú*.te:o) a. 1 Ref. às nádegas (região glútea). sm. 2 Anat. Cada um dos músculos das nádegas.

glutonaria (glu.to.na.*ri*.a) sf. Característica de glutão; GULA.

gnaisse (*gnais*.se) sm. Geol. Rocha cristalina de composição variada, disposta em lâminas.

gnatoplastia (gna.to.plas.*ti*.a) sf. Cir. Operação plástica no queixo.

gnomo (*gno*.mo) [ô] sm. Anão de idade indefinida que, segundo a crença, vive no interior da Terra onde guarda seus tesouros.

gnose (*gno*.se) sf. 1 Ação ou condição de conhecer; CIÊNCIA; CONHECIMENTO. 2 Fil. Rel. Conhecimento esotérico das coisas espirituais, divinas, místicas etc. • *gnós*.ti.co a.

gnoseologia, gnosiologia (gno.se:o.lo.*gi*.a, gno.si:o.lo.*gi*.a) sf. Fil. Parte da filosofia que estuda as bases do conhecimento.

gnosticismo (gnos.ti.*cis*.mo) sm. Fil. Rel. Sistema místico-filosófico que busca o conhecimento das verdades divinas. [Cf.: *agnosticismo*.]

godê (go.*dê*) sm. 1 Corte enviesado em tecido, que o deixa ondulado, us. em saias e mangas: *um godê amplo*. a2g. 2 Cortado dessa maneira (saia godê).

goela (go:e.la) sf. Pop. Garganta.

gogo (go.go) [ô] sm. Vet. Gosma que sai da boca das galinhas e outras aves quando atingidas por doença de mesmo nome.

gogó (go.*gó*) sm. Bras. Pop. Cartilagem saliente no pescoço; PROEMINÊNCIA LARÍNGEA.

goiaba (goi.*a*.ba) sf. Fruto de polpa branca ou avermelhada, comestível e do qual se fazem doces e geleias.

goiabada (goi.a.*ba*.da) sf. Cul. Doce feito da goiaba.

goiabeira (goi.a.*bei*.ra) sf. Bot. Árvore que dá goiabas.

goianiense (goi:a.ni:*en*.se) *a2g.* **1** De Goiânia, capital do Estado de Goiás; típico dessa cidade ou de seu povo. *s2g.* **2** Pessoa nascida em Goiânia.

goiano (goi:a.no) *a.* **1** De Goiás; típico desse estado ou de seu povo. *sm.* **2** Pessoa nascida em Goiás.

goitacá (goi.ta.*cá*) *a2g.* **1** Ref. aos goitacás. *s2g.* **2** *Etnôn.* Indivíduo dos goitacás, grupo indígena hoje extinto que habitava o litoral entre o Rio de Janeiro e o Espírito Santo.

goiva (*goi*.va) [ó] *sf.* Tipo de formão com lâmina côncava, us. por marceneiros, escultores etc.

goivo (*goi*.vo) [ó] *sm. Bot.* Planta ornamental com flores aromáticas nativa da Europa.

gol *sm. Bras. Esp.* **1** Espaço retangular — limitado por duas traves perpendiculares a uma horizontal que as encima, (às quais ger. se prende uma rede) e por uma linha reta, traçada ou virtual, ligando os pés das duas traves perpendiculares — no qual a bola deve entrar para marcar-se ponto em jogos como futebol, bola etc. *[td.: Chutou mal, e a bola passou longe do gol.]* **2** O ponto marcado quando a bola entra nesse espaço. *[Pl.: gols* (o mais us. apesar de ser barbarismo), *goles e gois.]* ▪▪ **Fechar o ~** *Fut.* Ter o goleiro excelente atuação, fazendo defesas difíceis. **~ contra** *Fut.* Gol feito contra a própria meta. **~ de honra** *Fut.* O único gol de uma equipe derrotada. **~ de ouro** *Fut.* Na prorrogação de jogo empatado no tempo normal, gol que decide a partida em qualquer momento a favor da equipe que o marcou. **~ de placa** *Fut. Gír.* Gol de exímia feitura ou de grande beleza.

gola (*go*.la) *sf.* Parte da roupa que fica junto ao pescoço ou em volta dele: *blusas de gola alta.*

gole (*go*.le) *sm.* Porção de qualquer líquido que se engole de uma só vez.

goleada (go.le:*a*.da) *sf. Bras. Fut.* Ação ou resultado de fazer grande número de gols numa partida: *ganhar/perder de goleada.*

goleador (go.le:a.*dor*) [ó] *a.sm. Bras. Fut.* Que ou quem marca muitos gols.

golear (go.le.*ar*) *v. Fut.* **1** Ganhar por uma grande diferença de gols. *[td.: O Brasil goleou a França por 4 a 0. int.: Meu time desperdiçou a chance de golear.]* **2** Fazer muitos gols em uma partida. *[int.: O atacante prometeu golear.]* [▶ **13** golear]

goleiro (go.*lei*.ro) *sm. Bras. Fut.* Jogador que atua no gol e pode usar as mãos para defender a bola.

golfada (gol.*fa*.da) *sf.* Porção de líquido, vômito ou sangue, lançado de uma só vez: *A babá apressou-se em limpar a golfada da criança.*

golfar (gol.*far*) *v.* Expelir (líquido) em golfadas. *[td.: O acidentado golfava sangue. int.: Depois de mamar, o bebê golfou.]* [▶ **1** golfar]

golfe (*gol*.fe) [ó] *sm. Esp.* Jogo de origem escocesa cujo objetivo é introduzir uma bola pequena em buracos espalhados num campo, com o menor número possível de tacadas. ● *gol.fis.ta s2g.*

golfinho (gol.*fi*.nho) *sm.* **1** *Zool.* Mamífero marinho com focinho alongado, conhecido pela sua inteligência; DELFIM. **2** *Esp.* Estilo de nado que imita os movimentos desse animal: *O golfinho é uma variante do nado borboleta.*

golfo (*gol*.fo) [ó] *sm. Geog.* Porção de mar que avança pela terra, formando uma abertura muito ampla.

golpe (*gol*.pe) *sm.* **1** Pancada forte: *Marcos tem a marca do golpe que deu contra a porta.* **2** *Fig.* Desgraça, infortúnio: *A perda dos pais foi um golpe para Alice.* **3** *Fig.* Manobra ardilosa; ROMBO: *O advogado deu um golpe na empresa.* **4** Ação ou acontecimento súbito e imprevisto: *golpe de sorte.* ▪▪ **~ de Estado** Usurpação violenta do governo de um país. **~ de vista 1** Olhar rápido; relance. **2** Capacidade de perceber e avaliar situação com um rápido olhar.

golpear (gol.pe.*ar*) *v. td.* **1** Acertar (batidas, pancadas etc.) em. **2** Afetar duramente: *A crise econômica que golpeou o país.* [▶ **13** golpear]

golpista (gol.*pis*.ta) *a2g.s2g.* **1** Que ou quem aplica golpe (3) (golpista notório); VIGARISTA. **2** Que ou quem usurpa violentamente o governo.

goma (*go*.ma) *sf.* **1** Substância viscosa exsudada de certos vegetais. **2** *Bras.* Preparado us. para engomar roupas. **3** *Bras.* Cola de farinha e água. ▪▪ **~ de mascar** Pequeno doce, feito de chicle (1), de consistência elástica, com diversos sabores e que serve para mascar; CHICLETE.

goma-arábica (go.ma.*a*.*rá*.bi.ca) *sf. Quím.* Cola feita da resina de uma árvore do mesmo nome. [Pl.: *gomas-arábicas.*]

goma-laca (go.ma-*la*.ca) *sf. Quím.* Resina vegetal corante aplicada ger. sobre a madeira. [Pl.: *gomas-lacas e gomas-laca.*]

gomo (*go*.mo) *sm.* Cada uma das divisões naturais da polpa de frutas como tangerina, laranja etc.

gônada (*gô*.na.da) *sf. Anat.* Glândula sexual (ovário ou testículo).

gôndola (*gôn*.do.la) *sf.* **1** Barco comprido e estreito com as extremidades elevadas e um só remo, típico de Veneza. **2** *Bras. Mkt.* Prateleira de mercadorias em supermercados. ● *gon.do.lei.ro sm.*

gongar (gon.*gar*) *v. td. Bras. Gír.* Eliminar (calouro) de competição por causa de uma apresentação ruim. [▶ **14** gongar]

gongo (*gon*.go) *sm. Mús.* Instrumento de percussão constituído de um disco de metal percutido com uma baqueta de ponta acolchoada. ▪▪ **Salvo pelo ~** Salvo de uma situação difícil no último momento.

gonococo (go.no.*co*.co) [ó] *sm. Bac.* Bactéria causadora da gonorreia.

gonorreia (go.nor.*rei*.a) *sf. Med.* Doença venérea que se caracteriza, no homem, pela secreção purulenta que sai da uretra; BLENORRAGIA.

gonzo (*gon*.zo) *sm.* Dobradiça de porta ou janela.

gorar (go.*rar*) *v. int.* **1** Não chegar a incubar (ovo). **2** *Pop.* Não dar certo; deixar de acontecer: *O projeto gorou por falta de dinheiro.* [▶ **1** gorar]

gordo (*gor*.do) [ó] *a.* **1** Que tem muita gordura; que está acima do peso normal; OBESO. **2** Que contém gordura (carne *gorda*); GORDUROSO. **3** *Fig.* Polpudo, vultoso (salário *gordo*). *sm.* **4** Pessoa gorda.

gorducho (gor.*du*.cho) *a.sm.* Que ou quem é um tanto gordo.

gordura (gor.*du*.ra) *sf.* **1** Substância animal ou vegetal us. na preparação de alimentos: *O óleo de soja é uma gordura vegetal.* **2** Tecido gorduroso: *A gordura de meu pai concentrou-se na barriga.* **3** Excesso de peso; OBESIDADE: *A gordura é prejudicial à vida de uma pessoa.*

gorduroso (gor.du.*ro*.so) [ô] *a.* **1** Que tem muita gordura (bife *gorduroso*). **2** Oleoso, engordurado, gordurento (pele *gordurosa*). [Fem. e pl.: [ó].]

gorgolejar (gor.go.le.*jar*) *v. int.* **1** Emitir som parecido com o do gargarejo: *Abriu a torneira e a água correu, gorgolejando.* **2** Beber do gargalo da garrafa, fazendo barulho: *Pare de gorgolejar, é falta de educação!* [▶ **1** gorgolejar]

gorgomilo (gor.go.*mi*.lo) *sm. Pop.* Garganta, goela. [Tb. us. no pl.]

gorgorão (gor.go.*rão*) *sm.* Tecido grosso de seda com relevo em forma de linhas finas. [Pl.: *-rões.*]

gorgulho (gor.*gu*.lho) *sm. Zool.* Inseto que ataca vegetais; CARUNCHO.

gorila (go.*ri*.la) *sm. Zool.* Macaco de grande porte.

gorja (*gor*.ja) *sf.* Ver garganta (1).

gorjear (gor.je.*ar*) *v. int.* Emitir sons melodiosos; cantar (ger. pássaros). [▶ **13** gorjear]

gorjeio (gor.*jei*.o) *sm.* **1** O som harmonioso emitido pelos pássaros: *o gorjeio do sabiá*. **2** *Fig.* O rumor de vozes de crianças: *o gorjeio de meninas alegres*.

gorjeta (gor.*je*.ta) [ê] *sf.* Gratificação que se dá pela prestação de um serviço; ESPÓRTULA: *Deu uma gorjeta para o entregador*.

goro (*go*.ro) [ô] *a.* Que gorou (ovo <u>goro</u>); CHOCO; PODRE.

gororoba (go.ro.*ro*.ba) *sf. Bras. Pop.* **1** Comida feita sem capricho: *A gororoba estava tão ruim que ninguém comeu*. **2** Comida, rango: *Que horas sai essa gororoba?*

gorro (*gor*.ro) [ô] *sm.* Tipo de chapéu, ger. feito de lã ou malha, que se ajusta à cabeça: *No inverno só saía de gorro*.

gosma (*gos*.ma) *sf.* **1** Substância viscosa de origem animal ou vegetal; BABA: *gosma de quiabo*. **2** *Vet.* Doença que ataca a língua da galinha e de outras aves; GOGO.

gosmento (gos.*men*.to) *a.* Que tem gosma ou parece gosma.

gostar (gos.*tar*) *v.* **1** Ter amor, afeto ou simpatia. [*ti.* + *de:* Ninguém <u>gostou</u> da nova secretária.] **2** *ti.* e minha irmã <u>nos</u> gostamos muito.] **2** Achar bom o gosto, o paladar. [*ti* + *de:* As crianças <u>gostam</u> de batatas fritas.] **3** Apreciar, aprovar. [*ti.* + *de:* <u>gostar</u> da nova cozinheira.] **4** Desejar. [*td.:* Eu <u>gostaria</u> que reprisassem a novela. *ti.* + *de:* <u>Gostaríamos</u> muito de viajar nas férias.] **5** Precisar de (algo) para se desenvolver. [*ti.* + *de:* Como a azaleia <u>gosta de</u> sol, pus o vaso na varanda.] [▶ 1 gost<u>ar</u>] [Ant. ger.: *detestar*.]

gosto (*gos*.to) [ô] *sm.* **1** Sentido pelo qual diferenciamos o sabor dos alimentos; PALADAR: *Nossa cozinheira tem o gosto muito apurado.* **2** Sensação que se tem ao comer alguma coisa; SABOR: *gosto de maracujá.* **3** Prazer, satisfação: *Aceitamos com gosto o convite para jantar.* **4** Interesse, predileção: *Os gostos de meus pais são diferentes dos meus.* **5** Capacidade de apreciar a beleza, a qualidade e os defeitos das coisas (*gosto* extravagante). **6** Bom gosto, elegância: *A loja foi decorada com gosto*.

gostosão (gos.to.*são*) *a.sm. Bras. Gír.* **1** Que ou quem (homem) é muito atraente e desejado pelas mulheres. **2** Que ou quem (homem) é presunçoso, ou se julga conquistador. [Pl.: *-sões*. Fem.: *-sona*.]

gostoso (gos.*to*.so) [ô] *a.* **1** De gosto agradável ao paladar (feijoada <u>gostosa</u>). **2** Que causa prazer (cheiro <u>gostoso</u>); AGRADÁVEL. **3** *Bras. Gír.* Atraente, sensual. [Fem. e pl.: [ó].]

gostosona (gos.to.*so*.na) *a.sf. Bras. Gír.* Que ou quem (mulher) é muito sensual: *A gostosona da novela saiu na capa da revista*. [Fem. de *gostosão*.]

gostosura (gos.to.*su*.ra) *sf. Bras. Fam.* **1** Qualidade do que é gostoso: *a gostosura do chocolate*. **2** Coisa gostosa: *Serviram muitas gostosuras na festa*. **3** Grande prazer: *Poder dormir até tarde é uma gostosura*.

gota (*go*.ta) [ô] *sf.* **1** Porção muito pequena de um líquido que ao cair adquire forma arredondada; PINGO: *Tomo café com duas gotas de adoçante*. [Dim.: *gotícula*.] **2** *Fig.* Porção mínima de alguma coisa: *uma gota de confiança*. **3** *Med.* Doença reumática que ataca as articulações. ▪ **Ser a ~ d'água** Ser o fato, situação etc. que atinge o limite da tolerância e provoca uma reação: *Aguentou muitas, mas aquela ofensa foi a gota d'água*.

goteira (go.*tei*.ra) *sf.* **1** Brecha na cobertura de uma construção por onde cai água; essa água: *O telhado da casa tem várias goteiras*. **2** Calha ou cano por onde escorre a água da chuva.

gotejar (go.te.*jar*) *v.* Deixar cair ou cair em gotas. [*td.:* Com uma seringa, <u>gotejei</u> água no tubo de ensaio. *int.:* O chuveiro está <u>gotejando</u>.] [▶ 1 gotej<u>ar</u>]

gótico (*gó*.ti.co) *a.* **1** *Arq.* Diz-se de estilo arquitetônico que predominou na Europa entre os sécs. XII e XVI. **2** *Art.Gr.* Diz-se do tipo de letra ornamentada us. nos manuscritos do mesmo período (escrita <u>gótica</u>). *sm.* **3** *Arq.* O estilo gótico (1): *o <u>gótico</u> alemão*.

gotícula (go.*ti*.cu.la) *sf.* Gota minúscula: *gotícula de orvalho*.

governabilidade (go.ver.na.bi.li.*da*.de) *sf.* Equilíbrio político e financeiro que permite governar: *O governo faz alianças políticas para assegurar a <u>governabilidade</u>*.

governador (go.ver.na.*dor*) [ô] *sm.* Quem governa um estado.

governamental (go.ver.na.men.*tal*) *a2g.* Ref. a, ou próprio do governo (decreto <u>governamental</u>). [Pl.: *-tais*.]

governanta (go.ver.*nan*.ta) *sf.* Mulher encarregada da administração da casa e/ou da educação das crianças.

governante (go.ver.*nan*.te) *a2g.s2g.* Que ou quem governa.

governar (go.ver.*nar*) *v.* **1** Dirigir cidade, estado ou país. [*td.:* Fernando H. Cardoso <u>governou</u> o Brasil por oito anos. *int.:* capacidade para governar.] **2** Dirigir (uma embarcação). [*td.:* Não soube <u>governar</u> a escuna e bateu num recife.] **3** Controlar. [*td.:* Há leis que <u>governam</u> as relações entre fabricantes e consumidores.] [▶ 1 govern<u>ar</u>] ● **go.ver.ná.vel** *a2g.*

governista (go.ver.*nis*.ta) *a2g.s2g.* Que ou quem apoia o governo: *Os <u>governistas</u> defenderam a reforma previdenciária*.

governo (go.*ver*.no) [ê] *sm.* **1** Ação ou resultado de governar. **2** Poder de governar: *O governo passou novamente às mãos da oligarquia.* **3** O chefe desse governo (presidente ou governador) ou as pessoas e os organismos que exercem esse governo: *O povo apoia o <u>governo</u>*. **4** Modo de governar (<u>governo</u> presidencialista). **5** Tempo de um presidente, governador ou prefeito no cargo; MANDATO: *o governo de Getúlio Vargas*. **6** Comando, controle.

gozação (go.za.*ção*) *sf. Bras. Pop.* Brincadeira ou comentário irônico para ridicularizar alguém. [Pl.: *-ções*.]

gozado (go.*za*.do) *a.* **1** Desfrutado (férias <u>gozadas</u>). **2** *Bras. Pop.* Que provoca o riso; ENGRAÇADO: *um tombo <u>gozado</u>*.

gozador (go.za.*dor*) [ô] *a.sm. Bras. Pop.* Que ou quem faz brincadeiras engraçadas ou irônicas sobre coisas ou pessoas.

gozar (go.*zar*) *v.* **1** Possuir ou usufruir (coisas boas, prazerosas ou úteis); DESFRUTAR; FRUIR. [*td.:* <u>gozar</u> a liberdade/a viagem. *ti.* + *de:* <u>gozar</u> de sossego/prestígio.] **2** *Bras. Pop.* Caçoar ou zombar de (algo ou alguém). [*td./ti.* + *de:* <u>gozar</u> o/do time perdedor.] **3** *Bras.* Atingir o orgasmo. [*int.*] [▶ 1 goz<u>ar</u>]

gozo (*go*.zo) [ô] *sm.* **1** Desfrute de alguma coisa: *gozo de férias*. **2** Prazer físico ou intelectual: *gozo de uma boa leitura*. **3** *Bras. Pop.* Algo que causa riso: *A apresentação do cômico foi um gozo*. **4** *Bras.* Prazer sexual.

gozoso (go.*zo*.so) [ô] *a.* **1** Em que há gozo, satisfação (atividade <u>gozosa</u>). **2** Que revela prazer (fisionomia <u>gozosa</u>). [Fem. e pl.: [ó].]

⊠ **GPS** *sm.* Sigla do ing. *Global Positioning System*, sistema via satélite que informa a um receptor móvel sua posição topográfica e seu possível roteiro para atingir outras coordenadas.

grã¹ *sf.* Lã ou algodão tingidos de carmim.

grã² *sf.* O aspecto macroscópico do tecido da madeira e do couro curtido.

grã³ *a2g.* Grande, grão².

graça (*gra*.ça) *sf.* **1** Favor ou auxílio dado ou recebido: *João obteve a <u>graça</u> de ter a dívida perdoada*.

2 *Teol.* Favor ou benefício concedido por Deus com ou sem a interferência de um santo: *pedir uma graça a santa Terezinha*. **3** *Teol.* Auxílio de Deus para que os homens alcancem a salvação (graça divina). **4** Encanto pessoal devido aos gestos e ao modo de alguém se comportar; GRACIOSIDADE: "Olha que coisa mais linda, mais cheia de graça..." (Tom Jobim e Vinicius de Moraes, *Garota de Ipanema*). **5** Ação ou dito engraçado, espirituoso: *As visitas divertiram-se com as graças das crianças*. **6** Nome de alguém: *Qual é a sua graça?* ❑ **graças** *sfpl.* **7** Agradecimento, reconhecimento: *missa de ação de graças*. ⊞ **Cair nas ~s de** Agradar a. **Dar o ar de sua ~** Aparecer, manifestar-se. **De ~** Grátis. **Perder a ~ 1** Não ser mais engraçado. **2** Ficar encabulado, sem graça. **Uma ~** Um amor, um encanto.

gracejar (gra.ce.*jar*) *v.* Dizer algo de modo engraçado ou pouco sério. [*ti.* + *de*: É impossível conversar com Pedro: *ele graceja de tudo*. *int.*: *Por ser mal-humorado, quase não graceja.*] [▶ **1** gracej[ar]]

gracejo (gra.*ce*.jo) [ê] *sm.* Dito espirituoso ou irônico: *Graça não resistiu e riu do gracejo do rapaz*.

grácil (*grá*.cil) *a2g.* Que tem graça, encanto; que é fino e delicado (feições *gráceis*). [Pl.: -*ceis*. Superl.: *gracílimo* e *gracilíssimo*.]

gracinha (gra.*ci*.nha) *sf. Pop.* **1** Dito um tanto malicioso: *Como uma roupa tão justa, a moça ouviu muitas gracinhas pela rua*. **2** Algo de aspecto encantador: *Esse colar é uma gracinha*.

gracioso (gra.ci.*o*.so) [ó] *a.* Que tem graça e encanto (andar *gracioso*). [Fem. e pl.: [ó].] ● **gra.ci.o.si.***da***.de** *sf.*

graçola (gra.*ço*.la) *sf. Pop.* Dito de mau gosto.

gradação (gra.da.*ção*) *sf.* **1** Aumento ou diminuição gradual: *A gradação da iluminação do auditório é regulada automaticamente*. **2** Mudança ou transição gradual de cor ou tonalidade. [Pl.: -*ções*.]

gradativo (gra.da.*ti*.vo) *a.* Que se realiza por graus (aprendizado *gradativo*); PROGRESSIVO.

grade (*gra*.de) *sf.* Armação de barras de metal que fecham e protegem lugar: *Pôs uma grade na varanda*.

gradeado (gra.de.*a*.do) *a.* **1** Que tem grades (jardim *gradeado*). *sm.* **2** Conjunto de grades: *O gradeado do edifício impediu a entrada dos ladrões*.

gradear (gra.de.*ar*) *v. td.* Colocar grades em ou em volta de: *gradear a janela/a praça*. [▶ **13** grad[ear]]

gradiente (gra.di.*en*.te) *sm.* **1** *Fís.* Grau de variação de certa característica de um meio (pressão, temperatura, umidade etc.). **2** Medida da inclinação de um terreno.

gradil (gra.*dil*) *sm.* Grade baixa: *Um gradil impede a entrada do cachorro na casa*. [Pl.: -*dis*.]

grado[1] (*gra*.do) *sm.* Us. nas locs. ⊞ **De bom/mau ~** De boa/má vontade. F: Do lat. *gratus*, *a*, *um*.]

grado[2] (*gra*.do) *a.* Importante, notável (convidados *grados*).

graduação (gra.du:a.*ção*) *sf.* **1** Ação ou resultado de graduar(-se). **2** Apresentação de uma escala em graus: *graduação de um termômetro*. **3** Cada um desses graus: *A temperatura do ar refrigerado está numa graduação agradável*. **4** *Bras.* Curso universitário: *concluir uma graduação em Letras*. [Cf.: *pós-graduação*.] **5** *Bras.* Conclusão desse curso; FORMATURA: *A cerimônia de graduação será em dezembro*. [Pl.: -*ções*.]

graduado (gra.du.*a*.do) *a.* **1** Dividido em graus ou outra medida (escala *graduada*). **2** *Bras.* Importante, elevado (funcionário *graduado*). **3** *Bras.* Que tem curso universitário completo.

gradual (gra.du.*al*) *a2g.* Que se produz por graus (exercícios *graduais*). [Pl.: -*ais*.] [Pl.: -*ais*.]

graduar (gra.du.*ar*) *v.* **1** Ajustar por meio de níveis ou graus. [*td.*: *graduar uma régua/um termômetro*.] **2** Dosar a quantidade, dimensão, intensidade etc. de algo. [*td.*: *graduar a chama/a corrente do relógio*.] **3** Aplicar (algo) aos poucos. [*td.*: *graduar a introdução do medicamento*.] **4** Diplomar(-se) em carreira universitária ou militar. [*td.*: *graduar oficiais*; (tb. seguido de indicação de estado ou condição) *A universidade graduou-o em Filosofia*. *pr.*: *graduar-se biólogo/ em biologia*.] [▶ **1** gradu[ar]]

grafar (gra.*far*) *v. td.* Escrever: *grafar catorze ou quatorze*. [▶ **1** graf[ar]]

grafema (gra.*fe*.ma) *sm. Gram.* Unidade de um sistema de escrita (p.ex., na escrita alfabética cada letra ou sinal constitui um *grafema*).

grafia (gra.*fi*.a) *sf. Ling.* **1** Representação dos sons ou das palavras por meio da escrita: *Certas palavras têm mais de uma grafia, como cinco e 5*. **2** Maneira de escrever: *Minha mãe ainda escreve com a grafia antiga*.

gráfica (*grá*.fi.ca) *sf.* Empresa onde são impressos livros, jornais, revistas etc.

gráfico (*grá*.fi.co) *a.* **1** Ref. às artes gráficas: *O trabalho gráfico dessa empresa é muito bom*. **2** Representado por desenho: *Os recursos gráficos ajudam a compreensão do texto*. *sm.* **3** Representação visual de dados; DIAGRAMA: *o gráfico do crescimento populacional*. **4** Trabalhador de uma gráfica: *Os gráficos receberam reajuste salarial*.

grã-fino (grã-*fi*.no) *Bras. Pop. a.sm.* **1** Que ou quem vive com riqueza, elegância e sofisticação: *uma festa de grã-finos*. *a.* **2** Próprio desse estilo de vida (roupa *grã-fina*). [Pl.: *grã-finos*. Fem. *grã-fina*.]

grafita (gra.*fi*.ta) *sf. Quím.* Carbono cristalino e negro us. na fabricação do lápis e em diversos equipamentos industriais; GRAFITE[1].

grafitar[1] (gra.fi.*tar*) *v. td. int.* Escrever ou desenhar sobre paredes e muros (ger. com *spray*); PICHAR. [▶ **1** grafit[ar]]

grafitar[2] (gra.fi.*tar*) *v. td.* Transformar em grafita. [▶ **1** grafit[ar]]

grafite[1] (gra.*fi*.te) *sm.* **1** Ver *grafita*. **2** *BA* Lapiseira.

grafite[2] (gra.*fi*.te) *sm.* Inscrição ou desenho feito em muros ou monumentos.

grafiteiro (gra.fi.*tei*.ro) *sm.* Pessoa que faz grafite[2].

grafologia (gra.fo.lo.*gi*.a) *sf.* Análise da personalidade e do caráter de uma pessoa pelo traçado das letras de sua escrita.

gralha (*gra*.lha) *sf.* **1** *Zool.* Ave da família do corvo, de voz estridente, que vive em bandos. **2** *Fig.* Pessoa muito falante; TAGARELA. **3** *Art.Gr.* Erro tipográfico que consiste na apresentação desordenada dos tipos.

grama[1] (*gra*.ma) *sf. Bot.* Erva miúda e rasteira que cobre o solo.

grama[2] (*gra*.ma) *sm. Fís.* Unidade de massa correspondente a um milésimo do quilograma: *duzentos gramas de manteiga*. [Símb.: g]

gramado (gra.*ma*.do) *a.* **1** Que se gramou. *sm.* **2** Solo coberto por relva ou grama. **3** *Bras.* Campo de futebol: *O time entrou no gramado*.

gramar[1] (gra.*mar*) *v. Bras. Pop.* **1** Suportar, aturar. [*td.*: *O engenheiro gramou vários problemas para terminar a obra*. *int.* (seguido de indicação de tempo, lugar): *Ontem gramei uma hora na fila do banco*.] **2** Percorrer, trilhar. [*td.*: *Os turistas gramaram uma estrada de terra até a praia*. *int.*: *Quem quer encontrar produtos baratos tem de gramar muito*.] [▶ **1** gram[ar]]

gramar[2] (gra.*mar*) *v. td. Bras.* Plantar grama em: *O vizinho gramou todo o jardim*. [▶ **1** gram[ar]]

gramática (gra.*má*.ti.ca) *sf.* **1** *Ling.* Conjunto de regras que normatizam o falar e o escrever corretamente, segundo a língua-padrão. **2** O livro que contém essas regras. **3** *Ling.* Estudo do sistema de uma língua. ● **gra.ma.ti.***cal* *a2g.*

gramático | grão-ducado

📖 Desde sua origem entre os gregos até o séc. XIX, o conceito de *gramática* (do grego *gramma*, 'letra') sempre esteve associado ao uso escrito de uma língua, considerada modelo para as diversas situações de comunicação verbal. Por isso foi definida ao longo dos sécs. como 'a arte de escrever corretamente'. A partir do séc. XIX, contudo, as línguas passaram a ser estudadas como objeto científico, esp. na sua realidade oral. Diversificando-se bastante segundo os métodos e as finalidades com que é estudada, a gramática atualmente tanto pode ser puramente *descritiva* ou *explicativa*, como *normativa* ou *pedagógica*. Em qualquer de seus enfoques, contudo, reconhecem-se unidades formais (fonemas, sílabas, afixos, palavras, locuções, orações) e regras (de colocação, de supressão, de concordância) que as organizam sistematicamente para a construção dos enunciados que os usuários de uma língua, seja falando ou ouvindo, seja escrevendo ou lendo, utilizam para comunicar-se.

gramático (gra.*má*.ti.co) *a*. **1** Ref. a gramática. *sm.* **2** Autor de gramática ou aquele que ensina gramática.

gramatologia (gra.ma.to.lo.*gi*.a) *sf.* Estudo do alfabeto, silabação, leitura e escrita de uma língua.

gramatura (gra.ma.*tu*.ra) *sf.* Valor em gramas de uma folha com um metro quadrado; GRAMAGEM.

gramínea (gra.*mi*.ne:a) *sf. Bot.* Tipo de planta que engloba cerca de seis mil espécies no mundo, das quais o capim e o milho são exemplos.

gramofone (gra.mo.*fo*.ne) *sm.* Antigo toca-discos.

grampeador (gram.pe:a.*dor*) [ô] *sm.* Aparelho manual com grampos metálicos para prender folhas de papel em um só conjunto.

grampear (gram.pe.*ar*) *v. td.* **1** Unir (ger. folhas de papel) com grampo. **2** *Fig.* Instalar aparelho de escuta telefônica em. [▶ 13 grampe**ar**]

grampo (*gram*.po) *sm.* **1** Haste de metal para prender papéis por meio do grampeador. **2** Haste metálica dobrada para prender cabelos femininos. **3** *Bras. Fig.* Dispositivo de escuta telefônica secreta. **4** *Bras. Pop.* A própria escuta telefônica secreta.

grana (*gra*.na) *sf. Pop.* Ver *dinheiro*.

granada¹ (gra.*na*.da) *sf.* Projétil explosivo, incendiário ou lacrimogêneo, lançado com a mão ou com o fuzil.

granada² (gra.*na*.da) *sf.* **1** *Min.* Mineral cuja cor é variada, dependendo de sua composição, us. em joias e relógios. **2** Tecido de seda rendada ou de algodão transparente, bem torcido.

granadeiro (gra.na.*dei*.ro) *sm.* Soldado que lança granadas.

granal (gra.*nal*) *a2g.* **1** Ref. a grão ou grãos. *sm.* **2** Plantação de grãos-de-bico. [Pl.: *-nais*.]

grande (*gran*.de) *a2g.* **1** Que é maior do que o comum em qualquer aspecto (*grande* planície). **2** Criado, crescido: *Já tem filhas grandes*. **3** Que produz efeito desejado (*grande* remédio); EFICAZ. **4** Que tem qualidade superior (*grande* ideia); EXCELENTE. **5** Muito forte (*grande* amor); INTENSO. **6** Grave, sério: *Tive um grande motivo para agir assim*. **7** Abundante, numeroso (família *grande*). **8** Que é principal; ESSENCIAL: *Grande desafio é o crescimento econômico*. **9** Que é importante, de muita repercussão: *Foi uma grande descoberta*. [Aum.: *grandalhão* e *grandão*. Superl.: *grandíssimo*, *máximo* e (*Pop.*) *grandessíssimo*.]

grandeza (gran.*de*.za) [ê] *sf.* **1** Qualidade do que tem dimensões acima do normal; ENORMIDADE; VASTIDÃO: *a grandeza do Pantanal*. **2** Nobreza de caráter; INTEGRIDADE; GENEROSIDADE: *a grandeza de seu gesto.* **3** Qualidade do que tem supremacia; PROEMINÊNCIA: *a grandeza de Roma na Antiguidade*.

grandiloquente (gran.di.lo.*quen*.te) *a2g.* Que tem o estilo pomposo; RETUMBANTE; GRANDÍLOQUO. ● **grandi.lo.quên.ci:a** *sf.*

grandíloquo (gran.*di*.lo.quo) *a*. Ver *grandiloquente*.

grandioso (gran.di.o.so) [ô] *a.* Que impressiona por sua magnitude ou importância (figura grandiosa). [Fem. e pl.: [ó].] ● **gran.di:o.si.da.de** *sf.*

granel (gra.*nel*) *sm.* **1** Conjunto de cereais sem acondicionamento especial. **2** Depósito de cereais; CELEIRO; TULHA. **2** *Art.Gr.* Parte da composição ainda não colocada em páginas; PAQUÊ.

granítico (gra.*ni*.ti.co) *a*. **1** *Geol.* Que é duro como granito. **2** *Fig.* Muito resistente; INABALÁVEL.

granito (gra.*ni*.to) *sm. Geol.* Rocha muito dura, caracterizada pela presença de quartzo e feldspato em sua composição, us. ger. como piso.

granívoro (gra.*ni*.vo.ro) *a*. Que se nutre de grãos ou sementes: *O bico-de-lacre é um passarinho granívoro*.

granizo (gra.*ni*.zo) *sm. Met.* Chuva que cai em forma de grãos de gelo; chuva de pedra; SARAIVA. **2** Esse grão de gelo. **3** Grão pequeno; GRÂNULO; GRANITO.

granja (*gran*.ja) *sf.* **1** Pequena fazenda ou sítio onde se criam animais em pequena escala, ger. aves para o abate ou postura de ovos. **2** Construção para armazenar frutos, ovos, cereais etc. de uma propriedade rural pequena.

granjear (gran.je.*ar*) *v. td.* Conquistar, obter: *granjear admiração/simpatia*. [▶ 13 granje**ar**]

granjeio (gran.*jei*.o) *sm.* **1** *Fig.* Ação ou resultado de conquistar algo; OBTENÇÃO; GANHO. **2** Colheita de produtos agrícolas.

granjeiro (gran.*jei*.ro) *a*. **1** Ref. a granja. *sm.* **2** Proprietário ou empregado de granja.

granulação (gra.nu.la.*ção*) *sf.* **1** Ação ou resultado de transformar em grãos. **2** Estrutura em forma de grãos ou grânulos que cobre uma superfície (granulação pulmonar/solar). **3** *Fot.* Tamanho dos grãos de prata dos filmes e papéis fotográficos que, na exposição e revelação, produzem imagem com maior ou menor resolução. [Pl.: *-ções*.]

granulado¹ (gra.nu.*la*.do) *a*. **1** Que é transformado em grãos ou grânulos (chocolate granulado). *sm.* **2** O que tem essa forma: *O médico receitou um granulado*.

granulado² (gra.nu.*la*.do) *a*. Que apresenta grânulos (pálpebras granuladas).

granular¹ (gra.nu.*lar*) *a2g.* **1** Que é composto de pequenos grãos: *Algumas rochas têm consistência granular*. **2** Que tem forma semelhante à do grão¹ (1 e 2).

granular² (gra.nu.*lar*) *v*. **1** Reduzir a grãos ou a uma consistência granulosa. [*td*.: *Use areia para granular a mistura*.] **2** Adquirir uma textura repleta de pequenos grãos. [*int*.: *O negativo do filme granulou com a ampliação*.] [▶ 13 granul**ar**]

grânulo (*grâ*.nu.lo) *sm.* Pequeno grão; GLÓBULO.

granuloso (gra.nu.*lo*.so) [ô] *a.* **1** Formado de grãos. **2** Que tem a superfície áspera por causa dos grãos (pele granulosa). [Fem. e pl.: [ó].]

grão¹ *sm.* **1** Semente das gramíneas (como o trigo e o milho) e das leguminosas (como o feijão e a ervilha). **2** Pequeno corpo esférico; GLÓBULO. **3** *Fig.* Dose mínima: *sem um grão de remorso*.

grão² *a2g.* Grande, grã³.

grão-de-bico (grão-de-*bi*.co) *sm.* **1** *Bot.* Planta leguminosa comestível. **2** A semente amarelada e arredondada dessa planta; GRAVANÇO. **3** *Cul.* Prato da culinária árabe que consiste numa pasta preparada com essa semente. [Pl.: *grãos-de-bico*.]

grão-ducado (grão-du.*ca*.do) *sm.* País governado por grão-duque: *grão-ducado de Luxemburgo*. [Pl.: *grão-ducados*.]

grão-duque (grão-*du*.que) *sm.* Título de alguns príncipes soberanos. [Pl.: *grão-duques*. Fem.: *grão--duquesa*.]
grão-mestre (grão-*mes*.tre) *sm.* **1** Antigo chefe de cavalaria. **2** Antigo chefe de ordem religiosa. **3** Chefe maçom. [Pl.: *grão-mestres*. Fem.: *grã-mestra*.]
grão-vizir (grão-vi.*zir*) *sm.* Primeiro-ministro do Império Otomano. [Pl.: *grão-vizires*.]
grasnar (gras.*nar*) *v.* **1** Emitir (pato, marreco, corvo, rã etc.) som característico. [*int.*: *À noite, a bicharada* grasnava.] **2** *Fig.* Gritar, reclamar, esp. em tom desagradável. [*td.*: *Histérico, João* grasnou: '*Já chega!*' *int.*: *Os vereadores* grasnaram *em vão contra o projeto*.] [▶ 1 grasn**ar**] ● **gras.***na*.da *sf.*
grasnido (gras.*ni*.do) *sm.* **1** Voz das aves e de determinados animais (sapo, rã); GRASNADA, GRANADO. **2** *Fig.* Barulheira de vozes; BALBÚRDIA.
grassar (gras.*sar*) *v. int.* Espalhar-se (seguido de indicação de lugar): *Em 1752, uma epidemia de cólera* grassou *no Amapá*. [▶ 1 grass**ar**]
grasso (*gras*.so) *a. Ant.* Que é gorduroso; GRAXO.
gratidão (gra.ti.*dão*) *sf.* **1** Reconhecimento de ajuda, benefício ou favor recebido; AGRADECIMENTO. **2** Característica de quem é grato. [Pl.: -*dões*.]
gratificação (gra.ti.fi.ca.*ção*) *sf.* **1** Remuneração por serviço adicional ref. às atribuições de um cargo. **2** Pagamento adicional que expressa gratidão, prêmio etc. **3** Gorjeta, propina. **4** Demonstração de gratidão. [Pl.: -*ções*.]
gratificar (gra.ti.fi.*car*) *v.* **1** Conceder pagamento extra por serviço bem-feito; dar gorjeta. [*td.*: *Agradecido, o paciente* gratificou *as enfermeiras. tdi.* + *com*: *O ricaço* gratificou *o garçom* com *R$ 50,00*.] **2** Trazer satisfação. [*td.*: *Qual foi o filme que mais o* gratificou *como diretor?*] [▶ 11 gratific**ar**]
gratinar (gra.ti.*nar*) *v. td. Cul.* Dourar a parte superior de (certos pratos de forno). [▶ 1 gratin**ar**] ● **gra.ti.***na*.do *a.sm.*
grátis (*grá*.tis) *a2g2n.* Que não é cobrado; GRATUITO.
grato (*gra*.to) *a.* **1** Que sente gratidão; AGRADECIDO, RECONHECIDO. **2** Agradável, prazeroso (gratas *lembranças*).
gratuito (gra.*tui*.to) *a.* **1** Que não é cobrado (*ensino* gratuito). **2** *Fig.* Sem motivo (*agressão* gratuita); INFUNDADO. ● **gra.tu:i.***da*.de *sf.*
gratulatório (gra.tu.la.*tó*.ri.o) *a.* **1** Destinado a felicitar, parabenizar (*carta* gratulatória). **2** Demonstra gratidão, reconhecimento: *Entendi o gesto como* gratulatório *pela doação*.
grau *sm.* **1** Cada divisão de uma escala de medidas quantitativas, como temperatura, ângulo etc. **2** Posição comparada a um determinado ponto; NÍVEL: *baixo* grau *de aproveitamento*. **3** Força, intensidade: grau *de concentração*. **4** Proximidade de parentesco: *primo em primeiro* grau. **5** Conceito, nota: *Obteve* grau *A*. **6** Título obtido em curso ou como honraria: grau *de mestre*. **7** Lugar na escala da hierarquia militar: grau *de coronel*. **8** Divisão oficial do ensino brasileiro. [Cf.: *ensino fundamental, ensino médio* e *ensino superior* em *ensino*.] **9** *Gram.* Cada um dos modos com que se acrescentam a uma palavra os sentidos de quantidade, intensidade e tamanho (grau *superlativo/aumentativo*).
graúdo (gra.*ú*.do) *a.* **1** Que é bem desenvolvido; GRANDE. **2** Em grande quantidade (*quantia* graúda); ABUNDANTE. *a.sm.* **3** Que ou quem tem prestígio, importância (*gente* graúda).
graúna (gra.*ú*.na) *sf. Zool.* Ave de plumas negras que ataca plantações de grãos para se alimentar.
gravação¹ (gra.va.*ção*) *sf.* **1** Ação ou resultado de gravar¹. **2** Registro de som e/ou imagens em disco, fita ou película. **3** O disco, a fita ou a película que contém a gravação¹ (2). [Pl.: -*ções*.]
gravação² (gra.va.*ção*) *sf.* Ação ou resultado de gravar².

gravador (gra.va.*dor*) [ô] *sm.* **1** Aparelho que grava e reproduz sons por processos magnéticos. **2** Artista que faz gravuras por meio de matriz em madeira, metal etc. *a.* **3** Que grava.
gravadora (gra.va.*do*.ra) [ô] *sf.* Indústria que faz gravações em estúdios para fins comerciais.
gravame (gra.*va*.me) *sm. Jur.* Encargo sobre um bem, em benefício de um terceiro: *O apartamento não pode ser vendido, pois está sob o* gravame *da hipoteca*.
gravar¹ (gra.*var*) *v. td.* **1** Esculpir nomes, sinais, figuras etc. sobre uma superfície: Gravou *o nome da aliança*. **2** Registrar imagens, sons, textos etc. em fita, CD, filme etc.: *Caetano Veloso* gravou *um novo álbum*. **3** Armazenar imagens, sons, textos etc. em meio digital; SALVAR: *Você já* gravou *o arquivo que está digitando?* **4** Guardar na memória; MEMORIZAR. [▶ 1 grav**ar**] ● **gra.***vá*.vel *a2g.*
gravar² (gra.*var*) *v. td.* **1** Causar opressão, prejuízo a. **2** Sobrecarregar com impostos. **3** *Jur.* Tornar (um bem, imóvel etc.) legalmente impossível de ser vendido por seu dono. [▶ 1 grav**ar**]
gravata (gra.*va*.ta) *sf.* **1** Peça do vestuário masculino que consiste numa tira de tecido que contorna o pescoço sob o colarinho, onde faz um nó e desce até a cintura. **2** Golpe dado com o braço no pescoço sufocando o adversário ou a vítima.
gravatá (gra.va.*tá*) *sm. Bras. Bot.* Tipo de bromélia ornamental de flor muito apreciada pela beleza.
gravataria (gra.va.ta.*ri*.a) *sf.* **1** Lugar onde se fabricam ou se vendem gravatas. **2** Grande quantidade de gravatas.
graveto (gra.*ve*.to) [ê] *sm.* Lascas ou pedaços de lenha fina; CAVACO.
grávida (*grá*.vi.da) *sf.* Mulher gestante.
gravidade (gra.vi.*da*.de) *sf.* **1** Qualidade do que pode ter consequências perigosas; SERIEDADE. **2** *Fís.* Força de atração que a Terra exerce sobre os corpos.
gravidez (gra.vi.*dez*) [ê] *sf.* Estado da mulher, e das fêmeas em geral, em que o feto se desenvolve dentro da mãe; PRENHEZ; GESTAÇÃO.

📖 A gravidez humana (ou gestação) começa com a fecundação do óvulo (célula sexual da mulher) pelo espermatozoide (célula sexual do homem), compreende a evolução do embrião (após a 12ª semana chamado 'feto') no útero materno, e termina com o parto, ou seja, o nascimento da criança. Essa evolução dura, em média, 38 a 40 semanas. Ger. um único espermatozoide fecunda um óvulo. Se dessa fecundação nascem gêmeos, são univitelinos. Se dois espermatozoides fecundam dois óvulos, desenvolvem-se gêmeos bivitelinos. A evolução do embrião e do feto é notável: tem só 1cm com 4 semanas, e 4cm com 8 semanas (pesando 4g), mas a partir daí ganha a forma humana, desenvolve os órgãos e chega ao fim da gestação com quase 50cm com média 3,5kg. O feto alimenta-se através da placenta e do cordão umbilical, que é cortado logo após o parto. Este pode ser natural, por contrações do útero para expulsar o feto pela vagina, ou cirúrgico (cesariana, ou cesárea), com uma incisão no útero para a retirada do feto.

grávido (*grá*.vi.do) *a.* **1** Que está gerando um feto; PRENHE. **2** *Fig.* Cheio, pesado. "*Em silêncio,* /*o rio carrega a sua fecundidade pobre,* /grávido *de terra negra*." (João Cabral de Melo Neto, *O cão sem plumas*).
graviola (gra.vi:*o*.la) *sf.* **1** *Bot.* Árvore de frutos comestíveis de que são feitos sucos e sorvetes; ATA; PINHA. **2** A fruta dessa árvore.

gravitação (gra.vi.ta.ção) *sf. Fís.* Segundo a Lei de Newton, força com que os corpos se atraem na razão direta de suas respectivas massas e na razão inversa do quadrado de suas distâncias. [Pl.: -ções.] • **gra.vi.ta.ci:o.nal** *a2g.*

gravitar (gra.vi.tar) *v. int.* **1** *Fís.* Girar sob efeito de gravitação (em redor de um ponto central, ger. astro): (seguido de indicação de lugar) *Marte gravita em torno do Sol.* **2** *Fig.* Ter como referência: (seguido de indicação de lugar) *Seus interesses gravitam em torno da cultura do país.* [▶ 1 gravitar]

gravoso (gra.vo.so) [ó] *a.* **1** Que pesa; ONEROSO. **2** *Econ.* Diz-se do produto que necessita de ajuda financeira do governo para se tornar competitivo no mercado. [Fem. e pl.: [ó].]

gravura (gra.vu.ra) *sf. Art.Gr.* Estampa feita por meio de matriz gravada em madeira, metal ou outro material duro.

graxa (gra.xa) *sf.* Substância gordurosa que serve para polir couros ou para lubrificar máquinas, correias de bicicleta etc.

graxo (gra.xo) *a.* Que é gorduroso; OLEOSO.

greco-latino (gre.co-la.ti.no) *a.* Ref. ao grego e ao latim, ou aos gregos e aos latinos. [Pl.: *greco-latinos*.]

greco-romano (gre.co-ro.ma.no) *a.* Ref. aos gregos e aos romanos. [Pl.: *greco-romanos*.]

greda (gre.da) [é] *sf.* Argila arenosa que se emprega para absorver gordura; GIZ.

grega (gre.ga) *sf.* **1** *Arq.* Ornamento formado por linhas quebradas ou sinuosas que se entrelaçam. **2** Tira de tecido bordada; GALÃO.

gregário (gre.gá.ri:o) *a.* **1** Que vive sempre em bando, rebanho ou manada (diz-se de animal). **2** Que induz à vida em grupo ou que (pessoa) anda sempre em grupo.

grego (gre.go) [é] *a.* **1** Da Grécia (Europa); típico desse país ou de seu povo. *sm.* **2** Pessoa nascida na Grécia. • *a.sm.* **3** Da, ref. à ou a língua falada na Grécia e em parte do Chipre.

gregoriano[1] (gre.go.ri.a.no) *a.* Ref. ao papa Gregório XIII (calendário *gregoriano*).

gregoriano[2] (gre.go.ri:a.no) *a.sm. Mús.* Ref. a ou canto litúrgico católico; CANTOCHÃO.

grei *sf.* **1** Partido, sociedade. **2** Assembleia de fiéis de uma igreja; PAROQUIANOS; DIOCESANOS. **3** Rebanho de gado de pequeno porte.

grelar[1] (gre.lar) *v. int.* Germinar, brotar. [▶ 1 grelar]

grelar[2] (gre.lar) *v. td. Bras. Pop.* Olhar fixamente para. [▶ 1 grelar]

grelha (gre.lha) [é] *sf.* **1** Pequena grade de ferro onde se assam carne, peixe, pão etc. **2** Grade para acender o fogo nos fogareiros e fornalhas.

grelhado (gre.lha.do) *a.* **1** Assado na grelha ou na chapa. *sm.* **2** Carne, galinha, peixe etc. assados na chapa ou grelha.

grelhar (gre.lhar) *v. td. Cul.* Assar (alimento) em calor seco, na chapa ou na brasa. [▶ 1 grelhar]

grelo (gre.lo) [ê] *sm.* **1** *Bot.* Broto. **2** Rebento de bulbos, rizomas e tubérculos. **3** Haste de algumas plantas antes da florescência. **4** *Tabu.* Clitóris.

grêmio (grê.mi:o) *sm.* **1** Reunião de pessoas para fins de interesse mútuo; ASSOCIAÇÃO; CLUBE. **2** O local onde ocorre essa reunião.

grená (gre.ná) *sm.* **1** A cor vermelho-amarronzada da granada. *a2g2n.* **2** Que é dessa cor (sedas *grenás*).

grenha (gre.nha) *sf.* **1** Cabelo desgrenhado; JUBA. **2** Mata densa; BOSQUE.

greta (gre.ta) [ê] *sf.* Abertura estreita ou rachadura; FENDA; FRESTA.

gretar (gre.tar) *v.* Rachar (ger. sob efeito de ressecamento). [*td.*: *A erosão gretou as ribanceiras. int.*: *Se o couro não é bem tratado, corre o risco de gretar.*] [▶ 1 gretar]

greve (gre.ve) [é] *sf.* Interrupção coletiva do trabalho para reivindicar algo.

grevista (gre.vis.ta) *a2g.* **1** Ref. a greve (reivindicação *grevista*). *s2g.* **2** Pessoa que participa de greve; PAREDISTA.

grifar (gri.far) *v. td.* **1** Assinalar partes de um texto (ger. sublinhando): *Grife as palavras que você não entender.* **2** Enfatizar (algo), ao falar: *Ele fez questão de grifar que não sabia de nada.* [▶ 1 grifar]

grife (gri.fe) *sf.* Marca que leva o nome do criador dos produtos ou de pessoa famosa; ETIQUETA: *roupa de grife.*

grifo[1] (gri.fo) *a.sm.* Diz-se de ou letra inclinada us. como realce; ITÁLICO.

grifo[2] (gri.fo) *sm. Mit.* Animal imaginário enorme com cabeça de águia e garras de leão.

grilado (gri.la.do) *a.* **1** *Bras. Gír.* Que se grilou; PERTURBADO; PREOCUPADO. **2** *S.E. C-O.* Tomado ilegalmente por documentos falsos (terreno *grilado*).

grilagem (gri.la.gem) *sf. S.E. C-O.* Organização ou procedimento dos grileiros. [Pl.: *-gens*.]

grilar (gri.lar) *v.* **1** *S.E. C-O.* Falsificar título de propriedade de. [*td.*: *Soube que alguns fazendeiros grilam terra no norte do país.*] **2** *Bras. Gír.* Fazer ficar ou ficar preocupado, cismado, aborrecido. [*td.*: *A incerteza me grilava. int.*: *Grilava à toa. pr.*: *Não se grile com pequenas coisas.*] [▶ 1 grilar]

grileiro (gri.lei.ro) *sm. S.E. C-O.* Pessoa que se apossa de terra alheia por meio de escritura falsa.

grilhão (gri.lhão) *sm.* **1** Corrente com que se prendem os pés dos prisioneiros; GRILHETA. **2** *Fig.* Prisão, sujeição. [Pl.: *-lhões*.]

grilheta (gri.lhe.ta) [ê] *sf.* Ver grilhão (1).

⊕ **grill** (*Ing. /gril/*) **1** Utensílio de cozinha em forma de grade, para grelhar alimento. **2** Eletrodoméstico com chapa própria para grelhar alimento.

grilo (gri.lo) *sm.* **1** *Zool.* Inseto saltador cujo macho produz som estridente. **2** *Fig.* Preocupação, perturbação. **3** *Fig.* Ruído de peça desajustada.

grimpa (grim.pa) *sf.* **1** A parte mais alta; CUME: *grimpa da árvore.* **2** Pedaço de metal móvel que indica a direção do vento no cata-vento.

grimpar[1] (grim.par) *v.* Subir, trepar em. [*td.*: *O gato grimpara o portão rapidamente. int.* (seguido de indicação de lugar): *Oh a menina grimpou até o alto do monte.*] [▶ 1 grimpar]

grimpar[2] (grim.par) *v.* **1** Emperrar, travar. [*int.*: *O sistema hidráulico ameaça grimpar por desgaste.*] **2** Fixar firmemente. [*td.*: *grimpar cabos/conectores. int.*: *Usou um alicate de grimpar.*] [▶ 1 grimpar]

grinalda (gri.nal.da) *sf.* Enfeite circular de flores, pérolas ou de pedrarias us. na cabeça, ger. pelas noivas.

gringo (grin.go) *sm. Pej. Pop.* Pessoa estrangeira: *No carnaval, o Rio fica cheio de gringos.*

gripar (gri.par) *v.* Ficar com gripe. [*int./pr.*: *Meu avô (se) gripa com facilidade.*] [▶ 1 gripar] • **gri.pa.do** *a.*

gripe (gri.pe) *sf. Med.* Virose que causa febre, mal-estar, congestão nasal, dor de cabeça etc.

gris *sm.* **1** A cor cinza. *a2g2n.* **2** Que é dessa cor.

grisalho (gri.sa.lho) *a.* **1** Entremeado de fios brancos (diz-se de cabelo). **2** Que tem cabelos grisalhos.

griseta (gri.se.ta) [ê] *sf.* Peça de metal onde se coloca a torcida das lamparinas.

griséu (gri.séu) *a.* Que apresenta tom de gris ou quase gris; ACINZENTADO.

grisu (gri.su) *sm.* Gás inflamável que se encontra nas minas de carvão.

grita (gri.ta) *sf.* Gritaria, alarido: *Houve uma grita quando cancelaram o passeio.*

gritador (gri.ta.dor) [ô] *a.sm.* Que ou quem grita.

gritalhão (gri.ta.lhão) *sm.* Pessoa que grita muito, que fala aos gritos. [Pl.: *-lhões*. Fem.: *-lhona*.]

gritante (gri.*tan*.te) *a2g.* **1** Que grita ou brada. **2** *Fig.* Que é muito vivo, forte (diz-se de cor): *Usava um vestido vermelho gritante.* **3** *Fig.* Clamoroso, chocante: *Foi um erro gritante.*

gritar (gri.*tar*) *v.* **1** Emitir som muito alto; BERRAR. [*int.*: *Carla viu uma barata e gritou.*] **2** Falar alto, berrando. [*td.*: *Ela gritou o endereço, mas não entendi. tdi. + a, para: A multidão gritava palavras de incentivo para os maratonistas.* **3** Repreender ou reclamar aos berros. [*ti. + com: O porteiro gritou com as crianças.*] **4** *Fig.* Protestar. [*ti. + contra: Os trabalhadores gritaram contra os novos impostos.*] **5** Chamar aos gritos. [*ti. + por: Gritar pelo pai.*] [▶ 1 grit*ar*]

gritaria (gri.ta.*ri*.a) *sf.* **1** Conjunto de vozes gritando ou sucessão de gritos. **2** Ruído intenso de vozes simultâneas.

grito (*gri*.to) *sm.* **1** Som agudo e estridente, emitido ger. em expressão de medo, desespero etc. ou para se fazer ouvir ao longe. **2** *Zool.* Voz forte de certos animais. ■ **No ~** *Gír.* À força, exercendo influência agressiva sobre a situação ou as decisões de outrem: *A criança só tomava remédio no grito.*

grogue (*gro*.gue) *sm.* **1** Bebida alcoólica, com açúcar e limão, misturada com água quente. *a2g.* **2** Meio tonto ou um tanto bêbado.

grosa¹ (*gro*.sa) *sf.* Conjunto de 12 dúzias.

grosa² (*gro*.sa) *sf.* Espécie de lima grossa us. para desbastar madeira, ferro etc.

groselha (gro.*se*.lha) *sf.* **1** Fruto de cor vermelhaescura. **2** Xarope, doce ou suco feito desse fruto. *sm.* **3** A cor vermelha da groselha. *a2g2n.* **4** Que é dessa cor.

groselheira (gro.se.*lhei*.ra) *sf. Bot.* Planta que dá a groselha.

grosseiro (gros.*sei*.ro) *a.* **1** De qualidade inferior. **2** Que é tosco, malfeito: *Era um bordado grosseiro.* **3** Que tem modos rudes, impolidos; MAL-EDUCADO; GROSSO: *O vendedor grosseiro afastava os clientes.* **4** Imoral, sórdido (cantada *grosseira*). *sm.* **5** Pessoa grosseira (3).

grosseria (gros.se.*ri*.a) *sf.* Atitude, comportamento ou dito de pessoa grosseira.

grossista (gros.*sis*.ta) *a2g.s2g.* Ver **atacadista**.

grosso (*gros*.so) [ó] *a.* **1** Que tem grande diâmetro ou espessura (perna *grossa*). **2** Que tem solidez, consistência (mingau *grosso*). **3** Grave (voz *grossa*). **4** Mais encorpado do que outros da mesma espécie: *Dos bifes que ofereceram, escolhi o mais grosso.* **5** *Bras. Pop.* Mal-educado, rude, grosseiro (resposta *grossa*). *adv.* **6** Com voz grossa: *Era novo mas já falava grosso.* **7** Com tom de voz autoritário, enfático, ger. repreendendo: *Falou grosso para todo mundo entender.* *sm.* **8** A maior parte: *O grosso da tropa já havia passado.* **9** *Bras. Pop.* Pessoa impolida, mal-educada.

grossura (gros.*su*.ra) *sf.* **1** Qualidade do que é grosso (1), do que tem grande diâmetro. **2** Dimensão de um sólido que equivale à distância entre a superfície anterior e a posterior. **3** *Bras. Pop.* Grosseria, impolidez.

grota (*gro*.ta) [ó] *sf. Geog.* **1** Abertura em montanha ou margem de rio provocada pela força de uma enchente. **2** Terreno entre duas montanhas; VALE. **3** Depressão em encostas escarpadas.

grotão (gro.*tão*) *sm. Bras.* **1** Grota grande. **2** Depressão profunda na interseção de duas montanhas. **3** *Pop.* Lugar muito distante em relação aos centros urbanos. [Pl.: *-tões.*]

grotesco (gro.*tes*.co) [ê] *a.* Que provoca riso pelo ridículo ou pela extravagância (trajes *grotescos*).

grou *sm. Zool.* Ave pernalta de pescoço comprido e asas amplas. [Fem.: **grua**.]

grua (*gru*.a) *sf.* **1** *Zool.* A fêmea do grou. **2** Espécie de guindaste para levantar grandes pesos. **3** *Cin. Telv.* Engenho que eleva a câmara e o operador de câmara para tomadas aéreas ou que exigem muitos movimentos pelo alto.

grudar (gru.*dar*) *v.* **1** Prender(-se), ligar(-se) com material colante; COLAR. [*td.*: *Grudei os cartazes.* *tdi. + a, com: Fiz uma colagem grudando recortes de jornal com fotos antigas. int.: Será que esta cola gruda mesmo?* *pr.*: *Ao manusear a cola, seus dedos se grudaram.*] **2** Aderir(-se) a; COLAR. [*int.* (seguido de indicação de lugar): *O biscoito grudou na garganta.*] **3** *Bras.* Ficar junto, muito próximo. [*pr.*: *Na festa, a menina tímida grudou-se em mim.*] **4** Voltar (olhos, atenção) fixamente para. [*td.* (seguido de indicação de lugar): *O turista grudou os olhos no passista.*] [▶ 1 grud*ar*]

grude (*gru*.de) *sm.* **1** Espécie de cola para ligar ou unir peças de materiais diversos. **2** *Bras. Gír.* Comida ou refeição, esp. quando malfeita ou feita às pressas.

grudento (gru.*den*.to) *a.* **1** Que é pegajoso ou viscoso. **2** *Pej. Pop.* Muito carente ou dependente de outrem (diz-se de pessoa).

grumete (gru.*me*.te) [é] ou [ê] *sm. Mar.* Marinheiro iniciante na armada.

grumo (*gru*.mo) *sm.* Aglomeração de seres ou objetos muito pequenos. [Dim.: *grúmulo*.]

grunhido (gru.*nhi*.do) *sm.* **1** Ação ou resultado de grunhir. **2** *Zool.* O som emitido pelo porco, pelo javali e por outros animais. **3** Som entre o ronco e o resmungo.

grunhir (gru.*nhir*) *v. td.* **1** Emitir som característico (o porco, o javali e outros animais). **2** Falar (algo) baixo e para dentro, como um grunhido: *O menino grunhiu um "não" contrariado.* [▶ **58** grunh*ir*] [NOTA: Verbo defec.: não se usa na 1ª pess. do pres. do ind., e não tem o pres. do subj. inteiro.]

grupamento (gru.pa.*men*.to) *sm.* **1** Ação ou resultado de grupar ou agrupar. **2** *Mil.* Grupo que reúne militares de comando e combate.

grupar (gru.*par*) *v.* Ver **agrupar**. [▶ 1 grup*ar*]

grupiara (gru.pi.*a*.ra) *sf. Bras.* Ver **gupiara**.

grupo (*gru*.po) *sm.* **1** Conjunto de pessoas ou objetos perto uns dos outros formando um todo. **2** Conjunto de pessoas reunidas para uma finalidade comum a todas: *O grupo de formandos deu uma festa de despedida.* **3** *Quím.* Conjunto de átomos que, ligados entre si, fazem parte de uma molécula. **4** *gru.pal* *a2g.*

gruta (*gru*.ta) *sf.* Ver **caverna**.

guabiroba (gua.bi.*ro*.ba) [ó] *sf. Bras. Bot.* Arbusto frutífero, de uso medicinal.

guabiru (gua.bi.*ru*) *sm. Bras. Zool.* Espécie de rato grande, comum nas casas rurais do Brasil.

guache, guacho (*gua*.che, *gua*.cho) *sm. Pint.* **1** Tipo de pintura em que a tinta é obtida por meio da combinação de substâncias corantes, água, goma e mel. **2** A obra em que foi us. essa mistura: *Comprei um belo guache ontem à tarde.*

guaco (*gua*.co) *sm. Bot.* Planta trepadeira, de flores brancas e folhas us. como expectorante e cicatrizante.

guaiacol (guai.a.*col*) *sm.* Substância medicamentosa us. ger. como expectorante; GAIACOL. [Pl.: *-cóis*.]

guaiamu (guai.a.*mu*) *sm. Bras. Zool.* Caranguejo provido de uma pinça pequena e outra grande, e que vive em tocas nas regiões praianas.

guampa (*guam*.pa) *sf.* **1** Chifre, corno. **2** Vasilha para líquidos, feita com uma parte do chifre bovino.

guanaco (gua.*na*.co) *sm. Zool.* Mamífero selvagem, sem corcova, que vive em certas regiões da América do Sul.

guandu, guando (guan.*du*, guan.do) *sm. Bras. Bot.* Arbusto de sementes (feijões) comestíveis.

guano (*gua*.no) *sm.* Adubo resultante do excremento de aves marinhas.

guapo | guedelha

guapo (*gua*.po) *a.* **1** Que tem ousadia. **2** Que tem beleza e garbo.

guará¹ (gua.*rá*) *sm. Bras. Zool.* Mamífero carnívoro que se assemelha ao lobo.

guará² (gua.*rá*) *sm. Bras. Zool.* Ave de cor vermelha da América do Sul.

guaraná (gua.ra.*ná*) *sm. Bras.* **1** *Bot.* Tipo de cipó da floresta amazônica cuja semente é rica em substâncias excitantes. **2** Massa feita com essa semente. **3** Bebida popular fabricada a partir do pó dessa massa.

guarani (gua.ra.*ni*) *s2g. Bras.* **1** Indivíduo dos guaranis, grupo indígena que habita Argentina, Bolívia, Paraguai e alguns estados do Brasil. *sm.* **2** *Gloss.* A língua falada por esses indígenas. **3** Nome do dinheiro us. no Paraguai. **4** Unidade dos valores em guarani, us. em notas e moedas. *a2g.* **5** Ref. aos guaranis ou à sua língua.

guarda (*guar*.da) *sf.* **1** Ação ou resultado de guardar. **2** Vigilância para proteger e defender. **3** Pessoa encarregada de guardar objetos, residências etc.

guarda-cancela (guar.da-can.*ce*.la) *sm. Bras.* Trabalhador da ferrovia responsável pelas passagens de nível. [Pl.: *guarda-cancelas*.]

guarda-chaves (guar.da-*cha*.ves) *sm2n.* Ferroviário manobrista que controla as chaves nos desvios ou entroncamento dos trilhos.

guarda-chuva (guar.da-*chu*.va) *sm.* Armação de varetas móveis, coberta de pano ou de tecido impermeável para proteger da chuva ou do sol. [Pl.: *guarda-chuvas*.]

guarda-costas (guar.da-*cos*.tas) *sm2n.* **1** *Mar.* Navio que vigia a costa para evitar contrabando. **2** *Fig.* Pessoa que acompanha outra a fim de protegê-la. **3** *Pop.* Capanga.

guardador (guar.da.*dor*) [ô] *a.* **1** Que guarda (algo). *sm.* **2** Pessoa que guarda ou vigia (alguma coisa). **3** *RJ SP* Pessoa que guarda carros estacionados nas ruas.

guardados (guar.*da*.dos) *smpl. Bras.* **1** Objetos particulares que se guardam em algum lugar (cofre, gaveta etc.). **2** Reserva de dinheiro; ECONOMIAS.

guarda-florestal (guar.da-flo.res.*tal*) *sm.* Funcionário do Estado encarregado de proteger florestas contra incêndio, caça ilegal etc. [Pl.: *guardas-florestais*.]

guarda-fogo (guar.da-*fo*.go) [ô] *sm.* Parede entre prédios vizinhos para evitar propagação de fogo. [Pl.: *guarda-fogos* [ô].]

guarda-freio (guar.da-*frei*.o) *sm.* Ferroviário responsável pelos freios dos vagões. [Pl.: *guarda-freios*.]

guarda-livros (guar.da-*li*.vros) *s2g2n.* Funcionário encarregado da escrituração de livros, registros da contabilidade de empresas, comércio etc.

guarda-louça (guar.da-*lou*.ça) *sm.* Armário ou prateleira onde se guardam as louças da casa. [Pl.: *guarda-louças*.]

guarda-marinha (guar.da-ma.*ri*.nha) *sm.* Aluno da escola naval que passa por estágio antes de ser promovido a segundo-tenente. [Pl.: *guardas-marinhas*, *guardas-marinha* e *guarda-marinhas*.]

guarda-mor (guar.da-*mor*) *sm.* Chefe de polícia aduaneira de um porto. [Pl.: *guarda-mores*.]

guardamoria (guar.da.mo.*ri*.a) *sf.* Repartição encarregada da polícia fiscal nos portos e navios.

guarda-móveis (guar.da-*mó*.veis) *sm2n.* Lugar onde se depositam móveis mediante pagamento.

guardanapo (guar.da.*na*.po) *sm.* Pequena toalha de pano ou de papel para limpar os lábios durante as refeições.

guarda-noturno (guar.da.no.*tur*.no) *sm.* Vigia particular contratado para vigiar à noite casas, lojas etc. [Pl.: *guardas-noturnos*.]

guarda-pó (guar.da-*pó*) *sm.* Espécie de avental us. para proteger as roupas da poeira ger. em viagens, e tb. por professores, médicos etc. [Pl.: *guarda-pós*.]

guardar (guar.*dar*) *v.* **1** Vigiar. [td.: *O cão pastor guarda a casa dia e noite.*] **2** Pôr (algo) em um dado local quando não está em uso. [td. (com ou sem indicação de lugar): *Sofia guardou os lápis de cor (no estojo).*] **3** Manter, conservar. [td.: *Helena guardou as roupas antigas da minha avó.*] **4** Reservar (para uso ou consumo posterior). [td.: *Helena guardou um pedaço do bolo para mais tarde.* **tdi.** + *para*: *Guardou a poltrona ao lado para o amigo que estava atrasado.*] **5** Decorar, memorizar. [td.: *Você já conseguiu guardar a tabuada de 9?*] **6** Não revelar (ger. algo que é secreto ou sigiloso). [td.: *guardar segredo.* **tdi.** + *para*: *Sem se comprometer, ela guardou para si sua opinião.*] **7** Ter, apresentar. [td.: *Murilo guarda semelhanças com o pai.*] **8** Manter uma atitude respeitosa em certos dias ou períodos. [td.: *guardar luto/dias santos.*] ⬜ **guardar-se** *pr.* **9** Proteger-se de; acautelar-se contra: *Ela aprendeu a se guardar contra as tentações.* **10** Reservar-se para algo posterior. [▶ **1** guardar]

guarda-roupa (guar.da-*rou*.pa) *sm.* **1** Armário para guardar roupas. **2** Conjunto de roupas de uma pessoa. [Pl.: *guarda-roupas*.]

guarda-sol (guar.da-*sol*) *sm.* **1** Barraca de praia. **2** Guarda-chuva. [Pl.: *guarda-sóis*.]

guardião (guar.di.*ão*) *sm.* **1** Superior de alguns conventos. **2** *Bras. Fut.* Goleiro. **3** *Fig.* Protetor, conservador. [Pl.: -*ães* e -*ões.* Fem.: -*ã.*]

⊕ **guard-rail** (Ing. /*gard-rêiou*/) *sm.* Barreira ou mureta de proteção us. nas estradas e pistas de competição.

guariba (gua.*ri*.ba) *s2g. Bras. Zool.* Tipo de macaco da América do Sul, de grito peculiar, cujos machos, quando velhos, ostentam longas barbas.

guarida (gua.*ri*.da) *sf.* **1** Antro ou covil de feras. **2** *Fig.* Lugar que serve de abrigo, de refúgio: *O fugitivo vivia à procura de guarida.* **3** Ver guarida (1).

guarita (gua.*ri*.ta) *sf.* **1** Cabine em que se abrigam vigilantes, vigias, seguranças etc.; GUARIDA. **2** Pequena torre nos ângulos de antigos fortes, onde se abrigavam sentinelas.

guarnecer (guar.ne.*cer*) *v.* **1** Prover. [td.: *Os móveis que guarneciam a casa foram doados.* **tdi.** + *com, de*: *O governo guarneceu a cidade com alimentos e remédios.*] **2** Enfeitar, ornamentar. [td.: *Guarneça o assado (com ramos de salsa).*] **3** Fornecer proteção a. [td.: *O general mandou guarnecer a ilha (com um destacamento).*] [▶ **33** guarnecer]

guarnição (guar.ni.*ção*) *sf.* **1** O que guarnece. **2** *Mil.* Conjunto de tropas que defende determinado local ou nele está estabelecido. **3** *Mar.* A equipagem de uma embarcação. **4** O punho ou o resguardo de uma espada. **5** Adorno ou enfeite us. em vestuário. **6** *Bras. Cul.* Conjunto de leves iguarias (legumes, verduras etc.) que servem de acompanhamento a um prato. [Pl.: -*ções*.]

guatemalteco (gua.te.mal.*te*.co) *a.* **1** Da Guatemala (América Central); típico desse país ou de seu povo. *sm.* **2** Pessoa nascida na Guatemala.

guaxinim (gua.xi.*nim*) *sm. Zool.* Pequeno mamífero carnívoro que vive em brejos e mangues. [Pl.: -*nins*.]

gude (*gu*.de) *sm. Bras.* Jogo infantil que consiste em entrechocar bolinhas de vidro e encaixá-las em pequenos buracos ger. cavados na terra. [Sin.: *baleba*, *belindre*, (*Lus.*) *berlinde*, *biloca*, *bilosca*, *birosca*, *bolita*, *búraca*, *búrica*, (*Lus.*) *bute*, *cabiçulinha*, *firo*, *peteca*, *pirosca*, *ximbra*.]

guedelha (gue.*de*.lha) [ê] *sf.* **1** Cabelo despenteado e longo. **2** *Fig.* Proveito, vantagem.

gueixa (*guei*.xa) [ê] *sf.* Dançarina e cantora japonesa treinada para entreter homens em casas de chá etc.

guelra (*guel*.ra) [ê] *sf. Anat. Zool.* Estrutura filamentosa do sistema respiratório da maioria dos animais que vivem na água.

guenzo (*guen*.zo) *a. Bras.* Que é muito magro, fraco, adoentado.

guepardo (gue.*par*.do) *sm. Zool.* Mamífero carnívoro semelhante ao leopardo, encontrado na África e sudoeste da Ásia, é considerado o animal terrestre mais veloz.

GUEPARDO

guerra (*guer*.ra) *sf.* **1** Conflito armado entre nações, etnias etc. **2** Luta, combate. **3** *Fig.* Oposição, rivalidade.

guerrear (guer.re.*ar*) *v.* Lutar (ger. soldado contra inimigo); combater. [*td*.: "*Vamos guerrear o dengue*", *disse o prefeito*. *ti*. + *com*, *contra*: *guerrear contra os invasores*. *int*.: *O soldado aprende a guerrear em épocas de paz*.] [▶ **13** guerr*ear*]

guerreiro (guer.*rei*.ro) *a.* **1** Ref. a guerra. **2** Belicoso, beligerante (espírito *guerreiro*). *sm.* **3** Indivíduo que guerreia: *É um guerreiro que não perdoa o inimigo*.

guerrilha (guer.*ri*.lha) *sf.* Conflito armado que não obedece aos padrões convencionais e se caracteriza por ataques de surpresa, emboscadas etc. [▶ **1** guerrilh*ar*]

guerrilhar (guer.ri.*lhar*) *v. int.* Lutar com técnicas de guerrilha. [▶ **1** guerrilh*ar*]

guerrilheiro (guer.ri.*lhei*.ro) *sm.* **1** Indivíduo que combate em guerrilha. *a.* **2** Ref. a guerrilha (atividades *guerrilheiras*).

gueto (*gue*.to) [ê] *sm.* **1** Bairro onde os judeus eram obrigados a morar em algumas cidades da Europa. **2** Lugar ou bairro onde vive uma minoria racial.

guia (*gui*.a) *sf.* **1** Ação ou resultado de guiar. **2** Documento que acompanha mercadoria ou correspondência. **3** *Bras.* Meio-fio. *s2g.* **4** Profissional que guia turistas. **5** Pessoa que guia outras, esp. deficientes visuais. *sm.* **6** Publicação que contém instruções de diversos tipos: *guia de restaurantes*. **7** *Fig.* Coisa ou pessoa que serve de modelo a outras: *Achou naquele budista o seu guia espiritual*.

guianense (gu:i.a.*nen*.se) [ü] *a2g.* **1** Da República da Guiana ou da Guiana Francesa (América do Sul); típico desses países ou de seus povos. *s2g.* **2** Pessoa nascida na República da Guiana ou na Guiana Francesa; GUIANÊS.

guião (gui.*ão*) *sm.* Estandarte que é conduzido na frente de procissões, irmandades ou tropas. [Pl.: -*ões* e -*ães*.]

guiar (gui.*ar*) *v.* **1** Orientar(-se). [*td*.: *As estrelas guiavam os antigos viajantes*. *pr*.: *Se sempre se guiou por valores éticos e morais*.] **2** Liderar, conduzir. [*td*.: *O nativo guiou os viajantes pela mata*.] **3** Dirigir (veículo). [*td*.: *Meu tio guia um caminhão*. *int*.: *Quem bebe não deve guiar*.] [▶ **1** gui*ar*]

guichê (gui.*chê*) *sm.* Abertura em porta, parede etc. que serve de atendimento ao público, para efetuar pagamentos ou recebimentos etc.

guidom, guidão (gui.*dom*, gui.*dão*) *sm.* Barra de direção, dotada de punhos, com a qual se dirigem veículos como bicicletas, motocicletas etc. [Pl.: -*dons*, -*dões*.]

guieiro (gui:*ei*.ro) *a.* Que guia ou vai na frente.

guilhotina (gui.lho.*ti*.na) *sf.* **1** Instrumento com pesada lâmina triangular cortante própria para decapitar condenados à morte. **2** Pena de morte por decapitação. **3** Máquina us. para cortar papel, aparar livros, revistas etc. **4** Tipo de janela que se levanta e abaixa na posição vertical.

guilhotinar (gui.lho.ti.*nar*) *v. td.* **1** Decapitar com a guilhotina. **2** Cortar (ger. papel) com instrumento especial. [▶ **1** guilhotin*ar*]

GUILHOTINA (1)

guimba (*guim*.ba) *sf.* Resto do cigarro, depois de fumado; BAGANA.

guinada (gui.*na*.da) *sf.* **1** Mudança repentina num movimento, esp. de veículo a motor: *Deu uma guinada no volante do carro*. **2** *Fig.* Mudança radical de comportamento, de atitude: *Foi para o exterior e deu uma guinada na vida*. **3** *Mar.* Desvio da proa, mudando o rumo do navio.

guinar (gui.*nar*) *v. int.* Mudar de direção bruscamente (seguido ou não de indicação de direção) *O carro guinou para a esquerda*. [▶ **1** guin*ar*]

guinchar¹ (guin.*char*) *v. int.* Emitir (rato, porco, pneu de carro etc.) sons agudos e estridentes. [▶ **1** guinch*ar*] [NOTA: Us. ger. nas 3ªˢ pess. sing. e pl.]

guinchar² (guin.*char*) *v. td.* Rebocar (veículo) com pequeno guindaste: *A prefeitura guincha carros estacionados em locais proibidos*. [▶ **1** guinch*ar*]

guincho¹ (*guin*.cho) *sm.* Som agudo e estridente emitido por pessoas, animais ou coisas.

guincho² (*guin*.cho) *sm.* **1** Guindaste pequeno. **2** Veículo com guindaste próprio para rebocar carros.

guindar (guin.*dar*) *v.* **1** Levantar, erguer. [*td*.: *A grua guindava as pedras para o alto do prédio*.] **2** *Fig.* Fazer assumir posição mais elevada. [*tdi*. + *a*: *A experiência guindou o gerente ao cargo de diretor*.] [▶ **1** guind*ar*]

guindaste (guin.*das*.te) *sm.* Máquina us. para levantar pesos.

guineense (gui.ne.*en*.se) [êên] *a2g.* **1** Da Guiné-Bissau (África); típico desse país ou de seu povo. *s2g.* **2** Pessoa nascida na Guiné-Bissau.

guinéu (gui.*néu*) *sm.* Antiga moeda inglesa que foi extinta em 1813.

guirlanda (guir.*lan*.da) *sf.* Grinalda de noiva; coroa de flores entrelaçadas.

guisa (*gui*.sa) *sf. P.us.* Maneira, modo. ▪ **À ~ de** Ao modo de; à feição de: *Usava um sarrafo à guisa de régua*.

guisado (gui.*sa*.do) *sm. Cul.* Refogado de carne com molho bem temperado.

guisar (gui.*sar*) *v. td. Cul.* Fazer com refogado; REFOGAR. [▶ **1** guis*ar*]

guitarra (gui.*tar*.ra) *sf. Mús.* Instrumento musical de cordas dedilháveis, com braço longo e caixa de ressonância. ▪ **~ elétrica** *Mús.* Guitarra cuja caixa de ressonância é ligada por meio de um dispositivo eletrônico a um amplificador. ● **gui.tar.ris.ta** *s2g.*

guizo (*gui*.zo) *sm.* Pequena esfera de metal com bolinhas em seu interior que, quando sacudida, produz um som tilintante.

gula (*gu*.la) *sf.* **1** Vício que consiste na ingestão exagerada de comidas e bebidas. **2** Forte apego a comidas saborosas.

gulodice (gu.lo.*di*.ce) *sf.* **1** Gula. **2** Comida muito gostosa, ger. ingerida fora das refeições: *Não almoçava bem, mas adorava gulodices*.

guloseima (gu.lo.*sei*.ma) *sf.* Comida apetitosa e delicada, ger. doce, que se come mais por seu sabor do que por seu valor nutritivo.

guloso (gu.*lo*.so) [ô] *a.sm.* Que ou aquele que se deixa dominar pela gula ou gosta muito de guloseimas. [Fem. e pl.: [ó].]

gume (*gu*.me) *sm.* O lado afiado de um instrumento cortante; FIO.

gumífero (gu.*mí*.fe.ro) *a*. Que produz goma.
gupiara (gu.pi.*a*.ra) *sf*. *Bras*. Depósito de diamantes no alto dos morros; CRUPIARA; GRUPIARA.
guri (gu.*ri*) *sm*. *Bras*. Garoto, menino. [Fem.: *guria*.]
guria (gu.*ri*.a) *sf*. **1** *Bras*. Menina. **2** Garota, namorada.
gurizada (gu.ri.za.da) *sf*. *Bras*. Grupo de guris, de crianças.
guru (gu.*ru*) *sm*. **1** Mestre ou chefe espiritual na Índia. *s2g*. **2** *Bras*. *Fig*. Mentor, conselheiro: *O mestre era o seu guru no caratê*.
gurupés (gu.ru.*pés*) *sm2n*. *Mar*. Em veleiros, mastro que se inclina da ponta da proa para a frente.
gusa (*gu*.sa) *sf*. Ver *ferro-gusa*.

gusano (gu.*sa*.no) *sm*. *Zool*. Molusco de corpo macio, alongado e cilíndrico.
gustação (gus.ta.*ção*) *sf*. **1** Ato de provar alimento ou bebida que agrada ao paladar. **2** Percepção gustativa do sabor de alguma coisa. [Pl.: *-ções*.]
gustativo (gus.ta.*ti*.vo) *a*. Ref. ao sentido do paladar: *Tinha queda para os prazeres gustativos*.
guta-percha (gu.ta-*per*.cha) [é] *sf*. *Bot*. Goma semelhante à borracha, us. como isolante elétrico, adesivo dentário etc. [Pl.: *gutas-perchas* e *guta-perchas*.]
gutífero (gu.*tí*.fe.ro) *a*. *Poét*. Que faz cair gotas.
gutural (gu.tu.*ral*) *a2g*. **1** Ref. a garganta. **2** Produzido ou alterado no interior da garganta (diz-se de som). [Pl.: *-rais*.]

H h

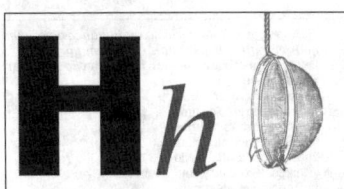

Muitos historiadores creem que esta letra surgiu com o hieróglifo egípcio que representava uma peneira. Mil anos depois, os sumérios usariam a mesma letra para designar um som gutural. Os fenícios chamavam-na *heth* (cerca) porque seu desenho assemelhava-se a essa forma. Por volta de 900 a.C., os gregos adotaram o *heth* e, como não pronunciavam a primeira parte do nome desta letra, simplesmente denominaram-na *êta*. Seu formato era muito semelhante ao do *h* moderno.

ᛗ	Fenício
⊟	Grego
H	Grego
ⴹ	Etrusco
ⴺ	Romano
H	Romano
b	Minúscula carolina
H	Maiúscula moderna
h	Minúscula moderna

h [agá] *sm.* **1** A oitava letra do alfabeto. **2** A sexta consoante do alfabeto. *num.* **3** O oitavo em uma série (poltrona H).
⊠ **h** Abr. de *hora(s)*: São 14*h* agora.
⊠ **H** *Quím.* Símb. de *hidrogênio*.
⊠ **ha** Símb. de *hectare*.

hã *interj.* **1** Expressa que não se ouviu ou não se compreendeu o que foi dito. **2** Indica surpresa, admiração.

⊕ **habeas corpus** (*Lat. /hábeas córpus/*) *loc.subst. Jur.* **1** Recurso judicial que garante o direito fundamental de liberdade do detido ante ilegalidade ou abuso de poder; esse direito . **2** Documento que faz cumprir esse direito: *O juiz concedeu* habeas corpus *ao acusado*.

hábil (há.bil) *a2g.* **1** Que tem habilidade, que faz muito bem alguma coisa; APTO; CAPAZ: *Ele é muito hábil com madeira*. **2** Que é suficiente; que atende às exigências (tempo hábil). **3** Astucioso, sagaz. [Pl.: *-beis*.]

habilidade (ha.bi.li.*da*.de) *sf.* Capacidade de fazer alguma coisa bem.

habilidoso (ha.bi.li.*do*.so) [ô] *a.* Que tem habilidade. [Fem. e pl.: [ó].]

habilitação (ha.bi.li.ta.*ção*) *sf.* **1** Capacidade de realizar uma tarefa ou de desempenhar uma profissão. **2** Documento que comprova essa capacidade. **3** Permissão para dirigir; carteira de motorista. ⬛ **habilitações** *sfpl.* **4** Conjunto de saberes e qualidades que habilitam alguém a exercer uma função.

habilitar (ha.bi.li.*tar*) *v.* **1** Tornar(-se) apto, capaz; preparar(-se), munir(-se) de conhecimento ou experiência. [*td.* (seguido ou não de indicação de finalidade): *As aulas que frequentou* habilitaram-no *(para falar inglês)*. *pr.*: *Habilitou-se para lecionar*.] **2** Justificar com documentos habilitação de (outrem ou a própria). [*td.* (seguido ou não de indicação): *O juiz habilitou o reclamante (herdeiro da fortuna do tio)*. *pr.*: *Apresentou todos os títulos necessários e conseguiu* habilitar-se.] **3** *Inf.* Tornar ativo (dispositivo, programa, senha etc.). [*td.*: *Habilitou o acesso dos assinantes ao* site.] [▶ **1** habilit*ar* • ha.bi.li.*ta*.do *a*.

habitação (ha.bi.ta.*ção*) *sf.* Lugar onde se mora; MORADIA. [Pl.: *-ções*.] • ha.bi.ta.ci.o.*nal a2g*.

habitáculo (ha.bi.tá.cu.lo) *sm.* Espaço destinado aos ocupantes, ger. de um veículo.

habitante (ha.bi.*tan*.te) *s2g.* Morador de um lugar.

habitar (ha.bi.*tar*) *v.* **1** Ocupar como moradia; ter moradia, viver (em algum lugar); RESIDIR (tb. *Fig.*). [*td.*: *Habitava um pequeno sítio. int.* (seguido de indicação de lugar): *Não gostava de* habitar *naquele bairro*; *A dúvida* habitava *em seu pensamento*.] **2** Ocupar como habitante; POVOAR. [*td.*: *Os índios* habitavam *todo o litoral brasileiro*.] [▶ **1** habit*ar* • ha.bi.ta.bi.*li*.*da*.de *sf.*; ha.bi.*tá*.vel *a2g*.

hábitat (há.bi.tat) *sm.* **1** *Ecol.* Lugar onde vive habitualmente uma espécie animal ou vegetal: *O hábitat das onças é a floresta*. **2** Forma como os seres humanos se agrupam em determinado meio (hábitat urbano/rural). [Pl.: *-tats*.] [O VOLP só registra a f. latina *habitat*.]

habite-se (ha.*bi*-te-se) *sm2n.* Documento emitido pela prefeitura que autoriza a ocupação de casa, edifício etc. recém-construído ou que sofreu obra.

hábito (*há*.bi.to) *sm.* **1** Ato que se repete regularmente: *Ela tem o hábito de se levantar muito cedo*. **2** Uso, costume: *É hábito no Ceará dormir em rede*. **3** Vestuário us. por alguns tipos de religiosos.

habitual (ha.bi.tu.*al*) *a2g.* Que acontece regularmente (caminhada habitual). [Pl.: *-ais*.]

habituar (ha.bi.tu.*ar*) *v.* Fazer adquirir ou adquirir hábito; FAMILIARIZAR(-SE); ACOSTUMAR(-SE). [*tdi.* + *a*: *Habituou o filho a dormir cedo*. *pr.*: *Habituou-se aos caprichos da esposa*.] [▶ **1** habitu*ar*]

hachura (ha.*chu*.ra) *sf.* Conjunto de traços pequenos paralelos ou cruzados que servem para produzir efeito de sombra sobre um desenho. • ha.chu.*rar v.*

⊕ **hacker** (*Ing. /réquer/*) *s2g. Inf.* Pessoa com muita habilidade em programas e sistemas de computador que invade, por conexão remota, outros sistemas para entender seu funcionamento. [Certas empresas contratam *hackers* para a área de segurança.] [Cf.: *cracker*.] • ha.cke.ar *v.*

hadoque (ha.*do*.que) *sm. Zool.* Peixe semelhante ao bacalhau, encontrado na costa da Europa e da América do Norte.

hagiografia (ha.gi:o.gra.*fi*.a) *sf.* Relato ou biografia da vida de um santo.

hagiógrafo (ha.gi:*ó*.gra.fo) *sm.* Pessoa especializada em escrever hagiografias.

haicai (hai.*cai*) *sm. Poét.* Poema japonês constituído por três versos.

haitiano (ha:i.ti.*a*.no) *a.* **1** Do Haiti (América Central); típico desse país ou de seu povo. *sm.* **2** Pessoa nascida no Haiti.

haliêutica (ha.li.*êu*.ti.ca) *sf.* Arte da pesca.

haliêutico (ha.li.*êu*.ti.co) *a.* Ref. à haliêutica (tecnologia haliêutica).

hálito (*há*.li.to) *sm.* **1** Ar expirado. **2** Cheiro que vem da boca quando se fala ou expira.

halitose (ha.li.*to*.se) *sf. Med.* Hálito ruim.

⊕ **hall** (*Ing. /ról/*) *sm.* **1** Sala ampla situada na entrada de um prédio: hall *do hotel*. **2** Pequena saleta contígua à porta de entrada: hall *do elevador*.

⊕ **halloween** (*Ing./relouín/*) *sm.* Festa de origem norte-americana, realizada no dia 31 de outubro, em que as pessoas se fantasiam de bruxas, vampiros e afins.

halo (*ha*.lo) *sm.* Círculo de luz que, por efeito de refração, contorna um corpo luminoso: *o halo da lua*.

halogênio (ha.lo.gê.ni:o) *sm.* **1** *Quím.* Qualquer dos elementos químicos flúor, cloro, bromo, iodo. **2** Lâmpada cuja ampola contém um desses elementos.

haltere, halter (hal.*te*.re, hal.*ter*) *sm. Esp.* Instrumento para treinamento físico, formado com dois discos ou duas esferas de metal unidos por uma barra, para ser levantado pelo atleta.

halterofilismo (hal.te.ro.fi.*lis*.mo) *sm. Esp.* Esporte em que se levantam pesos e halteres. • **hal.te.ro.fi.***lis***.ta** *s2g.*

hambúrguer (ham.*búr*.guer) *sm.* **1** Sanduíche de bife de carne moída redondo servido em pão no mesmo formato. **2** Esse bife.

🌐 **hamster** (*Ing. /rémster/*) *sm. Zool.* Tipo de mamífero roedor, pequeno, com bolsas nas bochechas, cauda curta, tido como cobaia ou de estimação.

handebol (han.de.*bol*) *sm. Esp.* Jogo em que duas equipes de sete jogadores têm como objetivo marcar gols no time adversário, usando apenas as mãos para conduzir, passar e arremessar.

🌐 **handicap** (*Ing. /rendiquép/*) *sm.* **1** Vantagem que se concede a participantes de competição em desigualdade técnica em relação aos demais. **2** *Fig.* Aquilo que impede o bom desempenho; DESVANTAGEM.

hangar (han.*gar*) *sm.* Edificação em forma de galpão, na qual se guardam aviões, barcos etc.

hanseniano (han.se.ni:a.no) *a.* **1** Ref. a hanseníase. *sm.* **2** Quem tem essa doença.

hanseníase (han.se.*ní*:a.se) *sf. Pat.* Doença contagiosa que provoca diversas feridas na pele; LEPRA.

hantavírus (han.ta.*ví*.rus) *sm2n. Biol.* Vírus (em fezes de roedores) que causa pneumonia e hemorragia.

haplologia (ha.plo.lo.*gi*.a) *sf. Gram.* Omissão ou contração dos elementos similares ou em um vocábulo: *A forma 'bondadoso' evoluiu para 'bondoso' por um fenômeno de haplologia*.

🌐 **happy hour** (*Ing. /répi áuor/*) *loc.subst.* Período após o expediente de trabalho em que pessoas se reúnem para beber, conversar etc.

haraquiri (ha.ra.qui.*ri*) *sm.* No Japão, ato de se ferir mortalmente, abrindo o ventre com uma espada.

haras (*ha*.ras) *sm2n.* Lugar onde se criam cavalos de corrida; COUDELARIA.

🌐 **hard disk** (*Ing. /rárd disc/*) *loc.subst. Inf.* Ver *disco rígido* em *disco*. [Sigla: HD]

🌐 **hardware** (*Ing. /rárduer/*) *sm. Inf.* Conjunto de peças e dispositivos de um computador. [Cf.: *software*.]

harém (ha.*rém*) *sm.* **1** Parte do palácio de um sultão muçulmano onde ficam as odaliscas; SERRALHO. **2** O conjunto dessas odaliscas. [Pl.: *réns*.]

harmonia (har.mo.*ni*.a) *sf.* **1** Acordo entre elementos diversos que resulta em algo agradável de se ver ou ouvir: *Existe grande harmonia de cores neste quadro*. **2** Bom entendimento: *Eles vivem em harmonia*. **3** *Mús.* Ciência que estuda a formação dos acordes musicais e seu encadeamento.

harmônica (har.*mô*.ni.ca) *sf. Mús.* Instrumento musical de sopro; GAITA.

harmônico (har.*mô*.ni.co) *a.* Ref. a ou que apresenta harmonia (decoração harmônica).

harmônio (har.*mô*.ni:o) *sm. Mús.* Instrumento musical semelhante ao órgão.

harmonioso (har.mo.ni.*o*.so) [ó] *a.* **1** Que é agradável de se ouvir ou ver: *uma voz harmoniosa*. **2** Que apresenta harmonia. [Fem. e *ri*.: [ó].]

harmonizar (har.mo.ni.*zar*) *v.* **1** Fazer ficar ou estar em harmonia; CONCILIAR. [*td*.: *Harmonizou os interesses da família*. *tdi*. + *com*: *Consegue harmonizar o trabalho com o lazer*. *int*.: *Naquela casa tudo harmoniza*. *pr*.: *Os casais acabaram se harmonizando*.] **2** *Mús.* Combinar (melodia) com acordes ou outra melodia, ou compor para ela tal acompanhamento. [*td*.:

Harmonizou a linha melódica, adaptando-a para um quarteto. *int*.: *Os bons músicos sabem harmonizar*.] [▶ **1** harmoni*zar*] • **har.mo.ni.za.***ção** *sf.*; **har.mo.ni.za.do** *a.*

harpa (*har*.pa) *sf. Mús.* Instrumento feito de uma grande moldura de madeira com forma triangular, sobre a qual estão estendidas cordas, e com um mecanismo de pedais.

harpejar (har.pe.*jar*) *v. Mús.* **1** Tocar na harpa. [*td*.: *Harpejou uma melodia inspirada*.] **2** Tocar harpa. [*int*.: *É o único na cidade que sabe harpejar*.] [▶ **1** harpe*jar*] [Cf.: *arpejar*.]

HARPA

harpia (har.*pi*.a) *sf.* **1** *Zool.* Certa ave de rapina, que ocorre do México à Argentina. **2** *Mit.* Monstro com cabeça de mulher e corpo de abutre.

harpista (har.*pis*.ta) *s2g. Mús.* Pessoa que toca harpa.

🌐 **hashtag** (*Ing. /réshteg/*) *s2g.* **1** Formato de indexação de um assunto ou item de interesse em redes sociais ou na internet, que consta de termo que identifica o assunto (se forem várias palavras, sem espaço ente elas) precedido por uma cerquilha (#). Pode funcionar como um *link* ou remete ao universo desse assunto na internet: *A blogueira lançou a hashtag Só dá ela (#sodaela)*

hasta (*has*.ta) *sf.* Venda pública a quem fizer a melhor oferta ou der o maior lance; LEILÃO.

haste (*has*.te) *sf.* **1** Peça, reta e erguida, ger. longa, de madeira ou metal onde se prende alguma coisa. **2** Vara longa que segura uma bandeira. **3** Nas plantas, parte que sustenta as folhas; CAULE. [Dim.: *hastilha*.]

hastear (has.te.*ar*) *v.* **1** Erguer e prender no alto de uma haste ou no mastro. [*td*.: *Hasteava a bandeira pela manhã*.] **2** Erguer(-se) bem alto, levantar(-se). [*td*.: *O galo hasteou a crista*. *pr*.: *Hasteou-se o quanto pôde para ver melhor*.] [▶ **13** hast*ear*] • **has.te.a.do** *a*.; **has.te:a.***men***.to** *sm*.

haurir (hau.*rir*) *v. td.* **1** Retirar alguma coisa de dentro; EXTRAIR: *Hauriu todo o ouro da mina*. **2** Consumir ou gastar alguma coisa completamente; ESGOTAR: *Hauriu toda a comida que havia em casa*. **3** Absorver por aspiração ou sucção; SORVER: "*Hauria* o ar puro, fresco, da mata..." (Júlio Ribeiro, *A carne*). **4** Recolher, colher: *Hauriu novas forças para continuar*. [▶ **58** haur*ir*]

hausto (*haus*.to) *sm.* **1** Ação ou resultado de aspirar. **2** O que se traga ou bebe de uma só vez; GOLE; TRAGO.

havaiano (ha.vai.a.no) *a.* **1** Do Havaí (EUA); típico desse estado ou de seu povo. *sm.* **2** Pessoa nascida no Havaí.

havana (ha.*va*.na) *sm.* **1** Charuto cubano. **2** A cor castanho-clara do tabaco de mesmo nome. *a2g2n.* **3** Que é dessa cor (malas *havana*).

haver (ha.*ver*) *v. td.* (us. como impessoal) **1** Acontecer, ocorrer: *O que houve com ele?* **2** Estar presente: *Havia muitas pessoas sem fantasia no bloco*. **3** Existir: *Há ruas sem placas de identificação no bairro*. **4** Fazer: *Há meses não o vejo*. **5** Transcorrer, decorrer (tempo): *Houve fases de muita amizade entre eles*. [NOTA: No uso impessoal, o v. *haver* é frequentemente substituído pelo v. *ter* no português popular do Brasil.] ⬛ **haver-se** *pr.* **6** Explicar-se, entender-se: *Quando ela chegar, há de haver-se comigo*. **7** Proceder, comportar-se: *Como você se houve no primeiro dia de aula?* [▶ **5** *haver*] [NOTA: Us. tb. como v. auxiliar: a) seguido de v. principal no particípio, forma os tempos per-

haxixe | hematologia

feito e mais-que-perfeito compostos: *Já havia estado ali*. b) seguido da preposição *de* + v. principal no infinitivo, forma o futuro composto, associando: 1) ideia de esperança, convicção: *Ainda hei de acertar na loteria!* 2) ideia de dever, possibilidade: *Pelas contas, eles haveriam de terminar tudo em 15 dias.*] ◘ **haveres** *smpl*. **8** Conjunto de bens, propriedades e riquezas de uma pessoa. ❏ **Haja o que houver** Seja o que for, aconteça o que acontecer. **Haja vista** Seja considerado: *É contra esses abusos, haja vista sua campanha.* **Há muito** Desde muito tempo: *Há muito ela não vem por esses lados*. ~ **por bem** Decidir, resolver: *O diretor houve por bem expulsar o tal aluno.* **Não há de quê** De nada; não há por que agradecer.

haxixe (ha.*xi*.xe) *sm*. Droga feita da substância que cobre as flores e folhas da maconha.

⌧ **HD** *Inf.* Sigla de *hard disk*.

⌧ **He** *Quím.* Símb. de **hélio**.

🌐 ***headphone*** (Ing. /rédfoun/) *sm*. Aparelho que se usa nos ouvidos para auscultar o som de um individual de um som.

🌐 ***heavy-metal*** (Ing. /hèvimétl/) *sm*. Tipo de *rock* de ritmo acentuado, som alto, letras agressivas.

hebdomadário (heb.do.ma.*dá*.ri:o) *a*. **1** Que acontece a cada semana. *sm*. **2** Jornal que é publicado uma vez por semana.

hebraico (he.*brai*.co) *a*. **1** Ref. ao povo hebreu ou à sua língua. *sm*. **2** *Gloss*. Língua dos hebreus (hoje língua oficial de Israel).

hebreu (he.*breu*) *sm*. **1** Povo semita descendente de Abraão. **2** Indivíduo desse povo. [Cf.: *judeu*.] *a*. **3** Típico desse povo. [Fem.: *-breia*.]

hecatombe (he.ca.*tom*.be) *sf*. Massacre de um número muito grande de pessoas: *Essa guerra está provocando uma hecatombe*.

hectare (hec.*ta*.re) *sm*. Unidade de medida agrária equivalente a dez mil metros quadrados. [Símb.: *ha*]

hectograma (hec.to.*gra*.ma) *sm*. *Fís.* Unidade de medida que equivale a cem gramas. [Símb.: *hg*]

hectolitro (hec.to.*li*.tro) *sm*. Unidade de medida que equivale a cem litros. [Símb.: *hl*]

hectômetro (hec.*tô*.me.tro) *sm*. Unidade de medida que equivale a cem metros. [Símb.: *hm*]

hediondo (he.*di*:on.do) *a*. Que é horrível, pavoroso (crime *hediondo*).

hedonismo (he.do.*nis*.mo) *sm*. Corrente que considera a busca pelo prazer a coisa mais importante da vida. ● **he.do.***nis***.ta** *a2g.s2g*.

hegemonia (he.ge.mo.*ni*.a) *sf*. **1** Dominação política e econômica: *A hegemonia chinesa na região do Tibete é muito criticada.* **2** *Fig.* Supremacia de alguma coisa sobre outra.

hégira (*hé*.gi.ra) *sf*. **1** Era dos muçulmanos que começou no ano 622 do nosso calendário, data da fuga de Maomé de Meca para Medina. **2** Essa fuga. **3** *Fig.* Fuga.

hein *interj.* Ver **hem**.

helênico (he.*lê*.ni.co) *a*. **1** Da Grécia Antiga (Hélade); típico desse país ou de seu povo. *sm*. **2** Pessoa nascida na Grécia Antiga.

helenismo (he.le.*nis*.mo) *sm*. **1** *Ling.* Palavra ou expressão própria do idioma grego. **2** A civilização grega, esp. no período em que sofreu influência oriental.

helenista (he.le.*nis*.ta) *a2g.s2g*. Que ou quem se especializou em helenismo. ● **he.le.***nis***.ti.co** *a*.

heleno (he.*le*.no) *P.us.* *a*. **1** Da Grécia (Europa); típico desse país ou de seu povo; GREGO. *sm*. **2** Pessoa nascida na Grécia; GREGO.

helianto (he.li:*an*.to) *sm*. *Bot.* Planta com flores de grandes pétalas amarelas; GIRASSOL.

hélice (*hé*.li.ce) *sf*. **1** *Aer.* Dispositivo formado de duas ou três hastes fixas que giram sobre um eixo, e que serve para impulsionar um navio, avião etc. **2** Parte do ventilador, onde ficam as pás, que realiza o movimento do ar para refrigerar o ambiente. [Dim.: *helícula*.] **3** *Geom.* Curva gerada por um ponto que se desloca numa superfície cilíndrica ou cônica, em torno do eixo vertical, sem se fechar e num ângulo constante em relação aos planos horizontais que vai cortando; ESPIRAL. [Ver ilustração em *espiral*.]

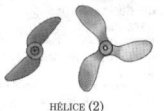

HÉLICE (2)

helicoidal, helicoide (he.li.coi.*dal*, he.li.*coi*.de) *a2g*. **1** Em forma de hélice ou de caracol (rampa *helicoidal*). **2** Superfície helicoidal (1). [Pl. de *helicoidal*: *-dais*.]

helicóptero (he.li.*cóp*.te.ro) *sm*. *Aer.* Aparelho para voo capaz de se deslocar verticalmente e de pairar no ar graças a uma grande hélice situada sobre seu teto.

hélio (*hé*.li:o) *sm*. *Quím.* Elemento de número atômico 2, e gás us. para encher balões. [Símb.: *He*]

heliocêntrico (he.li:o.*cên*.tri.co) *a*. Que considera o Sol como centro: *modelo heliocêntrico de Copérnico*.

heliocentrismo (he.li:o.cen.*tris*.mo) *sm*. Pensamento que considera o Sol o centro do universo. [Cf.: *geocentrismo*.]

heliofilia (he.li:o.fi.*li*.a) *sf*. *Bot.* Necessidade que uma planta tem de receber a luz do sol. ● **he.li:o.***fí***.li.co** *a*.

heliografia (he.li:o.gra.*fi*.a) *sf*. Método e processo de reprodução fotomecânica que usa a luz.

heliográfica (he.li:o.*grá*.fi.ca) *sf*. *Art.Gr.* **1** Loja especializada em reprodução por heliogravura. **2** Cópia por processo heliográfico. [Tb. se diz *cópia heliográfica*.]

heliogravura (he.li:o.gra.*vu*.ra) *sf*. *Art.Gr.* **1** Técnica que permite a impressão de textos e ilustrações, usando-se placas ou cilindros gravados em baixo-relevo. **2** Figura ou ilustração obtida por essa técnica.

heliotrópio (he.li:o.*tró*.pi:o) *sm*. **1** *Bot.* Qualquer planta cujas flores se voltam para o sol. **2** *Min.* Pedra verde-escura com pontos vermelhos, encontrada no Brasil.

heliotropismo (he.li:o.tro.*pis*.mo) *sm*. Movimento em direção ao sol: *o heliotropismo das plantas*.

heliponto (he.li.*pon*.to) *sm*. *Aer.* Local destinado a pouso e decolagem de helicópteros.

heliporto (he.li.*por*.to) [ô] *sm*. *Aer.* Heliponto esp. preparado e equipado como aeroporto para helicópteros.

helmintíase (hel.min.*tí*.a.se) *sf*. *Med.* Doença provocada por helminto.

helminto (hel.*min*.to) *sm*. *Zool.* Verme que se hospeda no intestino.

helmintologia (hel.min.to.lo.*gi*.a) *sf*. *Med.* Área do conhecimento que estuda os vermes intestinais que se alojam em pessoas e animais.

hem *interj.* **1** Us. para denominar que alguém não ouviu (hem, não sei); que se espantou ou se revoltou com o que lhe foi dito. **2** Us. com o sentido de 'não é verdade?'.

hemácia (he.*má*.ci:a) *sf*. *Histl.* Célula encontrada no sangue, que, através da hemoglobina, leva oxigênio aos tecidos do corpo; GLÓBULO VERMELHO.

hemartrose (he.mar.*tro*.se) *sf*. *Med.* Processo hemorrágico em uma articulação: *hemartrose do joelho*.

HEMÁCIAS

hematita (he.ma.*ti*.ta) *sf*. *Min.* Mineral explorado como principal minério de ferro.

hematófago (he.ma.*tó*.fa.go) *a*. *Zool.* Que se alimenta de sangue (diz-se de animal).

hematologia (he.ma.to.lo.*gi*.a) *sf*. *Med.* Área do conhecimento que estuda o sangue. ● **he.ma.to.lo.***gis***.ta** *s2g*.

hematoma (he.ma.*to*.ma) *sm. Pat.* Marca esverdeada ou arroxeada sobre o corpo, causada por pancada que ocasionou o rompimento de vaso(s) sanguíneo(s).

hematose (he.ma.*to*.se) *sf. Fisl.* Processo de oxigenação do sangue, que ocorre nos pulmões, transformando o sangue venoso em arterial.

hematozoário (he.ma.to.zo:á.ri:o) *sm. Zool.* Parasita que vive no sangue de animais, causando doenças.

hematúria, hematuria (he.ma.*tú*.ri.a, he.ma.tu.*ri*.a) *sf. Med.* Presença de sangue na urina.

hemeroteca (he.me.ro.*te*.ca) *sf.* Lugar em uma biblioteca onde estão dispostos os jornais, revistas e outros periódicos.

hemiciclo (he.mi.*ci*.clo) *sm.* Espaço em forma de semicírculo provido de assentos, em teatros ou lugares de reunião.

hemiplegia (he.mi.ple.*gi*.a) *sf. Med.* Paralisia em um dos lados do corpo.

hemíptero (he.*míp*.te.ro) *sm. Zool.* Inseto que pica ou suga, como pulgas, barbeiros etc.

hemisfério (he.mis.*fé*.ri:o) *sm.* 1 Cada uma das metades imaginárias da Terra, limitadas entre si pela linha imaginária do equador (hemisfério Sul/Norte). 2 *Anat.* Cada uma das metades laterais do cérebro. • **he.mis.***fé***.ri.co** *a.*

hemodiálise (he.mo.di.*á*.li.se) *sf. Med.* Tratamento para pessoas com insuficiência renal em que o sangue é filtrado por meio de um rim artificial.

hemofilia (he.mo.fi.*li*.a) *sf. Pat.* Doença hereditária que se caracteriza pela dificuldade de o sangue coagular-se, o que leva a pessoa a ter hemorragias frequentes e prolongadas. • **he.mo.***fí***.li.co** *a.sm.*

hemoglobina (he.mo.glo.*bi*.na) *sf. Bioq.* Proteína que leva oxigênio aos glóbulos vermelhos e ao plasma sanguíneo.

hemograma (he.mo.*gra*.ma) *sm. Med.* Exame de sangue feito em laboratório para contagem dos glóbulos brancos e vermelhos, medição do nível dos hormônios etc.

hemorragia (he.mor.ra.*gi*.a) *sf. Med.* Derramamento de sangue para fora dos vasos sanguíneos. • **he.mor.***rá***.gi.co** *a.*

hemorroida (he.mor.*roi*.da) *sf.* 1 *Anat.* Cada uma das veias com varizes do ânus e do reto. ◪ **hemorroidas** *sfpl.* 2 *Med.* Dilatação patológica dessas veias.

hemóstase (he.*mós*.ta.se) *sf. Med.* Estancamento de uma hemorragia.

hemostático (he.mos.*tá*.ti.co) *a.sm. Med.* Que ou o que estanca hemorragias (diz-se de substância, produto, medicamento etc.).

hendecaedro (hen.de.ca:*e*.dro) *sm. Geom.* Poliedro de 11 faces.

hendecágono (he.de.*cá*.go.no) *a.sm. Geom.* Que ou o que possui 11 ângulos e 11 lados (diz-se de polígono).

hendecassílabo (hen.de.cas.*sí*.la.bo) *a.sm. Poét.* Que ou o que é composto por 11 sílabas (diz-se de verso).

hepático (he.*pá*.ti.co) *a.* Ref. a ou próprio do fígado (insuficiência hepática).

hepatite (he.pa.*ti*.te) *sf. Med.* Inflamação do fígado causada por infecção e/ou intoxicação de várias origens.

hepatologia (he.pa.to.lo.*gi*.a) *sf. Med.* Estudo da anatomia, funcionamento e doenças do fígado. • **he.pa.to.lo.***gis***.ta** *2g.*

hepatoma (he.pa.*to*.ma) *sm. Pat.* Tumor no fígado.

heptaedro (hep.ta.*e*.dro) *sm. Geom.* Poliedro de sete faces.

heptágono (hep.*tá*.go.no) *sm. Geom.* Polígono de sete lados e sete ângulos. • **hep.ta.go.***nal*** *a2g.*

heptassílabo (hep.tas.*sí*.la.bo) *a.sm. Poét.* Que ou o que tem sete sílabas (diz-se de verso ou palavra).

hera (*he*.ra) *sf. Bot.* Nome comum a diversas trepadeiras, plantas que ger. cobrem muros e paredes.

heráldica (he.*rál*.di.ca) *sf.* Arte do estudo dos brasões.

herança (he.*ran*.ça) *sf.* 1 *Jur.* Totalidade de bens deixados por uma pessoa morta. 2 Aquilo que é transmitido por sucessão: *a herança deixada pelo governo anterior*. 3 *Fig.* Aquilo que é passado pelas gerações anteriores; LEGADO: *Seu talento musical é herança do avô*.

herbáceo (her.*bá*.ce:o) *a. Bot.* Ref. ou semelhante a erva.

herbanário (her.ba.*ná*.ri:o) *sm.* 1 Lugar onde se comercializam ervas medicinais. 2 Comerciante que compra e vende essas ervas.

herbário (her.*bá*.ri:o) *sm.* 1 Coleção de plantas secas para estudos. 2 Lugar onde é guardada essa coleção.

herbicida (her.bi.*ci*.da) *a2g.sm.* Que ou o que se usa para acabar com ervas daninhas (diz-se de substância, produto etc.).

herbífero (her.*bí*.fe.ro) *a.* Que gera erva (planta herbífera).

herbívoro (her.*bí*.vo.ro) *a.sm. Ecol.* Que ou aquele que se alimenta de vegetais ou de erva (diz-se de animal).

herbóreo (her.*bó*.re:o) *a.* Ref. a erva.

herboso (her.*bo*.so) [ó] *a.* Cheio de ervas, abundante em pastos; ERVOSO. [Fem. e pl.: [ó].]

hercúleo (her.*cú*.le:o) *a.* 1 Muito forte (lutador hercúleo). [Ant.: *franzino*.] 2 Que exige muita força e determinação: *uma tarefa hercúlea*.

hércules (*hér*.cu.les) *sm2n. Fig.* Homem muito forte.

herdade (her.*da*.de) *sf.* Extensa propriedade rural; FAZENDA.

herdar (her.*dar*) *v.* 1 Receber por herança. [*td.: Herdou uma bela casa. tdi.* + *de: Herdará do tio uma fortuna*.] 2 Adquirir por hereditariedade ou por laços familiares. [*td.:* "...herdara sangue nobre..." (Aluísio Azevedo, *O cortiço*). *tdi.* + *de: Herdei do meu pai o bom humor*.] 3 Receber por sucessão ou transmissão. [*td.: O novo diretor só herdou problemas. tdi.* + *de: O novo técnico herdou de seu antecessor um time motivado*.] 4 Deixar por herança ou transmitir; LEGAR. [*tdi.* + *a: Herdou aos descendentes o amor aos livros*.] [▶ 1 herdar]

herdeiro (her.*dei*.ro) *sm.* 1 Pessoa que recebe herança. 2 *Fam.* Filho. 3 *Fig.* Pessoa que apresenta características físicas, morais, culturais etc. dos antepassados: *herdeira dos dotes culinários da avó*.

hereditariedade (he.re.di.ta.ri:e.*da*.de) *sf.* 1 Condição do que é hereditário. 2 Transmissão de características físicas e morais de uma geração para outra. 3 *Gen.* Processo que tem como resultado a transmissão de caracteres de uma geração para outra através dos genes: *A cor dos olhos se transmite por hereditariedade*.

hereditário (he.re.di.*tá*.ri:o) *a.* 1 Que se transmite por hereditariedade (3) (doença hereditária). 2 Que se transmite por direito de sucessão (patrimônio hereditário).

herege (he.*re*.ge) *a2g.s2g.* 1 Que ou quem se opõe à doutrina estabelecida pela Igreja. 2 *Fig.* Que ou quem tem ideias contrárias àquelas aceitas pela maioria. [Sin. ger.: *herético*.]

heresia (he.re.*si*.a) *sf.* 1 Doutrina considerada falsa pela Igreja. 2 *Fig.* Ideia, prática ou opinião contrária ao que é aceito pela maioria.

herético (he.*ré*.ti.co) *a.* 1 Ref. a ou que contém heresia. *a.sm.* 2 Ver **herege**.

herma (*her*.ma) [ê] *sf. Esc.* Busto, ger. erguido sobre um pedestal, em que o peito, as costas e os ombros são cortados por planos verticais.

hermafrodita, hermafrodito (her.ma.fro.*di*.ta, her.ma.fro.*di*.to) *a2g.s2g., a.sm. Biol.* Que ou o que (organismo, animal, indivíduo) apresenta caracte-

rísticas sexuais tanto do sexo masculino quanto do feminino. • **her.ma.fro.di.***tis*.mo sm.

hermeneuta (her.me.*neu*.ta) s2g. Pessoa especializada em hermenêutica.

hermenêutica (her.me.*nêu*.ti.ca) sf. Interpretação do texto e das palavras, esp. os relacionados com as leis e a religião.

hermético (her.*mé*.ti.co) a. **1** Completamente fechado. **2** *Fig.* Difícil de compreender (discurso her*mético*).

hermetismo (her.me.*tis*.mo) sm. Característica do que é difícil de compreender; OBSCURIDADE: *O hermetismo de um filme pode afastar os espectadores.*

hérnia (*hér*.ni.a) sf. *Pat.* Projeção de um órgão que sai da cavidade que o contém.

herói (he.*rói*) sm. **1** Pessoa que se destaca por sua coragem, feitos notáveis, dedicação e generosidade: *os heróis da mitologia grega*; *os heróis da resistência do combate à fome.* **2** Personagem masculino principal de um livro, filme, peça teatral etc. [Fem.: *heroína.*]

heroico (he.*roi*.co) a. Próprio de herói ou que revela heroísmo (gesto *heroico*).

heroína[1] (he.ro.*í*.na) sf. **1** Mulher que se destaca por sua coragem. **2** Personagem feminina principal de um livro, filme, peça teatral etc.

heroína[2] (he.ro.*í*.na) sf. *Quím.* Droga derivada da morfina, com propriedades narcóticas.

heroísmo (he.ro.*ís*.mo) sm. Ação característica de quem é herói ou heroína; BRAVURA: *Com heroísmo, o bombeiro corre riscos para salvar vidas.*

herpes (*her*.pes) sm2n. *Med.* Doença inflamatória da pele, muito dolorosa, caracterizada pelo aparecimento de bolhas rodeadas por uma aréola vermelha.

herpes-vírus (her.pes.*ví*.rus) sm2n. *Micbiol.* Grupo de vírus causadores de vários tipos de herpes.

herpes-zóster (her.pes.*zós*.ter) sm. *Med.* Inflamação aguda dos gânglios ao longo dos nervos, associada ao aparecimento de bolhas na pele; COBREIRO. [Pl.: *herpes-zósteres.*]

herpetiforme (her.pe.ti.*for*.me) a2g. Semelhante em forma a um réptil.

herpetologia (her.pe.to.lo.*gi*.a) sf. *Zool.* Parte da zoologia que estuda os répteis.

hertz sm2n. *Fís.* Unidade de frequência equivalente a um ciclo por segundo. [Símb.: *Hz*] • **hert.***zi.a.no a.

hesitação (he.si.ta.*ção*) sf. **1** Ação ou resultado de hesitar, de ficar indeciso; VACILAÇÃO. **2** Indecisão. [Pl.: *-ções.*]

hesitar (he.si.*tar*) v. **1** Ficar indeciso, não ter certeza. [*int.*: *Ela hesitou na hora de dizer sim.*] **2** Demonstrar insegurança ou ficar indeciso em. [*td.*: *Hesitou reagir à provocação. ti. + em*: *Não hesitou em mudar de emprego.*] [▶ **1** hesit[ar]] • **he.si.***tan*.te a2g.

heterodoxia (he.te.ro.do.*xi*.a) [cs] sf. Oposição aos modelos convencionais; condição de quem ou do que a adota: *heterodoxia das medidas econômicas.* [Ant.: *ortodoxia.*] • **he.te.ro.***do.xo a.

heterofilia (he.te.ro.fi.*li*.a) sf. *Bot.* Existência de tipos diferentes de folhas numa mesma planta.

heterogêneo (he.te.ro.*gê*.ne.o) a. Formado por elementos diferentes e variados (cultura hete*rogênea*). [Ant.: *homogêneo.*] • **he.te.ro.ge.***nei.da.de sf.*; **he.te.ro.ge.***ne.i.zar v.*; **he.te.ro.ge.***nei.za.ção sf.*

heteromaquia (he.te.ro.ma.*qui*.a) sf. Luta entre dois homens.

heteronímia (he.te.ro.*ní*.mi.a) sf. *Gram.* Processo de formação do masculino ou feminino com palavra de radical diferente (p.ex., boi e vaca, cavalo e égua).

heterônimo (he.te.*rô*.ni.mo) sm. Nome imaginário a quem um autor atribui a criação de sua obra: *Julinho da Adelaide foi o heterônimo de Chico Buarque na época do governo militar.*

heteronomia (he.te.ro.no.*mi*.a) sf. Subordinação de um indivíduo ou grupo a uma lei ou vontade externa.

heterossexual (he.te.ros.se.xu:*al*) [cs] a2g.s2g. Que ou quem sente atração por e/ou tem relações sexuais com pessoa do sexo oposto. [Pl.: *-ais.*] [Cf.: *homossexual.*] • **he.te.ros.se.xu:a.***li.da.de sf.*

heterossexualismo (he.te.ros.se.xu:a.*lis*.mo) [cs] sm. **1** Tendência à ou prática da relação heterossexual. **2** Condição de heterossexual. [Cf.: *homossexualismo.*]

heureca (heu.*re*.ca) *interj.* Expressão us. em sinal de vitória quando é encontrada a solução para um problema difícil. (tb. *eureca*.) [NOTA: A expressão foi atribuída ao matemático grego Arquimedes (287-212 a.C.).]

heurística (heu.*rís*.ti.ca) sf. Conjunto de métodos empregados para chegar-se à invenção, à descoberta ou à resolução de problemas.

hexacampeão (he.xa.cam.pe:*ão*) [cs] ou [z] *a.sm.* Que ou quem foi campeão seis vezes. [Pl.: *-ões.*] • **he.xa.cam.pe:***o.na.to sm.*

hexadecimal (he.xa.de.ci.*mal*) [cs] ou [z] *a2g. Mat.* Ref. ou pertencente ao sistema numérico que utiliza 16 algarismos. [Pl.: *-mais.*]

hexaedro (he.xa.*e*.dro) [cs] ou [z] sm. *Geom.* Poliedro de seis faces.

hexágono (he.*xá*.go.no) [cs] ou [z] sm. *Geom.* Polígono de seis lados. • **he.xa.go.***nal a2g.*

hexâmetro (he.*xâ*.me.tro) [cs] ou [z] *a.sm. Poét.* Que ou o que (verso grego ou latino) é composto de seis pés.

HEXÁGONO

hexassílabo (he.xas.*sí*.la.bo) [cs] ou [z] *a.sm. Poét.* Que ou o que (palavra ou verso) tem seis sílabas.

⌧ **Hf** *Eletrôn.* Símb. de *high frequency.*

⌧ **hg** *Fís.* Símb. de *hectograma.*

⌧ **Hg** *Quím.* Símb. de *mercúrio.*

hialoplasma (hi:a.lo.*plas*.ma) sm. *Cit.* A parte líquida do citoplasma.

hiato (hi:*a*.to) sm. **1** *Gram.* Encontro de duas vogais que pertencem a sílabas diferentes (p.exs., sa.*ú*.de). **2** *Fig.* Interrupção: *A banda reapresentou-se após um hiato de dois anos.*

hibernação (hi.ber.na.*ção*) sf. Sono profundo de certos animais no inverno. [Pl.: *-ções.*]

hibernal (hi.ber.*nal*) a2g. Ref. a ou próprio do inverno; INVERNAL; INVERNOSO. [Pl.: *-nais.*]

hibernar (hi.ber.*nar*) v. *int.* **1** Ficar (animal) adormecido ou em estado de entorpecimento durante o inverno: *Os ursos hibernam.* **2** Ficar inativo ou prostrado: *Estava tão cansado que hibernou dois dias.* [▶ **1** hibern[ar]]

hibisco (hi.*bis*.co) sm. *Bot.* Planta de flores vistosas conhecida por suas propriedades medicinais.

híbrido (*hí*.bri.do) a. **1** *Biol.* Formado pelo cruzamento de espécies diferentes. sm. **2** Animal ou vegetal híbrido.

HIBISCO

hidra[1] (*hi*.dra) sf. *Mit.* Serpente mitológica morta por Hércules.

hidra[2] (*hi*.dra) sf. *Zool.* Animal muito pequeno de água doce com corpo cilíndrico e tentáculos.

hidramático (hi.dra.*má*.ti.co) a. *Bras. Aut.* Que tem comando automático movido por sistema hidráulico (diz-se de alavanca de câmbio e do veículo que possui esse tipo de alavanca).

hidrante (hi.*dran*.te) sm. *Bras.* Torneira ou válvula, alojada em estrutura de ferro nas calçadas, onde se conecta a mangueira para apagar incêndios.

hidratação (hi.dra.ta.*ção*) *sf.* **1** Introdução de água num organismo. **2** Tratamento cosmético contra ressecamento: <u>hidratação</u> da pele. [Pl.: -*ções*.]

hidratado (hi.dra.*ta*.do) *a.* **1** Tratado com água ou produto para hidratar. **2** Que tem umidade natural.

hidratante (hi.dra.*tan*.te) *a2g.sm.* Que ou o que se usa para hidratar (ger. a pele) (diz-se de substância, produto etc.).

hidratar (hi.dra.*tar*) *v.* **1** Transformar(-se) em hidrato. [*td.*: <u>hidratar</u> o carbono. *pr.*: Esse composto químico <u>hidrata-se</u> com facilidade.] **2** Impregnar(-se) com água ou hidrato. [*td.*: É preciso <u>hidratar</u> o terreno. *pr.*: Os poços <u>hidratam-se</u> rapidamente.] **3** *Med.* Tratar(-se) com água ou hidrato, para manter o nível de água ideal do corpo. [*td.*: O médico receitou soro para <u>hidratar</u> o bebê. *pr.*: Os dias estão quentes, você precisa <u>se hidratar</u> mais.] **4** Aplicar (à pele) substância hidratante, para evitar ou corrigir ressecamento. [*td.*: <u>hidratar</u> as mãos.] [▶ hidrat<u>ar</u>] • **hi.dra.**<u>**tá**</u>**.vel** *a2g.*

hidrato (hi.*dra*.to) *sm. Quím.* Mistura de um composto com molécula(s) de água.

hidráulica (hi.*dráu*.li.ca) *sf. Fís.* Estudo do movimento, escoamento e pressão dos líquidos e sua aplicação na engenharia.

hidráulico (hi.*dráu*.li.co) *a.* **1** Ref. à hidráulica (projeto <u>hidráulico</u>). **2** Que funciona movido por líquido (freio <u>hidráulico</u>).

hidravião, hidroavião (hi.dra.vi.*ão*, hi.dro.a.vi.*ão*) *sm. Aer. Mar.* Avião que pode pousar na água e dela decolar; HIDROPLANO. [Pl.: -*ões*.]

hidrelétrica, hidroelétrica (hi.dre.*lé*.tri.ca, hi.dro.e.*lé*.tri.ca) *sf.* Empresa ou usina geradora de eletricidade de origem hidráulica.

📖 A obtenção de energia elétrica pela transformação da energia mecânica gerada por quedas d'água é das mais aplicadas no mundo. No Brasil corresponde praticamente à quase totalidade (c. 90%) da geração de energia elétrica (além de umas poucas usinas termelétricas e nucleares). A grande rede hidrográfica do Brasil colabora para essa aplicação. O princípio básico dessa forma de geração de eletricidade é fazer acumularem-se as águas de um rio em uma represa, para dar-lhes saída controlada em forte declive, acionando com a força da queda turbinas que, por sua vez, transformam a energia mecânica de seu giro em energia elétrica, que é distribuída por redes de fornecimento. A maior usina hidrelétrica do Brasil (juntamente com o Paraguai), e que está entre as maiores do mundo, é a de Itaipu.

hidrelétrico, hidroelétrico (hi.dre.*lé*.tri.co, hi.dro.e.*lé*.tri.co) *a.* Que gera eletricidade a partir da energia hidráulica (usina <u>hidrelétrica</u>).

hídrico (*hí*.dri.co) *a.* Ref. à água (aproveitamento <u>hídrico</u>).

hidrocarboneto (hi.dro.car.*bo*.ne.to) [ê] *sm. Quím.* Substância composta por átomos de carbono e hidrogênio. • **hi.dro.car.**<u>**bô**</u>**.ni.co** *a.*

hidrocor (hi.dro.*cor*) *sm.* Tipo de caneta de ponta porosa com tinta colorida, para desenhar.

hidrófilo (hi.*dró*.fi.lo) *a.* **1** Que tem afinidade com a água; que absorve bem a água (algodão <u>hidrófilo</u>). **2** *Bot.* Que vive perto da água ou nela submerso.

hidrofobia (hi.dro.fo.*bi*.a) *sf.* **1** *Vet.* Raiva (doença). **2** *Psiq.* Horror mórbido à água. • **hi.**<u>**dró**</u>**.fo.bo** *a.sm.*

hidrogenação (hi.dro.ge.na.*ção*) *sf. Quím.* Combinação de substâncias com hidrogênio. [Pl.: -*ções*.] • **hi.dro.ge.**<u>**na**</u>**.do** *a.*

hidrogenar (hi.dro.ge.*nar*) *v.* Absorver hidrogênio ou combinar(-se) com ele. [*td.*: <u>hidrogenar</u> o óleo de soja. *pr.*: A amônia, em sua síntese, <u>hidrogena-se</u>.] [▶ hidrogen<u>ar</u>] hidrogenar

hidrogênio (hi.dro.*gê*.ni:o) *sm. Quím.* Elemento químico gasoso, incolor e insípido que, combinado com o oxigênio, forma a água. [Simb.: H]

📖 Um dos elementos básicos do universo, o hidrogênio representa 75% de toda a massa existente no cosmo, mas menos de 10% da massa existente na Terra. É o mais simples dos elementos, com um átomo formado por apenas um próton e um elétron que lhe gira em torno. É da combinação de duas moléculas de hidrogênio com uma de oxigênio que se forma a água (fórmula H_2O), e é nessa forma molecular (dois átomos por molécula) que o hidrogênio se apresenta em quase todas as ocorrências. Na forma atômica, em que só aparece combinado com outros elementos, tende a ser instável e a liberar energia em certas reações. Essa energia, se controlada, pode ser inesgotável, a partir da água do mar.

hidroginástica (hi.dro.gi.*nás*.ti.ca) *sf.* Tipo de ginástica que se pratica dentro da água, ger. em piscina.

hidrografia (hi.dro.gra.*fi*.a) *sf. Geog.* **1** Conjunto dos mares, rios, lagos etc. de uma região. **2** Parte da geografia que estuda as águas marinhas e continentais. • **hi.dro.**<u>**grá**</u>**.fi.co** *a.*

hidrólise (hi.*dró*.li.se) *sf. Quím.* Decomposição ou alteração de uma substância pela água.

hidrologia (hi.dro.lo.*gi*.a) *sf.* Estudo da distribuição, movimentos e propriedades das águas da Terra (<u>hidrologia</u> marinha/fluvial). • **hi.dro.**<u>**ló**</u>**.gi.co** *a.*

hidromassagem (hi.dro.mas.*sa*.gem) *sf.* Massagem feita com jatos de água. [Pl.: -*gens*.]

hidrômetro (hi.*drô*.me.tro) *sm.* Aparelho para medir o consumo de água em imóveis de todos os tipos.

hidromineral (hi.dro.mi.ne.*ral*) *a2g.* Ref. à água mineral (fonte <u>hidromineral</u>). [Pl.: -*rais*.]

hidropisia (hi.dro.pi.*si*.a) *sf. Med.* Acúmulo de líquido seroso em tecidos ou cavidade corporal.

hidroplano (hi.dro.*pla*.no) *sm. Mar.* Ver *hidravião*.

hidroponia (hi.dro.po.*ni*.a) *sf. Agr.* Cultivo hidropônico.

hidropônico (hi.dro.*pô*.ni.co) *a. Agr.* **1** Que se realiza na água com nutrientes minerais em suspensão (diz-se de cultivo de vegetais). **2** Que foi cultivado dessa forma (alface <u>hidropônica</u>).

hidrose (hi.*dro*.se) *sf.* **1** Produção e eliminação do suor. **2** *Pat.* Distúrbio dessa função.

hidrosfera (hi.dros.*fe*.ra) *sf. Geog.* Conjunto das águas da Terra, inclusive as subterrâneas, e o vapor atmosférico.

hidroterapia (hi.dro.te.ra.*pi*.a) *sf. Ter.* Qualquer terapia que faça uso da água, esp. banhos, duchas etc. • **hi.dro.te.**<u>**rá**</u>**.pi.co** *a.*

hidrotérmico (hi.dro.*tér*.mi.co) *a.* Ref. simultaneamente à água e ao calor.

hidrovia (hi.dro.*vi*.a) *sf.* Caminho marítimo, fluvial ou lacustre destinado ao transporte e às comunicações. • **hi.dro.vi.**<u>**á**</u>**.ri:o** *a.*

hidróxido (hi.*dró*.xi.do) [cs] *sm. Quím.* Nome dado aos compostos que contêm hidroxila.

hidroxila (hi.dro.*xi*.la) [cs] *sf. Quím.* Radical formado por um átomo de oxigênio e outro de hidrogênio.

hiena (hi:*e*.na) *sf.* **1** *Zool.* Mamífero carnívoro, de pelagem áspera, cinzenta com manchas escuras. **2** *Fig.* Pessoa que ri sem ter motivo para fazê-lo.

hierarquia (hi:e.rar.*qui*.a) *sf.* Subordinação em diferentes graus ou categorias (<u>hierarquia</u> militar/eclesiástica). • **hi:e.**<u>**rár**</u>**.qui.co** *a.*

hierarquizar (hi:e.rar.qui.*zar*) *v. td.* Estruturar ou dispor seguindo uma ordem hierárquica: *Precisamos <u>hierarquizar</u> as nossas empresas.* [▶ hierarqui-z<u>ar</u>] • **hi:e.rar.qui.za.**<u>**ção**</u> *sf.*; **hi:e.rar.qui.za.do** *a.*; **hi:e.rar.qui.**<u>**zá**</u>**.vel** *a2g.*

hieróglifo, hieroglifo (hi:e.*ró*.gli.fo, hi:e.ro.*gli*.fo) *sm.* **1** Ideograma do sistema de escrita do antigo Egi-

to. **2** *Fig.* Escrita, sinal ou figura enigmática, ilegível ou indecifrável.
hífen (hí.fen) *sm.* Sinal gráfico (-) us. para unir elementos de palavras compostas (*bem-te-vi*), ligar verbos a pronomes (*disseram-me*), separar sílabas de palavras (*ca-sa*); TRAÇO DE UNIÃO. [Pl.: *hifens* e (p.us. no Brasil) *hífenes*.]
hifenizar (hi.fe.ni.*zar*) *v. td.* Colocar ou usar hífen em palavra: *Errou ao hifenizar antiaéreo*. [▶ **1** hifenizar̄] ● **hi.fe.ni.za.ção** *sf.*
🌐 **hi-fi** (Ing. /rái-fai/) *sm. Eletrôn.* Ver *alta-fidelidade*.
🌐 **high-tech** (Ing. /rái-tec/) *a2g2n.* **1** Da mais avançada tecnologia (filmadora *high-tech*). **2** De aparência futurista (decoração *high-tech*).
hígido (hí.gi.do) *a.* **1** Ref. à saúde. **2** Que tem a saúde perfeita; SADIO; SAUDÁVEL.
higiene (hi.gi:e.ne) *sf.* **1** Conjunto dos princípios e práticas que conduzem a boas condições de saúde e ao bem-estar: *Não há higiene nesta casa*. **2** Asseio do corpo ou de parte dele (higiene oral): *Fez uma higiene no ferimento*.
higiênico (hi.gi.ê.ni.co) *a.* **1** Ref. à higiene. **2** Que é ou se mostra limpo; ASSEADO.
higienista (hi.gi.e.*nis*.ta) *s2g.* Pessoa especializada em higiene; SANITARISTA.
higienizar (hi.gi.e.ni.*zar*) *v. td.* **1** Tornar higiênico, saudável: *Existe um projeto para higienizar a cidade*. **2** Tornar limpo: *higienizar o banheiro*. [▶ **1** higienizar̄] ● **hi.gi.e.ni.za.ção** *sf.*
higrômetro (hi.*grô*.me.tro) *sm. Fís.* Instrumento que mede a umidade do ar ou de gases.
higroscópio (hi.gros.*có*.pi:o) *sm. Fís.* Higrômetro de pouca precisão.
hilariante (hi.la.ri:*an*.te) *a2g.* Que provoca hilaridade, riso, alegria (piada hilariante).
hilaridade (hi.la.ri.*da*.de) *sf.* **1** Estado de alegria, riso. **2** Alegria repentina; manifestação de riso.
hilário (hi.*lá*.ri:o) *a.* Que provoca risos; muito engraçado: *Esse comediante é hilário*.
hileia (hi.*lei*.a) *sf. Bot.* Nome dado à floresta amazônica pelos naturalistas Humboldt e Bonpland.
hilogenia (hi.lo.ge.*ni*.a) *sf.* Formação da matéria.
hímen (hí.men) *sm. Anat.* Membrana que fecha parcialmente o orifício externo da vagina de mulheres virgens. [Pl.: *himens*.]
himeneu (hi.me.*neu*) *sm.* Vínculo matrimonial; CASAMENTO.
himenóptero (hi.me.*nóp*.te.ro) *sm. Zool.* Tipo de inseto com quatro asas membranosas e boca mastigadora, como, p.ex., a formiga e a abelha.
hinário (hi.*ná*.ri:o) *sm.* Coleção ou coletânea de hinos.
híndi (*hín*.di) *sm.* **1** *Gloss.* A mais falada das línguas oficiais da Índia. *a2g.* **2** Do ou ref. ao híndi (1).
hindu (hin.*du*) *a2g.s2g.* **1** Ver *indiano*. **2** Ver *hinduísta* (1 e 3).
hinduísmo (hin.du:*ís*.mo) *sm.* **1** *Fil. Rel.* A religião indiana. **2** O conjunto da cultura indiana.
hinduísta (hin.du:*ís*.ta) *a2g.* **1** Ref. a hinduísmo; HINDU. *a2g.s2g.* **2** Que ou quem é especialista ou se dedica ao estudo do hinduísmo. **3** Que ou quem segue o hinduísmo (1); HINDU.
hindustâni (hin.dus.*tâ*.ni) *a2g.* **1** Do Hindustão; típico dessa região ou de seu povo. *s2g.* **2** Pessoa nascida no Hindustão. *a2g.sm.* **3** *Gloss.* Do, ref. ao ou o dialeto padrão do híndi mais falado na Índia.
hino (hí.no) *sm.* **1** Canto em honra e louvor à pátria, a clubes, colégios etc. **2** Poema ou cântico em louvor a Deus, ou a deuses, heróis etc. **3** *Fig.* Qualquer coisa que elogie ou louve: *O seu discurso foi um hino à esperança*.
hip *interj.* Expressão de alegria gritada antes do *hurra*.
hiperácido (hi.pe.*rá*.ci.do) *a.* Que tem um teor de acidez excessivamente acima do normal. ● **hi.pe.ra.ci.***dez** *sf.*

hiperatividade (hi.pe.ra.ti.vi.*da*.de) *sf. Psiq.* Atividade excessiva, acima do normal. ● **hi.pe.ra.***ti*.**vo** *a.sm.*
hipérbato, hipérbaton (hi.*pér*.ba.to, hi.*pér*.ba.ton) *sm. Gram.* Inversão ou deslocamento de palavras ou orações dentro de um período.
hiperbibasmo (hi.per.bi.*bas*.mo) *sm. Gram.* Mudança do acento tônico de uma palavra (p.ex.: cri*sân*temo, crisan*te*mo).
hipérbole (hi.*pér*.bo.le) *sf.* **1** *Ling.* Figura de linguagem que enfatiza ou exagera a significação linguística (p.ex.: *João morreu de rir*). **2** *Geom.* Curva cuja diferença das distâncias de cada um dos seus pontos a dois pontos fixos é constante. ● **hi.per.***bó*.li.co *a.*

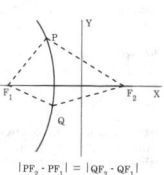

$|PF_2 - PF_1| = |QF_2 - QF_1|$

HIPÉRBOLE (2)

hiperinflação (hi.pe.rin.fla.*ção*) *sf. Econ.* Inflação muito elevada ou fora de controle. [Pl.: *-ções*.]
hipermetrope (hi.per.me.*tro*.pe) *a2g.s2g.* Que ou quem sofre de hipermetropia; HIPEROPE.
hipermetropia (hi.per.me.tro.*pi*.a) *sf. Med.* Anormalidade da refração ocular cujo sintoma é a dificuldade de enxergar de perto. [Cf.: *miopia*.]
hipermídia (hi.per.*mí*.di:a) *sf. Inf.* Informações, em forma de textos, gráficos, sons, vídeos etc., organizadas de modo que o acesso a elas se dá por computador a partir de *links*.
hiperope (hi.pe.*ro*.pe) *a2g.s2g.* Ver *hipermetrope*.
hiper-realismo (hi.per-re:a.*lis*.mo) *sm. Art.Pl.* Nas artes plásticas, corrente que busca representar as formas, por meio de pintura, escultura etc., com o máximo de fidelidade à realidade, aproximando-se da reprodução fotográfica. [Pl.: *hiper-realismos*.] ● **hi.per-re:a.***lis*.ta *a2g.s2g.*
hipersensível (hi.per.sen.*sí*.vel) *a2g.* Que tem sensibilidade exagerada; SUPERSENSÍVEL. [Pl.: *-veis*.] ● **hi.per.sen.si.bi.li.***da*.de *sf.*
hipertensão (hi.per.ten.*são*) *sf. Med.* Pressão excessiva exercida pelo sangue nas paredes dos vasos sanguíneos; pressão alta. (Ant.: *hipotensão*.) [Pl.: *-sões*.]

📖 Pressão arterial é a pressão que o fluxo do sangue exerce sobre as paredes dos vasos sanguíneos, e sua medição tem como parâmetros dois momentos distintos: o momento da sístole (contração do coração e consequente impulso dado ao sangue em seu fluxo), e diástole (relaxamento do músculo cardíaco). A hipertensão dá o aumento da pressão do sangue, e pode ter várias causas, como hereditariedade, excesso de sal e gordura na alimentação, obesidade, fumo, álcool, estresse e também afecções e doenças. A hipertensão não tratada é altamente prejudicial e mesmo perigosa, podendo ser a causa de doenças cardiovasculares (insuficiência cardíaca, enfarte do miocárdio), de isquemia cerebral, de doenças renais etc.

hipertenso (hi.per.*ten*.so) *a.sm.* Que ou quem sofre de hipertensão.
hipertexto (hi.per.*tex*.to) [ê] *sm.* **1** *Edit.* Texto ou conjunto de textos cuja organização permite a escolha de diversos caminhos de leitura por meio de remissões que os vinculam a outros textos ou blocos de texto. **2** *Inf.* Texto ou conjunto de textos disponíveis em mídia eletrônica e acessados por computador, organizados de modo que se possa percorrê-los por meio de *links*, ou por relação entre elementos correlatos, e não só sequencialmente.

hipertrofia (hi.per.tro.fi.a) *sf. Med.* Aumento de tamanho das células que ocasiona o aumento do tecido ou do órgão formado por elas. ● **hi.per.tro.fi.co** *a.*; **hi.per.tro.fi.a.do** *a.*

⊕ **hip-hop** (*Ing. /ríp-rop/*) *sm2n.* Movimento cultural urbano originário dos Estados Unidos, típico da juventude pobre, e que se expressa em certos formatos musicais (p.ex.: *rap*) e de artes plásticas (p.ex.: grafite).

hípico (*hí*.pi.co) *a.* **1** Ref. a hipismo ou a cavalo. ◪ **hípica** *sf.* **2** Sociedade, clube (ou suas instalações) onde se pratica o hipismo.

hipismo (hi.*pis*.mo) *sm. Esp.* Esporte que se pratica com cavalos, como a equitação, o polo etc.

hipnagógico (hip.na.*gó*.gi.co) *a.* **1** Que provoca hipnose ou sono. **2** Que se refere às sensações que precedem o sono.

hipnofone, **hipnofono** (hip.no.*fo*.ne, hip.no.*fo*.no) *sm.* Pessoa que fala durante o sono.

hipnose (hip.no.se) *sf.* **1** *Psiq.* Estado de torpor induzido, no qual uma pessoa hipnotizada sujeita-se às instruções e sugestões do hipnotizador. **2** *Fig.* Estado de torpor, sonolência ou passividade.

hipnótico (hip.*nó*.ti.co) *a.sm.* **1** Ref. a hipnose; que ou aquilo que provoca sono ou hipnose. *a.* **2** *Fig.* Que fascina; encantador (olhar *hipnótico*).

hipnotismo (hip.no.*tis*.mo) *sm.* **1** Conjunto de técnicas ou processos capazes de provocar a hipnose. **2** Ciência que estuda a hipnose e seus fenômenos.

hipnotizar (hip.no.ti.*zar*) *v. td.* **1** Colocar em estado de hipnose. **2** *Fig.* Sujeitar (alguém) a encantos, cativar: *A inteligência do orador hipnotizava a plateia.* [▶ **1** hipnotizar] ● **hip.no.ti.za.ção** *sf.*; **hip.no.ti.za.do** *a.*; **hip.no.ti.za.dor** *a.sm.*; **hip.no.ti.zá.vel** *a2g.*

hipocampo (hi.po.*cam*.po) *sm.* **1** *Zool.* Ver *cavalo-marinho.* **2** *Mit.* Personagem mitológico, metade cavalo, metade peixe.

hipocondria (hi.po.con.*dri*.a) *sf. Psiq.* Alteração mental que leva o indivíduo a preocupar-se exageradamente com a própria saúde, procurando tratamento para doenças inexistentes. ● **hi.po.con.drí.a.co** *a.sm.*

hipocôndrio (hi.po.*côn*.dri:o) *sm. Anat.* Cada uma das partes superiores e laterais do abdome.

hipocrisia (hi.po.cri.*si*.a) *sf.* **1** Qualidade do que é hipócrita; FALSIDADE. **2** Ação ou resultado de dissimular, falsear a verdade, as intenções.

hipócrita (hi.*pó*.cri.ta) *a2g.s2g.* **1** Que ou quem simula ter sentimento, ideia, comportamento que na verdade não tem, ou finge ter uma declaração, um gesto, uma medida etc. sinceros, verdadeiros, eficazes etc. (sabendo que não são); FINGIDO; FALSO. *a2g.* **2** Em que há hipocrisia (sorriso *hipócrita*).

hipoderme (hi.po.*der*.me) *sf. Anat.* Ver *tela subcutânea* em *tela.*

hipodérmico (hi.po.*dér*.mi.co) *a.* **1** Que se situa na hipoderme. **2** Que se aplica ou se dá na hipoderme, por baixo da pele (injeção *hipodérmica*). **3** Ref. ou pertencente à hipoderme.

hipódromo (hi.*pó*.dro.mo) *sm.* Lugar adequado e equipado para a realização de corridas de cavalos.

hipófise (hi.*pó*.fi.se) *sf. Anat.* Glândula endócrina, situada no cérebro, que regula a atividade de outras glândulas também endócrinas; PITUITÁRIA.

hipogástrico (hi.po.*gás*.tri.co) *a.* Ref. ao hipogástrio ou pertencente a ele.

hipogástrio (hi.po.*gás*.tri:o) *sm. Anat.* Região central e inferior do abdome, abaixo do umbigo.

hipoglicemia (hi.po.gli.ce.*mi*.a) *sf. Med.* Teor de glicose no sangue inferior ao normal.

hipopótamo (hi.po.*pó*.ta.mo) *sm. Zool.* Grande mamífero africano que habita as margens de rios e lagos.

hipóstase (hi.*pós*.ta.se) *sf. Fil.* Engano que consiste em tomar como real, concreto e objetivo o que só existe como ficção ou abstração.

hipotálamo (hi.po.*tá*.la.mo) *sm. Anat.* Parte do cérebro que controla importantes funções como o sono, a temperatura corporal etc.

hipoteca (hi.po.*te*.ca) *sf.* **1** Cessão de um bem como garantia para um empréstimo, sem transferência de posse ao credor: *Fez a hipoteca do apartamento para pagar dívidas.* **2** Dívida resultante dessa cessão: *Conseguiu, afinal, saldar toda a hipoteca.* ● **hi.po.te.cá.ri:o** *a.*

hipotecar (hi.po.te.*car*) *v.* **1** Ceder um bem como garantia, sem perder sua posse. [*td.*: *Hipotecou a casa para pagar suas dívidas.* *tdi. + a*: *Hipotecou todos os imóveis a uma instituição financeira.*] **2** *Fig.* Garantir, manifestar, assegurar. [*tdi. + a*: *Hipotecou solidariedade ao amigo em dificuldades.*] [▶ **11** hipotecar]

hipotensão (hi.po.ten.*são*) *sf. Med.* Pressão do sangue nas paredes dos vasos sanguíneos inferior à normal; pressão baixa. [Ant.: *hipertensão*.] [Pl.: -sões.]

hipotenusa (hi.po.te.*nu*.sa) *sf. Geom.* Num triângulo retângulo, o lado oposto ao ângulo reto.

hipotermia (hi.po.ter.*mi*.a) *sf. Med.* **1** Temperatura do corpo abaixo da normal. **2** Baixa espontânea ou induzida da temperatura corporal (neste caso, ger. para fins terapêuticos ou cirúrgicos).

hipótese (hi.*pó*.te.se) *sf.* **1** Juízo, opinião, afirmação etc. que se consideram válidos antes de comprovados, ger. us. como ponto de partida para sua demonstração e comprovação (*hipótese* científica); suposição; conjectura. **2** Fato ou ação que podem vir a ocorrer ou não; eventualidade: *Reservei passagens para a hipótese de ter de viajar.*

hipotético (hi.po.*té*.ti.co) *a.* **1** Que se baseia em hipóteses (1) (conclusão *hipotética*); suposto. **2** Que não é conclusivo; duvidoso, incerto (vitória *hipotética*).

hipoxemia (hi.po.xe.*mi*.a) [cs] *sf. Med.* Baixa oxigenação sanguínea.

⊕ **hippie** (*Ing. /rípi/*) *a2g.s2g.* **1** Que ou quem, nas décadas de 1960 e 1970, rejeitava os valores, hábitos e costumes da sociedade ocidental, e pregava um novo modo de vida baseado no convívio em comunidade, no amor livre e na não violência. *a2g2n.* **2** Ref. ou pertencente aos, ou próprio dos *hippies* (moda *hippie*).

hirsuto (hir.*su*.to) *a.* **1** Que tem os pelos longos, grossos e duros (barba *hirsuta*). **2** Ver *hirto* (3) (cabelos *hirsutos*). **3** Ver *hirto* (4).

hirto (*hir*.to) *a.* **1** Que não tem flexibilidade; TESO; RETESADO: *Vestia uma camisa hirta, de tão engomada.* **2** Que está imóvel, parado: *Seu braço, hirto, pendia sem ação.* **3** Diz-se de pelo ou cabelo crespo, eriçado; HIRSUTO. **4** *Fig.* Diz-se de quem não sabe tratar bem as pessoas; ÁSPERO; RÍSPIDO; HIRSUTO.

hispânico (his.*pâ*.ni.co) *a.* **1** Ref. à Hispânia, antiga província do Império Romano que correspondia à região da península Ibérica; típico dessa região ou do seu povo. **2** Da Espanha (Europa); típico desse país ou de seu povo. *sm.* **3** Pessoa nascida na Espanha. **4** Latino-americano que vive nos Estados Unidos.

hispano-americano (his.pa.no-a.me.ri.*ca*.no) *a.* **1** Ref. à América e à Espanha simultaneamente. *a.sm.* **2** Que ou quem se origina da América espanhola. [Pl.: *hispano-americanos*.]

híspido (*hís*.pi.do) *a.* Diz-se do que tem aspecto eriçado, arrepiado ou encrespado (mar *híspido*).

hissope (his.*so*.pe) *sm. Ecles.* Utensílio us. para borrifar água benta; ASPERSÓRIO.

histamina (his.ta.*mi*.na) *sf. Bioq.* **1** Amina liberada pelas células do sistema imunológico durante reações alérgicas. **2** Forma sintética dessa substância, comercializada para diversos fins.

histerese (his.te.*re*.se) *sf.* **1** *Fís.* Situação ou fenômeno em que as propriedades de um sistema dependem de seu histórico ou da variação das propriedades de outro sistema. **2** *Inf.* Atraso na resposta de um sistema em função da variação no valor do sinal.

histeria (his.te.ri.a) *sf.* **1** *Psiq.* Neurose cujos sintomas se manifestam por meio de distúrbios corporais, sem que existam problemas orgânicos. **2** Reação emocional exagerada em face de estímulos sociais ou sentimentais. • his.té.ri.co *a.sm.*

histerismo (his.te.ris.mo) *sf.* **1** Descontrole emocional exagerado, ger. acompanhado por gritos. **2** Exaltação, nervosismo ou irritabilidade excessivos.

histeroscopia (his.te.ros.co.pi.a) *sf. Med.* Exame endoscópico do útero. • his.te.ros.có.pi.co *a.*

histeroscópio (his.te.ros.có.pi:o) *sm.* Instrumento us. para examinar o útero.

histologia (his.to.lo.gi.a) *sf. Biol.* Especialidade da biologia que estuda a estrutura microscópica dos tecidos orgânicos. • his.to.ló.gi.co *a.*; his.to.lo.gis.ta *s2g.*

história (his.tó.ri.a) *sf.* **1** Reunião e estudo dos conhecimentos documentados ou transmitidos pela tradição, a respeito do desenvolvimento da humanidade, de um período, povo, país, ou indivíduo específicos: *história do Brasil / da medicina*. **2** A disciplina, a ciência e os métodos dessa reunião e desse estudo. **3** Narrativa de fatos reais ou fictícios: *a história de Capitu e Bentinho*. **4** *Fig.* Narrativa ou argumento que tem a intenção de enganar: *Contou uma história para faltar ao trabalho*. [Dim.: *historieta* e *historíola*.] ❚❚ **Cheio de ~s 1** Complicado, criador de casos, melindroso. **2** Pretensioso, cheio de luxos. **Ficar para contar a ~** Sobreviver. **~ em quadrinhos** Ver *história em quadrinhos* em *quadrinho*.

historiador (his.to.ri:a.dor) [ó] *sm.* Pessoa que é especialista em história (2); HISTORIÓGRAFO.

historiar (his.to.ri.ar) *v.* **1** Narrar (um fato) como evento histórico. [*td.*: *Historiou a ocupação holandesa em Pernambuco.*] **2** Contar (uma história ou um fato qualquer). [*td.*: *Não conseguiu historiar o acidente. td. + a, para*: *Historiou a viagem para os amigos*.] [▶ **1** histori[ar].)

historicismo (his.to.ri.cis.mo) *sm. Fil.* Doutrina que considera a história o ponto de partida para explicar todos os valores da humanidade.

histórico (his.tó.ri.co) *a.* **1** Ref. a história (1 e 2). **2** Diz-se de um fato ou acontecimento importante, digno de pertencer à história: *Assisti a um fato histórico*. **3** Que tem como tema um fato ou personagem da história (romance *histórico*). **4** Que teve existência real (personagem *histórico*). *sm.* **5** Descrição cronológica de fatos: *o histórico escolar*. • his.to.ri.ci.da.de *sf.*

historieta (his.to.ri:e.ta) [ê] *sf.* História (narrativa) breve.

historiografia (his.to.ri:o.gra.fi.a) *sf.* O trabalho de estudar e descrever a história, realizado pelo historiador. • his.to.ri:o.grá.fi.co *a.*

historiógrafo (his.to.ri:ó.gra.fo) *sm.* **1** Quem tem a incumbência de pesquisar e escrever a história de uma época, de uma nação, de um acontecimento histórico etc. **2** Ver *historiador*.

histrião (his.tri:ão) *sm.* **1** *Teat.* Ator de comédia; COMEDIANTE. **2** *Fig.* Indivíduo que provoca riso; PALHAÇO. [Pl.: *-ões.*]

hitlerismo (hi.tle.ris.mo) *sm. Pol.* O conjunto das ideias de Adolf Hitler, ditador alemão de 1933 a 1945; tendência de apoio a essas ideias. [Ver th. *nazismo*.] • hi.tle.ris.ta *a2g.s2g.*

▧ **HIV** *Med.* Sigla do inglês para *Human Immunodeficiency Virus*, vírus da imunodeficiência humana, causador da síndrome de imunodeficiência adquirida (AIDS ou SIDA). [Ver th. *AIDS* e *imunologia*.]

▧ **hl** *Símb.* de *hectolitro*.

▧ **hm** *Símb.* de *hectômetro*.

❋ **hobby** (*Ing.* /ró*bi*/) *sm.* Atividade que se faz por prazer, divertimento, livre de qualquer obrigação; PASSATEMPO: *Seu hobby é colecionar chaveiros*.

hodierno (ho.di:er.no) *a.* Ref. aos dias atuais.

hodômetro (ho.dô.me.tro) *sm.* Instrumento que mede distâncias percorridas.

hoje (*ho*.je) *adv.* **1** No dia em que se situa quem fala ou escreve; neste dia: *Choveu, e hoje não fiz minha caminhada. sm.* **2** A época atual: *os dias de hoje*.

holandês (ho.lan.*dês*) *a.* **1** Da Holanda, ou Países Baixos (Europa); típico desse país ou de seu povo. *sm.* **2** Pessoa nascida na Holanda. *a.sm.* **3** *Gloss.* Da, ref. à ou a língua falada na Holanda. [Pl.: *-deses.* Fem.: *-desa.*]

holerite (ho.le.ri.te) *sm. SP* Ver *contracheque*.

holismo (ho.*lis*.mo) *sm. Fil.* Conceito teórico segundo o qual todos os seres interagem formando um todo, sem que se possa entendê-los isoladamente. • ho.*lis*.ta *a2g.s2g.*; ho.*lis*.ti.co *a.*

holocausto (ho.lo.*caus*.to) *sm.* **1** *Rel.* Entre os antigos hebreus, sacrifício ritual de animais pelo fogo; o animal assim sacrificado. **2** Sacrifício. **3** ❚❚ **Holocausto** *sm.* **3** *Restr.* Massacre de milhões de judeus, ciganos e outras minorias, idealizado e perpetrado pelos nazistas durante a Segunda Guerra Mundial. [Nesta acp., é precedido de art. def.]

holoceno (ho.lo.ce.no) [ê] *Geol. a.* **1** Da época geológica mais recente do período quaternário, que se inicia após o período glacial. *sm.* **2** Essa época. [Nesta acp., com inicial maiúsc.]

holofote (ho.lo.*fo*.te) *sm.* Aparelho que emite um forte facho de luz, para iluminar objetos à distância.

holografia (ho.lo.gra.fi.a) *sf. Ópt.* Processo de fotografia em três dimensões mediante o uso do *laser*. • ho.lo.*grá*.fi.co *a.*

holograma (ho.lo.gra.ma) *sm. Ópt.* Fotografia tridimensional obtida por holografia.

hombridade (hom.bri.*da*.de) *sf.* **1** Aspecto viril, másculo. **2** Integridade de caráter; DIGNIDADE.

homem (ho.mem) *sm.* **1** O ser humano; quem pertence à mais evoluída espécie animal, de alto nível de raciocínio e capaz de falar. **2** Indivíduo do sexo masculino, em oposição à mulher. **3** Adulto do sexo masculino, em oposição à criança: *Carlos fez 18 anos, já é um homem*. [Pl.: *-mens.* Fem. (acp. 2 e 3): *mulher*. Aum. (acps. 2 e 3): *homenzarrão*. Dim. (acps. 2 e 3): *homenzinho* e *homúnculo*.] ❚❚ **De ~ para ~** Com toda a franqueza: *Conversaram de homem para homem*. **~ público** Quem ocupa cargo público ou se dedica a algo de interesse público.

homem-rã (ho.mem-*rã*) *sm.* Mergulhador profissional. [Pl.: *homens-rãs* e *homens-rã*.]

homenagear (ho.me.na.ge.ar) *v. td.* Prestar homenagem a: *A população homenageou o herói*. [▶ **13** homenage[ar].] • ho.me.na.ge.a.do *a.sm.*

homenagem (ho.me.*na*.gem) *sf.* **1** Ato ou demonstração de respeito, apreço ou admiração por alguém: *homenagem aos atletas olímpicos*. **2** *Hist.* Juramento de subordinação e fidelidade que os vassalos faziam aos senhores feudais. [Pl.: *-gens.*]

homeopata (ho.me:o.*pa*.ta) *s2g.* Pessoa que exerce a homeopatia. [Cf.: *alopata*.]

homeopatia (ho.me:o.pa.ti.a) *sf. Med.* Método de terapia em que se prescrevem doses mínimas de substâncias que produzem os efeitos da própria doença. [Cf.: *alopatia*.]

📖 Essa doutrina de tratamento de doenças, criada por um médico alemão, Samuel Hahnemann (1755-1843), baseia-se no princípio por ele desenvolvido de que as mesmas substâncias que causam as doenças podem curá-las, quando aplicadas em doses muito pequenas. Opõe-se, assim, à *alopatia*, sistema que preconiza o uso de substâncias de efeito contrário ao das que provocam as doenças. Atualmente já se dispõe de uma longa lista de doenças e das substâncias homeopáticas que lhes correspondem. No Brasil, a homeopatia foi introduzida em 1841.

homeopático (ho.me:o.*pá*.ti.co) *a.* **1** Ref. a homeopatia. **2** *Fig.* Que aparece ou se manifesta gradualmente: *Nossos lucros neste investimento são homeopáticos.* **3** *Fig.* De dimensões ou quantidades ínfimas; MÍNIMO: *Tomou a bebida em doses homeopáticas.* [Cf. *alopático*.]

homeotermo (ho.me:o.*ter*.mo) [é] *a.sm.* Que ou o que se mantém em temperatura constante.

⊕ **homepage** (*Ing. /'rômpeidj/*) *sf. Inf.* Página de apresentação de um *site* em uma rede de computadores (internet, intranet), com remissões a outras páginas.

homérico (ho.*mé*.ri.co) *a.* **1** Ref. ao poeta grego Homero ou à sua obra (poemas homéricos). **2** *Fig.* Que tem características monumentais, grandiosas (discussão homérica).

⊕ **home-theater** (*Ing. /'rom-tiater'/*) *sm.* Combinação de televisão, reprodutor de imagens em vídeo e aparelho de som, que busca criar em ambiente doméstico uma sala de cinema.

homicida (ho.mi.*ci*.da) *a2g.s2g.* **1** Que ou quem pratica homicídio. *a2g.* **2** Que pode levar ao homicídio ou causá-lo (compulsão homicida).

homicídio (ho.mi.*cí*.di:o) *sm.* Ação que consiste em tirar a vida de alguém; ASSASSINATO.

homilia (ho.mi.*li*.a) *sf. Rel.* Sermão simples e em estilo coloquial sobre passagens do Evangelho.

hominídeo (ho.mi.*ní*.de:o) *sm. Zool.* Tipo de primata que compreende o homem e seus ancestrais.

homiziar (ho.mi.*zi.ar*) *v.* **1** Esquivar(-se) à vigilância ou à ação da justiça; ESCONDER(-SE); OCULTAR(-SE). [*td.* (seguido de indicação de lugar): *Homiziou o bandido em sua casa.* *pr.*: *Homiziou-se na casa dos pais.*] **2** Esconder(-se), encobrir(-se). [*td.* (seguido de indicação de lugar): *Homiziou a fortuna no sótão.* *pr.*: *Homiziou-se usando aquele chapéu.*] [▶ **1** homiziar]

homizio (ho.mi.*zi*.o) *sm.* Ação ou resultado de homiziar(-se).

homófono (ho.*mó*.fo.no) *a.* (ho.mó.fo.no, ho.mo.*fo*.no) *a. Gram.* Diz-se de palavra que tem a mesma pronúncia de outra, mas sentido e grafia diferentes (p.ex.: *senso* e *censo*). [Us. tb. com substant.] [Cf.: *homógrafo*.]
● **ho.mo.fo.***ni*.a *sf.*

homogeneizar (ho.mo.ge.ne:i.*zar*) *v.* **1** Tornar ou ficar homogêneo. [*td.*: *O diretor redistribuiu as turmas para homogeneizá-las.* *pr.*: *A população homogeneizou-se com o tempo.*] **2** Misturar substâncias diferentes formando um composto estável. [*td.*: *Homogeneizar os ingredientes da receita.* *pr.*: *Os compostos químicos homogeneizaram-se.*] [▶ **1** homogeneizar] Quanto à acentuação do *i*, ver paradigma 18.]
● **ho.mo.ge.ne:i.za.***ção* *sf.*

homogêneo (ho.mo.*gê*.ne:o) *a.* Cuja estrutura é composta de elementos estreitamente ligados, ou de natureza comum, ou de mesmo nível, ou de características similares (equipe homogênea, superfície homogênea). [Ant.: *heterogêneo*.] ● **ho.mo.ge.***nei.da.de* *sf.*

homógrafo (ho.*mó*.gra.fo) *a. Gram.* Diz-se de palavra que tem a mesma grafia de outra, mas significado diferente (p. ex.: *manga* (fruto) e *manga* (parte da roupa). [Us. tb. com substant.] [Cf.: *homófono*.]
● **ho.mo.gra.***fi*.a *sf.*

homologar (ho.mo.lo.*gar*) *v. td.* **1** Confirmar juridica ou administrativamente: *homologar a sentença.* **2** Reconhecer oficialmente: *A federação homologou os recordes da competição.* [▶ **14** homologar] ● **ho.mo.lo.ga.***ção* *sf.*; **ho.mo.lo.ga.***tó*.ri:o *a.*; **ho.mo.lo.***gá*.vel *a2g.*

homólogo (ho.*mó*.lo.go) *a. Geom.* Diz-se de um elemento de figura geométrica (lado, ângulo etc.) correspondente a elemento similar em outra figura semelhante à primeira.

homonímia (ho.mo.*ní*.mi:a) *sf. Gram. Ling.* Qualidade, propriedade ou condição de homônimo. ● **ho.mo.***ní*.mi.co *a.*

homônimo (ho.*mô*.ni.mo) *a.* **1** Que tem o mesmo nome: *O filme* O menino maluquinho *é baseado no livro homônimo de Ziraldo.* **2** *Gram. Ling.* Que se escreve e se pronuncia ou só se pronuncia da mesma maneira que outra palavra, mas tem sentido diferente desta (p.ex.: *sela* e *cela*). [Us. tb. como substant.] [Cf.: *parônimo*.]

homóptero (ho.*móp*.te.ro) *sm. Zool.* Tipo de inseto, como as cigarras, que se alimenta sugando a seiva das plantas.

homossexual (ho.mos.se.xu:*al*) [cs] *a2g.s2g.* Que ou quem sente atração por e/ou tem relações sexuais com pessoas do mesmo sexo. [Pl.: *-ais.*] [Cf.: *heterossexual.*] ● **ho.mos.se.xu:a.***li.da.de* *sf.*

homossexualismo (ho.mos.se.xu:a.*lis*.mo) [cs] *sm.* **1** Tendência à ou prática da relação homossexual. **2** Condição de homossexual. [Cf.: *heterossexualismo*.]

homozigoto (ho.mo.zi.go.to) [ó] *a.sm. Gen.* Diz-se de ou indivíduo que herda dos dois progenitores genes iguais para a mesma característica (p.ex., na cor dos olhos, recebe de ambos os genes da cor azul).

homúnculo (ho.*mún*.cu.lo) *sm.* Homem muito pequeno. [Us. ger. com sentido pej.]

hondurenho (hon.du.*re*.nho) *a.* **1** De Honduras (América Central); típico desse país ou de seu povo. *sm.* **2** Pessoa nascida em Honduras.

honesto (ho.*nes*.to) *a.* **1** Que procede de acordo com as normas (legais, morais etc.) aceitas na sociedade (homem honesto). **2** Que tem ou demonstra honradez, nobreza de caráter (atitude honesta); DIGNO. **3** Que satisfaz, que é adequado, correto: *O restaurante serve uma refeição honesta.* ● **ho.nes.ti.***da.de* *sf.*

honorário (ho.no.*rá*.ri:o) *a.* **1** Que presta honra, homenagem, consideração; HONORÍFICO. **2** Que preserva as honras e prerrogativas (de título, função etc.) sem remuneração ou atuação efetiva (presidente honorário). ◘ **honorários** *smpl.* **3** Remuneração dos profissionais liberais.

honorável (ho.no.*rá*.vel) *a.* Digno de honra ou homenagem (honorável mestre). [Pl.: *-veis.*] ● **ho.no.ra.bi.li.***da.de* *sf.*

honorífico (ho.no.*rí*.fi.co) *a.* Ver honorário (1). [Superl.: *honorificentíssimo.*]

⊕ **honoris causa** (*Lat. /onóris causa/*) *loc.a.* Título conferido a profissional eminente em sua área de atuação, sem que haja a necessidade de exames ou concurso (doutor honoris causa).

honra (*hon*.ra) *sf.* **1** Princípio de conduta pessoal que se fundamenta na ética, honestidade, coragem, e em outros comportamentos socialmente considerados dignos e virtuosos; DIGNIDADE: *Ele tem um inflexível código de honra.* **2** O sentimento pessoal de quem adota esse princípio; DIGNIDADE: *Para preservar sua honra, resistiu a todas as tentações.* **3** Demonstração de respeito e reconhecimento para com pessoas meritórias; HOMENAGEM: *Ela merece todas as honras.* **4** Castidade (da mulher). **5** Ato de consideração ou deferência: *Pode me conceder a honra dessa dança?* **6** Marca, função ou lugar de importância ou de destaque: *presidente de honra.* ▪▪ **Fazer as ~s da casa** Receber com atenção hóspede ou convidado.

honrado (hon.*ra*.do) *a.* **1** Que tem ou demonstra honra (1 e 2) (trabalho honrado); DIGNO; HONESTO. **2** Respeitado ou merecedor de respeito: *Sentia-se honrado com sua atenção.* **3** Diz-se da mulher casta.
● **hon.ra.***dez* *sf.*

honrar (hon.*rar*) *v.* **1** Conceder honras a, cobrir de honrarias. [*td.*: *Toda nação honra seus heróis.*] **2** Respeitar, reverenciar, venerar. [*td.*: *honrar a pátria.*] **3** Mostrar-se digno de; dignificar, enobrecer. [*td.*: *honrar o seu sobrenome.*] **4** Ser fiel a (compromisso, promessa etc.), quitar (uma dívida). [*td.*] **5** Causar satisfação a ou sentir satisfação; LISONJEAR(-SE). [*td.*: "...essa família que me honrava com sua amizade..." (José de Alencar, *Senhora*). *pr.*: *Honrou-se com os elogios do chefe.*] [▶ 1 honr*ar*]

honraria (hon.ra.*ri*.a) *sf.* Manifestação de honra e distinção que se presta a alguém: *Recebeu todas as honrarias possíveis.* [Mais. us. no pl.]

honroso (hon.*ro*.so) [ô] *a.* **1** Que confere honra (atitude honrosa); DIGNIFICANTE. **2** Em que há honra (1), honestidade, dignidade (declaração honrosa). [Fem. e pl.: [ó].]

hóquei (*hó*.quei) *sm. Esp.* Jogo praticado em diversos tipos de pisos (grama, gelo, madeira ou cimento), em que duas equipes munidas de bastões têm como objetivo impelir, com estes, uma pequena bola ou disco por baixo de um arco da equipe adversária.

hora (*ho*.ra) *sf.* **1** Divisão de tempo equivalente a 1/24 do dia (2), por sua vez dividida em sessenta minutos. **2** Indicação de um período de tempo específico equivalente a uma dessas divisões: *São duas horas da tarde (post meridiem).* **3** Ocasião propícia; momento exato: *Chegou a hora de agirmos.* ■ **A ~s mortas** A altas horas da noite, geralmente em momentos calmos e silenciosos da noite. **Fazer ~** Entreter-se enquanto espera. **Fazer ~ com** *Pop.* Caçoar, zombar de. **~ extra** Cada hora que se trabalha após o horário normal, ger. remuneradamente. **~ H** O momento decisivo ou inicial de um projeto, uma operação etc. **Pela ~ da morte** Muito caro.

🕮 As 24 horas que compõem um dia do calendário são numeradas a partir da meia-noite (0 hora) de um dia até à meia-noite do dia seguinte. Essa numeração pode ser feita também em dois grupos de 12 horas: no primeiro grupo, de 0 hora (tb. dita *meia-noite*) às 11 horas, são designadas 'da madrugada' ou 'da manhã', ou *ante meridiem* (com a notação *a.m.*); no segundo grupo, das 12 horas (tb. dita *meio-dia*) às 11 horas da noite, são designadas 'da tarde' ou 'da noite', ou *post meridiem* (com a notação *p.m.*).

hora-luz (ho.ra-*luz*) *sf. Astron.* Distância percorrida pela luz no intervalo de uma hora. [Pl.: *horas-luz*.]

horário (ho.*rá*.ri.o) *a.* **1** Ref. a hora(s). **2** Por hora, a cada intervalo de uma hora: *vinte quilômetros horários*. *sm.* **3** Distribuição de eventos pelas horas do dia, ou a tabela que a expressa: *horário das aulas/ dos trens.* ■ **~ de verão 1** Tempo normal (marcado em horas) adiantado de uma hora para melhor aproveitar a luz vespertina e economizar energia; hora de verão. **2** O período de vigência desse horário.

horda (*hor*.da) [ó] *sf.* **1** Bando de bagunceiros, indisciplinados: *Uma horda invadiu a festa.* **2** Grande número de pessoas: *A horda de foliões atravessou a avenida.* **3** Tribo de nômades.

horista (ho.*ris*.ta) *a2g.s2g.* Que ou quem tem sua remuneração calculada por hora de trabalho.

horizontal (ho.ri.zon.*tal*) *a2g.* **1** Ref. ao ou que é paralelo ao horizonte (portanto, perpendicular à vertical) (trajetória horizontal). *sf.* **2** Linha paralela ao horizonte. **3** *Fam.* Posição horizontal: *Ficou descansando na horizontal.* [Pl.: *-tais*.] ● **ho.ri.zon.ta.li.da.de** *sf.*

horizonte (ho.ri.*zon*.te) *sm.* **1** Linha que parece, ao observador em campo aberto, separar o céu da terra ou do mar, limitando seu alcance visual: "Chuvas de outono escureciam o horizonte." (Kurban Said, *Ali e Nino*). **2** Toda a faixa de limite aparente entre o céu e a terra ou o mar avistada por observador em campo aberto: *Do convés do navio, descortinava o horizonte.* **3** *Fig.* Perspectiva de futuro: *O estudo abriu-lhe novos horizontes.* **4** Área de alcance, de atuação de indivíduo ou grupo: *Só conhecia os horizontes de sua aldeia.* [Nas acps. 3 e 4, mais us. no pl.]

hormônio (hor.*mô*.ni:o) *sm. Bioq.* Designação de várias substâncias produzidas pelo organismo e que regulam funções fisiológicas específicas. ● **hor.mo.nal** *a2g.*

🕮 Produzidos em plantas e animais por órgãos denominados glândulas de secreção interna, ou simplesmente endócrinas, os hormônios são substâncias que influenciam e regulam certas funções fisiológicas, podem determinar, p.ex., o crescimento, o metabolismo, e até mesmo características de comportamento. O estudo e o tratamento dessas glândulas chama-se *endocrinologia*. Entre os principais hormônios das glândulas humanas estão os vários produzidos pela hipófise, ou pituitária, que atuam em diversas funções importantes, inclusive no crescimento; os produzidos pela tireoide; a insulina, produzida no pâncreas; a cortisona e a corticosterona; a adrenalina; e os hormônios sexuais masculino e feminino (testosterona e progesterona, respectivamente).

horóscopo (ho.*rós*.co.po) *sm. Astrol.* Previsão sobre a vida ou aspectos específicos da vida de alguém, segundo a posição dos astros na hora do seu nascimento.

horrendo (hor.*ren*.do) *a.* **1** Que provoca horror. **2** Muito feio. [Sin. ger.: *horroroso, horrível*.]

horripilar (hor.ri.pi.*lar*) *v.* **1** Causar ou sentir arrepios; arrepiar(-se). [*td.*: *O filme horripilou os espectadores.* *int.*: *Fez um frio de horripilar.* *pr.*: *Horripilou-se de medo.*] **2** Causar ou sentir horror, medo; HORRORIZAR(-SE). [*td.*: *O acidente horripilou os pedestres.* *pr.*: *Horripilou-se com a violência.*] [▶ 1 horripil*ar*] ● **hor.ri.pi.lan.te** *a2g.*

horrível (hor.*rí*.vel) *a2g.* **1** Ver *horrendo.* **2** Péssimo; muito ruim; HORROROSO: *Enfrentei um trânsito horrível.* [Pl.: *-veis.* Superl.: *horribilíssimo.*]

horror (hor.*ror*) [ô] *sm.* **1** Sentimento de medo, ou de pavor: *Qualquer historinha de fantasmas causa-lhe horror.* **2** Sentimento de repulsa, de rejeição; AVERSÃO: *Tinha horror a comida gordurosa*; "...não disfarçava o horror que minha presença causava..." (Ana Maria Machado, *A audácia dessa mulher*). **3** Aquilo que causa medo, repulsa ou que é muito ruim, enfadonho: *Aquele filme é um horror.*

horrorizar (hor.ro.ri.*zar*) *v.* **1** Causar ou disseminar horror. [*td.*: *A violência horroriza os cidadãos.* *int.*: *A sujeira nas ruas é de horrorizar.*] **2** Ser tomado, encher-se de horror. [*pr.*: *Horrorizou-se com a poluição das praias.*] [▶ 1 horroriz*ar*] ● **hor.ro.ri.za.do.a** *a.*

horroroso (hor.ro.*ro*.so) [ô] *a.* **1** Ver *horrendo.* **2** Ver *horrível* (2). [Fem. e pl.: [ó].]

● **hors-concours** (Fr. */or-concúr/*) *a2g2n.s2g2n.* Ref. a quem, por ser muito superior aos outros candidatos ou já ter sido premiado ou por fazer parte do júri, não pode participar de um concurso.

horta (*hor*.ta) *sf.* Pedaço de terra onde se cultivam hortaliças.

hortaliça (hor.ta.*li*.ça) *sf. Bot.* Designação de plantas comestíveis cultivadas ger. em hortas.

hortelã (hor.te.*lã*) *sf. Bot.* Erva com propriedades aromáticas e medicinais.

hortelão (hor.te.*lão*) *sm.* Pessoa responsável por cuidar de horta. [Pl.: *-lãos* e *-lões.* Fem.: *-loa.*]

hortelã-pimenta (hor.te.lã-pi.*men*.ta) *sf. Bot.* Erva da família das labiadas, apreciada como condimento e pelas suas propriedades medicinais. [Pl.: *hortelãs-pimentas* e *hortelãs-pimenta.*]

hortense (hor.*ten*.se) *a2g.* Ref. a horta, ou cultivado nela; HORTÍCOLA.

hortênsia | humano

hortênsia (hor.tên.si:a) *sf. Bot.* Nome dado a várias plantas, cultivadas como ornamentais em razão de suas flores.

hortícola (hor.tí.co.la) *a2g.* Ver *hortense*.

horticultor (hor.ti.cul.tor) [ô] *sm.* Pessoa que se dedica à horticultura.

horticultura (hor.ti.cul.tu.ra) *sf.* A arte ou técnica de cultivar hortas e jardins.

hortifrutigranjeiro (hor.ti.fru.ti.gran.jei.ro) *a.sm.* Ref. a ou tipo de produto que é cultivado em horta, ou pomar ou granja.

hortigranjeiro (hor.ti.gran.jei.ro) *a.sm.* Ref. a ou tipo de produto cultivado em horta ou granja.

horto (hor.to) [ô] *sm.* **1** Horta pequena. **2** Local se cultivam plantas para fins comerciais ou experimentais. [Pl.: [ó].]

hosana (ho.sa.na) *sm.* **1** *Litu.* Cântico religioso, esp. o executado em celebrações católicas no domingo de Ramos. **2** Cântico de glória, de louvor. *interj.* **3** Expressa alegria, júbilo (por vitória, sucesso etc.).

hospedagem (hos.pe.da.gem) *sf.* **1** Ação ou resultado de hospedar, de abrigar pessoas; HOSPITALIDADE (1). **2** Ver *hospedaria*. [Pl.: *-gens*.]

hospedar (hos.pe.dar) *v.* **1** Dar hospedagem ou instalar-se como hóspede. [*td.* (seguido ou não de indicação de lugar): *Hospedou os parentes (em sua casa).* *pr.*: *Hospedou-se num hotel.*] **2** Dar ou receber abrigo; ABRIGAR-SE. [*td.*: *O zoológico hospedou os animais doentes. pr.*: *Os pássaros hospedaram-se no telhado da casa.*] **3** *Inf.* Alojar ou receber *sites* ou *home pages* em local que possibilite sua utilização na internet. [*td.* (seguido de indicação de lugar): *Hospedou o site (no melhor provedor da cidade).*] [▶ **1** hospedar] • hos.pe.da.do *a.*; hos.pe.dá.vel *a2g.*

hospedaria (hos.pe.da.ri.a) *sf.* Estabelecimento onde pessoas se hospedam mediante pagamento; HOSPEDAGEM.

hóspede (hós.pe.de) *s2g.* Quem se abriga por certo tempo na casa de outrem, ou numa hospedaria ou hotel. [Fem. (p.us.): *hóspeda*.]

hospedeiro (hos.pe.dei.ro) *a.* **1** Que ou quem hospeda: *Passei as férias no campo, e Mário foi o meu hospedeiro.* **2** *Ecol.* Diz-se de organismo que acolhe ou nutre um outro organismo. **3** *Med.* Que ou aquele (organismo) que recebeu transplante de órgão ou tecido originário de um outro organismo.

hospício (hos.pí.ci:o) *sm.* **1** Estabelecimento que acolhe pessoas com problemas mentais e lhes dá assistência; MANICÔMIO. **2** Estabelecimento que acolhe pessoas necessitadas; ASILO.

hospital (hos.pi.tal) *sm.* Estabelecimento onde se tratam pessoas doentes ou feridas, ger. internadas. [Pl.: *-tais*.]

hospitalar (hos.pi.ta.lar) *a2g.* Ref. a hospital ou hospício.

hospitaleiro (hos.pi.ta.lei.ro) *a.* **1** Que oferece hospedagem, por generosidade ou compaixão. **2** Que recebe e trata bem seus hóspedes, visitantes etc. (cidade *hospitaleira*).

hospitalidade (hos.pi.ta.li.da.de) *sf.* **1** Ação ou resultado de hospedar; HOSPEDAGEM (1). **2** Qualidade do que ou de quem é hospitaleiro: *Esta cidade é famosa por sua hospitalidade.*

hospitalizar (hos.pi.ta.li.zar) *v.* Internar(-se) em hospital. [*td.*: *O médico decidiu hospitalizar o enfermo. pr.*: *Hospitalizou-se para realizar exames.*] [▶ **1** hospitalizar] • hos.pi.ta.li.za.ção *sf.*; hos.pi.ta.li.za.do *a.*

hoste (hos.te) [ó] *sm.* **1** Grupo de soldados; TROPA. **2** Aglomeração de pessoas; MULTIDÃO.

hóstia (hós.ti:a) *sf.* **1** *Rel.* Pedaço fino e circular de massa sem fermento, consagrado na missa católica e oferecido aos fiéis na comunhão. **2** Pasta feita de massa branca us. como cobertura de alguns alimentos e medicamentos.

hostil (hos.til) *a2g.* **1** Que expressa ou demonstra oposição, rejeição: *Adotou uma posição hostil à reforma.* **2** Que expressa ou demonstra agressividade, inimizade: *A seleção enfrentou uma torcida hostil e ameaçadora.* [Pl.: *-tis*.]

hostilidade (hos.ti.li.da.de) *sf.* **1** Qualidade de hostil. **2** Ato ou manifestação hostil.

hostilizar (hos.ti.li.zar) *v.* **1** Tratar com hostilidade, agressividade; provocar; agredir. [*td.*: *Os jogadores hostilizaram o juiz no final da partida. pr.*: *Os dois irmãos hostilizam-se diariamente.*] **2** Sentir e/ou demonstrar hostilidade contra. [*td.*: *Em seus artigos, ele hostilizava os adversários políticos.*] [▶ **1** hostilizar] • hos.ti.li.za.ção *sf.*

hotel (ho.tel) *sm.* Estabelecimento que oferece hospedagem, alugando quartos e/ou apartamentos, ger. com serviços como alimentação, lavanderia, lazer e outros. [Pl.: *-téis*.]

hotelaria (ho.te.la.ri.a) *sf.* **1** A atividade econômica de exploração de hotéis: *A hotelaria depende muito do turismo.* **2** Técnica de administração de hotéis: *Ele vai fazer um curso de hotelaria.* **3** Rede de hotéis em determinado âmbito: *a hotelaria de uma cidade.*

hoteleiro (ho.te.lei.ro) *a.* **1** Ref. a, de ou próprio de hotel (estrutura *hoteleira*). *sm.* **2** Pessoa que possui ou administra hotéis.

hotentote (ho.ten.to.te) [ó] *a2g.* **1** Ref. ao, do próprio do povo hotentote, originário da África do Sul. *s2g.* **2** Indivíduo que integra esse povo. *a2g.sm.* **3** *Gloss.* Da, ref. à ou a língua falada pelos hotentotes.

húbris (hú.bris) *s2g.* Orgulho exagerado; comportamento arrogante, presunção; insolência; arrogância: "Na sua húbris, os humanos têm a arrogância de presumir que sabem tudo. ..." (Neale Donadl Walsch. *Visão*, 25.06.2017)

hulha (hu.lha) *sf. Min.* **1** Certo tipo de carvão mineral. **2** Qualquer carvão mineral.

hum *interj.* Representa dúvida, desconfiança, impaciência, desaprovação: *Hum... não sei se posso confiar no que diz.*

humanidade (hu.ma.ni.da.de) *sf.* **1** A condição ou a natureza humana. **2** O conjunto dos homens; o gênero humano. **3** Sentimento de compaixão, clemência, benevolência para com o próximo. ▣ **humanidades** *sfpl.* **4** O conjunto dos conhecimentos ref. à literatura clássica (grega e romana) e à filosofia.

humanismo (hu.ma.nis.mo) *sm.* **1** *Fil.* Doutrina que coloca o homem como figura central do processo civilizatório. **2** Movimento da época da Renascença que reacendeu o interesse pela cultura greco-romana. **3** Formação cultural que agrega o saber literário e filosófico ao conhecimento científico. • hu.ma.nis.ta *a2g.s2g.*; hu.ma.nís.ti.co *a.*

humanitário (hu.ma.ni.tá.ri:o) *a.* Que visa ao bem-estar do ser humano (ajuda *humanitária*). • hu.ma.ni.ta.ris.mo *sm.*

humanizar (hu.ma.ni.zar) *v.* **1** Tornar(-se) humano ou adquirir características humanas. [*td.*: *Os desenhos animados humanizam os animais. pr.*: *No filme, o robô humanizou-se pelo amor.*] **2** Tornar(-se) benevolente, agradável. [*td.*: *As novas medidas na área social humanizaram a empresa. pr.*: *É preciso humanizar-se através do amor e da fraternidade.*] **3** Tornar(-se) civilizado, sociável, acessível. [*td.*: *Seu trabalho era humanizar os presos de alta periculosidade. pr.*: *Era insociável, mas humanizou-se após a psicoterapia.*] [▶ **1** humanizar] • hu.ma.ni.za.ção *sf.*

humano (hu.ma.no) *a.* **1** Ref. ao, do ou próprio do homem, de sua condição ou natureza (atributos *humanos*, ser *humano*). **2** Que é formado por homens (raça *humana*, população *humana*). **3** Que tem ou demonstra compaixão pela condição alheia; HUMANITÁRIO: *Foi um gesto humano e generoso.* *sm.* **4** O ser humano:

Robôs já substituem os humanos em muitas tarefas. [Nesta acp., mais us. no pl.]
humanoide (hu.ma.*noi*.de) *a2g.* **1** Que se assemelha ao ser humano. *sm.* Robô com aparência similar à do ser humano.
humildade (hu.mil.*da*.de) *sf.* **1** Qualidade ou condição de humilde. **2** Ausência de ostentação; MODÉSTIA; SIMPLICIDADE.
humilde (hu.*mil*.de) *a2g.* **1** Que tem ou demonstra consciência (justificada ou não) das próprias imperfeições, limitações etc.; MODESTO. **2** Que demonstra respeito ou submissão. [Superl.: *humildíssimo, humílimo, humilíssimo.*] *s2g.* **3** Quem é pobre ou de condição social modesta.
humilhante (hu.mi.*lhan*.te) *a2g.* Que humilha, rebaixa: *O time sofreu uma derrota humilhante.*
humilhar (hu.mi.*lhar*) *v.* **1** Tornar(-se) humilde. [*td.*: *A pobreza e o fracasso acabaram por humilhá-lo. pr.*: *Antes orgulhoso, humilhou-se com as lições da vida.*] **2** Tratar com menosprezo ou menosprezar-se; REBAIXAR(-SE); AVILTAR(-SE). [*td.*: *Humilhou o motorista na frente dos amigos. pr.*: "Cabisbaixo, (...) humilhei-me à madame..." (Eça de Queirós, *O mandarim*).] **3** Obrigar sob jugo; SUJEITAR. [*tdi.* + *a*: *Humilhou o ladrão a devolver as joias.*] [▶ **1** humilh**ar** • hu.mi.lha.*ção sf.*; hu.mi.*lha*.do *a.*; hu.mi.*lhan*.te *a2g.*]
humo (*hu*.mo) *sm. Ecol.* Material produzido pela decomposição de restos vegetais e animais acumulados no solo e que serve de nutrição aos vegetais; HÚMUS.
humor (hu.*mor*) [ô] *sm.* **1** Estado de espírito, bom ou mau: *Aproveite, pois meu humor hoje está ótimo.* **2** Espírito ou veia cômica, ou sua expressão; COMICIDADE; GRAÇA: *uma história cheia de humor e picardia*; Gosto do *humor* do barão de Itararé. **3** Sensibilidade para perceber ou expressar o que é cômico: *Seu humor tem-no ajudado a enfrentar as dificuldades.* **4** *Fisl.* Qualquer substância líquida orgânica de um corpo animal (como a linfa, a bile etc.).
humorismo (hu.mo.*ris*.mo) *sm.* Qualidade do que ou de quem tem ou manifesta humor (2): *o humorismo de Charles Chaplin.*
humorista (hu.mo.*ris*.ta) *s2g.* Pessoa que manifesta humor (2) através de alguma forma de expressão.
humorístico (hu.mo.*rís*.ti.co) *a.* **1** Ref. a humor ou a humorista (talento *humorístico*). **2** Que se exprime com humor (programa *humorístico*).
húmus (*hú*.mus) *sm2n. Ecol.* Ver *humo.*
húngaro (*hún*.ga.ro) *a.* **1** Da Hungria (Europa); típico desse país ou de seu povo. *sm.* **2** Pessoa nascida na Hungria. *a.sm.* **3** *Gloss.* Da, ref. à ou a língua falada na Hungria.
huno (*hu*.no) *Hist. a.* **1** Ref. ao, ou próprio dos hunos, bárbaros originários do centro da Ásia. *sm.* **2** Indivíduo desse povo.
hurra (*hur*.ra) *interj.* **1** Brado de cumprimento ou exaltação ger. us. depois de *hip. sm.* **2** Esse brado.
⊕ **hyperlink** (*Ing.* /ráiperlinc/) *sm. Inf.* Conexão disponível entre um elemento de um hipertexto (palavra, símbolo, imagem etc.) e outro elemento desse texto, ou outro hipertexto.
⌧ **Hz** *Fís.* Símb. de *hertz.*

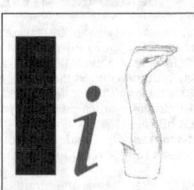

𐤉	Fenício
ι	Grego
Ι	Grego
Ι	Etrusco
Ι	Romano
I	Romano
ı	Minúscula carolina
I	Maiúscula moderna
i	Minúscula moderna

O ancestral fenício do nosso *i*, *yod*, significava "mão dobrada sobre o pulso". O símbolo original fenício, com o tempo, adquiriu a forma de zigue-zague e foi adotado pelos gregos. Como era uma tendência grega simplificar os desenhos fenícios, o zigue-zague tornou-se uma linha reta e passou a se chamar *iota*, que representava os sons de *y* e de *i*. Para os romanos, o *iota* representava os sons de *i* e de *j* e somente na Idade Média a diferença entre essas duas letras se estabeleceu.

i *sm.* **1** A nona letra do alfabeto. **2** A terceira vogal do alfabeto. *num.* **3** O nono em uma série (portão I).
⊠ **i** *Mat.* Símb. de *número imaginário*.
⊠ **I** **1** Símb. do número 1, em algarismos romanos. **2** *Quím.* Símb. de *iodo*.
iaiá (ia.*iá*) *sf. Bras. Fam.* Tratamento dado às moças e às meninas na época da escravidão.
ianomâmi (i:a.no.*má*.mi) *a2g.* **1** Dos ianomâmis, povo indígena da Venezuela e do nordeste da Amazônia; típico desse povo. *s2g.* **2** Pessoa pertencente a esse povo. *a2g.sm.* **3** *Gloss.* Da, ref. à ou a língua desse povo.
ianque (i:an.que) *a2g.s2g.* Ver *norte-americano*.
Iansã (I:an.*sã*) *sf. Bras. Rel.* Orixá feminino que encarna os ventos e as tempestades, uma das três mulheres de Xangô.
iaque (i:a.que) *sm. Zool.* Espécie de boi selvagem facilmente domesticável do Tibete.
Iara (i:a.ra) *sf. Bras. Folc.* Sereia de rios e lagos; MÃE--D'ÁGUA.
iate (i:a.te) *sm.* **1** Embarcação de luxo para o transporte de pessoas. **2** Embarcação a vela ou a motor, para lazer ou competições.
iatismo (i:a.*tis*.mo) *sm. Bras.* **1** Prática da navegação em iate. **2** *Esp.* Esporte de competição de iates (2).
iatrogenia (i:a.tro.ge.*ni*.a) *sf. Med.* Doença decorrente de um tratamento qualquer.
ibérico (i.*bé*.ri.co) *a.* **1** Da península Ibérica (Portugal e Espanha); típico dessa região ou de seu povo. *sm.* **2** Pessoa nascida na península Ibérica. [Sin. ger.: *ibero* [é].]
ibero (i.*be*.ro) [é] *a.sm.* Ver *ibérico*.
ibero-americano (i.be.ro.a.me.ri.*ca*.no) *a.* **1** Dos povos americanos colonizados pelos países da península Ibérica. *sm.* **2** Indivíduo ibero-americano. [Pl.: *ibero-americanos*.] [Cf.: *latino-americano*.]
⊠ **IBGE** Sigla de *Instituto Brasileiro de Geografia e Estatística*.
⊕ ***ibidem*** (*Lat. /ibídem/*) *adv.* Na mesma obra, capítulo ou página (us. em citações). [Abr.: *ib*]
íbis (í.bis) *s2g2n. Zool.* Ave aquática de pernas longas, bico comprido e recurvo, parecida com a cegonha.
ibope (i.*bo*.pe) *sm. Bras.* **1** Índice de audiência: *O programa deu um bom ibope.* **2** Prestígio: *O ibope do bombeiro subiu depois que salvou as crianças.* [O termo deriva do nome de um instituto particular de pesquisa de opinião.]

IBIS

içá (i.*çá*) *s2g. Bras. Zool.* Saúva fêmea; TANAJURA.

içar (i.*çar*) *v. td.* Levantar, erguer: *Os oficiais* içaram *a bandeira brasileira*. [▶ 12 *içar*]
⊕ **iceberg** (*Ing. /áicberg/*) *sm. Geol.* Grande massa de gelo que se desprende de uma geleira e flutua no mar; GELEIRA.
⊠ **ICMS** *Econ.* Sigla de *Imposto sobre Circulação de Mercadorias e Serviços*.
ícone (*í*.co.ne) *sm.* **1** Imagem de Cristo, da Virgem ou de santo nas igrejas russa e grega. **2** *Fig.* Pessoa ou coisa que simboliza uma época, um estilo de vida, uma qualidade etc.: *um ícone da beleza/da cultura.* **3** *Inf.* Na tela do computador, símbolo que identifica e aciona um programa, ferramenta etc.
iconoclasta (i.co.no.*clas*.ta) *a2g.s2g.* **1** Que ou quem destrói imagens religiosas, símbolos, obras de arte etc. **2** *Fig.* Que ou quem é contra convenções e tradições.
iconografia (i.co.no.gra.*fi*.a) *sf.* **1** Estudo descritivo das imagens associadas a um tema, obra, época, país etc.: *a iconografia do Rio colonial.* **2** Conjunto das ilustrações de uma obra impressa.
iconoteca (i.co.no.*te*.ca) *sf.* Coleção de imagens ou o lugar onde elas são guardadas.
icosaedro (i.co.sa.*e*.dro) *sm. Geom.* Poliedro de vinte faces.

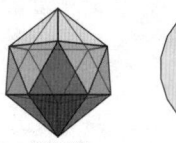

ICOSAEDRO 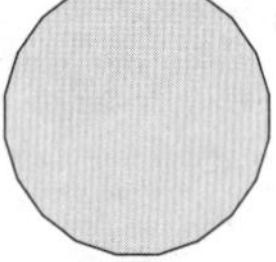   ICOSÁGONO

icoságono (i.co.*sá*.go.no) *sm. Geom.* Polígono de vinte lados.
icterícia, iterícia (ic.te.*rí*.ci:a, i.te.*rí*.ci:a) *sf. Pat.* Coloração amarelada da pele, mucosas e olhos, causada pela presença de bílis no sangue.
ictílico (ic.*tí*.li.co) *a.* Ref. a ou próprio de peixe.
ictiologia (ic.ti:o.lo.*gi*.a) *sf. Zool.* Estudo dos peixes.
ictiossauro (ic.ti:os.*sau*.ro) *sm. Pal.* Tipo de réptil aquático que chegava a medir 12m de comprimento.
ida (*i*.da) *sf.* **1** Ação ou resultado de ir(-se); PARTIDA. **2** Viagem de ida.
idade (i.*da*.de) *sf.* **1** Tempo decorrido desde o nascimento ou origem até uma data específica. **2** Fase da vida (idade escolar). **3** Período histórico ou pré--histórico. ∎ **De ~** Idoso: *senhor de idade.* **Terceira**

~ **1** Período da vida a partir dos 65 anos de idade. **2** População com mais de 65 anos de idade: *curso aberto à <u>terceira idade</u>*.

ideal (i.de:*al*) *a2g*. **1** Que só existe na ideia (mundo <u>ideal</u>); IMAGINÁRIO. **2** Que é o melhor possível ou perfeito (solução <u>ideal</u>, parceiro <u>ideal</u>). *sm.* **3** O que é de nossa mais elevada aspiração: *A paz é o nosso <u>ideal</u>.* [Pl.: *-ais*.]

idealismo (i.de:a.*lis*.mo) *sm.* Propensão a orientar-se por ideais. • i.de:a.*lis*.ta *a2g.s2g.*

idealizar (i.de:a.li.*zar*) *v. td.* **1** Imaginar (coisa ou pessoa) como sendo perfeita ou a melhor: *A menina <u>idealizava</u> seus pais.* **2** Conceber, criar mentalmente; idear: *O arquiteto <u>idealizou</u> a casa seguindo o pedido do cliente.* [▶ **1** idealiz*ar*] • i.de:a.li.za.*ção sf.*

idear (i.de.*ar*) *v. td.* **1** Planejar; criar mentalmente; idealizar: *O vereador <u>ideou</u> a lei que proibia cães na praia.* [▶ **13** id*ear*] [Usa-se acento no *e* do radical quando antes do *i*.]

ideia (i.*dei*.a) *sf.* **1** Representação de algo pelo pensamento; CONCEITO: *a ideia do bem.* **2** Conhecimento, noção: *Tem uma vaga <u>ideia</u> da situação.* **3** Plano, propósito: *A <u>ideia</u> é construir mais moradias.* **4** Modo de ver; OPINIÃO: *Mudou de <u>ideia</u> sobre o caso.* **5** Imaginação, invenção: *rico de <u>ideias</u>.* **6** Mente, pensamento: *A derrota não lhe sai da <u>ideia</u>.* ▪▪ ~ **fixa** Obsessão; assunto ou ideia em que alguém concentra seu pensamento. **Trocar ~s** Conversar sobre um assunto; debater. • i.de:*á*.ri:*a sm.*

⊕ **idem** (*Lat. /idem/*) *pr.dem.* O mesmo. [Abr.: *id.*]

idêntico (i.*dên*.ti.co) *a.* **1** Que é exatamente igual (gêmeos <u>idênticos</u>). **2** Que é muito parecido ou análogo: *colonização <u>idêntica</u> à dos espanhóis.*

identidade (i.den.ti.*da*.de) *sf.* **1** Qualidade de idêntico; IGUALDADE: *<u>identidade</u> de interesses.* **2** Conjunto de características próprias de uma pessoa, um grupo etc. e que possibilitam a sua identificação ou reconhecimento. **3** Carteira de identidade.

identificar (i.den.ti.fi.*car*) *v.* **1** Estabelecer a identidade de (algo ou alguém). [*td.*: *O perito <u>identificou</u> a letra do acusado.*] **2** Estabelecer as características ou a classificação de. [*td.*: *O exame <u>identificou</u> o grupo sanguíneo da moça.*] **3** Reconhecer. [*td.*: *A mãe <u>identifica</u> o filho de longe.*] **4** Determinar, distinguir. [*td.*: *O que <u>identifica</u> um bom chocolate?*] **5** Apresentar-se. [*pr.*: *O rapaz <u>identificou-se</u> como policial.*] **6** Ter as mesmas características, ideias ou opiniões de (outra pessoa, grupo etc.). [*pr.*: *Cristina é minha melhor amiga pois <u>me</u> identifico com ela.*] [▶ **11** identific*ar*] • i.den.ti.fi.ca.*ção sf.*; i.den.ti.fi.*cá*.dor *a.sm.*; i.den.ti.fi.*cá*.vel *a2g.*

ideograma (i.de:o.*gra*.ma) *sm. Ling.* Sinal gráfico que representa um objeto ou exprime uma ideia, e não os sons da palavra (us. em algumas escritas, como a chinesa e a dos antigos egípcios).

IDEOGRAMA CHINÊS (MAR)

ideologia (i.de:o.lo.*gi*.a) *sf.* Conjunto das ideias e convicções próprias de uma época, uma sociedade, uma classe etc. • i.de:o.*ló*.gi.co *a.*

idílio (i.*dí*.li:o) *sm.* **1** Namoro. **2** Sonho, devaneio. **3** *Poét.* Pequeno poema lírico de tema campestre. • i.*di*.li.co *a.*

idiolatria (i.di:o.la.*tri*.a) *sf.* Adoração de si próprio. • i.di.*ó*.la.tra *a2g.s2g.*

idioma (i.di:*o*.ma) *sm.* Língua de uma nação.

idiomático (i.di:o.*má*.ti.co) *a.* Ref. a ou próprio de um idioma.

idiomatismo (i.di:o.ma.*tis*.mo) *sm. Gram.* **1** Mecanismo gramatical próprio de um único idioma (p.ex., o infinitivo flexionado em português). **2** Locução ou expressão frasal, nem sempre traduzível palavra por palavra para outra língua (p.ex.: *testa de ferro, pé de vento* etc.).

idiossincrasia (i.di:os.sin.cra.*si*.a) *sf.* Traço peculiar do comportamento ou da sensibilidade de uma pessoa, um grupo etc.

idiota (i.di:*o*.ta) *a2g.s2g.* **1** Que ou quem diz ou faz tolice; IMBECIL. **2** *Psiq.* Que ou quem sofre de idiotia.

idiotia (i.di:o.*ti*.a) *sf.* **1** Ver *idiotice.* **2** *Psiq.* Retardo mental.

idiotice (i.di:o.*ti*.ce) *sf.* **1** Ação ou dito de idiota (1); IDIOTIA: *Ela se arrepende da <u>idiotice</u> que fez.* **2** Estupidez atroz.

idiotismo (i.di:o.*tis*.mo) *sm. Gram.* Ver *idiomatismo.*

ido (*i*.do) *a.* **1** Que passou; DECORRIDO; PASSADO: "Lembro dessa mulher, como me lembro de meus <u>idos</u> sofrimentos." (Guimarães Rosa, *Grande sertão: veredas*). ▫ **idos** *smpl.* **2** Os tempos passados, decorridos: *nos <u>idos</u> dos anos 80.*

idolatrar (i.do.la.*trar*) *v. td.* **1** Cultuar (divindade); ADORAR: *Os antigos gregos <u>idolatravam</u> muitos deuses.* **2** Amar exageradamente; ADORAR: *Os japoneses <u>idolatravam</u> Zico.* [▶ **1** idolatr*ar*] • i.do.la.*tri*.a *sf.*; i.*dó*.la.tra *a2g.s2g.*

ídolo (*í*.do.lo) *sm.* **1** Pessoa famosa por quem se tem extrema admiração: *Ayrton Senna foi um grande <u>ídolo</u> do automobilismo mundial.* **2** Imagem ou objeto adorado como divindade.

idôneo (i.*dô*.ne:o) *a.* Que é muito honesto, confiável, correto. • i.do.nei.*da*.de *sf.*

idoso (i.do.so) [ó] *a.sm.* Que ou quem está em idade avançada; VELHO. [Fem. e pl.: [ó].]

Iemanjá (I:e.man.*já*) *sf. Bras. Rel.* Orixá feminino das águas salgadas; JANAÍNA.

iemenita (i:e.me.*ni*.ta) *a2g.* **1** Do Iêmen (Ásia); típico desse país ou de seu povo. *s2g.* **2** Pessoa nascida no Iêmen.

iene (i:e.ne) *sm.* **1** Nome do dinheiro us. no Japão. **2** Unidade dos valores em iene, us. em notas e moedas.

igapó (i.ga.*pó*) *sm. Bras.* Área da floresta amazônica que se mantém alagada após as chuvas e/ou as cheias dos rios.

igara (i.*ga*.ra) *sf. Bras.* **1** Canoa rasa e de forma elíptica feita de um tronco de árvore escavado, cuja popa é mais alta. **2** Qualquer embarcação.

igarapé (i.ga.ra.*pé*) *sm. Bras.* Pequeno rio, estreito e navegável, que nasce na mata e deságua num rio maior.

igarité (i.ga.ri.*té*) *sm. Bras. Mar.* Embarcação de carga com capacidade entre uma e duas toneladas.

iglu (i.*glu*) *sm.* Habitação dos esquimós, feita de blocos de gelo.

IGLU

ignaro (ig.*na*.ro) *a.* Que é ignorante (1), inculto.

ignavo (ig.*na*.vo) *a.* **1** Preguiçoso, indolente. **2** Covarde, cobarde.

ígneo (*íg*.ne:o) *a.* **1** Do ou ref. ao fogo. **2** Que tem a natureza ou a cor do fogo. **3** *Fig.* Entusiasmado, ardente. **4** *Geol.* Resultante da solidificação do magma (diz-se de rocha ou mineral).

ignição (ig.ni.*ção*) *sf.* **1** Estado de combustão. **2** Sistema que aciona o motor de um veículo. [Pl.: *-ções*.]

ignífero (ig.*ní*.fe.ro) *a.* **1** Que incendeia. **2** Em que há fogo.

ignígero (ig.*ní*.ge.ro) *a.* O m.q. *ignífero.*

ignóbil (ig.*nó*.bil) *a2g.* Que não tem ou não demonstra grandeza de caráter (atitude <u>ignóbil</u>); ORDINÁRIO. [Pl.: *-beis*.]

ignomínia (ig.no.*mí*.ni:a) *sf.* **1** Desonra extrema; INFÂMIA: "Considero uma <u>ignomínia</u> a acusação de que menti..." (*O Globo*, 19.09.01). **2** Atitude ou estado que caracteriza desonra ou degradação: *A pobreza extrema é uma ignomínia.*

ignominioso (ig.no.mi.ni:o.so) [ô] *a.* Que causa ignomínia; DESONROSO; INFAME. [Fem. e pl.: [ó].]

ignorado (ig.no.*ra*.do) *a.* Que se ignora, que não se sabe; DESCONHECIDO: *O suspeito viajou para local ignorado.*

ignorância (ig.no.*rân*.ci:a) *sf.* **1** Estado de quem não tem instrução. **2** Estado de quem não tem conhecimento ou não está a par de algo. ▪ **Apelar/Partir para a ~** Recorrer à agressão física ou verbal para resolver uma divergência.

ignorante (ig.no.*ran*.te) *a2g.* **1** Que não tem instrução; INCULTO; IGNARO. **2** Que não tem conhecimento sobre determinado assunto: *Eles são ignorantes em política econômica.* **3** Que ignora, que não está a par de algo: *Estamos ignorantes do que se passa.* **4** Que é grosseiro, estúpido. *s2g.* **5** Pessoa ignorante (1 e 4).

ignorar (ig.no.*rar*) *v. td.* **1** Não saber; DESCONHECER: *Ignorava os efeitos nocivos do sol à pele.* **2** Não considerar (algo ou alguém) de importância: *Paulo ignorou o conselho do pai.* [▶ **1** ignor*ar*]

ignoto (ig.*no*.to) [ó] ou [ô] *a.* Desconhecido, ignorado.

igreja (i.*gre*.ja) [ê] *sf.* **1** Templo cristão. **2** Toda a comunidade cristã. **3** Autoridade eclesiástica; o clero. **4** Catolicismo. [Ger. com inicial maiúsc. nas acps. 2, 3 e 4.]

igrejinha (i.gre.*ji*.nha) *sf.* **1** Igreja (1) pequena. **2** *Fig.* Grupo muito fechado; PANELINHA.

igual (i.*gual*) *a2g.* **1** Que tem a mesma aparência, natureza, quantidade etc. (gostos iguais, porções iguais); IDÊNTICO. **2** Que não varia; INALTERÁVEL; UNIFORME: *uma paisagem sempre igual.* **3** Que tem os mesmos direitos e deveres: *Aqui somos todos iguais.* *s2g.* **4** Pessoa do mesmo nível ou condição. [Pl.: *iguais*.] *adv.* **5** Igualmente: *Age igual com todos.* [Em linguagem popular, o adj. e o adv. são freq. us. no diminutivo com valor intensificador: *nariz igualzinho ao do pai; ela sorri igualzinho à mãe.*] **De ~ para ~** **1** Como se (o outro) fosse do mesmo nível ou condição: *Trata*va *os empregados de igual para igual.* **2** Em condições de igualdade (quanto a algo): *Largaram as armas e lutaram de igual para igual.* **Por ~** Igualmente: *A tinta cobriu tudo por igual.* **Sem ~** Único, exclusivo, superior: *um funcionário sem igual.*

igualar (i.gua.*lar*) *v.* **1** Tornar(-se) igual a; EQUIPARAR(-SE). [*td.*: *Com o gol, Romário igualou o placar do jogo.* *tdi.* + *a*: *O comerciante igualou seus preços aos do concorrente.* *pr.*: *No final da competição, os dois nadadores se igualaram.*] **2** Deixar nivelado; alisar. [*td.*: *Os operários igualaram o terreno.*] [▶ **1** igual*ar*] ● i.gua.*lá*.vel *a2g.*

igualdade (i.gual.*da*.de) *sf.* **1** Qualidade, condição ou estado do que é igual. **2** *Mat.* Expressão que determina correspondência de igualdade (1) (em valor numérico) entre seus termos, na forma A = B (p.ex. 4+1 = 3+2).

igualha (i.*gua*.lha) *sf.* Igualdade de condição social.

igualitário (i.gua.li.*tá*.ri:o) *a.* **1** Ref. ao igualitarismo. *a.sm.* **2** Que ou quem promove ou defende o igualitarismo.

igualitarismo (i.gua.li.ta.*ris*.mo) *sm.* Doutrina que prega a igualdade civil, política e social para todos os membros de uma sociedade.

iguana (i.*gua*.na) *sf. Zool.* Lagarto de grande porte, papo inflável e crista na alto da nuca até a cauda.

iguaria (i.gua.*ri*.a) *sf.* Comida saborosa; ACEPIPE.

ih *interj.* Exprime surpresa, espanto, ironia ou sensação de perigo iminente.

ilação (i.la.*ção*) *sf.* O que se conclui de certos fatos, afirmações, circunstâncias etc.; CONCLUSÃO;

DEDUÇÃO: *Juntou os fatos e tirou suas ilações.* [Pl.: *-ções*.]

ilativo (i.la.*ti*.vo) *a.* Em que há ilação; CONCLUSIVO.

ilegal (i.le.*gal*) *a2g.* Que desobedece à lei; ILÍCITO. [Pl.: *-gais*.] ● i.le.ga.li.*da*.de *sf.*

ilegítimo (i.le.*gí*.ti.mo) *a.* **1** Que não está de acordo com a lei (filho ilegítimo, poderes ilegítimos). **2** Que não tem justificativa (pretensão ilegítima).

ilegível (i.le.*gí*.vel) *a2g.* Que não se pode ler com clareza. [Pl.: *-veis*.]

íleo (*í*.le:o) *sm. Anat.* A terceira e última parte do intestino delgado.

ileso (i.*le*.so) [ê] ou [ê] *a.* Que não sofreu lesão ou ferimento; INCÓLUME: *Saiu ileso do acidente.*

iletrado (i.le.*tra*.do) *a.sm.* **1** Que ou quem não sabe ler nem escrever; ANALFABETO. **2** Que ou quem não tem instrução literária.

ilha (*i*.lha) *sf. Geog.* Porção de terra cercada de água, e menos extensa que um continente. [Dim.: *ilheta, ilhéu* e *ilhota*.]

ilhal (i.*lhal*) *sm.* Ilharga de cavalo ou rês. [Pl.: *-lhais*.]

ilhar (i.*lhar*) *v.* Tornar(-se) incomunicável; ISOLAR (-SE). [*td.*: *As chuvas fortes ilharam a cidade.* *pr.*: *Algumas crianças se ilham em um mundo próprio.*] [▶ **1** ilh*ar*]

ilharga (i.*lhar*.ga) *sf.* Cada uma das partes laterais e inferiores do abdome; FLANCO.

ilhéu (i.*lhéu*) *a.* **1** Ref. a ilha. *sm.* **2** O natural ou habitante de uma ilha. [Fem.: *ilhoa*.] [Sin. da acps. 1 e 2: *insulano* e *insular¹*.] **3** Pequena ilha; ILHOTA.

ilhós (i.*lhós*) *s2g.2n.* **1** Orifício por onde se enfia cordão ou fita (em roupa, sapato etc.). **2** Aro, ger. de metal, que debruça esse orifício. [Pl.: *-lhoses*.]

ilhota (i.*lho*.ta) [ó] *sf.* Pequena ilha; ILHÉU.

ilíaco (i.*lí*.a.co) *a. Anat.* **1** Ref. à bacia. **2** Diz-se de cada um dos dois ossos que formam a bacia. *sm.* **3** Um desses ossos.

ILÍACO

SACRO

ILÍACOS

ilibado (i.li.*ba*.do) *a.* **1** Que não foi tocado, que permanece puro; incorrupto. **2** Livre de culpa, reabilitado.

ilibar (i.li.*bar*) *v.* **1** Deixar puro. [*td.*: *Colégios religiosos procuram ilibar o caráter dos jovens.*] **2** Inocentar. [*td.* + *de*: *As provas ilibavam o acusado de qualquer culpa.*] [▶ **1** ilib*ar*]

ilícito (i.*lí*.ci.to) *a.* **1** Que não é lícito; que é proibido por lei. **2** Que vai contra os princípios da moral e do direito.

ilimitado (i.li.mi.*ta*.do) *a.* Sem limite de tempo, de quantidade etc.: *acesso grátis e ilimitado à internet.*

ílio (*í*.li:o) *sm. Anat.* A maior das três partes do osso ilíaco.

ilógico (i.*ló*.gi.co) *a.* Que não tem lógica; que não faz sentido; ABSURDO. ● i.lo.*gis*.mo *sm.*

iludir (i.lu.*dir*) *v.* Enganar(-se). [*td.*: *O rapaz iludia a namorada, dizendo que a amava.* *pr.*: *Ilude-se achando que um dia sua sorte vai mudar.*] [▶ **1** ilud*ir*]

iluminação (i.lu.mi.na.*ção*) *sf.* **1** Ação ou resultado de iluminar(-se). **2** Conjunto de luzes que iluminam qualquer coisa: *A prefeitura reacendeu a iluminação do Morro Dois Irmãos.* **3** Arte e técnica de iluminar ambientes. **4** *Fig.* Inspiração ou percepção súbita: *Teve uma iluminação antes de pintar o quadro.* [Pl.: *-ções*.]

iluminado (i.lu.mi.*na*.do) *a.* **1** Que se iluminou; que recebeu luz (*jardim iluminado*). **2** *Fig.* Dotado de profunda visão, entendimento e/ou inspiração: *Tom Jobim foi um homem iluminado.* *sm.* **3** Pessoa iluminada (2).

iluminar (i.lu.mi.*nar*) *v.* **1** Espalhar luz em; CLAREAR. [*td.*: *Ilumine o quarto para que eu possa enxergar.*]

Iluminismo | **imbróglio**

2 Enfeitar com luzes. [*td.*: *Mil lâmpadas iluminavam o abre-alas da Mangueira.*] **3** *Fig.* Esclarecer. [*td.*: *Pequenos detalhes iluminaram pontos importantes do debate.*] **4** *Fig.* Orientar. [*td.*: *Deus ilumine seus pensamentos!*] **5** *Fig.* Tornar-se vivo e animado. [*td.*: *A visão do mar iluminou o seu olhar.* *pr.*: *O rosto dele iluminou-se com a notícia.*] [▶ **1** iluminar] • i.lu.mi.na.dor *a.sm.*; i.lu.mi.ná.vel *a2g.*

Iluminismo (I.lu.mi.*nis*.mo) *sm. Fil.* Movimento filosófico e literário do séc. XVIII, caracterizado por profunda crença no poder da razão humana e da ciência como forças propulsoras do progresso da humanidade. • i.lu.mi.*nis*.ta *a2g.s2g.*

iluminura (i.lu.mi.*nu*.ra) *sf.* Pintura de letras, arabescos e figuras diversas em antigos manuscritos medievais.

ilusão (i.lu.*são*) *sf.* **1** Impressão ou sensação que não corresponde à realidade, por engano da mente, dos sentidos, ou causada por elementos externos: "*Agora sei que é bom/que se perca a ingenuidade/mesmo que a gente queira/acreditar em ilusão...*" (Kid Abelha, *Agora sei*). **2** Ideia ou opinião errada: *É uma ilusão achar que tudo se resolverá rapidamente.* **3** Devaneio, sonho: *Queria ser famoso; vivia de ilusões.* [Pl.: -sões.]

ilusionismo (i.lu.si:o.*nis*.mo) *sm.* Arte e prática de criar algo ilusório por meio de truques; PRESTIDIGITAÇÃO.

ilusionista (i.lu.si:o.*nis*.ta) *a2g.s2g.* Que ou quem pratica o ilusionismo; PRESTIDIGITADOR.

ilusório (i.lu.*só*.ri:o) *a.* Que produz ilusão ou engano: *A promessa era ilusória, não poderia ser cumprida.*

ilustração (i.lus.tra.*ção*) *sf.* **1** Ação ou resultado de ilustrar. **2** Conjunto de imagens (desenho, gravura etc.) que acompanham um texto. **3** Conhecimento, saber: *Era um homem de grande ilustração.* [Pl.: -*ções.*]

ilustrado (i.lus.*tra*.do) *a.* **1** Que tem ilustrações (livro *ilustrado*). **2** Que tem sólidos conhecimentos; SÁBIO.

ilustrador (i.lus.tra.*dor*) [ô] *a.* **1** Que ilustra. *sm.* **2** Artista que faz ilustrações (2).

ilustrar (i.lus.*trar*) *v.* **1** Fazer desenhos ou figuras em texto ou livro. [*td.*: *Ziraldo ilustra os livros que escreve.*] **2** Exemplificar. [*td.*: *Qualquer disco de Chico Buarque ilustra seu talento.*] **3** Instruir(-se). [*td.*: *Um professor preparado ilustra bem seus alunos.* *pr.*: *Gosto de viajar para me ilustrar.*] [▶ **1** ilustrar]

ilustrativo (i.lus.tra.*ti*.vo) *a.* Que ilustra ou é próprio para ilustrar (gravura *ilustrativa*).

ilustre (i.*lus*.tre) *a2g.* **1** Que se destaca por qualidades de grande mérito (*ilustre* advogado); INSIGNE. **2** Que é famoso, célebre (pintor *ilustre*). **3** Que tem nobreza (família *ilustre*).

imã, imame (i.*mã*, i.*ma*.me) *sm.* **1** Ministro da religião muçulmana. **2** Título que recebem alguns soberanos muçulmanos.

ímã (*í*.mã) *sm.* **1** *Fís.* Metal que tem um polo de atração e outro de repulsão e que é capaz de atrair e reter corpos metálicos. **2** Peça de metal imantada.

imaculado (i.ma.cu.*la*.do) *a.* **1** Que não foi maculado, manchado (reputação *imaculada*). **2** Que é inocente, puro (virgem *imaculada*).

imagem (i.*ma*.gem) *sf.* **1** Reprodução visual de um objeto ou de um ser com o auxílio de aparatos técnicos: *A foto mostrava uma bela imagem do candidato.* **2** Representação visual ou plástica de uma divindade: *a imagem de Jesus.* **3** Reprodução de pessoa ou objeto em uma superfície com capacidade refletora: *a imagem no espelho.* **4** Representação mental de pessoa, objeto ou acontecimento; recordação: *Durante anos fiquei com a imagem do acidente na cabeça.* **5** *Fig.* Aquilo que simboliza alguma coisa: *A cena era a imagem da miséria humana.* **6** *Fig.* Conceito que se tem de uma pessoa ou de alguma coisa: *A imagem do candidato melhorou após o debate.* [Pl.: -*gens.*]

imaginação (i.ma.gi.na.*ção*) *sf.* **1** Capacidade que tem a mente de imaginar. **2** A coisa imaginada; FANTASIA. **3** Capacidade de criar, de inventar, combinando ideias e/ou imagens; CRIATIVIDADE: *As crianças têm muita imaginação.* **4** Engano, ilusão: *O oásis era apenas imaginação do sedento viajante.* [Pl.: -*ções.*]

imaginar (i.ma.gi.*nar*) *v.* **1** Criar, inventar. [*td.*: *Monteiro Lobato imaginou uma boneca que falava.*] **2** Representar mentalmente. [*td.*: *É difícil imaginar o Brasil de 1500.*] **3** Achar. [*td.*: *Imagino que ele não tenha ficado zangado.* *pr.*: *Ela se imagina a melhor dançarina do mundo!*] **4** Chegar a uma conclusão sobre; saber. [*td.*: *Ela não imagina o que fará nas férias.*] [▶ **1** imaginar]

imaginário (i.ma.gi.*ná*.ri:o) *a.* **1** Que existe somente na imaginação; ILUSÓRIO. *sm.* **2** Tudo aquilo que pertence ao mundo da imaginação: *O escritor tinha um imaginário muito rico.*

imaginativo (i.ma.gi.na.*ti*.vo) *a.* **1** Que tem muita imaginação, muita capacidade de inventar; IMAGINOSO. **2** Em que há criatividade (filme *imaginativo*). ◘ **imaginativa** *sf.* **3** Capacidade de imaginar.

imaginável (i.ma.gi.*ná*.vel) *a2g.* Que pode ser imaginado. [Pl.: -*veis.*]

imaginoso (i.ma.gi.*no*.so) [ô] *a.* **1** Que tem imaginação fértil; IMAGINATIVO. **2** Rico de imagens, de metáforas: *um livro muito imaginoso.* **3** Fantástico, imaginário: *O filme é irreal, imaginoso.* [Fem. e pl.: [ó].]

imago (i.*ma*.go) *sf.* **1** *Zool.* A forma final do inseto, depois das metamorfoses por que passa. **2** *Psi.* Lembrança, real ou idealizada, formada na infância, de uma pessoa querida.

imame (i.*ma*.me) *sm.* Ver **imã**.

imane (i.*ma*.ne) *a2g.* Muito grande; ENORME; DESCOMUNAL; IMENSO.

imanente (i.ma.*nen*.te) *a2g.* **1** Que está contido de maneira inseparável na natureza de um ser: *as dúvidas imanentes a todas as experiências de amor.* **2** *Fil.* Que está contido em ou provém de um ser, sem interferência de qualquer ação externa. • i.ma.*nên*.ci.a *sf.*

imantar (i.man.*tar*) *v. td.* Transmitir propriedades de ímã (a metal); MAGNETIZAR. [▶ **1** imantar]

imantógrafo (i.man.*tó*.gra.fo) *sm.* Placa de metal à qual se adere, por meio de pequenos ímãs, avisos, bilhetes lembretes etc.

imarcescível (i.mar.ces.*cí*.vel) *a2g.* Que não murcha. [Pl.: -*veis.*]

imaterial (i.ma.te.ri:*al*) *a2g.* Que não é constituído de matéria: *Com a idade, aprendeu a cultivar valores imateriais.* [Pl.: -*ais.*]

imaturo (i.ma.*tu*.ro) *a.* **1** Que ainda não amadureceu mental ou emocionalmente. **2** Que, apesar de adulto, demonstra sinais de infantilidade. [Ant.: *maduro.*] • i.ma.tu.ri.*da*.de *sf.*

imbatível (im.ba.*tí*.vel) *a2g.* Que não pode ser batido, vencido ou superado: *um time imbatível.* [Pl.: -*veis.*]

imbecil (im.be.*cil*) *a2g.* **1** Que faz ou diz besteiras; IDIOTA. **2** Desinteressante, banal, sem sentido: *a novela mais imbecil do ano.* *s2g.* **3** Pessoa imbecil (1). [Pl.: -*cis.*] • im.be.ci.li.*da*.de *sf.*

imbele (im.*be*.le) *a2g.* Que não é belicoso.

imberbe (im.*ber*.be) *a2g.* Que não tem barba.

imbricar (im.bri.*car*) *v.* Sobrepor (coisa, ideias etc.) parcialmente. [*td.*: *A lei procura imbricar interesses do cidadão e do governo.* *pr.*: *Muitas vezes, realidade e ficção se imbricam uma na outra.*] [▶ **11** imbricar]

imbróglio (im.*bró*.gli:o) *sm.* Confusão, trapalhada: *A reunião acabou no maior imbróglio.*

imbu (im.*bu*) *sm.* Fruto comestível do imbuzeiro; UMBU.

imbuia (im.*bui*.a) *sf. Bras. Bot.* Árvore que produz madeira de boa qualidade, us. na fabricação de móveis.

imbuir (im.bu.*ir*) *v.* Fazer entrar (ideia, sentimento etc.) em; incutir. [*tdi.* + *em*: *Imbuiu* no filho o respeito pelos animais. *pr.*: Na competição, o país inteiro *se imbuiu* de patriotismo.] [▶ 56 imbu*ir*]

imbuzeiro (im.bu.zei.ro) *sm. Bras. Bot.* Árvore da caatinga, de fruto comestível e apreciado.

imediação (i.me.di.a.*ção*) *sf.* **1** O fato, o ato ou a condição de estar próximo, imediato; PROXIMIDADE. ◪ **imediações** *sfpl.* **2** Área próxima e em torno de um local, povoação, cidade etc.; CERCANIAS: *Deixou o carro nas imediações do clube.* [Pl.: -*ções*.]

imediatismo (i.me.di.a.*tis*.mo) *sm.* Modo de agir direto e objetivo, sem rodeios, buscando compensação imediata.

imediato (i.me.di.a.to) *a.* **1** Que se dá ou se faz sem demora (resultado *imediato*); INSTANTÂNEO. **2** Que se faz sem pensar, impulsivamente: *Com o susto, minha reação imediata foi gritar.* **3** Que está perto, próximo: *Ele está mais tranquilo com relação ao seu futuro imediato.* **4** Que existe no momento e requer providências rápidas: *Nosso problema imediato era a falta de abrigo para os menores.* **5** Que precede ou se segue numa hierarquia ou série: *Quem é seu chefe imediato?* ◼ *sm.* **6** Funcionário logo abaixo do chefe. **7** *Mar.G.* Oficial logo abaixo do comandante de um navio. ⬛ *De* ~ Imediatamente, sem demora.

imemorável (i.me.mo.rá.vel) *a2g.* O m.q. *imemorial.* [Pl.: -*veis*.]

imemorial (i.me.mo.ri.*al*) *a2g.* De que não há memória (ger. poe ser muito antigo, longínquo no tempo). [Pl.: -*ais*.]

imensidade (i.men.si.*da*.de) *sf.* **1** Qualidade ou condição de imenso: *a imensidade do oceano.* **2** Extensão muito grande ou ilimitada: *No convés do navio, olhou para aquela imensidade e se emocionou.* **3** Grande quantidade; INFINIDADE: *uma imensidade de problemas.*

imensidão (i.men.si.*dão*) *sf.* O m.q. *imensidade.* [Pl. -*dões*.]

imenso (i.*men*.so) *a.* Muito grande; ENORME; VASTO: *O Brasil é um país imenso.*

imensurável (i.men.su.*rá*.vel) *a2g.* Que não se pode medir: *O amor que tem pelos filhos é imensurável.* [Pl.: -*veis*.]

imerecido (i.me.re.ci.do) *a.* Que não é merecido (castigo *imerecido*); IMÉRITO.

imergir (i.mer.*gir*) *v.* **1** Mergulhar, afundar. [*td.*: *Imergiu* o frasco em água fervente para esterilizá-lo. *int.*: A pedrinha caiu no rio e *imergiu* rapidamente.] **2** *Fig.* Introduzir-se (em algum lugar), adentrar. [*int.* (com indicação de lugar): Os caçadores *imergiram* na mata em busca das presas.] **3** *Fig.* Ficar absorvido com. [*ti.* + *em*: Quando ficava aborrecido, *imergia* no trabalho.] [Ant. ger.: *emergir.*] [▶ 46 imer*gir*]. Part.: *imergido* e *imerso*.]

imérito (i.*mé*.ri.to) *a.* Ver *imerecido*.

imersão (i.mer.*são*) *sf.* Ação ou resultado de imergir(-se). [Pl.: -*sões*.]

imerso (i.*mer*.so) *a.* **1** Que se encontra submerso, mergulhado. **2** *Fig.* Que está absorto: *Vivia imerso em seus próprios pensamentos.*

imigrado (i.mi.*gra*.do) *a.sm.* Que ou quem imigrou. [Cf.: *emigrado*.]

imigrante (i.mi.*gran*.te) *a2g.s2g.* Que ou quem imigra ou imigrou. [Cf.: *emigrante*.]

imigrar (i.mi.*grar*) *v. int.* Entrar e fixar residência em país estrangeiro: (com ou sem indicação de lugar) *Meus avós portugueses imigraram (para o Brasil) no século passado.* [Ant.: *emigrar.*] [▶ 1 imi*grar*] ● **i.mi.gra.ção** *sf.* [Cf.: *migrar*.]

imigratório (i.mi.gra.*tó*.ri.o) *a.* Ref. a imigração (fluxo *imigratório*).

iminência (i.mi.*nên*.ci.a) *sf.* Qualidade do que está iminente: *Estavam na iminência de falir.*

iminente (i.mi.*nen*.te) *a2g.* Que está prestes a acontecer (perigo *iminente*).

imiscível (i.mis.*cí*.vel) *a2g.* Que não é miscível, que não pode ser misturado. [Pl.: -*veis*.]

imiscuir-se (i.mis.cu.*ir*-se) *v. pr.* Envolver-se, intrometer-se: *Muitos acham que a Igreja não deve se imiscuir em política.* [▶ 56 imiscu*ir*-se]

imitação (i.mi.ta.*ção*) *sf.* **1** Ação ou resultado de imitar. **2** Reprodução de alguma coisa, bem parecida ou igual ao modelo usado: *Imitação de uma joia/de um quadro.* **3** Reprodução, consciente ou não, de atitudes, gestos etc.: *A criança parece ter instinto de imitação.* **4** Caricatura da maneira de ser de alguém: *Fazia uma ótima imitação de Silvio Santos.* [Pl.: -*ções*.]

imitar (i.mi.*tar*) *v. td.* **1** Tentar fazer algo igual a outra pessoa ou a um animal; REPRODUZIR: *Santos Dumont sonhava em imitar o voo dos pássaros.* **2** Repetir de maneira igual; COPIAR: *O meu papagaio imita tudo o que eu falo.* **3** Fazer (algo) levando em conta um modelo: *Sua casa imita o estilo barroco.* **4** Falsificar: *imitar uma assinatura.* [▶ 1 imi*tar*] ● **i.mi.ta.dor** *a.*

imo (i.mo) *a.* **1** Que está no ponto mais fundo ou mais íntimo. ◼ *sm.* **2** Âmago, cerne: *Aquela crença estava no imo do seu espírito.*

imobiliário (i.mo.bi.li.*á*.ri.o) *a.* **1** Ref. a imóveis (casas, apartamentos etc.) (corretor *imobiliário*). ◪ **imobiliária** *sf.* **2** *Bras.* Empresa que vende, aluga ou constrói imóveis.

imobilidade (i.mo.bi.li.*da*.de) *sf.* Qualidade do que está imóvel, do que não se move ou não muda.

imobilismo (i.mo.bi.*lis*.mo) *sm.* Simpatia ou predileção pelas coisas antigas ou estabelecidas e aversão a mudanças ou ao que é novo e representa progresso.

imobilizador (i.mo.bi.li.za.*dor*) [ô] *a.* Que imobiliza. ● **i.mo.bi.li.zan**.te *a2g.*

imobilizar (i.mo.bi.li.*zar*) *v.* **1** Impedir o movimento de. [*td.*: O médico *imobilizou* a perna quebrada.] **2** Deixar imóvel, sem reação. [*td.*: O pânico *imobilizou* a criança. *pr.*: Aterrorizada, a vítima *imobilizou-se*.] **3** Fazer parar; reter. [*td.*: O excesso de dívidas *imobilizou* a empresa.] [▶ 1 imobili*zar*] ● **i.mo.bi.li.za.ção** *sf.*; **i.mo.bi.li.za.do** *a.*; **i.mo.bi.li.zá.vel** *a2g.*

imoderação (i.mo.de.ra.*ção*) *sf.* Falta de moderação. [Pl.: -*ções*.]

imoderado (i.mo.de.*ra*.do) *a.* Que não tem moderação, comedimento.

imodéstia (i.mo.*dés*.ti.a) *sf.* Falta de modéstia; presunção: *Sua imodéstia, ao declarar-se talentoso, chegava a ser cômica.* ● **i.mo.des.to** *a.*

imolar (i.mo.*lar*) *v.* Matar(-se) em sacrifício para uma divindade ou causa. [*td.*: *Na* Antiguidade, era comum *imolar* animais aos deuses. *pr.*: O*Omo*, em protesto, *imolou-se* diante da multidão.] [▶ 1 imo*lar*]

imoral (i.mo.*ral*) *a2g.* Que contraria as regras da moralidade; que não é decente. [Pl.: -*rais*.] [Cf.: *amoral*.] ● **i.mo.ra.lis.mo** *sm.*

imorredouro (i.mor.re.*dou*.ro) *a.* Que não morre; ETERNO.

imortal (i.mor.*tal*) *a2g.* **1** Que tem vida eterna; PERPÉTUO. **2** Que é lembrado por muito tempo. ◼ *s2g.* **3** Membro da Academia Brasileira de Letras. [Pl.: -*tais*.] ● **i.mor.ta.li.da.de** *sf.*

imortalizar (i.mor.ta.li.*zar*) *v. td.* Tornar (algo ou alguém) lembrado para sempre; ETERNIZAR: *Belas canções imortalizaram Noel Rosa.* [▶ 1 imortali*zar*] ● **i.mor.ta.li.za.ção** *sf.*

imóvel (i.*mó*.vel) *a2g*. **1** Que está parado, sem movimento: *Apesar do tumulto, a jovem permanecia imóvel.* **2** Que é inabalável. *sm*. **3** Bem que não é móvel (prédio, casa etc.): *proprietário de imóveis.* [Pl.: -*veis*.]

impaciência (im.pa.ci.*ên*.ci.a) *sf*. Falta de paciência.

impacientar (im.pa.ci.en.*tar*) *v*. Irritar(-se), aborrecer(-se). [*td*.: *O discurso prolongado impacientou os ouvintes*. *pr*.: *O rapaz se impacientou com o atraso da namorada*.] [▶ 1 impacient**ar**]

impaciente (im.pa.ci.*en*.te) *a2g*. **1** Que não tem paciência; que se mostra inquieto ao esperar: *A demora no atendimento o deixou impaciente.* **2** Que é apressado, sôfrego. *s2g*. **3** Pessoa impaciente (1).

impactar (im.pac.*tar*) *v*. Ter grande efeito sobre. [*td*.: *A morte da princesa Diana impactou o mundo. ti. + em: O diretor quer saber que ações podem impactar na melhoria do ensino*.] [▶ 1 impact**ar**] • im.pac.*tan*.te *a2g*.

impacto (im.*pac*.to) *sm*. **1** Choque entre dois objetos. **2** Colisão de um projétil com um alvo. **3** *Fig.* Impressão ou sensação forte: *As imagens do atentado causaram forte impacto.* ■ **– ambiental** *Ecol.* O efeito que algum fenômeno ou, esp., a ação do homem exerce sobre o meio ambiente.

impagável (im.pa.*gá*.vel) *a2g*. **1** *Fig*. Muito engraçado; HILARIANTE. **2** Que não se pode pagar. [Pl.: -*veis*.]

impalpável (im.pal.*pá*.vel) *a2g*. Que não se pode palpar ou perceber pelo tato; IMATERIAL. [Pl.: -*veis*.]

impaludar (im.pa.lu.*dar*) *v*. *td*. *pr*. Transmitir ou contrair malária. [▶ 1 impalud**ar**]

impaludismo (im.pa.lu.*dis*.mo) *sm*. *Med.* Ver *malária*.

ímpar (*ím*.par) *a2g*. **1** *Mat.* Que não é divisível por dois. [Ant.: *par*.] **2** Que não tem par; que é único: *Tem uma beleza ímpar.* *sm*. **3** *Mat.* Número ímpar (1).

imparcial (im.par.ci.*al*) *a2g*. Que é justo em seu julgamento, sem favorecer qualquer pessoa ou grupo: *O juiz foi imparcial ao condenar o réu.* [Pl.: -*ais*.] • im.par.ci.a.li.*da*.de *sf*.

impasse (im.*pas*.se) *sm*. Situação sem saída, ou de saída muito difícil: *Estava num impasse, não sabia quem defender*.

impassível (im.pas.*sí*.vel) *a2g*. Indiferente à dor, ao sofrimento, aos sentimentos alheios: *Permaneceu impassível diante dos gritos da moça*. [Pl.: -*veis*.] • im.pas.si.bi.li.*da*.de *sf*.

impatriótico (im.pa.tri.*ó*.ti.co) *a*. Que não tem patriotismo.

impávido (im.*pá*.vi.do) *a*. Que é destemido, intrépido. • im.pa.vi.*dez* *sf*.

⊕ *impeachment* (*Ing*. /impítchmen/) *sm*. **1** Processo ou ato legal conduzido pelo Congresso, iniciado através de uma denúncia que pretende destituir, por má conduta, uma autoridade de seu cargo: *Eles acompanharam o impeachment do presidente.* **2** *Pol.* O impedimento de continuar o mandato por conta de denúncias e processos legais: *Foi anunciado o impeachment do presidente.*

impecável (im.pe.*cá*.vel) *a2g*. Que é correto, perfeito, sem falha: *rapaz de educação impecável.* [Pl.: -*veis*.]

impedância (im.pe.*dân*.ci.a) *sf*. *Elet*. Medida da resistência de um circuito elétrico à passagem da corrente de eletricidade.

impedido (im.pe.*di*.do) *a*. **1** Que se interditou ou interrompeu (acesso *impedido*). **2** *Fut.* Diz-se do jogador em posição de impedimento.

impedimento (im.pe.di.*men*.to) *sm*. **1** Aquilo que impede, que cria obstáculo: *Não há impedimento para a sua viagem.* **2** *Fut.* Posição irregular do jogador ao lhe ser passada a bola, determinada pelas regras do jogo.

impedir (im.pe.*dir*) *v*. **1** Impossibilitar o prosseguimento de. [*td*.: *As guerras impedem o progresso econômico*.] **2** Não deixar (alguém) fazer algo. [*td*.: *O fiscal impediu que os candidatos atrasados entrassem. tdi. + de: A mãe impediu a filha de usar o telefone*.] **3** Não deixar passagem; OBSTRUIR. [*td*.: *Os manifestantes impediram o portão da fábrica*.] [▶ 44 imp**edir**]

impeditivo (impe.di.*ti*.vo) *a*. Que cria impedimento.

impelir (im.pe.*lir*) *v*. **1** Empurrar, impulsionar. [*td*.: *A correnteza do rio impele a canoa. tdi. + a: O desejo de aventura impeliu os navegantes a viajar pelo mundo*.] **2** Instigar, induzir. [*tdi. + a: A manifestação dos funcionários impeliu a diretoria a negociar*.] [▶ 50 imp**elir**]

impene (im.*pe*.ne) *a2g*. *Zool.* Que não apresenta penas ou plumas.

impenetrável (im.pe.ne.*trá*.vel) *a2g*. **1** Impossível de penetrar (gruta *impenetrável*). **2** *Fig.* Que não se pode compreender (mente *impenetrável*). **3** *Fig.* Que não mostra os sentimentos ou pensamentos; FECHADO; RESERVADO. [Pl.: -*veis*.] • im.pe.ne.tra.bi.li.*da*.de *sf*.

impenitente (im.pe.ni.*ten*.te) *a2g*. Que não se arrepende dos erros ou pecados, persistindo em cometê-los. • im.pe.ni.tên.ci.*a* *sf*.

impensado (im.pen.*sa*.do) *a*. **1** Feito sem pensar (ato *impensado*); PRECIPITADO. **2** Que não se pensava que fosse acontecer (vitória *impensada*); IMPREVISTO.

imperador (im.pe.ra.*dor*) [ô] *sm*. Quem governa um império. [Fem.: *imperatriz*.]

imperar (im.pe.*rar*) *v*. *int*. **1** Ser dominante em; prevalecer: (com ou sem indicação de lugar e/ou de tempo) *Na minha casa, a alegria impera.* **2** Governar como imperador; REINAR: (com ou sem indicação de lugar e/ou de tempo) *D. Pedro I imperou de 1822 a 1831.* [▶ 1 imper**ar**]

imperativo (im.pe.ra.*ti*.vo) *a*. **1** Que expressa uma ordem (tom *imperativo*); AUTORITÁRIO. **2** *Gram.* Diz-se do modo verbal que expressa a vontade do falante (esp. em relação ao ouvinte) com relação ao ouvinte (p.ex.: *Abra a porta!*; *Não pise na grama*.). [NOTA: No português popular, o imperativo, quando expressa pedido, apresenta entonação branda, e frequentemente é substituído por outros tempos verbais: *Você poderia abrir a porta para mim?*; *Não pisa na grama, não.*] *sm*. **3** O que se impõe como dever ou necessidade absoluta: *O exílio foi um imperativo para seu crescimento espiritual.* **4** *Gram.* F. red. de *modo imperativo*.

imperatriz (im.pe.ra.*triz*) *sf*. **1** Mulher do imperador. **2** Governadora de um império.

imperceptível (im.per.cep.*ti*.vel) *a2g*. **1** Impossível de notar com os sentidos (cicatriz *imperceptível*). **2** Muito pequeno; pouco importante; insignificante (defeito *imperceptível*). [Pl.: -*veis*.]

imperdível (im.per.*di*.vel) *a2g*. **1** Que não se pode perder (jogo *imperdível*). **2** Que não se pode deixar de assistir (espetáculo *imperdível*). [Pl.: -*veis*.]

imperdoável (im.per.do.*á*.vel) *a2g*. Que não tem perdão (pecado *imperdoável*). [Pl.: -*veis*.]

imperecedouro (im.pe.re.ce.*dou*.ro) *a*. Que não deve morrer ou desaparecer; PERMANENTE.

imperecível (im.pe.re.*ci*.vel) *a2g*. Que não acaba ou desaparece (crença *imperecível*); ETERNO; PERENE. [Pl.: -*veis*.]

imperfectível (im.per.fec.*ti*.vel) *a2g*. Impossível de aperfeiçoar: *obra de arte imperfectível.* [Pl.: -*veis*.]

imperfeição (im.per.fei.*ção*) *sf*. **1** Característica ou condição do que não é perfeito. **2** Falta que im-

imperfeito | implicar

pede a perfeição; DEFEITO; INCORREÇÃO: *um vaso com uma pequena imperfeição*. [Pl.: -*ções*.]
imperfeito (im.per.*fei*.to) *a.* **1** Que apresenta defeito ou incorreção (trabalho <u>imperfeito</u>). **2** *Gram.* Diz-se do tempo verbal que indica uma ação em desenvolvimento no passado (p. ex., *trabalhava, vivia*). *sm.* **3** *Gram.* F. red. de *pretérito imperfeito*.
imperial (im.pe.ri.*al*) *a2g.* Próprio de império, imperador ou imperatriz (castelo <u>imperial</u>). [Pl.: -*ais*.]
imperialismo (im.pe.ri.a.*lis*.mo) *sm. Econ. Pol.* Forma de atuação de um Estado que visa dominar a política, a cultura e a economia de outros países. [Cf.: *colonialismo*.] • **im.pe.ri.a.*lis*.ta** *a2g.*
imperícia (im.pe.*ri*.ci:a) *sf.* Falta de perícia, de competência; INABILIDADE: *A <u>imperícia</u> no trânsito é a causa de muitos acidentes*.
império (im.*pé*.ri:o) *sm.* **1** Domínio efetivo; PREDOMÍNIO; COMANDO: *<u>império</u> da lei/do crime*. **2** Forma de governo em que o soberano tem o título de imperador ou imperatriz: *Debret retratou o Brasil na época do <u>império</u>*. **3** País que tem essa forma de governo: *A Alemanha já foi um <u>império</u>*. **4** Conjunto de territórios ou povos governados por uma autoridade soberana: *O <u>império</u> persa se estendeu do mar Cáspio ao Mediterrâneo*.
imperioso (im.pe.ri:*o*.so) [ó] *a.* **1** Que impõe obediência (ordem <u>imperiosa</u>). **2** *Fig.* Que deve ser feito imediatamente (medidas <u>imperiosas</u>); IMPRETERÍVEL. [Fem. e pl.: [ó].]
imperito (im.pe.*ri*.to) *a.* Que não tem perícia; INCOMPETENTE.
impermeabilizar (im.per.me.a.bi.li.*zar*) *v. td.* Tornar impenetrável (1) à passagem (ger. de líquido) através de: *A tinta <u>impermeabilizou</u> as paredes externas do prédio*. [▶ 1 impermeabiliz<u>ar</u>] • **im.per.me.a.bi.li.za.*ção*** *sf.*; **im.per.me:a.bi.li.zan.te** *a2g.*
impermeável (im.per.me.*á*.vel) *a2g.* **1** Que não deixa passar líquido (tecido <u>impermeável</u>). **2** *Fig.* Que não se deixa penetrar; REFRATÁRIO: *Uma pessoa <u>impermeável</u> a mudanças*. *sm.* **3** Tipo de casaco impermeabilizado que protege da chuva. [Pl.: -*veis*.] • **im.per.me:a.bi.li.*da*.de** *sf.*
imperscrutável (im.pers.cru.*tá*.vel) *a2g.* Impossível de se examinar ou pesquisar; IMPENETRÁVEL; INSONDÁVEL. [Pl.: -*veis*.]
impersistente (im.per.sis.*ten*.te) *a2g.* Que não tem persistência, pertinácia; INCONSTANTE.
impertérrito (im.per.*tér*.ri.to) *a.* Que não tem medo; CORAJOSO; DESTEMIDO. [Ant.: *covarde, medroso*.]
impertinente (im.per.ti.*nen*.te) *a2g.* **1** Que não é pertinente; que não vem a propósito: *O exemplo que você deu é, no caso, <u>impertinente</u>*. **2** Que fala ou se comporta de modo desrespeitoso ou inconveniente; ATREVIDO; INSOLENTE. • **im.per.ti.*nên*.ci:a** *sf.*
imperturbável (im.per.tur.*bá*.vel) *a2g.* Que não se perturba ou abala; IMPASSÍVEL; SERENO: *O réu permaneceu <u>imperturbável</u> durante o julgamento*. [Pl.: -*veis*.]
impessoal (im.pes.so.*al*) *a2g.* **1** Que não se refere ou não é dirigido a alguém em especial (tratamento <u>impessoal</u>). **2** *Gram.* Que normalmente não admite sujeito (diz-se de verbo, como, p.ex., *chover*). [Pl.: -*ais*.] • **im.pes.so:a.li.*da*.de** *sf.*
impetigem (im.pe.*ti*.gem) *sf. Med.* Doença de pele, infecciosa e contagiosa, que se caracteriza pela formação de pústulas; IMPETIGO. [Pl.: -*gens*.]
impetigo (im.pe.*ti*.go) *sm. Med.* Ver *impetigem*.
ímpeto (*ím*.pe.to) *sm.* **1** Movimento repentino e enérgico: *Num <u>ímpeto</u>, levantou-se da cama*. **2** Acesso, ataque súbito e/ou irrefletido; IMPULSO: *Num <u>ímpeto</u> de raiva, atirou o vaso contra a parede*. **3** Força intensa: *O <u>ímpeto</u> das águas arrastou muitas casas*.

impetrar (im.pe.*trar*) *v. Jur.* Requerer (um recurso judicial). [*td.*: *impetrar ação/mandado de segurança*. *tdi.* + *contra*, em favor de: *O procurador vai <u>impetrar</u> medida judicial <u>contra</u> os fraudadores*.] [▶ 1 impetr<u>ar</u>] • **im.pe.*tran*.te** *a2g.s2g.*
impetuoso (im.pe.tu:*o*.so) [ô] *a.* **1** Que se move com ímpeto (3) (tempestade <u>impetuosa</u>). **2** Que age com ímpeto (2) (adolescente <u>impetuoso</u>). [Fem. e pl.: [ó].] • **im.pe.tu:o.si.*da*.de** *sf.*
impiedoso (im.pi:e.*do*.so) [ô] *a.* Que não tem ou revela piedade ou compaixão (castigo <u>impiedoso</u>); DESUMANO. [Fem. e pl.: [ó].] • **im.pi:e.*da*.de** *sf.*
impigem, impingem (im.*pi*.gem, im.*pin*.gem) *sf. Med.* Nome popular de diversas doenças de pele. [Pl.: -*gens*.]
impingir (im.pin.*gir*) *v.* **1** Obrigar a aceitar; IMPOR. [*tdi.* + *a*, *em*: *O dono da empresa <u>impingiu</u> a seu filho trabalhar com ele*.] **2** Levar a aceitar (algo que não se quer). [*tdi.* + *a*, *em*: *Pediu a palavra e <u>impingiu</u> um discurso maçante*. *tdi.* + *a*, *em*: *O comerciante quer <u>impingir</u> mercadoria ruim à clientela*.] **3** Aplicar. [*tdi.* + *a*, *em*: *O diretor <u>impingiu</u> mais dinamismo <u>à</u> televisão*.] [▶ 46 imping<u>ir</u>]
ímpio (*im*.pi:o) *a.sm.* **1** Ver *ímpio*.
ímpio (*im*.pi:o) *a.sm.* **1** Que ou quem não tem fé. [Ant.: *crente*.] **2** Que ou quem não tem piedade (perseguição <u>ímpia</u>).
implacável (im.pla.*cá*.vel) *a2g.* **1** Impossível de aplacar, abrandar (calor <u>implacável</u>). **2** Incapaz de se comover ou perdoar (júri <u>implacável</u>); INCLEMENTE; INFLEXÍVEL. [Ant.: *clemente*.] [Pl.: -*veis*.] Superl.: *implacabilíssimo*.
implantar (im.plan.*tar*) *v. td.* **1** Estabelecer; introduzir: (com ou sem indicação de lugar) *O governo quer <u>implantar</u> um programa de educação a distância (no país)*. **2** Fixar: (com ou sem indicação de lugar) *A árvore <u>implantou</u> suas raízes (sob o asfalto)*. **3** *Med.* Fazer um implante (de cabelo, órgão etc.) por meio de uma cirurgia. [▶ 1 implant<u>ar</u>] • **im.plan.ta.*ção*** *sf.*
implante (im.*plan*.te) *sm.* **1** Ação ou resultado de implantar. **2** *Med. Od.* Qualquer órgão ou material inserido no organismo humano para exercer uma função: *<u>implante</u> dentário*.
implementar (im.ple.men.*tar*) *v. td.* **1** Executar (um plano ou projeto): *O ministro <u>implementou</u> uma política de contenção de gastos*. **2** *Inf.* Instalar ou elaborar (um programa de computador). [▶ 1 implement<u>ar</u>] • **im.ple.men.ta.*ção*** *sf.*
implemento (im.ple.*men*.to) *sm.* **1** Ação ou resultado de implementar. **2** Elemento, equipamento etc. necessário à execução de atividade: *O trator é um importante <u>implemento</u> agrícola*.
implicação (im.pli.ca.*ção*) *sf.* **1** Ação ou resultado de implicar(-se). **2** O que se pode entender, subentender, depreender de fato, situação etc.: *Vamos considerar as <u>implicações</u> possíveis de sua declaração*. **3** O que resulta de algo (fato, situação, declaração etc.); CONSEQUÊNCIA: *Essa decisão terá <u>implicações</u> sérias*. **4** Relação entre proposições em que a veracidade de uma implica necessariamente a veracidade da outra. [Pl.: -*ções*.]
implicância (im.pli.*cân*.ci:a) *sf.* Manifestação ou sensação de má vontade, de antipatia; BIRRA: *Tenho <u>implicância</u> com bajuladores*.
implicante (im.pli.*can*.te) *a2g.* Que manifesta implicância.
implicar (im.pli.*car*) *v.* **1** Provocar, amolar. [*ti.* + *com*: *Meu irmão gosta de <u>implicar</u> <u>comigo</u>*.] **2** Ficar contrariado. [*int.*: *O patrão sempre <u>implica</u> quando a funcionária chega atrasada*.] **3** Ter como consequência; ACARRETAR. [*td.*: *A falta de preparo dos jogadores <u>implicou</u> a perda do campeonato*.] **4** Envolver(-se) em; comprometer(-se).

[*tdi.* + *em*: *O testemunho da mulher implicou seu namorado no assalto.* *pr.*: *O suspeito implicou-se quando mentiu sobre o álibi.*] **5** Fazer parecer, pressupor. [*td.*: *Os erros implicavam a inexperiência do funcionário.*] **6** Exigir, requerer. [*td.*: *Dirigir em dia de chuva implica uma maior atenção do motorista.*] [▶ **11** impl[icar]]
implicativo (im.pli.ca.*ti*.vo) *a.* Que implica ou resulta em implicação (3).
implícito (im.*plí*.ci.to) *a.* Que não está claro, mas fica subentendido (objetivo *implícito*). [Ant.: *explícito.*]
implodir (im.plo.*dir*) *v.* **1** Provocar a implosão (1) de (ger. uma construção), fazendo ruir para dentro. [*td.*: *Implodiram o antigo presídio da ilha Grande.*] **2** *Fig.* Fracassar, devido a contradições internas. [*int.*: *O ministro garantiu que o plano econômico não vai implodir.*] [▶ **58** implod[ir]]. Ger. considerado defec., este verbo tende a apresentar as formas *implode, imploda* etc., com timbre do *o* fechado.]
implorar (im.plo.*rar*) *v.* Pedir suplicando; ROGAR. [*td.*: *O pecador implorou perdão em suas preces.* *tdi.* + *a*: *José implorou uma chance ao chefe.* *ti.* + *por*: *A atriz implorou pelo papel.*] [▶ **1** implor[ar]]
implosão (im.plo.*são*) *sf.* **1** Série de explosões programadas para dirigir a energia a um ponto interior a elas (ger. para provocar o desmoronamento de um prédio). **2** *Fís.* Situação em que as paredes de um recipiente ruem para dentro, por efeito de violenta e súbita pressão externa sobre elas. [Pl.: *-sões.*]
implume (im.*plu*.me) *a2g.* *Zool.* Que ainda não apresenta penas ou plumas (diz-se de ave).
impolido (im.po.*li*.do) *a.* **1** Que não tem polimento. **2** *Fig.* Que demonstra falta de educação; INDELICADO. ● **im.po.li.***dez** sf.*
impoluto (im.po.*lu*.to) *a.* **1** Que não foi poluído. [Ant.: *poluído.*] **2** *Fig.* Que possui dignidade de caráter (juiz *impoluto*); HONESTO. [Ant.: *corrupto, desonesto.*]
imponderado (im.pon.de.*ra*.do) *a.* Que não foi objeto de reflexão (decisão *imponderada*); IRREFLETIDO, PRECIPITADO.
imponderável (im.pon.de.*rá*.vel) *a2g.* *Fig.* Que não pode ser avaliado (consequências *imponderáveis*). [Pl.: *-veis.*] ● **im.pon.de.ra.bi.li.***da*.de *sf.*
imponente (im.po.*nen*.te) *a2g.* **1** Que se impõe por sua grandeza ou pompa (palácio *imponente*); MAJESTOSO. **2** Que se julga importante. ● **im.po.***nên*.ci:a *sf.*
impontual (im.pon.tu:*al*) *a2g.* Que não é pontual; que se atrasa nos compromissos (fornecedor *impontual*). [Pl.: *-ais.*] ● **im.pon.tu:a.li.***da*.de *sf.*
impopular (im.po.pu.*lar*) *a2g.* Que não é popular; que desagrada ao povo (político *impopular*). ● **im.po.pu.la.ri.***da*.de *sf.*
impopularizar (im.po.pu.la.ri.*zar*) *v.* Tornar-se impopular. [*td.*: *Ameaçado de não se eleger, procurou meios de impopularizar seus oponentes.* *pr.*: *A Constituição se reformulou, sem, porém, impopularizar-se.*] [▶ **1** impopulariz[ar]]
impor (im.*por*) *v.* **1** Obrigar(-se) a (algo ou fazer algo) [*td.*: *A mãe impôs que seu filho praticasse algum esporte.* *tdi.* + *a*: *Os romanos impuseram seus costumes aos povos conquistados.* *pr.*: *Ela se impôs uma dieta radical.*] **2** Estabelecer, fixar (ger. por força ou autoridade). [*td.*: *O diretor resolveu impor novas diretrizes.* *tdi.* + *a*: *A vigilância sanitária impôs exigências às restaurantes.*] **3** Inspirar, incutir. [*td.*: *impor respeito.*] **4** Aplicar (pena, castigo etc.) [*tdi.* + *a*: *O campeão impôs ao desafiante uma derrota convincente.*] **5** Fazer-se ouvido e aceito. [*pr.*: *Conseguiu se impor durante os deba-*

tes.] **6** Ser necessário (medida, providência etc.). [*pr.*: *A revisão do estatuto se impunha há muito tempo.*] [▶ **60** im[por]. Part.: *imposto.*]
importação (im.por.ta.*ção*) *sf.* **1** Ação ou resultado de importar; compra de bens ou serviços de outros países: *O Brasil aumentou sua importação de máquinas.* **2** Aquilo que se importou. [Ant.: *exportação.*] [Pl.: *-ções.*]
importado (im.por.*ta*.do) *a.sm.* Que ou aquilo que se importou (perfume *importado*). [Ant.: *exportado.*]
importador (im.por.ta.*dor*) [ô] *a.sm.* **1** Que ou quem adquire produtos importados para revender. [Ant.: *exportador.*] ▣ **importadora** *sf.* **2** *Bras.* Empresa ou loja que compra produtos de outros países para revender: *importadora de automóveis.*
importância (im.por.*tân*.ci:a) *sf.* **1** A qualidade de ser importante; valor; relevância: *a importância dos estudos.* **2** Influência, prestígio: *Assumiu a direção, tal a sua importância no clube.* **3** *Bras.* Quantia em dinheiro: *A loja devolveu toda a importância paga.*
importante (im.por.*tan*.te) *a2g.* **1** De grande valor, relevância e/ou interesse: *A Floresta Amazônica é importante para o equilíbrio ecológico mundial.* **2** De muito prestígio e influência: *Ele é um médico importante nessa área.* **3** Que não se pode dispensar; ESSENCIAL: *Sua presença na reunião é muito importante.*
importar (im.por.*tar*) *v.* **1** Trazer de outra cidade, estado ou país. [*td.*: *A seca obrigou o país a importar alimentos.* *tdi.* + *de*: *O Brasil importava mármore da Itália.*] [Ant.: *exportar.*] **2** Ter valor ou interesse. [*int.*: *O que aconteceu na festa não importa.*] **3** Acarretar, resultar. [*ti.* + *em*: *Qualquer guerra importa em perdas para todos os lados.*] **4** *Inf.* Trazer dados de um programa para serem us. em outro. [*tdi.* + *de*: *Vou importar o arquivo de fotos do Photoshop.*] **5** Atingir certa quantia [*ti.* + *em*: *Sua despesa importa em 500 reais.*] ▣ **importar-se** *pr.* **6** Atribuir importância, incomodar-se: *Não se importou com o barulho.* [▶ **1** import[ar]] ● **im.por.***tá*.vel *a2g.*
importe (im.*por*.te) *sm.* Valor total; preço: *O importe da obra foi maior que o previsto.*
importunar (im.por.tu.*nar*) *v.* Incomodar com falas ou atos inconvenientes ou insistentes; perturbar: *As crianças não devem importunar os animais.* [▶ **1** importun[ar]]
importuno (im.por.*tu*.no) *a.* Que aparece ou acontece em momento inconveniente (visita *importuna*).
imposição (im.po.si.*ção*) *sf.* **1** Obrigação imposta por alguém: *O casamento religioso foi uma imposição da noiva.* **2** Determinação, estipulação: *Discute-se a imposição de novas regras para o vestibular.* [Pl.: *-ções.*]
impossibilitar (im.pos.si.bi.li.*tar*) *v.* Não deixar que (algo aconteça). [*td.*: *A chuva impossibilitou o piquenique no parque.* *tdi.* + *de*: *A idade impossibilitou-a de visitar os netos.*] [▶ **1** impossibilit[ar]]
impossível (im.pos.*sí*.vel) *a2g.* **1** Que não pode existir ou acontecer (sonho *impossível*). **2** Que não se pode fazer: *É impossível prever o tempo a ser gasto com isso.* **3** Difícil de realizar; EXTRAORDINÁRIO: *O artilheiro marcou gols impossíveis.* **4** *Bras.* Levado, travesso: *Esse menino é impossível!* [Pl.: *-veis.*] *sm.* **4** Coisa impossível (1): *Você está me pedindo o impossível.* ● **im.pos.si.bi.li.***da*.de *sf.*
impostar (im.pos.*tar*) *v.* *td.* Emitir (a voz) de maneira clara, correta e no tom certo. [▶ **1** impost[ar]] ● **im.pos.***ta*.do *a.*
imposto (im.*pos*.to) [ô] *a.* **1** Que deve ser cumprido à força (deveres *impostos*). *sm.* **2** Contribuição

financeira imposta pelo Estado. ❚❚ ~ **de renda** Tributo federal recolhido anualmente sobre a renda líquida de cada indivíduo ou empresa, calculado proporcionalmente à renda recebida e por tabelas progressivas divulgadas antecipadamente.

impostor (im.pos.*tor*) [ô] *a.sm.* Que ou quem se faz passar pelo que não é; CHARLATÃO: *Ele se dizia médico mas era um impostor.*

impostura (im.pos.*tu*.ra) *sf.* Ação enganosa concebida por um impostor.

impotável (im.po.*tá*.vel) *a2g.* Que não serve para beber (água *impotável*). [Pl.: *-veis*.]

impotência (im.po.*tên*.ci.a) *sf.* **1** Falta de potência sexual no homem. **2** Incapacidade de agir ou de resolver algo: *O secretário admitiu sua impotência diante da violência na cidade.* [Ant. ger.: *potência*.]

impotente (im.po.*ten*.te) *a2g.* **1** Que está em estado de impotência. **2** Que não dispõe de meios ou força para agir: *O detetive declarou-se impotente para desvendar o caso.* [Ant. ger.: *potente*.]

impraticável (im.pra.ti.*cá*.vel) *a2g.* **1** Difícil ou impossível de realizar (tarefa *impraticável*). **2** Difícil ou impossível de passar (diz-se de estrada, rua etc.); INTRANSITÁVEL (caminho *impraticável*). [Pl.: *-veis*.]

imprecar (im.pre.*car*) *v.* Dizer pragas, blasfêmias ou palavrões. [*ti.* + *contra*: *Não adianta imprecar contra a má sorte! int.*: *A multidão saiu imprecando pelas ruas.*] [▶ **11** impre*car*] ● **im.pre.ca.ção** *sf.*

imprecisão (im.pre.ci.*são*) *sf.* Falta de precisão, de exatidão e de clareza: *A imprecisão do documento gerou confusão.* [Pl.: *-sões*.]

impreciso (im.pre.*ci*.so) *a.* Que não é preciso, exato, ou bem definido: *O número de aprovados ainda era impreciso.*

impregnar (im.preg.*nar*) *v.* **1** Embeber, encharcar. [*td.*: *O óleo impregnou o asfalto.*] **2** Penetrar em. [*td.*: *Na tatuagem, a tinta impregna a pele.*] **3** Encher. [*td.*: *O odor das flores impregnou a sala*; (seguido de indicação de meio/modo) *O escritor impregnou o romance com imagens poéticas. pr.*: *O ambiente da capital se impregnou de nervosismo.*] [▶ **1** impreg*nar*]

imprensa (im.*pren*.sa) *sf.* **1** Máquina de imprimir; PRELO. **2** A arte e a prática de imprimir. **3** Conjunto dos meios de difusão de notícias, fatos, informações etc.: *A imprensa exerce grande influência na opinião pública.* **4** Conjunto dos jornais e revistas de determinado lugar, tipo ou assunto: *a imprensa americana.* **5** Conjunto de jornalistas e repórteres: *O presidente recebeu a imprensa no palácio.* ❚❚ ~ **marrom** A que tem como interesse prioritário escândalos e assuntos sensacionalistas.

📖 O termo refere-se não só à divulgação de notícias em veículos impressos (jornais e revistas), mas também através do rádio, da televisão e da internet. Em sua linguagem, dirigida, portanto, ao grande público, a imprensa reflete e expressa o nível cultural da sociedade. Em seu papel de difusora de informação e opinião, a imprensa livre constitui-se num dos principais instrumentos da democracia, passando a ser *formadora* de opinião. Já na China, no séc. VII, registra-se atividade de imprensa (divulgação de notícias da corte). Os primeiros jornais diários são do séc. XVIII, na Inglaterra. O primeiro jornal brasileiro, o *Correio Braziliense*, não era, quando surgiu em 1808, publicado no Brasil, mas em Londres. Alguns meses depois surgiu a *Gazeta do Rio de Janeiro*, o primeiro jornal publicado no Brasil.

imprensar (im.pren.*sar*) *v. td.* **1** Tip. Apertar na prensa ou no prelo. **2** Apertar muito, não deixando escapatória: *A multidão imprensava os seguranças contra a parede.* **3** *Fig.* Forçar (alguém) a falar algo ou tomar uma atitude: *O detetive imprensou o suspeito e ele confessou.* [▶ **1** imprensa*r*]

imprescindível (im.pres.cin.*di*.vel) *a2g.* Que não pode faltar; INDISPENSÁVEL: *Paio é ingrediente imprescindível de uma boa feijoada.* [Pl.: *-veis*.]

imprescritível (im.pres.cri.*ti*.vel) *a2g. Jur.* Que não prescreve, não perde o efeito (direito *imprescritível*). [Pl.: *-veis*.]

impressão (im.pres.*são*) *sf.* **1** Ação ou resultado de imprimir com máquinas gráficas: *impressão de jornais.* **2** Reprodução mecânica de textos, imagens etc.: *impressão de boa qualidade.* **3** Marca deixada em algum lugar: *A impressão dos sapatos ficou na lama.* **4** *Fig.* Efeito ou emoção que um fato, um objeto ou alguém provoca: *A nova secretária dá uma ótima impressão.* **5** *Fig.* Noção ou opinião vaga; PALPITE. *Tenho a impressão de que meu time será campeão.* [Pl.: *-sões*.] ❚❚ **Dar a ~ de** Ter aparência de, parecer. **~ digital** A marca das estrias da pele dos dedos da mão, cujo desenho é tido como único para cada indivíduo, e que serve, portanto, para identificá-lo.

impressionado (im.pres.si.o.*na*.do) *a.* **1** Abalado, chocado: *Ele ainda está muito impressionado com o que lhe aconteceu.* **2** Deslumbrado: *Fiquei impressionada com a beleza do lugar.*

impressionante (im.pres.si.o.*nan*.te) *a2g.* **1** Que impressiona, que choca: *O piloto sofreu um grave e impressionante acidente.* **2** Que deslumbra, surpreende (acrobacias *impressionantes*).

impressionar (im.pres.si.o.*nar*) *v.* **1** Causar admiração, espanto ou comoção em. [*td.*: *A confusão no trânsito impressionou o rapaz do interior. pr.*: *Eu sempre me impressiono com a beleza desta cidade.*] **2** Causar (luz, cor) impressão em (olho, retina). [*td.*: *A tinta impressionara demais a página.*] [▶ **1** impressio*nar*]

impressionável (im.pres.si.o.*ná*.vel) *a2g.* Que se deixa impressionar facilmente. [Pl.: *-veis*.]

impressionismo (im.pres.si.o.*nis*.mo) *sm. Art.Pl.* Movimento da pintura do fim do séc. XIX, que usou os efeitos da luz e da cor para retratar a realidade.
● **im.pres.si.o.nis.ta** *a2g.s2g.*

impresso (im.*pres*.so) *a.* **1** Que se imprimiu (texto *impresso*). *sm.* **2** Qualquer trabalho impresso (*impressos* publicitários). **3** Formulário ger. us. no serviço público: *impresso para pagamento de imposto.*

impressor (im.pres.*sor*) [ô] *sm.* Proprietário ou operário de oficina gráfica.

impressora (im.pres.*so*.ra) [ô] *sf.* **1** *Inf.* Máquina que imprime textos e imagens gerados por um computador ao qual está acoplada. **2** *Art. Gr.* Máquina de impressão; PRELO; PRENSA.

imprestável (im.pres.*tá*.vel) *a2g.* **1** Que não tem mais serventia; INÚTIL. **2** Que não ajuda os outros, que não é prestativo. [Pl.: *-veis*.]

impreterível (im.pre.te.*rí*.vel) *a2g.* **1** Que não se pode preterir, deixar de fazer. **2** Impossível de adiar; INADIÁVEL. [Pl.: *-veis*.]

imprevidente (im.pre.vi.*den*.te) *a2g.* Que não tem cuidado, negligente: *Motorista imprevidente dirige sem cinto de segurança.* ● **im.pre.vi.dên.ci.a** *sf.*

imprevisão (im.pre.vi.*são*) *sf.* Falta de previsão: *A imprevisão dos técnicos causou o racionamento de energia.* [Pl.: *-sões*.]

imprevisível (im.pre.vi.*si*.vel) *a2g.* Que não pode ser previsto (reação *imprevisível*). [Pl.: *-veis*.]

imprevisto (im.pre.*vis*.to) *a.sm.* Que ou aquilo que não pode ser previsto: *um fato imprevisto*;

Caso ocorra um imprevisto, a viagem será cancelada.

imprimir (im.pri.*mir*) *v.* **1** Marcar. [*td.* (seguido de indicação de lugar): *Imprimi minha impressão digital no documento.*] **2** *Art.Gr.* Fixar em papel, cartão etc. texto ou imagem, em uma ou em múltiplas cópias, usando máquina gráfica. [*td.*] **3** Dar, conferir. [*tdi. + a: O político imprimiu um tom agressivo ao discurso.*] **4** Publicar (texto) em jornal ou revista. [*td.*] **5** *Inf.* Estampar texto ou imagem em papel, a partir de computador. [*td.*] [▶ **3** imprimir. Part.: *impresso e imprimido.*]

ímprobo (*im*.pro.bo) *a.* Que não é probo; DESONESTO.

improcedente (im.pro.ce.*den*.te) *a2g.* Que não procede; sem justificativa; ilógico.

improceder (im.pro.ce.*der*) *v. int.* Não ter fundamento: *O juiz considerou que a ação improcedia.* [▶ **2** proceder]

improdutivo (im.pro.du.*ti*.vo) *a.* **1** Que não dá frutos; ESTÉRIL (terra improdutiva). **2** Que não gera renda, que não é rentável (atividade improdutiva). **3** Que foi em vão; INÚTIL (esforço improdutivo). • **im.pro.du.ti.vi.da.de** *sf.*

improferível (im.pro.fe.*ri*.vel) *a2g.* Que não se pode ou não se deve proferir. [Pl.: *-veis.*]

profícuo (im.pro.*fi*.cu:o) *a.* Que não é profícuo; IMPRODUTIVO.

impropério (im.pro.*pé*.ri:o) *sm.* Ato ou palavra que ofende gravemente, que ultraja.

impróprio (im.*pró*.pri:o) *a.* **1** Que não é próprio, adequado: *programas de TV impróprios para crianças.* **2** Que não é conveniente; INOPORTUNO: *Eles apareceram lá numa hora muito imprópria.* **3** Indecente, indecoroso (comportamento impróprio).

improrrogável (im.pror.ro.*gá*.vel) *a2g.* Que não se pode prorrogar. [Pl.: *-veis.*]

improvável (im.pro.*vá*.vel) *a2g.* **1** Que não tem probabilidade de se realizar. **2** Que não se pode provar. [Pl.: *-veis.* Superl.: *improbabilíssimo.*] • **im.pro.ba.bi.li.da.de** *sf.*

improvisar (im.pro.vi.*sar*) *v.* **1** Criar ou realizar (algo) sem preparo prévio. [*td.:* "Na tentativa de evitar acidentes, moradores improvisaram uma sinalização..." (*O Globo,* 05.02.04). *int.: Como a homenageada não tinha preparado um discurso, improvisou.*] **2** Citar falsamente ou elaborar (algo) com a intenção de enganar; FORJAR. [*td.: improvisar uma credencial da imprensa.*] **3** Assumir uma ocupação em caso de necessidade. [*pr.: A mulher improvisou-se em parteira para ajudar a grávida.*] [▶ **1** improvisar] • **im.pro.vi.sa.ção** *sf.*; **im.pro.vi.sa.do** *a.*; **im.pro.vi.sa.dor** *a.sm.*

improviso (im.pro.*vi*.so) *sm.* Ação ou resultado de improvisar; IMPROVISAÇÃO: *O novo programa de TV quer reunir humor e improviso.* ❚❚ De ~ Sem ter preparado o ensaiado antes (fala, discurso, execução de música etc.)

imprudência (im.pru.*dên*.ci:a) *sf.* **1** Falta de prudência, de cautela. **2** Ato impensado, irresponsável.

imprudente (im.pru.*den*.te) *a2g.* Que não tem prudência, que não é cauteloso (motorista imprudente).

impúbere (im.*pú*.be.re) *a2g.s2g.* Que ou quem ainda não atingiu a puberdade.

impudência (im.pu.*dên*.ci:a) *sf.* **1** Falta de pudor, de vergonha; SEM-VERGONHICE. **2** Ação ou dito impudente.

impudente (im.pu.*den*.te) *a2g.* Que ou quem não tem pudor; SEM-VERGONHA; DESCARADO.

impudicícia (im.pu.di.*cí*.ci:a) *sf.* **1** Falta de pudicícia, de pudor, de recato. **2** Ato ou dito impudico.

impudico (im.pu.*di*.co) *a.sm.* Que ou quem não tem pudor; SEM-VERGONHA; IMORAL.

impudor (im.pu.*dor*) [ô] *sm.* Falta de pudor.

impugnar (im.pug.*nar*) *v. td.* **1** Refutar, exibindo argumentos; tornar ilegítimo: *Por suspeita de fraude, o Tribunal Eleitoral impugnou as eleições.* **2** Opor-se a: *Os membros do conselho impugnaram várias decisões do diretor.* [▶ **1** impugnar] • **im.pug.ná.vel** *a2g.*

impulsão (im.pul.*são*) *sf.* Ver impulso. [Pl.: *-sões.*]

impulsionar (im.pul.si:o.*nar*) *v. td.* **1** Fazer (algo) se movimentar; IMPELIR: *Um conjunto de foguetes impulsionou a nave espacial.* **2** Fig. Dar estímulo a; INCENTIVAR: *As exportações impulsionam a economia de um país.* [▶ **1** impulsionar]

impulsivo (im.pul.*si*.vo) *a.* **1** Que age por impulso (2), sem pensar. **2** Que se empolga ou se enfurece facilmente.

impulso (im.*pul*.so) *sm.* **1** Ação de pôr em movimento, de impelir; IMPULSÃO. **2** Tendência instintiva que impele o indivíduo a realizar ou a recusar determinados atos.

impulsor (im.pul.*sor*) [ô] *a.* Que impulsiona, que impele (força impulsora).

impune (im.*pu*.ne) *a2g.* Que não recebeu punição ou castigo por erro ou crime cometido. • **im.pu.ni.da.de** *sf.*

impureza (im.pu.*re*.za) [ê] *sf.* **1** Condição, estado ou qualidade de impuro: *a impureza do ar nos centros urbanos.* **2** Coisa impura.

impuro (im.*pu*.ro) *a.* **1** Que não é puro, que não tem pureza (água impura). **2** Pecaminoso, sujo (pensamentos impuros).

imputar (im.pu.*tar*) *v. tdi.* **1** Qualificar de: [+ *a: O diretor imputou aos funcionários faltosos a pecha de preguiçosos.*] **2** Atribuir a (alguém) a responsabilidade por: [+ *a: Imputaram ao contador o erro dos cálculos.*] **3** *Jur.* Atribuir culpa ou delito a. [+*a*] [▶ **1** imputar] • **im.pu.ta.ção** *sf.*

imputável (im.pu.*tá*.vel) *a2g.* Que pode ser imputado, atribuído a alguém.

imundícia (, i.mun.*di*.ci:a) *sf.* Ver imundície.

imundície (i.mun.*di*.ci:e) *sf.* **1** Condição ou estado do que está imundo. **2** Falta de limpeza.

imundo (i.*mun*.do) *a.* **1** Muito sujo: *Quer tirar esse pé imundo do sofá?!* **2** Fig. Imoral, obsceno.

imune (i.*mu*.ne) *a2g.* **1** Que tem resistência a um agente infeccioso, a uma doença. **2** Que não sofre, não é afetado por: *Ele se diz imune ao ciúme.* **3** Que está isento de quaisquer ônus ou encargos.

imunidade (i.mu.ni.*da*.de) *sf.* **1** *Med.* Resistência natural ou adquirida de um organismo contra contaminações. **2** Capacidade de resistir a algo: *imunidade à demagogia.* **3** Isenção de obrigações, penas ou encargos em função do cargo exercido (imunidade parlamentar).

imunizar (i.mu.ni.*zar*) *v.* **1** Tornar imune ou resistente a uma doença. [*td.: Na campanha de vacinação, imunizaram todas as crianças do bairro. tdi. + contra: Cientistas imunizaram chimpanzés contra o vírus da AIDS.*] **2** *Fig.* Tornar insensível ou indiferente a. [*tdi. + contra: A experiência o imunizou contra comentários maldosos.*] [▶ **1** imunizar]

imunodeficiência (i.mu.no.de.fi.ci:*ên*.ci:a) *sf.* Deficiência nas defesas imunológicas de um organismo.

imunogênico (i.mu.no.*gê*.ni.co) *a.* Que gera imunidade.

imunoglobulina (i.mu.no.glo.bu.*li*.na) *sf.* Proteína que se encontra no soro sanguíneo e que constitui os anticorpos.

imunologia (i.mu.no.lo.*gi*.a) *sf. Med.* Ramo da medicina que estuda os fenômenos da imunidade. • **i.mu.no.ló.gi.co** *a.*; **i.mu.no.lo.gis.ta** *s2g.*

imunoterapia | inapreciável

□ O organismo humano dispõe de um sistema capaz de identificar corpos estranhos nocivos a ele (ger. provindos do meio exterior) e de provocar dentro do próprio organismo a fabricação de substâncias que combaterão esses corpos e eventualmente os destruirão ou eliminarão. Esse sistema, que visa tornar o organismo imune à ação patogênica dos invasores, chama-se *imunológico*. Baseia-se na informação fornecida por aliados presentes entre os invasores, os chamados *antígenos*, para fabricar (em órgãos como o timo e o baço) os *anticorpos* que, na corrente san-guínea, combaterão os invasores. Nessa luta, podem ser auxiliados por substâncias inoculadas, pela inoculação do próprio agente invasor em doses muito pequenas (vacina), o que provoca a reação preventiva do organismo, fabricando os anticorpos que garantirão a imunidade, caso uma invasão real aconteça. Nos casos de transplantes de órgãos, é preciso atenuar o sistema imunológico para evitar que o órgão transplantado seja combatido. A mais grave doença imunológica é a AIDS, ou SIDA, (ver *AIDS*), na qual o sistema imunológico é neutralizado pelo retrovírus HIV, ficando vulnerável a infecções oportunistas que podem levar à morte.

imunoterapia (i.mu.no.te.ra.*pi*.a) *sf. Med.* Tratamento de doença com medicação que desenvolve anticorpos no organismo infectado. • **i.mu.no.te.rá.pi.co** *a.*

imutável (i.mu.*tá*.vel) *a2g.* Que não muda. [Pl.: -*veis*.] • **i.mu.ta.bi.li.***da*.de *sf.*

⊕ **in** (*Ing.* /in/) *a.* Que está na moda: *Frequentar restaurantes exóticos agora é* in. [Ant.: *out*.]

inabalável (i.na.ba.*lá*.vel) *a2g.* **1** Que está muito firme (rocha inabalável). **2** Profundamente arraigado (árvore inabalável). **3** Resistente, inquebrantável (coragem inabalável). **4** Imperturbável (serenidade inabalável). [Pl.: -*veis*.]

inábil (i.*ná*.bil) *a2g.* Que não é hábil, desajeitado, inapto, que não tem aptidão, incompetente. [Pl.: -*beis*.] • **i.na.bi.li.***da*.de *sf.*

inabilitar (i.na.bi.li.*tar*) *v.* **1** Tornar(-se) incapacitado para (atividade, função etc.); INCAPACITAR-SE. [*td*.: *Desejava ser piloto, mas a miopia inabilitou-o.* *pr*.: *Com o acidente, inabilitou-se para o cargo.*] **2** Reprovar em exame ou avaliação. [*td*.: *O vestibular inabilitou um número grande de candidatos.*] **3** Impedir o acesso a serviços. [*td*.: *O banco inabilitou, por engano, a conta do cliente.*] [Ant. ger.: *habilitar*.] [▶ 1 inabilitar]

inabitado (i.na.bi.*ta*.do) *a.* Que não é ou não está habitado; ERMO.

inabitável (i.na.bi.*tá*.vel) *a2g.* Que não é habitável, que não tem condições de habitação. [Pl.: -*veis*.]

inabitual (i.na.bi.tu:*al*) *a2g.* Que não é habitual; IN-COMUM; RARO. [Pl.: -*ais*.]

inabordável (i.na.bor.*dá*.vel) *a2g.* **1** Que é de difícil acesso (trilha inabordável). **2** Que é pouco tratável ou receptivo (pessoa inabordável). [Pl.: -*veis*.]

inacabado (i.na.ca.*ba*.do) *a.* Que não está concluído; INCOMPLETO.

inacabável (i.na.ca.*bá*.vel) *a2g.* Que não se consegue acabar; INTERMINÁVEL. [Pl.: -*veis*.]

inação (i.na.*ção*) *sf.* **1** Ausência de ação, inércia. **2** Indecisão, falta de resolução. [Pl.: -*ções*.]

inaceitável (i.na.cei.*tá*.vel) *a2g.* Que não é aceitável; INADMISSÍVEL. [Pl.: -*veis*.]

inacessível (i.na.ces.*sí*.vel) *a2g.* **1** Que não dá acesso, que não oferece condições de ser atingido (moradia inacessível). **2** Intratável, inabordável (pessoa inacessível). **3** Que não pode ser alcançado pela inteligência: *A solução deste problema não é inacessível*. [Pl.: -*veis*.] • **i.na.ces.si.bi.li.***da*.de *sf.*

inacreditável (i.na.cre.di.*tá*.vel) *a2g.* **1** Em que não se pode acreditar; INCRÍVEL. **2** Extraordinário, espantoso, surpreendente. [Pl.: -*veis*.]

inacusável (i.na.cu.*sá*.vel) *a2g.* Que não pode ou não deve ser acusado. [Pl.: -*veis*.]

inadaptação (i.na.dap.ta.*ção*) *sf.* Falta de adaptação, desajuste. [Pl.: -*ções*.] • **i.na.dap.***ta*.do *a.*

inadaptável (i.na.dap.*tá*.vel) *a2g.* Que não é adaptável, que não se adapta. [Pl.: -*veis*.]

inadequado (i.na.de.*qua*.do) *a.* **1** Impróprio, inoportuno (comportamento inadequado). **2** Inadaptado, desajustado, não compatível: *Pessoas inadequadas ao mundo atual.* • **i.na.de.qua.***ção* *sf.*

inadiável (i.na.di:*á*.vel) *a2g.* Que não pode ser adiado; IMPRORROGÁVEL. [Pl.: -*veis*.]

inadimplência (i.na.dim.*plên*.ci.a) *sf.* Falta de observância de um contrato, parcial ou integralmente. • **i.na.dim.***plen*.te *a2g.*

inadmissível (i.nad.mis.*sí*.vel) *a2g.* Que não é admissível, que não pode ou não deve ser admitido (modos inadmissíveis); INACEITÁVEL. [Pl.: -*veis*.]

inadvertência (i.nad.ver.*tên*.ci:a) *sf.* Descuido, negligência, falta de atenção.

inadvertido (i.nad.ver.*ti*.do) *a.* **1** Não avisado; DESAVISADO: *O carteiro inadvertido não percebeu o cão.* **2** Feito sem cuidado, prudência (ação inadvertida).

inafiançável (i.na.fi:an.*çá*.vel) *a2g.* Que não pode ser objeto de fiança (crime inafiançável). [Pl.: -*veis*.]

inalação (i.na.la.*ção*) *sf.* **1** Ação ou resultado de inalar. **2** *Med.* Inspiração de medicamentos. [Pl.: -*ções*.]

inalador (i.na.la.*dor*) [ó] *sm.* Aparelho com que se faz inalação.

inalar (i.na.*lar*) *v.* Aspirar profundamente (ar, remédio, gás etc.): [*td*. *Adoeceu depois de inalar o produto.* *int.* *É preciso inalar e exalar pausadamente.*] [Ant.: *exalar*.] [▶ 1 inalar]

inalienável (i.na.li:e.*ná*.vel) *a2g.* **1** Que não se pode transferir ou alienar para outrem (bens inalienáveis). **2** Que não se pode tomar de alguém ou retirar-lhe: *Num estado de direito, a liberdade é um direito inalienável do indivíduo.* [Pl.: -*veis*.]

inalterável (i.nal.te.*rá*.vel) *a2g.* **1** Que não pode ser alterado: *As leis da natureza são inalteráveis.* **2** Impassível, sem alteração: *rosto de expressão inalterável.* [Pl.: -*veis*.] • **i.nal.te.***ra*.do *a.*

inamistoso (i.na.mis.*to*.so) [ô] *a.* Que não é amigável; INIMIGO; HOSTIL. [Fem. e pl.: [ó].]

inamovível (i.na.mo.*ví*.vel) *a2g.* **1** Que não pode ser movido ou removido de um lugar para outro: *O pilar é inamovível.* **2** *Fig.* Em que não pode haver mudança de ordem (crenças inamovíveis). **3** Que não pode ser demitido arbitrariamente, mas só por sentença e nos casos previstos em lei: *Os juízes de direito são inamovíveis.* [Pl.: -*veis*.]

inane (i.*na*.ne) *a2g.* **1** Vazio, cujo espaço não foi ocupado (vaso inane). **2** *Fig.* Inútil, vão, frívolo, fútil (discurso inane).

inanição (i.na.ni.*ção*) *sf.* Extrema debilidade ou fraqueza por falta de alimentação. [Pl.: -*ções*.]

inanimado (i.na.ni.*ma*.do) *a.* **1** Que não tem movimento. **2** Que não tem vida ou deixou de ter.

inapelável (i.na.pe.*lá*.vel) *a2g.* De que não há apelação ou de que não é possível apelar (sentença inapelável). [Pl.: -*veis*.]

inapetência (i.na.pe.*tên*.ci:a) *sf.* Falta de apetite, fastio.

inapreciável (i.na.pre.ci:*á*.vel) *a2g.* **1** Que não pode ser apreciado, estimado. **2** Cujo valor, preço ou utilidade é superior ao que se pode calcular, inestimável, incalculável: *joias raras de valor inapreciável.* [Pl.: -*veis*.]

inaproveitável (i.na.pro.vei.*tá*.vel) *a2g*. Que não se pode aproveitar. [Pl.: -*veis*.]

inaptidão (i.nap.ti.*dão*) *sf*. Falta de aptidão, incapacidade, inabilidade. [Pl.: -*dões*.]

inapto (i.*nap*.to) *a.sm*. Que ou quem não é apto, capaz.

inarrável (i.nar.*rá*.vel) *a2g*. Que não se pode narrar; INENARRÁVEL. [Pl.: -*veis*.]

inarredável (i.nar.re.*dá*.vel) *a2g*. **1** Que não se pode arredar ou tirar do lugar, inamovível (pedra inarredável). **2** De que não se pode afastar (ideias inarredáveis). [Pl.: -*veis*.]

inarticulado (i.nar.ti.cu.*la*.do) *a*. **1** Que não é articulado ou é mal articulado (sons inarticulados). **2** *Biol.* Que não tem articulações (membro inarticulado).

inassimilável (i.nas.si.mi.*lá*.vel) *a2g*. **1** Que não pode ser assimilado, absorvido (ideias inassimiláveis, cultura inassimilável). **2** Que não se entende ou se entende com dificuldade (matéria inassimilável). [Pl.: -*veis*.]

inatacável (i.na.ta.*cá*.vel) *a2g*. **1** Que não pode ser atacado, que não dá motivos para ser atacado (comportamento inatacável). **2** Que não se pode refutar, irrespondível: *Sua argumentação é inatacável.* [Pl.: -*veis*.]

inatingível (i.na.tin.*gí*.vel) *a2g*. **1** Que não se pode atingir ou alcançar, inacessível (lugar inatingível). **2** A que não se pode ter acesso ou com que não se pode manter contato (pessoa inatingível). **3** Cuja honra não se pode atacar. [Pl.: -*veis*.]

inativo (i.na.*ti*.vo) *a*. **1** Que está parado, que não está funcionando (máquina inativa). **2** Que se aposentou (funcionário inativo). *sm*. **3** Funcionário aposentado. ● **i.na.ti.vi.***da*.de *sf*.

inato[1] (i.*na*.to) *a*. Que nasce com a pessoa: *A faculdade da linguagem é inata na espécie humana.*

inato[2] (i.*na*.to) *a*. Que não nasceu.

inaudito (i.nau.*di*.to) *a*. **1** De que jamais se ouviu falar, de que não existe exemplo, tradição ou memória (sucesso inaudito). **2** Incrível, fantástico.

inaudível (i.nau.*dí*.vel) *a2g*. Que não se pode ouvir. [Pl.: -*veis*.]

inauguração (i.nau.gu.ra.*ção*) *sf*. **1** Ação ou resultado de inaugurar. **2** Solenidade com que se inaugura estabelecimento, instituição, edifício etc. [Pl.: -*ções*.] ● **i.nau.gu.***ral* *a2g*.

inaugurar (i.nau.gu.*rar*) *v. td*. **1** Abrir pela primeira vez, para acesso ou uso do público: *O prefeito inaugurou o novo hospital.* **2** Dar início a; PRINCIPIAR: *A internet inaugurou uma nova era no mercado de trabalho.* [▶ 1 inaugurar]

inautêntico (i.nau.*tên*.ti.co) *a*. Que não é autêntico; FALSO. ● **i.nau.ten.ti.ci.***da*.de *sf*.

inavegável (i.na.ve.*gá*.vel) *a2g*. **1** Que não se pode navegar (mares inavegáveis). **2** Com que não se pode navegar (barco inavegável). [Pl.: -*veis*.]

inca (*in*.ca) *a2g*. Que pertence ao povo que habitava, à época da conquista espanhola, desde o atual Equador até o norte da Argentina e do Chile; típico desse povo (cerâmica inca). *s2g*. **2** Indivíduo pertencente a esse povo. *sm*. **3** Soberano dos incas. ● in.*cai*.co *a*.

incabível (in.ca.*bí*.vel) *a2g*. Que não tem cabimento, que não se admite; INACEITÁVEL: *Veio com uma proposta incabível.* [Pl.: -*veis*.]

incalculável (in.cal.cu.*lá*.vel) *a2g*. **1** Que não se pode calcular (ger. por ser muito grande, extenso, numeroso etc.) *Herdará um patrimônio incalculável.* **2** Cujo grande valor ou importância não se pode avaliar: *Seu legado artístico é incalculável.* [Pl.: -*veis*.]

incandescente (in.can.des.*cen*.te) *a2g*. **1** Em chamas ou em brasa; ARDENTE; CANDENTE. **2** *Fig.* Muito arrebatado: *Proferiu na tribuna um discurso incandescente.* ● **in.can.des.***cên*.ci:a *sf*.

incandescer (in.can.des.*cer*) *v*. Fazer ficar, ou ficar, em brasa. [*td*.: *Incandesceu a peça de metal para soldar o ferro. int*.: *Na fornalha, os pedaços de carvão incandesciam.*] [▶ 33 incandescer]

incansável (in.can.*sá*.vel) *a2g*. **1** Que nunca se cansa ou esmorece (trabalhador incansável); INFATIGÁVEL. **2** Que não mede esforços; OBSTINADO; PERSISTENTE: *Um líder incansável na defesa dos direitos humanos.* [Pl.: -*veis*.]

incapacidade (in.ca.pa.ci.*da*.de) *sf*. Falta de capacidade (física ou mental); condição de incapaz (2): *A doença acarretou sua incapacidade motora.*

incapacitar (in.ca.pa.ci.*tar*) *v*. Fazer perder ou perder a aptidão (para exercer atividades, funções etc.); INABILITAR(-SE). [*td*.: *O acidente com a mão talvez o incapacite para o piano. pr*.: *Afônica, incapacitou-se para o concurso de canto*.] [▶ 1 incapacitar]

incapaz (in.ca.*paz*) *a2g*. **1** Que (por princípios, caráter etc.) não se permite agir de certa forma: "... era um cavalheiro, incapaz da covardia de maltratar uma senhora..." (Guimarães Rosa, *Sagarana*). **2** Que, por motivos físicos ou mentais, doença etc. não consegue fazer algo: *O reumatismo tornou-o incapaz de caminhar sozinho.* **3** Diz-se daquele ou daquilo a que falta competência, aptidão ou habilidade para algo: *São funcionários incapazes de resolver o problema.* **4** *Jur.* Que é privado por lei de exercer certas funções e direitos. *s2g*. **5** Pessoa incapaz (2, 3 e 4). [Superl.: *incapacíssimo*.]

incaracterístico (in.ca.rac.te.*rís*.ti.co) *a*. Não característico, sem características ou traços próprios, comum: *Seu jeito de vestir é incaracterístico.*

incauto (in.*cau*.to) *a.sm*. **1** Que ou aquele que age sem cautela; IMPRUDENTE; DESCUIDADO. **2** Que ou aquele que é ingênuo, sem malícia; CRÉDULO: *Golpista, vive atrás de incautos.*

incelença (in.ce.*len*.ça) *sf. N.E.* Canto religioso cantado em velório ou junto a moribundo.

incendiar (in.cen.di.*ar*) *v*. **1** Atear ou pegar fogo em; QUEIMAR(-SE). [*td*.: *Já descobriram quem incendiou o museu? pr*.: *Com o vendaval, a floresta rapidamente se incendiava.*] **2** *Fig.* Provocar a exaltação dos ânimos em; INFLAMAR. [*td*.: *Fez declarações que incendiaram o ambiente.*] [▶ 15 incendiar]

incendiário (in.cen.di.*á*.ri:o) *a.sm*. **1** Que ou quem provoca incêndios. **2** *Fig.* Que ou quem incentiva as pessoas a se revoltar (ideias incendiárias, político incendiário).

incêndio (in.*cên*.di:o) *sm*. Fogo de grandes proporções que se propaga destruindo ou danificando tudo que atinge.

incensar (in.cen.*sar*) *v. td*. **1** *Fig.* Fazer elogios em demasia a; BAJULAR: *Não entendo que a crítica incense uma banda medíocre.* **2** Perfumar com incenso: *O professor de ioga sempre incensa a sala de aula.* [▶ 1 incensar]

incenso (in.*cen*.so) *sm*. Substância que, ao ser queimada, produz uma fumaça que perfuma o ambiente.

incensurável (in.cen.su.*rá*.vel) *a2g*. **1** Que não pode ou não deve sofrer censura. **2** Correto, irrepreensível (atitude incensurável). [Pl.: -*veis*.]

incentivar (in.cen.ti.*var*) *v*. Dar estímulos a; ENCORAJAR. [*td*.: *É importante incentivar os novatos. tdi. + a*: *O professor incentivou os alunos a fazer o teste.*] [▶ 1 incentivar]

incentivo (in.cen.*ti*.vo) *sm*. Aquilo que serve como um estímulo para se superar algo: *A superação de seus próprios limites é um grande incentivo do atleta.* ⬛ ~ **fiscal** Renúncia (de governo) à parte dos tributos devidos por indivíduo(s) ou empresa(s) para

incerta | inclusão 440

que seja aplicada por estes em projetos de interesse da sociedade.

incerta (in.*cer*.ta) *sf. Pop.* Visita, sem aviso prévio, para fins de controle e vigilância. ▪▪ **Dar uma ~** Visitar de surpresa (lugar de trabalho, casa etc.) para inspecionar ou fazer algo sem anunciar previamente: *O governador ontem deu uma incerta nos presídios.*

incerteza (in.cer.*te*.za) [ê] *sf.* Estado de dúvida ou hesitação.

incerto (in.*cer*.to) *a.* **1** Que está indefinido e indeterminado (futuro incerto). **2** De que não se pode estar seguro (amor incerto). **3** Que é vago ou ambíguo (prognóstico incerto).

incessante (in.ces.*san*.te) *a2g.* Que não para (movimento incessante, briga incessante).

incesto (in.*ces*.to) [ê] *sm.* Relação sexual entre pais e filhos, irmãos entre si (em ambos os casos mesmo entre adotivos), que é proibida pelos costumes, pela Igreja ou leis sociais.

incestuoso (in.ces.tu.*o*.so) [ô] *a.* **1** Que envolve incesto (relação incestuosa). **2** Que ou quem cometeu incesto. [Fem. e pl.: [ó].]

inchação (in.cha.*ção*) *sf.* **1** Ação ou resultado de inchar(-se). **2** Aumento acentuado do volume de órgão ou região do corpo; EDEMA: *inchação do rosto*. [Pl.: *-ções*.] ● **in.cha.ço sm.**

inchar (in.*char*) *v.* **1** Tornar(-se) (parte do corpo) aumentada ou intumescida (por golpe, inflamação etc.). [*td*.: *A doença inchou suas pernas. int./pr.: Seus olhos incharam(-se) de tanto chorar.*] **2** Tornar(-se) mais cheio ou volumoso. [*td*.: *Cuidado para não inchar demais os balões. int.: Os bolinhos de chuva já começaram a inchar.*] **3** Aumentar desordenadamente (quando de funcionários, população etc.). [*td*.: *O movimento migratório incha a periferia das cidades. int.: A folha de pagamento do Estado não para de inchar.*] **4** Ficar muito orgulhoso ou cheio de si; ENVAIDECER-SE. [*pr.: Incha-va-se toda ao ver sua foto nos jornais.*] [▶ 1 inch*ar*]

incidência (in.ci.*dên*.ci.a) *sf.* **1** Ocorrência ou existência de algo: *A incidência do dengue é maior no verão.* **2** Aplicação de impostos ou taxas sobre um produto. **3** Ação ou resultado de atingir uma superfície: *incidência da luz*.

incidental (in.ci.den.*tal*) *a2g.* **1** Que não se previu inicialmente (efeito incidental). **2** Que tem pouca importância (problema incidental). **3** Ref. a ou que tem caráter de incidente (1). [Pl.: *-tais*.]

incidente (in.ci.*den*.te) *sm.* **1** Evento ou acontecimento imprevisto e desprovido de maior importância: *incidente de percurso*. **2** Fato inconveniente ou desagradável (incidente diplomático). *a2g.* **3** Que atinge um corpo ou superfície (luz incidente). **4** Que desempenha um papel secundário (causas incidentes).

incidir (in.ci.*dir*) *v.* **1** Refletir-se ou recair (ger. a luz) sobre a superfície de. [*int*. (seguido de indicação de lugar): *A luz do abajur incidia sobre o rosto da moça.*] **2** Ser aplicado a (imposto, multa etc.). [*ti. + em, sobre: Novos impostos incidirão nos salários.*] **3** Cair, incorrer (em erro, falta, crime). [*ti. + em*] [▶ 3 incid*ir*]

incinerar (in.ci.ne.*rar*) *v. td.* Queimar até que tenha se transformado em cinzas: *A comunidade incinerava o lixo em caçambas precárias.* [▶ 1 incine*rar*] ● **in.ci.ne.ra.dor** *sm.*

incipiente (in.ci.pi.*en*.te) *a2g.* Que está no começo; INICIAL; PRINCIPIANTE.

incircuncidado, incircunciso (in.cir.cun.ci.*da*.do, in.cir.cun.*ci*.so) *a.sm.* Que ou quem não passou por circuncisão.

incisão (in.ci.*são*) *sf.* Corte longo e estreito, ger. feito com instrumento cirúrgico. [Pl.: *-sões*.]

incisivo (in.ci.*si*.vo) *a.* **1** Que é próprio para cortar (dentes incisivos). **2** *Fig.* Que é penetrante (palavras incisivas). *sm.* **3** *Anat.* Cada um dos oito dentes (quatro em cada maxilar) situados à frente, entre os caninos, e que servem para capturar e cortar alimentos.

inciso (in.*ci*.so) *sm. Jur.* Subdivisão de um parágrafo de lei, que pode ou não conter alíneas.

incitação (in.ci.ta.*ção*) *sf.* Ação ou resultado de estimular alguém a fazer algo: *incitação à greve.* [Pl.: *-ções*.]

incitar (in.ci.*tar*) *v.* **1** Encorajar ou instar (alguém) (a realizar algo); IMPELIR. [*tdi. + a: O estudante incitou o colega a participar do protesto.*] [Ant.: *desencorajar.*] **2** Provocar ou promover a intensificação de; INSTIGAR. [*td.: Essa rádio não toca músicas que incitem a violência.*] [▶ 1 incit*ar*]

incivil (in.ci.*vil*) *a2g.* Que não é bem-educado, cortês (comportamento incivil). [Pl.: *-vis*.]

incivilizado (in.ci.vi.li.*za*.do) *a.* **1** Que não pertence à civilização. **2** *Fig.* Que é grosseiro ou inculto.

inclassificável (in.clas.si.fi.*cá*.vel) *a2g.* **1** Que não se consegue classificar. **2** Que merece censura e reprovação (conduta inclassificável). [Pl.: *-veis*.]

inclemente (in.cle.*men*.te) *a2g.* **1** Que é severo e sem piedade (feitor inclemente). **2** *Fig.* Que é rigoroso e difícil de suportar (calor inclemente).

inclinação (in.cli.na.*ção*) *sf.* **1** Ação ou resultado de inclinar(-se). **2** Posição oblíqua de linha, plano, objeto etc. em relação a um plano: *inclinação da torre/dos raios solares.* **3** Tendência ou inclinação natural para alguma coisa: *inclinação para a música.* [Pl.: *-ções*.]

inclinar (in.cli.*nar*) *v.* **1** Deslocar(-se) em relação a um eixo. [*td.: Ao bater a falta, inclinou o corpo para a direita. pr.: Os coqueiros inclinavam-se sob o vento.*] **2** Curvar-se ou abaixar-se (sobre algo). [*pr.: Cansado, o cozinheiro inclinou-se sobre a pia.*] **3** Manifestar pendor. [*pr.: O jovem músico inclina-se para o samba.*] **4** Tornar(-se) favorável ou propenso a: [*ti. + a, para: O argumento da irmã inclinou-o a aceitar a oferta. pr.: Será que Rita inclina-se a testemunhar no julgamento?*] [▶ 1 inclin*ar*] ● **in.cli.na.do** *a.*; **in.cli.ná.vel** *a2g.*

ínclito (*ín*.cli.to) *a.* Famoso por suas qualidades e seu talento; CÉLEBRE; ILUSTRE.

incluir (in.clu.*ir*) *v.* **1** Fazer constar ou constar em (lista, relação de nomes); ARROLAR(-SE). [*td.: Incluíram-no na lista negra do diretor. pr.: A atriz inclui-se entre os indicados ao prêmio.*] **2** Colocar dentro de (ger. carta); INSERIR. [*td.* (seguido de indicação de lugar): *Inclua no envelope o recibo de pagamento.*] **3** Acrescentar ou introduzir em. [*td.: Mudamos o roteiro incluindo uma visita a Maceió.*] **4** Compor-se de, abranger. [*td.: O CD inclui novas canções e antigos sucessos.*] **5** Fazer (alguém) tomar parte em; ENVOLVER. [*tdi. + em: Tentaram incluir o fiscal no complô.*] [▶ 56 incl*uir*]. Part.: *incluído* e *incluso*.] ● **in.clu.í.do** *a.*

inclusão (in.clu.*são*) *sf.* Ação ou resultado de incluir, de integrar um elemento a um todo. [Pl.: *-sões*.]

📖 Uma das preocupações das sociedades democráticas contemporâneas é garantir a todos os indivíduos, e a todos os grupos de indivíduos – quaisquer que sejam os critérios que os determinam – todos os benefícios que o desenvolvimento dessa sociedade é capaz de propiciar: acesso à educação, à saúde, à cultura, a um nível de vida digno etc. Muitas vezes – por motivos estruturais, ou circunstanciais, ou culturais ou ideológicos – indivíduos e grupos de determinada região, ou classe social, ou grupo etário, racial, étnico, cultural ou religioso não têm acesso a esses benefícios, ou são excluídos por deficiência física ou mental (o conceito genérico dessa condição, em qualquer dos casos denomina-se *inclusão*). O conceito de *inclusão social* ou, simplesmente, *inclusão*, envolve, pois, a atitude e as medidas que visam criar as condições desse acesso, como fator de justiça social e do próprio desenvolvimento da sociedade.

inclusive (in.clu.*si*.ve) *adv.* **1** Com inclusão de: *Preencha com seus dados, inclusive telefone.* **2** Também: *A revista tem inclusive artigos sobre saúde.* **3** Até; até mesmo: *Ele pode inclusive se desculpar, mas não muda nada.* [Ant.: *exclusive*.]

inclusivo (in.clu.*si*.vo) *a.* Que possibilita ou promove a inclusão (política inclusiva).

incluso (in.*clu*.so) *a.* **1** Que está incluído (frete incluso). **2** Diz-se do dente que se encontra encerrado no maxilar (siso incluso).

incoativo (in.co:a.*ti*.vo) *a.* Diz-se de verbo que se refere ao começo de um processo.

incoercível (in.co:er.*cí*.vel) *a2g.* Que não pode ser forçado ou reprimido. [Pl.: *-veis*.]

incoerente (in.co:e.*ren*.te) *a2g.* Que apresenta ideias ou comportamentos contraditórios (texto incoerente, pessoa incoerente).

incógnita (in.*cóg*.ni.ta) *sf.* **1** Algo que não se conhece ou não se compreende: *O comportamento dela é uma incógnita para mim.* **2** Mat. Termo de uma equação cujo valor é desconhecido.

incógnito (in.*cóg*.ni.to) *a.* **1** Que se desconhece ou se ignora (autores incógnitos). **2** Que não revela sua identidade ou se disfarça: *O cantor viajou incógnito.*

incognoscível (in.cog.nos.*cí*.vel) *a2g.* Que não se pode conhecer. [Pl.: *-veis*.]

íncola (*ín*.co.la) *s2g.* Pessoa que mora em um determinado lugar, morador; habitante.

incolor (in.co.*lor*) [ô] *a2g.* Que não tem cor.

incólume (in.*có*.lu.me) *a2g.* Que não sofreu nenhum dano físico ou moral; ILESO: *O diplomata escapou incólume do atentado.*

incombustível (in.com.bus.*tí*.vel) *a2g.* Que não entra em combustão (material incombustível). [Pl.: *-veis*.]

incomensurável (in.co.men.su.*rá*.vel) *a2g.* **1** Que não pode ser medido por causa de suas dimensões, sua intensidade ou seu valor (universo incomensurável, amor incomensurável); DESMEDIDO; IMENSURÁVEL. **2** Que não é passível de comparação por falta de medida comum.

incomível (in.co.*mí*.vel) *a2g.* **1** Que não se pode ou se consegue comer; intragável. **2** *Pej. Vulg.* Diz-se de pessoa que não provoca desejo sexual. [Pl.: *-veis*.]

incomodar (in.co.mo.*dar*) *v.* **1** Causar aborrecimento ou desconforto (a), molestar, importunar. [*td.*: *Não quero incomodá-lo com meus problemas.* *int.*: *O dente cariado começava a incomodar.*] **2** Sentir-se irritado ou perturbado com, apoquentar-se. [*pr.*: *Para que se incomodar com fofocas mesquinhas?*] **3** Preocupar-se (em fazer algo para alguém). [*pr.*: *Não se incomode, eu preparo o jantar.*] [▶ 1 incomod[ar]] • **in.co.mo.da.ti.vo** *a.*

incômodo (in.*cô*.mo.do) *a.* **1** Que produz desconforto (posição incômoda). **2** Que é desagradável ou inoportuno (hóspede incômodo). *sm.* **3** Aquilo que importuna ou desgasta; TRANSTORNO: *Reformar a casa é um incômodo que compensa.* **4** Dor leve ou ligeira indisposição. • **in.co.mo.di.da.de** *sf.*

incomparável (in.com.pa.*rá*.vel) *a2g.* **1** Que não permite comparação por ser de natureza diferente. **2** Que, por suas qualidades ou por seu valor, é superior a todos os outros de seu tipo (diamante incomparável). [Pl.: *-veis*.]

incompatibilizar (in.com.pa.ti.bi.li.*zar*) *v.* **1** Tornar(-se) inconciliável, difícil de combinar. [*tdi.* + *com, para*: *Seus interesses incompatibilizam-no para um cargo público.* *pr.*: *O trabalho no banco vai se incompatibilizar com a rotina doméstica.*] **2** Deixar de ter boa relação ou convivência com; INDISPOR-SE. [*pr.*: *Incompatibilizou-se com o amigo.*] [▶ 1 incompatibiliz[ar]] • **in.com.pa.ti.bi.li.za.ção** *sf.*

incompatível (in.com.pa.*tí*.vel) *a2g.* **1** Que não pode coexistir ou estar em harmonia com algo ou alguém (ideias incompatíveis, pessoas incompatíveis). **2** *Inf.* Diz-se de programas que não podem trocar arquivos, ou de programa e sistema que não podem funcionar juntos. [Pl.: *-veis*.] • **in.com.pa.ti.bi.li.da.de** *sf.*

incompetência (in.com.pe.*tên*.ci:a) *sf.* Falta de capacidade para realização de tarefa ou para desempenho de função. • **in.com.pe.ten.te** *a2g.s2g.*

incompleto (in.com.*ple*.to) *a.* A que falta alguma parte ou alguma coisa (coleção incompleta, atleta incompleto). • **in.com.ple.tu.de** *sf.*

incompreendido (in.com.pre:en.*di*.do) *a.* **1** Que não tem seu sentido compreendido (frase incompreendida). **2** Que não tem seu valor reconhecido (artista incompreendido).

incompreensão (in.com.pre:en.*são*) *sf.* Ausência de compreensão. [Pl.: *-sões*.]

incompreensível (in.com.pre:en.*sí*.vel) *a2g.* **1** Que não pode ser compreendido: "Os rostos incompreensíveis,/ se sepultadas palavras/ aqui me esperam?" (Cecília Meireles, *Doze noturnos da Holanda & O aeronauta*). **2** Que não é aceitável: *É incompreensível que ainda haja trabalho escravo no Brasil.* [Pl.: *-veis*.]

incompreensivo (in.com.pre:en.*si*.vo) *a.* **1** Que não tolera ou aceita ou compreende os outros (patrões incompreensivos). **2** Que não consegue compreender o sentido de algo (leitor incompreensivo).

incomum (in.co.*mum*) *a2g.* **1** Que não é usual ou habitual (doença incomum). **2** Que apresenta qualidades raras (homem incomum).

incomunicável (in.co.mu.ni.*cá*.vel) *a2g.* **1** Que não se pode dizer ou expressar (sentimentos incomunicáveis). **2** Que está privado de comunicação: *O preso ficará incomunicável por uma semana.* **3** Que não pode ser transferido (bens incomunicáveis). [Pl.: *-veis*.] • **in.co.mu.ni.ca.bi.li.da.de** *sf.*

incomutável (in.co.mu.*tá*.vel) *a2g.* **1** Diz-se do que não pode ser trocado ou substituído (experiência incomutável). **2** *Jur.* Que não pode ser comutado ou reduzido (diz-se de pena). [Pl.: *-veis*.]

inconcebível (in.con.ce.*bí*.vel) *a2g.* **1** Que não se consegue conceber, imaginar, explicar ou aceitar. **2** Inacreditável, surpreendente. [Pl.: *-veis*.]

inconciliável (in.con.ci.li:*á*.vel) *a2g.* Que não se pode conciliar, harmonizar (opiniões inconciliáveis). [Pl.: *-veis*.]

inconcludente (in.con.clu.*den*.te) *a2g.* Que não leva a uma conclusão ou não prova nada (depoimento inconcludente).

inconclusivo (in.con.clu.*si*.vo) *a.* Que não contém conclusão ou resultado (relatório inconclusivo).

inconcluso (in.con.*clu*.so) *a.* Que não foi concluído (livro inconcluso); INACABADO.

inconcusso (in.con.*cus*.so) *a.* **1** Que está firmemente estabelecido (patriotismo inconcusso); INABALÁVEL. **2** Que não pode ser contestado (direito inconcusso, verdades inconcussas). **3** Que não se deixa subornar (funcionário inconcusso); INCORRUPTÍVEL.

incondicional (in.con.di.ci:o.*nal*) *a2g.* Que não impõe condições ou não depende das circunstâncias (amor incondicional, pagamento incondicional); IRRESTRITO. [Pl.: *-nais*.] • **in.con.di.ci.o.na.li.da.de** *sf.*

inconfessável (in.con.fes.sá.vel) *a2g*. Que não se pode ou não se deve tornar público (sentimentos inconfessáveis). [Pl.: -veis.]

inconfesso (in.con.fes.so) *a*. **1** Que permanece secreto (identidade inconfessa). **2** Que não confessou suas culpas (réu inconfesso).

inconfidência (in.con.fi.dên.ci.a) *sf*. **1** Quebra de fidelidade esp. com relação ao Estado ou a governante. **2** Revelação de um segredo confiado.

inconfidente (in.con.fi.den.te) *a2g*. **1** Que não é digno de confiança por divulgar segredos que lhe foram confiados. *a2g.s2g*. **2** Que ou quem participou da Inconfidência Mineira ou de outro ato de infidelidade para com o Estado.

inconformado (in.con.for.ma.do) *a.sm*. Que ou quem não aceita situações ou circunstâncias que não sejam de seu agrado. • in.con.for.mi.da.de *sf*.

inconformismo (in.con.for.mis.mo) *sm*. Caráter ou atitude de quem não fica resignado diante de situações adversas ou indesejadas. • in.con.for.mis.ta *a2g.s2g*.

inconfundível (in.con.fun.dí.vel) *a2g*. Que não pode ser confundido com outro (voz inconfundível). [Pl.: -veis.]

incongelável (in.con.ge.lá.vel) *a2g*. Que não pode ser congelado. [Pl.: -veis.]

incongruente (in.con.gru.en.te) *a2g*. **1** Que apresenta contradições internas (pessoa incongruente, narrativa incongruente). **2** Diz-se de coisas que não podem ser conciliadas ou compatibilizadas (objetivos incongruentes).

inconjugável (in.con.ju.gá.vel) *a2g*. Que não se pode conjugar. [Pl.: -veis.]

inconquistável (in.con.quis.tá.vel) *a2g*. Que não se deixa conquistar (deserto inconquistável, mulher inconquistável). [Pl.: -veis.]

inconsciente (in.cons.ci.en.te) *a2g*. **1** Que perdeu a consciência (paciente inconsciente). **2** Que não possui consciência moral: *Só uma pessoa muito inconsciente pode fazer tal afirmação. a2g.s2g.* **3** Que ou quem age de forma irresponsável: *Alguns inconscientes cantavam alto na porta do hospital. sm.* **4** *Psic*. Parte do psiquismo que escapa inteiramente à consciência, mas que influencia de maneira decisiva o comportamento das pessoas. • in.cons.ci.ên.ci.a *sf*.

inconsequente (in.con.se.quen.te) *a2g.s2g*. **1** Que ou quem carece de lógica, reflexão etc. (atitude inconsequente). **2** Que ou quem revela imprudência, irresponsabilidade. • in.con.se.quên.ci.a *sf*.

inconsiderado (in.con.si.de.ra.do) *a*. Que se faz ou diz sem reflexão ou ponderação (desperdício inconsiderado, palavras inconsideradas).

inconsistente (in.con.sis.ten.te) *a2g*. **1** Que é incoerente ou apresenta contradições internas (teoria inconsistente). **2** Que não está bem fundamentado ou justificado (acusação inconsistente). • in.con.sis.tên.ci.a *sf*.

inconsolável (in.con.so.lá.vel) *a2g*. **1** Que não se pode ou consegue consolar (sofrimento inconsolável). **2** Que está muito triste (viúva inconsolável). [Pl.: -veis.]

inconstância (in.cons.tân.ci.a) *sf*. Falta de estabilidade ou regularidade: *Sua inconstância de humor destrói suas amizades.* • in.cons.tan.te *a2g*.

inconstitucional (in.cons.ti.tu.ci.o.nal) *a2g*. Que vai contra a Constituição de um país. [Pl.: -nais.] • in.cons.ti.tu.ci.o.na.li.da.de *sf*. [Cf.: anticonstitucional.]

inconsútil (in.con.sú.til) *a2g*. Que é inteiriço, não apresentando costuras ou emendas. [Pl.: -teis.]

incontável (in.con.tá.vel) *a2g*. **1** Que não pode ser enumerado em função da grande quantidade; INUMERÁVEL: *Enfrentou incontáveis problemas.* **2** Que não pode ser dito ou narrado (história incontável). [Pl.: -veis.]

incontentável (in.con.ten.tá.vel) *a2g*. Que não se consegue contentar, que nunca está contente ou satisfeito. [Pl.: -veis.]

incontestado (in.con.tes.ta.do) *a*. Que não se contestou; INCONTESTE.

incontestável (in.con.tes.tá.vel) *a2g*. Que não se pode contestar; INDISCUTÍVEL; INCONTESTE. [Pl.: -veis.]

inconteste (in.con.tes.te) *a2g*. Que não se põe em dúvida (liderança inconteste); INCONTESTÁVEL.

incontido (in.con.ti.do) *a*. Que não se consegue reprimir ou manter dentro de certos limites (choro incontido, violência incontida).

incontinência (in.con.ti.nên.ci.a) *sf*. **1** *Med*. Dificuldade de retenção, esp. de fezes ou urina (incontinência urinária) **2** Falta de controle, de moderação (incontinência verbal).

incontinente (in.con.ti.nen.te) *a2g.s2g*. Que ou quem apresenta incontinência.

incontinênti (in.con.ti.nên.ti) *adv*. Sem demora.

incontrastável (in.con.tras.tá.vel) *a2g*. Que não pode ser refutado; IRREVOGÁVEL. [Pl.: -veis.]

incontrolável (in.con.tro.lá.vel) *a2g*. Que não pode ser controlado ou reprimido (gargalhada incontrolável). [Pl.: -veis.]

incontroverso (in.con.tro.ver.so) *a*. Que não é objeto de discussão ou de dúvida (declaração incontroversa).

inconveniente (in.con.ve.ni.en.te) *a2g*. **1** Que é inoportuno ou impróprio (comportamento inconveniente). **2** Indecoroso, indiscreto. *sm*. **3** Fato ou situação embaraçosa ou desvantajosa: *O adiamento da reunião não traz nenhum inconveniente.* • in.con.ve.ni.ên.ci.a *sf*.

inconversível (in.con.ver.sí.vel) *a2g*. **1** Que não pode ser convertido. **2** Diz-se de moeda que não se pode converter (para outro padrão). [Pl.: -veis.]

inconvertível (in.con.ver.tí.vel) *a2g*. O m.q. *inconversível*.

incorporadora (in.cor.po.ra.do.ra) [ó] *sf*. *Bras*. Firma que promove e vende incorporações imobiliárias comerciais ou residenciais.

incorporar (in.cor.po.rar) *v*. **1** Assimilar (algo novo), modificando(-se). [*td*.: *Ana foi para Ilhéus e incorporou um sotaque baiano.* *tdi*. + *a*: *O cozinheiro francês vai incorporando a tapioca à sua culinária*.] **2** Acoplar(-se) ou misturar(-se) a. [*tdi*. + *a*: *O cloro se incorporou à água*.] **3** Reunir(-se) a (grupo, instituição etc.). [*tdi*. + *a*: *Pensou-se em incorporar militares às polícias estaduais.* *pr*.: *O ativista decidiu incorporar-se a uma ONG*.] **4** Ser um bom representante de. [*td*.: *O líder incorpora o conservadorismo da velha geração*.] **5** *Rel*. Ser possuído por. [*td*.: *Dois médiuns incorporaram espíritos naquela noite*.] [▶ **1** incorporar] • in.cor.po.ra.ção *sf*.; in.cor.po.ra.dor *a.sm*.

incorpóreo (in.cor.pó.re:o) *a*. Que não possui um corpo; IMATERIAL; IMPALPÁVEL.

incorreção (in.cor.re.ção) *sf*. **1** Erro, inexatidão: *Há muitas incorreções nesse texto*. **2** Conduta errada esp. do ponto de vista da moral ou da etiqueta. [Pl.: -ções.]

incorrer (in.cor.rer) *v*. *ti*. **1** Agir inadvertidamente de forma equivocada ou incorreta. [+ *em*: *Temia incorrer em algum grande pecado*.] **2** Ser submetido a (penalidade, multa etc.); ter de arcar com. [+ *em*: *A empresa incorrerá em multa por poluir o rio*.] [▶ **1** incorrer]

incorreto (in.cor.re.to) *a*. **1** Que não é correto, certo (informação incorreta). **2** Que não é decente, digno (atitude incorreta).

incorrigível (in.cor.ri.gí.vel) *a2g*. **1** Que não se pode corrigir (falha incorrigível). **2** Que insiste em comportamento erróneo, impróprio (pessoa incorrigível). [Pl.: -veis.]

incorruptível (in.cor.rup.tí.vel) *a2g.* 1 Que não se corrompe; que não pode ser alterado, destruído. 2 Que não é passível de corrupção (policial incorruptível). [Pl.: -veis.] • in.cor.rup.ti.bi.li.da.de *sf.*

incorrupto (in.cor.rup.to) *a.* Que não se corrompeu.

incredibilidade (in.cre.di.bi.li.da.de) *sf.* Qualidade do que é incrível (1).

incredulidade (in.cre.du.li.da.de) *sf.* 1 Falta de fé ou crença. 2 Qualidade daquele que é incrédulo (2).

incrédulo (in.cré.du.lo) *a.sm.* 1 Que ou quem não crê; ATEU; ÍMPIO: *Não aceitava nenhuma verdade, era uma pessoa incrédula.* 2 Que ou quem tem dificuldade de acreditar em alguma coisa. 3 Que demonstra incredulidade, dúvida (sorriso incrédulo, olhar incrédulo). [Superl.: *incredibilíssimo.*]

incrementar (in.cre.men.tar) *v. td.* Fomentar o desenvolvimento ou ampliação de; dar impulso a: *A participação no musical incrementou a carreira da cantora.* 2 Embelezar ou tornar mais sofisticado: *A doceira vai incrementar o bolo com confetes coloridos.* [▶ 1 incrementar]

incremento (in.cre.men.to) *sm.* Ação ou resultado de crescer, aumentar, desenvolver: *o incremento da produção de calçados.*

increpar (in.cre.par) *v. td.* Repreender ou acusar duramente; CENSURAR: *O juiz increpou publicamente os jornalistas.* [▶ 1 increpar] • in.cre.pa.ção *sf.*

incréu (in.créu) *sm.* 1 Quem não é crédulo, quem tem por hábito ou por princípio duvidar; DESCRENTE; INCRÉDULO. 2 Quem não tem fé ou religião; ATEU.

incriminar (in.cri.mi.nar) *v.* 1 Determinar responsabilidade de (alguém) em atividade ilegal; INCULPAR. [*td.: Não há provas para incriminar o falsário.*] 2 Acusar (alguém) de um delito. [*td.: Quando o relógio sumiu, incriminou injustamente a camareira.*] 3 Revelar inadvertidamente a própria culpa. [*pr.: Incriminou-se ao deixar escapar que tinha sido químico.*] [▶ 1 incriminar] • in.cri.mi.na.ção *sf.*; in.cri.mi.na.do *a.*

incrível (in.crí.vel) *a2g.* 1 Em que não se pode crer; INACREDITÁVEL. 2 Fora do comum; EXTRAORDINÁRIO; habilidade manual incrível. 3 Que é estranho, excêntrico: *Estava uma figura incrível, vestida de laranja e com sapato roxo.* 4 Inexplicável, fantástico: *Não dá para contar, só você vendo o espetáculo, é incrível.* [Pl.: -veis. Superl.: *incribilíssimo.*]

incruento (in.cru.en.to) *a.* Em que não há derramamento de sangue (batalha incruenta).

incrustação (in.crus.ta.ção) *sf.* 1 Ato de formar crosta. 2 Coisa incrustada. 3 Adorno incrustado (1) numa joia ou objeto de arte: *O anel tinha incrustações de brilhantes.* [Pl.: -ções.]

incrustar (in.crus.tar) *v.* 1 Embutir ou inserir (uma coisa em outra), ger. com efeito estético. [*td.: O arquiteto incrustou pastilhas de vidro colorido na fachada do museu.*] 2 Agregar-se à superfície de. [*pr.: Os moluscos se incrustam no dorso das baleias.*] 3 *Fig.* Instalar-se de forma arraigada em. [*pr.: A burocracia incrustou-se na máquina governamental.*] [▶ 1 incrustar] • in.crus.ta.do *a.*

incubadeira (in.cu.ba.dei.ra) *sf.* Ver incubadora.

incubadora (in.cu.ba.do.ra) [ó] *sf.* 1 Aparelho, esp. us. em hospitais, para manter recém-nascidos em ambiente ideal de temperatura, oxigenação e umidade. 2 Máquina própria para incubação artificial de galináceos. 3 Ambiente (espaço, meios, assistência etc.) oferecido por instituições (universidade, empresa etc.) para incubar (3) grupo ou núcleo de determinada atividade.

incubar (in.cu.bar) *v.* 1 Chocar ou serem chocados (ovos) natural ou artificialmente. [*td.: Por quanto tempo as galinhas incubam seus ovos?* *int.: Os ovos das codornas já foram postos para incubar.*] 2 Ficar (doença) em estado não manifesto. [*pr.: Após o contágio, a virose pode incubar-se por três dias.*] 3 Fomentar, auxiliar e proteger o desenvolvimento de (empresa) em etapa inicial. [*td.: Há hoje firmas especializadas em incubar novas empresas.*] [▶ 1 incubar] • in.cu.ba.ção *sf.*

inculcar (in.cul.car) *v.* 1 Trabalhar para que seja profundamente assimilado (um valor, uma ideia etc.). [*tdi. + em: É preciso desde cedo inculcar nas crianças o espírito de solidariedade.*] 2 Sugerir, indicar. [*td.: A conduta do rapaz não inculca desonestidade.*] [▶ 11 inculcar] • in.cul.ca *sf.*

inculpado (in.cul.pa.do) *a.* Que não tem culpa, que é inocente.

inculpar (in.cul.par) *v.* Ver culpar. [▶ 1 inculpar]

inculpável (in.cul.pá.vel) *a2g.* Que não se pode culpar. [Pl.: -veis.] • in.cul.pa.bi.li.da.de *sf.*

inculto (in.cul.to) *a.sm.* 1 Que ou quem tem pouca cultura, preparo intelectual: *O rapaz era inteligente mas inculto.* *a.* 2 Não cultivado (terra inculta). • in.cul.tu.ra *sf.*

incumbência (in.cum.bên.ci.a) *sf.* 1 Ato de atribuir encargo ou responsabilidade a (alguém). 2 Dever que decorre dessa atribuição.

incumbir (in.cum.bir) *v.* Atribuir (a alguém ou a si próprio) a tarefa de; ENCARREGAR(-SE). [*tdi. + a, de: incumbir um subordinado de uma tarefa.* *pr.: A contragosto, incumbiu-se de dar as más notícias.*] [▶ 3 incumbir]

incunábulo (in.cu.ná.bu.lo) *sm.* Livro impresso. [Termo us. para livros impressos desde a invenção da imprensa, em meados do séc. XV, até 1500.]

incurável (in.cu.rá.vel) *a2g.* 1 Que não tem cura (doença incurável). 2 Que não se corrige, que não tem jeito: *Esse grosseirão não tem jeito, é um sujeito incurável.* [Pl.: -veis.]

incúria (in.cú.ri.a) *sf.* Falta de cuidado, de dedicação; DESLEIXO.

incursão (in.cur.são) *sf.* 1 Invasão militar. 2 Passagem por algum lugar, passeio: *Fez uma incursão à Floresta da Tijuca.* 3 Dedicação eventual a uma atividade: *Embora seja diretor teatral, tem feito incursões pela direção de cinema.* [Pl.: -sões.]

incursionar (in.cur.si.o.nar) *v.* 1 Adentrar, percorrer (local, região etc.). [*int.* (seguido de indicação de lugar): *Policiais incursionaram pela área atrás do criminoso.*] 2 Explorar (área de conhecimento, arte, assunto etc.). [*int.* (seguido de indicação de direção/interesse): *É um pintor que incursiona também pela cerâmica.*] [▶ 1 incursionar]

incurso (in.cur.so) *a.* 1 Que está incluído, envolvido. 2 Que está sujeito a (penalidades da lei).

incutir (in.cu.tir) *v. tdi.* Tratar de infundir, fixar (sentimento, ideia, valor etc.) em; INCULCAR. [+ *em*: *O técnico incutiu no goleiro um espírito vencedor.*] [▶ 3 incutir]

inda (in.da) *adv.* Ver ainda.

indagar (in.da.gar) *v.* 1 Perguntar. [*td.: Ninguém se atreveu a indagar o motivo da briga.* *tdi. + a, para: A professora indagou ao aluno se ele desejava ser médico.*] 2 Pensar sobre o sentido, a razão de ser de, ponderar. [*pr.: O arqueólogo indagava-se sobre o misterioso desenho na caverna.*] 3 Investigar, averiguar. [*td.: indagar o motivo de um crime.* *tdi. + de*: *O delegado indagou do suspeito qual o seu álibi.* *int.* (seguido de indicação de interesse, situação): *Soubemos que ele andou indagando sobre a probidade da família.*] [▶ 14 indagar] • in.da.ga.ção *sf.*; in.da.ga.ti.vo *a.*

indébito (in.dé.bi.to) *a.* 1 Que não procede, que não tem razão de ser: *Os presentes eram uma tentativa indébita de influenciar os fiscais.* 2 Que não é devido (cobrança indébita).

indecência (in.de.cên.ci:a) *sf.* **1** Falta de decência, de pudor moral: "Tua indecência não me serve mais/ Tão decadente que tanto faz." (Renatero Russo, *As flores do mal*). **2** Obscenidade: *Vivia dizendo indecências*. **3** Afronta, indignidade, infâmia: *Demitir o amigo foi uma indecência*.

indecente (in.de.cen.te) *a2g.* **1** Que fere o pudor, esp. no que se refere à moral sexual (biquíni indecente, beijo indecente). *a2g.s2g.* **2** Que ou quem não tem decência, pudor ou dignidade.

indecifrável (in.de.ci.frá.vel) *a2g.* **1** Que não pode ser decifrado (texto indecifrável). **2** Difícil de entender, enigmático: *Esse rapaz tem uma personalidade indecifrável*. [Pl.: *-veis*.]

indecisão (in.de.ci.são) *sf.* Falta de decisão, irresolução. [Pl.: *-sões*.]

indeciso (in.de.ci.so) *a.sm.* Que ou quem não se decide, não toma uma decisão.

indeclinável (in.de.cli.ná.vel) *a2g.* **1** Que não é possível declinar, recusar, negar: *Era um convite indeclinável*. **2** *Gram.* Que não se flexiona, que é invariável (diz-se de palavra). [Pl.: *-veis*.]

indecomponível (in.de.com.po.ní.vel) *a2g.* Que não se pode decompor nos seus elementos componentes separados. [Pl.: *-veis*.]

indecoroso (in.de.co.ro.so) [ô] *a.* Que não tem decoro, decência. [Fem. e pl.: [ó].]

indefectível (in.de.fec.ti.vel) *a2g.* **1** Que não falta: "Aqui nesse mundinho fechado ela é incrível/ Seu vestidinho preto indefectível..." (Skank, *Garota nacional*). **2** Que não perece, indestrutível: *O indefectível amor dos pais pelos filhos*. [Pl.: *-veis*.]

indefensável (in.de.fen.sá.vel) *a2g.* Que não tem defesa (argumento indefensável, chute indefensável). [Pl.: *-veis*.]

indefeso (in.de.fen.so) *a.* Ver *indefeso*.

indeferir (in.de.fe.rir) *v. td.* Dar resposta negativa ou desfavorável a (requerimento, solicitação etc.): *A banca indeferiu o pedido de revisão da prova.* [▶ 50 indeferir] ● in.de.fe.ri.do *a.*; in.de.fe.ri.men.to *sm.*

indefeso (in.de.fe.so) [ê] *a.* **1** Que não está protegido. **2** Que não possui meios para defender-se. [Sin. ger.: *indefenso*.]

indefesso (in.de.fes.so) [é] *a.* Que não se cansa (operário indefesso); INCANSÁVEL.

indefinição (in.de.fi.ni.ção) *sf.* **1** Falta de clareza, de precisão: *Era um texto obscuro, cheio de indefinições*. **2** Falta de definição, de determinação: *O desenho, sem detalhes, se caracterizava pela indefinição*. **3** Falta de decisão: *A indefinição dos dirigentes levou a empresa à falência*. [Pl.: *-ções*.]

indefinido (in.de.fi.ni.do) *a.* **1** Que não foi definido; INCERTO. **2** *Gram.* Que identifica o substantivo como algo impreciso (diz-se de artigo ou pronome).

indefinível (in.de.fi.ní.vel) *a2g.* Que não se consegue definir (sentimento indefinível). [Pl.: *-veis*.]

indeiscente (in.de:is.cen.te) *a2g. Bot.* Que não se abre naturalmente para deixar cair as sementes (diz-se de fruto); EVALVE. ● in.de:is.cên.ci:a *sf.*

indelével (in.de.lé.vel) *a2g.* **1** Que não se pode delir ou apagar (tinta indelével). **2** Que não se pode destruir, esquecer etc. (lembrança indelével). [Pl.: *-veis*.]

indelicado (in.de.li.ca.do) *a.* Que não tem delicadeza (modos indelicados); GROSSEIRO. ● in.de.li.ca.de.za *sf.*

indemonstrável (in.de.mons.trá.vel) *a2g.* Que não se pode demonstrar. [Pl.: *-veis*.]

indene (in.de.ne) *a2g.* Que não sofreu dano; ILESO.

indenização (in.de.ni.za.ção) *sf.* **1** Ação ou resultado de indenizar. **2** Importância com que se indeniza: *Foi despedido e só recebeu a indenização um mês depois*. [Pl.: *-ções*.]

indenizar (in.de.ni.zar) *v. td.* Compensar financeiramente (pessoa ou instituição a quem se causou dano ou cujos direitos tenham sido violados). [▶ **1** indenizar] ● in.de.ni.za.dor *a.sm.*; in.de.ni.zá.vel *a2g.*

independente (in.de.pen.den.te) *a2g.* **1** Que está livre de sujeição, de submissão: *Era um homem independente, não se submetia a ninguém*. **2** Que tem meios próprios de subsistência: *Começou a trabalhar cedo e logo ficou independente*. **3** Que vive sem precisar da ajuda de outros: *Independentes, as crianças faziam seus deveres por si mesmas*. **4** Que é politicamente autônomo, soberano (diz-se de país). ● in.de.pen.dên.ci:a *sf.*

independer (in.de.pen.der) *v. ti.* Não decorrer de; não estar ligado a. [+ *de: A liberação das verbas independe da vontade do prefeito*.] [▶ **2** independer]

indescritível (in.des.cri.tí.vel) *a2g.* **1** Que não pode ser descrito. **2** Que causa espanto ou admiração (praia indescritível, música indescritível). [Pl.: *-veis*.]

indesculpável (in.des.cul.pá.vel) *a2g.* Que não deve ou não merece ser desculpado. [Pl.: *-veis*.]

indesejável (in.de.se.já.vel) *a2g.* **1** Que não é desejável. *s2g.* **2** Pessoa cuja presença não é desejada: *O convite era aberto, e vieram também os indesejáveis*. [Pl.: *-veis*.] ● in.de.se.ja.do *a.*; in.de.se.jar *v.*

indestrutível (in.des.tru.tí.vel) *a2g.* Que não pode ser destruído. [Pl.: *-veis*.] ● in.des.tru.ti.bi.li.da.de *sf.*

indeterminação (in.de.ter.mi.na.ção) *sf.* Qualidade de indeterminado; situação indeterminada. [Pl.: *-ções*.] ● in.de.ter.mi.ná.vel *a2g.*

indeterminado (in.de.ter.mi.na.do) *a.* **1** Que é vago, indefinido, impreciso. **2** *Gram.* Cuja identidade é desconhecida (diz-se do sujeito da frase).

indevassável (in.de.vas.sá.vel) *a2g.* Que não se pode devassar, penetrar e observar (quarto indevassável). [Pl.: *-veis*.]

indevido (in.de.vi.do) *a.* **1** Que não é devido ou merecido: *O menino recebeu castigo indevido*. **2** Que não é adequado: *O diretor deu um tratamento indevido ao espetáculo*.

índex (*in*.dex) [cs] *sm2n.* **1** Catálogo que relacionava livros proibidos pela Igreja Católica. **2** *P.us.* Índice.

indexador (in.de.xa.dor) [cs, ô] *sm. Econ.* Indicador pelo qual se permite estabelecer o valor real do poder aquisitivo de uma moeda.

indexar (in.de.xar) [cs] *v.* **1** Organizar (um material) de modo a facilitar a recuperação da informação ali contida. [*td.*: *A nova secretária indexou o cadastro de clientes*.] **2** *Econ.* Vincular previamente o reajuste de (preços, salários etc.) a certo índice financeiro. [*td./ tdi. + a, com*: *As imobiliárias indexam os preços (à variação do dólar)*.] [▶ **1** indexar] ● in.de.xa.ção *sf.*

indianismo (in.di:a.*nis*.mo) *sm. Bras. Lit.* Literatura que tem como tema a vida dos índios das Américas.

indiano (in.di.a.no) *a.* **1** Da Índia; típico desse país ou de seu povo; HINDU; ÍNDICO. *sm.* **2** Pessoa nascida na Índia; HINDU.

indicador (in.di.ca.dor) [ô] *a.* **1** Que indica (sinal indicador). **2** Que se situa entre o polegar e o médio (diz-se do dedo). *sm.* **3** Esse dedo. **4** *Econ.* Medida, parâmetro que indica uma tendência do que está acontecendo: *os indicadores da oscilação do dólar*.

indicar (in.di.car) *v.* **1** Mostrar (por meio de gesto, sinal gráfico etc.); APONTAR. [*td.*: *Setas indicam o caminho para a cachoeira*.] **2** *tdi.* + *a*: *O médico indicou ao paciente a porta da sala de exames*.] **2** Recomendar ou prescrever (algo) a. [*tdi.* + *a*: *Você poderia indicar a ela um bom dentista?*] **3** Levar a crer, sugerir, insinuar. [*td*.: *Tudo indica que Renato está sendo vítima de chantagem*.] **4** Designar (alguém) para exercer cargo, função etc.; NOMEAR. [*td*.: *O presidente não indicará todos os ministros hoje*.] **5** Enumerar, especificar. [*td*.: *O sanitarista indicou os três fatores de risco para uma epidemia*.] [▶ 11 indicar] ● **in.di.ca.***ção sf*.

indicativo (in.di.ca.*ti*.vo) *a*. **1** Que indica: *Era um sinal indicativo de que as coisas não iam bem*. *a.sm*. **2** *Gram*. Que ou o que apresenta a ação como real (diz-se de modo verbal).

índice (*ín*.di.ce) *sm*. **1** Lista organizada de assuntos, seções etc. em uma publicação (livro, revista etc.), da qual faz parte a própria lista. **2** Relação de quantidades que indica incidência de um fato num universo; TAXA: *índice de mortalidade*. **3** Tabela, lista: *índice de preços*. **4** Indicador, sinal: *Esse vento frio é índice de chuva*. **5** Nível: *O programa tem bom índice de audiência*. **6** *Mat*. Número que fica sobre o radical numa raiz algébrica.

indiciado (in.di.ci.*a*.do) *a*. **1** Percebido por indícios. *sm*. **2** Indivíduo sobre o qual recaem indícios de ter cometido um crime.

indiciar (in.di.ci.*ar*) *v. td*. Submeter (alguém) a inquérito (ger. policial) em função de evidências encontradas: *O delegado concluiu a investigação sem indiciar ninguém*. [▶ 1 indiciar] ● **in.di.ci.a.***men*.to *sm*.

indício (in.*dí*.ci.o) *sm*. Sinal, indicação: *Os indícios levavam a crer que o culpado era o mordomo*.

índico (*ín*.di.co) *a*. **1** Da Índia; INDIANO; HINDU. **2** Ref. ao Oceano Índico.

indiferença (in.di.fe.*ren*.ça) *sf*. Falta de interesse ou de preferência.

indiferente (in.di.fe.*ren*.te) *a2g*. **1** Que não demonstra interesse ou preferência: *Era indiferente às festas*. **2** Que não desperta interesse.

indígena (in.*dí*.ge.na) *a2g*. **1** Que é originário de determinado país, região ou lugar; NATIVO. **2** Ref. aos índios. *s2g*. **3** Indivíduo natural do lugar que habita; NATIVO.

indigência (in.di.*gên*.ci.a) *sf*. Falta de meios para viver ou sobreviver; MISÉRIA.

indigenismo (in.di.ge.*nis*.mo) *sm*. Política de amparo e apoio às populações indígenas.

indigente (in.di.*gen*.te) *a2g.s2g*. Que ou quem não pode suprir as próprias necessidades.

indigestão (in.di.ges.*tão*) *sf*. **1** *Med*. Perturbação das funções digestivas. **2** O efeito dessa perturbação, caracterizado por cólicas, dores abdominais etc. [Pl.: *-tões*.]

indigesto (in.di.*ges*.to) *a*. Que é difícil de digerir ou provoca indigestão (comida *indigesta*).

indigitado (in.di.gi.*ta*.do) *a*. **1** Apontado, indicado. **2** Que foi apontado como culpado de um crime.

indigitar (in.di.gi.*tar*) *v. td*. **1** Recomendar (alguém) para (cargo, função etc.). [*td*.: *O juiz vai indigitar o amigo para a procuradoria*.] **2** Mostrar ou apontar (ger. com o dedo). [*td*.: *Titia indigitava os homens da festa, julgando que ninguém percebia*. *tdi*. + *a*: *Durante o comício, indigitou discretamente o poderoso senador ao colega*.] [▶ 1 indigitar]

indignar (in.dig.*nar*) *v. td. pr*. Revoltar(-se) moralmente; chocar(-se), ofender(-se): *O fechamento do grêmio iria indignar os alunos*; *Pobres daqueles que perdem a capacidade de se indignar*. [▶ 1 indignar] ● **in.dig.na.***ção of*.; **in.dig.na.do** *a*.

indignidade (in.dig.ni.*da*.de) *sf*. **1** Ausência de dignidade. **2** Ação indigna, injusta, desumana.

indigno (in.*dig*.no) *a*. **1** Que não merece (alguém ou algo): *Ele se revelou indigno do amor dela*. *a.sm*. **2** Que ou quem não tem dignidade ou se mostra indecoroso, desonroso etc. **3** Que praticou ato indigno (2) ou costuma proceder de maneira indigna (2).

índigo (*ín*.di.go) *sm*. Certa tonalidade escura do azul.

índio (*ín*.di:o) *sm*. **1** Habitante das Américas antes da chegada dos colonizadores europeus nos sécs. XV e XVI. **2** O descendente dessas antigas tribos americanas.

indireto (in.di.*re*.to) *a*. **1** Que não é direto; que não aponta diretamente para algo (iluminação *indireta*). **2** Expresso ou feito de modo disfarçado: *confissão indireta de amor*. **3** Que é ambíguo, impreciso (resposta *indireta*). **4** Feito por intermédio de uma ou mais pessoas. **5** *Gram*. Que completa o sentido de um verbo transitivo, prendendo-se a ele por meio de preposição (objeto *indireto*). ◘ **indireta** *sf*. **6** Aquilo que se dá a entender, evitando dizer abertamente o que se deseja ou quer: *Soltou várias indiretas para que ele percebesse que já era hora de partir*.

indisciplina (in.dis.ci.*pli*.na) *sf*. Ato ou procedimento que contraria princípios de disciplina. ● **in.dis.ci.pli.***na*.do *a*.; **in.dis.ci.pli.***ná*.vel *a2g*.

indiscreto (in.dis.*cre*.to) *a*. **1** Que não tem discrição. *a.sm*. **2** Que ou quem revela abertamente o que deveria ser tratado com reserva ou mantido em segredo (olhar *indiscreto*, pergunta *indiscreta*).

indiscrição (in.dis.cri.*ção*) *sf*. **1** Falta de discrição. **2** Ato ou dito indiscreto: *Suas indiscrições irritavam os companheiros*. [Pl.: *-ções*.]

indiscriminado (in.dis.cri.mi.*na*.do) *a*. Que não é discriminado, que se apresenta confuso, indistinto, misturado: *Aquela mostra do cinema brasileiro foi indiscriminada e sem critério*.

indiscutível (in.dis.cu.*ti*.vel) *a2g*. Que não permite discussão por ser evidente, incontestável, indubitável. [Pl.: *-veis*.]

indisfarçável (in.dis.far.*çá*.vel) *a2g*. Impossível de disfarçar ou esconder: *Apresentava um indisfarçável mau humor*. [Pl.: *-veis*.]

indispensável (in.dis.pen.*sá*.vel) *a2g.sm*. Que ou aquilo que não se pode dispensar; IMPRESCINDÍVEL; OBRIGATÓRIO: *O sono é indispensável à saúde*; *Sem luxo, vivia apenas com o indispensável*. [Pl.: *-veis*.] ● **in.dis.pen.sa.bi.li.***da*.de *sf*.

indisponível (in.dis.po.*ní*.vel) *a2g*. Que não está disponível; de que não se pode dispor (bens *indisponíveis*). [Pl.: *-veis*.] ● **in.dis.po.ni.bi.li.***da*.de *sf*.

indispor (in.dis.*por*) *v*. **1** Causar conflito entre; brigar ou zangar-se. [*td*.: *A ganância acabou por indispor os velhos amigos*. *pr*.: *O ator indispôs-se com os fotógrafos*.] **2** Causar (no outro) mal-estar físico. [*td*.: *O cheiro do cigarro indispôs a moça grávida*. *pr*.: *O alpinista tolera grandes altitudes sem se indispor*.] [▶ 60 indispor]. Part.: *indisposto*.]

indisposição (in.dis.po.si.*ção*) *sf*. **1** Mal-estar passageiro. **2** Falta de disposição, ânimo: *indisposição para sair*. **3** *Fig*. Falta de entendimento; DISCUSSÃO: *Na hora de escolher o orador da turma, surgiu uma indisposição entre os colegas*. [Pl.: *-ções*.]

indisposto (in.dis.*pos*.to) [ó] *a*. **1** Que sente indisposição (1); ADOENTADO; INCOMODADO: *Comeu tanto chocolate que ficou indisposto*. **2** *Fig*. Que se zangou com alguém. [Fem. e pl.: [ó].]

indisputável (in.dis.pu.*tá*.vel) *a2g*. Que não se disputa ou contesta (valor *indisputável*); INCONTESTÁVEL; INDISCUTÍVEL. [Pl.: *-veis*.]

indissociável (in.dis.so.ci.*á*.vel) *a2g*. Que não se pode dissociar, separar. [Pl.: *-veis*.]

indissolúvel (in.dis.so.*lú*.vel) *a2g*. Que não se dissolve ou não se desfaz: *O óleo é indissolúvel em água*; *Há uniões que parecem indissolúveis*. [Pl.: *-veis*.] ● **in.dis.so.lu.bi.li.***da*.de *sf*.

indistinguível (in.dis.tin.*gui*.vel) *a2g*. Que não se distingue; INDISTINTO: *Ouviam-se sons indistinguíveis*. [Pl.: *-veis*.]

indistinto (in.dis.*tin*.to) *a.* **1** Que não se distingue bem; INDISTINGUÍVEL: *Ao longe, viam-se rostos indistintos.* **2** Confuso; sem nexo: *A explicação era indistinta.* [Ant.: *preciso.*]

inditoso (in.di.*to*.so) [ó] *a.sm.* Que ou aquele que não é feliz; DESDITOSO; INFELIZ: *Todos querem ajudar o inditoso homem.* [Ant.: *ditoso; feliz.*] [Fem. e pl.: [ó].]

individual (in.di.vi.du.*al*) *a2g.* **1** Que diz respeito ao indivíduo (características individuais). **2** Que diz respeito a uma só pessoa: *O trem dispõe de cabines individuais.* **3** Original, singular, único: *Sua pintura tinha um traço individual.* **sm. 4** O que é próprio do ou de um indivíduo; INDIVIDUALIDADE: *No vôlei, assim como em muitos esportes, às vezes, o individual supera o coletivo.* [Pl.: *-ais.*]

individualidade (in.di.vi.du.a.li.*da*.de) *sf.* **1** Traços marcantes que distinguem pessoas ou coisas; identidade, personalidade: *Na avaliação, observou-se a individualidade do candidato.* **2** O que diz respeito ao indivíduo; INDIVIDUAL: *a individualidade de cada filho.* **3** Originalidade; singularidade: *A crítica elogiou a individualidade do trabalho.*

individualismo (in.di.vi.du.a.*lis*.mo) *sm.* **1** Tendência que valoriza mais os interesses individuais: *O individualismo excessivo prejudica a humanidade.* **2** *Fig.* Maneira de pensar ou viver só para si; EGOÍSMO: *Não deve haver individualismo em trabalho de equipe.* • **in.di.vi.du.a.***lis***.ta** *a2g.s2g.*

individualizar (in.di.vi.du.a.li.*zar*) *v.* **1** Tornar(-se) único, singular; distinguir(-se) dos demais; DIFERENCIAR(-SE). [*td.: A pincelada de Van Gogh individualiza-o como pintor.* *pr.: O adolescente tem dificuldade de se individualizar.*] **2** Adequar (algo) às características ou necessidades particulares do(s) indivíduo(s); PERSONALIZAR. [*td.: O terapeuta pretende individualizar as sessões de grupo.*] • **in.di.vi.du.a.li.za.do.a.**

indivíduo (in.di.*ví*.du.o) *a.* **1** Que não se divide (terras individuas); INDIVISÍVEL. *sm.* **2** Ser único de uma determinada espécie: *Trata-se de um indivíduo da espécie mineral.* **3** Pessoa da espécie humana; HOMEM: *Todo indivíduo tem direitos e deveres iguais.* **4** Pessoa de quem não se quer dizer o nome; SUJEITO: *O indivíduo se apresentou à polícia.*

indivisível (in.di.vi.*sí*.vel) *a2g.sm.* Que ou o que não se divide, não se separa (partes indivisíveis, número indivisível por 3). [Pl.: *-veis.*] • **in.di.vi.si.bi.li.***da***.de** *sf.*

indiviso (in.di.*vi*.so) *a.* **1** Não dividido, sem divisão. **2** Que não pode ser dividido; INDIVISÍVEL. **3** Que não se divide por pertencer a várias pessoas; COMUM: *A família tinha bens indivisos.*

indizível (in.di.*zí*.vel) *a2g.* Que não pode ou deve ser expresso por palavras; INDESCRITÍVEL: *Viveu momentos indizíveis na viagem.* **2** Fora do comum; EXTRAORDINÁRIO; INCOMUM: *A moça era de uma beleza indizível.* [Pl.: *-veis.*]

indochinês (in.do.chi.*nês*) *a.* **1** Da Indochina (atual Vietnã); típico dessa região ou de seu povo. *sm.* **2** Pessoa nascida na Indochina. [Pl.: *-neses.* Fem.: *-nesa.*]

indócil (in.*dó*.cil) *a2g.* **1** Que não é dócil (aluno indócil); REBELDE. **2** Que demonstra impaciência; ANSIOSO: *Os passageiros estavam indóceis devido ao atraso.* [Ant. ger.: *dócil.*] [Pl.: *-ceis.* Superl.: *indocilimo*, *indocílimo*.] • **in.do.ci.li.***da***.de** *sf.*

indo-europeu (in.do-eu.ro.*peu*) *sm.* **1** *Gloss.* Língua pré-histórica, sem registro, que originou línguas da Europa e da Ásia **2** Povo ou indivíduo que fala essa língua. *a.* **3** Ref. a esse povo ou a essa língua. [Pl.: *indo-europeus.* Fem.: *indo-europeia.*]

índole (*ín*.do.le) *sf.* Modo de ser; TEMPERAMENTO: *O menino tinha boa índole.*

indolente (in.do.*len*.te) *a2g.s2g.* Que ou quem não gosta de fazer esforço; PREGUIÇOSO. • **in.do.***lên***.ci:a** *sf.*

indolor (in.do.*lor*) [ó] *a2g.* Que não causa dor (tratamento indolor). [Ant.: *doloroso.*]

indomado (in.do.*ma*.do) *a.* **1** Que não foi domado; SELVAGEM (diz-se de animal). **2** *Fig.* Que não pôde ser controlado (ódio indomado); INCONTIDO.

indomável (in.do.*má*.vel) *a2g.* **1** Que não se consegue domar (leão indomável). **2** *Fig.* Que não se pode reduzir; IRREFREÁVEL (ânimo indomável, coragem indomável). [Pl.: *-veis.*]

indômito (in.*dô*.mi.to) *a.* **1** Que não foi domado; INDOMADO; SELVAGEM: *Cuidava de animais indômitos.* **2** Que não se deixa vencer ou subjugar; INVENCÍVEL: *Conhecera povos indômitos.* **3** *Fig.* Que tem arrogância, soberbo: *O rapaz tinha um indômito jeito de olhar.*

indonésio (in.do.*né*.si:o) *a.* **1** Da República da Indonésia; típico desse país ou de seu povo. *sm.* **2** Pessoa nascida na Indonésia. *a.sm.* **3** *Gloss.* Da, ref. à, ou a língua oficial da República da Indonésia. [Ver tb. *malaio.*]

indubitável (in.du.bi.*tá*.vel) *a2g.* Que não permite dúvidas; CERTO; INCONTESTÁVEL: *Apresentou razões indubitáveis em sua defesa.* [Ant.: *duvidoso.*] [Pl.: *-veis.*]

indução (in.du.*ção*) *sf.* **1** Ação ou resultado de induzir: *O médico fez a indução do parto.* **2** *Fil.* Método de raciocínio que parte do particular para o geral. [Pl.: *-ções.*] [Cf.: *dedução.*]

indulgente (in.dul.*gen*.te) *a2g.s2g.* **1** Que ou aquele que perdoa facilmente; CLEMENTE; TOLERANTE. **2** Que ou aquele que tem boa vontade ao julgar; BENEVOLENTE; CONDESCENDENTE: *Somente professores indulgentes dariam dez ao seu trabalho.* • **in.dul.***gên***.ci:a** *sf.*

indultar (in.dul.*tar*) *v. td.* **1** Suavizar ou moderar (penalidade, castigo): *O Presidente da República tem o poder de indultar e comutar penas.* **2** Conceder perdão ou privilégio a (ger. criminosos): *O juiz disse que não vai indultar o réu.* [▶ indul*tar*]

indulto (in.*dul*.to) *sm.* **1** Perdão a falta cometida, com extinção ou redução de pena: *O preso recebeu o indulto natalino.* **2** *Jur.* Decreto que torna oficial o indulto (1).

indumentária (in.du.men.*tá*.ri:a) *sf.* **1** Aquilo que a pessoa veste; ROUPA; INDUMENTO (1): *O soldado usou a indumentária de gala.* **2** Arte e história dos trajes: *Pesquisava a indumentária indígena.*

indumento (in.du.*men*.to) *sm.* **1** Ver *indumentária* (1). **2** Aquilo que cobre ou reveste; ENVOLTÓRIO; REVESTIMENTO: *Usou um novo indumento na fachada.* **3** *Bot.* Cobertura de órgãos vegetais.

indústria (in.*dús*.tri:a) *sf.* **1** *Econ.* A produção de bens de consumo (alimentos, carros etc.) e bens de produção (máquinas industriais, ferramentas etc.) em fábricas: *A indústria tem grande importância na economia do país.* **2** Fábrica, usina: *A família possui uma indústria de papel.* **3** O conjunto das fábricas de determinado setor (indústria automobilística). ▮▮ **~ leve** O conjunto das fábricas de bens de consumo. **~ pesada** O conjunto das fábricas de bens de produção.

▭ A Revolução Industrial (na Inglaterra, no fim do séc. XVIII) transformou radicalmente a estrutura social e econômica da sociedade, com o uso cada vez maior da máquina, a fabricação em série (em que as partes de um produto são pré-fabricadas e depois montadas num uma linha de produção) substituindo o artesanato, em que cada produto era fabricado individualmente do início ao fim. Na lógica da indústria, quanto maior a quantidade na geração de um produto, mais barato e mais vendável ele é; consequentemente, ele é mais fabricado, aumentando a atividade industrial, o emprego, e, portanto, o consumo, num círculo teoricamente virtuoso. No entanto, essa virtude depende de que os benefícios desse crescimento se estendam àqueles que poderão se agregar a esse processo. Contemporaneamente, ecologistas afirmam que o efeito poluidor de certas atividades industriais parece indicar a necessidade de se impor um certo limite a esse crescimento – o *crescimento zero*, no qual se limitariam as atividades industriais que prejudicam o meio ambiente, aumentando aquelas que lhe são inofensivas.

industrial (in.dus.tri.*al*) *a2g*. **1** Ref. a indústria (1); que é produzido pela indústria (desenvolvimento industrial, poluição industrial). **2** Que é us. na indústria (1) (equipamento industrial). **3** Que possui muitas indústrias (3) ou em que a indústria (1) é bastante desenvolvida (país industrial). *s2g*. **4** Dono de indústria (3). [Pl.: -*ais*.]

industrializar (in.dus.tri.a.li.*zar*) *v*. **1** Passar a produzir em fábrica determinado bem de consumo. [*td*.: *O empresário vai industrializar a geleia caseira da esposa*.] **2** Tornar(-se) (país, região) capaz de produzir bens de consumo em fábricas em larga escala. [*td*.: *O governo estuda medidas para industrializar o interior*. *pr*.: *A Inglaterra foi o primeiro país a industrializar-se*.] ▶ **1** industrializ*ar*. [▶ in.dus.tri.a.li.za.*ção* *sf*.; in.dus.tri.a.li.za.*do* *a*.; in.dus.tri.a.li.za.*vel* *a2g*.

industriar (in.dus.tri.*ar*) *v*. **1** Dar instruções prévias a, preparar. [*td*.: *O advogado passou dias industriando o réu para a audiência*.] **2** Exercitar(-se) (em algo). [*tdi.* + *em*: *Industriou* o neto *na* arte da carpintaria. *pr*.: *Quanto tempo levarei para industriar-me nas manhas do serviço diplomático?*] [▶ **1** industri*ar*.]

industriário (in.dus.tri.*á*.ri.o) *sm*. *Bras*. Pessoa que trabalha numa indústria; OPERÁRIO.

industrioso (in.dus.tri.*o*.so) [ó] *a*. Trabalhador, laborioso (povo industrioso). [Fem. e pl.: [ó].]

indutância (in.du.*tân*.ci.a) *sf*. *Elet*. Propriedade, em circuito, de indução (2) de força eletromotriz, causada pela variação de uma corrente.

indutivo (in.du.*ti*.vo) *a*. Que induz, que parte de fatos ou dados particulares para elaborar princípios gerais ou inferir uma conclusão (raciocínio indutivo, método indutivo). [Cf.: *dedutivo*.]

indutor (in.du.*tor*) [ô] *a.sm*. **1** Que ou aquele que induz, que sugere (propostas indutoras; *Foi o indutor da questão*. **2** *Elet*. Ref. a indutância ou ao componente passivo de um circuito que a introduz neste. **3** *Fil*. Ref. a ou expressão que inicia uma associação de ideias.

induzido (in.du.*zi*.do) *a*. **1** Que se induziu (parto induzido). (*sm*.) **2** *Elet*. Parte de máquina onde se induz uma força eletromotriz.

induzir (in.du.*zir*) *v*. **1** Levar (alguém) a agir ou pensar de determinada forma. [*tdi.* + *a*: *Sutilmente, o amigo induziu-o a desmanchar o noivado*.] **2** Provocar ou favorecer a ocorrência de. [*td*.: *O consumo de drogas pode induzir estados depressivos*.] **3** Concluir ou formular (regra, generalização) a partir do exame dos fatos; INFERIR. [*td*.: *O linguista induziu novas regras sobre a sintaxe daquele idioma*.] **4** *Med*. Provocar ou antecipar artificialmente (processo ou estado biológico). [*td*.: *induzir parto/coma* etc.] [▶ **57** lu*zir*.]

inebriar (i.ne.bri.*ar*) *v*. **1** Encantar-se (com algo) a ponto de perder o discernimento, os valores morais etc. [*pr*.: *Não vá se inebriar com o poder!*] **2** Provocar ou sentir sensação de prazer ou enlevo; DELICIAR(-SE); EXTASIAR(-SE). [*td*.: *A sinfonia inebriava-o*. *pr*.: *Quem não se inebria com as paisagens do Rio?*] **3** Ficar ou fazer ficar embriagado; EMBEBEDAR(-SE). [*td*.: *Inebria suas vítimas antes de as enganar*. *pr*.: *Inebriou-se com um único copo de cerveja*.] [▶ **1** inebri*ar*.] ● **i.ne**.bri.*an*.te *a2g*.

ineditismo (i.ne.di.*tis*.mo) *sm*. Qualidade de inédito; ORIGINALIDADE: *Premiaram o ineditismo da obra*.

inédito (i.*né*.di.to) *a.sm*. **1** Que ou o que não se publicou: *Logo sairão os inéditos de Mário de Andrade*. *a*. **2** Que é diferente; nunca visto; INCOMUM; ORIGINAL: *O projeto do hotel é inédito no país*.

inefável (i.ne.*fá*.vel) *a2g*. **1** Que não pode ser expresso por palavras; INDESCRITÍVEL; INEXPRIMÍVEL: *Senti uma inefável alegria*. **2** *Fig*. Que encanta, inebria: *A sua presença é inefável*. *sm*. **3** O que não pode ser expresso por palavras: "...diante do inefável, não precisávamos dizer nada." (Ana Maria Machado, *Texturas*). [Pl.: -*veis*.]

ineficaz (i.ne.fi.*caz*) *a2g*. Que não tem o resultado esperado; INEFICIENTE: *Foi uma medida ineficaz para a crise*.

ineficiente (i.ne.fi.ci.*en*.te) *a2g*. Que não é eficiente, produtivo (funcionário ineficiente). ● **i.ne**.fi.ci.*ên*.ci.a *sf*.

inegável (i.ne.*gá*.vel) *a2g*. Que não se pode negar: *A menina tem um inegável talento musical*. [Pl.: -*veis*.]

inegociável (i.ne.go.ci.*á*.vel) *a2g*. Que não permite negociação: *A empresa apresentou propostas inegociáveis*. [Pl.: -*veis*.]

inelegível (i.ne.le.*gí*.vel) *a2g*. Que não pode disputar eleição: *O partido declarou o candidato inelegível*. [Pl.: -*veis*.] ● **i.ne.le.gi.bi.li.da**.de *sf*.

ineludível (i.ne.lu.*dí*.vel) *a2g*. Que não pode ser evitado. [Pl.: -*veis*.]

inelutável (i.ne.lu.*tá*.vel) *a2g*. **1** Que é impossível vencer, a que não se pode resistir, contra o que não se pode lutar: *Ficou atraído por sentimentos inelutáveis*. **2** Que não se pode contestar; IRREFUTÁVEL: *O advogado apresentou provas inelutáveis*. [Pl.: -*veis*.]

inenarrável (i.ne.nar.*rá*.vel) *a2g*. Ver *inarrável*. [Pl.: -*veis*.]

inepto (i.*nep*.to) *a.sm*. **1** Que ou quem não tem habilidade(s) para; INCAPAZ: *Era inteligente, mas (um) inepto para a função*. **2** Que ou quem é bobo, ingênuo: *Sua conversa era inepta e inútil*. [Cf.: *inapto*.] ● **i.nép**.ci.a *sf*.

inequação (i.ne.qua.*ção*) *sf*. *Mat*. Desigualdade entre duas expressões em que se busca encontrar os valores das variáveis para transformar a desigualdade em sentença verdadeira. [Cf.: *equação*.] [Pl.: -*ções*.]

inequívoco (i.ne.*quí*.vo.co) *a*. Que não admite dúvida(s); CLARO; EVIDENTE: *Apresentou respostas inequívocas*.

inércia (i.*nér*.ci.a) *sf*. **1** Ausência de atividade, de ação; INAÇÃO; INATIVIDADE: "Será tão fatigante a inércia/ da sepultura milenar...?" (Cecília Meireles, *Dispersos*). **2** Preguiça; torpor: *Seu mal era a total inércia*. **3** *Fís*. Resistência dos objetos a qualquer movimento. **4** *Fig*. Ausência de iniciativa; IMOBILIDADE: *A violência causou inércia na população*.

inerente (i.ne.*ren*.te) *a2g*. Que é próprio de uma pessoa ou coisa; ESPECÍFICO: *O sorriso é inerente às pessoas felizes*. ● **i.ne.rên**.ci.a *sf*.

inerme (i.*ner*.me) *a2g*. **1** Que não tem armas; DESARMADO: *Os invasores atacaram um povo inerme*. **2** Que não tem meios de se defender; INDEFESO: *Ficou inerme diante do assaltante*. [Cf.: *inerte*.]

inerte (i.*ner*.te) *a2g*. **1** Que não se movimenta; IMÓVEL; PARADO: *Caiu e ficou inerte no chão*. **2** *Fig*. Que não reage; sem forças; APÁTICO: *Estava inerte desde a partida do amigo*. [Cf.: *inerme*.]

inervação (i.ner.va.*ção*) *sf.* Provimento e distribuição dos nervos e suas ramificações em uma parte do organismo. [Pl.: *-ções.*] • **i.ner.***var v.*

inescrupuloso (i.nes.cru.pu.*lo*.so) [ô] *a.* Que não tem escrúpulo(s): *Por ambição, era inescrupuloso até com os amigos.* [Fem. e pl.: [ó].]

inescrutável (i.nes.cru.*tá*.vel) *a2g.* Que não se pode compreender, penetrar; IMPENETRÁVEL: *Levava uma vida inescrutável.* [Pl.: *-veis.*] • **i.nes.cru.ta.bi.li.***da.***de** *sf.*

inescusável (i.nes.cu.*sá*.vel) *a2g.* **1** Que não se pode perdoar ou desculpar; INDESCULPÁVEL: *Agressivo, fez um gesto inescusável.* **2** Impossível de se dispensar; INDISPENSÁVEL: *O rapaz é inescusável para a tarefa.* [Pl.: *-veis.*]

inesgotável (i.nes.go.*tá*.vel) *a2g.* **1** Que não se esgota, que não tem fim; *A internet é uma fonte inesgotável de informações.* **2** Abundante, copioso: *recursos hídricos inesgotáveis.* [Pl.: *-veis.*]

inesperado (i.nes.pe.*ra*.do) *a.* Que não é esperado; IMPREVISTO: *uma vitória inesperada.*

inesquecível (i.nes.que.*cí*.vel) *a2g.* Impossível de se esquecer: *uma viagem inesquecível.* [Pl.: *-veis.*]

inestimável (i.nes.ti.*má*.vel) *a2g.* **1** Impossível de ser estimado, avaliado: *obra de arte de valor inestimável.* **2** Extraordinário, imenso: *Este homem prestou inestimável serviço ao país.* **3** *Fig.* Merecedor de grande estima: *É um amigo inestimável.* [Pl.: *-veis.*]

inevitável (I.ne.vi.*tá*.vel) *a2g.sm.* Que ou aquilo que não se pode evitar: *Segundo os médicos, a cirurgia é inevitável.* [Pl.: *-veis.*] • **i.ne.vi.ta.bi.li.***da.***de** *sf.*

inexato (i.ne.*xa*.to) [z] *a.* Que não é exato, preciso, certo (informações inexatas). • **i.ne.xa.ti.***dão sf.*

inexaurível (i.ne.xau.*rí*.vel) [z] *a2g.* Que não se exaure, que não se acaba (fonte inexaurível); INESGOTÁVEL. [Pl.: *-veis.*]

inexcedível (i.nes.ce.*di*.vel) *a2g.* Impossível de ser superado; INSUPERÁVEL: *a inexcedível dedicação de madre Teresa de Calcutá.* [Pl.: *-veis.*]

inexequível (i.ne.xe.*qui*.vel) [z] *a2g.* Impossível de ser feito; INVIÁVEL; IRREALIZÁVEL: *Apresentou um plano inexequível.* [Pl.: *-veis.*] • **i.ne.xe.qui.bi.li.***da.***de** *sf.*

inexistente (i.ne.xis.*ten*.te) [z] *a2g.* **1** Que não existe: *Os desertos são áreas de vegetação escassa ou inexistente.* **2** *Gram.* Que não existe em orações com verbos impessoais (diz-se de sujeito): *Choveu muito neste verão.* • **i.ne.xis.***tên.***ci.a** *sf.*

inexorável (i.ne.xo.*rá*.vel) [z] *a2g.* **1** Que não se comove; que não cede a pedidos, súplicas etc.; IMPLACÁVEL: *Foi inexorável aos apelos da vítima.* **2** Rigoroso, severo, inflexível (lei inexorável). **3** Contra o qual nada se pode fazer (sentença inexorável); INELUTÁVEL; FATAL. [Pl.: *-veis.*] • **i.ne.xo.ra.bi.li.***da.***de** *sf.*

inexperiente (i.nes.pe.ri.*en*.te) *a2g.s2g.* **1** Que ou quem não tem experiência em determinada atividade (funcionário inexperiente). **2** Que ou quem tem pouca vivência. • **i.nex.pe.ri.***ên.***ci.a** *sf.*

inexplicável (i.nex.pli.*cá*.vel) *a2g.* Difícil ou impossível de ser explicado ou compreendido: *Algumas de suas reações são inexplicáveis.* [Pl.: *-veis.*]

inexplorado (i.nex.plo.*ra*.do) *a.* Não explorado ainda, desconhecido (praias inexploradas).

inexpressivo (i.nex.pres.*si*.vo) *a.* **1** Que não é expressivo; sem vivacidade (olhar inexpressivo). **2** De importância ou valor insignificantes: *A atriz teve um papel inexpressivo na novela.* • **i.nex.pres.si.***vi.***da.***de sf.*

inexprimível (i.nex.pri.*mí*.vel) *a2g.* Difícil de se exprimir; INDESCRITÍVEL: *Veio-lhe uma emoção inexprimível.* [Pl.: *-veis.*]

inexpugnável (i.nex.pug.*ná*.vel) *a2g.* **1** Que não se pode assaltar ou atacar (fortaleza inexpugnável). **2** Impossível de ser vencido; INVENCÍVEL: *Não desanimaram, mesmo quando o adversário parecia inexpugnável.* [Pl.: *-veis.*]

inextinguível (i.nex.tin.*gui*.vel) *a2g.* Que não se pode ou não se consegue extinguir (chamas inextinguíveis). [Pl.: *-veis.*]

inextinto (i.nex.*tin*.to) *a.* Que não deixou de existir; SUBSISTENTE.

inextirpável (i.nex.tir.*pá*.vel) *a2g.* Que não se pode extirpar, arrancar. [Pl.: *-veis.*]

inextricável, inextrincável (i.nex.tri.*cá*.vel, i.nex.trin.*cá*.vel) *a2g.* **1** Que não se pode deslindar, esclarecer: *uma questão inextricável.* **2** Que é intricado, confuso (situação inextricável). [Pl.: *-veis.*]

infalível (in.fa.*lí*.vel) *a2g.* **1** Que não falha: INDEFECTÍVEL: *Elaborou um método de estudo infalível.* **2** Que não erra: *Nenhum homem é infalível.* **3** Certo, inevitável: *O sucesso da peça era infalível.* [Pl.: *-veis.*]

infamar (in.fa.*mar*) *v. td.* **1** Fazer perder a boa reputação; DESONRAR: *Seus atos covardes acabaram por infamá-lo.* **2** Desacreditar (alguém) por difamação: *Por que infamar uma pessoa tão honesta com essas calúnias?* [▶ 1 infam**ar**]

infame (in.*fa*.me) *a2g.* **1** De má fama: *Namora um sujeito infame.* **2** Que (pessoa) é digno de desprezo; INDIGNO. **3** Reprovável, condenável (crime infame). **4** Péssimo, terrível (filme infame). [Superl.: *infamérrimo.*]

infâmia (in.*fâ*.mi:a) *sf.* **1** Qualidade de infame; INDIGNIDADE: *Salvou-se da infâmia da prisão.* **2** Ato ou dito infame: *Cometeu uma infâmia ao acusar sem provas.* **3** Descrédito, desonra.

infância (in.*fân*.ci:a) *sf.* **1** Período da vida humana que vai do nascimento à adolescência: *amigo de infância.* **2** Conjunto de crianças: *a infância brasileira.*

infanta (in.*fan*.ta) *sf.* Fem. de *infante*[3].

infantaria (in.fan.ta.*ri*.a) *sf.* Mil. Tropa treinada para combater a pé.

infante[1] (in.*fan*.te) *sm.* Mil. Soldado de infantaria.

infante[2] (in.*fan*.te) *a2g.* **1** Que está na infância (1). *sm.* **2** Criança. **3** Príncipe sem direito ao trono, nos reinos de Portugal e Espanha.

infanticídio (in.fan.ti.*ci*.di:o) *sm.* Assassinato de criança ou recém-nascido. • **in.fan.ti.***ci.***da** *a2g.s2g.*

infantil (in.fan.*til*) *a2g.* **1** Ref. à infância ou à criança: *campanha de vacinação infantil.* **2** Próprio para crianças (teatro infantil). **3** Que é pouco maduro: *Ela já tem 12 anos mas é bastante infantil.* [Pl.: *-tis.*] • **in.fan.ti.li.***da.***de** *sf.*

infantilismo (in.fan.ti.*lis*.mo) *sm. Med.* Manutenção anormal de características infantis na pessoa adulta.

infantilizar (in.fan.ti.li.*zar*) *v.* **1** Proceder de forma maternal com respeito a; tornar pueril. [*td.*]: *Não podemos infantilizar o ensino universitário.* **2** Comportar-se como criança. [*pr.*]: *Pare de se infantilizar e vá procurar um emprego.*] [▶ 1 infantiliz**ar**]

infanto-juvenil (in.fan.to-ju.ve.*nil*) *a2g.* Ref. a infância e a juventude (livro infanto-juvenil). [Pl.: *infanto-juvenis.*]

infartar (in.far.*tar*) *v.* **1** Obstruir, entupir. [*td.*] **2** Causar infarto ou sofrer infarto; ENFARTAR. [*td.int.*] [▶ 1 infart**ar**, ▶ 1 enfart**ar**]

infarto (in.*far*.to) *sm.* **1** Obstrução. **2** *Pat.* Morte dos tecidos de um órgão (ger. o coração) por falta de irrigação sanguínea, motivada por obstrução de artéria; ENFARTE. **3** Sensação de estar farto por excesso de comida; EMPANTURRAMENTO; INGURGITAMENTO.

infatigável (in.fa.ti.*gá*.vel) *a2g*. **1** Que não sente fadiga, cansaço; INCANSÁVEL. **2** Que não desiste, persistente. [Pl.: *-veis*.]

infausto (in.*faus*.to) *a*. **1** Que não é fausto; INFELIZ (infausto prisioneiro). **2** Que traz infelicidade ou azar (acontecimento infausto).

infecção (in.fec.*ção*) *sf*. **1** Ação ou resultado de infeccionar(-se). **2** Presença no organismo de bactérias ou vírus causadores de doenças. [Pl.: *-ções*.]

infeccionar, infecionar (in.fec.ci:o.*nar*, in.fe.ci:o.*nar*) *v*. **1** Sofrer ou causar infecção. [*int*. O corte que sofri na perna infeccionou. *td*.: Uma sutura mal feita pode infeccionar o corte; (sem indicação de complemento explícito) Piercing pode infeccionar.] **2** Contaminar com doença; INFECTAR. [*td*.: A bactéria desconhecida infeccionou milhões de pessoas. [▶ 1 infeccionar, ▶ 1 infecionar]

infeccioso (in.fec.ci:o.so) [ó] *a*. Que ocasiona infecção ou é resultado dela (bactéria infecciosa, doença infecciosa). [Fem. e pl.: [ó].]

infectar, infetar (in.fec.*tar*, in.fe.*tar*) *v*. **1** Transmitir doença ou agente de doença a, ou contraí-los; CONTAMINAR(-SE), INFECCIONAR(-SE). [*td*.: Contraiu uma gripe e infectou toda a turma. *int./pr*.: A ferida, que parecia sarada, infectou(-se).] **2** *Fig*. Afetar(-se) a pureza ou a retidão moral de; CORROMPER(-SE). [*td*.: As más companhias infectaram sua boemia.] **3** *Inf*. Introduzir(-se) vírus (2) em (computador) ou contaminar-se (computador) com vírus (2). [*td*.: Um novo vírus infectou meu computador. *pr*.: Sem proteção, todo o sistema infectou-se.] [▶ 1 infectar, ▶ 1 infetar] ● **in.fec.ta**.do *a*.; **in.fe.ta**.do *a*.

infecto (in.*fec*.to) *a*. **1** Que tem infecção. **2** Que cheira mal; FÉTIDO. **3** *Fig*. Que repugna; REPULSIVO.

infecundo (in.fe.*cun*.do) *a*. Que não fecunda, não produz; ESTÉRIL. ● **in.fe.cun.di.da.de** *sf*.

infelicidade (in.fe.li.ci.*da*.de) *sf*. **1** Estado de infeliz. **2** Acontecimento ou situação dolorosa: *O acidente foi uma infelicidade*. **3** Adversidade, azar: *Teve a infelicidade de perder as chaves*.

infelicitar (in.fe.li.ci.*tar*) *v*. **1** Tornar(-se) infeliz, muito triste ou descontente; DESGOSTAR(-SE). [*td*.: Aquele gesto impensado infelicitou sua vida. *pr*.: Infelicitou-se por ter abandonado os estudos.] **2** *Bras. Pop*. Tirar a virgindade de (uma moça); deflorar. [*td*.: O rapaz infelicitou a moça.] [▶ 1 infelicitar]

infeliz (in.fe.*liz*) *a2g*. **1** Que não é ou não está feliz (diz-se de pessoa). **2** Que não tem propósito (ideia infeliz). **3** Funesto, infausto (acidente infeliz). *s2g*. **4** Pessoa infeliz (1). ❏ **Como um ~** – *N.E*. Muito, de causar espanto: *Ele mente como um infeliz*. [Superl.: *infelicíssimo*.]

infenso (in.*fen*.so) *a*. **1** Que se opõe; CONTRÁRIO: *Mostra-se infenso às manifestações populares*. **2** Que está ou se revela irritado; FURIOSO.

inferência (in.fe.*rên*.ci.a) *sf*. **1** Ação ou resultado de inferir, indução. **2** Raciocínio por meio do qual se conclui a partir de indícios.

inferior (in.fe.ri:*or*) [ó] *a*. **1** Que se encontra abaixo, por baixo ou constitui a base de algo: *O barulho vinha do andar inferior*. **2** Que é menor ou mais baixo (preço inferior). **3** Que é pior em qualidade (trabalho inferior). [Ant.: *superior*.] ● **in.fe.ri:o.ri.da.de** *sf*.

inferiorizar (in.fe.ri:o.ri.*zar*) *v*. Atribuir condição de inferior a (algo, alguém ou si mesmo) MENOSPREZAR(-SE). [*td*.: Vive inferiorizando os outros. *pr*.: Extremamente autocrítico, inferiorizava-se injustamente.] [▶ 1 inferiorizar] ● **in.fe.ri:o.ri.za.ção** *sf*.; **in.fe.ri:o.ri.za.do** *a*.

inferir (in.fe.*rir*) *v*. *td*. Concluir ou deduzir (algo) a partir de exame dos fatos e de raciocínio: *Analisan-*

do a água, o cientista inferiu a causa da epidemia. [▶ 50 inferir] ● **in.fe.ri.do** *a*.

infernal (in.fer.*nal*) *a2g*. **1** Ref. a inferno. **2** Que é insuportável (dor infernal). **3** Que causa muito incômodo (barulho infernal). **4** Que é muito cruel (castigo infernal). [Pl.: *-nais*.]

infernar (in.fer.*nar*) *v*. *td*. **1** Causar irritação ou aborrecimento a; ATORMENTAR: *Pare de infernizar os vizinhos com essa barulheira!* **2** *Fig*. Tornar ruim ou insuportável como deve ser o inferno: *Infernizou a reunião com apartes agressivos*. [▶ 1 infernar]

inferninho (in.fer.*ni*.nho) *sm*. *Bras*. Pequena boate barulhenta e enfumaçada, com ambiente promíscuo.

infernizar (in.fer.ni.*zar*) *v*. *td*. O m.q. infernar. [▶ 1 infernizar]

inferno (in.*fer*.no) *sm*. **1** Segundo a religião cristã, lugar para onde vão as almas dos que pecaram em vida. (Ger. com inicial maiúsc.) **2** *Fig*. Situação de sofrimento ou martírio: *Sua vida tornou-se um inferno*. **3** *Fig*. Enorme desordem ou confusão: *Esse trânsito está um inferno*.

infértil (in.*fér*.til) *a2g*. **1** Que não é fértil; ESTÉRIL (homem infértil). **2** Que não produz ou que produz pouco (terra infértil). [Pl.: *-teis*.] ● **in.fer.ti.li.da.de** *sf*.

infestar (in.fes.*tar*) *v*. *td*. **1** Atacar em bloco, provocando devastação; ASSOLAR: *Os cupins infestaram o velho prédio*. **2** *Med*. Proliferar abundantemente (parasitos): *As bactérias infestaram o organismo do animal*. [▶ 1 infestar] [Cf.: *enfestar*.] ● **in.fes.ta.ção** *sf*.; **in.fes.ta.do** *a*.

infidelidade (in.fi.de.li.*da*.de) *sf*. **1** Qualidade de infiel. **2** Ato de ser infiel (1) a sua mulher, a seu marido, ou (2) a uma ideia, uma instituição, uma empresa, um partido etc.

infiel (in.fi:*el*) *a2g.s2g*. **1** Que ou quem trai a mulher, o marido etc. envolvendo-se com outra pessoa. **2** Que ou quem trai a confiança ou o compromisso assumido com alguém; DESLEAL. **3** *Rel*. Que ou quem não professa religião verdadeira; HEREGE. [Ant. ger.: *fiel*.] [Pl.: *-éis*. Superl. (como adj.): *infidelíssimo*.]

infiltração (in.fil.tra.*ção*) *sf*. **1** Ação ou resultado de infiltrar(-se). **2** Penetração de substância líquida através dos poros ou de pequenas aberturas de um sólido. **3** Injeção de medicamento com efeito local: *Fez infiltração para atenuar a dor no joelho*. [Pl.: *-ções*.]

infiltrar (in.fil.*trar*) *v*. **1** Introduzir(-se) aos poucos (ger. líquido) através de matéria sólida, por poros, orifícios, interstícios etc. [*tdi*. + *em*: *Lavagens a jato podem infiltrar água no motor*. *pr*.: *Talvez a chuva tenha se infiltrado pela laje*.] **2** Instalar-se de forma gradual e discreta; INSINUAR-SE. [*pr*.: *Uma dúvida ia se infiltrando no espírito do rapaz*.] **3** Introduzir (algo, alguém ou si mesmo) insidiosamente em lugar, grupo, instituição etc., para vigiá-los, colher informações ou realizar alguma ação. [*tdi*. + *em*: *A polícia infiltrou seus homens em várias quadrilhas de bandidos*. *pr*.: *Conseguiram infiltrar-se no quartel-general inimigo*.] **4** Penetrar, introduzir-se, burlando vigilância, obstáculos etc. [*pr*.: *Infiltrou-se na festa porque não tinha convite*.] [▶ 1 infiltrar] ● **in.fil.tra.do** *a*.

ínfimo (*ín*.fi.mo) *a*. **1** Que tem pequeno tamanho, volume, quantidade ou intensidade; DIMINUTO: *O estoque de comida é ínfimo*. **2** Que está no patamar mais baixo dentro de uma escala de valores: *O preconceito é o mais ínfimo dos sentimentos*. **3** Que tem pouca importância ou valor (preço ínfimo).

infindável (in.fin.*dá*.vel) *a*. Que não chega ao fim ou parece não ter fim (matagal infindável); INTERMINÁVEL. [Pl.: *-veis*.]

infindo (in.*fin*.do) *a.* Que não tem fim; INFINITO.
infinidade (in.fi.ni.*da*.de) *sf.* **1** Característica do que não tem fim. **2** Grande número ou quantidade: *Comprou uma infinidade de presentes.* [Sin. ger.: *infinitude.*]
infinitesimal (in.fi.ni.te.si.*mal*) *a.* Ref. a quantidades extremamente pequenas; mínimo. [Pl.: *-mais.*]
infinitivo (in.fi.ni.*ti*.vo) *sm. Gram.* Forma nominal do verbo que, sem as flexões de tempo e modo, expressa ação, estado ou mudança de estado num tempo abstrato e indeterminado; INFINITO. ■ ~ **impessoal** O que se apresenta sem sujeito. ~ **pessoal** O que se relaciona com um sujeito, e apresenta flexões regulares de número e pessoa.
infinito (in.fi.*ni*.to) *a.* **1** Sem fim; ETERNO: "A vida vem em ondas/como um mar/num indo e vindo infinito..." (Lulu Santos, *Como uma onda*). **2** Sem linha de demarcação, sem limite: *As cenas foram gravadas sobre um fundo azul infinito.* **3** Muito intenso, grande ou longo: *o silêncio infinito da noite*. **4** Inúmero, incontável: *Há uma variedade infinita de tonalidades da cor cinza.* [Ant. ger.: *finito.*] *sm.* **5** Espaço ou distância sem limites: *No infinito uma estrela cintilou*. **6** *Gram.* Ver *infinitivo*.
infinitude (in.fi.ni.*tu*.de) *sf.* Ver *infinidade*.
infixo (in.*fi*.xo) [cs] *a.* Que não é ou não está fixo.
inflação (in.fla.*ção*) *sf. Econ.* Aumento resultante de preços em momento e conjuntura econômica determinados. [Ant.: *deflação.*] ● **in.fla.ci.o.***ná*.ri.o *a.*

□ Muitas são as teorias que tentam explicar a *inflação*. Seja como for, a sua primeira consequência é a desvalorização do dinheiro (e a corrida por gastá-lo rapidamente) e, com isso, a baixa do nível de vida. A solução de compensar essa baixa com a chamada *correção monetária*, tentada pelo Brasil durante décadas, realmente uma corrida entre salários e preços, levando a inflação, em 1985, a mais de 80% ao mês. Austera política de controle, a partir de meados da década de 1990, reduziu a expectativa inflacionária a menos de 10% anuais em 2004. A maior inflação conhecida na história foi na Alemanha, em 1922, atingindo o inacreditável patamar de cem trilhões por cento.

inflacionar (in.fla.ci.o.*nar*) *v. td.* **1** *Econ.* Produzir ou aumentar inflação: *Uma forte pressão de consumo inflacionou o mercado*. **2** Fazer aumentar o valor a ser pago por (algo): *A ótima temporada da jogadora vai inflacionar o seu passe.* **3** Aumentar a oferta em relação à procura em (determinado mercado): *Novos modelos inflacionaram o mercado da moda.* [Ant. ger.: *deflacionar, deflacionar.*] [▶ 1 inflacion*ar*] ● **in.fla.ci.o.***na*.do *a.*
inflado (in.*fla*.do) *a.* **1** Que aumentou de volume; INCHADO. **2** *Fig.* Que manifesta vaidade; orgulhoso.
inflamação (in.fla.ma.*ção*) *sf.* **1** Ação ou resultado de inflamar(-se). **2** *Pat.* Condição patológica em que uma parte do corpo fica dolorida, inchada e avermelhada por infecção ou outro tipo de agressão ao organismo. [Pl.: *-ções.*] ● **in.fla.ma.***tó*.ri.o *a.*
inflamar (in.fla.*mar*) *v.* **1** Fazer ficar ou ficar (material, substância) em chamas, em estado de combustão. [*td.*: *Na ignição, uma faísca elétrica inflama o combustível. int./pr.*: *O pó de zinco pode inflamar(-se) espontaneamente com a umidade.*] **2** Causar ou sofrer inflamação (2). [*td.*: *Um cisco inflamou meus olhos. int./pr.*: *Apesar dos cuidados a ferida inflamou(-se).*] **3** *Fig.* Excitar(-se), exaltar(-se) (pessoa, sentimento, sensação). [*td.*: "Não sei se essa seleção (...) é capaz de *inflamar* a torcida." (*Jornal Extra*, 31.10.00). *A plateia inflamou-se ao ouvir o discurso.*] [▶ 1 inflam*ar*] ● **in.fla.***ma*.do *a.*

inflamável (in.fla.*má*.vel) *a2g.* **1** Que se inflama, se incendeia facilmente: *Aguarrás é altamente inflamável*. *sm.* **2** Substância inflamável. [Pl.: *-veis.*]
inflar (in.*flar*) *v.* **1** Encher(-se), inchar(-se) (com ar, gás etc); INTUMESCER(-SE). [*td.*: *inflar uma boia/um balão. int./pr.*: *A bolha de sabão inflou(-se) e estourou.*] **2** Inchar(-se) ou abaular(-se) (ger. pano) com a pressão do ar. [*td.*: *O vento inflava o lençol no varal. int./pr.*: *A vela inflou(-se) e o barco afastou-se do cais.*] **3** *Fig.* Fazer ficar ou ficar envaidecido ou orgulhoso (com algo). [*td.*: *Os elogios o inflaram. pr.*: *Inflou-se todo com a bicicleta nova.*] [▶ 1 infl*ar*] ● **in.***flá*.vel *a2g.*
inflectir, infletir (in.flec.*tir*, in.fle.*tir*) *v.* **1** Inclinar(-se), dobrar(-se) formando curva; mudar a direção de (algo ou si mesmo). [*td.*: *Adotaram medidas para inflectir o rumo da economia. int./pr.* (seguido ou não de indicação de direção): *O caminho bordejava o rio, e depois inflectia(-se) (para o interior).*] **2** Recair, incidir, refletir-se. [*int.* (seguido de indicação de lugar): *Raios de luz inflectiam no espelho.*] **3** Dar certa entonação a, modificar para dar-lhe certa entonação (diz-se de voz). [*td.*] [▶ 50 inflect*ir*, ▶ 50 inflet*ir*]
inflexão (in.fle.*xão*) [cs] *sf.* **1** Ação ou resultado de dobrar-se, curvar-se. **2** Maneira de emitir a voz. [Pl.: *-xões.*]
inflexível (in.fle.*xi*.vel) [cs] *a2g.* **1** Que não se deixa convencer ou comover ou adaptar; rígido: *juiz inflexível nas decisões.* **2** Impossível de ser alterado (regulamento inflexível). **3** Que não se pode dobrar ou curvar (diz-se de material). [Pl.: *-veis.*] ● **in.fle.xi.bi.li.***da*.de *sf.*
infligir (in.fli.*gir*) *v. tdi.* Impor ou fazer incidir (pena, castigo, sofrimento etc.) sobre. [+ *a*: *O Estado infligirá aos sequestradores penas severas.*] [▶ 46 inflig*ir*] [Cf.: *infringir*.]
inflorescência (in.flo.res.*cên*.ci.a) *sf. Bot.* Estrutura cujo pedúnculo apresenta mais de uma flor.
influência (in.flu.*ên*.ci.a) *sf.* **1** Ação ou resultado de influir; INFLUXO. **2** Capacidade de exercer uma ação ou de causar mudança em algo ou alguém; essa ação; INFLUXO: *a influência dos pais na educação dos filhos.* **3** Posse de crédito ou prestígio: *O deputado tem grande influência junto ao governo.*
influenciar (in.flu.en.ci.*ar*) *v.* **1** Exercer influência sobre; ter peso nas considerações ou decisões de (outrem) ou no desenvolvimento ou resultado de (processo, acontecimento, ação etc.). [*td.*: *O escândalo influenciou o resultado das eleições.*] **2** Sofrer influência. [*pr.*: *Era uma pessoa que se influenciava facilmente pelos amigos.*] [▶ 1 influenci*ar*] ● **in.flu.en.ci.***á*.vel *a.*
influente (in.flu.*en*.te) *a2g.s2g.* Que ou quem influi ou exerce influência.
influenza (in.flu.*en*.za) *sf. Med.* Doença infecciosa de origem viral e que ataca as vias respiratórias; GRIPE.
influir (in.flu.*ir*) *v.* **1** Desempenhar papel ativo em; INFLUENCIAR. [*ti.* + *em*: *Muitos anúncios influem nas decisões de compra.*] [NOTA: Usa-se tb. a prep. *sobre*, por analogia de significado com *atuar*, *exercer pressão*.] **2** Ser relevante ou importante. [*int.*: *Beleza influi menos do que caráter.*] [▶ 56 influ*ir*]
influxo (in.*flu*.xo) *sm.* **1** Ver *influência* (1 e 2). **2** Afluência.
informação (in.for.ma.*ção*) *sf.* **1** Ação ou resultado de informar(-se). **2** Conjunto de dados sobre algo ou alguém. **3** Relato de acontecimentos ou fatos, transmitido ou recebido. **4** Dados ou notícias tornados públicos através dos meios de comunicação: *As rádios foram as primeiras a dar a informação sobre o acidente.* **5** Explicação dada para uma determina-

da finalidade: _informações sobre a instalação de um equipamento._ [Pl.: -ções.]

informado (in.for.ma.do) *a.* Que se informou; INSTRUÍDO.

informal (in.for.mal) *a2g.* **1** Que não tem ou não aparece sob uma forma definida. **2** Bras. Que se caracteriza por ser destituído de formalidade (1) (roupa informal). [Pl.: -mais.] ● in.for.ma.li.da.de sf.

informar (in.for.mar) *v.* **1** Tornar (alguém) ciente de (fatos, notícias, avisos etc.); COMUNICAR. [*tdi.* + *a, de: Quando você vai informar a família de sua decisão?; O advogado informou a seu cliente que a causa era difícil.*] [NOTA: Como se vê nos exemplos, os complementos direto e indireto podem permutar-se entre o que se informa e aquele que é informado.] **2** Tomar ciência de; INTEIRAR-SE. [*pr.: "Tentei, então, informar-me melhor sobre a filha." (Ana Maria Machado, Texturas).*] **3** Prover informações a; ser instrutivo para. [*tdi.: O programa pretende informar o público adolescente. int.: O bom jornal informa sem manipular.*] [▶ 1 informar] ● in.for.man.te sm.

informática (in.for.má.ti.ca) *sf. Inf.* Ciência que se dedica ao estudo do tratamento da informação mediante o uso de dispositivos de processamento de dados.

📖 A ciência e a técnica de armazenar, processar transmitir e acessar informações — a informática — teve desenvolvimento vertiginoso a partir da década de 1940. Até então, algumas tentativas de mecanizar o processamento de cálculo e de transmissão de informação tinham sido tímidas, como a máquina de calcular de Pascal e de Leibniz, o sistema de cartões perfurados de Hollerith. Porém, o matemático George Boole lançara em 1854 uma ideia que só um século mais tarde iria revolucionar a vida de indivíduos e sociedades com sua aplicação aos programas de computador: a de que todo o processo de pensamento e raciocínio do cérebro podia basear-se numa montagem complexa e sequencial de uma única opção entre duas únicas hipóteses: sim ou não. Era a base do sistema binário de numeração, fundamento da informática (ver bit). As máquinas de processamento a partir desse sistema evoluíram em várias gerações: das válvulas eletrônicas, a dos transistores, a dos circuitos impressos, a dos chips computadores. Computadores de quinta geração estão sendo pesquisados para emular com mais precisão e muito maior velocidade os processos de raciocínio, aprendizagem e decisões do cérebro humano.

informativo (in.for.ma.ti.vo) *a.* **1** Que tem o objetivo de informar ou noticiar. *sm.* **2** Publicação periódica de caráter informativo; BOLETIM.

informatizar (in.for.ma.ti.zar) *v. td.* **1** Dotar (instituição, empresa, serviço) de recursos computacionais. **2** Adaptar (acervos de informações, métodos, atividades) ao uso do computador ou sistemas computacionais: _informatizar um catálogo/a declaração do imposto de renda._ [▶ 1 informatizar] ● in.for.ma.ti.za.ção sf.; in.for.ma.ti.za.do a.

informe¹ (in.for.me) *sm.* Informação a respeito de algo.

informe² (in.for.me) *a2g.* **1** Que não tem forma acabada (escultura informe). **2** Cuja forma é grosseira ou de mau gosto (construção informe).

infortunado (in.for.tu.na.do) *a.* Destituído de felicidade, de sorte. [Ant.: afortunado.]

infortúnio (in.for.tú.ni:o) *sm.* Acontecimento do fato infeliz ou desastroso; DESGRAÇA: _A morte do pai foi um infortúnio._ [Ant.: felicidade.]

infovia (in.fo.vi.a) *sf. Telc.* Rede de comunicação para transmissão de voz, dados e imagem através de fibras ópticas.

infração (in.fra.ção) *sf.* Ação ou resultado de infringir; violar lei, tratado, regra, ordem etc. [Pl.: -ções.]

infraestrutura (in.fraes.tru.tu.ra) *sf.* **1** O suporte de uma estrutura. **2** A base de uma organização, sociedade, sistema etc. **3** Urb. O conjunto de serviços públicos de uma cidade, como rede de esgotos, energia elétrica, gás canalizado etc. [Pl.: infraestruturas.]

infrassom (in.fras.som) *sm.* Onda ou vibração sonora de muito baixa frequência, inaudível pelo homem. [Pl.: infrassons.] [Cf.: ultrassom.] ● in.fras.só.ni.co a.

infrator (in.fra.tor) *a.sm.* Que ou quem comete infração.

infravermelho (in.fra.ver.me.lho) [ê] *sm. Fís.* **1** Radiação eletromagnética cujo comprimento de onda está entre a radiação visível e as micro-ondas. *a.* **2** Diz-se dessa radiação.

infrene (in.fre.ne) [ê] *a2g.* **1** Que não tem freio; DESENFREADO. **2** Fig. Descomedido, incontido.

infrequente (in.fre.quen.te) *a2g.* Não frequente; pouco comum.

infringir (in.frin.gir) *v. td.* Descumprir ou violar (lei, regra, ensinamento etc.); TRANSGREDIR: _infringir um estatuto._ [Ant.: cumprir.] [Cf.: infligir.] [▶ 46 infringir]

infrutescência (in.fru.tes.cên.ci:a) *sf. Bot.* Frutificação de uma inflorescência, resultando em um fruto íntegro, como o abacaxi e a jaca.

infrutífero (in.fru.tí.fe.ro) *a.* **1** Que não dá frutos; ESTÉRIL. **2** Fig. Que não produz resultado (trabalho infrutífero).

infundado (in.fun.da.do) *a.* Que não tem fundamento, razão de ser (desconfiança infundada).

infundir (in.fun.dir) *v.* **1** Incutir, inspirar (sentimento, sensação). [*td.: "Sua voz (...) infundia confiança logo às primeiras palavras." (Josué Montello, Um rosto de menina). tdi.* + *a, em: As últimas notícias infundiram temor à população.*] **2** Verter ou introduzir (líquido). [*tdi.* + *em: O médico decidiu infundir glicose endovenosa na paciente.*] **3** Fazer infusão de; pôr (erva, medicamento, raiz etc.) em água (ger. fervente). [*td.: infundir a hortelã por dez minutos.*] [▶ 3 infundir]

infusão (in.fu.são) *sf.* **1** Processo que consiste em lançar líquido (ger. água) fervente sobre alguma substância a fim de obter uma bebida medicamentosa ou alimentícia. **2** O líquido resultante desse processo. [Pl.: -sões.]

infusível (in.fu.sí.vel) *a2g.* Que não é possível fundir. [Pl.: -veis.]

infuso (in.fu.so) *a.* **1** Que foi vertido, derramado. *sm.* **2** O líquido obtido pela infusão.

ingá (in.gá) *sm. Bot.* **1** Árvore de frutos comestíveis, tb. cultivada como ornamental. **2** O fruto dessa árvore.

ingazeira (in.ga.zei.ra) *sf. Bot.* Certo tipo de ingá, que pode atingir até 10 m de altura. [Às vezes é us. como *sm.*, na f. ingazeiro.]

ingênito (in.gê.ni.to) *a.* Que nasce com a pessoa; INATO; CONGÊNITO.

ingente (in.gen.te) *a2g.* **1** Que é muito grande; ENORME. **2** Que causa muito barulho; ESTRONDOSO.

ingenuidade (in.ge.nu:i.da.de) *sf.* Característica, ação ou dito de ingênuo.

ingênuo (in.gê.nu:o) *a.sm.* Que ou quem não tem malícia (olhar ingênuo). INOCENTE; PURO.

ingerência (in.ge.rên.ci:a) *sf.* Ação ou resultado de ingerir(-se); INTERVENÇÃO: _Sua ingerência no caso foi providencial._

ingerir (in.ge.rir) *v.* **1** Levar ao estômago pela boca. [*td.: ingerir bebida/comida.*] **2** Envolver-se ou intrometer-se em (assuntos alheios). [*pr.:* Bus-

cava não se ingerir na carreira da esposa.] [▶ **50** ing<u>erir</u>] • in.ge.ri.do a.

ingestão (in.ges.tão) sf. Ação ou resultado de ingerir, engolir: *ingestão de comprimidos.* [Pl.: *-tões.*]

inglês (in.glês) a. 1 Da Inglaterra; típico desse país ou de seu povo. sm. 2 Pessoa nascida na Inglaterra. a.sm. 3 *Gloss.* Da, ref. à, ou a língua oficial de vários países, esp. Inglaterra, Estados Unidos, Austrália, Nova Zelândia, Canadá (tb. língua francesa), Índia e várias ex-colônias inglesas na América e na África. [Pl.: *-gleses.* Fem.: *-glesa* [ê].] ■ **Para ~** ver Só na aparência, só de fachada.

inglório (in.gló.ri:o) a. 1 Que não dá ou em que não há glória. 2 Ignorado, modesto.

ingovernável (in.go.ver.ná.vel) a.2g. 1 Que não se consegue governar (país <u>ingovernável</u>). 2 Que não se deixa submeter (filhos <u>ingovernáveis</u>), INDISCIPLINÁVEL. 3 Que não pode ser dominado ou controlado (sentimentos <u>ingovernáveis</u>). [Pl.: *-veis.*] • in.go.ver.na.bi.li.da.de sf.

ingratidão (in.gra.ti.dão) sf. Característica de quem é ingrato; falta de gratidão por benefício ou dádiva recebidos. [Pl.: *-dões.*]

ingrato (in.gra.to) a.sm. 1 Que ou quem demonstra falta de gratidão, de reconhecimento (atitude <u>ingrata</u>). a. 2 Diz-se do que é desagradável ou que não traz resultados que compensem o esforço empregado (tarefa <u>ingrata</u>, solo <u>ingrato</u>).

ingrediente (in.gre.di:en.te) sm. Qualquer substância us. para preparar uma iguaria, um medicamento etc.

íngreme (ín.gre.me) a2g. 1 Que tem muita inclinação; escarpado. 2 *Fig.* Difícil, trabalhoso.

ingressar (in.gres.sar) v. 1 Adentrar (um local); ENTRAR. [*int.* (seguido de indicação de lugar): *Ingressou no prédio pela porta de trás.*] [Ant.: *sair.*] 2 Passar a integrar (instituição, equipe, empresa etc.) [*ti.* + em: *ingressar na Marinha.*] [▶ 1 ingress<u>ar</u>]

ingresso (in.gres.so) sm. 1 Ação ou resultado de ingressar; ENTRADA. 2 Bilhete que garante a entrada em cinema, teatro, espetáculo etc.

íngua (ín.gua) sf. 1 *Pat.* Inflamação do gânglio linfático inguinal. 2 *Pop.* Inflamação de qualquer gânglio.

inguinal (in.gui.nal) a2g. *Anat.* Da ou ref. a virilha. [Pl.: *-nais.*]

ingurgitar (in.gur.gi.tar) v. 1 *Pat.* Tornar(-se) obstruído (veia, vaso, ducto). [*td.*: *O mau colesterol pode ingurgitar uma artéria do coração.* *int./pr.*: *Vá amamentar para que o seio não (se) ingurgite com o leite.*] 2 Consumir (alimento, bebida) em excesso; empanturrar-se. [*pr.*: *Ingurgitou-se de feijão e passou mal.*] 3 Aumentar de volume, intumescer-se. [*pr.*: *Furioso, seus olhos fuzilavam, as veias da testa se <u>ingurgitavam</u>.*] [▶ 1 ingurgit<u>ar</u>] • in.gur.gi.ta.men.to sm.

inhaca (i.nha.ca) sf. 1 *Bras. Pop.* Mau cheiro exalado por pessoa ou animal; CATINGA. 2 *MG RJ Pop.* Má sorte persistente.

inhambu (i.nham.bu) sm. *Bras. Zool.* Ave que habita as matas brasileiras.

inhame (i.nha.me) sm. *Bras. Bot.* Planta com tubérculos nutritivos de mesmo nome.

inibição (i.ni.bi.ção) sf. 1 Ação ou resultado de inibir(-se). 2 *Psi.* Condição psicológica caracterizada por hesitação e que limita o desempenho físico e mental. [Pl.: *-ções.*]

inibir (i.ni.bir) v. 1 Causar retraimento ou embaraço a (alguém ou si mesmo). [*td.*: *A ovação <u>inibiu</u> o jovem pianista.* *pr.*: *<u>Inibia-se</u> sempre que tinha de falar em público.*] 2 Impedir ou dificultar (alguém de fazer algo, que ou em si mesmo de se desenvolva). [*td.*: "A instalação de câmeras é uma medida eficaz para <u>inibir</u> crimes..." (*O Globo*, 25.01.04).

tdi. + *de*: *A inflação <u>inibiu-o</u> de fazer a viagem.*] [▶ **3** inib<u>ir</u>] • i.ni.bi.do a.; i.ni.bi.dor a.; i.ni.bi.tó.ri:o a.

iniciação (i.ni.ci:a.ção) sf. 1 Ação ou resultado de iniciar(-se). 2 Introdução às primeiras noções de uma prática, disciplina, religião etc. (<u>iniciação</u> científica). 3 Admissão em um culto, seita ou grupo e a cerimônia correspondente (<u>iniciação</u> budista). 4 *Inf.* Conjunto de procedimentos pelos quais se põe um computador em funcionamento; INICIALIZAÇÃO. [Pl.: *-ções.*]

iniciado (i.ni.ci:a.do) a. 1 Que teve início, começado. a.sm. 2 Que ou quem adquiriu prática ou conhecimento de algo: *um <u>iniciado</u> na política.* 3 Que ou quem se converteu a um culto, seita etc.; NEÓFITO.

inicial (i.ni.ci:al) a. 1 Que inicia ou começa (capítulo <u>inicial</u>). [Ant.: *final.*] 2 Primitivo, original: *Alteraram o projeto <u>inicial</u>.* sf. 3 A primeira letra de uma palavra ou do nome de uma pessoa. [Pl.: *-ais.*]

inicializar (i.ni.ci:a.li.zar) v. *td. Inf.* Ver iniciar (3 e 4). [▶ 1 inicializ<u>ar</u>] • i.ni.ci.a.li.za.ção sf.

iniciar (i.ni.ci:ar) v. 1 Fazer principiar ou principiar; COMEÇAR. [*td.*: *A seleção feminina de vôlei já <u>iniciou</u> os treinos?* *int./pr.*: *O mês <u>iniciou(-se)</u> com muitas novidades.*] 2 Ensinar a (alguém) ou aprender (os fundamentos de atividade, esporte, disciplina etc.). [*td.*: *Exímio na arte de pescar, resolveu <u>iniciar</u> seus filhos.* *tdi.* + *em*: *O mestre <u>iniciou</u> seus alunos na filosofia.* *pr.*: *Paula está se <u>iniciando</u> em paraquedismo.*] 3 *Inf.* Dar início ao funcionamento de (computador ou sistema de computadores, periféricos etc.); INICIALIZAR. [*td.*: *<u>iniciar</u> o micro.*] 4 *Inf.* Ativar ou colocar em funcionamento (programa de computador, *site* etc.); INICIALIZAR. [*td.*: *<u>iniciar</u> o sistema operacional.*] [▶ 1 inici<u>ar</u>] • i.ni.ci:a.dor a.sm.; i.ni.ci:an.te a.sm.

iniciativa (i.ni.ci:a.ti.va) sf. 1 Ação de quem é o primeiro a propor e/ou realizar algo: *Tomou a <u>iniciativa</u> de avançar.* 2 Disposição, capacidade de agir ou realizar algo: *Tinha muita <u>iniciativa</u>.*

início (i.ní.ci:o) sm. Começo, princípio: "Desde o <u>início</u> estava você/ Meu bálsamo benigno..." (Caetano Veloso, *Meu bem, meu mal*). [Ant.: *fim.*]

inidôneo (i.ni.dô.ne:o) a. Que não é idôneo ou confiável: *uma firma <u>inidônea</u>.* • i.ni.do.nei.da.de sf.

inigualável (i.ni.gua.lá.vel) a2g. Que não tem igual; INCOMPARÁVEL. [Pl.: *-veis.*]

iniludível (i.ni.lu.dí.vel) a2g. Que não deixa dúvida ou cujo cumprimento se impõe (necessidade <u>iniludível</u>). [Pl.: *-veis.*]

inimaginável (i.ni.ma.gi.ná.vel) a2g. Que não se pode imaginar; IMPENSÁVEL: *um suplício <u>inimaginável</u>.* [Pl.: *-veis.*]

inimigo (i.ni.mi.go) a. 1 Que se acha em oposição a, que é contrário ou hostil a (nações <u>inimigas</u>). 2 De ou pertencente a grupo oposto (time <u>inimigo</u>). sm. 3 Aquele que tem aversão ou ódio a alguém ou algo. 4 Adversário militar, político, religioso etc.: "Meus <u>inimigos</u> estão no poder / Ideologia — eu quero uma pra viver..." (Frejat e Cazuza, *Ideologia*.) 5 O que é prejudicial, nocivo. [Ant. ger.: *amigo.*] [Superl.: *inimicíssimo.*]

inimitável (i.ni.mi.tá.vel) a2g. Que não se pode imitar (estilo <u>inimitável</u>). [Pl.: *-veis.*]

inimizade (i.ni.mi.za.de) sf. Sentimento de hostilidade ou ódio.

inimizar (i.ni.mi.zar) v. Causar conflito ou animosidade entre (pessoas, povos etc.) ou brigar. [*td.*: *Nem a competição <u>inimizou</u> aqueles dois amigos.* *tdi.* + *com*: *Nada poderá <u>inimizar-me</u> com você.* *pr.*: *Genioso, <u>inimizou-se</u> com os colegas.*] [▶ 1 inimiz<u>ar</u>]

inimputável (i.nim.pu.*tá*.vel) *a2g*. Que não é capaz de responder por seus atos; IRRESPONSÁVEL. [Pl.: -*veis*.] • **i.nim.pu.ta.bi.li.***da***.de** *sf*.

ininteligível (i.nin.te.li.*gí*.vel) *a2g*. Que não se pode entender; INCOMPREENSÍVEL. [Pl.: -*veis*.] • **i.nin.te.li.gi.bi.li.***da***.de** *sf*.

ininterrupto (i.nin.ter.*rup*.to) *a*. Que não se interrompe (uso ininterrupto); CONTÍNUO; CONSTANTE.

iníquo (i.*ní*.quo) *a*. **1** Contrário à equidade (juiz iníquo); INJUSTO. **2** Mau, perverso. • **i.ni.qui.***da***.de** *sf*.

injeção (in.je.*ção*) *sf*. **1** Ação ou resultado de injetar (2) (tb. *Fig*.) (injeção de ânimo). **2** *Med*. Introdução de medicamento fazendo-o penetrar no corpo por pequeno orifício na pele, em músculo ou veia, por meio de seringa e agulha. [Pl.: -*ções*.]

injetado (in.je.*ta*.do) *a*. **1** Introduzido por injeção. **2** Vermelho pelo afluxo de sangue (olhos injetados).

injetar (in.je.*tar*) *v*. **1** Administrar (medicamento, vacina etc.) por injeção (2). [*td*.: *Os diabéticos injetam a insulina sozinhos*. *tdi*. + *em*: *Injetou o medicamento na veia*.] **2** Introduzir (líquido, fluido) com auxílio de algum instrumento de pressão. [*tdi*. + *em*: *Uma bomba injetava água regularmente no motor do barco*.] **3** Aportar (ger. capital, dinheiro); investir. [*tdi*. + *em*: *Ante a crise no setor, o governo resolveu injetar recursos naquele polo industrial*.] **4** Receber (ger. os olhos) afluxo excessivo de sangue. [*pr*.: *De tanto ler, os olhos da moça injetaram-se*.] [▶ **1** injet*ar*] • **in.je.***ta***.vel** *a*.

injetor (in.je.*tor*) [ó] *a.sm* Que ou aquilo que injeta.

injunção (in.jun.*ção*) *sf*. **1** Imposição social, pressão das circunstâncias (injunções sociais). **2** Ordem expressa e formal.

injúria (in.*jú*.ri.a) *sf*. **1** Ação ou resultado de injuriar(-se). **2** Agravo ou dito insultuoso, ofensivo.

injuriar (in.ju.ri.*ar*) *v*. **1** Dirigir injúrias a (alguém); INSULTAR. [*td*.: "...um cavalheiro tão delicado não podia injuriar uma senhora." (José de Alencar, *Senhora*).] **2** *Bras*. *Pop*. Ficar muito zangado ou ofendido. [*pr*.: *Injuriou-se com a acusação*.] [▶ **1** injuri*ar*] • **in.ju.ri.a.do** *a*.; **in.ju.ri.***an***.te** *a2g*.; **in.ju.ri.***o***.so** *a*.

injustiça (in.jus.*ti*.ça) *sf*. Falta de justiça; INIQUIDADE. [Pl.: -*as*.] • **in.jus.ti.***ça***.do** *a.sm*.; **in.jus.ti.***çar* *v*.

injustificável (in.jus.ti.fi.*cá*.vel) *a2g*. Que não se pode justificar. [Pl.: -*veis*.] • **in.jus.ti.fi.***ca***.do** *a*.

injusto (in.*jus*.to) *a*. **1** Que não é justo; em que não há justiça. *a.sm*. **2** Que ou quem não age com justiça; INÍQUO.

inobservância (i.nob.ser.*ván*.ci.a) *sf*. Falta de observância em relação a algo: *inobservância da lei*.

inocência (i.no.*cên*.ci.a) *sf*. **1** Falta de culpa: *Provou sua inocência e foi absolvido*. **2** Ausência de malícia; INGENUIDADE; PUREZA.

inocentar (i.no.cen.*tar*) *v*. **1** Isentar(-se) de responsabilidade ou culpa; provar a inocência de. [*td*.: *As evidências inocentaram o acusado*. *pr*.: *Interrogado, inocentou-se de todas as acusações*.] **2** Considerar inocente; ABSOLVER. [*O Júri inocentou o réu*.] [▶ **1** inocent*ar*] • **i.no.cen.***ta***.do** *a*.

inocente (i.no.*cen*.te) *a2g.s2g*. **1** Que ou quem não é culpado. **2** Que ou quem é ingênuo, puro.

inocular (i.no.cu.*lar*) *v*. *td*. **1** Fazer penetrar no organismo (vírus, veneno, antídoto etc.) (seguido ou não de indicação de lugar): *A cobra inoculou o veneno (em seu braço) antes que ele a matasse*. **2** Inculcar (ger. ideias negativas) em. (seguido de indicação de meio/modo): *Foi logo inoculada nos vizinhos com suas maledicências*.] [▶ **1** inocul*ar*] • **i.no.cu.la.***ção* *sf*.; **i.no.cu.la.***do* *a*.; **i.no.cu.***lá***.vel** *a2g*.

inócuo (i.*nó*.cu:o) *a*. **1** Que não prejudica (gás inócuo); INOFENSIVO. **2** Que não produz efeito: *um decreto inócuo*.

inodoro (i.no.*do*.ro) *a*. Que não tem cheiro.

inofensivo (i.no.fen.*si*.vo) *a*. Que não faz mal. [Ant.: *nocivo*.]

inolvidável (i.nol.vi.*dá*.vel) *a2g*. Que não se pode olvidar; INESQUECÍVEL. [Pl.: -*veis*.]

inominado (i.no.mi.*na*.do) *a.sm*. Que ou aquilo que não tem nome.

inominável (i.no.mi.*ná*.vel) *a2g*. **1** Que não se pode nomear. **2** *Fig*. Que é indigno, vil (traição inominável); INQUALIFICÁVEL. [Pl.: -*veis*.]

inoperante (i.no.pe.*ran*.te) *a2g*. Que não opera; que não funciona (sistema inoperante); INEFICAZ. • **i.no.pe.***rân***.ci:a** *sf*.

inópia (i.*nó*.pi.a) *sf*. Grande escassez; PENÚRIA.

inopinado (i.no.pi.*na*.do) *a*. Que ocorre de modo inesperado ou imprevisto (regresso inopinado); SÚBITO.

inopino (i.no.*pi*.no) *a*. O m.q. *inopinado*. ▣ **De inopino** Subitamente, inesperadamente.

inoportuno (i.no.por.*tu*.no) *a*. **1** Que ocorre num momento impróprio (comentário inoportuno); INTEMPESTIVO. **2** Inconveniente (1) (sujeito inoportuno).

inorgânico (i.nor.*gâ*.ni.co) *a*. *Biol*. Desprovido de vida, de órgãos (diz-se dos corpos minerais).

inóspito (i.*nós*.pi.to) *a*. **1** Em que não se pode viver (lugar inóspito). **2** Que não é hospitaleiro (povo inóspito).

inovação (i.no.va.*ção*) *sf*. **1** Ação ou resultado de inovar. **2** Coisa nova, novidade. [Pl.: -*ções*.]

inovar (i.no.*var*) *v*. Promover mudanças substantivas (em); revolucionar; atualizar(-se). [*td*.: *Maria Clara Machado inovou o teatro infantil*. *int*.: *A empresa está em má situação porque não consegue inovar*.] [▶ **1** inov*ar*] • **i.no.va.***dor* *a*.

inoxidável (i.no.xi.*dá*.vel) [cs] *a2g*. Que não se oxida ou enferruja. [Pl.: -*veis*.]

⊕ **input** (*Ing*. /*input*/) *sm*. **1** *Inf*. Ver *entrada*. **2** *Econ*. Ver *insumo*.

inqualificável (in.qua.li.fi.*cá*.vel) *a2g*. Tão vil ou indigno que não se pode qualificar; INOMINÁVEL: *Acusar o colega para obter vantagem foi uma atitude de inqualificável*. [Pl.: -*veis*.]

inquebrantável (in.que.bran.*tá*.vel) *a2g*. Que não se quebra ou abate (fé inquebrantável); INABALÁVEL. [Pl.: -*veis*.]

inquebrável (in.que.*brá*.vel) *a2g*. Que não se pode quebrar (diz-se de objeto ou substância). [Pl.: -*veis*.]

inquérito (in.*qué*.ri.to) *sm*. Investigação que tem por objetivo apurar uma denúncia, irregularidade, crime etc. (inquérito administrativo).

inquestionável (in.ques.ti:o.*ná*.vel) *a2g*. Que não se pode questionar ou contestar; INDISCUTÍVEL. [Pl.: -*veis*.]

inquietação (in.qui:e.ta.*ção*) *sf*. **1** Desassossego, agitação. **2** Intranquilidade, preocupação. [Pl.: -*ções*.] • **in.qui.e.***tu***.de** *sf*.

inquietador (in.qui:e.ta.*dor*) [ô] *a*. Que causa inquietação; INQUIETANTE. [Ant.: *tranquilizador*.]

inquietante (in.qui:e.*tan*.te) *a2g*. Ver *inquietador*.

inquietar (in.qui:e.*tar*) *v*. Fazer ficar ou ficar inquieto, agitado, preocupado; INTRANQUILIZAR(-SE). [*td*.: *Um vago sentimento de culpa o inquietava*. *pr*.: *Resolveu não se inquietar mais com simples especulações*.] [▶ **1** inquiet*ar*]

inquieto (in.*qui:e*.to) *a*. **1** Que não sossega (menino inquieto); AGITADO. **2** Intranquilo, preocupado: *Está inquieto com a falta de notícias*. **3** Que não se satisfaz intelectualmente: *um compositor inquieto*.

inquilinato (in.qui.li.*na*.to) *sm*. **1** Condição de inquilino. **2** Os inquilinos como grupo.

inquilino (in.qui.*li*.no) *sm*. Pessoa que mora em imóvel alugado; LOCATÁRIO.

inquinar (in.qui.*nar*) *v*. Destituir de pureza; manchar, desvirtuar, corromper. [*td*.: *Um passado mal* resolvido *inquinava* sua reputação.] **2** Qualificar, atribuir qualidade (negativa) a. [*td*i. + *de*: *Inquinou* o negócio *de corrupto*.] [▶ **1** inquin**ar**]

inquirir (in.qui.*rir*) *v.* Levantar informações sobre (determinado assunto); INDAGAR (3); PESQUISAR. [*td*.: *Inquiriu* as origens africanas da música brasileira. *ti*. + *de, sobre*: Resolveu *inquirir* sobre as causas da crise.] **2** Interpelar com pergunta(s); INDAGAR (1). [*td*i. + *de*: Ricardo *inquiriu* da irmã se ela devia dinheiro a alguém.] **3** Interrogar em caráter oficial (ger. testemunhas). [*td*.: A polícia *vai inquirir* as testemunhas.] [▶ **3** inquir**ir**] • **in.qui.ri.**ção *sf.*; **in.qui.ri.dor** *a.sm.*

inquisição (in.qui.si.*ção*) *sf.* **1** *Hist.* Antigo tribunal da Igreja Católica para julgar e punir severamente crimes contra a fé. [Com inicial maiúscula.] **2** Ação ou resultado de inquirir. [Pl.: *-ções*.]

inquisidor (in.qui.si.*dor*) [ô] *sm. Hist.* Juiz do tribunal da Inquisição.

inquisitivo (in.qui.si.*ti*.vo) *a.* Que inquire, indaga (olhar *inquisitivo*); INTERROGATIVO.

inquisitorial (in.qui.si.to.ri.*al*) *a2g.* Ref. a ou semelhante (em métodos, na severidade) à Inquisição. [Pl.: *-ais*.]

inquizilar (in.qui.zi.*lar*) *v. td. N.E.* Aborrecer, chatear. [▶ **1** inquizil**ar**]

insaciável (in.sa.ci.*á*.vel) *a2g.s2g.* Que ou quem nunca está saciado ou satisfeito (desejo *insaciável*). [Pl.: *-veis*.] • **in.sa.ci.a.bi.li.da.de** *sf.*

insalubre (in.sa.*lu*.bre) *a2g.* Que não é salubre; prejudicial à saúde. [Ant.: *salubre, saudável*.] [Superl.: *insalubérrimo*.]

insanável (in.sa.*ná*.vel) *a2g.* Que não se pode sanar; INCURÁVEL; IRREMEDIÁVEL. [Pl.: *-veis*.]

insânia (in.*sâ*.ni.a) *sf.* Ver *insanidade* (2).

insanidade (in.sa.ni.*da*.de) *sf.* **1** Qualidade ou condição de insano. **2** Demência, loucura; INSÂNIA.

insano (in.*sa*.no) *a.sm.* **1** Que ou quem é demente, louco. *a.* **2** *Fig.* Árduo, penoso (esforço *insano*).

insatisfação (in.sa.tis.fa.*ção*) *sf.* **1** Falta de satisfação; DESCONTENTAMENTO. [Pl.: *-ções*.] • **in.sa.tis.fa.tó.ri.o** *a.*

insatisfeito (in.sa.tis.*fei*.to) *a.sm.* Que ou quem não está satisfeito; DESCONTENTE.

insaturado (in.sa.tu.*ra*.do) *a. Quím.* Que tem ligações duplas ou triplas entre átomos de carbono (diz-se de compostos orgânicos).

insciente (ins.ci.*en*.te) *a2g.* Que não está ciente, que ignora. Não confundir com *inciente*.

inscrever (ins.cre.*ver*) *v.* **1** Registrar(-se) ou incluir(-se) oficialmente (em programa, instituição, competição, curso etc.). [*td. pr*.] **2** Gravar ou esculpir (palavras) em. [*td.* (seguido de indicação de lugar ou de qualidade): *inscrever* os nomes nas alianças.] **3** *Fig.* Deixar (nome) marcado em; destacar(-se) em. [*td.*: *Inscreveu* seu nome no mundo da arte. *pr*.: Senna *inscreveu-se* na história do automobilismo.] [▶ **2** inscrev**er**] Part.: *inscrito*.]

inscrição (ins.cri.*ção*) *sf.* **1** Ação ou resultado de inscrever(-se). **2** Inclusão, registro em concurso, competição etc. **3** Dizeres gravados em monumentos, medalhas, placas etc. [Pl.: *-ções*.]

inscrito (ins.*cri*.to) *a.sm.* **1** Que foi, ou aquilo ou aquele que foi registrado (em concurso etc.). *a.* **2** Que se inscreveu: signos *inscritos* na rocha.

insculpir (ins.cul.*pir*) *v. td.* Gravar em madeira, metal, mármore etc.; INSCREVER. [▶ **58** insculp**ir**]

insegurança (in.se.gu.*ran*.ça) *sf.* **1** Falta de segurança, de proteção adequada: Reclamou da *insegurança* do local. **2** Falta de confiança em si mesmo, ou falta de certeza, de convicção. **3** Sensação de falta de segurança: Sair à noite causava-lhe *insegurança*.

inseguro (in.se.*gu*.ro) *a.* **1** Que não é seguro (local *inseguro*). **2** Que não tem ou não demonstra confiança em si mesmo (juiz *inseguro*). **3** Sem estabilidade (emprego *inseguro*); INCERTO.

inseminação (in.se.mi.na.*ção*) *sf. Biol.* **1** Fecundação do óvulo pelo espermatozoide. **2** Introdução do sêmen no útero. [Pl.: *-ções*.] ■ ~ **artificial** Fecundação do óvulo pelo sêmen sem que haja relação sexual.

inseminar (in.se.mi.*nar*) *v. td.* Fecundar com sêmen, natural ou artificialmente, óvulo de (mulher, fêmea). [▶ **1** insemin**ar**]

insensato (in.sen.*sa*.to) *a.sm.* Que ou quem é desprovido de bom senso; DESAJUIZADO. • **in.sen.sa.***tez* *sf.*

insensibilizar (in.sen.si.bi.li.*zar*) *v.* Tornar(-se) insensível (a estímulos físicos, sentimentos, situações etc.). [*td*.: O frio pode *insensibilizar* a pele. *pr*.: De tanto sofrer, *insensibilizou-se* ao sofrimento alheio.] [▶ **1** insensibiliz**ar**]

insensível (in.sen.*sí*.vel) *a2g.s2g.* **1** Que ou quem não tem ou não revela sensibilidade (a sofrimentos); INDIFERENTE: um homem *insensível* ao sofrimento alheio. *a2g.* **2** Sem sensibilidade física: Estava com o braço dormente, *insensível*. [Pl.: *-veis*.] • **in.sen.si.bi.li.da.de** *sf.*

inseparável (in.se.pa.*rá*.vel) *a2g.* **1** Que não se pode separar: Este adendo é *inseparável* do contrato. **2** Muito ligado ou unido; que não quer ou não se deixa separar: Eram amigas *inseparáveis*. [Pl.: *-veis*.]

insepulto (in.se.*pul*.to) *a.* Que não foi sepultado.

inserção (in.ser.*ção*) *sf.* Ação ou resultado de inserir(-se); aquilo que se inseriu. [Pl.: *-ções*.]

inserir (in.se.*rir*) *v.* **1** Colocar dentro; INTRODUZIR. [*td.* (seguido ou não de indicação de lugar): *Insira* o cartão magnético (no local indicado).] [Ant.: *retirar*.] **2** Incluir(-se) em; encaixar(-se), enquadrar(-se). [*td.* (seguido ou não de indicação de lugar): *Inseriu* mais um parágrafo (no texto). *pr*.: A pesquisa da bióloga *insere-se* em um projeto internacional.] **3** Passar a ocupar um lugar estabelecido em; fixar-se. [*pr*.: O consumismo *inseriu-se* de vez na cultura ocidental.] [▶ **50** inser**ir**] Part.: *inserido* e *inserto*.] • **in.se.ri.do.o** *a.*

inservível (in.ser.*ví*.vel) *a2g.* Que não serve; sem utilidade; IMPRESTÁVEL. [Pl.: *-veis*.]

inseticida (in.se.ti.*ci*.da) *a2g.sm.* Que ou aquilo (substância, produto etc.) que mata insetos.

insetívoro (in.se.*tí*.vo.ro) *a. Biol.* Que se alimenta de insetos.

inseto (in.*se*.to) *sm.* **1** *Zool.* Animal invertebrado de seis patas, um par de antenas e (ger.) dois pares de asas. **2** *Fig. Pej.* Pessoa insignificante. [At! Considerado ofensivo nesta acepção.]

insídia (in.*sí*.di.a) *sf.* **1** Cilada, armadilha, emboscada. **2** Traição, deslealdade, perfídia.

insidioso (in.si.di.*o*.so) [ó] *a.* Traiçoeiro, enganador. [Fem. e pl.: [ó].]

insigne (in.*sig*.ne) *a2g.* Célebre, ilustre, eminente.

insígnia (in.*sig*.ni.a) *sf.* Sinal ou símbolo que indica posição, nobreza, pertinência etc. de quem o ostenta; EMBLEMA; DISTINTIVO.

insignificância (in.sig.ni.fi.*cân*.ci.a) *sf.* **1** Qualidade ou condição de insignificante: É lamentável a *insignificância* de sua contribuição. **2** Coisa sem valor ou importância; NINHARIA: Acabaram brigando por uma *insignificância*.

insignificante (in.sig.ni.fi.*can*.te) *a2g.s2g.* Que ou quem não tem importância ou significado.

insincero (in.sin.*ce*.ro) *a.* Que não é sincero; FALSO. • **in.sin.ce.ri.da.de** *sf.*

insinuação (in.si.nu.a.*ção*) *sf.* **1** Ação ou resultado de insinuar(-se). **2** Aquilo que se dá a entender, mas não de modo explícito: *Não gosto de insinuações, prefiro a crítica aberta.* **3** Advertência disfarçada; INDIRETA. [Pl.: *-ções.*]

insinuante (in.si.nu.*an*.te) *a2g.* **1** Que (se) insinua ou tem a propriedade de (se) insinuar. **2** Que sabe insinuar(-se), cativar, persuadir (olhar *insinuante*); CATIVANTE.

insinuar (in.si.nu.*ar*) *v.* **1** Sugerir de modo indireto e sutil; dar a entender. [*td.*: "...o técnico *insinuou* que os árbitros podem estar prejudicando o seu time." *(FolhaSP,* 31.05.99). *tdi.* + *a: Insinuei-lhe que sua intervenção seria bem-vinda.*] **2** Fig. Apresentar-se de forma sub-reptícia, vaga ou indistinta. [*pr.*: *O ciúme insinuava-se aos poucos.*] **3** Lançar-se a seduzir (alguém); flertar com. [*pr.*: *Insinuava-se para o primo.*] **4** Introduzir(-se) sutilmente, ger. em lugar apertado ou de difícil acesso. [*td.* (seguido ou não de indicação de lugar): *Insinuou seu bilhete pela fresta da janela. pr.: O rio insinua-se entre estreitos desfiladeiros.*] [▶ **1** insinuar]

insípido (in.*sí*.pi.do) *a.* **1** Sem sabor. **2** *Fig.* Sem graça ou animação (conversa *insípida*).

insipiente (in.si.pi.*en*.te) *a2g.* Que não tem saber; IGNORANTE. ● **in.si.pi.ên.ci:a** *sf.*

insistente (in.sis.*ten*.te) *a2g.* **1** Que insiste, teima, persevera; PERSISTENTE. **2** Aborrecedor, importuno, maçante. **3** Que se repete intencionalmente para conseguir resultado (pedidos *insistentes*). ● **in.sis.tên.ci:a** *sf.*

insistir (in.sis.*tir*) *v.* **1** Dizer ou pedir algo (a alguém) mais uma vez, ou várias vezes. [*ti.* + *com, em, para, por: Insistiu em que voltássemos. int.: Chega! não insista!*] **2** Repetir ou continuar a fazer aquilo que já se fez; continuar a tentar fazer algo, sem desistir. [*ti.* + *em: Insistia em fazer dieta.*] **3** Não mudar de ideia; continuar pensando ou agindo de certa maneira; teimar. [*ti.* + *em: insistir numa opinião.*] [NOTA: Nas regências indiretas, pode-se omitir a prep. quando o complemento do verbo for uma oração iniciada pela conjunção *que: Insistiu (em) que voltássemos.*] [▶ **3** insistir]

insociável (in.so.ci.*á*.vel) *a2g.* **1** Que não quer ou não consegue conviver bem com outras pessoas, relacionar-se com elas em sociedade. **2** Que não é amável, que não trata os outros com respeito ou delicadeza. [Pl.: *-veis.*]

insofismável (in.so.fis.*má*.vel) *a2g.* Que ninguém consegue pôr em dúvida (nem mesmo com sofismas); INDISCUTÍVEL. [Pl.: *-veis.*]

insofrido (in.so.*fri*.do) *a.* **1** Que não sofre, ou sofre pouco. **2** Que não aceita o sofrimento. **3** Que não se contém; difícil de se controlar; impaciente, sôfrego, arrebatado.

insolação (in.so.la.*ção*) *sf.* **1** Exposição direta de algo ou alguém aos raios do sol, ou a quantidade de radiação solar assim recebida. **2** *Med.* Estado de quem ficou excessivamente exposto ao sol (caracterizado por febre, desidratação, fraqueza etc.). [Pl.: *-ções.*]

insolência (in.so.*len*.ci:a) *sf.* **1** Ato ou dito insolente, grosseiro: *Não tolera insolências.* **2** Caráter ou qualidade de insolente: *Amadureceu e perdeu a insolência da juventude.*

insolente (in.so.*len*.te) *a2g.* Que ofende, provoca reprovação ou desafia a autoridade, mostrando falta de respeito, de educação ou de pudor (comportamento *insolente*); ATREVIDO; ARROGANTE.

insólito (in.*só*.li.to) *a.* Que não é habitual ou costumeiro; anormal, extraordinário, fora do comum.

insolúvel (in.so.*lú*.vel) *a2g.* **1** Que não se solve ou não se dissolve: *material insolúvel em água.* **2** Que não tem solução ou resposta; impossível de resolver (problema *insolúvel*). **3** Que não se consegue pagar (dívida *insolúvel*). [Pl.: *-veis.*]

insolvente (in.sol.*ven*.te) *a2g.* Que não tem condições de pagar uma dívida. ● **in.sol.vên.ci:a** *sf.*

insondável (in.son.*dá*.vel) *a2g.* **1** Que não se pode sondar; cujo limite não se pode conhecer ou encontrar. **2** *Fig.* Impossível de entender ou de explicar. [Pl.: *-veis.*]

insone (in.so.ne) [ó] *a2g.s2g.* **1** Que ou quem não dorme ou não dormiu (quando deveria ou queria); que ou quem tem insônia. *a2g.* **2** Diz-se de período de tempo em que não se dorme (noite *insone*).

insônia (in.*sô*.ni:a) *sf. Med.* Dificuldade de adormecer, ou estado de quem não dorme ou não consegue dormir.

insonoro (in.so.*no*.ro) *a.* **1** Que não produz som. **2** Que emite sons fracos, pouco distintos ou pouco musicais.

insopitável (in.so.pi.*tá*.vel) *a2g.* Que não se pode sopitar, conter ou acalmar; INCONTROLÁVEL. [Pl.: *-veis.*]

insosso (in.*sos*.so) [ô] *a.* **1** Sem sal, ou sem tempero suficiente; sem sabor definido. **2** *Fig.* Que não é interessante; sem graça (espetáculo *insosso*).

inspeção (ins.pe.*ção*) *sf.* Exame, observação cuidadosa de uma coisa, uma atividade, um local, para conhecer-lhe o estado ou as condições de funcionamento; FISCALIZAÇÃO; VISTORIA. [Pl.: *-ções.*]

inspecionar (ins.pe.ci.o.*nar*) *v. td.* **1** Fazer inspeção de (algo), ou em (algum lugar): *inspecionar uma escola/uma obra.* **2** *Fig.* Observar ou examinar com muita atenção (p.ex., procurando algo): *Inspecionou seu rosto, buscando sinal de que mentira.* [▶ **1** inspecionar]

inspetor (ins.pe.*tor*) [ô] *sm.* **1** Quem inspeciona, quem faz inspeção. **2** Quem cuida da disciplina numa escola. **3** Agente de polícia. **4** *Bras.* Quem faz inspeção das mercadorias e bagagens num posto de alfândega.

inspetoria (ins.pe.to.*ri*.a) *sf.* **1** Trabalho ou cargo de inspetor: *Assumiu a inspetoria.* **2** Grupo de pessoas, numa organização ou instituição, que cuidam de inspeções: *É membro da inspetoria.*

inspiração (ins.pi.ra.*ção*) *sf.* **1** Entrada de ar ou de outra substância nos pulmões. [Cf.: *expiração* e *respiração.*] **2** Ideia ou impulso para criar algo (p.ex., obra de arte), que parecem surgir sem esforço, sem preparação, e que graças à ação ou estímulo de algo exterior; a qualidade de tê-los: *Era um poeta de grande inspiração.* **3** Pessoa ou coisa que desperta em alguém novas ideias ou vontade de criar. **4** Influência ou impressão forte: *pintava sob inspiração do mestre.*

inspirar (ins.pi.*rar*) *v.* **1** Fazer o ar ou outra substância entrar nos pulmões. [*td.* (com ou sem complemento explícito): *inspirar muita fumaça/fundo.*] **2** Fazer surgir (em alguém) um pensamento ou sentimento. [*td.*: *um homem que inspira confiança. tdi.* + *a: Aquelas cenas inspiraram-lhe horror.*] **3** Impressionar muito, despertando em alguém vontade de criar ou realizar algo. [*tdi.* + *a: O amor inspirou-o a escrever poemas.*] [NOTA: Os complementos direto e indireto podem permutar-se entre a indicação daquele que se inspira e daquilo que é inspirado.] **4** Receber estímulo, sofrer influência, ao seguir exemplo de (algo ou alguém), para criar algo. [*pr.*: *Inspirou-se no folclore para escrever seus contos.*] [▶ **1** inspirar] ● **ins.pi.ra.dor** *a.sm.*; **ins.pi.ra.tó.ri:o** *a.*; **ins.pi.ra.do.a** *a.*

instabilidade (ins.ta.bi.li.*da*.de) *sf.* Qualidade, condição ou estado de instável.

⊕ **Instagram** *(Ing. /instagrâm/) sm.* Rede social utilizada por meio de um aplicativo em que se compartilham principalmente imagens e vídeos de curta duração.

instalação (ins.ta.la.*ção*) *sf.* **1** Ação ou resultado de instalar. **2** Conjunto de peças, máquinas, aparelhos, etc. instalados para determinado fim (*instalação* hidráulica). **3** Obra de arte que consiste na disposição de certos objetos ou materiais num espaço tridimensional, formando uma unidade com a qual o espectador interage. ◪ **instalações** *sfpl.* **4** Conjunto formado pelo(s) prédio(s) ou aposento(s) em que determinada atividade se realiza, e pelos equipamentos aí instalados: *as novas instalações da empresa*. [Pl.: -ções.]

instalar (ins.ta.*lar*) *v.* **1** Colocar, inserir em (aparelho, equipamento). [*td.*: *instalar um programa de computador.*] **2** Pôr para funcionar. [*td.*: *O técnico instalará a máquina de lavar.*] **3** Hospedar(-se), alojar(-se). [*td.*: *Instalaremos os convidados num hotel próximo. pr.*: *O garoto instalou-se na casa do namorada.*] **4** Pôr(-se)de modo a ter conforto; ACOMODAR(-SE). [*td.*: *A enfermeira instalou o paciente na poltrona. pr.*: *Instalou-se no sofá para ver um filme.*] **5** Abrir ou ser aberto; ESTABELECER(-SE). [*td.*: *Instalaram uma usina perto daqui. pr.*: *Treze indústrias já se instalaram na região.*] **6** *Fig.* Causar; passar a existir; CRIAR(-SE). [*td.*: *As chuvas instalaram o caos no trânsito. pr.*: *a crise que se instalou no país.*] [▶ 1 insta<u>lar</u>] • ins.ta.*la*.do *a.*; ins.ta.la.*dor a.sm.*

instância (ins.*tân*.ci:a) *sf.* **1** Autoridade encarregada de julgar ou decidir certas questões, e que é hierarquicamente superior ou inferior a outra(s). **2** Pedido insistente ou urgente. **3** Qualidade ou condição do que é iminente ou urgente. ∷ **Em última ~** Em último caso: *Vou dormir, só me acordem em última instância.*

instantâneo (ins.tan.*tâ*.ne:o) *a.* **1** Que acontece num instante, imediatamente ou muito rapidamente. *sm.* **2** *Fot.* Fotografia com tempo muito curto de exposição, ger. tirada sem preparativos, de modo a captar movimentos ou expressões espontâneas. • ins.tan.ta.*nei*.da.de *sf.*

instante (ins.*tan*.te) *sm.* **1** Tempo curtíssimo; momento: *É perto, vou num instante.* **2** O momento preciso em que acontece algo; hora: *Ela chegou neste instante. a2g.* **3** Feito com insistência (pedido, ordem). **4** Que vai acontecer logo; IMINENTE. **5** Necessário para logo; urgente.

instar (ins.*tar*) *v.* Pedir ou implorar muito, com insistência, obstinação ou teimosia. [*td.*: *Instou que a ajudassem. ti./tdi.* + *a, com* (com ou sem complemento explícito): *Só ficou porque muito lhe instaram; Instaram-no a ficar.*] [NOTA: Há permuta da condição de complemento direto/indireto entre a pessoa a quem se insta e o objeto da instância. *ti.* + *com, para* (com duplo complemento indireto): *Instei com ela para que ficasse.*] [▶ 1 ins<u>tar</u>]

instaurar (ins.tau.*rar*) *v. td.* Promover o início de (trabalho, solenidade); INAUGURAR; ABRIR. [Ant.: *encerrar.*] [▶ 1 instau<u>rar</u>] • ins.tau.ra.*ção sf.*; ins.tau.ra.*dor a.sm.*

instável (ins.*tá*.vel) *a2g.* **1** Que não é estável, que cai facilmente, ou sai facilmente da posição ou do equilíbrio (armação *instável*). **2** Que muda rapidamente ou com frequência; que não é constante ou regular (tempo *instável*). **3** Diz-se de pessoa cujas emoções, pensamentos ou comportamento variam muito. [Pl.: *-veis.*]

instigar (ins.ti.*gar*) *v.* **1** Incentivar (algo); incentivar (alguém) a (agir de certo modo); INDUZIR. [*td.*: *instigar o companheirismo. tdi.* + *a*: *Instigava os alunos à reflexão.*] **2** Promover (reação, ger. agressiva). [*td./tdi.* + *contra*: *As falcatruas instigaram sua raiva (contra os sócios).*] [▶ 14 instig<u>ar</u>] • ins.ti.ga.*ção sf.*; ins.ti.*ga*.do *a.*; ins.ti.ga.*dor a.sm.*; ins.ti.*gan*.te *a2g.*

instilar (ins.ti.*lar*) *v.* **1** Fazer penetrar (líquido, remédio) lentamente. [*td./tdi.* + *em*: *A cascavel instilou todo o seu veneno (na rês).*] **2** *Fig.* Fazer chegar ou chegar vagarosamente; INSINUAR(-SE). [*tdi.* + *em*: *A mentira instilara revolta em seu espírito. pr.*: *O desânimo instilou-se entre os candidatos.*] [▶ 1 insti<u>lar</u>]

instintivo (ins.tin.*ti*.vo) *a.* **1** Ref. a instinto; que não é aprendido ou treinado (ato, comportamento de animal). **2** Que não resulta de consciência ou decisão, e parece determinado por instinto(s) ou impulso(s).

instinto (ins.*tin*.to) *sm.* **1** Tendência natural, inata (não aprendida nem treinada), a se comportar de certo modo, e que é comum a todos os animais de uma espécie, ou de um conjunto de espécies. **2** Impulso ou sentimento espontâneo, impensado, que leva a agir de certa maneira; INTUIÇÃO: *Agiu por instinto, e não por lógica.*

institucional (ins.ti.tu.ci:o.*nal*) *a2g.* Ref. ou pertencente à instituição (regulamento *institucional*). [Pl.: *-nais.*] • ins.ti.tu.ci:o.na.li.*da*.de *sf.*

institucionalizar (ins.ti.tu.ci:o.na.li.*zar*) *v. td. pr.* Dar ou adquirir caráter de instituição; OFICIALIZAR(-SE). [▶ 1 institucionaliz<u>ar</u>] • ins.ti.tu.ci:o.na.li.za.*ção sf.*

instituição (ins.ti.tu:i.*ção*) *sf.* **1** Ação ou resultado de instituir; CRIAÇÃO; ESTABELECIMENTO. **2** Grupo organizado de pessoas que, em determinado local, presta serviços necessários à comunidade ou sociedade, ou que se dedica a certas atividades de interesse privado (*instituição* cultural). **3** Costume, regra ou comportamento que é aceito ou praticado numa sociedade e se mantém mais ou menos constante (p. ex., o casamento, a família etc.). [Pl.: *-ções.*] ◪ **instituições** *sfpl.* **4** Num país, conjunto de leis, princípios de governo e formas de organização das atividades de interesse público.

instituir (ins.ti.tu.*ir*) *v.* **1** Dar início a; INAUGURAR. [*td.*: *Nos anos 1990 instituíram a moda do piercing.*] **2** Determinar (data, prazo). [*td.*] **3** Escolher (alguém ou si mesmo); NOMEAR(-SE). [*td.* (seguido de indicação de atributo ou função): *Instituiu a afilhada como herdeira. pr.*: *Instituiu-se imperador.*] [▶ 56 instit<u>uir</u>] • ins.ti.tu.*í*.do *a.*

instituto (ins.ti.*tu*.to) *sm.* **1** Associação de pessoas ou organização dedicada a atividades de certo tipo, esp. educacionais, científicas ou culturais. **2** Organização instituída pelo governo e com regras próprias, que cuida de ou supervisiona certos assuntos de interesse público (p.ex., econômicos, de seguridade social, etc.): *instituto de previdência*. [Com inicial maiúsc., quando faz parte do nome da organização.] **3** O prédio em que funciona um instituto (1 e 2).

instrução (ins.tru.*ção*) *sf.* **1** Conjunto de conhecimentos transmitidos ou aprendidos; ERUDIÇÃO; CULTURA: *É inteligente, mas não tem instrução.* **2** Informação, explicação ou ordem sobre aquilo que se deve fazer: *O manual traz instruções detalhadas sobre o produto.* **3** Ação, processo ou resultado de instruir(-se); educação: *Dedicou-se à instrução dos irmãos.* [Pl.: *-ções.*]

instruir (ins.tru.*ir*) *v.* **1** Transmitir ou receber instrução, educação. [*td.*: *instruir os alunos. int.*: *Documentários instruem. pr.*: *Instruía-se nos livros.*] **2** Transmitir ou receber informação; INFORMAR(-SE); ESCLARECER(-SE). [*td./tdi.* + *sobre, de*: *O guarda instruiu-nos (sobre a fita de sinalização). pr.*: *Os turistas não se instruíram acerca dos horários.*] **3** Orientar (alguém) para (fazer algo). [*td.* (seguido ou não de indicação de finalidade): *instruir soldados (para a guerra).*] **4** Ensinar (a alguém) segredos de técnica, arte etc.; INICIAR. [*tdi.* + *em*: *O treinador* instruía o judoca em golpes novos.] [▶ 56 instruir] • ins.tru.*i*.do *a*.

instrumentador (ins.tru.men.ta.*dor*) [ô] *sm*. **1** *Cir*. Aquele que, numa operação, instrumenta (1). **2** *Mús*. Aquele que instrumenta (2).

instrumental (ins.tru.men.*tal*) *a2g*. **1** Ref. a instrumento(s), que usa ou serve como instrumento para algo: *Adotou medidas instrumentais*. **2** *Mús*. Que é executado só por instrumentos, sem a voz: *versão instrumental de uma ópera*. *sm*. **3** Conjunto de instrumentos (1) (instrumental hospitalar). [Pl.: -*tais*.] • ins.tru.men.ta.li.*da*.de *sf*.

instrumentalizar (ins.tru.men.ta.li.*zar*) *v*. *td*. *pr*. Dar ou receber condições para (fazer algo). [▶ 1 instrumentalizar]

instrumentar (ins.tru.men.*tar*) *v*. *td*. **1** *Cir*. Passar os instrumentos às mãos de (cirurgião), numa cirurgia. **2** *Mús*. Escrever a parte da música que cada instrumento deve tocar. [▶ 1 instrumentar] • ins.tru.men.ta.*ção sf*.; ins.tru.men.ta.*do a*.

instrumentista (ins.tru.men.*tis*.ta) *s2g*. Quem toca algum instrumento musical.

instrumento (ins.tru.*men*.to) *sm*. **1** Objeto us. para realizar determinado trabalho. **2** Objeto us. para produzir sons de música. **3** *Fig*. Ação, situação etc. que alguém usa ou aproveita para realizar algo, resolver um problema, etc.; MEIO, RECURSO: *Sua tenacidade foi o instrumento de seu sucesso*.

instrutivo (ins.tru.*ti*.vo) *a*. Que instruiu ou serve para instruir; que dá informações úteis.

instrutor (ins.tru.*tor*) [ô] *a.sm*. Que ou quem ensina, dá instruções ou treinamento.

insubmissão (in.sub.mis.*são*) *sf*. Ação, comportamento ou caráter de insubmisso. [Pl.: -*sões*.]

insubmisso (in.sub.*mis*.so) *a*. Não submisso; que não aceita ser dominado, que não segue ou não aceita ordens.

insubordinar (in.su.bor.di.*nar*) *v*. *td*. *pr*. Tornar(-se) insubordinado; REBELAR(-SE). [▶ 1 insubordinar] • in.su.bor.di.na.*ção sf*.; in.su.bor.di.*na*.do *a*.

insubornável (in.su.bor.*ná*.vel) *a2g*. Que não aceita suborno; HONESTO; INCORRUPTÍVEL. [Pl.: -*veis*.]

insubsistente (in.sub.sis.*ten*.te) *a2g*. Que não pode existir ou continuar a existir. • in.sub.sis.*tên*.ci.a *sf*.

insubstituível (in.subs.ti.tu.*í*.vel) *a2g*. **1** Que não pode ser substituído. **2** Muito importante (para determinado fim); muito especial, sem equivalente. [Pl.: -*veis*.]

insucesso (in.su.*ces*.so) *sm*. Mau resultado; fracasso, malogro.

insuficiência (in.su.fi.ci.*en*.ci.a) *sf*. **1** Qualidade ou condição de insuficiente. **2** *Med*. Incapacidade total ou parcial de um órgão de exercer suas funções (*insuficiência cardíaca*).

insuficiente (in.su.fi.ci.*en*.te) *a2g*. **1** Não suficiente; que não basta (em quantidade, tamanho etc.): *Esta comida é insuficiente para alimentar todos*. **2** Que não tem todas as qualidades necessárias para ser aceito ou aprovado (us. tb. para conceito escolar).

insuflar (in.su.*flar*) *v*. **1** *Fig*. Despertar ou instigar (raiva, ideia etc.). [*td*.: *insuflar uma revolta*. *tdi*. + *em*, *contra*: *A torcida insuflava o goleiro contra o juiz*.] **2** Encher de gás ou vapor, esp. por meio de sopro. [*td*.] [▶ 1 insuflar] • in.su.fla.*ção sf*.; in.su.*fla*.do *a*.; in.su.fla.*dor a.sm*.

insulano (in.su.*la*.no) *a.sm*. Ver *ilhéu*.

insular[1] (in.su.*lar*) *a2g.s2g*. Ver *ilhéu*.

insular[2] (in.su.*lar*) *v*. **1** Ilhar(-se), isolar(-se), separar(-se) (de outras pessoas). [*td*.: *insular provisoriamente os infectados*. *tdi*. + *de*: *Insularam os doentes dos sãos*. *pr*.: *Deprimido, insulou-se e não foi mais visto*.] **2** Diminuir ou impedir a passagem de eletricidade ou calor de (um corpo) ou para ele. [*td*.: *insular uma instalação*.] [▶ 1 insular]

insulfilme (in.sul.*fil*.me) *sm*. Película que se aplica a vidros, para diminuir a quantidade de luz e a intensidade do calor que passa por eles. [A marca registrada é Insulfilm®.]

insulina (in.su.*li*.na) *sf*. *Med*. Substância normalmente produzida pelo organismo, que controla a quantidade de açúcar no sangue.

📖 A insulina é um hormônio do pâncreas. Pessoas que sofrem de diabetes têm baixa dosagem de insulina e necessitam recebê-la regularmente.

insulso (in.*sul*.so) *a*. Sem sal; INSOSSO.

insultar (in.sul.*tar*) *v*. *td*. Ofender, com palavras ou atos; ULTRAJAR. [▶ 1 insultar] • in.sul.ta.do *a*.; in.sul.ta.*dor a.sm*.; in.sul.*tan*.te *a2g*.

insulto (in.*sul*.to) *sm*. Ação ou afirmação que ofende, por ser grosseira ou por mostrar desrespeito ou por expressar má opinião sobre alguém; OFENSA; ULTRAJE.

insultuoso (in.sul.tu.*o*.so) [ô] *a*. Que insulta ofende; que expressa ou contém insulto (*palavras insultuosas*). [Fem. e pl.: [ó].]

insumo (in.*su*.mo) *sm*. Cada um dos elementos ou fatores (como máquinas e equipamentos, energia, trabalho ou mão de obra) que se deve fornecer para que determinada atividade econômica ou projeto se realize.

insuperável (in.su.pe.*rá*.vel) *a2g*. **1** Que não se pode superar, ultrapassar (em quantidade ou qualidade); que é máximo, que não tem nada por ser superior: *Seus sonetos são insuperáveis*. **2** Impossível de vencer, de resolver, de anular (*adversário insuperável*). [Pl.: -*veis*.]

insuportável (in.su.por.*tá*.vel) *a2g*. **1** Impossível de suportar (física ou moralmente) (*dor insuportável*). **2** Que causa muito incômodo, aversão, sofrimento etc.: *Ele tem um gênio insuportável*. [Sin. ger.: *intolerável*.] [Pl.: -*veis*.]

insurgir-se (in.sur.*gir*-se) *v*. *pr*. Colocar-se contra; REBELAR-SE; INSUBORDINAR-SE: *O comitê insurgiu-se contra o exame antidoping*. [▶ 46 insurgir-se] • in.sur.*gên*.ci.a *sf*.; in.sur.*gen*.te *a2g*.

insurreição (in.sur.rei.*ção*) *sf*. Ação ou movimento de desobediência e rebeldia; SUBLEVAÇÃO. [Pl.: -*ções*.] • in.sur.re.ci.o.*nal a2g*.

insurreto, **insurrecto** (in.sur.*re*.to, in.sur.*rec*.to) *a.sm*. Que ou quem se insurge.

insuspeição (in.sus.pei.*ção*) *sf*. Ausência de suspeita, de dúvida ou desconfiança. [Pl.: -*ções*.]

insuspeito (in.sus.*pei*.to) *a*. **1** Que não provoca suspeita ou não merece desconfiança (*juiz insuspeito*); CONFIÁVEL; IMPARCIAL. **2** De que não se suspeitava; não previsto: *Na crise, demonstrou insuspeita coragem*.

insustentável (in.sus.ten.*tá*.vel) *a2g*. **1** Que não se pode sustentar, suportar, manter ou conservar (*carga insustentável*). **2** Que não se sustenta, não resiste à crítica ou a questionamentos (*hipótese insustentável*). [Pl.: -*veis*.] • in.sus.ten.ta.bi.li.*da*.de *sf*.

intangível *a2g*. **1** Que não se pode tocar, pegar com as mãos: *intangível como o céu*. **2** Que não se pode sentir ou perceber com o tato, que não tem corpo: *formas intangíveis, como miragens*. **3** *Fig*. Que está acima da capacidade de compreensão: *o intangível conceito de eternidade*. [Pl.: -*veis*.] • in.tan.gi.bi.li.*da*.de *sf*.

intato, **intacto** (in.*ta*.to, in.*tac*.to) *a*. **1** Que não foi tocado, mexido ou alterado. **2** Que não foi atingido, ou não se feriu; ILESO.

íntegra (*ín*.te.gra) *sf*. **1** Soma ou conjunto total; TODO; TOTALIDADE: *Considerem a íntegra de nossa*

integração | intemporal

proposta. 2 Texto completo, reproduzido palavra por palavra: *Esta é a integra do artigo*. ■ **Na ~** - Integralmente, sem qualquer lacuna ou omissão: *Leu o documento na integra*.

integração (in.te.gra.*ção*) *sf.* **1** Ação ou resultado de integrar(-se). [Pl.: -*ções*.]

integrado (in.te.gra.do) *a.* **1** Cujos elementos ou partes estão bem unidos ou combinados; COESO; HARMÔNICO. **2** Bem adaptado ao grupo ou sociedade de que faz parte.

integrador (in.te.gra.*dor*) [ô] *a.sm.* Que ou aquele que integra, compõe, toma parte em: *A informática foi um elemento integrador na empresa*.

integral (in.te.*gral*) *a2g.* **1** Inteiro, completo, total (versão integral). **2** Não descascado (grão de cereal) (arroz integral). **3** Feito com grãos não descascados de cereais (pão integral). **4** Diz-se de produto de alimentação do qual não foram artificialmente retiradas certas substâncias (leite integral [isto é, não desnatado]). [Pl.: -*grais*.] ● **in.te.gra.li.da.de** *sf.*

integralismo (in.te.gra.*lis*.mo) *sm.* **1** Adesão total a um movimento de ideias, ou concordância total com uma teoria. **2** *Bras. Hist.* Movimento político brasileiro (1932-1937), com características fascistas. ● **in.te.gra.lis.ta** *a2g.s2g.*

integralizar (in.te.gra.li.*zar*) *v. td. pr.* Tornar(-se) integral, completo; COMPLETAR(-SE). [▶ **1** integralizar] ● **in.te.gra.li.za.ção** *sf.*

integrante (in.te.*gran*.te) *a2g.s2g.* **1** Que ou aquele que integra, faz parte de: *A banda tem novo integrante.a2g.* **2** *Gram.* Diz-se da conjunção subordinativa que faz a oração funcionar como sujeito, objeto, predicativo etc. de outra oração (p.ex.: *que*).

integrar (in.te.*grar*) *v.* **1** Combinar(-se), juntar(-se) ou unir(-se) completamente a outras coisas ou elementos, formando um só conjunto. [*td.*: *A dança integra diferentes classes sociais. pr.: A casa integra-se à paisagem*.] **2** Receber (alguém) em um grupo, ou adaptar-se a ele como membro. [*tdi.* + *a*: *integrar imigrantes ao novo país. pr.: Integrei-me ao partido*.] **3** Ser parte de (uma coisa ou conjunto maior). [*td.*: *Três estados integram a região Sul do Brasil*.] [▶ **1** integrar] ● **in.te.gra.dor** *a.sm.*

integridade (in.te.gri.*da*.de) *sf.* **1** Qualidade ou estado de inteiro, do que não está menor do que era ou do que deveria ser: *Aferiu a integridade da remessa*. **2** Estado do que não foi alterado, quebrado ou agredido: *Guarda-costas garantiam sua integridade física*. **3** Caráter de quem é íntegro, honesto, sem malícia; HONESTIDADE; PROBIDADE.

íntegro (*ín*.te.gro) *a.* **1** Inteiro, completo; sem falhas ou defeitos. **2** Sem falhas morais; que age com honestidade e dignidade. [Superl.: *integérrimo*.]

inteira (in.*tei*.ra) *sf.* Entrada pela qual se paga o preço integral. [Cf.: *meia* (2).]

inteirar (in.tei.*rar*) *v.* **1** Pôr, dar ou trazer a quantia que falta para completar um total. [*td.*: *inteirar o dinheiro da passagem*.] **2** Fazer (alguém ou si mesmo) ficar bem informado. [*tdi.* + *de*: *inteirar os funcionários do novo regulamento. pr.: Inteirei-me dos riscos de contágio*.] [▶ **1** inteirar]

inteireza (in.tei.*re*.za) [é] *sf.* Ver *integridade* (1).

inteiriçar (in.tei.ri.*çar*) *v. td. pr.* Tornar(-se) inteiriço, firme; RETESAR(-SE); ENRIJECER(-SE). [▶ **12** inteiriçar]

inteiriço (in.tei.*ri*.ço) *a.* **1** Feito de uma só peça (sem junções etc.). **2** *Fig.* Severo, inflexível, inflexível.

inteiro (in.*tei*.ro) *a.* **1** Sem nada que falte ou que sobre; em toda a extensão, duração ou capacidade: *beber um copo inteiro de água*. **2** Com todos os seus elementos ou componentes: *A turma inteira passou de ano*. **3** Não perdeu nenhuma das suas partes; que não se quebrou, rachou, arranhou, ou que não se estragou: *O Cadillac estava inteiro*. **4** Sem ferimento ou dano; ileso: *Saiu do acidente inteiro*. **5** Sem restrições ou exceções; MÁXIMO; PLENO. [Us. antes do subst.: *goza de nossa inteira confiança*.] **6** Não castrado (animal). **7** *Fam.* Em boa forma física; com vigor ou boa saúde. **8** *Mat.* Diz-se de número formado apenas de unidades, sem frações (1, 2, 34, -10 etc.). *sm.* **9** *Mat.* Número inteiro (8).

intelecção (in.te.lec.*ção*) *sf.* Atividade da mente, ligada ao conhecimento e ao entendimento pelo pensar. [Pl.: -*ções*.]

intelecto (in.te.*lec*.to) *sm.* Capacidade de usar a mente para pensar.

intelectual (in.te.lec.tu.*al*) *a2g.s2g.* **1** Ref. ao intelecto. *a2g.s2g.* **2** Que ou quem tem interesse por ideias e pensamentos (e não por coisas mais práticas, ou por atividades físicas etc.), ou se dedica a atividades que envolvem estudo e raciocínio. [Pl.: -*ais*.]

intelectualidade (in.te.lec.tu.a.li.*da*.de) *sf.* **1** Intelecto, inteligência (1). **2** O conjunto de intelectuais, ou classe social formada por intelectuais (escritores, cientistas, críticos de arte etc.)

intelectualismo (in.te.lec.tu.a.*lis*.mo) *sm.* Predominância dos aspectos ou elementos intelectuais ou racionais. ● **in.te.lec.tu.a.lis.ta** *a2g.s2g.*

intelectualizar (in.te.lec.tu.a.li.*zar*) *v.* **1** Dar (a algo) características intelectuais ou racionais. [*td.*: *intelectualizar o debate*.] **2** Tornar(-se) intelectual. [*td.*: *A convivência com artistas intelectualizou-a. pr.: Intelectualizou-se por influência do professor*.] [▶ **1** intelectualizar]

inteligência¹ (in.te.li.*gên*.ci.a) *sf.* **1** Qualidade ou capacidade de quem é inteligente (1 e 2). **2** Pessoa inteligente: *Ela é uma inteligência*. ■ **~ artificial** Conceito que envolve o uso de computadores e outros equipamentos para produzir, em sistemas não vivos, atividades e efeitos semelhantes aos da mente humana.

inteligência² (in.te.li.*gên*.ci.a) *sf.* Conjunto de informações, sigilosas ou não, de importância estratégica (militar ou governamental); a obtenção de tais informações: *serviços de inteligência*.

inteligente (in.te.li.*gen*.te) *a2g.* **1** Que aprende com rapidez e facilidade (animal, pessoa). **2** Que entende bem as coisas; que pensa rápido, tem boas ideias, consegue encontrar solução para problemas e dificuldades. **3** Feito com inteligência; bem pensado (pergunta inteligente). [Ant.: *burro, estúpido*.]

inteligível (in.te.li.*gí*.vel) *a2g.* **1** Que pode ser entendido; que tem sentido (frase inteligível). [Ant.: *ininteligível*.] **2** Que pode ser conhecido ou compreendido pelo pensamento, pela inteligência (e que não é percebido pelos sentidos). [Pl.: -*veis*.] [Cf.: *sensível*.] ● **in.te.li.gi.bi.li.da.de** *sf.*

intemerato (in.te.me.*ra*.to) *a.* Sem vícios ou defeitos morais; ÍNTEGRO. [Cf.: *intimorato*.]

intemperança (in.tem.pe.*ran*.ça) *sf.* **1** Falta de temperança, de moderação. **2** Hábito de comer e beber em demasia. ● **in.tem.pe.ran.te** *a2g.*

intempérie (in.tem.*pé*.ri.e) *sf.* **1** Qualquer fenômeno climático muito acentuado (p. ex., vento ou chuva fortes; calor ou frio extremos; tempestade, seca, inundação, etc.). **2** Tempestade. **3** *Fig.* Acontecimento desfavorável; INFELICIDADE; DESGRAÇA: *Enfrentou na vida muitas intempéries*.

intempestivo (in.tem.pes.*ti*.vo) *a.* **1** Que acontece em momento que não é o certo ou adequado; INOPORTUNO; que acontece quando não era esperado; IMPREVISTO; SÚBITO. **2** *Jur.* Feito depois de decorrido o prazo legal. ● **in.tem.pes.ti.vi.da.de** *sf.*

intemporal (in.tem.po.*ral*) *a2g.* Que, por suas características, está desvinculado do tempo, de épocas, de datas etc.: *A música de Bach é intemporal.* [Pl.: *-rais.*] • in.tem.po.ra.li.*da*.de *sf.*

intenção (in.ten.*ção*) *sf.* **1** Aquilo que alguém quer fazer ou pensa em fazer; PROPÓSITO: *Tinha a intenção de mudar de emprego.* **2** Aquilo que alguém quer que aconteça, e que motiva suas ações; DESEJO; INTENTO: *Não tinha qualquer intenção de fama ou poder.* [Pl.: *-ções.*] ▓ **Segundas intenções** Intenções ocultas atrás daquelas manifestadas e reveladas. [Tb. us. no sing.]

intencionado (in.ten.ci.o.*na*.do) *a.* Ver *intencional.*

intencional (in.ten.ci:o.*nal*) *a2g.* Que é feito de propósito (incêndio intencional); PREMEDITADO; INTENCIONADO. [Ant.: *involuntário.*] [Pl.: *-nais.*] • in.ten.ci:o.na.li.*da*.de *sf.*; in.ten.ci:o.*nar v.*

intendência (in.ten.*dên*.ci:a) *sf.* **1** Função de intendente. **2** Seção dirigida pelo intendente.

intendente (in.ten.*den*.te) *s2g.* Pessoa encarregada da administração (de propriedade, unidade militar etc.).

intensidade (in.ten.si.*da*.de) *sf.* Qualidade do que é intenso; FORÇA: *chuvas de grande intensidade.*

intensificar (in.ten.si.fi.*car*) *v.* Tornar(-se) mais intenso, mais forte. [td.: *A polícia intensificará o patrulhamento.* pr.: *As chuvas intensificaram-se neste fim de mês.*] [▶ 11 intensifi*car*] • in.ten.si.fi.ca.*ção sf.*; in.ten.si.fi.ca.*do*.ra *sf.*; in.ten.si.fi.ca.*dor a.sm.*

intensivista (in.ten.si.*vis*.ta) *a2g.s2g. Med.* Diz-se de ou médico especializado no tratamento de doentes internados em CTI ou UTI.

intensivo (in.ten.*si*.vo) *a.* Que é feito com esforço intenso e contínuo para ter resultados eficazes com maior rapidez (curso intensivo, tratamento intensivo).

intenso (in.*ten*.so) *a.* **1** Que mostra muita força, veemência (frio intenso). **2** Que ultrapassa a medida habitual (trabalho intenso); EXCESSIVO.

intentar (in.ten.*tar*) *v. td.* **1** Empreender a tentativa de; projetar ou por executar planos de: *A empresa intenta conquistar um mercado para seus produtos.* **2** *Jur.* Impetrar (ação judicial) contra. [▶ 1 inten*tar*]

intento (in.*ten*.to) *sm.* Aquilo que se pretende realizar; OBJETIVO.

intentona (in.ten.*to*.na) *sf.* **1** Plano arriscado. **2** Tentativa de revolta ou motim.

interação (in.te.ra.*ção*) *sf.* Influência ou ação recíproca entre pessoas e/ou coisas: *interação entre governo e empresários.* [Pl.: *-ções.*]

interagir (in.te.ra.*gir*) *v.* **1** Relacionar-se (com outro[s]) em atividade, prática, serviço etc. [*ti.* + *com*: "Durante o espetáculo, os atores interagem com a criançada..." (*Jornal Extra*, 08.11.03). *int.*: *A criança parou de interagir na escola.*] **2** Atuar simultânea e/ou reciprocamente. [*tdi.* + *com, entre*: *departamentos que interagem entre si. int.*: *Os dois medicamentos interagem, diminuindo os efeitos colaterais.*] [▶ 46 intera*gir*]

interamericano (in.te.ra.me.ri.ca.no) *a.* Que se cria ou se realiza entre os Estados do continente americano ou entre as Américas (cooperação interamericana).

interativo (in.te.ra.*ti*.vo) *a.* **1** Em que há interação. **2** *Mid.* Ref. a programa, apresentação etc. que permite a interação da pessoa com a fonte ou o emissor: *programa interativo de televisão.* • in.te.ra.ti.vi.*da*.de *sf.*

intercalar (in.ter.ca.*lar*) *v.* Colocar(-se) no meio; ENTREMEAR-SE. [*td.*: *Durante o discurso, intercalava alguns poemas. com, de*: *Costuma intercalar seus textos com citações.* pr.: *Intercalei-me na multidão.*] [▶ 1 interca*lar*] • in.ter.ca.la.*ção sf.*; in.ter.ca.la.do a.

intercambiar (in.ter.cam.bi.*ar*) *v.* Fazer intercâmbio de; PERMUTAR. [*td.*: *intercambiar estudantes. tdi.* + *com*: *Intercambiar tecnologia com outros países.*] [▶ 1 intercambi*ar*] • in.ter.cam.bi.*á*.vel *a2g.*

intercâmbio (in.ter.*câm*.bi:o) *sm.* **1** Relações recíprocas entre nações (intercâmbio cultural/comercial). **2** Troca, permuta. intercâmbio

interceder (in.ter.ce.*der*) *v.* Intervir (a favor de alguém ou de algo); pedir, rogar (por alguém) [*ti.* + *a*: *Intercedeu às autoridades em favor de seu filho. int.*: *Apesar das súplicas, não podia mais interceder.*] [▶ 2 interce*der*]

intercelular (in.ter.ce.lu.*lar*) *a2g. Biol.* Que fica ou se processa entre células.

interceptar (in.ter.cep.*tar*) *v. td.* **1** Interromper a trajetória de: *interceptar um caça inimigo.* **2** Impossibilitar a passagem de: *Os policiais interceptarão os bandidos.* **3** Fazer parar; BLOQUEAR: *O acidente interceptou a passagem dos automóveis.* **4** Captar ou reter o que é endereçado a outrem): *interceptar correspondência/mensagens telefônicas.* [▶ 1 intercep*tar*] • in.ter.cep.ta.*ção sf.*

intercessão (in.ter.ces.*são*) *sf.* Ação ou resultado de interceder; INTERVENÇÃO: *Foi necessária a intercessão do chefe para conseguir-lhe o aumento.* [Pl.: *-sões.*]

intercessor (in.ter.ces.*sor*) [ô] *a.sm.* Que ou quem intercede.

interclube (in.ter.*clu*.be) *a2g. Bras. Esp.* Que se realiza com a participação de vários clubes (diz-se de competição).

intercomunicar-se (in.ter.co.mu.ni.*car*-se) *v. pr.* Comunicar-se mutuamente. [▶ 1 intercomuni*car*-se] • in.ter.co.mu.ni.ca.*ção sf.*

interconexão (in.ter.co.ne.*xão*) [cs] *sf.* Ligação ou relação entre coisas, fenômenos, sistemas etc.: *uma interconexão de sistemas elétricos.* [Pl.: *-xões.*]

intercontinental (in.ter.con.ti.nen.*tal*) *a2g.* Que se estabelece ou se realiza entre os continentes (acordo intercontinental). [Pl.: *-tais.*]

intercorrente (in.ter.cor.*ren*.te) *a2g.* Que ocorre no decurso de outra coisa (doenças intercorrentes). • in.ter.cor.*rên*.ci:a *sf.*

intercostal (in.ter.cos.*tal*) *a2g. Anat.* Que fica entre as costelas (músculo intercostal). [Pl.: *-tais.*]

intercurso (in.ter.*cur*.so) *sm.* **1** Intercâmbio, troca: *intercurso de culturas.* **2** Relacionamento (intercurso sexual).

interdepender (in.ter.de.pen.*der*) *v. int.* Ter relação de dependência entre si: *problemas que interdependem.* [▶ 2 interdepen*der*] • in.ter.de.pen.*dên*.ci:a *sf.*; in.ter.de.pen.*den*.te *a2g.*

interdição (in.ter.di.*ção*) *sf.* **1** Proibição de funcionamento ou uso: *interdição de uma estrada.* **2** *Jur.* Ato que proíbe o funcionamento de um estabelecimento que tenha desrespeitado disposições legais. **3** *Jur.* Ato que retira de alguém a disposição de seus bens e a prática de ato jurídico. [Pl.: *-ções.*]

interdigital (in.ter.di.gi.*tal*) *a2g. Anat.* Situado entre os dedos (membrana interdigital). [Pl.: *-tais.*]

interdisciplinar (in.ter.dis.ci.pli.*nar*) *a2g.* Que é comum a ou realizado no âmbito de duas ou mais disciplinas (trabalho interdisciplinar).

interditar (in.ter.di.*tar*) *v. td.* **1** Impedir o funcionamento, o uso ou a realização de, ou a circulação em: *interditar os bingos; A passeata interditará as ruas do centro.* **2** *Jur.* Tornar ou declarar (alguém) impedido de reger sua vida e/ou administrar seus bens. [▶ 1 interdi*tar*]

interdito (in.ter.*di*.to) *a.* **1** Que está sob interdição (2 e 3); INTERDITADO. *a.sm.* **2** *Jur.* Que ou quem foi privado de certos bens ou direitos.

interessado (in.te.res.*sa*.do) *a.* **1** Que mostra interesse (público interessado). *sm.* **2** Pessoa que mostra interesse em algo, que almeja algo: *Os interessados deverão dirigir-se à sede da empresa para obter informações.*

interessante (in.te.res.*san*.te) *a2g.* **1** Que desperta interesse (livro interessante). **2** Que atrai, que chama a atenção (homem interessante). **3** Que cativa, que não é monótono, que é excitante: *"...sentia um acréscimo de estima por si mesma, e parecia-lhe que entrava enfim numa existência superiormente interessante."* (Eça de Queiroz, *Primo Basílio*).

interessar (in.te.res.*sar*) *v.* **1** Ser interessante, útil (para alguém); IMPORTAR. [*td./ti.* + *a*: *Os livros antigos interessavam (a)o alfarrabista.*] **2** Dizer respeito; relacionar-se. [*td./ti.* + *a*: *A reunião interessa (a) todos os condôminos.*] **3** Despertar o interesse, a atenção ou a curiosidade (de). [*td./ti.* + *a*: *A palestra não interessou (a) ninguém.*] **4** Ficar atraído; tomar interesse. [*pr.*: *Não se interessa pelos problemas da família.*] [▶ **1** interessar]

interesse (in.te.*res*.se) [ê] *sm.* **1** Sentimento de afeto, preocupação ou curiosidade despertado por algo ou alguém: *"Mas não é bem assim que as coisas são/ Seu interesse é só traição".* (Renato Russo, *As flores do mal*). **2** *Pej.* Apego ao que traz vantagem: *Só age por interesse.* **3** O que é moral ou socialmente importante, útil ou vantajoso: *obra de interesse público.* **4** Aquilo que é importante para alguém: *Ele sempre defende seus interesses.*

interesseiro (in.te.res.*sei*.ro) *a.sm.* Que ou quem só age movido pelo próprio interesse.

interestadual (in.te.res.ta.du:*al*) *a2g.* **1** Que se realiza entre dois ou mais estados de um mesmo país (campeonato interestadual). **2** Que liga estados de um mesmo país ou se situa entre eles (estrada interestadual). [Pl.: *-ais*.]

interestelar (in.te.res.te.*lar*) *a2g.* Situado ou que se realiza entre as estrelas (espaço interestelar, viagem interestelar).

interface (in.ter.*fa*.ce) *sf.* **1** Campo em que coisas diversas interagem: *Há uma interface entre a biologia e a química.* **2** *Inf.* Meio que o usuário dispõe para interagir com um programa ou sistema operacional. **3** *Inf.* Área compartilhada por dois dispositivos, sistemas ou programas que trocam dados e sinais.

interferência (in.ter.fe.*rên*.ci:a) *sf.* **1** Ação ou resultado de interferir; INTERVENÇÃO: *Houve interferência do governo para o fim da greve.* **2** *Rád. Telc.* Perturbação na recepção de sinais sonoros.

interferir (in.ter.fe.*rir*) *v. ti.* **1** Ter interferência, intrometer-se; INTERVIR. [+ *em*: *Não quis interferir na briga do vizinho.*] **2** *Fís.* Produzir interferência. [+ *em*: *O mau tempo interferiu nas transmissões de rádio.*] [▶ **50** interferir] ● **in.ter.fe.**_ren_**.te** *a2g.*

interferon (in.ter.fe.*ron*) *sm. Bioq.* Proteína que ativa as resistências do organismo contra infecções virais. [Pl.: *-ferones* e *-ferons*.]

interfonar (in.ter.fo.*nar*) *v. Bras.* **1** Utilizar o interfone. [*int.*: *Peça ao porteiro para interfonar.*] **2** Comunicar-se por meio de interfone com (alguém ou algum lugar). [*ti.* + *para*: *Resolveu interfonar para a síndica.*] [▶ **1** interfonar] ● **in.ter.fo.**_na_**.do** *a.*

interfone (in.ter.*fo*.ne) *sm.* Aparelho de comunicação interna us. em prédios, condomínios, escritórios etc.

intergaláctico (in.ter.ga.*lác*.ti.co) *a. Astron.* Situado ou que acontece entre as galáxias (espaço intergaláctico).

intergovernamental (in.ter.go.ver.na.men.*tal*) *a2g.* Efetuado entre dois ou mais governos ou governadores (acordo intergovernamental). [Pl.: *-tais*.]

inter-humano (in.ter-hu.*ma*.no) *a.* Que se dá entre os homens (relações inter-humanas). [Pl.: *inter-humanos*.]

ínterim (*ín*.te.rim) *sm.* Tempo que decorre entre dois fatos. [Pl.: *-rins*.] ⁞ Neste ~ Enquanto isso, entrementes.

interino (in.te.*ri*.no) *a.sm.* **1** Que ou quem ocupa um cargo ou função durante o impedimento do titular (ministro interino). *a.* **2** Provisório, temporário (diretoria interina). [Ant.: *efetivo*.]

interior (in.te.ri:*or*) [ô] *a2g.* **1** Ref. ao que está dentro (pátio interior); INTERNO. **2** Ref. ao espírito (dramas interiores); ÍNTIMO. *sm.* **3** A parte de dentro de algo: *o interior de uma casa.* **4** A alma, a mente de alguém; ÍNTIMO: *Em seu interior havia nobres sentimentos.* **5** Área distante dos grandes centros urbanos: *No interior a vida é mais tranquila.* **6** A parte interna do país, distante do litoral ou das fronteiras. ● **in.te.ri:o.**_ri_**.da.**_de_ *sf.*

interiorano (in.te.ri:o.*ra*.no) *a.sm.* **1** Que ou quem nasceu ou mora no interior do país. *a.* **2** Ref. ou pertencente ao interior do país.

interiorizar (in.te.ri:o.ri.*zar*) *v.* **1** Levar para dentro de si; INTERNALIZAR. [*td.*: *interiorizar uma filosofia de vida.*] **2** Incorporar no interior de; INCUTIR. [*tdi.* + *em*: *Interioriza nos filhos o respeito aos idosos.*] [▶ **1** interiorizar] ● **in.te.ri:o.ri.**_za_**.**_ção_ *sf.*

interjeição (in.ter.jei.*ção*) *sf. Gram.* Palavra ou locução invariável que expressa ordem, apelo, emoção, sensação etc., ou descreve um ruído. [Pl.: *-ções*.]

interjetivo (in.ter.je.*ti*.vo) *a.* Equiv. a interjeição (locução interjetiva).

interligar (in.ter.li.*gar*) *v.* Ligar(-se) entre si. [*td.*: *O projeto prevê interligar as estradas.* *pr.*: *Os romances se interligavam formando uma obra coesa.*] [▶ **14** interligar] ● **in.ter.li.ga.**_ga_ *sf.*; **in.ter.li.**_ga_**.do** *a.*

interlocução (in.ter.lo.cu.*ção*) *sf.* Conversa entre duas ou mais pessoas. [Pl.: *-ções*.]

interlocutor (in.ter.lo.cu.*tor*) [ô] *sm.* Cada pessoa que participa de conversa.

interlúdio (in.ter.*lú*.di:o) *sm. Mús.* Trecho instrumental tocado entre as diversas partes de uma composição longa.

intermediar (in.ter.me.di.*ar*) *v.* **1** Estar no meio; situar-se entre. [*td.*: *Uma pausa deve intermediar as duas atividades.*] **2** Colocar de permeio; ENTREMEAR. [*tdi.* + *com*: *Intermediou seu texto com gravuras.*] **3** Servir de mediador (para). [*tdi.* + *com*: *Intermediarão a soltura do preso com o juiz.* *int.*: *Não quer mais intermediar.*] [▶ **15** intermediar] ● **in.ter.me.di:a.**_ção_ *sf.*

intermediário (in.ter.me.di:*á*.ri:o) *a.* **1** Que fica no meio de dois (categoria intermediária). *sm.* **2** Com. Negociante que atua entre o produtor e o consumidor ou entre o vendedor e o comprador. **3** Pessoa que media ou intervém; MEDIADOR.

intermédio (in.ter.*mé*.di:o) *sm.* Mediação ou intervenção que torna possível a obtenção de alguma coisa: *Conseguiu o cargo por intermédio do político.*

interminável (in.ter.mi.*ná*.vel) *a.* **1** Impossível de terminar: *É uma tarefa interminável, faltam recursos e não há mais tempo.* **2** Que não tem fim ou termo (tb. *Fig.*); imenso; demorado, prolongado (debates intermináveis). [Pl.: *-veis*.]

interministerial (in.ter.mi.nis.te.ri:*al*) *a2g.* Ref. as relações ou que se realiza entre ministérios e/ou ministros (reunião interministerial).

intermitente (in.ter.mi.*ten*.te) *a2g.* Que se interrompe e recomeça a intervalos (chuva intermitente). [Ant.: *contínuo*.] ● **in.ter.mi.**_tên_**.ci:a** *sf.*

intermodulação (in.ter.mo.du.la.*ção*) *sf.* *Eletrôn.* Modulação produzida pelos componentes de uma onda complexa, que cria novas ondas. [Pl.: -*ções*.]

intermunicipal (in.ter.mu.ni.ci.*pal*) *a2g.* Ref. a, ou que liga, ou que é comum a dois ou mais municípios (transporte intermunicipal). [Pl.: -*pais*.]

internacional (in.ter.na.ci:o.*nal*) *a2g.* **1** Ref. a, ou que se realiza entre, ou que é comum a duas ou mais nações (cooperação internacional). **2** Conhecido em muitos países (artista internacional). [Pl.: -*nais*.] ● **in.ter.na.ci:o.na.li.da.de** *sf.*

internacionalismo (in.ter.na.ci:o.na.*lis*.mo) *sm.* **1** Característica do que é internacional. **2** Doutrina que prega a cooperação entre as nações. ● **in.ter.na.ci:o.na.lis.ta** *a2g.s2g.*

internacionalizar (in.ter.na.ci:o.na.li.*zar*) *v.* Tornar(-se) internacional. [*td.*: *O governo quer internacionalizar os produtos brasileiros.* *pr.*: *A empresa ampliou seus negócios e internacionalizou-se.*] [▶ [internacionaliz*ar*] ● **in.ter.na.ci:o.na.li.za.ção** *sf.*

internalizar (in.ter.na.li.*zar*) *v. td.* Ver interiorizar (1). [▶ internaliz*ar*] ● **in.ter.na.li.za.ção** *sf.*

internar (in.ter.*nar*) *v.* **1** Colocar em colégio interno, hospital etc. [*td.*: *internar um doente.* *pr.*: *Para livrar-se do vício das drogas, internou-se.*] **2** Confinar em local de onde não se pode sair. [*td.*] [▶ intern*ar*] ● **in.ter.na.ção** *sf.*; **in.ter.na.do** *a.*

internato (in.ter.*na*.to) *sm.* Instituição de ensino em que os alunos também residem, recebem alimentação, cuidados etc. [Ant.: externato.]

internauta (in.ter.*nau*.ta) *sm.* *Inf.* Pessoa que usa a internet, esp. aquele que dedica muito tempo a isso.

internet (in.ter.*net*) *sf.* **1** *Inf.* Rede mundial formada por computadores (por meio de provedores de acesso, servidores etc.), que permite a comunicação entre eles, com acesso a informações, envio de correio eletrônico (*e-mails*), serviços comerciais etc. ◘ **internet II** *sf.* **2** *Inf.* Variante da internet, de uso mais restrito, esp. para locação de bandas destinadas a difusão dirigida de conteúdo (teleconferências, telemedicina etc.) com maior qualidade.

◻ Desde a década de 1960, tendo início nos Estados Unidos, qualquer computador pode participar de uma rede (em inglês, *net*) de computadores, e esta de uma rede mundial de redes de computadores, de modo que qualquer computador pode ter acesso a qualquer outro computador através dessa interligação de redes, acessar informações, enviar mensagens por correio eletrônico etc. Essa rede mundial, conhecida como *internet*, desenvolveu-se rapidamente e hoje provê aos usuários um imenso acervo de informações de todos os tipos. A facilidade de acesso e de utilização da internet (hoje um usuário pode criar facilmente sua própria página e disponibilizá-la em âmbito mundial — ver *blog*), a dificuldade de controlar o material divulgado, a vulnerabilidade de computadores (e suas informações) a visitas indesejadas (inclusive com apropriação de informação para fins ilícitos) constituem problemas novos, ainda a serem resolvidos com legislação adequada. O Brasil já criou uma lei que criminaliza o uso da internet para fins ilícitos.

interno (in.*ter*.no) *a.* **1** Ref. a, ou que fica no interior, no lado de dentro de algo (órgãos internos). **2** Próprio de uma entidade, organização etc. (normas internas). **3** Diz-se do uso de medicamentos administrados no interior do organismo por via bucal e pelas cavidades naturais. *a.sm.* **4** Que ou quem está num internato. *sm.* **5** Estudante de medicina ou médico recém-formado que pratica a medicina num hospital. **6** *Bras.* Quem cumpre pena em presídio; PRESIDIÁRIO.

interoceânico (in.te.ro.ce:á.ni.co) *a.* Que fica entre ou liga oceanos (canal interoceânico).

interpartidário (in.ter.par.ti.*dá*.ri:o) *a. Bras.* Que é comum a ou em que participam dois ou mais partidos políticos (debate interpartidário).

interpelador (in.ter.pe.la.*dor*) [ô] *a.sm.* Que ou quem interpela. ● **in.ter.pe.lan.te** *a2g.s2g.*

interpelar (in.ter.pe.*lar*) *v. td.* **1** Pedir explicação a alguém sobre algo que tenha feito ou dito: *Interpelou o juiz por causa do gol anulado.* **2** Intimar a fim de prestar esclarecimentos: *O ministério público interpelou o prefeito.* [▶ interpel*ar*] ● **in.ter.pe.la.ção** *sf.*; **in.ter.pe.la.do** *a.*; **in.ter.pe.lan.te** *a2g.s2g.*

interplanetário (in.ter.pla.ne.*tá*.ri:o) *a.* Que fica ou se realiza entre planetas (viagem interplanetária).

interpolar (in.ter.po.*lar*) *v.* **1** Adicionar (palavras ou frases) num texto, modificando-o. [*td.*: *Interpolou seus textos mais antigos*; (seguido de indicação de lugar) *Interpolava diálogos no seu romance.*] **2** Substituir(-se) alternadamente; revezar(-se). [*tdi. + com*: *Interpola a chefia da empresa com o sócio.* *pr.*: *Na sua aula, conto e romance interpolavam-se.*] **3** Pôr fim a; interromper. [*td.*: *Interpolou a reunião de condomínio.*] [▶ interpol*ar*] ● **in.ter.po.la.ção** *sf.*

interpor (in.ter.*por*) [ô] *v.* **1** Colocar(-se) entre; meter(-se) no meio. [*td.* (seguido de indicação de lugar): *Interpôs a televisão no vão entre as estantes.* *pr.*: *Interpus-me entre os lutadores para apartar a briga.*] **2** Atuar como mediador. [*pr.*: *Interpuseram-se entre os debatedores.*] **3** Apresentar(-se) como obstáculo; confrontar(-se). [*td./tdi. + a*: *Interpôs objeções (ao plano proposto).* *pr.*: *Não deixou o trabalho interpor-se na sua vida pessoal.*] **4** Realizar intervenção; expor, intervir. [*td.*: *Interporá suas ideias na próxima reunião.*] [▶ **60** interpor. Part.: *interposto.*] ● **in.ter.po.si.ção** *sf.*

interposto (in.ter.*pos*.to) [ô] *a.* Posto entre duas coisas ou pessoas. [Fem. e pl.: [ó].]

interpretação (in.ter.pre.ta.*ção*) *sf.* **1** Ação ou resultado de interpretar: *Dedicava-se à interpretação de textos antigos.* **2** Explicação do significado de alguma coisa: *Apresentou a sua interpretação do fato.* **3** *Cin. Mús. Teat. Telv.* Modo de um artista interpretar uma música, ou seu papel em peça teatral, novela, filme etc. [Pl.: -*ções*]

interpretar (in.ter.pre.*tar*) *v. td.* **1** Dar sentido a; explicar (palavra, texto, lei etc.). **2** Adivinhar ou especular a respeito de: *Interpretava os sonhos de seus pacientes.* **3** Representar como ator (papel, personagem etc.): *interpretar personagens polêmicos.* **4** Tocar ou cantar (peça musical): *interpretar sambas antigos.* [▶ interpret*ar*] ● **in.ter.pre.ta.dor** *a.sm.* ● **in.ter.pre.ta.ti.vo** *a.*; **in.ter.pre.tá.vel** *a2g.*

intérprete (in.*tér*.pre.te) *s2g.* **1** Indivíduo que serve como tradutor entre pessoas que não falam a mesma língua. **2** Músico, ator, cantor etc. quando apresenta sua arte.

inter-racial (in.ter-ra.ci:*al*) *a2g.* Ref. a ou que envolve raças diferentes (integração inter-racial). [Pl.: *inter-raciais*.]

interregno (in.ter.*reg*.no) *sm.* Intervalo entre dois eventos: *o interregno entre a eleição e a posse.*

inter-relação (in.ter.re.la.*ção*) *sf.* Relação entre coisas ou pessoas: *inter-relação entre governo e empresariado.* [Pl.: *inter-relações*.]

inter-relacionar (in.ter.re.la.ci:o.*nar*) *v.* **1** Estabelecer relação (entre duas coisas ou pessoas). [*td.*: *Inter-relaciona teoria e prática.* *tdi. + com*: *Inter-relacionou os acidentes de trânsito com a ingestão de*

inter-resistente | intimidar

bebida alcoólica.] **2** Ter ou manter correspondência. [pr.: *São pessoas diferentes, mas inter-relacionam-se muito bem*.] [▶ **1** inter-relacionar] ● **in.ter-re.la.ci.o.na.do** a.

inter-resistente (in.ter-re.sis.*ten*.te) *a2g.* Cuja resistência fica entre o ponto de apoio (fulcro) e a força aplicada (diz-se de alavanca). [Pl.: *inter-resistentes*.]

interrogação (in.ter.ro.ga.*ção*) *sf.* **1** *Gram.* Sinal gráfico (?) que indica uma pergunta. [Tb. *ponto de interrogação*.] **2** Ação ou resultado de fazer perguntas; pergunta. [Pl.: *-ções*.]

interrogar (in.ter.ro.*gar*) *v.* **1** Fazer perguntas (a outra pessoa ou a si mesmo), inquirir(-se). [*td.*: *O delegado interrogará o suspeito*. **tdi.** + *sobre*: *Interrogaram-no sobre o roubo*.] **2** Fazer indagações; consultar(-se). [*td.*: *Interrogara os livros em busca de respostas*. *pr.*: *Interrogava-se sobre seu futuro*.] [▶ **14** interrogar] ● **in.ter.ro.ga.do** *a.sm.*; **in.ter.ro.ga.dor** *a.*

interrogativo (in.ter.ro.ga.*ti*.vo) *a.* **1** Que indica interrogação (expressão *interrogativa*); INTERROGATÓRIO. **2** *Gram.* Que contém ou expressa interrogação (pronome *interrogativo*).

interrogatório (in.ter.ro.ga.*tó*.ri:o) *sm.* **1** Ação ou resultado de interrogar, ger. para apurar um fato. **2** Que exprime interrogação; INTERROGATIVO.

interromper (in.ter.rom.*per*) *v.* **1** Pôr fim a; fazer parar. [*td.*: *Interrompeu o jogo*.] **2** Deixar de fazer por algum tempo. *td.*: *Interrompeu os estudos para viajar.*] **3** Fazer parar ou parar um discurso ou uma atividade. [*td.*: *Interrompeu o professor no meio da explicação*. *pr.*: *Interrompia-se a todo instante para atender o telefone.*] [▶ **2** interromper] ● **in.ter.rom.pi.do** *a.*; **in.ter.rup.to** *a.*

interrupção (in.ter.rup.*ção*) *sf.* Ação ou resultado de interromper(-se); SUSPENSÃO: *a interrupção da conversa*. [Pl.: *-ções*.]

interruptor (in.ter.rup.*tor*) [ô] *sm.* **1** *Elet.* Peça que liga e desliga um circuito elétrico. *a.sm.* **2** Que ou aquilo que interrompe.

interseção, intersecção (in.ter.se.*ção*, in.ter.sec.*ção*) *sf.* Encontro ou cruzamento de duas linhas, duas ruas etc. [Pl.: *-ções*.]

intersindical (in.ter.sin.di.*cal*) *a2g.* **1** Realizado entre sindicatos (reunião *intersindical*). **2** Próprio de dois ou mais sindicatos. [Pl.: *-cais*.]

interstício (in.ters.*tí*.ci:o) *sm.* Pequeno espaço vazio entre partes de uma coisa ou entre coisas ligadas: *interstício entre dois azulejos*. ● **in.ters.ti.ci:al** *a2g.* intersticial

intertropical (in.ter.tro.pi.*cal*) *a2g.* Situado entre os trópicos (zona *intertropical*). [Pl.: *-cais*.] intertropical

interurbano (in.te.rur.*ba*.no) *a.* **1** Realizado entre duas cidades ou localidades, regiões etc. (transporte *interurbano*). **2** Que faz a ligação entre duas ou mais cidades. *sm.* **3** *Bras.* Ligação telefônica entre duas cidades: *Posso fazer um interurbano do seu telefone?* interurbano

interval¹ (in.ter.va.*lar*) *a2g.* Que se situa num intervalo.

intervalar² (in.ter.va.*lar*) *v.* **1** Ordenar deixando espaços entre. [*td.* (seguido de indicação de lugar): *intervalar carros no estacionamento*.] **2** Alternar, revezar. [*tdi.* + *com*: *Intervalava alegria com depressão profunda.*] [▶ **1** intervalar] ● **in.ter.va.la.do** *a.*

intervalo (in.ter.*va*.lo) *sm.* **1** Espaço físico entre dois objetos. **2** Espaço temporal entre dois pontos de referência: *intervalo entre dois mandatos*. **3** Espaço de tempo entre aulas, partes de um espetáculo etc.

intervenção (in.ter.ven.*ção*) *sf.* **1** Ação ou resultado de intervir; INTERFERÊNCIA: *Foi muito feliz a sua intervenção no debate*. **2** Intromissão ou interferência de um Estado nos assuntos de outro: *a intervenção anglo-americana no Iraque*. **3** *Bras.* Ato que permite ao poder central intervir em um Estado da federação, ou ao governo estadual fazer o mesmo em relação ao município, em razão de alguma irregularidade. [Pl.: *-ções*.] **≅** ~ **cirúrgica** *Med.* Procedimento médico que utiliza a cirurgia para diagnosticar algum problema desconhecido ou para sanar alguma enfermidade.

intervencionismo (in.ter.ven.ci:o.*nis*.mo) *sm.* **1** *Econ.* Doutrina de política econômica que advoga a intervenção estatal em atividades da iniciativa privada. **2** Política externa de um Estado que fundamenta a sua intromissão nos assuntos internos de outro. ● **in.ter.ven.ci:o.nis.ta** *a2g.s2g.*

interventor (in.ter.ven.*tor*) [ô] *a.* **1** Que intervém. *sm.* **2** *Bras.* Pessoa designada pelo presidente da República para assumir provisoriamente o governo de um estado.

intervir (in.ter.*vir*) *v.* **1** Atuar com o intuito de influir (sobre questão ou matéria). [*ti.* + *em*: *Não quer intervir em questões familiares*. *int.*: *Os bombeiros intervieram, e evitaram a tragédia.*] **2** Fazer valer o seu poder ou a sua autoridade. [*ti.* + *em*: *O governo interveio no mercado financeiro*. *int.*: *A fim de acabar com a rebelião de presos, a polícia interveio.*] **3** Acontecer incidentalmente. [*int.*: *Durante a travessia interveio uma tempestade.*] [▶ **42** intervir] Part.: *intervindo*. Acentua-se o e nas 2ª e 3ª pess. sing. do pres. do ind. e na 2ª pess. sing. do imper. afirm.] ● **in.ter.ve.ni:ên.ci:a** *sf.*; **in.ter.ve.ni:en.te** *a2g.s2g.*

intervocálico (in.ter.vo.*cá*.li.co) *a. Gram.* Que se situa entre duas vogais (p.ex., a consoante *v* em *nuvem*).

intestino (in.tes.*ti*.no) *sm. Anat.* Víscera do tubo digestivo, que se estende do estômago ao ânus. [Ver achega encicl. em *digestório, sistema*.] *a.* **2** Interno, interior (guerra *intestina*). **≅** ~ **delgado** *Anat.* A porção do intestino que vai desde o piloro (a saída do estômago) até o ceco, onde se torna mais grosso. ~ **grosso** *Anat.* A porção do intestino que vai desde o ceco até o ânus. ● **in.tes.ti.nal** *a2g.*

intimação (in.ti.ma.*ção*) *sf.* **1** Ação ou resultado de intimar. **2** *Jur.* Notificação judicial de um processo. [Pl.: *-ções*.]

intimar (in.ti.*mar*) *v.* **1** Ordenar de modo autoritário. [*tdi.* + *a*: *Intimou o motorista a usar o cinto*; *Intimou ao motorista que usasse o cinto.* NOTA: Os complementos direto e indireto podem permutar-se entre o que se intima e aquele que é intimado.] **2** Determinar o comparecimento ou a atuação. [*tdi.* + *a*: *Intimou o comerciante a dar explicações.*] **3** Provocar sensação de. [*tdi.* + *em*: *Sua sabedoria intima respeito nos colegas.*] **4** *CE* Insultar. [*td.*] [▶ **1** intimar] ● **in.ti.ma.do** *a.*; **in.ti.ma.dor** *a.sm.*

intimativa (in.ti.ma.*ti*.va) *sf.* Palavra ou gesto com força de intimação (1). ● **in.ti.ma.ti.vo** *a.*

intimidade (in.ti.mi.*da*.de) *sf.* **1** Qualidade do que é íntimo. **2** Aproximação estreita: *A intimidade entre eles não era tanta assim*. **3** Vida íntima: *Joana não fala sobre a sua intimidade*. [Us. tb. no pl.] **4** Ambiente, local próprio de alguém: *Gostava de recolher-se na intimidade do seu quarto*. **5** Familiaridade: *Nunca demonstrara muita intimidade com a bola*.

intimidar (in.ti.mi.*dar*) *v.* **1** Despertar ou sentir receio ou temor. [*td.*: *Sua postura intimidava os inimigos*. *int.*: *Suas ameaças não intimidam mais*. *pr.*: *Intimidou-se com a arrogância do advogado.*] **2** Provocar ou sentir inibição, timidez. [*td.*: *A eloquência do orador intimidava os colegas*. *pr.*: *Intimida-se quando dá uma entrevista.*] [▶ **1** intimidar] ● **in.ti.**

mi.da.ção *sf.*; **in.ti.mi.da.do** *a.*; **in.ti.mi.da.dor** *a.sm.*; **in.ti.mi.dan.te** *a2g.*

íntimo (*ín.*ti.mo) *a.* **1** Ref. a ou que provém do espírito, da mente, da essência de um ser (convicção íntima). **2** Que está estreitamente ligado, que é indissolúvel. *sm.* **3** Âmago, interior: *No íntimo, ela é generosa.* **4** Pessoa muito próxima: *festa para os íntimos.*

intimorato (in.ti.mo.*ra*.to) *a.* Sem temor, corajoso, intrépido. [Cf.: *intemerato*.]

intitular (in.ti.tu.*lar*) *v.* **1** Dar título ou nome a; NOMEAR. [*td.*: *Não intitulou o seu romance.* *td.* (seguido de indicação de atributo)/ *tdi.* + *de*: *Intitularam Pelé (de) o rei do futebol.*] **2** Tomar ou ter como nome ou título; DENOMINAR-SE. [*pr.*: *Intitula-se Don Juan.*] [▶ 11 intitular] ● **in.ti.tu.la.ção** *sf.*; **in.ti.tu.la.do** *a.*

intocável (in.to.*cá*.vel) *a2g.* **1** Em que não se pode tocar: *Na redoma de vidro, a relíquia intocável.* **2** Inalterável, imutável: *um regulamento intocável.* **3** Inatacável, ilibado (reputação intocável). *s2g.* **4** Pessoa intocável (3) (tb. (1), quando se refere aos membros de certa casta da Índia). [Pl.: *-veis.*]

intolerante (in.to.le.*ran*.te) *a2g.* Que não tem tolerância; INTRANSIGENTE. ● **in.to.le.*rân*.ci.a** *sf.*

intolerável (in.to.le.*rá*.vel) *a2g.* Que não se pode tolerar; INSUPORTÁVEL. [Pl.: *-veis.*]

intoxicar (in.to.xi.*car*) [cs] *v.* Causar envenenamento ou envenenar(-se). [*td.*: *O camarão estragado intoxicou os clientes do restaurante*; (sem complemento explícito) *Alguns medicamentos intoxicam.* *pr.*: *O gato intoxicou-se com inseticida.*] [▶ 11 intoxicar] ● **in.to.xi.ca.ção** *sf.*; **in.to.xi.ca.do** *a.*; **in.to.xi.can.te** *a2g.*

intracelular (in.tra.ce.lu.*lar*) *a2g.* Ref. ao, que se situa ou se realiza no interior da célula (metabolismo intracelular).

intracraniano (in.tra.cra.ni.*a*.no) *a.* Ref. a, que se situa ou se realiza no interior do crânio (pressão intracraniana).

intradérmico (in.tra.*dér*.mi.co) *a.* Ref. a, que se situa ou se realiza no interior da pele (injeção intradérmica).

intraduzível (in.tra.du.*zí*.vel) *a2g.* **1** Que não se pode traduzir (diz-se de texto, dito, pronunciamento etc.). **2** *Fig.* Que é difícil de se exprimir por qualquer meio (emoção intraduzível). [Pl.: *-veis.*]

intragável (in.tra.*gá*.vel) *a2g.* Que não é possível ingerir ou tragar, ou suportar (tb. *Fig.*) (comida intragável, pessoa intragável); INSUPORTÁVEL. [Pl.: *-veis.*]

intramuros (in.tra.*mu*.ros) *adv.a2g2n.* Do lado de dentro ou nos limites de uma cidade, vila, recinto etc. (debates intramuros): *Entraram na sala para resolver, intramuros, os problemas da empresa.*

intranet (in.tra.*net*) *sf. Inf.* Rede de computadores limitada a certo âmbito (p.ex., uma empresa, uma universidade), ger. ligada à internet.

intranquilidade (in.tran.qui.li.*da*.de) *sf.* Falta de tranquilidade; INQUIETAÇÃO; DESASSOSSEGO.

intranquilizar (in.tran.qui.li.*zar*) *v.* Tornar(-se) intranquilo; INQUIETAR(-SE). [*td.*: *Com seu mau humor, intranquilizava a família.* *pr.*: *Intranquiliza-se por qualquer motivo.*] [▶ 1 intranquilizar] ● **in.tran.qui.li.za.dor** *a.*

intranquilo (in.tran.*qui*.lo) *a.* Sem tranquilidade; PREOCUPADO; AGITADO.

intransferível (in.trans.fe.*rí*.vel) *a2g.* Que não se pode transferir. [Pl.: *-veis.*]

intransigência (in.tran.si.*gên*.ci.a) [zi] *sf.* Falta de transigência; INTOLERÂNCIA; INFLEXIBILIDADE. ● **in.tran.si.gen.te** *a2g.s2g.*

intransitável (in.tran.si.*tá*.vel) [zi] *a2g.* Por onde não se consegue ou não se permite passar, transi-

tar: *Com as chuvas, a estrada ficou intransitável.* [Pl.: *-veis.*]

intransitivo (in.tran.si.*ti*.vo) *a. Gram.* Diz-se de verbo que se usa sem objeto. [Ver tb. *transitivo*.]

intransmissível (in.trans.mis.*sí*.vel) *a2g.* Que não se pode ou não se permite transmitir. [Pl.: *-veis.*]

intransponível (in.trans.po.*ní*.vel) *a2g.* Que não se pode ou não se consegue transpor. [Pl.: *-veis.*]

intraocular (in.trao.cu.*lar*) *a2g.* Ref. ao, que se situa ou se realiza no interior do olho. [Pl.: *intraoculares.*]

intrarracial (in.trar.ra.ci.*al*) *a2g.* Que ocorre entre indivíduos ou elementos de uma mesma raça. [Pl.: *intrarraciais.*]

intratável (in.tra.*tá*.vel) *a2g.* **1** Que de que não se pode tratar (doença intratável, assunto intratável). **2** Diz-se daquele com quem não se pode ter trato, conversar, fazer acordo etc.; INSOCIÁVEL: *É uma pessoa intratável, sempre mal-humorada e arrogante.* [Pl.: *-veis.*]

intrauterino (in.trau.te.*ri*.no) *a.* Ref. ao, que se situa ou se realiza no interior do útero (gravidez intrauterina). [Pl.: *intrauterinos.*]

intravenoso (in.tra.ve.*no*.so) [ô] *a.* Que se passa ou se verifica no interior das veias. [Fem. e pl.: [ó].]

intrépido (in.*tré*.pi.do) *a.sm.* Que ou quem é destemido, audaz, corajoso. ● **in.tre.pi.dez** *sf.*

intricado (in.tri.*ca*.do) *a.* Ver *intrincado*.

intricar (in.tri.*car*) *v.* Ver *intrincar*. [▶ 11 intricar]

intriga (in.*tri*.ga) *sf.* **1** Relato, mentiroso ou verdadeiro, feito para se obter alguma vantagem sobre alguém ou algo. **2** Mexerico, bisbilhotice. **3** *Liter.* Enredo, trama. [Dim.: *intriguelha*.]

intrigar (in.tri.*gar*) *v.* **1** Fazer ou provocar intrigas, inimizades (em); INDISPOR(-SE). [*td.* (com ou sem complemento explícito): *Tinha o costume de intrigar (os colegas).* *tdi.* + *com*: *Intrigou os funcionários com o gerente.* *pr.*: *Intriga-se com os familiares.*] **2** Fazer ficar ou ficar desconfiado, descencertado. [*td.*: "...saltaram lágrimas de seus olhos, o que muito me (...) intrigou..." (Antonio Callado, *Reflexos do baile*); (sem complemento explícito) *O aparecimento daquelas luzes no céu é um fenômeno que intriga.* *pr.*: *Intrigou-se ao ver as luzes no céu.*] [▶ 14 intrigar] ● **in.tri.gan.te** *a2g.*

intrincado (in.trin.*ca*.do) *a.* **1** Enredado, embaraçado, embaralhado. **2** Que causa embaraço, que é de difícil solução (questão intrincada).

intrincar (in.trin.*car*) *v.* **1** Tornar(-se) enredado; EMARANHAR(-SE). [*td.*: *O electricista intrincou os fios da instalação elétrica.* *pr.*: *Os finos cordões intrincaram-se (no porta-joias).*] **2** Tornar(-se) emaranhado; ENREDAR(-SE). INTRICAR. [*td.*: *A testemunha intrincou a investigação.* *pr.*: *O delegado intrincou-se com o caso.*] [▶ 11 intrincar]

intrínseco (in.*trín*.se.co) *a.* **1** Que se encontra no interior, no íntimo de alguém ou de algo. **2** Inerente, essencial a alguém ou alguma coisa. **3** Que é real e independe de convenção (valor intrínseco). [Ant.: *extrínseco*.]

introdução (in.tro.du.*ção*) *sf.* **1** Ação ou resultado de introduzir(-se). **2** Texto preliminar, ger. breve, que apresenta uma obra escrita ao leitor; PREFÁCIO; PREÂMBULO. **3** Obra escrita que serve de base para o aprofundamento em uma matéria: *introdução à filosofia.* [Pl.: *-ções.*]

introdutório (in.tro.du.*tó*.ri.o) *a.* Que serve de introdução, abertura, apresentação. ● **in.tro.du.ti.vo** *a.*; **in.tro.du.tor** *a.sm.*

introduzir (in.tro.du.*zir*) *v.* **1** Fazer entrar; ENFIAR. [*td.* (seguido de indicação de lugar): *Introduziu a lâmpada no bocal.*] **2** Levar(-se) para dentro de (algum lugar ou região). [*td.* (seguido de indicação de lugar): "Na saleta, onde Lemos introduziu seus

introito | invectivar

amigos..." (José de Alencar, *Senhora*). *pr*.: *Alguns vermes introduzem-se pela pele*.] **3** Fazer (alguém ou a si próprio) ser aceito em (associação, grupo etc.). [*td*. (seguido de indicação de lugar): *Introduzi o irmão na torcida organizada de seu time*. *pr*.: *Introduziu-se na alta sociedade*.] **4** Colocar em voga; ESTABELECER. [*td*.: *introduzir o passe escolar no município*.] **5** Fazer iniciar; COMEÇAR. [*td*.: *O travessão introduz a fala*.] **6** Fazer conhecer ou aceitar; ADOTAR. [*td*.: *O governo acaba de introduzir novas leis*.] **7** Instruir (alguém) em (filosofia, religião etc.). [*td*. (seguido de indicação de assunto): *introduzir os filhos na religião budista*.] **8** Fazer inserção; INCLUIR. [*td*. (seguido de indicação de lugar): *A câmara dos deputados introduziu modificações na Constituição*.] [▶ **57** introduz|ir|]

introito (in.*troi*.to) *sm*. Introdução, abertura.

introjetar (in.tro.je.*tar*) *v*. *td*. Psi. Fazer a introjeção, a interiorização de: *Introjetava todos os ensinamentos que recebia*. [▶ **1** introjet|ar| • in.tro.je.*ção sf*.

intrometer (in.tro.me.*ter*) *v*. **1** Meter-se em algo a que não se está chamado; INGERIR-SE. [*pr*.: *intrometer-se na vida alheia*.] **2** Pôr(-se) entre ou por entre algo. [*td*. (seguido de indicação de lugar): *intrometer estampas entre as folhas de um livro*. *pr*.: *Um cão intrometeu-se na multidão*.] [▶ **2** intromet|er| • in.tro.me.ti.*men*.to *sm*.; in.tro.mis.*são sf*.

intrometido (in.tro.me.*ti*.do) *a.sm*. Que ou quem se mete no que não lhe diz respeito.

introspecção (in.tros.pec.*ção*) *sf*. Observação que faz uma pessoa de seus atos, seu comportamento etc.; INTROVERSÃO. [Pl.: -*ções*.] • in.tros.pe.*ti*.vo *a*.

introversão (in.tro.ver.*são*) *sf*. **1** Ação ou resultado de se voltar para si mesmo. **2** Ver *introspecção*. [Pl.: -*sões*.] [Ant.: *extroversão*.]

introverter-se (in.tro.ver.*ter*-se) *v*. *pr*. Tornar-se introvertido, voltar-se para dentro de si mesmo; ENSIMESMAR-SE. [▶ **2** introvert|er|-se]

introvertido (in.tro.ver.*ti*.do) *a*. **1** Voltado para si mesmo. *sm*. **2** Pessoa introvertida. [Ant.: *extrovertido*.]

intrujão (in.tru.*jão*) *a.sm*. **1** Que ou quem se intromete com outros para lográ-los, enganá-los. **2** *Bras*. Que ou quem recebe objetos furtados para comercializá-los. [Pl.: -*jões*. Fem.: -*jona*.]

intrujar-se (in.tru.*jar*-se) *v*. *pr*. Intrometer-se, imiscuir-se para tirar algum proveito. [▶ **1** intruj|ar|-se] • in.tru.ji.ce *sf*.

intrusão (in.tru.*são*) *sf*. Ação de intruso. [Pl.: -*sões*.]

intruso (in.*tru*.so) *a.sm*. Que ou quem se introduz sem direito ou anuência em lugar, assunto, função etc. não seus, ou apodera-se de cargos, benefícios etc.

intuição (in.tu.i.*ção*) *sf*. **1** Percepção de acontecimento, verdade etc., independente de qualquer processo de raciocínio. **2** Pressentimento sobre acontecimento futuro; PRESSÁGIO. [Pl.: -*ções*.] • in.tu.i.*ti*.vo *a*.

intuir (in.tu.*ir*) *v*. *td*. Ter a intuição de, ou pressentir. [▶ **56** intu|ir| • in.tu.*í*.do *a*.

intuito (in.*tui*.to) *sm*. Intenção, objetivo, fim, escopo.

intumescer (in.tu.mes.*cer*) *v*. *td*. Tornar(-se) túmido ou inchado; INCHAR(-SE). [*td*.: *O choque intumesceu seu braço*. *int*./*pr*.: *Seus pés intumesceram(-se) na longa viagem*.] [▶ **33** intumesc|er| • in.tu.mes.ci.do *a*.; in.tu.mes.*cên*.ci.a *sf*.; in.tu.mes.*cen*.te *a2g*.; in.tu.mes.ci.*men*.to *sm*.

inúbil (i.*nú*.bil) *a2g*. Que ainda não está em idade de se casar. [Pl.: -*beis*.]

inumano (i.nu.*ma*.no) *a*. Falto de humanidade; DESUMANO; CRUEL. • i.nu.ma.ni.*da*.de *sf*.

inumar (i.nu.*mar*) *v*. *td*. Enterrar (cadáver); SEPULTAR. [Ant.: *exumar*.] [▶ **1** inum|ar| • i.nu.ma.*ção sf*.; i.nu.*ma*.do *a*.

inumerável (i.nu.me.*rá*.vel) *a2g*. Que não se pode contar, calcular; INÚMERO. [Pl.: -*veis*.]

inúmero (i.*nú*.me.ro) *a*. Ver *inumerável*.

inundação (i.nun.da.*ção*) *sf*. **1** Ação ou resultado de inundar(-se). **2** Ocupação desordenada de uma região por águas pluviais, marinhas, fluviais etc.; ENCHENTE: *A chuva causou a inundação de várias ruas*. **3** *Fig*. Grande afluência ou concentração de pessoas ou animais. [Pl.: -*ções*.]

inundar (i.nun.*dar*) *v*. **1** Cobrir de água; ALAGAR; SUBMERGIR. [*td*.] **2** Molhar(-se), banhar(-se). [*td*.: *As lágrimas inundaram seu rosto*. *pr*.: *Inundou-se de suor com o esforço*.] **3** *Fig*. Invadir, ocupar, ou tomar completamente. [*td*.: *Os mouros inundaram a Espanha*.] [▶ **1** inund|ar| • i.nun.*da*.do *a*.; i.nun.*dan*.te *a2g*.; i.nun.*dá*.vel *a2g*.

inusitado (i.nu.si.*ta*.do) *a*. **1** Que não é usual; que é incomum (hábito inusitado). *sm*. **2** Caráter do que é inusitado (1), incomum; INEDITISMO: *O inusitado da situação emocionou-o*.

inútil (i.*nú*.til) *a2g*. **1** Sem utilidade; DESNECESSÁRIO: *um esforço inútil*. **2** Que nada faz ou produz (diz-se de pessoa). *s2g*. **3** Pessoa inútil (2): *Nada o faz agir, é um inútil*. [Pl.: -*teis*.]

inutilizar (i.nu.ti.li.*zar*) *v*. **1** Tornar(-se) inútil ou inválido. [*td*.: *O acidente o inutilizou*. *pr*.: *O aparelho inutilizou-se com a queda*.] **2** Frustrar, baldar, anular. [*td*.: *Um imprevisto inutilizou seus esforços*.] [▶ **1** inutiliz|ar| • i.nu.ti.li.za.*ção sf*.; i.nu.ti.li.*za*.do *a*.; i.nu.ti.li.*zá*.vel *a2g*.

invadir (in.va.*dir*) *v*. *td*. **1** Entrar pela força num lugar e ocupá-lo: *O exército invadiu o país vizinho*. **2** Infestar, tomar: *Os gafanhotos invadiram as colheitas*. **3** *Fig*. Ultrapassar o limite de (algo delimitado): *invadir direitos alheios*. **4** *Fig*. Alastrar-se, dominando: *O rap invadiu o país*; *Depois do almoço, invadiu-me o sono*. [▶ **3** invad|ir|]

invalidar (in.va.li.*dar*) *v*. **1** Tirar ou perder a validade, tornar(-se) nulo; ANULAR(-SE). [*td*.: *invalidar uma eleição*. *pr*.: *O contrato já se invalidou*.] **2** Tornar(-se) inapto ou inválido. [*td*.: *A doença o invalidou*. *pr*.: *Invalidou-se no desastre*.] [▶ **1** invalid|ar| • in.va.li.da.*ção sf*.; in.va.li.*da*.do *a*.

inválido (in.*vá*.li.do) *a*. **1** Sem valor, nulo (contrato inválido). **2** Que perdeu o vigor, que não está válido para o trabalho (diz-se de pessoa). **3** Portador de algum defeito físico ou mental. *sm*. **4** Pessoa inválida (3). • in.va.li.da.*ção sf*.; in.va.li.*dez sf*.

invariância (in.va.ri.*ân*.ci.a) *sf*. Caráter do que não varia; INVARIABILIDADE: *a invariância das leis da natureza*. • in.va.ri.*an*.te *a2g.s2g*.

invariável (in.va.ri.*á*.vel) *a2g*. **1** Que não varia, que é sempre igual. **2** Firme, constante. **3** *Gram*. Diz-se do vocábulo que não tem flexão de feminino, plural ou pessoa (p.ex.: a preposição, a interjeição). [Pl.: -*veis*.] • in.va.ri.a.bi.li.*da*.de *sf*.

invasão (in.va.*são*) *sf*. **1** Ação ou resultado de invadir. **2** *Fig*. Intromissão desrespeitosa na vida de outrem: *Não iria admitir invasão em seus negócios particulares*. **3** *Bras*. Ocupação ilegal de propriedade de particular: *A cada dia surgem novas invasões*. **4** *BA* Favela.

invasivo (in.va.*si*.vo) *a*. **1** Caracterizado por invasão, em que há invasão; hostil. **2** Que tende a se alastrar e invadir áreas vizinhas (p.ex. ervas daninhas). **3** *Med*. Em que há penetração, invasão de um organismo por um instrumento: *A angioplastia é um procedimento médico invasivo*.

invasor (in.va.*sor*) [ó] *a*. Que invade (insetos invasores). *sm*. **2** Pessoa que invade.

invectiva (in.vec.*ti*.va) *sf*. Discurso veemente contra algo ou alguém; INSULTO; INVECTIVA.

invectivar (in.vec.ti.*var*) *v*. Atacar com invectivas. [*td*.: *invectivar um adversário*. *ti*. + *contra*:

Invectivou longo tempo contra o projeto.] [▶ 1 invectiv[ar]]

inveja (in.*ve*.ja) *sf.* 1 Desgosto e pesar pelo sucesso ou pelas posses de outrem. 2 Desejo intenso de possuir os bens de alguém ou de usufruir sua felicidade: "E aí me dá como uma _inveja_ dessa gente/ Que vai em frente sem nem ter com quem contar." (Garoto, Vinicius de Moraes, Chico Buarque e Nicanor, *Gente humilde*). 3 A coisa que é objeto de inveja: *Sua casa de veraneio era a _inveja_ de todos.*

invejar (in.ve.*jar*) *v. td.* 1 Ter inveja de (alguém). 2 Cobiçar (o que é de outrem). [▶ 1 invej[ar] • in.ve.*ja*.do *a.*; in.ve.*já*.vel *a2g.*

invejoso (in.ve.*jo*.so) [ô] *a.sm.* Que ou quem sente ou demonstra inveja. [Fem. e pl.: [ó].]

invenção (in.ven.*ção*) *sf.* 1 Ação ou resultado de inventar, de criar, de engendrar (algo); CRIAÇÃO: *a _invenção_ do avião.* 2 Ficção, história, lenda: *Tudo que se diz dele são _invenções_.* 3 A coisa inventada: *A roda foi uma grande _invenção_.* [Pl.: -ções.]

invencionice (in.ven.ci:o.*ni*.ce) *sf.* Mentira, intriga.

invencível (in.ven.*cí*.vel) *a2g.* 1 Que não se pode vencer; INSUPERÁVEL. 2 Que não pode ser levado a cabo (tarefa _invencível_). 3 Indomável, irresistível (sono _invencível_). [Pl.: -veis.] • in.ven.ci.bi.li.*da*.de *sf.*

invendável (in.ven.*dá*.vel) *a2g.* Que não é fácil de vender: *Casacos de pele são _invendáveis_ no Rio de Janeiro.* [Pl.: -veis.]

invendível (in.ven.*dí*.vel) *a2g.* Que não se pode ou não se deve vender: *A honestidade é _invendível_.* [Pl.: -veis.]

inventar (in.ven.*tar*) *v.* 1 Criar, descobrir (algo novo). [*td.*] 2 Imaginar, fantasiar. [*td.*: *As crianças _inventam_ mundos fabulosos.*] 3 Pretextar ou divulgar como verdadeiro (o que não é). [*td.*: *inventar problemas.* *tdi.* + *para*: *_Inventou_ para o chefe uma doença.*] [▶ 1 invent[ar]]

inventariar (in.ven.ta.ri.*ar*) *v. td.* 1 Fazer o inventário ou a relação de: *_inventariar_ os bens do falecido.* 2 Relatar minuciosamente. [▶ 1 inventari[ar] • in.ven.ta.ri.*a*.do *a.sm.*; in.ven.ta.ri:*an*.te *a2g.s2g.*

inventário (in.ven.*tá*.ri:o) *sm.* 1 Relação dos bens deixados por alguém que morreu. 2 *Jur.* Ação de pôr em inventário: *Fez o _inventário_ dos bens do falecido.* 3 Lista discriminada de mercadorias, bens etc. 4 Descrição minuciosa de algo: *Passou ao amigo o _inventário_ de suas paixões.*

inventiva (in.ven.*ti*.va) *sf.* 1 Talento para inventar ou criar; poder inventivo. 2 Ação ou resultado de inventar. • in.ven.*ti*.vi.*da*.de *sf.*; in.ven.*ti*.vo *a.*

invento (in.*ven*.to) *sm.* Objeto da invenção de alguém, coisa inventada; INVENÇÃO.

inventor (in.ven.*tor*) [ô] *a.sm.* Que ou quem inventa, cria algo novo.

inverdade (in.ver.*da*.de) *sf.* Ausência de verdade; FALSIDADE; MENTIRA.

inverídico (in.ve.*rí*.di.co) *a.* Que não é verídico, exato, que não diz a verdade (depoimento _inverídico_).

inverificável (in.ve.ri.fi.*cá*.vel) *a2g.* Que não se pode verificar. [Pl.: -veis.]

invernada (in.ver.*na*.da) *sf.* 1 Inverno muito frio; INVERNIA. 2 *S.* Pasto, ger. cercado, onde o gado descansa ou engorda.

invernal (in.ver.*nal*) *a2g.* Ref. a inverno; HIBERNAL. [Pl.: -nais.]

invernar (in.ver.*nar*) *v. int.* 1 Passar o inverno: *_invernar_ no sul do Brasil.* 2 Fazer inverno ou mau tempo [impessoal]. [▶ 1 invern[ar] • in.ver.na.*ção* *sf.*; in.ver.*nis*.ta *a2g.s2g.*

invernia (in.ver.*ni*.a) *sf.* Ver *invernada* (1).

inverno (in.*ver*.no) *sm.* 1 Estação mais fria do ano, entre o outono e a primavera. 2 Tempo frio. 3 *N. N.E.* A estação chuvosa, ger. no verão e no outono. 4 *Fig.* Velhice, última fase da vida.

invernoso (in.ver.*no*.so) [ô] *a.* Ref. a ou próprio do inverno; HIBERNAL. [Fem. e pl.: [ó].]

inverossímil (in.ve.ros.*si*.mil) *a2g.s2g.* Que ou o que não parece ser verdadeiro ou em que não se pode acreditar (história _inverossímil_). [Pl.: -meis. Superl.: *inverossimílimo*, *inverissímilimo*.]

inverossimilhança (in.ve.ros.si.mi.*lhan*.ça) *sf.* Qualidade ou condição de inverossímil.

inversão (in.ver.*são*) *sf.* 1 Ação ou resultado de inverter(-se), de mudar(-se) a ordem, direção, condição ou prioridade. 2 *Gram.* Mudança da ordem usual ou direta das partes de uma frase. [Pl.: -sões.]

inversivo (in.ver.*si*.vo) *a.* Que inverte ou em que há inversão.

inverso (in.*ver*.so) *a.sm.* Que ou o que é ou está oposto ou contrário (a ordem ou direção natural ou anteriormente mencionada): *Tomou o caminho _inverso_.*

inversor (in.ver.*sor*) [ô] *a.sm.* 1 Que ou o que inverte. 2 *Elet.* Que ou aquele (aparelho, dispositivo) que transforma corrente contínua em alternada. 3 *Eletrôn.* Que ou aquele (amplificador) que inverte a polaridade do sinal de entrada.

invertebrado (in.ver.te.*bra*.do) *a.sm.* Que ou o que é desprovido de coluna vertebral (diz-se de animal). [Cf.: *vertebrado*.]

inverter (in.ver.*ter*) *v.* 1 Pôr(-se) em ordem ou sentido contrários. [*td.*: *inverter* a mão de uma rua. *pr.*: *A placa _inverteu-se_ com o vento.*] 2 Alterar ou transtornar. [*td.*: *inverter* papéis sociais. *pr.*: *Aqui os valores _inverteram-se_.*] [▶ 2 invert[er] • in.ver.*ti*.do *a.*

invés (in.*vés*) *sm.* Us. na loc. ■ Ao ~ de Ao contrário de: *Ao _invés_ de baixar, o preço subiu.* [NOTA: Indica oposição: *baixar* e *subir* são opostos. Não confundir com *em vez de* (ver em *vez*), que indica substituição, mas não necessariamente oposição.]

investida (in.ves.*ti*.da) *sf.* 1 Ação ou resultado de investir (3), atacar. 2 Tentativa: *Bom contista, fez algumas _investidas_ na poesia.* 3 Abordagem persuasiva: *As _investidas_ junto ao chefe não resultarem em aumento.*

investidura (in.ves.ti.*du*.ra) *sf.* Ação ou resultado de investir (2), de dar posse a alguém em algum cargo.

investigar (in.ves.ti.*gar*) *v. td.* 1 Buscar explicar ou desvendar; INQUIRIR: *_investigar_ o sumiço das joias.* 2 Seguir a pista de: *_investigar_ um suspeito.* [▶ 14 investig[ar] • in.ves.ti.ga.*ção* *sf.*; in.ves.ti.ga.*dor* *a.sm.*

investimento (in.ves.ti.*men*.to) *sm.* 1 *Econ.* Ação ou resultado de investir (1), de aplicar capital ou recursos: *A fábrica fez um grande _investimento_ na linha de produção.* 2 *Econ.* Aplicação de dinheiro com a intenção de obter lucros futuros: *_investimento_ em ações.* 3 *Fig.* Aplicação de esforço, recurso, tempo etc., a fim de atingir algum objetivo.

investir (in.ves.*tir*) *v.* 1 Fazer investimento; empregar (capital, recursos, tempo, esforço etc.). [*ti.* + *em*: *investir _na_ criação de búfalos.* *tdi.* + *em*: *_Investiu_ toda a sua saúde _naquela_ pesquisa.*] 2 Nomear, empossar. [*td.* (seguido de indicação de função/condição/cargo): *_Investiram_-no imperador*; *td. + em*: *A diretoria o _investiu_ na presidência.*] 3 Atacar, acometer. [*td.*: *investir uma cidadela. ti. + contra*: "...*investiu _contra_ ele como fera.*" (Franklin Távora, *O matuto*).] [▶ 50 invest[ir] • in.ves.*ti*.do *a.*

inveterado (in.ve.te.*ra*.do) *a.* 1 De longa data (torcedor _inveterado_). 2 Muito arraigado, entranhado (hábitos _inveterados_). 3 Diz-se de pessoa que tem determinado hábito, vício ou comportamento inveterado (2) (jogador inveterado).

inviabilizar (in.vi.a.bi.li.*zar*) *v. td.* Tornar(-se) inviável, irrealizável: *Tanto fizeram que inviabilizaram o projeto.* [▶ **1** inviabilizar] • **in.vi.a.bi.li.za.ção** *sf.*

inviável (in.vi:*á*.vel) *a2g.* **1** Que não é viável, que não pode ser realizado (tarefa inviável); INEXEQUÍVEL. **2** Diz-se de qualquer local por onde não se pode passar; INTRANSITÁVEL: *Com as chuvas, aquela estrada ficou inviável.* [Pl.: -*veis*.] • **in.vi.a.bi.li.da.de** *sf.*

invicto (in.*vic*.to) *a.* **1** Que não foi vencido (time invicto). **2** Que não se pode ou não se consegue vencer; INVENCÍVEL.

ínvio (*ín*.vi:o) *a.* **1** Em que não existem caminhos (matas ínvias). **2** Em que não se pode passar, transitar (diz-se de caminho, estrada etc.); INTRANSITÁVEL.

inviolado (in.vi:o.*la*.do) *a.* Que não foi violado; INTEGRO, INTACTO.

inviolável (in.vi:o.*lá*.vel) *a2g.* Que não se pode ou não deve violar (segredo inviolável, cofre inviolável). [Pl.: -*veis*.] • **in.vi:o.la.bi.li.da.de** *sf.*

invisível (in.vi.*si*.vel) *a2g.* **1** Que não pode ser visto (por sua própria natureza) ou que é muito difícil de ver (por ser minúsculo, pelo contexto etc.): *Pode usar a blusa, essa mancha é invisível.* **2** De que não se tem conhecimento real (ameaça invisível). [Pl.: -*veis*.] • **in.vi.si.bi.li.da.de** *sf.*

※ **in vitro** (*Lat.* /in *vítro*/) *loc.adv. Med.* Que ocorre ou se observa em tubo de ensaio, fora do organismo (fecundação *in vitro*).

invocado (in.vo.*ca*.do) *a.* **1** Que se invocou. **2** *Bras. Gír.* Desconfiado, cismado. **3** *Bras. Gír.* Irritado, enraivecido.

invocar (in.vo.*car*) *v.* **1** Chamar (divindade, santo etc.) em seu pedido ou auxílio. [*td.*] **2** Evocar ou citar em seu favor. [*td.*: *invocar o testemunho de vizinhos.*] **3** *Bras. Gír.* Irritar(-se), causar ou sentir antipatia por. [*td.*: *Sua fisita de respeito me invocou. pr./ti.* + *com*: *A atriz (se) invocou com os fotógrafos.*] [▶ **11** invocar] • **in.vo.ca.ção** *sf.*

invocativo (in.vo.ca.*ti*.vo) *a.* Que invoca ou é capaz de invocar.

involução (in.vo.lu.*ção*) *sf.* Movimento ou processo gradual e regressivo; REGRESSÃO. [Ant.: *evolução*.] [Pl.: -*ções*.]

invólucro (in.*vó*.lu.cro) *sm.* O que serve para envolver, cobrir; ENVOLTÓRIO.

involuir (in.vo.lu.*ir*) *v. int.* Sofrer involução, regressão; REGREDIR. [▶ **56** involuir]

involuntário (in.vo.lun.*tá*.rio) *a.* Que não depende da vontade, que não é voluntário ou intencional (movimento involuntário). [Ant.: *voluntário, intencional*.]

involuto (in.*vo*.lu.to) *a. Bot.* Diz-se das folhas jovens ainda enroladas sobre o lado interno.

invulgar (in.vul.*gar*) *a2g.* Que não é vulgar; INCOMUM.

invulnerável (in.vul.ne.*rá*.vel) *a2g.* **1** Que não pode ser ferido, atravessado, lacerado, prejudicado etc. (física ou moralmente): *Com a blindagem o carro ficou invulnerável.* **2** Que não se deixa tentar ou atingir: *invulnerável a subornos.* [Pl.: -*veis*.] • **in.vul.ne.ra.bi.li.da.de** *sf.*

inzona (in.*zo*.na) [ô] *sf. Bras. Pop.* Intriga, armação, embuste, logro. • **in.zo.nar** *v.*

inzoneiro (in.zo.nei.ro) *a.sm. Bras. Pop.* **1** Que ou quem engana ou faz inzona, intriga. **2** Que ou quem é sonso; MANHOSO: "...meu mulato inzoneiro..." (Ary Barroso, *Aquarela do Brasil*).

iodeto (i:o.*de*.to) [ê] *sm. Quím.* O ânion do iodo ou qualquer sal que o contenha.

iodo (i:o.do) [ô] *sm.* **1** *Quím.* Elemento químico de número atômico 53. [Símb.: *I*] **2** *Pop.* Tintura de iodo, produto farmacêutico us. como antisséptico.

iodofórmio (i:o.do.*fór*.mi:o) *sm. Quím.* Substância us. como antisséptico e anestésico.

ioga (i:o.ga) [ó] ou [ô] *sf.* **1** *Fil.* Filosofia e conjunto de práticas físicas, psíquicas e ritualísticas, originárias da Índia, que buscam um estado de harmonia e equilíbrio físico e mental. **2** Os exercícios de postura e respiração que fazem parte dessa prática. • **i:o.gue** *a2g.s2g.*

iogurte (i:o.*gur*.te) *sm.* Alimento preparado com leite coalhado por fermento láctico.

iôiô¹ (i:o.*iô*) *sm.* Brinquedo que se compõe de dois discos paralelos unidos por um eixo central, no qual um fio, ao se enrolar e desenrolar, faz os discos subirem e descerem.

iôiô² (i:o.*iô*) *sm. Bras.* Tratamento que os escravos davam aos senhores; NHONHÔ.

iole (i:o.le) [ó] *sf.* Embarcação esportiva a remo, leve e estreita.

íon (*í*:on) *sm. Fís. Quím.* Átomo ou grupo de átomos eletricamente carregado. • **i:ô.ni.co** *a.*

ionizar (i:o.ni.*zar*) *v. td. Fís. Quím.* Transformar (átomo ou molécula) em íon. [▶ **1** ionizar] • **i:o.ni.za.ção** *sf.*

ionosfera (i:o.nos.*fe*.ra) *sf. Geof.* Região ionizada da atmosfera terrestre, localizada acima da estratosfera.

iorubá, ioruba (i:o.ru.*bá*, i:o.*ru*.ba) *s2g.* **1** Indivíduo dos iorubás, povo que habita parte da Nigéria e do Benim; IORUBANO; NAGÔ. *sm.* **2** *Gloss.* A língua falada pelos iorubás; NAGÔ. *a2g.* **3** Dos ou ref. aos iorubás (1), ou ao iorubá (2).

iorubano (i:o.ru.*ba*.no) *a.sm.* Ver **iorubá**.

iota (i:o.ta) [ó] *sm.* A nona letra do alfabeto grego. Corresponde ao *j* latino (I, ι).

ipê, ipé (i.*pê*, i.*pé*) *sm. Bras. Bot.* Árvore nativa do Brasil, de madeira muito resistente.

ipecacuanha (i.pe.ca.cu:*a*.nha) *sf. Bras. Bot.* Erva de larga utilização terapêutica.

※ **IPI** *Jur.* Sigla de *Imposto sobre Produtos Industrializados.*

ípsilon (*íp*.si.lon) *sm.* A 20ª letra do alfabeto grego. Corresponde ao *y* latino (Y, υ). [Pl.: *ípsilones* e *ípsilons*.]

※ **ipsis litteris** (*Lat.* /*ípsis literis*/) *loc.adv.* Assim como está escrito; nos mesmos termos.

※ **IPTU** *Jur.* Sigla de *Imposto Predial e Territorial Urbano* (municipal, utilizado para pagar a limpeza e a iluminação das ruas, obras etc.).

ipueira (i.pu:*ei*.ra) *sf. Bras.* Lago que se forma devido às enchentes dos rios.

iquebana (i.que.*ba*.na) *sf.* Arte tradicional japonesa de arranjos florais.

ir *v.* **1** Dirigir-se ou viajar a, ou deslocar-se. [*int.* (seguido de indicação de lugar, meio, modo, tempo etc.): *Nunca fui ao Nordeste. pr.*: *Lá se vai o balão pelos céus.*] **2** Sair ou partir. [*int./pr.*: *Já (se) vai, Marcelo?*] **3** Transferir-se ou mudar-se. [*int.* (seguido de indicação de lugar): *A capital foi para Brasília.*] **4** Ser transportado, conduzido, ou remetido; ser posto em. [*int.* (seguido ou não de indicação de meio, modo, lugar etc.): *A encomenda já foi (por caminhão/para o Sul)*; *Os currículos já foram para os arquivos.*] **5** Fazer-se presente; COMPARECER; FREQUENTAR. [*int.* (seguido de indicação de lugar): *Não pôde ir à festa.*] **6** Prolongar-se, estender-se, ou levar, conduzir (fr. Fig.). [*int.* (seguido de indicação de tempo, lugar ou limites): *A conversa foi até o sol raiar*; *Seu humor vai da melancolia à efusividade.*] **7** Chegar a; ATINGIR. [*int.* (seguido de indicação de limite, ponto etc.): *Este mês as despesas foram à estratosfera.*] **8** Dar início, ou passar. [*ti.* + *a*: *Vamos*

ao que interessa.] **9** Ir de encontro a, ou investir. [*ti. + contra: O carro foi contra o poste.*] **10** Ter simpatia por; SIMPATIZAR. [*ti. + com: Não ia com o modo do vizinho.*] **11** Harmonizar-se, combinar. [*ti. + com* (seguido ou não de indicação de modo): *Este quadro não vai (bem) com a mobília.*] **12** Decorrer, passar, ou perfazer. [*int.* (seguido de indicação de tempo): *Vai para dez anos que me formei.* *pr.: Vão-se os dias.*] **13** Acabar ou extinguir-se. [*int./pr.: Já (se) foi o tempo da delicadeza.*] **14** *Fig.* Morrer, falecer. [*int. pr.*] **15** Destinar-se a, ficar para, ou caber a. [*ti. + para: O prêmio foi para o filme russo.*] **16** Pautar-se ou deixar-se levar por. [*ti. + com, em, por,: Ele vai sempre pela cabeça dos outros; Não vá na conversa dele.*] **17** Acontecer, suceder. [*int.* (seguido de indicação de lugar): *Você sabe o que vai pela Espanha?*] **18** Sair-se, ou achar-se. [*int.* (seguido de indicação de modo): *Júlia foi muito mal no vestibular. lig.: Seus pais vão bem?*] [▶ **38** ir] [NOTAS: Us. tb. como v. auxiliar: a) seguido de v. no infinit., com o sentido de 'mover-se a': *Eles foram passear.* b) seguido de v. no infinit., para exprimir tempo futuro: *O escritor vai ser homenageado.* c) seguido de v. no gerúndio, para indicar, em conjunto com o v. principal, ação continuada ou progressiva: *A praga ia devastando as plantações.*] ■ **~ atrás de** Acompanhar ideia/opinião (de); confiar em; acreditar em: *Não vou atrás dessa conversa...* **~ levando** Deixar-se levar ao sabor dos acontecimentos, sem se preocupar muito. **~ longe** Progredir muito. **~ ter com** Ir ao encontro de; ir encontrar-se com. **Não ~ com** Não simpatizar com: *Não fui com a cara dele.* **Ou vai ou racha** *Pop.* Ou tudo ou nada (exprime decisão de levar algo até o fim, até as últimas consequências).
⌧ **IR** *Jur.* Sigla de *imposto de renda*.

ira (i.ra) *sf.* **1** Sentimento de raiva, indignação; a manifestação tal sentimento; CÓLERA (1). **2** Vingança ou desejo de vingança: *Maltratado, alimentou secretamente sua ira.*

iracundo (i.ra.*cun*.do) *a.* Que é propenso a sentir ou demonstrar ira; IRASCÍVEL; IROSO. ● **i.ra.cún. di.a** *sf.*

irado (i.ra.do) *a.* **1** Que está tomado pela ira; ENRAIVECIDO. **2** *Gír.* Bom, interessante, bacana, legal: *Ganhou um presente irado do pai.*

iraniano (i.ra.ni:a.no) *a.* **1** Do Irã (Ásia); típico desse país ou de seu povo. *sm.* **2** Pessoa nascida no Irã. *a.sm.* **3** *Gloss.* Da, ref. à, ou a língua falada no Irã.

iraquiano (i.ra.qui:a.no) *a.* **1** Do Iraque (Ásia); típico desse país ou de seu povo. *sm.* **2** Pessoa nascida no Iraque. *a.sm.* **3** *Gloss.* De, ref. a ou certo dialeto árabe falado no Iraque.

irar (i.*rar*) *v. td. pr.* Provocar ou sentir ira, fúria; ENFURECER(-SE). [▶ **1** ir ar]

irara (i.*ra*.ra) *sf. Bras. Zool.* Animal mamífero carnívoro, encontrado do México à Argentina.

irascível (i.ras.*cí*.vel) *a2g.* Que demonstra irritação ou que se irrita facilmente (motorista *irascível*); IRACUNDO. [Pl.: *-veis.*] ● **i.ras.ci.bi.li.da.de** *sf.*

irerê (i.re.*rê*) *sf. Bras. Zool.* Ave semelhante à marreca que habita rios e lagoas, encontrada na América do Sul e na África.

iridescente (i.ri.des.*cen*.te) *a2g.* Que tem ou reflete as cores do arco-íris.

íris¹ (í.ris) *s2g2n.* **1** *Anat.* Membrana circular do olho, pigmentada (dá a cor do olho), situada entre a córnea e o cristalino, e que regula a entrada de luz no olho através de uma abertura central, chamada pupila. **2** O espectro do sol.

íris² (í.ris) *s2g2n. Bot.* Planta ornamental, cultivada pelas suas flores.

ÍRIS²

irisar (i.ri.*sar*) *v.* Matizar(-se) com as cores do arco-íris. [*td.: A luz do sol irisa o cristal. int./pr.: A cachoeira irisava(-se) ao sol da manhã.*] [▶ **1** iris ar]

irite (i.*ri*.te) *sf. Med.* Inflamação da íris¹ (1).

irlandês (ir.lan.*dês*) *a.* **1** Da República da Irlanda (Eire) ou da Irlanda do Norte (país do Reino Unido); típico desses países ou de seus povos. *sm.* **2** Pessoa nascida na República da Irlanda ou na Irlanda do Norte. *a.sm.* **3** *Gloss.* Da, ref. à, ou a língua oficial da República da Irlanda, tb. falada na Irlanda do Norte. [Pl.: *-deses.* Fem. (das acps. 1 e 2): *-desa.*]

irmã (ir.*mã*) *sf.* Fem. de *irmão.*

irmanar (ir.ma.*nar*) *v.* **1** Tornar(-se) unido e fraterno como irmão(s). [*td.: A luta comum os irmanou. pr.: Eles irmanaram-se no sofrimento.*] **2** Harmonizar(-se), unir(-se). [*td.: Sua arte irmana emoção e razão. pr.: Os dois países irmanam-se no objetivo comum.*] [▶ **1** irmanar] ● **ir.ma.*na*.do a.**

irmandade (ir.man.*da*.de) *sf.* **1** Parentesco ou sentimento entre irmãos; FRATERNIDADE. **2** Confraria religiosa.

irmão (ir.*mão*) *sm.* **1** Filho do mesmo pai e/ou da mesma mãe em relação a outro filho. **2** Forma de tratamento entre membros de uma mesma congregação religiosa, confraria ou irmandade. **3** *Fig.* Pessoas muito próximas por laço de amizade, sentimentos, inclinações etc. [Pl.: *-mãos.* Fem.: *-mã.*]

ironia (i.ro.*ni*.a) *sf.* **1** *Ling.* Figura de linguagem, ger. us. para fazer graça ou mostrar irritação, em que se declara o contrário do que se pensa. **2** *Fig.* Acontecimento ou desfecho contrário ao que se esperaria das circunstâncias: *Por ironia do destino, ela que gosta tanto de crianças não pôde ter filhos.*

irônico (i.*rô*.ni.co) *a.* Que faz uso de, ou em que há ironia (comentário *irônico*); SARCÁSTICO.

ironizar (i.ro.ni.*zar*) *v.* Tratar ou dizer com ironia, ou usar de ironia. [*td.: ironizar um político/um discurso. int.: Não sabe ironizar com fineza.*] [▶ **1** ironiz ar]

iroso (i.*ro*.so) [ó] *a.* V. *iracundo.* [Fem. e pl.: [ó].]

irra (ir.ra) *interj.* Exprime raiva, desprezo, repulsa: *Irra! Saia da minha frente!*

irracional (ir.ra.ci:o.*nal*) *a2g.* **1** Em que não há raciocínio (conclusão *irracional*); ILÓGICO. **2** Que não apresenta bom senso (discussão *irracional*); INSENSATO. *a2g.sm.* **3** Diz-se de ou animal destituído de raciocínio, de razão. **4** *Mat.* Que ou o que não pode ser expresso exatamente como a razão entre dois números inteiros (diz-se de número). [Pl.: *-nais.*]

irradiação (ir.ra.di.a.*ção*) *sf.* **1** Ação ou resultado de irradiar(-se); DIFUSÃO; PROPAGAÇÃO. **2** *Fís.nu.* Exposição de um elemento ao bombardeio de um feixe de partículas. **3** *Ter.* Exame ou tratamento feito com o uso de radiação (raios X e outras formas). [Pl.: *-ções.*]

irradiante (ir.ra.di.*an*.te) *a2g.* **1** Que irradia, se propaga por meio de irradiação (1). **2** *Fig.* Brilhante, fulgurante, luminoso.

irradiar (ir.ra.di.*ar*) *v.* **1** Emitir de si ou ser emitido (raios ou ondas de luz, calor etc.); PROPAGAR(-SE). [*td.: As estrelas irradiavam seu brilho. int./pr.: O calor do incêndio irradiou(-se) na floresta.*] *Fig.* Transmitir ou ser transmitido amplamente, em várias direções (sentimento, sensação, ideia etc.); DIFUNDIR(-SE); PROPAGAR(-SE). [*td.: Suas palavras irradiam esperança. int./pr.* (seguido ou não de indicação de lugar, modo etc.): *Uma sensação de alívio irradiou(-se) (por toda a cidade);* "...dores no punho (...) que se irradiam para os dedos." (*O Globo*, 13.10.02).] **3** *Rád.* Transmitir ou difundir por meio radiofônico. [*td*.: *irradiar notícias/um jogo de futebol*.] [▶ **1** irradiar]

irreal (ir.re:*al*) *a2g*.*sm* **1** Que ou o que não é real ou não parece real. *a2g*. **2** Que não é realista, que não condiz com a realidade: *Na conjuntura atual, seus planos são irreais*. [Pl.: -*ais*.] • **ir.re:a.li.da.de** *sf*.; **ir.re:a.lis.mo** *sm*.; **ir.re:a.lis.ta** *a2g*.

irrealizável (ir.re.a.li.*zá*.vel) *a2g*. Que não se pode realizar. [Pl.: -*veis*.]

irrebatível (ir.re.ba.*ti*.vel) *a2g*. Que não se pode rebater ou contestar (argumento *irrebatível*); INCONTESTÁVEL. [Pl.: -*veis*.]

irreconciliável (ir.re.con.ci.li:*á*.vel) *a2g*. Que não se pode ou não se quer conciliar (adversários *irreconciliáveis*). [Pl.: -*veis*.]

irreconhecível (ir.re.co.nhe.*cí*.vel) *a2g*. Que não se pode reconhecer. [Pl.: -*veis*.]

irrecorrível (ir.re.cor.*rí*.vel) *a2g*. De que (decisão judicial, sentença etc.) não se pode recorrer. [Pl.: -*veis*.]

irrecuperável (ir.re.cu.pe.*rá*.vel) *a2g*. Que não se pode recuperar. [Pl.: -*veis*.]

irrecusável (ir.re.cu.*sá*.vel) *a2g*. **1** Que não se pode (ou não se deve, de tão conveniente que é) recusar (proposta *irrecusável*). **2** Que não se pode contestar ou negar: *Apresentou evidências irrecusáveis de seu envolvimento*.

irredutível (ir.re.du.*tí*.vel) *a2g*. **1** Que não se pode reduzir, diminuir (preço *irredutível*). **2** Que não se pode dividir ou decompor (fração *irredutível*). **3** *Fig*. Que não muda de opinião, que não se submete; INFLEXÍVEL: "Irredutíveis, (...) os servidores não (...) pretendem voltar ao trabalho." (*O Dia*, 20.07.03). [Pl.: -*veis*.] • **ir.re.du.ti.bi.li.da.de** *sf*.

irrefletido (ir.re.fle.*ti*.do) *a*. **1** Que não produz reflexo (vidro *irrefletido*). **2** Que não faz reflexão (adolescente *irrefletido*); IMPONDERADO. **3** Que não foi objeto de reflexão (opinião *irrefletida*); IMPENSADO.

irreflexão (ir.re.fle.*xão*) [cs] *sf*. Comportamento que revela ausência de reflexão; IMPRUDÊNCIA. [Pl.: -*xões*.]

irrefreável (ir.re.fre:*á*.vel) *a2g*. Que não se pode refrear; IRREPRIMÍVEL: *vontade irrefreável de comer chocolate*. [Pl.: -*veis*.]

irrefutável (ir.re.fu.*tá*.vel) *a2g*. Que não se pode refutar; INCONTESTÁVEL. [Pl.: -*veis*.]

irregenerável (ir.re.ge.ne.*rá*.vel) *a2g*. Que não se consegue regenerar; INCORRIGÍVEL. [Pl.: -*veis*.]

irregular (ir.re.gu.*lar*) *a2g*. **1** Que não é regular, que carece de rotina (alimentação *irregular*). **2** Que desobedece à lei ou aos regulamentos: *A Justiça fechou uma faculdade irregular em São Paulo*. **3** Que é variável, instável (humor *irregular*). **4** De formato ou tamanho desiguais (dentes *irregulares*). **5** *Gram*. Que se desvia do seu paradigma de flexão ou de conjugação (neste caso, diz-se de verbo), esp. por apresentar mudanças em seu radical.

irregularidade (ir.re.gu.la.ri.*da*.de) *sf*. **1** Falta de regularidade: *irregularidade na frequência*. **2** Ação, comportamento ou situação irregular: *irregularidade no uso do dinheiro público*.

irrelevante (ir.re.le.*van*.te) *a2g*. Que tem pouca ou nenhuma relevância, importância (discussão *irrelevante*). • **ir.re.le.vân.ci.a** *sf*.

irreligioso (ir.re.li.gi:*o*.so) [ó] *a*. **1** Não religioso. **2** Contrário à religião; ATEU; HEREGE. [Fem. e pl.: [ó].]

irremediável (ir.re.me.di.*á*.vel) *a2g*. Que não se pode remediar, que não tem solução, conserto (crise *irremediável*); IRREPARÁVEL. **2** Que não pode ser evitado (encontro *irremediável*); FATAL; INEVITÁVEL. [Pl.: -*veis*.]

irremovível (ir.re.mo.*ví*.vel) *a2g*. Que não pode ser afastado ou evitado (obstáculo *irremovível*). [Pl.: -*veis*.]

irreparável (ir.re.pa.*rá*.vel) *a2g*. Que não pode ser reparado ou recuperado (prejuízo *irreparável*); IRREMEDIÁVEL. [Pl.: -*veis*.]

irreplicável (ir.re.pli.*cá*.vel) *a2g*. A que não se pode replicar; IRRESPONDÍVEL. [Pl.: -*veis*.]

irrepreensível (ir.re.pre:en.*sí*.vel) *a2g*. Que não merece ser repreendido ou censurado (comportamento *irrepreensível*); PERFEITO; CORRETO. [Pl.: -*veis*.]

irreprimível (ir.re.pri.*mí*.vel) *a2g*. Que não se pode reprimir, refrear (riso *irreprimível*); IRREFREÁVEL. [Pl.: -*veis*.]

irreprochável (ir.re.pro.*chá*.vel) *a2g*. Que não merece reproche, crítica (atitude *irreprochável*); IMPECÁVEL; INATACÁVEL. [Pl.: -*veis*.]

irrequieto (ir.re.qui:*e*.to) *a*. Que nunca está quieto, sossegado (olhar *irrequieto*); AGITADO; BULIÇOSO.

irresgatável (ir.re.res.ga.*tá*.vel) *a2g*. Que não pode ser resgatado. [Pl.: -*veis*.]

irresistível (ir.re.sis.*tí*.vel) *a2g*. **1** Que não se pode resistir, ger. por sua força ou encantamento (beleza *irresistível*). **2** Que não se pode dominar ou conter: *vontade irresistível de comer um doce*. [Pl.: -*veis*.]

irresoluto (ir.re.so.*lu*.to) *a*. **1** Que não foi resolvido (enigma *irresoluto*). **2** Que revela indecisão (caráter *irresoluto*); HESITANTE. • **ir.re.so.lu.ção** *sf*.

irresolúvel (ir.re.so.*lú*.vel) *a2g*. Que não se pode resolver; sem solução. [Pl.: -*veis*.]

irrespirável (ir.res.pi.*rá*.vel) *a2g*. **1** Que não se pode ou não se deve respirar (ar *irrespirável*). **2** Em que não se pode ou não se deve respirar (cidade *irrespirável*). [Pl.: -*veis*.]

irrespondível (ir.res.pon.*dí*.vel) *a2g*. A que não se pode responder; IRREPLICÁVEL; IRREFUTÁVEL. [Pl.: -*veis*.]

irresponsável (ir.res.pon.*sá*.vel) *a2g*. **1** Que não pode ser responsabilizado. **2** Que revela falta de responsabilidade. *a2g.s2g*. **3** Que ou quem age de maneira leviana, sem seriedade. [Pl.: -*veis*.] • **ir.res.pon.sa.bi.li.da.de** *sf*.

irrestringível (ir.res.trin.*gí*.vel) *a2g*. Que não se pode restringir, limitar. [Pl.: -*veis*.]

irrestrito (ir.res.*tri*.to) *a*. Que não tem restrição (apoio *irrestrito*); AMPLO; ILIMITADO.

irretocável (ir.re.to.*cá*.vel) *a2g*. Que, de tão perfeito, não carece de retoque, ou de crítica. [Pl.: -*veis*.]

irretorquível (ir.re.tor.*quí*.vel) *a2g*. A que não se pode retorquir, argumentar contrariamente; IRRESPONDÍVEL. [Pl.: -*veis*.]

irretratável (ir.re.tra.*tá*.vel) *a2g*. **1** Em que não pode haver retratação; IRREVOGÁVEL. **2** Que de que não pode ser retratado: *Aquele rosto é irretratável*. [Pl.: -*veis*.]

irreverente (ir.re.ve.*ren*.te) *a2g.s2g*. Que ou quem não demonstra reverência, respeito. • **ir.re.ve.rên.ci.a** *sf*.

irreversível (ir.re.ver.*sí*.vel) *a2g*. Que não pode ser revertido; que não pode voltar ao estado anterior. [Pl.: -*veis*.] • **ir.re.ver.si.bi.li.da.de** *sf*.

irrevogável (ir.re.vo.*gá*.vel) *a2g*. Que não pode ser revogado, anulado. [Pl.: -*veis*.]

irrigador (ir.ri.ga.*dor*) [ó] *a.sm*. **1** Que ou o que irriga. *sm*. **2** Utensílio us. para regar as plantas; REGADOR.

irrigar (ir.ri.*gar*) *v. td*. **1** Regar, molhar (terreno, plantação etc.) (tb. artificialmente): *Instalou novo sistema para irrigar a horta*. **2** *Med*. Levar sangue ou linfa a: *As artérias irrigam os tecidos do corpo*. **3** *Med*. Levar líquido ou medicamento a (parte do corpo etc.). [▶ **14** irrigar] • **ir.ri.ga.ção** *sf*.; **ir.ri.gá.vel** *a2g*.

irrisão (ir.ri.*são*) *sf*. **1** Ação ou resultado de rir com desdém; ZOMBARIA. **2** Acontecimento sem importância. [Pl.: -*sões*.]

irrisório (ir.ri.*só*.ri:o) *a.* **1** Que é feito com o objetivo de provocar irrisão. **2** Que é insignificante; que não se precisa levar em consideração (quantia irrisória).

irritação (ir.ri.ta.*ção*) *sf.* **1** Ação ou resultado de irritar(-se). **2** Estado de exasperação ou nervosismo. **3** *Med.* Reação intensa dos tecidos a uma lesão: *irritação na garganta/na pele*. [Pl.: *-ções*.]

irritadiço (ir.ri.ta.*di*.ço) *a.* Que se irrita facilmente; IRRITÁVEL.

irritar (ir.ri.*tar*) *v.* **1** Provocar ou sentir irritação ou agastamento; AGASTAR(-SE), ENERVAR(-SE). [*td.*: *Essas mentiras irritaram-na.* *pr.*: *Irritei-me com aquela proposta indecorosa.*] **2** *Fig.* Exacerbar ou excitar. [*td.*: *irritar os ânimos/as paixões.*] **3** *Med.* Causar irritação em (órgão), ou sofrê-la. [*td.*: *Esse remédio irrita o estômago. pr.*: *Minha pele se irrita com o frio.*] [▶ **1** irritar] ● **ir.ri.ta.do** *a.*; **ir.ri.tan.te** *a2g.sm.*

irritável (ir.ri.*tá*.vel) *a2g.* Ver *irritadiço*. [Pl.: *-veis.*] ● **ir.ri.ta.bi.li.da.de** *sf.*

írrito (*ír*.ri.to) *a.* Que se tornou sem efeito; NULO.

irromper (ir.rom.*per*) *v. int.* **1** Entrar com violência ou com ímpeto; INVADIR: (seguido de indicação de lugar) *As águas irromperam no celeiro.* **2** Aparecer, agir ou sobrevir de repente: (seguido de indicação de lugar e/ou de tempo) *"...irrompia dos galhos e das folhas verdes e alarido dos pássaros..."* (Josué Montello, *Sempre serás lembrada*). [▶ irromper]

irrupção (ir.rup.*ção*) *sf.* **1** Ação ou resultado de irromper. **2** Aparição ou intervenção súbita, tempestuosa: *A irrupção dos vândalos tumultuou a festa.* [Pl.: *-ções*.]

isca (*is*.ca) *sf.* **1** Chamariz que se coloca no anzol para atrair o peixe. **2** *Fig.* Qualquer coisa que sirva para atrair alguém: *O show serviu de isca para aumentar o público do comício.* **3** *Cul.* Tira de fígado temperada e frita. ▪▪ **Morder a ~** *Fig.* Cair em armadilha; deixar-se enganar. ● **is.car** *v.*

isenção (i.sen.*ção*) *sf.* **1** Ação ou resultado de isentar(-se), desobrigar(-se). **2** Qualidade ou condição de quem é imparcial, neutro. **3** Liberação de responsabilidade ou do cumprimento de uma obrigação: *isenção de pagamento do imposto de renda.* **4** Desinteresse, dignidade. [Pl.: *-ções*.]

isentar (i.sen.*tar*) *v.* Tornar(-se) isento, desobrigado, livre de; DESOBRIGAR(-SE), EXIMIR(-SE). [*tdi. + de*: *As testemunhas o isentaram de qualquer culpa. pr.*: *Conseguiu isentar-se da multa.*] [▶ **1** isentar]

isento (i.*sen*.to) *a.* **1** Dispensado, livre de dever ou obrigação (esp. de recolhimento de imposto, taxa etc.). **2** Que se mostra imparcial, neutro, justo. **3** Desprovido, sem: *isento de culpa/de preconceitos.*

islã (is.*lã*) *sm.* **1** *Rel.* A religião islâmica; ISLAMISMO. ▣ **Islã** *sm.* **2** O conjunto das nações de civilização islâmica; Islame; Islão. ● **is.la.mi.zar** *v.*

islâmico (is.*lâ*.mi.co) *a.* Ref. aos islamitas ou ao islamismo.

islamismo (is.la.*mis*.mo) *sm. Rel.* Religião monoteísta fundada pelo profeta Maomé, cujo livro sagrado é o Corão; MAOMETISMO.

islamita (is.la.*mi*.ta) *a2g.s2g.* Que ou quem é seguidor do islamismo; MUÇULMANO.

isobárico (i.so.*bá*.ri.co) *a. Fís.* Diz-se de processo em que a pressão do sistema se mantém constante.

isóbaro (i.*só*.ba.ro) *a.sm. Fís.nu.* Diz-se de ou cada uma das partículas cujos números atômicos são diferentes e o número de massa é o mesmo.

isóbata (i.*só*.ba.ta) *sf.* Linha que une os pontos de igual profundidade nas cartas hidrográficas.

isócrono (i.*só*.cro.no) *a.* Que se realiza ao mesmo tempo ou com intervalos de tempo iguais (movimentos *isócronos*).

isogamia (i.so.ga.*mi*.a) *sf.* **1** *Antr.* Casamento entre pessoas que pertencem ao mesmo grupo social, econômico ou religioso. **2** *Biol.* Fusão de gametas iguais. [Cf.: *anisogamia.*]

isolacionismo (i.so.la.ci:o.*nis*.mo) *sm. Pol.* Doutrina que prega o isolamento de um país, mediante a recusa em formar alianças políticas ou econômicas ou em assinar acordos com outros países. ● **i.so.la.ci:o.nis.ta** *a2g.s2g.*

isolador (i.so.la.*dor*) [ô] *a.* **1** Que isola; ISOLANTE. *a.sm.* **2** *Elet.* Que ou o que isola um circuito elétrico ou eletrônico do exterior (diz-se de peça, dispositivo etc.).

isolamento (i.so.la.*men*.to) *sm.* **1** Ação ou resultado de isolar(-se). **2** Separação de um elemento do seu meio ou contexto. **3** Condição daquele ou daquilo que está isolado.

isolante (i.so.*lan*.te) *a2g.sm.* **1** *Elet.* Que ou o que não conduz ou conduz muito pouca eletricidade (diz-se de substância, material etc.). **2** Que ou o que impede a passagem de calor ou do som (diz-se de material, dispositivo etc.).

isolar (i.so.*lar*) *v.* **1** Pôr(-se) à parte ou em isolamento. [*td.*: *isolar os pacientes com doença contagiosa. tdi. + de*: *isolar os filhos das más companhias. pr.*: *Isolou-se do mundo.*] **2** *Gír. Fut.* Mandar (a bola) para longe. [▶ **1** *i.so.la.do a.*]

isômero (i.*sô*.me.ro) *a.sm. Fís. Quím.* Diz-se de ou cada uma das substâncias que diferem em estrutura e em propriedades mas possuem composição de elementos e peso molecular iguais.

isonomia (i.so.no.*mi*.a) *sf. Jur.* Princípio, assegurado pela Constituição, segundo o qual todos são iguais perante a lei. **2** Estado daqueles que são governados pelas mesmas leis.

isopor® (i.so.*por*) [ô] *sm.* **1** *Quím.* Nome popular e comercial do poliestireno. **2** Qualquer coisa feita com esse material. [A marca registrada, com inicial maiúsc.]

isósceles, isóscele (i.*sós*.ce.les, i.*sós*.ce.le) *a2g2n., a2g. Geom.* **1** Diz-se de triângulo com dois lados e, consequentemente, dois ângulos iguais. **2** Diz-se do trapézio cujos lados não paralelos são iguais.

isotermia (i.so.ter.*mi*.a) *sf. Fís.* Condição de temperatura constante de um corpo, independentemente da temperatura exterior. ● **i.so.tér.mi.co** *a.*

isótopo (i.*só*.to.po) *a.sm. Fís.nu.* Diz-se de ou cada um dos átomos de um mesmo elemento cujo núcleo possui o mesmo número de prótons e diferente número de nêutrons. ● **i.so.tó.pi.co** *a.*

isotrópico (i.so.*tró*.pi.co) *a.* Cujas propriedades físicas são iguais em todas as direções em que são consideradas.

isótropo (i.*só*.tro.po, i.só.tro.po) *a.* O m.q. *isotrópico.*

isqueiro (is.*quei*.ro) *sm.* Dispositivo que produz chama, us. para acender cigarros, charutos etc.

isquemia (is.que.*mi*.a) *sf. Pat.* Insuficiência de irrigação sanguínea devido a obstrução arterial ou vasoconstrição (*isquemia cerebral*). ● **is.quê.mi.co** *a.*

ísquio (*ís*.qui:o) *sm. Anat.* A parte inferior e posterior do osso ilíaco.

israelense (is.ra:e.*len*.se) *a2g.* **1** De Israel (Ásia); típico desse país ou de seu povo. *s2g.* **2** Pessoa nascida em Israel.

israelita (is.ra:e.*li*.ta) *a2g.s2g.* **1** Que ou quem pertence à comunidade judaica; JUDEU. *a2g.* **2** *Rel.* Ref. ou pertencente à religião judaica (ritual *israelita*).
▣ **ISS** Sigla de *Imposto Sobre Serviços.*

issei (is.*sei*) *s2g.* Japonês que emigra para a América.

isso (*is*.so) *pr.dem.* **1** Indica objeto próximo do ouvinte ou com ele relacionado: *O que é isso aí?* **2** Re-

istmo | ixe

fere-se a algo que acabou de ser mencionado no discurso: *Ela nem me agradeceu, mas isso é o de menos.* **3** Refere-se a lugar, ação, coisa ou pessoa tratada com reprovação, desprezo: *É isso que você chama de amizade?!* [NOTA: No uso popular, *isso* ger. substitui *isto*: *O que será isso no meu dedo?*] ***interj.*** **4** Manifesta apoio, aplauso: *Isso! Assim mesmo! Muito bem!* ■ *É ~/É ~ aí* Pop. Us. para terminar uma conversa: *É isso aí, amanhã nos falamos de novo.* **Por ~** Por esse motivo: *Estou gripada; por isso não apareci.*

istmo (*ist*.mo) *sm. Geog.* Faixa de terra, ger. estreita, que liga uma península a um continente.

isto (*is*.to) *pr.dem.* **1** Indica objeto próximo do falante ou com ele relacionado: *Não estou reconhecendo isto aqui.* **2** Refere-se a algo que acabou de ser mencionado no discurso, ou que está sendo ou será mencionado por quem fala: *"Deixe-me em paz", foi apenas isto que ela falou*; *Isto que eu vou falar é importante.* **3** Refere-se a lugar, ação, coisa ou pessoa tratada com reprovação, desprezo: *Isto é coisa que se faça?* ■ *~ é* Us. para explicar ou retificar o que foi dito anteriormente; ou seja: *De carro não é longe, isto é, são 8km apenas.*

isuria (i.su.*ri*:a) *sf.* Ver isúria.

isúria (i.*sú*.ri:a) *sf. Med.* Emissão de urina em quantidades regulares.

italianismo (i.ta.li:a.*nis*.mo) *sm.* **1** Característica do que é próprio da Itália ou dos italianos. **2** Qualquer tipo de manifestação peculiar à língua ou aos costumes italianos. **3** Admiração por tudo que diz respeito à Itália ou aos italianos. **4** Palavra ou expressão do italiano (3) us. em outra língua.

italiano (i.ta.li:*a*.no) *a.* Da Itália (Europa); típico desse país ou de seu povo; ITÁLICO; ÍTALO. *sm.* **2** Pessoa nascida na Itália; ÍTALO. *a.sm.* **3** *Gloss.* Da, ref. à ou a língua falada na Itália.

itálico (i.*tá*.li.co) *a.* **1** Ver italiano (1). **2** Ref. à Itália antiga. **3** *Art.Gr.* Diz-se do tipo de realce inclinado para a direita; GRIFO. *sm.* **4** *Art.Gr.* Tipo itálico (3).

ítalo (*í*.ta.lo) *a.sm.* Ver italiano (1 e 2).

itaoca (i.ta.*o*.ca) [ó] *sf. Bras.* Ver caverna.

itapeba (i.ta.*pe*.ba) [é] *sf. N.* Recife de pedra que segue paralelo à margem de rio.

itararé (i.ta.ra.*ré*) *sm. S.* Rio subterrâneo que corre através de rochas calcárias.

ité (i.*té*) *a2g. Bras.* Que não tem gosto; INSÍPIDO.

item (*í*.tem) *sm.* Cada um dos artigos ou incisos de um relato, regulamento, contrato etc. [Pl.: *itens.*]

iterar (i.te.*rar*) *v. td.* Fazer ou dizer de novo; REITERAR; REPETIR. [▶ **1** iter*ar*] ● **i.te.ra.***ção* *sf.*; **i.te.ra.***ti*.vo *a.*

itericia (i.te.*rí*.ci:a) *sf. Pat.* Ver icterícia.

itinerante (i.ti.ne.*ran*.te) *a2g.s2g.* Que ou quem viaja, percorre itinerários, se desloca constantemente (circo itinerante): *Os itinerantes acamparam na serra.*

itinerário (i.ti.ne.*rá*.rio) *sm.* **1** Caminho a ser percorrido ou já percorrido: *O itinerário desse ônibus é muito longo.* **2** Roteiro pré-estabelecido de viagem: *itinerário para as férias.*

itororó (i.to.ro.*ró*) *sm. MT* Pequena cachoeira.

iugoslavo (i:u.gos.*la*.vo) *a.* **1** Da antiga Iugoslávia (Europa); típico desse país ou de seu povo. *sm.* **2** Pessoa ali nascida.

ixe (*i*.xe) *interj. N.E.* Exclamação de espanto, ironia ou desprezo: *Ixe, meu filho, você está precisando de um banho!*

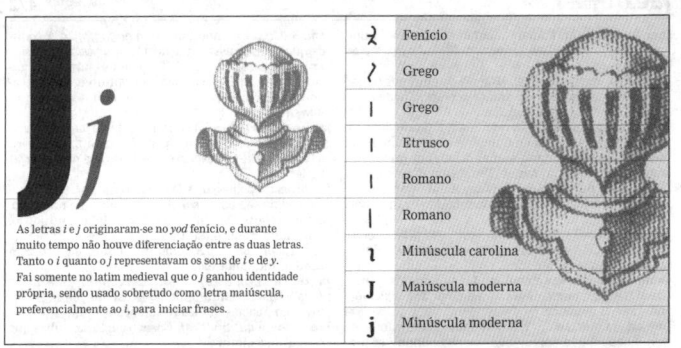

ʑ	Fenício
ʓ	Grego
I	Grego
I	Etrusco
I	Romano
I	Romano
ı	Minúscula carolina
J	Maiúscula moderna
j	minúscula moderna

As letras *i* e *j* originaram-se no *yod* fenício, e durante muito tempo não houve diferenciação entre as duas letras. Tanto o *i* quanto o *j* representavam os sons de *i* e de *y*.
Foi somente no latim medieval que o *j* ganhou identidade própria, sendo usado sobretudo como letra maiúscula, preferencialmente ao *i*, para iniciar frases.

j [jota] *sm.* **1** A décima letra do alfabeto. **2** A sétima consoante do alfabeto. *num.* **3** O décimo em uma série (loja J).

já *adv.* **1** Nesse ou naquele momento anterior, ou em algum momento do passado: *Já estou aqui*; *Já li muito suspense.* **2** Imediatamente: *Desligue já esta televisão!* **3** Logo: *Diga que já o atendo.* **4** Com antecedência: *Encontrei a janela já aberta.* **5** Mais: *Foi tão grosseiro, que já não queria vê-lo.* **6** Em parte, até: *Se ele aceitar o cargo, já é um progresso.* **7** Desde logo, então: *Se for receber visitas, já deixe a casa arrumada.* ■ **Desde** ~ A partir deste momento, desde agora: *Garanta desde já o seu ingresso.* ~,~ Imediatamente, logo. ~ **que** Uma vez que, como: *Já que não vamos sair, vou assistir a um vídeo.*

jabá¹ (ja.*bá*) *s2g. N.E. Cul.* Carne bovina salgada e prensada em manta; CARNE-SECA; CHARQUE. [Cf.: *carne de sol*.]

jabá² (ja.*bá*) *sm. Bras. Pop.* F. red. de *jabaculê*.

jabaculê (ja.ba.cu.*lê*) *sm. Bras. Pop.* **1** Gorjeta, gratificação. **2** Dinheiro que se oferece para obter privilégios. **3** Qualquer quantia de dinheiro.

jaborandi (ja.bo.ran.*di*) *sm. Bot.* Arbusto de cujas folhas se extrai um líquido us. medicinalmente.

jaburu (ja.bu.*ru*) *sm.* **1** *Zool.* Ave de pernas longas e plumagem branca que vive à beira de lagos e se alimenta esp. de peixes. **2** *Pej. Pop.* Pessoa esquisita, feia, desajeitada. [At! Considerado ofensivo nesta acepção.] **3** Roleta com figuras de animais no lugar dos números.

jabuti (ja.bu.*ti*) *sm. Zool.* Espécie de tartaruga terrestre de carapaça alta que vive nas matas e se alimenta de frutos em geral. [Fem.: *jabota*.]

jabuticaba (ja.bu.ti.*ca*.ba) *sf. Bras.* Fruto arredondado, de casca preta e pequeno, com polpa de sabor adocicado.

jabuticabal (ja.bu.ti.ca.*bal*) *sm. Bras.* Plantação de jabuticabeiras. [Pl.: -*bais*.]

jabuticabeira (ja.bu.ti.ca.*bei*.ra) *sf. Bot.* Árvore que dá a jabuticaba.

jaca (*ja*.ca) *sf. Bras.* Fruto grande de casca verde, gomos amarelados com odor característico e sabor adocicado.

jacá (ja.*cá*) *sm. Bras.* Tipo de cesto feito de taquara ou cipó.

jaça (*ja*.ça) *sf.* **1** Imperfeição em pedra preciosa. **2** *Fig.* Mancha, defeito: *caráter sem jaça.*

jacami, jacamim (ja.ca.*mi*, ja.ca.*mim*) *sm. Bras. Zool.* Ave da região amazônica, de bico alongado, pernas compridas e penas da cabeça curtas e eretas. [Pl. de *jacamim*: -*mins*.]

jaçanã (ja.ça.*nã*) *sf. Bras. Zool.* Ave de pernas e dedos compridos, com a unha do dedo posterior muito alongada.

jacarandá (ja.ca.ran.*dá*) *sm. Bras.* **1** *Bot.* Árvore comum no Brasil, e que fornece madeira de lei, de cor escura e desenhos variados. **2** A madeira dessa árvore.

jacaré (ja.ca.*ré*) *sm.* **1** *Zool.* Tipo de crocodilo de menores dimensões que vive à beira de lagoas e rios. **2** Espécie de colher de pedreiro us. para aplicar a argamassa nas juntas das alvenarias. ■ **Pegar** ~ *RJ Pop.* Deixar-se levar pela onda até a praia, deslizando de peito sobre a água.

jacente (ja.*cen*.te) *a2g.* **1** Que se situa em determinado lugar; LOCALIZADO: *ponte jacente sobre o rio.* **2** Que está imóvel, parado.

jacinto (ja.*cin*.to) *sm.* **1** *Bot.* Erva originária da Ásia Menor, de flores aromáticas e ornamentais. **2** *Min.* Pedra preciosa incolor.

jacobinismo (ja.co.bi.*nis*.mo) *sm.* **1** *Hist.* Doutrina política dos jacobinos, na Revolução Francesa. **2** *Pej.* Ideias políticas revolucionárias; RADICALISMO.

jacobino (ja.co.*bi*.no) *sm.* **1** *Hist.* Membro de um clube republicano que, na Revolução Francesa, defendia uma doutrina democrática centralizadora. *a.* **2** Ref. a ou próprio dos jacobinos (ideário *jacobino*). **3** *Fig.* Que tem ideias políticas radicais.

JACINTO (1)

jactância (jac.*tân*.ci:a) *sf.* **1** Vanglória, vaidade exagerada. **2** Altivez, arrogância. ● **jac.tan.ci.o.so** *a.*

jactar-se (jac.*tar*-se) *v. pr.* Ter e expressar jactância; GABAR-SE: *jactar-se do carro novo.* [▶ **1** jac[tar]-se]

jacto (*jac*.to) *sm.* Ver *jato*.

jacu (ja.*cu*) *sm. Zool.* Ave galinácea, com plumagem parda ou preta, um círculo branco na cabeça, pescoço vermelho e bico preto.

jacuba (ja.*cu*.ba) *sf. Bras. Cul.* Bebida preparada com água, farinha de mandioca e açúcar; CHIBÉ.

jaculatória (ja.cu.la.*tó*.ri:a) *sf. Litu.* Oração curta, ger. em verso.

jacumã (ja.cu.*mã*) *sm. Bras.* **1** Tipo de pá indígena us. como remo ou leme. **2** Banco de popa de onde se manipula esse tipo de leme.

jacutinga (ja.cu.*tin*.ga) *sf. Bras. Zool.* Tipo de jacu de crista e asas brancas, pescoço salpicado de branco em fundo negro, pés, pernas e bico vermelhos.

jacuzzi® (ja.*cuz*.zi) *sf.* Banheira equipada com jatos de água sob pressão. [A marca registrada, com inicial maiúsc.]

jade (*ja*.de) *sm. Min.* Designação de certos minerais de cor esverdeada, us. em objetos de adorno, estatuetas etc.

jaez (ja.ez) [ê] sm. **1** Aparelho e adorno de cavalgadura. **2** Fig. Espécie, tipo, gênero, qualidade: *Era gente do pior jaez.*

jaguar (ja.guar) sm. Zool. Espécie de onça dos trópicos americanos, de pelo amarelo-avermelhado com manchas pretas arredondadas.

jaguatirica (ja.gua.ti.ri.ca) sf. Zool. Espécie de gato selvagem da América do Sul, de pelo ruivo-amarelado com manchas arredondadas orladas de preto.

jagunço (ja.gun.ço) sm. **1** Bras. Hist. Capanga de fazendeiro ou de chefe político. **2** BA Hist. Seguidor de Antônio Conselheiro na rebelião de Canudos (1896-1897).

jaleco (ja.le.co) sm. **1** Peça do vestuário profissional de médicos, dentistas etc. que veste o tronco. **2** Casaco curto, jaqueta.

jamaicano (ja.ma:i.ca.no) a. **1** Da Jamaica (Antilhas); típico desse país ou de seu povo. sm. **2** Pessoa nascida na Jamaica.

jamais (ja.mais) adv. **1** Em nenhum momento; NUNCA: "O que me importa / sua voz chamando / se pra você *jamais* / eu fui alguém..." (Cury, *O que me importa*). [Ant.: *sempre*.] **2** Em alguma ou qualquer ocasião; JÁ: *O ataque terrorista mais bárbaro que jamais se viu.* **3** De nenhuma maneira: *Queria um tecido que jamais amarrotasse.*

jamanta (ja.man.ta) sf. Bras. **1** Zool. Arraia. **2** Pej. Pessoa grandalhona e desajeitada. [At! Considerado ofensivo nesta acepção.] **3** Caminhão grande com longa carroceria esp. projetada para transporte de automóveis; CARRETA.

jambeiro (jam.bei.ro) sm. Bot. Árvore que dá o jambo.

jambo (jam.bo) sm. **1** Fruto carnoso e arredondado, de coloração rósea, amarela ou roxa, aromático, suculento e um tanto ácido. **2** A cor do jambo; bem moreno. *a2g2n.* **3** Que é dessa cor (bonecos *jambo*).

jamegão (ja.me.gão) sm. Pop. Assinatura, rubrica. [Pl.: *-gões.*]

jamelão (ja.me.lão) sm. Bot. Árvore de origem asiática e bastante difundida no Brasil, cujo fruto do mesmo nome é uma baga comestível que tem um corante arroxeado. [Pl.: *-lões.*]

Janaína (Ja.na.í.na) sf. Bras. Rel. Ver Iemanjá.

jandaia (jan.dai.a) sf. Zool. Tipo de papagaio que vive em bandos esp. nas regiões de carnaubais.

janeiro (ja.nei.ro) sm. O primeiro mês do ano. (Com 31 dias.)

janela (ja.ne.la) sf. **1** Abertura na parede de um edifício ou na de um veículo (trem, automóvel, avião etc.) a certa altura do piso que permite a iluminação e/ou o arejamento do ambiente e dá vista para o exterior. **2** Caixilho ou peça de madeira ou de metal que fecha essa abertura. **3** Pop. Qualquer tipo de abertura feita numa superfície. **4** Bras. Tempo livre de uma aula entre duas outras. **5** Inf. Área retangular da tela de uma unidade de exibição visual destinada a facilitar o acesso a um programa ou função particular: ❚❚ **Entrar pela ~** Ser admitido em escola, universidade, emprego, instituição etc. sem prestar exame ou cumprir as regras necessárias, usando meios escusos.

jangada (jan.ga.da) sf. Embarcação de paus roliços, presos com cavilhas, us. em pescaria.

jangadeiro (jan.ga.dei.ro) sm. Dono, patrão, tripulante ou condutor de jangada.

jângal (jân.gal) sm. Floresta, selva, mata. [Pl.: *jângales.*]

janota (ja.no.ta) [ó] a.sm. Que ou quem se veste com apuro exagerado.

jantar (jan.tar) v. **1** Comer no jantar (3), ou fazer essa refeição. [td.: *Jantarei um prato leve.* int.: *Jantamos bem ontem.*] **2** Gír. Suplantar ou derrotar. [td.: *A seleção brasileira jantou a da Alemanha.*] [▶ **1** jant[ar]] sm. **3** A refeição noturna: *hora do jantar.* **4** A comida que compõe essa refeição: *O jantar está na mesa.*

japim (ja.pim) sm. Zool. Tipo de pássaro bastante comum no Brasil, canoro, com plumagem negra, dorso inferior e cauda amarelos e bico claro. [Pl.: *-pins.*]

japona (ja.po.na) sf. **1** Mar. Espécie de jaquetão, ger. de pano azul-ferrete, us. por oficiais e praças para aquecer. **2** Casaco esportivo de lã grossa ou material sintético.

japonês (ja.po.nês) a. **1** Do Japão (Ásia); típico desse país ou de seu povo. sm. **2** Pessoa nascida no Japão. a.sm. **3** Gloss. Da. ref. à ou a língua falada no Japão. [Pl.: *-neses.* Fem.: *-nesa.*]

japu (ja.pu) sm. Zool. Tipo de pássaro canoro com cauda e bico amarelos.

jaqueira (ja.quei.ra) sf. Bot. Árvore originária da Ásia e bastante difundida no Brasil, de flores em espigas compactas, folhas resistentes.

jaqueta (ja.que.ta) [ê] sf. Casaco curto sem abas que chega até a cintura.

jaquetão (ja.que.tão) sm. Espécie de jaqueta larga e reta que vai até um pouco abaixo da cintura, ger. de pano forte, sendo mais us. como abrigo para o frio. [Pl.: *-tões.*]

jaraguá (ja.ra.guá) sm. Bras. Bot. Espécie de capim de origem africana, bastante difundido no Brasil, us. para forragem do gado bovino.

jararaca (ja.ra.ra.ca) sf. Bras. **1** Zool. Tipo de cobra venenosa, de cauda afilada, cabeça triangular e revestida de escamas, que se alimenta de roedores e outros animais de pequeno porte. **2** Pej. Pop. Mulher má, traiçoeira. [At! Considerado ofensivo nesta acepção.]

jararacuçu (ja.ra.ra.cu.çu) s2g. Bras. Zool. Grande cobra venenosa de dorso amarelo-escuro com manchas triangulares marrom-escuras; SURUCUCU.

jarda (jar.da) sf. Unidade de medida linear comum aos países de língua inglesa, equiv. a 3 pés ou 0,9144m.

jardim (jar.dim) sm. Área em que se cultivam plantas ornamentais. [Pl.: *-dins.* Dim.: *jardinete*, *jardineto.*] ❚❚ **~ botânico** Instituição e lugar onde se preservam e expõem espécimes de plantas. **~ zoológico** Instituição e lugar onde se preservam e expõem espécimes de animais. [Tb. se diz apenas *zoo* ou *zoológico*.]

jardim de infância (jar.dim de in.fân.ci:a) sm. Escola para crianças de menos de seis anos que objetiva educar e promover o desenvolvimento delas por intermédio de atividades apropriadas. [Pl.: *jardins de infância.*]

jardim de inverno (jar.dim de in.ver.no) sm. Área de estar de uma casa, ger. envidraçada e onde se cultivam pequenas plantas ornamentais e flores. [Pl.: *jardins de inverno.*]

jardinar (jar.di.nar) v. int. Cultivar jardim. [▶ jard[inar] • jar.di.na.gem sf.]

jardineira (jar.di.nei.ra) sf. **1** Mulher que trata profissionalmente ou não de jardim. **2** Espécie de vaso onde se cultivam plantas e flores. **3** Bras. Saia, calça ou *short*, com frente cobrindo o peito e suspensórios abotoados atrás, us. por cima de uma blusa. **4** Cul. Prato de legumes variados, picados e cozidos, guarnecidos de carne picada e cozida. **5** Bras. Espécie de caminhoneta com bancos paralelos, destinada a transporte coletivo.

jardineiro (jar.di.nei.ro) sm. Homem que trata profissionalmente ou não de jardim.

jargão (jar.gão) sm. Linguagem habitual e própria de um grupo social ou de um grupo profissional. [Pl.: *-gões.*]

jarra (jar.ra) sf. **1** Vaso para depositar flores. **2** Recipiente para água, refrescos e outras bebidas.

jarrete (jar.*re*.te) [ê] *sm.* **1** *Anat.* Parte posterior da perna, oposta ao joelho. **2** *Zool.* Nos bovinos e nos equinos, nervo ou tendão da perna.

jarro (*jar*.ro) *sm.* **1** Vaso alto em geral com asa e bico, onde se põe água ou vinho. **2** Vaso para decoração ou para se porem flores.

jasmim (jas.*mim*) *sm.* **1** *Bot.* Planta trepadeira originária da Ásia, com flores tubulares de coloração alva, que exalam forte perfume característico; JASMINEIRO. **2** Flor dessa planta. [Pl.: -*mins*.]

JASMIM (2)

jasmim-do-cabo (jas.mim-do-*ca*.bo) *sm.* Ver *gardênia*. [Pl.: *jasmins-do-cabo*.]

jasmineiro (jas.mi.*nei*.ro) *sm.* *Bot.* Ver *jasmim* (1).

jaspe (*jas*.pe) *sm.* *Min.* Variedade de quartzo duro e opaco, de cores diversas.

jataí (ja.ta.*í*) *sm.* *Bot.* Ver *jatobá*.

jato (*ja*.to) *sm.* **1** Lançamento impetuoso de líquido ou gás através de uma abertura estreita; JORRO: *jato de água*. **2** O fluido assim lançado: *O sangue saiu em jato*. **3** *Bras.* Avião a jato. **4** *Fig.* Irrupção impetuosa de qualquer coisa: *Num jato de cólera, esmurrou a mesa*

jatobá (ja.to.*bá*) *sm.* *Bras.* **1** *Bot.* Árvore da Amazônia com pequenas flores brancas e frutos negros; JATAÍ. **2** A madeira dessa árvore.

jatopropulsão (ja.to.pro.pul.*são*) *sf.* **1** Propulsão (impulso para a frente) resultante da reação a um jato (1). **2** Sistema de propulsão que usa jatopropulsão (1). [Pl.: -*sões*.]

jaú¹ (ja.*ú*) *sm.* *Bras.* *Zool.* Peixe encontrado nos rios Amazonas e Paraná.

jaú² (ja.*ú*) *sm.* *Bras.* Andaime preso por cordas no alto de um edifício, dotado de uma roldana que lhe permite mover-se verticalmente.

jaula (*jau*.la) *sf.* Compartimento, ger. gradeado, em que se aprisionam feras.

javali (ja.va.*li*) *sm.* *Zool.* Certa espécie de porco selvagem. [Fem.: *javalina*.]

javanês (ja.va.*nês*) *a.* **1** Da ilha de Java (Indonésia); típico dessa ilha ou de seu povo. *sm.* **2** Pessoa de etnia malaia nascida em Java. *a.sm.* **3** *Gloss.* Da, ref. à ou a língua falada em Java e em outras partes da Indonésia cuja tradição literária remonta ao séc. VIII d.C., mas que está em declínio. [Pl.: -*neses*. Fem.: -*nesas*.]

jazer (ja.*zer*) *v. int.* **1** Estar deitado ou prostrado (esp. em cama ou no chão): "O ministro *jazia* imerso em sono profundo." (Josué Montello, *Um rosto de menina*). **2** Estar ou parecer morto: *Mortos e feridos jaziam no campo de batalha*. **3** Estar enterrado ou inumado: *Seus restos jazem na Espanha*. **4** *Fig.* Já não ter existência, ou estar sepultado no esquecimento: *Todos os seus sonhos jaziam no passado*. **5** Situar-se: *A cidadezinha jazia esquecida entre altas montanhas*. [NOTA: Em todas as acps., ger. seguido de indicação de lugar.] [▶ **23 jazer**]

jazida (ja.*zi*.da) *sf.* *Bras.* Depósito natural de minério ou fóssil.

jazigo (ja.*zi*.go) *sm.* **1** Sepultura. **2** Monumento funerário, ger. em sepultura de várias pessoas.

⊕ **jazz** (*Ing.* /djéz/) *sm.* *Mús.* Música afro-americana que ganhou ampla difusão no mundo, inclusive em versões eruditas, caracterizada por improvisações e pelos ritmos e sonoridade sincopados.

jê (je) *sm.* **1** Indivíduo dos jês, grupos indígenas não tupis que habitam o Centro-Sul do Brasil. **2** Família de línguas de um mesmo tronco faladas pelos jês. *a2g.* **3** Ref. aos, dos ou próprio dos jês.

⊕ **jeans** (*Ing.* /djínz/) *sm2n.* **1** Certo tecido de algodão resistente, ou a este semelhante, us. na confecção de calças, jaquetas etc. **2** Calças de corte justo com costura reforçada, de uso informal, feitas com esse tecido: *Vestia um jeans de marca*. *a2g2n.* **3** Confeccionado com esse tecido, num estilo próprio (macacões *jeans*).

jeca (*je*.ca) *a.sm.* Matuto, roceiro, caipira. [At! O termo pode expressar depreciação ou preconceito.]

jeca-tatu (je.ca.ta.*tu*) *sm.* Habitante pobre e humilde das zonas rurais (designação derivada de personagem de Monteiro Lobato). [At! O termo pode expressar depreciação ou preconceito.] [Pl.: *jecas-tatus*.]

jegue (*je*.gue) *sm.* N. N.E. C-O. Ver *jumento*.

jeira (*jei*.ra) *sf.* Medida agrária que equivale, no Brasil, a 0,2 hectare.

jeitão (jei.*tão*) *sm.* *Fam.* Feitio, feição característica e original. [Pl.: -*tões*.]

jeito (*jei*.to) *sm.* **1** Modo, maneira: *Isso não é jeito de se comportar*. **2** Aspecto, feição, feitio: *Tinha certo jeito de malandro*. **3** Caráter, modo de ser: *Cativava todos com seu jeito suave*. **4** Único meio, solução: *O jeito é estudar*. **5** Talento, pendor: *Tem jeito para atriz*. **6** Habilidade, destreza: *Com muito jeito, consertou o relógio*. **7** Torcedura, luxação (em músculo, tendão etc.): *Pisou mal e deu um jeito no pé*. ▪ **A ~** À calhar: *Este sanduíche veio bem a jeito, eu já estava com fome*. **Ao ~ de** À maneira de: *Pinta ao jeito de Tarsila do Amaral*. **Com ~** Com habilidade, com cuidado. **Daquele ~** *Fam.* Maneira de qualificar negativa ou pejorativamente algo (estado, ação, desempenho etc.): *Entregou o apartamento daquele jeito*. **Dar um ~ em** *Bras.* **1** Fazer comportar-se, impor disciplina a. **2** Consertar, corrigir. **Sem ~** Desajeitado, atrapalhado. **2** Encabulado, acanhado.

jeitoso (jei.*to*.so) [ô] *a.* **1** Habilidoso, maneiroso: *empregada jeitosa com crianças*. **2** De bom aspecto, elegante. **3** Conveniente, adequado (apartamento *jeitoso*). [Fem. e pl.: [ó].]

jejuar (je.ju.*ar*) *v. int.* **1** Fazer jejum, voluntariamente ou não. **2** *Fig.* Abster-se ou ser privado de algo (ger. algo prazeroso): *Jejuou durante as férias: não viajou, não foi à praia...* [▶ **1 jejuar**]

jejum (je.*jum*) *sm.* **1** Abstinência total ou parcial de alimentação. **2** *Fig.* Privação de algo. [Pl.: -*juns*.] ▪ **Quebrar o ~ 1** Interromper jejum (tb. antes do tempo estipulado), comendo ou bebendo. **2** *Fig.* Conseguir finalmente algo que não se conseguia há tempos: *O time quebrou o jejum (de vitórias) e saiu vencedor*.

jejuno (je.*ju*.no) *a.* **1** Que está em jejum. *sm.* **2** *Anat.* Parte do intestino delgado entre o duodeno e o íleo. • **je.ju.*nal*** *a2g.*

jenipapeiro (je.ni.pa.*pei*.ro) *sm.* *Bot.* Árvore que dá o jenipapo.

jenipapo (je.ni.*pa*.po) *sm.* **1** Fruto de polpa doce, ácida, aromática e suculenta. **2** *N.E.* Mancha escura no corpo (esp. nas costas).

Jeová (Je:o.*vá*) *sm.* *Rel.* Nome atribuído ao Deus judaico (impronunciável para os judeus).

jequi (je.*qui*) *sm.* *N.E.* **1** Cesto para apanhar peixe. *a2g.* **2** Apertado, estreito, curto (roupa *jequi*).

jequice (je.*qui*.ce) *sf.* *Bras.* Ato ou modos de jeca.

jequitibá (je.qui.ti.*bá*) *sm.* **1** *Bot.* Árvore de tronco muito grosso e alto, folhas resistentes, flores brancas e frutos capsulares. **2** Madeira dessa árvore, muito us. em carpintaria.

jequitiranaboia (je.qui.ti.ra.na.*boi*.a) *sf.* *Bras.* *Zool.* Certo inseto, com cabeça parecida com a de um lagarto, fato curioso, apesar de inofensivo.

jereré (je.re.*rê*) *sm.* *Bras.* Rede fina em forma de saco us. para a pesca de peixes pequenos e crustáceos.

jerico (je.*ri*.co) *sm.* **1** *Zool.* Ver *jumento*. **2** *Fig.* Pessoa pouco inteligente; ESTÚPIDO.

jerimum (je.ri.*mum*) *sm. N. N.E.* **1** Ver *abóbora* (1). **2** Ver *aboboreira*. [Pl.: *-muns*.]

jérsei (*jér*.sei) *sm.* **1** Tecido de malha fino e maleável. **2** Raça de gado leiteiro proveniente da ilha de Jérsei (Inglaterra).

jesuíta (je.su:í.ta) *sm.* **1** Padre da Companhia de Jesus, ordem religiosa fundada no séc. XVI por Inácio de Loyola Brandão. *a2g.* **2** Ref. a essa ordem religiosa ou aos seus seguidores (colégio jesuíta): JESUÍTICO.

jesuítico (je.su:í.ti.co) *a.* Ref. aos jesuítas ou à sua ordem religiosa (missão jesuítica): JESUÍTA.

Jesus (Je.*sus*) *sm.* Nas religiões cristãs, filho divinizado de Deus, crucificado para salvar a humanidade; CRISTO.

🌐 ***jet lag*** (*Ing.* /djét lég/) *loc.subst.* Perturbação das funções biológicas (esp. do sono), devida à mudança de fuso horário em longas viagens de avião.

jetom (je.*tom*) *sm.* Gratificação em dinheiro que se dá aos membros de um grupo pelo comparecimento a reuniões: *Os deputados receberão jetom para ir à sessão extraordinária*. [Pl.: *-tons*.]

🌐 ***jet ski*** (*Ing.* /djét squí/) *loc.subst.* **1** Veículo motorizado, espécie de motocicleta que desliza sobre a água. **2** Esporte em que se usa esse veículo: *competição de jet ski*.

jia (*ji*:a) *sf. Zool.* Ver *rã*.

jiboia (ji.*boi*.a) *sf.* **1** *Zool.* Cobra da família da sucuri, não venenosa, que pode chegar a 4m de comprimento. **2** *Bot.* Planta trepadeira, com folhas grandes, alongadas e de tons variados, cultivada pela sua beleza.

jiboiar (ji.boi.*ar*) *v. td. int. Bras.* Digerir (uma refeição farta) em repouso. [▶ 1 jiboiar]

jiló (ji.*ló*) *sm.* **1** *Bot.* Planta que dá um fruto alimentício, ger. amargo; JILOEIRO. **2** O fruto dessa planta.

jiloeiro (ji.lo.*ei*.ro) *sm. Bot.* Jiló (1).

🌐 ***jingle*** (*Ing.* /djíngou/) *sm. Publ.* **1** Peça de propaganda em que se usa uma música associada à mensagem, ger. simples e curta para ser facilmente memorizada. **2** A música us. nesse tipo de propaganda: *compositor de jingles*.

jinjibirra (jin.ji.*bir*.ra) *sf. Bras.* Bebida fermentada semelhante à cerveja, feita com gengibre, frutos, açúcar, ácido tartárico, fermento de pão e água.

jipe (*ji*.pe) *sm.* **1** Pequeno carro com tração nas quatro rodas, criado durante a Segunda Guerra Mundial como veículo militar para ser us. em terrenos acidentados. **2** Veículo motorizado semelhante ao jipe (1), us. em serviços rurais e, mais recentemente, tb. como veículo urbano. [A marca registrada é Jeep®.]

jirau (ji.*rau*) *sm. Bras.* **1** Armação feita com varas us. como suporte para construção de casas em lugares úmidos ou alagados. **2** Qualquer tipo de estrado us. como suporte de cama, como depósito de objetos de cozinha, mantimentos etc. **3** Em compartimento de habitação, loja etc., segundo piso em nível mais alto, que cobre parte da área térrea.

jiu-jítsu (jiu-*jít*.su) *sm. Esp.* Modalidade de luta que envolve diversas técnicas de ataque e defesa, com o objetivo de imobilizar o adversário. [Pl.: *jiu-jítsus*.]

joalheiro (jo.a.*lhei*.ro) *sm.* Quem trabalha no fabrico ou na venda de joias.

joalheria, joalharia (jo:a.lhe.*ri*.a, jo:a.lha.*ri*.a) *sf.* **1** Loja especializada na venda de joias. **2** Profissão de joalheiro.

joanete (jo.a.*ne*.te) [ê] *sm. Med.* Espécie de caroço que cresce na articulação do primeiro dedo do pé (o dedão), ger. devido à compressão dos calçados.

joaninha (jo.a.*ni*.nha) *sf. Bras. Zool.* Tipo de besouro pequeno e redondo, ger. de cor brilhante e com desenhos variados.

JOANINHA

joanino (jo:a.*ni*.no) *a.* **1** Ref. a um João ou a uma Joana: *Com a chegada de d. João VI, o Brasil entra no período joanino*. **2** *Rel.* Ref. a João Batista.

joão-de-barro (jo:ão-de-*bar*.ro) *sm. Bras. Zool.* Ave pequena que constrói um ninho de barro. [Pl.: *joões-de-barro*.]

joão-ninguém (jo:ão-nin.*guém*) *sm. Pej. Pop.* Aquele que é considerado sem valor por não ter instrução, prestígio social, dinheiro; ZÉ-NINGUÉM; POBRE-DIABO. [At! O termo pode ser ofensivo ou depreciativo.] [Pl.: *joões-ninguém*.]

joão-pestana (jo:ão-pes.*ta*.na) *sm. Pop.* Necessidade ou vontade de dormir; SONO. [Pl.: *joões-pestanas*.]

joça (jo.ça) *sf. Bras. Gír. Pej.* **1** Aquilo que não se consegue definir com precisão, por desconhecimento ou por esquecimento momentâneo do seu nome. **2** Aquilo que é confuso, incompreensível, malfeito ou de má qualidade.

jocoso (jo.co.so) [ô] *a.* **1** Que zomba de algo ou de alguém (comentário jocoso); IRÔNICO. **2** Que faz rir; ENGRAÇADO: *o lado jocoso dos erros de gravação*. [Fem. pl.: [ó].] ● **jo.co.si.da.de** *sf.*

joeira¹ (jo:*ei*.ra) *sf.* Peneira com a qual se separa o trigo do joio; CRIVO.

joeira² (jo:*ei*.ra) *sf.* Ação ou resultado de peneirar algo selecionando a parte aproveitável. ● **jo:ei.***rar** *v.*

joeireiro¹ (jo:ei.*rei*.ro) *sm.* Quem trabalha fazendo joeiras¹.

joeireiro² (jo:ei.*rei*.ro) *sm.* Quem trabalha joeirando o trigo ou outro cereal.

joelhada (jo:e.*lha*.da) *sf.* Golpe ou pancada dada com o joelho.

joelheira (jo:e.*lhei*.ra) *sf.* Proteção acolchoada para o joelho, ger. us. por esportistas.

joelho (jo:*e*.lho) [ê] *sm.* **1** *Anat.* Articulação óssea que liga a coxa à parte inferior da perna. **2** Região da perna (ou da calça) onde essa articulação fica: *Caiu e rasgou a calça no joelho*. **3** *Fig.* Peça de máquina, mecânica etc.) que articula duas outras. ▪▪ **Dobrar os ~s** Render-se, submeter-se, humilhar-se.

jogada (jo.ga.da) *sf.* **1** Ação ou resultado de jogar: *Sacudiu os dados antes da jogada*. **2** Lance de jogo: *Driblou três, numa jogada genial*. **3** *Pop.* Esquema (às vezes ilegal) para conseguir algo (dinheiro, vantagem etc.): *Numa jogada arriscada, investiu tudo no negócio*. ▪▪ **Tirar da ~** Afastar (ger. concorrente, rival).

jogado (jo.ga.do) *a.* **1** Arremessado em algum lugar ou à distância; ATIRADO: *Encontramos cadeiras jogadas no jardim*. **2** Sem organização; DESARRUMADO: *roupas jogadas (na gaveta)*. **3** Sem iniciativa (por contusão, abatimento etc.); INERTE; LARGADO: *Encontrei-o jogado, apático*. **4** Apostado em jogo: *dinheiro jogado no pôquer*. **5** *Bras.* Abandonado; desamparado: *meninos de rua jogados*.

jogador (jo.ga.*dor*) [ô] *a.* **1** Que joga: *O cassino vive de turistas jogadores. sm.* **2** Quem joga (jogo de azar) ou é viciado em jogo: *Ele é um jogador incorrigível*. **3** Quem joga (jogo esportivo) ou integra uma equipe de esporte coletivo: *Dois jogadores da seleção estão contundidos*. **4** Pessoa que sabe jogar.

jogar (jo.*gar*) *v.* **1** Participar em (jogo, partida). [*td.*: *jogar cartas. int.* (seguido de indicação de circunstância): *O Brasil jogou contra o Peru*.] **2** Divertir-se. [*int.*: *Minha filha gosta de jogar sozinha*.] **3** Praticar (esporte). [*td.*: *jogar futebol. int.*: *Aquele tenista não vem jogando bem*.] **4** Participar em (jogo de azar), ou ser viciado nele. [*td.*: *Jogar pôquer é sua perdição. int.*: *Ele não bebe, mas joga*.] **5** Apostar, arriscar. [*td.* (seguido de indicação de lugar): *Jogou seu bom nome num negócio suspeito*; *Jogou todo seu dinheiro no mercado de ações*.] **6** Atirar, arremessar. [*td.*: *jogar dardos*.] **7** Saltar, pular. [*pr.*: *jogar-se de um trampolim*.] **8** Balançar ou oscilar. [*td.*: *Joga-*

va os braços para chamar atenção. **int.**: *O avião jogou durante toda a viagem.*] [▶ 14 jogar] ▪▪ ~ **fora 1** Desfazer-se de. **2** Desperdiçar, perder: *jogar fora uma chance.*

jogatina (jo.ga.*ti*.na) *sf. Pej.* **1** Prática de jogos de azar: *casa de jogatina.* **2** Vício que envolve essa prática continuada.

🌐 **jogging** (*Ing.* /djóguin/) *sm.* **1** *Esp.* Exercício físico que consiste em correr em ritmo moderado, ao ar livre. **2** Conjunto de calça e blusão, de moletom ou malha, ger. us. para fazer *jogging* (1).

jogo (*jo*.go) [ó] *sm.* **1** Recreação individual ou em grupo: *jogo de palavras cruzadas/de computador.* **2** Atividade mental ou física, regida por regras e que envolve alguma forma de competição ou de aposta, e da qual resulta ganho ou perda: *jogo de xadrez/de bola.* **3** O material (tabuleiro, peças etc.) que se usa numa dessas competições: *Ganhou um jogo de damas.* **4** Combinação de números ou elementos variáveis em que se aposta, em sistema de sorteios ou de previsão de resultados; o registro e comprovante da aposta: *Já fiz meu jogo na loteria esportiva*; *Aqui está meu jogo, pode conferir.* **5** Jogo de azar: *Perdeu uma fortuna no jogo.* **6** O vício do jogo (5): *O jogo ainda vai arruiná-lo.* **7** *Fig.* Manipulação ou trapaça para alcançar um objetivo; ARTIMANHA: *Não caiu no jogo do adversário.* **8** Série de coisas que formam um conjunto: *jogo de talheres.* **9** Peças articuladas em maquinismo: *jogo da suspensão.* **10** Movimento para os lados; BALANÇO: *O jogo do barco deixou-me enjoado.* [Pl.: [ó].] ▪▪ **Abrir o** ~ Expor francamente ideias, intenções etc. **Esconder o** ~ Ocultar ideias, intenções etc. **Fazer o** ~ **de** Atuar de modo a beneficiar (conscientemente ou não) as intenções de (alguém): *Ao aceitar a mudança das regras, ele acabou fazendo o jogo do adversário.* ~ **de azar** Jogo (como dados, roleta, certos jogos de cartas) em que ganhar ou perder depende mais da sorte (ou do azar) do que do talento ou qualidade do jogador. ~ **de empurra** Situação em que, sucessivamente, vai se passando a outrem tarefa ou responsabilidade. ~ **limpo/sujo** Jogo, negociação, disputa, entendimento etc. em que prevalece/não prevalece a lealdade e se respeitam/não se respeitam as regras. **Ter** ~ **de cintura** Ser flexível; saber se adaptar. **Virar o** ~ Passar a ganhar jogo, depois de estar perdendo.

jogo da velha (jo.go da *ve*.lha) *sm.* Jogo para duas pessoas no qual os competidores preenchem, alternadamente (um jogador, com um xis, o outro, com um círculo), as casas da figura, visando cada um ser o primeiro a alinhar três de seus sinais (na vertical, horizontal ou diagonal). [Pl.: *jogos da velha.*]

JOGO DA VELHA

jogral (jo.*gral*) *sm.* **1** *Hist.* Artista que, na Idade Média, declamava poemas e cantava canções, acompanhado de um instrumento musical. [Fem.: -*lesa*.] **2** Grupo que declama, em conjunto e/ou a vozes alternadas, um texto, um poema etc. **3** O texto assim declamado. [Pl.: -*grais*.]

joguete (jo.*gue*.te) [ê] *sm.* Quem é manipulado por outrem, ou lhe é alvo de zombaria: *Tornou-se um joguete do chefe.*

joia (*joi*.a) *sf.* **1** Objeto de adorno pessoal, ger. feito com material valioso (metal, pedra preciosa ou semipreciosa etc.). **2** *Fig.* Pessoa ou coisa de grande qualidade ou merecedora de muita admiração ou estima: *Esta secretária é uma joia.* **a2g. 3** *Gír.* Muito bom: *Comprei um CD joia.*

🌐 **joint venture** (*Ing.* /djóint vêntchur/) *loc.subst.* Acordo provisório entre empresas que dividem responsabilidades e lucros em um negócio específico.

joio (*joi*.o) *sm.* **1** *Bot.* Erva daninha que cresce junto ao trigo. **2** *Fig.* Aquilo que pode prejudicar coisas boas com as quais se mistura. ▪▪ **Separar o** ~ **do trigo** Num conjunto de fatos, condições etc., discernir, separar o que é bom do que é mau.

jojoba (jo.*jo*.ba) *sf. Bot.* Arbusto de cujas sementes se extrai um óleo us. na fabricação de xampus, hidratantes etc.

jongo (*jon*.go) *sm.* **1** *ES MG RS SP* Dança de roda, antecessora do samba, com acompanhamento de tambores e estrofes cantadas em coro; CAXAMBU. **2** *Mús.* A música que acompanha essa dança.

jônico (*jô*.ni.co) *a.* **1** Da Jônia (antiga colônia grega); típico dessa região asiática ou de seu povo; JÔNIO. **2** *Arq.* Ref. a certo estilo de arquitetura clássica (colunas *jônicas*). *a.sm.* **3** *Gloss.* Do, ref. ao ou o dialeto grego que era falado nessa região; JÔNIO.

jônio (*jô*.ni.o) *a.* **1** Ver *jônico* (1). *sm.* **2** Pessoa nascida na Jônia (antiga colônia grega). *a.sm.* **3** *Gloss.* Ver *jônico* (3).

jóquei (*jó*.quei) *sm.* Profissional que monta cavalos de corrida em competições.

jordaniano (jor.da.ni.*a*.no) *a.* **1** Da Jordânia (Oriente Médio); típico desse país ou de seu povo. *sm.* **2** Pessoa nascida na Jordânia.

jornada (jor.*na*.da) *sf.* **1** Viagem por terra: *Em longa jornada, percorreu três estados.* **2** Distância percorrida em um dia de viagem: *A jornada de hoje foi de trinta quilômetros.* **3** *Fig.* Dia de trabalho: *A jornada na fábrica foi cansativa.*

jornal¹ (jor.*nal*) *sm.* **1** Publicação diária com notícias recentes, artigos, informações de utilidade pública etc. **2** Qualquer publicação periódica (semanal, mensal etc.) que divulga notícias. **3** *Rád. Telv.* Programa em que se transmitem notícias: *assistir ao jornal*; *ouvir o jornal.* [Pl.: -*nais*.]

jornal² (jor.*nal*) *sm.* Pagamento por um dia de trabalho. [Pl.: -*nais*.]

jornaleco (jor.na.*le*.co) *sm. Pej.* Jornal de pouca divulgação, má qualidade, ou pouca credibilidade.

jornaleiro¹ (jor.na.*lei*.ro) *a.sm.* Que ou quem trabalha vendendo ou entregando jornais.

jornaleiro² (jor.na.*lei*.ro) *a.sm.* **1** Que ou quem é pago por jornada (3) (diz-se de trabalhador). *a.* **2** Que se faz ou que acontece todos os dias (tarefa *jornaleira*).

jornalismo (jor.na.*lis*.mo) *sm.* **1** Atividade profissional de levantamento, apuração e transmissão de notícias e comentários através de diversos meios de comunicação. **2** Conjunto dos jornalistas e dos meios de difusão de notícias; IMPRENSA: *Integravam a elite do jornalismo brasileiro.*

jornalista (jor.na.*lis*.ta) *s2g.* Pessoa que é formada em ou exerce o jornalismo.

jornalístico (jor.na.*lís*.ti.co) *a.* **1** Ref. a, de ou próprio de jornal ou jornalismo (cobertura *jornalística*). **2** Ref. a, de ou próprio de jornalista(s) (gíria *jornalística*).

jorrar (jor.*rar*) *v.* **1** Lançar de si ou brotar com jorro ou ímpeto. [*td*.: *O vulcão jorrava lava.* *int.*: *Em certas áreas o petróleo já deixou de jorrar.*] **2** *Fig.* Emanar, manar, fluir. [*int.* (seguido de indicação de origem): *Jorram de sua pena versos sem fim.*] [▶ 1 jorrar]

jorro (*jor*.ro) [ô] *sm.* Ação ou resultado de jorrar, de brotar ou irromper com ímpeto; JATO: *jorro de sangue/de luz.* [Pl.: [ó].]

joule (*jou*.le) [au] ou [u] *sm. Fís.* Unidade do SI pela qual se mede trabalho ou energia. [Símb.: *J*]

jovem (*jo*.vem) *a2g.s2g.* **1** Que ou quem está na juventude; que ou quem tem pouca idade; MOÇO. *a2g.* **2** Feito por jovens (1) ou a eles destinado (moda *jovem*). **3** Que tem aspecto, caráter ou comportamento de jovem (1): *Apesar da idade, tem o espírito jovem.* [Pl.: -*vens*.] Superl.: *juveníssimo*.]

jovial (jo.vi.*al*) *a2g.* **1** Alegre, bem-humorado (grupo *jovial*). **2** Que expressa alegria, bom humor etc. (can-

to jovial). **3** Que tem graça, que diverte (interlocutor jovial); ESPIRITUOSO. [Pl.: *-ais*.] ● **jo.vi.a.li.da.de** *sf.*
🌐 **joystick** (Ing. /djóistic/) *sm. Inf.* Controlador, us. em jogos de video game, que permite indicar direções, velocidade etc. por meio de comando direcional e botões.
juá (ju.*á*) *sm. Bras.* **1** Fruto comestível do juazeiro. **2** *Bot.* Erva espinhosa da caatinga que tem propriedades medicinais; ARREBENTA-CAVALO.
juazeiro (ju:a.*zei*.ro) *sm. Bras. Bot.* Árvore da caatinga, de fruto amarelo e comestível.
juba (*ju*.ba) *sf.* **1** Pelos volumosos que rodeiam o pescoço do leão. **2** *Fig. Pop.* Cabeleira farta e despenteada.
jubilar (ju.bi.*lar*) *v.* **1** Encher(-se) de júbilo, de grande alegria; REGOZIJAR(-SE). [*td*.: *O desenvolvimento do estado jubilou o governador. pr.: Jubilamo-nos com sua recuperação.*] **2** Aposentar(-se) (professor). [*td. pr.*] [▶ 1 jubil**ar**] ● **ju.bi.la.ção** *sf.*; **ju.bi.la.do** *a.*
jubileu (ju.bi.*leu*) *sm.* **1** Aniversário de cinquenta anos de algo (fato marcante, instituição etc.). **2** *Rel.* No catolicismo, perdão geral de pecados concedido eventualmente pelo papa. **3** *Rel.* O evento no qual esse perdão é concedido.
júbilo (*Jú*.bi.lo) *sm.* Grande alegria; REGOZIJO. [Ant.: *consternação, tristeza*.]
jubiloso (ju.bi.*lo*.so) [ó] *a.* **1** Cheio de júbilo. **2** Que expressa júbilo (olhar jubiloso). [Fem. e pl.: [ó].]
jucá (ju.*cá*) *sm. Bras. Bot.* Ver *pau-ferro*.
juçara (ju.*ça*.ra) *sf. Bras. Bot.* **1** Palmeira nativa do Brasil, com altura de até 12m, palmito de qualidade e seiva útil para estancar hemorragias. **2** Açaí (1).
jucundo (ju.*cun*.do) *a.* Que transmite alegria; APRAZÍVEL. ● **ju.cun.di.da.de** *sf.*
judaico (ju.*dai*.co) *a.* Ref. aos, dos ou próprio dos judeus ou do judaísmo (filosofia judaica).
judaísmo (ju.da.*ís*.mo) *sm.* **1** *Rel.* Religião dos judeus. **2** O conjunto de fatores que determinam a identidade judaica, como a religião, as tradições, a cultura. **3** A comunidade dos judeus.
judaizante (ju.da:i.*zan*.te) *a2g.s2g.* **1** Que ou o que judaíza, converte ou tenta converter alguém ao judaísmo. **2** Que ou quem pratica o judaísmo (1) ou tem com ele afinidade. ● **ju.da:i.***zar* *v.*
judas (*ju*.das) *sm2n.* **1** Boneco que é malhado no sábado de aleluia. **2** *Fig. Pej.* Traidor. [**At!** O termo pode expressar preconceito nesta acepção.]
judeu (ju.*deu*) *a.* **1** Da Judeia (antiga região da Palestina); típico dessa região ou de seu povo. **2** Dos judeus (4) (povo judeu). [Nesta acp., refere-se ger. a pessoas; para a referência a coisas, ver *judaico*.] *sm. Hist.* Pessoa nascida na antiga Judeia. *a.sm.* **4** Que ou quem pratica o judaísmo (1), ou se identifica com o judaísmo (2): *os judeus brasileiros.* [Fem.: *-dia*.]
judiar (ju.di.*ar*) *v. ti.* **1** Fazer sofrer, tratar mal; MALTRATAR; ATORMENTAR. [+ *de: Não se deve judiar dos animais.*] **2** Escarnecer, zombar. [+ *com: Nunca jude com os desafortunados.*] [▶ 1 judi**ar**] [**At!** O termo pode expressar preconceito.] ● **ju.di.a.ção** *sf.*
judiaria¹ (ju.di:a.*ri*.a) *sf.* **1** *Hist.* Bairro de judeus. **2** Grupo de judeus.
judiaria² (ju.di:a.*ri*.a) *sf.* Ação ou resultado de judiar. [**At!** O termo pode expressar preconceito.]
judicante (ju.di.*can*.te) *a2g.* Que julga, que atua como juiz; JUDICATIVO.
judicativo (ju.di.ca.*ti*.vo) *a.* **1** Ver *judicante*. **2** Que contém julgamento(s) (comentários judicativos).
judicatório (ju.di.ca.*tó*.ri:o) *a.* Ref. a julgamento.
judicatura (ju.di.ca.*tu*.ra) *sf. Jur.* **1** Exercício do poder de julgar: *A judicatura é prerrogativa dos juízes.* **2** Cargo, função ou dignidade de juiz: *Por mérito, foi elevado à judicatura.* **3** Período durante o qual alguém ocupa o cargo de juiz. [Sin.ger.: *magistratura*.]

judicial (ju.di.ci:*al*) *a2g.* **1** Ref. a juiz ou a justiça; JUDICIÁRIO. **2** Ref. a tribunais, ao foro, à justiça (processo judicial). [Pl.: *-ais*.]
judicializar (ju.di.ci:a.li.*zar*) *v.* **1** Tornar judicial. **2** Recorrer à via judicial para resolver um conflito não solucionado extrajudicialmente. [*td.*: "...os guarani pretendem judicializar uma denúncia contra a empresa. ..." (*Agência Pública*, 07.02.2020)] [▶ 1 judicializ**ar**] ● **ju.di.ci:a.li.za.ção** *sm.*
judiciário (ju.di.ci:*á*.ri:o) *a.* **1** Ver *judicial* (1). ■ **Judiciário** *sm.* **2** O Poder Judiciário, encarregado de aplicar as leis da Constituição de um país.
judicioso (ju.di.ci:*o*.so) [ó] *a.* **1** Que julga com critério e sensatez (rei judicioso); JUSTO. **2** Que demonstra bom senso (sentença judiciosa); SENSATO. [Fem. e pl.: [ó].]
judô (ju.*dô*) *sm. Esp.* Modalidade de luta, derivada do antigo jiu-jitsu, cujo objetivo é, basicamente, derrubar o adversário de costas no chão.
judoca (ju.*do*.ca) *s2g. Bras. Esp.* Quem pratica o judô.
jugo (*ju*.go) *sm.* **1** Peça que atrela bois a uma carroça, um arado etc.; CANGA. **2** *Fig.* Situação de domínio, opressão.
jugular¹ (ju.gu.*lar*) *sf.* **1** *Anat.* Cada uma das quatro veias principais que passam pelo pescoço. [Tb. *veia jugular*.] *a2g.* **2** Ref. à região do pescoço por onde passam essas veias.
jugular² (ju.gu.*lar*) *v. td.* **1** Degolar. **2** Provocar a morte de; ASSASSINAR. **3** Fazer desaparecer; EXTINGUIR: *jugular um motim/uma epidemia*. [▶ 1 jugul**ar**]
juiz (ju:*iz*) *sm.* **1** Quem tem o poder de julgar e/ou de decidir impasses. **2** *Jur.* Autoridade do Poder Judiciário que preside um juizado. **3** *Esp.* O responsável pela aplicação das regras em uma competição esportiva; ÁRBITRO. [Pl.: *juízes*. Fem.: *juíza*.] ■ ~ **de linha** *Esp.* Árbitro auxiliar que, em diversos esportes, tais como tênis, futebol, vôlei, basquete etc., fica na linha do campo ou da quadra com a finalidade de observar infrações e saídas de bola pelas laterais no fundo do campo ou quadra e comunicá-las ao árbitro principal. [Tb. se diz *bandeirinha* em futebol.]
juizado (ju:i.*za*.do) *sm. Jur.* **1** Instituição pública presidida por um juiz. **2** O cargo de juiz (2).
juízo (ju:*í*.zo) *sm.* **1** Capacidade de avaliar e discernir as coisas. **2** A avaliação que se faz de algo; OPINIÃO: *Fizeram mau juízo dele.* **3** *Jur.* Tribunal onde se apreciam e decidem questões judiciais: *Comparecerei em juízo para testemunhar.* **4** Qualidade de quem reflete e age com consciência e responsabilidade; PONDERAÇÃO. **5** Cabeça, mente: "Se ele (...) continuar me infernizando o juízo..." (João Ubaldo Ribeiro, *Diário do farol*).
jujuba (ju.*ju*.ba) *sf.* **1** *Bot.* Árvore semelhante ao juazeiro, de frutos comestíveis, us. na medicina como expectorante; JUJUBEIRA. **2** O fruto dessa árvore. **3** Tipo de bala de goma, feita a partir desse fruto.
jujubeira (ju.ju.*bei*.ra) *sf. Bot.* Ver *jujuba* (1).
julgado (jul.*ga*.do) *sm.* **1** *Jur.* A decisão do juiz ou de um júri; SENTENÇA. *a.* **2** Que passou por julgamento (processo julgado). **3** Que obteve sentença final: *ré julgada e absolvida.*
julgamento (jul.ga.*men*.to) *sm.* **1** Ação ou resultado de julgar, de formar uma opinião sobre algo. **2** *Jur.* Processo de apreciação e decisão de uma questão levada a um juizado. **3** *Jur.* Sessão em que se realiza esse processo; AUDIÊNCIA: *Depois do recesso, o julgamento passará à fase final.* **4** *Jur.* A decisão final do juiz ou de um júri; SENTENÇA.
julgar (jul.*gar*) *v.* **1** Atuar, decidir como juiz ou árbitro. [*td.*: *julgar um litígio/uma pendência*. *int.*: *Não se deve julgar sem provas.*] **2** *Jur.* Pronunciar sentença com respeito a (réu). [*td.*: *O tribunal julgou-o* (inocente).] **3** Emitir parecer ou formar conceito sobre

(alguém ou algo); CONSIDERAR. [*td.*: *Os cientistas julgaram (inconsistente) a sua teoria.* *int.*: *Para julgar é preciso ponderação.*] **4** Supor(-se), considerar(-se), imaginar(-se). [*td.*: "...o homem julgou que ele já estivesse dormindo." (França Júnior, *Os dois irmãos*). *pr.*: *Julgava-se imune a críticas.*] [▶ **14** jul**gar**] • jul.ga.*dor a.sm.*

julho (*ju.*lho) *sm.* O sétimo mês do ano. (Com 31 dias.)

juliano (ju.li.a.no) *a. Hist.* **1** Ref. a Caio Júlio César (imperador romano, 101 a.C./44 a.C.), a seu governo ou à sua época (período juliano). **2** Ref. à reforma cronológica feita por esse imperador, inaugurando o ano de 365,25 dias (calendário juliano).

jumento (ju.*men.*to) *sm.* **1** *Zool.* Mamífero quadrúpede us. no transporte de carga e como animal de tração; JEGUE; JERICO. **2** *Pej. Pop.* Pessoa pouco inteligente ou muito grosseira. [**At!** Considerado ofensivo nesta acepção.]

junção (jun.*ção*) *sf.* **1** Ação ou resultado de juntar, de unir duas ou mais partes; UNIÃO; JUNTURA. **2** Lugar onde essas partes se juntam: *junção de duas ruas.* [Pl.: -*ções.*]

juncar (jun.*car*) *v.* **1** Cobrir com juncos. [*td.*] **2** Cobrir, encher. [*td.*: *Detritos juncavam a praia.* *tdi. + de: O outono junca as ruas de folhas amarelas.*] [▶ **11** jun**car**]

junco (*jun.*co) *sm. Bot.* Planta flexível que cresce em lugares úmidos e que, trançada, serve de material para fabricação de cestas, assentos e encostos de cadeiras etc.

junho (*ju.*nho) *sm.* O sexto mês do ano. (Com 30 dias.)

junino (ju.*ni.*no) *a.* Ref. ao mês de junho ou aos que nele se realiza (festa junina).

júnior (*Jú.*ni:or) *a.sm.* **1** Que ou quem é mais jovem do que alguém. **2** Que ou quem ainda está aprendendo uma atividade (executivo júnior); INICIANTE. **3** *Esp.* Que ou quem é principiante em certas atividades esportivas. [Ant. ger.: *sênior.*] [Pl.: *juniores* [ó].] ◻ **Júnior** *a.sm.* **4** Que ou quem tem o mesmo nome do pai.

junípero (ju.*ni.*pe.ro) *sm. Bot.* Ver zimbro.

junquilho (jun.*qui.*lho) *sm.* **1** *Bot.* Erva ornamental de flores amareladas e perfumadas. **2** As flores dessa erva.

junta (*jun.*ta) *sf.* **1** *Anat.* Parte onde dois ossos se ligam; ARTICULAÇÃO. **2** Grupo de pessoas convocadas para realizar ger. uma tarefa especializada: *Organizou-se uma junta médica para cuidar do paciente.* **3** Parelha de animais de tração: *junta de bois.* **4** Lugar onde duas coisas se encontram; CONFLUÊNCIA.

juntar (jun.*tar*) *v.* **1** Pôr(-se) junto; UNIR(-SE), REUNIR(-SE). [*td.* (seguido ou não de indicação de lugar): *Juntou os lenços (numa gaveta). tdi. + a, com: Ela junta a inteligência à sensibilidade. pr.: Sempre se juntam para falar de cinema.*] **2** Acrescentar, adicionar, anexar. [*tdi. + a: juntar novas peças a um processo.*] **3** Recolher, apanhar. [*td.*: *Junte a roupa espalhada pelo quarto.*] **4** Fazer coleção; COLECIONAR. [*td.*: *juntar selos.*] **5** Poupar (dinheiro) ao longo do tempo; ECONOMIZAR. [*td.*: *Ela juntou uma fortuna.*] **6** Amasiar-se, amigar-se. [*pr.*] [Ver tb. *ajuntar.*] [▶ **1** jun**tar**]

junto (*jun.*to) *a.* **1** Que está a pouca distância (de outrem ou de outro); PEGADO; PRÓXIMO: *Eram terrenos juntos, por isso o interessaram.* **2** Unido, ligado, em contato físico: *De mãos juntas, implorava seu perdão.* **3** Reunido em grupo; AGRUPADO: *A turma estava junta para partir em excursão. adv.* **4** Perto ou ao lado de (algo ou alguém): *Construiu a casa junto à praia.* **5** Em anexo a, com acompanhamento de (algo ou alguém); JUNTAMENTE: *Mandou o dinheiro junto com as instruções.*

juntura (jun.*tu.*ra) *sf.* **1** Ver junção. **2** Lugar onde duas peças se juntam. **3** *Med.* Ver articulação (2).

Júpiter (*Jú.*pi.ter) *sm. Astron.* Quinto planeta do sistema solar a partir do Sol, e o maior deles.

juquiri (ju.qui.*ri*) *sm. Bras. Bot.* Árvore de madeira dura e escura encontrada na Amazônia.

jura (*ju.*ra) *sf.* **1** Ver juramento (1). **2** Ação ou resultado de amaldiçoar; MALDIÇÃO.

jurado (ju.*ra.*do) *a.* **1** Que se prometeu solenemente. **2** *Bras.* Que foi ameaçado de agressão ou morte: *um bandido jurado pelos rivais. sm.* **3** Cada um dos componentes de um júri.

juramentar (ju.ra.men.*tar*) *v.* **1** Tomar juramento de (réu, testemunha etc.). [*td.*] **2** Fazer jurar, ou obrigar a si mesmo por juramento. [*td.*: *O padre o juramentou na sacristia. pr.: Juramentou-se a não voltar a fumar.*] **3** Declarar ou revelar sob juramento. [*td.*: *A testemunha juramentou sua versão dos fatos.*] [▶ **1** juramen**tar**] • ju.ra.men.*ta.*do *a.*

juramento (ju.ra.*men.*to) *sm.* **1** Ação ou resultado de jurar; JURA: *A cerimônia se encerrou com o juramento dos formandos.* **2** Promessa solene, ger. em nome de algo sagrado ou de valor moral; a fórmula dessa promessa: *Os professores repetiram o juramento na formatura.*

jurar (ju.*rar*) *v.* **1** Declarar ou prometer sob juramento, ou proferi-lo. [*td.*: *jurar inocência num tribunal. tdi. + a: Jurou amor à noiva. int.*: *Ele está disposto a jurar sobre a Bíblia.*] **2** Asseverar, afiançar. [*td.*: "Todo mundo juraria que ele é meu amante." (Josué Montello, *Sempre serás lembrada*). *tdi. + a: Ele me jurou que seria um bom investimento.*] [▶ **1** ju**rar**]

jurássico (ju.*rás.*si.co) *Geol. a.* **1** Diz-se do período geológico da era Mesozoica da Terra. *sm.* **2** Esse período. [Nesta acp. com inicial maiúsc.]

▭ O Jurássico é um período geológico da Terra que teve início há cerca de 200 milhões de anos e durou c. 65 milhões de anos. Nele predominaram os répteis, esp. os dinossauros (ver achega enciclopédica em *dinossauro*), alguns dos quais foram os maiores animais que já houve na Terra. Havia também répteis alados e marinhos (ictiossauros e plesiossauros); nesse período surgiram as aves, os mamíferos, e muitas ordens de insetos (inclusive a mosca e a formiga). Muitas das áreas de terra firme de hoje, em todos os continentes, estavam então cobertas pelo mar. As rochas do Jurássico são hoje intensamente exploradas, ricas que são em sal, petróleo, carvão e metais.

jurema (ju.*re.*ma) *sf. Bras.* **1** *Bot.* Arbusto espinhoso cuja madeira é aproveitada na marcenaria. **2** Bebida alucinógena feita dessa planta.

júri (*jú.*ri) *sm.* **1** *Jur.* Grupo presidido por um juiz e formado por cidadãos convocados que, em conjunto, decidem uma questão jurídica. **2** Grupo de autoridades em um assunto que julgam os concorrentes a um concurso.

jurídico (ju.*rí.*di.co) *a.* **1** Ref. ao direito e ao que a ele é concernente (parecer jurídico). **2** De acordo com os princípios e as disposições do direito.

jurisconsulto (ju.ris.con.*sul.*to) *sm. Jur.* Quem é especializado em direito e dá parecer sobre questões jurídicas; JURISTA; JURISPRUDENTE.

jurisdição (ju.ris.di.*ção*) *sf.* **1** Autoridade para fiscalizar o cumprimento de determinadas leis e punir os infratores: *Não está sob sua jurisdição ès sobre questões trabalhistas.* **2** Área na qual essa autoridade é válida. [Pl.: -*ções.*] • **ju.ris.di.ci.o.***nal a2g.*

jurisprudência (ju.ris.pru.*dên.*cia) *sf. Jur.* **1** Interpretação das leis baseada em decisões de julgamentos anteriores, que formam uma tradição de decisões sobre causas semelhantes. **2** Ciência que estuda as leis.

jurisprudente (ju.ris.pru.*den.*te) *s2g. Jur.* Ver jurisconsulto.

jurista (ju.*ris.*ta) *s2g. Jur.* Ver jurisconsulto.

juriti, juruti (ju.ri.*ti*, ju.ru.*ti*) *sf. Bras. Zool.* Ave cinzenta semelhante ao pombo, comum no interior do Brasil, e cujo canto é apreciado.

juro (*ju*.ro) *sm*. Porcentagem acrescentada ao total de um empréstimo ou de uma compra a prazo, a ser paga pelo devedor: *juros de 4% ao mês*. [Muito us. no pl.] ■■ **~ de mora** Valor acrescentado ao juro normal como multa por atraso no pagamento.

jurubeba (ju.ru.*be*.ba) *sf*. **1** *Bras. Bot.* Arbusto cujas raízes, folhas e frutos são us. como remédio. **2** *PI Gír.* Gratificação sobre salário.

jurujuba (ju.ru.*ju*.ba) *sf. Bras. Bot.* Arbusto de uso ornamental e medicinal; VERBÃO.

jurupari (ju.ru.pa.*ri*) *sm. Bras. Rel.* Entidade religiosa indígena, de caráter demoníaco.

jururu (ju.ru.*ru*) *a2g. Pop.* Abatido e triste; DESANIMADO.

jus *sm*. Merecimento; direito a algo. [Não é us. no pl.]
■■ **Fazer ~ a** Merecer.

jusante (ju.*san*.te) *sf*. **1** Sentido a favor da correnteza de um rio. **2** *Pus*. Período em que a maré baixa; BAIXA--MAR. [Ant.: *maré alta*; *montante*.]

justa¹ (*jus*.ta) *sf*. **1** *Hist*. Combate medieval entre dois cavaleiros que, com lanças, tentavam derrubar o oponente; TORNEIO. **2** Disputa ou luta física entre dois oponentes.

justa² (*jus*.ta) *sf*. **1** *Bras. Gír*. A polícia.

justafluvial (jus.ta.flu.vi:*al*) *a2g*. Que fica próximo de ou nas margens de um rio; RIBEIRINHO. [Pl.: *-ais*.]

justalinear (jus.ta.li.ne:*ar*) *a2g*. Em que o texto correspondente a cada linha fica logo ao lado ou abaixo da mesma (diz-se de tradução).

justapor (jus.ta.*por*) *v*. Pôr(-se) junto ou em contiguidade. [*td*.: *justapor objetos/cores*. *tdi*. + *a*: *justapor um tijolo a outro*. *pr*.: *Em Copacabana os edifícios se justapõem*.] [▶ 60 justa|por|. Part.: *justaposto*.]

justaposição (jus.ta.po.si.*ção*) *sf*. **1** Ação ou resultado de justapor. **2** *Gram*. Reunião de palavras para criar uma nova palavra (p.ex., *bem-amado*, *passatempo*). [Pl.: *-ções*.] [Cf.: *composição* e *aglutinação*.]

justaposto (jus.ta.*pos*.to) [ó] *a*. Posto junto; UNIDO; COMBINADO (tb. *Gram*.). [Fem. e pl.: [ó].]

justar (jus.*tar*) *v. int*. Participar de justa (1) ou torneio. [▶ 1 jus|tar|]

justeza (jus.*te*.za) [ê] *sf*. **1** Qualidade do que é justo (1 e 4): *a justeza da decisão/da calça*. **2** Precisão em um cálculo ou avaliação; EXATIDÃO.

justiça (jus.*ti*.ça) *sf*. **1** Situação virtuosa na qual cada um recebe o que lhe cabe, como resultado de seus atos ou de acordo com os princípios e a lei da sociedade em que vive. **2** Capacidade ou qualidade de ser imparcial ao julgar, e de ser conforme à lei e à ética; ISENÇÃO. **3** Funcionamento harmonioso de uma sociedade, com direitos e deveres iguais para todos os cidadãos; EQUIDADE. **4** Conjunto de instituições e profissionais responsáveis pela aplicação das leis de uma sociedade. **5** O Poder Judiciário. [Ant. nas acps. 1 a 3: *injustiça*.] ■■ **Fazer ~ pelas próprias mãos** Vingar-se (alguém) de quem (supostamente) cometeu crime contra ele, punindo o criminoso, sem recorrer à justiça (4).

justiçar (jus.ti.*çar*) *v. td*. Punir (alguém) com morte ou com suplício corporal. [▶ 12 justi|çar|]

justiceiro (jus.ti.*cei*.ro) *a.sm*. **1** Que ou quem aplica a justiça. **2** Que ou quem é rigoroso na observação das leis e na punição de infratores. **3** Que ou quem se encarrega de fazer justiça pelas próprias mãos.

justificar (jus.ti.fi.*car*) *v*. **1** Provar a inocência de (outrem ou si próprio). [*td*. *pr*.] **2** *Jur*. Provar em juízo. [*td*.] **3** Demonstrar a necessidade, a justeza ou as razões de. [*td*.: *Nem sempre os fins justificam os meios*; (seguido de indicação do meio/meio) *Justifica sua tese com argumentos de autoridades*. *pr*.: *Depois de sua atitude impensada, tentou justificar-se*.] [▶ 11 justifi|car| ● jus.ti.fi.ca.*ção* *sf*.; jus.ti.fi.ca.*tó*.rio *a*.; jus.ti.fi.*cá*.vel *a2g*.]

justificativa (jus.ti.fi.ca.*ti*.va) *sf*. Argumento, documento etc. que constitui prova da veracidade de um fato ou da justeza de uma ação ou situação: *Apresentou um atestado médico como justificativa da falta*.

justificativo (jus.ti.fi.ca.*ti*.vo) *a*. Que serve como justificativa.

justo (*jus*.to) *a.sm*. **1** Que ou quem é ou está conforme à justiça, à equidade, à razão (causa *justa*). *a*. **2** Que é imparcial (policial *justo*); ISENTO. **3** Que tem precisão, rigor; EXATO; PRECISO: *A bailarina executava movimentos justos*. **4** Em que não há folga, de espaço ou tempo (saia *justa*, cronograma *justo*); APERTADO. **5** Mais apropriado; ADEQUADO: *Sabia falar na hora justa*. *adv*. **6** Logo, exatamente: *Fiquei doente justo nas férias*. [Ant. nas acps. 1 e 2: *injusto*.]

juta (*ju*.ta) *sf*. **1** *Bot*. Erva cujas fibras são us. na fabricação de tecidos. **2** O tecido feito com essas fibras.

juvenil (ju.ve.*nil*) *a2g*. **1** Ref. a jovem ou à juventude (público *juvenil*). *a2g.sm*. **2** *Esp*. Que ou aquele que é destinado a, ou composto por jovens (seleção *juvenil*). [Pl.: *-nis*.]

juvenilidade (ju.ve.ni.li.*da*.de) *sf*. Ver *juventude*. [Ant.: *senilidade*.]

juventude (ju.ven.*tu*.de) *sf*. **1** Qualidade ou condição de jovem: *o vigor da juventude*. **2** Fase da vida que começa na adolescência e termina na idade adulta; MOCIDADE; JUVENILIDADE. [Ant.: *velhice*.] **3** Os jovens como um todo; MOCIDADE: *a juventude dos anos 70*.

O k é provavelmente umas das letras que menos sofreram alterações. O kaph, seu antecessor semita, representava a palma de uma mão aberta. O kaph assumiu diversas formas, sobretudo entre os fenícios, até ser empregado pelos gregos, que tornaram seu desenho mais simétrico. Entre os gregos, a letra foi chamada de capa, tendo sido subsequentemente adotada pelos etruscos e romanos.

↓	Fenício
≺	Grego
K	Grego
⋋	Etrusco
⋌	Romano
K	Romano
———	Minúscula carolina
K	Maiúscula moderna
k	Minúscula moderna

k [cá] *sm.* **1** Décima primeira letra do alfabeto da língua portuguesa, proveniente do alfabeto latino, us. em abreviaturas, estrangeirismos e nomes próprios em português: *kg (quilograma), ketchup, Karen. num.* **2** O undécimo em uma série (fila K).
⌘ **K 1** *Quím.* Símb. de *potássio*. **2** *Fís.* Símb. de *kelvin*.
kafkiano (kaf.ki:a.no) *a.* **1** Ref. a, ou próprio de Franz Kafka, escritor nascido em Praga: *Esta história é kafkiana. sm.* **2** Profundo admirador de Kafka e/ou especialista em sua obra.
⊕ **kaiser** (Al. /cáiser/) *sm.* Designação de imperador na Alemanha no séc. XIX. [Com inicial maiúsc. em alemão.]
⊕ **kamikaze** (Jap. /camicáse/) *sm.* Piloto suicida japonês, na Segunda Guerra Mundial; o avião que pilotava nos ataques suicidas.
kantiano (kan.ti:a.no) *a.* **1** Ref. ou pertencente ao filósofo Immanuel Kant ò à sua obra. *sm.* **2** Pessoa que segue as ideias de Kant.
⊕ **karaokê** (Jap. /caraoquê/) *sm.* Ver *caraoquê*.
kardecismo (kar.de.cis.mo) *sm. Rel.* Doutrina religiosa que prega a reencarnação do espírito e foi codificada pelo francês Allan Kardec; ESPIRITISMO. ● **kar.de.cis.ta** *a2g.s2g.*
● **kart** (Ing. /cárt/) *sm. Aut.* Automóvel pequeno de competição, com embreagem automática e sem carroceria, cabine de marchas ou suspensão.
⌘ **kb** *Inf.* Símb. de *kilobit*.
⌘ **kB** *Inf.* Símb. de *kilobyte*.
kelvin (kel.vin) *sm. Fís.* Unidade internacional de medida de temperatura, na qual zero grau é o "zero absoluto" e equivale a - 273,16° C. [Símb.: K]
kepleriano (ke.ple.ri:a.no) *a.* Ref. a ou próprio do astrônomo alemão Johannes Kepler, descobridor do movimento elíptico das órbitas planetárias.
⊕ **kerning** (Ing. /quèrning/) *sm. Edit.* Adaptação automática do espaço entre caracteres a fim de se obter um efeito óptico agradável.
⊕ **ketchup** (Ing. /quétchap/) *sm.* Molho espesso à base de tomates, vinagre e especiarias.
⌘ **kg** *Fís.* Símb. de *quilograma*.
⌘ **kgf** *Fís.* Símb. de *quilograma-força*.
⌘ **kgfm** *Fís.* Símb. de *quilogrâmetro*.
● **khmer** (Khmer /kimér/) *a2g.sm.* Ver *cambojano* (1 e 3).
⌘ **kHz** *Fís.* Símb. de *quilo-hertz*.
⊕ **kibutz** (Hebr. /quibúts/) *sm.* Fazenda em Israel, economicamente independente, na qual tanto a administração quanto o trabalho são coletivos. [Pl.: *kibutzim.*]
⊕ **kilobit** (Ing. /quílobit/) *sm. Inf.* Unidade de medida de informação equivalente a 1.024 *bits*. [Símb.: *kb*]
⊕ **kilobyte** (Ing. /quílobait/) *sm. Inf.* Unidade de medida de informação, igual a 1.024 *bytes*. [Símb.: *kB*]
⊕ **kilt** (Ing. /quilt/) *sm.* Saia típica do traje masculino escocês, na altura dos joelhos, feita de lã com desenho xadrez.
kiribatiano (ki.ri.ba.ti:a.no) *a.* **1** Do Kiribati (sudoeste do oceano Pacífico); típico desse país ou de seu povo. *sm.* **2** Pessoa nascida no Kiribati.
⊕ **kit** (Ing. /quit/) *sm.* Conjunto de peças, agrupadas em embalagem única, que têm entre si alguma relação ou um objetivo comum: *kit de maquiagem/de primeiros socorros.*
⊕ **kitchenette** (Ing./quitchinet/) *sf.* Ver *quitinete*.
⊕ **kitesurf** (Ing./cáitsarf/) *sm. Esp.* Modalidade de surfe em que a prancha é puxada por um parapente. ● **ki.te.sur.fis.ta** *s2g.*
⊕ **kitsch** (Al. /quitch/) *a2g2n.* **1** Diz-se de estilo, manifestação artística, objeto etc. considerado de mau gosto e de apelo popular: *um sofá kitsch. sm2n.* **2** Esse estilo. [Nesta acp., com inicial maiúsc.]
⊕ **kiwi** (Ing. /quiuí/) *sm.* **1** Fruto originário do Sudeste Asiático, com polpa verde e pequenos pelos na casca marrom. **2** *Zool.* Ave comum na Nova Zelândia.
⌘ **km** Símb. de *quilômetro*.
⊕ **know-how** (Ing. /nôu-rau/) *sm.* Conhecimento sobre ou habilidade técnica que se tem em determinada área: *Já temos know-how para extração de petróleo.*
kômbi (kôm.bi) *sf.* Tipo de furgão fechado para transporte de carga ou passageiros. [Nome comercial.]
⊕ **kosher** (Ídiche, do hebr. *kasher* /cósher/) *a2g2n.* **1** Diz-se da comida que foi preparada de acordo com a lei judaica. **2** Que se comporta conforme a lei judaica. **3** Diz-se de pessoa honesta.
⌘ **Kr** *Quím.* Símb. de *criptônio*.
krill (Ing. /cril/) *sm. Zool.* Tipo de crustáceo de tamanho pequeno, e suas larvas.
⊕ **kümmel** (Al. /kümel/) *sm.* Licor à base de álcool, aromatizado com cominho e fabricado esp. na Alemanha e na Rússia. [Com inicial maiúsc. em alemão.]
⊕ **kung-fu** (Chin. /cung-fú/) *sm.* Arte marcial chinesa.
kuwaitiano (ku.wai.ti:a.no) *a.* **1** Do Kuwait (Golfo Pérsico); típico desse país ou de seu povo. *sm.* **2** Pessoa nascida no Kuwait.
⌘ **kW** *Elet. Fís.* Símb. de *quilowatt*.
⌘ **kWh** *Fís.* Símb. de *quilowatt-hora*.

ᒱ	Fenício
1	Grego
∧	Grego
ل	Etrusco
ᒷ	Romano
L	Romano
ι	Minúscula carolina
L	Maiúscula moderna
l	Minúscula moderna

O antecessor fenício do nosso *l* chamava-se *lamed*. Os gregos tomaram emprestada a forma básica do caractere fenício e, com algumas alterações, passaram a chamá-lo de *lambda*. Chegando aos romanos, esta letra evoluiu até tornar-se o caractere composto por um traço vertical e um horizontal, que aparece na coluna de Trajano e que usamos até hoje.

l [éle] *sm*. **1** Duodécima letra do alfabeto. **2** A nona consoante do alfabeto. *num*. **3** O duodécimo em uma série (casa L).
⊠ **l** Símb. de *litro*.
⊠ **L** Símb. do núm. cinquenta, em algarismos romanos.
⊠ **L.** Abr. de *leste*.
lá¹ *adv*. **1** Naquele lugar, distante do falante e do ouvinte: *Chegou lá em sua terra muito abatido*. **2** Para aquele lugar distante; àquele lugar: *Iam sempre lá*. **3** Naquele lugar, próximo do falante e do ouvinte; ALI: *Deixe o embrulho lá na mesa*. **4** Naquele tempo (passado ou futuro); ENTÃO: *De lá para cá, tudo melhorou*. **5** Aproximadamente: *Lá pelas 11 horas, a chuva passou*. **6** De fato; verdadeiramente: *Ele não era lá um bom marido*. **7** Não: *Sei lá como foi, o fato é que fizeram as pazes*. ▪▪ **Para ~** Além: *Mora para lá da serra*.
lá² *sm. Mús*. **1** A sexta nota da escala de dó. **2** Sinal que representa essa nota na pauta.
lã *sf*. **1** Pelo de certos animais, esp. do carneiro. **2** Tecido feito desse pelo.
labareda (la.ba.*re*.da) [ê] *sf*. Chama, língua de fogo.
lábaro (*lá*.ba.ro) *sm*. Estandarte, bandeira: "... o *lábaro* que ostentas estrelado..." (Joaquim Osório Duque Estrada, *Hino Nacional Brasileiro*).
labéu (la.*béu*) *sm*. Mancha em honra de alguém; DESONRA: "...vem remir dos mais torpes *labéus*..." (Medeiros e Albuquerque, *Hino da Proclamação da República*).
lábia (*lá*.bi:a) *sf*. Conversa cheia de astúcia para convencer ou enganar.
labiada (la.bi:*a*.da) *sf. Bot*. Planta cujas flores têm corola em forma de lábios, ger. us. como condimento (p.ex.: a hortelã, o orégano, o manjericão etc.).
labial (la.bi:*al*) *a2g*. Ref. aos lábios. [Pl.: *-ais*.]
lábil (*lá*.bil) *a2g*. **1** Que cai facilmente. **2** Transitório, instável. [Pl.: *-beis*.]
lábio (*lá*.bi:o) *sm*. **1** *Anat*. Cada uma das partes externas e carnudas do contorno da boca; BEIÇO. **2** Qualquer parte ou objeto em forma de lábio. [Dim.: *labelo*.]
labiodental (la.bi:o.den.*tal*) *a2g.s2g. Fon*. Que ou o que (fonema consoante) se pronuncia encostando o lábio inferior nos dentes incisivos superiores. [Pl.: *-tais*.]
labirintite (la.bi.rin.*ti*.te) *sf. Med*. Inflamação do labirinto (3).
labirinto (la.bi.*rin*.to) *sm*. **1** Lugar com muitas divisões e passagens interligadas, onde é possível se perder ou não encontrar a saída. **2** *Fig*. Grande confusão, complicação; EMARANHADO: *um labirinto de problemas*. **3** *Anat*. Conjunto de cavidades que formam a orelha interna.

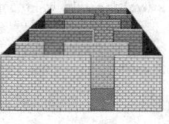

LABIRINTO (1)

labor (la.*bor*) [ô] *sm*. Trabalho, esp. árduo e prolongado; LABUTA.
laborar (la.bo.*rar*) *v*. **1** Ver *labutar*. **2** Cultivar (a terra, um campo); LAVRAR. [*td*.] [▶ **1** labor*ar*]
laboratório (la.bo.ra.*tó*.ri:o) *sm*. **1** Lugar equipado para a realização de pesquisas científicas ou industriais, preparo de medicamentos, trabalhos fotográficos etc. **2** *Fig*. Atividade envolvendo observação, estudo e/ou experimentação: *laboratório de teatro*. • la.bo.ra.to.*ris*.ta *s2g*.
laborioso (la.bo.*ri*:o.so) [ô] *a*. **1** Que trabalha muito. **2** Que requer muito esforço (exercício *laborioso*); ÁRDUO; CUSTOSO. [Fem. e pl.: [ó].]
laborterapia (la.bor.te.ra.*pi*.a) *sf. Psi*. Tratamento por meio do trabalho; TERAPIA OCUPACIONAL. [Ver *terapia*.] • la.bor.te.*rá*.pi.co *a*.
labrego (la.*bre*.go) [ê] *a.sm*. Que ou quem é grosseiro, rude.
labuta (la.*bu*.ta) *sf*. Ver *labor*.
labutar (la.bu.*tar*) *v. int*. Trabalhar com sacrifício e perseverança; *labutar no garimpo*. [▶ **1** labut*ar*]
laca (*la*.ca) *sf*. **1** Resina avermelhada que se extrai de certas árvores. **2** Espécie de verniz us. na pintura de objetos, móveis etc.
laçada (la.*ça*.da) *sf*. Nó que se desamarra facilmente e possui uma só alça.
lacaio (la.*cai*.o) *sm*. **1** Servo, criado. **2** *Pej*. Pessoa subserviente e aduladora.
laçar (la.*çar*) *v. td*. **1** Prender com laço (2) (animal em movimento). **2** Dar um laço (1) em: *laçar o cadarço*. **3** Pôr um laço (1) em: *laçar um presente*. [▶ **12** laç*ar*] • la.ça.*dor a.sm*.
laçaria (la.ça.*ri*.a) *sf*. Enfeites em forma de laço (1).
laçarote (la.ça.*ro*.te) *sm*. Laço (1) vistoso.
lacerar (la.ce.*rar*) *v*. Ver *dilacerar*. [▶ **1** lacer*ar*] • la.ce.*ran*.te *a2g*.
laço (*la*.ço) *sm*. **1** Nó com uma ou mais alças e que se desamarra facilmente. [Aum.: *laçarrão*. Dim.: *lacete*.] **2** Corda com nó corredio numa ponta. **3** *Fig*. Ligação, vínculo: *laços de amizade*. **4** Armadilha: *cair no laço*. ▪▪ **Em cima do ~** Bem na hora.
lacônico (la.*cô*.ni.co) *a*. Que se expressa com poucas palavras (resposta *lacônica*); CONCISO.
laconismo (la.co.*nis*.mo) *sm*. Maneira de falar ou escrever usando poucas palavras; BREVIDADE; CONCISÃO.
lacraia (la.*crai*.a) *sf. Bras. Zool*. Ver *centopeia*.
lacrar (la.*crar*) *v. td*. Selar ou fechar com lacre. [▶ **1** lacr*ar*]
lacrau (la.*crau*) *sm. Bras. Zool*. Ver *escorpião*.

lacre (*la*.cre) *sm.* Mistura de resinas e corantes us. para fechar cartas, garrafas, embalagens etc. e garantir sua inviolabilidade.

lacrimal (la.cri.*mal*) *a2g. Anat.* Diz-se de órgão que produz ou conduz lágrimas. [Pl.: -*mais*.]

lacrimejante (la.cri.me.*jan*.te) *a2g.* Que lacrimeja ou faz lacrimejar.

lacrimejar (la.cri.me.*jar*) *v. int.* **1** Encherem-se os olhos de lágrimas: *Ficou sentido, seus olhos lacrimejavam.* **2** Escorrerem lágrimas dos olhos em decorrência de irritação ocular: *A poluição a fazia lacrimejar.* [▶ 1 lacrimej*ar*]

lacrimogênio (la.cri.mo.*gê*.ni:o) *a.sm.* Que ou o que causa lágrimas (gás lacrimogênio).

lacrimoso (la.cri.*mo*.so) [ó] *a.* Que verte lágrimas; CHOROSO. [Fem. e pl.]

lactante (lac.*tan*.te) *sf.* **1** Mulher que amamenta. *a2g.* **2** Que produz leite.

lactário (lac.*tá*.ri:o) *sm.* Instituição de assistência onde se distribui leite a lactentes.

lactente (lac.*ten*.te) *a2g.s2g.* Que ou aquele (bebê ou filhote) que ainda mama.

lácteo (*lác*.te:o) *a.* **1** Ref. ao leite. **2** Que é semelhante ao leite; LEITOSO. **3** Que contém ou produz leite.

lactescente (lac.tes.*cen*.te) *a2g.* **1** *Bot.* Que contém látex. **2** Leitoso.

lacticínio (la.ti.ci.ni:o) *sm.* Ver laticínio.

láctico (*lác*.ti.co) *a.* Ref. ao leite.

lactífero (lac.*tí*.fe.ro) *a.* Que produz ou conduz leite.

lactobacilo (lac.to.ba.*ci*.lo) *sm. Bac.* Bactéria que coagula o leite, us. na produção de iogurte.

lactômetro (lac.*tô*.me.tro) *sm.* Instrumento que serve para medir o volume e a densidade do leite.

lactose (lac.*to*.se) *sf. Quím.* O tipo de açúcar encontrado no leite dos mamíferos.

lacuna (la.*cu*.na) *sf.* **1** Espaço vazio, falta de algum elemento numa sequência, num conjunto. **2** Omissão, falha: *um texto cheio de lacunas.* • **la.cu.*nar*** *v. td.*

lacustre (la.*cus*.tre) *a2g.* Que está nas águas ou na margem de um lago (planta lacustre, habitação lacustre).

ladainha (la.da.*i*.nha) *sf.* **1** *Rel.* Oração repetitiva, em que se alternam invocações e respostas. **2** *Fig.* Falação insistente e monótona; LENGA-LENGA.

ladear (la.de.*ar*) *v. td.* **1** Seguir ao lado de, ou correr paralelamente a: *O treinador ladeava o atleta na corrida.* **2** Estar situado ao lado de ou junto a: *A guarita ladeia a entrada principal.* **3** Evitar (pessoa, assunto, situação etc.); usar de subterfúgios ao tentar contornar (algo): *Em vez de ladear os problemas, resolva-os.* [▶ 13 lade*ar*]

ladeira (la.*dei*.ra) *sf.* Rua ou caminho muito inclinado, íngreme.

ladino (la.*di*.no) *a.sm.* **1** Que ou quem é astuto, esperto; FINÓRIO. *sm.* **2** *Gloss.* Dialeto latino falado no leste da Suíça e norte da Itália. **3** *Gloss.* Dialeto falado por judeus de origem ibérica, tb. chamado judeo-espanhol.

lado (*la*.do) *sm.* **1** Parte ou região de qualquer coisa ou lugar: *Fique deste lado da rua*; *O fígado fica no lado direito do corpo.* **2** Qualquer face de um objeto, de um sólido etc.: *os lados de um cubo.* **3** Direção, rumo: *"— Se eu soubesse ao menos para que lado mora ela!"* (José de Alencar, *A pata da gazela*). **4** Espaço, lugar à direita ou à esquerda de algo ou alguém: *Sente-se aqui a meu lado.* **5** Partido, grupo de pessoas com a mesma posição, opinião etc.: *Passou para o lado conservador.* **6** Aspecto, ângulo: *o lado moral de uma questão.* **7** Linha de parentesco (lado materno). ∎ **De ~ a ~** De ponta a ponta; de um extremo a outro. **Do ~ de** Ao lado de; solidário com; a favor de; em acordo com: *O político estava do lado do povo.* **Olhar de ~** Olhar com desprezo, ou com desconfiança. **Pôr de ~ 1** Desconsiderar; não dar atenção a; não levar em conta: *Pôs de lado o relatório e redigiu outro.* **2** Deixar (algo) para ser considerado depois: *Vou pôr de lado esta proposta para ler com calma.*

ladrado (la.*dra*.do) *sm.* Pop. Latido, ladrido.

ladrão (la.*drão*) *a.sm.* **1** Que ou quem furta ou rouba. *sm.* **2** Tubo para escoamento automático do líquido excedente de caixa-d'água, radiador etc. [Pl.: *-drões*. Fem.: ladra. Aum.: *ladravaz, ladroaço*.] ∎ **Sair pelo ~** Existir ou estar presente em grande quantidade: *Estava lotado, havia gente saindo pelo ladrão.*

ladrar (la.*drar*) *v.* **1** Dar latido; LATIR. [*int.*] **2** Proferir (insulto, maldição etc.) com violência; PRAGUEJAR. [*td.*: *ladrar desaforos. int.*: *Perseguiu, a ladrar, o ônibus que não parara.*] [▶ 1 ladr*ar*]

ladrido (la.*dri*.do) *sm.* Latido, ladrido.

ladrilhar (la.dri.*lhar*) *v. td.* Revestir (parede ou piso) com ladrilhos. [▶ 1 ladrilh*ar*]

ladrilheiro (la.dri.*lhei*.ro) *sm.* Aquele que fabrica ou assenta ladrilhos.

ladrilho (la.*dri*.lho) *sm.* Pequena placa de cerâmica, barro cozido etc., para revestir pisos ou paredes.

ladro (*la*.dro) *sm.* **1** Latido, ladrido. *a.* **2** Próprio de ladrão (1).

ladroagem (la.dro:a.gem) *sf.* Ver ladroeira. [Pl.: *-gens*.]

ladroeira (la.dro:*ei*.ra) *sf.* Ação ou resultado de roubar; FURTO; ROUBO; LADROAGEM.

lagamar (la.ga.*mar*) *sm.* **1** Recanto abrigado na margem de um rio ou de uma enseada. **2** Lagoa de água salgada, esp. a formada por um cordão de coral.

lagar (la.*gar*) *sm.* **1** Tanque em que se espremem frutos, esp. uvas e azeitonas. **2** Oficina com as instalações próprias para esse procedimento.

lagarta (la.*gar*.ta) *sf.* **1** *Zool.* Larva de borboletas e mariposas. **2** *Mec.* Esteira que envolve as rodas de tanques e tratores, permitindo-lhes deslocar-se em terreno acidentado.

lagarta-de-fogo (la.gar.ta-de-*fo*.go) *sf. Bras. Zool.* Lagarta cujos pelos produzem ardência; TATURANA. [Pl.: *lagartas-de-fogo*.]

lagartear (la.gar.te.*ar*) *v. int. Bras.* Deixar-se aquecer sob o sol, como lagarto (1). [▶ 13 lagart*ear*]

lagartixa (la.gar.*ti*.xa) *sf. Zool.* Nome de algumas espécies de um pequeno lagarto que anda pelas paredes e se alimenta de insetos.

lagarto (la.*gar*.to) *sm.* **1** *Zool.* Réptil de quatro patas, cauda longa, pele escamosa e que vive em lugares pedregosos. **2** *Bras.* Certo corte de carne bovina, duro, próprio para assar.

lago (*la*.go) *sm.* **1** *Geog.* Extensão de água cercada de terra. **2** Tanque de água decorativo, em parque ou jardim.

lagoa (la.*go*.a) [ô] *sf.* Pequeno lago.

lagoeiro (la.go:*ei*.ro) *sm.* **1** Água de chuva acumulada em depressão de terreno. **2** Lugar alagado.

lagosta (la.*gos*.ta) [ó] *sf. Zool.* Crustáceo marinho de carapaça dura, longas antenas e carne comestível.

lagostim (la.gos.*tim*) *sm. Zool.* Crustáceo semelhante à lagosta, porém menor e sem antenas. [Pl.: *-tins*.]

lágrima (*lá*.gri.ma) *sf.* **1** Gota de líquido incolor e salgado produzido pelas glândulas do olho. **2** *Fig.* Pequena quantidade de um líquido; GOTA: *lágrimas de orvalho.* **3** Qualquer coisa em forma de lágrima: *Seus brincos eram lágrimas de pérola.* ∎ **lágrimas** *sfpl.* **4** *Fig.* Choro, pranto: *Suas lágrimas expressavam toda a sua dor.* **5** *Fig.* Sofrimento, tristeza: *"...cuja ausência a fazia infeliz e lhe enchia a existência de lágrimas."* (Machado de Assis, *Dom Casmurro*). ∎ **~s de crocodilo** Lágrimas fingidas, choro falso.

laguna (la.*gu*.na) *sf.* Lago (1) de água salgada, pouco profundo, perto do litoral.

laia (*lai*.a) *sf.* Espécie, feitio, classe: *gente da mesma laia.* [Ger. us. com sentido pejorativo.]

laicismo (lai.cis.mo) sm. **1** Doutrina contrária à influência religiosa nas instituições sociais. **2** Estado ou qualidade de laico.

laico (lai.co) a. **1** Não religioso (educação laica); LEIGO. [Ant.: clerical.] sm. **2** Partidário do laicismo. • **lai.ci.da.de** sf.

laicra (lai.cra) sf. Ver lycra®.

⊕ **laissez-faire** (Fr. /lessê-fer/) sm2n. **1** Econ. Doutrina ou prática de não interferência do Estado nas atividades econômicas. **2** Atitude ou conceito de não intervir em processo, atividade etc.

laivo (lai.vo) sm. **1** Mancha, nódoa. ◪ **laivos** smpl. **2** Vestígios, traços: laivos de ironia.

laje, lajem (la.je, la.jem) sf. **1** Placa de cerâmica, mármore ou outro material resistente, us. para revestir pisos, paredes etc. **2** Cons. Cobertura ou piso de cimento armado. [Pl. de lajem: -jens. Dim.: lajota.]

lajeado (la.je.a.do) Cons. a. **1** Revestido de lajes. sm. **2** Pavimento lajeado; LAJEDO.

lajedo (la.je.do) [ê] sm. Ver lajeado (2).

lajota (la.jo.ta) [ó] sf. Pequena laje us. para revestir pisos.

lajoteiro (la.jo.tei.ro) sm. Pessoa que fabrica, vende ou assenta lajotas.

lalomania (la.lo.ma.ni.a) sf. Psiq. Mania de discursar; loquacidade doentia. • **la.lo.ma.ní.a.co** a.sm.; **la.lô.ma.no** a.sm.

laloplegia (la.lo.ple.gi.a) sf. Med. Paralisia dos órgãos da fala. • **la.lo.plé.gi.co** a.sm.

lama[1] (la.ma) sf. **1** Barro, lodo. **2** Fig. Degradação, baixeza: viver na lama.

lama[2] (la.ma) sm. Rel. Sacerdote budista.

lama[3] (la.ma) sf. Zool. Ver lhama.

lamaçal (la.ma.çal) sm. Lugar cheio de lama[1]; ATOLEIRO; LAMACEIRA; LAMEIRO. [Pl.: -çais.]

lamaceira (la.ma.cei.ra) sf. Ver lamaçal.

lamacento (la.ma.cen.to) a. **1** Que está cheio de lama[1] (rua lamacenta); LAMOSO. **2** Que parece lama[1] (creme lamacento).

lamaísmo (la.ma.ís.mo) sm. Rel. Religião de origem budista, que predomina no Tibete e que tem como chefe supremo Dalai Lama.

lambada (lam.ba.da) sf. **1** Golpe dado com chicote, tira de couro ou material assemelhado: Davam lambadas nos escravos. **2** Bras. Mús. Ritmo musical brasileiro animado ou a dança que acompanha esse ritmo.

lambança (lam.ban.ça) sf. **1** Bras. Fig. Trabalho malfeito, sem capricho: O pedreiro fez uma lambança. **2** Bras. Sujeira, imundície: A cozinha estava uma lambança só.

lambão (lam.bão) a.sm. **1** Fig. Que ou quem é pouco caprichoso ao realizar um trabalho (marceneiro lambão). **2** Que ou quem se suja quando come. [Pl.: -bões. Fem.: -bona.]

lambari (lam.ba.ri) sm. Bras. Zool. Tipo de peixe pequeno, com escamas, dentes em forma de serra, que se encontra nos rios brasileiros.

lambda (lamb.da) sm. A 11ª letra do alfabeto grego. Corresponde ao l latino (Λ, λ).

lambdacismo (lamb.da.cis.mo) sm. Ling. Na pronúncia de algumas palavras, a substituição do som [r] pelo [l].

lambedor (lam.be.dor) [ô] a.sm. **1** Que ou quem lambe ou gosta de lamber. **2** Bras. Fig. Que ou quem bajula outrem; PUXA-SACO. [Fem.: lambedeira.] sm. **3** N.E. Denominação comum a vários xaropes feitos de mel e produtos naturais.

lambe-lambe (lam.be-lam.be) s2g. Bras. Pop. Fotógrafo ambulante que trabalha nas ruas, parques e praças. [Pl.: lambe-lambes.]

lamber (lam.ber) v. **1** Passar a língua sobre (algo, alguém ou si próprio). [td.: lamber os beiços. pr.: O gato lambia-se todo.] **2** Bras. Fig. Pop. Bajular, adular. [td.: Não para de lamber o chefe.] **3** Fig. Arrasar, consumir, incendiar. [td.: O fogo lambeu rapidamente a mata.] **4** Fig. Aperfeiçoar ou zelar excessivamente por. [td.: O escritor lambia seus textos; Lambe seu único filho.] **5** Bras. Pegar fogo (um balão). [int.] [▶ **2** lamber]

lambida (lam.bi.da) sf. Ação ou resultado de lamber.

lambidela (lam.bi.de.la) sf. O m.q. lambida.

lambido (lam.bi.do) a. **1** Que se lambeu. **2** Bras. Pop. Muito liso (diz-se de cabelo). **3** Bras. Pop. Desprovido de graça); INSOSSO.

lambiscar (lam.bis.car) v. Comer pequena porção de ou um pouco de cada vez entre as refeições; BELISCAR. [td.: Acordou sem fome e só lambiscou o queijo. int.: A nutricionista recomendou não lambiscar.] [▶ **11** lambiscar]

lambisco (lam.bis.co) sm. Pequena quantidade de comida.

lambisgoia (lam.bis.goi.a) sf. Pop. Pej. Mulher antipática ou atrevida, ger. magra e sem graça. [At! O termo é considerado ofensivo.]

lambrequim (lam.bre.quim) sm. Ornamento de madeira recortada ou metal us. em beiras de telhados, cortinas etc. [Us. ger. no pl.: -quins.]

lambreta (lam.bre.ta) [ê] sf. Tipo de motocicleta pequena e pouco potente. • **lam.bre.tis.ta** s2g.

lambri, lambril (lam.bri, lam.bril) sm. Revestimento de madeira ou outro material, us. em paredes internas. [Us. ger. no pl.: lambris.]

lambuja, lambujem (lam.bu.ja, lam.bu.jem) sf. Bras. **1** Algo que se ganha ou se dá, além do esperado; QUEBRA: Comprou dez balas e ganhou mais duas de lambuja. **2** Vantagem que se oferece em jogo, aposta ou negócio: Eu te darei dois gols de lambuja. [Pl. de lambujem: -jens.]

lambuzar (lam.bu.zar) v. Sujar(-se) de comida, graxa, tinta etc. [td. (seguido ou não de indicação de meio): lambuzar a roupa (com sorvete). pr.: Lambuzou-se todo ao mexer no motor.] [▶ **1** lambuzar] • **lam.bu.za.do** a.

lambuzeira (lam.bu.zei.ra) sf. Sujeira produzida por substância cremosa ou viscosa.

lamê (la.mê) s.sm. Diz-se de ou tecido brilhoso no qual entremeiam-se fios metálicos ou de fibra sintética.

lameiro (la.mei.ro) sm. **1** Local cheio de lama[1] (1); LAMAÇAL. **2** Mar. Tipo de embarcação que carrega lama retirada de dragagem do porto. a. **3** Pop. Que corre melhor na lama (diz-se de cavalo).

lameliforme (la.me.li.for.me) a2g. Que tem forma de lâmina.

lamentação (la.men.ta.ção) sf. **1** Ação ou resultado de lamentar(-se). **2** Manifestação queixosa de sofrimento ou dor. [Pl.: -ções.]

lamentar (la.men.tar) v. **1** Expressar(-se) por lamentos ou lamúrias. [td.: "...que você lamenta e chora a nossa separação..." (Noel Rosa, Último desejo). pr.: Não para de se lamentar.] **2** Sentir pena ou aflição, angústia por (algo); LASTIMAR. [td.: Lamento não poder ajudar.] [▶ **1** lamentar]

lamentável (la.men.tá.vel) a2g. **1** Que inspira compaixão e pena; LASTIMÁVEL: A doença o deixou em um estado lamentável. **2** Que é digno de censura ou repreensão: As torcidas tiveram um comportamento lamentável. [Pl.: -veis.]

lamento (la.men.to) sm. Queixa chorosa ou expressa lamento. LAMÚRIA.

lamentoso (la.men.to.so) [ô] a. Que contém ou expressa lamento. [Fem. e pl.: [ó].]

lâmina (lâ.mi.na) sf. **1** Parte cortante de espada, faca, canivete etc. **2** Chapa fina de metal. **3** Pequena placa de vidro us. para análise ou exame de laboratório.

laminado (la.mi.*na*.do) *a.* **1** Composto por várias camadas ou lâminas (vidro <u>laminado</u>). **2** Que apresenta formato de lâmina. *sm.* **3** Chapa de madeira ou metal produzida pela compressão de lâminas.

laminador (la.mi.na.*dor*) [ó] *a.sm.* Que ou aquilo que produz ou comprime lâminas.

laminar¹ (la.mi.*nar*) *a2g.* Que tem lâmina(s) ou sua forma (estrutura <u>laminar</u>).

laminar² (la.mi.*nar*) *v. td.* Usinar (metal) em lâmina. [▶ **1** laminar] ● la.mi.na.*ção sf.*

lamoso (la.*mo*.so) [ó] *a.* Que contém lama¹ (1); LAMACENTO. [Fem. e pl.: [ó].]

lâmpada (*lâm*.pa.da) *sf.* **1** Globo ou tubo de vidro com dispositivo que produz luz com o passar da corrente elétrica (<u>lâmpada</u> fluorescente). **2** Recipiente, us. para iluminação, que contém pavio imerso em substância combustível. [Dim.: *lamparina*.]

lampadário (lam.pa.*dá*.ri:o) *sm.* Peça onde podem ser colocadas várias lâmpadas.

lamparina (lam.pa.*ri*.na) *sf.* **1** Utensílio composto de recipiente com querosene ou óleo, e um pavio que, ao ser aceso, produz chama e luz. **2** Lâmpada pequena.

lampeiro (lam.*pei*.ro) *a.* Que apresenta certa agitação, alegria e atrevimento; SERELEPE: *As adolescentes <u>lampeiras</u> chamavam atenção.*

lampejar (lam.pe.*jar*) *v. int.* Emitir lampejo ou clarão momentâneo. [▶ **1** lampejar] ● lam.pe.*jan*.te *a2g.*

lampejo (lam.*pe*.jo) [ê] *sm.* **1** Clarão repentino e fugaz. **2** *Fig.* Revelação súbita e espontânea de uma ideia.

lampião (lam.pi:*ão*) *sm.* Utensílio de iluminação, fixo ou portátil, de corpo metálico bojudo, contendo substância combustível, e parte superior de vidro, que protege a mecha incandescente. [Pl.: *-ões*.]

lampreia (lam.*prei*.a) *sf. Zool.* Peixe marinho com corpo alongado e cilíndrico que se fixa com a boca no corpo de outros peixes.

lamúria (la.*mú*.ri:a) *sf.* Expressão chorosa de queixa ou sofrimento; LAMENTO.

lamuriar (la.mu.ri.*ar*) *v.* Lamentar(-se) por lamúria ou choradeira; LASTIMAR(-SE). [*td.*: *<u>Lamuriava</u> o brinquedo quebrado. int./pr.: Sempre o vejo <u>lamuriar(-se)</u>.*] [▶ **1** lamuriar] ● la.mu.ri.*an*.te *a2g.*; la.mu.ri.*en*.to *a.*; la.mu.ri.*o*.so *a.*

lança (*lan*.ça) *sf.* Arma com haste longa e ponta aguda de metal, que pode ser arremessada ou introduzida no corpo do inimigo.

lança-chamas (lan.ça-*cha*.mas) *sm2n. Mil. Quím.* Arma que arremessa líquido inflamado com o objetivo de destruir pelo fogo.

lançadeira (lan.ça.*dei*.ra) *sf.* **1** Peça de tear ou de máquina de costura, por que passa o fio e us. para tecer ou coser. **2** *Astnáut.* Veículo espacial recuperável us. para colocar em órbita satélites ou naves.

lançador (lan.ça.*dor*) [ô] *a.sm.* **1** Que ou quem lança. **2** *Astr.* Que ou o que leva ao espaço uma lançadeira (diz-se de foguete).

lançamento (lan.ça.*men*.to) *sm.* **1** Ação ou resultado de lançar(-se). **2** Apresentação ao público, venda ou exibição de produto ou atração inéditos: *O <u>lançamento</u> do filme foi concorrido.* **3** Aquilo que foi lançado: *os <u>lançamentos</u> de Natal da editora.* **4** *Astnáut.* Envio ao espaço de nave, foguete ou satélite, por meio de mecanismo de propulsão. **5** *Cont.* Anotação feita em livro contábil. **6** *Esp.* Arremesso, passe. **7** *Fut.* Passe que percorre uma grande distância.

lança-perfume (lan.ça-per.*fu*.me) *sm. Bras.* Cilindro contendo éter perfumado sob pressão, us. antigamente no carnaval para borrifar os foliões. [Pl.: *lança-perfumes*.]

lançar (lan.*çar*) *v.* **1** Arremessar, visando a um alvo. [*td.* (seguido ou não de indicação de lugar): *<u>Lançou</u> a pedra (na lata sobre o muro).*] **2** Projetar mediante propulsão. [*td.* (seguido ou não de indicação de lugar): *<u>lançar</u> um foguete (ao espaço sideral).*] **3** Jogar, estendendo. [*td.* (seguido ou não de indicação de lugar): *<u>lançar</u> uma rede (ao mar).*] **4** Arrojar(-se), jogar(-se), precipitar(-se). [*td.* (seguido ou não de indicação de lugar): *Irritada, <u>lançou</u> longe o presente. pr.*: *"... Corina <u>se</u> lançava à cama totalmente exausta..."* (Josué Montello, *Sempre serás lembrada*).] **5** Emitir, expelir ou exalar. [*td.*: *<u>lançar</u> raios/gritos/perfume*; (tb. seguido de indicação de direção/lugar) *<u>lançar</u> impropérios contra alguém.*] **6** Dirigir, voltar (o olhar, os olhos). [*td.*] **7** Despejar, entornar, verter (líquido). [*td.* (seguido ou não de indicação de lugar): *Este rio <u>lança</u> suas águas no mar. pr.*: *O Amazonas <u>lança-se</u> no Atlântico.*] **8** Fazer brotar ou germinar; PRODUZIR. [*td.*: *A árvore <u>lançava</u> bons frutos.*] **9** Pôr em voga (ideia, moda), ou promover (outrem ou si mesmo). [*td.*: *<u>lançar</u> a minissaia. pr.*: *A atriz lançou-se como cantora.*] **10** Introduzir (novo produto) no mercado, ou estrear (filme, peça etc.). [*td.*] **11** Imputar, atribuir. [*tdi.* + *a, em*: *Lançaram a culpa <u>no</u> inocente.*] **12** Enviar ou publicar (manifesto, ultimato etc.). [*td.* (seguido ou não de indicação de meio): *<u>Lançou</u> um apelo (através da imprensa).*] **13** *Esp.* Fazer lançamento ou arremesso de. [*tdi.* + *a, para*: *<u>lançar</u> a bola <u>para</u> o companheiro.*] [▶ **12** lançar]

lança-torpedos (lan.ça-tor.*pe*.dos) *sm2n.* Aparelho de disparo de torpedos presente em submarinos e navios de guerra.

lance (*lan*.ce) *sm.* **1** Aquilo que ocorre ou ocorreu; ACONTECIMENTO; FATO. **2** Lançamento, arremesso. **3** Situação complicada ou ilegal. **4** Oferta de preço proposta em leilão: *Fiz um <u>lance</u> de cem reais pela peça.* **5** *Esp.* Jogada em uma partida: *"...logo no primeiro <u>lance</u> perdeu um gol..."* (*O Dia*, 21.04.03). ■ **De um ~** Em um só movimento; de uma vez só. **Em cima do ~** No mesmo instante; bem na hora; na bucha.

lanceiro (lan.*cei*.ro) *sm.* Guerreiro ou soldado que luta com uma lança.

lanceolado (lan.ce:o.*la*.do) *a.* Que tem formato semelhante ao de uma lança; esp. folha (1).

lanceta (lan.*ce*.ta) [ê] *sf.* Lâmina (1) de dois gumes us. para fazer pequenos cortes.

lancetar (lan.ce.*tar*) *v. td.* Cortar ou abrir com lanceta: *<u>lancetar</u> um furúnculo.* [▶ **1** lancetar]

lancha (*lan*.cha) *sf.* Barco a motor.

lanchar (lan.*char*) *v.* **1** Comer o lanche. [*int.*: *Não <u>lanchou</u> para jantar mais cedo.*] **2** Comer (algo) como lanche. [*td.*: *<u>lanchar</u> café com torradas.*] [▶ **1** lanchar]

lanche (*lan*.che) *sm.* Toda refeição ligeira, esp. aquela entre o almoço e o jantar.

lancheira (lan.*chei*.ra) *sf.* Maleta de plástico us. por escolares para carregar o lanche; MERENDEIRA.

lanchonete (lan.cho.*ne*.te) [ê] *sf. Bras.* Estabelecimento especializado em refeições ligeiras, sanduíches, salgadinhos etc.

lancinante (lan.ci.*nan*.te) *a2g.* **1** Que se manifesta por fisgadas, pontadas. **2** Que causa muita dor ou atormenta (saudade <u>lancinante</u>). ● lan.ci.*nar v.*

lanço (*lan*.ço) *sm.* Oferta por produto feita em leilão; LANCE.

langanho (lan.*ga*.nho) *sm. Bras.* **1** Carne com nervos e pelanca. **2** *Fig.* Coisa pegajosa e repugnante.

langor (lan.*gor*) [ô] *sm.* **1** Estado daquele que se encontra apático e prostrado. **2** Qualidade de quem é sensual, voluptuoso; LANGUIDEZ.

langoroso (lan.go.*ro*.so) [ô] *a.* Ver **lânguido**. [Fem. e pl.: [ó].]

languescer (lan.gues.*cer*) *v.* Ver **enlanguescer**. [▶ **33** languescer]

languidez (lan.gui.*dez*) [ê] *sf.* Qualidade ou estado de lânguido; LANGOR.

lânguido (*lân*.gui.do) *a.* **1** Que se encontra debilitado ou desanimado. **2** Sensual, voluptuoso, libidinoso. [Sin. ger.: *langoroso*.]

lanhar (la.*nhar*) *v.* Cortar(-se), ferir(-se), ou fazer(-se) lanhos em. [*td.*: *O chicote* lanhou *seu lombo. pr.*: *Os meninos* lanharam-se *no espinheiro*.] [▶ 1 lanhar]

lanho (*la*.nho) *sm.* Corte produzido por instrumento com lâmina; TALHO.

🌐 **lan house** (*Ing.* / *lã rause*) *sf.* Estabelecimento onde as pessoas pagam para utilizar um computador com acesso à internet e a uma rede local.

lanífero (la.*ní*.fe.ro) *a.* Ver *lanígero*.

lanifício (la.ni.*fí*.ci.o) *sm.* **1** Fábrica onde se produzem fios e tecidos de lã. **2** Produção de fios e tecidos de lã.

lanígero (la.*ní*.ge.ro) *a.* **1** Que possui ou fornece lã (gado *lanígero*). **2** Ref. a lã (mercado *lanígero*).

lanoso (la.*no*.so) [ô] *a.* **1** Da ou semelhante à lã (cobertor *lanoso*). **2** Que possui muita lã (ovelha *lanosa*). [Sin. ger.: *lanudo*.] [Fem. e pl.: [ó].]

lantejoula (lan.te.*jou*.la) *sf.* Ver *lentejoula*.

lanterna (lan.*ter*.na) *sf.* **1** Aparelho portátil de iluminação composto por lâmpada elétrica alimentada por pilhas. **2** Recipiente de vidro onde se coloca uma fonte de luz. **3** Dispositivo de iluminação ou de sinalização presente em veículos automotores. **4** *Bras. Esp.* Última posição em competição, campeonato. *s2g.* **5** *Bras. Esp.* Time ou atleta na lanterna (4); LANTERNINHA: *Com a vitória, eles saíram da* lanterna.

lanternagem (lan.ter.*na*.gem) *sf. Bras.* Reparo de partes amassadas na lataria de carros. [Pl.: *-gens*.]

lanterneiro (lan.ter.*nei*.ro) *sm.* **1** Fabricante de lanternas. **2** *Bras.* Operário especializado em lanternagem.

lanterninha (lan.ter.*ni*.nha) *s2g.* **1** *Bras.* Funcionário de cinemas e teatros que, com uma lanterna, conduz os espectadores aos lugares vagos quando está escuro. **2** *Bras. Esp.* O último colocado em uma competição; LANTERNA (5).

lanudo (la.*nu*.do) *a.* Ver *lanoso*.

lanugem (la.*nu*.gem) *sf.* **1** Pelos finos do rosto do adolescente que precedem o surgimento de bigode e barba; BUÇO. **2** *Emb.* Pelos finos e macios que recobrem o feto e, por vezes, o recém-nascido. **3** *Bot.* Penugem que recobre algumas folhas e frutos. [Pl.: *-gens*.]

laosiano (la.o.si.*a*.no) *a.* **1** Do Laos (sudoeste da Ásia); típico desse país ou de seu povo. *sm.* **2** Pessoa nascida no Laos. *a.sm.* **3** *Gloss.* Da, ref. à ou a língua falada no Laos.

lapa (*la*.pa) *sf.* Cavidade pouco profunda em rocha, que pode servir de abrigo; GRUTA.

lapão (la.*pão*) *a.* **1** Da Lapônia (extremo norte da Europa); típico dessa região ou de seu povo. *sm.* **2** Pessoa nascida na Lapônia. *a.sm.* **3** *Gloss.* Da, ref. à ou a língua falada na Lapônia. [Pl.: *-pões*. Fem.: *-poa* [ô].]

láparo (*lá*.pa.ro) *sm. Zool.* **1** Filhote de coelho. **2** O macho da lebre quando novo.

laparoscopia (la.pa.ros.co.*pi*.a) *sf. Med.* Exame da cavidade abdominal por meio da inserção de tubo óptico.

laparotomia (la.pa.ro.to.*mi*.a) *sf. Cir.* Procedimento cirúrgico de abertura da cavidade abdominal.

lapela (la.*pe*.la) [é] *sf.* Parte da frente de um casaco que é dobrada para fora.

lapidação (la.pi.da.*ção*) *sf.* **1** Ação e resultado de lapidar². **2** Processo e ação de cortar e polir gemas (pedra preciosa bruta) de modo a conseguir naquele fragmento o máximo de beleza e brilho. [Pl.: *-ções*.]

lapidar¹ (la.pi.*dar*) *a2g.* **1** Ref. à lápide ou nela gravado. **2** Primoroso e bem elaborado (comentário *lapidar*).

lapidar² (la.pi.*dar*) *v. td.* **1** *Fig.* Submeter a processo de lapidação (2) (pedra preciosa bruta); LAVRAR. **2** *Fig.* Polir, aprimorar, aperfeiçoar: *lapidar o estilo/a inteligência.* **3** Atacar ou matar com pedradas; APEDREJAR. [▶ 1 lapidar]

lapidaria (la.pi.da.*ri*.a) *sf.* **1** Técnica e arte de lapidação. **2** Oficina onde se realiza a lapidação.

lapidária (la.pi.*dá*.ri.a) *sf.* Estudo das inscrições presentes em lápides de túmulos e monumentos antigos.

lapidário (la.pi.*dá*.ri.o) *sm.* **1** Profissional que corta e dá polimento a pedras preciosas. *a.* **2** Ref. a inscrições em lápides.

lápide (*lá*.pi.de) *sf.* **1** Pedra com inscrição comemorativa ou em memória de alguém. **2** Laje que se põe sobre túmulo.

lapinha (la.*pi*.nha) *sf. N.E.* Presépio montado para as festas natalinas e de Reis.

lápis (*lá*.pis) *sm2n.* Instrumento cilíndrico feito de grafite revestido de madeira, us. para escrever ou desenhar.

lapiseira (la.pi.*sei*.ra) *sf.* **1** Instrumento de escrita ou de desenho, com dispositivo que recolhe ou põe à mostra o grafite. **2** *BA* Apontador (1).

lapso (*lap*.so) *sm.* **1** Intervalo temporal: *um lapso de sete dias.* **2** Engano ou erro involuntário: *Foi um lapso insignificante, e ele já o corrigiu.* **3** Falha, privação.

🌐 **laptop** (*Ing.* / *léptop*) *sm. Inf.* Microcomputador portátil, que funciona tb. com bateria.

laquê (la.*quê*) *sm.* Produto que é borrifado nos cabelos para fixação de penteado.

laqueadura (la.que.a.*du*.ra) *sf. Cir.* Cirurgia de esterilização feminina, que se faz o ligamento das trompas uterinas.

laquear¹ (la.que.*ar*) *v. td. Bras.* Revestir com laca ou com tinta esmaltada: *laquear móveis.* [▶ 13 laquear] • la.que:a.*ção sf.*

laquear² (la.que.*ar*) *v. td. Cir.* Ligar (artérias, veias etc.) por fio(s). [▶ 13 laquear] • **la.que:a.*ção*** *sf.*; la.que:a.*dor* *a.sm.*

lar (*lar*) *sm.* **1** A casa onde se vive. **2** O núcleo familiar ao qual se pertence. [Ver tb. *lares*.]

laranja (la.*ran*.ja) *sf.* **1** Fruta arredondada, cuja polpa se divide em gomos e contém muito sumo. **2** A cor da laranja quando madura. *a2g2n.* **3** Que é dessa cor (casacos *laranja*). *sm.* **4** *Bras. Pop.* Pessoa que intermedeia transações financeiras fraudulentas usando o próprio nome para ocultar a identidade de quem a contrata: *Usava o primo como* laranja.

laranjada (la.ran.*ja*.da) *sf.* Refresco feito com suco de laranja, água e açúcar.

laranjal (la.ran.*jal*) *sm.* Plantação de laranjeiras. [Pl.: *-jais*.]

laranjeira (la.ran.*jei*.ra) *sf. Bot.* Árvore que dá laranjas.

laranjeiro (la.ran.*jei*.ro) *sm.* **1** *Bras.* Vendedor de laranjas. **2** *RJ SP* Plantador de laranjas.

larápio (la.*rá*.pi.o) *sm.* Pessoa que furta ou rouba; LADRÃO.

lardo (*lar*.do) *sm.* Toicinho, esp. em forma de tiras. **2** *Fig.* Algo que realça, dá tempero: *Seu artigo tinha um* lardo *de humor*.

lareira (la.*rei*.ra) *sf.* Espécie de fornalha rente ao chão, ligada a uma chaminé, us. para aquecer ambientes.

lares (*la*.res) *smpl.* Para os etruscos e romanos, deuses domésticos que protegiam a família e o lar.

larga (*lar*.ga) *sf.* **1** Ação ou resultado de largar; SOLTURA: *A* larga *do assassino revoltou a população.* **2** *Fig.* Expansão, ampliação: *Ao relembrar a infância, deu* largas *à imaginação*.

largada (lar.*ga*.da) *sf.* **1** Ação ou resultado de largar. **2** *Bras.* A ação de largar (partir numa corrida) e o momento em que tem início uma corrida (de cavalos, prova de atletismo etc.); PARTIDA. **3** *Bras. Esp.* No vôlei, lance em que o jogador finge que vai dar uma cortada, mas aplica um leve toque na bola para fazê-la cair no campo adversário.

largado (lar.*ga*.do) *a.* **1** Que se largou; ABANDONADO: *Achou no táxi uma pasta largada.* **2** *Bras.* Que está sem rumo, perdido: *um andarilho largado no mundo.* **3** *Bras.* Que aparenta displicência no trajar ou no comportamento: *Tem um jeito largado e informal.*

largar (lar.*gar*) *v.* **1** Deixar de segurar ou deixar cair (o que se tinha na mão); SOLTAR. [*td.*] **2** Pôr em liberdade ou deixar partir; SOLTAR. [*td.*: *largar um passarinho.*] **3** Abandonar, deixar ou esquecer (algo ou alguém), ou desapegar-se (dele). [*td.*: *largar o cigarro/a namorada*; (seguido de indicação de lugar) *Larguei o celular na loja.* **ti.** + *de: Não larga dos livros.*] **4** Sair de (trabalho) ao fim de (determinado tempo). [*td.*: "Depois que *largou* o serviço foi para a casa da mãe..." (França Júnior, *Os dois irmãos*). **ti.** + *de: Ontem largou cedo do escritório.* **int.**: *Só vamos largar às 18h.*] **5** *Esp.* Arrancar (6). [*int.*: *O piloto não largou bem.*] [▶ **14** largar]

largo (*lar*.go) *a.* **1** Que tem grande extensão na largura (2) (avenida *larga*). **2** De vasta dimensão; AMPLO: *Via um largo horizonte de sua varanda.* **3** Que envolve ou veste com folga; não apertado (vestido *largo*). [Ant. nas acps. 1 a 3: *apertado, estreito.*] **4** Que é considerável, abundante, importante: "Fazia-se *largo* consumo de cerveja..." (Aluísio Azevedo, *O cortiço*). **5** Que se prolonga; DEMORADO: *Conversaram por largo tempo.* **6** Generoso, magnânimo: *Era rigoroso no receber, e largo no distribuir.* [Ant. nesta acp.: *mesquinho.*] *sm.* **7** Área urbana espaçosa, ger. no cruzamento de ruas; PRAÇA. **8** Largura (2). ▪ **Ao ~ (de)** À distância (de), longe (de).

largueza (lar.*gue*.za) [ê] *sf.* **1** Ver *largura* (1). **2** *Fig.* Atitude de quem é *largo* (6); GENEROSIDADE: *Pagava seus empregados com largueza.* [Ant. nesta acp.: *mesquinhez.*] **3** *Fig.* Abundância de meios ou provisões; ABASTANÇA. **4** *Fig.* Comportamento de quem esbanja; DESPERDÍCIO; ESBANJAMENTO: *Com sua largueza, dissipou todos os seus bens.*

largura (lar.*gu*.ra) *sf.* **1** Qualidade de *largo* (1); LARGUEZA: *A largura da rua facilita o trânsito.* [Ant.: *estreiteza.*] **2** A dimensão perpendicular ao comprimento ou à altura: *a largura da mesa.* **3** *Tip.* Medida de linha de qualquer composição tipográfica. **4** *Fig.* Ver *largueza* (3).

laringe (la.*rin*.ge) *s2g. Anat.* Conduto entre a faringe e a traqueia, membranoso e cartilaginoso, que contém as cordas vocais. ▪ **la.***rín*.ge:a *a.*

laringite (la.rin.*gi*.te) *sf. Med.* Inflamação da laringe.

LARINGE

laringografia (la.rin.go.gra.*fi*.a) *sf. Med.* **1** Descrição da laringe. **2** Registro radiológico da laringe. ▪ **la.rin.go.grá.fi.co** *a.*

laringologia (la.rin.go.lo.*gi*.a) *sf. Med.* Ramo da medicina que estuda a laringe e trata as doenças que a afetam. ▪ **la.rin.go.lo.***gis*.ta *s2g.*

laringoscópio (la.rin.gos.*có*.pi:o) *sm. Med.* Instrumento us. para observar o interior da laringe.

larva (*lar*.va) *sf. Zool.* Estado inicial, pós-embrionário, de certos animais, que inclui (entre o ovo e a crisálida, ou casulo) e anfíbios.

larvado (lar.*va*.do) *a. Med.* Que tem sintomas atípicos (diz-se de moléstia).

larval, larvar (lar.*val*, lar.*var*) *a2g.* Ref. a, de ou próprio de larva. [Pl. de *larval*: -*vais*.]

larvicida (lar.vi.*ci*.da) *a2g.sm.* Que ou o que destrói larvas (diz-se de substância, produto etc.).

lasanha (la.*sa*.nha) *sf. Cul.* **1** Massa alimentícia cortada em tiras largas. **2** Iguaria que se prepara ao forno com essa massa.

lasca (*las*.ca) *sf.* **1** Fragmento de madeira, metal ou pedra. **2** Pedaço fino e comprido; FATIA: *lasca de queijo.*

lascar (las.*car*) *v.* **1** Tirar lasca(s) de (algo), ou partir(-se) em lascas. [*td.*: *O martelo lascou a madeira.* **int.**/*pr.*: *O prato lascou(-se) na borda.*] **2** *Fig.* Aplicar (ação física) a, ou em (alguém ou algo). [*td.*: *lascar um beijo.* **td.** + *em: O jogador lascou um pontapé no adversário.*] **3** *Bras.* Bater com força em (alguém). [*td.*] **4** *Bras. Pop.* Não obter resultado satisfatório; sair-se mal. [*pr.*: *Eles se lascaram no concurso.*] [▶ **11** lascar] ▪ **De ~** *Bras. Pop.* Muito desagradável, ou decepcionante, ou absurdo etc.: *Meu time é de lascar, não ganha uma!*

lascivo (las.*ci*.vo) *a.sm.* **1** Que ou quem é dado aos prazeres sexuais; LIBIDINOSO. *a.* **2** Em que há manifestação de sensualidade (dança *lasciva*); LUXURIOSO. ▪ **las.***ci*.vi:a *sf.*

⊕ **laser** (Ing. /*lêiser*/) *sm.* **1** *Esp.* Pequeno veleiro para lazer ou competição. **2** *Tec.* Dispositivo que emite radiação monocromática intensa e concentrada, altamente controlável, e que tem inúmeras aplicações na indústria, na engenharia e na medicina. *a2g2n.* **3** Diz-se dessa radiação (raios *laser*). [Cf.: *lazer.*]

lassidão (las.si.*dão*) *sf.* **1** Característica ou condição de lasso; LASSITUDE. **2** Cansaço, esgotamento físico ou mental; FADIGA; PROSTRAÇÃO. **3** Sensação de tédio, falta de interesse. [Ant.: *ânimo, disposição.*] [Pl.: -*dões.*]

lasso (*las*.so) *a.* **1** Que está esgotado física ou mentalmente; CANSADO. **2** Que está mal amarrado (nó *lasso*); FROUXO. **3** Que tem ou revela maus costumes; DEVASSO. [Ant. (na acp. 3): *casto.*] ▪ **las.***si*.tu.de *sf.*

lástima (*lás*.ti.ma) *sf.* **1** Sentimento de pena ou compaixão: *Está tão doente que causa lástima.* **2** O que merece ser lastimado; PENA: "É uma *lástima* ver o abandono de uma obra tão bonita..." (*O Globo*, 01.02.04). **3** *Pej.* Algo ou alguém sem valor, lastimável.

lastimar (las.ti.*mar*) *v.* **1** Manifestar ou sentir lástima por (algo ou alguém); LAMENTAR; DEPLORAR. [*td.*: "...só me resta *lastimar* o fato de não ter fechado o negócio..." (Marques Rebelo, *Contos reunidos*).] **2** Causar dor ou sentir dor, angústia, aflição. [*td.*: *Muito me lastima sua dor.* **pr.**: *Lastimamo-nos com sua desgraça.*] **3** Lamentar-se, queixar-se. [*pr.*: *Ele não para de lastimar-se pelos infortúnios.*] [▶ **1** lastimar]

lastimável (las.ti.*má*.vel) *a2g.* **1** Que é digno de lástima, de compaixão: *Está vivendo num estado lastimável.* **2** Que é digno de censura e repreensão: *Foi uma atitude lastimável.* [Sin. ger.: *lamentável.*] [Pl.: -*veis.*]

lastimoso (las.ti.mo.so) [ô] *a.* **1** Ver *lastimável* (1). **2** Que se lastima; TRISTE; PLANGENTE: *A perda do emprego deixou-o lastimoso.* [Fem. e pl.: [ó].]

lastragem (las.*tra*.gem) *sf.* Ação ou resultado de colocar lastro; LASTREAMENTO. [Pl.: -*gens.*]

lastrar (las.*trar*) *v.* **1** *Aer. Mar.* Pôr lastro[1] em (embarcação ou aeróstato); LASTREAR. [*td.*] **2** Acrescentar peso para dar mais firmeza, estabilidade a; LASTREAR. [*td.*: *lastrar uma picape.*] **3** *Fig.* Espalhar ou multiplicar com rapidez; DIFUNDIR-SE; PROLIFERAR-SE. [*int.*: *A epidemia lastrou pela cidade.*] [▶ **1** lastrar]

lastrear (las.tre.*ar*) *v.* Ver *lastrar* (1 e 2). [▶ **13** lastrear] ▪ **las.tre:a.***men*.to *sm.*

lastro[1] (*las*.tro) *sm.* **1** *Cnav.* Peso us. no fundo de embarcações para dar-lhes equilíbrio. **2** Peso us. para dar maior estabilidade a qualquer tipo de veículo. **3** *Fig.* Base que serve para legitimar alguma coisa; FUNDAMENTO. **4** *Econ.* Depósito em ouro que garante o valor do papel-moeda.

lastro² (*las*.tro) *sm. Bras.* Material que se coloca no leito da estrada de ferro para fixar os dormentes.

lata (*la*.ta) *sf.* **1** Folha de flandres. **2** Recipiente, embalagem etc. feito de folha de flandres: *lata de tinta.* ⬛ **Na ~** *Gír.* De pronto, sem rodeios.

latada (la.*ta*.da) *sf.* **1** Grade ou armação feita de varas ou caniços para sustentar plantas trepadeiras. **2** Golpe de lata.

latagão (la.ta.*gão*) *sm.* Homem robusto e alto. [Pl.: *-gões*. Fem.: *-gona*.]

latão (la.*tão*) *sm.* **1** Lata grande. **2** Liga de cobre e zinco. **3** *Bras.* Vasilha para transportar leite. [Pl.: *-tões*.]

lataria (la.ta.*ri*.a) *sf. Bras.* **1** Grande quantidade de latas. **2** Alimentos enlatados. **3** *Pop.* A carroceria do automóvel.

látego (*lá*.te.go) *sm.* **1** Açoite feito de correia ou corda. **2** *Fig.* Castigo imposto a pessoa ou animal; PUNIÇÃO. **3** *RS* Tira de couro para apertar os arreios.

latejar (la.te.*jar*) *v. int.* Palpitar, pulsar perceptivelmente: *As têmporas latejavam de dor de cabeça.* [▶ **1** latejar] • **la.te.ja.men.**to *sm.*; **la.te.jan.**te *a2g.*; **la.te.jo** *sm.*

latente (la.*ten*.te) *a2g.* **1** Que não se manifesta; OCULTO; ENCOBERTO: *Havia entre eles um ódio latente.* **2** Cuja existência é dissimulada ou vivida latente); DISFARÇADO. **3** Presente e ainda não manifestado, mas que pode vir a manifestar-se; POTENCIAL: *Tem um talento latente, à espera de ser desenvolvido.*

láteo (*lá*.te:o) *a.* Ver **lácteo.**

lateral (la.te.*ral*) *a2g.* **1** Ref. a, ou próprio de lado (visão lateral). **2** Que está no ou ao lado (poltronas laterais). **3** *Fig.* Que está à margem em relação ao principal: *aspectos laterais da obra. sf.* **4** *Esp.* Em vários esportes, cada linha lateral (3) do campo ou da quadra. *s2g.* **5** *Fut.* Jogador que atua junto à linha que limita um dos lados do campo; ALA. *sm.* **6** *Esp.* Infração cometida quando um jogador lança a bola além da lateral (4). **7** *Fut.* Arremesso com as mãos, para repor a bola em jogo após essa infração. [Pl.: *-rais*.]

látex (*lá*.tex) [cs] *sm2n. Bot.* Substância de aparência leitosa, ger. branca, que escorre de cortes feitos no caule de certos vegetais (p.ex.: a seringueira).

laticínio, lacticínio (la.ti.*cí*.ni:o, lac.ti.*cí*.ni:o) *sm.* Produto alimentício derivado do leite.

latido (la.*ti*.do) *sm.* Ação ou resultado de latir; a voz do cão; LADRIDO.

latifloro (la.ti.*flo*.ro) [ó] *a. Bot.* Que é dotado de flores largas.

latifundiário (la.ti.fun.di:*á*.ri:o) *a.* **1** Ref. a latifúndio. *sm.* **2** Pessoa proprietária de latifúndio. [Cf.: *minifundiário*.]

latifúndio (la.ti.*fún*.di:o) *sm.* **1** Ampla extensão de área rural, ger. com muitas terras não cultivadas e/ou culturas que não exigem grandes investimentos. **2** Na antiga Roma, propriedade rural pertencente à aristocracia. [Cf.: *minifúndio*.]

latim (la.*tim*) *sm.* **1** *Gloss.* Língua falada no Lácio e em todo o Império Romano. **2** *Fig. Pop.* O que é difícil de se compreender: *Não entendi nada, para mim isso é latim.* [Pl.: *-tins*.]

latinidade (la.ti.ni.*da*.de) *sf.* **1** Caráter ou feição daquilo que é próprio do latim (1). **2** O conjunto dos povos latinos. **3** Qualidade ou condição de latino.

latinismo (la.ti.*nis*.mo) *sm. Ling.* Construção gramatical ou enunciado próprio do latim.

latinista (la.ti.*nis*.ta) *s2g.* Conhecedor da língua, literatura e cultura latinas.

latino (la.*ti*.no) *a.* **1** Ref. ao latim ou aos povos de origem latina (literatura latina). *sm.* **2** Pessoa nascida em um dos países latinos.

latino-americano (la.ti.no-a.me.ri.*ca*.no) *a.* **1** Da América Latina (América do Sul, América Central e México); típico dessa região ou de seu povo. *sm.* **2** Pessoa nascida na América Latina. [Pl.: *latino-americanos*.] [Cf.: *ibero-americano*.]

latir (la.*tir*) *v. int.* Soltar latidos; LADRAR. [▶ **58** lat**ir**. Normalm. só se conjuga na 3ª pess.]

latitude (la.ti.*tu*.de) *sf.* **1** Qualidade ou condição de lato, ou largo; LARGURA. **2** *Geog.* Distância angular de um ponto qualquer da esfera terrestre ao equador.

lato (la.to) *a.* Que tem grande amplitude, não restrito; LARGO: *O sentido lato de uma palavra; conhecimento lato de política.*

latoaria (la.to:a.*ri*.a) *sf.* **1** Local onde se fabricam ou se vendem latas, objetos de latão etc. **2** Ofício ou atividade de latoeiro.

latoeiro (la.to:*ei*.ro) *sm. P.us.* Pessoa que fabrica, vende ou conserta objetos de lata ou latão.

🌐 **lato sensu** (*Lat.* /*láto sênsu*/) *loc.adv.* Em sentido amplo. [Ant.: *stricto sensu*.]

latria (la.*tri*.a) *sf.* **1** Adoração, veneração a Deus. **2** Adoração por qualquer pessoa ou coisa.

latrina (la.*tri*.na) *sf.* **1** Local, dependência com vaso ou fossa sanitária, onde se fazem dejeções; PRIVADA. **2** Peça de louça vidrada, que recebe urina e fezes expelidas, e as descarrega em canos que levam ao esgoto.

latrocínio (la.tro.*cí*.ni:o) *sm.* **1** Assalto à mão armada. **2** Roubo seguido de morte ou lesões corporais.

lauda (*lau*.da) *sf. Edit.* **1** Página de qualquer folha ou publicação. **2** Página com número de linhas e caracteres convencionais.

laudatório (lau.da.*tó*.ri:o) *a.* Ref. a ou que contém louvor.

laudo (*lau*.do) *sm.* Texto com parecer técnico em conclusão a perícia, exame, avaliação etc. [Substv. do lat. *laudo* (do v.lat. *laudare*, 'aprovar').]

láurea (*láu*.re:a) *sf.* Ver **laurel.**

laureado (lau.re.*a*.do) *a.* **1** Que recebeu laurel. *a.sm.* **2** Que ou quem recebeu homenagem; FESTEJADO.

laurear (lau.re.*ar*) *v. td.* **1** Pôr coroa de louros em (alguém). **2** Conferir prêmio ou prestar homenagem a (alguém) por mérito artístico, científico, político etc. **3** *Fig.* Tornar (algo) atraente, belo; servir de enfeite a: *Uma roseira laureava o campo.* [▶ **13** laur**ear**]

laurel (lau.*rel*) *sm.* **1** Coroa de louros. **2** *Fig.* Homenagem ou honraria concedida a alguém pelos seus méritos pessoais. [Sin. ger.: *láurea*.] [Pl.: *-réis*.]

láureo (*láu*.re:o) *a.* Ref. a ou feito de louro¹.

lauto (*lau*.to) *a.* Que excede a medida normal (lauta refeição); ABUNDANTE.

lava (*la*.va) *sf. Pet.* Nas erupções vulcânicas, material rochoso incandescente que jorra derretido dos vulcões, solidificando-se na superfície.

lava a jato (*la*.va a *ja*.to) *sm2n.* Instalação para lavar carros atuomaticamente, com fortes jatos d'água.

lavabo (la.*va*.bo) *sm.* **1** Pequena pia, com torneira, à entrada de uma sacristia, de um refeitório etc.; LAVATÓRIO. **2** *Bras.* Pequeno banheiro com lavatório. [Substv. de *lavabo* (do v.lat. *lavare*).]

lavada (la.*va*.da) *sf.* **1** Tipo de rede de pesca. **2** Ação ou resultado de lavar(-se). **3** *Bras. Gír. Esp.* Numa disputa, vitória no grande vantagem sobre o adversário: *O Brasil deu uma lavada na Argentina.*

lavadeira (la.va.*dei*.ra) *sf.* **1** Mulher cujo trabalho é lavar roupas. **2** Ver **lavadora.** **3** *Zool.* Ver **libélula.**

lavadora (la.va.*do*.ra) [ó] *sf. Bras.* Máquina de lavar roupas; LAVADEIRA.

lavadura (la.va.*du*.ra) *sf.* **1** Ação ou resultado de lavar(-se); LAVAGEM. **2** Água em que se lavou louça.

lavagem (la.*va*.gem) *sf.* **1** Ação ou resultado de lavar(-se). **2** Comida que se dá aos porcos. **3** *Med.* Irrigação de um órgão com a finalidade de livrá-lo de um corpo estranho ou de substâncias tóxicas. **4** Ver *lavada* (3). [Pl.: *-gens*.] ⬛ **~ cerebral** Processo de convencer alguém, por meios físicos e psicológicos (tortura, agentes químicos, coação, pressão), a abraçar ideias e/ou atitudes que não abraçaria por índole própria. **~ de dinheiro** Ação ou resultado de associar dinheiro ganho ilicitamente a atividade econômica legal, de modo a se poder dispor dele como se lícito fosse.

lava-louças (la.va-*lou*.ças) *sm2n.* Equipamento eletrodoméstico para lavagem de louça, talheres etc.

lavanda (la.*van*.da) *sf.* **1** *Bot.* Ver *alfazema*. **2** Água-de-colônia preparada com essência de lavanda.

lavanderia (la.van.de.*ri*.a) *sf.* **1** Estabelecimento comercial onde se lavam e passam roupas. **2** Local de casa ou hotel em que as roupas são lavadas.

lava-pés (la.va-*pés*) *sm2n. Litu.* Cerimônia da quinta-feira santa em que uma autoridade eclesiástica repete o ritual de lavar os pés de outrem, como fez Jesus.

lavar (la.*var*) *v.* **1** Limpar(-se) banhando em líquido. [*td*.: *lavar roupa. pr*.: *Lave-se bem*.] **2** *Fig.* Purificar, inocentar. [*td*.: *Lavou seu nome*.] **3** Tornar legal (dinheiro ganho ilegalmente). [*td*.] **4** Lavar (1) roupa como profissão. [*int*.: *Ela lava para fora*.] [▶ 1 lavar]

lavatório (la.va.*tó*.ri:o) *sm.* **1** Móvel ou utensílio com apetrechos para lavar as mãos e o rosto. **2** *Bras.* Pequeno banheiro com lavatório (1).

lavor (la.*vor*) [ô] *sm.* **1** Ver *trabalho*. **2** Qualquer tipo de trabalho manual. **3** Nas salinas, cristalização que impede a formação do sal.

lavoura (la.*vou*.ra) *sf.* **1** Preparação da terra para o cultivo. **2** O cultivo da terra. **3** A terra lavrada e cultivada. [Sin. ger.: *lavra*.]

lavra (la.vra) *sf.* **1** Ação ou resultado de lavrar. **2** Ver *lavoura*. **3** *Min.* Local de onde se extraem metais ou pedras preciosas. ■ **Ser da ~ de** Ser de autoria de.

lavradio (la.vra.*di*.o) *a.* **1** Diz-se de terreno bom ou apto para a lavoura. *sm.* **2** Ação de cultivar a terra; LAVOURA.

lavrador (la.vra.*dor*) [ô] *a.sm.* **1** Que ou quem lavra a terra. **2** Que ou quem é proprietário de terras lavradas.

lavragem (la.*vra*.gem) *sf.* **1** Ação ou resultado de lavrar; LAVRA. **2** Cultivo da terra; LAVOURA. **3** Artesanato (2) feito em madeira. [Pl.: *-gens*.]

lavrar (la.*vrar*) *v.* **1** Sulcar (a terra) com instrumento agrícola; ARAR. [*td*.] **2** Fazer lavores ou ornatos em. [*td*.: *lavrar um tecido/couro*.] **3** *Fig.* Corroer, sulcar ou gravar. [*td*.: *O sofrimento lavrou rugas em seu rosto*.] **4** *Fig.* Propagar-se, grassar. [*int*.: *O mal lavra onde não é combatido*.] **5** *Jur.* Ordenar por escrito; DECRETAR. [*td*.: *lavrar uma sentença*.] **6** *Jur.* Emitir por escrito ou verbalmente. [*td*.: *lavrar um protesto*.] [▶ 1 lavrar]

lavratura (la.vra.*tu*.ra) *sf. Bras. Jur.* Ação ou resultado de lavrar documentos.

laxante (la.*xan*.te) *a2g.* **1** Que laxa, afrouxa, relaxa. **2** Que ou o que induz à evacuação de fezes. **3** Medicamento laxante (2).

laxativo (la.xa.*ti*.vo) *a. sm.* O m.q. laxante.

laxo (la.xo) *a.* Ver *frouxo*.

⊕ **layout** (Ing. /lèiaut/) *sm.* Ver *leiaute*.

lazarento (la.za.*ren*.to) *a.sm.* **1** Ver *leproso* (2). *a.* **2** *Bras. Pop.* Que é difícil de suportar (dor *lazarenta*).

lazareto (la.za.*re*.to) [ê] *sm.* **1** Ver *leprosário*. **2** Local destinado a manter de quarentena indivíduos suspeitos de ter doença contagiosa.

lázaro (*lá*.za.ro) *sm.* Quem tem feno ou pústulas no corpo.

lazeira (la.*zei*.ra) *sf.* **1** *Med.* Ver *hanseníase*. **2** Qualquer desgraça, azar ou infelicidade. **3** *Pop.* Sensação de fome; carência alimentar.

lazeirento (la.zei.*ren*.to) *a.* **1** Ver *leproso* (2). **2** *Pop.* Que está com fome; ESFOMEADO.

lazer (la.*zer*) [ê] *sm.* **1** Tempo destinado ao descanso ou à prática de atividades prazerosas. **2** A atividade praticada nesse tempo. [Cf.: *laser*.]

⊕ **lead** (Ing. /lid/) *sm.* Ver *líde*².

leal (le:*al*) *a2g.* **1** Que é honesto e sincero. **2** Que honra os compromissos assumidos; FIEL. [Pl.: *-ais*.] • **le:al.da.de** *sf.*

leão (le:*ão*) *sm.* **1** *Zool.* Grande felino carnívoro de pelo amarelo-alaranjado que vive na África e na Ásia. [Pl.: *-ões.* Fem.: *leoa.* Dim.: *leãozete, leônculo*.] **2** *Fig.* Homem forte, corajoso. **3** *Bras. Pop.* Órgão responsável pela arrecadação de imposto de renda. ☑ **Leão** *Astrol. sm.* **4** Signo (do Zodíaco) das pessoas nascidas entre 23 de julho e 22 de agosto. *s2g.* **5** Leonino: *Eu sou Leão.*

leão de chácara (le:ão de *chá*.ca.ra) *sm. Bras. Pop.* Pessoa que trabalha fazendo a segurança de discotecas, boates etc. [Pl.: *leões de chácara*.]

leão-marinho (le:ão-ma.*ri*.nho) *sm. Zool.* Mamífero carnívoro semelhante a foca. [Pl.: *leões-marinhos*.]

⊕ **leasing** (Ing. /*lisin*/) *sm. Econ.* Sistema de aluguel, ger. de carros, aviões, máquinas, com opção de compra ao final do contrato.

lebracho (le.*bra*.cho) *sm. Zool.* Filhote macho da lebre.

lebrão (le.*brão*) *sm. Zool.* Macho da lebre. [Pl.: *-brões*.]

lebre (*le*.bre) *sf. Zool.* Mamífero roedor semelhante ao coelho, porém maior e mais ágil. [Masc.: *lebrão*.]

lebreiro (le.*brei*.ro) *a.* Que caça lebre (diz-se de animal) (cão *lebreiro*).

lebréu (le.*bréu*) *sm.* Cão ensinado a caçar lebres.

lecionar (le.ci:o.*nar*) *v.* Dar aulas (de); ensinar. [*td*.: *Leciona inglês. tdi.* + *a, para*: *Leciona inglês para principiantes. int*.: *Leciona na pré-escola*.] [▶ 1 lecionar]

lecitina (le.ci.*ti*.na) *sf. Bioq.* Substância gordurosa encontrada nas células: *lecitina de soja.*

ledo (*le*.do) [ê] *a.* Que é alegre, risonho: *Seus ledos tempos de criança.*

ledor (le.*dor*) [ô] *a.sm.* Que ou quem lê; LEITOR.

legação (le.ga.*ção*) *sf.* **1** Grupo de pessoas encarregadas pelo governo de representá-lo no exterior. **2** Lugar onde esse grupo trabalha. **3** Missão diplomática permanente, inferior à embaixada. [Pl.: *-ções*.]

legado¹ (le.*ga*.do) *sm.* **1** Patrimônio, obra ou conhecimento que se deixa para a posteridade: *Os filósofos gregos deixaram um grande legado à humanidade.*

legado² (le.*ga*.do) *a.sm.* **1** Diz-se de ou enviado do governo a um outro país a fim de representar seus interesses. *sm.* **2** Pessoa que representa o papa.

legal (le.*gal*) *a2g.* **1** Ref. ou conforme a lei: *adotar medidas legais contra os abusos.* [Ant.: *ilegal*.] **2** *Bras. Pop.* Em ordem, sem problemas, regularizado: *Molhei meu relógio e agora ele não está legal.* **3** *Bras. Pop.* Palavra us. para qualificar pessoas ou coisas positivamente; bonito (sandália *legal*), compreensivo (pai *legal*), correto (atitude *legal*), leal (amigo *legal*). [Pl.: *-gais*.] *adv.* **4** *Bras. Pop.* Muito bem: *Sabe falar legal japonês.*

legalidade (le.ga.li.*da*.de) *sf.* Aquilo que está de acordo com a lei: *A rescisão do contrato ocorreu dentro da legalidade.*

legalismo (le.ga.*lis*.mo) *sm.* Obediência exagerada e sem crítica a certas normas.

legalista (le.ga.*lis*.ta) *a2g.s2g.* Que ou quem defende o cumprimento estrito das leis.

legalizar (le.ga.li.*zar*) *v. tdi.* Dar legalidade ou amparo legal a; LEGITIMAR: *legalizar um veículo.* [▶ 1 legalizar] • **le.ga.li.za.do** *a.*, **le.ga.li.za.ção** *sf.*

legar (le.*gar*) *v. tdi.* Deixar como legado ou herança. [+ *a*: *Legou uma fortuna aos filhos*.] [▶ 14 legar]

legatário (le.ga.*tá*.ri:o) *sm.* Pessoa a quem se deixa bens, obras etc.; HERDEIRO.

legenda (le.*gen*.da) *sf.* **1** *Art.Gr.* Pequeno texto que explica, comenta ou intitula uma imagem. **2** *Cin. Telv.* Texto, ger. na parte inferior da tela, que tra-

legendar duz a fala dos personagens de um filme, programa etc. para outra língua. **3** *Pol.* Partido ou grupamento político.

legendar (le.gen.*dar*) *v. td. Art.Gr. Cin. Telv.* Pôr legenda(s) (1 e 2) ou dizeres em: *legendar um filme/ as ilustrações.* [▶ **1** legend*ar*] • **le.gen.da.do** *a.*

legendário (le.gen.*dá*.ri:o) *a.* Ver *lendário.*

⊕ **legging** (*Ing.* /*léguin*/) *s2g.* Calça justa que vai até o tornozelo.

legião (le.gi:*ão*) *sf.* **1** *Mil.* Para os antigos romanos, exército composto de soldados a pé e a cavalo. **2** *Mil.* Destacamento de exército, esp. com soldados estrangeiros. **3** *Fig.* Grande número de pessoas: *legião de fãs.* [Pl.: *-ões.*]

legionário (le.gi:o.*ná*.ri:o) *Mil. a.* **1** Que pertence a uma legião. *sm.* **2** Soldado de uma legião (2).

legislação (le.gis.la.*ção*) *sf.* **1** Conjunto de leis que se aplicam em um país, em algum ramo do direito ou que regulem qualquer matéria (*legislação brasileira*). **2** A ciência das leis. [Pl.: *-ções.*]

legislar (le.gis.*lar*) *v.* Elaborar ou estabelecer (leis, normas etc.). [*td.*: *A comissão legislou novas regras. tdi.* + *contra, em, sobre*: *legislar contra o crime organizado. int.*: *É impossível legislar em meio ao caos.*] [▶ **1** legisl*ar*] • **le.gis.la.dor** *a.sm.*

legislativo (le.gis.la.*ti.*vo) *a.* **1** Que faz as leis: *Do processo legislativo, fazem parte deputados e senadores.* **2** Ver *legislatório.* ◪ **Legislativo** *sm.* **3** O Poder Legislativo, encarregado de fazer as leis.

legislatório (le.gis.la.*tó*.ri:o) *a.* **1** Com força de lei (*medida legislatória*). **2** Ref. a legislação.

legislatura (le.gis.la.*tu*.ra) *sf.* **1** Espaço de tempo que dura o mandato de corpo legislativo. **2** Sessão de corpo legislativo.

legista (le.*gis*.ta) *a2g.s2g.* **1** Que ou quem é especialista em leis. *s2g.* **2** Pessoa especializada em medicina legal; MÉDICO-LEGISTA.

legítima (le.*gí*.ti.ma) *sf. Jur.* Parte da herança destinada por lei aos herdeiros ascendentes ou descendentes.

legitimar (le.gi.ti.*mar*) *v.* **1** Tornar(-se) ou reconhecer(-se) legítimo, legal; LEGALIZAR. [*td.*: *legitimar uma posse. pr.*: *O novo regime ainda não se legitimou.*] **2** *Jur.* Dar a (filho ilegítimo) situação de legítimo. [*td.*] **3** Reconhecer como justificável ou válido; JUSTIFICAR. [*td.*: *Os acontecimentos legitimaram seus presságios.*] [▶ **1** legitim*ar*] • **le.gi.ti.ma.ção** *sf.*; **le.gi.ti.ma.do** *a.sm.*; **le.gi.ti.ma.dor** *a.sm.*

legítimo (le.*gí*.ti.mo) *a.* **1** Que é reconhecido pela lei (*herdeiro legítimo*). **2** Verdadeiro, original (*ouro legítimo*). **3** Que é justo, compreensível, procedente: *A reclamação legítima foi atendida.* • **le.gi.ti.mi.da.de** *sf.*

legível (le.*gí*.vel) *a2g.* Que se consegue ler ou está escrito nitidamente. [Pl.: *-veis.* Superl.: *legibilíssimo.*] • **le.gi.bi.li.da.de** *sf.*

légua (*lé*.gu:a) *sf.* Medida de distância que, no Brasil, equivale a 6.600m.

legume (le.*gu*.me) *sm.* **1** Designação comum aos frutos secos e comestíveis, como a lentilha, a cenoura, o chuchu etc.; VAGEM. **2** *Bras.* Hortaliça.

leguminívoro (le.gu.mi.*ní*.vo.ro) *a.* Que se alimenta de legumes.

leguminosa (le.gu.mi.*no*.sa) *sf. Bot.* Planta cujo fruto tem forma de vagem ou legume (p.ex.: feijão, soja). [Adaptç. do lat. cient. *Leguminosae.*]

leguminoso¹ (le.gu.mi.*no*.so) [ó] *a.* Que frutifica em vagem ou legume. [Fem. e pl.: [ó].]

leguminoso² (le.gu.mi.*no*.so) [ó] *a.* Ref. ou pertencente às leguminosas. [Fem. e pl.: [ó].]

lei *sf.* **1** Norma ou conjunto de normas que emanam de um poder soberano e regulam a conduta de uma sociedade. **2** Princípio, regra que estabelece um padrão a ser seguido (*leis gramaticais*). **3** Domínio, poder: *lei do mais forte.* **4** Aquilo que é de grande qualidade, valor: *madeira de lei.* **5** Regra que explica fenômenos naturais: *lei da gravidade.* ◪ **~ da selva** Predomínio da violência e da força numa sociedade ou segmento. **~ seca** Lei que proíbe a fabricação e a comercialização (e, eventualmente, o consumo) de bebidas alcoólicas.

leiaute (lei.*au*.te) *sm.* **1** *Bras.* Disposição dos componentes de um ambiente, uma área, um conjunto funcional: *o leiaute de uma fábrica/de um painel.* **2** *Bras. Art.Gr.* Esboço de uma publicação com seus elementos e suas características dispostos graficamente. • **lei.au.tis.ta** *s2g.*

leigo (*lei*.go) *a.sm.* **1** Que ou quem desconhece ou conhece pouco determinado assunto: *leigo em física.* **2** Que ou quem não é ordenado (2); LAICO.

leilão (lei.*lão*) *sm.* Venda pública de objetos a quem oferecer o valor mais alto. [Pl.: *-lões.*]

leiloar (lei.lo.*ar*) *v. td.* Colocar ou apregoar em leilão. [▶ **16** leilo*ar*]

leiloeiro (lei.lo.*ei*.ro) *sm.* Pessoa especializada em organizar e conduzir leilões.

leishmaniose (leish.ma.ni:*o*.se) *sf. Med.* Doença transmitida por inseto, que ocorre em regiões tropicais.

leitão (lei.*tão*) *sm. Zool.* Porco novo. [Pl.: *-tões.* Fem.: *-toa.*]

leitaria (lei.ta.*ri*.a) *sf.* Ver *leiteria.*

leite (*lei*.te) *sm.* **1** Líquido branco segregado pelas glândulas mamárias da mulher e das fêmeas de certos animais. **2** Líquido leitoso produzido pelo caule ou folhas de certas plantas. **3** Qualquer líquido leitoso: *leite de coco.* ◪ **Tirar ~ de pedra** Realizar algo muito difícil, quase impossível.

leiteira (lei.*tei*.ra) *sf.* Espécie de panela para ferver o leite.

leiteiro (lei.*tei*.ro) *sm.* **1** Pessoa que vende leite (1). *a.* **2** Que produz leite (vaca *leiteira*).

leiteria, leitaria (lei.te.*ri*.a, lei.ta.*ri*.a) *sf.* Loja especializada na venda de leite e laticínios.

leito (*lei*.to) *sm.* **1** Cama cuja superfície que se acolchoa (com palha etc.) para se deitar e dormir. **2** Extensão de terra sobre a qual corre um rio. **3** A base de uma estrada, rua etc.

leitoa (lei.*to*.a) *sf. Zool.* A fêmea do leitão.

leitor (lei.*tor*) [ô] *a.* **1** Que lê. *sm.* **2** Pessoa que lê. **3** Professor contratado por universidade estrangeira para ensinar a sua língua materna. **4** Aparelho que reproduz sons, imagens ou dados a partir do sinal originalmente gravado, ou recuperando os dados armazenados: *leitor de CD.*

leitoso (lei.*to*.so) [ô] *a.* Branco como o leite. [Fem. e pl.: [ó].]

leitura (lei.*tu*.ra) *sf.* Ação ou resultado de ler ou interpretar um texto, um livro etc.: *A leitura antes de dormir relaxa.*

lema (*le*.ma) *sm.* Frase que serve de regra de conduta ou expressa meta a alcançar; MÁXIMA: *O lema dos escoteiros é "sempre alerta".*

lembrança (lem.*bran*.ça) *sf.* **1** Ação ou resultado de lembrar. **2** O que vem à memória: *Tenho uma boa lembrança daqueles tempos.* **3** Objeto que se dá como presente: *Trouxe uma lembrança para cada um.* ◪ **lembranças** *sfpl.* **4** Saudações ou cumprimentos que se mandam a alguém: *Lembranças à família!*

lembrar (lem.*brar*) *v.* **1** Trazer à memória de ou ter na lembrança; RECORDAR; RELEMBRAR. [*td.*: *lembrar a infância. tdi.* + *a, de*: *Lembrou ao marido que era feriado; Lembrei-o do livro que tinha de ler. pr.*: *Na conversa lembravam-se do passado glorioso.*] **2** Dar ideia de; SUGERIR. [*td.*: *Seu estilo lembra o de seu mestre. tdi.* + *a*: *O novo filme lembrou-nos os da década de 50.*] **3** Advertir, avisar, prevenir. [*tdi.* + *a, de*: *O juiz lembrou ao jogador que na próxima falta seria expulso; Lembrou o empregado de suas obrigações.*] [NOTA: Nas acps. 1 e 3, os complementos direto e indireto permutam em relação a que ou quem é lembrado.] [▶ 1 lembr*ar*]

lembrete (lem.*bre*.te) [ê] *sm.* Anotação ou aviso para ajudar a lembrar de algo.

leme (*le*.me) *sm. Cnav.* Peça com que se governa uma embarcação.

lenço (*len*.ço) *sm.* **1** Pedaço de tecido us. para assoar o nariz, enxugar o suor etc. **2** Pano de algodão ou seda us. na cabeça ou no pescoço, como proteção ou enfeite.

lenço de papel (len.ço de pa.*pel*) *sm.* Lenço para se assoar etc., descartável, fabricado com papel macio e absorvente. [Pl.: *lenços de papel.*]

lençol (len.*çol*) *sm.* Pano de algodão, linho ou poliéster que se cobre o colchão ou que se usa como coberta. [Pl.: -*çóis.*] ▪▪ **Em maus lençóis** Em situação difícil.

lenda (*len*.da) *sf.* **1** História fantasiosa que se conta de geração a geração. **2** *Fig.* Mentira, invenção.

lendário (len.*dá*.ri:o) *a.* **1** Ref. a ou próprio de lenda (histórias <u>lendárias</u>). **2** Que só existe em lendas e histórias: *Robin Hood é um personagem <u>lendário</u>.* **3** Famoso, célebre: *Fez um livro sobre o <u>lendário</u> Rondon.*

lêndea (*lên*.de:a) *sf.* Ovo do piolho.

lenga-lenga (len.ga-*len*.ga) *sf. Bras.* Conversa ou narrativa longa e entediante: *Eu já não aguentava mais aquela <u>lenga-lenga</u>.* [Pl.: *lenga-lengas.*]

lenha (*le*.nha) *sf.* Pedaço de madeira, tronco de árvore, ou conjunto de galhos us. para fazer fogo. ▪▪ **Meter a ~ em** *Pop.* **1** Surrar. **2** Falar mal de; criticar. **Pôr ~ na fogueira** Atiçar um conflito, uma discórdia.

lenhador (le.nha.*dor*) [ô] *sm.* Pessoa que tem como ofício cortar ou rachar lenha; LENHEIRO.

lenhar (le.*nhar*) *v. int.* Cortar lenha. [▶ 1 lenh*ar*]

lenheiro (le.*nhei*.ro) *sm.* **1** Ver lenhador. **2** Pessoa que compra ou vende lenha. **3** Lugar onde se guarda lenha.

lenho (*le*.nho) *sm.* **1** Tronco de árvore grosso. **2** Peça grossa de madeira.

lenhoso (le.*nho*.so) [ô] *a.* **1** Ref. a lenho. **2** Que tem a consistência do lenho. [Fem. e pl.: [ó].]

lenimento (le.ni.*men*.to) *sm.* Aquilo que alivia, suaviza: *palavras de <u>lenimento</u>.*

lenitivo (le.ni.*ti*.vo) *a.sm.* Que ou aquilo que alivia a dor física ou moral.

lenocínio (le.no.*cí*.ni:o) *sm.* Crime que consiste na exploração da prostituição alheia.

lente¹ (*len*.te) *sf. Ópt.* Corpo feito de material transparente (vidro, acrílico etc.) e capaz de alterar a direção de raios de luz nele incidentes, causando diferentes distorções da imagem (aumento, diminuição etc.) em função das diferentes e possíveis curvaturas de suas duas superfícies principais. [Dim.: *lentícula.*] [Nova nomenclatura para *cristalino* (5).] ▪▪ **~ de contato** *Ópt.* Pequena lente corretiva da visão que se aplica diretamente sobre a córnea.

📖 A lente, fabricada ger. no formato aproximado de um disco (que pode ter as bordas recortadas para encaixar em aros de óculos, moldura etc. de outro formato), tem duas superfícies principais e uma espessura. Pelo menos uma das superfícies é curva (esférica, cilíndrica ou parabólica), e é em função da combinação das formas dessas duas superfícies e de seu grau de curvatura que se verifica a refração (desvio de direção do raio de luz) que provoca o efeito óptico. Além do uso de lentes simples para diferentes fins (lentes corretivas, nos óculos, lentes de aumento, nas lupas etc.), a combinação de lentes de diferentes graus de refração multiplica seu efeito, com grande ampliação de objetos distantes (como nos telescópios) ou próximos (como no microscópio), ou ainda para captura de imagens (como nas câmeras fotográficas e cinematográficas).

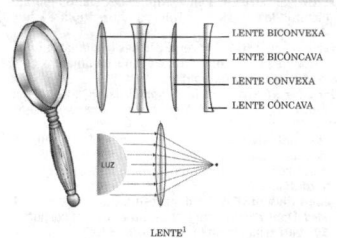

LENTE BICONVEXA
LENTE BICÔNCAVA
LENTE CONVEXA
LENTE CÔNCAVA

LUZ

LENTE¹

lente² (*len*.te) *s2g. Antq.* Professor universitário.

lentejoula (len.te.*jou*.la) *sf.* Plaquinha redonda, metálica e brilhante que se prega em roupas e fantasias para enfeitá-las; LANTEJOULA; PAETÊ.

lentidão (len.ti.*dão*) *sf.* Característica do que é lento: *O acidente causou <u>lentidão</u> no trânsito.* [Ant.: *rapidez.*] [Pl.: -*dões.*]

lentilha (len.*ti*.lha) *sf. Bot.* **1** Planta que fornece um legume curto com sementes comestíveis. **2** Os grãos redondos e chatos, de cor marrom ou verde, que são a semente dessa planta.

lentivírus (len.ti.*ví*.rus) *sm2n. Micbiol.* Vírus de crescimento lento.

lento (*len*.to) *a.* Sem rapidez; pausado; vagaroso.

leoa (le:*o*.a) [ô] *sf. Zool.* Fêmea do leão.

leonino (le:o.*ni*.no) *a.sm.* **1** *Astrol.* Que ou quem nasceu sob o signo de Leão. *a.* **2** Ref. a leão ou que tem semelhança com ele (cabeça leonina).

leopardo (le:o.*par*.do) *sm. Zool.* Grande felino da África e da Ásia, de pelo malhado de amarelo e preto. [NOTA: Indica-se o sexo do *leopardo* juntando-lhe os adjetivos macho e fêmea: *leopardo macho, leopardo fêmea.*]

lépido (*lé*.pi.do) *a.* **1** Ligeiro, ágil. [Ant.: *lento, lerdo.*] **2** Alegre, risonho. [Ant.: *tristonho.*]

lepidóptero (le.pi.*dóp*.te.ro) *sm. Zool.* Insetos que passam por metamorfose completa, como as borboletas e as mariposas. [Adaptç. do lat. cient. *Lepidoptera.*]

leporino (le.po.*ri*.no) *a.* **1** De ou ref. a lebre. **2** Diz-se de lábio cortado ao meio como o da lebre.

lepra (*le*.pra) *sf. Med.* Ver *hanseníase.*

leprosário (le.pro.*sá*.ri:o) *sm.* Hospital onde os leprosos (hansenianos) são isolados e tratados; LAZARETO.

leproso (le.*pro*.so) [ô] *a.* **1** Ref. a lepra (hanseníase) ou que se assemelha a ela (pele leprosa). *a.sm.* **2** Que ou quem tem lepra (hanseníase); HANSENIANO. [Fem. e pl.: [ó].]

leptospirose (lep.tos.pi.*ro*.se) *sf. Med.* Doença infecciosa aguda causada por bactéria transmitida pela urina de ratos.

leque (*le*.que) *sm.* **1** Objeto feito com varetas que abrem e fecham, presas a um ponto central, us. para abanar. **2** *Fig.* Conjunto, variedade de coisas (possibilidades, opções, cores etc.).

ler *v.* **1** Percorrer com a vista (texto, frase, palavra, escritos), compreendendo-os, e proferindo-os ou não. [*td.*: *<u>ler</u> um livro.* **tdi.** + *para*: *Toda noite <u>lia</u> contos <u>para</u> os filhos.* *int.*: *Muitos não sabem <u>ler</u>.*] **2** Estudar (texto). [*td.*: *Tenho de <u>ler</u> um capítulo (para a prova).*] **3** Interpretar ou decifrar. [*td.*: *<u>ler</u> uma partitura.*] **4** Adivinhar, deduzir ou prever. [*td.*: *Perspicaz, ele <u>lê</u> o pensamento alheio*; (tb. seguido de indicação de lugar) *<u>Leu</u> nas entrelinhas o real sentido da carta.*] **5**

lerdo | **levantamento** 490

Tec. Reconhecer (um aparelho) (qualquer informação). [*td.*: *ler uma fita magnética*.] [▶ 34 ler]
lerdo (*ler*.do) [ê] *a.* **1** Que se move devagar ou tem raciocínio lento; LENTO. **2** Tolo, pateta, estúpido. • **ler.de.za** *sf*.
léria (*lé*.ri:a) *sf.* **1** Conversa que visa enganar, iludir. **2** Conversa sem conteúdo relevante ou objetivo; CONVERSA MOLE. [Ver em *conversa*.]
lero-lero (le.ro-*le*.ro) [ê, é] *sm. Bras. Pop.* Conversa inútil; CONVERSA MOLE: *Não aguento mais esse lero-lero*. [Pl.: *lero-leros*.]
lesa-majestade (le.sa-ma.jes.*ta*.de) *sf.* Característica de crime cometido contra um membro da família real ou contra o poder do Estado. [Pl.: *lesas-majestades*.]
lesão (le.*são*) *sf.* **1** Ação ou resultado de lesar(-se). **2** *Med.* Dano em qualquer órgão ou estrutura corporal. **3** Prejuízo moral ou material. [Pl.: *-sões*.]
lesa-pátria (le.sa-*pá*.tri:a) *sf.* Característica de crime que compromete a soberania e a segurança de um país. [Pl.: *lesas-pátrias*.]
lesar (le.*sar*) *v. td. pr.* **1** Provocar ou sofrer lesão física; FERIR(-SE), LESIONAR(-SE). [*td. pr.*] **2** Provocar ou sofrer lesão moral. [*td.*: *Lesaram o bom nome daquele senhor. pr.*: *Lesou-se com a calúnia de que foi alvo.*] **3** Violar (constituição, lei, direito etc.). [*td.*] **4** Fraudar, roubar. [*td.*: *lesar os cofres públicos.*] [▶ 1 lesar] • le.*sa*.do *a.*; le.*san*.te *a2g.s2g*.
lesbianismo (les.bi:a.*nis*.mo) *sm.* Homossexualismo feminino.
lésbica (*lés*.bi.ca) *sf.* Mulher homossexual.
leseira (le.*sei*.ra) *sf. Bras.* **1** Falta de disposição, de ânimo; PREGUIÇA. **2** *N.E.* Qualidade ou condição de tolo, parvo; IDIOTICE. **s2g. 3** *N.E.* Pessoa tola ou que age como tal; IMBECIL.
lesionar (le.si:o.*nar*) *v. td. pr.* Causar ou sofrer lesão física; LESAR. [▶ 1 lesionar]
lesivo (le.*si*.vo) *a.* **1** Que provoca ferimento ou traumatismo: *Foi uma pancada lesiva para o joelho*. **2** Que causa prejuízo ou dano: *ato lesivo aos cofres públicos*.
lesma (*les*.ma) [ê] *sf.* **1** *Zool.* Molusco provido de concha que vive em lugares úmidos. **2** *Fig.* Pessoa vagarosa no modo de agir e pensar. **3** *Fig.* Pessoa sem atrativos, sem graça.
leso (*le*.so) [é] *a.* **1** Que sofreu lesão física, moral ou material. *a.sm.* **2** *Fig.* Que ou quem é ou está amalucado; DESEQUILIBRADO.
leste (*les*.te) *sm.* **1** *Astr.* Direção no globo terrestre onde nasce o sol, à direita de quem está de frente para o norte. ESTE. [Abr.: *E., L.*] **2** Região ou conjunto de regiões a leste (1). **3** Ponto cardeal que indica a direção leste (1). [Abr.: *E., L.*] *a2g2n.* **4** Ref. ao ou que vem do leste (1) (longitude *leste*, vento *leste*). **5** Que se situa a leste (1): *a costa leste dos EUA*. [Cf.: *oeste*.]
lesto (*les*.to) [é] *a.* **1** Que mostra ligeireza, agilidade; que é expedito, desembaraçado. **2** Que se mostra pronto, preparado (time *lesto*). *adv.* **3** De modo lesto, rapidamente, velozmente: *A moça saltou lesto do carro*.
letal (le.*tal*) *a2g.* **1** Que se refere à morte ou a ocasiona (veneno *letal*). **2** *Fig.* Que prejudica irremediavelmente: *A expulsão do goleiro foi letal para o time*. [Pl.: *-tais*.]
letão (le.*tão*) *a.* **1** Da Letônia (Europa); típico desse país ou de seu povo. *sm.* **2** Pessoa nascida na Letônia. *a.sm.* **2** *Gloss.* Da, ref. à ou à língua falada na Letônia. [Pl.: *-tões*. Fem.: *letã*.]
letargia (le.tar.*gi*.a) *sf.* **1** *Psiq.* Estado de prostração semelhante ao sono do qual se tem muita dificuldade de sair. **2** *Fig.* Condição de apatia profunda. • le.*tár*.gi.co *a*.
letargo (le.*tar*.go) *sm. Psiq.* Ver *letargia*.

letivo (le.*ti*.vo) *a.* Ref. às atividades escolares, ou em que há aulas (ano *letivo*).
letra (*le*.tra) [ê] *sf.* **1** Cada um dos sinais gráficos que representam os fonemas da língua. **2** Maneira como são representados esses sinais (*letra* ilegível); CALIGRAFIA. **3** O sentido estrito expresso pelo texto: *O juiz deve ser fiel à letra da lei*. **4** O texto de uma canção: *A letra dessa música é linda*. ⌨ **letras** *sfpl.* **5** O conjunto dos conhecimentos literários e linguísticos. **6** Curso onde são ministrados esses conhecimentos. ◼ **Com todas as ~s** Explicitamente; com todos os detalhes. **De ~** *Gir. Fut.* Com o pé que chuta por trás do pé de apoio (diz-se de chute ou passe etc.). **Tirar de ~** *Pop.* Fazer algo com toda a facilidade, sem esforço.
letrado (le.*tra*.do) *a.sm.* **1** Que ou quem possui uma vasta erudição. **2** Que ou quem possui sólidos conhecimentos literários.
letramento (le.tra.*men*.to) *sm.* A condição que se tem, uma vez alfabetizado, de se usar a leitura e a escrita como meios de adquirir conhecimentos, cultura etc., estas como instrumento de aperfeiçoamento individual e social.

☐ O termo 'letramento', de uso recente no campo da pedagogia e da educação, deriva do inglês *litteracy*, ref. não à acepção de 'condição de quem sabe ler e escrever' (ao que corresponde o termo 'alfabetismo' ou 'alfabetização'), mas à condição, capacidade de e disposição para, uma vez dominada a técnica de ler e escrever, usá-la para assimilar e transmitir informação, conhecimento etc. Assim, o letramento é uma continuação possível e desejável da alfabetização, e é através dele que o potencial do alfabetismo pode se transformar em conhecimento e cultura.

letrar (le.*trar*) *v. td. pr.* Tornar(-se) letrado ou versado em letras, ou culto. [▶ 1 letrar]
letreiro (le.*trei*.ro) *sm.* **1** Inscrição com o objetivo de informar. **2** Qualquer texto projetado em tela com o intuito de esclarecer o espectador. **3** *Bras.* Inscrição em pedras lavradas, pintadas etc.
letrista (le.*tris*.ta) *a.sm.* **1** Que ou quem é especialista em desenhar ou pintar letras em tabuletas, fachadas etc. **2** Que ou quem compõe letras de música.
léu *sm.* Ociosidade, inércia. ◼ **Ao ~ 1** À toa. **2** Sem cobertura). *Pl.:*
leucemia (leu.ce.*mi*.a) *sf. Med.* Doença que se caracteriza pela proliferação maligna de leucócitos. • leu.cê.mi.co *a.sm*.
leucócito (leu.*có*.ci.to) *sm. Histl.* Célula sanguínea responsável pela defesa do organismo; glóbulo branco.
leucocitose (leu.co.ci.*to*.se) *sf. Med.* Aumento anormal da taxa sanguínea de leucócitos.
leucopenia (leu.co.pe.*ni*.a) *sf. Med.* Diminuição anormal da taxa sanguínea de leucócitos.
leva (*le*.va) *sf.* **1** Grupo de pessoas; AJUNTAMENTO: *O ônibus carregava uma leva de alunos*. **2** Alistamento de recrutas; RECRUTAMENTO.
levada (le.*va*.da) *sf.* **1** Ação ou resultado de levar. **2** Corrente d'água desviada de um rio. **3** Queda-d'água, cascata. **4** *N.* Parte alta de um terreno.
levadiço (le.va.*di*.ço) *a.* Que se pode baixar e levantar (ponte *levadiça*).
levado (le.*va*.do) *a. Pop.* Que faz traquinagens, travessuras (menino *levado*).
leva e traz (le.va e *traz*) *s2g2n. Bras.* Pessoa fofoqueira, intrigante.
levantador (le.van.ta.*dor*) [ô] *a.sm.* **1** Que ou o que levanta ou se destina a levantar algo. **2** Que ou quem lidera uma revolta. *sm.* **3** *Esp.* Numa equipe de vôlei, o jogador responsável por levantar (15) a bola.
levantamento (le.van.ta.*men*.to) *sm.* **1** Ação ou resultado de levantar. **2** Aumento, acréscimo. **3** Arro-

lamento dos objetos ou pessoas de um conjunto por meio de pesquisa ou busca: *levantamento do material do estoque*. **4** Pesquisa de observações e informações destinadas a conhecer, descrever ou representar algo: *levantamento de preços*. **5** *Esp.* No vôlei, jogada que consiste em levantar a bola para companheiro de equipe.

levantar (le.van.*tar*) *v.* **1** Pôr(-se) de pé. [*td. pr.*] **2** Despertar, acordar. [*int. pr.*] **3** Surgir no horizonte; RAIAR. [*int./pr.*: *O sol ainda não (se) levantou*.] **4** Elevar(-se), erguer(-se), ou dirigir (para o alto). [*td.*: *levantar a cabeça*; *A ventania levantava folhas e poeira*; (seguido de indicação de lugar) *Levantamos o olhar para o céu*. *pr.*: *Sua saia levantou-se com o vento*.] **5** Erigir ou construir. [*td.*: *levantar um monumento*.] **6** Aumentar a altura de. [*td.*: *levantar um muro*.] **7** Aumentar realce, intensidade (de). [*td.*: *Levante um pouco o tom ao recitar poema*; (seguido de indicação de finalidade/direção) *Nunca levante a voz para seus pais*.] **8** *Fig.* Elevar ou estimular. [*td.*: *A notícia levantou o moral das tropas*.] **9** Restabelecer(-se), ou reabilitar(-se). [*pr.*: *Ainda não se levantou da doença*.] **10** *Fig.* Aventar, formular, ou provocar; SUSCITAR. [*td.*: *levantar uma dúvida*; *Sua opinião levantou discussões*.] **11** *Fig.* Inventariar, arrolar, reunir. [*td.*: *levantar dados*.] **12** Obter ou arrecadar (empréstimo, subsídios, doações etc.). [*td.*] **13** Interromper, suspender ou afastar. [*td.*: *levantar uma proibição*.] **14** *Fig.* Sublevar(-se), revoltar(-se), ou opor(-se). [*td.* (seguido ou não de indicação de finalidade/direção): *Conseguiram levantar a população (contra o tirano)*. *pr.*: *O povo se levantou contra essa injustiça*.] **15** *Esp.* No vôlei, jogar a bola junto à rede para que seja desferido um ataque. [*td.* (com ou sem complemento explícito): *Levantou (a bola) para o companheiro*.] [▶ levantar]

levante¹ (le.*van*.te) *sm.* Ação coletiva de insurgência contra a ordem ou autoridade estabelecida; MOTIM; REVOLTA.

levante² (le.*van*.te) *sm.* **1** Ver *este* [é]. **2** Vento que sopra do este [é]. ◪ **Levante** *sm.* **3** A região a leste da Europa e do mar Mediterrâneo; ORIENTE.

levantino (le.van.*ti*.no) *a.* **1** Ref. ao levante³; ORIENTAL. **2** Do Levante (conjunto dos países do Mediterrâneo oriental); típico dessa região ou de seu povo. *sm.* **3** Pessoa nascida na região do Levante.

levar (le.*var*) *v.* **1** Transportar, conduzir ou portar. [*td.* (seguido ou não de indicação de lugar): *Ele levava muito dinheiro (no bolso)*. *tdi.* + *a, para*: *Nova tubulação levará o gás à população*. *int.*: *Este ônibus leva aos subúrbios*.] **2** Fazer-se acompanhar de. [*td.*: *Levou o primo na viagem*.] **3** *Fig.* Carregar consigo (sentimento, lembrança etc.). [*td.* (seguido ou não de indicação de lugar): *levar mágoas (no coração)*.] **4** *Fig.* Dar acesso, conduzir (a algum lugar). [*ti.* + *a*: *O túnel levava a uma terra misteriosa*. *tdi.* + *a*: *Esta estrada os levará à fazenda*.] **5** *Fig.* Impelir, conduzir (a algo). [*tdi.* + *a*: *O centroavante levou o time à vitória*.] **6** Tirar ou afastar (algo ou alguém) de (determinado lugar). [*tdi.* + *de*: *Levaram as pastas do escritório*.] **7** Mover (em determinada direção). [*td.* + *a*: *levar a mão ao rosto*.] **8** Arrancar, arrebatar. [*td.*: *O vendaval levava as telhas*.] **9** Roubar, furtar. [*td.*: *O ladrão levou sua bolsa*. *tdi.* + *de*: *Levaram-lhe as joias do cofre*.] **10** Comprar, adquirir (mercadoria). [*td.* (seguido ou não de indicação de valor): *Levou o carro (por 20 mil reais)*.] **11** Receber (prêmio, recompensa, gorjeta, suborno), ou auferir (lucro). [*td.*] **12** Vestir, trazer (traje ou peça de roupa). [*td.*] **13** Requerer ou conter. [*td.*: *Este pudim leva leite e ovos*.] **14** *Fig.* Experimentar (determinada sensação), ou ser alvo de (determinada ação). [*td.*: *levar um susto*; (tb. sem complemento explícito) *Ele vai acabar levando (uma surra)*; (seguido ou não de indicação de lugar) *O rapaz levou um soco (no rosto)*. *tdi.* + *de*: *Levaram uma bronca do pai*.] **15** *Fig.* Suportar, carregar o peso de (falta, responsabilidade etc.). [*td.*: *Levou a culpa injustamente*; (tb. seguido de indicação de "lugar") *Ele leva o escritório nas costas*.] **16** *Fig.* Considerar, tomar como. [*td.* (seguido de indicação de modo): *Cristina levou a história a sério*.] **17** *Fig.* Consumir, demorar (certo tempo). [*int.* (seguido de indicação de modo/lugar): *Ela leva horas para se vestir*; *Levou a manhã na fila do banco*.] **18** *Fig.* Ter (vida de); VIVER. [*td.*: *Ela leva uma vida de madame*.] **19** *Fig.* Dar fim à vida de; MATAR. [*td.*: *A bebida vai acabar por levá-lo*.] **20** *Fig.* Exibir, apresentar (ger. filme). [*td.*] [▶ levar]

leve (le.ve) *a2g.* **1** Que tem pouco peso ou densidade (bagagem leve, metal leve). **2** Que se movimenta com agilidade (bailarina leve). **3** Que é suave, delicado (decoração leve). **4** Sem profundidade (conversa leve). **5** Que está aliviado, desoprimido (alma leve). **6** De fácil digestão (almoço leve). [Ant.: *pesado*.] ▪▪ **De ~ 1** Suavemente, sem pressionar: *Passou os dedos de leve em sua cabeça*. **2** Superficialmente: *Estudou de leve a questão*.

levedar (le.ve.*dar*) *v.* Tornar(-se) lêvedo ou fermentado; FERMENTAR. [*td.*: *levedar a massa do bolo*. *int.*: *O pão levedou*.] [▶ levedar] ● **le.ve.*da*.do** *a.*

lêvedo (*lê*.ve.do) *a.* **1** Que fermentou; LEVEDADO. *sm.* **2** *Bot.* Fungo responsável por processos de fermentação, empregado na preparação de pães e bebidas alcoólicas.

levedura (le.ve.*du*.ra) *sf.* Ver *lêvedo* (2).

leveza (le.*ve*.za) [ê] *sf.* Qualidade ou condição de leve.

leviandade (le.vi:an.*da*.de) *sf.* Qualidade ou condição de leviano; falta de seriedade.

leviano (le.vi:a.no) *a.sm.* **1** Que ou quem se comporta irresponsavelmente, demonstra falta de seriedade: *Foi leviano ao fazer as acusações sem provas*. **2** Que ou quem demonstra inconstância; VOLÚVEL: *Aquele leviano trocou de namorada três vezes este ano*.

leviatã (le.vi:a.*tã*) *sm.* *Mit.* Monstro mitológico fenício, citado na Bíblia.

levirato (le.vi.*ra*.to) *sm. Antr. Hist.* Preceito (bíblico) de uma viúva casar com o irmão de seu marido.

levita (le.*vi*.ta) *sm. Rel.* **1** Membro da tribo hebreia de Levi. **2** Sacerdote da antiga Jerusalém. ● **le.*ví*.ti.co** *a.*

levitar (le.vi.*tar*) *v. int.* Erguer-se (alguém ou algo) acima do solo, sem que nada visível o sustenha. [▶ levitar] ● **le.vi.ta.*ção*** *sf.*

lexical (le.xi.*cal*) *a2g. Ling.* Ver *léxico* (1). [Pl.: *-cais*.]

léxico (*lé*.xi.co) [cs] *Ling. a.* **1** Próprio das palavras ou referente a elas; LEXICAL. *sm.* **2** O repertório de palavras de uma língua ou de um texto; VOCABULÁRIO.

lexicografia (le.xi.co.gra.*fi*.a) [cs] *sf.* A técnica e o trabalho de elaboração de dicionários. ● **le.xi.co.*grá*.fi.co** *a.*; **le.xi.*có*.gra.fo** *sm.*

lexicologia (le.xi.co.lo.*gi*.a) [cs] *sf. Ling.* Estudo das palavras quanto ao seu significado, constituição, variações flexionais, classificação. ● **le.xi.co.*ló*.gi.co** *a.*; **le.xi.*có*.lo.go** *sm.*

⌧ **lg** *Mat.* Abr. de *logaritmo decimal*. [Ver em *logaritmo*.]

lhama (*lha*.ma) *s2g. Zool.* Mamífero ruminante da América do Sul, de pelagem comprida e lanosa; LAMA.

lhano (*lha*.no) *a.* **1** Que é sincero e franco. **2** Que é modesto e despretensioso. ◪ **lhanos** *smpl.* **3** *Geog.* Planícies de vegetação herbácea encontradas na América do Sul. ● **lha.*ne*.za** *sf.*; **lha.*nu*.ra** *sf.*

lhe *pr.pess.* **1** Equivale a 'a você', na função de complemento: *Quero lhe apresentar meu sobrinho*. **2** Equivale a 'a ele' ou 'a ela', na função de complemento: *Ofereceram-lhe a chefia, e ele não quis*. **3** Subs-

lho | **licencioso**

titui os possessivos *seu*, *dele*: *Cortou-lhe as unhas* (= *cortou suas unhas*).
lho Contr. do pr. pess. *lhe* com o pr. pess. *o*.
◊◊ **Li** *Quím.* Símb. de *lítio*.
liame (li:a.me) *sm.* Aquilo que une ou prende uma pessoa ou coisa a outra.
liana (li:a.na) *sf. Bot.* Ver *cipó*.
libação (li.ba.*ção*) *sf.* Ato de libar, ou beber. [Pl.: *-ções.*]
libambo (li.*bam*.bo) *sm.* Corrente de ferro que atava condenados e escravos pelo pescoço, ger. us. durante seus deslocamentos.
libanês (li.ba.*nês*) *a.* 1 Do Líbano (Ásia); típico desse país ou de seu povo. *sm.* 2 Pessoa nascida no Líbano. [Pl.: *-neses*. Fem.: *-nesa*.]
libar (li.*bar*) *v. td.* 1 Beber ou sugar. 2 *Fig.* Provar, degustar ou desfrutar. [▶ 1 lib<u>ar</u>]
libelo (li.*be*.lo) [ê] *sm.* 1 *Jur.* Exposição que pretende provar a culpa de um réu. 2 Texto de cunho satírico ou difamatório.
libélula (li.*bé*.lu.la) *sf. Zool.* Inseto provido de quatro asas e que se desenvolve próximo às águas; LAVADEIRA.
líber (*lí*.ber) *sm. Bot.* Nos vegetais vasculares, tecido condutor da seiva.
liberal (li.be.*ral*) *a2g.* 1 Que demonstra generosidade; dadivoso. 2 Que tem ideias e/ou comportamento avançados, sem preconceitos (pais liberais). 3 Diz-se da profissão de nível superior em que os profissionais não possuem vinculação hierárquica e exercem atividade técnica e/ou intelectual. *a2g.s2g.* 4 Que ou quem é partidário do liberalismo. [Pl.: *-rais*.]
liberalidade (li.be.ra.li.*da*.de) *sf.* Característica ou condição de liberal (1 e 2).
liberalismo (li.be.ra.*lis*.mo) *sm.* 1 *Econ. Fil. Pol.* Doutrina que se baseia na liberdade individual, econômica, política, religiosa e intelectual, contra interferências do poder estatal. 2 Qualidade ou condição de quem é liberal. • **li.be.ra.***lis***.ta** *s2g.*
liberalizar (li.be.ra.li.*zar*) *v.* 1 Dar ou distribuir com liberalidade; PRODIGALIZAR. [*td.*: *liberalizar favores*. *tdi.* + *a*: *Ele liberaliza esmolas aos miseráveis*.] 2 Tornar(-se) liberal ou mais liberal. [*td. pr.*] [▶ 1 liberaliz<u>ar</u>]
liberar (li.be.*rar*) *v.* 1 Desobrigar(-se) de dever, compromisso ou dívida. [*td.*: *O chefe liberou-nos mais cedo*. *tdi.* + *de*: *liberar alguém de uma multa*. *pr.*: *Não consegui liberar-me da reunião*.] 2 Libertar(-se), livrar(-se). [*tdi.* + *de*: *Bastou uma conversa para liberá-lo de seus temores*. *pr.*: *Ele liberou-se dos traumas da infância*.] 3 Suspender proibição ou restrição a. [*td.*: *liberar um filme*. *tdi.* + *a*, *para*: *Já liberaram o viaduto para todos os caminhões*.] 4 *Bras.* Tornar disponível; DISPONIBILIZAR. [*td.*: *liberar verbas*. *tdi.* + *para*: *liberar recursos para a educação*.] [▶ 1 liber<u>ar</u>] • **li.be.ra.***ção* *sf.*; **li.be.ra.do** *a*.
liberdade (li.ber.*da*.de) *sf.* 1 Possibilidade de agir segundo a própria vontade (dentro dos limites da lei e de normas socialmente aceitas). 2 Estado ou condição de quem é livre. 3 Expressão de intimidade: *Não dá muita liberdade ao namorado*.
liberiano (li.be.ri:*a*.no) *a.* 1 Da Libéria (África); típico desse país ou de seu povo. *sm.* 2 Pessoa nascida na Libéria.
líbero (*lí*.be.ro) *sm. Bras.* 1 *Fut.* Defensor que atua próximo à linha de zagueiros para cobrir eventuais falhas de seus companheiros. 2 *Esp.* No vôlei, jogador que não pode atacar, ficando isento também do rodízio de posições, e veste uma camisa de cor diferente da dos demais jogadores.
libertar (li.ber.*tar*) *v.* 1 Tornar(-se) livre ou liberto. [*td.*: *libertar um prisioneiro*. *pr./tdi.* + *de*: *Libertar(-se) o país do jugo estrangeiro*.] 2 Livrar(-se), desembaraçar(-se). [*tdi.* + *de*: *Faz de tudo para liber-*

tá-lo das inibições. *pr.*: "...não poderia se libertar do marido porque dependia dele..." (Ana Maria Machado, *A audácia dessa mulher*).] 3 Soltar, livrar de inibição o que estava reprimido. [*td.*: *Libertou enfim seu talento de artista*.] [▶ 1 libert<u>ar</u>] • **li.ber.ta.***ção* *sf.*; **li.ber.ta.***dor* *a.sm.*
libertário (li.ber.*tá*.ri:o) *a.sm.* Que ou quem é partidário da liberdade total; ANARQUISTA.
libertino (li.ber.*ti*.no) *a.sm.* 1 Que ou quem leva uma vida voltada aos prazeres do sexo; LIBIDINOSO. 2 Que ou quem não segue regras morais estabelecidas, esp. as relativas ao comportamento sexual. • **li.ber.ti.***na***.gem** *sf.*
liberto (li.*ber*.to) *a.* 1 Que foi libertado e vive em liberdade; LIVRE. 2 Que é isento ou se livrou de preconceitos (mentes libertas). *a.sm.* 3 Que (diz-se de escravo) ou quem passou à condição de homem livre.
libidinagem (li.bi.di.*na*.gem) *sf.* Qualidade, condição ou atitude de libidinoso. [Pl.: *-gens*.]
libidinoso (li.bi.di.*no*.so) [ó] *a.* 1 Ref. ao prazer sexual. *a.sm.* 2 Ver *libertino* (1). [Fem. e pl.: [ó].]
libido (li.*bi*.do) *sf.* Instinto sexual.
líbio (*lí*.bi:o) *a.* 1 Da Líbia (África); típico desse país ou de seu povo. *sm.* 2 Pessoa nascida na Líbia. *a.sm.* 3 *Gloss.* Do, ref. ao ou o dialeto do árabe falado na Líbia.
libra (*li*.bra) *sf.* 1 Medida de massa do sistema inglês de pesos e medidas. 2 Nome do dinheiro us. no Reino Unido, Chipre, Egito, Líbano, Sudão, Síria e Turquia. 3 Unidade dos valores em libras, us. em notas e moedas: *uma nota de dez libras*. [1 libra = 100 *pences*.] ■ **~ esterlina** Padrão monetário e moeda do Reino Unido. ◊ **Libra** *Astrol. sf.* 4 Signo (do Zodíaco) das pessoas nascidas entre 23 de setembro e 22 de outubro. *s2g.* 5 Libriano: *Ele é Libra*.
librar (li.*brar*) *v. td. pr.* Pôr(-se) em equilíbrio; EQUILIBRAR(-SE). [▶ 1 libr<u>ar</u>]
libré (li.*brê*) *sf.* Uniforme com galões etc., us. por empregado em casas nobres.
libreto (li.*bre*.to) [ê] *sm.* Texto ou argumento em que se baseia uma ópera, oratório etc. • **li.bre.***tis***.ta** *a2g.s2g.*
libriano (li.bri:*a*.no) *a.sm. Astrol.* Que ou quem nasceu sob o signo de Libra.
liça (*li*.ça) *sf.* 1 Local para torneios, competições, combates etc. 2 Luta, embate.
lição (li.*ção*) *sf.* 1 Matéria ensinada em classe pelos professores; AULA. 2 Tarefa ou trabalho feito por aluno. 3 Ensinamento, exemplo: *Sua atitude é uma lição para todos*. [Pl.: *-ções*.]
licença (li.*cen*.ça) *sf.* 1 Permissão, autorização. 2 Permissão de autoridade para a realização de algo. 3 Documento que dá validade a essa permissão. 4 Permissão para afastamento do trabalho.
licença-prêmio (li.cen.ça-*prê*.mi:o) *sf.* Afastamento do trabalho a que têm direito certos trabalhadores após algum tempo de serviço. [Pl.: *licenças-prêmios* e *licenças-prêmio*.]
licenciado (li.cen.ci:*a*.do) *a.* 1 Que está autorizado por licença. *a.sm.* 2 Que ou quem tem licenciatura.
licenciar (li.cen.ci:*ar*) *v.* 1 Dar ou obter licença para ausentar-se (de serviço, aulas etc.). [*td.*: *Licenciou os funcionários na parte da tarde*. *pr.*: *Conseguiram licenciar-se para tratar dos assuntos*.] 2 Obter licenciatura. [*pr.*: *Eles licenciaram-se em história*.] 3 Dar ou obter licença para (automóvel) trafegar. [*td.*: *Licenciou o carro no mesmo dia*.] [▶ 1 licenci<u>ar</u>] • **li.cen.ci:a.***men***.to** *sm.*
licenciatura (li.cen.ci:a.*tu*.ra) *sf. Bras.* Grau universitário que faculta o magistério no ensino médio.
licencioso (li.cen.ci:*o*.so) [ó] *a.* 1 Que ou quem não respeita normas; DESREGRADO. 2 Que ou quem é sensual, voluptuoso. [Fem. e pl.: [ó].] • **li.cen.ci:o.***si***.da.de** *sf.*

liceu (li.*ceu*) *sm.* Estabelecimento de ensino médio e/ou profissionalizante.

lichia (li.*chi*.a) *sf. Bot.* Planta de origem chinesa cujos frutos são comestíveis; esse fruto.

licitar (li.ci.*tar*) *v.* **1** Colocar em leilão, ou em concorrência pública. [*td.*: *licitar a contratação de obras para o município.*] **2** Fazer ou cobrir lanço em leilão para arrematar (bem leiloado). [*int.*: *Interessado na peça, não hesitou em licitar. td.*: *Conseguiu afinal licitar o quadro.*] [▶ 1 licit**ar** • li.ci.ta.ção *sf.*; li.ci.*tan*.te *a2g.*

lícito (*li*.ci.to) *a.* **1** Que é conforme à lei. **2** Que é justificável. **3** Que é permitido. [Ant.: *ilícito.*]

licitude (li.ci.*tu*.de) *sf.* Qualidade ou condição de lícito.

licor (li.*cor*) [ó] *sm.* Bebida alcoólica doce que pode ser preparada com vários aromas.

licoreira (li.co.*rei*.ra) *sf.* Conjunto de garrafa de licor e cálices para bebê-lo; LICOREIRO.

licoreiro (li.co.*rei*.ro) *sm.* Ver *licoreira.*

licoroso (li.co.*ro*.so) [ó] *a.* Que tem a consistência, o aroma e a doçura do licor. [Fem. e pl.: [ó].]

lida (*li*.da) *sf.* **1** Ação ou resultado de lidar. **2** Trabalho, labuta.

lidar (li.*dar*) *v.* **1** Tratar com, ou ocupar-se de. [*ti.* + *com*: *lidar com crianças.*] **2** Enfrentar. [*ti.* + *com*: *lidar com uma situação difícil.*] **3** Entregar-se a lida ou labuta; LABUTAR; BATALHAR. [*int.*: *Eles lidam duro na fazenda.*] **4** Participar de batalha ou de duelo. [*int.*] [▶ 1 lid**ar** • li.da.*dor a.sm.*

lide[1] (*li*.de) *sf.* **1** Lida. **2** Litígio, luta.

lide[2] (*li*.de) *sm. Jorn.* Trecho de abertura de uma matéria de jornal que traz um resumo da mesma; LEAD.

líder (*li*.der) *s2g.* **1** Pessoa com autoridade e carisma para comandar outras. **2** Pessoa que comanda e incentiva outras em suas atividades, campanhas etc. **3** Atleta ou equipe que ocupa o primeiro lugar numa competição. **4** Empresa ou produto que se destaca no seu setor: *programa líder em audiência.*

liderança (li.de.*ran*.ça) *sf.* **1** Posição, função ou caráter de líder. **2** Autoridade, ascendência.

liderar (li.de.*rar*) *v. td.* **1** Conduzir ou dirigir como líder: *liderar um exército.* **2** Estar em primeiro lugar em: *liderar uma pesquisa eleitoral.* [▶ 1 lider**ar**]

lídimo (*lí*.di.mo) *a.* **1** Autêntico, legítimo. **2** Desprovido de estrangeirismo (diz-se de palavra ou expressão); PURO; VERNÁCULO.

liga (*li*.ga) *sf.* **1** Ligação (1). **2** União entre pessoas visando um mesmo objetivo. **3** Aliança entre países para alcançar objetivos comuns. **4** Qualquer associação ou federação. **5** Tira elástica para prender as meias às pernas. **6** *Metal.* Mistura homogênea resultante da fusão de dois ou mais metais.

ligação (li.ga.*ção*) *sf.* **1** Ação ou resultado de ligar(-se); LIGA; LIGADURA; LIGAMENTO. **2** União, junção. **3** Relação, conexão. **4** Vínculo entre pessoas; AMIZADE. **5** Relação amorosa. **6** *Bras.* Comunicação telefônica. **7** *Gram.* Ver *verbo.* [Pl.: *-ções.*] ⚍ **Cair a ~** Interromper-se uma ligação telefônica devido a problemas técnicos. **~ direta** *Aut.* Conexão dos fios elétricos que acionam o motor de arranque, dando partida ao motor sem acionar a chave ou botão de ignição.

ligadura (li.ga.*du*.ra) *sf.* **1** Ligação (1). **2** Atadura, ligamento. **3** *Cir.* Operação cirúrgica em que se aperta com um fio um vaso sanguíneo ou órgão oco para causar seu fechamento.

ligamento (li.ga.*men*.to) *sm.* **1** Ligação (1). **2** Ligadura, faixa, atadura. **3** *Anat.* Cordão fibroso de grande resistência que liga os ossos das articulações: *ligamentos do joelho.*

ligar (li.*gar*) *v.* **1** Prender, atar; reunir, juntar. [*td.* (seguido do nome ou indicação de meio): *ligar achas de lenha (com uma corda).* *tdi.* + *a, em*: *Ligou uma extremidade à outra.*] **2** Conectar. [*tdi.* + *a, em*: *Ligou o fio na tomada.*] **3** Aglutinar(-se), combinar(-se) ou misturar(-se). [*td.*: *ligar metais fundidos. int./pr.*: *A prata e o ouro ligam(-se) bem.*] **4** Pôr em comunicação, ou dar acesso a. [*td.*: *A internet liga todas as partes do mundo. tdi.* + *a*: "...perto da ponte que ligava o quintal à sala de jantar..." (Josué Montello, *Sempre serás lembrada.*)] **5** *Fig.* Associar, relacionar. [*td.*: *ligar fatos. tdi.* + *a, com*: *Ligou um fato ao outro e tirou conclusões. pr.*: *Esta crise política liga-se a fatores econômicos.*] **6** *Fig.* Unir(-se) em sentido moral ou afetivo. [*td.*: *O amor liga os homens. pr.*: *No sofrimento, aquela família ligou-se ainda mais.*] **7** Levar em consideração, dar importância a, interessar-se por. [*ti.* + *para*: "— Não ligue para o que ele está falando! Ele está bêbado." (França Júnior, *Os dois irmãos*). *int.*: "Falam de mim, mas eu não ligo." (Noel Rosa, Eden Silva e Anibal Silva, *Falam de mim*).] **8** *Bras.* Discar (número telefônico) ou telefonar. [*td.*: *Liguei o número errado. ti.* + *para*: *Ligou para seu chefe.*] **9** Funcionar (o telefone). [*int.*: *Este telefone não liga há uma semana.*] **10** Pôr em funcionamento (sistema ou aparelho elétrico, motor ou veículo automotivo). [*td.*: *ligar a televisão.*] **11** *Cir.* Fazer a ligadura (3) de. [*td.*: *ligar as trompas.*] **12** Fazer aderir. [*td.*: *Usou cimento para ligar os tijolos.*] [▶ **14** lig**ar**]

ligeireza (li.gei.*re*.za) [ê] *sf.* **1** Qualidade ou condição de ligeiro; RAPIDEZ; VELOCIDADE. **2** Destreza, habilidade.

ligeiro (li.*gei*.ro) *a.* **1** Leve, tênue, delicado. **2** Veloz, ágil (passos *ligeiros*). [Ant. nesta acp.: *lento, lerdo.*] **3** Que não é profundo (corte *ligeiro*); SUPERFICIAL. **4** De pouca espessura, leve (vestido *ligeiro*). **5** Diz-se de refeição rápida e de fácil digestão. *adv.* **6** Com presteza: *Ele fala e age ligeiro.*

⊕ **light** (*Ing.* /láit/) *a2g2n.* Termo que designa alimentos que contêm menor valor calórico que o normal.

lignina (lig.*ni*.na) *sf. Bot.* Substância que confere dureza à madeira das árvores.

lignito (lig.*ni*.to) *sm. Geol.* Ver *linhito.*

⊕ **like** (*Ing.* /láik/) O mesmo que *curtir.* Nas redes sociais significa curtir a foto, o vídeo ou o *post* publicado tanto no *Facebook*, como *Instagram* e *Youtube.*

lilás, lilá (li.*lás*, li.*lá*) *sm. Bot.* Arbusto que dá flores violeta-claras, em cachos. **2** Essa flor. **3** A cor do lilás (2): *As morenas ficam bem de lilás. a2g.* **4** Que é dessa cor (blusa *lilás*): *lilás.* [Pl.: *-lases, -lás.*]

lima[1] (*li*.ma) *sf.* **1** Ferramenta de aço us. para polir, raspar ou desbastar metais ou outros materiais duros.

lima[2] (*li*.ma) *sf.* Fruto cítrico, menos ácido que a laranja.

limalha (li.*ma*.lha) *sf.* Pó resultante de um metal depois de limado.

limão (li.*mão*) *sm.* **1** Fruto cítrico, azedo e ácido. **2** A cor verde-amarelada ou amarelo-esverdeada do limão. [Pl.: *-mões.*] *a2g2n.* **3** Que é dessa cor (jaquetas *limão*).

limar (li.*mar*) *v. td.* **1** Desgastar ou polir com lima. **2** *Fig.* Aprimorar, polir: *limar um texto.* [▶ 1 lim**ar**] • li.*ma*.gem *sf.*

limbo (*lim*.bo) *sm.* **1** *Rel.* Na religião católica, lugar para onde vão as crianças que morrem antes de serem batizadas. **2** Margem, borda, rebordo. **3** *Astron.* Contorno luminoso do disco de um astro. **4** *Fig.* Condição de quem está indefinido ou esquecido: *propostas no limbo.*

limeira (li.*mei*.ra) *sf. Bot.* Árvore que dá a *lima*[2].

limiar (li.mi.*ar*) *sm.* **1** Peça de pedra ou de madeira que fica embaixo da porta. **2** Patamar perto da porta. **3** *Fig.* Começo, início, entrada: *limiar do século XXI.*

liminar (li.mi.*nar*) *a2g.* **1** Que vem antes do assunto principal; PRELIMINAR. **2** Ref. a ou que está no limite ou passagem. *a2g.sf.* **3** *Jur.* Diz-se de ou medida provisória concedida por juiz no início de uma ação, que pode ser confirmada ou revogada na sentença.

limitação (li.mi.ta.*ção*) *sf.* **1** Ação ou resultado de limitar(-se). **2** Fixação, delimitação: *a limitação de um prazo.* **3** *Fig.* Restrição, contenção: *limitação nos gastos.* **4** *Fig.* Imperfeição, insuficiência, limite: *O lutador conhecia as limitações do adversário.* [Nesta acp. ger. no pl.] [Pl.: -ções.]

limitado (li.mi.*ta*.do) *a.* **1** Que tem limites ou limitações (recursos limitados). **2** Fixado, delimitado (horário limitado). **3** Reduzido, restrito (edição limitada). **4** Que tem pouca capacidade (ator limitado).

limitar (li.mi.*tar*) *v.* **1** Estabelecer os limites de, ou servir para indicá-los. [*td.* (seguido ou não de indicação de meio): *limitar uma propriedade (com cerca).*] **2** Fazer fronteira (com); CONFINAR. [*pr.:* Portugal *limita-se com a Espanha.*] **3** Restringir(-se) ou circunscrever(-se). [*td.: limitar a repercussão de um fato. tdi. + a: Limitaram o ingresso aos associados. pr.:* "...limitou-se a chorar em silêncio a sua desgraça..." (Franklin Távora, *O cabeleira*).] [▶ **1** limitar] • li.mi.ta.*dor* *a.sm.*; li.mi.*tan*.te *a2g.*; li.mi.ta.*ti*.vo *a.*

limite (li.*mi*.te) *sm.* **1** Linha ou ponto, real ou imaginário, que marca a separação entre duas coisas, esp. entre dois territórios; LINDE: *O limite norte do país é o mar.* **2** Grau, ponto ou momento em que uma coisa termina; FIM; TERMO: *O prazo chegou ao limite.* **3** Data que marca o começo ou o fim de um período de tempo: *limite de idade.* **4** Nível ou ponto convencionado de até onde se pode chegar: "...ando sempre no limite da velocidade." (*O Globo*, 23.01.04). **5** *Fig.* Ver limitação (4). [Nesta acp. ger. no pl.]

limítrofe (li.*mí*.tro.fe) *a2g.* **1** Diz-se do país ou território que se limita com outro: *Brasil e Uruguai são limítrofes.* **2** Que está na fronteira: *as populações limítrofes; a indignação é limítrofe da raiva.*

limnologia (lim.no.lo.*gi*.a) *sf. Biol.* Ciência que estuda tudo que se refere às águas doces, como lagos, pântanos etc. • lim.no.*ló*.gi.co *a.*

limo (*li*.mo) *sm.* **1** *Bot.* Alga que forma uma massa verde em superfícies muito úmidas. **2** Barro que se forma em um terreno; LODO; LAMA. • li.*mo*.so *a.*

limoeiro (li.mo:*ei*.ro) *sm. Bot.* Árvore que dá o limão. • li.mo.*al* *sm.*

limonada (li.mo.*na*.da) *sf.* Bebida feita de limão, água e açúcar.

limpa (*lim*.pa) *sf.* **1** Ação ou resultado de limpar(-se); LIMPEZA. **2** Retirada de plantas daninhas ou galhos inúteis de um jardim ou de uma plantação; ALIMPA. **3** *Bras. Gír.* Roubo em que se leva tudo: *O ladrão fez uma limpa na joalheria.*

limpadela (lim.pa.*de*.la) *sf.* Limpeza ligeira: *Antes de sair, dei uma limpadela na casa.*

limpador (lim.pa.*dor*) [ô] *a.* **1** Que faz limpeza. *sm.* **2** Aquele ou aquilo que limpa.

limpar (lim.*par*) *v.* **1** Tornar(-se) limpo. [*td.: limpar a casa. tdi. + de: limpar uma praia de detritos. pr.: Limpou-se da graxa.*] **2** Separar impurezas de, purificar, ou joeirar. [*td.: limpar cereais.*] **3** Fazer a assepsia de; DESINFETAR. [*td.: limpar um ferimento.*] **4** Esvaziar o conteúdo de. [*td.: Estava com fome, limpou o prato. tdi. + de: Limpou o quintal do entulho.*] **5** Retirar as vísceras ou escamas de (animal). [*td.*] **6** Tornar(-se) claro ou límpido (o céu, o ar etc.). [*td.:* "A chuva de véspera limpara a atmosfera..." (Aluísio Azevedo, *Casa de pensão*). *int.: Depois da tempestade, o céu limpou.*] **7** *Fig.* Livrar (lugar) de (alguém ou algo nocivo). [*tdi. + de: É urgente limpar a empresa dos maus elementos.*] **8** *Bras.* Levar tudo de, esvaziar, tirando ou roubando. [*td.: limpar um cofre/ a despensa.*] [▶ **1** limpar] • lim.pa.*du*.ra *sf.*; lim.pa.*men*.to *sm.*

limpa-trilhos (lim.pa-*tri*.lhos) *sm2n. Bras.* Grade de ferro na frente das locomotivas que serve para remover obstáculos nos trilhos.

limpeza (lim.*pe*.za) [ê] *sf.* **1** Ação ou resultado de limpar(-se); LIMPA. **2** Estado do que ou de quem não tem manchas ou sujeira: *Elogiaram a limpeza do hospital.* [Ant. nesta acp.: *sujeira.*] **3** Esmero, sobriedade, apuro: "...as cabeças formosas pela serenidade, limpeza de formas..." (Alberto Costa e Silva, *A manilha e o libambo*). **4** *Gír.* Roubo total; LIMPA: *A gangue fez uma limpeza no supermercado.*

límpido (*lím*.pi.do) *a.* **1** Claro, transparente (água límpida). **2** Puro, limpo, nítido (som límpido). **3** Brilhante, polido. **4** Falto de nuvens (céu límpido). • lim.pi.*dez* *sf.*

limpo (*lim*.po) *a.* **1** Que não tem manchas ou sujeira: *O carro está limpo.* [Ant.: *sujo.*] **2** Asseado, higiênico: *criança limpa e bem alimentada.* **3** Transparente, límpido: *O céu está limpo.* **4** *Fig.* Honesto, honrado: *Fez um negócio limpo com o comprador.* [Ant. nesta acp.: *desonesto, sujo.*] **5** *Gír.* Que não tem dinheiro; DURO; TESO. ∎ Passar a ~ **1** Recopiar (texto, matéria etc.) de modo a ficar mais apresentável: "...não tive tempo de passar nada a limpo e entreguei tudo emendado e riscado à caneta." (João Ubaldo Ribeiro, *O conselheiro come*). **2** *Fig.* Esclarecer, resolver (assunto, pendência etc.): *Passaram a limpo suas divergências.* **Tirar a ~** Esclarecer, tirar as dúvidas quanto a: *É preciso tirar a limpo as declarações da testemunha.*

limusine (li.mu.*si*.ne) *sf.* Certo automóvel grande e luxuoso.

lince (*lin*.ce) *sm. Zool.* Mamífero felídeo, ao qual se atribui excelente visão.

linchar (lin.*char*) *v. td.* **1** Praticar violência contra (suposto criminoso), justicando-o sem julgamento. **2** *Fig.* Condenar ou caluniar publicamente (alguém ou uma instituição). [▶ **1** linchar] • lin.cha.*men*.to *sm.*

linde (*lin*.de) *sm.* Ver limite.

lindeza (lin.*de*.za) [ê] *sf.* **1** Qualidade do que é lindo. **2** Beleza, encanto, primor: *Este sítio já foi uma lindeza.*

lindo (*lin*.do) *a.* **1** Muito bonito: *Ela tem um sorriso lindo.* **2** Perfeito, primoroso: *Empataram com um lindo gol.* **3** Comovente, tocante: *Disse coisas lindas na despedida.*

lineamento (li.ne:a.*men*.to) *sm.* **1** Linha, contorno. ◪ **lineamentos** *smpl.* **2** Ideia geral, esboço. **3** As linhas do corpo humano.

linear (li.ne.*ar*) *a.* **1** Que consiste de linhas ou que é apresentado em forma de linha (diagrama linear). **2** Ref. a comprimento (medida linear). **3** *Fig.* Que segue uma sequência lógica; sem desvios (raciocínio linear). • li.ne:a.ri.*da*.de *sf.*

linfa (*lin*.fa) *sf. Histl.* Líquido orgânico incolor que circula nos vasos linfáticos e contém glóbulos brancos, esp. linfócitos.

linfático (lin.*fá*.ti.co) *a.* **1** *Histl.* Ref. à linfa (tecido linfático). **2** Que contém ou conduz a linfa (vasos linfáticos).

linfócito (lin.*fó*.ci.to) *sm. Histl.* Célula presente no sangue e na linfa que atua no sistema imunológico.

linfoide (lin.*foi*.de) *a2g.* Semelhante à linfa.

linfoma (lin.*fo*.ma) *sm. Med.* Tumor, ger. maligno, dos tecidos linfáticos.

linforragia (lin.for.ra.*gi*.a) *sf. Med.* Derrame de linfa devido a corte ou ruptura de vasos linfáticos.

⊕ **lingerie** (*Fr.* /langerrí/) *sf.* Roupa íntima feminina, como calcinha, sutiã, camisola etc.

lingote (lin.*go*.te) [ô] *sm.* Barra ou pedaço de metal em estado bruto e sem polimento.

língua (*lín*.gua) *sf.* **1** *Anat.* Órgão muscular móvel, situado na boca, que serve para sentir os sabores, deglutir e articular sons. **2** Qualquer coisa cuja forma lembra a desse órgão: *língua de fogo*. **3** *Ling.* Sistema de comunicação e expressão verbal de um povo, nação, país etc., que permite aos usuários expressar pensamentos, desejos e emoções; IDIOMA. **4** Maneira de falar ou escrever característica de um autor, movimento ou época: *a língua dos romancistas*. **5** Maneira de se referir a outras pessoas: *Tinha uma língua ferina*. [Dim.: *lingueta*.] ■ **Dar com a ~ nos dentes** Revelar segredo, contar o que não devia. **Dobrar a ~** Retirar ou corrigir o que se disse (ger. algo desrespeitoso, por solicitação do interlocutor): *Dobre a língua quando se referir a meu irmão!* - **negra** Transbordamento de esgoto que atinge a areia da praia. **Não falar a mesma ~** Não se entender com outrem; ter ideias ou interesses diferentes dos de outrem.

linguado (lin.gua.do) *sm.* **1** *Zool.* Peixe de forma oval e achatada, cujos olhos e narinas se localizam em um só lado da cabeça. **2** Barra de ferro.

linguafone (lin.gua.*fo*.ne) *sm.* Método de ensinar uma língua usando discos ou fitas fonográficas.

linguagem (lin.*gua*.gem) *sf.* **1** *Ling.* Sistema de sinais us. pelo homem para expressar seu pensamento tanto na fala quanto na escrita. **2** Qualquer conjunto de símbolos us. para codificar e decodificar dados: *linguagem de computação*. [Pl.: -*gens*.]

📖 Linguagem é qualquer sistema de sinais, ou signos, através dos quais dois ou mais seres se comunicam entre si para transmitir e receber informações, avisos, expressões de emoção ou sentimento etc. Embora existam sistemas de linguagem entre animais e até vegetais, é no homem que ela atinge altos níveis de aperfeiçoamento, que se expressam em grande acuidade, expressividade e potencial de armazenamento e memorização, condição básica para a construção de conhecimento e formação de cultura. Entre as várias formas de linguagem (oral, gestual e escrita), a que mais potencial apresenta, e se desenvolveu na forma de *línguas*, ou seja, um sistema baseado na emissão e recepção de sons, cuja combinação forma os signos significativos das coisas (palavras), e estas, arrumadas em determinadas estruturas, montam as ideias. Neste caso, a língua escrita é a representação gráfica desses sons (letras ou símbolos), agrupados em palavras. A linguagem é, assim, um sistema de códigos representativos de coisas, e a comunicação se faz pelo conhecimento desse código tanto pelo emissor quanto pelo receptor da mensagem.

linguajar (lin.gua.*jar*) *sm.* Maneira de falar; FALA.
lingual (lin.*gual*) *a2g.* Ref. à língua. [Pl.: -*guais*.]
linguarudo (lin.gua.*ru*.do) *a.* **1** Que tem a língua solta, que fala demais; FALADOR; MEXERIQUEIRO. *sm.* **2** Indivíduo linguarudo.
lingueta (lin.*gue*.ta) [ê] *sf.* **1** Qualquer objeto parecido com uma língua. **2** Pequena aba em tênis e alguns sapatos que fica sobre o peito do pé. **3** Peça da fechadura que, quando movida pela chave, serve para trancar a porta. **4** Ferrolho us. para fechar portas ou janelas sem auxílio da chave. **5** Pedaço de couro ou plástico, us. como fecho de bolsas, pastas, carteiras etc. **6** *P.us.* Língua pequena.
linguiça (lin.*gui*.ça) *sf.* Tripa recheada de carne de porco ou de vaca. ■ **Encher ~** Dizer ou escrever ou fazer coisas que não vêm ao caso, para preencher tempo ou espaço.
linguista (lin.*guis*.ta) *s2g.* Pessoa que se especializou em linguística.
linguística (lin.*guís*.ti.ca) *sf. Ling.* Estudo da linguagem e dos princípios gerais de funcionamento e evolução das línguas. [Ver tb. *linguagem* e *língua*.] ● **lin.guís.ti.co** *a.*

linha (*li*.nha) *sf.* **1** Traço contínuo: *Assine seu nome nesta linha*. **2** Disposição em série e contínua de coisas: *arrumou os livros em linha*. **3** Traço feito sobre uma superfície, ou imaginário, que demarca uma área, região ou seu limite: *a linha do equador*. **4** Cada um dos traços na palma da mão. **5** Fio us. em costuras e bordados. **6** Fio que se prende ao anzol para pescar. **7** Qualquer fio ou barbante us. para prender fios diversos: *Arrebentou a linha da pipa*. **8** Trilho: *O trem saiu da linha, causando sério acidente*. **9** Conexão telefônica: *Meu telefone não está dando linha*. **10** Conjunto de palavras dispostas em linha (2) em um texto: *Há um erro na quinta linha*. **11** Itinerário feito por transporte público: *linha de ônibus*. **12** *Design*, estilo: *móveis de linha moderna*. **13** Modo de se fazer algo; orientação: *O aprendiz segue a linha do mestre*. **14** Série de produtos: *nova linha de maquiagem*. **15** Conduta elegante; CLASSE: *Ele foi grosseiro, mas ela manteve a linha*. ■ **Andar na ~** *Pop.* Comportar-se como esperado ou conveniente. **De primeira** De primeira categoria; da mais alta qualidade: *times de primeira linha do futebol brasileiro*. - **dura** Facção ou orientação de partido político, organização etc., que preconiza ação radical contra crime, contravenção etc. -**s gerais** Esboço, delineamento; resumo: *as linhas gerais do projeto*. **Sair da ~** *Pop.* Comportar-se fora do esperado ou conveniente.

linhaça (li.*nha*.ça) *sf.* A semente do linho.
linhada (li.*nha*.da) *sf. Bras.* **1** Ação de lançar o anzol. **2** Linha de pescar. **3** *Fig.* Olhada, espiada.
linha-d'água (li.nha-d'*á*.gua) *sf.* **1** *Cnav.* Faixa pintada nos cascos dos navios na altura onde ele flutua. **2** Cada um dos traços verticais e horizontais, visíveis por transparência, em certo tipo de papel. [Pl.: *linhas-d'água*.]
linhagem (li.*nha*.gem) *sf.* Conjunto dos antepassados e descendentes em uma família; GENEALOGIA. [Pl.: -*gens*.]
linhito (li.*nhi*.to) *sm. Geol.* Carvão extraído da terra, de cor preta ou marrom-escura, cuja capacidade de queima é pequena; LIGNITO.
linho (*li*.nho) *sm.* **1** *Bot.* Planta herbácea, cujo caule fornece fibra têxtil e cujas sementes produzem um óleo us. na produção de tintas. **2** Fibra que se obtém do caule dessa planta us. na fabricação de tecidos. **3** Tecido feito com a fibra do linho.
linifício (li.ni.*fí*.ci.o) *sm.* **1** Fabricação do linho. **2** Qualquer artigo de linho.
linimento (li.ni.*men*.to) *sm.* **1** Óleo medicinal us. em massagens na pele. **2** *Fig.* Qualquer coisa que serve para acalmar ou suavizar: *As palavras do amigo foram um linimento para a sua tristeza*.
🌐 **link** (*Ing.* / linc/) *sm. Inf.* Trecho, palavra ou ícone que conecta um ponto a outro em documentos e *sites*.
linografia (li.no.gra.*fi*.a) *sf.* **1** Processo de impressão sobre pano. **2** Tipo de gravura sobre tela ou tecido (ger. reprodução fotográfica), que depois se pinta a óleo. ● **li.no.grá.fi.co** *a.*
linóleo (li.*nó*.le:o) *sm.* **1** Tecido impermeável feito de juta misturada com óleo de linhaça, resina e cortiça em pó. **2** Tapete feito com esse tecido.
linotipia (li.no.ti.*pi*.a) *sf. Art.Gr.* **1** Arte e técnica de composição em linotipo. **2** Trabalho feito com linotipo. **3** Seção ou oficina onde se faz esse tipo de composição.
linotipo (li.no.*ti*.po) *sm. Art.Gr.* Máquina de compor textos em linhas inteiras. ● **li.no.ti.pis.ta** *s2g.*
liodermo (li.o.*der*.mo) [é] *a. Zool.* Que tem a pele lisa.
lipídio (li.*pí*.di.o) *sm. Bioq.* Substância orgânica presente nas gorduras (como, p.ex., no leite, na manteiga, no azeite).

lipidograma (li.pi.do.*gra*.ma) *sm. Med.* Exame que mostra o teor de lipídios no sangue.

lipo (*li*.po) *sf. Cir.* F. red. de *lipoaspiração*.

lipoaspiração (li.po:as.pi.ra.*ção*) *sf. Cir.* Operação destinada a remover o excesso de gorduras em certa região do corpo humano. [Pl.: *-ções*.]

lipofílico (li.po.*fí*.li.co) *a. Quím.* Que se dissolve em gordura.

lipograma (li.po.*gra*.ma) *sm. Liter.* Obra literária em que o autor não usa determinada(s) letra(s) do alfabeto.

lipoide (li.*poi*.de) *a2g.* Ref. a gordura.

lipoma (li.*po*.ma) *sm. Pat.* Tumor benigno formado pelo acúmulo de células gordurosas.

liquefazer (li.que.fa.*zer*) *v. td. pr.* Tornar(-se) líquido. [▶ 22 lique**fazer**] ● li.que.fa.*ção sf.*

liquefeito (li.que.*fei*.to) *a.* Que se tornou líquido.

líquen (*lí*.quen) *sm.* **1** *Bot.* Vegetal resultante da combinação de uma alga e um fungo. **2** *Med.* Doença da pele caracterizada por pequenas erupções próximas umas das outras. [Pl.: *líquens* e (p. us. no Brasil) *líxenes*.]

liquidação (li.qui.da.*ção*) *sf.* **1** Ação ou resultado de liquidar. **2** *Com.* Venda de produtos a preços baixos. **3** *Jur.* Série de procedimentos tomados na dissolução de sociedades civis ou mercantis.

liquidante (li.qui.*dan*.te) *a2g.* **1** Que liquida. *s2g.* **2** *Jur.* Pessoa que efetua a liquidação (3) de uma empresa.

liquidar (li.qui.*dar*) *v.* **1** Pagar (conta) ou saldar (dívida, débito, obrigação). [*td.*] **2** Fazer falir a (negócio ou empresa). [*td.*] **3** *Econ.* Vender a preços baixos; QUEIMAR. [*td.*] **4** Arruinar-se. [*pr.*] **5** *Fig.* Matar, assassinar ou exterminar. [*td.*: *liquidar uma praga*.] **6** *Fig.* Acabar com, pôr fim a ou derrotar. [*td.*: *liquidar divergências*.] [▶ 11 liquid**ar**] ● li.qui.*dá*.vel *a2g.*

liquidez (li.qui.*dez*) [ê] *sf.* **1** Qualidade ou estado de líquido. **2** *Econ.* Facilidade que tem um bem ou título de ser transformado em dinheiro. **3** *Econ.* Disponibilidade (no mercado) de títulos com liquidez (2).

liquidificador (li.qui.di.fi.ca.*dor*) [ô] *a.* **1** Que transforma em líquido. *sm.* **2** Utensílio elétrico para liquefazer legumes, frutas etc.

liquidificar (li.qui.di.fi.*car*) *v.* **1** Ver *liquefazer*. **2** Liquefazer ou misturar (alimentos) em liquidificador. [*td.*] [▶ 11 liquidific**ar**]

líquido (*lí*.qui.do) *a.* **1** Que flui, e que toma a forma do recipiente em que está. **2** *Econ.* Que está livre de descontos ou encargos (preço *líquido*). [Ant. nesta acp.: *bruto*.] **3** *Econ.* Que tem liquidez, ou cujo valor se converteu em dinheiro. *sm.* **4** Substância líquida. **5** Qualquer alimento líquido: *Devemos tomar muito líquido no verão*.

lira¹ (*li*.ra) *sf. Mús.* Antigo instrumento de cordas, em forma de U.

lira² (*li*.ra) *sf.* Nome do dinheiro us. na Itália, São Marinho e Vaticano, antes da adoção do euro.

lírica (*lí*.ri.ca) *sf.* **1** *Poét.* Poesia lírica (1). **2** Coleção de poemas líricos de um autor ou período: *a lírica medieval*.

LIRA¹

lírico (*lí*.ri.co) *a.* **1** Em que o poeta expressa suas emoções, revela seu íntimo (diz-se de poesia). **2** Ref. a ópera (cantora *lírica*). **3** Diz-se da ópera cujo enredo centra-se nas emoções e sentimentos íntimos de seus personagens. **4** *Fig.* Sentimental, apaixonado. *sm.* **5** Poeta que compõe poesia lírica.

lírio (*lí*.ri.o) *sm.* **1** *Bot.* Planta de flores brancas em forma de sino, e perfumadas. **2** A flor dessa planta; LIS.

lírio-do-vale (lí.ri:o-do-*va*.le) *sm. Bras.* Planta ornamental, de pequenas flores brancas. [Pl.: *lírios-do-vale*.]

lirismo (li.*ris*.mo) *sm.* **1** Qualidade do que é lírico. **2** Conjunto de poesia lírica: *o lirismo brasileiro*. **3** Modo poético de apresentar ou descrever algo.

LÍRIO (2)

lis *sm.* Ver *lírio* (2).

lisboeta (lis.bo:*e*.ta) [ê] *a2g.* **1** De Lisboa, capital de Portugal (Europa); típico dessa cidade ou de seu povo. *s2g.* **2** Pessoa nascida em Lisboa.

liso (*li*.so) *a.* **1** Que não tem ondulações ou asperezas (chão *liso*); PLANO. **2** Diz-se do cabelo que não é ondulado ou crespo. **3** Que é de uma só cor, sem estampas ou desenhos. **4** Que não possui ornatos. **5** *Bras. Gír.* Que não tem dinheiro; DURO.

lisonja (li.*son*.ja) *sf.* **1** Elogio exagerado e interesseiro; BAJULAÇÃO. **2** *Fig.* Carícia, mimo, afago.

lisonjear (li.son.je.*ar*) *v.* **1** Agradar ou tentar agradar com lisonja ou adulação; ADULAR. [*td.*] **2** Aprazer(-se), satisfazer(-se) ao receber agrado ou lisonja. [*td.*: *Muito me lisonjeia seu carinho*. *pr.*: *Lisonjeava-se com aquela palavra elogiosa*.] [▶ 13 lisonj**ear**] ● li.son.je:a.*dor a.sm.*; li.son.*jei*.ro *a.*

lista (*lis*.ta) *sf.* **1** Enumeração de nomes de pessoas ou de coisas; LISTAGEM; RELAÇÃO: *O livro estava na lista dos mais vendidos*. **2** Faixa comprida e estreita de qualquer material: *Fazia enfeites com listas de papel*. **3** *Bras.* Faixa de cor diferente em tecido; LISTRA; RISCA: *vestido de listas azuis*. ■ ~ **de discussão** *Inf.* Grupo de pessoas que se organizam para trocar, por correio eletrônico, opiniões, informações etc. sobre algum assunto. ~ **negra** Relação de pessoas ou instituições consideradas (pelo autor da relação) prejudiciais a seus interesses, ou com as quais se quer evitar qualquer contato.

listagem (lis.*ta*.gem) *sf.* **1** Relação, lista. **2** *Inf.* Relação de dados ou do código-fonte impressa em papel. [Pl.: *-gens*.]

listar (lis.*tar*) *v. td.* Incluir em lista (1); ARROLAR: *listar todos os convidados*. [▶ 11 list**ar**]

listra (*lis*.tra) *sf.* **1** Num tecido, risca de cor diferente do fundo. **2** Risca, traço.

listrado, listado (lis.*tra*.do, lis.*ta*.do) *a.* Que contém listras; RISCADO.

listrar (lis.*trar*) *v. td.* Entremear ou ornar com listras. [▶ 11 listr**ar**]

lisura (li.*su*.ra) *sf.* **1** Qualidade daquilo que é liso. **2** *Fig.* Franqueza, sinceridade. **3** *Fig.* Honestidade, dignidade.

litania (li.ta.*ni*.a) *sf.* Ver *ladainha*.

liteira (li.*tei*.ra) *sf.* Cadeira coberta sustentada por barras laterais para ser conduzida por dois homens ou duas cavalgaduras.

literal (li.te.*ral*) *a2g.* **1** Que reproduz rigorosamente algo que se disse ou que se escreveu. **2** Exato, preciso. [Pl.: *-rais*.] ● li.te.ra.li.*da*.*de sf.*

literário (li.te.*rá*.ri:o) *a.* Ref. à literatura.

literato (li.te.*ra*.to) *sm.* Pessoa que se dedica à literatura, ou a escrever; ESCRITOR.

literatura (li.te.ra.*tu*.ra) *sf.* **1** *Liter.* Arte que usa a linguagem escrita como meio de expressão. **2** Teoria ou estudo da composição literária. **3** Conjunto da produção literária de um país, de uma época etc. (literatura francesa). **4** Conjunto das obras que tratam de determinado tema (literatura médica); BIBLIOGRAFIA. ■ ~ **de cordel** *Liter.* Literatura popular nordestina impressa em folhetos mal impressos e postos à venda dependurados em barbantes (cordões) nos mercados, praças feiras esp. de cidades do interior.

lítico (lí.ti.co) *a*. Ref. a pedra.

litigar (li.ti.gar) *v*. **1** *Jur*. Abrir litígio contra (algo), contestando demanda alheia. [*td*.: *litigar* uma herança.] **2** Contender, pelejar. [*int*.: *Os dois líderes litigam há muito tempo*; (tb. seguido de indicação do contender e/ou de finalidade ao assunto): *Litiga contra o ministro por mais verbas*.] [▶ 14 liti**gar**] ● li.ti.gan.te *a2g.s2g*.

litígio (li.tí.gi:o) *sm*. **1** *Jur*. Pendência judicial. **2** *Fig*. Qualquer disputa, divergência entre pessoas, grupos etc.

litigioso (li.ti.gi:o.so) [ô] *a*. **1** Ref. a ou que envolve litígio (despejo litigioso). **2** Que depende de sentença do juiz. [Fem. e pl.: [ó].]

lítio (lí.ti:o) *sm*. *Quím*. Metal alcalino branco e muito leve. [Símb.: *Li*]

litófilo (li.tó.fi.lo) *a*. Que se desenvolve nas rochas; RUPESTRE.

litografar (li.to.gra.far) *v. td*. Gravar e/ou reproduzir (desenho, escrito) em litografia. [▶ 1 litogra**far**]

litografia (li.to.gra.fi.a) *sf*. **1** Arte e técnica de gravar imagens sobre pedras. **2** Figura obtida por esse procedimento; LITOGRAVURA. **3** Oficina em que se utiliza este modo de imprimir. ● li.to.grá.fi.co *a*.

litogravura (li.to.gra.vu.ra) *sf*. Ver litografia (2).

litologia (li.to.lo.gi.a) *sf*. *Geol*. Ciência que estuda as rochas; PETROLOGIA. ● li.to.ló.gi.co *a*.

litoral (li.to.ral) *a2g*. **1** Ver litorâneo. *sm*. **2** Zona de terra próxima ao mar; COSTA. [Pl.: *-rais*.]

litorâneo (li.to.râ.ne:o) *a*. Ref. ou situado à beira-mar; LITORAL: *A população litorânea aumenta no verão*.

litorina (li.to.ri.na) *sf*. *Bras*. Vagão provido de motor; AUTOMOTRIZ.

litosfera (li.tos.fe.ra) *sf*. *Geof*. Camada exterior da superfície da Terra, com 50km a 200km de espessura, dura e resistente; OROSFERA.

litro (li.tro) *sm*. **1** Unidade de capacidade para líquidos e substâncias secas equivalente a um decímetro cúbico. [Símb.: *l*] **2** Quantidade de líquido que cabe nessa medida: *um litro de suco*. **3** Garrafa que pode conter até um litro: *encher os litros vazios*.

liturgia (li.tur.gi.a) *sf*. *Litu*. Conjunto de práticas e elementos religiosos instituídos por uma Igreja para se prestar culto a Deus; RITUAL. ● li.túr.gi.co *a*.

lívido (lí.vi.do) *a*. **1** Que está muito pálido (rosto lívido). **2** De cor azulada. ● li.vi.dez *sf*.

ⓘ **living** (liv/ livin/) *sm*. Local da casa onde se reúnem os amigos e a família; sala de estar.

livralhada (li.vra.lha.da) *sf*. *Fam*. Grande porção de livros.

livrar (li.vrar) *v*. **1** Libertar(-se) ou soltar(-se). [*td*.: *livrar* um prisioneiro. *tdi*. + *de*: *livrar* um animal *da* jaula. *pr*.: *Livrou-se* das algemas e fugiu.] **2** Salvar(-se) ou safar(-se) (de embaraço, perigo, dificuldade etc.). [*tdi*. + *de*: *livrar* alguém *de* afogar-se. *pr*.: *livrar-se* de um mal.] **3** Guardar, preservar. [*td*.: *Deus me livre!* *tdi*. + *de*: *Deus* nos *livre* de tamanha desgraça!] [▶ 1 li**vrar**] ● li.vra.men.to *sm*.

livraria (li.vra.ri.a) *sf*. Loja onde se vendem livros.

livre (li.vre) *a2g*. **1** Que pode decidir o que fazer e como fazer (pais livres); INDEPENDENTE. **2** Que não está preso (pássaro livre); SOLTO. **3** Que não está sujeito a um senhor: *Os escravos queriam ser livres*. **4** Que não está ocupado (tempo livre); DISPONÍVEL. **5** Que foi absolvido de um crime. **6** Que goza de direitos civis e políticos (cidadão livre). **7** Dispensado, isento: *livre de multa*. **8** Mantido, privado, sem: *livre de preconceitos*. **9** Que não está casado ou comprometido. **10** Sem proibições ou limites: *O pensamento é livre*. [Superl.: *libérrimo* e *livríssimo*.]

livre-arbítrio (li.vre-ar.bí.tri:o) *sm*. *Fil*. Poder ou possibilidade de tomar decisões seguindo somente o próprio discernimento. [Pl.: *livres-arbítrios*.]

livreco (li.vre.co) *sm*. *Pej*. Livro ruim, sem valor cultural.

livre-docência (li.vre-do.cên.ci.a) *sf*. *Bras*. **1** Título universitário obtido por concurso ou por merecimento. **2** Concurso por meio do qual se obtém este título. [Pl.: *livres-docências*.] ● li.vre-do.cen.te *a2g.s2g*.

livreiro (li.vrei.ro) *a*. **1** Ref. à produção ou venda de livros (mercado livreiro); LIVRESCO. *sm*. **2** Dono de livraria.

livre-pensador (li.vre-pen.sa.dor) *sm*. Pessoa que não se deixa influenciar por outras, que segue apenas a própria razão, esp. em assuntos religiosos. [Pl.: *livres-pensadores*.]

livresco (li.vres.co) [ê] *a*. **1** Ref. a livros; LIVREIRO. **2** Que resulta da leitura de livros e não do realidade (cultura livresca).

livro (li.vro) *sm*. **1** Conjunto de folhas impressas unidas em um dos lados e cobertas por uma capa. **2** Obra científica ou literária impressa em um volume. **3** Registro de anotações comerciais. ▓ ~ **de cabeceira** O livro preferido. **Ser um ~ aberto** Não ter ou pretender não ter segredos; ser do conhecimento geral.

⬛ O primeiro livro impresso com tipos móveis conhecido é a Bíblia de Gutenberg, do séc. XV. Até então, o registro escrito tivera como suporte as tábuas de argila da Mesopotâmia, gravadas em escrita em forma de cunha (c. 4000 a.C.), os papiros escritos em hieróglifos no Egito (c. 3000 a.C.), os pergaminhos gregos e romanos, as tábuas de madeira e depois a seda com seus dizeres em ideogramas, na China. Foi no séc. II que, na China, foi inventado o papel. No séc. IV, o formato em rolo dos pergaminhos grego e romano foi substituído pelo *códice*, precursor do formato atual do livro, no qual o pergaminho era cortado em folhas e estas agrupadas entre duas capas de couro ou de madeira. No início da Idade Média, o acesso aos livros, copiados à mão, era prerrogativa da Igreja e dos mais ricos. Mas crescia a difusão do livro como portador de ideias e de conhecimento, beneficiada pelo uso do papel no lugar do pergaminho. A prensa de tipos móveis de Gutenberg e consequente serialização da reprodução dos livros, e a impressão nos dois lados do papel com tinta de secagem rápida marcaram uma nova época para o livro e para a difusão da cultura.

livrório (li.vró.ri:o) *sm*. *Pej*. Livro grande mas sem importância.

lixa (li.xa) *sf*. Papel preparado com material abrasivo us. para alisar ou polir madeira, metal etc.

lixadeira (li.xa.dei.ra) *sf*. Máquina ou utensílio us. para lixar.

lixão (li.xão) *sm*. *Bras*. Local onde se deposita lixo. [Pl.: *-xões*.]

lixar (li.xar) *v*. **1** Desbastar ou alisar com lixa. [*td*.: *lixar* as unhas.] **2** *Fig*. Arruinar-se, danar-se. [*pr*.: *Egoísta, ele quer que todos se lixem*.] **3** *Bras*. Não se incomodar com, não dar importância a. [*pr*.: *Ela se lixa* para *os outros*.] [▶ 1 li**xar**]

lixeira (li.xei.ra) *sf*. **1** Recipiente para lixo. **2** Local próprio para se depositar lixo.

lixeiro (li.xei.ro) *sm*. *Bras*. Pessoa que recolhe o lixo das ruas; GARI.

lixívia (li.xí.vi.a) *sf*. Água fervida com cinza us. para clarear a roupa; BARRELA.

lixo (li.xo) *sm*. **1** Aquilo que se joga fora depois de uma limpeza; ENTULHO. **2** Tudo aquilo que de bem mais valor e pode ser jogado fora. **3** Sujeira, porcaria. **4** O lugar em que se deita lixo (1, 2 e 3): *Jogue isso no lixo*. ▓ ~ **atômico** *Fís.nu*. Conjunto de resíduos de

lo | **logaritmo**

reação nuclear que, por sua radioatividade, devem ser isolados.

lo *pr.pess.* **1** Forma do pronome pessoal *o* na função de complemento, depois de formas verbais terminadas em *r*, *s* ou *z* (p.ex.: fazer + o = *fazê-lo*; fazes + o = *faze-lo*; fiz + o = *fi-lo*). **2** Us. em língua formal depois de *nos* e *vos* (ex.: *no-lo*, *vo-lo*). **3** Us. depois do demonstrativo *eis*: *Ei-lo, como sempre atrasado.*

ló *sm. Mar.* Lado da embarcação que recebe o vento favorável; BARLAVENTO.

loa (ló) *sf.* **1** Discurso em que se homenageia uma pessoa ou um acontecimento. **2** *Fig.* Louvor, elogio.

lobado (lo.*ba*.do) *a.* Que é dividido em lobos [ó] ou lóbulos.

⊕ **lobby** (*Ing.* /*lóbi*/) *sm.* **1** Grupo de pessoas cuja profissão é influenciar as decisões de outras, esp. do poder público. **2** A atividade desse grupo.

lobinho (lo.*bi*.nho) [ó] *sm. Pop.* Cisto sebáceo sob a pele; CALOMBO.

lobinho (lo.*bi*.nho) [ó] *sm.* **1** *Bras.* Escoteiro principiante. **2** *Zool.* Pequeno lobo.

lobisomem (lo.bi.so.mem) *sm. Folc.* Segundo crença popular, homem que se transforma em lobo [ó] nas noites de lua cheia. [Pl.: *-mens*.]

lobista (lo.*bis*.ta) *s2g.* Pessoa que faz *lobby*.

lobo (lo.bo) [ó] *sm. Anat.* Parte de um órgão (cérebro, pulmão etc.) marcada com uma certa nitidez (por sulco, forma específica etc.). [Dim.: *lóbulo*.]

lobo (lo.bo) [ó] *sm. Zool.* Mamífero carnívoro, selvagem, que vive e caça em grupo, e é semelhante ao cão.

lobo do mar (lo.bo do *mar*) *sm.* Marinheiro com muita experiência. [Pl.: *lobos do mar*.]

lobotomia (lo.bo.to.*mi*.a) *sf. Cir.* Corte no lobo [ó] frontal do cérebro, us. antigamente em casos graves de esquizofrenia.

lôbrego (*ló*.bre.go) *a.* **1** Que é escuro; SOMBRIO. **2** De aparência soturna; lúgubre. **3** *Fig.* Que provoca pavor ou tristeza. • lo.bre.gui.*dão* *sf.*

lobrigar (lo.bri.*gar*) *v. td.* **1** Enxergar indistintamente; ENTREVER. **2** Ver casualmente; AVISTAR. **3** Perceber, notar: *Lobrigou as manobras do concorrente.* [▶ 14 lobrig**ar**]

lóbulo (*ló*.bu.lo) *sm. Anat.* **1** Lobo [ó] de pequeno tamanho. **2** Parte inferior da orelha. • lo.bu.*lar* *a2g.*; lo.bu.lo.so *a.*

loca (lo.ca) *sf.* Toca para peixe sob uma laje ou tronco submersos.

locação (lo.ca.*ção*) *sf.* Aluguel (de imóvel, carro, DVD etc.). [Pl.: *-ções*.]

locador (lo.ca.*dor*) [ó] *sm.* **1** Pessoa que, em um contrato de locação, se compromete a ceder o direito de uso de algo (um imóvel, um carro etc.) ou a prestar um serviço. ◪ **locadora** *sf.* **2** Estabelecimento comercial que aluga bens móveis (como carros, fitas de vídeo etc.).

local (lo.*cal*) *a2g.* **1** Ref. ou pertencente a um determinado lugar (idioma local). **2** Que se limita a uma área ou a uma região (anestesia local). *sm.* **3** Lugar relacionado com um fato ou que tem uma finalidade específica: *local de nascimento*. [Pl.: *-cais*.]

localidade (lo.ca.li.*da*.de) *sf.* **1** Área, ger. pequena, de uma região, um país, uma cidade etc. **2** Povoação, aldeia.

localização (lo.ca.li.za.*ção*) *sf.* **1** Ação ou resultado de localizar(-se): *As informações levaram à localização do criminoso.* **2** Lugar em que se situa alguém ou algo: *localização da casa.* [Pl.: *-ções*.]

localizado (lo.ca.li.za.do) *a.* **1** Que se localiza ou localizou. **2** Ref. a apenas uma área, ou a uma parte (conflito localizado).

localizar (lo.ca.li.*zar*) *v.* **1** Descobrir o lugar ou paradeiro (de pessoa ou coisa). [td. (seguido ou não de

indicação de meio ou de lugar): *Localizou os soldados (com o binóculo).*] **2** Identificar, detectar. [td.: *localizar um problema.*] **3** Assentar(-se) ou situar(-se) (em determinado local); LOCAR. [td. (seguido de indicação de lugar): *Localizou sua loja numa esquina.* *pr.*: *O hotel se localiza numa área nobre.*] **4** *Inf.* Adaptar (programa ou aplicativo) para condições locais. [td.] [▶ **1** localiz**ar**]

loção (lo.*ção*) *sf.* Solução líquida us. como cosmético ou medicamento. [Pl.: *-ções*.]

locar (lo.*car*) *v.* **1** Alugar, arrendar. [td.] **2** Assentar(-se) ou situar(-se) (em determinado local); LOCALIZAR(-SE) (3). [td. (seguido de indicação de lugar). *pr.*] [▶ **11** loc**ar**]

locatário (lo.ca.*tá*.ri.o) *sm.* Pessoa que, por meio de um contrato de locação, recebe o direito de uso de algo (um imóvel, um carro etc.) ou a prestação de um serviço, obrigando-se a pagar um aluguel.

locaute (lo.*cau*.te) *sm. Econ.* Ver *lockout*.

⊕ **lockout** (*Ing.* /*lócaut*/) *sm. Econ.* Fechamento de uma empresa pelo dono, a fim de impedir a entrada dos empregados e obrigá-los a aceitar certas condições.

locomoção (lo.co.mo.*ção*) *sf.* Ação ou resultado de locomover-se. [Pl.: *-ções*.]

locomotiva (lo.co.mo.*ti*.va) *sf.* Veículo automotor que reboca os vagões de um trem.

locomotor (lo.co.mo.*tor*) [ó] *a.* **1** Ref. a locomoção. **2** Que efetua a locomoção ou produz um movimento. [Fem.: *locomotora* e *locomotriz*.]

locomóvel (lo.co.*mó*.vel) *a2g.* **1** Que pode ser transportado ou mover-se de um lugar para outro. *sm.* **2** Máquina automotriz, montada sobre rodas, para que possa locomover-se. [Pl.: *-veis*.]

locomover-se (lo.co.mo.*ver*-se) *v. pr.* Ir de um lugar ou ponto para outro; DESLOCAR-SE. [▶ **2** locomov**er**-se]

locução (lo.cu.*ção*) *sf.* **1** Modo particular de se expressar oralmente; DICÇÃO. **2** *Gram.* Conjunto relativamente estável de palavras que funciona como um único vocábulo (p.ex.: *estrada de ferro*; *tinha viajado*; *a fim de*). **3** *Rád. Telv.* Ação de falar ou narrar um evento aos espectadores. [Pl.: *-ções*.]

locupletar (lo.cu.ple.*tar*) *v.* **1** Tornar(-se) rico ou mais rico; ENRIQUECER. [td.: *A herança o locupletou.* *pr.*: *Locupletaram-se com negociatas.*] **2** Cumular(-se), encher(-se), abarrotar(-se). [td.: *A venda do jogador locupletou os cofres do clube.* tdi. + de: *Locupletaram o homenageado de atenções.* *pr.*: *Locupletava-se de presentes.*] [▶ **1** locuplet**ar**] • lo.cu.ple. ta.*ção* *sf.*

locutor (lo.cu.*tor*) [ó] *sm. Rád. Telv.* Pessoa que dá as notícias ou apresenta programas no rádio ou na televisão.

locutório (lo.cu.*tó*.ri.o) *sm. Arq.* Local cercado por grades, em prisões ou conventos, onde os internos conversam com as pessoas de fora.

lodaçal (lo.da.*çal*) *sm.* Lugar cheio de lodo (1); LAMAÇAL. [Pl.: *-çais*.]

lodo (lo.do) *sm.* **1** Mistura de terra, matéria orgânica em decomposição e água, que ocorre no fundo das águas do mar, de rios etc.; LAMA. **2** *Fig.* Vileza, degradação.

lodoso (lo.*do*.so) [ô] *a.* Que está cheio de lodo. [Fem. e pl.: [ó].]

⊕ **log** (*Ing.* /*lóg*/) *sm. Inf.* Arquivo de computador que guarda automaticamente qualquer operação efetuada.

⊠ **log** *Mat.* Abr. de *logaritmo decimal*. [Ver em *logaritmo*.]

logar (lo.*gar*) *v. Inf.* Acessar (programa, *site* etc.) mediante registro específico, senha etc. [*td.*: *Para acessar este site, você precisa se logar. tr.* + *em*: *Loguei-me naquela página.*] [▶ **14** log**ar**] • lo.ga.do *a.*

logaritmo (lo.ga.*rit*.mo) *sm. Mat.* Expoente a que é necessário elevar um número positivo (ger. uma base fixa) para que se obtenha o número referido: *o loga-*

ritmo de 100 na base 10 é 2. ▮ ~ **decimal** *Mat.* O logaritmo de um número na base 10. [Abr.: *lg* e *log*.] • **lo.ga.rít.mi.co** *a.*

lógica (ló.gi.ca) *sf.* **1** Forma de raciocinar coerente, em que se estabelecem relações de causa e efeito; a coerência desse raciocínio: *Use a lógica para analisar essa questão*; *explicação sem lógica*. **2** Modo de raciocinar próprio de alguém ou de um grupo: *a lógica dos adolescentes*. **3** Modo coerente pelo qual coisas ou acontecimentos se encadeiam: *a lógica da guerra*. **4** *Fil.* Ciência que trata dos princípios do raciocínio.

lógico (ló.gi.co) *a.* **1** Ref. a lógica. **2** *Fam.* Claro, evidente: *Pelas notas baixas, é lógico que ele não estudou*. **3** Em que há coerência, nexo, harmonia entre as partes, as ideias etc.: "Ergueu no patamar quatro paredes mágicas/Tijolo com tijolo num desenho *lógico*". (Chico Buarque, *Construção*). *sm.* **4** Especialista em lógica (4).

🌐 **login** (*Ing. /loguín/*) *sm. Inf.* Ver **logon**.

logística (lo.*gís*.ti.ca) *sf.* Planejamento, organização e gerência dos detalhes de qualquer operação, esp. militar. • **lo.*gís*.ti.co** *a.*

logo (lo.go) [ó] *adv.* **1** Já, imediatamente: *Atenda logo o telefone*. **2** Brevemente: *Logo essa criança estará andando*. **3** Justamente: *Logo você foi causar esse transtorno*. *conj.* **4** Portanto: *Nelson estudou muito, logo merece passar*. [NOTA: O *logo* da acp. 2, no uso popular, ger. é repetido enfaticamente: *Logo*, *logo essa criança estará acordada*.] ▮ **Até ~** Cumprimento de despedida, numa situação de reencontro breve. **Desde ~** Já; a partir desse momento: *Saiba, desde logo, a minha opinião*. **~ mais** Mais tarde; no mesmo dia: *Você me liga logo mais?* **~ que/Tão ~** No mesmo momento em que; assim que: *Faça o dever logo que você chegar*.

🌐 **logoff** (*Ing. /logóf/*) *sm. Inf.* Procedimento para interromper a conexão com uma rede.

logogrifo (lo.go.*gri*.fo) *sm.* Charada em que a adivinhação de uma palavra depende da prévia adivinhação de outras que têm as mesmas letras.

logomarca (lo.go.*mar*.ca) *sf. Publ.* Representação visual de marca (de produto, empresa etc.). [Cf.: *logotipo*.]

🌐 **logon** (*Ing. /logón/*) *sm. Inf.* Processo de conexão a uma rede que inclui a identificação e o controle da senha do usuário; LOGIN.

logosofia (lo.go.so.*fi*.a) *sf. Fil.* Doutrina que busca a transformação do homem através da evolução consciente do pensamento. • **lo.go.só.fi.co** *a.*

logotipo (lo.go.*ti*.po) *sm. Publ.* Símbolo que identifica uma empresa, marca, produto etc. constituído ger. por uma imagem e/ou estilização de letra(s) em desenho característico. [Cf.: *logomarca*.]

logradouro (lo.gra.*dou*.ro) *sm.* Rua, praça, jardim, parque etc. de uso público.

lograr (lo.*grar*) *v. td.* **1** Obter, conseguir, alcançar: *Com muito esforço, logrou formar-se em medicina*. **2** Enganar, ludibriar, iludir. [▶ 1 logr**ar**.] • **lo.gra.do** *a.*

logro (lo.gro) [ô] *sm.* **1** Ação ou resultado de lograr. **2** Ato de má-fé para enganar alguém; TAPEAÇÃO, FRAUDE.

loira (*loi*.ra) *a.sf.* Ver **loura**.

loiro (*loi*.ro) *a.sm.* Ver **louro**³.

loja (lo.ja) *sf.* Casa comercial onde se expõem e vendem produtos. ▮ **~ de conveniência** *Bras.* Loja que ger. fica aberta 24 horas por dia, para venda de produtos de consumo, como bebidas, cigarros, revistas etc.

loja-âncora (lo.ja.*ân*.co.ra) *sf.* Loja de grande porte que funciona como suporte comercial de um *shopping center*. [Pl.: *lojas-âncoras* e *lojas-âncora*.]

lojista (lo.*jis*.ta) *s2g.* **1** Dono ou empregado de loja. *a2g.* **2** Ref. ao comércio de loja (comércio lojista).

lomba (*lom*.ba) *sf.* **1** Cume arredondado de serra ou colina. **2** Rua inclinada; LADEIRA.

lombada (lom.*ba*.da) *sf.* **1** *S. S.E.* Protuberância transversal em rua ou estrada para forçar redução da velocidade de veículos; QUEBRA-MOLAS. **2** Aclive e declive acentuados em rua ou estrada. **3** *Bibl.* Num livro, o lado oposto ao do corte vertical, onde se costuram ou colam os cadernos; DORSO; LOMBO. **4** Dorso de um bovino. **5** *RS* Declividade de coxilhas ou morros baixos.

lombar (lom.*bar*) *a2g.* Ref. a ou próprio do lombo, das costas (dor lombar).

lombardo (lom.*bar*.do) *a.* **1** Da Lombardia (Itália); típico dessa região ou de seu povo. *sm.* **2** Pessoa nascida na Lombardia.

lombeira (lom.*bei*.ra) *sf. Pop.* Pouca disposição para a atividade; PREGUIÇA; INDOLÊNCIA.

lombo (*lom*.bo) *sm. Pop.* **1** Costas, dorso. **2** Nos animais criados para alimentação humana, carne localizada na região lombar: *lombo de boi*. • **lom.*bi*.nho** *sm.*

lombrical (lom.bri.*cal*) *a2g.* Ver **lumbrical**. [Pl.: *-cais*.]

lombriga (lom.*bri*.ga) *sf. Zool.* Verme parasita do intestino, esp. do homem; BICHA.

lombrigueiro (lom.bri.*guei*.ro) *sm. Bras.* Vermífugo para eliminar lombrigas.

lombudo (lom.*bu*.do) *a.* Dotado de grandes lombos.

lona (*lo*.na) *sf.* **1** Tecido grosso e resistente próprio para coberturas, tendas, velas etc. **2** Tenda sob a qual grupos artísticos apresentam espetáculos. ▮ **Na (última) ~** *Pop.* **1** Em mau estado; quase completamente desgastado. **2** Sem dinheiro ou recursos; sem um tostão.

londrino (lon.*dri*.no) *a.* **1** De Londres, capital da Inglaterra (Europa); típico dessa cidade ou de seu povo. *sm.* **2** Pessoa nascida em Londres.

longa-metragem (lon.ga-me.*tra*.gem) *sm. Cin.* Filme com duração superior a 70 minutos. [Pl.: *longas--metragens*.] [Cf.: *curta-metragem*.]

longânime (lon.*gâ*.ni.me) *a2g.* **1** De grande generosidade; MAGNÂNIMO. [Ant.: *mesquinho*.] **2** Corajoso, valente. **3** Paciente, conformado. • **lon.ga.ni.mi.***da***.de** *sf.*

longarina (lon.ga.*ri*.na) *sf. Cons.* Viga disposta ao longo de qualquer estrutura.

longe (*lon*.ge) *adv.* **1** A grande distância no espaço ou no tempo: *Minha formatura ainda está longe*; *Mora longe do trabalho*. *a2g.* **2** Muito afastado, no tempo ou no espaço; LONGÍNQUO: *Histórias de terras e tempos longes*. [Ant.: *perto*.]

longevo (lon.*ge*.vo) [é] *a.* Que tem vida longa; IDOSO. [Ant.: *jovem*.] • **lon.ge.vi.***da***.de** *sf.*

longilíneo (lon.gi.*li*.ne:o) *a.* De forma longa e delgada (figura longilínea).

longínquo (lon.*gín*.quo) *a.* Que está muito longe no espaço ou no tempo (lugar longínquo). [Ant.: *próximo*.]

longitude (lon.gi.*tu*.de) *sf. Geog.* Distância angular entre o meridiano 0° (Greenwich) e qualquer ponto da Terra: *O Rio de Janeiro está a -43,4° de longitude*.

longitudinal (lon.gi.tu.di.*nal*) *a2g.* **1** Que tem o sentido do comprimento (corte longitudinal). **2** Ref. à longitude (distância longitudinal). [Pl.: *-nais*.]

longo (*lon*.go) *a.* **1** Bem comprido, de comprimento superior à média (cabelos longos). [Ant.: *curto*.] **2** Que se estende a uma grande distância (longo percurso). **3** Que dura muito (longas conversas). [Ant. nesta acp.: *breve*.] ▮ **Ao ~ de 1** No sentido do comprimento de: *Caminhou ao longo da estrada*. **2** À margem de: *Construíram casas ao longo do rio*. **3** No decorrer de: *Aperfeiçoou-se ao longo dos anos*.

long-play (Ing. /lóng-plei/) *sm. Mús.* Disco fonográfico de longa duração, tocado ger. à velocidade de 33,3 rotações por minuto. [Tb. chamado (sigla) LP ou elepê.]

lonjura (lon.ju.ra) *sf. Pop.* Grande distância: *Daqui até o colégio é uma lonjura.*

lontra (lón.tra) *sf. Zool.* Mamífero carnívoro, bom nadador e mergulhador, que vive em rios e lagos.

loquaz (lo.quaz) *a2g.* 1 Que fala muito, que não economiza palavras; FALADOR; VERBOSO. [Ant.: *calado.*] 2 Que se expressa com facilidade ao falar; ELOQUENTE. [Superl.: *loquacíssimo.*] ● **lo.qua.ci.da.de** *sf.*

lorde (lór.de) *sm.* 1 Título de nobreza da Inglaterra; quem ostenta este título. 2 Na Inglaterra, título dos membros da Câmara Alta. 3 *Bras. Pop.* Homem elegante e educado: *O noivo é encantador, um lorde!*

lordose (lor.dó.se) *sf. Med.* Curvatura convexa anormal da coluna lombar. [Cf.: *cifose* e *escoliose.*]

loro (ló.ro) [ó] *sm.* Correia dupla que se prende à sela e sustenta o estribo.

lorota (lo.ró.ta) *sf. Bras. Pop.* Mentira, conversa fiada: *Não perco tempo ouvindo lorotas.*

loroteiro (lo.ro.tei.ro) *a.sm. Bras. Pop.* Que ou quem conta lorotas; MENTIROSO.

lorpa (lór.pa) [ó] *a2g.s2g.* 1 Que ou quem é pouco inteligente, ou muito ingênuo; TOLO. [Ant.: *esperto.*] 2 Que ou quem não tem educação.

losango (lo.san.go) *sm. Geom.* Quadrilátero de lados iguais com dois ângulos agudos e dois obtusos; ROMBO.

LOSANGO

lotação (lo.ta.ção) *sf.* 1 Ação ou resultado de lotar. 2 Capacidade máxima de ocupação de um lugar: *A lotação do ônibus é de 60 passageiros.* 3 *Bras.* Sistema de transporte público por meio de táxi, veículo particular, van ou micro-ônibus, em que cada passageiro paga tarifa fixa num certo roteiro. *sm.* 4 *Bras.* O veículo us. nesse transporte (É f. red. de *autolotação,* este p. us.] [Pl.: *-ções.*]

lotada (lo.tá.da) *sf. RJ Pop.* Transporte público de um certo número de pessoas num veículo (ger. táxi) em sistema de lotação (3).

lotar (lo.tar) *v.* 1 Encher(-se) completamente ou muito (veículo ou recinto). [*td.*: *O público lotou os cinemas. int.*: *O ônibus lotou em poucos minutos.*] 2 Alocar (funcionário) (em órgão, setor etc.). [*td.* (seguido de indicação de lugar): *Lotou o funcionário em seu departamento.*] [▶ 1 lot**ar**] ● **lo.ta.do** *a.*

lote (ló.te) *sm.* 1 Parte de uma partilha que cabe a alguém; QUINHÃO. 2 Grupo de objetos, mercadorias etc. do mesmo tipo ou incluídos na mesma operação: *lote de remédios.* 3 Grupo de objetos leiloados juntos. 4 Porção de um terreno que foi loteado, e que constitui unidade independente: *Compramos um lote naquele condomínio.*

lotear (lo.te.ar) *v. td. Bras.* Dividir (terreno, propriedade) em lotes. [▶ 1 lot**ear**] ● **lo.te:a.men.to** *sm.*

loteca (lo.té.ca) *sf. Bras. Pop.* Loteria esportiva.

loteria (lo.te.ri.a) *sf.* Jogo que promove o sorteio de prêmios por meio de bilhetes numerados. ● **lo.té.ri.ca** *sf.*; **lo.té.ri.co** *a.sm.*

loto[1] (ló.to) [ó] *sm. Bot.* Certa planta aquática, apreciada por sua beleza; sua flor; LÓTUS.

loto[2] (ló.to) [ó] *sf. Bras.* Tipo de loteria que premia quem acertar os (cinco ou seis) números de um conjunto sorteado. [F. reduz. de *loteria.*]

loto (ló.to) [ó] *sm.* Jogo em que os números sorteados são marcados na cartela de cada participante; VÍSPORA.

lótus (ló.tus) *sm2n. Bot.* Ver *loto*[1].

louça (lou.ça) *sf.* 1 Qualquer artefato de cerâmica, porcelana etc.; esse material: *prato de louça.* 2 Aparelho de chá, jantar etc. de porcelana ou material semelhante: *Ganhei uma bela louça para chá.*

loução (lou.ção) *a.* 1 Muito elegante; GARBOSO. 2 Cheio de brilho e frescor (rosa louçã); VIÇOSO. [Pl.: *-çãos.* Fem.: *-çã.*] ● **lou.ça.ni.a** *sf.*

louco (lou.co) *a.sm.* 1 Que ou quem não está em seu juízo perfeito, ou perdeu a razão; DOIDO; MALUCO: *Muitos loucos têm talento artístico. a.* 2 Que não é razoável, que contraria a razão, sendo, por isso, surpreendente, ou absurdo, ou arriscado etc.; INSENSATO: *Meteu-se numa louca aventura.* 3 Que se comporta de maneira extravagante, exagerada etc.: *Essa mulher é capaz de gastar tanto assim em roupas.* 4 Que tem loucura (3) por algo: "Estou louca por ti." (Aluísio Azevedo, *O cortiço*). 5 Diz-se de quem faz coisas loucas (2), arriscadas etc.; IMPRUDENTE: *Que motorista louco, não respeita os sinais!*

loucura (lou.cu.ra) *sf.* 1 Insanidade mental; estado ou condição de louco (1): *Ele apresenta sintomas de loucura.* 2 Ação ou comportamento louco (2): *Fazer esse empréstimo foi uma loucura.* 3 Paixão, amor, gosto, apego a algo: *Tem, pelo filho, verdadeira loucura.*

loura (lou.ra) *sf.* 1 Mulher de cabelo louro[3] (1). 2 *Bras. Gír.* Cerveja clara.

loureiro (lou.rei.ro) *sm. Bot.* Árvore cuja folha (louro) serve como tempero; LOURO.

louro[1] (lou.ro) *sm.* 1 Ver *loureiro.* 2 A folha dessa árvore. ◨ **louros** *smpl.* 3 Glórias alcançadas esp. nas armas e nas artes: *louros militares.*

louro[2] (lou.ro) *sm. Fam. Zool.* Ver *papagaio* (1).

louro[3] (lou.ro) [ô] *a.* 1 De cor clara, ger. próxima do amarelo ou do castanho-claro (diz-se esp. do cabelo ou de pelos do corpo). *a.sm.* 2 Que ou quem tem cabelo louro[3] (1): *Era um louro de olhos azuis.*

lousa (lou.sa) *sf.* 1 Placa de concreto, cimento etc., ger. us. em construção; LAJE. 2 Placa de ardósia de vários tamanhos, ger. com moldura de madeira, na qual se escreve com giz; QUADRO DE GIZ; QUADRO-NEGRO. 3 Pedra rasa colocada sobre um túmulo.

louva-a-deus (lou.va-a-*deus*) *sm2n. Zool.* Inseto que, pela posição das patas dianteiras erguidas e juntas, lembra alguém rezando.

louvação (lou.va.ção) *sf.* 1 Ação ou resultado de louvar; LOUVOR. 2 *Jur.* Parecer abalizado, avaliação; LAUDO. [Pl.: *-ções.*]

louvado (lou.va.do) *a.* 1 Abençoado: *os louvados heróis da pátria.* 2 Digno de elogios ou elogiado: *uma obra muito louvada. sm.* 3 *Jur.* Perito que faz louvação (2).

louvaminha (lou.va.mi.nha) *sf.* Louvor exagerado; ADULAÇÃO.

louvar (lou.var) *v.* 1 Dirigir louvores ou elogios a (outrem ou a si mesmo); ELOGIAR(-SE). [*td.*: *Louvou o amigo em discurso. pr.*: *Louvou-se publicamente, sem modéstia.*] 2 Aprovar(-se) ou aplaudir(-se). [*td.*: *louvar uma iniciativa. pr.*: *Louvou-se pelo acerto da escolha.*] 3 Exaltar, bendizer. [*td.*: *louvar [a] Deus.* NOTA: O *a* é enfático e não configura regência indireta.] [▶ 1 louv**ar**]

louvável (lou.vá.vel) *a2g.* Digno de louvor (gesto louvável). [Ant.: *reprovável.*] [Pl.: *-veis.* Superl.: *louvabilíssimo.*]

louvor (lou.vor) [ô] *sm.* 1 Glorificação, exaltação: *missa em louvor a um santo.* 2 Manifestação de admiração; reconhecimento de mérito; ELOGIO: *O candidato foi aprovado com louvor.* (Ant. nesta acp.: *censura.*)

lua (lu.a) *sf.* 1 *Astron.* Qualquer satélite de planeta: *Marte tem duas luas.* 2 Período de um mês contado pelas fases da Lua. 3 Mau humor. ◨ **Lua** *sf.* 4 *Astron.* Nome do único satélite natural da Terra.

Único satélite da Terra, da qual é 49 vezes menor, a Lua orbita em torno dela a uma distância média de 384.000km, num período de cerca de 4 semanas (27 dias, 7 horas e 43 minutos). Como a rotação em torno de seu eixo tem a mesma duração, a Lua tem sempre a mesma face voltada para a Terra. Em sua translação, a Lua varia de posição em relação ao conjunto Terra-Sol, o que faz com que varie também a visão, da Terra, da parte iluminada da superfície lunar; isso determina o fenômeno das fases da Lua, que vão da lua nova à lua cheia, passando pelo quarto crescente, e depois de novo à lua nova, passando pelo quarto minguante. A atração da Lua é importante fator na formação das marés. O estudo da Lua e de suas características teve grande impulso com o envio de satélites e veículos lunares, esp. as missões tripuladas Apolo. Em 1969, os astronautas da Apolo 11 foram os primeiros homens a pisar em solo lunar.

lua de mel (lu:a de *mel*) *sf.* **1** Início da vida em comum logo após o casamento. **2** Viagem de núpcias. [Pl.: *luas de mel.*]
luar (lu:*ar*) *sm.* Luminosidade refletida pela lua (1).
lúbrico (*lú*.bri.co) *a. Fig.* Propenso à luxúria, à sensualidade, ou que as expressa (olhar lúbrico); SENSUAL.
lubrificante (lu.bri.fi.*can*.te) *a2g.sm.* Que ou aquilo (substância, produto etc.) que lubrifica: *O lubrificante pode ser natural ou sintético.*
lubrificar (lu.bri.fi.*car*) *v.* **1** Tornar(-se) escorregadio, por úmido. [*td. pr.*] **2** Pôr óleo ou graxa em engrenagem de (motor ou maquinismo). [*td.*] [▶ 11 lubrific*ar*] • **lu.bri.fi.ca.***ção* *sf.*; **lu.bri.fi.ca.do** *a.*
lucarna (lu.*car*.na) *sf. Arq.* **1** Abertura alta destinada a iluminar e arejar um lugar. **2** Espécie de claraboia.
lucerna (lu.*cer*.na) [é] *sf.* **1** Candelabro, lampadário. **2** *Arq.* Ver lucarna.
lúcido (*lú*.ci.do) *a.* Que compreende e capta as ideias com clareza; CONSCIENTE; RACIONAL: *É uma mulher lúcida, apesar da idade.* • **lu.ci.***dez* *sf.*
lúcifer (*lú*.ci.fer) *sm.* Satanás, o diabo. (Ger. com inicial maiúsc.) [Pl.: *lucíferes*.]
lucrar (lu.*crar*) *v.* **1** Auferir (qualquer ganho econômico). [*td*.: "Na venda do produto (...) é possível lucrar mais de R$ 200 por mês..." (*Jornal Extra*, 08.02.04); (tb. seguido de indicação de causa) *Lucrou com a venda do negócio. int.*: *Há um ano a firma deixou de lucrar*; (tb. seguido de indicação de causa) *Lucrou com a venda da casa.*] **2** Ser beneficiado. [*int.*: *Manteve-se calado e saiu lucrando*.; (tb. seguido de indicação de meio/modo) *Só tenho a lucrar com seus conselhos.*] [▶ 1 lucr*ar*]
lucrativo (lu.cra.*ti*.vo) *a.* Que dá lucro ou vantagem (negócio lucrativo); RENDOSO; VANTAJOSO.
lucro (*lu*.cro) *sm.* Benefício material ou de outra natureza: *Seu investimento deu lucro.* [Ant.: *prejuízo*.]
lucubração (lu.cu.bra.*ção*) *sf.* **1** Meditação profunda. **2** Grande aplicação mental para criar e realizar um trabalho intelectual; ELUCUBRAÇÃO. [Pl.: *-ções*.]
lucubrar (lu.cu.*brar*) *v.* Ver elucubrar. [▶ 1 lucubr*ar*]
ludibriar (lu.di.bri.*ar*) *v. td.* **1** Enganar, iludir, burlar. **2** Fazer ludíbrio ou zombaria de (algo ou alguém); ZOMBAR. [▶ 1 ludibri*ar*] • **lu.di.bri.a.do** *a.*; **lu.di.bri:an.te** *a2g.*; **lu.di.bri:á.vel** *a2g.*
ludíbrio (lu.*di*.bri.o) *sm.* **1** Manifestação maldosa ou irônica; ZOMBARIA. **2** Objeto de zombaria.
lúdico (*lú*.di.co) *a.* Ref. a jogo ou brinquedo (prazer lúdico).
lufada (lu.*fa*.da) *sf.* Vento forte, repentino e passageiro; VENTANIA.

lufa-lufa (lu.fa-*lu*.fa) *sf. Pop.* Alvoroço, afã ao fazer algo; CORRERIA: *Mudaram para a casa nova num lufa-lufa.* [Pl.: *lufa-lufas.*]
lugar (lu.*gar*) *sm.* **1** Espaço determinado; SÍTIO: *Aguardava a carona no lugar habitual.* **2** Posição no espaço ocupada ou que pode ocupar alguém ou algo: *Há lugar para uma cama no quarto.* **3** Assento determinado: *mesa de oito lugares*. **4** Área própria para ser ocupada por alguém ou alguma coisa: *lugar para mantimentos/para férias*. **5** Posição, colocação numa classificação, escala ou hierarquia: *Ela obteve o primeiro lugar no vestibular.* **6** *Fig.* Emprego, cargo: *Teresa procura um lugar no comércio.* **7** País, cidade, região não especificada: *Conheço vários lugares da Europa.* **8** Local frequentado por certas pessoas (lugar suspeito); AMBIENTE. **9** Posição, situação adequada a alguém: *Finalmente Pedro alcançou o lugar que merece.* **10** *Fig.* Momento próprio; OPORTUNIDADE; OCASIÃO: *Controle-se, não dê lugar a discussões.* ▪ **Dar ~ a** Dar a vez a; ser substituído por: *A tristeza, afinal, deu lugar à resignação.* **2** Dar motivo a, ser causa de: *Sua ausência deu lugar a muitas especulações.* **Em ~ de** Em substituição a. **Não conhecer o seu ~** Intrometer-se (alguém) no que não é da sua alçada; não reconhecer seus limites. **Não esquentar ~** Não permanecer muito tempo em cargo, emprego etc.
lugar-comum (lu.gar-co.*mum*) *sm.* **1** Ideia, expressão ou argumento vulgar, sem originalidade; CHAVÃO: *discurso cheio de lugares-comuns.* **2** Coisa trivial: *O futebol defensivo já é um lugar-comum.* [Pl.: *lugares-comuns.*]
lugarejo (lu.ga.*re*.jo) [é] *sm.* Pequeno povoado.
lugar-tenente (lu.gar-te.*nen*.te) *s2g.* Substituto provisório. [Pl.: *lugares-tenentes.*]
lúgubre (*lú*.gu.bre) *a2g.* De aspecto sombrio, triste (lugar lúgubre).
lula (*lu*.la) *sf. Zool.* Molusco comestível que lembra o polvo em tamanho menor.
lumbago (lum.*ba*.go) *sm. Med.* Dor aguda na região lombar.
lumbrical (lum.bri.*cal*) *a2g.* Ref. a ou que tem a forma de lombriga. [Pl.: *-cais*.]
lumbricida (lum.bri.*ci*.da) *a2g.sm.* Que ou o que (substância, produto etc.) elimina lombrigas.
lume (*lu*.me) *sm.* **1** Fogo: *calor do lume.* **2** Luz, claridade: *lume das estrelas.* ▪ **Dar a ~** Publicar. **Trazer a ~** Tornar público, apresentar. **Vir a ~** Ser publicado.
luminar (lu.mi.*nar*) *a2g.* **1** Que ilumina. *sm.* **2** *Fig.* Pessoa de grande saber; SÁBIO: *Einstein foi um luminar da física.*
luminária (lu.mi.*ná*.ri.a) *sf.* **1** Aparelho para projetar luz, tb. utilizado como objeto decorativo. **2** Aquilo que ilumina.
luminescência (lu.mi.nes.*cên*.ci.a) *sf.* **1** Projeção de luz por meio de uma substância, em processo sem aquecimento. **2** *Oc.* Luminosidade da água do mar ger. provocada por pequenos organismos. • **lu.mi.nes.***cen*.te *a2g.*
luminosidade (lu.mi.no.si.*da*.de) *sf.* **1** Qualidade de luminoso. **2** Intensidade da luz.
luminoso (lu.mi.*no*.so) [ó] *a.* **1** Que tem luz: "...de repente o céu se encheu de cometas que subiam e se abriam em flores luminosas." (Ana Maria Machado, *A audácia dessa mulher*). **2** Brilhante, magnífico (ideia luminosa). *sm.* **3** *Bras.* Anúncio de rua luminoso. [Fem. e pl.: [ó].]
lunação (lu.na.*ção*) *sf. Astron.* Espaço de tempo entre duas luas novas consecutivas, com duração média de 29 dias e meio. [Pl.: *-ções*.]
lunar (lu.*nar*) *a2g.* Que se refere à Lua.
lunático (lu.*ná*.ti.co) *a.* **1** Que está sujeito à influência da Lua. *a.sm.* **2** *Fig.* Que ou quem é amalucado,

lunauta | **luz** 502

aluado, sonhador: "...os hóspedes sabiam da existência na casa dum sujeito lunático, que no dia atrás almoçara às quatro e meia e jantara às onze." (Miguel Torga, *Rua*).

lunauta (lu.*nau*.ta) *s2g.* Astronauta que vai à Lua.

lundu, lundum (lun.*du*, lun.*dum*) *sm. Bras.* **1** Dança de origem africana. **2** *Mús.* Música influenciada pela modinha, ger. de caráter cômico ou pitoresco. [Pl. de *lundum*: -*duns*.]

luneta (lu.*ne*.ta) [ê] *sf. Ópt.* Instrumento com lente de aumento para ver à distância. **2** *CE* Óculos.

luniforme (lu.ni.*for*.me) *a2g.* Que tem formato de meia-lua.

lupa (*lu*.pa) *sf. Ópt.* Lente de aumento para observar objetos miúdos ou pequenos detalhes.

lupanar (lu.pa.*nar*) *sm.* Bordel, prostíbulo.

lupino (lu.*pi*.no) *a.* Ref. a ou próprio de lobo [ó] (feições lupinas).

lúpulo (*lú*.pu.lo) *sm. Bot.* Planta cujas flores são us. no fabrico da cerveja

lúpus (*lú*.pus) *sm2n. Med.* Infecção cutânea caracterizada por ulcerações.

lura (*lu*.ra) *sf.* **1** Buraco onde vivem coelhos e outros animais. **2** Gruta, toca.

lúrido (*lú*.ri.do) *a.* **1** Que é escuro, sombrio. **2** Que é lívido, pálido.

lusco-fusco (lus.co-*fus*.co) *sm.* Período de pouca luz no começo e no fim do dia; LUSQUE-FUSQUE. [Pl.: *lusco-fuscos*.]

lusíada (lu.*sí*.a.da) *a2g.s2g.* Ver lusitano.

lusitanismo (lu.si.ta.*nis*.mo) *sm.* Expressão ou palavra próprias da língua portuguesa falada e escrita em Portugal.

lusitano (lu.si.*ta*.no) *a.* **1** Da Lusitânia; típico dessa região ou do povo pré-romano que habitava parte do atual território português. **2** De Portugal (Europa); típico desse país ou do seu povo. *sm.* **3** Pessoa nascida na Lusitânia. **4** Pessoa nascida em Portugal. [Sin. ger.: lusíada, luso.]

luso (*lu*.so) *a.sm.* Ver lusitano.

luso-brasileiro (lu.so-bra.si.*lei*.ro) *a.* **1** Ref. a Portugal e Brasil ou de origem portuguesa e brasileira (acordo luso-brasileiro). *sm.* **2** Pessoa de origem portuguesa e brasileira. [Pl.: *luso-brasileiros*.] ● lu.so-bra.*sí*.li.co *a.sm.*

lusófilo (lu.*só*.fi.lo) *a.sm.* Que ou quem tem amor a Portugal, a tudo que seja português. ● lu.so.fi.*li*.a *sf.*

lusófobo (lu.*só*.fo.bo) *a.sm.* Que ou quem tem horror a Portugal. ● lu.so.fo.*bi*.a *sf.*

lusofonia (lu.so.fo.*ni*.a) *sf.* Conjunto de povos ou comunidades que falam a língua portuguesa.

lusófono (lu.*só*.fo.no) *a.sm.* Que ou o que (indivíduo ou povo) fala português ou tem o português como língua. ● lu.so.*fô*.ni.co *a.*

lusque-fusque (lus.que-*fus*.que) *sm.* Ver lusco-fusco. [Pl.: *lusque-fusques*.]

lustral (lus.*tral*) *a2g.* Diz-se da água us. no batismo dos cristãos. [Pl.: *-trais*.]

lustrar (lus.*trar*) *v.* **1** Dar lustre ou brilho a; POLIR; ENGRAXAR. [*td.*: *lustrar* móveis.] **2** Brilhar. [*int.*] [▶ lustr*ar*] ● lus.tra.*ção sf.*; lus.*tra*.do *a.*; lus.tra.*dor a.sm.*

lustre (*lus*.tre) *sm.* **1** Brilho que se dá a um objeto. **2** Candelabro pendente do teto. **3** *Fig.* Distinção, brilhantismo.

lustro[1] (*lus*.tro) *sm.* Período de cinco anos; QUINQUÊNIO.

lustro[2] (*lus*.tro) *sm.* Polimento, lustre (1).

lustroso (lus.*tro*.so) [ó] *a.* **1** Que tem lustre, brilho. **2** Que é brilhante, magnífico. [Fem. e pl.: [ó].]

luta (*lu*.ta) *sf.* **1** Combate corpo a corpo (lt. esportivo). **2** Embate, enfrentamento. **3** Conflito armado; guerra. **4** Empenho, esforço: "Não adianta olhar pro céu/ Com muita fé e pouca luta" (Gabriel, o Pensador, *Até quando?*). ▪▪ **Ir à ~** Empreender com energia tarefa ou missão difícil; lutar pela vida.

lutador (lu.ta.*dor*) [ô] *a.sm.* **1** Que ou aquele que luta. **2** Que ou aquele que tem como esporte a luta. **3** Que ou aquele que persevera, que não se abate diante de dificuldades.

lutar (lu.*tar*) *v.* **1** Travar luta ou combate esportivo, ou praticá-lo. [*ti.* + *com, contra*: O campeão de boxe lutará com um desafiante. *td.*: Marcelo lutá caratê. *int.*: Os dois judocas não lutaram bem.] **2** Brigar, ou combater. [*ti.* + *com, contra*: Lutou contra o invasor. *int.*: Os dois exércitos lutaram até o cair da noite.] **3** Fazer frente ou resistir a. [*ti.* + *contra*: lutar contra uma doença.] **4** Batalhar, labutar. [*int.*: "...viver é lutar..." (Gonçalves Dias, *Canção do tamoio*); (tb. seguido de indicação de finalidade): "...médicos ainda lutam para salvar crianças e mulheres..." (*O Globo*, 24.02.04).] [▶ lut*ar*]

luteína (lu.te.*í*.na) *sf. Bioq.* Pigmento amarelo encontrado na gema do ovo.

luteranismo (lu.te.ra.*nis*.mo) *sm. Rel.* Doutrina religiosa protestante de Martinho Lutero, teólogo e reformador alemão.

luterano (lu.te.*ra*.no) *a.* **1** Ref. a Lutero ou ao luteranismo. *a.sm.* **2** Que ou quem é adepto do luteranismo.

luto (*lu*.to) *sm.* **1** Pesar pelo falecimento de alguém querido. **2** Roupa ou faixa, ger. preta, que exprime esse pesar. **3** Tristeza profunda.

lutulento (lu.tu.*len*.to) *a.* Que tem lodo, lama.

lutuoso (lu.tu.*o*.so) [ó] *a.* **1** Coberto de luto. **2** Fúnebre, triste. [Fem. e pl.: [ó].]

luva (*lu*.va) *sf.* **1** Peça do vestuário que serve para vestir as mãos. **2** Espécie de conexão hidráulica. ▣ luvas *sfpl.* **3** Quantia extra em dinheiro que se paga na assinatura de um contrato. ▪▪ **Atirar a ~** Desafiar. **Cair como uma ~** Adequar-se ou convir perfeitamente: *Este projeto cai como uma luva em nossos planos*. **Dar com ~ de pelica** Agir amavelmente ou ironicamente (com alguém), mas sob aparência ou forma delicada e educada. **~s de pelica** Maneiras delicadas e gentis: *Tratou-o com luvas de pelica*.

luxação (lu.xa.*ção*) *sf. Med.* **1** Deslocamento da superfície articular de um osso; TORCEDURA: *O jogador teve uma luxação no ombro*. **2** Deslocamento de certos órgãos. [Pl.: *-ções*.]

luxar[1] (lu.*xar*) *v. td. int. Med.* Deslocar(-se), desconjuntar(-se) (um osso). [▶ lux*ar*]

luxar[2] (lu.*xar*) *v. int.* Ostentar luxo ou fausto. [▶ lux*ar*]

luxento (lu.*xen*.to) *a. Bras.* Que é exigente, cheio de luxos.

luxo (*lu*.xo) *sm.* **1** Ostentação pomposa de riqueza. **2** Prazer ou bem adquirido por alto preço. **3** *Bras. Fig.* Afetação, melindre; exigência despropositada: *Era um hóspede cheio de luxos*. **4** *Bras.* Negação fingida em fazer ou receber algo: *Fez luxo, mas queria realmente o presente*.

luxuoso (lu.xu.*o*.so) [ó] *a.* Que é requintado, ostentatório, muito caro: *Comprou um carro luxuoso*. [Fem. e pl.: [ó].]

luxúria (lu.*xú*.ri.a) *sf.* Desregramento, excesso sexual; LASCÍVIA.

luxuriante (lu.xu.ri.*an*.te) *a2g.* Diz-se de vegetação que se desenvolve com grande vigor (selva luxuriante); VIÇOSO; EXUBERANTE. **2** Esplêndido, opulento (imaginação luxuriante).

luxurioso (lu.xu.ri.*o*.so) [ó] *a.* Que vive na luxúria (1); LIBERTINO; LÚBRICO. [Fem. e pl.: [ó].]

luz *sf.* **1** Claridade emitida ou refletida. **2** Objeto que tem a capacidade de iluminar (vela, lâmpada etc.). **3** Clarão, brilho. **4** *Fig.* Inteligência, esclarecimento: *luz do saber*. ▪▪ **À ~ de** Tendo em vista (opinião, critério, informação etc.): *À luz dessa informação, vou mudar meu programa*. **Ao apagar das ~es** Nos momentos finais: *Desistiu de ir <u>ao apagar das luzes</u>*. **Dar à ~** Parir. **Vir à ~** Ser publicado.

📖 Muitas teorias se criaram ao longo do tempo sobre a natureza e a estrutura do fenômeno luminoso. Hoje se entende a luz, assim como o som, como uma propagação em forma de onda de uma perturbação, com frequência e velocidade muito altas. Essa frequência é capaz de estimular a retina do olho a captar a onda luminosa, e, com ela, seu reflexo nas coisas, que definem a sua percepção. A velocidade da luz, que, ao contrário do som, se propaga no vácuo, é de 300.000 km/s. A óptica é a parte da física que estuda a luz e os fenômenos luminosos. Além da sua óbvia importância para a percepção visual, a luz, através da fotossíntese (ver achega em *fotossíntese*), transforma compostos inorgânicos em orgânicos, ou seja, literalmente, cria vida.

luzeiro (lu.*zei*.ro) *sm*. **1** Qualquer objeto que emite luz. **2** *Fig*. Pessoa preeminente, luminar.
luzente (lu.*zen*.te) *a2g*. Que emite brilho.
luzerna (lu.*zer*.na) *sf*. **1** Grande claridade. **2** Espécie de claraboia.
luzidio (lu.zi.*di*.o) *a*. Que é lustroso, brilhante.
luzido (lu.*zi*.do) *a*. **1** Que é esplendoroso, pomposo. **2** Que brilha.
luzimento (lu.zi.*men*.to) *sm*. **1** Ação ou resultado de luzir. **2** Brilho, ostentação.
luzir (lu.*zir*) *v. int*. **1** Emitir ou refletir luz, brilho, claridade: *<u>Luzem</u> as estrelas*. **2** *Fig*. Sobressair, brilhar: *Machado de Assis <u>luz</u> entre seus pares*. [▶ **57 luzir**. Normalm. defec. impess.]
🌐 **lycra®** (*Ing.* /*láicra*/) *sf*. Fibra elástica us. na confecção de certas peças do vestuário (calças, maiôs etc.). [A marca registrada, com inicial maiúsc.]

Com suas origens na escrita hierática egípcia, o *m*, que representava uma coruja, passou a se chamar mem (água) entre os fenícios e *mí* entre os gregos. O grego *mí* foi subsequentemente adotado pelos etruscos e romanos, para os quais também era um numeral correspondente a mil. A forma final do *m* data de época romana.

ϻ	Fenício
ͷ	Grego
M	Grego
ⱽ	Etrusco
ᛖ	Romano
M	Romano
𝔪	Minúscula carolina
M	Maiúscula moderna
m	Minúscula moderna

m [ême] *sm.* **1** A décima terceira letra do alfabeto. **2** A décima consoante do alfabeto. *num.* **3** O 13º em uma série (cadeira M).
⌧ **m 1** Símb. de *metro*. **2** Símb. de *massa*. **3** Abr. de *minuto*.
⌧ **M** Representa o número 1.000 em algarismos romanos.
ma Contr. dos prons. *me* e *a:* — *Onde está minha borracha? — Você ma deu.*
má *a.* Fem. de *mau*.
⌧ **maa** Símb. de *miriare*.
maca (*ma*.ca) *sf.* **1** Cama de lona onde dormem os marinheiros a bordo do navio. **2** Cama com rodinhas para o transporte de doentes. **3** Cama ger. de lona esticada entre duas varas, dobrável, para transporte de feridos, acidentados etc.; PADIOLA.
maça (*ma*.ça) *sf.* **1** Pedaço de pau, com uma das extremidades mais grossa, us. como arma; CLAVA. **2** Arma antiga, feita de uma barra de ferro com uma bola de metal com pontas afiadas numa das extremidades.
maçã (ma.*çã*) *sf.* Fruto comestível, arredondado, de coloração vermelha ou verde. ⚏ ~ **do amor** Maçã caramelada que se serve espetada num palito. ~ **do rosto** A região que forma a parte mais saliente da face, logo abaixo dos olhos.
macabro (ma.*ca*.bro) *a.* **1** Ref. à morte ou aos mortos; que a expressa, anuncia ou evoca; FÚNEBRE. **2** Que desperta horror ou medo (história macabra, figura macabra); TÉTRICO. **3** Ligado a coisas ou sentimentos tristes (pensamentos macabros); LÚGUBRE; SOMBRIO.
macaca (ma.*ca*.ca) *sf.* **1** Fêmea do macaco. **2** *Fig. Pej.* Mulher feia. [At! Considerado ofensivo nesta acepção.] **3** *Bras.* Má sorte sistemática, infelicidade. ⚏ **Estar com a ~** *Pop.* Estar irrequieto, agitado, irritado.
macacada (ma.ca.*ca*.da) *sf.* **1** Bando de macacos; MACACARIA. **2** Ação ou resultado de macaquear, de imitar ou arremedar. **3** *Gír.* A turma, a patota.
macaca de auditório (ma.*ca*.ca de au.di.*tó*.ri:o) *sf. Bras. Pop.* Frequentadora entusiasta de programas de auditório de rádio e/ou televisão, que manifesta ruidosamente o seu apreço por determinados artistas. [Pl.: *macacas de auditório.*]
macacão (ma.ca.*cão*) *sm.* **1** Peça de vestuário larga, inteiriça, de tecido resistente, que us. por operários. **2** Roupa esportiva que imita o macacão (1), ger. unissex. [Pl.: *-cões.*]
macacaria (ma.ca.ca.*ri*.a) *sf.* Ver macacada (1).
macaco (ma.*ca*.co) *sm.* **1** *Zool.* Nome genérico dado a quase todas as espécies de primatas (gorilas, chimpanzés, orangotangos etc.), com exceção do homem e da subordem dos lêmures e similares. **2** *Fig.* Quem macaqueia, quem imita ou arremeda, como alguns macacos (1). **3** *Mec.* Aparelho para levantar e sustentar provisoriamente objeto pesado (p.ex. automóvel, para troca de pneu), acionando parafuso ou cremalheira por meio de uma alavanca ou manivela. ⚏ **Ir pentear ~s** *Bras.* Deixar de importunar; ir importunar em outro lugar. ~ **velho** Pessoa experiente, ladina.
macacoa (ma.ca.co.a) [ó] *sf. Fam.* Qualquer doença sem gravidade.
maçada (ma.*ça*.da) *sf.* **1** Golpe desferido com maça, ou qualquer pancada. **2** Situação ou atividade maçante, enfadonha; ABORRECIMENTO: *Que maçada fazer este relatório!*
macadame (ma.ca.*da*.me) *sm.* **1** Certo processo de calçamento de ruas e estradas que utiliza mistura à base de pedra britada. **2** Essa mistura. • **ma.ca.da.mi.**zar *v.*
macadâmia (ma.ca.*dâ*.mi.a) *sf.* **1** *Bot.* Árvore nativa da Austrália, de frutos comestíveis. **2** A noz macadâmia, fruto dessa árvore.
macambúzio (ma.cam.*bú*.zi:o) *a.* Que é ou momentaneamente se mostra tristonho, taciturno, carrancudo.
maçaneta (ma.ça.*ne*.ta) [ê] *sf.* **1** Peça de formato variado que se empunha para acionar o trinco de portas ou janelas. **2** Esta mesma peça us. como puxador de portas ou janelas.
maçante (ma.*çan*.te) *a2g.s2g.* Que ou quem aborrece, provoca tédio (programa maçante, cantor maçante); ENTEDIANTE.
macapaense (ma.ca.pa.*en*.se) *a2g.* **1** De Macapá, capital do Estado do Amapá; típico dessa cidade ou de seu povo. *s2g.* **2** Pessoa nascida em Macapá.
maçapão (ma.ça.*pão*) *sm.* Bolo de amêndoas. [Pl.: *-pães.*]
macaquear (ma.ca.que.*ar*) *v. td.* Imitar de maneira ridícula ou grotesca; ARREMEDAR: *Macaqueava os trejeitos de todos.* [▶ 13 macaqu*ear*.] • **ma.ca.que:a.**ção *sf.*
macaquice (ma.ca.*qui*.ce) *sf.* **1** Ação ou resultado de macaquear; CÓPIA; IMITAÇÃO. **2** Adulação interesseira.
maçar (ma.*çar*) *v. td.* Aborrecer com conversa desinteressante, cansativa; ENFADAR; ENTEDIAR. [▶ 12 ma*çar*.]
maçaranduba (ma.ça.ran.*du*.ba) *sf. Bot.* Árvore de madeira de lei avermelhada, muito us. em marcenaria.
macaréu (ma.ca.*réu*) *sm.* Em alguns estuários (1), onda produzida pelo encontro da corrente descendente do rio com as águas da maré montante. [Cf.: *pororoca.*]

maçarico (ma.ça.ri.co) sm. Aparelho para soldar ou fundir metais, que produz chama de temperatura elevada.

maçaroca (ma.ça.ro.ca) sf. **1** Emaranhado de fios, cabelos, pelos ou linhas. **2** Grande quantidade de coisas misturadas, embaralhadas: *uma maçaroca de jornais velhos*. **3** Numa fiação, fio enrolado no fuso. **4** Espiga de milho.

macarrão (ma.car.rão) sm. Massa feita de farinha, ovos etc., que pode ter vários feitios e tamanhos, ger. cilindros finos e compridos. [Pl.: -rões.]

macarronada (ma.car.ro.na.da) sf. Cul. Prato preparado com macarrão, ao qual ger. se adiciona um molho.

macarrônico (ma.car.rô.ni.co) a. Falado ou escrito erradamente (diz-se de qualquer idioma): *Falava um francês macarrônico*.

macaxeira (ma.ca.xei.ra) sf. N. N.E. Ver *mandioca*.

macega (ma.ce.ga) [ê] sf. **1** Erva daninha que costuma nascer em áreas cultivadas. **2** Capim alto e seco.

macegal (ma.ce.gal) sm. Terreno coberto de macega. [Pl.: -gais.]

maceió (ma.cei.ó) sm. N.E. Lagoeiro próximo ao litoral, formado pelas águas das marés e das chuvas.

maceioense (ma.cei.o:en.se) a2g. **1** De Maceió, capital do Estado de Alagoas; típico dessa cidade ou de seu povo. s2g. **2** Pessoa nascida em Maceió.

macela (ma.ce.la) [ê] sf. Bot. Erva de flores perfumadas, us. para enchimento de travesseiros e almofadas.

macerar (ma.ce.rar) v. **1** Amolecer (coisa ou substância sólida), deixando-a em líquido ou malhando-a, socando-a. [*td*.: *macerar couro*.] **2** Esmagar, para extrair suco ou outras substâncias. [*td*.: *macerar folhas de boldo*.] **3** Fig. Flagelar-se, mortificar-se, torturar-se. [*pr*.] [▶ **1** macerar] • ma.ce.ra.ção sf.; ma.ce.ra.do a.

maceta (ma.ce.ta) [ê] sf. **1** Martelo de cabo curto e cabeça pesada us. por carpinteiros, escultores etc. **2** Mús. Vara grossa e curta com que se toca o bombo. **3** Peça para desfazer e moer tinta endurecida.

macete (ma.ce.te) [ê] sm. **1** Martelo pequeno us. por carpinteiros e marceneiros. **2** Pop. Recurso criativo para atingir um objetivo ou resolver algum problema; TRUQUE.

machadada (ma.cha.da.da) sf. Golpe desferido com machado.

machadiano (ma.cha.di:a.no) a. **1** Ref. ao escritor brasileiro Machado de Assis (1839-1908). a.sm. **2** Admirador ou estudioso da obra de Machado de Assis.

machadinha (ma.cha.di.nha) sf. Pequeno machado.

machado (ma.cha.do) sm. Instrumento cortante de ferro, com cabo de madeira, us. para rachar lenha, derrubar árvore etc. com golpes fortes.

machão (ma.chão) a. **1** Orgulhoso ao extremo de sua masculinidade e virilidade; VALENTÃO. **2** Que considera os homens superiores às mulheres e tem ideias conservadoras sobre posição e deveres da mulher: *O namorado machão não deixa ela usar saias curtas*. sm. **3** Homem machão (1 e 2). [Pl.: -chões.]

machismo (ma.chis.mo) sm. **1** Opinião ou procedimento discriminatórios que negam à mulher as mesmas condições sociais e direitos do homem. **2** Qualidade ou atitude de macho. • ma.chis.ta a2g.s2g.

macho (ma.cho) a. **1** Ref. ao sexo masculino. **2** Que apresenta características próprias de homem; MÁSCULO. **3** O homem ou qualquer animal do sexo masculino. **4** Indivíduo valentão. **5** Qualquer peça que tem parte saliente, para ser encaixada em reentrância de outra (tomada elétrica, colchete etc.).

machona (ma.cho.na) Pej. Pop. a. **1** Cuja aparência ou modos são masculinizados (diz-se de mulher). **2** Que é corajosa, valente. **3** Homossexual do sexo feminino. sf. **4** Mulher machona. [At! O termo é considerado depreciativo ou preconceituoso.]

machucado (ma.chu.ca.do) a. **1** Que se machucou; FERIDO: *Minha perna ficou muito machucada*. sm. **2** Ferimento, contusão: *O machucado no braço já sarou*.

machucadura (ma.chu.ca.du.ra) sf. **1** Amassadura ou sinal de pancada em fruta, planta etc. **2** Machucado, ferimento.

machucar (ma.chu.car) v. **1** Causar ferimento ou contusão em (alguém ou em si mesmo); FERIR(-SE); CONTUNDIR(-SE). [*td*.: *Machuquei meu irmão sem querer. pr*.: *Melissa se machucou*.] **2** Fazer sofrer, ou sofrer; MAGOAR(-SE). [*td*.: "...enquanto você me diz palavras que me machucam..." (Roberto Carlos e Erasmo Carlos, *Desabafo*).] **3** Deformar ou causar lesão em (algo), com golpe ou pressão (de peso ou de algo duro); AMASSAR; ESMAGAR. [*td*.: *machucar uma fruta*.] [▶ **11** machucar]

maciço (ma.ci.ço) a. **1** Que não é oco nem aglomerado (madeira maciça); COMPACTO. **2** Que é denso ou espesso (neblina maciça). **3** Em grande quantidade: *O seminário teve presença maciça de público*. sm. **4** Geol. Cadeia de montanhas agrupadas em torno de um ponto culminante.

macieira (ma.ci.ei.ra) sf. Bot. Árvore que dá a maçã.

maciez (ma.ci:ez) [ê] sf. Qualidade de macio. [macio + -ez. Tb. *macieza*.]

macieza (ma.ci.e.za) [ê] sf. Ver *maciez*. [macio + -eza.]

macilento (ma.ci.len.to) a. Que não tem brilho ou viço (pele macilenta).

macio (ma.ci.o) a. **1** Que não oferece muita resistência à pressão física (almofada macia, fibra macio); MOLE; TENRO. **2** Agradável ao tato, sem asperezas (pele macia, pano macio); LISO. **3** Brando, suave (voz macia).

maciota (ma.ci:o.ta) [ó] sf. Us. na loc. Na ~ **1** Sem muito esforço; com habilidade. **2** Sem complicação; tranquilamente.

maço (ma.ço) sm. **1** Martelo de madeira us. por carpinteiros, marceneiros etc. **2** Conjunto de coisas iguais, num mesmo invólucro ou presas: *maço de cigarros / de notas*.

maçom (ma.çom) sm. Integrante da maçonaria. [Pl.: -cons.]

maçonaria (ma.ço.na.ri.a) sf. Sociedade semissecreta que tem como princípio a fraternidade.

maconha (ma.co.nha) sf. As folhas e flores do cânhamo, secas e cortadas, que, quando fumadas, têm efeito entorpecente.

maconheiro (ma.co.nhei.ro) a.sm. Bras. **1** Que ou quem é viciado em maconha, ou faz uso dela. **2** Que ou quem vende maconha.

maçônico (ma.çô.ni.co) a. Ref. a maçonaria.

macramê (ma.cra.mê) sm. **1** Espécie de tecido feito de linha grossa entrelaçada, formando nós e desenhos. **2** Tipo de linha ou fio usada para bordados, crochês etc.

má-criação (má-cri:a.ção) sf. Ver *malcriação*. [Pl.: *más-criações* e *má-criações*.]

macro (ma.cro) sf. Inf. Em um aplicativo, sequência gravada de comandos ou instruções executados conforme a determinação do usuário.

macróbio (ma.cró.bi:o) a.sm. Que ou quem vive por longo tempo.

macrobiótica (ma.cro.bi:ó.ti.ca) sf. Med. Dieta que se baseia no consumo de cereais integrais, legumes e frutas. • ma.cro.bi.ó.ti.co a.

macrocefalia (ma.cro.ce.fa.li.a) sf. Condição de quem tem a cabeça anormalmente grande. • ma.cro.ce.fá.li.co a.; ma.cro.cé.fa.lo a.sm.

macrocosmo (ma.cro.*cos*.mo) *sm.* O universo como um todo integrado. [Ant.: *microcosmo*.]

macroeconomia (ma.cro:e.co.no.*mi*.a) *sf. Econ.* Parte da economia que estuda o funcionamento do sistema econômico e seus fenômenos como um todo. [Cf.: *microeconomia*.] ● **ma.cro:e.co.nô.mi.co** *a.*

macroscópico (ma.cros.*có*.pi.co) *a.* **1** Diz-se do que pode ser visto a olho nu. **2** Que é considerado em sua abrangência; GERAL: *uma visão macroscópica dos problemas do país.* [Cf.: *microscópico*.]

macuco (ma.*cu*.co) *sm. Bras. Zool.* **1** Ave de grande porte encontrada nas matas brasileiras. **2** Ave sem cauda, das matas brasileiras.

maçudo (ma.*çu*.do) *a.* Que é grosso, volumoso.

mácula (*má*.cu.la) *sf.* **1** Mancha. **2** *Fig.* Erro que desonra ou mancha uma reputação: *Aquele crime é uma mácula em sua vida.*

macular (ma.cu.*lar*) *v.* **1** Pôr mancha ou nódoa em; MANCHAR; SUJAR. [*td*.: *O café maculou a brancura da toalha.*] **2** *Fig.* Comprometer (algo ou alguém, inclusive a si mesmo) com algo desonroso, infame; DESLUSTRAR(-SE); INFAMAR(-SE); MANCHAR(-SE). [*td*.: "...essas mentiras terminam por macular o processo eleitoral..." (*O Globo*, 06.09.02). *pr*.: *Maculou-se irremediavelmente ao aceitar suborno.*] [▶ **1** macul*ar*] ● ma.cu.*la*.do *a.*

maculelê (ma.cu.le.*lê*) *sm. BA* Misto de jogo e bailado guerreiro, de que participam esp. negros do sexo masculino.

macumba (ma.*cum*.ba) *sf. Bras. Rel.* **1** Nome dado aos cultos afro-brasileiros e aos seus rituais, originários do nagô, e que receberam influências de religiões africanas, ameríndias, católicas, espiritas e ocultistas. **2** Oferenda colocada nas encruzilhadas; DESPACHO.

macumbeiro (ma.cum.*bei*.ro) *a.sm. Bras.* Que ou quem é praticante da macumba (1).

madagascarense (ma.da.gas.ca.*ren*.se) *a2g.* **1** Da República de Madagascar (África); típico desse país ou de seu povo. *s2g.* **2** Pessoa nascida em Madagascar; MALGAXE.

madama, madame (ma.*da*.ma, ma.*da*.me) *sf.* **1** Da-ma, senhora. **2** *Pop.* Dona de casa, patroa. **3** *Pop.* Prostituta, meretriz.

madeira (ma.*dei*.ra) *sf.* **1** Cerne das árvores constituído pelo lenho. **2** O cerne retirado das árvores, seco e cortado, matéria-prima para construção, móveis etc. ❖ **Bater na ~** *Fam.* Afastar o azar, o mau-olhado; ISOLAR. **~ de lei** Madeira resistente.

madeirame (ma.dei.*ra*.me) *sm.* Conjunto de madeiras.

madeiramento (ma.dei.ra.*men*.to) *sm.* A estrutura de madeira de uma construção ou de um componente.

madeireira (ma.dei.*rei*.ra) *sf.* Estabelecimento que produz e vende madeira.

madeireiro (ma.dei.*rei*.ro) *a.* Ref. à indústria ou comércio de madeiras. *sm.* **2** Comerciante de madeira.

madeiro (ma.*dei*.ro) *sm.* **1** Peça grossa de madeira; LENHO. **2** A cruz em que Jesus foi crucificado.

madeixa (ma.*dei*.xa) *sf.* Porção de cabelos; MECHA.

madona (ma.*do*.na) *sf.* **1** Nossa Senhora; a mãe de Jesus. **2** Pintura ou imagem que a representa.

madorna (ma.*dor*.na) *sf.* Ver modorra.

madraço (ma.*dra*.ço) *a.sm.* Que ou quem não se empenha; PREGUIÇOSO.

madrasta (ma.*dras*.ta) *sf.* Mulher casada com o pai de uma pessoa, em relação a essa pessoa, mas que não é mãe dela.

madre (*ma*.dre) *sf.* Integrante de congregação católica feminina; FREIRA; IRMÃ.

madrepérola (ma.dre.*pé*.ro.la) *sf.* Substância calcária que constitui a parte interna da concha de certos moluscos.

madressilva (ma.dres.*sil*.va) *sf. Bot.* Trepadeira de flores amarelas ou rosa-escuras, muito perfumadas.

madrigal (ma.dri.*gal*) *sm.* **1** *Poét.* Gênero de poesia surgida no séc. XIV na Itália, ger. de caráter romântico, e que se destinava a ser musicada. **2** *Mús.* Música composta para expressar essa poesia. **3** Pequeno coro de cantores. [Pl.: *-gais*.]

madrilenho (ma.dri.*le*.nho) *a.* **1** De Madri, capital da Espanha (Europa); típico dessa cidade ou de seu povo. *sm.* **2** Pessoa nascida em Madri.

madrinha (ma.*dri*.nha) *sf.* **1** Na religião católica, mulher escolhida como testemunha num batizado, crisma ou casamento. **2** Mulher escolhida para inaugurar, batizar algo, ser símbolo de grupo ou corporação, acompanhar formando etc.

madrugada (ma.dru.*ga*.da) *sf.* O fim da noite (após meia-noite) e esp. a hora do amanhecer.

madrugar (ma.dru.*gar*) *v. int.* Acordar e levantar-se da cama muito cedo: *Madruguei hoje para estudar.* [▶ **14** madrug*ar*] ● ma.dru.ga.*dor a.sm.*

madureza (ma.du.*re*.za) [ê] *sf.* **1** Característica ou condição de maduro. **2** Estado do que se encontra desenvolvido (*madureza profissional*); MATURIDADE.

maduro (ma.*du*.ro) *a.* **1** Que está pronto para ser colhido ou comido (diz-se de fruta). [Ant.: *verde*.] **2** *Fig.* Totalmente desenvolvido, formado (pessoa *madura*). **3** *Fig.* Que foi fruto de ponderação e prudência (escolha *madura*). **4** *Fig.* Diz-se de pessoa ponderada, prudente. [Ant. nas acps. 2, 3 e 4: *imaturo*.]

mãe *sf.* **1** Mulher que deu à luz, que criou filho(s). **2** Fêmea de animal que deu cria. **3** *Fig.* Pessoa muito dedicada: *Ela é uma mãe para as crianças do orfanato.* **4** *Fig.* Causa, origem, motivação: *O morro é a mãe do samba.* [Pl.: *mães*.]

mãe-benta (mãe-*ben*.ta) *sf. Cul.* Bolinho feito de farinha de arroz, manteiga, açúcar, ovos e coco ralado. [Pl.: *mães-bentas*.]

mãe-d'água (mãe-*d'á*.gua) *sf. Bras. Folc.* Ser fantástico, metade mulher, metade peixe, que habita rios e lagos. [Pl.: *mães-d'água*.]

mãe de santo (mãe de san.to) *sf. Bras. Rel.* Nos cultos afro-brasileiros, mulher que administra o terreiro e dirige os cultos aos orixás. [Pl.: *mães de santo*. Masc.: *pai de santo*.]

maestria (ma:es.*tri*.a) *sf.* **1** Qualidade ou condição de mestre; conhecimento amplo e profundo (de algo); MESTRIA. **2** Habilidade na execução de uma tarefa, de uma obra; PERÍCIA: *Lapidou o diamante com maestria.*

maestrina (ma:es.*tri*.na) *sf.* Fem. de *maestro*.

maestro (ma.*es*.tro) *sm.* **1** Quem rege orquestra, coro, banda etc. **2** Compositor de peças musicais. [Fem.: *-trina*.]

má-fé (má-*fé*) *sf.* Intenção de causar dolo ou prejuízo, de distorcer a verdade etc. [Pl.: *más-fés*.]

máfia (*má*.fi:a) *sf.* **1** Organização criminosa fundada na Itália, com ramificações em vários países. [Com inicial maiúsc.] **2** Qualquer grupo que age criminosamente em certa atividade ou tipo de golpe: *máfia das propinas/das drogas.*

mafioso (ma.fi:*o*.so) *a.* **1** Ref. à ou próprio da Máfia. *a.sm.* **2** Que ou quem pertence à Máfia. **3** *Fig.* Que ou quem não tem escrúpulos, integridade moral. [Fem. e pl.: *ó*.]

má-formação (má-for.ma.*ção*) *sf. Trt.* Deformação (em órgão, membro etc.) de origem congênita ou hereditária; MALFORMAÇÃO. [Pl.: *más-formações*.]

mafuá (ma.fu.*á*) *sm. RJ* Feira ou parque de diversões com música.

maga (*ma*.ga) *sf.* Fem. de *mago*.

magano (ma.*ga*.no) *a.sm.* **1** Que ou quem é trapaceiro; ARDILOSO. **2** Que ou quem gosta de fazer graça; BRINCALHÃO; JOVIAL.

magarefe (ma.ga.*re*.fe) *sm.* **1** Quem abate e tira a pele das reses nos matadouros; CARNICEIRO (3). **2** *Fig. Pej. Pop.* Mau cirurgião.

magazine (ma.ga.*zi*.ne) *sm.* **1** Casa comercial onde se vendem vários tipos de mercadoria. **2** *Bras.* Revista publicada periodicamente, ger. ilustrada, que trata de assuntos leves e variados. **3** *Cin. Fot.* Estojo adaptável à câmera, em que se acondiciona o filme virgem, protegendo-o da luz.

magenta (ma.*gen*.ta) *sm.* **1** Cor vermelha muito viva; CARMIM. *a2g2n.* **2** Que é dessa cor (guarda-chuvas magenta).

magia (ma.*gi*.a) *sf.* **1** Arte, ciência ou prática que supostamente pode produzir fenômenos extraordinários e não naturais, por intermédio de fórmulas e manipulações, seres fantásticos, rituais bizarros etc.; BRUXARIA: *Recorreu à magia para ter sucesso; Acredita em magia.* **2** *Fig.* Qualquer efeito difícil de explicar ou que não pareça natural: *Perdiam de 4x0 e viraram o jogo? Que magia foi essa?* **3** Sensação de prazer, enlevo, fascínio, ou a capacidade de provocar tal sensação: *A magia do primeiro beijo.* [Sin. ger.: *mágica*.] ▮ ~ **branca** Culto de Umbanda. ~ **negra** Magia que visa ao mal.

mágica (*má*.gi.ca) *sf.* **1** Ver *magia.* **2** Truque ou artifício que cria a ilusão de algo extraordinário, não natural ou irracional; PRESTIDIGITAÇÃO: *a mágica de tirar o coelho da cartola.* **3** Mulher que faz mágicas (1 e 2).

mágico (*má*.gi.co) *a.* **1** Ref. a magia ou a mágica (1 e 2). **2** Que parece não ter explicação racional: *Foi uma cura mágica: os médicos não acreditavam.* **3** Que causa ou expressa fascínio, encanto: *O seu sorriso é mágico;* "...a noite tinha um brilho mágico..." (Paulo Coelho, *Brida*). *sm.* **4** Homem que faz mágicas (1 e 2).

magistério (ma.gis.*té*.ri.o) *sm.* **1** Cargo ou atividade de professor: *habilitar-se ao magistério.* **2** O exercício desse trabalho; PROFESSORADO; ENSINO: *Exerceu o magistério até se aposentar.* **3** O conjunto ou a classe dos professores.

magistrado (ma.gis.*tra*.do) *sm.* **1** Autoridade investida de poderes para, em determinada jurisdição, governar ou distribuir justiça. **2** *Jur.* Autoridade do Poder Judiciário.

magistral (ma.gis.*tral*) *a2g.* **1** Ref. a ou de mestre. **2** Que denota perfeição ou maestria (texto magistral, discurso magistral). [Pl.: *-trais*.]

magistratura (ma.gis.tra.*tu*.ra) *sf.* **1** Cargo, função ou dignidade de magistrado: *Muito jovem, foi alçada à magistratura.* **2** O exercício dessa função: *Destacou-se na magistratura.* **3** Duração do exercício desse cargo: *Sua magistratura foi de 15 anos.* **4** O conjunto dos magistrados.

magma (*mag*.ma) *sm. Geol.* Massa mineral fluida, com altíssima temperatura, encontrada a grandes profundidades da superfície da Terra, e que às vezes é expelida em erupções vulcânicas. ● **mag.má.ti.co** *a.*

magnânimo (mag.*nâ*.ni.mo) *a.* Que revela generosidade, indulgência (homem magnânimo, palavras magnânimas). [Ant.: *mesquinho*.] ● **mag.na.ni.mi.da.de** *sf.*

magnata (ma.*gna*.ta) *s2g.* **1** Pessoa muito importante, poderosa, influente. **2** Grande capitalista: *magnata do petróleo.*

magnésia (mag.*né*.si.a) *sf. Quím.* Óxido de magnésio, us. como refratário (3) e como medicamento laxante: *leite de magnésia.*

magnésio (mag.*né*.si.o) *sm. Quím.* Elemento químico de número atômico 12. [Símb.: *Mg*]

magnético (mag.*né*.ti.co) *a.* **1** Ref. a magneto ou a magnetismo (campo magnético). **2** Que tem a capacidade de atrair o ferro. **3** *Fig.* Que exerce atração ou fascínio (olhar magnético, personalidade magnética).

magnetismo (mag.ne.*tis*.mo) *sm.* **1** *Fís.* Conjunto dos fenômenos e propriedades ref. às forças que se criam entre magnetos, ou entre circuitos percorridos por corrente elétrica. **2** *Fís.* O estudo desses fenômenos. **3** *Fig.* Atração que alguém exerce sobre outrem; propriedade de seduzir, de encantar; FASCÍNIO.

magnetizar (mag.ne.ti.*zar*) *v. td.* **1** Dar propriedades magnéticas a (esp. metal); IMANTAR. **2** *Fig.* Exercer forte atração ou influência sobre; ATRAIR; FASCINAR: *A atriz magnetizou o público.* [▶ **1** magnetizar] ● **mag.ne.ti.za.ção** *sf.*; **mag.ne.ti.za.do** *a.*; **mag.ne.ti.za.dor** *a.sm.*; **mag.ne.ti.zan.te** *a2g.*

magneto (mag.*ne*.to) [ê] *sm.* **1** *Fís.* Corpo que atrai ferro e outros metais; IMÃ. **2** *Eel.* Gerador de corrente elétrica que contém ímã.

magnetômetro (mag.ne.*tô*.me.tro) *sm. Geof.* Instrumento us. para medir a intensidade de um campo magnético.

magnificar (mag.ni.fi.*car*) *v.* **1** Tornar maior; AMPLIAR; AUMENTAR. [*td.*: *magnificar uma imagem/lucros.*] **2** Tornar(-se) grande, engrandecer(-se), enaltecer(-se), glorificar(-se). [*td.*: *magnificar um feito/uma pessoa. pr.*: *Magnificou-se ante os amigos com sua atitude.*] [▶ **11** magnificar] ● **mag.ni.fi.ca.ção** *sf.*; **mag.ni.fi.ca.do** *a.*; **mag.ni.fi.can.te** *a2g.*

magnificatório (mag.ni.fi.ca.*tó*.ri:o) *a.* Que magnifica, engrandece, exalta.

magnificente (mag.ni.fi.*cen*.te) *a2g.* **1** Que revela grandiosidade, suntuosidade; ESPLENDOROSO; MAGNÍFICO. **2** Que demonstra generosidade, benevolência; MAGNÂNIMO. ● **mag.ni.fi.cên.ci:a** *sf.*

magnífico (mag.*ní*.fi.co) *a.* **1** Ver *magnificente* (1). **2** Que é muito bom e/ou muito bonito. [Superl.: *magnificentíssimo.*]

magnitude (mag.ni.*tu*.de) *sf.* **1** Qualidade ou condição do que é magno, grande ou relevante; GRANDEZA: *a magnitude das pirâmides do Egito; a magnitude da sua bondade.* **2** *Astron.* Intensidade luminosa de um astro.

magno (*mag*.no) *a.* Que é grande ou importante (Carta Magna).

magnólia (mag.*nó*.li:a) *sf. Bot.* Árvore cuja flor, de mesmo nome, é cultivada como ornamental.

mago (*ma*.go) *sm.* **1** Sacerdote estudioso dos astros entre os antigos persas. **2** Quem pratica magia; BRUXO; FEITICEIRO.

mágoa (*má*.go:a) *sf.* **1** *Fig.* Sentimento de dor moral e decepção de quem é alvo de atitude indelicada ou desrespeitosa; RESSENTIMENTO. **2** *Fig.* Amargura, tristeza, desgosto.

magoar (ma.go.*ar*) *v.* **1** Causar ou ter dor ou sofrimento físico; FERIR(-SE); MACHUCAR(-SE). [*td.*: *O sapato apertado magoou seus pés. pr.*: *Magoou-se ao cair da escada.*] **2** Causar (a alguém) ou sentir mágoa, sofrimento moral, melindre, ofensa; MELINDRAR(-SE); OFENDER(-SE). [*td.*: *Sua atitude magoou o amigo. pr.*: *Ela magoou-se com nossa resposta. int.*: *Críticas injustas magoam sempre.*] **3** Ter (algém) ferido ou machucado (o corpo ou parte dele); FERIR; MACHUCAR. [*td.*: *Magoei os pés nas pedrinhas.*] [▶ **16** magoar] ● **ma.go.a.do** *a.*

magote (ma.*go*.te) *sm.* Reunião de pessoas ou coisas; AMONTOADO. *mugote*

magrebino (ma.gre.*bi*.no) *a.* **1** Do Magreb (norte da África); típico dessa região ou de seu povo. *sm.* **2** Pessoa nascida no Magreb.

magreza (ma.*gre*.za) [ê] *sf.* Qualidade ou condição do que é magro.

magricela (ma.gri.ce.la) *a2g.s2g.* Que ou quem é muito magro.

magro (*ma*.gro) *a.sm.* **1** Que ou quem tem pouco peso em relação à altura. *a.* **2** Que tem pouca ou nenhuma gordura (carne magra). **3** Que é fino e comprido (rosto magro); ESGUIO. **4** *Fig.* Pouco rendoso (salário magro). **5** *Fig.* Insignificante, parco (refeição magra). [Ant. ger.: *gordo.*] [Superl.: *macérrimo, magérrimo, magríssimo.*]

maia (*mai*.a) *a2g.* **1** Dos ou próprio dos maias, povo indígena da América Central e parte do México. *s2g.* **2** Indivíduo dos maias. *a2g.sm.* **3** *Gloss.* Da, ref. à ou a língua falada pelos maias.

maiêutica (mai.*êu*.ti.ca) *sf. Fil.* Método socrático de conceituação geral de um objeto a partir de perguntas que induzam à sua descoberta.

maio (*mai*.o) *sm.* O quinto mês do ano. (Com 31 dias.)

maiô (mai.ô) *sm.* Traje feminino ger. us. para banho de mar ou piscina, composto por uma única peça que cobre do alto das coxas ao busto. [Cf.: *biquíni* (1).]

maionese (mai.o.*ne*.se) *sf. Cul.* **1** Molho frio feito de gema de ovo batida com óleo vegetal ou azeite, vinagre e sal. **2** Salada de legumes e batata misturada com esse molho.

maior (mai.*or*) *a2g.* **1** Que supera outro em tamanho, dimensão, duração, intensidade etc. *a* Que atingiu a maioridade: *Só dirige quem é maior*. *s2g.* **3** Quem é maior (2). [Ant.: *menor*.] ■ **A ~** A mais. **De ~** *Bras. Pop.* Maior de idade. **~ de idade** Que ou quem, pela lei vigente, atingiu a maioridade. **Ser o ~** *Fam.* Ser o melhor entre todos; ser notável.

maioral (mai.o.*ral*) *sm.* **1** Indivíduo que se destaca dos demais pela sua superioridade: *o maioral em sua profissão*. **2** Aquele que comanda; CHEFE; LÍDER. [Pl.: *-rais.*]

maioria (mai.o.*ri*.a) *sf.* **1** Num conjunto, grupo de elementos cuja quantidade é pelo menos a metade do total mais um. [Diz-se maioria absoluta.] **2** Num conjunto dividido em segmentos, aquele que reúne a maior quantidade de elementos. [Diz-se maioria relativa.] [Ant.: *minoria.*]

maioridade (mai.o.ri.*da*.de) *sf.* Idade em que o indivíduo é considerado legalmente capaz de exercer seus direitos civis. [No Brasil, 18 anos.]

mais *adv.* **1** Com maior intensidade: *Disse que tinha de pensar mais no assunto.* **2** Introduz o grau superlativo: *Sua nota mais alta foi em matemática.* **3** Introduz o grau comparativo: *Você teve mais sorte do que eu.* **4** Outra vez; de novo: *Não faça mais isso.* **5** Finaliza um enunciado com negação de ação, estado etc.: *Não sinto nada mais.* **6** Us. em adição: *Três mais dois são cinco.* **7** Além disso: *O que mais podemos fazer?*. *pr.indef.* **8** Maior quantidade de; maior intensidade de: *Quer beber mais leite?*; *Com mais ajuda, mais facilmente terminariam.* [Ant. acps. 1, 2, 3, 6, 8: *menos.*] *sm.* **9** O resto: *E no mais está tudo bem?* *conj.adit.* **10** *Pop.* E; e também: *Daniel mais Maria são meus padrinhos.* ■ **A ~** Em excesso: *O freguês entregou dez reais a mais.* **De ~ a ~** Além disso. **~ ou menos** **1** Cerca de: *Havia mais ou menos trinta pessoas na plateia.* **2** Medida vaga e intermediária de algo: *— Como se sente? — Mais ou menos*; *— O concerto foi bom? — Mais ou menos.* **~ que tudo** Principalmente: *Mais que tudo, desejava paz.* **Por ~ que** Ainda que; embora: *Por mais que eu queira, não acordo cedo.* **Sem ~ nem menos** De repente, subitamente, ou sem razão aparente.

maisena (mai.*se*.na) [z] *sf.* Farinha de amido de milho us. para se fazer mingaus, biscoitos, cremes etc.

mais-que-perfeito (mais-que-per.*fei*.to) *sm. Gram.* Tempo verbal que indica uma ação anterior a outra já passada (p.ex.: *Sentiu mais segurança agora do que tinha sentido (ou sentira) na primeira prova*). [Pl.: *mais-que-perfeitos.*]

mais-valia (mais-va.*li*.a) *sf.* **1** *Econ.* Na economia marxista, diferença entre o que é pago ao trabalhador e o valor da mercadoria produzida por ele. **2** *Bras.* Aumento do valor de um bem em virtude de melhorias nele introduzidas. [Pl.: *mais-valias.*]

maitaca (mai.*ta*.ca) *sf. Bras. Zool.* Ave semelhante ao papagaio.

◆ **maître** (*Fr.* /métr/) *sm.* Chefe dos garçons.

maiúscula (mai.*ús*.cu.la) *sf.* Letra maior e, às vezes, com formato diferenciado, us. no início de nomes próprios e de períodos gramaticais. [Cf.: *minúscula.*]

maiúsculo (mai.*ús*.cu.lo) *a.* **1** *Bras. Fig.* De grande qualidade ou importância (escritor maiúsculo); EXTRAORDINÁRIO. **2** *Tip.* Diz-se do caractere de maior tamanho com que se representa uma letra do alfabeto. [Cf.: *minúsculo.*]

majestade (ma.jes.*ta*.de) *sf.* **1** Título dado a rei, rainha, imperador ou imperatriz. **2** Característica daquilo que confere respeito, veneração ou imponência: *a majestade de Deus.*

majestático (ma.jes.*tá*.ti.co) *a.* Ref. a majestade.

majestoso (ma.jes.*to*.so) [ó] *a.* **1** Que inspira respeito, veneração (figura majestosa). **2** Que revela grandiosidade, imponência (construção majestosa). **3** De aspecto nobre, altivo (olhar majestoso). [Fem. de: [ó].]

major (ma.*jor*) *sm.* **1** *Mil.* Patente militar. [Ver quadro *Hierarquia Militar Brasileira*.] **2** Militar que tem essa patente.

majorar (ma.jo.*rar*) *v. td. Bras.* Aumentar; elevar: *majorar impostos/preços.* [▶ 1 major[ar] ● ma.jo.ra.*ção* *sf.*; ma.jo.ra.*do* *a*.

major-aviador (ma.jor-a.vi.a.*dor*) [ó] *sm.* **1** *Aer.* Patente militar. [Ver quadro *Hierarquia Militar Brasileira*.] **2** Militar que tem essa patente. [Pl.: *majores--aviadores.*]

major-brigadeiro (major-bri.ga.*dei*.ro) *sm.* **1** *Aer.* Patente militar. [Ver quadro *Hierarquia Militar Brasileira*.] **2** Militar que tem essa patente. [Pl.: *majores-brigadeiros.*]

majoritário (ma.jo.ri.*tá*.ri:o) *a.* Ref. ou pertencente à maioria. [Ant.: *minoritário.*]

◆ **making of** (*Ing.* /méiquin óf/) *sm. Cin. Telv.* Filme que mostra o processo de produção de outro filme, videoclipe, ensaio fotográfico etc.

mal *adv.* **1** De maneira imperfeita ou insuficiente: *O prédio está mal conservado*; *Ele dirige mal.* **2** Sem conforto ou bem-estar físico (dormir mal, sentir-se mal). **3** Em má situação: *A equipe está mal colocada na competição.* **4** De modo desfavorável: *Não devemos falar mal dos amigos.* **5** Com dificuldade: *Ela mal conseguia abrir os olhos.* [Ant. ger.: *bem.*] *sm.* **6** O que se opõe à virtude, à honra. **7** O que é nocivo, prejudicial: *Todos sabem o mal que o cigarro faz.* **8** O que faz sofrer: *A demissão lhe causou um grande mal.* **9** Doença, enfermidade: *mal de Parkinson.* [Ant. acps. 6 a 8: *bem.*] [Pl. (como sm.): *males.*] *conj.* **10** Assim que: *Mal deitou, adormeceu.* [Cf.: *mau.*] ■ **Cortar o ~ pela raiz** Sanar (algo, situação etc.) definitivamente, eliminando a causa do mal. **De ~ a pior** Cada vez pior. **Estar de ~ (com alguém)** Estar brigado, sem falar (com alguém). **Estar ~** Encontrar-se em má situação de saúde ou de dinheiro, ou muito triste. **Fazer ~** Ser prejudicial à saúde: *Comer demais faz mal.* **Fazer ~ a** *Bras. Pop.* Seduzir sexualmente (mulher virgem); deflorar. **Foi ~** *Bras. Gír.* Desculpe-me. **Levar a ~** Atribuir má intenção a (dito, ação etc.). **Por ~** Com má intenção: *Não o criticou por mal, só queria ajudar.*

mala (*ma*.la) *sf.* **1** Espécie de caixa feita dos mais diversos materiais, us. para transportar roupas e outros pertences em viagens. [Aum.: *malotão*. Dim.: *maleta* e *malote*.] **2** Saco de pano ou couro, ger. fechado com cadeado (malas bancárias). *s2g*. **3** *Gír*. Pessoa inconveniente, chata, maçante. ⬛ **De ~ e cuia** *Bras. Pop.* Com todos os pertences: *Transferiu-se de mala e cuia para a casa do amigo.*

malabarismo (ma.la.ba.*ris*.mo) *sm.* **1** A arte do malabarista. **2** *Fig.* Manobra ou demonstração de habilidade; capacidade para lidar com situações adversas e contorná-las.

malabarista (ma.la.ba.*ris*.ta) *s2g.* **1** Artista circense que exibe grande habilidade atirando e apanhando objetos jogados ao ar, manipulando e equilibrando vários objetos ao mesmo tempo. *a2g.s2g.* **2** *Fig.* Que ou quem tem habilidade para contornar situações difíceis.

mal-acabado (mal-a.ca.*ba*.do) *a.* **1** Cujo acabamento é ruim, sem capricho; MALFEITO. **2** *Bras. Pej.* Diz-se de alguém cujo corpo é desproporcional. [Ant.: *bem--acabado*.] [Pl.: *mal-acabados*.]

malacacheta (ma.la.ca.*che*.ta) [ê] *sf. Min.* Mineral muito us. como isolante; MICA.

mal-acostumado (mal-a.cos.tu.*ma*.do) *a.* Que se acostumou com coisas boas, esp. por ter sido mimado ou ter recebido muitas facilidades; MAL-HABITUADO. [Pl.: *mal-acostumados*.]

mala-direta (ma.la-di.*re*.ta) *sf.* **1** Sistema de divulgação de produtos e serviços feita por meio de remessa postal de impressos, catálogos etc. para clientes. **2** A lista com o nome e endereço desses clientes. [Pl.: *malas-diretas*.]

mal-agradecido (mal-a.gra.de.*ci*.do) *a.sm. Bras.* Que ou quem não reconhece a ajuda ou os favores que lhe são prestados; INGRATO; DESAGRADECIDO. [Pl.: *mal-agradecidos*.]

malaguenha (ma.la.*gue*.nha) *sf. Mús.* Canção espanhola originária da região de Málaga. **2** Dança que acompanha esse tipo de canção.

malagueta (ma.la.*gue*.ta) [ê] *sf.* **1** *Bot.* Erva aromática de frutos vermelhos cujas sementes são us. como condimento picante; PIMENTA-MALAGUETA. **2** A semente dessa planta.

malaio (ma.*lai*.o) *a.* **1** Da Malásia (Ásia); típico desse país ou de seu povo. **sm.** **2** Pessoa nascida na Malásia. [Sin. nessas acps.: *malásio*.] *a.sm.* **3** *Gloss.* Da, ref. à ou a língua falada na Malásia, na Tailândia, em Cingapura, Brunei, Indonésia e áreas próximas.

mal-ajambrado (mal-a.jam.*bra*.do) *a.* **1** Que tem aparência desagradável; DESAJEITADO. **2** Que se veste mal, sem capricho; MAL-AMANHADO. [Pl.: *mal--ajambrados*.]

mal-amanhado (mal-a.ma.*nha*.do) *a.* Ver *mal--ajambrado* (2). [Pl.: *mal-amanhados*.]

malandragem (ma.lan.*dra*.gem) *sf.* **1** Conjunto de características próprias do malandro, ou de quem é malandro. **2** Ação ou comportamento de quem é malandro, esperto; ASTÚCIA. **3** Reunião de malandros. [Pl.: *-gens*.] ● **ma.lan**.*drar v.*

malandro (ma.*lan*.dro) *a.sm.* **1** Que ou quem abusa da confiança dos outros e usa de esperteza para se sobreviver, em vez de trabalhar; VADIO. **2** *Bras.* Que ou quem é esperto, astuto. **3** Que ou quem é preguiçoso, indolente. **4** Que ou quem leva uma vida de prazeres.

malar (ma.*lar*) *a2g.* **1** Ref. à maçã do rosto. *sm.* **2** *Anat.* Ver *zigoma*.

malária (ma.*lá*.ri.a) *sf. Med.* Infecção causada por protozoários transmitidos pela picada de determinados mosquitos, e que se caracteriza por calafrios e febre.

malásio (ma.*lá*.si:o) *a.sm.* Ver *malaio* (1 e 2).

mal-assombrado (mal-as.som.*bra*.do) *a.* Diz-se de local habitado por fantasmas (cidade mal-assombrada). [Pl.: *mal-assombrados*.]

mal-aventurado (mal-a.ven.tu.*ra*.do) *a.sm.* Que ou quem não é feliz; DESGRAÇADO. [Ant.: *bem-aventurado*.] [Pl.: *mal-aventurados*.]

malbaratar (mal.ba.ra.*tar*) *v. td.* Empregar ou gastar de modo descontrolado, excessivo ou indevido; DESPERDIÇAR: (seguido ou não de indicação de modo) *malbaratar toda a mesada (com futilidades)*; *Malbarata o tempo livre em vez de ler um livro.* [▶ 1 malbaratar]

malcheiroso (mal.chei.*ro*.so) [ô] *a.* Que cheira mal; FEDORENTO. [Fem. e pl.: [ó].]

malcriação (mal.cri:a.*ção*) *sf.* Ato ou dito de malcriado; GROSSERIA; MÁ-CRIAÇÃO.

malcriado (mal.cri:*a*.do) *a.sm.* **1** Que ou quem não tem educação; MAL-EDUCADO. *a.* **2** Que indica grosseria, desafaro (resposta malcriada); OFENSIVO.

maldade (mal.*da*.de) *sf.* **1** Qualidade ou condição do que ou de quem é mau; PERVERSIDADE. [Ant.: *bondade*.] **2** Atitude que prejudica ou ofende; DESUMANIDADE. **3** Malícia, mordacidade, má-fé: *O réu respondeu com maldade ao juiz e foi repreendido.*

maldar (mal.*dar*) *v. Bras.* Interpretar com malícia, desconfiança or em mau sentido; MALICIAR. [*td.*: *Não maldo o que você diz. ti.* + *de*: *maldar de uma proposta inesperada. int.*: *Há pessoas que nunca maldam.*] [▶ 1 maldar]

mal da terra (mal da *ter*.ra) *sm. S. SP Med.* Ver *ancilostomíase*. [Pl.: *males da terra*.]

maldição (mal.di.*ção*) *sf.* **1** Ação ou resultado de amaldiçoar; palavras que expressam o desejo de que algo ruim aconteça a alguém ou algo: *Na hora da raiva, lançou uma maldição contra ele.* **2** Algo que denota consequências desagradáveis; DESGRAÇA; INFORTÚNIO: *O vício do cigarro é uma maldição na minha vida.* [Ant.: *bênção*.] [Pl.: *-ções*.] *interj.* **3** Expressão que indica raiva, indignação por algo que aconteceu.

maldito (mal.*di*.to) *a.sm.* **1** Que ou quem foi amaldiçoado. **2** Que ou quem não tem seu valor artístico reconhecido (diz-se esp. de poeta). **3** Que ou quem é perverso, mau (guerra maldita). *a.* **4** Detestável, infeliz, incômodo: *Maldita espera para ser atendido!* [Ant. nas acps. 1, 3 e 4: *bendito*.]

mal-dizente (mal.di.*zen*.te) *a2g.s2g.* Que ou quem fala mal dos outros; DIFAMADOR; MALEDICENTE. ● **mal.di.*zên*.ci:a** *sf.*

maldizer (mal.di.*zer*) *v.* **1** Dizer pragas ou maldições contra (alguém ou algo); AMALDIÇOAR. [*td.*: "...maldizia a hora em que saíra de sua terra..." (Aluísio Azevedo, *O cortiço*). *int.*: *É feio maldizer.*] **2** Falar mal de (alguém); DIFAMAR. [*td.*: *Maldiz o colega por pura inveja.*] **3** Lastimar-se, lamentar-se. [*ti.* + *de*: *João agora maldiz de sua nota baixa.*] [▶ 20 maldizer. Part.: *maldito*.]

maldoso (mal.*do*.so) [ô] *a.* **1** Que tem ou demonstra maldade ou má intenção; MAU; CRUEL. [Ant.: *bondoso*.] **2** Que distorce o sentido do que foi dito ou feito por outra pessoa. **3** Que exprime malícia (pergunta maldosa, olhar maldoso). [Fem. e pl.: [ó].]

malê (ma.*lê*) *BA s2g.* **1** Nome dado aos negros islamizados trazidos como escravos do noroeste da África. *a2g.* **2** Ref. a esse grupo de negros ou à sua cultura.

maleabilidade (ma.le:a.bi.li.*da*.de) *sf.* Qualidade ou condição de maleável.

maleável (ma.le.*á*.vel) *a2g.* **1** Que se pode malear, abrandar, amaciar. **2** Que é flexível, dobrável, elástico (fio maleável). **3** *Fig.* Que se adapta a diferentes situações ou circunstâncias; FLEXÍVEL; DÓCIL: "...ele foi um homem maleável, aberto ao diálogo." (*FolhaSP*, 07.02.99). [Pl.: *-veis*. Superl.: *maleabilissimo*.]

maledicente (ma.le.di.*cen*.te) *a2g.s2g.* Ver *maldizente*. ● **ma.le.di.*cên*.ci:a** *sf.*

mal-educado (mal-e.du.ca.do) *a.sm.* Ver *malcriado*. [Ant.: *bem-educado*.] [Pl.: *mal-educados*.]

malefício (ma.le.fí.ci.o) *sm.* **1** Aquilo que é maléfico, que tem efeito prejudicial. [Ant.: *benefício* (1).] **2** Feitiço, bruxaria.

maléfico (ma.lé.fi.co) *a.* **1** Que causa males ou danos; NOCIVO: *O convívio maléfico com marginais*. **2** Que faz o mal ou tem inclinação para o mal; MALÉVOLO; MALVADO. **3** Que provoca má influência: *A confluência maléfica dos astros*. [Ant.: *benéfico*.] [Superl.: *maleficentíssimo*.]

maleiro (ma.lei.ro) *sm.* **1** Quem fabrica e/ou vende malas. **2** Local para guardar malas. **3** *Bras.* Quem carrega malas.

maleita (ma.lei.ta) *sf. Bras. Pop. Med.* Ver *malária*.

mal-encarado (mal-en.ca.ra.do) *a.* **1** Que tem aparência desagradável ou expressão má (diz-se de pessoa). [Ant.: *bem-encarado*.] *sm.* **2** *Bras. Pop.* O diabo. [Pl.: *mal-encarados*.]

mal-entendido (mal-en.ten.di.do) *sm.* **1** Situação em que algo foi interpretado erradamente; ENGANO; EQUÍVOCO. **2** Desentendimento, desavença. [Pl.: *mal-entendidos*.]

mal-estar (mal-es.tar) *sm.* **1** Sensação física ou emocional desagradável: *Em jejum, sentia um leve mal-estar; A difícil tarefa provocava-lhe por antecipação um certo mal-estar*. **2** Situação embaraçosa; CONSTRANGIMENTO: *Suas palavras intempestivas provocaram um mal-estar entre os presentes*. [Pl.: *mal-estares*.]

maleta (ma.le.ta) [ê] *sf.* Mala de tamanho pequeno.

malevolente (ma.le.vo.len.te) *a2g.* Ver *malévolo* (1). [Ant.: *benevolente*.] ● **ma.le.vo.lên.ci:a** *sf.*

malévolo (ma.lé.vo.lo) *a.* **1** Que tem um caráter mau; MALEVOLENTE. **2** Que faz mal às outras pessoas. [Ant.: *benévolo*.] [Superl.: *malevolentíssimo*.]

malfadado (mal.fa.da.do) *a.sm.* Que ou o que tem má sorte; DESDITOSO; INFELIZ.

malfadar (mal.fa.dar) *v. td.* **1** Prever má sorte ou mau destino para (alguém ou algo). **2** Trazer má sorte para (alguém ou algo). [▶ 1 malfadar]

malfazejo (mal.fa.ze.jo) [ê] *a.* Que gosta de fazer o mal; MALÉVOLO. [Ant.: *benfazejo*.]

malfeito (mal.fei.to) *a.* **1** Que não é executado com cuidado e capricho. **2** Que não tem apresentação ou aparência agradável [Ant.: *bem-feito*.]

malfeitor (mal.fei.tor) [ô] *a.sm.* Que ou aquele que pratica o mal. [Ant.: *benfeitor*.]

malformação (mal.for.ma.ção) *sf. Trt.* Ver *má-formação*. [Pl.: *-ções*.] ● **mal.for.ma.do** *a.*

malgaxe (mal.ga.xe) *a2g.s2g.* Ver *madagascarense*.

malgrado (mal.gra.do) *sm.* **1** Desprazer. *prep.* **2** Não obstante; apesar de: "...ou dizem a verdade à criança, ou ela, *malgrado* o segredo, adivinha-a." (Cecília Meireles, *Crônicas de educação I*).

malha¹ (ma.lha) *sf.* **1** Cada uma das voltas formadas por um fio têxtil quando tecido. **2** Tecido em que as malhas (1) são ligadas e sobrepostas. **3** Roupa de malha (1) colante us. ger. para prática de ginástica ou balé. **4** *Fig.* Conjunto de fios, cabos, objetos, pessoas etc. ligados entre si em um sistema (*malha ferroviária*); REDE.

malha² (ma.lha) *sf.* Mancha natural no pelo ou nas penas de animais.

malhação (ma.lha.ção) *sf.* **1** Ação ou resultado de bater com malho. **2** Crítica ferina contra alguém ou algo. **3** Prática de exercícios muito puxados de ginástica ou de musculação. [Pl.: *-ções*.]

malhada¹ (ma.lha.da) *sf.* Golpe dado com malho.

malhada² (ma.lha.da) *sf.* **1** Cabana feita para descanso de pastores. **2** Curral onde fica o gado.

malhado¹ (ma.lha.do) *a.* **1** Em que se bateu com malho. **2** *Bras. Pop.* Diz-se do corpo com musculatura bem definida resultante de intensa musculação; SARADO.

malhado² (ma.lha.do) *a.* Que tem malhas², manchas pelo corpo.

malhar (ma.lhar) *v.* **1** *Bras.* Fazer ginástica (em, com); EXERCITAR(-SE). [*td.*: *malhar as pernas*. *int.*: *Prefiro malhar a ter vida sedentária*.] **2** *Fig.* Fazer críticas desfavoráveis a; CRITICAR. [*td.*: *A imprensa malhou o governo*.] **3** Dar pancadas com malho ou martelo em. [*td.*: *malhar o ferro*.] **4** Maltratar com pancadas; SURRAR. [*td.*] [▶ 1 malhar]

malharia (ma.lha.ri.a) *sf.* **1** Fábrica que faz artigos de malha. **2** Loja que vende esses artigos.

malho (ma.lho) *sm.* Martelo vs. para bater ferro. **‖ Baixar/Descer o ~ em** *Bras. Pop.* Falar mal de; criticar.

mal-humorado (mal-hu.mo.ra.do) *a.* Que tende a ter mau humor ou que está de mau humor. [Ant.: *bem-humorado*.] [Pl.: *mal-humorados*.]

malícia (ma.lí.ci.a) *sf.* **1** Astúcia, esperteza: *É preciso uma certa malícia para não cair em golpes*. **2** Qualidade do que é brejeiro, picante, maroto etc. **3** Interpretação maldosa. **4** Tendência para o mal.

maliciar (ma.li.ci.ar) *v.* Interpretar com esperteza, desconfiança ou mal ao mesmo sentido; MALDAR. [*td.*: *Não maliciem o que digo, por favor*. *ti.* + *de*: *maliciar de uma inocente pergunta*.] [▶ 1 maliciar]

malicioso (ma.li.ci:o.so) [ó] *a.* **1** Que tem ou que age com malícia. **2** Em que há malícia (*um comentário malicioso*). [Fem. e pl.: [ó].]

maligno (ma.lig.no) *a.* **1** Que causa mal; MALÉFICO. **2** Diz-se de doença etc. que pode levar à morte (*tumor maligno*). [Ant. ger.: *benigno*.] ● **ma.lig.ni.da.de** *sf.*

mal-intencionado (mal-in.ten.ci:o.na.do) *a.* Que tem más intenções; MALDOSO. [Ant.: *bem-intencionado*.] [Pl.: *mal-intencionados*.]

malmequer (mal.me.quer) *sm. Bot.* Planta de flores pequenas em tons de amarelo e alaranjado; essa flor; BEM-ME-QUER.

maloca (ma.lo.ca) *sf.* **1** Habitação indígena coberta por folhas secas, que serve de morada para diversas famílias. **2** *Fig.* Casa muito pobre.

malograr (ma.lo.grar) *v.* **1** Não chegar a desenvolver-se ou realizar-se; FRACASSAR. [*int./pr.*: *O acordo, tão negociado, malogrou(-se)*.] **2** Impedir que se desenvolva ou se realize; FRUSTRAR. [*td.*: *O temporal malogrou o passeio*.] **3** Causar estragos, danos em. [*td.*: *A praga malograu a colheita*.] [▶ 1 malograr]

malogro (ma.lo.gro) [ô] *sm.* Fracasso, insucesso.

malogueiro (ma.lo.guei.ro) *sm. AL SE* Ver *pivete*.

malote (ma.lo.te) *sm.* **1** Serviço rápido de entrega de correspondência, encomendas, valores etc. **2** Maleta, ger. de lona, em que são transportadas essas coisas; seu conteúdo.

malparado (mal.pa.ra.do) *a.* Em condição ou situação ruim, desagradável, de risco etc.

malpassado (mal.pas.sa.do) *a.* Diz-se do alimento, esp. carne, não muito cozido. [Ant.: *bem-passado*.]

malquerença (mal.que.ren.ça) *sf.* Falta de carinho, de estima; INIMIZADE. [Ant.: *benquerença*.]

malquerer (mal.que.rer) *v. def.* Querer mal a; não gostar de (alguém). [▶ 27 malquerer] Part.: *malquerido e malquisto*.] *sm.* **2** Condição ou sentimento de inimizade, hostilidade. **3** Pessoa que é detestada ou a quem não se quer bem. [Ant. nas acps. 2 e 3: *bem-querer*.]

malquistar (mal.quis.tar) *v.* Tornar(-se) malquisto; provocar ou adquirir inimizade; INDISPOR(-SE). [*td.*: *Um boato não pode malquistar bons amigos*. *int.*: *Devemos evitar atitudes que malquistem*. *pr.*: *Não sei por que eles se malquistaram*.] [▶ 1 malquistar]

malquisto (mal.quis.to) *a.* Que não é amado ou querido. [Ant.: *benquisto*.]

malsão (mal.*são*) *a.* **1** Prejudicial à saúde (ambiente malsão); DOENTIO; INSALUBRE. **2** Em mau estado (de saúde), ou que não está completamente curado (paciente malsão). **3** Nocivo ao intelecto, à mente, à moral etc. (literatura malsã); MALÉFICO. [Pl.: -*sãos*.]

malsinar[1] (mal.si.*nar*) *v. td.* **1** Interpretar de forma negativa; distorcer o sentido de; DESVIRTUAR. **2** Censurar, reprovar. **3** Revelar, expor (o que se mantinha em segredo). [▶ **1** malsinar]

malsinar[2] (mal.si.*nar*) *v. td.* **1** Causar má sina ou mau destino a. **2** Agourar desgraças a. [▶ **1** malsinar]

malsoante (mal.so.*an*.te) *a2g.* Que soa mal, que não é agradável aos ouvidos.

malsucedido (mal.su.ce.*di*.do) *a.* Que não obteve sucesso; FRACASSADO. [Ant.: *bem-sucedido*.]

malta (*mal*.ta) *sf. Pej.* Grupo de desordeiros ou vagabundos; CORJA; SÚCIA. [**At!** O termo é considerado ofensivo.]

maltado (mal.*ta*.do) *a.* Que contém ou a que se acrescentou malte (leite maltado).

malte (*mal*.te) *sm.* Produto obtido da germinação da cevada, e us. no fabrico de cerveja.

malthusianismo (mal.thu.si:a.*nis*.mo) *sm. Econ.* Doutrina econômica de Thomas Malthus, segundo a qual é necessário controlar a natalidade para que o aumento exagerado da população não acabe com os meios de subsistência. ● **mal.thu.si.a.no** *a.sm.*

maltrapilho (mal.tra.*pi*.lho) *a.sm.* Que ou aquele que veste trapos; ESFARRAPADO.

maltratar (mal.tra.*tar*) *v. td.* Infligir maus-tratos a; agredir fisicamente ou moralmente. [▶ **1** maltratar]

maluco (ma.*lu*.co) *a.sm.* **1** Ver *louco* (1). **2** Que ou quem não está de acordo com o padrão (de comportamento etc.) aceito como normal; ESQUISITO; EXCÊNTRICO. **3** Que ou quem é ilógico, insensato, imprudente.

maluquice (ma.lu.*qui*.ce) *sf.* **1** Qualidade ou condição de maluco (1); LOUCURA. **2** Ação ou dito típicos de maluco. **3** Comportamento fora do esperado; ESQUISITICE; EXCENTRICIDADE. ● **ma.lu.quei.ra** *sf.*

malva (*mal*.va) *sf. Bot.* Planta herbácea com folhas de verde intenso e flores róseas com cinco pétalas.

malvado (mal.*va*.do) *a.sm.* Que ou quem pratica ou é capaz de praticar atos maus, cruéis, desumanos; PERVERSO; RUIM. ● **mal.va.dez** *sf.*; **mal.va.de.za** *sf.*

malversação (mal.ver.sa.*ção*) *sf.* **1** Desvio fraudulento de recursos de instituição pública ou privada. **2** Falta grave ou incompetência em administração ou gerência, esp. de dinheiro. [Pl.: -*ções*.] ● **mal.ver.sar** *v.*

malvestido (mal.ves.*ti*.do) *a.* Vestido de forma inconveniente ou deselegante.

malvisto (mal.*vis*.to) *a.* **1** Que tem má fama; que é mal conceituado. **2** Que é alvo de antipatia; MALQUISTO.

mama (*ma*.ma) *sf. Anat.* **1** Órgão glandular característico dos mamíferos que, nas fêmeas, produz leite. **2** Cada uma das mamas (1) da mulher; SEIO.

mamada (ma.*ma*.da) *sf.* **1** Ação ou resultado de mamar. **2** Cada uma das ocasiões em que a cria mama o leite ou é amamentada. **3** Quantidade de leite ingerida de mamadeira ou mama, numa mamada (2).

mamadeira (ma.ma.*dei*.ra) *sf.* Garrafa pequena de plástico ou vidro com bico de borracha, usada para amamentar.

mamãe (ma.*mãe*) *sf. Bras. Fam.* Forma carinhosa e familiar de chamar a mãe. [Pl.: -*mães*.]

mamangaba (ma.man.*ga*.ba) *sf. Zool.* Certo tipo de abelha que faz seu ninho no chão.

mamão (ma.*mão*) *sm.* Fruto do mamoeiro, comestível, de cor alaranjada e com sementes pequeninas e pretas. [Pl.: -*mões*.]

mamar (ma.*mar*) *v.* **1** Sugar ou chupar (o leite de mama ou teta, ou produto líquido ou pastoso de mamadeira, através de um bico). [*td.*: *mamar o mingau*. *ti.* + *em*: *O cabrito mamava na mamadeira*. *int.*: *O neném ainda não mamou hoje*.] **2** *Bras. Fig. Pop.* Obter (ganhos abusivos ou ilegais) (esp. de órgão público). [*td.* (seguido de indicação de origem).] [▶ **1** mamar]

mamária (ma.*má*.ri:a) *sf. Anat.* Denominação da artéria us. como substituto vascular de um segmento obstruído da artéria coronária.

mamário (ma.*má*.ri:o) *a.* Ref. a mama (glândulas mamárias).

mamata (ma.*ma*.ta) *sf. Bras. Pop.* **1** Instituição pública ou privada, ou empresa, na qual é fácil se obter ganho ilícito por meio de fraude, suborno, desvio etc. **2** O negócio ou o procedimento desonesto em que esses ganhos são obtidos; NEGOCIATA.

mambembe (mam.*bem*.be) *Bras. sm.* **1** *Teat.* Ator ou companhia teatral itinerante e de cunho amador. *a2g.* **2** *Pej.* De baixa qualidade; MEDÍOCRE: *Os jornais dizem que esse espetáculo é mambembe*.

mameluco (ma.me.*lu*.co) *sm. Bras.* Pessoa mestiça de índio com branco; MARABÁ.

mamífero (ma.*mí*.fe.ro) *a.sm. Zool.* Que ou aquele que pertence ao grupo dos animais cujos filhotes nascem de dentro do corpo da mãe e são alimentados com leite (ger. materno) no início da vida.

mamilo (ma.*mi*.lo) *sm. Anat.* Parte da mama que é pigmentada e termina em bico.

maminha (ma.*mi*.nha) *sf.* **1** Ver *mamilo*. **2** Seio pequeno. **3** Parte que é mais macia na alcatra.

mamoeiro (ma.mo:*ei*.ro) *sm. Bot.* Árvore que dá o mamão.

mamografia (ma.mo.gra.*fi*.a) *sf. Rlog.* Exame das mamas realizado com raios X para diagnóstico de doenças dos seios, esp. o câncer.

mamona (ma.*mo*.na) *sf. Bot.* Arbusto de coloração verde ou avermelhada, de cujas sementes se extrai o óleo de rícino; CARRAPATEIRA.

mamoplastia (ma.mo.plas.*ti*.a) *sf. Cir.* Cirurgia plástica nas mamas, com fins estéticos ou terapêuticos; MASTOPLASTIA.

mamulengo (ma.mu.*len*.go) *sm. N.E.* Fantoche, marionete.

mamute (ma.*mu*.te) *sm. Pal.* Animal pré-histórico de grande porte, antepassado do elefante.

mana (*ma*.na) *sf. Bras. Fam.* Irmã.

maná (ma.*ná*) *sm.* **1** Alimento que, de acordo com a Bíblia, foi mandado ao povo hebreu no deserto. **2** Qualquer alimento saboroso. **3** *Fig.* Coisa vantajosa ou proveitosa.

manacá (ma.na.*cá*) *sm. Bras. Bot.* Arbusto ornamental com altura média de 3m e flores perfumadas, brancas ou violeta.

manada (ma.*na*.da) *sf.* Rebanho de gado de grande porte, como muares e bovinos.

manancial (ma.nan.ci:*al*) *sm.* **1** Lugar onde nasce água; FONTE; NASCENTE. **2** Fonte permanente de qualquer coisa: "O comércio, entretanto, é o manancial da escravidão, e não o banqueiro." (Joaquim Nabuco, *O abolicionista*) *a2g.* **3** Que corre ininterruptamente. [Pl.: -*ais*.]

manar (ma.*nar*) *v.* Fazer brotar ou brotar, verter (líquido ou gás) sem parar e em abundância; JORRAR. [*td.*: *Essa fonte mana água potável*. *int.* (seguido ou não de indicação de lugar): *As lágrimas manavam copiosas (dos olhos dela)*.] [▶ **1** manar]

manauense (ma.nau.en.se) *a2g.* **1** De Manaus, capital do Estado do Amazonas; típico dessa cidade ou de seu povo. *s2g.* **2** Pessoa nascida em Manaus.

mancada (man.*ca*.da) *sf. Bras. Pop.* Engano, erro, falha, gafe.

mancal (man.*cal*) *sm.* Dispositivo us. em certas máquinas para diminuir o atrito em seu movimento. [Pl.: -*cais*.]

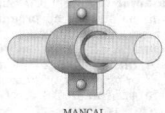

mancar (man.*car*) *v.* **1** Tornar manco ou andar puxando de uma perna, coxear; MANQUEJAR; MANQUITOLAR. [*td.*: *A queda mancou o velho animal*. *ti.* + *de*: *mancar da perna esquerda*. *int*: *Ele caiu, levantou-se e saiu mancando*.] **2** Bras. Fig. Pop. Perceber que está sendo inconveniente ou que cometeu um erro. [*pr*: *Falei bobagem, mas me manquei logo*.] [▶ 11 man*car*]

mancebia (man.ce.*bi*.a) *sf.* Estado do casal que vive como marido e mulher, sem ser casado legalmente; CONCUBINATO.

mancebo (man.*ce*.bo) [ê] *a.sm.* Que ou aquele que é jovem; MOÇO; RAPAZ.

mancha (*man*.cha) *sf.* **1** Sinal ou marca que alguma substância ou a sujeira deixa em uma superfície. **2** *Fig.* Defeito moral; DESONRA. **3** *Edit.* Parte impressa de uma página de livro, jornal etc.

manchar (man.*char*) *v.* **1** Sujar com manchas ou adquiri-las. [*td.* (seguido ou não de indicação de meio/modo): *Manchei a toalha (com molho)*. *pr*: *Minha blusa manchou-se de vermelho*.] **2** *Fig.* Fazer ficar ou ficar desonrado; DESONRAR(-SE). [*td.*: *O resultado do teste antidoping manchou a vida do atleta*. *pr*: *Seu bom nome manchou-se por uma bobagem*.] [▶ 1 man*char*] ● **man**.*cha*.*do* *a*.

mancheia (man.*chei*.a) *sf.* Porção de uma ou mais coisas que cabe numa mão; MÃO-CHEIA. ♦ **A ~s 1** Em grande quantidade; abundantemente: *Recebeu presentes a mancheias*. **2** Generosamente: *Distribuía favores a mancheias*.

manchete (man.*che*.te) [é] *sf.* Bras. Jorn. Título, em letras grandes, que se dá a uma matéria, ger. a principal, na primeira página de um jornal ou na capa de uma revista.

manco (*man*.co) *a.sm.* Que ou aquele que não tem um dos pés ou uma das pernas, ou que os tem mas não pode usá-los plenamente; COXO.

mancomunar (man.co.mu.*nar*) *v.* **1** Combinar, ajustar. [*td.* + *com*: *Mancomunou com os primos dar-lhe um susto na vizinha*.] **2** Entrar em acordo (para fazer algo, ger. desleal ou inescrupuloso); CONLUIAR-SE. [*pr*: *As empresas mancomunaram-se para aumentar os preços*.] [▶ 1 mancomu*nar*]

mandacaru (man.da.ca.*ru*) *sm.* Bras. Bot. Certo cacto típico da caatinga, de grandes dimensões.

mandachuva (man.da.*chu*.va) *s2g.* Pessoa importante e poderosa, ou quem comanda; CHEFE. [Pl.: *mandachuvas*.]

mandado (man.*da*.do) *a.* **1** Que foi enviado ou ordenado. *sm.* **2** Ordem por escrito dada por um juiz ou outra autoridade: *mandado de prisão*. [Cf.: *mandato*.]

mandamento (man.da.*men*.to) *sm.* **1** Ação ou resultado de mandar. **2** Norma, regra a ser seguida.

mandante (man.*dan*.te) *a2g.s2g.* **1** Que ou aquele que manda, que determina (seja feita algo, uma providência etc.): *O mandante do crime foi preso*. *s2g.* **2** Pessoa que autoriza outra a agir em seu nome: *mandante de ação judicial*.

mandão (man.*dão*) *a.sm.* Que ou aquele que gosta de dar ordens, mandar; AUTORITÁRIO. [Pl.: -*dões*.]

mandar (man.*dar*) *v.* **1** Dar ordem (2) (de); ordenar (1) (que). [*td.*: *A professora mandou você sentar*. *int*: *Você não ajuda, só sabe mandar*.] **2** Dizer ou ordenar que (alguém) vá (a algum lugar ou até alguém). [*tdi.* + *a, para*: *Mandou o filho para a casa dos amigos*.] **3** Enviar, remeter. [*tdi.* + *a, para*: *Mandei flores para ela*.] **4** Determinar, estabelecer. [*td.*: *A educação manda bater à porta antes de entrar*.] **5** Exercer ou ter o poder de dar ordens (a alguém); GOVERNAR. [*ti.* + *em*: *Você não manda em mim*. *int*: *Quem manda aqui sou eu*.] ⬛ **mandar-se** *pr.* **6** Gír. Ir-se embora; PARTIR: *Não gostei da festa e me mandei*. [▶ 1 man*dar*] ♦ ~ **e desmandar** Exercer comando absoluto, ter autoridade total. ~ **embora** Expulsar, despedir.

mandarim (man.da.*rim*) *sm.* **1** Título dado na China antiga aos altos funcionários. *a.sm.* **2** Gloss. Da, ref. à ou a língua-padrão oficial da China. [Pl.: -*rins*.]

mandatário (man.da.*tá*.ri:o) *sm.* **1** Pessoa que exerce mandato. **2** Pessoa que representa outra; PROCURADOR.

mandato (man.*da*.to) *sm.* **1** Autorização dada por uma pessoa a outra para agir em seu nome; PROCURAÇÃO. **2** Poderes que um político recebe pelo voto para representar o povo em câmaras legislativas ou governar município, estado, país etc., por um determinado período. **3** O período de exercício desse mandato (2): *Morou em Brasília durante seu mandato*. [Cf.: *mandado*.] ● **man**.*da*.*tó*.*ri*:o *a*.

mandíbula (man.*di*.bu.la) *sf.* Anat. Único osso móvel da face, em forma de U; sua articulação permite os movimentos de abrir e fechar da boca. [*Mandíbula* substituiu *maxilar inferior* na nova terminologia anatômica.]

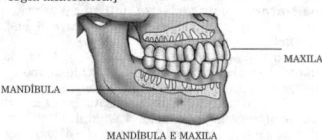

MANDÍBULA E MAXILA

mandinga (man.*din*.ga) *sf.* Feitiço, bruxaria. ● **man**.*din*.*gar* *v*.; **man**.*din*.*guei*.*ro* *a.sm*.

mandioca (man.di:*o*.ca) *sf.* **1** Tubérculo comestível, de que se faz a farinha de mesa; AIPIM; MACAXEIRA. **2** Bot. Planta que dá a mandioca (1).

mandioquinha (man.di:o.*qui*.nha) *sf.* Ver *batata-baroa*.

mando (*man*.do) *sm.* **1** Comando, direção, governo: *posição de mando*. **2** Poder ou condição de mandar: *perder o mando*.

mandrião (man.dri:*ão*) *a.sm.* Que ou quem é preguiçoso, ocioso, indolente. [Pl.: -*ões*. Fem.: -*ona*.] ● **man**.*dri*.*ar* *v*.

mandril[1] (man.*dril*) *sm.* Mec. **1** Ferramenta us. para arrematar e calibrar furos. **2** Peça de máquina (furadeira, torno etc.) em que se encaixa ferramenta ou objeto a ser trabalhado. [Pl.: -*dris*.]

mandril[2] (man.*dril*) *sm.* Zool. Babuíno da África Ocidental. [Pl.: -*dris*.]

mané (ma.*né*) *sm.* Gír. Pej. Pessoa tola.

maneira (ma.*nei*.ra) *sf.* Modo ou forma de agir, fazer ou se comportar: "João se defendia de outra maneira, que talvez fosse apenas a maneira de fugir dela..." (Antonio Callado, *Bar Don Juan*); *uma mulher elegante e com maneiras formais*. [Muito us. no pl., para se referir ao comportamento social.] ♦ **À ~ de** Em imitação a, ao modo de; como: *Pintou um quadro à maneira de Picasso*. **Boas ~s** Gentileza e respeito para com outras pessoas; EDUCAÇÃO. **De ~ que 1** De sorte que; resultando (disso) que: *Não vou viajar, de maneira que não adianta encomendar-me o livro*. **2** De tal jeito que: "Não tinha ciúmes (...); a natureza compô-lo de maneira que não lhe deu ciúmes nem inveja..." (Machado de Assis, *A causa secreta*). **De qualquer ~** Custe o que custar: *Preciso acabar isso hoje de qualquer maneira*.

maneirar (ma.nei.*rar*) *v. Gír.* Tornar-se menos intenso, agressivo ou enérgico, mais moderado na ação ou nos efeitos. [*td.*: *Você precisa maneirar seu linguajar*. *ti.* + *com*, *em*: *O técnico maneirou os treinos*. *int.*: *O calor hoje maneirou*.] [▶ 1 maneir**ar**]

maneirismo (ma.nei.*ris*.mo) *sm. Art.Pl. Liter.* Estilo artístico dos sécs. XVI e XVII, sobretudo na pintura, em cujas obras se destaca o aspecto ornamental e o abandono da simetria renascentista.
● ma.nei.*ris*.ta *a2g.s2g.*

maneiro (ma.*nei*.ro) *a.* **1** *Bras. Gír.* Bacana, excelente, legal (pessoa maneira): *uma notícia maneira*. **2** *Bras. Gír.* Adequado, apropriado (lugar maneiro). **3** De fácil manuseio (equipamento maneiro); PRÁTICO.

maneiroso (ma.nei.*ro*.so) [ô] *a.* Afável, habilidoso no trato com outrem. [Fem. e pl.: [ó].]

manejar (ma.ne.*jar*) *v. td.* **1** Mover ou controlar com as mãos; MANOBRAR: *O ator maneja a espada com habilidade*. **2** Ter conhecimento de; DOMINAR: *O aluno maneja bem o inglês*. **3** Administrar, controlar: *A diretora maneja a escola há tempos*. [▶ 1 manej**ar**] ● ma.ne.*já*.vel *a2g.*

manejo (ma.*ne*.jo) [ê] *sm.* **1** Ação de manejar, de pôr as mãos em; MANUSEIO: *manejo de um equipamento*. **2** Chefia, administração: *manejo dos negócios*. ◪ **manejos** *smpl.* **3** Artimanhas, manobras, golpes.

manequim (ma.ne.*quim*) *s2g.* **1** Modelo que desfila nas passarelas ou que posa para fotografia. *sm.* **2** Boneco que representa o ser humano, us. para diversos fins: *manequim de vitrine de loja*. **3** *Pej.* Pessoa sem personalidade, sem opinião própria. **4** Medida da forma física de uma pessoa, padronizada para uso de vestimento: *blusas de manequim 38 a 44*. [Pl.: *-quins*.]

maneta (ma.*ne*.ta) [ê] *a2g.s2g.* Que ou quem tem uma única mão ou um único braço.

manga¹ (*man*.ga) *sf.* Fruto de polpa amarela, fibrosa, doce e suculento, com caroço grande.

manga² (*man*.ga) *sf.* Parte de paletó, camisa, casaco etc. que envolve total ou parcialmente os braços. ▮ **Arregaçar as ~s** *Fig.* Dispor-se energicamente ao trabalho. **Botar/Pôr as manguinhas de fora** Demonstrar qualidades, defeitos ou atitudes antes desconhecidas.

mangaba (man.*ga*.ba) *sf.* Fruto arredondado, com polpa farta e doce.

mangabeira (man.ga.*bei*.ra) *sf. Bot.* Árvore que dá a mangaba.

manga-larga (man.ga-*lar*.ga) *sm.* **1** Raça de cavalo de montaria, fruto do cruzamento de puro-sangue com égua comum. *a2g.* **2** Que é da raça dos mangas-largas (potra manga-larga). [Pl.: *mangas-largas*.]

manganês (man.ga.*nês*) *sm. Quím.* Elemento químico de número atômico 25, metálico, cinzento, mole e denso. [Simb.: Mn] [Pl.: *-neses*.]

mangar (man.*gar*) *v.* **1** Zombar, caçoar, fingindo seriedade. [*ti.* + *com*, *de*: *Ele gosta de mangar das pessoas*.] **2** Demorar-se para fazer algo; REMANCHAR. [*int.*] [▶ **14** mang**ar**]

mangual (man.*gual*) *sm.* **1** Instrumento com que se malha cereal. **2** Chicote, relho. [Pl.: *-guais*.]

mangue (*man*.gue) *sm.* **1** Lodaçal com vegetação resistente ao sal, em planícies costeiras sujeitas a inundações da maré; MANGUEZAL. **2** *Bot.* Nome dado às árvores tropicais que crescem nos mangues (1), e que têm raízes que servem como escora e também para a respiração. **3** *N.E. Gír.* Coisa confusa ou ruidosa.

mangueira¹ (man.*guei*.ra) *sf.* Tubo de borracha, lona, plástico etc. próprio para conduzir substâncias líquidas ou gasosas.

mangueira² (man.*guei*.ra) *sf. Bot.* Árvore que dá a manga¹.

manguezal (man.gue.*zal*) *sm.* Ver mangue (1). [Pl.: *-zais*.]

manha (*ma*.nha) *sf.* **1** *Pop.* Choro infantil de teimosia, birra ou pirraça. **2** Destreza, habilidade no agir. **3** Sagacidade, astúcia. **4** Artimanha, ardil: "...a manha de dizer que *sim* com a boca e *não* com o pensamento, e ir fazendo às escondidas todas as coisas..." (Cecília Meireles, *As crianças e a religião*).

manhã (ma.*nhã*) *sf.* **1** Período entre o nascer do sol e o meio-dia. **2** A alvorada, o amanhecer. **3** Madrugada: *três horas da manhã*. **4** *Fig.* Princípio, surgimento: *manhã de um novo mundo*.

manhoso (ma.*nho*.so) [ô] *a.* **1** *Pop.* Que faz manha (1), pirraça ou birra (criança manhosa). **2** Ardiloso, astuto. [Fem. e pl.: [ó].]

mania (ma.*ni*.a) *sf.* **1** *Psiq.* Excitação exacerbada, ger. com períodos de agitação e delírio. **2** Hábito estranho; EXTRAVAGÂNCIA. **3** Gosto exagerado por algo. **4** Obsessão doentia: *mania de perseguição*.

maníaco (ma.*ní*.a.co) *a.* **1** *Psiq.* Que sofre de mania (1). **2** Obstinado, obcecado. *sm.* **3** *Psiq.* Pessoa psicótica.

maniatar (ma.ni.a.*tar*) *v.* Ver manietar. [▶ 1 maniat**ar**]

maniçoba (ma.ni.*ço*.ba) [ó] *sf. Bras. Cul.* Prato feito com as folhas da mandioca trituradas, espremidas e cozidas com carne. **2** *Bot.* Árvore de cujo látex se produzia uma borracha de qualidade inferior.

manicômio (ma.ni.*cô*.mi:o) *sm.* Hospital para doentes mentais; HOSPÍCIO.

manícula (ma.*ní*.cu.la) *sf.* **1** Instrumento em forma de mão, us. para fins variados. **2** Membro anterior dos mamíferos.

manicure, **manicura** (ma.ni.*cu*.re, ma.ni.*cu*.ra) *sf.* Profissional que trata das unhas de outros. [Masc.: *manicuro*.]

manietar (ma.ni.e.*tar*) *v. td.* **1** Atar, prender as mãos de: *O policial manietou o agressor*. **2** *Fig.* Impedir (alguém) de agir ou de expressar-se livremente: *A censura manietou os artistas*. [▶ 1 maniet**ar**]

manifestação (ma.ni.fes.ta.*ção*) *sf.* **1** Ação ou resultado de manifestar(-se); EXPRESSÃO. **2** Aparecimento, surgimento de alguma coisa contida ou cuja origem não estava aparente: *manifestação de uma alergia*. **3** Expressão pública de uma opinião, de um sentimento: *manifestação a favor da paz*; *manifestação de pesar*. **4** Ato público em que se manifesta uma opinião política: *Foram todos à manifestação*. [Pl.: *-ções*.]

manifestar (ma.ni.fes.*tar*) *v.* **1** Dar(-se) a conhecer; mostrar(-se) ou expressar(-se) abertamente; REVELAR(-SE). [*td.*: *O governo manifestou sua preocupação com as crianças sem air*. *tdi.* + *a*: *Os alunos manifestaram ao diretor o carinho pela professora*. *pr.*: *Seu talento manifestou-se desde a infância*.] **2** Dar sua opinião; DECLARAR-SE. [*pr.*: *João manifestou-se a favor da viagem*.] **3** *Rel.* Fazer-se presente (um espírito), por meio de sinais no ambiente ou de um médium. [*pr.*] [▶ 1 manifest**ar**] ● ma.ni.fes.*ta*.do *a.*; ma.ni.fes.*tan*.te *a2g.s2g.*

manifesto (ma.ni.*fes*.to) *sm.* **1** Declaração formal de intenções ou expressão pública (ger. por escrito) de ideias políticas, estéticas etc.: "...o Diretório Acadêmico redigiu um manifesto endereçado à nação..." (Cecília Meireles, *Crônicas de educação 2*). *a.* **2** Que se mostra evidente, patente, claro: *Ignorou o manifesto interesse do empresário*.

manilha | manter

manilha (ma.*ni*.lha) *sf.* **1** Tubo de grande diâmetro ger. de concreto us. para condução de água ou esgoto. **2** Argola ger. de cobre ou ferro, ouro ou prata, us. no tornozelo de prisioneiros e tb. como moeda, antigamente, na África.

maninho (ma.*ni*.nho) *a.* Estéril, infecundo.

manipular (ma.ni.pu.*lar*) *v.* *td.* **1** Alterar de acordo com os próprios interesses; FALSIFICAR: *manipular* resultados de pesquisas. **2** Ter domínio sobre (uma pessoa ou um grupo) e influenciar suas atitudes; MANOBRAR: *É um mau líder;* manipula *as pessoas.* **3** Trabalhar com; MANUSEAR; USAR: *manipular uma ferramenta/dados.* **4** Preparar (medicamentos), misturando substâncias simples. **5** Preparar ou tocar com as mãos: *manipular alimentos.* [▶ 1 manipul<u>ar</u>] ● ma.ni.pu.la.*ção* *sf.*; ma.ni.pu.la.*do* *a.*; ma.ni.pu.la.*dor* *a.sm.*; ma.ni.pu.*lá*.vel *a2g.*

maniqueísmo (ma.ni.que.*ís*.mo) *sm.* **1** Fil. Doutrina segundo a qual o mundo foi criado por dois princípios opostos, o bem e o mal, e é regido por eles. **2** Forma de julgamento ou de avaliação que reduz uma questão a dois aspectos inteiramente opostos. ● ma.ni.que.*ís*.ta *a2g.s2g.*

manirroto (ma.ni.*rro*.to) [ô] *a.sm.* Que ou quem gasta muito, é perdulário; MÃO-ABERTA.

manivela (ma.ni.*ve*.la) *sf.* Peça, movimentada com a mão ou por outro meio, com que se aciona mecanismo ou máquina.

MANIVELA

manjado (man.*ja*.do) *a. Bras. Gír.* Visado, conhecido (a ponto de não ser interessante).

manjar (man.*jar*) *v. Gír.* **1** Conhecer, entender ou perceber. [*td.*: *Ele* manja *logo o truque do mágico.* *ti.* + *de*: Manjou *muito* de *arquitetura.*] **2** Observar como (alguém ou algo) se comporta. [*td.*: *O detetive* manjava *os suspeitos a distância há algum tempo.*] [▶ 1 manj<u>ar</u>] *sm.* **3** Comida requintada; IGUARIA.

manjar-branco (man.jar-*bran*.co) *sm. Cul.* Pudim feito com leite, maisena e açúcar, ger. servido com ameixa em calda. [Pl.: *manjares-brancos*.]

manjedoura (man.je.*dou*.ra) *sf.* Tabuleiro fixo em que, na estrebaria ou no estábulo, se põe a comida do gado.

manjericão (man.je.ri.*cão*) *sm. Bot.* Certo arbusto cujas folhas de sabor perfumado e picante são us. como tempero. **2** O tempero composto de folhas desse arbusto. [Pl.: *-cões*.]

manjerona (man.je.ro.*na*) *sf.* **1** *Bot.* Arbusto de origem europeia de cujas folhas se faz chá. **2** O conjunto das folhas desse arbusto.

manjuba (man.*ju*.ba) *sf. Bras. Zool.* Pequeno peixe marinho.

mano (*ma*.no) *sm. Bras. Fam.* Irmão.

manobra (ma.*no*.bra) *sf.* **1** Conjunto de movimentos físicos para atingir determinado fim. **2** *Mil.* Movimento de tropas em campanha. **3** Série de movimentos executados pelo motorista para posicionar adequadamente um veículo. **4** *P.us.* Atividade motora engenhosa ou habilidosa. **5** *Fig.* Trama, ardil, astúcia, ou ação que os encerra ou revela: "...de obter alguma coisa que ela, sem essa manobra, consideraria impossível?" (João Ubaldo Ribeiro, *Diário do farol*).

manobrar (ma.no.*brar*) *v.* **1** Comandar os movimentos ou o funcionamento de (veículo, mecanismo, aparelho etc.), para realizar uma tarefa ou situá-lo em uma posição. [*td.*: *manobrar um carro/ um skate/uma máquina.*] **2** Movimentar-se, deslocar-se, obedecendo a manobras, ou comandos, de qualquer tipo. [*int.*: *O barco* manobrou *à direita e afastou-se.*] **3** Ver *manipular* (2). **4** Governar, dirigir. [*td.*: *Gostava de* manobrar *a vida das irmãs.*] **5** *Mil.* Comandar ou executar um movimento de ataque ou defesa. [*td.* (seguido de indicação de direção): *O general* manobrou *sua tropa para o norte.* *int.* (seguido de indicação de finalidade): *A tropa* manobrou *para disparar os mísseis.*] [▶ 1 manobr<u>ar</u>] ● ma.no.*brá*.vel *a2g.*

manobreiro (ma.no.*brei*.ro) *sm. Bras.* Pessoa que manobra veículos em estacionamento ou garagem; MANOBRISTA.

manobrista (ma.no.*bris*.ta) *s2g. Bras.* Ver *manobreiro*.

manômetro (ma.*nô*.me.tro) *sm. Fís.* Aparelho para medir pressão de um fluido.

manopla (ma.*no*.pla) *sf.* **1** Mão exageradamente grande e disforme. **2** Luva de ferro, em armadura.

manqueira (man.*quei*.ra) *sf.* **1** Condição de ser manco. **2** Ato de manquejar. **3** *Fig.* Defeito habitual; VÍCIO.

manquejar (man.que.*jar*) *v.* **1** Ver *mancar* (1). **2** *Fig.* Cometer ou ter erro ou falha; ERRAR; FALHAR. [*ti.* + *em*: *manquejar* na *respiração.* *int.*: *A explicação dela* manqueja.] [▶ 1 manquej<u>ar</u>] ● man.que.*jan*.te *a2g.*

manquitolar (man.qui.to.*lar*) *v.* Ver *mancar* (1). [▶ 1 manquitol<u>ar</u>]

mansão (man.*são*) *sf.* Casa grande e luxuosa. [Pl.: *-sões*.]

mansarda (man.*sar*.da) *sf.* **1** *Arq.* Telhado composto de duas inclinações, sendo a superior quase horizontal e a inferior quase vertical. **2** *Arq.* O último andar de uma construção com mansarda (1). **3** Morada miserável.

mansidão (man.si.*dão*) *sf.* **1** Condição do que ou de quem é manso. **2** Serenidade: *a* mansidão *das águas do lago*. [Pl.: *-dões*.]

mansinho (man.*si*.nho) *a.* Us. na loc. **:** **De ~ 1** De maneira mansa, suave, tranquila. **2** De forma sorrateira, insidiosa.

manso (*man*.so) *a.* **1** Brando, suave (vento manso). [Ant. nesta acp.: *forte*.] **2** Calmo, tranquilo, sem agitação (sono manso). [Ant. nesta acp.: *agitado*.] **3** Meigo, delicado (gesto manso). [Ant. nesta acp.: *rude*.] **4** Bondoso, pacífico, afável (pessoa mansa). [Ant. nesta acp.: *bravo*, *feroz*.] **5** Domesticado (cavalo manso). [Ant. nesta acp.: *xucro*.] *sm.* **6** *Bras.* Parte do rio em que as águas parecem não se movimentar.

mansuetude (man.su:e.*tu*.de) *sf. P.us.* Ver *mansidão*.

manta (*man*.ta) *sf.* **1** Cobertor. **2** Capa, manto. **3** Espécie de lenço grande, us. como xale. **4** Pano de lã com que se forra o dorso da montaria e sobre o qual se coloca a sela. **5** *Bras.* Peça de carne bovina ou de peixe que se expõe ao sol.

manteiga (man.*tei*.ga) *sf.* **1** Substância amarelada, gordurosa e alimentícia que se obtém da nata do leite. **2** Substância gordurosa de certos vegetais: manteiga *de cacau*. **3** *Fig.* Pessoa muito sensível ou melindrosa que chora à toa.

manteigueira (man.tei.*guei*.ra) *sf.* Recipiente para guardar a manteiga.

mantenedor (man.te.ne.*dor*) [ô] *sm.* **1** Defensor, protetor: mantenedor *da ordem*. **2** Pessoa ou instituição que sustenta alguém ou algo. *a.* **3** Que protege, defende, sustenta.

manter (man.*ter*) *v.* **1** Dar ou fornecer a (alguém ou si mesmo) alimentos e condições necessárias para viver; SUSTENTAR(-SE). [*td.*: *Os pais esforçam-se para* manter *os filhos.* *pr.*: *Ele é tão jovem e já* se mantém.] **2** Conservar(-se) (em) certo estado, condição, localização etc. [*td.*: *O time* manteve *a calma;*

Mantenha a lata fechada. pr.: "Teve medo de ficar sozinha ali, e procurou manter-se relaxada." (Paulo Coelho, *Brida*).] **3** Sustentar, reafirmar (o que se disse antes). [*td.*: *Eu mantenho minha palavra*.] [▶ **7** man**ter**. Acento agudo no *e* na 2ª e na 3ª pess. sing. do pres. do ind. e na 2ª pess. sing. do imper. afirm.] • **man.ti.do** *a*.

mantilha (man.*ti*.lha) *sf.* **1** Manto de seda, renda ou lã us. pelas mulheres e que lhes cai sobre os ombros. **2** Véu com que, em sinal de respeito, as mulheres cobrem a cabeça, na igreja. [Cf.: *matilha*.]

mantimentos (man.ti.*men*.tos) *smpl.* Gêneros alimentícios; VÍVERES.

mantissa (man.*tis*.sa) *sf.* Mat. A parte decimal de um logaritmo.

manto (*man*.to) *sm.* **1** Capa sem manga, sustentada pelos ombros, com grande cauda: *manto do Imperador/de Nossa Senhora*. **2** Agasalho largo sem mangas que cobre a cabeça e o tronco. **3** Vestimenta de freiras. **4** *Fig.* Qualquer coisa que se estende longamente, lembrando um manto: "...o ruído das ondas que esfarrapavam em espuma, aos nossos pés, o *manto* de um mar de azul..." (Cecília Meireles, *Reflexos do baile*). **5** *Fig.* Coisa que encobre algo; DISFARCE. **6** *Fig.* Coisa que parece envolver e se estender: *um manto de silêncio*.

mantô (man.*tô*) *sm.* Vestimenta feminina ampla que se prende aos ombros.

mantra (*man*.tra) *sm.* Rel. Fórmula mística e ritual recitada ou cantada repetidamente pelos fiéis de certas correntes budistas e hinduístas.

manual (ma.nu.*al*) *sm.* **1** Livro que contém de forma resumida os ensinamentos de uma ciência, arte, tecnologia, ofício, religião etc. *a2g.* **2** Feito, acionado à mão (trabalhos manuais, máquina manual). [Pl.: *-ais*.]

manufatura (ma.nu.fa.*tu*.ra) *sf.* **1** Feitura, confecção: *manufatura de roupas*. **2** Obra feita à mão. **3** Indústria ou fábrica mecanizada. **4** O conjunto dos produtos dessa fábrica.

manufaturar (ma.nu.fa.tu.*rar*) *v. td.* **1** Produzir à mão, ou em casa. **2** Fabricar, confeccionar, em manufatura (3). [▶ **1** manufatur**ar**.] • **ma.nu.fa.tu.ra.do** *a.sm.*; **ma.nu.fa.tu.rei.ro** *a*.

manuscrito (ma.nus.*cri*.to) *sm.* **1** Texto escrito à mão. *a.* **2** Que está escrito à mão (páginas manuscritas).

manusear (ma.nu.se.*ar*) *v. td.* **1** Pegar, mexer ou remexer em (algo) com a(s) mão(s). **2** Trabalhar com; MANIPULAR; USAR: *manusear um software/um computador/uma agulha*. [▶ **13** manus**ear**.] • **ma.nu.se.a.do** *a.*; **ma.nu.se.á.vel** *a2g*.

manuseio (ma.nu.*sei*.o) *sm.* **1** Ação de manusear: *manuseio das cartas*. **2** Uso, utilização: *manuseio de técnicas modernas*.

manutenção (ma.nu.ten.*ção*) *sf.* **1** Ação ou resultado de manter(-se). **2** Série de procedimentos técnicos ou outros para conservação de um bem ou de uma situação: *manutenção dos elevadores/das diretrizes econômicas*. [Pl.: -ções.]

manzorra (man.*zor*.ra) [ó] *sf.* Mão enorme; MANOPLA; MÃOZORRA.

mão *sf.* **1** *Anat.* Extremidade dos membros superiores do corpo humano. **2** *Anat. Zool.* Cada uma das patas dianteiras dos quadrúpedes. **3** Camada de tinta com que se pinta uma superfície; DEMÃO. **4** *Bras.* Sentido em que o veículo deve transitar numa via. **5** *Fig.* Modo pessoal como alguém executa ou executou trabalho, tarefa etc.: *Nesta edificação há a mão de um bom engenheiro*. [Pl.: *mãos*. Aum.: *manzorra, mãozorra, manopla*.] ▌▌ **Abrir ~ de** Desistir de; dispensar. **Aguentar a ~** *Bras.* **1** Enfrentar situação difícil resistindo, suportando. **2** Esperar com paciência, com resistência. **À ~ 1** Ao alcance. **2** Com a mão; manualmente. **A quatro ~s** Para ou por duas pessoas (diz-se de execução de música num só piano, ou de realização de obra ou tarefa): *peça para piano a quatro mãos*; *Escreveram o livro a quatro mãos*. **Com a(s) ~(s) na massa** Em plena execução de um trabalho, uma tarefa. **Com ~ de ferro** Com rigor, autoridade; com pulso firme. **Com uma ~ na frente e outra atrás** Sem recursos. **Dar a ~ a 1** Estender a mão a, para apertar as mãos como cumprimento. **2** *Fig.* Ajudar, amparar, ser solidário com. **Dar a ~ à palmatória** Reconhecer o próprio erro ou falta. **Dar uma ~** *Bras. Fam.* Dar uma ajuda. **Deixar/Largar de ~** Abandonar; desistir de. **De ~ beijada** Grátis, sem custar dinheiro ou esforço. **De ~s abanando** *Fig.* Com as mãos vazias; sem nada. **De segunda ~** Usado, que já teve um dono (diz-se de produto, mercadoria etc.). **Em ~(s)** Diretamente ao destinatário (diz-se de entrega, correspondência etc.). **Em primeira ~ 1** Pela primeira vez, sem que tenha sido feito antes (diz-se da divulgação de informação, notícia etc.): *Deu-lhe a notícia em primeira mão*. **2** Que foi ou está sendo divulgado em primeira mão (1): *uma notícia em primeira mão*. **Ficar na ~** Ficar ou ser deixado em situação difícil; sair perdendo: *Todos conseguiram carona, e eu fiquei na mão*. **Fora de ~** Em endereço ou lugar de difícil acesso. **Lançar ~ de** Fazer uso de; utilizar-se de. **Largar de ~** Abandonar; desistir de, renunciar a. **~ dupla/única** Mão (sentido do trânsito) em duas direções/uma só direção. **Meter a ~** Cobrar caro demais por algo. **Molhar a ~ de** *Pop.* Subornar. **Pedir a ~** Pedir em casamento. **Pôr ~ s à obra** Encetar, começar um trabalho, uma tarefa. **Ser uma ~ na roda** *Bras. Fam.* Ser de grande auxílio.

mão-aberta (mão-a.*ber*.ta) *a2g.s2g.* Que ou quem é gastador, pródigo, perdulário. [Ant.: *pão-duro*.] [Pl.: *mãos-abertas*.]

mão-boba (mão-*bo*.ba) [ó] *sf. Bras. Pop.* **1** Movimento de mão aparentemente involuntário, feito para bolinar. **2** Furto de carteira, dinheiro etc. da bolsa ou do bolso da roupa de alguém, sem que a vítima perceba. [Pl.: *mãos-bobas*.]

mão-cheia (mão-*chei*.a) *sf.* Porção de coisas que a mão pode pegar; MANCHEIA. [Pl.: *mãos-cheias*.] ▌▌ **De ~** Excelente, mais que satisfatório: *É um dançarino de mão-cheia*.

mão de obra (mão de o.bra) *sf.* **1** Conjunto dos trabalhadores de um empreendimento ou de uma empresa; OPERARIADO. **2** O trabalho manual ou braçal, necessário a determinada obra. **3** *Bras.* Tarefa árdua, trabalho difícil de se realizar: *É uma mão de obra cuidar de crianças*. [Pl.: *mãos de obra*].

mão-francesa (mão-fran.*ce*.sa) [ê] *sf.* **1** Espécie de cantoneira que sustenta os beirais de telhado. **2** Peça metálica em forma de L que sustenta prateleiras. [Pl.: *mãos-francesas*.]

MÃO-FRANCESA (2)

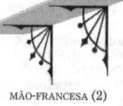

maometano (ma.o.me.*ta*.no) *a.* **1** Que se refere a Maomé (séc. VII), profeta do islamismo, ou a essa religião. *a.sm.* **2** Que ou quem é fiel ao islamismo; ISLAMITA; MUÇULMANO.

maometismo (ma.o.me.*tis*.mo) *sm.* Rel. Ver *islamismo*.

maori (ma.o.*ri*) *s2g.* **1** Indígena da Nova Zelândia (Oceania). *a.sm.* **2** *Gloss.* Da, ref. à ou a língua do povo dos maoris (1). *a2g.* **3** Que é nativo desse grupo ou pertence a ele.

mãozada (mão.*za*.da) *sf. Pop.* **1** Tapa, bofetão. **2** *P.us.* Forte aperto de mão.

mãozorra (mão.zor.ra) [ô] *sf.* Ver *manzorra*.

mapa (*ma*.pa) *sm.* **1** Representação em papel etc. de uma parte da superfície da Terra, ou dos astros no céu: *mapa do Brasil*. **2** Quadro sinótico, gráfico (mapa eleitoral). **3** Roteiro, guia: *mapa do sítio*. ▪ **~ da mina** *Bras. Pop.* O caminho ou o expediente adequado para se conseguir algo. **Não estar no ~** *Bras. Pop.* Ser fora do comum.

▢ Um mapa é a representação em desenho da configuração de uma área geográfica ou de um astro (ger. da superfície da Terra). A redução das distâncias verdadeiras às medidas do desenho obedecem sempre a mesma proporção, chamada *escala*. A técnica de fazer mapas chama-se *cartografia*. Um mapa de uma região terrestre pode ter vários aspectos em sua representação: a configuração física da região, como contornos, acidentes geográficos, montanhas, rios etc. ou cada uma dessas características em separado (mapa físico); o clima, como regime de chuvas, temperaturas etc. (mapa climático); a atividade econômica, como jazidas, centros de determinada atividade etc. (mapa econômico); a distribuição da população (mapa demográfico); a divisão em países, estados, municípios, cidades etc. (mapa político); e muito mais. Os babilônios e os egípcios foram os primeiros a produzir mapas, em c. 2300 a.C. Modernamente, as fotografias de satélites propiciaram um grande avanço na técnica e na acuidade da cartografia.

mapa-múndi (ma.pa-*mún*.di) *sm.* Mapa da superfície do globo terrestre na sua totalidade. [Pl.: *mapas-múndi*.]

mapear (ma.pe.*ar*) *v. td.* Fazer o mapa de. [▶ **1** mapear] ● ma.pe:a.*men*.to *sm.*

mapoteca (ma.po.*te*.ca) *sf.* Coleção de mapas.

maquete (ma.*que*.te) [ê] *sf.* Miniatura exata ou aproximada de edificações ou outras obras e de esculturas.

maquiagem, maquilagem (ma.qui:*a*.gem, ma.qui.la.gem) *sf.*) **1** Ação ou resultado de maquiar, de embelezar com produtos cosméticos. **2** Os produtos us. para maquiar: *Vou precisar de maquiagem*: *traga batom, pó e blush*. **3** *Fig.* Modificação superficial de algo para disfarçá-lo ou fazê-lo parecer melhor, mais moderno etc.: *Não é um produto novo, é o antigo com maquiagem*. [Pl.: *-gens*.]

maquiar, maquilar (ma.qui.*ar*, ma.qui.*lar*) *v. td. pr.* Aplicar cosméticos no rosto de (alguém ou si mesmo) para embelezar ou disfarçar imperfeições, ou para caracterizar uma personagem. [▶ **1** maquiar, ▶ **1** maquilar] ● ma.qui.*a*.do *a.*; ma.qui:*a*.*dor sm.*

maquiavélico (ma.qui:a.*vé*.li.co) *a.* **1** Ref. ao maquiavelismo. **2** Que usa ardis astuciosos, má-fé, engodo etc. como método de obter resultados (plano maquiavélico); ARDILOSO.

maquiavelismo (ma.qui:a.ve.*lis*.mo) *sm.* **1** *Hist.* Conjunto de métodos de governo propostos por Maquiavel (estadista e escritor italiano, 1469-1527), que afirma ser a eficácia mais importante do que a moral. **2** *Fig.* Comportamento de quem alcança seus objetivos trapaceando e prejudicando outros. ● ma.qui:a.ve.*lis*.ta *a2g.s2g.*

máquina (*má*.qui.na) *sf.* **1** Aparelho construído pelo homem que, alimentado por uma fonte de energia, articula movimentos e desempenha diversas tarefas: *máquina de costura/de escrever*. **2** A articulação das peças de uma máquina (1), sem o invólucro etc., e que a faz funcionar de maneira específica para o resultado desejado; MECANISMO: *a máquina do relógio*. **3** *Fig.* Toda organização ou articulação que visa produzir resultados (máquina publicitária/administrativa). **4** Veículo propulsor, que reboca outros: *O trem parou por um defeito na máquina*. **5** *Inf.* O computador: *Instale estes programas na sua máquina*. ▪ **~ simples** *Fís.* Cada um dos dispositivos que transmitem força de modo a facilitar seus efeitos ou a multiplicá-la.

▢ As chamadas 'máquinas simples' são: a) a alavanca, que consiste numa barra rígida e num ponto de apoio chamado *fulcro*, entre a carga que se quer mover (e que está apoiada numa extremidade) e a outra extremidade da barra. A força exercida na extremidade livre age sobre a carga em sentido contrário, e com intensidade aumentada proporcionalmente à distância entre o fulcro e o ponto de aplicação da força; b) a roldana, que consiste num disco com um sulco em seu perímetro, e que gira em torno de um eixo; pelo sulco se faz passar uma corda ou correia, à qual se prende a carga em uma extremidade, e se aplica a força para elevar a carga na outra. A vantagem dessa roldana simples é que é mais fácil puxar a corda para baixo do que puxar a carga para cima. Mas se as roldanas são montadas em um sistema chamado *cadernal*, cada roldana extra equivale à divisão da força necessária por dois; c) o plano inclinado, que é um plano rígido em ângulo com o horizonte, é a mais antiga das máquinas simples; baseia-se na divisão da carga entre a ação da gravidade (sobre o plano) e a força exercida sobre ela para fazê-lo mover-se (paralela ao plano). São dispositivos dele derivados a *cunha* e o *parafuso*. [Ver ilustr. em *alavanca*, *plano inclinado* e *roldana*.]

maquinal (ma.qui.*nal*) *a2g.* **1** Feito por hábito, sem atenção; AUTOMÁTICO; MECÂNICO: *gestos maquinais, sem intenção ou emoção*. **2** Ref. a máquina. [Pl.: *-nais*.]

maquinar (ma.qui.*nar*) *v.* **1** Armar conspiração. [*ti.* + *contra*: *Estão maquinando contra o governo*.] **2** Planejar (ger. algo prejudicial a alguém). [*td.* (seguido de indicação de finalidade: "...conquistou adversários para maquinar sua permanência no poder..." (*FolhaSP*, 22.10.99).] [▶ **1** maquinar] ● ma.qui.na.*ção sf.*

maquinaria (ma.qui.na.*ri*.a) *sf.* **1** Conjunto de máquinas us. para realizar uma atividade; MAQUINISMO. **2** Lugar onde essas máquinas ficam. **3** Conjunto de trabalhadores que operam essas máquinas.

maquinismo (ma.qui.*nis*.mo) *sm.* **1** Conjunto das peças articuladas de uma máquina; MECANISMO. **2** Ver *maquinaria* (1). **3** *Teat.* Aparato composto de refletores, projetores, cenários etc., us. no teatro.

maquinista (ma.qui.*nis*.ta) *s2g.* **1** Pessoa que trabalha operando máquinas (ger. locomotivas). **2** *Teat. Telv.* Pessoa que trabalha montando e desmontando cenários.

mar *sm.* **1** A parte da superfície do planeta Terra que é formada por água salgada; OCEANO. [Distingue-se das terras de continentes e ilhas, e das partes de água doce (rios e lagos).] **2** Cada uma das divisões (menores que os oceanos) dessa parte do planeta (mar Mediterrâneo): *mar das Filipinas*. **3** *Fig.* Grande quantidade: *mar de histórias*. ▪ **~ de lama** *Fig.* Situação de degradação moral, corrupção, escândalos etc. ▪ **~ de rosas** *Fig.* Situação absolutamente favorável, de felicidade, tranquilidade etc.

marabá (ma.ra.*bá*) *s2g. Bras.* **1** Filho de branco (esp. francês) e índia. **2** Ver *mameluco*.

maraca, maracá (ma.*ra*.ca, ma.ra.*cá*) *sm. Bras.* **1** Tipo de chocalho us. pelos índios em cerimônias guerreiras ou religiosas. **2** *Mús.* Instrumento musical adaptado a partir desse.

maracanã (ma.ra.ca.*nã*) *sf. Bras. Zool.* Ave de plumagem ger. verde, semelhante à arara, mas menor que ela.

maracatu (ma.ra.ca.*tu*) *sm. PE Folc.* **1** Dança popular organizada como cortejo a um rei africano. **2** *Mús.* A música que acompanha essa dança.
maracujá (ma.ra.cu.*já*) *sm. Bras.* Fruto do maracujazeiro, de efeito calmante, de casca amarela quando maduro, muitas sementes no interior e de sabor agridoce.
maracujazeiro (ma.ra.cu.ja.*zei*.ro) *sm. Bot.* Árvore que dá o maracujá.
maracutaia (ma.ra.cu.*tai*.a) *sf. Pop.* Ação ilegal, ger. resultante de conluio em área política ou administrativa; FRAUDE; FALCATRUA.
marafona (ma.ra.*fo*.na) *sf.* **1** *Pop.* Boneca de pano. **2** *Pej.* Prostituta.
maragato (ma.ra.*ga*.to) *sm. Bras. Hist.* **1** Participante da Revolução Federalista de 1893, que defendia a predominância do governo federal sobre o estadual no RS; FEDERALISTA. **2** Revolucionário que, em 1923, se opunha ao governo de Borges de Medeiros, no RS.
marajá (ma.ra.*já*) *sm.* **1** Título de príncipe ou autoridade na Índia. [Fem.: *marani*.] **2** *Bras. Pop.* Funcionário público de salário muito alto.
marajoara (ma.ra.jo.*a*.ra) *a2g.* **1** De Marajó (PA); típico dessa ilha ou de seu povo. *s2g.* **2** Pessoa nascida em Marajó.
maranhense (ma.ra.*nhen*.se) *a2g.* **1** Do Maranhão; típico desse estado ou de seu povo. *s2g.* **2** Pessoa nascida no Maranhão.
marani (ma.ra.*ni*) *sf.* Título de esposa de marajá.
marasmo (ma.*ras*.mo) *sm.* **1** *Med.* Situação de quem é apático, indiferente; DESÂNIMO. **2** Ausência de novos acontecimentos ou realizações; ESTAGNAÇÃO.
maratona (ma.ra.*to*.na) *sf.* **1** *Esp.* Prova de corrida a longa distância. **2** *Fig.* Evento de longa duração: *O canal de televisão apresentará uma maratona de desenhos.* ● ma.ra.to.*nis*.ta *s2g.*
maravilha (ma.ra.*vi*.lha) *sf.* **1** Coisa ou fato surpreendente, assombroso, extraordinário. **2** Coisa ou fato impressionante por sua beleza, intensidade etc.: *"...poder admirar tanta gente que fez de Veneza esta maravilha pousada n'água, como Vênus na concha."* (Cecília Meireles, *Crônicas de viagem*). **3** Qualidade do que é perfeito; PRIMOR: *"Deixa-e pensar que isto aqui é uma maravilha, que nos batemos heroica e generosamente pelo futuro da terra."* (Pepetela, *A geração da utopia*). **4** *Bot.* Erva cujas flores se abrem à noite, us. para ornamentação, pelas propriedades purgativas das raízes etc. ⁜ **Às mil ~s** Muitíssimo bem.
maravilhar (ma.ra.vi.*lhar*) *v.* Encher(-se) de admiração, de deslumbramento; EXTASIAR(-SE). [*td.:* O *balé maravilhou a plateia. pr.: Todos maravilharam-se com o pôr do sol.*] [▶ **1** maravilh**ar**]
maravilhoso (ma.ra.vi.*lho*.so) [ó] *a.sm.* **1** Que ou aquilo que surpreende, que causa espanto, admiração. **2** Que ou aquilo que impressiona por suas qualidades positivas. [Fem. e pl.: [ó].]
marca (*mar*.ca) *sf.* **1** Sinal feito em alguém ou algo para distingui-lo, para destacar um limite etc.: *Fiz uma marca onde parei a revisão.* **2** Vestígio deixado pela ação do homem, pelos animais ou pela ação da natureza: *marcas da inundação nas paredes.* **3** Cicatriz causada por ferida, doença etc.: *marcas de espinhas.* **4** *Fig.* Característica própria do trabalho de alguém: *Competência é a nossa marca.* **5** Categoria, selo com que se identifica um objeto de outro: *Só compra roupas pela marca.* **6** Desenho e/ou nome que indicam o fabricante de um produto: *Que marcas o brinquedos mais venderam no Natal?* ⁜ **De ~ 1** Que ostenta marca de qualidade; de grife. **2** *Pej.* Realce à qualidade (ger. negativa) de alguém ou algo: *É um hipócrita de marca.* **De ~ maior** O mesmo que *de marca* (2). **~ registrada 1** Nome, símbolo, logotipo etc. que identifica um produto com a empresa ou instituição que o registrou. **2** *Fig.* Aquilo que, por sua característica, identifica seu autor, aquilo a que pertence etc.: *O saque potente é a marca registrada daquele tenista.*
marcação (mar.ca.*ção*) *sf.* **1** Ação ou resultado de marcar, de fazer um sinal. **2** *Cin. Teat. Telv.* Cada uma das delimitações que indicam (em um palco, estúdio etc.) onde os atores devem estar durante uma encenação ou filmagem. **3** *Esp.* Esforço que um jogador faz para impedir que um adversário jogue livremente: *Mesmo sob forte marcação, fez o gol.* [Pl.: -*ções*.] ⁜ **Estar de ~ com** *Bras.* Ter implicância com; ter má vontade para com.
marca-d'água (mar.ca.*d'á*.gua) *sf. Art.Gr.* Inscrição ou desenho, só visíveis contra a luz, impressos numa folha de papel; FILIGRANA. [Pl.: *marcas-d'água*.]
marcador (mar.ca.*dor*) [ó] *a.sm.* **1** Que ou aquilo que marca (deixa sinais em algo para destacá-lo, delimitá-lo, classificá-lo etc.): *marcador de texto.* *sm.* **2** *Bras.* Letreiro, quadro ou painel eletrônico onde se registram os pontos feitos pelos competidores; PLACAR. **3** *Esp.* Jogador que, numa partida, marca o adversário.
marcante (mar.*can*.te) *a2g.* **1** Que marca, caracteriza, destaca (atributo marcante). **2** Registrado na memória de alguém (ato, situação, de momento, evento etc.): *Nossa tarde na praia foi marcante.*
marca-passo (mar.ca.*pas*.so) *sm. Med.* Aparelho programado para, através de impulsos elétricos, estimular as contrações do coração com frequência determinada. [Pl.: *marca-passos*.]
marcar (mar.*car*) *v. td.* **1** Ter papel de destaque em; dar destaque em; ASSINALAR: *A alegria das crianças marcou o primeiro dia de aula.* **2** Diferenciar, destacar, assinalando com uma marca ou sinal: *"...lia o romance, marcando-lhe os trechos a lápis."* (Marques Rebelo, *Contos reunidos*). **3** Fixar, determinar (data, prazo); AGENDAR: *A professora marcou a data do teste.* **4** Causar forte impressão psicológica a; IMPRESSIONAR: *Aquele filme marcou minha vida.* **5** Combinar, acertar: *marcar encontro/consulta.* **6** Indicar, por meio de ponteiros ou marcador numérico: *O taxímetro marcou R$25,00.* **7** *Esp.* Apontar, registrar (uma ocorrência): *O juiz marcou pênalti.* **8** *Esp.* Fazer (gol, pontos). **9** *Esp.* Acompanhar de muito perto (outro jogador), em campo, para impedir suas jogadas. **10** Fazer marca com ferro quente em (gado). [▶ **11** marc**ar**] [▶ **1** marc**ar**] ● mar.ca.*do* a.
marcenaria (mar.ce.na.*ri*.a) *sf.* **1** Técnica ou ofício de construir móveis e outros objetos com madeira. **2** Oficina onde se pratica essa técnica.
marceneiro (mar.ce.*nei*.ro) *sm.* Indivíduo que trabalha na fabricação ou conserto de móveis e objetos de madeira.
marcha (*mar*.cha) *sf.* **1** Ação ou resultado de marchar, de caminhar: *Começaram uma cansativa marcha.* **2** Trajeto que se percorre a pé; JORNADA: *Foi uma marcha de 15km.* **3** O modo de andar, quanto à velocidade, sincronia etc. (*marcha acelerada/cadenciosa*); PASSO. **4** Manifestação na qual um grupo percorre a pé um trajeto, demonstrando ou reivindicando algo: *marcha pela paz.* **5** *Fig.* Desenvolvimento de um processo; PROGRESSO: *O candidato acompanhou a marcha das apurações.* **6** *Fig.* Sucessão de eventos ao longo do tempo; CURSO: *Acompanhou pela TV a marcha dos acontecimentos.* **7** *Esp.* Prova de atletismo na qual os competidores devem andar, mantendo sempre um dos pés apoiado no solo. **8** *Mec.* Cada uma das disposições do sistema de transmissão de um veículo que regula a multiplicação das rotações do motor para as rodas mo-

marchand (Fr. /marchã/) *s2g.* Pessoa que comercializa obras de arte.

marchante (mar.*chan*.te) *s2g.* Pessoa que compra gado e revende-o, abatido, a açougues.

marchar (mar.*char*) *v. int.* **1** Caminhar, andar, ou deslocar-se. **2** Caminhar a passo de marcha ou de procissão: (seguido de indicação de direção, limite etc.) *Os fiéis vão marchar até a estátua do santo.* **3** Avançar, progredir: (seguido de direção/finalidade) *marchar sobre uma cidade/contra o inimigo.* **4** Evoluir ou prosseguir: (seguido ou não de indicação de finalidade) *marchar para uma solução; Os entendimentos marchcam satisfatoriamente.* [▶ **1** march*ar*]

marchetar (mar.che.*tar*) *v. td.* Aplicar (marchetaria) em: (seguido de indicação de modo) *marchetar de marfim um móvel.* [▶ **1** marchet*ar*]

marchetaria (mar.che.ta.*ri*.a) *sf.* Arte de, colando pedaços de vários materiais (madeira, marfim, metal etc.), produzir efeitos decorativos em obras de marcenaria.

marchinha (mar.*chi*.nha) *sf. Bras. Mús.* Marcha (10) alegre ger. executada em eventos carnavalescos.

marcial (mar.ci.*al*) *a2g.* **1** Ref. a lutas ou guerra (arte marcial, lei marcial). **2** Ref. a quem luta ou guerreia, ou tem tendência a fazê-lo; BELICOSO. **3** Ref. a militares (corte marcial). [Pl.: *-ais*.]

marciano (mar.ci.*a*.no) *a.* **1** De Marte; típico desse planeta (paisagem marciana). *sm.* **2** Suposto habitante de Marte. **3** *Fig.* Pessoa distraída ou desligada, que nunca sabe o que se passa a sua volta.

marco¹ (*mar*.co) *sm.* **1** Objeto ou indicação que serve para demarcar um território. **2** Aquilo que simboliza um lugar e/ou um acontecimento importante: *Este obelisco é o marco da fundação da cidade.* **3** *Fig.* Acontecimento importante em um período, processo etc.: *Essa vitória foi um marco na conquista do campeonato.*

marco² (*mar*.co) *sm. Econ.* **1** Nome do dinheiro us. na Alemanha e na Finlândia até a adoção do euro. **2** Unidade dos valores em marco, us. em notas e moedas: *uma nota de dez marcos.* [1 marco = 100 *fenigues* (Alemanha) ou 100 *pennia* (Finlândia).]

março (*mar*.ço) *sm.* O terceiro mês do ano. (Com 31 dias.)

maré (ma.*ré*) *sf.* **1** Oc. O movimento das águas do mar que faz com que o seu nível aumente e diminua regularmente ao longo dos dias (maré alta/baixa). **2** *Fig.* Período de acontecimentos que supostamente vêm em ondas alternadas, como as marés (1): *maré favorável aos envolvimentos amorosos.* ❚ **Nadar/Navegar/Remar contra a ~** Levar algo adiante enfrentando situação desfavorável.

📖 As marés (subidas e descidas cíclicas do nível das águas dos mares e de grandes lagos) são causadas pela atração do Sol e, principalmente, da Lua sobre essas águas. A Lua, apesar de 27 milhões de vezes menor que o Sol, tem, para a Terra, devido à sua proximidade, uma atração mais de duas vezes mais forte. À medida que a Terra gira em torno de seu eixo, a atração da Lua faz subirem as águas no hemisfério diretamente voltado para ela (e no oposto, ver ilustr.), na chamada maré alta, ou preamar; as águas vão baixando à medida que a rotação da Terra afasta essas áreas desse eixo (maré baixa, ou baixa-mar), voltando a subir quando estão no lado oposto etc., em ciclos de aproximadamente 6h12min. Quando a Lua e o Sol estão alinhados com a Terra, somam-se suas atrações, e as marés são as mais fortes (marés de sizígia, ou de águas-vivas); quando o Sol e Lua estão em ângulo reto com a Terra, suas atrações sobre as águas se contrapõem, e as marés têm menos amplitude (marés de quadratura, ou de águas-mortas).

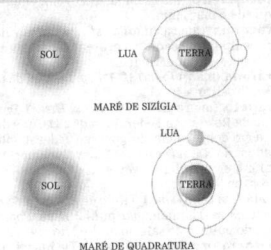

[Diagram: SOL — LUA — TERRA]
MARÉ DE SIZÍGIA

[Diagram: LUA / SOL — TERRA]
MARÉ DE QUADRATURA

marear (ma.re.*ar*) *v.* **1** Causar ou sentir enjoo a bordo de embarcação. [*td.*: *O mar agitado mareou-o. int.*: *Os marinheiros não mareiam.*] **2** Causar enjoo a (alguém). [*td.*: *O cheiro da tinta mareava a gestante.*] [▶ **13** mar*ear*] ● **ma.re.a.do a.do.**

marechal (ma.re.*chal*) *sm. Mil.* **1** Patente militar. [Ver quadro *Hierarquia Militar Brasileira.*] **2** Militar que tem essa patente. [Pl.: *-chais*.]

marechalado (ma.re.cha.*la*.do) *sm.* O m.q. marechalato.

marechalato (ma.re.cha.*la*.to) *sm.* Cargo ou dignidade de marechal.

marechal de campo (ma.re.chal de *cam*.po) *sm. Bras. Hist. Mil.* **1** Posto que, até o fim do período imperial brasileiro, era superior ao de brigadeiro e inferior ao de tenente-general. **2** Militar que ocupava esse posto. [Pl.: *marechais de campo.*]

marechal de exército (ma.re.chal de e.*xér*.ci.to) *sm. Bras. Hist. Mil.* **1** Posto que, até o fim do período imperial brasileiro, era ocupado pelo comandante supremo do exército. **2** Militar que ocupava esse posto. [Pl.: *marechais de exército.*]

marechal do ar (ma.re.chal do *ar*) *sm. Aer.* **1** Patente militar. [Ver quadro *Hierarquia Militar Brasileira.*] **2** Militar que tem essa patente. [Pl.: *marechais do ar.*]

mar e guerra (mar e *guer*.ra) *sm. Mil.* F. red. de *capitão de mar e guerra.* [Pl.: *mares e guerras.*]

marejar (ma.re.*jar*) *v.* **1** Verter, fazer sair. [*td.*: *marejar sangue/látex.*] **2** Brotar, destilar. [*int.* (seguido de indicação de lugar, causa etc.): *A seiva marejava do corte no tronco.*] **3** Cobrir-se de, encher-se de (lágrimas). [*pr.*: *Seus olhos marejaram-se (de lágrimas).*] [▶ **1** marej*ar*]

maremoto (ma.re.*mo*.to) *sm. Geof.* Grande agitação das águas do mar devido a tremores sísmicos.

maresia (ma.re.*si*.a) *sf.* **1** Ar carregado de gotículas de água salgada do mar, emanadas durante a vazante. **2** Cheiro desse ar: *A maresia me deixa enjoada.* **3** A ação oxidante desse ar: *grades de ferro destruídas pela maresia.* **4** *Bras. Fig. Gír.* Cheiro exalado pelo fumo de cigarros de maconha.

mareta (ma.*re*.ta) [ê] *sf.* Onda pequena.

marfim (mar.*fim*) *sm.* **1** Substância amarelada e dura das presas de animais como o elefante e o hipopótamo, us. para construir vários objetos: *As teclas deste piano são de marfim.* **2** A cor do marfim (1): *Pintaremos a sala de marfim.* **a2g2n.** **3** Que é dessa cor (calças marfim). [Pl. do *sm.*: *-fins*.]

marga (*mar*.ga) *sf. Geol.* Solo de calcário e argila, us. em olaria e como corretivo de terras agrícolas.

margarida (mar.ga.*ri*.da) *sf.* 1 Flor, ger. de pétalas brancas e miolo amarelo. 2 *Bot.* A planta que produz essa flor.

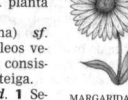

MARGARIDA (1)

margarina (mar.ga.*ri*.na) *sf.* Substância extraída de óleos vegetais e preparada com a consistência e o aspecto da manteiga.

margear (mar.ge.*ar*) *v. td.* 1 Seguir pela margem ou ao longo de (rio, rodovia etc.). 2 Situar-se à margem ou guarnecer a margem de; LADEAR: *Eucaliptos margeiam a estrada.* 3 Estabelecer margem (3) em (folha de papel). [▶ 13 marg<u>ear</u>] ● **mar.ge.a.do** *a.*; **mar.ge.an.te** *adj2g.*

margem (*mar*.gem) *sf.* 1 Faixa de terreno que acompanha a linha divisória entre a terra e as águas de um lago, rio ou mar; BEIRA. 2 Faixa que acompanha o perímetro de uma superfície; ORLA. 3 *Tip.* Partes em branco numa folha de papel escrita ou impressa: *margens de um livro/de um jornal.* 4 *Fig.* Medida ou proporção da diferença verificada entre dois resultados: *Ganhou a corrida com grande margem sobre o segundo colocado.* 5 Medida ou porção de diferença aceitável entre um resultado e um padrão: *margem de lucro/de erro.* 6 *Fig.* Possibilidade ou oportunidade de um acontecimento, situação etc.; ENSEJO: *Não queremos deixar margem a dúvidas.* [Pl.: *-gens*.]

marginal (mar.gi.*nal*) *a2g.sf.* 1 Que ou o que fica à margem ou segue o seu contorno (anotações marginais): *a marginal do Tietê. a2g.s2g.* 2 *Fig.* Que ou quem não se integra a um grupo, a uma classe, a uma sociedade etc. (poeta marginal): *os marginais da literatura. s2g.* 3 Quem não respeita as leis de uma sociedade; BANDIDO. [Pl.: *-nais.*] ● **mar.gi.na.li.***da***.de** *sf.*

marginalizar (mar.gi.na.li.*zar*) *v.* 1 Impedir a participação de (alguém) em grupo, na vida pública etc. [*td.*] 2 Tornar-se marginal ou delinquente. [*pr.*] [▶ 1 marginaliz<u>ar</u>] ● **mar.gi.na.li.za.***ção sf.*

maria-fumaça (ma.ri.a-fu.*ma*.ça) *sf.* Tipo de locomotiva movida a vapor. [Pl.: *marias-fumaças e marias-fumaça.*]

maria-mole (ma.ri.a-*mo*.le) *sf. Cul.* Doce feito à base de clara de ovo e recoberto com coco. [Pl.: *marias-moles.*]

mariano (ma.ri.*a*.no) *a.* 1 Ref. a Maria, mãe de Jesus (culto mariano); MARISTA. *sm.* 2 Integrante de uma congregação dedicada a esse culto; MARISTA.

maria-sem-vergonha (ma.ri.a-sem-ver.*go*.nha) *sf. Bras. Bot.* Erva que brota espontaneamente em regiões úmidas, us. em ornamentação. [Pl.: *marias-sem-vergonha.*]

maria vai com as outras (ma.ri.a vai com as *ou*.tras) *s2g2n. Bras. Fam.* Pessoa que tende a imitar os outros, mudando facilmente de opinião.

maricas (ma.*ri*.cas) *a2n.sm2n. Pej. Pop.* Que ou quem é afeminado ou medroso (diz-se de homem ou garoto). [**At!** O termo é considerado depreciativo ou preconceituoso.]

maricultura (ma.ri.cul.*tu*.ra) *sf.* Criação de plantas e animais marinhos para consumo humano.

marido (ma.*ri*.do) *sm.* Homem casado (em relação à sua esposa); ESPOSO. [Fem.: *mulher*.]

marimba (ma.*rim*.ba) *sf. Mús.* Instrumento de percussão composto por pedaços finos de madeira ou metal que formam um teclado e nos quais se bate com baquetas.

marimbondo (ma.rim.*bon*.do) *sm. Zool.* Ver **vespa**.

marina (ma.*ri*.na) *sf.* Lugar para atracamento de barcos, onde se pode deixá-los guardados e fazer a sua manutenção.

marinete (ma.ri.*ne*.te) [é] *sf. AL BA SE* Ônibus.

marinha (ma.*ri*.nha) *sf.* 1 Lugar à beira do mar; PRAIA. 2 *Art.Pl.* Pintura ou desenho que retrata tema relacionado com o mar. 3 Conjunto de navios, equipamentos, pessoal etc., para transporte marítimo (<u>marinha</u> mercante). ◪ **Marinha** *sf.* 4 *Mil.* O conjunto dos navios de guerra de um país, suas instalações, departamentos e os militares que atuam neles.

marinhagem (ma.ri.*nha*.gem) *sf. Mar.* 1 Grupo de marinheiros que trabalham em uma embarcação; MARUJA. 2 Arte de navegar ou ossee ofício. [Pl.: *-gens*.]

marinharia (ma.ri.nha.*ri*.a) *sf. Mar.* 1 Conjunto das técnicas de navegação de embarcações. 2 Profissão de marinheiro.

marinheiro (ma.ri.*nhei*.ro) *sm.* 1 *Mar.* Integrante da tripulação de um navio que executa tarefas relacionadas com sua navegação; MARUJO. 2 *Mar.* Patente militar. [Ver quadro *Hierarquia Militar Brasileira*.] 3 Militar que tem essa patente. *a.* 4 Ref. a marinhagem (2).

marinho (ma.*ri*.nho) *a.* 1 Ref. ao mar (água <u>marinha</u>, paisagem <u>marinha</u>); MARÍTIMO. 2 Que vive no mar ou dele provém (animal <u>marinho</u>).

mariola (ma.ri.*o*.la) *sf. Bras. Pop.* Doce em forma de tablete, feito à base de banana ou de goiaba.

marionete (ma.ri:o.*ne*.te) [é] *sf.* 1 Boneco com partes do corpo móveis e articuladas, que são acionadas por meio de fios presos a elas, fazendo-o movimentar-se, gesticular etc.; FANTOCHE; MAMULENGO; TÍTERE. 2 *Fig.* Pessoa facilmente manipulável; FANTOCHE.

mariposa (ma.ri.*po*.sa) [ô] *sf.* 1 *Bras. Zool.* Inseto semelhante à borboleta, ger. noturno. 2 *RJ Pej.* Prostituta.

mariquinhas (ma.ri.*qui*.nhas) *sm2n. Pej. Pop.* Ver **maricas**.

mariscada (ma.ris.*ca*.da) *sf. Bras. Cul.* Tipo de ensopado feito à base de mariscos.

mariscar (ma.ris.*car*) *v.* 1 Colher, apanhar (mariscos). [*td. int.*] 2 Catar insetos no solo. [*int.*: *Os passarinhos não cessam de mariscar.*] [▶ 1 marisc<u>ar</u>]

marisco (ma.*ris*.co) *sm. Zool.* Molusco ou crustáceo marinho, como camarões, lulas, mexilhões etc., us. na alimentação humana.

marista (ma.*ris*.ta) *a2g.s2g.* Ver **mariano**.

maritaca (ma.ri.*ta*.ca) *sf. Bras. Zool.* Ave de penas coloridas e voz ruidosa, semelhante ao papagaio, mas menor que ele; JANDAIA.

marital (ma.ri.*tal*) *a2g.* 1 Ref. à vida de casados, ao matrimônio (dever <u>marital</u>); CONJUGAL. 2 Ref. ao marido. [Pl.: *-tais*.]

marítimo (ma.*ri*.ti.mo) *a.* 1 Ref. ao mar (corrente <u>marítima</u>); MARINHO. 2 Que ocorre no mar (salvamento <u>marítimo</u>, transporte <u>marítimo</u>). 3 Ref. a navegação por mar e ao equipamento nela usado; NAVAL. *sm.* 4 Marinheiro.

◈ **marketing** (*Ing. /márquetin/*) *sm. Mkt.* 1 Conjunto de técnicas de comercialização de produtos, envolvendo pesquisas de mercado, adequação e promoção junto aos consumidores etc. 2 Publicidade feita para favorecer a venda de um produto: *Temos investido pesado no marketing desta linha de perfumes.*

marmanjo (mar.*man*.jo) *sm.* 1 *Pop.* Homem ou rapaz robusto e/ou alto. 2 *Pop.* Indivíduo adulto: *Tamanho marmanjo ainda tem medo de mariposa!* 3 *Pej. Pop.* Homem abrutalhado; GROSSEIRÃO.

marmelada (mar.me.*la*.da) *sf.* 1 *Cul.* Doce feito à base de marmelo. 2 *Pop.* Transação comercial desonesta; MAMATA. 3 *Bras. Pop.* Acordo ilegal feito entre oponentes sobre o resultado de uma competição esportiva; ARMAÇÃO: *A vitória do seu time foi marmelada.*

marmeleiro (mar.me.*lei*.ro) *sm. Bot.* Árvore que dá o marmelo.

marmelo (mar.*me*.lo) *sm.* Fruta carnuda, de cor amarelada e sabor ger. ácido, us. para fazer doces e compotas.

marmita (mar.*mi*.ta) *sf.* **1** Vasilha ger. metálica us. para transportar comida. **2** A comida transportada nessa vasilha.

marmiteiro (mar.mi.*tei*.ro) *sm. Bras.* **1** Pessoa que transporta em uma marmita a própria refeição. **2** Empregado de pensão que entrega marmitas com refeições aos clientes.

marmoraria (mar.mo.ra.*ri*.a) *sf.* **1** Oficina onde se fazem objetos e peças decorativas em mármore. **2** Loja onde se vende mármore.

mármore (*már*.mo.re) *sm. Geol.* Rocha calcária resistente e de cores variadas, us. como revestimento em construção, em estátuas, na confecção de objetos, peças decorativas etc.

marmóreo (mar.*mó*.re.o) *a.* **1** Feito de mármore (lápide marmórea). **2** *Fig.* Que tem a aparência ou a consistência do mármore (rosto marmóreo).

marmorista (mar.mo.*ris*.ta) *s2g.* **1** Pessoa que trabalha cortando ou polindo mármore. **2** Pessoa que faz objetos e/ou peças decorativas em mármore.

marmota (mar.*mo*.ta) *sf. Zool.* Roedor pequeno, da família do esquilo, que cava buracos formando galerias subterrâneas, e que costuma hibernar.

marola (ma.*ro*.la) *sf. Bras.* **1** Onda pequena na superfície do mar. **2** *Fig. Gír.* Agitação em coisa sem importância.

maromba (ma.*rom*.ba) *sf.* **1** *Gír.* Exercício físico, esp. o que aumenta a massa muscular; MALHAÇÃO. **2** Vara us. por equilibristas para ajudar a manter a estabilidade.

marombar (ma.rom.*bar*) *v. int.* **1** Equilibrar-se em maromba ou corda bamba. **2** *Fig.* Agir com moderação, prudência e autocontrole em situações difíceis. **3** *Bras. Pop.* Demorar-se para agir ou hesitar a fim de protelar uma decisão, escolha etc. [▶ **1** marombar]

maronita (ma.ro.*ni*.ta) *s2g.* **1** *Rel.* Seguidor do catolicismo praticado esp. na Síria e no Líbano, com alguns ritos peculiares. *a2g.* **2** Ref. a essa linha do catolicismo ou a seus seguidores (comunidade maronita).

marosca (ma.*ros*.ca) [ó] *sf.* Ação desleal; TRAPAÇA.

maroto (ma.*ro*.to) [ó] *a.sm.* **1** Que ou quem tem esperteza, manha (2), malícia (2); MALANDRO. **2** Que ou quem busca prejudicar alguém; CANALHA. **3** Que ou quem faz brincadeiras maliciosas; BREJEIRO.

marquês (mar.*quês*) *sm.* **1** Título de nobreza superior ao de conde e inferior ao de duque. **2** Homem que detém esse título. [Pl.: -queses. Fem.: -quesa.]

marquesa (mar.*que*.sa) [ê] *sf.* **1** Título de nobreza superior ao de condessa e inferior ao de duquesa. **2** Mulher que detém esse título ordinariamente por ser esposa de um marquês. **3** Canapé largo com assento de palhinha.

marquesado (mar.que.*sa*.do) *sm.* **1** Cargo de marquês ou de marquesa. **2** Extensão de terras pertencentes a marquês ou marquesa.

marqueteiro (mar.que.*tei*.ro) *sm. Pop.* Pessoa que faz *marketing*.

marquise (mar.*qui*.se) *sf. Bras. Arq.* Na parte externa de um edifício, cobertura proeminente que serve de abrigo.

marra (*mar*.ra) *sf.* **1** Ver marrão¹. **2** Enxada pontuda para cavar a terra, arrancar plantas etc.; SACHO. ❖ **Na ~** À força; contra a vontade de outrem.

marraio (mar.*rai*.o) *sm. Bras.* Na bola de gude e em outros jogos, palavra que dá ao primeiro que a grita o direito de jogar por último.

marrano (mar.*ra*.no) *a.* **1** Diz-se de judeu ou mouro que, na Espanha e em Portugal de outrora, era convertido ao cristianismo, mas suspeito de manter suas crenças. *sm.* **2** Judeu ou mouro marrano (1).

marrão¹ (mar.*rão*) *sm.* Martelo pesado para quebrar pedras e paredes; MARRA. [Pl.: -rões.]

marrão² (mar.*rão*) *a.sm. Bras.* Diz-se de cria que não foi domada, selvagem. [Pl.: -rões.]

marreco (mar.*re*.co) [ê] *sm. Zool.* Ave aquática da família do pato, mas menor que ele.

marreta (mar.*re*.ta) [ê] *sf.* Tipo de martelo de ferro, pesado e de cabo longo, us. em demolições. ● mar.re.*ta.da sf.*

marretar (mar.re.*tar*) *v. td. int.* **1** Golpear com marreta (algo ou alguém). **2** Surrar, bater, golpear. **3** *Fig.* Falar mal de; CRITICAR. **4** *PE Gír.* Furtar ninharia. [▶ **1** marretar]

marreteiro (mar.re.*tei*.ro) *sm.* **1** *Bras.* Quem trabalha demolindo paredes ou perfurando pedras com marreta. **2** *SP Pop.* Vendedor ambulante; CAMELÔ.

marrom (mar.*rom*) *sm.* **1** A cor da terra. *a2g.* **2** Que é dessa cor (mesa marrom). [Sin.: castanho.] [Pl.: -rons.]

marroquim (mar.ro.*quim*) *sm.* Pele de cabra ou bode curtida e preparada para uso artesanal. [Pl.: -quins.]

marroquino (mar.ro.*qui*.no) *a.* **1** Do Marrocos (Noroeste da África); típico desse país ou do seu povo. *sm.* **2** Pessoa nascida no Marrocos.

marruá (mar.ru.*á*) *a2g.sm. Bras.* Que ou que (novilho ou touro) é selvagem.

marsupial (mar.su.pi.*al*) *sm.* **1** *Zool.* Animal cujas fêmeas têm marsúpios nos quais os filhotes, que nascem sem estar completamente formados, terminam o seu desenvolvimento (p.ex.: canguru e gambá). *a2g.* **2** Ref. a esses animais. **3** Ref. a marsúpio. [Pl.: -ais.]

marsúpio (mar.*sú*.pi.o) *sm. Anat. Zool.* Cavidade em forma de bolsa que os marsupiais têm na altura do abdome para abrigar os filhotes recém-nascidos.

marta (*mar*.ta) *sf. Zool.* Mamífero de pequeno porte, que vive em áreas florestais e cuja pele é us. para confecção de casacos de pele.

Marte (*Mar*.te) *sm.* **1** *Astron.* Quarto planeta do sistema solar a partir do Sol, com dois satélites. **2** *Mit.* Deus romano da guerra, na Antiguidade.

martelar (mar.te.*lar*) *v.* **1** Golpear com martelo (em). [*td. int.*] **2** Golpear (algo ou alguém) como se fosse com um martelo. [*td.*] **3** *Fig.* Insistir com/em; repisar. [*td.*: *Ele martela a mesma reclamação todas as noites. ti. + em: Aquela lembrança martelava em sua mente.*] **4** *Fig.* Latejar, doer. [*int.*: *Minha cabeça martelava.*] [▶ **1** martelar]

martelete (mar.te.*le*.te) [ê] *sm.* Martelo pequeno.

martelo (mar.*te*.lo) *sm.* **1** Ferramenta constituída de um cabo com um arremate em T, ger. de ferro, us. para cravar pregos, golpear objetos etc. **2** Objeto de madeira semelhante a essa ferramenta, us. por juízes, leiloeiros etc. para assinalar comandos: *Bateu o martelo, vendendo o quadro pelo lance mais alto.* **3** *Esp.* Globo metálico, com corrente e alça, arremessado a distância em competições de atletismo. **4** *Anat.* Pequeno osso em forma de martelo (1), localizado na orelha média. ❖ **Bater o ~** *Fig.* Decidir finalmente por algo entre várias alternativas. ● mar.te.*la.da sf.*

martim, martim-pescador (mar.*tim*, mar.tim-pes.ca.*dor*) [ô] *sm. Zool.* Ave marítima de bico grande que se alimenta de peixes e vive em áreas tropicais e subtropicais. [Pl.: -tins, martins-pescadores.]

martinete (mar.ti.*ne*.te) [ê] *sm.* **1** Grande martelo, movido a água ou vapor, us. para malhar peças rijas de aço ou ferro. **2** *Zool.* Ave semelhante a esse martelo de asas longas, cauda curta e dedos minúsculos.

martíni (mar.*tí*.ni) *sm.* Bebida alcoólica feita da mistura de gim com vermute seco.

mártir (*már*.tir) *s2g.* **1** Quem se sacrificou em nome de uma crença ou de um ideal: *Tiradentes foi um mártir da Independência.* **2** *Fig.* Quem sofre intensamente.

martírio (mar.*tí*.ri:o) *sm.* **1** Tortura ou sacrifício infligidos a alguém por causa de sua fé ou de suas ideias; SUPLÍCIO. **2** *Fig.* Sofrimento intenso.

martirizar (mar.ti.ri.*zar*) *v.* **1** Infligir martírio a. [*td.* (seguido ou não de indicação de lugar): *Nero martirizou muitos cristãos (na cruz/na arena).*] **2** Provocar ou padecer tormento; AFLIGIR(-SE). [*td.*: *As traições do marido a martirizam.* *pr.*: *Martiriza-se por não conseguir emprego.*] [▶ 1 martiriz[ar] • mar.ti.ri.*za*.do *a.sm.*; mar.ti.ri.*zan*.te *a2g.*

martirológio (mar.ti.ro.*ló*.gi:o) *sm.* **1** *Rel.* Lista dos mártires do catolicismo. **2** Lista de vítimas.

maruí, maruim (ma.ru.*í*, ma.ru:*im*) *sm. Bras. Zool.* Tipo de mosquito pequeno, comum no Brasil nas regiões de manguezal, cuja picada é dolorosa e pode transmitir doenças. [Pl. de *maruim*: -*ins*.]

maruja (ma.*ru*.ja) *sf. Mar.* Ver *marinhagem* (1). • ma.ru.*da* *sf.*

marujo (ma.*ru*.jo) *sm.* Ver *marinheiro* (1).

marulhar (ma.ru.*lhar*) *v.* **1** Agitar-se (o mar), formando marulho ou ondas. [*int. pr.*] **2** Fazer ou reproduzir o ruído das ondas. [*int.*] [▶ 1 marulh[ar]

marulho (ma.*ru*.lho) *sm.* **1** O vaivém das águas do mar. **2** O barulho causado por esse movimento. **3** *Fig.* Situação tumultuada; CONFUSÃO.

marxismo (mar.*xis*.mo) [cs] *sm. Econ. Fil. Pol.* Doutrina política, econômica e filosófica desenvolvida pelos alemães Karl Marx (1818-1883) e Friedrich Engels (1820-1895) a partir da crítica do capitalismo, e que serviu de base para regimes socialistas. • mar.*xis*.ta *a.s2g.*

marzipã (mar.zi.*pã*) *sm. Cul.* Doce feito à base de amêndoas e claras de ovos.

mas *conj.advers.* **1** Introduz um argumento que restringe o que foi dito: *Gostaria de jogar basquete, mas sou baixinha.* **2** Introduz um argumento que funciona como ressalva ao que foi dito: *Eram poucos os casos na enfermaria, mas todos graves.* **3** Senão; e sim: *Nada encontrou de valor, mas quinquilharias.* [Nesta acp. é comum o reforço *sim* após o *mas*.] **4** Introduz a explicação da causa de uma ação: *Foi mal na prova, mas não deve ser estudado.* **5** Us. no início de frase interrogativa para expressar surpresa, ironia etc.: *Mas como você pôde fazer isso?* ▮▮ ~ é Us. para realçar algum termo da oração: *Você está mas é com muito medo.*

mascar (mas.*car*) *v.* **1** Mastigar sem engolir ou ter nada na boca. [*td.*: *mascar chiclete.* *int.*: *Ela tem o cacoete de mascar.*] **2** Mastigar fumo. [*int.*] [▶ 1 masc[ar] • mas.*ca*.do *a.*

máscara (*más*.ca.ra) *sf.* **1** Objeto de diferentes formatos que cobre o rosto, us. como disfarce, enfeite etc.: *Pegou sua máscara de gorila e foi para o carnaval.* **2** Objeto us. para proteger o rosto: *máscara de soldador.* **3** Objeto us. para purificar o ar ou fornecer oxigênio, favorecendo a respiração: *máscara contra gases/de mergulho.* **4** Cobertura que se usa no rosto para embelezar a pele: *máscara de lama.* **5** *Fig.* Comportamento fingido, falsa aparência: "Quem vê máscara máscara máscara/ não vê coração" (Zeca Baleiro, *Missiva*).

mascarada (mas.ca.*ra*.da) *sf.* Baile em que as pessoas usam máscaras.

mascarado (mas.ca.*ra*.do) *a.sm.* **1** Que ou quem usa máscara. **2** *Fig.* Que ou quem tem comportamento fingido, falso; DISSIMULADO. **3** *Gír.* Que ou quem é convencido, que age com empáfia.

mascarar (mas.ca.*rar*) *v.* **1** Pôr máscara em (alguém ou si mesmo). [*td. pr.*] **2** Dissimular-se, disfarçar-se de. [*pr.*: *Mascarou-se de policial para assaltar o prédio.*] **3** *Fig.* Camuflar, esconder, dissimular. [*td.*: *mascarar a verdade*; (seguido de indicação de meio) *Mascarou a má pintura da parede com quadros.*] **4** *Bras. Pop.* Ficar mascarado ou pretensioso. [*int./pr.*: *Ele mascarou(-se) com o sucesso.*] [▶ 1 mascar[ar]

mascate (mas.*ca*.te) *sm. Bras.* Vendedor ambulante, que se desloca de casa em casa, ou de cidade em cidade. • mas.ca.te.*ar* *v.*

mascavo (mas.*ca*.vo) *a.* Que não foi refinado e tem cor escura (diz-se de açúcar).

mascote (mas.*co*.te) *s2g.* **1** Pessoa, animal, boneco etc. a que se atribui o dom de trazer sorte: *mascote oficial das olimpíadas.* **2** Animal de estimação.

masculinidade (mas.cu.li.ni.*da*.de) *sf.* **1** Qualidade de masculino. **2** Qualidade de quem tem comportamento másculo; VIRILIDADE.

masculinizar (mas.cu.li.ni.*zar*) *v.* Dar aparência masculina a ou adquirir características ou modos próprios do sexo masculino. [*td.*: *Aquela roupa a masculiniza.* *pr.*: *Ela se masculinizou na adolescência.*] [▶ 1 masculiniz[ar] • mas.cu.li.ni.za.*ção* *sf.*; mas.cu.li.ni.*za*.do *a.*

masculino (mas.cu.*li*.no) *a.* **1** Ref. ao homem ou ao macho. **2** Que é dotado de órgãos para fecundar (flor *masculina*). **3** Ver *músculo.* *a.sm.* **4** *Gram.* Diz-se de ou gênero gramatical a que pertencem os substantivos que designam pessoas ou animais do sexo masculino ou os que por sua terminação são considerados como pertencentes a esse gênero: '*Rapaz*', '*chinelo*' e '*vento*' são substantivos *masculinos.* [Ant.: *feminino.*]

másculo (*más*.cu.lo) *a.* Ref. aos, dos ou próprio dos machos; VIRIL: *Força e coragem são consideradas qualidades másculas.*

masmorra (mas.*mor*.ra) *sf.* [ó] Prisão construída abaixo do nível do chão.

masoquismo (ma.so.*quis*.mo) *sm. Psiq.* **1** Perversão de quem tem prazer em sentir dor ou em ser maltratado. **2** Comportamento característico de quem tem essa perversão. • ma.so.*quis*.ta *a2g.s2g.*

massa (*mas*.sa) *sf.* **1** Porção de material sólido ou pastoso, ger. para determinado fim: *massa de porcelana.* **2** Concentração de uma substância, que forma um conjunto unificado: *massa de ar quente.* **3** *Cons.* Material pastoso quando fresco, feito a partir de cimento, areia e água, us. para dar aderência e revestimento a construções; ARGAMASSA. **4** *Fig.* Grupo numeroso de pessoas; MULTIDÃO: *A massa se concentrou na entrada do estádio.* **5** *Cul.* Material pastoso e maleável quando cru, feito à base de farinha e algum líquido (água, leite etc.), us. na confecção de salgados, bolos etc. (*massa* folhada). **6** *Cul.* Alimento (p.ex., macarrão, lasanha) feito com massa (5): *rodízio de massas.* **7** *Fís.* Quantidade de matéria que constitui um corpo, medida em quilogramas. [Simb.: m] *interj.* **8** *MG N.E.* Muito bom! ▮▮ Em ~ Maciçamente, com todo o seu potencial ou com grande ímpeto: *Perdendo, o time começou a atacar em massa.*

massacrar (mas.sa.*crar*) *v.* **1** Matar cruelmente, esp. em massa. [*td.*: *massacrar uma população.*] **2** *Bras. Fig.* Infligir tormento ou humilhação a. [*td.*: *Aquele rígido regulamento massacrava os funcionários.*] **3** *Bras.* Entediar, enfadar ou estafar. [*td.*: *A fila do banco massacrava os clientes.* *int.*: *O ócio massacra.*] **4** *Fig.* Vencer de forma esmagadora. [*td.*: *A seleção brasileira massacrou a Venezuela.*] [▶ 1 massacr[ar] • mas.sa.*cran*.te *a2g.*

massacre (mas.*sa*.cre) *sm.* **1** Ação ou resultado de massacrar, de matar (pessoa ou animal) cruelmente; CHACINA. **2** *Bras. Fig.* Ação ou resultado de abalar psicologicamente, aborrecer ou humilhar

massagear | mate³

alguém: *O interrogatório foi um massacre para o acusado.*

massagear (mas.sa.ge.*ar*) *v.* Fazer massagem (em [alguém ou si próprio]). [*td.*: *massagear o atleta. int./pr.*: *aprender a massagear(-se)*.] [▶ **13 massagear**]

massagem (mas.*sa*.gem) *sf.* Ação ou resultado de massagear, de comprimir certas partes do corpo para melhorar a circulação, proporcionar relaxamento muscular etc. [Pl.: *-gens*.] ● **mas.sa.ge.a.do** *a.*; **mas.sa.gis.ta** *s2g.*

massapê, massapé (mas.sa.*pê*, mas.sa.*pé*) *sm. Bras.* Terra escura muito fértil, com alta concentração de argila.

masseter (mas.se.*ter*) [tér] *sm. Anat.* Cada um dos dois músculos responsáveis pelo movimento da mandíbula durante a mastigação.

massificar (mas.si.fi.*car*) *v.* **1** Padronizar(-se) (pessoas, valores, costumes etc.) por influência da mídia. [*td. pr.*] **2** Tornar(-se) acessível à maioria da população. [*td.*: *massificar a música clássica.* *pr.*: *A televisão massificou-se como veículo de comunicação.*] [▶ **11 massificar**] ● **mas.si.fi.ca.ção** *sf.*; **mas.si.fi.ca.do** *a.*

massudo (mas.*su*.do) *a.* **1** Que tem massa grossa (*pizza massuda*). **2** Espesso, consistente (mingau *massudo*).

mastectomia (mas.tec.to.*mi*.a) *sf. Cir.* Cirurgia na qual se remove total ou parcialmente uma mama.

⊕ **master** (Ing. /*máster*/) *Eletrôn. Inf. sm.* **1** Gravação de som, imagens etc. a partir da qual se fazem cópias; MATRIZ. *a2g2n.* **2** Diz-se de suporte, gravação ou arquivo us. como *master* (1) (fita *master*).

masterização (mas.te.ri.za.*ção*) *sf. Eletrôn. Inf.* Produção de um *master*. [Pl.: *-ções*.] ● **mas.te.ri.zar** *v.*

mastigado (mas.ti.*ga*.do) *a.* **1** Que se mastigou, triturou com os dentes. **2** *Fig.* Explicado minuciosamente e/ou repetidamente.

mastigar (mas.ti.*gar*) *v.* **1** Triturar (alimento) com os dentes. [*td.*] **2** Pressionar seguidamente com os dentes; morder. [*td.*: *Tinha o hábito de mastigar o cordão.*] **3** *Fig.* Pronunciar confusamente. [*td.*: *Envergonhado, mastigou a confissão. int.*: *Ela não fala, mastiga.*] [▶ **14 mastigar**] ● **mas.ti.ga.ção** *sf.*; **mas.ti.ga.dor** *a.*

mastim (mas.*tim*) *sm. Zool.* **1** Cão us. para vigilância de gado. **2** Cão de guarda. [Pl.: *-tins*.]

mastite (mas.*ti*.te) *sf. Med.* Inflamação da mama.

mastodonte (mas.to.*don*.te) *sm.* **1** *Pal.* Grande mamífero pré-histórico parecido com o elefante atual; MAMUTE. **2** *Fig. Pej.* Pessoa corpulenta, gorda. [At! Considerado ofensivo nesta acepção.]

mastoide (mas.*toi*.de) *a2g.* Que tem a forma de uma mama; MASTÓIDEO.

mastóideo (mas.*tói*.de:o) *a.* Ver *mastoide*.

mastologia (mas.to.lo.*gi*.a) *sf. Med.* Estudo da constituição, do funcionamento e das doenças da mama.

mastoplastia (mas.to.plas.*ti*.a) *sf. Cir.* Ver *mamoplastia*.

mastreação (mas.tre:a.*ção*) *sf.* **1** Ação ou resultado de mastrear. **2** *Cnav.* O conjunto dos mastros de uma embarcação. [Pl.: *-ções*.]

mastrear (mas.tre.*ar*) *v. td.* Colocar mastro(s) em (embarcação). [▶ **13 mastrear**] ● **mas.tre.a.do** *a.*

mastro (*mas*.tro) *sm.* **1** *Cnav.* Coluna alta, ger. de madeira, fixada em uma embarcação, na qual se prendem velas e outros objetos. **2** Pau comprido no qual se prendem bandeiras.

mastruço (mas.*tru*.ço) *sm. Bras. Bot.* Erva de cheiro desagradável, us. para fins medicinais.

masturbar (mas.tur.*bar*) *v. td. pr.* Manipular os órgãos genitais de (outrem ou si próprio), para estimulá-los ou provocar o orgasmo. [▶ **1 masturbar**] ● **mas.tur.ba.ção** *sf.*; **mas.tur.ba.tó.ri:o** *a.*

mata (*ma*.ta) *sf.* **1** Trecho de terreno no qual há vegetação silvestre densa; SELVA. **2** Concentração de árvores de um mesmo tipo em um trecho de mata: *mata de pinheiros.*

mata-borrão (ma.ta-bor.*rão*) *sm.* Papel feito para absorver tinta de escrever fresca ou outros líquidos. [Pl.: *mata-borrões*.]

mata-burro (ma.ta-*bur*.ro) *sm. Bras.* Tipo de ponte composta de pedaços espaçados de madeira, us. para impedir a passagem esp. de equinos e gado bovino. [Pl.: *mata-burros*.]

matacão (ma.ta.*cão*) *sm.* **1** Pedregulho arredondado. **2** Pedaço grande; NACO. [Pl.: *-cões*.]

matado (ma.*ta*.do) *a. Bras. Pop.* Feito sem cuidado ou capricho.

matadouro (ma.ta.*dou*.ro) *sm.* **1** Lugar onde se matam animais para se obter sua carne para consumo; ABATEDOURO. **2** *Fig.* Lugar com características prejudiciais à saúde. **3** *Bras. Pop.* Lugar us. para encontros amorosos.

matagal (ma.ta.*gal*) *sm.* **1** Grande concentração de mato; BRENHA. **2** Terreno em que há muito mato e/ou vegetação selvagem. [Pl.: *-gais*.]

matalotagem (ma.ta.lo.*ta*.gem) *sf.* Conjunto dos alimentos reservados para o sustento (ger. da tripulação de um navio) em uma viagem; PROVISÃO. [Pl.: *-gens*.]

matalote (ma.ta.*lo*.te) [ó] *sm.* Ver *marinheiro*.

mata-mouros (ma.ta-*mou*.ros) *sm2n.* Quem se gaba, exageradamente ou sem motivo, de valentia; FANFARRÃO.

matança (ma.*tan*.ça) *sf.* **1** Assassinato de muitas pessoas de uma vez; MORTICÍNIO. **2** Ação ou resultado de matar animais para consumir a sua carne, seu couro etc.

mata-piolho (ma.ta-pi.*o*.lho) [ó] *sm. Bras. Pop.* Ver *polegar* (1). [Pl.: *mata-piolhos*.]

matar (ma.*tar*) *v.* **1** Tirar a vida de (outro ser vivo ou si próprio). [*td.* (seguido ou não de indicação de meio ou modo): *Mataram-no (com veneno); Matou-o em legítima defesa. int.*: "Não *matar*" é um dos dez mandamentos. *pr.*: *O infeliz matou-se com um tiro.*] **2** Acarretar a destruição, morte ou mortandade de. [*td.*: *A praga matou a lavoura.*] **3** *Fig.* Fazer desaparecer ou fazer perder a qualidade, o valor. [*td.*: *O excesso de cores matou a pintura.*] **4** *Fig.* Saciar, extinguir. [*td.*: "...mal podia *matar* a fome com o que ganhava." (Aluísio Azevedo, *O cortiço*); "...devemos dissimular pas *matar* qualquer suspeita..." (Ana Maria Machado, *Texturas*).] **5** *Fig.* Causar sofrimento ou esgotamento a (alguém). [*td. int.*] **6** *Fig.* Sacrificar-se, fazer tudo por. [*pr.*: *matar-se pela família/pela medicina.*] **7** *Fig.* Entregar-se grandemente a uma atividade ou atividade. [*pr.*: "Irá para a fábrica, (...) trabalho calmo, sem se *matar*..." (Marques Rebelo, *Contos reunidos*).] **8** *Fig.* Fazer (algo) sem cuidado, apuro. [*td.*: *O marceneiro matou o armário.*] **9** *Fig.* Passar (o tempo) ociosamente. [*td.*] **10** *Bras. Pop.* Faltar a (aula, colégio, trabalho). [*td.*] **11** *Fig.* Decifrar, resolver (mistério, charada, problema). [*td.*] **12** *Bras. Gír.* Consumir até o fim (cigarro, bebida, comida). [*td.*: *Matou o restante do bolo para que não se estragasse.*] **13** *Fut.* Amortecer (a bola). [*td.* (seguido ou não de indicação de lugar): *matar uma bola (no peito).*] [▶ **1 matar**] Part.: *matado* e *morto*.] ● **ma.ta.dor** *a.sm.*

mate¹ (*ma*.te) *sm.* **1** *Bot.* Erva encontrada na América do Sul, da qual se faz um chá estimulante e diurético. **2** As folhas dessa erva, preparadas (secas e esmagadas) para se fazer chá. **3** O chá feito delas; CHÁ-MATE.

mate² (*ma*.te) *a2g2n.* Que não tem brilho, não reflete luz (batom *mate*); FOSCO.

mate³ (*ma*.te) *sm.* F. red. de *xeque-mate*.

mateiro (ma.*tei*.ro) *sm. Bras.* **1** Quem se orienta bem em florestas e em matas cerradas, servindo de guia. **2** Explorador de erva-mate.

matemática (ma.te.*má*.ti.ca) *sf. Mat.* Ciência que estuda conceitos abstratos, como números, figuras geométricas etc., desvendando suas propriedades e as suas relações com outros conceitos.

matemático (ma.te.*má*.ti.co) *a.* **1** Ref. à matemática (problema matemático). **2** *Fig.* Com exatidão rigorosa (previsão matemática); PRECISO. *sm.* **3** Pessoa formada em matemática. ● **ma.te.ma.ti.ci.***da*.de *sf.*

matéria (ma.*té*.ri.a) *sf.* **1** Substância de que algo (objeto, ser vivo, fluido etc.) é constituído. **2** Substância que possui corpo, que ocupa lugar no espaço. [Cf.: *espiritual*.] **3** Qualquer resíduo expelido do corpo (matéria fecal). **4** *Fig.* Assunto que é tratado em um livro, um debate etc.; TEMA. **5** Uma das áreas do conhecimento estudadas na escola; DISCIPLINA: *A matéria de que mais gosto é história.* **6** *Fig. Jorn.* Texto informativo e aprofundado publicado em revista ou jornal: *uma matéria especial sobre o carnaval.*

material (ma.te.ri.*al*) *a2g.* **1** Ref. a matéria. **2** Que pode ser percebido pelos sentidos corporais; CONCRETO: *Queremos provas materiais do que ele disse.* **3** Ref. à vida mundana. **4** Ref. a dinheiro ou riquezas: *Esse trabalho traz poucas compensações materiais.* [Cf.: *espiritual.*] *sm.* **5** O que é constituído de matéria (material genético). **6** Aquilo que serve de base para a realização de determinada atividade: *material de pesquisa.* **7** Instrumental us. para executar determinada tarefa (material cirúrgico). [Pl.: *-ais*.]

materialidade (ma.te.ri.a.li.*da*.de) *sf.* **1** Qualidade ou característica do que é material. [Cf.: *espiritualidade.*] **2** A parte concreta de algo: *a materialidade de uma obra de arte.*

materialismo (ma.te.ri.a.*lis*.mo) *sm.* **1** *Fil.* Corrente de pensamento que afirma a precedência da matéria sobre o espírito ou a mente. **2** *Fig.* Forma de viver voltada para o gozo das coisas materiais.

materialista (ma.te.ri.a.*lis*.ta) *a2g.* **1** Ref. a materialismo. **2** Que é partidário do materialismo (pensamento materialista). *s2g.* **3** Indivíduo que acredita no materialismo, e seu adepto.

materializar (ma.te.ri.a.li.*zar*) *v.* **1** Tornar(-se) material ou concreto, real; CONCRETIZAR(-SE); REALIZAR(-SE). [*td.*: *materializar um sonho*; (seguido de indicação de meio) *O pintor materializa com seus quadros ideias e emoções. pr.*: *Seu desejo materializou-se.*] **2** Atribuir materialidade a. [*td.*: *Certos filósofos antigos materializavam a alma.*] **3** *Rel.* Corporificar(-se) (um espírito). [*td. pr.*] [▶ **1** materializ*ar*] ● **ma.te.ri.a.li.za.***da*.de *s2g.* • **ma.te.ri.a.li.za.***do*.ra.

matéria-prima (ma.*té*.ri.a-*pri*.ma) *sf.* Matéria essencial para a produção de alguma coisa: *O algodão é uma das matérias-primas da indústria de roupa.* [Pl.: *matérias-primas*.]

maternal (ma.ter.*nal*) *a2g.* **1** Ver **materno** (1). *a.sm.* **2** Diz-se de ou escola para crianças de dois a seis anos. [Pl.: *-nais*.]

maternidade (ma.ter.ni.*da*.de) *sf.* **1** Condição de mãe. **2** Estabelecimento hospitalar para atendimento de mulheres grávidas, realização de partos e primeiros cuidados com recém-nascidos.

materno (ma.*ter*.no) *a.* **1** Próprio de mãe (carinho materno); MATERNAL. **2** Por parte de mãe (diz-se de parentesco) (tio materno).

matilha (ma.*ti*.lha) *sf.* Grupo de cães. [Cf.: *mantilha*.]

matina (ma.*ti*.na) *sf.* **1** Alvorada, matinada. **2** *Pop.* Manhã, o período do dia que vai do nascer do sol ao meio-dia. ☛ **matinas** *sfpl.* **3** *Rel.* Os cânticos da primeira parte do ofício divino.

matinada (ma.ti.*na*.da) *sf.* **1** Madrugada, alvorada. **2** Canto das matinas. **3** Algazarra, vozearia.

matinal (ma.ti.*nal*) *a2g.* Da manhã; que ocorre na manhã (refeição matinal); MATUTINO. [Pl.: *-nais*.]

matinê (ma.ti.*nê*) *sf.* Exibição de filme, apresentação de espetáculo, festa etc. realizadas à tarde; VESPERAL.

matiz (ma.*tiz*) *sm.* **1** Nuança, tonalidade (ger. de cor): *Pintou o quadro com matizes de verde.* **2** Gradação quase imperceptível: *Um frágil matiz de azul completava a paisagem dominada pelo amarelo.* **3** *Fig.* Significação encoberta nas palavras ditas: *O aluno era esperto, mas não percebeu certos matizes da conversa.*

matizar (ma.ti.*zar*) *v.* **1** Dar matizes ou gradações a (cor). [*td.*] **2** Colorir ou adquirir cores diversas. [*td.*: *A primavera matiza a natureza. pr.*: *O céu se matiza ao crepúsculo.*] **3** *Fig.* Atenuar, introduzindo matizes e sutilezas. [*td.*: *Sempre matiza suas críticas musicais*; (seguido de indicação de meio) *Matizou o discurso com citações célebres.*] [▶ **1** matiz*ar*]

mato (*ma*.to) *sm.* **1** Planta de pouca altura, sem utilidade, encontrada ger. em terrenos incultos. **2** Área parcial ou totalmente coberta com essas plantas. ‼ **No ~ sem cachorro** *Fig.* Em situação difícil; em apuros.

mato-grossense (ma.to-gros.*sen*.se) *a2g.* **1** Do Mato Grosso; típico desse estado ou de seu povo. *s2g.* **2** Pessoa nascida no Mato Grosso. [Pl.: *mato-grossenses*.]

mato-grossense-do-sul (ma.to-gros.sen.se-do-*sul*) *a2g.* **1** Do Mato Grosso do Sul; típico desse estado ou de seu povo. *s2g.* **2** Pessoa nascida no Mato Grosso do Sul. [Pl.: *mato-grossenses-do-sul*.]

matraca (ma.*tra*.ca) *sf.* **1** Instrumento de percussão, que produz estalos repetidos e monótonos quando acionado. **2** *Bras. Fig.* a boca de quem fala sem parar: *Feche a matraca e coma!* **3** *Bras. Fig.* Indivíduo que fala sem parar; TAGARELA.

matraquear (ma.tra.que.*ar*) *v. int.* **1** Tocar matraca. **2** Falar sem parar; TAGARELAR. [▶ **13** matraqu*ear*]

matreiro (ma.*trei*.ro) *a.* Que é astuto, esperto, manhoso.

matriarca (ma.tri.*ar*.ca) *sf.* Mulher que lidera ou governa família, clã etc.

matriarcado (ma.tri.ar.*ca*.do) *sm. Antr.* Forma de organização social em que predomina a autoridade materna ou feminina.

matriarcal (ma.tri.ar.*cal*) *a2g.* Ref. a matriarca ou matriarcado (família matriarcal). [Pl.: *-cais*.]

matricial (ma.tri.ci.*al*) *a2g.* Ref. a matriz. [Pl.: *-ais*.]

matricídio (ma.tri.*cí*.di:o) *sm.* O ato de matar a própria mãe. ● **ma.tri.***ci*.da *s2g.*

matrícula (ma.*tri*.cu.la) *sf.* **1** Registro do nome de pessoas inscritas para curso, trabalho etc.: *A menina fez a matrícula para o curso de inglês.* **2** A taxa que se paga por essa inscrição.

matricular (ma.tri.cu.*lar*) *v.* Fazer a matrícula de (alguém ou si próprio). [*td.* (seguido ger. de indicação de lugar): *matricular as crianças (no curso). pr.*: *matricular-se numa faculdade.*] [▶ **1** matricul*ar*]

matrilinear (ma.tri.li.ne.*ar*) *a2g. Antr.* Em que apenas se considera a ascendência materna (diz-se de sistema de filiação).

matrimônio (ma.tri.*mô*.ni:o) *sm.* União legal entre um homem e uma mulher; CASAMENTO. ● **ma.tri.mo.ni.***al* *a2g.*

matriz (*má*.tri:z) *a.* Ref. a mãe.

matriz (ma.*triz*) *sf.* **1** Aquilo de que se originam outras coisas. **2** Molde ou original utilizado para a reprodução de cópias (ver *master*): *a matriz original do CD.* **3** O estabelecimento principal de uma rede de lojas, negócios etc. **4** Igreja matriz. **5** Útero. **6** Base em que se gravam letras e imagens a serem

matrona reproduzidas por impressão. **7** Arranjo de componentes de um sistema que serve de parâmetro. **8** Fêmea (de animal) que se destina à reprodução.

matrona (ma.*tro*.na) *sf.* Mulher madura e encorpada.

matula[1] (ma.*tu*.la) *sf.* Grupo de gente de má índole; CORJA.

matula[2] (ma.*tu*.la) *sf. Bras.* Farnel, merenda.

maturar (ma.tu.*rar*) *v.* Ver *amadurecer*. [▶ **1** maturar] • ma.tu.ra.*ção sf.*

maturidade (ma.tu.ri.*da*.de) *sf.* **1** Estado de desenvolvimento completo. **2** Capacidade intelectual e psíquica própria da pessoa adulta normal: *Ele tem maturidade para casar.* **3** Idade madura.

matusalém (ma.tu.sa.*lém*) *sm. Pop.* Pessoa muito idosa; MACRÓBIO.

matutar (ma.tu.*tar*) *v.* **1** Pensar demoradamente (sobre algo); MEDITAR. [*ti.* + *sobre*: *matutar sobre seu desempenho. int.*: "Mas ele respondia às perguntas, sempre depois de matutar..." (Guimarães Rosa, *No Urubuquaquá, no Pinhém*).] **2** Conceber, planejar, arquitetar. [*td.*: *matutar a fuga.*] [▶ **1** matutar]

matutino (ma.tu.*ti*.no) *a.* **1** Próprio da manhã; MATINAL. *a.sm.* **2** Que ou aquele que é distribuído ao público na parte da manhã (diz-se de jornal).

matuto (ma.*tu*.to) *a.sm.* **1** Que ou quem vive na roça, no interior; CAIPIRA. **2** *Pej.* Ver *caipira* (3). **3** *N.E. Pej.* Que ou quem é tímido e desconfiado. [At! O termo pode expressar depreciação ou preconceito.]

mau *a.* **1** Que causa ou faz mal; IMPIEDOSO. **2** De malfeito ou de má qualidade (mau filme). **3** Que traz desventura, tristeza (mau presságio); FUNESTO. **4** Que é contrário à moral (maus costumes). **5** Contrário à justiça, à virtude (mau comportamento). **6** Sem talento, capacidade ou habilidade (mau carpinteiro). *sm.* **7** Indivíduo mau. [Fem.: *má*.] [Cf.: *mal*.]

mau-caráter (mau-ca.*rá*.ter) *a2g.* **1** Que não tem bons princípios, bons valores morais. *s2g.* **2** Indivíduo mau-caráter. [Pl.: *maus-caracteres*.] • mau--ca.ra.*tis*.mo *sm.*

mau-olhado (mau-o.*lha*.do) *sm.* **1** Olhar que, por superstição, pode causar mal: *Era um homem racional, mas tinha medo de mau-olhado.* **2** O mal assim causado: *Doença nada, isso aí é mau-olhado!* [Pl.: *maus--olhados.*]

mauricinho (mau.ri.*ci*.nho) *sm. Bras. Pop.* Adolescente ou jovem do sexo masculino que consome em excesso roupas e acessórios de grife, e frequenta lugares badalados. [Cf.: *patricinha*.]

mauritano (mau.ri.*ta*.no) *a.* **1** Da Mauritânia (África); típico desse país ou de seu povo. *sm.* **2** Pessoa nascida na Mauritânia.

mausoléu (mau.so.*léu*) *sm.* Túmulo monumental e suntuoso.

maus-tratos (maus-*tra*.tos) *smpl. Jur.* Crime de submeter alguém, sob sua guarda, a tratamento inumano, trabalhos impróprios e/ou privação de alimentos e cuidados.

mavioso (ma.vi:o.so) [ó] *a.* **1** Que tem harmonia, suavidade (sons maviosos). **2** Que tem afabilidade; AFETUOSO. [Fem. e pl.: [ó].]

maxidesvalorização (ma.xi.des.va.lo.ri.za.*ção*) [cs] *sf. Bras. Econ.* Processo de desvalorização acentuada de uma moeda em relação a outra. [Pl.: -*ções*.]

maxila (ma.*xi*.la) [cs] *sf. Anat.* Cada um dos dois ossos (esquerda e direita) da face, nos quais se implantam os dentes superiores. [*Maxila superior* é *maxilar superior* na nova terminologia anatômica.] [Ver ilustr. em *mandíbula*.]

maxilar (ma.xi.*lar*) [cs] *Anat. a.* **1** Ref. a maxila. *sm.* **2** *Anat.* Termo que designava os ossos (superior e inferior) em que se implantam os dentes e que se articulam para abrir a boca e mastigar. ▪▪ ~ **inferior** *Anat.* Ver *mandíbula*. ~ **superior** *Anat.* Ver *maxila*. [Ver ilustr. em *mandíbula*.]

máxima (*má*.xi.ma) [ss] *sf.* **1** Princípio básico e incontestável de uma arte ou ciência; AXIOMA. **2** Ditado, provérbio. **3** Sentença ou doutrina moral.

máxime (*má*.xi.me) [cs] *adv.* Principalmente, sobretudo: *O elenco era muito bom, máxime os coadjuvantes.*

maximizar (ma.xi.mi.*zar*) [cs] ou [ss] *v. td.* **1** Elevar ao grau máximo: *maximizar lucros/produção.* **2** Superestimar, exagerar. [▶ **1** maximizar]

máximo (*má*.xi.mo) [ss] *a.sm.* **1** Que ou o que atingiu ou representa o mais alto grau possível em sua espécie: *Este é o preço máximo que ele pode cobrar; Isto é o máximo que eu posso fazer; Naquela apresentação, o cantor atingiu a máxima perfeição.* *a.* **2** Total, completo: *O professor exigiu o máximo silêncio na sala.*

maxixe[1] (ma.*xi*.xe) *sm. Bras.* Fruto do maxixeiro, de casca verde e espinhosa.

maxixe[2] (ma.*xi*.xe) *sm. Bras.* Dança urbana de movimentos rápidos, originária da cidade do Rio de Janeiro, onde surgiu na segunda metade do séc. XIX.

maxixeiro[1] (ma.xi.*xei*.ro) *sm. Bot.* Planta que dá o maxixe[1].

maxixeiro[2] (ma.xi.*xei*.ro) *a.sm. Bras.* Que ou quem dança o maxixe[2].

mazela (ma.*ze*.la) *sf.* **1** Aflição, infortúnio: *Ficou contando as mazelas de sua vida.* **2** Enfermidade, doença: *Entrou no hospital cheio de mazelas.* **3** *Fig.* Mancha moral que prejudica a reputação de alguém: *Perdeu o prestígio quando suas mazelas vieram a público.*

mazurca (ma.*zur*.ca) *sf.* Dança popular de origem polonesa que, no Brasil do séc. XIX, foi muito apreciada pela alta sociedade.

⊠ **Mb** *Inf.* Símb. de *megabit*.
⊠ **MB** *Inf.* Símb. de *megabyte*.
⊠ **mdc** *Mat.* Sigla de *máximo divisor comum*.

me *pr.pess.* **1** Equivale a 'eu', 'a mim' ou 'para mim', na função de complemento: *Ele me reconheceu?*; *O bilheteiro entregou-me as entradas.* **2** Substitui o possessivo *meu(s)*, *minha(s)*: *Lavou-me os cabelos com ervas.*

meação (me.a.*ção*) *sf.* **1** Divisão em duas partes iguais. **2** Parceria agrícola em que metade da produção é devida pelo parceiro ao proprietário da terra. [Pl.: -*ções*.] • me.*ar v.*

mea-culpa (me:a-*cul*.pa) *sm2n.* Reconhecimento da própria culpa, que equivale a pedido de perdão.

meada (me.*a*.da) *sf.* **1** Conjunto de fios que formam um novelo. **2** *Pop.* Confusão, mixórdia: *Não sabia mais como sair daquela meada.*

meado (me.*a*.do) *sm.* A parte média; o meio: *O casamento ocorreu em meados de maio.* [Mais us. no pl.]

mealheiro (me:a.*lhei*.ro) *sm.* **1** Dinheiro economizado; PECÚLIO. **2** Pequeno cofre com uma fenda por onde se introduz a moeda.

meandro (me:*an*.dro) *sm.* **1** Sinuosidade de caminho, rio etc.: *os meandros da estrada.* **2** *Fig.* Complexidade: *A história, cheia de meandros, era difícil de entender.*

meão (me:*ão*) *a.* **1** Que é médio, mediano. *sm.* **2** Peça central das rodas do carro de boi. **3** *MA* Tambor utilizado em apresentação de maracatu. [Pl.: -*ãos*. Fem.: *meã*.]

meato (me:*a*.to) *sm.* Orifício de um canal.

mecânica (me.*câ*.ni.ca) *sf.* **1** *Fís.* Ciência que estuda os movimentos e as forças que os produzem. **2** *Fís.* O conjunto das leis do movimento. **3** Atividade relativa a máquinas e motores e a seu conserto.

mecanicismo (me.ca.ni.*cis*.mo) *sm. Fil.* Corrente de pensamento para a qual os fenômenos, e até a própria natureza, estão submetidos a processos de determinação mecânica.

mecânico (me.câ.ni.co) *a.* **1** Ref. a mecânica. **2** Feito ou fabricado com a intervenção de uma máquina. **3** Que é automático, maquinal. *sm.* **4** Indivíduo que monta e/ou conserta máquinas: *mecânico de automóvel.*

mecanismo (me.ca.nís.mo) *sm.* **1** Conjunto ou disposição das peças que constituem uma máquina; MAQUINISMO. **2** Processo pelo qual algum trabalho é desenvolvido: *O mecanismo da propaganda tem evoluído muito.*

mecanizar (me.ca.ni.zar) *v.* **1** Dotar de máquinas ou meios mecânicos. [*td.*: *mecanizar a agricultura.*] **2** *Fig.* Tornar(-se) semelhante a uma máquina; AUTOMATIZAR(-SE). [*td.*: *A produção em série mecaniza os operários.* *pr.*: *Ele mecanizou-se no trabalho rotineiro.*] [▶ **1** mecaniz**ar** ● **me.ca.ni.za.ção** *sf.*; me.ca.ni.za.do *a.*

mecanografia (me.ca.no.gra.fí.a) *sf.* Utilização em documentos de mecanismos ou máquinas para operações de cálculo, classificação etc.

mecenas (me.ce.nas) *sm2n.* Indivíduo que protege e apoia, ger. com dinheiro, as artes e as ciências, e os profissionais que trabalham nessas áreas.

mecha (*me*.cha) *sf.* **1** Feixe de fios torcidos. **2** Pavio de vela. **3** Feixe de cabelos. ● **me.cha.do** *a.*

medalha (me.da.lha) *sf.* **1** Peça de metal com gravação de emblema, figura ou inscrição comemorativa. **2** Medalha (1) outorgada como condecoração por mérito ou como prêmio por vitória em competição, concurso etc. **3** Peça semelhante que inclui figura de devoção religiosa ou foto de pessoa querida.

medalhão (me.da.lhão) *sm.* **1** Medalha grande. **2** Caixinha trabalhada que se pendura em colar, como se fosse uma joia. **3** Joia em forma de medalhão (2), que pode conter recordações de alguém, como uma mecha de cabelos. **4** *Fig.* Pessoa considerada como de grande importância: *um medalhão das letras nacionais.* **5** *Cul.* Pedaço redondo e alto de carne bovina de boa qualidade. [Pl.: -*lhões.*]

média (*mé*.di:a) *sf.* **1** Valor intermediário e equidistante a dois valores extremos. **2** *Mat.* Resultado de soma de parcelas dividido pelo número de parcelas. **3** Esse resultado, considerando notas escolares, e o valor mínimo dessa média necessário para aprovação. **4** *Bras.* Xícara de café com leite. ❚❚ **Fazer ~ com** Tentar agradar; bajular.

mediação (me.di:a.ção) *sf.* **1** Ato ou efeito de mediar, de servir de mediador. **2** Intervenção, intermediação. [Pl.: -*ções.*]

mediador (me.di:a.dor) [ó] *a.sm.* Que ou aquele que intervém; intermediário, negociador, moderador, medianeiro.

mediana (me.di:a.na) *sf. Geom.* Segmento de reta que, em um triângulo retângulo, une um vértice ao ponto médio do lado oposto.

medianeiro (me.di:a.nei.ro) *a.sm.* Ver *mediador.*

mediania (me.di:a.ni.a) *sf.* **1** Qualidade de mediano. **2** Termo médio. **3** Meio-termo entre riqueza e pobreza.

mediano (me.di:a.no) *a.* **1** Que está situado no meio ou entre dois pontos extremos. **2** Que é banal, comum: *filme mediano, nem bom nem mau.* **3** Que tem altura comum à maioria das pessoas (estatura *mediana*).

mediante (me.di:an.te) *prep.* **1** Por meio de: *Ele só empresta dinheiro mediante contrato.* **2** A troco de: *Passou-me a informação mediante muitos pedidos.*

mediar (me.di.ar) *v.* **1** Atuar como mediador de (possível acordo). [*ti.* + *entre*: *mediar entre países beligerantes.* *tdi.* + *entre*: "...tentava mediar uma trégua *entre* as duas tribos rivais." (*Jornal Extra*, 24.11.99).] **2** Situar-se (entre duas coisas). [*ti.* + *entre*: *Entre* o rio e o mar *medeia* uma planície.] **3** Decorrer (entre duas épocas ou dois fatos). [*ti.* + *entre*: *Mediou* pouco tempo *entre* as duas guerras mundiais.] [▶ **15** med**iar**]

mediato (me.di:a.to) *a.* Que depende de um elemento intermediário; INDIRETO.

mediatriz (me.di:a.*triz*) *sf. Geom.* Perpendicular que corta ao meio um segmento de reta.

medicação (me.di.ca.ção) *sf.* **1** Ação ou resultado de ministrar um remédio: *Após o exame, o médico procedeu à medicação do paciente.* **2** O próprio remédio: *O paciente tomou a medicação.* [Pl.: -*ções.*]

medicamento (me.di.ca.*men*.to) *sm.* Substância que se emprega como remédio.

medicamentoso (me.di.ca.men.to.so) [ó] *a.* Ref. a ou que possui as propriedades de um remédio (erva *medicamentosa*). [Fem. e pl.: [ó].]

medicar (me.di.car) *v.* **1** Tratar(-se) com medicamento(s). [*td.* (seguido ou não de indicação de meio): *medicar o paciente (com antibióticos).* *pr.*: *Consulte um médico em vez de medicar-se.*] **2** Exercer a medicina. [*int.*] [▶ **11** medic**ar**] ● **me.di.ca.do** *a.*; me.di.cá.vel *a2g.*

medicina (me.di.ci.na) *sf. Med.* Ciência que trata da prevenção e da cura de doenças humanas. ❚❚ **~ legal** *Jur.* Ramo da medicina que emprega conhecimentos médicos na resolução de questões jurídicas.

medicinal (me.di.ci.nal) *a2g.* **1** Ref. a medicina; MÉDICO. **2** Que pode atuar como medicamento (águas *medicinais*). [Pl.: -*nais.*]

médico (*mé*.di.co) *a.* **1** Ref. a medicina; MEDICINAL. *sm.* **2** Indivíduo formado em medicina.

médico-legista (mé.di.co-le.*gis*.ta) *sm.* Médico que se dedica à medicina legal; LEGISTA. [Pl.: *médicos-legistas.*]

medida (me.di.da) *sf.* **1** Ação ou resultado de medir. **2** Grandeza que serve de base para avaliação de algo; PADRÃO. **3** Objeto que serve para medir uma quantidade. **4** Dimensão avaliada ou estipulada por medida (1). **5** Limite, moderação, termo. **6** Grau. ❚❚ **À ~ que** Enquanto, conforme: *À medida que lia, mais espantado ficava.* [NOTA: Indica que algo vai ocorrendo paralelamente a outra ação ou circunstância, ou como decorrência desta.] [Cf.: *na medida em que.*] **Encher as ~s 1** Ser suficiente; satisfazer. **2** Atingir ou superar o limite do suportável. **Na ~ em que Na** mesma proporção que: *Na medida em que* você estudar, suas notas vão melhorar. [Cf.: *à medida que* e sua nota.]

medidor (me.di.dor) [ó] *a.* **1** Que mede (instrumento *medidor*). *sm.* **2** Aquele ou aquilo que mede: *medidor de luz.*

medieval (me.di:e.val) *a2g.* Ref. à Idade Média (costumes *medievais*). [Pl.: -*ais.*] ● **me.di:e.va.***lis*.mo *sm.*

médio (*mé*.di:o) *a.* **1** Que está no meio; MEDIANO. **2** Que exprime o meio-termo. **3** Razoável, aceitável. **4** Diz-se do maior dedo da mão, situado entre o anular e o mínimo. *sm.* **5** Esse dedo.

medíocre (me.*dí*:o.cre) *a2g.s2g.* **1** Que ou quem permanece na média, sem ser bom nem mau. *a2g.* **2** Ordinário, trivial (texto *medíocre*). ● **me.di:o. cri.da.de** *sf.*

medir (me.dir) *v.* **1** Verificar a medida ou a grandeza de. [*td.*: *medir um terreno/a temperatura;* (seguido de indicação de instrumento ou de padrão) *medir um móvel com trena/em centímetros.*] **2** Ter (determinada medida de extensão, comprimento, altura etc.). [*int.* (seguido de indicação de medida): *O terreno mede 900m².*] **3** *Fig.* Servir de medida para. [*td.*: *Os muitos votos nulos mediram o descontentamento geral.*] **4** *Fig.* Ponderar, prever a dimensão ou o resultado de. [*td.*: *medir as consequências.*] **5** *Fig.* Julgar (algo) mediante comparação. [*td.*: *medir índices de desenvolvimento;* (seguido de indica-

meditabundo | meia-luz

ção de meio/modo) *medir uma ação por seus resultados.*] **6** *Fig.* Desafiar ou avaliar com o olhar, ger. como desafio. [*td.*: *Media-o, pronto para a briga.* *pr.*: *Mediram-se de alto a baixo.*] **7** Rivalizar com, ou enfrentar. [*pr.*: *Media-se, corajosamente, com adversários mais fortes.*] **8** *Fig.* Moderar, conter, refrear. [*td.*: *medir gastos/palavras.*] [▶ **44** medir] ● me.di.*ção sf.*; me.di.do *a.*; me.dí.vel *a2g.*

meditabundo (me.di.ta.*bun*.do) *a.* **1** Que medita muito; PENSATIVO. **2** Melancólico, entristecido.

meditação (me.di.ta.*ção*) *sf.* **1** Ação ou resultado de meditar, de refletir sobre um assunto. **2** *Rel.* Processo e circunstância de (alguém) se concentrar espiritualmente para desligar-se gradualmente das preocupações do mundo material. [Pl.: -*ções.*]

meditar (me.di.*tar*) *v.* **1** Pensar detidamente sobre (ou em); REFLETIR. [*td.*: *meditar uma resposta. ti.* + *em, sobre*: *meditar sobre um assunto. int.*: *passar horas meditando.*] **2** Planejar, projetar, arquitetar. [*td.*] [▶ **1** meditar] ● me.di.ta.*ti*.vo *a.*; me.di.*tá*.vel *a2g.*

mediterrâneo (me.di.ter.*râ*.ne:o) *a.* **1** Que se situa entre terras. **2** Ref. ao mar Mediterrâneo ou à região em torno desse mar: *É muito bonita a paisagem mediterrânea.*

médium (*mé*.di:um) *s2g.* **1** *Rel.* Pessoa que, segundo o espiritismo, pode se comunicar com os mortos. **2** Pessoa que supostamente tem o dom de perceber coisas por meios sobrenaturais. [Pl.: -*uns.*] ● me.di.*ú*.ni.co *a.*; me.di.u.ni.*da.*de *sf.*

medo (*me*.do) [ê] *sm.* **1** Emoção que se sente diante de um perigo ou de uma ameaça: *Ele tem medo de tempestade.* **2** Ansiedade diante da situação desagradável, possibilidade de fracasso etc.: *Tinha medo de que ela não viesse.*

medonho (me.*do*.nho) *a.* Que causa medo ou nojo (bicho medonho).

medrar[1] (me.*drar*) *v.* **1** Fazer crescer ou crescer (vegetal). [*td. int.*] **2** *Fig.* Crescer, progredir ou prosperar. [*int.* (seguido ou não de indicação de tempo, lugar): *A arquitetura medrou (no séc. XIII); Enfim medrou (na vida).*] [▶ **1** medrar]

medrar[2] (me.*drar*) *v. int. Bras. Pop.* Sentir medo: *medrar diante do perigo.* [▶ **1** medrar]

medroso (me.*dro*.so) [ô] *a.sm.* **1** Que ou quem sente medo ou é dado a ter medo; COVARDE: *Que menino medroso, tem medo até de gato!; O filme é assustador, não é para medrosos. a.* **2** *Fig.* Tímido, reticente, hesitante: *Após uma tentativa medrosa, criou coragem e confessou.* [Fem. e pl.: [ó].]

medula (me.*du*.la) *sf. Anat.* **1** Estrutura orgânica, parte de órgão ou órgão localizado no interior de outra estrutura ou órgão, da qual difere (medula óssea/espinhal). **2** Medula espinhal. ▦ ~ **espinhal** *Anat.* Medula (1) que é parte do sistema nervoso central, situada no interior da coluna vertebral (ver ilustr. em *cérebro*). ~ **óssea** *Anat.* Matéria no interior dos ossos, composta de alvéolos e fibras ósseas, e de células que fabricam os glóbulos brancos e vermelhos e as plaquetas sanguíneas.

medular (me.du.*lar*) *a2g.* Ref. à ou próprio de medula.

medusa (me.*du*.sa) *sf. Zool.* Certo animal marinho, translúcido, gelatinoso e provido de tentáculos.

meeiro (me.*ei*.ro) *a.* **1** Que possui ou tem direito a metade dos bens (sócio meeiro). *sm.* **2** Pessoa que trabalha a terra e reparte o resultado com seu dono.

mefistofélico (me.fis.to.*fé*.li.co) *a.* Que é perverso, maldoso como Mefistófeles, encarnação do demônio na obra *Fausto*, de Goethe; DIABÓLICO.

mega (*me*.ga) *sm. Inf.* F. red. de *megabyte*.

⊕ **megabit** (Ing. /*mégabit*/) *sm. Inf.* Unidade de medida da quantidade de informação que pode ser armazenada em um computador, equivalente a um milhão de *bits* (mais exatamente 1.048.576 *bits*). [Símb.: *Mb*]

⊕ **megabyte** (Ing. /*mégabait*/) *sm. Inf.* Unidade de medida da quantidade de informação que pode ser armazenada em um computador, equivalente a um milhão de *bytes* (mais exatamente 1.048.576 *bytes*). [Símb.: *MB*]

megafone (me.ga.*fo*.ne) *sm.* Instrumento us. para ampliar a voz.

mega-hertz (me.ga-*hertz*) [é] *sm2n. Fís.* Unidade de medida de frequência equivalente a um milhão de hertz. [Símb.: *MHz*]

megalítico (me.ga.*lí*.ti.co) *a.* Feito de pedras grandes (monumento megalítico).

megálito (me.*gá*.li.to) *sm.* Pedra us. em monumentos da pré-história.

megalocéfalo (me.ga.lo.*cé*.fa.lo) *a.* Que tem cabeça grande, desproporcional ao corpo. ● me.ga.lo.ce.fa.*li*.a *sf.*

megalomania (me.ga.lo.ma.*ni*.a) *sf. Psiq.* Mania de supervalorizar, engrandecer e embelezar tudo que diz respeito a si mesmo. ● me.ga.lo.ma.*ní*.a.co *a.sm.*; me.ga.*ló*.ma.no *a.sm.*

megalópole (me.ga.*ló*.po.le) *sf.* Grande cidade, ou conglomerado densamente povoado de várias cidades ou municípios sem zonas rurais entre eles.

meganha (me.ga.nha) *sm. Bras. Gír.* Policial.

⊕ **megastore** (Ing. /*mégastor*/) *sf.* Grande loja: *Foi inaugurada uma megastore de artigos eletrônicos.*

megaton (me.ga.*ton*) *sm. Fís.nu.* Unidade de energia liberada em explosão nuclear, correspondente à explosão de um milhão de toneladas de dinamite. [Pl.: *megatons* e (p. us. no Brasil) *megatones.*]

megera (me.*ge*.ra) *sf.* Mulher malvada e rabugenta.

meia (*mei*.a) *sf.* **1** Vestimenta que cobre o pé e uma parte da perna. **2** F. red. de meia-entrada: *Tenho minha carteira de estudante, pago meia no cinema.* [Cf.: *inteira.*] *s2g.* **3** Jogador(a) que atua no meio-campo, ou pela direita (meia-direita) ou pela esquerda (meia-esquerda)

meia-água (mei.a-*á*.gua) *sf.* **1** Telhado que só tem um plano inclinado. **2** Casa com esse tipo de telhado. [Pl.: *meias-águas.*]

meia-armador (mei.a-ar.ma.*dor*) [ô] *sm. Bras. Fut.* Jogador que arma as jogadas no centro do campo. [Pl.: *meias-armadores.*]

meia-calça (mei.a.*cal*.ça) *sf.* Meia que cobre os pés, toda a perna e os quadris. [Pl.: *meias-calças.*]

meia-cana (mei.a.*ca*.na) *sf.* **1** Tipo de lima (ferramenta de limar) com uma das superfícies curva. **2** Conjunto de ranhuras côncavas, como em certas colunas; CANELURA. [Pl.: *meias-canas.*]

meia-entrada (mei.a-en.*tra*.da) *sf. Bras.* Entrada ou ingresso que custa metade do preço normal. [Pl.: *meias-entradas.*]

meia-estação (mei.a-es.ta.*ção*) *sf.* Época do ano em que a temperatura é amena, nem fria nem quente demais. [Pl.: *meias-estações.*]

meia-idade (mei.a-i.*da*.de) *sf.* Idade entre a maturidade e a velhice (aproximadamente entre os quarenta e os sessenta anos). [Pl.: *meias-idades.*]

meia-irmã (mei.a-ir.*mã*) *sf.* Filha de apenas um dos pais de uma pessoa em relação a essa pessoa. [Pl.: *meias-irmãs.*]

meia-lua (mei.a-*lu*.a) *sf.* **1** Aparência da lua quando se mostra em meio círculo (no quarto crescente ou minguante). **2** O formato da meia-lua (1). **3** *Fut.* Local na cabeça da grande área delimitado por um risco em meia-lua (2), que marca a distância mínima que os jogadores devem permanecer quando da cobrança do pênalti. [Pl.: *meias-luas.*]

meia-luz (mei.a-*luz*) *sf.* Luz pouco intensa, como ao amanhecer ou entardecer, ou em ambientes mal iluminados; PENUMBRA. [Pl.: *meias-luzes.*]

meia-noite (mei.a-*noi*.te) *sf.* Hora que marca o fim de um dia e o começo de outro. [Pl.: *meias-noites.*]

meia-sola (mei.a-*so*.la) *sf.* **1** Remendo que substitui a parte anterior da sola de um calçado. **2** *Fig.* Reparo, conserto. *a2g.* **3** *Pop.* Diz-se daquilo que é mediano ou malfeito. [Pl.: *meias-solas.*]

meia-tigela (mei.a-ti.*ge*.la) *sf.* Us. na loc. ■ **De ~** Que é de pouco valor ou utilidade.

meia-tinta (mei.a-*tin*.ta) *sf.* **1** Tonalidade de cor intermediária entre dois tons. **2** Gradação de uma cor; MATIZ. [Pl.: *meias-tintas.*]

meia-volta (mei.a-*vol*.ta) *sf.* Movimento do corpo de modo a voltar as costas ao lado para o qual se estava antes de frente: "...vamos dar a meia-volta...." (Cantiga de roda, *Ciranda cirandinha*). [Pl.: *meias-voltas.*]

meigo (*mei*.go) *a.* Que é gentil, carinhoso. • **mei.gui.ce** *sf.*

meio (*mei*.o) *a.* **1** Que fica num ponto médio: *Estamos a meio caminho da padaria.* **2** Que não está, não se realiza ou não se mostra em sua totalidade ou com toda a intensidade: *um meio sorriso.* **3** Que tem aproximadamente a metade da quantidade ou duração normal de algo: *Ela trabalha meio expediente.* *sm.* **4** Ponto situado no centro de algo: *Colocou o vaso no meio da mesa.* **5** Momento situado a aproximadamente à mesma distância do começo e do fim: *no meio do verão.* **6** Ambiente natural de um ser vivo: *O meio do jacaré é o pântano.* **7** *Fig.* Esfera social onde se vive ou trabalha: *Não se adaptou ao meio grã-fino da namorada.* **8** Procedimento ou instrumental us. para se chegar a um fim: *Tentou por todos os meios convencê-lo a estudar; meios de transporte/de comunicação.* *adv.* **9** Não completamente; um tanto: "Ficou meio constrangida de dizer isso..." (Ana Maria Machado, *A audácia dessa mulher*). *num.* **10** Metade da unidade ou de um todo (*meio* metro). ☑ *meios smpl.* **11** Condições financeiras: *Ele tem meios para sustentar a filha.* ■ **~ ambiente** *Ecol.* O conjunto das condições ambientais da natureza em sua interação com o homem. **Por ~ de** Por intermédio de.

meio-campo (mei.o-*cam*.po) *sm. Fut.* **1** Região central do campo de futebol. **2** Jogador que ger. atua nessa região. [Pl.: *meios-campos.*]

meio-dia (mei.o-*di*.a) *sm.* Hora que marca a metade de um dia (1); corresponde às 12 horas. [Pl.: *meios-dias.*]

meio-fio (mei.o-*fi*:o) *sm.* Borda ao longo da calçada, ger. de pedras ou cimento, arrematando-a. [Pl.: *meios-fios.*]

meio-irmão (mei.o-ir.*mão*) *sm.* Filho de apenas um dos pais de uma pessoa em relação a essa pessoa. [Pl.: *meios-irmãos.* Fem.: *meia-irmã.*]

meio-médio (mei.o-*mé*.di:o) *Esp. a.* **1** Diz-se da categoria do boxe, judô etc. na qual o lutador pesa ger. de 73 a 81kg. *a2g.s2g.* **2** Que ou quem (lutador) pertence a essa categoria. [Pl.: *meios-médios.*]

meio-pesado (mei.o-pe.*sa*.do) *Esp. a.* **1** Diz-se da categoria do boxe, judô etc. na qual o lutador pesa ger. de 90 a 100kg. *a2g.s2g.* **2** Que ou quem (lutador) pertence a essa categoria. [Pl.: *meio-pesados.*]

meiose (mei:o.se) *sf. Cit.* Divisão celular em que o número de cromossomas das novas células corresponde à metade do da célula original.

meio-soprano (mei.o-so.*pra*.no) *sm.* **1** Tom de voz feminina intermediário entre contralto e soprano. **2** Quem tem esse tom de voz. [Pl.: *meios-sopranos.*]

meio-tempo (mei.o-*tem*.po) *sm.* Intervalo de tempo entre dois acontecimentos. [Pl.: *meios-tempos.*] ■ **Nesse ~** Nesse interim.

meio-termo (mei.o-*ter*.mo) *sm.* Situação ou estado intermediário entre duas posições extremas: *É preciso achar um meio-termo: nem só estudar, nem só brincar.* [Pl.: *meios-termos.*]

meio-tom (mei.o-*tom*) *sm.* **1** *Mús.* Intervalo correspondente à metade de um tom, o menor na música ocidental. **2** Matiz, nuança de uma cor. [Pl.: *meios-tons.*]

mel *sm.* Produto doce que as abelhas fabricam a partir do néctar das flores. [Pl.: *méis* e *meles.*]

melaço (me.*la*.ço) *sm.* Calda que resulta da cristalização do açúcar.

melado¹ (me.*la*.do) *a.* **1** *Bras.* Que está lambuzado de substância doce: *O bebê está todo melado de geleia.* **2** *Bras.* Com muito açúcar: *O café está melado.* **3** *BA* Bêbado.

melado² (me.*la*.do) *sm.* Calda grossa de açúcar com que se faz a rapadura.

melancia (me.lan.*ci*.a) *sf.* Grande fruta oval, vermelha por dentro, de casca lisa e verde.

melancolia (me.lan.co.*li*.a) *sf.* Tristeza sem causa definida, por vezes acompanhada de saudade: *Vovó pensa em sua juventude com melancolia.* • **me.lan.có.li.co** *a.*

melanésio (me.la.*né*.si:o) *a.* **1** Da Melanésia (Oceania); típico desse arquipélago ou de seu povo. *sm.* **2** Pessoa nascida na Melanésia. *a.sm.* **3** *Gloss.* Do, ref. ao ou o grupo de línguas e dialetos falados na Melanésia.

melanina (me.la.*ni*.na) *sf. Bioq.* Substância que dá a cor da pele e dos cabelos.

melanoma (me.la.*no*.ma) *sm. Pat.* Tumor da pele.

melão (me.*lão*) *sm.* Fruta redonda, verde ou laranja por dentro, de casca amarela. [Pl.: *-lões.*]

melar (me.*lar*) *v.* **1** Cobrir ou adoçar com mel. [*td.*] **2** Lambuzar(-se) com mel ou qualquer outra substância melosa. [*td. pr.*] **3** *Bras. Fig. Pop.* Fazer malograr ou malograr. [*td.*: *A forte gripe melou sua viagem. int.*: *Nossos planos melaram.*] [▶ I me*lar*]

melê (me.*lê*) *sm. Bras. Pop.* Situação desordenada e confusa.

meleca (me.*le*.ca) *sf. Bras.* **1** *Pop.* Secreção pastosa, ou já seca, produzida no nariz. *interj.* **2** *Fam.* Expressão que indica contrariedade; PORCARIA.

melena (me.*le*.na) *sf.* **1** Cabelos longos. **2** Mecha de cabelo.

melhor (me.*lhor*) *a2g.* **1** Mais bom (comparativo de superioridade de *bom*): *Esse belga é melhor tenista que o francês.* **2** O mais bom, o excelente (superlativo de *bom*): *Nossos preços são os melhores.* **3** Us. em fórmulas que manifestam bons sentimentos, augúrios etc.: *Meus melhores votos de felicidade! adv.* **4** De modo mais conveniente, perfeito etc.; mais bem (comparativo de *bem*): *Precisamos estar melhor preparados.* **5** Com menos sintomas de doença: *Esta noite passei melhor. sm.* **6** O que é superior em qualidade, destaque; o que é mais adequado: *Unidos para o melhor e para o pior.* ■ **Levar a ~ (sobre)** Sair vitorioso; suplantar (algo ou alguém). **Ou ~** Isto é: *Na véspera, ou melhor, no sábado, faltou luz.* **Tanto ~** É preferível (para mim/nós): *Se for à tarde, tanto melhor, terei mais tempo de estudar.*

melhora (me.*lho*.ra) *sf.* **1** Mudança para um estado ou condição mais favorável do que o anterior: *Depois da operação, teve uma melhora considerável.* ☑ **melhoras** *sfpl.* **2** Votos de recuperação na saúde: *Desejo suas melhoras.* [Us. tb. como interjeição, na despedida: *Melhoras!*] • **me.lho.ra.da** *sf.*

melhoramento (me.lho.ra.*men*.to) *sm.* Ação, processo ou resultado de tornar algo melhor do que era antes: *Dedicou-se ao melhoramento das condições de trabalho;* Pl.: *melhoramentos na estrada.*

melhorar (me.lho.*rar*) *v.* **1** Tornar(-se) melhor ou superior. [*td.*: *melhorar um texto. ti. + de*: *melhorar de situação. int.*: *A economia do país melhorou.*] **2** Fazer regredir ou regredir (doença), ou

melhoria | meninada

recuperar(-se) (doente). [*td.*: *As injeções melhoraram sua alergia*. *int.*: *Sua bronquite melhora a cada dia.*] **3** Amenizar-se, serenar (o tempo, a chuva etc.). [*int.*] [▶ **1** melhor**ar**]

melhoria (me.lho.*ri*.a) *sf.* **1** Recuperação de um mal; MELHORA. **2** Melhor estado: *Espera-se uma melhoria da qualidade do ensino público*.

meliante (me.li:*an*.te) *s2g.* **1** Pessoa que não trabalha; MALANDRO. **2** Aquele que se utiliza de meios ilícitos para conseguir algo; PATIFE: *A polícia capturou o meliante*.

melífero (me.*lí*.fe.ro) *a.* Que produz mel.

melífluo (me.*lí*.flu:o) *a.* **1** Que flui como o mel (líquido *melífluo*). **2** *Fig.* Suave, harmonioso (sorriso *melífluo*). **3** *Fig.* Que afeta doçura; BAJULADOR.

melindrar (me.lin.*drar*) *v.* Suscetibilizar(-se), ofender(-se) ou magoar(-se). [*td.*: *Não queria melindrar ninguém. pr.*: *Ela melindra-se com qualquer coisa.*] [▶ **1** melindr**ar**]

melindre (me.*lin*.dre) *sm.* **1** Dúvida de natureza ética ou de consciência; PUDOR; ESCRÚPULO: *Seus melindres o fizeram pensar duas vezes.* **2** Facilidade de magoar-se: *Tome cuidado ao criticá-lo, é cheio de melindres.*

melindrosa (me.lin.*dro*.sa) *sf.* Fantasia feminina que consiste em vestido de cintura baixa, corte reto e pontas esvoaçantes.

melindroso (me.lin.*dro*.so) [ó] *a.* **1** Que apresenta dificuldade ou perigo (operação *melindrosa*). *a.sm.* **2** Que ou quem é cheio de melindres, ou se ofende facilmente. [Fem. e pl.: [ó].]

melissografia (me.lis.so.gra.*fi*.a) *sf.* Estudo sobre abelhas.

melívoro (me.*lí*.vo.ro) *a.* Que se alimenta de mel.

melodia (me.lo.*di*.a) *sf.* **1** *Mús.* Sequência de notas que formam uma frase musical. **2** *Fig.* Aquilo que agrada aos ouvidos: *Ouvia a melodia do bosque, o canto dos pássaros, o ruído dos insetos e do regato.* ● me.*ló*.di.co *a.*; me.lo.di:*o*.so *a.*

melodrama (me.lo.*dra*.ma) *sm.* *Teat.* Obra de enredo sentimental e que exagera em sua dramaticidade, podendo chegar ao grotesco.● me.lo.*dra.má*.ti.co *a.*

meloeiro (me.lo:*ei*.ro) *sm.* *Bot.* Planta que dá o melão.

melomania (me.lo.ma.*ni*.a) *sf.* Gosto acentuado ou exagerado pela música. ● me.lo.ma.*ní*.a.co *a.sm.*

melopeia (me.lo.*pei*.a) *sf.* *Mús.* Canto monótono e melancólico.

meloso (me.*lo*.so) [ó] *a.* *Bras.* Que exagera no afeto; muito sentimental; PIEGAS: *Escrevia textos melosos para folhetins e novelas.* [Fem. e pl.: [ó].]

melro (*mel*.ro) *sm.* *Zool.* Pássaro preto, de bico amarelo e de canto forte.

membrana (mem.*bra*.na) *sf.* *Anat.* Tecido muito fino que envolve um órgão ou cavidade do corpo. ● mem.bra.*no*.so *a.*

membro (*mem*.bro) *sm.* **1** *Anat.* Cada uma das quatro partes do corpo que se liga ao tronco. **2** Pessoa que faz parte de um grupo, clube etc.

meme (*me*.me) [ê] *sm.* **1** Imagem, vídeo, frase ou ideia que é repetitivamente reproduzida na internet com tom humorístico: *A cena do filme tornou-se um meme*. **2** *Int.* Conteúdo visual, audiovisual ou ideia reutilizada e compartilhada de forma humorística e satírica em redes sociais: *A frase da vilã virou um meme na internet*.

memorando (me.mo.*ran*.do) *sm.* Documento oficial escrito que informa algo.

memorar (me.mo.*rar*) *v. td.* Recordar, lembrar. [▶ **1** memor**ar**]

memorável (me.mo.*rá*.vel) *a2g.* **1** Que merece ser conservado na memória: *Foi uma festa memorável*. **2** Muito notório, célebre, afamado. [Pl.: *-veis.*]

memória (me.*mó*.ri:a) *sf.* **1** Capacidade ou faculdade que possibilita às pessoas lembrarem-se de algo: "Olhe o meu sorriso e exercite a memória/ Relembre todos os lances da nossa história" (Gabriel, o Pensador, *Tô vazando*). **2** O registro, a lembrança daquilo de que se lembra: *Tinha na memória todos os fatos; A turma evocou a memória do velho professor*. **3** Homenagem a algo ou alguém pela evocação de sua lembrança: *cerimônia em memória ao fundador do clube*. **4** *Inf.* No computador, dispositivo que armazena as informações e também determina a velocidade de funcionamento dos programas: *Bruno aumentou a memória de seu micro.*◪ **memórias** *sfpl.* **5** Livro que uma pessoa escreve para contar sua vida ou os acontecimentos que presenciou. ⁑ **Refrescar a ~** Evocar detalhes de algo para tentar lembrar o principal.

memorial (me.mo.ri:*al*) *sm.* Relato por escrito das coisas feitas por uma pessoa: *Para se candidatar ao emprego, teve de escrever um memorial de sua vida profissional*. [Pl.: *-ais.*]

memorialista (me.mo.ri:a.*lis*.ta) *s2g.* Autor de memórias históricas ou literárias.

memorizar (me.mo.ri.*zar*) *v.* **1** Preservar a memória de. [*td.*: *Memorizou para sempre os tempos de guerra.*] **2** Aprender de cor; DECORAR. [*td.*: *Memorizar um texto teatral*. *int.*: *facilidade para memorizar*.] [▶ **1** memoriz**ar**] ● me.mo.ri.za.*ção* *sf.*

menarca (me.*nar*.ca) *sf.* Primeira menstruação da mulher.

menção (men.*ção*) *sf.* **1** Ação de mencionar, de referir-se rapidamente a algo: *Dedicou seu discurso à menção dos bons resultados da firma*. **2** O que se menciona; REGISTRO: *Ouviu satisfeito a menção a seu esforço*. **3** Gesto que demonstra uma intenção: *Papai fez menção de me bater, mas desistiu.* [Pl.: *-ções*.]

mencheviche (men.che.*vi*.que) *s2g.* *Hist. Pol.* Membro da ala moderada do partido socialdemocrata russo (antes da revolução de 1917). *a2g.* Ref. a essa ala. [Cf. *bolchevique.*]

mencionar (men.ci:o.*nar*) *v.* **1** Fazer menção de ou referência a; REFERIR. [*td.* (seguido ou não de indicação de lugar ou circunstância): *Mencionou nosso nome (no discurso)*.] **2** Assinalar, consignar, registrar. [*td./tdi.* + *a* (seguido ou não de indicação de lugar): *Mencionou seu descontentamento (ao chefe) (no relatório)*.] [▶ **1** mencion**ar**] ● men.ci:o.*na*.do *a.*

mendaz (men.*daz*) *a2g.* Falso, desleal.

mendicância (men.di.*cân*.ci:a) *sf.* Ação ou resultado de pedir esmolas. ● men.di.*can*.te *a2g.s2g.*

mendigar (men.di.*gar*) *v.* **1** Pedir esmola ou (algo) como esmola. [*td.*: *mendigar um prato de comida*. *tdi.* + *a*: *mendigar dinheiro aos transeuntes*. *int.*: *Ela mendiga desde criança.*] **2** *Fig.* Pedir humilde ou servilmente. [*td.*: *mendigar um empréstimo*. *tdi.* + *a*: *Mendiga favores aos políticos.*] [▶ **14** mendig**ar**]

mendigo (men.*di*.go) *sm.* Pessoa que vive sem trabalho e sem casa, pedindo esmolas.

menear (me.ne.*ar*) *v.* **1** Mover(-se) de um lado para outro. [*td.*: *menear os braços*. *pr.*: *A copa das árvores meneava-se com o vento.*] **2** Rebolar(-se), bambolear(-se). [*td.*: *menear os quadris*. *pr.*: *Os sambistas meneavam-se na quadra.*] [▶ **13** mene**ar**]

meneio (me.*nei*.o) *sm.* Movimento que se faz com o corpo ou parte dele: *Dengosa, faz um meneio de lado com a cabeça.*

menestrel (me.nes.*trel*) *sm.* Na Idade Média, poeta e músico itinerante. [Pl.: *-tréis.*]

menina (me.*ni*.na) *sf.* **1** Criança do sexo feminino; GAROTA. **2** Mulher jovem; MOÇA. ⁑ **~ dos olhos** A coisa ou pessoa preferida, centro de atenção e cuidados.

meninada (me.ni.*na*.da) *sf.* Conjunto de meninos e/ou meninas; CRIANÇADA.

meninge (me.*nin*.ge) *sf. Anat.* Cada uma das três membranas que, superpostas, revestem o encéfalo e a medula espinhal. meninge

meningite (me.nin.*gi*.te) *sf. Med.* Inflamação das meninges.

meninice (me.ni.*ni*.ce) *sf.* **1** Período da vida em que se é criança; INFÂNCIA. **2** Comportamento típico de criança; CRIANCICE.

menino (me.*ni*.no) *sm.* **1** Criança do sexo masculino; GAROTO. **2** Homem jovem; MOÇO.

meninota (me.ni.*no*.ta) *sf. Bras.* Menina crescida; MOCINHA.

menir (me.*nir*) *sm. Arqueol.* Monumento megalítico, na f. de uma pedra fincada verticalmente no solo.

menisco (me.*nis*.co) *sm.* **1** *Anat.* Lâmina de cartilagem em forma de crescente, entre duas superfícies articuladas. **2** *Anat.* Especificamente, o menisco (1) da articulação do joelho. **3** *Ópt.* Lente cuja espessura é menor na borda do que no centro.

menopausa (me.no.*pau*.sa) *sf. Fisl.* **1** Supressão da menstruação. **2** Período da vida da mulher em que ocorre esse fenômeno.

menor (me.*nor*) *a2g.* **1** Mais pequeno: *Minha redação ficou menor que a sua.* **2** O mais pequeno: *Sergipe é o menor estado do Brasil.* **3** Muito pequeno; ÍNFIMO; MÍNIMO: "...não tinha a menor obrigação de me atender..." (João Ubaldo Ribeiro, *Diário do farol*). **4** De pouca importância: *Estas são questões menores.* **5** *Mús.* Diz-se de intervalo cuja abrangência cobre meio tom a menos que o do seu correspondente maior. **6** *Mús.* Diz-se de escala diatônica (e tom correspondente) cujas terça e sexta (em relação à tônica, ou primeira nota) formam intervalos menores (5) (escala menor, tom menor). **7** Diz-se de roupas de baixo, roupas íntimas (roupas menores). [Nesta acp., us. no pl.] *a2g.s2g.* **8** Que ou quem não pode ser legalmente responsável pelos seus atos: *Emancipou seus filhos menores; filme proibido para menores.* [Ant. nas acps. 1, 2, 4 e 8: *maior*.] ■ **De ~** *Pop.* Menor de idade. • **de idade** Que ou quem, pela lei, não atingiu a maioridade.

menoridade (me.no.ri.*da*.de) *sf.* Estado ou condição de menor (8). [Ant.: maioridade.]

menorragia (me.nor.ra.*gi*.a) *sf. Med.* Aumento do fluxo menstrual na duração normal da menstruação. • **me.nor.*rá*.gi.co** *a.*

menorreia (me.nor.*rei*.a) *sf. Fisl.* Ver *menstruação.*

menos (*me*.nos) *adv.* **1** Com menor intensidade: *Caminhando devagar, canso menos.* **2** Introduz o grau superlativo: *Sua nota menos aceitável foi em matemática.* **3** Introduz o grau comparativo: *Faz menos deveres de casa do que a média da turma.* **4** Abaixo de: *Seus pais têm menos de 40 anos.* *pr.indef.* **5** Menor quantidade ou intensidade de: *O espetáculo terá menos apresentações.* *sm.* **6** O mínimo: *O governo quer importar o menos possível. prep.* **7** Exceto: *Como de tudo, menos jiló.* ■ **A ~** Em quantidade menor que a certa ou esperada; de menos: *Recebeu cinco reais a menos.* **A ~ que** Salvo se; a não ser que: *Passariam o dia na praia, a menos que chovesse.* **Ao ~** No mínimo; pelo menos: *Poderia, ao menos, ter telefonado.* **De ~ 1** Ver *a menos.* **2** Sem importância: *Ganhar o Oscar era de menos, o importante era a indicação.* **Mais ou ~ 1** Nem bom, nem ruim: *A vida aqui anda mais ou menos.* **2** Cerca de: *Ponha mais ou menos duas pitadas de sal.* **Pelo ~** Ver *ao menos.* **Por ~ que** Embora não: *Por menos que se queira, os fotógrafos a perseguem.* **Sem mais nem ~** De repente; sem motivo aparente: *Foi embora, sem mais nem menos.*

menoscabar (me.nos.ca.*bar*) *v.* Não atribuir valor a (alguém, algo ou si mesmo); DESMERECER(-SE); MENOSPREZAR(-SE). [*td.*: *Arrogante, menoscabava o esforço alheio.* *pr.*: *Ele menoscaba-se sem razão, pois tem talento.*] [▶ **1** menoscab[ar] • **me.nos.*ca*.bo** *sm.*

menosprezar (me.nos.pre.*zar*) *v.* **1** Ter em menos ou em pouca conta (alguém, algo ou si mesmo); DEPRECIAR(-SE); MENOSCABAR(-SE). [*td.*: *menosprezar o perigo/a força do adversário.* *pr.*: *Depois do malogro passou a menosprezar-se.*] **2** Desconsiderar(-se), desprezar(-se), desdenhar(-se). [*td.*: *Eles menosprezam todos os bons conselhos. pr.*: *Menospreza-se porque se julga covarde.*] [▶ **1** menosprez[ar] • **me.nos.pre.za.do** *a.*; **me.nos.*pre*.zo** *sm.*

mensageiro (men.sa.*gei*.ro) *sm.* **1** Quem entrega mensagens. **2** Aquele que anuncia, prenuncia, expressa algo: *mensageiro da paz.*

mensagem (men.*sa*.gem) *sf.* **1** Comunicação oral ou escrita. **2** Comunicação oficial de um chefe de Estado ao parlamento. **3** Significado essencial de uma obra artística ou literária: *Poucos entenderam a mensagem do filme.* [Pl.: *-gens*.]

mensal (men.*sal*) *a2g.* **1** De um mês (produção mensal, despesas mensais). **2** Que ocorre ou se efetua uma vez por mês, todos os meses (inspeção mensal). **3** Que se paga ou recebe por mês (prestação mensal). [Pl.: *-sais*.]

mensalidade (men.sa.li.*da*.de) *sf.* **1** Condição ou qualidade do que é mensal. **2** Quantia de dinheiro que se paga todos os meses.

mensalista (men.sa.*lis*.ta) *a2g.s2g.* Que ou aquele que recebe salário mensal (Ant.: *diarista, de empregado*).

mensário (men.*sá*.ri:o) *sm.* Jornal, revista etc. que se publica de mês em mês.

menstruação (men.stru.a.*ção*) *sf. Fisl.* Perda de sangue e mucosa, provenientes do útero, que ocorre todos os meses nas mulheres não grávidas e em idade fértil; MENORREIA; MÊNSTRUO. [Pl.: *-ções*.] • **mens.tru.*a*.do** *a.*; **mens.tru.al** *a2g.*; **mens.tru.ar** *v.*

mênstruo (*mèns*.tru:o) *sm. Fisl.* Ver *menstruação.*

mensurar (men.su.*rar*) *v. td.* Determinar ou aferir as medidas ou o grau de; MEDIR. [▶ **1** mensur[ar] • **men.su.ra.*ção*** *sf.*; **men.su.ra.do** *a.*; **men.su.*rá*.vel** *a2g.*

menta (*men*.ta) *sf. Bot.* Planta aromática de que se extrai uma essência us. na produção de doces, licores, dentifrícios etc.

mental¹ (men.*tal*) *a2g.* Ref. a ou da mente (faculdades mentais, doença mental). [Pl.: *-tais*.]

mental² (men.*tal*) *a2g.* Ref. ao ou do mento. [Pl.: *-tais*.]

mentalidade (men.ta.li.*da*.de) *sf.* **1** Mente, inteligência, pensamento. **2** Modo de pensar característico de uma pessoa ou de um grupo.

mentalizar (men.ta.li.*zar*) *v. td.* **1** Conceber, elaborar ou imaginar: *Mentalizou um jeito de resolver a situação.* **2** Fixar a mente em; concentrar-se em; gravar na mente: *Mentalizou bem o papel antes de entrar no palco.* [▶ **1** mentaliz[ar] • **men.ta.li.za.*ção*** *sf.*; **men.ta.li.*za*.do** *a.*

mente (*men*.te) *sf.* **1** Fonte da atividade psíquica e intelectual; ESPÍRITO; INTELECTO. **2** Capacidade de compreender e de criar; IMAGINAÇÃO. **3** Intenção, intento, plano: *Sua mente era mudar de atividade.*

mentecapto (men.te.*cap*.to) *a.sm.* **1** Que ou quem perdeu o juízo; LOUCO; MALUCO. **2** Que ou quem tem pouca capacidade intelectual; TOLO; IDIOTA.

mentir (men.*tir*) *v.* **1** Dizer ou afirmar (algo não verdadeiro), sabendo que não é. [*td.*: *Ela mente sua idade/sua escolaridade. ti.* + *a, para*: *O rapaz mentiu para os pais quando lhe perguntaram o que houvera. int.*: *Não acredite nesse relato, ele está mentindo.*] **2** Dizer ou ser contumaz em dizer mentira(s). [*int.*: *Ele não é confiável, mente demais.*] **3** *Fig.* Iludir, enganar. [*int.*: *Seus olhos mentem; Os fatos não mentem.*] [▶ **50** ment[ir]

mentira (men.*ti*.ra) *sf.* Afirmação que não corresponde à verdade, feita com a intenção de enganar.

mentiroso (men.ti.*ro*.so) [ó] *a.sm.* **1** Que ou quem diz mentiras. *a.* **2** Que há muita mentira (elogios mentirosos); FALSO; FINGIDO. **3** Que não corresponde à verdade e pode levar a erro; ENGANOSO; FALSO: *Fez uma descrição mentirosa da realidade do país.* [Fem. e pl.: [ó].]

mento (*men*.to) *sm.* **1** *Anat.* Zona do rosto que corresponde à parte frontal da mandíbula. **2** Queixo. **3** *Anat. Zool.* Protuberância carnosa abaixo do lábio inferior de certos animais.

mentol (men.*tol*) *sm. Quím.* Álcool extraído da essência da hortelã, de propriedades antissépticas e anestésicas. [Pl.: *-tóis*.] ● **men.to.*la*.do** *a.*

mentor (men.*tor*) [ô] *sm.* **1** Pessoa experiente que instrui e dá conselhos a outra; GUIA; MESTRE. **2** Pessoa que planeja e dirige um projeto, uma obra etc.

menu (me.*nu*) *sm.* **1** Lista das refeições e bebidas, com os respectivos preços, que podem ser escolhidas num restaurante; CARDÁPIO. **2** Conjunto dos diferentes pratos servidos numa refeição; CARDÁPIO. **3** *Inf. Tec.* Lista de opções que aparecem na tela do computador, no visor de um telefone celular etc.

mequetrefe (me.que.*tre*.fe) *sm. Pop.* **1** Sujeito intrometido; ENGANADOR. **2** Pessoa sem valor, insignificante; JOÃO-NINGUÉM.

mercadejar (mer.ca.de.*jar*) *v.* Comerciar, negociar; MERCANCIAR. Ou ser mercador, negociante. [*ti. + em, com*: *Ele mercadeja com pedras preciosas*. *int.*: *Assim como o pai, Sérgio mercadeja desde a juventude.*] [▶ **1** mercade***jar***]

mercadinho (mer.ca.*di*.nho) *sm. RJ* Pequeno mercado de bairro.

mercado (mer.*ca*.do) *sm.* **1** Lugar público onde se vendem mercadorias, esp. gêneros alimentícios. **2** *Econ.*Atividade que consiste na compra e venda de produtos, bens e serviços; COMÉRCIO. **3** *Econ.* Conjunto de potenciais compradores de um produto, de investidores etc. **4** *Econ.* Lugar, região etc. onde existe um mercado (3) potencial: *O Brasil é um grande mercado de informática.* ■ **~ de trabalho** *Econ.* **1** Conjunto de empresas, instituições etc. que oferecem emprego e das pessoas que ocupam ou procuram ocupar esses empregos, em um dado momento, em uma dada sociedade. **2** A relação entre a oferta e a procura de emprego por esses conjuntos, nesse contexto. **~ negro** Comércio de bens ilegal ou clandestino, fora das regras legais e sem registro legal.

mercadologia (mer.ca.do.lo.*gi*.a) *sf. Econ.* Estudo de mercados (3) com vistas à comercialização de um produto. ● **mer.ca.do.*ló*.gi.co** *a.*

mercador (mer.ca.*dor*) [ô] *sm.* Pessoa que compra mercadorias para revendê-las; MERCANTE; COMERCIANTE.

mercadoria (mer.ca.do.*ri*.a) *sf. Econ.* Produto que se pode comprar ou vender, que é objeto de comércio; MERCANCIA.

mercancia (mer.can.*ci*.a) *sf.* **1** Ação ou resultado de mercanciar; COMÉRCIO; NEGÓCIO. **2** Mercadoria.

mercanciar (mer.can.ci.*ar*) *v.* Ver *mercadejar*. [▶ **1** mercanci***ar***]

mercante (mer.*can*.te) *a2g.* **1** Ref. as ou próprio para as atividades de compra e venda (navio mercante, marinha mercante). *s2g.* **2** Ver *mercador*.

mercantil (mer.can.*til*) *a2g.* **1** Do ou próprio do comércio; COMERCIAL. **2** *Fig.* Que procura o lucro acima de tudo (índole mercantil). [Pl.: *-tis*.]

mercantilismo (mer.can.ti.*lis*.mo) *sm.* **1** Tendência para buscar o lucro antes de qualquer coisa. **2** *Econ. Hist.* Doutrina política e econômica, esp. dos sécs. XVI e XVII, que dá importância primordial ao comércio e à acumulação de reservas em metais preciosos.

mercê (mer.*cê*) *sf.* **1** Favor ou benefício que se concede; GRAÇA. **2** Recompensa por serviço prestado; RETRIBUIÇÃO; PAGA. ■ **À ~ de** Sujeito a; ao sabor ou capricho de. **~ de** Graças a. **Vossa ~** Antiga forma de tratamento, us. respeitosamente pelo falante: *Vossa mercê é o coronel Saraiva?*

mercearia (mer.ce:a.*ri*.a) *sf.* Loja onde se vendem gêneros alimentícios, bebidas etc. a varejo; ARMAZÉM; VENDA.

merceeiro (mer.ce.*ei*.ro) *sm.* Proprietário de mercearia.

mercenário (mer.ce.*ná*.ri:o) *a.sm.* Que ou quem trabalha somente por dinheiro (diz-se esp. de soldado).

⊕ ***merchandising*** (Ing. /mertchandáisin/) *sm. Publ.* Exibição ou menção de uma marca ou produto em programas de TV, filmes etc., como publicidade mas sem declarada intenção publicitária.

⊠ **Mercosul** [ss] Sigla de *Mercado Comum do Sul* (aliança comercial entre Brasil, Argentina, Paraguai e Uruguai).

mercúrio (mer.*cú*.ri:o) *sm.* **1** *Quím.* Metal líquido, prateado, muito tóxico, us. em termômetros, amálgamas dentários etc. [Simb.: *Hg*] ☉ **Mercúrio** *sm.* **2** *Astron.* Planeta do sistema solar que gravita mais perto do Sol. ● **mer.cu.*ri:al*** *a2g.*

mercuriocromo (mer.cu.ri:o.*cro*.mo) *sm.* Ver *mercurocromo*.

mercurocromo (mer.cu.ro.*cro*.mo) *sm.* Antisséptico que contém um composto de mercúrio.

merda (*mer*.da) *Tabu. sf.* **1** Fezes, excremento. **2** *Fig. Pej.* Coisa ou pessoa desprezível ou repulsiva. [At! Considerado ofensivo nesta acepção.] *interj.* **3** Expressa irritação, repulsa ou desprezo.

merecer (me.re.*cer*) *v.* Ser digno de; ter merecimento para; fazer jus a. [*td.*: *merecer elogios*/*o amor de alguém*/*merecer a vitória*; *Este filme merece ser visto. tdi.* + *de*: *Não mereço isso de você.*] [▶ **33** mere***cer***] ● **me.re.ce.*dor*** *a.sm.*

merecido (me.re.*ci*.do) *a.* Que se concede de forma correta (recompensa merecida, castigo merecido); DEVIDO; JUSTO. [Ant.: *imerecido*, *injusto*.]

merecimento (me.re.ci.*men*.to) *sm.* Qualidade de quem merece prêmio, consideração, louvor etc.; MÉRITO.

merencório (me.ren.*có*.ri:o) *a.* Triste, melancólico: "...à merencória luz da lua..." (Ari Barroso, *Aquarela do Brasil*).

merenda (me.*ren*.da) *sf.* **1** Refeição que as crianças fazem no intervalo das aulas. **2** Refeição leve que se faz entre o almoço e o jantar.

merendar (me.ren.*dar*) *v.* Comer (algo) como merenda ou na hora da merenda; fazer um lanche. [*td.*: *merendar sanduíches*. *int.*: *Está na hora de merendar.*] [▶ **1** merend***ar***]

merendeira (me.ren.*dei*.ra) *sf.* **1** Maleta em que se leva merenda; LANCHEIRA. **2** *RJ* Funcionária que prepara merenda nas escolas.

merengue (me.*ren*.gue) *sm.* **1** *Cul.* Doce de claras de ovos batidas com açúcar; SUSPIRO. **2** *Mús.* Certas música e dança típicas do Caribe.

meretrício (me.re.*trí*.ci:o) *sm.* **1** Profissão de meretriz. **2** Conjunto das meretrizes.

meretriz (me.re.*triz*) *sf.* Mulher que faz sexo por dinheiro; PROSTITUTA.

mergulhador (mer.gu.lha.*dor*) [ô] *a.sm.* **1** Que ou quem mergulha, eventualmente ou como esporte. *sm.* **2** Profissional que realiza tarefas debaixo d'água.

mergulhão (mer.gu.*lhão*) *sm. Zool.* Ave que mergulha para capturar os peixes de que se alimenta. [Pl.: *-lhões*.]

mergulhar (mer.gu.*lhar*) *v.* **1** Fazer imergir ou imergir (em ou num qualquer outro líquido). [*td.*: *Sentou e mergulhou os pés na piscina. tdi.* + *em*:

mergulhar as mãos na água/uma calça na tintura. *int.*: *O submarino enfim mergulhou.*] **2** Dar ou praticar mergulho. [*int.*: *Ele mergulhou da plataforma de 10m.*] **3** Fazer penetrar. [*tdi + em: Mergulhou os dedos na areia.*] **4** Descer verticalmente, súbita e/ou impetuosamente. [*int.*: *O avião mergulhou numa acrobacia ousada.*] **5** *Fig.* Entregar-se completamente a (ocupação ou atividade). [*ti. + em: mergulhar no trabalho/nos estudos/na política.*] **6** Jogar-se, atirar-se. [*int.* (seguido de indicação de direção, lugar, objetivo etc.): *Cansadíssimo, mergulhou na cama; A águia mergulhou sobre a presa.*] **7** Penetrar, embrenhar-se, ficar envolto (tb. *Fig.*) [*int.* (seguido de indicação de lugar ou circunstância): "*Mergulhamos no matagal e saímos adiante...*" (Kurban Said, *Ali e Nino*); *saíram da barraca e mergulhou na escuridão.*] [▶ mergulhar]

mergulho (mer.*gu*.lho) *sm.* **1** Ação ou resultado de mergulhar. **2** Atividade profissional ou prática esportiva embaixo d'água.

meridiano (me.ri.di:*a*.no) *sm.* **1** *Geog.* Cada um dos círculos imaginários que passam pelos polos do globo terrestre. **2** *Med.* Na medicina chinesa e na acupuntura, linha imaginária que liga pontos do corpo na transmissão de energia. *a.* **3** Do meio-dia (calor *meridiano*).

meridional (me.ri.di:o.*nal*) *a2g.* **1** Localizado no sul; AUSTRAL. *a2g.s2g.* **2** Que ou quem vive no sul. [Pl.: -*nais.*]

meritíssimo (me.ri.*tís*.si.mo) *a.* **1** Que tem muito mérito. [Us. no tratamento que se dá a juízes de direito.] *sm.* **2** Juiz de direito.

mérito (*mé*.ri.to) *sm.* O que torna alguém digno de estima, louvor etc.; MERECIMENTO.

meritocracia (me.ri.to.cra.*ci*.a) *sf.* **1** Governo das pessoas mais competentes. **2** Sistema de seleção baseado nos méritos pessoais. ● **me.ri.to.cra.ta** *a2g.s2g.*

meritório (me.ri.*tó*.ri:o) *a.* Que tem mérito (obras *meritórias*).

mero (*me*.ro) *a.* Simples, comum (*mero* escriturário).

merreca (mer.*re*.ca) *sf. Gír.* Coisa ínfima; mixaria.

mês *sm.* **1** Cada uma das 12 partes em que se divide o ano: *O mês de fevereiro é o mais curto.* **2** Série de trinta dias consecutivos: *Passaremos um mês viajando.* [Pl.: *meses.*]

mesa (*me*.sa) [ê] *sf.* **1** Móvel formado por uma superfície horizontal plana, sustentada por um ou mais pés, sobre a qual se põe o necessário para refeições, trabalho etc. **2** Conjunto de utensílios e alimentos de uma refeição: *A mesa está posta.* **3** Conjunto de pessoas que dirigem os trabalhos em uma instituição, assembleia, seção eleitoral etc. ▪▪ **Virar a ~** *Bras. Pop.* Desrespeitar convenções, regras, regulamentos etc. e alterá-los em seu favor: *Os grandes clubes viraram a mesa e mudaram o regulamento do campeonato.*

mesada (me.*sa*.da) *sf.* **1** Quantia que se dá, paga ou recebe todo mês; MENSALIDADE. **2** *Bras. Fam.* Quantia que os pais dão aos filhos para pequenas despesas pessoais.

mesa de cabeceira (me.sa de ca.be.*cei*.ra) *sf.* Pequeno móvel, ger. com gaveta, que se põe junto à cabeceira da cama; CRIADO-MUDO. [Pl.: *mesas de cabeceira.*]

mesa-redonda (me.sa-re.*don*.da) *sf.* Reunião de pessoas especializadas num assunto, para debatê-lo em igualdade de condições. [Pl.: *mesas-redondas.*]

mesário (me.*sá*.ri:o) *sm.* Pessoa que faz parte da mesa numa seção eleitoral.

mescla (*mes*.cla) *sf.* **1** Mistura de coisas diferentes que formam um todo: *A mescla de sons de uma orquestra.* **2** Tecido feito com fios de cores ou fibras diferentes.

mesclar (mes.*clar*) *v.* **1** Misturar(-se), amalgamar(-se), miscigenar(-se). [*td.*: *mesclar essências para criar um perfume. tdi. + com: O arquiteto mesclou o estilo clássico com o barroco. pr.*: *No Brasil mesclaram-se diversas raças.*] **2** Entremear(-se), incorporar(-se), misturar(-se). [*tdi. + a, com, de: No filme, mesclou tomadas de estúdio com cenas verídicas*; "*...a encenação (...) mescla a magia do circo ao teatro e à dança.*" (*Jornal Extra*, 14.12.03). *pr.*: *Muitos arcaísmos mesclavam-se ao estilo do poeta.*] **3** Não se distinguir; confundir-se, ao se misturar. [*pr.*: *Para escapar aos fãs, esclou-se com a multidão.*] [▶ mescl*ar*] ● **mes.cla.do** *a.*

mesencéfalo (me.sen.*cé*.fa.lo) *sm. Anat.* Parte média do encéfalo, em que se acha o centro da visão.

meseta (me.*se*.ta) [ê] *sf. Geog.* Planalto de pouca amplitude.

mesmerismo (mes.me.*ris*.mo) *sm. Med.* Método de tratamento pelo hipnotismo criado pelo médico alemão Franz Anton Mesmer (1733-1815).

mesmice (mes.*mi*.ce) *sf.* Falta de mudanças, de variedade ou de progresso; monotonia; marasmo: *Aquele artista caiu na mesmice, não criou mais nada de novo.*

mesmo (*mes*.mo) [ê] *pr.dem.* **1** Aquele: *Ele não é mais o mesmo. a.* **2** Igual, semelhante: *Alguns jovens se vestem do mesmo modo.* **3** Característico, típico: *Tem o mesmo jeito da avó.* **4** Não outro: *Trabalhavam na mesma fábrica.* **5** Us. depois de nome (Maria mesma, o juiz mesmo), de pronomes pessoais (nós mesmos, a mim mesma) e demonstrativos (esse mesmo, aquilo mesmo) para reforçar que se trata exatamente do ser ou da coisa em questão: *Lembra do vestido do casamento? Foi esse mesmo que usei na formatura. adv.* **6** Até, também: *Pensou mesmo em mudar de cidade.* **7** Exatamente, precisamente: *Hoje mesmo lhe envio o dinheiro.* **8** Realmente, de fato: *É de ouro mesmo esse anel?! conj.conces.* **9** Embora: *Mesmo machucado, fez o único gol.* [Superl.: *mesmíssimo.*] ▪▪ **Dar no ~/Dar na mesma** Ser igual, ter o mesmo resultado, sem diferença do que era ou seria. **~ que** Ainda que: *Mesmo que ele se atrase, começaremos na hora.* **Na mesma** Em situação igual, sem mudança: *Tentou explicar, mas ficamos na mesma.*

mesocarpo (me.so.*car*.po) *sm. Bot.* Parte carnosa e açucarada de um fruto, entre a casca e as sementes, que compõe a polpa.

mesóclise (me.*só*.cli.se) *sf. Gram.* Fenômeno de intercalação de um pronome pessoal átono (*me, te, se, o, a, lhe* etc.) entre o radical de um verbo e a sua terminação nos tempos do futuro do presente e do futuro do pretérito (p.ex.: *dar-lhe-ei, receber-nos-ão, vê-las-íamos* etc.).

méson (*mé*.son) *sm. Fís.* Partícula subatômica composta de um *quark* e de seu contrário (chamado *antiquark*). [Pl.: *mésons* e (p. us. no Brasil) *mésones.*]

mesopotâmico (me.so.po.*tâ*.mi.co) *a.* Da Mesopotâmia, antiga região da Ásia entre os rios Tigre e Eufrates.

mesosfera (me.sos.*fe*.ra) *sf. Geof.* Camada da atmosfera situada acima da estratosfera.

mesozoico (me.so.*zoi*.co) *Geol. a.* **1** Diz-se da era geológica entre o Paleozoico e o Cenozoico, durante a qual surgiram os grandes répteis, as aves e os primeiros mamíferos. *sm.* **2** Essa era. [Nesta acp., com inicial maiúsc.]

mesquinharia (mes.qui.nha.*ri*.a) *sf.* **1** Qualidade de mesquinho. **2** Atitude ou ação mesquinha. [Ant. ger.: *generosidade.*]

mesquinhez (mes.qui.*nhez*) *sf.* O m.q. *mesquinharia.*

mesquinho (mes.*qui*.nho) *a.* **1** Que não gosta de dar ou gastar; AVARENTO; SOVINA. **2** Que indica avareza (contribuição mesquinha, esmola mesquinha). **3** Pequeno, acanhado; pobre, sem recursos: *Viviam numa choupana mesquinha*. **4** Que não tem grandeza, largueza, magnanimidade; RELES: *Seus interesses eram egoístas, estreitos, mesquinhos*. **sm. 5** Pessoa mesquinha. [Ant. das acps. 1, 2, 4 e 5: *generoso*.]

mesquita (mes.*qui*.ta) *sf.* Templo dos muçulmanos.

messe (*mes*.se) [é] *sf.* **1** Campo de cereais em boa condição de colheita. **2** Colheita.

messianismo (mes.si:a.*nis*.mo) *sm.* **1** *Rel.* Crença na vinda redentora de um messias. **2** Expectativa de uma profunda mudança social, pela intervenção de um líder carismático.

messias (mes.*si*.as) *sm2n.* **1** *Rel.* Originalmente, para o judaísmo, enviado de Deus que deverá salvar e redimir a humanidade de todos os males; para o cristianismo, Jesus; REDENTOR; SALVADOR. **2** Pessoa em que se deposita a esperança de uma profunda mudança social. • mes.si:*â*.ni.co *a.*

mestiçagem (mes.ti.*ça*.gem) *sf.* Ver *mestiçamento*. [Pl.: *-gens*.]

mestiçamento (mes.ti.ça.*men*.to) *sm.* Cruzamento entre raças diferentes; MESTIÇAGEM. • mes.ti.*çar* *v.*

mestiço (mes.*ti*.ço) *a.sm.* Que, quem ou o que se origina do cruzamento de indivíduos geneticamente diferentes (diz-se de pessoa, animal ou planta).

mestrado (mes.*tra*.do) *sm.* **1** Curso de pós-graduação, abaixo do doutorado. **2** Grau de quem fez esse curso. • mes.*tran*.do *sm.*

mestre (*mes*.tre) *s2g.* **1** Aquele que dá aulas; PROFESSOR. **2** Aquele que domina uma atividade ou área do saber; ESPECIALISTA; PERITO. **3** *Fig.* Pessoa que tem muitos conhecimentos. **4** Superior de aprendizes ou operários. **5** Guia, mentor. **6** Aquele que concluiu o mestrado (1). **7** *Mar.* Capitão de uma embarcação pequena. *a2g.* **8** Que serve de base, de referência (viga *mestre*); PRINCIPAL. [Us. tb. fem.: *mestra*.]

mestre-cuca (mes.tre-*cu*.ca) *sm. Fam. Cul.* Cozinheiro hábil. [Pl.: *mestres-cucas*.]

mestre de armas (mes.tre de *ar*.mas) *sm.* Professor de esgrima. [Pl.: *mestres de armas*.]

mestre de campo (mes.tre de *cam*.po) *sm. Hist. Mil.* **1** Patente militar do Exército brasileiro, nos períodos colonial e imperial, hoje correspondente a coronel. **2** Militar que tinha essa patente. [Pl.: *mestres de campo*.]

mestre de cerimônias (mes.tre de ce.ri.*mô*.ni:as) *sm.* **1** Aquele que dirige uma cerimônia oficial. **2** Aquele que dirige um baile público; MESTRE-SALA. [Pl.: *mestres de cerimônias*.]

mestre de obras (mes.tre de *o*.bras) *sm.* Chefe dos operários de uma construção. [Pl.: *mestres de obras*.]

mestre-escola (mes.tre-es.*co*.la) *sm. Antq.* Professor primário. [Pl.: *mestres-escolas*.]

mestre-sala (mes.tre-*sa*.la) *sm.* **1** Mestre de cerimônias (2). **2** *Bras.* Destaque de escola de samba que faz par com a porta-bandeira. [Pl.: *mestres-salas*.]

mestria (mes.*tri*.a) *sf.* **1** Grande sabedoria: *Sua mestria no tema era incomparável*. **2** Habilidade de mestre; PERÍCIA; DESTREZA: *O tenista sacou com mestria*.

mesura (me.*su*.ra) *sf.* Cumprimento respeitoso; REVERÊNCIA.

mesureiro (me.su.*rei*.ro) *a.* Que faz muitas mesuras; CERIMONIOSO.

meta (*me*.ta) *sf.* **1** *Fig.* Objetivo, alvo: *A meta do governo é baixar os juros*. **2** *Esp.* Gol (1): *Visou a meta, mas errou o chute*. **3** Limite, marco (sinalizando chegada em corridas, regatas etc.)

metabolismo (me.ta.bo.*lis*.mo) *sm. Fisl.* Conjunto de transformações químicas e biológicas que produzem a energia necessária ao funcionamento de um organismo. • me.ta.*bó*.li.co *a.*; me.ta.bo.li.*zar* *v.*

⌑ Metabolismo é o conjunto integrado de reações químicas num organismo, de modo a que ele, como um todo e no nível celular, satisfaça suas necessidades biológicas de sobrevivência e crie a energia necessária para continuar processando o metabolismo e, além disso, se desenvolver, crescer, exercer atividades, enfrentar e vencer doenças etc. Isso se faz por meio de troca de elementos existentes em substâncias absorvidas pelo organismo na respiração, alimentação ou outras formas (como a ação da luz sobre a clorofila, nas plantas). Basicamente, o metabolismo em nível celular faz-se pela oxidação das células (combinação com oxigênio), com a perda de elétrons e liberação da energia que os mantinha no átomo. Essa oxidação se dá pela presença fundamental de uma substância chamada *enzima*. O metabolismo num organismo sadio observa um equilíbrio entre dois processos: o *catabolismo*, no qual as substâncias absorvidas são reduzidas (pela digestão, por exemplo) a elementos mais simples, e o *anabolismo*, que, ao contrário, aproveitando a energia liberada no catabolismo, compõe estruturas complexas a partir de elementos simples.

metacarpo (me.ta.*car*.po) *sm. Anat.* Parte do esqueleto da mão entre o carpo e os dedos, formada por cinco ossos. • me.ta.car.*pi*:a.no *a.*

metade (me.*ta*.de) *sf.* **1** Cada uma das duas partes iguais em que se pode dividir algo: *Comi a metade do bolo*. **2** Ponto equidistante de dois extremos; MEIO: *Chegou à metade do caminho*. **3** Momento equidistante do início e do fim (no tempo); MEIO: *Saiu na metade da festa*.

metafísica (me.ta.*fí*.si.ca) *sf. Fil.* Estudo das causas primárias e dos princípios elementares do conhecimento e do ser.

metafísico (me.ta.*fí*.si.co) *a.* **1** Ref. a, da ou próprio da metafísica. **2** Que vai além dos limites da experiência física; TRANSCENDENTE. *a.sm.* **3** Que ou quem estuda metafísica.

metáfora (me.*tá*.fo.ra) *sf. Gram.* Figura de linguagem que consiste em estabelecer uma analogia de significados entre duas palavras ou expressões, empregando uma pela outra (p.ex.: *asas da imaginação*). • me.ta.*fó*.ri.co *a.*

metal (me.*tal*) *sm. Quím.* Elemento ger. sólido, com brilho característico, e bom condutor de calor e de eletricidade. [Pl.: *-tais*.]

metaleiro (me.ta.*lei*.ro) *sm.* Adepto de *heavy-metal*.

metálico (me.*tá*.li.co) *a.* **1** De ou próprio de metal. **2** Que é feito de metal ou tem metal em sua composição (fio *metálico*, liga *metálica*). **3** *Fig.* Cujo som lembra o do metal (voz *metálica*).

metalinguagem (me.ta.lin.gua.gem) *sf. Ling.* Ato de comunicação em que se usa a linguagem para falar sobre a própria ou outra linguagem (p.ex., quando se pergunta o sentido de uma palavra, quando se analisam símbolos etc.). [Pl.: *-gens*.] • me.ta.lin.*guís*.ti.co *a.*

metalizar (me.ta.li.*zar*) *v.* **td.* **1** Converter em metal. **2** Revestir de metal. **3** Dar aparência de metal. [▶ **1** metaliz*ár*] • me.ta.li.za.*ção* *sf.*; me.ta.li.*za*.do *a.*

metalografia (me.ta.lo.gra.*fi*.a) *sf.* Estudo dos metais e das ligas metálicas.

metaloide (me.ta.*loi*.de) *sm. Quím.* Elemento que parece metal, mas não tem as suas propriedades.

metalurgia (me.ta.lur.*gi*.a) *sf.* Ciência que estuda os processos de extração de metais e seu uso industrial. • me.ta.*lúr*.gi.co *a.*

metalúrgica (me.ta.*lúr*.gi.ca) *sf. Bras.* Indústria de metalurgia.

metâmero (me.*tâ*.me.ro) *sm. Anat. Zool.* Cada um dos anéis que formam o corpo de vermes e artrópodes.

metamorfose (me.ta.mor.fo.se) *sf.* **1** *Zool.* Transformação que sofrem certos animais durante o desenvolvimento, pela qual adquirem forma e estrutura totalmente distintas das originais. **2** *Fig.* Transformação, mudança.

metamorfosear (me.ta.mor.fo.se.ar) *v.* Causar ou sofrer metamorfose, transformação; transformar(-se). [*td*.: *A sabedoria metamorfoseia o homem.* **tdi**. + *em*: *É impossível metamorfosear o chumbo em ouro.* **pr**.: *A lagarta metamorfoseia-se em borboleta.*] [▶ **13** metamorfos[ear]]

metano (me.ta.no) *sm. Quím.* Gás inflamável, incolor e inodoro, principal componente do gás natural.

metanol (me.ta.nol) *sm. Quím.* Álcool incolor us. como solvente e combustível de automóveis. [Pl.: *-nóis*.]

metástase (me.tás.ta.se) *sf. Med.* Foco secundário de um tumor maligno, distante do foco original.

metatarso (me.ta.tar.so) *sm. Anat.* Parte do esqueleto do pé entre o tarso e os dedos, formada por cinco ossos.

metátese (me.tá.te.se) *sf. Ling.* Troca de posição de um fonema dentro de um vocábulo (p.ex., *bicabornato* em lugar de *bicarbonato*).

metazoário (me.ta.zo.á.ri.o) *sm. Zool.* Animal cujo corpo é formado por várias células.

metediço (me.te.di.ço) *a.* Que se mete na vida dos outros; INTROMETIDO.

metempsicose (me.tem.psi.co.se) *sf.* **1** *Rel.* Passagem da alma de um corpo para outro, depois da morte. **2** *Fil. Rel.* Doutrina que admite esse fenômeno.

meteórico (me.te.ó.ri.co) *a.* **1** De ou próprio de meteoro. **2** *Fig.* Muito intenso e rápido (carreira *meteórica*).

meteorismo (me.te.o.ris.mo) *sm. Med.* Dilatação do abdome por acúmulo de gases no intestino.

meteorito (me.te.o.ri.to) *sm. Astron.* Pedaço de corpo celeste que atravessa a atmosfera e cai sobre a Terra.

meteoro (me.te.o.ro) *sm.* **1** Fenômeno natural que ocorre na atmosfera (p.ex.: trovões, chuva, neve). **2** Rastro luminoso resultante da entrada na atmosfera terrestre de um corpo sólido vindo do espaço.

meteorologia (me.te.o.ro.lo.gi.a) *sf. Met.* Ciência que estuda os fenômenos atmosféricos para poder prevê-los. ● **me.te.o.ro.ló.gi.co** *a.*; **me.te.o.ro.lo.gis.ta** *s2g.*

meter (me.ter) *v.* **1** Fazer entrar ou penetrar; ENFIAR; INTRODUZIR. [*td*. (seguido de indicação de lugar): *meter a mão no bolso*.] **2** Colocar, pôr, guardar. [*td*. (seguido de indicação de lugar): *meter os papéis na gaveta.*] **3** Esconder(-se), ocultar(-se). [*td*. (seguido de indicação de lugar): *Meteu o dinheiro dentro do colchão.* **pr**.: "Onde te meteste no teatro, que não te vi?" (José de Alencar, *Luciola*).] **4** Internar(-se), encerrar(-se), recolher(-se). [*td*. (seguido de indicação de lugar): *O casal meteu o filho num internato.* **pr**.: *Meteu-se no estúdio para pintar.*] **5** Pôr(-se) de permeio; INTERPOR(-SE). [*td*.: *Na primeira volta já metera o carro duas vezes na frente do primeiro colocado.* **pr**.: *Meteu-se entre os brigões e apartou-os.*] **6** Pôr num caminho; penetrar em um lugar ou acesso; EMBRENHAR-SE. [*pr*.: *meter-se por um atalho/num matagal.*] **7** *Fig.* Fazer que participe ou participar; envolver(-se). [*td*. (seguido de indicação de direção/condição): *Meteu o amigo num bom negócio/na maior confusão.* **pr**.: "...largou o marido para meter-se com um homem do comércio." (Aluísio Azevedo, *O cortiço*).] **8** Intrometer-se, imiscuir-se. [*pr*.: *meter-se em assuntos alheios.*] **9** Provocar ou desafiar. [*pr*.: *Não se meta comigo!*] **10** *Pej.* Lançar-se com equívoco ou risco a determinado ofício ou empresa. [*pr*.: *Foi se meter a artista e fracassou*; *Meteu-se a fazer traduções e se deu mal.*] **11** *Fig.* Aplicar com força (golpe, parte do corpo, instrumento) em (alguém ou algo). [*td*. (seguido de indicação de alvo/direção/lugar): *meter a marreta na parede.*] **12** Causar, infundir ou incutir (sentimento ou pensamento). [*td*.: *De noite esta rua mete medo.* **tdi**. + *em*: *Meteu na cabeça que quer sair do emprego.*] **13** Aplicar, empregar. [*tdi*. + *em*: *meter dinheiro num negócio.*] [▶ **2** me[ter]] [NOTA: a) Us. como auxiliar, seguido da prep. *a* + infinit. do v. principal, indica 'início de ação' (ger. com sentido de uma tentativa, ver acp. 10): *Eles se meteram a vender queijos finos*. b) Us. como v. suporte seguido de subst., forma locução que substitui v. de sentido específico: *meter na cabeça* (acp. 12 'incutir'), *meter a mão* ('roubar') etc. Ver *auxiliar*, *suporte*, *cabeça*.]

meticuloso (me.ti.cu.lo.so) [ô] *a.* **1** Que dá atenção a detalhes; CUIDADOSO; MINUCIOSO. **2** Que se aflige com pequenas coisas; ESCRUPULOSO. [Fem. e pl.: [ó].]
● **me.ti.cu.lo.si.da.de** *sf.*

metido (me.ti.do) *a.sm.* **1** *Fam.* Que ou quem se gaba de qualidades que não tem; PRESUNÇOSO; PRETENSIOSO. **2** *Bras.* Que ou quem se intromete no que não lhe diz respeito; INTROMETIDO; METEDIÇO.

metílico (me.tí.li.co) *a. Quím.* Que contém um radical formado por um átomo de carbono e três de hidrogênio (diz-se de álcool).

metódico (me.tó.di.co) *a.* **1** Que segue um método (aprendizagem *metódica*). **2** Que se preocupa com todos os detalhes; METICULOSO; MINUCIOSO: *homem sério e metódico*.

metodismo (me.to.dis.mo) *sm. Rel.* Corrente protestante fundada na Inglaterra por John Wesley (1703-1791). ● **me.to.dis.ta** *a2g.s2g.*

metodizar (me.to.di.zar) *v. td.* Tornar metódico; SISTEMATIZAR: *metodizar um trabalho/uma pesquisa.* [▶ **1** metodi[zar]] ● **me.to.di.za.ção** *sf.*; **me.to.di.za.do** *a.*; **me.to.di.za.dor** *a.sm.*

método (mé.to.do) *sm.* **1** Conjunto de procedimentos para atingir um objetivo (*método* científico). **2** Maneira ordenada e sistemática de agir: *Trabalhamos com método.* **3** Conjunto de princípios em que se baseia o ensino de algo. **4** Obra escrita que contém os princípios básicos de uma disciplina.

metodologia (me.to.do.lo.gi.a) *sf.* Conjunto de métodos. ● **me.to.do.ló.gi.co** *a.*

metonímia (me.to.ni.mi:a) *sf. Ling.* Figura de linguagem baseada no uso de um nome no lugar de outro com o qual está ligado por relação de parte/todo, autor/obra, continente/conteúdo etc. (p.ex.: *beber uma lata* no lugar de *beber o refrigerante da lata*).

metragem (me.tra.gem) *sf. Bras.* **1** Medição ou medida em metros. **2** Comprimento em metros. [Pl.: *-gens*.]

metralha (me.tra.lha) *sf.* **1** Mistura de balas pequenas para carregar projéteis ocos. **2** Sequência de disparos de arma de fogo.

metralhadora (me.tra.lha.do.ra) [ô] *sf.* Arma de fogo automática que dispara rapidamente grande quantidade de balas.

metralhar (me.tra.lhar) *v.* **1** Dar tiros de metralhadora contra (alguém ou algo). [*td*.: *metralhar um alvo.*] **2** *Bras. Fig.* Encher (alguém) de perguntas, argumentos etc., sem lhe dar tempo de responder. [*tdi*. + *com*, *de*: *Os repórteres o metralharam com perguntas.*] [▶ **1** metralh[ar]]

métrica (mé.tri.ca) *sf. Poét.* Estudo da medida e estrutura dos versos.

métrico (mé.tri.co) *a.* **1** Que tem por base o metro (diz-se de sistema de medida). **2** Da ou próprio da métrica.

metrificar (me.tri.fi.car) *v. Poét.* **1** Converter (texto, discurso) em versos com métrica. [*td*.] **2** Com-

metrite (me.tri.te) sf. Med. Inflamação do útero.

metro (me.tro) sm. 1 Fís. Unidade de medida de comprimento. [Símb.: m] 2 Instrumento para medir, ger. graduado em centímetros, que representa essa unidade de medida. 3 Liter. Estrutura de um verso, medida em sílabas métricas.

metrô (me.trô) sm. Bras. Sistema de transporte de grandes cidades, composto por trens que circulam por via parcial ou totalmente subterrânea.

metrologia (me.tro.lo.gi.a) sf. Estudo e descrição dos sistemas de pesos e medidas. ● me.tro.ló.gi.co a.; me.tro.lo.gis.ta s2g.

metrônomo (me.trô.no.mo) sm. Mús. Instrumento, ger. com pêndulo, us. para marcar o compasso.

metrópole (me.tró.po.le) sf. 1 Cidade principal de um país, estado, região. 2 Cidade grande e importante. 3 Centro de convergência de atividades comerciais, culturais etc.: Paris é a _metrópole_ da moda. 4 Hist. Estado central, em relação às suas colônias.

metropolitano[1] (me.tro.po.li.ta.no) a. Da ou pertencente à metrópole.

metropolitano[2] (me.tro.po.li.ta.no) sm. Desus. Ver metrô.

metrorragia (me.tror.ra.gi.a) sf. Med. Hemorragia do útero fora da menstruação.

metroviário (me.tro.vi.á.ri.o) Bras. a. 1 Do metrô. 2 Feito por metrô (transporte _metroviário_). sm. 3 Funcionário de empresa que administra o metrô.

meu pr.poss. 1 Que pertence ou que diz respeito à pessoa que fala (eu): _Meu_ pai é nortista. [Fem.: minha.] sm. 2 SP Gír. Sujeito, cara: Ô _meu_, olha o troco!

mexer (me.xer) v. 1 Revolver (ger. algo líquido, cremoso ou pastoso), para misturar ou preparar; revolver o conteúdo de. [td.: _mexer_ a tinta de um galão/ os ingredientes de uma sopa/ uma caçarola de mingau.] 2 Mover(-se), movimentar(-se), deslocar(-se), tirar ou sair do lugar. [td.: _mexer_ os dedos/uma pedra. int./pr.: Ele parece morto, não (_se_) _mexe_; Pediram-lhe que não passe, mas não se _mexeu_.] 3 Rebolar, menear, saracotear. [td.: _mexer_ as cadeiras. int.: Na rumba a gente tem de _mexer_ muito.] 4 Entrar em ação; deixar de ficar parado; agir. [pr.: "_Mexa_-se então, homem... Os dias estão correndo!" (Aluísio Azevedo, _Casa de pensão_).] 5 Remexer, no tocar; BULIR. [ti. + em: Quem _mexeu_ nos meus papéis?; Não _mexa_ no meu penteado!] 6 Fig. Abordar, ou ocupar-se de. [ti. + com, em: Ele _mexe_ com aplicações financeiras; Não quero _mexer_ nesse assunto.] 7 Fig. Importunar, provocar. [ti. + com: Vive _mexendo_ com o irmão.] 8 Fig. Alterar, modificar, ou abalar, transtornar. [ti. + com, em: "...a minissérie mostrará uma outra revolução que _mexeu_ com o Brasil..." (O Globo, 22.02.04).] 9 Fig. Sensibilizar, tocar. [ti. + com: A poesia _mexe_ com ela.] [▶ 2 mexer]

mexerica (me.xe.ri.ca) sf. Bras. Ver tangerina.

mexericar (me.xe.ri.car) v. 1 Fazer mexerico(s), fofoca(s), intriga(s); FOFOCAR; INTRIGAR. [int.: Nunca foi de _mexericar_.] 2 Contar como fofoca, como intriga. [td.: _Mexericou_ as confidências do colega.] [▶ 11 mexericar]

mexerico (me.xe.ri.co) sm. 1 Ação ou resultado de mexericar, de falar sobre a vida alheia. 2 Aquilo que se comenta sobre a vida alheia. [Sin. ger.: fofoca, intriga.]

mexeriqueira (me.xe.ri.quei.ra) sf. Bras. Bot. Árvore que dá a mexerica; TANGERINEIRA.

mexeriqueiro (me.xe.ri.quei.ro) a.sm. Que ou quem faz mexericos; FOFOQUEIRO.

mexicano (me.xi.ca.no) a. 1 Do México (América do Norte); típico desse país ou de seu povo. sm. 2 Pessoa nascida no México.

mexida (me.xi.da) sf. 1 Ação ou resultado de mexer. 2 Mistura desordenada; CONFUSÃO; MIXÓRDIA.

mexido (me.xi.do) a. 1 Que se mexeu (ovos mexidos); REMEXIDO; REVOLVIDO. 2 Fig. Perturbado emocionalmente: Fiquei muito _mexida_ com essa história. 3 Revolto (diz-se de mar). 4 Balanço do corpo, esp. em certas danças; SARACOTEIO. 5 Cul. Prato feito à base de farinha, mexida com carne picada, feijão etc.

mexilhão (me.xi.lhão) sm. Zool. Molusco comestível que se fixa em rochas. [Pl.: -lhões.]

mezanino (me.za.ni.no) sm. 1 Arq. Numa casa, apartamento etc., andar parcial, a meia altura, sobreposto ao andar principal, ou entre dois andares principais, com acesso apenas pelo interior destes. 2 Balcão acima da plateia, nos teatros e cinemas.

mezinha (me.zi.nha) [ê] sf. Pop. Remédio, esp. caseiro.

⊠ **mg** Fís. Símb. de miligrama.
⊠ **Mg** 1 Quím. Símb. de magnésio. 2 Fís. Símb. de miriagrama.
⊠ **MHz** Fís. Símb. de mega-hertz.

mi[1] sm. Mús. 1 A terceira nota da escala de dó. 2 Sinal que representa essa nota na pauta.

mi[2] sm. A 12ª letra do alfabeto grego. Corresponde ao m latino (M, μ); MU.

miado (mi.a.do) sm. Som produzido pelo gato; MIO.

mialgia (mi.al.gi.a) sf. Med. Dor muscular.

miar (mi.ar) v. int. Soltar miado(s) ou imitá-lo(s). [▶ 1 miar]

miasma (mi.as.ma) sm. Vapor malcheiroso exalado por matéria orgânica em decomposição.

miau (mi.au) sm. 1 Fam. Som produzido pelo gato. 2 Infan. Gato.

mica (mi.ca) sf. Min. Mineral brilhante, composto de lâminas finas; MALACACHETA.

micado (mi.ca.do) sm. Título do imperador do Japão.

micagem (mi.ca.gem) sf. Careta, momice. [Pl.: -gens.]

miçanga (mi.çan.ga) sf. Pequena conta de vidro colorida: colar de _miçangas_.

micar (mi.car) v. int. Gír. Fracassar, gorar, dar em nada; MIXAR [ch]. [▶ 11 micar]

micareta (mi.ca.re.ta) [ê] sf. BA Festa carnavalesca fora do período de carnaval.

micção (mic.ção) sf. Ação de urinar. [Pl.: -ções.]

micetemia (mi.ce.te.mi.a) sf. Pat. Presença de fungos no sangue.

micetologia (mi.ce.to.lo.gi.a) sf. Biol. Parte da botânica que estuda os fungos; MICOLOGIA. ● mi.ce.to.ló.gi.co a.; mi.ce.tó.lo.go sm.

mico (mi.co) sm. Bras. 1 Zool. Macaco pequeno com cauda. 2 Ver mico-preto. 3 Gír. Vexame, vergonha. ▓ Pagar ~ Bras. Gír. Dar vexame; passar vergonha.

mico-leão, mico-leão-dourado (mi.co-le.ão, mi.co-le.ão-dou.ra.do) sm. Bras. Zool. Mico de pelo dourado e juba avermelhada, do litoral sudeste do Brasil. [Pl.: micos-leões, micos-leões-dourados.]

micologia (mi.co.lo.gi.a) sf. Biol. Ver micetologia. ● mi.co.ló.gi.co a.; mi.co.lo.gis.ta s2g.

mico-preto (mi.co-pre.to) [ê] sm. Jogo de cartas infantil, cuja carta sem par tem a figura de um macaquinho preto; MICO. [Pl.: micos-pretos.]

micose (mi.co.se) sf. Med. Doença causada por fungos.

micreiro (mi.crei.ro) Bras. a. 1 Ref. a microcomputador em computador. a. 2 Ref. a microcomputador (jargão _micreiro_).

micro (mi.cro) sm. Inf. F. red. de microcomputador.

micróbio (mi.cró.bi.o) sm. Biol. 1 Qualquer organismo unicelular minúsculo. 2 Organismo minúsculo causador de doença infecciosa: Vírus e bactérias são _micróbios_. ● mi.cro.bi.a.no a. (infecção _microbiana_).

microbiologia | milha

microbiologia (mi.cro.bi:o.lo.*gi*.a) *sf. Biol.* Parte da biologia que estuda os micróbios causadores de doenças. ● **mi.cro.bi:o.lo.gis.ta** *s2g.*

microcefalia (mi.cro.ce.fa.*li*.a) *sf. Med.* Redução anormal da cabeça, ger. associada a deficiência mental.

⊕ **microchip** (*Ing.* /máicrotchip/) *sm. Inf.* Ver *microprocessador.*

microcircuito (mi.cro.cir.*cui*.to) *sm. Eletrôn.* Pequeno dispositivo que contém, em seu sistema, todos os componentes de um circuito completo.

microcirurgia (mi.cro.ci.rur.*gi*.a) *sf. Med.* Cirurgia realizada com auxílio de microscópio em estruturas orgânicas muito pequenas.

microcomputador (mi.cro.com.pu.ta.*dor*) [ô] *sm. Inf.* Computador pessoal que funciona com um único dispositivo ou microprocessador. [F. red.: *micro.*]

microcosmo (mi.cro.*cos*.mo) *sm.* **1** O homem visto como um pequeno universo. **2** Pequeno mundo. **3** *Fig.* Grupo social reduzido (microcosmo acadêmico). [Ant.: *macrocosmo.*]

microeconomia (mi.cro:e.co.no.*mi*.a) *sf. Econ.* Estudo da interação entre as entidades individuais da economia (consumidores, produtores, empresas comerciais, trabalhadores etc.). [Cf.: *macroeconomia.*] ● **mi.cro:e.co.*nô*.mi.co** *a.*

microempresa (mi.cro:em.*pre*.sa) [ê] *sf. Econ.* Empresa pequena cuja renda e descontos fiscais são objeto de legislação específica. ● **mi.cro:em.pre.*sá*.ri:o** *sm.*

microfibra (mi.cro.*fi*.bra) *sf.* Fibra têxtil sintética muito fina, us. esp. na confecção de roupas.

microfilme (mi.cro.*fil*.me) *sm. Fot.* Reprodução muito reduzida de textos, documentos etc. em filme fotográfico. ● **mi.cro.fil.*ma*.gem** *sf.*; **mi.cro.fil.*mar*** *v.*

microflora (mi.cro.*flo*.ra) *sf. Bot.* Flora composta por organismos minúsculos que vivem esp. em meios líquidos ou úmidos.

microfone (mi.cro.*fo*.ne) *sm. Acús. Fís.* Aparelho que transforma ondas sonoras em energia elétrica para ampliação ou transmissão de sons.

microfonia (mi.cro.fo.*ni*.a) *sf. Eletrôn. Telc.* Ruído decorrente da realimentação de um som já amplificado, através de um microfone.

microfotografia (mi.cro.fo.to.gra.*fi*.a) *sf. Fot.* **1** Técnica que permite a reprodução fotográfica muito reduzida. **2** Fotografia obtida com essa técnica. \● **mi.cro.fo.to** *sf.*; **mi.cro.fo.to.grá.fi.co** *a.*

micrômetro (mi.*crô*.me.tro) *sm. Fís.* **1** Instrumento para medir distâncias, espessuras e ângulos muito reduzidos. **2** Unidade métrica equivalente à milionésima parte do metro; MÍCRON.

mícron (*mí*.cron) *sm. Fís.* Ver *micrômetro* (2). [Pl.: *microns* e (p. us. no Brasil) *micrones.*]

micro-onda (mi.cro-*on*.da) *sf.* **1** *Fís.* Onda eletromagnética de altíssima frequência: *Micro-ondas são us. na transmissão de sinais de rádio e televisão.* ◪ **micro-ondas** *sm2n.* **2** Forno que emite esse tipo de radiação, us. para cozinhar, dourar, aquecer ou descongelar em menos tempo os alimentos.

micro-ônibus (mi.cro-*ô*.ni.bus) *sm2n. Bras.* Ônibus pequeno, menor do que o normal.

microprocessador (mi.cro.pro.ces.sa.*dor*) [ô] *sm. Inf. Chip* instalado nos computadores e que estabelece a velocidade de processamento de desses aparelhos. [Comparando com o ser humano, o microprocessador equivale ao cérebro.]

microrganismo, micro-organismo (mi.cror.ga.*nis*.mo, mi.cro-or.ga.*nis*.mo) *sm. Biol.* Organismo microscópico; MICRÓBIO.

microrregião (mi.cror.re.gi:*ão*) *sf. Geog.* Subdivisão de uma região geográfica. [Pl.: *-ões.*]

microscópico (mi.cros.*có*.pi.co) *a.* **1** Visível apenas ao microscópio. **2** *Fig.* Muito pequeno; MINÚSCULO. [Cf.: *macroscópico.*]

microscópio (mi.cros.*có*.pi:o) *sm. Ópt.* Instrumento provido de lentes, que possibilita a visão de objetos que não podem ser vistos a olho nu.

micrótomo (mi.*cró*.to.mo) *sm. Biol.* Instrumento que corta lâminas finíssimas de uma matéria para análises microscópicas.

mictório (mic.*tó*.ri:o) *sm.* Local próprio para urinar.

micuim (mi.cu:*im*) *sm. Zool.* Espécie de carrapato minúsculo. [Pl.: *-ins.*]

mídia (*mí*.di:a) *sf. Mid.* **1** Conjunto dos meios de comunicação de massa (jornal, rádio, televisão etc.). **2** O conjunto de profissionais que trabalha nesses meios.

mielite (mi:e.*li*.te) *sf. Med.* Inflamação da medula espinhal.

migalha (mi.*ga*.lha) *sf.* **1** Pedaço mínimo de pão, bolo etc. **2** *Fig.* Quantidade muito pequena de algo.

migalomorfa (mi.ga.lo.*mor*.fa) [ó] *sf. Zool.* Tipo de aranha cuja picada é dolorosa e, em algumas espécies, venenosa.

migração (mi.gra.*ção*) *sf.* Ação ou resultado de migrar, de mudar de uma região, país etc. para outro: *No passado houve grande migração de japoneses para São Paulo.* [Pl.: *-ções.*] ● **mi.gra.*tó*.ri:o** *a.* (aves migratórias).

migrante (mi.*gran*.te) *a2g.s2g.* Que ou quem migra. [Cf.: *emigrante* e *imigrante.*]

migrar (mi.*grar*) *v. int.* Mudar de país ou região: (seguido ou não de indicação de direção) *Com a seca, muitos nordestinos migraram para o sul*; *Muitas espécies animais migram.* [▶ **1** migrar] ● **mi.gra.do** *a.*

miiologia (mi:i:o.lo.*gi*.a) *sf.* Estudo sobre as moscas.

mijada (mi.*ja*.da) *sf. Pop.* Ação ou resultado de mijar.

mijar (mi.*jar*) *v. Pop.* **1** Urinar. [*int. pr.*] **2** Demonstrar medo ou mostrar-se medroso. [*pr.*] [▶ **1** mijar]

mijo (*mi*.jo) *sm. Pop.* Urina.

mil *num.* **1** Quantidade correspondente a 999 unidades mais uma. **2** Número que representa essa quantidade (arábico: 1.000; romano: M). ꭓ A ~ Com muita energia e entusiasmo.

milagre (mi.*la*.gre) *sm.* **1** Acontecimento sem explicação natural: *Os milagres de santa Terezinha curaram muitas pessoas.* **2** Acontecimento fora do comum: *Chover naquela região é um milagre.*

milagreiro (mi.la.*grei*.ro) *a.sm.* **1** Que ou quem faz ou se diz capaz de fazer milagres. **2** Que ou quem crê em milagres.

milagroso (mi.la.*gro*.so) [ô] *a.* **1** Que faz milagres (santo milagroso). **2** Que é fora do comum, extraordinário (remédio milagroso). [Fem. e pl.: [ó].]

milenar (mi.le.*nar*) *a2g.* Que tem mil anos ou mais (tradição milenar); MILENÁRIO.

milenário (mi.le.*ná*.ri:o) *a.* **1** Ref. a mil. **2** Ver *milenar.* *sm.* **3** Período de mil anos; MILÊNIO.

milenarismo (mi.le.na.*ris*.mo) *sm. Rel.* Crença na chegada de um período de paz, felicidade e justiça social. ● **mi.le.na.*ris*.ta** *a2g.s2g.*

milênio (mi.*lê*.ni:o) *sm.* Período de mil anos; MILENÁRIO.

milésimo (mi.*lé*.si.mo) *num.* **1** Ordinal que, numa sequência, corresponde ao número 1.000: *O milésimo cliente. a.* **2** Que é mil vezes menor que a unidade ou um todo (diz-se de parte): *a milésima parte.* [Us. tb. como subst.: *O recorde baixou um milésimo de segundo.*]

mil-folhas (mil-*fo*.lhas) [ô] *sf2n. Cul.* Doce com várias camadas de massa fina entremeadas de recheio.

milha (*mi*.lha) *sf.* Medida de distância terrestre equivalente a 1.609m, us. nos países de língua inglesa.

milhafre (mi.*lha*.fre) *sm*. *Zool*. Tipo de gavião europeu.

milhagem (mi.*lha*.gem) *sf*. *Bras*. Contagem de milhas, esp. us. por companhias aéreas para oferecer bonificações aos seus usuários: *A milhagem necessária para uma passagem nacional é dez mil*. [Pl.: -*gens*.]

milhão (mi.*lhão*) *num*. **1** Mil milhares. *sm*. **2** Número que representa essa quantidade (arábico: 1.000.000; romano: M). **3** *Fig*. Quantidade muito grande e indefinida: *Repetiu a piada um milhão de vezes*. [Pl.: -*lhões*.]

milhar (mi.*lhar*) *num*. **1** Mil (1). *sm*. **2** *Bras*. No jogo do bicho, nome da casa correspondente a mil: *Ele acertou no milhar*. ◘ **milhares** *smpl*. **3** *Fig*. Quantidade muito grande e indefinida: *Tenho milhares de coisas para fazer*.

milharal (mi.lha.*ral*) *sm*. Plantação de milheiros (2). [Pl.: -*rais*.]

milheiro¹ (mi.*lhei*.ro) *sm*. Conjunto de mil unidades iguais: *O comerciante comprou um milheiro de pregos*.

milheiro² (mi.*lheir*.ro) *sm*. *Bot*. Pé de milho.

milho (*mi*.lho) *sm*. **1** *Bot*. Certa planta que produz espigas cujos grãos são comestíveis. **2** Esse grão: *Milho é o alimento preferido das galinhas*.

milícia (mi.*lí*.ci:a) *sf*. **1** Força militar (milícia estadual). **2** Grupo paramilitar ligado a uma organização política (milícia rural). ◘ **milícias** *sfpl*. **3** Tropas auxiliares nas guerras.

miliciano (mi.li.ci:*a*.no) *a*. **1** Próprio de milícia. *sm*. **2** Pessoa que integra uma milícia.

miligrama (mi.li.*gra*.ma) *sm*. *Fís*. Milésima parte do grama. [Simb.: *mg*]

mililitro (mi.li.*li*.tro) *sm*. *Fís*. Milésima parte do litro. [Simb.: *ml*]

milímetro (mi.*lí*.me.tro) *sm*. *Fís*. Milésima parte do metro. [Simb.: *mm*] ● **mi.li.me.***tra***.do** *a*. (régua *milimetrada*).

mi.li.*mé***.tri.co** *a*.

milionário (mi.li:o.*ná*.ri:o) *a.sm*. Que ou quem é muito rico.

milionésimo (mi.li:o.*né*.si.mo) *num*. Ordinal que, numa sequência, corresponde ao número 1.000.000: *O milionésimo cliente*. *a*. **2** Que é um milhão de vezes menor que a unidade ou um todo (diz-se de parte): *a milionésima parte*. [Us. tb. como subst.: *um milionésimo de segundo*.]

milípede (mi.*lí*.pe.de) *a2g*. *Zool*. Que tem muitos pés (inseto milípede); MIRIÁPODE.

militância (mi.li.*tân*.ci:a) *sf*. Participação intensa em defesa de uma causa ou organização política.

militante (mi.li.*tan*.te) *a2g.s2g*. Que ou quem defende intensamente uma causa ou organização política (pacifista *militante*).

militar¹ (mi.li.*tar*) *a2g*. **1** Ref. as Forças Armadas ou a guerra (manobras militares). *sm*. **2** Integrante das Forças Armadas: *Meu tio é militar de carreira*.

militar² (mi.li.*tar*) *v*. **1** Guerrear ou lutar. [*int*. + *com*, *contra*, *por*: *militar contra o invasor/por uma causa*. *int*.: *Eles militaram bravamente em trincheiras*.] **2** Seguir uma carreira, ou atuar (em partido, organização etc.). [*int*. (seguido de indicação de lugar): *militar na advocacia/na oposição*. [▶ **1** militar]

militarismo (mi.li.ta.*ris*.mo) *sm*. **1** Predomínio dos militares na política e na administração de um país. **2** Doutrina que defende esse predomínio. ● mi.li.ta.*ris*.ta *a2g.s2g*.

militarizar (mi.li.ta.ri.*zar*) *v*. Dar ou adquirir organização, preparação ou feição militar. [*td*. (seguido ou não de indicação de finalidade): *militarizar os civis/o país (para a guerra)*. *pr*.: *Dirigido por militares, o Estado militarizou-se*.] [▶ **1** militari*zar*] ● mi.li.ta.ri.za.*ção* *sf*.; mi.li.ta.ri.*za*.do *a*.

⊕ **millenial** (*Ing*. /milênial/) *s2g*. *Soc*. Pessoa que pertence à geração que atingiu a idade adulta perto do ano 2000 (Geração Y). [Tb. *millenials*.]

milonga (mi.*lon*.ga) *sf*. **1** *RS Mús*. Música lamuriosa, cantada ao som do violão. ◘ **milongas** *sfpl*. **2** *Bras*. *Pop*. Mexericos, fofocas.

mil-réis (mil-*réis*) *sm2n*. Antiga unidade monetária brasileira, substituída em 1942 pelo cruzeiro.

mim *pr.pess*. Equivale a 'eu', e funciona como complemento precedido de preposição: *Escolheram a mim*; *Você confia em mim?*; *Isso fica entre mim e você*. [NOTA: a) Se a prep. que o antecede é *com*, assume a forma -*migo*, ocorrendo contração (*comigo*): *Pedro veio comigo*. b) Quando o pronome de 1ª ps. sing. é sujeito de frase, mesmo depois de prep., tem a forma reta *eu*: *É tarde para eu tomar providências quanto a isso*.]

mimar (mi.*mar*) *v. td*. Tratar com mimos ou paparicos; MIMOSEAR; PAPARICAR: *Mimava o filho, satisfazendo-lhe todas as vontades*. [▶ **1** mim*ar*] ● mi.*ma*.do *a*.

mimeografar (mi.me:o.gra.*far*) *v. td*. Fazer cópias de (panfleto, boletim etc.) em mimeógrafo. [▶ **1** mimeogra*far*]

mimeógrafo (mi.me.*ó*.gra.fo) *sm*. *Art.Gr*. Aparelho para imprimir textos e ilustrações registrados numa matriz de papel especial.

mimese (mi.*me*.se) *sf*. Imitação.

mimetismo (mi.me.*tis*.mo) *sm*. **1** *Biol*. Capacidade de certos organismos se confundirem pela forma ou pela cor com indivíduos de outra espécie. **2** *Fig*. Mudança de acordo com o meio (*mimetismo* cultural); ADAPTAÇÃO. ● mi.*mé*.ti.co *a*.

mímica (*mí*.mi.ca) *sf*. Expressão de palavras, ideias e sentimentos por meio de gestos. ● *mí*.mi.co *a.sm*.

mimo (*mi*.mo) *sm*. **1** Objeto delicado oferecido a alguém; PRESENTE. **2** Atenção especial; DELICADEZA: *Ele cobre a namorada de mimos*.

mimodrama (mi.mo.*dra*.ma) *sm*. *Teat*. Cena dramática interpretada por mímica.

mimosa (mi.*mo*.sa) *sf*. *Bot*. Arbusto cultivado por suas flores ornamentais.

mimosear (mi.mo.se.*ar*) *v. td*. **1** Tratar com mimos ou agrados; MIMAR. **2** Presentear, obsequiar (seguido de indicação de modo/meio): *Mimoseou a amiga com um colar*. [▶ **13** mimose*ar*]

mimoso (mi.*mo*.so) [ó] *a*. **1** Que se habituou a mimos (2) (filhas *mimosas*). **2** Macio, delicado (pele *mimosa*). **3** De beleza suave e delicada (flores *mimosas*, broche *mimoso*); GRACIOSO. *sm*. **4** Pessoa mimosa (1), sensível. [Fem. e pl.: [ó].]

⊠ **min** Abr. de *minuto*.

mina (*mi*.na) *sf*. **1** *Geol*. Depósito mineral; JAZIDA: *mina de carvão*. **2** Fonte de água natural: *A água do nosso sítio é de mina*. **3** *Fig*. Coisa muito lucrativa ou de muito valor, não necessariamente econômico: *Aquela loja é uma mina*; *Sua pesquisa era uma mina para outros estudiosos*. **4** Artefato explosivo camuflado ger. no solo: *O soldado feriu-se na explosão de uma mina*. **5** *Bras*. *Pop*. Garota, moça.

minar (mi.*nar*) *v*. **1** Abrir mina(s) em (terreno, montanha), em busca de minério, água etc. [*td*.] **2** Abalar a firmeza de (terreno, alicerces etc.), escavando covas ou túneis; SOLAPAR. [*td*.] **3** *Fig*. Abalar progressivamente (a saúde, as forças etc.); DEBILITAR. [*td*.] **4** *Fig*. Desgastar pouco a pouco; CORROER. [*td*.: *As intrigas foram minando seu prestígio*.] **5** *Fig*. Fazer brotar ou brotar; deixar cair ou cair (gotas). [*td*.: *A parede do banheiro está minando água*. *int*.: *O suor minava em seu rosto*.] **6** *Mil*. Pôr minas em (terreno, campo). [*td*.] [▶ **1** min*ar*] ● mi.*na*.do *a*. (campo *minado*).

minarete (mi.na.*re*.te) [ê] *sm*. *Arq*. Torre de uma mesquita, de onde clama o muezim.

mindinho (min.*di*.nho) *a.sm. Fam. Anat.* Diz-se de ou o dedo mínimo.

mineiro[1] (mi.*nei*.ro) *a.* **1** Ref. a mina (1) (exploração mineira). *sm.* **2** Operário que trabalha em mina: *associação dos mineiros.*

mineiro[2] (mi.*nei*.ro) *a.* **1** De Minas Gerais; típico desse estado ou de seu povo. *sm.* **2** Pessoa nascida em Minas Gerais.

mineração (mi.ne.ra.*ção*) *sf.* Exploração de minérios, de pedras preciosas e semipreciosas. [Pl.: *-ções.*]

minerador (mi.ne.ra.*dor*) [ô] *sm.* Pessoa que extrai minérios das minas; MINEIRO.

mineral (mi.ne.*ral*) *a2g.* **1** Ref. a minério, a mineral (4) (recursos minerais). **2** Ref. a ou originário de mina (2) (água mineral). **3** Ref. ao reino da natureza das coisas não orgânicas (os outros são o *animal* e o *vegetal*). *sm.* **4** *Min.* Matéria que se extrai das minas: *A turmalina é um mineral.* **5** Tudo que é do reino mineral (3). [Pl.: *-rais.*]

mineralogia (mi.ne.ra.lo.*gi*.a) *sf. Min.* Ciência que estuda os minerais. ● mi.ne.ra.*ló*.gi.co *a.*; mi.ne.ra.lo.gis.ta *s2g.*

mineralurgia (mi.ne.ra.lur.*gi*.a) *sf. Min.* Aplicação dos minérios, esp. na indústria. ● mi.ne.ra.*lúr*.gi.co *a.*

minerar (mi.ne.*rar*) *v. td. int.* **1** Extrair (minério de valor ou pedra preciosa) de mina. **2** Garimpar. [▶ **1** minerar]

minério (mi.*né*.ri.o) *sm. Min.* Rocha ou mineral que encerra substâncias economicamente úteis dele extraíveis: *minério de ferro.*

mingau (min.*gau*) *sm.* **1** *Bras. Cul.* Papa de leite com farinha de trigo ou outro cereal. **2** *Fig.* Qualquer coisa muito mole.

míngua (*mín*.gua) *sf.* Us. na loc. ▮▮ À ~ Na miséria; na penúria: *Com o desemprego do pai, ficaram à míngua.*

minguado (min.gua.do) *a.* Reduzido, escasso (recursos minguados). [Ant.: *abundante.*]

minguante (min.*guan*.te) *a2g. Astron.* Que míngua, esp. a (imagem da face visível da) Lua.

minguar (min.*guar*) *v.* Diminuir, reduzir(-se), fazer faltar ou faltar, escassear. [*td.*: *A falta de chuvas minguou a produção agrícola. int.*: *As ideias do escritor estão minguando.*] [▶ **17** mínguam] O acento do *i* como o do *a* do radical de *aguar.*]

minha (*mi*.nha) *pr.poss.* Fem. de *meu.*

minhoca (mi.*nho*.ca) *sf. Zool.* Pequeno animal rastejante que cava galerias na terra e pode ser us. na fertilização do solo ou como isca na pesca.

minhocar (mi.nho.*car*) *v. int. Gír.* Pensar. [▶ **11** minhocar]

míni (*mí*.ni) *sf.* F. red. de *minissaia*. [NOTA: Indica, ainda, em determinados contextos, a redução de alguns substantivos precedidos do el. *míni-* como, p.ex., *minidicionário*: *Os alunos preferem usar o míni;* e pode ser us. tb. apositivamente: *vestidos míni.*]

miniatura (mi.ni.a.*tu*.ra) *sf.* Reprodução de qualquer coisa em tamanho reduzido: *Comprou uma miniatura do Cristo Redentor como lembrança do Rio.* ● mi.ni:a.tu.*rís*.ta *a2g.s2g.*; mi.ni:a.tu.ri.za.do *a.*; mi.ni:a.tu.ri.*zar* *v.*

minidesvalorização (mi.ni.des.va.lo.ri.za.*ção*) *sf. Econ.* Desvalorização monetária em percentual pequeno. [Ant.: *maxidesvalorização.*] [Pl.: *-ções.*]

minidicionário (mi.ni.di.ci.o.*ná*.ri.o) *sm.* Dicionário de tamanho reduzido.

minifundiário (mi.ni.fun.di:*á*.ri.o) *a.* **1** Ref. a minifúndio. *sm.* **2** Dono de minifúndio. [Cf.: *latifundiário.*]

minifúndio (mi.ni.*fún*.di.o) *sm.* Propriedade rural pequena. [Cf.: *latifúndio.*]

mínima (*mí*.ni.ma) *sf.* **1** *Mús.* Duração de tempo correspondente a duas semínimas. **2** A representação gráfica desse tempo (♩). **3** Temperatura mínima (2): *clima com mínima de 20 graus no inverno.* [Ant.: *máxima.*] ▮▮ **Não dar/ligar a ~** Não dar nenhuma importância, ser indiferente.

minimalismo (mi.ni.ma.*lis*.mo) *sm.* Tendência ou estilo artístico que se caracteriza pela redução dos elementos e simplificação da forma. ● mi.ni.ma.*lis*.ta *a2g.s2g.* (decoração minimalista).

minimizar (mi.ni.mi.*zar*) *v. td.* **1** Reduzir ao mínimo: *Tomou precauções para minimizar os riscos do negócio.* [Ant.: *maximizar.*] **2** *Fig.* Não dar, intencionalmente, o devido valor ou importância a; SUBESTIMAR: *Perdeu o jogo porque minimizou o adversário.* [▶ **1** minimizar] ● mi.ni.mi.za.do *a.*

mínimo (*mí*.ni.mo) *a.* **1** Muitíssimo pequeno. **2** Que é o menor ou mais baixo de todos (dedo mínimo, salário mínimo). *sm.* **3** O menor valor, nível ou quantidade possível: *Isso é o mínimo que posso fazer por você.* [Ant. *ger.: máximo.*] **4** O dedo mínimo (2). ▮▮ **No ~** Pelo menos: *Ele tem no mínimo 50 anos.*

minissaia (mi.nis.*sai*.a) *sf.* Saia muito curta, cerca de um palmo acima do joelho.

minissérie (mi.nis.*sé*.ri.e) *sf. Telv.* Espécie de novela com número reduzido de capítulos.

ministerial (mi.nis.te.ri:*al*) *a2g.* Ref. a ministério ou a ministro(s) (reforma ministerial). [Pl.: *-ais.*]

ministério (mi.nis.*té*.ri.o) *sm.* **1** Instituição administrativa do governo que tem como responsável o ministro: *Ministério da Saúde.* [Nesta acp. com inicial maiúsc.] **2** Conjunto de ministros: *O presidente reuniu-se com seu ministério.* **3** Prédio onde os ministros trabalham: *A solenidade será no Ministério da Educação.* **4** Função de ministro: *Um técnico deve assumir o ministério.* [Com inicial maiúsc. quando vier especificando o ministério.]

ministrar (mi.nis.*trar*) *v.* **1** Dar, fornecer, proporcionar. [*td.*: *ministrar informações. tdi.* + *a*: *ministrar ajuda aos necessitados.*] **2** Administrar, aplicar (tratamento, remédio, injeção). [*tdi.* + *a*: *ministrar remédios ao enfermo.*] **3** Administrar, conferir (qualquer sacramento religioso). [*td./tdi.* + *a*: *ministrar a extrema-unção (ao moribundo).*] **4** Dar (aula, curso etc.). [*td./tdi.* + *a*: *ministrar um novo curso (aos alunos).*] [▶ **1** ministrar] ● mi.nis.tra.*dor* *a.sm.*

ministro (mi.*nis*.tro) *sm.* **1** Chefe de um ministério. **2** *Ecles.* Pessoa que exerce atividades sagradas em nome de uma igreja: *Padres e pastores são ministros da fé.* **3** *Bras. Jur.* Membro de certos tribunais federais: *ministro do Supremo Tribunal Federal.*

minorar (mi.no.*rar*) *v.* **1** Tornar(-se) menor em tamanho ou quantidade; DIMINUIR; REDUZIR(-SE). [*td.*: *O diretor resolveu minorar as turmas. int.*: *O desemprego minorou com as novas medidas.*] **2** Atenuar(-se), abrandar(-se). [*td.*: *A injeção minorou as dores. int.*: *Nossa tristeza minorou com o tempo.*] [▶ **1** minorar] ● mi.no.ra.*ção* *sf.*; mi.no.ra.do *a.*; mi.no.ra.*ti*.vo *a.*

minoria (mi.no.*ri*.a) *sf.* **1** Num conjunto, número de elementos cuja quantidade é, no máximo, a metade do total menos uma. **2** Num conjunto dividido em segmentos, aquele que reúne a menor quantidade de elementos. [Ant.: *maioria.*] **3** *Antr.* Subgrupo étnico, religioso etc. dentro de uma comunidade de maior e/ou abrangência dominante: *As minorias lutam por seus direitos.*

minoridade (mi.no.ri.*da*.de) *sf.* Ver menoridade.

minoritário (mi.no.ri.*tá*.ri.o) *a.* Ref. a minoria, que está ou existe em menor número (grupo minoritário). [Ant.: *majoritário.*]

minuano (mi.nu:*a*.no) *sm. RS Met.* Vento frio e forte que sopra no Sul do Brasil durante o inverno.

minúcia (mi.*nú*.ci.a) *sf.* Detalhe, pormenor; MINUDÊNCIA: *Contou-nos com minúcias a experiência que tinha tido.*

minuciar | miséria

minuciar (mi.nu.ci.*ar*) *v. td.* Relatar com minúcias ou detalhes; DETALHAR; PORMENORIZAR. [▶ 1 minuciar]

minucioso (mi.nu.ci:o.so) [ô] *a.* 1 Cheio de pormenores (descrição <u>minuciosa</u>); DETALHADO. 2 Diz-se de quem presta atenção e é cuidadoso com detalhes; METICULOSO. [Fem. e pl.: [ó].] ● **mi.nu.ci:o.si.da.de** *sf.*

minudência (mi.nu.*dên*.ci:a) *sf.* 1 Minúcia. 2 Cuidado especial: *O promotor examinou os autos com <u>minudência</u>.* ● **mi.nu.den.te** *a2g.*

minudenciar (mi.nu.den.ci.*ar*) *v.* Ver *minuciar*. [▶ 1 minudenciar]

minuendo (mi.nu:*en*.do) *sm. Mat.* Número do qual se subtrai outro: *Na operação 5 − 3 = 2, o <u>minuendo</u> é 5.*

minueto (mi.nu.*e*.to) [ê] *sm. Mús.* 1 Antiga dança e música da aristocracia francesa. 2 Música nelas inspirada, que integra suítes e sinfonias.

minúscula (mi.*nús*.cu.la) *sf.* Letra de formato pequeno em relação à maiúscula. [Cf.: *maiúscula*.] ▪ ~ **carolina** Tipo de letra que surgiu com a formação do império de Carlos Magno, e foi a escrita oficial do império carolíngeo.

minúsculo (mi.*nús*.cu.lo) *a.* 1 Muitíssimo pequeno (inseto <u>minúsculo</u>); MÍNIMO. 2 Diz-se do caractere de menor tamanho com que se apresenta uma letra do alfabeto. [Cf.: *maiúsculo*.]

minuta¹ (mi.*nu*.ta) *sf.* Versão preliminar de um texto: *a <u>minuta</u> de um contrato.*

minuta² (mi.*nu*.ta) *sf.* Prato preparado na hora: *um restaurante que serve <u>minutas</u>.*

minutar (mi.nu.*tar*) *v. td.* Escrever ou ditar a minuta ou rascunho de: *<u>Minutou</u> a ata da reunião.* [▶ 1 minutar] ● **mi.nu.ta.do** *a.*

minuto (mi.*nu*.to) *sm.* 1 Medida de tempo equivalente a 60 segundos. [Abr.: *min*] 2 Tempo muito curto; MOMENTO: *Espere um <u>minuto</u> que já volto.*

minuto-luz (mi.nu.to-*luz*) *sm. Fís.* Distância que a luz percorre em um minuto. [Pl.: *minutos-luz*.]

mio (*mi*:o) *sm.* Ver *miado*.

miocárdio (mi:o.*cár*.di:o) *sm. Anat.* Músculo do coração.

miocardite (mi:o.car.*di*.te) *sf. Med.* Inflamação do miocárdio.

mioceno (mi:o.*ce*.no) *Geol. a.* 1 Diz-se de uma das épocas geológicas do período terciário, em que surgiram novos primatas. *sm.* 2 Essa época. [Nesta acp., com inicial maiúsc.]

miolo (mi:*o*.lo) [ô] *sm.* 1 Parte interna do pão ou de certas frutas. 2 *Pop.* Cérebro. [Mais us. no pl.] 3 *Fig. Pop.* Inteligência, juízo. [Pl.: [ó].] ▪ **De ~ mole** Amalucado.

miologia (mi:o.lo.*gi*.a) *sf. Med.* Estudo dos músculos. ● **mi:o.*ló*.gi.co** *a.*

mioma (mi:*o*.ma) *sm. Pat.* Tumor constituído por tecido muscular.

miopatia (mi:o.pa.*ti*.a) *sf. Med.* Qualquer doença muscular.

míope (*mí*:o.pe) *a2g.s2g.* Que ou quem sofre de miopia.

miopia (mi:o.*pi*.a) *sf. Med.* Defeito de visão que torna difusa a imagem das coisas distantes.

miosótis (mi:o.*só*.tis) *s2m. Bot.* 1 Planta ornamental que gera pequenas flores azuis. 2 Essa flor.

mira (*mi*.ra) *sf.* 1 Ação ou resultado de mirar. 2 Aptidão para acertar um alvo; PONTARIA: *O atleta tem <u>mira</u>: acertou todos os alvos.* 3 *Fig.* Aquilo que se deseja alcançar; OBJETIVO: *A sua <u>mira</u> é passar no vestibular.* ▪ **Ter em ~** Ter em vista: *"...viera tendo em <u>mira</u> o meu dever..."* (João Guimarães Rosa, *Estas estórias*.)

mirabolante (mi.ra.bo.*lan*.te) *a2g.* 1 Grandioso demais para que se concretize: *um plano <u>mirabo-</u>*

<u>lante</u>. 2 Que se mostra inadequado, exagerado, ridículo (vestimentas <u>mirabolantes</u>).

miraculoso (mi.ra.cu.*lo*.so) [ô] *a.* Fora do comum a ponto de parecer milagre (cura <u>miraculosa</u>); MILAGROSO. [Fem. e pl.: [ó].]

miragem (mi.*ra*.gem) *sf.* 1 Imagem enganosa: *De longe parecia um lago, mas era apenas <u>miragem</u>.* 2 *Fig.* Sonho, ilusão: *"...temerosa da esperança, com medo de toldar a <u>miragem</u> que crescia dentro dela."* (Antonio Callado, *Bar Don Juan*). [Pl.: -*gens*.]

miramar (mi.ra.*mar*) *sm.* Mirante sobre o mar.

mirante (mi.*ran*.te) *sm.* Lugar de onde é possível ter uma vista panorâmica.

mirar (mi.*rar*) *v.* 1 Olhar(-se) ou contemplar(-se). [*td.*: <u>*mirar*</u> *o céu/os transeuntes. pr.*: <u>*mirar-se*</u> *no espelho*.] 2 Olhar longamente à distância; OBSERVAR; ESPREITAR. [*td.*: *Em sua varanda,* <u>*mirava*</u> *a paisagem*.] 3 Fazer pontaria (para); APONTAR. [*td.*: <u>*Mirou*</u> *a caça e atirou. ti. + em*: <u>*mirar num alvo. int.*</u>: *O sargento os está ensinando a* <u>*mirar*</u>.] 4 *Fig.* Ter como objetivo; ter em vista; VISAR. [*td.*: *Só* <u>*mira*</u> *o próprio sucesso. ti. + a*: <u>*Mirava ao*</u> *progresso da empresa*.] [▶ 1 mirar]

miríade, miríada (mi.*rí*.a.de, mi.*rí*.a.da) *sf.* Quantidade imensa; INFINIDADE.

miriagrama (mi.ri:a.*gra*.ma) *sm. Fís.* Medida equivalente a 10.000 gramas. [Símb.: *Mg*]

mirialitro (mi.ri:a.*li*.tro) *sm. Fís.* Medida equivalente a 10.000 litros. [Símb.: *Ml*]

miriâmetro (mi.ri:*â*.me.tro) *sm. Fís.* Medida equivalente a 10.000 metros. [Símb.: *Mn*]

miriápode (mi.ri:*á*.po.de) *Zool. a2g.* 1 Que tem muitos pés; MILÍPEDE. *a2g.s2g.* 2 Diz-se de ou invertebrado alongado com muitas pernas como centopeias, lacraias etc.

miriare (mi.ri:*a*.re) *sm.* Superfície equivalente a um quilômetro quadrado. [Símb.: *maa*]

mirim (mi.*rim*) *a2g.* 1 *Bras.* Pequeno, diminuto (parque <u>mirim</u>). 2 Que ainda é criança (artista <u>mirim</u>). [Pl.: -*rins*.]

mirra (*mir*.ra) *sf. Bot.* Resina vegetal de cheiro adocicado us. como incenso e em perfumaria.

mirrar (mi.*rrar*) *v.* 1 Tornar(-se) (vegetal) seco ou murcho; RESSECAR; MURCHAR. [*int.*: *As flores <u>mirravam</u>, ressequidas*.] 2 Fazer que definhe, ou definhar; EMAGRECER. [*td.*: *A prolongada doença o* <u>*mirrou*</u>. *int./pr.*: <u>*Mirrou(-se)*</u> *lentamente, de puro desgosto*.] 3 Fazer encolher ou encolher, diminuir de tamanho, intensidade ou volume. [*td.*: *Os seguidos fracassos <u>mirraram</u> seu entusiasmo. int.*: *A colheita <u>mirrou</u> por falta de chuvas*.] [▶ 1 mirrar] ● **mir.ra.do** *a.*

misantropia (mi.san.tro.*pi*.a) *sf.* 1 Aversão às pessoas, à humanidade. [Ant.: *filantropia*.] 2 Tendência à solidão, à melancolia. ● **mi.san.tro.po** *a.sm.*

miscelânea (mis.ce.*lâ*.ne:a) *sf.* Mistura confusa de coisas variadas: *Na loja havia uma <u>miscelânea</u> de objetos à venda.*

miscigenação (mis.ci.ge.na.*ção*) *sf.* Cruzamento de raças; MESTIÇAGEM. [Pl.: -*ções*.] ● **mis.ci.ge.*nar*** *v.*

miscigenado (mis.ci.ge.*na*.do) *a.* Que resulta de miscigenação (população <u>miscigenada</u>); MESTIÇO.

miscível (mis.*ci*.vel) *a2g.* Sujeito à mistura; que pode ser misturado (substâncias <u>miscíveis</u>); MISTURÁVEL. [Pl.: -*veis*.] ● **mis.ci.bi.li.*da*.de** *sf.*

miserável (mi.se.*rá*.vel) *a2g.* 1 Muito pobre (barracão <u>miserável</u>, vida <u>miserável</u>); MÍSERO. 2 Muito reduzido (salário <u>miserável</u>); INSIGNIFICANTE. *a2g.s2g.* 3 Que ou quem é muito apegado ao dinheiro; SOVINA. 4 Que ou quem é reles, patife, canalha. *s2g.* 5 Pessoa que vive na miséria; INDIGENTE. [Pl.: -*veis*. Superl.: *miserabilíssimo*.] ● **mi.se.ra.bi.li.*da*.de** *sf.*

miséria (mi.*sé*.ri:a) *sf.* 1 Pobreza extrema; INDIGÊNCIA: *A seca deixou os habitantes da região na <u>misé-</u>*

ria. 2 Quantia irrisória: *A empresa paga uma miséria aos empregados.* **3** Fraqueza ou imperfeição moral: *O orgulho é uma das nossas misérias.* ⁞⁞ Fazer ~s Fazer coisas extraordinárias.

misericórdia (mi.se.ri.cór.di:a) *sf.* **1** Sentimento de piedade: *Castigavam o escravo sem misericórdia.* **2** Perdão: *Pedimos misericórdia por nossos pecados.*

misericordioso (mi.se.ri.cor.di:o.so) [ô] *a.sm.* Que ou quem tem ou revela misericórdia (1). [Fem. e pl.: [ó].]

mísero (*mí*.se.ro) *a.* **1** Muito pobre (mísero lugar); MISERÁVEL. **2** Muito pequeno (mísera doação); INSIGNIFICANTE. [Superl.: *misérrimo*.]

misógino (mi.só.gi.no) *a.sm.* Que ou quem tem aversão a mulheres. ● **mi.so.gi.ni.a** *sf.*

misoneísmo (mi.so.ne.ís.mo) *sm.* Repúdio ao que é novo. ● **mi.so.ne.ís.ta** *a2g.s2g.*

missa (*mis*.sa) *sf.* **1** *Litu.* Ato litúrgico católico que celebra o sacrifício de Jesus pela humanidade. **2** *Mús.* Composição musical para uma missa (1) solene.

missal (mis.*sal*) *sm. Litu.* Livro com as orações da missa (1) e outras preces importantes. [Pl.: *-sais*.]

missão (mis.*são*) *sf.* **1** Encargo que se dá a alguém; INCUMBÊNCIA: *Recebi a missão de angariar os donativos.* **2** Conjunto de religiosos que se dedica à propagação da fé: *Missões católicas evangelizaram os índios.* **3** Dever ou compromisso próprio de uma atividade: *A missão do professor é ensinar.* [Pl.: *-sões*.]

míssil (*mís*.sil) *sm.* Projétil de propulsão própria, ger. um foguete. [Pl.: *-seis*.]

missionário (mis.si:o.*ná*.ri:o) *a.* **1** Ref. a ou próprio de missão (2) (obras missionárias). *sm.* **2** Indivíduo que divulga ideias religiosas. **3** *Fig.* Pessoa que divulga ideia, causa etc.: *missionário da paz.*

missiva (mis.*si*.va) *sf.* Carta, mensagem.

missivista (mis.si.*vis*.ta) *s2g.* Autor ou portador de missiva.

missô (mis.*sô*) *sm. Cul.* Tipo de massa de soja cozida, us. na culinária japonesa.

mister (mis.*ter*) [ê] *sm.* **1** Ocupação profissional; ofício: *Aquele sapateiro é o melhor no seu mister.* **2** Aquilo que se faz necessário ou urgente: *É mister o combate à violência.*

mistério (mis.*té*.ri:o) *sm.* **1** O que é desconhecido ou de difícil compreensão: *o mistério da origem do universo.* **2** Fato obscuro, não esclarecido: *Aquele crime permanece um mistério.* **3** Segredo sobre alguma coisa: *A empresa fez grande mistério sobre o novo lançamento.* **4** *Rel.* Objeto de fé não compreensível pela razão humana: *o mistério da Ressurreição.*

misterioso (mis.te.ri:o.so) [ô] *a.* Que encerra mistério: *um caso misterioso.* [Fem. e pl.: [ó].]

mística (*mís*.ti.ca) *sf.* **1** Estudo das coisas divinas e espirituais. **2** Tendência para a vida contemplativa ou religiosa; MISTICISMO. **3** *Fig.* Encanto não racional de uma ideia, causa, instituição etc.: *a mística da revolução.*

misticismo (mis.ti.*cis*.mo) *sm.* **1** Conjunto de crenças e práticas religiosas que levam à comunhão com a divindade. **2** Disposição para a vida contemplativa ou religiosa; RELIGIOSIDADE. **3** Crença em fatores ou entidades sobrenaturais como influentes nos processos da vida e da natureza.

místico (*mís*.ti.co) *a.* **1** Ref. a ou próprio do misticismo (ritual místico). **2** Que tem vida contemplativa ou que tende ao misticismo (3). *sm.* **3** Pessoa mística (2).

mistificar (mis.ti.fi.*car*) *v. td.* Fazer crer em mentira ou ilusão, enganar, iludir: (seguido ou não de indicação de modo) *Mistificou os eleitores (com promessas fantasiosas).* [▶ **11** mistificar] ● **mis.ti.fi.ca.ção** *sf.*; **mis.ti.fi.ca.do.a** *a.*; **mis.ti.fi.ca.dor** *a.sm.*

misto (*mis*.to) *a.* **1** Constituído por elementos diversos (salada mista); MISTURADO. **2** Que aceita pessoas de ambos os sexos (colégio misto). *sm.* **3** Combinação de elementos diferentes: *O filme é um misto de comédia e drama.*

misto-quente (mis.to-*quen*.te) *sm. Bras. Cul.* Sanduíche quente de queijo e presunto, feito na chapa. [Pl.: *mistos-quentes*.]

mistral (mis.*tral*) *sm. Met.* Vento frio, forte e seco na região sudeste da França, vindo do norte. [Pl.: *-trais*.]

mistura (mis.*tu*.ra) *sf.* **1** Ação ou resultado de misturar(-se). **2** Associação de coisas diferentes: *mistura de estilos.* **3** Cruzamento de raças; MISCIGENAÇÃO: *O mameluco resulta da mistura de branco com índio.*

misturada (mis.tu.*ra*.da) *sf. Pop.* Mistura desordenada; CONFUSÃO: *uma misturada de ritmos.*

misturar (mis.tu.*rar*) *v.* **1** Juntar(-se), adicionar(-se), somar(-se) (coisas, pessoas) sem distinção de espécie, categoria etc.; MESCLAR(-SE); AMALGAMAR(-SE). [*td.*: *misturar selos de vários países.* *tdi.* + *com*: *misturar vinho com água.* *pr.*: *Vozes infantis e adultas se misturavam no coro.*] **2** Baralhar(-se), confundir(-se). [*td.*: *misturar as cartas do baralho.* *tdi.* + *com*: *Não misture meus livros com os seus.* *pr.*: *Eles não se misturam aos outros.*] [▶ **1** misturar] ● **mis.tu.ra.do** *a.*; **mis.tu.ra.dor** *a.sm.*; **mis.tu.rá.vel** *a2g.*

mitificar (mi.ti.fi.*car*) *v. td.* **1** Transformar em mito: *Os argentinos mitificaram Maradona.* **2** Conferir exageradamente atributos elevados a (algo ou alguém). [▶ **11** mitificar] ● **mi.ti.fi.ca.ção** *sf.*; **mi.ti.fi.ca.do.a** *a.*

mitigar (mi.ti.*gar*) *v.* Fazer ficar ou ficar mais brando, suave, menos intenso (algo ruim ou desagradável); ALIVIAR(-SE); APLACAR(-SE). [*td.*: *mitigar a dor/a sede/uma crítica.* *pr.*: *Sua raiva mitigou-se com o pedido de desculpa.*] [▶ **14** mitigar] ● **mi.ti.ga.do** *a.*; **mi.ti.ga.dor** *a.sm.*

mito (*mi*.to) *sm.* **1** História fantasiosa ger. de origem popular (mitos africanos). **2** Personagem real a quem se atribuem valor ou feitos extraordinários ou imaginários: *Pelé é um mito do futebol.* **3** *Fig.* Algo imaginário representado idealmente: *o mito do paraíso.* ● **mí.ti.co** *a.*

mitocôndria (mi.to.*côn*.dri:a) *sf. Biol.* Partícula do citoplasma cercada por membrana, cuja função principal é a geração de energia.

mitologia (mi.to.lo.*gi*.a) *sf.* **1** Conjunto de lendas e mitos próprios de um povo (mitologia egípcia). **2** Estudo dos mitos: *A mitologia ajuda a compreensão da história.* ● **mi.to.ló.gi.co** *a.*; **mi.tó.lo.go** *sm.*

mitomania (mi.to.ma.*ni*.a) *sf. Psi.* Inclinação doentia para mentir. ● **mi.tô.ma.no** *a.sm.*

mitose (mi.*to*.se) *sf. Biol.* Divisão celular que origina duas células idênticas à original; CARIOCINESE.

mitra (*mi*.tra) *sf.* **1** *Ecles.* Barrete alto e cônico us. por bispos, arcebispos, cardeais e o papa em ocasiões solenes. **2** *Fig.* Dignidade, jurisdição ou patrimônio de bispo ou arcebispo. **3** *Fig.* O poder espiritual.

mitrado (mi.*tra*.do) *a.* Que usa ou tem direito de usar a mitra.

mitridatismo (mi.tri.da.*tis*.mo) *sm. Med.* Imunidade contra venenos alcançada pela ingestão gradual e crescente deles, em pequenas doses.

miuçalha (mi:u.*ça*.lha) *sf.* **1** Conjunto de coisas miúdas e de pouco valor. **2** Grupo de crianças.

miudeza (mi:u.*de*.za) [ê] *sf.* **1** Qualidade de miúdo. **2** Objeto pequeno ou de pouco valor: *Nessa gaveta só guardo miudezas.* [Mais us. no pl.]

miúdo (mi.*ú*.do) *a.* **1** Muito pequeno; DIMINUTO. [Ant.: *graúdo*.] [Superl.: *minutíssimo*.] ◼ **miúdos** *smpl.* **2** Pequenas vísceras de animal (p.ex.: moela, fígado etc.). ⁞⁞ Por ~ Com detalhes; minuciosamente. **Trocar em** ~s Explicar com clareza ou com detalhes.

mixagem (mi.*xa*.gem) [cs] *sf.* Processo de combinar vários sinais de som ou imagem gravados separadamente: *mixagem de discos/de filmes.* [Pl.: -*gens.*]

mixar (mi.*xar*) [ch] *v. int. Bras. Gír.* **1** Malograr(-se), gorar; MICAR: *A viagem mixou.* **2** Perder a intensidade: *Seu entusiasmo está mixando.* [▶ **1** mix**ar**] [Cf.: *mixar* [cs].]

mixar (mi.*xar*) [cs] *v. td.* Fazer a mixagem de: *mixar uma gravação.* [▶ **1** mix**ar**] [Cf.: *mixar* [ch].]
● mi.*xa.*de *a.*

mixaria (mi.xa.*ri*.a) *sf. Bras. Pop.* Coisa ou quantia de pouco valor; NINHARIA.

mixórdia (mi.*xór*.di:a) *sf.* Mistura de coisas ou fatos; CONFUSÃO.

mixuruca (mi.xu.*ru*.ca) *a2g. Bras. Pop.* Sem qualidade; ruim; pobre: *um jantar mixuruca.*

⌧ **ml** *Fís.* Simb. de *mililitro.*

⌧ **Ml** *Fís.* Simb. de *mirialitro.*

⌧ **mm** *Fís.* Simb. de *milímetro.*

⌧ **mmc** *Mat.* Simb. de *mínimo múltiplo comum.*

⌧ **Mn 1** *Quím.* Simb. de *manganês.* **2** Simb. de *miriâmetro.*

mnemônica (mne.*mô*.ni.ca) *sf.* Técnica para facilitar a memorização. ● mne.*mô*.ni.co *a.*

mo Contr. do pr.pess. *me* com o pr.pess. *o.* [P. us. no Brasil.]

mó *sf.* Pedra de moinho ou lagar.

moagem (mo:*a*.gem) *sf.* Ação ou resultado de moer. [Pl.: -*gens.*]

móbil (*mó*.bil) *a2g.* **1** Que se move; MÓVEL. *sm.* **2** Causa, motivo: *o móbil de uma boa ação.* [Pl.: -*beis.*]

móbile (*mó*.bi.le) *sm.*
1 *Art.Pl.* Escultura feita com elementos leves, suspensos por fios e que se movem ao vento. **2** Objeto semelhante ao móbile (1) pendurado em berços para entreter bebês.

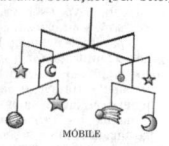

MÓBILE

mobília (mo.*bí*.li:a) *sf.* Conjunto de móveis de uma casa, escritório, hotel etc.; MOBILIÁRIO.

mobiliar (mo.bi.li.*ar*) *v. td.* Prover (casa, cômodo, escritório etc.) de mobília. [▶ **1** mobili**ar**] ● mo.bi.li.*a*.do *a.*

mobiliária (mo.bi.li.*á*.ri:a) *sf.* Loja de móveis.

mobiliário (mo.bi.li.*á*.ri:o) *sm.* **1** Ver *mobília. a.* **2** Ref. a ou que tem a natureza de bens móveis (*propriedades mobiliárias*).

mobilidade (mo.bi.li.*da*.de) *sf.* Capacidade de se mover.

mobilizar (mo.bi.li.*zar*) *v.* **1** Conclamar, chamar à ação (pessoas, grupos, instituições etc.). [*td.* (seguido ou não de indicação de causa/finalidade): *mobilizar a população (para protestar contra a violência). pr.: mobilizar-se a favor da paz.*] **2** Pôr(-se) em ação (tropa) para a guerra ou ante perigo de guerra. [*td.: mobilizar o exército. pr.: O regimento mobilizou-se para a batalha.*] **3** Movimentar(-se), mover(-se), pôr(-se) em ação. [*td.: O governo mobilizou recursos para enfrentar a seca. pr.: Mobilizaram-se para ajudar o colega.*] [▶ **1** mobiliz**ar**] ● mo.bi.li.*za.ção* *sf.*; mo.bi.li.*za*.do *a.*; mo.bi.li.*zá*.vel *a2g.*

moca (*mo*.ca) *sm.* Variedade de café de qualidade superior.

moça (*mo*.ça) [ô] *sf.* Mulher jovem. [Aum.: *mocetona.* Dim.: *moçoila.*]

moçada (mo.*ça*.da) *sf. Bras.* Grupo de gente moça.

moçambicano (mo.çam.bi.*ca*.no) *a.* **1** Da República de Moçambique (África); típico desse país ou de

seu povo. *sm.* **2** Pessoa nascida na República de Moçambique.

mocambo (mo.*cam*.bo) *sm. Bras.* Habitação precária, miserável.

moção (mo.*ção*) *sf.* Proposta apresentada numa assembleia e submetida à votação para ser aprovada. [Pl.: -*ções.*]

moçárabe (mo.*çá*.ra.be) *a2g.s2g.* **1** Diz-se de ou cristão da península Ibérica à época de sua ocupação pelos árabes. *a2g.* **2** Que ou quem descende dos moçárabes. *a2g.s2g.* **3** *Gloss.* Do, ref. ao ou o grupo de dialetos falado pelos moçárabes.

mocassim (mo.cas.*sim*) *sm.* Sapato de couro, sem salto e confortável. [Pl.: -*sins.*]

mocetão (mo.ce.*tão*) *sm.* Moço forte e bonito; RAPAGÃO. [Pl.: -*tões.* Fem.: -*tona.*]

mochila (mo.*chi*.la) *sf.* Sacola ou bolsa com alças que se leva às costas.

mocho¹ (*mo*.cho) [ô] *sm. Zool.* Espécie de coruja sem penacho.

mocho² (*mo*.cho) [ô] *a.* **1** Diz-se de animal a que falta alguma parte do corpo, ger. os chifres. *sm.* **2** Banco sem encosto; TAMBORETE.

mocidade (mo.ci.*da*.de) *sf.* **1** Fase da vida humana compreendida entre a adolescência e a maturidade; JUVENTUDE. **2** O conjunto dos moços.

mocinho (mo.*ci*.nho) *sm.* **1** *Bras.* Herói de filmes de aventura. **2** Moço muito novo.

moço (*mo*.ço) [ô] *a.* **1** Novo, jovem: "O velho fraco se esqueceu do cansaço e pensou/ Que ainda era *moço* pra sair no terraço e dançou." (Chico Buarque, *A banda*). *sm.* **2** Homem jovem; RAPAZ. [Ant. ger.: *velho.*]

mocorongo (mo.co.*ron*.go) *a. ES RJ SP Pej.* Desajeitado, caipira.

mocotó (mo.co.*tó*) *sm. Bras.* **1** Pata de boi, sem o casco, us. como alimento. **2** *Pop.* Calcanhar, tornozelo.

moda (*mo*.da) *sf.* **1** Maneira, estilo de viver, vestir, falar etc. predominante numa determinada época ou lugar; VOGA: *uma gíria fora de moda.* **2** Arte e técnica do vestuário (moda feminina). **3** Modo, maneira: *um prato à moda italiana.* **4** *Mús.* Cantiga, modinha.

modal (mo.*dal*) *a2g.* **1** Ref. a modo ou modalidade. **2** *Gram.* Ref. ao modo do verbo. **3** *Gram.* Diz-se do *v.* auxiliar que expressa probabilidade, de necessidade ou contingência (p.ex., na frase '*Você deveria pensar no futuro*', o auxiliar *deveria* acrescenta ao verbo *pensar* a noção de necessidade). [Pl.: -*dais.*]

modalidade (mo.da.li.*da*.de) *sf.* Forma ou variante de alguma coisa; TIPO: *modalidades de esporte.*

modelar¹ (mo.de.*lar*) *a2g.* Que pode ser seguido como modelo (conduta mod**elar**); EXEMPLAR.

modelar² (mo.de.*lar*) *v.* **1** Fazer o modelo, o molde de. [*td.: modelar um vestido.*] **2** Dar forma ou contorno a; MOLDAR. [*td.: modelar o barro.*] **3** Fazer sobressair os contornos de; MOLDAR. [*td.: Essa roupa modela o corpo.*] **4** *Fig.* Fazer tomar como modelo, fazer (algo) tomar o modelo de; MOLDAR(-SE). [*td.* + *por: modelar o comportamento pelo dos pais. pr.: Seu pensamento modela-se pelo de seu mestre.*] [▶ **1** mod**elar**] ● mo.de.*la*.do *a.*; mo.de.la.*dor* *a.sm.*; mo.de.*la*.gem *sf.*

modelo (mo.*de*.lo) *sm.* **1** Pessoa ou coisa que serve de referência ou que se imita: *Usou a peça como modelo para as demais.* **2** Pessoa ou coisa que, por suas qualidades, é digna de servir de exemplo: *um modelo de bondade.* **3** Tipo particular de um produto fabricado em série (automóvel, eletrodoméstico etc.). **4** Feitio de roupa, chapéu, sapato etc. **5** Pessoa que posa para pintor, escultor ou fotógrafo. **6** Construção teórica, sistema (*mode-*

lo econômico). *s2g.* **7** Pessoa que desfila peças de vestuário; MANEQUIM.

⊕ **modem** (*Ing. /móudem/*) *sm. Inf.* **1** Dispositivo para transmitir dados entre computadores por telefone. **2** Dispositivo para transmitir dados entre computadores por cabo. [Tb. *cable modem.*]

moderação (mo.de.ra.*ção*) *sf.* **1** Ação ou resultado de moderar(-se). **2** Atitude, ou qualidade de evitar excessos; COMEDIMENTO. [Pl.: -*ções.*]

moderado (mo.de.*ra*.do) *a.* **1** Que age com moderação; COMEDIDO. **2** Não excessivo (esforço moderado); RAZOÁVEL. **3** *Pol.* Contrário ao radicalismo (diz-se de ala ou partido). *sm.* **4** Quem é moderado (1). **5** *Pol.* Membro de ou partido moderado (3).

moderador (mo.de.ra.*dor*) [ô] *a.sm.* **1** Que ou o que modera: *Teve um papel moderador nas discussões*; *moderador de apetite. sm.* **2** Pessoa que conduz um debate, mesa-redonda etc.; MEDIADOR.

moderar (mo.de.*rar*) *v.* **1** Adequar às conveniências, ao que é razoável, ao bom-tom. [*td.*: *moderar a linguagem/os gestos.*] **2** Reduzir(-se) aos ou conter(-se) nos devidos limites; REFREAR(-SE); COMEDIR(-SE). [*td.*: *moderar os exercícios/os gastos. pr.*: *moderar-se na ginástica.*] [▶ **1** moder*ar*]

modernice (mo.der.*ni*.ce) *sf.* Gosto exagerado por coisas novas, modernas.

modernidade (mo.der.ni.*da*.de) *sf.* Qualidade ou estado do que é moderno.

modernismo (mo.der.*nis*.mo) *sm.* **1** Qualidade, caráter do que é moderno, novo. **2** Tendência ou preferência pelo que é moderno. **3** *Art.Pl. Liter.* Conjunto de movimentos literários e artísticos que, a partir do fim do séc. XIX, rompe com as tradições acadêmicas. ● **mo.der.***nis*.ta *a2g.s2g.*

modernizar (mo.der.ni.*zar*) *v.* Tornar(-se) moderno, ou adaptar(-se) ao mundo moderno. [*td.*: *modernizar uma empresa. pr.*: *Modernizou-se por influência dos filhos.*] [▶ **1** moderniz*ar*] ● mo.der.ni.za.*ção a*; mo.der.ni.za.*do a.*

moderno (mo.*der*.no) [ê] *a.* **1** Ref. ou pertencente à época atual, contemporânea: *a vida moderna.* **2** Novo, recente: *uma técnica moderna.* **3** Que está na moda: *um traje moderno.* [Ant. ger.: *antigo, antiquado.*]

modéstia (mo.*dés*.ti.a) *sf.* **1** Falta de vaidade em relação às próprias qualidades. **2** Falta de pretensão; SIMPLICIDADE; HUMILDADE. **3** Comedimento, moderação.

modesto (mo.*des*.to) *a.* **1** Que não é vaidoso das próprias qualidades: *É modesto, não se exibe.* **2** Sem pretensão; SIMPLES; HUMILDE: *um cargo modesto; uma casa modesta.* **3** Que não é excessivo (ambições modestas, gastos modestos); COMEDIDO; MODERADO.

módico (*mó*.di.co) *a.* Pequeno, reduzido (preços módicos). [Superl.: *modicíssimo.*]

modificar (mo.di.fi.*car*) *v.* Fazer alteração ou mudança em, ou sofrê-la. [*td.*: *modificar um texto/um sistema. pr.*: *Seu caráter modificou-se muito.*] [▶ **11** modific*ar*] ● mo.di.fi.ca.*ção sf.*; mo.di.fi.ca.do *a.*; mo.di.fi.ca.*dor a.sm.*; mo.di.fi.*cá*.vel *a2g.*

modinha (mo.*di*.nha) *sf. Bras. Mús.* Canção popular urbana, sentimental, acompanhada por violão. [MODA (1).]

modismo[1] (mo.*dis*.mo) *sm.* Moda (1) passageira.

modismo[2] (mo.*dis*.mo) *sm.* Modo de falar típico de um grupo, um lugar etc.

modista[1] (mo.*dis*.ta) *s2g.* Pessoa que faz roupas femininas.

modista[2] *s2g. Bras. Mús.* Cantador de modinhas.

modo (*mo*.do) *sm.* **1** Jeito, forma: *modo de vestir/ de falar.* **2** Maneira de fazer; MÉTODO: *modo de jogar/de produzir.* **3** Meio; possibilidade, condição: *Não havia modo de escapar.* **4** *Gram.* Categoria verbal que indica a atitude (de certeza, dúvida, desejo etc.) de quem fala. [Ver *imperativo, indicativo, subjuntivo.*] ◪ **modos** *smpl.* **5** Boas maneiras, educação. ◫ **De ~ a** Ver *de modo que* (2). **De ~ algum** Absolutamente não, de jeito nenhum. **De ~ que** **1** Em consequência de que: *Ele tem miopia, de modo que usa óculos.* **2** Para que: *Dividiram os custos de modo que ninguém tivesse prejuízo.* **De (um) ~ geral** Em geral; na maioria dos casos. ● mo.da.li.za.*dor a.sm.*

modorra (mo.*dor*.ra) *sf.* **1** Prostração física e mental, moleza: "Teixeirinha estica-se na cama, numa modorra gostosa de dia quente." (Marques Rebelo, *Marafa*). **2** Apatia, indolência.

modulação (mo.du.la.*ção*) *sf.* **1** Ação ou resultado de modular[2]. **2** *Mús.* Passagem de um modo ou tom para outro. [Pl.: -*ções.*]

modulador (mo.du.la.*dor*) [ô] *a.sm.* Que ou aquilo que modula.

modular[1] (mo.du.*lar*) *a2g.* Ref. a módulo.

modular[2] (mo.du.*lar*) *v.* **1** Variar a altura ou a intensidade de (som, voz). [*td.*] **2** *Mús.* Fazer modulação (2) (em). [*td.*: *modular uma frase musical. int.* (seguido ou não de indicação de modo): *O cantor modulava (de um tom para outro) com desenvoltura.*] [▶ **1** modul*ar*] ● mo.du.*la*.do *a.sm.*; mo.du.*lan*.te *a2g.*

módulo (*mó*.du.lo) *sm.* **1** Unidade de um todo composto de outras unidades semelhantes: *um sofá de módulos; os módulos de um curso.* **2** Unidade destacável de uma nave espacial (módulo lunar).

moeda (mo.*e*.da) *sf. Econ.* **1** Peça de metal, ger. circular, cunhada por um governo para servir como dinheiro em transações comerciais. **2** Qualquer meio de pagamento; DINHEIRO. **3** Unidade de valor monetário: *A moeda brasileira é o real.* ◫ **~ podre** Títulos, ações etc. us. como moeda pelo valor nominal, mas sem valor real. **Pagar na mesma ~** Retribuir algo (bom ou mau) com algo semelhante e na mesma medida.

moedeiro (mo.e.*dei*.ro) *sm.* **1** Pequena bolsa, ou compartimento em carteira, para guardar moedas. **2** Fabricante de moedas.

moela (mo.*e*.la) *sf.* **1** *Anat. Zool.* Parte posterior do estômago das aves. **2** *Cul.* Esta parte cozida e temperada, ger. servida como petisco.

moenda (mo.*en*.da) *sf.* Aparelho us. para moer.

moer (mo.*er*) *v.* **1** Reduzir a pó por trituração, ou a pequenos pedaços. [*td.*: *moer café/nozes.*] **2** Extrair por meio de prensa o suco de. [*td.*: *moer cana.*] **3** *Fig.* Dar pancada, uma surra em; ESPANCAR; SURRAR. [*td.*: *Os feitores moíam os escravos a chicotadas.*] **4** *Fig.* Fatigar(-se), extenuar(-se). [*td.*: *A escalada moeu-o totalmente. pr.*: *Moeu-se de trabalhar no verão.*] **5** Afligir(-se), atormentar(-se). [*td.*: *A saudade de a moía impiedosamente. pr.*: *moer-se de dor/de nostalgia.*] [▶ **36** m*oer*] ● mo:e.*dor a.sm.*; mo:e.du.ra *sf.*

mofa (*mo*.fa) [ó] *sf.* Zombaria, troça.

mofar[1] (mo.*far*) *v.* **1** Encher(-se) de mofo. [*td.*: *A umidade mofou o casaco de couro. int.*: *O casaco de couro mofou.*] **2** *Fig.* Ficar indefinidamente à espera ou na expectativa de algo, ou abandonado, esquecido: *Mofou esperando o amigo, e nada.* [▶ **1** mof*ar*] ● mo.*fa*.do *a.*

mofar[2] (mo.*far*) *v. ti.* Escarnecer, zombar. [+ *de*: *mofar dos adversários.*] [▶ **1** mof*ar*]

mofino (mo.*fi*.no) *a.sm.* Que ou quem é infeliz, desgraçado.

mofo (*mo*.fo) [ô] *sm. Bac.* Fungo que dá em lugares úmidos e deteriora alimentos, certos objetos etc.; BOLOR.

mogno (*mog*.no) [ó] *sm. Bot.* Árvore de madeira avermelhada, us. em marcenaria.

moído (mo.*í*.do) *a.* **1** Que se moeu. **2** *Fig.* Muito cansado (corpo moído); FATIGADO; EXAUSTO.

moinho (mo.*i*.nho) *sm.* **1** Engenho para moer, esp. grãos de cereais. **2** Lugar onde está instalado esse engenho.

moita (*moi*.ta) [ó] *sf.* Tufo espesso de arbustos; TOUCEIRA. ■ **Na ~** *Bras.* **1** Às escondidas; às ocultas, sorrateiramente: *Agia sempre na moita*. **2** Em silêncio, sem revelar nada a ninguém: *Fique na moita e finja que nada sabe!*

mojica (mo.*ji*.ca) *sf.* AM *Cul.* Mingau engrossado a fogo lento.

mol [ó] *sm. Quím.* Massa molecular de uma substância expressa em gramas. [Pl.: *mols* e *moles*.]

mola (*mo*.la) *sf.* **1** Peça elástica, ger. de metal e em forma de espiral, que serve para amortecer ou produzir impulso. **2** *Fig.* Aquilo que impulsiona algo; o que é ou causa ou motivo principal: *O conhecimento é a mola do progresso*.

molambento (mo.lam.*ben*.to) *a.sm. Bras.* Que ou quem está em farrapos; ROTO; MALTRAPILHO.

molambo (mo.*lam*.bo) *sm. Bras.* **1** Pedaço de pano velho, sujo e rasgado; FARRAPO; TRAPO. **2** Pessoa sem firmeza, sem iniciativa, covarde: "Achavam de tomar regalia de desforra na gente, até qualquer molambo de sujeito, paisano morador." (João Guimarães Rosa, *Grande sertão: veredas*).

molar (mo.*lar*) *a2g.* **1** *Od.* Diz-se cada um dos dentes situados nas extremidades das arcadas dentárias e que servem para triturar os alimentos. [Ver *dente*.] **2** Que é próprio para moer. *sm.* **3** *Od.* Dente molar.

moldar (mol.*dar*) *v.* **1** Fazer o molde (1) de. [*td*.: *Moldou a estatueta para fazer cópias*.] **2** Acomodar ao ou vazar no molde. [*td*.: *Moldou o gesso para fazer a cópia da estatueta*.] **3** Modelar² (2). [*td*.] **4** Modelar⁴ (3). [*td*.] **5** Modelar⁵ (4). [*td. pr*.] **6** *Fig.* Acomodar(-se), adaptar(-se), amoldar(-se). [*tdi. + a*: *Nada o moldava àquele ambiente. pr*.: *Moldava-se a tudo por interesse*. [▶ **1** mold[ar] • **mol.da.dor** *a.sm.*; **mol.da.gem** *sf*.; **mol.dá.vel** *a2g*.

moldávio (mol.*dá*.vi.o) *a.* **1** Da Moldávia (Europa); típico desse país ou de seu povo. *sm.* **2** Pessoa nascida na Moldávia. *a.sm.* **3** *Gloss.* Da, ref. à ou à língua falada na Moldávia.

molde (*mol*.de) *sm.* **1** Modelo oco no qual se introduz um líquido ou uma pasta que, ao endurecer, toma a forma interna desse modelo: *o molde de uma estátua de bronze*. **2** A peça assim resultante, com a forma do modelo. **3** Peça de papel, madeira etc. pela qual se recorta algo: *o molde de um vestido*. **4** Modelo (1) de objeto, ou de comportamento.

moldura (mol.*du*.ra) *sf.* Peça us. para cercar e guarnecer quadros, fotografias, espelhos etc.

moldurar (mol.du.*rar*) *v.* Ver *emoldurar*. [▶ **1** moldur[ar]

moldureiro (mol.du.*rei*.ro) *sm.* Fabricante de molduras.

mole (*mo*.le) *a2g.* **1** Que cede à pressão sem se desfazer; que é macio, fofo (colchão mole). **2** *Fig.* Sem energia, fraco, débil: *Sentiu-se mole após tanto esforço*. **3** *Fig.* Lerdo, indolente, preguiçoso. **4** *Fig.* Desprovido de firmeza; FROUXO; COMPLACENTE: *Sempre foi mole com os alunos*. **5** *Fig.* Que se emociona facilmente (coração mole); SENSÍVEL. **6** *Bras. Pop.* Fácil: *É mole fazer isso*.

molecada (mo.le.*ca*.da) *sf. Bras.* **1** Grupo de moleques. **2** Ato, atitude de moleque; MOLECAGEM.

molecagem (mo.le.*ca*.gem) *sf. Bras.* Ação própria de moleque (2 e 4); MOLECADA. [Pl.: -*gens*.]

molecote (mo.le.*co*.te) *sm.* Moleque já crescido; RAPAZOLA. [Fem.: *moleca*.]

molécula (mo.*lé*.cu.la) *sf. Quím.* A menor partícula em que se pode dividir uma substância, conservando sua estrutura e propriedades químicas. • **mo.le. cu.***lar* *a2g*.

⌑ A molécula é constituída de átomos de um ou mais elementos, e é ela que determina, com as características que adquire dessa composição de átomos, as características da substância como um todo. P.ex., uma molécula formada por dois átomos de hidrogênio e um de oxigênio (H_2O) tem as características da substância que ela forma (a água), e diferentes das da molécula formada por dois átomos de hidrogênio e dois de oxigênio (H_2O_2), que tem as características da água oxigenada.

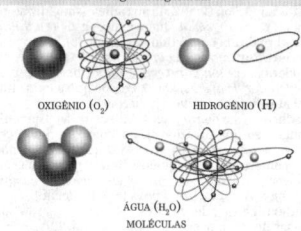

OXIGÊNIO (O_2)   HIDROGÊNIO (H)

ÁGUA (H_2O)
MOLÉCULAS

moleira¹ (mo.*lei*.ra) *sf.* Mulher de moleiro ou dona de moinho.

moleira² (mo.*lei*.ra) *sf. Fam.* **1** Parte ainda não ossificada do crânio dos bebês; FONTANELA. **2** A abóbada do crânio.

moleirão (mo.lei.*rão*) *a.sm.* Que ou quem é muito mole (3); MOLENGA; PREGUIÇOSO. [Pl.: -*rões*.]

moleiro (mo.*lei*.ro) *sm.* **1** Dono de moinho. **2** Quem trabalha em moinho.

molejo (mo.*le*.jo) [ê] *sm.* **1** Conjunto de molas de um veículo, móvel etc. **2** *Fig.* Gingado, balanço: *o molejo do samba*.

molenga (mo.*len*.ga) *a2g.s2g.* **1** Ver *moleirão*; MOLOIDE. **2** Que ou quem não tem determinação; MOLOIDE; COVARDE.

moleque (mo.*le*.que) *sm.* **1** Menino, garoto. **2** Pessoa sem integridade. **3** *Gír.* Sujeito, cara. *a.sm.* **4** Que ou quem é brincalhão, gozador. [Dim.: *molecote*.] [Fem.: *moleca*.]

molestar (mo.les.*tar*) *v.* **1** Causar mágoa, ofensa, sofrimento, aflição a; MAGOAR(-SE); OFENDER(-SE). [*td*.: *Seu desprezo a molestou*; (seguido de indicação de modo) *Eles a molestaram com palavras injustas pr.*: *Molestou-se com a incompreensão do chefe*.] **2** Importunar(-se), aborrecer(-se). [*td.* "...não pareceu molestá-lo a curiosidade do hóspede..." (Machado de Assis, *Helena*); (tb. seguido de indicação de modo) *Ele molesta os colegas com suas gozações. pr.*: *Molestava-se com a bagunça do colega de quarto*.] [▶ **1** molest[ar] • **mo.les.ta.do** *a.*; **mo.les.ta.dor** *a.sm.*

moléstia (mo.*lés*.ti.a) *sf.* Doença, enfermidade.

molesto (mo.*les*.to) *a.* Que molesta, incomoda ou aborrece.

moletom (mo.le.*tom*) *sm.* **1** Tecido grosso de malha de algodão. **2** Blusão, calça ou conjunto de moletom (1). [Pl.: -*tons*.]

moleza (mo.*le*.za) [ê] *sf.* **1** Qualidade de mole (1). [Ant.: *dureza*.] **2** Falta de vigor; FRAQUEZA. **3** Indolência, preguiça. **4** Lerdeza, lentidão. **5** *Bras. Pop.* Coisa fácil: *Esse trabalho é moleza*.

molhadela (mo.lha.*de*.la) *sf.* Ação de molhar(-se) um pouco, ou rapidamente.

molhado (mo.*lha*.do) *a.* **1** Que está umedecido ou encharcado de água ou outro líquido. *sm.* **2** Lugar molhado: *Evite pisar no molhado*. [Ant.: *seco*.]

molhados *smpl.* **3** Produtos alimentícios líquidos (vinho, azeite etc.). [Cf.: *secos*.]

molhar (mo.*lhar*) *v.* **1** Mergulhar ou banhar em, ser atingido por (líquido), ou umedecer(-se). [*td.* (seguido ou não de indicação de lugar): *molhar o rosto/os lábios/as plantas*; *O vazamento molhou os móveis*; *molhar o pão (no café)*. *pr.*: *Está sem guarda-chuva, vai se molhar*.] **2** *Fam.* Urinar em, ou urinar(-se). [*td.*: *O bebê molhou a cama*. *pr.*: *O bebê molhou-se durante a noite*.] **3** Regar. [*td.*: *molhar as plantas*.] [▶ **1** molh<u>ar</u>]

molhe (*mo.*lhe) *sm.* Paredão construído num porto marítimo como quebra-mar, cais etc.

molheira (mo.*lhei*.ra) *sf.* Recipiente para servir molhos.

molho (*mo.*lho) [ó] *sm.* **1** Feixe, maço: *um molho de espinafre*. **2** Conjunto de objetos reunidos num só grupo: *um molho de chaves*.

molho (*mo.*lho) [ô] *sm. Cul.* **1** Caldo ou creme us. para refogar, temperar ou acompanhar um prato. **2** Qualquer líquido onde se deixa algo mergulhado. ‡ **De ~ 1** Mergulhado por algum tempo em líquido específico ou água, com ou sem ingredientes adicionados. **2** *Fig.* Recolhido, marginalizado por cansaço, doença, isolamento compulsório etc.: *Contundido, ficará de molho por um mês*.

molinete (mo.li.*ne*.te) [ê] *sm.* **1** Carretel com manivela, fixado no cabo de uma vara de pescar. **2** Torniquete, borboleta.

moloide (mo.*loi*.de) *a2g.s2g.* Ver *molenga*.

molosso (mo.*los*.so) *sm.* Grande cão de guarda.

molusco (mo.*lus*.co) *sm. Zool.* Animal invertebrado de corpo mole, ger. dotado de concha, e que vive no mar, em água doce ou em terra (p.ex.: ostra, caramujo).

momentâneo (mo.men.*tâ*.ne:o) *a.* **1** Que dura só um momento (mal-estar momentâneo); INSTANTÂNEO. [Ant.: *duradouro*.] **2** Que não é permanente, que passa; PASSAGEIRO.

momento (mo.*men*.to) *sm.* **1** Curto espaço de tempo; INSTANTE: *Saiu por um momento*. **2** Ocasião, hora: *Naquele momento, tivemos de partir*.

momentoso (mo.men.*to*.so) [ô] *a.* Importante, grave (questão momentosa). [Fem. e pl.: [ó].]

momices (mo.*mi*.ces) *sfpl.* Caretas, trejeitos.

momo (*mo.*mo) [ô] *sm.* Homem muito gordo que, vestido de rei, personifica o carnaval. ● **mo.***mes*.co *a.*

monacal (mo.na.*cal*) *a2g.* Ref. a monge ou à vida em convento; MONÁSTICO. [Pl.: *-cais*.]

mônada (*mô.*na.da) *sf. Fil.* Partícula indivisível que entra na composição de todos os seres.

monarca (mo.*nar*.ca) *sm.* Chefe supremo de um Estado monárquico; SOBERANO; REI.

monarquia (mo.nar.*qui*.a) *sf.* Estado ou forma de governo em que o chefe supremo é o rei ou a rainha.

monárquico (mo.*nár*.qui.co) *a.* Ref. a monarquia ou a monarca.

monarquismo (mo.nar.*quis*.mo) *sm.* Sistema político dos partidários da monarquia. ● mo.nar.*quis*.ta *a2g.s2g.*

monastério (mo.nas.*té*.ri:o) *sm.* Convento de monges; MOSTEIRO.

monástico (mo.*nás*.ti.co) *a.* Ver *monacal*.

monção (mon.*ção*) *sf.* **1** Vento ou época do ano favorável às navegações. **2** Tipo de vento do sul e do sudeste da Ásia. [Pl.: *-ções*.]

monegasco (mo.ne.*gas*.co) *a.* **1** De Mônaco (Europa); típico desse país ou de seu povo. *sm.* **2** Pessoa nascida em Mônaco.

monera (mo.*ne*.ra) [é] *sf. Biol.* Organismo unicelular; BACTÉRIA.

monetário (mo.ne.*tá*.ri:o) *a.* Ref. a dinheiro ou finanças.

monge (*mon.*ge) *sm.* Religioso que vive em mosteiro. [Fem.: *monja*.]

mongol (mon.*gol*) [ó] *a2g.* **1** Da Mongólia (Ásia); típico desse país ou de seu povo. *s2g.* **2** Pessoa nascida na Mongólia. *a2g.s2g.* **3** *Gloss.* Da, ref. à ou a língua falada na Mongólia. [Pl.: *-góis*.] ● **mon.***gó*.li.co *a.*

mongolismo (mon.go.*lis*.mo) *sm. Med.* Síndrome que se caracteriza por deficiência mental e feições semelhantes às dos mongóis. [Tb. *síndrome de Down*.]

mongoloide (mon.go.*loi*.de) *a2g.s2g.* Que ou quem sofre de mongolismo.

monismo (mo.*nis*.mo) *sm. Fil.* Sistema segundo o qual a realidade se reduz a um princípio único.

monitor (mo.ni.*tor*) [ô] *sm.* **1** O que ou quem monitora algo; aluno que tem o encargo ajudar o professor em sala de aula e fora dela. **2** *Inf.* Equipamento de um computador que contém a tela de vídeo na parte frontal. **3** *Telv.* Receptor de imagens em circuito fechado. **4** Qualquer aparelho us. para monitorar.

monitorar (mo.ni.to.*rar*) *v. td.* **1** Acompanhar, vigiar e simultaneamente avaliar (alguém, atividade, desempenho, funcionamento etc.) com ou sem aparelhos; MONITORIZAR: *monitorar um coração/um doente/qualidade de imagem/a evolução dos preços*. **2** Exercer as funções de monitor (1) em: *monitorar uma turma*. [▶ **1** monitor<u>ar</u>] ● **mo.ni.to.ra.***ção sf.*; mo.ni.to.*ra*.do *a.*; mo.ni.to.ra.*men*.to *sm.*

monitoria (mo.ni.to.*ri*.a) *sf.* Função de monitor (1).

monitória (mo.ni.*tó*.ri:a) *sf.* Advertência ou repreensão.

monitório (mo.ni.*tó*.ri:o) *a.* Que adverte ou repreende.

monitorizar (mo.ni.to.ri.*zar*) *v.* Ver *monitorar* (1). [▶ **1** monitoriz<u>ar</u>]

monjolo (mon.*jo*.lo) [ô] *sm. Bras.* Engenho primitivo movido à água e us. para pilar milho ou descascar café.

mono (*mo.*no) *sm. Zool.* Nome dado aos macacos em geral.

monobloco (mo.no.*blo*.co) *a2g.sm.* Que ou aquilo que é fabricado em um só bloco (carroceria monobloco).

monociclo (mo.no.*ci*.clo) *sm.* Velocípede de uma roda, us. por acrobatas.

monocórdio (mo.no.*cór*.di:o) *a.* **1** Que tem uma só corda. **2** *Fig.* De um só tom; MONÓTONO.

monocotiledôneo (mo.no.co.ti.le.*dô*.ne:o) *a. Bot.* Cujo embrião tem um só cotilédone (diz-se de planta).

monocromático (mo.no.cro.*má*.ti.co) *a.* Que tem uma só cor.

monóculo (mo.*nó*.cu.lo) *sm.* Lente corretora de visão, us. em um olho só.

monocultura (mo.no.cul.*tu*.ra) *sf.* Cultura de um só produto agrícola. ● mo.no.cul.*tor a.sm.*

monogamia (mo.no.ga.*mi*.a) *sf.* Sistema social em que não é permitido ao homem ou à mulher ter mais de um cônjuge ao mesmo tempo. ● mo.no.*gâ*.mi.co *a.*; mo.*nó*.ga.mo *a.sm.*

monogenismo (mo.no.ge.*nis*.mo) *sm. Antr.* Teoria segundo a qual todas as raças humanas descendem de um mesmo tipo primitivo.

monografia (mo.no.gra.*fi*.a) *sf.* Trabalho escrito que trata de um assunto específico. ● mo.no.*grá*.fi.co *a.*

monograma (mo.no.*gra*.ma) *sm.* Desenho das letras iniciais do nome de alguém, juntas ou entrelaçadas.

monolíngue (mo.no.*lín*.gue) *a2g.* **1** Que fala fluentemente apenas uma língua. **2** Escrito em uma só língua; que trata só de uma língua (dicionário monolíngue); UNILÍNGUE. ● **mo.no.lin.***guis*.mo *sm.*

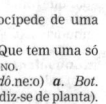

monolítico (mo.no.*lí*.ti.co) *a.* **1** Ref. a monólito. **2** *Fig.* Diz-se de algo coeso, sólido, inabalável.

monólito (mo.*nó*.li.to) *sm.* **1** Pedra de grande tamanho. **2** Monumento feito de um só bloco de pedra.

monologar (mo.no.lo.*gar*) *v. int.* **1** Falar consigo mesmo, falar sozinho. **2** *Teat.* Recitar, dizer monólogo. [▶ **14** monolo*gar*]

monólogo (mo.*nó*.lo.go) *sm.* **1** *Teat.* Cena ou peça em que um só ator representa, falando para o público ou consigo mesmo. **2** Longo discurso de quem fala consigo mesmo ou não deixa outros falarem.

monômio (mo.*nô*.mi:o) *sm. Mat.* Cada um dos termos de um polinômio.

monomotor (mo.no.mo.*tor*) [ó] *a.* **1** Que tem um só motor. *sm.* **2** *Aer.* Avião monomotor (1).

mononucleose (mo.no.nu.cle:o.se) *sf. Pat.* Doença infecciosa, bastante contagiosa, cujas manifestações mais típicas são aumento do tamanho dos gânglios do pescoço e amígdalite.

monoplano (mo.no.*pla*.no) *sm. Aer.* Avião ou planador com apenas uma asa de cada lado.

monopólio (mo.no.*pó*.li:o) *sm.* **1** Situação em que uma só empresa ou pessoa controla a oferta de um produto ou serviço, sem enfrentar concorrência. **2** Posse, domínio ou controle exclusivo de alguma coisa.

monopolizar (mo.no.po.li.*zar*) *v. td.* **1** Ter ou obter monopólio de: *monopolizar o comércio no mar Báltico.* **2** Explorar ou negociar sem competidor: *Um canal de TV monopolizou a transmissão dos jogos.* **3** *Fig.* Tomar ou atrair só para si: *Sempre busca monopolizar as atenções.* [▶ **1** monopoli*zar*] ● mo.no.po.li.za.*ção sf.*; mo.no.po.li.*za*.do *a.*; mo.no.po.li.za.*dor a.sm.*

monospérmico (mo.nos.*pér*.mi.co) *a.* Que tem uma só semente.

monossílabo (mo.nos.*sí*.la.bo) *a.sm.* Que ou vocábulo que tem só uma sílaba. ● mo.nos.si.*lá*.bi.co *a.*

monoteísmo (mo.no.te.*ís*.mo) *sm.* Crença em um só Deus. [Cf.: *politeísmo.*] ● mo.no.te.*ís*.ta *a2g.s2g.*

monotipo (mo.no.*ti*.po) *sf. Tip.* Máquina de compor que funde os tipos um a um. ● mo.no.ti.*pi*.a *sf.*

monótono (mo.*nó*.to.no) *a.* Maçante, enfadonho por não variar (férias *monótonas*). ● mo.no.to.*ni*.a *sf.*

monovalente (mo.no.va.*len*.te) *a2g. Quím.* Que tem valência igual a 1.

monóxido (mo.*nó*.xi.do) [cs] *sm. Quím.* Óxido que tem um só átomo de oxigênio por molécula.

monsenhor (mon.se.*nhor*) [ô] *sm.* **1** Título de honra concedido pelo papa a alguns sacerdotes ou funcionários eclesiásticos. **2** *Bot.* Ver *crisântemo*.

monstrengo, mostrengo (mons.*tren*.go, mos.*tren*.go) *sm. Pej.* Indivíduo com deformidade física, ou muito feio. [At! O termo é considerado depreciativo ou preconceituoso.]

monstro (*mons*.tro) *sm.* **1** Ser de conformação anormal: *monstro de duas cabeças.* **2** Ser fantástico e de aparência assustadora, ger. colossal (*monstro mitológico*). **3** *Fig. Pej.* Pessoa muito feia, horrorosa. **4** *Fig.* Pessoa muito cruel, desumana. **5** *Fig.* Pessoa que causa assombro: *Ela é um monstro no piano.* *a2g2n.* **6** Enorme, colossal: *Pegamos um engarrafamento monstro.*

monstruosidade (mons.tru:o.si.*da*.de) *sf.* Qualidade ou característica do que é monstruoso.

monstruoso (mons.tru:*o*.so) [ô] *a.* **1** Que tem conformação de monstro (1); DISFORME. **2** Que é muito feio; HORRÍVEL; HORROROSO. **3** Extremamente mau (ato *monstruoso*); TERRÍVEL; HEDIONDO. **4** Enorme, descomunal (força *monstruosa*). [Fem. e pl.: *ó*.]

monta (*mon*.ta) *sf.* Importância, valor: *um fato de pouca monta.*

montada (mon.*ta*.da) *sf.* Ação ou resultado de montar (cavalgadura).

montador (mon.ta.*dor*) [ô] *sm.* **1** Aquele que faz montagem. ◪ **montadora** *sf.* **2** *Bras.* Indústria que fabrica e monta veículos.

montagem (mon.*ta*.gem) *sf.* **1** Operação de reunir as diversas partes ou peças de um conjunto, dispositivo, mecanismo etc. **2** *Cin.* Seleção e ordenação das sequências de um filme. **3** *Teat.* Encenação. [Pl.: *-gens.*]

montanha (mon.*ta*.nha) *sf.* **1** *Geog.* Monte muito alto. **2** Grande amontoado de coisas.

> As mais altas montanhas do mundo ficam na Ásia, na cordilheira do Himalaia. São: Everest (8.848m), K2 (Godwin Austen) (8.611m), Kanchenjunga (8.586m), Lhotse (8.516m), Cho Oyu (8.188m). Na América do Sul, cordilheira dos Andes, os pontos culminantes são o Aconcágua (6.962m) e Ojos de Salado (6.893m). No Brasil, o pico da Neblina tem 2.995m, o Trinta e Um de Março, 2.974m, e o Roraima, 2.734m, todos no sistema Parima, na fronteira com a Venezuela. O pico da Bandeira, na serra da Caparaó, entre o Espírito Santo e Minas Gerais, tem 2.891m, e o de Agulhas Negras, no maciço de Itatiaia, 2.790m.

montanha-russa (mon.ta.nha-*rus*.sa) *sf.* Brinquedo de parque de diversões que consiste num trilho com subidas e descidas bruscas, por onde circula uma espécie de trem em alta velocidade. [Pl.: *montanhas-russas.*]

montanhês (mon.ta.*nhês*) *a.sm.* Que ou quem habita em montanha. [Pl.: *-nheses.* Fem.: *-nhesa.*]

montanhismo (mon.ta.*nhis*.mo) *sm. Esp.* Esporte que consiste em escalar montanhas; ALPINISMO.

montanhista (mon.ta.*nhis*.ta) *a2g.s2g. Esp.* Ref. a ou quem pratica montanhismo; ALPINISTA.

montanhoso (mon.ta.*nho*.so) [ô] *a.* Em que há muitas montanhas. [Fem. e pl.: [ó].]

montante (mon.*tan*.te) *sm.* **1** Soma, quantia. **2** Direção de onde nasce um rio. [Ant.: *jusante.*] *a2g.* **3** Que sobe ou se eleva.

montão (mon.*tão*) *sm.* Grande quantidade; MONTOEIRA. [Pl.: *-tões.*]

montar (mon.*tar*) *v.* **1** Pôr-se ou estar sobre (animal, ger. cavalgadura). [*ti.* + *a*: *Resolveu montar o alazão durante toda a prova.* *ti.* + *a*, *em*: *Montaram a cavalo e partiram.*] **2** Cavalgar, praticar equitação. [*int.*: *Este cavaleiro monta muito bem.*] **3** Pôr-se sobre (algo). [*ti.* + *em*: *montar na bicicleta/no navio.*] **4** Pôr sobre, sobrepor. [*tdi.* + *em*, *sobre*: *O pai montou o filho no cavalo.*] **5** *Fig.* Apoiar-se, estribar-se (em alguém); ENCOSTAR-SE. [*ti.* + *em*: *Nada faz, mas sabe montar nas costas dos outros.*] **6** Elevar-se a, atingir (determinado valor ou quantidade). [*td.* (admite tb. a prep. *a*): *As dívidas da empresa montam a(o) milhões de dólares.*] **7** Armar (3), juntar peças de (jogo, máquina, dispositivo etc.) para torná-los inteiros ou para que possam funcionar. [*td.*: *montar um computador/um armário.*] **8** Instalar, estabelecer, equipar. [*td.*: *montar um negócio/ uma casa.*] **9** Organizar, preparar, conceber. [*td.*: *montar uma exposição/uma estratégia.*] **10** Preparar para exibir (programa de TV ou de rádio, um *show*, uma peça de teatro). [*td.*] **11** *Cin. Telv.* Fazer a montagem (2) de. [*td.*: *montar um filme.*] [▶ **1** mont*ar*] ● mon.*ta*.do *a.*

montaria (mon.ta.*ri*.a) *sf. Bras.* Animal para montar; CAVALGADURA.

monte (*mon*.te) *sm.* **1** Grande elevação natural do solo. **2** Amontoado, pilha. **3** Grande quantidade; MONTÃO. [Dim.: *montículo.*]

montenegrino (mon.te.ne.*gri*.no) *a.* **1** De Montenegro (da antiga Iugoslávia, hoje membro da República Montenegro, Europa); típico dessa república ou de seu povo. *sm.* **2** Pessoa nascida em Montenegro.

montepio (mon.te.*pi*:o) *sm.* Pensão paga pelo governo ou por fundo de previdência à família do servidor morto ou incapacitado para o trabalho.

montês (mon.*tês*) *a2g.* **1** Dos montes (cabra montês). **2** Próprio de quem habita os montes. [Sin. ger.: *montesinho, montesino.*] [Pl.: *-teses.* Fem.: *-tesa.*]

montesinho (mon.te.*si*.nho) *a.* Ver *montês*.

montesino (mon.te.*si*.no) *a.* Ver *montês*.

montículo (mon.*tí*.cu.lo) *sm.* Pequeno monte.

montoeira (mon.to:*ei*.ra) *sf.* Grande quantidade; MONTÃO: *uma montoeira de roupa para lavar.*

montra (*mon*.tra) *sf.* Vitrine de casa comercial.

monturo (mon.*tu*.ro) *sm.* Monte de lixo.

monumental (mo.nu.men.*tal*) *a2g.* **1** Ref. a monumento. **2** Enorme, colossal (prédio monumental). **3** Magnífico, extraordinário: *uma sinfonia monumental.* [Pl.: *-tais.*]

monumento (mo.nu.*men*.to) *sm.* **1** Obra, construção, estátua, feita em homenagem a algo ou alguém. **2** Qualquer obra grandiosa, notável.

moqueca (mo.*que*.ca) *sf. Bras. Cul.* Ensopado de peixe ou mariscos, feito com azeite de dendê e outros temperos.

moquém (mo.*quém*) *sm. Bras.* Grelha feita de varas onde se assa ou seca a carne de peixe. [Pl.: *-quéns.*]

mor *a2g.* F. red. de *maior*: *Tua responsabilidade mor é estudar.* [Tb. us. com hífen após substantivos, com o sentido de 'principal': *altar-mor*.]

mora (*mo*.ra) *sf.* Atraso no pagamento de uma dívida.

morada (mo.*ra*.da) *sf.* Ver *moradia*.

moradia (mo.ra.*di*.a) *sf.* Casa, apartamento etc. em que se mora; MORADA; HABITAÇÃO: *As enchentes deixaram milhares de pessoas sem moradia.*

morador (mo.ra.*dor*) [ô] *sm.* Pessoa que mora em determinado lugar: *Os moradores de nossa rua criaram uma associação.*

moral (mo.*ral*) *sf.* **1** Conjunto de regras e princípios de decência que orientam a conduta dos indivíduos de um grupo social ou sociedade. **2** Lição que se tira de uma história, de um fato etc.: *Não há fábula sem moral. sm.* **3** O conjunto dos valores morais (5) de cada um: *Era dono de um moral inabalável.* **4** Estado de espírito; ânimo: *Essa notícia levantou o meu moral. a2g.* **5** Ref. a moral (1); que demonstra decência, integridade: *O respeito aos mais velhos é uma obrigação moral.* **6** Ref. ao espírito, em oposição ao físico (sofrimento moral). [Pl.: *-rais.*] [Cf.: *imoral, amoral.*]

moralidade (mo.ra.li.*da*.de) *sf.* **1** Qualidade do que é moral. **2** Conjunto de princípios ou regras morais.

moralista (mo.ra.*lis*.ta) *a2g.s2g.* Que ou quem prega uma moral (1) rígida. ● **mo.ra.***lis***.mo** *sm.*

moralizante (mo.ra.li.*zan*.te) *a2g.* **1** Que moraliza. **2** Que fornece bons exemplos. **3** Que contém ou propaga doutrinas morais.

moralizar (mo.ra.li.*zar*) *v.* **1** Adequar(-se) aos preceitos da moral (1). [*td.*: *Queria moralizar os costumes. pr.*: *De tanto ler sobre ética, moralizou-se.*] **2** Prover de moral (1), ou ganhar moral. [*td.*: *A imparcialidade do juiz moralizou o concurso. pr.*: *As concorrências públicas moralizaram-se com as novas medidas.*] **3** Pregar, incutir, discorrer, refletir (sobre moral (1) ou valores morais). [*ti.* + *sobre*: *Moralizava sobre ética e honestidade. int.*: *Os fabulistas gregos moralizavam.*] [▶ **1** moralizar] ● **mo.ra.li.za.***ção* *sf.*; **mo.ra.li.za.do** *a.*; **mo.ra.li.za.dor** *a.sm.*

moranga (mo.*ran*.ga) *sf. Bot.* Certa espécie de abóbora.

morango (mo.*ran*.go) *sm.* Fruta comestível, de cor avermelhada e formato de coração.

morangueiro (mo.ran.*guei*.ro) *sm. Bot.* Planta que dá o morango.

morar (mo.*rar*) *v. int.* **1** Ter residência, moradia; VIVER; HABITAR: (seguido de indicação de lugar, modo etc.) *morar em São Paulo/com o primo/mal/longe.* **2** *Fig.* Ter lugar, estar presente: (seguido de indicação de lugar) *A alegria mora naquela casa.* **3** *Bras. Gír.* Perceber, compreender: *Eu aqui o ouço, mas morou?*: (tb. com a prep. *em*) "Mora na filosofia/ prá rimar amor e dor?..." (Monsueto e Arnaldo Passos, *Mora na filosofia*). [▶ **1** morar]

moratória (mo.ra.*tó*.ri:a) *sf.* **1** Prazo concedido pelo credor ao devedor para adiamento de pagamento de dívida. **2** Adiamento do prazo de vencimento de uma dívida que o tribunal ou autoridade competente concede. ◪ **moratório** *a.* **3** Em que há demora, adiamento.

mórbido (*mór*.bi.do) *a.* **1** Ref. a doença; que tem caráter de doença; DOENTIO (pessimismo mórbido). **2** Que é triste, sombrio (filme mórbido). ● **mor.bi.***dez* *sf.*

morbo (*mor*.bo) [ô] *sm.* Estado patológico; DOENÇA.

morcego (mor.*ce*.go) [ê] *sm. Zool.* Mamífero noturno dotado de asas e com corpo que se assemelha ao de um rato.

morcela (mor.*ce*.la) *sf.* Chouriço que tem o sangue de porco como principal elemento.

mordaça (mor.*da*.ça) *sf.* **1** Pedaço de pano ou outro material que se amarra à boca de uma pessoa para impedi-la de falar. **2** *Fig.* Impedimento de falar; repressão de expressão, de ideias.

MORCEGO

mordaz (mor.*daz*) *a2g.* **1** Que corrói ou destrói. **2** Que critica ferinamente (crítico mordaz). [Superl.: *mordacíssimo*.] ● **mor.da.ci.***da***.de** *sf.*

mordedura (mor.de.*du*.ra) *sf.* Ver *mordida*.

mordente (mor.*den*.te) *a2g.* **1** Que morde. **2** Que excita ou provoca. *sm.* **3** Substância us. para fixar as cores em pintura e tinturaria.

morder (mor.*der*) *v.* **1** Ferir, cortar ou triturar com os dentes. [*td.*: *morder um pão. pr.*: *Distraída, mordeu-se ao mastigar.*] **2** Dar dentada(s) ou ter a índole de dar dentada(s). [*td.*: *Um cão raivoso o mordeu. pr.*: *Atracados, batiam-se e mordiam-se. int.*: *Não tenha medo deste cão, ele não morde.*] **3** Ferir com ferrão ou outro órgão (diz-se de inseto); PICAR. [*td.* (seguido ou não de indicação de lugar: *Um mosquito o mordeu* (no rosto).] **4** *Fig.* Afligir(-se), mortificar(-se). [*td.*: *A inveja o mordia. pr.*: *morder-se de ciúme/de raiva.*] **5** *Bras. Fig.* Obter ou pedir (dinheiro) de (alguém). [*td.* (seguido de indicação de quantia): *O rapaz mordeu o tio em mil reais.*] [▶ **2** morder] ● **mor.de.***dor* *a.sm.*; **mor.***di***.do** *a.*

mordida (mor.*di*.da) *sf. Bras.* Dentada ou sinal de dentada; MORDEDURA.

mordiscar (mor.dis.*car*) *v. td.* Morder leve e repetidamente (algo ou alguém): *Mordiscava distraído um pedaço de pão.* [▶ **11** mordiscar]

mordomia (mor.do.*mi*.a) *sf. Bras. Pop.* **1** Vantagens e privilégios oferecidos a certos funcionários, por seus chefes, esp. no serviço público **2** Privilégio ou conjunto de privilégios que concedem boa vida a alguém: *Tinha muitas mordomias, inclusive carro com motorista.* **3** Cargo ou função de mordomo.

mordomo (mor.*do*.mo) *sm.* Administrador de uma casa ou mansão.

moreia (mo.*rei*.a) *sf. Zool.* Peixe de carne apreciada, dotado de veneno na saliva.

moreno (mo.*re*.no) *a*. **1** De cor acastanhada (pele, pessoa), por efeito do sol ou por natureza (pele morena, moça morena). *sm*. **2** Indivíduo moreno.

morfeia (mor.*fei*.a) *sf. Med.* Ver hanseníase.

morfema (mor.*fe*.ma) *Ling. sm*. A menor unidade linguística com significado (p.ex., um radical, um sufixo). ● *mór*.fi.co *a*.

morfético (mor.*fé*.ti.co) *a.sm*. Que ou aquele que sofre de morfeia; LEPROSO.

morfina (mor.*fi*.na) *sf. Quím.* Derivado do ópio que tem efeito sedativo.

morfologia (mor.fo.lo.*gi*.a) *sf*. **1** *Biol.* Estudo das formas e estruturas dos seres vivos. **2** *Ling.* Parte da gramática que descreve a estrutura, construção e formação das palavras. ● mor.fo.*ló*.gi.co *a*.

morgadio (mor.ga.*di*.o) *sm*. **1** Ref. a morgado. *sm*. **2** Qualidade, condição de morgado.

morgado[1] (mor.*ga*.do) *sm*. **1** Conjunto de bens herdados pelo filho primogênito. **2** O filho primogênito. **3** Aquele que deixou os bens que foram herdados.

morgado[2] (mor.*ga*.do) *a. Pop.* Muito cansado, exausto.

morgue (*mor*.gue) [ó] *sf*. Ver necrotério.

moribundo (mo.ri.*bun*.do) *a*. Que ou quem está agonizando, morrendo.

morigerado (mo.ri.ge.*ra*.do) *a*. Que tem costumes equilibrados, uma vida correta, exemplar.

morigerar (mo.ri.ge.*rar*) *v*. **1** Ministrar ou ensinar bons costumes a; moderar os costumes de. [*td*.: *É preciso bons exemplos para morigerar a nova geração.*] **2** Adquirir bons costumes ou moderar seus costumes. [*pr*.: *Era um marginal, mas morigerou-se nas boas companhias.*] [▶ **1** morigerar] ● mo.ri.ge.ra.*ção* *sf*.; mo.ri.ge.*ran*.te *a2g*.

morim (mo.*rim*) *sm*. Tecido de algodão branco, de qualidade inferior. [Pl.: *-rins*.]

moringa (mo.*rin*.ga) *sf. Bras.* Vasilha de barro, para guardar água; BILHA.

mormaceira (mor.ma.*cei*.ra) *sf*. Mormaço intenso.

mormaço (mor.*ma*.ço) *sm*. Tempo quente, abafado e úmido.

mormente (mor.*men*.te) *adv*. Principalmente: *O espetáculo é muito ruim, mormente a direção.*

mormo (*mor*.mo) [ó] *sm. Vet.* Certa doença dos equídeos que pode contaminar o homem.

mórmon (*mór*.mon) *a2g.sm*. Que ou quem é partidário do mormonismo. [Pl.: *-mons* e (p. us.) *-mones*.]

mormonismo (mor.mo.*nis*.mo) *sm. Rel.* Seita religiosa originária dos EUA que, entre suas práticas, permite a seus membros, os mórmons, o exercício da poligamia.

morno (*mor*.no) [ô] *a*. **1** Moderadamente quente. **2** *Fig.* Pouco vibrante, pouco animado: *O ambiente na festa estava morno.* [Fem. e pl.: [ó].]

moroso (mo.*ro*.so) [ô] *a*. Que anda ou se desenvolve com lentidão (processo moroso). [Fem. e pl.: [ó].] ● mo.ro.si.*da*.de *sf*.

morrão (mor.*rão*) *sm*. **1** Tipo de mecha que se acendia para atear o pólvora e disparar o canhão. **2** Ponta carbonizada de pavio. [Pl.: *-rões*.]

morrer (mor.*rer*) *v*. **1** Perder a vida; EXPIRAR; FALECER. [*int*.: *As rosas estão morrendo*; (tb. com indicação de condição ou circunstância) *O poeta morreu jovem/em meio a dores.*] **2** *Fig.* Desaparecer aos poucos; acabar(-se). [*int*.: *O dia já ia morrendo, e as luzes se acenderam.*] **3** *Fig.* Parar de funcionar (veículo, motor, mecanismo etc.). [*int*.: *O carro morreu.*] **4** *Fig.* Findar, extinguir-se. [*int*.: *O amor deles foi intenso, mas já morreu.*] **5** *Fig.* Não chegar a realizar-se. [*int*.: *Nosso acordo morreu.*] **6** *Fig.* Cair no esquecimento. [*int*.: *A memória daqueles feitos nunca morrerá.*] **7** *Fig.* Ter, experimentar intensamente (sentimento, sensação, necessidade etc.) [*ti. + de*: *morrer de fome/amor.*] **8** *Bras. Gír.* Despender (dinheiro). [*ti. + em*: *Fomos lanchar e morremos em vinte reais.*] [▶ **2** morrer]. Part.: *morrido* e *morto*.] *sm*. **9** A morte: *O morrer é parte da vida.*

morrinha (mor.*ri*.nha) *sf*. **1** *Vet.* Doença epidêmica do gado, esp. tipo de sarna. **2** *Bras.* Inhaca; mau cheiro: *Depois de três dias sem se banhar, ele exalava uma morrinha terrível. a2g.* **3** *Bras. Pop.* Que é lerdo (sujeito morrinha). **4** *Bras. Pop.* Maçante, aborrecido (conversa morrinha). ● mor.ri.*nhen*.to *a*.

morro (*mor*.ro) [ó] *sm*. **1** Monte de pequena elevação. **2** *RJ* Favela em morro (1): *Ela mora no morro.*

morsa (*mor*.sa) [ó] *sf*. **1** *Zool.* Certo mamífero das regiões árticas. **2** *Mec.* Torno (2).

mortadela (mor.ta.*de*.la) *sf*. Produto alimentício; espécie de salame feito com carne bovina, toucinho e condimentos.

mortal (mor.*tal*) *a2g*. **1** Que está sujeito a morte: *Somos todos criaturas mortais.* **2** Que causa a morte (golpe mortal); MORTÍFERO. **3** Encarniçado (combate mortal). *sm*. **4** O ser humano: *Os deuses do Olimpo relacionavam-se com os mortais.* [Pl.: *-tais*.]

mortalha (mor.*ta*.lha) *sf*. **1** Veste que envolve o morto a ser sepultado. **2** Vestimenta branca que o penitente usa nas procissões.

mortalidade (mor.ta.li.*da*.de) *sf*. **1** Condição do que ou de quem é mortal. **2** Índice de mortes em certa população.

mortandade (mor.tan.*da*.de) *sf*. Morticínio, extermínio.

morte (*mor*.te) *sf*. **1** Cessação definitiva da vida ou da existência. **2** Desaparecimento, fim; aniquilamento, destruição: *a morte de uma civilização/de todas as ilusões.* **3** *Fig.* Grande pesar: *A partida da mulher foi a morte para ele.* ■ ~ **súbita** *Esp.* Em partidas esportivas, sistema de decisão que consiste em, em tempo suplementar, dar a vitória ao time que fizer o primeiro gol ou marcar o primeiro ponto. **Pensar na** ~ **da bezerra** Estar distraído, absorto. **Ser de** ~ *Pop.* Ser de difícil trato, ou travesso: *Essa garota é de morte, não para quieta.*

morteiro (mor.*tei*.ro) *sm*. **1** *Mil.* Pequeno canhão portátil com grande ângulo de elevação. **2** Peça carregada de pólvora para tiros festivos.

morticínio (mor.ti.*cí*.ni.o) *sm*. Ver matança.

mortiço (mor.*ti*.ço) *a*. **1** Que está quase se apagando: *a luz mortiça de uma pequena chama.* **2** Sem brilho (olhar mortiço).

mortífero (mor.*tí*.fe.ro) *a*. Que causa morte; MORTAL.

mortificar (mor.ti.fi.*car*) *v*. **1** Atormentar (o corpo ou parte do corpo) com penitência(s) ou castigo(s); CASTIGAR(-SE). [*td*.: *Mortificou os pés caminhando sobre pedras.* *pr*.: *Mortificava-se como expressão de seu arrependimento.*] **2** *Fig.* Afligir(-se), torturar(-se). [*td*.: *A atitude do filho mortificou seu coração. pr*.: "Ah! senhor, não se mortifique assim por amor de uma infeliz..." (Bernardo Guimarães, *A escrava Isaura*).] **3** Entorpecer, amortecer (o corpo ou parte dele. *Fig*.: a alma). [*td*.: *O frio mortificou seu corpo e seu ânimo.*] **4** Extenuar(-se), estafar(-se). [*td*.: *O excesso de trabalho mortificou-o.* *pr*.: *Mortificavam-se de tanto trabalhar.*] [▶ **1** mortificar] ● mor.ti.fi.ca.*ção* *sf*.; mor.ti.fi.*ca*.do *a*.

morto (*mor*.to) [ô] *a*. **1** Que morreu. **2** Que não tem vida (tb. *Fig.*) (matéria morta, planta morta). **3** Que secou (diz-se de vegetal). **4** Que ficou inerte, paralisado: *morto de medo.* **5** Que se extinguiu; que se apagou (fogo morto). **6** Que deixou de funcionar ou de agir: *Esse motor está morto.* **7** Cansado, exausto: *Chegou morto ao fim da corrida. sm*. **8** Aquele que morreu: *O morto estava no caixão.* [Fem. e pl.: [ó].] ■ ~ **de** *Fig.* Com alto grau ou grande intensidade de (sensação, sentimento, estado etc.): *morto*

mortuário | motociclismo

de cansaço; morto de fome. **Nem** ~ De maneira alguma; em nenhuma hipótese.

mortuário (mor.tu.á.ri:o) *a.* Ref. a morte ou aos mortos (câmara <u>mortuária</u>.) FÚNEBRE.

morubixaba (mo.ru.bi.xa.ba) *sm. Bras.* **1** Cacique, chefe de tribos indígenas no Brasil. **2** *Fam.* Patrão, chefe.

mosaico¹ (mo.sai.co) *sm.* Conjunto de pedras coloridas dispostas de maneira a formar um desenho.

mosaico² (mo.sai.co) *a.* Ref. ao líder e profeta bíblico Moisés (lei <u>mosaica</u>).

mosca (mos.ca) [ó] *sf. Zool.* Inseto cujas larvas crescem em matéria orgânica em decomposição. ❚❚ **Acertar na** ~ *Fig.* Acertar em cheio. **Às** ~ Vazio, sem frequência ou quase sem: *O restaurante estava* <u>às moscas</u>, *só havia uma mesa ocupada.* **Comer** ~ *Gír.* Não perceber nada; perder oportunidade.

moscadeira (mos.ca.dei.ra) *sf. Bot.* Árvore de frutos carnosos, cuja semente produz a noz-moscada.

moscado (mos.ca.do) *a.* Almiscarado, aromático.

moscardo (mos.car.do) *sm. Zool.* Inseto alado semelhante à mosca comum, porém maior.

moscatel (mos.ca.tel) *a2g.* **1** Diz-se de uma variedade de uva e do vinho feito dela. *sm.* **2** Esse vinho: *Adorava tomar um* <u>moscatel</u>. [Pl.: *-téis*.]

mosca-varejeira (mos.ca-va.re.jei.ra) *sf.* Inseto que deposita os seus ovos na carne e tem coloração azul--esverdeada, sendo maior que a mosca comum. [Tb.: *varejeira*.]

mosquear (mos.que.ar) *v. td. pr.* Cobrir(-se) de pintas, manchas etc.; SARAPINTAR(-SE). [▶ **13** mosqu<u>ear</u>] ● **mos.que.a.do a**.

mosqueaço (mos.que.a.ço) *sm.* Tiro de mosquete.

mosquetão¹ (mos.que.tão) *sm.* Arma de fogo semelhante ao fuzil, porém mais leve e curta. [Pl.: *-tões*.]

mosquetão² (mos.que.tão) *sm.* **1** Peça metálica que prende o relógio de algibeira à corrente que o segura. **2** *Esp.* No montanhismo, elo metálico provido de mola, para ligar cordas, outros mosquetões etc. [Pl.: *-tões*.]

mosquetaria (mos.que.ta.ri.a) *sf.* Diz-se de mosquetes, mosqueteiros, ou tiros de mosquetes.

mosquete (mos.que.te) [ê] *sm.* Antiga arma de fogo semelhante à espingarda, porém mais pesada.

mosqueteiro (mos.que.tei.ro) *sm.* Soldado armado de mosquete. [Cf.: *mosquiteiro*.]

mosquiteiro (mos.qui.tei.ro) *sm.* Cortinado para proteção contra mosquitos. [Cf.: *mosqueteiro*.]

mosquito (mos.qui.to) *sm. Zool.* Pequeno inseto alado de pernas longas e finas; MURIÇOCA.

mossa (mos.sa) [ó] *sf.* Marca deixada por pancada ou pressão: *A batida deixou uma* <u>mossa</u> *na lataria do carro.*

mostarda (mos.tar.da) *sf.* **1** Semente da mostardeira, serve como condimento de sabor picante. **2** Pasta feita dessa semente, muito us. em sanduíches.

mostardeira (mos.tar.dei.ra) *sf. Bot.* Planta de folhas comestíveis, cujas sementes fornecem a mostarda.

mosteiro (mos.tei.ro) *sm.* Habitação de monges.

mosto (mos.to) [ô] *sm.* Sumo de uvas antes do processo de fermentação.

mostra (mos.tra) *sf.* **1** Ação ou resultado de mostrar(-se). **2** Exposição de obras artísticas, científicas etc. **3** Sinal, indício: *Aquilo era uma* <u>mostra</u> *do caráter do rapaz*. **4** Aparência, aspecto: *Pela <u>mostra</u>, desaprovou o projeto.* ❏ ❚ **mostras** *sfpl.* **5** Atos exteriores, aparências: *Dava <u>mostras</u> de cansaço.*

mostrador (mos.tra.dor) [ô] *a.* **1** Que mostra. *sm.* **2** Vi-sor que, em certos aparelhos, fornece informações sobre seu funcionamento. **3** Parte do relógio que exibe as marcas das horas e o dos ponteiros.

mostrar (mos.trar) *v.* **1** Apresentar(-se) à visão de outrem. [*td.* (com ou sem indicação de estado, lugar etc.): *A foto* <u>mostra</u> *Sérgio (sorridente/na varanda).* *tdi. + a:* <u>Mostrou</u> *à amiga o livro que ganhara.* *pr.:* *Enfim, ele* <u>mostrou-se</u> *à janela.*] **2** Reproduzir ou refletir (imagem). [*td.:* *O lago* <u>mostrava</u> *a lua.* *tdi. + a: O espelho* <u>mostrou-lhe</u> *quanto envelhecera.*] **3** Demonstrar, expor, apontar. [*td.: Estes fatos* <u>mostram</u> *a justeza de sua previsão.* *tdi. + a: <u>Mostrou</u> ao aluno as falhas de sua redação.*] **4** Indicar, denotar, revelar(-se). [*td.: A mobilização das tropas* <u>mostra</u> *que haverá guerra*; "...o tom de voz <u>mostrava</u> uma certa preocupação..." (Ana Maria Machado, *A audácia dessa mulher*). *pr.: Eles sempre se* <u>mostram</u> *dispostos a ajudar.*] [▶ **1** mostr<u>ar</u>]

mostruário (mos.tru.á.ri:o) *sm.* **1** Conjunto de amostras de mercadorias. **2** Vitrine.

mote (mo.te) *sm.* **1** *Poét.* Estrofe cujo sentido serve de tema ao poema. **2** *Liter.* Frase, dito que serve de tema a obra literária. **3** Lema, divisa: *O <u>mote</u> de uma vida virtuosa é 'amar o próximo'.*

motejar (mo.te.jar) *v.* Fazer moteio de; fazer caçoada; ESCARNECER; CAÇOAR. [*td.: Foi repreendido por <u>motejar</u> os colegas.* *ti. + com, de: Não se deve <u>motejar</u> <u>com</u> coisa séria*; *Nunca <u>motejaria</u> de ninguém*. *int.: Impertinente, ele vive <u>motejando</u>.*] [▶ **1** motej<u>ar</u>] ● **mo.te.ja.dor** *a.sm.*

motejo (mo.te.jo) [ê] *sm.* Caçoada, zombaria: *Seus <u>motejos</u> não eram engraçados.*

motel (mo.tel) *sm.* **1** Hotel em beira de estrada com estacionamento para veículos. **2** *Bras.* Hotel para encontros amorosos. [Pl.: *-téis*.]

motete (mo.te.te) [ê] *sm.* **1** Dito bem-humorado ou satírico. **2** *Mús.* Composição musical em várias vozes.

moteto (mo.te.to) [ê] *sm.* O m.q. *motete.*

motilidade (mo.ti.li.da.de) *sf.* **1** Capacidade de mover(-se); MOBILIDADE. **2** Capacidade de um ser vivo, ou um de seus órgãos, mover-se espontaneamente: <u>motilidade</u> *dos intestinos.*

motim (mo.tim) *sm.* Revolta, rebelião. [Pl.: *-tins*.]

motivação (mo.ti.va.ção) *sf.* **1** Ação ou resultado de motivar, de estimular: *A crítica deu-lhe <u>motivação</u> para continuar a pintar.* **2** Exposição de motivos. **3** Conjunto de fatores que levam uma pessoa a agir de determinado modo: *A principal <u>motivação</u> de sua carreira foi o idealismo.* [Pl.: *-ções*.]

motivado (mo.ti.va.do) *a.* **1** Que demonstra entusiasmo, interesse: *A equipe está <u>motivada</u>*. **2** Que tem motivo; JUSTIFICADO.

motivar (mo.ti.var) *v.* **1** Ser o motivo ou causa de; CAUSAR; PROVOCAR. [*td.: A estiagem <u>motivou</u> o incêndio.*] **2** Conferir motivação ou estímulo a; ESTIMULAR. [*td.: A natureza* <u>motiva</u> *a imaginação dos pintores.* *tdi. + a, para: O prêmio <u>motivou</u>-o <u>para</u> a competição.*] **3** Provocar interesse em. [*td.: O tema da palestra <u>motivou</u> o público*.] [▶ **1** motiv<u>ar</u>] ● **mo.ti.va.dor** *a.sm.*

motivo (mo.ti.vo) *sm.* **1** Causa, razão: *Qual foi o <u>motivo</u> da briga?* **2** Fim, intuito: *A divulgação é o principal <u>motivo</u> da criação da home page.* **3** *Mús.* Tema melódico em que se baseia uma composição.

moto¹ (mo.to) *sf.* M.q. *motocicleta.*

moto² (mo.to) *sm.* **1** Ação ou resultado de mover; MOVIMENTO. **2** *Mús.* Indicação de dinâmica ágil e viva na execução musical. ❚❚ **De ~ próprio** Por sua própria vontade ou iniciativa.

motoboi (mo.to.bói) *sm. Bras.* Funcionário que faz entregas em motocicleta.

motoca (mo.to.ca) *sf. Pop.* Ver *motocicleta.*

motocicleta (mo.to.ci.cle.ta) *sf.* Veículo de duas rodas movido por motor de explosão; MOTOCICLO; MOTO¹; MOTOCA.

motociclismo (mo.to.ci.clis.mo) *sm.* **1** *Esp.* Esporte de corridas de motocicleta. **2** Forma de transporte que usa motocicleta ou motociclo. ● **mo.to.ci.clis.ta** *s2g.*

motociclo | muco

motociclo (mo.to.ci.clo) sm. Ver motocicleta.

moto-contínuo (mo.to-con.tí.nu:o) sm. Fís. Mecanismo hipotético (cuja ideia contraria princípios de termodinâmica), cujo movimento, uma vez iniciado, funcionaria sem parar, usando a energia criada pelo movimento para realimentar o movimento do mecanismo; MOTO-PERPÉTUO. [Pl.: *motos--contínuos*.]

🌐 **motocross** (*Ing. /mòutocros/*) sm. Esp. Corrida de motocicleta em pista acidentada (com barrancos, lombadas, lama etc.).

motonáutica (mo.to.náu.ti.ca) sf. Esp. O esporte da corrida de barcos a motor.

motoneta (mo.to.ne.ta) [é] sf. Veículo motorizado, com rodas menores que as da motocicleta.

motoqueiro (mo.to.quei.ro) sm. Bras. Pop. Motociclista.

motor (mo.tor) [ô] a. **1** Que move ou produz movimento (energia motora). **2** Que determina, promove ou estimula. [Fem.: *motora, motriz*.] sm. **3** Engenho mecânico cujo movimento, gerado por alguma fonte de energia, se transmite a uma máquina ou mecanismo. **4** Fig. Pessoa ou coisa que dá impulso ou faz com que algo se desenvolva: *Ele é o motor da empresa*.

motorista (mo.to.ris.ta) s2g. **1** Pessoa que dirige veículo a motor: *Os motoristas encontrarão congestionamento na ponte.* **2** Bras. Pessoa que tem como profissão fazer o transporte público ou particular em veículo automóvel; CHOFER.

motorizar (mo.to.ri.zar) v. Munir(-se) de motor, ou de veículo(s) motorizado(s). [*td.*: *Não podendo comprar uma moto, motorizou a bicicleta*. *pr.*: *O sonho dele era motorizar-se, mas continuava a pé.*] [▶ 1 [motoriz]ar] • **mo.to.ri.za.ção** sf.; **mo.to.ri.za.do** a.

motorneiro (mo.tor.nei.ro) sm. Bras. Profissional que dirige bonde.

motosserra (mo.tos.ser.ra) sf. Serra com motor us. para cortar madeira, desflorestar etc.

mototáxi (mo.to.tá.xi) [cs] **1** Serviço de táxi feito por motocicleta. **2** Tal motocicleta. • **mo.to.ta.xis.ta** s2g

motricidade (mo.tri.ci.da.de) sf. **1** Qualidade de motriz (1). **2** Capacidade dos seres vivos de se movimentarem.

motriz (mo.triz) sf. **1** Força que gera movimento. *a.* **2** Fem. de *motor* (1 e 2).

mouco (mou.co) a.sm. Que ou quem ouve mal ou não ouve; SURDO.

mourão (mou.rão) sm. **1** Estaca cravada na terra onde se prendem as varas ou os fios de uma cerca. **2** Bras. Escora à qual se amarram animais para corte ou tratamento. [Pl.: *-rões*.]

mouraria (mou.ra.ri.a) sf. Bairro onde os mouros eram obrigados a morar.

mourejar (mou.re.jar) v. Trabalhar muito; labutar. [*ti.* + *em*: *mourejar na lavoura*. *int.*: *Teve de mourejar para comprar a casa*.] [▶ 1 mourej[ar]]

mourisco (mou.ris.co) a. Que se refere a ou é próprio de mouros; MOURO.

mouro (mou.ro) sm. **1** Indivíduo dos mouros, povo que vivia na Mauritânia (África). **2** Indivíduo do povo árabe que ocupou a península Ibérica. **3** *Antq.* Maometano, muçulmano. **4** *Fig.* Pessoa que trabalha muito. *a.* **5** Ver *mourisco*.

🌐 **mouse** (*Ing. /máuss/*) sm. *Inf.* Acessório dotado de um ou mais botões, us. para controlar o cursor na tela de monitor, indicando e selecionando opções, abrindo arquivos, programas etc.

movediço (mo.ve.di.ço) a. **1** Que se move muito ou com facilidade, naturalidade. **2** Que muda de posição, pouco firme (areia movediça). **3** *Fig.* Que muda de opinião com facilidade; VOLÚVEL; INCONSTANTE.

móvel (mó.vel) a2g. **1** Que pode mover-se ou ser movido (aparelho móvel, festa móvel). **2** Que tende a mudar, a sofrer alteração (taxas móveis); INSTÁVEL; VARIÁVEL. [Superl.: *mobilíssimo*.] sm. **3** Objeto para uso e decoração de habitação. **4** Motivo, causa. [Pl.: *-veis.*]

movelaria (mo.ve.la.ri.a) sf. Lugar onde se fabricam ou se vendem móveis (3).

mover (mo.ver) v. **1** Imprimir movimento a; estar ou pôr-se em movimento(s); MOVIMENTAR(-SE). [*td.*: *O vento move a folhagem*; *mover as mãos. pr.*: *As folhas moviam-se ao vento.*] **2** Fazer que saia ou saia do lugar; DESLOCAR(-SE). [*td.*: *Moveu a mesa, abrindo espaço*; (tb. com indicação de lugar) *mover uma pedra para fora da estrada. pr.*: *Ao seu comando, moveram-se de lá.*] **3** Impelir, estimular, induzir. [*td.*: *É o amor que deve mover os homens. tdi.* + *a*: *Consegui movê-lo a estudar.*] **4** *Jur.* Promover (ação judicial) contra; PROCESSAR. [*tdi.* + *contra*: *Vou mover uma ação contra a empresa.*] **5** Decidir-se ou começar a fazer algo; MEXER-SE (4). [*pr.*: *Depois de muito hesitar quanto ao projeto, finalmente resolveram mover-se.*] [▶ 2 mov[er]]

movimentado (mo.vi.men.ta.do) a. **1** Em que há muito movimento. **2** Que apresenta agitação, ruído ou alvoroço, por grande afluxo de pessoas ou muitos acontecimentos (rua movimentada, dia movimentado).

movimentar (mo.vi.men.tar) v. **1** Mover (1). **2** Animar(-se), estimular(-se), agitar(-se). [*td.*: *Sua chegada movimentou a festa. pr.*: *A cidade movimentou-se com o festival.*] [▶ 1 movimentar] • **mo.vi.men.ta.ção** sf.

movimento (mo.vi.men.to) sm. **1** Ação ou resultado de mover(-se) ou ser movido; DESLOCAMENTO. **2** Troca de posição de um corpo de um lugar para outro: *o movimento das peças de xadrez*. **3** Modo próprio de se mover: *Tinha movimentos graciosos*. **4** Grande afluência de pessoas ou veículos; AGITAÇÃO; ALVOROÇO: *o movimento do restaurante-bar ao sul*. **5** Andamento ágil de uma narrativa. **6** *Mús.* Parte de uma composição musical. **7** Conjunto de manifestações políticas, culturais, sociais etc. (movimento modernista). **8** Conjunto de atividades, ou organização, que visam a um objetivo: *movimento de ajuda aos desabrigados*. **9** *Astron.* A trajetória dos astros.

moviola (mo.vi.o.la) sf. *Cin.* Máquina us. para projeção e edição de filmes.

movível (mo.ví.vel) a2g. Que pode ser movido. [Pl.: *-veis.*]

moxa (mo.xa) [ó] sf. *Med.* Varinha de artemísia que, quando queimada junto à pele, produz efeitos semelhantes aos da acupuntura.

mozarela (mo.za.re.la) sf. Queijo de leite de búfala ou vaca us. na culinária italiana; MUÇARELA.

✖ **MST** Sigla de *Movimento dos (trabalhadores rurais) Sem Terra*.

mu¹ (mu) sm. Ver *mulo*.

mu² sm. Ver *mi²*.

muamba (mu:am.ba) sf. *Bras.* Mercadoria de contrabando.

muambeiro (mu:am.bei.ro) sm. *Bras.* Pessoa que negocia a muamba; CONTRABANDISTA.

muar (mu.ar) *Zool.* a2g. **1** Diz-se de animal da raça do mulo. sm. **2** Esse animal.

mucama (mu.ca.ma) sf. *Bras.* Escrava ou criada negra e jovem que auxiliava nos serviços caseiros e servia de acompanhante da patroa.

muçarela (mu.ça.re.la) sf. Ver *mozarela*.

mucilagem (mu.ci.la.gem) sf. Substância viscosa produzida por certas plantas. [Pl.: *-gens*.]

muco (mu.co) sm. *Bioq.* Secreção viscosa produzida pelas membranas mucosas; MUCOSIDADE.

mucosa (mu.co.sa) sf. Anat. Membrana interna de vários órgãos que se mantém úmida graças ao muco que existe dentro dele. [Tb. se diz *membrana mucosa*.]

mucosidade (mu.co.si.da.de) sf. Ver *muco*.

mucoso (mu.co.so) [ó] a. 1 Que produz ou contém muco. 2 Que tem características de muco. [Fem. e pl.: [ó].]

muçuã (mu.çu.ã) sf. Bras. Zool. Espécie de tartaruga pequena, de água doce.

muçulmano (mu.çul.ma.no) a.sm. Rel. Que ou quem é seguidor do islamismo; ISLAMITA; MAOMETANO.

muçum (mu.çum) sm. Bras. Zool. Peixe em forma de serpente, sem nadadeiras e sem escamas, de hábitos noturnos. [Pl.: -çuns.]

muçurana (mu.çu.ra.na) sf. Bras. Zool. Cobra de quase 2m, não venenosa, que se alimenta de outras cobras.

muda (mu.da) sf. 1 Ação ou resultado de mudar; MUDANÇA. 2 Galho ou planta tirados do canteiro antes da plantação definitiva. 3 Troca periódica da pele, do pelo ou das penas de alguns animais. 4 Peças sobressalentes do vestuário: *A mãe levava sempre uma muda de roupa para o bebê*. 5 Mudança de voz durante a adolescência. 6 Troca de montarias cansadas por outras, em viagens longas.

mudança (mu.dan.ça) sf. 1 Ação ou resultado de mudar(-se); MUDA. 2 Os móveis e objetos das pessoas que mudam de casa: *A mudança seguiu de caminhão*. 3 Transformação ou alteração no estado habitual de algo: *mudança de voz/de política*. 4 Substituição de algo ou alguém por outro; TROCA. 5 Bras. Aut. Alavanca com que se mudam as marchas do automóvel; ALAVANCA DE CÂMBIO; CÂMBIO.

mudar (mu.dar) v. 1 Fazer ou causar mudança, transformação em; ALTERAR; MODIFICAR; TRANSFORMAR. [td.: *mudar um texto/um plano*; (seguido ou não de indicação de modo) *O calor muda a água (de líquido em vapor)*.] 2 Ficar diferente, sofrer mudança ou transformação; TRANSFORMAR-SE. [*int.*: *Ela mudou muito*. *pr.*: *Essa tranquilidade pode mudar-se em tumulto*.] 3 Pôr(-se) em outro lugar; MOVER(-SE); DESLOCAR(-SE); TRANSFERIR(-SE). [td. (seguido de indicação de lugar): *Mudou a estante para o escritório*. *int./pr.* (com ou sem indicação de destino): *Resolveram mudar (para outra cidade)*; "Depois da guerra nos *mudamos* para Londres." (Kurban Said, *Ali e Nino*).] [Nesta acp. a forma pronominal é a mais correta.] 4 Arrumar ou dispor de outro modo. [td.: *mudar os móveis na sala*.] 5 Trocar, substituir, ou variar. [td.: *Ela muda sempre o penteado*. *ti.* + *de*: *mudar de conversa*.] 6 Deturpar, desfigurar. [td.: *Mudou propositalmente o que disse do adversário*.] [▶ 1 mud ar] ● **mu.da.do** a.

mudável (mu.dá.vel) a2g. Que pode ser mudado; MUTÁVEL. [Pl.: -veis.]

mudez (mu.dez) [ê] sf. Estado ou qualidade de mudo; MUTISMO. 2 Med. Incapacidade de falar. 3 Fig. Silêncio, ausência de ruído: *a mudez do deserto*.

mudo (mu.do) a. 1 Incapaz de falar devido a defeito orgânico. 2 Incapaz de falar devido a medo, emoção etc. 3 Que não quer falar ou responder; CALADO. 4 Diz-se daquilo que por algum impedimento não produz som: *O telefone está mudo desde ontem*. sm. 5 Aquele que é mudo.

muezim (mu:e.zim) sm. Muçulmano que anuncia do alto dos minaretes, em voz alta, a hora das orações. [Pl.: -zins.]

mufa (mu.fa) sf. Bras. Pop. A cabeça, a inteligência.

mugido (mu.gi.do) sm. A voz do boi, da vaca e dos bovídeos em geral.

mugir (mu.gir) v. int. Dar mugido(s). [▶ 46 mu gir] Us. ger. só nas 3as pess. do sing. e pl.] [Cf. *mungir* (em várias fl.).]

---

mui adv. Forma apocopada de *muito*, us. antes de adjetivos, ou de advérbios terminados em -*mente* (mui feliz, mui facilmente).

muiraquitã (mui.ra.qui.tã) sm. Bras. Amuleto de madeira ou pedra, em forma de pessoas ou animais.

muito (mui.to) adv. 1 Em grande quantidade ou intensidade (fala *muito*, *muito* enfezado). sm. 2 Grande quantidade de alguma coisa: *Agradeceu-lhes o muito que fizeram*. pr.indef. 3 Uma grande quantidade ou parcela: *Doou muito da antiga coleção*. [Ant. ger.: *pouco*.] ■ **muitos** pr.indef. 4 Muitas pessoas: *Muitos protestaram*. [Ant.: *poucos*.] ■ Há ~ Faz bastante tempo que. **Quando** ~ Na melhor hipótese; se tanto; no máximo: *Correu, quando muito, umas três quadras*.

mula (mu.la) sf. Zool. A fêmea do mulo. ■ **Picar a** ~ Gír. Ir embora.

mula sem cabeça (mu.la sem ca.be.ça) [ê] sf. 1 Bras. Folc. Segundo crendice popular, concubina de padre que, como punição, depois de morta se transforma em mula e galopa fazendo muito barulho e assombrando as pessoas. 2 Concubina de padre. [Pl.: *mulas sem cabeça*.]

mulato (mu.la.to) a.sm. Que ou quem é mestiço de negro e branco; PARDO.

muleta (mu.le.ta) [ê] sf. 1 Cada um de um par de bastões com apoio para as axilas, us. como arrimo para caminhar, por pessoas que não podem se apoiar em uma das pernas. 2 Fig. Qualquer coisa que serve de apoio ou amparo, inclusive moral.

mulher (mu.lher) sf. 1 Pessoa do sexo feminino. 2 Mulher (1) quando atinge a fase sem virgem. 3 Condição da menina que entra na puberdade. 4 Esposa, amante, companheira. 5 Pessoa do sexo feminino em idade adulta: *Era nova, mas tinha uma filha já mulher*. [Aum.: *mulherão*, *mulheraça*.]

mulheraço (mu.lhe.ra.ço) sm. Pop. Mulher bonita, de corpo bem torneado.

mulher-dama (mu.lher-da.ma) sf. Bras. Pop. Prostituta. [Pl.: *mulheres-damas*.]

mulherengo (mu.lhe.ren.go) a. 1 Que gosta de namorar ou namora várias mulheres; NAMORADOR. 2 Pej. Homem com modos femininos; EFEMINADO; MARICAS. sm. 3 Indivíduo mulherengo (1). [At! Considerado depreciativo ou preconceituoso nesta acepção.]

mulheril (mu.lhe.ril) a2g. Do ou ref. ao sexo feminino. [Pl.: -ris.] [Cf.: *mulherio*.]

mulherio (mu.lhe.ri:o) sm. 1 Grande número de mulheres. 2 Joc. As mulheres em geral: *Avisou ao mulherio que estava solteiro*. [Cf.: *mulheril*.]

mulher-macho (mu.lher-ma.cho) sf. 1 Pej. Pop. Mulher com características e/ou atitudes masculinas. 2 Pej. Pop. Lésbica. [At! Considerado depreciativo ou preconceituoso nas acps. 1 e 2.] 3 Fig. Mulher batalhadora, corajosa. [Pl.: *mulheres-machos*.]

mulo (mu.lo) sm. Zool. Mamífero estéril resultante do cruzamento de cavalo com jumenta ou de jumento com égua; BURRO; MU.

multa (mul.ta) sf. 1 Ação ou resultado de multar. 2 Penalidade em dinheiro. 3 Documento que confirma esta penalidade. 4 Penalidade, punição.

multar (mul.tar) v. td. Aplicar multa a (seguido ou não de indicação de modo ou causa): *O governo decidiu multar as indústrias que poluem*; *O guarda multou-me (em 40 reais) (por estacionar na calçada)*. [▶ 1 mult ar] ● **mul.ta.do** a.

multicelular (mul.ti.ce.lu.lar) a2g. Biol. Formado por mais de uma célula; PLURICELULAR.

multicolor, multicolorido, multicor (mul.ti.co.lor [ô], mul.ti.co.lo.ri.do, mul.ti.cor [ô]) a2g. De várias cores.

multidão (mul.ti.dão) sf. 1 Grande quantidade de pessoas, animais ou coisas: *uma multidão de con-*

multifário | **municipal** 550

tas para pagar. **2** O povo: *O cantor das multidões.* [Pl.: *-dões.*]

multifário (mul.ti.fá.ri:o) *a.* Que tem vários aspectos.

multifoliado (mul.ti.fo.li:a.do) *a. Bot.* Dotado de muitas folhas.

multiforme (mul.ti.for.me) *a2g.* Que possui muitas formas.

multilateral (mul.ti.la.te.ral) *a2g.* Ref. a, de ou que interessa a várias pessoas, instituições ou nações (tratado multilateral). [Pl.: *-rais.*]

multilíngue (mul.ti.lín.gue) *a2g.* **1** Ref. a mais de uma língua. **2** Em que coexistem várias línguas. *a2g.s2g.* **3** Que ou quem sabe ou fala muitos idiomas; POLIGLOTA.

multímetro (mul.tí.me.tro) *sm. Eletrôn. Fís.* Aparelho de medição us. em eletricidade.

multimídia (mul.ti.mí.di:a) *sf.* **1** *Inf.* Técnica que combina diversas formas de apresentar informações, como textos, sons e imagens, em uma só. **2** *Publ.* Campanha publicitária que utiliza veículos de diversas categorias. *a2g.* **3** Que se refere a ou utiliza multimídia.

multimilionário (mul.ti.mi.li:o.ná.ri:o) *a.sm.* **1** Que ou aquele que possui muitos milhões, que é muitíssimo rico. *a.* **2** Que é composto por, envolve ou vale muitos milhões (acordo multimilionário).

multinacional (mul.ti.na.ci:o.nal) *a2g.* **1** Ref. a muitos países ou nações. **2** De que participam muitos países. **3** Que se realiza entre vários países. **4** Diz-se de empresa com atividade em vários países; TRANSNACIONAL. *sf.* **5** Essa empresa. [Pl.: *-nais.*]

multiplicação (mul.ti.pli.ca.ção) *sf.* **1** Ação ou resultado de multiplicar(-se). **2** *Arit.* Operação elementar em que um mesmo número é somado um determinado número de vezes. **3** *Biol.* Reprodução assexuada. [Pl.: *-ções.*]

multiplicador (mul.ti.pli.ca.dor) [ô] *a.* **1** Que multiplica. *sm.* **2** *Arit.* Número que indica quantas parcelas há na multiplicação (2) de um outro número.

multiplicando (mul.ti.pli.can.do) *sm. Arit.* Na multiplicação (2), número que será somado repetidamente.

multiplicar (mul.ti.pli.car) *v.* **1** Aumentar em quantidade, valor, intensidade. [*td.*: *multiplicar a produção/os lucros/os esforços*. *int./pr.*: *Com a crise, suas preocupações multiplicaram(-se).*] **2** Procriar, reproduzir-se, propagar-se. [*pr.*: *Os coelhos multiplicam-se rapidamente.*] **3** *Mat.* Realizar operação de multiplicação (2). [*tdi. + por*: *multiplicar 4 por 7. int.*: *"Agora vamos multiplicar", disse o professor.*] **4** Reproduzir em quantidade; copiar. [*td.*: *Multiplicou seu artigo e o distribuiu entre amigos.*] [▶ **11** multiplicar] ● **mul.ti.pli.ca.do a.; mul.ti.pli.cá.vel** *a2g.*

multiplicativo (mul.ti.pli.ca.ti.vo) *a.* **1** Que aumenta, repete, intensifica muitas vezes: *A sala parece maior com o efeito multiplicativo dos espelhos.* **2** *Mat.* Que indica operação de multiplicação (sinal multiplicativo). **3** *Gram. Mat.* Diz-se do numeral que expressa por quanto um número é multiplicado (p.ex.: *triplo*).

múltiplice (mul.tí.pli.ce) *a2g.* **1** Que se apresenta de várias maneiras ou se processa em diversas etapas; VARIADO. **2** Ref. a quantidades maiores do que três. [Sin.: *múltiplo*.] ● **mul.ti.pli.ci.da.de** *sf.*

múltiplo (múl.ti.plo) *a.* **1** Ver *múltiplice*. *sm.* **2** *Arit.* Número que pode ser dividido exatamente por outro.

multissecular (mul.tis.se.cu.lar) *a2g.* Que tem ou se estende por muitos séculos.

multiusuário (mul.ti:u.su.á.ri:o) *a. Inf.* Diz-se de computador ou sistema de computadores que pode ser acessado por mais de um usuário simultaneamente.

multívago (mul.tí.va.go) *a.* Que anda sem parar; ERRANTE.

múmia (mú.mi:a) *sf.* **1** Corpo embalsamado por métodos semelhantes aos dos egípcios. **2** *Bras. Fig. Joc.* Pessoa parada, sem ânimo.

mumificar (mu.mi.fi.car) *v.* **1** Transformar (corpo morto) em múmia. [*td.*] **2** *Fig.* Tornar-se mirrado, envelhecido, ou apático. [*pr.*] **3** *Fig. Pej.* Tornar(-se) antiquado, ultrapassado. [*td.*: *O conservadorismo mumificou seu pensamento. pr.*: *Seu gosto mumificou-se, não aprecia novidades.*] [▶ **11** mumificar] ● **mu.mi.fi.ca.ção** *sf.*; **mu.mi.fi.ca.do** *a.*

mumunha (mu.mu.nha) *sf. Gír.* Artifício ilegal; mutreta.

mundano (mun.da.no) *a.* **1** Do ou ref. ao mundo material; TERRENO. **2** Voltado para os prazeres materiais. **3** Ref. as convenções da vida em sociedade. *sm.* **4** Pessoa que se dedica aos prazeres do mundo. **5** Quem valoriza os bens materiais e os valores da vida em sociedade.

mundão (mun.dão) *sm. Bras.* Espaço muito grande; MUNDARÉU. [Pl.: *-dões.*]

mundaréu (mun.da.réu) *sm. Bras.* Ver *mundão*.

mundial (mun.di:al) *a2g.* **1** Ref. ao mundo inteiro. *sm.* **2** Torneio ou campeonato mundial (1): *o mundial de vôlei.* [Pl.: *-ais.*]

mundícia (mun.dí.ci:a) *sf. Bras. Pop.* Limpeza, asseio.

mundície (mun.dí.ci:e) *sf.* Qualidade ou estado de limpo; ASSEIO. [Ant.: *imundície*.]

mundo (mun.do) *sm.* **1** O planeta Terra em sua totalidade: *O mundo é um grão de poeira no universo.* **2** Qualquer parte da Terra e/ou os seres e coisas que há nela: *O mundo está em guerra.* **3** A população em geral; a raça humana: *O mundo deve se unir contra a poluição ambiental.* **4** O que faz parte de uma área específica de conhecimento ou atuação: *o mundo da moda/das letras.* **5** *Fig.* O que representa grande quantidade, espaço ou importância: *Essa universidade é um mundo; Ganhou um mundo de brinquedos.* ▪ **Cair no ~** Fugir, escapar, desaparecer. **Correr ~** **1** Viajar por muitos lugares. **2** Difundir-se, divulgar-se: *A notícia correu mundo rapidamente.* **Do outro ~** *Pop.* Ótimo, maravilhoso. **~s e fundos** Grande quantidade de dinheiro, recursos etc. **Novo Mundo** As Américas. **Primeiro Mundo** *Pol.* O conjunto dos países capitalistas desenvolvidos. **Terceiro Mundo** *Pol.* O conjunto dos países subdesenvolvidos ou em desenvolvimento. **Todo ~** Todas as pessoas (em determinado contexto): *Lá em casa todo mundo gosta de futebol.* **Velho Mundo** A Europa, a Ásia e a África. **Vir o ~ abaixo** **1** Acontecer uma catástrofe. **2** Acontecer um grande tumulto, escândalo etc.

mungir (mun.gir) *v. td.* Extrair o leite das tetas de (certos animais); ORDENHAR. [▶ **46** mungir] [Cf.: *mugir* (em várias fl.).]

munguzá, **mungunzá** (mun.gu.zá, mun.gun.zá) *sm. N. N.E. Cul.* Alimento cremoso feito de milho branco, leite de coco, açúcar e canela.

munheca (mu.nhe.ca) *sf.* **1** Parte do corpo situada entre o antebraço e a mão; PUNHO; PULSO. **2** S A mão.

munição (mu.ni.ção) *sf.* **1** Qualquer material de guerra us. para prover as tropas. **2** Nome dado aos artefatos us. para carregar as armas de fogo, como projéteis, balas, cartuchos etc. [Pl.: *-ções.*]

municiar (mu.ni.ci.ar) *v. td.* **1** Prover, abastecer (tropa, navio de guerra etc.) de munição; MUNIR. **2** Prover do necessário; ABASTECER; GUARNECER: *municiar uma despensa.* [▶ **1** municiar] ● **mu.ni.ci.a.do** *a.*; **mu.ni.ci.a.men.to** *sm.*

municipal (mu.ni.ci.pal) *a2g.* **1** Ref. ou pertencente a município (ônibus municipal, impostos municipais). *sm.* **2** Nome ger. dado ao mais tradicional teatro pertencente à municipalidade: *A temporada de óperas do Municipal.* [Com maiúscula, nesta acp.] [Pl.: *-pais.*]

municipalidade (mu.ni.ci.pa.li.*da*.de) *sf.* **1** A Câmara Municipal. **2** A área urbana constituída pelo município. **3** Local onde se situa a sede da administração municipal; PREFEITURA.

municipalismo (mu.ni.ci.pa.*lis*.mo) *sm.* Sistema administrativo que prioriza os municípios. • mu.ni.ci.pa.*lis*.ta *a2g.s2g.*

munícipe (mu.*ní*.ci.pe) *a2g.s2g.* Que ou quem é cidadão do município.

município (mu.ni.*cí*.pi:o) *sm.* Divisão administrativa autônoma de um estado.

munificente (mu.ni.fi.*cen*.te) *a2g.* Que revela generosidade; LIBERAL. [Superl.: *munificentíssimo.*] • mu.ni.fi.*cên*.ci:a *sf.*

munir (mu.*nir*) *v.* **1** Prover de munição ou de meios de defesa; MUNICIAR. [*td.*: *munir uma tropa/um vio.*] **2** Prover(-se) do necessário. [*tdi.* + *de*: *Muniu o promotor de provas contra o acusado.* *pr.*: *Muniram-se da coragem que a missão requeria.*] [▶ **3** mun*ir*] • mu.*ni*.do *a.*

múon (*mú*.on) *sm. Fís.* Partícula elementar instável, abundante nos raios cósmicos que atingem a Terra, semelhante ao elétron, mas muito maior. [Pl.: *múons* e (p. us. no Brasil) *múones.*]

muque (*mu*.que) *sm. Pop.* **1** O conjunto formado pelo bíceps e o tríceps quando muito desenvolvidos. **2** Força muscular.

muquirana (mu.qui.*ra*.na) *sf.* **1** *Zool.* Inseto parasita do homem. *a2g.s2g.* **2** *Pop.* Que ou quem é avaro, sovina, pão-duro.

mural (mu.*ral*) *a2g.* **1** Ref. a muro ou a parede (quadro *mural*). *sm.* **2** Local onde são afixados avisos, informações etc.: *As notas dos alunos estão no mural da secretaria.* **3** Pintura mural (1). [Pl.: *-rais.*]

muralha (mu.*ra*.lha) *sf.* **1** Muro reforçado que serve para proteger cidades ou localidades contra ataques inimigos. **2** Muro alto e extenso.

muralista (mu.ra.*lis*.ta) *a2g.* **1** Ref. a pintura ou composição de murais (3). *a2g.s2g.* **2** Que ou quem pinta murais (3) (diz-se de artista).

murar (mu.*rar*) *v. td.* **1** Cercar, defender ou vedar com muro, muralha ou tapume: *murar um terreno.* **2** Servir de muro a: *Um alto alambrado murava o campo de futebol.* [▶ **1** mur*ar*] • mu.*ra*.do *a.*

murça (*mur*.ça) *sf.* **1** Peça de vestuário us. pelos cônegos por cima da sobrepeliz. **2** Lima¹ fina us. para acabamento.

murchar (mur.*char*) *v.* **1** Tornar(-se) murcho (2) (vegetal). [*td.*: *O tempo seco murchou suas rosas.* *int./pr.*: *As margaridas murcharam(-se).*] **2** *Fig.* Enfraquecer(-se), abater(-se), desanimar(-se). [*td.*: *As dificuldades não murcharam sua determinação. int./pr.*: "...o sorriso faceiro (...) murchou de repente." (José de Alencar, *Lucíola*).] [▶ **1** murch*ar*]

murcho (*mur*.cho) *a.* **1** Que está esvaziado (bola *murcha*). **2** Que perdeu o viço, o vigor (flores *murchas*). **3** *Fig.* Sem força ou energia; TRISTE; DESOLADO.

mureta (mu.*re*.ta) [ê] *sf.* Muro baixo e pouco extenso.

muriático (mu.ri.*á*.ti.co) *a. Quím.* Antiga denominação do clorídrico (ácido).

murici (mu.ri.*ci*) *sm.* **1** *Bot.* Árvore típica do cerrado. **2** O fruto dessa árvore.

muriçoca (mu.ri.*ço*.ca) *sf. Zool.* Ver *mosquito.*

murino (mu.*ri*.no) *a.* Ref. a rato.

murmurar (mur.mu.*rar*) *v.* **1** Produzir, emitir (som leve ou fraco). [*td.*: *O vento murmurava gemidos entre as folhas. int.*: *No silêncio da tarde, ouvia a fonte murmurar.*] **2** Dizer (qualquer coisa) em voz baixa, como que em segredo; SEGREDAR; SUSSURRAR. [*td.*: "A jovenzinha *murmurou* uma palavra que pareceu mais um gemido..." (Joaquim Manuel de Macedo, *A moreninha*). *tdi.* + *a, para*: *Murmurou confidências para a amiga.*] **3** Falar mal de ou contra (alguém ou algo), em voz baixa. [*ti.* + *contra, de*: *Ficava resmungando e murmurando contra o regulamento; Murmurava de tudo e de todos.*] [▶ **1** murmur*ar*] • mur.mu.*ra*.ção *sf.*; mur.mu.*ran*.te *a2g.*

murmurejar (mur.mu.re.*jar*) *v.* **1** Produzir murmúrio. [*int.*] **2** Sussurrar, murmurar. [*td.*: *murmurejar segredos.*] [▶ **1** murmurej*ar*] • mur.mu.re.*jan*.te *a2g.*

murmurinho (mur.mu.*ri*.nho) *sm.* **1** Sussurro distante de várias vozes. **2** Qualquer outro ruído distante, indiferenciado e constante.

murmúrio (mur.*mú*.ri:o) *sm.* **1** Ação ou resultado de murmurar. **2** Ruído de vozes simultâneas. **3** O ruído de vento, folhas, águas etc. **4** Qualquer ruído indiferenciado e constante.

muro (*mu*.ro) *sm.* **1** Parede alta e robusta para cercar ou dividir uma área. **2** *Fig.* Qualquer coisa que sirva para isolar, proteger ou defender: *Seu mau humor era um muro que o afastava dos amigos.* [Aum.: *muralha.* Dim.: *mureta.*]

murraça (mur.*ra*.ça) *sf.* Murro ou soco muito forte.

murro (*mur*.ro) *sm.* Golpe desferido com a mão fechada. [Aum.: *murraça.*] ▦ **Dar ~ em ponta de faca** Insistir em tarefa, projeto etc. quase impossível.

murta (*mur*.ta) *sf.* **1** *Bot.* Árvore cujas raízes e casca são us. para a extração de tanino. **2** O fruto dessa árvore.

musa (*mu*.sa) *sf.* **1** *Mit.* Cada uma das nove deusas responsáveis por presidir as artes. **2** A fonte de inspiração de um artista.

musáceo (mu.*sá*.ce:o) *a.* Ref. a bananeira.

muscívoro (mus.*cí*.vo.ro) *a. Zool.* Que se alimenta de moscas.

musculação (mus.cu.la.*ção*) *sf.* Exercício físico cujo objetivo é aumentar a massa muscular. [Pl.: *-ções.*]

muscular (mus.cu.*lar*) *a2g.* Ref. a músculo (distensão *muscular*).

musculatura (mus.cu.la.*tu*.ra) *sf.* O conjunto dos músculos.

músculo (*mús*.cu.lo) *sm. Anat.* Órgão capaz de se contrair e se alongar, podendo agir voluntária ou involuntariamente, dependendo de sua função.

📖 Os músculos, formados por fibras, são os tecidos do organismo de animais superiores que acionam os movimentos. Essa potência motora origina-se na capacidade de contração das fibras musculares. Há três tipos de músculos: a) os estriados, de contração rápida e vigorosa, representam cerca de 40% da massa do corpo humano e são os responsáveis pelos movimentos voluntários; b) os lisos, que se contraem mais suave e lentamente e acionam os movimentos involuntários, como os do estômago, do intestino e os que revestem os vasos sanguíneos; e c) o músculo cardíaco, que, apesar de estriado, tem função involuntária.

musculoso (mus.cu.*lo*.so) [ô] *a.* Que apresenta músculos desenvolvidos (atleta *musculoso*). [Fem. e pl.: [ó].]

museologia (mu.se:o.lo.*gi*.a) *sf.* Ciência que estuda e desenvolve técnicas de conservação, classificação, catalogação e apresentação de obras de arte em museus. • mu.se:o.*ló*.gi.co *a.*; mu.se:o.lo.*gis*.ta *a2g.s2g.*; mu.se:*ó*.lo.go *sm.*

museu (mu.*seu*) *sm.* **1** Instituição onde se reúnem e conservam obras de arte, objetos científicos, peças antigas para estudo e exposição pública. **2** Coleção ou exposição de objetos variados.

musgo (*mus*.go) *sm. Bot.* Vegetação que, em ambientes úmidos, cresce sobre rochas, solo etc.

musgoso (mus.*go*.so) [ó] *a.* Que está coberto ou tem aspecto de musgo. [Fem. e pl.: [ó].]

música (*mú*.si.ca) *sf.* **1** Conjunto de sons combinados esteticamente de modo a provocar sensações auditivas agradáveis e ger. evocadoras de sentimento: "Dançou e gargalhou como se ouvisse música" (Chico Buarque, *Construção*). **2** A arte e/ou ciência de combinar esses sons: *Toda a sua vida estudou música.* **3** A notação escrita em partitura: *Não sabe ler música.* ‖ **Dançar conforme a ~** Adequar-se às circunstâncias, à autoridade de outrem etc.

musical (mu.si.*cal*) *a2g.* **1** Que se refere à música. **2** Que conhece ou tem pendor para a música: *É um aluno muito musical.* **3** Que agrada ao ouvido (voz musical); MELODIOSO. *a2g.sm.* **4** Diz-se de, ou espetáculo ou filme em que a música e a dança predominam: *musical da Broadway; um filme musical.* [Pl.: -*cais.*] ● mu.si.ca.li.*da*.de *sf.*

musicar (mu.si.*car*) *v. td.* Pôr música em, ou pôr em forma de música: *musicar um poema/uma peça teatral.* [▶ **11** music[ar]] ● mu.si.ca.do *a.*

musicista (mu.si.*cis*.ta) *a2g.s2g.* Que ou quem faz e/ou toca peças musicais; MÚSICO.

músico (*mú*.si.co) *sm.* Pessoa que trabalha com música, compondo, tocando ou cantando.

musicologia (mu.si.co.lo.*gi*.a) *sf.* Ciência que estuda a história da música, a acústica, a estética, a rítmica e a métrica, as teorias harmônicas etc. ● mu.si.co.*ló*.gi.co *a.*; mu.si.*có*.lo.go *sm.*

musicoterapia (mu.si.co.te.ra.*pi*.a) *sf. Mús. Psi.* Utilização da música para tratamento de doenças mentais. ● mu.si.co.te.*rá*.pi.co *a.*; mu.si.co.te.ra.*peu*.ta *s2g.*

musse (*mus*.se) *sf.* Alimento leve e cremoso preparado com creme de leite e/ou clara de ovos e um ingrediente básico que lhe dá o sabor: *musse de chocolate/de maracujá.*

musselina (mus.se.*li*.na) *sf.* Tecido leve e transparente.

mustelídeo (mus.te.*lí*.de.o) *sm. Zool.* Ref. aos mustelídeos, família de mamíferos carnívoros de várias espécies, como a lontra e a doninha.

mutação (mu.ta.*ção*) *sf.* **1** Ação ou resultado de transformar(-se); ALTERAÇÃO. **2** Modificação genética que resulta em alterações no genótipo (1) de um ser vivo. [Pl.: -*ções.*]

mutante (mu.*tan*.te) *a2g.* **1** Que sofreu mutação. *s2g.* **2** Ser ou organismo mutante (1).

mutatório (mu.ta.*tó*.ri.o) *a.* Que muda ou causa mudança.

mutável (mu.*tá*.vel) *a2g.* Que se pode mudar ou que tem a capacidade de transformar-se. [Pl.: -*veis.*] ● mu.ta.bi.li.*da*.de *sf.*

mutilar (mu.ti.*lar*) *v.* **1** Privar de membro ou parte do corpo a (outrem ou si mesmo). [*td.*: *Um golpe de espada mutilou o pirata. pr.*: *Num acesso de loucura, mutilou-se.*] **2** Cortar, decepar (membro ou parte do corpo). [*td.*: *Um triste acidente mutilou seu braço.*] **3** *Fig.* Suprimir trecho de (texto literário, artigo etc.), truncando-o. [*td.*] [▶ **1** mutil[ar]] ● mu.ti.la.*ção* *sf.*; mu.ti.*la*.do *a.sm.*; mu.ti.*lan*.te *a2g.*

mutirão (mu.ti.*rão*) *sm.* Trabalho coletivo em prol de melhorias para a comunidade; MUXIRÃO: *Reuniram-se em mutirão para a colheita da safra.* [Pl.: -*rões.*]

mutismo (mu.*tis*.mo) *sm.* Qualidade ou estado de quem não fala ou não quer falar; MUDEZ.

mutreita (mu.*trei*.ta) *sf. RS* O excedente de gordura do gado bovino.

mutreta (mu.*tre*.ta) [ê] *sf. Bras. Gír.* Ação ardilosa com o intuito de enganar.

mutualidade (mu.tu.a.li.*da*.de) *sf.* Qualidade ou condição do que é mútuo; RECIPROCIDADE.

mutuário (mu.tu.*á*.ri.o) *sm.* Indivíduo que recebe empréstimo por mútuo.

mutuca (mu.*tu*.ca) *sf.* **1** *Bras. Zool.* Mosca hematófaga. **2** *Gír.* Pequena trouxinha de maconha.

mutum (mu.*tum*) *sm. Bras. Zool.* Ave galiforme. [Pl.: -*tuns.*]

mútuo (*mú*.tu:o) *a.* **1** Em que há troca ou correspondência (de atitude, sentimento etc.) (respeito mútuo); RECÍPROCO. *sm.* **2** *Jur.* Tipo de contrato em que uma das partes empresta algo consumível a outra; contrato desse tipo.

muvuca (mu.*vu*.ca) *sf. Gír.* **1** Grande concentração de pessoas em algum local. **2** Grande bagunça; CONFUSÃO.

muxarabi, muxarabiê (mu.xa.ra.*bi*, mu.xa.ra.bi:*ê*) *sm.* Balcão em balanço, indevassável, com grade em toda a altura da janela.

muxiba (mu.*xi*.ba) *sf.* **1** *Pop.* Carne magra e cheia de pelancas que pode servir de alimentação aos cães. **2** *Fig. Pej. Pop.* Mulher velha e/ou feia. **3** *Fig. Pej.* Seios flácidos.

muxirão (mu.xi.*rão*) *sm.* Ver *mutirão.* [Pl.: -*rões.*]

muxoxo (mu.*xo*.xo) [ó] *sm.* **1** Carícia com os lábios; BEIJO. **2** *Bras.* Estalo que se dá com a língua para demonstrar desagrado.

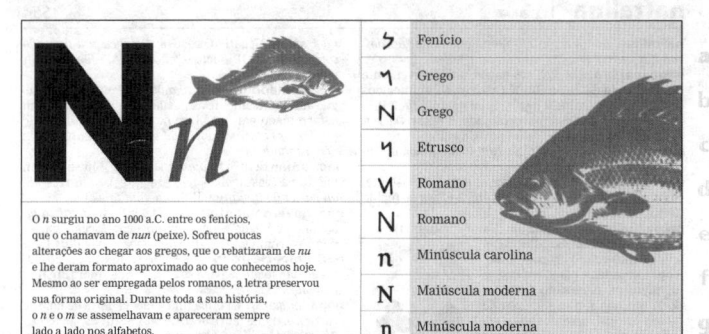

O *n* surgiu no ano 1000 a.C. entre os fenícios, que o chamavam de *nun* (peixe). Sofreu poucas alterações ao chegar aos gregos, que o rebatizaram de *nu* e lhe deram formato aproximado ao que conhecemos hoje. Mesmo ao ser empregada pelos romanos, a letra preservou sua forma original. Durante toda a sua história, o *n* e o *m* se assemelhavam e apareceram sempre lado a lado nos alfabetos.

𐤍	Fenício
Ν	Grego
Ν	Grego
Ν	Etrusco
Ν	Romano
N	Romano
n	Minúscula carolina
N	Maiúscula moderna
n	Minúscula moderna

n [êne] *sm.* **1** A 14ª letra do alfabeto. **2** A décima primeira consoante do alfabeto. *num.* **3** O 14º em uma série (assento N).
⌧ **n** *1 Mat.* Representação de um número inteiro indeterminado. **2** Representação de uma quantidade indefinida: *Ele voltou ao escritório n vezes.* **3** *Fís.* Simb. de *nêutron.* **4** Abrev. de *número.*
⌧ **N** *1 Quím.* Simb. de *nitrogênio.* **2** *Fís.* Simb. de *newton.*
⌧ **N.** Abr. de *norte.*
⌧ **Na** *Quím.* Símb. de *sódio.*
nababesco (na.ba.*bes*.co) [ê] *a.* **1** Que envolve luxo e ostentação (vida *nababesca*). **2** Ref. a nababo ou próprio dele.
nababo (na.*ba*.bo) *sm.* **1** Pessoa que possui muita riqueza e vive no luxo; MILIONÁRIO. **2** Nobre ou governante indiano.
nabo (*na*.bo) *sm.* **1** Tipo de raiz comestível. **2** *Bot.* A planta que tem essa raiz.
nação (na.*ção*) *sf.* **1** Território com autonomia política e habitado por um povo; PAÍS. **2** Povo que habita uma nação (1): *O presidente falará à nação hoje.* **3** O governo de um país; ESTADO. **4** Comunidade de indivíduos que, embora sob vários regimes políticos, são ligados por identidade de origem, língua, costumes, religião: *as nações árabes.* **5** Povo ou tribo indígena. [Pl.: -*ções*.]
nácar (*ná*.car) *sm.* Substância rosada brilhante encontrada no interior de conchas marinhas; MADREPÉROLA. ● **na**.**ca**.*rar v.*
nacarado (na.ca.*ra*.do) *a.* Que se assemelha ao nácar em cor ou no brilho.
nacional (na.ci:o.*nal*) *a2g.* **1** Pertencente a uma nação ou próprio dela (música nacional, identidade nacional). **2** Que representa uma nação (bandeira nacional). **3** Que abrange ou atinge toda a nação: *O presidente falou em cadeia nacional de rádio e televisão.* [Pl.: -*nais*.]
nacionalidade (na.ci:o.na.li.*da*.de) *sf.* **1** País de nascimento. [Cf.: *naturalidade*.] **2** Qualidade de nacional. **3** Condição jurídica do cidadão de um país, por nascimento ou naturalização: *ter a nacionalidade alemã.* **4** Conjunto de características que formam a identidade de uma nação: *A nacionalidade brasileira foi construída ao longo de séculos.*
nacionalismo (na.ci:o.na.*lis*.mo) *sm.* **1** Postura ou sentimento de valorização da própria nação e de tudo que lhe é próprio. **2** Doutrina política que prega a priorização dos interesses nacionais.
nacionalista (na.ci:o.na.*lis*.ta) *a2g.s2g.* Que ou quem é favorável ao nacionalismo ou o manifesta (poesia nacionalista).
nacionalizar (na.ci:o.na.li.*zar*) *v.* **1** Tornar(-se) nacional. [*td.*: *nacionalizar a fabricação de computado-res. pr.*: *O cinema vem se nacionalizando.*] **2** Estatizar. [*td.*] [Ant. nesta acp.: *privatizar*.] **3** Estender para toda a nação. [*td.*: *Sempre prometem nacionalizar o saneamento básico.*] [▶ **1** nacionaliza̲r̲]
naco (*na*.co) *sm.* Pedaço ou parte de qualquer coisa, esp. de alimentos: *naco de carne.*
nada (*na*.da) *pr.indef.* **1** Coisa nenhuma, coisa alguma: "Seu amor não tinha sido afetado em nada, ao contrário..." (Antonio Callado, *Bar Don Juan*). *adv.* **2** De modo nenhum: "...eu já não tinha gostado nada do jeito dele antes..." (Ana Maria Machado, *A audácia dessa mulher*). *sm.* **3** A inexistência de qualquer coisa: *No princípio, era o nada.* **4** Pessoa ou coisa que possui pouco valor ou importância: *Elas brigaram por nada.* ⁝⁝ **Dar em ~** Não ter resultado ou consequência: *Todos os meus esforços deram em nada.* **De ~ 1** Sem importância, insignificante: *Não dói, é um cortezinho de nada.* **2** Não tem de quê. [NOTA: Nesta acp. us. como resposta a fórmulas de agradecimento como 'obrigado', 'agradecido' etc.]
nadadeira (na.da.*dei*.ra) *sf.* **1** *Zool.* Nos animais aquáticos, órgão que facilita o deslocamento na água. **2** Acessório de borracha, em forma de pé de pato, us. por mergulhadores e nadadores para aumentar a velocidade de seu deslocamento na água.
nadador (na.da.*dor*) [ô] *sm.* Pessoa que nada por esporte ou por profissão.
nadar (na.*dar*) *v.* **1** Deslocar-se na água movimentando os braços e as pernas (pessoa) ou as nadadeiras (peixe). [*int.* (seguido ou não de indicação de distância/modo/tempo/lugar): *Ela não sabe nadar*; *Nadei 500 metros hoje.*] **2** *Fig.* Estar imerso em. [*ti.* + *em*: *A carne estava nadando no molho.*] **3** *Fig.* Possuir em abundância. [*ti.* + *em*: *nadar em dinheiro.*] [▶ **1** nada̲r̲]
nádega (*ná*.de.ga) *sf. Anat.* Cada uma das duas partes posteriores do corpo, arredondadas e acima da coxa.
nadir (na.*dir*) *sm.* **1** *Astron.* Em relação ao observador, ponto no qual uma linha vertical, perpendicular ao horizonte, intercepta a esfera celeste, abaixo de seus pés. [Ponto oposto ao *zênite*.] **2** *Fig.* O ponto mais baixo; o último nível.
nado (*na*.do) *sm.* Ação ou resultado de nadar. [Ver achega encicl. de *natação*.]
nafta (*naf*.ta) *sf. Quím.* Líquido incolor, combustível e volátil, obtido no refinamento do petróleo.
⌧ **Nafta** Sigla de *North American Free Trade Agreement*, acordo de livre comércio da América do Norte firmado pelos EUA, Canadá e México.
naftaleno (naf.ta.*le*.no) *sm. Quím.* Substância química us. para repelir traças e baratas.

naftalina (naf.ta.*li*.na) *sf.* Nome comercial do naftaleno.

nagô (na.*gô*) *a2g.* **1** Ref. aos nagôs, povo proveniente da região do Golfo da Guiné (África), tb. conhecidos por iorubás (cultura nagô, ritual nagô). *s2g.* **2** Pessoa pertencente a esse povo. *a2g.sm.* **3** *Gloss.* Da, ref. à ou a língua falada por esse povo; IORUBÁ.

náiade (*nái*.a.de) *sf. Mit.* Na mitologia grega, divindade dos rios e das fontes.

náilon (*nái*.lon) *sm.* **1** Material sintético, resistente, us. no fabrico de tecidos, fibras etc. **2** Fibra ou tecido feitos desse material: *rede de náilon*.

naipe (na*i*.pe) *sm.* **1** Cada um dos grupos ou dos símbolos característicos dos quatro grupos (ouros, copas, espadas e paus) em que se dividem as cartas do baralho. **2** *Mús.* Cada um dos grupos de vozes ou instrumentos de mesmo tipo em que se divide uma orquestra ou conjunto musical: *O naipe de metais dessa banda é muito bom.* **3** *Fig.* Qualidade de pessoa ou coisa: *Com amigos desse naipe, você não vai longe.*

NAIPES (1): OUROS, COPAS, ESPADAS, PAUS

naja (*na*.ja) *sf. Zool.* Serpente venenosa, existente na Ásia e na África, que dilata o pescoço em sinal de ameaça.

nambu (nam.*bu*) *sm. Zool.* Ave sem cauda, com aspecto galináceo, que vive no chão e se alimenta de frutas e sementes; INHAMBU.

NAJA

namibiano (na.mi.bi.*a*.no) *a.* **1** Da Namíbia (África); típico desse país ou de seu povo. *sm.* **2** Pessoa nascida na Namíbia.

namorada (na.mo.*ra*.da) *sf.* Moça ou mulher que alguém namora.

namorado (na.mo.*ra*.do) *sm.* **1** Homem ou rapaz que alguém namora. **2** *Zool.* Espécie de peixe marinho.

namorador (na.mo.ra.*dor*) [ó] *a.sm.* Que ou quem é dado a namorar. [Fem.: -*deira*.]

namorar (na.mo.*rar*) *v.* **1** Ter relações amorosas (com). [*td./ti.* + com: *Juliana namora (com) o Jonas*. *int.*: *Namoramos desde os 15 anos.*] **2** *Fig.* Desejar (algo); olhar para (algo) desejando. [*td.*: *Há tempos namoro esta moto.*] [▶ 1 namorar]

namoricar (na.mo.ri.*car*) *v. td. int.* Namorar sem compromisso, por pouco tempo. [▶ **11** namoricar]

namoro (na.*mo*.ro) [ô] *sm.* **1** Ação ou resultado de namorar. **2** Relação amorosa, ger. estável e sem coabitação.

nanar (na.*nar*) *v. int. Infan.* Dormir. [▶ 1 nanar]

nanico (na.*ni*.co) *a.sm. Pej.* Que ou quem é muito baixo ou pequeno (menino nanico).

nanismo (na.*nis*.mo) *sm. Med.* Anomalia caracterizada por pouco desenvolvimento ou interrupção prematura do crescimento, devido ger. a problemas hormonais.

nanômetro (na.*nô*.me.tro) *sm.* Unidade de comprimento que corresponde à bilionésima parte do metro.

nanquim (nan.*quim*) *sm.* Tinta preta us. para desenhar. [Pl.: -*quins*.]

não *adv.* **1** Expressa negação ou recusa: — *Posso lavar seu tênis? — Não, gosto dele assim.* [Ant.: *sim*.] **2** Negação da ação do verbo: *Não sairei na chuva.* **3** Us. para modificar o sentido de substantivos e de adjetivos: *pacto de não agressão; organização não governamental.* **4** Us. no início de uma interrogação direta, quando se espera resposta positiva: *Não está leve esse embrulho?* [NOTA: Us. igualmente no final, alternando com a expressão *não é*: *Você entendeu, não/não é?*] **5** Repetido, reforça a negação: *Não vou não.* *sm.* **6** Negativa, recusa: *Recebeu um frio não como resposta.* [Pl. acp. 6: *nãos*.] ■ **A ~ ser que**. A menos que.

não alinhado (não a.li.*nha*.do) *a. Pol.* Que não segue automaticamente as posições assumidas por um determinado país ou bloco de países: *Os países não alinhados votaram contra as sanções propostas.* [Pl.: *não alinhados*.]

não fumante (não fu.*man*.te) *a2g.s2g.* Que ou quem não fuma (passageiros não fumantes); *área reservada para não fumantes*. [Pl.: *não fumantes*.]

não governamental (não go.ver.na.men.*tal*) *a2g.* Que não é ligado a nenhum governo (organizações não governamentais). [Pl.: *não governamentais*.]

não violência (não vi:o.*lên*.ci.a) *sf.* Renúncia ao emprego da violência para se atingir qualquer fim. [Pl.: *não violências*.]

napa (*na*.pa) *sf.* **1** Pelica fina e macia, feita de pele de carneiro, us. na fabricação de bolsas, luvas, capas etc. **2** Material artificial de textura e aparência semelhantes às da napa natural.

napalm (na.*palm*) *sm.* **1** *Quím.* Substância gelatinosa us. na fabricação de bombas incendiárias. **2** Bomba fabricada com essa substância. [Pl.: -*palms*.]

napoleônico (na.po.le:ô.ni.co) *a.* Ref. a Napoleão Bonaparte, imperador da França de 1804 a 1815 (conquistas napoleônicas).

naquele (na.*que*.le) [ê] Contr. da prep. *em* com o pr. dem. *aquele*: *O que aconteceu naquele dia?*

naquilo (na.*qui*.lo) Contr. da prep. *em* com o pr. dem. *aquilo*.

narceja (nar.*ce*.ja) [ê] *sf. Zool.* Ave com bico longo e reto que vive em brejos e banhados.

narcisismo (nar.ci.*sis*.mo) *sm. Psic.* Excesso de admiração e amor pela própria imagem e por si mesmo.

narciso¹ (nar.*ci*.so) *sm.* **1** *Mit.* Personagem mitológico caracterizado pela admiração da própria beleza. [Com inicial maiúsc.] **2** *Fig.* Homem extremamente vaidoso.

narciso² (nar.*ci*.so) *sm. Bot.* Planta com flor perfumada, amarela ou branca.

NARCISO²

narcodólares (nar.co.*dó*.la.res) *smpl.* Dólares obtidos através do tráfico de drogas.

narcolepsia (nar.co.lep.*si*.a) *sf. Med.* Doença que provoca ataques de sono súbitos e incontroláveis várias vezes ao dia.

narcose (nar.*co*.se) *sf. Med.* Estado de inconsciência ou letargia produzido pela ação de narcótico, barbitúrico ou anestésico.

narcótico (nar.*có*.ti.co) *a.sm.* Que (diz-se de substância) ou o que produz entorpecimento dos sentidos e cujo uso prolongado causa dependência.

narcotismo (nar.co.*tis*.mo) *sm.* **1** Entorpecimento, alteração de consciência e sonolência, produzidos pelo consumo de narcóticos. **2** Dependência psicológica ou física de narcóticos.

narcotizar (nar.co.ti.*zar*) *v. td.* Anestesiar ou entorpecer, esp. pelo uso de narcótico. [▶ 1 narcotizar]

narcotráfico (nar.co.*trá*.fi.co) *sm.* Comércio de drogas.

nardo (*nar*.do) *sm. Bot.* Planta aromática ou o perfume dela extraído.

narigudo (na.ri.*gu*.do) *a.sm.* Que ou quem possui um nariz grande.

narigueira (na.ri.*guei*.ra) *sf.* Enfeite us. por alguns índios brasileiros, ger. de pena ou bambu, que atravessa o nariz.

narina (na.*ri*.na) *sf. Anat.* Cada uma das duas cavidades do nariz.

nariz (na.*riz*) *sm.* **1** *Anat.* Órgão situado entre a boca e os olhos, onde se encontram os terminais nervosos

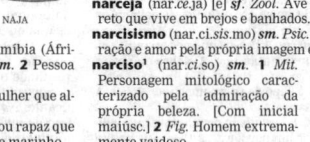

sensíveis aos odores e por onde se respira. **2** *Fig.* O sentido do olfato: *Todo perfumista tem um bom nariz.* [Aum.: *narigão.*] ■■ **Meter o ~ Intrometer-se. Torcer o ~ para** Desagradar-se de, ou expressar desagrado com.
nariz de cera (na.riz de ce.ra) *sm. Jorn. Antq.* Texto introdutório e artigo ou reportagem, ger. em letra de tamanho reduzido. [Atualmente chamado *lide.*] [Pl.: *narizes de cera.*]
narração (nar.ra.ção) *sf.* **1** Ação ou resultado de narrar, oralmente ou por escrito, uma história real ou fictícia. **2** *Cin. Rád. Teat. Telv.* Fala que explica ou comenta figuras ou acontecimentos presentes em obra de natureza ficcional ou documentária. [Pl.: *-ções.*]
narrador (nar.ra.dor) [ô] *sm.* Pessoa que faz uma narração.
narrar (nar.*rar*) *v.* Contar de modo detalhado (história, fato, acontecimento); RELATAR. [*td./tdi.* + *a:* <u>Narrou</u> *a briga (ao delegado).*] [▶ 1 narr<u>ar</u>]
narrativa (nar.ra.ti.va) *sf.* Exposição oral ou escrita de fatos reais ou imaginários, contados de forma encadeada.
narrativo (nar.ra.ti.vo) *a.* Ref. a narração ou que tem forma de narração (texto <u>narrativo</u>).
▨ **NASA** Sigla de *National Aeronautics and Space Administration*, que designa a agência governamental norte-americana responsável pelo programa espacial dos EUA.
nasal (na.sal) *a2g.* **1** Ref. a nariz (sangramento <u>nasal</u>). **2** *Gram.* Diz-se de som articulado quando a cavidade nasal mantém-se aberta, permitindo que por ela tb. passe a corrente de ar (p.ex., os fonemas /m/n/nh/). [Pl.: *-sais.*]
nasalado (na.sa.la.do) *a.* **1** Parcialmente emitido pelo nariz (tom <u>nasalado</u>). **2** Que se assemelha a um som nasal: *O timbre desse instrumento é <u>nasalado</u>.*
nasalar (na.sa.lar) *v. td.* Pronunciar (som, palavra) pelo nariz. [▶ 1 nasal<u>ar</u>]
nascedouro (nas.ce.dou.ro) *sm.* Lugar onde ocorrem nascimentos.
nascença (nas.cen.ça) *sf.* Ver *nascimento* (1).
nascente (nas.cen.te) *a2g.* **1** Que está nascendo ou que começa a surgir (amor <u>nascente</u>). *sm.* **2** O ponto do horizonte em que o sol nasce. [Ant.: *poente.*] *sf.* **3** Local onde brota água da terra, formando pequeno lago ou curso d'água: *A <u>nascente</u> do rio fica na serra.* [Ant.: *foz.*]
nascer (nas.cer) *v.* **1** Sair do útero materno. [*int.*] [Ant.: *morrer.*] **2** Descender de. [*ti.* + *de:* <u>Nasceu</u> *de pais venezuelanos.*] **3** Brotar, germinar. [*int.*: *A salsa está <u>nascendo</u>.*] **4** Ter origem (*int.* + *de:* *A amizade <u>nasce</u> da convivência.* *int.* (seguido de indicação de lugar): *O rio São Francisco <u>nasce</u> em Minas.*] **5** Começar a existir, a se desenvolver; SURGIR; INICIAR(-SE). [*ti.* + *de:* *A fábrica <u>nasceu</u> do nosso esforço. int.*: *O ano <u>nascia</u> cheio de promessas.*] **6** Despontar no horizonte. [*int.*: *O sol tem <u>nascido</u> às seis horas.*] [▶ 33 nas<u>cer</u>] *sm.* **7** Ato de nascer; NASCIMENTO: *o <u>nascer</u> do Sol.* [Ant.: *pôr.*] ■■ **Não ter nascido ontem** Não ser ingênuo ou tolo; ser experiente, escolado, sabido. ~ **de novo** *Fig.* Escapar de algo que se julgava fatal ou de perigo de vida.
nascida (nas.ci.da) *sf. Pop.* Acúmulo de pus em uma parte do corpo; ABSCESSO; FURÚNCULO.
nascimento (nas.ci.men.to) *sm.* **1** Ação ou resultado de nascer; NASCENÇA. **2** *Fig.* Começo ou princípio de algo: *Aquele jogo marcou o <u>nascimento</u> de uma longa rivalidade.*
nascituro (nas.ci.tu.ro) *a.sm.* Que ou quem está prestes a nascer.
▨ **Nasdaq** *Econ.* Sigla de *National Association of Securities Dealers Automated Quotation*, índice formado a partir do valor, no mercado de Nova Iorque, das ações das mais importantes empresas de alta tecnologia, esp. do setor de informática.
nastro (nas.tro) *sm.* Fita estreita feita de algodão, linho ou outro tecido.
nata (na.ta) *sf.* **1** Parte gordurosa do leite, us. na fabricação de manteiga. **2** *Fig.* Conjunto de pessoas que se destacam em um grupo social ou num tipo de atividade: *A <u>nata</u> do samba.*
natação (na.ta.ção) *sf.* **1** Atividade de nadar, como esporte ou recreação. **2** Meio de locomoção dos animais aquáticos. **3** Equipe de nadadores esportivos: *A <u>natação</u> do Brasil brilhou nas Olimpíadas.* [Pl.: *-ções.*]

📖 A natação já era praticada pelos gregos e romanos, mas caiu em desuso na Idade Média, voltando na época do Renascimento. É no início do séc. XIX que ela se difunde como esporte competitivo, passando a ser esporte olímpico em 1896 (para homens) e 1912 (para mulheres), hoje disputado em piscinas de 50m. Há quatro modalidades de nado: nado livre, ou *crawl*, costas, peito e golfinho (borboleta), todos disputados nas Olimpíadas nas distâncias de 100 e 200 metros, para homens e mulheres. Além disso, há provas de 50m livre (a partir de 1988), 400m livre, 200m e 400m quatro estilos, ou *medley*, revezamentos 4x100 livre, 4x200 livre e 4x100 quatro estilos (todas para homens e mulheres), 800m livre (só mulheres), e 1.500m livre (só homens). A natação foi introduzida no Brasil em 1898, e alguns nadadores brasileiros alcançaram recordes mundiais: Maria Lenk (200m e 400m nado peito, em 1939), Manuel dos Santos (100m livre, em 1961), José Sylvio Fiolo (100m nado peito, em 1968), Ricardo Prado (400m *medley*, em 1984), Fernando Scherer (50 e 100m livre, 1999), Leonardo Costa (200m costas, 1999), Felipe França (50m nado peito, 2009) e César Cielo (50m livre, em 2008 e 100m livre, em 2009) e em piscina curta (25m): Gustavo Borges (100m livre, 1993), a equipe formada por Gustavo Borges, Fernando Scherer, José Carlos Jr. e Teófilo Ferreira (4x100, duas vezes em 1993 e 1998), Kaio Márcio (50m borboleta, 2005), Thiago Pereira (200m *medley*, 2007), Felipe Silva (50m peito, 2010), Etiene Medeiros (costas, 2014) e a equipe formada por Nicholas Santos, César Cielo, Marcelo Chierighini e Nicolas Oliveira (4x100, 2010), a equipe formada por Guilherme Guido, Felipe França, Nicholas Santos e Cesar Cielo (4x50, 2014), Nicholas Santos (50m borboleta, 2018) e a equipe formada por Luiz Altamir Melo, Fernando Scheffer, Leonardo Coelho Santos e Breno Correia (4x200, 2018).

natal (na.tal) *a2g.* **1** Ref. a nascimento; NATALÍCIO. **2** Diz-se do lugar onde ocorreu o nascimento (cidade <u>natal</u>). [Pl.: *tais.*] [📅] **Natal** *sm.* **3** *Rel.* Festa cristã anual (25 de dezembro) em que se celebra o nascimento de Jesus; NATIVIDADE.
natalense (na.ta.len.se) *a2g.* **1** De Natal, capital do Estado do Rio Grande do Norte; típico dessa cidade ou de seu povo. *s2g.* **2** Pessoa nascida em Natal.
natalício (na.ta.lí.ci.o) *a.* **1** Ref. ao nascimento; NATAL. (aniversário <u>natalício</u>) **2** Ref. ao Natal (cartões <u>natalícios</u>). *sm.* **3** O dia em que se faz aniversário: *Governador festeja <u>natalício</u> com eleitores.*
natalidade (na.ta.li.da.de) *sf.* **1** Taxa percentual que indica o número de nascimentos em relação à população total de certa região, num determinado tempo (ger. um ano): *A <u>natalidade</u> vem decrescendo no Brasil.* **2** Nascimento de crianças: *Países europeus incentivam a <u>natalidade</u>.*
natalino (na.ta.li.no) *a. Bras.* Ref. ao Natal ou próprio dele (festas <u>natalinas</u>, espírito <u>natalino</u>).
natatório (na.ta.tó.ri.o) *a.* **1** Ref. a nado (movimento <u>natatório</u>). **2** Que serve para o nado (vesícula <u>natatória</u>).

natimorto (na.ti.*mor*.to) [ô] *a.sm.* Que ou quem nasce morto.

natividade (na.ti.vi.*da*.de) *sf.* **1** O dia do nascimento de Jesus, de Maria e de alguns santos. **2** A festa de Natal. [Ger. com inicial maiúsc.]

nativismo (na.ti.*vis*.mo) *sm.* Postura ou atitude de defesa e valorização de tudo o que é próprio à terra natal. • na.ti.*vis*.ta *a2g.s2g.*

nativo (na.*ti*.vo) *a.* **1** Que é próprio ou natural de certo lugar (planta nativa, costumes nativos). *sm.* **2** Pessoa pertencente a grupo étnico originário da região onde nasceu; INDÍGENA. **3** Pessoa natural de uma certa região ou país: *Somente os nativos conhecem bem esses riachos.* [Ant.: *estrangeiro*.] **4** Pessoa que nasceu sob um determinado signo: *nativos de Aquário*.

nato (*na*.to) *a.* **1** Nascido: "lá o luto não é de vestir,/ é de nascer com, luto nato." (João Cabral de Melo Neto, *O luto no sertão*.) **2** De certa nacionalidade desde o nascimento (brasileiro nato). **3** De talento natural para certa atividade (escritor nato).

natura (na.*tu*.ra) *sf. P.us.* Ver *natureza*.

natural (na.tu.*ral*) *a2g.* **1** Ref. ou pertencente à natureza (recursos naturais). **2** Em que não há intervenção humana (paisagem natural). **3** Em que não foi adicionado ingrediente artificial, nem agrotóxico (dieta natural, suco de alimento). **4** que é compreensível: *Cochilar é natural em idosos.* **5** Ligado à natureza de uma pessoa; INATO: *Ele tem uma sensibilidade natural para o ritmo.* **6** Que nasceu em um certo lugar: *Ele é natural de Angola.* **7** Que é espontâneo: *Tinha gestos naturais e relaxados.* [Pl.: *-rais.*]

naturalidade (na.tu.ra.li.*da*.de) *sf.* **1** Qualidade do que é natural. **2** Local de nascimento (estado, município ou região). [Cf., nesta ed., *nacionalidade*.]

naturalismo (na.tu.ra.*lis*.mo) *sm.* **1** *Liter.* Movimento literário do séc. XIX, que procurava mostrar o ser humano como mero produto da combinação de seus instintos naturais com as condições do meio social. **2** *Fil.* Doutrina que afirma que todos os fenômenos podem ser explicados em termos de relações causais determinadas por leis físicas. **3** Doutrina e prática que valorizam o contato com a natureza, uma vida simples etc.

naturalista (na.tu.ra.*lis*.ta) *a2g.* **1** Ref. ao que é natural (3) (culinária naturalista). **2** *Liter.* Ref. ao naturalismo (1) (romance naturalista). *s2g.* **3** Adepto do naturalismo (2, 3). **4** Estudioso das ciências naturais.

naturalizar (na.tu.ra.li.*zar*) *v. td. pr.* Dar ou adquirir a cidadania de um país estrangeiro. [▶ naturalizar] • na.tu.ra.li.za.*ção sf.*

naturalmente (na.tu.ral.*men*.te) *adv.* **1** De maneira natural (agir naturalmente). **2** Com toda certeza: *Naturalmente eles irão viajar de novo.*

natureba (na.tu.*re*.ba) *a2g.s2g. Pop.* Que ou quem pratica a alimentação natural (3).

natureza (na.tu.*re*.za) *sf.* **1** Conjunto de todos os seres que constituem o universo. **2** O mundo físico; tudo o que existe. **3** Índole, caráter: *uma pessoa de boa natureza.* **4** Espécie: *Era um problema de outra natureza.*

natureza-morta (na.tu.re.za-*mor*.ta) *sf. Pint.* **1** Estilo de pintura que representa seres ou coisas inanimados. **2** Quadro desse estilo. [Pl.: *naturezas-mortas.*]

nau *sf.* **1** *Mar.* Antigo navio de forma arredondada. **2** *Poét.* Navio, barco.

naufragar (nau.fra.*gar*) *v.* **1** Fazer afundar ou afundar (pronominal). [*td.*: *O vendaval naufragara o navio. int.*: *O bote naufragou.*] **2** Fracassar, malograr. [*int.*] [▶ 14 naufragar]

naufrágio (nau.*frá*.gi:o) *sm.* **1** Desastre que resulta no afundamento de uma embarcação. **2** *Fig.* Fracasso, ruína: *Seu projeto acabou em naufrágio.*

náufrago (*náu*.fra.go) *a.sm.* Que ou quem foi vítima de naufrágio (1).

náusea (*náu*.se:a) *sf.* **1** Forte sensação de enjoo, às vezes seguida de vômito. **2** *Fig.* Repulsa, nojo: "...no meio das suas dúvidas e da náusea que sentia por si mesma..." (Antonio Callado, *Bar Don Juan*.)

nauseabundo (nau.se:a.*bun*.do) *a.* **1** Que causa náusea, enjoo; NAUSEANTE. **2** *Fig.* Que repugna: *O rapaz tinha um caráter nauseabundo.*

nauseante (nau.se:*an*.te) *a2g.* Ver *nauseabundo* (1).

nausear (nau.se.*ar*) *v. td. pr.* Causar ou sentir náusea; ENJOAR(-SE). [▶ 13 nausear] • nau.se.a.do *a.*

nauta (*nau*.ta) *sm.* Navegante, marinheiro.

náutico (*náu*.ti.co) *a.* **1** *Mar.* Ref. ou próprio para navegação (esportes náuticos). ◨ **náutica** *sf.* **2** *Mar.* Arte ou técnica de navegação.

naval (na.*val*) *a2g.* **1** Ref. a navio ou navegação (batalha naval). **2** Ref. a Marinha de Guerra (arsenal naval). [Pl.: *-vais.*]

navalha (na.*va*.lha) *sf.* Lâmina metálica, de fio muito aguçado, que se encaixa em seu próprio cabo.

navalhada (na.va.*lha*.da) *sf.* Golpe desferido com navalha.

navalhar (na.va.*lhar*) *v. td.* Ferir com navalha. [▶ 1 navalhar]

nave (*na*.ve) *sf.* **1** *Arq.* Espaço na igreja que vai da entrada até o átrio. **2** *Antq.* Navio. ◨ **~ espacial** Veículo espacial.

navegação (na.ve.ga.*ção*) *sf.* **1** Ação ou resultado de navegar. **2** Comércio marítimo ou aéreo. **3** *Inf.* Ato de percorrer um hipertexto da rede de computadores conectados em um sistema comum. [Pl.: *-ções.*]

navegador (na.ve.ga.*dor*) [ô] *a.sm.* **1** Que ou quem navega, ou conduz uma embarcação; NAVEGANTE. *sm.* **2** *Inf.* Programa que permite, na internet, ter acesso às páginas de hipertexto e a todos os recursos da rede de computação; BROWSER.

navegante (na.ve.*gan*.te) *a2g.s2g.* Ver *navegador* (1).

navegar (na.ve.*gar*) *v.* **1** Viajar (pela água ou pelo ar). [*td.*: *Navegou mares e rios. int.*: (seguido de indicação de lugar): *navegar pelo rio Araguaia.*] **2** *Inf.* Consultar documentos na internet, utilizando-se dos *links* contidos nesses documentos. [*int.*] [▶ 14 navegar]

navegável (na.ve.*gá*.vel) *a2g.* Que pode ser navegado. [Pl.: *-veis.*] • na.ve.ga.bi.li.*da*.de *sf.*

naveta (na.*ve*.ta) [ê] *sf.* **1** Lançadeira da máquina de coser ou do tear, em forma de nave. **2** Lançadeira própria para confeccionar renda artesanal. **3** *Antq.* Pequena nave (2).

naviforme (na.vi.*for*.me) *a2g.* Que tem forma de navio.

navio (na.*vi*:o) *sm.* **1** *Mar.* Embarcação de grande porte. **2** *AL* Papagaio (3).

navio-quebra-gelos (na.vi:o-que.bra-*ge*.los) *sm. Mar.* Embarcação própria para abrir caminho entre camadas de gelo em regiões muito frias. [Tb. *quebra-gelos.*] [Pl.: *navios-quebra-gelos.*]

navio-tanque (na.vi:o-*tan*.que) *sm. Mar.* Navio destinado ao transporte de carga líquida (óleo, gasolina etc.). [Pl.: *navios-tanques* e *navios-tanque.*]

nazareno (na.za.*re*.no) *a.* **1** De Nazaré (Israel); típico dessa cidade ou de seu povo. *sm.* **2** Pessoa nascida em Nazaré. **3** Denominação dada a Jesus pelos judeus e cristãos.

nazismo (na.*zis*.mo) *sm. Hist. Pol.* Movimento político totalitário, racista e imperialista, comandado por Adolf Hitler na Alemanha, e que foi destruído ao fim da Segunda Guerra Mundial. • na.*zis*.ta *a2g.s2g.*

◨ **Ne** *Quím.* Simb. de *neônio*.

◨ **NE** Abr. de *nordeste*.

neblina (ne.*bli*.na) *sf.* Névoa pouco densa e baixa; NEVOEIRO. • ne.bli.*nar v.*

nebulização (ne.bu.li.za.*ção*) *sf.* **1** Ação ou resultado de nebulizar (2). **2** *Med.* Aplicação de medicamento líquido por meio de vaporização. [Pl.: -*ções*.]
nebulizador (ne.bu.li.za.*dor*) [ô] *a.* **1** Que nebuliza. *sm.* **2** Dispositivo que pulveriza líquidos em gotas minúsculas.
nebulizar (ne.bu.li.*zar*) *v. td.* **1** Administrar remédio por meio de pulverização pelo nariz ou pela boca. **2** Transformar líquido em vapor. [▶ **1** nebuliz<u>ar</u>]
nebulosa (ne.bu.*lo*.sa) *sf. Astr.* Espécie de nuvem difusa, formada por poeira e gás em suspensão no espaço interestelar.
nebulosidade (ne.bu.lo.si.*da*.de) *sf.* **1** Conjunto de nuvens tênues ou névoa que encobre o céu. **2** *Fig.* Ausência de clareza; OBSCURIDADE.
nebuloso (ne.bu.*lo*.so) [ô] *a.* **1** Coberto de nuvens ou névoa densa; NUBLADO. **2** *Fig.* Que é turvo, indistinto, escuro. **3** *Fig.* Que é pouco ou nada inteligível (texto <u>nebuloso</u>). [Fem. e pl.: [ó].]
neca (*ne*.ca) *Bras. Pop. adv.* **1** Exprime negação: *Você conseguiu o telefone dele?* <u>Neca</u>*! pr.indef.* **2** Coisa nenhuma: *Não estudei <u>neca</u>.*
necedade (ne.ce.*da*.de) *sf.* **1** Grande ignorância. **2** Coisa disparatada, tola.
necessário (ne.ces.*sá*.ri.o) *a.* **1** Que é indispensável, essencial: "*Da paciente tenacidade <u>necessária</u> a quem quer encontrar o fio invisível de Ariana, sabia pouco.*" (Miguel Torga, *Senhor Ventura*.) **2** Que não se pode evitar; FORÇOSO: *A expulsão do aluno fez-se <u>necessária</u>.* **3** Que deve ser feito ou realizado: "*E ninguém percebe/ como é <u>necessário</u>/ que terra, tão fértil,/ tão bela e tão rica/ por si se governe!*" (Cecília Meireles, *Romanceiro da Inconfidência*.) [Superl.: *necessariíssimo*.]
necessidade (ne.ces.si.*da*.de) *sf.* **1** Qualidade de necessário. **2** Ausência dos bens necessários à vida; POBREZA. **3** Coisa necessária: *Comer é uma <u>necessidade</u>.*
necessitado (ne.ces.si.*ta*.do) *a.sm.* Que ou quem está em estado de necessidade (2), de pobreza.
necessitar (ne.ces.si.*tar*) *v.* **1** Ter necessidade; PRECISAR. [*td./ ti.* + *de*: *O quintal <u>necessita</u> (de) uma boa capina.*] **2** Passar necessidade, privações. [*int.*: *A cesta básica é apenas para quem <u>necessita</u>.*] [▶ **1** necessit<u>ar</u>]
necrófago (ne.*cró*.fa.go) *a.sm. Zool.* Que ou o que se alimenta de cadáveres.
necrofilia (ne.cro.fi.*li*.a) *sf. Psiq.* Perversão em que ocorre atração sexual por cadáver. ● **ne.***cró***.fi**.lo *a.sm.*
necrofobia (ne.cro.fo.*bi*.a) *sf.* Horror à morte. ● **ne.***cró***.fo.bo** *a.sm.*
necrologia (ne.cro.lo.*gi*.a) *sf.* **1** Relação de óbitos, de mortes. **2** Conjunto de notícias sobre óbitos. ● **ne.cro.***ló***.gi.co** *a.*
necrológio (ne.cro.*ló*.gi.o) *sm.* **1** Notícia na imprensa sobre o falecimento de pessoas. **2** Elogio feito a pessoas que faleceram.
necromancia (ne.cro.man.*ci*.a) *sf.* **1** Suposta arte de adivinhar o futuro pela invocação dos mortos. **2** A prática dessa suposta arte. **3** Bruxaria, magia negra. [Sin. ger.: *nigromancia*.]
necrópole (ne.*cró*.po.le) *sf.* Cemitério.
necropsia, necrópsia (ne.crop.*si*.a, ne.*cróp*.si:a) *sf. Med.* Exame médico minucioso de um cadáver; AUTÓPSIA.
necrosar (ne.cro.*sar*) *v. td. int. Med.* Provocar ou sofrer necrose; GANGRENAR. [▶ **1** necros<u>ar</u>]
necrose (ne.*cro*.se) *sf. Med.* Morte de tecido orgânico.
necrotério (ne.cro.*té*.ri.o) *sm.* Lugar em que cadáveres permanecem à espera de identificação ou de necropsia; MORGUE.
néctar (*néc*.tar) *sm.* **1** *Mit.* Na Grécia antiga, a bebida dos deuses. **2** *Bot.* Líquido de sabor adocicado segregado pelas flores. **3** Qualquer bebida saborosa.

nectarina (nec.ta.*ri*.na) *sf.* Variedade de pêssego, com a casca sem pelos.
nédio (*né*.di:o) *a.* **1** Que brilha; LUZIDIO. **2** Que tem pele lustrosa, oleosa.
nefando (ne.*fan*.do) *a.* Que não é digno de se nomear ou citar, por ser abominável (crime <u>nefando</u>).
nefasto (ne.*fas*.to) *a.* **1** Que causa males (influência <u>nefasta</u>); FUNESTO. **2** De mau agouro (sinal <u>nefasto</u>).
nefelibata (ne.fe.li.*ba*.ta) *a2g.s2g.* **1** Que ou quem anda nas nuvens. **2** *Fig.* Que ou quem vive de sonhos, de fantasias.
nefralgia (ne.fral.*gi*.a) *sf. Med.* Dor nos rins.
nefrectomia (ne.frec.to.*mi*.a) *sf. Cir.* Retirada parcial ou total de um rim.
nefrite (ne.*fri*.te) *sf. Med.* Inflamação dos rins.
nefrologia (ne.fro.lo.*gi*.a) *sf. Med.* Parte da medicina que trata dos rins. ● **ne.fro.***lo***.gis.ta** *s2g.*
nefropatia (ne.fro.pa.*ti*.a) *sf. Med.* Qualquer doença renal.
nefrose (ne.*fro*.se) *sf. Med.* Doença degenerativa dos rins.
nefrotomia (ne.fro.to.*mi*.a) *sf. Cir.* Incisão cirúrgica no rim.
negaça (ne.*ga*.ça) *sf.* **1** Ação ou resultado de negacear. **2** Atrativo, isca. **3** Ilusão, engano.
negação (ne.ga.*ção*) *sf.* **1** Ação ou resultado de negar. **2** Resposta contrária, recusa, rejeição: *Sempre me respondia com uma <u>negação</u>.* **3** Carência, falta. **4** Falta de capacidade; INAPTIDÃO: <u>*negação*</u> *para o futebol.* **5** Quem é inapto em algo: *Na dança, ele é uma <u>negação</u>.* [Pl.: -*ções*.]
negacear (ne.ga.ce.*ar*) *v.* **1** Usar armadilhas para atrair; PROVOCAR. [*td.*: *<u>Negaceia</u> os rapazes e depois foge.*] **2** Enganar, iludir. [*it.* + *com*: *<u>Negaceava</u> com os passageiros.*] **3** Mover o corpo com destreza, confundindo o olhar do outro. [*int.*: *O jogador <u>negaceava</u> diante do goleiro.*] [▶ **13** negace<u>ar</u>]
negar (ne.*gar*) *v.* **1** Não oferecer, deixar ou permitir; RECUSAR. [*td./ tdi.* + *a*: *<u>negar</u> ajuda (a alguém).*] **2** Dizer que algo não é verdadeiro; DESMENTIR: "*A secretária <u>negou</u> o recebimento do cheque.*" [Ant.: *afirmar*, *confirmar*.] **3** Não reconhecer; CONTESTAR. [*td.*: *Sempre <u>negou</u> a autoridade paterna.*] [Ant.: *aceitar*.] **4** Não se sujeitar a; RECUSAR-SE. [*pr.*: *<u>Nego-me</u> a participar desta farsa.*] [▶ **14** neg<u>ar</u>] ● **ne.***ga***.do.a** *s2g.*
negativismo (ne.ga.ti.*vis*.mo) *sm.* Atitude negativa (3) frequente ou sistemática. ● **ne.ga.ti.***vis***.ta** *a2g.s2g.*
negativo (ne.ga.*ti*.vo) *a.* **1** Que expressa negação (resposta <u>negativa</u>, frase <u>negativa</u>). **2** Prejudicial, maléfico: *A medida teve efeito <u>negativo</u> na economia do país.* **3** Que só considera os aspectos ruins de algo ou alguém (pensamentos <u>negativos</u>); PESSIMISTA. **4** Que é abaixo de zero (saldo <u>negativo</u>). **5** Cujo resultado não apresenta o que se pesquisava: *teste de gravidez <u>negativo</u>.* **6** *Gram.* Diz-se de forma independente (*não*, *ninguém* etc.) ou presa (*in-*, *des-* etc.) que acrescenta o sentido de negação a uma frase ou palavra. [Ant. acps. 1 e 6: *afirmativo*; acps. 2, 3, 4 e 5: *positivo*.] *sm.* **7** *Fot.* Imagem fotográfica em que há inversão de claros e escuros com relação ao original. ◪ **negativa** *sf.* **8** Ver negação (2).
⊕ **négligé** (*Fr.* /negligê/) *sm.* Roupão feminino de seda ou tecido similar.
negligência (ne.gli.*gên*.ci:a) *sf.* Falta de cuidado, de atenção; DESLEIXO; DISPLICÊNCIA. ● **ne.gli.***gen***.te** *a2g.s2g.*
negligenciar (ne.gli.gen.ci.*ar*) *v. td.* Não cuidar ou cuidar mal de; DESCUIDAR-SE: *<u>Negligenciou</u> os estudos.* [▶ **1** negligenci<u>ar</u>]
nego (*ne*.go) [ê] *sm.* **1** *Bras. Pop.* Ver *negro*. **2** *Bras. Pop.* Camarada, companheiro: *Vamos beber alguma coisa, meu <u>nego</u>.* **3** *Bras. Gír.* Indivíduo, sujeito: *Havia um <u>nego</u> de cara feia na esquina.* [Nesta acp. us. tb. *neguinho*.]

negociação | nervo

negociação (ne.go.ci.a.*ção*) *sf.* **1** Ação ou resultado de negociar. **2** Atividade mercantil; NEGÓCIO: *Os empresários fizeram a negociação rapidamente.* **3** Diálogo, entendimento: *A divisão das tarefas foi fruto da negociação com a família.* [Pl.: -*ções*.]

negociador (ne.go.ci.a.*dor*) [ô] *a.sm.* **1** Que ou quem negocia. *sm.* **2** Agente, ger. político, encarregado de negociação entre governos, entidades, indivíduos etc.

negociante (ne.go.ci.*an*.te) *s2g.* Pessoa que negocia; COMERCIANTE.

negociar (ne.go.ci.*ar*) *v.* **1** Realizar transação comercial; comprar ou vender. [*td.*: *negociar imóveis. ti.* + *com*: *Vende barato porque negocia com os produtores.*] **2** Manter relações comerciais, financeiras etc. [*ti.* + *com*: *negociar com a América Latina.*] **3** *Fig.* Fazer acordo acerca de; COMBINAR. [*td.* / *tdi.* + *com*: *Vamos negociar as condições (com a recreadora).*] [▶ **1** negociar] ● **ne.go.ci.á.vel** *a2g.*

negociata (ne.go.ci.*a*.ta) *sf.* Negócio em que há trapaça e que ger. visa a grandes lucros.

negócio (ne.*gó*.ci.o) *sm.* **1** Transação comercial. **2** Empreendimento comercial: *Abriu um negócio em São Paulo.* **3** Ajuste, combinação. **4** Assunto: *Sobre que negócio estavam falando?* **5** *Bras. Pop.* Coisa: *Que negócio é esse que está acontecendo aqui?*

negociata (ne.go.cis.ta) *a2g.s2g. Bras.* Que ou quem faz negociatas com frequência.

negra (*ne*.gra) [ê] *sf.* **1** Mulher de cor negra. **2** *Pop.* Última partida (de qualquer esporte ou jogo), para definir o vencedor, em situação de empate após jogos anteriores.

negreiro (ne.*grei*.ro) *a.* **1** Ref. a negro. **2** Que realiza tráfico de negros (navio negreiro).

negridão (ne.gri.*dão*) *sf.* **1** Qualidade de negro, negrura. **2** Escuridão, negrume. [Pl.: -*dões*.]

negrito (ne.*gri*.to) *a. Art.Gr.* **1** De traços bem mais grossos que o comum (diz-se de tipo de letra). *sm.* **2** Esse tipo de letra.

negritude (ne.gri.*tu*.de) *sf.* **1** Qualidade ou condição de quem ou do que é negro. **2** Doutrina ou sentimento que exalta a condição e os valores culturais dos negros (5).

negro (*ne*.gro) [ê] *sm.* **1** A cor do carvão, do piche. **2** Pessoa de cor negra. *a.* **3** Que é dessa cor (cabelos negros). **4** Diz-se de quem tem a pele negra. **5** Que é sombrio, lúgubre. [Superl.: *negríssimo* e *nigérrimo*.]

negroide (ne.*groi*.de) *a2g.s2g.* Que ou quem apresenta características dos negros.

negrume (ne.*gru*.me) *sm.* **1** Escuridão, trevas; NEGRURA. **2** Abatimento, melancolia, tristeza.

negrura (ne.*gru*.ra) *sf.* **1** Qualidade do que é negro. **2** Escuridão; NEGRUME.

nele (*ne*.le) [ê] Contr. da prep. *em* com o pron. pess. *ele.*

nelore (ne.*lo*.re) *a2g.* **1** Diz-se de uma raça de gado zebu. *sm.* **2** Essa raça.

nem *adv.* **1** Não: *Nós nem conhecíamos o sujeito.* **2** Pelo menos; sequer: *Não olhou pra trás nem uma vez.* **3** Us. repetidamente, adquire sentido de exclusão: *Nem Pedro nem José falam inglês. conj.adit.* **4** E não; e também não: *Não bebeu, nem comeu nada.* ⁂ ~ **que** Mesmo que; ainda que: *Nem que eu more longe, irei visitá-la.* **Que** ~ Como; igual a: *Os meninos são altos que nem o avô.*

nematódeo (ne.ma.*tó*.de:o) *sm. Zool.* Parasito de corpo cilíndrico, dotado de aparelho digestivo que consiste num tubo que vai da boca ao ânus; NEMATOIDE.

nematoide (ne.ma.*toi*.de) *a.* **1** Fino e longo como fio. *sm.* **2** *Zool.* Ver *nematódeo.*

nenê (ne.*nê*) *sg. Bras. Fam.* Ver *neném.*

neném (ne.*ném*) *s2g. Bras. Fam.* Criança de colo; BEBÊ; NENÊ. [Pl.: -*néns*.]

nenhum (ne.*nhum*) *pr.indef.* **1** Inexistência de alguém ou alguma coisa (nenhuma nuvem/colega).

2 Qualquer: *Tinha se esforçado mais que nenhum outro.* **3** Um só; um único: *Este ano não faltei às aulas nenhum dia.* **4** Us. como reforço de negação: *Não era nenhuma tola para acreditar.* [Ant.: *algum.*] [Pl.: -*nhuns.*] ⁂ **Sem** ~ *Bras. Pop.* Sem dinheiro: *Estou sem nenhum no momento.*

nenhures (ne.*nhu*.res) *adv.* Em parte alguma; em lugar nenhum.

nênia (*nê*.ni:a) *sf. Mús.* Canção fúnebre.

nenúfar (ne.*nú*.far) *sm. Bot.* Planta aquática de folhas redondas e bonitas.

neoclassicismo (ne:o.clas.si.*cis*.mo) *sm.* Movimento artístico que defendia a volta ao estilo clássico e que teve destaque no séc. XVIII e começos do XIX. ● **ne:o.clas.si.cis.ta** *a2g.s2g.*

neófito (ne:*ó*.fi.to) *sm.* **1** *Rel.* Pessoa que recebeu o batismo. **2** Novo adepto de uma doutrina, partido etc. **3** Novato, principiante.

neoformação (ne:o.for.ma.*ção*) *sf. Med.* Formação de novos tecidos pelo aparecimento de tumor benigno ou maligno ou no processo de reparação que se segue a uma lesão. [Pl.: -*ções.*]

neolatino (ne:o.la.*ti*.no) *a.* **1** Diz-se de cada uma das nações formadas a partir da civilização latina. **2** *Gloss.* Diz-se de cada uma das línguas modernas que tiveram origem no latim.

neoliberalismo (ne:o.li.be.ra.*lis*.mo) *sm. Econ. Pol.* Doutrina que defende a liberdade de mercado e condena a intervenção do Estado na economia. ● **ne:o.li.be.ral** *a2g.s2g.*

neolítico (ne:o.*lí*.ti.co) *a. Geol.* **1** Caracterizado pela existência da pedra polida e pelo surgimento da agricultura (diz-se de período histórico). *sm.* **2** Esse período. [Nesta acp. com inicial maiúsc.]

neologismo (ne:o.lo.*gis*.mo) *sm. Ling.* **1** Palavra ou expressão nova numa língua, ger. criada com base em outras já existentes. **2** Significado novo adquirido por palavra ou expressão antiga.

néon (*né*.on) *sm.* **1** *Quím.* Ver *neônio.* **2** Letreiro luminoso que utiliza néon ou neônio.

neonatal (ne:o.na.*tal*) *a2g. Med.* **1** Ref. a neonato. **2** Ref. às quatro primeiras semanas de um neonato. [Pl.: -*tais.*]

neonato (ne:o.*na*.to) *sm. Med.* Criança recém-nascida.

neônio (ne:*ô*.ni:o) *sm. Quím.* Elemento de número atômico 10, pertencente à família dos gases nobres, muito us. em iluminação; NÉON. [Símb.: *Ne*]

neoplasia (ne:o.pla.*si*.a) *sf. Pat.* Tumor benigno ou maligno.

neozelandês (ne:o.ze.lan.*dês*) *a.* **1** Da Nova Zelândia (Oceania); típico desse país ou de seu povo. *sm.* **2** Pessoa nascida na Nova Zelândia. [Pl.: -*deses.* Fem.: -*desa.*]

nepalês (ne.pa.*lês*) *a.* **1** Do Nepal (Ásia central); típico desse país ou de seu povo. *sm.* **2** Pessoa nascida no Nepal. [Pl.: -*leses.* Fem.: -*lesa.*]

nepote (ne.*po*.te) *sm.* **1** Sobrinho ou conselheiro do papa. **2** Protegido, favorito: *Era um dos nepotes do deputado.*

nepotismo (ne.po.*tis*.mo) *sm.* Política de favorecimento de parentes e amigos praticada por quem ocupa cargos públicos.

nerd *a2g.s2g. Gír.* Que ou quem é pouco sociável, que só quer saber de estudar ou trabalhar.

nereida (ne.*rei*.da) *sf. Mit.* Ninfa do mar.

neres (*ne*.res) *pr.indef. Bras. Pop.* Coisa nenhuma: *Quando preguei tal, não havia neres.*

nerval (ner.*val*) *a2g. Anat.* Ver *neural.* [Pl.: -*vais.*]

nervo (*ner*.vo) [ê] *sm.* **1** *Anat.* Cada uma das fibras ou feixe de fibras que ligam o sistema nervoso a todas as partes do corpo. **2** *Fig.* Energia, força: "... no ar aquela resignação de aceitar tudo, aquela mole za sem nervo..." (João Guimarães Rosa, *Noites do sertão*). ⁂ **Guerra de** ~**s** Situação de tensão entre duas ou mais facções, em que cada uma espera que a(s) outra(s) ceda(m) primeiro. **Ter ~s de aço** Ser ou mostrar-se impassível, controlado, em situação de grande tensão.

nervosismo (ner.vo.*sis*.mo) *sm.* **1** Emotividade descontrolada; IRRITABILIDADE. **2** *Psi.* Doença ou perturbação do sistema nervoso. **3** *Fig.* Agitação proveniente de falta de estabilidade ou de confiança em algo: *o nervosismo do mercado*.

nervoso (ner.*vo*.so) [ô] *a.* **1** Ref. a ou que possui nervos. **2** Que é vítima de nervosismo. *sm.* **3** Indivíduo com estado de ânimo alterado por nervosismo (3). **4** Nervosismo (1) (sentir nervoso). [Fem. e pl.: ó].

 O sistema nervoso coordena, nos animais, o funcionamento de todo o organismo e sua comunicação com o meio exterior. É formado por células de função específica chamadas *neurônios*. Nos animais vertebrados, o sistema tem duas grandes unidades: o sistema nervoso central (encéfalo e medula espinhal) e o periférico (nervos que ligam encéfalo e medula às demais partes do corpo e aos nervos dessas partes). O encéfalo — que contém os hemisférios cerebrais, o tálamo, o hipotálamo, o cerebelo, o bulbo etc. — é o centro de recepção de informações, de seu processamento e do comando de ações e reações, além de controlar as funções espontâneas, ou vegetativas. Da medula espinhal saem os pares de nervos que inervam os músculos, as glândulas e os órgãos do corpo. A célula básica desse sistema, o neurônio, recebe e transmite informação (sensação, dor, comando etc.) por impulsos elétricos através de prolongamentos que se intercomunicam com os de outro neurônio, chamados *sinapses*.

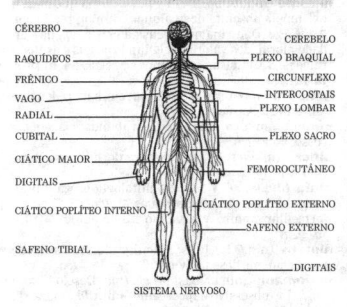

CÉREBRO
CEREBELO
RAQUÍDEOS
PLEXO BRAQUIAL
FRÊNICO
CIRCUNFLEXO
VAGO
INTERCOSTAIS
RADIAL
PLEXO LOMBAR
CUBITAL
PLEXO SACRO
CIÁTICO MAIOR
FEMOROCUTÂNEO
DIGITAIS
CIÁTICO POPLÍTEO INTERNO
CIÁTICO POPLÍTEO EXTERNO
SAFENO EXTERNO
SAFENO TIBIAL
DIGITAIS
SISTEMA NERVOSO

nervura (ner.*vu*.ra) *sf.* **1** *Arq.* Saliência fina, alongada, nas arestas de uma abóbada. **2** Filete saliente em superfície plana. **3** Prega muito fina costurada em tecido. **4** *Bot.* Saliência estreita na face interna de plantas, formando feixes vasculares.

néscio (*nés*.ci.o) *a.* **1** Que nada sabe; IGNORANTE. **2** Falto de capacidade; INCAPAZ. *sm.* **3** Indivíduo néscio: "Que era o irmão senão um néscio, um crédulo idiota?!" (Marques Rebelo, *Marafa*). ● **nes.ci.da.de** *sf.*

nesga (*nes*.ga) [ê] *sf.* **1** Pedaço de pano ou retalho triangular que se costura entre dois outros, para formar peça maior. **2** Pequena porção de alguma coisa: *Pela cortina entreaberta, viu uma nesga do céu*.

nêspera (*nês*.pe.ra) *sf.* Fruto amarelo de polpa muito doce.

nespereira (nes.pe.*rei*.ra) *sf. Bot.* Árvore que dá a nêspera.

nesse (*nes*.se) [ê] Contr. da prep. *em* com o pr. dem. *esse*.

neste (*nes*.te) [ê] Contr. da prep. *em* com o pr. dem. *este*: *O treino será neste sábado*.

neto (*ne*.to) *sm.* Filho de um filho ou filha em relação ao pai ou à mãe deste.

netuniano (ne.tu.ni.*a*.no) *a.* **1** Ref. a oceano. **2** Ref. a Netuno (o planeta ou o deus).

Netuno (Ne.*tu*.no) *sm.* **1** *Astron.* O oitavo planeta do sistema solar. **2** *Mit.* Divindade que presidia ao mar.

neural (neu.*ral*) *a2g. Anat.* Ref. a nervo, ou próprio de nervo. [Pl.: *-rais*.] [*Neural* substituiu *nerval* na nova terminologia anatômica.]

neuralgia (neu.ral.*gi*.a) *sf. Med.* Ver *nevralgia*.

neurastenia (neu.ras.te.*ni*.a) *sf.* **1** *Psiq.* Perturbação mental que se caracteriza por fraqueza orgânica ou psíquica, irritabilidade, dor de cabeça e alteração do sono. **2** *Pop.* Mau humor, irritabilidade. ● **neu.ras.tê.ni.co** *a.sm.*

neurite (neu.*ri*.te) *sf. Med.* Inflamação de nervo; NEVRITE.

neurocirurgia (neu.ro.ci.rur.*gi*.a) *sf. Cir.* Cirurgia do sistema nervoso.

neurocirurgião (neu.ro.ci.rur.gi.*ão*) *sm.* Médico que se especializou em neurocirurgia. [Pl.: *-ões* e *-ães*. Fem.: *-ã*.]

neuroglia, neuróglia (neu.ro.*gli*.a, neu.*ró*.gli:a) *sf. Anat.* Conjunto de células e fibras que servem de estrutura ao sistema nervoso.

neurologia (neu.ro.lo.*gi*.a) *sf. Med.* Estudo do sistema nervoso; NEVROLOGIA. ● **neu.ro.ló.gi.co** *a.*; **neu.ro.lo.gis.ta** *s2g.*

neurônio (neu.*rô*.ni:o) *sm. Anat.* Célula essencial do tecido nervoso.

neuropatia (neu.ro.pa.*ti*.a) *sf. Med.* Termo designativo de doenças do sistema nervoso.

neuropatologia (neu.ro.pa.to.lo.*gi*.a) *sf. Med.* Ramo da medicina que trata das doenças do sistema nervoso. ● **neu.ro.pa.to.ló.gi.co** *a.*; **neu.ro.pa.to.lo.gis.ta** *s2g.*

neurose (neu.*ro*.se) *sf. Psiq.* Perturbação psíquica que não compromete a personalidade, e da qual o paciente tem consciência; NEVROSE.

DESENHO ESQUEMÁTICO DE UM NEURÔNIO

neurótico (neu.*ró*.ti.co) *a.* **1** Ref. a neurose. *a.sm.* **2** *Psiq.* Que ou quem sofre de neurose.

neurotóxico (neu.ro.*tó*.xi.co) [cs] *a.sm. Med.* Que ou o que é tóxico para o tecido nervoso (diz-se de agente).

neurotransmissor (neu.ro.trans.mis.*sor*) [ô] *a.sm. Bioq.* Que ou o que, liberado por célula nervosa, transmite impulso nervoso a outra célula.

neutral (neu.*tral*) *a2g.s2g.* **1** Que ou quem não toma posição. **2** Que ou quem julga ou avalia imparcialmente. **3** Que ou quem evita envolver-se (com alguém ou algo). [Pl.: *-trais*.]

neutralizar (neu.tra.li.*zar*) *v.* **1** Tornar(-se) neutro ou imparcial. [*td.: Esta essência vai neutralizar o cheiro de fumaça. pr.: Nessa briga, é melhor neutralizar-se.*] **2** Anular, inutilizar. [*td.: neutralizar a ação dos poluentes.*] [▶ **1** neutralizar] ● **neu.tra.li.za.ção** *sf.*

neutro (*neu*.tro) *a.* **1** Que não toma posição nem a favor nem contra. **2** Que não toma partido. **3** Cujo território outros países se comprometem a respeitar em caso de guerra (diz-se de nação). **4** Que se apresenta de maneira indefinida, indistinta. **5** *Gram.* Que, em certos idiomas, se opõe ao masculino e ao feminino (diz-se de gênero gramatical). ● **neu.tra.li.da.de** *sf.*; **neu.tra.lis.mo** *sm.*

nêutron (*nêu*.tron) *sm. Fís.nu.* Partícula com carga elétrica nula, constituinte do núcleo atômico. [Pl.: *nêutrons* e (p.us. no Brasil) *nêutrones*.] [Símb.: *n*]

nevada (ne.*va*.da) *sf.* **1** A quantidade de neve que cai de uma vez. **2** Queda de neve.

nevado (ne.*va*.do) *a.* **1** Coberto de neve (picos nevados). **2** *Fig.* Branco como a neve (cabelos nevados).

nevar (ne.*var*) *v.* **1** Cair neve. [*int.*] **2** *Fig.* Tornar(-se) branco, claro; EMBRANQUECER(-SE). [*td.*: *O luar nevava a estrada. int./pr.*: *Seus cabelos nevaram(-se) com o tempo.*] [▶ **1** nev*ar*. V. impess.]

nevasca (ne.*vas*.ca) *sf. Met.* Queda de neve junto com tempestade.

neve (*ne*.ve) *sf.* **1** *Met.* Precipitação de cristais de gelo em forma de flocos. **2** Camada desses flocos acumulados sobre uma superfície: *esquiar na neve.*

📖 A neve resulta da solidificação de água na atmosfera, por congelamento em baixas temperaturas, na forma de cristais hexagonais que se combinam em diversas estruturas, tamanhos e formatos. Essa variedade depende, em primeiro lugar, da quantidade de moléculas de água na atmosfera. Se é grande (alto teor de umidade), os cristais congelados se formam e se agrupam rapidamente, formando flocos densos e pesados. Se é pequena (baixo teor de umidade), os flocos são menores e mais leves, com cristais em forma de estrela. Ao caírem os flocos por seu próprio peso, novas moléculas de água podem ir congelando e aderindo a eles, dando-lhes formato irregular. As neves perpétuas que nunca sobem a ponto de derretê-las ficam nas montanhas acima de 2.700m em regiões mais frias, e acima de 4.800m nos trópicos.

névoa (*né*.vo:a) *sf.* **1** *Met.* Vapor de água suspenso nas camadas inferiores da atmosfera; NEBLINA; BRUMA. **2** *Fig.* Aquilo que dificulta a visão, a compreensão etc.: *A dor era uma névoa que lhe toldava a visão e o raciocínio.*

nevoeiro (ne.vo:*ei*.ro) *sm.* **1** *Met.* Névoa muito densa; CERRAÇÃO. **2** *Fig.* Obscuridade.

nevoento (ne.vo:*en*.to) *a.* **1** Encoberto por névoa; NEBULOSO. **2** *Fig.* Difícil de compreender; OBSCURO.

nevralgia (ne.vral.*gi*.a) *sf. Med.* Dor que se difunde ao longo de um nervo, numa de suas ramificações ou áreas de controle; NEURALGIA. • **ne.v**r**ál**.gi.co *a.*

nevrite (ne.*vri*.te) *sf. Med.* Ver *neurite.*

nevrologia (ne.vro.lo.*gi*.a) *sf. Med. P.us.* Ver *neurologia.*

nevrose (ne.*vro*.se) *sf. Psic. P.us.* Ver *neurose.*

newton (*new*.ton) [níu] *sm. Fis.* Unidade de medida de força pelo Sistema Internacional de Unidades. [Símb.: N]

nexo (*ne*.xo) [cs] *sm.* **1** Ligação entre duas ou mais coisas; VÍNCULO. **2** Conexão lógica entre fatos, ideias etc.; COERÊNCIA.

nhá *sf. Bras.* Ver *iaiá.*

nhambu (nham.*bu*) *sm. Bras. Zool.* Ave de cauda e pernas curtas; INHAMBU; NAMBU.

nhandu (nhan.*du*) *sm. Bras. Zool.* Ver *ema.*

nhe-nhe-nhem (nhe-nhe-*nhem*) *sm. Bras. Pop.* Resmungo ou falação interminável, tediosa. [Pl.: *nhe--nhe-nhens.*]

nhô, nhonhô (*nhô*, nho.*nhô*) *sm. Bras.* Ver *ioiô.*

nhoque (*nho*.que) *sm. Cul.* **1** Massa à base de batata e farinha de trigo, cortada em pedacinhos. **2** Prato feito com essa massa cozida.

ni *sm.* A 13ª letra do alfabeto grego. Corresponde ao *n* latino (N, ν); NU.

⌧ **Ni** *Quím.* Símb. de *níquel.*

nica (*ni*.ca) *sf.* **1** Atitude rabugenta, ranzinza; IMPERTINÊNCIA. **2** Atitude imatura; INFANTILIDADE. **3** Coisa insignificante; NINHARIA; BAGATELA.

nicaraguense (ni.ca.ra.*guen*.se) *a2g.* **1** Da Nicarágua (América Central); típico desse país ou de seu povo. *s2g.* **2** Pessoa nascida na Nicarágua.

nicho (*ni*.cho) *sm.* **1** Vão em parede para colocar estátua, imagem etc. **2** Espaço delimitado, ou compartimento, onde se pode encaixar algo: *Pôs o relógio num nicho da estante.* **3** *Ecol.* Espaço de um hábitat com condições específicas que favorecem alguma(s) espécie(s): *Aquela espécie encontrou um nicho de sobrevivência no Pantanal.* **4** *Mkt.* Segmento de mercado ainda não suprido de certo bem de consumo: "... não é apenas um nicho, mas um mercado crescente..." (*FolhaSP*, 17.01.99).

nicótico (ni.*có*.ti.co) *a.* Ref. ao fumo.

nicotina (ni.co.*ti*.na) *sf. Quím.* Substância líquida, incolor e venenosa encontrada na folha do tabaco.

nictofobia (nic.to.fo.*bi*.a) *sf. Psiq.* Pavor de noite e de escuridão. • **nic.to.**f**ó.bi.co** *a.sm.*; **nic.t**ó**.fo.bo** *a.sm.*

nictúria (nic.tu.*ri*.a) *sf.* Ver *nictúria.*

nictúria (nic.*tú*.ri.a) *sf. Med.* Volume noturno de urina maior do que o diurno.

nidificar (ni.di.fi.*car*) *v. int.* Construir ninho. [▶ **11** nidific*ar*]

nidiforme (ni.di.*for*.me) *a2g.* Em forma de ninho.

nife (*ni*.fe) *sm. Geofís.* Antiga designação para o núcleo da Terra, que seria composto de níquel e ferro; BARISFERA; CENTROSFERA.

nigeriano (ni.ge.ri.*a*.no) *a.* **1** Da Nigéria (África); típico desse país ou de seu povo. *sm.* **2** Pessoa nascida na Nigéria.

nigerino (ni.ge.*ri*.no) *a.* **1** Ref. ao rio Níger, ou à região da África que ele banha. **2** Da República do Níger (África); típico desse país ou de seu povo. *sm.* **3** Pessoa nascida na República do Níger.

nigromancia (ni.gro.man.*ci*.a) *sf.* Ver *necromancia.*

niilismo (ni:i.*lis*.mo) *sm. Fil.* Doutrina que nega a existência absoluta de qualquer coisa ou realidade. **2** *Fil. Pol.* Doutrina que recusa a existência da verdade moral, dos valores, rejeitando as leis e as instituições. **3** Ceticismo absoluto; DESCRENÇA. • **ni.i.**l**is.ta** *a2g.s2g.*

nimbo (*nim*.bo) *sm.* **1** *Met.* Nuvem baixa, densa e cinzenta. **2** Auréola.

nímio (*ní*.mi:o) *a.* Que existe em abundância, em excesso; EXCESSIVO.

ninar (ni.*nar*) *v. td.* Fazer dormir; EMBALAR. [▶ **1** nin*ar*]

ninfa (*nin*.fa) *sf.* **1** *Mit.* Na mitologia grega, divindade dos rios, fontes e bosques. **2** *Zool.* Estágio intermediário entre a larva e o inseto adulto. • **nin.fal** *a2g.*

ninfeta (nin.*fe*.ta) [ê] *sf.* Menina de sensualidade precocemente desenvolvida.

ninfomania (nin.fo.ma.*ni*.a) *sf. Psiq.* Desejo sexual feminino obsessivo e recorrente. • **ninf**ó**.ma.na** *sf.*; **nin.fo.ma.**n**í.a.ca** *sf.*; **nin.fo.ma.**n**í.a.co** *a.*

ninguém (nin.*guém*) *pr.indef.* **1** Nem uma pessoa: "Ninguém sabia e ninguém viu/Que eu estava ao teu lado então..." (Renato Russo, *1º de julho*). *sm.* **2** Pessoa desqualificada, sem importância social: *Ela o trata como se ele fosse um ninguém.* [Ant.: *alguém.*] [Pl. da acp. 2: *-guéns.*]

ninhada (ni.*nha*.da) *sf.* **1** Conjunto de filhotes num ninho. **2** Conjunto de filhotes de animal nascidos de uma única gestação. **3** *Fam.* Grupo de filhos; FILHARADA.

ninharia (ni.nha.*ri*.a) *sf.* Coisa sem valor ou importância; BAGATELA; INSIGNIFICÂNCIA.

ninho (*ni*.nho) *sm.* **1** Espécie de berço que as aves constroem para nele pôr seus ovos e criar os filhotes. **2** Local que abriga qualquer família de animais. **3** *Fig.* O lar; lugar de aconchego. ⬢ **~ de cobras** Lugar, instituição etc. em que há pessoas de mau caráter, traiçoeiras etc.

ninja (*nin*.ja) *s2g.* Lutador de certo tipo de arte marcial, o nunjútsu.

nipônico (ni.pó.ni.co) *a.* **1** Do Japão (Ásia); típico desse país ou de seu povo; JAPONÊS. *sm.* **2** Pessoa nascida no Japão; JAPONÊS.

níquel (ní.quel) *sm.* **1** *Quím.* Metal branco-prateado, us. em moedas, catalisadores, baterias etc. [Símb.: *Ni*]. **2** Moeda feita com esse metal. **3** *Pop.* Qualquer moeda, ou pequena quantia de dinheiro: *Fiquei sem um níquel.* [Pl.: *-queis.*]

niquelar (ni.que.*lar*) *v.* Revestir de níquel. [▶ **1** niquel*ar*] ● **ni.que.la.***ção* *sf.*; **ni.que.***la.*do *a.*

nirvana (nir.*va*.na) *sm. Fil. Rel.* Para os budistas, estado supremo de paz, conhecimento e felicidade, alcançado pela meditação.

nissei (nis.*sei*) *a2g.s2g.* Que ou aquele que nasceu no Brasil e é filho de pais japoneses.

nisso (nis.so) Contr. da prep. *em* com o pr. dem. *isso.*

nisto (nis.to) Contr. da prep. *em* com o pr. dem. *isto*: *Dê uma olhada nisto.*

niteroiense (ni.te.roi.en.se) *a2g.* **1** De Niterói (RJ); típico dessa cidade ou de seu povo. *s2g.* **2** Pessoa nascida em Niterói.

nítido (ní.ti.do) *a.* **1** Que tem brilho. **2** Claro, limpido (imagem nítida). **3** De fácil compreensão (descrição nítida); INTELIGÍVEL. ● **ni.ti.*dez*** *sf.*

nitrato (ni.*tra*.to) *sm. Quím.* Sal derivado do ácido nítrico.

nítrico (ní.tri.co) *a. Quím.* Derivado do nitrogênio, muito us. para fazer fertilizantes, corantes etc. (diz-se de ácido).

nitrila (ni.*tri*.la) *sf. Quím.* Radical monovalente constituído por um átomo de nitrogênio e dois de oxigênio.

nitrito (ni.*tri*.to) *sm. Quím.* Sal derivado do ácido nitroso.

nitro (ni.tro) *sm. Quím.* Nitrato de potássio.

nitrogênio (ni.tro.gê.ni.o) *sm. Quím.* Elemento de número atômico 7, que existe na atmosfera e participa de vários compostos. (Símb.: *N*] ● **ni.tro.ge.*na*.do** *a.*

📖 Presente em todos os seres vivos, o nitrogênio (era chamado *azoto*) é o elemento mais abundante na atmosfera da Terra (cerca de 78% do volume), e também presente no Sol, nas estrelas e nas nebulosas. Apresenta-se em combinações e formas várias, como nas proteínas, no saltire (de grande uso na fertilização do solo), e na água do mar. O nitrogênio é substância essencial à vida orgânica, e como não pode ser assimilado de substâncias inorgânicas, os animais o obtêm de outros animais ou de vegetais. Estes, por sua vez, retiram o nitrogênio de substâncias inorgânicas extraídas do solo. Para a obtenção dos fertilizantes, depois do esgotamento das reservas de salitre, desenvolveram-se técnicas de obtenção do nitrogênio da atmosfera, onde é inesgotável.

nitroglicerina (ni.tro.gli.ce.*ri*.na) *sf. Quím.* Líquido incolor e amarelado, us. na fabricação de explosivos e em farmacologia.

nitroso (ni.*tro*.so) [ô] *a.sm. Quím.* Diz-se de ou ácido instável com que se preparam corantes. [Fem. e pl.: [ó].]

nível (ní.vel) *sm.* **1** Instrumento que se destina a comprovar a horizontalidade de uma superfície plana. **2** Ponto elevado em que se encontra uma linha em relação a um plano horizontal que serve como referência. **3** *Fig.* Padrão, qualidade: *espetáculo de alto nível.* **4** *Fig.* Valor intelectual ou moral: *pessoa de nível.* **5** Situação, condição em relação a uma determinada escala de valores: *nível de pobreza.* [Pl.: *-veis.*]

nivelar (ni.ve.*lar*) *v.* **1** Pôr no mesmo nível; tirar as irregularidades; APLAINAR. [*td.*: *nivelar o gramado.*] **2** Localizar-se no mesmo plano. [*ti.* + *com: A varanda nivela com a cozinha.*] **3** *Fig.* Tornar(-se) igual em capacidade, valor etc.; EQUIPARAR(-SE). [*td.*: *nivelar o aproveitamento dos alunos.* *tdi.* + *a: Nivelava o filho aos grandes atletas.* *pr.*: *É difícil nivelar-se com Rui Barbosa.*] [▶ **1** nivel*ar*] ● **ni.ve.***la.*do *a.*; **ni.ve.la.***dor* *a.sm.*; **ni.ve.la.***men*.to *sm.*

níveo (ní.ve:o) *a.* De cor tão alva como a neve.

no 1 Contr. da prep. *em* com o art. def. *o*: *no Brasil. pr.pess.* **2** Forma do pron. pessoal *o* na função de complemento, quando se segue a forma verbal terminada em nasal: *O maior quarto, deram-no às crianças.*

⊠ **N.O.** Abr. de *noroeste.*

nó *sm.* **1** Entrelaçamento apertado de dois ou mais fios, cordas etc. **2** A parte articulada da falange dos dedos. **3** Ponto de junção do ramo de uma árvore com outro ramo, folhas etc. **4** *Náut.* Unidade de velocidade equivalente a uma milha marítima por hora. **5** *Fig.* Ponto essencial ou crítico de algo: *o nó da questão.* **6** *Fig.* União, ligação (nó familiar). **7** *Fís.* Sistema de ondas estacionárias. [Dim.: *nódulo.*] ▆ ~ **cego 1** Nó apertado, difícil de desatar. **2** Problema difícil. ~ **na garganta** *Bras.* Sensação de aperto na garganta motivada por angústia. **Ser um** ~ Ser (problema, situação etc.) difícil de resolver.

nobiliário (no.bi.li.*á*.ri:o) *a.* **1** Ref. a nobreza. *sm.* **2** Tratado das origens e tradições da nobreza; NOBILIARQUIA.

nobiliarquia (no.bi.li:ar.*qui*.a) *sf.* **1** Estudo das origens e tradições da nobreza. **2** Ver *nobiliário* (2). ● **no.bi.li:***ar*.qui.co *a.*

nobilitar (no.bi.li.*tar*) *v. Fig.* Tornar(-se) nobre, valoroso; ENGRANDECER(-SE); ENNOBRECER. [*td.*: *A responsabilidade nobilita o homem.* *pr.*: *O fiscal nobilitou-se diante da população.*] [▶ **1** nobilit*ar*] ● **no.bi.li.ta.***ção* *sf.*; **no.bi.li.ta.***do* *a.*

nobre (no.bre) *a2g.* **1** Ref. a nobreza. **2** Que tem título de nobreza. **3** Próprio de fidalgo. **4** *Fig.* Digno, ilustre, generoso. **5** De rara qualidade (madeira nobre). [Superl.: *nobilíssimo* e *nobríssimo.*] *s2g.* **6** Membro da nobreza.

⊕ **nobreak** (Ing. /*nóubreic/) *sm. Elet.* Dispositivo dotado de bateria, para suprir, temporariamente, o fornecimento de energia quando ocorre sua interrupção ou oscilação.

nobreza (no.*bre*.za) [ê] *sf.* **1** Conjunto de famílias ilustres que possuem títulos de nobreza (conde, duque etc.). **2** Qualidade, caráter de nobre. **3** *Fig.* Generosidade, dignidade: *Era um homem mesquinho, sem nenhuma nobreza.*

noção (no.*ção*) *sf.* **1** Conhecimento ou informação que se tem sobre algo: *Não tinha noção de informática.* [Pl.: *-ções.*] ▆ **noções** *sfpl.* **2** Conhecimentos básicos, elementares: *Tinha noções de alemão.* ● **no.ci:o.***nal* *a2g.*

nocaute (no.*cau*.te) *sm. Esp.* No boxe, circunstância em que um lutador é derrubado e não volta mais à luta. **2** *Fig.* Circunstância ou estado de alguém que perde os sentidos por ação de pancada ou outro agente: *O choque o pôs a nocaute.*

nocautear (no.cau.te.*ar*) *v. td.* Pôr a nocaute. [▶ **13** nocaute*ar*]

nocivo (no.*ci*.vo) *a.* Que causa malefício; dano: *O cigarro é nocivo à saúde.*

noctâmbulo (noc.*tâm*.bu.lo) *a.sm.* **1** Ver *notívago.* **2** Ver *sonâmbulo.*

noctívago (noc.*ti*.va.go) *a.sm.* Ver *notívago.*

nodal (no.*dal*) *a2g.* Ref. a nó. [Pl.: *-dais.*]

nodifloro (no.di.*flo*.ro) *a. Bot.* Que dá flores em forma de nós (diz-se de planta).

nodo (no.do) [ô] *sm. Med.* **1** Pequena saliência epitelial; GÂNGLIO. **2** Pequeno tumor.

nódoa (nó.do:a) *sf.* **1** Mancha deixada por algo sujo. **2** *Fig.* Desonra, mácula.

nodoso (no.*do*.so) [ô] *a.* **1** Ref. a nó. **2** Cheio de nós. [Fem. e pl.: [ó].]

nódulo (nó.du.lo) *sm*. **1** Pequeno nó. **2** Pequena protuberância em tecido animal ou vegetal. **3** *Anat.* Cada uma das estruturas arredondadas de tamanhos variados que fazem parte dos sistemas linfático e nervoso; GÂNGLIO.

nogueira (no.*guei*.ra) *sf*. *Bot.* Árvore de origem européia, de casca acinzentada que dá a noz e de cuja madeira se fabricam móveis.

noitada (noi.*ta*.da) *sf*. **1** A duração de uma noite. **2** Divertimento que dura parte da noite ou a noite toda.

noite (*noi*.te) *sf*. **1** Período entre o pôr do sol e o amanhecer. **2** Escuridão, trevas. **3** *Fig.* Vida social noturna: *Os jovens sempre frequentam a noite.*

noitinha (noi.*ti*.nha) *sf*. O começo da noite.

noivado (noi.*va*.do) *sm*. **1** Compromisso cerimonioso entre pessoas que desejam casar-se. **2** Espaço de tempo entre o compromisso de casamento e as núpcias.

noivar (noi.*var*) *v*. Ficar ou ser noivo. [*int./ti. + com*: *Resolveu noivar (com Lúcia) para satisfazer os avós.*] [▶ **1** noiv[ar]]

noivo (*noi*.vo) *sm*. **1** Pessoa que firma compromisso de casamento com outra. ◘ **noivos** *smpl.* **2** Casal que acabou de se casar ou que assumiu o compromisso de casar: *Após o casamento, os noivos receberão os convidados em sua casa.* ◘ **noiva** *sf*. **3** A noiva (1) no dia do casamento, com o vestido da cerimônia, véu etc.

nojento (no.*jen*.to) *a*. Que causa nojo, repugnância.

nojo (*no*.jo) [ó] *sm*. **1** Sensação física desagradável; enjoo, náusea. **2** *Fig.* Sentimento de repulsa: *Esse rato me dá nojo.* **3** *P.us.* Pesar, luto.

nômade (*nô*.ma.de) *a2g.s2g.* **1** Diz-se de ou tribo, povo etc. que, sem habitação fixa, vive se deslocando de um lugar para outro. **2** Que ou quem é membro dessa tribo, desse povo etc. **3** Que ou quem vagueia sem destino, que ou quem é errante. • **no.ma.dis**.mo *sm*.

nome (*no*.me) *sm*. **1** Prenome: *Meu nome é Carlos.* **2** *Gram.* Palavra ou conjunto de palavras que designam pessoa, coisa ou um conceito abstrato (p.ex.: *professor, cavalo-marinho, saudade*). [Nesta acp. sin.: *substantivo.*] **◼ Dar ~ aos bois** Identificar pessoas, situações etc. explicitando o que antes estava oculto, ou apenas insinuado. **De ~** Renomado, famoso: *um escritor de nome.* **2** Não pessoalmente, somente de ter ouvido falar a respeito: *Só a conheço de nome.* **~ de guerra** Pseudônimo, apelido. **~ feio** Palavrão, palavra obscena.

nomeada (no.me.*a*.da) *sf*. *P.us.* Reconhecimento externo, fama, reputação.

nomear (no.me.*ar*) *v. td.* **1** Dar nome; citar por nome: *Esqueceu de nomear o romance.* **2** Indicar (para tarefa, cargo); DESIGNAR: (seguido de indicação de função/cargo) *Nomearam um psicólogo para a direção do hospital.* **3** Eleger: *O povo nomeia seus representantes.* [▶ **13** nome[ar]] • **no.me:a.ção** *sf.*; **no.me.a.do** *a.*

nomenclatura (no.men.cla.*tu*.ra) *sf*. Conjunto de palavras específicas de uma área de conhecimento; TERMINOLOGIA.

nominal (no.mi.*nal*) *a2g.* **1** Que se refere a, que contém ou no que se escreve nome de pessoa, empresa etc. (cheque *nominal*, lista *nominal*); NOMINATIVO. **2** *Gram.* Que tem função de nome (predicado *nominal*). **3** *Gram.* Que modifica substantivos e adjetivos (diz-se, p.ex., da flexão em gênero e número). [Pl.: *-nais.*]

nominata (no.mi.*na*.ta) *sf*. Lista de nomes.

nominativo (no.mi.na.*ti*.vo) *a*. Ver *nominal* (1).

nonada (no.*na*.da) *sf*. Insignificância, bagatela, coisa sem valor.

nonagenário (no.na.ge.*ná*.ri:o) *a.sm*. Que ou quem tem entre noventa e 99 anos de idade.

nonagésimo (no.na.*gé*.si.mo) *num*. **1** Ordinal que, em uma sequência, corresponde ao número 90: *Era o nonagésimo na fila.* *a*. **2** Que é noventa vezes menor que a unidade ou um todo (diz-se de parte): *a nonagésima parte da arrecadação.* [Us. tb. como subst.: *Um dia corresponde a um nonagésimo de um trimestre.*]

nonato (no.*na*.to) *a*. Que ainda não nasceu, que está na barriga da mãe (filho *nonato*).

nongentésimo (non.gen.*té*.si.mo) *num*. Ver *noningentésimo.*

noningentésimo (no.nin.gen.*té*.si.mo) *num*. **1** Ordinal que, numa sequência, corresponde ao número 900: *Fui o noningentésimo visitante da exposição.* *a*. **2** Que é novecentas vezes menor que a unidade ou um todo (diz-se de parte): *a noningentésima parte do terreno.* [Us. tb. como subst.: *Um noningentésimo da população da cidade emigrou.*]

nônio (*nô*.ni:o) *sm*. *Fís.* Escala auxiliar própria para ler frações.

nono (*no*.no) *num*. **1** Ordinal que, em uma sequência, corresponde ao número nove: *Moro no nono andar.* *a*. **2** Que é nove vezes menor que a unidade ou um todo (diz-se de parte): *a nona parte do bolo.* [Us. tb. como subst.: *Já completou um nono da prova.*]

✦ **nonsense** (*Ing. /nónsens/*) *sm2n*. Ação ou palavra sem sentido, sem nexo, às vezes feita ou dita com intenção humorística.

nônuplo (*nô*.nu.plo) *num*. **1** Que é nove vezes a quantidade ou o tamanho de um. **2** Quantidade ou tamanho nove vezes maior.

nora (*no*.ra) *sf*. A mulher do filho em relação aos pais dele.

nordeste (nor.*des*.te) *sm*. **1** *Astr.* Direção a meio entre o norte e o leste. [Abr.: *N.E.*] **2** Região ou conjunto de regiões a nordeste. [Abr.: *a2g2n.*] **3** Ref. ao ou que vem do nordeste (1). **4** Que se situa a nordeste: *A Alsácia fica na região nordeste da França.* ◘ **Nordeste** *sm*. **5** *Bras. Geog.* Uma das cinco regiões em que é dividido o Brasil: *A caatinga é a vegetação característica do Nordeste.* [Cf.: *sudeste.*]

nordestino (nor.des.*ti*.no) *a*. **1** Do Nordeste do Brasil; típico dessa região ou de seu povo. *sm*. **2** Pessoa nascida no Nordeste.

nórdico (*nór*.di.co) *a*. **1** Situado no norte da Europa (países *nórdicos*). **2** Dos países nórdicos (Dinamarca, Finlândia, Islândia, Noruega, Suécia); típico desses países ou de seu povo (mitologia *nórdica*). *sm*. **3** Pessoa nascida em qualquer desses países.

norma (*nor*.ma) *sf*. **1** Aquilo que está determinado como regra, regulamento, ou lei: *as normas da escola.* **2** Forma normal ou usual de se fazer alguma coisa: *Minha família tem como norma jantar cedo.* **3** *Ling.* Conjunto de regras que determinam o uso de uma língua.

normal (nor.*mal*) *a2g.* **1** Que é natural ou habitual (reação *normal*). **2** Que é segundo a norma ou padrão: *xampu para cabelos normais.* **3** Mental e fisicamente saudável (diz-se de pessoa). **4** Diz-se de curso do ensino de nível médio, para formação de professores primários. **5** Esse curso. *sf*. **6** *Geom.* Reta perpendicular à curva ou superfície. [Pl.: *-mais.*] • **nor.ma.li.da.de** *sf*.

normalista (nor.ma.*lis*.ta) *a2g.s2g.* Que ou quem faz ou fez curso normal (4).

normalizar (nor.ma.li.*zar*) *v*. Adquirir ou recuperar a normalidade (de); REGULARIZAR(-SE). [*td.*: *Normalizaram o abastecimento de água.* *int./pr.*: *O trânsito já (se) normalizou.*] [▶ **1** normaliz[ar]] • **nor.ma.li.za.ção** *sf.*; **nor.ma.li.za.do** *a.*

normando (nor.*man*.do) *a*. **1** Da Normandia (França); típico dessa região ou de seu povo. *sm*. **2** Pessoa nascida na Normandia.

normativo (nor.ma.*ti*.vo) *a*. **1** Que estabelece normas ou regras; PRESCRITIVO. **2** *Gram.* Diz-se da gramática que ensina como se deve falar e escrever a língua de acordo com suas regras. [Cf.: *descritivo.*]

normatizar (nor.ma.ti.*zar*) *v. td.* Criar normas para: *Normatizou a rotina da firma.* [▶ 1 normatizar]

noroeste (no.ro:es.te) *sm.* **1** *Astr.* Direção a meio entre o norte e o oeste. [Abr.: *N.O.*, *N.W.*] **2** Região ou conjunto de regiões a noroeste (1). *a2g2n.* **3** Ref. ao ou que vem do noroeste (1). **4** Que se situa a noroeste. [Cf.: *sudoeste.*]

nortada (nor.*ta*.da) *sf.* Vento do norte, muito frio.

norte (*nor*.te) *sm.* **1** Direção, no globo terrestre, da extremidade do eixo de rotação da Terra, no sentido do equador para o hemisfério em que se localizam a Europa e a Ásia. [Abr.: *N.*] **2** *Fig.* Direção, orientação: *Desorientou-se e perdeu o norte.* **3** Região ou ponto situado ao norte (1) em relação ao equador ou a ponto, área etc. tomados como referência: *o norte da Europa*; *América do Norte.* **4** O ponto cardeal que indica a direção norte (1). [Abr.: *N.*] *a2g2n.* **5** Ref. ao ou que vem do norte (1) (latitude norte, vento norte). **6** Que se situa ao norte: *o litoral norte de São Paulo.* ◪ Norte *sm.* **7** *Bras. Geog.* Uma das cinco regiões em que é dividido o Brasil: *Norte do Brasil* ou *Norte.* [Cf.: *sul.*]

norte-americano (nor.te-a.me.ri.*ca*.no) *a.* **1** Dos Estados Unidos (América do Norte); típico desse país ou de seu povo. *sm.* **2** Pessoa nascida nos Estados Unidos. [Sin. ger.: *americano, estadunidense.*] [Pl.: *norte-americanos.*]

nortear (nor.te.*ar*) *v. Fig.* Orientar(-se), dirigir(-se), regular(-se). [*td.*: *O aumento das passagens nortearam o debate.* *pr.*: *Suas atitudes se norteavam na fé cristã.*] [▶ 13 nortear]

norte-coreano (nor.te-co.re:a.no) *a.* **1** Da Coreia do Norte (Ásia); típico desse país ou de seu povo. *sm.* **2** Pessoa nascida na Coreia do Norte. [Pl.: *norte-coreanos.*]

norte-rio-grandense (nor.te-ri:o-gran.*den*.se) *a2g.* **1** Do Rio Grande do Norte; típico desse estado ou de seu povo. *s2g.* **2** Pessoa nascida no Rio Grande do Norte. [Sin. ger.: *rio-grandense-do-norte, potiguar.*] [Pl.: *norte-rio-grandenses.*]

nortista (nor.*tis*.ta) *a2g.* **1** Do Norte brasileiro; típico dessa região ou de seu povo. **2** Ref. a ou que nasceu ou ocorre no norte de país, região etc. *s2g.* **2** Pessoa nascida no Norte do Brasil. **3** Pessoa que nasceu no norte de país, região etc.

norueguês (no.ru:e.*guês*) *a.* **1** Da Noruega (Europa); típico desse país ou de seu povo. *sm.* **2** Pessoa nascida na Noruega. *a.sm.* **2** *Gloss.* Da ref. à ou à língua falada na Noruega. [Pl.: *-gueses.* Fem.: *-guesa.*]

nos *pr.pess.* **1** Equivale a 'nós', na função de complemento: *Joana visitou-nos no Natal.* **2** Equivale a 'a nós' ou 'para nós', na função de complemento: *Os visitantes nos deram um belo presente.* **3** Us. como possessivo: *O patrão nos pagou as férias* (= pagou nossas férias).

nós *pr.pess.* **1** Indica a pessoa que fala associada a outra ou outras pessoas, e funciona como sujeito: *Nós vamos ao cinema.* **2** Us. em complementos preposicionados: *Fez para nós uns colares de contas*; *Rece por nós.* [NOTA: Se a preposição que o antecede é *com*, assume a forma *-nosco*, ocorrendo contração (*conosco*): *Saiu conosco.*] **3** Us. em registros formais no lugar de *eu*, como expressão de modéstia: *O diretor declarou: "Nós ficamos orgulhosos com este resultado."* **4** Us. em linguagem de mercado para representar uma empresa, uma indústria etc.: *Nós criamos o melhor carro do ano!* [NOTA: O sujeito *nós* pode ficar oculto por já ser indicado pela terminação *-mos* do verbo: *Já podemos entrar?*]

nosocômio (no.so.*cô*.mi:o) *sm.* Hospital.

nosofobia (no.so.fo.*bi*.a) *sf. Psiq.* Medo patológico de adoecer. • **no.so.***fó***.bi.co** *a.*

nosologia (no.so.lo.*gi*.a) *sf. Med.* Estudo e classificação das doenças. • **no.so.***ló***.gi.co** *a.*; **no.so.lo.***gis***.ta** *s2g.*

nosomania (no.so.ma.*ni*.a) *sf. Psiq.* Hipocondria.

nosso (*nos*.so) *pr.poss.* **1** Que nos pertence ou que nos diz respeito: *Era nosso último dia lá.* ◪ **nossa!** *interj.* **2** Expressão de espanto, surpresa: *Nossa! Como você está bonita!*

nostalgia (nos.tal.*gi*.a) *sf.* **1** Tristeza e melancolia por sentir saudades da pátria. **2** Saudades de alguma coisa do passado.

nostálgico (nos.*tál*.gi.co) *a.* **1** Melancólico, triste (melodia nostálgica). **2** Que exprime ou sente saudade (olhar nostálgico). *a.sm.* **3** Que ou aquele que sente ou sofre de nostalgia: *É um nostálgico, ligado demais ao passado.*

nostomania (nos.to.ma.*ni*.a) *sf. Psiq.* Nostalgia aguda, patológica.

nota (*no*.ta) *sf.* **1** Anotação, marca feita para lembrar, registrar ou comunicar algo. **2** Avaliação sobre o trabalho de alguém: *Os alunos tiraram boas notas.* **3** Dinheiro de papel; cédula: *uma nota de dez reais.* **4** *Bras. Pop.* Valor ou preço muito alto: *A prancha custou uma nota.* **5** Conta de despesa (em bar, restaurante etc.): *Garçom! A nota, por favor.* **6** *Jorn.* Notícia sucinta. **7** *Mús.* Sinal que representa a altura e duração de um som. **8** *Com.* Relação de mercadorias vendidas ou serviços prestados e seus respectivos valores. [Nesta acp., tb. se diz *nota fiscal.*]

notabilizar (no.ta.bi.li.*zar*) *v. td.* Tornar(-se) notável, importante; CELEBRIZAR(-SE). [▶ 1 notabilizar]

notação (no.ta.*ção*) *sf.* **1** Ação ou resultado de notar (2). **2** Conjunto de sinais us. para representar elementos de algum campo de conhecimento (notação musical). [Pl.: *-ções.*]

notar (no.*tar*) *v. td.* **1** Reparar em; PERCEBER: *Não notei que você havia chegado.* **2** Pôr nota, marca em. [▶ 1 notar]

notariado (no.ta.ri:a.do) *sm. Jur.* Ofício de notário, tabelião.

notário (no.*tá*.ri:o) *sm. Jur.* Ver *tabelião.*

notável (no.*tá*.vel) *a2g.* **1** Digno de ser notado (reportagem notável). **2** Importante, relevante: *Há uma notável diferença entre os dois.* **3** Digno de consideração, de estima: *atitude notável de solidariedade.* **4** Muito grande, considerável (esforço notável). **5** Eminente, insigne: *É uma das pessoas mais notáveis da nossa sociedade.* [Pl.: *-veis.* Superl.: *notabilíssimo.*] • **no.ta.bi.li.***da***.de** *sf.*

🌐 **notebook** (Ing. /ˈnôutbuk/) *sm. Inf.* Microcomputador portátil. (Substitui ger. o antigo termo *laptop.*)

notícia (no.*tí*.ci:a) *sf.* **1** *Jorn.* Relato jornalístico de fatos atuais, de interesse público: *saiu no jornal uma notícia sobre a enchente.* **2** Quem ou aquilo que desperta vivo interesse do público: *As celebridades são sempre notícia.* **3** Informação nova; NOVIDADE: *O médico trazia boas notícias.* **4** Conhecimento, informação: *Não tenho notícias de como ele está.* **5** Lembrança, conhecimento: *Que eu tenha notícia, foi o melhor carnaval.*

noticiar (no.ti.ci.*ar*) *v.* Dar notícia de; divulgar; informar; NOTIFICAR. [*td.*: *O ministro da Saúde noticiou uma campanha de vacinação.* *tdi.* + *a*: *O dentista noticiou aos pacientes a mudança de endereço.*] [▶ 1 noticiar] • **no.ti.ci.***a***.do** *a.*; **no.ti.ci.a.***dor*** *a.sm.*

noticiário (no.ti.ci.*á*.ri:o) *sm. Jorn.* **1** Seção noticiosa de jornal ou revista. **2** Notícias sobre certo assunto. **3** *Rád. Telv.* Programa jornalístico de notícias.

noticiarista (no.ti.ci.a.*ris*.ta) *s2g. Jorn.* **1** Jornalista que redige matérias informativas. **2** *Rád. Telv.* Locutor que lê os textos de noticiário (3).

noticioso (no.ti.ci:*o*.so) [ô] *a.* **1** Que publica notícias (agência noticiosa). **2** *Bras.* Jornal de rádio ou televisão; NOTICIÁRIO (3). [Fem. e pl.: [ó].]

notificar (no.ti.fi.*car*) *v.* **1** Comunicar formalmente, por escrito. [*tdi.* + *a*, *de*: *A direção notificou as novas regras aos empregados*; *O juiz mandou notificá-lo da*

notinha | **nuclear** 564

audiência. NOTA: Os complementos direto e indireto alternam-se em relação a que ou quem é notificado. pr.: *Notifiquem-se os advogados*.] **2** Ver *noticiar*. [▶ **11** notifi car] ● no.ti.fi.ca.ção *sf.*; no.ti.fi.ca.do *a*.

notinha (no.*ti*.nha) *sf*. **1** Dim. de *nota*. **2** Nota de venda: *A notinha, por favor*. **3** Notícia sucinta: *Li uma notinha no jornal sobre a festa*.

notívago, noctívago (no.*ti*.va.go, noc.*ti*.va.go) *a.sm*. Que ou quem tem hábitos noturnos ou que vagueia à noite; NOCTÂMBULO.

notoriedade (no.to.ri.e.*da*.de) *sf*. **1** Característica de quem ou do que é notório; FAMA. **2** Pessoa de capacidade, saber, valor etc. notórios.

notório (no.*tó*.ri.o) *a*. Que é do conhecimento público; MANIFESTO.

noturno (no.*tur*.no) *a*. **1** Ref. a ou próprio da noite. **2** Que se realiza à noite (caminhada noturna). **3** *Bot. Zool.* Que realiza a maior parte de suas funções à noite (diz-se de certas plantas e animais). *a.sm*. **4** Que ou o que anda ou vagueia à noite; NOTÍVAGO, SM. **5** *Bras.* Trem que trafega à noite. **6** *Mús.* Certo tipo de composição para piano, de estilo melancólico.

nova (*no*.va) *sf*. **1** Informação recente (boas novas); NOVIDADE. **2** *Astron.* Estrela cujo brilho aumenta muito durante algum tempo, para retornar depois ao brilho inicial. [Tb. estrela nova.]

novação (no.va.*ção*) *sf*. *Jur.* Conversão de uma dívida em outra. [Pl.: -ções.]

nova-iorquino (no.va-i.or.*qui*.no) *a*. **1** De Nova Iorque (EUA); típico desse estado, ou de seu povo. *sm*. **2** Pessoa nascida em Nova Iorque (cidade ou estado). [Pl.: *nova-iorquinos*.]

novamente (no.va.*men*.te) *adv*. De novo, outra vez.

novato (no.*va*.to) *a*. **1** Inexperiente, principiante. **2** Novo no lugar. *sm*. **3** Pessoa novata.

nove (*no*.ve) *num*. **1** Quantidade correspondente a oito unidades mais uma. **2** Número que representa essa quantidade (arábico: 9; romano: IX).

novecentos (no.ve.*cen*.tos) *num*. **1** Quantidade correspondente a 899 unidades mais uma. **2** Número que representa essa quantidade (arábico: 900; romano: CM).

nove-horas (no.ve-*ho*.ras) *sfpl*. Us. na loc. ❚❚ **Cheio de ~** *Pop.* Exigente quanto a detalhes a ponto de ser maçante; sensível demais a coisas sem importância etc.

novel (no.*vel*) *a2g*. **1** Que tem pouco tempo de existência (novel teatro); NOVO. **2** Que assumiu há pouco uma atividade; NOVATO; PRINCIPIANTE. **3** Inexperiente, inábil. [Pl.: -*véis*.]

novela (no.*ve*.la) *sf*. *Liter.* Gênero literário que consiste numa narrativa breve, de extensão entre o conto e o romance, sobre um acontecimento em torno do qual gira o enredo. **2** *Rád. Telv.* Narrativa seriada, com fins de entretenimento, difundida pela televisão ou pelo rádio. **3** *Pej.* Coisa complicada e demorada. ● no.ve.*les*.co *a*.

noveleiro (no.ve.*lei*.ro) *a.sm*. **1** *Pej.* Que ou quem escreve novela (2); NOVELISTA. **2** *Bras. Pop.* Que ou quem acompanha sempre as novelas (2).

novelista (no.ve.*lis*.ta) *s2g*. **1** Autor de novelas para rádio e televisão. **2** Romancista.

novelo (no.*ve*.lo) [ê] *sm*. **1** Bola formada por fios têxteis enrolados. **2** *Fig.* Coisa enredada, embaralhada.

novembro (no.*vem*.bro) *sm*. Décimo primeiro mês do ano (com 30 dias).

novena (no.*ve*.na) [ê] *sf*. **1** Conjunto de nove dias seguidos. **2** *Rel.* Orações e outras práticas religiosas feitas por nove dias consecutivos.

novênio (no.*vê*.ni.o) *sm*. Período de nove anos.

noventa (no.*ven*.ta) *num*. **1** Quantidade correspondente a 89 unidades mais uma. **2** Número que representa essa quantidade (arábico: 90; romano: XC).

noviciado (no.vi.ci.*a*.do) *sm*. **1** *Rel.* Estágio inicial por que passam os que seguem a carreira religiosa.
2 O conjunto de noviços ou noviças. **3** *Fig.* Aprendizagem.

noviço (no.*vi*.ço) *sm*. **1** *Rel.* Pessoa que se prepara para professar a vida religiosa. **2** *Fig.* Aprendiz, iniciante.

novidade (no.vi.*da*.de) *sf*. **1** Condição ou caráter do que é novo. **2** Inovação: *as novidades em telefonia celular*. **3** Coisa surgida recentemente: *procurar novidades no jornaleiro*. **4** Notícia, nova: *contar as novidades*. **5** *Bras.* Imprevisto, contratempo: *encontrar novidades na trilha*.

novidadeiro (no.vi.da.*dei*.ro) *a.sm*. Que ou quem gosta de ouvir e contar novidades.

novilho (no.*vi*.lho) *sm*. Filhote de vaca ainda em fase de amamentação; BEZERRO; VITELO.

novo (*no*.vo) [ô] *a*. **1** Com pouco tempo de existência. **2** Que tem pouca idade (pessoa nova, bezerro novo); JOVEM. **3** Renovado (vida nova, novo século, novos tempos). **4** De pouco tempo, recente (novo amor, novas ideias). **5** Outro: *aprender uma nova língua; mudar para uma nova casa*. **6** Que não existia ainda: *nova marca de refrigerante*. **7** Que tem pouco ou nenhum uso (roupa nova, carro novo). [Superl.: *novíssimo*.] *sm*. **8** Aquilo que é novidade: *O novo sempre causa estranheza*. ❑ **novos** *smpl*. **9** Pessoas jovens. **10** Principiantes em alguma atividade. [Fem. e pl.: [ó].] ❚❚ **De ~** Novamente, outra vez.

novo-rico (no.vo.*ri*.co) *sm*. Pessoa de origem modesta que enriquece rapidamente e gosta de ostentar sua nova condição social de maneira vulgar. [Pl.: *novos-ricos*.]

noz *sf*. **1** O fruto da nogueira de casca dura de uma única semente. **2** Qualquer fruto com essas características.

noz-moscada (noz-mos.*ca*.da) *sf*. **1** Semente pequena e oval revestida de substância carnosa e aromática us. para tempero. **2** O fruto dessa semente. [Pl.: *nozes-moscadas*.]

noz-vômica (noz-*vô*.mi.ca) *sf*. *Bot.* Árvore asiática cujos frutos possuem muitas sementes de que se obtém a estricnina. [Pl.: *nozes-vômicas*.]

nu¹ *a*. **1** Sem roupa, despido, pelado. **2** Sem resguardo ou revestimento (pés nus, árvore nua). **3** Sem ornamentação, sem mobília (sala nua). *sm*. **4** Pessoa nua. **5** Estátua ou forma de figura humana representada sem roupa. **6** Nudez (nu artístico). ❚❚ **~ e cru** Exatamente como é, sem retoques: *Queria a verdade nua e crua*. **Pôr a ~** Desnudar, mostrar a verdadeira feição de: *Pôs a nu suas verdadeiras intenções*.

nu² *sm*. Ver *ni*.

nuança (nu.*an*.ça) *sf*. **1** Gradação de uma cor; MATIZ; TOM. **2** Contraste sutil entre coisas do mesmo gênero; SUTILEZA.
◈ **nuance** (*Fr.* /nuáns/) *sf*. Ver *nuança*.

nubente (nu.*ben*.te) *a2g.s2g*. Que ou quem está para casar.

núbil (*nú*.bil) *a2g*. Com idade de casar-se; CASADOURO. [Pl.: -*beis*.]

núbio (*nú*.bi:o) *a*. **1** Da Núbia (atual Sudão, África); típico dessa região ou de seu povo. *sm*. **2** Pessoa nascida na Núbia.

nublado (nu.*bla*.do) *a*. **1** Coberto de nuvens, nebuloso. **2** *Fig.* Em que há tristeza ou preocupação (fisionomia nublada). **3** *Fig.* Turvado, obscurecido (visão nublada).

nublar (nu.*blar*) *v. td. pr.* Encher(-se) de nuvens. [▶ **1** nublar]

nuca (*nu*.ca) *sf*. *Anat.* Parte posterior do pescoço.

nuciforme (nu.ci.*for*.me) *a2g*. Em forma de noz.

nuclear (nu.cle:*ar*) *a2g*. **1** Que se refere a um núcleo. **2** Que se dá no núcleo do átomo (reação nuclear). **3** Que utiliza a energia liberada pelo núcleo do átomo (arma nuclear). **4** *Fig.* Central, fundamental.

nucleico, nucleico (nu.clei.co, nu.clei.co) *a.* Constituído de hidrogênio, carbono, nitrogênio, oxigênio e fósforo (ácido nucleico).

núcleo (nú.cle:o) *sm.* **1** Parte central de qualquer organismo, estrutura etc. (núcleo terrestre, núcleo de uma oração verbal). **2** *Fís.nu.* O elemento central do átomo, formado de prótons e nêutrons, em torno do qual orbitam os elétrons. **3** *Cit.* O elemento central da célula, responsável por sua multiplicação. **4** Parte original ou essencial de algo: *As doações foram o núcleo da campanha.* **5** Agrupamento de pessoas em torno de algo: *Formaram um núcleo de bons pesquisadores.* • nu.cle:a.do *a.*

nudez (nu.dez) [ê] *sf.* **1** Estado de quem ou do que está nu. **2** Ausência de roupa. **3** O corpo nu: *cenas de nudez.* **4** Ausência de folhas ou de vegetação: *a nudez das árvores.* **5** Ausência de ornatos, adornos.

nudismo (nu.dis.mo) *sm.* Doutrina e prática de vida ao ar livre em completa nudez: *adepto do nudismo/ praia de nudismo.* • nu.dis.ta *a2g.s2g.*

nuga (nu.ga) *sf.* Coisa sem importância, bagatela, ninharia. [Mais us. no pl.]

nugá (nu.gá) *sf.* Doce de consistência firme feito de nozes, amêndoas ou avelãs, açúcar e/ou mel.

nulidade (nu.li.da.de) *sf.* **1** Condição do que é nulo. **2** Pessoa ou coisa sem valor, capacidade ou talento. **3** Frivolidade, futilidade.

nulificar (nu.li.fi.car) *v. td. pr.* Tornar(-se) nulo; ANULAR(-SE). [▶ **1** nulifi[car] • nu.li.fi.ca.ção *sf.*; nu.li.fi.ca.do *a.*; nu.li.fi.can.te *a2g.*

nulo (nu.lo) *a.* **1** Sem efeito ou valor (conselhos nulos); INÚTIL; VÃO. **2** Inexistente (comparecimento nulo). **3** Inapto, incapaz: *Mostrou-se nula em gerenciar.* **4** Que não é válido (casamento nulo).

num[1] **1** Contr. da prep. *em* com o art. indef. *um*: *Vive num sítio no interior.* [Pl.: *nuns.*] **2** Contr. da prep. *em* com o num. *um*: *Num dos dedos tinha marca de anel.*

num[2] *adv.* Pop. Não: *Não, num sinto saudade.*

nume (nu.me) *sm.* **1** No paganismo, deus, deusa: *invocar os grandes numes.* **2** Espírito ou gênio protetor. **3** Pessoa que protege ou favorece uma atividade.

numeração (nu.me.ra.ção) *sf.* **1** Ação ou resultado de numerar. **2** Série de números que distinguem e relacionam páginas de livros, casas de uma rua. **3** Sistema de representação escrita dos números: *sistema de numeração arábico.* **4** *Arit.* Processo de enumerar um conjunto. [Pl.: *-ções.*]

numerador (nu.me.ra.dor) [ô] *sm.* **1** *Arit.* Numa fração ordinária, o elemento que fica acima do traço de fração. **2** *Art.Gr.* Aparelho que numera as páginas impressas num livro. *a.* **3** Que numera.

numeral (nu.me.ral) *a2g.* **1** Ref. a número: *o sistema numeral romano.* *sm.* **2** *Mat.* Algarismo que representa um número (p.ex.: 9). **3** *Gram.* Classe de palavra que representa a quantidade exata de unidades, ou a ordenação de elementos, ou a fração de um todo, ou a multiplicação de uma unidade. [Pl.: *-rais.*] [Ver tb. *cardinal, ordinal, fracionário* e *multiplicativo.*]

numerar (nu.me.rar) *v. td.* **1** Colocar número em. **2** Arrumar em ordem numérica. [▶ **1** numer[ar] • nu.me.ra.do *a.*

numerário (nu.me.rá.ri:o) *sm.* **1** Dinheiro em moeda ou cédula, dinheiro vivo. *a.* **2** Ref. a dinheiro.

numérico (nu.mé.ri.co) *a.* **1** Ref. a, que indica ou é expresso por números (avaliação numérica, código numérico). **2** Que se opera por meio de números. **3** Quantitativo: *Em termos numéricos eles são maioria.*

número (nú.me.ro) *sm.* **1** *Mat.* Palavra ou símbolo us. para representar a quantidade ou a ordem das coisas numa série. **2** Conjunto de algarismos arábicos que identificam o telefone, a senha etc. de uma pessoa: *Anote o número do meu celular.* **3** Quantidade, total: *O número de pessoas portadoras de câncer é assustador.* **4** Parte de um *show*: *No primeiro nú-*

mero ela cantou músicas do Chico Buarque. **5** Cada edição de publicação periódica. **6** Palavra que indica que se segue um numeral: *Moro na casa número 5.* **7** *Gram.* Categoria gramatical que indica se os indivíduos designados pelos substantivos correspondem a um (singular) ou a mais de um (plural). [NOTA: Em português, devido à concordância, o número se aplica também a adjetivos e verbos. Ver *singular* e *plural.*]

🕮 Número é a representação de uma quantidade medida, ou seja, baseia-se no conceito da unidade, já que toda quantidade é formada de unidades. O número expressa a relação entre uma quantidade medida e a unidade, ou seja, quantas vezes esta é contida naquela. A representação gráfica dos números começa com os egípcios (3400 a.C.), com sinais que correspondiam aos dedos das mãos e dos pés — portanto, agrupáveis em cinco, dez e vinte unidades), os sumérios (3000 a.C.), os hindus e os chineses. Os povos mesopotâmicos usavam agrupamentos de sessenta unidades como base (que influenciou os sistemas de medidas de ângulo e de tempo). Os egípcios passam à base decimal, e os romanos inventaram a numeração romana, com letras do alfabeto. Os algarismos atualmente us. na representação de números na base decimal foram uma contribuição de hindus e árabes. Aos hindus se deve, na representação de um número, a multiplicação do valor do algarismo pelo valor da casa decimal em que está escrito (no ex, no número 32, o três representa 3x10, pois está na casa dos dezenas).

numerologia (nu.me.ro.lo.gi.a) *sf.* Tratado ou estudo sobre o significado dos números e sua influência no comportamento e na vida das pessoas. • nu.me.ro.ló.gi.co *a.*; nu.me.ro.lo.gis.ta *s2g.*

numeroso (nu.me.ro.so) [ô] *a.* Que contém grande quantidade de elementos (população numerosa); ABUNDANTE. [Fem. e pl.: [ó].]

numismata (nu.mis.ma.ta) *s2g.* Pessoa especialista em numismática.

numismática (nu.mis.má.ti.ca) *sf.* Ciência que estuda moedas e medalhas.

nunca (nun.ca) *adv.* **1** Em nenhum momento; JAMAIS: *Nunca vi um mico desses.* [Ant.: *sempre.*] **2** Não: *Quem nunca sofreu por amor?* **3** De nenhuma maneira: *Nunca faltaria àquela festa.* ▮▮ **Mais do que ~** Muito: *Sentiam-se, mais do que nunca, unidos.*

nunciatura (nun.ci:a.tu.ra) *sf.* **1** Dignidade de núncio apostólico ou embaixador papal. **2** A residência do núncio apostólico.

núncio (nún.ci:o) *sm.* Embaixador do Vaticano junto a um governo estrangeiro.

nuncupação (nun.cu.pa.ção) *sf.* *Jur.* Designação ou instituição de herdeiros feita de viva voz na presença de testemunhas. [Pl.: *-ções.*]

núpcias (núp.ci:as) *sfpl.* **1** Matrimônio, casamento: *casado em segundas núpcias.* **2** Celebração festiva do casamento; BODAS.

nutação (nu.ta.ção) *sf.* *Astr.* Oscilação do eixo da Terra, que faz os polos descreverem pequena elipse, uma a cada 18,6 anos. [Pl.: *-ções.*]

nutrição (nu.tri.ção) *sf.* **1** Ação ou resultado de nutrir(-se). **2** Aquilo que nutre; ALIMENTO. [Sin. nestas acps.: *nutrimento.*] **3** *Biol.* O conjunto dos processos da ingestão e da absorção dos alimentos pelo organismo. **4** Formação na área de alimentação e nutrição (3). • nu.tri.ci:o.nal *a2g.*

nutricionismo (nu.tri.ci:o.nis.mo) *sm.* Estudo dos problemas ref. a nutrição (3).

nutricionista (nu.tri.ci:o.nis.ta) *s2g.* Profissional formado em nutrição (4).

nutrido (nu.tri.do) *a.* **1** Que está alimentado, sustentado. **2** Desenvolvido, robusto.

nutriente (nu.tri.en.te) *sm.* **1** Substância química orgânica ou inorgânica essencial para a nutrição. *a2g.* **2** Que nutre; ALIMENTÍCIO; NUTRITIVO.

nutrimento (nu.tri.men.to) *sm.* **1** Ver *nutrição* (1 e 2). **2** Cada componente nutriente do alimento.

nutrir (nu.*trir*) *v.* **1** Alimentar(-se), sustentar(-se). [*td. pr.*] **2** *Fig.* Manter vivo em si. [*td.*: *nutrir sonhos.*] **3** Ter (sentimento) em relação a. [*tdi.* + *por*: "...ignora a paixão que *por* ela *nutro*..." (Joaquim Manuel de Macedo, *O moço loiro*).] **4** *Fig.* Manter-se, sustentar-se. [*pr.*: *A fofoca nutre-se da nossa curiosidade.*] [▶ **3** nutrir]

nutritivo (nu.tri.*ti*.vo) *a.* Que nutre, alimenta (bebida nutritiva); ALIMENTÍCIO; NUTRIENTE.

nutriz (nu.*triz*) *sf.* Ama de leite.

nutrologia (nu.tro.lo.*gi*.a) *sf. Med.* Especialidade médica voltada ao diagnóstico, prevenção e tratamento de doenças nutricionais.

nuvem (nu.vem) *sf.* **1** *Met.* Massa visível de vapor d'água condensado ou congelado no ar. **2** Qualquer aglomerado de partículas de pó, fumaça, gases etc. em suspensão na atmosfera. **3** *Fig.* Aquilo que causa ou denota tristeza, preocupação ou incompreensão. **4** *Fig.* Turvação passageira, perturbação. **5** Grande quantidade de algo, ger. em movimento: *nuvem de gafanhotos*. [Pl.: *-vens*. Aum.: *nuvarrão*.] ❈ **Cair das nuvens** Surpreender-se, ger. com decepção: *Pensava ter feito boas provas, e caiu das nuvens quando viu as notas*. **Em brancas nuvens 1** Sem preocupações ou dificuldades, cheio de alegria e felicidade: *Passou a vida em brancas nuvens*. **2** Sem ser notado, referido, comemorado etc.: *Sua formatura passou em brancas nuvens*. **Nas nuvens** Alheado, distraído. **Pôr nas nuvens** Elogiar muito, exaltar.

📖 As nuvens se formam com a aglomeração de moléculas de vapor de água, resultantes da evaporação de água por ação do calor, e de partículas de gelo, formadas pelo congelamento dessa água nas baixas temperaturas da atmosfera. De acordo com a disposição desses componentes, da altitude em que se encontram e de seu formato, as nuvens podem se classificar (desde 1896), das de maior para as de menor altitude, em: *cirros* (altas e esgarçadas), *cúmulos* (densas, com grande extensão vertical, como flocos de algodão), *nimbos* (densas e pesadas, as 'nuvens de chuva') e *estratos* (cinzentas, de base uniforme, que produzem granizo ou neve). Essas formas podem se combinar, formando as *cirro-cúmulos*, *cirro-estratos*, *nimbo-estratos*, *estrato-cúmulos*, *cúmulo-nimbos* (estas ger. associadas a chuvas fortes e tempestades).

NUVENS (1)

ESTRATOS   CÚMULOS   NIMBOS   CIRROS

⊠ **N.W.** Abr. de *noroeste*.
⊕ **nylon**® (*Ing.* /*náilon*/) *sm.* Ver *náilon*.

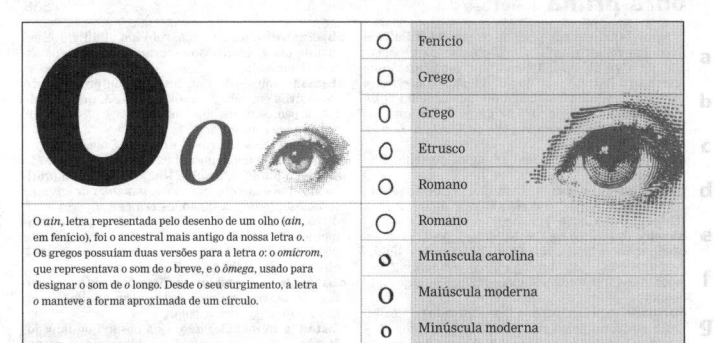

O	Fenício
O	Grego
O	Grego
O	Etrusco
O	Romano
O	Romano
O	Minúscula carolina
O	Maiúscula moderna
o	Minúscula moderna

O *ain*, letra representada pelo desenho de um olho (*ain*, em fenício), foi o ancestral mais antigo da nossa letra *o*. Os gregos possuíam duas versões para a letra *o*: o *omícrom*, que representava o som de *o* breve, e o *ômega*, usado para designar o som de *o* longo. Desde o seu surgimento, a letra *o* manteve a forma aproximada de um círculo.

o [ó] *sm.* **1** A 15ª letra do alfabeto. **2** A quarta vogal do alfabeto. *num.* **3** O 15º em uma série (item O).

o [ô] *art.def.* **1** Acompanha nomes masculinos que denotam seres, objetos, conceitos: *o livro*; *o desenvolvimento*. **2** Limita a referência do substantivo a um ser ou coisa identificáveis na situação ou no texto: *O presidente fará um pronunciamento*. *pr.dem.* **3** Torna substantivo qualquer palavra ou expressão: *o amanhã*. **4** Us. equivalendo-se a *isto, isso* ou *aquilo*, ou referindo-se a um subst. implícito: *Disse o que queria e saiu*; *Tem carro mas só usa o do irmão*. *pr.pess.* **5** Equivale a 'ele', na função de complemento: *Pegou o dinheiro e o escondeu*.

ó *interj.* **1** Expressa emoção, surpresa. **2** Us. para chamar alguém. [Nesta acp. tb. se usa *ô*.]

⊠ **O** *Quím.* Símb. de *oxigênio*.

⊠ **O.** Abr. de *oeste*.

oásis (o.á.sis) *sm2n.* Lugar, num deserto, onde há água e vegetação.

oba (o.ba) **1** *interj.* **1** Expressa alegria, entusiasmo. **2** Indica saudação.

obaoba, **oba-oba** (o.ba.o.ba, o.ba-o.ba) [ô, ô] *sm.* *Gír.* Agito, alegria, festa.

obcecar (ob.ce.*car*) *v.* Causar ou ter obsessão, ideia fixa. [*td.*: *O desejo de treinar obcecava o atleta. pr.*: *Obcecou-se pela ideia de vencer.*] [▶ **11** obce*car*] • **ob.ce.ca.***ção* *sf.*; **ob.ce.ca.do** *a.*

obedecer (o.be.de.*cer*) *v.* **1** Acatar, respeitar (ordem, regra, norma etc.). [*ti. + a*: *obedecer ao regulamento*; (com ou sem complemento explícito) *Ele manda, mas ela não (lhe) obedece.* *td.*: *De madrugada, muita gente não obedece os sinais de trânsito.*] **2** Seguir; estar de acordo com. [*td.*: *A adaptação da obra obedeceu o original. ti. + a*: *A dispensa de funcionários obedeceu ao critério estabelecido.*] [▶ **33** obede*cer*]

obediente (o.be.di:en.te) *a2g.* Que obedece. • **o.be.di:ên.ci:a** *sf.*

obelisco (o.be.*lis*.co) *sm.* Coluna de pedra de quatro lados, com pequena pirâmide na ponta.

obesidade (o.be.si.*da*.do) *sf.* Estado de pessoa extremamente gorda.

obeso (o.be.so) [ê] ou [é] *a.sm.* Que ou quem é extremamente gordo.

óbice (ó.bi.ce) *sm.* Obstáculo, impedimento.

óbito (ó.bi.to) *sm.* Morte de uma pessoa: *O médico atestou o óbito*.

obituário (o.bi.tu:á.ri:o) *sm.* **1** Registro ou lista de óbito(s). **2** Nota em jornal comunicando o falecimento acompanhada de perfil biográfico do morto.

objeção (ob.je.*ção*) *sf.* Ação ou resultado de objetar, de se opor a alguma coisa: *Meus pais não fizeram objeção a minha viagem*. [Pl.: -*ções*.]

objetar (ob.je.*tar*) *v.* Apresentar argumentos contra ou opor-se a. [*td.*: *Pode-se objetar facilmente essa teoria. ti. + a, contra*: *O advogado objetou contra o depoimento.*] [▶ **1** obje*tar*]

objetiva (ob.je.*ti*.va) *sf.* *Fot.* Lente que fica voltada para o objeto ou imagem que se quer fotografar.

objetivar (ob.je.ti.*var*) *v.* **1** Ter como meta, objetivo. [*td.*: *Os investimentos objetivam aumentar a produção.*] **2** Concretizar(-se), realizar(-se). [*td.*: *Tentava objetivar suas impressões. pr.*: *Essa ideia objetiva-se no poema através de metáforas.*] [▶ **1** objeti*var*]

objetivo (ob.je.*ti*.vo) *a.* **1** Que julga as coisas como elas são realmente; imparcial, isento: *Um juiz deve ser objetivo*. **2** Que pensa e/ou age rápido; que é direto, preciso. *sm.* **3** Meta que se deseja alcançar: *Realizei o objetivo de me formar*. • **ob.je.ti.vi.***da*.de *sf.*

objeto (ob.je.to) *sm.* **1** Coisa, peça: *Os objetos frágeis devem ficar nesta caixa*. **2** Assunto, matéria: *O objeto de sua pesquisa é a vida dos gorilas*. **3** *Gram.* Pessoa, coisa ou ideia que completa o sentido do verbo transitivo. [Ver bb. *direto* e *indireto*.]

oblação (o.bla.*ção*) *sf.* Oferenda feita a Deus. [Pl.: -*ções*.]

oblato (o.*bla*.to) *sm.* Pessoa que oferece seus serviços a uma ordem religiosa.

oblíquo (o.*bli*.quo) *a.* **1** Que não é nem vertical nem horizontal (linha *oblíqua*); INCLINADO. **2** *Gram.* Diz-se do pronome pessoal na função de complemento ou adjunto; pode ser átono (p.ex.: *me, o, lhe*) ou o tônico (p.ex.: *mim, ti, consigo*).

obliterar (o.bli.te.*rar*) *v.* **1** Esconder, destruir, eliminar. [*td.*: *Conseguiu obliterar os vestígios do crime.*] **2** *Med.* Obstruir, fechar. [*td.*: *O coágulo pode obliterar uma artéria.*] **3** Fazer esquecer ou esquecer(-se); apagar(-se) da memória. [*td.*: *Nada pode obliterar aquelas lembranças. pr.*: *Sua imagem obliterou-se com o tempo.*] [▶ **1** obliterar]

oblongo (o.*blon*.go) *a.* Que é mais comprido do que largo (semente *oblonga*).

obnubilar (ob.nu.bi.*lar*) *v. td.* Ofuscar; impedir a concretização de; obscurecer: *O incidente não chegou a obnubilar o espetáculo.* [▶ **1** obnubi*lar*] • **ob.nu.bi.la.***ção* *sf.*; **ob.nu.bi.la.do** *a.*

oboé (o.bo.*é*) *sm.* *Mús.* Instrumento de sopro com bocal de duas palhetas e tubo cônico.

oboísta (o.bo:*ís*.ta) *s2g.* Pessoa que toca oboé.

óbolo (ó.bo.lo) *sm.* Donativo, esmola.

obra (o.bra) *sf.* **1** Resultado de um trabalho ou de uma ação: *A pintura no muro foi obra de dois gra-*

obra-prima | obtuso 568

fiteiros; As rugas são obra do tempo. **2** Edifício ou casa em construção: *É difícil estudar com o barulho da obra ao lado.* **3** Reparo ou modificação na estrutura física de um lugar: *Minha casa está em obra.* **4** Trabalho realizado por um artista: *O último filme dele é sua melhor obra.* **5** Conjunto de obras (4) de um artista: *A obra de Monteiro Lobato é magnífica.*

obra-prima (o.bra-*pri*.ma) *sf.* Obra perfeita. [Pl.: obras-primas.]

obrar (o.*brar*) *v. int.* **1** Trabalhar, realizar (obras): *Queria agir, obrar, concretizar suas ideias.* **2** *Pop.* Defecar, evacuar. [▶ 1 obr<u>ar</u>]

obreiro (o.*brei*.ro) *sm.* Trabalhador, operário.

obrigação (o.bri.ga.*ção*) *sf.* **1** Compromisso ou dever a ser cumprido: *A sua obrigação é estudar.* **2** Serviço, tarefa: *Terminei minha obrigação cedo.* [Pl.: -ções.]

obrigado (o.bri.*ga*.do) *a.* **1** Que é forçado por lei, regulamento, ou pelas circunstâncias: *Senti-me obrigada a convidá-la também.* **2** Agradecido, grato: *Obrigado por sua ajuda.*

obrigar (o.bri.*gar*) *v.* Forçar, impor. [*td.*: *A ética obriga a divulgação da informação.* *tdi.* + *a*: *A censura obrigou o diretor a cortar cenas do filme.* *pr.*: *Obrigou-se a estudar.*] [▶ **14** obrig<u>ar</u>]

obrigatório (o.bri.ga.*tó*.ri:o) *a.* Que constitui uma obrigação, um dever: *No Brasil, o voto é obrigatório.* ● o.bri.ga.to.ri:e.*da*.de *sf.*

obsceno (obs.*ce*.no) *a.* Indecente e grosseiro: *Filmes obscenos são proibidos para menores de 18 anos.* ● obs.ce.ni.*da*.de *sf.*

obscurantismo (obs.cu.ran.*tis*.mo) *sm.* **1** Doutrina contrária ao progresso intelectual e material. **2** Estado de ignorância. ● obs.cu.ran.*tis*.ta *a2g.s2g.*

obscurecer (obs.cu.re.*cer*) *v. td.* Dificultar (a visão, o entendimento etc.); OCULTAR: *As nuvens obscureciam a visão da montanha.* [▶ **33** obscure<u>cer</u>] ● obs.cu.re.ci.*men*.to *sm.*

obscuro (obs.*cu*.ro) *a.* **1** Escuro; sombrio. **2** Que é de difícil compreensão; confuso. **3** Que não é conhecido. ● obs.cu.ri.*da*.de *sf.*

obsedar (obs.*se.dar*) *v. td.* Transformar em ideia fixa; OBCECAR: *O mistério obsedava sua imaginação.* [▶ 1 obsedar]

obsequiar (ob.se.qui.*ar*) *v. td.* Fazer (obséquio, favor, gentileza etc.); PRESENTEAR: (seguido ou não de indicação de meio/modo) *Obsequiou os hóspedes (com um sorriso).* [▶ 1 obsequi<u>ar</u>] ● ob.se.qui.*a*.do *a.*; ob.se.qui.a.*dor* *a.sm.*

obséquio (ob.*sé*.qui:o) *sm.* Favor, gentileza: *Façam o obséquio de se sentarem.*

obsequioso (ob.se.qui:.o.so) [ô] *a.* Que presta obséquio; PRESTATIVO: *um homem bom e obsequioso.* [Fem. e pl.: [ó].]

observação (ob.ser.va.*ção*) *sf.* **1** Ação ou resultado de observar: *a observação de cometas.* **2** Comentário, ressalva: *O professor incluiu observações na minha redação.* **3** Ver *observância.* [Pl.: -ções.]

observância (ob.ser.*vân*.ci:a) *sf.* Ação ou resultado de observar, cumprir, respeitar (lei, princípio etc.); OBSERVAÇÃO: *a observância do regulamento.*

observar (ob.ser.*var*) *v.* **1** Reparar, notar, perceber. [*td.*: *Observei que você tem faltado às aulas.*] **2** Ver; examinar; acompanhar com a vista. [*td.*: "... pela fresta procurou *observar* a irmã." (Machado de Assis, *Helena*). *pr.*: *Observou-se no espelho antes de sair.*] **3** Comentar; chamar a atenção para. [*td.*: *Em seus comentários, observou que a atriz foi mal escolhida para o papel.*] **4** Cumprir (regras, conselhos etc.); fazer conforme prescrito. [*td.*: *Os fiéis observam o jejum nos dias sagrados.*] [▶ 1 observ<u>ar</u>] ● ob.ser.*va*.do *a.*; ob.ser.va.*dor* *a.sm.*; ob.ser.*vá*.vel *a2g.*

observatório (ob.ser.va.*tó*.ri:o) *sm.* Edifício especial de onde cientistas observam e estudam os astros, o tempo etc.

obsessão (ob.ses.*são*) *sf.* Interesse ou preocupação excessivos em relação a alguma coisa, que impede que se pense em qualquer outra coisa: *a obsessão por vencer uma competição.* [Pl.: -sões.]

obsessivo (ob.ses.*si*.vo) *a.* Em que há obsessão; que demonstra ou tem tendência a obsessão.

obsoleto (ob.so.*le*.to) [ê] *a.* Que não se usa ou pratica mais; DESUSADO; ANTIQUADO: *A máquina de escrever tornou-se obsoleta.* ● ob.so.les.*cên*.ci:a *sf.*

obstaculizar (obs.ta.cu.li.*zar*) *v. td.* Criar impedimento, dificuldade, obstáculo a: *O funcionário não pode obstaculizar o recebimento da reclamação.* [▶ 1 obstaculiz<u>ar</u>] ● obs.ta.cu.li.za.*ção* *sf.*

obstáculo (obs.*tá*.cu.lo) *sm.* O que impede ou dificulta o ato, prática ou progresso de algo: *Analfabetismo não é obstáculo para se votar.*

obstante (obs.*tan*.te) *a2g.* Que obsta, que impede. ▪▪ Não ~ **1** Apesar de: *Foi trabalhar, não obstante o temporal.* **2** Contudo; apesar disso: *Sentia-se mal, não obstante, foi trabalhar.*

obstar (obs.*tar*) *v. Jur.* Opor-se (a); impedir. [*td.*: *O inquilino tentou obstar a ação de despejo.* *ti.* + *a*: *Nada obsta a que a decisão seja mantida.*] [▶ 1 obst<u>ar</u>]

obstetra (obs.*te*.tra) *s2g.* Médico que se especializou em obstetrícia.

obstetrícia (obs.te.*trí*.ci:a) *sf. Med.* Ramo da medicina que trata da gravidez e do parto.

obstinação (obs.ti.na.*ção*) *sf.* **1** Qualidade de obstinado, persistente: *Com obstinação alcançou o que queria.* **2** Teima, birra. [Pl.: -ções.]

obstinado (obs.ti.*na*.do) *a.* Que persiste em uma atitude ou ideia; persistente; constante: *Sua obstinada luta por justiça.*

obstinar-se (obs.ti.*nar*-se) *v. pr.* Manter(-se) resolvido a fazer algo; TEIMAR: *O doente se obstinava em não comer.* [▶ 1 obstin<u>ar</u>-se]

obstrução (obs.tru.*ção*) *sf.* **1** Ação ou resultado de obstruir(-se). **2** Entupimento de um conduto orgânico (obstrução nasal). **3** Atitude que entrava o desenrolar de uma ação: *A obstrução do trabalho da polícia é crime.* [Pl.: -ções.]

obstrucionismo (obs.tru.ci:o.*nis*.mo) *sm. Pol.* Prática de obstrução continuada: *política de obstrucionismo do comércio.* ● obs.tru.ci:o.*nis*.ta *a2g.*

obstruir (obs.tru.*ir*) *v.* **1** Servir de obstáculo para a passagem ou circulação de. [*td.*: *O deslizamento obstruiu a rua.*] **2** Fazer parar ou entupir-se. [*td.*: *O lixo obstruiu o esgoto.* *pr.*: *As artérias se obstruíram.*] **3** Impedir (uma ação). [*td.*: *obstruir as investigações.*] [▶ **56** obstr<u>uir</u>] ● obs.tru.*í*.do *a.*; obs.tru.*tor* *a.sm.*

obtemperar (ob.tem.pe.*rar*) *v. td.* Comentar, argumentar, ponderar: *Obtemperou que ainda não estava preparado.* [▶ 1 obtemper<u>ar</u>]

obtenção (ob.ten.*ção*) *sf.* Ação ou resultado de obter alguma coisa; AQUISIÇÃO: *Ele viajará logo após a obtenção de seu passaporte.* [Pl.: -ções.]

obter (ob.*ter*) *v. td.* Conseguir ter; alcançar: *Precisava caçar para obter alimento.* [▶ **7** ob<u>ter</u>]. Observar a acentuação das formas *obténs*, com ê e *obtêm*, respectivamente 2ª e 3ª pess. sing. e 3ª pess. pl. do pres. ind.]

obturar (ob.tu.*rar*) *v. td. Od.* Tapar (cavidade) em dente, canal dentário etc. depois do devido tratamento da mesma: *O dentista obturou o dente com porcelana.* [▶ 1 obtur<u>ar</u>] ● ob.tu.ra.*ção* *sf.*; ob.tu.*ra*.do *a.*

obtusângulo (ob.tu.*sân*.gu.lo) *a. Geom.* Diz-se do triângulo que tem um dos ângulos obtuso.

obtuso (ob.*tu*.so) *a.* **1** *Geom.* Diz-se do ângulo que tem mais de 90° e menos de 180°. **2** Que tem ponta arredondada. **3** *Fig.* A que falta perspicácia, inteligência; ESTÚPIDO. **4** *Fig.* Sem nitidez; CONFUSO; INDISTINTO.

obumbrar (o.bum.*brar*) *v. td. P.us.* Ofuscar, obscurecer: *Nada poderia obumbrar sua beleza.* [▶ **1** obumbr[ar] ● **o.bum.bra.do** *a.*; **o.bum.bra.men.to** *sm.*

obus (*o*.bus) *sm.* **1** Peça us. para atirar bombas, granadas etc. **2** Artefato explosivo em forma de bala gigante.

obviar (ob.vi.*ar*) *v.* **1** Evitar, prevenir. [*td./ti.* + *a*: *Não se pode obviar à/à morte.*] **2** Apresentar oposição; RESISTIR. [*ti.* + *a*: *obviar à corrupção.*] [▶ **1** obvi[ar]

óbvio (*ób*.vi:o) *a.sm.* Que ou aquilo que é evidente, incontestável, certo: *É óbvio que o sol nasce todos os dias.* ● **ob.vi:e.*da*.de** *sf.*

oca (o.ca) *sf. Bras.* Casa de palha dos índios.

ocara (o.*ca*.ra) *sf. Bras.* Praça dentro de uma aldeia indígena. [Aum.: *ocaruçu.*]

ocarina (o.ca.*ri*.na) *sf. Mús.* Pequeno instrumento de sopro, redondo, ger. feito de barro.

OCARINA

ocasião (o.ca.si:*ão*) *sf.* **1** Momento, circunstância ou época: *roupas para qualquer ocasião*; *Naquela ocasião ainda era solteiro.* **2** Circunstância que se apresenta em um bom momento: *O dia da festa será ocasião para conhecê-la.* [Pl.: -ões.] ◼ **De ~** Oportuno, vantajoso: *Comprei, pois era uma oferta de ocasião.* **Por ~ de** No ensejo de; quando de: *Por ocasião do Natal, reuniram toda a família.*

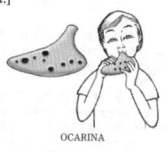

ocasional (o.ca.si:o.*nal*) *a2g.* Que acontece por acaso (encontro *ocasional*); CASUAL; EVENTUAL. [Pl.: -*nais*.]

ocasionar (o.ca.si:o.*nar*) *v.* Causar, provocar ou vir como consequência. [*td.*: *O que ocasionou o acidente? tdi.* + *a*, *para*: *A perda dos documentos ocasionou problemas a ele. pr.*: *O mal-entendido ocasionou-se da troca das correspondências.*] [▶ **1** ocasion[ar]

ocaso (o.*ca*.so) *sm.* **1** Lado onde o sol se põe; OCIDENTE; POENTE. **2** *Fig.* Fim.

occipício (oc.ci.*pi*.ci:o) *sm. Anat.* A parte que fica abaixo e atrás da cabeça; OCCIPITAL.

occipital (oc.ci.pi.*tal*) *a2g.* **1** *Anat.* Ref. ou pertencente ao occipício. *sm.* **2** *Anat.* Ver *occipício*. [Pl.: -*tais*.]

oceânico (o.ce.*â*.ni.co) *a.* **1** Ref. ao ou próprio do oceano (ar *oceânico*). **2** Que habita o oceano. **3** Da Oceania; típico desse continente ou de seu povo.

oceano (o.ce:*a*.no) *sm.* Grande extensão de água salgada que cobre a maior parte da superfície da Terra.

 📖 Os oceanos cobrem quase 3/4 superfície terrestre, mais de 360 milhões de km², e considerando sua profundidade e a enorme massa de água que os constitui, pode-se entender o potencial que representam como fonte de alimentação e de energia. Embora a massa de água seja contínua, ela se divide em três oceanos principais, diferenciados por suas características (temperatura, relevo, salinidade etc.): o Atlântico, que se estende de norte a sul entre o litoral oriental das Américas, e o litoral ocidental da Europa e da África; o Pacífico, também de norte a sul, entre a costa ocidental das Américas, o extremo oriental da Ásia e o norte da Austrália; e o Índico, no hemisfério sul, entre a costa oriental da África, o sul da Ásia e o sudoeste da Austrália. Há quem chame de oceanos também as águas glaciais do Ártico e da Antártica. A fauna dos oceanos é riquíssima, e constitui-se em importante reserva alimentícia para a humanidade.

oceanografia (o.ce:a.no.gra.*fi*.a) *sf.* Estudo dos mares e oceanos. ● **o.ce:a.no.*grá*.fi.co** *a.*; **o.ce:a.*nó*.gra.fo** *sm.*

ocelo (o.*ce*.lo) *sm.* **1** *Zool.* Mancha arredondada sobre o pelo. **2** *Zool.* Olho de certos insetos. **3** Pequeno olho.

ocidental (o.ci.den.*tal*) *a2g.* **1** Situado no ocidente: *a Europa ocidental.* **2** Ref. ao Ocidente; típico dos países do Ocidente ou de seus povos: *a civilização ocidental.* **3** Originário do Ocidente: *os trajes ocidentais. s2g.* **4** Pessoa nascida no Ocidente. [Pl.: -*tais*.] [Cf.: *oriental.*]

ocidentalismo (o.ci.den.ta.*lis*.mo) *sm.* **1** Conjunto dos conhecimentos e das características do Ocidente e de seus povos e culturas. **2** Atitude de admirar e/ou privilegiar os valores culturais do Ocidente. ● **o.ci.den.ta.*lis*.ta** *s2g.*

ocidentalizar (o.ci.den.ta.li.*zar*) *v.* Adaptar(-se) à cultura dos países do Ocidente. [*td.*: *ocidentalizar os costumes. pr.*: *A moda japonesa ocidentalizou-se.*] [▶ **1** ocidentaliz[ar] ● **o.ci.den.ta.li.za.*ção* f.**

ocidente (o.ci.*den*.te) *sm.* **1** O lado do horizonte onde o sol se põe; OESTE; POENTE. ◼ **Ocidente** *sm.* **2** O conjunto das regiões e países situados na parte oeste do globo terrestre: *Os filmes chineses fazem sucesso no Ocidente.* **3** Us. para se referir aos Estados Unidos da América, Canadá e os países da Europa ocidental, setentrional e meridional: *as relações entre Irã e o Ocidente.* [Cf.: *oriente.*]

ócio (*ó*.ci:o) *sm.* **1** Estado de repouso, descanso: *dias de ócio.* **2** Preguiça, moleza. **3** Falta de ocupação.

ocioso (o.ci:*o*.so) [*ó*] *a.* **1** Que está sem trabalho ou ocupação (funcionários *ociosos*). **2** Que sente preguiça e não faz nada. **3** Em que não se tem o que fazer (tardes *ociosas*). **4** Que não leva a nada (conversa *ociosa*). **5** Que está parado ou sem uso (máquina *ociosa*, espaço *ocioso*). **6** Que é inútil, desnecessário (conselho *ocioso*). *sm.* **7** Pessoa desocupada ou vadia. [Fem. e pl.: [*ó*].]

oclusão (o.clu.*são*) *sf.* **1** Ação ou resultado de obstruir, fechar. **2** Fechamento de um condutor natural: *oclusão das pequenas veias no fígado.* [Pl.: -*sões.*]

oclusivo (o.clu.*si*.vo) *a.* **1** Que está fechado: *Um curativo pode ser aberto ou oclusivo.* **2** Que causa oclusão: *acidente vascular oclusivo.*

oco (o.co) [*ô*] *a.* Vazio, sem parte interna.

ocorrência (o.cor.*rên*.ci:a) *sf.* Ação ou resultado de ocorrer, acontecer ou existir: *Verificou a ocorrência e distribuição de mamíferos no Pantanal.* ● **o.cor.*ren*.te** *a2g.*

ocorrer (o.cor.*rer*) *v.* **1** Acontecer/ou sobrevir (um fato, evento etc.). [*ti.* + *com*, *a*: *O que ocorreu aos tripulantes do navio? int.* (seguido de indicação de tempo ou lugar): *A prova ocorrerá no próximo domingo.*] **2** Vir à lembrança, ao pensamento de. [*ti.* + *a*: *Não ocorreu a ninguém que isso pudesse acontecer.*] [▶ **2** ocorr[er] ● **o.cor.*ri*.do** *a.sm.*

✖ **OCR** *Inf.* Sigla do ingl. *Optical Character Recognition*, programa que interpreta imagens registradas por um *scanner*, na forma de uma matriz de pontos, como um caractere que consta de sua memória, transformando assim o arquivo de imagens em arquivo de texto.

ocra (o.cra) [*ó*] *a2g2n. sf.* Ver *ocre*.

ocre (o.cre) *sm.* **1** Argila tonalizada por óxido de ferro amarelo, vermelho ou marrom, e us. como corante. *sm.* **2** A cor dessa argila. *a2g2n.* **3** Que é dessa cor (pisos *ocre*). [Sin. ger.: *ocra*.]

octaedro (oc.ta.*e*.dro) *sm. Geom.* Poliedro de oito faces. ● **oc.ta.*é*.dri.co** *a.*

octana (oc.*ta*.na) *sf. Quím.* Substância presente no petróleo, hidrocarboreto saturado, com oito átomos de carbono.

octano (oc.*ta*.no) *sm.* Ver *octana*.

octingentésimo (oc.tin.gen.*té*.si.mo) *num.* **1** Ordinal que, em uma

OCTAEDRO

octogenário | **ofender**

sequência, corresponde ao número oitocentos: *Fiquei em octingentésimo lugar no concurso*. **a. 2** Que é oitocentas vezes menor que a unidade ou um todo (diz-se de parte): *a octingentésima parte da produção*. [Us. tb. como subst.: *Um octingentésimo da população do país emigrou*.]

octogenário (oc.to.ge.ná.ri:o) *a.sm*. Que ou quem tem entre oitenta e 89 anos.

octogésimo (oc.to.gé.si.mo) *num*. **1** Ordinal que, em uma sequência, corresponde ao número oitenta: *Classificou-se com a octogésima colocação*. **a. 2** Que é oitenta vezes menor que a unidade ou um todo (diz-se de parte): *a octogésima parte da população*. [Us. tb. como subst.: *Já cumpriu um octogésimo da pena*.]

octogonal (o.cto.go.nal) *a2g. Geom*. **1** Que tem oito ângulos e oito lados; OCTÓGONO. **2** Que tem a forma de um polígono de oito lados; OITAVADO. **3** Que tem a base em forma de octógono (1); OCTÓGONO. [Pl.: *-nais*.]

octógono (oc.tó.go.no) *sm*. **1** *Geom*. Polígono de oito lados. **a. 2** Ver octogonal (1 e 3).

octópode (oc.tó.po.de) *Zool. sm*. **1** Tipo de molusco de oito tentáculos, como os argonautas e os polvos. *a2g*. **2** Que tem oito pés ou tentáculos.

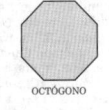

OCTÓGONO

octossílabo (o.cto.ssí.la.bo) *a*. **1** Que tem oito sílabas. *sm*. **2** Palavra ou verso com oito sílabas. • oc.tos.si.lá.bi.co *a*.

óctuplo (óc.tu.plo) *num*. **1** Que é oito vezes a quantidade ou tamanho de um. *sm*. **2** Quantidade do tamanho oito vezes maior.

ocular¹ (o.cu.lar) *sf. Ópt*. Em um instrumento óptico, lente que fica próxima do olho do observador e através da qual se observa a imagem formada.

ocular² (o.cu.lar) *a2g*. Ref. a olho ou à visão (globo ocular, testemunha ocular).

oculista (o.cu.lis.ta) *s2g*. **1** Ver oftalmologista. **2** Pessoa que fabrica e/ou vende óculos.

óculo (ó.cu.lo) *sm*. **1** Qualquer instrumento óptico dotado de lente de aumento. **2** *Arq*. Abertura ou janela circular ou oval destinada à passagem do ar e da luz.

óculos (ó.cu.los) *smpl*. Conjunto formado por uma armação, que se apoia sobre o nariz e as orelhas, e duas lentes que nela se encaixam para corrigir ou proteger a visão.

ocultar (o.cul.tar) *v*. Esconder(-se); não revelar. [*td*.: *Ocultou o tesouro no porão*. *tdi*. + *de*: *Conseguiu ocultar da família sua decisão*. *pr*.: *O ladrão ocultou-se atrás do muro*.] [▶ 1 ocultar] • **o.cul.ta.ção** *sf*.

ocultismo (o.cul.tis.mo) *sm*. Estudo dos fenômenos sobrenaturais e das artes divinatórias e sua prática; ciências ocultas. • **o.cul.tis.ta** *a2g.s2g*.

oculto (o.cul.to) *a*. **1** Que está escondido; que não se manifesta: *o significado oculto dos sonhos*. **2** Que é misterioso, sobrenatural (fenômenos ocultos). **3** Inexplorado, desconhecido (terras ocultas). **4** *Gram*. Diz-se do sujeito da frase que não é expresso, mas é indicado pela terminação do verbo (p.ex., em 'Fomos ao mercado' o sujeito *nós* está oculto). ⁜ **Às ocultas** Sem que outro ou outros saibam ou ouçam: *Planejaram tudo às ocultas*.

ocupação (o.cu.pa.ção) *sf*. **1** Ação ou resultado de tomar posse de algo ou invadir um lugar: *a ocupação das terras improdutivas*. **2** Emprego regular ou qualquer atividade com a qual se preenche o tempo. [Pl.: *-ções*.]

ocupacional (o.cu.pa.ci:o.nal) *a2g*. Que diz respeito a trabalho, a ocupação. [Pl.: *-nais*.]

ocupado (o.cu.pa.do) *a*. **1** Que está cheio de compromissos ou tarefas a cumprir. **2** Entretido com alguma tarefa: *Atenda o telefone porque estou ocupado*. **3** Que está sendo usado por alguém (telefone ocupado, banheiro ocupado). **4** Que está preenchido (cargo ocupado).

ocupar (o.cu.par) *v*. **1** Preencher, tomar (espaço, lugar). [*td*.: *O deserto do Saara ocupa quase a metade das terras africanas*.] **2** Desempenhar (cargo, função, posição etc.). [*td*.: *É a primeira vez que uma mulher ocupa tal cargo*.] **3** Habitar, usar (lugar, espaço). [*td*.: *Só ocupamos a casa nos fins de semana*.] **4** Usar (espaço, aparelho etc.) de forma exclusiva, impedindo seu uso simultâneo. [*td*.: *A menina ocupou o telefone a tarde inteira*.] **5** Dedicar(-se) a; preencher (o tempo): *A ioga ocupava todas as suas tardes*. *tdi*. + *com*: *Ocupava as horas livres com algo útil*. *pr*.: "...*o marido ocupava-se das compras e cozinhava*..." (Paulo Coelho, *Veronika decide morrer*.) **6** Invadir, conquistar. [*td*.: *Os turcos ocuparam Constantinopla em 1453*.] [▶ 1 ocupar] • **o.cu.pan.te** *a2g.s2g*.

odalisca (o.da.lis.ca) *sf*. Mulher que faz parte de um harém.

ode (o.de) *sf. Poét*. Poema lírico com estrofes simétricas e de caráter entusiástico.

odiar (o.di.ar) *v*. Sentir ódio, aversão, horror por (algo ou alguém). *pr*.: *Aquelas duas se odeiam*.] [Ant.: *amar*.] [▶ 15 odiar]

odiento (o.di:en.to) *a*. **1** Que traz ódio em si (personalidade odienta); RANCOROSO. **2** Que manifesta ou desperta ódio (acusação odienta); ODIOSO.

ódio (ó.di:o) *sm*. **1** Sentimento de profundo rancor e inimizade em relação a alguém; IRA: *Já não sentia ódio pelo inimigo*. **2** Forte aversão a algo ou alguém; REPUGNÂNCIA; REPULSA: *ódio à corrupção*.

odioso (o.di:o.so) [ó] *a*. Que desperta ódio ou que é digno de ser odiado. [Fem. e pl.: [ó].]

odisseia (o.dis.sei.a) *sf*. **1** Narração de viagem repleta de aventuras e peripécias, ou essa viagem: *Minha odisseia à Patagônia foi maravilhosa*. **2** *Fig*. Qualquer processo cheio de obstáculos: *Tirar o visto foi uma odisseia*.

odonato (o.do.na.to) *sm. Zool*. Ver libélula.

odontalgia (o.don.tal.gi.a) *sf. Od*. Dor de dente, causada ger. por cárie.

odontologia (o.don.to.lo.gi.a) *sf. Od*. Ramo da medicina dedicado ao estudo, prevenção e tratamento das doenças dentárias. • **o.don.to.ló.gi.co** *a*; **o.don.to.lo.gis.ta** *s2g*.; **o.don.tó.lo.go** *sm*.

odor (o.dor) [ó] *sm*. **1** O que é exalado por alguma substância ou corpo e percebido pelo olfato; CHEIRO. **2** Cheiro agradável; PERFUME: *o odor das rosas*. • **o.do.rí.fe.ro** *a*.; **o.do.rí.fi.co** *a*.

odorante (o.do.ran.te) *a2g*. Que tem bom cheiro.

odorar (o.do.rar) *v. int*. Exalar aroma, perfume; cheirar. [▶ 1 odorar]

odre (o.dre) [ó] *sm*. Saco de pele ou couro de animal, us. para guardar ou transportar líquidos.

⊠ **OEA** Sigla de *Organização dos Estados Americanos*.

oeste (o:es.te) [é] *sm*. **1** Direção do globo terrestre onde o sol se põe, à esquerda de quem está voltado para o norte. [Abr.: *O*., *W*.]. **2** Região ou conjunto de regiões a oeste (1). **3** *Geog*. O ponto cardeal que indica a direção oeste (1). [Abr.: *O*., *W*.] *a2g2n*. **4** Ref. ao ou que vem do oeste (1) (latitude oeste, vento oeste (1). **5** Que se situa a oeste (1): *o lado oeste do parque*. [Cf.: *leste*.]

ofegar (o.fe.gar) *v. int*. Respirar em intervalos curtos, por falta de ar: *Subi as escadas ofegando*. [▶ 14 ofegar] • **o.fe.gan.te** *a2g*.

ofender (o.fen.der) *v*. **1** Insultar, agredir verbalmente ou sentir-se insultado, agredido. [*td*. (com ou sem complemento explícito): *Perguntar não ofende (ninguém)*. *pr*.: *Ela ofendeu-se com a insinuação*.] **2** Agir contra (lei, costumes, crenças): *Quem ofender a lei será punido*.] [▶ 2 ofender] • **o.fen.di.do** *a.sm*.

ofensa (o.*fen*.sa) *sf.* **1** Ação ou palavra que faz com que alguém seja vítima de injustiça, menosprezo ou desacato. **2** Transgressão de preceitos, regras.

ofensiva (o.fen.*si*.va) *sf.* Ação ou atitude de investir contra, atacar, agredir; INVESTIDA.

ofensivo (o.fen.*si*.vo) *a.* **1** Que ofende ou é próprio para ofender (palavras ofensivas). **2** Que ataca ou é próprio para atacar (time ofensivo).

ofensor (o.fen.*sor*) *sm.* Aquele ou quem ofende.

oferecer (o.fe.re.*cer*) *v.* **1** Dar, ofertar, como presente. [*tdi.* + *a*, *para*: *Ofereceu uma festa para o amigo.*] **2** Colocar(-se) à disposição para. [*tdi.* + *a*, *para*: *Ofereci uma carona a João.* *pr.*: *Ofereceram-se* para ajudar.] **3** Proporcionar, prover. [*td.*: *O hotel oferece descontos na baixa temporada.* *tdi.* + *a*, *para*: *trens que oferecem conforto aos passageiros.*] [▶ **33** oferec**er**] • **o.fe.re.ci.** do *a.*; **o.fe.re.ci.men.**to *sm.*

oferenda (o.fe.*ren*.da) *sf.* **1** Doação a uma divindade. **2** Presente, dádiva.

oferta (o.*fer*.ta) *sf.* **1** Valor, em dinheiro ou em bens, proposto por algo em relação de venda ou troca: *Vou te fazer uma oferta pelo carro.* **2** *Bras.* Redução em preço de produto: *ofertas de fim de verão.* **3** *Econ.* Volume total de um certo tipo de mercadoria ou serviço disponível no mercado: *oferta de emprego.*

ofertar (o.fer.*tar*) *v.* **1** Oferecer, proporcionar. [*tdi.* + *a*, *para*: *empresas interessadas em ofertar vagas de estágio a estudantes.*] **2** Colocar em oferta para compra. [*td.*: *Ofertou o produto a preço menor.*] [▶ **1** ofert**ar**]

ofertório (o.fer.*tó*.ri:o) *sm. Rel.* Momento da missa em que se oferecem a Deus o pão e o vinho.

⊕ **office-boy** (Ing. / *ófis-bói*/) *sm.* Funcionário que faz pequenas tarefas em escritório ou na rua; CONTÍNUO. [Tb. se diz apenas *boy* e *bói.*]

⊕ **off-line** (Ing. / *óf-láin*/) *a2g2n. Inf. Int.* Que não está conectado à internet ou a qualquer outra rede de computadores (diz-se de computador, pessoa etc.).**2** *Int.* Que não diz respeito à internet (lojas *off-line*).**3** *Inf.* Não conectado ao computador: *Remova o cartucho com a impressora off-line.* [Ant. ger.: *on-line.*]

⊕ **offset** (Ing / *ófset*/) *sm. Art.Gr.* Ver *ofsete.*

oficial (o.fi.ci:*al*) *a2g.* **1** Que provém de autoridade competente ou é por ela reconhecido (documento oficial). **2** Ref. aos membros do governo ou da administração pública (comitiva oficial). *sm.* **3** Militar com patente superior à de aspirante no Exército, na Aeronáutica e na Polícia Militar) ou de guarda-marinha (na Marinha de Guerra). [Pl.: *-ais*.]

oficialato (o.fi.ci:a.*la*.to) *sm. Mil.* Cargo ou função de oficial militar.

oficialidade (o.fi.ci:a.li.*da*.de) *sf.* Conjunto dos oficiais de uma das Forças Armadas ou de suas unidades.

oficializado (o.fi.ci:a.li.*za*.do) *a.* Tornado oficial, por uso ou decisão superior (programa oficializado).

oficializar (o.fi.ci:a.li.*zar*) *v. td.* Tornar oficial; regularizar: *Os dois resolveram oficializar o casamento.* [▶ **1** oficializ**ar**] • **o.fi.ci:a.li.za.ção** *sf.*

oficiar (o.fi.ci.*ar*) *v.* **1** Realizar (ofício ou cerimônia religiosa, missa). [*td.*: *O cardeal oficiou a cerimônia.*] **2** *Jur.* Enviar ofício a; comunicar através de ofício. [*ti.* + *a*: *O Ministério Público oficiou ao prefeito solicitando investigação.*] [▶ **1** ofici**ar**] • **o.fi.ci:an.te** *a2g.s2g.*

oficina (o.fi.*ci*.na) *sf.* **1** Lugar próprio para o fabrico e/ou conserto de automóveis, máquinas etc. **2** Lugar onde se realiza trabalho artesanal. **3** Curso prático onde se aprende e exercita atividade artística ou intelectual (oficina literária).

ofício (o.*fi*.ci:o) *sm.* **1** Trabalho ou profissão que exige alguma especialização: *Ser marceneiro é um belo ofício.* **2** Tarefa ou missão que cabe a alguém: *O ofício do policial é manter a ordem.* **3** *Rel.* Conjunto de orações e demais rituais em uma cerimônia ou festa religiosa. **4** Comunicado formal por escrito que trata de questões oficiais ou de trabalho: *O diretor enviou vários ofícios.* **5** *Art.Gr.* Diz-se do papel com formato 22cm x 33cm, us. para ofícios (4); esse formato.

oficioso (o.fi.ci:*o*.so) [ó] *a.* **1** Diz-se de publicação favorável ao governo, mas que não é de cunho oficial. **2** Que provém de fontes oficiais, embora sem caráter oficial (informações oficiosas). **3** Que é prestativo e atencioso (empregado oficioso). [Fem. e pl.: [ó].]

ofídico (o.*fí*.di.co) *a.* Ref. a cobras ou que delas provêm (veneno ofídico).

ofídio (o.*fí*.di:o) *sm. Zool.* Tipo de réptil que possui corpo alongado, sem membros, língua bipartida e olhos sem pálpebras, podendo ser venenoso ou não; COBRA; SERPENTE.

ofidismo (o.fi.*dis*.mo) *sm.* **1** Envenenamento por picada de cobra e seus efeitos. **2** Estudo dos venenos de cobra.

ofsete (of.*se*.te) *a.sm. Art.Gr.* Diz-se de ou técnica de impressão em que imagens e textos a serem impressos passam de uma chapa metálica para uma bobina de borracha e daí para o papel (impressão ofsete).

oftalmia (of.tal.*mi*.a) *sf. Med.* Inflamação do globo ocular. • **of.**tál**.mi.co** *a.*

oftalmologia (of.tal.mo.lo.*gi*.a) *sf. Med.* Ramo da medicina especializado no estudo e tratamento de doenças dos olhos. • **of.tal.mo.ló.gi.co** *a.*

oftalmologista (of.tal.mo.lo.*gis*.ta) *s2g.* Médico que se especializou em oftalmologia.

ofuscar (o.fus.*car*) *v.* **1** Embaçar a vista de. [*td.* (com ou sem complemento explícito): *O sol da tarde ofuscava(-nos).*] **2** (Tb. *Fig.*) Impedir que (algo) seja visto. [*td.*: *No eclipse, a Terra ofuscou a Lua.*] **3** Tornar(-se) turvo. [*td. pr.*] [▶ **11** ofusc**ar**] • **o.fus.can.te** *a2g.*

ogiva (o.*gi*.va) *sf.* **1** *Arq.* Arco, típico do gótico, em que duas curvas se cruzam em ângulo agudo. **2** Parte anterior de foguete, míssil ou projétil, ger. em forma de cone (ogiva nuclear). • **o.gi.**val *a2g.*

OGIVA (1)

ogro (*o*.gro) [ó] *sm.* Personagem monstruoso de histórias infantis; PAPÃO.

Ogum (O.*gum*) *sm. Bras. Rel.* Divindade afro-brasileira que exerce poder sobre o ferro e a guerra na tradição nagô.

oh *interj.* Expressão de espanto, admiração, alegria, pena, tristeza ou repulsa.

ohm *sm. Elet.* Unidade de medida de resistência elétrica no Sistema Internacional. [Simb.: Ω] [Pl.: *ohms.*] • *ôh*.mi.co *a.*

oi *interj. Bras.* Expressão us. para saudar alguém, chamar ou responder a um chamado.

oitão (oi.*tão*) *sm. Cons.* **1** Cada uma das paredes laterais de casa ou edifício. **2** Parede comum construída no limite entre dois prédios. [Pl.: *-tões.*]

oitava (oi.*ta*.va) *sf. Mús.* Na escala musical, intervalo composto ger. por oito notas musicais subsequentes.

oitava de final (oi.ta.va de fi.*nal*) *sf. Esp.* Em torneios por eliminação, rodada de oito jogos em que os oito atletas ou equipes vencedores vão para as quartas de final. [Mais us. no pl.] [Pl.: *oitavas de final.*]

oitavado (oi.ta.*va*.do) *a.* Que tem oito faces ou lados (caixa oitavada); OCTOGONAL (2).

oitavo (oi.*ta*.vo) *num.* **1** Ordinal que, em uma sequência, corresponde ao número oito: *Mora no oitavo andar.* *a.* **2** Que é oito vezes menor que a uni-

oitenta | olho

dade ou um todo (diz-se part): *a oitava parte da herança*. [Us. tb. como subst.: *Já fez um oitavo do trabalho*.]

oitenta (oi.*ten*.ta) *num*. **1** Quantidade correspondente a 79 unidades mais uma. **2** Número que representa essa quantidade (arábico: 80; romano: LXXX).

oiti (oi.*ti*) *sm*. **1** *Bot*. Árvore nativa do Nordeste brasileiro, que dá flores brancas e fruto comestível; OITIZEIRO. **2** O fruto dessa árvore.

oiticica (oi.ti.*ci*.ca) *sf*. *Bot*. Árvore nativa do Nordeste brasileiro, de cujas sementes se extrai óleo us. na produção de tintas e vernizes.

oitiva (oi.*ti*.va) *sf*. Ação ou resultado de se ouvir o que alguém tem a dizer acerca de algo: *A audiência para oitiva de testemunhas foi adiada*.

oito (*oi*.to) *num*. **1** Quantidade correspondente a sete unidades mais uma. **2** Número que representa essa quantidade (arábico: 8; romano: VIII). ❏ **Ou ~ ou oitenta** Sem meio-termo; ou tudo ou nada.

oitocentésimo (oi.to.cen.*té*.si.mo) *num*. **1** Ordinal que, em uma sequência, corresponde ao número oitocentos: *Cheguei em oitocentésimo lugar na maratona*. *a*. **2** Que é oitocentas vezes menor do que a unidade ou um todo (diz-se de parte): *a oitocentésima parte do trajeto*. [Us. tb. como subst.: *só teve direito a um oitocentésimo das terras*.]

oitocentos (oi.to.*cen*.tos) *num*. **1** Quantidade correspondente a 799 unidades mais uma. **2** Número que representa essa quantidade (arábico: 800; romano: DCCC).

ojeriza (o.je.*ri*.za) *sf*. Sentimento de aversão ou repulsa por pessoa ou coisa.

ola (o.*la*) [ó] *sf*. Movimento coletivo coordenado, em forma de onda, feito por torcedores, que sentam e levantam ritmadamente, em estádio ou ginásio esportivo.

olá (o.*lá*) *interj*. Expressão us. para saudar ou chamar alguém.

olaria (o.la.*ri*.a) *sf*. **1** Local onde se fabricam tijolos, telhas, potes e outros objetos de barro. **2** O conjunto desses objetos de cerâmica ou barro.

olé (o.*lé*) *interj*. Grito de incentivo dos torcedores, em arenas de touradas e estádios de futebol. *sm*. **2** *Fut*. Longa sequência de passes ou dribles executados por um time, para demonstrar sua superioridade técnica.

oleado (o.le.*a*.do) *a*. **1** Que contém óleo ou foi untado com óleo. *sm*. **2** Lona impermeabilizada com cera ou verniz.

oleaginoso (o.le.a.gi.*no*.so) [ó] *a*. Que contém óleo (semente oleaginosa). [Fem. e pl.: [ó].]

olear (o.le.*ar*) *v. td*. Passar óleo em; untar com óleo. [▶ 13 olear]

oleicultura (o.lei.cul.*tu*.ra) *sf*. **1** Atividade industrial de produção, tratamento e conservação do azeite. **2** Atividade agrícola de cultivo de oliveiras. ● **o.lei.cul.*tor*** *sm*.

oleiro (o.*lei*.ro) *sm*. Pessoa que trabalha em uma olaria (1).

olente (o.*len*.te) *a2g*. Que exala um aroma, uma fragrância; ODORANTE: "*O riso, a fé e a dor em sândalos olentes cheios de sabor*" (Pixinguinha e Otávio de Souza, *Rosa*).

óleo (*ó*.le:o) *sm*. **1** Substância líquida gordurosa extraída de vegetais, animais ou minerais: *óleo de baleia*. **2** Tinta que contém substância gordurosa. **3** *Art.Pl*. Quadro pintado com essa tinta: *Um óleo desse pintor vale muito*. ❏ **~ essencial** Óleo extraído de planta, para uso medicinal ou em perfumaria.

oleoduto (o.le:o.*du*.to) *sm*. Sistema formado por canos interligados para levar petróleo ou seus derivados a regiões distantes.

oleoso (o.le:*o*.so) [ó] *a*. Que contém óleo; GORDUROSO. [Fem. e pl.: [ó].]

olfativo (ol.fa.*ti*.vo) *a*. Ref. a olfato ou que é próprio dele (sensibilidade olfativa).

olfato (ol.*fa*.to) *sm*. Sentido por meio do qual os cheiros são percebidos, identificados e diferenciados uns dos outros.

📖 Entende-se por olfato a percepção de partículas voláteis suspensas no ar, que contêm informações (o 'cheiro' de cada uma) cujos significados são decodificados pelo sistema nervoso. O tipo e a localização dos receptores dessas partículas diferem nas várias espécies. Nos insetos, por exemplo, eles ficam nas antenas. Nos mamíferos ger. ficam nas fossas nasais. As aves quase não têm olfato, enquanto o cão é um dos animais de olfato mais desenvolvido. Para muitos animais, o olfato é o guia na busca do alimento ou o alerta contra os perigos. No homem, apesar de muito menos desenvolvido, é fator importante na fisiologia do prazer ou desprazer sensorial.

olhada (o.*lha*.da) *sf*. Ação de olhar rapidamente para alguém ou algo; ESPIADA; ESPIADELA. ● **o.lha.*de*.la** *sf*.

olhado (o.*lha*.do) *a*. **1** Que foi visto, observado. *sm*. **2** Ver mau-olhado.

olhar (o.*lhar*) *v*. **1** Ver, contemplar; fixar (a vista), observar. [*td*.: *Queria apenas olhar as vitrines*. *ti*. + *em, para*: *Olhe bem para mim*. *pr*.: *Passa o tempo todo se olhando no espelho*.] **2** Procurar. [*int*. (seguido de indicação de lugar): *Olhamos pela casa toda e não o encontramos*.] **3** Cuidar (de alguém). [*td*.: *Ela olha o bebê enquanto estou trabalhando*. *ti*. + *por*: *Não tem quem olhe por ela*.] **4** Reparar, atentar (para). [*td*.: *Olha os gastos supérfluos*; (tb. sem complemento explícito) *Olha (isto), eu penso que ele não vai ceder*.] **5** Exercer a visão. [*int*.: *Em cruzamentos férreos, pare, olhe e escute*.] [▶ 1 olh*ar*] *sm*. **6** Ação de olhar: *Quando a encarei, fugiu do meu olhar*. **7** Aspecto dos olhos ou forma de olhar (1) que tende a refletir o estado de espírito daquele que olha (olhar sonhador) **8** *Fig*. Modo de ver, interpretar (olhar otimista).

olheiras (o.*lhei*.ras) *sfpl*. Manchas escuras localizadas abaixo dos olhos ou ao seu redor, causadas ger. por cansaço ou doença.

olheiro (o.*lhei*.ro) *sm*. **1** Pessoa contratada para observar ou vigiar. **2** *Bras*. Pessoa responsável por avisar camelôs, traficantes ou bicheiros da aproximação da polícia. **3** *Bras*. Pessoa encarregada de observar treinos e jogos dos adversários ou de descobrir novos talentos em qualquer área: *A modelo foi descoberta por um olheiro*.

olho (*o*.lho) [ô] *sm*. **1** *Anat*. Órgão exterior da visão, em forma de globo, dotado de células sensíveis à luz, cores, formas e movimentos. **2** *Bot*. Broto de planta. **3** *Fig*. Atenção ou vigilância em relação a alguém ou algo: *Fique de olho nas ondas*. **4** *Fig*. Percepção aguda: *Ele tem olho para novas cantoras*. [Pl.: [ó]. Dim.: *ocelo*.] ❏ **Abrir o ~** Ficar atento para não ser enganado; desconfiar. **Abrir os ~s** Perceber; cair em si. **A ~** Só de olhar; sem contar, medir ou pesar (diz-se de avaliação, estimativa etc.) **A ~ nu** Sem o auxílio de lentes ou aparelhos ópticos. **A ~s vistos** Claramente, visivelmente: *Emagreceu a olhos vistos*. **Aos ~s de** ou **aos olhos de**: *Aos olhos do pai o filho era inocente*. **Comer com os ~s** Admirar e cobiçar (algo, alguém). **Custar os ~s da cara** Ser caríssimo. **De ~s fechados** Com total confiança. **Encher os ~s** Causar profunda admiração ou satisfação por sua beleza, grandiosidade etc. **Fechar os ~s a** Ignorar (falta, transgressão etc.); fazer vista grossa a. **Não pregar os ~s** Não dormir. **~ da rua** Referência ao lugar fictício para onde vai quem é expulso ou demitido. **~ grande** *Bras*. Inveja. **~ mágico** Pequena abertura em porta de entrada, provida de lente, pela qual pode-se observar quem está do lado de fora. **Saltar aos ~s** Ser evidente, clarissimo. **Ver com bons ~s** Aceitar bem; ser ou mostrar-se a favor.

◫ O olho é órgão fundamental da visão, pois é nele que os raios luminosos, refletidos nos objetos e coisas que existem, vão formar a imagem dessas coisas para que sejam transmitidas ao cérebro, que as reconhecerá. Cada olho é um globo dentro da cavidade orbital, que pode ser movido em todas as direções pelos músculos retos e oblíquos. Na camada externa do globo ocular, uma fibra protetora o envolve, a *esclerótica*, que na parte anterior é transparente (a *córnea*). Na camada intermediária, no centro da parte anterior, uma lente (*cristalino*) foca os objetos de acordo com a distância e concentra os raios luminosos na *íris*, um diafragma que abre e fecha de acordo com a intensidade da luz, regulando a sua entrada na abertura central (*pupila*). É o pigmento da íris que dá a cor dos olhos. Os raios luminosos projetam sua informação na *retina*, na camada interna e posterior do globo ocular, onde as imagens projetadas são transformadas em impulsos transmitidos ao cérebro pelo nervo óptico.

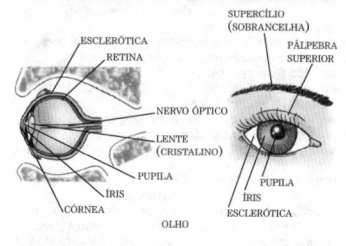

[diagrama do olho com legendas: SUPERCÍLIO (SOBRANCELHA), ESCLERÓTICA, RETINA, PÁLPEBRA SUPERIOR, NERVO ÓPTICO, LENTE (CRISTALINO), PUPILA, ÍRIS, PUPILA, CÓRNEA, ÍRIS, ESCLERÓTICA — OLHO]

olho-d'água (o.lho-d'á.gua) *sm.* Nascente que brota do solo; fonte natural. [Pl.: *olhos-d'água.*]
olho de boi (o.lho de *boi*) *sm.* **1** Abertura no teto, circular ou elíptica, para entrada de claridade; CLARABOIA. **2** *Bras.* Primeiro selo postal emitido no Brasil. **3** *Bot.* Trepadeira cuja semente de mesmo nome é us. contra o mau-olhado. [Com hifens nesta acp.] [Pl.: *olhos de boi.*]
olho de gato (o.lho de *ga*.to) *sm. Bras. Pop.* Dispositivo colocado nas estradas ou na traseira dos automóveis para refletir a luz durante a noite. [Pl.: *olhos de gato.*]
olho de sogra (o.lho de *so*.gra) *sm. Cul.* Docinho feito com uma ameixa, doce de coco e/ou ovos. [Pl.: *olhos de sogra.*]
oligarquia (o.li.gar.*qui*.a) *sf.* Governo exercido por indivíduos pertencentes a um mesmo grupo: "É uma terrível pintura (...) essa pintura da Itália sob o governo da oligarquia." (Joaquim Nabuco, *O abolicionismo*). ● **o.li.**gar**.ca** *s2g.*
oligoceno (o.li.go.*ce*.no) *a. Geol.* Diz-se de época entre 35 a 23 milhões de anos. *sm.* **2** Essa época. [Nesta acp. com inicial maiúsc.]
oligofrenia (o.li.go.fre.*ni*.a) *sf. Psiq.* Desenvolvimento mental deficiente. ● **o.li.go.**frê**.ni.co** *a.sm.*
oligopólio (o.li.go.*pó*.li:o) *sm. Econ.* Situação econômica criada por pequeno número de empresas em que a oferta é controlada por elas para dominar o mercado.
oligúria, oligúria (o.li.*gú*.ri.a, o.li.*gi*.ri.a) *sf. Med.* Secreção reduzida de urina.
olimpíada (o.lim.*pí*.a.da) *sf.* **1** *Esp.* Conjunto dos jogos competitivos que se realizavam na Grécia antiga em honra a Zeus; jogos olímpicos. **2** Período quadrienal entre duas olimpíadas. ◪ **olimpíadas** *sfpl.* **3** *Esp.* Competições esportivas entre países que, a partir de 1896, se realizam em uma cidade predeterminada, de quatro em quatro anos.

◫ Os jogos olímpicos, ou olimpíadas, tiveram origem na Grécia, país que cultuava os esportes e a cultura física. A organização oficial data do séc. IX a.C, embora muitos séculos antes já se registrassem competições esportivas pan-helênicas. Foram extintos no séc. II a.C., e recriados em Atenas em 1896, por iniciativa de Pierre de Coubertin, como a "primeira olimpíada da era moderna". Desde então, segundo o modelo grego antigo, são disputados de quatro em quatro anos (foram interrompidos durante as duas guerras mundiais), e têm como sede, em cada nova edição, uma cidade escolhida entre várias candidatas pelo Comitê Olímpico Internacional. O Brasil sediou as Olimpíadas em 2016. O chamado ideal olímpico, de congraçamento através do esporte, é representado na bandeira olímpica por cinco argolas entrelaçadas, de cores diferentes, representando os cinco continentes. Durante toda a competição a bandeira fica hasteada e arde a chama olímpica, acesa em Atenas e transportada por atletas em revezamento até o estádio central.

olímpico (o.*lím*.pi.co) *a.* **1** Ref. ao Olimpo ou a seus deuses. **2** *Esp.* Ref. às olimpíadas.
olimpo (o.*lim*.po) *sm.* **1** *Mit.* Morada dos deuses greco-latinos. **2** *Mit.* O conjunto desses deuses. [Nas acps. 1 e 2, com inicial maiúsc.] **3** *Fig.* Lugar de plena felicidade; PARAÍSO.
oliva (o.*li*.va) *sf. Bot.* Ver *oliveira.* **2** Fruto da oliveira; AZEITONA. *sm.* **3** A cor esverdeada desse fruto. *a2g2n.* **4** Que é dessa cor (uniformes oliva).
oliváceo (o.li.*vá*.ce:o) *a.* Da cor da oliva ou semelhante a ela.
olival (o.li.*val*) *sm.* Plantação de oliveiras. [Pl.: *-vais.*]
oliveira (o.li.*vei*.ra) *sf. Bot.* Árvore que dá a azeitona ou oliva.
oliviforme (o.li.vi.*for*.me) *a2g.* Que tem a forma da oliva ou azeitona.
olmo (*ol*.mo) [ô] *sm. Bot.* Árvore nativa da Europa, cultivada como ornamental.
olor (o.*lor*) [ô] *sm. Poét.* Cheiro agradável; AROMA; FRAGRÂNCIA. ● **o.lo.**ro**.so** *a.*
olvidar (ol.vi.*dar*) *v.* Não se lembrar (de); esquecer(-se). [*td.*: *É difícil olvidar o passado. pr.*: *Olvidou-se de tudo.*] [Ant.: *lembrar(-se).*] [▶ **1** olvid**ar**] ● **ol.vi.**da**.do** *a.*
olvido (ol.*vi*.do) *sm.* **1** Ação ou resultado de olvidar(-se), esquecer(-se); ESQUECIMENTO. **2** *Fig.* Condição de repouso; ADORMECIMENTO. [Cf.: *ouvido.*]
omani (o.*ma*.ni) *a2g.* **1** De Omã (sudeste da Arábia Saudita); típico desse país ou de seu povo. *s2g.* **2** Pessoa nascida em Omã.
ombrear (om.bre.*ar*) *v.* **1** Pôr no ombro. [*td.*] **2** Comparar-se; ser igualado. [*ti.* + *a,* com: *Ele ombreia aos melhores médicos do país.* pr.: *Ombreia-se em tudo com o pai famoso.*] **3** Estar em competição; rivalizar(-se). [*pr.*: *Os amigos ombreiam-se no futebol. tdi.* + com: *Não gosta de ombrear com o irmão em nada.*] [▶ **13** ombre**ar**] ● **om.bre.**a**.do** *a.*
ombreira (om.*brei*.ra) *sf.* **1** Qualquer peça do vestuário relativa ao ombro. **2** *Cons.* Cada uma das peças que compõem o vão da porta; UMBRAL.
ombro (*om*.bro) *sm. Anat.* A região mais alta de cada membro superior, onde se unem escápula, clavícula e úmero. ⁜ **Dar de ~s** Manifestar indiferença, aceitação, resignação. **~ a ~** Lado a lado.
◉ **ombudsman** (Sue. /om/búdsmen/) *s2g.* **1** Funcionário do governo encarregado de defender os direitos dos cidadãos em relação aos órgãos públicos. **2** Nas empresas, funcionário que estabelece um canal de ligação com os consumidores.

ômega (ô.me.ga) *sm.* A 24ª e última letra do alfabeto grego (Ω, ѡ).

omelete (o.me.*le*.te) *s2g. Bras. Cul.* Fritada de ovos batidos a que se pode acrescentar variados ingredientes e temperos.

omícron, ômicron (o.*mí*.cron, ô.mi.cron) *sm.* A 15ª letra do alfabeto grego. Corresponde ao *o* latino (O, o).

ominoso (o.mi.*no*.so) [ó] *a.* 1 Que traz ou revela má sorte ou infelicidade; AGOURENTO. 2 Que merece execração; DETESTÁVEL. [Fem. e pl.: [ó].]

omissão (o.mis.*são*) *sf.* 1 Ação ou resultado de omitir(-se), deixar de dizer ou fazer algo. 2 Descuido, desatenção, negligência. [Pl.: -sões.]

omisso (o.*mis*.so) *a.* 1 Que deixou de se manifestar, dizer ou fazer algo. 2 Que não cumpre com seus deveres (funcionário *omisso*); NEGLIGENTE; DESCUIDADO.

omitir (o.mi.*tir*) *v.* 1 Deixar de dizer (algo), propositalmente ou não. [*td.*: *Ela costuma omitir sua idade.*] 2 Deixar de se manifestar ou de fazer (algo). [*pr.*: *Você não pode se omitir em relação a isso!*] [▶ 3 omitir]

omoplata (o.mo.*pla*.ta) *sf. Anat.* Ver *escápula*.

onanismo (o.na.*nis*.mo) *sm.* Automasturbação masculina. ● **o.na.***nis***.ta** *a2g.s2g*

onça¹ (*on*.ça) *sf.* Unidade de peso, com valores variáveis entre 24 e 33g.

onça² (*on*.ça) *sf. Zool.* Nome dado a várias espécies de felinos de grande porte. ■ **Ficar/Virar uma ~** *Bras.* Irritar-se, encolerizar-se.

onça-pintada (on.ça-pin.*ta*.da) *sf. Zool.* Felino de grande porte encontrado em toda a América Latina. [Pl.: *onças-pintadas.*]

oncogênico (on.co.*gê*.ni.co) *a. Med.* Que ocasiona ou contribui para o surgimento de tumor.

oncologia (on.co.lo.*gi*.a) *sf. Med.* Ramo da medicina que estuda e trata dos tumores. ● **on.co.***ló***.gi.co** *a.*

oncologista (on.co.lo.*gis*.ta) *s2g.* Médico que se especializou em oncologia.

onda (*on*.da) *sf.* 1 Elevação das águas em mares, rios e lagos em virtude dos ventos e das marés. 2 *Fig.* Grande quantidade ou afluência de pessoas, coisas ou sensações: *Na confusão, uma onda de gente veio em nossa direção.* 3 *Gír.* Êxtase provocado por estímulos externos ou por drogas etc.; CURTIÇÃO; BARATO. 4 *Fig.* Força impetuosa; torrente, agitação (*onda* conservadora). ■ **Estar na ~** *Bras. Gír.* Estar na moda; fazer sucesso. **Fazer ~** *Bras.* Agitar, tumultuar. **Ir na ~** *Bras.* Deixar-se influenciar; deixar-se levar. **Pegar ~** *Gír.* Surfar. **Tirar ~ de** *Gír.* Fazer-se de; fingir-se de: *Agora ele tira onda de intelectual.*

onde (*on*.de) *pr.rel.* 1 Em que: *Desta fileira onde estou vejo bem o palco.* 2 Qual ponto ou lugar: *Por esta marca você vê até onde o rio enche. adv.interr.* 3 Em que lugar: *Onde está meu guarda-chuva?; Não sei onde meu gato se escondeu.* ■ **De ~ em ~** 1 De quando em quando; de vez em quando: *De onde em onde ouvia o pio da coruja.* 2 Aqui e ali: *De onde em onde avistamos rebanhos pastando.* **~ já se viu (uma coisa dessa)?** Expressão de rejeição e espanto. **~ quer que** Em qualquer lugar que: *Onde quer que esteja vamos encontrá-lo.*

ondear (on.de.*ar*) *v.* 1 Dar forma de ondas a. [*td.*: *ondear os cabelos.*] 2 Movimentar(-se) em ondas. [*td.*: *A brisa ondeia a superfície do lago.* int.: *Os campos de trigo ondeavam ao vento.*] [Sin. ger.: *ondular.*] [▶ 13 ond[ear]] ● **on.de.***a***.do** *a.*; **on.de.***an***.te** *a2g.*

ondulação (on.du.la.*ção*) *sf.* 1 Movimento ou formação das ondas. 2 Forma sinuosa ou que apresenta ressaltos e depressões. 3 Processo de frisar cabelos. [Pl.: -ções.]

ondulado (on.du.*la*.do) *a.* 1 Que forma ondas; que não é liso (cabelo *ondulado*). 2 Que não é plano: *A superfície ondulada da grelha separa a gordura da comida.* 3 Diz-se de papelão enrugado, próprio para embalar artigos frágeis como garrafas, potes etc.

ondular (on.du.*lar*) *v.* 1 Dar forma de ondas a. [*td.*: *Ondulou os cabelos.*] 2 Movimentar(-se) em ondas. [*td.*: *A brisa ondulava a plantação.* int.: *As palmeiras ondulavam ao vento.*] [Sin. ger.: *ondear.*] [▶ 1 ondul[ar]] ● **on.du.***lan***.te** *a2g.*; **on.du.***lo***.so** *a.*

ondulatório (on.du.la.*tó*.ri.o) *a.* Que ondula, que é feito de modo sinuoso (movimento *ondulatório*).

onerar (o.ne.*rar*) *v. td.* Aumentar a carga de impostos, de obrigações financeiras sobre; SOBRECARREGAR: *O custo de transporte onera a exportação.* [▶ 1 onera[r]] ● **o.ne.***ra***.do** *a.*

oneroso (o.ne.*ro*.so) [ó] *a.* 1 Que acarreta ou impõe ônus. 2 Que resulta em muitos gastos (viagem *onerosa*); DISPENDIOSO. 3 Que é incômodo, sufocante. [Fem. e pl.: [ó].]

⌧ **ONG** Sigla de *organização não governamental*.

ônibus (*ô*.ni.bus) *sm2n.* Veículo us. para transporte coletivo.

onipotente (o.ni.po.*ten*.te) *a2g.sm.* Que ou quem tem poder ou controle absolutos; TODO-PODEROSO. ● **o.ni.po.***tên***.cia** *sf.*

onipresente (o.ni.pre.*sen*.te) *a2g.* Que está presente ou existe em toda parte. ● **o.ni.pre.***sen***.ça** *sf.*

onírico (o.*ní*.ri.co) *a.* Ref. aos sonhos.

onisciente (o.nis.ci.*en*.te) *a2g.* Que tudo sabe, tudo conhece. ● **o.nis.ci.***ên***.ci.a** *sf.*

onividente (o.ni.vi.*den*.te) *a2g.* Que tem a capacidade de ver tudo. ● **o.ni.vi.***dên***.cia** *sf.*

onívoro (o.*ní*.vo.ro) *a.sm.* Que ou o que se alimenta de carne e vegetais; POLÍFAGO.

ônix (*ô*.nix) [cs] *sm2n. Min.* Pedra semipreciosa com faixas paralelas de cores distintas.

⊕ **on-line** (*Ing.* /on-láin/) *a2g2n.* 1 *Inf. Int.* Que está conectado à internet ou a qualquer outra rede de computadores (diz-se de computador, pessoa etc.). 2 *Inf. Int.* Disponível na internet ou em qualquer outra rede: *a versão on-line do jornal.* 3 *Int.* Feito através da internet: *As compras on-line cresceram muito.* 4 *Inf.* Diretamente conectado a uma impressora (impressora *on-line*). [Ant. ger.: *off-line.*] *adv.* 5 *Inf. Int.* Em rede; pela internet: *O pagamento da matrícula pode ser feito on-line.*

onomástico (o.no.*más*.ti.co) *a.* 1 Ref. aos nomes próprios. 2 Em que estão listados nomes de pessoas (índice *onomástico*). ● **onomástica** *sf.* 3 Estudo dos nomes próprios. 4 Relação de nomes próprios.

onomatopeia (o.no.ma.to.*pei*.a) *sf. Ling.* Palavra que imita o som da coisa denominada (p.ex., *tique-taque*). ● **o.no.ma.to.***pai***.co** *a.*; **o.no.ma.to.***pei***.co** *a.*

ontem (*on*.tem) *adv.* 1 Na véspera do dia em que se encontra o falante: *Ontem estive com ele.* 2 *Fig.* Em tempo passado, mas recente: *ideias de ontem.* ■ **Para ~** Urgentíssimo: *Lá tudo tem que ser feito para ontem.*

ontologia (on.to.lo.*gi*.a) *sf. Fil.* Parte da filosofia que estuda a natureza dos seres. ● **on.to.***ló***.gi.co** *a.*

⌧ **ONU** Sigla de *Organização das Nações Unidas*.

> A Organização das Nações Unidas foi criada ao fim da Segunda Guerra Mundial (1945) em São Francisco, EUA, com 51 nações, com o objetivo de zelar pela paz e pela segurança internacionais, estabelecer relações cordiais entre as nações do mundo com base na igualdade de direitos, e promover a cooperação internacional nas áreas vitais ao bem-estar, como a economia, a educação, a cultura, as questões sociais etc. Desde então, muitas nações ingressaram na ONU, chegando em 2009 a 192 estados-membros. Seu órgão máximo é a Assem-

bleia Geral, que se reúne uma vez por ano na sede da ONU. Os demais órgãos são: o Conselho de Segurança, que tem 15 membros, cinco permanentes (EUA, Reino Unido, França, Rússia e China) e dez transitórios; o Conselho de Tutela; a Corte Internacional de Justiça e o Conselho Econômico e Social. O Brasil está na ONU desde a sua fundação, e, por tradição, cabe ao representante brasileiro abrir os pronunciamentos em toda sessão inaugural da Assembleia Geral.

ônus (ô.nus) *sm2n*. **1** Obrigação difícil de ser cumprida, pelo trabalho ou custo que acarreta. **2** Imposto a ser pago. **3** Sobrecarga, peso.

onze (on.ze) *num.* **1** Quantidade correspondente a dez unidades mais uma. **2** Número que representa essa quantidade (arábico: 11; romano: XI).

onze-horas (on.ze-ho.ras) *sf2n. Bras. Bot.* Erva cultivada como ornamental pela beleza de suas flores.

oócito (o.ó.ci.to) *sm. Biol.* Cada uma das células que dão origem ao óvulo.

opa (o.pa) [ó] *sf.* Espécie de capa us. por religiosos.

opa (o.pa) [ó] *interj.* **1** Exprime surpresa ou admiração. **2** Forma de saudação equivalente a 'oi'.

opacidade (o.pa.ci.da.de) *sf.* Qualidade ou condição de opaco.

opaco (o.pa.co) *a.* **1** Que não reflete ou não permite a passagem de luz ou claridade (vidro opaco). **2** Que é sombrio, cerrado (névoa opaca).

opala (o.pa.la) *sf.* **1** *Min.* Pedra preciosa de cor leitosa e azulada. **2** Tecido fino de algodão.

opalescente (o.pa.les.cen.te) *a.* Ver opalino. • **opa.les.cên.ci.a** *sf.*

opalina (o.pa.li.na) *sf.* Vidro fosco, mas que deixa passar a luz.

opalino (o.pa.li.no) *a.* De cor similar à da opala (1); OPALESCENTE. • **o.pa.li.ni.da.de** *sf.*

opção (op.ção) *sf.* **1** Ação ou resultado de optar, escolher. **2** Cada uma das possibilidades pelas quais se pode optar; ALTERNATIVA. [Pl.: -ções.]

opcional (op.ci:o.nal) *a2g.* Pelo qual se pode optar; OPTATIVO: *ar-condicionado e vidro elétrico opcionais.* [Pl.: -nais.]

⊕ **open market** (Ing. /ópen márquet/) *loc.subst. Fin.* Mercado de compra e venda de títulos de crédito, esp. títulos do governo.

⊠ **Opep** Sigla de *Organização dos Países Exportadores de Petróleo.*

ópera (ó.pe.ra) *sf.* **1** *Mús. Teat.* Drama musical em que as falas dos personagens são cantadas. **2** Teatro onde são representados esses dramas.

ópera-bufa (ó.pe.ra-bu.fa) *sf. Mús. Teat.* Ópera (1) ligeira e satírica, de origem italiana. [Pl.: *óperas-bufas.*]

operação (o.pe.ra.ção) *sf.* **1** Ação ou resultado de operar. **2** Cirurgia: *operação do apêndice.* **3** Cálculo matemático: *operação de adição.* **4** Manobra militar. [Pl.: -ções.]

operacional (o.pe.ra.ci:o.nal) *a2g.* **1** Ref. a operação (supervisor operacional). **2** Pronto para ser utilizado ou realizado: *O plano está em fase operacional.* [Pl.: -nais.]

operacionalizar (o.pe.ra.ci:o.na.li.zar) *v. td.* Definir estratégias, ações para a realização de; realizar: *Já decidiu como operacionalizar a proposta?* [▶ **1** operacionaliz<u>ar</u>]

ópera-cômica (o.pe.ra-cô.mi.ca) *sf. Mús. Teat.* Ópera de caráter cômico, em que se alternam as partes cantadas e faladas. [Pl.: *óperas-cômicas.*]

operador (o.pe.ra.dor) [ô] *sm.* **1** Pessoa incumbida de operar ou executar alguma coisa: <u>operador</u> *de telemarketing.* **2** Cirurgião. **a.** **3** Que opera (máquina operadora). ■ **operadora** *sf.* **4** Empresa que explora determinado tipo de serviço: <u>operadora</u> *de cartão de crédito.*

operante (o.pe.ran.te) *a2g.* **1** Que opera; que realiza algo. **2** Que produz algum efeito.

operar (o.pe.rar) *v.* **1** Realizar, efetuar. [*td.: O computador opera cálculos.*] **2** Estar em atividade; funcionar. [*int.: A Bolsa de Valores voltou a <u>operar</u> ontem.*] **3** Manejar, manobrar. [*td.: <u>operar uma máquina.*</u>] **4** Realizar cirurgia (em). [*td.: O atacante <u>operou</u> o joelho. int.: O médico está impedido de <u>operar</u>. pr.: Vou me <u>operar</u> amanhã.*] [▶ **1** oper<u>ar</u>] • **o.pe.ra.do** *a.*

operariado (o.pe.ra.ri:a.do) *sm.* A classe ou conjunto dos operários.

operário (o.pe.rá.ri:o) *sm.* **1** Pessoa encarregada do trabalho mecânico ou manual em indústrias e fábricas; trabalhador. **a.** **2** Ref. a operários (classe operária).

operatório (o.pe.ra.tó.ri:o) *a.* Ref. a cirurgia.

opereta (o.pe.re.ta) [ê] *sf. Mús. Teat.* Ópera curta, leve e ger. cômica, com partes cantadas e faladas.

operoso (o.pe.ro.so) [ô] *a.* **1** Que é trabalhador, esforçado. **2** Que é difícil, trabalhoso. [Fem. e pl.: [ó].]

opimo (o.pi.mo) *a.* Fértil, produtivo (terreno opimo).

opinar (o.pi.nar) *v.* Expressar opinião sobre. [*td.: Opinou que não existe motivo para nos preocuparmos. ti. + em, sobre: Achei melhor não <u>opinar</u> sobre o caso. int.: Algumas pessoas preferiram não <u>opinar</u>.*] [▶ **1** opin<u>ar</u>]

opinativo (o.pi.na.ti.vo) *a.* Que se baseia em ou expressa opinião particular (jornalismo opinativo).

opinião (o.pi.ni:ão) *sf.* **1** O que se pensa a respeito de algo ou alguém: *Qual a sua opinião sobre o livro?* **2** Parecer, avaliação: *Fui a outro médico para ter uma segunda opinião.* [Pl.: -ões.] ▦ ~ **pública** Opinião (1) sobre várias áreas de atividade (política, esporte, cultura etc.), partilhada por grande parte da sociedade.

opiniático (o.pi.ni:á.ti.co) *a.* Ver opinioso.

opinioso (o.pi.ni:o.so) [ô] *a.* Que é inflexível em suas opiniões; OPINIÁTICO. [Fem. e pl.: [ó].]

ópio (ó.pi:o) *sm.* **1** Substância extraída da papoula, us. como narcótico, e da qual se obtém a morfina. **2** *Fig.* O que aliena as pessoas dos problemas que as cercam: *A televisão é o ópio do povo.*

opiômano (o.pi:ô.ma.no) *a.sm.* Que ou quem é viciado em ópio (1).

opíparo (o.pí.pa.ro) *a.* Que revela opulência, esplendor; MAGNÍFICO.

oponente (o.po.nen.te) *a2g.s2g.* Que ou quem se opõe a alguém; ADVERSÁRIO; OPOSITOR.

opor (o.por) *v.* **1** Apresentar(-se) ou demonstrar(-se) (ação, atitude, ideia etc.) como entrave, resistência, obstáculo etc. [*td.: Submeteram-se ao regulamento sem opor resistência. tdi. + a: Não foi aceito porque opuseram-lhe restrições.*] **2** Ser ou manifestar-se contra. [*pr.: "Meu pai opôs-se ao casamento..." (Machado de Assis, Helena).*] **3** Pôr(-se) ou surgir (algo, alguém) na frente, ou frente a frente, como obstáculo, oposição, enfrentamento etc. [*td.: A partida final opôs os vencedores dos dois turnos. tdi. + a: Opôs uma barricada ao avanço da tropa. pr.: Muitas dificuldades se oporão ainda em seu caminho.*] **4** Pôr ou fazer (algo) em contraste (com outra coisa). [*tdi. + a: Pela lógica, opomos falso à verdadeiro. pr.: Neste quadro, o azul das céu opõe-se ao amarelo do trigal.*] [▶ **60** op<u>or</u>. Part.: *oposto.*]

oportunamente (o.por.tu.na.men.te) *adv.* Na ocasião ou momento oportuno: *Contataremos o advogado oportunamente.*

oportunidade (o.por.tu.ni.da.de) *sf.* Ocasião ou situação oportuna, apropriada ou favorável: *Na viagem tivemos a oportunidade de nos conhecermos melhor.*

oportunismo (o.por.tu.nis.mo) *sm.* **1** Capacidade de perceber o momento certo para a obtenção de vanta-

oportuno | ordenação

gens. **2** *Pej.* Conduta que privilegia interesses particulares em detrimento da ética, da moral. ● **o.por.tu.nis.ta** *a2g.s2g.*

oportuno (o.por.*tu*.no) *a.* **1** Que convém; CONVENIENTE; APROPRIADO: *Não acho oportuno discutir isso em público.* **2** Que acontece em momento conveniente: *A visita deles não foi muito oportuna.*

oposição (o.po.si.*ção*) *sf.* **1** Ação ou resultado de opor(-se); OBJEÇÃO. **2** Contraste, diferença, disparidade: *a oposição entre países desenvolvidos e subdesenvolvidos.* **3** *Pol.* Partido ou conjunto de partidos contrários ao governo. [Pl.: -ções] ▪ **Em ~ a 1** Contra: *manifesto em oposição às novas medidas.* **2** Em contraste com: *o rock dos anos 70 em oposição ao rock dos anos 90.*

oposicionismo (o.po.si.ci:o.*nis*.mo) *sm.* Prática de opor-se a tudo. ● **o.po.si.ci:o.nis.ta** *a2g.s2g.*

opositor (o.po.si.*tor*) [ó] *a.sm.* Ver *oponente*.

oposto (o.*pos*.to) [ó] *a.* **1** Que se opõe (caminhos opostos, opiniões opostas); CONTRÁRIO. **2** Que se situa em frente: *O ponto de ônibus fica oposto à escola.* *sm.* **3** Inverso, contrário: *Sou o oposto de você nisso.* [Fem. e pl.: [ó].]

opressão (o.pres.*são*) *sf.* **1** Ação de oprimir. **2** Condição de quem se sente oprimido. **3** Submissão conseguida pela força; TIRANIA. **4** Falta de ar; SUFOCAMENTO. [Pl.: -sões.]

opressivo (o.pres.*si*.vo) *a.* Que oprime ou é us. para oprimir; OPRESSOR.

opressor (o.pres.*sor*) [ó] *a.sm.* Que ou quem oprime.

oprimido (o.pri.*mi*.do) *a.* **1** Que sofreu ou sofre opressão. *sm.* **2** Vítima de opressão.

oprimir (o.pri.*mir*) *v. td.* **1** Dominar pela força; impor-se violentamente: *Na Idade Média, os senhores oprimiam os vassalos.* **2** Apertar; comprimir; fazer pressão em: *A faixa apertada oprimia seu peito.* **3** Pesar, sobrecarregar: *A alta de preços oprimiu os consumidores.* **4** *Fig.* Causar sofrimento, tristeza, aflição a: *"...a aproximação do marido a oprimia."* (José de Alencar, *Senhora*). ▪ **3** oprim<u>ir</u>. Part.: oprimido e opresso.] ● **o.pri.men.te** *a2g.*

opróbrio (o.*pró*.bri.o) *sm.* **1** Aquilo que desonra; degradação pública: *Sua conduta o expôs ao opróbrio.* **2** Característica do que humilha, degrada; ABJEÇÃO: *o opróbrio de seus crimes.*

optar (op.*tar*) *v. ti.* Escolher; decidir-se por (algo entre duas ou mais possibilidades). [+ *por*: *Optou pelo pagamento à vista*.] [▶ 1 opt<u>ar</u>]

optativo (op.ta.*ti*.vo) *a.* Que permite opção; OPCIONAL: *A prova tem questões optativas.*

óptica (*óp*.ti.ca) *sf. Fís.* **1** Parte da física que estuda as radiações de luz e os fenômenos visuais. **2** Estabelecimento no qual se fabrica, conserta ou vende óculos e outros instrumentos ópticos. **3** Modo de ver, sentir ou julgar: *Na óptica dos torcedores, o time jogou mal.*

óptico (*óp*.ti.co) *a.* **1** Ref. à visão ou aos olhos (nervo óptico). **2** *Fís.* Ref. à óptica (estudos ópticos).

opugnar (o.pug.*nar*) *v. td. P.us.* Atacar, combater, refutar. [▶ 1 opug<u>n</u>ar] ● **o.pug.na.ção** *sf.*

opulência (o.pu.*lên*.ci:a) *sf.* **1** Grande quantidade de riqueza. **2** Luxo excessivo; POMPA: *a opulência das igrejas góticas.* **3** Aquilo que existe ou aparece em grande número; ABUNDÂNCIA: *a opulência da flora brasileira.*

opulento (o.pu.*len*.to) *a.* **1** Que possui muitos bens; RICO. **2** Que é luxuoso; SUNTUOSO. **3** Que existe em grande número.

⊕ **opus** (*Lat. /ópus/*) *sm. Mús.* Índice de classificação e numeração musical das publicações de um compositor.

opúsculo (o.*pús*.cu.lo) *sm.* Obra impressa de poucas páginas.

ora (*o*.ra) [ó] *adv.* **1** Nesta ocasião; agora: *A lei, ora apresentada, proíbe a venda de armas.* *conj.alter.* **2**

Ou... ou...: *Ora ria, ora chorava.* *conj.advers.* **3** Entretanto, mas: *Eu ofereci ajuda; ora, orgulhosa como é, nem aceitou.* *interj.* **4** Manifesta surpresa, ironia, irritação etc.: *Ora! Quem é viro sempre aparece!* [NOTAS: a) Como conj. advers., é us. tb. para contrapor ideias entre frases, períodos, parágrafos. b) Como interj., é us. para realce expressivo: 1) pela repetição: *Ora, ora!* 2) com outra interj.: *Ora, bolas!*] ▪ **Por ~** Por enquanto: *Por ora, estamos satisfeitos.*

oração (o.ra.*ção*) *sf.* **1** Prece dirigida a Deus ou a um santo. **2** *Gram.* Frase que contém verbo: '*Adoro filmes de terror*' *é uma oração.* [NOTA: Na frase 'O filme a que assisti é ótimo' há duas orações: *o filme é ótimo* e *a que assisti.*] [Pl.: -ções.]

oracional (o.ra.ci:o.*nal*) *a2g.* Que pertence ou se refere a oração (2). [Pl.: -nais.]

oracular (o.ra.cu.*lar*) *a2g.* Ref. a oráculo.

oráculo (o.*rá*.cu.lo) *sm.* Na Antiguidade, divindade a quem se consultava em busca de respostas para dúvidas e questionamentos.

orador (o.ra.*dor*) [ô] *sm.* **1** Pessoa que discursa em público. **2** Pessoa com capacidade de falar e exprimir-se bem.

orago (o.*ra*.go) *sm.* **1** *Rel.* Santo que dá nome a uma capela ou templo; PADROEIRO. **2** O templo ou capela dedicado a esse santo.

oral (o.*ral*) *a2g.* **1** Ref. a boca (higiene oral). **2** Feito de viva voz (exame oral). [Pl.: -rais.] ● **o.ra.li.da.de** *sf.*

orangotango (o.ran.go.*tan*.go) *sm. Zool.* Grande macaco de pelos avermelhados e braços compridos.

orar (o.*rar*) *v.* **1** Rezar; pedir (em oração). [*ti.* + *a*, *por*: *Orava pelas vítimas inocentes.* *tdi.* + *a*: *Orou a Deus que se curasse daquele mal.* *int.*: *O prisioneiro orava, pedindo clemência.*] **2** Fazer (oração). [*td.*: *Orou uma longa prece.*] [▶ 1 or<u>ar</u>]

oratória (o.ra.*tó*.ri:a) *sf.* Arte de falar em público.

oratório (o.ra.*tó*.ri:o) *sm.* **1** Móvel ou cavidade na parede ornados com imagens religiosas. **2** *Mús. Teat.* Drama musicado, de tema religioso, com cânticos, coros e orquestra.

ora-veja (o.ra-*ve*.ja) [ê] *sm2n.* Us. na loc. ▪ **Ficar no ~** *Bras. Pop.* Ser esquecido: *Seu presente de Natal ficou no ora-veja.*

orbe (*or*.be) [ô] *sm.* **1** Globo, esfera. **2** Mundo, terra.

orbicular (or.bi.cu.*lar*) *a2g.* Que tem forma de orbe (1); ESFÉRICO; GLOBULAR.

órbita (*ór*.bi.ta) *sf.* **1** *Astron.* Trajetória de um astro em torno de outro. **2** *Anat.* Cada uma das cavidades em que se aloja o globo ocular. **3** *Fig.* Campo de ação; LIMITE: *Esse assunto está fora de sua órbita de atuação.* ▪ **Entrar em ~** *Gír.* Perder a noção da realidade; ficar alheado ou alienado. **Fora de ~** *Gír.* Fora da realidade; alheado. ● **or.bi.tal** *a2g.*; **or.bi.tar** *v.*; **or.bi.tá.ri:o** *a.*

orca (*or*.ca) [ó] *sf. Zool.* Tipo de baleia, carnívora e agressiva.

orçamento (or.ça.*men*.to) *sm.* **1** Estimativa do custo de uma obra, reparo etc.: *Pedimos orçamento a dois pedreiros.* **2** Cálculo da receita e despesas. ● **or.ça.men.tá.ri:o** *a.*

orçar (or.*çar*) *v. td.* Calcular o preço, o custo de: (seguido do no. de indicação de custo) *O técnico orçou o conserto (em uma quantia absurda).* [▶ 12 orç<u>ar</u>]

ordeiro (or.*dei*.ro) *a.* Em ordem; ORGANIZADO: *Os eleitores votaram de modo ordeiro.*

ordem (*or*.dem) *sf.* **1** Arranjo que segue alguma metodologia. [Ant.: *desordem*.] **2** Determinação que parte de alguma autoridade. **3** Norma ou regra estabelecida. **4** Série ou sequência de coisas ou pessoas. **5** Sociedade religiosa. **6** Documento que autoriza a execução de uma ação ou tarefa: *ordem de serviço.*

ordenação (or.de.na.*ção*) *sf.* **1** Ação ou resultado de ordenar, de pôr em certa ordem. **2** *Litu.* Na Igreja Ca-

tólica, cerimônia em que um indivíduo é consagrado padre. [Pl.: -ções.]
ordenado (or.de.*na*.do) *a.* **1** Posto em ordem; em que há ordem; ARRUMADO. **2** Que recebeu ordenação em cerimônia religiosa. *sm.* **3** Pagamento mensal feito a empregado; SALÁRIO.
ordenança (or.de.*nan*.ça) *Mil. sf.* **1** Regulamento militar. *s2g.* **2** Soldado sob as ordens de superior hierárquico.
ordenar (or.de.*nar*) *v.* **1** Estipular, determinar por meio de ordem (2), instrução, comando etc. [*td.*: "O médico ordenou absoluto repouso..." (Machado de Assis, *Ideias do canário* in *Novas seletas*). *tdi.* + *a*: *O diretor ordenou a todos que saíssem.*] **2** Colocar em ordem (1); ORGANIZAR. [*td.*: *Ordene os arquivos por data.*] [Ant. nesta acp.: *desordenar*.] **3** *Litu.* Outorgar a ou receber sacramento de ordem religiosa. [*td.*: *O superior ordenou os noviços. pr.*: *Ordenou-se freira na Ordem das Carmelitas.*] [▶ **1** ordenar] • **or.de. na.*men*.to** *sm.*
ordenhar (or.de.*nhar*) *v. td.* Tirar leite de (vaca, cabra etc.) espremendo as tetas, manual ou mecanicamente. [▶ **1** ordenhar] • **or.*de*.nha** *sf.*
ordinal (or.di.*nal*) *a2g.* **1** *Gram. Mat.* Que indica a colocação de pessoas ou coisas numa série (diz-se de número [Gram.] e numeral [Mat.]) (p.ex.: primeiro, segundo, quinto etc.). *sm.* **2** *Mat.* Número ordinal. [Pl.: -*nais*.]
ordinariamente (or.di.na.ri:a.*men*.te) *adv.* Normalmente, comumente: *Ordinariamente era calmo, mas tinha fases de rebeldia.*
ordinário (or.di.*ná*.ri:o) *a.* **1** De má qualidade (bebida ordinária). **2** De mau caráter (pessoa ordinária); VIL. **3** Habitual, comum.
orégano (o.*ré*.ga.no) *sm. Bot.* Erva us. como tempero, esp. em pizzas e massas.
orégão (o.*ré*.gão) *sm.* O m.q. *orégano.* [Pl. -*gãos*.]
orelha (o.*re*.lha) [ê] *sf.* **1** *Anat.* A parte exterior do ouvido, em forma de concha. **2** *Anat.* Órgão da audição responsável também pela manutenção do equilíbrio (1). [*Orelha* substituiu *ouvido* na nova terminologia anatômica.] **3** *Bibl.* Cada uma das duas extremidades das capas de um livro, dobradas para dentro. **4** O conteúdo (ger. texto, sobre o autor e/ou a obra) da orelha (3). **5** Pala que extremidade de certos objetos, que é semelhante a uma orelha (1). ■ **Até as ~s** *Pop.* Totalmente: *Está atarefado até as orelhas.* **De ~** Por ouvir dizer; de orelhada. **De ~ em pé** *Bras. Fam.* Atento, alerta, com desconfiança.

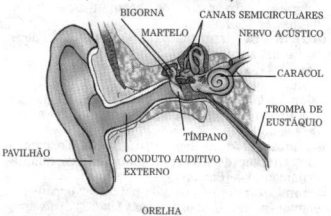

BIGORNA
CANAIS SEMICIRCULARES
MARTELO
NERVO ACÚSTICO

CARACOL

TROMPA DE EUSTÁQUIO

TÍMPANO
PAVILHÃO
CONDUTO AUDITIVO EXTERNO

ORELHA

📖 A orelha humana divide-se em externa, média e interna. A externa é constituída do pavilhão auditivo, a orelha (1), que acolhe as ondas sonoras, e do canal auditivo, onde estas são dirigidas à orelha média. Nesta, as ondas fazem vibrar uma membrana chamada tímpano, que transmite as vibrações aos ossinhos (martelo, bigorna e estribo) da orelha. Uma pressão do ar uniforme dos dois lados do tímpano é mantida pela trompa de Eustáquio, ligada à garganta. As vibrações prosseguem, agora em meio líquido, até à cóclea, ou caracol, na orelha interna, onde se transformam em impulsos nervosos que são conduzidos ao cérebro pelo nervo acústico.

orelhada (o.re.*lha*.da) *sf.* Puxão de orelhas. ■ **De ~** *Bras. Pop.* Só de ouvir dizer; sem conhecimento próprio.
orelhão (o.re.*lhão*) *sm. Bras.* Cabine de telefone público instalada nas ruas. [Pl.: -*lhões*.]
orelhudo (o.re.*lhu*.do) *a.sm.* Que ou quem tem orelhas grandes.
orfanato (or.fa.*na*.to) *sm.* Local destinado a dar abrigo e educação a órfãos e/ou crianças abandonadas.
orfandade (or.fan.*da*.de) *sf.* Condição de quem é órfão.
órfão (*ór*.fão) *a.sm.* **1** Que ou quem perdeu o pai e/ou a mãe. **2** *Fig.* Que ou quem foi abandonado ou privado de algo: *Sentiu-se órfão quando os amigos viajaram.* [Pl.: -*fãos*. Fem.: -*fã*.]
orfeão (or.fe:*ão*) *sm. Mús.* Grupo de cantores que cantam ger. a várias vozes; CORO. [Pl.: -*ões*.] • **or.fe.*ô*.ni.co** *a.*
organdi (or.gan.*di*) *sm.* Tecido leve e transparente, armado, para dar consistência.
organicismo (or.ga.ni.*cis*.mo) *sm.* **1** *Fil.* Doutrina que considera o universo um grande organismo vivo. **2** *Soc.* Doutrina que faz uma analogia entre a sociedade e os organismos vivos.
orgânico (or.*gâ*.ni.co) *a.* **1** Ref. a órgão ou a organização. **2** Que deriva de organismos vivos (adubo orgânico). **3** Que não utiliza produtos químicos para o seu cultivo (vegetais orgânicos).
organismo (or.ga.*nis*.mo) *sm.* **1** *Biol.* Conjunto de órgãos que compõem o corpo humano. **2** Qualquer ser estruturalmente organizado (organismo microscópico). **3** Instituição de caráter social, político ou administrativo (organismos internacionais); ORGANIZAÇÃO.
organista (or.ga.*nis*.ta) *s2g.* Músico que toca órgão.
organização (or.ga.ni.za.*ção*) *sf.* **1** Ação ou resultado de organizar(-se). **2** Maneira pela qual um ser vivo ou um sistema se constitui ou se organizam: *a organização de um governo.* **3** Reunião de pessoas com objetivos ou interesses comuns; ASSOCIAÇÃO: *organização de trabalhadores.* **4** Conjunto de regras e funções com o objetivo de arrumar, planejar ou administrar algo: *a organização de um evento.* **5** Qualidade do que é bem organizado, bem planejado: *O evento primou pela organização.* [Pl.: -*ções*.] • **or.ga. ni.za.ci:o.*nal*** *a2g.*
organizar (or.ga.ni.*zar*) *v.* **1** Dar a ou assumir (pessoas, coisas, elementos) ordem, disposição ou estrutura adequada para que preencham certas funções, configurações, finalidades etc. [*td.*: *Resolveu organizar sua biblioteca. pr.*: *As células organizam-se formando tecidos.*] **2** Planejar, preparar, providenciando o que for necessário. [*td.*: *Organizamos um evento para angariar fundos.*] **3** Criar, formar (grupo, instituição etc.). [*td.*: *organizar um sindicato/um catálogo. pr.*: *Os moradores organizaram-se* (numa comissão) *para ir à prefeitura.*] [▶ **1** organizar] • **or.ga. ni.za.do.a** *sm., -do.ra* *a.sm.*
organograma (or.ga.no.*gra*.ma) *sm.* Representação gráfica da estrutura de uma organização, empresa etc., mostrando a hierarquia e as relações entre as suas unidades.
organza (or.*gan*.za) *sf.* Tecido fino e transparente feito de fibras naturais, como a seda, ou sintéticas, como o náilon.
órgão (*ór*.gão) *sm.* **1** *Anat.* Estrutura de tecidos, com funções específicas, constituinte de um organismo (órgãos sexuais). **2** Parte integrante de um sistema

organizado de elementos, com função própria. **3** Meio de comunicação, divulgação (p.ex. jornal, TV). **4** *Mús*. Instrumento constituído de tubos alimentados por um sistema de foles que, quando acionados por teclado e pedaleira, fazem o ar passar por eles, produzindo um som característico. **5** Entidade ou instituição com funções sociais, políticas, culturais etc.: *A reforma estendeu-se a todos os órgãos governamentais.* [Pl.: -*gãos*.]

orgasmo (or.*gas*.mo) *sm.* O momento de máxima excitação e prazer no ato sexual; CLÍMAX. • **or.gás.ti.co** *a.*

orgia (or.*gi*.a) *sf.* **1** Ritual realizado na Antiguidade entre os gregos e romanos, em honra de Dioniso ou Baco; BACANAL. **2** Festa ou reunião que se caracteriza pelo excesso de bebidas e licenciosidade sexual. **3** *Fig.* Qualquer excesso cometido: *Nossa viagem foi uma orgia de gastos.* • **or.gi.a.co** *a*; **or.gi.ás.ti.co** *a.*

orgulhar (or.gu.*lhar*) *v.* Fazer sentir ou sentir orgulho (1). [*td.*: *Esse prêmio orgulharia qualquer pessoa. pr.*: *Tem bons motivos para se orgulhar.*] [▶ 1 orgulhar]

orgulho (or.*gu*.lho) *sm.* **1** Sentimento de satisfação com suas próprias características ou ações, ou com as de outrem: "Eu contei do meu orgulho pela cidade..." (Paulo Coelho, *Brida*). **2** *Pej.* Admiração excessiva de si próprio; SOBERBA. **3** Sentimento de dignidade pessoal e de sua preservação; ALTIVEZ; BRIO: *Seu orgulho o impedia de pedir favores.* **4** Aquilo ou aquele de que(m) se tem orgulho (1): *João Ubaldo Ribeiro é um dos orgulhos da literatura brasileira.* • **or.gu.***lho*.so *a.sm.*

orientação (o.ri.en.ta.*ção*) *sf.* **1** Ação ou resultado de orientar(-se), tomar uma direção. **2** Determinação ou capacidade de determinar a posição em relação aos pontos cardeais ou a outra referência: *Vive se perdendo, seu senso de orientação é péssimo.* **3** Tendência para uma direção, objetivo; INCLINAÇÃO; INTERESSE: *Sua orientação para a música é inata.* **4** Instrução ou conselho quanto a métodos ou maneiras de realizar ou conduzir algo: *Os jovens precisam de uma orientação sexual adequada.* [Pl.: -*ções*.]

orientador (o.ri.en.ta.*dor*) *a.sm.* **1** Que ou quem orienta. **2** Que ou quem orienta os estudos ou pesquisas do aluno.

oriental (o.ri.en.*tal*) *a2g.* **1** Situado no oriente: *a costa oriental da África.* **2** Ref. ao Oriente; típico dos países do Oriente ou de seus povos: *a medicina oriental.* **3** Originário do Oriente (tapetes *orientais*). *s2g.* **4** Pessoa nascida no Oriente. [Pl.: -*tais*.] [Cf.: *ocidental*.]

orientalismo (o.ri.en.ta.*lis*.mo) *sm.* **1** Conjunto dos conhecimentos e das características do Oriente e de seus povos e culturas. **2** Atitude de admirar e/ou privilegiar os valores culturais do Oriente. • **o.ri.en.ta.*lis*.ta** *a2g.s2g.*

orientar (o.ri.en.*tar*) *v.* **1** Indicar (direção, rumo, caminho) a. [*td.*: *O guarda orientou o motorista (quanto à rua a seguir).*] **2** Indicar (procedimento, atitude adequados) a, aconselhando, ensinando etc. ou assumir tal procedimento, atitude etc. [*td.* (seguido ou não de indicação de finalidade, circunstância etc.): *A campanha orienta a população (sobre a violação); O professor orientou o mestrando (em sua tese). pr.*: *Sempre se orientou por princípios éticos.*] **3** Administrar, conduzir (aconselhando). [*td.*: *Como conselheiro, orientava os novos projetos; Só um médico pode orientar o tratamento.*] **4** Dispor(-se), voltar(-se) em certa direção ao ponto cardeal. [*td.* (seguido de indicação de direção): *O arquiteto orientou a fachada principal para oeste. pr.*: *Orientou-se na direção da praia e começou a caminhar.*] **5** Reconhecer ou tentar reconhecer (alguém) sua posição em relação a um ponto cardeal ou outra referência. [*pr.*: *No cruzamento, consultou o mapa para orientar-se.*] [▶ 1 orientar]

oriente (o.ri.*en*.te) *sm.* **1** O lado do horizonte onde o sol nasce; LESTE; NASCENTE. ❏ **Oriente** *sm.* **2** O conjunto dos países do sul e do leste da Ásia, incluindo a Índia, a China e o Japão. [Cf.: *ocidente*.] ❏❏ **Extremo Oriente** Região que compreende todos os países do leste da Ásia, incluindo a China, o Japão, Coreia do Norte, Coreia do Sul e Indochina. **Oriente Médio** Região que compreende a Turquia, os países do sudoeste da Ásia e do norte da África, o Afeganistão, Irã e Iraque; ORIENTE PRÓXIMO. **Oriente Próximo** Ver *Oriente Médio.*

orifício (o.ri.*fí*.ci.o) *sm.* Qualquer buraco, passagem ou abertura de pequenas dimensões.

origâmi (o.ri.*gâ*.mi) *sm.* Arte japonesa que consiste em dobrar pedaços de papel para que assumam diversas formas.

origem (o.*ri*.gem) *sf.* **1** Ponto no espaço ou no tempo que marca o início de algo; COMEÇO: *A concepção é a origem da vida.* **2** O local ou região de nascimento: *Sua origem é o Norte do Brasil.* **3** A ascendência familiar ou a proveniência de um grupo (origem africana). **4** Lugar de onde provém alguma coisa: "... devo revelar-lhe a origem deste dinheiro..." (José de Alencar, *Senhora*). **5** Aquele ou aquilo que é responsável por provocar algo; CAUSA; MOTIVO: *A bebida é a origem principal dos acidentes de trânsito.* [Pl.: -*gens*.]

original (o.ri.gi.*nal*) *a2g.* **1** Ref. a ou que provém da origem; ORIGINÁRIO: *a versão original de um pronunciamento.* **2** Que ocorre ou aparece pela primeira vez; INÉDITO: *Foi submetido a um tratamento de saúde original.* **3** Que tem características próprias, sem igual; ÚNICO: *Publicou um romance original.* [Ant. nestas acp.: *comum*.] **4** Diz-se de obra de arte que não é falsificada nem cópia; VERDADEIRO: *É um Picasso original. sm.* **5** *Edit.* Aquilo (texto, arte, foto etc.) que é original (1) e de que se podem tirar cópias e/ou entregar a processamento gráfico ou editorial: *Os originais do seu livro estão prontos.* [Pl.: -*nais*.] • **o.ri.gi.na.*li*.da.de** *sf.*

originar (o.ri.gi.*nar*) *v.* Dar origem a ou ter origem. [*td.*: *O zagueiro cometeu a falta que originou o único gol da partida. pr.*: *O futebol originou-se na Inglaterra.*] [▶ 1 originar] • **o.ri.gi.***na*.do *a.*

originário (o.ri.gi.*ná*.ri.o) *a.* **1** Que provém de algo ou de algum lugar; ORIUNDO: *Sua mãe é originária da China.* **2** Que se mantém desde a origem: *Suas manias são originárias da infância.*

oriundo (o.ri.*un*.do) *a.* Ver *originário* (1).

orixá (o.ri.*xá*) *s2g. Rel.* Entre os iorubás e nos ritos religiosos afro-brasileiros, personificação divina das forças da natureza.

orizicultura (o.ri.zi.cul.*tu*.ra) *sf. Agr.* Cultura de arroz. • **o.ri.zi.cul.*tor* sm.**

orla (or.la) *sf.* **1** Borda: *orla de um tecido.* **2** Beira, margem: *orla do rio/da praia.*

orlar (or.*lar*) *v. td.* Enfeitar; estar ao redor de (ger. enfeitando): *Orlou a calça jeans com miçangas.* [▶ 1 orlar]

ornamental (or.na.men.*tal*) *a2g.* **1** Ref. a ornamento. **2** Que serve para ornamentar, enfeitar (plantas *ornamentais*). [Pl.: -*tais*.]

ornamentar (or.na.men.*tar*) *v.* Colocar ornamento, enfeite em; ENFEITAR; ORNAR. [*td.*: *Lindos vitrais ornamentam as igrejas;* (seguido de indicação de meio/modo) *O homem pré-histórico ornamentava as grutas com figuras de animais. pr.*: *O índio ornamenta-se de penas.*] [▶ 1 ornamentar] • **or.na.men.ta.***ção* sf.*

ornamento (or.na.*men*.to) *sm.* **1** Aquilo que ornamenta; ENFEITE; ORNATO. **2** *Fig.* O que serve para florear, caracterizar um estilo: *os ornamentos de um texto.* **3** *Mús.* Grupo de notas em sequência rápida que, sem modificar a linha melódica, servem para ornamentá-la; (num trinado).

ornar (or.*nar*) *v.* Ver *ornamentar.* [▶ 1 ornar]

ornato (or.na.to) sm. Ver *ornamento* (1 e 3).
ornear (or.ne.ar) v. int. P.us. Emitir zurros (o burro, jumento); ZURRAR. [▶ **13** ornear.]
ornejar (or.ne.jar) v. int. P.us. O m.q. *ornear; zurrar*. [▶ **1** ornejar.]
ornejo (or.ne.jo) [é] sm. A. voz do burro.
ornitologia (or.ni.to.lo.gi.a) sf. Zool. Especialidade da zoologia que estuda as aves. ● or.ni.to.ló.gi.co a.; or.ni.to.lo.gis.ta s2g.; or.ni.tó.lo.go sm.
ornitorrinco (or.ni.tor.rin.co) sm. Zool. Mamífero aquático australiano, ovíparo, com bico semelhante ao do pato.
orogenia (o.ro.ge.ni.a) sf. Geol. Processo de formação do relevo terrestre. ● o.ro.gê.ni.co a.
orografia (o.ro.gra.fi.a) sf. Geog. Descrição do relevo terrestre. ● o.ro.grá.fi.co a.; o.ró.gra.fo sm.
orosfera (o.ros.fe.ra) sf. Geof. Crosta terrestre; LITOSFERA.
orquestra (or.ques.tra) sf. Mús. Grande conjunto de músicos que toca sob a direção de um maestro. ● or.ques.tral a2g.
orquestrar (or.ques.trar) v. td. **1** Mús. Adaptar (melodia, composição) para orquestra, compondo ou atribuindo partes musicais para seus instrumentos. **2** Fig. Articular, organizar: *Os líderes orquestraram um acordo entre os partidos.* [▶ **1** orquestrar. ● or.ques.tra.ção sf.; or.ques.tra.do a.; or.ques.tra.dor a.sm.
orquidácea (or.qui.dá.ce.a) sf. Bot. Exemplar de qualquer espécie de orquídea.
orquidário (or.qui.dá.ri.o) sm. Bras. Local próprio para o cultivo de orquídeas.
orquídea (or.qui.de.a) sf. Bot. Flor muito apreciada pelas belas formas e cores, gerada por uma planta que se apoia em outra mas não é parasita.

ORQUÍDEA

ortodontia (or.to.don.ti.a) sf. Od. Ramo da odontologia que previne e corrige defeitos na disposição dos dentes. ● or.to.dôn.ti.co a.; or.to.don.tis.ta s2g.
ortodoxo (or.to.do.xo) [cs] a. **1** Que obedece às bases tradicionais de doutrina religiosa, política etc. (judeu ortodoxo, socialistas ortodoxos). **2** Rel. Próprio da Igreja Católica Ortodoxa: *ritual católico ortodoxo.* sm. **3** Indivíduo ortodoxo. [Ant.: *heterodoxo*.] ● or.to.do.xi.a sf.
ortoépia, ortoepia (or.to.é.pi.a, or.to:e.pi.a) sf. **1** Gram. Parte da gramática que trata da pronúncia correta das palavras. **2** Ver *prosódia* (1 e 2).
ortofonia (or.to.fo.ni.a) sf. Fon. Correção específica dos traços fonológicos (acento, articulação e ligação dos fonemas etc.). **2** Ver *prosódia* (2). ● or.to.fô.ni.co a.
ortogonal (or.to.go.nal) a2g. Geom. Que forma um ângulo reto. [Pl.: *-nais*.]
ortografia (or.to.gra.fi.a) sf. Ling. Conjunto de regras de uma língua sobre a maneira correta de escrever as palavras e de usar os sinais de acentuação e pontuação. ● or.to.grá.fi.co a.
ortomolecular (or.to.mo.le.cu.lar) a2g. Med. Que se baseia na restauração dos níveis ideais de vitaminas e minerais no organismo (tratamento ortomolecular).
ortopedia (or.to.pe.di.a) sf. Med. Ramo da medicina que trata do sistema locomotor e da coluna vertebral. ● or.to.pé.di.co a.; or.to.pe.dis.ta s2g.
ortóptero (or.tóp.te.ro) sm. Zool. Inseto alado de corpo alongado como grilos, gafanhotos, esperanças e baratas.
ortorrômbico (or.tor.rôm.bi.co) a. Min. Diz-se de cada um dos sistemas cristalinos que se distinguem pelos três eixos cristalográficos de comprimentos diferentes e perpendiculares entre si.

orvalhar (or.va.lhar) v. **1** Molhar levemente (com ou como orvalho). [td.: *Baixou uma neblina que orvalhou as flores. pr.: Seus olhos orvalharam-se de emoção.*] **2** Cair orvalho. [int.: *Esta noite, orvalhou.*] [▶ **1** orvalhar. V. impess. na acp. 2.]
orvalho (or.va.lho) sm. Met. Umidade atmosférica que se deposita em forma de gotículas sobre qualquer superfície pela manhã e à noite.
oscilar (os.ci.lar) v. **1** Balançar, desequilibrar(-se). [int.: *Os prédios oscilavam com o tremor de terra.*] **2** Variar, alternar(-se). [int. (seguido ou não de indicação de nível): *A temperatura oscila entre dez e 15 graus; O valor das ações oscilou.*] **3** Mover-se de um lado a outro. [int.: *"A chama da fogueira (...) oscilava ao sopro do vento..."* (José de Alencar, *Ogu araní*).] **4** Hesitar, vacilar. [ti. + entre: *Oscilava entre um caminho ou outro. int.: Na hora da decisão, oscilou.*] [▶ **1** oscilar. ● os.ci.la.ção sf.; os.ci.lan.te a2g.; os.ci.la.tó.ri.o a.
osciloscópio (os.ci.los.có.pi:o) sm. Aparelho que mede as variações de uma tensão.
ósculo (ós.cu.lo) sm. P.us. Beijo que indica amizade ou conciliação. ● os.cu.lar v.
osga (os.ga) [ó] sf. N. N.E. Zool. Ver *lagartixa*.
osmose (os.mo.se) [ó] sf. Bioq. Passagem de um líquido ou gás através de uma membrana. ‖ Por ~ *Bras. Pop.* Diz-se de algo (conhecimento, qualidade etc.) supostamente absorvido por alguém sem que haja processo explícito de transmissão, como que pelo fenômeno químico da osmose: *Carregava os livros mas não estudava, talvez acabasse aprendendo por osmose.* ● os.mó.ti.co a.
ossada (os.sa.da) sf. Conjunto de ossos humanos ou de animal: *Os peritos identificaram as ossadas.*
ossário (os.sá.ri:o) sm. **1** Depósito de ossos guardados no cemitério. **2** Sepultura de muitos cadáveres. [Sin. ger.: *ossuário*.]
ossatura (os.sa.tu.ra) sf. Anat. Conjunto de ossos dos animais vertebrados; ESQUELETO.
ósseo (ós.se:o) a. Ref. a osso (estrutura óssea).
ossificar (os.si.fi.car) v. **1** Transformar-se em osso. [int./pr.: *Tecidos moles podem ossificar(-se) com o tempo.*] **2** Fig. Tornar-se duro (fig. Fig.). [int./pr.: *Resíduos orgânicos ossificaram(-se) no chão da caverna.*] [▶ **11** ossificar. ● os.si.fi.ca.ção sf.; os.si.fi.ca.do a.
osso (os.so) [ô] sm. Anat. Matéria dura que forma o esqueleto do homem e dos animais. [Pl.: [ó]. Dim.: *ossículo*, *ossinho*.] ‖ ~ duro de roer *Bras. Pop.* Coisa, situação ou pessoa muito difícil de ser tratada. ~s do ofício *Pop.* Dificuldades ou desvantagens específicas de determinada profissão ou atividade.
ossuário (os.su.á.ri:o) sm. Ver *ossário*.
ossudo (os.su.do) a. Que tem ossos grandes e/ou salientes.
osteíte (os.te.í.te) sf. Med. Inflamação nos ossos.
ostensivo (os.ten.si.vo) a. **1** Que se mostra, que se pode mostrar. **2** Que chama atenção, esp. pelo exagero com que se apresenta (luxo ostensivo, desprezo ostensivo). [Sin. ger.: *ostensório*.]
ostensório (os.ten.só.ri:o) a. **1** Ver *ostensivo*. sm. **2** Ecles. Peça, ger. de ouro ou prata, onde se guarda ou expõe a hóstia consagrada.
ostentação (os.ten.ta.ção) sf. Exibição excessiva de riqueza. [Pl.: -ções.]
ostentar (os.ten.tar) v. Mostrar(-se), exibir(-se). [td.: *A vegetação ostentava todo o seu vigor. pr.: Ostentava-se, faceira, com seu novo penteado.*] [▶ **1** ostentar] ● os.ten.ta.tó.ri:o a.; os.ten.to.so a.
osteócito (os.te:ó.ci.to) sm. Biol. Célula óssea.
osteologia (os.te:o.lo.gi.a) sf. Med. Estudo dos ossos. ● os.te:o.ló.gi.co a.; os.te:o.lo.gis.ta s2g.
osteoma (os.te:o.ma) sm. Pat. Tumor benigno nos ossos.

osteomielite (os.te:o.mi:e.*li*.te) *sf. Med.* Inflamação que atinge ger. ossos longos.

osteopatia (os.te:o.pa.*ti*.a) *sf. Med.* Qualquer doença nos ossos.

osteoporose (os.te:o.po.*ro*.se) *sf. Med.* Perda da densidade dos ossos, que causa o seu enfraquecimento.

ostra (*os*.tra) [ó] *sf. Zool.* Molusco marinho comestível que vive numa concha.

ostracismo (os.tra.*cis*.mo) *sm.* Afastamento do convívio social ou da participação em determinada atividade (ostracismo político).

ostreicultura, ostricultura (os.tre:i.cul.*tu*.ra, os.tri.cul.*tu*.ra) *sf.* Criação de ostras. ● **os.tre:i.cul.***tor*, os.tri.cul.*tor sm.*

ostreira (os.*trei*.ra) *sf.* Lugar para criar ostras.

otalgia (o.tal.*gi*.a) *sf. Med.* Dor de orelha (2). ● **o.***tál*.gi.co *a.*

✉ **OTAN** Sigla de *Organização do Tratado do Atlântico Norte.*

otário (o.*tá*.ri:o) *a.sm. Pop.* Que ou pessoa que se deixa enganar facilmente; TOLO. [Ant.: *esperto*.]

ótica (*ó*.ti.ca) *sf.* Ver *óptica*.

ótico¹ (*ó*.ti.co) *a.* Ref., do ou próprio do ouvido.

ótico² (*ó*.ti.co) *a.* Ver *óptico*.

otimismo (o.ti.*mis*.mo) *sm.* **1** Inclinação para ver as coisas pelo lado mais favorável. **2** Atitude esperançosa, confiante. [Ant. ger.: *pessimismo*.] ● **o.ti.***mis*.ta *a2g.s2g.*

otimizar (o.ti.mi.*zar*) *v. td.* **1** Melhorar ao máximo as condições de; aproveitar ao máximo (meios, desempenho, processo etc.), de modo a obter os melhores resultados possíveis: *A empresa conseguiu otimizar sua produção.* **2** *Inf.* Melhorar (programa) de modo a ser o mais simples e o mais rápido possível. [▶ 1 otimizar] ● **o.ti.mi.za.***ção sf.*; o.ti.mi.*za*.do *a.*

ótimo (*ó*.ti.mo) *a.* Muitíssimo bom; EXCELENTE.

otite (o.*ti*.te) *sf. Med.* Inflamação na orelha (2).

otomano (o.to.*ma*.no) *a.sm.* Ver *turco*.

otorrino (o.tor.*ri*.no) *s2g. Bras.* F. red. de *otorrinolaringologia.* [F. reduz. de otorrinolaringologista.]

otorrinolaringologia (o.tor.ri.no.la.rin.go.lo.*gi*.a) *sf. Med.* Especialidade que trata das doenças de orelha (2), nariz e garganta. ● **o.tor.ri.no.la.rin.go.***ló*.gi.co *a.*

otorrinolaringologista (o.tor.ri.no.la.rin.go.lo.*gis*.ta) *s2g.* Médico que se especializou em otorrinolaringologia.

ou *conj.alter.* **1** Liga palavras (*verão ou inverno*) ou orações (*Não sei se fico ou vou*), expressando exclusão, oposição ou dúvida. *conj.expl.* **2** Em outras palavras; isto é: *Paulo, ou dr. Paulo, recomendou exercícios físicos.*

ourela (ou.*re*.la) [é] *sf.* **1** Borda mais grossa de um tecido. **2** Margem, orla.

ouriçar (ou.ri.*çar*) *v.* **1** *Pop.* Agitar(-se), excitar(-se). [*td.*: *A fofoca ouriçou o pessoal. pr.*: *O mercado ouriçou-se com a notícia.*] **2** Tornar(-se) áspero, ou eriçado; ERICAR(-SE). [*td.*: *O vento frio ouriçou sua pele. pr.*: *O pelo do gato ouriçou-se quando o cão latiu.*] [▶ 12 ouriçar]

ouriço (ou.*ri*.ço) *sm.* **1** *Zool.* Pequeno mamífero cujo dorso é coberto de espinhos. **2** A casca dura ou espinhosa de alguns frutos como p.ex. a castanha e a noz. **3** *Bras. Gír.* Grande animação; AGITO: *o ouriço das crianças com as férias.*

ouriço-cacheiro (ou.ri.ço.ca.*chei*.ro) *sm. Zool.* Mamífero roedor que vive nas árvores. [Pl.: *ouriços-cacheiros.*]

ouriço-do-mar (ou.ri.ço.do-*mar*) *sm. Zool.* Invertebrado marinho cuja carapaça redonda e dura é coberta por espinhos móveis. [Pl.: *ouriços-do-mar.*]

ourives (ou.*ri*.ves) *sg2n.* Artesão ou comerciante de joias.

ourivesaria (ou.ri.ve.sa.*ri*.a) *sf.* **1** Arte, trabalho ou comércio de ourives: *O Brasil é conhecido pela qualidade da sua ourivesaria.* **2** Local onde se comercializam joias.

ouro (*ou*.ro) *sm.* **1** *Quím.* Elemento químico e metal precioso amarelo, de múltiplas aplicações. [Símb.: *Au*] **2** *Esp.* Medalha de ouro: *Os atletas estão em busca do ouro olímpico.* 🗹 **ouros** *smpl.* **3** Naipe do baralho que tem a figura de um losango vermelho. ∎∎ **De ~** *Fig.* Muito bom; de muito valor; muito bem-comportado etc.: *É um menino de ouro, não dá trabalho algum.* **Entregar o ~ (ao bandido)** Revelar a adversário, concorrente etc., ger. inadvertidamente, informação, conhecimento, plano, técnica etc., prejudicando a si mesmo ou a outrem. **Nadar em ~** Ser muito rico. **Valer ~** Ser de excelente qualidade, caráter etc.; ser muito valioso.

ouropel (ou.ro.*pel*) *sm.* Lâmina de metal amarelo que imita o ouro. [Pl.: *-péis.*]

ousado (ou.*sa*.do) *a.* Que tem ou revela audácia (proposta *ousada*); AUDAZ. ● **ou.***sa.di*.a *sf.*

ousar (ou.*sar*) *v.* Atrever-se a; ter coragem de. [*td.*: *Ninguém ousaria contradizer o professor. int.*: *Para vencer, é preciso ousar.*] [▶ 1 ousar]

outão (ou.*tão*) *sm.* Ver *oitão*.

⊕ **outdoor** (*Ing. /áudor/*) *sm. Publ.* Cartaz de propaganda de grandes dimensões exposto ao ar livre, esp. ao longo de vias públicas.

outeiro (ou.*tei*.ro) *sm.* Pequena elevação; COLINA.

outono (ou.*to*.no) [ô] *sm.* Estação do ano entre o verão e o inverno. [NOTA: No hemisfério sul (que inclui o Brasil) começa em 21 de março e termina em 20 de junho.] ● **ou.to.***nal a2g.*

outorgar (ou.tor.*gar*) *v.* **1** Conferir; conceder (direito, mandato, título etc). [*tdi. + a*: *A universidade outorgou ao político o título de doutor. pr.*: *Ele outorga-se o direito de agredir a todos.*] **2** Conceder, dar. [*td.*: *outorgar dispensa. tdi. + a*: "Graças ao tratamento preferencial que lhe outorgaram..." Alberto da Costa e Silva, *A manilha e o libambo*.] **3** Facultar; tornar possível, engendrar; possibilitar. [*tdi. + a*: *O outorgar-lhe a aplicação de medidas excepcionais.*] [▶ 14 outorgar] ● **ou.***tor*.ga *sf.*; ou.tor.*ga*.do *a.*; ou.tor.*gan*.te *a2g.s2g.*

⊕ **output** (*Ing. /áutput/*) *sm.* **1** *Econ.* Resultado da produção. **2** *Inf.* Transferência de dados armazenados para um meio externo.

outrem (ou.*trem*) *pr.indef.* Outra ou outras pessoas: *O que fizeram causou prejuízo a outrem.*

outro (*ou*.tro) *pr.indef.* **1** Qualquer coisa ou alguém diferente ou distante: *Não gostei deste estampado, preferia outro mais simples.* **2** O segundo ou o seguinte: *Eram dois, e o outro foi atendido antes dele.* **3** Oposto, contrário: *Parou do outro lado da pista.* **4** Mais um: *Você quer outro pedaço de bolo?* 🗹 **outros** *pr.indef.* **5** Outras pessoas: *Os primeiros foram a cavalo, os outros a pé.* ∎∎ **Não dar outra** Acontecer como era previsto: *Achei que ela ia desistir, e não deu outra.* **Por ~ lado** Entretanto; no entanto: *Este é mais caro mas, por outro lado, é de melhor qualidade.*

outrora (ou.*tro*.ra) [ó] *adv.* No passado; ANTIGAMENTE.

outrossim (ou.tros.*sim*) *adv.* Também, igualmente: *Todos têm, outrossim, direito à educação.*

outubro (ou.*tu*.bro) *sm.* O décimo mês do ano. (Com 31 dias).

ouvido (ou.*vi*.do) *sm.* **1** Sentido da audição. **2** *Anat.* Ver *orelha* (2). **3** Capacidade de captar e discernir sons musicais: *ter bom ouvido.* **4** Facilidade em memorizar o que ouve. [Cf.: *olvido.*] ∎∎ **Dar ~s a** Acreditar em; dar crédito a. **De ~** Sem conhecimentos teóricos: *Tocava flauta de ouvido.* **Entrar por um ~ e sair pelo outro** Ser ouvido (dito, explicação etc.) por quem não está prestando atenção. **Fazer ~s de mercador** Fingir que não está ouvindo quando alguém

ouvidor | **Oxum**

lhe fala; fazer ouvidos moucos. **Fazer ~s moucos** Fazer ouvidos de mercador: » **absoluto** Capacidade de identificar uma nota ou os sons de um acorde. ~ **de tuberculoso** Audição bastante apurada. **Ser todo ~s** Prestar muita atenção.

ouvidor (ou.vi.dôr) [ô] *sm.* **1** Aquele que, por posto e função, é encarregado de defender o cidadão diante dos poderes públicos. **2** *Hist.* No período colonial, juiz nomeado pelo soberano de Portugal.

ouvidoria (ou.vi.do.ri.a) *sf.* Posto e função de ouvidor.

ouvinte (ou.vin.te) *s2g.* **1** Pessoa que ouve rádio, concerto, conferência etc. **2** Aluno que assiste a aulas sem estar regularmente matriculado.

ouvir (ou.vir) *v.* **1** Perceber (sons) com o ouvido; escutar. [*td.*: *Você ouviu o bebê chorar? int.*: *Não adianta, que ela não ouve ninguém.*] **2** Perceber (com o ouvido) os sons de. [*td.*: *Ouvia a orquestra de olhos fechados.*] **3** Ter o sentido da audição. [*int.*: *Ele não ouve bem.*] **4** Pedir conselho, opinião etc. de. [*td.*: *Quis ouvir o amigo quanto à viagem.*] **5** Receber repreensão, crítica etc. [*int.*: *Quando chegar em casa, ela vai ouvir!*] **6** Tomar depoimento de. [*td.*: "O delegado ouviu mais de cem pessoas desde a abertura do inquérito." (FolhaSP, 20.04.99).] [▶ **40** ouvir]

ova (o.va) *sf. Zool.* O ovário de um peixe com seus ovos. ▪▪ **Uma ~!** *Pop.* Expressa recusa, indignação, protesto.

ovação (o.va.ção) *sf.* Aplauso entusiasmado do público; ACLAMAÇÃO: *Ao final do espetáculo o cantor recebeu uma ovação.* [Pl.: *-ções.*]

ovacionar (o.va.ci.o.nar) *v. td.* Aplaudir entusiasticamente: *A multidão ovacionou o maestro.* [▶ **1** ovacionar]

ovado[1] (o.va.do) *a.* Ver **oval**.

ovado[2] (o.va.do) *a. Bras.* Que criou ou tem ovos ou ovas (diz-se de animal, esp. de peixe).

oval (o.val) *a2g.* Cuja forma lembra um ovo (espelho oval); OVADO. [Pl.: *-vais.*] ● **o.va.la.do** *a.*

ovante (o.van.te) *a2g.* Que é ovacionado; TRIUNFANTE; GLORIOSO.

ovário (o.vá.ri:o) *sm.* **1** *Anat.* Cada uma das glândulas do aparelho reprodutor feminino que contém os óvulos destinados à fecundação. **2** *Bot.* Órgão onde estão as células reprodutivas femininas da flor. **3** *Anat. Zool.* Órgão em que se formam ovos ou óvulos de aves e outros animais ovíparos. ● **o.va.ri:a.no** *a.*

oveiro (o.vei.ro) *sm. Anat.* O ovário das aves.

ovelha (o.ve.lha) [ê] *sf. Zool.* A fêmea do carneiro. ▪▪ **~ negra** Aquele que aquilo que se destaca dos demais em sentido negativo.

ovelhum (o.ve.lhum) *a2g.* Ver **ovino** (1). [Pl.: *-lhuns.*]

⊕ **overdose** (*Ing.* /óverdouz/) *sf.* Dose excessiva, ger. de substância tóxica.

⊕ **overnight** (*Ing.* /óvernait/) *sm2n. Econ.* Aplicação no mercado financeiro para resgate em 24 horas.

oviário (o.vi:á.ri:o) *sm.* Curral de ovelhas; OVIL.

ovil (o.vil) *sm.* Ver **oviário**. [Pl.: *-vis.*]

ovino (o.vi.no) *a.* **1** Ref. a ovelhas e carneiros; OVELHUM. *sm.* **2** Espécime dos carneiros e ovelhas.

ovinocultura (o.vi.no.cul.tu.ra) *sf.* Criação de ovinos. ● **o.vi.no.cul.tor** *sm.*

ovíparo (o.ví.pa.ro) *a.sm. Zool.* Que ou aquele que põe ovos e se reproduz por meio deles (diz-se de animal).

óvni (óv.ni) *sm.* Designação de qualquer objeto voador não identificado, supostamente oriundo de outro planeta ou do corpo celeste. [A palavra é acrônimo de *objeto voador não identificado*, tradução do inglês *ufo* (*unidentified flying object*).]

ovo (o.vo) [ô] *sm. Biol.* **1** Óvulo fecundado de animais como aves, répteis e peixes, expelido do corpo da mãe. **2** A primeira célula de um ser vivo formada pela fecundação do óvulo da fêmea pela célula re-

produtora masculina. [Pl.: [ó].] ▪▪ **De ~ virado** *Bras. Pop.* De mau humor; irritadiço. **Pisar em ~s** Agir com muito cuidado, cautela, diplomacia etc. **Ser um ~** *Pop.* Ser muito pequeno: *Este apartamento é um ovo.*

ovoide (o.voi.de) *a2g.* Que tem forma de ovo; OVAL.

ovovivíparo (o.vo.vi.ví.pa.ro) *a.sm. Zool.* Diz-se de ou animal cujos ovos são incubados e eclodem dentro do corpo da mãe. ● **o.vo.vi.vi.pa.ri.da.de** *sf.*

ovulação (o.vu.la.ção) *sf. Biol.* Liberação de óvulos maduros pelo ovário. [Pl.: *-ções.*]

ovular[1] (o.vu.lar) *a2g.* **1** Ref. a óvulo (ciclo ovular). **2** Oval.

ovular[2] (o.vu.lar) *v. int.* Produzir óvulo(s): *A pílula impede que a mulher ovule.* [▶ **1** ovular] ● **o.vu.la.do** *a.*

óvulo (ó.vu.lo) *sm. Biol.* Célula reprodutora feminina formada no ovário.

oxalá (o.xa.lá) *interj.* Exprime desejo de que algo ocorra; tomara; queira Deus: *Oxalá você se recupere logo.*

oxente (o.xen.te) *interj.* **1** *N.E.* Exprime surpresa, estranheza. *sm.* **2** *N.E.* Forró.

oxidar (o.xi.dar) [cs] *v.* **1** Corroer(-se), enferrujar(-se). [*td.*: *A umidade oxida o ferro. pr.*: *O motor oxidou-se por falta de óleo.*] **2** *Quím.* Combinar(-se) com oxigênio; converter(-se) em óxido. [*td.*: *Os radicais livres oxidam as proteínas das células. pr.*: *O vinho aberto tende a oxidar-se.*] [▶ **1** oxidar] ● **o.xi.da.ção** *sf.*; **o.xi.da.do** *a.*; **o.xi.dan.te** *a2g.sm.*

óxido (ó.xi.do) [cs] *sm. Quím.* Composto de oxigênio com outro elemento.

oxigenado (o.xi.ge.na.do) [cs] *a.* Que contém oxigênio ou que se oxigenou (água oxigenada).

oxigenar (o.xi.ge.nar) [cs] *v.* **1** Levar oxigênio a. [*td.*: *Os pulmões oxigenam o sangue.*] **2** Suprir ou ser suprido de ar rico em oxigênio. [*td.*: *Oxigenava os pulmões em seus passeios matinais. pr.*: *Ia às montanhas para se oxigenar.*] **3** Clarear (os cabelos) com água oxigenada. [*td.*] [▶ **1** oxigenar] ● **o.xi.ge.na.ção** *sf.*

oxigênio (o.xi.gê.ni:o) [cs] *sm. Quím.* **1** Elemento químico fundamental à vida. [Símb.: *O*] **2** Gás que não tem cor nem cheiro, cuja molécula contém dois átomos de oxigênio (1).

📖 Apesar de ser apenas o quinto elemento mais presente no universo (depois de hidrogênio, hélio, carbono e nitrogênio), o oxigênio é o mais abundante na Terra (86% do peso da água do mar, 21% do volume da atmosfera). Desde o séc. XVIII, o oxigênio, como gás, é reconhecido como uma mistura naturalmente estável, mas, quando aquecida ou na presença de catalisadores, torna-se altamente reativa com outros elementos para formar compostos. Fundamental na respiração (para oxigenação das células dos sistemas orgânicos) e na formação da água (em combinação com o hidrogênio), o oxigênio é um dos esteios da vida. Sua reação com outros elementos chama-se *oxidação*; uma das formas é a combustão, produzindo calor e luz; outras são a ferrugem dos metais e a putrefação da madeira.

oxítono (o.xí.to.no) [cs] *a. Gram.* Diz-se da palavra cuja última sílaba é tônica (p.ex., *tripé*, *encapar*, *sapé*). [Us. tb. como subst.]

oxiúro (o.xi:ú.ro) [cs] *sm. Zool.* Verme parasita do intestino humano, esp. das crianças. ● **o.xi:ú.ri.co** *a.*

oxiurose (o.xi:u.ro.se) [cs] *sf. Med.* Infecção, ger. infantil, causada por oxiúros.

Oxóssi (O.xós.si) *sm. Bras. Rel.* Divindade afro-brasileira que governa a caça.

Oxum (O.xum) *sf. Bras. Rel.* Divindade feminina afro-brasileira que se manifesta através das águas doces.

ozônio (o.zô.ni:o) *sm. Quím.* Variedade de oxigênio (2) de cor azulada que se forma na alta atmosfera, e que filtra as radiações ultravioleta do Sol.

📖 O ozônio é um gás presente em alta concentração nas partes mais elevadas da atmosfera, onde funciona como um filtro da radiação ultravioleta do Sol, a qual é muito prejudicial aos organismos vivos. Essa função protetora tem sido ameaçada pela destruição progressiva da camada de ozônio, esp. na região dos polos da Terra, devido ao uso crescente de produtos que desprendem na atmosfera clorofluorcarbonetos (CFC, o gás propulsor de substâncias em aerossol) e outras substâncias que destroem o ozônio. Intensa campanha ecológica em nível mundial busca a proibição do uso desses produtos para impedir a continuação desse processo e para que, dentro de certo tempo, a camada de ozônio seja restaurada.

ozonizar (o.zo.ni.*zar*) *v. td.* Tratar com ozônio: *O aparelho ozoniza a água, purificando-a.* [▶ **1** ozoni*zar*] ● o.zo.ni.za.*ção sf*.; o.zo.ni.*za*.do *a.*; o.zo.ni.za.*dor a.sm.*

O *pe* fenício foi provavelmente uma das únicas letras do alfabeto cujo nome, que significava *boca*, não guardava relação direta com essa forma. Por esse motivo, seu desenho foi o que mais se modificou, desde a versão fenícia até a latina. Entre os gregos, a letra se assemelhava ao nosso ρ — o *ró* — representava o som de *r*, e o *p* era representado pelo *pi*, tão conhecido pelos estudantes. Os romanos herdaram dos etruscos um desenho mais antigo da letra grega *pi*, e deram-lhe a forma que usamos hoje.

↗	Fenício
↘	Grego
П	Grego
↘	Etrusco
Γ	Romano
P	Romano
p	Minúscula carolina
P	Maiúscula moderna
p	Minúscula moderna

p [pê] *sm.* **1** A 16ª letra do alfabeto. **2** A 12ª consoante do alfabeto. *num.* **3** O 16º em uma série (fila P).
⊠ **p** *Fís.* Símb. de *próton.*
⊠ **P** *Quím.* Símb. de *fósforo.*

pá¹ *sf.* **1** Instrumento manual, formado por uma peça larga e achatada e um cabo, us. para cavar ou remover terra e outros materiais sólidos. **2** Quantidade ou porção que cabe numa pá: *Tirou três pás de areia.* **3** Nome dado a várias peças ou partes largas e achatadas de instrumentos e máquinas: *pá de moinho/de remo/de ventilador.* **4** *Pop.* Grande quantidade: *Tinha uma pá de gente na festa.* ■ **Da ~ virada** Amalucado, impetuoso. **Pôr uma ~ de cal sobre** Considerar terminado (um assunto problemático) e não voltar a falar dele.

pá² *interj.* Us. para representar o ruído de um choque ou batida forte.

pabulagem (pa.bu.*la*.gem) *sf.* **1** Presunção, empáfia. **2** Fanfarrice. [Pl.: *-gens.*]

paca¹ (*pa*.ca) *sf.* **1** *Zool.* Animal mamífero das Américas, da família dos roedores, de cauda muito curta. **2** Carne dessa paca, preparada para alimentação.

paca², **pacas** (*pa*.ca, *pa*.cas) *adv. Gír.* Em grande quantidade, medida, força ou intensidade (falar *paca*, bonita *pacas*); À BEÇA.

pacato (pa.*ca*.to) *a.* **1** Sem muita agitação ou atividade; sossegado, tranquilo (cidade *pacata*). **2** Pacífico (1), próprio de quem é pacífico.

pachola (pa.*cho*.la) *a2g.* **1** Vaidoso, presunçoso, ou ridículo ao tentar parecer elegante ou importante. *sm.* **2** Indivíduo pachola. **3** Mandrião.

pachorra (pa.*chor*.ra) [ó] *sf.* **1** Lentidão ou falta de pressa ao agir. **2** Caráter de quem é apático, pouco ativo. • **pa.*chor*.ren.to** *a.*

paciência (pa.ci.*ên*.ci.a) *sf.* **1** Virtude de saber esperar com calma, de suportar problemas sem reclamar, sem se revoltar ou se irritar. **2** Qualidade do comportamento de quem não desiste nem desanima; PERSEVERANÇA. **3** Nome de vários jogos de cartas, que podem ser jogados por uma só pessoa como passatempo. *interj.* **4** Us. para expressar resignação, conformação. [Ant. (acps. 1 e 2): *impaciência.*] ■ **~ de Jó** Grande paciência, que resiste a grandes sofrimentos.

pacientar (pa.ci.en.*tar*) *v. int.* Ter paciência; esperar ou agir com paciência. [▶ 1 pacient$\overline{ar}$]

paciente (pa.ci.*en*.te) *a2g.* **1** Que tem paciência (1 e 2). **2** Feito ou realizado com paciência, sem pressa (e por isso, ger., com cuidado e atenção) (trabalho *paciente*, ouvinte *paciente*). **3** *sg.* **3** Pessoa doente, ou que está sendo cuidada por médico, enfermeiro etc. [Ant. (acps. 1 e 2): *impaciente.*]

pacificar (pa.ci.fi.*car*) *v.* **1** Dar ou devolver paz, calma ou serenidade a; APAZIGUAR. [*td.*: *pacificar uma região/os espíritos.*] **2** Deixar de ter conflito(s), agitação ou agressividade; ACALMAR-SE, TRANQUILIZAR-SE. [*pr.*: *A turma pacificou-se com a chegada do professor.*] [▶ **11** pacific$\overline{ar}$] • **pa.ci.fi.ca.ção** *sf.*; **pa.ci.fi.ca.do** *a.*; **pa.ci.fi.ca.dor** *a.sm.*

pacífico (pa.*ci*.fi.co) *a.* **1** Que quer a paz ou gosta dela; que não gosta de conflitos ou violência, ou os evita; PACATO (2). [Ant.: *belicoso.*] **2** Em que há paz, ou que traz a paz; caracterizado por ausência de conflitos. **3** *Geog.* Ref. ao oceano Pacífico.

pacifismo (pa.ci.*fis*.mo) *sm.* Oposição a guerras, conflitos armados ou outras formas de violência. • **pa.ci.fis.ta** *a2g.s2g.*

paço (*pa*.ço) *sm.* **1** Palácio de rei, imperador ou bispo. **2** A corte de um rei ou imperador. **3** Nome dado a certos palácios us. como residência oficial ou como sede oficial.

paçoca (pa.*ço*.ca) *sf. Bras. Cul.* **1** Doce feito de amendoim amassado com rapadura ou açúcar etc. **2** Carne cozida, picada e refogada, amassada com farinha de mandioca.

pacote (pa.*co*.te) *sm.* **1** Qualquer embrulho não muito grande, ou conjunto não muito grande de objetos reunidos ou atados e formando um só volume. **2** Conjunto de coisas, fatos, serviços, leis etc. que, por terem algum tipo de ligação, são considerados como uma só unidade (*pacote* turístico/econômico).

pacova, **pacoba** (pa.*co*.va, pa.*co*.ba) *sf.* **1** *N. N.E.* Banana (1). *a2g.s2g.* **2** *Bras. Fig.* Que ou quem é tolo ou não age com firmeza; banana (4).

pacóvio (pa.*có*.vi.o) *a.sm.* Bobo, ingênuo, tolo.

pacto (*pac*.to) *sm.* **1** Acordo, compromisso entre pessoas, grupos ou países, de agir de determinado modo, ou de colaborar: *pacto de não agressão/de ajuda mútua.* **2** Qualquer combinação ou acordo, ou documento que o registra. • **pac.tu.al** *a2g.*

pactuar (pac.tu.*ar*) *v.* **1** Fazer pacto; entrar em acordo. [*ti.* + *com*: *Pactuar com os vizinhos.*] **2** Aceitar, não se opor; COMPACTUAR. [*ti.* + *com*: *Pactuar com a inflação.*] **3** Decidir, combinando ou ajustando com outro(s). [*td.*: *As empresas pactuaram baixar os preços.*] [▶ 1 pactu$\overline{ar}$]

pacu (pa.*cu*) *sm. Zool.* Pequeno peixe de água doce, do qual há várias espécies no Brasil, us. como alimento.

pacuera (pa.cu.*e*.ra) [é] *sf. Bras.* As vísceras tiradas de boi, porco ou carneiro abatido.

pada (*pa*.da) *sf.* **1** Pãozinho. **2** *Fig.* Pequeno objeto, pequena porção ou quantidade de algo.

padaria (pa.da.*ri*.a) *sf.* **1** Lugar em que se fazem pães (e tb. biscoitos, bolos etc.), para vender. **2** *Bras. Pop.* O par de nádegas.

padecer (pa.de.cer)*v.* Ter, sofrer (dores, doença, maus-tratos, dificuldades, infelicidade). [*td.*: *padecer agressões/fome e sede*. *ti.* + *de*: *padecer de enfermidade*. *int.*: *Muito padeceu antes de ser feliz*.] [▶ 33 pade*cer*] • **pa.de.ci.men.to** *sm.*

padeiro (pa.*dei*.ro) *sm.* Pessoa que faz ou vende pães.

padiola (pa.di:o.la) *sf.* **1** Cama leve e portátil, para transportar pessoas feridas, doentes etc; MACA (3). **2** Caixa ou tabuleiro com varas nos lados para poder ser carregado por duas ou mais pessoas. • **pa.di:o.lei.ro** *sm.*

padrão (pa.*drão*) *sm.* **1** Modelo a ser reproduzido, ou exemplo a ser seguido; objeto ou característica escolhidos como critério de avaliação: *Ele é um padrão de virtude*. **2** Norma de fabricação, conjunto de regras de execução: *produto fora do padrão* (= que não tem as qualificações estabelecidas). **3** Aquilo que é mais comum ou frequente, normal, mais us. ou mais aceito (num grupo, lugar etc.): *inteligência acima do padrão*. **4** Grau, nível ou outra medida de referência. **5** Modo mais ou menos regular ou lógico de agir, de se desenvolver etc.: *um time com padrão de jogo*; *padrão de comportamento/de consumo*. **6** Conjunto ou arranjo de figuras e/ou cores, impresso em tecidos ou outras superfícies; PADRONAGEM. [Pl.: -*drões*.] [Tb. us. como adj. (sem flexão), ger. nas acps. 1 e 3, após o substantivo, precedido de hífen: *funcionários-padrão*; *vocabulário-padrão*.]

padrasto (pa.*dras*.to) *sm.* Marido da mãe de uma pessoa, em relação a essa mesma, mas que não é seu pai. [Fem.: *madrasta*.]

padre (*pa*.dre) *sm. Ecles.* Sacerdote cristão; esp. na igrejas católicas, ortodoxas e anglicanas, aquele que tem a incumbência e o poder religioso de dirigir o culto a Deus e realizar cerimônias sagradas.

padrear (pa.dre.*ar*) *v. int.* Acasalar, procriar (cavalo, burro). [▶ 13 pade*rear*] • **pa.dre.a.ção** *sf.*

padre-cura (pa.dre-*cu*.ra) *sm.* Padre responsável por uma paróquia; pároco. [Pl.: *padres-curas*.]

padre-nosso (pa.dre-*nos*.so) *sm. Rel.* Ver *pai-nosso*. [Pl.: *padres-nossos*.] ■ **Ensinar o ~ ao vigário** Pretender ensinar a alguém algo que ele provavelmente sabe melhor.

padrinho (pa.*dri*.nho) *sm.* **1** No catolicismo, homem que acompanha uma criança no batizado desta, e assume a responsabilidade de cuidar de sua educação cristã. **2** Homem que acompanha alguém, como testemunha, numa cerimônia ou ritual (p.ex., casamento). **3** Protetor ou patrono de alguém. [Fem.: *madrinha*.]

padroeiro (pa.dro*ei*.ro) *a.sm.* Que ou aquele que dá (ou a que(m) se pede) proteção, ou graças e favores especiais (santo padroeiro): *o padroeiro da cidade*.

padronagem (pa.dro.*na*.gem) *sf.* Desenhos e/ou cores (ou modo de dispô-los) impressos em tecidos, cerâmicas etc. [Pl.: -*gens*.]

padronização (pa.dro.ni.za.*ção*) *sf.* **1** Ação ou resultado de padronizar. **2** Uniformização; processo (forçado ou espontâneo) de adoção de padrões ou modelos de ação, de comportamento. [Pl.: -*ções*.]

padronizar (pa.dro.ni.*zar*) *v.td.* Criar, estabelecer ou adotar um padrão para (algo que se faz); fazer segundo um padrão ou modelo. [▶ 1 padroni*zar*] • **pa.dro.ni.za.do** *a.*; **pa.dro.ni.za.dor** *a.sm.*

paetê (pa:e.*tê*) *sm.* Ver *lentejoula*.

paga (*pa*.ga) *sf.* **1** Pagamento (1), ou quantia dada como pagamento. **2** Retribuição, recompensa.

pagadoria (pa.ga.do.*ri*.a) *sf.* Lugar, escritório ou seção em que se fazem pagamentos.

pagamento (pa.ga.*men*.to) *sm.* **1** Ação ou resultado de pagar. **2** Dinheiro ou outra coisa que se dá ou faz em troca de coisa recebida, ou para saldar dívida ou obrigação.

paganismo (pa.ga.*nis*.mo) *sm.* Religião pagã, ou o conjunto de ideias e costumes dos povos pagãos.

paganizar (pa.ga.ni.*zar*) *v.* **1** Tornar(se) pagão. [*td. pr.*] **2** Adquirir atitudes ou características de pagão. [*pr.*: *Afastados das tradições, aqueles povos paganizaram-se*.] [▶ 1 paganizar] • **pa.ga.ni.za.ção** *sf.*; **pa.ga.ni.za.do** *a.*

pagão (pa.*gão*) *a.sm.* **1** Que ou quem não foi batizado. **2** Que ou quem não é cristão. **3** Que ou quem não conhece ou não adota uma das religiões monoteístas. *a.* **4** Ref. a ou próprio de povo(s) pagão(s): *mito pagão*, *sacrifício pagão*. [Pl.: -*gãos*. Fem.: -*gã*.]

pagar (pa.*gar*) *v.* **1** Dar quantia em dinheiro, ou alguma coisa de valor, em troca de (mercadoria, serviço etc.). [*td.*: *Por favor, pague minha passagem*. *tdi.* + *a*, *por*: *Pagou o serviço ao carpinteiro*.] **2** Dar ou devolver aquilo que é devido, em dinheiro correspondente a uma obrigação. [*td.*: *pagar contas/empréstimo*.] **3** Fazer aquilo que se deve; cumprir (promessa etc.). [*td.*: *Pagarei minha promessa*.] **4** Fazer ação boa ou má em resposta a ação de outra pessoa; retribuir (bem ou mal), recompensar. [*int.*: *pagar na mesma moeda*. *ti.* + *a*, *para*: "Você pagou com traição a quem sempre lhe deu a mão..." (Jorge Aragão, Neuci Dias e Dida, *Vou festejar*).] **5** Receber ou sofrer punição, castigo, vingança etc. por algo que se fez. [*td.*: *pagar os pecados*. *ti.* + *por*: *pagar pelos erros cometidos*. NOTA: Neste caso, a concordância se faz com o motivo do pagamento. *ti.* + *a*: *Você me paga (por essa humilhação)!* NOTA: Neste caso, a concordância se faz com o destinatário do pagamento (e, opcionalmente, + *por* seguido do motivo do pagamento).] **6** Fazer pagamento (2). [*ti.* + *a*: *Já paguei ao vendedor*. *int.* (seguido ou não de indicação de meio etc.): *Pode deixar, vou pagar (em cheque)*.] [▶ 14 pa*gar*]. Part.: *pago* e (p.us.) *pagado*.] ■ ~ **caro (por)** Sofrer (alguém) consequências penosas (de algo que fez). ~ **para ver 1** No jogo de pôquer, igualar as apostas de adversário(s), para que se mostrem as cartas. **2** *Fig.* Permitir que aguardar que aconteça algo de que se duvidava, para se aferir se era real ou apenas ameaça ou engodo: *Vocês querem por em dúvida minha corrida? Estou pagando para ver*. • **pa.gá.vel** *a2g.*

⊕ **pager** (*Ing.* /*pêidjer*/) *sm.* Aparelho portátil, capaz de receber por ondas de rádio e exibir num visor as mensagens transmitidas de uma central de recados.

página (*pá*.gi.na) *sf.* **1** Cada um dos lados de uma folha de livro, caderno, jornal etc. **2** Texto ou figura que se encontra numa página (1): *Já li dez páginas do relatório*. **3** Período ou acontecimento importante na história de um povo, pessoa etc.: *Aquele concerto foi uma página gloriosa de sua carreira*. **4** *Int.* Documento (ou *site*) que se pode acessar na *web* da internet. ■ ~ **virada** Fato ou circunstância desagradável que se considera superada. **Virar a** ~ Passar para outro assunto, outra atividade etc.

paginar (pa.gi.*nar*) *v. td.* **1** Dar números às páginas de (livro, caderno etc.). **2** *Art.Gr.* Determinar o aspecto gráfico das páginas de (livro etc.), a disposição do texto e de outros elementos. [▶ 1 pagi*nar*] • **pa.gi.na.ção** *sf.*; **pa.gi.na.do** *a.*; **pa.gi.na.dor** *a.sm.*

pago¹ (*pa*.go) *a.* **1** Que se pagou, ou pelo que se pagou a devida quantia (coisa comprada, serviço, imposto, multa etc.). **2** Que é dado ou entregue em pagamento (quantia paga). **3** Que não se dá ou se recebe de graça; pelo qual se deve pagar: *Este é um serviço pago*. **4** Que recebe ou recebeu pagamento (salário etc.) pelo trabalho. **5** *Fig.* Desforrado, vingado: *Sentiu-se pago com a prisão do ladrão que o roubara*.

pago² (*pa*.go) *sm. RS* Lugar ou localidade em que alguém nasceu. [Mais us. no pl.]

pago³ (*pa*.go) *sm.* **1** Pagamento (1). **2** Paga, retribuição, recompensa.

pagode (pa.*go*.de) *sm*. **1** *Bras*. Reunião informal na qual se toca, canta e dança pagode (2) e esp. samba. **2** *Bras. Mús*. Certo tipo de samba. **3** *Bras. Mús*. Gênero musical derivado do pagode (2), ger. com elementos de canções românticas. **4** Divertimento alegre e festivo; pândega; PAGODEIRA. **5** Templo religioso budista, ger. com vários andares, cada um destes com seu telhado.

pagodeira (pa.go.*dei*.ra) *sf*. Ver *pagode* (4).

pagodeiro (pa.go.*dei*.ro) *sm*. Aquele que compõe ou canta sambas de pagode, ou que vai a reuniões de pagode.

paguro (pa.*gu*.ro) *sm*. *Zool*. Nome que se dá a várias espécies de crustáceos, a mais conhecida das quais é a do bernardo-eremita.

pai *sm*. **1** Homem que teve filho(s), que cria ou criou filho(s); PROGENITOR. **2** Homem que de fato cria ou educa criança ou jovem. [Nas acps. 1 e 2, é tb. us. como forma de tratamento pelos filhos.] **3** Qualquer animal macho que gerou (com uma fêmea) outros animais. **4** *Fig*. Autor ou criador de algo, ou fundador de uma instituição ou e.: *Santos Dumont é o pai da aviação*. **5** *Fig*. Protetor, benfeitor: *pai dos necessitados*. **6** *Fig*. Causador, gerador: *O trabalho é pai do progresso*. **7** Forma carinhosa de se referir aos escravos mais velhos: "Pai Francisco entrou na roda" (cantiga de roda). [Fem.: *mãe*.] ◘ **pais** *smpl*. **8** O pai e a mãe. **9** Antepassados. ◼ **De ~ e mãe** Expressão que realça qualidade ou defeito como se fossem totais: *Ele é teimoso/inteligente de pai e mãe*. **O ~ da criança** O responsável por algo; o causador de um fato. **~ adotivo** Homem que adota criança ou jovem para criá-la ou criá-lo como filho; pai de criação. **~ biológico** Pai (1), esp. quando não é aquele que tem ou assume a função de pai (2). **~ de criação** Ver *pai adotivo*. **~ de família** Homem que tem mulher e filhos e é o responsável por eles.

paica (*pai*.ca) *sf*. *Art.Gr*. Unidade de medida us. em tipografia, correspondente a um sexto de uma jogada.

pai de santo (pai de *san*.to) *sm*. *Rel*. Guia espiritual e chefe de local de culto do candomblé e da umbanda. [Pl.: *pais de santo*. Fem.: *mãe de santo*.]

pai de todos (pai de *to*.dos) *sm*. *Fam*. O dedo médio, o mais longo dos dedos da mão. [Pl.: *pais de todos*.]

pai dos burros (pai dos *bur*.ros) *sm*. *Bras. Fam*. Dicionário. [Pl.: *pais dos burros*.]

paina (*pai*.na) [ái] *sf*. Material fibroso, semelhante ao algodão, que se forma em torno das sementes de várias plantas, e que pode ser aproveitado industrialmente.

painço (pa.*in*.ço) [a-i] *sm*. **1** *Bot*. Espécie de capim cultivada em alguns países para uso dos grãos na alimentação. **2** Grão dessa planta.

paineira (pai.*nei*.ra) *sf*. *Bot*. Árvore de regiões tropicais, que dá grandes flores róseas e cujos frutos dão paina.

painel¹ (pai.*nel*) *sm*. **1** Peça ou parte cercada por moldura, ger. retangular e em relevo, em porta, janela, parede, teto. **2** Pintura sobre superfície plana (madeira, tela), esp. sobre parede. **3** Parte ou peça onde são instalados instrumentos e comandos de um veículo, máquina etc.: *painel de controle*. **4** Série de quadros, cenas etc. que dão uma visão de conjunto sobre determinado tema. [Pl.: *-néis*.]

painel² (pai.*nel*) *sm*. **1** Grupo que apresenta ao público e debate diversas ideias ou pontos de vista sobre um assunto; MESA-REDONDA: *O professor integrou o painel sobre política*. **2** Série de apresentações de ideias e debates sobre determinado assunto. [Pl.: *-néis*.]

pai-nosso (pai.*nos*.so) *sm*. *Rel*. Oração cristã, que remonta aos evangelhos, e que começa com as palavras "*Pai nosso que estais no céu*"; PADRE-NOSSO. [Pl.: *pais-nossos*.]

paio (*pai*:o) *sm*. Linguiça de porco, feita com tripa do intestino grosso.

paiol (pai.*ol*) *sm*. **1** Lugar em que se guardam pólvora, munição e instrumentos de guerra. **2** Lugar ou compartimento que serve de depósito (p.ex., para produtos agrícolas, materiais etc.). [Pl.: *-óis*.]
● **pai.o.lei.ro** *sm*.

pairar (pai.*rar*) *v. int*. **1** Voar (pássaro) lentamente, ou planando. **2** Estar no alto, ou mover-se lentamente no ar (nuvem etc.): (seguido ou não de indicação de lugar) *A névoa pairava sobre a encosta da montanha*. **3** Estar no ar, no ambiente, de modo difuso ou perem perceptível: *Pairam vapores perfumados*. **4** *Fig*. Estar em posição superior ou predominante. **5** *Fig*. Estar presente, a ponto de se realizar (perigo, ameaça etc.). [▶ 1 pai[rar]]

país (pa.*ís*) *sm*. **1** Território em que vive um povo ou nação, esp. quando tem fronteiras definidas e, nele, há uma sociedade organizada politicamente, ou formando um Estado independente. **2** O povo ou nação que vive num território. **3** Região, esp. a que tem unidade e coesão histórica, geográfica ou cultural.

paisagem (pai.*sa*.gem) *sf*. **1** Conjunto de elementos naturais e artificiais de um terreno, observados de determinado lugar. **2** Pintura ou desenho que mostra paisagem (1). [Pl.: *-gens*.]

paisagismo (pai.sa.*gis*.mo) *sm*. **1** Arte ou atividade de conceber e criar paisagens, combinando construções, jardins, ambiente natural etc. **2** Representação de paisagem em desenho ou pintura. ● **pai.sa.gis.ta** *s2g*.; **pai.sa.gís.ti.co** *a*.

paisana (pai.*sa*.na) *sf*. Us. na loc. ◼ **À ~** Em roupas civis; não uniformizado.

paisano (pai.*sa*.no) *a.sm*. **1** Que ou quem não é militar; civil. **2** Conterrâneo, compatriota.

paixão (pai.*xão*) *sf*. **1** Emoção ou sentimento muito forte (amor, ódio, desejo etc.), capaz de alterar o comportamento, o raciocínio, a lucidez. **2** Amor ou atração (inclusive sexual) muito intensos: *paixão pela namorada*. **3** Grande entusiasmo ou dedicação: *Defendia suas ideias com paixão*. **4** Grande afeição; predileção. **5** Apego ou interesse obsessivos por algo: *a paixão do consumo*. **6** Pessoa ou coisa que desperta paixão: *Os netos são a paixão da velha senhora*. **7** *Rel*. Martírio (cristão), esp. o de Jesus e por extensão grande mágoa ou sofrimento. [Pl.: *-xões*.]

paixonite (pai.xo.*ni*.te) *sf*. Paixão passageira ou inconsequente.

pajé (pa.*jê*) *sm*. **1** *Bras. Etnog*. Xamã indígena, aquele que realiza rituais mágicos de cura, divinação etc. **2** *Fig*. Chefe, líder.

pajear (pa.je.*ar*) *v. td*. Vigiar e cuidar de (alguém, esp. criança). [▶ 13 pa[jear] ● **pa.je.a.do** *a*.

pajelança (pa.je.*lan*.ça) *sf*. *Bras*. Ritual mágico realizado por pajé (para curar, prever o futuro etc.).

pajem (*pa*.jem) *sm*. **1** Jovem que, antigamente, acompanhava algum nobre, para servir, ou pessoa de alta posição. **2** *Bras*. Criado que acompanha. **3** *Bras*. Menino que acompanha os noivos, em cerimônia de casamento. [Pl.: *-jens*.]

pala¹ (*pa*.la) *sf*. **1** Anteparo para fazer sombra (como aba de boné, ou junto a para-brisa de automóvel). **2** Porção de tecido com que se reforça parte de certas peças de roupa. **3** *Litu*. Cobertura do cálice, no ritual católico.

pala² (*pa*.la) *sf*. *RS* Poncho com franjas.

palacete (pa.la.*ce*.te) [ê] *sm*. **1** Pequeno palácio. **2** Casa grande e luxuosa, mansão.

palaciano (pa.la.ci.*a*.no) *a.sm*. **1** Que ou quem vive em palácio, ou frequenta a corte real; cortesão. *a*. **2** Próprio daqueles que vivem na corte ou são íntimos dos governantes (intrigas *palacianas*).

palácio (pa.*lá*.ci:o) *sm*. **1** Residência (ger. grande, imponente ou luxuosa) de rei, governante ou pessoa

paladar (pa.la.*dar*) *sm.* **1** Capacidade de perceber os diferentes sabores. **2** Sabor: *comida de bom paladar.* **3** *Fig.* Gosto, modo de julgar ou apreciar a beleza ou qualidade das coisas. **4** *Anat.* Palato, céu da boca.

📖 O sentido do gosto, ou paladar, é, no homem, associado ao prazer gastronômico, e se deve a uma reação química provocada pelo alimento em pequenas saliências existentes na língua, chamadas *papilas gustativas*. Estas, em alguns formatos e disposições, reconhecem e diferenciam quatro tipos de paladar: ácido, amargo, doce e salgado, e transmitem essa percepção, através dos nervos gustativos, para o cérebro, que 'identifica' o sabor, com prazer ou desprazer. De acordo com sua localização, as papilas podem ser mais ou menos sensíveis a determinados sabores: o amargo, p.ex., é melhor percebido pelas papilas na parte posterior da língua, e o doce pelas papilas na ponta da língua.

paladino (pa.la.*di*.no) *sm.* **1** Aquele que defende algo ou alguém com esforço e coragem: *paladino da justiça.* **2** *Hist.* Cavaleiro andante, ou o que acompanhava o rei nas guerras.

paládio (pa.*lá*.di:o) *sm.* Aquilo que protege e defende, que dá segurança ou garantia.

palafita (pa.la.*fi*.ta) *sf.* **1** Casa construída acima da água (de lago ou de terreno alagado), sobre estacas fixas no fundo. **2** O conjunto das estacas que sustentam esse tipo de casa.

palanfrório (pa.lan.*fró*.ri:o) *sm.* Ver *palavreado* (2).

palanque (pa.*lan*.que) *sm.* Plataforma ou estrado bastante alto, ger. ao ar livre, em que se sobe para de lá discursar para o público (em comícios), que para assistir a festas ou cerimônias.

palanquim (pa.lan.*quim*) *sm.* Liteira usada em alguns países orientais. [Pl.: *-quins.*]

palatável (pa.la.*tá*.vel) *a2g.* **1** Que tem gosto bom; agradável ao paladar. **2** *Fig.* Que não desagrada, que pode ser apreciado, ou aceito: *O filme não é uma obra-prima, mas é palatável.* [Pl.: *-veis.*]

palato (pa.*la*.to) *sm. Anat.* O céu da boca; a parte que fica no alto e no interior da boca, e que a separa da cavidade nasal; PALADAR (4). ■ ~ **duro** A parte dura (óssea), fixa e anterior do céu da boca. **~ mole** A parte mais recuada, mole e móvel do céu da boca (acima da base da língua). ● pa.la.*tal* a2g.; pa.la.*ti*.no *a.*

palavra (pa.*la*.vra) *sf.* **1** *Gram.* Unidade da língua que, na fala ou na escrita, tem significação própria e existência isolada. [Na escrita, é a sequência de letras entre dois espaços em branco.] **2** *Fig.* Expressão de pensamentos e emoções em linguagem verbal: *Ela tem o dom da palavra.* [Tb. us. no pl.: *Palavras não podem expressar o que sinto.*] **3** Afirmação, declaração: *Acreditou na palavra do aluno.* **4** Conversa sobre determinado assunto: *Posso ter uma palavra com você?* **5** Permissão para falar (num debate etc.): *Pediu a palavra para contestar o orador.* **6** Ensinamento ou doutrina de um mestre, líder etc.: *Segue a palavra do Dalai-Lama.* **interj. 7** Usa-se ao afirmar algo com convicção, ou para assegurar que é verdade: *Não estou mentindo. Palavra!* [Cf.: *palavrão.*] ■ **Dar a ~** Prometer ou afirmar que o que se diz é verdadeiro ou sincero: *Deu-nos sua palavra de que não contaria o segredo.* **De ~** Que merece crédito, que cumpre o que promete: *mulher de palavra.* **Medir as ~s** Ser cuidadoso no que se afirma ou declara. **Sem ~** Que não merece crédito, que não cumpre o que promete: *É uma pessoa sem palavra.* **Sem ~** Sem conseguir falar, por estar tão impressionado ou emocionado. **Ser a última ~ em (algo)** Ser o que há de mais adiantado ou moderno: *É a última palavra em tênis para corrida.* **Ter ~** Ser alguém que cumpre o que promete. **Tirar a(s) ~(s) da boca de (alguém)** Dizer exatamente aquilo que outra pessoa tinha intenção de dizer. **Tomar a ~** Numa discussão, debate etc., intervir com suas ideias ou opiniões. **Última ~** Decisão ou opinião final, definitiva, da qual não se volta atrás.

palavrada (pa.la.*vra*.da) *sf.* Ver *palavrão.*

palavrão (pa.la.*vrão*) *sm.* Palavra que é considerada ofensiva, de mau gosto, cujo uso é considerado falta de educação; PALAVRADA. [Pl.: *-vrões.*]

📖 Certas palavras podem, ou não, ser consideradas ofensivas, segundo o lugar, a época, o contexto, e também segundo o sentido e até mesmo a entonação com que são usadas. Neste dicionário, as palavras ger. consideradas como palavrões vêm indicadas por *Tabu*.

palavra-ônibus (pa.la.vra-ô.ni.bus) *sf. Ling.* Palavra que é us. com muitos sentidos, ou para expressar diversas ideias vagas mais ou menos definidas, em diferentes situações. Ex.: *legal*, *coisar.* [Pl.: *palavras- -ônibus.*]

palavreado (pa.la.vre:*a*.do) *sm.* **1** Aquilo que se fala ou se escreve usando muitas palavras, mas que não tem conteúdo importante ou que faz muito sentido: *Entrou num palavreado interminável.* **2** Capacidade de usar as palavras para convencer ou enganar com astúcia; PALANFRÓRIO; PALAVRÓRIO.

palavrório (pa.la.*vró*.ri:o) *sm.* Ver *palavreado* (2).

palavroso (pa.la.*vro*.so) [ô] *a.* Cheio de palavras ou caracterizado pelo uso de palavras em excesso. [Fem. e pl.: [ó].]

palco (*pal*.co) *sm.* **1** *Teat.* Lugar delimitado, ocupado pelos atores que representam uma peça de teatro, ou por artistas (como músicos e cantores) que se apresentam perante o público. **2** *Fig.* Lugar em que se dá um acontecimento de interesse público, ou um fato importante: *O Maracanã é palco de grandes jogos de futebol.* **3** *Fig. Teat.* A arte do teatro, ou a atividade de ator ou atriz de teatro.

paleobotânica (pa.le:o.bo.*tâ*.ni.ca) *sf. Bot.* Estudo das plantas fósseis. ● pa.le:o.bo.*tâ*.ni.co *a.*

paleografia (pa.le:o.gra.*fi*.a) *sf.* Estudo das escritas antigas e dos documentos em que eram usadas. ● pa.le:o.*grá*.fi.co *a.*

paleolítico (pa.le:o.*lí*.ti.co) *Geol. a.* **1** Ref. ao período mais antigo da idade da pedra, em que os instrumentos eram feitos de ossos e de pedras lascadas. *sm.* **2** Esse período. [Nesta acp. com inicial maiúsc.]

paleologia (pa.le:o.lo.*gi*.a) *sf.* Estudo das línguas antigas. ● pa.le:o.*ló*.gi.co *a.*; pa.le:*ó*.lo.go *sm.*

paleontologia (pa.le:on.to.lo.*gi*.a) *sf. Pal.* Ciência que estuda os seres vivos fósseis. ● pa.le:on.to.*ló*.gis.ta *s2g.*; pa.le:on.*tó*.lo.go *sm.*

paleozoologia (pa.le:o.zo.o.lo.*gi*.a) *sf. Pal.* Parte da paleontologia que estuda os animais fósseis.

palerma (pa.*ler*.ma) *a2g.s2g.* Que ou quem é tolo, imbecil. [Ant.: *vivo*, *esperto.*]

palestino (pa.les.*ti*.no) *a.* **1** Da Palestina (Ásia); típico dessa região ou de seu povo. *sm.* **2** Pessoa nascida na Palestina.

palestra (pa.les.tra) *sf.* **1** Conferência sobre determinado assunto cultural ou científico. **2** Conversa, troca de ideias entre pessoas.

palestrar (pa.les.*trar*) *v.* Manter palestra; falar. [*ti. + com*: *O anfitrião palestrava com os convidados. int.*: *O orador não parava de palestrar.*] [▶ **1** palestrar] ● pa.les.*tran*.te *s2g.*

paleta (pa.*le*.ta) [ê] *sf.* **1** Placa sobre a qual se espalha e se mistura tinta para pintar. **2** Conjunto das cores preferidas de determinado artista ou próprias de um grupo ou escola artística. [Sin. ger.: *palheta.*]

paletó (pa.le.*tó*) *sm.* **1** Casaco de corte reto, com bolsos externos e internos, que vai até a altura dos quadris. **2** Qualquer casaco semelhante ao paletó (1): *paletó do pijama*. ◼ **Abotoar o ~** *Gír.* Morrer. **~ de madeira** *Gír.* Caixão de defunto.

palha (pa.lha) *sf.* **1** Haste seca das gramíneas (ger. cereais) us. na indústria e para alimentar o gado. **2** Tira vegetal (junco, vime etc.) us. para fabricar objetos: *cesto de palha*. ◼ **Não levantar uma ~** *Pop.* Não fazer coisa alguma (esp. para ajudar alguém).

palhaçada (pa.lha.*ça*.da) *sf.* **1** Conjunto de ditos e gestos do palhaço. **2** Situação ou atitude engraçada ou ridícula. **3** Grupo de palhaços.

palhaço (pa.*lha*.ço) *sm.* **1** Artista de circo que faz rir por causa de suas roupas, piadas e caretas. **2** *Fig.* Pessoa que fala e faz coisas engraçadas: *Era o palhaço da turma*. **3** *Pop.* Pessoa fácil de ser enganada, boba: *fazer papel de palhaço*. **4** *Pop.* Pessoa que age de forma ridícula ou não merece respeito: *O palhaço queria furar a fila*.

palheiro (pa.*lhei*.ro) *sm.* Lugar onde se guarda palha.

palheta¹ (pa.*lhe*.ta) [ê] *sf.* **1** Qualquer peça chata e delgada us. com fins específicos. **2** *Mús.* Peça do bocal de instrumento de sopro us. para controlar a passagem de ar. **3** *Mús.* Pequena peça us. para tanger as cordas de violão, bandolim etc. **4** Cada uma das lâminas que compõem a veneziana. **5** Pá de ventilador, turbina etc. **6** Ver *paleta*.

palheta² (pa.*lhe*.ta) [ê] *sf.* S. Chapéu de palha.

palhinha (pa.*lhi*.nha) *sf.* Trançado de palha: *móveis de palhinha*.

palhoça (pa.*lho*.ço) *sf.* **1** Casa rústica coberta de palha. **2** Qualquer casa rústica; PALHOTA.

palhota (pa.*lho*.ta) *sf.* Ver *palhoça* (2).

paliar (pa.li.*ar*) *v. td.* **1** Aliviar momentaneamente, tornar menos intenso; MITIGAR: "...conseguia paliar as revoltas da amante." (Aluísio Azevedo, *Casa de pensão*). **2** Encobrir, disfarçar, maquiar: *Paliava sua timidez contando anedotas*. **3** Tratar com paliativo: *Não queria paliar sua insônia tomando soníferos*. [▶ **1** paliar] • **pa.li**:**a.ção** *sf.*; **pa.li**:**a.dor** *a.sm.*

paliativo (pa.li.a.*ti*.vo) *a.sm.* **1** Que ou aquilo que é provisório ou possui eficácia temporária (tratamento paliativo). **2** Que ou o que abranda um problema ou adia uma crise, sem resolvê-la: *O abrigo foi um paliativo para os flagelados*.

paliçada (pa.li.*ça*.da) *sf.* Cerca ou barreira feita de madeira.

pálido (*pá*.li.do) *a.* **1** Que perdeu a cor e está quase branco: *A mulher ficou pálida e depois desmaiou*. **2** Diz-se de cores não muito vivas (amarelo *pálido*). **3** Fraco, de pouca intensidade (luz *pálida*). • **pa.li.dez** *sf.*

palimpsesto (pa.limp.*ses*.to) [ê] *sm.* Pergaminho cujo texto foi raspado e substituído por um novo.

palindromia (pa.lin.dro.*mi*.a) *sf. Med.* Recaída de uma doença.

palíndromo (pa.*lín*.dro.mo) *a.sm.* Diz-se de ou palavra ou frase que, lidos da esquerda para a direita ou vice-versa, são literalmente iguais (p.ex.: *Roma me tem amor*).

pálio (*pá*.li:o) *sm.* **1** *Litu.* Manto us. como símbolo do vínculo de comunhão de arcebispos com a Igreja Católica. **2** Cobertura portátil, com varas, que se conduz em cortejos e procissões para proteger autoridade, imagem etc.

palitar (pa.li.*tar*) *v. td.* Limpar (os dentes) com palito. [▶ **1** palitar]

paliteiro (pa.li.*tei*.ro) *sm.* Recipiente onde se guardam palitos.

palito (pa.*li*.to) *sm.* **1** Pequena haste ger. de madeira us. para esgaravatar os dentes. **2** *Pop.* Haste de pequenas dimensões: *palito de picolé/de fósforo*. **3** *Fig.* Pessoa muito magra ou braço e perna muito finos.

palma¹ (*pal*.ma) *sf.* Parte anterior da mão entre o punho e os dedos: *Ciganas leem a palma da mão*. [Ver tb. *palmas*.] ◼ **Conhecer (algo ou alguém) como a ~ da mão** Conhecer (algo ou alguém) muito bem.

palma² (*pal*.ma) *sf. Bot.* **1** Folha da palmeira. **2** Ver *palmácea*.

palmácea (pal.*má*.ce:a) *sf. Bot.* Tipo de planta semelhante à palmeira; PALMA.

palmada (pal.*ma*.da) *sf. Bras.* Golpe dado com a palma da mão.

palmado (pal.*ma*.do) *a.* **1** *Anat. Zool.* Diz-se das patas cujos dedos são unidos por membranas: *Os patos têm as patas palmadas*. **2** *Bot.* De formato parecido ao da mão aberta (folha *palmada*).

palmar¹ (pal.*mar*) *a2g.* Ref. à palma da mão.

palmar² (pal.*mar*) *a2g.* **1** Do tamanho de um palmo. **2** *Fig.* Grande, evidente (questionamentos *palmares*).

palmar³ (pal.*mar*) *Bot. a2g.* **1** Da ou ref. a *palma²* ou palmácea. *sm.* **2** Ver *palmeiral* (1).

palmas (*pal*.mas) *sfpl.* Ação ou resultado de bater com as palmas das mãos para aplaudir, chamar alguém à porta etc.

palmatória (pal.ma.*tó*.ri:a) *sf.* Instrumento us. para castigar com golpes na palma da mão.

palmear (pal.me.*ar*) *v.* **1** Bater palmas para; APLAUDIR. [*td.*: *palmear um concerto*. *int.*: *Ao final da peça, todos palmearam*.] **2** *Bras.* Ver *palmilhar* (2). [▶ **13** palmear]

palmeira (pal.*mei*.ra) *sf. Bot.* Árvore de regiões quentes, que possui tronco indiviso e liso e grandes folhas em forma de pena.

palmeiral (pal.mei.*ral*) *sm.* **1** Plantação de palmeiras; PALMAR. *a2g.* **2** Ref. a ou próprio de palmeira. [Pl.: *-rais*.]

palmense (pal.*men*.se) *a2g.* **1** De Palmas, capital do Estado de Tocantins; típico dessa cidade ou de seu povo. *s2g.* **2** Pessoa nascida em Palmas.

pálmer (*pál*.mer) *sm. Fís.* Instrumento us. para medir pequeníssimas medidas.

palmiforme (pal.mi.*for*.me) *a2g.* Semelhante à palma ou à folha de palmeira.

palmilha (pal.*mi*.lha) *sf.* Revestimento interno da sola de calçados fechados, fixo ou não, que fica em contato com o pé.

palmilhar (pal.mi.*lhar*) *v.* **1** Colocar palmilha em. [*td.*: *Palmilhou todos os sapatos que machucavam seus pés.*] **2** Caminhar palmo a palmo; PALMEAR. [*int.*: "E como eu palmilhasse vagamente / uma estrada de Minas..." (Carlos Drummond de Andrade, *Claro enigma*).] [▶ **1** palmilhar]

palmípede (pal.*mí*.pe.de) *Zool. a2g.* **1** Que tem os dedos dos pés unidos por membranas (diz-se de animal, esp. ave). *sm.* **2** Animal (esp. ave) palmípede (1).

palmito (pal.*mi*.to) *sm.* Broto longo, macio e esbranquiçado, ger. comestível, tirado da parte terminal do caule de palmeiras. • **pal.mi.*tal*** *sm.*; **pal.mi.*tei*.ro** *sm.*

palmo (*pal*.mo) *sm.* Extensão equivalente à de uma mão aberta, entre as extremidades dos dedos polegar e mínimo. ◼ **Não enxergar um ~ adiante do nariz** *Fig.* Não enxergar coisa alguma.

⊕ **palmtop** (*Ing.* /pálmtop/) *sm. Inf.* Microcomputador portátil que pode ser manuseado na palma da mão.

palpar (pal.*par*) *v.* Tocar(-se) com as mãos; APALPAR(-SE). [*td.*: *Palpou a barriga do paciente*. *pr.*: *Após a queda, palpou-se cuidadosamente*.] [▶ **1** palpar]

palpável (pal.*pá*.vel) *a2g.* **1** Que se pode tocar, ver ou perceber (nódulo *palpável*). **2** *Fig.* Que é claro, evidente, incontestável (interesse *palpável*). [Pl.: *-veis*.]

pálpebra (*pál*.pe.bra) *sf. Anat.* Estrutura protetora que pode cobrir e descobrir os olhos, dotada de cílios nas extremidades e constituída por pele muito fina, músculos, tecido fibroso e membrana mucosa.

palpitação (pal.pi.ta.*ção*) *sf.* **1** *Med.* Sensação de batimento muito rápido ou irregular do coração. **2** Movimento desordenado, agitado. [Pl.: -*ções*.]

palpitante (pal.pi.*tan*.te) *a2g.* **1** Que palpita (coração palpitante). **2** *Fig.* Muito interessante (assunto palpitante). **3** *Fig.* Atual, recente (pesquisa palpitante).

palpitar (pal.pi.*tar*) *v. int.* **1** Sentir ou ter palpitações: *Seu coração palpitava sem parar.* **2** Sentir emoção; impressionar-se: *Palpitava quando ouvia sua voz.* **3** Emitir palpite: *Quando o assunto era política, preferia não palpitar.* [▶ **1** palpitar]

palpite (pal.*pi*.te) *sm.* **1** Opinião emitida com base apenas em intuição ou pressentimento. **2** *Bras. Pop.* Opinião de quem se intromete num assunto, conhecendo-o ou não: *"Quem é você que não sabe o que diz?" / "Meu Deus do céu, que palpite infeliz!"* (Noel Rosa, *Palpite infeliz*).

palpo (*pal*.po) *sm. Zool.* Parte acessória da boca ou do maxilar de insetos. ▪ **Em ~s de aranha** Em situação difícil ou perigosa.

palra (*pal*.ra) *sf.* **1** Palavra, fala. **2** Conversação.

palrar (pal.*rar*) *v. int.* **1** Emitir sons desprovidos de sentido, incompreensíveis ou sem importância. [PALREAR: *Palrou o dia todo sem parar.*] **2** Conversar, palrear: *Palraram muito durante a reunião.* [▶ **1** palrar] • **pal.rei**.ro *a.*; **pal.rei**.ce *sf.*

palrear (pal.re.*ar*) *v.* Ver *palrar*. [▶ **13** palrear]

palude (pa.*lu*.de) *sm.* Região inundada com águas paradas; PÂNTANO. • **pa.lu.di.***al* *a2g.*

paludícola (pa.lu.*dí*.co.la) *a2g.* Diz-se de organismo que vive em charcos ou pântanos (ave paludícola).

paludoso (pa.lu.*do*.so) [ô] *a.* **1** Em que há paludes ou lagoas (solo paludoso); PANTANOSO. **2** Que se originam em regiões paludosas (infecção paludosa). [Fem. e pl.: [ó].]

palustre (pa.*lus*.tre) *a2g.* Ref. a ou próprio de pântanos e brejos (vegetação palustre).

pamonha (pa.*mo*.nha) *sf.* **1** *Cul.* Espécie de bolo feito de milho verde com condimentos e cozido na folha de bananeira. *a2g.s2g.* **2** *Bras. Fig. Pop.* Que ou quem não tem firmeza; MOLEIRÃO; BOBO.

pampa (*pam*.pa) *sm.* **1** *Geog.* Planície extensa com vegetação rasteira característica do sul da América do Sul. *a2g.* **2** *Bras.* Diz-se do cavalo todo malhado. **3** *Bras.* Diz-se do animal que tem somente a cara branca.

pâmpano (*pâm*.pa.no) *sm.* Ramo novo da videira.

pampeiro (pam.*pei*.ro) *sm.* Vento forte e frio dos pampas da Argentina e que pode atingir o RS, onde se denomina *minuano*.

panaca (pa.*na*.ca) *a2g.s2g. Bras. Pop.* Que ou quem é muito bobo.

panaceia (pa.na.*cei*.a) *sf.* Remédio que teria poder de curar todos os males.

panamá (pa.na.*má*) *a2g.sm.* **1** Diz-se de ou chapéu de palha masculino bastante flexível, feito de fibras trançadas de plantas da América Central. *sm.* **2** Tecido macio, encorpado e lustroso us. para ternos de verão.

panamenho (pa.na.*me*.nho) *a.* **1** Do Panamá (América Central); típico desse país ou do seu povo. *sm.* **2** Pessoa nascida no Panamá.

panamense (pa.na.*men*.se) *a2g.s2g.* Ver *panamenho*.

pan-americanismo (pan-a.me.ri.ca.*nis*.mo) *sm.* Política que visa ao desenvolvimento e à melhoria das relações entre os países das Américas. [Pl.: *pan-americanismos*.]

pan-americano (pan-a.me.ri.*ca*.no) *a.* Ref. ao conjunto de países das Américas (seminário pan-americano). [Pl.: *pan-americanos*.]

panar (pa.*nar*) *v. td.* Cobrir (esp. carne) de pão ralado ou farinha de rosca e de ovo, para fritar. [▶ **1** panar] • **pa.na**.do *a.*

panarício (pa.na.*rí*.ci:o) *sm. Med.* Inflamação da pele ao redor da unha; PANARIZ.

panariz (pa.na.*riz*) *sm. Pop. Med.* Ver *panarício*.

panca (*pan*.ca) *sf.* **1** Alavanca de madeira. **2** *Bras. Pop.* Postura, pose: *Meu avô ainda tem panca de rapaz.*

pança (*pan*.ça) *sf. Pop.* Barriga grande.

pancada (pan.*ca*.da) *sf.* **1** Golpe ou batida. **2** Ação ou resultado de espancar. **3** Em certos relógios, som que indica cada uma das horas: *"E ouvindo o relógio bater duas pancadas..."* (Josué Montello, *Sempre serás lembrada*). **4** *Bras.* Chuva forte e repentina: *O céu escureceu e caiu uma pancada.* **5** *Pop.* Grande quantidade: *uma pancada de cartas. a2g.s2g.* **6** *Bras. Pop.* Que ou quem é amalucado.

pancadaria (pan.ca.da.*ri*.a) *sf.* **1** Tumulto em que as pessoas se agridem fisicamente. **2** Sucessão de golpes.

pancontinental (pan.con.ti.nen.*tal*) *a2g.* Que se refere a ou que abrange todos os continentes (turismo pancontinental). [Pl.: *-tais*.]

pâncreas (*pân*.cre:as) *sm2n. Anat.* Glândula digestiva de secreção interna e externa, situada atrás do estômago. • **pan.cre.***á*.ti.co *a.*

📖 O pâncreas é uma glândula situada no abdome, atrás do estômago, e suas principais funções são a digestiva e a endócrina (secreção de hormônios). A função digestiva é realizada com a liberação pelo pâncreas do *suco pancreático*, que é levado ao duodeno, no intestino, assim que o alimento chega ao estômago. Através de suas enzimas, o suco pancreático atua na digestão de carboidratos, gorduras e proteínas. As secreções hormonais são a insulina e o glucagon, responsáveis pelo controle dos açúcares (glicose), e cuja deficiência causa uma doença chamada *diabetes*. As afecções do pâncreas podem ser graves, e exigem cuidados imediatos.

pancreatite (pan.cre.a.*ti*.te) *sf. Pat.* Inflamação do pâncreas.

pançudo (pan.*çu*.do) *a.sm. Bras. Pop.* **1** Que ou o que tem uma barriga imensa. **2** Que ou o que vive às custas de outrem.

panda (*pan*.da) *sm. Zool.* Grande mamífero carnívoro da China, de pelagem preta e branca, semelhante a um urso.

pandarecos (pan.da.*re*.cos) *smpl.* Cacos, pedaços, trapos. ▪ **Em ~ 1** Em mau estado, destruído, acabado. **2** Muito cansado, exausto.

pândega (*pân*.de.ga) *sf.* **1** Festança, com muita comida e bebida. **2** Estroinice.

pândego (*pân*.de.go) *sm.* **1** Pessoa que frequenta pândegas (1). **2** Alegre, jovial, engraçado.

pandeiro (pan.*dei*.ro) *sm. Mús.* Instrumento de percussão feito de um aro com guizos ou chapinhas, ger. coberto num dos lados por couro esticado. [Dim.: *pandeireta*.] • **pan.dei**.*ris*.ta *s2g.*

pandemia (pan.de.*mi*.a) *sf. Med.* Epidemia que atinge toda uma região. • **pan.***dê*.mi.co *a.*

pandemônio (pan.de.*mô*.ni:o) *sm.* **1** *Fig.* Grande desordem e agitação. **2** Grupo de pessoas com o objetivo de criar tumulto ou prejudicar alguém.

pando (*pan*.do) *a.* Que se inchou ou inflou (estômago pando, bandeiras pandas).

pandorga (pan.*dor*.ga) *sf.* **1** *Bras.* Pipa, papagaio. *a2g.s2g.* **2** Que ou quem é bobo, tolo.

pandulho (pan.*du*.lho) *sm.* **1** Saco de pedras ou areia que se ata na ponta da rede de pescar para estendê-la. **2** *Bras. Pop.* Barriga.

pane (*pa*.ne) *sf.* Parada anormal do funcionamento de um mecanismo: *Deu pane no computador.*

■ ~ **seca** Pane (em motor a explosão) causada por falta de combustível.
panegírico (pa.ne.gí.ri.co) *sm.* **1** Discurso de elogio e louvor a alguém. *a.* **2** Que elogia ou glorifica, exalta.
paneiro (pa.*nei*.ro) *sm.* Cesto com alças.
panejar (pa.ne.*jar*) *v.* **1** *Esc. Pint.* Representar roupas, ou seu efeito, em. [*td*.: *Panejou as figuras do quadro*; *Panejava as estátuas com perfeição*.] **2** Fazer agitar ou agitar(-se); TREMULAR. [*td*.: *Panejavam os lenços na despedida. int*.: *Durante os festejos as bandeiras panejavam*.] [▶ **1** panej*ar*] ● **pa.ne.ja.men**.to *sm.*
panela (pa.*ne*.la) *sf.* **1** Recipiente com cabo ou alças us. para cozinhar alimentos. **2** O conteúdo desse recipiente: *Fez uma panela de canja.* **3** Ver *panelinha* (1). ● **pa.ne.lei.ro** *sm.*
panelaço (pa.ne.*la*.ço) *sm.* Manifestação de protesto em que se batem panelas ou outros utensílios de metal.
panelada (pa.ne.*la*.da) *sf.* **1** Panela cheia: *panelada de cozido.* **2** Grande quantidade de panelas: *O cozinheiro levou uma panelada para o banquete.*
panelinha (pa.ne.*li*.nha) *sf.* **1** *Fig.* Grupo fechado de pessoas que agem com interesse próprio, às vezes em detrimento de outros; PANELA. **2** Pequena panela.
panetone (pa.ne.*to*.ne) *sm. Cul.* Bolo de massa fermentada, acrescido de frutas cristalizadas e passas, originário da tradição italiana, e que se tornou, no nosso país, comum na época de Natal.
panfletar (pan.fle.*tar*) *v. int.* Fazer ou distribuir panfletos: *Não pôde panfletar no dia da eleição*. [▶ **1** panflet*ar*] ● **pan.fle.ta.gem** *sf.*
panfletário (pan.fle.*tá*.ri:o) *a.sm.* **1** Que ou quem escreve panfletos. *a.* **2** Ref. a ou próprio de panfletos. **3** *Fig.* Que defende radicalmente uma ideia, um movimento etc.
panfleto (pan.*fle*.to) [ê] *sm.* **1** Pequeno texto de caráter sensacionalista, combativo, polêmico e/ou satírico, ger. sobre temas políticos. **2** Folheto ou folha avulsa. **3** Folha avulsa de propaganda eleitoral para distribuição. ● **pan.fle.tis.ta** *s2g.*
pangaré (pan.ga.*rê*) *sm.* **1** *Bras.* Cavalo manhoso ou de pouco valor. *a2g.s2g.* **2** *Bras. RS* Diz-se de ou cavalo de pelo amarelo, desbotado em certas partes.
pangermanismo (pan.ger.ma.*nis*.mo) *sm. Pol.* Política de congregação dos povos alemães em um Estado único. ● **pan.ger.*má*.ni.co** *a.*
pânico (*pâ*.ni.co) *sm.* Pavor intenso e repentino, às vezes sem motivo aparente, e que provoca reações desequilibradas.
panificação (pa.ni.fi.ca.*ção*) *sf.* **1** *Bras.* Lugar onde se produzem e/ou vendem pães, bolos, biscoitos etc.; PADARIA. **2** Fabrico de pães. [Pl.: *-ções*.]
panificadora (pa.ni.fi.ca.*do*.ra) *sf.* Lugar onde se fabricam pães; PADARIA.
panificar (pa.ni.fi.*car*) *v. td.* Transformar (farinha) em pão. [▶ **11** panific*ar*]
pan-islamismo (pan-is.la.*mis*.mo) *sm. Pol.* Ideologia e política de união entre os países islâmicos. [Pl.: *pan-islamismos*.] ● **pan-is.*lâ*.mi.co** *a.*
pano (*pa*.no) *sm.* Qualquer tecido: *um pano resistente para fazer a cortina.* ■ **A tudo o** ~ *Fig.* A toda velocidade, ou com todo o vigor. **Dar ~s para manga** Propiciar comentários; dar o que falar: *Esse assunto ainda vai dar panos para manga.* **~ de fundo** *Fig.* Contexto, ambiente ou situação em que algo acontece. **~s quentes** Medidas ou explicações que tentam atenuar um problema ou situação complicada sem na realidade resolvê-lo. **Por baixo do(s) ~(s)** Secretamente, dissimuladamente.
panorama (pa.no.*ra*.ma) *sm.* **1** Paisagem circular vista de um ponto central ou mais alto: *Do Corcovado*

---

tem-se um panorama da cidade. **2** Visão ampla, geral; PANORÂMICA: *panorama da arquitetura no Brasil.* ● **pa.no.*rá*.mi.co** *a.*
panorâmica (pa.no.*râ*.mi.ca) *sf.* **1** Ver *panorama* (2). **2** *Cin. Telv.* Movimento em círculo feito com a câmera, ou o que é filmado nesse movimento.
panqueca (pan.*que*.ca) *sf. Cul.* Massa de farinha, leite e ovos, assada em chapa ou frigideira, servida com recheio e enrolada.
pansofia (pan.so.*fi*.a) *sf.* Conjunto de todos os saberes. ● **pan.só.fi.co** *a.*
pantagruélico (pan.ta.gru.*é*.li.co) *a.* **1** Que come muito como Pantagruel (personagem de Rabelais); COMILÃO; GLUTÃO. **2** Repleto de comida (refeição pantagruélica). ● **pan.ta.gru.e.*lis*.mo** *sm.*
pantalha (pan.*ta*.lha) *sf.) Peça que fica em torno de abajur, velas, candeeiros etc. para proteger os olhos do foco luminoso.
pantalonas (pan.ta.*lo*.nas) *sfpl.* Calças compridas que vão se alargando até os pés.
pantanal (pan.ta.*nal*) *sm.* **1** Pântano extenso. [Pl.: *-nais*.] 🄟 **Pantanal** *sm.* **2** *Geog.* Zona geofísica de parte do MS, MT e Paraguai, e que constitui importante ecossistema do Brasil. [Pl.: *-nais*.]
pantaneiro (pan.ta.*nei*.ro) *a.* **1** Do ou ref. ao pântano (animal *pantaneiro*). **2** Do Pantanal mato-grossense; típico dessa região ou de seu povo. *sm.* **3** Pessoa nascida no Pantanal. **4** *MS MT* Pessoa que cria gado; FAZENDEIRO.
pântano (*pân*.ta.no) *sm.* **1** Região baixa inundada por um rio ou mar; PAUL: *Jacarés vivem em pântanos*. **2** Terra alagada; PAUL. ● **pan.ta.*no*.so** *a.*
panteão, panteon (pan.te.*ão*, pan.te:*on*) *sm.* **1** *Rel.* Templo que reúne o conjunto dos deuses de uma religião (*panteão* egípcio). **2** *Arq.* Monumento que guarda os restos mortais de heróis ou pessoas ilustres de um país. [Nesta acp., ger. com inicial maiúsc.] [Pl. de *panteão*: *-ões*. Pl. de *panteon*: *-ones* e *-ons*.]
panteísmo (pan.te.*ís*.mo) *sm. Fil.* Doutrina filosófica que identifica Deus com tudo que existe, com o universo. ● **pan.te.*ís*.ta** *a2g.s2g.*
pantera (pan.*te*.ra) *sf.* **1** *Zool.* Mamífero felídeo muito ágil e feroz, dotado de dentes afiados. **2** *Bras. Fig.* Mulher bonita e atraente; TIGRESA.
pantofobia (pan.to.fo.*bi*.a) *sf. Psiq.* Medo de tudo. ● **pan.to.*fó*.bi.co** *a.sm.*; **pan.*tó*.fo.b**
pantógrafo (pan.*tó*.gra.fo) *sm.* Instrumento com que se pode copiar um desenho para variados tamanhos.
pantomima (pan.to.*mi*.ma) *sf.* **1** *Teat.* Peça de teatro com mímica, sem palavras. **2** Ação ou resultado de se exprimir por gestos; MÍMICA. ● **pan.to.mi.*mar*** *v.*; **pan.to.mi.*mei*.ro** *sm.*

PANTÓGRAFO

pantufa (pan.*tu*.fa) *sf.* Tipo de chinelo ou sapato acolchoado e macio, us. ger. em casa para aquecer os pés.
panturrilha (pan.tur.*ri*.lha) *sf. Anat.* Músculo da parte posterior da perna; barriga da perna.
pão *sm.* **1** *Cul.* Alimento à base de farinha, água e fermento, cozido no forno. **2** *Fig.* Alimento, comida: *o pão de cada dia*. **3** *Fig.* Meio de sobrevivência, sustento: *trabalhar para o pão das crianças*. [Pl.: *pães*.] ■ **Comer o** ~ **que o diabo amassou** Passar por dificuldades, privações. **Tirar o** ~ **da boca de 1** Fazer passar privações. **2** *Fig.* Impedir que (alguém) realize o que estava prestes a realizar.
pão de ló (pão de *ló*) *sm. Cul.* Bolo de massa bem leve, feito de farinha, ovos, açúcar e água. [Pl.: *pães de ló*.]
pão-duro (pão-*du*.ro) *a2g.s2g.* **1** *Bras. Pop.* Que ou quem é muito contido nos gastos; AVARENTO. *sm.* **2**

papa¹ | papeleira

Pop. Espátula de borracha us. para raspar alimentos, esp. massas líquidas e/ou pastosas, do fundo de recipientes. [Pl.: *pães-duros*.]

papa¹ (*pa*.pa) *sm.* **1** *Rel.* Chefe da Igreja Católica; SUMO; PONTÍFICE. **2** *Fig.* Profissional conhecido por ser excelente naquilo que faz: *Ele é um papa na confecção de fantasias.* [Fem.: *papisa* e *papesa*.]

papa² (*pa*.pa) *sf.* Alimento pastoso: *papa de arroz.* ✥ **Não ter ~s na língua** Dizer o que pensa, sem se preocupar com as consequências.

papá (pa.*pá*) *sm. Infan.* Comida, na linguagem infantil.

papada (pa.*pa*.da) *sf.* Gordura acumulada embaixo do rosto e no pescoço; PAPO.

papa-defunto, papa-defuntos (pa.pa.de.*fun*.to, pa.pa.de.*fun*.tos) *sm., sm2n. Bras.* Pessoa que trabalha em casa funerária; agente funerário. [Pl. de *papa-defunto*: *papa-defuntos*.]

papado (pa.*pa*.do) *sm.* Dignidade, cargo de papa; o tempo durante o qual um papa exerce essa função.

papa-figo (pa.pa.*fi*.go) *sm.* Monstro inventado para assustar as crianças; BICHO-PAPÃO. [Pl.: *papa-figos*.]

papa-fila, papa-filas (pa.pa.*fi*.la, pa.pa.*fi*.las) *Bras. sm., sm2n.* **1** Sistema que agiliza operações a fim de se diminuírem filas. **s2g., s2g2n. 2** Pessoa que executa esse sistema: *O papa-filas agilizou o pedágio.* **sm., s2g2n. 3** Ônibus articulado, com capacidade para transportar muitas pessoas, que circulava na década de 1950. [Pl. de *papa-fila*: *papa-filas*.]

papagaiada (pa.pa.gai.*a*.da) *sf. Bras. Fig. Pop.* Atitude ou exibição exagerada e ridícula. ● **pa.pa. gai.ar** *v.*

papagaio (pa.pa.*gai*.o) *sm.* **1** *Zool.* Pássaro de plumagem ger. verde e colorida na cabeça e/ou peitos, de bico grosso, capaz de imitar a voz humana. **2** *Fig.* Pessoa tagarela ou que papagueia. **3** Brinquedo constituído de uma armação revestida de papel ou fazenda leves, que se faz flutuar no ar preso a um cordel ou o maneja; PIPA. **4** *Bras.* Promissória. **5** *Bras.* Licença provisória para dirigir veículo.

papaguear (pa.pa.gue.*ar*) *v.* **1** Falar demais e sem pensar no que diz. [*int.*: *Papagueava e contava o que não devia.*] **2** Repetir palavras sem entender o seu significado. [*td.*: *papaguear textos em italiano*.] [▶ **13** papagu*ear*] ● **pa.pa.gue.a.dor** *a.sm.*

papai (pa.*pai*) *sm. Bras.* Forma afetuosa pela qual os filhos se dirigem ao pai.

papaia (pa.*pai*.a) *sf.* Tipo de mamão pequeno.

papaína (pa.pa.*i*.na) *sf. Quím.* Enzima presente no mamão, us. para amaciar carnes, no tratamento da cárie dentária etc.

papa-jantares (pa.pa.jan.*ta*.res) *s2g2n.* Pessoa que se alimenta ou vive às custas dos outros.

papajerimum (pa.pa.je.ri.*mum*) *a2g.s2g. RN Pej.* Ver *natalense*. [Pl.: *-muns*.] [At.: O termo é considerado depreciativo ou preconceituoso.]

papal (pa.*pal*) *a2g.* Do ou ref. ao papa (visita *papal*); PAPALINO. [Pl.: *-pais*.]

papalino (pa.pa.*li*.no) *a.* **1** Ver *papal. sm.* **2** Soldado da guarda do papa.

papalvo (pa.*pal*.vo) *a.sm.* Que ou quem é tolo, bobo. ● **pa.pal.vi.ce** *sf.*

papa-moscas (pa.pa.*mos*.cas) *Zool.* **s2g2n. 1** Aranha que se alimenta de moscas. **sf2n. 2** Ave pardo-acinzentada, com cauda e asas pretas, que se alimenta de insetos.

papão (pa.*pão*) *sm.* Monstro imaginário com que se assustam as crianças; BICHO-PAPÃO. [Pl.: *-pões*.]

papa-ovo (pa.pa.*o*.vo) *sf. Bras. Zool.* Cobra de dorso pardo e abdome amarelo, de até 2m de comprimento. [Pl.: *papa-ovos* [ó].]

papar (pa.*par*) *v. td.* **1** *Fam.* Comer: (com ou sem complemento explícito) *O neném já papou (tudo).* **2** *Pop.* Conquistar, ganhar: *papar um prêmio.* [▶ **1** pap*ar*]

● **paparazzo** (*It.* /paparátzo/) *sm.* Fotógrafo *free-lancer* e insistente que se dedica a tirar fotos indiscretas e/ou comprometedoras de celebridades. [Pl.: *paparazzi*.]

paparicar (pa.pa.ri.*car*) *v.* **1** Tratar carinhosamente; MIMAR. [*td.*: *paparicar os netos*.] **2** Comer pouco e repetidamente. [*td.*: *paparicar doces e salgados*. *int.*: *Fazia uma única refeição e não paparicava*.] [▶ **11** paparic*ar*] ● **pa.pa.ri.ca.ção** *sf.*

paparico (pa.pa.*ri*.co) *sm.* Mimos ou cuidados em excesso: *O caçula recebe paparicos da mãe.*

papa-terra (pa.pa-*ter*.ra) *sm. Zool.* Peixe de coloração cinza, com faixas escuras, de até 40cm de comprimento. [Pl.: *papa-terras*.]

papável¹ (pal.*pá*.vel) *a2g.* Que se pode papar ou comer. [Pl.: *-veis*.]

papável² (pal.*pá*.vel) *a2g.* Diz-se cardeal com possibilidade de vir a se tornar papa. [Pl.: *-veis*.]

papear (pa.pe.*ar*) *v.* **1** Bater papo; CONVERSAR. [*ti. + com*: *papear com a amiga*. *int.*: *Gostava de papear.*] **2** Gorjear. [*int.*: *Na fazenda era possível ouvir as aves papeando*.] [▶ **13** pap*ear*] ● **pa.pe.a. ção** *sf.*

papeira (pa.*pei*.ra) *sf.* **1** *Bras. Pop. Pat.* Aumento do volume da glândula tireoide. **2** *N. N.E. Pat.* Doença infecciosa causada por um vírus que provoca inflamação das glândulas salivares; CAXUMBA.

papel (pa.*pel*) *sm.* **1** Material em forma de folha ger. fina e flexível, fabricado esp. de pasta de fibras vegetais, us. para escrever, imprimir, embalar etc. **2** Papel (1) escrito ou para escrever: *A mesa estava coberta de papéis.* **3** *Cin. Teat. Telv.* Parte que cabe a um ator representar. **4** Função, atuação, desempenho: *Qual foi o seu papel neste caso?* **5** *Econ.* Documento que representa um valor; título: *Investiu em papéis do governo.* [Pl.: *-péis*.] **papéis smpl. 6** Documentos: *O policial pediu para ver os papéis do carro.* ✥ **De ~ passado** Oficial, formal e documentadamente; de acordo com a lei. **Ficar no ~** Ficar apenas no projeto, não se realizar. **Pôr no ~** Registrar em documento, contrato etc.

📖 A descoberta do papel remonta à China, no início do séc. II d.C. Somente no séc. XIV chegou à Europa, trazido pelos árabes, e, com a invenção da imprensa, no séc. XVI, tornou-se importante insumo da atividade editorial. Inicialmente produzido de tecidos, a partir do séc. XIX a principal matéria-prima passou a ser a madeira (a celulose das fibras vegetais), e, já no séc. XX, também o papel e o papelão reciclados, outras fibras vegetais e material sintético. Os seis países maiores produtores de papel são, nessa ordem, China, EUA, Japão, Alemanha, Coreia do Sul e Brasil..

papelada (pa.pe.*la*.da) *sf.* **1** Conjunto de documentos. **2** Grande quantidade de papel.

papel-alumínio (pa.pel-a.lu.*mí*.ni:o) *sm.* Folha laminada de alumínio, us. para embalar ou revestir medicamentos, alimentos etc. [Pl.: *papéis-alumínios* e *papéis-alumínio*.]

papelão (pa.pe.*lão*) *sm.* **1** Tipo de papel grosso e resistente us. em caixas, embalagens etc. **2** *Fig.* Comportamento considerado inadequado e ridículo: *Bêbado, o orador fez um papelão.* [Pl.: *-lões*.]

papelaria (pa.pe.la.*ri*.a) *sf.* **1** Loja onde se vendem artigos de papel e outros esp. relacionados com a escrita, o desenho e a pintura.

papel-carbono (pa.pel-car.*bo*.no) *sm.* Papel us. para fazer cópias por meio de decalque. [Pl.: *papéis-carbonos* e *papéis-carbono*.]

papeleira (pa.pe.*lei*.ra) *sf.* **1** Cesto coletor de lixo de papel. **2** Utensílio ou móvel us. para guardar papéis.

papeleiro (pa.pe.*lei*.ro) *a.* **1** Ref. a papel (mercado papeleiro). *sm.* **2** Fabricante de papel. **3** Dono de papelaria.

papeleta (pa.pe.*le*.ta) [ê] *sf.* **1** Pedaço avulso de papel onde se anotam informações: *papeleta de requisição de exames*. **2** Papel no qual, em clínica ou hospital, médicos fazem anotações sobre a situação do enfermo.

papel-manteiga (pa.pel-man.*tei*.ga) *sm.* Certo tipo de papel fino e translúcido, hoje mais us. para desenhar projetos de arquitetura, desenho industrial etc. mas tb. em culinária para forrar tabuleiros, assar biscoitos etc. [Pl.: *papéis-manteigas* e *papéis-manteiga*.]

papel-moeda (pa.pel-*mo*.e.da) *sm. Econ.* Dinheiro em forma de papel impresso; CÉDULA; NOTA. [Pl.: *papéis-moedas* e *papéis-moeda*.]

papelório (pa.pe.*ló*.ri:o) *sm.* Porção de papéis: *Começaram a cuidar do papelório para casar.*

papelote (pa.pe.*lo*.te) *sm.* **1** Embrulho pequeno, ger. feito de papel, us. para acondicionar cocaína ou outra droga em pó. ⚅ **papelotes** *smpl.* **2** Pedaços de papel us. para enrolar os cabelos com a intenção de cacheá-los.

papel-pergaminho (pa.pel-per.ga.*mi*.nho) *sm.* Papel que tem o aspecto e a resistência do pergaminho. [Pl.: *papéis-pergaminhos* e *papéis-pergaminho*.]

papelucho (pa.pe.*lu*.cho) *sm.* Pedaço de papel.

papila (pa.*pi*.la) *sf. Anat.* Saliência pequena, em forma de mamilo, encontrada em diferentes órgãos.

papiloma (pa.pi.*lo*.ma) [ô] *sm. Pat.* **1** Tumor na pele ou mucosas, na forma de papila. **2** Designação comum a verrugas, calos etc.

papiro (pa.*pi*.ro) *sm.* **1** *Bot.* Planta com cujo caule os antigos egípcios fabricavam folhas para escrever. **2** Essa folha.

papisa (pa.*pi*.sa) *sf. Rel.* Mulher que, lendariamente, teria sido investida dos poderes do papa.

papismo (pa.*pis*.mo) *sm.* A influência ou o domínio dos papas na religião católica. ● **pa.*pis*.ta** *a2g.s2g.*

papo (*pa*.po) *sm.* **1** *Anat. Zool.* Bolsa formada pelo esôfago das aves, onde fica o alimento ingerido antes de passar à moela; a parte externa do pescoço da ave, à altura do papo. **2** *Fam.* Estômago, barriga: *Estou com fome, vou encher o papo.* **3** *Pop.* Excesso de tecido gorduroso sob o queixo; PAPADA. **4** *Fam.* Conversa informal: *Nosso papo estava muito interessante.* ■ **Bater ~** Conversar despretensiosamente. **De ~ para o ar** *Fam.* Sem fazer nada, ocioso. **Estar no ~** Estar antecipadamente garantido (sucesso, vitória etc.). **~ furado** *Gír.* Conversa fiada, embromação.

papo-firme (pa.po-*fir*.me) *a2g.s2g. Bras. Gír.* Que ou quem leva a sério o que diz, e cumpre suas promessas. [Ant.: *papo-furado*.] [Pl.: *papos-firmes*.]

papo-furado (pa.po-fu.*ra*.do) *a2g.s2g. Bras. Gír.* Que ou quem não leva a sério o que diz, e não costuma cumprir suas promessas. [Ant.: *papo-firme*.] [Pl.: *papos-furados*.]

papoula (pa.*pou*.la) *sf. Bot.* Certa erva e sua flor, de onde se extrai o ópio.

páprica (*pá*.pri.ca) *sf. Cul.* Tempero em pó, doce ou picante, feito do pimentão vermelho.

papua (pa.*pu*.a) *s2g.* **1** Indivíduo dos papuas, povo que habita a Oceania, encontrado na Nova Guiné, Ilhas Salomão etc. **2** *Gloss.* Qualquer das línguas faladas nessa área (menos as austronésias). *a2g.* **3** Ref. aos papuas (1) ou a papua (2).

papuásio (pa.pu.*á*.si:o) *a.* **1** De Papua Nova Guiné (Oceania); típico desse país ou de seu povo. *sm.* **2** Pessoa nascida em Papua Nova Guiné.

papudo (pa.*pu*.do) *a.* Que tem papo (3) grande.

paqueiro (pa.*quei*.ro) *a.* **1** Diz-se de cão treinado para caçar pacas. *sm.* **2** Esse cão.

paquera (pa.*que*.ra) *Bras. Gír. sf.* **1** Ação ou resultado de paquerar; tentativa de namoro: *Estão de paquera há quase um mês. a2g.s2g.* **2** Que ou quem paquera; PAQUERADOR: *Ele/ela é um(a) grande paquera.*

paquerar (pa.que.*rar*) *v.* **1** Buscar aproximação com intenção amorosa; AZARAR. [*td*.: *paquerar a vizinha da frente. int.*: *Paquerou muito antes de se casar*.] **2** Olhar com interesse. [*td*.: *Paquerou os tênis da loja*.] [▶ **1** paquer[ar] ● **pa.que.ra.*ção*** *sf.*; **pa.que.*ra.dor*** *a.sm.*

paquete (pa.*que*.te) [ê] *sm.* **1** Navio veloz e luxuoso. **2** *Bras.* Canoa a vela, us. no rio São Francisco.

paquiderme (pa.qui.*der*.me) *a2g.sm.* **1** Diz-se de ou animal de pele grossa, como o rinoceronte, o elefante, o hipopótamo etc. *sm.* **2** *Pej. Pop.* Indivíduo pesadão, ou estúpido. [At!: Considerado ofensivo nesta acepção.]

paquímetro (pa.*quí*.me.tro) *sm.* Instrumento us. para medir com precisão diâmetros, calibres, espessuras etc.

paquistanês (pa.quis.ta.*nês*) *a.* **1** Do Paquistão (Ásia); típico desse país ou de seu povo. *sm.* **2** Pessoa nascida no Paquistão. [Pl.: *-neses*. Fem.: *-nesa*.]

par *a2g.* **1** *Mat.* Diz-se de todo número divisível por dois. [Cf.: *ímpar*.] **2** Que forma um conjunto com outro: *Este quadro é par daquele.* **3** *Pessoa que acompanha uma outra: João será meu par na festa.* **4** Pessoa do mesmo ofício ou ramo de outra: *O juiz foi julgado por um de seus pares.* **5** Conjunto de duas coisas semelhantes; PARELHA: *um par de meias*. **6** Número par (1). ■ **A ~ (de) 1** Informado: *Já estou a par do que aconteceu*. **2** Apesar de: *A par de ter trazido problemas, veio a paz em boa hora.* **Sem ~** Fora do comum, igualável: *Ela é de uma honestidade sem par.*

para (*pa*.ra) *prep.* **1** Na direção de: *Foram para o Nordeste.* **2** Para quando (tempo futuro) ou próprio para durar (determinado tempo): *Deixemos isso para amanhã*; *Fez compras para um mês.* **3** Que se destina a: *diversão para jovens.* **4** Contra: *vacina para gripe.* **5** Com o objetivo de: *Trabalha para sustentar a família.* **6** Prestes a: *O resultado está para sair.* **7** À, em: *Para a esquerda do terraço, há um jardim.* **8** Na opinião de: *Para muitos, é sua alegria que atrai.* ■ **~ que 1** Numa pergunta, refere-se à finalidade: *Para que serve esse aparelho?* **2** Introduz oração adverbial final; a fim de que: *Torço para que tudo dê certo.*

parabéns (pa.ra.*béns*) *smpl. Rel.* Felicitações, congratulações. ● **pa.ra.be.ni.*zar*** *v.*

parábola (pa.*rá*.bo.la) *sf.* **1** Narrativa alegórica que encerra uma lição de vida. **2** *Geom.* Curva plana com os pontos equidistantes de um ponto fixo, dito foco, e de uma reta fixa, dita diretriz.

PARÁBOLA²

parabólico (pa.ra.*bó*.li.co) *a.* **1** Com forma semelhante a uma parábola. ⚅ **parabólica** *a.sf.* **2** *Telc.* Diz-se de antena us. ger. em comunicação por satélite, cuja superfície parabólica reflete os sinais concentrando-os num ponto.

para-brisa (pa.ra-*bri*.sa) *sm.* Placa de vidro colocada na parte da frente do automóvel de modo a proteger o motorista do vento, da poeira etc., sem interferir em sua visão dianteira. [Pl.: *para-brisas*.]

para-choque (pa.ra-*cho*.que) *sm.* Barra de aço ou plástico fixada horizontalmente nas partes anterior e posterior dos automóveis, ou configuração da carroceria nesses pontos, que visa amortecer impactos. [Pl.: *para-choques*.]

parada (pa.*ra*.da) *sf.* **1** Ação ou resultado de parar: *Todos devem ficar sentados até a parada total da ae-*

paradeiro | **paramécio** 592

ronave. **2** Interrupção: *Vou fazer uma parada para lanchar.* **3** Ponto em que os coletivos (ônibus, bonde, trem) param para subida e descida de passageiros. **4** Dinheiro apostado. **5** Desfile de tropas em datas comemorativas. **6** Lista dos discos mais vendidos ou músicas mais executadas. [Tb. parada de sucessos.] **7** *Bras. Gír.* O que (circunstância, animal etc.) ou quem é complicado ou com os quais é difícil de lidar. **8** *Bras. Gír.* Pessoa atraente, bonita.

paradeiro (pa.ra.*dei*.ro) *sm.* Lugar em que algo ou alguém está ou vai parar: *Não sei o paradeiro dele.*

paradidático (pa.ra.di.*dá*.ti.co) *a.* Que auxilia no processo de ensino juntamente com os materiais didáticos (material paradidático).

paradigma (pa.ra.*dig*.ma) *sm.* **1** Modelo, padrão. **2** *Gram.* Conjunto de formas flexionadas de uma palavra, us. como modelo (p.ex., o v. *comer* ger. serve de paradigma à segunda conjugação).

paradisíaco (pa.di.*sí*.a.co) *a.* Ref. ao ou próprio do paraíso; AGRADÁVEL; APRAZÍVEL.

parado (pa.*ra*.do) *a.* **1** Sem movimento, imóvel, estático. **2** Estacionado. **3** *Bras.* Sem iniciativa. **4** Estagnado (água parada). **5** *Bras.* Desempregado.

paradouro (pa.ra.*dou*.ro) *sm. RS* Lugar onde o gado manso pernoita, ger. próximo da casa da estância.

paradoxo (pa.ra.*do*.xo) [cs] *sm.* **1** Ideia, conceito, proposição, afirmação aparentemente contraditória a outra ou ao senso comum: *Surpreendia a todos com seus paradoxos.* **2** Contradição, incompatibilidade com o contexto; falta de coerência: *Quanto mais enriquece mais preocupado fica, é o paradoxo de sua vida.* ● **pa.ra.do.***xal** *a2g.*

paraense (pa.ra.*en*.se) *a2g.* **1** Do Pará; típico desse estado ou de seu povo. *s2g.* **2** Pessoa nascida no Pará. [Sin. ger.: *paroara*.]

paraestatal (pa.ra.es.ta.*tal*) *a2g.* Diz-se de instituição cuja atividade é de interesse público o que se rege por administração própria, mas que é criada pelo Estado (empresa paraestatal). [Pl.: *-tais*.]

parafernália (pa.ra.fer.*ná*.li.a) *sf.* Conjunto de objetos e pertences próprios de certa atividade; TRALHA.

parafina (pa.ra.*fi*.na) *sf. Quim.* Material sólido, branco, translúcido, subproduto do petróleo. ● **pa.ra.fi.***nar** *v.*

paráfrase (pa.*rá*.fra.se) *sf. Ling.* Versão de um texto, ger. mais extensa e explicativa, cujo objetivo é torná-lo mais fácil para o entendimento. ● **pa.ra.***frás*.ti.co *a.*

parafrasear (pa.ra.fra.se.*ar*) *v. td.* Expor por meio de paráfrase: *Parafraseou o texto de um autor conhecido.* [▶ **13 parafrasear**]

parafusar (pa.ra.fu.*sar*) *v. td.* Fixar com parafuso: *parafusar a porta.* [▶ **1 parafusar**]

parafuso (pa.ra.*fu*.so) *sm.* **1** Peça cônica ou cilíndrica com sulcos em hélice, que se atarraxa, com giros, em porca ou superfícies resistentes. **2** *Aer.* Acrobacia em que o avião descreve uma espiral fechada em torno do eixo de descida. ▪▪ **Entrar em ~** *Gír.* Perder o domínio das faculdades mentais; ficar desorientado, desatinado. **Ter um ~ a menos** Ser amalucado, mentalmente desequilibrado.

paragem (pa.*ra*.gem) *sf.* **1** Ação ou resultado de parar; PARADA. **2** Lugar onde algo se encontra ou pode se encontrar: *Foi procurá-la em longínquas paragens.* [Pl.: *-gens*.]

paragrafar (pa.ra.gra.*far*) *v. td.* Dispor (texto) em parágrafos. [▶ **1 paragrafar**] ● **pa.ra.gra.fa.***ção* *sf.*

parágrafo (pa.*rá*.gra.fo) *sm.* **1** Seção de texto escrito que é dominada por uma ideia básica. **2** O sinal gráfico (§) que o indica essa seção. **3** Seção de um artigo de lei etc., ALÍNEA. ● **pa.ra.***gra*.fi.co *a.*

paraguaio (pa.ra.*guai*.o) *a.* **1** Do Paraguai (América do Sul); típico desse país ou de seu povo. *sm.* **2** Pessoa nascida no Paraguai.

paraibano (pa.ra.i.*ba*.no) *a.* **1** Da Paraíba; típico desse estado ou de seu povo. *sm.* **2** Pessoa nascida na Paraíba.

paraíso (pa.ra.*í*.so) *sm.* **1** *Rel.* Na narrativa bíblica, jardim de delícias no qual Deus colocou Adão e Eva; ÉDEN. **2** *Fig.* Lugar prazeroso, agradável; ÉDEN. **3** *Fig.* Ver *céu* (4).

para-lama (pa.ra-*la*.ma) *sm.* Nas carrocerias dos automóveis, parte recurvada sobre as rodas que serve de anteparo para lama e outros detritos. [Pl.: *para-lamas*.]

paralaxe (pa.ra.*la*.xe) [cs] *sf.* Diferença aparente entre duas localizações do mesmo objeto, obtidas a partir de pontos de observação diferentes.

paralela (pa.ra.*le*.la) *sf.* **1** Cada uma de duas ou mais retas situadas no mesmo plano, as quais, mesmo prolongadas ao infinito, não têm ponto comum. ☐ **paralelas** *sfpl.* **2** *Esp.* F. red. de *barras paralelas*, aparelho de ginástica us. em treinamentos e competições.

paralelepípedo (pa.ra.le.le.*pí*.pe.do) *sm. Geom.* Sólido com seis lados retangulares cujas faces opostas, aos pares, são iguais. **2** Pedra com esse formato us. para calçamento das vias.

paralelismo (pa.ra.le.*lis*.mo) *sm.* **1** Relação existente entre linhas ou superfícies paralelas entre si. **2** Correspondência no desenvolvimento de processos, ideias, pensamentos etc.

paralelo (pa.ra.*le*.lo) *a.* **1** *Geom.* Diz-se de linha ou superfície equidistante em toda a extensão de outra linha ou superfície (linhas paralelas, planos paralelos). **2** Diz-se daquilo que segue ou se desenvolve na mesma direção, no mesmo ritmo de outra coisa de RETAS PARALELAS mesma espécie (rotas paralelas, carreiras paralelas). **3** Que é (evento) simultâneo a outro evento correlato: *As duas estações cobriram os jogos em transmissões paralelas.* **4** Que atua ou funciona de forma alternativa a entidade correlata, oficial ou legal, de mesma atividade (câmbio paralelo, mercado paralelo). *sm.* **5** *Geog.* Círculo imaginário da Terra, paralelo ao equador. **6** Comparação, confronto, cotejo: *Estabeleceram um paralelo entre as duas propostas.*

paralelogramo (pa.ra.le.lo.*gra*.mo) *sm. Geom.* Quadrilátero que tem os lados opostos paralelos entre si.

paralisar (pa.ra.li.*sar*) *v.* **1** Fazer perder ou perder a função motora em certa(s) parte(s) do corpo. [*td.*: *O tombo paralisou-o da cintura para baixo. pr.*: *Paralisou-se com o acidente.*] **2** Tornar(-se) ou deixar sem ação. [*td.*: *Os gritos paralisaram o condomínio. int./pr.*: *Paralisou(-se) de medo*; "...pela emoção que emudece e paralisa." (José de Alencar, *O guarani*).] **3** Fazer parar de funcionar. [*td.*: *A chuva paralisou o centro da cidade.*] **4** Parar de progredir; ESTACIONAR. [*int./pr.*: *A cidadezinha paralisou(-se) com o fechamento da fábrica.*] [▶ **1 paralisar**] ● **pa.ra.li.sa.***ção* *sf.*; **pa.ra.li.sa.do** *a.*; **pa.ra.li.***san*.te *a2g.*

paralisia (pa.ra.li.*si*.a) *sf.* **1** *Med.* Incapacidade de mover voluntariamente parte(s) do corpo. **2** *Fig.* Falta de ação ou atividade; TORPOR; MARASMO. ▪▪ **~ infantil** *Med.* Doença infecciosa que atinge esp. crianças, atacando o sistema nervoso central, ger. levando à paralisia e atrofia de certos músculos; POLIOMIELITE ANTERIOR AGUDA.

paralítico (pa.ra.*lí*.ti.co) *a.sm.* Que ou quem tem paralisia (1).

paralogismo (pa.ra.lo.*gis*.mo) *sm.* Raciocínio ilógico, esp. argumento inconscientemente defeituoso.

paramécio (pa.ra.*mé*.ci:o) *sm. Zool.* Espécie de protozoário dotado de cílios, com corpo achatado e oval.

paramédico (pa.ra.mé.di.co) *a.* **1** Que tem função auxiliar na área médica. *sm.* **2** Pessoa que exerce função paramédica.

paramentar (pa.ra.men.tar) *v.* Ornar(-se) ou vestir(-se) com paramentos. [*td. Paramentou o salão para a solenidade. pr.: O padre vai paramentar-se para a missa.*] [▶ **1** paramentar]

paramento (pa.ra.men.to) *sm.* **1** Enfeite, adorno. ◪ **paramentos** *smpl.* **2** *Litu.* Vestes us. pelo padre ao celebrar a missa ou outros ofícios.

parâmetro (pa.râ.me.tro) *sm.* Dado ou elemento tomado como padrão para analisar ou valorar uma situação: "...o jogo de hoje não servirá de parâmetro para a Copa." (*Jornal Extra*, 16.05.02). ● **pa.ra.mé.tri.co** *a.*

paramilitar (pa.ra.mi.li.tar) *a2g.* Diz-se de entidade ou corporação civil que se apresenta como militar (armas, uniformes etc.) e exerce funções militares.

páramo (pá.ra.mo) *sm.* **1** Região deserta. **2** Abóbada celeste.

paraná (pa.ra.ná) *sm. Bras.* Canal que separa uma ilha fluvial da margem do rio.

paranaense (pa.ra.na.en.se) *a2g.* **1** Do Paraná; típico desse estado ou de seu povo. *s2g.* **2** Pessoa nascida no Paraná.

paraninfo (pa.ra.nin.fo) *sm.* Pessoa homenageada por uma turma de formandos como seu padrinho ou patrono. ● **pa.ra.nin.far** *v.*

paranoia (pa.ra.noi.a) *sf. Psi.* Doença mental caracterizada por mania de perseguição ou de grandeza. ● **pa.ra.noi.co.a.** *sm.*

paranormal (pa.ra.nor.mal) *a2g.* **1** Que está fora da normalidade, que não está incluído entre os fenômenos explicados pela lógica ou pela ciência (fenômeno paranormal); SOBRENATURAL. *s2g.* **2** Pessoa que tem faculdades paranormais. [Pl.: -*mais.*] ● **pa.ra.nor.ma.li.da.de** *sf.*

parapeito (pa.ra.pei.to) *sm.* **1** Mureta à altura do peito que funciona como proteção contra queda. **2** Peça rígida que reveste a borda inferior de janela e serve de apoio a quem se debruça; PEITORIL. **3** *Mil.* Borda superior de trincheira, guarnecida de modo a proteger seus ocupantes.

parapente (pa.ra.pen.te) *sm. Esp.* Espécie de paraquedas quadrangular manobrável, com o qual se salta (já aberto) de ponto elevado, como se fosse uma asa-delta. ● **pa.ra.pen.tis.ta** *s2g.*

paraplegia (pa.ra.ple.gi.a) *sf. Med.* Paralisia das pernas e da parte inferior do corpo. ● **pa.ra.plé.gi.co.a.** *sm.*

parapsicologia (pa.ra.psi.co.lo.gi.a) *sf.* Estudo científico dos fenômenos paranormais. ● **pa.ra.psi.co.ló.gi.co** *a.*; **pa.ra.psi.có.lo.go** *sm.*

paraquedas (pa.ra.que.das) *sm2n.* Aparelho que, atado a alguém que se lança de grande altura, ao ser acionado abre-se numa cúpula de pano, reduzindo a velocidade da queda.

paraquedismo (pa.ra.que.dis.mo) *sm.* Teoria e prática de saltos de paraquedas, esp. como esporte. [Pl.: *paraquedismos.*] ● **pa.ra.que.dis.ta** *a2g.s2g.*

parar (pa.rar) *v.* **1** Não deixar continuar ou não continuar (movimento, ação etc.); deter(-se), interromper(-se). [*td.: parar o trânsito/uma máquina. ti. + com: Finalmente pararam com a cantoria. int.: Assustado, o cavalo parou.*] **2** Permanecer, ficar. [*int.* (seguido de indicação de lugar, condição ou estado): *Nunca parou em nenhum emprego; Esse menino não para quieto.*] **3** Ir dar em ou ter por paradeiro. [*int.* (seguido de indicação de lugar ou de estado): *A bagagem foi parar em outra cidade; Não sei onde esse desavença vai parar.*] [▶ **1** parar]
Acento agudo no *a* do radical na 3ª pess. sing. do pres. ind. Us. tb. como v. auxiliar, seguido da prep. *de* + v. principal no infinit., com o sentido de 'interromper a ação': *Pararam de cantar; Já parou de chover.*]

para-raios (pa.ra-rai.os) *sm2n.* Haste metálica no alto de edificações que atrai as descargas elétricas atmosféricas, encaminhando-as para a terra.

parasita (pa.ra.si.ta) *a2g.sm.* Ver *parasito.*

parasitar (pa.ra.si.tar) *v.* **1** Viver ou nutrir-se como parasito de (outro animal ou vegetal). [*td.: Muitas orquídeas parasitavam as árvores do parque.*] **2** *Fig.* Viver à custa de (outrem); viver ou agir como parasito (2). [*td.: Esse preguiçoso parasita o irmão. int.: Ele parasita o dia inteiro.*] [▶ **1** parasitar]

MASTRO
HASTE DE ATERRAMENTO
PARA-RAIOS

parasiticida (pa.ra.si.ti.ci.da) *a2g.sm.* Que ou o que combate parasito (diz-se de substância, produto etc.).

parasitismo (pa.ra.si.tis.mo) *sm.* **1** Condição de parasito. **2** Tipo de vida do parasito.

parasito (pa.ra.si.to) *a.sm.* **1** *Biol.* Que ou aquele (organismo) que vive de ou em outro organismo. **2** *Fig.* Que ou quem é improdutivo e vive às custas de outrem. [Sin. ger.: *parasita.*] ● **pa.ra.si.tá.ri:o** *a.*; **pa.ra.si.ti.co** *a.*

parasitologia (pa.ra.si.to.lo.gi.a) *sf. Biol. Med.* Ramo da biologia que estuda os parasitos. ● **pa.ra.si.to.ló.gi.co** *a.*; **pa.ra.si.to.lo.gis.ta** *s2g.*

para-sol (pa.ra-sol) *sm.* Objeto ou dispositivo que protege algo da incidência de raios solares. [Pl.: *pa-ra-sóis.*]

parassimpático (pa.ras.sim.pá.ti.co) *Anat.* *a.* **1** Diz-se de ou pertencente ao ramo do sistema nervoso vegetativo que regula o organismo quando em repouso. *sm.* **2** O sistema parassimpático.

parati (pa.ra.ti) *sm.* **1** *Bras.* Cachaça fabricada em Paraty (RJ), e por extensão qualquer cachaça: *Entrou no bar e pediu um parati.* **2** *Bras. Zool.* Peixe das costas africanas e brasileiras.

paratifo (pa.ra.ti.fo) *sm. Med.* Doença infecciosa semelhante ao tifo, porém mais branda.

paratireoide (pa.ra.ti.re:oi.de) *a2g.sf. Anat.* Diz-se da glândula que regula o metabolismo do cálcio e do fósforo no organismo.

parca[1] (*par*.ca) *sf.* **1** Espécie de casaco com capuz, que vai até as coxas, feito de pele. **2** Casaco esportivo, militar etc. do mesmo estilo, ger. de tecido impermeável.

parca[2] (*par*.ca) *sf. Mit.* De acordo com a mitologia grega, cada uma das três deusas que determinam o fio da vida, fiando-o, dobando-o e cortando-o, respectivamente.

parceiro (par.*cei*.ro) *a.* **1** Que faz par com; que é muito semelhante a outro: *Procurou o sapato parceiro do que estava na vitrine. sm.* **2** Pessoa que faz parceria (para dançar, jogar, participar de empreendimento etc.): *Ele é meu parceiro no tênis.* **3** Ver *companheiro* (2). **4** Pessoa com quem se tem relação sexual. [Nesta acp. tb. se diz *parceiro sexual.*]

parcel (par.*cel*) *sm.* Banco de areia, recife submerso; BAIXIO. [Pl.: -*céis.*]

parcela (par.*ce*.la) *sf.* **1** Parte de algo, fração, pedaço, quota: *Concentrou naquele projeto uma boa parcela de sua atenção.* **2** *Mat.* Cada uma das quantidades que perfazem uma soma, ou um valor total: *Dividiu o pagamento em três parcelas.*

parcelar (par.ce.*lar*) *v. td.* Dividir em parcelas. [▶ **1** parcelar] ● **par.ce.lá.do** *a.*; **par.ce.la.men.to** *sm.*

parceria (par.ce.*ri*.a) *sf.* **1** União de duas ou mais pessoas para um certo fim com interesse comum; sociedade. **2** União de duas ou mais pessoas na realização de atividade artística, esportiva etc.

parcial (par.ci:*al*) *a2g.* **1** Que é (apenas) parte de algo, que se realiza por partes; que não é total ou final: *resultado parcial de uma pesquisa.* **2** Que toma partido, sem isenção: *Foi uma arbitragem parcial.* [Pl.: *-ais.*] • **par.ci:a.li.***da.***de** *sf.*

parcimônia (par.ci.*mô*.ni:a) *sf.* Moderação, sobriedade, economia: *Sua parcimônia se confunde com avareza.* [Ant.: *prodigalidade.*] • **par.ci.mo.ni:o.so** *a.*

parco (*par*.co) *a.* **1** Que é pouco, escasso, minguado: *Dispunham de parcos recursos para investir.* [Ant.: *abundante.*] **2** Que é modesto, econômico, comedido: *Tinha hábitos parcos, é um coração generoso.* [Superl.: *parcíssimo, parquíssimo.*]

pardacento (par.da.*cen*.to) *a.* Um tanto pardo, de cor parecida com o pardo.

pardal (par.*dal*) *sm.* **1** *Zool.* Pássaro pequeno, de coloração parda, muito comum no Brasil. **2** *Pop.* Equipamento instalado em vias públicas para registrar infrações de trânsito. [Pl.: *-dais.*]

PARDAL (1)

pardieiro (par.di:*ei*.ro) *sm.* Casa, ou qualquer edificação, em ruínas.

pardo (*par*.do) *sm.* **1** A cor fosca entre o branco e o preto ou entre o amarelo e marrom. **2** Pessoa mulata. *a.* **3** Que é da cor parda (1). **4** Diz-se de pessoa mulata.

parecença (pa.re.*cen*.ça) *sf.* Qualidade de ser parecido; semelhança.

parecer (pa.re.*cer*) *v.* **1** Assemelhar-se a; ter a aparência de, aparentar (estado, condição etc.). [*pr.*: *São primos que se parecem muito*; *Ele se parece com o irmão.* *lig.*: *O céu parecia uma abóbada dourada*; *"...não parecia irritado quando tornou a falar."* (Paulo Coelho, *Brida*).] **2** Afigurar-se. [*ti.* + *a*: *Parece-me guia que devemos prosseguir*; (tb. seguido de indicação de qualidade) *A explicação pareceu-lhe razoável.*] **3** Ser provável. [*int.*: *Parece que o ministro vai cair.*] [▶ **33** parecer] *sm.* **4** Opinião, ger. de perito, sobre determinado assunto: *Pediu a seu advogado um parecer sobre o contrato.*

parecido (pa.re.*ci*.do) *a.* Que se parece, semelhante.

paredão (pa.re.*dão*) *sm.* Muro muito alto e resistente; MURALHA. [Pl.: *paredões.*]

parede (pa.*re*.de) [ê] *sf.* **1** Construção vertical de alvenaria ou outro material que limita e fecha externamente o espaço de uma construção (casa, edifício, cabana etc.) ou divide internamente espaços nessa construção. **2** Tudo que fecha e delimita um espaço: *as paredes do armário.* **3** Greve. ‖ **Encostar (alguém) na ~** *Fig.* Pressionar (alguém), pôr em situação difícil para forçar ação ou atitude.

parede-meia (pa.re.de-*mei*.a) *sf.* Parede comum a duas edificações. [Pl.: *paredes-meias.*]

paredista (pa.re.*dis*.ta)*a2g.s2g.* Ver *grevista.* • **pa.re.***dis*.**mo** *sm.*

paredro (pa.*re*.dro) [ê] *sm. Bras.* Dirigente de clube esportivo.

paregórico (pa.re.*gó*.ri.co) *a.* Que acalma, serena (elixir *paregórico*).

parelha (pa.*re*.lha) [ê] *sf.* **1** Par de animais (mulares, equinos) us. para tração. **2** Grupo de duas coisas ou pessoas semelhantes ou análogas sob algum aspecto; DUPLA; PAR. **3** *Esp.* No turfe, dupla de cavalos inscritos com o mesmo número no mesmo páreo.

parelheiro (pa.re.*lhei*.ro) *sm. RS* Cavalo de corrida.

parelho (pa.*re*.lho) [ê] *a.* **1** Semelhante, igual; que forma (com outro) parelha (2): *Tinham ideias parelhas.* **2** Que está no mesmo nível (equipes *parelhas*).

parênquima (pa.*rên*.qui.ma) *sm.* **1** *Anat.* Tecido (de órgão, glândula etc.) feito de células que cumprem uma ou mais funções específicas. **2** *Bot.* Tecido carnudo e mole de que é feita a polpa dos frutos.

parente (pa.*ren*.te) *s2g.* Pessoa que, em relação a outra(s), pertence à mesma família, por nascimento ou por casamento.

parentela (pa.ren.*te*.la) *sf.* Conjunto de parentes.

parentesco (pa.ren.*tes*.co) [ê] *sm.* **1** Qualidade ou condição de parente. **2** Relação entre pessoas ou coisas com ascendente ou origem comum: *o parentesco entre as línguas portuguesa e espanhola.* **3** Relação entre coisas ou pessoas análogas ou semelhantes sob algum aspecto: *o parentesco entre a música caipira brasileira e a música country americana.*

parêntese (pa.*rên*.te.se) *sm. Gram.* Cada um dos sinais ( ) us. na escrita para delimitar o início e o fim de texto inserido em texto maior.

pareô (pa.re.*ô*) *sm.* Traje inspirado em vestimenta do Taiti com este nome, us. pelas mulheres como saída de praia ou roupa carnavalesca.

páreo (*pá*.re:o) *sm.* **1** *Esp.* No turfe, cada uma das seções de corrida que se disputam no hipódromo. **2** *Fig.* Disputa, competição por algo: *"— Quem está no páreo para a Prefeitura de São Paulo?"* (*FolhaSP*, 28.11.99). **3** *Pop.* Competidor capaz de enfrentar e vencer um páreo (2): *Ele não é páreo para seus adversários.*

parestatal (pa.res.ta.*tal*) *a2g.* Ver *paraestatal.* [Pl.: *-tais.*]

pargo (*par*.go) *sm. Bras. Zool.* Peixe de águas tropicais ou temperadas, comum no Sudeste brasileiro (esp. Espírito Santo).

pária (*pá*.ri:a) *sm.* **1** Casta social mais baixa da Índia. **2** Indivíduo que integra essa casta. **3** Pessoa excluída socialmente.

paridade (pa.ri.*da*.de) *sf.* **1** Qualidade ou condição de ser ou parecer ser (por semelhança) parte de um par; SEMELHANÇA: *Percebeu-se a paridade entre seus discursos.* **2** *Econ.* Equivalência entre os sistemas monetários de dois países: *A Argentina manteve por muito tempo a paridade entre o dólar e o austral.* **3** Igualdade de remuneração entre níveis profissionais semelhantes: *Discutiu-se a paridade entre ativos e inativos.*

parideira (pa.ri.*dei*.ra) *sf.* Mulher ou fêmea de animal com idade de parir.

parietal (pa.ri:e.*tal*) *a2g.* **1** Ref. a parede. **2** *Anat.* Que forma a parede da caixa craniana (osso *parietal*). *sm.* **3** Osso parietal. [Pl.: *-tais.*]

⊕ **pari passu** (*Lat.* / *pari pássu*/) *loc.adv.* Na mesma velocidade ou com a mesma intensidade de outro elemento; simultaneamente: *As vendas cresceram pari passu com a produção.*

parir (pa.*rir*) *v.* Dar à luz em parto. [*td.*: *A gata pariu cinco filhotes.* *int.*: *As fêmeas mamíferas parem.*] [▶ **61** parir] • **pa.ri.***ção* *sf.*; **pa.ri.***do* *a.*

parisiense (pa.ri.*si:en*.se) *a2g.* **1** De Paris, capital da França (Europa); típico dessa cidade ou do seu povo. *s2g.* **2** Pessoa nascida em Paris.

parlamentar¹ (par.la.men.*tar*) *a2g.* **1** Ref. a parlamento: *O presidente abriu a sessão parlamentar.* *s2g.* **2** Pessoa que faz parte do parlamento: *Era um parlamentar experiente.*

parlamentar² (par.la.men.*tar*) *v.* Negociar para tentar um pacto ou acordo. [*ti.* + *com*: *parlamentar com o inimigo.* *int.*: *Os países em conflito resolveram parlamentar.*] [▶ **1** parlamentar]

parlamentarismo (par.la.men.ta.*ris*.mo) *sm. Pol.* Tipo de governo em que o Poder Executivo (o gabinete de ministros) emana diretamente do parlamento e se apoia na aprovação deste. • **par.la.men.ta.***ris***.ta** *a2g.s2g.*

⌑ O parlamentarismo é uma forma democrática de governo, centrada na escolha por eleições livres dos membros de um parlamento, que funcionará como Poder Legislativo e como origem do Poder Executivo (o governo), saído do próprio parlamento. A base desse sistema representativo são os partidos políticos e seus programas, pois estes, tanto ou mais que os indivíduos que os compõem, é que recebem o voto popular, sendo os membros eleitos os representantes desses programas, apresentados aos eleitores para escolha. O chefe de governo (que ger. não acumula o papel de chefe de Estado, ou seja, de representante da nação) é o primeiro-ministro, e seu governo e suas decisões estão sempre sujeitos à aprovação do parlamento. (Há também casos em que o primeiro-ministro é eleito pelo povo em voto direto.) O chefe de Estado, dependendo do sistema ser monárquico ou republicano, pode ser um monarca (como na Espanha, no Japão, na Inglaterra, nos Países Baixos etc.) ou um presidente (como na França, na Alemanha, na Itália, em Portugal).

parlamento (par.la.men.to) *sm.* O conjunto de assembleias integrantes do Poder Legislativo de um país regido por Constituição. [Cf.: *congresso*.]
parlapatão (par.la.pa.tão) *a.sm.* Que ou quem gosta de contar vantagens ou de mentir para se promover; FANFARRÃO. [Pl.: -*tões*. Fem.: -*tona*.] ● **par.la.pa.ti.ce** *sf.*
parlar (par.lar) *v.* Ver *parolar*. [▶ 1 parl[ar]]
parlatório (par.la.tó.ri.o) *sm.* **1** Lugar reservado (ger. separado por grades, vidro etc.) para conversas entre uma pessoa (ger. em regime de internação, como em mosteiros, prisão etc.) e seu visitante; LOCUTÓRIO. **2** Conversa(s) ruidosa(s), ou ruído de conversas; FALATÓRIO. **3** Balcão em edifício público us. por autoridades para discursar: *O presidente fez seu discurso no parlatório do Palácio do Planalto.*
parlenda (par.len.da) *sf.* Conjunto de rimas infantis, ger. curtas e divertidas, para memorizar algo, escolher alguém etc. (p.ex.: *Uni du ni tê, salamê minguê.../ Um dois, feijão com arroz.*).
parmesão (par.me.são) *a.* **1** De Parma (Itália); típico dessa cidade ou de seu povo. **2** *Cul.* Ref. ao queijo duro, ger. us. ralado em massas, fabricado originalmente em Parma. *sm.* **3** Pessoa nascida em Parma. **4** F. red. de queijo parmesão: *Comprei um excelente parmesão.* [Pl.: -*sãos* e -*sões*. Fem. (nas acps. 1 e 3): -*sã.*]
parnaíba (par.na.í.ba) *sf.* *N.E. Pop.* Faca comprida, estreita e com ponta.
parnasianismo (par.na.si.a.nis.mo) *sm.* Tendência literária, iniciada na França (séc. XIX), preocupada esp. com a forma da poesia; PARNASO. ● **par.na.si.a.no** *a.sm.*
parnasiano (par.na.si.a.no) *a.* **1** Diz-se de membro de corrente literária criada na França no séc. XIX, baseada na perfeição da forma, esp. na poesia. *sm.* **2** Membro dessa corrente.
parnaso (par.na.so) *sm. Poét.* **1** Casa simbólica dos poetas. **2** A poesia, ou conjunto de poesias (de um ou mais poetas). **3** O conjunto de poetas. **4** Parnasianismo.
paroara (pa.ro.a.ra) *a2g.s2g.* Ver *paraense*.
pároco (pá.ro.co) *sm.* Padre que responde por uma paróquia; VIGÁRIO.
paródia (pa.ró.di.a) *sf.* Imitação engraçada ou crítica de uma obra (literária, teatral, musical). ● **pa.ro.di.ar** *v.*; **pa.ro.dis.ta** *s2g.*
parola (pa.ro.la) [ó] *sf.* **1** Conversa fiada que não resulta em nada; conversa fiada. **2** Fala exagerada, excessiva; PALAVREADO; TAGARELICE.
parolar (pa.ro.lar) *v.* Falar ou conversar em excesso; PARLAR; TAGARELAR. [*ti.* + *com*: *Vive parolando com*

a vizinha. int.: *Meu tio parolou a noite toda.*] [▶ 1 parol[ar]] ● **pa.ro.lei.ro** *a.sm.*
paronímia (pa.ro.ni.mi.a) *sf. Gram. Ling.* Qualidade, propriedade ou condição de parônimo ● **pa.ro.ní.mi.co** *a.*
parônimo (pa.ró.ni.mo) *sm. Gram.* Palavra que tem pronúncia e/ou grafia semelhante à de outra palavra (p.ex.: *recriar* e *recrear*). [Us. tb. como adj.] [Cf.: *homônimo.*]
paróquia (pa.ró.qui:a) *sf.* **1** Parte territorial de uma diocese que tem por sede uma igreja matriz dirigida por um pároco; FREGUESIA. **2** *Bras. Joc. Pop.* Localidade, lugar: *São os mais animados da paróquia.* ● **pa.ro.qui:a.no** *a.sm.*
paroquial (pa.ro.qui:al) *a2g.* **1** Ref. a pároco ou à paróquia: *O visitante entrou na sede paroquial.* **2** *Fig.* Limitado, provinciano, restrito: *Tinha uma visão paroquial dos fatos.* [Pl.: -*ais.*]
parótida, parótide (pa.ró.ti.da, pa.ró.ti.de) *sf. Anat.* Cada uma de duas glândulas produtoras de saliva, que ficam atrás do maxilar inferior, sob a orelha.
parotidite (pa.ro.ti.di.te) *sf. Pat.* Inflamação da parótida; CAXUMBA; PAPEIRA (N.).
paroxismo (pa.ro.xís.mo) [cs] *sm.* **1** *Med.* Fase de uma doença em que os sintomas se tornam mais fortes; CRISE. **2** *Fig.* O mais alto grau de uma sensação, de um sentimento; AUGE: *Seu discurso levou o público ao paroxismo do entusiasmo.* ● **pa.ro.xís.ti.co** *a.*
paroxítono (pa.ro.xí.to.no) [cs] *a. Gram.* Diz-se da palavra cuja penúltima sílaba é tônica (p.ex., *vários*, *embora*). [Us. tb. como subst.]
parque (par.que) *sm.* **1** Lugar ger. aberto e arborizado, para lazer e recreação. **2** Área reservada e protegida (ger. por autoridade pública), de preservação ambiental: *visitar o Parque Nacional das Agulhas Negras.* **3** *Econ.* Conjunto de estabelecimentos dedicados a determinada atividade produtiva em certa região (*parque industrial/gráfico*). ⬛ ~ **de diversões** Conjunto de instalações, brinquedos, equipamentos, máquinas etc. destinados à recreação de adultos e/ou crianças, ger. mediante pagamento; o lugar, ger. cercado, em que está instalado. ~ **temático** Parque de diversões em que as instalações, brinquedos etc. têm um tema ou uma característica comum.
parquete (par.que.te) [ê] *sm.* Assoalho feito de tacos de madeira que formam um desenho.
parquímetro (par.quí.me.tro) *sm.* Dispositivo instalado junto à vaga de estacionamento pago de veículo, que mede o tempo utilizado.
parra (par.ra) *sf. Bot.* Galho de videira.
parreira (par.rei.ra) *sf. Bot.* Nome dado a plantas trepadeiras, esp. a videira.
parreiral (par.rei.ral) *sm.* Plantação de parreiras. [Pl.: -*rais.*]
parricídio (par.ri.cí.di:o) *sm.* Assassinato do próprio pai, mãe ou qualquer ascendente. ● **par.ri.ci.da** *a2g.s2g.*
parrudo (par.ru.do) *a.* **1** Que é forte, musculoso: *Fez muita musculação e ficou parrudo.* **2** Baixo e largo; ATARRACADO.
parte (par.te) *sf.* **1** Cada pedaço de um todo: *Leu uma parte do livro.* [Dim.: *particula.*] **2** Parcela que pertence a uma pessoa: *Doou a sua parte do prêmio.* **3** Espaço determinado; LUGAR: *Colou os cartazes em toda a parte.* **4** Espaço determinado; LADO: *Faltou luz na parte alta da cidade.* **5** Função, papel: *A minha parte era ler as cartas.* **6** Queixa, denúncia: *Deu parte do aluno ao diretor.* **7** *Jur.* Cada um daqueles que fazem um contrato ou que são contrários numa questão: *Atuou como advogado de uma das partes.* ◪ **partes** *sfpl.* **8** Órgãos genitais exteriores: *Tinha vergonha de mostrar as partes.* ⬛ **À** ~ **1** Separado, isolado: *Este é um caso à parte, uma exceção.* **2** Em

parteira | **pasmaceira**

separado; em particular: *Chamou-o para conversar à parte*. **3** Além de; sem contar com: *À parte os comes e bebes, gastou uma fortuna com a decoração da festa*. *Dar ~ de* Denunciar.

parteira (par.*tei*.ra) *sf.* Mulher que faz partos, mesmo não sendo médica.

parteiro (par.*tei*.ro) *a.sm.* Diz-se de ou o médico que faz partos; OBSTETRA.

partenogênese (par.te.no.*gê*.ne.se) *sf.* Biol. Reprodução de um ser vivo (plantas e invertebrados) sem fecundação de óvulo.

partição (par.ti.*ção*) *sf.* Ação de dividir, de partir; DIVISÃO; PARTILHA: *A partição das tarefas não agradou*. [Pl.: -*ções*.]

participação (par.ti.ci.pa.*ção*) *sf.* **1** Ação ou resultado de participar; de fazer parte de. **2** Aviso, informação: *Recebi a participação do nascimento da sua neta*. [Pl.: -*ções*.]

participante (par.ti.ci.*pan*.te) *a2g.s2g.* Que ou quem participa ou toma parte.

participar (par.ti.ci.*par*) *v.* **1** Ter ou tomar parte. [*ti.* + *de, em*: *Ela não participará da cerimônia.*] **2** Compartilhar, compartir. [*td.* + *de*: *Como não participar do sofrimento alheio?*; *Nessa empresa, os funcionários participam do lucro.*] **3** Informar ou dar ciência de; COMUNICAR. [*td.*: *participar um casamento*. *tdi.* + *a*: *"... participei minha chegada aos amigos..."* (José de Alencar, *Lucíola*).] [▶ **1** participar] ● **par.ti.ci.pa.ti.vo** *a*.

particípio (par.ti.*cí*.pi:o) *sm. Gram. Ling.* Forma que possui características verbais (tempo, modo e aspecto) e nominais (gênero e número). [NOTA: Alguns verbos têm dois particípios, p.ex., *gastar*: *gastado* e *gasto*.]

partícula (par.*tí*.cu.la) *sf.* **1** Parte (1) pequena de algo: *Examinou partículas do solo*. **2** Fís. Parte (1) elementar de um sistema. **3** Gram. Palavra invariável de uma só sílaba e ger. átona (pronomes, preposições, conjunções). **4** Rel. Hóstia, esp. as pequenas.

particular (par.ti.cu.*lar*) *a2g.* **1** Característico de determinada(s) pessoa(s) ou coisa(s); ESPECÍFICO; PRÓPRIO: *O artista vê o mundo de um jeito particular*. **2** Que não é de todos; PRIVADO; PRIVATIVO: *Ele tem um secretário particular*. **3** Que não é comum; RARO; SINGULAR: *Apreciei o timbre particular de sua voz*. **4** Que não pode ser sabido por todos; CONFIDENCIAL; RESERVADO: *Teve uma conversa particular com o amigo*. *sm.* **5** Uma pessoa qualquer: *Um particular queixou-se às autoridades*. **6** O que é específico, singular: *Primeiro falou do particular e depois passou para o geral*. **7** Bras. Assunto confidencial: *Foi num particular que revelou o segredo*.

particularidade (par.ti.cu.la.ri.*da*.de) *sf.* **1** Marca especial de algo ou de alguém; CARACTERÍSTICA; PECULIARIDADE: *Tinha como particularidade belos olhos azuis*. **2** Detalhe, minúcia: *Contou particularidades do caso*. [Ant.: generalidade.]

particularizar (par.ti.cu.la.ri.*zar*) *v.* **1** Relatar com particularidades ou pormenores. [*td.*: *"...explicou e particularizou todo o seu pensamento..."* (Franklin Távora, *O cabeleira*).] **2** Fazer menção especial a (alguém ou algo). [*td.*: *Particularizou a brilhante atuação do bombeiro*.] **3** Especificar, discriminar. [*td.*: *Particularize, no projeto, os custos com administração*.] **4** Singularizar-se, distinguir-se. [*pr.*: *Essa cantora se particulariza pela extensão vocal*.] [▶ **1** particularizar] ● **par.ti.cu.la.ri.za.ção** *sf.*; **par.ti.cu.la.ri.za.do** *a*.; **par.ti.cu.la.ri.*zan*.te** *a2g.*

partida (par.*ti*.da) *sf.* **1** Ação de partir; IDA; SAÍDA. [Ant.: chegada.] **2** Competição, jogo: *A partida de tênis foi longa*. **3** Número de mercadorias enviadas ou recebidas: *No Natal, recebemos partidas de nozes*.

partidário (par.ti.*dá*.ri:o) *a.sm.* Que ou quem segue uma organização ou uma ideia: *É um político partidário do governo*. [Ant.: adversário.]

partidarismo (par.ti.da.*ris*.mo) *sm.* Atitude partidária exagerada; PROSELITISMO.

partido (par.*ti*.do) *a.* **1** Que se quebrou. *sm.* **2** Associação criada por pessoas com convicções ideológicas comuns, que buscam assumir um setor da administração pública ou institucional; FACÇÃO. **3** Grupo de pessoas afins que integram uma coletividade mais ampla e interferem no seu funcionamento; LIGA. **4** Opinião favorável ou contrária que alguém manifesta sobre uma proposta ou um assunto; POSICIONAMENTO; DECISÃO. **5** Fam. Alguém com quem se pode casar, tendo em vista os aspectos econômicos e sociais.

partilha (par.*ti*.lha) *sf.* **1** Ação ou resultado de partilhar, de dividir algo entre um grupo. **2** Divisão de uma herança ou de outro tipo de bem material.

partilhar (par.ti.*lhar*) *v.* **1** Fazer partilha de. [*td.*: *partilhar uma herança*. *tdi.* + *entre*: *Isabel partilhou os donativos entre os desabrigados*.] **2** Compartir, compartilhar, dividir. [*td.*: *partilhar a alegria de alguém*. *ti.* + *de*: *Partilho do seu descontentamento*. *tdi.* + *com*: *Partilha o apartamento com um colega*.] [▶ **1** partilhar]

partir (par.*tir*) *v.* **1** Dividir(-se) em partes ou porções. [*td.*: *partir um pão*. *pr.*: *A Alemanha partiu-se em duas após a Segunda Guerra Mundial*.] **2** Dar a diferentes partes; REPARTIR. [*td.*: *Partiu o dinheiro entre os irmãos*.] **3** Fender(-se) ou quebrar(-se). [*td.*: *"...ao descer a escada, rolou, partindo os óculos na pedra."* (Raul Pompeia, *O ateneu*). *pr.*: *O relógio caiu e partiu-se*.] **4** Fig. Mortificar(-se), afligir(-se). [*td.*: *A notícia partiu meu coração*. *pr.*: *Minha alma se parte com o sofrimento dela*.] **5** Ir-se, pôr-se em marcha. [*int.* (seguido ou não de indicação de lugar): *Os navios partiram (do porto/para alto-mar)*; *"...quando você partiu assim sem olhar para trás..."* (Ana Carolina, *O avesso dos ponteiros*). *pr.*: *"Alma minha gentil, que te partiste"* (Luís de Camões, *Título de poema*).] **6** Ter origem, ponto de partida; ORIGINAR-SE; PROCEDER. [*int.* (seguido de indicação de lugar): *O tiro partiu daquele edifício*.] **7** Tomar como base, inspiração. [*ti.* + *de*: *Todo o projeto partiu de uma ideia simples*.] [▶ **3** partir]

partitura (par.ti.*tu*.ra) *sf. Mús.* **1** Registro escrito de uma composição musical que, por decodificação, torna possível a reprodução da mesma. **2** Papel ou outro material no qual esse tipo de registro foi impresso.

parto (*par*.to) *sm.* **1** Ação ou resultado de parir, de (uma fêmea, ger. no final do período de gestação) expelir um feto do próprio útero. **2** Fig. Pop. Atividade demorada e árdua, que exige muito esforço: *Pintar o palácio foi um parto*.

parturiente (par.tu.ri:*en*.te) *a2g.sf.* Diz-se ou mulher que está prestes a parir, em trabalho de parto, ou que acaba de parir.

parvo (*par*.vo) *a.sm.* Que ou quem tem pouca inteligência ou pouca capacidade de compreender e avaliar as coisas; TOLO. ● **par.vo.i.ce** *sf.*

pascal (pas.*cal*) *a2g.* Ref. a ou próprio da Páscoa; PASCOAL. [Pl.: -*cais*.]

pascer (pas.*cer*) *v.* Ver pastar (1). [▶ **33** pas*cer*]. Verbo defec., só se conjuga nas formas em que ao *c* se segue *e* ou *i*.

páscoa (*pás*.co:a) *sf.* **1** Participação coletiva no ato pascal: *a páscoa dos alunos*. ■ **Páscoa** *sf. Rel.* **2** Festa anual cristã comemorativa da ressurreição de Cristo. **3** Festa anual judaica comemorativa da fuga dos hebreus do Egito. ● **pas.co.al** *a2g.*

pasmaceira (pas.ma.*cei*.ra) *sf.* **1** Falta de animação; APATIA: *a pasmaceira do vilarejo*. **2** Assombro exagerado: *Ficou surpresa com a pasmaceira da amiga ao ver o galã*.

pasmar (pas.*mar*) *v*. Provocar ou sentir pasmo ou assombro; ASSOMBRAR(-SE). [*td*.: *A erupção do vulcão nos pasmou*. *int*./*pr*.: *Pasmou(-se) com a beleza do filme*.] [▶ 1 pasmar] • **pas.ma.do** *a*.

pasmo¹ (*pas*.mo) *a*. Assombrado, perplexo: *Fico pasmo com a tua coragem*.

pasmo² (pas.mo) *sm*. 1 Assombro, espanto. 2 Desmaio, perda dos sentidos.

paspalhão (pas.pa.*lhão*) *a.sm*. Que ou quem é bobo, idiota; PASPALHO. [Pl.: -*lhões*.]

paspalho (pas.*pa*.lho) *a.sm*. Ver *paspalhão*.

pasquim (pas.*quim*) *sm*. 1 Jornal crítico ou calunioso, impresso ger. de forma simples. 2 *Fig*. Jornal de má qualidade; JORNALECO. [Pl.: -*quins*.]

pasquinar (pas.qui.*nar*) *v*. 1 Fazer pasquim ou pasquins. [*int*.] 2 Satirizar (alguém ou algo) por meio de pasquim. [*td*.] [▶ 1 pasquinar] • **pas.qui.na.gem** *sf*.

passa (pas.sa) *sf*. Uva seca.

passada (pas.*sa*.da) *sf*. Maneira de andar (*passadas largas*); PASSO. ■ **Dar uma** ~ *Bras*. Ir rapidamente (a algum lugar) e ficar pouco tempo: *Tenho que dar uma passada no mercado*.

passadeira (pas.sa.*dei*.ra) *sf*. 1 Tapete comprido e estreito, us. em corredores e escadas. 2 Mulher cujo trabalho é passar roupas.

passadiço (pas.sa.*di*.ço) *a*. 1 Que dura pouco tempo; EFÊMERO; PASSAGEIRO: *um encontro passadiço*. [Ant.: *duradouro*.] *sm*. 2 Lugar por onde se passa; corredor de acesso; PASSAGEM. 3 *Bras. Cnav*. Lugar alto no navio, onde fica o leme: "Subi um tempo ao passadiço, para me reconciliar com os espíritos da brisa..." (João Guimarães Rosa, *Estas estórias*).

passadio (pas.sa.*di*.o) *sm*. Alimento de todo dia: *O passadio do hotel é excelente*.

passadismo (pas.sa.*dis*.mo) *sm*. Gosto excessivo pelo passado; SAUDOSISMO.

passado (pas.*sa*.do) *sm*. 1 Tempo anterior ao presente; tudo o que ocorreu nesse tempo: *Ela me fez revelações sobre o seu passado*. 2 *Gram*. Forma do verbo que localiza a ação em tempo anterior àquele em que o falante se situa (p.ex., o pretérito perfeito). *a*. 3 Que diz respeito ao passado (1); que ocorreu no passado (*lembranças passadas*). 4 Mais recente, último: *no sábado passado*. 5 Que se passou a ferro (*camisa passada*). 6 Obsoleto, velho (gíria *passada*). 7 Em processo de apodrecimento ou podre: *Essas ameixas já estão passadas*. 8 Diz-se de alimento cozido, frito ou assado: *bife bem passado*. 9 Sem graça, encabulado; perturbado: *Ficou passada com a indiscrição do colega*.

passageiro (pas.sa.*gei*.ro) *a*. 1 Que dura pouco; BREVE; PASSADIÇO: *Foi um romance passageiro*. [Ant.: *duradouro*.] 2 Que não tem valor; INSIGNIFICANTE: *Cometeu uma falta passageira*. *sm*. 3 Viajante em transporte coletivo.

passagem (pas.*sa*.gem) *sf*. 1 Ação ou resultado de passar: *O povo vibrou com a passagem do bloco*. 2 Lugar por onde se chega a outro; PASSADIÇO (2): *A viela era passagem dos moradores*. 3 Valor pago pelo passageiro para viajar: *Houve um aumento das passagens de ônibus*. 4 Bilhete que dá ao portador o direito de viajar: *passagens de metrô*. 5 Acontecimento, episódio, fato: *Lembrou passagens de sua infância*. 6 Pedaço de obra (literária ou musical): *Decorou uma passagem do poema*. [Pl.: -*gens*.] ■ **De** ~ Superficialmente; por alto. **Estar de** ~ Ficar por pouco tempo; não se demorar.

passamanaria (pas.sa.ma.na.*ri*.a) *sf*. Tecido trabalhado com borlas ou passamanes, us. como acabamento ou enfeite de roupas, cortinas etc.

passamanes (pas.sa.*ma*.nes) *smpl*. Tiras de tecido bordado em ouro, prata, seda etc.

passamento (pas.sa.*men*.to) *sm*. Falecimento, morte. [Ant.: *nascimento*.]

passante (pas.*san*.te) *a2g.s2g*. Que ou quem passa ou anda por algum lugar; TRANSEUNTE: *No centro da cidade, os passantes estavam apressados*.

passaporte (pas.sa.*por*.te) *sm*. 1 Documento pessoal e oficial, us. como identidade, que permite ao portador sair do país. 2 *Fig. Pop*. Autorização sem restrições: *A informática é um passaporte para o mundo*.

passar (pas.*sar*) *v*. 1 Cruzar, percorrer (distância), ger. ultrapassando (limite, fronteira, obstáculo). [*td*.: *passar a ponte*; *O corredor passou quem estava na dianteira*. *int*. (seguido de indicação de lugar): *O ônibus de turismo já passou pela cidade*.] 2 Deslocar(-se), mover(-se) (de um lugar a outro). [*td*. (seguido de indicação de lugar): *Barcaças passam as cargas para o cais*. *int*. (seguido ou não de indicação de lugar): *O gado passou (de uma à outra margem)*.] 3 Deixar (algo) por (outro), ou mudar (de condição). [*int*. (seguido dos aspectos que mudam): *passar do choro ao riso*. *pr*.: *Passou-se para o partido adversário*.] 4 Superar ou exceder. [*td*. (seguido ou não de indicação de atributo): *Passou o mestre em destreza*. *ti*. + *de*: *A conta não passa de R$ 50,00*.] 5 Transpassar, varar. [*td*.: *A bala passou a parede*.] 6 Estender-se. [*int*. (seguido de indicação de lugar): *Esta estrada passa entre duas montanhas*.] 7 Coar, ou peneirar. [*td*. (seguido de indicação de meio): *Passe a farinha pela peneira*.] 8 Fazer entrar ou entrar; INTRODUZIR(-SE). [*td*. (seguido de indicação de lugar): *passar a linha pelo buraco da agulha*. *int*. (seguido de indicação de lugar): *Minha mão não passa por este buraco*.] 9 Correr, fluir. [*int*. (seguido de indicação de estado, modo): *O São Francisco passa caudaloso*.] 10 Fazer correr, ou espalhar por. [*td*. (seguido de indicação de modo): *passar a mão pelo cabelo*.] 11 Decorrer. [*td*. (seguido de indicação de modo): *Hélio passa os dias escrevendo*. *int*. (seguido ou não de indicação de modo): *O tempo passa (como a brisa)*.] 12 Escapar, acabar, ou esgotar-se. [*int*.: *O prazo da inscrição já passou*.] 13 Circular, ou difundir(-se). [*int*. (seguido de indicação de lugar): *O documento passou de mão em mão*.] 14 Entregar, outorgar. [*td*.: *Passe o sal, por favor*. *tdi*. + *a*, *para*: *Passou a palavra ao entrevistado*.] 15 Transferir(-se). [*tdi*. + *a*, *para*: *Passaram suas propriedades para a Igreja*. *int*. (seguido de indicação de origem e direção): *Passei da filial para a sede do banco*.] 16 Transmitir. [*td*.: *Seu olhar passa confiança*. *tdi*. + *a*, *para*: *Já passei seu recado ao Rodolfo*.] 17 Exibir ou ser exibido. [*td*.: *A televisão passou o jogo?* *int*. (seguido de indicação de lugar): *O filme está passando nos cinemas*.] 18 Estar por certo tempo (num lugar). [*td*. (seguido de indicação de lugar): *passar a semana na montanha*.] 19 Achar-se em determinado estado ou condição. [*int*.: *Minha mulher passa bem*.] 20 Aparentar. [*lig*.: *Passa por bobo*.] 21 Sofrer, experimentar, viver. [*td*.: *passar um mau momento*.] 22 Viver, ou seguir vivo. [*int*. (seguido de indicação de modo ou de tempo): *O médico acha que ele não passa de hoje*.] 23 Expirar, morrer. [*int*.: *Agonizou algumas horas e passou*.] 24 Ocorrer, suceder. [*int*./*pr*.: *Conte-me o que (se) passou*.] 25 Ter sua ação, ou efeito em. [*pr*.: *Esta comédia se passa no Nordeste*.] 26 Entrar ou ficar para. [*int*. (seguido de indicação da nova condição): *passar para a posteridade*.] 27 Mostrar-se rapidamente. [*int*. (seguido de indicação de lugar): *Um sorriso passou pelos seus lábios*.] 28 Ser aprovado. [*int*. (seguido de indicação de assunto, condição, lugar): *O projeto passou na Câmara*.] 29 Ser passável ou tolerável. [*int*.: *A peça não é boa, mas passa*.] 30 Submeter a determinada ação, ou ser objeto de. [*td*. (seguido ou não de indicação de meio): *passar a roupa (a ferro)*; *passar mais o bife*. *int*. (seguido de indicação de meio, instrumento): *O suspeito passou por um interrogató-*

rio.] **31** Aplicar, dirigir. [*tdi.* + *em*: *Passou um pito no menino*.] **32** Fazer circundar, ou envolver. [*tdi.* + *em*: *Passou o cachecol no pescoço*.] **33** Prescrever, receitar. [*tdi.* + *para*: *O médico passou um antibiótico para a criança*.] **34** Determinar (esp. tarefa escolar). [*td*.: *passar un dever de casa*. *tdi.* + *para*: *Passou para os alunos uma redação*.] **35** Ensaiar ou estudar. [*td*.: *passar uma cena teatral*.] **36** Emitir ou outorgar. [*td*.: *passar um atestado de saúde*. *tdi.* + *a* (seguido ou não de indicação de finalidade): *Passamos uma procuração a ele (para tratar do inventário)*.] **37** Vender. [*td*.: *passar uma rifa*. *tdi.* + *a* (seguido ou não de indicação de custo): *Passou o carro ao comprador (por um preço exorbitante)*.] **38** Engatar ou engrenar. [*td*.: *passar as marchas de um automóvel*. *ti.* + *para*: *Agora, passe para a terceira marcha*.] [▶ **1** pass**ear**] [NOTA: a) Us. tb. como v. auxiliar: 1) seguido da prep. *a* + v. principal no infinitivo, indicando 'início da ação': *Passou a estudar pela manhã*. 2) seguido de nome + prep. *a* + v. principal no infinitivo ou no gerúndio, indicando 'ação repetida ou frequente': *Passa a vida a cantar/cantando*. b) Us. antes de substantivo, como v. suporte, substituindo verbo de sentido específico: *passar aspirador* (= aspirar), *passar repreensão* (= repreender).] ▪▪ **Não ~ de** Ser apenas; não ser mais do que. ▪ **~ (alguém) para trás 1** *Pop*. Enganar, trair, ludibriar. **2** Ocupar lugar ou auferir direitos ou vantagens que deveriam ser de (alguém). ▪ **~ bem** Sentir-se bem; estar bem de saúde. ▪ **~ desta para melhor** *Pop*. Morrer. ▪ **~ por cima de** Não levar em consideração (esp. autoridade ou hierarquia); não dar importância a.

passarada (pas.sa.*ra*.da) *sf.* **1** Grande quantidade de pássaros. **2** Os pássaros em geral. [Sin. ger.: *passaredo*.]

passaredo (pas.sa.*re*.do) [ê] *sm.* Ver *passarada*.

passarela (pas.sa.*re*.la) *sf.* **1** Ponte estreita que serve para que se atravesse, com segurança, ruas, avenidas, estradas. **2** Estrado um pouco alto us. para desfiles de moda e de beleza. **3** Lugar destinado a desfiles de carnaval: *A decoração da passarela do samba está belíssima*.

passarinhar (pas.sa.ri.*nhar*) *v. int.* **1** Caçar pássaros. **2** *Fig*. Vadiar, vagabundear. [▶ **1** passarinh**ar**]

passarinheiro (pas.sa.ri.*nhei*.ro) *a*. **1** Que se assusta (diz-se do cavalo); ASSUSTADIÇO: *É um animal arisco e passarinheiro*. *sm*. **2** Pessoa que caça, cria ou vende pássaros.

passarinho (pas.sa.*ri*.nho) *sm. Bras*. Ave pequena; pássaro. ▪▪ **Ver ~ verde** *Fam*. Mostrar alegria sem motivo aparente.

pássaro (*pás*.sa.ro) *sm. Zool*. **1** Ave pequena; PASSARINHO. **2** Pássaro (1) que canta.

passatempo (pas.sa.*tem*.po) *sm*. Atividade divertida; DIVERTIMENTO: *Ouvir música é seu passatempo favorito*.

passável (pas.*sá*.vel) *a2g*. Que pode ser aceito; ACEITÁVEL; TOLERÁVEL: *Seu trabalho não ficou bom mas é passável*. [Pl.: *-veis*.]

passe (*pas*.se) *sm*. **1** Bilhete, gratuito ou de valor reduzido, us. em transportes coletivos. **2** *Esp*. Movimento de passar a bola para o companheiro de equipe. **3** *Esp*. Contrato firmado entre atleta profissional e o clube. **4** Permissão, autorização para se fazer algo. ▪▪ **~ de mágica 1** Movimento rápido, feito pelo mágico, que o público não percebe. **2** *Fig*. Modo eficiente e rápido de se conseguir algo: *Num passe de mágica foi admitido na empresa*.

passear (pas.se.*ar*) *v*. **1** Levar (alguém, animal) ou ir a algum lugar e percorrê-lo (a pé ou não) para espairecer, distrair-se etc. [*td*.: *passear o cachorro no calçadão*. *int*.: *Domingo, passeamos em Paquetá*.] [▶ **13** pass**ear**] ▪ pas.se:a.dor *a.sm*.; pas.se:an.te *a2g.s2g*.

passeata (pas.se:a.ta) *sf. Bras*. Caminhada de pessoas para protestar, pedir ou festejar; marcha coletiva.

passeio (pas.*sei*.o) *sm.* **1** Ação ou resultado de passear. **2** Calçada pública: *Estacionaram irregularmente no passeio*. **3** *Fig*. Conquista muito fácil de algo: *O time deu um passeio no adversário*.

passeriforme (pas.se.ri.*for*.me) *sm. Zool*. Tipo de ave pequena ou média de um grupo numeroso de espécies existente em todo o mundo.

passional (pas.si:o.*nal*) *a2g*. **1** Ref. a paixão. **2** Motivado por paixão (crime passional). [Pl.: *-nais*.] ▪ **Passional** *sm*. **3** Livro com a narrativa da Paixão de Cristo.

passista (pas.*sis*.ta) *s2g. Bras*. Pessoa que dança (samba, frevo) muito bem.

passível (pas.*sí*.vel) *a2g*. Que está sujeito a: *A verba é passível de corte*. [Pl.: *-veis*.] ▪ **pas.si.bi.li.da.de** *sf*.

passivo (pas.*si*.vo) *a*. **1** Que não atua ou reage firmante passivo, pessoa passiva). **2** *Gram*. Diz-se da voz do verbo cujo sujeito é o ser afetado pela ação que o verbo exprime. [NOTA: Caracteriza-se pela presença do v. *ser* seguido de particípio: *A casa foi construída por meu avô*. Verb. ativo e voz.] *sm*. **3** *Econ*. Dívidas e obrigações de uma empresa ou pessoa. [Ant. ger.: *ativo*.] ▪ **pas.si.vi.da.de** *sf*.

passo¹ (*pas*.so) *sm*. **1** Movimento feito com os pés para andar. **2** Movimento feito com os pés e o corpo para dançar. **3** Marca deixada no chão; PEGADA. **4** Trecho de uma obra (livro, discurso); PASSAGEM: *Leu o passo do romance apontado pelo professor*. ▪▪ **Ao ~ que 1** À medida que: *Entristecia, ao passo que lia as notícias*. **2** Enquanto, mas: *Gosta de trabalhar, ao passo que o irmão é um preguiçoso*. ▪ **Marcar ~** Não progredir; ficar estagnado. ▪ **~ a ~** Gradualmente.

passo² (*pas*.so) *sm*. Passagem estreita entre montanhas; GARGANTA.

passo³ (*pas*.so) *sm*. Cada uma das partes da Paixão de Cristo.

pasta (*pas*.ta) *sf*. **1** Massa feita da mistura de sólidos e líquidos; CREME: *Usou uma pasta nos móveis*. **2** *Cul*. Qualquer alimento que tenha a forma, a consistência de uma pasta. **3** Bolsa de couro, papelão ou plástico onde se guardam ou carregam documentos, livros etc. **4** Cargo nos ministérios (pasta da Justiça/ do Trabalho). ▪▪ **~ de dentes** Ver *dentifrício*.

pastagem (pas.*ta*.gem) *sf*. Ver *pasto*. [Pl.: *-gens*.]

pastar (pas.*tar*) *v. int*. **1** Comer (gado) a erva ainda na terra; PASCER. **2** *Pop*. Não fazer nada, não progredir: *Enquanto a mulher rala, ele fica pastando*. [▶ **1** past**ar**]

pastel¹ (pas.*tel*) *sm*. **1** *Cul*. Iguaria frita ou assada feita de massa de farinha com recheio salgado ou doce. *s2g*. **2** *Bras. Pej*. Pessoa lenta, bola, chata ou preguiçosa, que não faz nada. [At! Considerado ofensivo nesta acepção]. [Pl.: *-téis*.]

pastel² (pas.*tel*) *sm*. **1** *Art.Pl*. Tipo de pintura a seco, de cores suaves, feita com lápis especial. **2** *Art.Pl*. Quadro realizado com essa técnica: *Tenho um pastel muito valioso*. **3** O lápis us. nessa pintura. **4** A cor tênue, pálida do pastel² (3). [Pl.: *-téis*.] *a2g2n*. **5** Que é dessa cor (toalhas pastel).

pastelão (pas.te.*lão*) *sm*. **1** *Cul*. Grande pastel¹, ger. assado, para comer em fatias. [Tb. se diz *empadão*.] **2** *Cin. Telv*. Comédia cujo humor se baseia em situações agitadas e com muitas confusões. [Pl.: *-lões*.]

pastelaria (pas.te.la.*ri*.a) *sf*. **1** *Cul*. Termo genérico que designa todos os tipos de iguaria feitos com massa de farinha recheada. **2** Estabelecimento onde se fazem e vendem essas iguarias.

pasteleiro (pas.te.*lei*.ro) *sm*. Quem faz ou vende pastelaria (1).

pasteurizar (pas.teu.ri.*zar*) *v. td*. Aquecer (leite, laticínios, vinho ou cerveja) para eliminar germes

pastiche (pas.*ti*.che) *sm.* Trabalho literário ou artístico grosseiramente copiado de outro.

pastifício (pas.ti.fí.ci:o) *sm.* SP Fábrica de massas alimentícias.

pastilha (pas.*ti*.lha) *sf.* **1** Confeito, bala, na forma de pequeno tablete aromatizado, que derrete na boca: *pastilha de hortelã.* **2** Medicamento em formato de pastilha (1): *pastilha para tosse.* **3** Tablete de cerâmica ou louça vitrificada us. como revestimento externo ou interno de construções, pisos, paredes etc.: *fachada de pastilhas.*

pasto (*pas*.to) *sm.* **1** Erva que serve de alimento para gado. **2** Terreno em que há pasto (1), no qual o gado pode pastar; PASTAGEM. **3** Qualquer alimento ou refeição; COMIDA: *Após o trabalho, um bom pasto e repouso.*

pastor (pas.*tor*) [ó] *sm.* **1** Quem leva o gado para pastar e cuida dele. **2** Sacerdote protestante. **3** Guia espiritual: *pastor dos pobres.* **4** *Zool.* Tipo de cão que guarda rebanhos.

pastoral (pas.to.*ral*) *a2g.* **1** Ref. a pastor (1), a vida campestre; PASTORIL. **2** Ref. a pastor (3) espiritual (ação *pastoral*). *sf.* **3** *Rel.* No catolicismo, circular do papa ou de um bispo dirigida aos padres ou aos fiéis. [Pl.: *-rais.*]

pastorar (pas.to.*rar*) *v. td.* **1** Ver *pastorear.* [▶ 1 pastorar]

pastorear (pas.to.re.*ar*) *v. td.* **1** Guiar, vigiar ou guardar (o gado que pasta). **2** Dirigir como pastor (3): *Pastoreiam os fiéis da paróquia.* [▶ 13 pastorear]

pastoreio (pas.to.*rei*.o) *sm.* **1** Trabalho de pastor de gado. **2** Terreno de pastagem.

pastoril (pas.to.*ril*) *a2g.* **1** Ref. à vida no campo (poesia *pastoril*); PASTORAL; CAMPESTRE. *sm.* **2** *N.E. Etnog.* Representação popular feita por folias que desfilam entre o Natal e o carnaval. [Pl.: *-ris.*]

pastoso (pas.*to*.so) [ó] *a.* Semelhante a uma pasta (alimento *pastoso*). [Fem. e pl.: [ó].]

pata¹ (*pa*.ta) *sf.* Fêmea do pato.

pata² (*pa*.ta) *sf.* Pé de animal.

pataca (pa.*ta*.ca) *sf. Bras.* Antiga moeda de prata.

patacão (pa.ta.*cão*) *sm.* Nome de diversas moedas antigas do Brasil, Portugal, Espanha e alguns países da América do Sul. [Pl.: *-cões.*]

patacoada (pa.ta.co:*a*.da) *sf.* História mentirosa ou sem lógica; BOBAGEM; DISPARATE: "E nunca há fim, de patacoada e hipótese." (João Guimarães Rosa, *Tutaméia*).

patada (pa.*ta*.da) *sf.* **1** Pancada com a pata. **2** *Fig.* Ato de descortesia; GROSSERIA.

patágio (pa.*tá*.gi:o) *sm. Anat. Zool.* Membrana que liga os membros anteriores e posteriores de certos animais, como os morcegos, e é us. para voar ou planar.

patagônio (pa.ta.*gô*.ni:o) *a.* **1** Da Patagônia (América do Sul); típico dessa região ou de seu povo. *sm.* **2** Pessoa nascida na Patagônia.

patamar (pa.ta.*mar*) *sm.* **1** Espaço amplo entre dois lances de escada ou no seu topo. **2** Grau, estágio, ger. um dos mais altos, avançados: *Os preços agrícolas mantiveram patamar elevado.*

pataratíva (pa.ta.*ti*.va) *sf.* **1** *Bras. Zool.* Pássaro de plumagem fina e canto agradável. **2** *Fig.* Pessoa que fala muito.

patavina (pa.ta.*vi*.na) *pr.indef.* Nada, coisa nenhuma: *Não entendo patavina de grego.*

pataxó (pa.ta.*xó*) *Etnol. a2g.* **1** Dos pataxós, povo indígena que habita áreas da Bahia e de Minas Gerais. *s2g.* **2** Pessoa pertencente a esse povo.

patchuli (pat.chu.*li*) *sm.* **1** *Bot.* Erva da qual se extrai óleo aromático us. em perfumaria. **2** O perfume extraído dessa planta.

patê (pa.*tê*) *sm. Cul.* Pasta ger. de fígado para ser passada sobre pão, torrada ou bolacha.

patear (pa.te.*ar*) *v. int.* Bater com as patas, ou com os pés, no chão. [▶ 13 patear] ● **pa.te.a.da** *sf.*

patela (pa.*te*.la) [é] *sf. Anat.* Osso arredondado que se localiza na parte frontal do joelho. [*Patela* substituiu *rótula* na nova terminologia anatômica.]

pátena, patena (*pá*.te.na, pa.*te*.na) *sf. Ecles.* Pequeno prato de ouro ou de metal us. na missa para cobrir o cálice e receber a hóstia.

patente (pa.*ten*.te) *a2g.* **1** Bem claro; EVIDENTE: *A inteligência do rapaz é patente.* **2** *Mil.* Posto militar: *Meu tio tem patente de major.* **3** Registro de propriedade e uso exclusivo de uma invenção ou descoberta científica: *Conheço um inventor que tem várias patentes.*

patentear (pa.ten.te.*ar*) *v.* **1** Tornar(-se) patente ou evidente; EVIDENCIAR. [*td.*: *Com tal gesto, ele patenteou suas intenções.* *tdi. + a*: *Patenteou a todos suas intenções.* *pr.*: *Patentearam-se as razões do seu ato.*] **2** Dar patente a ou obter patente de (invenção). [*td.*] [▶ 13 patentear] ● **pa.ten.te.a.do** *a.*

paternal (pa.ter.*nal*) *a2g.* Próprio de pai (amor *paternal*); PATERNO. [Pl.: *-nais.*]

paternalismo (pa.ter.na.*lis*.mo) *sm.* **1** Comportamento familiar baseado na autoridade paterna: *O paternalismo vigora em muitas famílias.* **2** Tendência a conduzir as relações entre pessoas, empresas ou países de forma protetora: *Não se deve confundir preocupação social com paternalismo.* ● **pa.ter.na.lis.ta** *a2g.s2g.*; **pa.ter.na.lís.ti.co** *a.*

paternidade (pa.ter.ni.*da*.de) *sf.* **1** Condição ou qualidade de pai. **2** *Fig.* Autoria intelectual: *a paternidade de um projeto.*

paterno (pa.*ter*.no) *a.* **1** Paternal (autoridade *paterna*). **2** Que procede da família do pai (avô *paterno*, herança *paterna*).

pateta (pa.*te*.ta) *a2g.s2g.* Que ou quem é tolo. [Ant.: *esperto.*]

patético (pa.*té*.ti.co) *a.* Que provoca tristeza ou compaixão (cena *patética*); TOCANTE.

patibular (pa.ti.bu.*lar*) *a2g.* **1** Ref. a patíbulo. **2** *Fig.* De aparência sinistra ou criminosa: *uma figura patibular.*

patíbulo (pa.*tí*.bu.lo) *sm.* Tablado em local aberto onde se executa um condenado à morte, ger. na forca; CADAFALSO.

patifaria (pa.ti.fa.*ri*.a) *sf.* Ato ou comportamento de patife. [Ant.: *honradez.*]

patife (pa.*ti*.fe) *a.sm.* Que ou quem não tem caráter; CANALHA.

patim (pa.*tim*) *sm.* Calçado com lâmina metálica ou rodas na sola, próprio para deslizar sobre o gelo ou pistas lisas. [Mais us. no pl.] [Pl.: *-tins.*]

pátina (*pá*.ti.na) *sf.* **1** Camada esverdeada sobre o cobre e o bronze ou depósito escuro em construções antigas, devidos à ação da umidade ou do tempo. **2** Pintura decorativa que imita esse efeito.

patinação (pa.ti.na.*ção*) *sf.* **1** Ação ou resultado de patinar. **2** Esporte que se pratica patinando sobre rodas ou sobre o gelo. [Pl.: *-ções.*]

patinador (pa.ti.na.*dor*) [ô] *a.sm.* Que ou quem pratica a patinação (2) (*patinador* olímpico).

patinar (pa.ti.*nar*) *v. int.* **1** Deslizar com patins. **2** Patinhar (3). **3** Criar pátina (1). [▶ 1 patinar]

patinete (pa.ti.*ne*.te) [ê] *s2g.* Brinquedo composto por um guidão que se liga a uma tábua sobre rodas onde se apoia um pé, enquanto se dá impulso com o outro.

patinhar (pa.ti.*nhar*) *v. int.* **1** Agitar a água com os pés ou as mãos, ao modo dos patos. **2** Deslocar-se sobre (lama, neve, água etc.). **3** Girar (roda de veículo, disco de embreagem etc.) sem transferir movimento; PATINAR. [▶ 1 patinhar]

patinho (pa.*ti*.nho) *sm.* **1** Carne da perna traseira do boi. **2** Vaso alongado us. para que doentes do sexo masculino possam urinar sem sair da cama. **3** Pato pequeno. ∷ **Cair como um ~** Ser facilmente logrado.

pátio (*pá*.ti:o) *sm.* Espaço amplo e descoberto em uma casa, prédio etc.

pato (*pa*.to) *sm.* **1** *Zool.* Ave aquática que tem membranas entre os dedos e bico chato. **2** *Pop.* Pessoa que se deixa enganar facilmente. ∷ **Pagar o ~** Sofrer as (más) consequências da ação de outrem.

patoá (pa.to:*á*) *sm. Ling.* Dialeto oral us. pela população de uma área pequena e bem delimitada.

patofobia (pa.to.fo.*bi*.a) *sf. Psiq.* Pavor mórbido de doenças.

patófobo (pa.*tó*.fo.bo) *a.* **1** Ref. a patofobia. *sm.* **2** *Psiq.* Pessoa que manifesta patofobia.

patogenia (pa.to.ge.*ni*.a) *sf. Med.* Estudo das origens das doenças; modo de evolução de qualquer doença.

patogênico (pa.to.*gê*.ni.co) *a. Biol. Pat.* **1** Ref. a patogenia. **2** Que provoca ou é capaz de causar doenças (agentes patogênicos).

patola (pa.*to*.la) [ó] *sf. Anat. Zool.* Pata dos caranguejos, siris etc., que funciona como pinça.

patologia (pa.to.lo.*gi*.a) *sf. Med.* Ramo da medicina que estuda as causas e sintomas das doenças. • **pa.to.ló.gi.co** *a.*; **pa.to.lo.gis.ta** *s2g.*

patota (pa.*to*.ta) [ó] *sf. Pop.* Grupo de amigos; TURMA: *João foi à praia com sua patota.*

patranha (pa.*tra*.nha) *sf.* História mentirosa. • **pa.tra.***nha***.da** *sf.*; **pa.tra.***nhei***.ro** *a.sm.*

patrão (pa.*trão*) *sm.* Dono, diretor ou gerente de uma loja, empresa, repartição etc., em relação aos empregados. [Pl.: *-trões.* Fem.: *-troa.*]

pátria (*pá*.tri:a) *sf.* País em que uma pessoa nasce.

patriarca (pa.tri:*ar*.ca) *sm.* **1** Homem que dirige uma família, tribo, clã etc. **2** Fundador.

patriarcado (pa.tri:ar.*ca*.do) *sm.* Organização social ou familiar em que prevalece a autoridade paterna.

patriarcal (pa.tri:ar.*cal*) *a2g.* **1** Ref. a patriarca ou patriarcado; dirigido por patriarca (família patriarcal, sociedade patriarcal). [Fem.: matriarcal.] **2** Respeitável, venerável. [Pl.: *-cais.*]

patriciado (pa.tri.ci:*a*.do) *sm.* A classe dos nobres; ARISTOCRACIA.

patricinha (pa.tri.*ci*.nha) *sf. Bras. Pop.* Adolescente ou jovem do sexo feminino que consome em excesso roupas ou acessórios e maquiagem de grife e frequenta lugares badalados. [Cf.: *mauricinho.*]

patrício (pa.*trí*.ci:o) *a.sm.* **1** Que ou quem é do mesmo país que outro; CONTERRÂNEO. *sm.* **2** Membro da nobreza, na Roma antiga.

patrilateral (pa.tri.la.te.*ral*) *a2g. Antr.* Diz-se da relação determinada pelo lado paterno, num sistema em que predomina a linha paterna. [Pl.: *-rais.* Fem.: *matrilateral.*]

patrilinear (pa.tri.li.ne:*ar*) *a2g. Antr.* Baseado na descendência paterna (sistema patrilinear). [Fem.: *matrilinear.*] • **pa.tri.li.ne:a.ri.***da***.de** *sf.*

patrimônio (pa.tri.*mô*.ni:o) *sm.* **1** Conjunto de bens de uma pessoa, família ou instituição. **2** Conjunto de bens culturais ou naturais de importância reconhecida: *Brasília tem um importante patrimônio arquitetônico.* • **pa.tri.mo.ni:***al*** *a.*

pátrio (*pá*.tri:o) *a.* **1** Ref. à pátria (idioma pátrio). **2** Ref. a ou próprio de pai (pátrio poder).

patriota (pa.tri:*o*.ta) *a2g.s2g.* Que ou quem ama e presta serviços à sua pátria.

patriotada (pa.tri:o.*ta*.da) *sf. Bras.* Demonstração exagerada de patriotismo.

patriotice (pa.tri:o.*ti*.ce) *sf. Pej.* Falso patriotismo.

patriótico (pa.tri:*ó*.ti.co) *a.* Ref. a patriota ou que mostra patriotismo (orgulho patriótico, gesto patriótico); CÍVICO.

patriotismo (pa.tri:o.*tis*.mo) *sm.* Amor e devoção à pátria.

patroa (pa.*tro*.a) [ó] *sf.* **1** Dona de casa que tem autoridade sobre empregado(s). **2** Fem. de *patrão.* **3** *Pop.* Tratamento que o marido dá à esposa.

patrocinar (pa.tro.ci.*nar*) *v. td.* Dar patrocínio financeiro ou apoio a: *patrocinar um filme/projeto educacional.* [▶ **1** patrocinar] • **pa.tro.ci.***na***.do** *a.*; **pa.tro.ci.***na***.dor** *a.sm.*

patrocínio (pa.tro.*cí*.ni:o) *sm. Publ.* **1** Custeio de programa, espetáculo artístico, esportivo etc. em troca de publicidade: *O noticiário da TV tem o patrocínio de um banco.* **2** Apoio financeiro dado a uma atividade cultural, artística, científica, educacional ou esportiva.

patrona (pa.*tro*.na) *sf.* Padroeira, protetora.

patronagem (pa.tro.*na*.gem) *sf.* Apoio material ou moral dado por uma pessoa ou organização; PATROCÍNIO. [Pl.: *-gens.*]

patronal (pa.tro.*nal*) *a2g.* **1** Próprio de patrão: *Eram obrigações patronais.* **2** Formado por patrões (associação patronal). [Pl.: *-nais.*]

patronato (pa.tro.*na*.to) *sm.* **1** Autoridade de quem está na função de patrão. **2** O conjunto dos donos ou gerentes de estabelecimentos comerciais: *O patronato esperava negociar com os grevistas.* **3** Organização que abriga e educa menores carentes.

⊕ **patronesse** (*Fr. / patronêss*) *sf.* **1** Mulher que organiza e/ou patrocina obras de caridade. **2** Fem. de *patrono* (3).

patronímico (pa.tro.*ní*.mi.co) *a.sm.* Diz-se de ou o sobrenome derivado do nome do pai ou de um ascendente (p. ex.: Rodrigues, de Rodrigo).

patrono (pa.*tro*.no) *sm.* **1** Santo padroeiro: *São Sebastião é o patrono do Rio de Janeiro.* **2** Protetor, defensor de causa, ideia). **3** Pessoa escolhida por uma turma de formandos para apadrinhá-la, e é homenageada na formatura. [Fem. nesta acp.: *patronesse.*] **4** *Jur.* O advogado em relação ao cliente.

patrulha (pa.*tru*.lha) *sf.* **1** Ação de vigilância e proteção de soldados: *A patrulha do parque é feita pela guarda florestal.* **2** Grupo encarregado dessa vigilância.

patrulhar (pa.tru.*lhar*) *v.* **1** Vigiar, ou fazer ronda com patrulha(s) em. [*td.*: *patrulhar uma estrada.* *int.*: *A única solução é patrulhar mais (para melhorar a segurança).*] **2** *Fig.* Controlar o comportamento de (alguém), cobrando coerência com princípios (éticos, políticos etc.). [*td.*: *Os mais radicais do partido patrulhavam os colegas.*] [▶ **1** patrulhar] • **pa.tru.***lha***.do** *a.*; **pa.tru.lha.***men***.to** *sm.*

patrulheiro (pa.tru.*lhei*.ro) *sm.* Integrante de patrulha (2).

patuá (pa.tu:*á*) *sm.* Pequeno amuleto, ger. um saquinho de pano contendo oração ou relíquia; BREVE; BENTINHO; ESCAPULÁRIO.

patuleia (pa.tu.*lei*.a) *sf.* Classe baixa; PLEBE; POVO.

patuscada (pa.tus.*ca*.da) *sf.* Festa com muita comida e bebida; COMEZAINA. • **pa.tus.***car*** *v.*

patusco (pa.*tus*.co) *a.sm.* Que ou quem gosta de patuscadas.

pau *sm.* **1** Qualquer pedaço de madeira: *estaca de pau.* **2** Mastro: *pau da bandeira.* **3** *Pop.* Castigo físico; SURRA: *Pedro deu um pau no intruso.* **4** *Tabu.* O pênis. **5** *Gír.* Real[1]: *Isso custou 30 paus.* ⊠ **paus** *sm2n.* **6** Um dos naipes das cartas de baralho. ∷ **Baixar o ~** *em Pop.* Dar pancada em. **Levar ~ *Fam.*** Ser reprovado (em exame); repetir de ano. **Meter o ~ em 1** *Fam.* Criticar fortemente; falar mal de. **2** Surrar, espancar. **3** Dissipar, esbanjar: *Meteu o pau no dinheiro que herdou do avô.* **~ a ~** Em condição de igualda-

de; em pé de igualdade. ~ **para toda obra** Algo ou alguém que serve para muitas coisas. [Cf.: *pau-para-toda-obra*.]
pau a pique (pau | a *pi*.que) *sm.* Parede de ripas cruzadas cobertas com barro; TAIPA. [Pl.: *paus a pique*.]
pau-brasil (pau-bra.*sil*) *sm. Bot.* Árvore brasileira de madeira avermelhada. [Pl.: *paus-brasis* e *paus-brasil*.]
pau-d'água (pau-d'*á*.gua) *sm. Bras. Pop.* Bêbado habitual. [Pl.: *paus-d'água*.]
pau-d'arco (pau-d'*ar*.co) *sm. Bot.* Ipê. [Pl.: *paus-d'arco*.]
pau de arara (pau de a.*ra*.ra) *sm.* **1** Instrumento de tortura em que a vítima é pendurada num pau pelos joelhos e pelos cotovelos dobrados. **2** *Bras.* Caminhão que transporta retirantes nordestinos. *s2g.* **3** *Bras.* Retirante que viaja nesses caminhões. [Pl.: *paus de arara*.]
pau de sebo (pau de *se*.bo) [ê] *sm.* **1** Mastro ensebado com um prêmio no alto destinado a quem conseguir alcançá-lo. **2** *Bot.* Árvore pequena cujos frutos contêm sementes de onde se extrai gordura para fabricar velas (com hífens, nesta acp.). [Pl.: *paus de sebo*.]
pau-ferro (pau-*fer*.ro) *sm. Bot.* Árvore de madeira muito dura; JUCÁ. [Pl.: *paus-ferros* e *paus-ferro*.]
paul (pa.*ul*) *sm.* Ver *pântano*. [Pl.: -*uis*.]
paulada (pau.*la*.da) *sf.* **1** Pancada com pau; BORDOADA. **2** *Fig.* Desgosto grande: *O fim do namoro foi uma paulada para ele.*
paulatino (pau.la.*ti*.no) *a.* Feito aos poucos (aumento paulatino); LENTO.
Pauliceia (Pau.li.*cei*.a) *sf.* Cidade de São Paulo, capital do estado: *Ana vai passar uma temporada na Pauliceia.*
paulificar (pau.li.fi.*car*) *v. Bras.* Amolar, importunar. [*td.*: *Ele paulifica os irmãos.* *int.*: *Não se cansa de paulificar.*] [▶ **11** paulific**ar**] • **pau.li.fi.ca.ção** *sf.*
paulista (pau.*lis*.ta) *a2g.* **1** De São Paulo; típico desse estado ou de seu povo. *s2g.* **2** Pessoa nascida no Estado de São Paulo. [Cf.: *paulistano*.]
paulistano (pau.lis.*ta*.no) *a.* **1** De São Paulo, capital do estado ou de seu povo. *sm.* **2** Pessoa nascida na cidade de São Paulo. [Cf.: *paulista*.]
pau-mandado (pau-man.*da*.do) *sm.* Pessoa que obedece a todas as ordens sem discutir. [Pl.: *paus-mandados*.]
pau-marfim (pau-mar.*fim*) *sm. Bot.* Árvore de madeira clara e resistente us. para móveis. [Pl.: *paus-marfins* e *paus-marfim*.]
pau-para-toda-obra (pau-pa.ra-to.da-*o*.bra) *sm. Bras. Bot.* Árvore com propriedades medicinais cuja madeira é us. em construção e cabos de ferramentas. [Pl.: *paus-para-toda-obra*.] [Cf: *pau para toda obra* no verbete *pau*.]
pauperismo (pau.pe.*ris*.mo) *sm.* Pobreza total; MISÉRIA. [Ant.: *riqueza*.]
pausa (*pau*.sa) *sf.* Interrupção temporária de alguma coisa (atividade, som, movimento etc.); INTERVALO: *O treinador deu uma pausa para descanso.*
pausar (pau.*sar*) *v.* **1** Fazer pausa. [*int.*] **2** Tornar pausado ou cadenciado; CADENCIAR. [*td.*: *Pausar um discurso.*] [▶ **1** paus**ar**] • **pau.sa.do** *a.adv.*
pauta (*pau*.ta) *sf.* **1** Conjunto de linhas horizontais para orientar a escrita num papel. **2** *Mús.* Conjunto de cinco linhas que servem para escrever as notas musicais; PENTAGRAMA. **3** Lista de assuntos de uma reunião. **4** *Míd.* Roteiro dos temas mais importantes para a edição de jornal, revista, programa de rádio ou televisão.
pautar (pau.*tar*) *v.* **1** Imprimir ou traçar pauta em (papel). [*td.*] **2** Pôr em pauta, lista ou relação; RELACIONAR. [*td.*: *Pautou os pontos a serem debatidos na reunião.*] **3** *Jorn.* Programar (assunto) para uma edição de jornal, noticiário de televisão etc. [*td.*: *O editor pautou a enchente para a primeira página.*] **4** Moderar, controlar. [*td.*: *pautar os gastos.*] **5** Orientar(-se), adequar(-se). [*tdi.* + *por*: *Rogério pauta sua conduta pela dos pais.* *pr.*: *Sua arte pauta-se pela do mestre.*] [▶ **1** paut**ar**]
pavana (pa.*va*.na) *sf. Mús.* Dança e música antigas, lentas e majestosas.
pavão (pa.*vão*) *sm. Zool.* Ave notável pelo colorido da plumagem e a cauda em leque. [Pl.: -*vões*.]
pavê (pa.*vê*) *sm. Cul.* Doce de biscoitos molhados em bebida licorosa, dispostos em camadas cobertas por caldas, cremes e/ou musses.
paveia (pa.*vei*.a) *sf.* Molho [ó] de palha ou de feno.
pavês (pa.*vês*) *sm. Cnav.* Armação de madeira para proteger a tripulação. [Pl.: -*veses*.]
pávido (*pá*.vi.do) *a.* Dominado por pavor; APAVORADO.
pavilhão (pa.vi.*lhão*) *sm.* **1** Construção ampla e ger. provisória para exposições: *pavilhão da feira de automóveis.* **2** Construção que integra um conjunto de prédios: *pavilhão de um presídio.* **3** *Anat.* Parte externa da orelha (*pavilhão auditivo*). **4** Bandeira: *pavilhão do regimento.* [Pl.: -*lhões*.]
pavimentar (pa.vi.men.*tar*) *v. td.* Aplicar pavimento em (estrada, rua etc.). [▶ **1** pavimen**tar**] • **pa.vi.men.ta.ção** *sf.*; **pa.vi.men.ta.do** *a.*
pavimento (pa.vi.*men*.to) *sm.* **1** Qualquer revestimento do solo (asfalto, pedra, madeira, cerâmica etc.): *O pavimento dessa rua é de pedras; Viajei numa estrada sem pavimento.* **2** Cada andar de um prédio; PISO: *Moro no segundo pavimento.*
pavio (pa.*vi*.o) *sm.* Cordão para acender uma vela ou candeeiro; TORCIDA. ∎ **Ter o ~ curto** *Bras. Pop.* Ser irritadiço, facilmente encolerizável.
pavonear (pa.vo.ne.*ar*) *v.* **1** Exibir-se com ostentação ou vaidade, como o pavão. [*td.*: *Gosta de pavonear suas joias (nas festas).* *pr.*: *Sempre se pavoneia diante das câmaras.*] **2** Enfeitar(-se) exageradamente. [*td.*: *pavonear o cão para o concurso.* *pr.*: *Pavoneava-se com todos os petrechos que tinha.*] [▶ **13** pavon**ear**]
pavor (pa.*vor*) [ô] *sm.* Medo intenso; forte susto; TERROR: *pavor de viajar de avião.*
pavoroso (pa.vo.*ro*.so) [ô] *a.* **1** Que provoca ou pode provocar pavor: *um acidente pavoroso.* **2** Muito feio ou muito ruim; HORRÍVEL; HORROROSO: *Fez um discurso pavoroso.* [Fem. e pl.: [ó].]
pavuna (pa.*vu*.na) *sf.* S. Vale profundo e escarpado.
paxá (pa.*xá*) *sm.* **1** Título dos governadores do antigo Império Otomano. **2** *Fig. Pop.* Homem indolente que vive no luxo.
paxiúba (pa.xi.*ú*.ba) *sf. Bras. Bot.* Palmeira de áreas alagadas cuja madeira é us. pelos índios em arcos, flechas e lanças.
🌐 **pay-per-view** (*Ing.* /*pêi-per-viu*/) *sm. Telv.* Sistema de televisão em que os assinantes pagam para assistir determinado programa.
paz *sf.* **1** Ausência de conflitos e violência: *Sonhamos com a paz no mundo.* [Ant.: *guerra, conflito*.] **2** Calma, tranquilidade: *Encontrou a paz quando foi morar no campo.* ∎ **Fazer as ~es** Reconciliar-se, ficar de bem.
⊠ **Pb** *Quím.* Símb. de *chumbo*.
⊠ **PC** Sigla de computador pessoal de qualquer marca. [Da sigla inglesa de *Personal Computer*.]
pé *sm.* **1** *Anat.* Cada uma das duas partes do corpo humano que ficam nas extremidades das pernas, e que servem de apoio para se ficar ereto e para andar. **2** *Anat. Zool.* Cada membro de locomoção e/ou apoio e/ou fixação de um animal; PATA. **3** Cada unidade ou exemplar de uma planta: *pé de café.* **4**

peanha | **pedante** 602

Parte inferior que sustenta um móvel, um objeto: *pé da cadeira/do cálice*. **5** *Fig.* Situação de um negócio, de um processo: *Em que pé está a venda da casa?* **6** Medida linear inglesa equivalente a 30,48cm: *O avião estava a três mil pés de altitude.* ✦ **Ao ~ da letra** Literalmente; exatamente como expresso em palavras. **Ao ~ de** Junto a. **Ao ~ do ouvido** Cochichando, em segredo. **A ~** Andando, sem usar qualquer meio de transporte. **Bater o ~** Insistir, teimar, não obedecer ou não se deixar convencer. **Cair de ~** *Bras.* Sofrer derrota com dignidade, resistindo e sem demonstrar humilhação. **Com o ~ atrás** De maneira hesitante; com desconfiança. **Com o ~ direito/esquerdo** Com sorte, sucesso/azar, fracasso. **Dar no ~** *Bras. Pop.* Fugir, escapar. **Dar ~ 1** Ter certo lugar (mar/rio/piscina, lago etc.) profundidade tal que é possível alguém ficar de pé com a cabeça fora da água. **2** Ser possível, viável. **De ~ 1** Em posição vertical, ereta. **2** Confirmado, mantido (combinação, acordo etc.). **Em ~ de guerra** Em situação de conflito ou de antagonismo. **Em ~ de igualdade** Em situação ou condição de equivalência. **Encher o ~** *Fut.* Chutar a bola com força. **Ficar/Pegar no ~ de** *Bras. Fam.* Insistir com (alguém) seguidamente; importunar. **Ir num ~ e voltar no outro** *Bras. Pop.* Ir e voltar no mínimo tempo possível. **Meter os ~s pelas mãos** Confundir-se, atrapalhar-se. **Não chegar aos ~s de** Ser inferior a (em geral ou em algum aspecto). **~ ante ~** Sorrateiramente; cautelosamente; na ponta dos pés. **~ na tábua** *Pop.* Expressão de incentivo para que alguém aumente a velocidade na condução de veículo. **Ter os ~ no chão** Ser realista, não se deixar iludir por facilidades ou exagerado otimismo. **ㄴ no saco** *Bras. Gír.* Diz-se de algo ou alguém muito inoportuno, chato.

peanha (pe.a.nha) *sf.* Pequeno pedestal de imagem, busto, estátua etc.

peão¹ (pe.ão) *sm.* Peça do jogo de xadrez. [Pl.: *-ões* e *-ães.*] [Cf.: *pião.*]

peão² (pe.ão) *sm. Bras.* **1** Amansador de cavalos. **2** Auxiliar de boiadeiro. **3** Trabalhador rural ou de obras de construção. [Pl.: *-ões* e *-ães.* Fem.: *peoa* e *peona.*] [Cf.: *pião.*]

pear (pe.ar) *v. td.* **1** Prender com peia ou corda. **2** Criar embaraço, estorvo a: *As obras pearam o trânsito durante dias.* [▶ **13** pe̱a̱r]

peba (pe.ba) *N.E.* De má qualidade, reles.

pebolim (pe.bo.lim) *sm. Bras.* Brinquedo de mesa na forma de uma caixa que simula um campo de futebol e dois times, em que cada um dos dois jogadores ou equipes manipula varetas, nas quais estão suspensos os 11 bonecos que formam sua equipe; TOTÓ. [Pl.: *-lins.*]

peça (pe.ça) *sf.* **1** Cada elemento ou unidade de um conjunto: *peça de motor/de roupa/de artilharia.* **2** Qualquer objeto tomado como unidade completa em si: *Comprou uma linda peça de cerâmica.* **3** Porção inteira de tecido: *peça de linho.* **4** Cada uma das divisões de uma casa: *apartamento de quatro peças.* **5** *Mús. Teat.* Obra teatral ou musical. **6** Pedra de jogo: *peça de xadrez.* ✤ **Pregar uma ~** *Bras. Pop.* Enganar, lograr, por brincadeira.

pecadilho (pe.ca.di.lho) *sm.* Pecado sem gravidade.

pecado (pe.ca.do) *sm.* **1** Violação de um princípio ou preceito religioso. **2** Transgressão, erro, falta: *Cometeu o pecado imperdoável de perder o pênalti.* **3** Ação ou condição rigorosa, ou cruel, ou injusta; MALDADE: *Depois de jogar tão bem, foi um pecado perder aquele jogo.*

pecaminoso (pe.ca.mi.no.so) [ô] *a.* Ref. a ou que envolve pecado (ou pecaminoso). [Fem. e pl.: [ó].]

pecar (pe.car) *v.* **1** Cometer pecado. [*ti.* + *contra:* pe̱ca̱r contra *Deus. int.: Confessou os pecados que pecara.*] **2** Cometer qualquer falta ou erro. [*ti.* + *contra:* pe̱ca̱r contra *a moral. int.* (seguido de indicação de motivo): *Pecaram por ter desprezado os relatórios.*] **3** Ficar sujeito a; incidir em. [*ti.* + *em:* Ela peca sempre nas mesmas coisas.] **4** Ser passível de censura por. [*ti.* + *por:* "O treinador (...) pecou pela falta de ousadia." (*O Dia*, 09.06.03).] [▶ **11** pe̱ca̱r] ● **pe.ca.dor** *a.sm.*

pecha (pe.cha) [ê] *sf.* Defeito moral; VÍCIO: *Ele tem a pecha de indeciso.*

pechincha (pe.chin.cha) *sf.* Qualquer coisa mais barata do que o habitual: *feira de pechinchas; A compra da casa foi uma pechincha.*

pechinchar (pe.chin.char) *v.* Tentar comprar abaixo do preço; BARGANHAR; REGATEAR. [*td.: pechinchar o preço de uma mercadoria. ti.* + *em: Ela pechinchou no preço do edredom. int.: Nunca deixa de pechinchar.*] [▶ **1** pechinch*ar*] ● **pe.chin.chei.ro** *a.sm.*

pechisbeque (pe.chis.be.que) *sm.* Liga metálica que imita o ouro.

pecíolo (pe.cí:o.lo) *sm. Bot.* Parte da planta que prende a folha ao ramo ou ao galho.

peçonha (pe.ço.nha) *sf.* Secreção venenosa de certos animais. ● **pe.ço.nhen.to** *a.*

pecuária (pe.cu.á.ri:a) *sf.* Criação de gado. ● **pe.cu:a.ris.ta** *a2g.s2g.*; **pe.cu.á.ri:o** *a.*

peculatário (pe.cu.la.tá.ri:o) *a.* **1** Ref. a peculato. **sm. 2** Funcionário que comete peculato.

peculato (pe.cu.la.to) *sm. Jur.* Crime de roubo ou desvio de dinheiro ou bens por funcionário público.

peculiar (pe.cu.li:ar) *a2g.* Próprio de algo ou alguém; CARACTERÍSTICO: *economia peculiar de um país.* ● **pe.cu.li:a.ri.da.de** *sf.*

pecúlio (pe.cú.li:o) *sm.* Soma de dinheiro economizada e reservada: *Guarda um pecúlio para qualquer imprevisto.*

pecúnia (pe.cú.ni:a) *sf.* Dinheiro.

pecuniário (pe.cu.ni:á.ri:o) *a.* Ref. a ou representado por dinheiro (valor pecuniário, abono pecuniário).

pedaço (pe.da.ço) *sm.* **1** Parte de um todo sólido: *pedaço de bolo/de terreno.* **2** Trecho de um livro, filme etc.: *O final é o melhor pedaço do filme.*

pedágio (pe.dá.gi:o) *sm.* **1** Taxa que se paga para transitar numa rodovia: *O pedágio aumentou essa semana.* **2** O posto onde se paga essa taxa: *O pedágio fica perto da ponte.*

pedagogia (pe.da.go.gi.a) *sf.* Ciência que trata da educação. ● **pe.da.gó.gi.co** *a.*

pedagogo (pe.da.go.go) [ô] *sm.* **1** Pessoa formada em pedagogia. **2** Mestre, professor.

pé-d'água (pé-d'á.gua) *sm. Bras.* Chuva forte e rápida. [Pl.: *pés-d'água.*]

pedal (pe.dal) *sm.* Peça de veículos, instrumentos, máquinas etc. movida com o pé: *pedal da bicicleta/do piano.* [Pl.: *-dais.*]

pedalada (pe.da.la.da) *sf.* **1** Cada impulso dado com o pedal. **2** *Fut.* Lance em que o jogador passa os pés por sobre a bola alternadamente e em movimentos rápidos para driblar o adversário.

pedalar (pe.da.lar) *v.* **1** Mover ou impulsionar o pedal ou a pedaleira de. [*td.: pedalar uma bicicleta/uma máquina de costurar/um órgão.*] **2** Andar de bicicleta ou praticar o ciclismo. [*int.: A criança aprendeu a pedalar.*] [▶ **1** pedal*ar*]

pedaleira (pe.da.lei.ra) *sf. Mús.* Conjunto de pedais na parte inferior de órgão.

pedaliácea (pe.da.li:á.ce:a) *sf. Bot.* Arbusto tropical cultivado pelas flores, pelo óleo das sementes, pelos frutos ou para fins medicinais.

pedalinho (pe.da.li.nho) *sm.* Pequeno barco de lazer movido a pedais us. ger. para passeios em lagos e lagoas.

pedante (pe.dan.te) *a2g.s2g.* **1** Que ou quem ostenta conhecimentos que não possui. **2** Que ou quem alardeia erudição. ● **pe.dan.tis.mo** *sm.*

pé de atleta (pé de a.*tle*.ta) *sm. Med.* Micose debaixo de ou entre os dedos dos pés; FIEIRA. [Pl.: *pés de atleta.*]
pé de boi (pé de *boi*) *sm. Pop.* Pessoa que trabalha muito. [Pl.: *pés de boi.*]
pé de cabra (pé de *ca*.bra) *sm.* Alavanca de ferro fendida numa das extremidades. [Pl.: *pés de cabra.*]
pé de galinha (pé de ga.*li*.nha) *sm.* Conjunto de rugas que se formam no canto externo dos olhos. [Pl.: *pés de galinha.*]
pé-de-meia (pé-de-*mei*.a) *sm.* Dinheiro economizado e reservado. [Pl.: *pés-de-meia.*]
pé de moleque (pé de mo.*le*.que) *sm.* **1** *Bras. Cul.* Doce sólido, feito de açúcar ou rapadura e amendoim torrado. **2** *Bras.* Calçamento de ruas feito com pedras irregulares. [Pl.: *pés de moleque.*]
pé de pato (pé de *pa*.to) *sm.* Calçado de borracha us. por nadadores e mergulhadores para obter maior velocidade na água. [Pl.: *pés de pato.*]
pederasta (pe.de.*ras*.ta) *sm.* Homem que tem relações sexuais com pessoas do seu sexo; HOMOSSEXUAL.
pederastia (pe.de.ras.*ti*.a) *sf.* Relacionamento sexual entre homens; HOMOSSEXUALIDADE.
pederneira (pe.der.*nei*.ra) *sf.* Pedra que, em atrito com metal, produz faísca.
pedestal (pe.des.*tal*) *sm.* Peça que sustenta estátua, coluna, vaso etc. [Pl.: *-tais.*]
pedestre (pe.*des*.tre) *s2g.* Pessoa que anda a pé.
pedestrianismo (pe.des.tri:a.*nis*.mo) *sm. Esp.* Prática esportiva de grandes caminhadas.
pé de vento (pé de *ven*.to) *sm. Bras. Pop.* Vento forte. [Pl.: *pés de vento.*]
pediatria (pe.di:a.*tri*.a) *sf. Med.* Ramo da medicina que trata das doenças infantis. • **pe.di:**a**.tra** *s2g.*
pedículo (pe.*di*.cu.lo) *sm.* Qualquer haste pequena que sustenta um órgão vegetal, salvo folha, flor e inflorescência.
pedicure, pedicura (pe.di.*cu*.re, pe.di.*cu*.ra) *sf.* Pessoa especializada no tratamento dos pés. [Masc.: *pedicuro.*]
pedido (pe.*di*.do) *sm.* **1** Ação ou resultado de pedir: *pedido de demissão.* **2** Aquilo que se pede: *Fez um pedido e apagou as velas.* **3** Ordem de compra; ENCOMENDA: *O fornecedor não atendeu ao pedido da loja.* ◘ **pedida** *sf.* **4** *Bras. Pop.* Pedido, sugestão ou medida oportuna: *Peixe é a melhor pedida para hoje.*
pediforme (pe.di.*for*.me) *a2g.* Que tem forma de pé.
◉ **pedigree** (*Ing. /pédigri/*) *sm.* **1** Registro de ascendência de um animal de raça, esp. cão ou cavalo. **2** Certificado de *pedigree* (1).
pedinchar (pe.din.*char*) *v.* **1** Pedir com impertinência ou lamúria. [*td.*: *Ficava pedinchando favores.* *int.*: *Você já os obteve as vantagens possíveis, chega de pedinchar!*] [▶ **1** pedinch*ar*] • **pe.din.**cha**o** *a.sm.*
pedinte (pe.*din*.te) *a2g.s2g.* Que ou quem pede esmola habitualmente.
pedir (pe.*dir*) *v.* **1** Fazer pedido; solicitar que conceda. [*td.*: *pedir ajuda/dinheiro emprestado.* *tdi.* + *a, para*: *Pediu permissão ao pai para viajar.* *int.*: *Ele só faz pedir.*] **2** Implorar, suplicar, rogar. [*td.*: *pedir clemência/piedade.* *tdi.* + *a*: *Pediu perdão ao amigo pelo desaforo.*] **3** Interceder (por). [*ti.* + *a, por*: *Sempre pede a Deus pela mãe.*] **4** Exigir, requerer, demandar. [*td.*: *pedir justiça*; *Esta solenidade pede traje de gala.* *tdi.* + *a*: *A legislação pede brevê aos pilotos.*] **5** Cobrar (certo preço) por. [*tdi.* + *por*: *Está pedindo uma bagatela pelo carro.*] **6** Propor (matrimônio) a. [*td.*: *pediu a mão da noiva.*] [▶ **44** ped*ir*]
pé-direito (pé-di.*rei*.to) *sm. Arq.* Altura entre o piso e o teto de cada andar de um imóvel: *Esse apartamento tem 3m de pé-direito.* [Pl.: *pés-direitos.*]
peditório (pe.di.*tó*.ri:o) *sm.* Pedido repetitivo.
pedofilia (pe.do.fi.*li*.a) *sf. Psiq.* **1** Prática sexual de adultos com crianças. **2** Perversão que leva um adulto a sentir atração sexual por crianças. • **pe.***dó***.fi.lo** *a.sm.*
pedra (*pe*.dra) *sf.* **1** *Pet.* Mineral sólido e duro da natureza das rochas: *encosta de pedra.* **2** Pedaço desse mineral: *pedras para construir um muro.* **3** Mineral precioso ou não us. em joalheria e bijuteria: *colar de pedras azuis.* **4** Pedaço de matéria sólida e dura: *pedra de sal.* **5** *Pop. Med.* Cálculo formado nos rins, vesícula etc. **6** Quadro-negro: *O professor escreveu na pedra.* **7** Peça de alguns jogos de tabuleiro: *pedras do xadrez.* **8** Lápide tumular. [Aum.: *pedregulho.*] ▪ **Botar uma ~ em cima de** Esquecer (ger. em acordo com alguém) algo desagradável, ofensa etc. **Com quatro ~s na mão** Com disposição belicosa, com agressividade. **Não deixar ~ sobre ~** Arrasar totalmente (tb. *Fig.*): *Criticou a diretoria, e não deixou pedra sobre pedra.* **~ filosofal** Elemento (substância, fórmula) que os alquimistas medievais procuravam, e que supostamente transformaria qualquer metal em ouro. **~ preciosa** Gema. **Ser uma ~ no caminho** *Fig.* Ser um obstáculo, um empecilho. **Ser uma ~ no sapato** *Fig.* Ser um incômodo, um estorvo.
pedrada (pe.*dra*.da) *sf.* Golpe ou arremesso desferido com pedra.
pedra-pomes (pe.dra-*po*.mes) *sf. Pet.* Pedra seca e porosa us. para amaciar a pele e polir objetos. [Pl.: *pedras-pomes.*]
pedraria (pe.dra.*ri*.a) *sf.* Conjunto de pedras preciosas ou não: *brincos de pedraria*; *bordado com pedraria.*
pedra-sabão (pe.dra-sa.*bão*) *sf. Pet.* Pedra não muito dura, própria para escultura e artesanato. [Pl.: *pedras-sabões e pedras-sabão.*]
pedra-ume (pe.dra-*u*.me) *sf. Quím.* Pedra adstringente us. para tratar pequenas lesões. [Pl.: *pedras--umes.*]
pedregoso (pe.dre.*go*.so) [ó] *a.* Cheio de pedras (caminho *pedregoso*). [Fem. e pl.: [ó].]
pedregulho (pe.dre.*gu*.lho) *sm.* **1** Pedra enorme; PENEDO. **2** Conjunto de várias pedras miúdas.
pedreira (pe.*drei*.ra) *sf.* Formação rochosa de onde se extraem pedras. ▪ **Ser uma ~** Ser muito difícil ou trabalhoso.
pedreiro (pe.*drei*.ro) *sm.* Profissional que trabalha em alvenaria.
pedrento (pe.*dren*.to) *a.* Que tem aspecto ou é feito de pedra, ou que a tem em abundância.
pedrês (pe.*drês*) *a2g.* Que tem pintas pretas e brancas. [Pl.: *-dreses.*]
pedroso (pe.*dro*.so) [ó] *a.* Que tem a natureza ou a consistência da pedra; PÉTREO. [Fem. e pl.: [ó].]
pedúnculo (pe.*dún*.cu.lo) *sm. Bot.* Suporte ou haste de fruto ou de flor.
pê-efe (pê-*e*.Fe) [é] *sm. Bras. Pop.* **1** Refeição comercial que já vem servida no prato; PRATO-FEITO. **2** Ver *por fora* no verbete *fora*. [Pl.: *pê-efes.*]
pê-eme (pê-*e*.me) *Bras. sf.* **1** A corporação da polícia militar: *quartel da pê-eme.* *s2g.* **2** Policial que atua nessa corporação. [Pl.: *pê-emes.*]
pé-frio (pé-*fri*:o) *sm. Bras. Pop.* Pessoa tida como azarenta, que traz má sorte. [Pl.: *pés-frios.*]
pega (*pe*.ga) [é] *sf.* **1** Ação ou resultado de pegar. **2** Dispositivo ou parte de um objeto pelos quais se lhe confere maior ou menor facilidade de pega (1): *Esse martelo não tem boa pega. sm.* **3** Corrida, disputa: *Foi um pega emocionante entre os dois velocistas.* **7** Corrida ilegal de carros ou motocicletas por vias públicas. **5** Discussão acalorada, briga: *Começaram com uma conversa e acabaram no maior pega.* [Nesta acp. é masc. no Brasil e fem. em Portugal.]
pega (*pe*.ga) [ê] *sf.* **1** Ver *gralha* (1). **2** Mulher falastrona.

pegada (pe.ga.da) *sf.* **1** Ação de pegar.

pegada (pe.ga.da) *sf.* Marcas de pés, patas, rodas, no chão.

pegadiço (pe.ga.di.ço) *a.* **1** Que pega ou adere fácil. **2** Inoportuno, pegajoso.

pegadinha (pe.ga.di.nha) *sf. Telv.* Quadro de cunho humorístico, em que alguém, sem saber que está sendo filmado ou televisionado, é levado a reagir a uma situação cômica e/ou constrangedora encenada por um ator.

pegado (pe.ga.do) *a.* Que é ao lado, vizinho, junto, colado: *Vive em uma casa pegada à dela*.

pegador (pe.ga.dor) [ó] *sm.* **1** Instrumento que serve para pegar certas coisas: *pegador de gelo*. **2** *Esp.* Boxeador de soco potente.

pegajoso (pe.ga.jo.so) [ô] *a.* **1** Que é grudento e viscoso. **2** *Fig.* Desagradavelmente subserviente, inoportuno, pegadiço (2) (indivíduo pegajoso). [Fem. e pl.: [ó].]

pega-ladrão (pe.ga-la.drão) *sm.* **1** Dispositivo de segurança para broches, alfinetes de gravata etc., que evita que eles sejam furtados ou se percam. **2** Dispositivo que dispara um alarme quando tocado. [Pl.: *pega-ladrões*.]

pega-pega (pe.ga-pe.ga) *sf.* Tumulto em via pública em que populares correm atrás de suposto ladrão ou malfeitor. [Pl.: *pegas-pegas* ou *pega-pegas*.]

pegar (pe.gar) *v.* **1** Fixar(-se), colar, aderir. [*td.*: *pegar selos*. *tdi.* + *a*, *em*: *pegar um cartaz num muro*. *int.*: *O arroz pegou*. *pr.*: *Aquele vestido se pega ao corpo*.] **2** Segurar ou agarrar. [*td.* (seguido ou não de indicação de lugar): *pegar uma xícara (pela asa)*. *ti.* + *em*: *pegar na mão de alguém*.] **3** Apanhar ou buscar (alguém ou algo). [*td.*: *Pegou-o no aeroporto*.] **4** Atropelar, ou chocar-se (com). [*td.*: *O ônibus pegou uma moto*.] **5** Brigar (com). [*td.*: *Irritado, pegou o colega na saída*. *pr.*: *Eles se pegaram de socos em plena rua*.] **6** Alcançar, atingir. [*td.*: *Não peguei o início da aula*; *Meu pai pegou a época da ditadura*.] **7** Adquirir ou transmitir-se por contágio, contato ou influência. [*td.*: *O menino pegou um cacoete terrível*. *tdi.* + *em*: *O incêndio pegou no pasto seco*. *td.* + *de*, *em*: *Pegaram catapora do irmão*. *int.*: *Essa doença pega facilmente*.] **8** *Gír.* Firmar-se. [*int.*: *Essa moda não pegou*.] **9** Assumir obrigação ou começar a fazer. [*td.*: *O marceneiro pegou uma nova encomenda*. *ti.* + *em*: *Ela pega no serviço às nove*.] **10** Funcionar. [*td.*: *Aqui a televisão pega só alguns canais*. *int.*: *O carro não quer pegar*.] **11** Compreender ou captar. [*td.* (com ou sem complemento explícito): *Esse aluno pega (tudo) muito rápido*.] **12** Tomar (condução). [*td.*] **13** Tomar caminho ou direção; SEGUIR. [*td.*: *Resolveram pegar uma estrada*.] **14** *Bras.* Ir a (evento), para usufruí-lo. [*td.*: *pegar um cinema*.] **15** Pedir proteção ou interseção a; AGARRAR-SE. [*pr.*: *Pega-se a santo Antônio na esperança de casar*.] **16** Ser condenado a (determinada pena). [*td.*: *Os assassinos pegaram trinta anos de prisão*.] **17** Atrapalhar, dificultar. [*int.*: *O que pega nele é a timidez*.] **18** *Bras. Gír.* Manter com (alguém) relacionamento amoroso sem compromisso. [*td.*: *Estava pegando a vizinha*.] [▶ **14 pegar**. Part.: *pego* e *pegado*.] ✱ ~ *mal Gír.* Não ter boa repercussão; ser mal aceito, por ser inadequado, canhestro etc.

pega-rapaz (pe.ga-ra.paz) *sm.* Mechas de cabelo em forma de meia-lua ou aneladas, pendentes sobre a testa ou as laterais do rosto. [Pl.: *pega-rapazes*.]

pego (pe.go) [ê] *sm.* **1** Abismo no mar; pélago. **2** Cova no fundo do mar ou de um rio; LAGAMAR.

pegureiro (pe.gu.rei.ro) *sm.* **1** Pessoa que cuida do gado; PASTOR. **2** Cão que cuida do gado.

peia (pei.a) *sf.* **1** Corda ou grilhão com que se prendem os pés do cavalo. **2** Prisão, empecilho. **3** *N.E.* Chicote de tiras de couro entrançadas.

peidar (pei.dar) *v. int. pr. Tabu.* Soltar gases pelo ânus. [▶ **1 peidar**] ● *pei.do sm.*

⊕ **peignoir** (*Fr.* /penhoár/) *sm.* Ver **penhoar**.

peita (pei.ta) *sf.* Gratificação em dinheiro ou presente dado como suborno.

peitada (pei.ta.da) *sf.* Golpe aplicado com o peito.

peitar¹ (pei.tar) *v. td.* Corromper (alguém) com peita(s); SUBORNAR. [▶ **1 peitar**]

peitar² (pei.tar) *v. td.* Enfrentar destemidamente. [▶ **1 peitar**]

peitaria (pei.ta.ri.a) *sf. Bras. Vulg.* Seios grandes, fartos.

peitilho (pei.ti.lho) *sm.* Parte da roupa, removível ou não, que veste o tórax.

peito (pei.to) *sm.* **1** *Anat.* Parte do tronco compreendida entre o pescoço e o abdome; TÓRAX. **2** Glândula mamária, seio. **3** *Pop.* Coragem. ✱ *De ~ aberto* Com toda a franqueza, de maneira exposta e leal. *Do ~* Íntimo, querido (diz-se esp. de amigo). *Meter os ~s Bras. Gír.* Lançar-se com energia em empreendimento, tarefa, competição etc. *No ~ e na raça Bras. Gír.* Com toda a disposição, sem medir esforços ou dificuldades.

peitoral (pei.to.ral) *a2g.* **1** Ref. a peito. *sm.* **2** *Anat.* Cada um dos músculos situados na parede torácica anterior. **3** Medicamento contra as afecções pulmonares. **4** Parte superior e frontal do hábito religioso. [Pl.: *-rais*.]

peitoril (pei.to.ril) *sm.* Ver **parapeito**. [Pl.: *-ris*.]

peitudo (pei.tu.do) *a.* **1** Que tem o peito desenvolvido (diz-se de homem). **2** Que tem seios fartos (diz-se de mulher). **3** *Fig.* Corajoso, desafiador.

peixada (pei.xa.da) *sf. Cul.* Prato feito à base de peixe.

peixão (pei.xão) *sm.* **1** Peixe grande. **2** *Pop.* Mulher bonita e atraente. [Pl.: *-xões*.]

peixaria (pei.xa.ri.a) *sf.* Estabelecimento onde se vendem peixes e, algumas vezes, frutos do mar em geral.

peixe (pei.xe) *sm.* **1** *Zool.* Animal vertebrado, aquático, de sangue frio, que respira por guelras e se desloca por meio de nadadeiras e da cauda. ✱ *Peixes Astrol. smpl.* **2** Signo (do Zodíaco) das pessoas nascidas entre 19 de fevereiro e 20 de março. *s2g2n.* **3** Pisciano: *Meu primo é Peixes*. ✱ *Vender o seu ~* **1** Convencer ou tentar convencer com seus argumentos. **2** Cuidar dos próprios negócios e interesses.

📖 Os peixes foram os primeiros vertebrados a aparecer na Terra. Existem cerca de trinta mil espécies com características variadas, a maior parte delas marinha. São em geral cobertos de escamas ou couro e têm corpo afunilado (para melhor cortar as águas em sua movimentação). Membranas, chamadas *nadadeiras*, de acordo com sua localização os impulsionam ou lhes dão direção e estabilidade. Têm esqueleto (crânio e coluna vertebral, da qual saem ossículos estruturais), sistema nervoso (encéfalo e medula espinhal) e digestório. A respiração se processa pela absorção de água pela boca, a retirada de seu oxigênio pelas *brânquias*, ou *guelras*, e sua expulsão por pequenos orifícios no corpo. Um sistema circulatório simples leva o oxigênio, pelo sangue, a todo o corpo. Seu sangue, que tem a temperatura variável de acordo com o ambiente, é, por isto, denominado frio.

peixe-boi (pei.xe-boi) *sm. Zool.* Mamífero aquático de cor cinza, pele lisa e corpo roliço que se encontra nas bacias do Orenoco e do Amazonas. [Pl.: *peixes-bois* e *peixes-boi*.]

peixe-elétrico (pei.xe-e.lé.tri.co) *sm. Zool.* Peixe dotado de órgão que produz uma corrente elétrica; PORAQUÊ. [Pl.: *peixes-elétricos*.]

peixe-espada (pei.xe-es.pa.da) *sm. Zool.* Peixe prateado, longo, com nadadeiras que se estendem da cabeça à cauda, que é pontiaguda, comuns no Atlântico. [Pl.: peixes-espadas e peixes-espada.]

peixeira (pei.*xei*.ra) *sf.* **1** Vendedora de peixe. **2** *N.E.* Faca de lâmina larga us. no corte do peixe. **3** *N.E.* Facão curto us. como arma branca.

peixeiro (pei.*xei*.ro) *sm.* Vendedor de peixe.

peixe-voador (pei.xe-vo:a.*dor*) *sm. Zool.* Peixe do Atlântico cujas nadadeiras lhe permitem dar pequenos voos. [Pl.: *peixes-voadores*.]

peixinho (pei.*xi*.nho) *sm.* **1** Peixe pequeno. **2** *Bras. Pop.* Pessoa protegida de alguém. **3** *Esp.* Salto rente ao chão com que o jogador de futebol tenta cabecear uma bola baixa ou o de vôlei tenta defender uma bola baixa antes de ela tocar no chão.

pejamento (pe.ja.*men*.to) *sm.* **1** Ação ou resultado de pejar(-se). **2** O que causa pejo, embaraço.

pejar (pe.*jar*) *v.* **1** Carregar(-se), encher(-se). [*td.: pejar um caminhão*. *tdi.* + *de: Pejaram de contêineres o navio*. *pr.: pejar-se de remorsos*.] **2** Causar ou ter pejo; ENVERGONHAR(-SE); ACANHAR(-SE). [*ti.* + *a: A repreensão pejou muito a José. pr.: Ele não se peja diante de nada*.] [▶ 1 pej**ar**] ● **pe.ja.**do *a.*; **pe.ja.**men.to *sm.*

pejo (*pe*.jo) [ê] *sm.* Vergonha, pudor.

pejorativo (pe.jo.ra.*ti*.vo) *a.* Que expressa desaprovação, depreciação (sentido *pejorativo*).

pela[1] (*pe*.la) *sf.* Bola de borracha us. para brincar.

pela[2] (*pé*.la) *sf.* **1** Camada de cortiça nos sobreiros. **2** Ação ou resultado de tirar a pele ou a casca.

pelada[1] (pe.*la*.da) *sf. Pop. Fut.* **1** Partida de futebol realizada em local improvisado e praticada por amadores. **2** Partida ruim de futebol.

pelada[2] (pe.*la*.da) *sf. Med.* Doença que causa a queda de tufos de pelo, esp. na cabeça.

pelado[1] (pe.*la*.do) *a.* A que tiraram o pelo (cabeça *pelada*).

pelado[2] (pe.*la*.do) *a.* **1** Que está sem roupa; NU. **2** Que está sem casca (tomate *pelado*).

pelagem (pe.*la*.gem) *sf.* Conjunto de pelos que cobrem o corpo dos mamíferos: *cão de pelagem castanha*. [Pl.: -*gens*.]

pélago (*pé*.la.go) *sm.* Mar profundo. ● **pe.lá.gi.**co *a.*

pelagra (pe.*la*.gra) *sf. Med.* Falta de vitamina no organismo que se manifesta pela vermelhidão da pele e problemas digestivos, nervosos e psíquicos.

pelanca (pe.*lan*.ca) *sf.* **1** Pele pendente. **2** Peles nas margens dos cortes de carnes bovinas, galináceas ou suínas.

pelancudo (pe.lan.*cu*.do) *a.* Cheio de pelancas.

pelar[1] (pe.*lar*) *v. td. pr.* Tirar o pelo a, ou perdê-lo. [▶ 1 pel**ar**] As formas (eu) *pelo*, (tu) *pelas*, (ele) *pela* são grafadas sem acento agudo (pelo Acordo Ortográfico de 1990).]

pelar[2] (pe.*lar*) *v.* **1** Deixar ou ficar nu em pelo; DESPIR(-SE). [*td. pr.*] **2** Tirar a pele ou a casca, ou ficar sem elas. [*td. pr.*] **3** Estar muito quente, a ponto de tirar a pele. [*int.: A água está pelando*.] [▶ 1 pel**ar**. As formas (eu) *pelo*, (tu) *pelas*, (ele) *pela* são grafadas sem acento agudo (pelo Acordo Ortográfico de 1990).]

pele (*pe*.le) *sf.* **1** *Anat.* Membrana que reveste o corpo dos vertebrados. **2** Epiderme. **3** Casca de certos frutos e legumes. ▪▪ **Cair na ~ de** *Pop.* Zombar de. **Estar na ~ de** Estar na situação ou condição de. **Sentir na ~** Vivenciar como experiência própria (sensação, sentimento etc.).

pelear (pe.le.*ar*) *v. ver pelejar* (1). [▶ **13** pel**ear**]

pelega (pe.*le*.ga) [ê] *sf. Antq.* Papel moeda, nota de dinheiro.

pelego (pe.*le*.go) [ê] *sm.* **1** Pele de carneiro com a lã (us. sobre a montaria, como tapete etc.). **2** Sindicalista cooptado por órgãos patronais ou do governo.

peleia (pe.*lei*.a) *sf. RS SC* Briga, disputa, peleja.

pelejа (pe.*le*.ja) *sf.* **1** Ação de pelejar. **2** Luta, combate. **3** Trabalho, lida.

pelejar (pe.le.*jar*) *v.* **1** Combater, lutar, discutir; PELEAR. [*ti.* + *por, contra: pelejar contra uma ideia*. *int.: Os dois palestrantes pelejaram horas a fio*.] **2** Instar, insistir. [*ti.* + *com, para: Pelejou com o pai para que o deixasse viajar*.] [▶ 1 pelej**ar**] ● **pe.le.ja.**do *a.*; **pe.le.ja.**dor *a.sm.*

pelerine (pe.le.*ri*.ne) *sf.* Capa rodada, sem mangas, de tecido grosso, que cobre os ombros e desce até os joelhos.

peleteria (pe.le.te.*ri*.a) *sf.* Firma que confecciona artigos de pele animal ou que vende peles.

pele-vermelha (pe.le.ver.*me*.lha) *s2g.* Indígena norte-americano. [Pl.: *peles-vermelhas*.]

pelica (pe.*li*.ca) *sf.* Pele fina de animal, esp. cabra ou ovelha, curtida e preparada para a confecção de sapatos, luvas, bolsas etc.

peliça (pe.*li*.ça) *sf.* Roupa ou colcha feita de peles com pelos finos e macios.

pelicano (pe.li.*ca*.no) *sm. Zool.* Ave aquática com bico largo e desenvolvido, pescoço longo e uma grande bolsa por baixo do bico.

pelico (pe.*li*.co) *sm. Antq.* Traje pastoril feito de pele de ovelha.

película (pe.*lí*.cu.la) *sf.* **1** Pele ou membrana muito fina. **2** Camada pouco espessa: *Passou uma película de geleia sobre o pão*. **3** Filme cinematográfico.

pelintra (pe.*lin*.tra) *a2g.s2g.* **1** Que ou aquele que, modestamente vestido, pretende fazer-se admirar. **2** Que ou quem não tem pudor pelos seus atos condenáveis; SEM-VERGONHA.

pelo (*pe*.lo) [ê] **1** Contr. da prep. *por* com o art.def. *o*, com o sentido de 'junto de', 'através de', 'à margem de': *Fomos pela estrada de terra*. **2** Contr. da prep. *por* com o pr.dem. *o*, com o sentido de 'por aquilo': *Pelo que disseram, o goleiro é muito bom*.

pelo (*pe*.lo) *sm. Anat.* Filamento (cabelo, penugem, cílio, pestana) que nasce na pele do homem e dos animais em certas partes do corpo. ▪▪ **Em ~ 1** Nu. **2** *Bras.* Sem sela (diz-se de montaria).

pelota (pe.*lo*.ta) *sf.* **1** Bola pequena, bolinha. **2** *Bras.* Bola de futebol. ▪▪ **Não dar ~ (a)** *Bras. Pop.* Não dar atenção; não demonstrar interesse (a, para).

pelotaço (pe.lo.*ta*.ço) *sm. Fut.* Chute forte.

pelotão (pe.lo.*tão*) *sm.* **1** *Mil.* Divisão de uma companhia de soldados. **2** *Fig.* Grupo de pessoas que estão juntas: *pelotão de fotógrafos/de atletas*. [Pl.: *-tões*.]

pelourinho (pe.lou.*ri*.nho) *sm.* Coluna em lugar público onde criminosos e escravos eram presos e castigados.

pelúcia (pe.*lú*.ci:a) *sf.* Tecido de seda, lã e outros, aveludado e felpudo em uma das faces.

peludo (pe.*lu*.do) *a.* Que tem pelos em abundância.

pelugem (pe.*lu*.gem) *sf.* Conjunto de pelos. [Pl.: *-gens*.]

pelve (*pel*.ve) *sf. Anat. Ver pélvis*.

pélvis (*pél*.vis) *sf2n. Anat.* Cavidade óssea formada pela união do ilíaco, do sacro e do cóccix; PELVE; BACIA.

pena[1] (*pe*.na) *sf.* **1** *Anat. Zool.* Cada uma das plumas que cobrem o corpo das aves. **2** Peça metálica ligada à caneta, própria para escrever, que se encaixa numa caneta.

pena[2] (*pe*.na) *sf.* **1** Castigo aplicado à pessoa que cometeu qualquer qualquer de falta; PENALIDADE. **2** Lástima: *É uma pena você não poder vir*. **3** Compaixão, dó: *Estou com muita pena dela*. ▪▪ **A duras ~s** Com muita dificuldade. **~ capital/de morte** Condenação à morte. **Valer a ~** Ser compensador, valer o esforço, o sacrifício.

penacho (pe.*na*.cho) *sm.* Conjunto de penas us. como enfeite para a cabeça, para chapéus etc.

penada (pe.*na*.da) *sf.* Traço de pena de escrever. ▪▪ **De uma ~** De uma vez só: *De uma penada, foram demitidos trinta funcionários*.

penado (pe.na.do) *a.* Que está penando (alma penada).

penal (pe.nal) *a2g.* Ref. a penas judiciais ou a leis punitivas (código penal). [Pl.: -nais.] • **pe.na.lis.ta** *a2g.s2g.*

penalidade (pe.na.li.da.de) *sf.* Punição imposta por lei; PENA.

penalizar (pe.na.li.zar) *v.* **1** Provocar ou sentir pena ou pesar. [*td.*: *Seu sofrimento me penaliza. pr.*: *O casal penalizou-se com a morte do amigo.*] **2** *Jur.* Aplicar pena ou penalidade a. [*td.*] **3** *Fig.* Causar prejuízo ou perda a. [*td.*: *A tributação excessiva penaliza o povo.*] [▶ **1** penalizar] • **pe.na.li.za.ção** *sf.*; **pe.na.li.za.do** *a.*

pênalti (pê.nal.ti) *sm. Fut.* Falta de jogador na grande área, punida com chute direto na direção do gol, a 10m de distância, cobrado por um adversário.

penar (pe.nar) *v. int.* Sofrer pena ou padecimento; PADECER.

penca (pen.ca) *sf.* Conjunto de frutos ou flores presos a uma única haste.

pencenê (pen.ce.nê) *sm.* Ver pincenê.

pendão (pen.dão) *sm.* **1** Bandeira, estandarte. **2** Insígnia, símbolo. **3** Inflorescência do milho. [Pl.: -dões.]

pendência (pen.dên.ci.a) *sf.* **1** Questão ainda não resolvida. **2** Disputa, contenda, litígio. **3** Tempo durante o qual uma questão judicial fica pendente.

pendenga (pen.den.ga) *sf.* Conflito, briga.

pendente (pen.den.te) *a2g.* **1** Que pende, que está pendurado. **2** Que está inclinado (cabeça pendente). **3** Que ainda não foi resolvido, feito, pago etc. (dívida pendente). **4** Que está para acontecer; IMINENTE.

pender (pen.der) *v.* **1** Encontrar-se pendurado ou suspenso. [*int.*: *Um lustre pendia do teto.*] **2** Vergar(-se) ou inclinar(-se). [*td.* (com ou sem indicação de direção): *O vento pendia os limoeiros (para o chão).* *int.*: *A Torre de Pisa sempre pendeu.*] **3** Ter tendência ou inclinação (para). [*ti.* + *para*: *Esse rapaz pende para a pintura.*] [▶ pender]. Part.: *pendido* e *penso.*] • **pen.di.do** *a.*

pendor (pen.dor) [ô] *sm.* Jeito que se tem para algo; tendência, inclinação (pendor artístico).

⊕ **pen-drive** (*Ing.* /pendráiv/) *sm.* Pequena unidade de gravação de dados que se acopla ao computador para gravar ou resgatar informações.

pendular¹ (pen.du.lar) *a2g.* Próprio do pêndulo (movimento pendular).

pendular² (pen.du.lar) *v. td. int.* Fazer oscilar ou oscilar como um pêndulo. [▶ **1** pendular]

pêndulo (pên.du.lo) *sm.* Corpo preso a um fio ou haste e que oscila livremente pela ação da gravidade.

pendura (pen.du.ra) *sf. Pop.* Compra fiada.

pendurar (pen.du.rar) *v.* **1** Pôr ou fixar (algo) acima do chão. [*td.* (com ou sem indicação de lugar): *Pendurou a roupa (no varal).*] **2** Suspender-se. [*pr.*: *O menino gosta de pendurar-se nos galhos.*] **3** *Bras.* Penhorar, empenhar. [*td.*: *Desempregado, teve de pendurar as joias.*] **4** *Bras.* Deixar de pagar ou comprar fiado. [*td.*: *Pendurou as compras.*] **5** *Bras.* Não largar, ficar muito tempo em. [*pr.*: *Pendurou-se no telefone horas a fio.*] [▶ **1** pendurar]

penduricalho (pen.du.ri.ca.lho) *sm.* **1** Ornato pendente de cordão ou pulseira; BERLOQUE; PINGENTE. **2** Objeto pendente us. como enfeite.

penedia (pe.ne.di.a) *sf.* Local de muitos penedos.

penedo (pe.ne.do) [ê] *sm.* Ver penha.

peneira (pe.nei.ra) *sf.* Peça ger. redonda com fundo de tela por onde passa somente a matéria fina ali posta.

peneirar (pe.nei.rar) *v. td.* **1** Fazer passar por peneira. **2** *Fig.* Selecionar, escolher: *A firma peneirava os candidatos.* [▶ **1** peneirar] • **pe.nei.ra.ção** *sf.*; **pe.nei.ra.da** *sf.*; **pe.nei.ra.do** *a.*; **pe.nei.ra.men.to** *sm.*

penetra (pe.ne.tra) *s2g.* Pessoa que, sem convite, consegue entrar em festas e cerimônias.

penetração (pe.ne.tra.ção) *sf.* Ação ou resultado de penetrar. [Pl.: -ções.]

penetrante (pe.ne.tran.te) *a2g.* **1** Que penetra, entra em algum lugar. **2** *Fig.* Muito intenso (diz-se de sensações como dor, frio etc.). **3** *Fig.* Com grande alcance e/ou poder de atuação (inteligência penetrante); PERSPICAZ.

penetrar (pe.ne.trar) *v.* **1** Atravessar, entrar, introduzir-se (em). [*td.*: *A bala penetrou a parede. ti.* + *em*: *O contentamento penetrou em seu coração.*] **2** Compreender, perceber, perscrutar. [*td.*: *penetrar suas intenções. ti.* + *em*: *Nunca consegui penetrar nesse mistério.*] **3** Persuadir-se ou compenetrar-se. [*pr.*] [▶ **1** penetrar] • **pe.ne.tra.dor** *a.*; **pe.ne.trá.vel** *a2g.*

penha (pe.nha) *sf.* Rocha grande, isolada e saliente; PENEDO; PENHASCO.

penhasco (pe.nhas.co) *sm.* Ver penha. • **pe.nhas.cal** *sm.*; **pe.nhas.co.so** *a.*

penhasqueira (pe.nhas.quei.ra) *sf.* Sucessão de penhas.

penhoar (pe.nho.ar) *sm.* Roupa feminina de uso caseiro, que se veste sobre as roupas íntimas ou sobre as de dormir; ROBE; PEIGNOIR.

penhor (pe.nhor) [ô] *sm.* Objeto que se dá como garantia de pagamento.

penhora (pe.nho.ra) [ó] *sf.* Apreensão de bens do devedor judicialmente executado que cubram sua dívida.

penhorado (pe.nho.ra.do) *a.* **1** Que foi dado como penhor. **2** Muito agradecido.

penhorar (pe.nho.rar) *v.* **1** Efetuar a penhora de. [*td.*] **2** Dar como penhor ou garantia de empréstimo; EMPENHAR. [*td.*] **3** Tornar ou mostrar-se agradecido ou reconhecido. [*td. pr.*] [▶ **1** penhorar]

peniano (pe.ni.a.no) *a.* **1** Ref. ao pênis. **2** Que é do pênis (artéria peniana).

penicilina (pe.ni.ci.li.na) *sf.* Antibiótico produzido a partir de certos fungos us. contra várias bactérias.

penico (pe.ni.co) *sm. Pop.* Ver urinol. [Cf.: *pinico*.]

peniforme (pe.ni.for.me) *a2g.* Com a forma de pena.

península (pe.nín.su.la) *sf. Geog.* Porção de terra rodeada de água pelos lados exceto um que a une ao continente.

pênis (pê.nis) *sm2n. Anat.* Órgão sexual do macho.

penitência (pe.ni.tên.ci.a) *sf.* **1** Arrependimento, remorso (esp. por pecado cometido). **2** *Rel.* Entre os católicos, sacramento que consiste na declaração voluntária de pecados ao sacerdote e na absolvição do pecador; CONFISSÃO. **3** *Rel.* Na penitência (2), pena que o sacerdote confere ao confessando, ao absolvê-lo dos pecados.

penitenciar (pe.ni.ten.ci.ar) *v.* **1** Impor penitência (a) ou fazer penitência. [*td. pr.*] **2** Expiar, pagar ou lamentar-se de (crime, pecado etc.). [*td. pr.*] [▶ **1** penitenciar] • **pe.ni.ten.ci.a.do** *a.sm.*

penitenciária (pe.ni.ten.ci.á.ri.a) *sf.* Prisão oficial, em que os condenados pela Justiça cumprem sua pena. • **pe.ni.ten.ci.á.rio** *a.*

penitente (pe.ni.ten.te) *a2g.* **1** Arrependido. **2** Com caráter de penitência (caridade penitente). *s2g.* **3** Pessoa arrependida de seus pecados. **4** Pessoa que cumpre uma penitência (3).

penosa (pe.no.sa) *sf. Pop.* Galinha.

penoso (pe.no.so) *a.* **1** Que é causa de dor, sofrimento ou incômodo (tratamento penoso, decisão penosa). **2** Dificultoso, trabalhoso (tarefa penosa). [Fem. e pl.: [ó].]

pensador (pen.sa.*dor*) [ô] *a.sm.* **1** Que ou quem pensa, medita. *sm.* **2** Intelectual que faz (e ger. escreve) meditações profundas sobre temas de interesse humano, social, político, científico, artístico, religioso etc.: *Vale a pena ler as obras dos grandes pensadores*.

pensamento (pen.sa.*men*.to) *sm.* **1** Ação ou resultado de pensar. **2** Capacidade ou faculdade de formular e/ou evocar ideias, juízos, conceitos etc.; REFLEXÃO: *Dedicou seu pensamento às questões sociais de seu tempo.* **3** Cada produto dessa atividade mental; IDEIA: *Reuniu num livro seus pensamentos sobre arte contemporânea.* **4** Linha conceitual característica de um intelectual, de um grupo ou de uma época: *Leu tudo sobre o pensamento grego.* **5** Mente, cabeça, maneira de pensar: *O pensamento dele é conservador.* **6** Expressão resumida de uma ideia em forma de frase: *pensamento do dia*.

pensão (pen.*são*) *sf.* **1** Renda que, por direito, alguém recebe periodicamente de indivíduo ou instituição (pensão alimentícia). **2** Hotel familiar, para hóspedes eventuais ou residentes. **3** Os serviços de restaurante de um hotel incluídos na diária (pensão completa). **4** Fornecimento regular de refeições (ger. almoço), em domicílio ou em pensão (2). [Pl.: *-sões*.] ● **pen.si:o.ná.ri:o** *a.*

pensar (pen.*sar*) *v.* **t.** **1** Elaborar ideias ou raciocínios; refletir, meditar. [*td.*: *pensar um novo método de ensino. ti. + em: pensar num assunto. int.*: *Na Terra, só o ser humano pensa.*] **2** Tencionar, cogitar. [*ti. + em: Penso em estudar espanhol.*] **3** Lembrar-se, recordar-se. [*ti. + em: Vive pensando na terra natal.*] **4** Preocupar-se com. [*ti. + em: Ele pensa em todos os detalhes.*] **5** Julgar, supor. [*td.*: *Pensamos que ele não voltaria.*] [▶ **1** pens[ar] ● **pen.sa.do** *a.*; **pen.san.te** *a2g.*

pensativo (pen.sa.*ti*.vo) *a.* **1** Mergulhado em pensamentos; MEDITATIVO. **2** Característico de quem está envolvido em pensamentos (ar *pensativo*).

pênsil (*pên*.sil) *a2g.* **1** Que pende; SUSPENSO. **2** Diz-se de ponte pênsil (1), cujo tabuleiro é suspenso por cabos de aço, estes pendentes de longos e grossos cabos apoiados em pilastras de grande altura. [Pl.: *-seis*.]

pensionar (pen.si.o.*nar*) *v.* **td.** Dar ou pagar pensão (a). [▶ **1** pensio[nar]

pensionato (pen.si:o.*na*.to) *sm.* **1** Internato. **2** Instituição que aluga apartamentos esp. para idosos ou mulheres solteiras ou viúvas.

pensionista (pen.si:o.*nis*.ta) *s2g.* **1** Pessoa que recebe uma pensão (1). **2** Pessoa que mora em pensionato.

penso (*pen*.so) *sm.* Ver *curativo* (3).

penta¹ (*pen*.ta) *a2g2n.sm2n.* *Bras. Pop.* [F. reduz. de *pentacampeão*.

penta² (*pen*.ta) *a2n.sm2n.* F. reduz. de *pentacampeonato*.

pentacampeão (pen.ta.cam.pe.*ão*) *a.sm.* Que ou quem (esportista, clube, escola de samba etc.) foi campeão cinco vezes de um mesmo campeonato. [Pl.: *-ões*. Fem.: *-ã*. F. red.: *penta*.]

pentacampeonato (pen.ta.cam.pe:o.*na*.to) *sm.* Campeonato vencido pelo mesmo concorrente pela quinta vez, consecutiva ou não. [F. red.: *penta*.]

pentadecágono (pen.ta.de.*cá*.go.no) *sm.* *Geom.* Polígono com 15 ângulos e 15 lados.

pentaedro (pen.ta.*e*.dro) *sm.* *Geom.* Sólido com cinco faces.

pentágono (pen.*tá*.go.no) *sm.* *Geom.* Polígono com cinco lados. ● **pen.ta.go.nal** *a2g.*

pentagrama (pen.ta.*gra*.ma) *sm.* **1** *Mús.* Grupo de cinco linhas retas paralelas e equidistantes onde se escrevem as notações musicais; PAUTA. **2** *Geom.* Figura geométrica regular com a forma de uma estrela de cinco pontas.

pentassílabo (pen.tas.*sí*.la.bo) *Ling.* *a.* **1** Que tem cinco sílabas. *sm.* **2** Vocábulo pentassílabo (1). **3** Pentassílabo (1). ● **pen.tas.si.lá.bi.co** *a.*

Pentateuco (pen.ta.*teu*.co) *sm.* *Rel.* Os cinco primeiros livros do Antigo Testamento, que constituem a Torá judaica.

pentatlo (pen.*ta*.tlo) *sm.* *Esp.* Competição esportiva em que os concorrentes praticam cinco diferentes modalidades atléticas.

pente (*pen*.te) *sm.* **1** Instrumento dentado com que se penteiam, se ajeitam ou se prendem os cabelos. **2** Peça em que se encaixam as balas das armas automáticas e que as carrega à medida que se atira.

penteadeira (pen.te:a.*dei*.ra) *sf.* Móvel que consta de uma mesa estreita com espelho e gavetas, us. pelas mulheres para se pentear e maquiar.

penteado (pen.te.*a*.do) *a.* **1** Que se penteou, que tem os cabelos, pelos, franjas etc. ajeitados e arranjados. *sm.* **2** Arranjo dado aos cabelos.

pentear (pen.te.*ar*) *v.* **td.** **int.** **pr.** Arrumar ou compor com pente ou escova (cabelos de outrem ou de si próprio, pelos, franjas etc.). [▶ **13** pent[ear] ● **pen.te:a.dor** *a.sm*; **pen.te:a.du.ra** *sf.*

pentecostalismo (pen.te.cos.ta.*lis*.mo) *sm.* *Rel.* Movimento religioso nas Igrejas Reformadas e tb. no catolicismo, caracterizado pela busca de uma experiência individual de Deus. ● **pen.te.cos.tal** *a2g.*

Pentecostes (pen.te.*cos*.tes) *sm.* *Rel.* **1** Festa católica que ocorre no sétimo domingo após a Páscoa e que celebra a descida do Espírito Santo sobre os apóstolos. **2** Festa judaica (em hebraico *Shavuot*), sete semanas após a Páscoa, que, além de seu caráter agrícola, celebra o recebimento do Pentateuco (*Torá*) por Moisés, das mãos de Deus.

pente-fino (pen.te-*fi*.no) *sm.* **1** Tipo de pente com dentes finos e muito próximos um do outro. **2** *Fig.* Exame rigoroso, para localizar imperfeições, defeitos etc.: *Vamos passar um pente-fino na empresa.* [Pl.: *pentes-finos*.]

pentelhar (pen.te.*lhar*) *v.td.int.Bras.Vulg.* Chatear, importunar, exasperar. [▶ **1** pentelh[ar]

pentelho (pen.*te*.lho) [ê] *sm.* *Bras.* *Vulg.* **1** Pelo da região pubiana. **2** *Gír.* Pessoa desagradável, maçante.

penugem (pe.*nu*.gem) *sf.* **1** As penas finas e macias que cobrem o corpo das aves, junto à pele. **2** Pelo macio e curto. [Pl.: *-gens*.]

penúltimo (pe.*núl*.ti.mo) *a.sm.* Que ou quem vem imediatamente antes do último.

penumbra (pe.*num*.bra) *sf.* **1** Ponto de transição entre a luz e a sombra. **2** Meia-luz. ● **pe.num.brar** *v.*

penúria (pe.*nú*.ri:a) *sf.* Privação do essencial; pobreza, miséria.

peoa, peona (pe:*o*.a, pe:*o*.na) [ô] *sf.* Fem. de *peão*.

pepineiro (pe.pi.*nei*.ro) *sm.* *Bot.* Planta que dá o pepino.

pepino (pe.*pi*.no) *sm.* **1** Fruto de casca verde, polpa clara, com formato cilíndrico e alongado, comestível na salada ou em conserva. **2** *Gír.* Situação ou problema trabalhoso, embaraçoso ou de difícil solução.

pepita (pe.*pi*.ta) *sf.* Fragmento de metal, esp. ouro.

pepsia (pep.*si*.a) *sf.* *Fisl.* O conjunto dos processos da digestão de alimentos. ● **pép.ti.co** *a.*

pequena (pe.*que*.na) *sf.* **1** *Bras. Pop.* Menina, mocinha: *Essa pequena promete!* **2** *Bras.* Namorada: *Ela é minha pequena desde a escola.* *a.* **3** Fem. de *pequeno* (1 a 4).

pequenez (pe.que.*nez*) [ê] *sf.* Qualidade ou condição de pequeno.

pequeneza (pe.que.*ne*.za) [ê] *sf.* Ver *pequenez*.
pequenino (pe.que.*ni*.no) *a.* **1** Bem pequeno. *sm.* **2** Menino pequeno.
pequeno (pe.*que*.no) *a.* **1** Com área, volume, extensão, tamanho, valor abaixo da média. **2** Não muito intenso (pequeno amor). **3** Vil, reles, mesquinho (pessoa pequena). **4** Modesto (pequeno comerciante). *sm.* **5** Criança, menino. **6** Namorado. ◘ **pequenos** *smpl.* **7** As crianças ou os filhos. **8** As pessoas economicamente desfavorecidas.
pé-quente (pé-*quen*.te) *sm. Bras. Pop.* Pessoa que traz sorte. [Pl.: *pés-quentes*.]
pequerrucho (pe.quer.*ru*.cho) *a.sm.* Que ou quem é muito pequeno ou de pouca idade.
pequi (pe.*qui*) *sm.* **1** *Bot.* Árvore que dá o pequi. **2** Fruto oleoso e aromático muito us. como condimento ou no fabrico de licor nas regiões Centro-Oeste e Nordeste do Brasil.
pequinês (pe.qui.*nês*) *a.* **1** De Pequim, capital da China (Ásia); típico dessa cidade ou de seu povo. *sm.* **2** Pessoa nascida em Pequim. **3** Certa raça de cães felpudos, de pequeno porte. [Pl.: *-neses*. Fem.: *-nesa*.]
per [ê] *prep. Antq.* Ver *por*.
pera (*pe*.ra) *sf.* **1** Fruto com a forma de uma garrafa bojuda, de polpa branca, sumarenta e doce. **2** Barba cultivada abaixo do ponto central do lábio inferior. [Pl.: *peras*.]
peral (pe.*ral*) *sm.* Plantação de pereiras. [Pl.: *-rais*.]
peralta (pe.*ral*.ta) *a2g.* **1** Levado, saliente, travesso. *s2g.* **2** Pessoa afetada no vestir-se e no enfeitar-se. ● **pe**.*ral*.*tar* v.; **pe.ral.*ti*.ce** *sf.*
perambeira (pe.ram.*bei*.ra) *sf.* Ver *precipício*.
perambular (pe.ram.bu.*lar*) *v. int. Bras.* Caminhar sem destino; VAGUEAR. [▶ **1** perambul*ar*]
perante (pe.*ran*.te) *prep.* **1** Na presença de; diante de: *É sempre bem-comportado perante o diretor.* **2** Com relação a: *Perante a lei, todos os homens são iguais*.
pé-rapado (pé-ra.*pa*.do) *sm. Bras.* Pessoa de baixa condição social. [Pl.: *pés-rapados*.]
perau (pe.*rau*) *sm. Bras.* **1** Despenhadeiro, declive áspero que dá para um rio. **2** Depressão, cova ou buraco que subitamente surge no leito de um rio, lago, praia.
percal (per.*cal*) *sm.* Tecido fino de algodão de trama bem fechada. [Pl.: *-cais*.]
percalço (per.*cal*.ço) *sm.* Problema inerente a dada atividade ou estado de coisas.
percalina (per.ca.*li*.na) *sf.* Tecido de algodão leve e lustroso us. para encadernação.
⊕ **per capita** (Lat./ *per cápita* /) *loc. adv.* Por cabeça; por pessoa (renda *per capita*).
perceber (per.ce.*ber*) *v. td.* **1** Conhecer através dos sentidos. **2** Compreender, entender: *Não percebeu o que queríamos dizer.* **3** Dar-se conta de; NOTAR; REPARAR: *Percebi sua insatisfação*. **4** Receber (salário, renda etc.). [▶ **2** perceb*er*] ● **per.ce.*bi*.do** *a.*; **per.ce.bi.*men*.to** *sm.*
percentagem (per.cen.*ta*.gem) *sf.* **1** Parte de um todo expressa na quantidade de centésimos do todo que essa parte abrange; PERCENTUAL. **2** Comissão, gratificação; PERCENTUAL.
percentual (per.cen.tu:*al*) *a2g.* **1** Que se refere a percentagem, em percentagem. **2** Ver *percentagem*. [Pl.: *-ais*.]
percepção (per.cep.*ção*) *sf.* **1** Ação de analisar, diagnosticar, avaliar. **2** Apreensão pelos sentidos. **3** Entendimento: *Só agora teve a percepção da gravidade da situação.* **4** Conscientização: *Já tem a percepção do certo e do errado*. [Pl.: *-ções*.]
perceptível (per.cep.*ti*.vel) *a2g.* **1** Que se pode perceber (sons perceptíveis). **2** Com capacidade de perceber; PERCEPTIVO. [Pl.: *-veis*.]

perceptivo (per.cep.*ti*.vo) *a.* **1** Ref. a percepção (padrão perceptivo). **2** Ver *perceptível* (2).
percevejo (per.ce.*ve*.jo) [ê] *sm.* **1** *Zool.* Inseto voador e sugador. **2** Espécie de prego pequeno us. para fixar papel esp. em quadros de aviso; TACHA.
percha (per.cha) [é] *sf.* Vara us. por atleta no salto em altura.
percorrer (per.cor.*rer*) *v. td.* **1** Andar ou passar ao longo: (seguido ou não de indicação de tempo) *Percorremos todo o litoral uruguaio em dois dias.* **2** Perfazer, completar: (seguido ou não de indicação de tempo) *O corredor percorreu o trajeto (em duas horas).* **3** Passar a vista sobre (algo): *Percorri o livro em busca da data.* [▶ **2** percorr*er*]
percuciente (per.cu.ci:*en*.te) *a2g.* **1** Que percute. **2** Penetrante, profundo (comentário percuciente).
percurso (per.*cur*.so) *sm.* **1** Ação de percorrer. **2** Caminho, trajetória.
percussão (per.cus.*são*) *sf.* **1** Ação ou resultado de percutir. **2** Choque resultante da colisão de dois corpos. **3** *Mús.* Instrumento ou conjunto de instrumentos de percussão (p.ex.: o bongô, o tambor etc.). [Pl.: *-sões*.] ● **per.cus.*si*.vo** *a.*
percutir (per.cu.*tir*) *v.* **1** Tocar ou bater com força. [*td.*] **2** Repercutir. [*int.* (seguido ou não de indicação de lugar): *O estampido percutiu por todo o prédio*.] **3** *Mús.* Extrair som de instrumento de percussão. [*td.*] [▶ **3** percut*ir*] ● **per.cu.*ti*.do** *a.*; **per.cu.ti.*dor*** *a.sm.*; **per.cu.*ti*.vel** *a2g.*
perda (*per*.da) [ê] *sf.* **1** Ação ou resultado de perder. **2** Privação de algo que se possuía: *perda de documentos/uma amizade*. **3** Total destruição: *perda de vidas*. **4** Fim da vida, falecimento: *Não superou a perda da mãe.* **5** O fato de ser derrotado: *A perda do jogo foi uma surpresa*.
perdão (per.*dão*) *sm.* **1** Livramento de pena, ofensa ou dívida; INDULTO. **2** Ação pela qual alguém se livra da obrigação de cumprir um dever por intervenência de quem deveria exigi-lo. *interj.* **3** Expressão us. como pedido de desculpas: *Perdão! Não foi por querer*. [Pl.: *-dões*.]
perdedor (per.de.*dor*) [ô] *a.sm.* **1** Que ou quem é derrotado em uma disputa. *sm.* **2** Quem é frequentemente malsucedido. [Ant. ger.: *vencedor*.]
perde-ganha (per.de-*ga*.nha) *sm2n.* **1** Jogo em que aquele que primeiro perde ou que faz menos pontos é o vencedor. **2** Atividade ou competição em que igualmente se ganha e se perde com facilidade.
perder (per.*der*) *v.* **1** Ficar privado de algo que se tinha ou possuía. [*td.*: *perder um dente*; (tb. seguido de indicação da circunstância em que ocorre a perda) *Eles perderam dinheiro na Bolsa.* *tdi.* + *para*: *O país perdeu parte do território para o inimigo*.] **2** Ficar privado de (alguém), por morte ou separação. [*td.* (seguido ou não de indicação da circunstância em que ocorre a perda): *Ambas perderam o marido na guerra*. *tdi.* + *para*: *Perdeu o namorado para uma colega de faculdade*.] **3** Não chegar a dar à luz (um filho). [*td.*] **4** Emagrecer (certa quantidade de quilos). [*td.*] **5** Esquecer (algo) em algum lugar. [*td.* (seguido ou não de indicação de lugar): *Perdi a chave (na rua).*] **6** Não vencer, sofrer derrota. [*td.*: *perder uma guerra*. *ti.* + *de*, *para*: *O Flamengo não pode perder do Vasco*. *tdi.* + *para*: *O candidato perdeu a eleição para o adversário*.] **7** Deixar de ter ou de sentir, definitiva ou temporariamente. [*td.*: *O nervosismo a fez perder o apetite*.] **8** Não aproveitar, desperdiçar. [*td.*: *perder uma oportunidade*; (tb. seguido de indicação da circunstância em que ocorre a perda) *Ele perde muitas noites de sono em farras*.] **9** Livrar-se de (hábito, vício, defeito etc.). [*td.*] **10** Não estar presente a. [*td.*: *perder uma palestra*.] **11** Não chegar a tempo para. [*td.*: *perder o avião/um encon-*

perdição | perfumaria

tro.] **12** Sofrer dano ou prejuízo. [*int.*: *sair perdendo num negócio.*] **13** Desgraçar-se, perverter-se, prostituir-se. [*pr.*] **14** Extraviar-se. [*pr.*: *Uma ovelha se perdeu.*] **15** Desorientar-se, atrapalhar-se. [*pr.*: *Perdeu-se no meio do discurso.*] [▶ **24** perder] ● per.*di*.vel *a2g*.

perdição (per.di.*ção*) *sf.* **1** Ação ou resultado de perder(-se). **2** Situação de fracasso; desgraça, aniquilamento: *O excesso de confiança foi a sua perdição.* **3** Falta de moral, de honra: *A descoberta dos seus furtos foi a perdição para a família.* **4** *Fig.* Aquilo que é irresistível: *O chocolate é uma perdição.* [Pl.: -*ções.*]

perdido (per.di.do) *a.* **1** Que sumiu ou se extraviou; desaparecido (documento perdido). **2** Que não se pode recuperar (amor perdido). **3** Que não tem salvação; sem esperança: *Apesar dos esforços, o paciente está perdido.* **4** Que tem um comportamento imoral; DEVASSO: *uma mulher perdida.* **5** Que se encontra ou se revela desorientado: *Andava pela casa com o olhar perdido.* **6** Que se encontra em local distante e/ou de difícil acesso: *Mora numa casa perdida no meio do mato.*

perdigão (per.di.gão) *sm. Zool.* O macho da perdiz. [Pl.: -*gões.*]

perdigoto (per.di.*go*.to) [ó] *sm.* **1** O filhote da perdiz. **2** Gota de saliva arremessada no ato da fala. **3** Tipo de chumbinho de caça.

perdigueiro (per.di.*guei*.ro) *a.sm.* Que ou aquele que tem habilidade para caçar perdizes (diz-se de cão).

perdiz (per.*diz*) *sf. Zool.* Ave de pescoço curto, cabeça pequena e plumagem parda, muito apreciada pela sua carne. [Masc.: *perdigão.*]

perdoar (per.do.*ar*) *v.* **1** Conceder(-se) perdão (a); DESCULPAR(-SE). [*td.*: *perdoar uma indelicadeza. til.* + *a*: *perdoar aos inimigos. tdi.* + *a*: *Perdoamos ao rapaz a ofensa. int.*: *Quem sabe perdoar é virtuoso. pr.*: *Ele nunca se perdoou pelo crime.*] **2** Abrir mão do pagamento de (dívida). [*ti./tdi.* + *a*: *Perdoou ao irmão (o pagamento dos 100 reais). int.*: *Agiotas não perdoam.*] [▶ **16** perdoar] [NOTA: É muito comum na linguagem falada e escrita o uso deste verbo com objeto direto de pessoa.] ● per.do.*a*.do *a*.; per.do:*á*.vel *a2g*.

perdulário (per.du.*lá*.ri:o) *a.sm.* Que ou quem gasta demais; ESBANJADOR.

perdurar (per.du.*rar*) *v. int.* Durar muito, subsistir, permanecer. [▶ **1** perdurar] ● per.du.*rá*.vel *a2g*.

pereba (pe.*re*.ba) *sf.* **1** *Bras. Pop.* Lesão cutânea. **2** *Pop.* Ver *escabiose. s2g.* **3** *Pop.* Indivíduo medíocre naquilo que faz, esp. jogador de futebol.

perecedouro (pe.re.ce.*dou*.ro) *a.* Que vai perecer ou chegar ao fim; MORTAL.

perecer (pe.re.*cer*) *v. int.* **1** Deixar de viver; MORRER. **2** Ter fim; ACABAR-SE: *Suas esperanças pereceram.* [▶ **33** perecer] ● pe.re.*ci*.do *a*.; pe.re.ci.*men*.to *sm*.

perecível (pe.re.*cí*.vel) *a2g.* Que está sujeito a perecer (alimento perecível); DETERIORÁVEL. [Pl.: -*veis.*]

peregrinar (pe.re.gri.*nar*) *v. int.* **1** Viajar por terras distantes. **2** Fazer peregrinação ou romaria. [▶ **1** peregrinar] ● pe.re.gri.na.*ção sf*.

peregrino (pe.re.*gri*.no) *a.sm.* **1** Que ou quem peregrina; ROMEIRO. **2** Que ou quem anda ou viaja empreendendo longas jornadas. **3** Que ou quem causa estranheza por onde passa; ESTRANHO; ESTRANGEIRO. **4** Que ou o que tem qualidades raramente vistas; ESPECIAL.

pereira (pe.*rei*.ra) *sf. Bot.* Árvore que dá a pera.

pereiral (pe.rei.*ral*) *sm.* Plantação de pereiras. [Pl.: -*rais.*]

peremptório (pe.remp.*tó*.ri:o) *a.* **1** Que põe termo a algo. **2** Não modificável; DEFINITIVO. ● pe.remp.to.ri:e.*da*.de *sf*.

perene (pe.*re*.ne) *a2g.* **1** Que não termina; ETERNO. **2** Que dura muito tempo. **3** Que não cessa; ININTERRUPTO. ● pe.re.ni.*da*.de *sf.*; pe.re.ni.*zar v*.

perequeté, prequeté (pe.re.que.*té*, pre.que.*tê*) *a2g. Bras. Pop.* Que se veste de maneira elegante, com muitos enfeites.

perereca (pe.re.*re*.ca) *sf. Zool.* Anfíbio anuro, de pele lisa, cor verde ou marrom; RÃ. **2** *Bras. Pop.* A vulva. **3** *Bras. Pop.* Dentadura, prótese ou pivô móveis.

pererecar (pe.re.re.*car*) *v. int. Bras.* **1** Ir de um lado para outro, sem rumo: *A bola pererecou na área, e ninguém chutou.* **2** Dar saltos (pião, bola, jogador): *O jogador pererecava, fugindo do marcador.* [▶ **11** pererecar]

perfazer (per.fa.*zer*) *v. td.* **1** Atingir o total de (número, quantidade, quantia); TOTALIZAR. **2** Concluir, completar: *perfazer um trajeto.* **3** Executar, realizar: *A ginasta perfez duas piruetas no ar.* [▶ **22** perfazer. Part.: *perfeito.*]

perfeccionismo (per.fec.ci:o.*nis*.mo) *sm.* **1** Atitude exagerada de fazer as coisas com perfeição. **2** Doutrina que prega a busca da perfeição a partir de um modelo preconcebido. ● per.fec.ci:o.*nis*.ta *a2g.s2g*.

perfectível (per.fec.*ti*.vel) *a2g.* Que pode ser aperfeiçoado ou atingir a perfeição. [Pl.: -*veis.*] ● per.fec.ti.bi.li.*da*.de *sf*.

perfeição (per.fei.*ção*) *sf.* **1** O nível mais alto que se pode conceber (perfeição divina). **2** O mais alto grau de excelência numa atividade ou trabalho; PRIMOR: *O seu trabalho de pintura é uma perfeição.* **3** O máximo de virtude ou bondade: *perfeição de caráter.* [Pl.: -*ções.*]

perfeito (per.*fei*.to) *a.* **1** Que possui todas as qualidades imagináveis: *Deus é o único ser perfeito.* **2** Feito ou executado sem defeito algum (construção perfeita, almoço perfeito); EXCELENTE. **3** Que atingiu o nível mais alto que se pode conceber (amor perfeito, músico perfeito). **4** *Gram.* Diz-se de tempo verbal que exprime ação ou estado já concluído em relação a uma determinada época.

perfídia (per.*fi*.di:a) *sf.* Ação ou característica de pérfido; DESLEALDADE.

pérfido (*pér*.fi.do) *a.* **1** Que age com perfídia (atitude pérfida); DESLEAL. **2** Que trai a fé jurada; INFIEL.

perfil (per.*fil*) *sm.* **1** Contorno do rosto visto de lado. **2** O delineamento de um objeto ou de uma figura visto de um dos lados: *perfil do edifício.* **3** Descrição ou informação acerca das características de alguém: *A polícia já tem o perfil do assassino.* [Pl.: -*fis.*]

perfilar (per.fi.*lar*) *v.* **1** Traçar ou desenhar o perfil de. [*td.*] **2** Pôr (soldados) em linha. [*td.*] **3** Aprumar(-se), endireitar. [*td.*: *perfilar o corpo. pr.*: *Perfilou-se diante do capitão.*] [▶ **1** perfilar]

perfilação (per.fi.la.*ção*) *sf.* per.fi.*la*.do *a*.

perfilhar (per.fi.*lhar*) *v. td.* **1** Reconhecer legalmente como filho. **2** *Fig.* Abraçar (ideia, teoria etc.). [▶ **1** perfilhar] ● per.fi.lha.*ção sf.*; per.fi.*lha*.do *a*.; per.fi.lha.*men*.to *sm*.

⊕ **performance** (Ing. /perfórmans/) *sf.* **1** Execução de uma atividade ou trabalho: *a performance do guitarrista foi o ponto alto do espetáculo.* **2** Evento ger. improvisado que um(s) artista(s) se apresenta(m) por conta própria. ● per.for.*má*.ti.co *a*.

perfumar (per.fu.*mar*) *v.* **1** Pôr perfume em. [*td. pr.*] **2** Espalhar perfume, cheiro agradável por. [*td.*: *As flores perfumam sua casa.*] [▶ **1** perfumar] ● per.fu.*ma*.do *a*.; per.fu.ma.*dor sm*.

perfumaria (per.fu.ma.*ri*.a) *sf.* **1** Local onde se fabrica ou se vende perfume. **2** Conjunto ou coleção de perfumes. **3** *Bras. Pop.* Coisa desnecessária, superficial: *Numa festa o que importa são os convidados, o resto é perfumaria.*

perfume (per.*fu*.me) *sm.* **1** Odor agradável que alguns corpos, esp. as flores, exalam: *o perfume da rosa.* **2** Preparado ger. líquido, feito de substâncias aromáticas, us. para perfumar a pele, as roupas etc.
• per.fu.*mo*.so *a.*

perfumista (per.fu.*mis*.ta) *s2g.* Aquele que fabrica e/ou vende perfumes.

perfunctório, perfuntório (per.func.*tó*.ri:o, per.fun.*tó*.ri:o) *a.* Que se faz para cumprir uma rotina, mesmo que sem utilidade ou necessidade.

perfuradora (per.fu.ra.*do*.ra) [ô] *sf. Bras.* **1** Máquina dotada de broca para perfurar o solo; PERFURATRIZ. **2** Dispositivo destinado a perfurar cartões, fichas etc.

perfurar (per.fu.*rar*) *v. td.* **1** Fazer furo(s) em; FURAR. **2** Cavar, escavar: *perfurar poços de petróleo.* [▶ **1** perfur*ar*] • per.fu.ra.*ção* *sf.*; per.fu.*ra*.do *a.*; per.fu.ra.*dor* *a.sm.*; per.fu.*ran*.te *a2g.*

perfuratriz (per.fu.ra.*triz*) *sf.* Ver *perfuradora* (1).

pergaminho (per.ga.*mi*.nho) *sm.* **1** Pele de cabra ou ovelha preparada para nela se escrever. **2** Manuscrito ou documento feito com essa pele.

pérgula (*pér*.gu.la) *sf. Arq.* Estrutura construída com um teto vazado, que serve de galeria ou passeio, coberta de barrotes sustentados por pilares, ger. enfeitada com trepadeiras.

pergunta (per.*gun*.ta) *sf.* **1** Palavra ou frase que se usa para interrogar. **2** Questão que se coloca para ser respondida ou resolvida: *As perguntas da prova estavam difíceis.*

perguntar (per.gun.*tar*) *v.* Fazer pergunta(s); INDAGAR. [*td.:* Perguntei *se podia entrar.* *ti.* + *por, sobre:* Perguntou *pelo irmão.* *tdi.* + *a:* Perguntou ao *viajante sua nacionalidade.* *int.: Ainda não passou da fase de* perguntar, *pr.: Eu me* perguntava *se a decisão era correta.*] [▶ **1** perguntar] • per.gun.*ta*.do *a.*; per.gun.ta.*dor* *a.sm.*

perianto (pe.ri.*an*.to) *sm. Bot.* Conjunto de envoltórios, cálice e corola, que protegem os órgãos reprodutores da flor.

periastro (pe.ri.*as*.tro) *sm. Astron.* Ponto orbital mais próximo de um astro em relação a outro em torno do qual gravita.

pericárdio (pe.ri.*cár*.di.o) *sm. Anat.* Membrana que envolve o coração. • pe.ri.*cár*.di.co *a.*

pericardite (pe.ri.car.*di*.te) *sf. Med.* Inflamação do pericárdio.

pericarpo (pe.ri.*car*.po) *sm. Bot.* O fruto, com exceção das sementes.

perícia (pe.*rí*.ci.a) *sf.* **1** Qualidade de perito. **2** Característica de quem possui habilidade; DESTREZA: *O piloto demonstrou* perícia *ao evitar o acidente.* **3** Exame ou vistoria especializada: *Foi feita uma* perícia *no automóvel.* **4** Quem faz esse exame ou vistoria: *A* perícia *não constatou nenhuma irregularidade.* • pe.ri.ci.*al* *a2g.*

periclitar (pe.ri.cli.*tar*) *v. int.* Ver *perigar*. [▶ **1** periclitar] • pe.ri.cli.*tan*.te *a2g.*

periculosidade (pe.ri.cu.lo.si.*da*.de) *sf.* **1** Qualidade ou condição de perigoso: *esporte de alta* periculosidade. **2** *Jur.* Inclinação ou propensão para o mal ou para o crime: *um criminoso de grande* periculosidade.

peridural (pe.ri.du.*ral*) *a.* **1** *Anat.* Que se localiza em torno da dura-máter (região peridural). **2** *Med.* Diz-se de anestesia em que o anestésico é introduzido na região peridural. [Pl.: *-rais*.]

periecos (pe.ri.*e*.cos) *smpl. Astron.* Indivíduos que vivem no mesmo paralelo de latitude, mas em longitudes cuja diferença de horário é de 12 horas.

periélio (pe.ri.*é*.li:o) *sm. Astron.* Ponto em que um astro, ao descrever a sua órbita, se encontra mais próximo do Sol. [Cf.: *afélio.*]

periferia (pe.ri.fe.*ri*.a) *sf.* **1** Linha, imaginária ou não, que delimita um lugar, um corpo ou uma superfície; CONTORNO; PERÍMETRO: *periferia de um círculo/de um município.* **2** *Fig.* Condição ou localização do que está em volta, próximo, na vizinhança de algo, e não no âmago: *Na análise da questão, ficou só na* periferia. **3** *Bras.* Região afastada do centro urbano de uma cidade.

periférico (pe.ri.*fé*.ri.co) *a.* **1** Ref. a ou situado na periferia. *sm.* **2** *Inf.* Equipamento que não faz parte dos componentes centrais de processamento de um computador, mas que se acopla a ele para complementar e otimizar suas funções (p. ex.: a impressora).

perífrase (pe.*rí*.fra.se) *sf.* Uso de quantidade excessiva de palavras para exprimir o que poderia ser dito com poucas palavras.

perifrasear (pe.ri.fra.se.*ar*) *v.* Expressar(-se) por meio de perífrase(s), recorrer a perífrases: [*td.:* perifrasear *uma explicação.* *int.: Esse tem a mania de* perifrasear.] [▶ **13** perifrasear]

perigar (pe.ri.*gar*) *v. int.* Correr perigo; PERICLITAR: *Sua vida* perigava. [▶ **14** perigar]

perigeu (pe.ri.*geu*) *sm. Astron.* Ponto em que um astro, ao descrever a sua órbita, se encontra mais próximo da Terra. [Cf.: *apogeu.*]

perigo (pe.*ri*.go) *sm.* **1** Situação de risco ou ameaça para alguém ou alguma coisa: *Corria demais na estrada, pondo sua vida em* perigo. **2** O que provoca ou pode provocar essa situação: *Não usar cinto de segurança é um* perigo. ■ A ~ *Gír.* **1** Sem dinheiro. **2** Em situação difícil.

perigônio (pe.ri.*gô*.ni:o) *sm. Bot.* Verticilo protetor da flor, formado por um ou mais círculos de peças iguais, chamadas tépalas.

perigoso (pe.ri.*go*.so) [ô] *a.* **1** Que expõe ao, ou em há perigo (esporte perigoso); ARRISCADO. [Ant.: *seguro.*] **2** Diz-se de alguém (esp. de criminoso) que apresenta grande periculosidade (2). [Fem. e pl.: [ó].]

perimetria (pe.ri.me.*tri*.a) *sf. Geom.* Medição de perímetro.

perímetro (pe.*rí*.me.tro) *sm.* **1** *Geom.* Linha que contorna e limita uma figura ou superfície geométrica: *perímetro da face de um cubo.* **2** *Geom.* A medida dessa linha: *O perímetro deste retângulo é de 14cm.* **3** Linha que delimita uma área qualquer (perímetro urbano); PERIFERIA. • pe.ri.me.*tral* *a2g.*; pe.ri.*mé*.tri.co *a.*

períneo (pe.*rí*.ne:o) *sm. Anat.* Região localizada entre os órgãos genitais e o ânus.

periódico (pe.ri.*ó*.di.co) *a.* **1** Ref. a período. **2** Que ocorre ou aparece em intervalos regulares: *Tinha acessos* periódicos *de tosse.* **3** Diz-se de publicação, esp. jornal, que é colocada em circulação em intervalos regulares. *sm.* **4** Essa publicação: *Assinava vários* periódicos. • pe.ri.o.di.ci.*da*.de *sf.*

periodismo (pe.ri.o.*dis*.mo) *sm.* **1** Estado ou condição do que está submetido a intervalos ou movimentos periódicos: *Estudou o* periodismo *dos fenômenos astronômicos.* **2** Atividade ou função do jornalista.

periodista (pe.ri.o.*dis*.ta) *s2g.* Jornalista que escreve em periódicos (3).

período (pe.*rí*.o.do) *sm.* **1** Qualquer intervalo de tempo: *período de internação.* **2** Tempo transcorrido entre duas datas ou fatos tomados como referência: *o período entre as duas grandes guerras.* **3** Espaço de tempo que se define por determinados acontecimentos ou características (período colonial). **4** *Geol.* Cada um dos intervalos de tempo em que se dividem as eras geológicas (período mesozoico). **5** *Gram.* Oração ou grupo de orações de sentido completo.

periodontia (pe.ri.o.don.*ti*.a) *sf. Od.* Especialidade da odontologia que estuda os tecidos próximos aos dentes (p.ex., as gengivas), as afecções que os atingem e seu tratamento. ● **pe.ri:o.don.tis.ta** s2g.

periodontite (pe.ri:o.don.*tí*.te) sf. Od. Infecção e/ou inflamação do periodonto.

periodonto (pe.ri:o.*don*.to) sm. Od. Conjunto de tecidos que fixa os dentes nos alvéolos.

periosteíte (pe.ri:os.te.*í*.te) sf. Pat. Inflamação do periósteo.

periósteo (pe.ri.*ós*.te:o) sm. Anat. Membrana conjuntiva que reveste os ossos.

peripécia (pe.ri.*pé*.ci:a) sf. Incidente, fato imprevisto, aventura: *as peripécias da viagem*.

périplo (*pé*.ri.plo) sm. **1** Viagem (esp. navegação) em torno de um continente, país ou região. **2** Fig. Longa viagem.

periquito (pe.ri.*qui*.to) sm. Bras. Zool. Nome dado a diversas aves de variada coloração, com predomínio do verde, ger. originárias de países tropicais.

periscópio (pe.ris.*có*.pi:o) sm. Dispositivo óptico que, por meio de espelhos, permite enxergar por cima de obstáculos, us. esp. em submarinos para observação de objetos acima da superfície da água.

peristaltismo (pe.ris.tal.tis.mo) sm. Fisl. Med. Movimento de contração muscular dos órgãos ocos, que impele o seu conteúdo, em certos casos (fezes, urina) eliminando-o; PERISTALSE. ● **pe.ris.***tál***.ti.co** a.

peristilo (pe.ris.*ti*.lo) sm. Conjunto de colunas em volta ou em frente de um pátio, de um prédio.

perito (pe.*ri*.to) a.sm. **1** Que ou quem é especialista em algo (contador perito): *perito em lexicografia*. **2** Que ou quem adquiriu habilidade no conhecimento em alguma atividade: *perito em arrumar malas*. **3** Jur. Que ou quem é nomeado pela justiça para fazer perícia.

peritônio (pe.ri.*tô*.ni:o) sm. Anat. Membrana que reveste as paredes internas do abdome e as externas dos órgãos digestivos. ● **pe.ri.to.ne:***al*** a2g.

peritonite (pe.ri.to.*ni*.te) sf. Pat. Inflamação do peritônio.

perjurar (per.ju.*rar*) v. **1** Renunciar a (crença, fé, opinião etc.); ABJURAR. [*td*.] **2** Jurar falso. [*int*. (seguido ou não de indicação de lugar): *Ele perjurou (perante o tribunal)*.] [▶ **1** perjur*ar*]

perjúrio (per.*jú*.ri:o) sm. Falso juramento.

perjuro (per.*ju*.ro) a.sm. Que ou quem perjura.

perlongar (per.lon.*gar*) v. td. Estender-se ao longo de. [▶ **14** perlong*ar*]

perlustrar (per.lus.*trar*) v. td. Percorrer com os olhos; OBSERVAR. [▶ **1** perlustr*ar*] ● **per.lus.tra.***ção*** sf.; **per.lus.***tra***.do a.

permanecer (per.ma.ne.*cer*) v. **1** Conservar-se, subsistir, continuar. [*int*.: *Suas lições permanecem até hoje*. *Ele (do antigo grupo, só ele permanece vivo*.] **2** Manter-se em determinado lugar por certo tempo. [*int*.] **3** Persistir, perseverar. [*ti*. + em: *Permaneceu em seus princípios até o fim*.] [▶ **33** permane*cer*]

permanência (per.ma.*nên*.ci:a) sf. **1** Ação ou resultado de permanecer; ESTADA: *Sua permanência no emprego não está garantida*. **2** Característica ou condição de permanente: *A permanência da dor de dente é exasperante*.

permanente (per.ma.*nen*.te) a2g. **1** Que permanece (acordo permanente); DURADOURO. **2** Que é ininterrupto; CONSTANTE: *Exibia um permanente sorriso*. s2g. **3** Bras. Ondulação feita artificialmente nos cabelos, para durar um certo tempo.

permanganato (per.man.ga.*na*.to) sm. Quím. Qualquer sal ou éster com o ânion MnO_4^-.

permeabilizar (per.me:a.bi.li.*zar*) v. td. pr. Tornar(-se) permeável. [▶ **1** permeabiliz*ar*]

permear (per.me.*ar*) v. **1** Fazer passar ou passar através de, pelo meio de; ATRAVESSAR. [*td*.: *Sons vagos permeavam o silêncio*. *tdi*. + com, de: *Permeou suas orelhas com argolas douradas*.] **2** Passar, ocorrer, estar presente ao longo de. [*td*.: "...a escravidão passou 300 anos a permear a sociedade brasileira." (Joaquim Nabuco, *O abolicionismo*).] **3** Estar de permeio. [*td*.: *Nem vinte anos permeiam as duas guerras*.] **4** Colocar de permeio. [*tdi*. + de, com: *Permearam de pedras os espaços entre os jardins*.] [▶ **13** perme*ar*]

permeável (per.me.*á*.vel) a2g. **1** Diz-se de corpos ou substâncias que deixam passar outros por entre seus poros ou interstícios (tecido permeável, membrana permeável). **2** Fig. Que se deixa induzir por algo: *Ele é um político permeável a pressões*. [Ant. ger.: *impermeável*.] [PL.: *-veis*.] ● **per.me.a.***bi***.li.***da***.de sf.

permeio (per.*mei*.o) adv. Us. na loc. **De ~ 1** Entre; em situação intermediária: *Estavam perto um do outro, mas havia uma parede de permeio*. **2** No meio de; em mistura com: *Recebeu também uma advertência, de permeio com os elogios*. **3** Nesse ínterim: *Estudou muito e, de permeio, lanchou*.

permiano (per.mi:a.no) Geol. a. **1** Diz-se de período geológico entre o triássico e o carbonífero. sm. **2** Esse período. [Nesta ac. com inicial maiúsc.]

permissão (per.mis.*são*) sf. Ação ou resultado de permitir; AUTORIZAÇÃO; CONSENTIMENTO. [Ant.: *proibição*.] [PL.: *-sões*.]

permissível (per.mis.*sí*.vel) a2g. Que pode ser permitido; ADMISSÍVEL; TOLERÁVEL. [PL.: *-veis*.] ● **per.mis.***si***.bi.li.***da***.de sf.

permissivo (per.mis.*si*.vo) a. Que permite com facilidade: *Os pais não devem ser permissivos demais*. ● **per.mis.***si***.vi.***da***.de sf.

permitir (per.mi.*tir*) v. **1** Dar liberdade, poder ou consentimento para. [*td*.: *A instituição não permite fumar em suas dependências*. *tdi*. + a: *Permitiu aos alunos um descanso*.] **2** Tomar a liberdade de. [*pr*.: *Permitimo-nos tecer algumas críticas à tese*.] **3** Admitir, tolerar. [*td*.: *O caso não permite vacilações*.] **4** Dar ocasião a; POSSIBILITAR. [*td*.: *A coragem dos soldados permitiu a vitória*.] [▶ **3** permit*ir*] ● **per.mi.***ti***.do a.

permuta (per.*mu*.ta) sf. Ação ou resultado de permutar; TROCA.

permutar (per.mu.*tar*) v. td. Dar reciprocamente; TROCAR: *permutar mercadorias*. [▶ **1** permut*ar*] ● **per.mu.ta.***ção*** sf.; **per.mu.***tá***.vel a2g.; **per.mu.ta.***bi***.li.***da***.de sf.

perna (*per*.na) sf. **1** Anat. Cada um dos membros inferiores do ser humano. **2** Anat. Parte de cada um dos membros inferiores entre o joelho e o tornozelo. **3** Anat. Zool. Cada um dos membros locomotores de diversos animais. **4** Qualquer haste que serve de apoio a diversos objetos: *pernas da mesa/da cadeira*. **5** Haste de letra: *Desenhe as três pernas do 'm'*. ⁜ **Bater ~s** Fam. Andar à toa, por andar. **Passar a ~** Enganar, lograr.

pernada (per.*na*.da) sf. **1** Passo grande: *O ladrão fugiu a grandes pernadas*. **2** Pancada com a perna; PONTAPÉ. **3** Bras. Rasteira.

perna de pau (per.na de pau) Bras. Pop. s2g. **1** Ver *perneta* (1). **2** Pej. Jogador de futebol sem habilidade. [PL.: *pernas de pau*.]

pernalta (per.*nal*.ta) a2g. Que tem pernas compridas.

pernambucano (per.nam.bu.*ca*.no) a. **1** De Pernambuco; típico desse estado ou de seu povo. sm. **2** Pessoa nascida em Pernambuco.

perneira (per.*nei*.ra) sf. Conjunto de peças, ger. de couro, que protegem as pernas.

perneta (per.*ne*.ta) [ê] *s2g*. **1** *Bras.* Pessoa que não tem uma das pernas ou que tem uma delas defeituosa. *sf.* **2** Perna pequena.

pernicioso (per.ni.ci:o.so) [ô] *a.* Que pode causar dano moral, intelectual etc.; MALÉFICO; NOCIVO: *Afaste as crianças das influências perniciosas.* [Ant.: *benéfico.*] [Fem. e pl.: [ó].]

pernil (per.*nil*) *sm.* Coxa de porco ou de outros quadrúpedes comestíveis. [Pl.: *-nis.*]

pernilongo (per.ni.*lon*.go) *sm. Zool.* Mosquito de pernas compridas.

pernoitar (per.noi.*tar*) *v. int.* Passar a noite em, ger. para dormir. [▶ **1** pernoit*ar*]

pernoite (per.*noi*.te) *sm. Bras.* Ação ou resultado de pernoitar.

pernóstico (per.*nós*.ti.co) *a.sm.* Que ou quem costuma usar palavras difíceis para aparentar erudição; PEDANTE.

peroba (pe.*ro*.ba) *sf. Bras. Bot.* Árvore cuja madeira é us. em marcenaria e construção.

pérola (*pé*.ro.la) *sf.* **1** Bolinha esbranquiçada e lustrosa que se forma no interior da concha de uma ostra, e que se usa em joias: *colar de pérolas.* *sm.* **2** A cor da pérola (1). *a2g2n.* **3** Que é dessa cor (vestidos pérola).

perolar (pe.ro.*lar*) *v. td.* Dar forma, cor, aparência de pérola a. [▶ **1** perol*ar*] ● **pe.ro.***la*.do *a.*

perônio (pe.*rô*.ni:o) *sm. Anat.* Ver *fíbula*.

peroração (pe.ro.ra.*ção*) *sf.* Conclusão de um discurso; EPÍLOGO. [Pl.: *-ções.*]

perorar (pe.ro.*rar*) *v.* **1** Pronunciar-se (a favor de). [*td.*: *perorar uma causa.* *ti.* + *a, em*: *Perorou em favor do acusado.*] **2** Finalizar um discurso. [*int.*] [▶ **1** peror*ar*]

perpassar (per.pas.*sar*) *v.* **1** Passar ao longo ou perto de. [*td.*: *Um arrepio o perpassou;* (tb. seguido de indicação de lugar) *Perpassou o olhar pelo jardim.*] **2** Correr, decorrer. [*lig.*: *Os dias perpassam serenos.*] **3** Deslizar sobre, ou roçar por. [*td.* (seguido de indicação de lugar): *Perpassei delicadamente a mão por seus cabelos.* *int.* (seguido de indicação de lugar): *Uma brisa perpassava pelas ramagens.*] [▶ **1** perpass*ar*]

perpendicular (per.pen.di.cu.*lar*) *Geom. a2g.* **1** Que forma um ângulo reto com outra linha ou plano. *sf.* **2** Linha perpendicular (1). ● **per.pen.di.cu.la.***ri*.*da*.de *sf.*

perpetrar (per.pe.*trar*) *v. td.* Cometer (crime ou qualquer outro ato condenável). [▶ **1** perpetr*ar*] ● **per.pe.tra.***ção* *sf.*; **per.pe.***tra*.do *a.*; **per.pe.***tra*.dor *a.sm.*

perpétua (per.*pé*.tu.a) *sf.* **1** *Bot.* Planta cujas flores duram muito. **2** Flor dessa planta.

perpetuar (per.pe.tu.*ar*) *v.* **1** Tornar(-se) perpétuo, permanente, duradouro. [*td.*: *O tempo perpetuou sua memória;* (tb. seguido de indicação de lugar) *Quer perpetuá-lo no poder.* *pr.*: *Nenhuma vida se perpetua na Terra.*] **2** Manter(-se) (espécie animal) por reprodução. [*td. pr.*] [▶ **1** perpetu*ar*] ● **per.pe.tu:a.***ção* *sf.*; **per.pe.***tu*.a.do *a.*; **per.pe.***tu*.a.dor *a.sm.*

perpétuo (per.*pé*.tu:o) *a.* **1** Que não tem fim; PERENE. **2** Que dura a vida toda (diz-se de cargo ou função); VITALÍCIO.

perplexo (per.*ple*.xo) [cs] *a.* Sem reação diante de uma situação inesperada; ATÔNITO. ● **per.ple.***xi*.*da*.de *sf.*

perquirir (per.qui.*rir*) *v. td.* Esquadrinhar, perscrutar. [▶ **3** perquir*ir*] ● **per.qui.ri.***ção* *sf.*

perrengue (per.*ren*.gue) *sm.* **1** *Bras. Gír.* Situação difícil de resolver. *a2g.s2g.* **2** Que ou quem é medroso. **3** Que ou que (animal ou pessoa) manca.

perro (*pe*.ro) [ê] *a.* **1** *Fig.* Difícil de mover; EMPERRADO. *sm.* **2** Cachorro.

persa (*per*.sa) *a2g.* **1** Da antiga Pérsia, atual Irã (Ásia); típico desse país ou de seu povo; PÉRSICO. *s2g.*
2 Pessoa nascida na Pérsia. *a.sm.* **3** *Gloss.* Da, ref. à ou a língua falada na Pérsia.

perscrutar (pers.cru.*tar*) *v. td.* Examinar ou investigar a fundo; PERQUIRIR. [▶ **1** perscrut*ar*] ● **pers.cru.ta.***ção* *sf.*; **pers.cru.***ta*.do *a.*; **pers.cru.***ta*.dor *a.sm.*; **pers.cru.***tá*.vel *a2g.*

perseguição (per.se.cu.*ção*) *sf.* **1** Ação de perseguir, de ir ao encalço de: *a perseguição de criminosos que atuam na internet.* **2** Esforço para alcançar (um objetivo, ideais). [Pl.: *-ções.*]

persecutório (per.se.cu.*tó*.ri:o) *a.* **1** Ref. à perseguição; que implica perseguição. **2** *Psiq.* Em que a pessoa se imagina vítima de perseguição: *alucinações de caráter persecutório.*

perseguição (per.se.gui.*ção*) *sf.* **1** Ação de perseguir, de ir ao encalço de: *Não escapou da perseguição policial.* **2** Tratamento injusto, hostil: *Perseguições racistas são abomináveis.* [Pl.: *-ções.*]

perseguir (per.se.*guir*) *v. td.* **1** Ir no encalço de; correr atrás de: *A fã perseguiu o carro do ídolo.* **2** Tratar com hostilidade e/ou injustamente: *O chefe o persegue.* **3** Importunar, incomodar: *O burrinho dessa obra me persegue o dia todo.* **4** Procurar alcançar, realizar ou obter: *perseguir uma meta.* [▶ **55** perseguir]

perseverar (per.se.ve.*rar*) *v.* **1** Continuar esforçando-se para alcançar; INSISTIR. [*ti.* + *em*: *perseverar num objetivo.* *int.*: *Nunca foi de desistir, sempre perseverou.*] **2** Continuar a fazer (algo negativo). [*ti.* + *em*: *perseverar numa má estratégia.*] **3** Continuar a acontecer, a existir. [*int.*: *A seca perseverou, meses a fio.*] [Sin. ger.: *persistir.*] [▶ **1** persever*ar*] ● **per.se.ve.***ran*.ça *sf.*; **per.se.ve.***ran*.te *a2g.*

persiana (per.si:*a*.na) *sf.* **1** Esquadria com pequenas tábuas que se coloca por fora das janelas, ger. em pares, para regular a passagem da luz e impedir que o interior da casa fique devassado. **2** Cortina feita de lâminas móveis, de metal ou madeira, que permitem regular a passagem da luz.

pérsico (*pér*.si.co) *a.* Ver *persa* (1).

persignar-se (per.sig.*nar*-se) *v. pr.* Fazer com o polegar três sinais em cruz, na testa, na boca e no peito. [▶ **1** persign*ar*-se] ● **per.sig.na.***ção* *sf.*; **per.sig.***na*.do *a.*

persistente (per.sis.*ten*.te) *a2g.* **1** Que persiste (pessoa *persistente*). **2** Que perdura (dor *persistente*); CONSTANTE. ● **per.sis.***tên*.ci:a *sf.*

persistir (per.sis.*tir*) *v.* **1** Continuar empenhando-se; INSISTIR. [*ti.* + *em*: *Ela decidiu persistir nessa carreira.* *int.*: *Persistir é próprio dos fortes.*] **2** Continuar a fazer (algo negativo), a ser ou ficar. [*ti.* + *em*: *Persistir num erro é burrice.*] **3** Continuar a existir, a acontecer. [*int.*: *Se a dor persistir, você deve voltar ao médico.*] [Sin. ger.: *perseverar.*] [▶ **3** persist*ir*]

personagem (per.so.*na*.gem) *s2g.* **1** Cada um dos papéis representados numa peça de teatro, num filme, numa novela. **2** Figura fictícia de uma obra literária. **3** Pessoa de prestígio social. [Pl.: *-gens.*]

⊕ ***persona grata*** (Lat. /*pèrsòna grata*/) *loc.subst.* Pessoa que é bem recebida por alguém ou alguma instituição. [Pl.: *personae gratae.*] [Cf.: *persona non grata.*]

personalidade (per.so.na.li.*da*.de) *sf.* **1** Conjunto de qualidades pelas quais uma pessoa se diferencia das outras. **2** Pessoa de destaque social, cultural ou profissional.

personalismo (per.so.na.*lis*.mo) *sm.* **1** Qualidade do que é pessoal. **2** Tendência a impor os critérios ou as vontades pessoais. ● **per.so.na.***lis*.ta *a2g.s2g.*

personalizar (per.so.na.li.*zar*) *v. td.* **1** Tornar exclusivo de uma pessoa; tornar mais pessoal: *personalizar um serviço.* **2** Conferir qualidades de pessoa a; PERSONIFICAR; PESSOALIZAR. [▶ **1** personaliz*ar*] ● **per.**

so.na.li.za.ção *sf.*; **per.so.na.li.za.do** *a.* (atendimento personalizado).

⊕ **personal trainer** (*Ing. /pèrsonal trêiner/*) *loc. subst.* Profissional que planeja e executa um programa de educação física diretamente com o cliente.

⊕ **persona non grata** (*Lat. /persòna non grata/*) *loc. subst.* Pessoa que não é bem-vinda, que não se recebe com plena satisfação. [Pl.: *personae non gratae.*] [Cf.: *persona grata.*]

personificação (per.so.ni.fi.ca.ção) *sf. Ling.* Atribuição de traços humanos a animais e coisas; PROSOPOPEIA. [Pl.: -*ções.*]

personificar (per.so.ni.fi.*car*) *v.* **1** Atribuir caráter de pessoa a; PERSONALIZAR. [*td.*: *Os índios personificam os elementos da natureza.*] **2** Ser ou tornar a personificação, a representação de. [*td.*: *D. Quixote personifica a honradez.* **tdi.** + *em*: *Personificou no protagonista a maldade.*] [▶ **11** personificar] ● **per.so.ni.fi.ca.do** *a.*

perspectiva, perspetiva (pers.pec.*ti*.va, pers.pe.*ti*.va) *sf.* **1** *Art.Pl.* Técnica de representar objetos tridimensionais sobre uma superfície plana. **2** Aquilo que o olhar alcança a partir de um determinado lugar; PANORAMA. **3** Maneira de considerar uma situação, um problema, a representação de. **4** Probabilidade de desenvolvimento, de melhoria etc.: *O novo emprego oferece ótimas perspectivas.*

perspicaz (pers.pi.*caz*) *a2g.* **1** Que percebe ou compreende imediatamente o que se passa ao redor; ESPERTO; SAGAZ. **2** Que demonstra observação atenta e compreensão sutil (de um fato, uma situação) (crítica perspicaz). [Superl.: *perspicacíssimo.*] ● **pers.pi.cá.ci.a** *sf.*

perspícuo (pers.*pí*.cu:o) *a.* Que se pode ver bem; NÍTIDO; CLARO. ● **pers.pi.cu.i.***da***.de** *sf.*

perspirar (pers.pi.*rar*) *v. int.* Transpirar, suar. [▶ **1** perspirar] ● **pers.pi.ra.***ção*** *sf.*; **pers.pi.ra.***tó***.ri:o** *a.*

persuadir (per.su:a.*dir*) *v.* Levar (alguém ou a si mesmo) a acreditar, aceitar ou decidir; CONVENCER(-SE). [*td.*: *Ele sempre consegue persuadir a irmã.* **tdi.** + *a, de*: *Persuadiu meu pai de que eu tinha razão.* **pr.**: *Persuadiu-se enfim a aceitar o acordo.*] [▶ **3** persuadir] ● **per.su:a.***di***.do** *a.*; **per.su:a.***dí***.vel** *a2g.*; **per.su:a.***si***.va** *sf.*

persuasão (per.su:a.*são*) *sf.* **1** Ação ou resultado de persuadir(-se). **2** Capacidade de convencer. [Pl.: -*sões.*]

persuasivo (per.su:a.*si*.vo) *a.* Que tem poder de persuasão (oradora persuasiva, discurso persuasivo); CONVINCENTE.

persuasório (per.su:a.*só*.ri:o) *a.* O m.q. *persuasivo.*

pertencer (per.ten.*cer*) *v. ti.* **1** Ser propriedade de. [+ *a*: *Este livro pertence a ele.*] **2** Ser parte de. [+ *a*: *As Canárias pertencem à Espanha.*] **3** Ser da responsabilidade ou obrigação de. [+ *a*: *Esta decisão pertence a mim.*] [▶ **33** pertencer] ● **per.ten.***cen***.te** *a2g.*

pertences (per.*ten*.ces) *smpl.* Objetos pessoais.

pertinaz (per.ti.*naz*) *a2g.* **1** Que não desiste de fazer ou de alcançar alguma coisa; PERSISTENTE; PERSEVERANTE. **2** Que insiste em manter determinadas atitudes ou ideias; TEIMOSO; OBSTINADO. [Superl.: *pertinacíssimo.*] ● **per.ti.***ná***.ci.a** *sf.*

pertinência (per.ti.*nên*.ci:a) *sf.* Qualidade de pertinente.

pertinente (per.ti.*nen*.te) *a2g.* **1** Que é conveniente (a um assunto ou situação); OPORTUNO: *Esperou o momento mais pertinente para dar a notícia.* **2** Importante, relevante; *detalhes pertinentes para o investigador.* **3** Que tem relação (com alguma coisa); RELATIVO; CONCERNENTE: *medidas pertinentes a seu cargo.*

perto (*per*.to) *adv.* **1** A curta distância; PRÓXIMO: *A praia fica perto.* **2** Pouco afastado no tempo; *O carnaval está perto.* *a2g.* **3** Que está muito perto; PRÓXIMO; VIZINHO: *Fui a um cinema perto.* [Ant.: *longe.*] ▪▪ ~ **de 1** A ponto de; quase: *Ela está perto de bater o recorde da prova.* **2** A pouca distância de (no tempo ou no espaço): *Está perto das férias.* **3** Cerca de: *Pesa perto de 60 quilos.* **4** Em comparação com: *É magra perto da irmã.*

perturbar (per.tur.*bar*) *v.* **1** Causar ou sentir perturbação; fazer perder, ou perder, a tranquilidade; AFLIGIR(-SE). [*td.*: *Esses pensamentos começavam a me perturbar.* **pr.**: *Ouviu tudo sem se perturbar.*] **2** Importunar, incomodar. [*td.*: *Estou estudando, pare de me perturbar!*] **3** Causar transtorno ou pôr fim a; atrapalhar. [*td.*: *perturbar a ordem/a concentração.*] [▶ **1** perturbar] ● **per.tur.ba.***ção*** *sf.*; **per.tur.***ba***.do** *a.*; **per.tur.ba.***dor*** *a.sm.*; **per.tur.***ban***.te** *a2g.*

peru (pe.*ru*) *sm.* **1** *Zool.* Ave galinácea comestível, de plumagem parda, pescoço e cabeça desnudos. **2** *Bras. Vulg.* Pênis.

perua (pe.*ru*.a) *sf.* **1** *Zool.* Fêmea do peru. **2** *Bras. Gír. Pej.* Mulher que se veste e age de maneira espalhafatosa e pretensamente elegante. **3** *Bras.* Caminhonete.

peruano (pe.ru.*a*.no) *a.* **1** Do Peru (América do Sul); típico desse país ou de seu povo. *sm.* **2** Pessoa nascida no Peru; PERUVIANO.

peruar (pe.ru.*ar*) *v. Bras. Pop.* **1** Observar, ger. dando palpites. [*td.*: *peruar um jogo.* **int.**: *Ela ficou por perto, só peruando.*] **2** Dar uma volta; passear. [*int.*: *Sábado fomos peruar pelo shopping.*] [▶ **1** peruar]

peruca (pe.*ru*.ca) *sf.* Cabeleira artificial.

peruleiro (pe.ru.*lei*.ro) *sm. Bras.* Motorista que transporta pessoas em perua (3) mediante pagamento.

peruviano (pe.ru.vi.*a*.no) *a.sm. P.us.* Ver *peruano.*

perversão (per.ver.*são*) *sf.* **1** Ação ou resultado de perverter(-se). **2** Degeneração, corrupção. [Pl.: -*sões.*]

perverso (per.*ver*.so) *a.* **1** Que se perverteu; PERVERTIDO; DEPRAVADO. **2** Que prejudica os outros intencionalmente; MALVADO; MAU. ● **per.ver.si.***da***.de** *sf.*

perverter (per.ver.*ter*) *v.* **1** Tornar(-se) perverso ou depravado; DEPRAVAR(-SE). [*td.*: *A corrupção perverte o ambiente político nacional.* **pr.**: *Ela se perverteu com esse grupo.*] **2** Adulterar(-se), alterar(-se). [*td.*: *perverter regras/costumes.* **pr.**: *O latim perverteu-se nas colônias romanas.*] [▶ **2** perverter] ● **per.ver.***ti***.do** *a.sm.*; **per.ver.***sor*** *a.sm.*

pesada (pe.*sa*.da) *sf.* **1** O uso se pesa de uma vez na balança. **2** *P.us.* Ação ou resultado de pesar; PESAGEM. ▪▪ **Da ~ *Gír.*** **1** Apto a enfrentar qualquer situação. **2** Que suscita respeito ou temor por ser poderoso, violento, radical etc.

pesadelo (pe.sa.*de*.lo) [ê] *sm.* **1** Sonho aterrador e angustiante. **2** *Fig.* Pessoa, coisa ou situação que causa angústia.

pesado (pe.*sa*.do) *a.* **1** Que pesa muito (embrulho pesado). **2** Que exige muito esforço (tarefa pesada); ÁRDUO; PENOSO. **3** Que se move com lentidão; LENTO; VAGAROSO: *jogador pesado e de pouca técnica.* **4** Carregado, tenso, oppressivo (atmosfera pesada, ambiente pesado). **5** *Fig.* Que ofende, escandaliza (piada pesada). **6** *Fig.* Difícil de interromper, por ser muito intenso (sono pesado); PROFUNDO. **7** *Bras. Pop.* De digestão difícil (comida pesada); INDIGESTO. *adv.* **8** Com força, vigor, intensidade (trabalhar pesado, treinar pesado). [Ant.: *leve.*]

pesagem (pe.*sa*.gem) *sf.* Ação ou resultado de pesar. [Pl.: -*gens.*]

pêsames (*pê*.sa.mes) *smpl.* Demonstração de tristeza pela morte de alguém; CONDOLÊNCIAS: *dar os pêsames a uma viúva.*

pesar (pe.*sar*) *v.* **1** Pôr(-se) na balança para saber o peso. [*td.*: *O senhor já pesou a carne? pr.*: *Eu me peso toda semana.*] **2** Ter determinado peso. [*int.* (seguido de indicação de peso): *A criança pesa*

25 quilos.] **3** Ser pesado. [*int.*: *Este caixote pesa muito.*] **4** Considerar; ponderar sobre. [*td.*: *Pesou as consequências do que queria fazer.*] **5** Influir decisivamente. [*ti.* + *em*: *A escola pesa na formação de um caráter. int.*: *Suas opiniões nunca pesaram em casa.*] **6** Pressionar, oprimir, atormentar. [*ti.* + *sobre*, *em*: *Dificuldades financeiras pesavam sobre o empresário. int.*: *O remorso pesa.*]
[▶ **1** pes**ar**] *sm.* **7** Tristeza, pena, dor.

pesaroso (pe.sa.*ro*.so) [ô] *a.* **1** Que sente pesar, tristeza, desgosto. **2** Arrependido. [Fem. e pl.: [ó].]

pesca (*pes*.ca) *sf.* **1** Prática de pescar, com fins comerciais, esportivos ou de subsistência; PESCARIA. **2** Produto da pesca; PESCADO.

pescada (pes.*ca*.da) *sf.* Zool. Peixe de carne leve e clara, muito us. na alimentação.

pescadinha (pes.ca.*di*.nha) *sf.* Zool. Espécie de pescada pequena.

pescado (pes.*ca*.do) *a.sm.* **1** Que ou o que se pescou. *sm.* **2** Qualquer peixe ou animal aquático comestível.

pescador (pes.ca.*dor*) [ô] *a.sm.* Que ou quem pesca.

pescar (pes.*car*) *v.* **1** Fisgar (peixe); praticar a pesca. [*td.*: *Pescamos vários pargos. int.*: *Saiu para pescar.*] **2** Retirar da água (qualquer objeto). [*td.*] **3** Bras. Gír. Compreender, captar. [*td.*: *Escutei-o, mas não pesquei nada do que queria dizer.*] **4** BA Ver colar³ (2). [▶ **11** pes**car**]

pescaria (pes.ca.*ri*.a) *sf.* Ver *pesca* (1).

pesca-siri (pes.ca-si.*ri*) *sf.* Bras. Pop. Calça curta, cuja barra não cobre o tornozelo. [Tb. se diz calça pesca-siri.] [Pl.: *pesca-siris*.]

pescoção (pes.co.*ção*) *sm.* Pop. Tapa no pescoço. [Pl.: -*ções*.]

pescoço (pes.*co*.ço) [ô] *sm.* Anat. Parte do corpo que une a cabeça ao tronco.

peseta (pe.*se*.ta) [ê] *sf.* **1** Nome do dinheiro us. na Espanha até a adoção do euro. **2** Unidade dos valores em peseta, us. em notas e moedas. [1 peseta = 100 cêntimos.]

peso (*pe*.so) [ê] *sm.* **1** Fís. Força que um corpo exerce sobre um ponto de apoio, devida à ação da gravidade. **2** Qualquer objeto pesado. **3** Objeto de metal, us. como medida de algumas balanças. **4** Fig. Aquilo que é difícil de suportar: *o peso da idade.* **5** Fig. O que causa preocupação: *o peso da responsabilidade.* **6** Fig. Importância; valor: *Na empresa, nossa opinião não tem peso.* **7** Esp. Cada uma das categorias do boxe, judô e de outros esportes. **8** Nome do dinheiro us. na Argentina, no Chile e em outros países da América Latina. **9** Unidade dos valores em peso, us. em notas e moedas. [1 peso = 100 centavos ou centésimos.] ▓ **De ~** Importante, influente. **Em ~** Em massa, com todos os membros ou participantes: *Os alunos compareceram em peso.*

peso-galo (pe.so-*ga*.lo) *Esp. sm.* **1** Categoria do boxe até 53,525kg. *s2g.* **2** Lutador dessa categoria. [Pl.: *pesos-galos* e *pesos-galo*.]

peso-mosca (pe.so-*mos*.ca) [ó] *Esp. sm.* **1** Categoria do boxe até 52,802kg. *s2g.* **2** Lutador dessa categoria. [Pl.: *pesos-moscas* e *pesos-mosca*.]

peso-pena (pe.so-*pe*.na) *Esp. sm.* **1** Categoria do boxe até 57,152kg. *s2g.* **2** Lutador dessa categoria. [Pl.: *pesos-penas* e *pesos-pena*.]

peso-pesado (pe.so-pe.*sa*.do) *Esp. sm.* **1** Categoria do boxe acima de 79,378kg. *s2g.* **2** Lutador dessa categoria. [Pl.: *pesos-pesados* e *pesos-pesado*.]

pespegar (pes.pe.*gar*) *v. tdi.* Aplicar (golpe violento). [+ *em*: *Pespegou um murro no ladrão.*] [▶ **14** pespe**gar**]

pespego (pes.*pe*.go) [ê] *sm.* Aquilo que atrapalha; ESTORVO; EMPECILHO.

pespontar (pes.pon.*tar*) *v. td.* Coser com pespontos. [▶ **1** pespont**ar**]

pesponto (pes.*pon*.to) *sm.* Ponto largo que arremata uma costura como reforço ou enfeite.

pesqueiro (pes.*quei*.ro) *a.* **1** Da ou próprio da pesca. **2** Próprio para a pesca (barco *pesqueiro*). *sm.* **3** Barco de pesca.

pesquisa (pes.*qui*.sa) *sf.* **1** Ação ou resultado de pesquisar. **2** Estudo metódico a fim de ampliar o conhecimento sobre determinada área do saber.

pesquisar (pes.qui.*sar*) *v.* Fazer pesquisa ou investigação (sobre); INVESTIGAR. [*td.*: *pesquisar um assunto/preços. int.*: *Pasteur passou a vida pesquisando.*]
[▶ **1** pesquis**ar**] ● **pes.qui.sa.do** *a.*; **pes.qui.sa.dor** *a.sm.*

pessegada (pes.se.*ga*.da) *sf.* Doce feito com pêssegos.

pessegal (pes.se.*gal*) *sm.* Plantação de pessegueiros. [Pl.: -*gais*.]

pêssego (*pês*.se.go) *sm.* Fruto do pessegueiro, carnudo, doce e de pele aveludada.

pessegueiro (pes.se.*guei*.ro) *sm.* Bot. Árvore que dá o pêssego.

pessimismo (pes.si.*mis*.mo) *sm.* Tendência a encarar as situações e os acontecimentos somente pelo aspecto negativo. ● **pes.si.mis.ta** *a2g.s2g.*

péssimo (*pés*.si.mo) [ó] *a.* Muito mau; muito ruim.

pessoa (pe.*so*.a) [ô] *sf.* **1** Indivíduo da espécie humana. **2** Gram. Categoria pela qual se indica quem fala. ▓ **Em ~** Pessoalmente. **~ física** *Jur.* Uma pessoa como tal; ser humano individual. **~ jurídica** *Jur.* Entidade, instituição sem existência física, mas com responsabilidade jurídica.

pessoal (pes.so.*al*) *a2g.* **1** Que se refere ou diz respeito à própria pessoa (convite *pessoal*); INDIVIDUAL. [Superl.: *personalíssimo* e *pessoalíssimo*.] **2** Gram. Que possui flexão de pessoa (diz-se esp. do pronome e do infinitivo). [Ant. ger.: *impessoal*.] [Pl.: -*ais*.] *sm.* **3** Conjunto de pessoas com afinidades ou interesses comuns: *o pessoal do bairro.* **4** Conjunto de pessoas encarregadas do mesmo trabalho: *o pessoal da limpeza.*

pessoalizar (pes.so.a.li.*zar*) *v. td.* Ver *personalizar* (2). [▶ **1** pessoaliz**ar**] ● **pes.so.a.li.za.ção** *sf.*

pessoense (pes.so.*en*.se) *a2g.* **1** De João Pessoa, capital do Estado da Paraíba; típico dessa cidade ou de seu povo. *s2g.* **2** Pessoa nascida em João Pessoa.

pestana (pes.*ta*.na) *sf.* Anat. Cada um dos pelos que recobrem a borda superior das pálpebras; CÍLIO. ▓ **Queimar as ~s** *Fam.* Estudar muito. **Tirar uma ~** *Fam.* Tirar um cochilo; cochilar, dormitar.

pestanejar (pes.ta.ne.*jar*) *v. int.* **1** Mover rapidamente as pestanas. **2** Fig. Vacilar, hesitar: *Teve de defender a família e não pestanejou.* [▶ **1** pestanej**ar**] ● **pes.ta.ne.jo** *sm.*

peste (*pes*.te) *sf.* **1** Qualquer doença contagiosa e epidêmica que provoca grande mortandade. **2** Bras. Pop. Pessoa de péssima índole ou que cria tumulto. ▓ **Da ~** Bras. Pop. Espantoso; de arrepiar; terrível. **~ bubônica** Doença epidêmica altamente contagiosa cujos sintomas são febre, dores, inchaço nos gânglios (bubões).

pestear (pes.te.*ar*) *v.* Ver *empestar*. [▶ **13** peste**ar**]

pesticida (pes.ti.*ci*.da) *a2g.sm.* Que ou o que se usa para combater parasitas de plantas ou animais.

pestífero (pes.*tí*.fe.ro) *a.* Que transmite peste.

pestilento (pes.ti.*len*.to) *a.* **1** Da ou próprio da peste. **2** Infectado de peste. **3** Muito desagradável, repugnante (pântano *pestilento*); INFECTO; PÚTRIDO. **4** Que exala mau cheiro; FÉTIDO. **5** Fig. Que causa perversão ou degeneração (vício *pestilento*). ● **pes.ti.lên.ci.a** *sf.*

peta (*pe*.ta) [ê] *sf.* Mentira, fraude.

pétala (*pé*.ta.la) *sf.* Bot. Cada uma das partes em forma de lâmina que formam a corola de uma flor.

petardo (pe.*tar*.do) *sm.* **1** Artefato explosivo portátil, para destruir obstáculos. **2** *Bras. Fut.* Chute muito forte. • **pe.tar.de.***ar* *v.*

peteca (pe.*te*.ca) *sf.* Pequena base (2) ger. de couro, arredondada e leve, à qual se fixam penas e que se lança ao ar com a palma da mão. • **pe.te.que.***ar* *v.*

peteleco (pe.te.*le*.co) *sm. Bras.* Pancada com a ponta do dedo médio ou do indicador apoiado no polegar e solto com força; PIPAROTE.

petéquia (pe.*té*.qui:a) *sf. Med.* Mancha pequena e superficial, de coloração vermelha ou arroxeada, que surge na pele.

petição (pe.ti.*ção*) *sf.* **1** Ação ou resultado de pedir. **2** *Jur.* Pedido escrito dirigido a uma autoridade ou a um tribunal; REQUERIMENTO. [Pl.: -*ções*.] • **pe.ti.ci.o.nar** *v.*; **pe.ti.ci.o.ná.ri:o** *sm.*

petiscar (pe.tis.*car*) *v.* **1** Comer petiscos. [*int.*] **2** Comer um pouco, para provar ou por inapetência. [*td.*: *Petisquei a bacalhoada.* *int.*: *Sem apetite, só petiscou no banquete.*] [▶ **11** petiscar]

petisco (pe.*tis*.co) *sm.* **1** Comida saborosa, preparada com capricho; ACEPIPE; QUITUTE. **2** Iguaria leve e apetitosa que se serve de entrada.

petisqueira (pe.tis.*quei*.ra) *sf. Bras.* Restaurante.

⊕ **petit-pois** (Fr. /petí-puá/) *sm.* Ervilha descascada.

petiz (pe.*tiz*) *sm.* **1** Menino, garoto. *a2g.* **2** *Pop.* De pouca idade; pequeno. • **pe.ti.za.da** *sf.*

petrechar (pe.tre.char) *v.* Ver *apetrechar.* [▶ **1** petrechar]

petrechos (pe.*tre*.chos) [ê] *smpl.* **1** Artefatos necessários à confecção de algo. **2** Munições e armas us. em guerra. [Sin. ger.: *apetrechos.*]

pétreo (*pé*.tre:o) *a.* **1** De pedra: "Se tocassem a campainha, eu devia manter um silêncio pétreo..." (João Ubaldo Ribeiro, *O conselheiro come*). **2** *Fig.* Que não tem sentimentos (coração pétreo); INSENSÍVEL; DURO.

petrificar (pe.tri.fi.*car*) *v.* **1** Transformar(-se) em pedra; EMPEDRAR(-SE). [td.pr.] **2** *Fig.* Fazer ficar ou ficar paralisado. [*td.*: *O susto a petrificou.* *pr.*: *Petrificou-se ao receber a terrível notícia.*] [▶ **11** petrificar] • **pe.tri.fi.ca.***ção* *sf.*; **pe.tri.fi.ca.do** *a.*

petrodólar (pe.tro.*dó*.lar) *sm. Econ.* Dólar originário da venda de petróleo.

petrografia (pe.tro.gra.*fi*.a) *sf.* **1** *Geol.* Ciência que descreve e classifica as rochas. **2** Representação de sinais, imagens etc. gravadas nas rochas e cavernas pelos primitivos; pintura rupestre. • **pe.tro.***grá*.fi.co *a.*; **pe.***tró*.gra.fo *sm.*

petroleiro (pe.tro.*lei*.ro) *a.* **1** Ref. a petróleo e seus derivados. *a.sm.* **2** Que ou o que transporta petróleo (diz-se de navio). *sm.* **3** *Bras.* Trabalhador da indústria de petróleo.

petróleo (pe.*tró*.le:o) *sm. Quím.* Óleo mineral natural, de cor escura, us. como combustível depois de ser refinado.

☐ No decorrer do séc. XX, a importância do petróleo como fonte de energia cresceu de 3,7% do total de fontes exploradas (em 1900) para 50% no fim do século. Além do principal fonte de energia (combustíveis, como a gasolina, o querosene, o óleo diesel), ele serve de matéria-prima para a indústria petroquímica (plásticos, tintas, tecidos sintéticos). Sua importância econômica fez do petróleo o principal produto mundial, motivo de crises e de tensões internacionais. É um produto fóssil, resultante da decomposição de compostos orgânicos depositados em determinadas formações geológicas. Por isso, apesar da descoberta de novas jazidas, inclusive no fundo do mar, ele se esgotará um dia, o que aumenta sua criticidade e motiva a pesquisa de fontes alternativas de energia. Além disso, por serem os combustíveis fósseis altamente poluentes, a questão ecológica (aquecimento global, poluição do ar) suscita oposição ao uso desses combustíveis e advoga sua substituição por fontes alternativas de energia. Os maiores produtores e as maiores jazidas de petróleo (65%) estão nos países do Oriente Médio. No Brasil, a partir de 1939, quando se descobriu petróleo em Lobato, BA, a produção brasileira cresceu a ponto de tornar o país praticamente autossuficiente. O Brasil, através da Petrobras, é líder mundial na prospecção e produção de petróleo em águas profundas.

petrolífero (pe.tro.*lí*.fe.ro) *a.* **1** Que contém petróleo (jazidas petrolíferas). **2** Que produz petróleo (indústria petrolífera).

petrologia (pe.tro.lo.*gi*.a) *sf. Geol.* Ciência que trata da formação, composição e classificação das rochas; LITOLOGIA. • **pe.tro.***ló*.gi.co *a.*; **pe.tro.***ló*.go *sm.*

petropolitano (pe.tro.po.li.*ta*.no) *a.* **1** De Petrópolis (RJ); típico dessa cidade ou de seu povo. *sm.* **2** Pessoa nascida em Petrópolis.

petroquímica (pe.tro.*quí*.mi.ca) *sf. Quím.* Ciência e técnica da transformação do petróleo em produtos químicos de uso industrial. • **pe.tro.***quí*.mi.co *a.sm.*

⊕ **pet shop** (Ing. /pétchop/) *sm.* Estabelecimento que cuida de animais domésticos (com banho, tosa etc.). Também vendem acessórios, alimentos e produtos de higiene para animais. Alguns vendem animais e possuem serviço médico-veterinário.

petulante (pe.tu.*lan*.te) *a2g.s2g.* Que ou quem é arrogante e não demonstra respeito pelos outros; ATREVIDO; INSOLENTE. • **pe.tu.***lân*.ci:a *sf.*

petúnia (pe.*tú*.ni:a) *sf. Bot.* Planta de grandes flores roxas, muito us. como ornamentação.

peúga (pe.*ú*.ga) *sf. Lus.* Meia curta masculina ou feminina.

peúva (pe.*ú*.va) *sf. Bras. Bot.* Ver *ipê.*

pevide (pe.*vi*.de) *sf. Bot.* Semente achatada de alguns frutos carnosos, como a abóbora, o melão, o pepino.

pexotada (pe.xo.*ta*.da) *sf.* Ação de pexote; PIXOTADA.

pexote (pe.*xo*.te) *s2g.* **1** Pessoa inexperiente; NOVATO; PRINCIPIANTE. **2** Criança, menino. [Sin. ger.: *pixote.*]

pez [ê] *sm.* Substância negra e viscosa que se obtém da destilação do alcatrão; PICHE.

pezada (pe.*za*.da) *sf. Bras.* Golpe com o pé.

pezudo (pe.*zu*.do) *a.* Provido de grandes pés.

✕ **pH** *Quím.* Sigla de *potencial de H* (hidrogênio), representado por um valor numérico que indica se uma solução química é ácida (quando é menor que sete), neutra (quando é igual a sete) ou básica (quando é maior do que sete).

☞ **Ph.D. 1** Abr. do latim *Philosophal Doctor* (doutor em filosofia) que designa pessoa que tem curso de doutorado e defendeu tese de doutoramento. **2** *Fig.* Quem é uma sumidade em algum ramo do conhecimento.

pi *sm.* **1** A 16ª letra do alfabeto grego. Corresponde ao *p* latino (Π, π). **2** *Mat.* Número transcendente que tem como símbolo essa letra, e cujo valor aproximado é 3,14159, correspondente à razão entre o perímetro de uma circunferência e o seu diâmetro.

pia (*pi*.a) *sf.* **1** Espécie de bacia fixada na parede, com água corrente e escoamento para ser utilizada em banheiros e cozinhas. **2** Qualquer vaso de pedra para líquidos.

piá (pi:*á*) *sm.* **1** Menino indígena ou mestiço de índio com branco. **2** Qualquer menino.

piaba (pi:*a*.ba) *sf. Bras. Zool.* Nome dado a algumas espécies de peixes de rio; PIAVA.

piaçaba, piaçava (pi:a.*ça*.ba, pi:a.*ça*.va) *sf.* **1** Nome dado a várias palmeiras de onde se extraem fibras resistentes e maleáveis de mesmo nome. **2** Vassoura feita com essas fibras.

piada (pi:a.da) *sf.* **1** Dito ou pequena história espirituosa e/ou engraçada. **2** Qualquer pessoa ou coisa que não mereça crédito ou não tenha qualidade: *A fraude nas eleições mostrou que a apuração dos votos era uma piada.* ● **pi**∙**a**.**dis**.ta *a2g.s2g.*

piado (pi.a.do) *sm.* **1** A voz de algumas aves; PIO. **2** Ruído respiratório anormal; ESTERTOR.

piaga (pi:a.ga) *sm. Bras.* Sacerdote espiritual dos indígenas; PAJÉ.

pianista (pi:a.*nis*.ta) *s2g.* **1** *Mús.* Pessoa que toca piano. **2** *Fig. Pop.* Pessoa (ger. no meio político) que simula o voto de quem está ausente acionando em seu lugar tecla do painel de votação.

piano¹ (pi:a.no) *sm. Mús.* **1** Instrumento musical de cordas que são percutidas dentro de uma caixa de ressonância por martelos de madeira acionados por 88 teclas. **2** O pianista que faz parte de um conjunto musical.

piano² (pi:a.no) *adv. Mús.* Com pouca intensidade; suavemente: *Essa sonata deve ser tocada piano.*

piano-bar (pi:a.no-*bar*) *sm.* Bar de ambiente calmo com música ao piano. [Pl.: *pianos-bares*.]

pianola (pi:a.*no*.la) *sf. Mús.* Tipo de piano mecânico.

pião (pi.*ão*) *sm.* **1** Brinquedo que tem a forma de pera com uma ponta, sobre a qual gira acionado pelo desenrolar rápido de um cordel em torno dele. **2** Mastro de uma escada em caracol. **3** *Bras.* No jogo de capoeira, movimento em que o indivíduo gira no chão apoiado na cabeça. [Pl.: *-ões*.] [Cf.: *peão*.]

piar (pi.*ar*) *v. int.* **1** Dar pios. **2** *Fig.* Pronunciar-se, opinar, dar palpite. [▶ 1 pi**ar**]

piastra (pi:as.tra) *sf.* **1** Moeda de prata cunhada em diversos países. **2** Antiga moeda do Vietnã do Sul. **3** Nome dado à centésima parte da unidade monetária em alguns países que tinham a libra como moeda antes da adoção do euro.

piauiense (pi:au.i:*en*.se) *a2g.* **1** Do Piauí; típico desse estado ou de seu povo. *s2g.* **2** Pessoa nascida no Piauí.

piava (pi:a.va) *sf. Bras. Zool.* Ver *piaba*.

✉ **PIB** Sigla de *Produto Interno Bruto*.

pica (*pi*.ca) *sf.* **1** *Tabu.* O pênis. **2** Tipo de lança antiga; PIQUE.

picada (pi.ca.da) *sf.* **1** Ferida provocada por objeto pontiagudo, animal ou inseto; PICADURA: *picada de agulha/de cobra/de abelha.* **2** Caminho aberto em mata fechada a golpes de facão ou foice.

picadeiro (pi.ca.*dei*.ro) *sm.* **1** A área central de um circo, reservada à exibição das atrações. **2** Local de adestramento de cavalos e/ou exercícios de equitação. **3** *Cnav.* Suporte onde se colocam os navios no seco, para construção ou reparo. **4** *N.E.* Cana ou lenha cortadas e empilhadas.

picadela (pi.ca.*de*.la) *sf.* Picada ligeira ou pouco profunda.

picadinho (pi.ca.*di*.nho) *a.* **1** Picado em pedaços pequenos. *sm.* **2** *Bras. Cul.* Prato de carne cortada em pedaços, ger. com molho e acompanhados diversos. **3** *N.E. Fut.* Ver *embaixada* (3).

picado (pi.ca.do) *a.* **1** Que foi picado ou está coberto de picadas: *Voltou da mata com as pernas picadas.* **2** Que tem o corpo coberto de pintas ou sinais: *ruivo de rosto picado.* **3** Cortado ou rasgado em pedaços (papel *picado*).

picadura (pi.ca.*du*.ra) *sf.* Ver *picada* (1).

picanha (pi.*ca*.nha) *sf.* **1** A carne da região posterior do lombo da rês. **2** *Cul.* Churrasco feito com essa carne.

picante (pi.*can*.te) *a2g.* **1** Que pica. **2** Diz-se do que tem sabor ardido (pimenta *picante*). **3** *Fig.* Que tem ou revela malícia ou sarcasmo (romance *picante*). *a2g.sm.* **4** Que ou o que estimula o apetite.

picão (pi.*cão*) *sm.* **1** Qualquer instrumento pontiagudo us. para lavrar ou furar pedras ou rochas. **2** Ver *picareta* (1). **3** Tipo de instrumento de apoio us. por alpinistas. **4** *Bras. Bot.* Planta de folhas serradas e flores amarelas. **5** *Bras. Tabu.* Indivíduo que atrai e se relaciona sexualmente com inúmeras parceiras. [Pl.: *-cões*.]

pica-pau (pi.ca-*pau*) *sm. Zool.* Ave que se caracteriza por picar troncos de árvore em busca de larvas de insetos para se alimentar. [Pl.: *pica-paus*.]

picape (pi.*ca*.pe) *sf.* Caminhonete com carroceria aberta para transporte de mercadorias.

picar (pi.*car*) *v.* **1** Ferir(-se) ou furar(-se) com algo pontiagudo. [*td.*: *Um espinho o picou*; *tdpp*: *dedo com um alfinete*, *pr.*: *Picou-se numa farpa.*] **2** Dar picada ou ferroada (um inseto) (em). [*td. int.*] **3** Cortar em pedacinhos. [*td.*: *Pique e refogue os legumes.*] **4** Provocar ou sentir comichão, ardência ou queimação. [*td.*: *A sarna picava todo o corpo do menino. int.*: *A pimenta pica.*] [▶ 11 pi**car**]

picardia (pi.car.*di*.a) *sf.* **1** Condição ou atitude de pícaro, enganador. **2** Falta de consideração, respeito; AFRONTA.

picaresco (pi.ca.*res*.co) [ê] *a.* **1** Ref. a ou próprio de pícaro. **2** Que provoca riso ou zombaria; RIDÍCULO. **3** *Liter.* Diz-se do gênero literário que narra as aventuras dos pícaros.

picareta (pi.ca.*re*.ta) [ê] *sf.* **1** Instrumento com duas pontas de ferro, us. para escavar terra, arrancar pedras etc.; PICÃO. **2** *MG RS* Chapéu de palha. *a2g.s2g.* **3** *Bras. Pop.* Que ou quem faz uso de meios reprováveis para enganar, fraudar etc.; EMBUSTEIRO.

picaretagem (pi.ca.re.ta.*gem*) *sf.* Ação que tem por objetivo enganar, burlar etc.; EMBUSTE. [Pl.: *-gens.*] ● **pi**.**ca**.**re**.*tar* *v.*

pícaro (*pi*.ca.ro) *a.sm.* **1** Que ou quem é astucioso, ardiloso ou perspicaz. *sm.* **2** *Liter.* Personagem central do romance picaresco, cuja principal característica é viver de ardis e expedientes para tirar proveito das classes mais privilegiadas.

piçarra (pi.*çar*.ra) *sf.* **1** *Geol.* Rocha sedimentar argilosa endurecida. **2** *Geol.* Tipo de solo us. na pavimentação de estradas. **3** Mistura de terra, areia e pedra; CASCALHO.

pichar (pi.*char*) *v. td.* **1** Aplicar piche em. **2** Escrever ou rabiscar em (fachada, muro etc.): *Picharam todo o paredão.* **3** *Pop.* Falar mal de; CRITICAR: *pichar um filme/um político.* [▶ 1 pich**ar**] ● **pi**.**cha**.*ção* *sf.*; **pi**.**cha**.*dor* *a.sm.*; **pi**.**cha**.**men**.to *sm.*

piche (*pi*.che) *sm.* Resina pegajosa de cor preta, que se obtém a partir da destilação do alcatrão ou da terebintina; PEZ.

pichel (pi.*chel*) *sm.* Vasilha que se usava para retirar vinho dos tonéis ou para bebê-lo. [Pl.: *-chéis*.]

⊕ **pick-up** (*Ing.* /pí**c**-*ap*/) *sf.* Ver *picape.*

picles (*pi*.cles) *smpl.* Legumes diversos conservados em salmoura ou vinagre us. como petisco ou condimento.

pico (*pi*.co) *sm.* **1** Cume agudo de montanha ou monte. **2** Ponta muito aguda; BICO. **3** Movimento intenso; AGITAÇÃO; TUMULTO; PIQUE: *horário de pico.* **4** O nível mais alto, ou auge; PIQUE: *À noite a audiência da TV chega ao pico.* **5** *Bras. Gír.* Dose de entorpecente injetada.

picolé (pi.co.*lê*) *sm. Bras.* Sorvete solidificado que se toma segurando um palito que o atravessa.

picotar (pi.co.*tar*) *v. td.* **1** Fazer picotes em (papel, talão etc.). **2** Cortar em pedacinhos. [▶ 1 pi**cotar**] ● **pi**.**co**.**ta**.do *a.*; **pi**.**co**.**ta**.*dor* *a.sm.*; **pi**.**co**.**ta**.gem *sf.*

picote¹ (pi.*co*.te) *sm.* **1** Recorte denteado nas margens de selos postais, talões etc. **2** Sequência de pequenas perfurações feitas em papel para separar as partes a serem destacadas.

picote² (pi.*co*.te) *sm.* Ponto de rendaria em forma de argola de linha.

pictórico (pic.*tó*.ri.co) *a.* Da ou ref. à pintura.
picuá (pi.cu:*á*) *sm.* **1** Tipo de cesto; BALAIO. **2** Saco us. para carregar comida ou roupa.
picuinha (pi.cu:*i*.nha) *sf.* **1** Expressão ou dito picante, espirituoso. **2** Atitude cuja intenção é contrariar, aborrecer alguém; PIRRAÇA. **3** Comportamento hostil que revela desconfiança gratuita; PREVENÇÃO.
pidão (pi.*dão*) *a.sm. Bras.* Que ou quem pede muito. [Pl.: *-dões*.]
pídgin (*píd*.gin) *sm. Ling.* Língua nascida do contato entre falantes de diversas línguas, que serve como segunda língua para fins esp. comerciais. [Cf.: *crioulo* (5).]
piedade (pi:e.*da*.de) *sf.* **1** Sentimento de compaixão pelo sofrimento dos outros; COMISERAÇÃO. **2** Devoção pelos assuntos ou coisas religiosas; RELIGIOSIDADE.
piedoso (pi:e.*do*.so) [ó] *a.* Que tem ou denota piedade. [Fem. e pl.: [ó].]
piegas (pi:e.gas) [é] *a2g2n.* **1** Em que há excesso de pieguice, de sentimentalismo (música piegas). *a2g2n.s2g2n.* **2** Que ou quem revela pieguice, excesso de sentimentalismo. **3** Que ou quem fica embaraçado ou atrapalhado com bobagens.
pieguice (pi:e.*gui*.ce) *sf.* **1** Característica ou condição de piegas. **2** Modo ou dito de piegas.
piemontês (pi:e.mon.*tês*) *a.* **1** Do Piemonte (Itália); típico dessa região ou de seu povo. *sm.* **2** Pessoa nascida no Piemonte. *a.sm.* **3** *Gloss.* Da, ref. à ou à língua falada na região do Piemonte. [Pl.: *-teses*. Fem.: *-tesa*.]
píer (*pí*.er) *sm.* Estrutura construída sobre o mar para atracação de embarcações.
◉ **piercing** (*Ing.* /pírcin/) *sm.* Peça, ger. de metal, de tamanho e forma variáveis, us. como adorno preso ao corpo através de um orifício feito na pele, cartilagem ou língua.
pierrô (pi:er.*rô*) *sm.* **1** *Teat.* Personagem de comédia que usa vestimentas largas, enfeitadas com pompons e gola grande. **2** Fantasia tradicional de carnaval que reproduz essa vestimenta.
pifão (pi.*fão*) *sm. Pop.* Ver *bebedeira.* [Pl.: *-fões*.]
pifar (pi.*far*) *v. int. Bras. Pop.* **1** Deixar de funcionar; QUEBRAR; AVARIAR-SE: *O computador pifou*. **2** Chegar à exaustão, ficar exaurido. [▶ 1 pifar]
pífaro (*pí*.fa.ro) *sm. Bras.* **1** Flauta rústica com seis orifícios. **2** Músico que toca essa flauta.
pífio (*pí*.fi:o) *a.* Sem valor ou qualidade; ORDINÁRIO: *A apresentação do pianista foi pífia*.
pigarrear (pi.gar.re.*ar*) *v. int.* Tossir com pigarro, ou tentar livrar-se dele. [▶ 13 pigarrear]
pigarro (pi.*gar*.ro) *sm.* Irritação na garganta minimizada por meio de movimentos musculares e pela passagem de ar no local, o que produz um ruído característico.
pigmentação (pig.men.ta.*ção*) *sf.* **1** Formação e/ou acumulação de pigmentos num organismo. **2** Coloração obtida por meio de pigmentos. [Pl.: *-ções*.]
• **pig**.men.*ta*.do *a.*
pigmentar (pig.men.*tar*) *v. td. pr.* Dar cor a, ou adquiri-la, por meio de pigmentação ou não. [▶ 1 pigmentar]
pigmento (pig.*men*.to) *sm.* **1** *Biol.* Substância responsável pela coloração das células de um organismo ou de um tecido. **2** *Fís. Quím.* Substância natural ou produzida quimicamente, us. como corante.
pigmeu (pig.*meu*) *sm. Etnog.* Indivíduo que pertence a etnias encontradas na África, cuja estatura não ultrapassa 1,50m. **2** *Fig.* Pessoa sem grandeza, mesquinha, insignificante. *a.sm.* **3** Que ou quem tem baixa estatura; BAIXINHO. [Fem.: *-meia*.]
pijama (pi.*ja*.ma) *sm.* **1** Indumentária própria para dormir. **2** Tipo de calça larga us. na Índia pelas mulheres.

pilantra (pi.*lan*.tra) *a2g.s2g.* **1** Que ou quem é mau-caráter, desonesto. **2** Que ou quem tem a pretensão de apresentar-se bem, embora sem recursos.
• **pi**.lan.*tra*.gem *sf.*
pilão (pi.*lão*) *sm.* **1** Espécie de maço de madeira, us. para triturar substâncias sólidas em recipiente de madeira, pedra ou metal. **2** Qualquer ferramenta us. para bater, triturar, amassar e moer. [Pl.: *-lões*.]
pilar¹ (pi.*lar*) *sm. Arq.* Coluna que tem função de sustentação em uma construção.
pilar² (pi.*lar*) *v. td.* Esmagar ou descascar no pilão. [▶ 1 pilar]
pilastra (pi.*las*.tra) *sf. Arq.* Coluna vertical us. como adorno ou suporte em fachada ou embutida na parede.
pileque (pi.*le*.que) [é] *sm. Bras.* Estado de quem se embriagou; BEBEDEIRA.
pilha (*pi*.lha) *sf.* **1** Sistema ou dispositivo que transforma energia química em elétrica. **2** Amontoado de objetos colocados uns sobre os outros: *uma pilha de livros*. ‖ **Estar/Ser uma ~ (de nervos)** Estar/Ser muito nervoso.
pilhar (pi.*lhar*) *v. td.* **1** Saquear, roubar: *Os invasores pilharam a cidade*. **2** Aparecer inesperadamente diante de; SURPREENDER: (seguido ou não de indicação de estado) *O policial pilhou o bandido (distraído)*. **3** Alcançar, agarrar: *pilhar um cargo*. [▶ 1 pilhar]
• **pi**.*lha*.gem *sf.*
pilhéria (pi.*lhé*.ri:a) *sf.* Dito engraçado, sarcástico, espirituoso; PIADA.
pilheriar (pi.lhe.ri.*ar*) *v.* Fazer pilhéria, piada, troça; TROÇAR. [*ti. + de, sobre:* Ele pilheria de tudo. *int.:* Jorge pilheria sem parar.] [▶ 1 pilheriar] • **pi**.lhe.*ri*:a.dor *a.sm.*
pilífero (pi.*lí*.fe.ro) *a. Bot.* Provido de pelos (diz-se de qualquer organismo); PILOSO.
piloro (pi.*lo*.ro) [ó] *sm. Anat.* Abertura que liga o estômago ao duodeno.
piloso (pi.*lo*.so) [ó] *a.* Ver *pilífero.* [Fem. e pl.: [ó].] • **pi**.*lo*.si.*da*.de *sf.*
pilotagem (pi.lo.*ta*.gem) *sf.* **1** Ação ou resultado de pilotar. **2** A técnica ou o ofício de piloto. [Pl.: *-gens*.]
pilotar (pi.lo.*tar*) *v. td.* Dirigir um piloto (um avião, um carro de corrida). [▶ 1 pilotar]
pilotis (pi.lo.*tis*) *smpl.* ✱ O conjunto das colunas que sustentam uma construção, deixando a área do pavimento térreo livre para circulação.
piloto (pi.*lo*.to) [ô] *sm.* **1** Indivíduo que dirige uma embarcação, aeronave ou automóvel. **2** *Pop.* Indivíduo que dirige qualquer veículo. **3** *Fig.* Aquele que serve de guia, mentor. **4** *Telv.* Capítulo de um programa ou de uma série de TV, feito para servir de experiência inovadora ou de modelo ou exemplo (*aula piloto, projeto piloto*). **5** Qualquer experiência inovadora que sirva de modelo ou exemplo (*aula piloto, projeto piloto*). [Nesta acp., com valor adjetivo se posposto a outro substantivo.]
pílula (*pí*.lu.la) *sf.* **1** Medicamento sólido, de tamanho pequeno, que se ingere com a ajuda de líquido. **2** *Fig.* Coisa que desagrada. **3** *Fig. Pop.* Aquilo que engana; LOGRO. **4** Pílula (1) anticoncepcional.
pimenta (pi.*men*.ta) *sf.* **1** *Bot.* Nome dado a diversas plantas e a seus frutos, us. como condimento picante; PIMENTEIRA. **2** *Fig.* Pessoa de gênio difícil, brigona. **3** *Fig.* Malícia, sensualidade: *Escreveu um romance com muita pimenta*. **4** *Fig.* Pessoa muito ativa, irrequieta: *Seu sobrinho é uma pimenta*.
pimenta-do-reino (pi.men.ta-do-*rei*.no) *sf. Bot.* Planta trepadeira, cuja semente de mesmo nome é us. como condimento. [Pl.: *pimentas-do-reino*.]
pimenta-malagueta (pi.men.ta-ma.la.*gue*.ta) [ê] *sf. Bras. Bot.* Planta cujos frutos de mesmo nome são us. como condimento extremamente picante. [Pl.: *pimentas-malaguetas* e *pimentas-malagueta*.]

pimentão (pi.men.*tão*) *sm. Bot.* Planta cultivada como hortaliça, cujos frutos de mesmo nome, ger. verdes, vermelhos ou amarelos, são muito us. na culinária. [Pl.: -*tões*.] ■ **Um ~** Diz-se de alguém que está com o rosto vermelho (por queimadura de sol, p.ex.) ou muito corado, ruborizado (de excitação, vergonha etc.).

pimenteira (pi.men.*tei*.ra) *sf. Bot.* Ver *pimenta* (1).

pimentinha (pi.men.*ti*.nha) *sf.* **1** *Bot.* Planta cujos frutos pequeninos são us. como condimento. **2** Pimenta pequena.

pimpão (pim.*pão*) *a.sm.* **1** Que ou quem é vaidoso. **2** Que ou quem se veste com afetação; JANOTA. [Pl.: -*pões*. Fem.: -*pona*.]

pimpinela (pim.pi.*ne*.la) [é] *sf. Bot.* Planta us. como condimento.

pimpolho (pim.*po*.lho) [ô] *sm.* **1** *Bot.* Broto da videira. **2** *Fig.* Menino pequeno. **3** *Fig.* Menino parrudo.

pina (*pi*.na) *sf.* **1** Cada uma das peças curvas que constituem a roda. **2** Pavilhão da orelha.

pinacoteca (pi.na.co.*te*.ca) [é] *sf.* **1** Coleção de quadros. **2** Museu de pinturas artísticas.

pináculo (pi.*ná*.cu.lo) *sm.* **1** O ponto mais alto de um lugar; CUME: *pináculo de um edifício/de um monte*. **2** *Fig.* O grau mais alto; ÁPICE; APOGEU: *Atingiu o pináculo da carreira*. [Sin. ger.: *píncaro*.]

pinça (*pin*.ça) *sf.* **1** Dispositivo com duas hastes unidas numa ponta que, pressionadas, se unem na outra ponta para segurar e arrancar algo. **2** *Anat. Zool.* Apêndice próprio para agarrar, encontrado nos crustáceos e escorpiões.

pinçar (pin.*çar*) *v. td.* **1** Prender ou arrancar com pinça. **2** *Fig.* Extrair, selecionar: *Pinçou os melhores trechos do texto*. [▶ 12 pinçar]

píncaro (*pín*.ca.ro) *sm.* Ver *pináculo*.

pincel (pin.*cel*) *sm.* **1** Ferramenta constituída de um cabo com tufo de pelos numa das pontas, us. para aplicar tinta, verniz etc. **2** Utensílio de cabo curto, com pelos macios numa das pontas, us. para espalhar creme de barbear no rosto. **3** *Fig.* Qualquer pintura artística feita com pincel (1). **4** *Fig.* O estilo ou a maneira de pintar de cada artista: *o pincel revolucionário de Picasso*. [Pl.: -*céis*.]

pincelada (pin.ce.*la*.da) *sf.* **1** Traço feito com pincel. **2** *Fig.* Comentário ou explanação breve, sucinta: *Antes de falar da Revolução Francesa, deu uma pincelada sobre a história da França*.

pincelar (pin.ce.*lar*) *v. td.* Passar pincel com tinta etc. em. [▶ 1 pincelar]

pincenê (pin.ce.*nê*) *sm.* Óculos sem hastes que se fixam ao nariz pela pressão de uma mola. [Tb. *pencenê*.]

pincho¹ (*pin*.cho) *sm.* Salto de um ponto a outro; PULO.

pincho² (*pin*.cho) *sm. S. Gír.* Pequeno pé de cabra.

pindaíba (pin.da.*í*.ba) *sf.* Us. na loc. ■ **Na ~** *Bras. Gír.* Sem dinheiro algum; sem um tostão.

pindoba (pin.*do*.ba) *sf. Bras. Bot.* Palmeira de cujas sementes se extrai óleo.

pineal (pi.ne.*al*) *a2g.* **1** Que tem formato de pinha. **2** Ver *píneo* (1). **3** *Anat.* Diz-se de pequeníssima glândula oval na base do cérebro. [Pl.: -*ais*.]

pinel (pi.*nel*) *s2g. Bras.* Pessoa doida ou amalucada. [Pl.: -*néis*.]

píneo (*pí*.ne.o) *a.* **1** Ref. a pinheiro; PINEAL. **2** Que é feito de pinho.

pinga (*pin*.ga) *sf. Bras. Pop.* Aguardente de cana-de-açúcar; CACHAÇA.

pingadeira (pin.ga.*dei*.ra) *sf.* **1** Sequência de pingos. **2** Aquilo que pinga. **3** *Cons.* Pequena saliência no telhado para escoar a água da chuva a certa distância da parede.

pingado (pin.*ga*.do) *a.* **1** Cheio de pingos: *o avental pingado do artista plástico*. **2** *Bras.* Diz-se de café com um pouco de leite ou leite com um pouco de café. *sm.* **3** *Bras.* Café pingado (2).

pingar (pin.*gar*) *v.* **1** Verter pingos ou gotas (de); GOTEJAR. [*td*.: *Meu nariz estava pingando sangue*. *int*.: *A torneira está pingando*.] **2** Começar a chover ou chuviscar. [*int*.] [▶ 14 pingar]

pingente (pin.*gen*.te) *sm.* **1** Objeto pendente: *lustre com pingentes*. **2** Brinco pendente: *Os cabelos curtos destacavam os pingentes de esmeraldas*. **3** *Bras. Pop.* Passageiro que viaja pendurado em transporte coletivo.

pingo (*pin*.go) *sm.* **1** Pequena porção de líquido que cai; GOTA. **2** *Bras. Pop.* Porção ínfima: *um pingo de comida/de coragem*. ■ **~ de gente 1** Pessoa pequena. **2** Criança. **Pôr os ~s nos is** Esclarecer (algo) total e claramente.

pinguço (pin.*gu*.ço) *a.sm. Bras. Pop.* Que ou quem bebe muito; BEBERRÃO.

pingue (*pin*.gue) *a2g.* **1** Que é gordo ou gorduroso. **2** Fértil, produtivo, rendoso: *pingues campos de cereais*. **3** Abundante, farto (lucros): *pingues lucros*).

pinguela (pin.*gue*.la) [é] *sf.* Tronco ou pedaço de pau que serve de ponte.

pingue-pongue (pin.gue-*pon*.gue) *sm.* Jogo de mesa em que os jogadores, com raquetes, arremessam uma bola de celuloide sobre uma rede para o lado adversário; TÊNIS DE MESA. [Pl.: *pingue-pongues*.]

pinguim (pin.*guim*) *sm. Zool.* Ave marinha preta e branca que habita regiões frias do hemisfério sul. [Pl.: -*guins*.]

pinha (*pi*.nha) *sf.* **1** *Bot.* Ver *pinheira*. **2** Fruto da pinheira; FRUTA-DE-CONDE; ATA. **3** Fruto de diversos tipos de pinheiro.

pinhal (pi.*nhal*) *sm.* Bosque de pinheiros; PINHEIRAL. [Pl.: -*nhais*.]

pinhão (pi.*nhão*) *sm.* Semente comestível de diversos tipos de pinheiro, esp. do pinheiro-do-paraná. [Pl.: -*nhões*.]

pinhé (pi.*nhê*) *sm. SP Zool.* Gavião muito conhecido no Brasil e que se alimenta de carrapatos, bernes, lagartas, cupins etc.

pinheira (pi.*nhei*.ra) *sf. Bot.* Árvore da fruta-de-conde; PINHA.

pinheiral (pi.nhei.*ral*) *sm.* Mata de pinheiros; PINHAL. [Pl.: -*rais*.]

pinheirinho (pi.nhei.*ri*.nho) *sm.* **1** *Bot.* Árvore pequena e robusta, de madeira leve e clara, us. em carpintaria. **2** Pinheiro pequeno.

pinheiro (pi.*nhei*.ro) *sm. Bot.* Árvore de diversas espécies us. em reflorestamento e que fornece boa madeira; PINHO.

pinheiro-do-paraná (pi.nhei.ro-do-pa.ra.*ná*) *sm. Bras. Bot.* Árvore alta de copa característica, semente comestível e madeira muito útil; ARAUCÁRIA. [Pl.: *pinheiros-do-paraná*.]

pinho (*pi*.nho) *sm.* **1** *Bot.* Ver *pinheiro*. **2** Madeira do pinheiro. **3** *Bras. Pop.* Violão.

pinicada (pi.ni.*ca*.da) *sf. Bras.* Sensação de comichão ou ardência: *Senti a pele pinicada*.

pinicar (pi.ni.*car*) *v.* **1** Provocar comichão (em). [*td./int*.: *Essa suéter (me) pinica*.] **2** Dar beliscão em. [*td.*] [▶ 11 pinicar]

pínico (*pí*.ni.co) *sm. Bras. Pop.* Ponta aguçada; BICO.

pínico (*pí*.ni.co) *a.* Ref. ao pinheiro.

pinífero (pi.*ní*.fe.ro) *a.* **1** Que gera pinheiros (bosque *pinífero*). **2** Que foi plantado com pinheiros.

pino (*pi*.no) *sm.* **1** Haste metálica ou vime, fixa ou articula duas ou mais peças. **2** *Mec.* Haste de válvula em motor a explosão. **3** Ponto mais elevado do Sol; ZÊNITE. **4** *Elet.* Peça que se insere na tomada para fazer ligação elétrica. **5** Cada uma das balizas de madeira do boliche. ■ **A ~** Verticalmente. **Bater ~ 1** *Mec.* Em motor a explosão, bater o pino da válvula no bloco, por alimentação insuficiente de combustível ou desregulagem. **2** *Fig.* Demonstrar (algo ou alguém) exaustão, incapacidade de realizar tarefa ou função.

pinoia (pi.*noi*.a) *sf. Bras. Pop.* Nada; de forma alguma; de jeito nenhum. [Mais us. na expr. "uma pinoia": *Sou contra, uma pinoia que vou permitir!*]

pinote (pi.*no*.te) [ó] *sm.* **1** Salto da cavalgadura ao dar o coice. **2** Pulo, pirueta. **3** *Bras. Pop.* Escapada, fuga.

pinotear (pi.no.te.*ar*) *v. int.* Dar pinotes (o cavalo). [▶ 13 pinot*ear*]

pinta (*pin*.ta) *sf.* **1** Pequena mancha na pele; SARDA, SINAL. **2** *Bras. Pop.* Aparência de algo ou alguém: *Pela pinta, o rapaz é educado.*

pinta-brava (pin.ta-*bra*.va) *s2g. Bras.* Pessoa de aspecto e modos ameaçadores. [Pl.: *pintas-bravas*.]

pintado (pin.*ta*.do) *a.* **1** Que se pintou; representado em pintura: *uma paisagem pintada na tela.* **2** Coberto de tinta (muro *pintado*). **3** Que tem pintas: *um rosto pintado (de sardas).* **4** Maquiado. *sm.* **5** *Bras. Zool.* Peixe de água doce, do tipo do bagre, coberto de pintas.

pintalgar (pin.tal.*gar*) *v. td.* Pintar de cores variadas. [▶ 14 pintal*gar*] • pin.tal.*ga*.do *a.*

pintar (pin.*tar*) *v.* **1** Representar ou retratar por meio de traços e cores. [*td*.: *pintar um quadro. int.*: *Murilo pintava magistralmente.*] **2** Cobrir de tinta. [*td*.: *pintar uma parede.*] **3** Aplicar maquiagem (em). [*td*.: *Quer que eu te pinte? pr*.: *Ela não se pinta, mas é bonita de qualquer jeito.*] **4** *Fig.* Retratar, figurar de certa maneira. [*td*.: *Ele pinta a vida como sendo um mar de rosas.*] **5** *Bras. Pop.* Aparecer ou acontecer. [*int*.: *Pintou uma oportunidade de emprego.*] **6** *Bras.* Fazer travessuras. [*int*.: *Os meninos pintaram durante a excursão.*] [▶ 13 pint*ar*]

pintarroxo (pin.tar.*ro*.xo) [ô] *sm. Bras. Zool.* Pássaro castanho com manchas vermelhas e de canto agradável.

pintassilgo (pin.tas.*sil*.go) *sm. Zool.* Pássaro de canto muito apreciado, de plumagem negra com dorso verde e faixas amarelas na asa e na cauda.

pinto (*pin*.to) *sm.* **1** Filhote de galinha. **2** *Pop.* O pênis. ▪ **Ser ~** *Bras. Pop.* **1** Ser (tarefa, trabalho etc.) fácil. **2** Ter menos valor que outrem. **3** Ser ingênuo em relação a outrem.

pintor (pin.*tor*) [ó] *sm.* **1** Artista dedicado à pintura. **2** Profissional que pinta paredes.

pintoso (pin.*to*.so) [ô] *a. Bras. Gír.* Que tem boa pinta (2). [Fem. e pl.: *fói*.]

pintura (pin.*tu*.ra) *sf.* **1** Ação ou resultado de pintar. **2** Cobertura de uma superfície com tinta: *A pintura da casa está em bom estado.* **3** *Art.Pl.* Arte e técnica de pintar, de representar com desenhos, traços, cores etc. ideias, imagens, formas etc.: *A pintura de Portinari é inconfundível.* **4** *Art.Pl.* Obra de arte pintada: *Na exposição há pinturas de diversos artistas.* **5** Profissão de pintor: *Lucas ganha a vida com a pintura.* **6** Maquiagem: *A pintura dos olhos realçou-lhe a beleza.*

pinturesco (pin.tu.*res*.co) [ê] *a.* Ver *pitoresco*.

pio¹ (*pi*.o) *sm.* Som emitido pelas aves.

pio² (*pi*.o) *a.* **1** Piedoso. **2** Devoto, religioso. [Superl.: *pientíssimo* e *piíssimo*.]

piogênico (pi:o.*gê*.ni.co) *a.* Que forma pus (bactéria *piogênica*).

piolho (pi:*o*.lho) [ô] *sm. Zool.* Inseto parasita de vertebrados, que suga sangue e transmite doenças. • pi:o.*lha*.da *sf.*; pi:o.*lhei*.ra *sf.*; pi:o.*lhen*.to *a.sm.*

píon (*pí*.on) *sm. Fís.* Partícula da família dos mésons.

pioneiro (pi:o.*nei*.ro) *a.sm.* **1** Que ou quem abre caminhos em regiões inexploradas: *O pioneiro da Antártida foi Amundsen.* **2** *Fig.* Que ou quem lança novas ideias nas ciências, artes etc.: *projeto pioneiro na física*; *um pioneiro da informática.* • pi:o.*nei*.ris.mo *sm.*

pior (pi:*or*) *a2g.* **1** Mais ruim (comparativo de superioridade de *mau*): *A situação é pior do que eu imaginava. adv.* **2** De modo mais imperfeito, inferior etc.; mais mal (comparativo de *mal*): *Dos colegas era quem morava pior.* **3** Com mais sintomas de doença: *Esta noite passei pior. sm.* **4** O que é (situação, compromisso, circunstância etc.) mais inconveniente, menos adequado, mais grave: *O pior já passou.* **5** Aquilo ou aquele que em algum aspecto tem qualidade pior (1) do que a de todos os congêneres: *O pior nem sempre é o mais impopular.* ▪ **Levar a ~** *Pop.* Ser superado em competição ou disputa. **Na ~** *Pop.* **1** Em péssima situação. **2** Deprimido; na fossa.

piora (pi:*o*.ra) *sf.* **1** Alteração para pior: *Houve uma piora na economia.* **2** Agravamento (de doença): *Temia uma piora do paciente.* [Ant.: *melhora*.]

piorar (pi:o.*rar*) *v.* **1** Tornar(-se) pior. [*td*.: *As alterações pioraram o texto. int*.: *A situação tende a piorar.*] **2** Encontrar-se em estado de saúde pior. [*int*.: *O paciente piorou.*] [▶ 1 pior*ar*]

piorra (pi:*or*.ra) [ô] *sf.* Pequeno pião; PIRORRA.

piorreia (pi:or.*rei*.a) *sf. Med.* Escoamento de pus.

pipa (*pi*.pa) *sf.* **1** Barril de madeira para líquidos, esp. vinho. **2** *Bras.* Papagaio (3). **3** *Fig. Pop.* Pessoa gorda e baixa.

piparote (pi.pa.*ro*.te) *sm.* Pancada leve aplicada com o dedo médio ou o indicador, contendo primeiro sua ponta com o polegar e depois soltando-a com força.

pipeta (pi.*pe*.ta) [ê] *sf. Quím.* Tubo de vidro ou plástico us. em laboratórios para retirar, por aspiração, porções determinadas de líquido.

pipi (pi.*pi*) *sm. Infan.* **1** Urina. **2** Órgão sexual dos meninos.

pipilar (pi.pi.*lar*) *v. int.* Soltar pio; piar (a ave). [▶ 1 pipil*ar*] • pi.*pi*.lo *sm.*

pipoca (pi.*po*.ca) *sf.* Grão de milho especial que se come após ser arrebentado ao fogo.

pipocar (pi.po.*car*) *v. int. Bras.* **1** Estourar, ou soar como pipoca: *Ouvimos metralhadoras pipocarem.* **2** Aparecer, surgir: *Começaram a pipocar academias de ginástica.* **3** *Fut.* Demonstrar receio. [▶ 11 pipo*car*]

pipoco (pi.*po*.co) [ô] *sm. Bras.* **1** Ação ou resultado de pipocar. **2** Barulho do que arrebenta, estala ou estoura.

pipoquear (pi.po.que.*ar*) *v.* Ver *pipocar*. [▶ 13 pipoqu*ear*]

pipoqueiro (pi.po.*quei*.ro) *sm.* Pessoa que faz e vende pipocas.

pique¹ (*pi*.que) *sm. Bras.* Brincadeira infantil em que uma criança deve pegar outra antes que esta alcance um certo local que também é chamado de *pique*.

pique² (*pi*.que) *sm.* **1** O ponto mais elevado; PICO: *pique de produção.* **2** *Fig.* Grande disposição; garra: *João assumiu o cargo no maior pique.* **3** Grande agitação, confusão, tumulto; PICO: *Saí do trabalho no horário de pique.* **4** Corrida, arrancada: *Deu um pique para proteger-se da chuva.* ▪ **Ir a ~ 1** Afundar (embarcação). **2** *Fig.* Falir, arruinar-se.

piquenique (pi.que.*ni*.que) *sm.* Passeio ao ar livre para o qual se leva comida.

piquete (pi.*que*.te) [ê] *sm.* **1** *Bras.* Nas greves, grupo que impede a entrada de empregados nas empresas. **2** *Mil.* Destacamento para guarda avançada. **3** Estaca cravada no chão para amarrar terreno.

pira¹ (*pi*.ra) *sf.* **1** Vaso onde se acende um fogo simbólico (*pira olímpica*). **2** Fogueira onde cadáveres eram queimados.

pira² (*pi*.ra) *sm.* Us. na loc. ▪ **Dar o ~** *Bras. Gír.* **1** Sair apressadamente de algum lugar. **2** Fugir.

piracema (pi.ra.ce.ma) sf. Bras. **1** Migração dos peixes para desova nas nascentes dos rios. **2** Época em que isso ocorre.

pirado (pi.ra.do) a. Bras. Pop. Doido, maluco.

pirambeira (pi.ram.bei.ra) sf. Bras. Precipício, perambeira.

piramidal (pi.ra.mi.dal) a2g. **1** Que tem forma de pirâmide. **2** Fig. Monumental. [Pl.: -dais.]

pirâmide (pi.râ.mi.de) sf. **1** Geom. Sólido que tem um polígono como base e faces laterais triangulares que convergem num só vértice. **2** Arq. Hist. Monumento funerário dos faraós egípcios em forma de pirâmide.

PIRÂMIDE (1) COM BASE QUADRADA

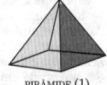

piranha (pi.ra.nha) sf. Bras. **1** Zool. Peixe de água doce, carnívoro, voraz e com dentes afiadíssimos. **2** Vulg. Mulher de vida licenciosa; PISTOLEIRA. [At! Considerado ofensivo e preconceituoso nesta acepção.] **3** Pop. Prendedor de cabelos dentado com mola.

pirão (pi.rão) sm. Bras. Cul. Papa grossa feita de farinha de mandioca com caldo de peixe, de legumes etc. [Pl.: -rões.]

pirar (pi.rar) v. int. Bras. Gír. Endoidecer, enlouquecer: *Ele pirou de vez.* [▶ 1 pirar]

pirarucu (pi.ra.ru.cu) sm. Bras. Zool. O maior peixe da bacia amazônica.

pirata (pi.ra.ta) s2g. **1** Ladrão que assalta navios. a2g. **2** Copiado sem autorização legal (CD pirata). **3** Que opera ou faz transmissões (3) clandestinamente (rádio pirata).

pirataria (pi.ra.ta.ri.a) sf. **1** Assalto a embarcações. **2** Cópia de material comercializável sem autorização. ■ ~ aérea Sequestro de avião.

piratear (pi.ra.te.ar) v. t. **1** Fazer cópia pirata (2) de. [td.: piratear CDs.] **2** Saquear (embarcações). [td. int.] [▶ 13 piratear] • pi.ra.te.a.do a.; pi.ra.ta.gem sf.

pirenaico (pi.re.nai.co) a. Ref. aos Pireneus, cadeia de montanhas entre a França e a Espanha.

pireneu (pi.re.neu) a. **1** Pirenaico. **2** Que é natural ou habitante dos Pireneus. sm. **3** Quem é natural ou habitante dos Pireneus.

pires (pi.res) s2m2n. Prato pequeno sobre o qual se coloca a xícara.

pirético (pi.ré.ti.co) a. Med. Febril.

piretologia (pi.re.to.lo.gi.a) sf. Med. Estudo sobre a febre. • pi.re.to.ló.gi.co a.

piretoterapia (pi.re.to.te.ra.pi.a) sf. Ter. Tratamento em que se provoca artificialmente um estado febril.

pirex (pi.rex) [cs] s2m2n. Qualquer recipiente de vidro resistente ao calor para uso doméstico. [A marca registrada é Pyrex®.]

pirexia (pi.re.xi.a) [cs] sf. Med. Febre.

pírico (pí.ri.co) a. Ref. a pira[1], ou ao fogo.

pirilampo (pi.ri.lam.po) sm. Zool. Certo inseto que tem no abdome órgãos fosforescentes que o fazem brilhar no escuro; VAGA-LUME.

piripaque (pi.ri.pa.que) sm. Pop. **1** Qualquer indisposição ou perturbação física; TRECO. **2** Ataque nervoso; CHILIQUE.

piriri (pi.ri.ri) sm. Pop. Med. Desarranjo intestinal; DIARREIA.

piririca (pi.ri.ri.ca) Bras. a2g. **1** Áspero como lixa. **2** Pop. Que não tem modos, irrequieto. sf. **3** Corredeira pequena. **4** Movimento na superfície da água causado pelos peixes.

pirita (pi.ri.ta) sf. Min. Mineral amarelo us. na fabricação do ácido sulfúrico e que, por sua cor, é confundido com ouro.

piroca (pi.ro.ca) sf. Bras. Tabu. O pênis.

pirofobia (pi.ro.fo.bi.a) sf. Psiq. Horror ao fogo. • pi.ró.fo.bo a.sm.; pi.ro.fó.bi.co a.sm.

piroga (pi.ro.ga) sf. Bras. Canoa indígena cavada em tronco de árvore.

pirogênico (pi.ro.gê.ni.co) a. Que é produzido pelo calor.

pirogravura (pi.ro.gra.vu.ra) sf. Art.Pl. **1** Técnica de gravação com ponta incandescente. **2** Obra feita com essa técnica. • pi.ro.gra.var v.

pirologia (pi.ro.lo.gi.a) sf. Estudo sobre o fogo.

piromania (pi.ro.ma.ni.a) sf. Psiq. Prazer doentio em produzir incêndios. • pi.ro.ma.ní.a.co a.sm.; pi.ró.ma.no sm.

pirometria (pi.ro.me.tri.a) sf. Método para medir altas temperaturas. • pi.ro.mé.tri.co a.

pirômetro (pi.rô.me.tro) sm. Instrumento para medir altas temperaturas.

pirose (pi.ro.se) sf. Med. Queimação no estômago; AZIA.

pirosfera (pi.ros.fe.ra) sf. Geof. Zona abaixo da crosta terrestre formada pelo magma.

pirotecnia (pi.ro.tec.ni.a) sf. Técnica de usar o fogo ou de preparar fogos de artifício. • pi.ro.téc.ni.co a.sm.

pirraça (pi.rra.ça) sf. Ato feito com intenção de aborrecer ou contrariar; BIRRA. • pir.ra.çar v.; pir.ra.cen.to a.

pirralho (pi.rra.lho) sm. Bras. Criança. • pir.ra.lha.da sf.

pirueta (pi.ru.e.ta) [ê] sf. **1** Giro em torno de si mesmo sobre um dos pés. **2** Cambalhota no ar. • pi.ru.e.tar v.

pirulito (pi.ru.li.to) sm. Bras. Qualquer bala enfiada na ponta de um palito (2).

pisa (pi.sa) sf. **1** Esmagamento das uvas com os pés no lagar. **2** Surra, sova.

pisada (pi.sa.da) sf. **1** Ação ou resultado de pisar; PISADELA. **2** Rastro, pegada.

pisadela (pi.sa.de.la) sf. **1** Ação ou resultado de pisar; PISADA. **2** Pisada leve ou rápida.

pisadura (pi.sa.du.ra) sf. **1** Marca de pisada. **2** Lesão superficial; CONTUSÃO.

pisar (pi.sar) v. t. **1** Pôr os pés (sobre); mover-se com os pés; andar. [td./ti. + em, por: pisar a/na grama; Olhe por onde pisa. int.: Pisava forte.] **2** Calcar ou esmagar com os pés. [td.: pisar as uvas para fazer vinho. ti. + em: Desculpe-me por ter pisado no seu pé.] **3** Pressionar (acelerador, embreagem etc.) com o pé. [ti. + em: Pisou fundo no freio para evitar a batida.] **4** Entrar, ingressar. [td.: Os espanhóis foram os primeiros a pisar o solo americano. int. (seguido de indicação de lugar): Depois disso, não pisei mais naquele bar.] **5** Fig. Tratar com rudeza ou desdém. [td.: Vive pisando o assistente. ti. + em: Ele tende a pisar em quem está por baixo.] [▶ 1 pisar] • pi.sa.do a.; pi.são sm.

piscada (pis.ca.da) sf. Ver piscadela.

piscadela (pis.ca.de.la) sf. **1** Ação ou resultado de abrir e fechar os olhos rapidamente. **2** Sinal dado com o piscar dos olhos. [Sin. ger.: piscada.]

pisca-pisca (pis.ca-pis.ca) sm. **1** Luz ou pequeno farol que se acende e apaga rápida e seguidamente, em sinalização de trânsito e como sinal de alerta. **2** Pequeno farol us. para sinalização nos veículos automotores; SETA. **3** Série de luzes que se acendem e apagam continuamente, us. ger. como enfeite na época natalina. **4** Fam. Pessoa que tem o cacoete de piscar. [Pl.: piscas-piscas e pisca-piscas.]

piscar (pis.car) v. t. **1** Fechar e abrir rapidamente (os olhos). [td. int.] **2** Dar sinal, piscando. [ti./tdi. + para: Piscou (o olho) para a moça.] **3** Cintilar, tremeluzir. [int.] [▶ 11 piscar]

piscatório (pis.ca.tó.ri.o) a. Ref. a pesca ou pescador.

písceo (pís.ce:o) a. Ref. a peixe.

pisciano (pis.ci.a.no) *a.sm. Astrol.* Que ou quem nasceu sob o signo de Peixes.

piscicultura (pis.ci.cul.tu.ra) *sf.* Criação de peixes com técnica específica. • **pis.ci.cul.tor** *sm.*

pisciforme (pis.ci.for.me) *a2g.* Que tem forma de peixe.

piscina (pis.ci.na) *sf.* **1** Grande tanque com água tratada próprio para a prática de esportes aquáticos e/ou para recreação. **2** Tanque de água tratada para usos diversificados como criação de peixes, crustáceos, lavagem de roupas etc.

piscinão (pis.ci.não) *sm.* **1** *SP Cons.* Estrutura subterrânea para drenar e acumular a água das chuvas, evitando enchentes. **2** Piscina grande. [Pl.: *-nões*.]

piscoso (pis.co.so) [ó] *a.* Que tem muitos peixes (rios piscosos). [Fem. e pl.: [ó].]

piso (pi.so) *sm.* **1** Superfície onde se pisa (piso irregular). **2** Tipo de revestimento dessa superfície: *piso de cerâmica.* **3** Num prédio, pavimento que se sobrepõe a outro (segundo piso); ANDAR. **~ salarial** *Econ.* Salário mínimo estipulado para determinada profissão, função ou cargo.

pisotear (pi.so.te.ar) *v. td.* **1** Calcar ou esmagar com os pés. **2** *Fig.* Espezinhar, humilhar. [▶ 13 pisot[ear]] • **pi.so.te.a.do** *a.*; **pi.so.tei.o** *sm.*

pista (pis.ta) *sf.* **1** Leito de rodovia ou rua sobre o qual rolam os veículos. **2** *Esp.* Área preparada e demarcada para a prática de certos esportes (atletismo, patinação, corrida de cavalos etc.). **3** Faixa de pouso e decolagem de aviões: *O avião está na cabeceira da pista.* **4** Parte de um salão reservada para dançar: *O casal rodopiava na pista.* **5** Indicação, sinal, rastro que pode levar a uma descoberta: *Encontrou uma pista para desvendar o crime.* **6** Conselho, orientação.

pistache (pis.ta.che) *sm.* **1** Certa semente us. em confeitaria ou condimento. **2** *Bot.* Arbusto de cujo fruto se extrai a semente.

pistão (pis.tão) *sm.* Ver pistom. [Pl.: *-tões*.]

pistilo (pis.ti.lo) *sm. Bot.* Órgão reprodutor feminino da flor, formado por ovário, estilete e estigma; GINECEU.

pistola (pis.to.la) *sf.* Arma de fogo portátil, carregada com um pente no cabo.

pistolão (pis.to.lão) *sm. Bras. Pop.* **1** Pedido ou recomendação de alguém com prestígio. **2** Autor desse pedido ou recomendação. [Pl.: *-lões*.]

pistoleiro (pis.to.lei.ro) *sm.* **1** Pessoa contratada para matar; assassino profissional. **2** Facínora, bandido. • **pistoleira** *sf.* **3** *Bras. Vulg.* Mulher de vida desregrada, sem princípios; PIRANHA. [At! Considerado ofensivo nesta acepção.]

pistom, pistão (pis.tom, pis.tão) *sm.* **1** *Mús.* Instrumento de sopro (trompete, trombone), dispositivo em forma de êmbolo cuja movimentação faz variar a altura da nota. **2** *Mús.* Trompete. **3** Êmbolo de motores. [Pl.: *-tons, -tões*.] • **pis.to.nis.ta** *s2g.*

pita (pi.ta) *sf.* **1** *Bot.* Planta da qual se extraem fibras e tanino. **2** A fibra extraída dessa planta, us. em cordas e barbantes.

pitada (pi.ta.da) *sf.* **1** Pequena porção de uma substância em pó: *pitada de sal.* **2** Ação ou resultado de pitar, fumar: *Deu uma pitada e jogou fora o cigarro.*

pitador (pi.ta.dor) [ô] *sm.* Quem pita ou fuma; FUMANTE.

pitança (pi.tan.ça) *sf.* **1** Comida, alimento. **2** Pensão, mesada.

pitanga (pi.tan.ga) *sf. Bras.* Fruta pequena, vermelha e um pouco azeda da pitangueira.

pitangueira (pi.tan.guei.ra) *sf. Bot.* Árvore que dá a pitanga.

pitar (pi.tar) *v. td. int. Bras.* Fumar (1). [▶ 1 pit[ar]]
⊕ **pit bull** (*Ing. /pit bul/*) *sm.* Raça de cão ágil, forte e determinado, usada ger. para defesa e vigilância.

pitecantropo (pi.te.can.tro.po) [ó] *sm. Pal.* Animal fóssil tido como elo entre o macaco e o homem.

piteira (pi.tei.ra) *sf.* Tubo onde se adapta o cigarro para fumar; BOQUILHA.

pitéu (pi.téu) *sm. Pop.* Comida gostosa.

piti (pi.ti) *sm. Bras. Pop.* Ataque nervoso; CHILIQUE.

pítia (pí.ti:a) *sf. Mit.* Sacerdotisa da Grécia antiga que anunciava as profecias; PITONISA.

pitiatismo (pi.ti:a.tis.mo) *sm. Psiq.* Distúrbio secundário da histeria produzido ou eliminado por meio de sugestão (4).

pito¹ (pi.to) *sm. Bras. Pop.* Cachimbo.

pito² (pi.to) *sm. Bras. Pop.* Repreensão, descompostura.

pitoco (pi.to.co) [ó] *sm. Bras. Pop.* Fragmento, ger. de madeira, estreito e roliço: *Um pitoco de madeira serviu de bucha.*

pitomba (pi.tom.ba) *sf. Bras.* **1** Pequena fruta ácida e de casca dura. **2** Ver cascudo².

pitombeira (pi.tom.bei.ra) *sf. Bras. Bot.* Árvore que dá pitomba.

pitometria (pi.to.me.tri.a) *sf.* Medida da capacidade dos tonéis.

píton (pí.ton) *sm.* **1** *Mit.* Grande serpente morta por Apolo. **2** *Zool.* Nome comum de diversas serpentes desprovidas de veneno. **3** Indivíduo que fazia adivinhações, profecias; ADIVINHO. [Pl.: *pítons* e (p.us. no Brasil) *pitones*.]

pitonisa (pi.to.ni.sa) *sf.* **1** Ver pítia. **2** *Fig.* Mulher que faz profecias; PROFETISA.

pitoresco (pi.to.res.co) [ê] *a.* **1** Que chama atenção por sua beleza, graciosidade e/ou singularidade (lugar pitoresco); PINTURESCO. **2** Próprio para ser pintado; PINTURESCO. *sm.* **3** Aquilo que é pitoresco.

pitorra (pi.tor.ra) [ô] *sf.* **1** Pequeno pião; PIORRA. *s2g.* **2** Indivíduo gordo e de pequena estatura.
⊕ **pit-stop** (*Ing. /pít-stop/*) *sm. Aut.* Em corridas de automóveis, local ou ocasião para abastecimento, reparos, troca de pneus etc. [Pl.: *pit-stops*.]

pitu (pi.tu) *sm. Bras. Zool.* Camarão de água doce.

pituíta (pi.tu.í.ta) *sf. Antq. Med.* Secreção mucosa do nariz e dos brônquios.

pituitária (pi.tu:i.tá.ri:a) *sf. Anat.* Ver hipófise. • **pi.tu:i.tá.ri:o** *a.*

pium (pi:um) *sm. Bras. Zool.* Pequeno mosquito; BORRACHUDO. [Pl.: *-uns*.]

pivete (pi.ve.te) *s2g. Bras. Gír.* Criança de rua que mendiga ou furta.

pivô (pi.vô) *sm.* **1** *Fig.* Agente principal, eixo: *pivô da crise.* **2** Haste metálica que une duas peças de modo a formar junção giratória. **3** *Od.* Haste que suporta dente e coroa artificiais. *s2g.* **4** *Esp.* Jogador que, de costas para o gol ou para a cesta do adversário, faz a assistência ou finaliza a jogada.

pivotar (pi.vo.tar) *v. td.* Girar em volta de um pivô. [▶ 1 pivot[ar]]

pixaim (pi.xa:im) *a2g.sm. Bras.* Diz-se de ou cabelo muito crespo; CARAPINHA. [Pl.: *-ins*.]
⊕ **pixel** (*Ing. /pícsel/*) *sm. Inform.* Cada ponto de malha de pontos em visor, monitor etc., que se iluminam ou assumem cores etc. de acordo com informação recebida, configurando imagem, caracter etc. [Tb. *píxel*.]

pixotada (pi.xo.ta.da) *sf.* **1** *Esp.* Jogada malfeita. **2** Erro cometido por ignorância, falta de experiência.

pixote (pi.xo.te) [ó] *s2g.* **1** Criança nova. **2** Pessoa inexperiente; PRINCIPIANTE.

pizicato (pi.zi.ca.to) *a.sm. Mús.* **1** Em instrumentos de cordas, diz-se de execução musical com as cordas dedilhadas, sem uso do arco. **2** Diz-se de ou parte executada dessa forma.
⊕ **pizza** (*It. /pítza/*) *sf. Cul.* Comida de origem italiana feita de massa de pão esticada em forma de disco, que se cobre com queijo, tomates etc., e é assada no forno. ⁂ **Acabar em ~** *Bras. Gír.* Não ter resulta-

do (investigação de escândalo, processo criminal, inquérito etc.), sendo com isso impedido seu esclarecimento e a identificação de possíveis culpados.

pizzaria (piz.za.*ri*.a) *sf. Bras.* Estabelecimento onde se fabricam e vendem ou servem *pizzas*.

plá *sm. Bras. Gír.* **1** Boa informação ou indicação; DICA. **2** Conversa breve; PAPO.

placa (*pla*.ca) *sf.* **1** Chapa plana de qualquer material, para usos diversos. **2** Placa (1) metálica com a inscrição do número da licença de um veículo; CHAPA. **3** Folha de metal ou plástico; CHAPA. **4** *Inf.* Peça retangular com componentes eletrônicos; circuito impresso.

placa-mãe (pla.ca-*mãe*) *sf. Inf.* Placa (4) principal de um computador, onde se encontra a unidade central de processamento. [Pl.: *placas-mães* e *placas-mãe*.]

placar (pla.*car*) *sm.* **1** Quadro onde são apresentados os resultados de uma competição esportiva, votação etc. **2** O resultado dessa competição ou votação: *O placar da partida foi 2 x 0.*

placebo (pla.*ce*.bo) [ê] *sm. Med.* Medicação sem qualquer efeito que serve para controlar o resultado de experiências.

placenta (pla.*cen*.ta) *sf. Emb.* Órgão formado no interior do útero que envolve o feto e estabelece a sua ligação com a mãe, para a alimentação e oxigenação. • **pla.cen.*tá*.ri:o** *a.*

plácido (*plá*.ci.do) *a.* Calmo, tranquilo (lugar *plácido*, pessoa *plácida*). [Ant.: *agitado*.] • **pla.ci.*dez*** *sf.*

plaga (*pla*.ga) *sf.* Região, terra, país.

plagiar (pla.gi.*ar*) *v. td.* **1** Apresentar como seu (obra, ideia etc. de outrem): *plagiar música.* **2** Imitar ou copiar (obra alheia): *plagiar um compositor.* [▶ 1 plagi*ar*] • **pla.gi.a.do** *a.sm.*; **pla.gi:a.*dor*** *sm.*; **pla.gi.*á*.ri:o** *sm.*

plágio (*plá*.gi:o) *sm.* **1** Ação ou resultado de plagiar. **2** *Jur.* Apresentação de imitação ou cópia de trabalho alheio como (sendo) próprio.

plaina (*plai*.na) *sf.* Ferramenta para alisar madeira.

planador (pla.na.*dor*) [ô] *sm.* Avião sem motor.

planalto (pla.*nal*.to) *sm. Geog.* Superfície plana que se estende em terreno elevado; PLATÔ.

planar (pla.*nar*) *v. int.* **1** Voar (aeronave) sustentando-se no ar por impulsão anterior, sem ação do motor. **2** Voar (ave) sem mover as asas. [▶ 1 plan*ar*]

plâncton (*plânc*.ton) *sm. Biol.* Conjunto de microrganismos aquáticos, vegetais ou animais, que vivem em suspensão em água doce ou marinha. [Pl.: *-tons* e (p.us. no Brasil) *-tones*.]

planejar (pla.ne.*jar*) *v. td.* **1** Elaborar o plano ou a planta de (edificação); PROJETAR. **2** Elaborar o plano, o roteiro de; PROGRAMAR: *planejar uma viagem.* **3** Ter a intenção de; TENCIONAR: *Planejamos voltar lá no verão.* [▶ 1 plane*jar*] • **pla.ne.*ja*.do** *a.*; **pla.ne.ja.*dor*** *a.sm.*; **pla.ne.ja.*men*.to** *sm.*

planeta (pla.*ne*.ta) [ê] *sm.* **1** *Astron.* Corpo celeste sem luz própria que gira em torno do Sol. **2** *Restr.* A Terra.

planetário (pla.ne.*tá*.ri:o) *a.* Ref. a planeta (movimento *planetário*). *sm.* **2** Espécie de anfiteatro com cúpula onde se representa o firmamento e a movimentação dos planetas.

planetoide (pla.ne.*toi*.de) *sm. Astron.* Ver *asteroide*.

plangente (plan.*gen*.te) *a2g.* Choroso, triste (música *plangente*). [Ant.: *alegre*.]

planger (plan.*ger*) *v. td. int.* Soar tristemente. [▶ 35 plan*ger*]

planície (pla.*ní*.ci:e) *sf. Geog.* Grande extensão de terras planas.

planificar (pla.ni.fi.*car*) *v. td.* **1** Estabelecer um plano para; PLANEJAR: *planificar um sistema de trabalho.* **2** Desdobrar (um sólido) num plano: *planificar um cubo.* [▶ 11 planifi*car*] • **pla.ni.fi.ca.*ção*** *sf.*; **pla.ni.fi.*ca*.do** *a.*

planilha (pla.*ni*.lha) *sf.* Formulário padronizado onde se registram informações: *planilha de custos.*

planisfério (pla.nis.*fé*.ri:o) *sm.* Mapa plano e retangular que representa o globo terrestre. • **pla.nis.*fé*.ri.co** *a.*

plano (*pla*.no) *a.* **1** Que não tem elevações ou reentrâncias (superfície plana); LISO. *sm.* **2** Superfície plana: *O terreno é irregular, mas a casa fica no plano.* **3** Representação gráfica horizontal de uma construção, jardim etc.; PLANTA: *plano de um parque.* **4** Conjunto de medidas projetadas e organizadas para realizar alguma coisa ou alcançar um objetivo: *plano econômico de paz.* **5** *Fig.* Projeto, intenção: *planos para as férias.* **6** *Cin. Telv.* Trecho filmado ou gravado sem cortes. **7** *Geom.* Superfície que contém totalmente uma reta que liga dois de seus pontos. ▪▪ **~ inclinado** Máquina simples, que consiste num plano rígido em ângulo com a horizontal, em que se pode deslocar para cima um objeto pesado com redução da força necessária para movê-lo. [Ver ach. encicl. em *máquina*.]

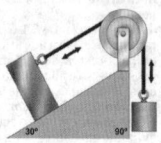

PLANO INCLINADO

planta (*plan*.ta) *sf.* **1** Qualquer vegetal. **2** *Arq.* Desenho que representa em projeção horizontal um apartamento, edifício, máquina etc. ▪▪ **~ do pé** Parte inferior do pé.

plantação (plan.ta.*ção*) *sf.* **1** Ação ou resultado de plantar; PLANTIO: *A plantação do milho é feita em abril.* **2** Área plantada: *plantação de café.* [Pl.: *-ções*.]

plantão (plan.*tão*) *sm.* **1** Trabalho noturno ou em dias especiais em hospital, jornal etc. **2** Um período desse trabalho: *O médico faz um plantão semanal.* [Pl.: *-tões*.]

plantar¹ (plan.*tar*) *a2g.* Ref. à planta do pé.

plantar² (plan.*tar*) *v.* **1** Introduzir (semente, planta etc.) na terra. [*td.* (seguido ou não de indicação de lugar): *Plantamos macieiras (no jardim).* *int.:* Seu hobby é *plantar.*] **2** Enfiar, fincar verticalmente. [*td.* (seguido ou não de indicação de lugar): *Plantou estacas (ao redor do terreno).*] **3** *Fig.* Manter(-se) parado. [*td.* (seguido de indicação de lugar): *Plantou-o na porta por uma hora.* *pr.: Plantou-se na prefeitura à espera de solução.*] [▶ 1 plant*ar*] • **plan.*ta*.do** *a.*; **plan.ta.*dor*** *a.sm.*

plantel (plan.*tel*) *sm.* **1** Lote de animais de raça selecionados. **2** *Bras. Fig.* Grupo de profissionais, esp. esportistas: *plantel de jogadores.* [Pl.: *-téis*.]

plantio (plan.*ti*:o) *sm.* Ação ou resultado de plantar; PLANTAÇÃO.

plantonista (plan.to.*nis*.ta) *s2g. Bras.* Pessoa responsável por um plantão.

planura (pla.*nu*.ra) *sf.* Área muito plana.

plaquê (pla.*quê*) *sm.* Imitação de ouro us. na fabricação de bijuterias.

plaqueta (pla.*que*.ta) [ê] *sf.* **1** Pequena placa metálica. **2** *Histl.* Elemento sanguíneo com importante papel na coagulação.

plasma (*plas*.ma) *sm. Histl.* A parte líquida do sangue. • **plás.mi.co** *a.*

plasmar (plas.*mar*) *v.* **1** Modelar em barro, gesso etc. [*td.*] **2** Formar(-se), modelar(-se). [*td.: Aquela civilização plasmou muitos heróis e artistas. pr.: Seu caráter se plasmou pelo do pai.*] [▶ 1 plasm*ar*] • **plas.ma.do** *a.*

plastia (plas.*ti*.a) *sf. Cir.* Cirurgia feita para recuperar um órgão.

plástica (*plás*.ti.ca) *sf.* **1** Técnica de fazer esculturas com material maleável (barro, gesso etc.). **2** As formas do corpo humano: *O traje realçava sua plástica.*

plasticidade | pleno

3 *Cir.* Cirurgia feita com o objetivo de melhorar o aspecto de determinadas partes do corpo; CIRURGIA PLÁSTICA.

plasticidade (plas.ti.ci.*da*.de) *sf.* Característica do que é plástico.

plástico (*plás*.ti.co) *a.* **1** Ref. a plástica. **2** Que pode ser moldado (massa plástica). **3** Que envolve o trabalho com formas ou que se dedica a esse trabalho (artes plásticas, artista plástico). **4** Que intervém na aparência física de alguém ou de algo (cirurgia plástica). **5** De belas formas (mobília plástica). **6** Feito de plástico (7) (copos plásticos). *sm.* **7** *Quím.* Material sintético maleável, derivado do petróleo, com aplicações muito variadas (revestimento, matéria-prima para confecção de objetos etc.).

plastificar (plas.ti.fi.*car*) *v. td.* Revestir com plástico. [▶ **11** plastif[car] • **plas.ti.fi.ca.ção** *sf.*; **plas.ti.fi.ca.do** *a.*

plastrão, plastrom (plas.*trão*, plas.*trom*) *sm.* Tipo de gravata larga, com pontas entrecruzadas. [Pl.: -*trões*, -*trons*.]

plataforma (pla.ta.*for*.ma) *sf.* **1** Espaço liso e horizontal, localizado em nível mais alto do que a área ao redor. **2** Em estações de trem, metrô etc., área de embarque e desembarque de passageiros e cargas. **3** Rampa para lançamento de foguetes, mísseis etc. **4** *Fig.* Conjunto de compromissos de governo assumidos por um candidato ou partido político. **5** Estrado colocado na parte dianteira ou traseira de certos carros. **6** *Inf.* A configuração de um computador, com relação ao programa que se usa para operá-lo. *a2g.sf.* **7** Que ou aquilo que se assemelha a uma plataforma (1) (salto plataforma): *botas com plataforma alta*.

plátano (*plá*.ta.no) *sm. Bot.* Árvore de grande porte cuja madeira é us. na fabricação de móveis e papel.

plateia (pla.*tei*.a) *sf.* **1** Conjunto de pessoas que assistem a uma apresentação artística teatral, musical etc.; PÚBLICO. **2** A seção térrea de poltronas de um teatro.

platelminto (pla.tel.*min*.to) *sm. Zool.* Tipo de verme, ger. parasita, como as solitárias e os esquistossomos.

platibanda (pla.ti.*ban*.da) *sf. Arq.* **1** Grade do muro que limita um espaço. **2** Mureta de alvenaria construída no alto das paredes externas de uma edificação.

platina¹ (pla.*ti*.na) *sf. Quím.* Substância metálica us. para fabricação de material cirúrgico, odontológico, de laboratório etc. [Símb.: *Pt*]

platina² (pla.*ti*.na) *sf.* **1** Peça plana que compõe a estrutura de vários aparelhos, servindo ger. de suporte para outras peças. **2** Presilha posta nos ombros de alguns uniformes militares. [Nesta acp., mais us. no pl.] **3** Parte do microscópio onde se põem lâminas com material a ser examinado.

platinado (pla.ti.*na*.do) *a.* **1** Que foi coberto com platina (troféu platinado). *a.sm.* **2** Que ou aquilo que tem a cor cinza prateada da platina (cabelos platinados). *sm.* **3** *Aut.* Componente da parte elétrica do motor que interrompe a passagem da corrente em um circuito.

platinar (pla.ti.*nar*) *v. td.* **1** Cobrir com platina. **2** Dar a cor ou o brilho da platina a. [▶ **1** platin[ar] • **pla.ti.na.gem** *sf.*

platino (pla.*ti*.no) *a.* **1** Da região do rio da Prata (estuário da América do Sul); típico dessa região ou de seu povo. **2** Pessoa nascida na região do rio da Prata.

platirrino (pla.tir.*ri*.no) *a.sm.* Que ou quem tem o nariz alargado em relação ao seu comprimento.

platô (pla.*tô*) *sm.* Ver planalto.

platônico (pla.*tô*.ni.co) *a.* **1** Ref. a Platão (429-347 a.C.), filósofo grego, ou aos seus pensamentos. **2** Isento de prazeres físicos (amor platônico). *a.sm.* **3** Que ou quem é seguidor dos pensamentos de Platão.

platonismo (pla.to.*nis*.mo) *sm. Fil.* Doutrina de Platão.

plausível (plau.*si*.vel) *a2g.* Que pode aceitar como válido ou razoável (sugestão plausível); ACEITÁVEL. [Pl.: -*veis*.]

⊕ **play** (*Ing.* /plêi/) *sm.* F. red. de playground.

⊕ **playback** (*Ing.* /plêi*bèc*/) *sm.* **1** Gravação instrumental us. para ser reproduzida como acompanhamento de um solista. **2** Gravação prévia de uma canção, tocada em uma apresentação enquanto o solista simula a estar executando.

⊕ **playboy** (*Ing.* /plêi*bói*/) *sm.* Homem, ger. jovem e solteiro, rico e dado a festas e outros eventos sociais.

⊕ **playground** (*Ing.* /plêi*graund*/) *sm.* Espaço, ger. com brinquedos, destinado à diversão de crianças.

⊕ **play-off** (*Ing.* /plêi-*of*/) *sm. Esp.* Jogo ou sequência de jogos finais que desempatam ou decidem um campeonato ou torneio.

plebe (*ple*.be) [ê] *sf.* Classe social de menos riqueza e prestígio; POVO.

plebeísmo (ple.be.*ís*.mo) *sm.* Comportamento, hábitos e/ou modo de falar próprios da plebe.

plebeu (ple.*beu*) *a.sm.* **1** Que ou quem é da plebe. *a.* **2** Ref. a essa classe social. [Fem.: -*beia*.]

plebiscito (ple.bis.*ci*.to) *sm.* Consulta à população (ger. através de votação) sobre uma questão ou proposta; REFERENDO.

plectro (*plec*.tro) [é] *sm. Mús.* Pequena peça de material rígido com a qual se tocam instrumentos de corda, como violão, cavaquinho etc.; PALHETA.

plêiade, plêiada (*plêi*.a.de, *plêi*.a.da) *sf.* Grupo de pessoas ilustres.

pleistoceno (pleis.to.ce.no) *Geol. a.* **1** Diz-se de época geológica da era cenozoica na qual surgiram os primeiros seres humanos e as geleiras polares se expandiram, cobrindo mais de um quarto da Terra. *sm.* **2** Essa época. [Nesta acp., com inicial maiúsc.]

pleitear (plei.te.*ar*) *v. td.* **1** Esforçar-se para conseguir: *Pleiteava a revisão de sua prova.* **2** Revelar-se a favor de; DEFENDER: *pleitear a construção de novos hospitais.* **3** Apresentar-se como candidato a; CONCORRER: *pleitear uma vaga na universidade.* **4** *Jur.* Brigar em juízo; REQUERER: "Todo consumidor lesado tem o direito de pleitear indenização." (*FolhaSP*, 17.10.99). [▶ **13** pleit[ear] • **plei.te.a.do** *a.*; **plei.te:an.te** *a2g.s2g.*

pleito (*plei*.to) *sm.* **1** Votação através da qual se escolhe alguém para ocupar um cargo público (presidente, governador etc.); ELEIÇÃO. **2** Confrontação de opiniões e argumentos; DEBATE. **3** *Jur.* Disputa judicial; LITÍGIO.

plenário (ple.*ná*.ri:o) *sm.* **1** O conjunto de membros de uma associação reunidos em assembleia. **2** O lugar onde acontece essa reunião. *a.* **3** Que é completo; INTEGRAL. **4** Que reúne os membros de um grupo (reunião plenária). ☑ **plenária** *sf.* **5** Assembleia ou tribunal que se reúne em sessão todos os seus membros.

plenilúnio (ple.ni.*lú*.ni:o) *sm.* Fase em que a lua está inteiramente iluminada; lua cheia.

plenipotência (ple.ni.po.*tên*.ci:a) *sf.* Poder absoluto, sem restrições.

plenipotenciário (ple.ni.po.ten.ci.*á*.ri:o) *a.* **1** Que tem poder absoluto (governante plenipotenciário). *sm.* **2** Representante diplomático a quem um governo concedeu plenos poderes.

plenitude (ple.ni.*tu*.de) *sf.* Situação daquilo que está pleno, inteiro; COMPLETUDE.

pleno (*ple*.no) *a.* **1** Que está cheio, repleto: *pleno de boas intenções.* **2** Que é absoluto, total (satisfação

pleonasmo | pluvioso

plena). *a.sm.* **3** Diz-se de ou assembleia, tribunal etc. que visa reunir em sessão todos os seus membros (tribunal pleno): *Nem todos compareceram ao pleno*. ◼ **Em ~ Us.** para caracterizar uma situação em tempo, lugar ou circunstância não usuais: *Usava um casaco de lã em pleno verão carioca.*

pleonasmo (ple:o.*nas*.mo) *sm. Ling.* **1** Uso repetido de um conceito, ou redundância de um termo, para dar mais força expressiva ao discurso. [Ex. de pleonasmo: *o principal protagonista*; *um monopólio exclusivo*.] **2** Excesso de palavras para expressar uma ideia.

pletora (ple.*to*.ra) [ó] *sf.* **1** *Med.* Volume de sangue maior do que o normal. **2** *Fig.* Abundância de vitalidade, de energia etc.; EXUBERÂNCIA. **3** *Fig.* Todo tipo de excesso; SUPRABUNDÂNCIA. ● **ple.tó.ri.co** *a.*

pleura (*pleu*.ra) *sf. Anat.* Membrana que envolve cada um dos dois pulmões. ● **pleu.***ral* *a2g.*

pleurisia (pleu.ri.*si*.a) *sf. Med.* Inflamação da pleura; PLEURITE.

pleurite (pleu.*ri*.te) *sf. Med.* Ver *pleurisia*. ● **pleu.rí.ti.co** *a.sm.*

pleuropneumonia (pleu.ro.pneu.mo.*ni*.a) *sf. Med.* Inflamação do pulmão e da pleura que o reveste.

pleuropulmonar (pleu.ro.pul.mo.*nar*) *a2g.* Ref. à ou próprio da pleura e do pulmão.

plexo (*ple*.xo) [cs] *sm. Anat.* Conexão de nervos, vasos sanguíneos e vasos linfáticos; a região dessa conexão.

plica (*pli*.ca) *sf. Anat.* Dobra de uma membrana, um tecido etc.; PREGA; PLICATURA.

plicatura (pli.ca.*tu*.ra) *sf.* **1** *Anat.* Ver *plica*. **2** *Cir.* Diminuição do tamanho de um órgão através de cirurgia.

plinto (*plin*.to) *sm. Arq.* **1** Base de coluna, com quatro lados. **2** Pedestal que sustenta uma estátua.

plioceno (pli:o.*ce*.no) *Geol. a.* **1** Diz-se do período geológico final da era cenozoica em que os mamíferos já habitavam a Terra e surgiram os primeiros ancestrais diretos do homem. *sm.* **2** Esse período. [Nesta acp., com inicial maiúsc.]

plissado (plis.*sa*.do) *a.* **1** Com pregas, formando plissê (saia plissada). **2** Ver *plissê*.

plissar (plis.*sar*) *v. td.* Fazer pregas estreitas e permanentes em: *plissar uma saia*. [▶ **1** plissar]

plissê (plis.*sê*) *sm.* Sequência de pregas permanentes feitas em um tecido com máquina própria; PLISSADO.

plotar (plo.*tar*) *v. td.* **1** *Bras. Mar.* Localizar (embarcação, alvo) por meio de mapa, desenho em escala etc. **2** *Inf.* Transpor, para o papel, imagem gerada por computador. [▶ **1** plotar] ● **plo.ta.dor** *a.sm.*; **plo.ta.do.ra** *sf.*

🌐 ***plotter*** (*Ing. /plóter/*) *sm. Inf.* Aparelho que imprime imagens, linha a linha, a partir de penas ou pinos móveis.

plugado (plu.*ga*.do) *a.* **1** Diz-se de aparelho elétrico ligado a uma tomada. **2** Que está conectado a um computador ou a uma rede de computadores. **3** *Gír.* Ligado, atento.

plugar (plu.*gar*) *v. td.* **1** Ligar (aparelho elétrico) a uma tomada. **2** *Inf.* Conectar (equipamentos) a um computador. **3** Conectar (seu próprio computador ou algum computador) a uma rede de computadores. [▶ **14** plugar]

plugue (*plu*.gue) *sm. Elet. Eletrôn.* Peça com pinos que, encaixada em uma tomada, estabelece uma conexão elétrica.

pluma (*plu*.ma) *sf.* **1** Pena de ave, ger. longa e flexível. **2** Esse objeto us. como adorno em roupas. ● **plú.me:o** *a.*; **plu.***mis*.ta *s2g.*; **plu.***mo*.so *a.*

plumagem (plu.*ma*.gem) *sf.* **1** Conjunto de plumas de uma ave. **2** *Fig.* Aspecto exterior; APARÊNCIA. [Pl.: *-gens*.]

plumário (plu.*má*.ri:o) *a.* **1** Ref. a pluma(s). **2** Diz-se de objeto coberto de plumas. **3** Ref. às modalidades de artesanato em que se usam plumas.

plúmbeo (*plúm*.be:o) *a.* **1** Ref. a chumbo. **2** Que tem a cor cinzenta desse metal.

plumbismo (plum.*bis*.mo) *sm. Med.* Intoxicação causada por absorção de chumbo.

plural (plu.*ral*) *a2g.* **1** Que é variado, diversificado: *a música plural brasileira.* *sm.* **2** *Gram.* Categoria gramatical que designa mais de uma pessoa, ou objeto, ou sentimento etc. [Us. tb. como adj.: *substantivo plural*.] [NOTA: Aplica-se a vocábulos variáveis (artigos, substantivos, adjetivos, verbos e pronomes) que concordam entre si (p.ex.: *dia claro/dias claros*; *o gato mia/os gatos miam* etc.).] [Ant.: *singular*.] [Pl.: *-rais*.]

pluralidade (plu.ra.li.*da*.de) *sf.* **1** Qualidade do que é plural, diversificado; MULTIPLICIDADE. **2** Existência de diversas variações de algo ao mesmo tempo; DIVERSIDADE: *O Brasil é um país de grande pluralidade religiosa.* **3** Grande quantidade de algo: *pluralidade de alternativas.* **4** O maior número; MAIORIA: *a pluralidade dos votos.*

pluralismo (plu.ra.*lis*.mo) *sm.* **1** Diversidade de interesses, opiniões, experiências etc.: *o pluralismo da sociedade.* **2** Ideia ou conceito de que em uma só entidade (pessoa, sociedade etc.) podem coexistir naturalmente diferentes aspectos. ● **plu.ra.***lis*.ta *a2g.s2g.*

pluralizar (plu.ra.li.*zar*) *v. td.* **1** Colocar ou empregar (palavra, frase) no plural. **2** Tornar mais numeroso; MULTIPLICAR: *pluralizar esforços.* **3** *Fig.* Diversificar: *O empregado pluralizou seus investimentos.* [▶ **1** pluralizar] ● **plu.ra.li.za.***ção* *sf.*

pluricelular (plu.ri.ce.lu.*lar*) *a2g. Biol.* Diz-se de ser vivo constituído de mais de uma célula; MULTICELULAR.

plurilateral (plu.ri.la.te.*ral*) *a2g.* **1** Que tem muitos lados. **2** *Fig.* Que envolve várias nações (acordo plurilateral). [Pl.: *-rais*.]

plurilíngue (plu.ri.*lín*.gue) *a2g.* **1** Em que se falam muitas línguas (dir-se ger. de região, país etc.); MULTILÍNGUE. *a2g.s2g.* **2** Que ou quem fala várias línguas; POLIGLOTA.

pluriovulado (plu.ri:o.vu.*la*.do) *a. Bot.* Com muitos óvulos; MULTIOVULADO.

pluripartidarismo (plu.ri.par.ti.da.*ris*.mo) *sm. Pol.* Sistema político no qual vários partidos disputam o poder. ● **plu.ri.par.ti.***dá*.ri:o *a.*; **plu.ri.par.ti.da.***ris*.ta *a2g.s2g.*

plurissecular (plu.ris.se.cu.*lar*) *a2g.* Que existe há muitos séculos; MULTISSECULAR.

plutão (plu.*tão*) *sm.* **1** *Poét.* O fogo. [Pl.: *-tões*.] ◪ **Plutão** *sm.* **2** *Astron.* Plutoide ou planeta-anão do sistema solar, na nona órbita a partir do Sol. ● **plu.***tô*.ni.co *a.*

plutocracia (plu.to.cra.*ci*.a) *sf. Soc.* **1** Sistema político no qual as classes mais ricas governam. **2** Influência exercida pelos mais ricos num governo. ● **plu.to.***cra*.ta *s2g.*

plutônio (plu.*tô*.ni:o) *sm. Quím.* Substância sintética, radioativa, us. na produção de energia nuclear e na fabricação de bombas atômicas. [Símb.: Pu]

pluvial (plu.vi.*al*) *a2g.* Ref. a chuva (águas pluviais). [Pl.: *-ais*.]

pluviometria (plu.vi:o.me.*tri*.a) *sf.* Ciência que estuda a distribuição das chuvas em um determinado espaço (país, região etc.), conforme a época do ano. ● **plu.vi:o.***mé*.tri.co *a.*

pluviômetro (plu.vi.*ô*.me.tro) *sm.* Aparelho que mede a quantidade de chuva que caiu em um lugar durante um certo período de tempo.

pluvioso (plu.vi:*o*.so) [ó] *a.* **1** Que tem sinais de chuva (nuvem pluviosa). **2** *Poét.* Onde chove muito (cidade pluviosa); CHUVOSO. [Fem. e pl.: [ó].]

⊠ **p.m.** Abr. de *post meridiem*. [Cf.: *a.m.*]
⊠ **PNB** *Econ.* Sigla de *Produto Nacional Bruto* (o total das riquezas produzidas num país, ger. durante um ano).
pneu *sm.* Cada um dos tubos circulares de borracha cheios de ar que circundam as rodas de um veículo; PNEUMÁTICO.
pneumático (pneu.*má*.ti.co) *a.* **1** Ref. a ar (pressão pneumática). **2** Diz-se de aparelho que funciona a partir da energia produzida pela pressão do ar. *sm.* **3** Ver *pneu*. ◪ **pneumática** *sf.* **4** Ciência que estuda as características dos gases.
pneumatologia (pneu.ma.to.lo.*gi*.a) *sf.* **1** Ver *pneumática*. **2** *Teol.* Estudo dos espíritos como seres intermediários em relação ao homem e a Deus. • pneu.ma.to.*ló*.gi.co *a.*; pneu.ma.to.lo.*gis*.ta *s2g.*
pneumogástrico (pneu.mo.*gás*.tri.co) *a.* Ref. aos pulmões (ou a um deles) e ao estômago.
pneumonia (pneu.mo.*ni*.a) *sf. Med.* Inflamação dos pulmões causada pela ação de bactéria ou vírus.
pneumopatia (pneu.mo.pa.*ti*.a) *sf. Med.* Doença dos pulmões. • pneu.*pá*.ti.co *a.*
pneumotomia (pneu.mo.to.*mi*.a) *sf. Cir.* Cirurgia nos pulmões.
pneumotórax (pneu.mo.*tó*.rax) [cs] *sm2n. Med.* Presença anômala de ar na cavidade da pleura.
pó¹ *sm.* **1** Conjunto de pequeníssimas partículas sólidas suspensas no ar ou depositadas em alguma superfície. **2** Qualquer substância sólida reduzida a partículas muito pequenas: *pó de café*. **3** *Bras. Gír.* Ver *cocaína*.
pó² *sm.* Ver *pó de arroz*.
pô *interj. Bras. Tabu.* Expressa indignação, raiva, surpresa etc.
pobre (*po*.bre) *a2g.s2g.* **1** Que ou quem tem pouco dinheiro ou poucos bens, em comparação com outros: "Pedro pedreiro quer voltar atrás/ Quer ser pedreiro pobre e nada mais" (Chico Buarque, *Pedro Pedreiro*). *a2g.* **2** Que revela pobreza ou em que há pobreza (região pobre). **3** *Fig.* Que é simples, pouco elaborado (diz-se de ideia, obra etc.). [Ant. das acps. 1 a 3: *rico*.] **4** *Fig.* Pouco fértil (diz-se ger. de um terreno). **5** *Fig.* De quem se tem pena, compaixão; COITADO: "Amor de perdição paixão que cobre/ Todo o meu pobre peito pela vida afora." (Jards Macalé e Waly Salomão, *Dona de castelo*). [Aum.: *pobretão*. Superl.: **paupérrimo** e *pobríssimo*.]
pobre-diabo (po.bre-di.a.bo) *sm. Pej.* **1** Pessoa considerada sem importância por não ter instrução, prestígio social, dinheiro; JOÃO-NINGUÉM, ZÉ-NINGUÉM. **2** Aquele que é inofensivo e não tem como se defender. [Pl.: *pobres-diabos*.] [At!] O termo é considerado depreciativo ou preconceituoso.]
pobretão (po.bre.*tão*) *sm.* Pessoa muito pobre; PÉ-RAPADO. [Ant.: *ricaço*.] [Pl.: *-tões*.]
pobreza (po.*bre*.za) [ê] *sf.* **1** Característica de quem ou do que é pobre. **2** Condição de pobre. [Ant.: *riqueza*.]
poça (*po*.ça) [ó] ou [ó] *sf.* Buraco ou depressão com água acumulada dentro.
poção (po.*ção*) *sf.* Bebida com propriedades medicinais. [Pl.: *-ções*.]
pocar (po.*car*) *v. int. BA* Estourar. [▶ **11** poçar]
pochete (po.*che*.te) [é] *sf.* Bolsa pequena que se usa presa à cintura ou se carrega a tiracolo.
pocilga (po.*cil*.ga) *sf.* **1** Curral onde se criam porcos; CHIQUEIRO. **2** *Fig.* Lugar muito sujo ou repulsivo.
poço (*po*.ço) [ô] *sm.* **1** Buraco fundo com água proveniente de um lençol de água subterrâneo. **2** Qualquer buraco profundo: *poço de elevador*. **3** Escavação feita para exploração de riquezas minerais. **4** Área mais funda de um rio ou lago; PEGO.

poda (*po*.da) [ó] *sf.* **1** Ação ou resultado de podar, de cortar galhos velhos de árvores, favorecendo o crescimento dos novos. **2** Época apropriada para essa atividade. [Sin. ger.: *podadura*.]
podadeira (po.da.*dei*.ra) *sf.* Tesoura us. para podar árvores.
podadura (po.da.*du*.ra) *sf.* Ver *poda*.
podão (po.*dão*) *sm.* Foice us. para cortar madeira ou podar árvores. [Pl.: *-dões*.]
podar (po.*dar*) *v. td.* **1** Cortar (galhos de planta): *podar a árvore*. **2** *Fig.* Pôr limites a (pessoa, comportamento); CERCEAR: *podar os gastos públicos*. [Ant. nesta acp.: *estimular*.] [▶ **1** podar] • po.*da*.do *a.*
pó de arroz (pó de ar.*roz*) *sm.* Pó muito fino que suaviza as expressões faciais e confere tonalidade uniforme e textura acetinada à pele. [Pl.: *pós de arroz*.]
pó de mico (pó de *mi*.co) *sm. Bras.* Pó feito com pelos de certas plantas, e que causa coceira. [Pl.: *pós de mico*.]
poder (po.*der*) *v.* **1** Ser capaz de (fazer algo). [*td.*: *Se não puder cumprir o combinado, avise-me*.] **2** Ter condições físicas ou morais para. [*td.*: *Ele está fraco, ainda não pode andar*.] **3** Ter permissão para. [*td.*: *Posso comer mais gelatina?*] **4** Ter poder ou autoridade para. [*td.*: *Deus pode tudo*; *Ele pode demitir quem quiser*.] **5** Ser capaz de suportar ou de dominar. [*ti.* + com: *Ninguém pode com esse menino!*] [▶ **25** poder] [NOTA: Como v. aux., significa 'ser possível, provável, oportuno': *Posso estar enganado*, *mas essa assinatura não é dele*; *Sábado não pode chover*, *é o casamento da Ana*.] *sm.* **6** Governo (poder constitucional). **7** Posição de mando, de direção; AUTORIDADE: *o poder de um dirigente*. **8** Habilidade, facilidade (para fazer algo); CAPACIDADE: *Ela tem o poder de me tirar do sério*. **9** Influência, domínio: *Pedro exerce muito poder sobre os colegas*. **10** Domínio, posse: *O livro está em poder do diretor*. **11** Capacidade de produzir certo efeito; VIRTUDE: *o poder de cura das ervas*. ◪ **poderes** *smpl.* **12** Autorização, direito: *Tinha poderes para cancelar o contrato*. ▦ ~ **aquisitivo** *Econ.* Capacidade (de indivíduo, grupo, moeda) de adquirir bens. ~ **de fogo 1** Capacidade (de arma, unidade militar ou policial, exército etc.) de destruir ou de manter fogo cerrado sobre o inimigo. **2** *Fig.* Capacidade de mobilizar recursos e acioná-los com missão, tarefa etc.: *A contusão de Ronaldo reduziu o poder de fogo da seleção*. ~ **executivo** *Jur.* Em Estado democrático, a autoridade constituída para executar as leis e administrar a nação. ~ **judiciário** *Jur.* Em Estado democrático, a autoridade constituída para zelar pelo cumprimento das leis, julgar e punir suas infrações. ~ **legislativo** *Jur.* Em Estado democrático, a autoridade constituída para criar as leis. ~ **público** O conjunto dos poderes constituídos para governar um Estado.
poderio (po.de.*ri*.o) *sm.* **1** Domínio e autoridade exercidos por alguém ou por uma instituição sobre uma área ou um grupo de pessoas. **2** Grande poder.
poderoso (po.de.*ro*.so) [ô] *a.* **1** Que tem domínio sobre alguém ou algo, e é grande vigor: *a poderosa economia de São Paulo*. **2** Que é influente e/ou possui muitos recursos: *os poderosos aristocratas da coroa portuguesa*. **3** Que tem efeito intenso (sonífero *poderoso*); FORTE. [Ant.: *débil*.] [Fem. e pl.: [ó].] [Cf.: *ponderoso*.] ◪ **poderosos** *smpl.* **4** Aqueles que têm poder.
pódio (*pó*.di.o) *sm.* Plataforma, ger. com três níveis (correspondentes à primeira, segunda e terceira colocações), na qual os vencedores de uma competição sobem para ser premiados.
podômetro (po.*dô*.me.tro) *sm.* Aparelho portátil que conta quantos passos foram dados em uma caminhada.
podre (*po*.dre) *a2g.* **1** Que está se decompondo (carne podre); ESTRAGADO. **2** Que cheira muito mal;

podridão | polichinelo

FÉTIDO. 3 *Fig. Pop.* Muito cansado; EXAUSTO: *Ficou podre depois da escalada.* **4** *Fig.* Desagradável, por contradizer princípios morais (ideias podres); PERVERTIDO. **5** *Cul.* Diz-se de massa farinhenta, quebradiça, us. em empadas, tortas etc. **sm. 6** Parte estragada de algo: *Tirava o podre das frutas com a faca.* ◼ **podres** *smpl.* **7** Defeitos, ações condenáveis: *Conheço bem os podres dele.* ■ ~ **de** Muitíssimo: *Bill Gates é podre de rico.*

podridão (po.dri.*dão*) *sf.* **1** Qualidade do que é podre ou está em decomposição. **2** *Fig.* Comportamento moralmente condenável; PERVERSÃO. [Pl.: *-dões*.]

poedeira (po:e.*dei*.ra) *a.* Que põe ovos ou os põe em grande quantidade (diz-se ger. de galinha).

poeira (po:*ei*.ra) *sf.* **1** Pó fino que se acumula sobre objetos com o passar do tempo. **2** Partículas de terra levantadas por um veículo, pelo vento etc.

poeirada (po:ei.*ra*.da) *sf.* Muito pó ou poeira.

poeirento (po:ei.*ren*.to) *a.* Que tem muita poeira acumulada (estante poeirenta).

poejo (po:*e*.jo) [ê] *sm. Bot.* Erva aromática rasteira de cujas folhas se extrai mentol.

poema (po:*e*.ma) *sm. Liter.* **1** Texto literário escrito em verso. **2** Texto desse tipo, ger. extenso, que narra um acontecimento real ou imaginário; EPOPEIA.

poemeto (po:e.*me*.to) [ê] *sm.* Poema pequeno.

poente (po:*en*.te) *a2g.* **1** Que se põe (sol poente). *sm.* **2** O pôr do sol: *No poente, o céu fica avermelhado.* **3** *Astron. Geogr.* A direção na qual o sol se põe; OESTE.

poesia (po:e.*si*.a) *sf.* **1** *Liter.* Forma de expressão artística através de uma linguagem em que se empregam, segundo certas regras, sons, palavras, estruturas sintáticas etc. **2** *Liter.* Esse modo de expressão, estabelecido como gênero literário. **3** *Liter.* Poema, ger. curto. **4** *Liter.* Arte poética própria de um poeta, de um grupo cultural, uma época etc.: *a poesia contemporânea.* **5** *Fig.* Qualidade do que exprime sensibilidade e beleza: *Ficamos maravilhados com a poesia de suas palavras.*

poeta (po:*e*.ta) *sm.* **1** Quem se dedica à poesia. **2** Quem é sensível, imaginativo e tem habilidade para a expressão artística: *Chopin foi o poeta do teclado.* **3** Quem é idealista, sonhador. [Fem.: *poetisa.* Aum. (Joc.): *poetaço, poetastro.*] ● **po:e.tar** *v.*

poetaço (po:e.*ta*.ço) *sm.* Poetastro.

poetastro (po:e.*tas*.tro) *sm.* Poeta ruim; POETAÇO.

poética (po:*é*.ti.ca) *sf. Liter.* **1** Arte de fazer poemas. **2** Ciência que estuda os recursos técnicos em. em poesia. **3** Obra didática sobre essa ciência.

poético (po:*é*.ti.co) *a.* **1** Ref. ou pertencente à poesia (obra poética). **2** Que revela poesia (texto poético).

poetisa (po:e.*ti*.sa) *sf.* Mulher que escreve poesias.

poetizar (po:e.ti.*zar*) *v.* **1** Fazer com que fique poético. [*td.*] **2** Compor versos; VERSEJAR. [*int.*] [▶ po.e.ti.*zar*]

⊕ **point** (Ing. /póint/) *sm.* Lugar público onde há grande afluxo de pessoas, por estar na moda.

pois *conj.expl.* **1** Porque; visto que: *Vá com cuidado, pois a pista está molhada.* *conj.concl.* **2** Portanto; por conseguinte: *Tudo terminando; podemos, pois, comemorar.* [NOTA: Us. para introduzir uma observação evidente, uma réplica, ou a consequência do que foi dito anteriormente: *Você não sabe dançar? Pois trate de aprender.*] *conj.advers.* **3** Mas; porém; no entanto: *Ela insistiu para que eu contasse; pois eu me mantive calada.* ■ ~ é Num diálogo, expressão us. para reforço, concordância: *Pois é, foi assim que aconteceu.* ~ **não 1** Expressão de cortesia us. para contato (ger. interrogativa): *Pois não? O que a senhora deseja?* **2** Sim; claro que sim: — *Aguarde um pouco, por favor.* — *Pois não.* ~ **sim 1** Sim, perfeitamente: — *Você tem uma iguana?* — *Pois sim, uma iguana.* **2** *Irôn.* De forma alguma; não mesmo: *Pois sim que eu vou emprestar minha bicicleta nova!*

polaco (po.*la*.co) *a.sm.* Ver polonês.

polaina (po.*lai*.na) *sf.* Vestimenta que recobre a parte superior do pé e a inferior da perna, us. sobre o calçado. [Mais us. no pl.]

polar (po.*lar*) *a2g.* **1** Ref. a ou próprio de um dos polos da Terra. **2** Ref. aos polos de um imã, de um objeto alongado etc. **3** *Fig.* Que se opõe completamente a outro elemento (opiniões polares).

polaridade (po.la.ri.*da*.de) *sf. Elet.* Característica que define o sentido da passagem de corrente elétrica em um ponto do circuito, em relação a seus polos[1] (5).

polarizar (po.la.ri.*zar*) *v. Fig.* **1** Chamar para si; ATRAIR. [*td.*: *Os jogos de computador polarizam a atenção.*] **2** Fixar-se em polos[1] (4) opostos, ou oscilar entre eles; DIVIDIR(-SE). [*td.*: *A eleição polarizou empregados e patrões. pr.*: *Polariza-se entre família e trabalho.*] [▶ po.la.ri.*zar*] ● **po.la.ri.za.ção** *sf.*; **po.la.ri.za.do** *a.*

polca (*pol*.ca) [ó] *sf. Mús.* **1** Dança animada de pares, de origem polonesa. **2** Gênero de música que acompanha essa dança.

poldro (*pol*.dro) [ó] *sm. Zool.* Ver potro.

polé (po.*lé*) *sf.* Máquina para erguer ou arrastar pesos, composta de um pedaço de madeira munido de roldana.

polegada (po.le.*ga*.da) *sf.* **1** Medida aproximadamente correspondente ao comprimento do segmento do dedo polegar onde fica a unha. **2** Unidade de medida correspondente a 25,40mm, us. na Inglaterra. [Nesta acp., abr.: *in* (em ing.) ou *pol* (em port.). Símb.: "]

polegar (po.le.*gar*) *a2g.sm.* **1** Diz-se do ou dedo mais curto e mais grosso que os demais, que fica numa das extremidades da mão e em oposição aos outros dedos. **2** Diz-se do ou o mais grosso dedo do pé; DEDÃO.

poleiro (po.*lei*.ro) *sm.* **1** Armação horizontal de madeira ou outro material onde as aves se acomodam dentro de um galinheiro, uma gaiola etc. **2** *Bras. Fig. Pop.* Camarote ou galeria elevada em teatros, auditórios etc.; TORRINHA.

polêmico (po.*lê*.mi.co) *a.* **1** Que causa controvérsia (decisão polêmica). ◼ **polêmica** *sf.* **2** Divergência de opiniões que provoca debates a respeito de um assunto; CONTROVÉRSIA. [Dim. pej.: *polemicula.*]

polemizar (po.le.mi.*zar*) *v.* Criar polêmica. [*ti.* com: *Polemiza com todos. int.*: *Este padre gosta de polemizar.*] [▶ po.le.mi.*zar*] ● **po.le.mis.ta** *a2g.s2g.*

pólen, polem (*pó*.len, po.lem) *sm. Bot.* Grãos pequeníssimos produzidos pelas flores que, sendo carregados pelo vento, por insetos etc., têm a função reprodutiva de fecundar outras plantas. [Pl.: *polens.*]

polenta (po.*len*.ta) *sf. Cul.* Alimento pastoso, feito à base de fubá de milho. [Cf.: *angu.*]

⊕ **pole position** (Ing. /pôul posichon/) *Esp. sf.* **1** No automobilismo, a primeira colocação na largada de uma corrida. **2** Quem ocupa essa posição: *Ayrton Senna foi muitas vezes o pole position.*

polia (po.*li*.a) *sf.* Roda com uma correia presa à sua circunferência que, girando, faz a correia se mover.

poliandria (po.li:an.*dri*.a) *sf.* Casamento de uma mulher com mais de um homem ao mesmo tempo.

policarpo (po.li.*car*.po) *a. Bot.* Ref. a um vegetal que frutifica com frequência, ou dá muitos frutos numa mesma frutificação.

policêntrico (po.li.*cên*.tri.co) *a. Geom.* Que possui mais de um centro.

polichinelo (po.li.chi.*ne*.lo) *sm.* **1** *Bras.* Exercício físico no qual se salta repetidamente, alternando a abertura de braços e pernas. **2** *Teat.* Antigo personagem de teatro cômico, de aparência disforme, nariz curvo e roupas coloridas, que representa um

polícia | política

homem do povo. **3** Marionete que representa esse personagem.
polícia (po.*li*.ci:a) *sf.* **1** Conjunto de leis que têm o objetivo de garantir a segurança e a ordem pública. **2** Corporação composta por instituições responsáveis pela manutenção desses valores. **3** Os membros dessa corporação. *sm.* **4** *Pop.* Ver *policial* (1).
policial (po.li.ci:*al*) *s2g.* **1** Quem trabalha na polícia, para garantir a ordem e a segurança pública; POLICIA. *a2g.* **2** Da ou ref. à polícia (inquérito policial). **3** Que envolve crimes e/ou sua investigação (romance policial). [Pl.: *-ais*.]
policiar (po.li.ci.*ar*) *v.* **1** Manter a ordem (de algum lugar) pela ação policial. [*td.*: *policiar as ruas.*] **2** Tomar conta; VIGIAR. [*td.*: *Policiava o marido.*] **3** *Fig.* Controlar (as próprias atitudes ou si mesmo); REPRIMIR(-SE), MODERAR(-SE). [*td.*: *Foi duro policiar a minha raiva. pr.*: *Policiava-se para não comer muito.*] [▶ **1** policiar] ● po.li.ci.a.do *a.*; po.li.ci:a.*men*.to *sm.*
policlínica (po.li.*cli*.ni.ca) *sf. Med.* Instituição de saúde onde se trata todo tipo de doença.
policromia (po.li.cro.*mi*.a) *sf.* **1** Grande quantidade de cores. **2** Característica daquilo que tem várias cores. ● po.li.*cró*.mi.co *a.*
policultura (po.li.cul.*tu*.ra) *sf.* Cultivo de produtos agrícolas diferentes numa mesma área. [Cf.: *monocultura.*]
polido (po.*li*.do) *a.* **1** Que se poliu, que passou por polimento e tem a superfície lisa (pedra polida); ALISADO. [Ant.: *áspero.*] **2** Que, devido ao polimento, ficou lustroso, brilhoso (ouro polido). [Ant.: *fosco.*] **3** *Fig.* Que é atencioso, educado, cortês. [Ant.: *indelicado, grosseiro.*]
polidor (po.li.*dor*) [ó] *a.sm.* **1** Que ou aquilo que pule. **2** Que ou quem trabalha polindo objetos.
poliedro (po.li.*e*.dro) [é] *Geom. sm.* **1** Sólido geométrico com quatro ou mais faces, delimitado por polígonos planos. *a.sm.* **2** Que ou aquilo que tem várias faces. ● po.li.*é*.dri.co *a.*
poliéster (po.li.*és*.ter) *sm.* **1** *Quím.* Substância resinosa us., entre outros aproveitamentos, para a fabricação de tecido sintético. **2** Esse tecido.
poliestireno (po.li.es.ti.*re*.no) *sm. Quím.* Substância resinosa resultante da polimerização do estireno, us. para a fabricação de isopor e de diferentes tipos de embalagens.
polietileno (po.li:e.ti.*le*.no) *sm. Quím.* Substância plástica resultante da polimerização do etileno, us. para a fabricação de recipientes e embalagens, tubos etc.
polífago (po.*li*.fa.go) *a.sm.* Ver *onívoro.*
polifonia (po.li.fo.*ni*.a) *sf. Mús.* **1** Combinação simultânea de várias melodias independentes. **2** Execução harmônica de vários sons simultaneamente. ● po.li.*fô*.ni.co *a.*
poligamia (po.li.ga.*mi*.a) *sf.* **1** Casamento de uma pessoa com vários cônjuges ao mesmo tempo. **2** Costume de algumas sociedades nas quais essa prática é aceitável. ● po.li.*gá*.mi.co *a.*; po.*lí*.ga.mo *a.sm.*
poliglota (po.li.*glo*.ta) [ó] *a2g.s2g.* **1** Que ou quem fala várias línguas. *a2g.* **2** Que está escrito em diversas línguas (manual poliglota).
polígono (po.*li*.go.no) *sm. Geom.* Figura geométrica plana com vários lados e ângulos. ● po.li.go.*nal a2g.*
polígrafo (po.*li*.gra.fo) *sm.* **1** Quem escreve sobre vários assuntos diferentes. **2** Aparelho que, conectado a alguém, registra alterações em funções fisiológicas, sendo us. como detector de mentiras. ● po.li.gra.*fi*.a *sf.*; po.li.*grá*.fi.co *a.*
poli-insaturado (po.li-in.sa.tu.*ra*.do) *a. Quím.* Diz-se de substância orgânica que tem muitos pares de átomos de carbono dupla ou triplamente interligados.
polimerizar (po.li.me.ri.*zar*) *v. td. Quím.* Converter em polímero. [▶ **1** polimeriz`ar`] ● po.li.me.ri.za.*ção sf.*
polímero (po.*li*.me.ro) *sm. Quím.* Composto formado por combinações repetidas de moléculas mais simples.
polimórfico (po.li.*mór*.fi.co) *a.* O m.q. *polimorfo.*
polimorfo (po.li.*mor*.fo) *a.* **1** Que se apresenta de várias formas (cristal polimorfo). **2** Que pode se apresentar de diferentes maneiras (doença polimorfa). ● po.li.mor.*fis*.mo *sm.*
polinésio (po.li.*né*.si:o) *sm.* **1** Da Polinésia (arquipélago no oceano Pacífico, próximo da Austrália); típico desse arquipélago ou de seu povo. *sm.* **2** Pessoa nascida na Polinésia.
polineurite (po.li.neu.*ri*.te) *sf. Med.* Inflamação de vários nervos ao mesmo tempo.
polínico (po.*li*.ni.co) *a. Bot.* **1** Ref. a pólen. **2** Que contém pólen (flor polínica); POLINÍFERO.
polinífero (po.li.*ní*.fe.ro) *a.* O m.q. *polínico* (2).
polinizar (po.li.ni.*zar*) *v.* Transportar, levar pólen a (flor). [*td.*: *Os insetos polinizam as flores. int.*: *O vento também poliniza.*] [▶ **1** poliniz`ar`] ● po.li.ni.za.*ção sf.*
polinômio (po.li.*nô*.mi:o) *sm. Álg.* Expressão composta pela soma algébrica de vários termos. ● po.li.*nô*.mi.co *a.*
pólio (*pó*.li:o) *sf. Bras. Pat.* F. red. de *poliomielite.*
poliomielite (po.li:o.mi:e.*li*.te) *sf. Pat.* Inflamação da massa cinzenta da medula espinhal. ■ ~ **anterior aguda** *Med.* Ver *paralisia infantil* em *paralisia.*
pólipo (*pó*.li.po) *sm.* **1** *Pat.* Massa carnosa que se forma em uma mucosa. **2** *Zool.* Certo animal invertebrado aquático.
polir (po.*lir*) *v.* **1** Proporcionar brilho a; LUSTRAR. **2** *Fig.* Tornar(-se) educado, fino; REFINAR(-SE). [*td.*: *Polia as maneiras da sobrinha. pr.*: *Deu gosto ver como os estudantes se poliram.*] **3** *Fig.* Melhorar o estilo de; APRIMORAR. [*td.*: *polir as frases.*] [▶ **S2** pol`ir`] ● po.li.*dez sf.*; po.li.*du*.ra *sf.*; po.li.*men*.to *sm.*
polissacarídeo (po.lis.sa.ca.*ri*.de:o) *sm. Quím.* Molécula de carboidrato formada por uma cadeia de outras mais simples.
polissemia (po.lis.se.*mi*.a) *sf. Ling.* Multiplicidade de significados de uma palavra (p.ex.: *bolo* referindo-se a 'doce', a 'pancada de palmatória' etc.).
polissílabo (po.lis.*si*.la.bo) *Gram. a.* **1** Que tem várias sílabas (palavra polissílaba). *sm.* **2** Palavra polissílaba.
polissíndeto (po.lis.*sín*.de.to) *sm. Gram.* Repetição de uma conjunção coordenativa ligando palavras, orações ou outras estruturas sintáticas num mesmo período. [Ex. de polissíndeto: 'Ria e corria e pulava e cantava...'.]
politeama (po.li.te:*a*.ma) *sm. Teat.* Casa que apresenta vários tipos de espetáculos.
politécnico (po.li.*téc*.ni.co) *a.* **1** Ref. a diferentes artes e ofícios. **2** Ref. a engenharia (diz-se ger. de escola). ⊿ **politécnica** *sf.* **3** Escola onde se estudam diversas artes e ofícios.
politeísmo (po.li.te.*is*.mo) *sm.* Crença em vários deuses. [Cf.: *monoteísmo.*] ● po.li.te.*ís*.ta *a2g.s2g.*
política (po.*li*.ti.ca) *sf.* **1** Arte e ciência da organização e administração de um Estado, uma sociedade, de uma instituição etc. **2** O conjunto de fatos, processos, conceitos, instituições etc. que envolvem e regem a sociedade, o Estado e suas instituições, e o relacionamento entre eles. **3** O gerenciamento de uma dessas instituições ou do conjunto delas. **4** Os conceitos e a prática que orientam uma determinada forma, pré-escolhida, desse gerenciamento: *O*

politicagem | pomicultura

banco adotou uma nova política para empréstimos. **5** *Fig.* Habilidade para negociar e harmonizar interesses diferentes: *Será preciso uma boa dose de política para conciliar as partes.*

politicagem (po.li.ti.ca.gem) *sf. Pej.* A política usada para atender interesses particulares ou mesquinhos; POLITIQUICE. [Pl.: *-gens.*]

politicar (po.li.ti.car) *v. int.* Falar sobre ou fazer política. [▶ **11** politicar]

político (po.lí.ti.co) *a.* **1** Ref. à, da ou próprio da política (partido político, abordagem política). **2** Hábil para negociar e lidar com opiniões divergentes: *O síndico foi político na condução da reunião.* **3** Gentil ao tratar de assuntos delicados. *sm.* **4** Quem se dedica à política (1, 2 e 3). Hom./Par.: *politico* (fl. de *politicar*).

politiqueiro (po.li.ti.quei.ro) *a.sm. Pej.* Que ou quem faz politicagem.

politiquice (po.li.ti.qui.ce) *sf. Pej.* Ver *politicagem*.

politizar (po.li.ti.zar) *v.* **1** Dar ou adquirir conhecimento acerca de direitos e deveres sociais e políticos. [*td. pr.*] **2** Atribuir caráter político a. [*td.*: *politizar um debate.*] [▶ **1** politizar] ● po.li.ti.za.ção *sf.*; po.li.ti.za.do *a.*

poliuretano (po.li.u.re.ta.no) *sm. Quím.* Grupo de substâncias sintéticas, resinosas, esponjosas ou borrachudas, us. como isolantes, adesivos etc.

poliúria (po.li.ú.ri.a) *sf. Med.* Produção e excreção de urina em volume maior do que o normal.

poliuria (po.li.u.ri.a) *sf.* Produção e excreção de urina em volume maior do que o normal. Ver *poliúria*.

polivalente (po.li.va.len.te) *a2g.* **1** Que tem muitas utilidades (ferramenta polivalente). **2** Que tem muitas habilidades (artista polivalente). ● po.li.va.lên.ci.a *sf.*

polo¹ (po.lo) *sm.* **1** Cada uma das duas extremidades do eixo imaginário em torno do qual a Terra, ou qualquer planeta, realiza seu movimento de rotação. **2** Cada uma das duas regiões glaciais situadas nas regiões dos polos (1) da Terra (polo Norte ou Ártico e o polo Sul ou Antártico). **3** *Fig.* A parte mais importante ou central; CENTRO; FOCO: *A seca era o polo das preocupações.* **4** *Fig.* Elemento que se opõe completamente a outro: *Ousadia e timidez são os polos de sua personalidade.* **5** *Fís.* Cada um dos terminais de uma pilha, circuito ou gerador elétrico: polos positivo e negativo de uma pilha. **6** *Fís.* Cada uma das extremidades de um imã.

polo² (po.lo) *sm. Esp.* Jogo em que os jogadores, a cavalo e usando taços, tentam impulsionar uma bola além da meta adversária. ▪▪ ~ aquático *Esp.* Jogo com bola disputado em piscina, cujo objetivo é marcar gols no adversário.

polografia (po.lo.gra.fi.a) *sf. Astron.* Estudo e descrição do céu. ● po.lo.grá.fi.co *a.*

polonês (po.lo.nês) *a.* **1** Da Polônia (Europa); típico desse país ou de seu povo. *sm.* **2** Pessoa nascida na Polônia. *a.sm.* **3** *Gloss.* Da, ref. à ou a língua falada na Polônia. [Sin. ger.: *polaco.*] [Pl.: *-neses.* Fem.: *-nesa.*]

polpa (pol.pa) [ó] *sf.* **1** *Bot.* Parte carnosa, ger. comestível, de diversos frutos e raízes. **2** Carne sem ossos e sem gordura. **3** Material pastoso; MASSA: *polpa de papel.* ● pol.po.so *a.*

polpudo (pol.pu.do) *a.* **1** Que tem muita polpa (diz-se de fruto, corte de carne etc.). **2** *Fig.* De grande vulto; CONSIDERÁVEL; VULTOSO: *Ganhou uma polpuda remuneração.* **3** *Fig.* Que resulta em grande vantagem monetária (diz-se de negócio, investimento etc.); LUCRATIVO.

poltrão (pol.trão) *a.sm.* Que ou quem é muito medroso; COVARDE. [Ant.: *valentão.*] [Pl.: *-trões.* Fem.: *-trona.*] [Cf.: *poltrona.*]

poltrona (pol.tro.na) *sf.* **1** Cadeira confortável, com braços, ger. estofada. **2** *Bras.* Cadeira desse tipo, em plateia de cinema, teatro etc.

polução (po.lu.ção) *sf.* Emissão involuntária de esperma. [Pl.: *-ções.*]

poluente (po.lu:en.te) *a2g.sm.* Que ou aquilo que polui.

poluição (po.lu:i.ção) *sf.* **1** Ação ou resultado de poluir. **2** Degradação do meio ambiente causada pela ação do homem ou por qualquer fator, e que o torna prejudicial à saúde humana: *poluição do ar.* **3** Situação em que há interferência de fatores estranhos a um equilíbrio sensorial, resultando em desequilíbrio, confusão etc. (poluição visual/sonora). [Pl.: *-ções.*]

▭ As aceleradas industrialização e exploração extrativa de recursos naturais, esp. a partir da segunda metade do séc. XX, trouxeram consequências danosas para o meio ambiente, ou *ecossistema*, ou seja, para o equilíbrio entre as diversas formas de existência e de atuação dos elementos da natureza. Acúmulos, na atmosfera, de gases e de partículas resultantes de processos industriais, e a drenagem de resíduos industriais para águas de rios, lagos e mares alteraram as características e o equilíbrio biológico desses elementos. Esse processo chama-se *poluição*, e constitui uma das maiores preocupações dos ambientalistas e da humanidade em geral por suas consequências sistêmicas (aquecimento global, destruição da camada de ozônio da atmosfera), sua influência negativa sobre a qualidade de vida e como causa potencial de enfermidades (doenças de pele e do aparelho respiratório, envenenamento das águas e da flora e fauna aquáticas etc.). Vários encontros internacionais e várias organizações têm-se dedicado a pressionar governos a adotarem uma política ambiental agressiva e urgente para minimizar a poluição.

poluir (po.lu.ir) *v.* **1** Provocar poluição em. [*td.*: *As fábricas devem evitar poluir o meio ambiente.*] **2** *Fig.* Fazer perder ou perder a integridade; CORROMPER(-SE); SUJAR(-SE). [*td.*: *O desfalque poluiu a imagem do banqueiro. pr.*: *Sua imagem poluiu-se.*] [▶ **56** poluir] ● po.lu.í.do *a.*; po.lu:i.dor *a.sm.*; po.lu.í.vel *a2g.*

polvilhar (pol.vi.lhar) *v.* **1** *Cul.* Lançar pó, farinha sobre; cobrir de pó. [▶ **1** polvilhar] ● po.lvi.lha.do *a.*; pol.vi.lha.men.to *sm.*

polvilho (pol.vi.lho) *sm.* **1** Pó muito fino. **2** Farinha de mandioca muito fina.

polvo (pol.vo) [ô] *sm. Zool.* Molusco marinho comestível dotado de oito tentáculos.

pólvora (pól.vo.ra) *sf.* Mistura explosiva cuja detonação impele projéteis em armas de fogo.

polvorosa (pol.vo.ro.sa) *sf. Pop.* Grande agitação ou tumulto.

pomada (po.ma.da) *sf.* Pasta gordurosa us. externamente como medicamento ou cosmético.

pomar (po.mar) *sm.* Terreno plantado de árvores frutíferas.

pomba (pom.ba) *sf. Zool.* Ave adaptada a viver em cidades, que pode servir de alimento ou ser treinada como correio.

Pombajira, Pombagira (Pom.ba.ji.ra, Pom.ba.gi.ra) *sf. Bras. Rel.* Entidade feminina da umbanda.

pombal (pom.bal) *sm.* Local preparado para abrigar ou criar pombos. [Pl.: *-bais.*]

pombalino (pom.ba.li.no) *a.* Ref. ao marquês de Pombal, estadista português do séc. XVIII.

pombo (pom.bo) *sm. Zool.* O macho da pomba.

pombo-correio (pom.bo-cor.rei.o) *sm. Zool.* Pombo treinado para servir de correio. [Pl.: *pombos-correios* e *pombos-correio.*]

pomicultura (po.mi.cul.tu.ra) *sf.* Cultura de árvores frutíferas; FRUTICULTURA. ● po.mi.cul.tor *sm.*

pomo (*po*.mo) *sm. Bot.* Fruto carnoso e arredondado (p.ex.: a pera e a maçã). ▪ **~ da discórdia** Pessoa ou coisa disputada que provoca desavença.

pomo de adão (po.mo de a.*dão*) *sm. Anat.* Ver proeminência laríngea em **proeminência**. [Pl.: *pomos de adão*.]

pompa (*pom*.pa) *sf.* Grande aparato, ostentação, luxo. [Ant.: *simplicidade*.]

pompear (pom.pe.*ar*) *v.* Exibir com pompa, ou ostentar pompa ou beleza. [*td*.: *pompear riquezas*. *int*.: *Frequenta festas para pompear*.] [▶ **13** pomp**ear**]

pompom (pom.*pom*) *sm.* Bola de fios curtos de seda, algodão etc., us. como enfeite ou para aplicar talco ou pó de arroz. [Pl.: *-pons*.]

pomposo (pom.*po*.so) [ó] *a.* **1** Em que há pompa (cerimônia *pomposa*); LUXUOSO. **2** Muito eloquente (discurso *pomposo*). [Ant.: *simples*.] [Fem. e pl.: [ó].]

pômulo (*pô*.mu.lo) *sm.* Maçã do rosto.

poncã (pon.*cã*) *sf. Bras.* Variedade de tangerina graúda.

ponche (*pon*.che) *sm.* Bebida feita de vinho, água e pedaços de frutas.

poncheira (pon.*chei*.ra) *sf.* Recipiente onde se faz ou serve o ponche.

poncho (*pon*.cho) *sm. S.* Capa de lã, quadrangular, com uma abertura no centro, por onde se enfia a cabeça.

ponderação (pon.de.ra.*ção*) *sf.* **1** Ação ou resultado de ponderar: *Parecia distraído em sua ponderação*. **2** Bom senso, prudência: *Revelou ponderação e juízo*. **3** Reflexão, consideração: *Esse assunto requer ponderação*. [Pl.: *-ções*.]

ponderado (pon.de.*ra*.do) *a.* Que encerra ou revela ponderação (2) (decisão *ponderada*); EQUILIBRADO, SENSATO.

ponderar (pon.de.*rar*) *v.* **1** Examinar com cuidado, observando todos os lados; AVALIAR. [*td*.: "Dr. Igor ponderou longamente os argumentos e decidiu..." (Paulo Coelho, *Brida*).] **2** Citar (dados) com defesa; ALEGAR. [*td*./*tdi*. + *a*: *Ponderou (à esposa) que estava exausto*.] **3** Pensar bastante sobre; REFLETIR. [*ti*. + *em, sobre*: *Ponderava no seu futuro casamento*.] [▶ **1** ponder**ar**] • pon.de.ra.*ção* *sf.*

ponderável (pon.de.*rá*.vel) *a2g.* Que se pode ou deve ponderar; digno de ponderação. [Pl.: *-veis*.] • **pon.de.ra.bi.li.da.de** *sf.*

ponderoso (pon.de.*ro*.so) [ó] *a.* **1** Pesado: "Enchia ele uma ou duas páginas à luz do ponderoso candeeiro..." (Rebelo da Silva, *Contos e lendas*). **2** Que tem importância; RELEVANTE; NOTÁVEL: *A descoberta da penicilina foi ponderável para a medicina*. [Fem. e pl.: [ó].] [Cf.: *poderoso*.]

pônei (*pô*.nei) *sm.* Cavalo pequeno e ágil.

ponta (*pon*.ta) *sf.* **1** Extremidade mais ou menos aguçada de qualquer coisa: *ponta do nariz/de faca/de um espinho*. **2** Extremidade de qualquer coisa: *a ponta de uma corda/dos dedos/de uma fila*. **3** Saliência ou excrescência de qualquer coisa: *uma bolinha de borracha cheia de pontas*. **4** Posição dianteira (em competição, corrida etc.): *Meu time está na ponta do campeonato*. **5** *Geog.* Pequeno cabo que avança pelo mar. **6** *Bras. Fig.* Destaque; alta qualidade: *um artista de ponta*. **7** *Cin. Teat. Telv.* Pequeno papel em peça de teatro, filme etc.; FIGURAÇÃO: *Fez uma ponta na novela*. **8** *Fig.* Pequena quantidade; um pouco; pontinha: *uma ponta de inveja*. **9** *Esp.* Em alguns esportes disputados em campo ou quadra, a zona (ger. de ataque) que fica numa extremidade lateral: *O time atacou pelas pontas*. *s2g.* **10** *Bras. Fut.* Atacante que joga pelas laterais do campo; PONTEIRO: *O time jogou sem pontas*. ▪ **Aguentar as ~s** *Gir.* Suportar estoicamente situação difícil ou penosa. **De ~ a ~** Do princípio ao fim. **Na ~ dos pés** *Fig.* Com todo o cuidado; devagar e cautelosamente. **Saber na ~ da língua** Saber perfeitamente; saber de cor.

ponta-cabeça (pon.ta-ca.*be*.ça) *sf.* Us. na loc. ▪ **De ~** *Bras.* De cabeça para baixo. [Pl.: *pontas-cabeças* e *pontas-cabeça*.]

pontada (pon.*ta*.da) *sf.* Dor aguda e pouco duradoura; FISGADA.

ponta de lança (pon.ta de *lan*.ça) *s2g.* **1** *Bras. Fut.* Atacante que joga na posição mais avançada; CENTROAVANTE. **2** *Fig.* Quem ou o que está à frente, como vanguardeiro ou pioneiro: *A Semana de Arte Moderna foi a ponta de lança do modernismo no Brasil*. [Pl.: *pontas de lança*.]

ponta-direita (pon.ta-di-*rei*.ta) *s2g. Bras. Fut.* Atacante que joga pela extrema-direita. [Pl.: *pontas-direitas*.]

ponta-esquerda (pon.ta-es.*quer*.da) *s2g. Bras. Fut.* Atacante que joga pela extrema-esquerda. [Pl.: *pontas-esquerdas*.]

pontal (pon.*tal*) *sm.* Ponta de terra que avança mar ou rio adentro. [Pl.: *-tais*.]

pontalete (pon.ta.*le*.te) [é] *sm.* Barrote para escorar um prédio, uma laje etc.

pontão (pon.*tão*) *sm.* Plataforma flutuante que serve de ponte ou que, junto com outras, forma uma ponte. [Pl.: *-tões*.]

pontapé (pon.ta.*pé*) *sm.* Golpe desferido com a ponta do pé; CHUTE.

pontaria (pon.ta.*ri*.a) *sf.* **1** Ação ou resultado de apontar para um alvo: *Capricho na pontaria*. **2** Maior ou menor habilidade de acertar um alvo: *Ele tem boa/má pontaria*.

ponte (*pon*.te) *sf.* **1** Construção para ligar dois lugares separados por curso de água ou depressão de terreno. **2** *Fig.* Tudo que serve de ligação entre pessoas ou coisas: *Seus interesses comuns foram uma ponte entre os dois*. [Dim.: *ponticula* e *pontilhão*.]

pontear (pon.te.*ar*) *v. td.* **1** *Mús.* Dedilhar ou tocar (instrumento de corda). **2** Assinalar com pontos; PONTILHAR. [▶ **13** pont**ear**] • pon.*tei*.o *sm.*

ponteira (pon.*tei*.ra) *sf.* Peça colocada como reforço na ponta de guarda-chuva, bengala ou qualquer objeto pontudo.

ponteiro (pon.*tei*.ro) *sm.* **1** Agulha que indica horas, minutos ou segundos num relógio. **2** Agulha móvel que indica algo (velocidade, temperatura, altitude etc.) no mostrador de um aparelho. **3** Instrumento pontudo para desbastar pedras ou esculpir em pedra, mármore etc. **4** *Inf.* Em um programa ou aplicativo, função que, a partir de uma variável, remete a outra para a qual esta programada. **5** Quem ou o que está na ponta. **6** *Fut.* Ponta (10).

pontiagudo (pon.ti:a.*gu*.do) *a.* Que tem ponta aguçada; PONTUDO.

pontificado (pon.ti.fi.*ca*.do) *sm.* **1** Dignidade de pontífice. **2** Tempo de exercício dessa dignidade.

pontificar (pon.ti.fi.*car*) *v. int.* Exprimir-se de modo categórico, com autoridade. [▶ **11** pontifi**car**]

pontífice (pon.*ti*.fi.ce) *sm. Rel.* Chefe supremo da Igreja Católica; PAPA. • pon.ti.fi.*cal* *a2g.*

pontifício (pon.ti.*fi*.ci:o) *a.* Ref. a pontífice ou a pontificado; PONTIFICAL.

pontilhão (pon.ti.*lhão*) *sm.* Pequena ponte. [Pl.: *-lhões*.]

pontilhar (pon.ti.*lhar*) *v. td.* **1** Assinalar com pontinhos. **2** Desenhar usando pontos: *pontilhar uma silhueta*. [▶ **1** pontilh**ar**] • pon.ti.*lha*.do *a.*

pontilhismo (pon.ti.*lhis*.mo) *sm. Art.Pl.* **1** Técnica que consiste em justapor pequenas pinceladas em forma de pontos para compor as imagens. **2** Escola de pintura que utiliza essa técnica. • **pon.ti.*lhis*.ta** *a2g.s2g.*

pontinha (pon.*ti*.nha) *sf.* **1** Ponta pequena. **2** Ver *ponta* (8).

ponto (*pon*.to) *sm.* **1** Sinal, marca ou mancha de dimensão mínima e formato ger. arredondado; pingo; pinta. **2** Lugar determinado: *ponto de encontro*. **3** Local de parada de ônibus ou em que fica estacionada uma frota de táxis. **4** Unidade us. na contagem de um jogo, competição, avaliação etc.: *Paula obteve o maior número de pontos*. **5** Assunto, questão: *Concordamos nesse ponto*. **6** Estado, situação: *É incrível as coisas terem chegado a esse ponto*. **7** Numa costura ou sutura, porção de linha entre dois furos feitos pela agulha. **8** Laçada de linha em tricô, crochê etc. **9** Registro de entrada e saída do trabalho: *cartão de ponto*. **10** Grau determinado numa escala de medida: *ponto de fervura*. **11** Grau ideal de cozimento ou consistência de um alimento: *A geleia está no ponto*. **12** *Gram.* Sinal (.) us. na escrita para assinalar o fim do período ou da frase. [Tb. se diz *ponto final*.] **13** *Gram.* O mesmo sinal us. em abreviações (p.ex.: tel., Dr.), ou em cima do *i* e do *j*. **14** Cada uma das partes da matéria escolar que pode caber como questão em prova, exame etc. **15** *Teat.* Aquele que, sem ser visto pelo público, lembra aos atores suas falas. ■ **Ao ~ Cul.** Diz-se de bife entre mal-passado e bem-passado. **A ~ de** Prestes a: *Ele estava a ponto de desistir de tudo*. **Em ~** Exatamente (ref. a hora). **~ alto** Melhor momento ou melhor qualidade de algo: *O desfile das campeãs é o ponto alto do carnaval*. **~ cardeal** Cada uma das quatro direções da rosa dos ventos, quais sejam: *norte*, *sul*, *leste* e *oeste*. **~ de exclamação** Sinal (!) us. no final de uma frase marcada por entonação de espanto, alegria, dor etc. (p.ex.: *Que horror!*). **~ de interrogação** Sinal (?) us. no final de uma interrogação direta (p.ex.: *Que dia é hoje?*). **~ de vista** Modo particular de se considerar uma questão ou assunto. **~ facultativo** Dia em que, não sendo feriado, permite-se que empresas, instituições ou funcionários decidam o comparecimento ou não ao trabalho. **~ final 1** *Gram.* Ver ponto (12). **2** *Fig.* Termo, fim: *Vamos pôr um ponto final no desperdício de água*. **~ morto** *Aut.* O ponto em que, em veículos automotivos, não está engatada qualquer marcha. **~ pacífico** Conceito, questão etc. quanto aos quais há concordância geral.

ponto e vírgula (pon.to e *vír*.gu.la) *sm.* Sinal (;) us. na escrita para assinalar uma pausa menor que a do ponto e maior que a da vírgula. [Pl.: *ponto e vírgulas* e *pontos e vírgulas*.]

pontuação (pon.tu:a.*ção*) *sf.* **1** Ação ou resultado de pontuar. **2** O uso e/ou a colocação, na escrita, dos sinais gráficos que indicam as pausas e as entonações das frases: *A pontuação pode alterar o significado de uma frase*. **3** Totalidade dos pontos obtidos em uma avaliação, competição etc.: *Obteve uma pontuação muito alta no concurso*. [Pl.: -ções.]

pontual (pon.tu:*al*) *a2g.* **1** Que cumpre o horário ou o prazo marcado (pessoa *pontual*, trem *pontual*). **2** Ref. a um determinado ponto, ou que se aplica a um ponto (de uma situação, um problema etc.): *Esta é uma questão pontual, não diz respeito à situação como um todo*. [Pl.: -*ais*.] ● **pon.tu:a.li.***da*.de *sf*.

pontuar (pon.tu:*ar*) *v.* **1** Usar os sinais de pontuação (em). [*td.*: *Pontue melhor essa frase*. *int.*: *Ela não sabe pontuar*.] **2** *Fig.* Estar presente; ser característico de; MARCAR. [*td.*: *O medo pontuava os seus sonhos*.] **3** *Esp.* Marcar ponto(s). [*int.*] [▶ 1 pontuar] ● pon.tu.*a*.do *a.*

pontudo (pon.*tu*.do) *a.* **1** Que tem pontas(s). **2** Que tem ponta aguçada; PONTIAGUDO.

⊕ **poodle** (*Ing.* /*púdou*/) *sm.* Raça de cão de pelo crespo e orelhas pendentes.

⊕ **pop** (*Ing.* /*póp*/) *sm.* **1** Forma de cultura popular, esp. musical, difundida pelos meios de comunicação de massa. **2** *Art.Pl. Hist.* F. red. de *pop art*. **3** *Mús.* F.

red. de *pop music*. ■ **~ art** *Art.Pl. Hist.* Movimento artístico surgido na década de 1950 que teve como tema imagens populares e bens de consumo divulgados pela mídia. **~ music** *Mús.* Música popular caracterizada pelo uso de equipamentos elétricos e eletrônicos, largamente difundida a partir da década de 1950.

popa (*po*.pa) *sf.* A parte traseira de uma embarcação, oposta à proa.

pope (*po*.pe) *sm. Ecles.* Sacerdote da religião cristã ortodoxa russa.

popeline (po.pe.*li*.ne) *sf.* Tecido de algodão us. para fazer camisas, vestidos etc.

população (po.pu.la.*ção*) *sf.* **1** Conjunto dos habitantes de um lugar, ou dos indivíduos de uma determinada categoria: *a população do Brasil*; *a população carente das grandes cidades*. **2** A quantidade desses habitantes. [Pl.: *-ções*.] ● **po.pu.la.ci:o.***nal* *a2g*.

🕮 A população mundial atingia em meados do séc. XX a cifra aproximada de 2.500.000.000 de habitantes, e cresceu num ritmo vertiginoso para chegar, em inícios de 2022, a estimados 7,9 bilhões de habitantes. Os países mais populosos, em 2021, eram (números estimados): China (1.452.000.000), Índia (1.409.000.000), Estados Unidos (324.000.000), Indonésia (279.000.000), Paquistão (228.000.000), Brasil (215.000.000), Nigéria (215.000.000), Bangladesh (168.000.000), Rússia (146.000.000), México (132.000.000).

populacho, populaça (po.pu.*la*.cho, po.pu.*la*.ça) *sm.*, *sf.* O povo das classes mais baixas da sociedade; PLEBE; RALÉ.

popular (po.pu.*lar*) *a2g.* **1** Ref. ou pertencente ao povo (cultura *popular*). **2** Conhecido ou estimado pelo povo (político *popular*). **3** Destinado ao povo (bibliotecas *populares*). **4** De baixo custo; barato (carro *popular*). *sm.* **5** Homem qualquer da rua, do povo: *Um popular foi atropelado durante a manifestação*. ● **po.pu.la.***res*.co *a.*; po.pu.la.*ri*.*da*.de *sf*.

popularizar (po.pu.la.ri.*zar*) *v. td. pr.* Tornar(-se) popular, conhecido ou acessível por um grande número de pessoas; DIFUNDIR(-SE); DIVULGAR(-SE). [▶ 1 popularizar] ● po.pu.la.ri.za.*ção* *sf*.; po.pu.la.ri.*za*.do *a.*

populismo (po.pu.*lis*.mo) *sm. Pol.* Tendência política de buscar o apoio do povo pregando, sinceramente ou não, a defesa de seus interesses. ● **po.pu.***lis*.ta *a2g.s2g*.

populoso (po.pu.*lo*.so) [ó] *a.* Que tem população numerosa; muito povoado. [Fem. fo.: [ó].]

⊕ **pop-up** (*Ing.* /*pop áp*/) *sf.* **1** Janela que é iniciada no navegador da internet através do comando automático da página da *web* acessada naquele instante: *O navegador do computador de Clara bloqueia pop-ups*. **2** Janela iniciada no navegador com a permissão do usuário, que oferece propaganda ou informações sobre o *site* que a iniciou: *Roberto fechou mais uma vez a pop-up para ler a matéria*.

pôquer (*pô*.quer) *sm.* Certo jogo de cartas, em que cada jogador procura fazer a melhor combinação possível (de acordo com uma hierarquia de combinações) das cinco cartas que lhe cabem.

por [ô] *prep.* **1** Através de; ao longo de: *É melhor irmos por aqui*. **2** Indica meio ou modo: *Nós nos comunicamos por carta*. **3** Durante: *Por uma semana, só treinou*. **4** Até: *O cabelo chegava pelos quadris*. **5** Por volta de: *Começou a chover pelas quatro horas*. **6** Em razão de: *Recebeu o Oscar por sua atuação*. **7** Indica periodicidade no tempo: *uma vez por mês*. **8** Indica preço, custo: *O casaco saiu por R$ 40,00*. **9** Indica proporção: *dez por cento*. **10** Relaciona divisão aritmética: *6 por 2 são 3*. **11** Entre dois nomes repetidos, indica cada um dos elementos de uma série: *Arrumou gaveta por gaveta.* **12** Indica troca: *Troquei meu som por um melhor.* **13** A favor de: *Torço pelo time da casa.* **14** Para: *Estava ansioso por que ela chegasse.* **15** Em nome de (em invocação, expressão de súplica, dor, espanto etc.): *Por tudo que é sagrado!* **16** Expressa desinteresse ou desdém, seguido do infinitivo do mesmo verbo que o precede: *Falou por falar.* **17** Introduz termos da oração: a) agente na voz passiva: *A notícia foi comentada por todos.* b) complemento de nome e de verbo: *Estava feliz por vê-lo*; *Sinto por ela muito carinho.* c) predicativo do objeto: *Tinham por certa sua vitória.* [NOTA: Admite combinação com outras preposições, p.ex.: *Pularam por sobre as valas.*]

pôr (pôr) *v.* **1** Depositar, apoiar, pendurar, incluir (algo) em (algum lugar); colocar. [*td.* (seguido de indicação de lugar): *Ponha os livros no armário.*] [Ant.: *tirar.*] **2** Colocar(-se) em (certa posição). [*td.* (seguido de indicação de situação ou modo): *Ponha os pés para cima.* *pr.*: *pôr-se de bruços.*] **3** Atribuir (algo) a (alguém); COLOCAR; IMPUTAR. [*tdi.* + *em*: *A menina pôs a culpa no irmão.*] **4** Dar (nome, apelido) a. [*tdi.* + *em*: *Puseram na irmã o apelido de Jana.*] **5** Apresentar(-se) (para determinada finalidade); OFERECER(-SE). [*tdi.* + *a*: *A escola pôs suas salas à disposição dos desabrigados.* *pr.*: *Ponho-me às suas ordens.*] **6** Botar (ovos). [*td.*: *A pata pôs um ovo.* *int.*: *A codorna já pôs.*] **7** Arrumar (a mesa) para ser usada. [*td.*: *pôr a mesa.*] [Ant. nesta acp.: *tirar.*] **8** Vestir(-se) ou calçar(-se). [*td.*: *Ponha o seu melhor vestido.* *tdi.* + *em*: *Sempre punha tênis azuis na filha.* *pr.*: *A viúva pôs-se de luto.*] **9** Situar-se de forma fictícia (em lugar de outro); IMAGINAR-SE; COLOCAR-SE. [*pr.*: *Ponha-se na minha posição.*] **10** Ocultar-se no horizonte. [*pr.*: "...o sol está quase a se pôr." (José de Alencar, *O guarani*.)] [Ant. nesta acp.: *despontar.*] **11** Tornar, fazer ficar. [*lig.*: "Por favor, não me ponhas mais nervosa!" (Josué Montello, *Um rosto de menina*.)] [▶ **60 pôr**. Part.: *posto.*] [NOTA: Us. tb. como v. auxiliar, como pronominal seguido da prep. *a* + v. principal no infinitivo, indicando 'início da ação': "...abriu logo a janela e pôs-se a cantar." (Aluísio Azevedo, *O cortiço*.)] *sm.* **12** Astron. Desaparecimento de um astro no horizonte; OCASO. [Ant.: *nascer.*]

porão (po.rão) *sm.* **1** Bras. Parte da casa abaixo do andar térreo. **2** Cnav. Parte mais baixa no interior de um navio. [Pl.: -rões.]

poraquê (po.ra.*quê*) *sm.* Bras. Zool. Peixe semelhante a enguia e capaz de produzir forte descarga elétrica; PEIXE-ELÉTRICO.

porca (*por*.ca) *sf.* **1** A fêmea do porco. **2** Peça com furo dotado de rosca, que se atarraxa num parafuso.

porcada (por.*ca*.da) *sf.* Conjunto de porcos.

porcalhada (por.ca.*lha*.da) *sf.* V. *porcaria*.

porcalhão (por.ca.*lhão*) *a.sm.* Pej. Que ou quem é muito sujo ou que não tem capricho. [Pl.: *-lhões.*] [At! O termo é considerado ofensivo.]

porção (por.*ção*) *sf.* **1** Parte de um todo: *O pasto ocupava a maior porção da fazenda.* **2** Certa quantidade de uma coisa qualquer: *porção de arroz.* **3** Bras. Grande quantidade: *Encontrou na festa uma porção de amigos.* [Pl.: *-ções.* Dim.: *porciúncula.*]

porcaria (por.ca.*ri*.a) *sf.* **1** Sujeira, imundície. **2** Fig. Pop. Coisa malfeita, sem valor ou de má qualidade: *Este produto é uma porcaria!* **3** Grande quantidade de porcos.

porcelana (por.ce.*la*.na) *sf.* **1** Cerâmica fina, dura e brilhante: *prato de porcelana.* **2** Objeto ou conjunto de objetos de porcelana: *A porcelana dela é finíssima.*

porcentagem (por.cen.*ta*.gem) *sf.* Ver *percentagem.* [Pl.: *-gens.*]

porciúncula (por.ci.*ún*.cu.la) *sf.* Dim. de *porção*; porção minúscula.

porco (*por*.co) [ô] *sm.* **1** Zool. Mamífero doméstico do qual se aproveitam a carne e a banha. *a.sm.* **2** Fig. Pej. Que ou quem é sujo, imundo. [At! Considerado ofensivo nesta acepção.] *a.* **3** Pej. Que é malfeito ou sem capricho (serviço *porco*). [Fem. e pl.: [ó].]

porco-do-mato (por.co-do-*ma*.to) *sm.* Zool. Espécie de porco selvagem; CAITITU. [Pl.: *porcos-do-mato*.]

porco-espinho (por.co-es.*pi*.nho) *sm.* Zool. Mamífero roedor cujos pelos parecem espinhos. [Pl.: *porcos-espinhos* e *porcos-espinho* [ó].]

pôr do sol (pôr do *sol*) *sm.* Desaparecimento do sol no horizonte; OCASO; POENTE. [Pl.: *pores do sol*.]

porejar (po.re.*jar*) *v.* **1** Fazer sair ou sair (líquido) em gotas pelos poros; gotejar; suar. [*td.*: *A parede porejava a água do encanamento.* *int.*: *Suas mãos porejavam.*] **2** Ficar coberto de gotículas como se suasse. [*int.*: *Com a ducha quente aberta, o espelho porejava.*] [▶ 1 *porejar*]

porém (po.*rém*) *conj.advers.* **1** Mas, entretanto: *Podem sair, porém, voltem às cinco. sm.* **2** Problema, empecilho: *Um dos poréns foi a apatia do elenco.* **3** Aspecto ruim, impróprio: *Sempre encontra um porém nos candidatos.* [Pl. (das acps. 2 e 3): *-réns.*]

porfia (por.*fi*.a) *sf.* **1** Debate, disputa. **2** Insistência, teimosia.

porfiar (por.fi.*ar*) *v.* **1** Discutir com ardor; POLEMIZAR. [*ti.* + *com*: *O jogador foi expulso por porfiar com o juiz.* *int.* (seguido ou não de indicação de assunto): *Começaram a porfiar sobre a lei do passe livre.*] **2** Lutar por; DISPUTAR. [*td./ti.* + *por*: *Porfiava (por) uma vaga na escola técnica.* *ti./tdi.* + *com*: *Porfiou com o antigo professor (uma vaga no magistério).*] **3** Manter-se firme (em ponto de vista, propósito). [*ti.* + *em*: *Porfia em seus ideais.*] [▶ 1 *porfiar*]

porífero (po.*rí*.fe.ro) *sm.* Zool. Invertebrado, ger. marinho, cujo corpo é dotado de poros (p.ex.: as esponjas).

pormenor (por.me.*nor*) *sm.* Minúcia, detalhe.

pormenorizar (por.me.no.ri.*zar*) *v.* Narrar ou descrever com pormenores; DETALHAR. [*td.*: *Pormenorizou o desenrolar da briga.* *int.*: *Contou rapidamente sem pormenorizar.*] [▶ 1 *pormenorizar*] • *por.me.no.ri.za.ção sf.*; **pormenorizado** (por.me.no.ri.*za*.do *a.*

pornô (por.*nô*) *a2g2n.* Bras. Pop. F. red. de *pornográfico* (filmes *pornô*).

pornochanchada (por.no.chan.*cha*.da) *sf.* Bras. Chanchada de apelo pornográfico; espetáculo (ger. filme) de baixo nível, centrado em pornografia.

pornografia (por.no.gra.*fi*.a) *sf.* **1** Característica ou condição do que apresenta o sexo de maneira obscena, indecente etc. **2** Qualquer expressão de pornografia (1), em texto, imagem etc., contendo aberrações, cenas de degradação e violência etc.: *A polícia caçou pornografia na internet.* • **por.no.grá.fi.co** *a.*; *por.nó.gra.fo sm.*

poro (*po*.ro) [ô] *sm.* **1** Orifício microscópico em qualquer corpo, orgânico ou não: *os poros da madeira/ da rocha.* **2** Anat. Poro (1) na pele do homem e de outros animais, pelo qual se elimina o suor. [Tb. se diz *poro sudorífero*.]

porongo (po.*ron*.go) *sm.* **1** Bot. Planta de cujos frutos, grandes e ocos, se fazem cuias. **2** Essas cuias.

pororoca (po.ro.*ro*.ca) *sf.* Bras. Grande onda que se forma do encontro das águas de um rio (esp. o Amazonas) com as do mar, com grande ruído. [Cf.: *macaréu*.]

poroso (po.*ro*.so) [ô] *a.* Que tem poros (pedra *porosa*, filtro *poroso*). [Fem. e pl.: [ó].] • **po.ro.si.***da*.de *sf.*

porquanto (por.*quan*.to) *conj.expl.* **1** Porque; dado que: *Cancelou o encontro, porquanto teve de viajar.*

por que | portfólio

conj.concl. 2 Em conclusão; portanto: *Viajaram todos; a reunião, porquanto, foi cancelada.*

por que *loc.adv.* **1** Numa pergunta, refere-se à causa; por qual motivo: *Por que será que estão demorando tanto?* [NOTA: Us. no início de frase e oração.] **2** Introduz oração subordinada causal: *Não sei por que não entenderam.*

porque (por.*que*) *conj.caus.* Pois; visto que: *Escolhemos este material porque é mais barato.*

por quê *loc.adv.* Numa frase, refere-se à causa; por qual motivo: *Estão brigando? Por quê?; Sem saber por quê, sentia-se triste.* [NOTA: Us. no final de frases e orações.]

porquê (por.*quê*) *sm.* Razão ou motivo de alguma coisa: *Não sei o porquê dessa indecisão.*

porqueira (por.*quei*.ra) *sf.* **1** Sujeira, imundície, porcaria (1). **2** Lugar onde são criados os porcos.

porquinho-da-índia (por.qui.nho-da-*ín*.di:a) [ó] *sm. Zool.* Mamífero roedor muito us. para testes e experiências; COBAIA. [Pl.: *porquinhos-da-índia* [ó].]

porra (*por*.ra) [ô] *interj.* **1** *Bras. Tabu.* Expressa indignação, raiva. *sf.* **2** *Tabu.* Esperma, líquido liberado na ejaculação.

porrada (por.*ra*.da) *sf. Tabu.* **1** Pancada, bordoada, soco violento, surra: *Levou uma porrada do adversário.* **2** Grande quantidade: *Disse uma porrada de desaforos.*

porra-louca (por.ra-*lou*.ca) *a2g.s2g. Bras. Vulg.* Que ou quem costuma agir de forma inconsequente ou irresponsável: *É uma atriz porra-louca, o que ela faz é imprevisível; Esses porra-loucas do trânsito são a maior causa dos acidentes.* [Pl.: *porra-loucas*.]

porre (*por*.re) *sm.* **1** *Pop.* Bebedeira: *Tomou um porre.* **2** *Gír.* Situação ou acontecimento entediante, cansativo: *Esse filme é um porre.*

porreta (por.*re*.ta) [ê] *a2g. Bras. Pop.* Bonito, bem, legal, jeitoso etc.: *Fui à ilha mais porreta da Bahia.* [NOTA: É uma palavra-ônibus, com vários significados análogos.]

porretada (por.re.*ta*.da) *sf.* Golpe dado com um porrete: *Levou uma porretada na cabeça e caiu.*

porrete (por.*re*.te) [ê] *sm.* Bastão de madeira ou plástico us. para bater.

porrinha (por.*ri*.nha) *sf. Bras.* Jogo em que os participantes escondem na mão palitinhos (ou outros objetos pequenos) e procuram adivinhar a soma de todos os palitinhos escondidos.

porta (*por*.ta) *sf.* **1** Abertura que permite a entrada ou a saída de um edifício, um quarto, um veículo, um compartimento etc.: *A porta principal deste prédio fica na outra rua.* **2** Peça giratória ou corrediça com que se fecha essa abertura. [Dim.: *portinhola*.]

porta-aviões (por.ta-a.vi:*ões*) *sm2n. Mar.G.* Grande navio de guerra que transporta aviões de combate e é dotado de pista para decolagem e aterrissagem.

porta-bandeira (por.ta-ban.*dei*.ra) *s2g.* **1** Pessoa que conduz uma bandeira (em cerimônias, desfiles etc.). *sf.* **2** *Bras.* Ver *porta-estandarte* (2). [Pl.: *porta-bandeiras*.]

porta-chapéus (por.ta-cha.*péus*) *sm2n.* Suporte para pendurar chapéus.

porta-chaves (por.ta-*cha*.ves) *sm2n.* Ver *chaveiro* (1).

portada (por.*ta*.da) *sf.* **1** Porta grande ger. ornamentada. **2** Fachada principal de um prédio. **3** *Art. Gr. Bibl.* Frontispício (2), folha de rosto de um livro.

portador (por.ta.*dor*) [ô] *a.sm.* Que ou quem porta, leva consigo: *portador de um vírus.*

porta-estandarte (por.ta-es.tan.*dar*.te) *s2g.* **1** Pessoa que carrega o estandarte ou bandeira em um desfile. *sf.* **2** *Bras.* Em desfile de escola de samba, moça que carrega o estandarte da escola e com ele faz evoluções; PORTA-BANDEIRA. [Pl.: *porta-estandartes*.]

porta-joias (por.ta-*joi*.as) *sm2n.* Caixa própria para guardar joias.

portal (por.*tal*) *sm.* **1** Porta ou entrada principal de um edifício ou templo. **2** *Int.* Endereço na internet que oferece conexões várias com serviços, informações, material etc. concernentes a um tema ou área. [Pl.: *-tais*.]

porta-lápis (por.ta-*lá*.pis) *sm2n.* **1** Estojo ou outro objeto no interior do qual se guardam lápis. **2** Dispositivo que serve para adaptar um lápis a instrumento de desenho (p.ex., um compasso).

portaló (por.ta.*ló*) *sm. Cnav.* Abertura em um navio ou barco para entrada e saída das pessoas.

porta-luvas (por.ta-*lu*.vas) *sm2n.* Compartimento em automóvel, ger. no painel ou no console (2), próprio para guardar papéis e objetos pequenos.

porta-malas (por.ta-*ma*.las) *sm2n.* Lugar, num veículo, destinado ao transporte de malas ou objetos em geral.

porta-níqueis (por.ta-*ní*.queis) *sm2n.* Pequena bolsa para se guardarem moedas.

portanto (por.*tan*.to) *conj.concl.* Por conseguinte; logo: *Fiz duas provas; faltam, portanto, mais três.*

portão (por.*tão*) *sm.* **1** Porta grande; PORTADA. **2** Porta, ger. de madeira ou de ferro, que, a partir da rua, dá acesso a um jardim público ou a uma casa. [Pl.: *-tões*.]

portar (por.*tar*) *v. td.* **1** Ter consigo; CARREGAR: *Sempre portava um guarda-chuva.* ▶ **portar-se** *pr.* **2** Agir (de certa maneira); COMPORTAR-SE: (seguido de indicação de modo) *portar-se mal.* [▶ **1** port[ar]]

porta-retratos (por.ta-re.*tra*.tos) *sm2n.* Moldura, ger. com vidro, dotada de apoio que permite colocá-la de pé sobre um móvel, e onde se põem fotografias.

portaria (por.ta.*ri*.a) *sf.* **1** Espaço logo após a porta ou o portão de entrada de edifícios, hospitais etc.: *Deixei a encomenda na portaria.* **2** Documento que torna oficial uma decisão administrativa: *O governo publicou a portaria 50743.*

porta-seios (por.ta-*sei*:os) *sm2n.* Ver *sutiã*.

portátil (por.*tá*.til) *a2g.* Leve, pequeno e fácil de ser transportado (TV portátil). [Pl.: *-teis*.]

porta-toalhas (por.ta-to:*a*.lhas) *sm2n.* Peça para se pendurar toalhas, em banheiros e toaletes.

porta-voz (por.ta-*voz*) *s2g.* Pessoa que fala em nome de alguém ou de um grupo: *O porta-voz do governo desmentiu o boato.* [Pl.: *porta-vozes*.]

porte (*por*.te) *sm.* **1** Tamanho, dimensão, grandeza: *animais de pequeno porte; empresa de grande porte.* **2** Modo de manter o corpo ou de andar; POSTURA: *Ele tem um porte elegante.* **3** Prestígio, importância: *É raro encontrar cantoras do porte de Elis Regina.* **4** Ato de levar ou transportar: *porte de arma.*

porteira (por.*tei*.ra) *sf.* Portão de entrada de fazendas, sítios etc.

porteiro (por.*tei*.ro) *sm.* Pessoa que toma conta da portaria de um prédio ou do estabelecimento.

portenho (por.*te*.nho) *a.* **1** De Buenos Aires, capital da Argentina (América do Sul); típico dessa cidade ou de seu povo. *sm.* **2** Pessoa nascida em Buenos Aires.

portento (por.*ten*.to) *sm.* Coisa extraordinária: *Ela é um portento de eficiência.*

portentoso (por.ten.*to*.so) [ô] *a.* Que é extraordinário: *um portentoso exemplo de solidariedade.* [Fem. e pl.: [ó].]

portfólio (port*fó*.li:o) *sm.* **1** Conjunto ou listagem de produtos, serviços etc. de uma empresa, para divulgação junto a clientes: *Apresentou o portfólio da editora.* **2** Álbum de fotos, trabalhos etc. de um artista, fotógrafo, modelo etc. **3** Pasta sanfonada para guardar documentos, folhetos etc.

pórtico (pór.ti.co) *sm.* Portal ornamentado, luxuoso, na entrada de um edifício, palácio etc.
portinhola (por.ti.*nho*.la) *sf.* Porta pequena.
porto[1] (*por*.to) [ô] *sm.* 1 Lugar construído à beira do mar, rio ou baía para embarcações atracarem. [Pl.: [ó].]
porto[2] (*por*.to) [ô] *sm.* Vinho doce típico de Portugal.
porto-alegrense (por.to-a.le.*gren*.se) *a2g.* 1 De Porto Alegre, capital do Estado do Rio Grande do Sul; típico dessa cidade ou de seu povo. *s2g.* 2 Pessoa nascida em Porto Alegre. [Pl.: *porto-alegrenses*.]
porto-riquenho (por.to-ri.*que*.nho) *a.* 1 De Porto Rico (Antilhas); típico desse país ou de seu povo. *sm.* 2 Pessoa nascida em Porto Rico. [Sin. ger.: *porto-riquense*.] [Pl.: *porto-riquenhos*.]
porto-riquense (por.to-ri.*quen*.se) *a2g.s2g.* Ver *porto-riquenho*. [Pl.: *porto-riquenses*.]
porto-velhense (por.to-ve.*lhen*.se) *a2g.* 1 De Porto Velho, capital do Estado de Rondônia; típico dessa cidade ou de seu povo. *s2g.* 2 Pessoa nascida em Porto Velho. [Pl.: *porto-velhenses*.]
portuário (por.tu.*á*.ri:o) *a.* 1 Ref. a porto[1] (terminal *portuário*). *sm.* 2 Pessoa que trabalha em porto[1].
português (por.tu.*guês*) *a.* 1 De Portugal (Europa); típico desse país ou de seu povo. *sm.* 2 Pessoa nascida em Portugal. *a.sm.* 3 *Gloss.* Da, ref. à ou a língua falada em vários países (veja adiante). [Pl.: *-gueses*. Fem.: *-guesa*.]

📖 A língua portuguesa tem sua origem na 'importação' do latim vulgar para a península Ibérica, na esteira da conquista romana, no séc. II a.C. A conquista árabe (séc. VIII) enfraqueceu o latim, que se deturpou e assumiu formas locais: o castelhano, de Castela, o catalão, da Catalunha, e o 'romanço lusitânico', falado no litoral oeste, do Minho ao Tejo. Essa região foi separada em 1095 da monarquia de León e entregue a Henrique de Borgonha como Condado Portucalense (nome oriundo da cidade de Portucale), e expandiu-se para o sul, até o Algarve, levando consigo sua língua. Em reação ao árabe, evoluía como uma mistura do galego e do 'portucalês', ou português, e tornou-se, no fim do séc. XIV, a língua nacional. Expandiu-se com as conquistas coloniais portuguesas, sendo hoje língua falada em todos os continentes (c. 240.000.000 de falantes ao todo, incluindo Brasil, Portugal, Moçambique, Angola, Cabo Verde, Guiné-Bissau, São Tomé e Príncipe, Timor Leste, Macau, Goa).

portunhol (por.tu.*nhol*) *sm. Joc. Pop.* Maneira de se expressar que mistura português com espanhol. [Pl.: *-nhóis*.]
porventura (por.ven.*tu*.ra) *adv.* Por acaso; talvez: *Se porventura tiverem problemas, contatem-nos*.
porvir (por.*vir*) *sm.* Tempo que está para vir, o que está para acontecer; FUTURO: *Disso depende o nosso porvir*.
posar (po.*sar*) *v.* 1 Ficar imóvel (para ser pintado, fotografado etc.). [*int*. (seguido ou não de indicação de finalidade, modo etc.): *posar para foto*.] 2 Trabalhar como ou ser modelo para fotógrafo, artista ou aluno de belas-artes). [*int*. (seguido ou não de indicação de finalidade, modo etc.): *O pintor convidou-a para posar*.] 3 *Fig.* Fazer-se de; BANCAR. [*lig*.: *posar de inocente/de rico*.] [Cf.: *pré-datar*.] • **po**s̲a̲r̲
poscênio (pos.*cê*.ni:o) *sm. Teat.* No teatro, a parte que fica atrás do palco ou da cena; BASTIDORES.
pós-datar (pós-da.*tar*) *v. td.* Colocar data posterior à verdadeira em: *pós-datar uma procuração*. [▶ 1 pós-da̲t̲a̲r̲] [Cf.: *pré-datar*.] • **pós-da.ta** *sf.*
pós-diluviano (pós-di.lu.vi:*a*.no) *a.* Que aconteceu após o dilúvio descrito na Bíblia. [Pl.: *pós-diluvianos*.]

pose (*po*.se) [ô] *sf.* 1 Atitude que toma uma pessoa para ser retratada: *A modelo fez uma pose sensual*. 2 Atitude afetada: *Ela é metida e cheia de pose*.
pós-escrito (pós-es.*cri*.to) *a.* 1 Que é escrito posteriormente, mais tarde: *capítulo pós-escrito à primeira edição do livro*. *sm.* 2 Aquilo que se escreve em seguida ao fim de um texto, romance etc. 3 O que se acrescenta a uma carta após tê-la assinado. [Abr.: P.S.] [Pl.: *pós-escritos*.]
posfácio (pos.*fá*.ci:o) *sm.* Texto explicativo adicionado no fim de um livro, depois de pronto.
pós-fixado (pós-fi.*xa*.do) *a. Econ.* Que se fixa (ger. rendimento de investimento) após verificação do índice ocorrido em certo período. [Pl.: *pós-fixados*.]
pós-graduação (pós-gra.du:a.*ção*) *sf.* Grau superior de ensino, destinado à pesquisa e especialização. [Pl.: *pós-graduações*.] • **pós-gra.du.a.do** *a.sm.*; **pós-gra.du.ar** *v.*
pós-guerra (pós-*guer*.ra) *sm.* 1 Período que se segue a uma guerra: *a escassez de alimentos do pós-guerra*. [Pl.: *pós-guerras*.] *a2g2n.* 2 Ref. a esse período: *a Europa pós-guerra*. [Sin.: *após-guerra*.] [NOTA: Us. ger. em relação à Primeira (1914-1918) e à Segunda (1939-1945) Guerras Mundiais, esp. à segunda.]
posição (po.si.*ção*) *sf.* 1 Postura de pessoa, sentada ou de pé: *Fique nesta posição para a foto*. 2 Modo como algo está disposto, colocado: *O quadro está na posição errada*. 3 Função, cargo: *Ela tem uma boa posição na empresa*. 4 Lugar onde algo ou alguém se encontra: *O policial passou sua posição pelo rádio*. 5 Ponto de vista: *Essa é minha posição sobre esse assunto*. [Pl.: *-ções*.]
posicionar (po.si.ci:o.*nar*) *v.* 1 Pôr(-se) em certa posição. [*td*.: *Posicione o corpo para a direita*. *pr*.: *O novo zagueiro se posiciona bem em campo*.] 2 Assumir posição, opinião. [*pr*.: *O partido posicionou-se contra o senador*.] [▶ 1 posicion̲a̲r̲] • **po.si.ci:o.na.do** *a.*; **po.si.ci:o.na.men.to** *sm.*
positivar (po.si.ti.*var*) *v.* Concretizar(-se), efetivar(-se). [*td*.: *O corretor positivou a venda*. *pr*.: *Nossa suspeita positivou-se*.] [▶ 1 positiv̲a̲r̲]
positivismo (po.si.ti.*vis*.mo) *sm. Fil.* Doutrina filosófica de Auguste Comte (1798-1857), segundo a qual a verificação pela experiência é o único critério de verdade. • **po.si.ti.vis.ta** *a2g.s2g.*
positivo (po.si.*ti*.vo) *a.* 1 Que exprime uma afirmação ou confirmação: *Sua resposta ao meu pedido foi positiva*. 2 Que expressa aceitação, aprovação (crítica *positiva*). 3 Que revela otimismo, confiança (pessoa *positiva*, atitude *positiva*). 4 Que confirma a presença de um elemento procurado em uma análise (resultado *positivo*). 5 Diz-se de número que é maior do que zero. [Ant. ger.: *negativo*.] • **po.si.ti.vi.da.de** *sf.*
pós-meridiano (pós-me.ri.di:*a*.no) *a.* Que ocorre após o meio-dia (repouso *pós-meridiano*). [Ant.: *antemeridiano*.] [Pl.: *pós-meridianos*.]
posologia (po.so.lo.gi:*a*) *sf.* 1 *Ter.* Em terapêutica, estudo das doses adequadas dos medicamentos. 2 Indicação (em bula de remédio) da dose adequada de um medicamento para cada caso. • **po.so.ló.gi.co** *a.*
pós-operatório (pós-o.pe.ra.*tó*.ri:o) *a.* 1 Ref. ao período que sucede a uma cirurgia (tratamento *pós-operatório*). *sm.* 2 Esse período: *Teve um pós-operatório tranquilo*. [Pl.: *pós-operatórios*.]
pospor (pos.*por*) *v.* 1 Pôr (uma coisa) depois (de outra). [*td./tdi*. + *a*: *Posponha o verbo (ao sujeito).*] 2 Transferir para data posterior; ADIAR. [*td*.: *Sempre pospunha a conversa com a mãe*.] [▶ 60 posp̲o̲r̲] Part.: *posposto*.] • **pos.po.si.ção** *sf.*; **pos.po.si.ti.vo** *a.*; **pos.pos.to** *a.*
possante (pos.*san*.te) *a2g.* 1 Forte, vigoroso (voz *possante*). 2 Com grande capacidade de desempe-

posse | **póstumo** 634

nho (máquina possante). *sm.* **3** *Bras. Gír.* Carro, automóvel. **4** *CE* Carro velho.

posse (pos.se) *sf.* **1** Fato ou circunstância de se possuir ou reter alguma coisa: *posse da terra.* **2** Estado de quem possui ou domina algo: *Está de posse de todas as informações necessárias.* **3** Admissão, investidura em um cargo; a solenidade dessa investidura: *Fomos convidados para a posse do prefeito.* ◪ **posses** *sfpl.* **4** Bens, haveres, recursos: *Este gasto está acima de suas posses.*

posseiro (pos.sei.ro) *sm. Bras.* Quem ocupa terra devoluta e a cultiva para dela tirar proveito.

possessão (pos.ses.são) *sf.* **1** Ação ou resultado de possuir; qualquer coisa possuída: *Aquela fazenda era possessão da família.* **2** Território possuído; colônia: *A ilha era possessão portuguesa.* **3** Estado ou condição em que uma pessoa é dominada por influência ou força exterior a ela, inclusive espiritual ou sobrenatural: *O vício para ele já era uma possessão.* [Pl.: *-sões.*]

possessivo (pos.ses.si.vo) *a.* **1** Que possui sentimento de posse exagerado (namorado possessivo). **2** *Gram.* Diz-se do pronome que indica posse. [Nesta acp., us. tb. como subst.] *sm.* **3** Pessoa possessiva.

possesso (pos.ses.so) *a.sm.* **1** Que ou quem se crê estar dominado por possessão (3), pelo demônio etc. *a.* **2** Muito irado, furioso: *Ficou possesso ao ver tanta irresponsabilidade.*

possibilitar (pos.si.bi.li.tar) *v.* Tornar (algo) possível (a alguém); propiciar. [*td.: O bom tempo possibilitou a nossa vinda.* *tdi.* + *a: Possibilitou à família uma vida melhor.*] [▶ **1** possibilit͟ar͟] ● **pos.si.bi.li.ta.do** *a.*

possível (pos.sí.vel) *a2g.sm.* **1** Que ou aquilo que tem condições de ser ou existir, ou de ser realizado: *Considerou as alternativas possíveis*; *Farei o possível para encontrá-la.* *a2g.* **2** Que pode ou não ser, ocorrer ou ser realizado: *É possível que chova hoje*; *A derrota era possível, mas não provável.* [Ant.: *impossível.*] [Pl.: *-veis.* Superl.: *possibilíssimo.*] ● **pos.si.bi.li.da.de** *sf.*

possuído (pos.su.í.do) *a.* **1** De que se tem posse (1). *a.sm.* **2** Que ou quem demonstra possessão (3), parece estar dominado por algo: *Agiam estranhamente, como que possuídos (por compulsão/entusiasmo/demônio).*

possuir (pos.su.ir) *v.* **1** Ser dono de; ter. [*td.: possuir dois carros.*] **2** Ter em seu poder; deter. [*td.: Papai possui o segredo do cofre.*] **3** Apresentar (qualidade, característica); ter. [*td.: "...Amaro não possuía nenhuma vocação para o sacerdócio." (Eça de Queirós,* O crime do padre Amaro*).*] **4** Dominar ou ser dominado por. [*td.: O medo possuía os reféns.* *pr.: Possuiu-se de ódio pelo assassino.*] **5** Ter relação sexual com. [*td.*] [▶ **56** possu͟ir͟] ● **pos.ses.sor** *a.sm.*; **pos.su.i.dor** *a.sm.*

⊕ **post** (*Ing.* /'pôst/) Qualquer publicação numa página da internet; postagem: *"Em seu post, Gabriel colocou uma foto com a camisa rubro-negra..." (Goal. com, 08.02.2020)*

posta (pos.ta) *sf.* Fatia de peixe, carne etc.

postal (pos.tal) *a2g.* **1** Ref. ao correio (caixa postal). *sm.* **2** Cartão-postal: *Envie um postal para seu amigo.* [Pl.: *-tais.*]

postalista (pos.ta.lis.ta) *s2g.* Pessoa que trabalha no correio.

postar¹ (pos.tar) *v.* Pôr ou ficar (em determinado lugar), em pé. [*td.* (seguido de indicação de lugar): *O noivo postou o amigo na entrada da igreja.* *pr.: O infeliz postou-se ao meu lado.*] [▶ **1** post͟ar͟]

postar² (pos.tar) *v. td. Bras.* Enviar (carta, cartão etc.) pelo correio. [▶ **1** post͟ar͟]

posta-restante (pos.ta-res.tan.te) *sf.* **1** Correspondência ou encomenda a ser retirada na agência do correio. **2** Seção onde se guarda essa correspondência ou encomenda. [Pl.: *postas-restantes.*]

poste (pos.te) *sm.* Coluna de ferro, madeira, cimento etc., fincada no solo, com a finalidade de sustentar fios, lâmpadas etc.

pôster (pôs.ter) *sm.* Cartaz impresso, us. para decoração, publicidade etc.

postergar (pos.ter.gar) *v.* **1** Transferir para depois; adiar. [*td.* (seguido ou não de indicação de tempo): *Postergaram o pagamento (para julho).*] **2** Deixar de lado; pôr em segundo plano (em relação a); preterir. [*td./tdi.* + *a: Postergou o casamento (à carreira).*] [▶ **14** postergar] ● **pos.ter.ga.ção** *sf.*; **pos.ter.ga.do** *a.*

posteridade (pos.te.ri.da.de) *sf.* **1** Caráter ou condição de posterior: *Considere a posteridade desse fato em relação ao outro.* **2** O tempo que deverá se suceder ao presente: *foto para a posteridade.*

posterior (pos.te.ri.or) *a2g.* **1** Que acontece depois (de certa data ou do momento, de certo fato etc.): *Recebeu o salário e fez as compras na semana posterior.* **2** Que fica atrás (dente posterior). [Ant.: *anterior.*] ● **pos.te.ri.o.ri.da.de** *sf.*

póstero (pós.te.ro) *a.* Que virá no futuro: *Sonhava com sua póstera fama.*

posteroexterior (pos.te.ro.ex.te.ri.or) *a2g.* Situado atrás e na parte de fora: *parte posteroexterior da perna.* [Pl.: *posteroexteriores.*]

posteroinferior (pos.te.ro.in.fe.ri.or) *a2g.* Situado atrás e na parte de baixo. [Pl.: *posteroinferiores.*]

posterointerior (pos.te.ro.in.te.ri.or) *a2g.* Situado atrás e na parte de dentro: *Na região posterointerior da boca, encontra-se a garganta.* [Pl.: *posterointeriores.*]

posterossuperior (pos.te.ros.su.pe.ri.or) *a2g.* Situado atrás e na parte de cima. [Pl.: *posterossuperiores.*]

postiço (pos.ti.ço) *a.* Que se acrescenta a (algo) e/ou se usa em lugar do natural (bigode postiço, cílios postiços); artificial.

postigo (pos.ti.go) *sm.* Pequena abertura em porta ou janela.

postilhão (pos.ti.lhão) *sm.* Mensageiro. [Pl.: *-lhões.*]

⊕ **post meridiem** (*Lat.* /pós' méridiém/) *loc.adv.* Expressão que denota hora pós-meridiana, ou seja, após o meio-dia. [*Abr.: p.m.*] [*Cf.: ante meridiem.*]

posto¹ (pos.to) [ô] *sm.* **1** Função para a qual se foi nomeado: *Meu posto é de auxiliar-administrativo.* **2** Lugar onde se exerce essa função: *Foi a seu posto de trabalho.* **3** *Bras.* Repartição ou órgão público que presta atendimento social: *posto de saúde/policial.* **4** *Bras.* Lugar onde se vendem gasolina e produtos para o funcionamento de veículos automotores. [Pl.: [ó].] ◼ **A ~s** No devido lugar; pronto para agir.

posto² (pos.to) [ô] *a.* **1** Colocado. **2** Diz-se do Sol após o ocaso. [Fem. e pl.: [ô].] ◼ **~ que** Já que; porque: *Posto que a casa estava às escuras, voltou.*

⊕ **post-scriptum** (*Lat.* /pós-scriptúm/) *a.sm.* Ver *pós-escrito.* [*Abr.: P.S.*] [Pl.: *post-scripta.*]

postulação (pos.tu.la.ção) *sf.* Ato de pedir, de requerer: *Postulação de revisão de prova é direito do aluno.* [Pl.: *-ções.*]

postulado (pos.tu.la.do) *sm.* **1** Ideia que se pode, sem demonstração, admitir como verdadeira. **2** Ponto de partida para um raciocínio; premissa. [Cf.: *teorema.*]

postulante (pos.tu.lan.te) *a2g.s2g.* Que ou quem se candidata a um emprego ou cargo.

postular (pos.tu.lar) *v.* **1** Pedir, solicitar, ger. com insistência. [*td./tdi.* + *a: O cantor postulava uma oportunidade (ao dono do bar).*] **2** Requerer, com base em presunção de direito. [*td.: postular um cargo.*] [▶ **1** postul͟ar͟]

póstumo (pós.tu.mo) *a.* Que acontece após a morte (homenagem póstuma).

postura (pos.tu.ra) sf. **1** Posição do corpo: *Precisava melhorar a postura com exercícios regulares.* **2** *Fig.* Posicionamento ou ponto de vista. **3** *Fig.* Atitude, modo de agir: "Muda, muda essa postura/Até quando você vai ficando mudo?" (Gabriel, o Pensador, *Até quando?*) **4** Ação ou resultado de pôr ovo. **5** O período em que se realiza a postura (4). ◼ **posturas** *sfpl.* **6** Preceitos municipais a serem seguidos por órgãos públicos e cidadãos: *fiscal de posturas.* ● **pos.tu.ral** *a2g.*

pós-verdade sf. **1** Afirmação ou conjunto de afirmações, notícia(s), relatos(s), geralmente sobre temas de interesse público (político, econômico etc.), que não relatam fatos reais, mas versões (falsas) ou invenções que simulam ser a verdade, visando a causar determinada reação, de interesse de quem divulga: *Este relatório está cheio de pós-verdades.* **2** A prática dessas afirmações: *A pós-verdade hoje em dia é cada vez mais comum.* [Pl.: *pós-verdades.*]

pós-verbal (pós-ver.*bal*) *a2g.* *Gram.* Situado depois do verbo (posição pós-verbal). [Pl.: *pós-verbais.*]

potamita (po.ta.*mi*.ta) *a2g.* Que vive em rios.

potamografia (po.ta.mo.gra.*fi*.a) sf. **1** *Geog.* Ramo da geografia que estuda os rios. **2** Relação de rios de uma região. ● **po.ta.mo.grá.fi.co** *a.*

potassa (po.*tas*.sa) sf. *Quim.* Produto químico branco que se dissolve na água.

potássio (po.*tás*.si:o) sm. *Quim.* Metal alcalino, cujos componentes existem em abundância na natureza. [Simb.: *K*]

potável (po.*tá*.vel) *a2g.* Que se pode beber (água potável). [Pl.: *-veis.*] ● **po.ta.bi.li.da.de** sf.

pote (po.te) sm. Recipiente de diferentes formatos e materiais, us. esp. em ambiente doméstico. ◼ **A ~ s** A cântaros; torrencialmente: *Chovia a potes.* **Encher o ~** *N.E. Gír.* Dizer desaforos (a alguém).

potência (po.*tên*.ci:a) sf. **1** Força, poder, vigor. **2** Vigor sexual. **3** Capacidade de energia: *potência da rede elétrica.* **4** País de grande influência sobre os demais: *Os Estados Unidos são uma grande potência.* **5** *Mat.* O produto obtido pela multiplicação de fatores iguais: *64 é potência de 4 (4x4x4).* **6** *Mat.* Número de vezes, indicado pelo expoente, que um número é multiplicado por ele mesmo em uma potenciação: *2 elevado à potência 4 é igual a 16.* ● **po.ten.ci:a.li.zar** *v.*

potenciação (po.ten.ci:a.*ção*) sf. *Mat.* Operação pela qual se multiplica um número qualquer por ele mesmo quantas vezes estiver indicado no expoente. [Pl.: *-ções.*]

potencial (po.ten.ci:*al*) *a2g.* **1** Ref. a potência. **2** Que pode vir a ser; POSSÍVEL: *Era um potencial candidato ao cargo.* sm. **3** Capacidade de produzir, realizar ou agir: *A hidrelétrica está funcionando apenas com 20% do seu potencial.* [Pl.: *-ais.*] ● **po.ten.ci:a.li.da.de** sf.

potenciômetro (po.ten.ci:*ô*.me.tro) sm. *Elet.* Aparelho que serve para medir as diferenças de potencial elétrico.

potentado (po.ten.*ta*.do) sm. Pessoa de muita riqueza e influência; POTESTADE.

potente (po.*ten*.te) *a2g.* **1** Que pode. **2** Que tem potência (1); forte, poderoso (motor *potente*, som *potente*). **3** Cheio de vigor sexual.

potestade (po.tes.*ta*.de) sf. **1** Domínio ou poder sobre alguma coisa: *a potestade do rei.* **2** Ver potentado. **3** Figura divina; DIVINDADE: *as potestades do Olimpo.*

potiguar (po.ti.*guar*) *a2g.* **1** Do Rio Grande do Norte; típico desse estado ou de seu povo. *s2g.* **2** Pessoa nascida no Rio Grande do Norte. [Sin. ger.: *rio-grandense-do-norte.*]

potoca (po.*to*.ca) [ó] sf. *Bras. Pop.* Mentira. ● **po.to.car** *v.*

potoqueiro (po.to.*quei*.ro) *a.sm. Pop.* Que ou quem não diz a verdade; MENTIROSO.

potrada (po.*tra*.da) sf. *S.* Conjunto de potros.

potranca (po.*tran*.ca) sf. *Bras.* **1** Égua com menos de dois anos. **2** *Vulg.* Mulher libidinosa ou sexualmente apreciável.

potranco (po.*tran*.co) sm. *Bras.* Filhote de cavalo com menos de dois anos.

potrear (po.tre.*ar*) *v.* *td.* **1** *S.* Apoderar-se de ou arrebanhar para domar (gado cavalar). **2** Desafiar (alguém) com ironias ou gracejos: *Potreou todos os presentes com desdém.* (▶ **13** potr*ear* ● **po.tre:a.ção** sf.; **po.tre:a.dor** *a.sm.*

potro (*po*.tro) [ô] sm. *Bras. Zool.* Filhote de cavalo com menos de quatro anos; POLDRO.

pouca-vergonha (pou.ca-ver.*go*.nha) sf. Ato imoral ou desonesto: *É uma pouca-vergonha ele mentir para conseguir o cargo.* [Pl.: *poucas-vergonhas.*]

pouco (*pou*.co) *a.* **1** Que há em quantidade pequena (*pouco* dinheiro, *pouca* comida). *adv.* **2** Em pequena quantidade ou intensidade (*pouco* ágil, fala *pouco*). sm. **3** Pequena quantidade de alguma coisa: *O pouco que temos podemos dividir.* *pr.indef.* **4** Uma pequena quantidade: *O que temos é pouco para tantos.* [Ant.: *muito.*] [Superl.: *pouquíssimo.*] ◼ **poucos** *pr.indef.* **5** Poucas pessoas: *Poucos ficaram até o fim.* [Ant.: *muitos.*] ◼ **Fazer ~ de** Menosprezar; zombar de. **Há ~** Não faz muito tempo: *Saíram há pouco.* **Por ~** Por um triz; por uma diferença mínima: *Por pouco a bola não entrou.* ~ **a** ~ Gradativamente; em pequenas porções; a pequenos intervalos: *Pouco a pouco foi se habituando ao novo fuso horário.*

pouco-caso (pou.co-*ca*.so) sm. Demonstração de indiferença, desprezo: *A diretora fez pouco-caso das nossas queixas.* [Pl. (p.us.): *poucos-casos.*]

poupança (pou.*pan*.ça) sf. **1** Ação de poupar dinheiro: *Vou fazer uma poupança.* **2** *Bras. Econ.* Conta bancária em que a quantia depositada rende juros e correção monetária: *Fui ao banco e abri uma poupança.*

poupar (pou.*par*) *v.* **1** Gastar pouco ou guardar (dinheiro); ECONOMIZAR. [*td.*] [Ant.: *gastar, esbanjar.*] **2** Livrar (alguém de algo); EVITAR. [*td./tdi.* + *a, de:* *poupar sacrifícios (à população); poupar a população (de sacrifícios).*] NOTA: Os complementos direto e indireto permutam em relação a que ou quem é poupado.] **3** Tratar com piedade: *O cronista não poupa (da crítica) nem os seus amigos.* [*td./tdi.* + *de:* O cronista não *poupa* (da crítica) nem os seus amigos.] **4** Deixar de realizar; EXIMIR-SE. [*pr.:* *Poupe-se do trabalho de me convencer.*] (▶ **1** poup*ar*] ● **pou.pa.do** *a.*; **pou.pa.dor** *a.sm.*

pousada (pou.*sa*.da) sf. Espécie de pensão, em cidades pequenas.

pousar (pou.*sar*) *v.* **1** Descer ao chão, depois de voo; ATERRISSAR. [*int.* (seguido ou não de indicação de lugar): *O helicóptero pousou no estádio.*] [Ant.: *decolar.*] **2** Pôr (algo) sobre uma superfície; APOIAR. [*td.* (seguido de indicação de lugar): *Camila pousou a mão em seus ombros.*] **3** Passar a noite em; HOSPEDAR-SE; PERNOITAR. [*int.* (seguido de indicação de lugar).] (▶ **1** pous*ar*]

pousio (pou.*si*:o) sm. **1** Interrupção do cultivo da terra: *Eles alternam períodos de cultivo e períodos de pousio.* *a.* **2** Não cultivado (fazenda *pousia*).

pouso (*pou*.so) [ô] sm. **1** Ação de pousar; ATERRISSAGEM: *O pouso da nave em Marte ocorreu sem problemas.* **2** Lugar para ficar, dormir: *Aqui eu não tenho pouso.*

povão (po.*vão*) sm. *Bras. Pop.* Conjunto de cidadãos de condição modesta. **2** Ver povaréu (1). [Pl.: *-vões.*]

povaréu (po.va.*réu*) sm. **1** Quantidade grande de pessoas; MULTIDÃO; POVÃO: *Eu procurava o pai no meio*

poviléu | **prato** 636

do *povaréu*. **2** *Pej.* As classes mais baixas da sociedade; RALÉ.
poviléu (po.vi.*léu*) *sm. Pej.* Os grupos menos favorecidos (em riquezas, condições de vida etc.) de uma sociedade; RALÉ. [**At**! O termo é considerado depreciativo ou preconceituoso.]
povo (*po*.vo) [ô] *sm.* **1** Conjunto de pessoas que habitam um país ou região: *o povo brasileiro.* **2** Conjunto de pessoas que têm a mesma cultura, costumes, língua etc. (povo cigano). **3** Grande número de pessoas: *Nós nos perdemos no meio daquele povo todo.* [Pl.: [ó].]
povoação (po.vo:a.*ção*) *sf.* **1** Ação de povoar: *A povoação da ilha começou em 1830.* **2** Pequeno lugar povoado: *A vila é uma povoação de pescadores.* [Pl.: -*ções*.]
3 Conjunto das pessoas que habitam uma região. [Pl.: -*ções*.]
povoado (po.vo.*a*.do) *a.* **1** Em que há povoação (região povoada). *sm.* **2** Pequeno lugar habitado; POVOAMENTO; LUGAREJO: *É um povoado de agricultores.*
povoar (po.vo.*ar*) *v.* **1** Tornar habitado. [*td.*: *povoou o sertão.* **tdi.** + *de*: *A primavera povoou a mata de borboletas.*] **2** *Fig.* Encher(-se) de sentimentos, ideias etc.). [*td./tdi.* + *de*: *Alguns filmes povoam nossa cabeça (de medos).* *pr.*: *Sua vida povoou-se de sonhos.*] [▶ **16** povo*ar*]
pra (pra) **1** F. red. de *para*: *Depois da aula vou pra casa.* **1** Contr. da prep. *para* com art.def. *a*: *Eles se mudaram pra Bahia.*
praça (*pra*.ça) *sf.* **1** Espaço com bancos e plantas, ger. rodeado de casas, lojas etc. **2** Conjunto de setores comerciais de uma cidade; MERCADO: *Há muita mercadoria falsa à venda na praça.* *sm.* **3** *Mil.* Soldado sem patente de oficial. ▪ **Ser boa ~ Ser uma pessoa afável, simpática.**
pracinha (pra.*ci*.nha) *sm.* **1** *Bras. Mil.* Soldado da Força Expedicionária Brasileira na Segunda Guerra Mundial. **2** Praça (1) pequena.
pracista (pra.*cis*.ta) *s2g.* Pessoa que exerce sua profissão em uma determinada praça ou local.
pradaria (pra.da.*ri*.a) *sf.* Planicie com prados.
prado (*pra*.do) *sm.* **1** Extensão de terra coberta de ervas, capim etc. **2** Hipódromo.
praga (*pra*.ga) *sf.* **1** Doença contagiosa que ataca muitas plantas ao mesmo tempo: *Deu praga no milho.* **2** Planta daninha. **3** Imprecação (de outrem) de que algo ruim aconteça a algo ou a alguém: *O que aconteceu com ele foi praga de invejoso.* **4** Coisa ou pessoa ruim, inoportuna, insistente.
pragana (pra.*ga*.na) *sf.* Cabelo de espiga de aveia, trigo etc.
pragmático (prag.*má*.ti.co) *a.* Que considera o valor prático e concreto das coisas (pessoa pragmática, visão pragmática).
pragmatismo (prag.ma.*tis*.mo) *sm.* **1** *Fil.* Doutrina que considera a utilidade prática de uma ideia como critério de sua verdade. **2** Atitude de alguém ou de um grupo que busca resultados práticos: *Empresas pedem mais pragmatismo ao governo.*
praguejar (pra.gue.*jar*) *v.* Lançar pragas (3), maldição; AMALDIÇOAR. [*ti.* + *contra*: *O retirante praguejava contra os caminhoneiros.* *int.*: *O trocador não parava de praguejar.*] [▶ **1** praguej*ar*]
praia (*prai*.a) *sf.* Parte baixa na beira do mar, rio ou lagoa, coberta de areia ou pedras. ▪ **Morrer na ~** Não atingir o objetivo depois de quase tê-lo conseguido com muito esforço. **Não ser a ~ de (alguém)** Não ser atividade, profissão etc. de interesse, domínio ou capacidade de alguém.
praiano (prai.*a*.no) *a.* **1** Ref. a praia (moda praiana). **2** Situado à beira-mar (vilarejo praiano). *sm.* **3** Pessoa que habita numa praia ou litoral. [Sin. ger.: *praieiro*.]
praieiro (prai.*ei*.ro) *a.sm.* Ver *praiano*.

prancha (*pran*.cha) *sf.* **1** Tábua grande de madeira. **2** Peça plana de fibra ou isopor us. para praticar o surfe ou nadar.
pranchada (pran.*cha*.da) *sf.* **1** Golpe com prancha. **2** Cada descida do surfista na onda.
prancheta (pran.*che*.ta) [ê] *sf.* **1** Mesa própria para desenho us. esp. por arquitetos. **2** Pequena prancha us. para dar apoio ao se escrever.
prantear (pran.te.*ar*) *v.* Chorar por; LAMENTAR. [*td.*: *A nação ainda pranteia seus mortos e feridos.* **ti.** + *por*: *Pranteiam pelo filho desaparecido.* **int.**: *Ao ouvir as notícias, pôs-se a prantear.*] [▶ **13** prante*ar*] ● pran.te.a.do *a.*; pran.te.a.dor *a.sm.*
pranto (*pran*.to) *sm.* Choro intenso.
prata (*pra*.ta) *sf.* **1** *Quím.* Metal precioso, de cor acinzentada: *medalha de prata.* [Simb.: Ag] **2** *Bras. Gír.* Dinheiro: *um cara cheio da prata.* ▪ **~ da casa** Quem se formou e se aperfeiçoou no mesmo lugar ou instituição em que está ativo: *Este jogador é prata da casa.*
pratada (pra.*ta*.da) *sf. Pop.* **1** Prato cheio: *Comi uma pratada de espinafre.* **2** Golpe com prato.
prataria[1] (pra.ta.*ri*.a) *sf.* Utensílios de prata (1): *A loja compra prataria antiga.*
prataria[2] (pra.ta.*ri*.a) *sf.* Conjunto de pratos.
pratarraz (pra.tar.*raz*) *sm.* Prato grande.
prateado (pra.te.*a*.do) *a.* **1** Coberto com uma camada de prata (cordão prateado). **2** Que apresenta tom de prata ou quase prata (cabelos prateados).
pratear (pra.te.*ar*) *v. td.* **1** Cobrir com prata. **2** *Fig.* Tornar claro ou brilhoso em prata: *O sol prateou seus cabelos.* [▶ **13** prate*ar*] ● pra.te.a.ção *sf.*
prateleira (pra.te.*lei*.ra) *sf.* Tábua fixada na parede ou em estante, armário etc., onde se colocam objetos: *As prateleiras da despensa estão imundas.*
praticar (pra.ti.*car*) *v. td.* **1** Pôr em prática; REALIZAR; FAZER: *praticar a caridade.* **2** Exercitar-se (em qualquer atividade): *praticar natação.* **3** Atuar profissionalmente em; EXERCER: *Deixou de praticar a medicina.* [▶ **11** pratic*ar*] ● pra.ti.ca.do *a.*; pra.ti.can.te *a2g.s2g.*
praticável (pra.ti.*cá*.vel) *a2g.* **1** Que se pode praticar ou fazer. **2** Pelo qual se pode transitar; TRANSITÁVEL. *sm.* **3** *Teat.* Cada um dos elementos móveis que compõem um cenário. [Pl.: -*veis*.] ● pra.ti.ca.bi.li.da.de *sf.* praticável
prático (*prá*.ti.co) *a.* **1** Ref. à prática; que envolve prática (em oposição a teoria): *curso prático de fotografia.* [Ant.: *teórico*.] **2** Projetado de modo a facilitar o uso e ser eficaz; FUNCIONAL: *um cortador de grama muito prático.* **3** Apropriado, conveniente para determinada situação ou para o dia a dia: *Não é prático fazer caminhadas de sandália.* **4** Que é sensato, que baseia suas opiniões ou decisões no que é de fato possível ou viável: *Seja político! Não dá para fazer tudo no mesmo dia!* ▣ **prática** *sf.* **5** Ato de praticar uma atividade habitualmente: *A prática da meditação traz muitos benefícios.* **6** Experiência assim adquirida: *Ele tem muita prática em organizar eventos.* ● pra.ti.ci.da.de *sf.*
prato (*pra*.to) *sm.* **1** Recipiente próprio para se comer. [Aum.: *pratarraz*.] **2** Tipo de comida: *O prato de que mais gosto é tutu.* **3** Peça arredondada e côncava de balança, em que é posto o que se vai pesar. ▣ **pratos** *smpl.* **4** *Mús.* Instrumento de percussão composto por duas peças circulares metálicas. ▪ **Cuspir no ~ em que comeu** Ser ingrato (com quem o ajudou). **Pôr em ~s limpos** Esclarecer (assunto, discórdia, intriga etc.). **~ feito** **1** Refeição comercial em que os componentes são previamente escolhidos pelo estabelecimento, e não pelo cliente. **2** *Fig.* Situação de que se tira proveito para determinado fim: *Seu atraso foi um prato feito para começar a briga.*

praxe (pra.xe) *sf*. Costume, uso, hábito: *É praxe do clube pedir a carteira de identidade aos não sócios.*

práxis (prá.xis) [cs] *sf2n*. **1** Prática, atividade, ação: *Passou do discurso à práxis.* **2** *Fil*. Na filosofia marxista, a atividade humana que pode mudar as relações entre as pessoas.

prazenteiro (pra.zen.tei.ro) *a*. Em que há, ou que demonstra prazer: *Comeu, prazenteiro, a sobremesa.*

prazer (pra.zer) *sm*. **1** Sentimento agradável; ALEGRIA; SATISFAÇÃO. **2** Entretenimento, divertimento. **3** Deleite sexual. **4** Aquilo que provoca prazer. ● **pra.ze.ro.so** *a*.

prazo (pra.zo) *sm*. Tempo delimitado que se tem para fazer alguma coisa: *O prazo para entrega termina no fim do mês.*

preá (pre.á) *s2g*. *Bras*. *Zool*. Tipo de animal roedor, ger. de barriga branca e dorso manchado de amarelo-escuro.

preamar (pre:a.mar) *sf*. *Oc*. Maré alta.

preâmbulo (pre:âm.bu.lo) *sm*. Texto preliminar de escrito ou fala que apresenta ou anuncia o assunto principal: *Deu a notícia sem preâmbulos.* ● **pre:am.bu.lar** *a2g.v*.

prear (pre.ar) *v. td. int*. Capturar, aprisionar. [▶ 13 prear]

prebenda (pre.ben.da) *sf*. **1** *Ecles*. Remuneração ligada a certos cargos da Igreja. **2** *Fig*. Atividade lucrativa que dá pouco trabalho. **3** *Bras*. Tarefa desagradável.

pré-candidato (pré-can.di.da.to) *sm*. Quem postula ser candidato oficial a algum cargo político. [Pl.: *pré-candidatos*.]

precário (pre.cá.ri:o) *a*. **1** Insuficiente (conhecimentos *precários*). **2** Que é provisório, sem garantia (emprego *precário*). **3** Frágil, debilitado (saúde *precária*). **4** Que está em más condições e/ou não atende seus objetivos (policiamento *precário*, equipamento *precário*). [Superl.: *precaríssimo*.]

precatar (pre.ca.tar) *v*. Pôr(-se) de sobreaviso; ACAUTELAR(-SE); PRECAVER(-SE). [*td*. + *contra, de*: *O deputado precatou a comunidade contra esses abusos.* *pr*.: *precatar-se de acidentes de trabalho.* NOTA: Us. ger. como *pr*.] [▶ 1 precatar] ● **pre.ca.ta.do** *a*.

precatória (pre.ca.tó.ri:a) *sf*. *Jur*. Carta pela qual um órgão da Justiça pede a outro que realize um determinado ato. [Tb. se diz carta precatória.]

precatório (pre.ca.tó.ri:o) *a.sm*. Que ou aquilo que pede algo (documento *precatório*).

precaução (pre.cau.ção) *sf*. **1** Ação ou providência por meio da qual se busca evitar algo ruim: *A enfermeira tomara as precauções para evitar contaminação.* **2** Característica ou condição de quem age de maneira prudente: *Nesse ponto, sua precaução é excessiva.* [Pl.: *-ções*.]

precaver (pre.ca.ver) *v*. Pôr(-se) de sobreaviso quanto a; acautelar(-se) antecipadamente; PREVENIR(-SE); PRECATAR(-SE). [*td*.: *precaver os perigos.* *tdi*. + *contra, de*: *Precaveram os escoteiros dos mosquitos.* *pr*.: *precaver-se contra a gripe.* NOTA: Us. ger. como *pr*.] [▶ 2 precaver] Defec., não se conjuga nas f. rizotônicas.]

precavido (pre.ca.vi.do) *a*. Que procura se antecipar a situações problemáticas, para evitá-las; CAUTELOSO.

prece (pre.ce) [é] *sf*. Fala, pensamento ou texto dirigido a uma divindade ou a um santo em louvação, agradecimento ou súplica; ORAÇÃO; REZA.

precedência (pre.ce.dên.ci:a) *sf*. **1** Qualidade ou condição de precedente: *O noivo chegou antes da noiva, com precedência de meia hora.* **2** Prioridade que se dá a alguém ou algo; PRIMAZIA: *A saúde tem precedência sobre o trabalho.*

precedente (pre.ce.den.te) *a2g*. **1** Que precede, que vem antes: *As explicações estão na seção precedente.* *sm*. **2** Ato, situação ou situação que serve como parâmetro para deliberações futuras: *Isso abre um precedente perigoso.*

preceder (pre.ce.der) *v*. **1** Acontecer, localizar-se ou existir antes de; ANTECEDER. [*td*./*ti*. + *a*: *O carnaval precede a/à quaresma*; *Este livro precede aquele/àquele na bibliografia do autor*.] **2** Fazer (algo) acontecer ou aparecer antes (de outra coisa); ANTECEDER. [*tdi*. + *de, por*: *preceder um texto por uma dedicatória*.] **3** Ter precedência ou preferência. [*ti*. + *a*: *Gestantes precedem aos demais na fila*.] [▶ 2 preceder]

preceito (pre.cei.to) *sm*. **1** Regra de comportamento ditada por instituição moral ou laica. **2** Ensinamento que faz parte de uma doutrina: *os preceitos do profeta*. ● **pre.cei.tu.ar** *v*.

preceituário (pre.cei.tu.á.ri:o) *sm*. Conjunto de normas e preceitos.

preceptor (pre.cep.tor) [ô] *sm*. Pessoa encarregada da instrução privada de uma criança ou jovem.

precessão (pre.ces.são) *sf*. **1** Ação ou resultado de preceder. **2** *Astron*. Regressão na órbita de um astro, em pontos em que ela corta um plano de referência. **3** *Astron*. Lentidão na rotação de um astro por influência de fator externo. [Pl.: -sões.]

preciosidade (pre.ci:o.si.da.de) *sf*. **1** Qualidade do que é precioso. **2** Coisa de muito valor, beleza ou raridade: *Este vinil é uma preciosidade.*

preciosismo (pre.ci:o.sis.mo) *sm*. Requinte e sofisticação excessivos ao falar, escrever ou executar algo: *O preciosismo do violonista agradou a todos.* ● **pre.ci:o.sis.ta** *a2g.s2g*.

precioso (pre.ci:o.so) [ô] *a*. **1** Que tem muito valor: *A leitura é um precioso dom humano.* **2** Que é muito estimado ou apreciado: *Esse livro é meu bem mais precioso.* [Fem. e pl.: [ó].]

precipício (pre.ci.pí.ci:o) *sm*. Local onde há uma depressão profunda, com paredes escarpadas; ABISMO; PERAMBEIRA.

precipitação (pre.ci.pi.ta.ção) *sf*. **1** Pressa ao agir, ou tomar uma decisão; IRREFLEXÃO: *A precipitação em responder à questão fê-lo errar.* **2** Pressa, afobação: *a precipitação do noivo em chegar cedo à igreja.* **3** Queda de água no solo, em forma de chuva, neve ou granizo: *Houve precipitação na região, onde não chovia há meses.* **4** *Quím*. Processo em que uma substância insolúvel num líquido se deposita no fundo do recipiente. [Pl.: -ções.]

precipitado (pre.ci.pi.ta.do) *a*. **1** Diz-se de pessoa que age de maneira impulsiva, irrefletida. **2** Feito com pressa excessiva, sem ponderação (decisão *precipitada*).

precipitar (pre.ci.pi.tar) *v*. **1** Atirar(-se) de cima para baixo, ger. de lugar elevado; LANÇAR(-SE). [*td*. (seguido de indicação de lugar): *Precipitou o adversário ao/no mar. pr*.: *Precipitou-se do despenhadeiro*.] **2** Levar, arrastar a situação difícil, aventuresca ou perigosa. [*tdi*. + *em*: *Maus negócios precipitaram a empresa numa crise*.] **3** Antecipar, acelerar. [*td*.: *Os maus resultados precipitaram a implementação de novas medidas.*] **4** *Quím*. Depositar(-se) (substância sólida) no fundo de um vidro, tubo de ensaio etc., ou se separar do meio líquido em que estava dissolvida. [*int./pr*.: *A solução salina precipitou(-se)*.] ◼ **precipitar-se** *pr*. **5** *Fig*. Agir sem pensar: *Precipitou-se ao desistir do curso.* **6** Jogar-se a, em, sobre ou contra: *"...a tropa em pânico queria precipitar-se ao rio..."* (Antonio Callado, *Bar Don Juan*). **7** Mover-se com ímpeto e rapidez: *Ao ouvir o alarme, precipitaram-se para fora da sala.* [▶ 1 precipitar]

precípuo (pre.cí.pu:o) *a*. Que é o mais importante; PRINCIPAL: *O objetivo precípuo do esporte é a saúde do corpo e da mente.*

precisão (pre.ci.são) *sf*. **1** Rigor e correção ao se fazer um cálculo ou se medir algo: *O farmacêutico*

precisar | predomínio

pesou os ingredientes com *precisão*. **2** Seleção cuidadosa de palavras para expressar uma ideia, fazer descrição etc.: *Ele explicou com precisão o problema.* **3** Funcionamento quase perfeito de um serviço, um mecanismo etc.: *É grande a precisão dos trens europeus.* **4** Falta de algo útil ou necessário; CARÊNCIA; NECESSIDADE: *Este idoso tem precisão de uma boa alimentação.* [Pl.: -sões.]

precisar (pre.ci.*sar*) *v.* **1** Ter necessidade (de) ou ser (algo) necessário. [*ti.* + *de*: *Crianças precisam de carinho.* *int.*: *Faz fisioterapia porque precisa.*] **2** Passar necessidade. [*int.*: *É pedinte porque precisa.*] **3** Determinar ou indicar com precisão (1). [*td.*: *Vamos precisar a hora do nosso encontro.*] [▶ **1** preci*sar* [NOTA: Us. como v. auxiliar, seguido do v. principal no infinitivo, denota necessidade ou obrigação: *Ele precisou contratar uma secretária.*] ● pre.ci.*sa*.do *a*.

preciso (pre.*ci*.so) *a*. **1** Necessário: *Listou as reformas precisas.* **2** Diz-se de cálculo rigoroso e correto. **3** Diz-se de texto ou fala que expressa ideias ou informa de maneira clara e direta. **4** Que funciona corretamente (relógio preciso).

preclaro (pre.*cla*.ro) *a*. Dotado de distinção, mérito ou saber; que se distingue ou é conhecido por isso; FAMOSO; ILUSTRE. [Ant.: *obscuro*.]

pré-classificado (pré-clas.si.fi.*ca*.do) *a.sm.* Que ou quem se classificou previamente (para a etapa seguinte de torneio, processo de seleção etc.) (candidato *pré-classificado*). [Pl.: *pré-classificados*.]

preço (*pre*.ço) [ê] *sm.* **1** Quantia, estipulada pelo vendedor, necessária para a aquisição de uma mercadoria ou serviço. **2** *Fig*. Custo moral ou de outra natureza para se alcançar algo: *O preço da vitória foi muito alto: metade do time se contundiu.*

precoce (pre.*co*.ce) *a2g*. **1** Que ocorre antes do que deveria (amadurecimento *precoce*); PREMATURO. **2** Diz-se de quem desenvolveu certas habilidades ou capacidades antes da idade normal ou habitual (pianista *precoce*).

preconceber (pre.con.ce.*ber*) *v. td*. Conceber, planejar ou supor (algo) antecipadamente. [▶ **2** preconce*ber*] ● pre.con.ce.*bi*.do *a*.

preconceito (pre.con.*cei*.to) *sm*. **1** Opinião ou ideia preconcebida sobre algo ou alguém, sem conhecimento ou reflexão. **2** Atitude genérica de discriminação ou rejeição de pessoas, grupos, ideias etc., com base no sexo, raça, nacionalidade, religião etc. (*preconceito* religioso/racial). ● pre.con.cei.*tu*.o.so *a.sm.*

preconizar (pre.co.ni.*zar*) *v. td.* Aconselhar ou elogiar com entusiasmo; RECOMENDAR: *Em seu artigo, preconiza uma nova política educacional.* [▶ **1** preconi*zar*] ● pre.co.ni.*za*.ção *sf.*; pre.co.ni.*za*.do *a.*; pre.co.ni.*za*.dor *a.sm.*

precordial (pre.cor.di.*al*) *a2g. Anat*. Ref. à região vizinha ao coração (dor *precordial*). [Pl.: *-ais*.]

precursor (pre.cur.*sor*) [ô] *a.sm.* **1** Que, quem ou aquilo que precede algo, que está ou vai à frente de algo: *O jongo foi o precursor do samba.* **2** Que ou quem anuncia, sinaliza, antecipa, ou dá início a novos conceitos, situações, técnicas, comportamentos, movimentos etc.: *As jaés vêem as andorinhas precursoras do verão; Burle Marx foi um precursor do paisagismo moderno.*

predador (pre.da.*dor*) [ô] *a.sm*. **1** Diz-se de ou animal que se alimenta preferencialmente de outro animal. **2** Que ou o que destrói aquilo de que se utiliza.

pré-datado (pré-da.*ta*.do) *a*. Diz-se de cheque em que se coloca uma data posterior à sua emissão. *sm.* **2** Cheque assim datado. [Pl.: *pré-datados*.]

pré-datar (pré-da.*tar*) *v. td*. Datar (documento, cheque) em data anterior à que está sendo registrada. [▶ **1** pré-da*tar*] [Cf.: *pós-datar*.]

predatório (pre.da.*tó*.ri:o) *a*. Que envolve ou causa destruição: *a ação predatória do homem sobre a natureza.*

predecessor (pre.de.ces.*sor*) [ô] *sm*. Pessoa que antecede outra; ANTECESSOR. [Ant.: *sucessor*.]

predefinir (pre.de.fi.*nir*) *v. td*. Definir com antecipação. [▶ **3** predefi*nir*] ● pre.de.fi.ni.*ção sf.*; pre.de.fi.*ni*.do *a*.

predestinar (pre.des.ti.*nar*) *v. td*. **1** Destinar antecipadamente (algo ou alguém) para certo fim ou condição. [+ *a*, *para*: *Tudo parece predestinar minha irmã ao sucesso.*] **2** *Teol*. Escolher (Deus) o destino de (alguém). [+ *a*: *Deus predestinou-o ao céu.*] [▶ **1** predesti*nar*] ● pre.des.ti.na.*ção sf.*; pre.des.ti.*na*.do *a.sm*.

predeterminar (pre.de.ter.mi.*nar*) *v. td*. Determinar com antecedência; PREFIXAR: *Entrevistas orientadas predeterminam o tipo de resposta esperado.* [▶ **1** predetermi*nar*] ● pre.de.ter.mi.na.*ção sf.*; pre.de.ter.mi.*na*.do *a.sm.*

prédica (*pré*.di.ca) *sf*. Fala em que se faz exortação moral ou religiosa; SERMÃO; PREGAÇÃO.

predicado (pre.di.*ca*.do) *sm*. **1** Qualidade de alguém ou algo. **2** *Gram*. Aquilo que se diz sobre o sujeito de uma oração, ger. tendo como núcleo um verbo (p.ex., em *Maria abriu a porta* o predicado é *abriu a porta*).

predição (pre.di.*ção*) *sf*. Afirmação acerca de acontecimento futuro; PREVISÃO; PROFECIA. [Pl.: -*ções*.]

predicar (pre.di.*car*) *v*. Ver *pregar*². [▶ **11** predi*car*]

predicativo (pre.di.ca.*ti*.vo) *sm. Gram.* Aquilo que constitui atributo, identidade ou indicação situacional do sujeito ou objeto. [Us. tb. como adjetivo (oração *predicativa*).] [NOTA: Pode ser representado por adjetivo (*O céu está escuro*), substantivo (*Meu tio é engenheiro*), advérbio (*A festa será amanhã*), numeral (*Minha poltrona é a 15*) etc.]

predicatório (pre.di.ca.*tó*.ri:o) *a*. Que contém ou expressa elogio.

predileção (pre.di.le.*ção*) *sf*. Preferência por algo ou alguém. [Pl.: -*ções*.]

predileto (pre.di.*le*.to) *a.sm*. Que ou quem é preferido em relação a outro(s) (livro *predileto*).

prédio (*pré*.di:o) *sm*. **1** Edificação com vários andares destinada à habitação ou a atividades comerciais ou industriais; EDIFÍCIO. **2** Qualquer edificação. ● pre.di.*al* *a2g*. (imposto pre*dial*).

predispor (pre.dis.*por*) *v. td* **1** Tornar propício; favorecer. [*td.*: *A baixa imunidade predispõe a incidência de infecções.* *tdi.* + *a*, *para*: *Quais os fatores que predispõem pessoas a sofrer de estresse?*] ⚑ predispor-se *pr*. **2** Mostrar-se disposto; prontificar-se: *O gerente se predispôs a conversar com os funcionários.* [▶ **60** predis*por*. Part.: *predisposto*.] ● pre.dis.*pos*.to *a*.

predisposição (pre.dis.po.si.*ção*) *sf*. **1** Inclinação ou tendência para algo: *predisposição para a arte*. **2** *Med*. Probabilidade alta de alguém contrair ou desenvolver certa doença. [Pl.: -*ções*.]

predizer (pre.di.*zer*) *v. td*. Anunciar o que vai acontecer: *Há maneiras científicas de predizer o tempo.* [▶ **20** predi*zer*. Part.: *predito*.] ● pre.*di*.to *a.sm*.

predominar (pre.do.mi.*nar*) *v*. Ser o mais evidente ou relevante; SOBRESSAIR. [*ti*. + *sobre*: *Em livros infantis, as imagens predominam sobre os textos.* *int.* (seguido ou não da indicação de lugar): *A língua árabe predomina no Norte da África.*] [▶ **1** predomi*nar*] ● pre.do.mi.na.*ção sf.*; pre.do.mi.*nân*.ci:a *sf.*; pre.do.mi.*nan*.te *a2g*.

predomínio (pre.do.*mí*.ni:o) *sm*. **1** Superioridade numérica; PREPONDERÂNCIA; SUPREMACIA: *No português, há o predomínio de palavras de origem latina.* **2** Superioridade em qualidade, em poder, resultados positivos: *o predomínio da tecnologia suíça em relógios.*

pré-eleitoral (pré-e.lei.to.*ral*) *a2g.* Que ocorre antes das eleições (acordos pré-eleitorais). [Pl.: *pré-eleitorais*.]

preeminente (pre.e.mi.*nen*.te) *a2g.* **1** Que se encontra acima dos outros; EXCELSO. **2** Que tem valor, qualidade superior; SUBLIME. **3** Que sobressai; DISTINTO; EMINENTE; NOTÁVEL. [Cf.: *proeminente*.] ● **pre:e.mi.*nên*.ci:a** *sf.*

preencher (pre.en.*cher*) *v. td.* **1** Ocupar integralmente (espaço, tempo): *As novelas preenchem o horário nobre da TV.* **2** Ocupar (função ou cargo): *Já preenchemos a vaga de secretária.* **3** Satisfazer: *O candidato preenchia todos os requisitos.* **4** Fornecer (informações solicitadas) por escrito, nos espaços apropriados: *preencher uma ficha de inscrição.* [▶ **2** preench[er] ● pre:en.*chi*.do *a.*; pre:en.*chi.men*.to *sm.*

preensão (pre.en.*são*) *sf.* Ação ou resultado de preender, segurar, agarrar: *O polegar da mão humana possibilita a preensão.* [Pl.: *-sões*.]

preênsil (pre.*ên*.sil) *a2g.* Que é capaz de agarrar, segurar ou apanhar; PREENSOR: *O gambá tem uma cauda preênsil.* [Pl.: *-seis*.]

preensor (pre.en.*sor*) [ô] *a.* Ver preênsil.

pré-escola (pré-es.co.la) *sf.* **1** Educação oferecida a crianças de um a seis anos, que compreende o maternal, o jardim de infância e a alfabetização, e objetiva prepará-las para o ensino fundamental. **2** Estabelecimento que oferece educação desse tipo. [Pl.: *pré-escolas*.] ● **pré-es.co.*lar*** *a2g.*

preestabelecer (pre.es.ta.be.le.*cer*) *v. td.* Determinar com antecedência: *Quando há inflação, não é possível preestabelecer preços.* [▶ **33** preestabelec[er] ● pre.es.ta.be.le.*ci*.do *a.*; pre.es.ta.be.le.*ci.men*.to *sm.*

preexistente (pre.e.xis.*ten*.te) [z] *a2g.* Que já existia anteriormente (doença preexistente). ● pre:e.xis.*tên*.ci:a *sf.*

preexistir (pre.e.xis.*tir*) [z] *v.* Existir antes (de). [*ti. + a*: *O ovo preexistiu à galinha, ou é o contrário? int.*: *Não foi um gesto espontâneo, a intenção preexistia.*] [▶ **3** preexist[ir]

pré-fabricado (pré-fa.bri.*ca*.do) *a.* Diz-se de edifício, casa ou móvel que se constrói a partir da montagem de partes previamente fabricadas. [Pl.: *pré-fabricados*.]

prefaciar (pre.fa.ci.*ar*) *v. td.* **1** Escrever introdução ou prefácio para: *Meu professor prefaciou várias antologias de poesia.* **2** Acrescentar prefácio ou introdução a, ou ser introdução a: *O cientista prefaciava seus discursos com uma piada*; *A cena inicial prefaciava o enredo do filme.* [▶ **1** prefaci[ar] ● pre.fa.ci.*a*.do *a.*; pre.fa.ci.*a.dor* *a.sm.*

prefácio (pre.*fá*.ci:o) *sm.* Texto introdutório ou de apresentação presente no início de um livro.

prefeito (pre.*fei*.to) *sm.* Chefe do poder executivo de um município.

prefeitura (pre.fei.*tu*.ra) *sf.* **1** O cargo exercido pelo prefeito: *Há vários candidatos à prefeitura de minha cidade.* **2** *Bras.* O prédio, a sede, os órgãos, os recursos da administração municipal: *É uma obra da prefeitura.*

preferência (pre.fe.*rên*.ci:a) *sf.* **1** Ação ou resultado de preferir. **2** Inclinação, simpatia maior por certa pessoa ou coisa; PREDILEÇÃO: *Ela sempre teve preferência por doces.* **3** Prioridade, precedência: *Idosos e gestantes terão preferência no atendimento.*

preferencial (pre.fe.ren.ci.*al*) *a2g.* **1** Que tem preferência: *o candidato preferencial do grupo.* **2** *Bras.* Nos cruzamentos, rua em que os veículos têm prioridade de passagem. [Pl.: *-ais*.]

preferir (pre.fe.*rir*) *v.* **1** Escolher (uma opção entre outras possíveis). [*tdi. + a*: *Prefiro acordar cedo a pegar um ônibus lotado de manhã*.] **2** Gostar mais de; ter predileção por; dar preferência a (alguém ou alguma coisa em relação a outrem ou outra coisa); achar melhor (uma ação ou atividade em relação a outra). [*td.*: *Você prefere carne ou peixe? tdi. + a*: "Primo, preferiria morrer à causar-lhe o menor desgosto..." (Joaquim Manuel de Macedo, *Luneta mágica*).] [▶ **50** prefer[ir] ● pre.fe.*ren*.te *a2g.s2g.*; pre.fe.*ri*.do *a.sm.*

preferível (pre.fe.*rí*.vel) *a2g.* Que se deve preferir: *O esporte é preferível ao ócio.* [Pl.: *-veis*.]

prefigurar (pre.fi.gu.*rar*) *v. td.* Figurar ou representar (algo) antecipadamente: *A situação prefigura uma catástrofe.* [▶ **1** prefigur[ar] ● pre.fi.gu.*ra.ção* *sf.*

prefixar (pre.fi.*xar*) [cs] *v. td.* **1** Estabelecer com antecedência; PREDETERMINAR: *O ministro prefixou os juros.* **2** *Gram.* Acrescentar um prefixo a (radical ou palavra). [▶ **1** prefix[ar] ● pre.fi.*xa*.do *a.*; pre.fi.*xa.ção* *sf.*

prefixo (pre.*fi*.xo) [cs] *sm.* **1** Algarismos iniciais comuns às linhas telefônicas de uma certa região. **2** Conjunto de letras ou números que identificam aeronaves, viaturas policiais etc. **3** *Gram.* Elemento formador de palavras que se situa antes do radical (*compor*, *rever*, *incorrer* etc.). [Ver tb. *afixo* e *sufixo*.]

prega (*pre*.ga) [é] *sf.* **1** Dobra em roupa ou tecido. **2** *Anat.* Dobra na pele, esp. nas articulações; PLICA.

pregação (pre.ga.*ção*) *sf.* **1** Discurso de explanação ou incitação religiosa; SERMÃO. **2** Fala em que se repreende ou censura alguém. [Pl.: *-sões*.]

pregada (pre.*ga*.da) *sf.* **1** *Pop.* Ferimento causado por prego ou outro instrumento pontiagudo. **2** *Bras. Gír.* Golpe, intencional ou não, com a mão ou o pé; PANCADA.

pregador (pre.ga.*dor*) *a.sm.* **1** Que ou quem faz pregações, aprega ideia ou doutrina. **2** Que ou o que serve para pregar, prender.

pregão (pre.*gão*) *sm.* **1** Divulgação oral, feita por leiloeiros e corretores, dos produtos à venda e das ofertas recebidas. **2** O local onde, na Bolsa de Valores, essa divulgação é feita. **3** Divulgação em voz alta de produtos à venda, por vendedores ambulantes. [Pl.: *-gões*.]

pregar[1] (pre.*gar*) *v.* **1** Fixar (ger. com prego). [*td.* (com ou sem indicação de lugar): *Você já pregou o quadro de avisos na recepção?*] **2** Prender (com objeto ou processo apropriado). [*td.* (com ou sem indicação de lugar): *A costureira pregou a gola (na camisa)*.] **3** Cravar (objeto pontiagudo). [*td.* (seguido ou não de indicação de lugar): *Pregou vários percevejos (no quadro)*.] **4** Aplicar, pespegar (susto, peça [logro], mentir etc.). [*td.*: *Meu irmão adora pregar peças. tdi. + a, em*: "...vá devagarinho para lhe pregar um susto." (Machado de Assis, *Dom Casmurro*).] **5** Fixar o olhar (em). [*td.* (seguido de indicação de lugar): *A menina, envergonhada, pregou os olhos no chão.*] **6** *Bras. Pop.* Cansar(-se) ao extremo. [*td.*: *A maratona de provas pregou os vestibulandos. int.*: *Fora de forma, ele prega à toa.*] [▶ **14** preg[ar] ● Não ~ o olho Não dormir nem um minuto. ● pre.ga.do *a.*

pregar[2] (pre.*gar*) *v.* **1** Proferir (sermões ou mensagens de doutrina religiosa). [*td.*: *Aquele padre pregava os melhores sermões. int.*: *Daqui, ouve-se o pastor pregando na igreja. ti. + a*: *Santo Antônio preferia pregar aos peixes.*] **2** Preconizar, difundir (conceito, ideia). [*td.*: *Gandhi pregava a não violência.*] [▶ **14** preg[ar]

prego (*pre*.go) *sm.* **1** Pequena haste metálica com uma ponta aguçada e outra achatada, que serve para fixar um objeto. **2** *Pop.* Local onde se empresta dinheiro em troca de objetos de valor como garantia; PENHOR: *O relógio de Paulo está no prego.* **3**

Bras. Pop. Cansaço extremo: *Fiquei no maior prego depois do jogo.*

pregoeiro (pre.go:ei.ro) *sm.* **1** Pessoa que conduz um pregão; LEILOEIRO. **2** Pessoa que, em espaços públicos, divulga e promove um produto.

pregresso (pre.gres.so) *a.* Que ocorreu ou transcorreu anteriormente. [Cf.: *progresso*.]

pregueadeira (pre.gue.a.dei.ra) *sf.* Máquina que faz pregas em tecidos.

preguear (pre.gue.ar) *v. td.* Fazer pregas ou dobras em (tecido, papel etc.): *preguear uma saia.* [▶ 13 pregu[ear] ● **pre.gue.a.do** *a.sm.*

preguiça (pre.gui.ça) *sf.* **1** Falta de energia ou de vontade de fazer uma atividade ou trabalhar: *Não fui fazer ginástica por pura preguiça.* [Ant.: *disposição*.] **2** *Bras. Zool.* Certo mamífero que vive em árvores e se movimenta muito lentamente.

preguiçar (pre.gui.çar) *v. int.* Ter preguiça; deixar-se ficar no ócio: *Levante-se, pare de preguiçar.* [▶ 12 preguiç[ar]

preguiçosa (pre.gui.ço.sa) *sf.* *Bras.* **1** Ver *espreguiçadeira.* **2** Fem. de *preguiçoso*.

preguiçoso (pre.gui.ço.so) [ó] *a.sm.* Que ou quem tem preguiça; INDOLENTE. [Fem. e pl.: ó].]

pré-história (pré-his.tó.ri.a) *sf.* **1** *Hist.* Período da história humana que antecede a invenção da escrita e o uso dos metais. **2** *Fig.* O período de constituição inicial de uma técnica, uma ciência ou uma instituição, em que ela ainda não apresenta alguns dos traços principais pelos quais será posteriormente reconhecida: *O crítico conhecia a pré-história do cinema.* [Pl.: *pré-histórias*.] ● **pré-his.tó.ri.co** *a.*

pré-impressão (pré-im.pres.são) *sf.* *Edit.* Fase anterior à impressão, em que se elabora a configuração final dos textos e imagens visando a produção eletrônica dos fotolitos para a impressão. [Pl.: *pré-impressões*.]

preito (prei.to) *sm.* **1** Demonstração de apreço, respeito etc. por alguém; TRIBUTO; HOMENAGEM: *Todos renderam preito ao valente general.* **2** Negócio, assunto a ser resolvido. **3** Acordo, pacto. **4** Condição de vassalo ou o tributo pago por ele. ● **prei.te.ar** *v.*

prejudicar (pre.ju.di.car) *v.* **1** Causar prejuízo ou dano a, ou sofrê-los. [*td.*: *O desmatamento prejudica o meio ambiente. pr.*: *Ele vai se prejudicar se continuar faltando às aulas.*] **2** Atrapalhar, perturbar. [*td.*: *A chuva prejudicou o trânsito.*] **3** Tornar nulo, sem efeito (por erro, descumprimento de norma, falha técnica etc.). [*td.*: *O registro fora de data prejudicou sua candidatura.*] [Ant. ger.: *beneficiar*.] [▶ 11 prejudic[ar] ● **pre.ju.di.ca.do** *a.sm.*

prejudicial (pre.ju.di.ci.al) *a2g.* Que pode fazer mal a algo ou a alguém; NOCIVO; DANOSO: *O fumo é prejudicial à saúde.* [Pl.: *-ais*.]

prejuízo (pre.ju.i.zo) *sm.* **1** Perda de dinheiro ou de bens: *prejuízos causados pela enchente.* **2** Perda de outra natureza: *A reforma do ensino ocorrerá sem prejuízo para o espetáculo.* **3** *Bras. Pop.* Despesa em compra, serviços etc.: *Perguntou ao pedreiro de quanto era o prejuízo.*

prejulgar (pre.jul.gar) *v. td.* Formar juízo sobre (fatos ou pessoas) previamente, sem exame ou avaliação: *Você não leu, está prejulgando o meu trabalho!* [▶ 18 prejulg[ar] ● **pre.jul.ga.do** *a.sm.*

prelado (pre.la.do) *sm.* Título honorífico concedido pela Igreja a alguns religiosos (bispos, arcebispos etc.). ● **pre.la.tí.ci.o** *a.*

prelazia (pre.la.zi.a) *sf.* **1** Dignidade ou jurisdição de prelado. **2** Área sob jurisdição de um prelado.

preleção (pre.le.ção) *sf.* **1** Palestra feita com fins didáticos. **2** *Esp.* Palavras de orientação e incentivo proferidas por um técnico antes de uma partida. [Pl.: *-ções*.] ● **pre.le.ci.o.nar** *v.*

prelibar (pre.li.bar) *v. td.* Usufruir previamente, por imaginação, de (um prazer ou diversão); ANTEGOZAR. [▶ 1 prelib[ar] ● **pre.li.ba.ção** *sf.*; **pre.li.ba.dor** *a.sm.*

preliminar (pre.li.mi.nar) *a2g.* **1** Que antecede algo a que se atribui maior valor ou importância (considerações *preliminares*). *sf.* **2** *Esp.* Partida disputada antes da partida principal, ger. em futebol.

prélio (pré.li.o) *sm.* Qualquer tipo de disputa ou embate entre adversários.

prelo (pre.lo) [é] *sm.* *Art.Gr.* Máquina us. para impressão; PRENSA (2).

preludiar (pre.lu.di.ar) *v.* **1** Fazer prelúdio (2) de; anunciar previamente, ser indício de; PRENUNCIAR. [*td.*: *A ameaça de guerra preludiava tempos difíceis.*] **2** Ensaiar antes de cantar ou tocar. [*int.*: *O cantor gostava de preludiar antes do concerto.*] [▶ 1 preludi[ar]

prelúdio (pre.lú.di.o) *sm.* **1** Princípio ou começo de algo. **2** Sinal ou prenúncio de algo: *O canto das cigarras é o prelúdio de um dia de sol.* **3** *Mús.* Peça musical, dotada de certa autonomia formal, que serve como introdução a uma obra, cena ou ato, podendo tb. ser executada isoladamente.

preluzir (pre.lu.zir) *v. int.* Brilhar muito; RESPLANDECER. [▶ 57 preluz[ir]

prematuro (pre.ma.tu.ro) *a.* **1** Que ocorre antes do tempo normal (crescimento *prematuro*, morte *prematura*); PRECOCE. **2** Que ainda não está maduro. **3** Diz-se de criança que nasceu antes do tempo normal de gestação. *sm.* **4** Criança prematura (3). ● **pre.ma.tu.ri.da.de** *sf.*

premeditar (pre.me.di.tar) *v. td.* Refletir sobre e decidir (algo) com antecedência; ARQUITETAR; PLANEJAR: *O acusado disse que não premeditou o crime.* [▶ 1 premedit[ar] ● **pre.me.di.ta.ção** *sf.*; **pre.me.di.ta.do** *a.*

pré-menstrual (pré-mens.tru:al) *a2g.* Do ou ref. ao período que precede a menstruação (tensão *pré-menstrual*). [Pl.: *pré-menstruais*.]

premente (pre.men.te) *a2g.* **1** Que faz pressão, que aperta. **2** *Fig.* Que causa angústia, aflição (espera *premente*). **3** Que não admite demora (socorro *premente*); URGENTE.

premer, premir (pre.mer, pre.mir) *v. td.* Pressionar, apertar: *Para chamar o elevador, basta premer o botão.* [▶ 2 prem[er, ▶ 58 prem[ir]

premiar (pre.mi.ar) *v. td.* **1** Conceder um prêmio a (em sorteio, competição etc.): *O concurso premiará os melhores poemas.* **2** Recompensar: (seguido de indicação de modo/meio) *premiar o filho com uma viagem.* [▶ 1 premi[ar] ● **pre.mi.a.ção** *sf.*; **pre.mi.a.do** *a.sm.*

prêmio (prê.mi.o) *sm.* **1** Recompensa dada ou paga a uma pessoa por mérito ou serviço. **2** Dinheiro ou objeto de valor dado ao ganhador de sorteio ou concurso. **3** Pagamento por seguro contratado.

premissa (pre.mis.sa) *sf.* Ideia ou fato inicial de que se parte para formar um raciocínio: *Ele partiu de uma premissa falsa.*

pré-modernismo (pré-mo.der.nis.mo) *sm.* Período artístico e literário que antecedeu o modernismo. [Pl.: *pré-modernismos*.] ● **pré-mo.der.nis.ta** *a2g.s2g.*

pré-molar (pré-mo.lar) *Anat.* *a.* **1** Diz-se de dente que está entre os caninos e os molares (quatro em cada maxilar). *sm.* **2** Esse dente. [Pl.: *pré-molares*.]

premonição (pre.mo.ni.ção) *sf.* **1** Sensação de que uma coisa está para acontecer. **2** Acontecimento ou sinal que serve de aviso; PRESSÁGIO; AGOURO. [Pl.: *-ções*.] ● **pre.mo.ni.tó.ri.o** *a.*

premunir (pre.mu.nir) *v.* Tomar medidas de cautela ou preparar(-se) contra (perigo, dificuldade etc.); PREVENIR(-SE). [*td.*: *premunir epidemias. tdi.* + *contra*:

O general premunira os soldados contra as manobras inimigas. **pr.:** *Os operários devem se premunir contra acidentes.*] [▶ **3** premun*ir*]

pré-natal (pré.na.*tal*) *a2g.* **1** Que é anterior ao nascimento (exame *pré-natal*). *sm.* **2** Tratamento médico que uma mulher grávida faz antes do parto. [Pl.: *pré-natais*.]

prenda (*pren*.da) *sf.* **1** Prêmio ganho em determinadas competições ou brincadeiras; BRINDE. **2** Penalidade aplicada ao perdedor em alguns jogos ou brincadeiras. **3** Presente, dádiva, mimo. **4** *Antq.* Habilidade, conhecimento ou qualidade: *moça com muitas prendas*. **5** *RS* Moça, mulher nova. • pren.*da*.do *a.*; pren.*dar v.*

prender (pren.*der*) *v.* **1** Fazer ficar unido ou fixo (com corda, braços etc.). [*td.* (seguido ou não de indicação de meio/modo): *O menino prendeu os papéis (com o clipe)*; *A bailarina prendeu os cabelos (com um elástico)*.] **2** Ficar seguro, preso a. [*pr.*: *A roupa prendeu-se no prego.*] **3** Colocar na prisão; ENCARCERAR. [*td.*: *O delegado prendeu o bandido.*] **4** Dificultar, restringir ou impedir o deslocamento ou o movimento a. [*td.* (com ou sem indicação de lugar): *A enchente prendeu minha mãe em casa*; *prender um pássaro na gaiola*.] **5** Fascinar, cativar. [*td.*: *Esse filme prende a atenção.*] **6** Unir(-se) emocionalmente a. [*tdi.* + *a*: *Uma enorme amizade prende minha mãe à minha madrinha.* **pr.**: *Prendi-me àquela amiga.*] **7** Preocupar-se com. [*pr.*: *A mãe prende-se ao bem-estar dos filhos.*] **8** Conquistar (para casamento ou namoro). [*td.*] **9** Interromper, suspender temporariamente um processo fisiológico). [*td.*: *prender a respiração debaixo d'água.*] [▶ **2** prend*er*. Part.: *prendido* e *preso*.] • pren.de.*dor a. sm.*

prenhe (*pre*.nhe) *a2g.* **1** Diz-se da fêmea que está grávida (vaca *prenhe*). **2** *Fig.* Cheio, repleto, pleno: *prenhe de sabedoria.* • pre.*nhez sf.*

prenome (pre.*no*.me) *sm.* Nome que vem antes do sobrenome; nome de batismo.

prensa (*pren*.sa) *sf.* **1** Máquina us. para comprimir, achatar, estampar ou imprimir alguma coisa. **2** *Art. Gr.* Máquina para imprimir livros, jornais, revistas etc.; PRELO; IMPRESSORA.

prensar (pren.*sar*) *v. td.* **1** Comprimir em uma prensa (1): *A máquina prensa fardos de papéis.* **2** Apertar com força, espremer, pressionar: *Prense a massa da torta na assadeira.* [▶ **1** prens*ar*] • pren.*sa*.do *a.*; pren.*sa*.gem *sf.*

prenunciar (pre.nun.ci.*ar*) *v. td.* **1** Indicar com antecedência; fazer supor; PREDIZER: *A cria da empresa prenunciava sua falência.* **2** Ocorrer antes de; PRECEDER: *O relâmpago prenunciava a trovoada.* [▶ **1** prenunci*ar*] • pre.nun.ci.*a*.*ção sf.*; pre.nun.ci.*a*.*dor a.sm.*; pre.nun.ci.*a*.*ti*.vo *a.*

prenúncio (pre.*nún*.ci:o) *sm.* Aquilo que previamente anuncia o que vai acontecer; PROGNÓSTICO.

pré-nupcial (pré-nup.ci:*al*) *a2g.* Que acontece antes do casamento (exame *pré-nupcial*). [Pl.: *pré-nupciais*.]

preocupação (pre:o.cu.pa.*ção*) *sf.* **1** Ação ou resultado de preocupar(-se). **2** Pensamento que produz ansiedade, medo ou inquietação. [Pl.: *-ções*.]

preocupar (pre:o.cu.*par*) *v.* **1** Causar apreensão a ou ficar apreensivo a. [*td.* (com ou sem complemento explícito): *A situação do país preocupa (o presidente)*. **pr.**: *A mãe se preocupou com a demora do filho.*] ◘ **preocupar-se** *pr.* **2** Levar em consideração: *O país deve se preocupar com a melhoria do ensino.* **3** Dar valor a: *Você se preocupa demais com bobagens.* [▶ **1** preocup*ar*] • pre:o.cu.*pa*.do *a.*; pre:o.cu.*pan*.te *a2g.*

pré-olímpico (pré-o.*lím*.pi.co) *a.* **1** Ref. à fase de preparação ou classificação para os jogos olímpicos (torneio *pré-olímpico*). *sm.* **2** Essa fase: *O Brasil teve uma boa atuação no pré-olímpico.* [Pl.: *pré-olímpicos*.]

pré-operatório (pre-o.pe.ra.*tó*.ri:o) *Cir. a.* **1** Que acontece antes de uma cirurgia. **2** Ref. a ou próprio do período em que são realizados os procedimentos e exames anteriores a uma cirurgia. *sm.* **3** Esse período. [Pl.: *pré-operatórios*.]

preparação (pre.pa.ra.*ção*) *sf.* **1** Ação ou resultado de preparar(-se); PREPARO; PREPARATIVO. **2** Formação e conhecimentos em uma ciência ou atividade: *Teve uma boa preparação em matemática.* [Pl.: *-ções*.]

preparado (pre.pa.*ra*.do) *a.* **1** Que se preparou, que está pronto. **2** *Bras.* Que tem boa formação em uma ciência ou atividade (pessoa *preparada*); INSTRUÍDO, CULTO. **3** Que está apto, hábil para desempenhar uma atividade ou tarefa. *sm.* **4** Produto químico ou farmacêutico; PREPARAÇÃO.

preparar (pre.pa.*rar*) *v.* **1** Aprontar (algo) para que possa ser utilizado. [*td.*: *O autor está preparando seu próximo livro.*] **2** Cuidar para que (algo) aconteça como planejado. [*td.*: *Os amigos prepararam a festa.*] **3** Compor (algo) a partir de elementos ou ingredientes. [*td.*: "Diz à Amélia para preparar um refresco bem gelado..." (Vinícius de Moraes, *O falso mendigo*).] **4** Criar um estado de coisas propício a (que algo ocorra). [*tdi.* + *para*: *O presidente preparou a população para a adoção do novo plano.* **pr.**: *Os médicos estão se preparando para entrar em greve.*] **5** Habilitar(-se), treinando. [*td.*: *O curso básico prepara os novos funcionários.* **tdi.** + *para*: *O técnico preparará o time para o jogo.* **pr.**: *Joaquim preparou-se para o vestibular.*] **6** Vestir(-se), arrumar(-se). [*td.* (seguido de indicação de finalidade): *A mãe preparou a criança para a festa.* **pr.**: "...*preparou-se com maior esmero do que se fosse a um baile.*" (José de Alencar, *A pata da gazela*).] [▶ **1** prepar*ar*] • pre.pa.ra.*ção sf.*; pre.pa.ra.*dor a.sm.*

preparativo (pre.pa.ra.*ti*.vo) *a.* **1** Ver *preparatório* (1). *sm.* **2** Ver *preparação* (1). ◘ **preparativos** *smpl.* **3** Ações realizadas ou providências tomadas previamente para viabilizar a concretização de algo: *os preparativos de uma festa/de uma viagem.*

preparatório (pre.pa.ra.*tó*.ri:o) *a.* **1** Que prepara ou serve para preparar; PREPARATIVO. **2** Que prepara ou ensina (curso *preparatório*, escola *preparatória*). **3** Preliminar, prévio.

preparo (pre.*pa*.ro) *sm.* **1** Ação ou resultado de preparar(-se); PREPARAÇÃO. **2** *Bras.* Cultura, instrução. **3** *Bras.* Conhecimento, prática ou outros requisitos para o desempenho de certa atividade ou tarefa: *preparo para assumir cargo*; *preparo físico de atleta.*

preponderar (pre.pon.de.*rar*) *v.* Ter primazia; PREVALECER. [*int./ti.* + *sobre*: *O bem deve preponderar (sobre o mal).*] [▶ **1** preponder*ar*] • pre.pon.de.*rân*.ci.a *sf.*; pre.pon.de.*ran*.te *a2g.*

prepor (pre.*por*) *v. tdi.* **1** Pôr antes de; ANTEPOR. [+ *a*: *prepor o pronome ao verbo.*] **2** Preferir. [+ *a*: *prepor a arte às ciências.*] [▶ **60** prep*or*. Part.: *preposto*.]

preposição (pre.po.si.*ção*) *sf.* **1** Ação ou resultado de prepor, de pôr antes. **2** *Gram.* Palavra invariável que subordina palavras, formando expressões com função de adjetivos e advérbios (p.ex.: *de*, *em*, *depois de*). [Pl.: *-ções*.] • pre.po.si.*ti*.vo *a.*

preposicionado (pre.po.si.ci:o.*na*.do) *a. Gram.* Diz-se de complemento antecedido por preposição (p. ex.: *Pensei em você.*).

preposto (pre.*pos*.to) [ô] *a.* **1** Que foi posto antes ou adiante. **2** Predileto, favorito. *sm.* **3** Pessoa encarregada, pelo proprietário, de administrar uma firma. **4** *Bras.* Aquele que representa, substitui, fica no lugar de outro. [Fem. e pl.: [ó].]

prepotência (pre.po.tên.ci:a) *sf.* **1** Atitude de pretensa superioridade; ARROGÂNCIA. **2** Abuso de poder; DESPOTISMO; TIRANIA. ● **pre.po.ten.te** *a2g.*

pré-primário (pré-pri.má.ri:o) *a.* **1** Diz-se do curso que era feito antes do antigo primário (atual primeiro ciclo do ensino fundamental). [Atualmente o pré-primário integra o ensino básico e chama-se educação infantil.] *sm.* **2** Esse curso. [Pl.: *pré-primários*.]

pré-púbere (pré-pú.be.re) *a2g.* **1** Diz-se de criança que está na fase anterior à da puberdade. *s2g.* **2** Essa criança. [Pl.: *pré-púberes*.]

prepúcio (pre.pú.ci:o) *sm. Anat.* Pele que cobre a cabeça do pênis (glande) não circuncidado. [Pl.: *prepúcios*.]

pré-requisito (pré-re.qui.si.to) *sm.* Requisito prévio e fundamental. [Pl.: *pré-requisitos*.]

prerrogativa (prer.ro.ga.ti.va) *sf.* **1** Direito especial, próprio de um cargo, posição etc. **2** Vantagem exclusiva dos indivíduos de certo grupo; PRIVILÉGIO; REGALIA.

presa (*pre*.sa) [ê] *sf.* **1** Ação ou resultado de apresar, de tomar algo ao inimigo. **2** Aquilo que se tomou ao inimigo; DESPOJO. *presas de guerra*. **3** Aquilo ou aquele que é ou pode ser tomado, arrebatado ou caçado com força ou à força: *A fera lançou-se sobre sua presa; Tornamo-nos presas da violência urbana*. **4** Dente canino. **5** Mulher aprisionada; PRISIONEIRA.

presbiopia, presbiopsia (pres.bi:o.*pi*.a, pres.bi:o.*psi*.a) *sf. Med.* Defeito da visão que impede que se distingam com nitidez figuras e objetos próximos. ● **pres.bi:ó.pi.co, pres.bi:óp.si.co** *a2g.*

pré-sal (pré-*sal*) *s2m2n.* **1** Camada geológica abaixo da de sal, no fundo do mar, que se supõe conter grandes depósitos de petróleo. *a2n.* **2** Diz-se dessa camada.

presbiterianismo (pres.bi.te.ri:a.*nis*.mo) *sm. Rel.* Seita e sistema eclesiástico da igreja protestante em que a direção é feita por um grupo misto de pastores e leigos (os presbíteros). ● **pres.bi.te.ri:a.no** *a.sm.*

presbítero (pres.*bí*.te.ro) *sm.* **1** Padre, sacerdote. **2** Dirigente da igreja protestante; BISPO.

presciência (pres.ci:*ên*.ci:a) *sf.* **1** Conhecimento do que vai acontecer. **2** Previsão, providência. ● **pres.ci:en.te** *a2g.*

prescindir (pres.cin.*dir*) *v. ti.* Deixar de contar com; DISPENSAR. [+ *de: Não podia prescindir de sua ajuda.*] [▶ **3** prescindir] ● **pres.cin.dí.vel** *a2g.*

prescrever (pres.cre.*ver*) *v.* **1** Estabelecer com precisão; DETERMINAR. [*td.*: *A Constituição prescreve os direitos dos cidadãos.*] **2** Recomendar; receitar, p. ex. remédio, dieta etc.). [*td.*: *O fisioterapeuta prescreveu exercícios diários.*] **3** *Jur.* Perder o efeito legal pelo passar do tempo. [*int.*: *O processo contra ele corre o risco de prescrever.*] ● **pres.cre.ver**. *Part.*: *prescrito*.] ● **pres.cri.to** *a.* [Cf.: *proscrever.*]

prescrição (pres.cri.*ção*) *sf.* **1** Ação ou resultado de prescrever. **2** Norma, regra, preceito. **3** Receita dada por um médico. **4** *Jur.* Perda da efetividade de um direito, ou da possibilidade de se punir uma transgressão, por decurso de tempo. [Pl.: *-ções*.] ● **pres.cri.ti.vo** *a.*

presença (pre.*sen*.ça) *sf.* **1** Comparecimento ou estada de alguém em um lugar: *A reunião contou com a presença de todos*. **2** Existência ou influência de coisa ou pessoa em algum lugar etc.: *O exame confirmou a presença de infecção*; *a presença de elementos africanos na música latino-americana*. **3** Maneira de se apresentar; aparência; porte: *Ela tem uma presença magnífica*. **4** Assiduidade, frequência: *O rendimento no curso dependerá de sua presença*. ∎ *~ de espírito* Desembaraço, agilidade mental para reagir adequadamente e/ou com humor a uma situação, dito etc.

presenciar (pre.sen.ci.*ar*) *v. td.* Estar presente durante (um fato); assistir a: *Presenciou a entrega do prêmio.* [▶ **1** presenciar]

presente (pre.*sen*.te) *a2g.* **1** Que está em determinado lugar: *Agradeço o apoio de todos aqui presentes*. **2** Que existe ou ocorre no momento atual: *na presente situação*. **3** Que permanece na memória: *uma cena para sempre presente*. *sm.* **4** O tempo atual. **5** Aquilo que se dá a alguém ger. em ocasiões especiais: *presente de aniversário*. **6** *Gram.* Tempo verbal que situa o enunciado no instante em que se fala, no agora. [Opõe-se aos tempos do passado e do futuro.] ◪ **presentes** *smpl.* **7** Pessoas presentes (1). ∎ *~ de grego* Presente (5) que é um estorvo para quem o recebe.

presentear (pre.sen.te.*ar*) *v. td.* Dar (algo) como presente: *O comerciante presenteou os clientes no Natal*; (seguido de indicação de meio/modo) *Gosta de presentear as pessoas com flores.* [▶ **13** presentear]

presepada (pre.se.*pa*.da) *sf. Bras. Pop.* **1** Feitos ou modos de gabola, fanfarrão; FANFARRICE: *Ele é cheio de presepadas, mas não é de nada*. **2** Atitude ridícula ou extravagante. **3** Palhaçada, inconveniência, brincadeira de mau gosto.

presépio (pre.*sé*.pi:o) *sm.* Representação em maquete do estábulo em que nasceu Jesus e da cena do nascimento.

preservar (pre.ser.*var*) *v.* Manter(-se) livre de perigo, dano ou deterioração; CONSERVAR(-SE). [*td.*: *É preciso preservar nossas matas*; (seguido de indicação de atributo) *Exercitar a mente preserva o cérebro ágil*. *pr.*: *Você deveria se preservar mais.*] [▶ **1** preservar] ● **pre.ser.va.ção** *sf.*

preservativo (pre.ser.va.*ti*.vo) *a.* **1** Que tem a propriedade de preservar, de proteger de algum mal ou perigo (medidas *preservativas*). *sm.* **2** *Med.* Envoltório feito de material fino e elástico com que se cobre o pênis durante a relação sexual para evitar gravidez e/ou o contágio de doenças sexualmente transmissíveis; CAMISA DE VÊNUS; CAMISINHA.

presidência (pre.si.*dên*.ci:a) *sf.* **1** Ação ou resultado de presidir, de dirigir. **2** Dignidade ou cargo de presidente. **3** Conjunto de pessoas que presidem uma cerimônia, uma sessão etc. **4** Período de duração do cargo de presidente. **5** O lugar onde se exerce a presidência (1), ou lugar de honra em cerimônia, banquete etc.: *Dirija-se à presidência no fim do corredor*; *Na solenidade, convidaram-no a ocupar a presidência*.

presidencial (pre.si.den.ci:*al*) *a2g.* Ref. ou pertencente ao presidente ou à presidência (gabinete *presidencial*). **2** Que emana do presidente (despacho *presidencial*). [Pl.: *-ais*.]

presidencialismo (pre.si.den.ci:a.*lis*.mo) *sm. Pol.* Forma de governo na qual o chefe do Poder Executivo é o presidente da República. ● **pre.si.den.ci:a.lis.ta** *a2g.s2g.*

▣ Este sistema democrático de governo baseia-se na escolha individual de um chefe de Estado, que é ao mesmo tempo o chefe de governo (Executivo). É o presidente quem determina a formação do Poder Executivo, nomeando ministros e, diretamente ou através destes, os funcionários da hierarquia estatal, em seus vários níveis. O Poder Executivo, centralizado no presidente, é independente dos demais poderes, o Legislativo e o Judiciário. O presidencialismo é, com variações, o sistema adotado no Brasil, nos EUA, e na maioria dos países da América Latina.

presidenciável (pre.si.den.ci:á.vel) *a2g.* **1** Que parece ter condições de ser indicado ou de se apresentar como candidato à presidência, esp. da República: *Há vários governadores presidenciáveis*. *s2g.* **2** Pessoa

presidenciável (1): *A imprensa já especula sobre os possíveis presidenciáveis.* [Pl.: *-veis*.]
presidente (pre.si.*den*.te) *s2g*. **1** Chefe de Estado, de um conselho, um tribunal etc. **2** O chefe de governo de um país que adota o presidencialismo: *presidente da República*. *a2g*. **3** Que preside.
presidiário (pre.si.di.*á*.ri:o) *a*. **1** Ref. a presídio (1) ou à administração presidiária). *sm*. **2** Pessoa que cumpre condenação num presídio.
presídio (pre.*si*.di:o) *sm*. **1** Instituição em que cumprem pena os condenados pela Justiça. **2** Campo ou casa fortificada que serve de presídio (1); casa de detenção, penitenciária.
presidir (pre.si.*dir*) *v. td*. **1** Exercer o papel de presidente (1) de; DIRIGIR: *presidir um clube/o congresso/um país.* **2** Assistir (reunião, cerimônia), como autoridade ou chefe: *Presidiu a reunião de pais.* [▶ **3** presid*ir*]
presilha (pre.*si*.lha) *sf*. Qualquer cordão, ou tira, unido ou não a outro dispositivo, para prender, apertar ou fechar alguma coisa.
preso (*pre*.so) [ê] *a*. **1** Que está seguro, fixo, ligado, a coisa ou pessoa por qualquer meio. **2** Que está condenado à prisão, ou privado de liberdade. **3** Que está detido (por autoridade policial) ou encarcerado. **4** Atado, amarrado. *sm*. **5** Prisioneiro: *Os presos foram transferidos.*
pressa (*pres*.sa) *sf*. **1** Vontade ou necessidade de sem demora chegar a algum lugar, realizar algo, atingir certa situação etc.: "— Veja se corre um pouco; tenho pressa." (Josué Montello, *Um rosto de menina*); (+ de, em, seguido de verbo no infinitivo) *Tinha pressa em terminar o trabalho.* **2** Precipitação, afobação: *A pressa é inimiga da perfeição.* **3** Rapidez, velocidade: *Saiu na maior pressa.*
pressagiar (pres.sa.gi.*ar*) *v. td*. **1** Prever, profetizar: *A cartomante pressagiou o destino dele.* **2** Ser o sinal de; INDICAR: *Os relâmpagos pressagiam a tormenta*. [▶ **1** pressagi*ar*]
pressago (pres.*sá*.gi:o) *sm*. **1** Sinal que se acredita anunciar um acontecimento futuro; AGOURO; AUGÚRIO: *O pio da coruja era presságio de tragédias.* **2** Suposto conhecimento de um acontecimento futuro; PRESSENTIMENTO; INTUIÇÃO: *Seus presságios nunca se confirmavam.*
pressago (pres.*sa*.go) *a*. Que anuncia ou pressente alguma coisa: *Achava que tinha sonhos pressagos, e isso o preocupava.*
pressão (pres.*são*) *sf*. **1** Ação ou resultado de pressionar, premer, apertar: *O colchão deformou-se com a pressão de seu peso.* **2** Coerção exercida sobre uma pessoa para obrigá-la a fazer alguma coisa: *Não resistiu à pressão do amigo e aceitou candidatar-se.* **3** *Bras*. Colchete de pressão (1). **4** *Fís*. A força exercida sobre uma superfície por unidade de área. [Pl.: *-sões*.] **▬** ~ **arterial** *Fisl. Med*. Pressão (4) que o sangue exerce sobre as paredes dos vasos que o conduzem. ~ **atmosférica** *Fís*. Pressão (4) exercida por uma coluna de ar sobre qualquer ponto da atmosfera terrestre.
pressentir (pres.sen.*tir*) *v. td*. Ter certa intuição ou sentimento a respeito de: *Olga pressentiu que aquilo não ia dar certo.* [▶ **50** press*en*tir] ● **pres.sen. ti.men.to** *sm*.
pressionar (pres.si:o.*nar*) *v.* **1** Apertar com o dedo, o pé etc. [*td*.: *Para apagar, pressione a tecla "del".*] **2** Pôr pressão em, forçar (alguém). [*td*.: *Quanto mais você me pressiona, menos eu quero fazer.* *tdi*. + *a*: *A mãe pressionou o filho a dizer a verdade.*] [▶ **1** pressi*ona*r]
pressupor (pres.su.*por*) *v. td*. **1** Imaginar (algo) a partir de certos indícios; PRESUMIR: *Pela sua aparência, pressuponho que você já esteja curado.* **2** Estar supostamente baseado em ou relacionado com; SU-
BENTENDER: *Fazer bom jornalismo pressupõe a busca permanente da verdade.* [▶ **60** pressup*or*. Part.: *pressuposto*.] ● **pres.su.po.si.ção** *sf*.
pressuposto (pres.su.*pos*.to) [ô] *a*. **1** Que se pressupõe, que se supõe por antecipação; PRESUMIDO: *Não conseguiu atingir os resultados pressupostos*. *sm*. **2** Suposição, conjectura, pressuposição, tb. como intenção, projeto: *O pressuposto, neste caso, é que o investimento se pagará em três anos.*
pressurizar (pres.su.ri.*zar*) *v. td*. **1** Suscitar ou aumentar a pressão em/de: *Usa-se uma bomba para pressurizar a água.* **2** Conservar pressão normal no interior de: *pressurizar a cabine de um avião.* [▶ **1** pressuriz*ar*] ● **pres.su.ri.za.do** *a*.; **pres.su.ri. za.ção** *sf*.
pressuroso (pres.su.*ro*.so) [ô] *a*. Que tem pressa de agir ou ao agir, ger. revelando boa vontade, zelo. [Fem. e pl.: [ó].]
prestação (pres.ta.*ção*) *sf*. **1** Ação ou resultado de prestar (um serviço). **2** Cada uma das parcelas de uma dívida ou compra feitas a prazo. [Pl.: *-ções*.]
prestamista (pres.ta.*mis*.ta) *s2g*. **1** Pessoa que empresta dinheiro. **2** Pessoa que compra alguma coisa a prestação.
prestar (pres.*tar*) *v*. **1** Conceder, dispensar. [*td*.: *prestar atenção*. *tdi*. + *a*, *para*: *O guarda prestou auxílio ao motorista.*] **2** Realizar, executar. [*td*.: *prestar exame vestibular.*] **3** Apresentar (algo) com reverência ou realizar (algo) com consideração, respeito a (alguém). [*td*.: *prestar continência*. *tdi*. + *a*: *prestar uma homenagem aos pais.*] **4** Informar sobre (algo solicitado ou exigido). [*td*.: *O diretor prometeu prestar esclarecimentos*. *tdi*. + *a*: *prestar contas à Justiça.*] **5** Ser bom, útil ou apropriado (para); SERVIR. [*pr./ti*. + *para*: *Roupa branca não (se) presta para dias chuvosos.* *int*.: *Este ventilador não presta.*] **6** Ser bom ou correto, honesto. [*int*.: "...ainda conheço, pelo faro, quem presta e quem não presta." (Josué Montello, *Sempre serás lembrada*).] **▬ prestar-se** *pr*. **7** Aceitar participar de (algo considerado inadequado ou desaconselhável): *Ele não se prestou àquela falcatrua.* **8** Adequar-se, servir: *Este tecido presta-se a cortinas.* [▶ **1** prest*ar*]
prestativo (pres.ta.*ti*.vo) *a*. Que tem préstimo; que está sempre pronto para ajudar; OBSEQUIOSO; PRESTIMOSO. [Ant.: *imprestável*.]
prestes, **preste** (*pres*.tes, *pres*.te) *a2g2n*., *a2g*. **1** Pronto, disposto, preparado: *Está prestes para o que der e vier.* **2** Que vai acontecer logo: *O temporal estava prestes a desabar.* **3** *Poét*. Ligeiro, rápido.
presteza (pres.*te*.za) [ê] *sf*. **1** Agilidade, rapidez. **2** Qualidade de quem é pressuroso, de quem atende ou ajuda com rapidez e boa vontade.
prestidigitação (pres.ti.di.gi.ta.*ção*) *sf*. Arte e habilidade de fazer mágica com as mãos; ILUSIONISMO. [Pl.: *-ções*.] ● **pres.ti.di.gi.ta.dor** *sm*.
prestigiar (pres.ti.gi.*ar*) *v. td*. **1** Conferir valor a: *prestigiar a indústria nacional.* **2** Indicar apreço através de participação ou comparecimento: *Um grande público prestigiou a exposição.* [▶ **1** prestigi*ar*] ● **pres. ti.gi.a.do** *a*.
prestígio (pres.*tí*.gi:o) *sm*. Admiração e respeito de que goza uma pessoa, graças a seu sucesso ou à suas qualidades: *Seus livros lhe conferiram prestígio internacional.*
préstimo (*prés*.ti.mo) *sm*. **1** Qualidade do que é útil; UTILIDADE; SERVENTIA: *Essas roupas não têm mais préstimo.* **2** Favor, serviço, auxílio: *Preciso de seus préstimos neste projeto.* [Nesta acp., ger. us. no pl.] ● **pres. ti.mo.so** *a*.; **pres.ti.mo.si.da.de** *sf*.
préstito (*prés*.ti.to) *sm*. Grande número de pessoas caminhando juntas; PROCISSÃO; CORTEJO.
presto (*pres*.to) *adv*. **1** *Mús*. Em andamento rápido (notação que indica essa maneira de executar tre-

cho musical). *sm.* **3** *Mús.* Trecho musical executado nesse andamento. *a.* **3** Que se faz ou realiza com rapidez; LIGEIRO; RÁPIDO.

presumido (pre.su.*mi*.do) *a.* **1** Baseado em suposição, presunção: *O fato presumido não aconteceu realmente. a.sm.* **2** Que ou quem se tem em alta conta. **3** Que ou quem revela presunção, orgulho excessivo, arrogância.

presumir (pre.su.*mir*) *v. td.* **1** Supor, levando em conta as probabilidades; CONJETURAR: *O juiz presume que a testemunha fale a verdade.* **2** Imaginar (algo) a partir de certos indícios; PRESSUPOR: *Como João esteve doente, presumo que ele não vá à festa.* [▶ **3** presum**ir**]

presunção (pre.sun.*ção*) *sf.* **1** Ação ou resultado de presumir(-se). **2** Suposição da verdade ou validade de algo com base em sua aparência, em experiência anterior etc.: *Seu comportamento justificava a presunção de que mentia.* **3** Convicção, ger. infundada ou exagerada, de suas próprias qualidades; PRETENSÃO: *Andava de nariz empinado, cheio de presunção e vaidade.* [Pl.: -ções.]

presunçoso (pre.sun.*ço*.so) [ô] *a.* **1** Que tem presunção (3); VAIDOSO; PRETENSIOSO. *sm.* **2** Pessoa presunçosa. [Fem. e pl.: [ó].]

presuntivo (pre.sun.*ti*.vo) *a.* Que se pode presumir ou supor.

presunto (pre.*sun*.to) *sm.* **1** Pernil de porco em conserva, podendo ser preparado de várias maneiras (cozido, defumado etc.). **2** *Bras. Gír.* Defunto, cadáver. [Nesta acp., ger. us. entre delinquentes ou pela polícia.]

pretejar (pre.te.*jar*) *v. Bras.* Fazer(-se) preto ou escuro; ESCURECER(-SE). [*td.*: *A fuligem pretejou a parede. int.*: *O céu pretejou anunciando temporal.*] [▶ **1** pretej**ar**]

pretendente (pre.ten.*den*.te) *a2g.s2g.* **1** Que ou quem pretende (algo): *funcionários pretendentes a uma promoção; Os pretendentes (à vaga) devem fazer uma prova. s2g.* **2** Quem pretende um trono (ou seja, ser rei ou rainha) vago ou ocupado por outrem. **3** Quem aspira a se casar com uma determinada pessoa: *Ela tinha muitos pretendentes.*

pretender (pre.ten.*der*) *v.* **1** Ter a intenção de; TENCIONAR. [*td.*: *Marcela pretende ir ao cinema amanhã.*] **2** Aspirar a; DESEJAR. [*td.*: *"Estava apaixonado e pretendia casar comigo."* (Miguel Torga, *Rua*).] **3** Julgar-se, considerar-se. [*pr.*: *Ela se pretende uma grande atleta.*] **4** Esperar (algo ou uma conduta) de; exigir, contar com. [*td.*: *Um cargo político pretende um comportamento ético exemplar. tdi. + de:* *É comum o professor pretender dedicação total dos alunos.*] [▶ **2** pretend**er**]

pretensão (pre.ten.*são*) *sf.* **1** Ação ou resultado de pretender. **2** Falta de modéstia; PRESUNÇÃO: *Seria muita pretensão minha achar que vou ganhar.* **3** Intenção, desejo, ambição: *Fez o curso com a pretensão de arrumar um emprego.* [Pl.: -sões.]

pretensioso (pre.ten.si.*o*.so) [ô] *a.* Que se julga melhor do que é; PRESUNÇOSO; CONVENCIDO. [Fem. e pl.: [ó].]

pretenso (pre.*ten*.so) *a.* **1** Que pretende ser algo: *um curso para pretensos atores.* **2** Que não se sabe ser ou não verdadeiro; que se supõe ser; SUPOSTO: *O pretenso pai foi submetido ao exame de DNA.*

preterir (pre.te.*rir*) *v. td.* **1** Deixar de lado ou dispensar, dando preferência a outro: *preterir alimentos transgênicos.* **2** Não levar em conta; OMITIR: *Você não pode preterir um fato relevante.* [▶ **50** preter**ir**]

pretérito (pre.*té*.ri.to) *a.* **1** Que já passou ou aconteceu. *sm.* **2** *Gram.* Forma do verbo que expressa tempo passado. [Ex., no modo indicativo: pretérito perfeito (*falei*), pretérito imperfeito (*falava*), pretérito mais-que-perfeito (*falara*).]

pretextar (pre.tex.*tar*) *v. td.* Tomar como pretexto ou desculpa: *Não se pode pretextar ignorar as leis.* [▶ **1** pretext**ar**]

pretexto (pre.*tex*.to) [ê] *sm.* Motivo alegado para se fazer ou deixar de fazer algo; DESCULPA.

preto (*pre*.to) [ê] *a.* **1** Que é da cor do carvão: *Ele tem cabelo preto.* **2** Sujo, emporcalhado: *As crianças voltaram do play com a roupa preta.* **3** Diz-se de café sem leite. **4** *Bras. Gír.* Difícil, complicado: *A situação lá anda preta.* **5** *Pej.* Diz-se de pessoa de pele escura. *sm.* **6** A cor do carvão. **7** *Pej.* Pessoa de pele escura. [At! Considerado depreciativo ou preconceituoso nas acps. 5 e 7.] ■ **Pôr o ~ no branco** Esclarecer (algo) completamente; ser explícito.

pretor (pre.*tor*) [ô] *sm.* Juiz de alçada inferior à de juiz de direito. ● **pre.to.ri.a.no** *a.*

pretoria (pre.to.*ri*.a) *sf.* Jurisdição de pretor.

pretume (pre.*tu*.me) *sm.* **1** A cor preta. **2** Falta de luz; ESCURIDÃO; NEGRUME.

prevalecer (pre.va.le.*cer*) *v.* **1** Ter mais peso ou valor; PREPONDERAR. [*ti. + sobre*: *A lei deve prevalecer sobre as vontades individuais. int.*: *"No fim, a vontade dele vai prevalecer."* (*O Dia*, 11.04.03).] **2** Continuar existindo; PERSISTIR. [*int.* (com ou sem indicação de lugar): *Apesar dos esforços, a miséria ainda prevalece no país.*] ● prevalecer-se *pr.* **3** Tirar partido; APROVEITAR-SE: *O lutador prevaleceu da lesão do adversário e ganhou a luta.* [▶ **33** prevalec**er**] ● **pre.va.le.ci.***men*.**to** *sm.*; **pre.va.le.***cen*.**te** *a2g.*

prevalência (pre.va.*lên*.ci.a) *sf.* Qualidade ou condição do que ou de quem prevalece; supremacia, vantagem: *A vitória do time marcou a prevalência da garra sobre a técnica.* ● **pre.va.***len*.**te** *a2g.*

prevaricar (pre.va.ri.*car*) *v.* **1** Deixar de cumprir com o dever. [*int.*: *O bombeiro prevaricou e foi suspenso da corporação. ti. + de:* *O funcionário prevaricou das suas obrigações.*] **2** Agir mal; proceder de maneira incorreta. [*int.*: *O funcionário prevaricou e foi repreendido pelo chefe.*] **3** Praticar adultério. [*int.*: *Pedro não prevarica nem em pensamento.*] [▶ **11** prevaric**ar**] ● **pre.va.ri.ca.***ção* *sf.*; **pre.va.ri.***ca*.**dor** *a.sm.*

prevenção (pre.ven.*ção*) *sf.* **1** Ação ou resultado de prevenir(-se). **2** Opinião ou ideia (negativa) preconcebida contra alguém, sem motivo racional: *Não conseguia ocultar sua prevenção contra o rapaz.* **3** Medida tomada para evitar perigos ou danos; PRECAUÇÃO; CAUTELA: *Por prevenção, instalou extintores.* [Pl.: -ções.]

prevenido (pre.ve.*ni*.do) *a.* **1** Que se previne ou toma cuidado; CAUTELOSO; PRUDENTE; PRECAVIDO. **2** Que está avisado de algo que vai acontecer. **3** Desconfiado.

preveniente (pre.ve.ni.*en*.te) *a2g.* Que leva à prática do bem (diz-se de graça divina).

prevenir (pre.ve.*nir*) *v.* **1** Avisar (alguém) sobre (algo ger. negativo). [*td.*: *Ele foi embora sem prevenir a família. tdi. + de, sobre:* *Previna seus companheiros do risco que correm.*] **2** Evitar. [*td./ti. + contra*: *Vitamina C previne (contra) gripes e resfriados.*] **3** Tomar precauções para impedir que algo aconteça. [*int.*: *É mais fácil prevenir do que remediar. pr.*: *O prefeito se preveniu contra as enchentes de verão.*] [▶ **49** preven**ir**]

preventivo (pre.ven.*ti*.vo) *a.* **1** Que previne ou evita um mal ou perigo. *sm.* **2** Aquilo que previne ou evita. **3** *Med.* Exame feito nas mulheres, a fim de detectar doença ginecológica maligna em seu estágio inicial.

prever (pre.*ver*) *v. td.* **1** Adivinhar, profetizar: *A vidente previu o acidente.* **2** Pressupor, presumir: *Eu previa que você viesse.* **3** Avaliar com base em um fundamento: *A astronomia consegue prever inundações?* [▶ **32** pre|ver|. Part.: *previsto.*] • **pre.vis.to** *a.*

pré-vestibular (pré·ves.ti.bu.*lar*) *a2g.* **1** Diz-se de curso que prepara para o vestibular. *sm.* **2** Esse curso. [Pl.: *pré-vestibulares.*]

prévia (*pré*.vi:a) *sf. Bras.* Pesquisa feita com eleitores, antes das eleições, para prever os possíveis resultados.

previdência (pre.vi.*dên*.ci:a) *sf.* **1** Qualidade ou condição de quem é previdente (2): *Sua previdência tem-no livrado de surpresas desagradáveis.* **2** Capacidade de prever ou adivinhar alguma coisa: *Acertou o resultado, mas foi sorte, e não previdência.* **3** Previdência social. [Cf.: *providência.*] ▪▪ ~ **social** Conjunto de dispositivos e de associações que zelam pelo bem-estar do trabalhador, como a garantia de remuneração após aposentadoria ou exoneração, assistência médica, pensão, seguro-desemprego etc.

previdenciário (pre.vi.den.ci:*á*.ri:o) *a.* **1** Ref. à previdência social. *sm.* **2** *Bras.* Funcionário da previdência social.

previdente (pre.vi.*den*.te) *a2g.* **1** Que prevê o futuro; VIDENTE. *a2g.s2g.* **2** Que ou quem se previne; CAUTELOSO; PRUDENTE; PRECAVIDO.

prévio (*pré*.vi:o) *a.* Que ocorre antes de outra coisa com a qual se relaciona: *Houve um encontro prévio para combinar os detalhes da reunião.*

previsão (pre.vi.*são*) *sf.* **1** Ação ou resultado de prever; ANTEVISÃO; PRESCIÊNCIA. **2** Análise, estudo, cálculo feito com antecedência de algo que deverá ocorrer no futuro): *previsão do tempo/dos lucros.* **3** Cautela, prudência: *Sua previsão poupou-o de aborrecimentos.* [Pl.: -*sões.*]

previsível (pre.vi.*sí*.vel) *a2g.* Que pode ser previsto. [Pl.: -*veis.*] • **pre.vi.si.bi.li.***da*.de *sf.*

prezar (pre.*zar*) *v.* **1** Levar(-se) em alta consideração; respeitar(-se). [*td.*: *Prezo muito a opinião de meus amigos.* *pr.*: *Toda pessoa que se preza gosta de ler um bom livro.*] **2 prezar-se** *pr.* **2** Orgulhar-se, envaidecer-se: *Ele se preza de ser filho de um poeta.* [▶ **1** pre|zar|. • **pre.za.do** *a.*

prima¹ (*pri*.ma) *sf.* Filha do tio ou tia de uma pessoa em relação a essa pessoa. [Neste caso, chamada tb. prima-irmã. 'Prima' aplica-se tb. a primas dos pais, filhas de primos dos pais etc., com diversos graus desse parentesco.]

prima² (*pri*.ma) *sf. Mús.* A corda de certos instrumentos, que dá o som mais agudo.

primado (pri.*ma*.do) *sm.* Importância maior de uma coisa comparada a outras; PRIORIDADE: *o primado da educação no desenvolvimento da criança.*

prima-dona (pri.ma-*do*.na) *sf.* **1** *Mús.* Numa ópera, cantora que interpreta o papel principal. **2** *Fig.* Pessoa que se comporta como uma prima-dona (1), requerendo atenção e bajulação. [Pl.: *prima-donas.*]

primar (pri.*mar*) *v. ti.* Destacar-se por; notabilizar-se por. [+ *por*: *A professora primava pela cultura.*] [▶ **1** pri|mar|]

primário (pri.*má*.ri:o) *a.* **1** Que precede outro; PRIMEIRO. **2** Simples, básico, elementar: *Foi um erro primário.* **3** Diz-se de pessoa que tem pouca instrução. **4** Ref. ao primeiro ciclo do ensino fundamental. *sm.* **5** Curso primário (4).

primata (pri.*ma*.ta) *sm.* **1** *Zool.* Mamífero de cérebro e membros muito desenvolvidos (p.ex.: o homem, o macaco). *a2g.* **2** Ref. a primata (1).

primavera (pri.ma.*ve*.ra) *sf.* **1** Estação do ano entre o inverno e o verão. [No hemisfério sul (que inclui o Brasil), inicia-se em 22 de setembro e termina em 20 de dezembro; no hemisfério norte, tem início em 21 de março e termina em 20 de junho.] **2** *Fig.* Juventude. • **pri.ma.ve.***ril* *a2g.*

primaz (pri.*maz*) *a2g.* **1** Que ocupa o primeiro lugar. *sm.* **2** Eclesiástico com posição superior a de bispos e arcebispos.

primazia (pri.ma.*zi*.a) *sf.* **1** Importância maior de uma pessoa ou coisa em relação a outra; PRIORIDADE. **2** Superioridade. **3** Cargo ou dignidade de primaz. • **pri.ma.ci:***al* *a2g.*

primeira (pri.*mei*.ra) *sf. Aut.* Marcha do motor de um carro us. para dar a partida. ▪▪ **De ~ 1** De excelente qualidade. **2** Logo na primeira vez.

primeira-dama (pri.mei.ra-*da*.ma) *sf.* A esposa do presidente da República, do governador ou do prefeito. [Pl.: *primeiras-damas.*]

primeiranista (pri.mei.ra.*nis*.ta) *s2g.* Estudante do primeiro ano de um curso.

primeiro (pri.*mei*.ro) *num.* **1** Ordinal que, em uma sequência, corresponde ao número um: *A tesouraria é no primeiro andar.* *a.* **2** Que vem antes dos outros: *Acabou de lançar seu primeiro disco solo.* *sm.* **3** O que ocupa o primeiro lugar: *Foi o primeiro na lista dos aprovados.* *adv.* **4** Primeiramente; antes de qualquer outra coisa ou pessoa: *Preciso fazer isso primeiro.* ▪▪ **De ~ 1** Em primeiro lugar; primeiramente. **2** Antigamente.

primeiro-ministro (pri.mei.ro-mi.*nis*.tro) *sm.* Chefe de governo no parlamentarismo. [Pl.: *primeiros-ministros.*]

primevo (pri.*me*.vo) [é] *a.* **1** Inicial, primeiro: *Adão e Eva foram o casal primevo.* **2** Primitivo, antigo: *o Brasil primevo do século XVI.*

primícias (pri.*mí*.ci:as) *sfpl.* **1** Primeiros resultados ou produtos de algo. **2** Primeiros frutos de uma colheita. **3** Começos.

primípara (pri.*mí*.pa.ra) *sf.* Fêmea que pare pela primeira vez.

primitivo (pri.mi.*ti*.vo) *a.* **1** Original, inicial; dos primeiros tempos; PRIMEVO. **2** De uma sociedade sem indústrias ou máquinas modernas, e cujo estilo de vida é simples (povo primitivo, ferramentas primitivas). **3** Simples, rudimentar (métodos primitivos). • **pri.mi.ti.***vis*.mo *sm.*; **pri.mi.ti.***vis*.ta *a2g.s2g.*

primo¹ (*pri*.mo) *sm.* Filho do tio ou tia de uma pessoa em relação a essa pessoa. [Neste caso, chamado tb. primo-irmão. 'Primo' aplica-se tb. a primos dos pais, filhos de primos dos pais etc., com diversos graus desse parentesco.]

primo² (*pri*.mo) *a.* **1** *Mat.* Diz-se do número que só pode ser dividido pela unidade e por ele mesmo. *sm.* **2** Número primo (1): *Os primos de um a dez são: 1, 2, 3, 5 e 7.*

primogênito (pri.mo.*gê*.ni.to) *a.sm.* Que ou aquele que nasceu primeiro, em relação a seus irmãos (diz-se de filho). • **pri.mo.ge.ni.***tu*.ra *sf.*

primor (pri.*mor*) [ô] *sm.* **1** Qualidade daquele ou daquilo que é superior, excelente, perfeito. **2** Beleza, delicadeza. **3** Aquilo que nos revela primor (1 e 2). • **pri.mo.***ro*.so *a.*

primordial (pri.mor.di:*al*) *a2g.* **1** Ref. a primórdio. **2** Que se originou primeiro, que surgiu primeiro: *O homem primordial vivia nas cavernas.* **3** Que é importante ou mais importante, principal: *O respeito aos direitos dos outros é primordial na democracia.* *sm.* **4** Aquilo que é primordial (3): *O primordial na democracia é o respeito aos direitos dos outros.* [Pl.: -*ais.*]

primórdio (pri.*mór*.di:o) *sm.* Início, origem, princípio: *Nos primórdios da nossa literatura destacou-se José de Anchieta.* [Mais us. no pl.]

princesa (prin.*ce*.sa) [ê] *sf.* **1** Filha de rei ou de rainha. **2** Esposa de príncipe. **3** Mulher que é soberana de um principado. **4** Título que se dá a moça que se classifica entre as primeiras em certos concursos.

principado (prin.ci.*pa*.do) *sm.* Lugar governado por príncipe ou princesa.

principal (prin.ci.*pal*) *a2g.* **1** Que é mais importante, que se destaca (personagem principal). **2** *Gram.* Diz-se da oração da qual dependem uma ou mais orações subordinadas. *sm.* **3** Aquilo que é principal (1): *O principal, na vida em sociedade, é o respeito ao próximo.* [Pl.: *-pais.*]

príncipe (*prín*.ci.pe) *sm.* **1** Filho de rei ou de rainha. **2** Marido de rainha. **3** Homem que é o governante de um principado. ● **prin.ci.***pes*.co *a.*

principiar (prin.ci.pi.*ar*) *v.* Ter início ou dar início a; COMEÇAR. [*td.*: *Seu gesto principiou uma discussão. int.*: *O verão principiou hoje.*] [▶ **1** principi*ar*] ● prin.ci.pi.*an*.te *a2g.s2g.*

princípio (prin.*cí*.pi:o) *sm.* **1** Ação ou resultado de principiar; COMEÇO; INÍCIO; ORIGEM: *princípio de uma viagem/de uma estrada.* **2** Causa primeira de algo: *O trabalho é o princípio da prosperidade.* **3** Regra: *Elas têm como princípio falar a verdade.* ❑ **princípios** *smpl.* **4** Noções básicas de uma área de conhecimento: *Aprendemos os princípios da geometria.* **5** Regras de comportamento moral de uma pessoa ou de um grupo: *Cuidado, ele não tem princípios.* ❇ **A ~** No começo. **Em ~** Conceitualmente; antes de mais nada: *Em princípio, não temos nada contra a proposta, mas vamos examinar melhor os detalhes.* **~ ativo** *Med.* A substância (em medicamento) que é a base da ação terapêutica.

príon (*prí*.on) *sm. Biol.* Certo agente causador de doenças do sistema nervoso, formado apenas por proteína e, apesar de não ter material genético, capaz de se autocopiar. [Pl.: *príons* e (p.us. no Brasil) *priones.*]

prior (pri:*or*) [ó] *sm. Ecles.* Superior de certas ordens religiosas católicas.

prioridade (pri:o.ri.*da*.de) *sf.* **1** Condição de preferência dada a alguém ou algo (ação, providência etc.), determinada por necessidade, hierarquia ou vontade; a atribuição dessa condição a algo; PRECEDÊNCIA; PRIMAZIA: *Idosos e crianças terão prioridade nas filas.* **2** Aquilo ou aquele(s) a que se atribui prioridade (1): *A solução da falta d'água é nossa prioridade.* ● **pri.o.ri.***tá*.ri:o *a.*

priorizar (pri:o.ri.*zar*) *v. td.* Colocar em primeiro plano; dar preferência a: *priorizar a educação.* [▶ **1** prioriz*ar*] ● **pri.o.ri.za.***ção* *sf.*; **pri.o.ri.za.***do* *a.*

prisão (pri.*são*) *sf.* **1** Ação ou resultado de prender. **2** Lugar fechado onde ficam as pessoas cuja liberdade foi retirada por força da lei ou por uma força superior à do prisioneiro. **3** Condição ou estado de prisioneiro: *Nunca se recuperou de sua longa prisão.* **4** *Fig.* Tudo que, aceito ou não de boa vontade, cerceia a liberdade individual: *Submeteu-se prazeroso à doce prisão do amor.* [Pl.: *-sões.*]

prisco (*pris*.co) *a.* Ref. a um tempo passado (priscas eras); ANTIGO; PRÍSTINO.

prisioneiro (pri.si:o.*nei*.ro) *a.sm.* **1** Que ou aquele que perdeu a liberdade; PRESO. **2** Que ou quem foi capturado pelo inimigo em guerra. **3** *Fig.* Que ou quem está sob o domínio de um sentimento.

prisma (*pris*.ma) *sm.* **1** *Geom.* Figura geométrica que tem dois polígonos iguais e paralelos como bases e paralelogramos como faces laterais. **2** *Fig.* Ponto de vista: *Analisando sob esse prisma, você tem razão.* **3** *Ópt.* Prisma (1) de material transparente, ger. cristal, que decompõe a luz nas várias frequências visíveis, que resultam nas cores do vermelho ao violeta. ● **pris.***má*.ti.co *a.*

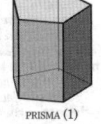

PRISMA (1)

prístino (*prís*.ti.no) *a.* Ver *prisco.*

privacidade (pri.va.ci.*da*.de) *sf.* Qualidade ou condição de privado, do que diz respeito apenas ao indivíduo; INTIMIDADE: *Paula mora sozinha para ter privacidade.*

privações (pri.va.*ções*) *sfpl.* Ausência daquilo que é necessário à vida; NECESSIDADES: *O pobre homem está passando privações terríveis.*

privada (pri.*va*.da) *sf.* Latrina, toalete.

privado (pri.*va*.do) *a.* **1** De ou para apenas uma pessoa ou grupo restrito (estacionamento privado); PARTICULAR; PRIVATIVO. **2** Pessoal, íntimo (conversa privada). **3** A que ou a quem falta algo; CARENTE. **4** Que não pertence ao Estado (banco privado); PARTICULAR.

privança (pri.*van*.ça) *sf.* Estado ou condição de privado (2); familiaridade, intimidade.

privar (pri.*var*) *v.* **1** Despojar (alguém) [*tdi.* + *de*: *Não se pode privar ninguém de seus direitos. pr.*: *Para emagrecer, a mulher se privou de doces.*] **2** Impedir (alguém) de ter ou aproveitar (algo). [*tdi.* + *de*: *A timidez o priva de fazer amizades.*] **3** Aproveitar. [*ti.* + *de*: *Ele privava da companhia de bons amigos.*] [▶ **1** priv*ar*] ● **pri.va.***ção* *sf.*

privativo (pri.va.*ti*.vo) *a.* Que é para uso exclusivo de uma pessoa ou pequeno grupo; PRIVADO.

privatizar (pri.va.ti.*zar*) *v. td.* Pôr (empresa ou serviço público) sob controle ou posse de setor privado. [▶ **1** privatiz*ar*] ● **pri.va.ti.za.***ção* *sf.*; **pri.va.ti.***za*.do *a.*

privilegiado (pri.vi.le.gi.*a*.do) *a.sm.* Que ou aquele que tem privilégio.

privilegiar (pri.vi.le.gi.*ar*) *v. td.* **1** Conceder privilégio; dar preferência; BENEFICIAR: *privilegiar o pequeno agricultor.* **2** Tratar com destaque, dar mais valor a: *Alguns técnicos privilegiam o futebol defensivo.* [▶ **1** privilegi*ar*]

privilégio (pri.vi.*lé*.gi:o) *sm.* **1** Benefício especial dado a alguém: *os privilégios dos diretores.* **2** Atributo específico de alguém ou de um grupo: *A educação não é privilégio dos ricos.*

pro *Pop.* **1** Contr. da prep. *para* com art.def. *o*: *Viajou pro Chile.* **2** Contr. da prep. *para* com pr.pess. *o*: *Estou pro que der e vier.*

pró *prep.* **1** Em defesa de; a favor de. *adv.* **2** De modo favorável a; a favor de: *O deputado falou contra legalização do aborto; alguém vai falar pró? sm.* **3** Aspecto positivo; vantagem: *O sucesso tem prós e contras.*

proa (*pro*.a) [ô] *sf.* A parte da frente de uma embarcação, oposta à popa.

proativo (pro.a.*ti*.vo) *a.* Que, por antecipação, identifica possíveis desenvolvimentos, permitindo adoção de medidas adequadas.

probabilidade (pro.ba.bi.li.*da*.de) *sf.* **1** Característica ou condição daquilo que é provável: *Quanto mais cedo o tratamento, maior a probabilidade de cura.* **2** Chance de algo acontecer, expressa numericamente: *70% de probabilidade.*

probatório (pro.ba.*tó*.ri:o) *a.* **1** Ref. a prova. **2** Que serve de prova.

problema (pro.*ble*.ma) *sm.* **1** Situação difícil: *A falta de água na região é um problema.* **2** Disfunção orgânica: *problema respiratório.* **3** *Mat.* Questão para ser solucionada.

problemático (pro.ble.*má*.ti.co) *a.* **1** Que tem ou é problema (questão problemática). ❑ **problemática** *sf.* **2** Conjunto de problemas relativos a certo assunto.

probo (*pro*.bo) [ô] *a.* Que é honesto, de bom caráter, ÍNTEGRO. ● **pro.bi.***da*.de *sf.*

probóscide (pro.*bós*.ci.de) *sf. Anat. Zool.* Tromba de elefante.

procarionte (pro.ca.ri:*on*.te) *a2g.sm. Biol.* Ver *procarioto.*

procarioto (pro.ca.ri:*o*.to) *a.sm. Biol.* Que ou o que é desprovido de núcleo celular; formado por uma única célula; PROCARIONTE. [Cf.: *eucarioto.*]

procedência (pro.ce.dên.ci:a) *sf.* **1** Ação ou resultado de proceder. **2** Lugar de onde vem algo ou alguém; ORIGEM: *Qual a procedência destes turistas?* **3** Base, fundamento, razão: *Sua desconfiança não tem procedência.*

procedente (pro.ce.den.te) *a2g.* **1** Que procede; ORIGINÁRIO. **2** Que tem base, fundamento.

proceder (pro.ce.der) *v.* **1** Agir, fazer. [*int.:* *Como proceder para adotar uma criança?*] **2** Levar a efeito; REALIZAR. [*ti. + a:* "...o governador deseja proceder à reforma agrária..." (Antonio Callado, *Entre o deus e a vasilha*).] **3** Ter (algo ou alguém) como origem; NASCER; DERIVAR. [*ti. + de: A amizade procede da confiança.*] **4** Vir de (um lugar). [*ti. + de: Esses brinquedos procedem da China.*] **5** Ter cabimento; JUSTIFICAR-SE. [*int.: Seus argumentos não procedem.*] ▶ **2** proceder] *sm.* **6** Modo de agir; COMPORTAMENTO: *A indiscrição não combina com o meu proceder.* • **pro.ce.di.men.to** *sm.*

procela (pro.ce.la) *sf.* Tempestade marítima; TORMENTA. • **pro.ce.lo.so** *a.*

procelária (pro.ce.lá.ri:a) *sf.* Zool. Espécie de ave que vive no mar e se alimenta de peixe.

prócer (pró.cer) *sm.* Homem importante.

processador (pro.ces.sa.dor) [ô] *a.* **1** Que processa. *sm.* **2** O que processa. **3** *Inf.* Componente físico de um computador, responsável pela manipulação de dados e programas. ▪ **~ de alimentos** Equipamento de cozinha que prepara alimentos de várias maneiras exercendo diversas funções (descascador, misturador, liquidificador etc.). **~ de textos** *Inf.* Aplicativo que serve para registrar, organizar, formatar, classificar textos em arquivo eletrônico.

processamento (pro.ces.sa.men.to) *sm.* Ação ou resultado de processar. ▪ **~ de dados** *Inf.* Organização, classificação, tratamento e armazenamento de dados e informações em computador, de forma a ter acessos diversificados ou associá-las de acordo com suas diferentes significações e áreas de interesse etc.

processar (pro.ces.sar) *v. td.* **1** *Jur.* Mover ação judicial contra (alguém ou algo); ACIONAR. **2** *Inf.* Submeter a processamento de dados. **3** *Fig.* Dar tratamento intelectual ou material: *Ainda não processamos os últimos acontecimentos.* ◨ **processar-se** *pr.* **4** Acontecer, desenrolar-se: "O ritual devia processar-se lentamente com o banho de mar..." (Pepetela, *A geração da utopia*). [▶ **1** processar]

processo (pro.ces.so) *sm.* **1** Ação de proceder: *Seu pedido está em processo de avaliação.* **2** Desenvolvimento gradativo; EVOLUÇÃO: *o processo de aprendizagem de uma língua.* **3** Maneira pela qual algo é feito; MÉTODO: *tapetes feitos por processo manual.* **4** Conjunto de documentos com os quais se dá andamento a determinada questão. **5** *Jur.* Ação judicial: *entrar com um processo contra alguém.* **6** *Anat.* Ressalto na extremidade de um osso. [*Processo* substituiu *apófise* na nova terminologia anatômica.] • **pro.ces.su.al** *a2g.*

procissão (pro.cis.são) *sf. Rel.* Cortejo em que sacerdotes e fiéis seguem em fila acompanhando imagens, rezando ou cantando. [Pl.: -sões.]

proclama (pro.cla.ma) *sm.* Proclamação de casamento em igreja, em um órgão oficial. [Mais us. no pl.]

proclamação (pro.cla.ma.ção) *sf.* Ação ou resultado de proclamar, de anunciar publicamente. [Pl.: -ções.]

proclamar (pro.cla.mar) *v.* **1** Tornar público, em ato oficial ou não. [*td.: D. Pedro I proclamou a Independência.*] **2** Atribuir (a alguém ou a si mesmo) posto ou título. [*td.* (seguido de indicação de atributo): *O povo proclamou Pelé o rei do futebol. pr.* (seguido de indicação de atributo): *Proclamou-se rei.*] [▶ **1** proclamar] • **pro.cla.ma.dor** *a.sm.*

próclise (pró.cli.se) *sf. Gram.* Pronúncia que integra, como sílaba inicial, um vocábulo átono (ger. artigos, pronomes, preposições, conjunções) está no vocábulo que o segue (p.ex.: *o caso, se tentou, de malha* etc.).

⊠ **Procon** Sigla de *Procuradoria de Proteção e Defesa do Consumidor.*

procrastinar (pro.cras.ti.nar) *v.* Deixar para depois; ADIAR. [*td.: Resolveram procrastinar a decisão. int.: Procrastinar só atrapalha as coisas.*] [Ant.: *antecipar.*] [▶ **1** procrastinar] • **pro.cras.ti.na.ção** *sf.*

procriar (pro.cri.ar) *v.* Gerar, parir; reproduzir-se. [*td.: Procriou muitos filhos. int.: Procriar para garantir a continuidade da espécie.*] [▶ **1** procriar] • **pro.cri.a.ção** *sf.*

proctologia (proc.to.lo.gi.a) *sf. Med.* Ramo da medicina que trata das doenças do reto e do ânus. • **proc.to.ló.gi.co** *a.*; **proc.to.lo.gis.ta** *s2g.*

procura (pro.cu.ra) *sf.* **1** Ação de procurar; BUSCA: *Seu irmão está à sua procura.* **2** *Econ.* Interesse do consumidor em comprar determinado produto: *O calor aumenta a procura por ventiladores.* • **pro.cu.ra.do** *a.sm.*

procuração (pro.cu.ra.ção) *sf.* **1** Poder ou autorização que uma pessoa confere a outra para que trate de, ou assuma, em seu nome, seus interesses, providências, responsabilidades etc. **2** *Jur.* O documento ou instrumento que registra e oficializa uma procuração (1). [Pl.: -ções.]

procurador (pro.cu.ra.dor) [ô] *sm.* **1** Quem recebeu uma procuração para tratar dos interesses de alguém. **2** Advogado do Estado, membro do Ministério Público.

procuradoria (pro.cu.ra.do.ri.a) *sf.* Atividade ou escritório de procurador (2).

procurar (pro.cu.rar) *v.* **1** Tentar encontrar (o que se acha perdido). [*td.: Procurou o documento na gaveta.*] **2** Esforçar-se para conseguir. [*td.: Procurei acalmá-la, em vão.*] **3** Buscar (solução ou explicação); INVESTIGAR; PESQUISAR. [*td.: Há anos procuram a cura para o câncer.*] **4** Ir atrás de; perguntar por. [*td.: O chefe procurou você há pouco. ti. + por: Se procurarem por mim, diga que já volto.*] [▶ **1** procurar]

prodigalizar (pro.di.ga.li.zar) *v. td.* Gastar sem controle; ESBANJAR. [Ant.: *economizar.*] [▶ **1** prodigalizar]

prodígio (pro.dí.gi:o) *sm.* Pessoa, coisa ou feito fora do comum ou sobrenatural: *Ele é um prodígio no saxofone; os prodígios dos heróis mitológicos.* [NOTA: Us. algumas vezes com função adjetiva: *menino prodígio.*]

prodigioso (pro.di.gi:o.so) [ô] *a.* Diz-se daquilo em que há ou parece haver prodígio; EXTRAORDINÁRIO; FANTÁSTICO: *os prodigiosos trabalhos de Hércules;* "...o goleiro teve uma prodigiosa atuação na noite de quarta-feira..." (*O Globo*, 24.11.00). [Fem. e pl.: [ô].]

pródigo (pró.di.go) *a.* **1** Que gasta demais; ESBANJADOR; GASTADOR. **2** Que não se incomoda de dividir com os outros ou dar aquilo que possui; GENEROSO. **3** Que produz com facilidade; fértil; fecundo. [Superl.: *prodigalíssimo.*] • **pro.di.ga.li.da.de** *sf.*

produção (pro.du.ção) *sf.* **1** Ação ou resultado de produzir. **2** Tudo o que é criado, feito, gerado, ou o processo de produzi-lo (*produção intelectual/literária/industrial*). **3** *Cin. Rád. Teat. Telv.* Atividades do processo de realização de vídeos, espetáculos musicais, de artes cênicas, de programas radiotelevisivos etc., que vão desde a obtenção de recursos financeiros à escolha de elenco, figurino etc. **4** A quantidade ou o valor de bens produzidos em determinado setor de atividade: *A produção de petróleo no Brasil já ultrapassou 1,5 milhão de barris diários.*

producente | profundo

5 O conjunto de obras produzidas por alguém, empresa etc., ou em determinado lugar, época, escola estilística etc.: *a produção literária no Brasil contemporâneo*; *álbum com toda a produção de Tom Jobim*. [Pl.: -*ções*.]
producente (pro.du.*cen*.te) *a2g*. Que produz.
produtividade (pro.du.ti.vi.*da*.de) *sf*. **1** Capacidade de produzir. **2** Eficiência, rendimento na produção. **3** *Econ.* Relação entre os bens produzidos (medidos em valor ou quantidade) e os bens e insumos de produção (máquinas, matéria-prima, mão de obra etc.).
produtivo (pro.du.*ti*.vo) *a*. **1** Ref. a produção, ou que produz (processo produtivo, terras produtivas). **2** Que traz proveito, que rende; PROVEITOSO; RENDOSO: *A agricultura tem se mostrado uma atividade produtiva*.
produto (pro.*du*.to) *sm*. **1** Aquilo que é resultado de uma atividade humana ou do processo natural. **2** Coisa ou objeto produzidos como bem de consumo ou de comércio. **3** *Mat.* Resultado da operação de multiplicação. ▪ **~ interno bruto (PIB)** *Econ.* Valor total de tudo que foi produzido na economia de um país, inclusive os valores de depreciação dos bens.
produtor (pro.du.*tor*) [ô] *a.sm*. **1** Que ou quem produz (classe produtora): *produtor de um texto*. *sm*. **2** Pessoa ou instituição que produz mercadorias: *os produtores de remédios*. **3** Pessoa que é responsável por produção (3): *produtor de um filme*.
produzir (pro.du.*zir*) *v*. **1** Fazer nascer de si; DAR. [*td*.: *Essa árvore não produz frutos*. *int*.: *Horta bem cuidada produz muito*.] **2** Fabricar. [*td*. (com ou sem complemento explícito): *A usina parou de produzir (açúcar)*.] **3** Causar, provocar. [*td*.: *O remédio produziu uma reação na pele*.] **4** Criar usando a imaginação. [*td./int*.: *O pintor produz melhor (seus quadros) à noite*.] **5** Fazer produção (3) de (show, filme etc.). [*td*.] ☐ **produzir-se** *pr*. **6** *Bras. Pop.* Vestir-se com sofisticação: *Produziu-se toda para a festa*. [▶ **57** produ*zir*]
proeminência (pro:e.mi.*nên*.ci.a) *sf*. **1** Elevação, protuberância, saliência: *proeminência do solo*. **2** Superioridade, preeminência. ▪ **~ laríngea** *Anat.* Protuberância na parte anterior do pescoço do homem; GOGÓ; POMO DE ADÃO. [*Proeminência laríngea* substituiu *pomo de adão* na nova terminologia anatômica.]
proeminente (pro:e.mi.*nen*.te) *a2g*. **1** Que se eleva, que sobressai; ALTO; SALIENTE. **2** Que é superior; ILUSTRE; PREEMINENTE.
proeza (pro:*e*.za) [ê] *sf*. Ato admirável, que requer coragem e/ou destreza para ser praticado; FAÇANHA.
profanar (pro.fa.*nar*) *v. td*. **1** Desrespeitar a santidade de (lugares ou coisas sagradas): "Os assaltantes *profanaram* o templo judaico, danificando objetos de culto..." (*O Globo*, 27.08.01). **2** Violar, desrespeitar (o que merece respeito, normas, princípios etc.): *Ao recebê-lo mal, profanou todas as regras de hospitalidade*. [▶ **1** profa*nar*] ● **pro.fa.na.ção** *sf*.; pro.fa.*na*.do *a*.; pro.fa.na.*dor* *a.sm*.
profano (pro.*fa*.no) *a.sm*. **1** Que ou quem não tem relação com religião. **2** Que ou quem desrespeita o que é sagrado. **3** Que ou aquilo que é próprio do mundo material em oposição aos valores espirituais (música profana); LAICO.
profecia (pro.fe.*ci*.a) *sf*. **1** Previsão do que acontecerá no futuro, feita por um profeta; VATICÍNIO. **2** Previsão baseada em presunções, probabilidades, conjecturas etc. ● **pro.fé.ti.co** *a*.
proferir (pro.fe.*rir*) *v. td*. Expressar oralmente; PRONUNCIAR: *proferir um discurso*. [▶ **50** profe*rir*]
professar (pro.fe.*sar*) *v. td*. **1** Ser seguidor ou adepto de: *professar uma religião*. **2** Atuar como profissional de: *professar o magistério*. **3** Reconhecer (atitude, conceito, ideia etc.) publicamente: *Professou sua gratidão*. **4** Preconizar, apregoar: *O ministro professa novas medidas de combate ao desemprego*. [▶ **1** profe*sar*]
professo (pro.*fes*.so) *a.sm*. **1** Que ou aquele que professou. **2** *Fig.* Que ou quem é hábil, perito, capaz. *a*. **3** Ref. a ou próprio de frades e freiras.
professor (pro.fes.*sor*) [ô] *sm*. **1** Pessoa que se especializou em ensinar; MESTRE. **2** Quem ensina algo a alguém.
professorado (pro.fes.so.*ra*.do) *sm*. **1** A categoria profissional dos professores. **2** O conjunto dos professores de determinado lugar: *o professorado baiano/da Escola de Comunicação*. **3** Exercício do cargo de professor; MAGISTÉRIO.
professorando (pro.fes.so.*ran*.do) *sm. Bras.* Pessoa que está prestes a se formar professor.
profeta (pro.*fe*.ta) [ê] *sm*. **1** *Rel.* Pessoa que tem o dom de prever o futuro, por inspiração de Deus. **2** Pessoa que se diz, ou que dizem, ser capaz de adivinhar o futuro. [Fem. nestas acps.: *profetisa*.] ☐ **Profeta** *sm*. **3** *Rel.* Título dado pelos muçulmanos a Maomé.
profetizar (pro.fe.ti.*zar*) *v*. **1** Predizer, na qualidade de profeta. [*td*.: *Isaías profetizou a vinda do Messias*. *tdi*. + *a*: *Profetizava à multidão um futuro de paz e concórdia*.] **2** Antever o futuro por meio de deduções; PROGNOSTICAR; PREVER. [*td*.: *O economista profetizou o fim da inflação*.] [▶ **1** profeti*zar*]
proficiente (pro.fi.ci.*en*.te) *a2g*. **1** Diz-se da pessoa extremamente capaz e eficiente; COMPETENTE; PERITO: *Miguel é proficiente em xadrez*. **2** Ver *profícuo*.
profícuo (pro.*fí*.cu:o) *a*. Diz-se daquilo que é útil, que traz resultados positivos, vantajosos; PROVEITOSO; PROFICIENTE.
profilaxia (pro.fi.la.*xi*.a) [cs] *sf. Med.* Uso de medidas adequadas para se evitar doenças. ● **pro.fi.*lá*.ti.co** *a*.
profissão (pro.fis.*são*) *sf*. **1** Atividade especializada que requer formação e pode ou não servir de meio de vida. **2** Trabalho para obtenção dos meios de subsistência; OCUPAÇÃO; OFÍCIO. [Pl.: *-sões*.] ● **pro.fis.si:o.nal** *a2g.sf*.
profissionalismo (pro.fis.si:o.na.*lis*.mo) *sm*. **1** *Bras.* Maneira de agir de profissionais competentes. **2** Carreira de profissional. [Cf.: *amadorismo*.]
profissionalizar (pro.fis.si:o.na.li.*zar*) *v*. **1** Tornar (alguém ou a si próprio) profissional. [*td*.: *A federação profissionalizou os árbitros*. *pr*.: "...muita gente busca as oficinas para se *profissionalizar*..." (*O Globo*, 12.2.04).] **2** Conferir ou adquirir caráter de profissionalismo. [*td*.: *profissionalizar o futebol*. *pr*.: *O voleibol profissionalizou-se*.] [▶ **1** profissionali*zar*] ● **pro.fis.si:o.na.li.za.***ção*** *sf*.; **pro.fis.si:o.na.li.za.do** *a*.; **pro.fis.si:o.na.li.***zan***.te** *a2g*.
🌐 **pro forma** (*Lat. /pró fórma/*) *loc.a*. Por formalidade: *Esta prova é apenas pro forma*.
prófugo (*pró*.fu.go) *a*. Diz-se de quem foge; DESERTOR; FUGITIVO.
profundas (pro.*fun*.das) *sfpl. Pop.* **1** A parte mais profunda. [ANT.:] PROFUNDEZAS.] **2** *profundas do inferno*. **2** O inferno.
profundidade (pro.fun.di.*da*.de) *sf*. **1** Qualidade do que é profundo: *profundidade do mar/de uma pesquisa*. [Ant.: *superficialidade*.] **2** Distância da superfície ao fundo de (algo); FUNDURA: *Qual a profundidade deste lago?* **3** Num sólido, corpo, espaço, objeto etc., distância entre o plano do ponto mais próximo ao plano do ponto mais afastado: *O móvel tem 1m de largura, 80cm de altura e 70cm de profundidade*. ● **pro.fun.*de*.za** *sf*.
profundo (pro.*fun*.do) *a*. **1** Que tem uma grande distância entre o fundo, ou a parte mais baixa, e a superfície, ou a parte mais alta, ou a borda (rio pro-

fundo, corte profundo, decote profundo). **2** Que vai ao fundo das coisas, não se prendendo só às aparências: *Fez uma análise profunda da situação.* **3** Muito grande e abrangente: *O estatístico tem profundo conhecimento de matemática;* "...e a profunda tristeza que havia em seus olhos." (Machado de Assis, *Helena*). [Ant.: *superficial.*]

profusão (pro.fu.*são*) *sf.* Grande quantidade; ABUNDÂNCIA: *A televisão mostrou uma profusão de imagens da festa.* [Ant.: *escassez.*] [Pl.: *-sões.*]

profuso (pro.*fu*.so) *a.* **1** Que existe ou é produzido em quantidade; ABUNDANTE: *a luminosidade profusa da manhã.* **2** Que envolve grande quantidade de dinheiro ou de outros objetos valiosos; GENEROSO: *pagamento profuso por um serviço.* [Ant.: *escasso.*]

progênie, progenitura (pro.*gê*.ni:e, pro.ge.ni.*tu*.ra) *sf.* **1** Ascendência, origem: *Era de ilustre progênie.* **2** Descendência, prole: *Legou à sua progênie todas as suas qualidades.*

progenitor (pro.ge.ni.*tor*) [ô] *sm.* Pai, avô ou qualquer outro antepassado.

progenitora (pro.ge.ni.*to*.ra) *sf.* Mãe, avó ou qualquer outro antepassada.

progesterona (pro.ges.te.*ro*.na) [ô] *sf. Biol.* Hormônio feminino responsável pelo ciclo menstrual e pelas modificações do organismo durante a gravidez.

prognatismo (prog.na.*tis*.mo) *sm. Med.* Proeminência da mandíbula para a frente.

prógnato, prógnata (*próg*.na.to, *próg*.na.ta) *a.sm.*, *a2g.s2g.* Que ou quem tem prognatismo.

prognosticar (prog.nos.ti.*car*) *v. td.* Fazer previsão, prognóstico de; PREVER: *prognosticar o desempenho da economia.* [▶ **11** prognosticar]

prognóstico (prog.*nós*.ti.co) *sm.* Suposição sobre processos ou resultados futuros baseada nas condições vigentes e num esperado desempenho dos fatores atuantes: *O jornal fez um prognóstico do crescimento da indústria; Os médicos não arriscaram um prognóstico para o resultado do tratamento.*

programa (pro.*gra*.ma) *sm.* **1** Planejamento de atividades, tanto de lazer quanto de trabalho; essas atividades: *O programa da empresa inclui a criação de cursos profissionais; O programa dela foi estudar o dia inteiro e ir ao teatro à noite.* **2** Impresso com descrição das atividades de algum evento; essas atividades: *Na entrada distribuíam o programa do concerto; O programa era todo dedicado a Bach.* **3** Espetáculo de rádio ou televisão: *Ele assistia aos programas do Chacrinha.* **4** O conteúdo de um curso, de uma cadeira etc.: *O programa da oitava série.* **5** *Inf.* Conjunto de instruções que definem o que o computador deve fazer; SOFTWARE: *Criou um programa para calcular as notas dos alunos.* ▪ **Programa de** ~ Diz-se de pessoa que, mediante pagamento, acompanha outrem em programas (1) esp. de caráter sexual. • **pro.gra.*má*.ti.co** *a.*

programação (pro.gra.ma.*ção*) *sf.* **1** Ação ou resultado de programar. **2** Planejamento de uma instituição ou de uma pessoa para um determinado período; PROGRAMA: *Nossa programação de férias prevê uma semana na praia.* **3** Conjunto dos programas (3), eventos culturais etc. que serão apresentados por uma emissora de televisão ou de rádio, por um teatro, cinema etc. **4** *Inf.* Área de conhecimento que prepara programas de computador: *Ela é a encarregada de programação na empresa.* [Pl.: *-ções.*]

programador (pro.gra.ma.*dor*) [ô] *a.sm.* **1** Que ou aquele que programa. *sm.* **2** *Inf.* Pessoa que faz programas de computador.

programar (pro.gra.*mar*) *v.* **1** Traçar planos para; PLANEJAR. [*td.*: *programar as férias.*] **2** *Inf.* Criar (programa computacional). [*td. int.*] [▶ **1** programar] • **pro.gra.*má*.vel** *a2g.*

profusão | **prolação**

progredir (pro.gre.*dir*) *v.* **1** Aperfeiçoar seus recursos, capacidades etc.; DESENVOLVER-SE. [*int.*: *O sistema de telefonia tem progredido a olhos vistos.*] **2** Melhorar o desempenho, o aprendizado. [*ti.* + *em*: *progredir nos estudos.*] **3** Tornar-se mais grave; AGRAVAR-SE. [*int.*: *O câncer dele progrediu.*] [▶ **49** progredir]

progressão (pro.gres.*são*) *sf.* **1** Ação ou resultado de progredir. **2** Desenvolvimento gradual e constante (de um processo); AVANÇO: *A progressão das pesquisas sinalizava para breve a descoberta da cura da doença.* [Pl.: *-sões.*]

progressista (pro.gres.*sis*.ta) *a2g.* **1** Ref. ao progresso. **2** *Pol.* Que é a favor ou partidário do progresso econômico, social etc.: *Apesar da idade, vovó é progressista.* [Cf.: *conservador.*] **3** *Bras. Pol.* Que é partidário de reformas e avanços sociais de caráter igualitário etc. *s2g.* **4** Pessoa progressista.

progressivo (pro.gres.*si*.vo) *a.* **1** Que progride, ou em que há progressão; EVOLUTIVO: *O prédio entrou em progressiva decadência.* **2** Que evolui gradualmente ou por etapas: *Nota-se uma progressiva melhora na economia.* • **pro.gres.si.vi.da.de** *sf.*

progresso (pro.*gres*.so) *sm.* **1** Ação ou resultado de progredir. **2** Avanço (em trabalho, processo etc.): *Fizemos bastante progresso em uma semana de pesquisa.* **3** Desenvolvimento, evolução: *o progresso da medicina/ da humanidade.* [Cf.: *pregresso.*]

proibir (pro:i.*bir*) *v.* Não consentir; IMPEDIR. [*td.*: *Nossas leis proíbem o trabalho escravo.* *tdi.* + *de*: *Meu pai proibiu-me de sair.*] [▶ **54** proibir] • **pro:i.bi.*ção* sf.**; **pro:i.*bi*.do *a.*; pro:i.*bi*.ti.vo *a.***

projeção (pro.je.*ção*) *sf.* **1** Ação ou resultado de projetar(-se). **2** Exibição de imagens numa tela: *Durante a projeção do filme, o som falhou.* **3** Cálculo antecipado que se faz de algo: *uma projeção de quantos alunos cursarão a sétima série.* **4** Importância, destaque: *um político de grande projeção no país.* **5** Arremesso, lance.

projetar (pro.je.*tar*) *v.* **1** Desenhar projeto ou planta de. [*td.*: *projetar uma escola.*] **2** Reproduzir (filme, transparência) em tela. [*td.*] **3** *Fig.* Fazer ficar ou ficar famoso. [*td.*: *O campeonato projetou novos atletas.* *pr.*: *Projetou-se um dançarino.*] **4** Planejar, programar. [*td.* (seguido de indicação de tempo): *Projetaram a formatura para julho.*] **5** Arremessar(-se), lançar(-se). [*td.* (seguido ou não de indicação de lugar/direção): *Projetou a pedra para a vidraça.* *pr.*: *A bola projetou-se ribanceira abaixo.*] [▶ **1** projetar]

projétil, projetil (pro.*jé*.til, pro.je.*til*) *sm.* **1** Objeto arremessado por arma de fogo. **2** Qualquer objeto sólido arremessado. [Pl.: *-teis, -tis.*]

projetista (pro.je.*tis*.ta) *s2g.* Profissional (ger. engenheiro) especializado em fazer projetos (arquitetônicos, mecânicos etc.).

projeto (pro.*je*.to) *sm.* **1** Plano de fazer algo em futuro próximo ou distante: *Nosso projeto é viajar pela Amazônia nas férias.* **2** Esboço detalhado de uma obra: *o projeto de uma casa.* **3** Aquilo que se pretende realizar segundo um programa estabelecido: *Há vários projetos de conservação do meio ambiente.*

projetor (pro.je.*tor*) *sm.* Aparelho us. para projetar imagens numa tela.

prol *sm.* Us. na loc. ▪ **Em** ~ **de 1** Em benefício de; cuja renda destina-se a: *bazar em prol das crianças portadoras de HIV.* **2** A favor de: *campanha em prol do uso racional da água.*

pró-labore (pró-la.*bo*.re) *sm.* **1** Pagamento por tarefa especial, não rotineira. **2** Remuneração que o empresário ou os sócios retiram da empresa. [Pl.: *pró-labores.*]

prolação (pro.la.*ção*) *sf.* **1** Pronúncia em voz alta e clara. **2** Adiamento, demora. [Pl.: *-ções.*]

prolatar | prontuário 650

prolatar (pro.la.*tar*) *v. td. Bras.* Proferir (sentença). [▶ **1** prolat<u>ar</u>]

prole (*pro*.le) [ó] *sf.* Conjunto dos filhos de um casal.

proletário (pro.le.*tá*.ri:o) *sm.* **1** Trabalhador que vive apenas de seu salário. *a.* **2** Que diz respeito a esse trabalhador. • **pro.le.ta.ri.***a*.do *sm.*

proliferar (pro.li.fe.*rar*) *v. int.* **1** Crescer numericamente; ESPALHAR-SE; PROPAGAR-SE: *As seitas religiosas <u>proliferam</u> no país.* **2** Ter filhos; REPRODUZIR-SE. [▶ **1** prolifer<u>ar</u>] • **pro.li.fe.ra.***ção sf.*

prolífico (pro.*li*.fi.co) *a.* **1** Que pode gerar filhos. **2** Que tem muitos filhos, grande prole. **3** *Fig.*Que produz muito (escritor <u>prolífico</u>); PRODUTIVO.

prolífero (pro.*li*.fe.ro) *a.* V. *aq.* prolífico.

prolixo (pro.*li*.xo) [cs] *a.* **1** Que usa mais palavras e frases do que o necessário (estilo <u>prolixo</u>, pessoa <u>prolixa</u>). **2** Muito longo (discurso prolixo). [Ant.: *conciso.*] • **pro.li.xi.***da*.de *sf.*

prólogo (*pró*.lo.go) *sm.* Parte inicial explicativa de uma obra escrita ou peça teatral.

prolongamento (pro.lon.ga.*men*.to) *sm.* **1** Ação ou resultado de prolongar (1), de tornar mais longo (rua, prazo etc.). **2** Trecho, parte ou prazo prolongado, estendido; EXTENSÃO.

prolongar (pro.lon.*gar*) *v.* **1** Estender(-se) no tempo ou no espaço; ALONGAR(-SE). [*td.*: *Seria bom se pudéssemos <u>prolongar</u> as férias.* *pr.*: *A BR-116 <u>prolonga-se</u> até o Nordeste.*] [Ant.: *encurtar.*] **2** Deixar para depois; ADIAR. [*td.*: *Não <u>prolongue</u> mais a sua decisão.*] [▶ **14** prolon<u>gar</u>] • **pro.lon.ga.***ção sf.*

promessa (pro.*mes*.sa) *sf.* **1** Ação de prometer. **2** Compromisso que se assume de fazer ou não algo. **3** *Rel.* Compromisso assumido com um ser sagrado a fim de se obter deste uma graça.

prometer (pro.me.*ter*) *v.* **1** Assumir verbalmente ou por escrito compromisso de; ASSEGURAR; COMPROMETER-SE. [*td./tdi. + a*: *O técnico <u>prometeu</u> (ao porteiro) que retornaria à tarde.*] **2** Dar indícios, sinais de; PRESSAGIAR. [*td.*: *"...era domingo e <u>prometia</u> bom tempo."* (Marques Rebelo, *Marafa*).] **3** Dar sinal ou esperança de que será bem-sucedido. [*int.*: *Este menino <u>promete</u>.*] **4** Garantir que pagará. [*td./tdi. + a*: *<u>Prometeu</u> (a ela) um bom aumento.*] **5** Fazer promessa. [*int.*: *<u>Prometer</u> é fácil, cumprir é que são elas.*] [▶ **2** promet<u>er</u>] • **pro.me.te.***dor a.sm.*; **pro.me.***ti*.do *a.*

promiscuidade (pro.mis.cu:i.*da*.de) *sf.* Estado ou condição de promíscuo.

promiscuir-se (pro.mis.cu.*ir*-se) *v. pr.* **1** Estar, viver ou passar a viver em promiscuidade. **2** *P. us.* Misturar-se sem ordem ou critério (coisas diversas). [▶ **56** promiscu<u>ir</u>-se]

promíscuo (pro.*mís*.cu:o) *a.* **1** Que é constituído de elementos diferentes misturados sem ordem ou critério. **2** Que envolve elementos reprováveis, ou desonestos, ou obscenos etc. (relações <u>promíscuas</u>). **3** *Bras.* Que tem relações amorosas com vários parceiros (diz-se de pessoa).

promissão (pro.mis.*são*) *sf.* **1** Ação ou resultado de prometer; PROMESSA. **2** Aquilo que foi prometido: *terra da <u>promissão</u>.* [Pl.: *-sões.*]

promissor (pro.mis.*sor*) [ó] *a.* **1** Diz-se de ou aquilo que se prevê que vai ser bom: *O novo plano de paz é <u>promissor</u>.* **2** Que promete. **3** Que traz boas notícias.

promissória (pro.mis.*só*.ri:a) *sf.* Documento através do qual uma pessoa assume que deve a outra certa quantia e que lhe pagará em determinado dia.

promitente (pro.mi.*ten*.te) *a2g.s2g. Jur.* Que ou aquele que faz uma promessa a alguém.

promoção¹ (pro.mo.*ção*) *sf.* Obtenção de um cargo mais elevado no trabalho: *Você conseguiu sua <u>promoção</u>?* [Pl.: *-ções.*]

promoção² (pro.mo.*ção*) *sf. Mkt.* **1** Estratégia de venda que consiste em baixar os preços dos produtos de um estabelecimento comercial: *<u>promoções</u> de verão.* **2** Conjunto das atividades que objetivam melhorar ou tornar mais forte a fama, o valor de alguém ou de algo: *Invista na <u>promoção</u> do novo produto.* [Pl.: *-ções.*] • **pro.mo.ci:***o*.*nal a2g.*

promontório (pro.mon.*tó*.ri:o) *sm. Geog.* Cabo formado de penhascos.

promotor (pro.mo.*tor*) [ó] *a.sm.* **1** Que ou aquele que promove, desenvolve, estimula algo. **2** Pessoa ou instituição que organiza e divulga algo: *<u>promotor</u> de eventos.* **3** *Jur.* Funcionário público formado em direito que promove o andamento de processos judiciais no interesse da sociedade. **4** *Mkt.* Profissional que trabalha com a melhoria ou o fortalecimento da imagem que se tem de alguém ou de algo.

promotoria (pro.mo.to.*ri*.a) *sf. Jur.* **1** Cargo de promotor (3). **2** Local onde trabalha o promotor (3).

promover¹ (pro.mo.*ver*) *v.* **1** Oferecer recursos para (evento); organizar (uma atividade). [*td.*: *"...a Universidade (...) <u>promoveu</u> um seminário com cientistas de 23 países."* (*O Globo*, 18.01.04).] **2** Causar, provocar. [*td.*: *O roubo <u>promoveu</u> a discórdia entre os funcionários.*] **3** Nomear para (cargo ou categoria superior). [*td./tdi. + a*: *Promoveram o novato (a supervisor).*] [Ant. nesta acp.: *rebaixar.*] **4** Favorecer o crescimento; IMPULSIONAR. [*td.*: *A prefeitura tem promovido o esporte.*] [▶ **2** promov<u>er</u>]

promover² (pro.mo.*ver*) *v.* Tornar(-se) famoso, valorizado. [*td.*: *Os bons alunos <u>promovem</u> os cursinhos.* *pr.*: *<u>Promovia-se</u> à custa do dinheiro público.*] [▶ **2** promov<u>er</u>]

⊕ **prompt** (Ing. /prômpt/) *sm. Inf.* Sinal gráfico do computador que indica que ele está pronto para receber novos comandos do usuário.

⊕ **prompter** (Ing. /*prômpter*/) *sm.* Aparelho eletrônico que exibe em um monitor de vídeo o texto que deve ser lido por artistas, jornalistas etc. em cena. [Tb. se diz *teleprompter.*]

promulgar (pro.mul.*gar*) *v. td.* Mandar publicar, ou publicar: *promulgar uma lei.* [▶ **14** promulg<u>ar</u>]

pronome (pro.*no*.me) *sm. Gram.* Palavra gramatical que funciona como um nome, e faz referência a pessoas ou coisas no discurso. ▪▪ **~ de tratamento** *Gram.* Pronome que o falante usa para se dirigir à segunda pessoa do discurso (p.ex.: *tu, você, vós*). [Ver tb. *forma de tratamento* no verbete *forma* [ó].]

pronominal (pro.no.mi.*nal*) *a2g. Gram.* **1** Ref. a pronome (locução <u>pronominal</u>). **2** Diz-se do verbo que se combina obrigatoriamente com um pronome reflexivo (p.ex., *arrepender-se*). [Pl.: *-nais.*]

prontidão (pron.ti.*dão*) *sf.* **1** Estado de quem está pronto para realizar algo: *Os bombeiros estavam de <u>prontidão</u> por causa da enchente.* **2** Agilidade na execução de algo; PRESTEZA; RAPIDEZ: *Pede-se <u>prontidão</u> no atendimento.* *sm.* **3** *RJ SP* Policial de prontidão (1) em delegacia. [Pl.: *-dões.*]

prontificar-se (pron.ti.fi.*car*-se) *v. pr.* Pôr-se à disposição para; OFERECER-SE; DISPOR-SE: *<u>Prontificou-se</u> a cooperar nas investigações.* [▶ **11** prontific<u>ar</u>-se]

pronto (*pron*.to) *a.* **1** Que não demora; LIGEIRO; RÁPIDO: *Este remédio dá <u>pronto</u> alívio à dor.* **2** Que se concluiu: *A comida já está <u>pronta</u>.* **3** Que se encontra preparado para algo: *Ele está <u>pronto</u> para sair.* **4** Rápido, direto (resposta <u>pronta</u>). *a.sm.* **5** *Gír.* Que ou quem está sem dinheiro.

pronto-socorro (pron.to-so.*cor*.ro) [ô] *sm.* Hospital ou setor de hospital onde são atendidos casos que necessitam de socorro imediato. [Pl.: *prontos-socorros.*]

prontuário (pron.tu.*á*.ri:o) *sm. Bras.* **1** Fichário ou ficha que contém informações a respeito de alguém ou de algo. **2** O conjunto dessas informações.

pronúncia (pro.*nún*.ci:a) *sf.* **1** Ação ou resultado de pronunciar (1); PRONUNCIAMENTO. **2** Modo como são faladas as palavras; FALA.

pronunciado (pro.nun.ci.a.do) *a.* **1** Que se pronunciou, que foi dito. **2** Falado de certo modo. **3** *Fig.* Aquilo que se destaca; ACENTUADO: *um nariz pronunciado*.

pronunciamento (pro.nun.ci:a.*men*.to) *sm.* **1** Ação ou resultado de pronunciar; PRONÚNCIA. **2** Aquilo, ger. importante, que se pronuncia, que se diz; DECLARAÇÃO: *Fez um pronunciamento à nação*.

pronunciar (pro.nun.ci.*ar*) *v. td.* **1** Dizer, emitir (sons ou palavras): *Aos cinco anos, ainda não pronunciava o 'r'*. **2** Falar como autoridade; DETERMINAR: *O juiz pronunciou a sentença*. ◻ **pronunciar-se** *pr.* **3** Dar opinião; MANIFESTAR-SE: *Os comerciantes se pronunciaram a favor do horário de verão*. [▶ **1** pronunci[ar] • **pro.nun.ci:a.ção** *sf.*; **pro.nun.ci.á.vel** *a2g.*

propaganda (pro.pa.*gan*.da)*sf.* Divulgação de conhecimentos, ideias, opiniões, produtos. • **pro.pa.gan.dis.ta** *a2g.*

propagar (pro.pa.*gar*) *v.* **1** Difundir(-se), divulgar(-se). [*td.*: *propagar a cultura. pr.*: *Más notícias propagam-se rapidamente.*] **2** Aumentar o número de descendentes; REPRODUZIR(-SE); PROLIFERAR. [*td.*: *propagar uma espécie animal. pr.*: *Os alemães se propagaram na região Sul.*] ◻ **propagar-se** *pr.* **3** Espalhar-se (doença, vírus etc.) por contágio: *A dengue se propaga facilmente*. [▶ **14** propag[ar] • **pro.pa.ga.ção** *sf.*; **pro.pa.ga.dor** *a.sm.*

propalar (pro.pa.*lar*) *v. td.* Tornar público; DIVULGAR; NOTICIAR. [▶ **1** propal[ar]

proparoxítono (pro.pa.ro.*xí*.to.no) [cs] *a. Gram.* Diz-se da palavra cuja antepenúltima sílaba é tônica (p.ex.: *xícara, fizéssemos*). [Us. tb. com subst.]

propelente (pro.pe.*len*.te) *sm.* Explosivo ou material combustível, esp. o de projéteis e foguetes.

propender (pro.pen.*der*) *v. ti.* Ser propenso, inclinado a. [+ *a, para*: *Todos propendemos a lutar para sobreviver; propender para o crime.*] [▶ **2** propend[er] Part.: *propendido* e *propenso*.] • **pro.*pen*.so** *a.*

propensão (pro.pen.*são*) *sf.* Tendência ou vocação que se tem para algo: *propensão a engordar/para o desenho*. [Pl.: -sões.]

propiciar (pro.pi.ci.*ar*) *v.* Oferecer condições para que (algo) aconteça; PROPORCIONAR. [*td.*: *Aquele passe propiciou chance de gol. tdi.* + *a*: *A viagem propiciou ao jornalista uma experiência importante*.] [▶ **1** propici[ar] • **pro.pi.ci:a.ção** *sf.*

propício (pro.*pí*.ci:o) *a.* Que ajuda, que favorece: *Exercícios físicos são propícios à boa saúde*.

propina (pro.*pi*.na) *sf.* Gratificação por algum serviço; GORJETA.

propínquo (pro.*pín*.quo) *a.* Que é ou está próximo; VIZINHO. • **pro.pin.qui.da.de** *sf.*

própolis, própole (*pró*.po.lis, *pró*.po.le) *sf2n., sf.* Resina que as abelhas coletam das plantas e misturam à cera para, com a mistura, construir alvéolos, reparar a colmeia e cobrir os animais mortos dentro dela. [Tb. us. como remédio para os humanos.]

propor (pro.*por*) *v.* **1** Apresentar como sugestão ou opção; SUGERIR. [*td.*: *propor um acordo. tdi.* + *a*: *O que você propôs a ela?*] **2** Entrar (com ação judicial); REQUERER; MOVER. [*td.*: *A associação vai propor uma ação de despejo*.] ◻ **propor-se** *pr.* **3** Mostrar-se disposto a: *Ele propôs-se a parar de fumar*. **4** Ter como objetivo: *Os livros publicados se propõem a facilitar a aprendizagem*. [▶ **60** pro[por]. Part.: *proposto*.] • **po.*nen*.te** *a2g.s2g.*; **pro.*pos*.to** *a.*

proporção (pro.por.*ção*) *sf.* **1** Parte dividida de algo inteiro em relação ao todo; FRAÇÃO: *A proporção de jovens alfabetizados cresceu muito*. **2** Arrumação harmônica das partes que compõem um todo; HARMONIA. **3** *Mat.* Igualdade entre duas razões. **4** *Fig.* Importância, dimensão: *O caso alcançou uma proporção astronômica*. [Us. tb. no pl.] [Pl.: -ções.] ◻ **proporções** *sfpl.* **5** Configuração física; tamanho: *As proporções da catedral são impressionantes*. ◼◼ **À ~ que** À medida que.

proporcionado (pro.por.ci:o.*na*.do) *a.* Bem arrumado; HARMONIOSO.

proporcional (pro.por.ci:o.*nal*) *a2g.* **1** Ref. a proporção: *distribuição proporcional de recursos, de acordo com os tamanhos das cidades*. **2** *Gram.* Diz-se da locução subordinativa que expressa aumento ou diminuição de algo na mesma proporção de outro (p.ex.: *à medida que*). [Pl.: -nais.] • **pro.por.ci:o.na.li.da.de** *sf.*

proporcionar (pro.por.ci:o.*nar*) *v.* Ver propiciar. [▶ **1** proporcion[ar]

proposição (pro.po.si.*ção*) *sf.* **1** Ação ou resultado de propor. **2** Algo que se sugere; PROPOSTA: *Cada grupo apresentou uma proposição*. **3** Afirmação, asserção, sentença: *Não sei se essa proposição é verdadeira*. [Pl.: -ções.]

proposital (pro.po.si.*tal*) *a2g.* Que tem ou é feito com um propósito; INTENCIONAL. [Ant.: *acidental*.] [Pl.: -tais.]

propósito (pro.*pó*.si.to) *sm.* Aquilo que se pretende alcançar ou fazer; INTENÇÃO; OBJETIVO. ◼◼ **A ~** **1** Por falar nisso: *Vou ao cinema; a propósito, você já viu esse filme?* **2** Convenientemente; em momento adequado, propício: *Este aumento veio bem a propósito*. **3** A respeito, sobre: *Pronunciou-se a propósito dos planos do amigo*. **De ~** De modo proposital. • **pro.po.si.ta.do** *a.*

proposta (pro.*pos*.ta) *sf.* **1** Ação ou resultado de propor. **2** Aquilo que é oferecido; OFERTA; PROPOSIÇÃO. **3** Projeto, plano a ser realizado: *Apresentou ao chefe a sua proposta para a obra*.

propriedade (pro.pri:e.*da*.de) *sf.* **1** Aquilo que pertence a alguém: *O carro verde é propriedade minha*. **2** Imóvel (apartamento, sítio etc.): *O preço das propriedades nesta área subiu muito*. **3** Direito de posse que se tem sobre algo. **4** Característica ou atributo próprios de algo: *as propriedades da água*. **5** Condição do que é adequado, apropriado: *Vestiu-se com propriedade para a ocasião*.

proprietário (pro.pri:e.*tá*.ri:o) *a.sm.* Que ou quem é dono de algo.

próprio (*pró*.pri:o) *a.* **1** Que pertence a alguém: *Finalmente realizamos o sonho da casa própria*. **2** Que é natural, característico de algo ou de alguém: *O idealismo é próprio dos jovens*. **3** Que dá o sentido exato, literal de uma palavra. **4** Ref. a substantivo que designa um ser específico (nome de uma pessoa, de um país etc.). ◻ **próprios** *smpl.* **5** Propriedade (2). [Superl.: *propiíssimo*.]

propugnar (pro.pug.*nar*) *v.* Lutar em prol de (algo); defender. [*td.*: *propugnar a causa ambientalista. ti.* + *por*: *propugnar por justiça*.] [▶ **1** propugn[ar] • **pro.pug.na.ção** *sf.*

propulsar (pro.pul.*sar*) *v. td.* Empurrar para frente ou para longe; IMPULSIONAR. [▶ **1** propuls[ar] • **pro.pul.são** *sf.*; **pro.pul.sor** *a.sm.*

🌐 **pro rata** (Lat. /pró ráta/) *loc.a.* Proporcional: *Com base na remuneração mensal, faça cálculo pro rata do que se deve receber por 11 dias*.

prorrogação (pror.ro.ga.*ção*) *sf.* **1** Ação de prorrogar. **2** Aumento de prazo ou duração: *O jogo teve prorrogação de 30 minutos*. [Pl.: -ções.]

prorrogar (pror.ro.*gar*) *v. td.* Fazer com que (prazo ou duração) se estenda; ADIAR; PROLONGAR: *Resolveram prorrogar a liquidação até março*. [▶ **14** prorrog[ar]

prorromper (pror.rom.*per*) *v.* Iniciar(-se) de repente e/ou com intensidade; IRROMPER. [*ti.* + *em*: *A pla*

teia prorrompeu em risos. **int.**: *A gritaria prorrompeu pelo corredor.*] [► **2** prorromp**er**]
prosa (pro.sa) *sf.* **1** Narrativa, em oposição a verso. **2** Conversa informal. *a2g.s2g.* **3** Aquele ou quem é ou está cheio de si; CONVENCIDO: *Ele ficou todo prosa com os elogios.* ● pro.sa.*dor* **sm.**
prosaico (pro.*sai*.co) *a.* **1** Ref. a prosa (1) (estilo prosaico). **2** Banal, comum (pergunta prosaica, hábitos prosaicos).
prosápia (pro.*sá*.pi:a) *sf.* **1** Vaidade, orgulho. **2** Ascendência, linhagem.
prosar (pro.*sar*) *v. int.* **1** *Bras.* Conversar; PROSEAR. **2** Escrever texto em prosa. [► **1** pros**ar**]
proscênio (pros.*cê*.ni:o) *sm.* Palco, cenário.
proscrever (pros.cre.*ver*) *v.* **1** Proibir, condenar. [*td.*: *A Igreja proscreve o aborto.*] [Ant.: *aprovar.*] **2** Impedir de frequentar; BANIR. [*td./tdi.* + *de*: *Proscreveram (do grupo) o amigo desleal.*] **3** Acabar com; CORTAR; ABOLIR. [*td./tdi.* + *de*: *Proscreveu frituras (de sua alimentação).*] [► **2** proscrev**er**] Part.: *proscrito.* [Cf.: *prescrever.*] ● pros.cri.*ção* *sf.*
proscrito (pros.*cri*.to) *a.* **sm. 1** Que se proscreveu. **2** Que se proibiu (livro proscrito); PROIBIDO; BANIDO. **3** Abolido, extinto (benefícios proscritos). **sm. 4** Pessoa banida da pátria; EXILADO.
prosear (pro.se.*ar*) *v. int.* Conversar descontraidamente; bater papo; PROSAR: *Júlia adora prosear com a cunhada.* [► **13** pros**ear**]
proselitismo (pro.se.li.*tis*.mo) *sm.* Empenho para se conseguir prosélitos, adeptos; DOUTRINAÇÃO; CATEQUESE. ● pro.se.li.*tis*.ta *a2g.s2g.*
prosélito (pro.*sé*.li.to) *sm.* Pessoa que passa a adotar nova religião, doutrina ou posição política.
prosódia (pro.*só*.di.a) *sf.* **1** Acentuação ou entoação características de uma língua ou dialeto. **2** Pronúncia correta; ORTOFONIA. [Sin. (das acps. 1 e 2): *ortoépia.*] **3** *Gram.* Estudo das normas de acentuação e entoação das palavras. **4** *Gram.* Parte da fonética que estuda traços da fala tais como ritmo, intensidade, tom, altura e duração.
prosopopeia (pro.so.po.*pei*.a) *sf.* **1** *Ling.* Ver *personificação.* **2** *Pej.* Discurso artificial, solene, empolado.
prospecção (pros.pec.*ção*) *sf.* **1** Análise de terreno para avaliar se nele estão presentes jazidas minerais, petrolíferas ou de gás. **2** *Fig.* Investigação aprofundada dos componentes de qualquer coisa, de uma pessoa ou das características de uma obra artística ou teórica. [Pl.: -*ções.*]
prospectivo (pros.pec.*ti*.vo) *a.* **1** Ref. à prospecção (1) ou próprio dela (técnicas prospectivas). **2** Que diz respeito ao futuro (visão prospectiva).
prospecto, prospeto (pros.*pec*.to, pros.*pe*.to) *sm.* Pequeno texto impresso, em que se faz propaganda de empresa, serviço ou produto.
prosperar (pros.pe.*rar*) *v. int.* **1** Tornar-se mais produtivo em bens; PROGREDIR; CRESCER: *O município vem prosperando na criação de gado.* **2** Ficar rico. [► **1** prosper**ar**]
próspero (*prós*.pe.ro) *a.* **1** Que acumulou dinheiro ou bens; RICO. **2** Que alcançou êxito, que é bem-sucedido (colégio próspero). **3** Favorável: *um ano próspero a novas realizações.* [Superl.: *prospérrimo* e *prosperíssimo.*] ● pros.pe.*ri*.da.de *sf.*
prosseguir (pros.se.*guir*) *v.* **1** Levar ou ir em frente; SEGUIR; CONTINUAR. [*td./ti.* + *em*: *Prossiga (na) sua luta, meu filho.*] [Ant.: *parar.*] **2** Retomar (fala, ação etc.). [*td./ti.* + *em*: *As vaias impediram-no de prosseguir (em) seu discurso.*] **3** Permanecer, ficar. [*lig.*: *Prosseguiu calado a noite toda.*] [► **55** prosse**guir**] ● pros.se.cu.*ção* *sf.*; pros.se.gui.*dor* *a.sm.*; pros.se.gui.*men*.to *sm.*
próstata (*prós*.ta.ta) *sf.* *Anat.* Glândula do aparelho genital masculino que circunda a parte inicial da uretra e é parcialmente responsável pela produção do esperma.
prosternar (pros.ter.*nar*) *v. td.* **1** Fazer cair; DERRUBAR: *Prosternou o adversário.* ◪ **prosternar-se** *pr.* **2** Curvar-se até o chão em reverência; PROSTRAR-SE: *O vassalo prosternou-se diante do rei.* [► **1** prostern**ar**] ● pros.ter.na.*ção* *sf.*
prostíbulo (pros.*tí*.bu.lo) *sm.* Estabelecimento onde prostitutas recebem seus clientes; BORDEL.
prostituição (pros.ti.tu.i:*ção*) *sf.* **1** Ação ou resultado de prostituir(-se). **2** Realização de ato sexual ou libidinoso em troca de dinheiro. **3** O modo de vida que inclui a realização de tais atos como principal fonte de renda. [Pl.: -*ções.*]
prostituir (pros.ti.tu.*ir*) *v.* **1** Levar a fazer ou passar a fazer sexo por dinheiro. [*td. pr.*] **2** *Fig.* Tornar(-se) degradante, devasso; CORROMPER(-SE). [*td.*: *O desejo de poder prostitui os homens.* *pr.*: *Prostituiu-se por privilégios.*] [► **56** prostit**uir**]
prostituto (pros.ti.*tu*.to) *a.* **1** Que se prostitui. **sm. 2** Homem que faz sexo por dinheiro. ◪ **prostituta** *sf.* **3** Mulher prostituta (1).
prostração (pros.tra.*ção*) *sf.* Estado de forte enfraquecimento físico ou de desânimo profundo. [Pl.: -*ções.*]
prostrar (pros.*trar*) *v. td.* **1** Jogar ao chão; DERRUBAR: *Com um soco, prostrou o provocador.* **2** *Fig.* Enfraquecer física ou moralmente; ABATER: *A infecção a prostrou.* ◪ **prostrar-se** *pr.* **3** Curvar-se até o chão em sinal de respeito; PROSTERNAR-SE. [► **1** prostr**ar**] ● pros.tra.*ção* *sf.*
protagonista (pro.ta.go.*nis*.ta) *s2g.* **1** *Liter. Teat. Telv.* Personagem principal em livro, peça, filme ou novela. **2** Ator ou atriz que desempenha esse papel. ● pro.ta.go.ni.*zar* *v.*
proteção (pro.te.*ção*) *sf.* **1** Ação ou resultado de proteger(-se). **2** Cuidado especial com alguém considerado frágil: *Os pais sempre dão proteção aos filhos.* **3** Aquilo que fornece abrigo ou resguardo contra dano físico ou algo desagradável ou perigoso: *O dique serviu de proteção contra as ondas.* [Pl.: -*ções.*]
protecionismo (pro.te.ci:o.*nis*.mo) *sm.* *Econ.* Política econômica de proteção à produção nacional por meio da imposição de taxas ou de cotas de importação aos produtos estrangeiros. ● pro.te.ci:o.*nis*.ta *a2g.s2g.*
proteger (pro.te.*ger*) *v.* **1** Livrar(-se) ou afastar(-se) do mal, do perigo; DEFENDER(-SE). [*td./ti.* + *de*: *proteger a cidade (dos invasores).* *pr.*: *proteger-se da gripe.*] **2** Servir de barreira; usar meios de defesa contra; ABRIGAR(-SE). [*td./ti.* + *contra, de*: *A cerca protegia a horta (dos porcos).* *pr.*: *proteger-se do calor.*] [Ant. nesta acp.: *expor.*] **3** Privilegiar, favorecer. [*td.*: *A gerência protegia alguns funcionários.*] [► **35** proteg**er**]
protegido (pro.te.*gi*.do) *a.sm.* Que ou quem recebe algum tipo de proteção especial ou de favorecimento.
proteína (pro.te.*í*.na) *sf.* *Bioq.* Substância essencial aos organismos vivos, presente na carne, leite, ovos etc. ● pro.*tei*.co *a.*; pro.te.*í*.ni.co *a.*
protelar (pro.te.*lar*) *v. td.* Deixar para depois; ADIAR; RETARDAR. [► **1** protel**ar**] ● pro.te.la.*ção* *sf.*; pro.te.la.*tó*.ri:o *a.*
protervo (pro.*ter*.vo) [é] *a.* Petulante, insolente.
prótese (*pró*.te.se) *sf.* **1** Peça ou aparelho artificial que substitui um órgão ou parte do corpo (prótese dentária). **2** *Fon.* Inserção de um som extra no início de uma palavra, sem alterar-lhe o significado (p.ex.: *alembrar* em lugar de *lembrar*).
protestante (pro.tes.*tan*.te) *a2g.* **1** Ref. ao protestantismo (igreja protestante). **2** Cuja religião é o protestantismo (família protestante). *s2g.* **3** Pessoa protestante (2).

protestantismo (pro.tes.tan.*tis*.mo) *sm*. *Rel*. Denominação comum a várias religiões cristãs originadas a partir da ruptura com a Igreja Católica, liderada por Lutero no séc. XVI.

protestar (pro.tes.*tar*) *v*. **1** Manifestar insatisfação, discordância, revolta; RECLAMAR. [*int./ti.* + *contra*: *A associação protestou (contra a falta de saneamento).*] **2** *Jur*. Cobrar na justiça pagamento de letra. [*td*.: *protestar um cheque*.] [▶ **1** protestar] ● pro.tes.*ta*.do *a*.; pro.tes.ta.*dor a.sm*.

protesto (pro.*tes*.to) *sm*. **1** Manifestação, pública ou não, de discordância ou desagrado com uma situação ou decisão. **2** *Jur*. Ato jurídico por meio do qual se registra a falta de pagamento de um título de crédito, a fim de receber a dívida por vias judiciais.

protético (pro.*té*.ti.co) *a*. **1** Ref. a prótese. *sm*. **2** Profissional especializado na confecção de próteses dentárias.

protetor (pro.te.*tor*) [ô] *a.sm*. Que, o que ou quem oferece proteção: *O efeito protetor da vitamina C*; *protetor solar fator 15*; *Era seu amigo e protetor*.

protetorado (pro.te.to.*ra*.do) *sm*. **1** País ou território sob a autoridade de outro. **2** A situação desse país ou território.

protista (pro.*tis*.ta) *sm*. *Biol*. Qualquer organismo formado por uma só célula, ou por poucas células.

protocolar¹ (pro.to.co.*lar*) *a2g*. **1** Ref. a protocolo. **2** Conforme o protocolo, a etiqueta (cumprimentos protocolares).

protocolar² (pro.to.co.*lar*) *v*. *td*. *Bras*. Registrar em protocolo. [▶ **1** protocolar] ● pro.to.co.*la*.do *a*.

protocolo (pro.to.*co*.lo) *sm*. **1** Registro dos atos oficiais de um governo ou tribunal. **2** Seção de repartição pública ou empresa privada onde se dá entrada em processos e se registram documentos. **3** Recibo onde se registram número e data de processo protocolado. **4** Acordo firmado por vários países ou empresas. **5** Regras e procedimentos a serem seguidos em cerimônia pública; CERIMONIAL. **6** Sistema de comunicação que determina o formato da transmissão de dados pela internet.

protofonia (pro.to.fo.*ni*.a) *sf*. *Mús*. Abertura de ópera, sinfonia ou concerto.

proto-história (pro.to-his.*tó*.ri.a) *sf*. *Hist*. Período situado entre a pré-história e a história, pouco antes do surgimento da escrita. [Pl.: *proto-histórias*.] ● pro.to-his.*tó*.ri.co *a*.

próton (*pró*.ton) *sm*. *Fís.nu*. Partícula atômica de carga elétrica positiva que, junto com o nêutron, constitui o núcleo dos átomos. [Pl.: *prótons* e (p.us. no Brasil) *prótones*.] [Símb.: *p*]

protoplasma (pro.to.*plas*.ma) *sm*. *Cit*. Substância gelatinosa de composição variável que constitui a célula viva.

protórax (pro.*tó*.rax) [cs] *sm2n*. *Anat*. *Zool*. Nos insetos, o primeiro dos três segmentos do tórax, caracterizado por não apresentar asas ligadas a ele.

protótipo (pro.*tó*.ti.po) *sm*. **1** O primeiro exemplar do tipo de um produto, us. ger. para testes ou como modelo: *protótipo de um novo carro*. **2** Exemplar que apresenta de maneira clara as características próprias do tipo, classe etc. a que pertence: *Ele é o protótipo do marido submisso*.

protozoário (pro.to.zo.*á*.ri.o) *sm*. *Zool*. Organismo constituído por uma única célula.

protrair (pro.tra.*ir*) *v*. **1** Mover(-se) para a frente ou tornar(-se) proeminente. [*td*.: *protrair o peito*. *p*.: *Na gravidez o ventre se protrai*.] **2** Adiar, postergar. [*td*.: *protrair uma viagem (para o mês seguinte)*.] **3** Prolongar, estender. [*td*.: *protrair um tratamento/ os estudos*.] [▶ **43** protrair] ● pro.tra.i.*men*.to *sm*.

protrusão (pro.tru.*são*) *sf*. *Med*. Deslocamento para frente ou para o lado de órgão ou estrutura corporal (protrusão ocular). [Pl.: -*sões*.]

protuberância (pro.tu.be.*rán*.ci.a) *sf*. Parte saliente de uma superfície. ● pro.tu.be.*ran*.te *a2g*.

prova (*pro*.va) *sf*. **1** Aquilo que serve como evidência de algo: *O poema era uma prova de amor*. **2** Conjunto de questões ou tarefas us. para testar conhecimento teórico ou prático de algo. **3** *Esp*. Competição esportiva: *A prova de cem metros rasos será amanhã*. **4** Demonstração formal da validade de teorema, teoria etc. **5** Experiência: *Passou por diversas provas antes de assumir o cargo*. **6** Ação de vestir uma roupa para experimentá-la. **7** Degustação de bebida ou alimento para avaliar seu sabor e qualidade.

provação (pro.va.*ção*) *sf*. **1** Ação ou resultado de provar. **2** Situação de sofrimento e infortúnio: *A morte de meu pai foi uma provação para mim*. [Pl.: -*ções*.]

provador (pro.va.*dor*) [ô] *a*. **1** Que prova ou que é próprio para provar. *sm*. **2** Profissional encarregado da degustação de bebidas ou alimentos, com o fim de testar sua qualidade. **3** Em loja, compartimento fechado onde os clientes experimentam as roupas.

provar (pro.*var*) *v*. **1** Mostrar (a alguém) que (algo) é verdade; DEMONSTRAR. [*td./tdi*. + *a*: *Provou (ao operário) a necessidade de se usar capacete*.] **2** Dar prova de; COMPROVAR. [*td./tdi*. + *a*: *Quero provar (a você) o meu amor*.] **3** Experimentar (comida, bebida). [*td./ ti*. + *de*: *Prove (d)esta torta*.] **4** Vestir (roupa, acessório) para ver se fica bem; EXPERIMENTAR. [*td*.: *provar um vestido*.] **5** Testar, experimentar, vivenciar: [*td*.: *Já provou o abandono e a fome*. *ti*. + *de*: *Não queira provar da minha ira*.] [▶ provar]

provável (pro.*vá*.vel) *a2g*. **1** Que tem grande chance de ocorrer: *É provável que eu volte amanhã*. **2** Que pode ser provado. [Pl.: -*veis*. Superl.: *probabilíssimo*.]

provecto (pro.*vec*.to) *a*. **1** Que tem idade avançada (professor provecto). **2** Que progrediu ou avançou em algo.

provedor (pro.ve.*dor*) [ô] *sm*. **1** Aquele que dá o sustento ou fornece algo: *O estado é um provedor de serviços públicos*. **2** Dirigente de instituição assistencial: *O provedor do hospital negou todas as denúncias*. **:::** ~ **de acesso** *Inf*. Instituição ou empresa que dispõe de uma conexão de alta capacidade e velocidade com rede de computadores (esp. a internet) e facilita essa conexão, por seu intermédio, a seus clientes ou associados.

proveito (pro.*vei*.to) *sm*. **1** Utilidade, função ou vantagem de algo: *Qual é o proveito dessa viagem?* **2** Dinheiro, lucro.

proveitoso (pro.vei.*to*.so) [ô] *a*. Que traz benefício ou apresenta utilidade. [Fem. e pl.: [ó].]

provençal (pro.ven.*çal*) *a2g*. **1** Da Provença (Sul da França); típico dessa região ou de seu povo *s2g*. **2** Pessoa nascida na Provença. *a2g.sm*. **3** *Gloss*. Do, ref. ao ou o grupo de dialetos falados na antiga Provença. [Pl.: -*çais*.]

proveniência (pro.ve.ni.*ên*.ci.a) *sf*. Origem de algo ou alguém.

proveniente (pro.ve.ni.*en*.te) *a2g*. Que vem ou é originário de: *Os resíduos provenientes do petróleo são tóxicos*.

provento (pro.*ven*.to) *sm*. **1** Lucro ou rendimento financeiro. **2** ▲ **proventos** *smpl*. **2** Remuneração recebida por profissional liberal ou funcionário público.

prover (pro.*ver*) *v*. **1** Fornecer (algo de que se necessita); munir(-se) (do necessário). [*td./tdi*. + *com*, *de*: *Sempre proveu os filhos (do necessário)*. *int*.: *Não se aflija, Deus proverá*. *p*.: *prover-se de coragem*.] **2** Nomear (alguém) para um cargo (em). [*tdi*. + *em*: *O vereador proveu uma nova equipe na secretaria*.] [▶ **26** prover] ● pro.vi.*den*.te *a2g*.; pro.*vi*.do *a*. [Cf.: *provir*.]

provérbio (pro.vér.bi:o) *sm.* Dito que expressa suposta sabedoria popular; DITADO. • **pro.ver.bi.***al* *a2g.*

proveta (pro.ve.ta) [ê] *sf.* Tubo cilíndrico de vidro, us. para experimentos em laboratórios de química, biologia etc.; tubo de ensaio.

providência (pro.vi.dên.ci:a) *sf.* **1** Ação realizada com o propósito de evitar algo ou minorar seus efeitos: *A prefeita tomou providências contra a enchente.* **2** Ação realizada com o propósito de fornecer os meios para a ocorrência de algo: *A mãe tomou todas as providências para a viagem.* ❏ **Providência** *sf. Rel.* **3** Condução divina dos eventos do mundo: *Eu confio na Providência divina.* **4** Deus. [Cf.: previdência.]

providencial (pro.vi.den.ci:*al*) *a2g.* Que chega na hora certa, oportuna (ajuda providencial). [Pl.: -*ais*.]

providenciar (pro.vi.den.ci.*ar*) *v. td.* **1** Tomar providências (2) acerca de: *Já providenciaram os passaportes?* **2** Fornecer, conseguir: *Providencie uma caneta para o doutor.* [▶ **1** providenci*ar*]

provimento (pro.vi.*men*.to) *sm.* **1** Ação ou resultado de prover; PROVISÃO. **2** Preenchimento de cargo por meio de nomeação.

província (pro.*vín*.ci:a) *sf.* **1** Subdivisão territorial, política e administrativa adotada em alguns países. **2** Cidade ou região afastada da capital. • **pro.vin.ci:***al* *a2g.*

provinciano (pro.vin.ci:a.no) *a.* **1** Ref. a província. **2** Nascido em província. **3** Cuja mentalidade ou costumes são típicos dos provincianos. *sm.* **4** Pessoa provinciana. • **pro.vin.ci:a.***nis*.mo *sm.*

provir (pro.*vir*) *v. ti.* **1** Ser a consequência de; ADVIR; RESULTAR. [+ *de: A dor muscular proveio do excesso de exercícios.*] **2** Ser descendente de. [+ *de: Cátia provém de família gaúcha.*] **3** Ter origem em; VIR. [+ *de: A língua portuguesa provém do latim.*] [▶ **42** pro*vir.* Part.: *provindo.* Observar a grafia das seguintes formas do pres. ind.: *provêm* (3ª pess. sing.) e *provêm* (3ª pess. pl.).] • **pro.***vi.*do *a.* [Cf.: *prover.*]

provisão (pro.vi.*são*) *sf.* **1** Ação ou resultado de prover; PROVIMENTO. **2** Estoque de gêneros alimentícios. **3** Estoque de qualquer produto. [Pl.: -*sões.*] • **pro.vi.si:o.***nar* *v.*

provisório (pro.vi.só.ri:o) *a.* **1** Que não é definitivo; TEMPORÁRIO. *sm.* **2** *Od.* Coroa dentária provisória (1), de material inferior.

provocação (pro.vo.ca.*ção*) *sf.* **1** Ação ou resultado de provocar: *O remédio fez efeito, sem provocação de efeitos colaterais.* **2** Incitamento com base em desafio, acinte, insulto etc.: *Ele permaneceu calmo apesar das provocações.* **3** *Pop.* Pessoa, atitude ou coisa que desperta tentação: *Esse sorriso lindo é uma provocação.* [Pl.: -*ções.*]

provocador (pro.vo.ca.*dor*) *a.sm.* Que ou quem faz provocação (2).

provocante (pro.vo.*can*.te) *a2g.* **1** Que provoca. **2** *Fig.* Que desperta interesse amoroso ou sexual (vestido provocante). **3** *Fig.* Que desperta curiosidade ou interesse (teoria provocante).

provocar (pro.vo.*car*) *v.* **1** Ser o agente gerador de; suscitar; despertar. [*td.*: *provocar reações/doença/ciúmes. tdi.* + *a: A gritaria provocou estranheza ao síndico.*] **2** Estimular (alguém) a (fazer algo); INCENTIVAR. [*tdi.* + *a: Provocou o atleta a inscrever-se no campeonato.*] [Ant. nesta acp.: *desencorajar, desanimar.*] **3** Convidar ou instigar (alguém) para briga; DESAFIAR. [*td./int.*: *Provocava (os colegas) e depois fugia.*] **4** Estimular desejo sexual em. [*td.*] [▶ **11** provoc*ar*] • **pro.vo.ca.ti.vo** *a.*

proxeneta (pro.xe.*ne*.ta) [cs, ê] *s2g.* Pessoa que agencia e explora as atividades de uma prostituta, sobrevivendo às suas custas; CAFETÃO.

próximo (*pró*.xi.mo) [ss] *a.* **1** Que está perto no tempo ou no espaço (casa próxima, tempestade próxima). **2** Que vem logo a seguir ou que se passou recentemente: *No próximo ano, ele viajará; Os incidentes, ainda próximos, não lhe saíam da memória.* **3** Que se assemelha a, que se parece com: *uma atitude próxima à do irmão.* **4** Diz-se de pessoa com quem se tem ligação estreita (amigo próximo). *sm.* **5** Cada um dos seres humanos: *Devemos amar o próximo como a nós mesmos. adv.* **6** Perto, proximamente: *Mora próximo da família.* • **pro.xi.mi.da.***de* *sf.*

prudência (pru.*dên*.ci:a) *sf.* **1** Qualidade própria de quem age com cuidado para evitar consequências ruins. **2** Cautela, cuidado. • **pru.***den*.te *a2g.*

prumada (pru.*ma*.da) *sf.* **1** A linha vertical determinada pelo prumo. **2** *Mar.* Ação de jogar um prumo no mar para medir a profundidade. **3** A profundidade medida.

prumo (*pru*.mo) *sm.* **1** *Cons. Eci.* Instrumento formado de um peso suspenso por um fio, us. ger. na construção civil, para verificar se uma superfície está ou não na posição vertical. **2** *Mar.* Instrumento us. para medir a profundidade em rios, lagos, mares e oceanos. **3** *Fig.* Qualidade daquele que age de maneira pensada e equilibrada; PRUDÊNCIA. ❏ **A ~ Em** posição vertical de 90º em relação à horizontal; perpendicularmente.

prurido (pru.*ri*.do) *sm.* **1** *Med.* Irritação na pele ou mucosa que leva a pessoa a se coçar; COCEIRA; COMICHÃO. **2** *Fig.* Resistência ou hesitação ocasionada por apego a princípios morais ou de outra natureza; ESCRÚPULO. **3** *Fig.* Excitação, inquietação.

prussiano (prus.si:a.no) *a.* **1** Da Prússia (norte da Alemanha); típico dessa região ou de seu povo. **2** *Fig.* Que é inflexível e rígido (moral prussiana). *sm.* **3** Pessoa nascida na Prússia.

pseudofruto (pseu.do.*fru*.to) *sm. Bot.* Fruto oriundo do desenvolvimento de outras partes da flor que não o ovário (como, p.ex., maçã, pera, caju e morango).

pseudônimo (pseu.*dô*.ni.mo) *sm.* Nome falso, us. ger. por escritor ou artista para ocultar seu nome verdadeiro.

pseudópode, pseudópodo (pseu.*dó*.po.de, pseu.*dó*.po.do) *sm. Cit.* Prolongamento temporário do corpo de algumas células e protozoários, que serve para sua alimentação e deslocamento.

psi *sm.* A 23ª letra do alfabeto grego (Ψ,ψ).

psicanalisar (psi.ca.na.li.*sar*) *v. td. pr.* Submeter(-se) a tratamento psicanalítico. [▶ **1** psicanalis*ar*]

psicanálise (psi.ca.*ná*.li.se) *sf. Psic.* **1** Teoria da psique humana, formulada por Sigmund Freud, que afirma haver estruturas inconscientes responsáveis pelo comportamento das pessoas. **2** Terapia, baseada nessa teoria, na qual o terapeuta conduz a interpretação dos significados inconscientes presentes na fala, sonhos e ações do paciente. • **psi.ca.na.***lis*.ta *s2g.*; **psi.ca.na.***lí*.ti.co *a.*

psicodélico (psi.co.*dé*.li.co) *a.* **1** Que causa alterações na percepção ou alucinações (drogas psicodélicas). **2** *Fig.* Que lembra ou remete a esses estados alterados de percepção (arte psicodélica).

psicodrama (psi.co.*dra*.ma) *sm. Psi.* Terapia de grupo em que terapeuta e pacientes improvisam cenas dramáticas e atuam em conjunto, o que cada um revela de si nessas improvisações.

psicografar (psi.co.gra.*far*) *v. td. Rel.* Escrever sob influência de um espírito. [▶ **1** psicograf*ar*] • **psi.co.gra.***fa*.do *a.*

psicografia (psi.co.gra.*fi*.a) *sf. Rel.* Escrita feita por um médium sob influência direta de um espírito. • **psi.co.***grá*.fi.co *a.*; **psi.*có*.gra.fo** *sm.*

psicologia (psi.co.lo.gi.a) sf. **1** Psi. Ciência que estuda as estruturas mentais e comportamentais dos indivíduos. **2** O conjunto dos traços mentais e comportamentais característicos de um indivíduo ou de um grupo: *a psicologia dos brasileiros*. **3** Tato, diplomacia ao tratar com pessoa que se mostra difícil: *Ele não usa de psicologia com o filho*. ● **psi.co.ló.gi.co** a. (trauma psicológico, tratamento psicológico).

psicólogo (psi.có.lo.go) sm. Pessoa especializada em psicologia.

psicometria (psi.co.me.tri.a) sf. Psi. Parte da psicologia voltada para a elaboração e crítica de métodos de mensuração e avaliação de fenômenos e características psicológicas. ● **psi.co.mé.tri.co** a.

psiconeurose (psi.co.neu.ro.se) sf. Psiq. Distúrbio psíquico que não acarreta distorção da realidade ou desestruturação da psique do indivíduo; NEUROSE. ● psi.co.neu.ró.ti.co a.sm.

psicopata (psi.co.pa.ta) a2g.s2g. Que ou quem apresenta traços de psicopatia.

psicopatia (psi.co.pa.ti.a) sf. Psiq. Distúrbio psíquico caracterizado pela tendência a comportamentos violentos e antissociais e pela ausência de qualquer sentimento de culpa em relação aos atos praticados.

psicopatologia (psi.co.pa.to.lo.gi.a) sf. Psi. Ramo da psicologia voltado para estudos dos tipos, estruturas e causas das doenças mentais. ● psi.co.pa.to.ló.gi.co a.; psi.co.pa.to.lo.gis.ta s2g.

psicopedagogia (psi.co.pe.da.go.gi.a) sf. Ramo da pedagogia voltado para a aplicação dos resultados da psicologia da aprendizagem a métodos e práticas pedagógicos. ● psi.co.pe.da.gó.gi.co a.

psicose (psi.co.se) sf. **1** Psiq. Distúrbio mental agudo que produz distorções na percepção da realidade. **2** Fig. Ideia fixa.

psicossomático (psi.cos.so.má.ti.co) a. **1** Que diz respeito, ao mesmo tempo, ao orgânico e ao psíquico. **2** Diz-se de sintoma ou doença física que tem sua origem em problemas de natureza psicológica.

psicotécnica (psi.co.téc.ni.ca) sf. Método de mensuração e avaliação das reações psicológicas e psicossomáticas dos indivíduos. ● psi.co.téc.ni.co a. (teste psicotécnico).

psicoterapia (psi.co.te.ra.pi.a) sf. Psi. Tratamento de problemas psicológicos (p.ex.: depressão) por meio de discussão dos problemas, sugestão, tranquilização etc., sem recorrer a medicamentos. ● psi.co.te.rá.pi.co a.; psi.co.te.ra.peu.ta s2g.

psicótico (psi.có.ti.co) a.sm. Psiq. Que ou quem apresenta quadro de psicose.

psicotrópico (psi.co.tró.pi.co) sm. **1** Qualquer substância, medicamento ou planta capaz de alterar o estado psíquico, a percepção ou o comportamento de um indivíduo. a. **2** Diz-se desse tipo de substância, medicamento ou planta.

psique, psiquê (psi.que, psi.quê) sf. Psi. Totalidade das estruturas, processos e fenômenos psicológicos, conscientes e inconscientes, presentes em um indivíduo; PSIQUISMO. ● *psí*.qui.co a.

psiquiatria (psi.qui.a.tri.a) sf. Psiq. Ciência médica voltada para o estudo e tratamento dos distúrbios mentais. ● psi.qui.a.tra s2g.

psiquismo (psi.quis.mo) sm. Psi. Ver psique.

psitaciforme (psi.ta.ci.for.me) sm. **1** Zool. Denominação comum a certas aves dotadas de bico duro e curvo, pés adaptados para agarrar e plumagem colorida, tais como papagaios, periquitos e araras. a2g. **2** Ref. a essas aves ou próprio delas.

psitacismo (psi.ta.cis.mo) sm. **1** Psiq. Doença psíquica caracterizada pela repetição maquinal de palavras, sem consciência do seu significado. **2** Pej. Discurso longo e vazio; VERBORRAGIA. **3** Pej. Aprendizado por repetição maquinal.

psiu interj. Us. para atrair a atenção de alguém ou para pedir silêncio.

psoríase (pso.ri.a.se) sf. Med. Doença crônica de pele, caracterizada pelo surgimento de placas cutâneas avermelhadas, com escamação.

⊠ **Pt** Quím. Simb. de platina[1].

ptialina (pti.a.li.na) sf. Fisl. Enzima da saliva, responsável por uma etapa da digestão do amido.

⊠ **Pu** Quím. Simb. de plutônio.

pua (pu.a) sf. **1** Ferramenta com ponta em espiral, us. para furar madeira; BROCA. **2** Ponta aguçada. **3** Haste da espora.

puberdade (pu.ber.da.de) sf. Fase de transição da infância para a adolescência, na qual o indivíduo desenvolve características físicas masculinas ou femininas, tornando-se apto à reprodução; PUBESCÊNCIA.

púbere (pú.be.re) a2g. Que está na puberdade. ● pu.bes.cer v.

pubescência (pu.bes.cên.ci.a) sf. Ver puberdade. ● pu.bes.cen.te a2g.

púbico (pú.bi.co) a. Ref. ao púbis; PUBIANO.

púbis (pú.bis) sm2n. Anat. **1** A parte da frente da base do osso ilíaco. **2** Parte inferior do abdome, com forma triangular, que, a partir da puberdade, é coberta de pelos. **3** Os pelos que recobrem os órgãos genitais. ● **pu**. bi.a.no a. (pelos pubianos).

publicação (pu.bli.ca.ção) sf. **1** Ação ou resultado de publicar, de divulgar uma informação. **2** Ação ou resultado de imprimir uma obra informativa (livro, jornal, panfleto etc.), pondo-a à disposição do público. **3** Qualquer dessas obras informativas. [Pl.: -ções.]

pública-forma (pú.bli.ca-for.ma) sf. Jur. Cópia feita e reconhecida por tabelião, que vale como o original em vários casos. [Pl.: públicas-formas.]

publicar (pu.bli.car) v. td. **1** Tornar público; DIVULGAR: *Publicaram a demissão do ministro*. **2** Reproduzir (esp. obra escrita) em meio impresso ou eletrônico: *publicar um livro*. (▶ **11** publicar) ● pu.bli.ca.dor a.sm.; pu.bli.cá.vel a2g.

publicidade (pu.bli.ci.da.de) sf. **1** Ação ou resultado de tornar algo ou alguém conhecido e aceito pelo público. **2** Conjunto de técnicas de comunicação de massa us. para fazê-lo. **3** Material (cartaz, anúncio televisivo, panfleto etc.) us. em publicidade (1). ● pu.bli.ci.tá.ri.o a.sm.

publicista (pu.bli.cis.ta) s2g. **1** Quem escreve sobre assuntos públicos (política, questões sociais etc.). **2** Jur. Quem é especialista em direito público.

público (pú.bli.co) a. **1** Ref., pertencente ou destinado ao povo, à coletividade (saúde pública). **2** Do ou ref. ao governo de um país (cargo público). **3** Para uso ou acesso de todos (banheiro público, exposição pública). [Ant. nessas acps.: privado.] **4** Que é conhecido ou foi presenciado por todos (agressões públicas). [Superl.: publicíssimo.] sm. **5** O povo; COLETIVIDADE. **6** Pessoas que se reúnem em assembleia, manifestação, espetáculo artístico etc.: *A comemoração teve público de quinhentas pessoas*. **7** Os destinatários de uma produção artística, de uma mensagem publicitária etc. (público infanto-juvenil).

puçá (pu.çá) sm. Bras. Rede de pesca em forma de cone, com cabo para manejo, us. para capturar crustáceos e peixes.

puçanga (pu.çan.ga) sf. Bras. Remédio (esp. o caseiro); MEZINHA.

púcaro (pú.ca.ro) sm. Vaso, ger. com asas, com o qual se tira líquido de outra vasilha maior.

pudendo (pu.den.do) a. **1** Que afeta o pudor (partes pudendas). **2** Que é tímido ou recatado; PUDICO. **3** Med. Ref. aos órgãos sexuais.

pudente (pu.den.te) a2g. Ver pudico (1).

pudera (pu.*de*.ra) *interj.* Us. para ressaltar que um acontecimento era esperável, devido a outros anteriores: *Perdemos o ônibus. Pudera! Saímos em cima da hora.*

pudicícia (pu.di.*ci*.ci:a) *sf.* **1** Qualidade de pudico; CASTIDADE. **2** Dito ou procedimento que revela pudor.

pudico (pu.*di*.co) *a.* **1** Que tem ou denota forte pudor; CASTO; PUDENTE. **2** Que tem ou revela timidez, vergonha; ACANHADO; ENVERGONHADO. [Superl.: *pudicíssimo.*]

pudim (pu.*dim*) *sm. Cul.* Iguaria cremosa que pode ter diferentes sabores. [Pl.: *-dins.*]

pudor (pu.*dor*) [ô] *sm.* **1** Sentimento de vergonha diante de atos ou eventos que contrariem regras de moral, honestidade etc. **2** Esse sentimento, dirigido especificamente a assuntos sexuais; RECATO; PUDICÍCIA: *atentado ao pudor.*

puerícia (pu:e.*ri*.ci:a) *sf.* Ver *infância.*

puericultura (pu:e.ri.cul.*tu*.ra) *sf.* Ciência que busca favorecer o desenvolvimento físico e mental de crianças, desde o período de gestação até a puberdade. • pu.e.ri.cul.*tor* a.sm.

pueril (pu:e.*ril*) *a2g.* **1** Ref. ou pertencente à criança; INFANTIL. **2** Que é ingênuo ou imaturo (comportamento pueril). [Pl.: *-ris.*] • pu:e.ri.li.*da*.de *sf.*

puérpera (pu:*ér*.pe.ra) *a.sf. Med.* Diz-se de ou mulher que pariu há bem pouco tempo. • pu:er.pe.*ral* a2g.

puerpério (pu:er.*pé*.ri:o) *sm. Med.* **1** Período de aproximadamente 40 dias, que vai do parto até o restabelecimento do corpo da mãe à normalidade. **2** Os fenômenos fisiológicos que ocorrem nesse período.

pufe (*pu*.fe) *sm.* Móvel redondo e acolchoado us. como assento.

pugilato (pu.gi.*la*.to) *sm.* Modalidade de luta na qual só se usam os punhos, dando socos.

pugilismo (pu.gi.*lis*.mo) *sm. Esp.* A prática esportiva do pugilato (luta a socos); BOXE (3). • pu.gi.*lis*.ta *s2g.*

pugna (*pug*.na) *sf.* **1** Ação ou resultado de pugnar, combater algo ou alguém: *pugna contra a depredação das florestas/entre gregos e troianos.* **2** Ação ou resultado de lutar em prol de algo: *a pugna pelos direitos humanos.* **3** Confrontação de ideias, ger. exaltada; DEBATE; POLÊMICA: *a pugna entre adversários políticos.*

pugnar (pug.*nar*) *v. ti.* Lutar, brigar, combater. [+ *contra, por: pugnar por justiça.*] [▶ ▌pugnar▐.]

pugnaz (pug.*naz*) *a2g.* **1** Que tem inclinação para lutar, combater; BELICOSO; COMBATIVO. **2** Que defende ativamente uma causa; MILITANTE; COMBATIVO. **3** Que é perseverante, obstinado. [Superl.: *pugnacíssimo.*] • pug.na.ci.*da*.de *sf.*

puir (pu.*ir*) *v. td. pr.* Desgastar(-se) (esp. tecido, roupa) pelo uso. [▶ **56** ▌puir▐. Verbo defec., não se conjuga na 1ª pess. do pres. ind. e em todo o pres. subj.] • pu.*í*.do *a.*

pujante (pu.*jan*.te) *a2g.* **1** Que é forte, robusto (guerreiro pujante); VIGOROSO. **2** Que se desenvolve com força (diz-se ger. de vegetação); VIÇOSO. • pu.*jan*.ça *sf.*

pular (pu.*lar*) *v.* **1** Mover o corpo para cima, afastando-se do chão; SALTAR. [*int.*] **2** Passar por cima de (obstáculo). [*td.: pular a cerca.*] **3** Jogar-se (de lugar alto); SALTAR. [*int.* (seguido de indicação de lugar): *O louco ameaçava pular do décimo andar.*] **4** Deixar de ler, de contar; SALTAR. [*td.: Pulei um capítulo do romance.*] **5** Colocar-se de pé bruscamente. [*int.* (seguido de indicação de lugar): *Pulou da cama.*] **6** Dançar, divertir-se (esp. no carnaval). [*td./int.: Pularam (carnaval) a noite toda.*] [▶ ▌pular▐.] • pu.la.*dor* a.sm.

pulcro (*pul*.cro) *a.* Que possui ou denota beleza, delicadeza, graciosidade; FORMOSO. [Superl.: *pulquérrimo* e *pulcríssimo.*] • pul.cri.*tu*.de *sf.*

pule (*pu*.le) *sf. Bras.* **1** Bilhete de apostas, no turfe. **2** A cotação de um cavalo, conforme as chances estimadas da sua vitória em uma corrida. **3** O prêmio da aposta em um cavalo, definido a partir da sua cotação; RATEIO.

pulga (*pul*.ga) *sf. Zool.* Inseto saltador parasita, que se alimenta do sangue de vários animais, como gatos, cães, o homem etc . ❚❚ **Com a ~ atrás da orelha** Desconfiado, suspeitoso.

pulgão (pul.*gão*) *sm. Zool.* Inseto parasita que se alimenta da seiva de plantas. [Pl.: *-gões.*]

pulguedo (pul.*gue*.do) [ê] *sm.* **1** Grande quantidade de pulgas; PULGUEIRO. **2** Lugar onde há muitas pulgas.

pulgueiro (pul.*guei*.ro) *sm.* **1** Ver *pulguedo* (1). **2** *Bras.* Cinema da pior categoria; POEIRA.

pulguento (pul.*guen*.to) *a.* Que tem grande quantidade de pulgas.

pulha (*pu*.lha) *sf.* **1** Piada ou comentário zombeteiro; TROÇA. **2** Afirmação mentirosa; LOROTA. **3** Comportamento ou ato de quem é mau-caráter; CANALHICE. • *a2g.sm.* **3** *Pop. Pej.* Que ou quem tem não tem dignidade ou caráter; PATIFE. [**At!** Considerado ofensivo nesta acepção.]

pulmão (pul.*mão*) *sm. Anat.* Cada um de dois órgãos (direito e esquerdo) do sistema respiratório, localizados no tórax e responsáveis pelas trocas gasosas, fornecendo oxigênio para o corpo e eliminando gás carbônico. [Pl.: *-mões.*] • pul.mo.*nar* a2g.

📖 O pulmão é o principal órgão do sistema respiratório dos vertebrados e de muitos invertebrados. Nos vertebrados, ger. apresenta-se em par. É no pulmão que o sangue recebe o oxigênio extraído do ar (ou da água, nos pulmões simples de alguns peixes) e libera o dióxido de carbono, ou gás carbônico, resultante do metabolismo corporal. Esse processo desenrola-se da seguinte maneira: o sangue, depois de oxigenar os tecidos do corpo e carregar-se de dióxido de carbono, chega ao coração pela veia cava superior, e deste é impelido aos pulmões pela artéria pulmonar. Nos alvéolos pulmonares, o ar inspirado libera o oxigênio para o sangue, e o dióxido de carbono passa para o pulmão, que o libera pela expiração. O sangue oxigenado vai ao coração pela veia pulmonar, e do coração é impelido ao corpo pela artéria aorta.

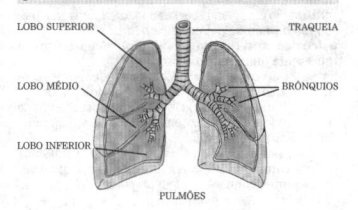

LOBO SUPERIOR — TRAQUEIA
LOBO MÉDIO — BRÔNQUIOS
LOBO INFERIOR
PULMÕES

pulo (*pu*.lo) *sm.* **1** Ação ou resultado de pular, de impulsionar o próprio corpo com as pernas, projetando-o a certa altura ou a certa distância. **2** *Fig.* Pulsação forte: *Nervoso, sentia os pulos do próprio coração.*

pulôver (pu.*lô*.ver) *sm.* Tipo de agasalho de lã, com mangas, que se veste enfiando a cabeça e os braços; SUÉTER.

púlpito (*púl*.pi.to) *sm.* **1** Lugar elevado em templos religiosos, de onde fala o sacerdote. **2** Discurso religioso do sacerdote. **3** *Fig.* Ofício ou dignidade de sacerdote.

pulsação (pul.sa.*ção*) *sf.* **1** Ação ou resultado de pulsar, de dilatar-se e contrair-se alternadamente; LATEJAMENTO. **2** *Med.* Esse batimento ritmado, ocorrido no coração à medida que bombeia o sangue pelo corpo, e refletido também nas artérias. [Pl.: -*ções*.]

pulsar¹ (pul.*sar*) *sm. Astron.* Estrela que emite ondas de rádio em impulsos repetidos regularmente.

pulsar² (pul.*sar*) *v. int.* **1** Bater, palpitar (coração, sangue nas veias etc.). **2** *Fig.* Repercutir, vibrar como um som (seguido de indicação de lugar): *Suas desculpas ainda pulsam em minhas lembranças.* [▶ **1** puls<u>ar</u>] ● pul.*san*.te *a2g*.; pul.*sa*.*ti*.vo *a*.

pulseira (pul.*sei*.ra) *sf.* **1** Joia ou enfeite que se usa em torno do pulso ou do braço; BRACELETE. **2** *Bras. Gír.* Ver *algema*.

pulso (*pul*.so) *sm.* **1** *Anat.* Parte do corpo que fica no final do braço, antes do início da mão. **2** *Med.* Latejamento das artérias, causado pelo fluxo do sangue impulsionado pelas batidas do coração, que se percebe esp. na parte interna do pulso (1). **3** *Fig.* Firmeza e autoridade para dar ordens. ■ **A** ~ À *força*. *De* ~ Enérgico, vigoroso (diz-se de alguém).

pulular (pu.lu.*lar*) *v.* **1** Estar cheio de ou existir em abundância; FERVILHAR. [*ti.* + *de*: *A praça pululava de camelôs*. *int.* (seguido de indicação de lugar): *Os flanelinhas pululavam ao redor do teatro*.] **2** Multiplicar-se. [*int.* (seguido de indicação de lugar): *Quanto mais estuda, mais as dúvidas pululavam em sua cabeça.*] [▶ **1** pulul<u>ar</u>] ● pu.lu.*lan*.te *a2g*.

pulvéreo (pul.*vé*.re.o) *a.* **1** Ref. a pó. **2** Feito de pó (nuvem <u>pulvérea</u>).

pulverizador (pul.ve.ri.za.*dor*) [ô] *sm.* Aparelho que espalha pó de uma substância sólida ou goticulas de um líquido por uma área.

pulverizar (pul.ve.ri.*zar*) *v.* **1** Espalhar em minúsculas porções. [*td.*: *Pulverizou aromatizante pela sala*.] **2** *Fig.* Vencer, fazendo em pedaços (o que se opõe). [*td.*: *Pulverizou o argumento do candidato*.] **3** Transformar(-se) em pequenos fragmentos ou em pó. [*td.*: *pulverizar uma jarra de vidro. pr.*: *Os velhos livros se pulverizaram*.] [▶ **1** pulveriz<u>ar</u>] ● pul.ve.ri.za.*ção sf*.

pulverulento (pul.ve.ru.*len*.to) *a.* Ver *poeirento*.

pum *sm. Fam.* Emissão, pelo ânus, de gases produzidos durante a digestão de alimentos; ventosidade (2). *interj.* **2** Us. para imitar o barulho de explosões ou pancadas.

puma (*pu*.ma) *sm. Zool.* Felino grande, de pelagem parda, que vive nas Américas, do Canadá à Patagônia; SUÇUARANA.

punção (pun.*ção*) *sf.* **1** Ação ou resultado de pungir, de furar algo com instrumento pontiagudo. **2** *Med.* Penetração de um instrumento pontiagudo em um tecido para extrair líquidos ou material de análise. [Pl.: -*ções*.]

puncionar (pun.ci.o.*nar*) *v. td. Cir.* Fazer corte com bisturi ou instrumento pontiagudo em. [▶ **1** puncion<u>ar</u>]

puntura, punctura (pun.*tu*.ra, punc.*tu*.ra) *sf.* Ferida feita com objeto perfurante.

pundonor (pun.do.*nor*) [ô] *sm.* Sentimento da própria estima, honra, dignidade.

punga¹ (*pun*.ga) *sm.* **1** O furto praticado por um punguista. **2** A habilidade us. nesse tipo de furto. *s2g.* **3** Aquele que foi furtado por um punguista.

punga² (*pun*.ga) *a2g.* **1** Sem utilidade; IMPRESTÁVEL. **2** Sem energia ou disposição; MOLEIRÃO. *a2g.sm.* **3** Diz-se de ou cavalo que chega frequentemente entre os últimos colocados nas corridas.

pungente (pun.*gen*.te) *a2g.* **1** Que dói muito; LANCINANTE: "A saudade é dor <u>pungente</u>, morena." (Antonio Almeida e João de Barro, *A saudade mata a gente*). **2** Que fura, penetra. ● pun.*gên*.ci.a *sf*.

pungir (pun.*gir*) *v.* **1** Ferir com objeto pontudo; PICAR. [*td.*] **2** *Fig.* Ferir moralmente; MAGOAR. [*int./td.*: *O remorso <u>punge</u> (até os mais insensíveis)*.] [▶ **46** pun<u>gir</u>] ● pun.*gi*.*dor a.sm*.; pun.*gi*.*men*.to *sm.*; pun.*gi*.*ti*.vo *a*.

punguear (pun.gue.*ar*) *v. td. Bras. Pop.* Surrupiar (carteira, dinheiro, joia) do bolso ou bolsa da vítima ger. em lugares tumultuados. [▶ **13** pungu<u>ear</u>] ● pun.*guis*.ta *s2g*.

punhada (pu.*nha*.da) *sf.* Golpe dado com um dos punhos; SOCO.

punhado (pu.*nha*.do) *sm.* **1** A quantidade de algo que cabe numa mão fechada; MANCHEIA. **2** *Fig.* Quantidade indeterminada, ger. pequena: *Um <u>punhado</u> de fãs estava à espera do cantor*.

punhal (pu.*nhal*) *sm.* Faca pequena e pontuda, us. para furar. [Pl.: -*nhais*.]

punhalada (pu.nha.*la*.da) *sf.* **1** Golpe dado com punhal. **2** *Fig.* Agressão moral, ger. relacionada à traição de confiança.

punheta (pu.*nhe*.ta) [ê] *sf. Tabu.* Masturbação masculina.

punho (*pu*.nho) *sm.* **1** *Anat.* Parte do braço que fica antes da mão; PULSO. **2** A mão fechada. **3** Parte de uma camisa que cobre o punho (1). **4** Parte por onde se segura uma ferramenta, faca etc.; CABO. **5** Cada uma das duas pontas pelas quais uma rede se prende a ganchos de parede. ■ **De próprio** ~ Diz-se de texto, documento etc. escrito pela mesma pessoa que o assina.

púnico (*pú*.ni.co) *a.sm.* Ver *cartaginês*.

punir (pu.*nir*) *v.* Impor punição, castigo a; CASTIGAR(-SE). [*td.*: *punir os culpados. pr.*: *Punia-se por ter sido negligente*.] [Ant.: *perdoar*, *relevar*.] [▶ **3** pun<u>ir</u>] ● pu.*ni*.*ção sf.*; pu.*ni*.*ti*.vo *a.*; pu.*ní*.vel *a2g*.

⊕ **punk** (Ing. /*pânc*/) *sm.* **1** Movimento juvenil, integrado por jovens) agressivamente contrário às normas sociais, que se traduz em formas de comportamento, vestuário, expressão musical etc. em um estilo próprio. *a2g.s2g.* **2** Que ou quem é adepto desse movimento. *a2g.* **3** Ref. a esse movimento.

pupa (*pu*.pa) *sf. Zool.* Inseto que deixou de ser larva e está em desenvolvimento, tornando-se adulto.

pupila (pu.*pi*.la) *sf.* **1** *Anat.* Pequeno orifício no meio da íris que, contraindo-se ou dilatando-se, regula a penetração de luz no olho. **2** Fem. de *pupilo* (1 e 2). ● pu.*pi*.*lar a2g*.

pupilo (pu.*pi*.lo) *sm.* **1** Menino que segue os ensinamentos de um professor; DISCÍPULO. **2** Órfão protegido por um benfeitor.

purê (pu.*rê*) *sm. Cul.* Alimento pastoso, feito a partir de legumes como a batata, o inhame etc., cozidos e espremidos.

pureza (pu.*re*.za) [ê] *sf.* **1** Qualidade daquilo que é puro, que não está misturado com outros elementos: *a pureza da água de um rio*. **2** *Fig.* Qualidade de quem é sincero e não tem malícia; INOCÊNCIA.

purga (*pur*.ga) *sf. Ter.* Ver *purgante*.

purgação (pur.ga.*ção*) *sf.* **1** Ação ou resultado de purgar. **2** Diarreia causada por ingestão de purgante. [Pl.: -*ções*.]

purgante (pur.*gan*.te) *a2g.sm.* **1** Que ou aquilo que purga, purifica. **2** *Ter.* Que ou o que provoca diarreia e, consequentemente, eliminação do conteúdo dos intestinos (diz-se de substância, remédio etc); PURGA; LAXANTE. *sm.* **3** *Pej. Pop.* Quem se mostra ger. é monótono, chato, insuportável. [At! Considerado ofensivo nessa acepção.]

purgar (pur.*gar*) *v.* **1** Purificar, livrar de impurezas. [*td.*] **2** Expelir pus, secreção. [*int.*: *O machucado parou de <u>purgar</u>*.] **3** *Fig.* Remir (faltas, culpas). [*td.*: *purgar os pecados. pr.*: *<u>Purgava-se</u> das irresponsabilidades com os filhos*.] **4** *Fig.* Afastar (alguém) de (algo ruim); LIVRAR. [*tdi.* + *de*: *Desejava*

purgatório | puxar

purgar a família de todos os males.] [▶ 14 pur**gar**] • pur.ga.*ti*.vo *a*.

purgatório (pur.ga.tó.ri:o) *sm. Teol.* Segundo o catolicismo, lugar transitório para purificação das almas, antes da admissão no céu.

purificação (pu.ri.fi.ca.*ção*) *sf.* **1** Ação ou resultado de purificar(-se), de tornar puro. **2** Ação ou resultado de expiar os pecados. **3** Qualquer rito religioso purificador. **4** *Rel.* Festa católica comemorada todo dia 2 de fevereiro. [Pl.: -ções.]

purificador (pu.ri.fi.ca.*dor*) [ó] *a.sm.* **1** Que ou aquilo que purifica, tira impurezas. *sm.* **2** Material ou mecanismo us. para purificar líquidos ou o ar; FILTRO.

purificar (pu.ri.fi.*car*) *v.* **1** Retirar (impurezas, sujeira) de (algo ou si mesmo); LIMPAR(-SE). [*td./tdi.* + *de: purificar a água de resíduos químicos*). *pr.: O ambiente purificou-se.*] **2** *Fig.* Limpar(-se) de (falhas morais). [*td./tdi.* + *de: purificar o espírito (dos maus desejos). pr.: Sofia queria se purificar dos deslizes da juventude.*] [Ant.: poluir, sujar.] [▶ 11 purifi**car**] • pu.ri.fi.*can*.te *a2g.*; pu.ri.fi.ca.*ti*.vo *a*.

purificatório (pu.ri.fi.ca.*tó*.ri:o) *a.* **1** Que serve para purificar. **2** Que expia pecados.

purismo (pu.*ris*.mo) *sm.* **1** Preocupação em manter as características ideais, tradicionais de costumes, práticas etc. **2** *Gram.* Preocupação com a pureza dalinguagem que implica esp. a condenação do uso de estrangeirismos e de alterações gramaticais. • pu.*ris*.ta *a2g.s2g.*

puritano (pu.ri.*ta*.no) *a.sm.* **1** Que ou quem é muito rígido na obediência de princípios morais, esp. os relacionados ao comportamento sexual. [Ant.: *libertino.*] **2** Que ou quem segue uma linha rigorosa do presbiterianismo, que adota literalmente as lições e imposições da Bíblia. • pu.ri.ta.*nis*.mo *sm.*

puro (*pu*.ro) *a.* **1** Que não está misturado com outras substâncias (café *puro*, ar *puro*); LIMPO. **2** Que não tem manchas, sujeira ou impurezas. **3** Que tem aspecto límpido, transparente. **4** *Fig.* Que revela bondade, honestidade, generosidade e/ou inocência. **5** *Fig.* Que não sabe sobre sexo, nunca o fez ou se abstém de fazê-lo; CASTO. **6** Sem restrição; ABSOLUTO: *Seu desdém é pura inveja.*

puro-sangue (pu.ro-*san*.gue) *a2g.* **1** Diz-se de cavalo que é de raça não misturada. *s2g.* **2** Esse cavalo. [Pl.: puros-sangues.]

púrpura (*púr*.pu.ra) *sf.* **1** Substância corante vermelho-escura, que era muito us. para tingir tecidos. **2** A cor dessa substância. **3** Tecido tingido dessa cor, que, na Antiguidade e na Idade Média, era símbolo de *status*. *a2g2n.* **4** Que é dessa cor (chapéus púrpura). • pur.*pú*.re:o *a.*; pur.pu.*ri*.no *a*.

purpurina (pur.pu.*ri*.na) *sf.* Pó metálico e brilhante, de cores diversas, us. para ornamentação, maquiagem etc.

purulento (pu.ru.*len*.to) *a.* Que está cheio de pus ou sai pus (ferida purulenta). • pu.ru.*lên*.ci:a *sf.*

pururuca (pu.ru.*ru*.ca) *sf.* **1** *Bras.* Coco tenro, macio. *a2g.* **2** *Cul.* Diz-se de animal (ger. leitão) que é preparado de modo a ficar com a pele crocante, como torresmo.

pus *sm. Pat.* Líquido amarelado, opaco e viscoso, formado em ferimentos infeccionados, e composto esp. por leucócitos e micróbios mortos.

pusilânime (pu.si.*lâ*.ni.me) *a2g.s2g.* **1** Que ou quem não tem energia ou força de vontade. **2** Que ou quem não tem coragem; COVARDE. • pu.si.la.ni.mi.*da*.de *sf.*

pústula (*pús*.tu.la) *sf. Med.* Ferida em que há pus. • pus.tu.*lo*.so *a.*

puta (*pu*.ta) *Tabu. sf.* **1** Ver prostituta no verbete *prostituto.* **2** Mulher libertina, de vida sexual desregrada. [At! Considerado ofensivo nas acps. 1 e 2.] *a2g2n.* **3** *Bras.* Muito grande, muito intenso ou extraordinário: *uma puta comemoração*; *um puta carro.*

putaria (pu.ta.*ri*.a) *sf. Tabu.* **1** Grupo de putas. **2** Ver *prostíbulo.* **3** Comportamento considerado indecente, libertino; DEVASSIDÃO. **4** Dito, ato ou procedimento sem caráter, desonesto, indigno; SAFADEZA.

putativo (pu.ta.*ti*.vo) *a.* Que se atribui hipoteticamente a alguém (filho putativo); SUPOSTO.

puto (*pu*.to) *sm.* **1** *Tabu.* Homem libertino, de vida sexual desregrada. **2** *Bras. Tabu.* Homem mau-caráter, trapaceiro. [At! Considerado ofensivo nas acps. 1 e 2.] **3** *Gír. Tabu.* Dinheiro de pouco valor; CENTAVO: *Estou sem um puto.* **4** *Lus. Pop.* Menino, garoto. *a.* **5** *Bras. Tabu.* Com muita raiva; indignado, furioso.

putrefação (pu.tre.fa.*ção*) *sf.* **1** Processo ou resultado de putrefazer(-se), de tornar(-se) podre; APODRECIMENTO. **2** *Biol.* Decomposição de materiais orgânicos por microrganismos. [Pl.: -ções.] • pu.tres.*cen*.te *a2g.*

putrefazer (pu.tre.fa.*zer*) *v.* **1** Apodrecer, estragar(-se). [*td.: O calor putrefez o frango. pr.: As laranjas putrefizeram-se.*] **2** *Fig.* Deteriorar(-se) moralmente; CORROMPER(-SE). [*td.: A corrupção putrefez aquele diretor. pr.: A corporação putrefazia-se.*] [Sin. ger.: putrificar.] [▶ 22 putre**fazer**] • pu.tre.fa.ci.*en*.te *a2g.*; pu.tre.fa.to, pu.tre.fac.to *a*.

putrescível (pu.tres.*cí*.vel) *a2g.* Que pode apodrecer. [Pl.: -veis.]

pútrido (*pú*.tri.do) *a.* **1** Que está podre. **2** Que tem mau cheiro; FÉTIDO.

putrificar (pu.tri.fi.*car*) *v.* Ver *putrefazer*. [▶ 11 putrifi**car**]

puxa (*pu*.xa) *interj.* Us. para expressar surpresa, admiração, irritação etc. [Tb. puxa vida.]

puxada (pu.*xa*.da) *sf.* **1** Ação ou resultado de puxar; de, num gesto, trazer algo para perto de si. **2** Ver *puxão.* **3** Em certos jogos de cartas, a primeira jogada de uma rodada. **4** *Bras.* Caminhada de grande distância. **5** Incremento, impulso; ritmo acelerado (puxada tecnológica).

puxado (pu.*xa*.do) *a.* **1** Que foi esticado (cabelos puxados); RETESADO. **2** Arrastado por uma fonte de tração: *carroça puxada (por bois).* **3** Que parece ter sido esticado (diz-se de olho). **4** *Fig.* De realização difícil e/ou cansativa (serviço puxado); TRABALHOSO. **5** *Pop.* De preço alto (prestações puxadas); CARO. *sm.* **6** Cômodo extra construído em uma casa; ger. nos fundos.

puxador (pu.xa.*dor*) [ó] *sm.* **1** Peça pela qual se puxam gavetas, partes embutidas de móveis etc. **2** *Bras. Gír.* Ladrão de carro. *a.sm.* **3** Que ou quem puxa algo. **4** Que ou quem começa e serve de guia em um canto, oração etc.

puxão (pu.*xão*) *sm.* Ação ou resultado de puxar (algo ou alguém) de forma brusca e forte; PUXADA. [Pl.: -xões.]

puxa-puxa (pu.xa-*pu*.xa) *Bras. sm.* **1** *Cul.* Doce que é grudento e pode ser esticado. *a2g.* **2** Que tem essa consistência (balas puxa-puxas). [Pl.: puxas-puxas e puxa-puxas.]

puxar (pu.*xar*) *v.* **1** Trazer para perto de si. [*td.: Puxe uma cadeira e sente-se conosco.*] **2** Mover, tracionar atrás de si; ARRASTAR. [*td.: O garotinho puxava um carrinho.*] **3** Fazer força para arrancar. [*td.: Use uma torquês para puxar o prego.*] [Ant. nesta acp.: enfiar.] **4** *Bras.* Transportar, aguentar (grande peso). [*td.: Minha picape puxa uma tonelada.*] **5** Sacar (faca, revólver). [*td.*] **6** *Pop.* Iniciar, provocar (conversa, reza, briga etc.). [*td.: O carteiro vinha puxando papo com os porteiros.*] **7** Gastar, consumir. [*td.: A geladeira puxa muita força.*] **8** *Bras.* Ser parecido com; herdar traços de. [*td.: Puxou a calma*

da mãe. *ti.* + *a*: *Todos os filhos de José puxaram ao avô.*] [▶ 1 puxar] • pu.xa.*men*.to *sm*.
puxa-saco (pu.xa-sa.co) *a2g.s2g. Bras. Gír.* Ver *bajulador.* [Pl.: *puxa-sacos.*] • pu.xa-sa.*quis*.mo *sm*.
puxeta (pu.*xe*.ta) [ê] *sf. Bras. Fut.* Jogada em que um jogador de costas chuta a bola para trás sobre o próprio corpo.

puxo (*pu*.xo) *sm. Pop.* Dor anal sentida por quem tem dificuldade para evacuar.
⊠ **PVC** *Quím.* Sigla do ingl. *polyvinyl chloride* (policloreto de vinila), substância sintética us. na fabricação de embalagens, tubos, condutores elétricos etc.

O *q* originou-se entre os fenícios com o nome de *qoph*, palavra que significava macaco. Seu equivalente grego era o caractere denominado *kappa*, que, por coincidência, representava praticamente o mesmo som que o *capa*, outra letra grega. Aos poucos, o *kappa* foi caindo em desuso, só voltando ao alfabeto com os etruscos e os romanos, que o utilizavam apenas quando seguido de letra *u*.

ϙ	Fenício
ϙ	Grego
Ϙ	Grego
Ϙ	Etrusco
Ϙ	Romano
Q	Romano
q	Minúscula carolina
Q	Maiúscula moderna
q	Minúscula moderna

q [quê] *sm*. **1** A 17ª letra do alfabeto. **2** A décima terceira consoante do alfabeto. *num*. **3** O 17º em uma série (fila Q).

⌧ **QG, Q.G.** *Mil*. Sigla de *quartel-general*.

⌧ **QI, Q.I.** *Psi*. Sigla de *quociente de inteligência*.

quadra (*qua*.dra) *sf*. **1** Espaço, interno ou ao ar livre, demarcado para a prática de certos esportes: *quadra de tênis*. **2** Quarteirão: *A farmácia fica a três quadras daqui*. **3** *Poét*. Estrofe de quatro versos. **4** Época, fase: *Estava passando por uma quadra difícil*.

quadrado (qua.*dra*.do) *a*. **1** Que tem os quatro lados iguais. **2** *Pop*. Que é preso a conceitos antiquados ou convencionais (pessoa quadrada, ideias quadradas); CARETA. *sm*. **3** *Geom*. Figura quadrada (1) com quatro ângulos retos. [Dim.: *quadrícula*.] **4** *Mat*. Resultado da multiplicação de um número por si próprio.

quadragenário (qua.dra.ge.*ná*.ri:o) *a*.*sm*. Que ou quem tem entre quarenta e 49 anos de idade; QUARENTÃO.

quadragésimo (qua.dra.*gé*.si.mo) *num*. **1** Ordinal que, em uma sequência, corresponde ao número quarenta. **2** Que é quarenta vezes menor do que a unidade ou um todo (diz-se de parte): *Percorreu a quadragésima parte do percurso*. [Us. tb. como subst.: *um quadragésimo do percurso*.]

quadrangular (qua.dran.gu.*lar*) *a2g*. **1** Com quatro ângulos. *sm*. **2** *Esp*. Torneio ou etapa disputada por quatro equipes.

quadrângulo (qua.*drân*.gu.lo) *sm*. *Geom*. Figura com quatro ângulos.

quadrante (qua.*dran*.te) *sm*. **1** *Geom*. A quarta parte de uma circunferência. **2** Mostrador de relógio. **3** Ver *relógio de sol* no verbete *relógio*.

quadratim (qua.dra.*tim*) *sm*. *Tip*. Espaço correspondente ao corpo de uma letra ou caráter gráfico. [Pl.: -*tins*.]

quadratura (qua.dra.*tu*.ra) *sf*. **1** *Geom*. Cálculo, a partir de uma figura geométrica, de um quadrado (3) cuja área seja igual à dessa figura. **2** *Astron*. Quarto crescente (primeira quadratura) ou minguante (segunda quadratura).

quadrícula (qua.*drí*.cu.la) *sf*. Quadrado pequeno; QUADRÍCULO.

quadriculado (qua.dri.cu.*la*.do) *a*. Dividido em ou que apresenta pequenos quadrados (tecido quadriculado); QUADRICULAR.

quadricular¹ (qua.dri.cu.*lar*) *a2g*. Ver *quadriculado*.

quadricular² (qua.dri.cu.*lar*) *v*. *td*. Dividir em pequenos quadrados. [▶ **1** quadricul*ar*]

quadrículo (qua.*drí*.cu.lo) *sm*. Ver *quadrícula*.

quadriênio (qua.dri:*ê*.ni:o) *sm*. Período de quatro anos; QUATRIÊNIO. • **qua.dri:e.nal** *a2g*.

quadrifólio (qua.dri.*fó*.li:o) *a*. *Bot*. Com quatro folhas.

quadriga (qua.*dri*.ga) *sf*. Antigo carro de duas rodas, puxado por quatro cavalos.

quadrigêmeo (qua.dri.*gê*.me:o) *a*. **1** Ref. a cada um dos quatro irmãos nascidos do mesmo parto, ou a todos eles. *sm*. **2** Cada um desses irmãos.

quadril (qua.*dril*) *sm*. *Anat*. Região lateral do corpo humano, que vai da cintura até a parte superior da coxa. [Pl.: -*dris*.]

quadrilátero (qua.dri.*lá*.te.ro) *a*. **1** De quatro lados. *sm*. **2** *Geom*. Polígono quadrilátero (1).

quadrilha (qua.*dri*.lha) *sf*. **1** Bando de ladrões ou assaltantes. **2** Dança executada por vários pares, comum nas festas juninas.

quadrimestre (qua.dri.*mes*.tre) *sm*. Período de quatro meses.

quadrimotor (qua.dri.mo.*tor*) [ô] *sm*. **1** Avião aparelhado com quatro motores. *a*. **2** Que tem quatro motores.

quadringentésimo (qua.drin.gen.*té*.si.mo) *num*. **1** Ordinal que, em sequência, corresponde ao número quatrocentos. *a*. **2** Que é quatrocentas vezes menor que a unidade ou um todo (diz-se de parte): *a quadringentésima parte do terreno*. [Us. tb. como subst.: *um quadringentésimo do terreno*.]

quadrinho (qua.*dri*.nho) *sm*. **1** Cada uma das unidades gráficas que compõem uma história em quadrinhos (ver abaixo). **2** Quadro pequeno. ☑ **quadrinhos** *smpl*. **3** História em quadrinhos. ⁂ **História em ~s** História, relato, aventura contados em sequência de desenhos dentro de quadros, com textos explicativos ou falas dos personagens.

quadro (*qua*.dro) *sm*. **1** Cercadura gráfica ger. quadrilátera, em forma de traço simples ou múltiplo ou ornamental, que envolve desenho, texto, anúncio etc.; a área (e seu conteúdo) limitada por ela [nesta acp., o mesmo que *boxe* (5)]: *O relatório incluía muitos quadros explicativos*. **2** *Art.Pl*. Pintura (4) feita em superfície plana de material vário (tela, madeira, papel etc.), ger. cercada por moldura. **3** Peça de madeira, cortiça, metal etc., ger. quadrilátera, presa em paredes ou muros, onde se afixam avisos, recados etc.: *quadro de avisos*. **4** *Fig*. Situação, panorama: *Descreveu o quadro atual da empresa*. **5** Quadro-negro, quadro de giz. **6** Conjunto de empregados de uma repartição, empresa, ou de participantes de uma equipe, de um time. **7** Armação estrutural de bicicleta ou motocicleta. **8** *Cin*. *Telv*. Cada cena de um espetáculo, programa etc.; cada cena unitária gravada em película cinematográfica [nesta última acp., o mesmo que *fotograma*].

quadro de giz (qua.dro de giz) *sm.* Ver *quadro-negro*. [Pl.: *quadros de giz*.]
quadro-negro (qua.dro-*ne*.gro) *sm.* Peça plana em sala de aula, retangular ou quadrada, de fundo negro ou branco, em que o professor ou alunos escrevem, fazem cálculos etc.; LOUSA; QUADRO DE GIZ. [Pl.: *quadros-negros*.]
quadrúmano (qua.*drú*.ma.no) *a.sm.* Que ou aquele que tem quatro mãos (diz-se de animal).
quadrúpede (qua.*drú*.pe.de) *sm.* **1** Animal com quatro pés. *a2g.* **2** Que tem quatro pés. *s2g.* **3** *Pej.* Pessoa estúpida, mal-educada. [At! Ofensivo nesta acepção.]
quadruplicar (qua.dru.pli.*car*) *v.* Aumentar em quatro vezes. [*td.*: *Depois de se formar, conseguiu quadruplicar sua renda. int.*: *A população brasileira quadruplicou.*] [▶ **11** quadrupli*car*] ● **qua.dru.pli.ca.ção** *sf.*; **qua.dru.pli.ca.do** *a.*
quádruplo (*quá*.dru.plo) *num.* **1** Que é quatro vezes a quantidade ou o tamanho de um. *a.* **2** Que tem quatro partes ou elementos (telão quádruplo). **3** Que é para ou de quatro pessoas (homicídio quádruplo). *sm.* **4** Quantidade ou tamanho quatro vezes maior: *O número de candidatos era o quádruplo do número de vagas.* ● **quádruplos** *smpl.* **5** Gêmeos em número de quatro.
quaisquer (quais.*quer*) *pr.indef.* Plural de *qualquer*.
qual *pr.indef.* **1** Que coisa (em interrogação direta e indireta): *Qual é a melhor?*; *Não sabia qual era melhor.* [NOTA: Por ser us. em frase interrogativa, é também chamado de *pronome interrogativo.*] *pr.rel.* **2** Que: *Fui ao seu dentista, o qual parece muito bom.* [NOTA: É sempre precedido pelo art. *o* ou *a*, que indica o gênero do nome a que se refere.] [Pl.: *quais.*]
qualidade (qua.li.*da*.de) *sf.* **1** Propriedade inerente a um objeto ou ser: *Uma das qualidades do cobre é sua maleabilidade.* **2** Propriedade positiva de um objeto ou ser; VIRTUDE; DOM: *A generosidade é uma de suas maiores qualidades.* [Ant. nesta acp.: *defeito.*] **3** Condição, status: *Representou a classe na qualidade de presidente.* **4** Categoria, tipo: *De que qualidade é esta laranja? Seleta ou lima?* ▌ **De ~** De boa qualidade; bom. ● **qua.li.ta.ti.vo** *a.*
qualificação (qua.li.fi.ca.*ção*) *sf.* **1** Ação ou resultado de qualificar(-se). **2** Conjunto de informações identificadoras sobre um indivíduo: *O formulário pedia todas as qualificações: nome, idade, endereço etc.* **3** Capacidade, habilitação: *Ela tem qualificação para exercer a função.* [Pl.: *-ções.*]
qualificado (qua.li.fi.*ca*.do) *a.* **1** Que se qualificou. **2** Que tem qualificação (3); COMPETENTE; APTO. **3** *Jur.* Diz-se de qualquer tipo de delito, crime etc. com circunstâncias agravantes conforme definidas especificamente em lei (homicídio qualificado).
qualificar (qua.li.fi.*car*) *v.* **1** Caracterizar (alguém ou algo) como tendo certa qualidade ou condição; CLASSIFICAR. [*td.*: *O conceito de 'supermodelo' qualifica as modelos mais requisitadas*; (seguido de indicação de atributo) *O procurador qualificou de ilegais as provas apresentadas.*] **2** Tornar(-se) profissionalmente mais bem preparado. [*td.*: *qualificar a mão de obra. pr.*: *Lígia qualificou-se para o trabalho fazendo cursos.*] **3** Passar por etapa eliminatória (em concurso, torneio etc.). [*pr.*: *O tenista venceu o torneio e qualificou-se para o mundial.*] [▶ **11** qualifi*car*] ● **qua.li.fi.ca.ti.vo** *a.sm.*
qualquer (qual.*quer*) *pr.indef.* **1** Us. para pessoa ou coisa sem especificação: *Qualquer ajuda será bem-vinda.* **2** Nenhum: *Não trouxe qualquer das suas encomendas.* **3** Algum, um: *Qualquer hora eu apareço aí.* [Pl.: *quaisquer.*] [NOTA: Quando us. depois do subst., adquire valor pejorativo: *Este não é um poeta qualquer.*]
quando (*quan*.do) *adv.* **1** Em que época, em que data: *Quando é seu aniversário?* *pr.rel.* **2** Em que: *Era tranquilo na época quando morávamos lá.* *conj.temp.* **3** No momento em que: *Fiquei arrepiada quando tocaram a música.* **4** No tempo em que: *Quando não havia televisão, lia-se mais.* **5** Cada vez que; sempre que: *Quando tomo o remédio, melhoro.* *conj.condic.* **6** No caso de; se: *Só é gentil quando quer alguma coisa.* *conj.conces.* **7** Embora: *Vive saindo, quando devia estar estudando.* ▌ **De ~ em ~** Ver *de vez em quando.* **De vez em ~** De tempos em tempos: *De vez em quando falta luz no bairro.* **(Eis) senão ~** Subitamente; de repente: *Eis senão quando ela apareceu, após longa ausência.* **~ muito** No máximo: *Serão contratados, quando muito, três estagiários.* **~ não** Se não; do contrário: *Tem de estudar, quando não será reprovado.*
quantia (quan.*ti*.a) *sf.* Quantidade de dinheiro; IMPORTÂNCIA; SOMA.
quantidade (quan.ti.*da*.de) *sf.* **1** Grande porção de pessoas ou coisas: *Encontrou na prova uma quantidade de erros.* **2** Grandeza dos componentes de um conjunto que podem ser contados, ou de algo cujo tamanho ou intensidade pode ser medido ou avaliado: "...os policiais estão estressados com a grande quantidade de trabalho." (FolhaSP, 20.12.99). **3** A medida, em número, da quantidade (2) de algo. ● **quan.ti.ta.ti.vo** *a.*
quantificar (quan.ti.fi.*car*) *v. td.* Especificar a quantidade, o valor ou a extensão de; avaliar: *Ainda não quantificaram o número de votos*; *quantificar prejuízos.* [▶ **11** quantifi*car*] ● **quan.ti.fi.ca.ção** *sf.*; **quan.ti.fi.ca.do** *a.*; **quan.ti.fi.*cá*.vel** *a2g.*
quanto (*quan*.to) *pr.indef.* **1** Que quantidade: *Quantos dias faltam para o feriado?* **2** Que preço: *Quanto custou sua blusa?* [NOTA: Por ser us. em frase interrogativa, é tb. chamado de *pronome interrogativo.*] *pr.rel.* **3** Tudo que: *Não sabia quanto queria.* ▌ **O ~ antes** O mais cedo possível: *Faça a sua reserva o quanto antes para garantir lugar.* **~ a** No que se refere a; relativamente a: *Quanto a isso, você não precisa se preocupar.* **~ antes** Quanto mais cedo ou mais rápido: *Quanto antes você vier, melhor.*
⊕ ***quantum*** (*Lat.* /*quántum*/) *sm.* **1** *Fís.* A menor quantidade, indivisível, de energia eletromagnética. **2** *Est.* Em estatística, quantidade física de algo (em unidades, peso etc.), produzido, exportado, importado etc.), sem considerar seu valor. [Pl.: *quanta.*]
● ***quân*.ti.co** *a.*
quão *adv.* Quanto, como: *Quão saudável é esse clima!*
quáquer (*quá*.quer) *s2g. Rel.* Membro de seita protestante inglesa (Sociedade dos Amigos) fundada no séc. XVII.
quarar (qua.*rar*) *v. td. Bras.* Branquear (roupa) ao sol; CORAR. [▶ **1** qua*rar*] ● **qua.ra.dor** *sm.*
quarenta (qua.*ren*.ta) *num.* **1** Quantidade correspondente a 39 unidades mais uma. **2** Número que representa essa quantidade (arábico: 40; romano XL).
quarentão (qua.ren.*tão*) *a.sm. Pop.* Que ou quem tem entre quarenta e 49 anos de idade. [Pl.: *-tões.*]
quarentena (qua.ren.*te*.na) *sf.* **1** Isolamento de pessoas ou animais portadores ou supostamente portadores de doença contagiosa. **2** Período em que uma pessoa fica impedida de exercer certa atividade.
quaresma (qua.*res*.ma) *sf.* **1** *Rel.* No catolicismo, período de quarenta dias, da quarta-feira de cinzas até o domingo de Páscoa. **2** *Bras. Bot.* Ver *flor-da-quaresma.* ● **qua.res.*mal*** *a2g.*
⊕ ***quark*** (*Ing.* /*cuárc*/) *sm. Fís.* Cada um dos seis tipos de partículas elementares que, por hipótese, estariam na base de qualquer matéria existente no universo.
quarta¹ (*quar*.ta) *sf.* **1** Cada uma das quatro partes em que se divide um todo: *Deste pernil você pode levar duas quartas.* **2** Vasilha de barro para água; MORINGA. **3** *Aut.* A quarta marcha de um automóvel: *Engrenou a quarta e acelerou.*

quarta² (*quar*.ta) *sf*. F. red. de *quarta-feira*.

quartã (quar.*tã*) *Med*. *a*. **1** Diz-se de febre intermitente que se repete a cada quatro dias. *sf*. **2** Essa febre.

quarta de final (quar.ta de fi.*nal*) *sf*. *Bras*. *Esp*. Fase de um torneio em que oito pessoas ou times disputam o acesso às quatro vagas da fase semifinal. [Pl.: *quartas de final*.]

quarta-feira (quar.ta-*fei*.ra) *sf*. Quarto dia da semana; segue-se à terça-feira. [Pl.: *quartas-feiras*.]

quarteirão (quar.tei.*rão*) *sm*. **1** Área urbana em forma de quadrilátero, em que cada lado é uma rua ou avenida. **2** Quarta parte de cem. [Pl.: *-rões*.]

quartel¹ (quar.*tel*) *num*. Quarta parte de um todo: *Ela atuou no último quartel do século XX*. [Pl.: *-téis*.]

quartel² (quar.*tel*) *sm*. **1** *Mil*. Edificação em que se alojam tropas. **2** Abrigo. [Pl.: F.: Do fr. *quartier*.]

quartelada (quar.te.*la*.da) *sf*. *Pej*. Rebelião de militares com o objetivo de tomar o poder.

quartel-general (quar.tel-ge.ne.*ral*) *sm*. *Mil*. Repartição militar comandada por general com seu estado-maior. [Sigla: *QG*, *Q.G.*] [Pl.: *quartéis-generais*.]

quarteto (quar.*te*.to) [ê] *sm*. **1** *Poét*. Estrofe de quatro versos; QUADRA. **2** *Mús*. Peça musical para quatro vozes ou para quatro instrumentos. **3** *Mús*. Conjunto de quatro músicos instrumentistas ou de quatro cantores. **4** *Pop*. Conjunto de quatro pessoas: *quarteto de amigos*.

quartinha (quar.*ti*.nha) *sf*. *N.E. RS* Ver *moringa*.

quartinho (quar.*ti*.nho) *sm*. **1** *Antq*. Latrina. **2** Quarto pequeno; CUBÍCULO.

quarto (*quar*.to) *num*. **1** Ordinal que, em uma sequência, corresponde ao número quatro. *a*. **2** Que é quatro vezes menor do que a unidade ou um todo (diz-se de parte): *Comeu a quarta parte do bolo*. [Us. tb. como subst.: *Comeu um quarto do bolo*.] *sm*. **3** Aposento que funciona como dormitório. **4** Um quarto (2) de hora; 15 minutos; cada uma das quatro divisões sequenciais de uma hora: de zero a 15 minutos, de 15 a trinta minutos, de trinta a 45 minutos e de 45 a sessenta minutos: *Falta um quarto para as três*. ◪ **quartos** *smpl*. **5** Quadris, ancas.

quartzo (*quar*.tzo) *sm*. *Min*. Mineral comum, frequentemente cristalino, us. como ornamento (joias, objetos) e na indústria (relógios, eletrônica).

quarup (qua.*rup*) *sm2n*. *Etnog*. Nas tribos indígenas do Xingu, cerimônia de celebração dos mortos.

quasar (qua.*sar*) *sm*. *Astron*. Objeto celeste com aspecto de estrela, e a uma enorme distância da Terra, que emite ondas de rádio de grande intensidade e uma energia cem trilhões de vezes maior que a do Sol.

quase (*qua*.se) *adv*. **1** Perto: *A farmácia fica quase na esquina*. **2** Por pouco: *Quase cai da bicicleta*. **3** Pouco menos de: *A senhora tinha quase vinte gatos*. **4** Prestes a: *Estou quase me formando*.

quaternário (qua.ter.*ná*.ri.o) *a*. **1** Composto de quatro partes. **2** *Mús*. Diz-se de compasso dividido em quatro tempos. **3** *Geol*. Diz-se do período geológico da Terra em que houve grandes glaciações e no qual surgiu o homem. *sm*. **4** *Geol*. Esse período. [Nesta acp., com inicial maiúsc.]

quati (qua.*ti*) *sm*. *Zool*. Mamífero carnívoro de 70cm, com uma cauda de 55cm, felpuda, de coloração preta com sete a oito anéis.

quatorze (qua.*tor*.ze) [ô] *num*. **1** Quantidade correspondente a 13 unidades mais uma. **2** Número que representa essa quantidade (arábico: 14; romano: XIV). Tb. *catorze*.

quatriênio (qua.tri.*ê*.ni.o) *sm*. Ver *quadriênio*. ● **qua.tri:ê.nal** *a2g*.

quatrilhão (qua.tri.*lhão*) *num*. Mil trilhões, ou 10 elevado à 15ª potência. [Pl.: *-lhões*.]

quatro (*qua*.tro) *num*. **1** Quantidade correspondente a três unidades mais uma. **2** Número que representa essa quantidade (arábico: 4; romano: IV). ▌ **De ~ 1** Apoiado no chão sobre os joelhos e as mãos. **2** *Fig*. Totalmente submisso, vencido, ou apaixonado.

quatrocentão (qua.tro.cen.*tão*) *a*. *Bras*. *Pop*. Que tem quatrocentos anos. [Pl.: *-tões*. Fem.: *-tona*.]

quatrocentos (qua.tro.*cen*.tos) *num*. **1** Quantidade correspondente a 399 unidades mais uma. **2** Número que representa essa quantidade (arábico: 400; romano: CD).

que¹ *pr.indef*. **1** Qual coisa (em interrogação direta e indireta): *Que barulho é esse?*; *Não sei que barulho é esse*; *Que/O que é isso?* [NOTAS: a) Antes de um subst. só se usa 'que' (*Que barulho é esse?*). b) Antes de um verbo, podem ocorrer 'que' ou 'o que', sendo este último o mais usado (*O que é isso?*). c) Na linguagem oral é comum ser repetido, apenas por expressividade: *Em que (é) que você trabalha?* d) Por ser us. em frase interrogativa, é tb. chamado de *pronome interrogativo*.] **2** Us. tb. em frase exclamativa: *Que maravilha!* *pr.rel*. **3** O qual, os quais; a qual, as quais: *A cidade, que chamam de Paraíso, é linda*. ▌ **É ~ Us**. com valor apenas expressivo, realçando um termo da frase: *O que é que aconteceu?*

que² *conj.integr*. **1** Introduz oração com função de sujeito, complemento, predicativo de outra oração (p.ex., em 'Pensei que hoje fosse chover', *que hoje fosse chover* é o complemento de *Pensei*). [NOTAS: a) No português corrente, substitui-se 1) prep. *de*: *Tenho que sair agora*. 2) prep. *a*: *Prefiro ouvir que falar*. b) Por omissão de verbos como *espero*, *desejo* etc., inicia frases que expressam estímulo, invocação etc.: *Que vença o melhor!*] *conj.comp*. **2** Introduz o segundo termo da comparação, podendo ser precedido ou não da prep. *de*: *Era mais alto (do) que qualquer outro de sua idade*. *conj.consec*. **3** Introduz oração de consequência do que foi dito na oração principal: *Estava tão atrasado, que esqueceu os documentos*. *conj.expl*. **4** Porque; devido a: *Não lhe ofereça carne que ela é vegetariana*. ▌ **Não ~** Assim que; quando: *No que o dono se virou, o cachorro fugiu*. **~ não** Exceto; a não ser: *Não tinha outro casaco que não aquele*. **~ nem** Como; tal qual: *É inteligente que nem a mãe*.

quê *pr.indef*. **1** Que coisa: *Quê?! Não entendi*; *Você estava pensando em quê?* [NOTAS: a) Us. somente em frases isoladas ou em final de frase. b) Por ser us. em frase interrogativa, é tb. chamado de *pronome interrogativo*.] *sm*. **2** Alguma coisa; qualquer coisa: *Ela tem um quê de mistério*.

quebra (*que*.bra) *sf*. **1** Ação ou resultado de quebrar(-se). **2** Fragmentação de algo que estava inteiro; fratura; ruptura: *Lamentava a quebra de seu vaso de porcelana*. **3** Perda, diminuição, interrupção (em produção, serviço, fluxo etc.): *quebra no fornecimento*. **4** Rompimento (de relação, compromisso etc.): *quebra de contrato/de promessa*. **5** Falência: *quebra da Bolsa*. **6** Transgressão, violação (de regra, regulamento etc.): *quebra de disciplina*. ▌ **De ~ De lambuja**; além do devido; como acréscimo: *Aqui estão suas seis maçãs e mais uma de quebra*.

quebra-cabeça (que.bra-ca.*be*.ça) [ê] *sm*. **1** Jogo de paciência em que se combinam peças que juntas formam uma figura. **2** *Pop*. Problema difícil. [Pl.: *quebra-cabeças*.]

quebrada (que.*bra*.da) *sf*. **1** Declive ou aclive em monte ou em terreno ondulado; LADEIRA. **2** *Bras*. Curva em estrada. **3** Depressão estreita e profunda em terreno, cadeia montanhosa etc., ger. produzida por erosão da água.

quebradeira (que.bra.*dei*.ra) *sf*. *Pop*. **1** Falta de forças; CANSAÇO. **2** Falência generalizada; falta de dinheiro: *Com a redução do turismo, teme-se uma quebradeira no setor hoteleiro*.

quebradiço (que.bra.*di*.ço) *a*. **1** Que se quebra facilmente. **2** Frágil, delicado.

quebrado | queimar

quebrado (que.*bra*.do) *a.* **1** Que se quebrou. **2** Que está fragmentado, em pedaços (vidro quebrado); FRATURADO; PARTIDO. **3** Que não funciona (filmadora quebrada); ENGUIÇADO. **4** Que perdeu as forças; ALQUEBRADO; CANSADO; EXTENUADO. **5** Falido, arruinado. **6** *Gír.* Sem dinheiro algum; sem um tostão; DURO (5); LISO (4). *sm.* **7** *Arit.* Fração. ◘ **quebrados** *smpl.* **8** *Bras.* Dinheiro miúdo; dinheiro trocado.

quebra-galho (que.bra-*ga*.lho) *sm. Pop.* Recurso improvisado us. para resolver problemas ou dificuldades. [Pl.: *quebra-galhos*.]

quebra-gelos (que.bra-*ge*.los) [ê] *sm2n.* Navio preparado para navegar por mares cheios de gelo. [Tb. *navio-quebra-gelos*.]

quebra-luz (que.bra-*luz*) *sm.* Anteparo para proteger os olhos da incidência direta de luz; ABAJUR. [Pl.: *quebra-luzes*.]

quebra-mar (que.bra-*mar*) *sm.* Paredão que oferece proteção contra o impacto das ondas do mar. [Pl.: *quebra-mares*.]

quebra-molas (que.bra-*mo*.las) *sm2n.* Obstáculo de pouca altura construído transversalmente no leito de ruas e estradas para forçar a redução da velocidade dos veículos.

quebra-nozes (que.bra-*no*.zes) *sm2n.* Utensílio com que se partem nozes.

QUEBRA-NOZES

quebrantar (que.bran.*tar*) *v.* **1** Tornar(-se) mais fraco, menos vigoroso; abater(-se), debilitar(-se). [*td.*: *Nada quebrantava o ânimo do marinheiro. pr.*: *Seu ímpeto quebrantou-se, mas não desistiu.*] **2** Pôr sob controle; aplacar, subjugar. [*td.*: *Quem conseguirá quebrantar a fúria do coronel?*] **3** Levar ao chão (fortificações, muralhas etc.); quebrar, arrasar. [*td.*] [▶ **1** quebrant̄ar̄ ● **que.bran.ta.do** *a*; **que.bran.ta.men.to** *sm.*

quebranto (que.*bran*.to) *sm.* **1** Na superstição popular, efeito danoso do olhar de uma pessoa sobre alguém ou algo; MAU-OLHADO. **2** Estado mórbido de quem é vítima de quebranto (1). **3** Estado ou condição de cansaço, languidez, abatimento, desânimo.

quebra-pedra (que.bra-*pe*.dra) *sf. Bras. Bot.* Certa planta de cujas folhas se faz um chá que teria o poder de dissolver cálculos renais. [Pl.: *quebra-pedras*.]

quebra-quebra (que.bra-*que*.bra) *sm. Bras.* Arruaça com depredação de imóveis públicos e privados. [Pl.: *quebra-quebras*.]

quebra-queixo (que.bra-*quei*.xo) *sm. Bras. Cul.* Puxa-puxa de goiaba e coco ralado. [Pl.: *quebra-queixos*.]

quebrar (que.*brar*) *v.* **1** Fazer ficar ou ficar em pedaços; partir(-se); romper(-se); rachar(-se). [*td.*: *Quebrou os torrões de terra com a enxada. int./pr.*: *O pires quebrou(-se) na queda.*] **2** Ter fraturado (osso, dente etc.). [*td.*: *quebrar a clavícula.*] **3** Estragar(-se), danificar(-se). [*td.*: *Quem quebrou o meu despertador? int./pr.*: *A marcha da minha bicicleta se quebrou.*] **4** Desfazer(-se) ou dissipar(-se) (situação, tendência); INTERROMPER(-SE). [*td.*: *Piadas sempre ajudam a quebrar a tensão. pr.*: *"Seguiu-se um grande silêncio (...) que se quebrou com esta frase..."* (Machado de Assis, *Casa velha*).] **5** Descumprir (compromisso assumido, regra de conduta etc.); faltar com a palavra. [*td.*: *quebrar uma promessa.*] **6** Dominar ou enfraquecer (algo ou alguém); SUBJUGAR. [*td.*: *Ameaças não conseguiram quebrar sua determinação.*] **7** Levar (ou levar [r, pessoa, instituição etc.) à falência; ARRUINAR(-SE). [*td.*: *A alta do dólar pode quebrar várias empresas. int.*: *A firma quebrou e não pôde pagar os funcionários.*] **8** Desviar-se de certa direção, fazendo curva acentuada. [*int.*: *Quebre à direita no próximo sinal.*] **9** Ultrapassar (limite previamente estipulado). [*td.*: *quebrar o recorde dos cem metros rasos.*] **10** Bater ou estourar (as ondas). [*int.*: *"...o eco das ondas quebrando nas praias."* (José de Alencar, *Iracema*).] [▶ **1** quebrar̄ ▪▪ **Botar para ~** *Pop.* **1** Lançar-se com toda a energia em empreendimento, resolvendo pendências, inovando, revolucionando etc. **2** Intervir em algo com vigor, violência etc. ● **que.bra.men.to** *sm.*; **que.brá.vel** *a2g.*

quebra-vento (que.bra-*ven*.to) *sm.* **1** Em certos veículos, janelinha nas portas dianteiras que se pode girar para desviar o vento na direção desejada. **2** Anteparo us. para proteger algum cultivo contra o vento. [Pl.: *quebra-ventos*.]

queda (*que*.da) *sf.* **1** Ação ou resultado de cair. **2** Tombo. **3** Redução, baixa: *queda de preços.* **4** Inclinação, vocação: *Tem uma queda para a música.* **5** Perda de prestígio, influência ou poder: *Estão tramando a queda do ministro.*

queda-d'água (que.da-*d'á*.gua) *sf.* Cachoeira, cascata. [Pl.: *quedas-d'água*.]

queda de braço (que.da de *bra*.ço) *sf. Bras.* Disputa em que um dos adversários tenta encostar o antebraço do outro na mesa em que ambos apoiam os cotovelos. [Pl.: *quedas de braço*.]

quedar (que.*dar*) *v.* **1** Ficar parado ou quieto; deter-se (no exame de algo). [*int./pr.*: *O menino quedava(-se) horas a observar o formigueiro.*] **2** Manter-se ou continuar (em certa condição); PERMANECER. [*int./pr.*: *Todos entraram, mas ela ali quedou(-se), na chuva.*] [▶ **1** quedar̄]

quede, quedê (*que*.de, que.*dê*) *Bras. Pop.* Expressão interrogativa que significa *que é de?, onde está?*; CADÊ.

quefazeres (que.fa.*ze*.res) [ê] *smpl.* Afazeres, ocupações.

queijadinha (quei.ja.*di*.nha) *sf. Cul.* Doce de coco com queijo e ovos.

queijo (*quei*.jo) *sm. Cul.* Alimento feito à base de coalhada láctea. ● **que.i.ja.ri.a** *sf.*; **quei.jei.ro** *sm.*

queima (*quei*.ma) *sf.* **1** Ação ou resultado de queimar(-se). **2** *Bras.* Venda a preços baixos; LIQUIDAÇÃO. ▪▪ **~ de arquivo** Eliminação de alguém ou algo que poderia revelar segredos ou denunciar crimes.

queimada (quei.*ma*.da) *sf.* Queima de vegetação, ger. para preparar o solo para o plantio.

queimado (quei.*ma*.do) *a.* **1** Que se queimou. **2** Bronzeado, tostado. **3** Que perdeu o prestígio ou ficou malvisto: *Está queimado no trabalho. sm.* **4** *Bras.* Jogo infantil que consiste em arremessar uma bola para atingir os adversários.

queimadura (quei.ma.*du*.ra) *sf.* Ferimento causado por fogo ou calor.

queimar (quei.*mar*) *v.* **1** Destruir(-se) com fogo ou calor; INCENDIAR(-SE). [*td.*: *queimar uma folha de papel. int./pr.*: *Se ocorrer aquecimento excessivo, o fio pode (se) queimar.*] **2** Tornar(-se) (a cor da pele) mais escura pela ação do sol; BRONZEAR(-SE). [*td.*: *Usou uma viseira para não queimar o rosto. pr.*: *queimar-se nos ombros.*] **3** Ferir(-se) (a pele) com fogo ou calor excessivo. [*td.*: *A água fervente queimou meu dedo. pr.*: *A cozinheira vive se queimando no fogão.*] **4** Ter excessivamente aumentada a sua temperatura; ABRASAR-SE; ESFOGUEAR-SE. [*int.*: *Com quarenta graus de febre, a testa da menina queimava.*] **5** Aquecer ou cozinhar além da conta; SOLAR; TOSTAR. [*td.*: *Não vá queimar os biscoitos! int.*: *"...estava jogando dominó enquanto o feijão queimava."* (*O Globo*, 17.05.03).] **6** Fazer perder ou perder prestígio, credibilidade etc.; DESACREDITAR(-SE). [*td.*: *Uma fotografia queimou a atriz com os fãs. pr.*: *"Não quis fazer isso para não me queimar (...)."* (FolhaSP, 25.05.99).] **7** Liquidar em curto espaço de tempo (patrimônio, mercadorias etc.). [*td.*: *queimar uma herança.*] **8** Eliminar ou reduzir (excesso de peso). [*td.*: *queimar gordura.*] **9** Não passar por (todas as fases intermediárias

queima-roupa | qui 664

em atividade ou processo). [*td.*: *queimar etapas.*] **10** *Esp.* Encostar(-se) (a bola) em (rede). [*td.*: *queimar o saque.* *int.*: *A bola queimou na rede e o jogador perdeu a vantagem.*] **11** *Esp.* Em automobilismo e em algumas modalidades de esporte (natação, salto etc.) cometer infração (em) (p.ex., ultrapassar a linha, no salto; pular na piscina antes da autorização, na natação; largar antes da hora, no automobilismo) que anula o evento. [*td.*: *queimar o salto/a largada.* *int.*: *A largada foi anulada, pois todos queimaram.*] **12** *Bras. Fam.* Ficar muito zangado ou aborrecido; ABESPINHAR-SE. [*pr.*: *Queima-se com a amiga à toa.*] **13** *Pop.* Balear, atirar com arma de fogo em. [*td.*] [▶ 1 queimar] • **que.i.ma.ção** *sf.*

queima-roupa (quei.ma-*rou*.pa) *sf.* Us. na loc. ▓ À ~ **1** De muito perto: *Deu-lhe um tiro à queima-roupa.* **2** Repentina e bruscamente; de improviso: *Provocado, respondeu à queima-roupa.*

queixa (*quei*.xa) *sf.* **1** Reclamação, protesto. **2** Descontentamento, lamentação.

queixa-crime (quei.xa-*cri*.me) *sf. Jur.* Requerimento com que se inicia um processo por ofensa; QUERELA. [Pl.: *queixas-crimes* e *queixa-crime*.]

queixada (quei.*xa*.da) *sf.* **1** Mandíbula. **2** Queixo grande. *s2g.* **3** *Bras. Zool.* Espécie de porco selvagem.

queixar-se (quei.*xar*-se) *v. pr.* **1** Manifestar desagrado ou mal-estar com; RECLAMAR; LAMURIAR-SE "*...teu avô queixa-se de que estudas pouco...*" (Júlia Lopes de Almeida, *A intrusa*). **2** Fazer reclamação ou denúncia formal junto a: *Por que você não se queixa ao síndico?* [▶ 1 queixar-se]

queixo (*quei*.xo) *sm. Anat.* Parte inferior do rosto, abaixo da boca. ▓ **Bater ~** Tiritar de frio. **De ~ caído** *Bras.* Admirado, pasmado, perplexo.

queixoso (quei.*xo*.so) [ó] *a.sm.* **1** Que ou quem se queixa. *a.* **2** Que encerra ou expressa queixa. [Fem. e pl.: ó].

queixudo (quei.*xu*.do) *a.* Que tem o queixo grande.

queixume (quei.*xu*.me) *sm.* Lamentação, lamúria.

quejando (que.*jan*.do) *a.sm.* Que ou o que é da mesma natureza; SEMELHANTE: *ladrões, trapaceiros e quejandos.*

queloide (que.*loi*.de) *sm. Med.* Cicatriz protuberante.

quelônio (que.*lô*.ni:o) *sm. Zool.* Réptil terrestre ou aquático, dotado de carapaça (p.ex.: a tartaruga, o jabuti).

quem *pr.indef.* **1** Que pessoa (em interrogação direta e indireta): "*Quem inventou o amor/Me explica por favor*" (Renato Russo, *Antes das seis*); *Não lembro quem me contou isso.* [NOTA: Por ser us. em frase interrogativa, é tb. chamado de *pronome interrogativo*.] *pr.rel.* **2** Aquele que: "*Pra que dar atenção a quem não sabe conversar...*" (Gabriel, o Pensador, *Lôrabúrra*). ▓ **~ quer que** Qualquer pessoa que.

quenga (*quen*.ga) *sf. N.E. Vulg.* Prostituta, meretriz.

quengo (*quen*.go) *sm. Bras. Pop.* Cabeça.

queniano (que.ni:*a*.no) *a.* **1** Do Quênia (África); típico desse país ou do seu povo. *sm.* **2** Pessoa nascida no Quênia.

quentão (quen.*tão*) *sm. Bras.* Cachaça com açúcar, gengibre e canela, servida quente. [Pl.: *-tões.*]

quente (*quen*.te) *a2g.* **1** Que tem, produz ou conserva calor (dia *quente*). **2** Que foi aquecido (ferro *quente*). **3** Que gera excitação ou exaltação (discussão *quente*). **4** Sensual, ardente. **5** *BA* Apimentado (diz-se de comida). [Ant. ger.: *frio.*]

quentinha (quen.*ti*.nha) *sf. Bras.* **1** Embalagem térmica, ger. de alumínio, onde se transportam alimentos para viagem. **2** A comida transportada nessa embalagem.

quentura (quen.*tu*.ra) *sf.* Estado de quente; CALOR.

quepe (*que*.pe) [é] *sm.* Boné com viseira, ger. us. como peça de uniforme.

quer *conj.alter.* Ou. [NOTA: Usa-se ger. repetida: *Quer goste, quer não, a decisão está tomada.*]

queratina (que.ra.*ti*.na) *sf. Quím.* Proteína fibrosa encontrada nos pelos, unhas, chifres etc.

querela (que.*re*.la) *sf.* **1** Discussão, disputa (querelas familiares). **2** *Jur.* Ver *queixa-crime.*

querelar (que.re.*lar*) *v.* **1** Apresentar querela ou acusação criminal (tb. *Jur.*); QUEIXAR-SE. [*ti.* + *com, contra*: *querelar com um testamenteiro.* *int.*: *Neste caso não é possível querelar.* *pr.*: *Querelava-se do mau atendimento.*] [▶ 1 querelar] • **que.re.la.do** *a.sm.*; **que.re.lan.te** *a2g.s2g.*

querença (que.*ren*.ça) *sf.* Afeto, afeição.

querência (que.*rên*.ci:a) *sf. RS.* Terra natal.

querer (que.*rer*) *v.* **1** Sentir vontade de; ter intenção de; DESEJAR. [*td.*: "*Se você quer ver minha namorada...*" (Carlos Lyra e Vinicius de Moraes, *Minha namorada*). *int.*: *Para subir na vida, meu rapaz, é preciso trabalhar duro.*] **2** Demandar ou exigir. [*td.*: *Quero que você esteja aqui às dez em ponto.*] **3** Ter vontade de adquirir ou possuir (bem de consumo). [*td.*: *Lúcia sempre quis um carro.*] **4** Ter a pretensão de; TENCIONAR; PRETENDER. [*td.*: "*...disse ao duque queria ser ministro...*" (Machado de Assis, *Quincas Borba*).] **5** Sentir afeto ou amor por; ESTIMAR(-SE). [*td.*: *Júlia desencantou-se e deixou de querer Paulo. ti. + a*: *Glória quer (muito bem) aos sobrinhos. pr.*: *Onde já se viu dois irmãos não se quererem?*] **6** Desejar obter como pagamento. [*tdi.* + *por*: *Os proprietários querem muito dinheiro pelo terreno.*] [▶ 27 querer] [NOTA: Usa-se como auxiliar seguido de infinitivo para indicar a iminência de certos fenômenos naturais: *Está querendo chover.*] *sm.* **7** Ação ou resultado de querer; DESEJO; VONTADE. ▓ **Não ~ nada com** Não estar interessado em (algo ou alguém); não ter vontade de se dedicar a: *Ele não quer nada com o estudo.* **Por ~** De propósito; intencionalmente. **Sem ~** Sem intenção; involuntariamente.

querido (que.*ri*.do) *a.sm.* Que ou quem é estimado, amado. [Ant.: *odiado.*]

quermesse (quer.*mes*.se) [é] *sf.* Feira beneficente ao ar livre, com sorteios, jogos, comidas etc.

quero-quero (que.ro-*que*.ro) *sm. Bras. Zool.* Ave cinzenta que vive perto de praias, rios, lagoas e pastagens. [Pl.: *quero-queros.*]

querosene (que.ro.*se*.ne) *sm. Quím.* Líquido derivado do petróleo, us. como combustível, solvente e inseticida.

querubim (que.ru.*bim*) *sm.* **1** Anjo. **2** *Art.Pl.* Cabeça de criança sustentada por duas asas. **3** *Fig.* Criança muito bonita. [Pl.: *-bins.*]

quesito (que.*si*.to) *sm.* **1** Questão, ponto, item. **2** Condição, requisito.

questão (ques.*tão*) *sf.* **1** Pergunta, interrogação. **2** Assunto, problema ou conflito a ser resolvido. [Pl.: *-tões.*] ▓ **Em ~** Em foco; que está sendo tratado: *O tema em questão é a educação no Brasil.* **Fazer ~ de** Não abrir mão de; não transigir quanto a: *Faz questão de hospedar o amigo em sua casa.* **~ de** Cerca de; aproximadamente: *A largada se dará em questão de minutos.*

questionar (ques.ti:o.*nar*) *v.* **1** Fazer perguntas a; INTERROGAR; INTERPELAR. [*td.*: *A polícia questionou o suspeito sobre a origem do dinheiro.*] **2** Lançar dúvida sobre (ideia, decisão, procedimento etc.); discutir. [*td.*: *Há quem questione as suas teses sobre o poder da mídia.* *pr.*: *Você se questiona sobre a profissão que escolheu?*] **3** Recorrer à justiça para contestar (dívida, direito etc.) [*td.*] [▶ 1 questionar] • **ques.ti:o.na.dor** *a.sm.*; **ques.ti:o.na.men.to** *sm.*; **ques.ti:o.ná.vel** *a2g.*

questionário (ques.ti:o.*ná*.ri:o) *sm.* Série de questões ou perguntas.

qui *sm.* A 22ª letra do alfabeto grego (Χ, χ).

quiabo (qui:a.bo) sm. Legume verde e peludo, em forma de cápsula alongada, com sementes e baba. ● **qui:a.bei.ro** sm.

quiáltera (qui:ál.te.ra) sf. Mús. Alteração no valor das notas que formam uma unidade de tempo ou de compasso.

quibe (qui.be) sm. Cul. Comida árabe feita de carne moída, trigo fino, cebola, hortelã, azeite etc. e servida frita em forma de bolinho, crua ou assada.

quibebe (qui.be.be) [ê] ou [é] sm. N.E. Cul. Papa de abóbora.

quiçá (qui.çá) adv. Talvez.

quicar (qui.car) v. **1** Bater (bola, objeto de borracha etc.) em uma superfície, ricocheteando. [td.: quicar uma bola de basquete. int.: A bola quicou e foi para fora da quadra.] **2** Fig. Pop. Ficar com muita raiva; ENFURECER-SE. [int.: O motorista quicou ao ver o engarrafamento.] [▶ 11 qui car]

quíchua (qui.chu:a) a2g. **1** Dos quíchuas, indígenas sul-americanos; ref. a esse povo ou à sua língua. s2g. **2** Indivíduo dos quíchuas. a2g.sm. **3** Gloss. Da, ref. à ou a língua falada pelos quíchuas.

quicongo (qui.con.go) a.sm. Gloss. Da, ref. à ou a língua banta falada pelos congos, povo da África.

quietar (qui:e.tar) v. Tornar(-se) mais calmo ou tranquilo; APAZIGUAR(-SE), AQUIETAR(-SE). [td.: Quietou o bebê dando-lhe a chupeta. int./pr.: A multidão logo (se) quietou quando o cantor subiu ao palanque.] [▶ 1 quie tar] ● **qui:e.ta.ção** sf.

quietismo (qui:e.tis.mo) sm. **1** Apatia, indiferença. **2** Rel. Doutrina mística do séc. XVII, que pregava a anulação da vontade e a contemplação, como forma de unir-se a Deus.

quieto (qui:e.to) a. **1** Que não se mexe; PARADO; IMÓVEL: Não consegue ficar quieto um minuto. **2** Calmo, sem ruído, tranquilo, sossegado (rua quieta). **3** Manso, dócil (menino quieto). [Ant. nas acps. 1 e 3: inquieto.] ● **qui:e.tu.de** sf.

quilate (qui.la.te) sm. **1** Quantidade de ouro fino em uma liga, medida em unidades que correspondem a 1/24 da liga. [O ouro puro tem 24 quilates, ou seja, ocupa 24 unidades de medida em cada 24 unidades em que se divide a liga.] **2** Unidade de peso de diamantes, correspondente a 200mg. **3** Fig. Grau de qualidade: um artista de alto quilate.

quilha (qui.lha) sf. Cnav. Peça fundamental da estrutura de um barco, que se estende longitudinalmente em sua parte inferior, e à qual se prendem todas as peças transversais que compõem a estrutura do casco.

quilite (qui.li.te) sf. Med. Inflamação dos lábios da boca.

quilo (qui.lo) sm. Fís. F. red. de quilograma.

quilograma (qui.lo.gra.ma) sm. Fís. Unidade de massa no Sistema Internacional de Unidades, equivalente a 1.000 gramas. [Símb.: kg]

quilograma-força (qui.lo.gra.ma-for.ça) [ô] sm. Fís. Unidade de força no Sistema Internacional de Unidades, que consiste no peso de um quilograma submetido à força da gravidade, e corresponde a 9,80665 newtons. [Símb.: kgf] [Pl.: quilogramas-força e quilogramas-forças.]

quilogrâmetro (qui.lo.grâ.me.tro) sm. Fís. Unidade de medida de energia correspondente ao trabalho realizado por um quilograma-força cujo ponto de aplicação sofre um deslocamento de um metro na direção da força. [Símb.: kgfm]

quilo-hertz (qui.lo-hertz) sm2n. Fís. Medida de frequência equivalente a 1.000 hertz. [Símb.: kHz]

quilombo (qui.lom.bo) sm. Bras. Hist. Lugar escondido ou fortificado onde se refugiavam os escravos fugidos.

quilometragem (qui.lo.me.tra.gem) sf. Número de quilômetros percorridos. [Pl.: -gens.] ● **qui.lo.me.trar** v.

quilômetro (qui.lô.me.tro) sm. Medida de comprimento equivalente a 1.000 metros. [Símb.: km] ● **qui.lo.mé.tri.co** a.

quilowatt (qui.lo.watt) [uót] sm. Elet. Fís. Medida de potência equivalente a 1.000 watts. [Símb.: kW]

quilowatt-hora (qui.lo.watt-ho.ra) [uót] sm. Fís. Unidade de consumo de energia equivalente ao consumo em uma hora de um quilowatt. [Símb.: kWh] [Pl.: quilowatts-hora.]

quilúria, quiluria (qui.lú.ri:a, qui.lu.ri.a) sf. Pat. Presença de gordura na urina.

quimbundo (quim.bun.do) a.sm. Gloss. Da, ref. à ou certa língua banta, falada em Angola (África).

quimera (qui.me.ra) sf. **1** Fig. Fantasia, ilusão, utopia: Para muitos, o sonho de riqueza não passa de uma quimera. **2** Mit. Monstro mitológico com cabeça de leão, corpo de cabra e cauda de serpente.

químico (quí.mi.co) a. **1** Ref. a química, ou que é conforme as leis da química (produto químico, reação química). sm. **2** Indivíduo formado em química. ◪ **química** sf. Quím. Ciência que estuda a composição das substâncias, suas propriedades e transformações. **4** Pop. Interação positiva entre pessoas, com relacionamento afetivo, profissional etc.: Há uma boa química entre eles.

quimioterapia (qui.mi:o.te.ra.pi.a) sf. Ter. Tratamento de doenças, p. o câncer, por meio de substâncias químicas. ● **qui.mi:o.te.rá.pi.co** a.

quimo (qui.mo) sm. Fisl. Espécie de pasta em que se transformam os alimentos parcialmente digeridos no estômago.

quimono (qui.mo.no) sm. **1** Espécie de roupão, ou túnica longa us. pelos japoneses. **2** Esp. Roupa de duas peças us. por lutadores de judô, caratê, jiu-jítsu etc.

quina[1] (qui.na) sf. Ângulo saliente; ARESTA; PONTA: quina da mesa.

quina[2] (qui.na) sf. Grupo de cinco objetos ou números: Acertou a quina do loto.

quina[3] (qui.na) sf. Bras. Bot. Planta medicinal cuja casca fornece a quinina. ● **qui.na.do** a.

quindão (quin.dão) sm. Bras. Cul. Quindim grande. [Pl.: -dões.]

quindim (quin.dim) sm. Bras. Cul. Docinho feito de gema de ovo e coco ralado. [Pl.: -dins.]

quingentésimo (quin.gen.té.si.mo) num. **1** Ordinal que, em uma sequência, corresponde ao número quinhentos. a. **2** Que é quinhentas vezes menor do que a unidade ou um todo (diz-se de parte): a quingentésima parte da renda nacional. [Us. tb. como subst.: um quingentésimo da renda nacional.]

quinhão (qui.nhão) sm. Parte que cabe a cada um na divisão de um todo; PARCELA; COTA: Ficou com o menor quinhão dos lucros. [Pl.: -nhões.]

quinhentismo (qui.nhen.tis.mo) sm. O estilo artístico, literário etc. do séc. XVI. ● **qui.nhen.tis.ta** a2g.s2g.

quinhentos (qui.nhen.tos) num. **1** Quantidade correspondente a 499 unidades mais uma. **2** Número que representa essa quantidade (arábico: 500; romano: D).

quinina (qui.ni.na) sf. Quím. Substância amarga extraída da casca da quina[3] e de uso medicinal, esp. contra a malária.

quinino (qui.ni.no) sm. Pop. Ver quinina.

quinquagenário (quin.qua.ge.ná.ri.o) a.sm. Que ou quem tem entre cinquenta e 59 anos; CINQUENTÃO.

quinquagésimo (quin.qua.gé.si.mo) num. **1** Ordinal que, em uma sequência, corresponde ao número cinquenta. a. **2** Que é cinquenta vezes menor do que a unidade ou um todo (diz-se de parte): Ficou com a quinquagésima parte da herança. [Us. tb. como subst.: Ficou com um quinquagésimo da herança.]

quinquênio (quin.quê.ni:o) sm. Período de cinco anos. ● **quin.que.nal** a2g.

quinquilharias (quin.qui.lha.*ri*.as) *sfpl.* Objetos de pouco valor; BUGIGANGAS; MIUDEZAS.

quinta¹ (*quin*.ta) *sf.* Propriedade rural; CHÁCARA; SÍTIO.

quinta² (*quin*.ta) *sf.* F. red. de *quinta-feira*.

quinta-coluna (quin.ta-co.*lu*.na) *s2g.* Pessoa ou grupo que, estabelecido em um país, colabora secretamente com o inimigo ou provável invasor. [Pl.: *quintas-colunas*.] ● quin.ta-co.lu.*nis*.mo *sm*.; quin.ta-co.lu.*nis*.ta *a2g*.*s2g*.

quinta-essência, **quintessência** (quin.ta-es.*sên*.ci:a, quin.tes.*sên*.ci:a) *sf.* A própria essência de alguma coisa; o mais alto grau: *Seu rosto era a quinta-essência da beleza.* [Pl. de *quinta-essência*: *quintas-essências*.]

quinta-feira (quin.ta-*fei*.ra) *sf.* Quinto dia da semana; segue-se à quarta-feira. [Pl.: *quintas-feiras*.]

quintal¹ (quin.*tal*) *sm.* Pequeno terreno, ger. com horta ou árvores, junto a uma casa. [Pl.: *-tais*.]

quintal² (quin.*tal*) *sm.* Antiga unidade de medida equivalente a quatro arrobas (cerca de 60kg). [Pl.: *-tais*.]

quintessência (quin.tes.*sên*.ci:a) *sf.* Ver *quinta-essência*.

quinteto (quin.*te*.to) [ê] *sm.* **1** *Mús.* Composição para cinco vozes ou instrumentos. **2** *Mús.* Conjunto de cinco músicos. **3** Grupo de cinco pessoas.

quintilhão (quin.ti.*lhão*) *num.* Mil quatrilhões, ou 10 elevado à 18ª potência. [Pl.: *-lhões*.]

quinto (*quin*.to) *num.* **1** Ordinal que, em uma sequência, corresponde ao número cinco (*quinta* fileira). *a.* **2** Que é cinco vezes menor do que a unidade ou um todo (diz-se de parte): *Só recebeu a quinta parte do salário.* [Us. tb. como subst.: *Só recebeu um quinto do salário.*]

quintuplicar (quin.tu.pli.*car*) *v.* Aumentar(-se) em cinco vezes (tamanho, número, valor etc.); multiplicar por cinco. [*td*.: *quintuplicar os rendimentos. int./pr.*: *A produção da granja quintuplicou(-se) em dois anos.*] [▶ **11** quintuplic**ar**] ● quin.tu.pli.*ca*.ção *sf*.; quin.tu.pli.*ca*.do *a*.

quíntuplo (*quín*.tu.plo) *num.* **1** Que é cinco vezes a quantidade ou o tamanho de *um*. *a.* **2** Que tem cinco partes ou elementos. **3** Que é para ou de cinco pessoas (apartamento *quíntuplo*). *sm.* **4** Quantidade ou tamanho cinco vezes maior: *Lá paga-se o quíntuplo por um aparelho escolar.* ◻ **quíntuplos** *smpl.* **5** Gêmeos em número de cinco.

quinze (*quin*.ze) *num.* **1** Quantidade correspondente a 14 unidades mais uma. **2** Número que representa essa quantidade (arábico: 15; romano: XV).

quinzena (quin.*ze*.na) *sf.* Período de 15 dias. ● quin.ze.*nal* *a2g*.

quiosque (qui.*os*.que) [ó] *sm.* Pequena construção em lugares públicos para venda de jornais, flores, bebidas etc.

quiproquó (qui.pro.*quó*) *sm.* **1** Confusão em que se toma uma coisa por outra. **2** O engano que resulta nessa confusão.

quiromancia (qui.ro.man.*ci*.a) *sf.* Adivinhação do futuro pelas linhas da palma da mão. ● qui.ro.*man*.te *s2g*.; qui.ro.*mân*.ti.co *a*.

quiroprática (qui.ro.*prá*.ti.ca) *sf. Ter.* Tratamento de doenças por meio da manipulação das vértebras. ● qui.ro.*prá*.ti.co *a.sm*.

quisto (*quis*.to) *sm. Pat.* Ver *cisto*.

quitação (qui.ta.*ção*) *sf.* **1** Ação ou resultado de quitar(-se). **2** Pagamento de dívida ou o documento que o comprova. [Pl.: *-ções*.]

quitanda (qui.*tan*.da) *sf. Bras.* Pequena loja onde se vendem frutas, verduras, ovos etc.

quitandeiro (qui.tan.*dei*.ro) *sm. Bras.* Dono ou empregado de quitanda.

quitar (qui.*tar*) *v. td.* Pagar integralmente (o que se deve); liquidar (dívida): *quitar um empréstimo.* [▶ **1** quit**ar**]

quite (*qui*.te) *a2g.* Que está livre de dívida ou obrigação: *Está quite com o serviço militar.*

quitinete (qui.ti.*ne*.te) [ê] *sf.* **1** Cozinha minúscula, ou armário que, aberto, transforma-se em cozinha. **2** Apartamento de um só cômodo, mais banheiro e quitinete (1). [Transliteração do ingl. *kitchenette*.]

quitute (qui.*tu*.te) *sm. Bras.* Comida saborosa; PETISCO; IGUARIA. ● qui.tu.*tei*.ro *sm*.

quiuí (qui.*uí*) *sm.* Ver *quivi*.

quivi (qui.*vi*) *sm.* **1** *Bot.* Fruto comestível de origem neo-zelandesa, de casca amarronzada peluda e polpa verde. **2** *Zool.* Certa ave da Nova Zelândia.

quixaba (qui.*xa*.ba) *sf. Bras.* Fruto de cor roxa, doce e comestível. ● qui.xa.*bei*.ra *sf*.

quixotada (qui.xo.*ta*.da) *sf.* **1** Ato ou atitude quixotescos (2). **2** Bravata, bazófia, fanfarrice.

quixotice (qui.xo.*ti*.ce) *sf.* O m.q. *quixotada*.

quixotesco (qui.xo.*tes*.co) [ê] *a.* **1** Ref. a d. Quixote, personagem idealista, ingênuo e um tanto alienado, criado por Cervantes. **2** Ousado, irrealista, utópico, ao modo de d. Quixote (projeto *quixotesco*).

quixotismo (qui.xo.*tis*.mo) *sm.* Atitude ou índole quixotesca (2).

quizila (qui.*zi*.la) *sf.* **1** Rixa, desavença. **2** Aborrecimento, incômodo. **3** Antipatia, prevenção (2). ● qui.zi.*lar* *v.*

quizumba (qui.*zum*.ba) *sf. Gír.* Confusão.

quociente (quo.ci:*en*.te) *sm. Mat.* Resultado de uma divisão aritmética. ▪ **~ de inteligência** *Psi.* Relação, obtida por fórmula pré-estabelecida, entre o nível de inteligência de uma pessoa (aferido por testes especiais) e o padrão normal estabelecido por especialistas para a idade e outros parâmetros da pessoa testada. Tb. *cociente*. [Sigla: QI, Q.I.]

quórum (*quó*.rum) *sm.* Número mínimo de pessoas necessário para realizar uma assembleia, votação, evento etc.: *Adiaram a sessão por falta de quórum.* [Pl.: *-runs*.]

quota (*quo*.ta) *sf.* Ver *cota*.

quota-parte (quo.ta-*par*.te) *sf.* Ver *cota-parte*. [Pl.: *quotas-partes*.]

quotidiano (quo.ti.di.*a*.no) *a.sm.* Ver *cotidiano*.

quotista (quo.*tis*.ta) *a2g.s2g.* Ver *cotista*.

quotizar (quo.ti.*zar*) *v.* Ver *cotizar*. [▶ **1** quotiz**ar**] ● quo.ti.za.*ção* *sf*.

R r

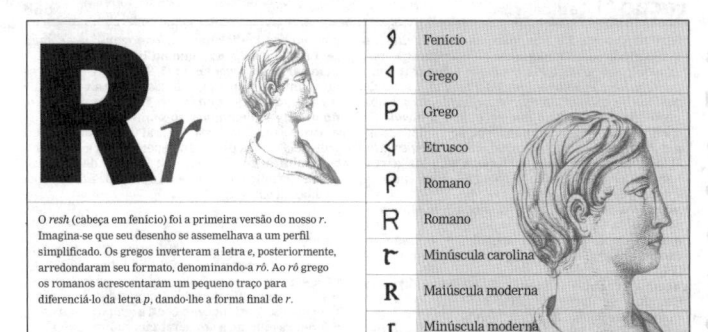

O resh (cabeça em fenício) foi a primeira versão do nosso r. Imagina-se que seu desenho se assemelhava a um perfil simplificado. Os gregos inverteram a letra e, posteriormente, arredondaram seu formato, denominando-a rô. Ao rô grego os romanos acrescentaram um pequeno traço para diferenciá-lo da letra p, dando-lhe a forma final de r.

𐤓	Fenício
Ρ	Grego
Ρ	Grego
ᴙ	Etrusco
R	Romano
R	Romano
ɾ	Minúscula carolina
R	Maiúscula moderna
r	Minúscula moderna

r [érre] *sm.* **1** A 18ª letra do alfabeto. **2** A 14ª consoante do alfabeto. *num.* **3** O 18º em uma série (rua R).
⊠ **r** *Geom.* Abr. de *raio*.
⊠ **R 1** *Fís.* Símb. de *resistência elétrica*. **2** *Mat.* Símb. do conjunto dos números reais.
⊠ **Ra** *Quím.* Símb. de *rádio*.

rã *sf. Zool.* Anfíbio de pernas longas e pele lisa, que ger. vive perto da água.

rabada (ra.*ba*.da) *sf.* **1** *Cul.* Alimento feito à base de rabo (ger. do boi) cozido. **2** Ver *rabadilha*.

rabadilha (ra.ba.*di*.lha) *sf. Zool.* Parte de trás do corpo de alguns mamíferos, aves, peixes etc., de onde se prolonga o rabo; RABADA.

rabanada (ra.ba.*na*.da) *sf.* **1** Golpe dado com o rabo. **2** *Cul.* Doce feito à base de fatias de pão embebidas em leite ou vinho, ovos etc., fritas em óleo.

rabanete (ra.ba.*ne*.te) [ê] *sm.* **1** *Bot.* Erva de raiz comestível. **2** A raiz avermelhada dessa planta, us. em saladas.

rábano (*rá*.ba.no) *sm.* **1** *Bot.* Nome dado a várias ervas da família do rabanete, de raiz comestível. **2** A raiz dessas plantas.

rabear (ra.be.*ar*) *v. int.* **1** Agitar o rabo ou cauda. **2** Movimentar-se de modo a rabear (4) de um animal: *O carro rabeou*. **3** Rebolar. *sm.* **4** Ação ou resultado de rabear. [▶ 13 rabear]

rabeca (ra.*be*.ca) *sf. Mús.* **1** Instrumento musical rústico semelhante ao violino, us. na execução de vários gêneros de música popular. **2** *Antq.* Ver *violino* (1).

rabecão (ra.be.*cão*) *sm.* **1** *Bras.* Carro us. para transportar cadáveres. **2** *Pop.* Contrabaixo (1). [Pl.: -cões.]

rabeira (ra.*bei*.ra) *sf.* **1** A parte de trás de um objeto: *rabeira de um carro*. **2** Restos de algo; vestígio. **3** As últimas colocações em uma competição, fila etc.: "...as duas equipes estão na rabeira da tabela..." (*O Globo*, 05.10.03).

rabi (ra.*bi*) *sm. Rel.* Ver *rabino*.

rabiça (ra.*bi*.ça) *sf.* Cada uma das duas hastes pelas quais se maneja o arado.

rabicho (ra.*bi*.cho) *sm.* **1** Trança de cabelo a partir da nuca. **2** Tira de couro, nos arreios, que sai da sela e passa por baixo do rabo da cavalgadura; RETRANCA. **3** *Bras. Pop.* Envolvimento amoroso; NAMORO: *João e Maria estão de rabicho*.

rabicó (ra.bi.*có*) *a2g.* MG SP Que não tem cauda, ou só tem um pedaço dela (diz-se de animal); COTÓ.

rábido (*rá*.bi.do) *a.* Com muita raiva; FURIOSO.

rabino (ra.*bi*.no) *sm. Rel.* **1** Grande conhecedor e mestre da religião judaica. **2** Líder religioso de uma congregação judaica; RABI. • **ra.**bí**.ni.co** *a.*

rabiscar (ra.bis.*car*) *v.* **1** Fazer rabiscos (em). [*td. int.*] **2** Escrever (algo) de maneira pouco legível, ou às pressas. [*td.*] [▶ 11 rabiscar] • **ra.bis.ca.dor** *a.sm.*

rabisco (ra.*bis*.co) *sm.* **1** Traço ou risco de forma indefinida; GARATUJA. **2** Desenho feito com esse tipo de traço. **3** Primeira versão de um desenho; ESBOÇO. ⚄ **rabiscos** *smpl.* **4** Letras ilegíveis escritas à mão; GARRANCHOS. **5** Anotações feitas com esse tipo de letra. **6** Primeira versão manuscrita de um texto; RASCUNHO.

rabo (*ra*.bo) *sm.* **1** Prolongamento da coluna vertebral de alguns animais; CAUDA. **2** Conjunto de penas traseiras do corpo das aves, presas ao uropígio. **3** *Vulg.* As nádegas e/ou o ânus. ▪▪ **Meter o ~ entre as pernas** Calar-se, encolher-se, por submissão, medo, ou por não ter razão. **Ter o ~ preso** Estar envolvido em situação, atividade etc., ilegal ou aética, sendo impedido, portanto, de se opor livremente a tais transgressões. • **ra.**bu**.do** *a.*

rabo de arraia (ra.bo de ar.*rai*.a) *sm. Bras.* Golpe de capoeira no qual, girando o corpo, um lutador tenta atingir o outro com o pé. [Pl.: *rabos de arraia*.]

rabo de cavalo (ra.bo de ca.*va*.lo) *sm.* Penteado no qual se prendem cabelos longos na parte de trás da cabeça, formando uma única mecha. [Pl.: *rabos de cavalo*.]

rabo de foguete (ra.bo de fo.*gue*.te) [ê] *sm. Bras. Gír.* Problema difícil de ser resolvido. [Pl.: *rabos de foguete*.]

rabo de galo (ra.bo de *ga*.lo) *sm. Bras. Pop.* Mistura de cachaça com vermute. [Pl.: *rabos de galo*.]

rabo de palha (ra.bo de *pa*.lha) *sm.* **1** *Bras.* Fato desonroso, que mancha a reputação de alguém. **2** *Zool.* Ave marinha semelhante ao pelicano. [Com hifens nesta acp.: *rabo-de-palha*.] [Pl.: *rabos de palha*.]

rabo de saia (ra.bo de *sai*.a) *sm. Bras. Pop.* Mulher (ger. atraente). [Pl.: *rabos de saia*.]

rabugem (ra.*bu*.gem) *sf.* **1** *Vet.* Doença parecida com a sarna, que ataca os cães. **2** *Fig.* Estado de humor de quem é rabugento (2); RABUGICE. [Pl.: *-gens*.]

rabugento (ra.bu.*gen*.to) *a.* **1** Que tem rabugem (1) (diz-se de cão). **2** *Fig.* Que frequentemente está de mau humor; RANZINZA. • **ra.bu.**gi**.ce** *sf.*; **ra.bu.**jar *v.*

rábula (*rá*.bu.la) *sm. Bras. Pej.* **1** Advogado pouco culto, incompetente ou pilantra. **2** Quem exerce a advocacia sem ser qualificado; sem ter o diploma.

raça (*ra*.ça) *sf.* **1** *Biol.* Grupo de pessoas ou de animais com determinadas características físicas hereditárias comuns: *gado da raça nelore*. **2** Geração ou sucessão de gerações de indivíduos de um desses grupos: *O Brasil deve muito à raça negra*. [NOTA:

Quanto às acps. 1 e 2, modernamente, a *cultura* é considerada mais importante na classificação dos grupos humanos do que a *raça*, que é, inclusive, um conceito sem base biológica.] **3** *Pop. Pej.* Grupo de pessoas de comportamento semelhante, da mesma profissão etc: *Conheço essa raça: não te atenderão a essa hora.* **4** *Pop.* Grande força de vontade; GARRA: *Jogando com raça, ganharemos o campeonato.* ✺ **Acabar com a ~ de** Derrotar, aniquilar, arruinar, matar. **Na ~** Com disposição, com energia, usando a força e o entusiasmo.

ração (ra.*ção*) *sf.* **1** Porção balanceada de alimento, distribuída em quantidade suficiente para garantir o bom funcionamento do organismo. **2** Essa porção servida em uma refeição (ref. ger. a animais). [Pl.: *-ções*.]

racemo, racimo (ra.*ce*.mo, ra.*ci*.mo) *sm. Bot.* **1** Conjunto de flores dispostas em formação semelhante a um cacho. **2** Cacho de uvas.

racha (*ra*.cha) *sf.* **1** Abertura estreita que existe em algo que se rompeu; FENDA; RACHADURA. *sm.* **2** Discordância em um grupo de pessoas com ideias comuns, que causa a formação de dois novos grupos a partir do primeiro; CISÃO. **3** *Pop.* Corrida ilegal de carros; PEGA. **4** *Bras. Pop.* Jogo de futebol disputado em condições rústicas, entre jogadores amadores; PELADA.

rachadura (ra.cha.*du*.ra) *sf.* **1** Ação ou resultado de rachar(-se), de abrir(em-se) fenda(s) em um objeto. **2** Racha (1).

rachar (ra.*char*) *v.* **1** Abrir rachadura(s) em ou sofrer rachadura(s); FENDER(-SE). [*td.*: *A martelada rachou a parede. int./pr.*: *O copo rachou(-se).*] **2** Ferir, abrindo uma racha (1). [*td.*: *O choque rachou sua cabeça.*] **3** *Bras.* Repartir, dividir (algo). [*td.*: *rachar despesas; O casal rachou o sanduíche. tdi. + com*: *Rachava os lucros com o sócio.*] **4** *Pop.* Cindir-se. [*int*.: *Som muitas divergências o partido rachou.*] [▶ **1** rach*ar*]

racial (ra.ci:*al*) *a2g.* Ref. a raça (preconceito *racial*). [Pl.: *-ais*.]

raciocinar (ra.ci:o.ci.*nar*) *v.* **1** Usar da razão para entender, julgar, calcular etc. [*ti. + sobre/acerca de/a respeito de*: *raciocinar sobre a existência. int.*: *A jovem raciocina rápido.*] **2** Concluir por meio de raciocínio (2), apresentar razões; considerar. [*td.*: *Raciocinou que era melhor não viajar naquelas condições.*] [▶ **1** raciocin*ar*]

raciocínio (ra.ci:o.*ci*.ni:o) *sm.* **1** Ação ou resultado de raciocinar, de organizar e relacionar informações logicamente através da inteligência. **2** Exercício dessa atividade para resolver problemas, chegar a conclusões etc.: *Precisamos concentrar o raciocínio em uma questão de cada vez.* **3** A capacidade de exercer essa atividade: *Exercício para desenvolver o raciocínio.* **4** Aquilo que se conclui ou se infere pelo raciocínio (2): *Este raciocínio não condiz com os dados do problema.*

racional (ra.ci:o.*nal*) *a2g.* **1** Capaz de usar a razão, de raciocinar: *O homem é racional.* **2** Que se baseia na razão, no raciocínio lógico, e não na emoção (decisão *racional*, medida *racional*). **3** *Mat.* Que pode ser expresso como resultado da divisão de dois números inteiros (diz-se de número). [Ant. ger.: *irracional*.] [Pl.: *-nais*.] • **ra.ci:o.na.li.da.de** *sf.*

racionalismo (ra.ci:o.na.*lis*.mo) *sm. Fil.* **1** Tendência de observar e compreender o mundo exclusivamente pela razão. **2** Doutrina segundo a qual todo conhecimento é baseado na razão. • **ra.ci:o.na.lis.ta** *a2g.s2g.*

racionalizar (ra.ci:o.na.li.*zar*) *v. td.* **1** Tornar (alguém) mais racional ou reflexivo: *A própria vida racionalizou-o.* **2** Buscar compreender ou expor (algo) de maneira racional ou lógica: *racionalizar sentimentos.* **3** Tornar (algo) mais lógico, mais simples ou mais eficiente: *racionalizar a economia.* [▶ **1** racionaliz*ar*] • **ra.ci:o.na.li.za.***ção* *sf.*

racionar (ra.ci:o.*nar*) *v. td.* **1** Distribuir em rações ou quantidades medidas. **2** Restringir a venda ou o consumo de: *racionar a luz.* [▶ **1** racion*ar*] • **ra.ci:o.na.do** *a.*; **ra.ci:o.na.men.to** *sm.*

racismo (ra.*cis*.mo) *sm.* **1** Tratamento injusto ou violência contra pessoas que pertencem a grupo, etnia, cultura etc. diferentes. **2** Postura de desprezo e/ou discriminação em relação a um desses grupos. • **ra.cis.ta** *a2g.s2g.*

🕮 A moderna contestação do conceito de *raça*, antigamente aplicado a conjunto de características étnicas, mudou também o significado do termo *racismo*. Tecnicamente não existiria tal preconceito, uma vez que seria voltado contra *raças* inexistentes. O termo ganhou, assim, conotação genérica, referindo-se a preconceito contra grupos "outros", diferentes (quanto a etnia, religião, cultura etc).

⊕ **rack** (Ing. /réc/) *sm.* Ver **reque** (4).
⊠ **rad** *Mat.* Símb. de **radiano**.

radar (ra.*dar*) *sm.* **1** Técnica de detectar corpos parados ou em movimento a determinada distância, pela emissão de ondas radioelétricas e análise de seus reflexos. **2** Aparelho que tem essa função.

radiação (ra.di:a.*ção*) *sf.* **1** Ação ou resultado de radiar, de emitir raios. **2** *Fís.* Propagação de energia eletromagnética por ondas ou partículas. [Pl.: *-ções*.]

radiado (ra.di.*a*.do) *a.* **1** Distribuído em raios. **2** Que tem marcas ou manchas em forma de raios; RAIADO.

radiador (ra.di:a.*dor*) [ó] *sm.* **1** *Mec.* Peça responsável pelo resfriamento da água que circula em um motor. **2** Aparelho us. para irradiar calor, aquecendo ambientes; AQUECEDOR.

radial (ra.di:*al*) *a2g.* **1** Ref. a raio(s). **2** Que lança raios. **3** *Med.* Ref. ao rádio (osso do antebraço). *a2g. sf.* **4** Que (ref. a avenida) ou avenida que vai de um centro urbano à periferia. [Pl.: *-ais*.]

radialista (ra.di:a.*lis*.ta) *s2g. Rád. Telv.* Pessoa que trabalha em rádio ou televisão; esp. quem apresenta programas. • **ra.di.a.lis.mo** *sm.*

radiano (ra.di:*a*.no) *sm. Mat.* Unidade us. para medir ângulos, que corresponde a um ângulo com vértice no centro de uma circunferência, abrangendo uma extensão do arco da mesma igual à medida do seu raio. [Símb.: *rad*]

radiante (ra.di:*an*.te) *a2g.* **1** Que emite raios. **2** Que brilha; CINTILANTE. **3** *Fig.* Que está muito alegre; EXULTANTE; RADIOSO.

radiar (ra.di:*ar*) *v. int.* **1** Emitir raios de luz ou de calor; IRRADIAR. **2** Brilhar, refulgir. [▶ **1** radi*ar*]

radiatividade (ra.di:a.ti.vi.*da*.de) *sf.* Ver **radioatividade**.

radiativo (ra.di:a.*ti*.vo) *a.* Ver **radioativo**.

radical (ra.di.*cal*) *a2g.* **1** Ref. a raiz. **2** *Fig.* Que não é moderado; que é drástico, total (dieta *radical*, mudanças *radicais*). **3** *Fig.* Que é rígido, extremado em suas opiniões ou posições: *Um defensor radical dos direitos humanos.* **4** Diz-se de esporte que envolve muitos riscos. *sm.* **5** *Gram.* Parte de uma palavra que mantém sua significação básica e à qual se acrescentam vogal temática e flexões de gênero, número, pessoa (p. ex., *luz-* é o radical de *luzir* e *lucro*). [Uma palavra pode se constituir somente de radical, como *luz*, *sol* etc.] **6** *Mat.* Símbolo (√) us. na operação de radiciação. [Pl.: *-ais*.] ✺ **~ livre** Molécula em que os elétrons se encontram desemparelhados. [NOTA: Os radicais livres são considerados como causadores de envelhecimento, doença cardíaca e alguns tipos de câncer.]

radicalismo (ra.di.ca.*lis*.mo) *sm.* **1** Comportamento de quem é radical (2, 3), inflexível; INTRANSIGÊNCIA. **2** *Pol.* Doutrina que prega mudanças profundas

na sociedade, atacando-se os problemas na sua origem. ● ra.di.ca.*lis*.ta *a2g.s2g*.
radicalizar (ra.di.ca.li.*zar*) *v*. Tornar(-se) radical ou adotar postura radical (2 e 3). [*td.*: *A oposição radicalizou suas críticas. int./pr.*: *A greve radicalizou(-se)*.] [▶ 1 radicalizar] ● **ra.di.ca.li.za.ção** *sf.*; **ra.di.ca.li.za.do** *a*.
radicando (ra.di.*can*.do) *sm*. *Mat*. Número ou expressão algébrica que está sob um símbolo de radical.
radicar (ra.di.*car*) *v*. **1** Infundir(-se) ou fixar(-se) profundamente; ARRAIGAR(-SE), ENRAIZAR(-SE). [*td.*: *radicar ideias;* (seguido de indicação de lugar): *radicar entre os homens a esperança. pr.*: *A confiança radicou-se entre eles.*] **2** Fixar residência. [*pr.*: *O casal radicou-se em Madri.*] [▶ **11** radicar] ● **ra.di.ca.ção** *sf.*; **ra.di.ca.do** *a*.
radiciação (ra.di.ci.a.*ção*) *sf*. *Mat*. Operação pela qual se calcula a raiz (5) de um número ou expressão. [Pl.: *-ções.*]
radícula (ra.*dí*.cu.la) *sf*. *Bot*. Raiz pequena.
radiculado (ra.di.cu.*la*.do) *a*. *Bot*. Que tem raízes ou radículas.
radieletricidade (ra.di:e.le.tri.ci.*da*.de) *sf*. *Fís*. Ver *radioeletricidade*.
rádio¹ (*rá*.di:o) *sm*. *Anat*. Um dos dois ossos que compõem o antebraço.
rádio² (*rá*.di:o) *sm*. *Quím*. Elemento de número atômico 88, radioativo, metálico. [Símb.: *Ra*]
rádio³ (*rá*.di:o) *sm*. *Rád*. **1** Sistema de comunicação a distância por meio de ondas radioelétricas; RADIODIFUSÃO. **2** Aparelho que recebe ou transmite sinais radiofônicos, us. na comunicação de longa distância. **3** Ver *radiodifusão* (2). **4** Ver *radiodifusora*. **5** Aparelho que recebe sinais radiofônicos e os decodifica, transformando-os em som.
radioamador (ra.di:o:a.ma.*dor*) [ô] *a*. **1** Ref. a atividade não profissional de radiodifusoras. *sm*. **2** Pessoa que gerencia e/ou opera esse tipo de atividade sem finalidade lucrativa. ● **ra.di:o:a.ma.do.***ris*.mo *sm*.
radioatividade, (ra.di:o:a.ti.vi.*da*.de) *sf*. *Fís*. **1** Propriedade de certos tipos de átomo de irradiar partículas ou energia eletromagnética. **2** Esse tipo de irradiação.
radioativo (ra.di:o:a.*ti*.vo) *a*. **1** Que irradia. **2** *Fís*. Que produz radiação, que tem radioatividade.
radiodifusão (ra.di:o.di.fu.*são*) *sf*. *Rád*. **1** Propagação de sinais de rádio³(1), telex etc., por ondas radioelétricas. **2** Transmissão de programas (informativos, culturais, de entretenimento etc.) por meio de radiodifusão (1). [Pl.: *-sões.*] ● **ra.di:o.di.fu.***sor* *a*.
radiodifusora (ra.di:o.di.fu.*so*.ra) [ô] *sf*. *Rád*. Empresa ou centro transmissor de radiodifusão (2).
radioeletricidade (ra.di:o:e.le.tri.ci.*da*.de) *sf*. *Fís*. Ciência que estuda as características e aplicações das ondas de rádio³, esp. na comunicação à distância.
radioemissão¹ (ra.di:o:e.mis.*são*) *sf*. Emissão eletromagnética proveniente de material radioativo. [Pl.: *-sões.*]
radioemissão² (ra.di:o:e.mis.*são*) *sf*. *Rád*. Emissão de sinais de rádio³(1). [Pl.: *-sões.*]
radioemissora (ra.di:o:e.mis.so.ra) [ô] *sf*. *Rád*. Lugar de onde se transmitem programas de rádio³(3).
radiofonia (ra.di:o.fo.*ni*.a) *sf*. Transmissão de sons a distância por sinais de rádio³(1); RADIOTELEFONIA. ● **ra.di:o.***fô*.ni.co *a*.

RADIOFONIA

☐ As emissões radiofônicas consistem na transmissão pelo espaço de ondas de som, captadas em microfone ou geradas em reprodução de sons pré-gravados. Em qualquer desses processos, as ondas sonoras que definem a variação de altura, intensidade e timbre do som foram transformadas em impulsos elétricos correspondentes. Essas oscilações elétricas, no formato da onda original, modulam, isto é, dão formato de onda às ondas portadoras, que se transmitem pelo ar pela antena transmissora, ou variando a amplitude (Amplitude Modulada, ou AM), ou a frequência (Frequência Modulada, ou FM). Ao captar essas ondas em sua antena, o aparelho receptor identifica o 'desenho' da onda modulada, e esse formato de onda é transmitido ao amplificador e deste ao alto-falante, que vibra, assim, no formato da onda original, transmitindo-a ao ar e reproduzindo o som que a gerou.

radiofoto (ra.di:o.*fo*.to) *sf*. F. red. de *radiofotografia*.
radiofotografia (ra.di:o.fo.to.gra.*fi*.a) *sf*. **1** *Rád*. Técnica de transmitir fotografias através da radiodifusão (1). **2** Fotografia transmitida por esse processo.
radiofrequência (ra.di:o.fre.*quên*.ci:a) *sf*. *Fís*. Frequência das emissões de ondas radioelétricas, de amplitude entre 3 kHz e 300 GHz.
radiografar (ra.di:o.gra.*far*) *v*. *td*. Fazer imagem de (órgão, osso etc.) por meio da radiografia (1 e 2). [▶ **1** radiografar]
radiografia (ra.di:o.gra.*fi*.a) *sf*. **1** *Med*. Técnica de, pela aplicação de raios X, produzir chapas com imagens internas de uma parte do corpo. **2** Chapa obtida através dessa técnica. **3** *Fig*. Análise profunda, estrutural, de um assunto: *radiografia dos problemas sociais*. ● **ra.di:o.***grá*.fi.co *a*.
radiograma (ra.di:o.*gra*.ma) *sm*. *Telc*. **1** Comunicação por radiotelegrafia. **2** Telegrama enviado ou recebido por esse meio.
radiojornal (ra.di:o.jor.*nal*) *sm*. *Rád*. Programa de notícias transmitido pelo rádio³(3). [Pl.: *-nais.*]
radiojornalismo (ra.di:o.jor.na.*lis*.mo) *sm*. *Rád*. Jornalismo que visa à transmissão de notícias, comentários etc. pelo rádio³ (3). ● **ra.di:o.jor.na.***lis*.ta *s2g*.
radíola (ra.di:o.la) *sf*. Aparelho que funciona como rádio e como vitrola; RÁDIO-VITROLA.
radiologia (ra.di:o.lo.*gi*.a) *sf*. *Med*. **1** Ciência que estuda os raios X e outros fluxos radioativos, e a sua aplicação para obtenção de radiografias, tratamentos médicos etc. **2** Especialidade médica relacionada a essas atividades. ● **ra.di:o.***ló*.gi.co *a*.; **ra.di:o.lo.***gis*.ta *a2g.s2g*.

☐ O exame do interior do corpo é importantíssimo para se diagnosticarem doenças e afecções internas com segurança. Só a partir de 1895, isso foi possível, com a invenção, pelo alemão Roentgen, dos raios X (radiações capazes de atravessar corpos opacos). Logo associou-se essa técnica ao uso de substâncias de contraste, ingeridas ou inoculadas no organismo, permitindo uma maior definição dos órgãos e tecidos. Às imagens 'paradas' dos raios X seguiram-se técnicas que permitiram visualizar processos dinâmicos dos órgãos em filmes, a mobilidade dos raios X em várias camadas, na tomografia computadorizada. Baseado em material radioativo, os raios X exigem precauções, mas novas técnicas não radioativas os vêm substituindo em certos casos, como o ultrassom e a ressonância magnética. Os raios X também são usados como agente terapêutico na destruição de células malignas, como em casos de câncer.

radionovela (ra.di:o.no.*ve*.la) *sf. Rád.* Novela transmitida por rádio³(3).

radiopatrulha (ra.di:o.pa.*tru*.lha) *sf.* Carro de polícia equipado com rádio³(2), para comunicação com uma central de operações.

radiorreceptor (ra.di:or.re.cep.*tor*) [ó] *sm.* Aparelho que capta e decodifica sinais de rádio³(1).

radiorrepórter (ra.di:or.re.*pór*.ter) *s2g. Rád.* Repórter que trabalha em programas jornalísticos transmitidos por rádio³(3).

radioscopia (ra.di:os.co.*pi*.a) *sf. Med.* Exame feito com aparelho de raios X, através do qual se produzem imagens de partes internas do corpo. • **ra.di:os.có.pi.co** *a.*

radioso (ra.di:o.so) [ó] *a.* **1** Que brilha muito; CINTILANTE. **2** *Fig.* Que transmite muita alegria; RADIANTE. [Fem. e pl.: [ó].]

radiotáxi (ra.di:o.*tá*.xi) [cs] *sm.* Táxi equipado com rádio³(2), para comunicação com uma central de operações.

radioteatro (ra.di:o.te.*a*.tro) *sm.* Espetáculo teatral transmitido por rádio³(3).

radiotécnica (ra.di:o.*téc*.ni.ca) *sf.* Atividade relacionada à aplicação dos conhecimentos sobre ondas radioelétricas, esp. na comunicação à distância. • **ra.di:o.téc.ni.co** *a.sm.*

radiotelefonia (ra.di:o.te.le.fo.*ni*.a) *sf.* Ver *radiofonia.* • **ra.di:o.te.le.fô.ni.co** *a.*

radiotelegrafia (ra.di:o.te.le.gra.*fi*.a) *sf.* Telegrafia na qual a transmissão das informações se faz por ondas radioelétricas. • **ra.di:o.te.le.grá.fi.co** *a.*; **ra.di:o.te.le.gra.*fis*.ta** *a2g.s2g.*

radioterapêutica (ra.di:o.te.ra.*pêu*.ti.ca) *sf. Med.* Ver *radioterapia.*

radioterapia (ra.di:o.te.ra.*pi*.a) *sf. Med.* Uso de radiação para tratar certas doenças, como o câncer; RADIOTERAPÊUTICA.

radiotransmissão (ra.di:o.trans.mis.*são*) *sf. Rád.* Transmissão de sons a distância por meio dos sinais radioelétricos. [Pl.: -sões.] • **ra.di:o.trans.mis.sor** *a.sm.*

radiouvinte (ra.di:ou.*vin*.te) *s2g. Bras.* Quem ouve programas de rádio.

rádio-vitrola (rá.di:o-vi.*tro*.la) *sf.* Ver *radiola.*

rafeiro (ra.*fei*.ro) *a.* **1** Diz-se de cão que ajuda na condução e vigia do gado. *sm.* **2** Cão rafeiro.

ráfia (*rá*.fi:a) *sf.* **1** *Bot.* Palmeira tropical de cujas grandes folhas se extraem fibras. **2** Essa fibra transformada industrialmente em fio.

ragu (ra.*gu*) *sm. Cul.* Ensopado de carne com legumes.

raia¹ (*rai*.a) *sf.* **1** Linha comprida; RISCO. **2** Demarcação de um espaço; FRONTEIRA. **3** *Fig.* Limite, lugar que não se pode ou não se deve ultrapassar: *raias da loucura.* **4** Espaço demarcado na largura para um competidor, em pista de corrida ou em piscina. ⁑ **Fugir da ~** Fugir de confronto, compromisso, dificuldade etc.

raia² (*rai*.a) *sf. Zool.* Peixe com corpo achatado em forma de disco e cauda, em algumas espécies com ferrão; ARRAIA.

raiado (rai.*a*.do) *a.* **1** Que tem raias (1), riscos; RAJADO: *gato de pelo raiado.* *sm.* **2** Série de riscos.

raiar¹ (rai.*ar*) *v. int.* **1** Emitir luz ou brilho; BRILHAR; LUZIR. **2** Despontar no horizonte; NASCER: *O sol já raiou.* [▶ 1 raiar]

raiar² (rai.*ar*) *v.* **1** Traçar raias ou riscos em. [*td.*] **2** *Fig.* Tocar as raias ou limites de; BEIRAR. [*ti. + a, em, por: Sua teoria raia ao disparate.*] [▶ 1 raiar]

rainha (ra.*i*.nha) *sf.* **1** Esposa do rei. **2** Mulher que tem a função de governante em uma monarquia. **3** *Fig.* Mulher que se destaca em algo: *a rainha do vôlei.* **4** Fêmea de alguns insetos, como as abelhas, que ger. tem tamanho maior do que o das demais e gera os filhotes. **5** Peça importante no jogo de xadrez, que se movimenta em todas as direções.

raio (*rai*.o) *sm.* **1** Feixe de luz ou de outra forma de energia radiante. **2** Descarga elétrica no espaço, seguida de relâmpago. **3** *Geom.* Distância do centro de circunferência ou de esfera a qualquer de seus pontos. **4** Numa roda, varetas de comprimento igual que partem de um centro em diferentes direções. **5** *Fig. Pop.* Espécie, tipo: *Que raio de coisa é essa?* ⁑ **~(s) X** Ver ach. encicl. em *radiologia.*

☐ O raio é uma descarga elétrica na atmosfera, produzida pela diferença de potencial entre nuvens eletricamente carregadas, ou entre uma nuvem e a terra. Com a movimentação do ar, devido a diferenças térmicas, (o ar frio, mais pesado, desce, o ar quente, mais leve, sobe) o atrito entre as moléculas de ar e as de água suspensas gera eletricidade, que se acumula nas nuvens. Quando duas nuvens de potencial elétrico diferente se aproximam o suficiente, uma descarga de eletricidade parte da mais carregada para a menos carregada. Na descarga de uma nuvem para a terra, num determinado momento da descarga, aquele ponto na terra para o qual se dirige a descarga da nuvem carrega-se positivamente e 'devolve' a descarga à nuvem, fechando o circuito e desenhando um raio potente, que desce e subiu em milionésimos de segundo, com uma voltagem de centenas de milhões de volts. Os para-raios servem para atrair a descarga e a encaminhar com segurança para a terra, sem causar danos. O Brasil é o país com maior ocorrência de raios do mundo.

raiom (rai.*om*) *sm.* **1** Fibra têxtil sintética de consistência sedosa feita a partir da celulose. **2** O tecido feito com essa fibra. [Pl.: *-ons.*]

raiva (*rai*.va) *sf.* **1** Acesso violento de ira; CÓLERA; FÚRIA: *Reagiu com raiva à provocação.* **2** Ressentimento, ódio: *Tem raiva de todos os seus inimigos.* **3** Grande aversão; HORROR; OJERIZA: *Tinha raiva dos oportunistas.* **4** *Vet.* Doença infecciosa virótica que acomete o sistema nervoso central dos mamíferos; hidrofobia. • **rai.vo.so** *a.*

raiz (ra.*iz*) *sf.* **1** *Bot.* Parte da planta que cresce abaixo do solo. [Dim.: *radícula.*] **2** Elemento de inserção de um dente, fio de cabelo etc. **3** *Fig.* Origem; causa: *a raiz de um problema.* **4** *Gram.* Elemento irredutível de uma palavra, obtido pela eliminação de todos os afixos e desinências, que é comum em toda uma família de palavras (p.ex.: entre as palavras *regrar, desregular, regularizar* existe a raiz *-reg-* ligando-as). **5** *Mat.* Com relação a um número dado, o número que multiplicado por ele n mesmo algumas vezes tem como resultado o primeiro. ⚃ **raízes** *sfpl.* **6** *Fig.* O lugar e a cultura de origem de uma pessoa ou de sua família: *Ele tem orgulho de suas raízes brasileiras.* ⁑ **~ quadrada** *Mat.* Em relação a um número, outro número que, multiplicado por ele mesmo, produz o primeiro (p.ex.: a raiz quadrada de 4 é 2).

rajá (ra.*já*) *sm.* Príncipe, chefe ou governante na Índia.

rajada (ra.*ja*.da) *sf.* **1** Sopro intenso e repentino de vento; lufada. **2** Sequência rápida e sem interrupção: *rajada de balas.*

rajar (ra.*jar*) *v. td.* Raiar, riscar, estriar. [▶ 1 rajar] • **ra.ja.do** *a.*

ralador (ra.la.*dor*) [ô] *sm.* Chapa metálica ou de plástico, com orifícios de rebordos salientes, onde se ralam (1) substâncias sólidas.

ralar (ra.*lar*) *v.* **1** Reduzir a pequenos fragmentos por meio de ralador. [*td.*: *ralar um queijo.*] **2** Esfolar(-se), arranhar(-se). [*td.* (seguido ou não de indicação de lugar): *Ralei o braço (no muro).* int.: *Sua perna ralou no cascalho.*] **3** *Fig.* Atormentar-se, corroer-se. [*pr.*: *ralar-se de ciúme.*] **4** *Bras. Fig.* Trabalhar ou esforçar-se extremamente. [*int.*: *Ralava, para melhorar de vida.*] **5** *Bras. Fig.* Não dar importância a, não ligar para; LIXAR-SE. [*pr.*: *Estou me ralando para o que dizem os outros.*] [▶ **1** ral*ar*] • **ra.la.ção** *sf.*; **ra.la.du.ra** *sf.*

ralé (ra.*lé*) *sf.* **1** *Pej.* As classes sociais menos favorecidas; PLEBE. **2** A camada social formada por marginais, delinquentes etc.; gentalha, escória.

ralhar (ra.*lhar*) *v.* Repreender ou censurar em tom severo. [*ti.* + com: *Ralhou com o cão.* *int.*: *Ele só ralha quando necessário.*] [▶ **1** ralh*ar*] • **ra.lha.ção** *sf.*; **ra.lho** *sm.*

rali (ra.*li*) *sm. Esp.* Competição de regularidade, automobilística ou de motociclismo, de percurso longo e com muitos obstáculos.

ralo¹ (*ra*.lo) *sm.* Peça com orifícios em pia, tanque, banheira, piso ou reservatório de líquidos, para escoamento.

ralo² (*ra*.lo) *a.* **1** Pouco espesso ou denso (sopa *rala*, cabeleira *rala*). **2** Que possui baixa concentração do seu componente fundamental (café *ralo*, bebida *rala*).

▩ **RAM** *Inf.* Sigla do inglês *Random-Access Memory* (Memória de Acesso Aleatório), memória do computador regravável us. para armazenamento de programas e dados.

rama¹ (*ra*.ma) *sf.* Conjunto de ramos e folhagens de árvores e outras plantas. ▪▪ **Em ~** Em estado natural (fibra têxtil), antes da fiação. • **ra.ma.da** *sf.*; **ra.ma.gem** *sf.*; **ra.ma.ri.a** *sf.*

rama² (*ra*.ma) *sf. Tip.* Armação quadrangular e metálica us. para engradar a composição tipográfica na forma que se encaixa na prensa.

ramal (ra.*mal*) *sm.* **1** Ramificação de tronco rodoviário ou ferroviário. **2** Ramificação de tronco de linhas telefônicas. [Pl.: *-mais*.]

ramalhete (ra.ma.*lhe*.te) [ê] *sm.* **1** Conjunto de flores com suas hastes enfeixadas; BUQUÊ. **2** Pequeno ramo.

ramalho (ra.*ma*.lho) *sm.* Ramo grande, ger. cortado da árvore.

ramalhoso (ra.ma.*lho*.so) [ô] *a.* Que tem muitos ramos; RAMALHUDO; RAMOSO. [Fem. e pl.: [ó].]

rameira (ra.*mei*.ra) *sf.* Prostituta.

ramerrão (ra.me.*rrão*) *sm.* **1** Coisa que se repete monotonamente. **2** Monotonia. [Pl.: *-rões*.]

ramificação (ra.mi.fi.ca.*ção*) *sf.* **1** *Bot.* Cada um dos ramos de um caule ou o conjunto deles. **2** Subdivisão de um sistema ou estrutura. **3** *Fig.* Consequência, efeito: *as ramificações de um acidente nuclear.* [Pl.: *-ções*.]

ramificar (ra.mi.fi.*car*) *v.* **1** Gerar ramos ou raízes, ou subdividir-se neles. [*td. int. pr.*] **2** *Fig.* Subdividir(-se) a partir de um eixo ou de um centro. [*td. int. pr.*] **3** *Fig.* Alastrar-se, ampliar-se. [*pr.*] [▶ **11** ramific*ar*] • **ra.mi.fi.ca.do** *a.*

ramo (*ra*.mo) *sm.* **1** *Bot.* Subdivisão do caule ou tronco das plantas; galho. **2** Feixe de flores ou de folhagens; ramalhete. **3** Setor ou área de uma atividade ou de um saber: *Acupuntura é um ramo da medicina alternativa.* **4** Grupo familiar pertencente a um tronco comum.

rampa (*ram*.pa) *sf.* **1** Plano inclinado pelo qual se sobe ou se desce. **2** Ladeira.

ranário (ra.*ná*.ri:o) *sm.* Viveiro de rãs.

rancheira (ran.*chei*.ra) *sf. RS* **1** Dança popular muito comum entre os gaúchos. **2** *Mús.* Música que acompanha essa dança.

rancheiro (ran.*chei*.ro) *sm.* **1** Pessoa que mora num rancho (1). **2** Cozinheiro de quartel ou presídio.

rancho (*ran*.cho) *sm.* **1** Casebre rústico. **2** Refeição (ger. em quartel ou presídio): *hora do rancho.* **3** Grupo de pessoas em marcha, excursão. **4** Acampamento de rancho (3).

ranço (*ran*.ço) *sm.* **1** Gosto amargo e mau cheiro de alimentos gordurosos (manteiga, leite etc.) estragados. **2** *Fig.* Traço desagradável que se percebe em uma pessoa ou coisa: *Senti em sua voz um ranço de arrogância.* • **ran.ço.so** *a.*

rancor (ran.*cor*) [ô] *sm.* Ressentimento forte; raiva. • **ran.co.ro.so** *a.*

ranger (ran.*ger*) *v.* **1** Produzir ruído áspero, por atrito, ferrugem etc. [*int.*] **2** Atritar (os dentes), por medo, dor, raiva etc. [*td.*] [▶ **35** rang*er*] • **ran.gi.do** *sm.*

rangífer (ran.*gí*.fer) *sm.* Ver **rena**.

rango (*ran*.go) *sm. Pop.* Comida, refeição.

ranheta (ra.*nhe*.ta) *a2g.* Que está sempre reclamando. • **ra.nhe.ti.ce** *sf.*

ranho (*ra*.nho) *sm.* Secreção que escorre das narinas. • **ra.nho.so** *a.*

ranhura (ra.*nhu*.ra) *sf.* **1** Entalhe em madeira ou outro material. **2** Risca, estria.

rani (ra.*ni*) *sf.* Mulher de rajá.

ranicultura (ra.ni.cul.*tu*.ra) *sf.* Criação de rãs. • **ra.ni.cul.tor** *sm.*

🌐 **ranking** (*Ing.* /*rânquin*/) *sm.* Numa escala de classificação, lista dos classificados e a posição de cada um nessa escala: *O tenista manteve a 17ª posição no ranking.*

ranzinza (ran.*zin*.za) *a2g.* Que se queixa de tudo; mal-humorado; RABUGENTO. • **ran.zin.zar** *v.*

🌐 **rap** (*Ing.* /*rép*/) *sm. Mús.* Gênero de música popular, com ritmo bem marcado e letra recitada pelo vocalista, no ritmo da música.

rapa (*ra*.pa) *sf.* **1** Alimento grudado no fundo de panela. *sm.* **2** *Pop.* Policial encarregado de apreender a mercadoria dos camelôs.

rapace (ra.*pa*.ce) *a2g.* Que roubа ou rapina. [Superl.: *rapacíssimo*.] • **ra.pa.ci.da.de** *sf.*

rapadura (ra.pa.*du*.ra) *sf.* Açúcar mascavo em forma de pequeno tijolo.

rapagão (ra.pa.*gão*) *sm.* **1** *Fig.* Rapaz alto, forte e bonito. **2** Rapaz grande. [Pl.: *-gões*.]

rapapé (ra.pa.*pé*) *sm.* Cortesia exagerada; SALAMALEQUE.

rapar (ra.*par*) *v.* **1** Raspar ou ralar. [*td.*] **2** Cortar rente cabelo ou pelo de, ou barbear-se; RASPAR. [*td. pr.*] **3** *Bras.* Furtar, raspar (6) algo. [*td.*] **4** *N.E.* Fugir [*int./ti.* + *de*: *Vamos rapar logo (daqui).*] [▶ **1** rap*ar*] • **ra.pa.de.la** *sf.*; **ra.pa.do** *a.*

rapariga (ra.pa.*ri*.ga) *sf.* **1** *Antq.* Adolescente ou moça jovem. **2** *N.E.* Prostituta.

rapaz (ra.*paz*) *sm.* Homem jovem ou adolescente. [Fem.: *rapariga.* Aum.: *rapagão.* Dim.: *rapazelho, rapazote.*]

rapaziada (ra.pa.zi:a.da) *sf. Pop.* Grupo de rapazes.

rapazola (ra.pa.*zo*.la) [ó] *sm.* Rapaz já mais avançado na adolescência.

rapé (ra.*pé*) *sm.* Tabaco em pó, us. para cheirar.

rapel (ra.*pel*) *sm. Esp.* No montanhismo, descida de vertentes abruptas ou paredões por meio cordas. [Pl.: *-péis*.]

rapidez (ra.pi.*dez*) [ê] *sf.* Condição ou qualidade do que é rápido; ligeireza.

rápido (*rá*.pi.do) *a.* **1** Ligeiro, veloz: *Com o upgrade, meu computador ficou rápido.* **2** Que dura pouco: *A cirurgia foi rápida.* *adv.* **3** De modo rápido (1); RAPIDAMENTE: *Você come rápido demais!* *sm.* **4** Transporte coletivo que faz seu percurso com poucas paradas ou nenhuma; expresso.

rapina (ra.*pi*.na) *sf.* Roubo violento ou astucioso. [Ver tb. *ave de rapina* no verbete *ave.*] • **ra.pi.nar** *v.*

rapinagem (ra.pi.*na*.gem) *sf.* **1** Roubo, furto. **2** *Fig.* Arbitragem de juiz de futebol ou de outra modalidade esporte na qual este favorece uma das equipes. **3** Plágio de obra intelectual. [Pl.: *-gens*.]

raposa (ra.*po*.sa) [ô] *sf.* **1** *Zool.* Animal mamífero selvagem, de pelo castanho-avermelhado, aparentado com o cão. **2** *Fig.* Pessoa esperta, astuciosa, matreira. ● **ra.po.si.no** *a.*

raposice (ra.po.*si*.ce) *sf.* Atitude de pessoa astuciosa, matreira. ● **ra.po.si.a** *sf.*

raposo (ra.*po*.so) [ô] *a.* Que tem a cor castanho-avermelhada típica da raposa.

rapsódia (rap.*só*.di:a) *sf. Mús.* Composição musical formada de cantos tradicionais ou populares de um país. ● **rap.só.di.co** *a.*; **rap.so.dis.ta** *s2g.*

rapsodo (rap.*so*.do) [ô] *sm.* **1** Na Grécia antiga, cantor ambulante de rapsódia. **2** Poeta.

raptar (rap.*tar*) *v. td.* Apoderar-se de (alguém), cometer rapto contra (alguém). [▶ **1** rapt<u>ar</u>]

rapto (*rap*.to) *sm.* Ação ou resultado de levar alguém contra sua vontade, como refém; SEQUESTRO.

raptor (rap.*tor*) [ô] *sm.* Autor de rapto.

raque¹ (ra.que) *sf.* **1** *Anat.* Coluna vertebral **2** Eixo da pena das aves.

raque² (ra.que) *sf.* Móvel próprio para televisão, vídeo ou aparelho de som etc.

raque³ (ra.que) *sf. Med.* F. red. de *raquianestesia*, ou anestesia raquiana. [Ver em *raque*¹.]

raquetada (ra.que.*ta*.da) *sf.* Golpe com raquete.

raquete (ra.*que*.te) [ê] *sf. Esp.* Peça dotada de cabo e superfície ger. oval (de madeira, cortiça ou com encordoamento), com que se bate ou rebate a bola no frescobol, tênis, pingue-pongue etc.

raquialgia (ra.qui:al.*gi*.a) *sf. Med.* Dor em qualquer ponto da coluna vertebral.

raquianestesia (ra.qui:a.nes.te.*si*.a) *sf. Med.* Injeção de substância anestésica no canal vertebral.

raquiano, **raquidiano** (ra.qui:*a*.no, ra.qui.di:*a*.no) *a.* Ref. ou pertencente à ou que ocorre na raque (1).

raquiotomia (ra.qui:o.to.*mi*.a) *sf. Med.* Extirpação de uma lâmina vertebral.

raquítico (ra.*qui*.ti.co) *a.* **1** Cuja estrutura física é pouco desenvolvida; franzino (diz-se de pessoa, animal, corpo). *sm.* **2** Pessoa raquítica.

raquitismo (ra.qui.*tis*.mo) *sm. Med.* Doença infantil que se caracteriza pelo acentuado déficit de vitamina D, o que ocasiona deformação do esqueleto.

rarear (ra.re.*ar*) *v.* Tornar(-se) raro; RAREFAZER(-SE). [*td.*: *Rareou suas visitas.*] *int.*: *Nesta idade os cabelos começam a rarear.*] [▶ **13** rar<u>ear</u>] ● **ra.re:a.men.to** *sm.*

rarefazer (ra.re.fa.*zer*) *v.* **1** Tornar(-se) menos espesso ou menos denso. [*td.*: *O calor rarefez a graxa. pr.*: *O ar começa a rarefazer-se a partir de certa altitude.*] **2** Rarear. [▶ **22** rare<u>fazer</u>. Part.: *rarefeito.*] ● **ra.re.fa.ção** *sf.*

rarefeito (ra.re.*fei*.to) *a.* **1** Tornou-se ou tornou-se escasso (provisões <u>rarefeitas</u>). **2** Pouco denso (nuvens <u>rarefeitas</u>).

raridade (ra.ri.*da*.de) *sf.* **1** Condição ou qualidade de raro. **2** Objeto raro.

raro (*ra*.ro) *a.* **1** Difícil de se encontrar (peça <u>rara</u>); INCOMUM. **2** De frequência muito baixa: *A chuva é <u>rara</u> no sertão.* [Ant.: *frequente.*] **3** Que está se extinguindo. **4** Extraordinário, notável (<u>rara</u> sabedoria). *adv.* **5** Poucas vezes; RARAMENTE. ❚❚ **De ~ em ~** Raramente. **Não ~** Com alguma frequência.

rasa (*ra*.sa) *sf.* Certa quantidade de linhas manuscritas ou datilografadas que corresponde aproximadamente a uma determinado número de letras, de acordo com uma tabela.

rasante (ra.*san*.te) *a2g.* **1** Que passa muito próximo do solo. *sm.* **2** Voo rasante.

rasar (ra.*sar*) *v. td.* Tornar raso ou plano, ou pôr no mesmo nível; NIVELAR: *rasar um terreno.* [▶ **1** ras<u>ar</u>] ● **ra.sa.du.ra** *sf.*

rasca (*ras*.ca) *sf.* **1** Rede de arrastar. **2** Parte que cabe a cada um na divisão dos lucros; QUINHÃO.

rascante (ras.*can*.te) *a2g.* **1** Que arranha, áspero (som <u>rascante</u>). **2** Que deixa um certo amargor na garganta (vinho <u>rascante</u>). ● **ras.car** *v.*

rascunhar (ras.cu.*nhar*) *v. td.* Fazer o rascunho, o esboço de. [▶ **1** rascunh<u>ar</u>] ● **ras.cu.nha.do** *a.*

rascunho (ras.*cu*.nho) *sm.* Escrito provisório, sujeito a emendas e reformulações.

rasgado (ras.*ga*.do) *a.* **1** Que (se) rasgou; feito em pedaços; cortado (blusa <u>rasgada</u>, carta <u>rasgada</u>). **2** *Fig.* Grande, amplo (boca <u>rasgada</u>). **3** *Fig.* Franco, aberto (elogios <u>rasgados</u>). **4** Com ritmo bem marcado (samba <u>rasgado</u>). *sm.* **5** Rasgão, rasgo.

rasgão (ras.*gão*) *sm.* Parte rasgada de uma roupa, tecido etc.; RASGADO (5); RASGO (1). [Pl.: *-gões.*]

rasgar (ras.*gar*) *v.* **1** Fazer rasgo ou rasgão em. [*td.*: *O prego <u>rasgou</u> a calça. int./pr.*: *O lençol <u>rasgou(-se)</u> na lavagem.*] **2** Dividir(-se) em partes, destruindo(-se). [*td.* (seguido ou não de indicação de modo): *<u>Rasguei</u> a carta (em mil pedacinhos). pr.*: *O documento <u>rasgou-se</u> todo.*] **3** Dilacerar. [*td.*: *O tigre <u>rasgou</u> a presa.*] **4** Romper, cruzar, sulcar. [*td.*: *O avião <u>rasga</u> os ares.*] **5** *Fig.* Causar mágoa ou desgosto a, ou atormentar(-se). [*td.*: *O comportamento do amigo <u>rasgou</u> seu coração. pr.*: *<u>rasgar-se</u> de inveja.*] [▶ **14** rasg<u>ar</u>] ● **ras.ga.du.ra** *sf.*; **ras.ga.men.to** *sm.*

rasgo (*ras*.go) *sm.* **1** Rasgão, abertura. **2** *Fig.* Manifestação repentina; ímpeto: *Num <u>rasgo</u> de paixão, pediu-a em casamento.*

raso (*ra*.so) *a.* **1** De pouca profundidade. **2** Sem obstáculos (corrida <u>rasa</u>). **3** Sem graduação (soldado <u>raso</u>). *sm.* **4** Lugar de pouca profundidade.

rasoura (ra.*sou*.ra) *sf.* **1** Pau roliço com que se retira o excesso nas medidas de cereais. **2** Instrumento de entalhador que serve para tirar as asperezas de peça que se entalha.

rasourar (ra.sou.*rar*) *v. td.* Nivelar, igualar com uso de rasoura. [▶ **1** rasour<u>ar</u>]

raspa (*ras*.pa) *sf.* O material que se tira raspando um objeto; apara.

raspadeira (ras.pa.*dei*.ra) *sf.* **1** Pente de ferro para raspar o pelo dos animais **2** Lâmina de aço com que se faz o polimento de madeira.

raspadinha (ras.pa.*di*.nha) *sf.* **1** Certo tipo de loteria que consiste em raspar uma cartela que contém números ou objetos encobertos. **2** *N.E.* Refresco feito de gelo picado e xarope de fruta.

raspão (ras.*pão*) *sm.* Atrito ligeiro que causa arranhão superficial. [Pl.: *-pões.*] ❚❚ **De ~** De lado, não frontalmente, não em cheio: *A bola atingiu-o <u>de raspão</u>.*

raspar (ras.*par*) *v.* **1** Desbastar ou alisar a superfície de (algo). [*td.*] **2** Retirar sujeira aderida a (algo). [*td.*] **3** Ferir ou tocar de raspão. [*td.*: *A bala só <u>raspou</u> a perna do policial. ti. + em*: *O carro <u>raspou</u> no poste.*] **4** Cortar rente o cabelo ou o pelo de, ou tirar (a barba); RAPAR. [*td.*] **5** Transformar em raspa; RALAR. [*td.*: *<u>raspar</u> o queijo.*] **6** *Bras.* Furtar, rapar (3) algo. [*td.*] [▶ **1** rasp<u>ar</u>] ● **ras.pa.du.ra** *sf.*; **ras.pa.gem** *sf.*

rastaquera (ras.ta.*que*.ra) *s2g.* **1** Pessoa que faz questão de ostentar riqueza. **2** *Bras. Pop.* Ignorante. *a2g.* **3** Típico de rastaquera.

rasteira (ras.*tei*.ra) *sf.* Movimento de perna rápido e certeiro, atingindo a perna de alguém e puxando-a para derrubá-lo. ❚❚ **Dar uma ~ em** *Fig.* Trair, prejudicar (alguém) de maneira astuciosa.

rasteiro (ras.*tei*.ro) *a.* Que cresce, e fica, rente ao chão (planta <u>rasteira</u>).

rastejar (ras.te.*jar*) *v.* **1** Seguir o rasto ou a pista de (suspeito, fugitivo, caça etc.); RASTREAR. [*td.*] **2** Andar de rastos; ARRASTAR-SE. [*int. pr.*] **3** *Fig.* Ser subserviente ou servil; AVILTAR-SE. [*int./pr.*: *O vassalo rastejava(-se) para agradar ao soberano.*] **4** Ser principiante ou novato. [*ti.* + *em*: *Ainda está rastejando em inglês.*] [▶ 1 rastej**ar**] • ras.te.ja.men.to *sm.*; ras.te.jan.te *a2g.*; ras.te.jo *sm.*

rastelo (ras.*te*.lo) [ê] *sm.* Ver *ancinho*. • **ras.te.lar** *v.*

rastilho (ras.*ti*.lho) *sm.* Fio embebido em pólvora ou outra substância inflamável, que se acende para atear fogo a algo.

rastreamento, rastreio (ras.tre:a.*men*.to, ras.*trei*.o) *sm.* **1** Busca de pista ou vestígios; investigação. **2** Processo de acompanhar a trajetória de qualquer objeto móvel (míssil, automóvel etc.) por meio de radar, rádio etc. **3** Escuta telefônica com o fim de determinar de onde está sendo feita a chamada recebida; GRAMPO.

RASTELO

rastrear (ras.tre.*ar*) *v. td.* **1** Ver *rastejar* (1). **2** Fazer rastreamento de. [▶ 13 rastre**ar**]

rastro, rasto (*ras*.tro, *ras*.to) *sm.* **1** Marca de pés ou patas no solo ou na areia; pegada; vestígio: *Seguiram o rastro do fugitivo pela mata adentro.* **2** *Fig.* Sinal, indício: *As chuvas deixaram um rastro de destruição na região.* ⚌ **De ~s** Rastejando, arrastando-se.

rasura (ra.*su*.ra) *sf.* **1** Ação ou resultado de riscar ou raspar palavras em texto impresso ou manuscrito; esse risco ou essa raspagem. **2** Palavra ou conjunto de palavras corrigidas ou riscadas em um texto.

rasurar (ra.su.*rar*) *v. td.* Fazer rasura(s) (1) em. [▶ 1 rasur**ar**] • **ra.su.ra.do** *a.*

rata[1] (*ra*.ta) *sf.* *Zool.* Fêmea do rato. [Aum.: *ratazana*.]

rata[2] (*ra*.ta) *sf.* *Pop.* Mancada, gafe: *Depois de dar a rata que deu, ficou calada.*

rataplã (ra.ta.*plã*) *sm.* O soar do tambor.

rataria (ra.ta.*ri*.a) *sf.* Grande quantidade de ratos.

ratazana (ra.ta.*za*.na) *sf.* *Zool.* Rata[1] e rato grandes.

ratear[1] (ra.te.*ar*) *v.* Dividir (algo) proporcionalmente (entre pessoas). [*td.* + *entre*: *Ratearam os gastos entre si.*] [▶ 13 rate**ar**]

ratear[2] (ra.te.*ar*) *v. int.* **1** Falhar (motor ou mecanismo). **2** *Fig.* Debilitar-se (o organismo ou um órgão); FRAQUEJAR; FALHAR. [▶ 13 rate**ar**]

rateio (ra.*tei*.o) *sm.* Divisão proporcional de ganhos ou despesas.

rateiro (ra.*tei*.ro) *a.* Que caça rato (cão *rateiro*).

raticida (ra.ti.*ci*.da) *a2g.sm.* Que ou o que serve para matar ratos.

ratificar (ra.ti.fi.*car*) *v.* **1** Fazer a confirmação ou a validação de; VALIDAR; CONFIRMAR. [*td.*: *ratificar uma promessa.* *tdi.* + *em*: *Ratificaram-no no cargo.*] **2** Comprovar, corroborar. [*td.*: *A crise ratificou a previsão do economista.*] [▶ 11 ratific**ar**] • **ra.ti.fi.ca.ção** *sf.*; **ra.ti.fi.cá.vel** *a2g.*

rato (*ra*.to) *sm.* *Zool.* Animal roedor de pelo ger. cinza e focinho alongado. [Aum.: *ratazana*.] ⚌ **~ de biblioteca** Frequentador assíduo de biblioteca. **~ de praia** Pessoa que vai muito à praia.

ratoeira (ra.to:*ei*.ra) *sf.* **1** Armadilha para pegar ratos. **2** *Fig.* Qualquer armadilha.

⊕ **rave** (Ing. /*rêiv*/) *sf.* Festa em ambiente amplo (galpões ou ar livre), com música eletrônica, e que não tem hora para acabar.

ravina (ra.*vi*.na) *sf.* Escavação formada por enxurrada.

raviólí (ra.vi:*ó*.li) *sm. Cul.* **1** Massa em formato de pequenos quadrados, recheados de carne, espinafre etc. **2** Prato feito com essa massa.

razão (ra.*zão*) *sf.* **1** Capacidade de raciocinar, de julgar: *O ser humano é dotado de razão.* **2** Correção, racionalidade em raciocínio ou julgamento feitos; bom senso: "Quem um dia irá dizer / Que existe razão / Nas coisas feitas pelo coração?" (Renato Russo, *Eduardo e Mônica*). **3** Causa, motivo: *Qual foi a razão do atraso?* **4** *Mat.* Quociente entre dois números. [Pl.: *-zões*.] ⚌ **Dar ~ a (alguém)** Considerar que (alguém) está certo, concordar com. **Em ~ de** Por causa de. **Ter ~** Estar certo: *Você tem razão no que disse.*

razia (ra.*zi*.a) *sf.* Incursão ao território inimigo para saquear.

razoável (ra.zo:*á*.vel) *a2g.* **1** Que mostra bom senso, juízo: *Seja razoável e pare com essa implicância.* **2** Que é bom ou grande ou o suficiente; aceitável: *Achei o filme bem razoável.* **3** Moderado (preço *razoável*). [Pl.: *-veis*.] • **ra.zo:a.bi.li.da.de** *sf.*

ré[1] *sf.* Fem. de *réu*.

ré[2] *sf.* **1** Marcha de veículo motorizado que o faz andar para trás. **2** Porção traseira da embarcação à vela, entre o mastro grande e a popa.

ré[3] *sm. Mús.* **1** A segunda nota musical da escala de dó. **2** Sinal que representa essa nota na pauta.

reabastecer (re:a.bas.te.*cer*) *v.* Tornar a abastecer(-se). [*td.* (seguido ou não de indicação de conteúdo): *reabastecer o carro/um quartel (de munição).* *pr.*: *O hospital reabasteceu-se de remédios.*] [▶ 33 reabastec**er**] • **re.a.bas.te.ci.do** *a.*; **re:a.bas.te.ci.men.to** *sm.*

reabilitar (re:a.bi.li.*tar*) *v.* **1** Restituir direitos ou condição perdida a. [*td.*] **2** Restituir a estima pública ou particular a. [*td.*: *A vitória reabilitou a seleção.* *pr.*: *Mudou completamente e se reabilitou diante da esposa.*] **3** Regenerar(-se), recuperar-se (alguém) de problema físico ou psíquico. [*td.*: *Era rebelde, mas o amor da família o reabilitou.* *pr.*: *Reabilitou-se e deixou o hospital.*] [▶ 1 reabilit**ar**] • **re:a.bi.li.ta.ção** *sf.*; **re:a.bi.li.ta.do** *a.*

reabrir (re:a.*brir*) *v.* Tornar a abrir(-se). [*td.*: *reabrir um bar.* *int./pr.*: *Muitas lojas reabriram(-se).*] [▶ 3 reabr**ir**. Part.: *reaberto*.] • **re:a.ber.to** *a.*; **re:a.ber.tu.ra** *sf.*

reabsorver (re:ab.sor.*ver*) *v. td.* Tornar a absorver. [▶ 2 reabsorv**er**] • **re:ab.sor.ção** *sf.*

reação (re:a.*ção*) *sf.* **1** Ação ou resultado de reagir. **2** Ato ou sentimento em resposta a uma situação, crítica, ameaça etc.: *Qual foi a reação dele quando você disse isso?* **3** Resposta do organismo a estímulo, alimento ou remédio (*reação alérgica*). **4** *Quím.* Alteração na estrutura de substância produzida por mistura com outra, alteração ambiental etc. [Pl.: *-ções*.]

reacender (re:a.cen.*der*) *v.* **1** Tornar a acender. [*td.*] **2** Renovar(-se), reanimar(-se). [*td.*: *A carta reacendeu suas esperanças.* *int./pr.*: *Reacendeu(-se) (seu) ânimo) para a vida.*] [▶ 2 reacend**er**. Part.: *reacendido e reaceso*.] • **re.a.cen.di.men.to** *sm.*

reacionário (re:a.ci:o.*ná*.ri:o) *a.* **1** Que se opõe ou mostra oposição a quaisquer mudanças sociais ou políticas (discurso *reacionário*). *sm.* **2** Pessoa reacionária (1).

readaptar (re:a.dap.*tar*) *v.* Tornar a adaptar. [*td.*: *readaptar uma máquina.* *tdi.* + *a*: *Readaptou o escritório às suas necessidades.* *pr.*: *Estão se readaptando à vida em sociedade.*] [▶ 1 readapt**ar**] • **re:a.dap.ta.ção** *sf.*

readmitir (re:ad.mi.*tir*) *v.* **1** Tornar a admitir. [*td.* (seguido ou não de indicação de condição): *A empresa o readmitiu (como escriturário).* *tdi.* + *em*: *Readmitiram-nos na fábrica.*] **2** Tornar a reconhecer (algo). [*td.*: *Readmitiu que eram verdadeiras as denúncias.*] [▶ 3 readmit**ir**] • **re:ad.mis.são** *sf.*

readquirir (re:ad.qui.*rir*) *v. td.* Tornar a adquirir; RECUPERAR: *readquirir a fé.* [▶ 3 readquir**ir**]

reafirmar (re:a.fir.*mar*) *v. td.* Tornar a afirmar; CONFIRMAR: *Reafirmou o que dissera aos jornalistas.* [▶ 1 reafirm**ar** ● re:a.fir.ma.*ção sf.*

reagente (re:a.*gen*.te) *a2g.* 1 *Quím.* Diz-se de substância que produz reação química. *sm.* 2 Substância reagente.

reagir (re:a.*gir*) *v.* Exercer ou opor reação a; RESISTIR. [*ti.* + *a*: *reagir a uma ofensa.* *int.*: *Instigado, ele sempre reage.*] [▶ **46** reag**ir**]

reagrupar (re:a.gru.*par*) *v. td. pr.* Tornar a agrupar(-se) ou reunir(-se). [▶ 1 reagrup**ar** ● re:a.gru.*pa*.do *a.*; re:a.gru.pa.*men*.to *sm.*

reajustar (re:a.jus.*tar*) *v.* 1 Tornar a ajustar. [*td.*: *reajustar uma roupa. tdi.* + *a*: *reajustar uma peça a uma máquina.*] 2 Adequar (salário, preços, tarifas) ao novo custo de vida. [*td.*] [▶ 1 reajust**ar** ● re:a. jus.*ta*.do *a.*; re:a.jus.ta.*men*.to *sm.*; re:a.jus.*tá*.vel *a2g.*; re:a.jus.ta.*men*.to *sm.*

real¹ (re:*al*) *a2g.* 1 Que existe verdadeiramente. 2 Verídico; autêntico: *uma história real.* 3 *Econ.* De que foram descontados reajustes devido à inflação (salário *real*). [Pl.: -*ais.*] *sm.* 4 Aquilo que é real; REALIDADE.

real² (re:*al*) *a2g.* Ref. ou pertencente ao rei, à rainha ou à realeza: *a pinacoteca real.* [Pl.: -*ais.*]

real³ (re:*al*) *sm.* 1 Nome do dinheiro us. no Brasil (a partir de 1994). 2 Unidade dos valores em real, us. em notas e moedas: *uma nota de dez reais.* [1 real = 100 centavos. Símb.: *R$*] [Pl.: Pl. nas acps. 1 e 2: -*ais;* 3 Nome do dinheiro us. no Brasil até 1942. [Pl. nesta acp.: *réis.*]

□ O real, moeda brasileira desde 1994, foi adotado depois de seguidas tentativas – de seguidos governos – de eliminar ou reduzir uma alta inflação que já durava décadas. Para evitar que os efeitos e reações que haviam neutralizado as medidas anteriores agissem sobre a nova moeda, um período de adaptação foi feito com uma unidade intermediária, chamada URV (Unidade Real de Valor), indexada ao dólar norte-americano. Absorvidas as reações e estabilizada a URV, ela se transformou no real, já não indexado, que herdou a estabilidade assegurada com a URV.

realçar (re:al.*çar*) *v.* Dar realce ou destaque a, ou adquiri-los; SALIENTAR; DESTACAR. [*td.*: *realçar o desempenho de um empregado. tdi.* + *com*: *Ela realça sua beleza com roupas elegantes. int./pr.*: *Seu livro realça(-se) pela objetividade.*] [▶ **12** realç**ar**]

realce (re:*al*.ce) *sm.* 1 O que destaca ou se destaca. 2 O que tem maior brilho num contexto; ênfase.

realejo (re:a.*le*.jo) [ê] *sm. Mús.* 1 Órgão mecânico portátil que se aciona por meio de uma manivela. 2 *N.E.* Gaita de boca.

realeza (re:a.*le*.za) [ê] *sf.* 1 O monarca e sua família, a casa real. 2 Poder, condição ou autoridade de um monarca.

realidade (re:a.li.*da*.de) *sf.* 1 Qualidade ou estado do que é real ou verdadeiro. 2 A vida real: *enfrentar a realidade.* 3 Verdade: "...mesmo que tenhamos consciência de que na realidade não somos desta maneira, é assim que nos vemos..." (Ana Maria Machado, *Outro chamado selvagem*).

REALEJO (1)

realismo (re:a.*lis*.mo) *sm.* 1 Condição ou característica do que é real, do que tem existência de fato. 2 Condição do que imita bem a realidade; essa imitação: *Seus quadros são de grande realismo.* 3 *Art. Pl. Liter.* Teoria estética segundo a qual os aspectos familiares da vida devem ser representados de uma maneira direta ou como eles são de fato. ● re:a.*lis*. ta *a2g.s2g.*

⊕ **reality-show** (Ing. /riáliti-chóu/) *sm. Telv.* Tipo de programa, ger. de televisão, que consiste em acompanhar e transmitir o desenvolvimento de situações reais em um grupo selecionado e reunido para isso.

realizar (re:a.li.*zar*) *v.* 1 Tornar(-se) real ou realidade; CONCRETIZAR(-SE). [*td.*: *A equipe realizou uma obra monumental. pr.*: *Que seus sonhos se realizem um a um!*] 2 Ocorrer, acontecer. [*pr.*: *A batalha de Lepanto realizou-se no séc. XVI.*] 3 Criar ou dar forma a. [*td.*: *realizar uma obra de arte.*] 4 Praticar, fazer. [*td*: *realizar uma boa ação.*] 5 *Bras.* Sentir-se plenamente satisfeito em ou com. [*pr.*: *Só se realiza na música.*] [▶ 1 realiz**ar** ● re:a. li.za.*ção sf.*; re:a.li.*za*.do *a.*; re:a.li.za.*dor a.sm.*; re:a.li.*zá*.vel *a2g.*

reanimar (re:a.ni.*mar*) *v.* 1 Restituir a (pessoa ou animal) a consciência, os movimentos, as forças etc. [*td.*: *A custo reanimou o homem desmaiado. int.*/*pr.*: *Ela reanimou(-se) com os remédios.*] 2 Dar a, ou adquirir, novo ânimo ou entusiasmo; ESTIMULAR(-SE). [*td.*: *O apoio dos amigos nos reanimou. pr.*: *Reanimou-se ao saber que Ana voltaria.*] [▶ 1 reanim**ar** ● re:a. ni.ma.*ção sf.*

reaparecer (re:a.pa.re.*cer*) *v. int.* Tornar a aparecer; RESSURGIR. [▶ **33** reaparec**er** ● re:a.pa.ri.*ção sf.*; re:a.pa.re.ci.*men*.to *sm.*

reaplicar (re:a.pli.*car*) *v. td.* Tornar a aplicar: *Reaplicou o dinheiro na Bolsa.* [▶ **11** reaplic**ar** ● re:a.pli. ca.*ção sf.*

reapresentar (re:a.pre.sen.*tar*) *v. td. pr.* Tornar a apresentar(-se). [▶ **1** reapresent**ar** ● re:a.pre.sen. ta.*ção sf.*; re:a.pre.sen.*ta*.do *a.*

reaproveitar (re:a.pro.vei.*tar*) *v. td. pr.* Tornar a aproveitar(-se). [▶ 1 reaproveit**ar** ● re:a.pro.vei. *ta*.do *a.*; re:a.pro.vei.ta.*men*.to *sm.*; re:a.pro.vei.*tá*. vel *a2g.*

reaproximar (re:a.pro.xi.*mar*) *v.* 1 Voltar a aproximar(-se). [*td.*: *O sentimento de solidariedade reaproximou a família. pr.*: *Assustada, a criança reaproximou-se da mãe.*] 2 Restabelecer (relações, aliança, união, contato) entre: *reaproximar antigos amigos. tdi.* + *de*: *Conseguiu reaproximá-lo do sócio. pr.*: *Os dois países se reaproximaram.*] [▶ 1 reaproxim**ar** ● re:a.pro. xi.ma.*ção sf.*

reaquisição (re:a.qui.si.*ção*) *sf.* Ação ou resultado de readquirir (algo). [Pl.: -*ções.*]

reassumir (re:as.su.*mir*) *v. td.* Tornar a assumir; readquirir; recuperar: *reassumir o controle de uma empresa.* [▶ **3** reassum**ir**]

reatar (re:a.*tar*) *v. td.* 1 Tornar a atar ou amarrar. 2 Retomar o que se tinha interrompido ou rompido: *reatar uma conversa/um namoro.* [▶ 1 reat**ar** ● re:a. ta.*men*.to *sm.*

reativar (re:a.ti.*var*) *v. td. pr.* Tornar(-se) outra vez ativo. [▶ 1 reativ**ar** ● re:a.ti.va.*ção sf.*

reativo (re:a.*ti*.vo) *a.sm.* 1 *Quím.* Que ou o que reage ou faz reagir. *sm.* 2 Reagente (2). ● re:a.ti.vi. *da*.de *sf.*

reato (re:a.to) *sm.* 1 Condição do réu. 2 *Teol.* Obrigação de cumprir a penitência estabelecida.

reator (re:a.*tor*) [ô] *A.* 1 Que reage. *sm.* 2 *Elet.* Elemento de um circuito us. para se opor ao fluxo de corrente elétrica. 3 *Fís. Quím.* Dispositivo no qual se provoca reação química (*reator* nuclear).

reavaliar (re:a.va.li.*ar*) *v. td.* Tornar a avaliar, fazer outra avaliação. [▶ 1 reavali**ar** ● re:a. va.li.a.*ção sf.*; re:a.va.li.*a*.do *a.*

reaver (re:a.*ver*) *v. td.* Tornar a haver ou ter, ou readquirir a posse de; RECUPERAR. [Verbo defec., us. somente nas formas que conservam o *v* do radical.]

[▶ 5 reaver. Conjuga-se sem o h do paradigma, e só nas f. em que se mantém o v.] ● re:a.vi.do a.

reavivar (re:a.vi.*var*) *v. td. pr.* **1** Avivar(-se) intensamente. **2** Reacender(-se) o fogo de (fogueira, lareira etc.). **3** *Fig.* Dar ou receber novo estímulo; ESTIMULAR(-SE). [▶ 1 reavivar]

rebaixar (re.bai.*xar*) *v.* **1** Tornar(-se) mais baixo. [*td. int. pr.*] **2** Fazer diminuir o preço de. [*td.*] **3** Perder ou fazer perder a dignidade; HUMILHAR(-SE); AVILTAR(-SE). [*td.*: *Rebaixou-o na frente dos amigos.* *pr.*: *Os vícios fazem o homem rebaixar-se.*] **4** *Mil.* Fazer baixar na hierarquia militar. [*td.*] [▶ 1 rebaixar] ● re.bai.xa.do *a.*; re.bai.xa.men.to *sm.*

rebanho (re.*ba*.nho) *sm.* **1** Grupo de animais da mesma espécie, criados e controlados com fins econômicos; o total desses animais numa economia: *o rebanho de ovelhas/bovino do Brasil.* **2** Grupo de animais (ger. quadrúpedes) criados ou em estado selvagem: *um rebanho de cavalos selvagens.* **3** *Fig.* Conjunto de fiéis. **4** *Fig.* Grupo de pessoas que se deixam levar por líderes carismáticos.

rebarba (re.*bar*.ba) *sf.* **1** Aresta ou proeminência em peça de metal ou de madeira cortada. **2** *Fig.* Aquilo que sobra de algo.

rebarbativo (re.bar.ba.*ti*.vo) *a.* **1** Rude, carrancudo, antipático (fisionomia rebarbativa). **2** Enfadonho, desagradável, desinteressante (leitura rebarbativa).

rebate (re.*ba*.te) *sm.* Ação ou resultado de rebater, repelir: *No bate e rebate a bola sobrou para o atacante.*

rebater (re.ba.*ter*) *v. td.* **1** Responder, contestar ou refutar: (seguido ou não de indicação de meio) *Rebateu uma acusação* (com argumentos sólidos). **2** Repelir, rechaçar: (seguido ou não de indicação de meio) *As tropas rebateram os inimigos* (com artilharia pesada). **3** Não se deixar atingir por (golpe): (seguido ou não de indicação de meio) *Rebateu o soco* (com a palma da mão). **4** Combater ou debelar: *rebater uma epidemia*; (tb. seguido de indicação de meio) *Rebateram a rebelião com tropas federais.* **5** *Esp.* Impelir em outro sentido (a bola), ou devolvê(-la) para o lado adversário. **6** Dobrar (algo plano) fazendo deitar sobre (outro plano). **7** Tornar a datilografar ou digitar. [▶ 2 rebater] ● re.ba.te.dor *a.sm.*; re.ba.ti.da *sf.*

rebelar (re.be.*lar*) *v.* Levar a cabo uma revolta, insurgir(-se) contra; REVOLTAR(-SE). [*td.*: *rebelar as tropas/a população. tdi.* + *contra*: *Rebelou os marinheiros contra o capitão. pr.*: *Rebela-se contra a rotina do trabalho.*] [▶ 1 rebelar]

rebelde (re.*bel*.de) *a2g.* **1** Que se rebela, dissidente. **2** Indisciplinado. **3** Não domesticado, bravo (cavalo rebelde). **4** Revolto, em desalinho (cabeleira rebelde). *s2g.* **5** Pessoa que se rebela com frequência. ● re.bel.*di*.a *sf.*

rebelião (re.be.li:*ão*) *sf.* Insurreição contra a autoridade e a ordem estabelecidas na tentativa de substituir uma e outra; INSURREIÇÃO; REVOLTA. [Pl.: -ões.]

rebenque (re.*ben*.que) *sm. Bras.* Chicote pequeno de tocar cavalo. ● re.ben.*ca*.da *sf.*

rebentar (re.ben.*tar*) *v.* Ver *arrebentar* (1, 2 e 3). [▶ 1 rebentar]

rebento (re.*ben*.to) *sm.* **1** *Bot.* Broto de uma flor. **2** *Fig.* O filho, o descendente. **3** *Fig.* O resultado de uma produção longa e/ou difícil.

rebitar (re.bi.*tar*) *v.* Ver *arrebitar* (1). **1** Ligar (peças de metal) com rebites. [*td.*] [▶ 1 rebitar] ● re.bi.ta.do *a.*; re.bi.ta.gem *sf.*

rebite (re.*bi*.te) *sm.* Peça metálica cilíndrica que une peças ou chapas de metal.

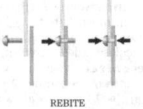

REBITE

reboar (re.bo.*ar*) *v. int.* Ecoar com estrondo; RETUMBAR. [▶ 16 reboar]

rebobinar (re.bo.bi.*nar*) *v. td.* Tornar a bobinar. [▶ 1 rebobinar] ● re.bo.bi.*na*.do *a.*; re.bo.bi.*na*.gem *sf.*

rebocador (re.bo.ca.*dor*) [ó] *sm.* Embarcação que conduz outra a reboque.

rebocar¹ (re.bo.*car*) *v. td.* Revestir com reboco. [▶ 11 rebocar]

rebocar² (re.bo.*car*) *v. td.* Conduzir (navio, carro etc.) a reboque, puxando-o por cabo, corrente etc. [▶ 11 rebocar]

reboco (re.*bo*.co) [ô] *sm. Cons.* Argamassa que, aplicada à parede emboçada, proporciona a essa uma superfície uniforme e lisa, pronta para a pintura.

rebojo (re.*bo*.jo) [ô] *sm.* Redemoinho ou contracorrente provocados pela sinuosidade do rio; voragem; sorvedouro.

rebolado (re.bo.*la*.do) *a.* **1** Que se executa remexendo os quadris (dança rebolada). *sm.* **2** Movimento circular e rítmico que se imprime aos quadris; REMELEXO. **3** *Bras. Teat.* Teatro de revista alegre e malicioso. [Us. tb. como *a.*, *teatro rebolado*.] ▌▌ **Perder o ~** - *Pop.* Ficar desconcertado, sem graça.

rebolar (re.bo.*lar*) *v.* **1** Menear(-se), requebrar(-se). [*td.*: *rebolar o corpo/os quadris. int./pr.*: *As passistas rebolavam(-se) na quadra.*] **2** Fazer rolar como uma bola. [*td.*] [▶ 1 rebolar] ● re.bo.*lan*.te *a2g.*; re.bo.la.*ti*.vo *a.*

rebolo (re.*bo*.lo) [ô] *sm.* Pedra de mó us. como amolador.

reboo (re.*bo*.o) *sm.* Repercussão do som.

reboque (re.*bo*.que) *sm.* **1** Vagão ou veículo sem tração própria, puxado por outro que a tem. **2** Veículo equipado para rebocar outro que esteja enguiçado. **3** *Fig.* Ação ou resultado de se levar alguém para algum lugar, sem que tenha sido convidado.

rebordo (re.*bor*.do) [ô] *sm.* Borda que se acha revirada. [Pl.: [ó].]

rebordosa (re.bor.*do*.sa) *sf. Bras.* **1** Situação difícil. **2** Repreensão. **3** Recaída (de doença, mal-estar).

rebotalho (re.bo.*ta*.lho) *sm.* **1** Coisa sem importância; RESTO, REFUGO. **2** *Fig.* Pessoa vil, reles.

rebote (re.*bo*.te) [ó] *sm.* **1** *Basq.* Bola que, lançada à cesta, bate no aro ou na tabela ou é rebatida por um defensor do time adversário, retornando ao jogo. **2** *Fut.* Bola chutada em direção ao gol e que rebatida pela defesa é retomada por atacante adversário. ● re.bo.te.*ar* *v.*

rebrilhar (re.bri.*lhar*) *v. int.* Tornar a brilhar, brilhar muito, ou refletir maior brilho. [▶ 1 rebrilhar]

rebu (re.*bu*) *sm. Bras. Pop.* Agitação, rebuliço.

rebuçado (re.bu.*ça*.do) *sm.* Bala, guloseima.

rebuçar (re.bu.*çar*) *v.* **1** Encobrir(-se) com rebuço (1). [*td.*: *um lenço rebucava o seu rosto. pr.*: *Recatada, a mulher rebucou-se com um véu.*] **2** *Fig.* Ocultar(-se) ou disfarçar(-se), dissimular(-se). [*td.*: *rebuçar a verdade dos fatos. pr.*: *O riso mal se rebuçava em seu rosto.*] [▶ 12 rebuçar]

rebuço (re.*bu*.ço) *sm.* **1** Parte da capa que encobre o rosto. **2** *Fig.* Fingimento, dissimulação: *Disse a verdade sem rebuço.*

rebuliço (re.bu.*li*.ço) *sm.* Confusão, agitação: *A chegada dos campeões causou rebuliço no aeroporto.*

rebuscar (re.bus.*car*) *v. td.* **1** Buscar de novo, buscar minuciosamente, ou revirar, vasculhar: *rebuscar uma chave perdida/um armário/palavras num livro.* **2** Dar estilo requintado ou demasiadamente ornado a: *rebuscar um estilo/um romance/um discurso.* [▶ 11 rebuscar] ● re.bus.*ca*.do *a.*; re.bus.ca.*men*.to *sm.*

recado (re.*ca*.do) *sm.* **1** Mensagem curta, oral ou escrita: *Deixei um recado na sua secretária eletrônica.* ▌▌ **Dar conta do ~** Ver *Dar conta de* em *conta.* **Dar o ~** Conseguir transmitir a ideia, informação etc. que

recair | **recensear**

se propõe transmitir: *Escreveu um artigo inspirado, e deu o seu recado*. [Não confundir com o significado literal, de transmitir um recado.]

recair (re.ca.*ir*) *v.* **1** Tornar a cair. [*int.*] **2** Voltar a um estado anterior. [*int.*] **3** Sofrer recaída em ou ter novo acometimento de (doença). [*ti.* + *de, em. int.*] **4** Tornar a incorrer (em erro, falta, culpa); REINCIDIR. [*ti.* + *em.*] **5** Caber ou atribuir-se (acusação, culpa ou responsabilidade) a (alguém). [*ti.* + *sobre.*] **6** Caber por nomeação ou votação. [*ti.* + *em, sobre*: *A presidência da sessão recaiu sobre o mais votado.*] **7** Incidir ou cair (o acento, a ênfase): [*ti.* + *em: Em "túnel" o acento tônico recai na penúltima sílaba.*] [▶ **43** recair] • re.ca.*í*.da *sf.*

recalcar (re.cal.*car*) *v. td.* **1** Calcar outra vez ou seguidamente; REPISAR. **2** *Fig.* Impedir a ação, expansão ou manifestação de; REPRIMIR: *recalcar a agressividade.* [▶ **11** recalcar] • re.cal.*ca*.do *a.sm.*; re.cal.ca.*men*.to *sm.*

recalcitrar (re.cal.ci.*trar*) *v.* **1** Insistir (em não obedecer, ou não ceder); OBSTINAR-SE; RESISTIR. [*ti.* + *em*: *Ele recalcitra em não estudar.* *int.*: *Embora advertida por mau comportamento, recalcitrou.*] **2** Rebelar-se, insurgir-se. [*int.*] [▶ **1** recalcitrar] • re.cal.ci.*trân*.ci.a *sf.*; re.cal.ci.*tran*.te *a2g.s2g.*

⊕ **recall** (Ing. /ricól/) *sf.* Procedimento que consiste em um fornecedor chamar os compradores de seu produto (por anúncio na imprensa), quando constatado algum defeito de fabricação, para a correção do defeito antes que esse possa causar qualquer dano ao consumidor.

recalque (re.*cal*.que) *sm.* **1** Ação ou resultado de recalcar. **2** *Psi.* Repressão de sentimentos, emoções, desejos.

recambiar (re.cam.bi.*ar*) *v.* Fazer voltar ou retornar a. [*td.*: *recambiar um prisioneiro.* *tdi.* + *a*: *recambiar um bem a seu proprietário.*] [▶ **1** recambiar] • re.cam.bi.*á*.vel *a2g.*

recamo (re.*ca*.mo) *sm.* **1** Bordado em relevo, num tecido. **2** Adorno, enfeite.

recanto (re.*can*.to) *sm.* **1** Local isolado, afastado. **2** Lugar agradável, aprazível.

recapear (re.ca.pe.*ar*) *v. td.* Tornar a capear ou a pavimentar, ou recauchutar. [▶ **13** recapear] • re.ca.pe.*a.men*.to *sm.*

recapitular (re.ca.pi.tu.*lar*) *v. td.* **1** Repetir resumida ou sinteticamente: *recapitular uma lição/um discurso.* **2** Rememorar ou reexaminar os principais elementos ou momentos de: *recapitular uma viagem/uma conversa.* [▶ **1** recapitular] • re.ca.pi.tu.la.*ção* *sf.*

recapturar (re.cap.tu.*rar*) *v. td.* Tornar a capturar. [▶ **1** recapturar] • re.cap.tu.*ra* *sf.*

recarga (re.*car*.ga) *sf.* **1** Novo ataque depois de outro que foi rechaçado. **2** Ação ou resultado de recarregar; aquilo que serve para recarregar.

recarregar (re.car.re.*gar*) *v.* Tornar a carregar(-se). [*td.*: *recarregar um isqueiro/uma esferográfica/uma arma.* *pr.*: *A mangueira já recarregou-se de frutos.*] [▶ **14** recarregar] • re.car.re.ga.*men*.to *sm.*

recatado (re.ca.*ta*.do) *a.* Que tem ou denota pudor: *Uma jovem recatada.* Os modos recatados.

recatar (re.ca.*tar*) *v.* **1** Guardar(-se), pôr(-se) em recato; RESGUARDAR(-SE). [*td.*: *Pediu-lhe que recatasse o segredo.* *tdi.* + *de*: *O pai tenta recatar os filhos das más influências.* *pr.*: *Sempre se recatou de envolvimentos perigosos.*] **2** Viver ou ocultar-se em recato. [*pr.*] [▶ **1** recatar]

recato (re.*ca*.to) *sm.* **1** Pudor, resguardo. **2** Simplicidade, modéstia.

recauchutar (re.cau.chu.*tar*) *v.* **1** Cobrir (pneu) com nova camada de borracha. [*td.*] **2** Restaurar (o que está gasto pelo uso); RECONSTITUIR. [*td.*] **3** *Bras. Joc.* Fazer, ou submeter-se a, cirurgia plástica. [*td. pr.*] [▶ **1** recauchutar] • re.cau.chu.*ta*.do *a.*; re.cau.chu.*ta*.gem *sf.*

recear (re.ce.*ar*) *v.* **1** Ter receio ou apreensão com relação a. [*td.*: *recear uma cirurgia.* *ti.* + *por*: *Receia pelo futuro do país.* *pr.*: *Receia-se de tudo.*] **2** Achar, crer em (algo desagradável). [*td.*: *Receio ter errado.*] [▶ **13** recear]

recebedor (re.ce.be.*dor*) [ô] *a.sm.* **1** Que, quem ou o que recebe; RECEPTOR. *sm.* **2** Funcionário que recebe impostos.

recebedoria (re.ce.be.do.*ri*.a) *sf.* Local onde se recebem impostos.

receber (re.ce.*ber*) *v.* **1** Ser destinatário ou alvo de. [*td.*: *receber uma carta/um aviso/um beijo/uma herança; A Terra recebe a luz solar.* *tdi.* + *de*: *Recebeu do pai um ensinamento/um castigo.*] **2** Ser receptáculo ou depositário de. [*td.*: *Este terreno recebe detritos urbanos.* *tdi.* + *de*: *Os mares recebem águas dos rios.*] **3** Acolher, hospedar, recepcionar. [*td.*: *receber visitas/hóspedes; O governador vai receber o rei no aeroporto.* *int.*: *Aquela família sabe receber.*] **4** Admitir ou acolher em certa condição ou qualidade. [*td.* (seguido de indicação de qualidade): *Ela o recebeu como um filho.*] **5** Aceitar ou tomar por cônjuge. [*td.*] [▶ **2** receber] • re.ce.*bi*.do *a.*; re.ce.bi.*men*.to *sm.*

receio (re.*cei*.o) *sm.* Dúvida acompanhada de medo; APREENSÃO.

receita (re.*cei*.ta) *sf.* **1** Fórmula e método de preparo (de um prato, um medicamento etc.). **2** Maneira preestabelecida de resolver um problema ou de obter algo: *Não há receita para ficar rico.* **3** Indicação escrita de um remédio ou de um tratamento feita por um médico. **4** Total de dinheiro que se recebe ou arrecada: *a receita familiar/de um país.*

receitar (re.cei.*tar*) *v.* **1** Fazer ou formular receita (3) de, ou prescrever como médico. [*td.*: *receitar um antiinflamatório.* *tdi.* + *a, para*: *receitar um antibiótico ao paciente.* *int.*: *Farmacêuticos não podem receitar.*] **2** Recomendar, aconselhar. [*td.*: *receitar moderação.* *tdi.* + *a*: *O economista receitou mudanças ao governo.*] [▶ **1** receitar]

receituário (re.cei.tu.*á*.ri:o) *sm.* Formulário para receita médica.

⊕ **receiver** (Ing. /ricíver/) *sm.* Eletrôn. Aparelho que inclui um sintonizador de sinais e um amplificador.

recém (re.*cém*) *adv.* Pouco antes, recentemente. [NOTA: Embora no Sul do Brasil *recém* possa ocorrer como advérbio independente, o seu uso mais geral é como prefixo, sempre antes de um particípio, e a este se ligando por hífen: *recém-formado, recém-nascido* etc.]

recém-casado (re.cém-ca.*sa*.do) *a.sm.* Que ou quem acabou de se casar. [Pl.: *recém-casados.*]

recém-formado (re.cém-for.*ma*.do) *a.sm.* Que ou quem se formou há pouco tempo. [Pl.: *recém-formados.*]

recém-nascido (re.cém-nas.*ci*.do) *a.sm.* Que ou quem acabou de nascer. [Pl.: *recém-nascidos.*]

recender (re.cen.*der*) *v.* Exalar (cheiro) (de). [*td.*: *recender odor fétido/suave perfume.* *ti.* + *a*: *A igreja recendia a incenso.* *int.*: *Seu jardim recende suavemente.*] [▶ **2** recender] • re.cen.*den*.te *a2g.*

recenseamento (re.cen.se:a.*men*.to) *sm.* Cálculo do número de habitantes de um país, de uma cidade etc., com informações sobre profissão, faixa etária, escolaridade, sexo etc.; CENSO.

recensear (re.cen.se.*ar*) *v. td.* **1** Fazer recenseamento ou censo de. **2** Enumerar, relacionar, arrolar. [▶ **13** recensear] • re.cen.se:a.*dor* *a.sm.*

recente (re.*cen*.te) *a2g.* **1** Que aconteceu há pouco tempo (fato *recente*). **2** Que tem pouco tempo de existência (namoro *recente*).

receoso (re.ce:*o*.so) [ô] *a.* **1** Que sente receio; TEMEROSO. **2** Que não tem certeza do que deve fazer; INSEGURO; HESITANTE. [Fem. e pl.: [ó].]

recepção (re.cep.*ção*) *sf.* **1** Ação ou resultado de receber. **2** Setor em um estabelecimento comercial incumbido de dar informações a visitantes, hóspedes etc. **3** Cerimônia em que se recebe uma pessoa ilustre ou famosa. **4** Reunião de confraternização em que se servem bebidas e acepipes. [Pl.: -ções.]

recepcionar (re.cep.ci:o.*nar*) *v.* **1** Dar recepção ou reunião festivas. [*int.*] **2** *Bras.* Receber (alguém), em aeroporto, cais etc., com certa pompa ou deferência. [*td.*] [▶ 1 recepcionar]

recepcionista (re.cep.ci:o.*nis*.ta) *s2g. Bras.* Pessoa que, em um estabelecimento comercial, dá informações e recebe visitantes, hóspedes etc.

receptáculo (re.cep.*tá*.cu.lo) *sm.* Objeto que serve para conter alguma coisa; RECIPIENTE.

receptar (re.cep.*tar*) *v. td.* Comprar, receber ou ocultar (produto de delito ou de outrem). [▶ 1 receptar] • re.cep.ta.*ção sf.*; re.cep.ta.*dor a.sm.*

receptivo (re.cep.*ti*.vo) *a.* Capaz de ou propenso a receber, aceitar sugestões, opiniões etc. • re.cep.ti.*vi*.*da*.*de sf.*

receptor (re.cep.*tor*) [ô] *a.sm.* **1** Que ou o que recebe; RECEBEDOR. *sm.* **2** Aparelho que capta sinais elétricos, radiofônicos etc.

recessão (re.ces.*são*) *sf. Econ.* Diminuição da atividade econômica de um ou de vários países. [Pl.: -sões.] [Cf.: *ressecção*.]

recessivo (re.ces.*si*.vo) *a.* **1** Que apresenta ou que provoca ou aumenta recessão. **2** *Gen.* Diz-se do caráter hereditário que, embora presente, não se manifesta na configuração genética. • re.ces.si.*vi*.*da*.*de sf.*

recesso (re.*ces*.so) *sm.* Lugar íntimo, retirado; RECANTO: *Gosta de ficar no recesso do lar.* **2** Suspensão temporária de atividades de órgãos do Poder Legislativo ou Judiciário: *O Congresso entrou em recesso.*

rechaçar (re.cha.*çar*) *v. td.* **1** Forçar o recuo ou a retirada de: REPELIR: *rechaçar um exército inimigo.* **2** Resistir, opor-se a: *rechaçar uma proposta.* **3** *Esp.* Rebater (5) defensivamente (a bola). [Tb. sem complemento explícito.] [▶ 12 rechaçar] • re.cha.*ço sm.*

rechear (re.che.*ar*) *v.* **1** Pôr recheio (2) ou estofo em. [*td.*: *rechear empadas/um travesseiro*; (tb. seguido de indicação de meio/modo) *Recheou os pastéis com queijo.*] **2** Encher totalmente; ABARROTAR. [*td.*: *rechear o estômago*; (tb. seguido de indicação de meio/modo) *Recheou o baú com roupa de cama e mesa.*] **3** *Fig.* Entremear, intercalar. [*td.* (seguido de indicação de meio/modo): *Recheou o romance de regionalismos.*] [▶ 13 rechear] • re.che.*a*.do *a.sm.*

recheio (re.*chei*.o) *sm.* **1** Ação ou resultado de rechear. **2** Aquilo com que se enche recipiente, cavidade, espaço etc. CONTEÚDO: *o recheio de penas de um travesseiro.* **3** *Cul.* Aquilo que serve de recheio (2) de uma iguaria.

rechonchudo (re.chon.*chu*.do) *a.* Diz-se de pessoa gorda e rolíça; GORDUCHO.

recibo (re.*ci*.bo) *sm.* **1** Documento escrito que serve para comprovar o recebimento de algo; quitação. **2** *Fig.* Resposta a alguma agressão ou insulto: *Ele não se deixa provocar sem passar recibo, reage sempre.*

reciclar (re.ci.*clar*) *v.* **1** Reaproveitar (algo) para a produção de novos produtos, ou recuperá-lo para sua reutilização. [*td.*: *reciclar latas/papéis/águas poluídas.*] **2** *Bras.* Promover a atualização ou requalificação de (alguém ou si próprio). [*td.*: *reciclar técnicos. pr.*: *O médico deve se reciclar sempre.*] [▶ 1 reciclar] • re.ci.*cla*.do *a.*; re.ci.*cla*.gem *sf.*

recidiva (re.ci.*di*.va) *sf.* **1** Ressurgimento de alguma doença, após uma primeira cura; RECAÍDA. **2** Ação ou resultado de tornar a cometer a mesma falta, ou o mesmo crime; REINCIDÊNCIA. • re.ci.di.*var v.*; re.ci.*di*.vo *a.*

recife (re.*ci*.fe) *sm. Geol.* Formação rochosa próxima à costa, no nível do mar ou submersa; ARRECIFE.

recifense (re.ci.*fen*.se) *a2g.* **1** De Recife, capital do Estado de Pernambuco; típico dessa cidade ou de seu povo. *s2g.* **2** Pessoa nascida em Recife.

recinto (re.*cin*.to) *sm.* Local delimitado espacialmente.

recipiente (re.ci.pi:*en*.te) *a2g.* **1** Que recebe. *sm.* **2** Objeto que pode servir para conter algo: *Procure um recipiente para estes biscoitos.*

recíproco (re.*cí*.pro.co) *a.* **1** Que se troca ou retribui entre duas pessoas ou grupos; MÚTUO: *O respeito entre eles é recíproco.* **2** *Gram.* Diz-se do verbo que expressa uma ação executada ou sofrida de modo mútuo (p.ex.: 'amar' em *Tristão e Isolda amaram-se muito*). [NOTA: Usa-se o verbo com pronome reflexivo.] ◪ **recíproca** *sf.* **3** Sentimento ou situação inversos: *Ele desconfia dela e a recíproca é verdadeira.* • re.ci.pro.ci.*da*.*de sf.*

récita (*ré*.ci.ta) *sf.* **1** Apresentação de declamação, acompanhada ou não de música. **2** Espetáculo teatral, esp. lírico ou musical: *Assistimos a uma bela récita do tenor espanhol.*

recital (re.ci.*tal*) *sm.* **1** Concerto realizado por solista de um instrumento ou por um cantor lírico: *Fui ao recital de um grande violinista.* **2** Apresentação musical dos alunos de um professor ou de uma escola de música. **3** Audição de poesia ou prosa declamadas. [Pl.: -*tais*.]

recitar (re.ci.*tar*) *v.* **1** Dizer (oração), em voz alta. [*td.*: *recitar o Credo.*] **2** Dizer (peça literária), com voz expressiva; DECLAMAR: *recitar sonetos. ti./tdi. + para*: *Todos os domingos recita (poemas) para os filhos. int.*: *Ela recita muito bem.*] [▶ 1 recitar] • re.ci.ta.*ção sf.*; re.ci.ta.*dor a.sm.*

reclamar (re.cla.*mar*) *v.* **1** Manifestar insatisfação (com); fazer queixa; QUEIXAR-SE. [*ti + contra, de*: *reclamar contra uma injustiça do chefe*; *Reclamou do barulho. int.*: *Ele não para de reclamar.*] **2** Exigir, demandar ou reivindicar. [*td.*: *Apenas reclamou seus direitos.*] **3** Rogar, suplicar: *reclamar atenção/cuidados. tdi. + a*: *Reclamou a Deus a recuperação do filho.*] [▶ 1 reclamar] • re.cla.ma.*ção sf.*; re.cla.ma.*dor a.sm.*; re.cla.*man*.te *a2g.s2g.*

reclame (re.*cla*.me) *sm. Desus.* Anúncio publicitário veiculado pelos meios de comunicação.

reclassificar (re.clas.si.fi.*car*) *v. td.* Tornar a classificar. [▶ 11 reclassificar] • re.clas.si.fi.ca.*ção sf.*

reclinar (re.cli.*nar*) *v.* **1** Inclinar(-se) para trás. [RECOSTAR(-SE). *td. pr.*] **2** Pôr(-se) de forma mais ou menos horizontal; DEITAR(-SE). [*td.*: *reclinar o encosto da poltrona*; tb. seguido de indicação de lugar): *Reclinou a cabeça sobre o ombro do marido. pr.*: *reclinar-se num sofá.*] [▶ 1 reclinar] • re.cli.na.*ção sf.*; re.cli.*ná*.vel *a2g.*

reclusão (re.clu.*são*) *sf.* **1** Ação ou resultado de prender, encerrar; PRISÃO: *Foi condenado a dez anos de reclusão.* **2** Condição de afastamento do convívio social: *Vive em total reclusão, não quer ver ninguém.* [Pl.: -sões.]

recluso (re.*clu*.so) *a.sm.* **1** Que ou quem está em reclusão (1 e 2).

recobrar (re.co.*brar*) *v.* **1** Readquirir (o que se tinha perdido); REAVER; RECUPERAR. [*td.*: *recobrar o fôlego/a posse de um terreno.*] **2** Recuperar o ânimo ou as forças; REANIMAR-SE; RESTABELECER-SE. [*pr.*: *Recobrou-se da tristeza quando nasceu o filho*; *De-*

morou a _recobrar-se_ do desmaio.] [▶ 1 recobrar] • re.co.bro _sm._

recobrir (re.co.*brir*) _v. td. pr._ Tornar a cobrir(-se), ou cobrir(-se) completamente. [▶ 51 recobrir] Part.: _recoberto._] • re.co.ber.to _a._; re.co.bri.men.to _sm._

recolher (re.co.*lher*) _v._ **1** Colher, tirar ou pegar. [_td._ (seguido de indicação de lugar): _recolher maçãs do pomar/a roupa do varal._] **2** Reunir ou coligir (coisas ou informações dispersas). [_td.: recolher os livros espalhados._ (tb. seguido de indicação de lugar): _recolher dados de jornais antigos._] **3** Receber ou angariar. [_td.: recolher doações/impostos; Recolhe esmolas nas ruas. tdi. + de: Recolhiam contribuições dos associados._] **4** Tirar de circulação ou apanhar de volta. [_td.: O Banco Central recolhe o dinheiro rasgado;_ (tb. seguido de indicação de lugar) _Vão recolher das farmácias os remédios proibidos._] **5** Conduzir a, ou pôr-se em, abrigo. [_td._ (seguido ou não de indicação de lugar): _recolher o gado (ao curral)/os aviões (no hangar). pr.: Os lobos recolheram-se à toca._] **6** Abrigar, hospedar. [_td._ (seguido ou não de indicação de lugar): _Recolheram os viajantes (no quarto de hóspedes)._] **7** Trazer para si, ou fazer voltar ao lugar de origem. [_td.: A onça recolheu as garras afiadas;_ (tb. seguido de indicação de lugar) _recolher o revólver ao coldre._] **8** Voltar para casa, ou retirar-se para seus aposentos. [_pr._] **9** Ir viver em lugar retirado ou em reclusão (2). [_pr.: recolher-se a uma casa na montanha._] • [▶ 2 recolher] • re.co.lhi.do _a._

recolhimento (re.co.lhi.*men*.to) _sm._ **1** Ação ou resultado de recolher(-se), de dar abrigo ou proteção a alguém ou a si mesmo. **2** Ação ou resultado de retirar algo de um lugar para guardá-lo em outro. **3** _Fig._ Atitude ou condição de quem se retrai, vive em recato e/ou introspecção. **4** Esse estilo de vida. **5** Lugar onde se recolhe alguém ou algo; RETIRO.

recomeçar (re.co.me.*çar*) _v._ Tornar a começar, ou retomar após interrupção. [_td.: recomeçar os estudos/um trabalho. int.: A discussão recomeçou._] [▶ 12 recomeçar]. Us. tb. como auxiliar, seguido de _a_ + infinitivo, para indicar reinício da ação: _recomeçar a chover._] • re.co.me.ço _sm._

recomendação (re.co.men.da.*ção*) _sf._ **1** Ação ou resultado de recomendar. **2** O que serve de advertência, conselho: _Não ouviu as recomendações do patrão._ ◪ **recomendações** _sfpl._ **3** Expressões de cortesia transmitidas a alguém; cumprimentos, saudações: _Boa viagem e recomendações a seus familiares._ [Pl.: -ções.]

recomendar (re.co.men.*dar*) _v._ **1** Aconselhar, sugerir ou indicar. [_td.: recomendar prudência/um livro. tdi. + a: O médico recomendou a ele fisioterapia; Recomendei um amigo a meu patrão._] **2** Entregar (alguém ou si mesmo) aos cuidados ou à instrução de. [_tdi. + a: Recomendou os filhos a um tutor. pr.: O aprendiz recomendou-se a um grande mestre._] **3** Entregar (algo) à guarda de (alguém). [_tdi. + a: Recomendamos o cão ao vizinho._] • [▶ 1 recomendar] • re.co.men.da.do _a.sm._; re.co.men.dá.vel _a2g._

recompensa (re.com.*pen*.sa) _sf._ **1** Ação ou resultado de recompensar(-se). **2** Presente ou prêmio que se concede como retribuição ou compensação por alguma ação ou atitude: _Ganhou uma recompensa por sua dedicação ao projeto._

recompensar (re.com.pen.*sar*) _v._ **1** Dar recompensa, retribuição ou prêmio a (alguém ou mérito); PREMIAR. [_td.: recompensar um bom funcionário/uma boa ação;_ (tb. seguido de indicação de meio/modo) _recompensar alguém com uma medalha._] **2** Dar compensação ou retorno a (algo, outrem ou si mesmo); COMPENSAR(-SE), PAGAR(-SE). [_td.: As vendas não recompensaram o investimento;_ (tb. seguido de indicação de meio/modo) _Recompensa o cansaço dos estudos com o saber crescente. pr.: Recompensou-se dos longos ensaios com o êxito no palco._] [▶ 1 recompensar] • re.com.pen.sa.do _a._

recompor (re.com.*por*) _v._ **1** Tornar a compor(-se); fazer que volte, ou voltar à forma anterior. [_td.: recompor um grupo. pr.: A vida de sua família enfim se recompôs._] **2** Dar outra ordenação ou organização a; REORDENAR, REORGANIZAR. [_td.: recompor um critério/uma biblioteca._] **3** Recuperar, restabelecer, restaurar. [_td.: recompor a economia/uma empresa._] **4** Reconciliar(-se) com. [_td.: recompor parentes brigados. pr.: Recompôs-se com sua irmã._] [▶ 60 recompor]. Part.: _recomposto._] • re.com.po.si.ção _sf._; re.com.pos.to _a._

recôncavo (re.*côn*.ca.vo) _sm. Geog._ **1** Cavidade profunda, ger. em rocha; GRUTA. **2** Baía de extensão reduzida; ENSEADA.

reconciliar (re.con.ci.li.*ar*) _v._ Estabelecer a paz entre, ou fazer as pazes; RECONGRAÇAR(-SE). [_td.: reconciliar países em guerra. tdi. + com: Ele tenta reconciliá-la com a família. pr.: Reconciliou-se com a namorada._] [▶ 1 reconciliar] • re.con.ci.li.a.ção _sf._; re.con.ci.li.a.do _a.sm._; re.con.ci.li.a.dor _a.sm._; re.con.ci.li.a.tó.ri:o _a._

recondicionar (re.con.di.ci:o.*nar*) _v. td. Bras._ Restituir à condição original; RESTAURAR. [▶ 1 recondicionar]

recôndito (re.*côn*.di.to) _a._ **1** Que está oculto; ESCONDIDO: _Essa cidade fica numa área recôndita do sertão._ _sm._ **2** Lugar íntimo, profundo: _Guarda sua amargura no recôndito da alma._

reconduzir (re.con.du.*zir*) _v._ **1** Tornar a conduzir. [_td._ (seguido ou não de indicação de lugar): _reconduzir as ovelhas (ao redil)._] **2** Devolver. [_tdi. + a, para: reconduzir uma encomenda ao remetente; Reconduziu o menino a sua casa._] **3** Reeleger ou renomear. [_td.: reconduzir um governador. tdi. + a: Reconduziram-no à presidência da estatal._] [▶ 57 reconduzir] • re.con.du.ção _sf._

reconfortar (re.con.for.*tar*) _v._ **1** Dar grande ou novo conforto a; CONSOLAR. [_td. pr._] [▶ 1 reconfortar] **2** Revigorar(-se), reanimar(-se). [_td. pr._] [▶ 1 reconfortar] • re.con.for.*tan*.te _a2g._; re.con.for.to _sm._

recongraçar (re.con.gra.*çar*) _v._ Ver reconciliar. [▶ 12 recongraçar] • re.con.gra.ça.do _a._; re.con.gra.ça.*men*.to _sm._

reconhecer (re.co.nhe.*cer*) _v._ **1** Identificar (algo ou alguém que já se conhece). [_td.: Estava muito mudada, mas reconheceu-a pelos olhos._] **2** Admitir como certo ou verdadeiro. [_td._] **3** Confessar(-se). [_td.: reconhecer um erro/uma falta. pr.: reconhecer-se culpado._] **4** Admitir, aceitar. [_td._ (tb. seguido de indicação de qualidade): _reconhecer um livro como bom. tdi. + a: reconhecer a alguém seus direitos._] **5** Perfilhar. [_td.: reconhecer um filho ilegítimo._] **6** Distinguir, identificar. [_td.: reconhecer a boa música._] **7** Mostrar agradecimento, por; AGRADECER. [_td._] **8** Avaliar a situação ou o estado de. [_td._] [▶ 33 reconhecer] • re.co.nhe.ci.*men*.to _sm._; re.co.nhe.cí.vel _a2g._

reconhecido (re.co.nhe.*ci*.do) _a._ **1** Que se reconhece: _Demonstrou suas já reconhecidas qualidades de cantor._ **2** Que se mostra agradecido; GRATO: _A turma, reconhecida, homenageou o velho mestre._

reconquistar (re.con.quis.*tar*) _v._ **1** Tornar a conquistar: _Nossas tropas reconquistaram a praça._ **2** Recuperar ou recobrar: _reconquistar uma amizade/um direito._] [▶ 1 reconquistar] • re.con.quis.ta _sf._

reconsiderar (re.con.si.de.*rar*) _v._ Tornar a considerar; REEXAMINAR; REPENSAR: [_td. reconsiderar um assunto/uma decisão. int. Reconsideramos e resolve-

mos aceitar o encargo.] [▶ **1** reconsider**ar**] • **re.con.si.de.ra.ção** *sf.*

reconstituir (re.cons.ti.tu.*ir*) *v. td.* **1** Tornar a constituir; REORGANIZAR; RESTABELECER: *reconstituir uma sociedade/um partido.* **2** Revigorar, restabelecer: *reconstituir um doente/a saúde.* **3** Fazer simulação retrospectiva da cena de (um crime). [▶ **56** reconstit**uir**] • **re.cons.ti.tu.i.ção** *sf.*; **re.cons.ti.tu.in.te** *a2g.sm.*

reconstruir (re.cons.tru.*ir*) *v. td.* **1** Tornar a construir; REEDIFICAR. **2** Reorganizar ou reconstituir. [▶ **56** reconstr**uir**. Três formas do pres. ind. e uma do imper. afirm. se desviam do paradigma: *reconstróis (tu), reconstrói (ele), reconstroem (eles)* e *reconstrói (tu).*] • **re.cons.tru.ção** *sf.*

recontar (re.con.*tar*) *v. td.* **1** Tornar a contar, a calcular ou a computar. [*td.*] **2** Tornar a contar ou narrar, ou narrar repetidas vezes. [*td.*: *recontar um caso.* *tdi.* + *a*: *Reconta aos filhos o seu passado de imigrante.*] [▶ **1** recont**ar**] • **re.con.ta.gem** *sf.*

recordação (re.cor.da.*ção*) *sf.* **1** Ação ou resultado de recordar. **2** Lembrança de experiências vividas: *"...o coração vivia ainda no passado, no meio das tristes recordações..."* (José de Alencar, *A viuvinha*). **3** Objeto que lembra pessoas, lugares, fatos etc.: *Trouxe esse chaveiro como recordação da viagem.* [Pl.: *-ções*].

recordar (re.cor.*dar*) *v.* **1** Trazer ou ter de volta à memória; LEMBRAR(-SE); REMEMORAR. [*td.*: *recordar a infância.* *ti.* + *a*: *A cena recordou a ele o seu passado. tdi.* + *a*: *Recordei a Regina o compromisso.* *pr.*: *Recordou-se de onde deixara o relógio.*] **2** Fazer lembrar; assemelhar-se com; LEMBRAR. [*td.*: *Seu estilo recorda o de Cervantes.*] **3** Repassar (lição/estudo). [*td.*] [▶ **1** record**ar**]

recorde (re.*cor*.de) *sm.* **1** *Esp.* Nas competições esportivas, desempenho que suplanta o melhor desempenho anterior na mesma modalidade, em determinado âmbito: *bateu o recorde brasileiro dos 100m rasos.* **2** O que sobrepuja, em algum aspecto, uma realização ou marca anterior: *O show bateu recorde de público.* • **re.cor.dis.ta** *a2g.s2g.*

reco-reco (re.co-*re*.co) *sm.* **1** *Mús.* Instrumento de percussão com sulcos transversais sobre os quais se atrita uma vareta, produzindo um som ritmado. **2** *Mús.* O som desse instrumento: *Ouvia-se um reco-reco ritmado, anunciando a bateria.* **3** *Infan.* Certo brinquedo que, ao girar, produz som semelhante ao do reco-reco (1). [Pl.: *reco-recos*.]

RECO-RECO (1)

recorrer (re.cor.*rer*) *v.* **1** Percorrer ou tornar a percorrer. [*td.*] **2** Pedir auxílio, socorro, proteção. [*ti.* + *a*.] **3** Lançar mão ou valer-se de. [*ti.* + *a*: *recorrer ao diálogo.*] **4** *Jur.* Interpor recurso judicial; APELAR. [*ti.* + *de*: *recorrer de uma sentença.* *int.*: *O advogado perdeu o prazo para recorrer.*] [▶ **2** recorr**er**] • **re.cor.rên.ci**:**a** *sf.*; **re.cor.ren.te** *a2g.s2g.*

recortar (re.cor.*tar*) *v. td.* **1** Cortar seguindo os contornos de, ou formando figura: *Recortar um desenho.* **2** Cortar para separar: *recortar uma foto de uma revista.* [▶ **1** recort**ar**] • **re.cor.ta.do** *a.sm.*

recorte (re.*cor*.te) *sm.* **1** Ação ou resultado de recortar. **2** Texto, foto, anúncio etc. que se recorta (2) de jornal, revista etc. **3** Pedaço de tecido, papel etc. que se recorta como amostra ou para trabalho manual.

recostar (re.cos.*tar*) *v.* Pôr(-se) meio deitado; RECLINAR(-SE); ENCOSTAR(-SE). [*td* (seguido ou não de indicação de lugar): *recostar o corpo (no sofá)*. *pr.*: *recostar-se num divã.*] [▶ **1** recost**ar**] • **re.cos.ta.do** *a.*

recosto (re.*cos*.to) [ô] *sm.* **1** A parte de assento onde se apoiam as costas. **2** Mobília, almofada etc. próprios para neles se recostar.

recreação (re.cre:a.*ção*) *sf.* Ver **recreio** (1). [Pl.: *-ções*.]

recrear (re.cre.*ar*) *v. td. pr.* Dar a (alguém ou si próprio) recreio, diversão ou prazer, ou brincar; DIVERTIR(-SE). [▶ **13** recre**ar**] • **re.cre:a.dor** *a.sm.*; **re.cre:a.ti.vo** *a.*

recreio (re.*crei*.o) *sm.* **1** Diversão, ou o que é feito para divertir; BRINCADEIRA; RECREAÇÃO. **2** Período de tempo entre aulas, destinado a repouso, merenda ou brincadeiras: *Nesta escola, o recreio é de 15 minutos.* **3** Local próprio para recreio: *As crianças estão no recreio.*

recriar (re.cri.*ar*) *v. td.* Tornar a criar, ou restabelecer: *recriar o ambiente da década de 1920.* [▶ **1** recri**ar**] • **re.cri:a.ção** *sf.*; **re.cri:a.do** *a.*

recriminação (re.cri.mi.na.*ção*) *sf.* Crítica severa; CENSURA. [Pl.: *-ções*.]

recriminar (re.cri.mi.*nar*) *v. td.* **1** Fazer duras críticas a; CENSURAR; REPREENDER. **2** *Jur.* Responder com acusação à acusação de. [▶ **1** recrimin**ar**] • **re.cri.mi.na.dor** *a.sm.*; **re.cri.mi.ná.vel** *a.*; **re.cri.mi.na.tó.rio** *a.*

recrudescer (re.cru.des.*cer*) *v. int.* Tornar-se mais intenso, exacerbado ou grave: *À noite o temporal recrudesceu.* [▶ **33** recrudes**cer**] • **re.cru.des.*cen*.te** *a2g.*; **re.cru.des.ci.men.to** *sm.*

recruta (re.*cru*.ta) *s2g.* Soldado principiante.

recrutar (re.cru.*tar*) *v. td.* **1** Convocar, alistar, esp. para o serviço militar. **2** Atrair, angariar (adeptos, eleitores etc.). [▶ **1** recrut**ar**] • **re.cru.ta.dor** *a.sm.*; **re.cru.ta.men.to** *sm.*

récua (*ré*.cu:a) *sf.* **1** Grupo de animais de carga. **2** *Fig. Pej.* Grupo de bandidos; CORJA.

recuar (re.cu.*ar*) *v.* **1** Fazer retroceder ou retroceder. [*td.*: *recuar as tropas.* *int.*: *A investigação não recuará.*] **2** Desistir (de propósito ou intento); RENUNCIAR. [*td.* + *de*: *"...mas não recuava de seus propósitos..."* (Machado de Assis, *Dom Casmurro*). *int.*: *Recuou antes que fosse tarde.*] **3** Pôr aquém da posição anterior. [*td.*: *recuar fronteiras/uma cerca.*] [Ant. ger.: *avançar*.] [▶ **1** recu**ar**] • **re.cu.a.da** *sf.*; **re.cu.a.do** *a.*

recuo (re.*cu*:o) *sm.* **1** Ação ou resultado de recuar: *recuo da tropa/dos preços.* **2** Espaço mais para trás de um alinhamento: *O ponto do ônibus fica no recuo da rua.*

recuperar (re.cu.pe.*rar*) *v. td.* **1** Ter ou possuir novamente (o que se tinha perdido); REAVER. [*td.*: *recuperar um terreno.*] **2** Recobrar (a saúde, a visão, o ânimo etc.), ou restabelecer(-se) de (doença). [*td. pr.*] **3** Reintegrar(-se) na sociedade; REABILITAR(-SE). [*td. pr.*] **4** Restaurar, reparar, consertar. [*td.*] [▶ **1** recuper**ar**] • **re.cu.pe.ra.ção** *sf.*; **re.cu.pe.ra.do** *a.*; **re.cu.pe.rá.vel** *a2g.*

recurso (re.*cur*.so) *sm.* **1** Meio para resolver uma dificuldade: *O recurso foi chamar os bombeiros.* **2** *Jur.* Solicitação judicial para reforma de decisão desfavorável. ◪ **recursos** *smpl.* **3** Meios materiais: *A família tem recursos para viver bem.*

recurvado (re.cur.*va*.do) *a.* Muito curvo (costas *recurvadas*). [Ant.: *reto*, *ereto*.]

recurvar (re.cur.*var*) *v.* Tornar(-se) curvo ou muito curvo; CURVAR(-SE); ENCURVAR(-SE). [*td.*: *recurvar uma vareta.* *pr.*: *Recurvou-se com a idade.*] [▶ **1** recurv**ar**] • **re.*cur*.vo** *a.*

recusa (re.*cu*.sa) *sf.* Ação ou resultado de recusar.

recusar (re.cu.*sar*) *v.* **1** Não aceitar; REJEITAR. [*td.*] **2** Não conceder, não atender, ou negar-se de. [*td.*: *recusar um empréstimo/um pedido.* *tdi.* + *a*: *Não recu-*

sei a ele o perdão. *pr*.: "...recusara-se a beijar a mão da princesa..." (Raul Pompeia, *O Ateneu*).] [Ant. ger.: *aceitar*.] [▶ 1 recus**ar**] • **re.cu.sa.do** *a.*; **re.cu.sá.vel** *a2g.*

redação (re.da.ção) *sf.* **1** Ação ou resultado de redigir; *Ficou responsável pela redação final do projeto.* **2** Modo de escrever (redação clara). **3** Exercício escolar de escrita: *Tirou boa nota na redação.* **4** Grupo de redatores de um jornal, revista etc. **5** Local em que esses redatores trabalham. [Pl.: *-ções*.]

redarguir (re.dar.*gui*r) *v.* Responder, replicar, argumentando. [*td.*: *Ao seu convite, redargui que estava para viajar. ti.* + *a*: *redarguiu* a uma acusação. *tdi.* + *a*: *Redarguiu* a ele que devia refrear seus impulsos.] [▶ 48 redar**guir**]

redator (re.da.*tor*) [ó] *sm.* Profissional que escreve para jornal, editora, agência de publicidade etc.

rede (*re*.de) [ê] *sf.* **1** Conjunto entrelaçado de fios, cordas etc., formando uma malha. **2** Qualquer artefato feito de rede (1): *rede de pesca.* **3** *Esp.* Equipamento us. para separar os campos de disputa de certos jogos ou envolver o fundo das traves do gol do futebol, hóquei etc. **4** Espécie de leito, feito de tecido resistente, suspenso em ganchos pelas extremidades. **5** *Fig.* Sistema complexo e interconectado de circuitos (rede telefônica). **6** *Fig.* Conjunto de estabelecimentos de uma instituição que presta serviços (rede bancária). **7** *Fig.* Sistema formado por pessoas que trabalham ger. em atividades secretas ou clandestinas: *rede de informantes.* **8** *Inf.* Interligação de dois ou mais computadores a seus periféricos ou à internet. **9** *Rád. Telv.* Grupo de emissoras que transmitem programação comum. ▪▪ **Cair na ~** Ser apanhado ou deixar-se apanhar em situação complicada, armadilha etc. **~ social** *Inf.* Grupo de pessoas interligadas pela internet, num programa por meio do qual podem trocar mensagens, publicar textos e imagens, debater questões etc.

rédea (*ré*.de:a) *sf.* **1** Correia para guiar cavalgaduras, que se prende ao freio. **2** *Fig.* Direção, comando. ▪▪ **Afrouxar a(s) ~(s) a/de** Dar mais liberdade a, reduzir o rigor no controle de. **Tomar a(s) ~(s)** Assumir o controle, a direção.

redefinir (re.de.fi.*nir*) *v. td.* Tornar a definir, ou dar nova definição a. [▶ 3 redefin**ir**] • **re.de.fi.ni.ção** *sf.*

redemoinho (re.de.mo.*i*.nho) *sm.* Movimento rotativo em espiral, esp. da água ou do vento; REMOINHO; RODAMOINHO. • **re.de.mo.i.nhar** *v.*

redenção (re.den.*ção*) *sf.* **1** Ação ou resultado de redimir(-se). **2** Salvação moral, religiosa ou psicológica de alguém. [Pl.: *-ções*.]

redentor (re.den.*tor*) [ó] *a.sm.* **1** Que ou quem redime, salva. ▪ **Redentor** *sm.* **2** *Rel.* No cristianismo, Jesus Cristo.

redescobrir (re.des.co.*brir*) *v. td.* Tornar a descobrir ou a encontrar. [▶ 51 redesco**brir**. Part.: *redescoberto*.] • **re.des.co.ber.to** *a.*; **re.des.co.bri.men.to** *sm.*

redesconto (re.des.*con*.to) *sm. Com.* Operação em que um banco desconta em outro títulos que ele mesmo havia adquirido por desconto. • **re.des.con.tar** *v.*

redigir (re.di.*gir*) *v.* Exprimir-se por escrito, ou exercer o ofício de redator; ESCREVER. [*td.*: *redigir um artigo/uma lei/uma carta. ti.* + *para*: *A* rede *redige para dois jornais. tdi.* + *para*: *redigir uma matéria para uma revista. int.*: *Ele redige muito bem.*] [▶ 46 redig**ir**] • **re.di.gi.do** *a.*

redil (re.*dil*) *sm.* Curral esp. para ovinos; APRISCO. **2** *Fig. Rel.* Congregação cristã; REBANHO. [Pl.: *-dis*.]

redimensionar (re.di.men.si:o.*nar*) *v. td.* Tornar a dimensionar ou mudar as dimensões de. [▶ 1 redimension**ar**] • **re.di.men.si.o.na.men.to** *sm.*

redimir (re.di.*mir*) *v.* Reparar, expiar, ou reabilitar-se; REMIR(-SE). [*td.*: *redimir crime/pecados. pr.*: *Redimiu-se dos erros passados.*] [▶ 3 redim**ir**] • **re.di.mí.vel** *a2g.*

redingote (re.din.*go*.te) [ó] *sm. Bras.* Casaco ou vestido comprido, ajustado na cintura e abotoado na frente.

redirecionar (re.di.re.ci:o.*nar*) *v. td.* Dar nova direção a. [▶ 1 redirecion**ar**] • **re.di.re.ci.o.na.do** *a.*; **re.di.re.ci.o.na.men.to** *sm.*

redistribuir (re.dis.tri.bu.*ir*) *v.* Tornar a distribuir, ou modificar a distribuição de. [*td.*: *redistribuir recursos*; (tb. seguido de indicação de lugar) *Redistribuirá os bens pelos orfanatos. tdi.* + *entre*: *redistribuir tarefas entre funcionários.*] [▶ 56 redistribu**ir**] • **re.dis.tri.bu.i.ção** *sf.*

redivivo (re.di.*vi*.vo) *a.* Que voltou à vida (tb. *Fig.*) (entusiasmo redivivo); RESSUSCITADO, RENOVADO.

redizer (re.di.*zer*) *v. td.* Tornar a dizer, ou dizer repetidas vezes; REPETIR. [▶ 20 re**dizer**. Part.: *redito*.]

redobrar (re.do.*brar*) *v.* **1** Tornar a dobrar; fazer nova(s) dobra(s) em. [*td.*: *Redobrava os guardanapos para ensinar à copeira.*] **2** Reduplicar. [*td.*: *Redobrou o empréstimo para quitar o apartamento. int./pr.*: *Os cuidados com a criança redobraram(-se).*] **3** Aumentar grandemente. [*td.*: *redobrar esforços. ti.* + *de*: "...assim que o viu, redobrou de aflição..." (Aluísio Azevedo, *O cortiço*). *int./pr.*: *Suas preocupações redobraram(-se).*] **4** Fazer soar ou soar diversas vezes (o sino). [*td. int.*] [▶ 1 redobr**ar**] • **re.do.bra.do** *a.*; **re.do.bra.men.to** *sm.*; **re.do.bro** *sm.*

redoma (re.*do*.ma) *sf.* Espécie de campânula de vidro para proteger objetos delicados.

redondamente (re.don.da.*men*.te) *adv.* De modo total e absoluto (redondamente enganado); COMPLETAMENTE.

REDOMA

redondeza (re.don.*de*.za) [ê] *sf.* **1** Qualidade de redondo: *A redondeza da Terra.* ▪ **redondezas** *sfpl.* **2** Cercanias, arredores.

redondilha (re.don.*di*.lha) *sf. Poét.* Verso de cinco ou sete sílabas.

redondo (re.*don*.do) *a.* Que tem forma circular, esférica ou arredondada (pão redondo).

redor (re.*dor*) *sm.* Us. nas locs. **Ao/Em ~** Em volta; em torno: *A superfície do lago refletia a paisagem ao redor.* **Ao/Em ~ de** **1** Em volta de; em torno de: *A Terra movimenta-se em redor do Sol.* **2** Próximo de; por volta de: *A temperatura do organismo humano oscila ao redor de 37°C.*

redução (re.du.*ção*) *sf.* Ação ou resultado de reduzir; DIMINUIÇÃO: *redução da inflação.* [Ant.: *aumento, incremento.*] [Pl.: *-ções*.]

redundância (re.dun.*dân*.ci:a) *sf.* Repetição desnecessária de palavras ou ideias.

redundante (re.dun.*dan*.te) *a2g.* **1** Que é excessivo ou supérfluo. **2** Que traz informações que já foram expressas; REPETITIVO.

redundar (re.dun.*dar*) *v.* **1** Ser a consequência de; RESULTAR. [*ti.* + *de*: *Muita infelicidade redundará de sua arrogância.*] **2** Ter como resultado. [*ti.* + *em*: *Sua persistência redundou em sucesso.*] **3** Ser redundante, excessivo; SUPERABUNDAR. [*int.* (seguido de indicação de lugar): *As vírgulas redundavam num único parágrafo.*] **4** Sair líquido pelas bordas; TRANSBORDAR. [*int.*: *Com as chuvas, o rio redundou.*] [▶ 1 redund**ar**]

reduplicar (re.du.pli.*car*) *v. td. int.* Tornar a duplicar, ou aumentar muito; REDOBRAR; QUADRUPLICAR. [▶ 11 redupli**car**] • **re.du.pli.ca.ção** *sf.*

redutível (re.du.*ti*.vel) *a2g.* **1** Que pode ser reduzido (custos redutíveis). **2** Que pode ser dominado (rebeldes reduzíveis). **3** *Arit*. Diz-se de fração que pode ser simplificada. [Pl.: *-veis*.] • **re.du.tí.bi.li.da.de** *sf*.

reduto (re.du.to) *sm*. **1** Local fechado e protegido que serve de abrigo ou esconderijo: *reduto de traficantes*. **2** Lugar de encontro habitual de um grupo de intelectuais, músicos etc.: *reduto de sambistas*.

redutor (re.du.tor) [ô] *a.sm*. Que ou o que reduz: *índice redutor de preços*; *redutor de velocidade*.

reduzido (re.du.zi.do) *a*. **1** Que é pequeno ou pouco: *Tinha reduzidas possibilidades de vencer*. **2** *Gram*. Diz-se da oração subordinada cujo verbo se apresenta no infinit., gerúndio ou part. (p.ex.: *Passado o verão*, terminam as férias.). **3** *Gram*. Diz-se das vogais átonas em sílaba final (p.ex.: livr<u>e</u>, pont<u>o</u>). ▣ **reduzida** *sf*. **4** *Aut*. Em veículo utilitário, marcha com maior tração do que a primeira: *O caminhoneiro usou a reduzida para subir a serra*.

reduzir (re.du.zir) *v*. **1** Tornar(-se) menor, menos intenso ou mais breve. [*td*.: *reduzir os gastos/esforços/uma epidemia*. *pr*.: *As vendas reduziram-se*; *A dor se reduziu*.] [Ant.: *aumentar, ampliar, incrementar*.] **2** Limitar(-se), resumir(-se) ou restringir(-se). [*tdi*. + *a*: *Eles reduziram as despesas ao mínimo necessário*. *pr*.: *Todo o seu problema se reduz à falta de vontade*.] **3** Subjugar, vencer, ou constranger, forçar a. [*td*.: *reduzir resistências/um povo*. *tdi*. + *a*: *reduzir os vencidos à prisão*; *Reduziram-no ao silêncio*.] **4** Transformar(-se), converter(-se) em. [*tdi*. + *a*: *reduzir a madeira a pó/um município a distrito*. *pr*.: *Ele se reduziu a um trapo*.] **5** *Med*. Corrigir, repondo osso ou articulação no lugar. [*td*.: *reduzir uma fratura/uma luxação*.] **6** *Bras. Aut*. Engatar (marcha de maior poder de tração). [*td*. (tb. sem complemento explícito): *Nas curvas, reduza* (a marcha).] [▶ **57** red<u>uzir</u>]

reedificar (re.e.di.fi.*car*) *v.td*. Tornar a edificar, ou a instituir; RECONSTRUIR; RESTABELECER. [▶ **11** reedifi<u>car</u>] • **re.e.di.fi.ca.ção** *sf*.

reeditar (re.e.di.*tar*) *v.td*. **1** Tornar a editar, ou fazer nova edição de. **2** *Fig*. Tornar a produzir, ou a instituir; REPRODUZIR; RESTAURAR. [▶ **1** reedit<u>ar</u>] • **re.e.di.ta.do** *a*.; **re.e.di.ção** *sf*.

reeducar (re.e.du.*car*) *v.td*. Tornar a educar, ou reabilitar educando: *reeducar os hábitos alimentares*. [▶ **11** redu<u>car</u>] • **re.e.du.ca.ção** *sf*.

reeleger (re.e.le.*ger*) *v*. Tornar a eleger(-se). [*td*.: *reeleger um governador*; (tb. seguido de indicação de atributo) *O povo reelegeu-o presidente*. *pr*.: *Reelegeu-se no primeiro turno*.] [▶ **35** reele<u>ger</u>] Part.: *reelegido* e *reeleito*. [▶ **1** re.e.lei.ção *sf*.; **re.e.le.i.to** *a*.; **re.e.le.gi.vel** *a2g*.; **re.e.le.gi.bi.li.da.de** *sf*.

reembolsar (re.em.bol.*sar*) *v*. Restituir (valor monetário) a (alguém), ou ser compensado por; INDENIZAR; COMPENSAR(-SE). [*td*.: *O plano de saúde reembolsa os clientes*. *td*. + *de*: *Reembolsou-os dos prejuízos que lhes causara*. *pr*.: *Reembolsaram-se dos investimentos*.] [▶ **1** reembols<u>ar</u>] • **re.em.bol.sá.vel** *a2g.sm*.

reembolso (re.em.*bol*.so) [ô] *sm*. Restituição de importância devida. [Pl.: [ó].]

reencarnar (re.en.car.*nar*) *v. int. pr*. **1** Tornar a encarnar. **2** Assumir (a alma desencarnada) um corpo. [▶ **1** reencarn<u>ar</u>] • **re.en.car.na.do** *a*.; **re.en.car.na.ção** *sf*.

reencontrar (re.en.con.*trar*) *v*. Tornar a encontrar(-se). [*td*.: *reencontrar um irmão*. *pr*.: *Reencontrou-se com a mulher anos depois*; *Os amigos reencontraram-se*.] [▶ **1** reencontr<u>ar</u>] • **re.en.con.trá.vel** *a2g*.; **re.en.con.tro** *sm*.

reentrada (re.en.*tra*.da) *sf*. Nova entrada.

reentrância (re.en.*trân*.cia) *sf*. Curvatura para dentro ou depressão em superfície: *A poeira acumulava-se nas reentrâncias do móvel*. [Ant.: *saliência*.]

reentrante (re.en.*tran*.te) *a2g*. Que forma reentrância.

reerguer (re.er.*guer*) *v. td. pr*. Tornar a erguer(-se). [▶ **21** reer<u>guer</u>] • **re.er.gui.men.to** *sm*.

reescrever (re.es.cre.*ver*) *v. td*. Escrever de novo ou de outra forma. [▶ **2** reescrev<u>er</u>] Part.: *reescrito*.] • **re.es.cri.to** *a*.

reestruturar (re.es.tru.tu.*rar*) *v. td. pr*. Dar nova estrutura ou organização a; REORGANIZAR. [▶ **1** reestrutur<u>ar</u>] • **re.es.tru.tu.ra.ção** *sf*.

reexaminar (re.e.xa.mi.*nar*) [z] *v. td*. Tornar a examinar. [▶ **1** reexamin<u>ar</u>] • **re.e.xa.me** *sm*. F.: *re-* + *examinar*.]

refastelar-se (re.fas.te.*lar*-se) *v. pr*. Ver refestelar-se.

refazer (re.fa.*zer*) *v*. **1** Tornar a fazer. [*td*.: *refazer os cálculos*.] **2** Restaurar, reorganizar, ou corrigir. [*td*.: *refazer um prédio/um sistema/um texto*.] **3** Revigorar(-se) ou restabelecer(-se). [*td*.: *refazer as energias*. *pr*.: *refazer-se de um susto*.] [▶ **22** re<u>fazer</u>] Part.: *refeito*.] • **re.fa.zi.men.to** *sm*.

refeição (re.fei.ção) *sf*. **1** Ação ou resultado de se alimentar em certo momento; o alimento então ingerido. **2** Refeição (1) ingerida em hora determinada. [Pl.: *-ções*.]

refeito (re.*fei*.to) *a*. **1** Feito novamente; CORRIGIDO: *O relatório refeito foi aprovado*. **2** Que se restabeleceu; RECUPERADO: *pessoa refeita de uma cirurgia/de um tombo*.

refeitório (re.fei.*tó*.ri.o) *sm*. Sala de refeições em colégios, empresas etc.

refém (re.*fém*) *sm*. **1** Pessoa detida como garantia para cumprimento de exigências de sequestradores. **2** *Fig*. Pessoa possuída por forte sentimento: *refém do seu remorso/pensamento/medo*. **3** *Fig*. Pessoa que depende de algo para sobreviver: *refém do emprego/do dinheiro*. [Pl.: *-féns*.]

referência (re.fe.*ren*.ci.a) *sf*. **1** Alusão a pessoas, coisas, opiniões, textos etc.: *Na tese há referências a diversas obras*. **2** Relação entre determinadas coisas: *O que se diz tem referência o que se pensa*. **3** O que se tem como guia: *ponto de referência*; *hospital de referência*. **4** Ação ou resultado de referir, contar. ▣ **referências** *sfpl*. **5** Informações sobre a capacidade e/ou honestidade de uma pessoa ou empresa.

referencial (re.fe.ren.ci.*al*) *a2g.sm*. Que ou o que quem se usa como referência (obra referencial); *Tom Jobim é um referencial da música brasileira*. [Pl.: *-ais*.]

referendar (re.fe.ren.*dar*) *v. td*. **1** Firmar (documento, decreto etc.) como responsável. **2** Assinar (ministro) documento abaixo da assinatura do chefe do Executivo, para que seja publicado. **3** Aprovar ou aceitar (o que já foi aprovado por outrem). [▶ **1** referend<u>ar</u>]

referendo (re.fe.*ren*.do) *sm. Pol*. Votação do eleitorado para aprovação ou rejeição de medidas de interesse nacional.

referir (re.fe.*rir*) *v*. **1** Expor oralmente ou por escrito; CONTAR; RELATAR. [*td*.: *O livro refere as façanhas de Vasco da Gama*. *tdi*. + *a*: "Estevão referiu ao amigo (...) toda a história do amor." (Machado de Assis, *A mão e a luva*).] **2** Fazer citação de, ou referência, alusão a; CITAR; ALUDIR. [*td*.: *Referiu seus poetas prediletos*. *pr*.: *Não sei a quem você se refere*.] **3** Ter relação com; estar ligado a. [*pr*.: *A exclamação refere-se a um mau serviço prestado*.] [▶ **50** refe<u>rir</u>] • **re.fe.ri.do** *a*.; **re.fe.ren.te** *a2g.sm*.; **re.fe.ri.men.to** *sm*. F.: Do v.lat. **refere re*.

refestelar-se, refastelar-se (re.fes.te.*lar*-se, re.fas.te.*lar*-se) *v. pr*. Sentar-se ou estender-se comodamente: *Refestelou-se numa poltrona*. [▶ **1** refestel<u>ar</u>-se, ▶ **1** refastel<u>ar</u>-se]

refil (re.*fil*) *sm.* Conteúdo de alguns produtos, que pode ser reposto. [Pl.: *-fis*.]

refinamento (re.fi.na.*men*.to) *sm.* **1** Apuro extremado; REQUINTE. **2** Ação ou resultado de refinar(-se).

refinar (re.fi.*nar*) *v.* **1** Tornar mais fino. [*td.*] **2** Tornar(-se) mais apurado, requintado ou intenso. [*td.*: <u>refinar</u> o estilo/as maneiras. *pr.*: Sua poesia <u>refinou-se</u>.] **3** Submeter (produto) a operações para retirar-lhe as impurezas ou determinados elementos. [*td.*: <u>refinar</u> açúcar/petróleo.] [▶ **1** refin<u>ar</u>] • **re.fi.na.***ção* sf.; **re.fi.no** *sm.*

refinaria (re.fi.na.*ri*.a) *sf.* Usina para refinar petróleo, açúcar etc.

refletir (re.fle.*tir*) *v.* **1** Provocar reflexão (2) física. [*td.*: <u>refletir</u> luz/som/calor/imagem. *int.*: Toda superfície polida <u>reflete</u>.] **2** *Fig.* Deixar transparecer; REVELAR; EXPRIMIR. [*td.*: Seu rosto <u>refletia</u> profunda tristeza.] **3** Pensar detidamente; MEDITAR. [*ti.* + *em, sobre*: <u>refletir</u> <u>sobre</u> um assunto. *int.*: <u>Reflita</u> bem antes de decidir.] **4** Repercutir. [*ti.* + *em*: A crise do México <u>refletiu</u> em toda a América. *pr.*: O escândalo <u>refletiu-se</u> rapidamente.] [▶ **50** refl<u>etir</u>] • **re.fle.ti.do** *a.*

refletor (re.fle.*tor*) [ó] *sm.* **1** Aparelho de iluminação que permite focalizar e dirigir a luz. *a.* **2** Que reflete ou repercute.

reflexão (re.fle.*xão*) [cs] *sf.* **1** Ação ou resultado de pensar de modo sereno e profundo: Fez uma <u>reflexão</u> sobre o tema. **2** *Fís.* Retorno de ondas (luminosas, sonoras) ao atingirem certas superfícies. [Pl.: *-xões*.]

reflexivo (re.fle.*xi*.vo) [cs] *a.* **1** Que demonstra reflexão, ponderado (ar <u>reflexivo</u>). **2** Que reflete, pondera, questiona (pessoa <u>reflexiva</u>). **3** *Gram.* Que complementa o verbo e reflete a pessoa e o número do sujeito (pronome <u>reflexivo</u>). **4** *Gram.* Que se expressa através de um verbo cujo sujeito executa e, ao mesmo tempo, sofre a ação do verbo (voz <u>reflexiva</u>). [NOTA: A frase 'Eu me visto rápido' está na voz reflexiva porque nela o sujeito (*eu*) e o complemento (*me*) se refletem na ação de *vestir*.]

reflexo (re.*fle*.xo) [cs] *a.* **1** Que resulta de reflexão (2) (sombra <u>reflexa</u>). *sm.* **2** Luz ou imagem refletida ou seu efeito: <u>reflexos</u> do sol na água. **3** *Fig.* Consequência, repercussão de um fato, atitude etc.: A melhora foi um <u>reflexo</u> das medidas adotadas. **4** *Fisl.* Reação motora rápida e involuntária a um estímulo.

reflorescer (re.flo.res.*cer*) *v.* **1** Fazer florescer ou voltar a ficar florido. [*td.*: A primavera <u>refloresceu</u> as árvores. *int.*: A orquídea <u>refloresceu</u>.] **2** *Fig.* Revigorar, reavivar, ou rejuvenescer. [*td.*: <u>Refloresceu</u> o ânimo. *int.*: O avô <u>refloresceu</u> com a chegada do neto.] [▶ **33** refloresc<u>er</u>] • **re.flo.res.cen.te** *a2g.*; **re.flo.res.ci.men.to** *sm.*

reflorestar (re.flo.res.*tar*) *v. td.* Plantar árvores para formar novamente floresta em. [▶ **1** reflorest<u>ar</u>] • **re.flo.res.ta.men.to** *sm.*

refluir (re.flu.*ir*) *v.* **1** Voltar atrás (fluxo líquido). [*int.*: A maré já <u>refluiu</u>.] **2** Retornar ao ponto de partida; RETROCEDER. [*td.* (seguido ou não de indicação de lugar): A multidão <u>refluiu</u> (à praça).] [▶ **56** refl<u>uir</u>]

refluxo (re.*flu*.xo) [cs] *sm.* **1** Movimento da maré descendente; VAZANTE. **2** *Fisl.* Fluxo no sentido inverso ao normal (como o de alimento do estômago para o esôfago); REGURGITAÇÃO.

refogado (re.fo.*ga*.do) *a. Cul.* **1** Frito levemente com alho, cebola, tomate e sal (legumes <u>refogados</u>). *sm. Cul.* **2** Alimento cozido com esses e outros ingredientes: <u>refogado</u> de carne.

refogar (re.fo.*gar*) *v. td. Cul.* **1** Passar (tempero) em gordura fervente. **2** Cozinhar com tempero refogado. [▶ **14** refog<u>ar</u>]

reforçar (re.for.*çar*) *v.* Tornar(-se) mais forte, mais intenso ou mais numeroso. [*td.*: <u>reforçar</u> alicerces. *pr.*: Sua alimentação <u>reforçou-se</u> com vitaminas.] [▶ **12** reforç<u>ar</u>] • **re.for.ça.do** *a.*

reforço (re.*for*.ço) [ó] *sm.* **1** Ação ou resultado de tornar (algo) mais forte ou resistente. **2** Peça, artefato etc. que confere maior resistência a algo: um <u>reforço</u> na sola do sapato. **3** Qualquer coisa que complemente ou dê sustentação a outra: <u>reforço</u> de aulas; A vacinação contra a gripe terá <u>reforço</u>. [Pl.: [ó].]

reforma (re.*for*.ma) *sf.* **1** Mudança, transformação de algo para aprimorar, ou modificar (<u>reforma</u> curricular); reforma da garagem. **2** Aposentadoria de militar. ■ **Reforma** (re.*For*.ma) *sf. Hist.* Movimento religioso que lançou as bases da Igreja Protestante em dissidência com a Católica. ✚ ~ **agrária** Reforma que consiste em distribuir terras e recursos agrícolas de modo a assentar agricultores sem-terra, e com isso, ao mesmo tempo, desenvolver a agricultura e promover justiça social.

reformar (re.for.*mar*) *v.* **1** Tornar a formar ou construir, ou reconstituir a antiga forma de. [*td.*: <u>reformar</u> um palácio.] **2** Introduzir reforma (1) em. [*td.*: <u>reformar</u> os costumes/a sociedade. *pr.*: Já não é um irresponsável, <u>reformou-se</u>.] **3** Dar ou obter reforma (2). [*td. pr.*] [▶ **1** reform<u>ar</u>] • **re.for.ma.ção** *sf.*; **re.for.ma.do.a**, *um*; **re.for.ma.dor** *a. sm.*

reformatório (re.for.ma.*tó*.ri.o) *a.* **1** Que reforma, que produz reforma. *sm.* **2** Instituto disciplinar oficial para menores delinquentes.

reformista (re.for.*mis*.ta) *a2g.s2g.* Que ou quem é partidário de reforma (1) política, religiosa etc. • **re.for.mis.mo** *sm.*

reformular (re.for.mu.*lar*) *v. td.* Voltar a formular ou dar nova expressão a. [▶ **1** reformul<u>ar</u>] • **re.for.mu.la.ção** *sf.*

refração (re.fra.*ção*) *sf. Fís.* Mudança de direção de uma onda, esp. luminosa ou sonora, produzida pela modificação do meio em que se propaga. [Pl.: *-ções*.] F.: De lat. *refractio, onis*.]

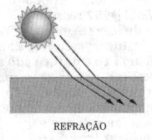

REFRAÇÃO

refrão (re.*frão*) *sm. Mús.* Verso ou versos que se repetem numa canção; ESTRIBILHO. [Pl.: *-frãos, -frães*.]

refratar (re.fra.*tar*) *v. td. pr.* Provocar ou sofrer refração. [▶ **1** refrat<u>ar</u>] • **re.fra.tor** *a.sm.*

refratário (re.fra.*tá*.ri.o) *a.* **1** *Fís.* Que resiste a altas temperaturas ou a interferências químicas ou físicas (louça <u>refratária</u>). **2** *Fig.* Que resiste a ações externas: Um político <u>refratário</u> a pressões. *sm.* **3** Produto cujo material apresenta poder refratário (1). • **re.fra.ta.ri.e.da.de** *sf.*

refrear (re.fre.*ar*) *v. td.* **1** Conter(-se) ou reprimir(-se). [*td.*: <u>refrear</u> um cavalo/as paixões. *pr.*: <u>refrear-se</u> nos gastos.] **2** Dominar, subjugar, vencer. [*td.*] [▶ **13** refr<u>ear</u>] • **re.fre.a.do** *a.*

refrega (re.*fre*.ga) *sf.* **1** Choque entre forças ou pessoas antagônicas; LUTA. **2** Trabalho, ofício exaustivo; LABUTA; LIDA. • **re.fre.gar** *v.*

refrescar (re.fres.*car*) *v.* **1** Tornar(-se) mais fresco. [*td.*: <u>Refresquei</u> o corpo ao mergulhar. *int./pr.*: A água já <u>refrescou</u>.] **2** Reavivar(-se) ou reanimar(-se). [*td.*: <u>refrescar</u> a memória. *pr.*: Precisamos <u>refrescar-nos</u> com umas férias.] [▶ **11** refresc<u>ar</u>] • **re.fres.ca.men.to** *sm.*; **re.fres.can.te** *a2g.*

refresco (re.*fres*.co) [ê] *sm.* **1** Bebida refrescante, ger. suco de frutas diluído. **2** *Pop.* Alívio, conforto. ✚ **Dar um** ~ Dar um descanso; dar um folga.

refrigerador (re.fri.ge.ra.*dor*) [ô] *a.* **1** Que refrigera (aparelho <u>refrigerador</u>). *sm.* **2** Aparelho que refrigera (1); geladeira. [Ant.: *aquecedor*.]

refrigerante (re.fri.ge.*ran*.te) *a2g.* **1** Que refrigera. *sm.* **2** Bebida refrescante, gasosa e não alcoólica.

refrigerar (re.fri.ge.*rar*) *v.* **1** Tornar(-se) frio ou fresco. [*td.*: *refrigerar um ambiente*. *pr.*: *A casa se refrigerou com a brisa.*] **2** *Fig.* Aliviar(-se) ou reconfortar(-se). [*td.*: *A boa arte refrigera os espíritos*. *pr.*: *Refrigero-me com sua amizade.*] [▶ 1 refrigerar] ● re.fri.ge.ra.*ção* sf.

refrigério (re.fri.gé.ri:o) *sm.* **1** Bem-estar causado pelo frescor. **2** *Fig.* Alívio de qualquer tipo.

refugar (re.fu.*gar*) *v.* **1** Pôr de lado; REJEITAR. [*td.*: *refugar peças inúteis.*] **2** *Bras.* Negar-se (cavalgadura, boi etc.) a seguir, saltar etc. [*int.*] [▶ 14 refugar]

refugiar-se (re.fu.gi.*ar*-se) *v. pr.* **1** Retirar-se para refúgio, para lugar seguro ou protegido. **2** *Fig.* Encontrar consolo ou amparo (em): *refugiar-se na música/na religião*. [▶ 1 refugiar-se] ● re.fu.gi.*a*.do *a.sm.*

refúgio (re.fú.gi:o) *sm.* **1** Local para onde se vai em busca de abrigo e proteção. **2** Esconderijo: *refúgio de ladrões*.

refugo (re.fu.go) *sm.* **1** Ação ou resultado de refugar (2). **2** Aquilo que se rejeita pela má qualidade.

refulgir (re.ful.*gir*) *v. int.* **1** Brilhar muito; RESPLANDECER; LUZIR. **2** *Fig.* Sobressair, distinguir-se: *Ele refulgia por sua coragem*. [▶ 46 refulgir] ● re.ful.gên.ci:a sf.; re.ful.gen.te *a2g.*

refutar (re.fu.*tar*) *v. td.* **1** Afirmar o contrário de; desmentir, negar: *Refutou todas as acusações*. **2** Não aceitar; REJEITAR: *Refutei o convite vergonhoso*. **3** Contestar, os argumentos de: *O advogado refutou a tese do promotor*. [▶ 1 refutar] ● re.fu.ta.*ção* sf. [Cf.: *reputar*.]

rega (re.ga) *sf.* Ação ou resultado de regar.

rega-bofe (re.ga-*bo*.fe) *sm.* Festa com muita comida e bebida. [Pl.: *rega-bofes*.]

regaço (re.ga.ço) *sm. Lit. Poét.* arte do corpo entre a cintura e os joelhos, na posição sentada; COLO.

regador (re.ga.*dor*) [ô] *a.* **1** Que rega. **2** Recipiente com bico onde se adapta uma espécie de ralo, próprio para regar plantas.

regalar (re.ga.*lar*) *v.* **1** Propiciar regalo ou prazer a (alguém ou a si mesmo). [*td. pr.*] **2** Dar (algo) de presente a; PRESENTEAR; BRINDAR. [*tdi.* + *com*: *Regalou o amigo com um livro.*] [▶ 1 regalar]

regalia (re.ga.*li*.a) *sf.* Privilégio, vantagem: "Achavam de tomar regalia de desforra na gente, até qualquer molambo de sujeito..." (João Guimarães Rosa, *Grande sertão: veredas*).

regalo (re.ga.lo) *sm.* **1** Prazer, satisfação. **2** Presente, dádiva.

regar (re.*gar*) *v. td.* **1** Molhar por irrigação ou aspersão; AGUAR. **2** *Fig.* Umedecer, molhar ou banhar: *As lágrimas regavam seu rosto*. **3** *Fig.* Acompanhar (refeição) de bebida (seguido de indicação de meio/modo): *Regou o almoço com os melhores vinhos.* [▶ 14 regar] ● re.ga.du.*ra* sf.

regata (re.ga.ta) *sf.* **1** *Esp.* Corrida de barcos. **2** Camiseta decotada e sem mangas.

regatear (re.ga.te.*ar*) *v.* **1** Discutir, tentando baixar (preço); PECHINCHAR. [*td. tdi.* + *a, com*: *Regateou o preço do carro (com o vendedor)*. *int.*: *Ela nunca deixa de regatear.*] **2** Dar com parcimônia; POUPAR. [*td.*: *regatear aplausos.* tdi. + *a*: *Não regatearam elogios ao pianista.*] [▶ 13 regatear] ● re.ga.te:a.*dor* a.sm.; re.ga.*tei*.o sm.

regato (re.ga.to) *sm.* Pequeno curso d'água; CÓRREGO; RIACHO.

regência (re.gên.ci:a) *sf.* **1** Governo transitório de um país durante a ausência ou impedimento do soberano. **2** *Gram.* Relação entre um termo regente (p.ex.: o verbo) e outro termo que o complementa (p.ex.: o objeto), estabelecida através de uma preposição. **3** *Mús.* Direção de uma execução musical: *A orquestra terá a regência de um novo maestro.* ◪ **Regência** *sf.* **4** *Hist.* Período em que o Brasil esteve sob regência (1), devido à menoridade de d. Pedro II (1831-1840). ● re.gen.ci:*al* a2g. (período regencial).

regenerar (re.ge.ne.*rar*) *v.* **1** Gerar(-se) ou formar(-se) de novo. [*td.*: *regenerar células. pr.*: *Se cortado, o rabo da lagartixa se regenera.*] **2** Reorganizar, reconstituir. [*td.*: *regenerar a estrutura da empresa.*] **3** Emendar(-se), reabilitar(-se). [*td.*: *regenerar criminosos. pr.*: *Regenerou-se e hoje vive para a família.*] [▶ 1 regenerar] ● re.ge.ne.ra.*ção* sf.; re.ge.ne.ra.do *a.*; re.ge.ne.ra.*dor* a.sm.; re.ge.ne.ra.*ti*.vo *a.*

regente (re.gen.te) *a2g.* **1** Que rege, dirige ou governa (príncipe *regente*). *s2g.* **2** Quem rege orquestra. **3** Chefe de governo durante a regência (1).

reger (re.*ger*) *v.* **1** Reinar, exercer regência (1), ou governar(-se), dirigir(-se). [*td.*: *reger um império*. *int.*: *O monarca regeu com mão de ferro. pr.*: *Ele rege-se por sólidos padrões morais.*] **2** *Mús.* Dirigir (orquestra) ou atuar como regente ou maestro. [*td.*: *reger uma orquestra sinfônica. int.*: *O maestro tcheco regerá no Teatro Municipal.*] **3** *Gram.* Ter como dependente, ou determinar a forma gramatical de. [*td.*: *O verbo "dar" rege dois objetos, um direto e um indireto*; *As preposições regem pronomes oblíquos tônicos.*] [▶ 35 reger]

⊕ **reggae** (Ing. / régui) *sm. Mús.* Tipo de música popular da Jamaica, surgida na década de 1960.

região (re.gi:*ão*) *sf.* **1** Grande extensão de terras. **2** Território, ambiente ou contexto com características que o diferenciam de outros. **3** *Anat.* Parte delimitada do corpo (*região* dorsal). [Pl.: -*ões*.]

regicídio (re.gi.*ci*.di:o) *sm.* Assassinato de rei ou rainha. ● re.gi.*ci*.da *s2g.*

regime, regímen (re.gi.me, re.gí.men) *sm.* **1** Sistema político pelo qual se governa um país (*regime* presidencial). **2** Modo ou tipo de vida (*regime* disciplinar). **3** Dieta alimentar. [Pl. de *regime*: *regimens* e (p. us. no Brasil) *regímenes*.]

regimento (re.gi.*men*.to) *sm.* **1** Regulamento de uma instituição. **2** *Mil.* Unidade militar comandada por um coronel. ● re.gi.*men*.*tal* a2g.

régio (ré.gi:o) *a.* **1** Ref. ou pertencente ao rei; que emana do rei (selo *régio*, poder *régio*); REAL. **2** *Fig.* Magnífico, esplêndido (salário *régio*).

regional (re.gi:o.*nal*) *a2g.* Ref. a ou próprio de uma região. [Pl.: -*nais*.]

regionalismo (re.gi:o.na.*lis*.mo) *sm.* **1** Qualidade do que é próprio de uma região. **2** *Ling.* Palavra ou expressão próprias de uma região. ● re.gi:o.na.*lis*.ta a2g.s2g.; re.gi:o.na.li.*zar* v.

registradora (re.gis.tra.*do*.ra) [ô] *sf.* Máquina us. no comércio para calcular e registrar a movimentação dos valores de compra, guardar a quantia recebida e emitir um comprovante ao cliente. [Tb. máquina registradora.]

registrar (re.gis.*trar*) *v.* **1** Inscrever(-se) em livro apropriado. [*td.*: *registrar uma ocorrência*. *pr.*: *Registramo-nos no hotel.*] **2** Fazer registro de autoria ou propriedade de. [*td.*: *registrar uma invenção.*] **3** Marcar mediante registro. [*td.*: *registrar consumo de eletricidade.*] **4** Pôr por escrito; CONSIGNAR. [*td.*: *registrar um depoimento.*] **5** Memorizar. [*td.*: *Registrei tudo o que disseram.*] [▶ 1 registrar] ● re.gis.*tra*.do *a.*; re.gis.tra.*dor* a.sm.

registro (re.gis.tro) *sm.* **1** Ação ou resultado de registrar. **2** Livro em que são feitas anotações oficiais. **3** Repartição oficial onde se faz anotação de certos atos. **4** Espécie de torneira que controla o fluxo de água ou gás. **5** Tipo de relógio que indica o consumo de água, gás ou eletricidade. **6** Seguro

rego | **reino** 684

do correio. **7** Certidão de nascimento, casamento, óbito etc. **8** *Mús.* Cada um dos âmbitos de altura em que se divide a escala de sons, de voz ou instrumento (registro grave); *O registro dela é contralto*.

rego (re.go) [ê] *sm.* **1** Valeta natural ou artificial para escoar a água. **2** *Bras. Vulg.* O sulco entre as nádegas.

regougar (re.gou.*gar*) *v. int.* Soltar sua voz (a raposa, o gambá etc.). [▶ **14** regou*gar*]

regozijar (re.go.zi.*jar*) *v. td. pr.* Alegrar(-se), rejubilar(-se). [▶ **1** regozi*jar*] • **re.go.zi.jo** *sm.*

regra (re.gra) *sf.* **1** Norma, lei, costume que dirige, orienta e regula (regra gramatical); *regras da boa educação*. **2** Moderação, comedimento: *gastar com regra*. **3** *Rel.* Regulamento de certas ordens religiosas. ◪ **regras** *sfpl. Antq. Pop.* **4** Menstruação. ■ **Em** ~ Geralmente, usualmente. **Por via de** ~ Em regra. ~ **de três** *Arit.* Regra pela qual se pode, dados dois valores que mantêm entre si uma proporção, calcular, a partir de um terceiro valor dado, qual o valor que tem com este a mesma proporção dos dois primeiros.

regrar (re.*grar*) *v.* **1** Regular³ (1). [*td.*]. **2** Pautar(-se), orientar(-se). [*pr.*: *Seu trabalho regra-se pela disciplina*.] [▶ **1** regr*ar*] • **re.gra.do** *a.sm.*

regra-três (re.gra-três) *s2g.* **1** *Esp.* Jogador substituto, reserva. **2** Qualquer substituto. [Pl.: *regras-três*.]

regredir (re.gre.*dir*) *v. int.* **1** Retroceder, voltar atrás: *Quem não progride, regride*. **2** Diminuir em intensidade: *A febre não regrediu*. [▶ **49** regre*dir*] • **re.gres.são** *sf.*; **re.gres.si.vo** *a.*

regressar (re.gres.*sar*) *v.* **1** Fazer com que volte, ou voltar; RETORNAR. [*td.* (seguido de indicação de lugar): *Regressou os filhos à Europa*. *int.* (seguido ou não de indicação de lugar): *regressar à pátria*; *Foi embora e nunca regressou*.] [▶ **1** regress*ar*] • **re.gres.so** *sm.*

régua (ré.gua) *sf.* Peça longa, plana e graduada, us. para traçar linhas retas e medir.

regulador (re.gu.la.*dor*) (ô) *a.* **1** Que regula (agência reguladora). *sm.* **2** Peça que regulariza o movimento de uma máquina: *regulador de voltagem*.

regulamentar¹ (re.gu.la.men.*tar*) *a2g.* Ref. a, ou que segue o regulamento (tempo regulamentar). F.: *regulamento + -ar¹*.]

regulamentar² (re.gu.la.men.*tar*) *v.td.* Pôr(algo)sob regulamento. [▶ **1** regulament*ar*] • **re.gu.la.men. ta.ção** *sf.*

regulamento (re.gu.la.*men*.to) *sm.* **1** Conjunto de regras de uma instituição. **2** Regra, norma.

regular¹ (re.gu.*lar*) *a2g.* **1** Que segue uma determinada rotina (vida regular). **2** Que segue a lei ou a regra (transações regulares). **3** Que ocorre em intervalos iguais (visitas regulares). **4** Que é mediano, nem bom nem ruim: *um espetáculo regular*. **5** Harmonioso, proporcional (feições regulares). **6** Pontual, correto (pagamentos regulares). **7** *Gram.* Que segue as regras do seu paradigma de conjugação (diz-se de verbo). **8** *Geom.* Diz-se do polígono com lados e ângulos iguais. [Ant.: *irregular*.] • **re.gu.la.ri.da.de** *sf.*

regular² (re.gu.*lar*) *v.* **1** Submeter a, ou dirigir segundo regra(s). [*td.*]. **2** Servir de regra, de ou pautar(-se), orientar(-se). [*td.*: *Atualmente o mercado regula a economia*. *tdi. + por*: *Regula sua arte pela Poética de Aristóteles*. *pr.*: *Regula-se pelos bons exemplos*.] **3** Conter, reprimir, moderar. [*td.*: *regular a alimentação*.] **4** Acertar o funcionamento de, ou funcionar (bem, mal etc.). [*td.*: *regular um motor*. *int.*: *Este relógio já não regula muito bem*.] **5** Ter sanidade ou equilíbrio mental. [*int.*]. **6** Ter ou valer aproximadamente. [*ti. + com*: *Sua idade regula com a do meu avô*.]

[▶ **1** regul*ar*] ⁑ **Não** ~ **bem** Não ser mentalmente equilibrado; ser amalucado, confuso. • **re.gu. la.gem** *sf.*; **re.gu.la.ção** *sf.*; **re.gu.la.do** *a.*

regularizar (re.gu.la.ri.*zar*) *v.* Tornar(-se) regular¹ (1, 2 e 6), normal ou ordenado; pôr(-se) em dia; NORMALIZAR(-SE). [*td.*: *regularizar o fornecimento de energia/o pagamento dos empregados*. *pr.*: *A situação ainda não se regularizou*.] [▶ **1** regulari*zar*] • **re.gu.la.ri.za.ção** *sf.*; **re.gu.la.ri.za.do** *a.*

régulo (ré.gu.lo) *sm.* **1** Rei muito jovem. **2** *Pej.* Chefe sem importância, mas tirânico.

regurgitar (re.gur.gi.*tar*) *v.* **1** Expelir (excesso de alimento ou do refluxo gástrico). [*td./int.*: *O bebê regurgitou (o leite).*] **2** *Fig.* Estar abarrotado; TRANSBORDAR. [*int.* (seguido de indicação de conteúdo): *O Maracanã regurgitava de torcedores*.] [▶ **1** regurgi*tar*] • **re.gur.gi.ta.ção** *sf.*

rei *sm.* **1** A maior autoridade de uma monarquia; SOBERANO. **2** *Fig.* Quem mais se destaca na sua profissão, grupo etc.: *rei do futebol/da soja*. **3** Peça mais importante do jogo de xadrez, cuja tomada, com o xeque-mate, determina o fim do jogo. **4** Figura do baralho. ■ ~ **dos** ~**s** *Rel.* No cristianismo, Jesus Cristo. **Ter o** ~ **na barriga** Assumir ares de importância; ser arrogante, presunçoso.

● **Reich** (Al. /*ráich*/) *sm. Hist. Pol.* Império, estado, esp. o Terceiro Reich (1933 a 1945), a Alemanha nazista.

reide (rei.de) *sm. Mil.* Rápida penetração militar em campo inimigo.

reidratar (re:i.dra.*tar*) *v. td. pr.* Tornar a hidratar(-se). [▶**1** reidrat*ar*] • **re:i.dra.ta.ção** *sf.*; **re:i. dra.tan.te** *a2g.sm.*

reimplantar (re:im.plan.*tar*) *v. td.* Implantar novamente. [▶ **1** reimplant*ar*] • **re:im.plan.ta.ção** *sf.*; **re:im.plan.te** *sm.*

reimprimir (re:im.pri.*mir*) *v. td.* Voltar a imprimir, ou fazer nova impressão de. [▶ **3** reimprim*ir*] Part.: *reimprimido e reimpresso*.] • **re:im.pres.são** *sf.*; **re:im.pres.sor** *a.sm.*

reinação (rei.na.*ção*) *sf. Bras.* Brincadeira infantil; TRAVESSURA. [Pl.: *-ções*.]

reinado (rei.*na*.do) *sm.* **1** Período ou âmbito do governo de um rei, rainha, imperador etc. **2** *Fig.* Período ou âmbito de predomínio de alguma coisa (ideia, moda, atividade etc.): *reinado do futebol brasileiro*.

reinador (rei.na.*dor*) [ô] *a. Bras.* Que reina (5), que é travesso.

reinar (rei.*nar*) *v. int.* **1** Governar um Estado como rei. **2** Ter poder ou grande influência; IMPERAR: *A midia reina neste país*. **3** *Fig.* Ser a característica ou o traço dominante em: *A alegria reinava naquele ambiente*. **4** *Fig.* Estar em vigor ou em voga; VIGORAR: *A nova legislação reinou pouco tempo*. **5** Fazer travessura. [▶ **1** rein*ar*] • **rei.nan.te** *a2g.s2g.*

reincidir (re:in.ci.*dir*) *v.* **1** Tornar a incidir ou recair (em). [*ti. + em*: *reincidir num erro*. *int.*: *Os que reincidem merecem penas mais duras*.] [▶**3**reincid*ir*] •**re:in. ci.dên.cia** *sf.*; **re:in.ci.den.te** *a2g.s2g.*

reincorporar (re:in.cor.po.*rar*) *v. td.* Tornar a incorporar. [▶ **1** reincorpor*ar*] • **re:in.cor.po.ra.ção** *sf.*

reindexar (re:in.de.*xar*) [cs] *v. td.* Tornar a indexar. [▶ **1** reindex*ar*] • **re:in.de.xa.ção** *sf.*

reingressar (re:in.gres.*sar*) *v. int.* Ingressar novamente. [▶ **1** reingress*ar*] • **re:in.gres.so** *sm.*

reiniciar (re:i.ni.ci.*ar*) *v. td.* Iniciar de novo; RECOMEÇAR. [▶ **1** reinici*ar*] • **re:i.ní.ci.o** *sm.*

reino (rei.no) *sm.* **1** País ou estado governado por um rei ou rainha; MONARQUIA. **2** O conjunto dos súditos de um rei. **3** *Fig.* Mundo, domínio: *no reino da imaginação*. **4** *Biol.* Cada uma das três divisões da natureza (reino animal/vegetal/mineral).

reinol (rei.*nol*) *a2g.sm.* Que ou quem é natural do reino de Portugal no tempo colonial. [Pl.: *-nóis*.]

reinscrever (re:ins.cre.*ver*) *v. td. pr.* Tornar a inscrever(-se). [▶ **2** reinscrever. Part.: *reinscrito*.] ● re:ins.cri.ção *sf.*

reinstalar (re:ins.ta.*lar*) *v. td. pr.* Instalar(-se) novamente. [▶ **1** reinstalar] ● re:ins.ta.la.ção *sf.*; re:ins.ta.*la*.do *a.*

reintegrar (re:in.te.*grar*) *v.* **1** Devolver a (alguém) a posse de (bem, emprego, cargo). [*tdi.* + *em*: *Reintegrou-o no cargo.*] **2** Tornar a integrar-se em. [*pr.*: *reintegrar-se na sociedade.*] [▶ **1** reintegrar] ● re:in.te.gra.ção *sf.*; re:in.te.*gra*.do *a.*

reintroduzir (re:in.tro.du.*zir*) *v. td.* Tornar a introduzir (seguido ou não de indicação de lugar): *reintroduzir uma chave (na fechadura)/ o debate (no país)*. [▶ **57** reintroduzir] ● re:in.tro.du.ção *sf.*

réis *smpl.* Pl. de *real* (3).

reisada (rei.*sa*.da) *sf. Bras. Folc.* Ver *reisado.*

reisado (rei.*sa*.do) *sm. Bras. Folc.* Dança dramática natalina apresentada na véspera do dia de Reis; REISADA.

reiterar (re:i.te.*rar*) *v. td.* Renovar, repetir: *reiterar pedido/apoio*. [▶ **1** reiterar] ● re:i.te.ra.ção *sf.*; re:i.te.ra.*ti*.vo *a.*

reitor (re:i.*tor*) [ô] *sm.* Diretor de uma universidade. F.: Do lat. *rector, oris.*]

reitorado (rei.to.*ra*.do) *sm.* **1** Cargo de reitor; REITORIA. **2** Período de duração desse cargo.

reitoria (rei.to.*ri*.a) *sf.* **1** Gabinete ou prédio onde trabalha o reitor. **2** Cargo de reitor; REITORADO.

reiuno (rei.*u*.no) *a.* **1** Diz-se do uniforme que as Forças Armadas fornecem aos soldados (calças *reiunas*). **2** *Pop.* De má qualidade. **3** *Pop.* Que é desprezível.

reivindicar (re:i.vin.di.*car*) *v. td.* **1** Demandar para, ou tentar reaver: *reivindicar um terreno.* **2** Requerer, reclamar, exigir: *reivindicar aumento de salário.* **3** Chamar a si, ou reclamar para si; ASSUMIR: *reivindicar a originalidade de uma ideia.* [▶ **11** reivindicar] ● re:i.vin.di.ca.ção *sf.*; re:i.vin.di.ca.*dor* *a.sm.*; re:i.vin.di.*can*.te *a2g.*; re:i.vin.di.ca.*ti*.vo *a.*

rejeitar (re.jei.*tar*) *v. td.* **1** Pôr de lado; REFUGAR: *Esta máquina rejeita os produtos fora de especificação.* **2** Recusar, repelir ou repudiar: *rejeitar uma proposta.* **3** Não aceitar (corpo estranho); expelir: *O organismo rejeitou o órgão transplantado; O estômago rejeitou a comida estragada.* [▶ **1** rejeitar] ● re.jei.ção *sf.*; re.jei.*tá*.vel *a2g.*

rejubilar (re.ju.bi.*lar*) *v.* Encher(-se) de júbilo ou alegria; ALEGRAR(-SE). [*tdi.*: *Sua chegada rejubilou-nos. int./pr.*: *Rejubilei(-me) com a notícia.*] [▶ **1** rejubilar] ● re.ju.bi.la.ção *sf.*

rejuvenescer (re.ju.ve.nes.*cer*) *v.* Dar ou adquirir aparência ou frescor de jovem, ou de mais jovem; REMOÇAR. [*tdi.*: *O nascimento do filho o rejuvenesceu. int./pr.*: *Rejuvenesceu(-se) quando raspou a barba.*] [▶ **33** rejuvenescer] ● re.ju.ve.nes.ci.*men*.to *sm.*

relação (re.la.*ção*) *sf.* **1** Ligação de algum tipo entre pessoas, coisas ou fatos: *relação de parentesco/entre o que foi perguntado e a resposta dada/de um pai com seu filho.* **2** Vínculo afetivo, de negócios etc.: *a relação do casal; A relação entre os funcionários é respeitosa.* **3** Lista de coisas, nomes etc.: *relação de convidados.* **4** Semelhança: *É notável a relação entre os dois quadros.* [Pl.: -*ções*.] ▣ **relações** *sfpl.* **5** Pessoas com as quais se mantêm vínculos de amizade ou sociais: *Joana tem muitas relações.* **6** Ato sexual: *Os namorados tinham relações.*

relacionamento (re.la.ci.o.na.*men*.to) *sm.* **1** Ação ou resultado de relacionar(-se). **2** A maneira de conviver e/ou lidar com os outros: *pessoa de relacionamento difícil.* **3** Envolvimento amoroso: *Mantinha um relacionamento em segredo.*

relacionar (re.la.ci.o.*nar*) *v.* **1** Fazer relação (3) ou lista de. [*td.*] **2** Assinalar relação (1) ou conexão entre, ou tê-las. [*tdi.* + *a, com*: *relacionar um fato ao seu momento histórico. pr.*: *Na natureza tudo se relaciona.*] **3** Fazer que adquira, ou mantenha, relação (2) ou amizade com. [*tdi.* + *com*: *Vou relacioná-lo com o grupo do clube. pr.*: *Só se relaciona com gente de bem.*] **4** Relatar, narrar. [*td.*] [▶ **1** relacionar] ● re.la.ci.o.*na*.do *a.*

relâmpago (re.*lâm*.pa.go) *sm.* **1** Clarão forte e rápido resultante da descarga elétrica entre nuvens. *a2g.* **2** *Fig.* Que é rápido como um raio (sucesso *relâmpago*). ● re.lam.pa.gue.*ar* *v.*; re.lam.pe.*ar* *v.*

relampejar (re.lam.pe.*jar*) *v. int.* **1** Ocorrer um relâmpago ou uma sequência de relâmpagos. **2** *Fig.* Passar ou brilhar como um relâmpago (seguido ou não de indicação de lugar): *A felicidade relampejou em seu olhar.* [▶ **1** relampejar] Normalmente só us. na 3ª pess. sing.]

relance (re.*lan*.ce) *sm.* Visão rápida. ▪▪ **De ~** Rapidamente.

relancear (re.lan.ce.*ar*) *v.* Dirigir (os olhos) (a), num relance. [*td.*: *Relanceou com desconfiança o recém-chegado. tdi.* + *a, para*: *Relanceei os olhos para a vizinha.*] [▶ **13** relancear]

relapso (re.*lap*.so) *a.sm. Bras.* Que ou quem não cumpre ou cumpre mal as obrigações (funcionário *relapso*); DISPLICENTE. [Ant.: *cuidadoso, responsável.*]

relatar (re.la.*tar*) *v.* **1** Fazer relato ou narração de; NARRAR. [*td.*: *O livro relata a guerra de Canudos. tdi.* + *a*: *Relatou à família o que lhe sucedera.*] **2** Fazer ou apresentar relatório de. [*td.*] [▶ **1** relatar]

relativismo (re.la.ti.*vis*.mo) *sm. Fil.* Doutrina que afirma a relatividade de todo conhecimento e nega a existência de verdades absolutas. ● re.la.ti.*vis*.ta *a2g.s2g.*

relativo (re.la.*ti*.vo) *a.* **1** Com relação (a), que se refere (a); REFERENTE: *o boletim relativo a abril.* **2** Que não é absoluto, que depende de outra coisa (valor *relativo*). **3** *Gram.* Diz-se do pronome que introduz uma oração subordinada adjetiva (p.ex.: *que, quem, cujo*): *A vendedora que me atendeu foi mal-educada.* **4** *Gram.* Diz-se do superlativo quando destaca um ser, dentre outros, pelo grau maior ou menor de certa qualidade (p.ex.: *Ela é a mais elegante das ginastas.*). ● re.la.ti.vi.*da*.de *sf.*

relato (re.*la*.to) *sm.* Narração, descrição: *relato do acidente.*

relator (re.la.*tor*) [ô] *sm.* Quem elabora relatório ou parecer sobre um processo, investigação, projeto de lei etc.

relatório (re.la.*tó*.ri:o) *sm.* Exposição detalhada sobre um fato, atividade, resultado, projeto etc.

⊕ **relax** (Ing. /riléks/) *sm2n. Bras. Pop.* Alívio causado pela redução de tensões emocionais ou cansaço físico.

relaxado (re.la.*xa*.do) *a.* **1** Que não está tenso ou contraído, física ou mentalmente (músculos *relaxados*). *a.sm.* **2** *Fig.* Que ou quem não tem cuidado com sua própria aparência. **3** *Fig.* Que ou quem não cuida de suas obrigações e compromissos.

relaxamento (re.la.xa.*men*.to) *sm.* **1** Falta de cuidado ou de preocupação; NEGLIGÊNCIA; DESMAZELO. **2** Diminuição de tensão muscular ou emocional. **3** Técnica de alisamento brando de cabelos crespos ou encaracolados.

relaxar (re.la.*xar*) *v.* **1** Tornar frouxo, flexível ou brando; AFROUXAR. [*td.*: *relaxar os braços.*] **2** Repousar ou acalmar-se. [*int.*] **3** Isentar de, ou abrandar. [*td.*: *relaxar uma obrigação.*] **4** Enfraquecer(-se), debilitar(-se). [*tdi.*: *relaxar o ânimo; int.*: *Sua vontade de ferro nunca relaxa.*] **5** Desleixar-se, ou tor-

relé | **remédio**

nar-se negligente. [*int./pr.*: *relaxar*(-*se*) *no trabalho.*] **6** Corromper(-se), perverter(-se). [*td.*: *relaxar a moral/os costumes. pr.*: *Relaxou-se com o vício.*] [▶ **1** relax**ar**] • **re.la.**xan.te *a2g.sm.*

relé (re./*lé*) *sm. Elet.* Em aparelho elétrico, dispositivo que abre ou fecha circuitos, quando o sistema atinge estados previamente estabelecidos.

relegar (re.le.*gar*) *v.* **1** Pôr em situação de segundo plano, inferior etc. [*tdi.* + *a*: *relegar alguém ao ostracismo.*] **2** Banir, exilar. [*td.*] [▶ **14** releg**ar**]

relembrar (re.lem.*brar*) *v.* Voltar a lembrar; RECORDAR. [*td.*: *relembrar a infância. tdi.* + *a*: *Relembrou ao síndico suas responsabilidades.*] [▶ **1** relembr**ar**]

relento (re.*len*.to) *sm.* Umidade própria da noite; SERENO: *Dormi toda a noite ao relento.*

reler (re.*ler*) *v. td.* Ler outra vez ou repetidamente. [▶ **34** rel**er**] • **re.lei.**tu.ra *sf.*

reles (*re*.les) *a2g2n.* Desprovido de valor; ORDINÁRIO: "Em que pessoa reles e desprezível estava se transformando?" (Ana Maria Machado, *A audácia dessa mulher*).

relevante (re.le.*van*.te) *a2g.* **1** Que possui grande importância (medidas relevantes). **2** Que merece ser levado em conta (questão relevante). • **re.le.**vân.ci.a *sf.*

relevar (re.le.*var*) *v.* **1** Escusar, perdoar. [*td.*: *relevar uma falta.*] **2** Fazer que tenha, ou ter, relevo; SALIENTAR(-SE), SOBRESSAIR(-SE). [*td.*: *Suas maneiras a relevavam. pr.*: *O filme se releva entre todos os concorrentes.*] **3** Convir, importar. [*int.*: *Releva que se anotem todas as ocorrências.*] [▶ **1** relev**ar**] • **re.le.**va.do *a.*; **re.le.**va.**men**.to *sm.*

relevo (re.*le*.vo) [ê] *sm.* **1** *Geog.* Conjunto das características de altitude de superfície terrestre em determinada área ou região. **2** Saliência ou reentrância identificável em uma superfície. **3** *Esc.* Escultura feita a partir da produção de saliências e reentrâncias em uma superfície plana. **4** *Fig.* Condição ou estado daquilo que tem importância: *Trata-se de uma questão de relevo.*

relha (*re*.lha) [ê] *sf.* Parte de ferro do arado, que penetra na terra e faz trilhas.

relho (*re*.lho) [ê] *sm.* Tira de couro torcido, us. para chicotear animais.

relicário (re.li.cá.*ri*:o) *sm.* **1** *Rel.* Caixa ou baú onde se guardam objetos pertencentes a um santo ou que foram por ele tocados. **2** Caixa ou baú onde se guardam objetos de grande valor afetivo.

religamento (re.li.ga.*men*.to) *sm.* **1** Ação ou resultado de ligar novamente. **2** Restabelecimento da ligação de um imóvel à rede de energia, água, gás ou telefonia. • **re.li.ga.**ção *sf.*; **re.li.**gar *v.*

religião (re.li.gi:*ão*) *sf.* **1** Crença na existência de forças ou entidades sobre-humanas responsáveis pela criação e ordenação do universo. **2** Forma particular que essa crença assume a partir de cada uma das diversas doutrinas formuladas. [Pl.: *-ões.*]

religiosamente (re.li.gi:o.sa.*men*.te) *adv.* **1** De acordo com os preceitos da religião. **2** *Fig.* Com extrema regularidade ou precisão: *Saía religiosamente às 17h30.*

religioso (re.li.gi:*o*.so) [ó] *a.* **1** Ref. a religião ou próprio dela (sentimento religioso). *a.sm.* **2** Que ou quem é adepto ou praticante de uma religião. *sm.* **3** Pessoa que ingressa em uma ordem religiosa. [Fem. e pl.: [ó].] • **re.li.gi:o.si.**da.de *sf.*

relinchar (re.lin.*char*) *v. int.* Soltar sua voz (o cavalo). [▶ **1** relinch**ar**] • **re.**lin.cho *sm.*

relíquia (re.*li*:qui:a) *sf.* **1** Objeto de grande valor em função de ser raro ou antigo. **2** *Rel.* Restos do corpo de um santo, ou objeto que tenha pertencido a ele ou tocado seu corpo.

relógio (re.*ló*.gi:o) *sm.* **1** Instrumento ou mecanismo us. para medir a passagem do tempo. **2** *Bras.* Aparelho de medição do fornecimento de energia elétrica, gás ou água; REGISTRO: *Todo mês vem um técnico ler o relógio da luz.* ▪▪ ~ **de sol** Instrumento, constituído por uma haste vertical que, ao projetar sua sombra num plano, indica as horas de acordo com a posição do Sol.

relojoaria (re.lo.jo:a.*ri*.a) *sf.* **1** Casa onde se fabricam, vendem e/ou consertam relógios. **2** Arte e técnica da fabricação de relógios.

relojoeiro (re.lo.jo:*ei*.ro) *sm.* **1** Pessoa que fabrica, conserta e/ou vende relógios. *a.* **2** Ref. a relojoaria ou a relógio (comércio relojoeiro).

relume (re.*lu*.me) *sm.* Brilho muito forte; CLARÃO; FULGOR.

relutar (re.lu.*tar*) *v.* **1** Resistir a, ou hesitar. [*ti.* + *em*: *Relutou em aceitar a proposta. int.*: *Apesar das advertências, ainda reluta.*] **2** Tornar a lutar. [*int.*] [▶ **1** relut**ar**] • **re.lu.**tân.cia *sf.*; **re.lu.**tan.te *a2g.*

reluzir (re.lu.*zir*) *v. int.* Luzir muito; BRILHAR; RESPLANDECER. [▶ **57** reluz**ir**]. Normalm. defec. impess.] • **re.lu.**zen.te *a2g.*

relva (*rel*.va) *sf.* Erva rasteira e rala que cobre o solo; GRAMADO. • **rel.**vo.so *a.*

relvado (rel.*va*.do) *a.* **1** Diz-se de terreno coberto por relva, grama. *sm.* **2** Terreno relvado (1).

remada (re.*ma*.da) *sf.* **1** Ação ou resultado de remar. **2** Impulso dado com o remo.

remador (re.ma.*dor*) [ô] *a.sm.* **1** Que ou aquele que rema. *sm.* **2** Aparelho us. para musculação, que simula os movimentos de remar.

remanchar (re.man.*char*) *v. int. pr.* Tardar, ou ser vagaroso; DEMORAR(-SE). [▶ **1** remanch**ar**] • **re.man.**cha.*dor a.sm.*

remanejar (re.ma.ne.*jar*) *v. td.* **1** Dar nova ordenação, organização ou colocação a: *remanejar uma pesquisa/a empresa/funcionários.* **2** Tornar a manejar, a manobrar. [▶ **1** remanej**ar**] • **re.ma.ne.ja.**men.to *sm.*

remanescer (re.ma.nes.*cer*) *v. int.* Restar, sobrar, perdurar. [▶ **33** remanesc**er**] • **re.ma.nes.**cen.te *a2g2g.*

remanso (re.*man*.so) *sm.* **1** Trecho de rio onde, por ausência de correnteza, a água fica quase parada. **2** *Fig.* Período em que não se faz nenhuma atividade ou ou não se tem compromisso; DESCANSO; SOSSEGO. **3** *Fig.* Lugar para descanso e recolhimento; POUSO; REFÚGIO. • **re.man.**so.so *a.*

remar (re.*mar*) *v.* Mover (embarcação) por meio de remo(s). [*td.*: *remar uma canoa. int.*: *Nas galés, remavam escravos.*] [▶ **1** rem**ar**]

remarcar (re.mar.*car*) *v. td.* **1** Tornar a marcar (algo), ou pôr nova marca em. **2** *Bras.* Fixar novo preço para (mercadoria). [▶ **11** remarc**ar**] • **re.mar.ca.**ção *sf.*

rematar (re.ma.*tar*) *v. td.* **1** Dar o remate ou acabamento a: *rematar um romance/um afresco.* **2** Completar a costura de; ARREMATAR¹(3). [▶ **1** remat**ar**] • **re.ma.**ta.do *a.*; **re.ma.**te *sm.*

remedar (re.me.*dar*) *v.* Ver *arremedar.* [▶ **1** remed**ar**]

remediar (re.me.di.*ar*) *v.* **1** Tratar ou aliviar com remédio. [*td.*: *remediar um doente/a dor.*] **2** Atenuar, amenizar. [*td.*: *remediar a tristeza/a pobreza.*] **3** *Bras. Fig.* Corrigir, ou arranjar(-se). [*td.* (seguido ou não de indicação de meio): *Remediou a situação (com um apelo ao bom senso). pr.*: *Ele remedeia-se com biscates.*] [▶ **15** remedi**ar**] • **re.me.di.a.**do *a.sm.*

remédio (re.*mé*.di:o) *sm.* **1** Substância que serve para curar ou prevenir doenças. **2** *Fig.* Tudo aquilo que serve para diminuir sofrimento ou para corrigir ou evitar situação desagradável; RECURSO; SOLUÇÃO: *Não havia remédio senão esperar a chuva passar.*

remedo (re.*me*.do) [ê] *sm*. Simulação ou cópia imperfeita ou defeituosa de algo.

remela (re.*me*.la) *sf*. Secreção amarelada que se acumula nas bordas das pálpebras, ger. pela manhã, ou em casos de alguma doença nos olhos, esp. nos pontos lacrimais. ● **re.me.***len*.to *a*.

remelexo (re.me.*le*.xo) [ê] *sm*. *Bras*. *Pop*. Movimento ritmado dos quadris; REBOLADO.

rememorar (re.me.mo.*rar*) *v. td. int*. Recordar, relembrar. [▶ 1 rememor[ar] ● re.me.mo.ra.*ção* a2g.; re.me.mo.ra.*ti*.vo *a*.; re.me.mo.*rá*.vel a2g.

remendão (re.men.*dão*) *a.sm*. 1 Que ou quem faz remendos. *sm*. 2 Sapateiro que se dedica a consertar calçados. 3 *Fig*. Artesão pouco hábil: *Você não é alfaiate, mas um remendão*. [Pl.: -dões.]

remendar (re.men.*dar*) *v*. 1 Pôr remendo(s) em (roupa, cortina etc.). [*td*.] 2 *Fig*. Consertar, retificar. [*td*.: *remendar um equívoco/um texto*. *int*.: "*Eu disse culto, não curto*", *remendou ele*.] [▶ 1 remend[ar] ● re.men.*da*.do *a*.

remendo (re.*men*.do) *sm*. 1 Pedaço de pano, couro etc. costurado para cobrir furo ou rasgo: *Mamãe colocou um remendo na calça*. 2 *Fig*. Emenda ou conserto de qualquer natureza.

remessa (re.*mes*.sa) *sf*. 1 Ação ou resultado de enviar algo (pelo correio, por portador etc.): *A secretária fez a remessa pela manhã*. 2 A coisa enviada: *A remessa ainda não chegou lá*.

remeter (re.me.*ter*) *v*. 1 Expedir, enviar, mandar. [*tdi*. + *a*: *Remeteu uma carta aos associados*.] 2 Adiar, postergar. [*td*. (seguido ou não de indicação de tempo): *remeter uma decisão/um esclarecimento (para o dia seguinte)*.] 3 Confiar(-se). [*tdi*. + *a*: *Remetemos o caso à autoridade competente*. *pr*.: *Remeteu-se ao bom senso de juízes idôneos*.] 4 Referir-se, reportar-se. [*ti*. + *a*: *Este verbete remete a outro*. *pr*.: *remeter-se a fontes fidedignas*.] [▶ 2 remet[er] ● re.me.*ten*.te a2g.s2g.

remexer (re.me.*xer*) *v*. 1 Mexer de novo ou várias vezes. [*td*.: *Remexi a gaveta, mas não achei o relógio*; (seguido ou não de indicação de limite ou finalidade) *Remexa os ingredientes (até/para formar a massa)*.] 2 Bulir, tocar, mexer. [*ti*. + *em*: *Não remexa nos papéis de seu pai*.] 3 Sacudir(-se), agitar(-se). [*td*.: *remexer um coquetel*. *pr*.: *Eles remexiam-se, ansiosos, no saguão do hotel*.] 4 *Bras*. Rebolar(-se), requebrar(-se). [*td*.: *As sambistas remexiam os quadris*. *pr*.: *Remexia-se ao ritmo da rumba*.] [▶ 2 remex[er]

remição (re.mi.*ção*) *sf*. Resgate de dívida de qualquer natureza ou expiação de culpa. [Pl.: -ções.] [Cf.: *remissão*.]

remido (re.*mi*.do) *a*. 1 Que, após remição, está isento de dívida ou culpa: *remido do cumprimento da pena*. 2 Que foi resgatado, libertado: *remido do cárcere*. 3 Em clubes, diz-se dos sócios isentos de pagar mensalidade (sócio *remido*).

rêmige (*rê*.mi.ge) *sf*. *Zool*. Cada uma das grandes penas das asas das aves, que auxiliam na sustentação e direção do voo; RÊMIGIO.

remígio (re.*mí*.gi:o) *sm*. *Zool*. Ver *rêmige*.

reminiscência (re.mi.nis.*cên*.ci:a) *sf*. Aquilo de que se recorda; LEMBRANÇA.

remir (re.*mir*) *v*. 1 Resgatar(-se), libertar(-se). [*td*.: *remir refêns/prisioneiros*. *td*. + *de*: *Remiu-os do cativeiro/de um exílio*. *pr*.: *Remiram-se da condenação*.] 2 Ver *redimir*. 3 Indenizar, ressarcir. [*td*.] 4 Tornar a obter. [*td*.] [▶ 59 rem[ir] ● re.*mí*.vel a2g.

remissão (re.mis.*são*) *sf*. 1 Ação ou resultado de encaminhar a outro ponto ou lugar: *remissão de um verbete a outro*; *remissão ao termo mais usual*. 2 Alusão ou referência a algo: *O juiz fez remissão aos argumentos das partes*. 3 Ação ou resultado de remitir(-se). 4 Paga, compensação. 5 Perdão de algo ou de alguém: *remissão de pecados*. [Pl.: -sões.] [Cf.: *remição*.] ● **re.mis.***sí*.vel a2g.

remissivo (re.mis.*si*.vo) *a*. 1 Que remete para outro ponto (nota *remissiva*). 2 Que contém referências; ALUSIVO. ◘ **remissiva** *sf*. 3 *Bibl*. Anotação que faz remissão (1 e 2).

remisso (re.*mis*.so) *a*. 1 Que negligencia seus afazeres e obrigações. 2 Que é indolente e vagaroso. 3 Que possui pouca energia ou intensidade (sentimento *remisso*).

remitir (re.mi.*tir*) *v*. 1 Dar absolvição ou perdão a; PERDOAR. [*td*.: *remitir um crime/uma culpa*. *tdi*. + *a*: *remitir os pecados aos penitentes*.] 2 Dar por pago ou tornar quite; QUITAR. [*td*.] 3 Diminuir ou abrandar(-se). [*td*.: *O remédio remitiu a febre*. *int*./*pr*.: *A ventania remitiu(-se)*.] [▶ 3 remit[ir] ● re.mi.*tên*.cia *sf*.; re.mi.*ten*.te a2g.

remo (*re*.mo) *sm*. 1 Haste de madeira com uma extremidade chata que é introduzida na água e movida para fazer deslocar embarcação. 2 *Esp*. Atividade ou esporte de remar em barcos esp. projetados para isso: *Faço remo desde menino*.

remoçador (re.mo.ça.*dor*) [ô] *a.sm*. Que ou o que faz com que as pessoas se sintam ou aparentem ser mais jovens.

remoção (re.mo.*ção*) *sf*. Ação ou resultado de remover pessoas ou coisas de algum lugar. [Pl.: -ções.]

remoçar (re.mo.*çar*) *v. td. int*. Dar ou adquirir aparência ou vigor de moço, ou de mais moço; REJUVENESCER(-SE). [▶ 12 [remo]çar ● re.mo.*ça*.do *a*.; re.mo.*çan*.te a2g.

remodelar (re.mo.de.*lar*) *v. td*. Modelar de novo, ou alterar o modelo de. [▶ 1 remodel[ar] ● re.mo.de.la.*dor* a.sm.; re.mo.de.la.*gem* *sf*.; re.mo.de.la.*men*.to sm.

remoer (re.mo.*er*) *v*. 1 Moer novamente. 2 *Fig*. Cogitar, meditar profundamente; RUMINAR. [*td*.: *remoer uma decisão/um problema*.] 3 *Fig*. Afligir-se, ou enfurecer-se. [*pr*.] [▶ 36 remo[er]

remoinho (re.mo:*i*.nho) *sm*. 1 Movimento da água ou do ar para baixo em espiral; REDEMOINHO. 2 Ponto da cabeça em que os cabelos se distribuem em espiral. ● **re.mo:i.***nhar* v.

remonta (re.*mon*.ta) *sf*. 1 Aquisição de novos cavalos para uma tropa de cavalaria. 2 *Pop*. Reparo ou conserto de algo.

remontar (re.mon.*tar*) *v*. 1 Tornar a montar. [*td*.: *remontar um aparelho/uma peça de teatro*.] 2 Elevar(-se) novamente ou muito. [*td*.: *A águia remontou seu voo*. *pr*.: *Sua arte remonta-se à perfeição*.] 3 Datar de (passado distante). [*ti*. + *a*: *As matemáticas remontam ao antigo Egito*.] 4 Recuar no tempo ou reportar-se a (passado distante). [*ti*. + *a*: *Remontemos à Grécia de Alexandre*. *pr*.: *O historiador remonta-se aos manuscritos hebraicos*.] 4 Originar-se ou provir de. [*ti*. + *a*: *Muitas palavras do português remontam ao árabe*.] [▶ 1 remont[ar] ● re.mon.*ta*.gem sf.

remoque (re.*mo*.que) *sm*. 1 Dito engraçado, malicioso ou não, a respeito de algo ou alguém. 2 Zombaria.

remorso (re.*mor*.so) *sm*. Sentimento de angústia em função de arrependimento por algo realizado.

remoto (re.*mo*.to) *a*. 1 Que se encontra distante no tempo ou no espaço (região *remota*, acontecimentos *remotos*). 2 Que pode ser acionado ou realizado a distância (acesso *remoto*, controle *remoto*). 3 Que é muito pouco provável: *São remotas as chances de vitória*.

removedor (re.mo.ve.*dor*) [ô] *sm*. Produto que serve para remover manchas de tecidos ou superfícies.

remover (re.mo.*ver*) *v*. 1 Mudar (algo) de um lugar para outro; DESLOCAR. (seguido ou não de indicação de lugar): *Removeu a escrivaninha (do escritó-*

remunerar | reparar

rio para outro cômodo). **2** Transferir (empregado ou funcionário), ou demiti(-lo). (seguido ou não de indicação de lugar ou de posto): *Removeram o gerente (para São Paulo/do cargo).* **3** Eliminar; tirar: *remover manchas/obstáculos.* [▶ **2** remover] • **re.mo.ví.vel** *a2g.*

remunerar (re.mu.ne.*rar*) *v. td.* **1** Dar compensação, gratificação etc. a. **2** Pagar salários, honorários etc. a. [▶ **1** remunerar] • **re.mu.ne.ra.ção** *sf.*; **re.mu.ne.ra.dor** *a.sm.*; **re.mu.ne.ra.tó.rio** *a.*; **re.mu.ne.rá.vel** *a2g.*

rena (*re*.na) *sf. Zool.* Mamífero cervídeo que habita regiões frias do hemisfério norte; RANGÍFER.

renal (re.*nal*) *a2g.* Ref. aos rins, próprio deles ou neles presente (morfologia renal, cálculo renal). [Pl.: *-nais.*]

renascença (re.nas.*cen*.ça) *sf.* Ver Renascimento.

renascer (re.nas.*cer*) *v. int.* Tornar a nascer (tb. Fig.): *As orquídeas renascem uma vez por ano; O cinema brasileiro renasceu nos anos de 1990.* [▶ **33** renascer] • **re.nas.cen.ci.a** *a2g.*; **re.nas.ci.do** *a.*

renascimento (re.nas.ci.*men*.to) *sm.* **1** Ação ou resultado de renascer. • **Renascimento** *sm.* **2** *Hist.* Movimento artístico, científico e filosófico que, entre os sécs. XIV e XVI, pregava o retorno aos ideais da Antiguidade greco-romana, esp. a valorização do ser humano e de suas capacidades; RENASCENÇA. • **re.nas.cen.tis.ta** *a2g.s2g.*

renda¹ (*ren*.da) *sf.* **1** Quantia recebida regularmente como resultado de investimentos, aluguel de imóveis etc.): *Ele vive de renda.* **2** Quantia recebida regularmente por trabalho realizado (renda familiar); *pessoas de baixa renda.* [Sin.: rendimento.] **3** Quantia total arrecadada em um evento ou promoção: *A renda do clássico de domingo foi a maior do ano.* **4** *Econ.* O total das rendas (1 e 2) dos habitantes de um país (renda nacional). ▫ *per capita* A renda (1 e 2) média dos habitantes de um país, obtida pela divisão da renda (4) nacional pelo número de habitantes.

renda² (*ren*.da) *sf.* Tecido fino, feito de fios que formam desenhos variados: *blusa de renda.* • **ren.da.do** *a.sm.*; **ren.da.ri.a** *sf.*

rendeira (ren.*dei*.ra) *sf.* Mulher que faz ou vende rendas².

rendeiro¹ (ren.*dei*.ro) *sm.* Homem que fabrica ou vende rendas².

rendeiro² (ren.*dei*.ro) *sm. Jur.* Pessoa que arrenda propriedades.

render (ren.*der*) *v.* **1** Dominar, ou deixar-se dominar. [*td.*: *O bandido rendeu os passageiros. pr.*: *Feridos, os soldados se renderam.*] **2** Sujeitar-se, ceder. [*pr.*: *Ele sempre acaba se rendendo aos caprichos da namorada.*] **3** Substituir (alguém) em tarefa ou serviço. [*td.*: *Esses operários não vão render os do turno da noite.*] **4** Dar como lucro. [*td.*: *A poupança rendeu poucos juros este ano. int.*: *Esta aplicação rende muito.*] **5** Manifestar (admiração etc.). [*tdi.* + *a*: *Os atores renderam uma bela homenagem ao diretor.*] **6** *Bras.* Alongar-se em demasia; durar. [*int.*: *Esse assunto vai render...*] **7** Ser produtivo. [*int.*: *Com as interrupções, meu estudo não rendeu.*] [▶ **2** render] • **ren.di.ção** *sf.*; **ren.di.do** *a.*

rendilha (ren.*di*.lha) *sf.* Tira de renda fina e delicada.

rendimento (ren.di.*men*.to) *sm.* **1** Lucro sobre dinheiro investido; RENDA (1 e 2): *o rendimento da caderneta de poupança.* **2** Quantia recebida por pessoa, família ou instituição por trabalho realizado; RENDA (1 e 2): *Os filhos se empregaram para aumentar o rendimento familiar.* **3** Desempenho em atividade esportiva, intelectual ou de trabalho; APROVEITAMENTO: *Houve queda no rendimento dos alunos.*

rendoso (ren.*do*.so) [ô] *a.* Que produz muita renda, muito lucro; LUCRATIVO; RENTÁVEL (negócio rendoso). [Fem. e pl.: [ó].]

renegado (re.ne.*ga*.do) *a.sm.* **1** Que ou quem abandona sua religião, partido etc. **2** Que ou quem é rejeitado pela própria comunidade.

renegar (re.ne.*gar*) *v.* **1** Deixar de adotar, de seguir (religião, ideias etc.). [*td.*: *Foi expatriado mas nunca renegou suas convicções. ti.* + *a, de*: *renegar a Deus.*] **2** Negar-se a reconhecer. [*td.*: *Renegou a paternidade do suposto filho.*] **3** Rejeitar, desdenhar [*td.*: *renegar seu passado.*] [▶ **14** renegar]

renhido (re.*nhi*.do) *a.* Que é muito intenso e violento (luta renhida).

renhir (re.*nhir*) *v.* **1** Travar (combate), combater. [*td.*: *A artilharia renhiu um árduo combate. ti.* + *com*: *As fragatas renhiram com o submarino inimigo. int.*: *Os debatedores renhiram asperamente.*] **2** Tornar-se violento ou ríspido. [*pr.*] [▶ **59** renhir]

renitente (re.ni.*ten*.te) *a2g.* Que é teimoso e insistente. • **re.ni.tên.ci.a** *sf.*

renome (re.*no*.me) *sm.* Grande prestígio ou boa reputação: *Contrataremos um advogado de renome.* • **re.no.ma.do** *a.*

renovar (re.no.*var*) *v.* **1** Reformar, modificar, dando novo aspecto ou forma a. [*td.*: *renovar uma casa/um método de ensino.*] **2** Fazer de novo, prorrogando a duração de. [*td.*: *renovar um contrato/um passaporte/um seguro.*] **3** Substituir por novo, ou repor. [*td.*: *renovar um estoque.*] **4** Retomar, recomeçar. [*td.*: *renovar uma campanha/uma luta.*] **5** Nascer ou surgir de novo; RENASCER; REAPARECER: [*pr.*: *Flores que se renovam continuamente.*] **6** Fazer sentir, ou sentir, mais vigor e energia; REVIGORAR(-SE). [*td.*: *O banho de mar renova a pessoa. pr.*: *Ela está se renovando com o tratamento.*] [▶ **1** renovar] • **re.no.va.ção** *sf.*; **re.no.va.do** *a.*; **re.no.va.dor** *a.sm.*; **re.no.vá.vel** *a2g.*

renovo (re.*no*.vo) [ô] *sm. Bot.* Galho ou ramo que brota no toco de uma árvore recém-cortada e do qual surge uma nova árvore.

renque (ren.que) *sm.* Conjunto de pessoas ou objetos colocados em linha; FILEIRA; ALINHAMENTO.

rentável (ren.*tá*.vel) *a2g.* Que gera ou pode gerar lucro ou renda. [Pl.: *-veis.*] • **ren.ta.bi.li.da.de** *sf.*

rente (*ren*.te) *a2g.* **1** Muito curto; perto da raiz ou da base (cabelo rente, unhas rentes). *adv.* **2** Bem próximo, muito perto: *A bola passou rente à trave.*

renúncia (re.*nún*.ci.a) *sf.* Ação ou resultado de renunciar.

renunciar (re.nun.ci.*ar*) *v.* **1** Recusar, declinar; abrir mão de; ABDICAR. [*td.*: *renunciar uma oferta/um convite. ti.* + *a*: "Deixou uma carta renunciando a seu cargo..." (Josué Montello, *Um rosto de menina*). *int.*: *O presidente renunciou.*] **2** Renegar, abjurar. [*td.*: *renunciar uma crença. ti.* + *a*: *Renunciaram a seu velho ideal.*] [▶ **1** renunciar] • **re.nun.ci.an.te** *a2g.s2g.*; **re.nun.ci.á.vel** *a2g.*

reorganizar (re:or.ga.ni.*zar*) *v. td.* Organizar de novo, alterar a organização de; REESTRUTURAR. [▶ **1** reorganizar] • **re:or.ga.ni.za.ção** *sf.*; **re:or.ga.ni.za.dor** *a.sm.*

reostato, reóstato (re:os.*ta*.to, re:*ós*.ta.to) *sm. Elet.* Resistência elétrica variável, us. ger. para controlar a corrente elétrica no circuito ou dissipar energia.

reparar (re.pa.*rar*) *v.* **1** Fazer que volte a funcionar; CONSERTAR. [*td.*: *reparar um carro/um computador.*] **2** Corrigir, remediar. [*td.*: *reparar um desenho/um mal.*] **3** Notar, perceber. [*td.*: *Reparei que ele não estava bem. ti.* + *em*: "A menina não reparou na palidez do marido..." (José de Alencar, *A viuvinha*).] **4** Importar-se com, ligar para. [*ti.* + *em*: *Não repare* na bagunça.] **5** Indenizar(-se), ressarcir(-se). [*td.*: *reparar prejuízos*. *pr.*: *Ainda não se reparou das perdas com o investimento*.] [▶ **1** repar<u>ar</u> • **re.pa.ra.ção** *sf*.; **re.pa.ra.dor** *a.sm*.; **re.pa.rá.vel** *a2g.*

reparo (re.pa.ro) *sm.* **1** Conserto ou reforma de algo: *O reparo da tubulação foi concluído ontem.* **2** Observação crítica ou advertência: *Os convidados fizeram vários reparos à festa.* **3** Peça de vedação para válvula de descarga de água.

repartição (re.par.ti.ção) *sf.* **1** Divisão ou distribuição de algo; PARTILHA: *O acordo visava à repartição do poder dentro do partido.* **2** Órgão ou seção do serviço público ou de prestação de serviços à comunidade: *Os documentos devem ser encaminhados à repartição competente.* [Pl.: ções.]

repartir (re.par.tir) *v.* **1** Separar e distribuir partes de um todo entre diferentes lugares, pessoas etc.; COMPARTIR; DIVIDIR(-SE). [*td.*: *repartir um bolo*; (seguido de indicação de modo, lugar etc.) *Reparte seu tempo em dois empregos*; *Ela reparte o cabelo em duas tranças*. *tdi.* + com, entre: *repartir a comida com os pobres*. *pr.*: *Ela reparte-se entre o lar e o duro trabalho*. [Neste ex., referindo-se ao tempo, energia, preocupação etc. de alguém.] [▶ **3** repart<u>ir</u> • **re.par.ti.do** *a.*; **re.par.ti.dor** *a.sm.*

repassar (re.pas.sar) *v.* **1** Tornar a passar (1). [*td.*: *Repassou a fronteira, em sentido contrário*.] **2** Tornar a estudar; relembrar. [*td.*: *Repassaram a matéria/o texto.*] **3** Transferir a. [*td.*: *repassar dinheiro/crédito*. *tdi.* + a, para: *O governo repassará a verba aos municípios*.] [▶ **1** repass<u>ar</u> • **re.pas.se** *sm.*

repasto (re.pas.to) *sm.* Refeição abundante.

repatriar (re.pa.tri.ar) *v.* Reconduzir à pátria, ou regressar a ela. [*td.*: *repatriar refugiados*. *pr.*: *Depois de longo exílio, repatriaram-se.*] [▶ **1** repatri<u>ar</u> • **re.pa.tri.a:ção** *sf.*; **re.pa.tri.a.do** *a.*

repelão (re.pe.lão) *sm.* Choque violento e involuntário com algo ou alguém; ESBARRÃO; ENCONTRÃO: *Ao olhar para trás deu um repelão no hidrante.* ▪▪ **De ~** Com velocidade, com força. [Pl.: -lões.]

repelente (re.pe.len.te) *a2g.* **1** Que afasta e mantém longe. **2** *Pej.* Que causa nojo ou repugnância (pessoa *repelente*). [At! Considerado ofensivo nesta acepção.] *sm.* **3** Substância ou produto que afasta os insetos.

repelir (re.pe.lir) *v.* **1** Afastar com ímpeto algo que se aproxima ou agride; RECHAÇAR. [*td.*: *repelir um ataque/um ladrão*.] **2** Evitar a aproximação de, suscitar ou manifestar rejeição a. [*td.*: *O policiamento repeliu os curiosos*; "Sua família me repele (...) porque sou pobre..." (José de Alencar, *Senhora*). *pr.*: *Eram amigos, agora se repelem.*] **3** Não admitir, não tolerar. [*td.*: *Ele repele qualquer ingerência em seus assuntos.*] [▶ **50** repel<u>ir</u>

repenicado (re.pe.ni.ca.do) *sm.* **1** Ação ou resultado de repenicar. *a.* **2** Que fez um barulho estridente e/ou rápido e repetido.

repenicar (re.pe.ni.car) *v.* Extrair de (instrumento de percussão), em sons breves e sucessivos; REPICAR (2). [*td.*: *repenicar um tamborim*. *int.*: *O pandeiro repenicava ao ritmo do samba.*] [▶ **11** repenic<u>ar</u> • **re.pe.ni.que** *sm.*

repensar (re.pen.sar) *v.* Tornar a pensar a considerar, ou pensar repetidas vezes; RECONSIDERAR. [*ti.* + em: *repensar num assunto/numa proposta*. *int.*: *Depois de repensar, pediu desculpas.*] [▶ **1** repens<u>ar</u>

repente (re.pen.te) *sm.* **1** Ação impetuosa e irrefletida: *Ele terminou o namoro num repente.* **2** *Bras. Mús.* Improviso recitado ou cantado. ▪▪ **De ~** Subitamente, inesperadamente.

repentino (re.pen.ti.no) *a.* Que ocorre de maneira súbita e imprevisível (inspiração *repentina*).

repentista (re.pen.tis.ta) *a2g.s2g.* Que ou quem canta repentes (2).

repercutir (re.per.cu.tir) *v.* **1** Reproduzir(-se) por reflexão (som, luz). [*td.*: *A caverna repercutia o grito dos animais.* *int./pr.*: *O sol repercutia(-se) na superfície metálica.*] **2** Impressionar, ter efeitos ou causar comentários. [*int./pr.*: *A descoberta repercutiu(-se) em todo o mundo científico.*] [▶ **3** repercut<u>ir</u> • **re.per.cus.são** *sf.*

repertório (re.per.tó.ri:o) *sm.* **1** Conjunto das composições musicais ou peças teatrais de um determinado autor ou período (*repertório* barroco). **2** Conjunto das obras preparadas por cantor, músico, orquestra ou grupo teatral: *Adoro o repertório dessa cantora.* **3** *Fig.* Conjunto ou coleção de algo: *Ele conhece um vasto repertório de piadas.*

repetente (re.pe.ten.te) *a2g.s2g.* Que ou aquele que, por ter sido reprovado, deve frequentar de novo uma série já cursada (diz-se de estudante). • **re.pe.tên.ci:a** *sf.*

repetidora (re.pe.ti.do.ra) [ô] *sf. Rád. Telv.* Estação que retransmite os sinais que recebe.

repetir (re.pe.tir) *v.* **1** Tornar a dizer ou a expressar(-se) (oralmente ou por escrito). [*td.*: *repetir um pedido/uma oração/uma frase*. *tdi.* + a: *Repetiu o poema aos ouvintes*. *pr.*: *Depois do sucesso, o compositor passou a se repetir*.] **2** Fazer, executar (algo) ou suceder de novo. [*td.*: *repetir um gesto/ uma peça de piano/um recital*. *pr.*: *A discussão repetiu-se no dia seguinte*.] **3** Ter de cursar outra vez, por reprovação. [*td.*: *O menino repetiu a terceira série.*] **4** Tornar a comer, beber, tomar etc. [*td.*: *repetir a salada*; "À hora do almoço, os adultos repetem a sobremesa." (Cecília Meireles, *Crônicas de educação 1*).] [▶ **50** repet<u>ir</u> • **re.pe.ti.ção** *sf.*; **re.pe.ti.do** *a.*

repetitivo (re.pe.ti.ti.vo) *a.* **1** Que repete, que se repete: *Ele é muito repetitivo em seus discursos*; *Esse conto é cheio de imagens repetitivas.* **2** Em que há repetição: *É um texto longo e repetitivo.*

repicar (re.pi.car) *v.* **1** Picar outra vez. [*td.*] **2** Fazer produzir ou produzir sons metálicos e sucessivos; REPENICAR. [*td.*: *repicar uma sineta*. *int.*: *Os sinos repicavam.*] [▶ **11** repic<u>ar</u> • **re.pi.ca.gem** *sf.*

repique (re.pi.que) *sm.* **1** O badalar festivo dos sinos. **2** Som agudo dos instrumentos de percussão: *o repique do tarol.* **3** Pequeno instrumento de percussão com som agudo. **4** Crescimento de algo que já havia diminuído antes: *repique da inflação/da violência.*

repiquete (re.pi.que.te) [ê] *sm.* **1** Vento que sopra sem direção definida. **2** Repique de sinos em intervalos curtos. **3** Elevação súbita do nível de água no rio, em virtude de chuvas na região em que ele nasce.

repisar (re.pi.sar) *v.* **1** Pisar, calcar novamente ou seguidamente. [*td.*] **2** Repetir exaustivamente ou insistir em. [*td.*: *repisar um assunto/um aviso*. *ti.* + em: *repisar num pedido*.] [▶ **1** repis<u>ar</u>

replantar (re.plan.tar) *v.* **1** Plantio de uma árvore para substituir outra ou cobrir claros em floresta ou bosque. **2** A árvore plantada para esse fim.

replantar (re.plan.tar) *v. td.* Plantar de novo. [▶ **1** replant<u>ar</u> • **re.plan.ta.ção** *sf.*; **re.plan.ti:o** *sm.*

⬢ **replay** (Ing. /'ripléi/) *sm.* Reapresentação de uma lance previamente exibidos em programa de televisão ou transmissão esportiva e gravados: *Vamos ver o replay do gol.*

repleto (re.ple.to) *a.* **1** Que está muito cheio (teatro *repleto*). **2** Que comeu demais; EMPANTURRADO.

réplica (ré.pli.ca) *sf.* **1** Ação ou resultado de replicar. **2** Argumento us. para refutar uma afirmação. **3** Resposta ou argumento contra alguma crítica recebida. **4** Cópia de obra de arte. **5** *Jur.* Fala do

replicar | **repressivo** 690

promotor em resposta aos argumentos do advogado de defesa.
replicar (re.pli.*car*) *v.* Opor réplica ou refutação a; CONTESTAR; REFUTAR. [*td.*: *replicar uma acusação/ uma injúria/um argumento*. *ti.* + *a*: *O advogado replicou ao testemunho prestado*. *int.*: "Natividade não replicou, mergulhou no silêncio..." (Machado de Assis, *Esaú e Jacó*).] [▶ 11 replicar]
repolho (re.po.lho) [ô] *sm.* Tipo de couve comestível, verde-clara ou roxa, cujas folhas se sobrepõem formando uma espécie de bola.
repolhudo (re.po.*lhu*.do) *a*. **1** Que possui formato de repolho ou apresenta várias camadas. **2** *Fig.* Que é gordinho ou rechonchudo.
repor (re.*por*) [ô] *v.* **1** Tornar a pôr, ou fazer voltar ao lugar onde estava. [*td.* (seguido de indicação de lugar): *Repôs a carta na gaveta*.] **2** Devolver, restituir, ou ressarcir. [*td.*: *Repôs os livros que lhe emprestaram.* **tdi.** + *a*: *O governo não reporá aos funcionários as perdas salariais*.] **3** Restabelecer-se. [*td.*: *repor a saúde/um regime político. pr.*: *Ele se repôs com o descanso das férias.*] [▶ **60** repor]. Part.: *reposto*.]
reportagem (re.por.*ta*.gem) *sf.* **1** Levantamento ou busca de informações sobre certo assunto, a fim de produzir matéria para jornal, televisão, rádio ou revista. **2** A matéria produzida com os dados desse levantamento. **3** Equipe de jornalistas de um meio de comunicação. [Pl.: *-gens*.]
reportar (re.por.*tar*) *v.* **1** Remontar, recuar. [*td.* (seguido de indicação de tempo): *A conversa me reportou à infância. pr.*: *reportar-se ao passado*.] **2** Atribuir, referir, imputar. [*tdi.* + *a*: *Reporta sua boa carreira ao estudo incansável.*] **3** Contar, narrar, ou referir-se. [*tdi.* + *a*: *Reportou ao amigo sua aventura na selva. pr.*: *reportar-se a um fato/assunto.*] [▶ 1 reportar]
repórter (re.*pór*.ter) *s2g.* Profissional de um jornal que levanta informações e apura notícias.
reposição (re.po.si.*ção*) *sf.* **1** Ação ou resultado de repor: *As montadoras farão a reposição das peças defeituosas*. **2** Reconstituição de estoque: *A loja está fazendo a reposição das mercadorias*. [Pl.: *-ções*.]
repositório (re.po.si.*tó*.ri:o) *sm.* **1** Lugar onde se guardam coisas. **2** Conjunto ou coleção de coisas: *A História não é um mero repositório de datas*.
reposteiro (re.pos.*tei*.ro) *sm.* Cortina nas portas interiores de castelos, igrejas e residências.
repousar (re.pou.*sar*) *v.* **1** Fazer ficar ou estar sem atividade para repor ou conservar energias; DESCANSAR. [*td.*: *repousar o corpo/a mente*. *int.*: "O médico disse-lhe que repousasse um pouco." (Machado de Assis, *A causa secreta* in *Novas seletas*).] **2** Pousar (algo) para que fique em descanso. [*td.* (seguido de indicação de lugar): *Repousou a cabeça no ombro do marido*.] **3** Jazer em sepultura. [*int.*] **4** Assentar-se, ou fundar-se. [*ti.* + *em, sobre*: *A sabedoria repousa na humildade*; *Brasília repousa sobre um planalto*.] [▶ 1 repousar] • **re.pou.san.te** *a2g*.
repouso (re.*pou*.so) *sm.* **1** Ação ou resultado de repousar; DESCANSO: *O médico recomendou repouso*. **2** Ausência de movimento ou de atividade: *O atleta ficará uma semana em repouso absoluto*.
repreender (re.pre.en.*der*) *v.* Admoestar ou censurar severamente. [*td.*: *O professor repreendeu-a*. *tdi.* + *a*: *O chefe repreendeu a Julha ao empregado.*] [▶ 2 repreender] • **re.pre.en.sí.vel** *a2g*.; **re.pre.en.sor** *a.sm*.
repreensão (re.pre.en.*são*) *sf.* Ação ou resultado de repreender; REPRIMENDA. [Pl.: *-sões*.]
represa (re.*pre*.sa) [ê] *sf.* Construção que detém o fluxo de um rio, armazenando suas águas; BARRAGEM; DIQUE.

▫ A finalidade de uma represa é acumular as águas que fluem num rio de modo a aproveitá-las para o abastecimento de água a populações e indústrias, para irrigação, regulagem do volume de água corrente (garantindo a navegação em períodos de seca e evitando inundações em períodos de cheia) e geração de energia hidrelétrica. Consiste numa barragem transversal ao fluxo da água, que o retém, formando um grande reservatório (e um lago), e dispositivos mais ou menos sofisticados de regulagem da saída. O homem tem construído represas desde a Antiguidade, em geral de terra ou alvenaria (como é a primeira represa conhecida, no rio Nilo, Egito, em c. 2900 a.C.). A partir do séc. XIX têm sido construídas em concreto. (Para a geração de energia, ver achega no verbete *hidrelétrica*.) A maior represa do mundo em altura é a de Nurek no rio Vakhsh, Tadjiquistão (304m); em capacidade do reservatório, a de Owen Falls, rio Nilo-Vitória, Uganda (2,7 trilhões de m³); em geração de energia, a de Itaipu no Brasil e Paraguai (103,1 milhões de megawatts/hora) e em potência hidrelétrica, a das Três Gargantas, China (22.4 mil megawatts).

represália (re.pre.*sá*.li:a) *sf.* Ação praticada como vingança ou resposta a algo feito por outra pessoa; RETALIAÇÃO.
represar (re.pre.*sar*) *v. td.* **1** Reter o curso de (água corrente): *represar um rio*. **2** *Fig.* Conter, reprimir (represar impulsos). [▶ 1 represar] • **re.pre.sa.do** *a*.; **re.pre.sa.men.to** *sm*.
representação (re.pre.sen.ta.*ção*) *sf.* **1** Ação ou resultado de representar. **2** *Cin. Teat. Telv.* Interpretação de determinado personagem. **3** Imagem ou símbolo de alguma coisa: *O selo traz a representação dos anéis olímpicos*. **4** Conjunto de pessoas que falam em nome de um grupo ou país: *A representação do Brasil na ONU*. **5** Reclamação por escrito dirigida a órgão competente: *O jornalista deu entrada a uma representação contra o deputado*. [Pl.: *-ções*.]
representante (re.pre.sen.*tan*.te) *a2g.s2g.* Que ou quem representa alguém, uma entidade, ou um país, em algum lugar.
representar (re.pre.sen.*tar*) *v.* **1** Ser imagem, imitação ou símbolo de. [*td.*: *O quadro representa a primeira missa no Brasil; Uma balança de dois braços representa a justiça.*] **2** Conceber ou imaginar, ou dar-se à imaginação. [*td.*: *Como representar a noção de infinito? pr.*: *Seu rosto representou-se em meu espírito.*] **3** Significar, expressar ou patentear. [*td.*: *Votos nulos representam a insatisfação do eleitor.*] **4** *Cin. Teat. Telv.* Encenar ou interpretar. [*td.*: *A companhia teatral representará* Otelo; *O ator representou muito bem seu papel. int.*: *Aquela atriz não representa há anos.*] **5** Figurar, interpretar na vida real. [*td.*: *Vive representando o papel de bom moço*. **tdi.** + *a*: *O demagogo representa ao povo o papel de salvador. int.*: *É um fingido, representa o tempo todo*.] **6** Ser procurador de, ou atuar em nome de. [*td.* (seguido ou não de indicação de contexto): *O advogado não representa (na ação contra o Estado); Ela representará o homenageado (na solenidade).*] **7** Chefiar embaixada ou missão de. [*td.* (seguido ou não de indicação de lugar): *Ele representou a Alemanha (no Brasil).*] [▶ 1 representar] • **re.pre.sen.ta.ti.vo** *a*.; **re.pre.sen.ta.ti.vi.da.de** *sf*.
repressão (re.pres.*são*) *sf.* **1** Ação ou resultado de reprimir: *a repressão ao crime*. **2** *Psi.* Ação ou resultado de impedir, ou conter a manifestação de sentimentos, desejos etc. [Pl.: *-sões*.]
repressivo (re.pres.*si*.vo) *a*. Que reprime (medidas repressivas).

repressor (re.pres.*sor*) [ô] *a.sm.* Que ou quem reprime.

reprimenda (re.pri.*men*.da) *sf.* Ver repreensão.

reprimir (re.pri.*mir*) *v.* **1** Conter(-se), refrear(-se), recalcar. [*td.*: *reprimir um gesto/um sentimento. pr.*: *Reprimiu-se para não agredir o detrator.*] **2** Impedir, dominar com violência ou punir. [*td.*: *reprimir uma revolta.*] [▶ **3** reprim**ir**] • re.pri.*mi*.do *a.sm.*

reprisar (re.pri.*sar*) *v. td.* Apresentar outra vez (esp. filme ou espetáculo). [▶ **1** repris**ar**]

reprise (re.*pri*.se) *sf.* Reapresentação, ger. de um filme ou programa televisivo.

réprobo (*ré*.pro.bo) *a.sm.* **1** Que ou quem foi condenado. **2** Que ou quem é perverso, cruel.

reprochar (re.pro.*char*) *v.* Reprovar, censurar, recriminar. [*td.*: *reprochar um ato indigno.* **tdi.** + *a*: *Reprochou ao sócio sua leviandade.*] [▶ **1** reproch**ar**] • re.*pro*.che *sm.*

reprodução (re.pro.du.*ção*) *sf.* **1** Ação ou resultado de reproduzir(-se). **2** Processo biológico pelo qual os seres vivos se multiplicam. **3** Cópia de quadro, escultura etc. [Pl.: -ções.]

reprodutor (re.pro.du.*tor*) [ô] *a.* **1** Que reproduz ou possibilita a reprodução. *sm.* **2** Animal escolhido para reproduzir (4).

reproduzir (re.pro.du.*zir*) *v.* **1** Tornar a produzir, ou repetir. [*td.*: *A falta de chuvas reproduz a seca*; *Não posso reproduzir suas palavras exatas.*] **2** Copiar, imitar. [*td.*: *Ele reproduz perfeitamente os quadros de Velásquez*; *O papagaio reproduz as vozes humanas.*] **3** Narrar ou expor com precisão. **4** Procriar, ou perpetuar(-se) (a espécie). [*td.*: *Os dinossauros deixaram de reproduzir suas espécies. pr.*: *Certos animais não se reproduzem em cativeiro.*] [▶ **57** reprod**uzir**] • re.pro.du.*ti*.vo *a.*; re.pro.du.*zí*.vel *a2g.*

reprovar (re.pro.*var*) *v. td.* **1** Desaprovar ou rejeitar: *reprovar um comportamento/um projeto de lei.* **2** Repreender, censurar: *Reprovou-a na frente de todos.* **3** Não dar aprovação em prova ou exame: *reprovar um candidato/um aluno.* [▶ **1** reprov**ar**] • re.pro.va.*ção sf.*; re.*pro*.va.do *a.sm.*; re.pro. va.*dor a.sm.*; re.pro.*vá*.vel *a2g.*

réptil¹, reptil¹ (*rép*.til, rep.*til*) *a2g.* **1** Que rasteja. **2** *Fig.* Que é sem caráter, desprezível, capaz de qualquer coisa para atingir seus objetivos. [Pl.: -teis, -tis.]

réptil², reptil² (*rép*.til, rep.*til*) *sm. Zool.* Animal vertebrado que rasteja, possui escamas, placas ou carapaça e não é dotado de um mecanismo interno de regulação da própria temperatura, como a cobra, a tartaruga e o jacaré. [Pl.: -teis, -tis.]

reptiliano (rep.ti.li:a.no) *a.* Ref. aos répteis² ou próprio deles (cérebro reptiliano).

repto (*rep*.to) *sm.* Ação ou resultado de desafiar ou provocar alguém; DESAFIO.

república (re.*pú*.bli.ca) *sf.* **1** Sistema de governo em que os governantes são eleitos pelos cidadãos para mandatos com duração determinada. **2** País governado segundo esse sistema. **3** Habitação em que vivem exclusivamente estudantes. • re.pu.bli. ca.no *a.sm.*

📖 Concebida ainda na Antiguidade clássica, adotada depois em Roma e em alguns regimes medievais, esta forma de governo ganhou uma estrutura sólida e institucional a partir da revolução norte-americana de 1787. Baseia-se, conceitualmente, na chefia do Estado por representantes dos interesses populares, e não de famílias (por transmissão hereditária, como na monarquia) ou detentores do poder militar. Nos regimes democráticos, essa chefia determina-se com a eleição do chefe de Estado pelo povo, em voto direto ou através de uma assembleia eleita pelo povo. A república pode ser presidencialista ou parlamentarista (ver achegas nos verbetes parlamentarismo e presidencialismo). Há também sistemas mistos, com maior ou menor concentração de poder no presidente. O Brasil é uma república desde 1889.

republiqueta (re.pu.bli.*que*.ta) [ê] *sf. Pej.* **1** República em que os princípios democráticos e os direitos dos cidadãos são frequentemente desrespeitados. **2** República pequena e desprovida de importância.

repudiar (re.pu.di.*ar*) *v. td.* **1** Não admitir ou não aceitar; CONDENAR; REPELIR: *repudiar uma atitude/ uma injustiça/uma ideologia/conselhos.* **2** Deixar ao desamparo; ABANDONAR: *repudiar um filho/a família.* **3** Separar-se legalmente de (o cônjuge). [▶ **1** repudi**ar**] • re.*pú*.di:o *sm.*

repugnante (re.pug.*nan*.te) *a2g.* Que gera aversão ou nojo por suas características físicas ou morais (inseto repugnante, pessoa repugnante). • re.pug.*nân*. ci:a *sf.*

repugnar (re.pug.*nar*) *v.* **1** Recusar, repelir, repudiar. [*td.*: *repugnar uma medicação/um alimento/ uma doutrina política.*] **2** Provocar repugnância, nojo, aversão em. [*td.*: *Aquele cheiro repugnava o menino.* **ti.** + *a*: *Sua arrogância repugna aos subalternos.* **int.**: *A perversão repugna.*] **3** Ser contrário a ou inconciliável com. [**ti.** + *a*: *Sua tese repugna ao bom senso.*] [▶ **1** repugn**ar**]

repulsa (re.*pul*.sa) *sf.* Sentimento de asco ou atitude de recusa em relação a algo ou alguém: *Atos violentos geram repulsa coletiva.* • re.pul.*são sf.*; re.pul.*si*.vo *a.*

reputação (re.pu.ta.*ção*) *sf.* **1** Modo como alguém é visto pelos outros: *A reputação do jogador não era lá das melhores.* **2** Condição de quem goza de prestígio; RENOME: *Ele tem reputação como comentarista econômico.* [Pl.: -ções.]

reputar (re.pu.*tar*) *v.* **1** Atribuir determinada qualidade a (outrem ou si mesmo); CONSIDERAR(-SE). [*td.*: *Reputo-o perfeito para o cargo. pr.*: *Convencido, reputa-se um gênio.*] **2** Estimar, avaliar. [*td.* (seguido de indicação de valor): *Reputou a escultura em mil reais.*] [▶ **1** reput**ar**] • re.pu.*ta*.do *a.* [Cf.: *refutar*.]

repuxar (re.pu.*xar*) *v. td.* **1** Puxar, esticar, espichar; puxar de novo: *repuxar uma corda/um lençol.* **2** Distender, retesar (parte do corpo): *Diogo repuxou o canto da boca, preocupado.* [▶ **1** repux**ar**] • re.pu.*xão sm.*; re.pu.*xa*.do *a.*

repuxo (re.*pu*.xo) *sm.* **1** Ação ou resultado de repuxar. **2** Jato de água que jorra continuamente de uma fonte.

reque (*re*.que) *sm.* Estante com prateleiras e/ou caixas destinada a conter elementos conectados de sistemas de som e de imagem.

requebrado (re.que.*bra*.do) *sm.* Movimento ritmado e sensual dos quadris; REBOLADO, REMELEXO.

requebrar (re.que.*brar*) *v.* Rebolar(-se), menear(-se). [*td.*: *requebrar os quadris. pr.*: *As passistas requebravam-se na pista.*] [▶ **1** requebr**ar**] • re.*que*.bro *sm.*

requeijão (re.quei.*jão*) *sm.* Queijo pastoso feito a partir do aquecimento da nata. [Pl.: -jões.]

requentar (re.quen.*tar*) *v. td.* Esquentar (comida, bebida) outra vez. [▶ **1** requent**ar**] • re.*quen*. ta.do *a.*

requerer (re.que.*rer*) *v.* **1** Pedir por requerimento ou em juízo. [*td.*: *requerer indenização/título de eleitor.* **tdi.** + *a*: *Os moradores requereram à prefeitura saneamento básico.* **int.**: *Deram-me pouco tempo para requerer.*] **2** Demandar, exigir. [*td.*: *Essa ope-*

requerimento ração *requer* silêncio. *tdi.* + *de*: *Ter um cão requer dos donos muitos cuidados.*] **3** Ser digno de; MERECER. [*td.*: *Nossa vitória requer uma grande celebração.*] [▶ **28** requerer. Esse v. não é conjugado como o v. *querer.*] • **re.que.ren.**te *a2g.s2g.*

requerimento (re.que.ri.*men*.to) *sm.* Solicitação feita por escrito a uma autoridade legal ou administrativa.

réquiem (ré.qui:em) *sm.* **1** *Rel.* Missa católica realizada em memória ou louvor dos mortos. **2** *Mús.* Peça musical (ger. para coro e orquestra) baseada no réquiem (1). [Pl.: -ens.]

requintar (re.quin.*tar*) *v.* Tornar(-se) mais sofisticado; APRIMORAR(-SE). [*td.*: *requintar as maneiras. pr.*: *Seu estilo requintou-se.*] [▶ **1** requintar] requintar

requinte (re.*quin*.te) *sm.* **1** Estado ou condição de pessoa ou coisa que apresenta alto nível de qualidade ou sofisticação: *Vestia-se com requinte.* **2** Manifestação exagerada e calculada: "...as sensações tinham um *requinte* de prazer e sofrimento..." (José de Alencar, *O guarani*). • **re.quin.ta.do** *a.*

requisitar (re.qui.si.*tar*) *v.* **1** Pedir formalmente; SOLICITAR. [*td.*: *Vários alunos requisitaram bolsa de estudos. tdi.* + *a*: *A PM requisitou ao governo novas viaturas.*] **2** Convocar (alguém ou seus serviços). [*td.*] [▶ **1** requisitar] • **re.qui.si.ção** *sf.*; **re.qui.si.tan.te** *a2g.s2g.* F.: Do v.lat. vulg. *requaesitare. Hom./Par.:* requisito (fl.), requisito (sm.).]

requisito (re.qui.*si*.to) *sm.* Condição ou exigência para alguma coisa: *Ter 18 anos é requisito para tirar carteira de motorista.*

requisitório (re.qui.si.*tó*.ri:o) *a.* **1** Ref. a requisição (ofício *requisitório*). *sm.* **2** *Jur.* Texto em que o promotor ou representante do Ministério Público apresenta as razões que fundamentam uma acusação judicial.

rés *a2g.* **1** Que é raso ou rente: *Fez no caule um corte rés. adv.* **2** Pela raiz, rente: *Cortou rés o caule da planta.* ▪ **Ao ~ de** No nível de; rente a, cerce.

rês *sf.* Denominação comum de quadrúpede (como vaca, veado, carneiro etc.) que pode ser us. na alimentação humana. [Pl.: *reses* [ê].]

rescaldo (res.*cal*.do) *sm.* **1** Ação ou resultado de apagar os últimos focos de chama ou de calor em um incêndio. **2** *Fig.* Aquilo que sobra, resulta ou permanece de algo; SALDO: *Finalmente surgiu a verdade, como rescaldo de todas as investigações.* • **res.cal.dar** *v.*

rescindir (res.cin.*dir*) *v. td.* Desfazer (contrato, acordo). [▶ **1** rescindir] • **res.ci.só.ri:o** *a.*

rescisão (res.ci.*são*) *sf.* Ação ou resultado de rescindir. [Pl.: -sões.]

rés do chão (rés do *chão*) *sm2n.* O andar térreo de uma casa.

resedá (re.se.*dá*) *sm. Bot.* Planta herbácea com flor perfumada de cor amarela.

resenha (re.*se*.nha) *sf.* **1** Texto em que se resume e se analisa um livro: *O livro não teve nenhuma resenha favorável.* **2** Descrição detalhada de algo: *O diretor fez uma resenha do andamento do projeto.* • **re.se.nhar** *v.*

reserva (re.*ser*.va) *sf.* **1** Estoque ou acúmulo de algo para uso futuro: *Fez uma reserva de lenha para o inverno.* **2** Área reservada para proteção da fauna e flora ou para preservação de grupos étnicos ameaçados (*reserva* florestal/indígena). **3** Ação ou resultado de destinar antecipadamente a alguém lugar em meio de transporte, mesa em restaurante, quarto em hotel etc. **4** *Fig.* Ressalva ou restrição quanto a algo ou alguém: *Manifestou suas reservas quanto ao projeto.* **5** *Fig.* Discrição em relação a tema, fato ou pessoa: *Trate com reserva essa informação; ela é confidencial.* **6** *Mil.* Conjunto de pessoas que não estão em serviço militar ativo, mas que podem ser convocadas se necessário: *oficiais da reserva. s2g.* **7** *Esp.* Jogador que entra ou pode entrar em substituição ao titular. ▪ **reservas** *sfpl.* **8** *Econ.* Meios de pagamento de grande liquidez internacional (ouro, dólares norte-americanos etc.) de que dispõe um país para, se necessário, pagar dívidas internacionais. **9** *Fisl.* Acúmulo de substâncias energéticas em organismo, disponíveis para serem us. quando necessário: *O atleta ainda tinha reservas quando completou a maratona.*

reservado (re.ser.*va*.do) *a.* **1** Que se reservou (quarto *reservado*). **2** Diz-se de pessoa discreta e que protege sua intimidade: *Não quis dar entrevistas; é uma mulher reservada. sm.* **3** *Bras.* Privada, latrina. **4** Em restaurantes ou bares, pequeno recinto separado do salão principal.

reservar (re.ser.*var*) *v.* **1** Deixar(-se) de reserva, guardar(-se). [*td.* (seguido ou não de indicação de finalidade): *reservar dinheiro/energias* (para a viagem). *pr.*: *Reservou-se para as próximas eleições.*] **2** Pôr ao abrigo de; PRESERVAR. [*tdi.* + *de*: *A prudência reservou-os de um dissabor.*] **3** Fazer a reserva (3) de. [*td.*: *reservar uma passagem de avião.*] **4** *Fig.* Destinar de antemão. [*tdi.* + *a, para*: "*A UFRJ pretende reservar 20% das vagas para alunos da rede pública.*" (*Jornal Extra*, 23.02.04).] [▶ **1** reservar]

reservatório (re.ser.va.*tó*.ri:o) *sm.* **1** Local ou construção onde se armazenam grandes quantidades de água. *a.* **2** Próprio para armazenar, reservar.

reservista (re.ser.*vis*.ta) *s2g.* Militar da reserva (6).

resfolegar, resfolgar (res.fo.le.*gar*, res.fol.*gar*) *v. int.* Respirar ruidosamente, por esforço. [▶ **14** resfolegar, ▶ **14** resfolgar] • **res.**fô**.le.go** *sm.*

resfriado (res.fri.*a*.do) *a.* **1** Que se resfriou. **2** Com resfriado (3): *A criança está resfriada. sm.* **3** *Med.* Afecção das vias respiratórias causada por vírus ou por exposição à umidade ou ao frio.

resfriar (res.fri.*ar*) *v.* **1** Tornar(-se) frio; ESFRIAR(-SE). [*td.*: *O ar-condicionado resfria o ambiente. int./pr.*: *O café* (*se*) *resfriou.*] **2** Ficar resfriado (2) ou gripado. [*pr.*] [▶ **1** resfriar] • **res.fri:a.**men**.to** *sm.*

resgatar (res.ga.*tar*) *v.* **1** Salvar de grande perigo. [*td.*: *O salva-vidas conseguiu resgatar a menina.*] **2** Libertar(-se) de cativeiro mediante pagamento ou concessões. [*td.*: *resgatar prisioneiros/sequestrados. pr.*: *O cativo resgatou-se por uma fortuna.*] **3** Conseguir de volta (algo) mediante pagamento. [*td.*: *O museu resgatou os quadros roubados.*] **4** Retirar parte de ou todo o dinheiro de fundo de investimento. [*td.*: *Precisou resgatar R$800,00 para pagar o que devia.*] **5** Quitar, pagar (dívida). [*td.*] **6** *Fig.* Tirar do esquecimento. [*td.*: *resgatar lembranças.*] [▶ **1** resgatar] • **res.ga.ta.**dor *a.sm.*

resgate (res.*ga*.te) *sm.* **1** Ação ou resultado de resgatar. **2** Libertação do cativeiro, mediante pagamento ou outro meio. **3** Quantia com que se resgata alguém. **4** Salvamento: o *resgate* das vítimas do desabamento.

resguardar (res.guar.*dar*) *v.* **1** Guardar(-se) cuidadosamente, abrigar(-se), proteger(-se). [*td.*: *resguardar a moral/bens materiais. tdi.* + *de*: *resguardar a pele do sol. pr.*: *resguardar-se dos inimigos/das tentações.*] **2** Salvar, livrar. [*td.*: *Em caso de batida, o cinto de segurança o resguardará! tdi.* + *de*: *A prudência nos resguarda de imprevistos.*] **3** Guardar, observar, cumprir. [*td.*: *resguardar uma tradição/a lei.*] [▶ **1** resguardar]

resguardo (res.*guar*.do) *sm.* **1** Ação ou resultado de resguardar(-se). **2** Qualquer coisa que sirva para proteger alguém ou algo. **3** *Bras. Pop.* Período em que a mulher, após dar à luz, mantém repouso e toma certas precauções.

residência (re.si.*dên*.ci:a) *sf*. **1** Lugar em que se reside; CASA; DOMICÍLIO. **2** Período de treinamento de médico formado (ger. em hospital). • **re.si.den.ci:***al* a2g.

residente (re.si.*den*.te) a2g.s2g. **1** Que ou quem reside num lugar. **2** Que ou quem faz residência (2) (diz-se de médico).

residir (re.si.*dir*) *v*. **1** Ter residência ou habitação (em); MORAR; VIVER. [*td*. (seguido de indicação de lugar): *Ela reside em Madri.*] **2** Ter lugar ou estar presente em. [*td*. (seguido de indicação de lugar): *O amor reside no coração*; *Este vírus reside no sangue.*] **3** Fundamentar-se, consistir. [*ti. + em*: *Seu sucesso reside em seu talento e em sua dedicação.*] [▶ **3** resid*ir*]

resíduo (re.*si*.du:o) *sm*. **1** O que sobra; RESTO. **2** Parte imprestável que fica de um material depois de realizado um trabalho. • **re.si.du:***al* a2g.

resignação (re.sig.na.*ção*) *sf*. **1** Ação ou resultado de resignar(-se). **2** Atitude ou característica daquele que se conforma diante das adversidades. [Pl.: -*ções*.]

resignar (re.sig.*nar*) *v*. **1** Submeter-se a, conformar-se com. [*pr*.: *resignar-se a um casamento infeliz*.] **2** Renunciar a; demitir-se de. [*td*.: *O governo resignou seus poderes.*] [▶ **1** resign*ar*] • **re.sig.***na*.do *a*.; **re.sig.***na*.*tá*.rio *a.sm*.

resina (re.*si*.na) *sf*. Substância espessa, insolúvel em água, que se extrai de certas plantas. • **re.si.***no*.*so a*.

resistência (re.sis.*tên*.ci:a) *sf*. **1** Ação ou resultado de resistir. **2** Qualidade do que resiste a uma ação externa: *Roupa com resistência ao fogo*. **3** Força que se opõe ao movimento de um corpo: *O paraquedas flutua devido à resistência do ar*. **4** Capacidade de suportar a fadiga, as doenças etc. **5** *Elet*. Dificuldade que um condutor opõe à passagem da corrente elétrica. **6** *Elet*. Dispositivo que se interpõe em circuito elétrico para criar resistência (5). [NOTA: Termo impróprio para *resistor*.]

resistente (re.sis.*ten*.te) a2g. **1** Que resiste. **2** Que não se estraga com facilidade; DURÁVEL.

resistir (re.sis.*tir*) *v*. **1** Opor resistência a; não se submeter a. [*ti. + a*: *resistir a argumentos/um ataque/uma ordem.*] **2** Sofrer ação (de algo) sem se alterar. [*ti. + a*: *A velha ponte ainda resiste à sobrecarga.*] **3** Não ceder, não sucumbir. [*ti. + a*: *resistir a um desejo/uma doença grave. int*.: *Os soldados resistiram até a morte.*] [▶ **3** resist*ir*]

resistividade (re.sis.ti.vi.*da*.de) *sf*. *Elet*. Resistência (5) de um condutor cuja longitude e seção são iguais a unidade.

resistor (re.sis.*tor*) [ô] *sm*. *Elet*. Componente de um circuito elétrico projetado para apresentar resistência (5).

resma (*res*.ma) [ê] *sf*. Conjunto de quinhentas folhas de papel do mesmo formato.

resmungão (res.mun.*gão*) *a.sm*. Que ou quem vive resmungando. [Pl.: -*gões*.]

resmungar (res.mun.*gar*) *v*. **1** Emitir (palavras) mal articuladas ou pouco audíveis, por aborrecimento ou rabugice. [*td*.: *resmungar uma ordem/uma desaprovação. int*.: *Ele vive resmungando pelos cantos da casa.*] [▶ **14** resmung*ar*] • **res.***mun*.go *sm*. F.: Do v.lat. *remussicare.]

resolução (re.so.lu.*ção*) *sf*. **1** Ação ou resultado de resolver, solucionar; SOLUÇÃO: *A resolução desse problema é difícil.* **2** Capacidade e índole de resolver (situações, problemas), de tomar decisões: *Ao adotar essas medidas, ele demonstrou muita resolução.* **3** Diretiva de ação após deliberação; DECISÃO: *Aprovou a resolução da diretoria.* **4** *Fot. Inf. Telv*. Grau de acuidade ou de qualidade da imagem registrada por instrumentos ópticos: *A imagem desse monitor é de baixa resolução.* [Pl.: -*ções*.]

resoluto (re.so.*lu*.to) *a*. **1** Que foi solucionado; RESOLVIDO. **2** Que é determinado em seus propósitos; DECIDIDO.

resolver (re.sol.*ver*) *v*. **1** Tomar a resolução de; DECIDIR(-SE). [*td*.: *Ricardo resolveu que ia estudar filosofia. pr*.: *Ela resolveu-se a denunciar os corruptos.*] **2** Passar a (determinada ação). [*td*.: *Esta noite os mosquitos resolveram atacar.*] **3** Dar ou ter solução (para); SOLUCIONAR(-SE). [*td*.: *resolver uma situação difícil/uma questão/um mistério. pr*.: *O litígio resolveu-se amigavelmente. int*.: *Esta peça deve resolver.*] **4** Trazer proveito ou vantagem. [*int*.: *Discutir que se nunca resolve.*] [▶ **2** resolv*er*] • **re.so.***lú*.vel a2g.; **re.***sol*.*vi*.do *a*.; **re.sol.***vi*.vel *a*.

respaldar (res.pal.*dar*) *v*. *td*. **1** Dar respaldo, apoio ou garantia a: *Ele não vai respaldar as loucuras do amigo*; *Estes dados respaldam minha teoria.* [▶ **1** respald*ar*] *sm*. **2** Ver *respaldo* (1).

respaldo (res.*pal*.do) *sm*. **1** Qualquer encosto para apoiar as costas: *Apoiou-se no respaldo da cadeira*; RESPALDAR. **2** Apoio e/ou proteção (econômicos, morais, políticos etc.): *Teve o respaldo de toda a família*.

respectivo (res.pec.*ti*.vo) *a*. **1** Que se refere a determinado indivíduo ou determinada coisa num conjunto de similares: *Cada um assina a lista ao lado do respectivo nome*. **2** Devido, que compete a (quem ou a quem se trata antes): *Citaram o diretor e prestaram-lhe as respectivas homenagens*.

respeitante (res.pei.*tan*.te) a2g. Que diz respeito; RELATIVO: *No respeitante à crise, preferiu calar-se*.

respeitar (res.pei.*tar*) *v*. **1** Ter respeito, deferência por. [*td*.: *respeitar os pais/ a autoridade.*] **2** Levar em conta; CONSIDERAR: [*td*.: *Vou respeitar sua vontade.*] **3** Reconhecer o valor de; ADMITIR, TOLERAR. [*td*.: *"...tem que respeitar aquele sujeito que pensa diferente..."* (Ana Maria Machado, *Texturas*); *Sempre respeitou a crítica dos especialistas.*] **4** Obedecer, acatar, cumprir. [*td*.: *respeitar ordens/a lei.*] **5** Não estragar, não ofender ou não perturbar. [*td*.: *Devemos respeitar os monumentos públicos*; *Respeitou o sono do irmão e desligou a TV.*] **6** Dizer respeito a; REFERIR-SE; CONCERNIR. [*ti. + a*: *Estes fenômenos respeitam à física.*] [▶ **1** respeit*ar*] • **res.pei.***ta*.do *a*.; **res.pei.***ta*.*dor a.sm*.

respeitável (res.pei.*tá*.vel) a2g. **1** Que é merecedor de respeito (político *respeitável*). **2** De importância; RELEVANTE: *Este livro é um exemplo respeitável das novas tendências*. **3** De grandes proporções: *A empresa teve um lucro respeitável.* [Pl.: -*veis*. Superl.: *respeitabilíssimo*.] • **res.pei.ta.bi.li.***da*.de *sf*.

respeito (res.*pei*.to) *sm*. **1** Ação ou resultado de respeitar(-se). **2** Sentimento de reverência ou consideração: *Tem muito respeito pelos mais velhos*. **3** Sentimento de apreensão; TEMOR: *Era uma tempestade de impor respeito*. [☐ **respeitos** *smpl*. **4** Cumprimentos, saudações: *Queira aceitar os meus respeitos*. ▪ **A ~ de** Sobre, relativamente a. **De ~** Respeitável, digno. **Dizer ~ a** Ter relação com; ser da conta de: *O relatório não dizia respeito às questões financeiras*; *Não se intrometa no assunto, ele não lhe diz respeito.*

respeitoso (res.pei.*to*.so) [ô] *a*. Que demonstra ou manifesta respeito; REVERENTE: *Não foi respeitoso com os convidados*. [Fem. e pl.: [ó].]

respigar (res.pi.*gar*) *v*. Recolher as espigas deixadas após a colheita em (terreno, campo). [*td*.: *respigar um campo de trigo. int*.: *Os lavradores vão começar a respigar.*] [▶ **14** respig*ar*] [Cf.: *respingar*.] • **res.pi.***ga*.*dor a.sm*.

respingar (res.pin.*gar*) *v*. **1** Lançar pingos (líquido). [*int*.: *O azeite respingou e manchou a toalha.*] **2** Molhar(-se), sujar(-se) com borrifos, com líquido salpicado. [*td*. (seguido ou não de indicação de

respiração | **ressaca**

meio/modo): *Um carro o respingou (de lama)*. **pr.**: *Respingou-se de óleo*.] [▶ **14** respin*gar*] [Cf.: *respigar*.] • **res.**pin*.go sm.*
respiração (res.pi.ra.*ção*) *sf.* **1** Ação ou resultado de respirar; RESPIRO. **2** Movimento de inspiração e expiração realizado pelos pulmões. [Cf.: *expiração* e *inspiração*.] **3** A troca de oxigênio por gás carbônico nos organismos vivos. [Pl.: *-ções*.]

☐ A função da respiração consiste em prover o organismo vivo de oxigênio, sem o qual as células morreriam, e eliminar o gás carbônico resultante do metabolismo das células. Isso se faz através dos sistemas respiratório e circulatório. Na respiração, em processo normalmente automático, o sistema respiratório primeiro inspira ar (rico em oxigênio) do exterior e o encaminha por vários dutos sequenciais para os pulmões, onde o oxigênio é transferido para o sangue e o sangue transfere o gás carbônico para os pulmões; logo em seguida expira para o exterior o ar com o gás carbônico, e o ciclo recomeça. O aparelho circulatório, através do sangue, leva oxigênio a todas as células do corpo, deles retira o gás carbônico e o leva aos pulmões para ser expirado. (Ver achega no verbete *pulmão*.)

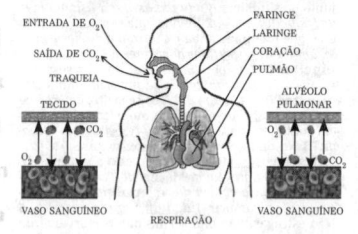

respirador (res.pi.ra.*dor*) [ô] *a.* **1** Que serve para respirar. *sm.* **2** *Med.* Aparelho destinado a processar ou auxiliar a respiração.
respiradouro (res.pi.ra.*dou.ro*) *sm.* Qualquer abertura destinada à passagem de ar ou de outros gases; RESPIRO (3).
respirar (res.pi.*rar*) *v.* **1** Aspirar (1) oxigênio e expelir gás carbônico. [*int.*: *O paciente ainda respira*.] **2** Aspirar (1), inalar (1). [*td.*: *Aqui respiramos um ar puro.*] **3** Realizar (os vegetais) trocas gasosas em seu processo de oxidação; absorver ar para essas trocas. [*td.*: *As plantas têm de respirar o gás carbônico do ar.* *int.*: *Os vegetais também respiram.*] **4** *Fig.* Viver; estar vivo. [*int.*: *Cuide desse gatinho, ele ainda respira.*] **5** *Fig.* Manifestar, exalar. [*td.*: "*...tudo nela respirava esse aspecto alegre e faceiro...*" (José de Alencar, *A viuvinha*).] **6** *Fig.* Descansar de trabalho exaustivo, de grandes preocupações etc. [*int.* *Pare de me trazer problemas, preciso respirar um pouco*.] [▶ **1** respi*rar*] • **res.**pi*.*ra.*tó.*ri*.o a.*
respiro (res.*pi.*ro) *sm.* **1** Respiração (1). **2** *Fig.* Momento de trégua; FOLGA: *Não tive um minuto de respiro.* **3** Ver *respiradouro*.
resplandecente (res.plan.de.*cen*.te) *a2g.* Que resplandece (luz [resplandecente]; BRILHANTE. • **res.**plan.de.*cên.*ci*.a sf.*
resplandecer (res.plan.de.*cer*) *v.* *int.* **1** Brilhar intensamente, ou emitir raios de luz; LUZIR: "*...a imagem do Cruzeiro resplandece.*" (Joaquim Osório Duque Estrada, *Hino Nacional Brasileiro*). **2** Sobressair, distinguir-se, brilhar: *No palco, seu talento resplandecia.* [▶ **33** resplande*cer*]

resplendor (res.plen.*dor*) [ô] *sm.* **1** Brilho forte (tb. *Fig.*); FULGOR. **2** *Fig.* Reputação muito positiva; GLÓRIA. **3** *Etnog. Folc.* Adereço, ger. us. por integrantes das escolas de samba, preso nas costas e enfeitado com plumas. • **res.**plen.do.*ro.so a.*
respondão (res.pon.*dão*) *a.sm.* Que ou quem responde de modo grosseiro. [Pl.: *-dões*. Fem.: *-dona*.]
responder (res.pon.*der*) *v.* **1** Dizer ou escrever (algo) em resposta ou como réplica. [*td.*: *O réu respondeu que agira em legítima defesa.* *int.*: *O acusado preferiu não responder*; (seguido de indicação de modo) *Respondi com um sorriso.* **ti.** + *a*: *Já respondi à sua carta.* **tdi.** + *a*: *Respondi a eles que aceita o convite.*] **2** Ser respondão, ou questionar sempre. [*int.*] **3** Repetir voz ou som. [*int.*: *Um sabiá canta, e outro responde*.] **4** Corresponder(-se), ou retribuir. [*ti.* + *a*: *Quero um carro que responda às minhas necessidades*; *Responde às minhas atenções com indiferença.* **pr.**: *Sua prática e sua teoria não se respondem*.] **5** Manifestar reação, reagir. [*ti.* + *a*: *Já não está respondendo aos medicamentos*; *responder a socos*.] **6** Ser responsável; RESPONSABILIZAR-SE. [*ti.* + *por*: *responder pelos próprios atos*.] **7** *Jur.* Ser submetido a (processo). [*ti.* + *por*: *Eles vão responder por vandalismo*.] [▶ **2** respon*der*] • **res.**pon.*di.*do *a.*
responsabilidade (res.pon.sa.bi.li.*da*.de) *sf.* **1** Incumbência ou tarefa que cabe a alguém: *As responsabilidades do diretor de uma escola.* **2** Condição de quem tem obrigação de responder pelos efeitos dos próprios atos ou pelos de outros: *A responsabilidade da escola na formação das crianças e dos adolescentes.* **3** Autoria e/ou culpa por ato danoso ou criminoso: *Nenhum grupo assumiu a responsabilidade pelo atentado.* **4** Capacidade de agir de forma sensata: *Pode confiar nele, é um homem de responsabilidade.*
responsabilizar (res.pon.sa.bi.li.*zar*) *v.* Fazer(-se) ou julgar(-se) responsável por. [*td.*: *Investigou o acidente e responsabilizou o motorista.* **tdi.** + *por*: *Responsabilizou o monitor pela fiscalização da prova.* **pr.**: *Você se responsabiliza pelo que possa ocorrer?*] [▶ **1** responsabi*lizar*] • **res.**pon.sa.bi.li.za.*ção sf.*
responsável (res.pon.*sá*.vel) *a2g.* **1** Incumbido de determinada tarefa ou obrigação: *Fiquei responsável pela venda das rifas.* **2** Que responde pelos próprios atos ou pelos de outros com relação a algo. **3** Causador, culpado. **4** Que cumpre suas obrigações; que é sério, confiável. *s2g.* **5** Pessoa responsável (1, 2, 3 e 4). [Pl.: *-veis*.]
responso (res.*pon*.so) [ô] *sm.* **1** *Litu.* Palavras cantadas ou proferidas em rituais da Igreja Católica pelo coro e/ou por um solista. **2** *Rel.* Oração dirigida a santo Antônio para recuperar objetos perdidos. **3** *Pop.* Advertência feita a alguém.
resposta (res.*pos*.ta) *sf.* **1** Ação ou resultado de responder a uma pergunta, por palavras ou por gestos: *Acenou-lhe um sim como resposta*. **2** Argumentação que contraria uma alegação; refutação: *Não concordou com o artigo e publicou uma resposta.* **3** Qualquer ação desencadeada por um estímulo: *A indiferença foi minha resposta aos seus insultos.*
resquício (res.*qui*.ci:o) *sm.* **1** Resíduo de algum material ou substância; resto: *Havia resquícios de madeira no quintal.* **2** Qualquer indício, traço ou sinal que indique a presença de algo ou alguém; VESTÍGIO: *Seu discurso tem resquícios de rancor.*
ressabiado (res.sa.bi.*a*.do) *a.* **1** Assustadiço, desconfiado. **2** Melindrado, ofendido. • **res.**sa*.*bi*.ar v.*
ressaca (res.*sa*.ca) *sf.* **1** Refluxo da água do mar depois da arrebentação de uma onda. **2** *Bras.* Forte movimento das ondas do mar ao se chocarem contra o litoral. **3** *Fig.* Mal-estar causado por ingestão exagerada de bebida alcoólica.

ressaibo (res.*sai*.bo) *sm.* **1** Sabor ruim, ranço. **2** Sensação de desagrado; ressentimento. **3** Vestígio.

ressaltar (res.sal.*tar*) *v.* Fazer sobressair, ou sobressair; DESTACAR(-SE). [*td.*: *No discurso, ressaltou a importância da solidariedade*. *int.*: *Aquele puro-sangue ressalta entre todos.*] [▶ 1 ressalt*ar*]

ressalto (res.*sal*.to) *sm.* **1** Parte que sobressai de um plano; relevo, saliência. **2** Salto súbito para trás; recuo.

ressalva (res.*sal*.va) *sf.* **1** Consideração com que se corrige ou retifica alguma coisa: *Queria fazer uma ressalva ao que você disse*. **2** Aquilo que restringe; exceção; RESERVA: *Gostei de sua interpretação, com algumas ressalvas*. **3** Documento que atesta a isenção de deveres militares e eleitorais.

ressalvar (res.sal.*var*) *v. td.* Estabelecer ressalva (1 e 2) a: *Aprovou o plano, mas ressalvou alguns inconvenientes*. [▶ 1 ressalv*ar*]

ressarcir (res.sar.*cir*) *v.* Compensar(-se); indenizar(-se). [*td.*: *A empresa vai ressarcir o que foi cobrado a mais*. *tdi.* + *de*: *A prefeitura ressarciu a família dos danos causados*. *pr.*: *Conseguiu se ressarcir das perdas financeiras*.] [▶ 3 ressarc*ir*. Com ç em vez de *c* antes de *a* e de *o*. Alguns o classificam como defec., conjugado como o paradigma 59.] ● res.sar.*ci.men*.to *sm.*

ressecção (res.se.*ção*) *sf. Med.* Ação ou resultado de extirpar um órgão ou parte dele. [Pl.: *-ções*.] [Cf.: *cessão*.]

ressecar (res.se.*car*) *v.* Tornar(-se) muito seco; RESSEQUIR. [*td.*: *O sol do Nordeste resseca a terra*. *int./pr.*: *De tanto rir à pinha, sua pele (se) ressecou*.] [▶ 11 resse*car*] ● res.se.*ca.do* a.; res.se.*ca.men*.to *sm.*

resseguro (res.se.*gu*.ro) *sm.* Seguro feito por companhia seguradora para aliviar o risco assumido por ela como indenizadora em outro seguro. ● res.se.gu.*rar* v.

ressentido (res.sen.*ti*.do) *a.* Que se ressentiu (1); MAGOADO: *Ficou ressentido com a sua frieza*.

ressentimento (res.sen.ti.*men*.to) *sm.* Sentimento de mágoa causado por agravo ou indelicadeza; RANCOR.

ressentir (res.sen.*tir*) *v.* **1** Ficar magoado (com). [*td.*: *Ela ressentiu o modo como foi tratada*. *pr.*: *Ressentiu-se de não ter sido convidado*.] **2** Ser afetado por. [*pr.*: *O time se ressentiu da ausência do jogador*.] [▶ 50 ressent*ir*]

ressequir (res.se.*quir*) *v.* Ver *ressecar*. [▶ 59 ressequ*ir*]

ressoar (res.*soar*) *v.* **1** Produzir (som); SOAR. [*td.*: *A flauta ressoava suas notas doces*. *int.*: *O apito do navio ressoou à distância*.] **2** Repercutir ou ecoar. [*td.*: *A casa vazia ressoava nossas vozes*. *int.*: *A percussão ressoa muito dentro da nave acústica*.] [▶ 16 ress*oar*]

ressonância (res.so.*nân*.ci:a) *sf.* **1** Repercussão sonora. **2** *Fís.* Vibração de um sistema resultante de uma onda sonora. **3** *Fís.* Nome dado a certas partículas de vida muito curta. ▪ ~ **magnética** *Med.* Exame que usa radiação eletromagnética para identificar a estrutura de células e daí obter um diagnóstico. ● res.so.*nan*.te a2g.

ressonar (res.so.*nar*) *v. int.* **1** Respirar ruidosamente durante o sono: *A moça, deitada na rede, ressonava*. **2** Fazer-se ouvir; SOAR: *Seu coração ressonava*. [▶ 1 resson*ar*]

ressudar (res.su.*dar*) *v.* **1** Transpirar, suar. [*int.*] **2** Destilar, gotejar. [*td.*] [▶ 1 ressud*ar*]

ressurgir (res.sur.*gir*) *v. int.* **1** Surgir novamente; REAPARECER: *A esperança ressurgiu*. (seguido de indicação de lugar): *O velho ator ressurgiu nas telas*. **2** Voltar a ter vida; RESSUSCITAR. [▶ 46 ressurg*ir*] ● res.sur.*gên*.ci:a *sf.*; res.sur.gi.*men*.to *sm.*

ressurreição (res.sur.rei.*ção*) *sf.* **1** Retorno à vida após a morte. **2** *Fig.* Ressurgimento de algo ou alguém: *Esse novo trabalho foi a sua ressurreição como artista*. ▪ **Ressurreição** *sf.* **3** *Rel.* Festa católica em que se comemora a ressurreição de Jesus. [Pl.: *-ções*.]

ressuscitar (res.sus.ci.*tar*) *v.* **1** Fazer que renasça ou renascer. [*td.*: *Diz o Evangelho que Cristo ressuscitou Lázaro*. *int.*: *Segundo o mito, a fênix ressuscitava das próprias cinzas*.] **2** *Fig.* Tornar(-se) existente novamente; fazer reaparecer, ou reaparecer. [*td.*: *A empresa ressuscitou a prática de férias coletivas*. *int.*: *A cantora brilhou nos anos de 1980, sumiu, e agora ressuscitou*.] [▶ 1 ressuscit*ar*] ● res.sus.ci.ta.*ção* *sf.*

restabelecer (res.ta.be.le.*cer*) *v.* Tornar a estabelecer(-se); fazer voltar, ou voltar, ao antigo estado; RECUPERAR(-SE); REPOR(-SE). [*td.*: *restabelecer um negócio/as energias*; (seguido de indicação de lugar ou posto): *Vão restabelecê-lo em seu cargo*. *pr.*: *Ele já se restabeleceu da doença*.] [▶ 33 restabelec*er*] ● res.ta.be.le.*ci*.do a.; res.ta.be.le.ci.*men*.to *sm.*

restante (res.*tan*.te) *a2g. sm.* Que ou aquilo que resta; REMANESCENTE.

restar (res.*tar*) *v.* **1** Permanecer como resto, sobra ou remanescente; SOBRAR; SUBSISTIR. [*ti.* + *a, de*: *Quase nada restou do país após a guerra*. *int.*: *Na cidade poucas igrejas coloniais restaram*.] **2** Faltar por fazer ou por completar. [*ti.* + *a*: "Sei que devo partir/ Só *me resta* dizer adeus..." (Tom Jobim e Vinicius de Moraes, *É preciso dizer adeus*). *int.*: *Não resta muito tempo para tomarmos a decisão*.] [NOTA: Nos exemplos acima, 'dizer adeus' e 'muito tempo' são sujeitos, e não complementos, de 'resta'.] [▶ 1 rest*ar*]

restaurante (res.tau.*ran*.te) *sm.* Estabelecimento comercial em que se servem refeições.

restaurar (res.tau.*rar*) *v.* **1** Recuperar, reparar, consertar. [*td.*: *restaurar um quadro/um dente*.] **2** Repor em vigor ou vigência. [*td.*: *restaurar uma lei/costumes*.] **3** Restabelecer(-se) (regime político, governo etc.). [*td.*: *restaurar uma dinastia/a república*. *pr.*: *A monarquia francesa restaurou-se com Napoleão III*.] **4** Revigorar(-se) ou recuperar(-se). [*td.*: "...recusava o alimento que devia restaurar-lhe as forças." (José de Alencar, *Iracema*). [NOTA: Neste caso, o *lhe* tem função de complemento indireto, mas indica posse: *suas forças*.] *pr.*: *Ele se restaurou com o clima de montanha*.] [▶ 1 restaur*ar*] ● res.tau.ra.*ção* *sm.*; res.tau.*ra*.do a.; res.tau.ra.*dor* a.*sm.*

réstia (*rés*.ti:a) *sf.* Corda feita de palha ou de hastes trançadas: *réstia de alho*.

restinga (res.*tin*.ga) *sf. Geog.* **1** Segmento de areia ou de pedra que se prolonga do litoral para o mar. **2** Terreno arenoso e salino, próximo ao litoral, com vegetação característica.

restituir (res.ti.tu.*ir*) *v.* **1** Dar de volta (o que se tomou emprestado); DEVOLVER. [*td.*: *restituir um livro*. *tdi.* + *a*: "...aquele todos emprestei dinheiro, que não *me restituíram*..." (Joaquim Manuel de Macedo, *A luneta mágica*).] **2** Dar de volta, ou fazer recuperar (o que foi perdido, tomado indevidamente ou usurpado). [*tdi.* + *a*: *Restituíram os documentos a seu dono*; *A reconciliação restituiu ao casal a alegria*.] **3** Mandar de volta. [*td.* (seguido de indicação de lugar de origem): *Recuperaram o jovem e vão restituí-lo ao lar*.] **4** Ressarcir(-se), indenizar(-se). [*td.*: *restituir prejuízos*. *tdi.* + *a, de*: *Restituiu o vizinho dos danos que ocasionou*. *pr.*: *Quer restituir-se do mau negócio*.] [▶ 56 restitu*ir*] ● res.ti.tu.i.*ção* *sf.*

resto (*res*.to) *sm.* **1** Parte que sobra de algo que se consumiu, espalhou etc.: *Havia restos de comida so-*

restolho | **retidão** 696

bre a mesa. **2** O que resta; SALDO: *Vendeu os produtos em bom estado e mandou o resto para o depósito.* **3** *Arit.* Na divisão, a diferença entre o dividendo e o produto do divisor pelo quociente. ▪ **restos** *smpl.* **4** Sobras ou traços do que está morto ou destruído (<u>restos</u> mortais). ▪▪ **De** ~ Além do mais; aliás.

restolho (res.*to*.lho) [ô] *sm.* **1** Parte da gramínea que continua enraizada no solo após a ceifa. **2** *Bras.* Resíduo que permanece depois que algo é retirado.

restrição (res.tri.*ção*) *sf.* **1** Ação ou resultado de restringir. **2** Limitação atribuída ou imposta a algo; RESSALVA: *Gostei do trabalho dele, mas com restrições.* **3** Imposição de uma condição para que algo seja aceito ou realizado: *Pode ir, com uma restrição: volte antes das 8h.* [Pl.: -ções.]

restringir (res.trin.*gir*) *v.* **1** Reduzir(-se); limitar(-se). [*td.*: *O governo vai restringir o uso de armas.* *tdi.* + *a*: *Restringiu sua pesquisa ao essencial.* *pr.*: *A vida não se restringe aos prazeres.*] [▶ **46** restring**ir**] • **res.tri.ti.vo** *a.* (normas restritivas).

restrito (res.*tri*.to) *a.* **1** Que está contido dentro de determinados limites: *Esta instrução é restrita ao nosso departamento.* **2** Que tem pequenas proporções; REDUZIDO: *Sua capacidade de raciocínio é restrita.*

resultado (re.sul.*ta*.do) *sm.* **1** Consequência ou efeito de uma ação, fato ou princípio: *A briga foi resultado de sua intolerância.* **2** *Arit.* O produto de uma operação matemática ou da resolução de um problema. **3** O saldo final, lucro (ou valor) de um negócio, empreendimento etc. **4** Bom termo, solução: *Essa medida não deu resultado.*

resultar (re.sul.*tar*) *v.* **1** Ser o resultado, a consequência. [*ti.* + *de*: *O acidente resultou de imprudência.*] **2** Transformar-se, acabar. [*ti.* + *em*: *O bate-papo resultou em bate-boca.*] **3** Ser, ficar. [*lig.*: *Nossas tentativas resultaram inúteis.*] [▶ **1** result**ar**] • **re.sul.tan.te** *a2g.*

resumir (re.su.*mir*) *v.* **1** Fazer um resumo de. [*td.*: *resumir uma história/um texto.*] **2** Conter o essencial de. [*td.*: *Esta pequena obra resume a história da arte.*] **3** Consistir; restringir(-se). [*tdi.* + *a*, *em*: *Resumiu a complexa questão a termos simples.* *pr.*: *Toda a sua atividade se resume em pesquisar.*] [▶ **1** resum**ir**] • **re.su.mi.do** *a.*

resumo (re.*su*.mo) *sm.* Exposição breve de um fato, acontecimento ou texto, em que apenas os aspectos mais relevantes são apresentados: *O professor pediu que fosse feito um resumo do romance.*

resvaladiço (res.va.la.*di*.ço) *a.* **1** Diz-se do que é escorregadio (piso resvaladiço). **2** *Fig.* Que representa algum tipo de perigo.

resvalar (res.va.*lar*) *v.* **1** Escorregar por declive, ou descer escorregando. [*int.*: *O menino resvalou pela encosta.*] **2** Tocar de leve; ROÇAR. [*int.* (seguido de indicação de lugar): *A pedra só resvalou em seu ombro.*] **3** *Fig.* Incorrer (em falta ou crime). [*ti.* + *em*: *O político resvalou na corrupção.*] [▶ **1** resval**ar**]

reta (re.ta) *sf.* **1** Traço ou caminho sem desvios ou curvas: *Traçou uma reta perfeita, sem usar a régua; Depois desta cidade pode acelerar, há uma reta de 20km.* **2** *Geom.* Conceito básico de geometria, determinado por dois pontos (é a menor distância entre eles); linha reta.

retábulo (re.*tá*.bu.lo) *sm.* Numa igreja, construção ornamental na parte posterior de um altar.

retaguarda (re.ta.*guar*.da) *sf.* **1** A parte de trás de qualquer lugar. **2** O que fica para trás em qualquer movimentação, movimento etc.: *a retaguarda do desfile.* **3** *Mil.* Nas unidades do exército, parte da tropa que fica como último elemento em campanha. [Ant. acps. **2** e **3**: *vanguarda.*]

retal (re.*tal*) *a2g. Anat.* Ref. ao reto (7). [Pl.: -*tais*.]

retalhar (re.ta.*lhar*) *v. td.* **1** Cortar em retalhos ou em pedaços: *retalhar um tecido/uma peça de carne.* **2** Ferir com instrumento cortante. **3** Dividir, fracionar: *As grandes potências retalharam a Alemanha.* [▶ **1** retalh**ar**] • **re.ta.lha.ção** *sf.*; **re.ta.lha.du.ra** *sf.*

retalho (re.ta.lho) *sm.* **1** Pedaço que se retira de um tecido. **2** Parte de alguma coisa que foi retalhada. **3** *Med.* Porção de um órgão que se retira para realizar enxerto. ▪▪ **A** ~ **A** varejo, em quantidades pequenas. • **e.ta.lhis.ta** *a2g.s2g.*

retaliar (re.ta.li.*ar*) *v.* Pagar (mal ou dano) com mal ou dano; REVIDAR. [*td.*: *retaliar uma agressão.* *int.*: *Foi duro o golpe, mas preferiu não retaliar.*] [▶ **1** retali**ar**] • **re.ta.li.a.ção** *sf.*; **re.ta.li.a.do.a** *a.*

retângulo (re.*tân*.gu.lo) *a.* **1** Que é composto de ângulos retos. *sm.* **2** *Geom.* Quadrilátero de ângulos retos. • **re.tan.gu.lar** *a2g.*

retardado (re.tar.*da*.do) *a.* **1** Que se retardou ou demorou; DEMORADO. *a.sm.* **2** Que, ou quem apresenta desenvolvimento mental inferior ao normal. [At! Considerado ofensivo nesta acepção.]

retardar (re.tar.*dar*) *v.* **1** Fazer atrasar ou atrasar-se; DEMORAR-SE. [*td.*: *O temporal retardou a chegada do ônibus.* *int./pr.*: *Retardei(-me) por causa do engarrafamento.*] **2** Tornar menos rápido. [*td.*: *A redução no consumo de açúcar retarda o envelhecimento.*] [▶ **1** retard**ar**] • **re.tar.da.men.to** *sm.*

retardatário (re.tar.da.*tá*.ri.o) *a.sm.* Que ou quem está muito atrasado: *Os retardatários não puderam entrar.*

retemperar (re.tem.pe.*rar*) *v.* **1** Dar nova têmpera a (metal, esp. o aço). [*td.*] **2** *Fig.* Fortalecer(-se), revigorar(-se). [*td.*: *retemperar a saúde/o ânimo.* *pr.*: *Seu espírito se retemperou com as palavras do amigo.*] **3** Pôr novo tempero em (comida). [*td.*] [▶ **1** retemper**ar**] • **re.tem.pe.ra.dor** *a.sm.*; **re.tem.pe.ran.te** *a2g.*

retenção (re.ten.*ção*) *sf.* Ação ou resultado de reter. [Pl.: -*ções*.]

reter (re.*ter*) *v.* **1** Manter firme nas mãos. [*td.*: *reter uma corda.*] **2** Manter em seu poder. [*td.*: *Detran reteve sua carteira de motorista.*] **3** Guardar na memória; MEMORIZAR. [*td.*] **4** Impedir que saia ou prossiga; DETER. [*td.*: *O trânsito nos reteve.*] **5** Reprimir(-se), conter(-se). [*td.*: *reter o choro.* *pr.*: *Reteve-se para não agredi-lo.*] [▶ **7** ret**er**]. Acento agudo no *e* na 2ª e na 3ª pess. sing. do pres. do ind. e na 2ª pess. sing. do imper. afirm.] • **re.ti.do** *a.*

retesar (re.te.*sar*) *v.* **1** Tornar teso; ESTICAR. [*td.*: *retesar uma corda.*] **2** Tornar(-se) contraído, tenso. [*td.*: *retesar os braços.* *pr.*: *Retesou-se de ódio.*] [▶ **1** retes**ar**] • **re.te.sa.do** *a.*; **re.te.sa.men.to** *sm.*

reticência (re.ti.*cên*.ci.a) *sf.* **1** Omissão de algo que se devia ou se podia informar: *depoimento cheio de reticências.* **2** *Gram.* Sinal (...) us. na escrita para marcar interrupção do raciocínio, supressão de informações, insinuação etc. • **re.ti.cen.te** *a2g.*

retícula (re.*ti*.cu.la) *sf. Edit.* **1** Recurso de impressão pelo qual, a partir de uma malha de pequenos pontos, se obtêm gradações de tonalidade de uma cor. **2** Essa rede. **3** Cada um dos pontos dessa malha. • **re.ti.cu.lar** *a2g.*, *v.*

reticulação (re.ti.cu.la.*ção*) *sf.* Ação ou resultado de dar forma de retícula a algo, ou de tomar essa forma. **2** Característica ou condição do que é reticulado.

reticulado (re.ti.cu.*la*.do) *a.sm.* **1** Que ou aquilo que apresenta forma de rede ou malha. **2** *Edit.* Que contém retícula ou foi impresso com retícula.

retidão (re.ti.*dão*) *sf.* **1** Característica do que é reto. **2** *Fig.* Virtude de quem tem caráter íntegro e age com lisura; INTEGRIDADE: *Sua retidão é inquestioná-*

vel. **3** Correção e integridade no modo de agir ou em ação específica: *Agiu com retidão.* [Pl. (p.us.): *-dões.*]

retífica (re.tí.fi.ca) *sf.* **1** *Mec.* Restauração de motores (ger. de automóveis), com ajuste das peças. **2** Oficina onde se faz esse tipo de serviço.

retificar (re.ti.fi.*car*) *v. td.* **1** Corrigir, emendar: *retificar erros/informação.* **2** Tornar reto ou direito (o que é curvo, torto etc.): *Retificou a linha do horizonte no desenho.* **3** *Mec.* Desmontar, limpar e montar de novo (motor), ajustando ou substituindo peças. **4** Destilar de novo, para purificar: *retificar álcool/ cachaça.* **5** *Elet.* Tornar contínua (corrente alternada). [▶ **11** retifi*car* ● re.ti.fi.ca.*ção sf.*; re.ti.fi.ca.*do a.*; re.ti.fi.*cá*.vel *a2g.*

retilíneo (re.ti.*lí*.ne:o) *a.* **1** Que se estende, se desenvolve em linha reta (estrada *retilínea*, movimento *retilíneo*). **2** Formado por linhas retas. **3** Que demonstra retidão (2 e 3) (pessoa *retilínea*).

retina (re.ti.na) *sf. Anat.* Membrana interna do olho, formada de células sensíveis à luminosidade, que capta sinais visuais. ● re.ti.ni.*ca.*no *a.*

retinir (re.ti.*nir*) *v. int.* **1** Tinir ou soar repetidas vezes ou por muito tempo: *A campainha retiniu insistentemente.* **2** Ressoar, ecoar (tb. *Fig.*): *As palavras do mestre retiniam em sua mente.* [▶ **58** reti*nir*]

retinite (re.ti.*ni*.te) *sf. Med.* Inflamação da retina.

retinto (re.*tin*.to) *a.* De cor muito forte (ger. escura).

retirada (re.ti.*ra*.da) *sf.* **1** Ação de retirar(-se): *a retirada de um tumor.* **2** Saque de uma quantia de dinheiro. **3** *Mil.* Recuo de tropas, abandonando terreno. ◘ Bater em ~ Recuar, fugir.

retirado (re.ti.*ra*.do) *a.* **1** Que foi movido para fora de um lugar. **2** Cuja validade foi anulada. **3** Que fica isolado ou longe de um ponto de referência; AFASTADO.

retirante (re.ti.*ran*.te) *a2g.s2g. Bras.* Que ou quem se retira da região onde mora (ger. no Nordeste brasileiro) para uma região aparentemente mais promissora.

retirar (re.ti.*rar*) *v.* **1** Tirar de onde está. [*td.* (seguido ou não de indicação de lugar): *Retirou do bolso a carteira; Vou retirar cem reais (do banco).*] **2** Fazer sair. [*td.* (seguido ou não de indicação de lugar): *O médico mandou retirar as crianças (do quarto).*] **3** Ir-se embora ou afastar-se; abandonar (atividade, forma de vida etc.). [*pr.*: *Ela retirou-se para um convento;* "...acabou-se a festa, o povo retirou-se." (Joaquim Manuel de Macedo, *Memórias de um sargento de milícias*)] **4** Puxar para trás, trazer para si; RETRAIR. [*td.* (seguido de indicação de lugar): *Retirou o dedo da tomada.*] **5** Voltar atrás em. [*td.*: *Desculpe, retiro o que disse.*] [▶ **1** reti*rar*]

retiro (re.*ti*.ro) *sm.* **1** Ação ou resultado de retirar-se, recolher-se, isolar-se; RECOLHIMENTO. **2** Lugar isolado e/ou tranquilo, propício a descanso, meditação etc.: *Nas minhas férias, vou para um retiro qualquer.* **3** Recolhimento para exercícios espirituais: *Foi para o convento e deu início a seu retiro.*

reto (re.to) *a.* **1** Sem curva (linha *reta*, estrada *reta*). **2** Que não está torto: *O quadro está reto?* **3** *Fig.* Honesto, direito (pessoa *reta*). **4** *Gram.* Diz-se do pron. pess. na função de sujeito, predicativo do sujeito ou vocativo (p.ex.: *eu, nós, eles* etc.). **5** *Geom.* Que tem 90°; formado por retas perpendiculares (diz-se de ângulo). *adv.* **6** Em linha reta, sem fazer desvio: *Siga reto até a praça. sm.* **7** *Anat.* Parte final do intestino grosso.

retocar (re.to.*car*) *v. td.* Dar retoque em (algo), para aperfeiçoar ou corrigir falhas: *retocar a maquiagem/um texto.* [▶ **11** reto*car*]

retomar (re.to.*mar*) *v. td.* **1** Tomar de volta; RECUPERAR: *retomar um território/a liderança.* **2** Dar seguimento a (o que se interrompeu): *retomar uma discussão.* [▶ **1** reto*mar*] ● re.to.*ma*.da *sf.*

retoque (re.*to*.que) *sm.* Ajuste final de uma obra (material, pessoal ou intelectual), que corresponde ao seu acabamento.

retorcer (re.tor.*cer*) *v.* **1** Tornar a torcer ou torcer muitas vezes. [*td.*: *Retorceu a roupa molhada; Retorcia as mãos, aflita.*] **2** Contrair o corpo convulsivamente; CONTORCER(-SE). [*pr.*: *Retorcia-se de dor.*] [▶ **33** retor*cer*]

retorcido (re.tor.*ci*.do) *a.* Muito torto ou enroscado.

retórica (re.*tó*.ri.ca) *sf.* **1** *Fil.* Arte ou qualidade de se expressar bem por palavras, esp. em discurso; ELOQUÊNCIA; ORATÓRIA. **2** *Ling.* Conjunto de regras e recursos dessa arte. **3** *Pej.* Exagero de ornamentos em expressão verbal, ou discurso. ● re.*tó*.ri.co *a.sm.*

retornar (re.tor.*nar*) *v.* **1** Voltar, regressar. [*int.* (seguido ou não de indicação de lugar, tempo, meio, modo): *O poeta retornou (para sua terra).*] **2** Voltar a ocupar-se (de atividade, assunto etc.). [*ti. + a*: *Decidiu retornar aos estudos.*] **3** Comunicar-se em resposta. [*td.*: *Ela não retornou minha ligação.*] **4** *Inf.* Apresentar como resposta. [*td.*: *O programa retornou uma mensagem de erro.*] [▶ **1** retor*nar*]

retorno (re.*tor*.no) [ó] *sm.* **1** Ação ou resultado de retornar, regressar; REGRESSO. **2** *Bras.* Numa rodovia ou avenida, rua etc., curva ou caminho que leva a uma pista de sentido inverso àquele no qual se segue. **3** Envio de algo que se recebeu, de volta ao remetente; DEVOLUÇÃO: *retorno de brindes promocionais.* **4** Consequência de uma ação, de um investimento etc.; RESULTADO: *Tentei, sem retorno, ensinar-lhe matemática.* **5** Opinião emitida a respeito de algo por solicitação de alguém: *Consultei a Receita e obtive retorno.* **6** Comportamento de alguém em resposta a empreendimento, iniciativa etc.; REAÇÃO: *O retorno do público ao comercial foi decepcionante.* **7** Contato decorrente de outro anterior; RESPOSTA: "... ele não deu *retorno* dos recados da reportagem." (FolhaSP, 25.12.99).

retorquir (re.tor.*quir*) *v.* **1** Declarar em resposta; REPLICAR, RESPONDER. [*td.*: *À indagação do juiz, o réu retorquiu que era inocente. tdi. + a*: *Retorquiu à professora que não fora ele.*] **2** Responder, retrucar. [*ti. + a*: *Preferi não retorquir à pergunta. int.*: *Não se deve retorquir sempre.*] [▶ **58** retor*quir*]

retorta (re.*tor*.ta) *sf.* Recipiente com gargalo estreito e arqueado, ger. us. em laboratórios para destilações.

retração (re.tra.*ção*) *sf.* **1** Ação ou resultado de retrair(-se); ENCOLHIMENTO; RETRAIMENTO. **2** Retorno ou retrocesso a uma condição anterior; RECUO: *retração do desenvolvimento agrícola.* [Pl.: *-ções.*]

retráctil (re.*trác*.til) *a2g.* Ver *retrátil.* [Pl.: *-teis.*]

retraído (re.tra.*í*.do) *a.* **1** Que se retraiu. **2** Isolado da convivência social; RECOLHIDO. **3** Que demonstra acanhamento; TÍMIDO. [Ant.: *expansivo.*]

retraimento (re.tra:i.*men*.to) *sm.* **1** Ação ou resultado de retrair(-se), de encolher(-se); ENCOLHIMENTO; RETRAÇÃO. [Ant.: *expansão.*] **2** Comportamento de quem se retrai (3, 4), de quem se isola ou se torna introvertido.

retrair (re.tra.*ir*) *v.* **1** Puxar para trás, trazer para si; RECOLHER. [*td.*: *A tartaruga retraía a cabeça quando a tocavam.*] **2** Encolher(-se), contrair(-se). [*td.*: *Retraímos os músculos esperando a largada da prova. pr.*: *Muito tímido, retraiu-se todo quando o citaram em público.*] **3** Afastar-se, isolar-se. [*pr.*: "... logo se *retraiu* para uma vida distante da badalação..." (FolhaSP, 16.07.99).] **4** Tornar-se retraído, introvertido; ACANHAR-SE. [*pr.*: *Ele se retrai quando é o centro das atenções.*] **5** Reduzir(-se), ou não (se) de-

retranca | reumatismo

senvolver. [*td.*: *Essas mudanças tendem a retrair os investimentos.* *pr.*: *O comércio se retrai nessa época.*] [▶ 43 retrair]

retranca (re.*tran*.ca) *sf.* **1** Ver *rabicho* (2). **2** *Edit.* Marca deixada em originais de publicações para facilitar a paginação e registrar outras informações editoriais. **3** *Fut.* Tática de manter o time na defesa, à espera de uma chance de contra-ataque.

retransmissora (re.trans.mis.*so*.ra) [ô] *sf.* **1** *Eletrôn.* Estação que recebe e retransmite ondas radioelétricas. **2** *Rád. Telv.* Emissora de rádio ou televisão que retransmite sinais recebidos de outras emissoras.

retransmitir (re.trans.mi.*tir*) *v. td.* Tornar a transmitir. [▶ 3 retransmitir] • re.trans.mis.*são sf.*; rec.trans.mis.*sor sm.*

retrasado (re.tra.*sa*.do) *a.* Imediatamente anterior ao passado (reunião *retrasada*, ano *retrasado*).

retratar¹ (re.tra.*tar*) *v.* **1** Desenhar ou pintar o retrato de (alguém ou si próprio), ou fotografar(-se). [*td.*: *O robô retratou a superfície de Marte.* *pr.*: *Van Gogh retratou-se inúmeras vezes.*] **2** Descrever ou mostrar com exatidão. [*td.*: *O livro retrata a guerra no Iraque.*] [▶ 1 retratar] • re.tra.*tis*.ta *a2g.s2g.*

retratar² (re.tra.*tar*) *v.* **1** Retirar (o que disse); DESDIZER(-SE). [*td.*: *Retratou o pedido de casamento.* *pr.*: *Retratou-se da resposta incorreta.*] **2** Admitir que agiu mal. [*pr.*: *O aluno retratou-se do que fez.*] [▶ 1 retratar] • re.tra.ta.*ção sf.*

retrátil, retráctil (re.*trá*.til, re.*trác*.til) *a2g.* Que se pode retrair (1 e 2). [Pl.: -*teis.*] • re.tra.ti.li.*da*.de; rec.tra.ti.li.*da*.de *sf.*

retrato (re.*tra*.to) *sm.* **1** Registro da imagem de uma pessoa, por pintura, fotografia, gravura ou desenho. **2** *Fig.* Quem é muito parecido com outra pessoa: *Paulinho é o retrato do pai.* **3** *Fig.* Aquilo ou aquele que constitui um bom exemplo de algo: *Ele é o retrato da perseverança.*

retreta (re.*tre*.ta) [ê] *sf. Bras.* Exibição de uma banda de música, ger. em lugar público.

retrete (re.*tre*.te) [ê] *sf.* Ver *privada*.

retribuir (re.tri.bu.*ir*) *v. td.* **1** Dar em troca: *Retribuí a gentileza com um cartão.* **2** Compensar de maneira equivalente: *Precisamos convidá-lo para retribuir o jantar que nos ofereceu.* [▶ 56 retribuir] • re.tri.bu.i.*ção sf.*

retriz (re.*triz*) *sf. Zool.* Cada uma das penas grandes e rígidas da cauda das aves, cuja função é orientar o voo.

retroagir (re.tro.a.*gir*) *v.* **1** Fazer ter validade ou passar a ter validade a partir de (data anterior). [*tdi.* + *a*: *A Lei 543 retroagiu seus efeitos ao primeiro dia deste ano.* *ti.* + *a*: *A aposentadoria retroagiu a 1998.* *int.*: *A lei retroagiu para beneficiar os aposentados.*] **2** Voltar a apresentar situação semelhante a (época passada). [*ti.* + *a*: *A censura retroagiu à época da ditadura.* *int.*: *A nova lei retroagiu na área empresarial.*] [▶ 46 retroagir] • re.tro.a.*ção sf.*; re.tro.a.*ti*.vo *a.*

retroalimentação (re.tro.a.li.men.ta.*ção*) *sf.* **1** Encaminhamento de elementos de saída de um sistema para a entrada do mesmo. **2** Qualquer processo de controle da ação de um sistema com base no reconhecimento e análise das respostas possíveis a cada estímulo. **3** *Eletrôn. Tec.* Conexão da saída com a entrada (de circuito eletrônico, dispositivo informático etc.), como forma de reforço e/ou controle. [Sin. ger.: *realimentação*, *feed-back*.] [Pl.: -*ções.*]

retroceder (re.tro.ce.*der*) *v.* **1** Voltar (no espaço ou no tempo); RECUAR. [*int.* (seguido ou não de indicação de distância ou lugar): *A moça retrocedeu (três passos)*; *O exército retrocedeu (até o sul)*; (seguido de indicação de tempo): *Retrocedamos, em nosso estudo, ao início do século.*] **2** Voltar a estágio anterior, regredir no processo de evolução; INVOLUIR. [*int.*: *Essa lei fez a questão do meio ambiente retroceder*; (seguido de indicação de área de conhecimento/atividade) *Não podemos retroceder nas técnicas de plantio*; (seguido de indicação de estado, condição, situação) *Não podemos retroceder à economia de colônia.*] **3** Voltar atrás; DESISTIR. [*int.* (seguido ou não de indicação de plano, objetivo etc.): *Retrocedi (em minha ideia fixa).*] **4** *Inf.* Fazer voltar (página, trecho, documento etc.). [*td.*: *Este botão avança e retrocede nas páginas de texto.* *int.*: *Tecle F7 para retroceder.*] [▶ 2 retroceder]

retrocesso (re.tro.*ces*.so) *sm.* **1** Ação ou resultado de retroceder, de mover-se para trás; RECUO. **2** Transformação para um nível menor de intensidade, desenvolvimento etc.; REGRESSÃO: *retrocesso da economia de um país.* [Ant. ger.: *progresso.*]

retrogradar (re.tro.gra.*dar*) *v.* **1** Fazer voltar, ou voltar, a estágio anterior no processo de evolução. [*td.*: *O golpe militar retrogradou a ordem política.* *int.*: *A humanidade não pode retrogradar.*] **2** Fazer andar, ou andar, para trás (no espaço ou no tempo); RETROCEDER. [*td.*: *As novas tendências retrogradaram a moda.* *int.* (seguido ou não de indicação de lugar ou tempo): *O exército retrogradou (até as trincheiras).*] **3** *Astron.* Mover-se (astro) em sentido retrógrado. [*int.*] [▶ 1 retrogradar]

retrógrado (re.*tró*.gra.do) *a.* **1** Que se opõe ao progresso. [Ant.: *progressista.*] **2** Que se move para trás.

retroprojetor (re.tro.pro.je.*tor*) [ô] *sm.* Aparelho que projeta imagens ampliadas de figuras postas sobre uma chapa transparente.

retrós (re.*trós*) *sm.* **1** Fio de seda ou lã us. em costura, ger. enrolado em um cilindro. **2** Esse cilindro. [Pl.: -*troses.*]

retrospectiva (re.tros.pec.*ti*.va) *sf.* Exposição ou relato de acontecimentos que ocorreram durante um determinado período no passado; RETROSPECTO.

retrospectivo, retrospetivo (re.tros.pec.*ti*.vo, re.tros.pe.*ti*.vo) *a.* Ref. a ou que focaliza fatos passados (análise *retrospectiva*).

retrospecto, retrospeto (re.tros.*pec*.to, re.tros.*pe*.to) *sm.* Ver *retrospectiva*.

retrovírus (re.tro.*ví*.rus) *sm2n. Biol.* Espécie de vírus, como os causadores do linfoma e da leucemia, cujo material genético é o ARN.

retrovisor (re.tro.vi.*sor*) [ô] *sm.* **1** Cada um dos espelhos fixados em um veículo nas laterais externas e no centro interno do para-brisa, pelos quais o motorista vê o que acontece atrás. **2** Ref. a um desses espelhos (espelho *retrovisor*).

retrucar (re.tru.*car*) *v.* Dizer em resposta; RESPONDER. [*td.*: *"Não tenho fome", retrucou a criança.* *tdi.* + *a*: *O empregado retrucou à patroa que perdera o ônibus.*] [▶ 11 retrucar]

retumbante (re.tum.*ban*.te) *a2g.* Que retumba, que é muito forte, potente (diz-se da emissão de um som) (brado *retumbante*). • re.tum.*bân*.ci.a *sf.*

retumbar (re.tum.*bar*) *v. int.* Refletir som com estrondo; ECOAR; RESSOAR: *À noite, os tambores retumbam.* [▶ 1 retumbar]

returno (re.*tur*.no) *sm. Esp.* Em competições esportivas, segunda série de disputas entre adversários que já se enfrentaram no primeiro turno; segundo turno.

réu *sm. Jur.* Pessoa julgada por um crime ou processada em uma ação cível. [Fem.: *ré.*]

reumático (reu.*má*.ti.co) *a.sm. Med.* **1** Que ou quem sofre de reumatismo. **2** Ref. a reumatismo (dor *reumática*).

reumatismo (reu.ma.*tis*.mo) *sm. Med.* Cada uma de várias doenças, ger. crônicas, que causam dores articulatórias, musculares etc.

reumatologia (reu.ma.to.lo.*gi*.a) *sf. Med.* Área da medicina dedicada ao tratamento de doenças reumáticas. ● **reu.ma to.***ló*.gi.co *a.*; **reu.ma.to.lo.***gis*.ta *a2g.s2g.*

reunião (re:u.ni:ão) *sf.* **1** Ação ou resultado de reunir, de juntar coisas ou pessoas em um lugar: *Providenciou a reunião de todos os dados sobre o assunto.* **2** Encontro de pessoas com um objetivo comum: *reunião de diretoria.* [Pl.: -ões.]

reunir (re:u.*nir*) *v.* **1** Juntar(-se) em reunião (para um objetivo); CONGREGAR(-SE). [*td.*: *Vou reunir os amigos no meu aniversário. pr.*: *A família reuniu-se para discutir o assunto.*] **2** Ter ao mesmo tempo. [*td.*: *A criança reunia inteligência e simpatia.*] **3** Ter, possuir. [*td.*: *A candidata reúne condições para ser aprovada.*] **4** Juntar, agrupar. [*td.*: *reunir assinaturas.*] [▶ **3** reu*nir*. Apresenta o 'u' acentuado conforme o paradigma 18.]

reutilizar (re.u.ti.li.*zar*) *v. td.* **1** Utilizar novamente. **2** Utilizar de outra forma. [▶ **1** reutili*zar*] ● **re.u.ti.li.za.***ção* *sf.*; **re.u.ti.li.***zá*.vel *a2g.*

revalidar (re.va.li.*dar*) *v. td.* Tornar válido novamente. [▶ **1** revali*dar*] ● **re.va.li.da.***ção* *sf.*

revanche (re.*van*.che) *sf.* **1** Ação e resultado de se desforrar de ofensa ou prejuízo causados por alguém; DESFORRA. **2** *Esp.* Competição entre adversários que já se enfrentaram, em que o perdedor da primeira tem a oportunidade de, vencendo, desforrar-se.

revanchismo (re.van.*chis*.mo) *sm.* Atitude de buscar revanche (1) (esp. na área pública ou política). **re.van.***chis*.ta *a2g.s2g.*

🌐 **réveillon** (Fr. /reveiôn/) *sm.* **1** Período que se estende da última noite de um ano até a primeira madrugada do ano seguinte. **2** Comemorações por ocasião da chegada do ano novo.

revel (re.*vel*) [é] *a2g.* **1** Que se revolta contra algo (ger. um poder constituído); REBELDE. *a2g.s2g.* **2** *Jur.* Que ou quem não comparece a juízo ou não contesta ação proposta contra ele (diz-se réu). [Pl.: -*véis.*]

revelação (re.ve.la.*ção*) *sf.* **1**. Ação ou resultado de revelar(-se), de tornar(-se) conhecido, visível, ou patente: *O jornalista evitou a revelação de suas fontes.* [Ant.: *ocultação.*] **2** Ação ou resultado de revelar filme fotográfico/cinematográfico. **3** Descoberta e/ou divulgação de uma informação importante ou de pessoa com grande talento: *a revelação de escândalos; concurso para a revelação de novos talentos.* **4** Essa informação ou essa pessoa: *Esse pianista é uma verdadeira revelação.* **5** Descoberta repentina: *De repente, a revelação: o culpado não fora o mordomo.* **6** *Rel.* Em várias religiões, manifestação pela qual Deus esclarece alguns de Seus objetivos e/ou mistérios. [Pl.: -*ções.*]

revelar (re.ve.*lar*) *v.* **1** Tornar(-se) público; DIVULGAR. [*td.*: *Os jornais revelaram a escalação do time. tdi.* + *a*: *Não revele nosso segredo a ninguém. pr.*: *Naquele instante, revelaram-se suas intenções.*] **2** Tornar(-se) conhecido no meio artístico. [*td.*: *A exposição deve revelar novos talentos. Esse conjunto revelou-se em um festival de música.*] **3** Dar(-se) a conhecer de maneira sobrenatural. [*td.*: *Deus revelou Seu nome: "Eu sou o que sou". tdi.* + *a*: *Deus revelou os dez mandamentos a Moisés.*] **4** *Cin. Fot.* Tornar visível a imagem de (um filme) ou dele revelar (fotografia). [*td.*] **5** Fazer ver ou perceber claramente; MOSTRAR. [*td.*: "O aspecto da casa revelava (...) a pobreza..." (José de Alencar, *Senhora*).] **6** Mostrar bem. [*pr.*: *João revelou-se um grande pintor.*] [▶ **1** reve*lar*] ● **re.ve.la.***dor* *a.sm.*; **re.ve.***lá*.vel *a2g.*

revelia (re.ve.*li*.a) *sf.* **1** Atitude de revel (1); REBELDIA. **2** *Jur.* Situação do réu que não comparece ao próprio julgamento. ■ **À ~ (de) 1** *Jur.* Sem a presença ou conhecimento do principal interessado: *Foi julgado à revelia.* **2** Sem o conhecimento de: *Marcou a prova à revelia dos alunos.*

revenda (re.*ven*.da) *sf.* Ação ou resultado de revender, de vender algo que se comprou.

revendedor (re.ven.de.*dor*) [ô] *a.sm.* **1** Que ou quem trabalha fazendo revenda de produtos. ◪ **re.ven.de.***do*.ra *sf.* **2** Empresa especializada em revender produtos.

revender (re.ven.*der*) *v.* Vender (algo que lhe foi vendido). [*td.*: *Ele compra e revende carros. tdi.* + *a*: *O comerciante revendeu as antiguidades ao colecionador.*] [▶ **2** reven*der*]

rever (re.*ver*) *v. td.* **1** Pensar melhor a respeito de; RECONSIDERAR: *rever uma decisão.* **2** Examinar ou reexaminar com atenção, para corrigir erros ou descuidos: *O revisor já reviu os originais do livro.* **3** Tornar a analisar e alterar o cálculo de (seguido de indicação de posição, movimento ou quantidade): *As empresas reviram para baixo a estimativa de lucro.* **4** Voltar a ver: *Ontem vi um colega de infância.* **5** Trazer à lembrança; RELEMBRAR: "Minha primeira lembrança, que posso rever (...) fechando os olhos..." (João Ubaldo Ribeiro, *Diário do farol*). [▶ **32** re*ver*. Part.: *revisto.*]

reverberar (re.ver.be.*rar*) *v.* **1** Refletir(-se), refletir-se (diz-se de luz, calor, som); REPERCUTIR. [*td.*: *As montanhas reverberavam minha voz. int.* *O som está reverberando.*] **2** Emitir luz, luzir. [*int.*] [▶ **1** reverbe*rar*] ● **re.ver.be.ra.***ção* *sf.*; **re.ver.***be*.ran.te *a2g.*

revérbero (re.*vér*.be.ro) *sm.* **1** Ação ou resultado de reverberar. **2** Os efeitos desse evento (calor, clarão, eco etc.).

reverência (re.ve.*rên*.ci:a) *sf.* **1** Atitude de respeito profundo por algo ou alguém; VENERAÇÃO. **2** Saudação que exprime esse tipo de atitude; MESURA. **3** Tratamento us. para se dirigir a autoridades religiosas.

reverenciar (re.ve.ren.ci.*ar*) *v.* **1** Prestar culto a; ADORAR. [*td.*: *Os egípcios reverenciavam o Sol.*] **2** Tratar com respeito, fazer reverência a; HONRAR. [*td.*: "Há sociedades que reverenciam os idosos..." (*FolhaSP*, 10.12.99).] **3** Fazer gestos de reverência a. [*td.*: *A pianista reverenciou o público. int.*: *No Japão, as crianças aprendem cedo a reverenciar.*] [▶ **1** reverenci*ar*]

reverendíssima (re.ve.ren.*dís*.si.ma) *sf.*) Tratamento us. para se dirigir a autoridades religiosas de posição hierarquicamente elevada (bispos, monsenhores, cardeais etc.).

reverendo (re.ve.*ren*.do) *sm.* **1** Ver *padre.* *a.* **2** Que merece reverência. [Superl.: *reverendíssimo.*]

reverente (re.ve.*ren*.te) *a2g.* **1**. Que tem reverência por algo ou por alguém (discípulo *reverente*). **2**. Que expressa reverência (palavras *reverentes*).

reversão (re.ver.*são*) *sf.* **1** Ação ou resultado de reverter(-se), de desfazer uma ação, voltando ou fazendo algo voltar à condição anterior. **2** Retorno ao ponto de partida. **3** Devolução de algo ao seu dono. **4** Mudança de sentido (de movimento, rotação de motor etc.) [Sin. (nas acps. 1 e 2): *retrocesso.*] [Pl.: *-sões.*]

reversível (re.ver.*si*.vel) *a2g.* **1** Que se pode reverter. **2** Que pode ser usado do lado direito ou do avesso (diz-se ger. de roupa). [Pl.: -*veis.*] ● **re.ver.si.bi.***li.da*.de *sf.*

reverso (re.*ver*.so) [ê] *a.* **1** Que mostra o que é o contrário de outra coisa; OPOSTO: *Na volta, faça o trajeto reverso ao da vinda. sm.* **2** O lado avesso de algo; REVÉS. [Ant.: *anverso.*]

reverter (re.ver.*ter*) *v.* **1** Modificar(-se) para o contrário. [*td.*: *A frente fria reverteu a previsão de sol.*

revertério | **revolução**

pr.: "O amor não pode se *reverter* em ódio?" (Marques Rebelo, *O simples coronel Madureira*).] **2** Voltar (ao ponto de onde partiu). [*ti.* + *para*: *O programa pergunta se você quer reverter para o arquivo gravado*.] **3** Ter como resultado; REDUNDAR. [*ti.* + *em*: *A renda da festa reverteu em benefício do orfanato*.] **4** *Jur.* Ser entregue novamente (ao dono anterior). [*ti.* + *para*: *a empresa reverteu para os antigos donos*.] [▶ **2** reverter]

revertério (re.ver.té.ri:o) *sm. Bras. Pop.* Acontecimento imprevisto que muda algo completamente, ger. tornando ruins situações boas; REVÉS, REVIRAVOLTA.

revés (re.*vés*) *sm.* **1** Ver *reverso* (2). **2** Acontecimento desfavorável; derrota; fracasso; infortúnio: "...temendo que sua equipe, uma das favoritas, sofresse reveses." (FolhaSP, 18.12.99). **3** Ver *revertério*. [Pl.: *-veses*.] ∎ Ao ~ Ao contrário, ao invés; em sentido inverso. • De ~ Obliquamente, de soslaio: *Olhou-o de revés, desconfiado*.

revestir (re.ves.tir) *v.* **1** Cobrir(-se), recobrir(-se). [*td.*: *Painéis de madeira revestem as paredes*. *pr.*: *O campo revestiu-se de flores*.] **2** Encher(-se), impregnar(-se). [*td.*: "Curioso esplendor *revestia* aquele espetáculo." (Raul Pompeia, *O Ateneu*). *pr.*: *revestir-se de coragem para lutar*.] **3** Dar aparência de (algo) a. [*tdi.* + *de*: *Você reveste de tragédia os contratempos*.] [▶ **50** revestir] • re.ves.*ti*.do *a.*; re.ves.ti.*men*.to *sm.*

revezar (re.ve.*zar*) *v.* Trocar lugares ou funções de (coisas ou pessoas); alternar o uso, função ou participação de. [*td.*: *revezar jogadores*. *ti.* + *com*: *Rezávamos com a dupla que perdia no jogo*. *int.*: *Os pais revezavam nos cuidados com o bebê*. *pr.*: *Os DJs* (...) *se revezar no som.*" (*O Globo*, 18.11.03).] [▶ **1** revezar] • re.ve.za.*men*.to *sm.*

revidar (re.vi.*dar*) *v.* Reagir a algo (agressão) de forma semelhante. [*td.* (seguido ou não de indicação de modo): *Pedro revidou o soco* (*com outro mais forte*). *ti.* + *a*: *Não revidei ao insulto*. *int.*: *Nem sempre é bom revidar*.] [▶ **1** revidar] • re.vi.*de* sm.

revigorar (re.vi.go.*rar*) *v.* Fazer adquirir ou adquirir, novo vigor, energia ou ânimo. [*td.*: *revigorar o espírito*. *int./pr.*: *Nas férias, revigorou*(*-se*).] [▶ **1** revigorar] • re.vi.go.ra.do *a.*; re.vi.go.ra.*men*.to sm.; re.vi.go.*ran*.te *a.sm.*

revindita (re.vin.di.ta) *sf.* Desforra de uma ofensa que já havia sido praticada como revanche (1).

revirar (re.vi.*rar*) *v.* **1** Virar(-se) outra vez ou várias vezes. [*td.*: *revirar uma roupa/os olhos*. *pr.*: *Vira-se muito durante o sono*.] **2** Procurar algo em; REVOLVER. [*td.*: *revirar uma gaveta*.] **3** Fazer enjoar; EMBRULHAR. [*td.*: *A comida revirou meu estômago*.] [▶ **1** revirar] • re.vi.ra.do *a.*

reviravolta (re.vi.ra.*vol*.ta) *sf. Fig.* Mudança profunda e/ou brusca de algo; REVÉS, REVERTÉRIO.

revisão (re.vi.*são*) *sf.* **1** Ação ou resultado de rever ou revisar, de analisar ou conferir uma informação, decisão, atitude etc. **2** *Edit.* Leitura de um texto para conferência do seu conteúdo, correção gramatical, detalhes editoriais etc. **3** Departamento de uma empresa onde se faz esse serviço. **4** Equipe responsável por esse serviço. [Pl.: *-sões*.]

revisar (re.vi.*sar*) *v. td.* **1** *Edit.* Ler (originais), para corrigir-lhes os erros; REVER. **2** Dar aula sobre assunto já estudado, ou estudá-lo; RECORDAR: *A professora revisou a matéria hoje*. **3** Examinar para consertar ou atualizar; REVER. **4** Estudar (trabalho científico), para ampliar, reafirmar ou negar suas conclusões. [▶ **1** revisar] • re.vi.sa.do *a.*

revisionismo (re.vi.si:o.*nis*.mo) *sm. Fil.* Doutrina que propõe a revisão das bases de uma teoria, crença etc. • re.vi.si:o.*nis*.ta *a2g.s2g.*

revisor (re.vi.*sor*) [ô] *sm.* **1** Profissional que faz revisão de texto ou de prova tipográfica. **2** *Inf.* Programa que corrige o texto; CORRETOR.

revista¹ (re.*vis*.ta) *sf.* Ato ou resultado de revistar, inspecionar; VISTORIA: *Era dia de revista no presídio*.

revista² (re.*vis*.ta) *sf.* Publicação periódica, ger. ilustrada, com artigos sobre assuntos diversos.

revistar (re.vis.*tar*) *v. td.* **1** Examinar fisicamente (pessoa, lugar etc.) para constatar presença ou ausência de indícios, material suspeito ou proibido etc. **2** Fazer inspeção: *revistar uma tropa*. [▶ **1** revistar] • re.vis.ta.do *a.*

revisto (re.*vis*.to) *a.* Que se reviu ou se revisou: *Dos projetos revistos, só um foi aprovado*; *O texto revisto ainda tem erros*.

revitalizar (re.vi.ta.li.*zar*) *v. td.* Tornar a dar vitalidade, vigor a. [▶ **1** [revitaliz]ar] • re.vi.ta.li.*za*.do *a.*; re.vi.ta.li.za.*ção* sf.

reviver (re.vi.*ver*) *v.* **1** Voltar a viver; RESSUSCITAR. [*int.*] **2** Voltar a sentir, ou a existir. [*td.*: *Camila reviveu o prazer de nadar*. *int.*: "...a possibilidade de que sua paixão pela moça revivesse..." (José de Alencar, *A pata da gazela*).] **3** Recordar, relembrar. [*td.*: *D. Ana reviveu sua infância*.] [Sin. ger.: *revivescer*.] [▶ **2** reviver]

revivescer (re.vi.ves.*cer*) *v.* Ver *reviver*. [▶ **33** revivescer] • re.vi.ves.*cên*.ci:a *sf.*; re.vi.ves.*cen*.te *a2g.*; re.vi.ves.ci.*men*.to *sm.*

revivificar (re.vi.vi.fi.*car*) *v. td.* Dar nova vida ou novo vigor a. [▶ **11** revivific[ar] • re.vi.vi.fi.*ca*.*ção* sf.

revoada (re.vo:a.da) *sf.* Voo conjunto, simultâneo; REVOO: *a revoada das garças*.

revoar (re.vo.*ar*) *v. int.* **1** Manter-se voando acima ou em redor de (um lugar). **2** Levantar voo subitamente, ou passar voando, ger. em bando. [▶ **16** revoar]

revogar (re.vo.*gar*) *v. td.* Tornar sem efeito; ANULAR. [▶ **14** revog[ar] • re.vo.ga.*ção* sf.; re.vo.ga.*tó*.ri:o *a.*

revogatória (re.vo.ga.*tó*.ri:a) *sf. Jur.* Documento que cancela poderes concedidos anteriormente.

revolta (re.*vol*.ta) *sf.* **1** Manifestação coletiva contra algo ou alguém; MOTIM; REBELIÃO: *A revolta popular tomou as ruas*. **2** Forte sentimento de indignação: *Guardou no peito sua revolta*.

revoltado (re.vol.*ta*.do) *a.* **1** Que se revoltou, se rebelou contra algo ou alguém: *Foram punidos os marinheiros revoltados*. **2** Que se indignou: *Ficou revoltado com tamanha injustiça*. **3** Que é amargo e inconformado com tudo. *sm.* **4** Pessoa revoltada.

revoltante (re.vol.*tan*.te) *a2g.* Que causa revolta, repulsa ou indignação (mentira *revoltante*, ato *revoltante*).

revoltar (re.vol.*tar*) *v.* **1** Sublevar(-se), amotinar(-se), insurgir(-se). [*td.*: *revoltar as tropas de um país*. *tdi.* + *contra*: *Revoltou os colegas contra o chefe*. *pr.*: *Os marinheiros revoltaram-se contra o comandante*.] **2** Indignar(-se). [*td.*: *Aquele abuso me revoltou*. *int.*: *A miséria revolta*. *pr.*: *Revoltou-se com a proibição da mãe*.] [▶ **1** revoltar]

revolto (re.*vol*.to) [ô] *a.* **1** Que está agitado, turbulento (diz-se de mar). **2** Que está desgrenhado (cabelos *revoltos*). **3** Que foi revolvido, remexido: *O solo revolto da horta era um vestígio do tatu*.

revoltoso (re.vol.*to*.so) [ô] *a.sm.* Que ou quem participa de revolta (1): *Nenhum dos revoltosos foi preso*. [Fem. e pl.: [ó].]

revolução (re.vo.lu.*ção*) *sf.* **1** Levante armado; REBELIÃO; INSURREIÇÃO: *A revolução derrubou o presidente*. **2** Transformação brusca e radical (*revolução* tecnológica/sexual). **3** *Astron.* Giro completo de um astro em sua órbita. **4** Rotação de um corpo em volta de um eixo real ou imaginário. [Pl.: *-ções*.]

revolucionar (re.vo.lu.ci:o.*nar*) *v. td.* **1** Provocar profundas transformações em; TRANSFORMAR: *A internet revolucionou a comunicação.* **2** Dar início a uma revolução ou revolta em; REVOLTAR: *Os republicanos revolucionaram o país.* [▶ **1** revolucion<u>ar</u>]

revolucionário (re.vo.lu.ci:o.*ná*.ri:o) *a.* **1** Ref. a revolução (1 e 2) (partido <u>revolucionário</u>, teoria <u>revolucionária</u>). *a.sm.* **2** Que ou quem toma parte numa revolução (1); SUBLEVADO; REVOLTOSO: *Os <u>revolucionários</u> tomaram o poder.* **3** Que ou quem provoca mudanças radicais: *Foi uma autora <u>revolucionária</u> da literatura.*

revolutear (re.vo.lu.te.*ar*) *v. int.* **1** Dar voltas ou remexer-se em várias direções; REVOLVER-SE. **2** Bater as asas com energia; ESVOAÇAR. [▶ **13** revolut<u>ear</u>]

revolver (re.vol.*ver*) *v.* **1** Ver *revirar* (2). **2** Cavar para misturar a terra. [*td.*] [▶ **2** revolv<u>er</u>]

revólver (re.*ból*.ver) *sm.* Arma de fogo portátil, com tambor giratório.

revoo (re.*vo*.o) *sm.* Ação ou resultado de revoar; REVOADA.

revulsão (re.vul.*são*) *sf.* Med. Irritação local derivada da ação anti-inflamatória de medicamento us. para curar inflamação em outra parte do corpo. [Pl.: *-sões*.] • **re.vul.si.vo** *a.sm.*

reza (*re*.za) *sf.* **1** Súplica feita à divindade; ORAÇÃO; PRECE. **2** *Pop.* Ação de benzer, dizendo frases que supostamente afastam o mal: *A curandeira fez-lhe uma <u>reza</u> com cidreira.*

rezador (re.za.*dor*) (*ô*) *a.sm. Pop.* Ver *curandeiro*.

rezar (re.*zar*) *v.* **1** *Rel.* Proferir (oração). [*td.*: *rezar ave-maria.* *ti.* + *a*, *para*, *por*: *Ontem <u>rezei</u> por ele.* *int.*: *É preciso ter fé e <u>rezar</u>.*] **2** *Fig.* Mandar que se faça; DETERMINAR. [*td.*: *O contrato <u>reza</u> isto.*] [▶ **1** rez<u>ar</u>]

riacho (ri.*a*.cho) *sm.* Rio pequeno; REGATO; RIBEIRO; RIBEIRA.

riba (*ri*.ba) *sf.* Margem alta do rio; RIBANCEIRA. ▬ **Em ~ de** *Pop.* Na parte superior de: *Escondeu o dinheiro em <u>riba</u> do teto.*

ribalta (ri.*bal*.ta) *sf.* **1** *Teat.* Fileira de luzes na frente do palco. **2** A parte frontal do palco; PROSCÊNIO. **3** *Fig.* A atividade teatral: *A <u>ribalta</u> sempre a encantou.*

ribamar (ri.ba.*mar*) *s2g.* Beira-mar, litoral.

ribanceira (ri.ban.*cei*.ra) *sf.* **1** Margem alta de rio; BARRANQUEIRA. **2** Despenhadeiro, precipício: *A bola rolou <u>ribanceira</u> abaixo.*

ribeira (ri.*bei*.ra) *sf.* **1** Rio estreito e raso; RIACHO. **2** Terreno úmido, junto de rio.

ribeirão (ri.bei.*rão*) *sm.* Curso de água maior que o riacho e menor que o rio. [Pl.: *-rões*.]

ribeirinho (ri.bei.*ri*.nho) *a.sm.* **1** Que ou quem vive às margens de um rio: *Os <u>ribeirinhos</u> vivem de peixe e açaí.* ❏ **ribeirinha** *sf.* **2** Ribeira pequena; RIACHO.

ribeiro (ri.*bei*.ro) *sm.* Ver *riacho*.

ribombar, rimbombar (ri.bom.*bar*, rim.bom.*bar*) *v. int.* Produzir som retumbante (esp. o de trovão): *Trovões <u>ribombaram</u>, anunciando a tempestade.* [▶ **1** ribomb<u>ar</u>, **1** rimbomb<u>ar</u>]

ribombo, rimbombo (ri.*bom*.bo, rim.*bom*.bo) *sm.* Barulho forte, surdo e longo; ESTRONDO: *O <u>ribombo</u> da explosão soou longe.*

ribonucleico (ri.bo.nu.*clei*.co) *a. Bioq. Gen.* Diz-se de ácido encontrado no núcleo e no citoplasma das células (sigla ARN, em inglês RNA), de importante função na transmissão de informações genéticas.

ricaço (ri.*ca*.ço) *a.sm.* Que ou quem é muito rico; MILIONÁRIO.

rícino (*rí*.ci.no) *sm. Bot.* Planta de cujas sementes se extrai óleo laxante; MAMONA.

rico (*ri*.co) *a.* **1** Que possui muito dinheiro, bens etc.; ENDINHEIRADO. **2** Que tem fartura de algo; ABUNDANTE: *uma verdura <u>rica</u> em vitamina C.* **3** Precioso, valioso, luxuoso: *Trouxe <u>ricos</u> vestidos de Paris.* **4** Muito produtivo; FÉRTIL; FECUNDO: *O terreno tem um solo <u>rico</u>.* **5** *Lit.* Diz-se de rima feita com palavras de classes gramaticais diferentes. **6** *Fig.* Muito positivo, valioso: *Educar um filho é uma experiência <u>rica</u>.* [Ant. ger.: *pobre*.] *sm.* Pessoa rica (1).

ricochete (ri.co.*che*.te) [ê] *sm.* Desvio de direção de um projétil ao atingir um obstáculo.

ricochetar (ri.co.che.*tar*) *v. int.* Ver *ricochetear*. [▶ **1** ricochet<u>ar</u>]

ricochetear (ri.co.che.te.*ar*) *v. int.* Ser impulsionado em sentido contrário ao chocar-se com um obstáculo. [▶ **13** ricochet<u>ear</u>]

ricota (ri.*co*.ta) *sf.* Queijo branco feito do soro do leite e us. em pastas, recheios etc.

ricto (*ríc*.to) *sm.* Contração dos músculos da face ou da boca; RÍCTUS: *Tinha o rosto crispado num <u>ricto</u> de choro.*

ríctus (*ríc*.tus) *sm2n.* Ver *ricto*.

ridicularizar (ri.di.cu.la.ri.*zar*) *v. td. pr.* Expor(-se) ao ridículo ou tornar(-se) motivo de zombaria. [▶ **1** ridiculariz<u>ar</u>]

ridículo (ri.*dí*.cu.lo) *a.* **1** Que é digno de riso, zombaria ou desprezo: *Sua maquiagem estava exagerada, <u>ridícula</u>.* **2** De pouco ou nenhum valor: *Ofereceu-lhe um salário <u>ridículo</u>.* *sm.* **3** Conceito ou condição de ridículo (1): *Não tinha noção do <u>ridículo</u> a que se expunha.*

rifa (*ri*.fa) *sf.* Sorteio de objeto a partir da venda de bilhetes numerados: *Participava até de <u>rifa</u> de fogão velho.*

rifar (ri.*far*) *v. td.* **1**. Fazer rifa ou sorteio de. **2**. *Pop.* Pôr ou deixar de lado; ABANDONAR: *<u>Rifou</u> o namorado para começar novo romance.* [▶ **1** rif<u>ar</u>]

rifle (*ri*.fle) *sm.* Espingarda de cano longo; CARABINA; FUZIL.

rígido (*rí*.gi.do) *a.* **1** Que é resistente a pressão, flexão, torção; DURO; RIJO: *A casa tinha <u>rígidos</u> alicerces.* **2** Concebido e/ou feito com exatidão e rigor (1) (controle <u>rígido</u>, horários <u>rígidos</u>); RIGOROSO; PRECISO. **3** Que é muito severo e inflexível em suas opiniões, decisões etc.; INTRANSIGENTE; INTOLERANTE: *Tornou-se <u>rígido</u> como seu pai.* • **ri.gi.*dez*** *sf.*

rigor (ri.*gor*) [ô] *sm.* **1** Exatidão, precisão (rigor científico). **2** Severidade, austeridade, inflexibilidade: *Tratava as filhas com <u>rigor</u> exagerado.* **3** Grau de intensidade de um fenômeno: *o <u>rigor</u> do inverno passado.* • **ri.go.*ris*.mo** *sm.*; **ri.go.*ris*.ta** *a2g.s2g.*

rigoroso (ri.go.*ro*.so) [ô] *a.* **1** Que tem ou manifesta rigor (2), que não admite erro, deslize etc.; AUSTERO; INFLEXÍVEL; SEVERO: "A educação <u>rigorosa</u> que me dera minha mãe..." (José de Alencar, *Cinco minutos*). **2** Que prima pela exatidão; PRECISO; MINUCIOSO: *Exigiu um exame <u>rigoroso</u> do caso.* **3** Diz-se de clima ou temperatura muito intensos: *Não suportou a seca <u>rigorosa</u> do sertão.* [Fem. e pl.: [ó].] • **ri.go.ro.si.da.de** *sf.*

rijo (*ri*.jo) *a.* **1** Que tem ou manifesta rigidez; DURO; RÍGIDO: *árvore de madeira <u>rija</u>.* **2** Cheio de saúde e com boa musculatura; ROBUSTO: *Aos setenta anos, continua forte, <u>rijo</u>.* ▬ **De ~** De modo áspero, duro: *Cortou <u>de rijo</u> minhas esperanças.*

rilhar (ri.*lhar*) *v.* Fazer ruído áspero ao atritar(-se). [*td.*: *rilhar os dentes.* *int.*: *A fechadura <u>rilhou</u>.*] [▶ **1** rilh<u>ar</u>]

rim *sm. Anat.* Cada um dos dois órgãos que secretam urina. [Pl.: *rins*.]

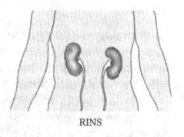

RINS

📖 Os dois rins funcionam como um filtro, retirando do sangue, e eliminando pela urina, substâncias tóxicas prejudiciais. No homem, os rins situam-se um de cada lado da coluna vertebral, na região das costas, um pouco acima da cintura. Têm a forma de um grão de feijão, medindo, cada um, no homem adulto c. 10x6,5cm. O sangue é levado a cada rim pela artéria renal, onde é filtrado de suas substâncias tóxicas e onde deixa o excesso de massa líquida. O sangue purificado e equilibrado em sua massa volta à circulação pela veia renal. O líquido acumulado, com as substâncias tóxicas, é levado dos rins à bexiga pelos ureteres, e da bexiga eliminado para o exterior pela uretra. A função dos rins é vital, e, em caso de insuficiência renal, a filtragem do sangue deve ser feita artificialmente, num processo chamado hemodiálise: o sangue é retirado de uma artéria, purificado num aparelho através de membranas especiais, e devolvido a uma veia do corpo.

rima (*ri*.ma) *sf. Liter.* **1** Identidade de sons nas sílabas finais de duas ou mais palavras. **2** *Poét.* Repetição de sons ao fim de versos. **3** Palavra que apresenta rima (1) com outra(s): '*Amor*' é *rima* de '*dor*'.

rimar (ri.*mar*) *v.* Fazer ou formar rima. [*int. Os versos dele rimaram.* *td.: A poetisa rimou os três últimos versos.*] [▶ 1 rim**ar**] ● **ri.***ma*.**do** *a.*

rímel (*ri*.mel) *sm.* Cosmético que dá cor (ger.) e volume aos cílios. [Pl.: *-meis.*]

rinçagem (rin.*ça*.gem) *sf.* Tratamento de cabelos com produto que lhes dá ou altera brilho e/ou cor. [Pl.: *-gens.*] ● **rin.***çar* v.

rincão (rin.*cão*) *sm.* Lugar longínquo, afastado; REFÚGIO; RECANTO. [Pl.: *-cões.*]

rinchar (rin.*char*) *v. int.* **1.** Soltar relincho (diz-se do cavalo); RELINCHAR. **2.** Ranger. [▶ 1 rinch**ar**] ● **rin.***chan*.**te** *a2g.*

rincho (*rin*.cho) *sm.* Ação ou resultado de rinchar ou relinchar.

ringue (*rin*.gue) *sm.* Espaço quadrado, cercado por cordas, próprio para luta de boxe, luta livre etc.

rinha (*ri*.nha) *sf.* **1** Briga de galos. **2** Local onde os galos são postos para brigar.

rinhar (ri.*nhar*) *v. int.* Brigar (esp. galos). [▶ 1 rinh**ar**]

rinite (ri.*ni*.te) *sf. Med.* Inflamação da mucosa nasal.

rinoceronte (ri.no.ce.*ron*.te) *sm. Zool.* Mamífero de grande porte e pele grossa, com um chifre ou dois chifres enfileirados na testa, encontrado na Ásia e África.

rinologia (ri.no.lo.*gi*.a) *sf. Med.* Ramo da medicina que estuda o nariz e suas doenças. ● **ri.no.***ló*.**gi.co** *a.*; **ri.no.lo.***gis*.**ta** *a2g.s2g.*

rinoplastia (ri.no.plas.*ti*.a) *sf. Med.* Cirurgia plástica ou restauradora do nariz.

rinorragia (ri.nor.ra.*gi*.a) *sf. Med.* Hemorragia nasal.

rinque (*rin*.que) *sm.* Pista para patinação.

rins *smpl. Pop.* Região lombar inferior. [Cf.: *rim.*]

rio (*ri*:o) *sm.* **1** Curso natural de água doce: *Acampamos na beira de um rio.* ❏ **rios** *smpl.* **2** *Fig.* Grande quantidade: *Ganhou rios de dinheiro com sua invenção.*

📖 O maior rio do mundo tanto em comprimento como em volume é o Amazonas, na América do Sul (6.992km), o segundo maior em comprimento é o Nilo, na África (6.852km) e o segundo em volume de água, o Iangtsé (Yangzi), na Ásia (6.300km). Além do Amazonas, outros quatro rios brasileiros estão entre os 20 maiores do mundo em comprimento: o Paraná (4.880km), o Madeira (3.370km), o Juruá (3.283km) e o Purus (3.210km). Os três últimos ficam na bacia amazônica.

rio-branquense (ri:o-bran.*quen*.se) *a2g.* **1** De Rio Branco, capital do Estado do Acre; típico dessa cidade ou de seu povo. *s2g.* **2** Pessoa nascida em Rio Branco. [Pl.: *rio-branquenses.*]

rio-grandense-do-norte (ri:o-gran.den.se-do-*nor*.te) *a2g.* **1** Do Rio Grande do Norte; típico desse estado ou de seu povo. *s2g.* **2** Pessoa nascida no Rio Grande do Norte. [Sin. ger.: *norte-rio-grandense, potiguar.*] [Pl.: *rio-grandenses-do-norte.*]

rio-grandense-do-sul (ri:o-gran.den.se-do-*sul*) *a2g.* **1** Do Rio Grande do Sul; típico desse estado ou de seu povo. *s2g.* **2** Pessoa nascida no Rio Grande do Sul. [Sin. ger.: *sul-rio-grandense, gaúcho.*] [Pl.: *rio-grandenses-do-sul.*]

rio-platense (ri:o-pla.*ten*.se) *a2g.* Da região do Rio da Prata (América do Sul); típico dessa região ou de seu povo. *s2g.* Pessoa nascida nessa região. [Sin. ger.: *platino.*] [Pl.: *rio-platenses.*]

ripa (*ri*.pa) *sf.* Pedaço de madeira comprido e estreito.

ripada (ri.*pa*.da) *sf.* **1** Golpe dado com ripa, cacete etc.; BORDOADA. **2** *Fig.* Crítica agressiva.

ripar (ri.*par*) *v. td.* **1** Colocar ripas em ou fazer grade com ripas em: *Ripou a janela da cozinha.* **2** Serrar formando ripas: *Ripou o tronco da árvore.* **3** *Bras.* Bater, espancar com ripa: *Ripou o invasor até afugentá-lo.* **4** *Bras. Fig.* Falar mal de (alguém ou algo): *O crítico ripou o livro sem contemplação.* [▶ 1 rip**ar**]

ripostar (ri.pos.*tar*) *v.* **1** *Esp.* Rebater a estocada (na esgrima). [*int.*] **2** Dar como resposta. [*td.: O namorado ripostou que não iria à festa.*] [▶ 1 rispost**ar**]

riqueza (ri.*que*.za) [ê] *sf.* **1** Qualidade ou condição de quem é rico: *Gastava muito, ostentando sua riqueza.* **2** Conjunto de bens, posses etc.; FORTUNA; PATRIMÔNIO: "...perdeu suas fazendas e *riquezas...*" (Guimarães Rosa, *Sagarana*). **3** Conjunto de produtos ou coisas valiosas (*riquezas* minerais). **4** Qualidade do que é abundante, variado etc.: *Seus textos refletiam a riqueza de sua cultura.* **5** Qualidade do que tem luxo, imponência; SUNTUOSIDADE: *A riqueza do desfile impressiona.*

rir *v.* **1.** Sorrir com um bem ruído, por alegria, satisfação ou achando graça de algo. [*int./pr.* (seguido ou não de indicação de causa): *Riu(-se) muito (com as gracinhas do filho).*] **2** Zombar, caçoar de. [*ti.*+ de/*pr.*: *Riu(-se) da pretensão do rapaz.*] [▶ 41 r**ir**]

risada (ri.*sa*.da) *sf.* **1** Riso aberto e ruidoso; GARGALHADA. **2** Riso de muita gente ao mesmo tempo: *O desfecho da peça provocou uma grande risada da plateia.*

risca (*ris*.ca) *sf.* **1** Linha, listra: *saia de riscas pretas.* **2** Linha que demarca, separa, divide: *Pintou riscas no chão da garagem; A risca dos cabelos está torta.* ❏ **À ~** De maneira exata e total, ao pé da letra: *Seguiu à risca as instruções de ensaio.*

riscado (ris.*ca*.do) *a.* **1** Com riscos (1); ARRANHADO; RABISCADO: *O carro ficou todo riscado.* **2** Com riscos; LISTRADO: *Vestiu o terno riscado.* *sm.* **3** Tecido de algodão com listras coloridas. ❏ **Entender do ~** *Pop.* Conhecer bem determinado assunto, técnica etc.

riscar (ris.*car*) *v.* **1** Fazer marcas, traços ou riscas em. [*td.: O prego na sola riscou o assoalho.*] **2** Aplicar riscos sobre texto, desenho etc., para excluí-los. [*td.: Riscou parágrafos inteiros do artigo.*] **3.** Fazer riscos como esboço de (desenho, texto etc.); ESBOÇAR. [*td.: Riscou rapidamente a planta do apartamento.*] **4** Acender (fósforo). [*td.*] **5** Banir, excluir. [*tdi.* + *de*: "...esse tempo de loucura que eu desejava *riscar* da minha vida." (José de Alencar, *A viuvinha*).] [▶ 11 ris**car**]

risco¹ (ris.co) *sm.* **1** Traço ou sulco feito numa superfície: *A mesa está cheia de riscos.* **2** Esboço de desenho, quadro, bordado etc.

risco² (ris.co) *sm.* Possibilidade de passar por perigo ou contratempo: *Sair à noite é sempre um risco; Corro o risco de perder o voo.*

risível (ri.sí.vel) *a2g.* Que é digno de riso ou zombaria; RIDÍCULO: *Saiu-se com risíveis desculpas.* [Pl.: -*veis*.]

riso (ri.so) *sm.* **1** Ação, resultado ou modo de rir: *Risos de alegria saudaram a boa notícia.* **2** Zombaria: *Desafiava a mãe com um ar de riso.*

risonho (ri.so.nho) *a.* **1** Que riu ou sorri; SORRIDENTE: *Era uma mulher sempre risonha e afável.* **2** Que demonstra contentamento: *Tinha um ar risonho.* **3** Que traz satisfação, esperança; PROMISSOR: *Desejou-lhe um futuro risonho.*

risota (ri.so.ta) [ó] *sf. Pop.* Riso zombeteiro; GALHOFA.

risoto (ri.so.to) [ó] *sm. Cul.* Prato de arroz acrescido de ingredientes como ervilhas, legumes, camarão, frango desfiado, queijo ralado etc.

ríspido (rís.pi.do) *a.* **1** Áspero na maneira de tratar; grosseiro. **2** Próprio de quem é assim; RUDE; INTRATÁVEL. [Ant.: *cortês*.] ● **ris.pi.dez** *sf.*

rissole (ris.so.le) *sm. Cul.* Espécie de pastel à milanesa, recheado de frango, camarão etc.

riste (ris.te) *sm.* Peça de metal onde os cavaleiros medievais apoiavam a lança ao atacar. ▪▪ **Em** = Erguido, levantado: *Irado, dedo em riste, protestou com veemência.*

ritmar (rit.*mar*) *v. td.* **1** Dar ritmo ou cadência a: *Ritmou os passos, acompanhando a marchinha.* **2** Marcar ritmo, acompanhar ritmo de: *As palmas do público ritmavam a dança.* [▶ **1** ritm*ar*] ● **rit.ma.do** *a.*

rítmico (rít.mi.co) *a.* **1** Ref. a ritmo. **2** Que há ritmo (ginástica *rítmica*, movimentos *rítmicos*); CADENCIADO.

ritmista (rit.*mis*.ta) *s2g. Bras.* **1** Pessoa que toca instrumento(s) de percussão. **2** Pessoa que marca o ritmo da batucada nas escolas de samba.

ritmo (*rit*.mo) *sm.* **1** Sons ou movimentos que se repetem regularmente, com acentos fortes e fracos: *o ritmo do coração.* **2** Variação periódica e regular na sucessão de ações ou de fatos: *o ritmo das estações do ano.* **3** Velocidade em que sucede alguma coisa: *É preciso aumentar o ritmo do trabalho.* **4** *Mús.* Maneira harmoniosa de combinar os tempos entre um movimento e outro.

rito (*ri*.to) *sm.* **1** Conjunto de regras e cerimônias que devem ser cumpridas em uma religião. **2** Religião, seita.

ritual (ri.tu.*al*) *a2g.* **1** Ref. a rito. *sm.* **2** *Rel.* Culto religioso; LITURGIA. **3** *Rel.* Conjunto de ritos de uma religião ou de uma igreja. **4** Etiqueta, cerimonial. [Pl.: -*ais*.] ● **ri.tu.a.lis.mo** *sm.*; **ri.tu.a.lis.ta** *a2g. s2g.*; **ri.tu.a.lís.ti.co** *a.*

rival (ri.*val*) *a2g.s2g.* Que ou quem compete com outra pessoa pela mesma coisa. [Pl.: -*vais*.]

rivalidade (ri.va.li.*da*.de) *sf.* **1** Relação entre os que competem pela mesma coisa; COMPETIÇÃO. **2** Hostilidade entre duas ou mais pessoas.

rivalizar (ri.va.li.*zar*) *v.* **1** Estar em rivalidade, competição ou disputa com (alguém). [*ti.* + *com*, *entre*: *Rivalizava com o irmão nas atenções da garota;* "As gangues (...) *rivalizam entre si*..." (FolhaSP, 12.05.99). *pr.*: *Rivalizam-se em tudo, mas nunca brigam.*] **2** Ter semelhança de (características, qualidades) em relação a (competidor). [*ti.* + *com*, *em*, *entre*: *Este produto rivaliza com aquele; O batom rivaliza com o outro em qualidade; As duas rivalizam entre si.*] [▶ **1** rivaliz*ar*]

rixa (*ri*.xa) *sf.* Desavença ou disputa entre duas pessoas ou grupos. ● **ri.***xar** *v.*; **ri.***xen*.to *a.*

rizicultura (ri.zi.cul.*tu*.ra) *sf.* Cultura de arroz. ● **ri.zi.cul.***tor** *sm.*

rizófago (ri.*zó*.fa.go) *a.* Que come raízes.

rizoma (ri.*zo*.ma) *sm. Bot.* Caule em formato de raiz.

rizotônico (ri.zo.*tô*.ni.co) *a. Gram.* Diz-se da palavra cujo acento tônico fica na raiz (p.ex.: *cantem*; *mereço*).

⌧ **RNA** *Gen.* Sigla, em inglês, de *ribonucleic acid*. [Ver *ARN*.]

rô *sm.* A 17ª letra do alfabeto grego. Corresponde ao *r* latino (Ρ, ρ).

roaz (ro:*az*) *a2g.* **1** Que rói; ROEDOR. **2** *Fig.* Que destrói, que consome; DESTRUIDOR; DEVASTADOR.

robalo (ro.*ba*.lo) *sm. Zool.* Peixe da cor do chumbo, com peso até 15kg e carne de ótima qualidade.

robe (ro.be) [ó] *sm.* Roupão.

roble (ro.ble) *sm. Bot.* Carvalho.

robledo (ro.*ble*.do) [ê] *sm.* Floresta de robles.

robô (ro.*bô*) *sm.* **1** Máquina que, mediante instruções nela introduzidas, é capaz de executar ações e movimentos semelhantes aos humanos e, em certos casos, de identificar estímulos e reagir a eles. **2** *Fig.* Pessoa que cumpre ordens sem pensar, como se fosse um robô. ● **ro.***bó*.ti.co *a.*; **ro.bo.ti.***zar** *v.*

robótica (ro.*bó*.ti.ca) *sf.* Ciência que estuda a construção e o emprego de robôs (na indústria, na medicina etc.).

robustecer (ro.bus.te.*cer*) *v.* **1** Tornar ou ficar robusto. [*td.*: *O aleitamento materno robustece o bebê. int./pr.*: *Só (se) robusteceu quando foi ao médico.*] **2** Fortalecer(-se), engrandecer(-se). [*td.*: *Procurava robustecer seus ideais. pr.*: *A inteligência se robustece com a leitura.*] **3** Confirmar. [*td.*: *Aquele ato robusteceu sua reputação.*] [▶ **33** robustec*er*] ● **ro.bus.te.ci.men.to** *sm.*

robusto (ro.*bus*.to) *a.* **1** Que é forte, vigoroso (homem *robusto*). [Ant.: *débil*.] **2** Que apresenta bom aspecto saudável; SADIO. [Ant.: *doentio*.] **3** Rijo, duro, sólido, potente (estrutura *robusta*, muro *robusto*). [Ant.: *frágil*.] **4** *Fig.* Enérgico, inabalável, inquebrantável (coragem *robusta*). ● **ro.***bus.tez** *sf.*

roca¹ (*ro*.ca) *sf.* Vara de madeira com uma peça na ponta, na qual se coloca o algodão, o linho etc. para ser fiado.

roca² (*ro*.ca) *sf.* Ver *rocha* (1).

roça (*ro*.ça) *sf.* **1** Ação ou resultado de roçar. **2** Terreno cujo mato foi cortado e/ou queimado, pronto para ser cultivado; ROÇADO. **3** *Bras.* Pequena lavoura de mandioca, feijão, milho etc. **4** *Bras.* O campo, a zona rural: *Ela mora na roça.*

roçado (ro.*ça*.do) *sm.* **1** Ver *roça* (2). **2** Clareira em bosque ou mata. **3** Pequena lavoura.

rocambole (ro.cam.*bo*.le) [ó] *sm. Bras. Cul.* Bolo fino, salgado ou doce, enrolado com recheio.

rocambolesco (ro.cam.bo.*les*.co) [ê] *a.* Cheio de aventuras, peripécias e imprevistos (como as histórias de Rocambole, personagem francês de livros de aventuras).

rocar (ro.*car*) *v. int.* No jogo de xadrez, fazer roque¹ (2). [▶ **11** roc*ar*]

roçar (ro.*çar*) *v.* **1** Tocar de raspão, de leve. [*td.*: *Quando ele estacionou, o pneu roçou o meio-fio;* (seguido de indicação de meio ou instrumento) *Roçou sua face com a ponta dos dedos.* *tdi.* + *em*, *por*: "...o seu vestido roçara por mim..." (José de Alencar, Luciola).] **2** Passar muito rente de, ou arrastando-se sobre. [*td.*: *Em seu voo, os passarinhos roçavam as águas do lago.*] **3** Atritar(-se), esfregar(-se). [*tdi.* + *com*, *em*: *Sempre roçava o chão com palha de aço. pr.*: *Ali espremidos, roçavam-se uns nos outros.*] **4** Cortar, derrubar (com foice ou outro instrumento). [*td.*: *Roçou todo o capim do quintal.*] [▶ **12** roç*ar*] ● **ro.ça.***dor** *a.sm.*; **ro.ça.***du.ra* *sf.*

roceiro (ro.*cei*.ro) *a.* **1** Ref. a roça. **2** Que mora na roça (4). *sm.* **3** Homem que roça ou planta roçados. **4** *Bras.* Caipira, matuto. [At! O termo pode expressar depreciação ou preconceito.]

rocha (ro.cha) *sf.* **1** Massa grande e compacta de pedra; ROCA: *Uma grande rocha despencou e bloqueou a estrada.* **2** *Geol.* Aglomerado de matérias minerais e orgânicas que se formou ao longo das eras e que constitui boa parte da crosta terrestre. **3** Rochedo, penhasco.

rochedo (ro.*che*.do) [ê] *sm.* Rocha grande e elevada; PENHASCO.

rochoso (ro.*cho*.so) [ô] *a.* **1** Coberto ou formado de rochas (terreno rochoso). **2** Ref. a rocha ou que tem a natureza da rocha: *Escalou uma vertente de consistência rochosa.* [Fem. e pl.: [ô].]

rocim (ro.*cim*) *sm.* Cavalo fraco e de má aparência. [Pl.: -cins.]

rocio (ro.*ci*:o) *sm.* Orvalho.

⊕ **rock** (Ing. /*rók*/) *sm. Mús.* Música popular surgida nos anos de 1950, de ritmo marcado, e tocada com instrumentos eletrônicos; ROQUE².

rococó (ro.co.*có*) *a2g.* **1** Diz-se do estilo artístico de origem francesa caracterizado pelo excesso de elementos decorativos. **2** *Pej.* Demasiadamente enfeitado. *sm.* **3** O estilo rococó.

roda (ro.da) *sf.* **1** Peça circular que gira ao redor de um eixo (roda gigante). **2** Objeto circular; CIRCULO; RODELA: *Recortou uma roda de papelão.* **3** *Aut.* A roda (1) de um veículo. **4** Círculo formado por pessoas ou coisas: "...o pião entrou na roda, o pião..." (Cantiga infantil). **5** Agrupamento de pessoas; GRUPO: *roda de samba*. **6** Círculo de amizades: *A roda de amigos encontrava-se toda sexta-feira.* **7** Toda a volta da barra de vestido ou saia: "A roda da saia, a mulata, não quer mais rodar..." (Chico Buarque, *Roda viva*). **8** Brincadeira em que as crianças dançam e se movimentam, de mãos dadas, formando um círculo: "...entre dentro desta roda, diga um verso bem bonito..." (Cantiga infantil).

rodada (ro.*da*.da) *sf.* **1** O giro completo de uma roda. **2** *Bras. Esp.* Cada etapa de jogos de um campeonato esportivo. **3** *Bras.* Cada uma das vezes em que é servida bebida às pessoas que bebem juntas em uma roda.

rodado (ro.*da*.do) *a.* **1** Que possui roda(s). **2** *Bras.* Diz-se da distância já percorrida por um veículo automóvel: *carro novo, com 2.000km rodados.* **3** *S.E. Fig. Pop.* Muito usado; gasto. **4** *Fig.* Que transcorreu; DECORRIDO; PASSADO. *a.sm.* **5** Diz-se do ou saia ou vestido com muita roda; ou seja, rodado.

rodagem (ro.*da*.gem) *sf.* **1** Ação ou resultado de rodar. **2** As rodas de uma máquina. [Pl.: -*gens*.]

roda-gigante (ro.da-gi.*gan*.te) *sf. Bras.* Brinquedo de parque de diversões composto de duas rodas grandes, verticais e paralelas, que giram em torno de um eixo e sustentam, entre seus perímetros, bancos articulados. [Pl.: *rodas-gigantes.*]

rodamoinho (ro.da.mo.*i*.nho) *sm. Bras.* Ver redemoinho.

rodapé (ro.da.*pé*) *sm.* **1** *Cons.* Barra de madeira ou outro material que se coloca na parte inferior das paredes. **2** *Edit.* A parte inferior da página de um livro, jornal ou revista.

rodar (ro.*dar*) *v.* **1** Girar ou fazer girar. [*int.*: *A hélice rodava lentamente. td.*: *O vento rodava o cata-vento.*] **2** Andar em roda, em torno de; RODEAR. [*td.*: *As bicicletas rodavam a lagoa.*] **3** Viajar por. [*td.*: *Os turistas rodaram o Brasil de ponta a ponta.*] **4** Percorrer certa distância (diz-se de veículo). [*td.*: *O carro já rodara 30 mil quilômetros.*] **5** Imprimir, ou ser impresso. [*td.*: *A gráfica rodou a revista de madrugada. int.*: *A revista rodou de madrugada.*] **6** Filmar. [*td.*: *Rodaram o filme em 30 dias.*] **7** *Bras. Pop.* Ser demitido, reprovado ou excluído. [*int.*: *Chegou tarde à entrevista, e rodou.*] **8** *Pop.* Andar, passear. [*int.*: *Saíram à noite para rodar um pouco.*] [▶ 1 rodar] • **ro.dan.te** *a2g.*

roda-viva (ro.da-*vi*.va) *sf.* **1** Movimento que não para. **2** Confusão, desordem. [Pl.: *rodas-vivas.*]

rodear (ro.de.*ar*) *v.* **1** Andar em volta de, ou, desviar-se de (algo) dando volta. [*td.*: *Rodeou a casa antes de entrar*; *Rodearam a questão, para evitar briga.*] **2** Cercar. [*td.*: "...sempre estava fechada essa casa, o que a rodeava de certo mistério." (Joaquim Manuel de Macedo, *Memórias de um sargento de milícias*).] **3** Formar roda em torno de (alguém, algo). [*td.*: *No fim da aula, rodearam as garotas.*] **4** Acompanhar(-se), ser companhia de ou cercar-se de companhia. [*td.*: *Os fãs rodearam o cantor. pr.*: *Rodeou-se de grandes amigos.*] [▶ 13 rodear]

rodeio (ro.*dei*.o) *sm.* **1** Ação ou resultado de rodear(-se). **2** Caminho mais longo ou desvio do caminho direto. **3** Uso exagerado de palavras para introduzir um assunto que não chega a se manifestar claramente; CIRCUNLÓQUIO. **4** Argumento us. para desviar da questão principal; DESCULPA; EVASIVA. [Nesta acp., mais us. no pl.] **5** *Bras.* Reunião do gado para contá-lo, marcá-lo etc. **6** *Bras.* Competição que consiste em montar cavalo ou boi selvagens e ficar em cima deles o maior tempo possível.

rodela (ro.*de*.la) *sf.* **1** Pedaço circular de um alimento: *rodelas de banana*. **2** *Pop. Anat.* Patela. **3** Roda pequena.

rodilha (ro.*di*.lha) *sf.* **1** Pedaço de pano velho us. para limpeza; ESFREGÃO. **2** Pano enrolado sobre a cabeça, em cima do qual se coloca o que se quer transportar.

rodízio (ro.*di*.zi:o) *sm.* **1** Rodinha colocada nos pés de alguns móveis para movimentá-los com facilidade. **2** Revezamento de pessoas em trabalhos ou atividades; ROTATIVIDADE. **3** *Bras.* Sistema de serviço us. em restaurantes no qual são oferecidos diversos pratos que podem ser consumidos à vontade.

rodo (ro.do) [ô] *sm.* **1** Utensílio composto de um cabo longo com borracha na base, us. para puxar água de lugares molhados. **2** Tipo de enxada de madeira us. para juntar os cereais nas eiras e o sal nas marinhas. ❑ **A ~** Em grande quantidade (diz-se ger. de dinheiro).

rododendro (ro.do.*den*.dro) *sm. Bot.* Arbusto ornamental, de folhas resistentes e flores brancas ou vermelhas.

rodologia (ro.do.lo.*gi*.a) *sf. Bot.* Parte da botânica que estuda as rosas. • **ro.do.ló.gi.co** *a.*

rodomoça (ro.do.*mo*.ça) [ô] *sf. Bras.* Funcionária que atende os passageiros de ônibus.

rodopiar (ro.do.pi.*ar*) *v. int.* **1** Dar muitos giros: *A moça rodopiava ao som da música.* **2** Movimentar-se em círculos: *O vento rodopiava com grande força.* [▶ 1 rodopiar] • **ro.do.*pi*:o** *sm.*

rodovia (ro.do.*vi*.a) *sf. Bras.* Via ou estrada para tráfego de automóveis.

rodoviário (ro.do.vi.*á*.ri:o) *a.* **1** Ref. a rodovia. *sm.* **2** Empregado de empresa rodoviária. ❑ **rodoviária** *sf.* **3** *Bras.* Terminal de ônibus interurbanos, interestaduais e internacionais.

roer (ro.*er*) *v.* **1** Cortar, triturar com os dentes. [*td.*: *Não parava de roer as unhas.*] **2** Devorar ou desbastar aos poucos. [*td.*: *Roía um pedaço de pão enquanto lia.*] **3** *Fig.* Atormentar(-se), consumir(-se). [*td.*: "Um desânimo (...) começou a roer-lhe a alma..." (Miguel Torga, *Senhor Ventura*). *pr.*: *Roía-se de raiva.*] [▶ 36 roer] ❑ **Duro de ~** *Pop.* Difícil de fazer (tarefa etc.) ou de suportar (algo ou alguém): *Que exame duro de roer!*; *Esse meu time é duro de roer, cada jogo é um sofrimento.* • **ro:e.dor** *a.sm.*; **ro:e.du.ra** *sf.*; **ro.í.do** *a.*

rogar (ro.*gar*) *v.* **1** Pedir com insistência e humildade; fazer súplica(s); SUPLICAR. [*td.*: *Rogou que lhe dessem a liberdade*. *tdi.* + *a*: *Rogou a Deus que o curasse*. *int.*: *Os fiéis rogavam em silêncio*. *ti.* + *por*: *Rogai por nós*.] **2** Exortar, clamar. [*ti.* + *por*: *A assembleia rogou por paz e concórdia*. *tdi.* + *a*: *Roguemos aos governos que cuidem do nosso povo*.] [▶ 14 ro*gar*]

rogativo (ro.ga.*ti*.vo) *a.* **1** Que roga; SUPLICANTE. ◪ **rogativa** *sf.* **2** Rogo, súplica; ROGATÓRIA.

rogatória (ro.ga.*tó*.ri:a) *sf.* Ver *rogativa*.

rogo (*ro*.go) [ó] *sm.* **1** Ação ou resultado de rogar; SÚPLICA; ROGATIVA. **2** Prece, oração, reza. [Pl.: [ó].]

rojão (ro.*jão*) *sm.* **1** Fogo de artifício formado por tubo de papelão com pólvora, pavio e punho. **2** *Fig.* Ritmo de vida intenso e agitado. **3** *N.E.* Tipo de baião. [Pl.: -*jões*.]

rojar (ro.*jar*) *v.* **1.** Movimentar (algo) arrastando. [*td.*: *Os presos rojavam as correntes, exaustos*.] **2** Lançar, arremessar. [*td.*: *Os garotos rojavam pedras*.] **3** Deslizar rastejando; RASTEJAR. [*int./pr.*: *Cobras rojavam(-se) entre os arbustos*.] [▶ 1 ro*jar*]

rol (*ro*l) *sm.* Lista, relação, listagem: *rol dos aprovados*. [Pl.: *róis*.]

rola (*ro*.la) [ó] *sf. Zool.* Ave semelhante a uma pomba pequena.

rolagem (ro.*la*.gem) *sf.* **1** Ação ou resultado de rolar. **2** *Bras. Fig.* Negociação para adiar um pagamento atrasado: *rolagem de uma dívida*. [Pl.: *-gens*.]

rolamento (ro.la.*men*.to) *sm.* **1** Ação ou resultado de rolar. **2** *Mec.* Mecanismo para facilitar a rotação de uma peça e reduzir o atrito; ROLIMÃ.

rolar (ro.*lar*) *v.* **1** Fazer girar. [*td.*: *Rolava a bola sobre a grama*.] **2** Movimentar-se ou cair, dando giros sobre si mesmo. [*int.* (seguido de indicação de lugar): *As pedras rolavam morro abaixo*; *O cão rolava na grama, satisfeito*. **3** *Bras. Fig.* Adiar pagamento prometido ou comprometido. [*td.*: *Rolou sua dívida com o banco*.] **4** *Bras. Gír.* Acontecer, realizar-se. [*int. Está rolando uma festa no clube hoje.*] [▶ 1 ro*lar* • **ro.***lan*.te *a2g.*]

roldana (rol.*da*.na) *sf.* Maquinismo us. para erguer pesos, formado por um anel, que gira em torno de um eixo central, e por cuja circunferência canelada passa uma corda, uma correia etc.

roldão (rol.*dão*) *sm.* **1** Bagunça, confusão. **2** Atiramento, precipitação. [Pl.: -*dões*.] ◪ **De ~** Inesperadamente, atropeladamente.

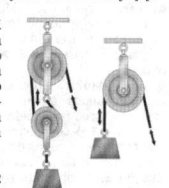

COMPOSTA (FORÇA = 1/2 DO PESO) SIMPLES
ROLDANA

roleta (ro.*le*.ta) [ê] *sf.* **1** Jogo no qual o número sorteado é mostrado por uma bolinha que para em uma das casas numeradas de uma roda que gira. **2** Essa roda. **3** Mecanismo us. em ônibus, estádios etc., para contagem do número de pessoas que entram; CATRACA, BORBOLETA.

rolete (ro.*le*.te) [ê] *sm.* **1** Rolo pequeno. **2** *Bras.* Rodela descascada de cana-de-açúcar.

rolha (*ro*.lha) [ô] *sf.* **1** Peça cilíndrica ger. de cortiça us. para tapar o gargalo de garrafas. **2** *Fig.* Imposição de silêncio, censura.

roliço (ro.*li*.ço) *a.* **1** Que tem forma de rolo; REDONDO; CILÍNDRICO. **2** De formas arredondadas; GORDO.

rolimã (ro.li.*mã*) *sm. Bras.* **1** Ver *rolamento* (2). **2** Carrinho de madeira, formado por uma tábua sobre rodinhas com bilhas.

rolinha (ro.*li*.nha) *sf. Bras. Zool.* Ave semelhante a uma pomba pequena; ROLA.

rolo (*ro*.lo) [ô] *sm.* **1** Qualquer objeto cilíndrico e alongado. **2** Ver *rolo compressor*. **3** Cilindro pequeno com cabo, revestido de lã, próprio para pintar superfícies planas. **4** Almofada de forma cilíndrica. **5** Papel, pergaminho, volume etc., em forma de rolo (1). **6** Grande onda; VAGALHÃO. **7** Massa de fumaça ou pó semelhante a um cilindro. **8** *Bras. Pop.* Confusão, tumulto, bagunça. **9** *Gír.* Namoro sem compromisso. ◪ **~ compressor** Máquina dotada de um ou mais grandes cilindros, us. para nivelar o solo, comprimir o asfalto etc.

⊠ **ROM** *Inf.* Sigla do ingl. *Read-Only Memory*, memória só para leitura, que não pode ser modificada pelo usuário.

romã (ro.*mã*) *sf.* Fruto cujo interior é dividido em muitas cavidades contendo sementes, cada uma envolta em polpa acridoce comestível.

romance (ro.*man*.ce) *sm.* **1** *Bras.* Caso de amor: *Iniciaram um romance assim que se conheceram.* **2** Descrição fantasiosa ou exagerada de um acontecimento: *Conte-me o que houve, mas sem fazer romance.* **3** *Liter.* Obra literária na qual se contam histórias fictícias ou inspiradas na vida real: "...*passava os seus dias lendo romances*..." (Eça de Queirós, *O crime do padre Amaro*).

romancear (ro.man.ce.*ar*) *v.* **1** Narrar em forma de romance (3). [*td.*: "...*vasculhou e romanceou* o passado de Lilly Wust..." (FolhaSP, 01.11.99).] **2** Escrever romance. [*int.*: *Era um mestre em romancear.*] **3** Fantasiar ao contar fatos, circunstâncias de. [*td.*: *Romanceou tanto sua viagem que ninguém acreditou.*] [▶ 13 roman*cear* • **ro.man.ce.a**.do *a.*]

romanceiro (ro.man.*cei*.ro) *sm.* Conjunto de poesias e músicas que representam a literatura poética de um povo; CANCIONEIRO.

romanche (ro.*man*.che) *Gloss. a.* **1** Do ou ref. ao dialeto falado no cantão dos Grisões e que se tornou a quarta língua oficial da Suíça a partir de 1938. *sm.* **2** Esse dialeto.

romancista (ro.man.*cis*.ta) *s2g.* Pessoa que escreve romances.

romanesco (ro.ma.*nes*.co) [ê] *a.* **1** Que tem o caráter de romance ou que contém romance (literatura *romanesca*); ROMÂNTICO. **2** Sonhador, romântico, fantasioso. **3** Fabuloso, fictício, irreal.

românico (ro.*mâ*.ni.co) *a.* **1** *Gloss.* Diz-se das línguas provenientes do latim vulgar; neolatino. **2** Ref. a essas línguas. **3** Diz-se da arte desenvolvida na Europa Ocidental nos sécs. XI e XII. *sm.* **4** Essas línguas.

romano (ro.*ma*.no) *a.* **1** De Roma (capital da Itália) ou de país e império da Antiguidade; típico dessa cidade, ou desse país, ou de seu povo. **2** Ref. à Igreja Católica apostólica. *sm.* **3** Pessoa nascida em Roma.

romântico (ro.*mân*.ti.co) *a.* **1** Ref. a ou que contém romance. **2** Sonhador, romanesco, fantasioso. **3** Diz-se de escritor e obra literária ligados ao romantismo. *sm.* **4** Escritor romântico. **5** Indivíduo romântico.

romantismo (ro.man.*tis*.mo) *sm.* **1** *Liter.* Movimento de escritores no princípio do séc. XIX, no qual o individualismo e os sentimentos passaram a ser mais importantes que a razão. **2** Qualidade e caráter do que é romântico.

romantizar (ro.man.ti.*zar*) *v.* **1** Dar aspecto romântico ou fantasioso a. [*td.*: *Romantizava suas narrativas.*] **2** Criar narrativa romântica ou fantasiosa. [*int.*: *Desprezava os fatos, preferia romantizar.*] [▶ 1 romanti*zar* • **ro.man.ti.za.***ção sf.*]

romaria (ro.ma.*ri*.a) *sf.* **1** *Rel.* Peregrinação a lugar santo. **2** *Rel.* Reunião de devotos em festa religiosa. **3** *Fig.* Ajuntamento de pessoas em jornada.

romãzeira (ro.mã.*zei*.ra) *sf. Bot.* Árvore que dá a romã.

rombiforme (rom.bi.*for*.me) *a2g*. Que tem forma de rombo² (1).

rombo¹ (*rom*.bo) *sm*. **1** Furo ou buraco de grandes proporções: *A água jorrava por um rombo no cano*. **2** Abertura forçada; ARROMBAMENTO: *Os assaltantes fizeram um rombo no cofre*. **3** *Fig*. Desvio de dinheiro ou valores confiados a alguém; DESFALQUE: *Constataram um rombo de milhões de reais no caixa da empresa*.

rombo² (*rom*.bo) *sm*. **1** *Geom*. Losango. *a*. **2** Ver *rombudo*.

romboedro (rom.bo:*e*.dro) *sm*. *Geom*. Figura geométrica cujas bases são paralelogramas.

romboide (rom.*boi*.de) *a*. **1** Que tem forma de paralelogramo. *sm*. **2** *Geom*. Paralelogramo.

rombudo (rom.*bu*.do) *a*. Que não tem ponta aguçada; ROMBO² (2).

romeiro (ro.*mei*.ro) *sm*. Indivíduo que participa de romaria.

romeno (ro.*me*.no) *a*. **1** Da Romênia (Europa); típico desse país ou de seu povo. *sm*. **2** Pessoa nascida na Romênia. *a.sm*. **3** *Gloss*. Da, ref. à ou a língua falada na Romênia.

romeu e julieta (ro.meu e ju.li.*e*.ta) [ê] *sm*. *Bras. Pop*. Queijo com goiabada. [Pl.: *romeus e julietas*.]

rompante (rom.*pan*.te) *sm*. **1** Atitude inesperada e violenta ger. provocada por raiva: *rompante de cólera*. **2** Orgulho, arrogância.

romper (rom.*per*) *v*. **1** Dividir(-se) em partes; QUEBRAR (-SE); PARTIR(-SE). [*td*.: *Rompeu a corrente e libertou o cachorro*. *pr*.: *O cinto rompeu-se de tão podre*.] **2** Dar fim a compromisso (com), ou ter este fim. [*td*.: *Romper um contrato/uma amizade*. *ti*. + *com*: "Amélia estava (...) resolvida a *romper* com Horácio." (B. de Alencar, *A pata da gazela*). *int*.: *Depois de anos de amizade, romperam*. *pr*.: *O contrato rompeu-se porque uma das partes faliu*.] **3** Avançar com ímpeto, abrindo passagem ou arrombando. [*td*.: *As águas romperam a barragem*. *int*. (seguido de indicação de lugar ou circunstância): *Rompeu pela multidão para chegar em casa*.] **4** Fazer cessar, interromper. [*td*.: *Um grito rompeu o silêncio da noite*.] **5** Começar, ter início. [*int*.: "Antes que o dia *rompesse*, começaram a chegar..." (Josué Montello, *Um rosto de menina*).] **6** Surgir de repente; BROTAR. [*int*.: *O Sol rompeu radioso naquela manhã*; (seguido de indicação de lugar) *Uma fonte rompeu das pedras*.] **7** Manifestar de súbito. [*ti*. + *em*: *Rompeu num pranto convulsivo*.] [▶ **2** romp**er**] Part.: *rompido e roto*.] ● **rom.pe.***dor* *a.sm*.

rompimento (rom.pi.*men*.to) *sm*. **1** Ação ou resultado de romper(-se). **2** *Fig*. Corte de relações entre duas pessoas, dois países etc.

rom-rom (rom/*rom*) *sm*. Som na respiração de gatos, emitido quando descansam. [Pl.: *rom-rons*.] ● ron.ro.*nar* *v*.

ronca (*ron*.ca) *sf*. O m.q. *roncadura*.

roncadura (ron.ca.*du*.ra) *sf*. **1** Ver *ronco* (1 e 2). **2** Elogio das próprias qualidades; BRAVATA.

roncar (ron.*car*) *v*. *int*. **1** Respirar pelo nariz e pela boca durante o sono, produzindo som áspero: "...as pessoas dormiam, algumas *roncavam* forte." (Paulo Coelho, *Veronika decide morrer*). **2** Emitir sons graves e barulhentos: *Os motores roncam*. **3** Produzir estrondos: *Nessa época do ano roncava muita trovoada*. [▶ **11** ronc**ar**] ● **ron.ca.***dor* *a.sm*.

ronceiro (ron.*cei*.ro) *a*. **1** Que não age ou não se move com velocidade; LENTO. **2** Que demonstra apatia, indiferença ou preguiça; INDOLENTE. ● **ron.cei.*ri*.ce** *sf*.; ● **ron.cei.***ris*.mo *sm*.

ronco (*ron*.co) *sm*. **1** Ação de roncar (1); RONCA; RONCADURA. **2** O som dessa respiração; RONCA; RONCADURA. **3** Barulho semelhante a esse: *ronco de motor*.

ronda (*ron*.da) *sf*. **1** Ação ou resultado de rondar. **2** Vigilância. **3** Visita feita para inspecionar algo; VISTORIA. **4** Grupo de pessoas que percorre um espaço, policiando-o.

rondar (ron.*dar*) *v*. **1** Andar em torno ou por perto. [*td*.: *O ladrão rondou a casa*.] **2** Fazer ronda (2) (em). [*td*.: *O vigilante rondava o bairro de madrugada*. *int*.: *Os policiais rondam durante a noite*.] [▶ **1** rond**ar**] ● **ron.*dan*.te** *a2g*.

rondó (ron.*dó*) *sm*. **1** *Poét*. Poema com estribilho que se repete. **2** *Mús*. Peça musical na qual um tema é repetido, alternado por variações.

rondoniano (ron.do.ni:*a*.no) *a*. **1** De Rondônia; típico desse estado ou de seu povo. *sm*. **2** Pessoa nascida em Rondônia. [Sin. ger.: *rondoniense*.]

rondoniense (ron.do.ni:*en*.se) *a2g*.*s2g*. Ver *rondoniano*.

ronha (*ro*.nha) *sf*. **1** Sarna em ovelhas e cavalos. **2** *Pop*. Habilidade para trapacear; MALÍCIA. ● **ro.*nhen*.to** *a*.; ● **ro.*nho*.so** *a*.

ronqueira¹ (ron.*quei*.ra) *sf*. **1** Barulho na respiração causado por obstrução das vias respiratórias. **2** Grande quantidade de roncos.

ronqueira² (ron.*quei*.ra) *sf*. *Bras*. Fogo de artifício que explode ruidosamente; RONQUEIRA.

roque¹ (*ro*.que) *sm*. **1** Torre, no jogo de xadrez. **2** No xadrez, movimento duplo que envolve o rei e uma das torres, pondo o rei sob a proteção desta.

roque² (*ro*.que) *sm*. *Mús*. Ver *rock*.

roqueira (ro.*quei*.ra) *sf*. **1** Canhão que era us. para arremessar pedras. **2** Ver *ronqueira²*. **3** Fem. de *roqueiro*.

roqueiro (ro.*quei*.ro) *sm*. Músico que compõe, toca ou canta *rock*.

roquete (ro.*que*.te) [ê] *sm*. *Ecles*. Roupa comprida e ornamentada us. por autoridades católicas.

ror [ó] *sm*. *Pop*. Grande porção de coisas ou pessoas; QUANTIDADE.

roraimense (ro.rai.*men*.se) *a2g*. **1** De Roraima; típico desse estado ou de seu povo. *s2g*. **2** Pessoa nascida em Roraima.

rorejar (ro.re.*jar*) *v*. **1** Molhar com gotas. [*td*.: *O orvalho rorejou as pétalas*.] **2** Borbotar (líquido) levemente; brotar gota a gota. [*int*.: *Lágrimas rorejavam em seus olhos*.] [▶ **1** rorej**ar**] ● **ro.re.*jan*.te** *a2g*.

rosa (*ro*.sa) [ó] *sf*. **1** *Bot*. Flor, ger. perfumada e de cores variadas, produzida pela roseira. *sm*. **2** A cor vermelha desbotada de algumas dessas flores; COR-DE-ROSA. *a2g2n*.**3** Que é dessa cor (fitas rosa, lenço *rosa*).

ROSA (1)

rosácea (ro.*sá*.ce:a) *sf*. **1** *Arq*. Ornamentação semelhante a uma rosa. **2** Vitral em forma de rosa, em igrejas.

rosáceo (ro.*sá*.ce:o) *a*. **1** Ref. a rosa (flor); RÓSEO. **2** Que tem a forma dessa flor.

rosa-choque (ro.sa-*cho*.que) *sm2n*. **1** Tom de rosa muito vivo. *a2g2n*. **2** Que é dessa cor (sandálias *rosa-choque*).

rosa-cruz (ro.sa-*cruz*) *sf2n*. **1** Nome de várias fraternidades que têm como símbolo uma rosa e uma cruz, esp. a que surgiu na Alemanha, no séc. XVI. *s2g2n*. **2** Membro de uma dessas fraternidades. *a2g2n*. **3** Ref. a essas fraternidades, sua doutrina ou seus seguidores.

rosado (ro.*sa*.do) *a*. Que apresenta tom de rosa ou quase rosa.

rosa dos ventos (ro.sa dos *ven*.tos) *sf*. Figura circular que indica os pontos cardeais,

ROSA DOS VENTOS

os intermediários a eles (colaterais) e os intermediários aos colaterais (subcolaterais). [Pl.: *rosas dos ventos*.]

rosal (ro.*sal*) *sm.* Ver roseiral. [Pl.: -*sais*.]

rosário (ro.*sá*.ri:o) *sm.* **1** *Litu.* No catolicismo, colar com 165 contas de tamanhos diferentes, as grandes representando a oração do pai-nosso e as pequenas, a da ave-maria; o conjunto de orações que se rezam à medida que se as marcam no rosário. **2** *Fig.* Série extensa, sequência: *rosário de reclamações*.

rosbife (ros.*bi*.fe) *sm. Cul.* Pedaço de carne bovina bem passada por fora e malpassada por dentro, servido fatiado.

rosca (*ros*.ca) [ô] *sf.* **1** *Cul.* Biscoito em forma de anel. **2** Parte de um parafuso, um encaixe de peça etc., com sulcos em forma de espiral. • **ros.***car v*.

roseira (ro.*sei*.ra) *sf. Bot.* Arbusto espinhento que dá rosas.

roseiral (ro.sei.*ral*) *sm.* Plantação de roseiras; ROSAL. [Pl.: -*rais*.]

róseo (*ró*.se:o) *a.* **1** De cor levemente rosa (pele *rósea*). **2** Ref. a rosa (flor); ROSÁCEO: *Aspirava o róseo perfume que vinha do jardim.*

roseta (ro.*se*.ta) [ê] *sf.* **1** Objeto cuja forma lembra uma rosa. **2** Parte da espora redonda e com pontas. **3** Enfeite em forma de rosa que se usa na lapela como insígnia ou condecoração.

rosetar (ro.se.*tar*) *v.* **1** *MG S.* Picar com espora. [*td.*: *rosetar o cavalo*.] **2** *Bras. Pop.* Brincar muito; DIVERTIR-SE. [*int.*: *As crianças rosetaram o dia todo*.] [▶ **1** rosetar]

rosilho (ro.*si*.lho) *a.* Que tem pelo branco e avermelhado (diz-se de cavalo, bovino etc.).

rosmaninho (ros.ma.*ni*.nho) *sm. Bot.* Erva de flores aromáticas us. na medicina (provoca a menstruação) e na perfumaria.

rosnar (ros.*nar*) *v.* **1** Emitir som rouco e ger. ameaçador (diz-se de animal). [*int.*: *Se o cão rosnar, é melhor sair de perto*.] **2** Dizer ou falar em voz baixa e rouca, ger. de mau humor. [*td.*: *Rosnava os piores palavrões*. *int.*: *Não sabia falar decentemente, só rosnava.*] [▶ **1** rosnar]

rosquear (ros.que.*ar*) *v. td. Bras.* Colocar roscas em (parafuso, porca etc.). [▶ **13** rosquear] • **ros.que.***a.do v.*

rosquinha (ros.*qui*.nha) *sf. Cul.* **1** Biscoito pequeno em forma de anel. **2** Rosca pequena.

rossio (ro.*si*:o) *sm.* Praça de grande extensão.

rosto (*ros*.to) [ô] *sm.* **1** Parte da frente da cabeça humana, onde ficam testa, olhos, nariz, boca e queixo; FACE. **2** Fisionomia (rosto *risonho*). **3** A frente de algo: *rosto de uma medalha*; *página de rosto*.

rostro (*ros*.tro) [ô] *sm.* **1** *Zool.* Bico de ave. **2** *Zool.* Parte frontal alongada da cabeça de certos insetos, que pode ser pontiaguda, para picar e sugar; BICO. **3** *Bot.* Parte pontuda de alguns órgãos vegetais.

rota (*ro*.ta) [ó] *sf.* Rumo que se segue para chegar a um lugar; PERCURSO.

rotação (ro.ta.*ção*) *sf.* Movimento daquilo que gira em torno de um eixo real ou imaginário: *a rotação do planeta Terra*. [Pl.: -*ções*.] • **ro.ta.***tó*.ri:o *a.*

rotativo (ro.ta.*ti*.vo) *a.* **1** Que faz girar: *a engrenagem rotativa dos ponteiros do relógio*. **2** Que gira (palco *rotativo*). **3** Que funciona por revezamento: *presidência rotativa de uma comissão*. ⬜ **rotativa** *sf.* **4** Impressora que funciona por meio de cilindros giratórios que prensam as folhas de papel. • **ro.ta.ti.vi.***da*.de *sf.*

roteador (ro.te.a.*dor*) [ô] *sm. Inf.* Dispositivo que conecta, sem fio, duas ou mais redes de computadores.

roteirista (ro.tei.*ris*.ta) *s2g.* Pessoa que escreve roteiros para filmes, peças de teatro etc.

roteiro (ro.*tei*.ro) *sm.* **1** Trajeto de viagem: *O roteiro inclui três dias em Natal.* **2** Planejamento prévio de uma atividade: *roteiro de estudos.* **3** *Cin. Teat. Telv.* Texto com enredo de um filme, peça teatral etc., com as falas dos personagens, descrição do cenário etc.

rotina (ro.*ti*.na) *sf.* **1** Repetição diária ou habitual das mesmas atividades: *Minha rotina à noite é lanchar e ver televisão.* **2** Acontecimento ou atividade comum, trivial: *Falta de água aqui é rotina.* **3** Lista de atividades a serem cumpridas para se realizar uma tarefa: *a rotina para desarmar um alarme.* • **ro.ti.***nei*.ro *a.*

rotisseria (ro.tis.se.*ri*.a) *sf.* Loja onde se vendem carnes, queijos, frios etc.

roto (*ro*.to) [ô] *a.* **1** Que ficou gasto, com aparência de velho (paletó *roto*); ESFARRAPADO. **2** Que se rompeu pelo desgaste (corda *rota*).

rotogravura (ro.to.gra.*vu*.ra) *sf.* **1** *Art.Gr.* Método de impressão através de formas cilíndricas giratórias de cobre, por onde passa o papel. **2** Impresso feito por esse método.

rotor (ro.*tor*) [ô] *sm. Mec.* **1** Peça de motores e máquinas (ger. elétricos) que gira. **2** Parte giratória de um helicóptero, incluindo as hélices.

rótula (*ró*.tu.la) *sf. Anat.* Ver patela.

rotular (ro.tu.*lar*) *v. td.* **1** Colocar rótulo ou adesivo em: *Rotulou todas as pastas do arquivo.* **2** Classificar ou definir de modo simplista: *Rotulou o adversário de oportunista.* [▶ **1** rotular] • **ro.tu.***la*.do *a.*

rótulo (*ró*.tu.lo) *sm.* **1** Pedaço de papel ou de outro material que se fixa em algo, classificando-o, nomeando-o, informando sobre suas características etc.: *rótulos de remédios.* **2** *Fig.* Atribuição adjetiva de caráter, características etc., ger. arbitrária e simplista, dada a algo ou alguém: *Ele ganhou o rótulo de interesseiro.*

rotunda (ro.*tun*.da) *sf.* **1** *Arq.* Construção redonda coberta por uma cúpula. **2** Espaço aberto e redondo.

rotundo (ro.*tun*.do) *a.* **1** Que tem forma esférica; REDONDO. **2** Que é gordo: *Aos quarenta já era calvo e rotundo.* **3** Que não dá espaço a contestações; CATEGÓRICO: *Ouviu a proposta e respondeu com um rotundo não.*

roubada (rou.*ba*.da) *sf. Gír.* Situação inesperadamente difícil que se presumia boa.

roubalheira (rou.ba.*lhei*.ra) *sf.* **1** Roubo de grande extensão. **2** Roubo que envolve bens públicos ou de empresa, instituição etc. **3** *Pop.* Preços exorbitantes.

roubar (rou.*bar*) *v.* **1** Praticar roubo (1). [*td.*: *Roubaram o dinheiro do caixa.* *tdi.* + *de*: *Roubou do rapaz sua bicicleta. int.*: *Ladrões roubam sem o menor escrúpulo.*] **2** Raptar, sequestrar. [*td.*: *Roubou a criança do berçário.*] **3** Conquistar por sedução (parceiro amoroso de outrem). [*td.*: "...não consentirei que me *roube* meu marido..." (José de Alencar, *Senhora*).] **4** Prejudicar (competidor), desrespeitar as regras de jogo. [*td.*: *O juiz roubou o meu time naquele pênalti. int.*: *Ele rouba muito no cartoleado.*] [▶ **1** roubar] • **rou.***ba*.do *a.*

roubo (*rou*.bo) *sm.* **1** Ação ou resultado de roubar, de apropriar-se de algo que pertence a outra pessoa, sem seu consentimento. **2** *Fig.* Preço exorbitante.

rouco (*rou*.co) *a.* **1** Que está com a voz falha, áspera. **2** Que é áspero ou falho (diz-se de voz). • **rou.***que.jar v.*

roufenho (rou.*fe*.nho) *a.* **1** Que tem a voz fanhosa ou rouca (locutor *roufenho*). **2** Que é fanhoso ou rouco (diz-se de voz).

⊕ **round** (Ing. /ráund/) *sm. Esp.* No pugilismo e em outras modalidades de luta, cada uma das divisões da luta, entre as quais há um breve descanso; ASSALTO (3).

roupa (rou.pa) *sf.* **1** Nome genérico de qualquer peça (ou conjunto de peças) com a qual se cobre o corpo para protegê-lo, ocultá-lo, enfeitá-lo etc.; TRAJE: *Saiu para comprar roupa.* **2** Cada um dos diferentes tipos dessas peças, us. mais comumente em determinada cultura, ocasião, classe social etc.; INDUMENTÁRIA: *Venham com roupa de banho.* **3** Peça de pano de uso caseiro: *roupa de cama/de mesa.* ■ ~ **de baixo** Peça íntima do vestuário feminino e masculino.

roupagem (rou.pa.gem) *sf.* **1** Conjunto de roupas: *Revirou toda a sua roupagem para escolher um vestido.* **2** *Fig.* Aspecto exterior de algo ou alguém, ger. enganoso; APARÊNCIA: *Para impressionar a comissão, exibiu sua roupagem de bom caráter.* [Pl.: *-gens.*]

roupão (rou.pão) *sm.* Roupa comprida us. em casa, para cobrir o corpo na saída do banho, sobre a roupa de dormir etc.; ROBE. [Pl.: *-pões.*]

rouparia (rou.pa.ri.a) *sf.* **1** Local onde se guardam roupas. **2** Grande quantidade de roupas.

roupeiro (rou.pei.ro) *sm.* Pessoa que trabalha em rouparia ou cuidando das roupas de um grupo, uma instituição etc.: *roupeiro de um time de futebol.*

rouquice (rou.qui.ce) *sf.* O m.q. rouquidão.

rouquidão (rou.qui.dão) *sf.* Alteração na voz que a torna falha, áspera, ger. causada por inflamação da garganta ou laringe. [Pl. *-dões.*]

rouxinol (rou.xi.nol) *sm. Zool.* Pássaro avermelhado cujo canto é muito apreciado. [Pl.: *-nóis.*]

roxo (ro.xo) [ô] *sm.* **1** Cor entre o vermelho e o azul, com predominância deste. [É a cor da ametista e do açaí.] *a.* **2** Que é dessa cor (saia roxa). ● **ro.xe.ar** *v.*

⊕ **royalty** (*Ing.* /róialti/) *sm. Econ. Jur.* Parcela do valor de um produto que é paga, quando se o vende, ao detentor da patente, do direito autoral etc. [Us. muitas vezes no pl.: *royalties.*]

⊠ **RPG¹** *Med.* Sigla de *Reeducação Postural Global*, sistema de exercícios que levam em conta as funções específicas individuais de ossos e músculos, e que visam corrigir hábitos errados de postura corporal.

⊠ **RPG²** Sigla do ingl. *Role-Playing Game*, jogo em grupo que consiste em, seguindo regras preestabelecidas, assumir cada participante um papel determinado e representá-lo de acordo com sua imaginação, interagindo com os papéis representados pelos demais e, eventualmente, com situações definidas pela sorte (lançamento de dados), construindo assim uma história.

rua (ru.a) *sf.* **1** Parte do espaço público de uma cidade onde trafegam veículos, delimitada por calçadas onde circulam pedestres, e margeada por casas, prédios etc. **2** As pessoas que moram ou trabalham numa rua (1): *Toda a rua festejou a vitória da seleção.* ■ ~ **da amargura** Situação de sofrimento, penúria etc.

ruandense (ru:an.den.se) *a2g., s2g.* O m.q. *ruandês.*

ruandês (ru:an.dês) *a.* **1** De Ruanda (África); típico desse país ou de seu povo. *sm.* **2** Indivíduo nascido em Ruanda. [Pl. *-deses.*]

rúbeo (rú.be:o) *a.* De cor vermelha forte; RUBRO.

rubéola (ru.bé:o.la) *sf. Med.* Doença infecciosa e contagiosa que causa erupções na pele, deixando-a avermelhada.

rubi (ru.bi) *sm. Min.* Pedra preciosa de cor vermelha.

rubicundo (ru.bi.cun.do) *a.* Que tem cor avermelhada, rubra.

rublo (ru.blo) *sm.* **1** Nome do dinheiro us. na Rússia e no Tadjiquistão: *Pagou a conta do hotel em rublos.* **2** Unidade dos valores em rublo, us. em notas e moedas: *uma nota de 100 rublos.* [1 rublo = 100 copeques.]

rubor (ru.bor) [ô] *sm.* **1** Qualidade do que tem a cor vermelha. **2** Cor avermelhada do rosto, causada por sentimento de vergonha, raiva etc.

ruborizar (ru.bo.ri.zar) *v.* **1** Tornar(-se) rubro, avermelhado. [*td.*: *O fogo ruborizava a paisagem noturna. int./pr.*: *As águas do lago ruborizaram(-se) ao sol nascente.*] **2** Tornar-se corado, por timidez, vergonha etc. [*int./pr.*: *Quando viu o rapaz, seu rosto ruborizou(-se).*] [▶ **1** ruborizar] ● **ru.bo.ri.za.ção** *sf.*; **ru.bo.ri.za.do** *a.*

rubrica (ru.bri.ca) *sf.* **1** Assinatura abreviada de alguém. **2** Marca ou notação que, numa lista, num conjunto de dados etc., identifica um de seus elementos como pertencente a uma das categorias, tipos, classes etc. em que se podem classificar esses elementos.

rubricar (ru.bri.car) *v. td.* Assinalar com rubrica; pôr assinatura abreviada em: *rubricar as páginas.* [▶ **1** rubricar] ● **ru.bri.ca.do** *a.*

rubro (ru.bro) *a.* De cor vermelha viva. *sm.* A cor vermelha.

ruço (ru.ço) *a.* **1** Que tem cor marrom avermelhada; PARDACENTO. **2** Que, além dos cabelos de cor original, tem outros que ficaram brancos (barba ruça); GRISALHO. **3** *Bras.* Que ficou gasto pelo uso (bolsa ruça); SURRADO. **4** *Bras. Pop.* Que é difícil, adverso; COMPLICADO: *A situação está ruça.* *a.sm.* **5** Que ou aquele que tem cabelos louros ou castanhos claros. *sm.* **6** *RJ* Nevoeiro denso comum na Serra do Mar. ● **ru.çar** *v.*

rúcula (rú.cu.la) *sf. Bot.* Planta comestível, de sabor picante, us. em saladas.

rude (ru.de) *a2g.* **1** Que não foi cultivado (terreno rude); AGRESTE. **2** Feito sem acabamento ou aprimoramento (cadeiras rudes); RÚSTICO. **3** *Fig.* Que é indelicado, grosseiro. **4** *Fig.* Que expressa indelicadeza, severidade etc. (palavras rudes). [Ant. (nas acps. 3 e 4): *delicado.*] ● **ru.de.za** *sf.*

rudimentar (ru.di.men.tar) *a2g.* **1** Ref. aos rudimentos, às primeiras etapas do desenvolvimento de algo. **2** Pouco desenvolvido; PRIMITIVO. **3** Pouco aprimorado; TOSCO.

rudimento (ru.di.men.to) *sm.* **1** Princípio de algo; PRIMÓRDIO: *Montara o rudimento de um projeto para apresentar à comissão.* ❏ **rudimentos** *smpl.* **2** Noções elementares: *Aprendeu rudimentos de latim.*

rueiro (ru:ei.ro) *a.* **1** Ref. a rua. **2** Que gosta muito de sair e está sempre fora de casa. *sm.* **3** Pessoa rueira.

ruela (ru:e.la) *sf.* Rua curta e/ou estreita; BECO.

rufar (ru.far) *v.* **1** Tocar ou soar (tambor), fazendo som de rufos. [*td.*: *A bateria rufou os tambores. int.*: *Os taróis rufaram, abrindo o desfile.*] **2** Produzir sons semelhantes a rufos. [*int.*: *A chuva rufava em seu telhado.*] [▶ **1** rufar] *sm.* **3** Som produzido pelo tambor: *Caiu no samba quando ouviu o rufar dos tambores.*

rufião (ru.fi.ão) *sm.* **1** Pessoa que se envolve em brigas facilmente; BRIGÃO. **2** Ver *cafetão.* [Pl.: *-ães* e *-ões.* Fem.: *-ona.*]

rufiar (ru.fi.ar) *v. int.* Praticar ato de rufião. [▶ **1** rufiar]

ruflar (ru.flar) *v.* **1** Balançar (as asas) para erguer-se em voo. [*td.*: *O pássaro ruflou as asas e partiu.*] **2** Agitar(-se), produzindo som semelhante ao de asas rufladas. [*td.*: *O vento ruflava as roupas no varal. int.*: *As roupas no varal ruflam ao vento.*] [▶ **1** ruflar] ● **ru.flo** *sm.*

rufo (ru.fo) *sm.* **1** Som, com ritmo regular e acelerado, produzido por baquetas numa tambor. **2** Som semelhante a esse: *Ouvia-se de longe o rufo das britadeiras.*

ruga (ru.ga) *sf.* **1** Dobra na pele produzida pelo envelhecimento, pela ação do sol etc. **2** Dobra em tecido ou outra superfície maleável. • **ru.go.so** *a.*; **ru.go.si.da.de** *sf.*

rúgbi (rúg.bi) *sm. Esp.* Esporte praticado por dois times que, usando pés e mãos, tentam conduzir uma bola oval pelo campo adversário, passando pelo bloqueio corporal dos concorrentes, até atingir uma meta.

ruge (ru.ge) *sm. P.us.* Pó avermelhado que se aplica no rosto para deixá-lo corado.

ruge-ruge (ru.ge-ru.ge) *sm.* **1** Barulho de saias roçando no chão; FRU-FRU. **2** Som semelhante a esse: *o ruge-ruge de cortinas ao vento.* [Pl.: *ruge-ruges* e *ruges-ruges*.]

rugido (ru.gi.do) *sm.* **1** Voz de felinos selvagens como o tigre, o leão etc. **2** *Fig.* Som grave e áspero, semelhante a esse: *o rugido da tempestade.*

rugir (ru.gir) *v.* **1** Emitir rugido (diz-se de fera). [int.] **2** Produzir som semelhante a um rugido. [int.]: *A tempestade rugia.* **3** Dizer de maneira áspera, com um rugido na voz. [td.: *Rugia palavrões enquanto socava a mesa.*] [▶ **46** rugir]. Normalm. defec. impess.]

ruibarbo (rui.bar.bo) *sm. Bot.* Planta originária da China cuja raiz tem efeito purgante e cujo talo é us. como alimento.

ruído (ru.í.do) *sm.* **1** Som produzido por choque ou atrito de objetos, pelo funcionamento de máquinas etc.; BARULHO. **2** Qualquer som, esp. os prolongados e/ou indistintos. **3** Qualquer interferência que prejudica a comunicação: *A transmissão estava cheia de ruídos.*

ruidoso (ru:i.do.so) [ó] *a.* **1** Que produz muito ruído (motor ruidoso). **2** Onde há ou se faz muito barulho (festa ruidosa). [Sin. ger.: *barulhento.* Ant. ger.: *silencioso.*] [Fem. e pl.: [ó].]

ruim (ru.im) *a2g.* **1** Que não tem bons sentimentos, que pratica atos maus; PERVERSO: *Ele é um homem ruim e perigoso.* **2** Que traz ou encerra dificuldades, desvantagem; PREJUDICIAL: *período ruim para os agricultores.* **3** Que não produz os resultados esperados; INADEQUADO: *solução ruim para um problema.* **4** De má qualidade; que não funciona bem: *"...com seus vestidos de pano grosso e ruim."* (França Júnior, *Os dois irmãos*). **5** Que está doente, ferido etc.: *Meu joelho continua ruim.* **6** Imprestável para o consumo (ger. na alimentação); ESTRAGADO: *A comida fora da geladeira ficou ruim.* **7** Desagradável (cheiro ruim). [Ant. ger.: *bom.*] [Pl.: *-ins.*]

ruína (ru.í.na) *sf.* **1** Ação ou resultado de ruir, de desmoronar: *O casarão rapidamente entrou em ruína.* **2** Restos do que desmoronou ou foi destruído; DESTROÇOS: *Visitar as ruínas da Acrópole é uma experiência inesquecível.* **3** Destruição profunda; DEVASTAÇÃO: *A geada causou a ruína da plantação.* **4** *Fig.* Decadência: *a ruína de um império.* • **ru.i.no.so** *a.*

ruir (ru.ir) *v. int.* Desmoronar, desabar: *O edifício ruiu em poucos minutos.* [▶ **56** ruir]. Verbo defec., us. apenas nas formas que conservam o 'i' após o 'u'.]

ruivo (rui.vo) *a.* **1** Que tem cor avermelhada (cabelos ruivos). *a.sm.* **2** Que ou quem tem os cabelos dessa cor (moça ruiva).

rum *sm.* Bebida alcoólica feita com melaço de cana-de-açúcar. [Pl.: *runs.*]

ruma (ru.ma) *sf.* Grande quantidade de coisas, ger. amontoadas; MONTE; PILHA.

rumar (ru.mar) *v. int.* **1** Seguir determinado rumo (diz-se de embarcação). (seguido de indicação de lugar): *O barco rumou para o sul.* **2** Encaminhar-se, ir. (seguido de indicação de lugar): *O homem rumou para o cinema.* [▶ **1** rumar]

rumba (rum.ba) *sf.* **1** Dança de pares originária de Cuba. **2** *Mús.* Gênero de música, em compasso binário, que acompanha essa dança.

ruminante (ru.mi.nan.te) *Zool. a2g.* **1** Que rumina, que traz o alimento já engolido de volta à boca e o mastiga novamente (diz-se de animal, como boi, antílope etc.) *s2g.* **2** Animal ruminante.

ruminar (ru.mi.nar) *v.* **1.** Tornar (o animal ruminante) a mastigar os alimentos que voltaram do estômago para a boca. [td.: *Os camelos ruminam os alimentos.* int.: *Os bois ruminavam sonolentos.*] **2** *Fig.* Refletir longamente (sobre). [td.: *"...há muito ruminava aquele mesmo plano."* (Joaquim Manuel de Macedo, *Memórias de um sargento de milícias*). int.: *Leu as propostas e ficou longo tempo ruminando.*] [▶ **1** ruminar] • **ru.mi.na.ção** *sf.*

rumo (ru.mo) *sm.* **1** Cada uma das direções indicadas na rosa dos ventos: *O navio tomou o rumo norte.* **2** Direção, caminho: *Pegou a estrada e seguiu o rumo da fazenda.*

rumor (ru.mor) [ó] *sm.* **1** Barulho abafado ou indistinto; RUÍDO. **2** Som de vozes e/ou de agitação de pessoas; BURBURINHO. **3** Informação não confirmada, ou enganosa; BOATO.

rumorejar (ru.mo.re.jar) *v. int.* Produzir rumor (1 e 2), sussurrar: *Tocadas pelo vento, as folhas rumorejavam.* [▶ **1** rumorejar] • **ru.mo.re.jan.te** *a2g.*; **ru.mo.re.jo** *sm.*

rupestre (ru.pes.tre) [é] *a2g.* **1** Que cresce em rochedos (vegetação rupestre). **2** Construído sobre rocha (casa rupestre). **3** Inscrito ou gravado numa rocha (pintura rupestre).

rúpia, rupia (rú.pi:a, ru.pi.a) *sf.* **1** Moeda do dinheiro us. na Índia, Indonésia e Sri Lanka, entre outros países: *Pagou a conta do hotel em rúpias.* **2** Unidade dos valores em rúpia, us. em notas e moedas: *nota de 100 rúpias.* [1 rúpia = 100 centavos.]

rúptil (rúp.til) *a2g.* Que se rompe com facilidade; FRÁGIL. [Pl.: *-teis.*]

ruptura (rup.tu.ra) *sf.* **1** Ação ou resultado de romper(-se), de rebentar(-se). **2** Interrupção de um processo, um relacionamento etc.: *a ruptura de uma amizade.* [Sin. ger.: *rompimento.*]

rural (ru.ral) *a2g.* Ref. ao, próprio do ou localizado no campo (paisagem rural, população rural). [Cf.: *urbano.*] [Pl.: *-rais.*]

ruralismo (ru.ra.lis.mo) *sm.* **1** Conjunto dos princípios e modo de agir dos ruralistas, que visam implantar um sistema para a melhoria da vida no campo. **2** Predomínio da vida no campo e das atividades agrícolas, em relação à cidade. **3** *Art.Pl.* Uso de cenas rurais na arte (ger. pintura).

ruralista (ru.ra.lis.ta) *a2g.* **1** Ref. ao ruralismo. *a2g.s2g.* **2** Que ou quem é dono de uma propriedade rural ou defende seus interesses: *os ruralistas do Congresso.* **3** Que ou quem segue o ruralismo (orientação política). **4** Que ou quem se preocupa com os problemas rurais.

rusga (rus.ga) *sf.* Pequena desavença entre duas ou mais pessoas. • **rus.gar** *v.*; **rus.guen.to** *a.*

⊕ **rush** (Ing. /rách/) *sm.* Movimento intenso de veículos que ger. ocorre nos horários de entrada e saída do trabalho.

russo (rus.so) *a.* **1** Da Fed. Russa (Europa e Ásia); típico desse país ou de seu povo. *a.sm.* **2** Pessoa nascida na Rússia. *a.sm.* **3** *Gloss.* Da, ref. à, ou a língua falada na Rússia.

rústico (rús.ti.co) *a.* **1** Ref. ao campo ou à vida no campo. **2** Que é simples, feito sem preocupações de acabamento, aprimoramento etc. (diz-se de objetos); TOSCO. **3** Que se desenvolve sem ser cultivado (diz-se de planta). **4** *Fig. Pej.* Cujo comportamento é grosseiro. [**At!** Considerado ofensivo nesta acepção.] [Superl.: *rusticíssimo.*]

rutácea (ru.*tá*.ce:a) *sf*. *Bot*. Arbusto ou árvore de folhas aromáticas, com alguns espécimes frutíferos, como o limoeiro e a laranjeira.

rutilante (ru.ti.*lan*.te) *a2g*. Que tem brilho forte (estrela <u>rutilante</u>); CINTILANTE; RÚTILO. [Ant.: *fosco*.]

rutilar (ru.ti.*lar*) *v*. **1** Emitir brilho forte. [*int*.: *Os rubis <u>rutilavam</u> ao sol*.] **2** *Fig*. Emitir, lançar (na forma de brilho). [*td*.: *Seus olhos <u>rutilam</u> esperança*.] [▶ **1** ruti l<u>ar</u>] • ru.ti.la.*ção* *sf*.

rútilo (*rú*.ti.lo) *a*. Ver *rutilante*.

W	Fenício
⟩	Grego
Σ	Grego
⟩	Etrusco
⟨	Romano
S	Romano
s	Minúscula carolina
S	Maiúscula moderna
s	Minúscula moderna

Na escrita egípcia, o *s* era representado pelo desenho de uma espada. Entre os fenícios recebeu o nome de *shin*, que significava *dente*. Dos gregos recebeu o nome de *sigma* e adquiriu novo formato, que preservava apenas o desenho em zigue-zague do seu ancestral fenício. Foi com os romanos que o *s* ganhou sua forma atual.

s [ésse] *sm*. **1** A 19ª letra do alfabeto. **2** A 15ª consoante do alfabeto. *num*. **3** O 19º em uma série (setor S̲).
☒ **s** Símb. de *segundo* (medida de tempo).
☒ **S** *Quím*. Símb. de *enxofre*.
☒ **S. 1** Abr. de *sul*. **2** Abr. de *são*².
sã *a2g.s2g.sm*. *Etnôn*. *Gloss*. Ver *boximane*.
sabá (sa.*bá*) *sm*. **1** *Rel*. Descanso que os judeus devem observar no sábado como prescrito na religião judaica. **2** Reunião de bruxos à meia-noite de sábado, segundo a crença medieval.
sábado (*sá*.ba.do) *sm*. Sétimo e último dia da semana.
sabão (sa.*bão*) *sm*. **1** Produto para limpeza preparado com sais de sódio e de potássio. **2** *Pop*. Repreensão. [Pl.: *-bões*.]
sabático (sa.*bá*.ti.co) *a*. **1** Ref. ao ou próprio do sábado. **2** Ref. ao sabá. **3** Que diz respeito ao período de interrupção de certas atividades regulares.
sabatina (sa.ba.*ti*.na) *sf*. **1** Recapitulação no sábado das lições aprendidas durante a semana. **2** Interrogatório: "...um almoço com Green, para submetê-lo a uma sabatina." (João Guimarães Rosa, *Ave, palavra*). **3** *Fig*. Discussão, debate. • sa.ba.ti.*nar* v.
sabedoria (sa.be.do.*ri*.a) *sf*. **1** Qualidade de sábio. **2** Ver *saber* (9). **3** Moderação, sensatez, prudência: *Age com muita sabedoria em tais casos polêmicos.* **4** Ver *razão* (2).
saber (sa.*ber*) *v*. **1** Ter conhecimento, certeza, compreensão ou notícia de. [*td*.: *saber a resposta*. *ti*. + *de*: *Só agora soube de sua renúncia*.] **2** Ser erudito ou especialista em, ou buscar incessantemente conhecer (2). [*td*.: *saber economia*. *int*.: *Não conheço ninguém que saiba mais que ele*.] **3** Ter habilidade, preparação ou capacidade para (algo). [*td*.: *saber pilotar*.] **4** Guardar na memória. [*td*.: *Meu filho já sabe a tabuada*.] **5** Pressentir ou prever. [*td*.: *Sempre soube que nos casaríamos*.] **6** Ter ou reconhecer como. [*td*. (seguido de indicação de qualidade): *Eu o sei generoso*.] **7** Fazer por onde. [*td*.: *Ela soube merecer a promoção*.] **8** Ter sabor ou gosto (de algo). [*ti*. + *a*: *Esta bebida sabe a anis*. *int*.: *Este guisado não sabe bem*.] *sm*. **9** Conjunto de conhecimentos adquiridos por atividade mental constante; SABEDORIA. **10** Experiência. **11** Prudência, bom senso. • sa.be.*dor* *a.sm*.
sabe-tudo (sa.be-*tu*.do) *s2g2n*. *Pop*. *Irôn*. Ver *sabichão* (2).
sabiá (sa.*bi*.á) *s2g*. *Bras*. *Zool*. Ave de coloração simples, ger. marrom ou marrom, muito apreciada pela beleza do seu canto.
sabichão (sa.bi.*chão*) *a.sm*. *Pop*. **1** Que ou quem é muito sábio. **2** *Irôn*. Que ou quem ostenta sabedoria; SABE-TUDO. [Pl.: *-chões*. Fem.: *-chã* e *-chona*.]

sabido (sa.*bi*.do) *a*. **1** Que se conhece, que se sabe; CONHECIDO. **2** *Fig*. Que demonstra prudência; CAUTELOSO. **3** *Fig*. Trapaceiro, astuto. *sm*. **4** Pessoa sabida.
☐ **sabidos** *smpl*. **5** Gratificações.
sabino (sa.*bi*.no) *a*. *Zool*. Diz-se de cavalo de pelo branco misturado de vermelho e preto.
sábio (*sá*.bi:o) *a*. **1** Que sabe muito. **2** Que conhece profundamente um assunto; CONHECEDOR; PERITO. **3** *Fig*. Sensato, prudente, discreto. [Superl.: *sapientíssimo*.] *sm*. **4** Pessoa que sabe muito. **5** Pessoa sensata, prudente, discreta.
saboaria (sa.bo:a.*ri*.a) *sf*. **1** Lugar onde se fabrica sabão. **2** Lugar onde se vende sabão. • sa.*bo:ei*.ro *sm*.
sabonete (sa.bo.*ne*.te) [ê] *sm*. Sabão ger. perfumado para limpeza do corpo.
saboneteira (sa.bo.ne.*tei*.ra) *sf*. **1** Lugar próprio para se colocar ou guardar sabonete. **2** *Pop*. *Anat*. Cada uma das duas depressões que se formam entre o pescoço e os ombros de algumas pessoas.
sabor (sa.*bor*) [ô] *sm*. **1** Propriedade de (uma coisa, esp. alimento) provocar uma sensação que se percebe pelo paladar; GOSTO. **2** *Fig*. Graça, bom humor. ❏ **Ao ~ de** Sujeito a; de acordo com (a vontade de): *Flutuava no rio ao sabor da correnteza.*
saborear (sa.bo.re.*ar*) *v*. *td*. **1** Dar sabor a, ou tornar saboroso. **2** Degustar lenta e prazerosamente: *saborear um licor*. **3** *Fig*. Deliciar-se, deleitar-se com: *saborear uma leitura*. **4** *Fig*. Experimentar longamente: *Está saboreando as consequências de seu erro*. [▶ **13** sabor*ear*]
saboroso (sa.bo.*ro*.so) [ô] *a*. **1** Que tem sabor ou gosto agradável; GOSTOSO; SÁPIDO. **2** *Fig*. Agradável, delicioso. [Fem. e pl.: [ó].]
sabotar (sa.bo.*tar*) *v*. *td*. **1** Causar dano propositado a: *sabotar uma estação de foguetes*. **2** Minar, abalar, solapar sorrateiramente: *sabotar um empreendimento*. **3** Ser velhaco com (alguém). [▶ **1** sabot*ar*] • sa.bo.ta.*dor* *a.sm*.; sa.bo.*ta*.gem *sf*.
sabre (*sa*.bre) *sm*. Espada pequena, que corta apenas de um lado.
sabugo (sa.*bu*.go) *sm*. **1** Parte do dedo onde se prende a unha. **2** *Agr*. Espiga de milho sem os grãos.
sabugueiro (sa.bu.*guei*.ro) *sm*. *Bot*. Arbusto ornamental cujas flores, depois de secas, têm propriedades medicinais.
sabujo (sa.*bu*.jo) *sm*. **1** Cão de caça. **2** *Fig*. Que ou quem bajula; PUXA-SACO. • sa.bu.*jar* *v*.
saburra (sa.*bur*.ra) *sf*. Crosta esbranquiçada que cobre a parte superior da língua, em consequência de alguma doença ou afecção.
saca (*sa*.ca) *sf*. **1** Grande saco. **2** Sacola com alça us. para carregar compras. **3** Conteúdo de uma saca para alguns produtos: *saca de café/de feijão*.

sacação | sacrilégio

sacação (sa.ca.*ção*) *sf. Bras. Gír.* Descoberta, inspiração. [Pl.: -ções.]

sacada (sa.*ca*.da) *sf.* **1** Varanda que vai além da fachada de um edifício. **2** *Gír.* Olhadela, espiada. **3** *Gír.* Ideia original ou genial.

sacana (sa.*ca*.na) *Vulg. a2g.* **1** Sem caráter; PATIFE; CANALHA. **2** Malandro, espertalhão. **3** Devasso, libertino. [At! Considerado ofensivo nas acps. 1, 2 e 3.] **4** Gozador, brincalhão. *s2g.* **5** Pessoa sacana. • sa.ca.ne.ar *v.*

sacanagem (sa.ca.*na*.gem) *sf. Bras.* **1** *Vulg.* Ação ou conduta de sacana. **2** *Cul.* Salgadinho feito com salsicha, azeitona, queijo etc., presos por um palito. [Pl.: -gens.]

sacar (sa.*car*) *v.* **1** Tirar brusca ou violentamente (algo) de onde estava encerrado. [*td.* (seguido ou não de indicação de lugar): *Sacou o documento (do bolso)*; (seguido de complemento opcionalmente preposicionado) *sacar (d)a espada. int.* (com ou sem complemento explícito): *Nos faroestes o herói sempre saca (a arma) mais rápido.*] **2** *Fig.* (Quantia) de conta bancária. [*td.* (com ou sem complemento explícito)] **3** *Esp.* Dar saque no (voleibol, pingue-pongue etc.). [*int.*] **4** *Bras. Gír.* Espreitar, vigiar. [*td.*: *O ladrão ficou sacando seus movimentos.*] **5** *Gír.* Captar, entender. [*td.* (com ou sem complemento explícito): *Ele não sacou (nada). ti. + de: sacar de geografia.*] [▶ **11** sa<u>car</u>] • sa.ca.do *a.*; sa.ca.dor *a.sm.*

sacaria (sa.ca.*ri*.a) *sf.* **1** Grande número de sacos ou sacas. **2** Fábrica de sacos.

saçaricar (sa.ça.ri.*car*) *v. int. Bras. Pop.* Saracotear, divertir-se, folgar. [▶ **11** saçari<u>car</u>] • sa.ça.ri.co *sm.*

sacarina (sa.ca.*ri*.na) *sf. Quím.* Substância branca, cujo poder de adoçar é maior que o do açúcar comum, e us. como seu substituto em dietas.

saca-rolhas (sa.ca-*ro*.lhas) *sm2n.* Instrumento para tirar rolhas de cortiça do gargalo de garrafas. [Tb. se diz saca-rolha.]

sacarose (sa.ca.*ro*.se) *sf. Quím.* Açúcar comum, feito da cana e da beterraba.

sacerdócio (sa.cer.*dó*.ci.o) *sm.* **1** *Ecles.* Estado e dignidade de sacerdote. **2** *Ecles.* O ofício do sacerdote. **3** *Fig.* Missão nobre que exige grande dedicação: *Para ele ensinar é um sacerdócio.*

sacerdote (sa.cer.*do*.te) *sm.* **1** Homem ordenado para celebrar a missa; PADRE. **2** *Fig.* Pessoa que se dedica a missão ou função honrosa, especial. [Fem.: *sacerdotisa.*] • sa.cer.do.tal *a2g.*

sachê (sa.*chê*) *sm.* Saquinho de pano com conteúdo perfumado, us. em gavetas, armários de roupas, malas, carros etc.

sacho (*sa*.cho) *sm.* Ferramenta semelhante a uma enxada pequena.

saci (sa.*ci*) *sm. Bras. Folc.* Menino negro de uma perna só, que pita um cachimbo e usa um barrete vermelho e que, conforme a crença popular, faz travessuras tais como amedrontar os viajantes nas matas; SACI-PERERÊ.

saciar (sa.ci.*ar*) *v.* **1** Aplacar (a fome ou a sede). [*td.*] **2** Satisfazer(-se) ou fartar(-se) de comida ou bebida. [*td. pr.*] **3** *Fig.* Satisfazer(-se) completamente. [*td.*: *saciar a curiosidade. pr.*: *Saciei-me com a exposição de pintura barroca.*] [▶ **11** saci<u>ar</u>] • sa.ci.á.vel *a2g.*; sa.ci.e.da.de *sf.*

saciforme (sa.ci.*for*.me) *a2g.* Que tem a forma de um saco.

saci-pererê (sa.ci-pe.re.*rê*) *sm. Bras. Folc.* Ver *saci*. [Pl.: *sacis-pererês* e *saci-pererês.*]

saco (*sa*.co) *sm.* **1** Recipiente de papel, plástico etc., aberto em um lado dos, us. para carregar ou transportar coisas. **2** O conteúdo de um saco. **3** Tecido tosco. **4** *Anat.* Órgão ou parte do corpo em forma de bolsa (<u>saco</u> vitelino). **5** *Bras. Gír.* Chatice, amolação, enfado: *A festa foi um saco.* **6** *Bras. Vulg.* Os testículos. ▪▪ **De ~ cheio** *Gír.* Aborrecido, entediado, sem mais paciência. **Encher/Torrar o ~** *Bras.* Aborrecer(-se), irritar(-se), esgotar(-se) a paciência. **Puxar o ~** *Pop.* Adular, bajular. **~ sem fundo 1** Quem não é capaz de guardar segredo. **2** Quem come demais. **3** Situação, pessoa ou empreendimento que gastam ou consomem muito.

sacola (sa.*co*.la) *sf.* **1** Saco com dois fundos; ALFORJE. **2** Saco com alças, us. para carregar compras.

sacolão (sa.co.*lão*) *sm. Bras. Pop.* Mercado de frutas, legumes e verduras. [Pl.: -*lões.*]

sacolé (sa.co.*lê*) *sm. Bras. Pop.* Picolé em saquinho plástico.

sacoleiro (sa.co.*lei*.ro) *sm. Bras. Pop.* Pessoa que compra mercadorias em quantidade para revendê--las em escritórios, de porta em porta etc.

sacolejar (sa.co.le.*jar*) *v.* **1** Agitar(-se) ou sacudir(-se) seguidamente. [*td.*: *Sacolejou-a para despertá-la do pesadelo. int./pr.*: *Os boias-frias sacolejavam(-se) no caminhão.*] **2** Bambolear(-se) ou rebolar(-se). [*td.*: *A cabrocha sacoleja as cadeiras. int./pr.*: *E lá vai ela sacolejando(-se).*] [▶ **1** sacole<u>jar</u>] • sa.co.le.jo *sm.*

sacralizar (sa.cra.li.*zar*) *v.* Dar caráter de sagrado a, ou adquiri-lo. [*td.*: *Os povos antigos sacralizavam elementos da natureza. pr.*: *Os imperadores romanos sacralizavam-se.*] [▶ **1** sacrali<u>zar</u>] • sa.cra.li.za.ção *sf.*

sacramentar (sa.cra.men.*tar*) *v. td.* **1** *Rel.* Ministrar sacramento cristão a. **2** *Rel.* Dar caráter sagrado a; CONSAGRAR: *sacramentar um santuário.* **3** *Bras.* Firmar ou registrar legalmente (acordo, contrato, documento etc.). [▶ **1** sacramen<u>tar</u>] • sa.cra.men.ta.do *a.sm.*

sacramento (sa.cra.*men*.to) *sm. Rel.* Ato ou sinal sagrado pelo qual se recebe uma graça divina (p.ex.: o batismo, o casamento e a extrema-unção). • sa.cra.men.tal *a2g.*

sacrário (sa.*crá*.ri.o) *sm. Rel.* **1** Lugar onde são guardadas coisas sagradas. **2** Lugar onde são guardadas as hóstias consagradas.

sacrificar (sa.cri.fi.*car*) *v.* **1** Oferecer(-se) em sacrifício (a uma divindade, como expiação etc.). [*td.*: *Os astecas sacrificavam crianças. tdi. + a: Os antigos sacrificavam animais às divindades. int.*: *Entre os antigos judeus, só os sacerdotes podiam sacrificar. pr.*: *Pelos cristãos, Jesus sacrificou-se pela humanidade.*] **2** Entregar(-se) inteiramente a; DEVOTAR(-SE); CONSAGRAR(-SE). [*td. + a: Ele sacrificou sua vida à medicina. pr.*: *Sacrifica-se pelos filhos.*] **3** Renunciar a, ou desprezar (algo) em benefício de outra coisa. [*td.*: *O monge sacrifica os prazeres. tdi. + por*: "...tenho de sacrificar meu tempo livre pela pátria." (Kurban Said, *Ali e Nino*). *pr.*: *sacrificar-se por uma causa.*] **4** Matar (animal) por razão especial. [*td.*: *sacrificar um cão raivoso.*] **5** Prejudicar, lesar, ou extinguir. [*td.*: *A alta dos juros sacrifica a população; a Segunda Guerra sacrificou milhões de vidas.*] [▶ **11** sacrifi<u>car</u>] • sa.cri.fi.ca.do *a.*; sa.cri.fi.cá.vel *a2g.*

sacrifício (sa.cri.*fí*.ci.o) *sm.* **1** Ação ou resultado de sacrificar(-se). **2** Oferenda aos deuses. **3** *Rel.* A missa. **4** Renúncia voluntária em favor de um ideal ou de uma pessoa: "Lá vai para a frente/ o que se oferece/ para o sacrifício/ na causa que serve." (Cecília Meireles, *Romanceiro da Inconfidência*). **5** Tarefa desagradável que se deve realizar. • sa.cri.fi.cal *a2g.*

sacrilégio (sa.cri.*lé*.gi:o) *sm. Rel.* **1** Profanação de uma coisa, pessoa ou lugar sagrado. **2** Qualquer ato condenável. • sa.*crí*.le.go *a.sm.*

sacripanta, sacripante (sa.cri.*pan*.ta, sa.cri.*pan*.te) *a2g*. **1** Diz-se de pessoa infame, desprezível. *s2g*. **2** Essa pessoa. **3** Pessoa falsamente religiosa.

sacristão (sa.cris.*tão*) *sm*. Empregado que cuida de uma igreja e dos objetos de culto. [Pl.: *-tães* e *-tões*.]

sacristia (sa.cris.*ti*.a) *sf*. Local dentro da igreja onde são guardados os paramentos e os objetos us. na missa.

sacro (*sa*.cro) *a*. **1** Sagrado. *sm*. **2** *Anat*. Osso que forma a parte de trás da bacia.

sacrossanto (sa.cros.*san*.to) *a*. **1** Sagrado e santo. **2** Que não se pode violar; INVIOLÁVEL.

sacudir (sa.cu.*dir*) *v*. **1** Agitar(-se) fortemente, ou abalar(-se). [*td*.: "...despertei a Hortênsia, *sacudindo-o* pelo ombro." (Josué Montello, *Sempre serás lembrada*). *pr*.: *No transe ele se sacudia todo*.] **2** Abanar, menear, ou requebrar-se. [*td*.: *sacudir a cabeça/o lenço*. *pr*.: *A passista sacudia-se ao ritmo da batucada*.] **3** Limpar (de poeira, sujeira miúda etc.) agitando. [*td*.: *sacudir uma toalha*.] **4** *Fig*. Despertar, excitar, estimular. [*td*.: *O grito da torcida sacudiu o time*.] [▶ **53** *sacudir*] ● **sa.cu.***di*.da *sf*.; **sa.cu.di.***de*.la *sf*.; **sa.cu.***di*.do *a*.

sádico (*sá*.di.co) *a*. **1** Ref. a sadismo. **2** Que sente prazer em fazer alguém sofrer; CRUEL; TIRANO. *sm*. **4** Pessoa sádica.

sadio (sa.*di*.o) *a*. **1** Bom para a saúde. **2** Que goza de boa saúde.

sadismo (sa.*dis*.mo) *sm*. **1** *Psiq*. Prática sexual que consiste em obter prazer com a dor e o sofrimento de outra pessoa. **2** Prazer com a dor de outra pessoa.

sadomasoquismo (sa.do.ma.so.*quis*.mo) *sm*. *Psiq*. Prática sexual que combina sadismo e masoquismo. ● **sa.do.ma.so.***quis*.ta *a2g*.*s2g*.

safado (sa.*fa*.do) *a*. **1** *Pop*. Descarado, cínico. **2** *Bras*. Imoral, indecente. *sm*. **3** Pessoa safada. ● **sa.***fa*.de.za *sf*.

safanão (sa.fa.*não*) *sm*. **1** Puxão para arrancar algo. **2** *Pop*. Tapa, bofetada. **3** *Pop*. Empurrão, encontrão. [Pl.: *-nões*.]

safar (sa.*far*) *v*. **1** Livrar(-se), ou esquivar-se, escapar. [*tdi*. + *de*: *O advogado safou-o da condenação*. *pr*.: *Saiu cedo e safou-se do mutirão*.] **2** Fazer sair, puxando. [*td*.: *safar as botas*.] **3** Roubar, afanar. [*td*.] [▶ **1** saf*ar*]

safardana (sa.far.*da*.na) *sm*. Homem sem-vergonha; SAFADO; CANALHA.

safári (sa.*fá*.ri) *sm*. Excursão ou expedição de caça esp. em regiões africanas.

sáfaro (*sá*.fa.ro) *a*. **1** Rude, agreste, árido. **2** Que não produz; ESTÉRIL. **3** *Fig*. Intratável, esquivo.

safena (sa.*fe*.na) *a*.*sf*. *Anat*. Diz-se da ou a veia que leva o sangue dos membros inferiores para o coração.

safenado (sa.fe.*na*.do) *a*. **1** Que se submeteu à cirurgia de ponte de safena. *sm*. **2** Pessoa safenada.

safira (sa.*fi*.ra) *sf*. **1** *Min*. Pedra preciosa de cor azul. **2** A cor azul.

safismo (sa.*fis*.mo) *sm*. Ver *lesbianismo*.

safo (*sa*.fo) *a*. **1** Que se safou. **2** *Bras*. *Gír*. Esperto, inteligente, vivo.

safra (*sa*.fra) *sf*. A produção agrícola anual; COLHEITA.

saga (*sa*.ga) *sf*. **1** Narrativa histórica ou mitológica da literatura medieval escandinava. **2** Narração ficcional ou histórica com muitas aventuras. **3** História, ger. romanceada, de uma família.

sagaz (sa.*gaz*) *a2g*. **1** Que é inteligente, perspicaz, arguto. **2** Veloz, esperto (diz-se de animal). [Superl.: *sagacíssimo*.] ● **sa.ga.ci.***da*.de *sf*.

sagitariano (sa.gi.ta.ri.*a*.no) *a*.*sm*. Que ou quem nasceu sob o signo de Sagitário.

Sagitário (Sa.gi.*tá*.ri:o) *Astrol*. *sm*. **1** Signo (do Zodíaco) das pessoas nascidas entre 22 de novembro e 21 de dezembro. *s2g*. **2** Sagitariano: *Meu namorado é Sagitário*.

sagrado (sa.*gra*.do) *a*. **1** Que se sagrou. **2** Ref. às coisas divinas ou à religião; SACRO; SANTO. **3** Que não deve ser tocado nem violado; INVIOLÁVEL; SACROSSANTO. **4** Venerável, santo. [Superl.: *sacratíssimo*.]

sagrar (sa.*grar*) *v*. **1** Investir em certa dignidade, mediante determinada cerimônia. [*td*. (seguido ou não de indicação de dignidade): *sagrar um rei*; *O papa sagrou-o bispo*.] **2** Dedicar(-se) a Deus ou ao culto de um santo; CONSAGRAR(-SE). [*td*.: *sagrar uma igreja*. *tdi*. + *a*: *Sagrou a capela à Virgem Maria*. *pr*.: *Sagrou-se ao sacerdócio*.] **3** Obter consagração; conquistar vitória, título etc. [*pr*.: *sagrar-se campeão*.] [▶ **1** sagr*ar*] ● **sa.gra.***ção* *sf*.

sagu (sa.*gu*) *sm*. Fécula extraída do sagueiro e us. como alimento.

saguão (sa.*guão*) *sm*. **1** Pátio pequeno e descoberto no interior de um edifício. **2** Salão entre a porta principal e as escadarias em uma grande construção. [Pl.: *-guões*.]

sagueiro (sa.*guei*.ro) *sm*. *Bot*. Palmeira que dá o sagu.

sagui (sa.*gui*) *sm*. *Bras*. *Zool*. Macaco pequeno, de cauda longa e unhas em forma de garras.

saia (*sai*.a) *sf*. Roupa feminina que vai da cintura às pernas e tem comprimento variável. ▪ ● *justa* *Fig*. *Gír*. Situação embaraçosa. **2** Situação em que se está impotente para agir.

saia-calça (sai.a-*cal*.ça) *sf*. Calça feminina com aparência de saia. [Pl.: *saias-calças*.]

saião (sai.*ão*) *sm*. **1** *Bras*. *Bot*. Erva us. para chás medicinais. **2** Saia grande. [Pl.: *-ões*.]

saibro (*sai*.bro) *sm*. Mistura de argila e areia us. para preparar argamassa.

saída (sa.*í*.da) *sf*. **1** Ação ou resultado de sair; SAIMENTO. **2** Lugar por onde se pode sair. **3** Momento em que se sai. **4** Jeito de resolver um problema; recurso, expediente. **5** Venda, comercialização. ▪ **Não dar (nem) para o ~** *Bras*. *Pop*. Não ter a menor condição de competir (com algo ou alguém) ou de realizar algo, ou de exercer determinada função; não ser suficiente para determinado objetivo.

saída de praia (sa.í.da de *prai*.a) *sf*. Roupa us. por cima do maiô ou do biquíni. [Pl.: *saídas de praia*.]

saideira (sa:i.*dei*.ra) *sf*. *Bras*. *Gír*. O último copo de bebida alcoólica que se toma após tomar outros tantos.

saído (sa.*í*.do) *a*. **1** Que está fora; AUSENTE. **2** Que se projeta para fora (dentes *saídos*); SALIENTE. **3** *Pop*. Esperto, desembaraçado.

saimento (sa:i.*men*.to) *sm*. **1** Ação ou resultado de sair; SAÍDA. **2** Ver *funeral*.

sainete (sai.*ne*.te) [ê] *sm*. **1** Qualquer coisa que diminui uma impressão desagradável. **2** Graça, sabor. **3** *Teat*. Comédia curta.

saiote (sai.*o*.te) *sm*. **1** Saia curta. **2** Saia curta us. debaixo de outra saia.

sair (sa.*ir*) *v*. **1** Passar de dentro para fora, ir para fora, ou deixar um lugar. [*int*.: *Está saindo fumaça do carburador*; *O avião ainda não saiu do México*.] **2** Deixar um corpo ou volume depois de tê-lo traspassado. [*int*.: *A bala saiu pelo outro lado da parede*.] **3** Desunir-se ou desencaixar-se. [*int*.: *O trem saiu dos trilhos*.] **4** Deixar de fazer parte de, ou de exercer determinado cargo em. [*int*.: *O economista sairá do Ministério*.] **5** Proceder, provir, ou emanar. [*int*.: *Esse grande cientista saiu do povo*.] **6** Desviar-se, afastar-se de, ou escapar a. [*ti*. + *de*: *Isso saí da sua alçada*.] **7** Livrar-se ou desvencilhar-se. [*int*./*pr*.: *Já (se) saiu das dificuldades financeiras*.] **8** Chegar ao fim de, ou concluir. [*int*.: *Mal saiu da faculdade e já se empregou*.] **9** Desabrochar ou surgir. [*int*.: *O sol está para sair*. *lig*.: *Hoje a lua saiu minguan-*

sal | **salivar²**

te.] **10** Ocorrer, suceder. [*int.*: Saiu uma discussão no jantar.] **11** Ser publicado, ou lançado. [*int.*: Seu livro acaba de sair.] **12** Ter saída ou venda. [*int.*: Esse produto é o que sai mais.] **13** Desaparecer, desfazer-se. [*int.*: Esta mancha não quer sair.] **14** Caber por escolha, ou em sorte. [*ti.* + *para*: A Palma de Ouro não saiu para o filme brasileiro. *int.*: Seu número saiu na rifa.] **15** Assumir uma aparência; ficar; resultar. [*lig.*: Ela sempre sai bonita nas fotos.] **16** Apresentar desempenho. [*pr.*: Saiu-se mal no vestibular. *lig.*: Você está saindo um grande administrador.] **17** Parecer-se física ou espiritualmente com antepassado. [*ti.* + *a*: Saíram ao avô.] **18** Passear, caminhar, ou ir divertir-se. [*int.*: Esses amigos saem juntos todo sábado.] **19** *Bras. Pop.* Manter relação amorosa ger. sem compromisso. [*ti.* + *com*: Ele já sai com Renata há dois meses. *int.*: Disseram-me que eles estão saindo.] **20** Dizer ou fazer algo inesperado. [*int./pr.*: De repente ele (se) saiu com essa história!] [▶ **43** sair] ▪ ~ **à francesa/de fininho** Sair sem ser notado.

sal *sm.* **1** *Quím.* Composto derivado da reação de um ácido com uma base. **2** *Quím.* Substância inodora, cristalina, constituída por cloreto de sódio, us. como tempero. **3** *Fig.* Graça, desenvoltura. [Pl.: *sais.*] ☑ **sais** *smpl.* **4** Substâncias voláteis dadas a uma pessoa desmaiada a fim de que ela acorde. **5** Pó perfumado que se dissolve na água do banho.

📖 A importância do sal (no caso, o chamado sal comum, o cloreto de sódio) como alimento e como conservante de alimentos fez com que ele fosse us. como moeda em longo período da história (a palavra *salário* daí deriva). Além de importante e necessário como alimento e condimento, tem muitos usos industriais (refrigeração, plásticos, inseticidas etc. e, através da soda cáustica — resultante de um processo chamado eletrólise —, na produção de óleos, sabões, celulose etc.). Ele existe em abundância na natureza, esp. na água do mar, lagos e depósitos de sal-gema. No Brasil, as principais salinas (nas quais se extrai o sal marinho da água do mar por evaporação e tratamento) ficam no Rio Grande do Norte e no Rio de Janeiro.

sala (sa.*la*) *sf.* **1** Parte da casa onde se recebem as visitas ou se fazem as refeições. **2** Qualquer compartimento de uma casa. **3** Dependência de um prédio onde se desenvolve alguma atividade: *sala de conferências/de projeção*. [Dim.: *saleta.*] **4** Recinto próprio para apresentação pública de um cantor, uma orquestra etc. **5** *Bras.* Sala de aula; CLASSE. **6** *Bras.* Os alunos de determinada sala (5); TURMA; CLASSE: *Era a sala mais estudiosa.* ▪ **Fazer ~** Entreter hóspede ou visita.

salada (sa.*la*.da) *sf.* **1** *Cul.* Prato composto esp. de verduras e legumes, temperado com diversos tipos de molho. **2** *Pop.* Confusão, mistura de fatos ou coisas diferentes. ● **sa.la.*dei*.ra** *sf.*

salafrário (sa.la.*frá*.ri.o) *sm. Pop.* Homem sem caráter; PATIFE; CANALHA.

salamaleque (sa.la.ma.*le*.que) [é] *sm.* **1** Saudação muçulmana. **2** *Fig. Pop.* Mesura exagerada; RAPAPÉ.

salamandra (sa.la.*man*.dra) *sf. Zool.* Anfíbio dotado de cauda e com dois pares de patas, semelhante ao lagarto.

salame (sa.*la*.me) *sm. Cul.* Embutido grosso feito de carne de porco ou de boi, toucinho e pimenta.

salaminho (sa.la.*mi*.nho) *sm. Cul.* Tipo de salame mais fino.

SALAMANDRA

salão (sa.*lão*) *sm.* **1** Sala muito grande. **2** *Bras.* Barbearia ou cabeleireiro (2), salão de beleza. **3** Exposição periódica de produtos artísticos, artesanais e industriais. [Pl.: -*lões.*]

salário (sa.*lá*.ri.o) *sm.* Remuneração paga a empregado em troca de seu trabalho; ORDENADO. ▪ **Décimo terceiro ~** Salário extra anual, determinado por lei, de valor equivalente a 1/12 do total de salários pagos a um empregado no ano. ~ **mínimo** Menor salário que se pode pagar aos empregados, estabelecido por lei. ● **sa.la.ri*al*** *a2g.*

salário-família (sa.lá.ri.o-fa.*mí*.li.a) *sm.* Complementação salarial paga por número de filhos de um empregado. [Pl.: *salários-famílias* e *salários-família.*]

salaz (sa.*laz*) *a2g.* Que tem propensão para a luxúria; LASCIVO; LIBERTINO. [Superl.: *salacíssimo.*]

saldar (sal.*dar*) *v. td.* **1** Pagar o saldo de ou liquidar (conta, dívida). **2** Desforrar (alguém) de (ofensa moral, crime cometido etc.). [▶ **1** saldar]

saldo (*sal*.do) *sm.* **1** Numa conta bancária, diferença entre o crédito e o débito; total de dinheiro disponível. **2** Mercadoria em final de estoque vendida com desconto; LIQUIDAÇÃO. **3** *Fig.* Resultado de um fato: *A forte chuva deixou um saldo de 21 desabrigados.*

saleiro (sa.*lei*.ro) *sm.* Recipiente em que se guarda sal.

saleta (sa.*le*.ta) [é] *sf.* Sala pequena.

salgadinho (sal.ga.*di*.nho) *sm. Bras. Cul.* Petisco salgado, servido em festas e coquetéis.

salgado (sal.*ga*.do) *a.* **1** Que leva ou contém sal (biscoito salgado, água salgada). **2** *Fig.* Com excesso de sal: *A moqueca ficou salgada.* **3** *Pop.* Que é alto (diz-se de preço, juro).

salgar (sal.*gar*) *v. td.* **1** Temperar (comida) com sal. **2** Pôr sal sobre (esp. carnes) para conservar. **3** Pôr demasiado sal em (comida). [▶ **14** salgar] ● **sal.ga.*ção*** *sf.*; **sal.ga.*du*.ra** *sf.*

sal-gema (sal-*ge*.ma) *sm. Min.* Cloreto de sódio, pode ser us. como tempero e no fabrico de carbonato de sódio. [Pl.: *sais-gemas.*]

salgueiro (sal.*guei*.ro) *sm. Bot.* Arbusto com folhas finas e ramos pendentes.

salicultura (sa.li.cul.*tu*.ra) *sf.* Fabricação de sal.

saliência (sa.li.*ên*.ci.a) *sf.* **1** Numa superfície, parte que se projeta; PROTUBERÂNCIA: *A saliência na pista pode ter causado o acidente.* **2** *Bras. Pop.* Tratamento íntimo e ousado dispensado a alguém; ATREVIMENTO; ASSANHAMENTO.

salientar (sa.li.en.*tar*) *v.* Tornar(-se) saliente, destacado, ou notável; DESTACAR(-SE). [*td.*: *Na reportagem ela salientou a atuação do ministro. pr.*: *Ele salienta-se como jurista.*] [▶ **1** salientar]

saliente (sa.li.*en*.te) *a2g.* **1** Que se projeta para fora (queixo saliente); PROTUBERANTE. **2** *Fig.* Que sobressai, que se destaca. **3** *Bras.* De comportamento atrevido, assanhado.

salina (sa.*li*.na) *sf.* **1** Terreno em que é represada a água de lagoa, ou do mar, para que se evapore, permitindo a produção de sal. **2** Empresa salineira. ● **sa.li.na.*ção*** *sf.*; **sa.li.*na*.gem** *sf.*

salineiro (sa.li.*nei*.ro) *a.* **1** Ref. a sal ou a salina. *sm.* **2** Empregado de empresa salineira.

salino (sa.*li*.no) *a.* Que contém sal; de sal (solução salina). ● **sa.li.ni.*da*.de** *sf.*

salitre (sa.*li*.tre) *sm. Quím.* Substância (nitrato de potássio) us. em fertilizantes, explosivos etc. ● **sa.li.*tra*.do** *a.*

saliva (sa.*li*.va) *sf.* Líquido segregado pelas glândulas da boca, e que auxilia a digestão.

salivar¹ (sa.li.*var*) *a2g.* **1** De saliva (secreção salivar). **2** Que secreta saliva (glândula salivar).

salivar² (sa.li.*var*) *v. int.* Expelir ou produzir saliva. [▶ **1** salivar] ● **sa.li.va.*ção*** *sf.*

salmão (sal.*mão*) *sm*. **1** *Zool.* Grande peixe marinho de carne rosada, muito apreciada. **2** Cor rosada semelhante a desse peixe. [Pl.: -*mões*.] *a2g2n*. **3** Que é dessa cor (blusas salmão).
salmo (*sal*.mo) *sm. Rel.* Cada um dos 150 cânticos bíblicos reunidos no Livro dos Salmos. • **sal.***mis*.**ta** *s2g*.
salmonela (sal.mo.*ne*.la) *sf. Bac.* Bactéria presente em certos alimentos, que causa doenças.
salmoura (sal.*mou*.ra) *sf.* Água salgada us. para conservar alimentos (peixes, azeitonas etc.).
salobro, salobre (sa.*lo*.bro, sa.*lo*.bre) [ô] *a*., *a2g*. Com certo grau de sal: lago de água salobra.
salomônico (sa.lo.*mô*.ni.co) *a.* Ref. a Salomão (1032-975 a.C.), terceiro rei dos judeus.
salpicão (sal.pi.*cão*) *sm. Bras. Cul.* Salada feita com galinha desfiada, presunto e legumes picados, ligados por maionese. [Pl.: -*cões*.]
salpicar (sal.pi.*car*) *v.* **1** Salgar (alimento), espargindo sobre ele gotas ou pedras de sal. [*td.*] **2** Manchar(-se), colorir(-se) ou cobrir(-se) com pingos ou salpicos. [*td.: a lama salpicou minha roupa*; seguido de indicação de meio/modo) *Salpicou o quadro de vermelhos e amarelos*. *pr.: Salpicou-se de talco*.] **3** *Fig.* Pôr de espaço a espaço; ENTREMEAR. [*td.* + *de: Ele salpica de regionalismos seus romances*.] [▶ **11** salpic**ar** • **sal.pi.ca.do** *a.*
salpico (sal.*pi*.co) *sm.* **1** Ação ou resultado de salpicar. **2** Pequena mancha; PINGO.
salsa (*sal*.sa) *sf. Bot.* Erva de folhas trianguladas e dentadas, us. como tempero.
salsaparrilha (sal.sa.par.*ri*.lha) *sf. Bot.* Arbusto cuja raiz é medicinal.
salseiro (sal.*sei*.ro) *sm.* **1** *Bras.* Desordem, confusão, briga. **2** Chuva forte, de pouca duração.
salsicha (sal.*si*.cha) *sf. Cul.* Pequeno embutido (3) recheado de carne condimentada.
salsichão (sal.si.*chão*) *sm. Cul.* Salsicha grande e grossa. [Pl.: -*chões*.]
salsicharia (sal.si.cha.*ri*.a) *sf.* **1** Empresa que fabrica e/ou vende salsichas. **2** Técnica de fabricação de salsichas.
salsicheiro (sal.si.*chei*.ro) *sm.* Pessoa que fabrica ou vende salsichas.
salso (*sal*.so) *a. Poét.* Que contém sal; SALGADO (diz-se do mar e de suas águas).
salsugem (sal.*su*.gem) *sf.* **1** Lodo com substâncias salinas. **2** Detritos que boiam nas águas do mar próximo a praias e portos. [Pl.: -*gens*.] • **sal.su.gi.** *no*.**so** *a.*
saltar (sal.*tar*) *v.* **1** Elevar-se do solo, dar saltos, ou lançar-se de um lugar para outro; PULAR. [*int.* (seguido ou não de indicação de lugar): *Saltou e pendurou-se no galho; Saltaram para o barco*.] **2** Quicar (pp. bola). [*int.*] **3** Desembarcar. [*int.: Vou saltar no próximo ponto*.] **4** Lançar-se sobre ou investir contra. [*ti.* + *sobre: O cão saltou sobre o ladrão*.] **5** Brotar, jorrar, irromper. [*int.* (seguido de indicação de lugar): *Saltaram lágrimas de seus olhos*.] **6** Bater, palpitar aceleradamente (o coração, o pulso). [*int.*] **7** Ser saliente, ou evidente; RESSAIR; SOBRESSAIR. [*int.: Seus olhos saltam das órbitas; Este erro salta aos olhos*.] **8** *Fig.* Não levar em conta, ou passar por cima de; DESPREZAR; OMITIR. [*td.: Saltei trechos na leitura do livro*.] **9** *Fig.* Passar sem transição, ou passar por etapas intermediárias. [*int.: Ele salta muito rápido de um tema para outro*.] [▶ **1** salt**ar** • **sal.ta.do** *a.*; **sal.** **ta.***dor a.sm*.
salteado (sal.te.*a*.do) *a.* Que não é sucessivo; ENTREMEADO: *peito de galinha salteado com batatas*.
salteador (sal.te.a.*dor*) [ô] *a.sm. Antq.* Que ou quem pratica assaltos na estrada. • **sal.te.a.***men*.**to** *sm.*; **sal.te.ar** *v.*

salmão | **salvar**

saltério (sal.*té*.ri:o) *sm.* **1** *Mús.* Instrumento de cordas citado na Bíblia. **2** *Mús.* Instrumento de cordas medieval com que se acompanhava o canto dos salmos. **3** *Rel.* Livro com os salmos bíblicos.
saltimbanco (sal.tim.*ban*.co)*sm.* Artista popular ambulante que se exibe em praças públicas, feiras etc.

SALTÉRIO (2)

saltinho (sal.*ti*.nho) *sm.* Salto relativamente baixo de sapato ger. feminino.
saltitar (sal.ti.*tar*) *v. int.* Dar saltos miúdos e repetidos, ou caminhar dando-os. [▶ **1** saltit**ar** • **sal.** **ti.***tan*.**te** *a2g*.
salto (*sal*.to) *sm.* **1** Ação ou resultado de saltar ou de lançar-se; PULO. **2** Movimento sofrido por um corpo lançado ou arremessado. **3** Passagem súbita de um estado a outro de alguém ou de algo: "A anotação seguinte dava um novo salto no tempo ..." (Ana Maria Machado, *A audácia dessa mulher*). **4** Queda-d'água. **5** Porção saliente na sola dos calçados sob o calcanhar. **6** Trecho, lacuna que se suprimiu, omitiu etc.: *A partir desse episódio, deu-se um salto na narrativa*. ❚❚ **Jogar de ~ alto** *Gír. Fut.* Jogar displicentemente, por se superestimar.
salto-mortal (sal.to-mor.*tal*) *sm.* Salto acrobático que consiste em fazer o corpo dar no ar e no sentido de seu eixo, um ou mais giros de 360 graus sobre si mesmo. [Pl.: *saltos-mortais*.]
salubre (sa.*lu*.bre) *a2g.* Que contribui para a saúde ou a favorece; SADIO; SALUTAR. [Superl.: *salubérrimo* e *salubríssimo*.] • **sa.lu.bri.***da*.**de** *sf.*; **sa.lu.bri.** **fi.***car v.*
salutar (sa.lu.*tar*) *a2g.* **1** Que é bom para a saúde; SAUDÁVEL. **2** *Fig.* Útil, benéfico (exemplo salutar).
salva (*sal*.va) *sf.* **1** Descarga simultânea ou sucessiva de tiros em honra de alguém, por ocasião de regozijo, por motivo de exercício ou de combate. **2** Espécie de bandeja para transporte de xícaras, copos, taças etc. ❚❚ **~ de palmas** Aplauso do público (que bate palmas) a uma apresentação (discurso, número musical etc.).
salvação (sal.va.*ção*) *sf.* **1** Ação ou resultado de salvar(-se). **2** *Rel.* Redenção, libertação: "...ter acesso à verdade de Cristo e à salvação eterna." (Alberto da Costa e Silva, *A manilha e o libambo*). [Ant.: *perdição*.] [Pl.: -*ções*.]
salvadorenho (sal.va.do.*re*.nho) *a.* **1** Da República de El Salvador ou de sua capital San Salvador (América Central); típico desse país, de sua capital ou de seus povos. *sm.* **2** Pessoa nascida na República de El Salvador ou em sua capital San Salvador.
salvadorense (sal.va.do.*ren*.se) *a2g.* **1** De Salvador, capital do Estado da Bahia; típico dessa cidade ou de seu povo. *s2g.* **2** Pessoa nascida em Salvador. [Tb. *soteropolitano*.]
salvados (sal.*va*.dos) *smpl.* Restos de coisas que se salvaram de uma catástrofe.
salvaguarda (sal.va.*guar*.da) *sf.* **1** Proteção, defesa que se garante a outrem. **2** Medida de proteção e garantia. **3** Ver *salvo-conduto* (2).
salvaguardar (sal.va.guar.*dar*) *v. td.* Dar proteção ou defesa a; dotar de garantias; PROTEGER; GARANTIR. [▶ **1** salvaguard**ar**]
salvar (sal.*var*) *v.* **1** Livrar de perigo, dano ou morte. [*td.: Estas chuvas salvarão a colheita*. *tdi.* + *de: Os policiais se salvaram dos delinquentes*. *pr.: Só os livros se salvaram do fogo*.] **2** Conservar(-se) a salvo; PRESERVAR(-SE); RESGUARDAR(-SE). [*td.: salvar a honra*. *pr.: Salvou-se de envolvimentos ilícitos*.] **3** *Rel.* Livrar do pecado e conduzir à glória eterna. [*td.: Jesus veio ao mundo para salvar o homem*. *pr.:*

Salvam-se os que praticam o bem.] **4** *Mil.* Saudar (alguém, algo) com salva (1) de artilharia. [*td. int.*] **5** *Inf.* Gravar ou armazenar (dados ou arquivos). [*td.*] [▶ **1** salv*ar*] ● **salva.dor** *a.sm.*; **sal.va.men**.to *sm.*
salva-vidas (sal.va-*vi*.das) *a2g2n.s2g2n.* **1** Diz-se de ou qualquer meio (boia, embarcação etc.) us. para salvar náufrago ou afogado. **2** Que ou quem, em praias de banho, é encarregado do salvamento de afogado.
salve (*sal*.ve) *interj.* Us. como saudação, cumprimento.
salve-rainha (sal.ve-ra.*i*.nha) *sf. Rel.* Oração com que os católicos homenageiam a Virgem Maria. [Pl.: *salve-rainhas*.]
salve-se quem puder (sal.ve-se quem pu.*der*) *sm2n.* Situação de grande balbúrdia, confusão; CORRE-CORRE: *Quando tocou o alarme foi um salve-se quem puder.*
sálvia (*sál*.vi:a) *sf. Bot.* Árvore de cujas folhas se faz tempero de mesmo nome.
salvo (*sal*.vo) *a.* **1** Que se salvou, livrando-de-morte, perigo etc. **2** *Inf.* Armazenado, gravado (arquivo *salvo*). *prep.* **3** Exceto: *Não falta nunca, salvo em caso de doença.* ■ A ~ Em segurança; PROTEGIDO: *É dever de todo governo manter a nação a salvo.*
salvo-conduto (sal.vo-con.*du*.to) *sm.* **1** Documento oficial em que se permite o trânsito de pessoas ou de coisas por um território. **2** *Fig.* Privilégio, prerrogativa, imunidade, salvaguarda. [Pl.: *salvos-condutos* e *salvo-condutos*.]
samambaia, sambambaia (sa.mam.*bai*.a, sam.bam.*bai*.a) *sf. Bras. Bot.* Planta ornamental que vegeta em local úmido e fresco, de folhas verdes e de variadas formas.

SAMAMBAIA

samaritano (sa.ma.ri.*ta*.no) *a.* **1** Da Samaria, capital do antigo reino de Israel ou região da Palestina; típico dessa ou de seus povos. **2** *Fig.* Que tem bom coração, que é caridoso. *sm.* **3** Pessoa nascida na Samaria. **4** *Fig.* Pessoa caridosa.
samba (*sam*.ba) *sm. Bras. Mús.* Música, dança e canto típicos do Brasil, com antecedentes afro-brasileiros, de ritmo bem marcado por instrumentos de percussão.

⌑ O samba, dança e música, é característico do Brasil, que originou-se na África negra, descendente que é do batuque e do lundu. Foi como arte popular urbana que o samba ganhou a forma e a projeção de que hoje desfruta, esp. no Rio de Janeiro, seu berço, São Paulo, Minas Gerais, Bahia e Maranhão. Seu ritmo marcou-se pela utilização de instrumentos de percussão característicos, como os vários tambores, o pandeiro, a cuíca, o tamborim, o agogô, o chocalho e o reco-reco (ganzá), entre outros, enquanto a melodia tem expressão variada, sob múltiplas influências (canto, instrumentos de sopro, violão, bandolim, cavaquinho etc.). Ganhou várias formas, como samba-choro, samba-canção, samba de breque, partido alto, pagode, samba-enredo (das escolas de samba), sambalanço, bossa nova etc. O primeiro samba gravado foi *Pelo telefone*, de Donga, em 1917.

samba-canção (sam.ba-can.*ção*) *sm. Bras.* **1** *Mús.* Canção em ritmo de samba em que a linha melódica predomina sobre o ritmo e cujas letras exploram ger. temas sentimentais. **2** Cueca folgada de tecido, cujo comprimento vai até a altura das coxas. [Pl.: *sambas-canções* e *sambas-canção*.]
samba-enredo (sam.ba-en.*re*.do) *sm. Bras. Mús.* Samba com letra de caráter narrativo, cantada coletivamente pela escola de samba no desfile carnavalesco. [Pl.: *sambas-enredos* e *sambas-enredo*.]
sambaqui (sam.ba.*qui*) *sm. Bras.* Pequenas elevações de conchas ao longo da costa brasileira, construídas em épocas pré-colombianas, que guardam artefatos de pedra e esqueletos humanos.
sambar (sam.*bar*) *v. int.* **1** Dançar ao ritmo do samba. **2** *Fig.* Estar demasiado folgado (traje, estofamento etc.). **3** *Bras. Gír.* Gorar, malograr, ou sair-se mal. [▶ **1** samb*ar*]
sambenito (sam.be.*ni*.to) *sm. Hist.* Vestimenta dos condenados pelo tribunal eclesiástico da Inquisição.
sambista (sam.*bis*.ta) *a2g.s2g. Bras.* Que ou quem é compositor ou cantor de sambas, ou grande dançarino, passista de samba.
sambódromo (sam.*bó*.dro.mo) *sm. Bras.* Pista para desfile das escolas de samba.
samburá (sam.bu.*rá*) *sm. Bras.* Cesto feito de um trançado de varas ou de cipó, bojudo e de boca estreita, us. ger. na pescaria para guardar o pescado.
samoano (sa.mo:*a*.no) *a.* **1** Do Estado Independente de Samoa ou da Samoa Americana (Pacífico Sul); típico desses arquipélagos ou de seus povos. *sm.* **2** Pessoa nascida no Estado Independente de Samoa ou na Samoa Americana. *a.sm.* **3** *Gloss.* Da, ref. à ou a língua falada nas Samoas. [Tb. *samoense.*]
samoense (sa.mo:*en*.se) *a2g.s2g.* Ver *samoano*.
samovar (sa.mo.*var*) *sm.* Espécie de chaleira russa, ger. de cobre.
samurai (sa.mu.*rai*) *sm.* Membro da classe dos guerreiros no Japão feudal.
sanar (sa.*nar*) *v. td.* **1** Deixar são ou curado; CURAR; SARAR. **2** *Fig.* Remediar, reparar: *sanar dificuldades*. [Sin. ger.: *sanear*.] [▶ **1** san*ar*]
sanatório (sa.na.*tó*.ri:o) *sm.* Casa de repouso e recuperação para doentes nervosos ou para tratamento de tuberculosos.
sanca (*san*.ca) *sf. Bras.* Moldura convexa numa parede, próxima ao teto, e em cujo interior se instalam, por vezes, as lâmpadas de iluminação de um recinto.
sanção (san.*ção*) *sf. Jur.* **1** Aprovação de uma lei pelo poder executivo. **2** Pena contra os infratores de uma lei. **3** Recompensa pelo cumprimento de uma lei. [Pl.: *-ções*.]
sancionar (san.ci:o.*nar*) *v. td.* Dar sanção a, ou aprovar, ratificar: *sancionar uma legislação*. [▶ **1** sancion*ar*]
sandália (san.*dá*.li:a) *sf.* Calçado com solado preso ao pé por tiras.
sândalo (*sân*.da.lo) *sm.* **1** *Bot.* Árvore da Índia que fornece madeira e de que se extrai óleo us. em perfumaria. **2** Madeira dessa árvore. **3** A essência dela extraída.
sandeu (san.*deu*) *Pej. a.* **1** Que envolve sandice. *a.sm.* **2** Que ou quem age como um tolo ou fala coisas sem nexo. [At! O termo é considerado ofensivo.] [Fem.: *-dia*.]
sandice (san.*di*.ce) *sf.* **1** Ação ou dito disparatado, que revela ignorância ou que não tem nexo. **2** Qualidade ou condição de sandeu.
sanduba (san.*du*.ba) *sm. Gír.* Saduíche.
sanduíche (san.du.*í*.che) *sm.* **1** *Cul.* Alimento composto de duas ou mais fatias de pão entremeadas de fatias de queijo, carne, presunto, mortadela etc. **2** *Bras. Fig. Pop.* Situação em que duas coisas ou pessoas imprensam uma terceira que está entre elas.
sanear (sa.ne.*ar*) *v. td.* **1** Dar a (ambiente, atmosfera, rio etc.) condições higiênicas ou salutares necessárias. **2** Ver *sanar*. [▶ **13** san*ear*] ● **sa.ne:a.men**.to *sm.*
sanefa (sa.*ne*.fa) {sf} Tira larga de pano que se estende sobre a parte superior de uma cortina.

sanfona (san.*fo*.na) *sf. Mús.* Ver *acordeão*. • san.fo.*nei*.ro *sm.*

sangradouro (san.gra.*dou*.ro) *sm.* Sulco ou rego por onde se faz passar parte da água de um rio, de uma represa etc.

sangrar (san.*grar*) *v.* **1** Verter ou perder sangue. [*int.*] **2** Abrir veia de, com objetivo curativo. [*td. pr.*] **3** Matar(-se). [*td.* (seguido ou não de complemento explícito): *sangrar o boi no matadouro. int.: Lampião sangrava sem piedade. pr.: O infeliz suicida sangrou-se.*] **4** Extrair látex, resina, minério etc. de. [*td.: sangrar uma seringueira.*] **5** *Fig.* Dilacerar, ferir, atormentar-se. [*td.: Aquele desgosto sangrou seu coração. int.: A viuvez o fez sangrar.*] **6** *Fig.* Defraudar, extorquir, ou depauperar(-se). [*td.: A carga tributária sangra a população. pr.: A família sangrou-se de tanto esbanjamento.*] [▶ **1** sangr[ar]] • san.gra.*du*.ra *sf.*; san.gra.*men*.to *sm.*

sangrento (san.*gren*.to) *a.* **1** Em que há derramamento de sangue (luta sangrenta). **2** Manchado de sangue (atadura sangrenta); ENSANGUENTADO. **3** *Cul.* Malpassado, pouco frito ou assado (diz-se de carne).

sangria (san.*gri*.a) *sf.* **1** Ação ou resultado de sangrar; SANGRADURA; SANGRAMENTO. **2** Extorsão fraudulenta de valores: *sangria de recursos públicos.* **3** Bebida feita de vinho diluído em água, açúcar e frutas picadas. **4** Vazão de água represada. ■ ~ **desatada** Situação que exige medidas imediatas: *Corrija o relatório, mas vá com calma, não é uma sangria desatada.*

sangue (*san*.gue) *sm.* **1** *Histl.* Líquido que circula pelo organismo através de artérias e vasos, impulsionado pelo coração. **2** *Fig.* Família, linhagem ou parentesco (sangue nobre). **3** *A* seiva das plantas. **4** *Fig.* Vigor, ânimo. **5** *Fig.* Violência, morticínio. ■ ~ **frio** Sangue característico de peixes, anfíbios, répteis e invertebrados, cuja temperatura varia de acordo com o do meio em que eles vivem. [Cf.: *sangue-frio*.] ~ **quente** Sangue característico de mamíferos e aves, cuja temperatura é constante. **Subir o ~ à cabeça (de)** Ficar muito irritado ou irado, perder o controle. **Ter o ~ quente/Ter ~ nas veias** Ser irritadiço, capaz de se exaltar ou se descontrolar facilmente (por raiva, indignação etc.) **Ter ~ de barata** *Pej.* Não ser capaz de reagir a ofensas, agressões etc.

📖 O sangue desempenha várias funções vitais para o organismo, como transportar para as células do corpo o oxigênio dos pulmões (e o gás carbônico destas para o pulmão), os hormônios secretados pelas glândulas e os nutrientes extraídos dos alimentos no aparelho digestivo, além de ser o responsável pela defesa imunológica contra agentes extremos nocivos e pelo equilíbrio térmico do corpo. Os principais componentes do sangue, além do plasma, seu meio líquido, são as hemácias ou glóbulos vermelhos, que carregam o oxigênio, os leucócitos ou glóbulos brancos, responsáveis pelo combate aos elementos estranhos, como nas infecções, e as plaquetas, que controlam a coagulação. Há vários tipos de sangue (determinados por substâncias chamadas *antígenos*), dos quais os principais se denominam A, B, AB e O, cada qual com variantes positiva e negativa. Nesse grupo, o sangue tipo O (doador universal) só pode receber em transfusão o mesmo tipo sanguíneo; AB (receptor universal) pode receber A, B, AB e O; A pode receber A e O; e B pode receber B e O.

sangue-frio (san.gue-*fri*.o) *sm.* Impassibilidade frente a situações de risco. [Pl.: *sangues-frios*.] [Cf.: *sangue/frio* em *sangue*.]

sangueira (san.*guei*.ra) *sf.* **1** Quantidade significativa de sangue derramado. **2** Morticínio, chacina.

sangue-novo (san.gue-*no*.vo) *sm. Bras. Pop.* Nome dado a algumas erupções cutâneas. [Pl.: *sangues-novos*.]

sanguessuga (san.gues.*su*.ga) *sf.* **1** *Zool.* Verme que se instala em organismo animal sugando-lhe o sangue. **2** *Joc.* Pessoa que parasita outra ou um grupo.

sanguinário (san.gui.*ná*.ri.o) *a.sm.* **1** Que ou quem se compraz em derramar ou ver derramar sangue. **2** Que ou quem é violento, impiedoso.

sanguíneo (san.*guí*.ne:o) *a.* **1** Do sangue (circulação sanguínea). **2** Que está no sangue (glicose sanguínea). **3** Que indica parentesco (laços sanguíneos). **4** Da cor do sangue.

sanguinolento (san.gui.no.*len*.to) *a.* **1** Ref. a sangue. **2** Em que há derramamento de sangue; CRUENTO; SANGRENTO. **3** Que está sujo de sangue. **4** Misturado com sangue.

sanha (*sa*.nha) *sf.* Acesso irrefreável de fúria que toma e cega um indivíduo; FUROR.

sanhaço (sa.*nha*.ço) *sm. Zool.* Pássaro de plumagem multicolorida com destaque do azul e do verde.

sanidade (sa.ni.*da*.de) *sf.* Estado ou qualidade do que está física ou mentalmente são; SALUBRIDADE.

sânie (*sâ*.ni:e) *sf. Med.* Matéria purulenta, cheia de sangue, produzida por ferimentos e úlceras. • sa.ni:*o*.so *a.*

sanitário (sa.ni.*tá*.ri:o) *a.* **1** Que se refere à ou é próprio da saúde ou da higiene (medidas sanitárias). **2** Que é apropriado para a higiene (vaso sanitário). **3** Ref. a, ou próprio de banheiro. *sm.* **4** Cômodo de uma residência onde há ou de um estabelecimento onde se encontram os aparelhos sanitários (vaso, pia, bidê etc.).

sanitarista (sa.ni.ta.*ris*.ta) *s2g.* Médico que se especializou em saúde pública; HIGIENISTA.

san-marinense (san-ma.ri.*nen*.se) *a2g.* **1** Da República de San Marino (península Itálica, Europa); típico desse país ou do seu povo. *s2g.* **2** Pessoa nascida em San Marino.

sânscrito (*sâns*.cri.to) *a.sm. Gloss.* Do, ref. ao ou o grupo de línguas indo-europeias da Índia em uso desde 1200 a.C., esp. na religião e na literatura clássica hindus.

sansei (san.*sei*) *a2g.s2g* Que ou quem é neto de imigrantes japoneses, nascido fora do Japão.

santa-lucense, santa-luciense (san.ta-lu.*cen*.se, san.ta-lu.ci:*en*.se) *a2g.* **1** De Santa Lúcia (Caribe); típico dessa ilha ou do seu povo. *s2g.* **2** Pessoa nascida em Santa Lúcia. [Pl.: *santa-lucenses, santa-lucienses*.]

santantônio, santo-antônio (san.tan.*tô*.ni:o, san.to-an.*tô*.ni:o) *sm.* **1** *Aut.* Barra que, em carros de corrida e picapes, protege o piloto em caso de capotagem. **2** Dianteira da sela. [Pl. de *santo antônio*: *santo antônios*.]

santão (san.*tão*) *a.sm.* Ver *santarrão*. [Pl.: *-tões*. Fem.: *-tona*.]

santarrão (san.tar.*rão*) *a.sm. Fig. Pop.* Que ou quem hipocritamente aparenta santidade, devoção, fervor religioso. [Pl.: *-rões*. Fem.: *santarrona, santilona* e *santona*.]

santeiro (san.*tei*.ro) *a.sm.* Que ou quem esculpe ou modela imagens sacras.

santelmo (san.*tel*.mo) *sm.* Chama na ponta de um mastro causada por descarga elétrica em tempestades.

santidade (san.ti.*da*.de) *sf.* Qualidade ou condição de santo. [NOTA: Us. como tratamento dispensado ao papa, precedido do pr.poss. *Sua* quando se fala do papa (p.ex.: *Sua Santidade benzeu o terço*) e *Vossa* quando se fala com o papa (p.ex.: *Quando Vossa Santidade voltará à Polônia?*).]

santificar (san.ti.fi.*car*) *v.* **1** Tornar(-se) santo. [*td.: Só a graça santifica o homem. int.: As virtu-*

des sobrenaturais santificam. pr.: *O eremita santificou-se.*] **2** Ver *canonizar* (1). **3** *Rel.* Celebrar, honrar, venerar. [*td.*] [▶ 11 santificar] • san.ti.fi.ca.*ção sf.*; san.ti.fi.*ca*.do *a.*

santimônia (san.ti.*mô*.ni:a) *sf.* Exterioridades, modos de santo.

santinho (san.*ti*.nho) *sm.* **1** Pequena estampa de figura sagrada. **2** *Fig.* Pessoa virtuosa, ajuizada, ou que finge ser assim. **3** *Bras. Pop. Pol.* Estampa com foto e identificação de um candidato distribuída aos eleitores.

santíssimo (san.*tis*.si.mo) *a.* **1** Muitíssimo santo (santíssima Trindade). *sm.* **2** A hóstia consagrada exposta para adoração. [NOTA: Us. como tratamento dispensado ao papa: *Santíssimo Padre.*]

santista (san.*tis*.ta) *a2g.* **1** De Santos (SP); típico dessa cidade ou de seu povo. *s2g.* **2** Pessoa nascida em Santos.

santo (*san*.to) *a.* **1** Que não é profano; SAGRADO. **2** Cuja vida se pauta pelos princípios religiosos. **3** Bondoso. **4** Útil, eficaz (santo remédio). *sm.* **5** Pessoa canonizada. **6** *Bras. Rel.* Orixá. ⬛ **Despir um ~ para vestir outro** *Pop.* Ao beneficiar algo ou alguém, prejudicar outra coisa ou outrem. **Ter ~ forte** *Bras. Pop.* Estar protegido contra má sorte, sortilégios, infortúnios etc.

santo-antônio (san.to-an.*tô*.ni:o) *sm.* Ver *santantônio*. [Pl.: *santo-antônios*.]

santo-daime (san.to-*dai*.me) *sm. Bras.* Seita amazônica em cujas cerimônias religiosas ingere-se uma bebida alucinógena de mesmo nome, tb. chamada ayahuasca ou daime. [Tb. se diz apenas daime.] [Pl.: *santo-daimes*.]

santomense (san.to.*men*.se) *a2g.s2g.* Ver *são-tomense*.

santuário (san.tu:*á*.ri:o) *sm.* **1** Lugar sagrado. **2** Templo a que se fazem romarias. **3** Reserva ecológica.

sanzala (san.*za*.la) *sf. Bras.* Ver *senzala*.

são¹ *a.sm.* **1** Que ou quem goza de saúde física e mental. **2** Benéfico à saúde; salutar; salutar. **3** Puro, justo, íntegro. [Superl.: *saníssimo*.]

são² *sm.* Santo (São João). [Abr.: *S.*] [F. reduz. de *santo*.]

são-luisense (são-lu:i.*sen*.se) *a2g.* **1** De São Luís, capital do Estado do Maranhão; típico dessa cidade ou de seu povo. *s2g.* **2** Pessoa nascida em São Luís. [Pl.: *são-luisenses*.]

são-tomense (são-to.*men*.se) *a2g.* **1** De São Tomé e Príncipe (África); típico desse país ou de seu povo. *s2g.* **2** Pessoa nascida em São Tomé e Príncipe.

⌧ **SAP** Sigla do ing. *Second Audio Program* ('programa de segundo áudio', função de certos televisores que permite ouvir os programas dublados na língua em que originalmente foram gravados).

sapa (*sa*.pa) *sf.* **1** Abertura de fossos, trincheiras, galerias subterrâneas etc. **2** *Zool.* A fêmea do sapo.

saparia (sa.pa.*ri*.a) *sf.* Uma porção de sapos.

sapata (sa.*pa*.ta) *sf.* **1** *Cons.* Ampla superfície de concreto na base do alicerce. **2** Calçado largo e grosseiro sem salto. **3** *Aut.* Peça do freio de automóveis que se atrita contra os tambores na frenagem. **4** *Bras. Vulg.* Mulher homossexual. [At! Considerado depreciativo ou preconceituoso nesta acepção.]

sapatão (sa.pa.*tão*) *sm.* **1** Sapatos grandes e grosseiros. **2** *Bras. Vulg.* Mulher homossexual. [At! Considerado depreciativo ou preconceituoso nesta acepção.] [Pl.: *-tões*.]

sapataria (sa.pa.ta.*ri*.a) *sf.* **1** Estabelecimento onde se vendem sapatos. **2** Técnica de fabricar calçados.

sapateado (sa.pa.te.*a*.do) *sm.* Dança em que os bailarinos usam sapatos especiais dotados de chapas metálicas no solado com as quais marcam o ritmo.

sapatear (sa.pa.te.*ar*) *v. td. int.* Executar sapateado, ou dança que o requeira. [▶ 13 sapatear] • sa.pa.te:a.*dor a.sm.*; sa.pa.*tei*.o *sm.*

sapateira (sa.pa.*tei*.ra) *sf.* Móvel destinado a guardar sapatos.

sapateiro (sa.pa.*tei*.ro) *sm.* Pessoa cuja profissão é fazer ou consertar sapatos.

sapatilha (sa.pa.*ti*.lha) *sf.* Espécie de calçado leve e flexível us. pelos bailarinos.

sapato (sa.*pa*.to) *sm.* Calçado ger. de couro, com solado duro e a parte traseira ligeiramente mais elevada, que protege os pés do contato externo.

sapê, sapé (sa.*pê*, sa.*pé*) *sm. Bras. Bot.* Grama de folha muito comprida us. como cobertura de casas rústicas.

sapeca (sa.*pe*.ca) *a2g.s2g.* Que ou quem é assanhado, exibido, desinibido (menino sapeca).

sapecar¹ (sa.pe.*car*) *v. td.* **1** *S. Pop.* Bater ou dar golpe em (criança); *sapecar o invasor*. **2** *Bras.* Crestar ou chamuscar. [▶ 11 sapecar] • sa.pe.ca.*ção sf.*

sapecar² (sa.pe.*car*) *v. Bras.* **1** Aplicar de forma ágil e inesperada. [*tdi.* + *em*: *sapecar um beijo na colega*.] **2** Fazer travessuras. [*int.*: *O filhote sapecava*.] [▶ 11 sapecar]

sápido (*sá*.pi.do) *a.* **1** Que é dotado de sabor. [Ant.: *insípido*.] **2** Que é agradável ao paladar; SABOROSO.

sapiente (sa.pi:*en*.te) *a2g.s2g.* Que ou quem sabe muito; SÁBIO. [Superl.: *sapientíssimo*.]

sapinho (sa.*pi*.nho) *sm.* **1** *Med.* Inflamação causada por fungo e que provoca o surgimento de placas brancas na boca. [Tb. us. no pl.] **2** Sapo pequeno.

sapo (*sa*.po) *sm. Zool.* Animal anfíbio de pele rugosa, que em terra se desloca aos saltos. ⬛ **Engolir ~(s)** *Bras.* Ser obrigado a aturar algo ou alguém, suportar coisa, fato ou pessoa desagradável por necessidade ou conveniência.

sapo-boi (sa.po-*boi*) *sm. Bras. Zool.* Sapo que se distingue do sapo-cururu por suas dimensões maiores e por ter duas séries de verrugas na face interna da coxa. [Pl.: *sapos-bois* e *sapos-boi*.]

sapo-cururu (sa.po-cu.ru.*ru*) *sm. Bras. Zool.* Sapo de grande porte, pele enrugada e coloração verde-amarelada. [Pl.: *sapos-cururus*.]

sapólio® (sa.*pó*.li.o) *sm.* Produto de limpeza que contém substância abrasiva e detergente. [A marca registrada, com inicial maiúsc.]

saponáceo (sa.po.*ná*.ce:o) *a.* **1** Que tem a natureza do sabão. *sm.* **2** Produto com essa qualidade.

sapota (sa.*po*.ta) *sf.* **1** *Bot.* Árvore que dá o sapoti e de cujo látex se fabricam gomas de mascar; SAPOTIZEIRO. **2** Ver *sapoti*.

sapoti (sa.po.*ti*) *sm.* Fruta que consiste numa baga carnosa e suculenta com casca de coloração parda; SAPOTA. • sa.po.ti.*zei*.ro *sm.*

sapucaia (sa.pu.*cai*.a) *sf. Bras. Bot.* Árvore da mata Atlântica, grande e frondosa, com sementes comestíveis e madeira resistente.

saquarema (sa.qua.*re*.ma) *sm.* **1** *Bras. Hist.* Membro do partido conservador brasileiro durante o império. *s2g.* **2** *RJ Pej.* Caipira (3). **3** *RJ Pej.* Suburbano (3). [At! Considerado depreciativo ou preconceituoso nas acps. 2 e 3.]

saque¹ (*sa*.que) *sm.* **1** Ação ou resultado de sacar dinheiro; RETIRADA. **2** Título de crédito. **3** *Esp.* Jogada inicial em vôlei, tênis, pingue-pongue etc.

saque² (*sa*.que) *sm.* Ação ou resultado de saquear; PILHAGEM.

saquê (sa.*quê*) *sm.* Bebida fermentada japonesa, alcoólica, feita a partir do arroz.

saquear (sa.que.*ar*) *v.* **1** Cometer saque ou pilhagem; PILHAR. [*td.*: *Os vândalos saquearam a vila.* *int.*: *O comandante proibiu as tropas de saquear.*] **2** Cometer furto; FURTAR. [▶ 13 saquear]
• sa.que:a.*dor a.sm.*

sarabanda (sa.ra.*ban*.da) *sf.* **1** Dança cortesã espanhola do Renascimento. **2** *Fig.* Repreensão, pito.

sarabatana (sa.ra.ba.*ta*.na) *sf.* Canudo pelo qual se lançam setas, bolinhas etc., soprando-se em seu interior. Tb. *zarabatana*.

saracotear (sa.ra.co.te.*ar*) *v.* **1** Requebrar(-se), rebolar(-se). [*td.*: *saracotear as cadeiras.* *int./pr.*: *Saracoteou(-se) durante todo o desfile.*] **2** Não parar quieto. [*int.*] **3** Vaguear, perambular. [*int.*] [▶ **13** saracot ear] ● sa.ra.co.*tei*.o *sm.*

saracura (sa.ra.*cu*.ra) *sf. Zool.* Ave pernalta, de bico alongado, asas curtas e dedos livres, que vive em brejos e lagos, nutrindo-se de pequenos animais.

sarado (sa.*ra*.do) *a.* **1** Que sarou. **2** *Bras. Gír.* De corpo modelado por ginástica. **3** *Bras. Gír.* Que não se engana, experiente.

saraiva (sa.*rai*.va) *sf. Met.* Ver *granizo* (1).

saraivada (sa.rai.*va*.da) *sf.* Arremesso em série de algo: *saraivada de pedras.* ● sa.rai.*var* *v.*

sarampo (sa.*ram*.po) *sm. Med.* Infecção contagiosa causada por vírus, que provoca erupção cutânea. ● sa.ram.*pen*.to *a.sm.*

sarapatel (sa.ra.pa.*tel*) *sm. Cul.* Iguaria feita com sangue, miúdos de porco ou outro animal. [Pl.: -*téis.*]

sarapintar (sa.ra.pin.*tar*) *v. td.* Pintar de cores diversas, ou salpicar de pintas variadas. [▶ **1** sarapin ta r] ● sa.ra.pin.*ta*.do *a.*

sarar (sa.*rar*) *v.* **1** Tornar ou ficar são ou curado, ou convalescer. CURAR(-SE). [*td.*: *sarar um paciente. int./pr.*: *Sarei(-me) da forte gripe.*] **2** Cicatrizar-se (ferida). [*int.*] [▶ **1** sar ar]

sarará (sa.ra.*rá*) *a2g.* **1** Cuja pele se caracteriza pela ausência total ou parcial de pigmentação. **2** De cabelo crespo alourado. *s2g.* **3** Pessoa sarará.

sarau (sa.*rau*) *sm.* Festa noturna informal, eventualmente de caráter literário e musical, em altas rodas sociais.

saravá (sa.ra.*pá*) *interj.* Us. como saudação nos cultos afro-brasileiros; SALVE.

sarça (*sar*.ça) *sf.* Matagal.

sarcasmo (sar.*cas*.mo) *sm.* Zombaria áspera, ironia amarga e insultuosa.

sarcástico (sar.*cás*.ti.co) *a.* Que tem sarcasmo; IRÔNICO; ZOMBETEIRO.

sarcófago (sar.*có*.fa.go) *sm.* **1** Urna funerária; CAIXÃO. **2** Túmulo.

sarcoma (sar.*co*.ma) *sm. Pat.* Tumor canceroso.

sarda (*sar*.da) *sf.* Pequena mancha acastanhada que surge esp. na pele de pessoas claras.

sardento (sar.*den*.to) *a.sm.* Que ou quem tem sardas.

sardinha (sar.*di*.nha) *sf. Zool.* Peixe pequeno, prateado, que vive em bando e é muito us. na alimentação.

sardo (*sar*.do) *a.* **1** Da Sardenha (Itália); típico dessa ilha ou de seu povo. *sm.* **2** Pessoa nascida na Sardenha. *a.sm.* **3** *Gloss.* Da, ref. à ou a língua neolatina dessa ilha italiana.

sardônico (sar.*dô*.ni.co) *a.* Que se caracteriza por escárnio ou desdém (riso *sardônico*).

sargaço (sar.*ga*.ço) *sm. Bot.* Gênero de algas pardas de grande dimensão.

sargento (sar.*gen*.to) *sm. Mil.* **1** Patente militar. [Ver quadro *Hierarquia Militar Brasileira.*] **2** Militar que tem essa patente.

sari, sári (sa.*ri*, *sá*.ri) *sm.* Vestimenta feminina indiana que se enrola em torno do corpo.

sarilho (sa.*ri*.lho) *sm.* **1** Peça em que se enrolam cabos, cordas ou correntes. **2** Peça em cruz em que se encostam mosqueteis, fuzil, espingarda. **3** *Pop.* Briga, rolo.

sarja¹ (*sar*.ja) *sf.* Tecido entrançado de lã ou seda.

sarja² (*sar*.ja) *sf.* Pequeno corte superficial na pele feito para dar vazão a sangue ou pus.

sarjeta (sar.*je*.ta) [ê] *sf.* **1** Canaleta junto ao meio-fio por onde se escoa a água. **2** *Fig.* Degradação, indigência.

sarmento (sar.*men*.to) *sm. Bot.* Haste lenhosa de trepadeira longa e delgada. ● sar.men.*to*.so *a.*

sarna (*sar*.na) *sf.* **1** *Med.* Ver *escabiose*. *s2g.* **2** *Pop.* Pessoa importuna que vive grudada nos outros. ▪▪ Procurar ~ para se coçar *Pop.* Entrar desnecessariamente em situações que podem ser complicadas, desagradáveis ou perigosas. ● sar.*nen*.to *a.sm.*

sarongue (sa.*ron*.gue) *sm.* Vestimenta da Malásia (Ásia) que consiste numa peça de pano enrolada na parte do corpo que vai dos quadris até as coxas, us. por homens e mulheres.

sarrabulhada (sar.ra.bu.*lha*.da) *sf.* Farta refeição à base de sarrabulho.

sarrabulho (sar.ra.*bu*.lho) *sm. Cul.* Iguaria tipicamente portuguesa, feita à base de sangue e miúdos de porco.

sarraceno (sar.ra.*ce*.no) *sm.* **1** *Hist.* Membro das tribos nômades da península Arábica na antiguidade. **2** Árabe. *a.* **3** Ref. aos árabes.

sarrafo (sar.*ra*.fo) *sm.* **1** Tira estreita de madeira; RIPA. **2** Pedaço de pau. ▪▪ Baixar o ~ (em) *Bras. Pop.* Distribuir pancada (a); ESPANCAR. ● sar.ra.*fa*.da *sf.*

sarrido (sar.*ri*.do) *sm.* Dificuldade de respiração que provoca um ruído rouco e de estalos.

sarro (*sar*.ro) *sm.* **1** Nicotina residual nos cachimbos. **2** Mancha de nicotina: "...parece um defunto — sarro de amarelo na cara chupada, olhos tristes..." (João Guimarães Rosa, *Sagarana*). **3** *Gír.* Gozação, mofa. **4** *Vulg.* Ação de bolinar. ▪▪ Tirar um ~ (com a cara de) *Gír.* Zombar (de), divertir-se debochando (de).

⊕ **sashimi** (*Jap. /sachimí/*) *sm. Cul.* Prato composto de fatias finas de peixe cru, temperadas com molho de soja.

sassaricar (sas.sa.ri.*car*) *v. Bras. Pop.* Ver *saçaricar*. [▶ **11** sassaricar]

satã (sa.*tã*) *sm.* **1** O m.q. *demônio* (1), *diabo*. **2** O chefe dos demônios (gen. com inicial maiúsc.). ● sa.*tâ*.ni.co *a.*; sa.ta.ni.*zar* *v.*

satanás (sa.ta.*nás*) *sm.* Ver *satã*.

satanismo (sa.ta.*nis*.mo) *sm.* Prática ritualística de profanação do sagrado.

satélite (sa.*té*.li.te) *sm.* **1** *Astr.* Astro que se move ao redor de outro. *a2g.* **2** Dependente de outro (diz-se de país ou cidade).

📖 No sistema solar, quase todos os planetas têm satélites conhecidos (as exceções são Mercúrio e Vênus). Muitos desses satélites foram recentemente descobertos, graças às sondas espaciais, esp. as Voyager, lançadas em 1977. A Terra tem apenas um satélite, a Lua; Marte tem dois satélites; Júpiter tem 19 satélites, três deles recentemente descobertos; Saturno tem 18, oito descobertos a partir de 1980; Urano tem 15, dez descobertos a partir de 1980; Netuno tem oito, dos quais seis foram descobertos em 1989; e Plutão tem um satélite. Os satélites artificiais são postos em órbita (a grande maioria em volta da Terra) para colher informações ou para servir como estações de retransmissão. Quando lançados além do campo gravitacional da Terra chamam-se *sondas espaciais*. Já foram lançadas sondas até mesmo para Júpiter e Saturno.

sátira (*sá*.ti.ra) *sf.* **1** *Liter.* Texto crítico e jocoso (*sátira* social). **2** Caçoada, chacota, ironia. ● sa.*tí*.ri.co *a.*; sa.ti.*ris*.ta *s2g.*

satirizar (sa.ti.ri.*zar*) *v. td.* Criticar com sátira, ou ridicularizar. [▶ **1** satiriz ar] ● sa.ti.ri.za.*ção* *sf.*

sátiro (sá.ti.ro) *sm.* **1** *Mit.* Semideus com chifres e pernas de bode que vivia nas florestas. **2** *Fig.* Homem depravado, libertino.

satisfação (sa.tis.fa.ção) *sf.* **1** Ação ou resultado de satisfazer(-se). **2** Prazer que se tem ao realizar algo desejado: *satisfação de viver.* **3** Razão de algo; JUSTIFICATIVA: *Saiu sem dar satisfação à esposa.* [Pl.: -ções.]

satisfatório (sa.tis.fa.tó.ri:o) *a.* Que satisfaz; ACEITÁVEL; SUFICIENTE.

satisfazer (sa.tis.fa.zer) *v.* **1** Bastar, atender, agradar, ou contentar(-se). [*td.*: *Sua explicação me satisfez.* **ti.** + *a*: *O filme não satisfez a ninguém. int.*: *Seu trabalho satisfaz.* *pr.*: *O humilde se satisfaz com pouco.*] **2** Saciar(-se) ou fartar(-se). [*td.*: *O refrigerante não satisfez sua sede.* *pr.*: *Satisfiz-me com a macarronada.*] **3** Cumprir, realizar. [*td.*: *satisfazer um compromisso.*] [▶ **22** satis**fazer**. Part.: *satisfeito.*]

satisfeito (sa.tis.fei.to) *a.* **1** Que se satisfez; CONTENTE. **2** Saciado, farto.

sátrapa (sá.tra.pa) *sm. Fig.* Homem que domina; DÉSPOTA; TIRANO.

saturação (sa.tu.ra.ção) *sf.* **1** Ação ou resultado de saturar(-se); estado do que está saturado: *saturação dos telefones por excesso de ligações.* **2** *Fis.* Estado de equilíbrio obtido entre o vapor e o seu líquido. [Pl.: -ções.]

saturado (sa.tu.ra.do) *a.* **1** *Fig.* Que não pode conter mais nada; CHEIO; REPLETO: *um aquário saturado de peixes.* **2** *Fig.* Que não suporta mais; ABORRECIDO; CHEIO: *Funcionário saturado de tantas queixas.* **3** *Quím.* Diz-se de compostos orgânicos que só possuem ligações simples.

saturar (sa.tu.rar) *v.* **1** Tomar completamente; IMPREGNAR. [*td.*: *Nas metrópoles a poluição satura a atmosfera;* (seguido de indicação de modo/meio) *As frituras saturaram de gordura as paredes.*] **2** Saciar(-se), fartar(-se), ou empanturrar(-se). [*pr.*: *Nada satura esse guloso. pr.*: *Saturou-se de guloseimas.*] **3** *Fig.* Enfastiar(-se), enfadar(-se). [*td.*: *Suas queixas me saturam. pr.*: *Saturaram-se das reclamações dos vizinhos.*] [▶ **1** satu**rar**]

saturnino (sa.tur.ni.no) *a.* **1** *Med.* Diz-se de doença provocada pelo chumbo. **2** Ref. a chumbo e seus compostos. *a.sm.* **3** *Astrol.* Que ou quem nasceu sob influência de Saturno e possui temperamento melancólico.

saturnismo (sa.tur.nis.mo) *sm. Med.* Intoxicação por chumbo ou seus compostos.

Saturno (Sa.tur.no) *sm. Astron.* O segundo maior planeta do sistema solar, o sexto a partir do Sol, conhecido por seus anéis.

saudação (sa:u.da.ção) *sf.* Gesto(s) ou palavra(s) de cumprimento para alguém: *O presidente fez uma saudação ao povo.* [Pl.: -ções.]

saudade (sa:u.da.de) *sf.* **1** Sentimento provocado pela lembrança de algo bom vivido ou pela ausência de coisas ou pessoas queridas. ◘ **saudades** *sfpl.* **2** Cumprimentos carinhosos às pessoas cuja ausência é sentida: *Envio minhas saudades aos amigos.*

saudar (sa:u.dar) *v.* **1** Dirigir saudação ou cumprimento a (alguém) ou entre (si); CUMPRIMENTAR(-SE). [*td.*: *Saudei-a no aeroporto.* *pr.*: *Os dois grupos se saudaram.*] **2** Dirigir saudação ou aclamação a (alguém); ACLAMAR. [▶ **18** sau**dar**]

saudável (sa:u.dá.vel) *a2g.* **1** Que tem saúde; SADIO. **2** Que faz bem à saúde; SALUTAR: *Só come alimentos saudáveis.* **3** *Fig.* Que traz benefício(s); BENÉFICO; ÚTIL: *Deu conselhos saudáveis ao amigo.* [Ant.: maléfico.] [Pl.: -veis.]

saúde (sa.ú.de) *sf.* **1** Estado de quem está bem física e mentalmente. [Ant.: doença.] *interj.* **2** Brinde feito pela saúde ou sucesso de alguém. **3** Expressão di-

rigida a quem acabou de espirrar. ◘ **Vender ~** Ser muito saudável.

saudi-arábico (sau.di-a.rá.bi.co) *a.sm.* Ver *árabe-saudita.* [Pl.: *saudi-arábicos.*]

saudita (sau.di.ta) *a2g.s2g.* Ver *árabe-saudita.*

saudosismo (sa:u.do.sis.mo) *sm.* Gosto excessivo por coisas do passado.

saudosista (sa:u.do.sis.ta) *a2g.s2g.* Que ou quem é propenso ao saudosismo.

saudoso (sa:u.do.so) [ó] *a.* Que sente, provoca ou revela saudade(s); NOSTÁLGICO: *A carta trouxe lembranças do saudoso amigo.* [Fem. e pl.: [ó].]

sauna (sau.na) *sf.* **1** Banho a vapor a uma temperatura muito elevada. **2** Lugar onde se toma esse tipo de banho. **3** *Fig.* Lugar muito quente: *A sala estava uma sauna.*

sáurio (sáu.ri:o) *a.* **1** Ref. aos sáurios (2). *sm.* **2** *Zool.* Réptil, quadrúpede ou rastejante, que tem escamas no corpo, como p.ex. o lagarto, o camaleão e a serpente.

saúva (sa.ú.va) *sf. Zool.* Formiga grande que destrói plantações. ● **sa:u.val** *sm.*

savana (sa.va.na) *sf. Ecol.* **1** Tipo de vegetação com gramíneas rasteiras e poucas árvores e arbustos espalhados. **2** Planície de regiões quentes e secas com essa vegetação.

saveiro (sa.vei.ro) *sm. Bras. Mar.* Barco com mastro(s) e vela(s) us. para transporte, pesca e turismo. ● **sa.vei.ris.ta** *s2g.*

⊕ **savoir-faire** (Fr. /savuár-fêr/) *sm.* Habilidade para executar algo; COMPETÊNCIA; TINO.

saxão (sa.xão) [cs] *a.* **1** Da Saxônia (Alemanha); típico dessa região ou de seu povo. **2** Da Inglaterra (devido à invasão saxônia); típico desse país ou de seu povo. *sm.* **3** Pessoa nascida na Saxônia (região e estado da Alemanha) ou na Inglaterra. [Pl.: -xões. Fem.: -xã.] ● **sa.xô.ni.co** *a.sm.*; **sa.xô.ni:o** *a.sm.*

saxofone (sa.xo.fo.ne) [cs] *sm. Mús.* Cada instrumento de uma família de instrumentos metálicos de sopro, dos quais os mais comuns são o sax alto e o sax tenor. [Tb. chamado de sax.]

SAXOFONE

saxofonista (sa.xo.fo.nis.ta) [cs] *s2g.* Pessoa que toca saxofone.

sazão (sa.zão) *sf.* **1** Cada uma das estações do ano. **2** Tempo adequado para colher os frutos. [Pl.: -zões.]

sazonado (sa.zo.na.do) *a.* Maduro, amadurecido.

sazonal (sa.zo.nal) *a2g.* Ref. a uma estação ou época (fenômeno *sazonal*). [Pl.: -nais.]

⊕ **scanner** (Ing. /scâner/) *sm.* *Inf.* **1** Qualquer dispositivo capaz de converter imagens impressas em sinais elétricos. **2** Aparelho que varre textos, imagens etc. impressos com um feixe de luz e os registra como uma matriz de pontos em arquivo eletrônico. [Ver tb. OCR.]

⊕ **scherzo** (It. /squèrtzo/) *sm. Mús.* Composição viva e alegre com passagens rápidas.

⊕ **script** (Ing. /scrípt/) *sm.* **1** *Cin. Rád. Teat. Telv.* Texto de filmes, novelas, programas (de rádio, TV) com falas, informações de cena, som, imagem etc.; ROTEIRO. **2** *Inf.* Série de instruções, em linguagem de informática, para a execução de uma função ou de todo um programa para computador, determinado aplicativo etc.

se¹ *pr.pess.* **1** Indica que a ação do verbo afeta o sujeito da frase: *Maria vestiu-se em dois minutos; As ondas se espalhavam pela praia.* **2** Indica que a ação do verbo tem efeito mútuo entre pessoas ou coisas: *O professor e o aluno se desentenderam; As pedras se chocaram.* **3** Us. com verbos que expressam mudança de estado, sentimento, ou movimento: *O aba-*

jur espatifou-se no chão; Ângela alegrou-se com as visitas. **4** Us. como parte integrante de certos verbos (p.ex., *arrepender-se, suicidar-se, queixar-se*). **5** Us. para formar a voz passiva: *Aqui ainda se veem crianças brincando na rua.* **6** Indica que o sujeito é indeterminado: *Precisa-se de eletricistas.* **7** Us. como elemento de realce: *Foi-se pela escada abaixo.*

se² *conj.condic.* **1** Na condição de; caso: *Se você explicar o caminho, vou sozinha.* **conj.caus.** **2** Já que, visto que: *Se alguns têm dúvidas, é melhor adiarmos a prova.* **conj.integr.** **3** Introduz uma oração que é complemento da oração principal: *Não disse se chegaria cedo.*

▨ **S.E.** Abr. de *sudeste* e *sueste*.

sé *sf.* Igreja mais importante da diocese, onde fica o bispo. ▪ **A Santa Sé** O Vaticano; onde fica o papa.

seara (se:a.ra) *sf. Agr.* **1** Campo de cultivo de cereais. **2** Área de terra cultivada. ▪ **~ alheia** O que diz respeito à(s) atividade(s) de outra pessoa: *Intrometido, costuma dar palpites em seara alheia.*

sebáceo (se.bá.ce:o) *a.* Que tem ou produz sebo, gordura; gorduroso, sebento.

sebe (se.be) [é] *sf.* Cerca feita de plantas, arbustos etc., para separar e vedar terrenos.

sebento (se.*ben*.to) *a.* Que tem sebo; ENGORDURADO; SUJO; SEBOSO.

sebo (se.bo) *sm.* **1** Gordura sólida presente nas vísceras abdominais de alguns quadrúpedes. **2** *Hist.* Secreção das glândulas sebáceas que protege a pele. **3** *Bras.* Livraria onde se dá o comércio de livros e revistas usados. **4** *Bras. Pop.* Pessoa convencida, que se acha importante. ▪ **Passar ~ nas canelas** *Bras. Pop.* Correr, fugindo.

seborreia (se.bor.*rei*.a) *sf. Med.* Substância que sai em excesso das glândulas sebáceas, esp. na cabeça.

seboso (se.bo.so) [ó] *a.* **1** Que tem ou produz sebo; GORDUROSO. **2** Que está sujo de sebo; ENSEBADO; SEBENTO. **3** *Bras. Pop.* Que se acha importante; CONVENCIDO; METIDO. *sm.* **4** *Bras.* Pessoa suja, porca; SEBENTO. [Fem. e pl.: [ó].]

▨ **sec** *Trig.* Símb. de *secante²* (2).

seca (se.ca) [é] *sf.* **1** Ação ou resultado de secar. **2** *Bras. Pop.* Aborrecimento, chateação. **3** *Bras. Pop.* Má sorte; AZAR. **s2g. 4** *Bras. Pop.* Pessoa chata, impertinente; SECADOR.

seca (se.ca) [ê] *sf.* Período longo em que não há chuvas.

secador (se.ca.*dor*) [ô] *a.sm.* **1** Que ou o que seca. **2** Que ou o que é us. para secar (cabelos, roupa(s) etc.). **3** *Bras. Pop.* Que ou quem seca (5), traz azar. **4** *Bras. Pop.* Que ou quem é inconveniente, enfadonho; SECA. ▣ **secadora** *sf.* **5** Aparelho elétrico us. para secar roupa(s).

secante¹ (se.*can*.te) *a2g.sm.* Que ou o que faz secar rapidamente (óleo secante).

secante² (se.*can*.te) *a2g.sf.* **1** *Geom.* Diz-se de ou reta que intercepta uma curva. **2** *Trig.* Diz-se de ou função que é o inverso do cosseno. [Símb.: *sec*]

SECANTE² (2)

seção, secção (se.ção, sec. ção) *sf.* **1** Ação ou resultado de cortar(-se). **2** Porção de um todo; PARCELA; SEGMENTO. **3** Divisão ou subdivisão (de livro, periódico, repartição pública etc.): *seção de laticínios do supermercado.* **4** Representação em desenho técnico do corte de algo. [Pl.: *-ções*.]

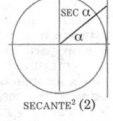

secar (se.*car*) *v.* **1** Tirar, ou ficar sem, a umidade, a água ou qualquer líquido. [*td.*: *secar a roupa/os pratos.* *int./pr.*: *A fonte secou(-se).*] **2** Ressequir(-se). [*td.*: *O calor secou os lírios.* *int./pr.*: *A samambaia secou(-se).*] **3** Fazer que emagreça, ou emagrecer; MIRRAR(-SE). [*td.*: *A doença o secou.* *int./pr.*: *Eles secaram(-se) com o sofrimento.*] **4** *Fig.* Tornar(-se) insensível, ou esgotar(-se). [*td.*: *A violência urbana seca os corações.* *int./pr.*: *Sua inspiração secou(-se).*] **5** *Gír.* Provocar azar a/em. [*td.*] [▶ **11** se[car]]
• **se.ca.gem** *sf.*; **se.ca.ti.vo** *a.sm.*

secarrão (se.car.*rão*) *a.sm.* Que ou aquele que é muito sério, calado ou não é carinhoso. [Ant.: *afetuoso, carinhoso.*] [Pl.: *-rões.*]

secessão (se.ces.*são*) *sf.* **1** Ação de separar algo daquilo a que se estava ligado. **2** Separação de parte de uma unidade política para formar outra independente. [Pl.: *-sões.*]

secional, seccional (se.ci:o.*nal*, sec.ci:o.*nal*) *a2g.* Ref. a seção (trabalhos secionais). [Pl.: *-nais.*]

secionar, seccionar (se.ci:o.*nar*, sec.ci:o.*nar*) *v.* Dividir(-se) em secções ou em partes, ou cortar. [*td.*: *seccionar um capítulo/um músculo.* *pr.*: *As tendões se seccionaram.*] [▶ **1** secion[ar], ▶ **1** seccion[ar]]
• **se.ci:o.na.men**.to, **sec.ci:o.na.men**.to *sm.*

seco (se.co) [ê] *a.* **1** Que não está molhado (roupas secas). **2** Que não tem água ou umidade (figos secos, boca seca). **3** Que não tem vida (diz-se de vegetação); MURCHO: *O vento levou as folhas secas.* **4** Que está magro: *Era um homem seco e curvado.* **5** Pouco expansivo ou afetuoso: *O chefe era seco com todos.* **6** Ruído curto e não ressoa: *Ouviram-se golpes secos de machado na mata.* **7** *Bras. Fig. Pop.* Que tem muita vontade; ÁVIDO; DESEJOSO: *O jornalista estava seco por um furo de reportagem. sm.* **8** Lugar seco, sem água: *Ponha isso no seco.* ▣ **secos** *smpl.* **9** Alimentos sólidos ou secos: *armazém de secos e molhados.* [Cf.: *molhados*.] ▪ **A ~** **1** Sem usar água, só produtos químicos (diz-se de lavagem de roupa em tinturaria). **2** Sem acompanhamento de comida ou bebida: *Foi uma reunião de biscoitos a seco.*

secreção (se.cre.*ção*) *sf. Fisl.* **1** Ação de (uma glândula, um órgão) produzir e expelir uma substância: *estimular a secreção de hormônio.* **2** Substância produzida por secreção (1): *A bílis é uma secreção do fígado.* [Pl.: *-ções*.]

secreta (se.*cre*.ta) *sf. Litu.* Oração que o padre diz em voz baixa no começo da missa. *s2g.* **2** Integrante de polícia secreta.

secretar (se.cre.*tar*) *v. td.* Produzir ou expelir (secreção); SEGREGAR; EXCRETAR. [▶ **1** secret[ar]]

secretaria (se.cre.ta.*ri*.a) *sf.* **1** Setor administrativo de empresa, onde se arquivam e se expedem documentos. **2** Cada uma das partes da administração estadual, federal e municipal: *Secretaria de Educação/de Saúde.* [Nesta acp., ger. us. com inicial maiúsc.]

secretária (se.cre.*tá*.ri:a) *sf.* **1** Mulher com funções de secretário. **2** Mesa de trabalho para guardar ou redigir documentos; ESCRIVANINHA. ▪ **~ eletrônica** Máquina que atende automaticamente o telefone e grava mensagens.

secretariado (se.cre.ta.ri:*a*.do) *sm.* **1** Função ou trabalho de secretário. **2** Os secretários de Estado; os ministros. **3** Curso de especialização que forma secretários.

secretariar (se.cre.ta.ri:*ar*) *v.* Ser secretário de, ou exercer as funções de secretário. [*td.*: *Luís secretaria o presidente da Assembleia.* *int.*: *Ele não serve para secretariar.*] [▶ **1** secretari[ar]] • **se.cre.ta.ri:al** *a2g.*

secretário (se.cre.*tá*.ri:o) *sm.* **1** Responsável por secretaria (1). **2** Responsável por secretarias governamentais: *secretário de Educação/da Saúde.* **3** Redator das atas em reuniões. **4** Funcionário que assessora alguém, ou órgão, departamento etc., com serviços de datilografia, arquivamento, correspondência, organização, assuntos pessoais etc.

secreto (se.*cre*.to) *a.* **1** Que não pode ser revelado (lugar secreto, acordo secreto); ESCONDIDO; OCULTO. **2** Que foi dito ou escrito em segredo; CONFIDENCIAL: *En-*

controu cartas <u>secretas</u> do amigo. **3** Que não se pode manifestar; ÍNTIMO: *Sofria de um mal <u>secreto</u>.* [Ant.: *declarado*; *público*, *revelado*.]

secretor (se.cre.*tor*) [ô] *a.sm.* Que ou aquilo que produz secreção: *O suor tem como (órgãos) <u>secretores</u> as glândulas sudoríparas.*

secretório (se.cre.*tó*.ri:o) *a.* Que produz ou lança secreção; SECRETOR.

sectário (sec.*tá*.ri:o) *a.sm.* **1** Que ou quem é membro de uma seita; ADEPTO; SEGUIDOR. **2** *Fig.* Que ou quem não aceita uma opinião contrária, esp. religiosa ou política. • **sec.ta.***ris*.mo *sm.*

sector (sec.*tor*) [ô] *sm.* Ver *setor*.

secular (se.cu.*lar*) *a2g.* **1** Que tem um ou mais séculos (esculturas <u>seculares</u>). **2** Que não é religioso; LEIGO. **3** *Fig.* Que parece existir há muito tempo (amizade <u>secular</u>). [Ant.: *recente*.] **4** *Rel.* Que não pertence a ordem religiosa (diz-se de padre). *s2g.* **5** Religioso que não pertence a ordem religiosa: *Foram ordenados muitos <u>seculares</u>.* • **se.cu.la.ri.***da***.de** *sf.*

secularizar (se.cu.la.ri.*zar*) *v.* **1** Fazer que volte ou voltar ao século, à vida leiga. [*td.*: *A Revolução Francesa <u>secularizou</u> muitos padres.* *pr.*: *Aquele monge <u>secularizou-se</u>.*] **2** Subordinar à legislação civil (o que estava sob o direito canônico). [*td.*] [▶ 1 secularizar] • **se.cu.la.ri.za.***ção* *sf.*

século (*sé*.cu.lo) *sm.* **1** Período de cem anos seguidos. **2** Divisão do tempo histórico que consiste numa sequência de cem anos (a partir do primeiro dia do primeiro ano de uma centena, até o último dia do último ano dessa centena), numerada de acordo com a centena [ver achega]. **3** A vida não religiosa. **4** *Fig.* Tempo muito extenso: *Há <u>séculos</u> que não ia à praia.*

📖 Os séculos da história são contados, pelo calendário universal, a partir do que se presume seja o ano de nascimento de Jesus. O séc. I é a sequência de 100 anos que começa no primeiro dia do primeiro ano (ano 1) e vai até o último dia do ano 100. O séc. II começa no primeiro dia do ano 101 e vai até o último dia do ano 200, e assim por diante.

secundar (se.cun.*dar*) *v. td.* Coadjuvar, auxiliar. [▶ 1 secundar]

secundário (se.cun.*dá*.ri:o) *a.* **1** Que está em segundo lugar. **2** Que não tem muita importância: *Fez um trabalho <u>secundário</u> na novela.* [Ant.: *principal*.] *a.sm.* **3** Que ou o que está acima do ensino fundamental e abaixo do superior (diz-se de curso escolar, atualmente designado *ensino médio*). **4** *Geol.* Ver *mesozoico*.

secundina (se.cun.*di*.na) *sf.* **1** *Bot.* Revestimento interno do óvulo de plantas que dão flor(es). ☑ **se-cundinas** *sf.pl.* **2** *Biol.* Placenta e membranas que saem do útero depois do parto.

secura (se.*cu*.ra) *sf.* **1** Estado de seco; falta de água; SEQUIDÃO: *No inverno sofre com a <u>secura</u> da pele.* **2** Sensação de sede: *<u>Secura</u> na garganta.* **3** *Fig.* Forma rude de agir; ASPEREZA; DUREZA: *A sua <u>secura</u> afastará as pessoas.* **4** *Fig.* Desejo excessivo por algo; AVIDEZ: *O menino tem <u>secura</u> por bola.*

securitário (se.cu.ri.*tá*.ri:o) *a.* **1** Ref. a seguros. *sm.* **2** Pessoa que trabalha em empresa de seguros.

seda (*se*.da) [ê] *sf.* **1** Substância em forma de fio segregada pelo bicho-da-seda. **2** Tecido que se faz com esse fio ou com fio artificial que o imita. **3** *Fig.* Pessoa muito gentil ou sensível: *É uma <u>seda</u> com todos.* ✂ **Rasgar** ~ Trocar (duas ou mais pessoas) elogios, gentilezas etc.

sedã (se.*dã*) *sm. Aut.* Carro de passeio ger. para quatro ou cinco passageiros.

sedar (se.*dar*) *v. td.* **1** Acalmar, ou moderar. **2** *Med.* Controlar a ação de (órgão), ou dar sedativo a (doente). [▶ 1 sedar] • **se.da.***ção* *sf.*

sedativo (se.da.*ti*.vo) *a.sm.* Que ou o que é us. como calmante ou relaxante: *Tomou um (medicamento) <u>sedativo</u> e dormiu*; *Esta música tem um efeito <u>sedativo</u>.*

sede (*se*.de) [é] *sf.* **1** Localização central de uma empresa, firma etc.: *Reuniram-se na <u>sede</u> da fábrica.* **2** Local em que se realiza evento: *A <u>sede</u> das olimpíadas de 2004 foi Atenas.* **3** Local onde ocorrem processos ref. ao corpo humano: *O útero é a <u>sede</u> da gravidez.*

sede (*se*.de) [ê] *sf.* **1** Desejo de beber água. **2** *Fig.* Desejo muito grande de qualquer coisa; AVIDEZ: *Tem <u>sede</u> de conhecimento.* ✂ **Ir com muita** ~ **ao pote** Ser pressuroso, afobado e imprudente ao ir buscar algo que parece ter vantajoso.

sedentário (se.den.*tá*.ri:o) *a.sm.* **1** Que ou o que não se movimenta; INATIVO; PARADO: *Caminhar é bom para os (indivíduos) <u>sedentários</u>.* **2** Que ou o que se fixa em um lugar: *A agricultura tornou o homem um (ser) <u>sedentário</u>.* [Ant. nesta acp.: *nômade*.]

sedento (se.*den*.to) *a.* **1** Que sente muita sede: *Estava <u>sedento</u> e faminto.* **2** *Fig.* Que deseja muito algo; ÁVIDO: *O conquistador estava <u>sedento</u> de vitória.*

sediar (se.di.*ar*) *v. td.* Servir de sede a. [▶ 1 sediar] • **se.di.***a***.do** *a.*

sedição (se.di.*ção*) *sf.* Revolta contra autoridade estabelecida; INSURREIÇÃO; MOTIM. [Pl.: *-ções*.] • **se.di.***ci***:o.so** *a.sm.*

sedimentar[1] (se.di.men.*tar*) *a2g.* Formado ou produzido por sedimento(s): *A rocha tem uma origem <u>sedimentar</u>.*

sedimentar[2] (se.di.men.*tar*) *v.* **1** Constituir sedimento. [*int. pr.*] **2** *Fig.* Solidificar(-se), consolidar(-se). [*td. int. pr.*] [▶ 1 sedimentar] • **se.di.men.ta.***ção* *sf.*; **se.di.men.***ta***.do** *a.*

sedimento (se.di.*men*.to) *sm.* Depósito de materiais que estavam suspensos no ar ou dissolvidos em líquido: *O <u>sedimento</u> no fundo do vidro é areia.*

sedoso (se.*do*.so) [ô] *a.* Macio e liso como a seda (mãos <u>sedosas</u>). [Fem. e pl.: [ó].]

sedução (se.du.*ção*) *sf.* Poder ou ação de seduzir; ATRAÇÃO; CHARME: *Não resistiu à <u>sedução</u> do prêmio.* [Ant.: *aversão*, *repulsa*.] [Pl.: *-ções*.]

sedutor (se.du.*tor*) [ô] *a.sm.* Que ou aquele que seduz, encanta.

seduzir (se.du.*zir*) *v.* **1** Causar admiração ou atração a; CATIVAR; ENCANTAR; FASCINAR. [*td.*] **2** Convencer (alguém) a (praticar algo) mediante astúcia, encanto, manha etc. [*td./tdi. + a*: *Com sua lábia, <u>seduziu</u>-o (a romper o contrato).*] **3** Desonrar ou deflorar (mulher jovem), com promessa de casamento. [*td.*] [▶ 57 seduzir] • **se.du.***zi***.do** *a.sm.*

segar (se.*gar*) *v.* Ceifar. [*td.*: *segar o trigo/a relva.* *int.*: *Acorda cedo para <u>segar</u>.*] [▶ 14 segar] • **se.ga** *sf.*; **se.ga.***dei***.ra** *sf.*; **se.ga.***du***.ra** *sf.*

sege (*se*.ge) [é] *sf.* **1** Antiga carruagem, puxada por dois cavalos, com um único assento, duas rodas e frente fechada. **2** Qualquer tipo de carruagem.

segmentar[1] (seg.men.*tar*) *a2g.* **1** Dividido em segmentos, partes (programa *segmentar*). **2** Constituído ou organizado por segmentos (trabalho *segmentar*). • **seg.men.ta.***ção* *sf.*; **seg.men.***ta***.do** *a.*

segmentar[2] (seg.men.*tar*) *v. td.* Cortar ou dividir em segmentos ou frações; FRACIONAR. [▶ 1 segmentar] • **seg.men.ta.***ção* *sf.*; **seg.men.***ta***.do** *a.*

segmento (seg.*men*.to) *sm.* **1** Cada pedaço que forma algo; PARTE; SEÇÃO: *Seu projeto tinha vários <u>segmentos</u>.* **2** *Geom.* Porção delimitada de uma reta ou curva. **3** *Mkt.* Cada grupo consumidor com características afins. [Tb. *segmento de mercado*.]

segredar (se.gre.*dar*) *v.* **1** Dizer (segredo), ou falar em murmúrio; COCHICHAR; MURMURAR. [*td.*: *<u>segredar</u> uma novidade.* *tdi. + a*: *<u>Segreda</u> a ela intimidades.* *int.*: *Passou toda a festa <u>segredando</u>.*] [▶ 1 segredar]

segredo (se.*gre*.do) [ê] *sm.* **1** O que ninguém deve saber ou não pode ser divulgado: *Todos queriam conhecer o segredo da fórmula.* **2** O que é sabido por poucos: *segredo de Estado.* **3** Silêncio, discrição: *Pediu-me segredo.* **4** Enigma. **5** Artimanhas, técnicas para se conseguir ou ter bom êxito em algo: *segredos da boa forma/da gastronomia.* **6** Dispositivo us. para fechar, por meio de um código, um compartimento: *maleta com segredo.* **7** Esse código, ger. secreto: *Queria saber o segredo do cofre.*

segregacionista (se.gre.ga.ci:o.*nis*.ta) *a2g.* **1** Que diz respeito à segregação racial (política *segregacionista*). *a2g.s2g.* **2** Que ou quem simpatiza com ou aprova a segregação racial (manifestantes *segregacionistas*).

segregar (se.gre.*gar*) *v.* **1** Separar(-se), para isolar(-se), MARGINALIZAR(-SE), APARTAR(-SE). [*td.*: *segregar um grupo por preconceito.* *tdi.* + *de*: *segregar os bons dos maus elementos.* *pr.*: *Segregou-se da família.*] **2** Ver secretar. [▶ **14** segregar] ● **se.gre.ga.ção** *sf.*; **se.gre.ga.do** *a.*

seguida (se.*gui*.da) *sf.* Continuação, seguimento. ▪▪ **Em** ~ Logo depois.

seguir (se.*guir*) *v.* **1** Ir ou caminhar atrás de (alguém), ou ir tão depressa quanto. [*td.*: *O detetive seguiu o suspeito*; *Começou a correr, e o amigo o seguiu.*] **2** Ir no encalço ou correr no alcance de; PERSEGUIR. [*td.*: *seguir um foragido/uma presa.*] **3** Acompanhar. [*td.* (seguido ou não de indicação de circunstância, lugar etc.): *Seguiu-o no exílio.*] **4** Acompanhar com o olhar ou com o pensamento. [*td.*: *seguir o voo de um pássaro*; *Estou seguindo o desenvolvimento dessa crise.*] **5** Ir ou vir atrás ou depois de, ou acontecer depois de. [*td.*: *A bonança segue a tempestade.* *int/pr.*: *Depois dos aplausos, seguiu(-se) o silêncio.*] **6** Redundar, resultar de. [*pr.*: *Da sua falta de atenção seguiu-se o acidente.*] **7** Tomar como modelo, imitar, ou levar em conta. [*td.*: *seguir um desenho/a intuição;* "Quer fiar-se em mim, seguir meus conselhos?" (Martins Pena, *O noviço*).] **8** Ser partidário, ou fiel de; cumprir, guardar. [*td.*: *seguir um líder político/uma religião.*] **9** Entregar-se, abandonar-se a. [*td.*: *O homem prudente não segue todos os seus impulsos.*] **10** Escolher ou exercer a carreira de. [*td.*: "...enquanto o outro *seguiu medicina*..." (Machado de Assis, *Dom Casmurro*).] **11** Ir ao longo de, ou em certa direção. [*td.*: *Siga a praia, que chegará lá.* *int.* (seguido de indicação de direção): *seguir em frente/à esquerda.*] **12** Andar ou prosseguir em; TRILHAR. [*td.*: *seguir uma estrada/o bom caminho.*] **13** Continuar, prosseguir, ou partir, ir. [*int.*: *De Paris eles seguiram para Bruxelas*; *O caminhão da mudança já seguiu.*] [▶ **55** seguir] ● **se.gui.do** *a.*; **se.gui.dor** *a.sm.*; **se.gui.men.to** *sm.*; **se.guin.te** *a2g. sm.*

segunda (se.*gun*.da) *sf.* F. red. de *segunda-feira*. ▪▪ **De** ~ De qualidade inferior.

segunda-feira (se.gun.da-*fei*.ra) *sf.* Segundo dia da semana; segue-se ao domingo. [Pl.: *segundas-feiras*.]

segundo[1] (se.*gun*.do) *num.* **1** Ordinal que, em uma sequência, corresponde ao número dois: *Chegou em segundo lugar na maratona.* *a.* **2** Inferior: *hotel de segunda categoria.* **3** Substituto: *Ela é sua segunda mãe.* **4** Outro, novo: *Resolveram fazer uma segunda tentativa.* *sm.* **5** Sexagésima parte de um minuto. [Simb.: s] **6** Momento, instante: *Espere um segundo, que já volto.*

segundo[2] (se.*gun*.do) *prep.* **1** De acordo com: *Segundo a receita, são duas colheres apenas.* *conj. conf.* **2** Conforme, como: *Ela se veste segundo dita a moda.*

segurado (se.gu.*ra*.do) *a.* Que tem ou está no seguro (*carro segurado*). *sm.* **2** Pessoa que está garantida pelo seguro.

segurador (se.gu.ra.*dor*) [ô] *a.sm.* **1** Que ou aquele que se obriga, por contrato, a indenizar o segurado. **2** Que ou quem segura, prende, agarra. ▣ **seguradora** *sf.* **3** *Bras.* Companhia de seguros.

segurança (se.gu.*ran*.ça) *sf.* **1** Qualidade ou condição do que é seguro, livre de risco: *Viaja-se com mais segurança hoje.* **2** Firmeza, certeza: *Respondeu com segurança.* *s2g.* **3** Pessoa encarregada de proteger alguém ou algo.

segurar (se.gu.*rar*) *v.* **1** Tornar(-se) seguro ou firme; agarrar(-se) com firmeza, FIRMAR(-SE), SUSTER(-SE). [*td.* (seguido ou não de indicação de circunstância): *segurar uma criança (nos braços); segurar o volante (com as duas mãos).* *pr.*: *Segurou-se ao balaústre para não cair.*] **2** Ter na(s) mão(s). [*td.*: *segurar uma xícara (pela asa).*] **3** Impedir (algo ou alguém ou si mesmo) de prosseguir ou começar ação; DETER(-SE), CONTER(-SE). [*td.*: *Seguiou o fujão (pela camisa); Conseguiu segurar a raiva e acalmou-se.* *pr.*: *Não consegui segurar-se e disse-lhe umas verdades.*] **4** Manter(-se) contido, sob controle ou estável. [*td.*: *segurar o jogo/a inflação.* *pr.*: *Ele não se segura muito tempo nesse emprego.*] **5** Não revelar. [*td.*: *segurar uma notícia.*] **6** Fazer contrato de seguro para (algo, alguém ou si mesmo). [*td.*: *Segurou a casa e o automóvel.* *pr.*: *Preocupado com o futuro da família, segurou-se.*] [▶ **1** segurar]

seguro (se.*gu*.ro) *a.* **1** Livre de risco; protegido, garantido (*local seguro, investimento seguro*). **2** Firme, confiante (*profissional seguro*). **3** Certo, incontestável (*informação segura*). *sm.* **4** Contrato em que uma das partes se obriga, mediante a cobrança regular de uma quantia, a indenizar a outra em caso de morte, prejuízo etc. ● **se.gu.ri.da.de** *sf.*

seguro-desemprego (se.gu.ro-de.sem.*pre*.go) *sm.* Benefício temporário pago pelo governo a trabalhador desempregado. [Pl.: *seguros-desemprego*.]

seichelense (sei.che.*len*.se) *a2g.* **1** Da República de Seichelles (arquipélago do oceano Índico); típico desse país ou de seu povo. *s2g.* **2** Pessoa nascida na República de Seichelles.

seio (*sei*:o) *sm.* **1** *Anat.* O peito da mulher; MAMA. **2** A parte mais íntima, o interior: *seio da família.* **3** *Anat.* Cavidade existente em certos ossos.

seis *num.* **1** Quantidade correspondente a cinco unidades mais uma. **2** Número que representa essa quantidade (arábico: 6; romano: VI).

seiscentista (seis.cen.*tis*.ta) *a2g.* Ref. ao séc. XVII. ● **seis.cen.tis.mo** *sm.*

seiscentos (seis.*cen*.tos) *num.* **1** Quantidade correspondente a 599 unidades mais uma. **2** Número que representa essa quantidade (arábico: 600; romano: DC).

seita (*sei*.ta) *sf.* **1** Facção (1) de seguidores de uma crença (*seita religiosa*). **2** Partido, facção.

seiva (*sei*.va) *sf.* **1** *Bot.* Líquido nutritivo que circula nos vegetais. **2** *Fig.* Vigor, energia.

seixo (*sei*.xo) *sm.* *Geol.* Pedra solta, pequena e arredondada. ● **sei.***xal* *sm.*

sela (*se*.la) [é] *sf.* Assento de couro que se coloca sobre o lombo de um animal de montaria.

selar[1] (se.*lar*) *v. td.* Pôr a sela em (cavalgadura). [▶ **1** selar] ● **se.la.do** *a.*; **se.la.gem** *sf.*

selar[2] (se.*lar*) *v. td.* **1** Aplicar sinete, selo, estampilha ou carimbo em: *selar cartas/uma porta/um documento.* **2** Cerrar, fechar hermeticamente: *selar um porta-joias.* **3** *Fig.* Firmar, fechar: *selar um contrato/um acordo.* **4** *Fig.* Confirmar, ou concluir; rematar: *O segundo turno selou sua vitória;* (seguido ou não de indicação de meio) *Selou sua vida (com o melhor de seus livros).* [▶ **1** selar] ● **se.la.do** *a.*; **se.la.gem** *sf.*

selaria (se.la.*ri*.a) *sf.* Fábrica ou loja de selas.

seleção (se.le.*ção*) *sf.* **1** Ação ou resultado de selecionar, escolher: <u>seleção de candidatos</u>. **2** *Esp.* Equipe formada pelos melhores atletas em uma modalidade de esporte; SELECIONADO: <u>seleção de vôlei</u>. [Pl.: -ções.]

selecionado (se.le.ci:o.*na*.do) *a.* **1** Escolhido, seleto (frutas <u>selecionadas</u>). *sm.* **2** *Bras.* Ver *seleção* (2).

selecionar (se.le.ci:o.*nar*) *v. td.* Escolher dentre vários: <u>selecionar</u> jogadores/textos/verduras. [▶ **1** selecion[ar]. • se.le.ci:o.*ná*.vel *a2g.*

seleiro (se.*lei*.ro) *sm.* Fabricante ou vendedor de selas. [Cf.: *celeiro*.]

selenita (se.le.*ni*.ta) *s2g.* Fictício habitante da Lua.

seleta (se.*le*.ta) *sf.* **1** Antologia, coletânea. **2** *Agr.* Variedade de laranja e de pera.

seletivo (se.le.*ti*.vo) *a.* Ref. a seleção; que faz seleção (exame <u>seletivo</u>).

seleto (se.*le*.to) *a.* **1** De primeira qualidade, especial (público <u>seleto</u>). **2** Selecionado, escolhido (textos <u>seletos</u>).

selficídio (sel.fi.*cí*.di:o) *sm.* Busca pela foto perfeita devido ao uso compulsivo do celular.

sélfie (*sél*.fie) *sf.* Foto ger. digital que uma pessoa tira de si mesma (geralmente usando um telefone celular); AUTORRETRATO. [Pl.: sélfies.]

⊕ **self-service** (Ing. /*sélf-sèrvis*/) *Com. a.* **1** Diz-se de sistema adotado em restaurantes, lojas, postos de gasolina etc., em que o cliente se serve sozinho. *sm.* **2** Estabelecimento, ger. restaurante, que trabalha com esse tipo de serviço.

selim (se.*lim*) *sm.* Assento de bicicleta ou motocicleta. [Pl.: -lins.]

selo (se.lo) [ê] *sm.* **1** Pequeno impresso que se cola em cartas ou pacotes enviados pelo correio. **2** Carimbo, marca, rótulo: <u>selo</u> de qualidade/de fábrica.

selva (*sel*.va) *sf.* Floresta, mata.

selvagem (sel.*va*.gem) *a2g.* **1** Que é próprio das selvas; silvestre, selvático (planta <u>selvagem</u>). **2** Que habita as selvas (tribo <u>selvagem</u>); SILVÍCOLA. **3** Feroz, cruel (competição <u>selvagem</u>). *s2g.* **4** Ver *silvícola*. **5** Pessoa bruta, grosseira. [Pl.: -gens.]

selvageria (sel.va.ge.*ri*.a) *sf.* Ferocidade, crueldade: a <u>selvageria</u> das guerras.

selvático (sel.*vá*.ti.co) *a.* Selvagem, silvestre.

selvícola (sel.*ví*.co.la) *a2g.s2g.* Ver *silvícola*.

sem *prep.* **1** Indica privação, ausência: <u>O terremoto deixou muitos sem comida</u>; <u>Não vou sem você</u>. **2** Seguido de v. no infinitivo, expressa modo: <u>Chegou sem avisar</u>. ■ ~ **mais** Introduz a frase final de uma carta, requerimento etc.: <u>Sem mais</u>, despeço-me desejando-lhe... ~ **mais nem menos** De repente: <u>Sem mais nem menos</u>, deixou de falar comigo. ~ **que** **1** Indica modo: "Não permita Deus que eu morra / <u>Sem que</u> eu volte para lá..." (Gonçalves Dias, *Canção do exílio*). **2** Indica condição: <u>O problema não será resolvido sem que os dois lados cedam</u>.

semáfora (se.*má*.fo.ra) *sf.* Pequena bandeira colorida (ger. aos pares) com que se transmitem sinais. • se.ma.*fó*.ri.co *a.*

semáforo (se.*má*.fo.ro) *sm.* Sinal luminoso, de trânsito.

semana (se.*ma*.na) *sf.* Período de sete dias seguidos, ger. contados a partir do domingo.

semanada (se.ma.*na*.da) *sf.* Quantia que se paga ou se recebe por semana.

semanal (se.ma.*nal*) *a2g.* Ref. a semana; que ocorre uma vez por semana. [Pl.: -nais.]

semanário (se.ma.*ná*.ri:o) *sm.* Jornal ou revista semanal.

semancol (se.man.*col*) *sm. Bras. Gír. Joc.* Capacidade de perceber as próprias limitações, inconveniências etc., e de se pautar por isso; DESCONFIÔMETRO. [Pl.: -cóis.]

semantema (se.man.*te*.ma) *sm. Ling.* Parte da palavra que contém o significado dela.

semântica (se.*mân*.ti.ca) *sf. Ling.* Estudo do significado das palavras numa língua. • se.*mân*.ti.co *a.*

semblante (sem.*blan*.te) *sm.* Rosto, face.

sem-cerimônia (sem-ce.ri.*mô*.ni:a) *sf.* **1** Falta de cerimônia, de educação. **2** Informalidade, naturalidade. [Pl.: sem-cerimônias.]

semear (se.me.*ar*) *v.* **1** Pôr na terra sementes, ou lançar sementes em. [*td.*: <u>semear</u> trigo/um campo. *int.*: Já é o tempo de <u>semear</u>.] **2** *Fig.* Espalhar, disseminar; salpicar, entremear. [*td.*: <u>semear</u> bibliotecas/ideias; (tb. seguido de indicação de meio/modo) Ele semeia suas explicações com (de exemplos.] **3** *Fig.* Fomentar, promover, ou provocar. [*td.*: <u>semear</u> a cultura/a discórdia.] **4** *Fig.* Agir ou empreender, à espera de ou com certo resultado; PLANTAR. [*td.*: Quem <u>semeia</u> vento colhe tempestade (provérbio). *int.*: Ele hoje <u>semeia</u>, para recolher amanhã os benefícios.] **5** *Fig.* Cobrir, coalhar. [*td.* (seguido de indicação de meio/modo): A batalha <u>semeou</u> o campo de feridos.] [▶ **13** sem[ear]. • se.me:a.*ção sf.*; se.me.a.do *a.*; se.me:a.*dor a.sm.*; se.me.a.*du*.ra *sf.*

semelhança (se.me.*lhan*.ça) *sf.* **1** Qualidade de semelhante. **2** Relação entre coisas que se parecem, que têm aspectos comuns; SIMILITUDE.

semelhante (se.me.*lhan*.te) *a2g.* **1** Quase igual, parecido (rostos <u>semelhantes</u>). *sm.* **2** O próximo: <u>Não desprezes o seu semelhante</u>. *pr.dem.* **3** Esse, aquele, tal: <u>Nunca disse semelhante absurdo</u>.

semelhar (se.me.*lhar*) *v.* Ver *assemelhar*. [▶ **1** semelh[ar].

sêmen (*sê*.men) *sm. Biol.* Ver *esperma*. [Pl.: semens e (p.us. no Brasil) sêmenes.]

semente (se.*men*.te) *sf.* **1** *Bot.* Grão, caroço ou parte do fruto que contém o embrião de uma nova planta. **2** *Fig.* Causa, origem: <u>O preconceito é uma semente do ódio</u>.

sementeira (se.men.*tei*.ra) *sf.* **1** Terra esp. preparada, onde se põem as sementes para germinar. ⬜ sementeiro *a.sm.* **2** Que ou o que semeia; SEMEADOR.

semestral (se.mes.*tral*) *a2g.* Ref. a semestre; que ocorre a cada semestre (taxa <u>semestral</u>). [Pl.: -trais.] • se.mes.tra.li.*da*.de *sf.*

semestre (se.*mes*.tre) *sm.* Período de seis meses seguidos.

sem-fim (sem-*fim*) *sm.* **1** Infinidade, sem-número: <u>receberam um sem-fim de pedidos</u>. **2** Amplidão, vastidão: <u>nos sem-fins da planície</u>. [Pl.: sem-fins.]

semianalfabeto (se.mi.a.nal.fa.*be*.to) *a.sm.* Que ou quem é meio analfabeto. [Pl.: semianalfabetos.]

semiárido (se.mi.*á*.ri.do) *a.* Diz-se de região ou clima meio árido. [Pl.: semiáridos.]

semibreve (se.mi.*bre*.ve) *sf. Mús.* **1** Duração de tempo correspondente a duas mínimas, ou quatro semínimas. **2** A representação gráfica desse tempo (○).

semicerrar (se.mi.cer.*rar*) *v.* Cerrar(-se) só parcialmente. [*td.*: <u>semicerrar</u> uma janela. *pr.*: <u>Os olhos do ancião semicerraram-se</u>.] [▶ **1** semicerr[ar]. • se.mi.cer.*ra*.do *a.*

semicírculo (se.mi.*cír*.cu.lo) *sm. Geom.* Metade de um círculo. • se.mi.cir.cu.*lar a2g.*

semicircunferência (se.mi.cir.cun.fe.*rên*.ci:a) *sf. Geom.* Metade de uma circunferência.

semicolcheia (se.mi.col.*chei*.a) *sf. Mús.* **1** Duração de tempo correspondente à metade de uma colcheia, ou 1/4 de uma semínima. **2** A representação gráfica desse tempo (♬).

semicondutor (se.mi.con.du.*tor*) [ô] *sm. Fís.* Substância com resistência entre a de um condutor e a de um isolante e que pode variar de acordo com as condições (p.ex., diminui com a elevação da temperatura).

semideus (se.mi.*deus*) *sm. Mit.* Ser mitológico, filho de uma divindade e de um mortal.
semifinal (se.mi.fi.*nal*) *Bras. Esp. a2g.* **1** Diz-se de cada uma das duas provas ou partidas que classificam os que vão disputar a final (de torneio, campeonato etc.) *sf.* **2** Essa prova ou partida: *Os dois times vão jogar a semifinal.* [Pl.: *-nais.*] • **se.mi.fi.na.lis.ta** *a2g.s2g.*
semifusa (se.mi.*fu*.sa) *sf. Mús.* **1** Duração de tempo correspondente à metade de uma fusa, ou 1/16 de uma semínima. **2** A representação gráfica desse tempo ().
semi-internato (se.mi-in.ter.*na*.to) *sm.* Escola cujos alunos aí permanecem a maior parte do dia e voltam a casa para dormir. [Pl.: *semi-internatos.*]
semilúnio (se.mi.*lú*.ni:o) *sm.* Ver *meia-lua.*
semimorto (se.mi.*mor*.to) [ó] *a.* **1** Quase morto; SEMIVIVO. **2** *Fig.* Exausto, esgotado.
seminal (se.mi.*nal*) *a2g.* **1** Ref. a sêmen ou a semente, ou que produz sêmen (vesícula seminal). **2** Fértil, inventivo: *um livro seminal.* [Pl.: *-nais.*]
seminário (se.mi.*ná*.ri:o) *sm.* **1** Debate público; SIMPÓSIO; CONGRESSO. **2** Grupo de estudos em que os alunos expõem e discutem algum tema. **3** Instituição de ensino onde se formam padres. • **se.mi.na.ris.ta** *s2g.*
seminífero (se.mi.*ní*.fe.ro) *a.* Que produz ou conduz sêmen ou sementes.
semínima (se.*mi*.ni.ma) *sf. Mús.* **1** Duração de tempo correspondente à metade de uma mínima, e que vale um tempo nos compassos cuja notação tem denominador 4 (2/4, 3/4, 4/4 etc.). **2** A representação gráfica desse tempo ().
seminu (se.mi.*nu*) *a.* Quase nu.
semiologia (se.mi:o.lo.*gi*.a) *sf. Ling.* Estudo dos signos linguísticos, ou não linguísticos (p.ex.: gestos, rituais religiosos, vestuário etc.), que funcionam para a comunicação; SEMIÓTICA. • **se.mi:o.ló.gi.co** *a*; **se.mi:ó.lo.go** *sm.*
semiótica (se.mi.*ó*.ti.ca) *sf. Ling.* Ver *semiologia.* • **se.mi.ó.ti.co** *a.*
semipermeável (se.mi.per.me:*á*.vel) *a2g. Bioq.* Diz-se de membrana que, ao separar duas soluções, deixa passar moléculas das substâncias solventes, mas não das substâncias dissolvidas. [Pl.: *-veis.*] • **se.mi.per.me:a.bi.li.da.de** *sf.*
semiplano (se.mi.*pla*.no) *sm. Geom.* Parte de um plano, limitado por uma reta.
semiprecioso (se.mi.pre.ci:*o*.so) [ó] *a.* Diz-se de pedra, ou gema, cujo valor é menor que o de uma pedra preciosa. [Fem. e pl.: [ó].]
semirreta (se.mi.*rre*.ta) *sf. Geom.* Parte de uma reta, limitada por um ponto.
semissoma (se.mis.*so*.ma) *sf. Mat.* A metade de uma soma. [Pl.: *semissomas.*]
semita (se.*mi*.ta) *a2g.* **1** Ref. aos semitas, grupo étnico e linguístico a que pertenciam os hebreus (hoje, judeus), assírios, fenícios, árabes etc. **2** *Restr.* Ref. ao povo ou ao próprio dos judeus. *s2g.* **3** Indivíduo semita. [**4** *Restr.* Judeu. • **se.*mí*.ti.co** *a.*
semitismo (se.mi.*tis*.mo) *sm.* Caráter do que é semita.
semitom (se.mi.*tom*) *sm. Mús.* Metade de um tom; MEIO-TOM. [Pl.: *-tons.*]
semitransparente (se.mi.trans.pa.*ren*.te) *a2g.* Quase transparente.
semivivo (se.mi.*vi*.vo) *a.* Quase sem vida; SEMIMORTO.
semivogal (se.mi.vo.*gal*) *sf. Gram.* Vogal situada no início ou no final de um ditongo (p.ex., a vogal [i] de *pai*, e a vogal [u] de *quarto*). [Pl.: *-gais.*]
sem-nome (sem-*no*.me) *a2g2n.* **1** Inominável, inqualificável: *Praticou baixezas sem-nome.* **2** Que não tem nome; ANÔNIMO; INOMINADO.

sem-número (sem-*nú*.me.ro) *sm2n.* O que é inumerável; INFINIDADE; SEM-FIM: *um sem-número de vezes.*
sêmola (*sê*.mo.la) *sf.* **1** Espécie de farinha granulada feita de trigo ou de outros grãos, us. para fazer massas e sopas. **2** O m.q. *semolina.*
semolina (se.mo.*li*.na) *sf.* Farinha feita de arroz, us. no engrossamento de mingaus etc.
sem-par (sem-*par*) *a2g2n.* Sem igual; ÚNICO; ÍMPAR: *uma mulher de qualidades sem-par.*
sempiterno (sem.pi.*ter*.no) *a.* Eterno, perpétuo.
sempre (*sem*.pre) *adv.* **1** Em todo momento ou hora: *Isso sempre acontece quando ligo o computador*; *"Quero a vida sempre assim com você perto de mim..."* (Tom Jobim, *Corcovado*). **2** Continuamente, sem cessar, constantemente: *Está sempre gripado.* **3** Habitualmente, geralmente: *Janta sempre em casa.* [Ant. nas acps. 1 a 3: *nunca*, *jamais*.] **4** Afinal: *Propôs estudo em grupo, o que é sempre uma boa ideia.* ⁂ **De ~** De todos os dias, habitual: *Pediu o suco de sempre.* **Para ~** Definitivamente, eternamente. **~ que** Toda vez que: *Sempre que está na cidade, vem nos ver.*
sempre-viva (sem.pre-*vi*.va) *sf. Bot.* Certa planta cujas flores, depois de secas, não murcham nem perdem a cor. [Pl.: *sempre-vivas.*]
sem-terra (sem-*ter*.ra) *a2g2n.s2g2n. Bras.* Que ou aquele (trabalhador rural) que não possui terra.
sem-teto (sem-*te*.to) *a2g2n.s2g2n. Bras.* Que ou quem, por falta de condição econômica, não tem moradia e vive nas ruas ou em abrigos públicos.
sem-vergonha (sem-ver.*go*.nha) *a2g2n.s2g2n. Bras.* Que ou quem é desavergonhado ou malicioso. • **sem-ver.go.*nhi*.ce** *sf.*
⊠ **sen** *Trig.* Símb. de *seno.*
sena (*se*.na) *sf. Bras.* Loteria oficial em que se sorteiam seis dezenas.
senado (se.*na*.do) *sm.* Câmara alta do poder legislativo no sistema de duas câmaras. [Ger. com inicial maiúsc.]
senador (se.na.*dor*) [ô] *sm.* Membro do senado. • **se.na.to.ri.*al*** *a2g.*
senadoria (se.na.do.*ri*.a) *sf.* Ver *senatoria.*
senão (se.*não*) *prep.* **1** Salvo, exceto: *Dali nada viam, senão o telhado das casas.* **conj.alter. 2** Caso contrário: *Tenho de terminar hoje, senão vai haver cobrança.* **conj.advers. 3** Mas sim; porém: *Não se dizia escritor, senão um rabiscador de palavras.* **conj.condic. 4** A não ser: *Não há mais nada a dizer, senão adeus.* *sm.* **5** Problema, falha: *Não houve um só senão nessas férias.* [Pl. do subst.: *-nões.*]
senciência (sen.ci.*ên*.ci:a) **1** Qualidade de senciente. **2** Condição do que é sensível, do que tem sensações.
senciente (sen.ci.*en*.te) *a.* Que sente; que tem sensações ou impressões: *um animal é um ser senciente.*
senatoria (se.na.to.*ri*.a) *sf.* Mandato de senador.
senda (*sen*.da) *sf.* Caminho estreito; ATALHO; VEREDA.
sendeiro (sen.*dei*.ro) *sm.* Cavalo ou burro velho e ruim.
senectude (se.nec.*tu*.de) *sf.* Velhice, senilidade.
senegalês (se.ne.ga.*lês*) *a.* **1** Do Senegal (África); típico desse país ou de seu povo. *sm.* **2** Pessoa nascida no Senegal. [Pl.: *-leses.* Fem.: *-lesa.*] • **se.ne.ga.*len*.se** *a2g.s2g.*; **se.ne.ga.li.a.no** *a.sm.*
senegalesco (se.ne.ga.*les*.co) [ê] *a.* Ver *senegalês* (1).
senha (*se*.nha) *sf.* **1** Bilhete numerado que se distribui entre os usuários de um serviço para que sejam atendidos por ordem de chegada. **2** *Inf.* Combinação de caracteres que permite o acesso a operações por computador. **3** Sinal, gesto ou frase combinados em segredo para serem us. como sinal de identificação

senhor | sentido

entre pessoas ou grupos. **4** Bilhete que possibilita a readmissão de alguém a uma sala de espetáculos.
senhor (se.*nhor*) [ô] *sm*. **1** Homem idoso. **2** Na linguagem corrente, tratamento de respeito e/ou cortesia us. para homens. [Abr. ger. us. em endereçamento postal: Sr.] [NOTA: Quando acompanha um nome próprio, é mais comum o uso de *seu* no lugar de *senhor*: *Seu* *Antônio*, o *senhor* *deixa* *eu* *sair* *mais* *cedo?*] **3** Dono, proprietário: *senhor* *de* *engenho*. *a*. **4** *Bras*. Excelente, ótimo: *Ele* *é* *um* *senhor* *cozinheiro*. ◼ **Senhor** *sm*. **5** Deus. ◼◼ **Estar ~ da situação** Ter o controle de uma situação difícil.
senhora (se.*nho*.ra) *sf*. **1** Mulher idosa. **2** Esposa. **3** Na linguagem corrente, tratamento de respeito e/ou cortesia us. para mulheres. [Abr. ger. us. em endereçamento postal: Sra.] [NOTA: Quando acompanha um nome próprio, é mais comum o uso de *dona* no lugar de *senhora*: *Dona* *Carmem*, a *senhora* *sabe* *onde* *está* *o* *Paulo?*] *a*. **4** *Bras*. Excelente, ótima: *O* *presidente* *do* *clube* *mora* *numa* *senhora* *casa*.
senhorear (se.nho.re.*ar*) *v*. Ver *assenhorear*. [▶ **13** senhor<u>ear</u>]
senhoria (se.nho.*ri*.a) *sf*. **1** Qualidade de senhor ou senhora. **2** Fem. de *senhorio*.
senhorial (se.nho.ri:*al*) *a2g*. **1** Ref. ou pertencente a senhor, senhora ou a senhorio. **2** Ver *senhoril* (2). [Pl.: -*ais*.]
senhoril (se.nho.*ril*) *a2g*. **1** Ref. a ou próprio de senhor ou senhora. **2** Elegante, refinado, nobre (maneiras *senhoris*); SENHORIAL. [Pl.: -*ris*.]
senhorinha (se.nho.*ri*.nha) *sf*. Ver *senhorita*.
senhorio (se.nho.*ri*.o) *sm*. **1** Proprietário de imóvel alugado. **2** Aquele que detém o direito de posse, domínio e propriedade sobre algo. **3** Esse direito.
senhorita (se.nho.*ri*.ta) *sf*. Tratamento dado à moça solteira; SENHORINHA.
senil (se.*nil*) *a2g*. **1** Ref. a ou próprio da velhice ou dos velhos (doença *senil*). [Ant.: *juvenil*.] **2** Decrépito, caduco. [Pl.: -*nis*.] ● **se.ni.li.da.de** *sf*.
sênior (*sê*.ni:or) *a2g*.*sm*. **1** Que ou aquele que é mais antigo ou mais experiente em determinada atividade (economista *sênior*). **2** Que ou quem é o mais velho de dois familiares com o mesmo nome. **3** *Esp*. Que ou quem é veterano em certas atividades esportivas. [Ant. ger.: *júnior*.] [Pl.: *seniores* [ô].]
seno (se.no) *sm*. *Trig*. Razão entre o cateto oposto a um ângulo agudo e a hipotenusa de um triângulo retângulo. [Símb.: sen]
sensabor (sen.sa.*bor*) [ô] *a2g*. Que não tem sabor ou graça; insípido. ● **sen.sa.bo.ri.a** *sf*.
sensação (sen.sa.*ção*) *sf*. **1** Impressão física ou psíquica: *sensação* *de* *frio/de* *que* *alguém* *havia* *entrado*. **2** Forte impressão, impacto, emoção (causar *sensação*). **3** Coisa ou pessoa que desperta grande interesse ou entusiasmo: *Os* *palhaços* *são* *a* *sensação* *do* *circo*. [Pl.: -*ções*.]
sensacional (sen.sa.ci:o.*nal*) *a2g*. **1** Que causa grande sensação (2) ou impacto (revelações *sensacionais*). **2** Espetacular, maravilhoso (jogo *sensacional*). [Pl.: -*nais*.]
sensacionalismo (sen.sa.ci:o.na.*lis*.mo) *sm*. Exploração de notícias com o objetivo de causar sensação (2) ou escândalo. ● **sen.sa.ci.o.na.lis.ta** *a2g.s2g*.
sensato (sen.*sa*.to) *a*. Que tem bom senso; PONDERADO; AJUIZADO. ● **sen.sa.*tez* *sf*.
sensibilidade (sen.si.bi.li.*da*.de) *sf*. **1** Capacidade de experimentar sensações físicas, de reagir a estímulos físicos: *sensibilidade* *à* *dor*. **2** Capacidade de ou tendência a sentir, se emocionar, se comover.
sensibilizar (sen.si.bi.li.*zar*) *v*. **1** Tornar sensível ou comovido; COMOVER(-SE); EMOCIONAR(-SE). [*td*.:

O *carinho* *do* *amigo* *o* *sensibiliza*. *int*.: *As* *recordações* *da* *infância* *sensibilizam*. *pr*.: *Sensibilizou-se* *ao* *vê-los* *na* *miséria*.] **2** *Fot*. Tornar (filme) sensível à luz. [*td*.] [▶ **1** sensibiliz<u>ar</u>] ● **sen.si.bi.li.za.*ção* *sf*.; sen.si.bi.li.za.do *a*.; sen.si.bi.li.za.dor *a.sm*.; sen.si.bi.li.*zan*.te *a2g*.
sensitiva (sen.si.*ti*.va) *sf*. *Bot*. Planta cujas folhas se retraem quando tocadas; DORMIDEIRA.
sensitivo (sen.si.*ti*.vo) *a*. **1** Ref. a ou próprio dos sentidos. **2** Que tem capacidade de sentir (órgão *sensitivo*). *a.sm*. **3** Que ou quem tem poderes paranormais. **4** Que ou quem é impressionável, sensível.
sensível (sen.*si*.vel) *a2g*. **1** Que sente; que reage a estímulos físicos: *sensível* *à* *luz*. **2** Impressionável, emotivo. **3** Humano, compassivo. **4** Delicado, suscetível. **5** Que se nota facilmente; EVIDENTE; MANIFESTO. **6** De certa importância ou valor; CONSIDERÁVEL: *A* *inflação* *teve* *sensível* *queda*. [Pl.: -*veis*.]
senso (sen.so) *sm*. **1** Capacidade de sentir, julgar, perceber (*senso* artístico): *senso* *do* *dever/de* *humor*. **2** Juízo, sensatez, ponderação. ◼◼ **Bom ~** **1** Capacidade ou habilidade de distinguir o certo do errado, o verdadeiro do falso, o conveniente do inconveniente etc. **2** Capacidade ou habilidade de, numa situação nova, saber julgá-la com bom senso (1) e agir de acordo. **~ comum** Modo de ver (conceitos, situações etc.) e agir de um grupo, sociedade etc., de acordo com experiência coletiva, costumes, padrões comuns etc.
sensor (sen.*sor*) [ô] *sm*. Dispositivo que detecta dados ou modificações do meio exterior: *sensor* *de* *movimento*.
sensorial (sen.so.ri:*al*) *a2g*. Ref. às sensações ou aos sentidos (estimulação *sensorial*). [Pl.: -*ais*.]
sensório (sen.*só*.ri:o) *a*. Sensorial, sensitivo.
sensual (sen.su:*al*) *a2g*. **1** Ref. aos órgãos do sentido. **2** Que exprime ou em que há sensualidade (dança *sensual*). [Pl.: -*ais*.] ● **sen.su:a.*lis*.mo** *sm*.
sensualidade (sen.su:a.li.*da*.de) *sf*. **1** Característica do que evoca atração ou apelo sexual, ger. requintado. **2** Tendência para os prazeres dos sentidos, esp. o prazer sexual; LASCÍVIA; VOLÚPIA.
sentado (sen.*ta*.do) *a*. **1** Que se sentou. **2** *Bras*. Diz-se de refeição em que as pessoas se sentam à mesa (jantar *sentado*).
sentar (sen.*tar*) *v*. **1** Fazer tomar ou tomar assento; ASSENTAR(-SE). [*td*. (seguido ou não de indicação de lugar): *A* *mãe* *sentou* *o* *filho* *na* *cadeira*). *int./pr*.: *Sentei(-me)* *na* *última* *fila*.] [NOTA: Sentou-se na mesa tem conotação de 'sentou sobre a mesa'. *Sentar-se* *à* *mesa*, de 'sentar junto à mesa'.] **2** *Bras*. *Pop*. Aplicar (golpe violento) com. [*tdi*. + *em*: *Sentou* *a* *mão* *no* *desaforado*.] [▶ **1** sent<u>ar</u>]
sentença (sen.*ten*.ça) *sf*. **1** Decisão final de um juiz ou tribunal: *sentença* *de* *morte*. **2** Provérbio, máxima (*sentença* moral). **3** *Gram*. Frase, oração.
sentenciar (sen.ten.ci.*ar*) *v*. **1** *Jur*. Julgar, decidir, ou condenar, por meio de sentença. [*td*.: *sentenciar* *um* *litígio*. *tdi*. + *a*: *O* *juiz* *sentenciou-o* *a* *vinte* *anos* *de* *prisão*.] **2** Manifestar julgamento, parecer ou opinião. [*ti*. + *acerca* *de*, *a* *respeito* *de*, *sobre*: *Sentenciei* *sobre* *a* *guerra* *no* *Iraque*. *int*.: *Ele* *sentenciou*, *e* *todos* *concordaram*.] [▶ **1** sentenci<u>ar</u>] ● **sen.ten.ci.a.do** *a.sm*.
sentencioso (sen.ten.ci:o.*so*) *a*. **1** Que tem a forma ou a gravidade de uma sentença (tom *sentencioso*). **2** Que encerra uma opinião sensata. [Fem. e pl.: [ó].]
sentido (sen.*ti*.do) *sm*. **1** Objetivo, propósito: *uma* *vida* *sem* *sentido*. **2** Rumo, direção (*sentido* norte). **3** *Fisl*. Cada uma das formas de perceber sensações (visão, audição, tato, olfato e paladar). **4** Razão de ser; LÓGICA: *Não* *vejo* *o* *menor* *sentido* *em* *insistirmos*

nisso. **5** *Gram.* Ideia, ou conjunto de ideias, que corresponde ao uso de uma palavra ou frase: *Em que sentido você usou a palavra 'força'?; Não entendi o sentido dessa frase.* **a. 6** Magoado, ressentido: *Fiquei sentida com o que você fez. interj.* **7** *Mil.* Voz de comando para exigir atenção. ◼ **sentidos** *smpl.* **8** A consciência: *Caiu e perdeu os sentidos.* ◾◾ **Fazer/Ter ~ Ser** (fato, declaração, atitude, texto etc.) compreensível ou aceitável, comparado com regras, fatos, conceitos, padrões etc. anteriormente aceitos. **Sexto ~** Suposta capacidade de percepção independente dos cinco sentidos orgânicos; INTUIÇÃO.

sentimental (sen.ti.men.*tal*) *a2g.s2g.* Que ou quem se comove facilmente. *a2g.* **2** Ref. ao sentimento (conselheiro *sentimental*). [Pl.: -*tais*.] ● **sen.ti.men.ta.li.da.de** *sf.*; **sen.ti.men.ta.lis.mo** *sm.*

sentimento (sen.ti.*men*.to) *sm.* **1** Estado ou disposição emocional; sensação íntima de alegria, tristeza, amor, ódio etc. **2** Entusiasmo, devoção (*sentimento* religioso/patriótico). **3** Emoção, alma: *O músico tocou com sentimento.* ◼ **sentimentos** *smpl.* **4** Qualidades morais: *uma pessoa de bons sentimentos.* **5** Pêsames, condolências.

sentina (sen.*ti*.na) *sf.* Latrina, privada.

sentinela (sen.ti.*ne*.la) *sf.* Guarda, vigia.

sentir (sen.*tir*) *v.* **1** Perceber pelos sentidos do tato, paladar, olfato ou audição. [*td.*: *sentir um toque/gosto/cheiro/passos.*] **2** Experimentar (sensação física ou impressão psicológica). [*td.*: *sentir frio/saudade; Ele sentiu o peso da responsabilidade. int.*: *As pedras não sentem. pr.*: *Não estou me sentindo bem.*] **3** Ser sensível a, ou afligir-se, ter pesar por. [*td.*: *Sentiu a perda do amigo. ti. + por*: *Sinto tanto por eles!*] **4** Adivinhar, pressentir. [*td.*: *Sentiu o perigo.*] **5** Perceber, reconhecer, ver. [*td.*: *Sentiu que o amigo estava triste*; (tb. seguido de indicação de estado): *Eu a sinto preocupada. tdi. + em*: *Sinto nele um bom companheiro.*] **6** Compreender, ou experimentar sentimento estético. [*td.*: *sentir a filosofia; Esse barítono sente o que canta.*] **7** Ressentir-se ou ofender-se com. [*td.*: *sentir uma crítica.*] [▶ **50 sentir**]

senzala (sen.*za*.la) *sf. Bras.* Lugar onde se alojavam os escravos, na época do Brasil colonial e imperial.

sépala (*sé*.pa.la) *sf. Bot.* Cada uma das partes que formam o cálice das flores.

separar (se.pa.*rar*) *v.* **1** Desunir(-se) o que estava junto, mesclado ou agregado; APARTAR(-SE), ISOLAR(-SE). [*td.*: *separar os elementos de um composto. tdi. + de*: *separar o bom do mau. pr.*: *O ermitão se separa do mundo.*] **2** Reservar, guardar. [*td.*: *separar o dinheiro das compras. tdi. + para*: *Separou um pedaço de bolo para o marido.*] **3** Impedir que briguem ou sigam brigando; APARTAR. [*td.*] **4** Ser o pomo da discórdia entre; DESUNIR; DESAVIR. [*td.*: *A herança separou os irmãos.*] **5** Impedir a comunicação entre. [*td.*: *Diferenças não devem separar os povos.*] **6** Desunir (cônjuges), ou divorciar(-se). [*td.*: *O ciúme separou o casal. pr.*: *Eles separaram-se legalmente.*] [Ant. nas acps. 1, 4 e 6: *juntar, unir.*] **7** Constituir o limite, ou situar-se entre. [*td.*: *Um rio separa as duas cidades. tdi. + de*: *O muro separa a fábrica das casas.*] **8** Dividir-se, ou dispersar-se [*pr.*: *Esta estrada se separa em duas outras.*] [▶ **1** sep̄arar] ● **se.pa.ra.ção** *sf.*; **se.pa.ra.do** *a.*; **se.pa.ra.dor** *a.sm.*

separata (se.pa.*ra*.ta) *sf. Art.Gr.* Edição à parte de artigo já publicado em revista ou jornal, empregando-se a mesma composição tipográfica.

separatismo (se.pa.ra.*tis*.mo) *sm.* Movimento político ou religioso que prega separação ou independência. ● **se.pa.ra.tis.ta** *a2g.s2g.*

sépia (*sé*.pi.a) *sf.* **1** *Zool.* Molusco que expele uma tinta marrom-avermelhada. *sm.* **2** A cor dessa tinta. *a2g2n.* **3** Que é dessa cor (casacos *sépia*).

sepsia (sep.*si*.a) *sf. Med.* Intoxicação causada por produto contaminado.

septeto (sep.*te*.to) [ê] *sm. Mús.* **1** Composição para sete vozes ou instrumentos. **2** Conjunto de sete músicos. [Sin. ger.: *séptuor*.]

septicemia (sep.ti.ce.*mi*.a) *sf. Med.* Infecção generalizada. ● **sep.ti.cê.mi.co** *a.*

séptico (*sép*.ti.co) *a.* Que causa infecção ou que contém germes infecciosos. [Cf.: *céptico*.]

septo (*sep*.to) *sm. Anat.* Cartilagem que divide duas cavidades (*septo* nasal).

septuagenário (sep.tu:a.ge.*ná*.ri:o) *a.sm.* Que ou quem tem de setenta a 79 anos.

septuagésimo (sep.tu:a.*gé*.si.mo) *num.* **1** Ordinal que, em sequência, corresponde ao número setenta: *Classificou-se em septuagésimo lugar. a.* **2** Que é setenta vezes menor do que a unidade ou um todo (diz-se de parte): *Entrevistou-se a septuagésima parte da população.* [Us. tb. como subst.: *um septuagésimo da população.*]

séptuor (*sép*.tu:or) *sm. Mús.* Ver *septeto.* [Pl.: *septúores.*]

sepulcral (se.pul.*cral*) *a2g.* **1** Ref. a sepulcro. **2** *Fig.* Fúnebre, sinistro (silêncio *sepulcral*). [Pl.: -*crais.*]

sepulcro (se.*pul*.cro) *sm.* Ver *sepultura.*

sepultar (se.pul.*tar*) *v.* **1** Pôr em sepultura; ENTERRAR. [*td.*: *sepultar os mortos.*] **2** Fazer desaparecer sob: *As lavas do Vesúvio sepultaram Pompeia.* **3** *Fig.* Isolar(-se), enclausurar(-se). [*td.* (seguido de indicação de lugar ou condição): *A tristeza o sepultou em sua casa. pr.*: *Em busca da paz espiritual sepultou-se num mosteiro.*] **4** *Fig.* Dar fim a. [*td.*: *A carta sepultou suas esperanças.*] [▶ **1** sepult̄ar] ● **se.pul.ta.do** *a.*; **se.pul.ta.men.to** *sm.*; **se.pul.to** *a.v.*

sepultura (se.pul.*tu*.ra) *sf.* Lugar onde se enterram os mortos; TÚMULO; SEPULCRO.

sequaz (se.*quaz*) *a2g.s2g.* **1** Que ou quem segue com assiduidade alguém ou algo. **2** Cúmplice, comparsa.

sequela (se.*que*.la) *sf.* Efeito ou consequência: *O acidente deixou-lhe algumas sequelas; O tempo desfez as sequelas da separação.*

sequência (se.*quên*.ci:a) *sf.* **1** Continuação, seguimento: *Este livro dá sequência ao primeiro.* **2** Série, sucessão: *sequência de números.* **3** *Cin. Telv.* Cena ou trecho de filme. ● **se.quen.ci.al** *a2g.*; **se.quen.te** *a2g.*

sequenciar (se.quen.ci.*ar*) *v. td.* Ordenar (algo) em sequência. [▶ **1** sequenci̇̄ar] ● **se.quen.ci.a.men.to** *sm.*; **se.quen.ci.a.do** *a.*;

sequer (se.*quer*) *adv.* Ao menos; nem mesmo: *Ninguém sequer se mexeu.*

sequestrar (se.ques.*trar*) *v. td.* **1** Praticar sequestro (1); raptar: *Sequestraram o empresário.* **2** Apoderar-se de (meio de transporte), fazendo reféns os passageiros: *sequestrar um avião.* **3** *Jur.* Pôr (bens) em sequestro (2) ou apreensão legal. [▶ **1** sequestr̄ar] ● **se.ques.tra.do** *a.sm.*; **se.ques.tra.dor** *a.sm.*

sequestro (se.*ques*.tro) *sm. Jur.* **1** Crime de reter à força bens ou pessoas, ger. com pedido de resgate. **2** Apreensão de bem que é objeto de disputa, até que a justiça decida a quem pertence. ◾◾ **~ relâmpago** *Bras.* Prática de assalto que consiste em render alguém, obrigá-lo a ir a um banco ou caixa eletrônico, sacar dinheiro e entregá-lo ao assaltante.

sequidão (se.qui.*dão*) *sf.* Secura. [Pl.: -*dões.*]

sequilho (se.*qui*.lho) *sm. Cul.* Bolo ou biscoito seco, feito de polvilho.

sequioso (se.qui:*o*.so) [ô] *a.sm.* **1** Que ou quem tem sede. **2** *Fig.* Que tem cobiça, avidez em obter algo. [Fem. e pl.: [ó].]

séquito (*sé*.qui.to) *sm.* Grupo de pessoas que acompanham uma figura importante; COMITIVA; CORTEJO.

**sequoia (se.*quoi*.a) *sf.* *Bot.* Gigantesca árvore conífera da América do Norte.

ser *v.* **1** Ter determinada característica, especialidade etc. [*lig.*: *Ela sempre foi muito alegre; O pai dele é marceneiro.*] **2** Acontecer, realizar-se. [*lig.*: *A consulta é amanhã.*] **3** Situar-se. [*lig.*: *A casa de Machado de Assis era aqui.*] **4** Pertencer a. [*lig.*: *Este colar era de minha avó; Esse cabo é do vídeo.*] **5** Originar-se, provir. [*lig.*: *Ela é de Sergipe.*] **6** Estar feito com. [*lig.*: *Este anel é de prata.*] **7** Querer dizer; SIGNIFICAR. [*lig.*: *O que é 'esdrúxulo'?*] **8** Equivaler a. [*lig.*: *2 e 2 são 4.*] **9** Custar. [*lig.*: *Quanto é esse vestido?*] **10** Ter como finalidade; SERVIR. [*lig.*: *Isto é para alisar o cabelo.*] [▶ **6** ser] [NOTA: a) Us. como v. auxiliar, seguido de particípio, forma a voz passiva: *O jantar foi servido.* b) Us. como v. impessoal, indica hora, dia etc.: *São 11 horas.* c) Us. para realçar uma parte da frase: *Agora quero é descansar.* d) Substitui o v. numa interrogação, solicitando confirmação, e equivalendo a *sim* na resposta: — *Você quer o espelho aqui, não é? — É.*] *sm.* **11** O que existe na realidade ou na imaginação; ENTE. **12** O mais íntimo da pessoa. ■ **Era uma vez...** Expressão introdutória de narrativas. [NOTA: Mesmo que depois dela sejam apresentados mais de um personagem (*Era uma vez uma princesa e seu fiel escudeiro...*), o v. mantém-se na 3ª pessoa do singular.] **Já era** *Bras. Pop.* Diz-se referindo-se a alguém ou algo que deixou de ser ou existir, ou que saiu de moda: *Esse tipo de calça já era.* **Não ~ de nada** *Bras. Pop.* Ser imprestável para qualquer coisa; ser incapaz de tomar uma atitude etc. **Ou seja** Isto é: *Ontem, ou seja, no sábado, fomos jantar fora.* **~ bom/ruim de** *Bras.* Ser hábil/inábil no manejo ou no trato de: *Ele é bom/ruim de bola.* **~ por** Ser a favor de: *Somos pela greve.*

serafim (se.ra.*fim*) *sm.* **1** *Rel.* Anjo. **2** Pessoa muito bela. [Pl.: -*fins.*] ● **se.rá.fi.co** *a.*

serão (se.*rão*) *sm.* **1** Trabalho, ger. noturno, após o horário do expediente. **2** Tempo entre o jantar e a hora de dormir. [Pl.: -*rões.*]

sereia (se.*rei*.a) *sf.* **1** *Mit.* Ser mitológico, metade peixe e metade mulher. **2** *Fig.* Mulher atraente. **3** Sirene.

serelepe (se.re.*le*.pe) *a2g.s2g.* **1** *Bras. Fig.* Diz-se de ou pessoa viva, esperta. *sm.* **2** *Zool.* Ver **caxinguelê**.

serenar (se.re.*nar*) *v.* Tornar(-se) sereno, calmo; ABRANDAR(-SE). [*td.*: *Conseguiram serenar os manifestantes.* *int./pr.*: *O vendaval serenou(-se).*] [▶ **serenar**]

serenata (se.re.*na*.ta) *sf.* **1** Música tocada à noite, em passeio ou sob a janela de alguém; SERESTA. **2** *Mús.* Composição simples e melodiosa.

sereno (se.*re*.no) *sm.* **1** Orvalho, relento. **2** *Bras. Pop.* O ar fresco da noite. *a.* **3** Que denota tranquilidade; CALMO; TRANQUILO. ● **se.re.ni.da.de** *sf.*

seresta (se.*res*.ta) [é] *sf. Bras.* Ver **serenata** (1). ● **se.res.tei.ro** *a.sm.*

sergipano (ser.gi.*pa*.no) *a.* **1** De Sergipe; típico desse estado ou de seu povo. *sm.* **2** Pessoa nascida em Sergipe. [Sin. ger.: *sergipense.*]

sergipense (ser.gi.*pen*.se) *a2g.s2g.* Ver **sergipano**.

seriado (se.ri.*a*.do) *sm.* **1** *Telv.* Programa do filme exibido em série (*seriado policial*). *a.* **2** Disposto em série; que se realiza em série (*exames seriados*).

serial (se.ri.*al*) *a2g.* **1** Ref. a série. **2** *Inf.* Ref. à transmissão sequencial de conjunto de informações. [Opõe-se a *em paralelo.*] [Pl.: -*ais.*]

seriar (se.ri.*ar*) *v. td.* Ordenar em série, ou fazer a classificação de. [▶ **seriar**]

seríceo (se.*rí*.ce:o) *a. P.us.* Ref. a seda.

sericicultura, sericultura (se.ri.ci.cul.*tu*.ra, se.ri.cul.*tu*.ra) *sf.* **1** Criação do bicho-da-seda. **2** Fabricação da seda. ● **se.ri.ci.cul.tor**, **se.ri.cul.tor** *sm.*

seridó (se.ri.*dó*) *sm.* **1** *Bras.* Variedade de algodão cultivada na região nordestina entre o Rio Grande do Norte e a Paraíba. ◪ **Seridó** *sm.* **2** *Bras.* Essa região.

série (*sé*.ri:e) *sf.* **1** Sequência, sucessão: *uma série de acontecimentos.* **2** Grande quantidade: *O equipamento apresentou uma série de defeitos.* **3** Conjunto de objetos semelhantes ou análogos; COLEÇÃO: *série de livros/de moedas.* **4** *Telv.* Ver **seriado** (1). **5** *Bras.* Ano letivo correspondente a uma etapa do ensino: *Concluiu a segunda série.* ■ **Fora de ~** Excelente, muito acima do padrão. ● **se.ri:a.li.za.ção** *s2g.*; **se.ri:a.li.zar** *v.*

seriedade (se.ri:e.*da*.de) *sf.* Qualidade do que é sério.

seriema (se.ri:*e*.ma) *sf. Bras. Zool.* Ave pernalta que vive nos cerrados.

serifa (se.*ri*.fa) *sf. Tip.* Pequeno traço ou filete que arremata as hastes de uma letra.

serigrafia (se.ri.gra.*fi*.a) *sf. Art.Gr.* Técnica de impressão de desenhos através de uma tela de seda ou náilon.

seriguela (se.ri.*gue*.la) [é] *sf.* **1** *Bras. Bot.* Árvore típica do Nordeste, cujo fruto é doce e suculento. **2** Esse fruto. [Ver *imbu.*]

seringa (se.*rin*.ga) *sf. Med.* Instrumento para aplicar injeções ou aspirar líquidos do organismo.

seringueira (se.rin.*guei*.ra) *sf. Bras. Bot.* Árvore de que se extrai o látex us. para fazer a borracha. ● **se.rin.gal** *sm.*

seringueiro (se.rin.*guei*.ro) *sm. Bras.* **1** Trabalhador que extrai o látex da seringueira. **2** Dono de seringal.

sério (*sé*.ri:o) *a.* **1** Que quase não ri (*pessoa séria*); SISUDO. **2** Que merece atenção (*assunto sério*); IMPORTANTE. **3** Perigoso, grave (*doença séria*). **4** Aplicado, zeloso, dedicado (*profissional sério*). **5** Confiável, honesto. [Superl.: *seriíssimo* e *seríssimo.*] ■ **A ~ Com seriedade; com responsabilidade. Levar/Tomar a ~ 1** Dar importância a; considerar com seriedade: *Ele levou/tomou a sério as ameaças e pediu proteção.* **2** Considerar seriamente, a ponto de ofender-se, o que foi feito ou dito como brincadeira: *Não se ofenda, não precisa me levar/tomar tão a sério.* **Sair/Tirar do ~** Deixar ou fazer (alguém) deixar de agir seriamente; divertir(-se); agir ou fazer agir fora do padrão normal.

sermão (ser.*mão*) *sm.* **1** Discurso religioso ou moral; PREGAÇÃO. **2** *Fig.* Advertência, repreensão: *Passou um sermão no filho.* [Pl.: -*mões.*]

seródio (se.*ró*.di:o) *a. P.us.* Que vem fora do tempo; TARDIO. [Ant.: *precoce.*]

serosa (se.*ro*.sa) *sf. Anat.* Membrana que reveste certas cavidades do corpo ou certos órgãos, e que segrega um líquido lubrificante.

serosidade (se.ro.si.*da*.de) *sf. Med.* Líquido lubrificante contido nas serosas.

seroso (se.*ro*.so) [ô] *a.* **1** Ref. ou semelhante a soro. **2** Que contém soro ou serosidade. [Fem. e pl.: [ó].]

serotonina (se.ro.to.*ni*.na) *sf. Quím.* Neurotransmissor existente nas células do cérebro, cujos impulsos nervosos regulam o humor e a ansiedade.

serpentário (ser.pen.*tá*.ri:o) *sm. Bras.* Lugar onde se criam serpentes para estudo.

serpente (ser.*pen*.te) *sf.* **1** *Zool.* Ver **cobra** (1). **2** *Fig.* Pessoa traiçoeira.

serpentear (ser.pen.te.*ar*) *v. int.* **1** Arrastar-se como a serpente. **2** Ter curso ou traçado sinuoso: *A estrada serpenteava na montanha.* [▶ **13** serpentear] ● **ser.pen.te:an.te** *a2g.*

serpentiforme (ser.pen.ti.*for*.me) *a2g.* Que tem forma de serpente; SERPENTINO.

serpentina (ser.pen.*ti*.na) *sf.* **1** Rolo de fita de papel colorido que se atira no carnaval. **2** Tubo metálico em espiral us. para aquecer ou resfriar fluidos.

serpentino (ser.pen.*ti*.no) *a.* Ver *serpentiforme*.
serra (*ser*.ra) *sf.* **1** Cadeia de montanhas. **2** Máquina ou ferramenta de serrar provida de lâmina ou disco denteado.
serração (ser.ra.*ção*) *sf.* Ação ou resultado de serrar; SERRADURA. [Pl.: -*ções*.] [Cf.: *cerração*.]
serradura (ser.ra.*du*.ra) *sf.* Ver *serração*.
serragem (ser.*ra*.gem) *sf.* **1** Pó que se desprende da madeira serrada. **2** Ação ou resultado de serrar; SERRAÇÃO. [Pl.: -*gens*.]
serra-leonense (ser.ra-le:o.*nen*.se) *a2g.*, *s2g.* Ver *serra-leonês*.
serra-leonês (ser.ra-le:o.*nês*) *a.* **1** De Serra Leoa (oeste da África); típico desse país ou de seu povo. *sm.* **2** Indivíduo nascido em Serra Leoa. [Pl.: *serra-leonenses*.]
serralhas (ser.*ra*.lha) *sf. Bot.* Planta cultivada como hortaliça.
serralharia (ser.ra.lha.*ri*.a) *sf.* Ver *serralheria*.
serralheiro (ser.ra.*lhei*.ro) *sm.* Pessoa que manipula, fabrica ou conserta objetos de ferro.
serralheria (ser.ra.lhe.*ri*.a) *sf.* Oficina ou arte de serralheiro.
serralho (ser.*ra*.lho) *sm.* Ver *harém*.
serrania (ser.ra.*ni*.a) *sf.* Cadeia de serras; CORDILHEIRA.
serrano (ser.*ra*.no) *a.* **1** Ref. a, próprio ou originário das serras. **2** Que ou quem nasceu ou mora nas serras; MONTANHÊS.
serrar (ser.*rar*) *v. td.* Cortar com serra ou serrote. [▶ **1** serr<u>ar</u>]
serraria (ser.ra.*ri*.a) *sf.* Estabelecimento onde se serram madeiras.
serrilha (ser.*ri*.lha) *sf.* Recorte denteado em volta de um objeto. ● **ser.ri.*lhar*** *v.*
serro (*ser*.ro) [ê] *sm.* Serra, cordilheira.
serrote (ser.*ro*.te) *sm.* Serra manual com cabo por onde se empunha.
sertanejo (ser.ta.*ne*.jo) [ê] *a.* **1** Ref. a, do ou próprio do sertão. *a.sm.* **2** Que ou quem vive no sertão. **3** Caipira.
sertanista (ser.ta.*nis*.ta) *a2g.s2g.* **1** Que ou quem é especialista em sertão. **2** Que ou quem desbravava os sertões. *a2g.* **3** Ref. a ou do próprio do sertão.
sertão (ser.*tão*) *sm. Bras.* Região agreste, esp. do interior do país. [Pl.: -*tões*.]
servente (ser.*ven*.te) *s2g.* Empregado que presta serviços auxiliares, esp. de limpeza e arrumação.
serventia (ser.ven.*ti*.a) *sf.* **1** Característica ou que serve; UTILIDADE; PRÉSTIMO: *equipamento de grande serventia*. **2** Uso, emprego, aplicação.
serventuário (ser.ven.tu.*á*.ri:o) *sm.* **1** Aquele que trabalha como auxiliar da justiça (p.ex.: tabelião, escrivão etc.). **2** Pessoa que serve num ofício.
serviçal (ser.vi.*çal*) *a2g.* **1** Empregado doméstico; CRIADO. *a2g.* **2** Que gosta ou tem o hábito de prestar favores, de ser útil, ajudar; PRESTATIVO. [Pl.: -*cais*.]
serviço (ser.*vi*.ço) *sm.* **1** Trabalho, tarefa (<u>serviços</u> domésticos). **2** Ofício, ocupação, emprego: *tempo de <u>serviço</u>*. **3** *Econ.* Atividade cujo produto não assume a forma de mercadoria mas satisfaz uma necessidade (p.ex.: educação, transporte, saúde etc.): *prestação de <u>serviços</u>*. **4** Favor, obséquio. **5** Ato de servir (<u>serviço</u> rápido). **6** *Bras. Cul.* Entrada, aperitivo. **7** Conjunto de peças (pratos, talheres etc.) para servir (6); APARELHO. **8** Os acepipes servidos numa recepção ou reunião. **9** *Esp.* Saque: *O tenista desperdiçou o primeiro <u>serviço</u>*. **10** *Bras.* Mandinga feita sob encomenda. **▪ De ~ 1** Em prédios comerciais ou residenciais, diz-se do acesso (porta, elevador etc.) para mercadorias, determinados funcionários ou empregados etc. [Cf.: *social*(3).] **2** Em serviço, trabalhando ou escalado para trabalhar em turno ou plantão. **Não brincar em ~** *Bras. Pop.* Estar atento para executar corretamente tarefa ou função, ou fazê-lo: *Aquele zagueiro <u>não brinca em serviço</u>, marca a bola e o adversário*.
servidão (ser.vi.*dão*) *sf.* **1** Escravidão, cativeiro. **2** Sujeição, submissão. [Pl.: -*dões*.]
servidor (ser.vi.*dor*) [ô] *sm.* **1** Empregado, funcionário. **2** *Bras.* Funcionário público. **3** *Inf.* Sistema que oferece determinados serviços de conexão aos usuários de uma rede.
servil (ser.*vil*) *a2g.* **1** Ref. a ou próprio de servo (trabalho <u>servil</u>). **2** *Fig.* Subserviente, submisso. **3** *Fig.* Que segue com demasiado rigor um original ou um modelo (tradução <u>servil</u>). [Pl.: -*vis*.] ● **ser.vi.*lis*.mo** *sm.*
sérvio (*sér*.vi:o) *a.* **1** Da República da Sérvia (Europa); típico dessa república ou de seu povo. *sm.* **2** Pessoa nascida na Sérvia. *a.sm.* **3** *Gloss.* Da, ref. à ou a língua falada na Sérvia.
servir (ser.*vir*) *v.* **1** Estar a serviço de (alguém) como servo, escravo ou criado, ou sê-lo. [*td.*: *servir um senhor/um amo*. *ti.* + *a* (com ou sem indicação de condição): *Ele <u>serve</u> a bons patrões; <u>Servia</u> (como mucama) <u>a</u> um barão do café*. *int.* (com ou sem indicação de condição): *Ambos <u>serviam</u> (na corte*).] **2** Trabalhar para (alguém ou instituição) como funcionário, ou sê-lo. [*td.*: *servir um hospital/um tribunal*. *ti.* + *a* (com ou sem indicação de condição): *servir (de secretário) a um parlamentar*. *int.*: *servir num ministério*.] **3** Prestar o serviço militar, ou ser militar (em arma). [*td.*: *servir a infantaria*. *ti.* + *a*: *Ele vai <u>servir</u> ao Exército*. *int.*: *<u>Serviu</u> toda a vida e agora está reformado*.] **4** Prestar assistência; CUIDAR. [*td.*: *<u>servir os filhos/um enfermo</u>*. *ti.* + *a* (com ou sem indicação de condição): *servir (de guia) a um cego*. *int.*: *A nova babá não <u>serve</u> bem*.] **5** Consagrar-se, prestar bons serviços, a. [*td.*: *<u>servir a pátria/um rei</u>*. *ti.* + *a* (com ou sem indicação de condição): *<u>servir</u> a uma causa; <u>servir</u> (de conselheiro) a um presidente*. *int.*: *Não pensa em si, vive para <u>servir</u>*.] **6** Pôr sobre (a mesa); oferecer (comida, bebida etc.); ou atender em restaurante, loja etc. [*td.*: *<u>servir</u> uma bacalhoada/um charuto*. *tdi.* + *a*: *<u>Serviu</u> aos convidados um vinho tinto*. *int.*: *Esse garçom <u>serve</u> muito bem*.] **7** Utilizar-se ou valer-se de, ou tomar para si (comida, bebida etc.). [*pr.*: *<u>servir-se de</u> uma ferramenta/um licor/um cigarro; <u>Serviram-se</u> de todos os argumentos para convencê-lo*.] **8** Fazer às vezes de. [*ti.* + *a*, *para* (com indicação de condição ou de qualidade): *Que isso <u>lhe sirva</u> de exemplo*; *Estes dados <u>serviram</u> de base <u>para</u> a pesquisa*. *lig.*: *A tenda de campanha <u>servia de enfermaria</u>*.] **9** Ser conveniente ou adequado a, ou útil ou proveitoso para. [*ti.* + *a*, *para*: *Este emprego não <u>lhe serve</u>*; *Ele não <u>serve para</u> lidar com o público*; (seguido de indicação de qualidade) *Suas observações <u>serviram</u> a todos de alerta*. *int.*: *Conta outra, que essa não <u>serviu</u>*.] **10** Ajustar-se em. [*int.* (seguido de indicação de lugar): *A roupa <u>serviu</u> no menino*; *A toalha não <u>serviu</u> na mesa*.] [▶ **50** serv<u>ir</u>] ● **ser.vi.do** *a.*
servo (*ser*.vo) [ê] *sm.* **1** Escravo, cativo. **2** Criado, serviçal. **3** *Hist.* Na sociedade feudal, pessoa que prestava serviços a um senhor sem ser escravo.
servo-croata (ser.vo-cro.*a*.ta) *sm.* **1** *Gloss.* Língua falada na Croácia (Europa). *a2g.* **2** Pertencente ou ref. à Sérvia e à Croácia, simultaneamente, ou à sua língua. [Pl.: *servo-croatas*.]
sésamo (*sé*.sa.mo) *sm. Bot.* Ver *gergelim*.
sesmaria (ses.ma.*ri*.a) *sf.* Terras que os reis de Portugal doavam para cultivo nos tempos coloniais.
sesmeiro (ses.*mei*.ro) *sm.* **1** Magistrado português que dividia e distribuía as sesmarias. **2** Aquele a quem era doada uma sesmaria.
sesquicentenário (ses.qui.cen.te.*ná*.ri:o) *sm.* **1** O 150º aniversário ou sua comemoração. *a.* **2** Que tem 150 anos (cidade <u>sesquicentenária</u>).

sessão (ses.*são*) *sf.* **1** Espaço de tempo em que uma assembleia se mantém em reunião ou essa reunião. **2** Cada apresentação de um espetáculo no mesmo dia. **3** Espaço de tempo em que se realiza uma atividade específica: *uma sessão de fotos/de psicoterapia*. [Pl.: -sões.]

sessenta (ses.*sen*.ta) *num.* **1** Quantidade correspondente a 59 unidades mais uma. **2** Número que representa essa quantidade (arábico: 60; romano: LX).

séssil (*sés*.sil) *a2g. Bot.* Que não tem suporte, estando diretamente inserido na parte principal (diz-se de folha, flor ou fruto). [Pl.: -*seis*.]

sesta (*ses*.ta) [é] *sf.* Sono ou descanso após o almoço, ou esse período de tempo.

sestear (ses.te.*ar*) *v.* **1** Dormir a sesta. [*int.*] **2** Abrigar (o gado) do calor. [*td.*] [▶ **13** ses<u>te*ar*</u>]

sestro (*ses*.tro) [é] *sm.* Mania, cacoete. • ses.*tro*.so *a.*

⊕ **set** (*Ing.* / *sét*/) *sm.* **1** *Esp.* Cada etapa de uma partida de tênis ou voleibol. **2** *Cin. Teat. Telv.* Local preparado para filmagens.

seta (*se*.ta) *sf.* Ver **flecha**.

sete (*se*.te) *num.* **1** Quantidade correspondente a seis unidades mais uma. **2** Número que representa essa quantidade (arábico: 7; romano: VII). ⁞⁞ **Pintar o ~ 1** Fazer travessuras; divertir-se. **2** Desempenhar-se muito bem; fazer coisas extraordinárias: *Ele <u>pinta o sete</u> com o/no clarinete.* **3** Atormentar, maltratar (alguém): *Os sequestradores <u>pintaram o sete</u> com o refém até serem presos.*

setecentista (se.te.cen.*tis*.ta) *a2g.* **1** Ref. ao séc. XVIII ou ao que aconteceu nesse século. *a2g.s2g.* **2** Diz-se de ou escritor ou artista do séc. XVIII.

setecentos (se.te.*cen*.tos) *num.* **1** Quantidade correspondente a 699 unidades mais uma. **2** Número que representa essa quantidade (arábico: 700; romano: DCC).

seteira (se.*tei*.ra) *sf.* **1** Abertura estreita numa muralha, por onde se atiravam setas. **2** Fresta para iluminação na parede de um edifício.

setembro (se.*tem*.bro) *sm.* O nono mês do ano. (Com 30 dias.)

setenário (se.te.*ná*.ri.o) *sm.* Período de sete dias ou sete anos.

setênio (se.*tê*.ni.o) *sm.* Período de sete anos.

setenta (se.*ten*.ta) *num.* **1** Quantidade correspondente a 69 unidades mais uma. **2** Número que representa essa quantidade (arábico: 70; romano: LXX).

setentrião (se.ten.tri.*ão*) *sm.* **1** O polo norte. **2** As regiões que ficam no norte. [Pl.: -*ões*.]

setentrional (se.ten.tri:o.*nal*) *a2g.* Ref. ao, do ou situado no norte; BOREAL. [Ant.: *austral, meridional*.] [Pl.: -*nais*.]

setiforme (se.ti.*for*.me) *a2g.* Que parece cerda, ou que tem aspecto de cerda(s).

setilha (se.*ti*.lha) *sf. Poét.* Estrofe de sete versos.

setilhão (se.ti.*lhão*) *num.* Mil sextilhões. [Pl.: -*lhões*.]

sétimo (*sé*.ti.mo) *num.* **1** Ordinal que, em uma sequência, corresponde ao número sete (<u>*sétima* fileira</u>). *a.* **2** Que é sete vezes menor do que a unidade ou um todo (diz-se de parte): *Só recebeu a <u>sétima</u> parte do salário.* [Us. tb. como subst.: *Só recebeu um <u>sétimo</u> do salário.*]

setingentésimo (se.tin.gen.*té*.si.mo) *num.* **1** Ordinal que, em uma sequência, corresponde ao número setecentos. *a.* **2** Que é setecentas vezes menor do que a unidade ou um todo (diz-se de parte): *Só recenseou a <u>setingentésima</u> parte da população.* [Us. tb. como subst.: *um <u>setingentésimo</u> da população.*]

setissílabo (se.tis.*sí*.la.bo) *a.sm.* Que ou o que tem sete sílabas.

setor (se.*tor*) [ô] *sm.* **1** Campo de atividade; ramo, âmbito (<u>setor</u> agrícola). **2** Divisão ou subdivisão; parte, seção (<u>setor</u> leste). • se.to.ri*al a2g.*

setorizar (se.to.ri.*zar*) *v. td.* Atribuir a, ou distribuir por, setores. [▶ 1 setori<u>zar</u>] • se.to.ri.*za*.do *a.*

setuagenário (se.tu:a.ge.*ná*.ri:o) *a.sm.* Ver **septuagenário**.

setuagésimo (se.tu:a.*gé*.si.mo) *num.a.* Ver **septuagésimo**.

sétuplo (*sé*.tu.plo) *num.* **1** Que é sete vezes a quantidade ou o tamanho de um: *O capital da concorrente é o <u>sétuplo</u> do nosso. sm.* **2** Quantidade ou tamanho sete vezes maior: *O <u>sétuplo</u> de dois é 14.*

seu *pr.poss.* **1** Que pertence ou diz respeito à pessoa com quem se fala (você): *Ana, você pode me dar <u>seu</u> telefone?* **2** Que pertence ou que diz respeito à pessoa ou coisa de que se fala (ele, ela): *Luís estava montando <u>seu</u> próprio negócio.* [Sin.: *dele, dela*.] *sm.* **3** Na linguagem corrente, tratamento de respeito e/ou cortesia para homens, us. antes de nome próprio: *<u>Seu</u> Fernando, me empresta um serrote?* [F. red. de *senhor*².]

seu-vizinho (seu-vi.*zi*.nho) *sm. Fam.* O dedo anular. [Pl.: *seus-vizinhos*.]

severo (se.*ve*.ro) *a.* **1** Feito ou aplicado com rigor, disciplina (punição <u>severa</u>); RIGOROSO. **2** Que não é indulgente, brando ou flexível (juiz <u>severo</u>); INFLEXÍVEL; RIGOROSO; RÍGIDO. **3** Sério, grave, circunspecto (lesão <u>severa</u>, fisionomia <u>severa</u>). • se.ve.ri.*da*.de *sf.*

sevícias (se.*ví*.ci:as) *sfpl.* Atos de crueldade física; espancamento, tortura, maus-tratos. • se.vi.ci:a.*dor a.sm.*; se.vi.ci.*ar v.*

sexagenário (se.xa.ge.*ná*.ri:o) [cs] *a.sm.* Que ou quem está na casa dos sessenta anos.

sexagésimo (se.xa.*gé*.si.mo) [cs] *num.* **1** Ordinal que, em uma sequência, corresponde ao número sessenta. *a.* **2** Que é sessenta vezes menor do que a unidade ou um todo (diz-se de parte): *Só recebeu a <u>sexagésima</u> parte da herança.* [Us. tb. como subst.: *um <u>sexagésimo</u> da herança.*] • se.xa.ge.si.*mal a2g.*

sexcentésimo (sex.cen.*té*.si.mo) [cs] *num.* **1** Ordinal que, em uma sequência, corresponde ao número seiscentos. *a.* **2** Que é seiscentas vezes menor do que a unidade ou um todo (diz-se de parte): *Só recenseou a <u>sexcentésima</u> parte da população.* [Us. tb. como subst.: *um <u>sexcentésimo</u> da população.*]

sexênio (se.*xê*.ni:o) [cs] *sm.* Período de seis anos.

sexismo (se.*xis*.mo) [cs] *sm.* Preconceito, discriminação sexual: *Machismo é uma forma de <u>sexismo</u>.* • se.*xis*.ta *a2g.s2g.*

sexo (*se*.xo) [cs] *sm.* **1** Conjunto das características que, nos animais e nas plantas, diferenciam o macho da fêmea (<u>sexo</u> feminino). **2** Conjunto das pessoas do mesmo sexo: *roupa para ambos os <u>sexos</u>.* **3** *Bras.* Os órgãos sexuais; GENITÁLIA. **4** Ato ou prática sexual. ⁞⁞ **Fazer ~** Ter relações sexuais.

📖 As características sexuais de um ser humano, cujo conjunto chamamos de 'sexo', são, na reprodução, transmitidas geneticamente pelo resultado da combinação do par de cromossomos que determina o sexo. Toda mulher tem um par de cromossomos X, e todo homem tem um cromossomo X e um Y. Assim, nas combinações de cromossomos do feto resultar um par XX, este será do sexo feminino; ao resultar um par XY, será do sexo masculino. Os órgãos do sistema reprodutor da mulher são o ovário, as trompas e o útero (e a vagina como receptáculo do pênis e do sêmen na relação sexual); os do homem são os testículos e a próstata (e o pênis como penetrador na vagina e ejaculador do sêmen na relação sexual). Os caracteres sexuais secundários são determinados pelos hormônios feminino (o estrogênio) ou masculino (a testosterona). Há casos em que não há prevalência determinante de elementos que definem a sexualidade, o que pode levar à existência no mesmo indivíduo de órgãos reprodutores de um sexo e caracteres secundários de outro (como no hermafroditismo, ou androginia).

sexologia (se.xo.lo.gi.a) [cs] *sf.* Estudo científico da sexualidade. ● se.xo.ló.gi.co *a.*; se.xo.ló.gis.ta *s2g.*; se.xó.lo.go *sm.*

sexta (sex.ta) [ê] *sf.* F. red. de *sexta-feira*.

sexta-feira (sex.ta-fei.ra) *sf.* Sexto dia da semana; segue-se à quinta-feira. [Pl.: *sextas-feiras*.]

sextante (sex.tan.te) *sm.* Náut. Instrumento que mede a altura dos astros, us. em navegação marítima ou aérea.

sextavar (sex.ta.var) *v. td.* Dar forma de seis ângulos, ou dar seis faces, a. [▶ 1 sextavar] ● sex.ta.va.do *a.*

sexteto (sex.te.to) *sm.* Mús. 1 Composição para seis vozes ou instrumentos. 2 Conjunto de seis músicos.

sextilha (sex.ti.lha) [ê] *sf. Poét.* Estrofe de seis versos.

sextilhão (sex.ti.lhão) *num.* Mil quintilhões. [Pl.: -*lhões*.]

sexto (sex.to) [ê] *num.* 1 Ordinal que, em uma sequência, corresponde ao número seis (sexto andar). *a.* 2 Que é seis vezes menor do que a unidade ou um todo (diz-se de parte): *Só recebeu a sexta parte do salário.* [Us. tb. como subst.: *um sexto do salário.*]

sêxtuplo (sêx.tu.plo) [ê] *num.* 1 Que é seis vezes a quantidade ou tamanho de um: *Sua biblioteca é o sêxtuplo da minha.* *sm.* 2 Quantidade ou tamanho seis vezes maior: *O sêxtuplo de cinco é trinta.* ◪ sêx.tuplos *smpl.* 3 Gêmeos em número de seis. ● sex.tu.pli.car *v.*

sexuado (se.xu.a.do) [cs] *a.* Que tem sexo (organismo sexuado); SEXUAL.

sexual (se.xu.al) [cs] *a2g.* 1 Ref. a sexo (desejo sexual). 2 Ver *sexuado*. [Pl.: -*ais*.]

sexualidade (se.xu.a.li.da.de) [cs] *sf.* 1 Qualidade de sexual. 2 Conjunto de comportamentos ligados ao sexo ou à satisfação sexual; SENSUALIDADE: *Em seus gestos expressava sua sexualidade.*

sexualismo (se.xu.a.lis.mo) [cs] *sm.* 1 Condição de quem tem sexo. 2 Valorização excessiva da sexualidade (2); grande influência da sexualidade (2) no comportamento.

⊕ **sexy** (ing. /sécsi/) *a2g2n.* Que é sexualmente atraente ou excitante; SENSUAL; ERÓTICO.

sezão (se.zão) *sf. Med.* Ver *malária*. [Pl.: -*zões*.]

⊕ **shiatsu** (*Jap.* /chiátsu/) *sm.* Técnica de massagem oriental em que se usam as pontas dos dedos.

⊕ **shopping center** (*Ing.* /chópin cênter/) *sm.* Centro comercial com lojas, cinemas, restaurantes etc. num mesmo prédio ou área. [Tb. apenas *shopping.*]

⊕ **short, shorts** (*Ing.* /chórt, chórts/) *sm., smpl.* Calção esportivo para homem ou mulher.

⊕ **show** (*Ing.* /chôu/) *sm.* Espetáculo artístico apresentado para um público numeroso. ⁋ Desempenhar-se muitíssimo bem: *A modelo deu um show (de elegância).* ● Pop. Fazer escândalo.

showmício (show.mí.ci.o) [ou] *sm. Bras. Pol.* Comício com apresentação de *shows* musicais.

si¹ *pr.pess.* 1 Reflete o sujeito da oração e equivale a 'ele', 'ela', 'eles', 'elas', na função de complemento sempre antecedido de preposição: *Atribuiu a tarefa a si mesmo.* [NOTA: Se a preposição que antecede *si* é *com*, assume a forma -*sigo*, ocorrendo contração (*consigo*): *Leva consigo boas recordações.*] 2 Com a preposição *entre*, indica reciprocidade: *Acertaram entre si o melhor pagamento.* [NOTA: Para realçar o sentido reflexivo, vem ger. seguido de *mesmo* ou *próprio*: *Há pessoas que exigem demais de si mesmas.*] ⁋ Cheio de ~ Muito orgulhoso, vaidoso, ou arrogante. Fora de ~ Descontrolado, alterado. Por ~ Por sua conta e risco: *A regra aqui é: cada um por si.*

si² *sm. Mús.* 1 A sétima nota da escala de dó. 2 Sinal que representa essa nota na pauta.

⊠ **Si** *Quím.* Simb. de *silício*.

⊠ **SI** Sigla de *Sistema Internacional (de Unidades)*.

sial (si:al) *sm. Geol.* Camada da crosta terrestre formada de rochas ricas em silício e alumínio. [Pl.: -*ais*.]

siamês (si:a.mês) *a.* 1 Diz-se de uma raça de gatos originária do Sião (atual Tailândia). 2 *Trt.* Diz-se do gêmeo que nasceu ligado a outro; XIFÓPAGO. [Pl.: -*meses.* Fem.: -*mesa*.]

sibarita (si.ba.ri.ta) *a2g.s2g.* Que ou quem é indolente e lascivo. ● si.ba.ris.mo *sm.*

siberiano (si.be.ri:a.no) *a.* 1 Da Sibéria (Federação Russa); típico dessa região ou de seu povo. *sm.* 2 Pessoa nascida na Sibéria.

sibila (si.bi.la) *sf. Hist.* 1 Profetisa, adivinha. 2 Bruxa.

sibilar (si.bi.lar) *v.* 1 Assoprar, emitindo som agudo e contínuo. [*int.*: *A cobra se arrastava, sibilando.*] 2 Produzir (som agudo como um assobio); ASSOBIAR; CICIAR; SILVAR. [*td.*: *Sibilou a canção, acompanhado pelo violão. int.*: *O vento sibilava sobre nossas cabeças;* "O ruído desta frase (...) sibilou bem forte..." (Raul Pompeia, *O Ateneu*).] [▶ 1 sibilar] ● si.bi.la.ção *sf.*; si.bi.lan.te *a2g.*

sibilino (si.bi.li.no) *a.* 1 Ref. a sibila. 2 Que é enigmático, obscuro (linguagem *sibilina*). [Ant. nesta acp.: *claro*.]

sibilo (si.bi.lo) *sm.* Silvo, assobio.

⊕ **sic** (*Lat.* /sic/) *adv.* Assim. [NOTA: Us. ger. entre parênteses para indicar que uma citação é assim mesmo, embora pareça estranha ou errada.]

sicário (si.cá.ri:o) *sm.* Assassino contratado.

siciliano (si.ci.li:a.no) *a.* 1 Da Sicília (Itália); típico dessa ilha ou de seu povo. *sm.* 2 Pessoa nascida na Sicília.

sicômoro (si.cô.mo.ro) *sm. Bot.* Árvore originária do Egito, de grande porte, madeira compacta e frutos comestíveis.

sicrano (si.cra.no) *sm.* Indivíduo indeterminado; BELTRANO; FULANO.

⊠ **SIDA** *Med.* Sigla de *Síndrome de Imunodeficiência Adquirida.* [Ver AIDS.]

sideração (si.de.ra.ção) *sf.* 1 Suposta influência dos astros sobre o destino das pessoas. 2 *Med.* Abatimento súbito das forças do organismo, ger. como consequência de um acidente. [Pl.: -*ções*.]

sideral (si.de.ral) *a2g.* Ref. aos astros (espaço sideral). [Pl.: -*rais*.]

siderurgia (si.de.rur.gi.a) *sf.* Metalurgia do ferro e do aço. ● si.de.rúr.gi.ca *sf.*; si.de.rúr.gi.co *a.*

sidra (si.dra) *sf.* Bebida alcoólica obtida do suco fermentado de maçã. [Cf.: *cidra*.]

sifão (si.fão) *sm.* 1 Tubo, em forma de S, us. para passar um líquido de um recipiente para outro. 2 Garrafa dotada de dispositivo que, aberto, faz jorrar o líquido com gás carbônico que se encontra em seu interior. 3 Peça recurvada que se coloca em vasos sanitários, pias etc., para evitar o mau cheiro. [Pl.: -*fões*.]

sífilis (sí.fi.lis) *sf2n. Med.* Doença infecciosa que se transmite ger. por contato sexual. ● si.fi.lí.ti.co *a.sm.*

sigilo (si.gi.lo) *sm.* Reserva ou discrição, por compromisso ou obrigação; SEGREDO: *Fez todo o trabalho em sigilo.* ● si.gi.lo.so *a.*

sigla (si.gla) *sf.* O conjunto das letras iniciais de um nome composto de algumas palavras (p.ex.: ONU – Organização das Nações Unidas). [Cf.: *abreviatura* e *acrônimo*.]

sigma (sig.ma) *sm.* A 18ª letra do alfabeto grego. Corresponde ao *s* latino (Σ, σ).

signatário (sig.na.tá.ri:o) *sm.* Aquele que assina um documento, uma carta, um manifesto etc.

significação (sig.ni.fi.ca.ção) *sf.* 1 O sentido de uma palavra, acontecimento, fato etc: "Chefe: o ca-

significado | **similar** 732

pitão Roberto (...) não consegue emprestar significação maior às panes, segundo alega." (Antonio Callado, *Reflexos do baile*). **2** Valor, importância: *Jogou fora objetos sem significação.* [Pl.: -ções.]
significado (sig.ni.fi.*ca*.do) *sm.* **1** Sentido, acepção: *O significado daquele sinal era misterioso.* **2** Significação (2), importância: *Foi um discurso de grande significado.*
significância (sig.ni.fi.*cân*.ci:a) *sf.* Valor, significação (2): *Aquela atitude foi de extrema significância.*
significante (sig.ni.fi.*can*.te) *a2g.* **1** Que significa, que é significativo. *sm.* **2** *Ling.* Série de fonemas que é associada a um significado, numa língua.
significar (sig.ni.fi.*car*) *v. td.* **1** Ter ou representar determinado significado: *A palavra inglesa 'meal' significa 'refeição'; O que significa a sua tatuagem?* **2** Ser sinal de; INDICAR: *A falta de notícias pode significar que as coisas vão mal.* **3** Implicar, envolver: *Quero acabar tudo hoje, mesmo que isto signifique fazer sério.* [▶ **11** signifi*car*]
significativo (sig.ni.fi.ca.*ti*.vo) *a.* **1** Que significa. **2** Que exprime algo de maneira clara. **3** Que traz revelações interessantes.
signo (*sig*.no) *sm.* **1** Indício, marca, sinal: "O véu do luar nos céus revoltos/ Cheios de signos de desgraça..." (Cecília Meireles, "Agitado" in *Espectros*). **2** *Astrol.* Cada uma das 12 partes em que se divide o Zodíaco. **3** *Ling* Associação de um significante e um significado (signo linguístico).
sílaba (*sí*.la.ba) *sf. Ling.* Unidade constituída de vogal (p.ex.: [a] em *á.gua*) ou grupo de consoante(s) e vogal ou vogais (p.ex.: [pra] e [to] em *pra.to*), pronunciadas numa única emissão de voz.
silabada (si.la.*ba*.da) *sf. Ling.* Deslocamento indevido do acento tônico de uma palavra, ocasionando erro de pronúncia.
silabar (si.la.*bar*) *v. td. int.* Pronunciar sílaba por sílaba. [▶ **1** sila*bar*] ● **si.la.ba.***ção* *sf.*
silábico (si.*lá*.bi.co) *a.* Ref. a sílaba.
silenciador (si.len.ci:a.*dor*) *a.* **1** Que silencia. *sm.* **2** Peça que se adapta ao cano de uma arma de fogo para abafar o ruído do tiro.
silenciar (si.len.ci.*ar*) *v.* Fazer calar ou calar-se; omitir(-se). [*td.*: *Com aquele argumento silenciou os presentes.* *ti.* + *sobre*: *Os jornais silenciaram sobre o fato.* *int.*: *À sua chegada, todos silenciaram.*] [▶ **1** silenci*ar*]
silêncio (si.*lên*.ci:o) *sm.* **1** Ausência de som ou barulho. **2** Estado de quem permanece calado. **3** Interrupção de correspondência ou de comunicação.
silencioso (si.len.ci.*o*.so) [ô] *a.* **1** Que está em silêncio; em que não há barulho. *sm.* **2** *Aut.* Peça que reduz o ruído do escape (3) de veículos. [Fem. e pl.: [ó].]
silente (si.*len*.te) *a2g. Poét.* Que é calado, silencioso.
silepse (si.*lep*.se) [é] *sf. Gram.* Figura de linguagem em que as regras de concordância sintática são contrariadas, usando-se em seu lugar a concordância pelo sentido (p.ex., na frase *Vossa Excelência está enganado.*, ignorou-se o gênero feminino de *Vossa Excelência* e fez-se a concordância com o ouvinte, que é homem).
silhueta (si.lhu:*e*.ta) [ê] *sf.* **1** Desenho que representa só o contorno de algo ou alguém. **2** Forma de algo ou alguém em que só se delineia seu contorno, ficando os detalhes em sombra.
sílica (*sí*.li.ca) *sf. Quím.* Composto oxigenado do silício, encontrado na crosta terrestre, us. para fazer vidro.
silicato (si.li.*ca*.to) *sm. Quím.* Grupo de substâncias minerais que entram na composição de quase todas as rochas da crosta terrestre.
silício (si.*lí*.ci:o) *sm. Quím.* Elemento químico cinzento e duro, não metálico, us. em eletrônica. [Símb.: *Si*] [Cf.: *cilício*.] ● **si.***lí*.ci.co *a.*

silicone (si.li.*co*.ne) *sm. Quím.* Substância sintética que contém silício, us. na indústria e em cirurgia plástica.
⊕ **silk-screen** (Ing. /silc-scrin/) *sm. Art.Gr.* Ver *serigrafia*.
silo (*si*.lo) *sm.* Galpão próprio para armazenar grãos, cereais etc.
silogismo (si.lo.*gis*.mo) *sm. Lóg.* Raciocínio no qual se fazem duas proposições (premissas) para deduzir delas uma terceira (conclusão).
silva (*sil*.va) *sf. Bot.* Nome dado a vários arbustos; SARÇA; ESPINHEIRO.
silvar (sil.*var*) *v. int.* Emitir silvos; SIBILAR. [▶ **1** sil*var*]
silvestre (sil.*ves*.tre) *a2g.* **1** Que é próprio das selvas; SELVAGEM. **2** Que vegeta sem ter sido cultivado (flores *silvestres*).
silvícola (sil.*ví*.co.la) *a2g.s2g.* Que ou quem habita as selvas; SELVAGEM.
silvicultura (sil.vi.cul.*tu*.ra) *sf.* **1** Cultivo de árvores florestais. **2** Ciência que estuda as florestas. ● **sil.vi.cul.***tor* *sm.*
silvo (*sil*.vo) *sm.* **1** Som agudo e prolongado; ASSOBIO, SIBILO. **2** Apito.
sim *adv.* **1** Us. em resposta afirmativa: — *Você vem comigo?* — *Vou, sim.* **2** Expressa concordância, aprovação: — *Vista bonita, não é?* — *Sim, é muito bonita.* **3** Substitui, antecipa oração iniciada pela conjunção 'que': *Perguntei se ele ia, e ele disse que sim.* **4** (comumente) Quando ouviu o pedido, *acalmou-se.* [Pl. do subst.: *sins.*] ❚ E ~ *Mas*: *A consulta não levou uma hora, e sim trinta minutos.* *Pelo* ~, *pelo não* Por via das dúvidas, por segurança.
simbiose (sim.bi:*o*.se) *sf.* **1** *Ecol.* Associação de dois seres vivos, com benefício para ambos. **2** *Fig.* União íntima entre duas pessoas. ● **sim.***bi*:on.te *a2g.sm.*
simbólico (sim.*bó*.li.co) *a.* **1** Ref. a símbolo: "...as paredes nuas, nada que lembrasse mistério ou incutisse pavor, nenhum petrecho simbólico..." (Machado de Assis, *Esaú e Jacó*). **2** Expresso por meio de símbolos (linguagem *simbólica*).
simbolismo (sim.bo.*lis*.mo) *sm.* **1** Condição do que expressa ou é expresso por símbolos: *o simbolismo da bandeira.* **2** *Art.Pl. Liter. Mús.* Escola literária e artística criada em fins do séc. XIX, caracterizada por uma visão simbólica e sugestiva do mundo. ● **sim.bo.***lis*.ta *s2g.*
simbolizar (sim.bo.li.*zar*) *v. td.* Ser símbolo de: *A pomba branca simboliza a paz.* [▶ **1** simboli*zar*] ● **sim.bo.li.za.***ção* *sf.*
símbolo (*sím*.bo.lo) *sm.* **1** Aquilo que, de forma arbitrária ou convencional, representa outra coisa: *A bandeira é um dos símbolos da nação.* **2** Sinal figurativo que representa um elemento, um elemento químico etc.: *O desenho de uma caveira é o símbolo de perigo.* **3** Sinal que expressa dignidade, função etc.; INSÍGNIA.
simbologia (sim.bo.lo.*gi*.a) *sf.* **1** Conjunto de símbolos. **2** Estudo dos símbolos. ● **sim.bo.***ló*.gi.co *a.*
simetria (si.me.*tri*.a) *sf.* **1** Correspondência harmônica entre as partes de um todo: *A simetria daquela pintura era impressionante.* **2** Condição em que, numa disposição de coisas, imagens etc., uma configuração se repete, de forma inversa, em relação a um eixo imaginário. ● **si.***mé*.tri.co *a.*
simiesco (si.mi:*es*.co) [ê] *a.* Ref. ou semelhante a símio.
simiiforme (si.mi.i.*for*.me) *sm.* **1** *Zool.* Espécime dos simiiformes, subordem que inclui os pequenos e grandes macacos e o homem. *a2g.* **2** Ref. aos simiiformes.
símil (*sí*.mil) *a2g. Poét.* Que é análogo, semelhante. [Pl.: -*meis*. Superl.: *similimo, similíssimo.*]
similar (si.mi.*lar*) *a2g.* Muito parecido, igual em muitos aspectos (produto *similar*); SEMELHANTE.

similaridade | sincronismo

similaridade (si.mi.la.ri.*da*.de) *sf.* Qualidade ou condição de similar; semelhança, similitude.

símile (*sí*.mi.le) *sm.* **1** *Gram.* Figura que consiste na comparação entre coisas semelhantes por meio da palavra *como* ou outra equivalente. **2** Comparação de coisas similares. *a2g.* **3** Análogo, semelhante.

similitude (si.mi.li.*tu*.de) *sf.* Qualidade ou condição de similar; semelhança, analogia, similaridade.

símio (*sí*.mi:o) *sm.* *Zool.* Ver macaco.

simonia (si.mo.*ni*.a) *sf.* Comercialização de coisas sagradas ou de cargos eclesiásticos.

simpatia (sim.pa.*ti*.a) *sf.* **1** Atração que pessoa, ideia, objeto etc. exerce sobre alguém. **2** Solidariedade que se manifesta a alguém ou algo: *Sentia forte simpatia por aquela causa.* **3** Pessoa que provoca boa impressão: *A secretária era uma simpatia.* **4** Sentimento de aprovação que se desperta em alguém: *Ganhou a simpatia do professor.* [Ant. nas acps. 1 a 4: *antipatia*.] [Cf.: *empatia*.] **5** *Bras. Pop.* Ritual supersticioso para conseguir aquilo que se deseja: *Fez uma simpatia para curar o filho/fazer o namorado voltar.*

simpático (sim.*pá*.ti.co) *a.* **1** Que inspira simpatia; agradável. [Ant.: *antipático*.] [Superl.: *simpaticíssimo* e *simpatiquíssimo*.] **2** *Anat.* Diz-se de parte do sistema nervoso vegetativo. *sm.* **3** *Anat.* Essa parte do sistema nervoso vegetativo.

simpatizante (sim.pa.ti.*zan*.te) *a2g.* **1** Que simpatiza com algo ou alguém. *s2g.* **2** Pessoa que tem/manifesta simpatia por uma religião, doutrina, partido etc.: *simpatizante do parlamentarismo*.

simpatizar (sim.pa.ti.*zar*) *v.* Ter simpatia por. [*ti. + com: Simpatizei com os novos vizinhos*; Mônica *simpatizou com* a ideia. *pr.*: *Eles não se simpatizam muito*.] [▶ 1 simpatizar]

simples (*sim*.ples) *a2g2n.* **1** Que é composto de um só elemento. **2** Que não tem luxo nem elementos aparatosos (casa *simples*). **3** Que não é complicado: *Apesar de culto, escrevia de maneira simples.* [Superl.: *simplicíssimo* e *simplíssimo*.] *s2g2n.* **4** Pessoa humilde.

simplicidade (sim.pli.ci.*da*.de) *sf.* Qualidade do que é simples.

simplificar (sim.pli.fi.*car*) *v. td.* Tornar simples ou mais simples: *simplificar uma explicação*. [Ant.: *complicar*.] [▶ 1 simplificar] • **sim.pli.fi.ca.ção** *sf.*; **sim.pli.fi.ca.do** *a.*; **sim.pli.fi.ca.dor** *a.sm.*

simplismo (sim.*plis*.mo) *sm.* **1** Uso de meios ou métodos simples demais. **2** Simplificação exagerada na avaliação ou expressão de qualquer coisa, com desprezo pelos elementos mais complexos. • **sim.plis.ta** *a2g.s2g.*

simplório (sim.*pló*.ri:o) *a.* **1** Que não possui penetração de raciocínio ou malícia; CRÉDULO; INGÊNUO. *sm.* **2** Indivíduo simplório.

simpósio (sim.*pó*.si:o) *sm.* Reunião de intelectuais, cientistas etc. para a discussão de determinado assunto.

simulação (si.mu.la.*ção*) *sf.* Ação ou resultado de simular, fingir, de fazer parecer verdadeiro aquilo que não é. [Pl.: -*ções*.]

simulacro (si.mu.*la*.cro) *sm. Antq.* Coisa que é uma simulação de outra.

simulado (si.mu.*la*.do) *a.* **1** Feito como simulação, como imitação de algo verdadeiro (vestibular *simulado*). *sm.* **2** Teste (1) simulado.

simular (si.mu.*lar*) *v. td.* **1** Tentar fazer que pareça real o que não é: *simular um mal-estar*. **2** Fazer simulacro de: *simular um vestibular*. [▶ 1 simular]

simultâneo (si.mul.*tâ*.ne:o) *a.* Que ocorre ou é feito ao mesmo tempo ou quase ao mesmo tempo (que outra coisa). • **si.mul.ta.nei.*da*.de** *sf.*

sina (*si*.na) *sf.* Destino, predestinação.

sinagoga (si.na.*go*.ga) [ó] *sf.* Templo onde se pratica o culto religioso judaico. • **si.na.go.*gal*** *a2g.*

sinal (si.*nal*) *sm.* **1** Vestígio, marca: *Encontrou sinais de que alguém mexera em suas coisas.* **2** Mancha, cicatriz: *Tinha um sinal na face direita.* **3** Gesto: *Fez um sinal para que o pedestre passasse.* **4** Recurso (visual, sonoro etc.) que se usa para transmitir avisos, ordens etc.: *Ouvimos o sinal de alerta*; *sinal de trânsito*. **5** Prenúncio, presságio: *Era um sinal de que as coisas não iam bem.* **6** Importância que se adianta numa negociação: *Deu um sinal de cinco mil na compra do carro.* **7** *Mat.* Símbolo de operação matemática. **8** *Med.* Sintoma de uma doença: *O paciente apresenta sinais de diabetes.* [Pl.: -*nais*.] ✥ **Dar ~ de vida** Aparecer, fazer contato, manifestar-se (ger. depois de longa ausência ou de desaparecimento). **Por ~** A propósito, aliás. **~ de pontuação** *Gram.* Aquele que, no texto escrito, marca pausa (p.ex., a vírgula, o ponto) e entonação (p.ex., o ponto de interrogação, as reticências). **~ de trânsito** Aparelho que, colocado em ruas e cruzamentos, emite sinais luminosos que visam regularizar o trânsito. **~ gráfico** *Gram.* Aquele que imprime novo valor sonoro à vogal (p.ex., os acentos agudo e circunflexo, o til) ou à consoante (p.ex., a cedilha debaixo da letra c, formando o ç). **~ verde** Autorização, licença.

sinal da cruz (si.nal da *cruz*) *sm.* Gesto religioso com que o cristão se benze. [Pl.: *sinais da cruz*.]

sinaleira (si.na.*lei*.ra) *sf. N.E.* Sinal de trânsito (ver em *sinal*).

sinaleiro (si.na.*lei*.ro) *sm.* Funcionário encarregado de sinalizar em ferrovias, aeroportos etc.

sinalização (si.na.li.za.*ção*) *sf.* **1** Ação ou resultado de sinalizar. **2** Sinal ou conjunto de sinais de orientação: *sinalização do trânsito/das estradas*. [Pl.: -*ções*.]

sinalizar (si.na.li.*zar*) *v.* **1** Pôr sinalização em. [*td.*: *sinalizar uma rua*.] **2** Comunicar através de sinais. [*td.*: *Um homem sinalizava o perigo com gestos*.] *tdi. + a*: *Sinalizou a eles que deviam afastar-se*.] [▶ 1 sinalizar]

sinapismo (si.na.*pis*.mo) *sm.* Ter. Cataplasma de pó de mostarda, us. para provocar revulsão.

sincero (sin.*ce*.ro) *a.* **1** Que é verdadeiro, autêntico, puro: "...E o muito e muito que te quero/ E como é *sincero* o meu amor..." (Pixinguinha e João de Barro, *Carinhoso*). **2** Que diz o que pensa e sente; FRANCO. • **sin.ce.ri.*da*.de** *sf.*

síncope (*sín*.co.pe) *sf.* **1** *Med.* Perda dos sentidos por má irrigação de sangue no cérebro. **2** *Ling.* Eliminação de fonemas no interior da palavra (p.ex., *pra* em vez de *para*). **3** *Mús.* Som emitido em tempo fraco de um compasso, e prolongado no tempo forte seguinte. • **sin.co.*pa*.do** *a.*

sincretismo (sin.cre.*tis*.mo) *sm.* **1** Fusão de cultos religiosos ou de elementos culturais diferentes com acomodação entre seus elementos. **2** Fusão de filosofias ou ideologias diversificadas. • **sin.*cré*.ti.co** *a.*

sincronia (sin.cro.*ni*.a) *sf.* **1** Relação entre fatos sincrônicos (2). **2** *Ling.* O estado de uma língua num determinado momento, independentemente de sua evolução histórica. [Cf.: *diacronia* (1).]

sincrônico (sin.*crô*.ni.co) *a.* **1** Diz-se de fatos ou circunstâncias que ocorrem exatamente ao mesmo tempo: *movimentos ritmados e sincrônicos*. **2** Ref. a fatos, condições etc. que existem num mesmo momento ou época, independentemente de sua evolução histórica. **3** Diz-se de quadro, tabela etc. que apresenta eventos históricos simultâneos ao longo da história. • **sin.*cro*.ni.co** *a.*

sincronismo (sin.cro.*nis*.mo) *sm.* **1** Qualidade ou condição de sincrônico (1); simultaneidade de dois

sincronizar | sintaxe

ou mais fenômenos ou acontecimentos: *Faziam movimentos de ginástica num sincronismo absoluto.* **2** Ajuste de dois eventos, processos etc. de modo que ocorram exatamente ao mesmo tempo; SINCRONIZAÇÃO: *funcionário encarregado do sincronismo dos relógios da empresa.*

sincronizar (sin.cro.ni.*zar*) *v.* **td. 1** Tornar (eventos, gestos etc.) sincrônicos ou simultâneos: *sincronizar exercícios.* **2** Narrar ou expor (os fatos) em sua sincronia. [▶ 1 sincroniz*ar* • **sin.cro.ni.za.***ção sf.*; **sin.cro.ni.za.do** *a.*

sindético (sin.dé.ti.co) *a. Gram.* Diz-se da oração coordenada introduzida por conjunção coordenativa.

sindical (sin.di.*cal*) *a2g.* Ref. a, de ou próprio de sindicato. [Pl.: *-cais.*]

sindicalismo (sin.di.ca.*lis*.mo) *sm.* Movimento ou doutrina política que defende a organização dos profissionais e trabalhadores em sindicatos, para que trabalhem juntos na defesa de seus interesses.

sindicalista (sin.di.ca.*lis*.ta) *a2g.* **1** Ref. a sindicalismo. *s2g.* **2** Líder sindical.

sindicalizar (sin.di.ca.li.*zar*) *v. td. pr.* Organizar(-se) em, ou associar(-se) a, sindicato. [▶ 1 sindicaliz*ar* • **sin.di.ca.li.za.***ção sf.*; **sin.di.ca.li.za.do** *a.*

sindicância (sin.di.*cân*.ci.a) *sf.* Investigação, inquérito: *O governo fez sindicâncias para apurar irregularidades.*

sindicar (sin.di.*car*) *v. td.* Realizar sindicância de, ou investigar, inquirir: *sindicar um desfalque financeiro.* [▶ 11 sindic*ar*]

sindicato (sin.di.*ca*.to) *sm.* Associação de profissionais que defende os interesses trabalhistas de seus membros.

síndico (*sín*.di.co) *sm.* **1** Administrador de associação, condomínio etc. **2** *Bras.* Em condomínio residencial, pessoa que cuida de sua administração, ger. um condômino eleito pelos demais. **3** *Jur.* Pessoa designada por juiz para administrar massa falida (ger. o maior de seus credores).

síndrome (sín.dro.me) *sf. Med.* Estado mórbido que apresenta um conjunto de sintomas e pode ser resultado de mais de uma causa. ⬛ ~ de Down *Gen. Pat.* Mongolismo.

sinecura (si.ne.*cu*.ra) *sf.* Cargo que não exige quase trabalho algum de quem o exerce.

⊕ **sine die** (*Lat.* /sine die/) *loc. adv.* Sem data marcada: *Adiou o casamento sine die.*

sinédoque (si.*né*.do.que) *sf. Gram.* Figura de linguagem que consiste na substituição de uma palavra que significa um todo por outra que significa uma parte, e vice-versa (p.ex., em *Há muitas cabeças no pasto,* usou-se *cabeça* [parte] no lugar do animal [todo]).

sinédrio (si.*né*.dri.o) *sm.* Antigo tribunal superior judaico formado por anciãos, escribas e sacerdotes.

sineiro (si.*nei*.ro) *a.sm.* Que ou aquele que fabrica ou faz soar os sinos.

sinergia (si.ner.*gi*.a) *sf.* **1** *Fisl.* Esforço conjunto de vários órgãos para a realização de determinada função. **2** Ação conjunta de vários agentes visando um resultado melhor que o de ações isoladas. **3** Coesão e solidariedade de um grupo, sociedade etc. em torno de objetivos comuns.

sinestesia (si.nes.te.*si*.a) *sf. Gram.* **1** Associação de natureza psicológica) de sensações de caráter distinto, como a de um som com uma cor, de um sabor com uma textura etc. **2** Figura de linguagem que consiste em misturar duas imagens ou sensações de natureza distinta (p.ex., *voz escura/voz líquida/ voz áspera*). [Cf.: *cinestesia.*]

sineta (si.*ne*.ta) [ê] *sf.* Sino pequeno.

sinete (si.*ne*.te) [ê] *sm.* **1** Espécie de carimbo que pode conter em alto-relevo assinatura, brasão etc.,

para autenticar um lacre. **2** *Fig.* A assinatura, brasão etc. assim estampados.

sinfonia (sin.fo.*ni*.a) *sf.* **1** *Mús.* Composição orquestral de certa grandiosidade, ger. de longa duração, que tomou forma a partir da sonata e é executada por orquestras sinfônicas. **2** *Fig.* Conjunto variado de imagens, sons, execuções etc.: "...sinfonia de pardais, anunciando o anoitecer..." (Heriveto Martins, *Ave-Maria no morro*). • **sin.***fô*.ni.co *a.*

singelo (sin.*ge*.lo) *a.* **1** Que é muito simples (explicação singela). **2** Que é inocente, puro, ingênuo (coração singelo). • **sin.ge.***le*.za *sf.*

⊕ **single** (*Ing.* /síngou/) *sm. Mús.* Disco com uma só faixa (4) de cada lado.

singrar (sin.*grar*) *v.* Cruzar (águas); NAVEGAR. [*td.*: *singrar um oceano. int.* (seguido de indicação de direção): *O porta-aviões singrou para o Oriente.*] [▶ 1 singr*ar*] • **sin.gra.***du*.ra *sf.*

singular (sin.gu.*lar*) *a2g.* **1** Único na sua espécie (objeto singular). **2** Especial, raro: *Possui um talento singular.* **3** Fora do comum (acontecimento singular). [Ant. nas acps. 1 a 3: *comum.*] *sm.* **4** *Gram.* Categoria que designa um só indivíduo (*estudante, boi, navio* etc.) ou vários indivíduos constituindo um todo (*rebanho, frota* etc.). [Us. tb como adj.: substantivo singular.] [Ant. nesta acp.: *plural.*] • **sin.gu.la.ri.***da*.de *sf.*

singularizar (sin.gu.la.ri.*zar*) *v.* Tornar(-se) singular, particular, ou distinto; DISTINGUIR(-SE).[*td.*: *As figuras alongadas singularizam a pintura de El Greco. pr.*: *Ele singulariza-se por sua abnegação.*] [▶ 1 singulariz*ar*] • **sin.gu.la.ri.za.***ção sf.*

sinhô (si.*nhô*) *sm. Bras. Pop.* Tratamento que os escravos davam ao senhor. [Fem.: *sinhá.*]

sinhô-moço (si.nhô-*mo*.ço) *sm. Bras. Pop.* Tratamento que os escravos davam ao filho do senhor; SINHOZINHO. [Pl.: *sinhôs-moços.* Fem.: *sinhá-moça.*]

sinhozinho (si.nho.zi.nho) *sm. Bras. Pop.* Ver *sinhô-moço.* [Fem.: *sinhazinha.*]

sinimbu (si.nim.*bu*) *sm. Bras. Zool.* Lagarto verde com cerca de 30cm; CAMALEÃO.

sinistra (si.*nis*.tra) *sf.* Mão esquerda; CANHOTA. [Cf.: *destra.*]

sinistro (si.*nis*.tro) *a.* **1** Que provoca temor; que faz temer uma desgraça (ambiente sinistro, ameaça sinistra); ASSUSTADOR. **2** Que usa a mão esquerda; CANHOTO. [Cf.: *destro.*] *sm.* **3** *Gír.* Muito bom, bonito, interessante, moderno etc.; IRADO. **4** Dano em bem segurado.

sino (si.no) *sm.* Instrumento cônico, ger. de bronze, percutido na face interna por um badalo ou na externa por um martelo.

sínodo (*sí*.no.do) *sm. Ecles.* Assembleia de bispos presidida pelo papa, ou de párocos, presidida por bispo.

sinonímia (si.no.*ní*.mi.a) *sf. Ling.* **1** Relação entre palavras sinônimas. **2** Lista de sinônimos. **3** Estudo de sinônimos. [Cf.: *antonímia.*]

sinônimo (si.*nô*.ni.mo) *sm. Ling.* Palavra, ou expressão, que possui sentido parecido com o de outra palavra, ou expressão (p.ex.: *fraco/débil; à toa/ ao acaso*). [Us. tb. como adj.] [Cf.: *antônimo.*]

sinopse (si.*nop*.se) [ó] *sf.* Resumo, ger. escrito, de uma obra: *sinopse do filme.* • **si.***nóp*.ti.co, **si.***nó*.ti.co *a.*

sinóvia (si.*nó*.vi.a) *sf. Fisl.* Líquido viscoso e incolor que lubrifica as articulações. • **si.no.***vi*.al *a2g.*

sintagma (sin.*tag*.ma) *sm. Ling.* Unidade sintática que, na hierarquia da estrutura gramatical de uma língua, se situa entre a palavra e a oração (p.ex., *as rosas brancas*). • **sin.tag.***má*.ti.co *a.*

sintaxe (sin.*ta*.xe) [ss] ou [cs] *sf. Gram.* **1** Conjunto de regras que determinam a ordem e as relações

sinteco (sin.te.co) [ê] *sm*. Verniz transparente para revestir assoalhos.

síntese (sín.te.se) *sf*. **1** Exposição geral e resumida: *síntese do projeto*. **2** Reunião de diversos elementos num todo coerente: *Esta proposta é uma síntese de todas as propostas feitas*. **3** *Bioq*. Elaboração de hormônios, proteínas, vitaminas etc. pelas células e organismos vivos.

sintético (sin.té.ti.co) *a*. **1** Feito de modo resumido (relato sintético). **2** Que é feito (em laboratório, indústria etc.) artificialmente de uma síntese (2) de componentes para ser similar ao natural (couro sintético, grama sintética).

sintetizador (sin.te.ti.za.*dor*) [ô] *sm*. *Mús*. Instrumento eletrônico com teclado que produz o som de outros instrumentos, ritmos, ruídos etc.

sintetizar (sin.te.ti.*zar*) *v*. *td*. **1** Fazer síntese, ou resumo, de (seguido ou não de indicação de meio/modo): *O livro sintetiza a história da navegação; Sintetizou o problema em poucas linhas*. **2** Ser a síntese ou a suma (2) de: *Para muitos, Bach sintetiza toda a arte da música*. [▶ **1** sintetizar]

sintoma (sin.*to*.ma) *sm*. *Med*. Sinal manifestado (dor, cansaço, febre etc.) de uma doença. **2** *Fig*. Indício, sinal: *sintoma da crise financeira*.

sintomatologia (sin.to.ma.to.lo.*gi*.a) *sf*. *Med*. Estudo e interpretação do conjunto de sintomas observados num doente. • **sin.to.ma.to.ló.gi.co** *a*.; **sin.to.ma.to.lo.gis.ta** *s2g*.

sintonia (sin.to.*ni*.a) *sf*. **1** *Elet*. Coincidência entre a frequência de dois circuitos. **2** *Fig*. Equivalência (entre dois ou mais indivíduos, instituições etc.) na maneira de ver as coisas, na percepção dos fatos etc. e que leva à harmonia, acordo: *Deve haver sintonia entre o governo federal e o estadual*. **3** Ação ou resultado de sintonizar (1).

sintonizar (sin.to.ni.*zar*) *v*. **1** Ajustar (aparelho receptor) a (frequência de um transmissor). [*td. int*.] **2** *Fig*. Combinar, harmonizar-se (com alguém) ou reciprocamente. [*ti*. + *com*: *Sintonizo com ele porque temos os mesmos gostos*. *pr*.: *Os dois sintonizaram-se desde o início*.] [▶ **1** sintonizar] • **sin.to.ni.za.*ção*** *sf*.; **sin.to.ni.za.do** *a*.; **sin.to.ni.za.*dor*** *a.sm*.

sinuca (si.*nu*.ca) *sf*. **1** Tipo de bilhar jogado com oito bolas de cores diferentes em mesa com seis caçapas. **2** A mesa de sinuca ou o estabelecimento onde ela é jogada. **3** *Fig. Pop*. Situação embaraçosa. [Cf.: *bilhar*.]

sinuoso (si.nu.*o*.so) [ô] *a*. **1** Que apresenta muitas curvas (estrada sinuosa). **2** *Fig*. Que não é claro e franco (linguajar sinuoso); TORTUOSO. [Fem. e pl.: [ó].] • **si.nu.o.si.*da*.de** *sf*.

sinusite (si.nu.si.te) *sf*. *Med*. Inflamação dos seios da face, cavidade óssea próxima do nariz.

sionismo (si.o.*nis*.mo) *sm*. **1** Ideia e conceito de que Sion (Jerusalém) é o centro histórico do povo judeu. **2** Movimento nacionalista judaico do fim do séc. XIX visando estabelecer um Estado judaico na Palestina, o que se concretizou em maio de 1948. • **si.o.*nis*.ta** *a2g.s2g*.

sirene, sirena (si.*re*.ne, si.*re*.na) *sf*. Aparelho de som agudo, estridente e prolongado us. para dar alarme, pedir passagem etc.

siri (si.*ri*) *sm*. *Zool*. Animal marinho comestível semelhante ao caranguejo.

sirigaita (si.ri.*gai*.ta) *sf*. *Bras. Pop*. Mulher assanhada.

siringe (si.*rin*.ge) *sf*. *Mús*. Flauta feita do caule da cana, tocada como flauta de Pã.

sírio (sí.ri.o) *a*. **1** Da Síria (Ásia Menor); típico desse país ou de seu povo. *sm*. **2** Pessoa nascida na Síria. ◪ **Sírio** *sm*. **3** *Astron*. O mais brilhante estrela da constelação do Cão Maior. • **si.*rí*.a.co** *a*.

siroco (si.*ro*.co) [ó] *sm*. Vento quente vindo do norte da África, que sopra sobre o mar Mediterrâneo.

sisal (si.*sal*) *sm*. **1** *Bot*. Certa planta que fornece fibras. **2** A fibra dessa planta us. na fabricação de cordas, tapetes etc. [Pl.: *-sais*.]

sismo (*sis*.mo) *sm*. *Geof*. Tremor de terra; TERREMOTO. • **sís.mi.co** *a*.

sismógrafo (sis.*mó*.gra.fo) *sm*. *Geof*. Instrumento que registra graficamente os abalos sísmicos. • **sis.mo.*grá*.fi.co** *a*.

sismologia (sis.mo.lo.*gi*.a) *sf*. *Geof*. Estudo dos terremotos. • **sís.mi.co** *a*.; **sis.mo.ló.gi.co** *a*.; **sis.mo.lo.*gis*.ta** *s2g*.; **sis.mo.*lo*.go** *sm*.

siso (si.so) *sm*. **1** Bom senso; JUÍZO. **2** *Anat*. Cada um dos últimos dentes molares, um em cada extremidade das arcadas dentárias.

sistema (sis.*te*.ma) *sm*. **1** Conjunto de elementos interdependentes que funciona como uma estrutura organizada: *sistema eleitoral/viário*. **2** Forma de governo, de organização social (sistema político). **3** *Fig. Pop*. Conjunto de práticas com certa unidade; MÉTODO: *sistema de trabalho*. **4** Teoria que busca organizar dados e conhecimentos num todo: *sistema evolutivo de Darwin*. **5** Conjunto natural constituído de partes e elementos interdependentes: *sistema solar/montanhoso*. **6** *Anat*. Conjunto de órgãos que funcionam com um propósito comum (sistema digestório). **7** Qualquer forma específica de classificação ou esquematização (sistema métrico). **8** Aparelho de certa complexidade: *sistema de som*. **9** *Inf*. Conjunto formado pelo computador, periféricos e programas projetados para funcionar juntos.

▣ Pela nova nomenclatura médica, os antes chamados *aparelhos* de funções fisiológicas (aparelhos circulatório, digestivo, respiratório etc.) passaram a se chamar *sistemas*. O *aparelho digestivo*, especificamente, passou a se chamar *sistema digestório*.

sistemática (sis.te.*má*.ti.ca) *sf*. **1** Ação ou resultado de sistematizar: *sistemática de pagamentos*. **2** *Biol*. Ciência que classifica os seres vivos através de estudo comparativo. [Cf.: *taxonomia* (2).]

sistemático (sis.te.*má*.ti.co) *a*. **1** Ref. a sistema ou que se vincula a um sistema (critério sistemático). **2** Metódico (indivíduo sistemático).

sistematizar (sis.te.ma.ti.*zar*) *v*. Organizar(-se) ou ordenar(-se) segundo um sistema, ou numa doutrina. [*td*.: *sistematizar conceitos*. *pr*.: *Sob sua direção o trabalho sistematizou-se*.] [▶ **1** sistematizar] • **sis.te.ma.ti.za.*ção*** *sf*.

sistêmico¹ (sis.*tê*.mi.co) *a*. Ref. a sistema ou sistemática (fenômeno sistêmico).

sistêmico² (sis.*tê*.mi.co) *a*. Que atinge o corpo inteiro (doença sistêmica).

sístole (*sís*.to.le) *sf*. *Fisl*. Contração rítmica do coração. [Cf.: *diástole*.] • **sis.*tó*.li.co** *a*.

sisudo (si.*su*.do) *a*. Muito sério. • **si.su.*dez*** *sf*.; **si.su.*de*.za** *sf*.

⊕ **site** (*Ing*. /sáit/) *sm*. *Int*. Endereço na internet identificado com um nome, que apresenta uma ou mais páginas com textos, gráficos etc.; SÍTIO.

sitiante¹ (si.ti.*an*.te) *a2g.s2g*. Que ou quem sitia.

sitiante² (si.ti.*an*.te) *s2g*. Dono ou morador de sítio.

sitiar (si.ti.*ar*) *v*. *td*. Cercar (fortaleza, cidade etc.) para atacá-las e tomá-las; ASSEDIAR. [▶ **1** sitiar] • **si.ti.*a*.do** *a.sm*.

sítio¹ (*sí*.ti:o) *sm*. **1** Chácara ou casa rural, ger. perto de uma cidade. **2** Lugar determinado. **3** *Int*. Ver *site*.

sítio² (*sí*.ti:o) *sm*. Ação ou resultado de sitiar; CERCO.

situação (si.tu:a.*ção*) *sf*. **1** Estado ou condição social, econômica, emocional etc. de alguém (boa situação): *Não estava em situação de dirigir*. **2** Conjunto

situacionismo de fatos e circunstâncias num dado momento (situação propícia); CONJUNTURA. **3** Localização ou disposição: *A casa tem uma situação privilegiada.* **4** *Pol.* Força política dirigente de um país: *A maioria dos deputados é da situação.* [Ant. nesta acp.: *oposição*.] [Pl.: -*ções*.] • **si.tu:a.ci:o.nal** *a2g*.

situacionismo (si.tu:a.ci:o.*nis*.mo) *sm*. *Pol.* Grupo político dos que exercem ou apoiam o governo. [Ant.: *oposicionismo*.] • **si.tu:a.ci:o.nis.ta** *a2g.s2g*.

situar (si.tu.*ar*) *v*. **1** Localizar ou estar localizado em. [*td*.: *O diretor situará o filme no Sul.* *pr*.: *A escola situa-se na periferia.*] **2** Ficar devidamente a par; posicionar-se. [*td*.: *Já me situei nessa questão.*] [▶ **1** situar] • **si.to** *a*.; **si.tu.a.do** *a*.

sizígia (si.*zí*.gi.a) *sf*. *Astron.* Conjunção ou oposição de qualquer planeta (e da Lua) com o Sol.

⊕ **skate** (*Ing. /squêit/*) *sm*. **1** Prancha pequena e estreita com rodinhas; ESQUEITE. **2** *Esp.* Esporte que consiste em se deslocar e fazer acrobacias com essa prancha.

⊕ **skinhead** (*Ing. /squínrred/*) *s2g*. Membro de grupo de jovens, ger. rapazes, que usam o cabelo rente e ger. têm atitudes intolerantes e preconceituosas.

⊕ **slide** (*Ing. /sláid/*) *sm*. *Fot.* Cromo de 35mm montado em moldura para projeção; DIAPOSITIVO.

⊕ **slogan** (*Ing. /slôgan/*) *sm*. Frase curta e fácil de lembrar us. em propaganda comercial, política etc.

⊕ **smartphone** (*Ing. /smartfôn/*) *sm*. *Telc.* Celular com funções avançadas (internet, *e-mail*, câmera etc.)

⊕ **smoking** (*Ing. /smóuquin/*) *sm*. Traje masculino para eventos formais, composto de terno preto com lapela de cetim, us. com gravata borboleta.

⊠ **Sn** *Quím.* Simb. de *estanho*.

⊠ **S.O.** Abr. de *sudoeste*.

só *a2g*. **1** Sem companhia; SOZINHO: *Vive só naquela casa.* **2** Único: *Apareceu um só candidato*. *adv*. **3** Apenas, somente: *Só soube responder a primeira questão.* ⬛ **A ~s** Sem mais companhia: *Nunca tinham chance de ficar a sós*. **Que ~** Expressão intensificadora numa comparação; como só: *É implicante que só ele.* **~ que** Mas, porém: *Falou muito, só que falou mentiras.*

soalheira (so:a.*lhei*.ra) *sf*. A hora em que o sol e o calor são mais fortes.

soalho (so:a.lho) *sm*. Ver *assoalho*.

soar (so.*ar*) *v*. **1** Fazer que produza, ou produzir som. [*td*.: *soar um sino. int*.: *A campainha soou*.] **2** Indicar com som (horas). [*td*.: *O relógio soou a meia-noite*.] **3** *Fig.* Dar determinada impressão; PARECER. [*ti. + a*: *Essa história não me soa bem. int*.: *Sua crítica soou mal. lig*.: *Suas palavras soam verdadeiras*.] [▶ **16** soar] • **so:an.te** *a2g*.

sob *prep*. **1** Indica posição abaixo de; embaixo de; debaixo de: *A caneta estava sob o jornal; Abrigou-se sob a marquise.* [Ant.: *sobre*.] **2** No tempo de: *A história se passa sob o império.* **3** Subordinado a; dependente de: *Sob sua influência, estudou e se formou.* **4** Comprometido, obrigado por: *Sob juramento, revelou tudo.* **5** Indica meio, modo: *uniforme sob medida*.

soba (so.ba) [ó] *sm*. Chefe de povo ou pequeno país da África.

sobejo (so.*be*.jo) [ê] *a*. **1** Que sobra; EXCESSIVO. *sm*. **2** Aquilo que sobra; RESTO; SOBRA: *sobejos do almoço*. • **so.be.jar** *v*.

soberania (so.be.ra.*ni*.a) *sf*. **1** Autoridade suprema do soberano. **2** Condição de um Estado independente que não se submete a outro poder.

soberano (so.be.*ra*.no) *a*. **1** Que exerce o poder ou autoridade sem restrições (*governo soberano*). **2** *Fig.* Supremo, absoluto: *Em campo, Pelé era soberano.* **3** *Fig.* Altivo, arrogante (*olhar soberano*). **4** Que encerra poder (*constituição soberana*). *sm*. **5** Chefe supremo numa monarquia.

soberba (so.*ber*.ba) [ê] *sf*. Sentimento de altivez, arrogância, presunção: *Por soberba não cumprimentou o empregado.* [Ant.: *humildade*.]

soberbia (so.ber.*bi*.a) *sf*. **1** Qualidade de soberbo. **2** Soberba exagerada.

soberbo (so.*ber*.bo) [ê] *a.sm*. **1** Que ou quem é arrogante, presunçoso. *a*. **2** Magnífico, esplêndido (*refeição soberba*). [Aum.: *soberbaço*. Dim.: *soberbete*. Superl.: *soberbíssimo* e *superbíssimo*.]

sobpor (sob.*por*) *v*. Pôr ou estar abaixo de; SOTOPÔR. [*tdi. + a*: *Sobpus a assinatura à data. pr*.: *O magma se sobpõe à crosta terrestre.*] [Ant.: *sobrepor, superpor*.] [▶ **60** sob|por|. Part.: *sobposto*.]

sobra (so.bra) *sf*. **1** O que fica depois que o necessário foi consumido; RESTO: *Com a sobra do tecido fez uma blusa.* ◨ **sobras** *sfpl*. **2** Restos: *Fizemos o jantar com as sobras do almoço.* ⬛ **De ~** Mais que suficiente; em demasia; muito: *Há espaço de sobra nesse armário.*

sobraçar (so.bra.*çar*) *v*. **1** Segurar debaixo do braço. [*td*.: *sobraçar um jornal.*] **2** Envolver com o braço. [*td*.: *Sobraçou a irmã quando ela sentiu-se mal. pr*.: *Sobraçou-se com a namorada.*] [▶ **12** sobra|çar|]

sobrado (so.*bra*.do) *sm*. *Bras.* Casa com mais de um pavimento.

sobranceiro (so.bran.*cei*.ro) *a*. **1** Situado em plano elevado: *A fortaleza sobranceira protegia a cidade.* **2** Arrogante, orgulhoso (*olhar sobranceiro*). *adv*. **3** Em plano elevado: *Na enchente, sobranceiro, alteava-se o casarão.* **4** Com arrogância: *O homem falava alto e sobranceiro.* • **so.bran.ça.ri.a** *sf*.; **so.bran.ce.ri.a** *sf*.

sobrancelha (so.bran.*ce*.lha) [ê] *sf*. *Anat.* Conjunto de pelos acima de cada olho; SOBROLHO; SUPERCÍLIO.

sobrar (so.*brar*) *v*. **1** Ficar como resto; RESTAR. [*ti. + a, de, para*: *Não sobrou nenhum pedaço para você; O que sobrou da cidade após o terremoto?* *int*.: *Sobraram poucos doces*.] **2** Existir em grande quantidade. [*ti. + a, para*: *A ela sobram motivos para queixar-se.* *int*.: *Sobram riquezas neste país.*] **3** Ser deixado de lado. [*int*.: *Quase todos foram chamados: só ele sobrou.*] [▶ **1** sobrar]

sobre (so.bre) [ô] *prep*. **1** Indica posição acima de; por cima de; em cima de: *Pulou sobre o muro; Lá sobre a pele me dá coceira.* [Ant.: *sob*.] **2** A respeito de; acerca de: *um programa sobre a Amazônia.* **3** Mais que: *Ama sua família sobre tudo no mundo.* **4** Com relação a: *Sobre o dia de ontem, nenhum comentário.* **5** Indica causalidade: *imposto sobre serviço.*

sobreaviso (so.bre:a.*vi*.so) *sm*. Precaução, cautela. ⬛ **De ~** Alerta; preparado; à espera.

sobrecapa (so.bre.ca.pa) *sf*. Folha impressa que se sobrepõe à capa de um livro.

sobrecarga (so.bre.*car*.ga) *sf*. O que excede a carga normal: *sobrecarga de trabalho/na rede elétrica*.

sobrecarregar (so.bre.car.re.*gar*) *v*. **1** Pôr carga ou peso demasiados em. [*td*.: *Este exercício sobrecarrega a coluna.*] **2** Impor trabalho, responsabilidades etc. demasiadas a. [*td*.: *Estudar e trabalhar está sobrecarregando-a. tdi. + com, de*: *Os governos sobrecarregam a população de impostos.*] [▶ **14** sobrecarre|gar|] • **so.bre.car.re.ga.do.a** *a*.

sobrecarta (so.bre.*car*.ta) *sf*. Segunda carta.

sobrecasaca (so.bre.ca.*sa*.ca) *sf*. Casaco masculino que chega aos joelhos, sendo abotoado até a cintura.

sobrecenho (so.bre.*ce*.nho) *sm*. **1** O par de sobrancelhas. **2** *Fig.* Fisionomia carrancuda.

sobrecéu (so.bre.*céu*) *sm*. Cobertura ornamental sobre trono, leito; DOSSEL.

sobrecomum (so.bre.co.*mum*) *a2g*. *Gram.* Diz-se do substantivo que tem uma só forma para masculino e feminino. [Pl.: -*muns*.]

sobrecostura (so.bre.cos.*tu*.ra) *sf.* Costura sobreposta a outra.

sobrecoxa (so.bre.*co*.xa) [ô] *sf.* Bras. Pop. A coxa das aves sob o ponto de vista anatômico.

sobrecu (so.bre.*cu*) *sm. Pop. Anat. Zool.* Proeminência triangular onde nascem as penas da cauda das aves; URÓPIGIO.

sobre-estimar, sobrestimar (so.bre.es.ti.*mar*, so.bres.ti.*mar*) *v.* Ver *superestimar*. [▶ 1 sobre-estim*ar*, ▶ 1 sobrestim*ar*]

sobre-humano (so.bre-hu.*ma*.no) *a.* Acima das forças ou da capacidade humanas (tarefa sobre-humana). [Pl.: *sobre-humanos*.]

sobreiro (so.*brei*.ro) *sm. Bot.* Árvore de cuja casca se extrai a cortiça.

sobrejacente (so.bre.ja.*cen*.te) *a2g.* Que está ou se assenta por cima (crosta sobrejacente). [Ant.: *subjacente*.]

sobrelevar (so.bre.le.*var*) *v.* **1** Tornar mais elevado, mais alto; ELEVAR. [*td.*: *sobrelevar um muro*.] **2** Superar, suplantar. [*td.*: *Seus méritos sobrelevam seus erros*. *ti.* + *a*, *sobre*: *Como orador, sempre sobrelevou aos demais*. *int./pr.*: *No cinema atual, esse diretor (se) sobreleva*.] **3** *Fig.* Suportar; resignar-se com. [*td.*: *sobrelevar uma crise*.] [▶ 1 sobrelev*ar*]

sobreloja (so.bre.*lo*.ja) *sf.* Andar de um prédio, entre o térreo e o primeiro andar, ger. ocupado por lojas.

sobremaneira (so.bre.ma.*nei*.ra) *adv.* Além da medida; DEMAIS; SOBREMODO: *O computador facilita sobremaneira o trabalho*.

sobremesa (so.bre.*me*.sa) [ê] *sf.* Alimento doce (torta, fruta etc.) com que ger. se finaliza uma refeição.

sobremodo (so.bre.*mo*.do) *adv.* Ver *sobremaneira*.

sobrenadar (so.bre.na.*dar*) *v. int.* Nadar na superfície da água; BOIAR. [▶ 1 sobrenad*ar*]

sobrenatural (so.bre.na.tu.*ral*) *a2g.* **1** Cuja existência ou ocorrência é impossível de ser provada cientificamente (fenômeno sobrenatural). **2** *Fig.* Muito grande ou intenso (esforço sobrenatural). [Pl.: *-rais*.] *sm.* **3** O que tem caráter sobrenatural (1): *Um estudo que trata do sobrenatural*.

sobrenome (so.bre.*no*.me) *sm.* Nome de família, que se segue ao nome de batismo.

sobrepairar (so.bre.pai.*rar*) *v.* Pairar acima ou distante de. [*int.*: *Acima das montanhas sobrepairava a águia*. *ti.* + *a*: *A águia sobrepairava às montanhas*.] [▶ 1 sobrepair*ar*]

sobrepasso (so.bre.*pas*.so) *sm.* **1** *Fut.* Infração que consistia em o goleiro dar mais de quatro passos dentro da grande área com a bola nas mãos. **2** *Basq.* Infração que consiste em tirar do chão o pé de apoio sem quicar a bola.

sobrepeliz (so.bre.pe.*liz*) *sf.* Veste branca que os padres usam sobre a batina.

sobrepeso (so.bre.*pe*.so) [ê] *sm.* Excesso de peso.

sobrepor (so.bre.*por*) *v.* **1** Colocar(-se) por cima ou acima de; SUPERPOR(-SE). [*td.*: *sobrepor tijolos*. *tdi.* + *a*: *Sobrepôs o mosquiteiro ao berço*. *pr.*: *Sua nova descoberta se sobrepõe às outras*.] **2** Priorizar, antepor. [*tdi.* + *a*: *sobrepor os interesses da nação aos interesses individuais*.] [▶ 60 sobrep*or*]. Part.: *sobreposto*.]

sobrepreço (so.bre.*pre*.ço) [ê] *sm. Econ.* Preço cobrado além da tabela ou do normal.

sobreprova (so.bre.*pro*.va) *sf. Jur.* Prova adicional.

sobrepujar (so.bre.pu.*jar*) *v.* **1** Ser superior (em altura, mérito, valor etc.). [*td.*] **2** Vencer, suplantar. [*td.*: *As tropas de Napoleão não sobrepujaram as russas*. *ti.* + *a*: *Nenhum nadador sobrepujou a Tiago*.] [▶ 1 sobrepuj*ar*] ● so.bre.pu.ja.*men*.to *sm.*; so.bre.pu.*jan*.ça *sf.*; so.bre.pu.*jan*.te *a2g.*

sobressaia (so.bres.*sai*.a) *sf.* Saia que se usa sobre outra. [Pl.: *sobressaias*.]

sobrescrito (so.bres.*cri*.to) *sm.* **1** Nome e endereço escritos em envelope. **2** Envelope. ● **so.bres.cri.*tar*** *v.*

sobressair (so.bres.sa.*ir*) *v.* **1** Distinguir-se, salientar-se. [*ti.* + *a*: *Aleijadinho sobressai aos demais escultores do Brasil colônia*. *int.*: *Sua beleza sobressaía na festa*. *pr.*: *Sofia se sobressaía como violinista*.] **2** Destacar-se em altura ou largura, ou por sua saliência ou ressalto. [*int.*] [▶ 43 sobress*air*]

sobressalente (so.bres.sa.*len*.te) *a2g.* **1** Diz-se de peça reservada para repor outra que se quebra ou gasta. *sm.* **2** Peça sobressalente.

sobressaltar (so.bres.sal.*tar*) *v.* Assustar(-se) ou perturbar(-se) subitamente. [*td.*: *O trovão sobressaltou a criança*. *pr.*: *Sobressaltou-se quando o telefonou tocou de madrugada*.] [▶ 1 sobressalt*ar*] ● **so.bres.sal.*ta*.do** *a.*

sobressalto (so.bres.*sal*.to) *sm.* **1** Susto ou alarme provocados por fato inesperado ou amedrontador: *Ao ouvir o grito, teve um sobressalto*. **2** Intranquilidade, medo: *Desde o sequestro, a família vive em sobressalto*.

sobretaxa (so.bre.*ta*.xa) *sf. Econ.* Taxa adicional. ● **so.bre.ta.*xar*** *v.*

sobretudo (so.bre.*tu*.do) *sm.* **1** Casaco de lã comprido, us. sobre a roupa. *adv.* **2** Mais que tudo; PRINCIPALMENTE; *Ele é, sobretudo, um poeta*.

sobrevida (so.bre.*vi*.da) *sf.* Prolongamento da vida ou existência em relação a determinado limite (tb. *Fig.*): *Com o empate, o time ganhou sobrevida no campeonato*.

sobrevir (so.bre.*vir*) *v.* **1** Vir ou acontecer depois (de algo). [*ti.* + *a*: *A fome sobreveio à guerra*. *int.*: *Após o anúncio, sobreveio a insegurança*.] **2** Suceder subitamente. [*int.*] [▶ 42 sobrev*ir*. Part.: *sobrevindo*. Acento agudo no *e* da 2ª e na 3ª pess. sing. do pres. do ind. e na 2ª pess. sing. do imper. afirm.] ● **so.bre.*vin*.do** *a.sm.*

sobrevivente (so.bre.vi.*ven*.te) *a2g.* **1** Que sobrevive a um acidente, situação de risco etc. **2** Que ainda existe: *Costumes sobreviventes de outros tempos*. *s2g.* **3** Pessoa sobrevivente (1): *Os sobreviventes de um terremoto*. ● **so.bre.vi.*vên*.ci:a** *sf.*

sobreviver (so.bre.vi.*ver*) *v.* **1** Permanecer vivo após desaparecimento de outros, ou após passar por perigo mortal, doença, dificuldades etc. [*ti.* + *a*: *Sobreviveu a todos os acidentes*. *int.* (seguido de indicação de meio, lugar, circunstância etc.): *O sertanejo sobrevive com poucos recursos*; *Uma esperança sobrevive em sua alma*.] **2** Superar situação aflitiva, dificuldades etc. [*ti.* + *a*: *A empresa sobreviveu às crises*. *int.*: *Apesar da crise, sobrevivemos*.] [▶ 2 sobreviv*er*]

sobrevoar (so.bre.vo.*ar*) *v. td.* Voar sobre, por cima de. [▶ 16 sobrevo*ar*] ● **so.bre.vo.o** *sm.*

sobrinho (so.*bri*.nho) *sm.* Filho dos irmãos de uma pessoa em relação a essa pessoa.

sobrinho-neto (so.*bri*.nho-*ne*.to) *sm.* Neto dos irmãos. [Pl.: *sobrinhos-netos*.]

sóbrio (*só*.bri:o) *a.* **1** Que não está embriagado. **2** Discreto, simples (roupa sóbria) ● **so.bri:e.*da*.de** *sf.*

sobrolho (so.*bro*.lho) [ô] *sm.* Ver *sobrancelha*. [Pl.: [ó].]

soca (*so*.ca) [ó] *sf.* **1** *Bot.* Caule subterrâneo, que cresce horizontalmente. **2** Segunda produção da cana-de-açúcar, após o corte da primeira.

socado (so.*ca*.do) *a.* **1** Amassado, moído (alho socado). **2** Que levou socos. **3** Gordo, com compleição física forte; forte: *O bebê está gordinho, mas é socado*. **4** Metido, confinado: *Vive socado em casa*.

soçaite (so.*çai*.te) *sm. Bras. Pop.* Alta sociedade.

socalco (so.*cal*.co) *sm.* Área plana em terreno elevado, sustentada por um muro; PLATAFORMA.

socapa (so.ca.pa) *sf.* Disfarce. ▪▪ À ~ Disfarçadamente, furtivamente, sorrateiramente.

socar (so.car) *v.* **1** Dar soco(s) em (algo ou alguém). [*td.*: *socar a mesa/o adversário. pr.*: *Eles socaram-se até o esgotamento.*] **2** Esmagar no pilão. [*td.*: *socar milho.*] **3** Amassar, premer (massa, terra etc.) para achatar ou endurecer. [*td.*] **4** *Fig.* Guardar (algo) espremendo em espaço exíguo. [*td.* (seguido de indicação de lugar): *socar roupas numa gaveta.*] **5** Esconder-se ou refugiar-se. [*pr.*] [▶ **11** so<u>car</u>] ● **so.ca.du.ra** *sf.*

socavar (so.ca.var) *v.* Criar cavando, ou fazer escavação. [*td.*: *socavar uma galeria subterrânea. int.*: *Os mineiros continuavam a socavar.*] [▶ **1** socav<u>ar</u>]

social (so.ci:al) *a2g.* **1** Ref. a sociedade ou ao conjunto de pessoas que a ela pertencem (problemas *sociais*, assistência *social*). **2** Ref. a posição do indivíduo na sociedade (classes *sociais*). **3** *Bras.* Em que é proibida a circulação de entregadores, operários que estejam portando volumes ou utensílios muito grandes etc. (elevador *social*, entrada *social*). [Cf.: *de serviço* em *serviço*.] **4** Que constitui atividade de lazer visando promover o encontro entre pessoas (evento *social*). [Pl.: *-ais*.]

socialismo (so.ci:a.*lis*.mo) *sm. Pol.* Conjunto de doutrinas que preconizam a estatização dos bens de produção e a distribuição equitativa das rendas. ● **so.ci:a.*lis*.ta** *a2g.s2g.*

⊕ **socialite** (*Ing.* /sóuchialait/) *s2g.* Pessoa pertencente às classes mais altas da sociedade, e que ger. figura nas colunas sociais.

socializar (so.ci:a.li.*zar*) *v.* **1** Adequar(-se) à vida em grupo, com percepção de direitos, limites, solidariedade etc. numa sociedade; agrupar(-se) ou integrar(-se) em sociedade. [*td.*: *A educação deve socializar as crianças. pr.*: *As crianças socializam-se cedo.*] **2** *Econ. Pol.* Transformar o privado em coletivo; coletivizar, estatizar, ou tornar(-se) socialista. [*td.*: *socializar a agricultura. pr.*: *A Rússia se socializou em 1917.*] [▶ **1** socializ<u>ar</u>] ● **so.ci:a.li.za.ção** *sf.*; **so.ci:a.li.za.do** *a.*; **so.ci:a.li.zá.vel** *a2g.*

sociável (so.ci:*á*.vel) *a2g.* **1** Que gosta do convívio social; COMUNICATIVO; EXPANSIVO. **2** Que tende a viver em sociedade; SOCIAL; GREGÁRIO. [Pl.: *-veis*.]

socioeconômico (so.ci:e.co.*nô*.mi.co) *a.* Ver *socioeconômico.*

sociedade (so.ci:e.*da*.de) *sf.* **1** Conjunto de pessoas ou animais que vivem em grupos organizados. **2** Conjunto de indivíduos que vivem em território comum, obedecendo às mesmas leis e costumes: *a sociedade brasileira.* **3** Conjunto de pessoas que vivem em certa época, seguindo as mesmas normas: *a sociedade moderna.* **4** Associação de pessoas com objetivo cultural, científico etc. comum: *Sociedade de Assistência aos Deficientes Visuais.* **5** *Jur.* Duas ou mais pessoas que, através de contrato, reúnem recursos para um negócio. ▪▪ ~ **anônima** *Econ.* Empresa que visa ao lucro e cujo capital é dividido em ações, cabendo a cada proprietário de ações responsabilidade e direitos proporcionais ao percentual de ações que possui.

societário (so.ci:e.*tá*.ri:o) *a.* Ref. a sociedade (4 e 5) (controle *societário*).

sócio (*só*.ci:o) *sm.* Membro de uma sociedade (4 e 5), clube ou agremiação.

sociocultural (so.ci:o.cul.tu.*ral*) *a2g.* Ref. a aspectos sociais e culturais (desenvolvimento *sociocultural*). [Pl.: *-rais*.]

socioeconômico (so.ci:o.e.co.*nô*.mi.co) *a.* Ref. a aspectos sociais e econômicos (problemas *socioeconômicos*); SOCIECONÔMICO.

sociologia (so.ci:o.lo.*gi*.a) *sf. Soc.* Ciência que estuda a organização das sociedades humanas, seus princípios e instituições, as relações e comportamentos sociais etc. ● **so.ci:o.*ló*.gi.co** *a.*; **so.ci:*ó*.lo.go** *sm.*

soco (*so*.co) [ô] *sm.* Pancada forte com a mão fechada; MURRO.

socó (so.*có*) *sm. Bras. Zool.* Ave pernalta ribeirinha, com pescoço curvo em S.

soçobrar (so.ço.*brar*) *v.* **1** *Mar.* Fazer que naufrague ou naufragar; AFUNDAR(-SE). [*td.*: *A tormenta soçobrou a embarcação. int.*: *O porta-aviões soçobrou.*] **2** *Fig.* Aniquilar(-se), extinguir(-se), pôr(-se) a perder. [*td.*: *Soçobraram a fortuna em viagens. int.*: *Seu projeto soçobrou com a crise econômica.*] [▶ **1** soçobr<u>ar</u>] ● **so.ço.bro** *sm.*

socorrer (so.cor.*rer*) *v.* Dar, ou valer-se de socorro, auxílio, recurso. [*td.*: *socorrer um acidentado/um necessitado/um amigo. pr.*: *Socorre-se da poupança nas horas de aperto; Para não se afogar, socorreu-se de uma boia.*] [▶ **2** socorr<u>er</u>]

socorrista (so.cor.*ris*.ta) *s2g. Bras.* Pessoa habilitada a prestar primeiros socorros.

socorro (so.*cor*.ro) [ô] *sm.* **1** Ação ou resultado de socorrer. **2** Auxílio, assistência em caso de doença, perigo, dificuldades de qualquer tipo: *Prestou socorro ao afogado; Pediu socorro ao amigo para resolver o problema; Teria falido, não fosse o socorro do banco.* **3** Os meios us. para prestar socorro (2): *Não precisa empurrar o carro, o socorro já está chegando. interj.* **4** Us. como pedido urgente de ajuda em emergências. [Pl.: [ó].] ▪▪ **Primeiros ~s** Atendimento de emergência a acidentados, doentes etc., enquanto se aguarda o atendimento médico, e que visa a não permitir que se agrave a condição do paciente.

socrático (so.*crá*.ti.co) *a.* **1** Ref. a Sócrates, filósofo grego, ou à sua doutrina. *a.sm.* **2** Que ou o que é partidário dessa doutrina.

soda[1] (*so*.da) *sf.* Água gaseificada artificialmente, us. como refrigerante.

soda[2] (*so*.da) *sf. Quím.* Carbonato de sódio (*soda* do comércio) ou hidróxido de sódio (*soda* cáustica).

sodalício (so.da.*li*.ci:o) *sm.* Grupo de pessoas que vivem em comunidade; CONFRARIA; IRMANDADE.

sódico (*só*.di.co) *a.* Ref. a soda ou ao sódio.

sódio (*só*.di:o) *sm. Quím.* Elemento químico metálico, us. em ligas, lâmpadas etc. [Símb.: *Na*]

sodomia (so.do.*mi*.a) *sf.* Relação sexual anal. ● **so.*dô*.mi.co** *a.*; **so.do.*mi*.ta** *s2g.*

soer (so:*er*) *v. P.us.* Ter por hábito, ou ser costumeiro; COSTUMAR. [*td.*: *Marcelo sói levantar cedo. int.*: *Naquela cidade sóia nevar no inverno.*] [▶ **36** so<u>er</u>]. Verbo defec.: não é conjugado na 1ª pess. sing. do pres. do ind., e portanto não tem o pres. do subj. inteiro.]

soerguer (so:er.*guer*) *v.* **1** Erguer(-se) um pouco ou com dificuldade. [*td.* (seguido ou não de indicação de lugar): *soerguer o corpo (na cama). pr.*: *Conseguiu soerguer-se da poltrona.*] **2** *Fig.* Reerguer(-se), revitalizar(-se). [*td.*: *soerguer a arte no país. pr.*: *O empresário nunca mais se soerguiu.*] [▶ **21** so<u>erguer</u>] ● **so:er.*gui*.do** *a.*; **so:er.*gui.men*.to** *sm.*

soez (so:*ez*) [ê] *a2g.* De pouco valor (caráter *soez*); DESPREZÍVEL; ORDINÁRIO.

sofá (so.*fá*) *sm.* Móvel estofado, ger. com encosto e braços, para duas ou mais pessoas.

sofá-cama (so.fá-*ca*.ma) *sm.* Sofá que se pode transformar em cama. [Pl.: *sofás-camas*.]

sofisma (so.*fis*.ma) *sm. Fil.* Raciocínio ou argumento aparentemente lógico, mas que é falso e enganoso. ● **so.*fis.mar*** *v.*; **so.*fis*.ta** *s2g.s2g.*

sofisticar (so.fis.ti.*car*) *v.* **1** Usar de sutileza ou requinte, ou tornar complicado. [*td.*: *Sofisticou a ex-*

plicação e ninguém entenderam. *int*.: *Em instrução não se deve sofisticar*.] **2** *Bras*. Tornar(-se) fino, refinado, ou aprimorar(-se). [*td*.: *sofisticou sua arte*. *pr*.: "...*a cirurgia se sofistica e beneficia pacientes mais complexos*..." (*FolhaSP*, 30.05.99).] [▶ **11** sofistic|ar| • so.fis.ti.ca.*ção sf*.; so.fis.ti.ca.do *a*.
sofrear (so.fre.*ar*) *v*. **1** Deter ou alterar com as rédeas a marcha de (cavalgadura). [*td*.] **2** *Fig*. Conter(-se), refrear(-se). [*td*.: "...*percebeu que a boca sofreava um sorriso de satisfação*..." (Machado de Assis, *Quincas Borba*). *pr*.: *Sofreou-se para não cometer um desatino*.] [▶ **13** sofr|ear| • so.fre.a.da *sf*.; so.fre:a.*men*.to *sm*.
sôfrego (*só*.fre.go) *a*. **1** Que come ou bebe vorazmente; *Sôfrego, raspou o prato em cinco minutos*. **2** Ávido pela posse ou realização de alguma coisa; ANSIOSO: *Sôfrego, abriu o presente antes do Natal*. • so.fre.gui.dão *sf*.
sofrer (so.*frer*) *v*. **1** Experimentar mal físico ou moral; PADECER. [*td*.: *sofrer maus-tratos*. *ti*. + *de*: *sofrer do coração*. *int*.: *Sofria calado*.] **2** Experimentar, passar por (dano, abalo). [*td*.: *O projeto sofreu um grande abalo*. *int*. (seguido ou não de indicação de causa): *A empresa sofreu (com a queda das vendas).*] **3** Passar por (alteração ou mudança). [*td*.] [▶ **2** sofr|er| • so.fre.*dor a.sm*.
sofrido (so.*fri*.do) *a*. Que já sofreu, ou em que há sofrimento (gente sofrida, trabalho sofrido).
sofrimento (so.fri.*men*.to) *sm*. **1** Ação ou resultado de sofrer. **2** Dor continuada, física ou moral; AFLIÇÃO; PADECIMENTO.
sofrível (so.*frí*.vel) *a2g*. **1** Que se pode tolerar ou suportar; TOLERÁVEL. **2** Não muito bom, mas aceitável (jogo sofrível). [Pl.: *-veis*.]
🌐 **software** (*Ing*. /*sóftuer*/) *sm*. *Inf*. **1** Em computação, no sistema de computação, os elementos não físicos de processamento de dados, como programas, sistemas operacionais etc. **2** Qualquer programa de computador. [Cf.: *hardware*.]
soga (*so*.ga) *sf*. Corda grossa.
sogra (*so*.gra) *sf*. Mãe de um dos cônjuges em relação ao outro.
sogro (*so*.gro) [ô] *sm*. Pai de um dos cônjuges em relação ao outro.
soja (*so*.ja) *sf*. *Bot*. Tipo de feijão, us. para alimentar o gado, na fabricação de óleo comestível e de muitos produtos alimentícios, como farinha, queijo, leite etc.

📖 O uso da soja como fonte de proteínas e outras substâncias alimentícias cresceu muito em fins do séc. XX e, com isso, sua produção. Além do óleo dela extraído, sua farinha é us. na fabricação de massa, pães, bolos e bebidas, e, com a adição de aromas, substitui a carne, inclusive na preparação de hambúrgueres, salsichas etc. A produção brasileira tem crescido vertiginosamente, já ocupando o Brasil o primeiro lugar mundial, com 138 milhões de toneladas métricas. Seguiam-se em 2021, os EUA, com 114,7 milhões, a Argentina, com 46,2 milhões, e a China com 19,6 milhões. Os principais estados produtores no Brasil são o Mato Grosso e o Paraná.

sol¹ *sm*. **1** *Astr*. Estrela da galáxia Via Láctea, em torno da qual giram a Terra e outros planetas do sistema solar. [Com inicial maiúsc.] **2** Luz e calor emitidos por essa estrela: *O sol da manhã é agradável*. **3** *Astr*. Qualquer estrela que é centro de um sistema planetário. [Pl.: *sóis*.] ■ **De ~ a ~** Do nascer ao pôr do sol; o dia inteiro. **Tapar o ~ com peneira** Não querer ver ou saber, ou tentar ocultar ou ignorar o que é evidente. **Ver o ~ nascer quadrado** *Gír*. Estar na prisão.

📖 O Sol é uma estrela, centro do sistema solar. Tem especial importância para a Terra, fonte que é do calor e da luz que propiciam a vida neste planeta. É maior do que a Terra 109 vezes em volume e 330.000 vezes em massa, e está a quase 150.000.000km de distância. O Sol é feito 90% de hidrogênio, quase 10% de hélio, 1% de oxigênio, carbono, nitrogênio, silício e ferro. É uma fonte permanente de energia, produzida em reações contínuas em sua massa, esp. a transformação de hidrogênio em hélio. O Sol move-se no espaço em torno do centro da Via Láctea, 'carregando' com ele o sistema solar, a uma velocidade de 216 km/s, completando uma órbita a cada 225 milhões de anos. Também gira lentamente em torno de si mesmo, uma volta em 25 dias (terrestres) em seu equador, em 36 dias nos polos. As intensas atividades energética e magnética do Sol acarretam fenômenos visíveis da Terra, como as manchas solares, as protuberâncias (jatos de gás) e as erupções solares (libertação súbita de energia).

sol² *sm*. *Mús*. **1** A quinta nota da escala de dó. **2** Sinal que representa essa nota na pauta. [Pl.: *sóis*.]

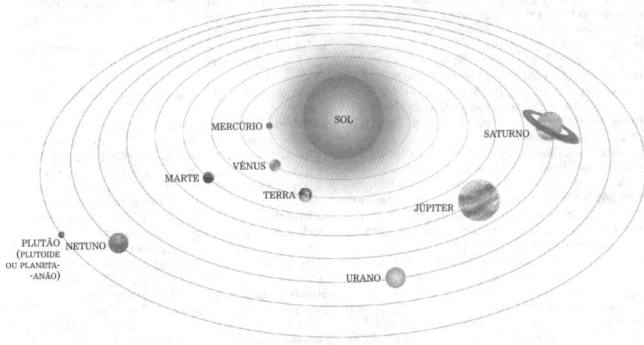

SISTEMA SOLAR

sola (*so*.la) *sf.* **1** Parte inferior do sapato, que se apoia no chão; SOLADO. **2** Couro grosso curtido us. em cintos, bolsas etc. **3** *Fig.* Planta do pé. ✲ **Entrar de ~ 1** *Fut.* Acossar faltosamente adversário atingindo-o, ou com o risco de atingi-lo, com a sola da chuteira. **2** *Fig.* Começar a fazer algo ou intervir em algo com brutalidade ou grosseria: *Entrou de sola na discussão.*

solado (so.*la*.do) *a.* **1** *Bras.* Que não cresceu nem assou uniformemente (diz-se de bolo). *sm.* **2** Sola (1) de sapato.

solapar (so.la.*par*) *v. td.* **1** Abalar, minar (os alicerces de construção). **2** *Fig.* Abalar, derrubar ou fazer fracassar: *Sua ação contribuiu para solapar o projeto.* [▶ 1 solapár] • so.la.*pa*.do *a.*; so.la.pa.*dor* *a.sm.*; so.la.pa.*men*.to *sm.*

solar¹ (so.*lar*) *sm.* Casa majestosa.

solar² (so.*lar*) *a2g.* **1** Ref. ao Sol (energia solar). **2** *Fig.* Cheio de luz, energia, vibração: "...havia o desenho colorido de uma menina solar, entre palmeiras e papagaios..." (Ana Maria Machado, *Texturas*).

▯ O sistema solar é um dos muitos sistemas da Via Láctea, e é formado pelo Sol e pelos corpos que gravitam em torno dele: planetas (e seus satélites), planeta anão, meteoroides, poeira cósmica etc. Os planetas, na ordem de proximidade do Sol, são: Mercúrio, Vênus, Terra, Marte, Júpiter, Saturno, Urano, Netuno (Plutão foi reclassificado como *plutoide* em 2008.). Em 2004 foi descoberto um novo planetoide, chamado Sedna). Em ordem de tamanho: Júpiter, Saturno, Urano, Netuno, Terra, Vênus, Marte, Mercúrio, Plutão (Ver ach. encicl. no verbete *satélite*.). Entre as órbitas de Marte e de Júpiter ficam os planetoides, ou asteroides, alguns esféricos como os planetas, outros de forma irregular, como blocos de rocha. Os meteoroides são menores, variando suas medidas de dimensões micrométricas a quilômetros de extensão, e quando atingem a atmosfera da Terra podem incandescer-se com o atrito (são os meteoros e meteoritos, alguns deles atingindo a superfície terrestre). [Para os cometas, ver ach. encicl. no verbete *cometa*.]

solar³ (so.*lar*) *v.* **1** Prover de sola(s) (um calçado). [*td.*] **2** *Bras. Cul.* Fazer ficar ou ficar duro como sola. [*td.*: *Abrir o forno pode solar o bolo. int.*: *Desta vez a massa não solou.*] [▶ 1 solár]

solar⁴ (so.*lar*) *v. Mús.* Executar solo² vocal ou instrumental (de [composição musical]). [*td.*: *Ele vai solar o concerto para violino de Bruch. int.*: *No concerto de amanhã ele vai solar.*] [▶ 1 solár]

solário (so.*lá*.ri:o) *sm.* Lugar próprio para banhos de sol com fins terapêuticos ou estéticos.

solavanco (so.la.*van*.co) *sm.* Sacudida brusca, ger. de veículo em movimento; TRANCO.

solda (*sol*.da) *sf.* **1** Ação ou resultado de soldar. **2** Material metálico que se funde para ligar peças tb. metálicas: *O bombeiro usou uma solda de chumbo.*

soldada (sol.*da*.da) *sf.* Pagamento, esp. de empregados e operários; SALÁRIO.

soldadesca (sol.da.*des*.ca) [ê] *sf. Pej.* Grupo de soldados indisciplinados. **2** A classe militar.

soldado (sol.*da*.do) *sm.* **1** Homem alistado no exército ou nas forças policiais estaduais. **2** Militar sem graduação. [Ver quadro *Hierarquia Militar Brasileira.*] **3** *Fig.* Quem luta por um ideal: *soldado da democracia.* *a.* **4** Ligado com solda.

soldar (sol.*dar*) *v.* **1** Ligar ou unir com solda. [*td.*: *soldar os fios.*] **2** Unir(-se) (o que estava fendido, partido ou separado) ou reparar(-se) com solda. [*td.*: *soldar uma ponta à outra. int./pr.*: *A fratura soldou(-se) com o gesso.*] [▶ 1 soldár] • sol.*da*.*dor* *a.sm.*; sol.da.*du*.ra *sf.*; sol.*da*.gem *sf.*

soldo (*sol*.do) [ô] *sm. Bras.* Salário de militar.

solecismo (so.le.*cis*.mo) *sm. Gram.* Erro gramatical, esp. de sintaxe.

soledade (so.le.*da*.de) *sf.* Tristeza decorrente da solidão.

soleira¹ (so.*lei*.ra) *sf.* **1** Vão da porta. **2** Peça de pedra ou de madeira debaixo da porta, junto ao piso.

soleira² (so.*lei*.ra) *sf.* Hora de muito sol; SOALHEIRA.

solene (so.*le*.ne) *a2g.* **1** Realizado com pompa e formalidade (cerimônia solene, visita solene). **2** Que indica seriedade, importância: "...veio ao encontro deles na porta do edifício, com o ar e apressado e solene de quem tem má notícia a dar." (Antonio Callado, *Bar Don Juan*).

solenidade (so.le.ni.*da*.de) *sf.* Ocasião ou festa solene.

solenizar (so.le.ni.*zar*) *v. td.* **1** Dar caráter solene a. **2** Celebrar com solenidade ou cerimônia pública. [▶ 1 solenizár] • so.le.ni.za.*ção* *sf.*

solenoide (so.le.*noi*.de) *sm. Elet.* Fio enrolado em espiral que serve de indutor.

solerte (so.*ler*.te) [é] *a2g.* Hábil em conseguir com astúcia o que quer; ASTUCIOSO.

soletração (so.le.tra.*ção*) *sf.* **1** Ação ou resultado de soletrar. **2** Ensino da leitura e da escrita através de exercícios que combinam as vogais e as consoantes de uma língua. [Pl.: -*ções*.]

soletrar (so.le.*trar*) *v.* **1** Ler uma a uma as letras de, reunindo-as ou não em sílabas. [*td.*: *soletrar o próprio nome. int.*: *A menina aprendeu a soletrar.*] **2** Ler de modo pausado e/ou atento. [*td.*] [▶ 1 soletrár] • so.le.*tra*.do *a.*

solfejar (sol.fe.*jar*) *v. td. int. Mús.* Cantar ou entoar (trecho musical) lendo os nomes das notas e marcando o compasso. [▶ 1 solfejár] • sol.*fe*.jo *sm.*

solferino (sol.fe.*ri*.no) *Bras. sm.* **1** Cor escarlate próxima do roxo. *a.* **2** Que é dessa cor (capas solferinas).

solicitar (so.li.ci.*tar*) *v.* **1** Pedir com respeito, insistência, ou seguindo os trâmites devidos. [*td.*: *solicitar ajuda/uma solução. tdi.* + *a*: *Solicitaram providências à prefeitura.*] **2** Buscar a atenção, a ajuda, os serviços etc. de (alguém). [*td.*: *Sempre solicita a professora na hora dos exercícios.*] [▶ 1 solicitár] • so.li.ci.ta.*ção* *sf.*; so.li.ci.ta.*dor* *a.sm.*; so.li.ci.*tan*.te *a2g.s2g.*

solícito (so.*li*.ci.to) *a.* Atencioso e cuidadoso para com outrem (garçom solícito); PRESTATIVO.

solidão (so.li.*dão*) *sf.* **1** Estado ou condição de quem se sente ou está só: *Longe da família, ela vivia na solidão.* **2** Característica dos lugares isolados: *a solidão do deserto.* [Pl.: -*dões.*]

solidariedade (so.li.da.ri:e.*da*.de) *sf.* Sentimento de identificação com os problemas de outrem, que leva as pessoas a se ajudarem mutuamente: *A população demonstrou solidariedade às vítimas da enchente.*

solidário (so.li.*dá*.ri:o) *a.* **1** Que tem ou demonstra solidariedade; que está pronto a apoiar, defender ou acompanhar alguém em momento difícil: *Foi solidário com o amigo em dificuldades.* **2** Que partilha ideias, interesses, opiniões etc. com outros: *Os alunos estão solidários aos professores em greve.*

solidarizar (so.li.da.ri.*zar*) *v.* Fazer(-se) solidário. [*td.*: *A dor solidariza as pessoas. tdi.* + *com*: *A compaixão solidarizou-o com o desconhecido. pr.*: "...atletas que se solidarizam com o drama do nosso campeão." (*O Globo*, 31.08.03).] [▶ 1 solidarizár]

solidéu (so.li.*déu*) *sm.* **1** Pequeno barrete circular us. por bispos e padres. **2** Pequeno barrete circular us. por judeus (ger. os homens) nos rituais religiosos ou, pelos mais religiosos, durante todo o dia.

solidificar (so.li.di.fi.*car*) *v.* **1** Fazer passar ou passar ao estado sólido (a água e outros líquidos). [*td.*

int. pr.] **2** *Fig.* Tornar(-se) sólido ou firme. [*td.: Os lucros solidificaram seu negócio. pr.: A democracia solidificou-se no país.*] [▶ **11** solidific<u>ar</u>] • **so.li.di.fi.ca.ção** *sf.*

sólido (*só*.li.do) *a.* **1** Maciço, duro, compacto: *A rocha é sólida.* **2** Que tem consistência, que não é fluido ou pastoso (alimento <u>sólido</u>). **3** Que resiste às forças externas (edificação <u>sólida</u>); FIRME. **4** *Fig.* Que tem fundamento (provas <u>sólidas</u>). **5** *Fig.* Que não se abala facilmente (casamento <u>sólido</u>, convicções <u>sólidas</u>); FIRME. *sm.* **6** Qualquer corpo que mantém a forma definida. **7** *Geom.* Figura geométrica em três dimensões: *Os alunos desenharam dois <u>sólidos</u>: uma esfera e um cubo.* [Ant. nas acps. 3 a 5: *frágil.*] • **so.li.***dez* *s2g.*

solilóquio (so.li.*ló*.qui:o) *sm.* Ação ou resultado de alguém falar consigo mesmo; MONÓLOGO.

sólio (*só*.li:o) *sm.* Cadeira de rei ou de pontífice; o poder que ela representa; TRONO.

solípede (so.*lí*.pe.de) *a2g.s2g. Zool.* Diz-se de ou animal que tem um casco em cada pé.

solista (so.*lis*.ta) *a2g.s2g.* Que ou quem executa um solo² (1).

solitária (so.li.*tá*.ri:a) *sf.* **1** *Bras. Med.* Grande parasito intestinal; TÊNIA. **2** *Bras.* Cela onde um preso é mantido isolado.

solitário (so.li.*tá*.ri:o) *a.sm.* **1** Que ou quem está, vive ou gosta de estar só (navegador <u>solitário</u>): *Ele é um <u>solitário</u> convicto. a.* **2** Que ocorre em solidão (decisão <u>solitária</u>). **3** Que está permanente ou momentaneamente à parte, sem companhia; ISOLADO: *Contando com um só e <u>solitário</u> atacante, o time não marcou. sm.* **4** Anel com uma só pedra preciosa engastada.

solitude (so.li.*tu*.de) *sf. Poét.* Solidão.

solo¹ (*so*.lo) *sm.* **1** Superfície sólida da crosta terrestre; CHÃO; TERRA: *As estacas estão fincadas no <u>solo</u>.* **2** Terreno, segundo suas qualidades produtivas (<u>solo</u> fértil).

solo² (*so*.lo) *sm. Mús.* **1** Música cantada, tocada ou dançada por um só intérprete, com ou sem acompanhamento. **2** Execução de um solo² (1).

solstício (sols.*tí*.ci:o) *sm. Astron.* Época do ano em que o Sol está mais afastado do equador.

solta (*sol*.ta) [ó] *sf.* Corda ou peça de ferro para prender cavalgadura.

soltada (sol.*ta*.da) *sf. Bras.* Ato de soltar a matilha para a caça.

soltar (sol.*tar*) *v.* **1** Desprender(-se), desatar(-se). [*td.: <u>soltar</u> os cabelos/as velas do barco. tdi. + de: <u>soltar</u> a pipa <u>da</u> árvore. pr.: As cordas se <u>soltaram</u>.*] **2** Pôr(-se) em liberdade, ou livrar(-se) de. [*td.* (seguido ou não de indicação de lugar): <u>soltar</u> *os reféns (do cativeiro). pr.: O cão <u>soltou-se</u> da corrente.*] **3** Deixar escapar das mãos. [*td.: A criança <u>soltou</u> o balão de gás.*] **4** Dar saída ou livre curso a. [*td.: <u>soltar</u> o pranto/a imaginação.*] **5** Perder a inibição; DESINIBIR-SE. [*pr.*] **6** Atirar, arremessar (tb. *Fig.*) ou desferir, desfechar. [*td.: <u>soltar</u> uma granada/uma indireta. tdi.* + *em:* "O vendeiro <u>soltou-lhe</u> nova palmada..." (Aluísio Azevedo, *O cortiço*).] **7** Exalar, expedir ou emitir. [*td.: <u>soltar</u> fumaça*; "Quando eu <u>soltar</u> a minha voz..." (Gonzaguinha, *Sangrando*).] **8** Tornar frouxo; fazer ficar mais largo e/ou comprido; AFROUXAR. [*td.: <u>soltar</u> as rédeas da cavalgadura; O alfaiate <u>soltou</u> a bainha da calça*.] **9** *Pop.* Liberar ou dar (verba, dinheiro etc.). [*td.*] **10** *Med.* Regularizar ou reativar (os intestinos). [*td.*] [▶ **1** solt<u>ar</u>]. Part.: *soltado* e *solto.*]

solteirão (sol.tei.*rão*) *a.sm.* Que ou quem (pessoa madura) não se casou. [Pl.: *-rões.* Fem.: *-rona.*]

solteiro (sol.*tei*.ro) *a.sm.* Diz-se de ou homem que não é casado.

solto (*sol*.to) [ó] *a.* **1** Que se soltou; que está livre (prisioneiros <u>soltos</u>). **2** Que está desatado ou des-

pregado (cabelos <u>soltos</u>, folhas <u>soltas</u>). [Ant. nas acps. 1 e 2: *preso.*] **3** Que não apresenta aderência, que não está preso a outra coisa (arroz <u>solto</u>, pontas <u>soltas</u>). **4** Que não é justo ou apertado (vestido <u>solto</u>); FOLGADO. **5** Que não é ou não se apresenta reprimido ou contido (gestos <u>soltos</u>, risada <u>solta</u>). [Ant. nesta acp.: *contido.*]

soltura (sol.*tu*.ra) *sf.* **1** Ação ou resultado de soltar. **2** Liberdade dada a um preso. [Ant. nesta acp.: *prisão.*] **3** *Pop.* Diarreia.

solução (so.lu.*ção*) *sf.* **1** Meio ou modo pelo qual se resolve um problema ou se vence uma dificuldade. **2** Resposta certa a uma questão matemática, teste etc.: *solução de um problema/de uma charada.* **3** *Quím.* Líquido onde estão diluídas substâncias solúveis: *solução de cloreto de sódio.* **4** Separação de partes de um todo; interrupção, dissolução: *solução de continuidade.* [Pl.: *-ções.*]

soluçar (so.lu.*çar*) *v. int.* **1** Soltar soluço(s) (1). **2** Chorar em meio a soluços (2). [▶ **12** soluç<u>ar</u>] • **so.lu.çan.te** *a2g.*

solucionar (so.lu.ci:o.*nar*) *v. td.* Achar a solução de (problema, dificuldade, caso policial etc.); RESOLVER. [▶ **1** solucion<u>ar</u>] • **so.lu.ci:o.na.do** *a.*; **so.lu.ci:o.ná.vel** *a2g.*

soluço (so.*lu*.ço) *sm.* **1** *Fisl.* Contração espasmódica do diafragma (1), que produz um ruído característico ao passar pela glote e por dessa inspiração forçada. **2** Inspiração curta e espasmódica em meio a choro ou lamentação.

soluto (so.*lu*.to) *a.* **1** Dissolvido. *sm.* **2** *Quím.* Substância dissolvida numa solução. [Cf.: *solvente.*]

solúvel (so.*lú*.vel) *a2g.* **1** Que pode ser dissolvido (café <u>solúvel</u>). **2** Que pode ser resolvido (problema <u>solúvel</u>). [Pl.: *-veis.*] • **so.lu.bi.li.da.de** *sf.*

solvável (sol.*vá*.vel) *a2g.* Ver *solvível.*

solvente (sol.*ven*.te) *a2g.sm.* **1** *Quím.* Diz-se de ou líquido capaz de dissolver outras substâncias: *A acetona é um <u>solvente</u>.* [Cf.: *soluto.*] *a2g.* **2** Que pode pagar o que deve (devedor <u>solvente</u>). • **sol.vên.ci.a** *sf.*

solver (sol.*ver*) *v.* **1** Dissolver ou diluir. [*td.: <u>solver</u> um comprimido efervescente. tdi. + em: <u>solver</u> o café em água.*] **2** Quitar, pagar (débito ou dívida). [*td.*] **3** Resolver, solucionar, explicar. [*td.: <u>solver</u> uma charada.*] [▶ **2** solv<u>er</u>]

solvível (sol.*ví*.vel) *a2g.* **1** Que é possível pagar (dívida <u>solvível</u>). **2** Que tem meios para pagar suas dívidas (empresa <u>solvível</u>). [Pl.: *-veis.*]

som *sm.* **1** *Fís.* Vibração que se propaga pelo ar e que pode ser percebida pela audição. **2** Tudo o que é assim percebido pela audição; RUÍDO; BARULHO: *som de vozes/de passos.* **3** *Bras. Pop.* Música em geral: *Gosto de ouvir um <u>som</u> enquanto leio.* **4** *Bras. Pop.* Equipamento de som: *Comprei um <u>som</u> novo.* ✹ **Em alto e bom ~** De maneira audível e compreensível; claramente.

📖 O som resulta da vibração de moléculas, transmitida através de um meio (ger. o ar) numa propagação em forma de ondas. Quando atinge o tímpano, membrana dentro do ouvido, a onda sonora o faz vibrar, e essa vibração é transmitida ao cérebro, que reconhece o som. O número de vibrações (ou de ciclos completos da onda) por segundo chama-se *frequência*. Quanto maior a frequência, mais agudo é o som. A distância entre o pico da onda e a base chama-se *amplitude*; quanto maior a amplitude, mais intenso é o som. E cada vibração produz vibrações derivadas, cujas frequências são múltiplos exatos da frequência básica (aquelas chamam-se *harmônicas*), e cuja constituição determina o *timbre*, a qualidade que permite distinguir sons de mesma altura e intensidade produzidos por fontes diferentes (o som de uma flauta, de um clarinete etc.). O ouvido humano percebe sons de uma frequência entre 20 e 20.000 vibrações/s (20.000 hertz). Abaixo disso ficam as frequências subsônicas, e acima disso ficam os chamados ultrassons.

soma¹ (so.ma) *sf.* **1** Arit. Operação de adição ou seu resultado. **2** Certa quantia: *Pagou uma boa soma pelo quadro.* **3** Totalidade, conjunto: *a soma dos dados.*

soma² (so.ma) *sm. Biol.* **1** Conjunto de todas as células de um ser vivo, exceto as de reprodução. **2** *Med.* O organismo em seu aspecto físico, em oposição ao psíquico.

somali (so.ma.*li*) *a2g.* **1** Da Somália (África); típico desse país ou de seu povo. *s2g.* **2** Pessoa nascida na Somália. • **so.ma.li:a.no** *a.sm.*; **so.ma.li:en.se** *a2g.s2g.*

somar (so.*mar*) *v.* **1** Fazer a soma de, ou fazer adição. [*td.*: *somar valores/quantidades.* **tdi.** + *a*, *com*: *somar dez com dez. int.*: *Meu filho já aprendeu a somar.*] **2** Perfazer o total de; TOTALIZAR. [*int.* (seguido de indicação de quantidade): *Os livros de sua biblioteca somam três mil.*] **3** Congregar (esforços) em busca de objetivos comuns, ou acrescentar(-se). [*td.*: *somar forças. int.*: *No combate à violência é preciso somar, e não dividir. pr.*: *Nesta obra, a simplicidade soma-se à profundidade.*] [▶ 1 somar]

somático (so.*má*.ti.co) *a.* Ref. ao corpo humano (manifestação somática); FÍSICO.

somatizar (so.ma.ti.*zar*) *v.* Transformar (problemas emocionais) em mal somático ou físico. [*td.*: *somatizar a melancolia/um medo. int.*: *Se continuar a somatizar, terá uma úlcera.*] [▶ 1 somatizar] • **so.ma.ti.za.ção** *sf.*

somatório (so.ma.*tó*.ri:o) *sm. Mat.* **1** Soma total. **2** Operação pela qual se faz essa soma.

sombra (*som*.bra) *sf.* **1** Área escurecida pela presença de um corpo opaco entre ela e a fonte de luz: *a sombra da barraca.* **2** Falta de luz (tb. *Fig.*); ESCURIDÃO: "Toda história tem seu lado de sombra e o seu lado de sol." (Alberto da Costa e Silva, *A manilha e o libambo*). **3** *Art.Pl.* Parte mais escura de uma pintura, desenho ou gravura. **4** *Fig.* Algo indistinto; VULTO: *O guarda viu sombras no fundo jardim.* **5** *Fig.* Indício, sinal: *sombra de dúvida.* **6** Pessoa ou animal que sempre acompanha, segue ou imita alguém: *João tem um cão que é a sua sombra.* **7** Cosméticos de tons diversos us. para colorir as pálpebras. • **sombras** *sfpl.* **8** As trevas, a escuridão. ▪▪ À ~ **de** Sob a proteção de.

sombreado (som.bre.*a*.do) *a.* **1** Coberto de sombra (bosque *sombreado*). *sm.* **2** Gradação de tons escuros em desenho, gravura ou pintura: *O quadro tem um belo sombreado.*

sombrear (som.bre.*ar*) *v.* **1** Dar sombra a, ou envolver em sombra. [*td.*: *O boné sombreava seu rosto. pr.*: *Com as nuvens carregadas, o quintal sombreou-se mais cedo.*] **2** Escurecer como uma sombra. [*td.*: *Os pelos sombreavam o corpo.*] **3** *Art.Pl.* Fazer sombreado (2) em, ou distribuir os escuros em pintura. [*td.*: *sombrear um desenho. int.*: *Sabia sombrear como ninguém.*] [▶ 13 sombrear] • **som.bre:a.men.to** *sm.*

sombreiro (som.*brei*.ro) *sm.* Chapéu de abas largas (*sombreiro* mexicano).

sombrinha (som.*bri*.nha) *sf. Bras.* Pequeno guarda-chuva feminino.

sombrio (som.*bri*:o) *a.* **1** Com pouca luz (quarto *sombrio*). **2** *Fig.* Que causa desânimo e tristeza: "Guardo uma sensação de drama *sombrio*/com vozes de ondas lamentando-me." (Cecília Meirelles, *Poesia completa*). **3** *Fig.* Tenebroso, lúgubre (castelo *sombrio*). **4** *Fig.* Sem alegria (rosto *sombrio*); CARRANCUDO.

sombroso (som.*bro*.so) [ô] *a.* Em que há muita sombra (1 e 2). [Fem. e pl.: [ó].]

somenos (so.*me*.nos) *a2g2n.* De valor menor que outro; IRRELEVANTE: *assuntos de somenos interesse.*

somente (so.*men*.te) *adv.* Unicamente, apenas, só: *Tinha somente aquele tênis.*

somítico (so.*mí*.ti.co) *a.sm.* Ver *avarento.* [Ant.: *generoso*.]

sonâmbulo (so.*nâm*.bu.lo) *a.sm.* Que ou quem levanta e anda enquanto dorme. • **so.nam.*bú*.li.co** *a.*; **so.nam.bu.*lis*.mo** *sm.*

sonante (so.*nan*.te) *a2g.* Que produz som; SOANTE. • **so.*nân*.ci:a** *sf.*

sonar (so.*nar*) *sm. Mar.* Técnica e equipamento para detectar e localizar objetos submersos, mediante emissão de ondas de ultrassom e captação e interpretação do eco que produzem ao interceptar o objeto.

sonata (so.*na*.ta) *sf. Mús.* Música clássica instrumental com vários movimentos ligados por um tema.

sonda (*son*.da) *sf.* **1** *Mar.* Instrumento para medir a profundidade da água e pesquisar o fundo do mar, rio, lago etc. **2** Qualquer um dos instrumentos existentes próprios para verificar as condições meteorológicas em grandes altitudes. **3** *Med.* Tubo fino e flexível que se introduz no corpo para exames ou tratamento. [Cf.: *cateter.*] **4** Espécie de broca us. para perfuração de poços de petróleo e de água.

sondagem (son.*da*.gem) *sf.* **1** Investigação feita com aparelhos e métodos especiais para se obter dados sobre alguma coisa: *sondagem do subsolo.* **2** *Fig.* Pesquisa formal ou informal para avaliar uma tendência, uma situação (*sondagem* eleitoral). [Pl.: *-gens.*]

sondar (son.*dar*) *v. td.* **1** Explorar ou medir com sonda: *sondar a profundidade submarina.* **2** Investigar, averiguar sem chamar atenção: *sondar as intenções de um concorrente.* [▶ 1 sondar]

soneca (so.*ne*.ca) *sf.* Sono breve; COCHILO.

sonegar (so.ne.*gar*) *v.* **1** Ocultar (o que se deve mencionar legalmente). [*td.*/*tdi* + *a*: *Sonegou (ao fisco) o lucro da operação.*] **2** Ocultar (informações). [*td.*/*tdi* + *a*: *Sonegou (ao chefe) informações sobre o projeto.*] **3** Deixar de pagar (impostos). [*td.*] [▶ 14 sonegar] • **so.ne.ga.ção** *sf.*; **so.ne.ga.dor** *a.sm.*

soneira (so.*nei*.ra) *sf.* Muito sono; SONOLÊNCIA.

soneto (so.*ne*.to) [ê] *sm. Poét.* Poema de 14 versos. • **so.ne.*tis*.ta** *s2g.*

songamonga (son.ga.*mon*.ga) *s2g. Pop.* Pessoa sonsa, falsa.

⊕ **songbook** (Ing. /*sôngbuc*/) *sm.* Livro com a obra completa de um compositor (letras e partituras).

sonhar (so.*nhar*) *v.* **1** Ter sonho(s) enquanto dorme; visualizar, dormindo, cenas, pessoas etc. [*int.*: *Ana sonha todas as noites.*] **2** Visualizar em sonho, enquanto dorme. [*td.*: *Sonhou que vivia na Idade Média. ti.* + *com*: *Sonhei com um cavalo.*] **3** *Fig.* Devanear, fantasiar, ou imaginar-se. [*td.*: *Gosta de sonhar que é rico e famoso. ti.* + *com*: *Não sonhe com o impossível. int.*: *Esse rapaz sonha muito e pouco faz.*] **4** *Fig.* Ansiar por; ALMEJAR. [*ti.* + *com*, em: *Sonha em ver o filho formado*; *Sonhamos com o fim da impunidade.*] [▶ 1 sonhar] • **so.nha.dor** *a.sm.*

sonho (*so*.nho) *sm.* **1** Série de imagens, ideias etc. criadas durante o sono. **2** *Fig.* Grande aspiração: "...pretende realizar seu grande *sonho*: casar e ter filhos." (*O Globo*, 06.04.04). **3** Desejo quase irrealizável; FANTASIA: *Luís tem sonhos de poder.* **4** *Cul.* Doce macio de massa frita, recheado com creme e passado no açúcar.

sônico (*sô*.ni.co) *a.* Ref. ao som ou à sua velocidade.

sonido (so.*ni*.do) *sm.* Qualquer som; RUÍDO.
sonífero (so.*ní*.fe.ro) *a.* **1** Diz-se de substância que provoca sonos. *sm.* **2** Substância ou produto sonífero (1); SOPORÍFERO.
sono (so.no) *sm.* **1** Fisl. Estado de repouso natural e periódico com a suspensão da consciência e redução da sensibilidade: *Um bom sono é fundamental para uma boa saúde.* **2** Vontade ou necessidade de dormir: *Depois do almoço, sempre sinto sono.*
sonolência (so.no.*lên*.ci:a) *sf.* **1** Disposição ou vontade incontrolada de dormir: *O calor está me dando sonolência.* **2** Estado intermediário entre estar dormindo ou acordado: *Em sua sonolência, não acompanhou o debate.* ● **so.no.***len*.to *a.*
sonoplastia (so.no.plas.*ti*.a) *sf.* Técnica de produção de efeitos sonoros e de sua aplicação em cinema, teatro, programas de rádio, televisão etc. ● **so.no.***plas*.ta *s2g.*
sonorizador (so.no.ri.za.*dor*) [ô] *sm.* Redutor de velocidade em ruas e estradas, na forma de saliências que fazem os veículos trepidarem, alertando com o ruído os pedestres.
sonorizar (so.no.ri.*zar*) *v. td.* **1** Tornar sonoro (filme originalmente mudo). **2** Instalar equipamento de som em (ambiente). [▶ **1** sonorizar] ● **so.no.ri.za.***ção sf.*
sonoro (so.*no*.ro) *a.* **1** Ref. a som (efeito sonoro). **2** Que emite som (alarme sonoro). **3** Gram. Que é articulado com vibração das cordas vocais (diz-se consoante, p.ex.: [b]). ● **so.no.ri.***da*.de *sf.*
sonoroso (so.no.*ro*.so) [ô] *a.* Que produz som melodioso, suave. [Fem. e fig.: [ó].]
sonoterapia (so.no.te.ra.*pi*.a) *sf.* Med. Tratamento que consiste em trazer o paciente dormir por longo período sob a ação de soníferos.
sonso (son.so) *a.sm.* Que ou quem se finge de bobo. ● **son.***si*.ce *sf.*
sopa (so.pa) [ô] *sf.* **1** Cul. Comida líquida que consta de um caldo de legumes, carne, frango etc., podendo conter pedaços desses ingredientes ou de outros. **2** Bras. Pop. Qualquer coisa fácil de fazer, vencer ou resolver: *Essa prova foi uma sopa.* ▪▪ **Cair a ~ no mel** Ser ou acontecer algo muito oportuno ou conveniente no contexto. **Dar ~** *Gír.* **1** Dar oportunidade, por falta de cuidado, a que algo desagradável lhe aconteça: *Distraído, deu sopa para o punguista e teve a carteira roubada.* **2** Ser ou mostrar-se acessível a abordagem romântica ou sexual: *Ficou dando sopa durante toda a festa, mas ninguém topou.* **3** Estar (mercadoria etc.) muito oferecido, a bom preço. **Ser ~** *Gír.* Ser fácil.
sopapo (so.*pa*.po) *sm.* Bofetão, soco. ● **so.pa.pe.***ar v.*
sopé (so.*pé*) *sm.* Base de uma montanha, serra, encosta etc.
sopeira (so.*pei*.ra) *sf.* Vasilha arredondada para servir sopa.
sopesar (so.pe.*sar*) *v. td.* Avaliar com a mão o peso aproximado de. [▶ **1** sopesar]
sopitar (so.pi.*tar*) *v. td.* **1** Fazer (alguém) adormecer. **2** Tirar o vigor a (alguém); DEBILITAR. [▶ **1** sopitar] ● **so.pi.***ta*.do *a.*; **so.pi.ta.***men*.to *sm.*
sopor (so.*por*) [ô] *sm.* **1** Sonolência, torpor. **2** Estado de coma.
soporífero (so.po.*rí*.fe.ro) *a.sm.* Diz-se de ou substância que leva ao sono; SONÍFERO. ● **so.po.***rí*.fi.co *a.*
soprano (so.*pra*.no) *Mús. s2g.* **1** A mais aguda das vozes femininas do canto lírico. [Cf.: *contralto*.] **2** Cantor ou cantora que possui essa voz. *a2g.* **3** Diz-se de instrumento musical de tom mais agudo (sax soprano).
soprar (so.*prar*) *v.* **1** Soltar sopro (1), exalar o ar pela boca. [*int.*: *O médico pediu-lhe que soprasse.*] **2** Soprar (1) dirigindo o sopro para, para o interior de ou sobre (algo). [*td.*: *soprar um machucado/a poeira/uma vela/bola de encher/apito.*] **3** Soltar junto com a expiração. [*td.*: *soprar a fumaça de um cachimbo.*] **4** Mover(se), agitar(-se), como um sopro. [*td.*: *A brisa soprava a relva. int.*: *O vento voltou a soprar forte.*] **5** *Fig.* Dizer em voz baixa. [*td.*: *Soprou segredos no ouvido da amada.*] **6** Soprar (5) para alguém, para que possa responder, respostas a questões que não sabe. [*td./tdi.* + *a*: *soprar (a um colega) a resposta certa*; (tb. sem complemento explícito): *Não vale soprar.*] [▶ **1** soprar]
sopro (so.pro) [ô] *sm.* **1** Expulsão do ar aspirado com certa força. **2** O ar expirado; BAFO. **3** Agitação do ar; BRISA: *sopro fresco da tarde.* **4** Inspiração (sopro genial). **5** *Med.* Ruído anormal detectado por auscultação do peito (sopro cardíaco).
soquete (so.*que*.te) [é] *sf. Bras.* Meia de cano curto.
soquete (so.*que*.te) [é] *sm.* **1** Utensílio para socar (temperos, terra, pólvora etc.). **2** Suporte para fixar lâmpadas elétricas.
sordidez (sor.di.*dez*) [ê] *sf.* **1** Imundície característica de locais miseráveis. [Ant. nesta acp.: *limpeza.*] **2** *Fig.* Comportamento indigno; BAIXEZA: *a sordidez de um sequestrador.* **3** *Fig.* Grande avareza; MESQUINHEZ: *a sordidez de um agiota.* [Ant. nesta acp.: *generosidade.*] ● **sor.***di*.ci:e *sf.*
sórdido (*sór*.di.do) *a.* **1** Muito sujo, imundo (bar sórdido). **2** *Fig.* Indecente, imoral (filme sórdido). **3** *Fig.* Infame, abjeto, vil (crime sórdido).
sorgo (*sor*.go) [ô] *sm.* Cereal semelhante ao milho, muito consumido esp. na África, China e Índia.
soro (so.ro) [ô] *sm.* **1** Med. Medicamento para prevenir ou tratar doenças, produzido a partir do soro sanguíneo de animais. **2** Histl. Líquido amarelado que surge após a coagulação do sangue. **3** Líquido amarelado que se separa da parte sólida do leite coalhado. ● **so.ro.***ló*.gi.co *a.*
soronegativo (so.ro.ne.ga.*ti*.vo) *a.sm. Med.* Que ou quem não possui anticorpos contra determinado microrganismo, esp. o vírus da AIDS.
soropositivo (so.ro.po.si.*ti*.vo) *a.sm. Med.* Que ou quem possui anticorpos contra determinado microrganismo, esp. o vírus da AIDS.
sóror, soror (só.ror, so.*ror*) [ô] *sf.* Tratamento dado às freiras professoras; MADRE. ● **so.ro.***ral a2g.*
sorrateiro (sor.ra.*tei*.ro) *a.* Que age às ocultas e astuciosamente: *investida militar sorrateira.*
sorrelfa (sor.*rel*.fa) [é] *sf.* **1** Dissimulação silenciosa. *s2g.* **2** Pessoa dissimulada, fingida. *a2g.* **3** Que é mesquinho, avaro. ▪▪ **À ~** Furtivamente, sorrateiramente, à socapa.
sorridente (sor.ri.*den*.te) *a2g.* Que sorri; RISONHO. [Ant.: *soturno, taciturno.*]
sorrir (sor.*rir*) *v.* **1** Fazer uma expressão risonha ou irônica com os lábios. [*int.*: *É muito simpática, vive sorrindo. ti. + para*: *Enfim o menino sorriu para alguém.*] **2** *Fig.* Mostrar-se contente ou alegre; ALEGRAR-SE. [*int./pr.*: *Sorriu(-se) com a notícia.*] **3** *Fig.* Expressar alegria, como um sorriso. [*int.*: *Seus olhos sorriam de contentamento.*] **4** *Fig.* Ser favorável a; FAVORECER. [*ti. + a, para*: "*...a fortuna começava a sorrir para mim...*" (Joaquim Manuel de Macedo, *O moço loiro*).] **5** Zombar discretamente. [*ti. + de*: "*Sorris da minha dor, mas eu te quero ainda...*" (Paulo Medeiros, *Sorris da minha dor*).] [▶ **41** sorrir] ● **sor.***ri*.so *sm.*
sorte (*sor*.te) *sf.* **1** Força à qual são atribuídos os acontecimentos e o seu desenrolar, esp. os inexplicáveis; DESTINO: *acasos da sorte.* **2** Acontecimento casual: *Por sorte encontrei quem procurava.* **3** Felicidade, ventura: *Ana teve a sorte de ver a formatura dos netos.* [Ant. nesta acp.: *infortúnio.*] **4** Espécie, tipo: *objetos de toda a sorte.* ▪▪ **De ~ que** De modo que: *Vou sair, de sorte que amanhã você vir amanhã.* **Desta ~** Assim sendo. **Tirar a ~ grande** Ser

sortear | *striptease*

muito feliz ou afortunado com determinado fato ou circunstância: *Tirou a sorte grande com o emprego que arranjou.*

sortear (sor.te.*ar*) *v.* **1** Escolher (algo) por sorte, em sorteio. [*td.*: *sortear uma questão para prova oral.*] **2** Distribuir ou dar (coisas, direitos, facilidades etc.) escolhendo os destinatários por sorteio. [*td.*: *sortear uma passagem de avião.* *tdi.* + *entre*: *Sortearam ingressos para o jogo entre os alunos.*] [▶ 13 sort[ear] • sor.te.a.do *a.sm.*

sorteio (sor.*tei*.o) *sm.* Ação ou resultado de sortear; escolha por sorte.

sortido (sor.*ti*.do) *a.* **1** Provido do necessário (mercado *sortido*); ABASTECIDO. [Ant.: *desprovido.*] **2** De diversos tipos (doces *sortidos*); VARIADO.

sortilégio (sor.ti.*lé*.gi:o) *sm.* **1** Feitiço obtido por meio de seres sobrenaturais; BRUXARIA. **2** Encantamento ou sedução através de dons naturais ou de artifícios.

sortimento (sor.ti.*men*.to) *sm.* Conjunto de produtos do mesmo gênero: *Há grande sortimento de brinquedos na nova loja.*

sortir (sor.*tir*) *v.* Guarnecer(-se) do necessário; ABASTECER(-SE); PROVER(-SE). [*td.*: *Sortiu o depósito da loja.* *tdi.* + *com, de*: *"...sortiram a despesa de tudo que mais gostavam..."* (Aluísio Azevedo, *O cortiço*). *pr.*: *Sortiu-se de lenha para o inverno.*] [▶ 52 sort[ir]]

sortudo (sor.*tu*.do *a.sm.* Bras. Pop. Que ou aquele que tem muita sorte. [Ant.: *azarento.*]

sorumbático (so.rum.*bá*.ti.co) *a.* Que é ou está triste; TRISTONHO: *Desde o acidente, ele anda muito sorumbático.*

sorva (*sor*.va) [ó] *sf.* **1** Fruto comestível, de coloração castanho-escura e polpa viscosa amarelada. **2** Bot. Ver *sorveira.*

sorvedouro (sor.ve.*dou*.ro) *sm.* **1** Movimento violento em espiral das águas de rios ou mares; REDEMOINHO. **2** Fig. O que acarreta grandes gastos ou perdas: *O sítio era um sorvedouro de dinheiro.*

sorveira (sor.*vei*.ra) *sf. Bot.* Árvore que dá a sorva; SORVA.

sorver (sor.*ver*) *v.* *td.* **1** Beber aos sorvos (2) ou pequenos goles. **2** Aspirar (líquido) para dentro da boca. **3** Embeber-se de; ABSORVER: *A terra sorve a água.* [▶ 2 sorv[er]]

sorvete (sor.*ve*.te) [ê] *sm.* Iguaria congelada e cremosa, à base de leite ou de suco de frutas.

sorveteiro (sor.ve.*tei*.ro) *sm.* **1** Pessoa que fabrica e/ou vende sorvetes. ◙ **sorveteira** *sf.* **2** Máquina que produz sorvete.

sorveteria (sor.ve.te.*ri*.a) *sf.* Lugar onde se fabricam e/ou vendem sorvetes.

sorvo (*sor*.vo) [ô] *sm.* **1** Ação ou resultado de sorver. **2** Pequeno gole, ou pequena quantidade que se ingere de um líquido; GOLE. • sor.ve.*du*.ra *sf.*

⊠ **S.O.S** Sigla de *save our souls* (código internacional us. para pedido de socorro).

sósia (*só*.si:a) *s2g.* Pessoa extremamente parecida com outra.

soslaio (sos.*lai*.o) *sm.* Us. na loc. ▪▪ **De ~ De esguelha**; de lado: *Enquanto discursava, olhava-a de soslaio.*

sossegado (sos.se.*ga*.do) *a.* **1** Que é ou está calmo, tranquilo (menino *sossegado*). **2** Sem preocupações: *Pode ficar sossegado, que cuidarei disso.* **3** Em que há sossego, paz (lugar *sossegado*).

sossegar (sos.se.*gar*) *v.* **1** Tranquilizar(-se), ou tornar(-se) sereno, calmo; AQUIETAR(-SE); SERENAR(-SE). [*td.*: *sossegar uma criança.* *int.*: *Com a idade foi sossegando.* *pr.*: *O mar sossegou.*] **2** Descansar, repousar, ou dormir. [*int. pr.*] [▶ 14 sosseg[ar]]

sossego (sos.*se*.go) [ê] *sm.* Calma, paz, tranquilidade: *O filho menor não lhe dá sossego.*

sotaina (so.*tai*.na) *sf.* **1** Roupa de padre; BATINA. *sm.* **2** Padre.

sótão (*só*.tão) *sm.* Compartimento entre o telhado e o teto de uma casa. [Pl.: *-tãos.*]

sotaque (so.*ta*.que) *sm.* Pronúncia típica de uma pessoa, de um grupo, de uma região, país etc. (sotaque baiano).

sota-vento (so.ta-*ven*.to) *sm.* Lado para onde o vento se dirige. [Ant.: *barlavento.*]

soteropolitano (so.te.ro.po.li.*ta*.no) *a.* **1** De Salvador, capital do Estado da Bahia; típico dessa cidade ou de seu povo. *sm.* **2** Pessoa nascida em Salvador. [Sin. ger.: *salvadorense.*]

soterrar (so.ter.*rar*) *v.* Cobrir(-se) de terra ou escombros. [*td.*: *O deslizamento soterrou três carros.* *pr.*: *Soterraram-se no desabamento da mina.*] [▶ 1 soterr[ar]]

soto-pôr (so.to-*pôr*) *v.* Ver *sobpor.* [▶ 60 soto-p[ôr]. Part.: *soto-posto.*] • so.to-*pos*.to *a.*

soturno (so.*tur*.no) *a.* **1** Triste, sombrio: *Meu avô tornou-se um homem soturno.* **2** Que é apavorante, lúgubre (casarão *soturno*).

⊕ **souvenir** (Fr. /suvenír/) *sm.* Ver *suvenir.*

sova (*so*.va) *sf.* Surra, espancamento.

sovaco (so.*va*.co) *sm.* Pop. Cavidade embaixo do braço, na junção com o ombro; AXILA.

sovar (so.*var*) *v.* *td.* **1** Amassar, bater (massa), ou pisar, esmagar (uvas). **2** Dar uma sova ou surra em (alguém); SURRAR. **3** Fig. Usar muito (esp. roupa e calçado). [▶ 1 sov[ar]] • so.*va*.do *a.*

sovela (so.*ve*.la) [ê] *sf.* Instrumento pontudo us. para furar o couro onde se quer costurá-lo.

soverter (so.ver.*ter*) *v.* **1** Fazer desapareça ou desaparecer; SUMIR(-SE). [*td.*: *Sovertiram o dinheiro do cofre.* *pr.*: *O suspeito soverteu-se.*] **2** Soterrar. [*td.*] [▶ 2 sovert[er]]

soviete (so.vi:*e*.te) [ê] *sm. Hist.* Conselho de operários e soldados componentes do czarismo na Rússia, e que se tornou um órgão deliberativo após a implantação do regime comunista naquele país.

soviético (so.vi:*é*.ti.co) *a.* **1** Ref. a soviete. **2** Da antiga União Soviética; típico desse país ou do seu povo. *sm.* **3** Pessoa nascida na antiga União Soviética.

sovina (so.*vi*.na) *a2g.s2g.* Que ou quem é avarento, pão-duro. • so.*vi.ni*.ce *sf.*

sozinho (so.*zi*.nho) *a.* **1** Sem companhia: *Fui ao cinema sozinho.* **2** Solitário, só: *A vizinha é uma pessoa muito sozinha.* **3** Sem ajuda: *Fez todos os doces sozinha.* **4** Consigo mesmo: *Depois de velho passou a falar sozinho.*

⊕ **spa** (Ing. /spá/) *sm.* Espécie de hotel onde pessoas se hospedam para tratamentos especiais, esp. para emagrecer e aliviar o estresse.

⊕ **spot** (Ing. /spót/) *sm.* Aparelho para iluminar, cujo foco de luz é direcionável; REFLETOR.

⊕ **spray** (Ing. /spréi/) *sm.* **1** Jato de substância, ger. líquida, que se pulveriza pelo ar ou por uma superfície. **2** Recipiente que contém essa substância.

⊕ **squash** (Ing. /squóch/) *sm. Esp.* Jogo com dois jogadores em que, com o uso de raquete, tenta-se rebater uma bola de encontro a uma das paredes do recinto, depois de ela ter ricocheteado em uma delas.

⊕ **staff** (Ing. /stéf/) *sm.* Conjunto de funcionários de uma empresa, instituição etc.

⊕ **statu quo** (Lat. /*státu quó*/) *sm.* Situação de algo num determinado momento: *No statu quo atual, muitos não têm assistência médica pública de boa qualidade.*

⊕ **status** (Lat. /*status*/) *sm2n.* **1** Posição profissional ou social de uma pessoa. **2** Importância ou prestígio sociais dados a alguém ou algo: *Carro importado é símbolo de status.*

⊕ **stress** (Ing. /strés/) *sm.* Ver *estresse.*

⊕ **striptease** (Ing. /*stríptis*/) *sm.* Parte de um *show*, ger. em boate, em que alguém, esp. uma mulher, despe-se sensualmente ao som de música.

sua (su.a) *pr.poss.* Fem. de *seu*.

suã (su:ã) *sf.* **1** Carne da parte inferior da espinha de animais, esp. do porco. **2** Essa parte da espinha.

suadouro (su:a.*dou*.ro) *sm.* **1** Ação ou resultado de suar. **2** Lugar muito quente.

suar (su.*ar*) *v.* **1** Expulsar (suor) através dos poros, ou molhar com suor. [*td.*: *Suei* a roupa toda. *int.*: *Ele sua pouco.*] **2** Gotejar ou destilar umidade. [*int.*: *O muro suava.*] **3** *Fig.* Afadigar-se, ou esforçar-se, batalhar por (algo). [*ti.* + *para, por*: *Teve de suar para estabilizar-se na vida. int.*: *Suando é que se vence.*] [▶ **1** suar] ● su.a.*ren*.te *a.*

suasório (su:a.*só*.ri:o) *a.* Que consegue convencer os outros a aceitarem a sua vontade; PERSUASIVO; CONVINCENTE.

suástica (su:*ás*.ti.ca) *sf.* Cruz us. como emblema do nazismo. [Originalmente, símbolo de felicidade, saudação e salvação em certas religiões orientais.]

suave (su:a.ve) *a2g.* **1** Que não é forte ou intenso (voz suave, luz suave). **2** Delicado, meigo (carícia suave). ● su:a.*vi*.da.de *sf.*

suavizar (su:a.vi.*zar*) *v.* Fazer(-se) suave ou (mais) brando; ABRANDAR(-SE); AMENIZAR(-SE). [*td.*: *suavizar* um castigo. *pr.*: *O calor suaviza-se* com a brisa do mar.] [▶ **1** suavizar] ● su:a.vi.*za*.ção *sf.*; su:a. vi.*zan*.te *a2g.*

suazi (su:a.zi) *a2g.* **1** Da Suazilândia (sul da África); típico desse país ou de seu povo. *s2g.* **2** Pessoa nascida na Suazilândia. *a2g.sm.* **3** *Gloss.* Ta, ref. à ou a língua banta da Suazilândia, tb. falada na África do Sul. ● su.a.zi.lan.*dês a.sm.*

subalimentado (su.ba.li.men.*ta*.do) *a.* Cuja alimentação é insuficiente (crianças subalimentadas); SUBNUTRIDO. ● su.ba.li.men.ta.*ção sf.*

subalterno (su.bal.*ter*.no) *a.sm.* Que ou aquele que ocupa posição profissional inferior à de outra pessoa, recebendo ordens desta; SUBORDINADO.

sublugar (su.ba.lu.*gar*) *v.* Ver sublocar. [▶ **14** sublugar]

subaquático (su.ba.*quá*.ti.co) *a.* Que está ou vive embaixo d'água.

subarbusto (su.bar.*bus*.to) *sm. Bot.* Planta lenhosa de altura inferior à média.

subarrendar (su.bar.ren.*dar*) *v. td.* Arrendar a um terceiro o que já se arrendara (esp. terras). [▶ **1** subarrendar] ● su.bar.ren.da.*men*.to *sm.*

subchefe (sub.*che*.fe) *s2g.* Funcionário imediatamente abaixo do chefe.

subclasse (sub.*clas*.se) *sf.* Divisão de uma classe.

subcomissário (sub.co.mis.*sá*.ri:o) *sm.* Funcionário imediatamente abaixo do comissário.

subconsciente (sub.cons.ci.*en*.te) *sm.* **1** *Psi.* Conjunto de fatores psíquicos do qual o indivíduo não tem consciência, mas que influencia seu comportamento e que pode eventualmente tornar-se consciente. *a2g.* **2** Ref. a esse estado (desejos subconscientes). ● sub. cons.ci.*ên*.ci:a *sf.*

subcutâneo (sub.cu.*tâ*.ne:o) *a.* **1** Que se localiza sob a pele. **2** Que se aplica sob a pele (injeção subcutânea).

subdelegado (sub.de.le.*ga*.do) *sm.* Autoridade imediatamente abaixo do delegado.

subdelegar (sub.de.le.*gar*) *v. tdi.* Transferir por delegação (encargo, ofício etc.). [+ *a*: *subdelegar tarefas a subordinados.*] [▶ **14** subdelegar] ● sub. de.le.ga.*ção sf.*

subdesenvolvimento (sub.de.sen.vol.vi.*men*.to)*sm. Econ.* Condição de um país, ou região, cujo desenvolvimento social, econômico, tecnológico é bastante baixo. ● sub.de.sen.vol.*vi*.do *a.* [Cf.: *desenvolvimento.*]

subdiretor (sub.di.re.*tor*) [ó] *sm.* Autoridade imediatamente abaixo do diretor.

subdividir (sub.di.vi.*dir*) *v.* **1** Dividir(-se) um todo que já é produto de divisão. [*td.* (seguido ou não de indicação de modo): *subdividir* um estado da Federação (em outros dois). *pr.*: *Todo distrito sub-divide-se em bairros.*] **2** Tornar a dividir(-se), ou repartir(-se). [*td.* (seguido ou não de indicação de modo): *subdividir* uma circunferência (em quadrantes). *pr.*: *Esta estrada subdivide-se* em duas.] [▶ **3** subdividir] ● sub.di.vi.*são sf.*

subdominante (sub.do.mi.*nan*.te) *sf. Mús.* Um dos graus (o quarto) de uma determinada escala musical.

subemprego (su.bem.*pre*.go) [ê] *sm.* Emprego de remuneração extremamente baixa. ● su.bem.*pre*. ga.do *a.sm.*

subentender (su.ben.ten.*der*) *v. td.* Entender ou dar a entender (algo não explicado ou dito). [▶ **2** subentender] ● su.ben.ten.*di*.do *a.sm.*

subestimar (su.bes.ti.*mar*) *v. td. Bras.* **1** Não dar a estima ou o valor devidos a (alguém ou algo). **2** Calcular ou prever insuficientemente: *subestimar os efeitos de um remédio.* [Ant.: *superestimar.*] [▶ **1** subestimar]

subfaturar (sub.fa.tu.*rar*) *v. td.* Fazer fatura com preço inferior ao efetivamente cobrado. [▶ **1** subfaturar]

subgrupo (sub.*gru*.po) *sm.* Cada uma das partes em que se divide um grupo.

sub-humano (sub-hu.*ma*.no) *a.* Ver *subumano.* [Pl.: *sub-humanos.*]

subida (su.*bi*.da) *sf.* **1** Ação ou resultado de subir: *A subida exigia bom preparo físico.* **2** Caminho para cima; ACLIVE: *Morava numa subida.* **3** Aumento, elevação: *subida dos preços/da temperatura.* [Ant. ger.: *descida.*]

subido (su.*bi*.do) *a.* Alto, elevado.

subir (su.*bir*) *v.* **1** Mover-se ou estender-se para (lugar mais alto), ou elevar(-se). [*td.* (seguido de indicação de lugar): *Subiu* o filho no muro. *int.* (seguido ou não de indicação de lugar): *O balão subiu* (no céu).] **2** Fazer tomar ou tomar (veículo), ou montar (em cavalgadura). [*td.* (seguido de indicação de lugar): *Subi* a senhora no ônibus. *int.* (seguido de indicação de lugar): *subir num táxi.*] **3** Aumentar em grau ou altura. [*td.* (seguido ou não de indicação de medida): *A febre subiu (três graus/para 39°).*] **4** Aumentar (o preço de); ENCARECER; VALORIZAR. [*td.*: *Os agricultores subiram* o preço do trigo. *int.*: *Com a notícia, as ações subiram.*] **5** Ascender social ou profissionalmente, ou passar a (posto ou classificação mais altos). [*tdi.* + *a*: *O exército vai subir* o sargento a tenente. *ti.* + *de...*: *Subiu do escriturário a secretária. int.*: *subir na vida.*] **6** Navegar (rio) contra a corrente. [*td.*] **7** *Mús.* Passar para (tom mais agudo) ou elevar-se em (número de tons). [*td.*: *subir um tom. int.*: *A ária sobe muito no final.*] [▶ **53** subir]

subitâneo (su.bi.*tâ*.ne:o) *a.* Súbito, repentino. ● su. bi.ta.nei.*da*.de *sf.*

súbitas (*sú*.bi.tas) *sfpl.* Us. na loc. **■ A ~** Repentinamente; de súbito.

súbito (*sú*.bi.to) *a.* **1** Repentino, inesperado (morte súbita). *adv.* **2** Subitamente, repentinamente. **■ De ~** Inesperadamente, súbito (2).

subjacente (sub.ja.*cen*.te) *a2g.* **1** Que jaz ou está embaixo (camadas subjacentes). **2** *Fig.* Que está oculto ou implícito (causas subjacentes). ● sub.ja.*cên*. ci:a *sf.*

subjetivar (sub.je.ti.*var*) *v. td.* Fazer ou considerar subjetivo. [▶ **1** subjetivar] ● sub.je.ti.va.*ção sf.*

subjetivismo (sub.je.ti.*vis*.mo) *sm.* Inclinação para considerar tudo de um ponto de vista subjetivo.

subjetivo (sub.je.*ti*.vo) *a.* **1** Ref. ao sujeito. **2** Pessoal, particular, individual: *O repórter tinha uma visão muito subjetiva da situação.* **3** Que diz respei-

subjugar | sub-reino

to ao lado emocional da pessoa; TENDENCIOSO; PASSIONAL: *Um juiz não deve ser subjetivo para julgar os fatos.* • sub.je.ti.vi.da.de *sf.*

subjugar (sub.ju.*gar*) *v. td.* Vencer, dominar: (seguido ou não de indicação de meio) *Os EUA subjugaram o Japão (com a bomba atômica).* [▶ 14 subjugar] • sub.ju.ga.ção *sf.*; sub.ju.ga.do *a.*

subjuntivo (sub.jun.*ti*.vo) *Gram. a.* 1 Diz-se do modo verbal que expressa ação irreal, desejada, duvidosa etc. (p.ex., *fizesse* em *Queria que você me fizesse um favor*). *sm.* 2 Esse modo.

sublegenda (sub.le.*gen*.da) *sf. Pol.* Prática em que um eleitor pode votar em apenas uma de mais de uma lista de candidatos de um partido político, porém os votos são computados para a legenda do partido.

sublevar (sub.le.*var*) *v.* Levar a, ou entrar em revolta, rebelião ou motim; REVOLTAR(-SE); AMOTINAR(-SE). [*td.*: *A insatisfação sublevou as tropas russas. pr.*: *Os marinheiros sublevaram-se.*] [▶ 1 sublevar] • sub.le.va.ção *sf.*; sub.le.va.dor *a.sm.*

sublimar (su.bli.*mar*) *v.* 1 Fazer(-se) sublime, nobre, elevado, ou sobressair-se. [*td.*: *A artista sublimou sua arte no fim da vida. pr.*: *Ele sublimou-se com aquele ato heroico.*] 2 Exaltar(-se), enaltecer(-se). [*td.*: *sublimar personalidades históricas. pr.*: *Sublimou-se durante o discurso.*] 3 Idealizar, ou converter em algo espiritual (impulso físico ou carnal). [*td.*] 4 *Fís. Quím.* Fazer que passe ou passar do estado sólido ao gasoso. [*td. pr.*] 5 *Psic.* Transferir energia da libido para outro objetivo, interesse etc. [*td.*: *Sublimou seus sentimentos, e pôs-se a trabalhar.*] [▶ 1 sublimar] • sub.li.ma.ção *sf.*

sublime (su.*bli*.me) *a2g.* Que possui valor e mérito inigualáveis; EXCELSO; MAGNÍFICO. • su.bli.mi.da.de *sf.*

subliminar (sub.li.mi.*nar*) *a2g.* 1 *Psi.* Diz-se de estímulo que não atinge o limiar da consciência, e atua no nível do subconsciente (propaganda subliminar). 2 *Fig.* Subentendido, implícito (mensagem subliminar).

sublingual (sub.lin.*gual*) *a2g.* Que se localiza, se realiza ou é colocado embaixo da língua (remédio sublingual). [Pl.: -*guais*.]

sublinha (sub.*li*.nha/su.*bli*.nha) *sf.* Linha que se traça embaixo de uma ou mais palavras.

sublinhar (sub.li.*nhar*, su.bli.*nhar*) *v. td.* 1 Pôr sublinha em, ou traço sob (palavra, frase etc.). 2 *Fig.* Ressaltar, acentuar ou frisar: *sublinhar suas atitudes.* [▶ 1 sublinhar]

subliteratura (sub.li.te.ra.*tu*.ra) *sf.* Literatura de baixa qualidade.

sublocador (sub.lo.ca.*dor*) [ô] *sm.* Pessoa que toma um imóvel por aluguel e o aluga a outrem, total ou parcialmente.

sublocar (sub.lo.*car*) *v. td.* Alugar a terceiro (o que já é alugado); SUBALUGAR. [▶ 11 sublocar] • sub.lo.ca.ção *sf.*

sublocatário (sub.lo.ca.*tá*.ri:o) *sm.* Pessoa que recebe imóvel por sublocação.

sublunar (sub.lu.*nar*) *a2g.* Que se localiza abaixo da Lua ou entre a Terra e a Lua.

submarino (sub.ma.*ri*.no) *a.* 1 Que está, vive ou se realiza dentro das águas do mar (flora submarina, animais submarinos). *sm.* 2 *Mar.G.* Navio de guerra próprio para operar submerso.

submergir (sub.mer.*gir*) *v.* 1 Fazer ficar debaixo d'água; INUNDAR. [*td.*: *O temporal submergiu a cidade.*] 2 Fazer que vá, ou ir, ao fundo da água; AFUNDAR. [*td.*: *O maremoto submergiu o navio. tdi./pr.*: *Na batalha, as fragatas submergiram(-se).*] [▶ 46 submergir]. Part.: *submergido* e *submerso.*] • sub.mer.gi.do *a.*; sub.mer.gí.vel *a2g.*; sub.mer.so *a.*

submersão (sub.mer.*são*) *sf.* Ação ou resultado de submergir(-se). [Pl.: -*sões*.]

submeter (sub.me.*ter*) *v.* 1 Fazer que se renda ou obedeça, ou render-se, obedecer. [*td.*: *Os Aliados submeteram a Alemanha. tdi. + a*: *submeter os filhos à disciplina. pr.*: *submeter-se à lei.*] 2 Tornar(se) alvo ou objeto de. [*tdi. + a*: *Submeteu sua tese à apreciação do orientador. pr.*: *submeter-se a um exame médico.*] [▶ 2 submeter] • sub.me.ti.do *a.*

submissão (sub.mis.*são*) *sf.* 1 Ação ou resultado de submeter(-se); SUJEIÇÃO. 2 Obediência irrestrita a uma regra, uma lei, uma orientação etc. 3 Docilidade, humildade. [Pl.: -*sões*.]

submisso (sub.*mis*.so) *a.* 1 Que se submeteu ou se submete a alguém ou a algo. 2 Que obedece a outra pessoa ou a uma autoridade, sem contestar ou reclamar; DÓCIL; SERVIL. 3 Que expressa submissão (olhar submisso).

submúltiplo (sub.*múl*.ti.plo) *sm. Mat.* Número inteiro que divide de maneira exata outro; DIVISOR.

submundo (sub.*mun*.do) *sm. Bras. Pej.* Grupo de criminosos (ger. integrantes do crime organizado) e os lugares frequentados por eles.

subnuclear (sub.nu.cle:*ar*) *a2g. Fís.* Ref. às partículas que ficam dentro do núcleo atômico.

subnutrição (sub.nu.tri.*ção*) *sf. Med.* Situação de pessoa ou animal mal alimentado, sem os nutrientes imprescindíveis ao bom funcionamento do corpo; SUBALIMENTAÇÃO. [Ant.: *superalimentação*.] [Pl.: -*ções*.] • sub.nu.*trir* *v.*

subnutrido (sub.nu.*tri*.do) *a.sm.* Que ou quem está mal nutrido; DESNUTRIDO.

suboficial (su.bo.fi.ci:*al*) *sm. Mil.* 1 Patente militar. [Ver quadro *Hierarquia Militar Brasileira*.] 2 Militar que tem essa patente. [Pl.: -*ais*.]

subordem (su.*bor*.dem) *sf. Biol.* Na classificação de animais e vegetais, cada uma das categorias nas quais uma determinada ordem se subdivide. [Pl.: -*dens*.]

subordinação (su.bor.di.na.*ção*) *sf.* 1 Fato ou resultado de ser subordinado a alguém. 2 *Gram.* Ligação entre orações pela qual uma delas passa a funcionar como sujeito, objeto etc. da outra. [Pl.: -*ções*.] [Cf.: *coordenação*.]

subordinado (su.bor.di.*na*.do) *a.* 1 Que está sob as ordens ou controle de outro: *esquadrão subordinado ao Comando Naval.* 2 *Gram.* Ligado por meio de subordinação (oração subordinada); DEPENDENTE. *sm.* 3 Pessoa subordinada (1); SUBALTERNO.

subordinar (su.bor.di.*nar*) *v.* 1 Pôr(-se) sob as ordens, a obediência ou a orientação de; SUJEITAR(-SE). [*tdi. + a*: *subordinar alguém a uma autoridade. pr.*: *O bom cidadão subordina-se à lei.*] [▶ 1 subordinar] • sub.or.di.*nan*.te *a2g.*

subordinativo (su.bor.di.na.*ti*.vo) *a.* 1 Que estabelece subordinação. 2 *Gram.* Diz-se da conjunção que subordina orações, atribuindo a uma delas a função de advérbio, adjetivo ou substantivo (p.ex.: *Escreva-me quando puder; As maçãs que ela comprou são muito ácidas; Espero que fique tudo bem*). [Ver tb. *coordenativo*.]

subornar (su.bor.*nar*) *v. td.* Dar suborno ou propina a (alguém), com fins ilícitos. [▶ 1 subornar] • su.bor.na.dor *a.sm.*; su.bor.*ná*.vel *a2g.*

suborno (su.*bor*.no) [ô] *sm.* 1 Ação ou resultado de subornar, de conseguir que alguém pratique ato ilegal em troca de dinheiro, presentes etc. 2 O que se dá como pagamento nesse ato.

subproduto (sub.pro.*du*.to) *sm.* Produto que se consegue como resultado acessório da produção de outra coisa: *O plástico é subproduto do petróleo.*

sub-reino (sub-*rei*.no) *sm. Biol.* Na classificação de animais e vegetais, uma das categorias nas quais um determinado reino se subdivide. [Pl.: *sub-reinos*.]

sub-reitor (sub-rei.tor) [ô] sm. Auxiliar direto e substituto do reitor; VICE-REITOR. [Pl.: sub-reitores.]

sub-reptício (sub-rep.tí.ci:o) a. 1 Feito ou dito de forma disfarçada, escondida, dissimulada. 2 Feito de forma ilegal; FRAUDULENTO. [Pl.: sub-reptícios.] • sub-rep.ção sf.

sub-rogar (sub-ro.gar) v. 1 Pôr em lugar de ou assumir o lugar de; SUBSTITUIR. [td. (seguido ou não de indicação de lugar): Sub-rogou o primo (na gerência da empresa). tdi. + por: sub-rogar um ministro por outro. pr.: Sub-rogou-se ao amigo no comando do batalhão.] 2 Substabelecer. [tdi. + a] [▶ 14 sub-rogar]

subscrever (subs.cre.ver) v. 1 Pôr assinatura ou firma por baixo ou ao fim de; FIRMAR(-SE). [td.: subscrever édito. pr.: Na carta, ele subscreve-se apenas com o sobrenome.] 2 Dar sua aprovação ou anuência a; APROVAR; ANUIR. [td.] 3 Contribuir ou comprometer-se a contribuir financeiramente com. [ti. + para: subscrever para um asilo de doentes mentais.] 4 Tornar-se assinante de (uma publicação), ou comprometer-se a adquiri-la. [ti. + para: subscrever para um jornal.] 2 subscrever. Part.: subscrito.]

subscrição (subs.cri.ção) sf. 1 Ação ou resultado de subscrever(-se), de assinar um documento. 2 Compromisso de doação ou contribuição em campanha, realização de evento etc., ger. firmado com assinatura em uma lista. [Pl.: -ções.]

subscritar (subs.cri.tar) v. td. Assinar, firmar. [▶ 1 subscritar] • subs.cri.tor a.sm.

subsequente (sub.se.quen.te) a2g. Que acontece ou vem depois de (outro); SEGUINTE: amnésia subsequente a uma batida na cabeça. [Ant.: precedente.] • sub. se.quên.ci:a sf.

subserviente (sub.ser.vi:en.te) a2g. Que obedece cegamente às ordens de alguém; SERVIL. • sub.ser.vi:ên. ci:a sf.

subsidiar (sub.si.di.ar) v. td. 1 Fornecer subsídio (e 2) ou subvenção a; SUBVENCIONAR: O governo subsidiará a produção do álcool. 2 Contribuir financeiramente com: O autor subsidiará a edição do romance. [▶ 1 subsidiar] • sub.si.di.a.do a.

subsidiário (sub.si.di.á.ri:o) [si] a. 1 Ref. a ou que serve como subsídio (recursos subsidiários). 2 Que é acessório a um elemento principal (objetivo subsidiário); SECUNDÁRIO. ◪ **subsidiária** sf. 3 Empresa que é subordinada a outra, dona da maior parte de suas ações.

subsídio (sub.sí.di:o) [si] sm. 1 Concessão de recursos (ger. em dinheiro) a uma pessoa, empresa ou instituição; AUXÍLIO. 2 Quantia reservada por um governo para a realização de projetos sociais; SUBVENÇÃO. 3 Bras. Salário dos membros do poder legislativo. 4 Informação importante para a compreensão de um assunto; DADO. [Nas acps. 3 e 4, mais us. no pl.]

subsistência (sub.sis.tên.ci:a) [sis] sf. 1 Situação daquilo que subsiste, continua válido, efetivo; PERMANÊNCIA. 2 Conjunto dos recursos necessários para se continuar vivo; SUSTENTO: meios de subsistência.

subsistir (sub.sis.tir) [sis] v. int. 1 Continuar a existir ou a viver; PERDURAR; SOBREVIVER: "...as cabras (...) devoram a pouca vegetação que subsiste nas estepes..." (O Globo, 04.09.00). 2 Seguir em vigor ou vigência: uma lei que subsiste. 3 Prover às próprias necessidades vitais; MANTER-SE: (seguido de indicação de meio) Os sertanejos subsistem com parcos recursos. [▶ 3 subsistir] • sub.sis.ten.te a2g.

subsolo (sub.so.lo) sm. 1 Parte do chão que fica abaixo da superfície. 2 Os andares de uma construção que ficam abaixo do térreo.

subsônico (sub.sô.ni.co) a. Fís. 1 Diz-se do ref. à velocidade menor que a do som. 2 Que possui velocidade inferior à do som (avião subsônico). [Ant. ger.: supersônico.]

substabelecer (subs.ta.be.le.cer) v. tdi. Passar (a outrem) (mandato ou encargo recebidos); SUB-ROGAR. [+ a: Substabeleceu ao amigo a procuração.] [▶ 33 substabelecer] • subs.ta.be.le.ci.do a.sm.; subs.ta.be.le.ci.men.to sm.

substância (subs.tân.ci:a) sf. 1 Aquilo de que algo é feito: A água é uma das substâncias que compõem o sangue. 2 A parte mais importante de algo; ESSÊNCIA: A substância do conflito foi a intolerância religiosa. 3 O assunto ou a motivação principal de um texto, discurso etc. 4 Qualidade de alimentos nutritivos, que proporcionam energia, vigor; SUSTÂNCIA: Essa sopa não tem substância. 5 Fig. Qualidade do que tem coerência e fundamento; CONSISTÊNCIA: "Imagens (...) dão substância aos fatos..." (FolhaSP, 11.12.99). 6 Robustez, vigor, sustância. 7 Quím. Elemento químico ou combinação de dois ou mais desses elementos.

substancial (subs.tan.ci:al) a2g. 1 Que tem substância. 2 Que é considerado grande, relevante (prejuízo substancial); VULTOSO. 3 Que alimenta (refeição substancial); NUTRITIVO; SUBSTANCIOSO. 4 Que tem muito conteúdo, muita informação (catálogo substancial). a.sm. 5 Que ou o que é essencial, fundamental (argumentos substanciais). [Pl.: -ais.] • subs.tan.ci.a.li.da.de sf.

substancioso (subs.tan.ci:o.so) [ô] a. Ver substancial (3). [Fem. e pl.: [ó].]

substantivar (subs.tan.ti.var) v. td. Gram. Empregar com o valor de substantivo: substantivar adjetivos/orações. [▶ 1 substantivar] • subs.tan.ti.va. ção sf.

substantivo (subs.tan.ti.vo) Gram. sm. 1 Classe de palavras que dá nome aos seres, objetos, qualidades, ações, sentimentos etc. (p.ex., livro e saudade são substantivos). a. 2 Que equivale a um substantivo (pronome substantivo).

substituir (subs.ti.tu.ir) v. 1 Pôr(-se) em lugar de; TROCAR(-SE). [td.: Um arranha-céu substituiu o velho casarão. tdi. + a, por: substituir uma dieta a ou outra; substituir um empregado por outro. pr.: O jovem substituiu-se ao antigo diretor de marketing.] 2 Existir ou fazer-se em lugar de. [td.: Por causa da chuva, uma palestra substituiu o comício.] 3 Fazer as vezes de (outrem). [td.: "Rosalva jamais poderia substituir minha mãe..." (João Ubaldo Ribeiro, Diário do farol).] [▶ 56 substituir] • subs.ti.tu:i.ção sf.; subs.ti.tu.í.vel a2g.

substitutivo (subs.ti.tu.ti.vo) a. 1 Que substitui algo; SUBSTITUTO. sm. 2 Jur. Projeto de lei que substitui outro, alterando substancialmente o seu conteúdo.

substituto (subs.ti.tu.to) a. 1 Que substitui algo. a.sm. 2 Que ou quem substitui alguém, exercendo a mesma função (professor substituto).

substrato (subs.tra.to) sm. 1 A parte principal de algo; ESSÊNCIA. 2 O que sustenta, fundamenta algo; BASE. 3 Fig. O que causa ou dá origem a algo. 4 Biol. Superfície ou meio no qual um ser se desenvolve.

subtenente (sub.te.nen.te) s2g. Mil. 1 Patente militar. [Ver quadro Hierarquia Militar Brasileira.] 2 Militar que tem essa patente.

subterfúgio (sub.ter.fú.gi:o) sm. Desculpa ou artimanha que se usa para não cumprir uma obrigação ou livrar-se de dificuldades; PRETEXTO.

subterrâneo (sub.ter.râ.ne:o) a. 1 Que fica abaixo do nível do chão (estacionamento subterrâneo). 2 Que acontece debaixo da terra (explosão subterrânea). 3 Fig. Que é ilegal ou não é oficial (comércio subterrâneo); CLANDESTINO. sm. 4 Construção que fica embaixo da terra.

subtítulo (sub.tí.tu.lo) sm. Título complementar, que desenvolve e explica a ideia do título principal.

subtotal (sub.to.tal) sm. Mat. Resultado parcial de uma adição. [Pl.: -tais.]

subtração (sub.tra.*ção*) *sf.* **1** Ação ou resultado de subtrair. **2** Furto. **3** *Arit.* Operação de subtrair quantidades; DIMINUIÇÃO. [Ant.: *adição*.] [Pl.: *-ções*.]

subtraendo (sub.tra:*en*.do) *sm. Arit.* Número que se subtrai (2) de outro numa subtração.

subtrair (sub.tra.*ir*) *v.* **1** Apossar-se sutil ou fraudulentamente de (algo); FURTAR. [*td.* (seguido ou não de indicação de lugar): *Subtraíram sua carteira (no ônibus)*. *tdi.* + *a*: *O associado subtraiu documentos ao sindicato.*] **2** Diminuir ou deduzir (número, quantia, tempo etc.) de (outro). [*tdi.* + *a, de*: *Subtraiu dez dias a suas férias.*] **3** Fazer que escape ou escapar, ou esquivar-se. [*tdi.* + *a*: *A viagem o subtraiu ao encontro indesejado*. *pr.*: *Eles se subtraíram à sua obrigação.*] [▶ **43** subtr*air*] • sub.tra.í.do *a*.

subtropical (sub.tro.pi.*cal*) *a2g*. **1** Que ger. apresenta temperatura média ligeiramente inferior a 20°C (diz-se de clima). **2** Que fica perto de um dos trópicos e onde há esse tipo de clima (diz-se ger. de região). **3** Próprio desse clima ou de uma dessas regiões (floresta *subtropical*). [Pl.: *-cais*.]

sub-humano (su.bu.*ma*.no) *a*. Que está abaixo do nível próprio dos ou adequado aos seres humanos: *condições de vida subumanas*.

suburbano (su.bur.*ba*.no) *a*. **1** Ref. ao subúrbio. *a.sm*. **2** Que ou quem vive no subúrbio. **3** *Pej.* Que ou quem revela mau gosto, falta de refinamento; BREGA; CAFONA. [*At!* Considerado depreciativo ou preconceituoso nesta acepção.]

subúrbio (su.*búr*.bi:o) *sm*. Região que fica em torno de uma cidade, relativamente afastada do seu centro; PERIFERIA.

subvenção (sub.ven.*ção*) *sf*. Ajuda ou incentivo, ger. em dinheiro, concedida pelo Estado a instituições, pessoas etc. [Pl.: *-ções*.]

subvencionar (sub.ven.ci:o.*nar*) *v. td*. Dar subvenção ou subsídio a; SUBSIDIAR. [▶ **1** subvencion*ar*] • sub.ven.ci:o.*na*.do *a*.

subverbete (sub.ver.*be*.te) [ê] *sm*. Em um dicionário, enciclopédia etc., verbete secundário, apenso a outro, que desenvolve um aspecto do assunto tratado no verbete principal.

subversão (sub.ver.*são*) *sf*. **1** Ação ou resultado de subverter(-se). **2** Revolta contra uma autoridade, norma etc.; INSUBORDINAÇÃO. **3** Derrubada de coisas estabelecidas, estruturas, sistemas etc. [Pl.: *-sões*.]

subversivo (sub.ver.*si*.vo) *a*. **1** Que derruba, destrói. *a.sm*. **2** Que ou quem promove subversão, revolta; SUBLEVADOR.

subverter (sub.ver.*ter*) *v. td*. **1** Promover a subversão (3) ou a convulsão de; CONVULSIONAR: *subverter a sociedade/a ordem*. **2** Corromper, perverter: *subverter a moral/os costumes*. **3** Destruir de baixo para cima: *Vários terremotos subverteram o Irã*. [▶ **2** subvert*er*]

sucata (su.*ca*.ta) *sf*. **1** Ver *ferro-velho*. **2** Coisas (ger. de metal) rejeitadas ou jogadas no lixo que podem ser reaproveitadas em trabalhos artísticos, em atividades de reciclagem etc.

sucatear (su.ca.te.*ar*) *v. td. Bras*. **1** Converter ou deixar que se converta em sucata. **2** Vender como sucata. [▶ **13** sucate*ar*] • su.ca.te:a.*men*.to *sm*.

sucção, sução (suc.*ção*, su.*ção*) *sf*. Ação ou resultado de sugar. [Pl.: *-ções*.]

sucedâneo (su.ce.*dâ*.ne:o) *a.sm*. Que ou o que substitui algo ou alguém; SUBSTITUTO.

suceder (su.ce.*der*) *v*. **1** Acontecer, produzir-se ou realizar-se. [*ti.* + *a*: *Sucederam a ele diversos infortúnios*. *int.*: *Essa migração sucedeu há muito tempo*.] **2** Ocorrer ou vir após (algo), ou, sucessivamente. [*ti.* + *a*: *Dezembro sucede a novembro*. *pr.*: "*Nos países (...) contra a guerra, as manifestações se sucederam.*" (*Jornal Extra*, 21.03.03).] **3** Substituir (alguém) em um cargo ou no desempenho de uma função. [*td.*: *O filho sucedeu-o no trono da Inglaterra*. *ti.* + *a*: *Quem sucederá ao atual governador?*] [▶ **2** suced*er*] • su.ce.*di*.do *a.sm*.

sucessão (su.ces.*são*) *sf*. **1** Ação ou resultado de suceder(-se), de se assumir a função de alguém que deixou de exercê-la (*sucessão* presidencial). **2** Série de elementos que se seguem uns aos outros ou que estão encadeados; SEQUÊNCIA: *sucessão de fatos*. **3** Após a morte de alguém, transferência das suas posses, títulos etc. a outra(s) pessoa(s); HERANÇA. **4** *Fig.* Conjunto de pessoas (tb. em diferentes gerações) que se originaram de um determinado antepassado; DESCENDÊNCIA. [Pl.: *-sões*.]

sucessivo (su.ces.*si*.vo) *a*. **1** Que vem depois de outro(s) (negociações *sucessivas*). **2** Que se repete em curto espaço de tempo (espírros *sucessivos*); CONSECUTIVO. **3** Ref. à concessão de uma herança (direitos *sucessivos*); HEREDITÁRIO.

sucesso (su.*ces*.so) *sm*. **1** Resultado positivo, favorável, de um investimento, uma iniciativa etc. *que é* bem-sucedido: *A festa de aniversário foi um sucesso*. **3** Qualquer acontecimento: *Os sucessos de ontem contrariaram nossas previsões*.

sucessor (su.ces.*sor*) [ó] *a.sm*. **1** Que ou quem sucede, vem depois. **2** Que ou quem ocupa o cargo de outro, dando seguimento ao seu trabalho; SUBSTITUTO. [Ant.: *antecessor*.] *sm*. **3** Quem recebe uma herança; HERDEIRO.

sucessório (su.ces.*só*.ri:o) *a*. Ref. a sucessão (processo *sucessório*).

súcia (*sú*.ci:a) *sf*. Grupo de pessoas de má reputação; CORJA.

sucinto (su.*cin*.to) *a*. Que se diz com poucas palavras; RESUMIDO. [Ant.: *prolixo*.]

suco (*su*.co) *sm*. **1** Líquido nutritivo extraído de frutas, carnes etc., espremidas, trituradas ou processadas; SUMO. **2** *Med.* Líquido produzido por glândula, mucosa etc., que ger. tem uma função fisiológica (*suco* gástrico).

suçuarana (su.çu:a.*ra*.na) *sf. Zool*. Felino selvagem de grande porte e pelagem parda; PUMA.

suculento (su.cu.*len*.to) *a*. **1** Que tem muito suco (melancia *suculenta*); SUMARENTO. **2** Que é substancial, alimentício (refeição *suculenta*); NUTRITIVO. **3** Que tem bom aspecto e abre o apetite (bife *suculento*); APETITOSO. • su.cu.*lên*.ci:a *sf*.

sucumbir (su.cum.*bir*) *v*. **1** Ceder, render-se ou submeter-se. [*ti.* + *a*: *sucumbir à dor/ao inimigo*.] **2** Desanimar-se, abater-se. [*int*.] **3** *Fig*. Morrer, ou ser suprimido. [*int*.] [▶ **3** sucumb*ir*]

sucupira, sicupira (su.cu.*pi*.ra, si.cu.*pi*.ra) *sf. Bras. Bot.* Árvore de grande porte, cuja madeira resistente tem valor comercial.

sucuri (su.cu.*ri*) *sf. Bras. Zool*. A maior cobra do mundo, tropical, não venenosa, que vive em rios, lagos e pântanos e ger. mata suas presas por constrição; ANACONDA.

sucursal (su.cur.*sal*) *sf*. Instituição pública ou particular que funciona subordinada a outra, a matriz; FILIAL. [Pl.: *-sais*.]

sudação (su.da.*ção*) *sf*. Ação ou resultado de suar, de expelir suor pelos poros da pele; TRANSPIRAÇÃO. [Pl.: *-ções*.]

sudanês (su.da.*nês*) *a*. **1** Da República do Sudão (África); típico desse país ou de seu povo. *sm*. **2** Pessoa nascida na República do Sudão. *a.sm*. **3** *Gloss*. Da, ref. à ou na língua falada na República do Sudão, variante do árabe. [Pl.: *-neses*. Fem.: *-nesa*.]

sudário (su.*dá*.ri:o) *sm*. **1** Pano que era us. para enxugar o suor. **2** Tipo de lençol com o qual se envolviam cadáveres; MORTALHA.

sudeste (su.*des*.te) *sm*. **1** *Astr*. Direção a meio entre o sul e o leste: *74 km a sudeste de João Pessoa*. [Abr.:

S.E.] **2** Região ou conjunto de regiões a sudeste (1). *a2g2n*. **3** Ref. ao ou que vem do sudeste. [Sin. nas acps. 1, 2, 3: *sueste*.] **4** Que se situa a sudeste: *Moçambique fica na região sudeste da África.* ◪ **Sudeste** *sm*. **5** *Bras. Geog.* Uma das cinco regiões em que é dividido o Brasil: *Aumentaram as enchentes no Sudeste.* [Cf.: *nordeste*.]

súdito (sú.di.to) *a.sm*. Que ou quem é submisso à autoridade de rei, rainha, ou outro soberano; VASSALO.

sudoeste (su.do:es.te) *sm*. **1** *Astr.* Direção a meio entre o sul e o oeste. [Abr.: *S.O., S.W.*] **2** Região ou conjunto de regiões a sudoeste (1). *a2g2n*. **3** Ref. ao ou que vem do sudoeste. **4** Que se situa a sudoeste. [Cf.: *noroeste*.]

⊕ **sudoku** (*Jap.* /sudoku/) *sm*. Jogo de raciocínio que consiste em preencher, numa grade de 9x9 casas, algarismos ou letras sem repetição em linha horizontal, vertical ou em subgrades de 3x3 casas cada uma.

sudorese (su.do.re.se) *sf. Fisl.* Eliminação de suor pela pele; TRANSPIRAÇÃO.

sudorífero (su.do.rí.fe.ro) *a.sm*. Que, ou aquilo que faz suar.

sudorífico (su.do.rí.fi.co) *a.sm*. O m.q. *sudorífero*.

sudoríparo (su.do.rí.pa.ro) *a*. Que produz suor (glândulas <u>sudoríparas</u>).

sueco (su:e.co) *a*. **1** Da Suécia (Europa); típico desse país ou de seu povo. *sm*. **2** Pessoa nascida na Suécia. *a.sm*. **3** *Gloss.* Da, ref, à ou a língua falada na Suécia.

sueste (su:es.te) [ê] *sm.a2g2n*. Ver *sudeste*.

suéter (su:é.ter) *s2g*. *Bras*. Casaco fechado, ger. de lã, que se veste pela cabeça; PULÓVER.

sueto (su:e.to) [ê] *sm*. Intervalo de uma atividade para descanso; FOLGA.

suficiente (su.fi.ci:en.te) *a2g2n*. **1** Que ou aquilo que satisfaz, supre uma necessidade; BASTANTE. *a2g*. **2** De qualidade melhor do que o mínimo aceitável, mas não inteiramente bom; RAZOÁVEL. **3** Capaz de corresponder a expectativas, atribuições etc.; APTO. ● su.fi.ci:*en*.ci.a *sf*.

sufixo (su.fi.xo) [cs] *sm. Gram.* Afixo que se junta ao final de uma palavra para formar derivadas (p.ex.: <u>ferreiro</u>; livr<u>aria</u>; som<u>ente</u>).

suflê (su.flê) *sm. Cul.* Alimento feito à base de um creme salgado ou doce de farinha e ovos, a que se adicionam outros ingredientes (queijo, legumes etc.) e leva-se ao forno.

sufocar (su.fo.*car*) *v*. **1** Impedir a respiração de, ou tê-la impedida; ASFIXIAR. [*td*.: *A fumaça os <u>sufocava</u>. int./pr.: <u>Sufocou(-se)</u> com a fumaça.*] **2** Matar ou morrer de asfixia; ASFIXIAR(-SE). [*td*.: *Sufocou-a apertando-lhe o pescoço. pr.: <u>sufocar-se</u> com gás.*] **3** Provocar mal-estar físico ou emocional. [*td*.: *O abafamento do teatro o <u>sufocou</u>; Aquele ambiente de intrigas nos <u>sufocava</u>.*] **4** *Fig.* Conter ou reprimir. [*td*.: <u>sufocar</u> *uma rebelião.*] [▶ **11** sufo<u>car</u>] ● su.fo.ca.*ção* sf.; su.fo.ca.do a.; su.fo.ca.*dor* a.sm.; su.fo.can.te a2g.

sufoco (su.fo.co) [ô] *sm*. **1** Dificuldade para respirar. **2** *Bras. Pop.* Situação difícil, perigosa, embaraçosa etc.; APERTO: *Passamos um <u>sufoco</u>: quase fomos assaltados.* **3** *Bras. Pop.* Situação de quem tem urgência em algo; PRESSA: *Fiquei num <u>sufoco</u> para terminar a prova a tempo.*

sufragar (su.fra.*gar*) *v. td*. **1** Apoiar com sufrágio ou voto. **2** Orar pela alma de (morto). [▶ **15** sufra<u>gar</u>]

sufrágio (su.*frá*.gi:o) *sm*. **1** Processo de seleção dos indivíduos que terão o direito de votar; o direito de voto: *O voto é o exercício do <u>sufrágio</u> pelos eleitores.* **2** Ato de piedade ou oração pelos mortos: *proferir missa e orações em <u>sufrágio</u> das almas.* ▦ ~ universal Sufrágio (1) que confere o direito de voto ao maior número possível de cidadãos. [No Brasil, de acordo com a atual Constituição, estão excluídos os menores, os estrangeiros e aqueles que estão prestando serviço militar.] ● su.fra.*gis*.ta *a2g.s2g*. (movimento <u>sufragista</u>).

sugadouro (su.ga.*dou*.ro) *sm. Anat. Zool.* Órgão alongado do aparelho bucal de alguns insetos, que o usam para sugar líquidos.

sugar (su.*gar*) *v*. **1** Chupar ou sorver. [*td*.: *<u>sugar</u> a mamadeira/o néctar das flores.*] **2** Extrair, ou absorver. [*td*.: *O aspirador suga a poeira. tdi. + de*: *Os vegetais <u>sugam</u> da terra seus nutrientes.*] **3** *Fig.* Submeter a, ou obter por, extorsão; EXTORQUIR. [*td*.: *<u>Sugava</u> o patrão com chantagens. tdi. + a*: *<u>Sugou ao</u> milionário boa parte de sua fortuna.*] [▶ **14** su<u>gar</u>] ● su.ga.*ção* sf.; su.ga.*dor* a.

sugerir (su.ge.*rir*) *v*. **1** Dar a entender de forma sutil; INSINUAR. [*td*.: *Suas palavras <u>sugeriram</u> prudência. tdi. + a*: *Esta paisagem <u>sugeriu</u> grandes quadros ao pintor.*] **2** Aconselhar ou recomendar. [*tdi. + a*: *<u>Sugeriu</u> à neta que estudasse letras.*] [▶ **50** suge<u>rir</u>]

sugestão (su.ges.*tão*) *sf*. **1** Ação de sugerir, de dar uma ideia a alguém: *Resolveu fazer o curso por <u>sugestão</u> do tio.* **2** Aquilo que é sugerido: *Minha <u>sugestão</u> é que voltemos antes que escureça.* **3** Ideia apresentada por insinuação: *Interpretei o que foi dito como uma <u>sugestão</u> de que o funcionário mentira.* **4** *Psi.* Processo de persuasão em que uma ou mais pessoas mudam de opinião, atitude etc. sem ter noção do porquê. [Pl.: -*tões*.]

sugestionar (su.ges.ti:o.*nar*) *v*. Convencer(-se) mediante sugestão (4). [*td*.: *O hipnotizador não conseguiu <u>sugestionar</u> o rapaz. tdi. + a*: *O orador <u>sugestionou</u> a plateia <u>a</u> seguir suas ideias. pr.*: *Tentei <u>sugestionar-me</u> a não sentir medo.*] [▶ **1** sugestio<u>nar</u>] ● su.ges.ti:o.*ná*.vel *a2g*.

sugestivo (su.ges.*ti*.vo) *a*. **1** Que sugere, insinua algo (imagem <u>sugestiva</u>). **2** Que busca seduzir (sorriso <u>sugestivo</u>). **3** Que inspira (ambiente <u>sugestivo</u>).

suíças (su.í.ças) *sfpl*. Chumaços de barba que se deixa crescer nos lados da face, das orelhas até perto da boca.

suicida (su:i.ci.da) *a2g*. **1** Que se suicidou ou que se dispõe a isso (terrorista <u>suicida</u>). **2** Ref. a suicídio (impulso <u>suicida</u>). **3** Que envolve grande risco de vida (missão <u>suicida</u>). *s2g*. **4** Pessoa suicida.

suicidar-se (su:i.ci.*dar*-se) *v. pr.* Dar cabo da própria vida; MATAR-SE. [▶ **1** suici<u>dar-se</u>]

suicídio (su:i.*cí*.di:o) *sm*. **1** Ação ou resultado de suicidar-se. **2** *Fig.* Ato pelo qual se causa o próprio fracasso: *Contra esse time, é <u>suicídio</u> jogar só no ataque.*

suíço (su.í.ço) *a*. **1** Da Suíça (Europa); típico desse país ou de seu povo. *sm*. **2** Pessoa nascida na Suíça.

⊕ **sui generis** (*Lat.* /sui gêneris/) *loc.a*. Que tem características únicas, que é original (filme <u>sui generis</u>).

suingue (su:*in*.gue) *sm*. **1** *Mús.* No jazz, música de ritmo alegre, a partir da qual os solistas costumam improvisar. **2** A dança correspondente a esse tipo de música. [Ver tb. *swing*.]

suíno (su.í.no) *sm*. **1** Porco. *a*. **2** Ref. a esse animal (carne <u>suína</u>).

suinocultura (su:i.no.cul.*tu*.ra) *sf*. Criação de porcos. ● su:i.no.cul.*tor sm*.

suíte (su.í.te) *sf*. **1** *Bras.* Quarto com banheiro exclusivo anexo (e, às vezes, mais dependências anexas). **2** *Mús.* Composição dividida em partes.

sujar (su.*jar*) *v*. **1** Fazer que fique ou ficar sujo ou manchado; EMPORCALHAR(-SE); MANCHAR(-SE). [*td*.: *<u>Sujar</u> o chão. pr.: <u>sujar-se</u> de gordura.*] **2** Defecar, evacuar. [*int. pr.*] **3** Tornar(-se) impuro ou conspurca-

sujeição | **sumir** 750

do; MACULAR(-SE); CONSPURCAR(-SE). [*td.*: *A corrupção suju*ou *seu nome.* *pr.*: *Sua ambição o levou a sujar-se.*] **4** *Gír.* Acontecer algo inconveniente, que não se esperava. [*int.* (impessoal): *Sujou! Minha mãe chegou! — disse a menina enquanto se apressava em arrumar a bagunça.*] [▶ **1** sujar]

sujeição (su.jei.*ção*) *sf.* **1** Ação ou resultado de sujeitar(-se); SUBJUGAÇÃO. **2** Situação de quem vive dominado por alguém; SUBSERVIÊNCIA. [Pl.: *-ções*.]

sujeira (su.*jei*.ra) *sf.* **1** Substância ou acúmulo de substâncias que tornam sujo algo: *Não consegui remover a sujeira do tapete.* [Ant.: *limpeza.*] **2** *Fig.* Ato desonesto e/ou desleal: *Foi muita sujeira ter mentido daquele jeito.*

sujeitar (su.jei.*tar*) *v.* **1** Submeter(-se) a domínio ou obediência. [*td.*: *sujeitar uma tribo.* *tdi.* + *a*: *Sujeita os funcionários à rigida disciplina.* *pr.*: *Os rebeldes se sujeitaram após uma semana.*] **2** Conformar-se ou resignar-se a. [*pr.*: "...não ia se sujeitar a ver um marido mulherengo..." (Ana Maria Machado, *A audácia dessa mulher*).] **3** Fixar, prender ou imobilizar. [*td.*: *Finalmente sujeitaram o cavalo xucro.*] [▶ **1** sujeitar]. Part.: *sujeitado e sujeito.*]

sujeito (su.*jei*.to) *a.* **1** Dependente de algo ou alguém: *competição sujeita às condições climáticas.* **2** Submetido a algo ou alguém; SUBORDINADO: *povo sujeito à tirania de um ditador.* **3** Passível de algo: *viagem sujeita a contratempos.* *sm.* **4** Homem, indivíduo: *Você conhece aquele sujeito ali?* **5** *Gram.* Termo sobre o qual se afirma uma coisa, e com o qual o verbo concorda (p.ex., em *As árvores estão desfolhando*, *as árvores* é o sujeito).

sujidade (su.ji.*da*.de) *sf.* **1** Qualidade ou estado de sujo. **2** Excremento, fezes.

sujo (*su*.jo) *a.* **1** Coberto de sujeira (1); manchado com sujeira (*sala suja*). **2** *Fig.* Desonesto, desleal (pessoa *suja*, *jogo sujo*). **3** *Fig.* Que tem má reputação: *Ficou com o nome sujo na praça por dar cheques sem fundos.* [Ant. ger.: *limpo.*]

sul *sm.* **1** *Astr.* Direção, no globo terrestre, da extremidade do eixo de rotação da Terra, no sentido do equador para o hemisfério em que se localiza a América do Sul, a Oceania etc. [Abr.: *S.*] **2** Região do ponto situado ao sul (1), em relação ao equador ou a ponto, área etc. tomados como referência: *o sul da Europa*; *o sul do Brasil.* **3** *Geog.* O ponto cardeal que indica a direção sul (1). [Abr.: *S.*] [Pl.: *suis.*] *a2g2n.* **4** Ref. ao ou que vem do sul (*latitude sul*). **5** Que se situa ao sul ou na parte mais baixa: *na margem sul do rio Nilo.* ❑ **Sul** *sm.* **6** *Bras. Geog.* Uma das cinco regiões em que é dividido o Brasil: *Nevou no Sul.* [Cf.: *norte.*]

sul-africano (sul-a.fri.*ca*.no) *a.* **1** Da República da África do Sul (África); típico desse país ou de seu povo. *sm.* **2** Pessoa nascida na República da África do Sul. [Pl.: *sul-africanos.*]

sul-americano (sul-a.me.ri.*ca*.no) *a.* **1** Da América do Sul; típico dessa região do continente americano ou de seu povo. *sm.* **2** Pessoa nascida na América do Sul. [Pl.: *sul-americanos.*]

sulcar (sul.*car*) *v.* **1** Abrir sulcos em. [*td.*: *sulcar a terra.*] **2** Enrugar(-se), encarquilhar(-se). [*td.*: *O sol sulca a pele.* *pr.*: *Seu rosto sulcou-se desde cedo.*] **3** Navegar, singrar (mar, rio etc.). [*td.*] [▶ **11** sulcar]
● **sul.ca.gem** *sf.*

sulco (*sul*.co) *sm.* Cavidade ou depressão alongada, em qualquer superfície: *As imagens mostram sulcos formados por água*; *sulcos na pele decorrentes do envelhecimento.*

sul-coreano (sul-co.re:*a*.no) *a.* **1** Da Coreia do Sul (Ásia); típico desse país ou de seu povo. *sm.* **2** Pessoa nascida na Coreia do Sul. [Pl.: *sul-coreanos.*]

sulfa (*sul*.fa) *sf.* *Quím.* F. red. de *sulfanilamida.*

sulfanilamida (sul.fa.ni.la.*mi*.da) *sf.* *Quím.* Substância us. no tratamento de infecções causadas por bactérias; SULFA.

sulfato (sul.*fa*.to) *sm.* *Quím.* Sal produzido a partir do ácido sulfúrico. ● **sul.fa.tar** *v.*; **sul.fa.ta.gem** *sf.*

sulfúrico (sul.*fú*.ri.co) *a.* **1** Ref. a enxofre. **2** Diz-se de ácido muito potente e corrosivo.

sulfurino (sul.fu.*ri*.no) *a.* Que tem a cor amarelo-clara do enxofre.

sulfuroso (sul.fu.*ro*.so) [ó] *a.* **1** Ref. a enxofre; composto de enxofre (*água sulfurosa*). **2** Diz-se de ácido formado ao se dissolver o dióxido de enxofre em água. [Fem. e pl.: [ó].]

sulino (su.*li*.no) *a.sm.* *Bras.* Ver *sulista.*

sulista (su.*lis*.ta) *Bras.* *a2g.* **1** Do Sul do Brasil; típico dessa região ou de seu povo. *s2g.* **2** Pessoa nascida ou ocorre no sul de país, região etc. *s2g.* **3** Pessoa nascida no Sul do Brasil. **4** Pessoa que nasceu no sul de qualquer país, qualquer região etc.: *a derrota dos sulistas na guerra de secessão dos Estados Unidos.* [Sin. ger.: *sulino.*]

sul-mato-grossense (sul-ma.to-gros.*sen*.se) *a2g.* **1** Do Mato Grosso do Sul; típico desse estado ou de seu povo. *s2g.* **2** Pessoa nascida no Mato Grosso do Sul. [Sin. ger.: *mato-grossense-do-sul.*] [Pl.: *sul-mato-grossenses.*]

sul-rio-grandense (sul-ri:o-gran.*den*.se) *a2g.* **1** Do Rio Grande do Sul; típico desse estado ou de seu povo. *s2g.* **2** Pessoa nascida no Rio Grande do Sul. [Sin. ger.: *rio-grandense-do-sul.*] [Pl.: *sul-rio-grandenses.*]

sultana (sul.*ta*.na) *sf.* A mulher, mãe ou filha de um sultão (1).

sultanato (sul.ta.*na*.to) *sm.* **1** País governado por um sultão. **2** O cargo de sultão.

sultão (sul.*tão*) *sm.* **1** O soberano em alguns países muçulmanos. **2** *Fig.* Homem que tem várias amantes. [Pl.: *-tões.* Fem.: *-tana.*]

suma (*su*.ma) *sf.* **1** Soma (1). **2** Essência, resumo. ❏ **Em ~** Em resumo; em síntese.

sumarento (su.ma.*ren*.to) *a.* Que tem muito sumo[1]; SUCULENTO.

sumariar (su.ma.ri.*ar*) *v.* *td.* Tornar sumário, resumido, ou fazer sumário de: *julgamento sujo não de indicação de modo) sumariar um texto (em poucas palavras).* [▶ **1** sumariar]

sumário (su.*má*.ri:o) *sm.* **1** Versão resumida de algo; SÍNTESE. **2** *Edit.* Seção de um livro na qual se faz uma exposição sintética das ideias nele apresentadas. **3** Lista organizada, com indicação dos números das páginas onde estão localizados os assuntos, seções etc. de uma publicação (livro, revista etc.); ÍNDICE. *a.* **4** Resumido, sintético (*discurso sumário*). **5** Feito diretamente, sem formalidades: *aprovação sumária de uma proposta.* **6** Pequeno, reduzido (*roupas sumárias*).

sumério (su.*mé*.ri:o) *a.* **1** Da Suméria (antiga região na Ásia); típico dessa região ou de seu povo. *sm.* **2** Pessoa nascida na Suméria. *a.sm.* **3** *Gloss.* Da, ref. à, ou a língua falada na Suméria.

sumiço (su.*mi*.ço) *sm.* Fato de sumir; DESAPARECIMENTO: *Desculpe o sumiço, mas andei ocupada.*

sumidade (su.mi.*da*.de) *sf.* Pessoa de grande saber e experiência em determinado assunto ou atividade: *Ele é uma sumidade em informática.*

sumido (su.*mi*.do) *a.* Sumiu, desapareceu; DESAPARECIDO: *Procurava os livros sumidos.*

sumidouro (su.mi.*dou*.ro) *sm.* **1** Lugar onde as coisas desaparecem frequentemente: *Este seu quarto bagunçado está um sumidouro.* **2** Escoadouro de águas; SARJETA.

sumir (su.*mir*) *v.* Fazer que negue, ou desaparecer. [*td.* (seguido ou não de indicação de lugar): *Os vagalhões sumiram o navio (no fundo do mar).*

ti. + com: *O tesoureiro sumiu com o dinheiro* (= *fez o dinheiro desaparecer*). **int.**: *Minhas chaves sumiram*. **int./pr.**: *Deram o golpe e sumiram(-se)*.] [▶ 53 su.mir]

sumo¹ (su.mo) *sm*. Ver **suco**.

sumo² (su.mo) *a*. Mais importante ou proeminente (*sumo* sacerdote); SUPREMO.

sumô (su.mô) *sm. Esp.* Modalidade de luta de origem japonesa, cujo objetivo é agarrar o adversário e derrubá-lo ou deslocá-lo para fora de um espaço determinado.

súmula (sú.mu.la) *sf*. Resumo, resenha, sinopse.

● **sundae** (*Ing. /sândei/*) *sm*. Sorvete coberto com calda doce, castanhas moídas, doces granulados etc.

sunga (sun.ga) *sf.* 1 Calção de banho pequeno e justo. 2 Cueca similar à sunga (1).

sunita (su.ni.ta) *Rel. a2g*. 1 Ref. a uma linha rígida e conservadora da religião muçulmana. *s2g*. 2 Seguidor dessa linha religiosa.

suntuário (sun.tu.á.ri:o) *a*. Ver **suntuoso**.

suntuoso (sun.tu:o.so) [ô] *a*. 1 Com muito luxo, ostentação. 2 Que envolve grandes despesas. [Fem. e pl.: [ó].] ● **sun.tu:o.si.da.de** *sf*.

suor (su:or) *sm*. 1 Líquido eliminado pelos poros da pele. 2 *Fig.* Esforço, dedicação.

superabundância (su.pe.ra.bun.dân.ci:a) *sf*. Quantidade muito maior do que a necessária; EXCESSO. ● **su.pe.ra.bun.dan.te** *a2g*.; **su.pe.ra.bun.dar** *v*.

superado (su.pe.ra.do) *a*. 1 Que se superou (desavença *superada*); RESOLVIDO. 2 Não mais atualizado (estatística *superada*); ULTRAPASSADO. 3 Que perdeu uma competição; DERROTADO: *equipe superada na corrida de revezamento*.

superalimentar (su.pe.ra.li.men.tar) *v*. Alimentar(-se) em demasia, ou ministrar(-se) alimentação rica e curativa. [*td.*: *Ela superalimenta os filhos*. *pr.*: *O paciente vai ter de superalimentar-se*.] [▶ 1 superalimentar] ● **su.pe.ra.li.men.ta.ção** *sf*.; **su.pe.ra.li.men.ta.do** *a*.

superaquecer (su.pe.ra.que.cer) *v. td*. Aquecer muito ou submeter a altas temperaturas. [▶ 33 superaquecer] ● **su.pe.ra.que.ci.men.to** *sm*.

superar (su.pe.rar) *v*. 1 Obter vitória ou domínio sobre; VENCER; DOMINAR. [*td.*: *superar tropas adversárias*; *"...não sei se vou conseguir superar meu medo..."* (Paulo Coelho, *Veronika decide morrer*).] 2 Ser ou vir a ser superior a, ou ultrapassar(-se), exceder(-se). [*td.*: *Superou os colegas (em matemática)*. *pr.*: *O escritor superou-se no último livro*.] 3 Ser mais alto que, ou transpor a altura de. [*td.*: *O novo edifício superará todos os outros*.] [▶ 1 superar] ● su.pe.ra.ção *sf*.; **su.pe.rá.vel** *a2g*.

superávit (su.pe.rá.vit) *sm. Econ*. Resultado positivo da confrontação da receita (o que se ganhou) com a despesa. [Ant.: *déficit*.] [O VOLP só registra a f. latina *superavit*.]

supercampeonato (su.per.cam.pe:o.na.to) *sm*. Disputa entre campeões ou entre competidores que terminaram o campeonato empatados em primeiro lugar. ● **su.per.cam.pe:ão** *sm*.

supercílio (su.per.cí.li:o) *sm*. Ver **sobrancelha**.

supercomputador (su.per.com.pu.ta.dor) [ô] *sm. Inf.* Computador muito potente.

supercondutor (su.per.con.du.tor) [ô] *sm*. 1 *Fís*. Metal ou liga que, resfriados abaixo de determinada temperatura, não oferecem resistência à condução elétrica. *a*. 2 Que tem essa característica. ● **su.per.con.du.ti.vi.da.de** *sf*.

superdotado (su.per.do.ta.do) *a.sm. Bras*. Que ou quem tem inteligência (ou qualquer outro atributo) bem acima da média.

superestimar (su.pe.res.ti.mar) *v. td*. 1 Calcular ou valorizar acima da capacidade ou valor reais: *superestimar as próprias forças/uma mercadoria*. 2 Estimar muito, ou ter excessiva afeição a. [Ant. ger.: *subestimar*.] [▶ 1 superestimar] ● **su.pe.res.ti.ma** *sf*.; **su.pe.res.ti.ma.ção** *sf*.; **su.pe.res.ti.ma.do** *a*.

superestrutura (su.pe.res.tru.tu.ra) *sf*. 1 Construção feita sobre outra. 2 Parte de uma construção que fica visível, acima do nível do chão. 3 *Fig.* Ideias, instituições, cultura etc. que predominam em uma sociedade, por oposição à infraestrutura econômica.

superfaturar (su.per.fa.tu.rar) *v. td*. Emitir (ger. fraudulentamente) fatura(s) com valor acima do verdadeiro: *superfaturar serviços*; (tb. sem complemento explícito) *Superfaturou até ser descoberto*. [▶ 1 superfaturar] ● **su.per.fa.tu.ra.do** *a*.; **su.per.fa.tu.ra.men.to** *sm*.

superficial (su.per.fi.ci:al) *a2g*. 1 Ref. a superfície (camada *superficial*). 2 Cuja profundidade não ultrapassa a superfície (ferimento *superficial*). 3 *Fig.* Que abrange apenas aspectos básicos de um assunto: *conhecimentos superficiais de informática*. 4 *Fig.* Que supervaloriza coisas pouco importantes; que julga por aparências; que age sem reflexão (pessoa *superficial*). [Ant. ger.: *profundo*.] ● **su.per.fi.ci:a.li.da.de** *sf*.

superfície (su.per.fí.ci:e) *sf*. 1 Parte mais exterior de algo: *a superfície de um lago*. 2 Tamanho de uma área; EXTENSÃO: *a superfície de um campo de futebol*. 3 *Geom*. Medida geométrica em que só se consideram duas dimensões do corpos: o comprimento e a largura; ÁREA.

supérfluo (su.pér.flu:o) *a.sm*. Que ou aquilo que não é necessário, que é dispensável. [Ant.: *indispensável*.]

super-herói (su.per-he.rói) *sm*. Personagem de histórias em quadrinhos, filmes etc. que tem capacidades sobre-humanas e combate vilões. [Pl.: *super-heróis*.]

super-homem (su.per-ho.mem) *sm*. Pessoa com qualidades acima do comum. [Pl.: *super-homens*.]

superintendência (su.pe.rin.ten.dên.ci:a) *sf*. 1 Ação ou resultado de superintender. 2 Cargo de superintendente.

superintender (su.pe.rin.ten.der) *v. td*. 1 Dirigir ou gerir como chefe ou administrador; ADMINISTRAR. 2 Ver *supervisionar*. [▶ 2 superintender] ● **su.pe.rin.ten.den.te** *a2g.s2g*.

superior (su.pe.ri:or) [ô] *a*. 1 Que está em posição mais elevada que de outros: *Os degraus superiores da escada estão podres*. 2 De melhor qualidade: *Teu computador é superior ao meu*. [Ant. nas acps. 1 e 2: *inferior*.] 3 Que provém de uma autoridade (ordens *superiores*). 4 Ref. à instrução universitária (curso *superior*). *s2g*. 5 Pessoa com posição de chefia ou comando. ⊠ **superiora** *sf*. 6 Freira que coordena as atividades de um convento; PRIORA.

superioridade (su.pe.ri:o.ri.da.de) *sf*. 1 Qualidade do que é superior. 2 Posição mais elevada do que a dos demais. 3 *Fig.* Situação vantajosa em relação aos demais. [Ant. ger.: *inferioridade*.]

superlativo (su.per.la.ti.vo) *sm*. 1 *Gram.* Conjunto de recursos gramaticais com os quais se expressa o grau mais alto e intenso de uma qualidade (p.ex., o sufixo *-íssimo*, o adv. *muito* etc.); esse grau: *O superlativo de 'raro' é 'raríssimo'*. *a*. 2 Extremo, extraordinário.

superlotar (su.per.lo.tar) *v. td. Bras*. Ultrapassar a lotação de: *superlotar um teatro/um ônibus*. [▶ 1 superlotar] ● **su.per.lo.ta.do** *a*.; **su.per.lo.ta.ção** *sf*.

supermercado (su.per.mer.ca.do) *sm*. Grande loja, ger. *self-service*, onde se vendem muitas variedades de produtos.

supernova (su.per.no.va) *sf. Astron*. Estrela em uma fase na qual ela passa por explosões, aumentando sua luminosidade e, posteriormente, diminuindo-a aos poucos.

superpopulação (su.per.po.pu.la.*ção*) *sf.* População constituída de elementos em quantidade acima da normalmente cabível no espaço que ocupam. [Pl.: -*ções*.]

superpor (su.per.*por*) *v.* Ver *sobrepor*. [▶ **60** superpor] Part.: *superposto*.] ● **su.per.po.si.ção** *sf.*

superpotência (su.per.po.*tên*.ci.a) *sf.* País muito mais rico e poderoso do que os demais.

superpovoar (su.per.po.vo.*ar*) *v. td.* Povoar além do normal ou cabível. [▶ **16** superpovoar] ● **su.per.po.vo.a.men.to** *sm.*

superprodução (su.per.pro.du.*ção*) *sf.* **1** *Econ.* Produção maior do que o normal: *superprodução de alimentos*. **2** *Cin. Teat. Telv.* Produção de filme, musical, evento etc. aparatosa e cara. [Pl.: -*ções*.]

superproteger (su.per.pro.te.*ger*) *v. td.* Proteger excessivamente (um filho etc.). [▶ **35** superproteger] ● **su.per.pro.te.ção** *sf.*

superquadra (su.per.*qua*.dra) *sf.* Área residencial de uma cidade com espaço para escola, recreação etc.

supersensível (su.per.sen.*sí*.vel) *a2g.* **1** Excessivamente sensível; HIPERSENSÍVEL. **2** Que não pode ser percebido pelos sentidos humanos (uns supersensíveis). [Pl.: -*veis*.]

supersônico (su.per.*sô*.ni.co) *a.* **1** Que é mais rápido do que a velocidade do som. *sm.* **2** Avião supersônico.

superstição (su.pers.ti.*ção*) *sf.* **1** Crença não fundamentada na razão, que ger. leva em conta ideias místicas, acontecimentos recorrentes ou coincidentes etc. **2** Atribuição do poder de atrair a sorte ou o azar a determinados objetos ou atos. [Pl.: -*ções*.] ● **su.pers.ti.ci.o.so** *a.sm.*

supérstite (su.*pérs*.ti.te) *a2g.* Que sobreviveu; SOBREVIVENTE.

superveniência (su.per.ve.ni.*ên*.ci.a) *sf.* Fato ou efeito de sobrevir, de acontecer de modo imprevisto ou em seguida a outro evento. ● **su.per.ve.ni.en.te** *a2g.*

supervisão (su.per.vi.*são*) *sf.* **1** Ação ou resultado de supervisionar. **2** Cargo de supervisor. [Pl.: -*sões*.]

supervisar (su.per.vi.*sar*) *v.* Ver *supervisionar*. [▶ **1** supervisar]

supervisionar (su.per.vi.si.o.*nar*) *v. td. Bras.* Fazer inspeção, controle de (um trabalho, obras etc.); SUPERVISAR; SUPERINTENDER. [▶ **1** supervisionar]

supervisor (su.per.vi.*sor*) [ô] *sm.* Profissional cuja função é supervisionar determinada atividade: *supervisor de ensino*.

supetão (su.pe.*tão*) *sm.* Us. na loc. ∎ **De ~** De modo inesperado, imprevisto; REPENTINAMENTE.

supimpa (su.*pim*.pa) *a2g. Bras. Gír.* Muito bom; ÓTIMO.

supino (su.*pi*.no) *a.* **1** Que está a grande altura; ELEVADO. **2** Em que se está deitado com as costas tocando o chão (posição supina). **3** *Fig.* Muito intenso; excessivo (supina arrogância).

suplantar (su.plan.*tar*) *v. td.* **1** Ser superior a, levar vantagem sobre, superar (2): *suplantar um adversário em dificuldade*. **2** Pisar, espezinhar. [▶ **1** suplantar] ● **su.plan.ta.ção** *sf.*; **su.plan.tá.vel** *a2g.*

suplementar¹ (su.ple.men.*tar*) *a2g.* **1** Que se acrescenta para complementar algo que não estava concluído (esclarecimentos suplementares). **2** Que reforça ou aprimora um processo (ensaios suplementares).

suplementar² (su.ple.men.*tar*) *v. td.* Dar suplemento ou servir de suplemento a: *Você precisa suplementar suas refeições (com proteínas); As proteínas suplementarão suas refeições*. [▶ **1** suplementar]

suplemento (su.ple.*men*.to) *sm.* **1** Aquilo que é adicional (suplemento salarial/alimentar). **2** Caderno especial de jornal ou revista (suplemento literário).

suplência (su.*plên*.ci.a) *sf.* Cargo de suplente.

suplente (su.*plen*.te) *a2g.* **1** Que substitui (algo ou alguém que falta) (goleiro suplente). *s2g.* **2** Espécie de assessor de parlamentar que pode substituir o titular do cargo em sua ausência: *suplente de senador*. **3** *Esp.* Jogador ou atleta suplente (1); RESERVA: *Escalou todos os suplentes*.

supletivo (su.ple.*ti*.vo) *a.* **1** Que supre (o que falta). **2** Ref. a supletivo (3) (exames supletivos). *sm.* **3** Curso de curta duração para obtenção do diploma de ensino médio: *Cursou o supletivo em seis meses*.

súplica (*sú*.pli.ca) *sf.* Ação ou resultado de suplicar; ROGO; PRECE.

suplicante (su.pli.*can*.te) *a2g.* **1** Que suplica (voz suplicante); SÚPLICE. *s2g.* **2** Pessoa suplicante (1). **3** *Jur.* Requerente: *O juiz deu ganho de causa ao suplicante*.

suplicar (su.pli.*car*) *v.* Pedir com humildade e/ou com instância; IMPLORAR; ROGAR. [*td.*: *suplicar esmolas*; *Suplicou que José o ouvisse*. *tdi.* + *a*: "...para lhe suplicar que os liberasse daquele juramento." (Kurban Said, *Ali e Nino*).] [▶ **11** suplicar]

súplice (*sú*.pli.ce) *a2g.* Que suplica; SUPLICANTE.

supliciar (su.pli.ci.*ar*) *v. td.* **1** Castigar com suplício; MARTIRIZAR; TORTURAR. **2** Castigar com a pena de morte; JUSTIÇAR. [▶ **1** supliciar] ● **su.pli.ci.a.do** *a.sm.*

suplício (su.*plí*.ci.o) *sm.* **1** Coisa ou pessoa que causam sofrimento, angústia: *o suplício de uma saudade*. **2** Severa punição corporal. **3** Pena de morte.

supor (su.*por*) *v.* **1** Aceitar ou alegar como hipótese. [*td.*: *Suponhamos que o réu seja inocente*.] **2** Ter como pressuposto; PRESSUPOR. [*td.*: *Todo saber supõe grande esforço*.] **3** Considerar(-se), julgar(-se). [*td.*: *Supus que ele tivesse dito a verdade*; (seguido de indicação de qualidade, estado ou condição) *Supõem honesto esse prefeito*. *pr.*: *supor-se inteligente*.] [▶ **60** supor] Part.: *suposto*.]

suportar (su.por.*tar*) *v.* **1** Sustentar, levar sobre si ou resistir a (peso, carga, esforço etc.). [*td.*: *Este cabo suporta dez toneladas*.] **2** *Fig.* Mostrar-se firme ou paciente diante de, ou tolerar(-se). [*td.*: *suportar dor/miséria*; *Não suporto pessoas fingidas*. *pr.*: *Esses dois homens não se suportam*.] **3** *Fig.* Padecer, sofrer. [*td.*: "...suportava uma a uma todas as suas torturas..." (Joaquim Manuel de Macedo, *O moço loiro*).] [▶ **1** suportar] ● **su.por.ta.do** *a.*; **su.por.tá.vel** *a2g.*

suporte (su.*por*.te) *sm.* **1** Peça que sustenta alguma coisa: *suporte para TV e vídeo*. **2** Assistência: *A empresa dá suporte técnico aos usuários*.

suposição (su.po.si.*ção*) *sf.* **1** Ação ou resultado de supor. **2** Ideia ou avaliação sem comprovação dos fatos; HIPÓTESE. [Pl.: -*ções*.]

supositório (su.po.si.*tó*.ri.o) *sm.* Medicamento ministrado por via anal ou vaginal.

suposto (su.*pos*.to) [ô] *a.* **1** Que se admite por hipótese. **2** Que se atribui falsamente a alguém.

supracitado (su.pra.ci.*ta*.do) *a.* Que foi citado acima ou antes.

supranacional (su.pra.na.ci.o.*nal*) *a2g.* Que está acima ou além da ideia de nação. [Pl.: -*nais*.]

suprapartidário (su.pra.par.ti.*dá*.ri.o) *a2g.* Que não é ligado a partidos (movimento suprapartidário).

suprarrenal (su.prar.re.*nal*) *a2g.* **1** Que se situa acima dos rins. *sf.* **2** *Anat.* Glândula suprarrenal. [Na nova nomenclatura, *adrenal*. Secreta a adrenalina.]

suprassumo (su.pras.*su*.mo) *sm.* O mais alto grau, o auge ou o que está nesse estágio (2): *O rapaz era o suprassumo da inteligência*. [Pl.: *suprassumos*.]

supremacia (su.pre.ma.ci.a) *sf.* **1** Poder supremo: *Com uma aviação sofisticada, o país tinha a supremacia dos ares.* **2** Superioridade.

supremo (su.pre.mo) *a.* **1** Que está acima de todos ou tudo; máximo: *O papa é o chefe supremo da Igreja Católica.* **2** Extremo, muito grande (dom supremo, esforço supremo). ◼ **Supremo** *sm.* **3** O Supremo Tribunal Federal, tribunal de alçada máxima no Brasil.

supressivo (su.pres.si.vo) *a.* Que suprime. • **su.pres.sor** *a.*

suprimento (su.pri.men.to) *sm.* **1** Ação ou resultado de suprir. **2** Auxílio, ajuda. **3** Provisão: *A tropa precisava de suprimentos.*

suprimir (su.pri.mir) *v. td.* **1** Impedir que aconteça ou apareça; dar fim, sumiço a; EXTINGUIR; ELIMINAR: *O editor suprimiu essa reportagem.* **2** Retirar, eliminar (de um todo); CORTAR: *Suprimiu dois capítulos do livro.* [▶ **1** *suprimir.* Part.: *suprimido* e *supresso.*] • **su.pres.são** *sf.*; **su.pres.só.ri:o** *a.*; **su.pri.mi.do** *a.*

suprir (su.prir) *v.* **1** Preencher, completar, ou substituir. [*td.*: "...ele suprirá a falta que tenho de sir filho..." (Franklin Távora, *O matuto*); (seguido de indicação de meio, tempo etc.) *Supre o orçamento com o dinheiro de bicos.*] **2** Arcar com, ou prover(-se) de. [*ti.* + *a*: *Sua renda supriria aos filhos.* **tdi.** + *com, de*: *Supriu a loja com novos estoques.* *pr.*: *Supriu-se de lenha para o frio.*] [▶ **3** suprir] • **su.pri.do** *a.*; **su.pri.dor** *a.sm.*; **su.prí.vel** *a2g.*

supurar (su.pu.rar) *v. int. Med.* Produzir ou expelir pus. [▶ **1** supurar] • **su.pu.ra.ção** *sf.*; **su.pu.ra.do** *a.*

surdez (sur.dez) [ê] *sf.* Diminuição ou ausência do sentido da audição.

surdina (sur.di.na) *sf. Mús.* Peça que se coloca em instrumentos de sopro, ou no cavalete (3) de instrumentos de corda, para diminuir a intensidade do som. ◼ **Em** ~ Silenciosamente; às escondidas.

surdir (sur.dir) *v. int.* Brotar, jorrar ou emergir da água; (seguido de indicação de lugar) *A água voltou a surdir da fonte.* [▶ **3** surdir]

surdo (sur.do) *a.* **1** Que não ouve ou ouve pouco, por ter deficiência auditiva. **2** Abafado (diz-se de som). **3** *Fon.* Que é articulado sem vibração das cordas vocais (diz-se de consoante, p.ex.: [p]). *sm.* **4** Pessoa surda (1). **5** *Mús.* Tambor grave.

surdo-mudo (sur.do-mu.do) *a.sm.* Que ou quem é surdo e mudo. [Pl.: *surdos-mudos.* Fem.: *surda-muda.*] • **sur.do-mu.dez** *sf.*

surfar (sur.far) *v. int. Bras.* **1** Dedicar-se ao ou praticar surfe. **2** *Gír. Inf.* Navegar na internet. [▶ **1** surfar]

surfe (sur.fe) *sm. Bras. Esp.* Esporte em que se desliza sobre as ondas do mar com os pés apoiados sobre uma prancha. • **sur.fis.ta** *s2g.*

surgir (sur.gir) *v. int.* **1** Tornar-se visível; APARECER; (seguido ou não de indicação de lugar) *O submarino voltou a surgir (em alto-mar).* **2** Aparecer ou produzir-se, ou chegar: *Um grande compositor surgia*; (tb. seguido de indicação de lugar) *Novos problemas surgiram em minha tese.* [▶ **46** surgir] Part.: *surgido* e *surto.*] • **sur.gi.men.to** *sm.*

surinamense (su.ri.na.men.se) *a2g.s2g.* Ver *surinamês* (1 e 2).

surinamês (su.ri.na.mês) *a.* **1** Do Suriname (América do Sul); típico desse país ou de seu povo; SURINAMENSE. *sm.* **2** Pessoa nascida no Suriname; SURINAMENSE. *a.sm.* **3** *Gloss.* Ing. Ref. à ou a língua crioula falada no Suriname. [Pl.: *-meses.* Fem.: *-mesa.*]

surpreendente (sur.pre.en.den.te) *a2g.* Que surpreende; que causa surpresa ou admiração.

surpreender (sur.pre.en.der) *v.* **1** Apanhar (alguém) em flagrante; FLAGRAR: *Surpreenderam o ladrão em pleno furto.*] **2** Atacar ou assaltar de surpresa. [*td.* (seguido ou não de indicação de lugar/modo etc.): *Pretendia surpreender o inimigo (pela retaguarda).*] **3** Fazer uma surpresa a. [*td.* (seguido ou não de indicação de modo): *Vou surpreender minha mãe (chegando cedo).*] **4** Pegar ou atingir (alguém) subitamente. [*td.*: *O temporal surpreendeu-me quando saí.*] **5** Assombrar(-se), admirar(-se). [*td.*: *A habilidade da jovem surpreendeu os juízes. int.*: *Vindo dele, isso não surpreende. pr.*: "...eu mesmo me surpreendi com a ideia que me ocorreu..." (João Ubaldo Ribeiro, *Diário do farol*).] [▶ **2** surpreender. Part.: *surpreendido* e *surpreso.*] • **sur.pre:en.di.do** *a.*

surpresa (sur.pre.sa) [ê] *sf.* **1** Ação ou resultado de surpreender(-se): *Ela adorou a surpresa que fizemos.* **2** Fato que ocorre de maneira imprevista. **3** Estado de quem foi surpreendido por algo.

surpreso (sur.pre.so) [ê] *a.* Que se surpreendeu; ADMIRADO; PASMADO.

surra (sur.ra) *sf.* Ação ou resultado de surrar; ESPANCAMENTO. ◼ **Dar uma ~ em** *Fig.* Derrotar o adversário de forma estrondosa: *O Brasil deu uma surra no Paraguai.* **Levar uma ~** *Fig.* **1** Apanhar (2). **2** Enfrentar dificuldades para realizar tarefa.

surrão (sur.rão) *sm.* Bolsa de couro para transportar mantimentos. [Pl.: *-rões.*]

surrar (sur.rar) *v.* **1** Aplicar surra em (pessoa ou animal); ESPANCAR; BATER. [*td.*] **2** Gastar-se (roupa) por muito uso. [*td.*] **3** Bater ou pisar (peles). [*td.*] [▶ **1** surrar] • **sur.ra.do** *a.*

surrealismo (sur.re:a.lis.mo) *sm.* Movimento artístico, iniciado na década de 1920, cuja inspiração provinha dos sonhos, do inconsciente, do irracional. • **sur.re:a.lis.ta** *a2g.s2g.* (pintor *surrealista*).

surriada (sur.ri:a.da) *sf.* Descarga de artilharia ou de espingardas.

surrupiar, surripiar (sur.ru.pi.ar, sur.ri.pi.ar) *v. td.* Subtrair (1) furtivamente; AFANAR. [▶ **1** surrupiar, ▶ **1** surripiar]

✟ **sursis** (Fr. /sursís/) *sm2n. Jur.* Suspensão condicional da pena.

surtar (sur.tar) *v. int. Bras. Fam.* Entrar em surto psicótico, ou em crise psicológica. [▶ **1** surtar]

surtida (sur.ti.da) *sf.* **1** Ataque, per. imprevisto, de sitiados contra atacantes. **2** Arremetida, ataque.

surtir (sur.tir) *v. td.* Ter por resultado ou consequência: *Suas súplicas surtiram efeito.* [▶ **3** surtir. Defec.: conjuga-se apenas nas 3ªs pess.]

surto (sur.to) *sm.* **1** Aparecimento inesperado de algo: *surto de hepatite/de criatividade.* **2** *Psic.* Crise psicótica.

suru (su.ru) *sf. Bras. Zool.* Diz-se de animal desprovido de cauda ou que tem apenas um pedaço dela.

suruba (su.ru.ba) *sf. Bras. Vulg.* Orgia sexual reunindo três ou mais pessoas.

surubim, surubi (su.ru.bim, su.ru.bi) *sm. Bras. Zool.* Peixe de água doce, que tem a cabeça grande e o corpo fino. [Pl. de *surubim*: *-bins.*]

surucucu (su.ru.cu.cu) *sf. Bras. Zool.* Cobra grande e venenosa.

sururu (su.ru.ru) *sm. Pop.* Briga, confusão, tumulto.

sus *interj.* Us. para dar ânimo, coragem.

suscetibilizar, susceptibilizar (sus.ce.ti.bi.li.zar, sus.cep.ti.bi.li.zar) *v.* Causar ou sentir leve ofensa; MELINDRAR(-SE). [*td.* (seguido ou não de indicação de modo): *Suscetibilizou-a (com palavras ásperas). pr.*: *Não se suscetibiliza com ironias.*] [▶ **1** suscetibilizar, ▶ **1** susceptibilizar]

susceptível (sus.cep.tí.vel) *a2g.* Ver *suscetível.* • **sus.cep.ti.bi.li.da.de** *sf.*

suscetível (sus.ce.tí.vel) *a2g.* **1** Passível de ser alterado, influenciado etc.: *Criança que respira pela* *boca é mais suscetível à cárie.* **2** Diz-se de pessoa muito sensível a crítica, a ofensa; MELINDROSO: *Ela é muito suscetível, ofende-se à toa.* [Pl.: *-veis*.] • sus.ce.ti.bi.li.da.de *sf.*

suscitar (sus.ci.*tar*) *v.* Fazer aparecer; PROVOCAR; ORIGINAR. [*td.*: *suscitar dúvidas/polêmica/elogios. tdi. + a*: *Sua situação suscitou compaixão a todos.*] [▶ **1** suscit[ar]] • sus.ci.ta.*ção sf.*; sus.ci.ta.*dor a.sm.*

suserano (su.se.*ra*.no) *a.* **1** Que é possuidor de um feudo do qual dependem várias pessoas. **2** Ref. a soberano que possui muitos vassalos. *sm.* **3** Senhor feudal. • su.se.ra.ni.a *sf.*

🌐 **sushi** (*Jap.* /suchí/) *sm.* Cul. Comida japonesa que consiste de bolinhos de arroz com um pedaço de peixe cru, ovas etc., temperados com saquê e vinagre.

suspeição (sus.pei.*ção*) *sf.* **1** Suspeita, desconfiança: *Ele está sendo investigado por suspeição de roubo.* **2** *Jur.* Suspeita de possível parcialidade no julgamento por parte de uma testemunha, juiz etc. [Pl.: *-ções*.]

suspeita (sus.*pei*.ta) *sf.* Desconfiança baseada em certos indícios ou sinais.

suspeitar (sus.pei.*tar*) *v.* **1** Crer, imaginar ou considerar a partir de sinais ou indícios; ter suspeita de. [*td.*: "...chegava a suspeitar que Horácio não lhe tinha amor..." (José de Alencar, *A pata da gazela*); (tb. seguido de indicação de qualidade, estado ou condição) *Nós o suspeitávamos ambicioso/candidato. ti. + de*: *Não suspeito de você, sei que é inocente.*] [▶ **1** suspeit[ar]] • sus.pei.*tá*.vel *a2g.*

suspeito (sus.*pei*.to) *a.* **1** Que desperta suspeita, desconfiança. **2** De cuja verdade não se pode ter certeza. *sm.* **3** Pessoa suspeita (1).

suspeitoso (sus.pei.*to*.so) [ô] *a.* Que alimenta suspeitas ou sente receios. [Fem. e pl.: [ó].]

suspender (sus.pen.*der*) *v.* **1** Prender(-se) no alto (a alguma coisa); PENDURAR(-SE). [*td.* (seguido ou não de indicação de lugar/instrumento etc.): *suspender o lustre (no teto). pr.*: *O menino suspendeu-se (com a corda).*] **2** Levantar, erguer. [*td.*: *suspender a âncora*; *O vento suspendeu sua saia.*] **3** *Fig.* Interromper (uma ação). [*td.*: "Era já tarde, o pintor suspendera o trabalho." (Machado de Assis, *Esaú e Jacó*).] **4** *Fig.* Retirar por certo tempo de (cargo, posto, função etc.). [*td./tdi. + de*: *suspendeu o funcionário (de suas funções).*] **5** Castigar com suspensão da frequência. [*td.* (seguido ou não de indicação de tempo): *Suspendeu os três alunos (por cinco dias).*] **6** *Fig.* Deixar de realizar (o que estava programado); CANCELAR. [*td.*: *suspender uma viagem/uma encomenda.*] [▶ **2** suspen[der]. Part.: suspendido e suspenso.]

suspensão (sus.pen.*são*) *sf.* **1** Ação ou resultado de suspender. **2** Interrupção, temporária ou não, de algum trabalho ou atividade. **3** Castigo imposto a aluno, funcionário etc., em que o é provisoriamente impedido de comparecer. **4** *Emec.* Conjunto de peças que se destina a amortecer os solavancos de um veículo. [Pl.: *-sões*.]

suspense (sus.*pen*.se) *sm.* Sensação de ansiedade e angústia enquanto se espera por um desfecho ou uma resolução, esp. em ficção, em cinema, teatro etc.

suspensivo (sus.pen.*si*.vo) *a.* Que tem o poder de suspender.

suspenso (sus.*pen*.so) *a.* Que se suspendeu.

suspensórios (sus.pen.*só*.ri:os) *smpl.* Tiras que passam sobre os ombros e a que as calças pelo cós.

suspicaz (sus.pi.*caz*) *a2g.* Que tem suspeitas; que provoca suspeita. [Superl.: *suspicacíssimo*.]

suspirar (sus.pi.*rar*) *v.* **1** Soltar suspiro(s). [*int.*] **2** *Fig.* Sentir saudade ou nostalgia de. [*td.*: *O velho suspirava seus melhores momentos. ti. + por*: *O desterrado suspira pela pátria.*] **3** *Fig.* Anelar, ansiar. [*td.*: *suspirar o amor de uma mulher. ti. + por*: *Suspira pelo retorno do filho.*] [▶ **1** suspir[ar]]

suspiro (sus.*pi*.ro) *sm.* **1** Respiração prolongada, causada por emoção, dor etc. **2** Lamento, queixume. **3** *Cul.* Doce feito com clara de ovo batida e açúcar.

suspiroso (sus.pi.*ro*.so) [ô] *a.* Que suspira, ger. como expressão de emoção ou de lamento. [Fem. e pl.: [ó].]

sussurrar (sus.sur.*rar*) *v.* **1** Expressar com sussurro(s) ou murmúrio(s). [*td.*: *sussurrar confidências. tdi. + a, para*: *Sussurrou para o amigo um antigo segredo.*] **2** Produzir sussurro ou murmúrio; MURMURAR. [*int.*: *O riacho sussurra suavemente.*] [▶ **1** sussurr[ar]] • sus.sur.*ran*.te *a2g.*

sussurro (sus.*sur*.ro) *sm.* **1** Som baixinho de fala: *Elas vivem aos sussurros na sala de aula.* **2** Som leve, indistinto: *o suave sussurro do vento.*

sustança (sus.*tan*.ça) *sf. Pop.* Ver *sustância*.

sustância (sus.*tân*.ci.a) *sf.* **1** O que alimenta, robustece; que sacia a fome. **2** Vigor, força, robustez. [Sin. ger.: *substância*.]

sustar (sus.*tar*) *v.* Interromper(-se), suspender(-se), ou deter(-se). [*td.*: *sustar um processo judicial. int./pr.*: *Amedrontado, o cavalo sustou(-se).*] [▶ **1** sust[ar]] • sus.ta.*ção sf.*

sustenido (sus.te.*ni*.do) *Mús. sm.* **1** Sinal (#) que eleva em meio tom a nota que se lhe segue. *a.* **2** Diz-se da nota por ele afetada (lá sustenido).

sustentáculo (sus.ten.*tá*.cu.lo) *sm.* **1** Aquilo que sustenta. **2** *Fig.* Amparo, apoio: *Ela era o sustentáculo da família.*

sustentar (sus.ten.*tar*) *v.* **1** Manter(-se) firme, para não cair. [*td.*: *Fortes vigas sustentam o teto. pr.*: *O planador sustenta-se sem motor.*] **2** Resistir a ou diante de; SUPORTAR. [*td.*: *Sustentou os golpes sem ir à lona. pr.*: *As tropas alemães não se sustentaram no inverno russo.*] **3** Travar ou manter. [*td.*: *sustentar um combate/uma trincheira. tdi. + com*: *Sustentou polêmicas com o adversário.*] **4** Dar apoio a, ou ter o apoio de; APOIAR(-SE). [*td.*: "Guiomar sustentava a resolução da madrinha..." (Machado de Assis, *A mão e a luva*). *pr.*: *Sustentava-se na fé.*] **5** Prover(-se) dos recursos necessários, ou socorrer, auxiliar. [*td.*: *Henrique sustenta sua família e o irmão. pr.*: *A instituição se sustentará com donativos.*] **6** Alimentar(-se), nutrir(-se). [*td.*: *Os animais sustentam seus filhotes. int.*: *Esta sopa sustenta. pr.*: "Já não dormia, sustentava-me com uma xícara de café." (José de Alencar, *Luciola*).] **7** *Fig.* Alimentar moral ou intelectualmente. [*td.*: *A arte sempre sustentou o espírito humano.*] **8** Defender ou reafirmar ou confirmar (ideias, teoria etc.). [*td.*: *sustentar inocência/uma declaração.*] [▶ **1** sustent[ar]] • sus.ten.ta.*ção sf.*; sus.ten.*tá*.vel *a2g.*

sustento (sus.*ten*.to) *sm.* **1** Aquilo que sustenta; SUSTENTAÇÃO. **2** Amparo moral, financeiro etc.: *Ele tirava seu sustento do atletismo.*

suster (sus.*ter*) *v.* **1** Ver *sustentar*. **2** Parar, deter(-se), ou conter(-se). [*td.* (seguido ou não de indicação de meio/instrumento): *Susteve-o (pela camisa); sustergolpe/gastos. pr.*: *Susteve-se para não agredi-lo.*] [▶ **7** sus[ter]. Acento agudo no *e* na 2ª e na 3ª pess. sing. do pres. do ind. e na 2ª pess. sing. do imper. afirm.] • sus.ti.*men*.to *sm.*; sus.ti.*nen*.te *a2g.*

susto (*sus*.to) *sm.* Sobressalto provocado por acontecimento inesperado.

sutache (su.*ta*.che) *sf.* Trança us. como adorno de vestuário.

sutiã (su.ti.*ã*) *sm.* Peça do vestuário feminino us. para sustentar, modelar e cobrir os seios.

sutil (su.*til*) *a2g.* **1** Que quase não se percebe (diferença sutil). **2** *Fig.* Que é perspicaz, sagaz (comentário sutil). [Pl.: *-tis*.]

sútil (*sú*.til) *a2g*. Que é feito de pedaços cosidos; COS-TURADO. [Pl.: *-teis*.]
sutileza (su.ti.*le*.za) [ê] *sf*. **1** Qualidade do que ou de quem é sutil. **2** Delicadeza, finura. **3** Agudeza de espírito. **4** Ato ou procedimento sutil.
sutilizar, subtilizar (su.ti.li.*zar*, sub.ti.li.*zar*) *v*. Fazer(-se) sutil. [*td*.: *O sol su(b)tilizou a névoa*. *pr*.: *Seu raciocínio su(b)tilizou-se*.] [▶ 1 subtilizar, ▶ 1 sutilizar]
sutura (su.*tu*.ra) *sf*. *Cir*. Costura feita em cirurgia.
suturar (su.tu.*rar*) *v*. *td*. *Cir*. Fazer a sutura ou costura de; COSTURAR: *suturar uma ferida*. [▶ 1 suturar]

suvenir (su.ve.*nir*) *sm*. **1** Objeto, ger. com características de lugar visitado, comprado como recordação de viagem. **2** Lembrança: *Guardei o lencinho como suvenir*.
⊠ **S.W.** Abr. de *sudoeste*.
⊕ **sweepstake** (*Ing.* /*suípsteic*/) *sm*. Loteria baseada em corrida de cavalos.
⊕ **swing** (*Ing.* /*suíng*/) *sm*. **1** *Mús*. Elemento rítmico da música de *jazz*, caracterizado pelo seu caráter sincopado. **2** *Mús*. Estilo de *jazz* surgido nas décadas de 1930 e 1940. **3** *Bras*. Prática sexual de que participam simultaneamente dois ou mais casais. [Ver tb. *suingue*.]

+	Fenício
×	Grego
T	Grego
⊤	Etrusco
T	Romano
T	Romano
τ	Minúscula carolina
T	Maiúscula moderna
t	Minúscula moderna

Entre os fenícios, o *tau* servia para designar o som de *t* e para representar a assinatura dos que não sabiam escrever. Quando adotado pelos gregos, o *tau* foi ligeiramente alterado e tornou-se muito parecido com o nosso *t*. Esta letra conservou sua forma praticamente inalterada até os dias de hoje.

t [tê] *sm*. **1** A 20ª letra do alfabeto. **2** A 16ª consoante do alfabeto. *num*. **3** O 20º em uma série (portão T).
⌧ **t** Símb. de tonelada.
⌧ **T** *Fís*. Símb. de tesla.
ta Contr. do pron. pess. *te* com o pron. pess. *a*.
tá *interj*. *Bras*. *Pop*. Concordo; está bem (F. red. de *está*).
taba (*ta*.ba) *sf*. *Bras*. Aldeia indígena.
tabacaria (ta.ba.ca.*ri*.a) *sf*. Loja em que se vendem produtos para fumantes (cigarros, charutos etc.)
tabaco (ta.*ba*.co) *sm*. **1** *Bot*. Vegetal cujas folhas constituem a matéria-prima do fumo. **2** Fumo.
tabagismo (ta.ba.*gis*.mo) *sm*. **1** Hábito de fumar. **2** Intoxicação causada pela ingestão excessiva de tabaco. ● **ta.ba.***gis***.ta** *s2g*.
tabaqueira (ta.ba.*quei*.ra) *sf*. Recipiente para guardar tabaco.
tabaréu (ta.ba.*réu*) *sm*. *Bras*. Caipira, roceiro.
tabatinga (ta.ba.*tin*.ga) *sf*. *Bras*. Argila mole, branca ou esbranquiçada.
tabefe (ta.*be*.fe) *sm*. Tapa, bofetada.
tabela (ta.*be*.la) *sf*. **1** Quadro em que se registram nomes de pessoas ou objetos. **2** Lista com horário de trabalho ou de serviço. **3** Relação de preços de produtos. **4** *Basq*. Placa de vidro ou madeira a que se fixa a cesta. **5** *Fut*. Troca rápida de passes entre dois ou mais jogadores. ▪ **Cair pelas ~s** *Pop*. Estar muito cansado, ou enfraquecido, ou doente, ou em má situação. **Por ~** *Pop*. De forma indireta: *Ao criticar o chefe, criticava por tabela toda a equipe.*
tabelar (ta.be.*lar*) *v*. **1** Estipular o preço máximo de. [*td*.: *O governo tabelou os remédios*.] **2** *Bras*. *Fut*. Passar a bola para outro e recebê-la de volta. [*ti*. + *com*: *O atacante tabelou com o companheiro antes de chutar*. *int*.: *O time precisava tabelar mais*.] [▶ **1** tabelar.] ● **ta.be.***la***.do** *a*.; **ta.be.la.***men***.to** *sm*.
tabelião (ta.be.li.*ão*) *sm*. Escrivão público que reconhece assinaturas, autentica documentos, faz escrituras etc; NOTÁRIO. [Pl.: -ães. Fem.: -ã e -oa.]
tabelioa (ta.be.li:o.a) [ó] *sf*. Mulher que exerce funções de tabelião ou é sua esposa. [Tb. se diz tabeliã.]
tabelionato (ta.be.li:o.*na*.to) *sm*. **1** Ofício exercido pelo tabelião. **2** Cartório de tabelião.
taberna (ta.*ber*.na) *sf*. Estabelecimento comercial em que se vendem vinho e outras bebidas alcoólicas; TAVERNA. ● **ta.ber.***nei***.ro** *sm*.
tabernáculo (ta.ber.*ná*.cu.lo) *sm*. *Hist*. *Rel*. Templo em forma de tenda, entre os antigos hebreus, que abrigava as tábuas com o Decálogo.
tabique (ta.*bi*.que) *sm*. Parede fina, ger. de madeira, que separa cômodos ou ambientes.
tablado (ta.*bla*.do) *sm*. **1** Estrutura de madeira sobre a qual se apresentam espetáculos (peça de teatro, dança, música etc.), discursos etc.; PALANQUE; PALCO. **2** Qualquer estrado de madeira.
tablete (ta.*ble*.te) *sm*. *Bras*. Produto alimentar ou medicinal sólido, em forma de pequena placa ger. retangular.
🌐 **tablet** (*Ing*. /*táblete*/) *sm*. Aparelho eletrônico portátil que desempenha as funções de um computador em apenas uma tela, manuseável pelo toque: *Bianca lê seus livros no tablet.*
tabloide (ta.*bloi*.de) *sm*. Jornal de tamanho menor que o jornal padrão, ger. de tendência sensacionalista.
taboca (ta.*bo*.ca) *sf*. *Bras*. Bambu, taquara.
tabu (ta.*bu*) *sm*. **1** *Antr*. Entre certos povos, proibição, ger. de inspiração religiosa, de atos ou comportamentos considerados impuros, danosos etc. **2** Forte restrição a certos tipos de comportamento ou expressão: *sociedade conservadora, cheia de tabus*. **3** O objeto dessas proibições: *Consideram o palavrão um tabu*. *a2g*. **4** Que tem caráter sagrado: *Na Índia, a vaca é animal tabu*. **5** Que é proibido: *Nesta casa, o fumo é tabu*.
tabua (ta.*bu*.a) *sf*. *Bot*. Vegetal que floresce em águas paradas e de cujas folhas se fazem cestos e esteiras.
tábua (*tá*.bu:a) *sf*. Peça de madeira plana. ▪ **Fazer ~ rasa (de) 1** Desfazer (algo) para começar novamente do zero. **2** Desconsiderar, desprezar: *Fez tábua rasa dos conselhos do amigo*. **~ de salvação** O último recurso para escapar de situação aflitiva: *Aquele empréstimo foi sua tábua de salvação*.
tabuada (ta.bu:*a*.da) *sf*. **1** Tabela que contém as operações aritméticas elementares (entre números de um a dez). **2** Livro que contém essa tabela.
tabuado (ta.bu:*a*.do) *sm*. Conjunto de peças de madeira colocadas lado a lado, para formar, p.ex., um assoalho.
tábula (*tá*.bu.la) *sf*. **1** Pequena peça redonda, us. em certos jogos de tabuleiro; PEDRA (7). **2** Placa encerada us. pelos antigos romanos para nela escrever.
tabulador (ta.bu.la.*dor*) [ô] *sm*. **1** Tecla de máquina de escrever que, acionada, faz correr o carro (3). **2** *Inf*. Nos computadores, a tecla que permite passar de um campo a outro na mesma interface, sem usar o mouse, e/ou possibilita fazer alinhamento, tabulações etc.
tabular[1] (ta.bu.*lar*) *a2g*. **1** Ref. a tábula, quadro etc. **2** Que apresenta forma de tábua ou tabela.
tabular[2] (ta.bu.*lar*) *v*. *td*. **1** Fazer cálculos numéricos de (dados) e transformá-los em quadro ou tabela: *O Censo tabulou as respostas do questionário dos cidadãos*. **2** *Inf*. Marcar o local, na régua hori-

tabular • **ta.bu.la.ção** *sf*.; **ta.bu.la.do** *a*.

tabule (ta.*bu*.le) *sm. Cul.* Salada árabe feita com farelo de trigo, hortelã, cebola, tomate, pepino e azeite.

tabuleiro (ta.bu.*lei*.ro) *sm.* **1** Recipiente retangular e raso us. para assar alimentos no forno. **2** Quadro subdividido em 64 quadrados iguais, onde se jogam xadrez, damas etc. **3** Espécie de mesa ou bancada em que feirantes expõem seus produtos.

tabuleta (ta.bu.*le*.ta) [ê] *sf.* Placa na qual se escrevem anúncios, avisos etc.

taça (*ta*.ça) *sf.* **1** Copo provido de pé, us. para beber champanhe, vinho etc. **2** O conteúdo desse recipiente: *Bebi uma taça de vinho*. **3** Troféu, esp. esportivo, em formato de taça (1).

tacacá (ta.ca.*cá*) *sm. AM PA Cul.* Mingau de tapioca temperado com tucupi, camarão etc.

tacada (ta.*ca*.da) *sf.* **1** Golpe com taco (1). **2** Golpe inesperado, ger. de sorte: *Numa grande tacada, ganhou milhões.* ❚❚ **De uma ~ (só)** De uma (só) vez: *Resolveu todos os problemas de uma tacada (só).*

tacanho (ta.*ca*.nho) *a.* **1** De pequena estatura. **2** Que se caracteriza pela mesquinhez; MESQUINHO.

tacão (ta.*cão*) *sm.* Salto de sapato. [Pl.: -cões.]

tacape (ta.*ca*.pe) *sm.* Espécie de clava us. como arma por indígenas.

tacar¹ (ta.*car*) *v.* **1** Lançar, jogar com força. **2** Atear (fogo). **3** Disparar (tiro).

tacar² (ta.*car*) *v.* Golpear com taco (ger. uma bola); rebater com taco.

tacha¹ (ta.*cha*) *sf.* Prego pequeno de cabeça redonda; tachinha. [Cf.: taxa.]

tacha² (ta.*cha*) *sf.* **1** Mancha, nódoa. **2** *Fig.* Defeito de caráter; MÁCULA. [Cf.: taxa.]

tachada (ta.*cha*.da) *sf.* Quantidade que um tacho pode conter.

tachar (ta.*char*) *v. td.* Qualificar de forma negativa; (seguido de indicação do atributo negativo) *Tachavam seu Alberto de pão-duro*. [▶ **1** tach**ar**] [Cf.: taxar.]

tachear (ta.che.*ar*) *v. td. Bras.* Aplicar tachas¹ ou enfeites metálicos em: *Mandei tachear minha calça jeans.* [▶ **13** tach**ear**]

tacho (*ta*.cho) *sm.* Panelão redondo com alças, para cozinhar.

tácito (*tá*.ci.to) *a.* Que se entende, sem precisar exprimir por palavras (acordo *tácito*.); IMPLÍCITO.

taciturno (ta.ci.*tur*.no) *a.* **1** Que é de falar pouco, que é carrancudo. **2** Que é tristonho, melancólico.

taco (*ta*.co) *sm.* **1** Bastão de madeira com que se toca ou rebate a bola em jogos como sinuca, golfe, beisebol etc. **2** Pedaço de madeira, ger. retangular, us. para revestir pisos. **3** *Bras. Gír.* Jogador hábil de sinuca ou de bilhar: *Ele é um bom taco. a.* **4** *RS Gír.* Diz-se de pessoa capaz ou corajosa.

tacógrafo (ta.*có*.gra.fo) *sm.* Medidor e registrador de velocidade.

tacômetro (ta.*cô*.me.tro) *sm.* Instrumento para medir velocidades, esp. a de rotação de um motor.

táctil (*tác*.til) *a2g.* Ver **tátil**.

tacto (*tac*.to) *sm.* Ver **tato**.

⊕ **tae kwon do** (*Cor.* /taí cuan dou/) *sm.* Luta com armas, de origem coreana, baseada no caratê e no *kung-fu*.

tafetá (ta.fe.*tá*) *sm.* Tecido de seda armado e brilhoso.

tagarela (ta.ga.*re*.la) *a2g.s2g.* **1** Que ou quem fala muito. **2** Que ou quem faz fofoca, mexerico.

tagarelar (ta.ga.re.*lar*) *v.* Falar em excesso (com alguém) sem assunto específico. [*ti.* + *com*: *Adora tagarelar com a irmã. int.*: "...ele não para de tagarelar." (Antonio Callado, *Pedro Mico*).] [▶ **1** tagare**lar**] • **ta.ga.re.li.ce** *sf.*

⊕ **tai chi chuan** (*Chi.* /tai chi chuã/) *sm.* Arte marcial de origem chinesa constituída de exercícios físicos e meditação.

taifa (*tai*.fa) *sf. Mar.* A criadagem de bordo.

taifeiro (tai.*fei*.ro) *sm. Mil.* Aquele que é encarregado de certos serviços como servir à mesa, limpar salões etc. **2** Criado de bordo.

tailandês (tai.lan.*dês*) *a.* **1** Da Tailândia (Ásia); típico desse país ou de seu povo. *sm.* **2** Pessoa nascida na Tailândia. [Pl.: -deses. Fem.: -desa.]

⊕ **tailleur** (*Fr.* /taiér/) *sm.* Veste feminina composta de casaco e saia.

tainha (ta.*i*.nha) *sf. Zool.* Peixe de listas longitudinais escuras e cuja carne é muito apreciada.

taioba (tai.*o*.ba) *sf. Bras. Bot.* Planta de tonalidade azulada, muito us. em culinária como verdura.

taipa (*tai*.pa) *sf.* Parede de barro com lascas de madeira, varas ou taquaras; ESTUQUE.

taitiano (tai.ti.*a*.no) *a.* **1** Do Taiti (Polinésia Francesa); típico dessa ilha ou de seu povo. *sm.* **2** Pessoa nascida no Taiti. *a.sm.* **3** *Gloss.* Da, ref. à ou a língua falada no Taiti e nas outras ilhas da Polinésia Francesa, juntamente com o francês.

taiuanês, taiwanês (tai.ua.*nês*, tai.wa.*nês*) *a.* **1** De Taiuan ou Taiwan (Ásia); típico desse país ou de seu povo. *sm.* **2** Pessoa nascida em Taiuan ou Taiwan. [Pl.: -neses. Fem.: -nesa.]

tal *pr.dem.* **1** Este, aquele: *Ele não tinha tal qualidade.* **2** Isso, aquilo: *Nem por tal perdi minha paciência. pr.indef.* **3** Tão grande, tão intenso; TANTO: *Nunca tinha sentido tal dor. adv.* **4** Assim: *Ele é tal como o irmão.* **5** Em tão alto grau; TANTO: *O ciúme era tal, que o namoro acabou. s2g.* **6** Aquele de quem se fala e cujo nome não se menciona: *Estive com o tal de que lhe falei.* **7** *Fig.* Pessoa extraordinária: *Esse cara é o tal.* [Pl.: tais.] ❚❚ **E ~** Us. para encerrar enumeração: *É inteligente, honesto, aplicado e tal, mas falta-lhe iniciativa.* **Que ~?** O que você acha? *Que tal irmos ao cinema?* **~ e qual** Ver *tal qual*. **~ qual** Como: *Expliquei-lhe tudo tal qual me foi explicado.* **2** Igual a: *Vestida assim, ela é tal qual a irmã.* **Um ~ de** *Pej.* Us. antes de nome de pessoa para denotar desprezo ou fingido desconhecimento: *O gerente é um tal de Jorge.*

tala (*ta*.la) *sf.* **1** Objeto (pedaço de madeira etc.) que se usa para reforçar certos dispositivos, peças etc. **2** Dispositivo para imobilizar parte do corpo que sofreu fratura. **3** *Bras.* Tira de couro comprida us. como chicote.

talabarte (ta.la.*bar*.te) *sm.* Correia us. a tiracolo para prender a arma.

talagada (ta.la.*ga*.da) *sf. Bras. Pop.* Dose de bebida alcoólica que se toma de uma só vez: "... em busca de algum café de balcão vazio onde pudesse tomar uma talagada do áspero rum brasileiro..." (Antonio Callado, *Bar Don Juan*).

talagarça (ta.la.*gar*.ça) *sf.* Tecido de fios espaçados, us. como base para se tecer bordados.

tálamo (*tá*.la.mo) *sm.* **1** Leito nupcial. **2** *Anat.* Certa formação da parte inferior do cérebro.

talante (ta.*lan*.te) *sm.* **1** Vontade, desejo: "...capaz de se apossar de qualquer desabusada mulher e dobrá-la a seu *talante*?" (João Guimarães Rosa, *Noites do sertão*). **2** Favor, empenho, diligência.

talão (ta.*lão*) *sm.* **1** Bloco de folhas com uma parte destacável; TALONÁRIO: *talão de cheques.* **2** Parte posterior do pé; CALCANHAR. **3** A parte traseira de um calçado. [Pl.: -lões.]

talar¹ (ta.*lar*) *a2g.* **1** Ref. a talão. **2** Que se estende até o calcanhar (veste *talar*). ❚ **talares** *smpl.* **3** *Mit.* As asas que Mercúrio tem nos pés.

talar² | **tampão** 758

talar² (ta.*lar*) *v. td.* Destruir, devastar: *Os selvagens talaram os campos e as lavouras.* [▶ 1 tal<u>ar</u>]

talássico (ta.*lás*.si.co) *a.* Ref. ao mar.

talassofobia (ta.las.so.fo.*bi*.a) *sf. Psiq.* Medo mórbido do mar.

talco (*tal*.co) *sm.* **1** Mineral de cor esbranquiçada que deriva do magnésio. **2** Esse mineral transformado em pó finíssimo, us. em cosméticos, remédios etc.

talento (ta.*len*.to) *sm.* **1** Capacidade inata para certas coisas (talento musical). **2** Pessoa que possui esta capacidade: *Ele é um talento na música.* • ta.len.*to*.so *a.*

talha (*ta*.lha) *sf.* **1** Recipiente bojudo, de cerâmica ou louça, semelhante a um vaso, para armazenar líquidos e cereais. **2** Moringa.

talhada (ta.*lha*.da) *sf.* Porção que se corta de alguma coisa; FATIA.

talhadeira (ta.lha.*dei*.ra) *sf.* Instrumento metálico us. para talhar (em madeira, metal etc.).

talhado (ta.*lha*.do) *a.* **1** Que foi cortado, dividido. **2** Que é próprio ou adequado: *atriz talhada para papéis dramáticos.* **3** Ajustado, combinado (preço talhado). **4** Que coagulou (leite talhado).

talhar (ta.*lhar*) *v.* **1** Fazer corte em. [*td.*: *Antes de assar, talhe o peixe.*] **2** Cortar ou esculpir, dando uma forma. [*td.*: *talhar uma estátua.*] **3** Preparar para uma função. [*tdi. + para*: *Recebeu uma educação que o talhou para a liderança.*] **4** Ficar (leite, sangue etc.) granulado e com partes solidificadas. [*int.*] [▶ 1 talh<u>ar</u>] • ta.lha.*dor a.sm.*; ta.*lhan*.te *a2g.s2g.*

talharim (ta.lha.*rim*) *sm.* Espécie de macarrão em tiras delgadas. [Pl.: -*rins.*]

talhe (*ta*.lhe) *sm.* **1** Feitio do corpo ou de um objeto: "Se resguarda, multiplicando as saias,/a perna brunida ou o talhe esbelto." (João Cabral de Melo Neto, *A educação pela pedra*). **2** Modo de talhar ou cortar uma roupa: *terno de talhe sofisticado.* **3** Maneira particular de se traçar a caligrafia. **4** Tronco do corpo humano.

talher (ta.*lher*) *sm.* Cada um dos utensílios (garfo, faca, colher etc.) us. para comer ou servir alimentos.

talho (*ta*.lho) *sm.* **1** Corte: *Deu um talho na perna.* **2** Poda de árvores. **3** Corte de carne no açougue. **4** Cepo onde se efetua o corte das carnes. **5** Sulco feito em madeira ou metal.

talibã (ta.li.*bã*) *sm.* **1** Milícia islâmica radical do Afeganistão. *a2g.s2g.* **2** Que ou quem pertence a essa milícia. *a2g.* **3** Ref. a essa milícia ou a suas ideias.

talismã (ta.lis.*mã*) *sm.* Objeto supostamente dotado de certos poderes, us. para dar sorte: *Usava um pedrinha azul como talismã.* [Cf.: *amuleto.*] • ta.lis.*mã*.ni.co *a.* [Cf.: *amuleto.*]

⊕ **talk show** (Ing. /*tók xóu*/) *sm. Telv.* Programa de televisão que combina entrevistas com números de entretenimento.

Talmude (Tal.*mu*.de) *sm.* Conjunto de antigas leis e tradições do povo judeu, o Torá e comentários a ela. • tal.*mú*.di.co *a.*; tal.mu.*dis*.ta *s2g.*

talo (*ta*.lo) *sm. Bot.* Corpo fibroso de plantas inferiores, como algas, cogumelos etc. • ta.*lo*.so *a.*

talófito (ta.*ló*.fi.to) *a.sm. Bot.* Que ou o que é provido de talo (diz-se de vegetal).

talonário (ta.lo.*ná*.ri.o) *a.sm.* Diz-se de ou bloco em que partes das folhas são destacáveis; TALÃO.

talude (ta.*lu*.de) *sm.* Terreno inclinado; ESCARPA: *Deslizou pelo talude e caiu lá embaixo.*

taludo (ta.*lu*.do) *a.* **1** Que tem talo forte, resistente. **2** *Fig.* Que é corpulento, forte: *Era um menino taludo.*

talvegue (tal.*ve*.gue) *sm.* Linha mais ou menos sinuosa, no fundo de um vale, por onde corre a água.

talvez (tal.*vez*) [ê] *adv.* Provavelmente: *Talvez eu vá ao cinema.*

tamanco (ta.*man*.co) *sm.* **1** Calçado grosseiro de madeira. **2** Calçado semelhante a esse, porém mais sofisticado, com revestimento de couro, ger. us. por mulheres.

tamanduá (ta.man.du:*á*) *sm. Bras. Zool.* Mamífero desdentado que se alimenta de cupins e formigas.

tamanduá-bandeira (ta.man.du:á-ban.*dei*.ra) *sm. Bras. Zool.* Mamífero de coloração cinza-escura, maior que o tamanduá comum, e provido de cauda longa e peluda. [Pl.: *tamanduás-bandeiras* e *tamanduás-bandeira.*]

TAMANDUÁ

tamanduaí (ta.man.du:a.*í*) *sm. Zool.* Pequeno tamanduá, de pelo amarelado.

tamanho (ta.*ma*.nho) *sm.* **1** Dimensão, extensão, estatura: *Com 12 anos, está do tamanho do pai. a.* **2** Tão grande; tão notável; TANTO: *Tamanha amizade nunca se viu.*

tâmara (*tâ*.ma.ra) *sf.* Fruto comestível marrom, de polpa doce e forma alongada. • ta.ma.*rei*.ra *sf.*

tamarindo (ta.ma.*rin*.do) *sm.* Fruto comestível marrom, de polpa seca e muito ácida. • ta.ma.*rin*.*dei*.ro *sm.*; ta.ma.rin.*dal sm.*

tambaqui (tam.ba.*qui*) *sm. Bras. Zool.* Peixe graúdo que se alimenta de frutos, comum nos rios amazônicos.

também (tam.*bém*) *adv.* **1** Do mesmo modo; IGUALMENTE: *Peguei uma gripe, e ela também foi à praia, junto*: *Com o café, serviu também uns bolinhos.* **3** Por outro lado: *Havia quem ajudasse e havia também quem nada fazia.* **4** Us. como reforço explicativo: *Está cansadíssima. Também, ficou no baile até de manhã.* **5** Participa da correlação 'não só..., mas também': *Não só a acudiu, mas também cuidou de seu ferimento.* *interj.* **6** Indica desgosto, chateação: *Também! Que posso fazer?*

tambor (tam.*bor*) [ô] *sm.* **1** *Mús.* Instrumento de percussão cilíndrico, fechado por couro ou plástico e tocado com baquetas. **2** No revólver, peça cilíndrica onde ficam as balas. **3** Tipo de tonel metálico próprio para guardar ou transportar líquidos. **4** Cilindro de fechaduras.

tamborete (tam.bo.*re*.te) [ê] *sm.* Banco pequeno e baixo, sem encosto nem espaldar; BANQUETA.

tamboril (tam.bo.*ril*) *sm.* Ver *tamborim.* [Pl.: -*ris.*]

tamborilar (tam.bo.ri.*lar*) *v.* **1** Bater com os dedos em uma superfície, de forma ritmada. [*td.* (seguido ou não de indicação de lugar): *O compositor tamborilou um samba (no balcão do bar).* *int.* (seguido ou não de indicação de lugar): *Nervoso, o piloto tamborilava no volante.*] **2** Produzir som semelhante ao do tambor. [*int.*: *A chuva tamborilava na telha.*] *sm.* **3** Som semelhante ao do tambor: *o tamborilar da chuva.* [▶ 1 tamboril<u>ar</u>]

tamborim (tam.bo.*rim*) *sm. Mús.* Instrumento de percussão pequeno, em forma de tambor, que pode ser tocado com o dedo ou baqueta; TAMBORIL. [Pl.: -*rins.*]

tamoio (ta.*moi*.o) *s2g. Bras.* **1** Indivíduo dos tamoios, povo indígena tupi que habitava a costa brasileira. *a2g.* **2** Ref. a ou pertencente a esse povo.

tampa (*tam*.pa) *sf.* Peça móvel que fecha recipientes, caixas, garrafas etc.

tampão (tam.*pão*) *sm.* **1** Rolha. **2** Tampa de esgoto, tanque, pia etc. **3** Bola de espuma, gaze ou algodão us. para impedir a saída de líquidos, absorver secreções, estancar hemorragia etc. **4** Absorvente cilíndrico, us. internamente, para reter e absorver o fluxo menstrual. [Pl.: -*pões.*]

tampar (tam.*par*) *v.* *td.* Pôr cobertura sobre algo para fechá-lo; TAPAR: *Você tampou o frasco de perfume?* [▶ 1 tamp**ar**] • **tam.pa.do** *a.*

tampinha (tam.*pi*.nha) *s2g.* **1** *Pej.* Pessoa de pouca estatura. [At! Considerado depreciativo ou preconceituoso nesta acepção.] *sf.* **2** Tampa pequena.

tampo (*tam*.po) *sm.* **1** Peça com que se tampa vasos, tinas, tonéis; TAMPA. **2** *Mús.* A cobertura da caixa de ressonância em instrumentos de corda: *o tampo do bandolim.*

tamponar (tam.po.*nar*) *v.* *td.* Vedar (uma passagem) com tampão: *tamponar um duto.* [▶ 1 tampon**ar**] • **tam.po.na.men.to** *sm.*

tampouco (tam.*pou*.co) [ô] *adv.* Nem, também não: *O que você fez não é certo e tampouco justo.*

tanajura (ta.na.*ju*.ra) *sf.* **1** *Zool.* Saúva fêmea com asas. **2** *Bras. Pop.* Mulher de cintura fina e nádegas grandes.

tandem (*tan*.dem) *sm.* Bicicleta de dois selins enfileirados e dois pares de pedais. [Pl.: *-dens*.]

tanga (tan.ga) *sf.* **1** Peça de pano, penas etc. com que certos povos primitivos cobrem a área do sexo e quadris. **2** Calcinha inferior de biquíni ou peça de dimensões mínimas.

tangará (tan.ga.*rá*) *sm. Zool.* Pássaro colorido da América do Sul que, na fase de acasalamento, executa dança característica.

tangência (tan.*gên*.ci.a) *sf. Geom.* **1** Contato pontual entre duas linhas ou duas superfícies. **2** O ponto desse contato. • **tan.gen.ci.al** *a2g.*

tangenciar (tan.gen.ci.*ar*) *v.* *td.* **1** Traçar uma tangente. **2** Passar perto de: *A ferrovia tangenciava a cidade.* **3** *Fig.* Tratar superficialmente de: *O discurso do diretor apenas tangenciou as questões importantes.* [▶ 1 tangenci**ar**]

tangente (tan.*gen*.te) *sf.* **1** *Geom.* Linha ou superfície que toca num só ponto outra linha ou superfície, sem cortá-la. *a2g.* **2** Que tange, roça, toca de leve: *Há um contato tangente entre a bola e o chão.* ■ **Pela ~** Quase sem conseguir, raspando: *Escapou pela tangente de ser reprovado.* TANGENTE (1) **Sair pela ~** Escapar ardilosamente de responsabilidade, tarefa etc.: *Na hora de assumir a missão, saiu pela tangente.*

tanger (tan.*ger*) *v.* **1** Tocar (instrumento musical). [*td.*: "...sem cantarmos bonito nem *tangermos* guitarra..." (Cecília Meireles, *Crônicas de Viagem 2*). **2** Soar. [*int.*: *Sinos tangiam ao longe.*] **3** Fustigar, açoitar (animal) para que mova ou corra. [*td.* (seguido ou não de indicação de lugar): *O vaqueiro tangeu o gado (para o curral).*] **4** Referir-se. [*ti.* + *a*: *O livro tange a problemas reais.*] [▶ 35 tang**er**] • tan.ge.*dor* *a.sm.*; tan.gi.*men*.to *sm.*

tangerina (tan.ge.*ri*.na) *sf.* Fruta cítrica, pouco ácida, cuja casca se solta facilmente dos gomos; MEXERICA. **tangerineira** (tan.ge.ri.*nei*.ra) *sf. Bot.* Árvore que dá a tangerina.

tangível (tan.*gí*.vel) *a2g.* Que se pode tocar, apalpar, alcançar; PALPÁVEL: *O quadro é tangível; a inspiração não.* [Pl.: *-veis.*] • tan.gi.bi.li.*da*.de *sf.*

tanglomango, tangolomango (tan.glo.*man*.go, tan.go.lo.*man*.go) *sm. Bras.* **1** Doença supostamente causada por magia, feitiço etc.; SORTILÉGIO. **2** *Pop.* Qualquer doença ou mazela. **3** Azar constante; URUCUBACA.

tango (*tan*.go) *sm.* Dança e música sincopada e lânguida, originada nos subúrbios de Buenos Aires (Argentina). • **tan.guis.ta** *s2g.*

tanino (ta.*ni*.no) *sm. Quím.* Ácido adstringente extraído de vegetais, us. para tratar queimaduras, curtir couro, produzir corantes, tintas, bebidas etc.

tanoaria (ta.no.a.*ri*.a) *sf.* Ofício, oficina ou obra de tanoeiro; TONELARIA.

tanoeiro (ta.no:*ei*.ro) *sm.* Fabricante de tonéis, barris, pipas etc.; TONELEIRO.

tanque¹ (*tan*.que) *sm.* **1** Reservatório para líquidos: *tanque de óleo.* **2** Cuba, ger. de cimento ou plástico, onde se lava roupa à mão. **3** Construção que represa a água destinada à irrigação, abastecimento etc.; BARRAGEM; AÇUDE. **4** Depósito natural de águas vindas da chuva ou de um rio; POÇO.

tanque² (*tan*.que) *sm. Mil.* Carro de guerra, blindado e equipado com armas pesadas.

tantã¹ (tan.*tã*) *sm. Mús.* **1** Na África Central, nome geral para tambor. **2** Tipo de tambor comum nas rodas de samba.

tantã² (tan.*tã*) *a2g.s2g. Bras. Fam.* Que ou quem é amalucado; LOUCO; MALUCO.

tantalizar (tan.ta.li.*zar*) *v.* *td.* **1** Atormentar: *O desejo de ter tudo tantaliza alguns homens.* **2** Provocar interesse em: *Escândalos com celebridades tantalizam o público.* [▶ 1 tantaliz**ar**] • tan.ta.li.za.*ção* *sf.*; tan.ta.li.*zan*.te *a2g.*

tanto (*tan*.to) *pr.indef.* **1** Tão grande: *Tanto esforço para nada!* **2** Tal quantidade de, tão numeroso: *Ouviu tantos elogios, que se encabulou.* *num.* **3** Porção, quantidade: *Fez um outro tanto de café.* *adv.* **4** Em tão alto grau; TAL: *A fome era tanta que comeu feito um bicho.* **5** Com tanta frequência; em tal quantidade; de tal maneira: *Cantou tanto que ficou rouco.* **6** Participa de construção comparativa: *Gostava tanto de um quanto de outro.* ■ **E ~** Us. como reforço de qualificação: *Tem 30 e tantos anos.* **Pelas tantas** Em hora muito avançada: *Chegou pelas tantas outra vez.* **Se ~** No máximo: *Tem uns 30 anos, se tanto.* **Um ~** Ver *um tanto ou quanto*. **Um ~ ou quanto** Um pouco, um tanto: *Ela é um tanto ou quanto teimosa.*

tanzaniano (tan.za.ni:*a*.no) *a.* **1** Da Tanzânia (África); típico desse país ou de seu povo. *sm.* **2** Pessoa nascida na Tanzânia.

tão *adv.* **1** Em tal grau, modo, extensão, quantidade: *Ela dança tão bem!; Ficou tão nervoso que perdeu a fala.* **2** Participa de construção comparativa: *É tão bonito quanto o pai.* ■ **~ logo** Assim que, logo que.

taoísmo (ta:o.*ís*.mo) *sm. Fil. Rel.* Doutrina místico-filosófica chinesa, que busca a harmonia homem/universo por meio das práticas de meditação, contemplação e respiração. • ta:o.*ís*.ta *a2g.s2g.*

tão só, tão somente (tão *só*, tão so.*men*.te) *adv.* Unicamente, apenas, só: *Nossa intenção era tão somente ajudá-lo.*

tapa¹ (*ta*.pa) *sf.* **1** Ação ou resultado de tapar; TAPAÇÃO; TAPAMENTO. **2** Tampa us. em artilharia, esp. na boca do canhão.

tapa² (*ta*.pa) *s2g.* **1** Pancada com a mão aberta; BOFETADA. **2** Argumento a que não se pode contestar. *sm.* **3** *Gír.* Tragada em cigarro de maconha.

tapa-buraco (ta.pa-bu.*ra*.co) *s2g2n. Pop.* Pessoa ou coisa sem função definida posta emergencialmente no lugar de outra: *Na falta do ator, usou-me como tapa-buraco.*

tapado (ta.*pa*.do) *a.* **1** Coberto ou vendado (olhos *tapados*). *a.sm.* **2** *Pop. Pej.* Que ou quem é ignorante, bronco. [At! Considerado ofensivo nesta acepção.]

tapa-olho (ta.pa-*o*.lho) [ô] *sm.* **1** Venda para um olho, presa com tira de pano, couro etc. *Bras. Pop.* Ver *tapa-olhos*. [Pl.: *tapa-olhos* [ó].]

tapa-olhos (ta.pa-*o*.lhos) [ó] *sm2n. Bras. Pop.* Soco no olho; TAPA-OLHO: *Deu-lhe um tapa-olhos que o derrubou.*

tapar (ta.*par*) *v.* *td.* **1** Pôr cobertura ou tampa sobre; TAMPAR: *Tape o pote para não entrar formiga.* **2**

tape | tartamudear

Ocultar; cobrir: *As nuvens tapavam o Sol.* **3** Encher (buraco) até a superfície. [▶ **1** tap*ar*] • ta.*pa*.gem *sf.*; ta.pa.*men*.to *sm.*
⊕ **tape** (*Ing. /têip/*) *sm.* Ver **teipe**.
tapear (ta.pe.*ar*) *v. td. Bras. Pop.* Enganar, trapacear: *O jogador cometeu a falta, mas tentou tapear o juiz.* [▶ **13** tap*ear*] • ta.pe:a.*ção sf.*
tapeçaria (ta.pe.ça.*ri*.a) *sf.* **1** Tecido grosso, ger. bordado, us. para forrar ou enfeitar móveis, paredes etc. **2** Local onde se fazem ou vendem esses tecidos. **3** Arte ou ofício de tapeceiro.
tapeceiro (ta.pe.*cei*.ro) *sm.* **1** Pessoa que fabrica e/ ou vende tapetes. **2** Pessoa que tece manualmente tapeçarias ou tapetes.
tapera (ta.*pe*.ra) *sf.* **1** Casa em ruínas ou em péssimo estado. **2** Aldeia ou povoação abandonada.
taperebá (ta.pe.re.*bá*) *sm. Bras.* Fruta pequena, amarela, cheirosa e azeda, comum na região amazônica; CAJÁ; CAJÁ-MIRIM.
tapete (ta.*pe*.te) [ê] *sm.* Peça de tecido grosso us. para revestir pisos, escadas etc.; TAPEÇARIA.
tapioca (ta.pi:o.ca) *sf. Bras.* **1** Farinha fina, branca e úmida extraída da mandioca; GOMA. **2** *Cul.* Iguaria feita com essa farinha peneirada, assada e recheada com coco ou manteiga; BEIJU.
tapir (ta.*pir*) *sm. Zool.* Mamífero quadrúpede, pesado, de rabo curto e pequena tromba; ANTA.
tapona (ta.*po*.na) *sf. Pop.* Tapa² (1) muito forte.
tapuia (ta.*pui*.a) *s2g.* **1** *Hist.* Nome com que os portugueses denominavam os indígenas brasileiros de língua não tupi. **2** *Etnôn.* Indivíduo dos tapuias, grupo indígena que habita no Noroeste de Goiás. **3** Filho de branco e índia; MAMELUCO. *a2g.* **4** Ref. a tapuia (2). (Sin. nas acps. 2, 3 e 4: *tapuio.*]
tapuio (ta.*pui*.o) *a.sm.* Ver **tapuia** (2, 3 e 4).
tapume (ta.*pu*.me) *sm.* Placa, ger. de madeira frágil, us. para cercar ou vedar temporariamente um terreno ou construção.
taquara (ta.*qua*.ra) *sf.* Bambu. • ta.qua.*ral sm.*
taquear (ta.que.*ar*) *v.* **1** Revestir (piso) com tacos. [*td.*] **2** Acertar a bola com taco. [*int.*] [▶ **13** taqu*ear*]
taquicardia (ta.qui.car.*di*.a) *sf. Med.* Aceleração anormal dos batimentos cardíacos.
taquigrafar (ta.qui.gra.*far*) *v.* Ver **estenografar**. [▶ **1** taquigraf*ar*]
taquigrafia (ta.qui.gra.*fi*.a) *sf.* Ver **estenografia**. • ta.qui.*grá*.fi.co *a.*; ta.*qui*.gra.fo *sm.*
taquipneia (ta.quip.*nei*.a) *sf. Med.* Aumento anormal do ritmo respiratório.
tara (*ta*.ra) *sf.* **1** Perversão, esp. sexual; DEPRAVAÇÃO: *O estuprador tinha tara por senhoras idosas.* **2** *Pop.* Interesse exagerado; OBSESSÃO: "...meu sangue basco, minha tara poética me tornam, mais que o comum dos mortais, sensível, medieval..." (Antonio Callado, *Reflexos do baile*). **3** Peso da embalagem ou do veículo que contém mercadoria a ser descontado na pesagem.
tarado (ta.*ra*.do) *a.sm.* **1** Que ou quem apresenta perversão, esp. sexual; DEVASSO. **2** *Pop.* Que ou quem tem interesse exagerado por algo; OBSESSIVO: *É tarado por carro antigo. a.* **3** Diz-se de balança calibrada já com o desconto do peso da tara (3).
taramela (ta.ra.*me*.la) *sf.* O mq. **tramela**.
tarantela (ta.ran.*te*.la) *sf. Mús.* Música e dança de ritmo acelerado, típicas de Nápoles, Itália.

tarântula (ta.*rân*.tu.la) *sf. Zool.* Aranha grande e muito venenosa.
tarar (ta.*rar*) *v.ti.* **1** Pesar algo para descontar a tara (3). **2** *Bras. Gír.* Apaixonar-se loucamente (por pessoa ou coisa). [+ *por*: *Tarei pelo irmão dela!*] [▶ **1** tar*ar*]
tardança (tar.*dan*.ça) *sf.* Ação ou resultado de tardar; DEMORA; ATRASO.
tardar (tar.*dar*) *v.* **1** Chegar tarde; DEMORAR. [*int.*: *O noivo tardou um pouco, e a noiva ficou preocupada.*] **2** Retardar, adiar. [*td.*: *tardar uma decisão.*] [▶ **1** tard*ar*]. Us. seguido de *a* + infinit., é v. aux. e indica a demora do início da ação, equivalendo a *custar*: *Hoje tardou a escurecer.*]
tarde (*tar*.de) *adv.* **1** Depois da hora marcada ou do tempo adequado: *Saiu tarde para o encontro*; *Agora é tarde para arrepender-se.* **2** Em hora avançada, esp. da noite: *Chega sempre tarde em casa.* [Ant. ger.: *cedo.*] *sf.* **3** Parte do dia entre o meio-dia e a noite: *turno da tarde.*
tardinha (tar.*di*.nha) *sf.* O final da tarde.
tardio (tar.*di*:o) *a.* **1** Que ocorre depois do tempo devido: *Foi um pai tardio, aos 50 anos.* [Ant.: *precoce.*] **2** Que ocorre lentamente (crescimento *tardio*); MOROSO. [Ant.: *acelerado.*]
tardo (*tar*.do) *a.* Que anda ou progride lentamente (boi *tardo*); MOROSO. [Ant.: *ágil*, *rápido.*]
tareco (ta.*re*.co) *sm.* Coisa velha, sem serventia; CACARECO.
tarefa (ta.*re*.fa) *sf.* **1** Trabalho a ser cumprido, ger. num prazo determinado; INCUMBÊNCIA. **2** Trabalho cuja remuneração é calculada por execução de serviço; EMPREITADA. **3** *Inf.* Programa (5) em processo de execução.
tarefeiro (ta.re.*fei*.ro) *sm.* Trabalhador que recebe por tarefa realizada; EMPREITEIRO.
tarifa (ta.*ri*.fa) *sf.* Preço de serviço, esp. público e alfandegário. ⚌ ~ **pública** *Econ.* Tarifa cobrada por serviço de responsabilidade do governo. • ta.ri.*far v.*; ta.ri.fa.*ção sf.*; ta.ri.*fá*.ri:o *a.*
tarimba (ta.*rim*.ba) *sf.* **1** *Bras.* Prática em certa atividade, arte ou ofício; EXPERIÊNCIA. **2** Cama desconfortável, dura.
tarimbado (ta.rim.*ba*.do) *a. Bras.* Que tem muita tarimba (1); EXPERIENTE: *Sou tarimbado em lidar com o público.*
tarja (*tar*.ja) *sf.* **1** Listra escura que cobre, ger. por censura, parte de texto ou imagem. **2** Listra escura us. sobre objeto ou imagem para declarar luto. **3** *Art.Pl.* Em pintura, escultura etc., ornato que contorna um objeto. • tar.*jar v.*
tarlatana (tar.la.*ta*.na) *sf.* Tecido muito fino e engomado, us. em forros de vestidos, saias etc.
tarô (ta.*rô*) *sm.* **1** Baralho de 78 cartas, com figuras simbólicas, us. em jogos divinatórios. **2** Jogo feito com essas cartas.
tarol (ta.*rol*) *sm. Mús.* Tambor médio, de som vibrante, tocado com duas baquetas; CAIXA DE GUERRA. [Pl.: *-róis.*]
tarrafa (ta.*rra*.fa) *sf.* Rede de pesca circular, de malha estreita, que se lança com as mãos.
tarrafar (tar.ra.*far*) *v. int.* Usar a tarrafa para pescar. [▶ **1** tarraf*ar*]
tarraxa (ta.*rra*.xa) *sf.* **1** Rosca externa de parafuso. **2** Ferramenta que faz essas roscas. **3** Peça, ger. de madeira ou metal, us. para apertar; CAVILHA.
tarro (*ta*.rro) *sm.* Vasilha onde se apara o leite ordenhado.
tarso (*tar*.so) *sm. Anat.* Esqueleto da parte do pé mais próxima da perna, formado por sete ossos. • tar.si:a.no *a.*
tartamudear (tar.ta.mu.de.*ar*) *v.* Falar repetindo sílabas, ou de modo hesitante; GAGUEJAR. [*td.*: *O doente tartamudeou palavras incompreensíveis. int.*:

No depoimento, a testemunha tartamudeou.] [▶ 13 tartamud**ear**]

tartamudo (tar.ta.*mu*.do) *a.sm.* Que ou aquele que gagueja; GAGO. • tar.ta.mu.*dez sf.*

tartáreo (tar.*tá*.re:o) *a.* **1** *Poét.* Ref. a Tártaro[3] ou Inferno. **2** Ref. à Tartária (Sibéria), aos tártaros ou à sua língua.

tartárico (tar.*tá*.ri.co) *a. Quím.* Diz-se de ácido extraído da uva e us. na produção de xaropes, sucos etc.

tártaro[1] (*tár*.ta.ro) *sm.* **1** *Od.* Crosta de cálcio que se forma nos dentes. **2** Crosta que se forma nas paredes dos barris de vinho; SARRO; BORRA.

tártaro[2] (*tár*.ta.ro) *a.* **1** *Cul.* Diz-se de molho cremoso, branco e picante. **2** Da antiga Tartária (Sibéria); típico dessa região ou de seu povo. *sm.* **3** Pessoa nascida na Tartária. *a.sm.* **4** *Gloss.* Da, ref. à ou a língua falada na antiga Tartária.

tártaro[3] (*tár*.ta.ro) *sm. Poét.* Inferno (1). [Ger. com inicial maiúsc.]

tartaruga (tar.ta.*ru*.ga) *sf.* **1** *Zool.* Réptil terrestre e/ou aquático, coberto por carapaça óssea arredondada. **2** Material extraído de sua carapaça: *Só tocava com palhetas de tartaruga.*

tartufo (tar.*tu*.fo) *sm.* Indivíduo hipócrita. • tar.tu.*fi*.ce *sf.*

tarugo (ta.*ru*.go) *sm.* **1** Espécie de pino de madeira ou metal que se crava para fixar duas vigas. **2** Bucha de madeira que, embutida na parede, recebe e fixa prego ou parafuso. • ta.ru.*gar v.*

tasca[1] (*tas*.ca) *sf.* **1** Ação ou resultado de tirar pedaços, mordendo. **2** *Bras. RJ Pop.* Agressão por meio de pancadas; SURRA.

tasca[2] (*tas*.ca) *sf.* **1** Taberna simples que serve refeições; BAIUCA; BOTEQUIM. **2** Ver *tasco.*

tascar (tas.*car*) *v. Gír.* **1** Aplicar ou lançar inesperadamente. [*tdi.* + *em: Gabriel tascou um beijo na Priscila.*] **2** Pegar, tirar. [*td.: Ninguém pode tascar a liberdade das pessoas. int.: Esse prêmio é meu e ninguém tasca.*] **3** Botar (fogo) em. [*tdi.* + *em: O criminoso tascou fogo nas provas.*] **4** *Bras. Pop.* Agredir fisicamente, bater. [*td.: No fim da partida, tascou o juiz.*] **5** Morder, tirando pedaço. [*td.*] [▶ 11 tas**car**]

tasco (*tas*.co) *sm. Bras. Pop.* Pequeno pedaço de alimento; BOCADO; TASCA[2].

tasmaniano (tas.ma.ni:*a*.no) *a.* **1** Da Tasmânia (Oceania); típico dessa ilha ou de seu povo. *sm.* **2** Pessoa nascida na Tasmânia.

tassalho (tas.*sa*.lho) *sm. Pop.* Grande fatia ou pedaço.

tatalar (ta.ta.*lar*) *v. td. int. Bras.* Fazer produzir ou produzir ruído seco. [▶ 1 tatal**ar**]

tatame (ta.*ta*.me) *sm.* **1** Esteira de palha de arroz us. nos lares japoneses. **2** *Esp.* Esteira semelhante sobre a qual se pratica judô, jiu-jítsu etc. [Tb. *tatâmi.*]

tataraneto (ta.ta.ra.*ne*.to) *sm.* **1** Filho de trineto ou trineta de uma pessoa em relação a essa pessoa; TETRANETO. **2** Descendente muito remoto: *O livro alcançará seus tataranetos.*

tataravó (ta.ta.ra.*vó*) *sf.* **1** Mãe do trisavô ou do trisavó de uma pessoa em relação a essa pessoa; TE-TRAVÓ. **2** Ascendente muito remota: *Essa saia é do tempo da minha tataravó.*

tataravô (ta.ta.ra.*vô*) *sm.* **1** Pai do trisavô ou da trisavó de uma pessoa em relação a essa pessoa; TE-TRAVÔ. **2** Ascendente muito remoto. [Pl.: -*vôs* e -*vós.* Pl. para *tataravô* e *tataravó* juntos: *tataravós.*]

tatear (ta.te.*ar*) *v.* **1** Tocar delicadamente; APAL-PAR. [*td.: Vera tateava a perna machucada.*] **2** Usar o tato, procurando algo. [*int.: O velho, aflito, tateava na escuridão.*] **3** *Fig.* Caminhar devagar, cheio de cautela. [*td.: Após a crise, o país vem tate-*

ando um novo caminho.] [▶ 13 tat**ear**] • ta.te:*an*.te *a2g.*

tatibitate (ta.ti.bi.*ta*.te) *a2g.s2g.* Que ou quem fala trocando certas consoantes.

tático (*tá*.ti.co) *a.* **1** Ref. a tática (planejamento *tático*). *a.sm.* **2** *Mil.* Que ou quem é especialista em tática. • **tática** *sf.* **3** Método para obter êxito em uma situação, jogo, empreendimento etc. [Cf.: *estratégia.*] **4** *Mil.* Forma de dispor e manobrar as tropas num combate.

tátil (*tá*.til) *a2g.* **1** Ref. a tato. **2** Que pode ser percebido pelo tato (sensação *tátil*). [Pl.: -*teis.*]

tato (*ta*.to) *sm.* **1** Sentido que nos permite perceber forma, extensão, consistência, aspereza, peso e temperatura de algo por meio do contato com a pele. **2** *Fig.* Modo cauteloso de agir; PRUDÊNCIA: *Com muito tato, convenceu-o a render-se.*

tatu (ta.*tu*) *sm. Zool.* Pequeno mamífero desdentado, cujo corpo é coberto por carapaça de placas articuladas.

TATU

tatuagem (ta.tu:*a*.gem) *sf.* **1** Técnica de gravar desenhos na pele, introduzindo pigmentos por meio de agulhas. **2** Desenho feito com essa técnica. [Pl.: -*gens.*]

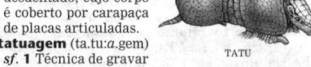

tatuar (ta.tu.*ar*) *v.* Fazer tatuagem (em). [*td.* (com ou sem indicação de lugar): *O surfista tatuou um dragão (no braço). pr.: Ao se tatuar, tenha certeza de que as agulhas são descartáveis.*] [▶ 1 tatu**ar**] • ta.tu.*a*.do *a.*; ta.tu:*a*.dor *sm.*

tatu-bola (ta.tu-*bo*.la) *sm. Zool.* Tipo de tatu capaz de se enrolar como uma bola em sua própria carapaça. [Pl.: *tatus-bolas* e *tatus-bola.*]

tatuí (ta.tu:*í*) *sm. Zool.* Pequeno crustáceo que vive enterrado na areia das praias.

taturana (ta.tu.*ra*.na) *sf. Zool.* Lagarta peluda que, ao ser tocada, causa queimaduras.

tatuzinho (ta.tu.*zi*.nho) *sm. Zool.* **1** Crustáceo terrestre que se protege enrolando completamente o corpo achatado. **2** Pequeno tatu.

tau *sm.* A 19ª letra do alfabeto grego. Corresponde ao *t* latino (T,τ).

taumaturgia (tau.ma.tur.*gi*.a) *sf.* Capacidade ou ação de fazer milagres.

taumaturgo (tau.ma.*tur*.go) *a.sm.* **1** Que ou aquele que supostamente faz milagres; MILAGREIRO. **2** *Fig.* Que ou quem tem o suposto poder da adivinhação; VISIONÁRIO. • tau.ma.*túr*.gi.co *a.*

tauriforme (tau.ri.*for*.me) *a2g.* Que tem forma de touro.

taurino (tau.*ri*.no) *a.* **1** Ref. a touro (gado *taurino*). **2** *Fig.* Que tem a força do touro. *a.sm.* **3** *Astrol.* Que ou quem nasceu sob o signo de Touro.

tauromaquia (tau.ro.ma.*qui*.a) *sf.* Arte de tourear.

tautologia (tau.to.lo.*gi*.a) *Ling.* Vício de linguagem em que se repete a mesma ideia de maneiras diferentes; REDUNDÂNCIA. • tau.to.*ló*.gi.co *a.*

tauxia (tau.*xi*.a) [cs] *sf.* Incrustação de metais preciosos, como ouro, prata etc. em peça de ferro ou aço. • tau.xi.*ar v.*

taverna (ta.*ver*.na) *sf.* Ver *taberna.*

taverneiro (ta.ver.*nei*.ro) *sm.* Ver *taberneiro.*

tavolagem (ta.vo.*la*.gem) *sf.* **1** Vício do jogo; JOGA-TINA. **2** Casa destinada aos jogos de azar. [Pl.: -*gens.*]

taxa (*ta*.xa) *sf.* **1** Contribuição monetária devida ao Estado; IMPOSTO: *A taxa de incêndio aumentou.* **2** Preço fixado por regulamento (*taxa* alfandegária); TARIFA. **3** Índice, proporção: (*taxa* de natalidade. [Cf.: *tacha.*]

taxar (ta.*xar*) *v. td.* **1** Instituir imposto a ser pago por (produto, serviço etc.): *A alfândega taxou os importados.* **2** Avaliar, classificar: (seguido de *in-*

dicação de atributo) *A crítica taxou o ator de canastrão.* [▶ 1 tax*ar*] [Cf.: *tachar*.] ● **ta.xa.ção** *sf.*

taxativo (ta.xa.*ti*.vo) *a.* **1** Que taxa; que obedece a regulamento ou é a ele restrito; RESTRITIVO. **2** *Fig.* Que não aceita contestação; CATEGÓRICO: *Sua resposta foi taxativa.*

táxi (*tá*.xi) [cs] *sm.* Automóvel com taxímetro que marca o preço a ser pago pela corrida feita pelo passageiro transportado. ● **ta.***xis*.ta *s2g.*

taxiar (ta.xi.*ar*) [cs] *v. int.* Movimentar-se na pista, antes do decolagem ou após o pouso: *O avião taxiou até a cabeceira da pista.* [▶ 1 taxi*ar*]

taxidermia (ta.xi.der.*mi*.a) [cs] *sf.* Arte ou processo de empalhar animais; EMPALHAMENTO. ● **ta.xi.dér.mi.co** *a.*; **ta.xi.der.*mis*.ta** *s2g.*

taxímetro (ta.*xí*.me.tro) [cs] *sm.* Aparelho que marca o preço de uma corrida de táxi.

taxonomia (ta.xo.no.*mi*.a) [cs] *sf.* **1** Ciência da classificação. **2** *Biol.* Ramo da biologia que cuida de descrever, identificar e classificar os seres vivos. [Cf.: *sistemática* (2).] ● **ta.xo.*nó*.mi.co** *a.*

taxonomista, taxônomo (ta.xo.no.*mis*.ta, ta.*xô*.no.mo) [cs] *s2g., sm. Biol.* Especialista em taxonomia.

tchã *sm. Bras. Pop.* **1** Graça pessoal; CHARME: *Não era bonito, mas tinha um tchã.* **2** Toque a mais de requinte, beleza, elegância etc.: *A pintura deu um tchã na casa.*

tchau *interj.* **1** Até logo. *sm.* **2** Gesto de despedida feito com a mão: *Acenou-me um tchau discreto.*

tcheco (*tche*.co) *a.* **1** Da República Tcheca (Europa); típico desse país ou de seu povo. *sm.* **2** Pessoa nascida na República Tcheca. *a.sm.* **3** *Gloss.* Da, ref. à ou a língua falada nesse país. Tb. *checo*.

tchecoslovaco (tche.cos.lo.*va*.co) *a.* **1** Da antiga Tchecoslováquia (país que, em 1993, foi desmembrado em República Tcheca e República Eslovaca), típico desse país ou de seu povo. *sm.* **2** Pessoa aí nascida. Tb. *checoslovaco*.

te *pr.pess.* **1** Equivale a 'você', 'a você' ou 'para você', na função de complemento: *Eu te vi atravessando a rua*; *Eu te telefono assim que puder.* **2** Substitui o possessivo *teu(s), tua(s)*: *Como ele conseguiu prender-te as mãos?*

tear (te.*ar*) *sm.* Artefato manual ou máquina com que se tecem ou fabricam tecidos.

teatral (te.a.*tral*) *a2g. Teat.* **1** Ref. a ou próprio da arte dramática (produção *teatral*). **2** *Fig.* Que causa efeito espetacular: *A atuação do promotor foi teatral.* **3** *Pej.* Sem naturalidade; FORÇADO; ARTIFICIAL: *Tem um jeito muito teatral.* [Pl.: -*trais*.] ● **te.a.tra.li.*da*.de** *sf.*

teatralizar (te.a.tra.li.*zar*) *v. td.* **1** Adaptar um texto para ser representado no teatro: *A autora teatralizou um conto de Machado de Assis.* **2** Tornar mais emocionante: *O jornal ganhou mais leitores teatralizando o caso.* [▶ 1 teatraliz*ar*] ● **te.a.tra.li.za.*ção*** *sf.*

teatro (te.*a*.tro) *sm.* **1** *Teat.* Local com palco, próprio para encenação de peças, óperas, recitais etc. **2** *Teat.* A arte de representar: *O teatro é tudo na vida do ator.* **3** *Liter.* A literatura escrita para ser encenada; DRAMATURGIA: *Seu teatro é melhor que sua poesia.* **4** *Pej.* Atitude falsa; FINGIMENTO: *Aquele choro foi puro teatro.* ‖ **Fazer ~** Fingir, exagerando ou dramatizando sentimento, dor, reação etc.

teatrólogo (te.a.*tró*.lo.go) *sm. Teat.* Escritor de peças teatrais; DRAMATURGO.

teca¹ (*te*.ca) *sf. Bot.* Grande árvore de madeira clara, muito us. em construção naval.

teca² (*te*.ca) *sf. Anat.* Membrana que envolve um músculo.

tecelagem (te.ce.*la*.gem) *sf.* **1** Fabricação de tecidos. **2** Fábrica ou indústria de tecidos. [Pl.: -*gens*.]

tecelão (te.ce.*lão*) *sm.* Aquele que tece fios ou tecidos. [Pl.: -*lões*. Fem.: -*lã* e -*loa*.]

tecer (te.*cer*) *v.* **1** Fabricar (tecido, teia etc.) entrelaçando fios ou linhas. [*td.: A aranha tece uma teia em poucas horas. int.: Vovó gosta de tecer à tarde.*] **2** Fazer (críticas, elogios etc.). [*td.: Os críticos teceram comentários maldosos sobre o livro.*] [▶ 33 tec*er*] ● **te.ce.du.ra** *sf.*

tecido (te.*ci*.do) *sm.* **1** Produto têxtil feito de fios cruzados artesanal ou industrialmente; FAZENDA. **2** *Biol.* Conjunto de células da mesma origem, estrutura e função. *a.* **3** Que se tece. ‖ **~ conjuntivo** *Anat.* Tipo de tecido (2), como o ósseo, o nervoso etc., que liga e dá sustentação a órgãos ou estruturas. ● **te.ci.du.*al*** *a2g.*

tecla (*te*.cla) [ê] *sf.* **1** *Mús.* Alavanca, botão etc. de certos instrumentos que, acionada com o dedo, emite ou modifica o som: *tecla do piano*. **2** Peça móvel que, pressionada com o dedo, aciona o caractere ou o comando correspondente em máquinas de escrever, teclado de computador, aparelhos de som etc. ‖ **Bater na mesma ~** Insistir no mesmo ponto ou no mesmo assunto.

tecladista (te.cla.*dis*.ta) *s2g. Mús.* Músico que toca teclado (2).

teclado (te.*cla*.do) *sm.* **1** Conjunto de teclas em instrumento musical, aparelho, máquina, computador etc. **2** *Mús.* Instrumento musical cujos sons são acionados eletronicamente por teclas semelhantes às do piano.

teclar (te.*clar*) *v.* Pressionar teclas de (piano, computador etc.). [*td.: Tecle ENTER para pular uma linha. int.: Antes de ensaiar, o pianista teclava um pouco.*] [▶ 1 tecl*ar*]

técnica (*téc*.ni.ca) *sf.* **1** Conjunto de processos, métodos e procedimentos de uma arte, ciência ou ofício: *uma nova técnica para tratamento dentário.* **2** Jeito próprio de se fazer algo: *Tenho uma técnica para memorizar.*

tecnicalidade (tec.ni.ca.li.*da*.de) *sf.* O m.q. *tecnicidade*.

tecnicidade (tec.ni.ci.*da*.de) *sf.* Caráter ou qualidade do que é técnico; TECNICISMO: *Elogiou a tecnicidade da solução encontrada.*

tecnicismo (tec.ni.*cis*.mo) *sm.* **1** Ver *tecnicidade*. **2** *Pej.* Tecnicidade exagerada: *o tecnicismo da linguagem jurídica*. ● **tec.ni.*cis*.ta** *a2g.s2g.*

técnico (*téc*.ni.co) *a.* **1** Específico ou ref. a certa arte, ciência, ofício (conhecimento *técnico*, termo *técnico*). *sm.* **2** Profissional que domina uma técnica (*técnico* eletrônico). **3** *Esp.* Treinador esportivo: *O técnico da seleção foi vaiado após a derrota.*

tecnicolor (tec.ni.co.*lor*) [ô] *sm.* **1** Processo de filmagem em cores. *a2g.* **2** Diz-se desse tipo de filmagem. [Us. tb. como paroxítona com pronúncia aberta.]

tecnocracia (tec.no.cra.*ci*.a) *sf. Pol.* Sistema político-econômico regido sobretudo por técnicos. ● **tec.no.*crá*.ti.co** *a.*

tecnocrata (tec.no.*cra*.ta) *s2g.* Aquele que governa ou administra valorizando apenas soluções técnicas, sem levar em conta aspectos humanos e sociais.

tecnologia (tec.no.lo.*gi*.a) *sf.* **1** Conjunto dos técnicas, processos e métodos específicos de uma ciência, ofício, indústria etc.: *a tecnologia das telecomunicações*. **2** O estado de desenvolvimento das tecnologias (1) como um todo: *A tecnologia é fator fundamental do desenvolvimento econômico*. ● **tec.no.*ló*.gi.co** *a.*; **tec.*nó*.lo.go** *sm.*

teco-teco (te.co-*te*.co) *sm. Bras.* Pequeno avião monomotor, us. em trajetos curtos. [Pl.: *teco-tecos*.]

tectônica (tec.*tô*.ni.ca) *sf.* **1** Arte da construção de edifícios. **2** *Geol.* Ramo da geologia que estuda

a ação das forças internas da Terra sobre a crosta terrestre. ● tec.tô.ni.co a.
te-déum (te-dé:um) sm. Rel. **1** Cântico católico iniciado por essas palavras em latim. **2** Ritual que acompanha esse cântico. [Pl.: te-déums.]
tédio (té.di:o). sm. Sensação de enfado, aborrecimento, com ou sem causa conhecida. ● te.di:o.so a.
⊕ **teenager** (Ing. /tinêidger/) s2g. Adolescente.
teflon® (te.flon) sm. Nome comercial de material us., entre outros fins, como antiaderente em panelas, chapas etc. e para revestir tecidos e telas garantindo resistência térmica, impermeabilização etc. [A marca registrada, com inicial maiúsc.]
tegumento (te.gu.men.to) sm. **1** Anat. Tudo que reveste o corpo humano e animal (pele, pelos, escamas, unhas etc.). **2** Bot. Envoltório da semente. ● te.gu.men.tar a2g.
teia (tei.a) sf. **1** Emaranhado ou trama de fios. **2** Rede de fios que as aranhas segregam e tecem como armadilha para insetos. **3** Fig. Rede de fatos encadeados; TRAMA: Caí numa teia de intrigas.
teima (tei.ma) sf. **1** Insistência em fazer algo, apesar dos obstáculos; PERSEVERANÇA; OBSTINAÇÃO: A teima em ver o ídolo acabou dando resultado. **2** Insistência excessiva e insensata; CAPRICHO; TEIMOSIA: Não ligue pra isso, é pura teima dela.
teimar (tei.mar) v. Falar ou fazer (algo) com persistência; INSISTIR. [td.: Ele teima que vai chover. ti. + em: Mesmo doente, ela teimou em não ir ao médico. int.: Pare de teimar, você não vai sair!] [▶ 1 teimar]
teimoso (tei.mo.so) [ó] a.sm. **1** Que ou quem não desiste facilmente; PERSEVERANTE; OBSTINADO. **2** Que ou quem insiste excessivamente; TURRÃO; CABEÇA-DURA. [Fem. e pl.: [ó].] ● tei.mo.si.a sf.
teína (te.í.na) sf. Quim. Substância alcaloide da folha do chá.
teipe (tei.pe) sm. **1** F. red. de videoteipe; TAPE. **2** Eletrôn. Fita magnética ou digital; TAPE.
teísmo (te.ís.mo) sm. Fil. Rel. Doutrina que afirma a existência de um Deus único, pessoal e transcendente. ● te.is.ta a2g.2g.
teiú (tei.ú) sm. Bras. Zool. O maior dos lagartos brasileiros, de corpo cinzento manchado de preto; TEJO.
teixo (tei.xo) sm. Bot. Planta de folhas e sementes venenosas, muito us. como cerca viva.
tejadilho (te.ja.di.lho) sm. Teto de carruagem, coche, liteira etc.
tejo (te.jo) sm. N.E. Zool. Ver teiú.
tela (te.la) sf. **1** Pint. Tecido grosso preso num chassi, sobre o qual se pinta um quadro: Preparou a tela para pintar. **2** Pint. Quadro pintado na tela: Em suas telas predominam as paisagens. **3** Art.Gr. Matriz de serigrafia. **4** Tecido ger. de arame ou náilon us. para cercar ou isolar uma área, em janelas etc. **5** Cin. Fot. Painel sobre o qual se projetam imagens, slides, filmes. **6** Em monitor de computador, aparelho de televisão etc., superfície onde são visualizadas as imagens. ▇ ~ **subcutânea** Anat. Tecido situado abaixo da derme. [Tela subcutânea substituiu hipoderme na nova terminologia anatômica.]
telão (te.lão) sm. **1** Tela (5) grande. **2** Essa tela us. em espaços amplos como estádios, casas de show, em instalações de home-theater etc. [Pl.: -lões.]
telar (te.lar) v. td. Bras. Colocar tela (4) em: Telamos as janelas por causa dos mosquitos. [▶ 1 telar]
teleator (te.le:a.tor) [ó] sm. Bras. Telv. Ator de programas de televisão, esp. de telenovela e teleteatro. [Fem.: -triz.]
telecine (te.le.ci.ne) sm. Telv. Aparelho que possibilita transmitir, pela televisão, slides e filmes feitos para cinema.

telecinesia (te.le.ci.ne.si.a) sf. Suposta capacidade de movimentar um objeto sem tocá-lo, usando poderes paranormais. ● te.le.ci.né.ti.co a.
telecomunicação (te.le.co.mu.ni.ca.ção) sf. **1** Comunicação a longa distância por sistema de cabo, telefone, rádio, televisão etc. [Pl.: -ções.] ◪ **telecomunicações** sfpl. **2** Meios técnicos que possibilitam a telecomunicação.
teleconferência (te.le.con.fe.rên.ci:a) sf. Telc. Conferência, debate ou entrevista em que os participantes se comunicam por meio do telefone, televisão, computador etc.
telecurso (te.le.cur.so) sm. Curso ministrado a distância, ger. por intermédio da televisão.
teleducação (te.le.du.ca.ção) sf. Educação a distância baseada no uso das tecnologias da informática e da comunicação. [Pl.: -ções.]
teleférico (te.le.fé.ri.co) sm. Cabine que, suspensa por cabos, carrega carga ou pessoas de um ponto alto a outro; BONDINHO.
telefonada (te.le.fo.na.da) sf. Ver telefonema.
telefonar (te.le.fo.nar) v. Fazer contato por telefone; LIGAR. [ti. + para: Preciso telefonar para meu primo. int.: Sua esposa telefonou do trabalho.] [▶ 1 telefonar]
telefone (te.le.fo.ne) sm. **1** Aparelho pelo qual se pode conversar a distância. **2** Sequência de números que, discados, fazem a conexão entre dois desses aparelhos: Anote meu telefone. **3** Bras. Pop. Golpe aplicado aos ouvidos com as mãos em concha. ▇ ~ **celular** Telc. Telefone móvel, portátil, que usa ondas de rádio e que se comunica com outros através de estações centralizadoras que recebem e retransmitem os sinais. [Tb. se diz apenas celular.] ● te.le.fô.ni.co a.

□ O telefone foi inventado pelo inglês Alexander Graham Bell, que registrou a patente em 1876. A invenção dos transmissores de carvão pelo americano Thomas A. Edison, em 1878, aperfeiçoando a acústica do sinal sonoro transmitido, viabilizou o uso prático do telefone. O princípio de seu funcionamento é a captação das ondas sonoras num diafragma (lâmina fina e flexível) do microfone, que vibra e transmite as vibrações ao carvão (ou outro material), que as retransmite a uma placa de metal na forma de corrente elétrica correspondente ao sinal sonoro. Essa corrente é transmitida por fios ou pelo ar ao receptor, onde um eletroímã traduz a corrente elétrica em energia mecânica, que faz vibrar uma membrana que reproduz o som original. Nos telefones portáteis e celulares, o portador da onda transmitida pelo ar, captada pelo aparelho receptor sob a forma de uma antena.

telefonema (te.le.fo.ne.ma) sm. Ligação telefônica; TELEFONADA.
telefonia (te.le.fo.ni.a) sf. Telc. Sistema de transmissão de sons a distância por meio de fios, cabos ou ondas eletromagnéticas. ▇ ~ **celular** Sistema de comunicações telefônicas entre telefones celulares.
telefonista (te.le.fo.nis.ta) s2g. Profissional cuja função é receber, fazer ou repassar ligações telefônicas.
telefoto (te.le.fo.to) sf. Fotografia transmitida por ondas radioelétricas.
telefotografia (te.le.fo.to.gra.fi.a) sf. **1** Arte e/ou técnica de fotografar a grande distância. **2** Fotografia tirada a grande distância. ● te.le.fo.to.gra.far v.
telegrafar (te.le.gra.far) v. Comunicar (algo) por meio de telegrama. [td.: Em vez de telefonar, telegrafei a mensagem. ti. + a, para: Júlia telegrafou ao

chefe pedindo ajuda. **tdi.** + *a, para: Eles telegrafa-ram a notícia à família.* [▶ 1 telegraf[ar]]
telegrafia (te.le.gra.fi.a) *sf.* Processo de transmissão de mensagens a grandes distâncias por meio de um código de sinais.
telegráfico (te.le.grá.fi.co) *a.* **1** Ref. a telégrafo ou telegrafia. **2** Que foi enviado pelo telégrafo. **3** *Fig.* Bem resumido (diálogos telegráficos); CURTO.
telegrafista (te.le.gra.fis.ta) *s2g.* Profissional que trabalha no telégrafo, enviando e recebendo mensagens.
telégrafo (te.lé.gra.fo) *sm.* **1** Sistema de envio de mensagens por meio de sinais convencionados. **2** Lugar onde funciona o telégrafo (1).
telegrama (te.le.gra.ma) *sm.* **1** Comunicação feita por meio do telégrafo. **2** Mensagem escrita transmitida por telégrafo.
teleguiar (te.le.gui.ar) *v. td.* Controlar ou dirigir a distância: *A Nasa teleguiou a nave que foi para Marte.* [▶ 1 telegui[ar]] • **te.le.gui.a.do** *a.sm.*
telejornal (te.le.jor.nal) *sm. Bras.* Noticiário jornalístico transmitido pela televisão. [Pl.: *-nais.*]
• **te.le.jor.na.lis.mo** *sm.*
⊕ ***telemarketing*** *(Ing. /'télemarctin/) sm. Mkt.* Modalidade de *marketing* que utiliza o telefone para os trabalhos de atendimento, promoção etc.
telemetria (te.le.me.tri.a) *sf. Telc.* Técnica de processamento e transmissão de dados a distância.
telêmetro (te.lê.me.tro) *sm. Ópt.* Instrumento de óptica que mede a distância entre um observador e um ponto distante.
telenovela (te.le.no.ve.la) *sf. Bras. Telv.* Novela transmitida em capítulos pela televisão.
teleobjetiva (te.le.ob.je.ti.va) *sf. Fot.* Lente fotográfica de grande distância focal, us. para fotografar coisas distantes.
teleologia (te.le.o.lo.gi.a) *sf. Fil.* **1** Sistema de pensamento que se baseia na ideia de finalidade. **2** Doutrina que defende a ideia de que o mundo, a existência, é constituído de um sistema de relações entre meios e fins. • **te.le.o.ló.gi.co** *a.*
telepatia (te.le.pa.ti.a) *sf.* Comunicação extrassensorial de pensamentos, feita a distância, entre pessoas. • **te.le.pá**.ti.co *a*; **te.le.pa.ta** *s2g.*
⊕ ***teleprompter*** *(Ing./teleprômpter/) sm. Cin. Telv.* Tela que exibe o texto a ser lido por atores e apresentadores em programas de televisão e cinema.
telescópio (te.les.có.pi.o) *sm. Ópt.* Instrumento óptico para a observação de objetos longínquos.
• **te.les.có.pi.co** *a.*

📖 O primeiro telescópio foi construído por Galileu, no início do séc. XVII, e foi aperfeiçoado por Kepler. Baseava-se na captação dos raios luminosos por um par de lentes (objetiva) e sua condução a uma lente ocular, que ampliava a imagem da objetiva. Este modelo (chamado refrator) foi substituído pelo modelo de Newton, refletor, onde os raios luminosos são captados por um espelho no fundo do tubo, que os envia a um segundo espelho, que os redireciona à ocular. Os telescópios refletores dominaram a astronomia durante muito tempo. Entre os mais potentes, estão o GTC, Ilhas Canárias (10,4m), o de Mauna Kea, Havaí (10m) e o de Paranal, Chile (8,2m). No modelo de Schmidt (1930), um grande espelho esférico capta os raios através de uma lente corretora, e os concentra numa chapa fotográfica. O telescópio espacial Hubble foi lançado em 1990, e tem um espelho de 2,40m. Em 2021 a NASA lançou, para substituir o Hubble, o maior telescópio espacial infravermelho, o James Webb que tem um espelho de 6,5m.

telespectador (te.les.pec.ta.*dor*) [ô] *sm. Bras.* Espectador de televisão.
teleteatro (te.le.te.a.tro) *sm. Bras. Teat. Telv.* Texto teatral para representação em televisão.
teletipo (te.le.ti.po) *sm.* Aparelho telegráfico us. pela imprensa, dotado de teclado, que envia textos a distância.
televenda (te.le.ven.da) *sf.* Sistema de vendas em que a operação de compra e venda é feita pelo telefone. [Tb. *telecompra.*]
televisão (te.le.vi.são) *sf. Telc.* **1** Sistema de telecomunicação que transmite imagens e sons por meios eletromagnéticos. **2** Emissora que transmite programas por meio desse sistema; TELEVISORA. **3** Aparelho receptor de imagens e sons televisionados; TELEVISOR. [Tb. se diz apenas *tevê.* Abr.: *TV*]
▦ ~ aberta *Telc.* **1** Sistema de transmissão gratuita de programas de televisão, sustentado pelos anunciantes. **2** O conjunto de estações que funcionam nesse sistema. **~ a cabo** *Telc.* Sistema de televisão por assinatura que transmite o sinal através de cabo óptico. **~ por assinatura** *Telc.* **1** Sistema de transmissão em que o público paga uma assinatura (ger. mensal) para ter acesso à programação de um conjunto de estações. **2** O conjunto de tais estações.
• **te.le.vi.si.vo** *a.*; **te.le.vi.su.al** *a2g.*

📖 A transmissão instantânea de imagens baseia-se no princípio (descoberto em 1817, com o elemento selênio) de que é possível transformar energia luminosa em elétrica e vice-versa. Várias experiências bem-sucedidas levaram à televisão, que, como a conhecemos hoje, tem início na década de 1920. Basicamente, consiste na captação da imagem numa tela luminosa dentro da câmera, atrás da qual uma placa sensível lê a imagem como milhões de pontos de luz, cada qual com sua intensidade e cor (na TV em cores, cada uma de três cores que compõem todas as variações cromáticas — vermelho, azul e verde — tem sua própria captação). No já antigo sistema de raios catódicos, essa placa é varrida por um feixe eletrônico, que a percorre como se a fosse, da esquerda para a direita, pulando uma linha, até o fim e voltando para ler as linhas puladas numa segunda varredura. Em um segundo

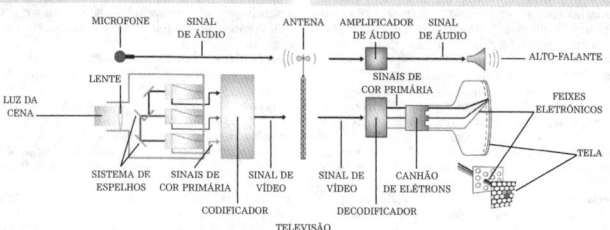

TELEVISÃO

fazem sesessenta varreduras, ou seja, trinta varreduras de todasas linhas, e essa varredura é transmitida e reproduzindo receptor, no qual um raio catódico num tubo varre uma tela fosforescente, reproduzindo os pontos e cores captados na placa da câmera. Em modelos posteriores, os tubos foram substituídos por telas de cristal líquido (LCD, do ing. *Liquid Crystal Display*) com 'pontos' chamados *pixels*, que reproduzem os pontos luminosos captados pela câmera. São modelos mais finos, mais duráveis e têm menos radiação magnética. Eles são compatíveis com sistemas de transmissão em alta-definição, em telas com grande número de *pixels* (1920 x 1.080), alguns com iluminação por diodos emissores de luz (LEDs). E já se produzem televisores com imagem em três dimensões (3D), com e sem uso de óculos especiais.

televisar (te.le.vi.*sar*) *v.* Ver *televisionar*. [▶ **1** televis<u>ar</u>]

televisionar (te.le.vi.si:o.*nar*) *v.* Transmitir pela televisão; TELEVISAR. [*td.: A emissora <u>televisionará</u> as Olimpíadas.* **tdi.** + *a*, *para*: *Duas emissoras <u>televisionaram</u> o discurso do presidente <u>para</u> todo o país.*] [▶ **1** televisi<u>onar</u>] • te.le.vi.si:o.*na.*do *a.*; te.le.vi.si:o.na.*men*.to *sm.*

televisivo (te.le.vi.*si*.vo) *a.* **1** Ref. a ou próprio de televisão (mercado <u>televisivo</u>). **2** Apresentado na televisão (noticiário <u>televisivo</u>). **3** Que atua na televisão (galã <u>televisivo</u>).

televisor (te.le.vi.*sor*) [ó] *sm.* **1** Ver *televisão* (3). ◪ **televisora** *sf.* **2** Ver *televisão* (2).

telex (te.*lex*) [cs] *sm2n. Telc.* **1** Sistema telegráfico de comunicação bilateral em que se usam máquinas teleimpressoras. **2** Mensagem recebida por esse sistema.

telha (te.*lha*) [ê] *sf.* Peça de barro cozido us. para cobrir a parte superior de prédios, casas etc. ▪▪ **Dar na ~** *Pop.* Ocorrer (ideia, lembrança etc.): *De repente me <u>deu</u> na <u>telha</u> telefonar para ela.* **Ter uma ~ a mais/de menos** *Pop.* Não ser muito equilibrado mentalmente.

telhado (te.*lha*.do) *sm.* **1** Parte exterior da cobertura de uma construção. **2** Conjunto de telhas que cobrem um prédio.

telhar (te.*lhar*) *v. td.* Cobrir com telhas. [▶ **1** telh<u>ar</u>]

telha-vã (te.lha-*vã*) *sf.* Telhado sem forro. [Pl.: *telhas-vãs*.]

telheiro (te.*lhei*.ro) [ê] *sm.* **1** Fabricante de telhas. **2** Cobertura total ou parcialmente aberta dos lados e assentada sobre pilares.

telúrico (te.*lú*.ri.co) *a.* **1** Ref. à Terra. **2** Ref. ao solo.

tema (te.*ma*) *sm.* **1** Assunto ou tópico de uma palestra, exposição, filme etc.: *O <u>tema</u> do encontro foi a violência urbana.* **2** *Gram.* Numa palavra, o radical seguido da vogal temática (p.ex.: em *cantava* o tema é *canta-*). **3** *Gram.* Elemento da frase, do sujeito, ou do objeto, sobre o qual se diz alguma coisa através do predicado.

temário (te.*má*.ri:o) *sm.* Conjunto de temas tratados em congressos, seminários etc.

temático (te.*má*.ti.co) *a.* **1** Que se refere a ou se baseia em um tema (1) (parque <u>temático</u>). **2** *Gram.* Diz-se da vogal que se junta ao radical para formar o tema (p.ex.: terr<u>a</u>, part<u>i</u>r). ◪ **temática** *sf.* **3** Conjunto de temas que distinguem uma obra literária ou artística.

temer (te.*mer*) *v.* **1** Ter medo ou receio (de). [*td.: As crianças <u>temem</u> o bicho-papão.* **ti.** + *por*: *Os pessimistas sempre <u>temem pelo</u> pior.* **int.**: *Se você não tem culpa, não <u>tema</u>.*] **2** Adorar, venerar. [*td.: <u>temer</u> (a) Deus.* NOTA: O *a* é enfático e não constitui regência indireta.] [▶ **2** tem<u>er</u>] • te.*men*.te *a2g.*; te.*mi*.do *a.*

temerário (te.me.*rá*.ri:o) *a.* **1** Que não tem temor, medo (indivíduo <u>temerário</u>); DESTEMIDO; AUDACIOSO.

2 Que é arriscado, perigoso: *É <u>temerário</u> atravessar fora da faixa de pedestres.* • te.me.ri.*da*.de *sf.*

temeroso (te.me.*ro*.so) [ô] *a.* **1** Que tem temor. **2** Que causa temor. [Fem. e pl.: [ó].]

temível (te.*mi*.vel) *a2g.* Que se pode temer; que causa medo. [Superl.: *temibilíssimo.*]

temor (te.*mor*) [ô] *sm.* **1** Medo, pavor; receio. **2** Sentimento de reverência ou respeito: *<u>temor</u> a Deus.*

têmpera (*têm*.pe.ra) *sf.* **1** Tratamento térmico dado a metais para torná-los mais duros e resistentes. **2** *Pint.* Técnica de pintura em que se usam pigmentos, gema de ovo e cola. **3** *Pint.* Quadro pintado com essa técnica. **4** *Fig.* Caráter, índole: *Era um homem de boa <u>têmpera</u>.*

temperado (tem.pe.*ra*.do) *a.* **1** Que tem tempero (diz-se de comida). **2** Cuja temperatura é amena (diz-se de clima). **3** Que foi submetido à têmpera (1) (diz-se de metal).

temperamental (tem.pe.ra.men.tal) *a2g.* **1** Relativo a temperamento. *a2g.s2g.* **2** Que ou quem tem temperamento instável e explosivo. [Pl.: -*tais*.]

temperamento (tem.pe.ra.*men*.to) *sm.* Conjunto de traços que determinam o modo de ser, agir e reagir de uma pessoa.

temperança (tem.pe.*ran*.ça) *sf.* Qualidade de quem sabe dominar e equilibrar seus desejos, paixões etc. • tem.pe.*ran*.te *a2g.*

temperar (tem.pe.*rar*) *v.* **1** Adicionar (tempero, condimentos etc.) em. [*td.: <u>temperar</u> a salada.*] **2** *Fig.* Incluir (comentário, dito etc.) para dar mais graça, sabor. [*td.* (seguido de indicação de meio/modo): *O orador <u>temperou</u> sua palestra com anedotas.*] **3** Misturar chegando a um meio termo. [*td.: <u>Tempere</u> a água do banho para ela ficar morna.*] **4** Equilibrar. [*tdi.* + *com*: *A ginasta <u>temperava</u> força <u>com</u> delicadeza.*] [▶ **1** temper<u>ar</u>]

temperatura (tem.pe.ra.*tu*.ra) *sf.* Grau de calor num ambiente, num corpo: *A <u>temperatura</u> hoje chegou a 40 graus.*

tempero (tem.*pe*.ro) [ê] *sm.* O que se adiciona a comida para aprimorar-lhe o gosto.

tempestade (tem.pes.*ta*.de) *sf.* Fenômeno atmosférico que produz chuva muito forte, ou nevasca: *<u>tempestade</u> de neve.* ▪▪ **Fazer uma ~ em copo d'água** Reagir de forma exagerada a fato de pouca gravidade.

tempestivo (tem.pes.*ti*.vo) *a.* Que ocorre na ocasião oportuna. • tem.pes.ti.vi.*da*.de *sf.*

tempestuoso (tem.pes.tu:*o*.so) [ó] *a.* **1** Em que há tempestade (mar <u>tempestuoso</u>). **2** *Fig.* Agitado, violento: "Mas a gritaria <u>tempestuosa</u> continuava..." (Joaquim Manuel de Macedo, *Luneta mágica*). [Fem. e pl.: [ó].] • tem.pes.tu:o.*si.da*.de *sf.*

templo (*tem*.plo) *sm.* Lugar sagrado destinado ao culto religioso.

tempo (*tem*.po) *sm.* **1** Aquilo que é medido em horas, dias, meses ou anos; duração: *Quanto <u>tempo</u> leva daqui até lá?* **2** Época: *Naquele <u>tempo</u> íamos a mais festas.* **3** Oportunidade ou circunstância disponível para a realização de algo. **4** Condição atmosférica num região em certo período: *O <u>tempo</u> anda ruim, com muitas chuvas.* **5** *Gram.* Flexão que determina o momento (passado, presente ou futuro) em que se realiza a ação verbal. **6** *Mús.* Duração de cada unidade do compasso. ▪▪ **A ~ 1** Ainda no prazo para alcançar algo: *Chegou <u>a tempo</u> (de tomar) o trem das 10h).* **2** A tempo e a hora. **A ~ e a hora** Oportunamente, no momento adequado: *Replicava as acusações <u>a tempo e a hora</u>.* **Dar ~ ao ~** Aguardar que as coisas se resolvam no decorrer do tempo. **Em dois ~s** Rapidamente, num instante: *Pode deixar que resolvo isso em <u>dois tempos</u>.* **Fechar o ~ 1** *Fig.* Iniciar-se uma situação de conflito, briga etc. **2** Tornar-se o céu nublado, ameaçando chuva. **Matar o ~** Distrair-se com algo enquanto o tempo passa. **Nesse meio ~** Enquanto isso, nesse interim.

tempo-quente (tem.po-*quen*.te) *sm. Bras.* Discussão, briga. [Pl.: *tempos-quentes*.]

têmpora (*têm*.po.ra) *sf. Anat.* Cada uma das partes laterais e superiores da cabeça.

temporada (tem.po.*ra*.da) *sf.* **1** Determinado espaço de tempo (curta temporada). **2** Época própria para certas atividades: *temporada de caça*. ▪▪ **Alta/Baixa ~** Período, no verão ou inverno, em que as pessoas costumam/não costumam tirar férias: *O preço das pousadas aumenta na alta temporada.*

temporal¹ (tem.po.*ral*) *a2g.* **1** Ref. a tempo. **2** Que se refere a coisas materiais. **3** *Gram.* Diz-se da conjunção subordinativa que expressa o tempo (p.ex.: *quando*). ▪▪ **4** Tempestade. [Pl.: *-rais*.]

temporal² (tem.po.*ral*) *a2g.* Ref. a têmpora.

temporão (tem.po.*rão*) *a.* Que vem ou acontece fora da época apropriada (filho temporão). [Pl.: *-rãos*. Fem.: *-rã*.]

temporário (tem.po.*rá*.ri:o) *a.* Que não é definitivo (trabalho temporário).

temporizador (tem.po.ri.za.*dor*) [ô] *a.sm.* **1** Que ou quem temporiza. **2** *Eletr.* Que ou o que liga e desliga um circuito em tempo predeterminado (diz-se de dispositivo, interruptor etc.).

temporizar (tem.po.ri.*zar*) *v.* Ver *contemporizar*.
[▶ **1** temporiz*ar*]

tempo-será (tem.po-se.*rá*) *sm2n. Bras.* Ver *esconde-esconde*.

tenaz (te.*naz*) *a2g.* **1** Que é persistente, obstinado: *Por ser tenaz, consegue tudo que quer.* **2** Que perdura (dor tenaz). **3** Muito aderente (cola tenaz). [Superl.: *tenacíssimo*.] *sf.* **4** Ferramenta para segurar ferro, similar a uma tesoura. ● **te.na.ci.da.de** *sf.*

tenção (ten.*ção*) *sf.* Intenção, propósito. [Pl.: *-ções*.] [Cf.: *tensão*.]

tencionar (ten.ci:o.*nar*) *v. td.* Ter a intenção de; PRETENDER: *Meus pais tencionam mudar de cidade.*
[▶ **1** tencion*ar*]

tenda (*ten*.da) *sf.* **1** Barraca us. em acampamento. **2** *Bras.* Local em que se reúnem umbandistas. ▪▪ **~ de oxigênio** *Med.* Dispositivo que provê oxigênio ao paciente.

tendão (ten.*dão*) *sm. Anat.* Tecido fibroso que une os músculos aos ossos. [Pl.: *-dões*.] ▪▪ **~ calcâneo** *Anat.* Tendão localizado na parte posterior do pé, acima do calcanhar. [*Tendão calcâneo* substituiu *tendão de Aquiles* na nova terminologia anatômica.] **~ de Aquiles** *Anat.* Ver *tendão calcâneo*.

tendência (ten.*dên*.ci:a) *sf.* **1** Característica temperamental ou orgânica que se manifesta com frequência: *tendência à depressão/a engordar*. **2** Vocação, inclinação: *Nunca teve tendência para as ciências exatas*. **3** Direção ou forma que algo toma em determinada época: *as tendências da moda atual*.

tendencioso (ten.den.ci:o.so) [ô] *a.* Que indica segundas intenções, parcialidade ou preconceito (opinião tendenciosa). [Fem. e pl.: [ó].]

tender (ten.*der*) *v.* **1** Inclinar-se. [*int.*: *A roda da moto tendia para a direita*.] **2** Ter inclinação ou propensão a. [*ti.* + *a*: *Problemas de saúde tendem a se agravar com o tempo*.] **3** Ter vocação para. [*ti.* + *para*: *Meu irmão tende para as artes*.] [▶ **2** tend*er*]
● **ten.den.te** *a2g.*

tênder (*tên*.der) *a2g2n.* Diz-se de tipo de presunto defumado industrialmente. [Us. tb. como subst.]

tendinha (ten.*di*.nha) *sf. Bras.* Mercadinho humilde; BIROSCA.

tendinite (ten.di.*ni*.te) *sf. Med.* Inflamação de tendão.

tenebroso (te.ne.*bro*.so) [ô] *a.* **1** Que causa medo; MEDONHO. **2** Que é escuro, sombrio (tb. *Fig.*): *um lon-go e tenebroso inverno*. [Fem. e pl.: [ó].] ● **te.ne.bro.si.da.de** *sf.*

tenência (te.*nên*.ci:a) *sf. Bras. Pop.* Prudência, cuidado.

tenente (te.*nen*.te) *sm. Mil.* **1** Patente militar. [Ver quadro *Hierarquia Militar Brasileira*.] **2** Militar que tem essa patente.

tênia (*tê*.ni:a) *sf. Med.* Parasita intestinal, achatado e comprido.

tênis (*tê*.nis) *sm2n.* **1** *Esp.* Jogo individual ou em dupla, em quadra retangular dividida por uma rede, por cima da qual os jogadores devem arremessar a bola usando uma raquete de cordas oval. **2** Calçado leve e de sola flexível, próprio para a prática de esportes. ▪▪ **~ de mesa** *Esp.* Pingue-pongue. [*Tênis de mesa* é o nome oficial do esporte.] ● **te.nis.ta** *s2g.*

⌨ O tênis moderno foi inventado em 1873, e consiste em jogo disputado em uma quadra (com piso de grama, saibro ou material sintético) dividida em dois campos, separados por uma rede. O objetivo do jogo é lançar, com uma raquete, a bola para a quadra adversária, de modo que o toque o solo dentro dos limites marcados, sem que o competidor consiga devolvê-la nas mesmas condições, antes ou depois de tocar o solo uma vez. Jogam-se 3 ou 5 *sets*, sendo vencedor aquele que conquista 2 ou 3, respectivamente. Cada *set* é dividido em jogos, ou *games*, que só é ganho pelo jogador que primeiro marcar 4 pontos, se houver um mínimo de 2 pontos de diferença. Aí, a disputa continua até um jogador abrir os dois pontos. As partidas podem ser de simples, um jogador contra outro, ou de duplas, dois contra dois. Os principais torneios internacionais são os da chamada *master series*, promovidos pela Associação de Tenistas Profissionais (ATP), e a Taça Davis, disputada entre seleções nacionais. O Brasil já teve três grandes vencedores nos torneios da ATP: Maria Ester Bueno, Gustavo Kuerten (Guga) e Luiz Mattar.

tenor (te.*nor*) [ô] *sm. Mús.* **1** Cantor cujo timbre de voz é o mais agudo entre as vozes masculinas. *a2g.* **2** Diz-se de instrumento cuja gama de notas musicais corresponde à de sons produzidos pelo tenor (1) (saxofone tenor).

tenorino (te.no.*ri*.no) *sm. Mús.* Tenor (1) que canta em falsete.

tenro (*ten*.ro) *a.* **1** Que é mole, macio (filé tenro). **2** Delicado, fino (flor tenra). [Superl.: *tenríssimo*.]

tensão (ten.*são*) *sf.* **1** Estado de muita ansiedade e preocupação: *Ela anda sob muita tensão*. **2** Situação em que há grande possibilidade de violência ou conflito súbitos: *A tensão na área era grande, com policiais por todo lado*. **3** Estado do que está muito esticado, retesado. **4** *Eletr.* Ver *voltagem*. [Pl.: *-sões*.] [Cf.: *tenção*.]

tenso (*ten*.so) *a.* **1** Dominado por tensão (1 e 2) (ambiente tenso). **2** Esticado, retesado.

tensor (ten.*sor*) [ô] *a.sm.* **1** Que ou o que (se) estende, estica. **2** *Anat.* Que ou o que tem a função de estender órgão ou membro (diz-se de músculo).

tentação (ten.ta.*ção*) *sf.* **1** Aquilo a que é difícil resistir, por provocar grande desejo: *Chocolate é uma tentação*. **2** Forte vontade, desejo: *Sentiu a tentação de confessar tudo*. **3** Desejo que leva a algo condenável ou a pecado: *livrar-se das tentações*. [Pl.: *-ções*.]
ten.ta.dor.a *a.*

tentáculo (ten.*tá*.cu.lo) *sm. Zool.* Apêndice móvel que certos animais, como o polvo, usam para o tato ou como garra.

tentame, tentâmen (ten.*ta*.me, ten.*tâ*.men) *sm.* Tentativa, ensaio. [Pl. de *tentâmen*: *tentamens* e (p. us. no Brasil) *tentâmenes*.]

tentar (ten.*tar*) *v. td.* **1** Empenhar-se para (fazer ou conseguir algo): "...tentei firmar a atenção na leitura." (Josué Montello, *Um rosto de menina*). **2** Experimentar; pôr em prática: *O pintor vai tentar novas técnicas*. **3** Arriscar: *Ernesto sempre tenta a sorte na loteria.* **4** Seduzir: *A proposta de trabalho no exterior o tentava.* **5** Induzir para o mal: *Os maus pensamentos tentam os fracos.* [▶ 1 tent ar]

tentativa (ten.ta.*ti*.va) *sf.* Ação ou resultado de tentar, de procurar conseguir ou realizar algo: *Fez duas tentativas, mas falhou em ambas.*

tentear[1] (ten.te.*ar*) *v. td.* **1** Apalpar, tatear: "E entregava-lhe as mãos, que ele tenteava frouxamente..." (Aluísio Azevedo, *O mulato*). **2** Pesquisar com cuidado, experimentando: *O compositor tenteava ritmos.* [▶ 13 tent ear] ● **ten.**tei.**o** *sm.*

tentear[2] (ten.te.*ar*) *v. td.* **1** Dar atenção a: *tentear os filhos.* [▶ 13 tent ear]

tento (*ten*.to) *sm.* **1** Peça us. para marcar pontos em certos jogos. **2** Ponto que se marca nesses jogos. **3** *Fut.* Gol marcado.

tênue (*tê*.nu.e) *a2g.* **1** Que é delgado, fino (fio tênue). **2** Que é fraco, suave (luz tênue).

teocracia (te.o.cra.*ci*.a) *sf. Pol.* Sociedade governada por padres, como representantes de Deus. ● **te**:**o**.*cra*.ta *s2g.*; **te**:**o**.*crá*.ti.co *a.*

teodolito (te.o.do.*li*.to) *sm.* Dispositivo óptico que mede ângulos horizontais e ângulos verticais, us. em topografia.

teologia (te.o.lo.*gi*.a) *sf. Teol.* Estudo das coisas divinas e suas relações com o mundo. ● **te**:**o**.*ló*.gi.co *a.*

teor (te.or) [ó] *sm.* **1** Quantidade de um componente ou de uma substância num todo: *O remédio continha alto teor de cálcio.* **2** Conteúdo de um escrito.

teorema (te.o.*re*.ma) *sm.* Proposição que, para ser aceita como evidente, precisa ser demonstrada.

teoria (te.o.*ri*.a) *sf.* **1** Conhecimento puramente especulativo, hipotético; HIPÓTESE; SUPOSIÇÃO. **2** Conjunto de ideias que dão base a uma filosofia, uma ciência, uma visão a respeito de aspectos da realidade etc. (teoria econômica). ● **te**:**o**.*ré*.ti.co *a.*; **te**:**o**.*ris*.ta *s2g.*

teórico (te.*ó*.ri.co) *a.* **1** Ref. a teoria. *sm.* **2** Pessoa que formula teorias.

teorizar (te:o.ri.*zar*) *v.* Elaborar teorias para explicar (algo). [*td.*: *O cientista teorizou que o comportamento pode ser condicionado.* *ti.* + *sobre*: *Poetas não costumam teorizar sobre sua obra.* *int.*: *Um pesquisador sabe teorizar como poucos*). [▶ 1 teoriz ar] ● **te**:**o**.ri.za.*ção* *sf.*; **te**:**o**.ri.za.*dor* *a.sm.*

teosofia (te.o.so.*fi*.a) *sf. Fil.* Sistema de ideias religiosas e filosóficas que tem por fim promover a união do homem com a divindade. ● **te**:**o**.*só*.fi.co *a.*; **te**:**o**.so.*fis*.ta *s2g.*

tépido (*té*.pi.do) *a.* **1** Que está entre o quente e o frio; MORNO. **2** *Fig.* Suave, delicado: "...tecido de cachemir, tépido e caricioso, ao mesmo tempo belo de ver e agradabilíssimo de usar..." (Cecília Meireles, *Crônicas de viagem* 2). **3** *Pej.* Que é fraco, frouxo. ● **te.**pi.*dez* *sf.*

tequila (te.*qui*.la) *sf.* Aguardente mexicana destilada de uma planta da América Central.

ter *v. td.* **1** Possuir: *Tenho duas irmãs.* **2** Sentir (sentimento, dor etc.): *Temos muito carinho por você.* **3** Sofrer (queda, doença etc.): *O pai já teve câncer.* **4** Passar a realização de uma ação: *Teremos aula hoje?* **5** Completar (tempo, idade etc.): *Meu irmão tem doze anos.* **6** Dar à luz: *Helena teve gêmeos.* **7** Conservar, guardar: *Tenho boas lembranças daquelas férias.* [▶ 7 ter] [NOTAS: a) Us. como v. aux., seguido do part. do v. principal, forma os tempos compostos: *tinha saído*; *tenho visto* etc. b) Us. como v. impess., equivale a 'haver': *Tinha gente demais na sala.* c) Us. como v. modalizador: 1) seguido de *que, de, a* + v. no infinitivo, expressa obrigatoriedade, necessidade: *Tenho que levantar cedo*; *Nada tenho a dizer*. 2) seguido de *muito/tudo* + *de*, adquire o sentido de 'ser parecido com': *Ela tem muito do avô.* d) Us. como suporte, substituindo verbo de sentido específico: *ter costume* (= costumar), *ter medo* (= temer) etc.]. ▪▪ **Não ~ nada a ver (com)** Não ter relação alguma (com), não corresponder (a): *Este filme não tem nada a ver com os fatos históricos.*

terapeuta (te.ra.*peu*.ta) *s2g.* **1** Pessoa com formação em área não estritamente médica (p.ex., fisioterapia, fonoaudiologia), que trata disfunções físicas, motoras, mentais etc.; TERAPISTA: *terapeuta da fala.* **2** *Psi.* Pessoa que se especializou em psicoterapia; PSICOTERAPEUTA.

terapêutica (te.ra.*pêu*.ti.ca) *sf. Med.* **1** Ramo da medicina que estuda métodos para o tratamento de doenças. **2** Método apropriado para tratar determinada doença.

terapêutico (te.ra.*pêu*.ti.co) *a.* **1** Ref. a terapêutica ou a terapia. **2** Com que se tratam males ou doenças: *A acupuntura é um método terapêutico que alivia dores.*

terapia (te.ra.*pi*.a) *sf.* **1** Tratamento de disfunções orgânicas, físicas, motoras etc. (terapia hormonal/corporal). **2** *Psi.* Ver *psicoterapia*. ▪▪ ~ **ocupacional** Aquela que estimula ou faz uso do interesse do paciente por determinada atividade.

terapista (te.ra.*pis*.ta) *s2g. P.us.* Ver *terapeuta* (1).

teratologia (te.ra.to.lo.*gi*.a) *sf. Med.* Estudo das monstruosidades e malformações. ● **te.**ra.to.*ló*.gi.co *a.*; **te.**ra.to.lo.*gis*.ta *s2g.*; **te.**ra.*tó*.lo.go *sm.*

terça (*ter*.ça) [ê] *sf.* F. red. de *terça-feira*.

terçã (ter.*çã*) *a.sf. Med.* Que ou aquela que se manifesta a cada três dias (diz-se de febre).

terçado (ter.*ça*.do) *a.* Composto por três partes.

terça-feira (ter.ça-*fei*.ra) *sf.* Terceiro dia da semana; segue-se à segunda-feira. [Pl.: *terças-feiras*.]

terçar (ter.*çar*) *v. td.* Dispor (espada, lança etc.) em diagonal: *terçar armas.* [▶ 12 terç ar] ● **ter**.ça.*dor* *a.sm.*

terceirizar (ter.cei.ri.*zar*) *v. Econ.* **1** Transferir (serviços não essenciais) para outras empresas. [*td.*: *terceirizar a limpeza. int.*: *A diretoria decidiu que não vale a pena terceirizar. pr.*: *Com a crise, muitas empresas terceirizaram-se.*] [▶ 1 terceiriz ar] ● **ter**.cei.ri.za.*ção* *sf.*; **ter**.cei.ri.za.*do* *a.*

terceiro (ter.*cei*.ro) *num.* **1** Ordinal que, em uma sequência, corresponde ao número três: *A loja fica no terceiro andar.* *sm.* **2** Quem ou o que ocupa o terceiro lugar. **3** Pessoa que intercede; MEDIADOR. ⚋ **terceiros** *smpl.* **4** Os outros: *A conversa chamou a atenção de terceiros.*

terceiro-mundista (ter.cei.ro-mun.*dis*.ta) *a2g.* **1** Do Terceiro Mundo (ver em *mundo*); típico desses países ou de seus povos. *s2g.* **2** Pessoa nascida no Terceiro Mundo.

terceto (ter.*ce*.to) [ê] *sm.* **1** *Poét.* Estrofe de três versos. **2** *Mús.* Composição para três vozes. **3** *Mús.* Conjunto formado por três vozes.

terciário (ter.ci.*á*.ri.o) *a.* **1** Que está em terceiro lugar. **2** *Econ.* Diz-se de um dos três grandes setores em que a economia é dividida, correspondendo às atividades ligadas a bancos, comércio etc. **3** *Geol.* Diz-se de período da era cenozoica em que os grandes sáurios desapareceram, surgiu grande diversidade de plantas floríferas e apareceram os primeiros símios antropomorfos. *sm.* **4** *Geol.* Esse período. [Nesta acp., usual inicial maiúsc.]

terço (*ter*.ço) [ê] *a.* **1** Que é três vezes menor do que a unidade ou um todo (diz-se de parte): *a terça parte*

terçol | **terremoto** 768

da herança. [Us. tb. como subst.: *Pagou um terço do que me devia.*] *sm.* **2** *Rel.* Um terço do rosário: *Guardava o terço da avó.* [Cf.: *terso*.]
terçol (ter.çol) *sm. Med. Pop.* Pequena afecção no bordo das pálpebras. [Nome científico: hordéolo.] [Pl.: *-çóis.*]
terebintina (te.re.bin.*ti*.na) *sf. Quím.* Resina que se extrai de certas árvores, us. como solvente.
teresinense (te.re.si.*nen*.se) *a2g.* **1** De Teresina (Piauí); típico dessa cidade ou de seu povo. *s2g.* **2** Pessoa nascida em Teresina.
tergiversar (ter.gi.ver.*sar*) *v. int.* Empregar desculpas, rodeios: *O comerciante desfez o negócio sem tergiversar.* [▶ **1** tergiversar] • ter.gi.ver.sa.*ção sf.*; ter.gi.ver.sa.*dor a.sm.*
termal (ter.*mal*) *a2g.* **1** Ref. a calor. **2** Diz-se da água que tem temperatura mais elevada que o ambiente em que se encontra. [Pl.: *-mais.*]
termas (*ter*.mas) *sfpl.* **1** Estabelecimento que faz uso terapêutico de águas medicinais quentes. **2** Estabelecimento equipado para banhos, com banheiras, duchas etc. **3** *Hist.* Na Roma antiga, estabelecimento destinado a banhos públicos.
termeletricidade (ter.me.le.tri.ci.*da*.de, ter.mo:e.le.tri.ci.*da*.de) *sf. Fís.* **1** Transformação de energia térmica em eletricidade e vice-versa. **2** Produção de energia elétrica em usinas que usam determinados combustíveis. • ter.me.*lé*.tri.co *a.*, ter.mo:e.*lé*.tri.co *a.*
térmico (*tér*.mi.co) *a.* **1** Ref. a calor. **2** Que mantém a temperatura (garrafa *térmica*).
terminação (ter.mi.na.*ção*) *sf.* **1** Ação ou resultado de terminar. **2** Parte terminal ou final. **3** *Gram.* Sufixo ou desinência que se segue ao radical da palavra. [Pl.: *-ções.*]
terminal (ter.mi.*nal*) *a2g.* **1** Ref. a termo ou conclusão. **2** Que termina, que chega ao fim. **3** Que evolui para a morte (diz-se de doença). *sm.* **4** *Bras.* Estação final de ônibus, trem etc. [Pl.: *-nais.*]
terminante (ter.mi.*nan*.te) *a2g.* **1** Que termina. **2** Decisivo, definitivo (recusa *terminante*).
terminar (ter.mi.*nar*) *v.* **1** Chegar ao fim; ACABAR. [*td.*: *terminar um curso.* *int.*: *O trabalho deve terminar amanhã.*] **2** Romper, desfazer. [*td./ti.* + *com*: *terminar (com) o namoro.*] [Ant.: *iniciar, começar.*] **3** Marcar o limite de; DEMARCAR. [*td.*: *Uma cerca termina o jardim.*] **4** Ter como elemento final. [*ti.* + *em*, *por*: *Adjetivos que terminam em el são de dois gêneros.*] [▶ **1** terminar. Us. tb. como v. aux. seguido de infinitivo (com as preps. *de e por*) para indicar término de ação: *terminar de escrever um romance*; ou seguido de gerúndio para indicar o acontecimento ou a causa de uma ação: *terminar adoecendo.*]
terminativo (ter.mi.na.*ti*.vo) *a.* Que faz com que termine, acabe.
término (*tér*.mi.no) *sm.* **1** Fim, termo: *Era o término da viagem.* **2** Ponto limite: *Chegou ao término de seu fôlego.*
terminologia (ter.mi.no.lo.*gi*.a) *sf.* O conjunto de termos de uma arte, ciência, profissão etc. (*terminologia médica*). • ter.mi.no.*ló*.gi.co *a.*
térmite, térmita (*tér*.mi.te, *tér*.mi.ta) *sf. Zool.* Ver *cupim.*
termo (*ter*.mo) [ê] *sm.* **1** Final, término: *Chegara ao termo de sua viagem.* **2** Marco, limite: *Queria pôr um termo às discussões.* **3** Maneira, forma: *O mouro não podia continuar naqueles termos.* **4** Palavra, vocábulo: *Usa termos difíceis nos seus livros.* **5** *Gram.* Elemento que assume uma função na oração. ◘ **Em ~s** De maneira relativa, guardadas as proporções: *Suas críticas procedem, mas em termos.*
termodinâmica (ter.mo.di.*nâ*.mi.ca) *sf. Fís.* Ramo da física que estuda os processos de transformação de energia. • ter.mo.di.*nâ*.mi.co *a.*

termogênese (ter.mo.*gê*.ne.se) *sf.* Produção de calor pelos seres humanos. • ter.mo.*gê*.ni.co *a.*
termômetro (ter.*mô*.me.tro) *sm. Fís.* Instrumento que mede a temperatura.
termonuclear (ter.mo.nu.cle:*ar*) *a2g. Fís.* Que desencadeia processo no qual se produz fusão nuclear para liberação de energia.
termostato (ter.mos.*ta*.to) *sm. Fís.* Dispositivo que mantém constante a temperatura de um sistema.
ternário (ter.*ná*.ri:o) *a.* **1** Ref. ao número três. **2** Que contém três unidades. **3** *Mús.* Diz-se do compasso de três tempos iguais.
terneiro (ter.*nei*.ro) *sm. Bras. Zool.* Bezerro, novilho.
terninho (ter.*ni*.nho) *sm.* Traje feminino composto de calça e casaco.
terno¹ (*ter*.no) *a.* Que é afetuoso, meigo.
terno² (*ter*.no) *sm.* **1** Vestuário masculino composto de calça, paletó e, às vezes, colete. **2** Grupo de três.
ternura (ter.*nu*.ra) *sf.* **1** Qualidade de terno (1). **2** Afeto suave, delicado.
terra (*ter*.ra) *sf.* **1** Parte sólida da superfície do planeta em que vivemos. **2** Chão, solo. **3** Lugar em que se nasceu: *O Ceará é a minha terra.* **4** Localidade, povoação: *Ele sempre viaja para aquelas terras.* **5** Terreno, fazenda ou propriedade rústica: *Comprou umas terras para lá do rio.* **6** Pó, poeira: *Quanta terra ele trouxe da rua!* ◘ **Terra** *Sf.* **7** *Astron.* O terceiro planeta do sistema solar a partir do Sol, e no qual vivem os seres humanos. ◘ **Lançar por ~ firme** Terra, continente, em contraposição ao mar ou oceano: *Depois de dias no mar, avistaram terra firme.* **~ natal** O lugar em que se nasceu. **Terra Santa** Designação de Israel/Palestina em função da sua santidade religiosa. • ter.*ro*.so *a.*
terra a terra (ter.ra *a ter*.ra) *a2g2n.* Banal, trivial: *uma visão terra a terra das coisas.*
terraço (ter.*ra*.ço) *sm.* **1** Cobertura plana de prédio ou casa, descoberta ou não. **2** Ampla varanda descoberta.
terracota (ter.ra.*co*.ta) *sf.* **1** Argila manufaturada, cozida em forno. **2** Cerâmica feita com essa argila.
terral (ter.*ral*) *a2g.* **1** Ref. a terra. *a.sm.* **2** Diz-se do ou vento que sopra da terra para o mar. [Pl.: *-rais.*]
terraplanagem, terraplenagem (ter.ra.pla.*na*.gem, ter.ra.ple.*na*.gem) *sf.* Conjunto de procedimentos que consiste em escavação, transporte e depósito de terras necessárias para a execução de uma construção ou da abertura de uma via. [Pl.: *-gens.*]
terraplanar, terraplenar (ter.ra.pla.*nar*, ter.ra.ple.*nar*) *v. td.* Fazer aterro, escavação etc., preparando (um terreno) para obras. [▶ **1** terraplanar] ▶ **1** terraplenar] • ter.ra.pla.*na*.do, ter.ra.ple.*na*.do *a.*
terrapleno (ter.ra.*ple*.no) *sm.* **1** Volume de terra e outros materiais us. para fazer uma superfície plana. **2** Terreno em que se executou a terraplanagem. **3** Terreno plano.
terráqueo (ter.*rá*.que:o) *a.sm.* Que ou o que é próprio da Terra.
terras-raras (ter.ras-*ra*.ras) *sfpl. Quím.* Grupo de elementos que apresenta propriedades metálicas muito semelhantes.
terreal (ter.re:*al*) *a2g.* **1** Ref. ou pertencente à Terra; TERRENO. **2** Ref. a mundo, à vida material, mundana; TERRENO. [Pl.: *-ais.*]
terreiro (ter.*rei*.ro) *sm.* **1** Faixa de terra plana e larga. **2** *Bras. Rel.* Local onde se realizam rituais de cultos afro-brasileiros. *a.* **3** Ref. a terra.
terremoto (ter.re.*mo*.to) *sm. Geog.* Tremor que ocorre na crosta terrestre.

terreno (ter.*re*.no) *a.* **1** Ref. ao mundo material, em oposição ao espiritual (prazeres terrenos); TERREAL (2). **2** Ref. ou pertencente à Terra; TERREAL (1). *sm.* **3** Espaço de terra de certa extensão. **4** Espaço aberto, não construído, de uma propriedade. **5** Chão, solo. **6** *Fig.* Assunto, tema: *Saí da sala quando a conversa foi por um terreno que me desagradava.* **7** *Fig.* Domínio, âmbito: *Entendia apenas o que era do seu terreno.* ✿ **Ganhar/Perder ~** Avançar/retroceder, ganhar/perder benefícios ou vantagens em processo, projeto, negócio etc.

térreo (*tér*.re:o) *a.* **1** Ref. ou pertencente a terra; TERRESTRE. **2** Que se encontra no nível do solo (apartamento térreo). *sm.* **3** O pavimento ou andar que fica no nível do solo: *Moro no térreo.*

terrestre (ter.*res*.tre) *a2g.* **1** Ref. a ou próprio da Terra. **2** Proveniente da terra. **3** Que vive na terra, no solo (animal terrestre).

🌐 **terrier** (*Ing. /terriê/*) *sm.* Nome comum a várias espécies de cães que, originariamente, perseguiam caça miúda.

terrificar (ter.ri.fi.*car*) *v. td.* Provocar pavor em; APAVORAR: *O filme vai terrificar o público.* [▶ **11** terrificar] ● ter.ri.fi.*can*.te *a2g.*; ter.*ri*.fi.co *a.*

terrina (ter.*ri*.na) *sf.* Vasilha, ger. com tampa, para caldos, sopas etc.

território (ter.ri.*tó*.ri:o) *sm.* **1** Grande extensão de terra. **2** Área de um país, estado, município etc. **3** *Jur.* Base geográfica do Estado, que sobre ela exerce soberania. ● ter.ri.to.ri:*al* *a2g.*

terrível (ter.*rí*.vel) *a2g.* **1** Que assusta, aterroriza (monstro terrível). **2** Muito ruim (ano terrível, pessoa terrível). **3** Que acarreta resultados desastrosos (chuva terrível). **4** De grandes proporções (tristeza terrível). [Pl.: -*veis*. Superl.: *terribilíssimo*.]

terror (ter.*ror*) [ô] *sm.* **1** Qualidade do que é terrível, do que apavora. **2** Grande medo: *Estava paralisada de terror.* **3** Pessoa ou algo que causa medo, pavor: *Esse bandido é um terror.*

terrorismo (ter.ro.*ris*.mo) *sm.* Uso da violência com finalidades políticas. ● ter.ro.*ris*.ta *a2g.*

terso (*ter*.so) [ê] *a.* **1** Que é puro, limpo, sem manchas. **2** Que tem brilho, polimento. **3** *Fig.* Correto.

tertúlia (ter.*tú*.li:a) *sf.* **1** Reunião de parentes e amigos. **2** Reunião literária.

tesão (te.*são*) *sm.* **1** *Vulg.* Desejo sexual. **2** *Bras. Vulg.* Pessoa que desperta o desejo sexual.

tesar (te.*sar*) *v. td.* Tornar teso, esticado: *tesar uma corda.* [▶ **1** tes*ar*]

tese (*te*.se) *sf.* **1** Proposição para debate ou discussão. **2** Trabalho apresentado ao final de um curso de pós-graduação, para obtenção de grau ou título: *Escreveu uma tese sobre Lima Barreto.* ✿ **Em ~** Teoricamente, em princípio.

tesla (*tes*.la) [é] *sm. Fís.* Unidade de medida de densidade do fluxo magnético. [Símb.: *T*]

teso (*te*.so) [ê] *a.* **1** Esticado, retesado. **2** Aprumado, ereto. **3** Sem movimento; IMÓVEL. **4** Rijo, rígido. **5** *Gír.* Sem dinheiro nenhum; DURO.

tesoura (te.*sou*.ra) *sf.* **1** Utensílio para cortar, dotado de duas lâminas móveis que se ligam por um eixo e de uma dupla base para manuseio. **2** *Fig.* Pessoa que vive falando mal dos outros. **3** *Esp.* Em várias modalidades de luta (capoeira, vale-tudo etc.) golpe dado com as pernas que, prendendo o pescoço do adversário, o derruba violentamente.

tesourada (te.sou.*ra*.da) *sf.* **1** Ação ou resultado de tesourar, de cortar algo com tesoura. **2** Golpe desferido com tesoura.

tesourar (te.sou.*rar*) *v.* **1** Cortar com a tesoura. [*td.*: *tesourar as folhagens.*] **2** *Fig. Pop.* Falar mal de; PICHAR. [*td.*: *tesourar os colegas.* *int.*: *Joana adora tesourar.*] [▶ **1** tesour*ar*]

tesouraria (te.sou.ra.*ri*.a) *sf.* Seção de banco, empresa etc. onde se controla o movimento financeiro.

tesoureiro (te.sou.*rei*.ro) *sm.* Funcionário responsável pela tesouraria.

tesouro (te.*sou*.ro) *sm.* **1** Grande quantidade de dinheiro e/ou objetos de muito valor. **2** Local onde se guardam riquezas. **3** *Fig.* Pessoa ou coisa de grande valor: *Ela é meu tesouro.* ◪ **Tesouro** *sm.* **4** Órgão do governo que se encarrega de administrar os recursos financeiros.

tessitura (tes.si.*tu*.ra) *sf.* **1** *Mús.* Som ou conjunto de sons da escala musical que melhor convêm a uma voz ou instrumento. **2** *Mús.* Conjunto dos sons que mais aparecem numa peça musical. **3** Organização, contextura: *a tessitura de um conto literário.* **4** Textura de tecido.

testa (*tes*.ta) *sf.* **1** *Anat.* Parte superior da parte frontal da cabeça, acima das sobrancelhas. [Aum.: *testaça*.] **2** *Fig.* Parte da frente: *Ele vinha à testa dos amotinados.*

testada (tes.*ta*.da) *sf.* **1** Parte da via pública que fica diante de um prédio. **2** Pancada ou golpe com a testa (1). **3** *Bras.* Asneira.

testa de ferro (tes.ta de *fer*.ro) *s2g.* Aquele que se apresenta ou é colocado como responsável por ato, ger. ilegal ou imoral, praticado por outrem. [Pl.: *testas de ferro*.]

testador (tes.ta.*dor*) [ô] *a.sm.* **1** Que ou quem testa, faz testamento. **2** Que ou quem dá testemunho de alguma coisa.

testamenteiro (tes.ta.men.*tei*.ro) *a.* **1** Que vive fazendo testamentos. *a.sm.* **2** Que ou quem faz cumprir as cláusulas de um testamento.

testamento (tes.ta.*men*.to) *sm. Jur.* Documento em que alguém declara, por meios legais, de que maneira seus bens e riquezas devem ser us. após a sua morte. ✿ **Antigo/Velho Testamento** *Rel.* A Bíblia judaica, composta por três divisões: o Pentateuco, os Profetas, os Escritos. **Novo Testamento** *Rel.* Acréscimo cristão à Bíblia judaica, composto de Evangelhos, Atos dos apóstolos, Epístolas e Apocalipse. ● tes.ta.men.*tal* *a2g.*

testar¹ (tes.*tar*) *v.* **1** Destinar (bem) em testamento. [*td.*: *Decidi testar meus quadros. tdi. + para*: *O professor testou os bens para uma universidade.* **2** Fazer o próprio testamento. [*int.*: *Meu tio acabou morrendo sem testar.*] [▶ **1** test*ar*]

testar² (tes.*tar*) *v. td.* **1** Submeter (pessoa) a teste: *A banca vai testar todos os candidatos.* **2** Verificar o funcionamento de: *testar o computador.* [▶ **1** test*ar*]

teste (*tes*.te) [é] *sm.* **1** Exame ou prova para avaliar alguém ou alguma coisa. **2** Qualquer procedimento que busque comprovar algo; PROVA: *Aquele acontecimento foi um verdadeiro teste para ele.*

testemunha (tes.te.*mu*.nha) *sf.* **1** Pessoa que presenciou determinado fato, ato ou evento: *Foi um crime sem testemunhas.* **2** *Jur.* Pessoa chamada a prestar depoimento acerca de algum fato: *As testemunhas disseram ao juiz que não viram nada.* **3** Pessoa que participa de um ato legal para dar-lhe validade jurídica: *testemunhas de casamento/batizado.* ● tes.te.mu.*nhal* *a2g.*

testemunhar (tes.te.mu.*nhar*) *v.* **1** Ser ou servir de testemunha de. [*td.*: *testemunhar um assalto. int.*: *Pensei bem e resolvi não testemunhar.*] **2** Demonstrar, revelar. [*td.*: *Os aplausos testemunham o sucesso do artista. tdi. + a*: *Queria testemunhar meus sentimentos à viúva.*] [▶ **1** testemunh*ar*]

testemunho (tes.te.*mu*.nho) *sm.* **1** Depoimento dado por testemunha (1 e 2). **2** Aquilo que serve como evidência ou prova de algo; PROVA: *Aquele gesto foi um testemunho de nossa amizade.*

testículo (tes.*tí*.cu.lo) *sm. Anat.* Cada uma das duas glândulas genitais masculinas, localizadas no saco escrotal, responsáveis pela produção de espermatozoides e de testosterona. • **tes.ti.cu.***lar* *a2g.*

testificar (tes.ti.fi.*car*) *v. td.* **1** Comprovar, atestar: *O prêmio testifica o valor do trabalho*. **2** Assegurar, afirmar: *O médico testificou que o paciente está curado*. [▶ **11** testifi*car*] • **tes.ti.fi.ca.***ção* *sf.*

testo (*tes*.to) [ê] *sm.* Tampa de ferro ou de barro para vasilha.

testosterona (tes.tos.te.*ro*.na) *sf. Bioq.* Principal hormônio masculino.

teta (*te*.ta) [ê] *sm.* A oitava letra do alfabeto grego (θ, Θ).

teta (*te*.ta) [ê] *sf. Anat.* **1** Mama de fêmea de animal. **2** Glândula mamária; seio, mama.

tétano (*té*.ta.no) *sm. Med.* Doença infecciosa grave causada por bacilo que penetra no corpo por corte ou ferimento. • **te.***tâ*.ni.co *a.*

teteia (te.*tei*.a) *sf.* **1** Enfeite, ornamento. **2** *Bras. Pop.* Moça ou coisa dotada de graça e beleza.

teto (*te*.to) *sm.* **1** Superfície superior interna de recinto, habitação, veículo etc.: *Prefiro apartamentos com teto alto.* **2** *Fig.* Casa ou abrigo para viver: *Pelo menos temos um teto onde morar.* **3** Nível ou limite máximo fixado para algo: *O teto para a inflação será reestudado.* **4** *Aer.* Altura, a partir da superfície, da mais baixa camada de nuvens, nevoeiro etc., portanto à margem de visibilidade para que aeronaves pousem ou decolem: *O aeroporto está sem teto hoje.*

tetra[1] (*te*.tra) *a.sm.* Redução de *tetracampeão*.

tetra[2] (*te*.tra) *sm.* Redução de *tetracampeonato*.

tetracampeão (te.tra.cam.pe.*ão*) *a.sm.* Que ou quem (esportista, clube, escola de samba etc.) foi campeão quatro vezes de um mesmo campeonato. [Pl.: -*ões*. Fem.: -*ã*.]

tetracampeonato (te.tra.cam.pe.o.*na*.to) *sm.* Campeonato vencido pelo mesmo concorrente pela quarta vez consecutiva ou não.

tetraedro (te.tra:*e*.dro) *sm. Geom.* Sólido cujas faces são quatro polígonos planos. • **te.tra:***é*.dri.co *a.*

TETRAEDRO

tetragrama (te.tra.*gra*.ma) *sm.* **1** Palavra com quatro letras. **2** *Mús.* Pauta musical com quatro linhas (us. no cantochão). **3** *Rel.* No judaísmo, referência ao nome impronunciável de Deus, que na Bíblia em hebraico se escreve com quatro letras.

tetraneto (te.tra.*ne*.to) *sm.* Ver *tataraneto*.

tetraplégico (te.tra.*plé*.gi.co) *a.sm. Med.* Que ou quem perdeu os movimentos dos braços e pernas. • **te.tra.ple.***gi.a* *sf.*

tetrassílabo (te.tras.*sí*.la.bo) *a.* **1** Que é formado por quatro sílabas (diz-se de palavra ou verso). *sm.* **2** Palavra ou verso tetrassílabo. • **te.tras.si.***lá*.bi.co *a.*

tetravô (te.tra.*vô*) *sf.* Ver *tataravô*.

tetravó (te.tra.*vó*) *sm.* Ver *tataravô*.

tétrico (*té*.tri.co) *a.* **1** Que produz medo ou pavor. **2** Que apresenta atmosfera fúnebre e triste. [Superl.: *terérrimo*.] • **te.tri.ci.***da*.de *sf.*

teu *pr.poss.* Que pertence ou que diz respeito à pessoa com quem se fala (tu): *Tu devias ajudar teu amigo*.

teutão (teu.*tão*) *a.* **1** Dos teutões, antigo povo germânico; típico desse povo. *sm.* **2** Pessoa pertencente a esse povo. *a.sm.* **3** *Gloss.* Da, ref. à ou a língua falada pelos teutões. [Pl.: -*tões*. Fem.: -*toa*.]

teuto (*teu*.to) *a.* **1** O m.q. *teutônico*. **2** O m.q. *teutão*, *alemão*.

teutônico (teu.*tô*.ni.co) *a.* **1** Ref. aos teutões, ou próprio deles. **2** Ref. aos alemães, ou próprio deles. *sm.* **3** O m.q. *teutão*, *alemão*.

tevê (te.*vê*) *sf.* F. red. de *televisão*.

têxtil (*têx*.til) *a2g.* **1** Que pode ser us. na confecção de fios e tecidos (fibra *têxtil*). **2** Ref. a produção de tecidos (indústria *têxtil*). [Pl.: -*teis*.]

texto (*tex*.to) [ê] *sm.* **1** Conjunto de frases escritas que formam um todo dotado de sentido: *O aluno escreveu um texto interessante*. **2** A totalidade de um extrato de obra literária, ensaística ou jornalística: *Caiu na prova um texto de Guimarães Rosa*.

textual (tex.tu:*al*) *a2g.* **1** Ref. a textos ou próprio deles (gramática *textual*). **2** Diz-se de reprodução ou transcrição literal e fidedigna de fala ou texto. [Pl.: -*ais*.] • **tex.tu:a.li.***da*.de *sf.*

textura (tex.*tu*.ra) *sf.* **1** O entrelaçamento dos fios em um tecido. **2** Características que as superfícies apresentam ao tato.

texugo (te.*xu*.go) *sm. Zool.* Mamífero onívoro encontrado na Europa e na América do Norte, cujos pelos são us. para confecção de pincéis.

tez [ê] *sf.* A pele, esp. a do rosto; CÚTIS.

⊕ **thriller** (*Ing.* /*thríler*/) *sm. Cin. Liter.* Filme, romance ou peça de suspense.

ti *pr.pess.* Equivale a 'tu', e funciona como complemento precedido de prep.: *Espero por ti no portão*. [NOTA: Se a prep. que o antecede é *com*, assume a forma -*tigo*, ocorrendo contração (*contigo*): *Ela vai contigo*?]

⊠ **Ti** *Quím.* Símb. de *titânio*.

tia (*ti*.a) *sf.* **1** A irmã do pai ou da mãe de uma pessoa em relação a essa pessoa. **2** *Bras.* Modo carinhoso de as crianças pequenas dirigirem-se às professoras, e de crianças e jovens dirigirem-se às amigas dos pais e às mães dos amigos. ▪▪ **Ficar para ~ /titia** Não casar (mulher) e ficar solteirona.

tia-avó (ti.a-a.*vó*) *sf.* A irmã do avô ou da avó de uma pessoa em relação a essa pessoa. [Pl.: *tias-avós*.]

tiara (ti:*a*.ra) *sf.* **1** Pequeno arco us. na cabeça como enfeite, ou para prender os cabelos. **2** Chapéu quadrangular com três coroas, us. pelo papa em certas cerimônias.

tibetano (ti.be.*ta*.no) *a.* **1** Do Tibete (Ásia); típico desse país ou de seu povo *sm.* **2** Pessoa nascida no Tibete. *a.sm.* **3** *Gloss.* Da, ref. à ou a língua falada no Tibete.

tíbia (*tí*.bi:a) *sf. Anat.* Osso longo e largo, localizado na parte interna da região abaixo do joelho.

tíbio (*tí*.bi:o) *a.* **1** Que é fraco ou débil (luz *tíbia*). **2** Que é morno (água *tíbia*). **3** Que não demonstra energia nem entusiasmo.

tição (ti.*ção*) *sm.* **1** Pedaço de lenha ou carvão já queimado, mas ainda em brasa. **2** *Pej.* Pessoa de pele negra. [At! Considerado depreciativo ou preconceituoso nesta acepção.] [Pl.: -*ções*.]

ticar (ti.*car*) *v. td.* Colocar marca em, conferindo: *Ticou todos os itens da encomenda*. [▶ **11** ti*car*]

tico (*ti*.co) *sm. Bras.* Porção pequena; um pouco: *Esse jogador não tem um tico de talento*.

tico-tico (ti.co-*ti*.co) *sm.* **1** *Zool.* Pássaro vermelho e preto, do Brasil e arredores. **2** Pequena serra para peças em madeira. [Pl.: *tico-ticos*.]

⊕ **tiebreak** (*Ing.*/*táibreic*/) *sm. Esp.* No tênis e no voleibol, *set* para desempatar e finalizar um jogo.

tiete (ti.*e*.te)*s2g.Pop.*Fãdeartista,esp.músico.•**ti**:*e*.ta.gem *sf.*

tifo (*ti*.fo) *sm. Med.* Doença infecciosa grave transmitida ao homem por piolhos, pulgas, carrapatos etc. • **ti.fi.co *a.*; **ti.***foi*.de *a2g.* (febre *tifoide*).

tigela (ti.*ge*.la) *sf.* Vasilha côncava e de boca larga, em que se servem saladas, sopas, doces etc.

tigre (*ti*.gre) *sm. Zool.* Felino de grande porte, com listras negras e amarelas, que vive em algumas regiões da Ásia. [Fem.: -*gresa*.] ▪▪ **~s asiáticos** Designação dos países asiáticos que tiveram

grande desenvolvimento industrial e econômico a partir do último quartel do séc. XX (Coreia do Sul, Cingapura, Hong Kong, Taiwan ou Formosa.). • ti.*gri*.no *a*.

tiguera (ti.gue.ra) *sf*. *Bras*. **1** Safra anterior ou já colhida. **2** Roça abandonada.

tijolo (ti.*jo*.lo) [ó] *sm*. Peça retangular feita de barro cozido ou outro material, us. em construções. [Pl.: [ó].] • ti.jo.*lei*.ro *sm*.

tijuco (ti.*ju*.co) *sm*. *Bras*. **1** Mistura de água e argila; LAMA. **2** Local cheio de lama ou pantanoso.

til *sm*. *Gram*. Sinal gráfico (~) que indica vogal nasal (p.ex.: *mão*). [Pl.: *tiles* e *tis*.]

tílburi (*til*.bu.ri) *sm*. Pequena carruagem para duas pessoas, descoberta, com duas rodas, puxada por um único animal.

tília (*ti*.li:a) *sf*. *Bot*. Árvore de cujas flores se faz chá com propriedades medicinais.

tilintar (ti.lin.*tar*) *v*. Produzir sons agudos sucessivos como sino, campainha, moedas etc. [*td*.: *Tilintava o sino para chamar o mordomo*. *int*.: *Ouvi as moedas tilintarem*.] [▶ **1** tilint*ar*] • ti.lin.*tan*.te *a2g*.

timão (ti.*mão*) *sm*. **1** Volante redondo ligado ao leme, com o qual se dirige uma embarcação. **2** *Fig*. Controle ou direção de algo: *O timão da economia estava nas mãos do ministro*. [Pl.: -*mões*.]

timbale (tim.*ba*.le) *sm*. *Mús*. Grande tambor esférico us. em orquestras sinfônicas; TÍMPANO.

timbrar (tim.*brar*) *v*. *td*. Pôr timbre, selo, carimbo etc. em: *O funcionário timbrou toda a documentação*. [▶ **1** timbr*ar*] • tim.*bra*.gem *sf*.

timbre (*tim*.bre) *sm*. **1** Qualidade que distingue um som: *Ela tem um timbre de voz desagradável*. **2** *Fon*. *Gram*. Sonoridade de uma vogal, resultante do grau de abertura da boca para ser articulada. [Ver tb. *aberto*, *fechado*.] **3** Carimbo ou selo que identificam uma instituição, associação etc.

time (*ti*.me) *sm*. **1** *Esp*. Grupo de jogadores que atuam em conjunto na disputa de partidas; EQUIPE. **2** *Fig*. Grupo de pessoas que atuam conjuntamente em qualquer tipo de atividade: *O time de advogados da empresa é ótimo*. ▮ **Tirar o ~ de campo 1** Desistir de participar em algo, abandonar (trabalho, disputa etc.). **2** Ir embora.

⊕ **timer** (Ing./táimer/) *sm*. Dispositivo que, após um período de tempo previamente fixado, emite um sinal ou então liga ou desliga um aparelho elétrico.

tímido (*tí*.mi.do) *a*. **1** Pouco expansivo nas relações sociais; ACANHADO; RETRAÍDO. **2** *Fig*. Que é fraco ou pouco enérgico: *Houve tentativas tímidas de reestabelecer a ordem*. *sm*. **3** Pessoa tímida. • ti.mi.*dez* *sf*.

timina (ti.*mi*.na) *sf*. *Quím*. Uma das bases nitrogenadas que formam as cadeias de DNA.

⊕ **timing** (Ing./táimin/) *sm*. **1** Coordenação no tempo entre eventos ou processos: *O timing entre o fim de um projeto e o início de outro*. **2** Percepção ou intuição do momento mais adequado para se fazer algo: *O timing dessa viagem foi perfeito*. **3** Momento ou ocasião em que algo acontece ou foi planejado para acontecer.

timo (*ti*.mo) *sm*. *Anat*. Glândula situada no tórax, principal responsável, no feto e na criança, pela produção de células do sistema imunológico.

timoneiro (ti.mo.*nei*.ro) *sm*. **1** Pessoa que maneja o timão em uma embarcação. **2** *Fig*. Pessoa que lidera ou dirige processo, instituição, comunidade etc.

timorato (ti.mo.*ra*.to) *a*. **1** Que tem medo ou temor. **2** Que hesita.

tímpano (*tím*.pa.no) *sm*. **1** *Anat*. Membrana vibratória que separa a orelha média da orelha externa. **2** *Mús*. Instrumento de percussão, presente nas orquestras sinfônicas, formado por uma membrana de pergaminho fixada por um aro de metal a uma caixa semiesférica. • tim.pa.*nal* *a2g*; tim.*pâ*.ni.co *a*.

tim-tim (tim-*tim*) *interj*. **1** Expressão us. para se fazer um brinde. *sm*. **2** O som do bater das taças durante um brinde. [Pl.: tim-*tins*.] ▮ **~ por ~** Com todos os detalhes, sem omitir nada.

tina (*ti*.na) *sf*. Vasilha grande, ger. redonda, us. para carregar água, lavar roupa, tomar banho etc.

tingir (tin.*gir*) *v*. **1** Colorir com tinta (tecido, cabelos etc.). [*td*.] **2** Tornar(-se) colorido. [*td*.: *Na primavera as flores tingem o jardim*. *pr*.: *O trigal tingiu-se de amarelo*.] [▶ **46** ting*ir*] • tin.gi.*men*.to *sm*.

tinha (*ti*.nha) *sf*. *Med*. Denominação comum a várias doenças de pele causadas por fungos, tb. chamadas de micoses superficiais.

tinhorão (ti.nho.*rão*) *sm*. *Bras*. Erva tóxica, com uso decorativo, devido ao colorido de suas folhas. [Pl.: -*rões*.]

tinhoso (ti.*nho*.so) [ó] *a*. **1** *Bras*. Que não desiste facilmente de seus objetivos; PERSEVERANTE; TEIMOSO. **2** Que sofre de tinha. *sm*. **3** *Pop*. Entidade sobrenatural que pratica o mal por prazer; DEMÔNIO; DIABO. [Fem. (nas acps. 1 e 2) e pl.: [ó].]

tinido (ti.*ni*.do) *sm*. Som agudo produzido por metal ou vidro.

tinir (ti.*nir*) *v*. **1** Soar (metal, vidro) de forma aguda e vibrante. [*int*.] **2** *Pop*. Tremer, tiritar. [*int*. (seguido de indicação de causa): *tinir de febre*.] **3** *Bras*. Sentir de modo intenso. [*ti*. + *de*: *tinir de raiva*.] **4** Zunir (os ouvidos) [*ti*.] [*int*.: *A guitarra fez meus ouvidos tinirem*.] **5** Estar muito quente [*int*.: *Era dezembro e o sol tinia*.] ▮ **Estar/Ficar/Deixar tinindo** *Bras*. *Pop*. Estar/Ficar/Deixar em ótimo estado ou em excelente forma: *O mecânico deixou o carro tinindo*. [▶ **58** tin*ir*]

tino (*ti*.no) *sm*. **1** Capacidade de avaliar e julgar corretamente; JUÍZO. **2** Sensibilidade ou talento especial para algo: *Ele tem tino para os negócios*.

tinta (*tin*.ta) *sf*. **1** Líquido ou substância pastosa que serve para pintar, imprimir, tingir, escrever. **2** Cor, colorido: *Pintou uma paisagem de tintas fortes e vibrantes*.

tinteiro (tin.*tei*.ro) *sm*. **1** Pequeno recipiente onde se guarda tinta de escrever. **2** *Tip*. Em máquina de impressão, recipiente onde se põe a tinta.

tinto (*tin*.to) *a*. **1** Que se tingiu. **2** Produzido a partir de uvas vermelhas ou pretas (diz-se de vinho). *sm*. **3** Vinho tinto: *Serviu-se de um tinto*.

tintura (tin.*tu*.ra) *sf*. **1** Ação ou resultado de tingir. **2** Substância us. para pintar cabelos ou tingir tecidos.

tinturaria (tin.tu.ra.*ri*.a) *sf*. **1** Estabelecimento comercial em que se lavam e passam roupas e outras peças de tecido; LAVANDERIA. **2** Estabelecimento onde se tingem tecidos e peças de vestuário.

tintureiro (tin.tu.*rei*.ro) *sm*. **1** Profissional especialista em tingir tecidos. **2** Funcionário ou dono de tinturaria.

tio (*ti*:o) *sm*. **1** O irmão do pai ou da mãe de uma pessoa em relação a essa pessoa. **2** *Bras*. Modo carinhoso de as crianças pequenas dirigirem-se aos professores, e de crianças e jovens dirigirem-se aos amigos dos pais e aos pais dos amigos.

tio-avô (*ti*:o-a.*vô*) *sm*. O irmão do avô ou da avó de uma pessoa em relação a essa pessoa. [Pl.: *tios-avôs* e *tios-avós*. Pl. para *tio-avô* e *tia-avó* juntos: *tios-avós*.]

típico (*tí*.pi.co) *a*. Que é característico de uma pessoa, de uma região, de uma profissão etc. • ti.pi.ci.*da*.de *sf*.

tipificar (ti.pi.fi.*car*) *v. td.* Qualificar, caracterizar: *O juiz decidiu tipificar o crime como tortura.* [▶ 11 tipificar] • ti.pi.fi.ca.*ção sf.*

tipiti (ti.pi.*ti*) *sm. Bras.* Cesto cilíndrico elástico, feito de fibras vegetais, us. para espremer e secar a massa da mandioca.

tiple (*ti*.ple) *s2g. Mús.* 1 A voz musical mais aguda, alcançada somente por mulheres e crianças; SOPRANO. 2 Cantor ou cantora com esse tipo de voz.

tipo (ti.po) *sm.* 1 Conjunto de características ou traços distintivos que configuram uma classe de coisas ou de pessoas: *Não estou preparado para esse tipo de risco.* 2 Coisa ou pessoa que apresenta de maneira saliente os traços constitutivos da classe a qual pertence; PROTÓTIPO. 3 *Tip.* Cada letra ou símbolo gráfico em metal us. para impressão. 4 Sujeito, indivíduo: *Ele é um tipo estranho.*

tipografia (ti.po.gra.*fi*.a) *sf.* 1 *Art.Gr.* Técnica de impressão em que se grava em relevo a imagem a ser impressa. 2 Estabelecimento onde se faz essa impressão. • ti.po.*grá*.fi.co *a.*; ti.*pó*.gra.fo *sm.*

tipoia (ti.*poi*.a) *sf. Bras.* Lenço triangular ou tira de pano que se amarra no pescoço ou ombro para sustentar braço quebrado ou ferido.

tipologia (ti.po.lo.*gi*.a) *sf.* 1 Estudo ou classificação dos tipos humanos ou de outra natureza. 2 *Tip.* Conjunto dos tipos de impressão que constituem um projeto gráfico. • ti.po.*ló*.gi.co *a.*

tique (*ti*.que) *sm.* Movimento ou contração involuntário e repetitivo, ger. de origem nervosa; CACOETE.

tique-taque (ti.que-*ta*.que) *sm.* Som cadenciado e repetitivo do pulsar do coração ou do movimento de um relógio. [Pl. *tique-taques*.] • ti.que.ta.que.*ar v.*

tíquete (*tí*.que.te) *sm.* Cupom que dá direito a determinado serviço ou produto.

tira (*ti*.ra) *sf.* 1 Pedaço comprido e estreito de pano, papel, borracha ou outro material; FAIXA. 2 História em quadrinhos formada por um pequeno número de quadros, publicada normalmente em jornais ou revistas. *sm.* 3 *Bras. Gír.* Agente da polícia civil.

tiracolo (ti.ra.*co*.lo) [ó] *sm.* Us. na loc. ⬛ A ~ Dependurado sobre um ombro e transversal ao tronco e às costas, apoiando-se no lado oposto do corpo: *bolsa a tiracolo.*

tirada (ti.*ra*.da) *sf.* 1 Ação ou resultado de tirar. 2 Caminho longo; ESTIRÃO. 3 *Bras. Pop.* Frase espirituosa ou irônica.

tira-dúvidas (ti.ra-*dú*.vi.das) *s2m.* Pessoa, coisa ou serviço que dá informações ou presta esclarecimentos.

tiragem (ti.*ra*.gem) *sf.* Número de exemplares impressos de livro, revista, jornal etc. [Pl.: *-gens*.]

tira-gosto (ti.ra-*gos*.to) [ô] *sm. Bras.* Petisco ou salgadinho que se come em acompanhamento à bebidas alcoólicas. [Pl.: *tira-gostos*.]

tira-linhas (ti.ra-*li*.nhas) *s2m.* Instrumento de metal com duas pontas, que serve para traçar sobre papel, com tinta, linhas de mesma espessura.

tirania (ti.ra.*ni*.a) *sf.* 1 Regime em que o poder político é exercido de forma autoritária e antidemocrática. 2 Qualquer situação ou contexto em que alguém exerce o poder de maneira despótica e autoritária.

tiranizar (ti.ra.ni.*zar*) *v. td.* Dominar como um tirano; OPRIMIR. [▶ 1 tiranizar] • ti.ra.ni.za.*dor a.sm.*

tirano (ti.*ra*.no) *a.sm.* Que ou quem exerce poder de maneira despótica e arbitrária. • ti.*rá*.ni.co *a.*

tiranossauro (ti.ra.nos.*sau*.ro) *sm. Pal.* Grande dinossauro carnívoro que viveu no período cretáceo, há 66 milhões de anos.

tirante (ti.*ran*.te) *a2g.* 1 Similar a (cor): *um tom tirante a amarelo. sm.* 2 Tira de couro ou outro material que prende um animal a veículo tracionado por ele. 3 *Cons.* Viga que sustenta madeiramento de teto, ou que serve de apoio à estrutura de paredes. *prep.* 4 Com exceção de; EXCETO: *Tirante seu irmão, gosto da sua família.*

tirar (ti.*rar*) *v.* 1 Fazer sair de um lugar; RETIRAR. [*td.* (seguido ou não de indicação de lugar): *Abri o armário para tirar as roupas; Tirei todos os livros da estante.*] 2 Despir (roupa) ou descalçar (sapato). [*td.*] 3 Arrancar, extrair. [*td.*: *tirar um dente.*] 4 Conseguir; obter. [*td.*: *tirar boas notas.*] 5 Fazer desaparecer (mancha). [*td.*] 6 Fotografar, copiar, radiografar. [*td.*] 7 Puxar, sacar (arma). [*td.* (seguido de indicação de lugar): *O policial tirou a arma do coldre.*] 8 Apossar-se de; tirar (algo) de (alguém) (tb. *Fig.*). [*td.*: *Os ladrões tiraram os computadores. tdi. + de*: *A doença tirou-lhe o ânimo.*] 9 Eliminar, afastar. [*tdi. + de*: *O advogado tirou as esperanças do cliente.*] 10 Deduzir, concluir. [*td.*: *O conselho já tirou seu parecer.*] 11 Diminuir, subtrair. [*tdi. + de*: *Tirar cinco de seis.*] 12 Eliminar, excluir. [*td.*: *Como o discurso estava longo, tirou os excessos.*] 13 Desviar, afastar. [*td.* (seguido de indicação de lugar): *O esporte tira as crianças das ruas.*] 14 Livrar, libertar, soltar. [*td.* (seguido de indicação de lugar): *O advogado conseguiu tirar o cliente da prisão.*] 15 Convidar para dançar. [*td.*: *Hoje em dia as moças tiram os rapazes.*] 16 Editar, publicar. [*td.*: *Tirar dois mil exemplares.*] 17 *Bras.* Passar para o papel (música ou letra). [*td.*] 18 Usufruir ou auferir (de). [*td.*: *tirar férias. tdi. + de*: *tirar proveito de uma situação.*] [▶ 1 tirar] ⬛ Sem ~ nem pôr Exatamente; sem qualquer diferença.

tira-teima, tira-teimas (ti.ra-*tei*.ma, ti.ra-*tei*.mas) *sm., s2m.* 1 Dispositivo ou instância que serve para sanar dúvidas: *O replay é o melhor tira-teima para um lance duvidoso no futebol.* 2 *Fam.* Dicionário, enciclopédia, ou qualquer fonte de consulta: *Quando há dúvida sobre uma palavra, ele vai ao tira-teima.* 3 *Esp.* Jogo ou disputa entre adversários para determinar qual é o melhor: *Os dois times enfrentaram-se num tira-teima decisivo.* [Pl. de *tira-teima*: *tira-teimas*.]

tireoide, tiroide (ti.re:*oi*.de, ti.*roi*.de) *sf.* 1 *Anat.* Glândula localizada no pescoço, responsável pela produção da tiroxina, hormônio que estimula o metabolismo geral do organismo. *a.* 2 Diz-se dessa glândula (glândula *tireoide*). • ti.re:oi:*di*:a.no *a.*

tiririca (ti.ri.*ri*.ca) *a2g.* 1 *Bras. Fam.* Muito irritado: *Bobagens desse tipo me deixam tiririca. sf.* 2 *Bot.* Tipo de erva daninha. *sm.* 3 *RS Gír.* Batedor de carteiras.

tiritar (ti.ri.*tar*) *v. int.* Tremer de frio. [▶ 1 tiritar]

tiro (*ti*.ro) *sm.* 1 Detonação de arma de fogo. 2 O projétil detonado; BALA: *O tiro acertou o carro.* 3 *Esp.* No futebol, chute violento. ⬛ Sair o ~ pela culatra Ter resultado inverso ao esperado.

tirocínio (ti.ro.*cí*.ni.o) *sm.* 1 Capacidade de analisar com acuidade pessoas e situações; DISCERNIMENTO: *Use seu tirocínio para chegar a uma conclusão.* 2 Aprendizado teórico ou prático, prévio ao desempenho de uma atividade ou ao exercício de uma profissão.

tiro de guerra (ti.ro de *guer*.ra) *sm. Bras. Mil.* Centro militar destinado à formação e treinamento de reservistas da 2ª categoria. [Pl.: *tiros de guerra*.]

tirolês (ti.ro.*lês*) *a.* 1 Do Tirol, província da Áustria; típico dessa região ou de seu povo. *sm.* 2 Pessoa nascida no Tirol. [Pl.: *-leses*. Fem.: *-lesa*.]

tiroteio (ti.ro.*tei*.o) *sm.* Troca de tiros; fogo seguido e intenso de armas de fogo.

tisana (ti.*sa*.na) *sf.* **1** Modo de preparação de bebida medicinal por infusão. **2** A bebida preparada dessa maneira.

tísica (*tí*.si.ca) *sf. Med. Antq.* Tuberculose localizada nos pulmões.

tísico (*tí*.si.co) *a.sm.* **1** Que ou quem sofre de tuberculose pulmonar (poeta tísico). **2** Que ou quem é muito magro e fraco.

tisiologia (ti.si:o.lo.*gi*.a) *sf. Med.* Ramo da medicina que estuda as causas, a prevenção e o tratamento da tuberculose. • ti.si:o.lo.*gis*.ta *s2g.*

tisnar (tis.*nar*) *v. td. pr.* Tornar(-se) negro ou queimar(-se) ligeiramente. [▶ 1 tisnar] • tis.na *sf.*; tis.na.*du*.ra *sf.*

tisne (*tis*.ne) *sm.* Resíduo escuro de fumaça; FULIGEM.

titã (ti.*tã*) *sm.* **1** *Mit.* Na mitologia grega, cada um dos 12 filhos de Gaia (a Terra) e Urano (o Céu), que foram derrotados por Zeus na luta pela supremacia entre os deuses. **2** *Fig.* Pessoa de grande envergadura física, moral ou intelectual. **3** *Astron.* O maior dos satélites de Saturno.

titânico[1] (ti.*tâ*.ni.co) *a.* **1** Ref. aos titãs. **2** *Fig.* Diz-se daquilo que exige ou envolve força e esforço gigantescos (tarefa titânica).

titânico[2] (ti.*tâ*.ni.co) *a. Quím.* Ref. ao titânio.

titânio (ti.*tâ*.ni:o) *sm. Quím.* Elemento químico do grupo dos metais que, por sua leveza e resistência, é us. industrialmente na feitura de certas ligas metálicas. [Símb.: *Ti*]

títere (*tí*.te.re) *sm.* **1** Boneco que se movimenta por meio de cordas ou varetas, manipulados por pessoa oculta; MARIONETE; FANTOCHE. **2** *Fig.* Pessoa que, consciente ou inconscientemente, é manipulada por outras.

titia (ti.*ti*.a) *sf. Fam.* Ver tia.

titica (ti.*ti*.ca) *sf. Bras. Pop.* **1** Fezes ou excremento, esp. de aves. **2** *Fig. Pej.* Pessoa ou coisa desprezível ou de pouco valor. [At! Considerado ofensivo nesta acepção.]

titilar (ti.ti.*lar*) *v.* **1** Fazer cócegas ligeiras em. [*td.*] **2** Sentir palpitação ou agitação. [*int.*] [▶ 1 titilar] • ti.ti.la.*ção sf.*

titio (ti.*ti*.o) *sm. Fam.* Ver tio.

ti-ti-ti (ti-ti-*tí*) *sm. Bras. Pop.* **1** Ajuntamento ruidoso de pessoas; REBULIÇO. **2** Circulação de boatos; MEXERICO: *Não contou nada para ninguém para evitar o ti-ti-ti*. [Pl.: *ti-ti-tis*.]

titubear (ti.tu.be.*ar*) *v. int.* Mostrar-se indeciso, hesitante: *O bombeiro nunca titubeia*. [▶ 13 titubear] • ti.tu.*bei*.o *sm.*

titular[1] (ti.tu.*lar*) *a2g.s2g.* **1** Que ou quem possui título honorífico ou de nobreza. **2** Que ou quem é o ocupante efetivo de um cargo (professor titular). *s2g.* **3** Dono, possuidor: *o titular de uma conta bancária*.

titular[2] (ti.tu.*lar*) *v. td.* Dar título a; INTITULAR: *titular uma obra*. [▶ 1 titular] • ti.tu.la.*ção sf.*

título (*tí*.tu.lo) *sm.* **1** Nome dado a livro, filme, quadro etc.: *O título desse livro já diz tudo.* **2** Denominação de honra e distinção dada a certas pessoas ou famílias: *Ele tem o título de conde.* **3** Denominação conferida a alguém por uma universidade, após conclusão de curso de graduação ou pós-graduação: *Metade dos professores já possui o título de doutor.* **4** *Jur.* Documento juridicamente válido que atesta posse ou direito: *Já tenho o título de propriedade do terreno.* **5** *Econ.* Papel ou certificado, como ações, apólices, promissórias etc., que pode ser negociado ou resgatado.

tiziu (ti.*ziu*) *sm. Zool.* Pássaro negro de canto curto e esganiçado, abundante no Brasil.

⊠ **Tm** Símb. de *túlio*.

⊠ **TNT** *Quím.* Abr. de *trinitrotolueno*, substância us. em explosivos, como a dinamite.

to Contr. do pron. pess. *te* com o pron. pess. *o*. [P. us. no Brasil.]

toa (*to*.a) [ó] *sf.* Corda us. numa embarcação para rebocar outra.

toada (to:*a*.da) *sf. Mús.* **1** Canção de melodia simples e tocante. **2** Som de instrumento ou vozes. **3** *AM* Cada uma das músicas cantadas na festa do boi.

toalete (to:a.*le*.te) *sf.* **1** Ação de lavar-se, de fazer a higiene íntima ou de arrumar-se para alguma ocasião: *Antes de sair, ela fez a toalete.* **2** Indumentária feminina requintada: *A toalete da condessa impressionou a todos.* *sm.* **3** Cômodo com pia, espelho e instalações sanitárias; BANHEIRO.

toalha (to:*a*.lha) *sf.* **1** Peça de tecido felpudo e absorvente us. para secar o corpo. **2** Peça de pano, plástico ou papel com a qual se cobre uma mesa.

toalheiro (to:a.*lhei*.ro) *sm.* **1** Utensílio no qual se penduram toalhas. **2** *Bras.* Empresa e/ou serviço de fornecimento de toalhas limpas e recolhimento das sujas (em escritórios, fábricas, hotéis etc.).

toar (to.*ar*) *v.* **1** Emitir som alto, soar alto; RESSOAR; ECOAR. [*int.*: *Um clarim toou no quartel*.] **2** Condizer, combinar. [*ti.* + com: *A gravata não toava com o paletó*.] [▶ **16** toar] • to:*an*.te *a2g.*

tobaguiano (to.ba.gui.*a*.no) *a.* **1** De Trinidad e Tobago (América Central); típico desse país ou de seu povo. *sm.* **2** Indivíduo nascido em Trinidad e Tobago.

tobaguino (to.ba.*gui*.no) *a.* Ver tobaguiano.

tobogã (to.bo.*gã*) *sm.* **1** Em parque de diversões, pista inclinada e ondulada na qual as pessoas deslizam sentadas. **2** Pequeno trenó us. para deslizar em declives cobertos de neve.

toca (*to*.ca) *sf.* **1** Buraco ou gruta onde um animal vive ou se refugia; COVIL: *Encontramos a toca do tatu*. **2** *Fig. Pop.* Casa, lar.

toca-CDs (to.ca-CDs) *sm2n.* Aparelho que reproduz gravações feitas em CDs.

toca-discos (to.ca-*dis*.cos) *sm2n.* Aparelho que reproduz gravações feitas em discos de vinil.

tocado (to.*ca*.do) *a.* **1** Que se tocou. **2** *Pop.* Levemente embriagado. **3** *Bras. Pop.* Amalucado.

toca-fitas (to.ca-*fi*.tas) *sm2n.* Aparelho que reproduz gravações feitas em fitas magnéticas.

tocaia (to.*cai*.a) *sf. Bras.* Situação ou lugar em que se espreita inimigo ou caça, para atacar de surpresa.

tocaiar (to.cai.*ar*) *v. Bras.* Ficar na tocaia (de inimigo, caça); ESPREITAR. [*td.*: *A polícia tocaiou o traficante. int.*: *O caçador tocaiava atrás das árvores.*] [▶ 1 tocaiar]

tocante (to.*can*.te) *a2g.* **1** Que diz respeito a; referente; concernente: *reunião tocante à organização da formatura*. **2** Que comove e emociona (palavras tocantes). ❚ No ~ a No que diz respeito a: *No tocante à separação, nada tenho a declarar*.

tocantinense (to.can.ti.*nen*.se) *a.* **1** De Tocantins; típico desse estado ou de seu povo. *s2g.* **2** Pessoa nascida em Tocantins.

tocar (to.*car*) *v.* **1** Entrar em contato com (alguém ou algo) usando o tato; PEGAR. [*td.*/*ti.*+em: *João tocou (n)o ombro do amigo*.] **2** Entrar em contato com (algo) como resultado de um movimento; ATINGIR. [*td.*/*ti.* + em: *A sonda vai tocar (n)o fundo do mar*.] **3** Encostar a mão rapidamente. [*td.*/*ti.* + em: *Toquei (n)o prato para saber se estava quente*.] **4** Fazer soar (instrumento musical). [*td.*: *tocar violão*. *int.*: *Nelson tocou muito bem.*] **5** Fazer produzir ou produzir som como indicador de algo. [*td.*: *Toquei o interfone. int.*: *A campainha não para de tocar*; *O telefone tocou e parou.*] **6** Conduzir (gado). [*td.*] **7** *Fig.* Comover, impressionar. [*td.*: *A morte de Ayrton Senna tocou o país*.] **8** Mencionar, aludir. [*td.*/*ti.* + em:

Tocar (n)os pontos principais da matéria.] **9** *Bras.* Levar adiante (trabalho, programa). [*td.*: *tocar* um *empreendimento.*] **10** Mandar embora (esp. animal); EXPULSAR. [*td.*: *Toquei* os gatos com um chinelo.] [▶ **11** to*car*] ▪▪ **Não se ~ 1** Não se sensibilizar, não dar importância. **2** Não perceber, não se dar conta. ● to.**ca**.*dor a.sm.*

tocata (to.*ca*.ta) *sf. Mús.* Composição musical em um só movimento, ger. para teclado (piano, cravo, órgão etc.).

tocha (to.cha) *sf.* **1** Pequena haste em cuja ponta se coloca uma mecha besuntada em óleo ou cera, que, quando acesa, serve para iluminar; ARCHOTE; FACHO. **2** Vela de cera de grandes dimensões.

tocheiro (to.*chei*.ro) *sm.* Castiçal ou outro suporte para tocha.

toco (to.co) [ô] *sm.* **1** Parte do tronco que resta presa à terra depois que se corta uma árvore. **2** Parte restante de vela ou tocha depois de apagadas. **3** Ponta de cigarro ou charuto já fumados; GUIMBA. **4** *Esp.* Golpe aplicado com a mão na bola (esp. no basquete) assim que arremessada, evitando que vá na direção desejada pelo adversário que a arremessou. **5** *Bras. Fut.* Falta em que um jogador prende com o pé o pé de adversário.

todavia (to.da.*vi*.a) *conj.advers.* Mas, porém, entretanto: *É inteligente, todavia não se sai bem nas provas.*

todo (to.do) [ô] *a.* **1** Indica totalidade: *Toda a família veio ao casamento. pr.indef.* **2** Qualquer, cada: *Garantem emprego a todo cidadão. adv.* **3** Completamente, muito: *Ficou todo feliz com o resultado. sm.* **4** Conjunto: *Poucos são bonitos no todo como ela.* ☑ todos *pr.indef.* **5** Todas as pessoas: *Todos assinaram o cartão de aniversário.* ▪▪ **A toda À** toda a velocidade. **De ~** Completamente: *Assumiu de todo a paternidade.*

todo-poderoso (to.do-po.de.*ro*.so) [ô] *a.sm* **1** Que ou quem possui poder suficiente para fazer o que desejar. [Pl.: *todo-poderosos* [ó]. Fem.: *todo-poderosa* [ó].] ☑ **Todo-poderoso** *sm.* **2** Deus.

tofu (to.*fu*) *sm.* Tipo de queijo vegetal, feito de leite de soja.

toga (to.ga) *sf.* **1** Veste larga e escura, us. nos tribunais por juízes, promotores e advogados, ou por formandos em cerimônia de formatura; BECA. **2** *Fig.* O exercício da magistratura: *O juiz ameaçou abandonar a toga.*

togado (to.*ga*.do) *a.* **1** Diz-se de juiz que é bacharel em direito e que ingressa na magistratura por concurso público. *sm.* **2** Magistrado judicial.

togolês (to.go.*lês*) *a.* **1** Do Togo (África); típico desse país ou de seu povo. *sm.* **2** Pessoa nascida no Togo. [Pl.: *-leses.* Fem.: *-lesa.*]

⊕ **token** (*Ing.* /tóken/) Dispositivo eletrônico gerador de senhas.

toldar (tol.*dar*) *v.* Escurecer, encobrir(-se). [*td.*: *Nuvens negras acabam de toldar o céu. pr.*: *O céu toldou-se rapidamente.*] [▶ **1** told*ar*]

toldo (*tol*.do) [ô] *sm.* Estrutura de lona ou outro material, para proteção contra sol e chuva.

toleirão (to.lei.*rão*) *a.sm.* Que ou quem diz ou faz bobagens; PATETA. [Pl.: *-rões.*]

tolerante (to.le.*ran*.te) *a2g.* **1** Que releva e aceita as falhas alheias; INDULGENTE. **2** Que aceita e respeita ideias ou comportamentos distintos dos seus. ● to.le.*rân*.ci.a *sf.*

tolerar (to.le.*rar*) *v.* **1** Suportar(-se) com paciência. [*td.*: *Ana é obrigada a tolerar a indelicadeza do chefe. pr.*: *O casal já não se tolera.*] **2** Aturar, aguentar (alguém ou algo). [*td.*: *Clara não tolera a prima.*] [▶ **1** toler*ar*]

tolerável (to.le.*rá*.vel) *a2g.* Que se pode suportar (dor *tolerável*). [Pl.: *-veis.*]

tolete (to.*le*.te) [ê] *sm.* **1** *Náut.* Em um barco, suporte de metal ou madeira em forma de U sobre o qual se apoiam os remos. **2** Rolo de madeira, fumo ou outro material.

tolher (to.*lher*) *v.* Impedir ou dificultar (atos, movimentos etc.). [*td. O pai tolhia-lhe a iniciativa. tdi.* + *de*: *A modéstia tolhia-o de mostrar seus conhecimentos.*] [▶ **2** tolh*er*] ● to.*lhi*.do *a.*; to.lhi.*men*.to *sm.*

tolice (to.*li*.ce) *sf.* **1** Ato ou dito superficial ou pouco inteligente: *Ele falou tolices, como sempre.* **2** Coisa de pouco valor ou importância: *Por uma tolice dessas, ele pôs tudo a perder.*

tolo (to.lo) [ô] *a.* **1** Que fala bobagens ou se comporta de forma pouco inteligente. **2** Que é superficial e estúpido (argumento *tolo*). **3** Sem razão de ser: *Ele quebrou a perna em um acidente tolo. sm.* **4** Pessoa tola.

tom *sm.* **1** *Mús.* Altura de som ou voz na escala musical. **2** A maneira como alguém fala ou se expressa: *O tom hesitante dele gerou suspeitas.* **3** Gradação de uma cor: "...o *tom* queimado de seu rosto..." (Josué Montello, *Um rosto de menina*). **4** *Fig.* Ponto de vista assumido por alguém: *o tom nacionalista de um discurso.* **5** *Mús.* Escala dominante em uma peça musical; TONALIDADE. **6** *Mús.* Intervalo musical equivalente a dois semitons. [Pl.: *tons.*] ● to.*nal a2g.*; to.na.li.*zar* v.

tomada (to.*ma*.da) *sf.* **1** *Elet.* Ponto externo de instalação elétrica, com orifícios revestidos de metal, ao qual se ligam aparelhos elétricos. **2** *Elet.* Peça de aparelho elétrico, com extremidades de metal, us. para ligá-lo a essa instalação. **3** Conquista de praça, cidade, região, nação etc. **4** *Cin. Telv.* Gravação de uma cena.

tomador (to.ma.*dor*) [ô] *sm.* **1** Pessoa que contrai empréstimo ou dívida; DEVEDOR. **2** Pessoa que contrata mão de obra, serviço ou seguro.

tomar (to.*mar*) *v.* **1** Apoderar-se pela força. [*td.*: *Os invasores tomaram a cidade. tdi.* + *de*: *O ladrão tomou a bolsa da moça.*] **2** Ingerir (alimento líquido ou sólido, remédio). [*td.*] **3** Usar (meio de transporte). [*td.*] **4** Pôr em prática; adotar. [*td.*: *tomar novas providências.*] **5** Segurar, agarrar. [*td.*: *Ana tomou o braço da mãe para ajudá-la. tdi.* + *em*: *No meio do tumulto, tomei a menina no colo.*] **6** Passar a apresentar; ASSUMIR. [*td.*: *Com os anos, tomara feições rudes.*] **7** Consumir, exigir. [*td.*: *Essa pesquisa toma tempo. tdi.* + *a*: *O trabalho tomará muitas horas aos operários.*] **8** Ocupar (espaço). [*td.*: *O piano tomou todo o cômodo.*] **9** Seguir (caminho, direção etc.). [*td.*: *Decidi tomar a estrada principal. int.* (seguido de indicação de direção): *Os excursionistas tomaram por uma trilha.*] **10** Pedir emprestado (dinheiro). [*td.* + *de.*] **11** Considerar, julgar. [*td.*: *Tomei o gesto como ofensa.*] **12** Ser invadido por (sentimento). *pr.*: *tomar-se de coragem.*] **13** Atribuir a si. [*td.* + *de*: *Tomou a liberdade de entrar em seu quarto.*] **14** Receber, levar (tapa, surra, bronca etc.). [*td./tdi.* + *de.*] **15** Ser alvo de; expor-se a. [*td.*: *tomar sol/chuva/pedradas.*] **16** Pedir ou exigir (explicação, satisfação) a. [*tdi./td.*] **17** Agir a favor de. [*td.*: *Tomou a defesa dos menos favorecidos.*] [▶ **1** tom*ar*]

tomara (to.*ma*.ra) *interj.* Expressa desejo, vontade; QUEM DERA; OXALÁ: "Tomara meu Deus, tomara / Uma nação solidária" (Alceu Valença, *Tomara*).

tomara que caia (to.ma.ra que *cai*.a) *a2g2n.* **1** Que não é preso ao pescoço ou ombros por meio de alça (diz-se de vestido, blusa etc). *sm2n.* **2** Esse tipo de peça do vestuário feminino.

tomate (to.*ma*.te) *sm.* Fruto vermelho arredondado, muito us. em saladas e molhos.

tomateiro (to.ma.*tei*.ro) *sm. Bot.* Planta que dá tomates.

tombadilho (tom.ba.*di*.lho) *sm. Náut.* Área, na parte superior e posterior de uma embarcação, na qual ger. ficam os alojamentos e demais aposentos.

tombar¹ (tom.*bar*) *v.* **1** Fazer cair; DERRUBAR. [*td.*: *Os invasores tombaram a cerca da fazenda.*] **2** Cair no chão. [*int.*: *O muro do quintal tombou.*] **3** Inclinar-se, pender. [*int.*: *Ainda sem firmeza, a cabeça do bebê tombava.*] [▶ 1 tom*bar*]

tombar² (tom.*bar*) *v. td.* **1** *Bras.* Colocar sob proteção do poder público: *O governo vai tombar o prédio do museu.* **2** Fazer registro de (livros, bens); ARROLAR: *tombar documentos de um arquivo.* [▶ 1 tom*bar*] • tom.ba.*men*.to *sm.*

tombo¹ (tom.bo) *sm.* **1** Ação ou resultado de cair; QUEDA. **2** Local em que as águas de um rio, em função de forte declive ou descontinuidade brusca em seu leito, caem quase verticalmente; QUEDA-D'ÁGUA; CACHOEIRA.

tombo² (tom.bo) *sm.* **1** Ação ou resultado de inventariar algo ou de colocá-lo sob proteção do poder público; TOMBAMENTO. **2** Anotação de eventos, fatos e outras características próprias de uma região.

tômbola (*tôm*.bo.la) *sf.* **1** Espécie de loteria ou rifa em que os cupons ou números são retirados, um a um, de uma urna, caixa ou vaso. **2** A urna, caixa ou vaso us. com esse propósito.

tomento (to.*men*.to) *sm.* **1** Tecido áspero de linho; ESTOPA. **2** *Bot.* Penugem que recobre órgãos de certos vegetais. [Dim.: *tomentelo.*] • to.men.*to*.so *a.*

tomilho (to.*mi*.lho) *sm.* **1** *Bot.* Planta de origem europeia, muito aromática e com grande poder antisséptico. **2** Tempero feito com as folhas dessa erva.

tomismo (to.*mis*.mo) *sm. Fil.* Sistema filosófico desenvolvido por santo Tomás de Aquino (1225-1274), que se transformaram na filosofia oficial da Igreja Católica. • to.*mis*.ta *a2g.a2g.*

tomo (to.mo) *sm.* Unidade que se pode adotar na divisão de um livro, e que necessariamente não coincide com o volume impresso: *Só li o primeiro tomo da obra.*

tomografia (to.mo.gra.*fi*.a) *sf. Med.* **1** Técnica radiológica que possibilita a visualização de estruturas anatômicas na forma de cortes ou de uma imagem tridimensional. **2** Imagem obtida através dessa técnica. • to.mo.*grá*.fi.co *a.*

tona (to.na) *sf. Bot.* Camada fina ou película que recobre alguns vegetais, constituindo sua superfície. ■ À ~ **1** À superfície (de água). **2** *Fig.* À vista, à percepção, à baila (diz-se de algo antes desconsiderado ou ignorado): *Muitas questões vieram à tona durante a discussão.*

tonalidade (to.na.li.*da*.de) *sf.* **1** Matiz de uma cor: *Gosto dessa tonalidade de azul.* **2** *Mús.* Em uma composição musical, conjunto das relações estabelecidas entre as notas a partir da predominância da tônica.

tonante (to.*nan*.te) *a2g.* Que soa de maneira forte e vibrante (voz *tonante*).

tonel (to.*nel*) *sm.* Recipiente grande, us. ger. para guardar líquidos. [Pl.: *-néis.*]

tonelada (to.ne.*la*.da) *sf. Fís.* Unidade de medida de massa, equivalente a mil quilogramas. [Símb.: *t*]

tonelagem (to.ne.*la*.gem) *sf.* Peso máximo da carga que um caminhão ou navio é capaz de transportar, expresso em toneladas. [Pl.: *-gens.*]

tonelaria (to.ne.la.*ri*.a) *sf.* Ver *tanoaria.*

toneleiro (to.ne.*lei*.ro) *sm.* Ver *tanoeiro.*

🌐 **toner** (Ing. /*tôner*/) *sm. Art.Gr.* **1** Em impressoras a *laser* e fotocopiadoras, pó preto e resinoso us. para impressão. **2** Recipiente que contém esse pó: *Troquei o toner da impressora no mês passado.*

tônico (to.ni.co) *a.* **1** Ref. a *tom.* **2** *Fon. Ling.* Diz-se da sílaba ou vogal que se pronuncia com maior intensidade. *sm.* **3** Medicamento para revigorar o organismo. **4** Produto para fortalecer e dar viço ao cabelo ou à pele. ◪ **tônica** *sf.* **5** Tema principal ou predominante em conversa, palestra, reunião etc.: *A tônica do encontro foi de novo a sucessão na firma.* **6** *Mús.* Em uma escala musical, a primeira nota. **7** *Fon. Ling.* A sílaba ou vogal tônica de uma palavra. • to.ni.ci.*da*.de *sf.*

tonificar (to.ni.fi.*car*) *v.* Tornar(-se) forte, vigoroso; FORTALECER(-SE). [*td.*: *tonificar o cabelo.* *pr.*: *Os atletas se tonificam com exercícios e alimentação especial.*] [▶ 11 tonifi*car*] • to.ni.fi.ca.*ção* *sf.*; to.ni.fi.*can*.te *a2g.*

tonitruante (to.ni.tru.*an*.te) *a2g.* Barulhento como o trovão.

tonsila (ton.*si*.la) *sf. Anat.* Formação arredondada de tecido, esp. a localizada em cada lado da garganta, e que atua na defesa contra infecções. [*Tonsila* substituiu *amígdala* na nova terminologia anatômica.]

tonsilite (ton.si.*li*.te) *sf. Med.* Inflamação de tonsila; AMIGDALITE.

tonsura (ton.*su*.ra) *sf.* Corte de cabelo em forma de pequeno círculo no alto da cabeça, us. pelos clérigos. • ton.su.*ra*.do *a.sm.*; ton.su.*rar* *v.*

tontear (ton.te.*ar*) *v.* **1** Fazer ficar ou ficar tonto. [*td.*: *O marulho tonteara o marinheiro.* *int.*: *Depois de muito rodopiar, o bailarino tonteou.*] **2** *Fig.* Fazer ficar ou ficar alvoroçado, perturbado. [*td.*: *Um prêmio desses tontearia qualquer pessoa.* *int.*: *Com os últimos acontecimentos todos tontearam.*] [▶ 13 tont*ear*]

tonteira (ton.*tei*.ra) *sf.* **1** *Med. Pop.* Sensação de falta de equilíbrio; TONTURA; VERTIGEM. **2** Falta de juízo; TOLICE. • ton.*ti*.ce *sf.*

tonto (ton.to) *a.* **1** Que sente tonteira (1): *Sinto-me tonta em lugares altos.* **2** Atordoado, atônito: *José ficou tonto com a surpresa.* **3** Tolo, bobo: *Esses garotos tontos só fazem brincadeiras de mau gosto.* **4** Embriagado.

tontura (ton.*tu*.ra) *sf.* Ver *tonteira* (1).

tônus (*tô*.nus) *sm2n. Fisl.* Estado natural de elasticidade e resistência de um órgão ou tecido (*tônus muscular*).

🌐 **top** (Ing. /tóp/) *sm.* **1** Corpete que cobre apenas o busto. **2** Blusa curta sem mangas.

topada (to.*pa*.da) *sf.* Batida involuntária com o pé.

topar (to.*par*) *v.* **1** Encontrar (-se), deparar(-se). [*ti. + com*: *Topei com Maria por acaso.* *pr.*: *Depois de anos, as amigas toparam-se numa festa.*] **2** Bater com o pé; TROPEÇAR. [*ti. + em*: *Topei no meio-fio e torci o pé.*] **3** *Bras. Pop.* Aceitar (proposta, convite etc.). [*td.*: *Marcos resolveu topar o desafio.*] **4** *Bras. Pop.* Simpatizar com, gostar de (alguém). [*td.*: *Não topo aquela vizinha.*] [▶ 1 to*par*]

topázio (to.*pá*.zi:o) *sm. Min.* Pedra preciosa, ger. de cor amarelada.

tope (to.pe) *sm.* **1** Topo, cume. **2** Laço de fita em chapéu.

topete (to.*pe*.te) *sm.* **1** Cabelo levantado na frente da cabeça. **2** *Bras. Fig.* Atrevimento, audácia.

tópico (*tó*.pi.co) *sm.* **1** Tema; assunto: *os tópicos de uma palestra.* *a.* **2** Diz-se de medicamento para uso externo (pomada *tópica*).

topo (to.po) [ó] *sm.* **1** Parte mais alta; CUME. **2** *Fig.* O grau mais elevado: *o topo de uma carreira.*

topografia (to.po.gra.*fi*.a) *sf.* Técnica de representação gráfica das formas de um terreno e seus acidentes naturais ou artificiais; TOPOLOGIA. • to.po.*grá*.fi.co *a.*; to.*pó*.gra.fo *sm.*

topologia (to.po.lo.*gi*.a) *sf.* Ver *topografia.* • to.po.*ló*.gi.co *a.*

toponímia (to.po.*ni*.mi:a) *sf.* **1** Estudo dos nomes dos lugares. **2** Conjunto de topônimos. • to.po.*ní*.mi.co *a.*

topônimo (to.*pô*.ni.mo) *sm.* Nome próprio de lugar geográfico.

toque (*to*.que) *sm.* **1** Ação ou resultado de tocar (*to-que* suave). **2** *Mús.* Som produzido por instrumento de percussão: *toque do tamborim*. **3** Sinal dado por corneta, clarim etc.: *toque de silêncio*. **4** Traço, marca: *toque de classe/de mestre*. **5** Tonalidade suave: *pintura com toques de azul*. **6** *Pop.* Aviso discreto: "Está certo, valeu o *toque* – disse ela." (Ana Maria Machado, *A audácia dessa mulher*). **7** *Med.* Exame de uma cavidade do corpo com o auxílio dos dedos. ♦ A ~ **de caixa** Apressadamente, com urgência.

tora (*to*.ra) *sf.* Tronco de árvore inteiro ou cortado em pedaços.

Torá (To.*rá*) *s2g. Rel.* **1** O Pentateuco, conjunto de textos que contêm os princípios da tradição judaica. **2** O livro que os contém e que faz parte da Bíblia judaica (Velho Testamento).

📖 A Torá é também um objeto físico, um rolo duplo que sustenta um pergaminho escrito à mão, com todo o texto dos cinco livros do Pentateuco, e considerado sagrado pelos judeus que acreditam ter sido entregue a Moisés diretamente por Deus. Envoltos em capa de tecido (ger. veludo bordado) e paramentados com arremates e uma mãozinha de prata (que servirá de guia para sua leitura), os rolos são guardados num nicho especial na sinagoga. Todo o texto da Torá é lido publicamente na sinagoga em sessões semanais, num ciclo anual (ou trienal) que se renova sempre.

torácico (to.*rá*.ci.co) *a.* Ref. a tórax.

toranja (to.*ran*.ja) *sf.* Fruto da toranjeira, semelhante à larânja, porém maior, com casca grossa e polpa bem ácida. ● **to.ran.***jei***.ra** *sf.*

tórax (*tó*.rax) [cs] *sm2n. Anat.* Parte do corpo que fica entre o pescoço e o abdome; PEITO.

torçal (tor.*çal*) *sm.* Cordão de fios de seda mesclada ou não com fios de ouro. [Pl.: *-çais*.]

torção (tor.*ção*) *sf.* Lesão de uma articulação, decorrente de um movimento brusco de rotação; ENTORSE. [Pl.: *-ções*.] ● **tor.ce.***du***.ra** *sf.*

torcedor (tor.ce.*dor*) *sm.* **1** Pessoa que torce por uma equipe, atleta etc. **2** Instrumento que serve para torcer.

torcer (tor.*cer*) *v.* **1** Girar (algo) sobre si ou em espiral. [*td.*: *torcer a roupa*.] **2** *Fig.* Deturpar o sentido ou a intenção real de. [*td.*: *Os jornalistas torceram as palavras do político*.] **3** *Bras.* Estimular, apoiar (time, agremiação), com vibração. [*ti.* + *por*: *torcer pela Portela*.] **4** *Fig.* Desejar sinceramente. [*ti.* + *por*: *Torço por sua recuperação*.] [▶ **33** tor*cer*]

torcicolo (tor.ci.*co*.lo) *sm. Med.* Contração da musculatura do pescoço, que causa dor e dificuldade de movimentos.

torcida (tor.*ci*.da) *sf.* **1** Conjunto de torcedores numa competição esportiva. **2** Mecha de vela, lamparina etc., feita de fios torcidos; PAVIO.

torcido (tor.*ci*.do) *a.* **1** Que se torceu (roupa *torcida*). **2** Que sofreu torção (pé *torcido*).

torço (*tor*.ço) [ô] *sm. Bras.* Espécie de xale enrolado na cabeça como um turbante: *o torço das baianas*.

tordilho (tor.*di*.lho) *a.sm. Zool.* Diz-se ou cavalo de pelo branco com pintas escuras.

tordo (*tor*.do) [ô] *sm. Zool.* Passarinho de pelagem escura, muito apreciado pelo canto.

tormenta (tor.*men*.ta) *sf.* Tempestade violenta, sobretudo no mar; BORRASCA.

tormento (tor.*men*.to) *sm.* Sofrimento físico ou moral intenso; ANGÚSTIA; SUPLÍCIO: *As brigas são um tormento na família*. ● **tor.men.***to***.so** *a.*

tornado (tor.*na*.do) *sm. Met.* Redemoinho de vento em forma de cone invertido, com grande poder de destruição.

tornar (tor.*nar*) *v.* **1** Fazer ficar ou ficar. [*td.*: *tornar agradável o ambiente*. *lig.*: *tornar-se elegante*.] **2** Transformar(-se), converter(-se). [*ti.* + *em*: *tornar água em vinho*. *pr.*: *Pão e vinho tornam-se corpo e sangue de Cristo*.] **3** Voltar, regressar. [*int.*: "Quando *tornei* ao Rio de Janeiro em março..." (Machado de Assis, *Missa do galo in Novas seletas*).] [Ant. nesta acp.: *partir*.] [▶ **1** tor*nar*. Us. tb. como aux., quando seguido de infinitivo regido pela prep. *a*, para indicar repetição ou retomada da ação expressa por esse infinitivo: *Calou-se por alguns minutos, depois tornou a falar*.]

tornassol (tor.nas.*sol*) *sm. Quím.* Corante natural us. como indicador de ácidos. [Pl.: *-sóis*.]

torneado (tor.ne.*a*.do) *a.* **1** Trabalhado no torno (cerâmica *torneada*). **2** Arredondado (coxas *torneadas*).

tornear (tor.ne.*ar*) *v. td.* **1** Modelar, arredondando no torno: *tornear a madeira*. **2** Dar forma arredondada a: *tornear o bíceps com exercícios diários*. **3** *Fig.* Aprimorar, polir: *tornear um discurso*. **4** Estar em volta; dar volta a: *A pista de corrida torneava o estádio*. [▶ **13** tornear] ● **tor.ne:a.***men***.to** *sm.*

torneio[1] (tor.*nei*.o) *sm.* **1** Ação ou resultado de trabalhar com o torno. **2** *Fig.* Modo elaborado de expressão: *o torneio de uma frase*.

torneio[2] (tor.*nei*.o) *sm. Esp.* Competição entre indivíduos ou equipes.

torneira (tor.*nei*.ra) *sf.* Dispositivo ajustado como chave a uma tubulação, abrindo ou fechando a passagem do líquido ou gás que ali circula.

torneiro (tor.*nei*.ro) *sm.* Pessoa que trabalha com o torno.

torniquete (tor.ni.*que*.te) [ê] *sm.* **1** *Med.* Instrumento e/ou técnica para estancar uma hemorragia por meio de compressão. **2** *Bras.* Borboleta, catraca. **3** Tipo de cruz giratória que fica à entrada de rua, estrada etc. para controlar a passagem de veículos. **4** Instrumento para apertar.

torno (*tor*.no) [ô] *sm. Mec.* **1** Máquina giratória us. para fazer ou dar acabamento a peças de barro, madeira, ferro etc. **2** Instrumento fixado a uma bancada de trabalho, que segura, entre um grampo fixo e um móvel, a peça a ser limada, serrada, polida etc.; MORSA. ♦ **Em ~ de 1** À volta de, em redor de. **2** Aproximadamente.

tornozeleira (tor.no.ze.*lei*.ra) *sf.* **1** Peça de malha elástica para proteger o tornozelo, us. esp. por atletas. **2** Corrente ou tira artesanal us. como enfeite no tornozelo.

tornozelo (tor.no.*ze*.lo) [ê] *sm. Anat.* Regiões ou saliências ósseas que unem a perna ao pé.

toro (*to*.ro) *sm.* Tronco de árvore derrubada com casca e sem galhos; TORA.

toró[1] (to.*ró*) *sm. Bras.* Chuva forte e repentina; AGUACEIRO.

toró[2] (to.*ró*) *a2g.s2g. Bras.* Que ou quem não tem um dedo ou a falange de qualquer dedo.

tororó (to.ro.*ró*) *a2g. Bras.* Baixo e largo.

torpe (*tor*.pe) *a2g.* Que ofende a decência, a moral e os bons costumes (vício *torpe*, ação *torpe*); DEPRAVADO; SÓRDIDO. ● **tor.***pe***.za** *sf.*

torpedear (tor.pe.de.*ar*) *v. td.* **1** Atacar com torpedos: *torpedear um submarino*. **2** *Fig.* Tomar medidas para fazer fracassar (plano, projeto etc.). [▶ **13** torpedear] ● **tor.pe.de:a.***men***.to** *sm.*

torpedeiro (tor.pe.*dei*.ro) *sm. Antq. Mar.G.* Navio de guerra equipado para lançar torpedos.

torpedo (tor.*pe*.do) [ê] *sm.* **1** *Bras. Pop.* Bilhete entregue a alguém, por intermediário, ger. em local público e com intenção de conquista. **2** *Bras.* Mensagem curta enviada para outrem por meio de telefone celular. **3** *Antq. Mar.G.* Projétil explosivo

torpor | **totalizar**

que se lança de submarinos, navios ou aviões sobre embarcações.

torpor (tor.*por*) [ô] *sm.* Apatia, entorpecimento: "... está mergulhada apenas nesse torpor dos inativos tão fatal aos que podem agir." (Cecília Meireles, *Crônicas de educação 1*).

torque (tor.*que*) [ó] *sm.* **1** Força útil de máquina ou motor: *O motor perdeu o torque*. **2** *Fís.* Par de forças paralelas de sentidos opostos com suportes distintos que atuam sobre um corpo.

torquês (tor.*quês*) *sf.* Ferramenta para arrancar pregos, grampos etc. [Pl.: -*queses*.]

torrada (tor.*ra*.da) *sf.* Fatia de pão torrado.

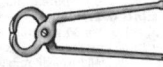

TORQUÊS

torradeira (tor.ra.*dei*.ra) *sf.* Aparelho elétrico para preparar torradas.

torrão (tor.*rão*) *sm.* **1** Pedaço de terra endurecida. **2** Pedaço de alguma coisa que se desfaz facilmente: *torrão de açúcar*. **3** *Fig.* País onde se nasce; PÁTRIA (torrão natal). [Pl.: -*rões*.]

torrar (tor.*rar*) *v.* **1** Grelhar ou assar quase queimando; TOSTAR. [*td.*: *torrar amendoim. int.*: *O pão torrou demais.*] **2** Tornar muito seco (pela ação do sol ou do calor); RESSECAR. [*td.*: *A seca torra o pasto.*] **3** *Bras. Pop.* Vender por qualquer preço; LIQUIDAR. [*td.*: *A loja vai torrar o estoque.*] **4** *Bras. Pop.* Gastar (dinheiro, bens) excessivamente. [*td.*: "...ajudou a torrar boa parte da fortuna que herdou." (*O Globo*, 15.12.02).] **5** *Bras. Pop.* Aborrecer demasiadamente. [*td.*: *Torrava-me a paciência com a mesma ladainha*.] [▶ **1** torrar] • **tor.ra.ção** *sf.*; **tor.ra.dor** *sm.*

torre (*tor*.re) [ó] *sf.* **1** Construção alta e estreita, anexa a ou erguida sobre uma edificação grandiosa. **2** Construção alta, ger. metálica, que sustenta antenas de rádio, televisão, cabos de energia elétrica etc. **3** Peça do jogo de xadrez que se movimenta horizontal e verticalmente.

torreão (tor.re:*ão*) *sm.* **1** Torre de castelo larga e com ameias. **2** Espécie de torre no alto de edificações. [Pl.: -*ões*.]

torrefação (tor.re.fa.*ção*) *sf.* **1** Ação ou resultado de torrefazer: *torrefação do cacau*. **2** Lugar onde se torra o café. [Pl.:-*ções*.]

torrefazer (tor.re.fa.*zer*) *v. td.* Torrar, tostar; TORRIFICAR: *torrefazer o café*. [▶ **22** torrefazer. Part.: *torrefeito*.] • **tor.re.fa.dor** *a.sm.*; **tor.re.fa.to** *a.*; **tor.re.fei.to a.*

torrencial (tor.ren.ci:*al*) *a2g.* Que é abundante (chuva torrencial). [Pl.:-*ais*.]

torrente (tor.*ren*.te) *sf.* **1** Corrente violenta de água, ger. produzida por chuva forte: *As casas foram invadidas pela torrente*. **2** Abundância de material que jorra ou cai: *torrente de lava*. **3** *Fig.* Grande abundância ou fluxo: *torrente de paixões*.

torresmo (tor.*res*.mo) [ê] *sm.* Pedaço pequeno de toucinho frito.

tórrido (*tór*.ri.do) *a.* Quente em demasia (verão tórrido). [Ant.: *glacial*.]

torrificar (tor.ri.fi.*car*) *v. td.* Ver *torrefazer*. [▶ **11** torrificar] • **tor.ri.fi.ca.ção** *sf.*

torrinha (tor.*ri*.nha) *sf. Bras. Pop.* Galeria mais alta de um teatro.

torso (*tor*.so) [ô] *sm.* **1** *Anat.* Parte do corpo formada pelo tórax, abdome e bacia; TRONCO. **2** *Art.Pl.* Escultura que representa essa parte do corpo.

torta (*tor*.ta) *sf. Cul.* **1** Massa assada com recheio doce ou salgado. **2** Bolo recheado e ger. com cobertura.

torto (*tor*.to) [ô] *a.* **1** Que não é reto ou direito (boca torta). **2** Inclinado ou fora da posição correta (linha torta, quadro torto). [Fem. e pl.: [ó].] ⚫ **A ~ e a direito** Em grande quantidade e sem direção ou destinatário certos: *Distribuiu pancadas a torto e a direito*.

tortuoso (tor.tu:*o*.so) [ô] *a.* **1** Que tem muitas curvas ou linhas tortas (caminho tortuoso); SINUOSO. **2** *Fig.* Que se opõe à verdade, à retidão ou à justiça (argumento tortuoso). [Fem. e pl.: [ó].] • **tor.tu:o.si.da.de** *sf.*

tortura (tor.*tu*.ra) *sf.* **1** Martírio físico imposto a alguém. **2** *Fig.* Grande sofrimento moral; AFLIÇÃO.

torturar (tor.tu.*rar*) *v.* **1** Submeter (alguém) a tortura. [*td.*: *Os senhores torturavam os escravos.*] **2** Afligir(-se), angustiar(-se) muito. [*td.*: "A mulher (...) agora o torturava com a sua distância..." (Aluísio Azevedo, *O cortiço*). *pr.*: *Lúcia se torturava com preocupações.*] **3** Incomodar fisicamente. [*td.*: *Sapatos apertados torturam qualquer um*.] [▶ **1** torturar] • **tor.tu.ra.dor** *a.sm.*; **tor.tu.ran.te** *a2g.*

torvelinho (tor.ve.*li*.nho) *sm.* Movimento giratório rápido em espiral; REDEMOINHO; REMOINHO. • **tor.ve.li.nhar** *v.*

torvo (*tor*.vo) [ô] *a.* **1** Que provoca terror (olhar torvo); ASSUSTADOR. **2** Que tem aparência sombria (escuridão torva); SINISTRO.

tosa¹ (*to*.sa) *sf.* Ação ou resultado de cortar rente (lã, pelo, cabelo etc.): *a tosa dos carneiros*.

tosa² (*to*.sa) *sf. Pop.* Ataque com pancadas; SURRA.

tosão (to.*são*) *sm.* Pelagem do carneiro. [Pl.: -*sões*.]

tosar¹ (to.*sar*) *v. td.* Cortar ou aparar bem rente (cabelo, pelo etc.); TOSQUIAR. [▶ **1** tosar] • **to.sa.dor** *a.sm.*

tosar² (to.*sar*) *v. td.* Aplicar surra em; SURRAR. [▶ **1** tosar] • **to.sa.dor** *a.sm.*

toscano (tos.*ca*.no) *a.* **1** Da Toscana (Itália); típico dessa região ou de seu povo. *sm.* **2** Pessoa nascida na Toscana.

tosco (*tos*.co) [ô] *a.* **1** Feito sem capricho (móveis toscos); MAL-ACABADO. **2** Que revela falta de instrução, de cultura (pessoa tosca). **3** Feito sem esmero; grosseiro: *Sentou em um banco tosco*.

tosquiar (tos.qui.*ar*) *v. td.* Cortar rente (pelo, lã de animal); TOSAR. [▶ **1** tosquiar] • **tos.qui.a** *sf.*; **tos.qui:a.dor** *a.sm.*

tosse (*tos*.se) *sf.* Expulsão repentina e barulhenta do ar pela boca, causada por irritação na garganta, problemas pulmonares, ou por nervoso. ▪ **Ver o que é bom para ~** *Bras. Pop.* Sofrer as consequências negativas de ação ou situação.

tossir (tos.*sir*) *v.* **1** Ter tosse. [*int.*: *Tossiu a noite toda*.] **2** Pôr para fora por meio da tosse. [*td.*: *tossir sangue*.] [▶ **51** tossir] • **tos.si.da** *a.*

tostão (tos.*tão*) *sm.* **1** Antiga moeda de níquel de cem réis. **2** *Pop.* Pequena soma de dinheiro. [Pl.: -*tões*.]

tostar (tos.*tar*) *v.* **1** Deixar(-se) queimar superficialmente (ger. comida). [*td.*: *tostar amendoim. int/pr.*: *Os grãos do café já (se) tostaram*.] **2** Bronzear excessivamente (a pele). [*td.*: *O sol do meio-dia tostava a pele dos operários. int.*: *Não sol envelhece a pele.*] [▶ **1** tostar] • **tos.ta.de.la** *sf.*; **tos.ta.du.ra** *sf.*

total (to.*tal*) *a2g.* **1** Que abrange todos os elementos ou partes de um todo; INTEIRO; COMPLETO: *Tivemos apoio total dos professores*. [Ant.: *parcial*.] *sm.* **2** Resultado de uma adição; SOMA. [Pl.: -*tais*.]

totalidade (to.ta.li.*da*.de) *sf.* Reunião completa dos componentes de um conjunto: *A totalidade dos operários aderiu à greve*.

totalitário (to.ta.li.*tá*.ri:o) *a.* **1** *Pol.* Diz-se de regime de governo que controla um país sem admitir oposição. **2** Diz-se de pessoa ou de atitude, ato etc. que não admite réplica, contestação.

totalitarismo (to.ta.li.ta.*ris*.mo) *sm. Pol.* Regime de governo totalitário. • **to.ta.li.ta.ris.ta** *a2g.s2g.*

totalizar (to.ta.li.*zar*) *v. td.* Chegar a (determinado número, valor etc.); ATINGIR; PERFAZER: *As pres-*

tações totalizam R$ 800,00. [▶ 1 totalizar] • to.ta.li.za.ção *sf.*

totem (to.tem) *sm. Antr.* Símbolo sagrado (animal, vegetal ou objeto) de certos grupos primitivos, por ser visto como ancestral ou protetor. [Pl.: *-tens.*] • to.tê.mi.co *a.*; to.te.mis.mo *sm.*

totó (to.tó) *sm.* 1 *Pop.* Qualquer cão pequeno. 2 Jogo semelhante ao futebol, em que duas ou quatro pessoas giram varetas que acionam, dentro de uma caixa, bonecos de dois times para que seus pés direcionem a bola para o gol. [Tb. se diz futebol totó e pebolim.]

touca (tou.ca) *sf.* Peça de tecido ou lã us. na cabeça como proteção ou enfeite. ‖ **Dormir de ~** *Gír.* Bobear, deixando-se enganar ou perdendo boa oportunidade.

touça (tou.ça) *sf.* Conjunto denso de plantas; MOITA.

toucado (tou.ca.do) *sm.* Conjunto de enfeites us. em cabeça de mulher.

toucador (tou.ca.dor) [ó] *sm.* Mesa com espelho para a pessoa se pentear, se maquiar etc.; PENTEADEIRA.

touceira (tou.cei.ra) *sf.* Moita volumosa.

toucinho, toicinho (tou.ci.nho, toi.ci.nho) *sm.* Gordura de porco com pele.

toupeira (tou.pei.ra) *sf.* 1 *Zool.* Mamífero de focinho longo que cava tocas sob a terra, onde vive. 2 *Pej. Pop.* Pessoa pouco inteligente ou ignorante. [At! Considerado ofensivo nesta acepção.]

tourada (tou.ra.da) *sf.* 1 Espetáculo típico da Espanha em que os toureiros provocam os touros para lutar. 2 *Fig. Pop.* Feito ou tarefa que exige grande esforço: *Passar no concurso foi uma tourada.*

tourear (tou.re.ar) *v. int.* Enfrentar (touro) em espetáculo ou competição. [▶ 13 tourear]

toureiro (tou.rei.ro) *sm.* Pessoa que toureia.

touro (tou.ro) *sm.* 1 *Zool.* Boi não castrado, próprio para a reprodução. 2 *Fig.* Homem muito forte. ◪ **Touro** *sm. Astrol.* 3 Signo (do Zodíaco) das pessoas nascidas entre 21 de abril e 21 de maio. 4 Taurino: *Minha mãe é Touro.*

toutiço (tou.ti.ço) *sm.* A parte de trás da cabeça; NUCA.

toxemia (to.xe.mi.a) [cs] *sf. Pat.* Intoxicação resultante do excesso de toxinas acumuladas no sangue.

tóxico (tó.xi.co) [cs] *a.* 1 Que intoxica (gás *tóxico*). *sm.* 2 Substância tóxica. 3 Ver *droga* (1). [Ver ach. encicl. no verbete *droga.*] • to.xi.ci.da.de *sf.*

toxicologia (to.xi.co.lo.gi.a) [cs] *sf.* Estudo da composição e dos efeitos das substâncias tóxicas no organismo. • to.xi.co.ló.gi.co *a.*; to.xi.có.lo.go *sm.*

toxicomania (to.xi.co.ma.ni.a) [cs] *sf.* Dependência de drogas (1). • to.xi.có.ma.no *a.sm.*

toxina (to.xi.na) [cs] *sf. Bioq.* Substância tóxica produzida pelos seres vivos. [Cf.: *antitóxico* (2).]

toxoplasmose (to.xo.plas.mo.se) [cs] *sf. Pat.* Infecção causada por um parasita encontrado nas fezes de certos animais como gatos, cachorros etc., esp. perigosa para gestantes por gerar deformações no feto.

⊠ **TPM** *Med.* Sigla de *tensão pré-menstrual* (conjunto de manifestações físicas e psíquicas que antecedem a menstruação).

trabalhador (tra.ba.lha.dor) [ó] *a.* 1 Que trabalha. 2 Que se dedica com esmero, afinco etc. à execução de tarefa(s). *sm.* 3 Pessoa que trabalha; OPERÁRIO, EMPREGADO.

trabalhão (tra.ba.lhão) *sm.* Trabalho demorado e/ou difícil; TRABALHEIRA. [Pl.: *-lhões.*]

trabalhar (tra.ba.lhar) *v.* 1 Exercer alguma atividade profissional. [*int.* (seguido ou não de indicação de lugar): *Você trabalha (na feira)?*] 2 Fazer parte de (determinado ramo de atividades). [*ti. + com:* João *trabalha com informática.*] 3 Empenhar-se para; esforçar-se por. [*ti. + por, para: A vereadora tem trabalhado pela criação de mais creches.*] 4 Tornar progressivamente mais perfeito ou elaborado; APERFEIÇOAR. [*td.: O artista ficou trabalhando a música a noite inteira. ti. + em: Vá trabalhar um pouco mais na sua redação.*] [▶ 1 trabalhar] • tra.ba.lha.do *a.*

trabalheira (tra.ba.lhei.ra) *sf.* Ver *trabalhão.*

trabalhismo (tra.ba.lhis.mo) *sm. Pol.* Doutrina política que dá destaque à melhoria das condições sociais e econômicas dos trabalhadores. • tra.ba.lhis.ta *a2g.s2g.*

trabalho (tra.ba.lho) *sm.* 1 Emprego da força física ou intelectual para realizar alguma coisa. 2 Aplicação dessas forças como ocupação profissional. 3 Local onde isso se realiza: *Moro longe do trabalho.* 4 Obra realizada: *Essa cômoda é um belo trabalho de marcenaria.* 5 Grande esforço: *Foi um trabalho fazer essa mudança.* 6 *Econ.* Conjunto das atividades humanas empregado na produção de bens: *O capital e o trabalho são os pilares da economia.* 7 *Rel.* Oferenda para se obter proteção ou favor dos orixás. ‖ **Dar ~** Exigir muito esforço e/ou preocupação. **~ de parto** O conjunto de processos (contrações etc.) pelos quais o organismo feminino se prepara para expelir o feto no fim da gestação.

trabalhoso (tra.ba.lho.so) [ó] *a.* Que exige muito esforço ou é cansativo. [Fem. e pl.: [ó].]

trabuco (tra.bu.co) *sm. Bras. Pop.* Revólver grande.

traça (tra.ça) *sf. Zool.* Inseto que destrói esp. papéis e tecidos.

traçado¹ (tra.ça.do) *a.* 1 Que se desenhou ou marcou. *sm.* 2 Ação ou resultado de traçar. 3 Projeto, plano: *o traçado de uma cidade.*

traçado² (tra.ça.do) *a.* 1 Que se traçou, mesclou, misturou. *sm.* 2 *Bras. Pop.* Mistura de aguardente com vermute.

tracajá (tra.ca.já) *sf. Bras. Zool.* Tartaruga dos rios da Amazônia, com cerca de 50cm de comprimento.

tração (tra.ção) *sf.* Força que desloca um objeto móvel: *a tração de um motor.* [Pl.: *-ções.*]

traçar¹ (tra.çar) *v. td.* 1 Fazer (riscos) no papel; DESENHAR: *traçar linhas retas.* 2 Imaginar, conceber (plano, estratégia etc.); PLANEJAR: *É preciso traçar uma política cultural mais abrangente.* 3 Fazer uma descrição de; CARACTERIZAR: *A pesquisa traça o perfil do leitor brasileiro.* 4 Tornar explícitos (limites, fronteiras etc.); DEMARCAR: *Os pais devem saber traçar limites para seus filhos.* 5 Percorrer em linha reta ou curva (uma distância): *Uma estrela cadente traçou o céu.* 6 *Pop.* Comer com muito apetite: *Ele traçou dois pratos de macarrão.* [▶ 12 traçar]

traçar² (tra.çar) *v. td.* 1 Misturar, mesclar. [▶ 12 traçar]

tracejar (tra.ce.jar) *v. td.* 1 Desenhar traços em, ger. a título de esboço: *A costureira tracejou o tecido antes de cortá-lo.* 2 Imaginar (uma linha de ação); PLANEJAR. [▶ 1 tracejar] • tra.ce.ja.do *a.*; tra.ce.ja.men.to *sm.*

tracionar (tra.ci.o.nar) *v. td.* Puxar ou mover (veículo, objeto pesado) com corda, cabo etc.: *tracionar uma carreta.* [▶ 1 tracionar] • tra.ci.o.na.men.to *sm.*

traço (tra.ço) *sm.* 1 Risco ou linha feita com lápis, caneta etc. 2 Modo peculiar de desenhar: *Reconheci o autor do desenho pelo traço.* 3 Característica de alguém ou alguma coisa: *A inteligência é um seu traço marcante.* 4 Marca, vestígio: *Os ladrões fugiram sem deixar traços.* ◪ **traços** *smpl.* 5 As linhas do rosto; FISIONOMIA: *mulher de traços finos.*

traço de união (tra.ço de u.ni.ão) *sm. Gram.* Ver *hífen.* [Pl.: *traços de união.*]

tracoma (tra.co.ma) sm. Pat. Infecção contagiosa nos olhos.

tradição (tra.di.ção) sf. **1** Transmissão oral de cultura, costumes, história etc. de geração em geração (tradição indígena). **2** Costume arraigado: Já é tradição comemorar o dia de são Jorge no Brasil. [Pl.: -ções.] ● tra.di.ci.o.nal a2g.

tradicionalismo (tra.di.ci.o.na.lis.mo) sm. Apego aos costumes, práticas e ideias do passado. ● tra.di.ci.o.na.lis.ta a2g.s2g.

trado (tra.do) sm. Grande verruma us. por carpinteiros e tanoeiros para fazer furos na madeira.

tradução (tra.du.ção) sf. **1** Versão de uma língua para outra: A conferência terá tradução para o inglês. **2** Trabalho traduzido: Comprei uma boa tradução de Cervantes. [Pl.: -ções.]

tradutor (tra.du.tor) [ô] a.sm. Que ou o que faz traduções.

traduzir (tra.du.zir) v. **1** Verter (texto, obra, palavra etc.) de um idioma para outro. [td./tdi. + para: Já traduziram todas as obras de Sartre (para o português)?] **2** Fornecer explicação alternativa ou adicional para; EXPLANAR. [td.: O jornalista sabia traduzir o complicado jargão dos economistas.] **3** Trazer em si a expressão de; REPRESENTAR. [td.: As cartas traduziam a indignação dos leitores com o escândalo.] **4** Ficar evidente; MANIFESTAR-SE. [pr.: O seu caráter traduzia-se na firmeza de suas decisões.] [▶ **57** trad<u>uzir</u>] ● tra.du.zi.do a.; tra.du.zí.vel a2g.

trafegar (tra.fe.gar) v. int. **1** Deslocar-se (um veículo) (seguido de indicação de lugar): O infrator trafegava pela faixa seletiva. **2** Transitar (seguido de indicação de lugar): O ônibus começou a soltar fumaça e teve que parar de trafegar; Será possível trafegar pelo mundo da moda sem perder a identidade? [▶ **14** trafe<u>gar</u>] ● tra.fe.gá.vel a2g.; tra.fe.ga.bi.li.da.de sf.

tráfego (trá.fe.go) sm. Movimentação de veículos; TRÂNSITO: No final da tarde o tráfego é intenso. [Cf.: tráfico.]

traficante (tra.fi.can.te) a2g.s2g. Que ou quem pratica comércio ilegal, esp. de drogas. ● tra.fi.cân.ci.a sf.

traficar (tra.fi.car) v. td. int. Fazer comércio ilegal, esp. de drogas. [▶ **11** trafi<u>car</u>]

tráfico (trá.fi.co) sm. Comércio ilegal e clandestino, esp. de drogas. [Cf.: tráfego.]

tragada (tra.ga.da) sf. Absorção da fumaça do cigarro, charuto etc.; TRAGO.

tragar (tra.gar) v. **1** Beber de um só gole; engolir de uma vez só. [td.: Resistiu, mas acabou tragando o remédio amargo.] **2** Levar aos pulmões fumaça de cigarro, charuto etc. [int.: Fuma sem tragar.] **3** Fig. Provocar o desaparecimento de. [td.: Ondas gigantescas tragaram a embarcação.] **4** Suportar ou tolerar (pessoa, comportamento etc.). [td.: Nunca consegui tragar esse seu amigo.] [▶ **14** tra<u>gar</u>]

tragédia (tra.gé.di.a) sf. **1** Acontecimento catastrófico; DESGRAÇA. **2** Teat. Peça de enredo dramático e final funesto. **3** Gênero teatral de tais peças.

trágico (trá.gi.co) a. Que envolve tragédia, desgraça, infelicidade (final trágico); FUNESTO. ● tra.gi.ci.da.de sf.

tragicomédia (tra.gi.co.mé.di.a) sf. **1** Teat. Peça que inclui aspectos cômicos e trágicos. **2** Circunstância(s) da vida real semelhante(s) a tragicomédia (1). ● tra.gi.cô.mi.co a.

trago (tra.go) sm. **1** Pequena porção de bebida alcoólica engolida de uma vez. **2** Ver tragada.

traição (tra.i.ção) sf. **1** Ação ou resultado de trair. **2** Quebra de lealdade; ato de deslealdade. **3** Infidelidade na relação amorosa. [Pl.: -ções.]

traiçoeiro (trai.ço.ei.ro) a. **1** Que comete traição (indivíduo traiçoeiro); DESLEAL. **2** Em que há traição (gesto traiçoeiro).

traidor (tra.i.dor) [ô] a.sm. Que ou quem comete traição.

⊕ **trailer** (Ing. /trêiler/) sm. **1** Cin. Telv. Série de trechos de filme que será exibido proximamente. **2** Vagão que pode servir de moradia, e que se transporta rebocado a um automóvel.

⊕ **trainee** (Ing. /treini/) s2g. Profissional recém-formado ou prestes a se formar, que está num programa de treinamento em empresa para exercer uma função específica.

traineira (trai.nei.ra) sf. Barco a motor para pesca com rede.

⊕ **training** (Ing. /trêinin/) sm. Conjunto de calça e blusão para prática esportiva.

trair (tra.ir) v. **1** Agir de forma desleal com relação a; ATRAIÇOAR. [td.: Traiu sua pátria.] **2** Ser infiel a (em relacionamento amoroso). [td.] **3** Ficar aquém das expectativas de; DECEPCIONAR. [td.: O motor voltou a trair o piloto, que deixou a prova.] **4** Deixar(-se) revelar ou transparecer involuntariamente. [td.: Os gestos desastrados traíam o nervosismo do candidato. pr.: O político acabou se traindo com um comentário infeliz.] **5** Deixar de honrar (compromisso, acordo etc.). [td.: Você sabe que eu jamais trairia o nosso acerto.] [▶ **43** tr<u>air</u>] ● tra.í.do a.

traíra (tra.í.ra) sf. Bras. Zool. Peixe de água doce, carnívoro, com cerca de 60cm.

trajar (tra.jar) v. td. Usar peça de vestuário; VESTIR. [▶ **1** tra<u>jar</u>]

traje (tra.je) sm. **1** O que se usa como roupa; VESTUÁRIO. **2** Roupa própria para certa atividade (traje esportivo).

trajeto (tra.je.to) sm. Caminho que se percorre entre um lugar e outro; PERCURSO.

trajetória (tra.je.tó.ri.a) sf. **1** Caminho percorrido por um corpo em movimento: O foguete desviou-se da trajetória prevista. **2** Fig. Caminho, percurso: a trajetória literária de um escritor.

tralha (tra.lha) sf. **1** Pop. Quantidade de coisas: Sempre viaja com muita tralha. **2** Amontoado de coisas velhas, sem valor: Na faxina, jogou fora toda a tralha do armário. **3** Rede pequena de pesca.

trama (tra.ma) sf. **1** Em tecelagem, conjunto de fios dispostos no sentido da largura da peça. [Cf.: urdidura.] **2** Conjunto de incidentes que compõem uma história; ENREDO: A novela tem uma trama surpreendente. **3** Série de manobras secretas para prejudicar algo ou alguém; INTRIGA: "...disse ter sido alvo de uma trama..." (Jornal Extra, 10.12.99).

tramar (tra.mar) v. **1** Traçar (plano de ação), ger. com vistas a prejudicar alguém ou algo; URDIR. [td.: Qual dos três bandidos tramou o assalto? ti. + contra: Acusaram o político de tramar contra as instituições democráticas.] **2** Entretecer (teia, fios, palha, fibras etc.). [td.] [▶ **1** tra<u>mar</u>]

trambique (tram.bi.que) sm. Bras. Pop. Negócio desonesto: Deu um trambique na praça. ● tram.bi.ca.gem sf.; tram.bi.car v.; tram.bi.quei.ro a.sm.

trambolhão (tram.bo.lhão) sm. Tombo espalhafatoso. [Pl.: -lhões.]

trambolho (tram.bo.lho) [ô] sm. Fig. Qualquer coisa grande e pesada que incomoda e atrapalha: O porão da casa está cheio de trambolhos inúteis.

tramela (tra.me.la) sf. Pequena trave móvel de madeira ou metal para fechar portas, janelas etc.

tramitar (tra.mi.tar) v. int. Passar (processo, emenda etc.) pelas instâncias oficiais competentes. [▶ **1** tramit<u>ar</u>] ● tra.mi.ta.ção sf.

trâmite (*trâ*.mi.te) *sm.* **1** Via ou atalho que leva a algum ponto. ◘ **trâmites** *smpl.* **2** Etapas regulares de um processo (<u>trâmites</u> legais).

tramoia (tra.*moi*.a) *sf.* Trama secreta para enganar ou prejudicar algo ou alguém.

tramontana (tra.mon.*ta*.na) *sf.* **1** *Astron.* A estrela polar. **2** *Met.* Vento do norte. **3** *Fig.* Rumo, caminho.

trampa (tram.pa) *sf.* **1** *Tabu.* Excremento fétido. **2** *Fig.* Coisa insignificante; NINHARIA.

trampo (*tram*.po) *sm. Pop.* Trabalho pago; SERVIÇO.

trampolim (tram.po.*lim*) *sm.* **1** Prancha flexível para impulsionar o salto de quem mergulha ou faz acrobacias. **2** *Fig.* Meio (pessoa ou coisa) us. para alcançar algum objetivo: *O papel na novela foi o <u>trampolim</u> para o sucesso da atriz.* [Pl.: *-lins.*]

trampolineiro (tram.po.li.*nei*.ro)*a.sm.*Queouquem tem o hábito de trapacear; TRAPACEIRO. • **tram.po.li.na.gem** *sf.*; **tram.po.li.nar** *v.*

tranca (*tran*.ca) *sf.* **1** Barra metálica ou de madeira para fechar internamente portas e janelas. **2** Dispositivo de segurança instalado na direção de veículos, em portões etc. [Dim.: *tranqueta.*]

trança (*tran*.ça) *sf.* Entrelaçamento de três ou mais mechas de cabelo, fios de tecido etc.

trançadeira (tran.ça.*dei*.ra) *sf.* Fita com que se faz ou prende a trança.

trançado (tran.*ça*.do) *a.* Em forma de trança (fios <u>trançados</u>).

trancafiar (tran.ca.fi.*ar*) *v. td.* **1** Prender em local fechado a chave, cadeado, trancar; TRANCAR. **2** Pôr na cadeia; ENCARCERAR. [Ant. ger.: *soltar.*] [NOTA: Em todas as acps., seguido ou não de indicação de lugar.] [▶ **1** trancafi*ar*] • **tran.ca.fi.a.do** *a.*

trancar (tran.*car*) *v.* **1** Fechar (porta, portão etc.) com chave, cadeado etc. [*td.*] **2** Meter(-se) em lugar fechado a chave, cadeado etc. [*td.* (seguido de indicação de lugar): *<u>Trancou</u> os documentos no cofre. pr.*: *O juiz costuma <u>trancar-se</u> na sala por um tempo antes de deliberar.*] **3** Interromper ou cancelar (inscrição em curso, faculdade). [*td.*] **4** *Fut.* Fazer jogar de forma recuada (time, jogadores etc.). [*td.*: *<u>trancar</u> a defesa.*] [▶ **11** tran*car*]

trançar (tran.*çar*) *v.* Entrelaçar fios de (tecido, palha, cabelo etc.), prendendo-os. [*td.*] **2** Andar sem parar; ZANZAR. [*int.*: *<u>Trançava</u> pela casa sem saber o que fazer.*] [▶ **12** tran*çar*] • **tran.ça.do** *a.*

tranca-ruas (tran.ca-*ru*.as) *s2g2n.* **1** *Bras. Pop.* Motorista que atrapalha o fluxo do trânsito por dirigir lentamente. **2** Indivíduo desordeiro e metido a valente.

trancha (*tran*.cha) *sf.* Ferramenta para virar as bordas da folha de flandres.

tranco (*tran*.co) *sm.* **1** Balanço forte e inesperado; SOLAVANCO: *O ônibus deu um <u>tranco</u>, e a passageira caiu.* **2** *Bras.* Esbarrão, encontrão: *Distraída, dei um <u>tranco</u> na porta.* **3** Chamada, repreensão: *O motorista negligente levou um <u>tranco</u> do guarda.* ▪▪ **Aos ~s e barrancos** Com dificuldade, desajeitadamente.

tranqueira (tran.*quei*.ra) *sf.* **1** Conjunto de objetos fora de uso. **2** O que dificulta ou impede a passagem.

tranquilizante (tran.qui.li.*zan*.te) *a2g.* **1** Que tranquiliza (notícia <u>tranquilizante</u>). *sm.* **2** Medicamento que tranquiliza.

tranquilizar (tran.qui.li.*zar*) *v.* Tornar(-se) mais calmo, menos agitado; ACALMAR(-SE). [*td.*: *<u>tranquilizar</u> as crianças. pr.*: *<u>Tranquilizou-se</u> ao receber o resultado do exame.*] [▶ **1** Tranquiliz*ar*] • **tran.qui.li.za.ção** *sf.*; **tran.qui.li.za.dor** *a.sm.*

tranquilo (tran.*qui*.lo) *a.* **1** Sem agitação ou sobressaltos (ambiente <u>tranquilo</u>, sono <u>tranquilo</u>). **2** De temperamento calmo (criança <u>tranquila</u>). **3** Que não tem ou em que não há remorso ou culpa (consciência <u>tranquila</u>). **4** De que não se tem dúvida, incerteza, temor; SEGURO: *O sucesso do empreendimento é <u>tranquilo</u>.* **5** Sem medo; confiante: *Fique <u>tranquilo</u> pois eles vão se sair bem.* • **tran.qui.li.da.de** *sf.*

transa (*tran*.sa) [za] *sf. Bras. Gír.* **1** Relação sexual. **2** Acordo, combinação, transação: *Fizeram uma <u>transa</u> com o apartamento.*

transação (tran.sa.*ção*) [za] *sf.* **1** Operação comercial ou financeira (<u>transação</u> bancária). **2** Ver *transa* (2). [Pl.: *-ções.*] • **tran.sa.ci.o.nal** *a2g.*

transacionar (tran.sa.ci.o.*nar*) [za] *v.* **1** Estabelecer relação de negócios (com pessoa, instituição etc.). [*int.*: *Os produtores e os grevistas pararam de <u>transacionar</u>.*] **2** Comerciar (produtos, bens etc.). [*td.*] [▶ **1** transacion*ar*]

transamazônico (tran.sa.ma.zô.ni.co) [za] *a.* Que atravessa ou percorre a região amazônica.

transar (tran.*sar*) [za] *v. Bras. Pop.* **1** Ter relações sexuais. [*int.*: *O casal já não <u>transava</u> mais. ti. + com*: *Ele queria <u>transar</u> com a namorada.*] **2** Ter gosto por; APRECIAR. [*td.*: *Não <u>transo</u> drogas.*] **3** Arranjar ou conseguir. [*td.*: *Quero <u>transar</u> um vestido novo para a festa.*] [▶ **1** trans*ar*]

transatlântico (tran.sa.*tlân*.ti.co) [za] *a.* **1** Localizado além do Atlântico. *sm.* **2** *Mar.* Navio que cruza o Atlântico.

transato (tran.*sa*.to) [za] *a.* Que já passou; ANTERIOR. [Ant.: *vindouro.*]

transbordar (trans.bor.*dar*) *v.* **1** Ultrapassar as bordas ou margens. [*int.*: *Com o mau tempo, o rio São Francisco <u>transbordou</u>.*] **2** *Fig.* Experimentar ou manifestar em excesso (sentimento, sensação etc.). [*td.*: *O escolhido <u>transbordava</u> contentamento. int.*: *Está <u>transbordando</u> de ódio.*] [▶ transbord*ar*] • **trans.bor.da.men.to** *sm.*; **trans.bor.dan.te** *a2g.*

transbordo (trans.*bor*.do) [ó] *sm.* Transferência de passageiros, mercadorias etc. de um meio de transporte para outro.

transcendental (trans.cen.den.*tal*) *a2g.* **1** Que transcende, que é superior. **2** *Fil.* Que ultrapassa os limites da experiência física; METAFÍSICO. [Sin. ger.: *transcendente.*] [Pl.: *-tais.*]

transcendente (trans.cen.*den*.te) *a2g.* **1** Ver *transcendental.* **2** Que está fora dos indivíduos e das coisas: *"...trouxeram para os outros homens alguma coisa <u>transcendente</u>, em que todos se sentiram refletidos e realizados."* (Cecília Meireles, *Crónicas de viagem I*). • **trans.cen.dên.ci.a** *sf.* **trans.cen.den.ta.li.da.de** *sf.*

transcender (trans.cen.*der*) *v. td.* **1** Estar ou ir além de; ULTRAPASSAR: *Por ser ética, a questão da clonagem <u>transcende</u> a ciência.* **2** Estar em nível superior e inalcançável com relação a; SOBREPUJAR: *Seu brilhantismo <u>transcendia</u> a opinião corrente.* [▶ transcend*er*]

transcodificar (trans.co.di.fi.*car*) *v.* **1** Converter (informações, mensagens etc.) de um código para outro. [*td.*: *<u>transcodificar</u> os sinais da mensagem.*] **2** Preparar (equipamento) para trabalhar com informações ou produtos diferentes. [*td.*] **3** *Fig.* Tornar (informação) mais acessível; SIMPLIFICAR. [*td./ tdi. + para*: *O cientista <u>transcodificava</u> (para o público) a complexa teoria genética.*] [▶ **11** transcodific*ar*]

transcontinental (trans.con.ti.nen.*tal*) *a2g.* Que atravessa um continente (estrada <u>transcontinental</u>). [Pl.: *-tais.*]

transcorrer (trans.cor.*rer*) *v. int.* **1** Ocorrer de determinada maneira; PASSAR-SE: *A solenidade deve <u>transcorrer</u> de acordo com o protocolo.* **2** Decorrer (período de tempo): *Quantos anos <u>transcorreram</u> desde o nosso último encontro?* [▶ **2** transcorr*er*]

transcrever (trans.cre.*ver*) *v.* **td. 1** Fazer citação ou cópia escrita de texto alheio: *Você me autoriza a transcrever este poema inédito em meu ensaio?* **2** Reproduzir por escrito (uma amostra de fala): *transcrever um depoimento*. [▶ **2** transcrev*er*. Part.: *transcrito*.]

transcrição (trans.cri.*ção*) *sf.* **1** Ação ou resultado de transcrever. **2** *Ling.* O registro gráfico dos sons de uma língua. **3** *Gen.* A síntese que uma molécula de ácido ribonucleico (ARN) realiza a partir de uma cadeia de ácido desoxirribonucleico (ADN). [Pl.: *-ções*.]

transcurso (trans.*cur*.so) *sm.* **1** Ação ou resultado de transcorrer. **2** Período do tempo; DECURSO.

transdutor (trans.du.*tor*) [ô] *a.sm. Fís.* Que ou dispositivo que é capaz de transformar um tipo de sinal em outro ou uma forma de energia em outra.

transe (*tran*.se) [ze] *sm.* **1** Estado, causado por euforia ou angústia, em que a pessoa assume um comportamento anormal: "Pousou as mãos na mesa entre jarrinhos num *transe* de pena e de saudade..." (Antonio Callado, *Bar Don Juan*). **2** Estado de alteração da consciência motivado por rituais religiosos, ingestão de drogas etc.: *Entrou em transe durante a cerimônia*.

transeunte (tran.se.*un*.te) [ze] *a2g.s2g.* **1** Que ou quem vai caminhando ou passando; PASSANTE. **2** Que ou quem está de passagem.

transexual (tran.se.xu.*al*) [cs] *a2g.* **1** Ref. a mudança de sexo (operação *transexual*). *a2g.s2g.* **2** Que ou quem tem ou adquire características sexuais do sexo oposto. [Pl.: *-ais*.] ● **tran.se.xu***:***a.li.*da*.de** *sf.*; **tran.se.xu***:***a.*lis*.mo** *sm.*

transferência (trans.fe.*rên*.ci.a) *sf.* **1** Ação ou resultado de transferir(-se). **2** Deslocamento de pessoas ou coisas de um lugar para outro. **3** Ato de ceder para outrem bens, direitos etc.: *transferência de propriedade*. **4** *Psic.* Processo psíquico no qual alguém transfere os sentimentos que tem por uma pessoa a outra. **5** *Inf.* Passagem de dados de uma área de trabalho a outra.

transferidor (trans.fe.ri.*dor*) [ô] *a.* **1** Que transfere. *sm.* **2** Pessoa que transfere. **3** Espécie de régua circular ou semicircular us. para medir ângulos.

transferir (trans.fe.*rir*) *v.* **1** Mudar(-se) de um lugar para outro. [*td.* (seguido ou não de indicação de lugar/destino): *Estão tentando transferir o craque (para o Botafogo).* *pr.*: *A empresa transferiu-se para Petrópolis.*] **2** *Jur.* Transmitir ou passar oficialmente (bens, cargo etc.). [*tdi.* + *para*: *Transferiu a casa para o nome do filho.*] **3** Marcar para uma outra data; ADIAR. [*td.* (seguido ou não de indicação de tempo): *transferir uma reunião (para o dia seguinte)*.] [▶ **50** transfer*ir*] ● **trans.fe.*ri*.vel** *a2g.*

transfigurar (trans.fi.gu.*rar*) *v.* Fazer ficar ou ficar substancialmente alterado o caráter ou a aparência (de). [*td.*: *O filme transfigurava a realidade.* *tdi.* + *em*: *"...transfigurou o buraco em que viviam num palácio de conforto..."* (Miguel Torga, *Senhor Ventura*). *pr.*: *As feições da moça se transfiguraram, tal era o seu pavor.*] [▶ **1** transfigur*ar*] ● **trans.fi.gu.*ra*.do** *a.*

transfixar (trans.fi.*xar*) [cs] *v.* **td.** Perpassar, furando com objeto cortante ou pontiagudo; PERFURAR: *O médico fez a incisão, cuidando para não transfixar a musculatura.* [▶ **1** transfix*ar*] ● **trans.fi.*xa*.ção** *sf.*

transformador (trans.for.ma.*dor*) [ô] *a.* **1** Que transforma. *sm.* **2** Aquele que transforma. **3** *Elet.* Dispositivo que modifica a tensão ou a intensidade de uma corrente elétrica.

transformar (trans.for.*mar*) *v.* **1** Fazer adquirir ou adquirir nova forma, caráter, função etc.; CONVERTER(-SE); MUDAR(-SE). [*td.*: *O decorador transformou o ambiente da sala.* *tdi.* + *em*: *É preciso saber transformar a raiva em energia positiva.* *pr.*: "*...a tolerância de José transformou-se em amizade.*" (Marques Rebelo, *Marafa*).] **2** Fantasiar(-se) ou disfarçar(-se). [*tdi.* + *em*: *A maquiagem a transformou numa velhinha.* *pr.*: *Vestiu a pele, engrossou a voz e se transformou num lobo.*] [▶ **1** transform*ar*] ● **trans.for.ma.*ção*** *sf.*; **trans.for.*má*.vel** *a2g.*

transformismo (trans.for.*mis*.mo) *sm.* **1** *Biol.* Doutrina que acredita que os organismos evoluem a partir da transformação de outros organismos. **2** *Geol.* Teoria que explica a formação das rochas magmáticas. **3** A atividade de transformista (2).

transformista (trans.for.*mis*.ta) *s2g.* **1** *Biol. Geol.* Adepto do transformismo. **2** Ator cuja atuação é feita por meio de caricaturas e várias trocas de roupa. **3** Ver *travesti*. *a2g.* **4** Ref. ao transformismo.

trânsfuga (*trâns*.fu.ga) *s2g.* **1** Militar que deserta para servir ao inimigo. **2** Pessoa que troca de partido político, religião, ou renuncia a seus princípios.

transfusão (trans.fu.*são*) *sf.* **1** Ação ou resultado de transferir líquido de um lugar para outro: *transfusão de sangue*. [Pl.: *-sões*.]

transgênico (trans.*gê*.ni.co) *a.sm. Bioq.* Diz-se de organismo que recebeu um ou mais genes provenientes de outra espécie (soja *transgênica*).

transgredir (trans.gre.*dir*) *v.* **td.** Agir de forma a desrespeitar (padrões preestabelecidos, lei, regra etc.); VIOLAR; INFRINGIR: *O paciente transgrediu a dieta prescrita.* [▶ **49** transgred*ir*]

transgressão (trans.gres.*são*) *sf.* **1** Ação ou resultado de transgredir. **2** *Geol.* Inundação de áreas litorâneas pelo mar. [Pl.: *-sões*.]

transgressor (trans.gres.*sor*) [ô] *a.sm.* Que ou quem transgride; CONTRAVENTOR.

transição (tran.si.*ção*) *sf.* **1** Ação ou resultado de transitar. **2** Mudança de um estado a outro (*transição* profissional). [Pl.: *-ções*.]

transido (tran.*si*.do) [zi] *a.* **1** Tomado por determinado sentimento ou sensação: *transida de preocupação.* **2** Que demonstra pavor; ASSUSTADO: "*Olha para fora, transido, arrepiado, não ousando choramingar...*" (João Guimarães Rosa, *Ave, palavra*).

transigente (tran.si.*gen*.te) [zi] *a2g.s2g.* Que ou quem transige, cede; CONDESCENDENTE. ● **tran.si.*gên*.ci***:***a** *sf.*

transigir (tran.si.*gir*) [zi] *v.* **1** Ceder (em disputa, discussão etc.) em benefício de consenso ou acordo. [*int.*: *Depois de muito discutir, acabou transigindo e aceitou o acordo.*] **2** Fazer concessões ou ser indulgente (com respeito a algo); CONDESCENDER. [*ti.* + *com*: *Recusando-se a transigir com o autoritarismo do diretor, o gerente demitiu-se.*] [▶ **46** transig*ir*]

transistor, **transístor** (tran.sis.*tor*, tran.*sis*.tor) [zístôr; zístor] *sm. Eletrôn.* **1** Dispositivo semicondutor us. para controlar a passagem de eletricidade em equipamentos eletrônicos. **2** *Bras.* Rádio portátil que dispõe desse dispositivo. ● **tran.sis.to.ri.*za*.do** *a.*; **tran.sis.to.ri.*zar*** *v.*

transitado (tran.si.*ta*.do) [zi] *a.* Por cuja parte se transita ou transitou. ■ ~ **em julgado** *Jur.* Diz-se de processo jurídico que já passou por todas as etapas e recursos admissíveis, sendo, portanto, o veredicto ou a sentença aplicáveis e irrecorríveis.

transitar (tran.si.*tar*) [zi] *v.* **1** Deslocar-se, circular, passar. [*int.* (seguido ou não de indicação de lugar): *Milhares de pessoas transitam (pelos aeroportos).*] **2** Mudar de condição, estado, direção etc. [*int./ti.* + *de...a, para*: *A empresa precisa transitar (para a informática).*] **3** Ser aceito, ter contatos em determinados meios. [*int.* (seguido de indicação de lugar): *Transita bem no alto escalão do Planalto.*]

transitivo | transpor

[▶ 1 transit(ar] ● tran.si.*tá*.vel *a*.; tran.si.ta.bi.li.*da*.de *sf*.
transitivo (tran.si.*ti*.vo) [zi] *a. Gram.* Diz-se de verbo que requer um objeto (p.ex.: *comprar*, *depender*). [Ver tb. *intransitivo*.]
trânsito (*trân*.si.to) [zi] *sm.* **1** Ação ou resultado de transitar. **2** Circulação de veículos em vias públicas. **3** Mudança de um local para outro: *trânsito de produtos*. ✳ **Em** – Em movimento: *Os turistas estão em trânsito no país.*
transitório (tran.si.*tó*.ri:o) [zi] *a.* Que tem pouca duração (trabalho *transitório*); BREVE. ● tran.si.to.ri:*e.da.de sf.*
translação (trans.la.*ção*) *sf.* **1** Ação ou resultado de transladar. **2** *Astron.* Movimento efetuado por um planeta em torno do Sol: *A translação da Terra dura cerca de 365 dias.* [Pl.: -ções.]
transladar (trans.la.*dar*) *v.* Ver *trasladar*.
translado (trans.*la*.do) *sm.* Ver *traslado*.
translato (trans.*la*.to) *a.* **1** Que foi copiado; transcrito. **2** Figurado, metafórico: *texto repleto de palavras com sentido translato*.
transliterar (trans.li.te.*rar*) *v.* Converter (texto, palavra, letra) de um alfabeto para outro, mantendo a pronúncia original. [*td./tdi.* + *de...a*, *para*: *transliterar um termo em russo (para o alfabeto latino). ti.* + *para/int.*: *Sabia transliterar (para japonês).*] [▶ 1 transliter(ar] ● trans.li.te.ra.*ção sf.*
translúcido (trans.*lú*.ci.do) *a.* Que permite a passagem da luz sem que se veja o que está por trás dele. ● trans.lu.ci.*dez sf.*
transluzir (trans.lu.*zir*) *v. int.* **1** Projetar-se (luz, brilho) através de algo: *A luz do poente transluzia (através da vidraça).* **2** Mostrar-se, transparecer: (com ou sem indicação de lugar/meio) *Fitou-a (nos olhos), e ela transluzia a esperança.* [▶ 57 translu(zir] ● trans.lu.zen.te *a2g.*
transmigrar (trans.mi.*grar*) *v. int.* **1** Passar a viver em outro país ou região; MUDAR-SE: (seguido ou não de indicação de lugar) *Sem perspectiva de trabalho, transmigraram (para o Sul).* **2** Em certas crenças, passar (o espírito) de um corpo a outro: (seguido ou não de indicação de lugar) *Acreditam que a alma transmigra (para outros corpos).* [▶ 1 transmigr(ar] ● trans.mi.gra.*ção sf.*
transmissão (trans.mis.*são*) *sf.* **1** Ação ou resultado de transmitir(-se). **2** Comunicação do movimento de um dispositivo a outro por meio de polias, engrenagens etc.; o mecanismo responsável por essa comunicação. **3** *Telc.* Difusão de informação sonora e/ou visual por meio de ondas eletromagnéticas. [Pl.: -sões.]
transmissível (trans.mis.*sí*.vel) *a2g.* Que pode ser transmitido. [Pl.: -*veis.*] ● trans.mis.si.bi.li.*da*.de *sf.*
transmissivo (trans.mis.*si*.vo) *a.* Que transmite; TRANSMISSOR.
transmissor (trans.mis.*sor*) [ô] *a.* **1** Ver *transmissivo*. *sm.* **2** Aquele que transmite. **3** *Eletrôn.* Instrumento que transmite sinais telegráficos, telefônicos, radiofônicos etc.
transmitir (trans.mi.*tir*) *v.* **1** Passar (informações, instruções, notícias) a. [*td*.: "...só me pediram para *transmitir* o convite." (Pepetela, *A geração da utopia*). *tdi.* + *a, para*: *Rui não transmitiu o recado ao irmão.*] **2** Fazer (alguém) adquirir (valores, conhecimento), por herança ou ensinamento. [*td./tdi.* + *a, para: Como transmitir (aos jovens) o senso da responsabilidade?*] **3** Contagiar(-se) com (vírus, bactéria, etc.); CONTAMINAR(-SE). [*td./tdi.* + *a: Não se precaveu, e transmitiu sua gripe (a toda a família). pr.: A hepatite A transmite-se facilmente.*] **4** Transferir efetivamente (cargo, bens, responsabilidades etc.). [*td./tdi* + *a, para: Hoje ele transmite o mandato (ao vice-presidente).*] **5** Comunicar, demonstrar (sentimento, impressão, imagem etc.). [*td./ tdi.*+ *a, para: Sua figura transmite (a todos nós) paz e tranquilidade.*] **6** Enviar (informações, relatos, eventos etc.) por ondas de rádio, televisão etc. [*td*.: *transmitir um jogo de futebol.*] **7** Funcionar como meio condutor de (calor, eletricidade, sinais etc.). [*td*.: *Um cabo ótico transmite os sinais televisivos.*] [▶ 3 transmit(ir]
transmutar, transmudar (trans.mu.*tar*, trans.mu.*dar*) *v.* Fazer com que se modifique ou modificar-se; TRANSFORMAR(-SE). [*td.* (seguido ou não de indicação de estado, condição): *Os alquimistas queriam transmutar metais (em ouro). pr.: Sua timidez transmutou-se em confiança.*] [▶ 1 transmut(ar], ▶ 1 transmud(ar] ● trans.mu.ta.*ção*, trans.mu.da.*ção sf.*
transoceânico (tran.so.ce:*â*.ni.co) *a.* **1** Que se encontra além do oceano (ilhas *transoceânicas*). **2** Que atravessa o oceano.
transparecer (trans.pa.re.*cer*) *v. int.* Dar-se a conhecer, vir à tona; REVELAR-SE: *Em seu olhar transparece o amor que ela sente.* [▶ 33 transpare(cer]
transparência (trans.pa.*rên*.ci:a) *sf.* **1** Característica ou estado do que é transparente. **2** Folha de plástico transparente em que se imprimem textos, gráficos, desenhos etc. para serem projetados em retroprojetor. **3** *Fig.* Qualidade de quem demonstra sinceridade e/ou lisura: *Sua transparência fez com que ganhasse a admiração dos amigos*.
transparente (trans.pa.*ren*.te) *a2g.* **1** Que permite passar a luz e ver o que está por detrás. **2** Que é muito claro (luz *transparente*). **3** *Fig.* Que demonstra sinceridade, lisura: *É transparente no trato com os funcionários*.
transpassar (trans.pas.*sar*) *v. td.* **1** Passar através de: *A navalha transpassou o braço do bandido.* **2** Sobrepor as duas partes de (item do vestuário), fechando-o: *transpassar o roupão.* **3** Ir além de; ultrapassar: *transpassar limites.* **4** *Fig.* Causar grande sofrimento a. [▶ 1 transpass(ar] ● trans.pas.sa.do *a.*
transpiração (trans.pi.ra.*ção*) *sf.* **1** Ação ou resultado de transpirar. **2** Suor eliminado pelas glândulas sudoríparas. **3** *Bot.* Perda de água por evaporação que acontece nas folhas das plantas.
transpirar (trans.pi.*rar*) *v.* **1** Eliminar suor pelos poros; SUAR. [*td*.: *Transpirava rios de suor. int.*: *Quase não transpiro.*] **2** *Fig.* Manifestar, exprimir, exalar. [*td*.: "...em sua fisionomia nobre (...) *transpirava* a franqueza, (...) e a lealdade." (Bernardo Guimarães, *A escrava Isaura*).] **3** Vir a público, divulgar-se. [*int.*: *Apesar do sigilo, a notícia transpirou.*] [▶ 1 transpir(ar]
transplantar (trans.plan.*tar*) *v. td.* **1** Mudar (vegetais já plantados) de lugar: *Os ecologistas transplantaram mais de cem árvores.* **2** Aplicar (conceito, modelo ou ideia vigentes em um contexto) em outro contexto. (com ou sem indicação do novo contexto): *transplantar o modelo econômico europeu (no Mercosul).* **3** *Med.* Transferir (células, órgão, tecido etc.) de um ponto a outro do mesmo corpo, ou de um corpo a outro: *O dr. Barnard foi o primeiro a transplantar um coração.* [▶ 1 transplant(ar] ● trans.plan.ta.*ção sf.*; trans.plan.ta.*dor a.sm.*
transplante (trans.*plan*.te) *sm. Med.* Transferência de órgão, ou de parte dele, num mesmo indivíduo ou de um indivíduo para outro.
transpor (trans.*por*) *v.* **1** Passar sobre ou além de; ULTRAPASSAR. [*td*.: *transpor uma fronteira/um obstáculo.*] **2** Alterar a ordem de. [*td*.: *Transpôs as letras da palavra, formando outra.*] **3** Passar de um meio de expressão para outro. [*tdi.* + *para*: *Transpôs o romance para o cinema.*] [▶ 60 trans(por]. Part.: *transposto.*] ● trans.po.*ní*.vel *a2g.*; trans.po.si.*ção sf.*

transportadora (trans.por.ta.*do*.ra) *sf.* Empresa que presta o serviço de transporte de cargas.

transportar (trans.por.*tar*) *v.* **1** Levar de um lugar para outro; CARREGAR; LEVAR. [*tdi.* + *a*, *de...a* (tb. sem objeto direto explícito): *O trem transporta (passageiros) de uma cidade a outra.*] **2** Servir como meio de transporte. [*td.*: *O ônibus transportava turistas.*] **3** *Fig.* Transferir(-se) de um lugar a outro, de um tempo a outro. [*tdi.* (seguido ou não de indicação de lugar/tempo): *Aquela música o transporta à terra natal. pr.*: *Quando sente esse perfume, transporta-se para o passado.*] [▶ **1** transportar • **trans.por.ta.*ção*** *sf.*; **trans.por.ta.*dor*** *a.sm.*

transporte (trans.*por*.te) *sm.* **1** Ação ou resultado de transportar. **2** Qualquer veículo aéreo, marítimo ou automotivo us. para transportar pessoas ou coisas. **3** Deslocamento de um local para outro: *O governo ordenou o transporte das vítimas para as suas cidades.*

transposto (trans.*pos*.to) [ó] *a.* Que se transpôs.

transtornado (trans.tor.*na*.do) *a.* **1** Que se transtornou. **2** Que teve a ordem ou a organização alterada. **3** Fora de si; PERTURBADO.

transtornar (trans.tor.*nar*) *v.* **1** Pôr em desordem; ATRAPALHAR; PERTURBAR. [*td.*: *O hóspede transtornara a rotina da casa.*] **2** Abalar(-se) psicologicamente; ALTERAR(-SE). [*td.*: *A notícia o transtornou. pr.*: *Transtorna-se com a mínima crítica.*] [▶ **1** transtornar]

transtorno (trans.*tor*.no) [ó] *sm.* **1** Ação ou resultado de transtornar. **2** Situação anormal que acarreta desconforto; INCÔMODO: *O acidente causou transtornos ao bairro.*

transubstanciação (tran.subs.tan.ci:a.*ção*) *sf.* **1** Fenômeno que acarreta a mudança de uma substância em outra. **2** *Rel.* Transformação do pão e do vinho no corpo e sangue de Cristo. • **tran.subs.tan.ci:*al*** *a2g.*

transubstanciar (tran.subs.tan.ci.*ar*) *v.* Transformar(-se) (uma substância) em outra. [*td.*: *Os alquimistas queriam transubstanciar os metais. pr.*: *O cobre não se transubstancia em ouro.*] [▶ **1** transubstanciar]

transudar (tran.su.*dar*) *v.* **1** Sair (o suor) pelos poros; TRANSPIRAR. [*int.* (seguido de indicação de lugar): *O suor transudava de seu rosto.*] **2** Escorrer como suor. [*int.* (seguido de indicação de lugar): *Transuda umidade do teto.*] **3** Deixar sair (um líquido); VERTER. [*td.*: *O tronco da árvore transuda uma resina.*] [▶ **1** transudar]

transvazar (trans.va.*zar*) *v. td. pr.* Derramar(-se), entornar(-se). [▶ **1** transvazar]

transversal (trans.ver.*sal*) *a2g.* **1** Cuja orientação é oblíqua em relação a um referente (rua *transversal*). **2** Que atravessa algo oblíqua ou perpendicularmente. *sf.* **3** Linha transversal. [Pl.: *-sais.*] • **trans.ver.sa.li.*da*.da** *sf.*

transverso (trans.*ver*.so) [ê] *a.* Que é oblíquo, atravessado.

transviar (trans.vi.*ar*) *v.* Pôr no mau caminho; DESENCAMINHAR(-SE). [*td.*: *O namorado transviou a moça. pr.*: *Transviou-se com as más influências.*] [▶ **1** transviar • **trans.vi.a.*do*** *a.sm.*; **trans.vi.a.*men*.to** *sm.*

trapaça (tra.*pa*.ça) *sf.* Ato que envolve fraude ou logro.

trapacear (tra.pa.ce.*ar*) *v.* Fazer trapaça (com); enganar. [*td.*: *Tentaram trapacear o cliente. int.* (seguido ou não de indicação de situação): *Ela sempre trapaceia (no jogo).*] [▶ **13** trapacear]

trapaceiro (tra.pa.*cei*.ro) *a.sm.* Que ou quem faz trapaças.

trapalhada (tra.pa.*lha*.da) *sf.* **1** Grande confusão, desordem: *Fez uma trapalhada com os documentos.* **2** Ato praticado de má-fé; LOGRO.

trapalhão (tra.pa.*lhão*) *a.sm.* **1** Que ou quem faz trapalhadas. **2** Que ou quem se atrapalha; DESAJEITADO. [Pl.: *-lhões.*]

trapeiro (tra.*pei*.ro) *sm.* Pessoa que apanha trapos ou papéis velhos na rua para vendê-los.

trapézio (tra.*pé*.zi:o) *sm.* **1** *Geom.* Quadrilátero com dois lados paralelos. **2** Equipamento us. para malabarismo, constituído por uma barra suspensa por duas cordas verticais. **3** *Anat.* O primeiro osso da segunda fileira do carpo.

TRAPÉZIO (1)

trapezista (tra.pe.*zis*.ta) *s2g.* Artista ou ginasta que trabalha em trapézio.

trapiche (tra.*pi*.che) *sm.* Armazém onde são guardadas mercadorias importadas ou destinadas à exportação.

trapicheiro (tra.pi.*chei*.ro) *a.sm.* **1** Que ou quem é dono de ou administra trapiches. **2** Que ou quem trabalha em trapiche.

trapo (*tra*.po) *sm.* **1** Pedaço de pano velho e usado. **2** Roupa muito velha, gasta. **3** *Fig.* Pessoa excessivamente velha, ou de aparência cansada.

traque (*tra*.que) *sm.* **1** Barulho de pouca intensidade. **2** *Fam.* Ar expelido pelo ânus; VENTOSIDADE (2). **3** Artefato de pirotecnia constituído de um tubinho de cartão com pólvora, que explode ao ser aceso o seu pavio.

traqueia (tra.*quei*.a) *sf.* **1** *Anat.* Tubo cartilaginoso e membranoso que serve para a passagem de ar, ligando a laringe aos brônquios. **2** *Bot.* Estrutura tubular por onde circula a seiva mineral nas plantas; VASO. • **tra.que:*al*** *a2g.*

traquejar (tra.que.*jar*) *v. td.* **1** Correr atrás de; perseguir: *O cão traquejava a caça.* **2** *Antq.* Tornar hábil; exercitar. [▶ **1** traquejar]

traquejo (tra.*que*.jo) [ê] *sm. Bras.* Prática, experiência: *Tem muito traquejo com a política.*

traqueostomia, **traqueotomia** (tra.que:os.to.*mi*.a, tra.que:o.to.*mi*.a) *sf. Med.* Cirurgia que consiste na incisão da traqueia, seguida da colocação de uma cânula a fim de estabelecer uma passagem para o ar. • **tra.que:os.*tó*.mi.co**, **tra.que:o.*tó*.mi.co** *a.*

traquinada (tra.qui.*na*.da) *sf.* Ver *traquinagem.*

traquinagem (tra.qui.*na*.gem) *sf.* **1** Travessura, peraltice. [Sin.: *traquinada*, *traquinice.*] [Pl.: *-gens.*]

traquinas (tra.*qui*.nas) *a2g2n.s2g2n.* Que ou quem é travesso, peralta.

traquinice (tra.qui.*ni*.ce) *sf.* Ver *traquinagem.*

traquitana (tra.qui.*ta*.na) *sf.* **1** Carruagem com quatro rodas e um assento. **2** *Pop.* Carro velho, desconjuntado.

trás *sf.* **1** Parte traseira: *As crianças foram para trás do carro. adv.* **2** Após: *dia trás dia.* ▪▪ **De ~** Situado atrás; traseiro: *no banco de trás.* **Por ~ de** Atrás de: *O avião ia por trás das nuvens.*

trasanteontem, **trasantontem** (tra.san.te:*on*.tem, tra.san.*ton*.tem) *adv.* Dia anterior ao anteontem.

traseira (tra.*sei*.ra) *sf.* A parte posterior de algo. [Ant.: *dianteira.*]

traseiro (tra.*sei*.ro) *a.* **1** Que fica na parte de trás (banco *traseiro*). [Ant.: *dianteiro.*] *sm.* **2** *Pop.* As nádegas.

trasladar (tras.la.*dar*) *v. td.* Transportar de um lugar para outro; TRANSFERIR: *Trasladaram o corpo para o cemitério.* [▶ **1** tra(n)sladar • **tras.la.da.*ção***, **trans.la.da.*ção*** *sf.*

traslado (tras.*la*.do) *sm.* **1** Ação ou resultado de trasladar: *O traslado do aeroporto ao hotel é gratuito.* **2** Transcrição de um texto; CÓPIA. **3** Cópia que reproduz qualquer imagem.

traspassar (tras.pas.*sar*) *v. td.* O m.q. *transpassar*. [▶ 1 traspassar] • tras.pas.sa.do *a*.

traspasse (tras.*pas*.se) *sm.* **1** Ação ou resultado de traspassar; TRESPASSE. **2** *Fig.* Morte, falecimento. **3** *Jur.* Transferência de bens ou direitos para outrem.

traste (*tras*.te) *sm.* **1** Utensílio de pouco valor. **2** Pessoa sem caráter; TRATANTE. **3** Indivíduo impressionável; INÚTIL. **4** *Mús.* Nos instrumentos de corda, cada um dos filetes que divide o braço do instrumento numa série de semitons para indicar a posição dos dedos; TRASTO.

trasto (*tras*.to) *sm. Mús.* Ver *traste* (4).

tratadista (tra.ta.*dis*.ta) *s2g.* Pessoa que escreve tratado(s).

tratado (tra.*ta*.do) *sm.* **1** Contrato entre países: *tratado de paz*. **2** Estudo a respeito de uma ciência, arte etc.: *Escreveu um tratado sobre medicina alternativa*.

tratador (tra.ta.*dor*) [ó] *a.sm.* Que ou aquele que trata de alguma coisa, de animais.

tratamento (tra.ta.*men*.to) *sm.* **1** Ação ou resultado de tratar; TRATO. **2** Acolhida, recepção: *Dava bom tratamento aos visitantes*. **3** Abordagem de um assunto ou tema: *O cineasta deu um tratamento original ao roteiro*. **4** Método ou recurso terapêutico: "...salvei-o seguindo este *tratamento*." (Júlio Ribeiro, *A carne*). **5** Palavra, expressão ou título com que se trata uma pessoa: *O tratamento correto para um senador é 'Vossa Excelência'*. ▪ ~ de choque Maneira de resolver problema, situação difícil etc., aplicando medida drástica.

tratante (tra.*tan*.te) *a2g.s2g.* Que ou quem trata de alguma coisa de maneira desleal, ardilosa.

tratar (tra.*tar*) *v.* **1** Agir de determinado modo com. [*td.: Trata bem os empregados*.] **2** Cuidar da saúde de (alguém ou si mesmo); tentar curar(-se). [*td./ti. + de: tratar (de) uma doença/um paciente. pr.: Trata-se com antibióticos*.] **3** Ser responsável por. [*ti. + de: O filho mais velho trata dos negócios da empresa.*] **4** Manter relações. [*ti. + com: Trata com gente de todo tipo.*] **5** Acertar, ajustar. [*tdi. + com: Tratou o serviço com a empresa.*] **6** Ter por assunto. [*ti. + de: O artigo trata do problema da violência.*] **7** Dirigir-se a (alguém) usando determinada forma de tratamento. [*td.* (seguido de indicação de modo): *Trata o pai de 'senhor'. pr.: Tratam-se por 'você'*.] ▣ tratar-se *pr.* **8** Ser: *Trata-se de um patife*. [▶ 1 tratar]

tratativa (tra.ta.*ti*.va) *sf.* Tratado, pacto.

tratável (tra.*tá*.vel) *a2g.* **1** Que se pode tratar: *Era uma doença tratável*. **2** Que é afável, amável (indivíduo tratável). [Pl.: *-veis*.] • tra.ta.bi.li.*da*.de *sf*.

trato¹ (*tra*.to) *sm.* **1** Tratado, pacto, acordo. **2** Ação ou resultado de tratar (1); modo de agir; TRATAMENTO. **3** Atenção, cuidado, cortesia.

trato² (*tra*.to) *sm.* **1** Extensão de terra. **2** *Anat.* Extensão ou série de órgãos que exercem a mesma função básica (*trato* urinário).

trator (tra.*tor*) [ó] *sm. Emec.* Veículo motorizado que se movimenta sobre rodas ou esteira, us. para rebocar cargas, acionar implementos agrícolas, ou de construção e demolição etc. • tra.to.*ris*.ta *s2g.*

trauma (*trau*.ma) *sm. Med. Psiq.* Ver *traumatismo*.
• trau.*má*.ti.co *a*.

traumático (trau.má.*ti*.co) *a.* Ref. a trauma, ou em que há trauma.

traumatismo (trau.ma.*tis*.mo) *sm.* **1** *Med.* Lesão ou estado que resulta de contusão violenta (*traumatismo* craniano). **2** *Psiq.* Choque psicológico, emocional, que pode causar perturbações psíquicas. [Sin. ger.: *trauma*.]

traumatizar (trau.ma.ti.*zar*) *v.* Provocar trauma em ou sofrer trauma. [*td.: A terrível experiência traumatizou o rapaz. pr.: Traumatizou-se com a perda do pai.*] [▶ 1 traumatizar] • trau.ma.ti.*zan*.te *a2g.*

traumatologia (trau.ma.to.lo.*gi*.a) *sf. Med.* Tratamento de lesões causadas por traumatismo(1). • trau.ma.to.*ló*.gi.co *a*.

traumatologista (trau.ma.to.lo.*gis*.ta) *s2g.* Pessoa especializada em traumatologia.

trautear (trau.te.*ar*) *v. td. int.* Cantar baixinho; CANTAROLAR. [▶ 13 trautear] • trau.*tei*.o *sm.*

trava (*tra*.va) *sf.* **1** Ação ou resultado de travar. **2** Aquilo que trava (1 e 3); freio: *a trava da chuteira/de uma arma*. **3** Dispositivo que fecha ou trava (3) portas ou janelas.

travanca (tra.*van*.ca) *sf.* Embaraço, obstáculo.

travão (tra.*vão*) *sm.* **1** Peça de arreio us. para impedir que os cavalos escoiceiem. **2** *Emec.* Barra que freia o movimento de um veículo. [Pl.: *-ões*.]

travar (tra.*var*) *v.* **1** Frear, brecar. [*td.: Travou o carro na ladeira*.] **2** Trancar. [*td.: Trave todas as portas.*] **3** Dificultar ou impedir movimento, funcionamento de; obstruir. [*td.: O treinador mandou o time travar o jogo; travar uma arma*.] **4** Começar (conversa, amizade, luta etc.). [*td.: Os animais travaram uma luta. tdi. + com: Travamos um diálogo com os operários.*] **5** Parar de funcionar; emperrar. [*int.: O computador travou*.] **6** Provocar travo (em); AMARGAR. [*int./td.: Essa fruta trava (a boca)*.] [▶ 1 travar]

trave (*tra*.ve) *sf.* **1** Peça de madeira us. para segurar ou reforçar uma estrutura. **2** *Esp.* Cada uma das barras verticais do gol que sustentam o travessão.

travejamento (tra.ve.ja.*men*.to) *sm.* Conjunto de traves.

través (tra.*vés*) *sm.* Esguelha. ▪ De ~ Enviesadamente, atravessadamente: *O sujeito olhou de través para a moça*.

travessa (tra.*ves*.sa) [é] *sf.* **1** Pequena rua transversal: *A loja fica naquela travessa*. **2** Prato oval para servir iguarias à mesa: *Trouxe uma travessa de macarronada*. **3** *Cons.* Trave de madeira colocada de través sobre outra. **4** *Cons.* Trave, viga. **5** Pente pequeno que segura os cabelos.

travessão (tra.ve.*ssão*) *sm.* **1** Haste horizontal de balança, em cujas extremidades se penduram os pratos. **2** *Esp.* Barra horizontal apoiada nas traves (2) do gol. **3** *Gram.* Sinal (—) us. na escrita para separar frases ou introduzir perguntas e respostas (p.ex.: — Como você está? — Eu vou bem.). **4** *Mús.* Traço perpendicular que atravessa a pauta separando compassos. [Pl.: *-sões*.]

travesseiro (tra.ves.*sei*.ro) *sm.* Almofada para apoiar a cabeça quando se deita.

travessia (tra.ves.*si*.a) *sf.* Ação ou resultado de atravessar região, deserto, mar etc.

travesso (tra.*ves*.so) [é] *a.* **1** Colocado de través, de lado. **2** Lateral. [Cf.: *travesso* [ê].]

travesso (tra.*ves*.so) [ê] *a.* Esperto, irrequieto, esp. criança. [Cf.: *travesso* [é].]

travessura (tra.ves.*su*.ra) *sf.* Ação irrequieta, buliçosa, às vezes nociva, de criança.

travesti (tra.ves.*ti*) *s2g.* **1** Homossexual que se veste e se comporta como pessoa do sexo oposto. **2** Artista que se veste com roupas do sexo oposto em espetáculos.

travestir (tra.ves.*tir*) *v.* **1** Fantasiar(-se), esp. com roupas do sexo oposto. [*td. pr.*] **2** Disfarçar(-se); fazer adquirir ou adquirir caráter diverso. [*tdi. + em: Travestiu um vício em virtude. pr.: A derrota se travestiu em vitória.*] [▶ 50 travestir]

travo (*tra*.vo) *sm.* **1** Sabor adstringente, meio amargo, de comida ou bebida. **2** *Fig.* Sensação de amargor ou de amargura.

trazer (tra.zer) v. **1** Transportar para cá. [td.: _Trouxeram nossa encomenda._] **2** Ao vir, fazer-se acompanhar de. [td.: _Vem trazendo toda a família._] **3** Dar, oferecer. [tdi. + para: _Trouxe um xale para a avó._] **4** Usar, portar. [td. (seguido de indicação de lugar): _Trazia um lenço na cabeça._] **5** Causar, ocasionar. [td./tdi. + a, para: _Isso só trará problemas (para nós)._] **6** Chamar, atrair. [td. (seguido de indicação de lugar): _O craque trouxe uma grande torcida ao estádio._] **7** Conduzir, encaminhar. [td. (seguido de indicação de lugar): _Trouxe o carro até a garagem; Trouxe o menino ao médico._] [▶ **30** trazer]

trecentésimo (tre.cen.té.si.mo) num. **1** Ordinal que, em uma sequência, corresponde ao número trezentos: _Era o trecentésimo na fila._ **2** Que é trezentas vezes menor do que a unidade ou um todo (diz-se de parte): _a trecentésima parte da renda nacional._ [Us. tb. como subst.: _um trecentésimo da renda nacional._]

trecentista (tre.cen.tis.ta) a2g. **1** Ref. ao séc. XIV (literatura trecentista). a2g.s2g. **2** Diz-se de artista ou personalidade que viveu nesse século.

trecho (tre.cho) [ê] sm. **1** Espaço físico ou período de tempo: _Destinou um trecho do terreno a um jardim._ **2** Fragmento, extrato: _Só ouvia trechos de música clássica._ **3** Parte de um todo: _Recortou do jornal o trecho que lhe interessava._

treco (tre.co) sm. Bras. Pop. **1** Objeto pequeno, sem grande valor: _Havia uns trecos no canto da sala._ **2** Indisposição, mal-estar: _Sentiu um treco e caiu para trás._

tréfego (tré.fe.go) a. **1** Que está sempre agitado; INREQUIETO. **2** Cheio de astúcia; ARDILOSO.

trégua (tré.gua) sf. **1** Suspensão temporária de hostilidades. **2** Suspensão temporária de algo que incomoda, oprime: _uma trégua no sofrimento/na carga de trabalho._

treinador (trei.na.dor) sm. Profissional que treina, que dirige treino: _treinador de cavalos/de futebol._

treinar (trei.nar) v. **1** Capacitar para uma atividade ou trabalho; adestrar; habilitar. [td.: _A empresa está treinando alguns funcionários._] **2** Exercitar, praticar. [td.: _treinar a pontaria._] **3** Preparar-se para competição esportiva. [int.: _Os atletas não treinarão hoje._] [▶ **1** treinar] • trei.na.do a.; trei.na.men.to sm.

treino (trei.no) sm. **1** Ação ou resultado de treinar, de adestrar, de preparar para alguma atividade, tarefa, competição etc.: _Para fazer isso bem é preciso muito treino._ **2** Atividade ou sessão que serve de treino (1): _O técnico interrompeu o treino._

trejeito (tre.jei.to) sm. Gesto ou movimento peculiar, voluntário ou não, por vezes afetado, exagerado: _Era um rapaz arrogante, cheio de trejeitos._

trela (tre.la) sf. **1** Correia com que se prendem cães, esp. os de caça. **2** Bras. Fig. Liberdade (3), confiança (4): _Não dê trela a esse rapaz!_

treliça (tre.li.ça) sf. Bras. Conjunto de ripas de madeira cruzadas, us. em portas, biombos etc., ger. com fins ornamentais.

trem sm. **1** Meio de transporte formado por vários vagões que são rebocados por uma locomotiva. **2** Conjunto de objetos que formam a bagagem de um viajante. **3** O conjunto dos móveis de uma casa. **4** Bras. O conjunto dos utensílios de cozinha. [Pl.: _trens._] ‖ **~ da alegria** Bras. Joc. Grupo de pessoas que, por decisão de órgão governamental (ger. em fim de mandato ou às vésperas de alguma mudança que impediria essa ação), são, de uma só vez, nomeadas para cargos, ou promovidas, ou aumentadas em seus salários. **~ de aterrissagem** Aer. Conjunto de peças e equipamentos, ger. retrátil, que inclui rodas, e que suporta o peso do avião e permite sua rolagem nas aterrissagens e decolagens.

trema (tre.ma) sm. Gram. Sinal formado de dois pontos (¨) que era us. sobre a semivogal átona _u_ das sílabas _que/qui_ e _gue/gui_ para que fosse pronunciada. Abolido pelo Acordo Ortográfico de 1990.

trem-bala (trem-ba.la) sm. Trem que desenvolve altas velocidades. [Especificamente, esse tipo de trem us. no Japão.] [Pl.: _trens-balas_ e _trens-bala._]

tremedal (tre.me.dal) sm. Pântano. [Pl.: -_dais._]

tremedeira (tre.me.dei.ra) sf. Tremor contínuo.

tremelicar (tre.me.li.car) v. int. Tremer repetidamente. [▶ **11** tremelicar] • tre.me.li.ca.ção sf.; tre.me.li.can.te a2g.

tremelique (tre.me.li.que) sm. Tremedeira superficial e breve.

tremeluzir (tre.me.lu.zir) v. int. Brilhar com luz trêmula; PISCAR; CINTILAR. [▶ **57** tremeluzir] • tre.me.lu.zen.te a2g.

tremendo (tre.men.do) a. **1** Que causa medo, temor: _Proferiu ameaças tremendas._ **2** Formidável, fora do comum: _Foi uma tremenda experiência para ele._ **3** Muito intenso: _Ouviu-se uma tremenda explosão._

tremer (tre.mer) v. int. **1** Sentir ou apresentar (alguém) tremor (2); ESTREMECER. (seguido de indicação de causa): _tremer de medo/de frio._ **2** Ser agitado por tremor: _A terra tremia._ [▶ **2** tremer]

tremoço (tre.mo.ço) [ô] sm. Certo grão comestível depois de curado. [Pl.: [ó].] • tre.mo.cei.ro sm.

tremor (tre.mor) [ô] sm. **1** Ação ou resultado de tremer; TREMEDEIRA. **2** Série de movimentos de ir e vir muito curtos e rápidos de algo, ger. involuntários, ou por ação de fatores externos. **3** Fig. Apreensão ante possível perigo, ameaça etc. ‖ **~ de terra** Terremoto.

trempe (trem.pe) sm. Suporte metálico com três pés que sustenta uma panela ao fogo.

tremular (tre.mu.lar) v. **1** Agitar(-se) continuamente, tremendo. [td.: _O vento tremula os lençóis no varal._ int.: _As flâmulas tremulavam._] **2** Cintilar, tremeluzir. [int.] **3** Soar, tremendo. [int.] [▶ **1** tremular] • tre.mu.la.ção sf.; tre.mu.lan.te a2g. (luz tremulante).

trêmulo (trê.mu.lo) a. **1** Que apresenta tremor (mãos _trêmulas_). **2** Que demonstra insegurança, receio (voz _trêmula_). sm. **3** Mús. Efeito conseguido com repetições rápidas e sucessivas da mesma nota, na mesma altura.

tremura (tre.mu.ra) sf. Tremor, tremedeira.

trena (tre.na) [ê] sf. Fita métrica que ger. se enrola sobre si mesma e se acomoda-se num estojo.

trenó (tre.nó) sm. Veículo dotado de esquis para deslizar sobre o gelo ou a neve.

trepada (tre.pa.da) sf. **1** Ação ou resultado de trepar. **2** Bras. Tabu. Ato sexual, cópula.

trepadeira (tre.pa.dei.ra) a. **1** Diz-se de planta que, ao se desenvolver, apoia-se em suportes ou sobre outra planta. sf. **2** Bot. Planta trepadeira.

trepanar (tre.pa.nar) v. td. Med. Perfurar (osso) com trépano. [▶ **1** trepanar] • tre.pa.na.ção sf.

trépano (tré.pa.no) sm. Med. Instrumento cirúrgico que se destina a perfurar ossos, esp. o crânio.

trepar (tre.par) v. **1** Subir agarrando-se. [int. (seguido de indicação de lugar): _Eu adorava trepar nessa árvore, quando criança._] **2** Bras. Tabu. Fazer sexo. [int.] [▶ **1** trepar]

trepidar (tre.pi.dar) v. int. Produzir vibração: _O jipe trepidou demais na viagem._ [▶ **1** trepidar] • tre.pi.da.ção sf.; tre.pi.dan.te a2g.

tréplica (tré.pli.ca) sf. Resposta a uma réplica.

treponema (tre.po.ne.ma) sm. Bac. Microrganismo que parasita o homem e alguns animais.

três num. **1** Quantidade correspondente a duas unidades mais uma. **2** Número que representa essa quantidade (arábico: 3; romano: III).

tresandar (tre.san.*dar*) *v. int./ti.* Cheirar mal. [+ a: *Os becos da cidade tresandam (à urina).*] [▶ 1 tresandar]

tresler (tres.*ler*) *v. int.* 1 Ler de trás para diante. 2 Ficar doido de tanto ler: *O mestrando quase tresleu*. [▶ 34 tresler]

tresloucado (tres.lou.ca.do) *a.* Que enlouqueceu; DESVAIRADO.

tresmalhar (tres.ma.*lhar*) *v. int./pr.* Perder-se do bando; DESGARRAR-SE: *As ovelhas tresmalharam(-se)*. [▶ 1 tresmalhar] • **tres.ma.lho** *sm.*

tresnoitar (tres.noi.*tar*) *v. int.* Passar a noite sem dormir. [▶ 1 tresnoitar]

trespassar (tres.pas.*sar*) *v. td.* O m.q. transpassar. [▶ 1 trespassar] • **tres.pas.sa.do** *a.*; **tres.pas.se** *sm.*

treta (*tre*.ta) [ê] *sf.* 1 Ação baseada na astúcia, na manha; ARDIL; ESTRATAGEMA. 2 *Esp.* Habilidade na esgrima. • **tretas** *sfpl.* 3 Palavras enganosas, que visam ludibriar. • **tre.tei.ro** *a./sm.*

treva (*tre*.va) *sf.* Absoluta falta de luz; ESCURIDÃO. [Mais us. no pl.]

trevo (*tre*.vo) [ê] *sm.* 1 *Bot.* Designativo de vários vegetais cujas folhas possuem normalmente três folíolos. 2 *Bras.* Entroncamento de vias elevadas ou rebaixadas, que se entrelaçam em diversas direções para evitar cruzamentos.

treze (*tre*.ze) [ê] *num.* 1 Quantidade correspondente a 12 unidades mais uma. 2 Número que representa essa quantidade (arábico: 13; romano: XIII).

trezentos (tre.*zen*.tos) *num.* 1 Quantidade correspondente a 299 unidades mais uma. 2 Número que representa essa quantidade (arábico: 300; romano: CCC).

tri¹ *a2n.sm2n. Bras. Pop.* F. red. de *trilhão*.

tri² *a2g2n.sm2n. Bras. Pop.* F. red. de *tricampeão*(ã).

tri³ *a2n.sm2n. Bras. Pop.* F. red. de *tricampeonato*.

tríade, **tríada** (*tri*.a.de, *tri*.a.da) *sf.* 1 Conjunto de três pessoas ou coisas. 2 *Bot.* Conjunto formado por três órgãos de um vegetal.

triagem (tri.*a*.gem) *sf.* Separação para escolha, seleção: *fazer a triagem dos candidatos*. [Pl.: *-gens*.]

triangular¹ (tri.an.gu.*lar*) *a2g.* 1 Que tem forma de triângulo (1): *A letra grega 'delta' é triangular*. 2 Que tem três ângulos (sala *triangular*). 3 *Fig.* Que envolve três elementos (acordo *triangular*).

triangular² (tri.an.gu.*lar*) *v. t. Fut.* Trocar passes (três jogadores) a partir de posições que formam um triângulo. [*int.*] 2 Dividir (área) em triângulos. [*td.*] [▶ 1 triangular]

triângulo (tri.*ân*.gu.lo) *sm.* 1 *Geom.* Polígono que tem três lados. 2 Qualquer objeto ou figura triangular (1). 3 *Mús.* Instrumento musical de percussão na forma de uma fina barra triangular¹ (1) de metal.

triássico, **triásico** (tri.*ás*.si.co, tri.*á*.si.co) *Geol. a.* 1 Diz-se do período da era mesozoica em que predominavam os sáurios aquáticos e terrestres. *sm.* 2 Esse período. [Nesta acp., com inicial maiúsc.]

triatlo (tri.*a*.tlo) *sm. Esp.* Competição que consiste de três provas, natação, ciclismo e corrida, disputadas em série, sem intervalo. • **tri.a.tle.ta** *s2g.*

tribo (*tri*.bo) *sf.* 1 *Antr.* Grupo social da mesma etnia, que vive em comunidade sob a autoridade de um ou mais chefes e compartilha a mesma língua e os mesmos costumes. 2 *Fig. Pop.* Grupo de pessoas que apresentam características e interesses comuns: *a tribo dos surfistas*.

tribulação (tri.bu.la.*ção*) *sf.* Aflição, tormento, atribulação. [Pl.: *-ções*.]

tribuna (tri.*bu*.na) *sf.* 1 Lugar de onde falam os oradores. 2 Lugar (nos palanques, estádios, salas de espetáculos etc.) reservado para convidados ilustres.

tribunal (tri.bu.*nal*) *sm.* 1 *Jur.* Jurisdição de um magistrado ou de um conjunto de magistrados. 2 Lugar (prédio, sala, contexto) em que se realizam julgamentos ou se julgam questões judiciais. 3 Qualquer grupo, entidade etc. a que se outorga a capacidade de julgar e emitir opinião sobre questões éticas, morais etc. [Pl.: *-nais*.]

tribuno (tri.*bu*.no) *sm.* 1 *Hist.* Na Roma antiga, magistrado que defendia os interesses do povo junto ao Senado. 2 Orador popular e/ou revolucionário.

tributar (tri.bu.*tar*) *v.* 1 Cobrar tributo, imposto sobre; TAXAR. [*td.*: *O governo tributa os lucros das empresas.*] 2 Dedicar, prestar. [*tdi.* + *a*: *Tributaram várias homenagens a ela.*] [▶ 1 tributar] • **tri.bu.ta.ção** *sf.*

tributário (tri.bu.*tá*.ri:o) *a.* 1 Ref. a tributo. *a.sm.* 2 Que ou quem paga tributo. *sm.* 3 *Geog.* Rio que deságua em outro rio; AFLUENTE (3).

tributável (tri.bu.*tá*.vel) *a2g.* Que pode ser tributado. [Pl.: *-veis*.]

tributo (tri.*bu*.to) *sm.* 1 Imposto devido ao poder público. 2 Homenagem: *Prestou tributo ao mestre*.

trica (*tri*.ca) *sf.* 1 Embuste, trapaça. 2 Mexerico, fofoca: *Vivia fazendo tricas e futricas*. 3 Insignificância, ninharia.

tricampeão (tri.cam.pe:*ão*) *a.sm.* Que ou quem (esportista, clube, escola de samba etc.) foi campeão três vezes de um mesmo campeonato. [Pl.: *-ões*. Fem.: *-ã*.]

tricampeonato (tri.cam.pe:o.*na*.to) *sm.* Campeonato vencido pelo mesmo concorrente pela terceira vez consecutiva ou não.

tricentenário (tri.cen.te.*ná*.ri:o) *a.* 1 Que tem trezentos anos. *sm.* 2 Comemoração de evento que ocorreu há trezentos anos.

tricentésimo (tri.cen.*té*.si.mo) *num.* Ver *trecentésimo*.

tríceps (*tri*.ceps) *Anat. a.* 1 Diz-se de músculo com três feixes de fibras numa extremidade. *sm.* 2 Músculo tríceps.

triciclo (tri.*ci*.clo) *sm.* 1 Pequeno veículo de três rodas, movido a pedal, para crianças; VELOCÍPEDE. 2 Veículo semelhante, de maior tamanho, us. para transporte de pequenas cargas.

tricô (tri.*cô*) *sm.* 1 Tecido de malha feito manualmente com auxílio de agulhas, ou à máquina, ger. us. em roupas de frio. 2 Arte de tricotar, de fazer tricô (1).

tricoline, **tricolina** (tri.co.*li*.ne, tri.co.*li*.na) *sf.* Tecido de algodão macio, próprio para fazer camisas.

tricolor (tri.co.*lor*) [ô] *a2g.* 1 Diz-se do que tem três cores (bandeira *tricolor*). 2 *Bras. Esp.* Ref. a clubes cuja bandeira tem três cores. *s2g.* 3 *Bras. Esp.* Jogador ou torcedor de um desses clubes, ou do próprio clube: *O tricolor venceu ontem*.

tricordiano (tri.cor.di:*a*.no) *a.* 1 De Três Corações, Minas Gerais; típico dessa cidade ou de seu povo. *sm.* 2 Pessoa nascida em Três Corações.

tricorne (tri.*cor*.ne) *a2g.* 1 Que possui três cornos, bicos ou pontas. *sm.* 2 Ver *tricórnio*.

tricórnio (tri.*cór*.ni:o) *sm.* Chapéu de três bicos; TRICORNE.

tricotar (tri.co.*tar*) *v.* 1 Fazer tricô ou com tricô. [*int.*: *Minha avó tricota o dia inteiro.* *td.*: *tricotar um cachecol.*] 2 Conversar, fofocando. [*int.*] [▶ 1 tricotar]

tricromia (tri.cro.*mi*.a) *sf. Art.Gr.* 1 Processo gráfico que reproduz as cores a partir de três cores básicas. 2 Estampa obtida por esse processo. • **tri.crô.mi.co** *a.*

tricúspide (tri.*cús*.pi.de) *a2g.* 1 Que tem três pontas. 2 *Anat.* Diz-se da valva (2) que permite a passagem do sangue da aurícula direita para o ventrículo direito. *sf.* 3 *Anat.* Essa valva (2). [Pela nova

terminologia anatômica, *valva atrioventricular direita*.]
tridente (tri.*den*.te) *a2g*. **1** Que tem três dentes. *sm.* **2** Cetro de três dentes do deus mitológico Netuno. **3** Arpão, forcado ou lança com três dentes na extremidade.
tridimensional (tri.di.men.si:o.*nal*) *a2g*. Ref. às três dimensões: altura, largura e comprimento. [Pl.: *-nais*.] • **tri.di.men.si:o.na.li.***da*.de *sf*.
tríduo (*tri*.du:o) *sm*. **1** Período de tempo de três dias consecutivos. **2** *Rel*. Festa que dura três dias.
triedro (tri:e.dro) *sm. Geom*. Ângulo sólido de três faces.
trienal (tri:e.*nal*) *a2g*. **1** Que dura um triênio, três anos. **2** Que ocorre ou se realiza de três em três anos. [Pl.: *-nais*.]
triênio (tri:*ê*.ni:o) *sm*. **1** Período de três anos. **2** Exercício de um cargo por três anos.
trifásico (tri.*fá*.si.co) *a. Elet*. Que tem três fases (contraste *trifásica*).
trifólio (tri.*fó*.li:o) *sm*. **1** *Bot*. Trevo. **2** *Arq*. Ornamento em forma de trevo. • **tri.fo.li:***a*.do *a*.
trigal (tri.*gal*) *sm*. Campo, plantação de trigo. [Pl.: *-gais*.]
trigêmeo (tri.*gê*.me:o) *a.sm*. Diz-se de ou cada um dos três indivíduos concebidos no mesmo óvulo e nascidos do mesmo parto.
trigésimo (tri.*gé*.si.mo) *num*. **1** Ordinal que, em uma sequência, corresponde ao número trinta: *Classifiquei-me em trigésimo lugar*. *a*. **2** Que é trinta vezes menor do que a unidade ou um todo (diz-se de parte): *a trigésima parte da herança*. [Us. tb. como subst.: *Não herdou um trigésimo dos bens*.]
triglicerídio, triglicerídeo (tri.gli.ce.*rí*.di:o, tri.gli.ce.*rí*.de:o) *sm*. *Bioq*. Éster de glicerina encontrado no sangue em determinadas proporções.
trigo (*tri*.go) *sm*. **1** *Bot*. Gramínea amplamente cultivada e de grande importância pelo grão que produz, do qual se faz a farinha de alto valor alimentar. **2** O conjunto desses grãos. **3** *Fig*. O pão.
trigonometria (tri.go.no.me.*tri*.a) *sf*. *Mat*. Parte da matemática que estuda as funções trigonométricas e os métodos de resolução de triângulos.
trigonométrico (tri.go.no.*mé*.tri.co) *a*. Ref. à função do tipo seno, cosseno, tangente, secante, etc.
trigueiro (tri.*guei*.ro) *a.sm*. **1** Que ou aquele que tem a cor do trigo maduro (pele trigueira); MORENO. *a*. **2** Ref. ou semelhante a trigo. • **tri.***gue*.nho *a*.
trilar (tri.*lar*) *v. int*. Soltar trilos ou trinados (o pássaro); TRINAR. [▶ 1 tril**ar**]
trilateral (tri.la.te.*ral*) *a2g*. Que se faz em ou tem três lados. [Pl.: *-rais*.] • **tri.***lá*.te.ro *a.sm*.
trilha (*tri*.lha) *sf*. **1** Ação ou resultado de trilhar. **2** Rastro, vestígio. **3** Senda, vereda: *Seguir uma trilha no bosque*. ☒ **~ sonora** Banda sonora em que se grava o som de um filme para aplicar à película; o conteúdo sonoro dessa trilha.
trilhão (tri.*lhão*) *num*. Mil bilhões. [Pl.: *-lhões*.]
trilhar (tri.*lhar*) *v. td*. **1** Seguir (determinado caminho, rumo) (tb. *Fig*.). **2** Debulhar ou moer (grãos). [▶ 1 trilh**ar**]
trilho (*tri*.lho) *sm*. **1** Cada uma das barras de aço (ger. duas) paralelas sobre as quais giram as rodas de bonde, trem etc. **2** Caminho, vereda, trilha. **3** Barra metálica ou de madeira em que se apoiam ou correm painéis, cortinas, portas etc. **4** Máquina debulhadora em forma de grade.
trilíngue (tri.*lin*.gue) *a2g*. **1** Que ou quem utiliza ou domina três línguas. *a2g*. **2** Feito ou editado em três línguas diferentes (diz-se de revista, documentário etc.).

trilo (*tri*.lo) *sm*. **1** Trinado. **2** Silvo de apito.
trilogia (tri.lo.*gi*.a) *sf*. *Liter*. **1** Conjunto de três obras literárias ligadas entre si por um tema comum. **2** Entre os antigos gregos, poema dramático composto de três tragédias sobre um mesmo tema.
trimensal (tri.men.*sal*) *a2g*. **1** Que se faz ou se realiza três vezes por mês. **2** Ver *trimestral* (1). [Pl.: *-sais*.]
trimestral (tri.mes.*tral*) *a2g*. **1** Que se realiza ou é feito de três em três meses (revista trimestral); TRIMENSAL. **2** Que dura três meses; TRIMESTRE (2). [Pl.: *-trais*.] • **tri.mes.tra.li.***da*.de *sf*.
trimestre (tri.*mes*.tre) *sm*. **1** Período de três meses. *a2g*. **2** Ver *trimestral* (2).
trinado (tri.*na*.do) *sm*. **1** Ação ou resultado de trinar. **2** Trino, gorjeio.
trinar (tri.*nar*) *v. int*. Ver *trilar*. [▶ 1 trin**ar**]
trinca[1] (*trin*.ca) *sf*. **1** Em jogos de baralho, conjunto de três cartas do mesmo naipe ou do mesmo valor. **2** Grupo de três coisas ou indivíduos similares: *Formavam uma trinca inseparável*.
trinca[2] (*trin*.ca) *sf. Bras*. Fresta, rachadura.
trincar (trin.*car*) *v*. **1** Partir ou apertar com os dentes. [*td*.: *trincar um biscoito/os lábios*.] **2** Estalar, rachar. [*int*.: *O copo caiu no chão e trincou*.] [▶ 11 trin**car**]
trincha (*trin*.cha) *sf*. **1** Ferramenta para arrancar pregos. **2** Pincel largo.
trinchante (trin.*chan*.te) *a2g*. **1** Que serve para trinchar. *sm*. **2** Tipo de faca us. para trinchar. **3** Mesa ou base sobre a qual se trincha. *s2g*. **4** Pessoa que trincha.
trinchar (trin.*char*) *v. td*. Cortar (carne) em fatias. [▶ 1 trinch**ar**]
trincheira (trin.*chei*.ra) *sf. Mil*. Vala alongada, aberta no solo, para posicionamento e proteção de soldados em combate.
trinco (*trin*.co) *sm*. **1** Dispositivo de metal com o qual se trancam portas, armários etc. **2** Fechadura em que se introduz a chave para abrir ou fechar portas etc.
trindade (trin.*da*.de) *sf*. **1** *Rel*. No cristianismo, dogma da união de três entidades diferentes em um só Deus: Pai, Filho e Espírito Santo. [Com inicial maiúsc.] **2** Divindade tríplice. **3** Trinca (2). **4** Festa cristã celebrada no domingo seguinte ao de Pentecostes.
trineto (tri.*ne*.to) *sm*. Filho do bisneto ou da bisneta de uma pessoa em relação a essa pessoa.
trinitrotolueno (tri.ni.tro.to.lu:*e*.no) *sm. Quím*. Substância cristalizada, de cor amarelada, que constitui poderoso explosivo. [Sigla.: *TNT*]
trino[1] (*tri*.no) *a*. Que é composto de três elementos.
trino[2] (*tri*.no) *sm*. Canto de pássaros; TRINADO; GORJEIO.
trinômio (tri.*nô*.mi:o) *sm*. **1** Que ou o que tem três termos ou partes. **2** *Mat*. Polinômio de três termos.
trinque (*trin*.que) *sm. Bras. Pop*. Elegância ou esmero no trajar. ☒ **Estar nos ~s** Estar elegante, bem apresentado e calçado.
trinta (*trin*.ta) *num*. **1** Quantidade correspondente a 29 unidades mais uma. **2** Número que representa essa quantidade (arábico: 30; romano: XXX).
trintão (trin.*tão*) *a.sm*. Que ou quem está na faixa dos 30 anos de idade. [Pl.: *-tões*.]
trio (*tri*.o) *sm*. **1** *Mús*. Trecho musical composto para três vozes ou instrumentos. **2** *Mús*. Conjunto musical formado por três cantores ou instrumentistas. **3** Reunião de coisas ou pessoas: *Precisou separar o trio que conversava durante a aula*. ☒ **~ elétrico** *Bras*. Caminhão dotado de equipamento de som com grande amplificação, às vezes conduzindo uma banda, e que percorre as ruas transmitindo música popular.

tripa (*tri*.pa) *sf.* **1** Intestino de animal. **2** A parte do intestino do boi us. no preparo de certos pratos; BUCHO; DOBRADINHA. **3** *Cul.* Prato que contém a dobradinha, ger. acompanhada de feijão branco: *tripas à moda do Porto.* ☒ **Fazer das ~s coração** Munir-se de coragem e denodo para enfrentar dificuldade, perigo etc.

tripanossoma (tri.pa.nos.*so*.ma) *sm. Zool.* Protozoário parasita de vertebrados, que passa de um hospedeiro a outro levado por inseto sugador de sangue.

tripartir (tri.par.*tir*) *v. td. pr.* Dividir(-se) em três partes. [*td.*: A empresa *vai triplicar* a produção.] ● **tri.par.ti.**$\overline{ção}$ *sf.*; **tri.par.ti.te** *a2g.*

tripé (tri.*pé*) *sm.* **1** Suporte com três pés, sobre o qual apoiam-se vários aparelhos, como câmaras, telescópios portáteis etc. **2** Tipo de banco ou assento que se apoia sobre três pés. **3** *Bras. Fig.* Conjunto de três coisas interligadas por característica, função etc.: *Saúde, dinheiro e amor, esse é o tripé que me deixa feliz.*

tríplex, triplex (*tri*.plex, tri.*plex*) [cs] *a2g2n.sm.* Que ou o que (ger. apartamento ou casa) tem três andares.

triplicar (tri.pli.*car*) *v.* **1** Tornar(-se) três vezes maior. [*td.*: A empresa *vai triplicar* a produção. *int.*: As vendas *triplicam* no Natal.] **2** Aumentar muito. [*int.*: O apoio à campanha *triplicou*.] [▶ 11 tripli$\overline{car}$] ● **tri.pli.ca.**$\overline{ção}$ *sf.*

triplicata (tri.pli.*ca*.ta) *sf.* **1** Terceira cópia (de um texto, documento etc.). **2** *Bras.* Título que substitui duplicata extraviada.

tríplice (*tri*.pli.ce) *num.* **1** Triplo (1). *a2g.* **2** Que tem três elementos ou se realiza em três fases ou etapas (adj. *triplice*): *Aceitou uma tríplice tarefa: traduzir, digitar e revisar o texto. sf.* **3** Vacina tríplice (2), que previne contra difteria, tétano e coqueluche. [Ver ach. encicl. no verbete *vacina*.] ● **tri.pli.ci.**$\overline{da}$**.de** *sf.*

triplo (*tri*.plo) *num.* **1** Que é três vezes a quantidade ou o tamanho de um. *a.* **2** Que contém três partes ou elementos: *um CD triplo.* **3** Que é para ou de três pessoas: *voo triplo de asa-delta. sm.* **4** Quantidade ou tamanho três vezes maior: *Foi cobrado o triplo do preço normal.*

tripudiar (tri.pu.di.*ar*) *v.* Escarnecer, zombar. [*ti.* + *de, sobre: Tripudiaram do pobre coitado. int.*: *O vencedor agora tripudia.*] [▶ 1 tripudi$\overline{ar}$] ● **tri.pu.di.**$\overline{an}$**.te** *a2g.s2g.*; **tri.**$\overline{pu}$**.di**:**o** *sm.*

tripulação (tri.pu.la.*ção*) *sf.* Conjunto de pessoas que trabalham a bordo de navio, avião etc. [Pl.: *-ções*.]

tripulante (tri.pu.*lan*.te) *a2g.s2g.* Que ou quem é membro de uma tripulação: *Só um tripulante escapou do naufrágio.*

tripular (tri.pu.*lar*) *v. td.* **1** Prover de tripulação. **2** Participar da tripulação de. [▶ 1 tripul$\overline{ar}$]

trirreme (tirr.*re*.me) *a2g.sf. Mar.* Na antiga Grécia, diz-se de ou embarcação movida por três fileiras superpostas de remadores.

trisanual (tri.sa.nu.*al*) *a2g.* **1** Que tem a duração de três anos. **2** Que acontece ou se realiza de três em três anos. [Sin. ger.: *trienal*.] ● **tri.sa.nu:a.li.**$\overline{da}$**.de**

trisavó (tri.sa.*vó*) *sf.* Mãe do bisavô ou do bisavô de uma pessoa em relação a essa pessoa.

trisavô (tri.sa.*vô*) *sm.* Pai do bisavô ou do bisavô de uma pessoa em relação a essa pessoa. [Pl.: *-avôs* e *-vós*. Pl. para trisavô e trisavó juntos: *trisavós*.]

triscar (tris.*car*) *v.* **1** Brigar, discutir. [*int.*] **2** Tocar de leve. [*td.*: A bola *triscou* a trave.] [▶ 11 tris$\overline{car}$]

trissílabo (tris.*sí*.la.bo) *a.* Que tem três sílabas (palavra *trissílaba*). [Us. tb. como subst.]

triste (*tris*.te) *a.* **1** Que está sem alegria, por estar sofrendo, magoado, ou infeliz, ou aborrecido, ou angustiado, ou desanimado, ou decepcionado etc.: *Ficou triste ao receber as más notícias.* **2** Que transmite sentimento de tristeza (olhar *triste*, poema *triste*). **3** Que se apresenta sempre sério, grave, carrancudo: *As preocupações o tornaram um homem triste.* **4** Que ou o que é obscuro, sombrio, deprimente: *Era um dia triste, cinzento e chuvoso.* **5** Designativo (como palavra-ônibus) de coisas desagradáveis, ruins, desoladoras, etc.: "Triste madrugada foi aquela (em) que eu perdi meu violão..." (Jorge Costa, *Triste madrugada*). *s2g.* **6** Pessoa triste: *Os tristes ficaram de lado.* ● **tris.**$\overline{te}$**.za** *sf.*

tristonho (tris.*to*.nho) *a.* Que demonstra ou transmite tristeza, melancolia: *melodia tristonha e deprimente.*

triticultura (tri.ti.cul.*tu*.ra) *sf. Bras.* Cultura do trigo. ● **tri.ti.cul.**$\overline{tor}$ *sm.*

tritongo (tri.*ton*.go) *sm. Gram.* Grupo vocálico em que uma vogal se encontra no meio de duas semivogais (p.ex.: *iguais*).

triturar (tri.tu.*rar*) *v. td.* Reduzir a pó ou a pedacinhos. [▶ 1 tritur$\overline{ar}$] ● **tri.tu.ra.**$\overline{ção}$ *sf.*; **tri.tu.ra.**$\overline{dor}$ *a.sm.*

triunfar (tri:un.*far*) *v.* Conseguir triunfo; VENCER. [*ti.* + *sobre: Os gregos triunfaram sobre os persas. int.*: O *bem sempre triunfa*.] [▶ 1 triunf$\overline{ar}$] ● **tri:un.**$\overline{fan}$**.te** *a2g.*

triunfo (tri:*un*.fo) *sm.* **1** Ação ou resultado de triunfar. **2** Sucesso, vitória, êxito: *O triunfo da vontade sobre o vício.* **3** *Hist.* Na Roma antiga, chegada solene, em uma cidade, de generais vitoriosos. **4** Suntuosidade, pompa. **5** Aclamação, ovação: *Foram carregados em triunfo.* ● **tri:un.**$\overline{fal}$ *a2g.*

triúnviro (tri:*ún*.vi.ro) *sm.* **1** *Hist.* Na Roma antiga, cada um dos três magistrados que administravam a vida pública. **2** Cada um dos participantes de um grupo de três que governa, administra, chefia etc. ● **tri:un.vi.**$\overline{ral}$ *a2g.*; **tri:un.vi.**$\overline{ra}$**.to** *sm.*

trivalente (tri.va.*len*.te) *a2g. Quím.* Que tem três valências.

trivial (tri.vi:*al*) *a2g.* **1** Que é conhecido de todos; CORRIQUEIRO: *Só conversava sobre assuntos triviais.* **2** Comum, que se repete corriqueiramente: *Usava roupas triviais. sm.* **3** Iguaria ou refeição simples do dia a dia, sem sofisticação: *Seu almoço era o trivial: feijão com arroz.* [Pl.: *-ais*.] ● **tri.vi:a.li.**$\overline{da}$**.de** *sf.*

triz *sm.* Us. na loc. ☒ **Por um ~** **1** Por pouco; pouco faltando para (algum desfecho): *A bola não errou por um triz.* **2** Como que milagrosamente: *Escapou por um triz.*

troar (tro.*ar*) *v. int.* Retumbar, trovejar. [▶ 16 tr$\overline{oar}$] ● **tro.a.**$\overline{da}$ *sf.*; **tro:an.te** *a2g.*

troca (*tro*.ca) *sf.* Ação ou resultado de trocar(-se); PERMUTA.

troça (*tro*.ça) *sf.* **1** Zombaria, gozação: *O palhaço era motivo de troça.* **2** *Bras.* Reunião festiva e agitada; FARRA.

trocadilho (tro.ca.*di*.lho) *sm.* Jogo ambíguo de palavras baseado na semelhança de sons entre elas.

trocado (tro.*ca*.do) *a.* **1** Que se trocou. **2** Miúdo, em cédulas e moedas de baixo valor (diz-se de dinheiro). **3** Troco (3).

trocador (tro.ca.*dor*) [ô] *sm.* **1** *Bras.* Pessoa que cobra as passagens e faz o troco nos ônibus. *a.sm.* **2** Que ou aquele que troca.

trocar (tro.*car*) *v.* **1** Dar (uma coisa) por outra; PERMUTAR. [*td.*: *Nós sempre trocamos revistas. tdi.* + *com, por: Vou trocar de bicicleta com minha irmã.*] **2** Substituir (uma coisa) por outra. [*td.*: *trocar um aparelho defeituoso. ti.* + *de: Vive trocando de carro.*] **3** Tomar (uma coisa) por outra; CONFUNDIR. [*td.*: *Trocaram nossas malas. tdi.* + *com: Troquei seu nome com o dele.*] **4** Dar e receber ao mesmo tem-

po. [*td./tdi.* + *com*: *Trocou ideias (com a colega).*] **5** *Bras.* Mudar a roupa (de). [*td.*: *trocar o bebê. pr.*: *Foi trocar-se.*] [▶ **11** tro(car)]

troçar (tro.çar) *v. ti.* Zombar, ridicularizar. [+ *de, com*: *Não se deve trocar de ninguém.*] [▶ **12** tro(çar)]

trocista (tro.cis.ta) *a2g.s2g.* Que ou quem costuma ou gosta de fazer troça (1).

troco (tro.co) [ô] *sm.* **1** Ação ou resultado de trocar; troca. **2** Devolução devida a comprador que passa ao vendedor quantia maior que o preço do que foi comprado (por não ter cédulas ou moedas que o perfaçam exatamente). **3** Dinheiro miúdo que corresponde a uma única cédula de valor maior; TROCADO. **4** *Fam.* Resposta a uma ofensa ou agressão: *Levou um tapa, mas deu o troco ao agressor.* ⁜ **A ~ de 1** Motivado por, por causa de: *Deu-lhe uma bronca a troco de nada.* **2** Em troca de, como retribuição: *Faz-lhe muitos favores, a troco só de uma amizade sincera.*

troço (tro.ço) [ó] *sf. Bras. Gír.* **1** Coisa imprestável. **2** Qualquer objeto, qualquer coisa: *Pediu um troço para beber*; *O brinquedo era um troço complicado.* **3** Mal-estar repentino: *Teve um troço e caiu duro.* [Cf.: *troço* [ô].]

troço (tro.ço) [ô] *sm.* **1** Pedaço de madeira. **2** Quantidade considerável de pessoas, uma porção de gente. **3** *Antq.* Parte de uma tropa militar. [Pl.: [ó].]

troféu (tro.féu) *sm.* **1** Taça, medalha ou outro objeto comemorativo que se concede ao vencedor de uma competição, disputa, campanha etc. **2** *Fig.* Qualquer coisa que simboliza uma vitória, conquista, êxito etc.

troglodita (tro.glo.di.ta) *a2g.s2g.* **1** Que ou quem vive sob a terra ou no interior de cavernas. *s2g.* **2** *Pop.* Pessoa agressiva, truculenta. [At! Considerado ofensivo nesta acepção.]

trole, trólei (tro.le, tró.lei) *sm. Bras.* Pequeno veículo motorizado, ou acionado manualmente, que trafega sobre trilhos de vias férreas.

trólebus, troleibus (tró.le.bus, tro.lei.bus) *sm. Bras.* Veículo para transporte de passageiros, assemelhante a um ônibus e movido a eletricidade.

trolha (tro.lha) [ô] *sf.* **1** *Cons.* Pequena prancha com alça onde fica a argamassa que o pedreiro, em seu trabalho, retira com a pá. **2** Ajudante de pedreiro.

tromba (trom.ba) *sf.* **1** *Anat. Zool.* Extensão mais ou menos longa do focinho de alguns mamíferos (elefante, anta etc.). **2** *Bras. Pop.* Cara fechada, de mau humor: *fazer uma tromba; estar de tromba.*

tromba-d'água (trom.ba-d'á.gua) *sf.* **1** Grande nuvem negra, de onde sai um prolongamento que lembra a tromba de um elefante, e que desencadeia uma espécie de ciclone marítimo. **2** *Pop.* Chuva torrencial. [Pl.: *trombas-d'água.*]

trombada (trom.ba.da) *sf.* **1** Pancada com a tromba. **2** Choque ou colisão envolvendo veículos ou pessoas: *O carro deu uma trombada no poste.*

trombadinha (trom.ba.di.nha) *s2g. Bras. Pop.* Menor delinquente que pratica pequenos roubos nas ruas.

trombar (trom.bar) *v. Pop.* Bater contra; CHOCAR-SE. [*ti.* + *com*: *O ciclista trombou com o hidrante.* *int.*: *As crianças trombaram enquanto corriam.*] [▶ **1** tromb(ar)]

trombeta (trom.be.ta) [ê] *sf. Mús.* Espécie de corneta que produz som forte. ● trom.be.tei.ro *sm.*

trombetear (trom.be.te.ar) *v. td. Fig.* Anunciar (algo) para todos; contar (vantagem); ALARDEAR. [▶ **13** trombete(ar)]

trombo (trom.bo) *sm. Pat.* Coágulo de sangue que produz a trombose.

trombone (trom.bo.ne) *sm. Mús.* **1** Instrumento metálico, de sopro, dotado de pistões ou de um prolongamento móvel, a vara, com os quais o músico emite as notas. **2** O músico que toca trombone.
● trom.bo.nis.ta *s2g.*

trombose (trom.bo.se) *sf. Pat.* Obstrução da circulação do sangue em virtude da formação de um coágulo (*trombo*) sanguíneo.

trombudo (trom.bu.do) *a.* **1** Que tem tromba. **2** *Fig.* Que exibe fisionomia carrancuda.

trompa (trom.pa) *sf.* **1** *Mús.* Instrumento de metal, de sopro, composto de um tubo cônico que se enrola sobre si mesmo e termina em um bocal largo, muito us. em orquestras sinfônicas. *sf.* **2** *Mús.* Músico que toca trompa. **~ de Eustáquio** Ver *tuba auditiva* em *tuba* (4). **~ de Falópio** Ver *tuba uterina* em *tuba* (3). ● trom.pis.ta *s2g.*

trompaço (trom.pa.ço) *sm. Bras. Pop.* Pancada ou empurrão forte em alguém.

trompete (trom.pe.te) *sm. Mús.* **1** Instrumento de sopro, de metal, dotado de pistões, e capaz de emitir sons muito agudos. **2** Músico que toca trompete.
● trom.pe.tis.ta *s2g.*

troncho (tron.cho) *a.* **1** Mutilado por falta de membro ou ramo. **2** *Bras.* Que se entorta para um lado. *sm.* **3** Membro amputado. **4** *Pop.* Indivíduo desajeitado, canhestro.

tronco (tron.co) *sm.* **1** *Bot.* O caule principal, grosso e lenhoso, que constitui a base de uma árvore. **2** *Anat. Zool.* Parte do corpo humano e dos animais, excetuando-se os membros superiores e inferiores, que vai da base do pescoço ao ponto de onde saem os membros inferiores. **3** Origem de um grupo, família, raça etc. **4** Ponto de onde se originam ramificações: *tronco de linhas telefônicas.*

troncudo (tron.cu.do) *a.* Que tem tronco ou tórax bem desenvolvido, largo, forte.

trono (tro.no) *sm.* **1** Assento largo e solene, de grande conforto e ger. pomposo, onde se sentam os reis. **2** *Fig.* Símbolo de poder soberano. **3** *Pop. Joc.* Vaso sanitário.

tropa (tro.pa) *sf.* **1** Grupo numeroso de soldados. **2** O exército. **3** Grupo grande de pessoas reunidas; MULTIDÃO. **4** *Bras.* Caravana de animais de carga.

tropeção (tro.pe.ção) *sm.* **1** Topada que tira o equilíbrio de quem anda ou corre; TROPEÇO. **2** Ação mal-sucedida ou atitude de hesitação: *Deu uns tropeções no início da carreira, mas depois se aprumou.* [Pl.: -*ções.*]

tropeçar (tro.pe.çar) *v.* **1** Dar topada ou encontrão com. [*int./ti.* + *em*: *Tropecou (nos brinquedos) e caiu.*] **2** *Fig.* Encontrar empecilho ou dificuldade; ESBARRAR. [*ti.* + *em*: *tropeçar na burocracia.*] **3** Ficar em dúvida; HESITAR. [*ti.* + *em*: *Quando lia, tropeçava nas palavras escritas com x.*] [▶ **12** trope(çar)]

tropeço (tro.pe.ço) [ê] *sm.* **1** Ação ou resultado de tropeçar; TROPEÇÃO. **2** Pancada ou esbarrão involuntário com o pé em alguma coisa, seguido ou não de queda. **3** *Fig.* Obstáculo, empecilho, percalço: *Os tropeços na entrevista deixaram-no desanimado.*

trôpego (trô.pe.go) *a.* Que não se sustenta bem nas pernas e anda com dificuldade.

tropeiro (tro.pei.ro) *sm. Bras.* Aquele que conduz tropa de animais.

tropel (tro.pel) *sm.* **1** Tumulto provocado pela locomoção rápida e desordenada de pessoas ou de multidão. **2** Barulho produzido pelo movimento de locomoção ligeira de pessoas ou de animais. **3** Muito barulho, confusão. [Pl.: -*péis.*]

tropelia (tro.pe.li.a) *sf.* **1** Confusão ou tumulto provocado por grupo de pessoas em tropel. **2** Efeito produzido por um tropel. **3** *Fig.* Travessura, traquinice.

tropical (tro.pi.cal) *a2g.* **1** Ref. a trópicos. **2** Que se encontra colocado entre os trópicos (país tropi-

tropicalismo | **tuba**

cal). **3** Que tem temperatura elevada (clima tropi-cal). [Pl.: *-cais*.]
tropicalismo (tro.pi.ca.*lis*.mo) *sm. Bras. Hist.* Movimento artístico ocorrido nos anos de 1960, caracterizado pela combinação de elementos típicos da cultura brasileira com os da arte *pop* e os dos movimentos vanguardistas então em voga. • **tro.pi.ca.*lis*.ta** *a2g.s2g.*
trópico (*tró*.pi.co) *sm. Astr.* **1** Cada uma das duas linhas imaginárias (Trópico de Câncer e Trópico de Capricórnio) que circundam o globo terrestre, paralelas ao Equador, e que limitam regiões da Terra nas quais o Sol passa duas vezes por ano pelo zênite. **2** Cada uma das zonas limitadas por essas linhas.
tropismo (tro.*pis*.mo) *sm. Biol.* Fenômeno que se caracteriza pela forma como reage um organismo em relação à sua fonte de estímulo.
tropo (*tro*.po) [ó] *sm. Gram.* Figura de linguagem que consiste no emprego de palavra ou expressão em sentido figurado.
troposfera (tro.pos.*fe*.ra) *sf. Geof.* Camada inferior da atmosfera que se estende da superfície da Terra a uma altura de cerca de 10km.
trotar (tro.*tar*) *v. int.* Andar (a montaria) entre o passo e o galope. [▶ **1** trot*ar*] • **tro.ta.*dor* a.*sm.***
trote (*tro*.te) *sm.* **1** Marcha das cavalgaduras, entre sua andadura normal e o galope. **2** *Bras.* Conjunto de brincadeiras e zombarias a que os veteranos de uma escola ou faculdade submetem os calouros. **3** *Bras.* Brincadeira zombeteira, ger. feita por meio de um telefonema, em que o autor da troça oculta sua identidade.
trouxa (*trou*.xa) *sf.* **1** Embrulho de pano que ger. transporta roupas, toalhas, lençóis etc.: *trouxa de roupa suja. a2g.s2g.* **2** *Gír.* Que ou quem é fácil de enganar; OTÁRIO. [Ant. nesta acp.: *esperto*.]
trouxe-mouxe (trou.xe-*mou*.xe) *sm.* Us. na loc. ▪ A ~ De maneira desordenada, precipitada. [Pl.: *trouxe-mouxes*.]
trova (*tro*.va) *sf.* **1** *Mús.* Música leve, lírica, de caráter mais ou menos popular. **2** *Liter.* Poesia popular de técnica simples, ger. em forma de quadra. **3** Cantiga medieval.
trovador (tro.va.*dor*) [ó] *sm. Liter. Mús.* Cantor ou poeta medieval; MENESTREL. • **tro.va.do.*res*.co *a.***
trovão (tro.*vão*) *sm.* Estrondo que ger. acompanha um relâmpago; TROVOADA. [Pl.: *-vões*.]

⌑ Quando se forma um raio (ver achega enciclopédica no verbete *raio*), a vibração súbita e violenta do ar em sua passagem, transformada em onda sonora, produz um estrondo — o trovão. As ondas luminosas propagam-se a uma velocidade de 300.000km/s, as sonoras a uma velocidade de c. 340m/s. Por isso só se ouve o trovão momentos após se avistar o raio, e a diferença de tempo entre as duas percepções (maior quanto maior a distância do raio) permite calcular a distância do observador ao local de ocorrência do raio.

trovejar (tro.ve.*jar*) *v.* **1** Soar (o ruído do trovão). [*int.*] **2** *Fig.* Falar em voz muito alta. [*td.*: *trovejar impropérios*.] **3** *Fig.* Falar com raiva, aos brados; ESBRAVEJAR. [*int./ti.* + contra: *Estava sempre a trovejar (contra o trânsito)*.] [▶ **1** troveja*r*]. Na acp. 1 é verbo impess.: conjuga-se somente na 3ª pess. sing.] • **tro.ve.*jan*.te** *a2g.*
trovoada (tro.vo:*a*.da) *sf.* **1** Tempestade acompanhada por série de trovões. **2** O trovão.
trovoar (tro.vo.*ar*) *v.* O m.q. trovejar. [▶ **16** trovo*ar*] • **tro.vo.*an*.te** *a2g.*
truão (tru.*ão*) *sm.* **1** Saltimbanco que, na Idade Média, divertia o público com graças e momices. **2** Ator cômico que ger. trabalha com gestos espa-lhafatosos e faz comicidade de caráter simples, popular. **3** Bobo, palhaço. [Pl.: *-ões*.] • **tru:a.*nes*.co *a.***
trucagem (tru.*ca*.gem) *sf. Cin.* Processo us. para criar efeitos especiais em filmes. [Pl.: *-gens*.] • **tru.*car v.***
trucidar (tru.ci.*dar*) *v. td.* **1** Assassinar com crueldade. **2** *Fig.* Acabar com; DESTRUIR: *A censura trucidou o filme*. [▶ **1** trucida*r*] • **tru.ci.da.*men*.to *sm.***
truco (*tru*.co) *sm.* Certo tipo de jogo de cartas.
truculento (tru.cu.*len*.to) *a.* Que é agressivo, feroz (segurança *truculento*). [Ant.: *delicado*.]
trufa (*tru*.fa) *sf.* **1** *Bot.* Cogumelo comestível, esp. apreciado na Europa. **2** *Cul.* Tipo de bombom de chocolate revestido de pó de cacau.
truísmo (tru:*ís*.mo) *sm.* Verdade banal, notória, que não merece ser dita.
trumbicar-se (trum.bi.*car*-se) *v. pr. Bras. Pop.* Ser malsucedido. [▶ **11** trumbic*ar*-se]
truncar (trun.*car*) *v. td. Fig.* Cortar partes fundamentais de algo, deixando-o mutilado ou incompleto: *truncar um texto*. [▶ **11** trunc*ar*] • **trun.*ca*.do *a.*;** • **trun.ca.*men*.to *sm.***
trunfo (*trun*.fo) *sm.* **1** Certo jogo de cartas que envolve de dois a seis parceiros. **2** Em alguns jogos carteados, naipe considerado superior aos outros. **3** *Fig.* Recurso que propicia obtenção de vantagem em luta, disputa etc.: *Ele tem um trunfo na briga contra a empresa*. **4** *Fig.* Pessoa importante ou poderosa.
truque (*tru*.que) *sm.* **1** Estratagema para se obter ou conseguir alguma coisa; MACETE: *Usou um truque para abrir a porta emperrada*. **2** Artimanha para iludir ou enganar alguém. **3** Designativo de alguns métodos ou artimanhas do jogo de bilhar.
truste (*trus*.te) *sm. Econ.* Acordo, quase sempre ilícito, entre empresas com a finalidade de controlar os preços, ampliar sua força no mercado e diminuir ou anular a concorrência.
truta (*tru*.ta) *sf.* **1** *Zool.* Peixe de carne apreciada que ger. habita rios de águas frias. **2** *RJ Gír.* Malícia, artimanha.
truz *interj.* **1** Imitação de barulho de explosão ou queda. *sm.* **2** Batida, golpe, pancada.
tsé-tsé (tsé:*tsé*) *s2g. Zool.* Tipo de mosca de origem africana que transmite uma doença comum na África equatorial (doença do sono), caracterizada por febre, vômito, tremores e forte sono. [Pl.: *tsé-tsés*.]
⊕ **tsunami** (*Jap. /tsunâmi/*) *sm. Geog.* Onda gigantesca ou sucessão de ondas oceânicas que se deslocam em alta velocidade (podendo atingir mais de 700km/h), decorrentes de maremoto, erupções vulcânicas etc., e que têm grande poder destrutivo quando alcançam a região costeira.
tu *pr.pess.* **1** Indica a pessoa com quem se fala, e funciona como sujeito: *Tu vais à festa?* [NOTAS: a) O sujeito *tu* pode ficar oculto por já ser indicado pela terminação *-s* do verbo: *Podes me devolver o livro?* b) À exceção do Sul do país e alguns pontos do Norte, o tratamento *tu* é substituído por *você* no português corrente do Brasil.] **2** A forma de tratamento: *Em Portugal, acostumei fácil com o tu*.
tua (*tu*.a) *pr.pess.* Fem. de *teu*.
tuba (*tu*.ba) *sf.* **1** *Mús.* Instrumento de sopro, de metal e dotado de pistões, que produz som grave e é muito us. em bandas de música. **2** *Mús.* O músico que toca tuba. *sm.* **3** *Anat.* Cada um dos dois canais que vão das laterais do útero aos seus respectivos ovários.[Tb. *tuba uterina*. *Tuba* substitui *trompa* na nova terminologia anatômica.] **4** *Anat.* Canal auditivo que vai do tímpano à nasofaringe. [Tb. *tuba auditiva*. *Tuba* substitui *trompa* na nova terminologia anatômica.]

tubagem (tu.ba.gem) *sf.* **1** Conjunto de tubos; TUBULAÇÃO. **2** *Med.* Processo que consiste em introduzir um tubo em órgão do corpo com finalidades terapêuticas ou para obtenção de diagnóstico. [Pl.: -*gens*.]

tubarão (tu.ba.*rão*) *sm.* **1** *Zool.* Peixe grande, carnívoro e voraz. **2** *Fig.* Empresário ganancioso e desonesto. [Pl.: -*rões*.]

tubérculo (tu.*bér*.cu.lo) *sm.* **1** *Bot.* Caule ou raiz, ger. subterrâneo, de grande valor nutritivo (p.ex.: batata e mandioca). **2** *Anat.* Pequena saliência em osso ou na superfície de um órgão.

tuberculose (tu.ber.cu.*lo*.se) *sf. Med.* Infecção contagiosa causada por bacilo, que ataca o homem e os animais em várias partes do organismo, esp. os pulmões.

tuberculoso (tu.ber.cu.*lo*.so) [ó] *a.* **1** Ref. a tuberculose. **2** Que tem tubérculo(s). *a.sm.* **3** Que ou quem sofre de tuberculose. [Fem. e pl.: [ó].]

tuberiforme (tu.be.ri.*for*.me) *a2g.* Que tem forma de tubérculo.

tuberoso (tu.be.*ro*.so) [ó] *a.* Que tem tubérculo ou se assemelha a tubérculo. [Fem. e pl.: [ó].] • **tu.be.ro.si**.*da*.de *sf.*

tubiforme (tu.bi.*for*.me) *a2g.* Que tem forma de tubo; TUBULAR.

tubinho (tu.*bi*.nho) *sm.* **1** Pequeno tubo. **2** *Bras.* Vestido de corte reto, sem cintura.

tubo (*tu*.bo) *sm.* **1** Canal, ducto de forma cilíndrica para conduzir fluidos (água, óleos etc.). **2** Recipiente cilíndrico de vidro: *tubo de ensaio/de comprimidos*. **3** Recipiente cilíndrico de material maleável para produtos pastosos, gelatinosos etc.: *tubo de pasta de dentes/de cola/de creme*. **4** *Anat.* Qualquer canal natural do organismo humano (*tubo* digestivo). **5** *Eletrôn.* Grande válvula oca na qual se forma a imagem nos aparelhos de televisão.

tubulação (tu.bu.la.*ção*) *sf.* Conjunto de tubos que formam um sistema de transporte ou distribuição de matéria líquida ou gasosa. [Pl.: -*ções*.]

tubular (tu.bu.*lar*) *a2g.* Ver tubiforme.

tucano (tu.*ca*.no) *sm.* **1** *Bras. Zool.* Ave de porte considerável, dotada de grande bico, que vive em bandos. *a2g.s2g.* **2** *Etnôn.* Ref. a ou indivíduo dos tucanos, povo indígena que habita na Amazônia e na Colômbia.

tucum (tu.*cum*) *sm. Bras.* **1** *Bot.* Palmeira de folhas fibrosas, de cujas nozes fabrica-se um óleo alimentício. **2** A fibra dessa palmeira. [Pl.: -*cuns*.]

tucumã (tu.cu.*mã*) *sm. Bras. Bot.* Palmeira alta, de espinhos longos, e de cujas fibras se fabricam redes de pesca e redes para dormir.

tucunaré (tu.cu.na.*ré*) *sm. Bras. Zool.* Peixe de coloração prateada, com mancha redonda no rabo, encontrado na Amazônia.

tucupi (tu.cu.*pi*) *sm. Bras. Cul.* Molho que mistura caldo da mandioca ralada com pimenta, muito us. na Amazônia.

tudo (*tu*.do) *pr.indef.* **1** O conjunto de todas as coisas, ou fatos, ou sentimentos etc.: "E que você descubra que rir é bom / Mas que rir de *tudo* é desespero..." (Frejat, *Amor pra recomeçar*). [Ant.: *nada*.] **2** A totalidade daquilo a que se está referindo em certo contexto: *Aqui estão verduras, frutas, carne, sorvete; ponha tudo no freezer.* **3** O essencial: *Beleza não é tudo*. [Não é us. no pl.] ❙❙ Além de ~ Ainda por cima; ademais.

tufão (tu.*fão*) *sm.* Vento muito forte, tempestuoso, com grande capacidade de destruição; vendaval; furacão. [Pl.: -*fões*.]

tufo (*tu*.fo) *sm.* **1** Conjunto formado por pelos, penas, plantas, fios etc. **2** Pequeno monte; MONTÍCULO: *um tufo de capim*. **3** Saliência que se forma no tecido de uma roupa.

tugir (tu.*gir*) *v. td.* Falar baixo; MURMURAR. (com ou sem complemento explícito): *Ninguém tugiu (uma palavra) depois da bronca*. [▶ **46** tu*gir*]

tugúrio (tu.*gú*.ri.o) *sm.* **1** Habitação simples ou rústica; CABANA. **2** Lugar de refúgio.

tuim (tu.*im*) *sm. Zool.* Ave de pequeno porte que vive em bando e alimenta-se de vegetais. [Pl.: -*ins*.]

tuitar (tu.i.*tar*) *v.* **1** *Inf.* Publicar texto e ou outros conteúdos visuais e audiovisuais em até 140 caracteres no Twitter (rede social) [*td.*: *Ana pretende tuitar que terminou o namoro*.] [▶ tui**tar** • **tu.i**.*tei*.ro *sm.*]

tuíte (tu.*i*.te) *sm.* **1** Publicação feita na rede social Twitter limitada até 140 caracteres em texto, que também pode incluir imagens e vídeos: *Mal sabia quão grande seria o alcance daquele tuíte*.

tuiuiú (tu.i.u.i.*ú*) *sm. Bras. Zool.* Ver *jaburu* (1).

tule (*tu*.le) *sm.* Tecido transparente, ger. de seda muito fina; FILÓ.

tulha (*tu*.lha) *sf.* **1** Celeiro. **2** Recipiente para armazenamento de cereais. **3** Cova onde se trabalha a azeitona antes que seja enviada para o lagar.

túlio (*tú*.li:o) *sm. Quím.* Elemento químico, us. em tubos de raios X. [Símb.: *Tm*]

tulipa (tu.*li*.pa) *sf.* **1** *Bot.* Planta ornamental de folhas alongadas que ger. produz uma única e bela flor. **2** *Bot.* Essa flor. **3** *Bras.* Copo alto em que se bebe chope ou cerveja. **4** *Bras.* A bebida que enche esse copo: *Bebeu meia tulipa*.

TULIPA (2)

tumba (*tum*.ba) *s2g.* **1** Pedra que marca um túmulo, ou construção com essa finalidade: *As pirâmides do Egito eram as tumbas dos faraós.* **2** Sepultura, túmulo.

tumefazer (tu.me.fa.*zer*) *v. td. pr.* Inchar(-se). [▶ **22** tume*fazer*. Part.: *tumefeito*.] • **tu.me.fa.**ção *sf.*; tu.me.fa.ci:*en*.te *a2g.*; tu.me.*fac*.to, tu.me.*fa*.to *a.*

túmido (*tú*.mi.do) *a.* **1** Que se encontra inchado, intumescido. **2** Que se dilatou ou se tornou proeminente. **3** *Fig.* Que demonstra arrogância, orgulho. • **tu.mi.**dez *sf.*

tumor (tu.*mor*) [ó] *sm. Pat.* **1** Aumento mórbido de volume em qualquer parte do corpo. **2** Saliência decorrente do aumento das células de um tecido, e que pode ser benigna ou maligna. • **tu.mo.**ral *a2g.*

túmulo (*tú*.mu.lo) *sm.* **1** Monumento erguido em homenagem a um morto, no local em que este sepultado. **2** Cova em que se enterra um morto; JAZIGO; SEPULTURA. • **tu.mu.**lar *a2g.*

tumulto (tu.*mul*.to) *sm.* **1** Grande confusão ou desordem. **2** Agitação intensa, confusão, ger. causada por muitas pessoas.

tumultuar (tu.mul.tu.*ar*) *v.* **1** Tirar a tranquilidade (de); provocar confusão; agitar. [*td.*: *O atraso dos músicos tumultuou a plateia. int.*: *Só veio para tumultuar*.] [Ant.: *tranquilizar*.] **2** Desfazer a ordem; DESARRUMAR. [*td.*: *Tumultuaram a estante com essas caixas. int.*: *Não sabia procurar nada sem tumultuar*.] [Ant.: *arrumar*.] **3** Levar à revolta ou revoltar-se; REBELAR(-SE). [*td.*: *A falta de pagamento tumultuou os pensionistas. int.*: *A torcida tumultuou*.] [▶ tumultu*ar*]

tumultuário (tu.mul.tu.*á*.ri:o) *a.* **1** Em que há desordem, confusão. **2** Que faz muito barulho; RUIDOSO.

tumultuoso (tu.mul.tu.*o*.so) [ó] *a.* Em que há tumulto, confusão, desentendimento (relações *tumultuosas*). [Fem. e pl.: [ó].]

tunda (*tun*.da) *sf.* **1** Surra. **2** Repreensão ríspida, severa.

tundra (*tun*.dra) *sf. Geog.* Tipo de vegetação ártica caracterizada pela presença de líquens, gramíneas e musgos.

túnel (*tú*.nel) *sm.* Via ou passagem subterrânea, para pessoas ou veículos. [Pl.: -*neis*.]

tungstênio (tungs.tê.ni:o) *sm. Quím.* Elemento químico metálico muito us. em filamentos de lâmpadas, eletrodos etc. [Símb.: W]

túnica (tú.ni.ca) *sf.* **1** Tipo de blusa ou vestido de corte reto, ger. comprido. **2** Casaco de talhe reto us. como parte de uniformes militares. **3** *Anat.* Membrana que envolve um órgão, compondo suas paredes. ● **tu.ni.ca.do** *a.sm.*

tunisiano (tu.ni.si.*a*.no) *a.* **1** Da Tunísia (Norte da África); típico desse país ou de seu povo. *sm.* **2** Pessoa nascida na Tunísia.

tupã (tu.*pã*) *sm. Bras.* Nome que os tupis davam ao trovão. ◨ **Tupã** *sm.* **2** *Bras. Hist.* No processo de catequese dos índios brasileiros, nome que os jesuítas davam a Deus.

tupi (tu.*pi*) *Bras. a2g.* **1** Ref. aos tupis, povo indígena que habitava o Norte e o Centro-Oeste do Brasil. *s2g.* **2** Indivíduo dos tupis. *sm.* **3** *Etnôn.* O idioma dos tupis. *a2g.sm.* **4** *Gloss.* Da, ref. à ou certa língua da família tupi-guarani, muito falada até o séc. XIX, e ainda viva em algumas regiões da Amazônia.

tupia (tu.*pi*.a) *sf. Bras.* **1** Espécie de torno us. para entalhar madeira e fabricar molduras. **2** Utensílio para levantar pesos; MACACO (3).

tupi-guarani (tu.pi-gua.ra.*ni*) *sm.* **1** *Gloss.* Grupo linguístico que inclui o tupi, o guarani e outras línguas faladas por indígenas do Brasil e de alguns países vizinhos. *a2g.* **2** Do ou ref. ao tupi-guarani (1). [Pl.: *tupis-guaranis*.]

tupinambá (tu.pi.nam.*bá*) *Bras. a2g.* **1** Ref. aos tupinambás, povo indígena extinto que vivia no litoral do Brasil. *s2g.* **2** *Etnôn.* Indivíduo dos tupinambás.

tupiniquim (tu.pi.ni.*quim*) *Bras. s2g.* **1** *Etnôn.* Indivíduo dos tupiniquins, povo indígena do litoral do Espírito Santo e da Bahia. *a2g.* **2** Ref. aos tupiniquins. **3** *Pej. Pop.* Brasileiro (diz-se com intenção de ressaltar aspectos supostamente negativos (mentalidade tupiniquim). [Pl.: *-quins*.]

turba (*tur*.ba) *sf.* **1** Conjunto formado por grande número de pessoas; MULTIDÃO. **2** Multidão tumultuada, em desordem (turba enfurecida). **3** *Pej.* Gente sem importância; POPULACHO.

turbamulta (tur.ba.*mul*.ta) *sf.* Ver turba (1 e 2).

turbante (tur.*ban*.te) *sm.* **1** Faixa de tecido enrolada na cabeça, us. por povos orientais. **2** Adereço semelhante ao turbante (1), us. pelas mulheres.

turbar (tur.*bar*) *v.* **1** Turvar(-se), escurecer. [*td. pr.*] **2** *Fig.* Desequilibrar(-se) emocionalmente; ABALAR(-SE). [*td.*: *O fim do noivado turbou o coração da jovem. pr.*: *Seus pensamentos se turbaram.*] [▶ **1** *pp.* irreg. ● **tur.ba.ção** *sf.*; **tur.ba.dor** *a.sm.*; **tur.ba.men.to** *sm.*

túrbido (*túr*.bi.do) *a.* **1** Que causa perturbação. **2** Que é turvo, sombrio: *Tinha o olhar túrbido e esquivo.* ● **tur.bi.*dez*** *sf.*

turbilhão (tur.bi.*lhão*) *sm.* **1** Redemoinho de vento. **2** Massa de água que entra em movimento giratório intenso; SORVEDOURO. **3** *Fig.* Grande agitação que impele, excita: *Vivia num turbilhão de paixões.* [Pl.: *-lhões*.]

turbina (tur.*bi*.na) *sf. Emec.* **1** Motor que se utiliza da força de um fluido (água, vapor, gás etc.) para transmitir movimento a um mecanismo produzindo trabalho. **2** Máquina das usinas de açúcar que faz a separação, por centrifugação, dos cristais de açúcar.

turbinado (tur.bi.*na*.do) *a. Bras. Pop.* **1** Diz-se de quem fez implante de silicone nos seios. **2** Que teve seu desempenho ou qualidades potencializadas (carro turbinado, computador turbinado). ● **tur.bi.*nar*** *v.*

turbinagem (tur.bi.*na*.gem) *sf.* Ação ou resultado de submeter uma substância à ação de centrifugação produzida por turbina. [Pl.: *-gens*.]

turbo (*tur*.bo) *a.* Diz-se de turbina que, movida a gás, funciona como um motor.

turboélice (tur.bo.*é*.li.ce) *sm. Aer.* Motor dotado de uma turbina a gás que gera energia para acionar hélice ou hélices propulsoras de uma aeronave; TURBOPROPULSOR.

turbopropulsor (tur.bo.pro.pul.*sor*) [ô] *sm. Aer.* Ver turboélice.

turborreator (tur.bor.re:*a*.tor) [ô] *sm. Emec.* Motor que, acionando gases por sistema de compressão, ejeta esses gases para dar impulso ao veículo.

turbulência (tur.bu.*lên*.ci:a) *sf.* **1** Qualidade ou estado de turbulento. **2** Agitação intensa e desordenada. **3** Agitação de uma massa de ar ou de água.

turbulento (tur.bu.*len*.to) *a.* **1** Que se agita intensamente (mar turbulento). **2** Que demonstra agitação, inquietação. *a.sm.* **3** Que ou quem provoca tumulto, desordem: *Os seguranças expulsaram os elementos turbulentos.*

turco (*tur*.co) *a.* **1** Da Turquia (Ásia e Europa); típico desse país ou de seu povo. *sm.* **2** Pessoa nascida na Turquia. *a.sm.* **3** *Gloss.* Da, ref. à ou língua falada na Turquia.

turfa (*tur*.fa) *sf. Ecol.* Conjunto de restos de vegetais em processo de decomposição, que forma uma camada escura e esponjosa e ger. se encontra em lugares pantanosos. ● **tur.*fei*.ra** *sf.*; **tur.*fo*.so** *a.*

turfe (*tur*.fe) *sm.* **1** O esporte das corridas de cavalos de raça. **2** Hipódromo ou lugar em que se realizam as corridas de cavalos. ● **tur.*fís*.ta** *s2g.*; **tur.*fís*.ti.co** *a.*

túrgido (*túr*.gi.do) *a.* Que se apresenta dilatado, inchado, túmido.

turíbulo (tu.*rí*.bu.lo) *sm.* Vaso preso a pequenas correntes no qual se queima incenso nas igrejas.

turiferário (tu.ri.fe.*rá*.ri:o) *a.sm.* **1** Que ou quem carrega o turíbulo e incensa a igreja. **2** *Fig.* Que ou quem bajula; PUXA-SACO.

turismo (tu.*ris*.mo) *sm.* **1** Excursão de lazer a lugares interessantes ou aprazíveis. **2** Conjunto de serviços que promove esse tipo de excursão. **3** O movimento dos turistas. ● **tu.*rís*.ti.co** *a.*

turista (tu.*ris*.ta) *s2g.* **1** Pessoa que faz turismo. **2** Pessoa cuja presença é inconstante; que não comparece (ger. a local de trabalho ou escola).

turma (*tur*.ma) *sf.* **1** Grupo de pessoas reunidas com finalidade comum. **2** Classe escolar ou conjunto de alunos que formam uma turma (1); SALA; CLASSE. **3** *Pop.* Grupo de amigos, de companheiros: *a turma do bairro.*

turmalina (tur.ma.*li*.na) *sf. Min.* Pedra semipreciosa que pode ser verde, azul ou negra.

turnê (tur.*nê*) *sf.* Viagem de artistas, conferencistas etc., com itinerário predeterminado, para apresentações, palestras e atividades similares em diversos lugares: *A banda fez uma turnê pela Europa.*

turno (*tur*.no) *sm.* **1** Cada grupo de pessoas que se reveza numa atividade. **2** *Bras.* Período de tempo determinado para trabalho ou estudo, em empresas, colégios, hospitais etc.: *o turno da tarde.* **3** *Bras. Esp.* Cada uma das etapas de um campeonato esportivo.

turpilóquio (tur.pi.*ló*.qui:o) *sm.* Palavra torpe, obscena; PALAVRÃO.

turquesa (tur.*que*.sa) [ê] *sf.* **1** *Min.* Pedra preciosa de cor azul ou esverdeada. *sm.* **2** A cor da turquesa. *a2g2n.* **3** Que é dessa cor (blusões turquesa).

turra (*tur*.ra) *sf.* **1** Batida com a testa. **2** Birra, teima. **3** Altercação, discussão.

turrão (tur.*rão*) *a.sm. Pop.* Que ou quem é teimoso e brigão. [Pl.: *-rões*.]

turrar (tur.*rar*) *v.* Fig. Discutir, polemizar, teimar. [*int./ti.* + *com*: *Vive a turrar (com o sócio) por causa do carro.*] [▶ 1 turr*ar*]

turuna (tu.*ru*.na) *a2g.s2g. Bras. Pop.* Que ou quem é forte, valentão, poderoso.

turvar (tur.*var*) *v.* **1** Fazer perder ou perder a limpidez; ESCURECER. [*td.*: *A mineração turvou a água do rio. int./pr.*: *A lagoa (se) turvou.*] [Ant.: *clarear.*] **2** *Fig.* Tornar(-se) triste. [*td.*: *turvar o olhar. pr.*: *O semblante do médico se turvou.*] [▶ 1 turv*ar*] • tur.va.*ção* sf.; tur.va.*men*.to sm.

turvo (*tur*.vo) *a.* **1** Que é muito pouco transparente (vidro *turvo*); OPACO. **2** Que é sombrio, escuro: "... conforme o tempo fosse claro ou *turvo*." (Machado de Assis, *Esaú e Jacó*). **3** Que se encontra transtornado (mente *turva*). **4** Confuso, complicado: *O cineasta tinha um estilo sinuoso e turvo*.

tussor (tus.*sor*) [ô] *sm.* Tecido de seda natural parecido com o xantungue.

tuta e meia (tu.ta e *mei*.a) *sf.* Preço muito baixo; ninharia; tutameia: *Vendeu sua casa por tuta e meia.* [Pl.: *tuta e meias.*]

tutameia (tu.ta.*mei*.a) *sf. Bras.* Ver *tuta e meia*.

tutano (tu.*ta*.no) *sm.* **1** Substância mole que se localiza no interior dos ossos; MEDULA. **2** *Fam.* Vigor, coragem; inteligência, talento.

tutear (tu.te.*ar*) *v.* Usar (com alguém ou entre si) o tratamento de tu. [*td.*: *Começou a tuteá-lo e criaram intimidade. pr.*: *Tuteavam-se em ambiente familiar.*] [▶ 13 tut*ear*] • tu.*tei*.o sm.

tutela (tu.*te*.la) *sf.* **1** *Jur.* Responsabilidade legal assumida por uma pessoa para administrar os bens e a integridade de alguém, esp. menor, e representá-lo na vida civil. **2** Proteção, defesa, amparo: *É um corrupto, mas tem a tutela do senador.* **3** *Fig.* Sujeição, dependência: *Não sabe se orientar, vive sob a tutela dos amigos.*

tutelar¹ (tu.te.*lar*) *a2g.* **1** Ref. a tutela. **2** Que protege, ampara.

tutelar² (tu.te.*lar*) *v.* **1** Cuidar (esp. de menor) como tutor. [*td.*] **2** Amparar, proteger. [*td./tdi.* + *contra*: *tutelar os moradores (contra as construtoras).*] [▶ 1 tutel*ar*] • tu.te.*la*.do a.

tutor (tu.*tor*) [ô] *sm.* **1** *Jur.* Pessoa que recebe incumbência legal para tutelar alguém, por testamento ou decisão judicial. **2** Defensor, protetor. • tu.to.*ri*.a *sf.*; tu.to.*ri*:*al* a2g.

⊕ **tutti frutti** (*It. /túti frúti/*) *loc.subst.* Que contém ou possui aroma ou sabor de vários tipos de frutas (diz-se de sorvete, bala etc.)

tutu¹ (tu.*tu*) *sm. Bras. Cul.* Feijão cozido e engrossado com farinha de mandioca, ger. acrescido de toucinho, carne-seca etc.

tutu² (tu.*tu*) *sm. Bras. Gír.* Grana, dinheiro.

⊕ **tutu** (*Fr. /tití/*) *sm.* Saiote de tule us. por bailarinas.

tuxaua (tu.xa:*u*.a) *sm. Bras.* **1** Chefe indígena. **2** *Pej.* Chefão da área política.

⊠ **TV** Abr. de *televisão*.

⊕ **tweed** (*Ing. /tuíd/*) *sm.* Malha de tecido escocês feito com fios de duas ou mais cores, de lã natural, us. para confeccionar roupa esportiva.

⊕ **twitter** (*Ing. /tuíter/*) *sm. Int.* Servidor e rede social na internet para envio de mensagens de até 140 caracteres. • twit.*tar* ou tui.*tar* v.

tzar *sm. Hist.* Ver *czar*. [Fem.: *tzarina.*]

tzarina (tza.*ri*.na) *sf. Hist.* Ver *czarina*.

tzarismo (tza.*ris*.mo) *sm. Hist. Pol.* Ver *czarismo*. • tza.*ris*.ta *a2g.s2g.*

Y	Fenício
Ч	Grego
Υ	Grego
Y	Etrusco
V	Romano
V	Romano
u	Minúscula carolina
U	Maiúscula moderna
u	Minúscula moderna

O *waw* fenício deu origem às letras *f, u, v, w* e *y*. Com os gregos, foi transformado em dois caracteres: *ípsilon*, usado para designar o som de *u*, e *digama*, para o som de *f*. Para os etruscos e romanos, o *u* era simbolizado pelo desenho de um *v*, como aparece em monumentos clássicos latinos. A letra *u* era usada para designar o mesmo som, mas aparece apenas nos manuscritos romanos. A distinção entre os sons de *u* e *v* só se deu no século XVII.

u *sm.* **1** A 21ª letra do alfabeto. **2** A quinta vogal do alfabeto. *num.* **3** O 21° em uma série (item **U**).
⌧ **U** *Quím.* Símb. de *urânio*.
uacari (u:a.ca.*ri*) *sm. Bras. Zool.* Macaco de cauda curta, encontrado na Amazônia.
uai (u:*ai*) *interj. Bras.* Exprime surpresa, susto, ou confirmação.
uaiá (u:ai.*á*) *sf. Bras.* Estagnação das águas dos lagos amazonenses que acontece de tempos em tempos.
ubá (u.*bá*) *sf. N. N.E.* Canoa indígena feita de uma casca inteira de árvore.
uberdade (u.ber.*da*.de) *sf.* Fertilidade, abundância.
úbere¹ (*ú*.be.re) *sm. Anat. Zool.* Teta de animal, esp. da vaca.
úbere² (*ú*.be.re) *a2g.* Fértil, abundante (terras úberes).
ubíquo (u.*bí*.quo) *a.* Que está em toda parte ao mesmo tempo; ONIPRESENTE. ● **u.bi.qui.da.de** *sf.*
uca (*u*.ca) *sf. Bras. Gír.* Cachaça.
⌧ **UCP** *Inf.* Sigla de *unidade central de processamento* (de microcomputador). [Tb. *CPU*.]
ucraniano (u.cra.ni.*a*.no) *a.* **1** Da Ucrânia (Europa); típico desse país ou de seu povo. *sm.* **2** Pessoa nascida na Ucrânia. *a.sm.* **3** *Gloss.* Da, ref. à ou na língua falada na Ucrânia.
ué (u:*é*) *interj.* Exprime surpresa, espanto.
ufa (*u*.fa) *interj.* Exprime cansaço ou alívio.
ufanar-se (u.fa.*nar*-se) *v. pr.* Sentir ou mostrar orgulho de (algo): *Ele ufana-se de ter nascido na Bahia.* [▶ **1** ufan**ar**]
ufania (u.fa.*ni*.a) *sf.* Vaidade exagerada.
ufanismo (u.fa.*nis*.mo) *sm. Bras.* Patriotismo exagerado. ● **u.fa.nís.ta** *a2g.s2g.*
ufano (u.*fa*.no) *a.* Vaidoso, presunçoso.
ufo (*u*.fo) *sm.* Ver *óvni*.
ufologia (u.fo.lo.*gi*.a) *sf.* Estudo dos óvnis. ● **u.fo.lo.gis.ta** *s2g.*; **u.*fó*.lo.go** *sm.*
ugandense (u.gan.*den*.se) *a2g.* **1** De Uganda (África); típico desse país ou de seu povo. *s2g.* **2** Pessoa nascida em Uganda.
⌧ **UHF** *Eletrôn.* Símb. de *frequência ultraelevada*.
ui *interj.* Exprime dor ou susto.
uiara (u:i.*a*.ra) *sf. Bras. Folc.* Sereia que habita rios e lagos; IARA; MÃE-D'ÁGUA.
uirapuru (u:i.ra.pu.*ru*) *sm. Bras. Zool.* Pássaro da Amazônia cujo canto possui melodia peculiar.
uísque (u:*ís*.que) *sm.* Aguardente de cevada, centeio ou milho, típica da Escócia. ● **u:is.que.*ri*.a** *sf.*
uivar (ui.*var*) *v. int.* **1** Dar uivos (um lobo, cachorro etc.): *Do acampamento ouviam as raposas uivarem.* **2** Gritar, berrar: *uivar de dor.* [Sin. ger.: *ulular*.] [▶ **1** uiv**ar**]
uivo (*ui*.vo) *sm.* **1** Voz lamentosa e aguda de cão, lobo e outros animais. **2** *Fig.* Grito de dor, raiva etc.

úlcera (*úl*.ce.ra) *sf. Pat.* Ferida na pele ou em mucosa (úlcera estomacal).
ulcerar (ul.ce.*rar*) *v.* Transformar(-se) em ferida, úlcera; DEGENERAR(-SE). [*td.*: *Essas bactérias podem infectar e ulcerar a córnea.* *int/pr.*: *A lesão pode ulcerar(-se) se não for cuidada.*] [▶ **1** ulcer**ar**] ● **ul.ce.ra.*ção*** *sf.*; **ul.ce.ra.ti.vo** *a.*
ulceroso (ul.ce.*ro*.so) [ô] *a.sm.* Que ou aquele que tem úlcera. [Fem. e pl.: [ó].]
ulemá (u.le.*má*) *sm.* Doutor em leis e religião, entre os muçulmanos.
ulna (*ul*.na) *sf. Anat.* **1** Articulação do braço com o antebraço; CÚBITO. [*Ulna* substituiu *cotovelo* na nova terminologia anatômica.] **2** Nome de um dos ossos do antebraço. [*Ulna* substituiu *cúbito* na nova terminologia anatômica.]
ulterior (ul.te.ri:*or*) [ô] *a2g.* Que vem depois; POSTERIOR. [Ant.: *anterior*.]
última (*úl*.ti.ma) *sf.* **1** O mais recente absurdo ou tolice a respeito de alguém que costuma cometê-los: *Quer saber a última do meu ex-marido? Perdeu tudo no jogo.* **2** A notícia mais recente; NOVIDADE: *Quais são as últimas?*; *Sabe da última?* **3** Fem. de *último*. ⦿ **Nas ~s** *Fig.* Quase morrendo; no fim da vida.
ultimamente (ul.ti.ma.*men*.te) *adv.* Nos últimos tempos; RECENTEMENTE.
ultimar (ul.ti.*mar*) *v. td.* Finalizar, terminar: *A equipe está ultimando os detalhes da decoração.* [▶ **1** ultim**ar**] ● **ul.ti.ma.*ção*** *sf.*; **ul.ti.*ma*.do** *a.*
ultimato, ultimátum (ul.ti.*ma*.to, ul.ti.*má*.tum) *sm.* **1** Últimas condições que um Estado impõe a outro e cuja rejeição implica declaração de guerra. **2** Última exigência, que não admite recusa; INTIMAÇÃO. [Pl. de *ultimátum*: *-tuns.*]
último (*úl*.ti.mo) *a.sm.* **1** Que ou o que vem no final, depois de todos (última chamada). [Ant.: *primeiro*.] *a.* **2** Antecedente, precedente: *Tratamos disso na última reunião.* **3** Mais novo ou moderno (último modelo).
ultra (*ul*.tra) *s2g.* Adepto de ideias radicais; EXTREMISTA.
ultrajar (ul.tra.*jar*) *v. td.* Ofender, insultar: *"...a ultrajavam injustamente com suspeitas cruéis..."* (Joaquim Manuel de Macedo, *Luneta mágica*). [▶ **1** ultraj**ar**] ● **ul.tra.ja.do** *a.*; **ul.tra.*jan*.te** *a2g.*
ultraje (ul.*tra*.je) *sm.* Insulto, ofensa muito grave; AFRONTA.
ultraleve (ul.tra.*le*.ve) *sm.* **1** *Aer.* Pequeno avião de material muito leve, que ger. só tem lugar para o piloto. *a2g.* **2** Muitíssimo leve.
ultramar (ul.tra.*mar*) *sm.* **1** Terras situadas além do mar. **2** Tinta azul-escura extraída do lápis-lazúli. **3** A cor dessa tinta. ● **ul.tra.ma.*ri*.no** *a.*

ultrapassado (ul.tra.pas.*sa*.do) *a*. Antiquado, obsoleto (computador ultrapassado).

ultrapassar (ul.tra.pas.*sar*) *v*. **1** Ir além de; EXCEDER. [*td*.: "...o tempo de espera não ultrapassara três minutos..." (Antonio Callado, *Bar Don Juan*).] **2** Superar (obstáculo psicológico, dificuldade etc.). [*td*.: *Não ultrapassou a fase de rebeldia*.] **3** Passar à frente (de). [*td*.: *ultrapassar os demais maratonistas*. *int*.: *Ultrapasse sempre pela esquerda!*] **4** Passar por (obstáculo físico, impedimento). [*td*.: *Ultrapassou o sinal fechado e foi multado*.] [▶ 1 ultrapassar] • **ul.tra.pas.sa.gem** *sf*.; **ul.tra.pas.sá.vel** *a2g*.

ultrassensível (ul.tras.sen.*sí*.vel) *a2g*. Extremamente sensível. [Pl.: *ultrassensíveis*.]

ultrassom (ul.tras.*som*) *sm*. *Fís*. Onda sonora de frequência muito alta, inaudível pelo homem. [Pl.: *ultrassons*.] [Cf.: *infrassom*.] • **ul.tra-sô.ni.co** *a*.

📖 O termo ultrassom refere-se a vibrações sonoras com frequência acima de vinte mil ciclos por segundo, inaudíveis para o ser humano, mas de grande utilidade na medicina e na detecção de obstáculos em certos meios. Neste último caso, é us. no sonar para detectar objetos submarinos. Na medicina, é us. tanto para diagnóstico, ao detectar configurações anatômicas patológicas que sinalizam doenças, como para terapêutica, dentro de certos limites de uso (em exagero pode ocasionar lesões graves), por seu efeito vibratório nas células, que produz energia e calor.

ultrassonografia (ul.tras.so.no.gra.*fi*.a) *sf*. *Rlog*. Exame de feto ou órgãos internos visualizados por meio de ultrassons. [Pl.: *ultrassonografias*.] • **ul.tra.so.no.grá.fi.co** *a*.

ultravioleta (ul.tra.vi:o.*le*.ta) [ê] *Fís*. *s2g*. **1** Radiação invisível cuja frequência é superior à da luz violeta. *a2g2n*. **2** Diz-se dessa radiação.

ulular (u.lu.*lar*) *v*. Ver *uivar*. [▶ 1 ulular] • **u.lu.lan.te** *a2g*.

um *num*. **1** Quantidade correspondente à unidade. **2** Número que representa essa quantidade (arábico: 1; romano: I). *art.indef*. **3** Indica algo de forma indeterminada, não identificável: *Ele tem um carro, mas não sei a marca*. **4** Identifica algo ou alguém numa classe: *Um Bragança ainda tem certa nobreza*. **5** Torna substantivo qualquer classe de palavra: *um piscar de olhos*. **6** Cada, todo: *Um chefe tem que dar o exemplo*. **7** Algum, certo: *Um dia ela apareceu de cabelo roxo*. *pr.indef*. **8** Uma pessoa; alguém: *Ele é um que precisa se casar*. • **uns** *pr.indef*. **9** Cerca de dez; alguns; dez minutos. **10** Algumas pessoas; ALGUNS: *Uns vão, outros vêm*. [Fem.: *uma*.] ■ **Dar ~a de** *Bras. Fam.* Proceder à maneira de: *Deu uma de cozinheiro e fez o jantar*. **~as e outras** *Bras*. *Gír*. Várias doses de bebida alcoólica: *Está meio alto, já tomou umas e outras*. **~ a ~** Um de cada vez; um por um: *Atenderam um a um*. **~ ou outro** Alguns: *Um ou outro foram contra*. **~ por ~** Ver *um a um*.

umbanda (um.*ban*.da) *sf*. *Bras*. *Rel*. Religião brasileira baseada no sincretismo de posturas, preceitos e conceitos afro-brasileiros, indígenas, católicos e espíritas, fundada no Rio de Janeiro em 1908 por Zélio Fernandino de Moraes. • **um.ban.*dis*.ta** *a2g.a2g*.; **um.ban.*dis*.ta** *a2g.a2g*.

umbela (um.*be*.la) *sf*. Sombrinha, guarda-chuva.

umbigada (um.bi.*ga*.da) *sf*. *Bras*. Pancada com o umbigo, esp. em dança folclórica.

umbigo (um.*bi*.go) *sm*. *Anat*. Cicatriz formada no meio da barriga pelo corte do cordão umbilical. • **um.bi.li.*cal*** *a2g*.

umbral (um.*bral*) *sm*. Ombreira de porta. [Pl.: -*brais*.]

umbrela (um.*bre*.la) *sf*. Ver *umbela*.

umbroso (um.*bro*.so) [ó] *a*. Que tem ou dá sombra (bosque umbroso). [Fem. e pl.: [ó].]

umbu (um.*bu*) *sm*. *Bras*. *Bot*. Ver *imbu*. • **um.bu.*zei*.ro** *sm*.

umectar (u.mec.*tar*) *v*. *td*. Hidratar, umedecer: *Use creme para umectar a pele*. [▶ 1 umectar] • **u.mec.ta.*ção*** *sf*.; **u.mec.*tan*.te** *a2g*.

umedecer (u.me.de.*cer*) *v*. Tornar(-se) úmido, levemente molhado; UMIDIFICAR(-SE). [*td*.: *Umedeça o pano e passe no chão*. *pr*.: *Sentiu as mãos umedecerem-se*.] [▶ 33 umedecer] • **u.me.de.*ci*.do** *a*.

úmero (*ú*.me.ro) *sm*. *Anat*. Osso do braço, desde o ombro até o cotovelo.

umidade (u.mi.*da*.de) *sf*. Qualidade do que é úmido. [Ant.: *secura*.]

umidificar (u.mi.di.fi.*car*) *v*. Ver *umedecer*. [▶ 11 umidificar] • **u.mi.di.fi.ca.*dor*** *sm*.

úmido (*ú*.mi.do) *a*. Um pouco molhado; impregnado de algum líquido ou vapor de água. [Ant.: *seco*.]

unânime (u.*nâ*.ni.me) *a2g*. **1** Da mesma opinião que os demais: *A crítica foi unânime em reconhecer o talento do artista*. **2** Em que há concordância geral (decisão unânime). • **u.na.ni.mi.*da*.de** *sf*.

unção (un.*ção*) *sf*. **1** *Rel*. Ação ou resultado de ungir. **2** *Fig*. Devoção, fervor: *Oravam com unção*. [Pl.: -*ções*.]

undécimo (un.*dé*.ci.mo) *num*. **1** Ordinal que, em uma sequência, corresponde ao número 11: *O corredor chegou em undécimo lugar*. *a*. **2** Que é 11 vezes menor do que a unidade ou um todo (diz-se de parte): *Ficou com a undécima parte da herança*. [Us. tb. como subst.: *um undécimo da herança*.]

ungir (un.*gir*) *v*. *td*. *Rel*. Abençoar (com óleo ou substância aromática) em ritual: *O padre ungiu o doente com água benta*. [▶ 46 ungir] • **un.*gi*.do** *a.sm*.

ungueal (un.gu:*al*) *a2g*. Ref. a unha. [Pl.: -*ais*.]

unguento (un.*guen*.to) *sm*. *Med*. Preparado pastoso que se aplica na pele.

unguífero (un.*guí*.fe.ro) *a*. Provido de unha.

unguiforme (un.gui.*for*.me) *a2g*. Que tem forma de unha.

ungulado (un.gu.*la*.do) *a.sm*. *Zool*. Que ou aquele que tem os dedos terminados em cascos (diz-se de mamífero).

unha (*u*.nha) *sf*. *Anat*. Parte córnea que reveste a ponta dos dedos. ■ **Com ~s e dentes** Aguerridamente; com grande denodo. **Ser ~ e carne (com)** Serem (duas pessoas ou animais) inseparáveis; estar muito em companhia de.

unhaca (u.*nha*.ca) *s2g*. Ver *unha de fome*.

unhada (u.*nha*.da) *sf*. Arranhão, ferimento feito com a unha.

unha de fome (u.nha de *fo*.me) *a2g.s2g*. Que ou quem é excessivamente apegado ao dinheiro; AVARENTO; SOVINA; UNHACA. [Pl.: *unhas de fome*.]

unha-de-gato (u.nha-de-*ga*.to) *sf*. *Bras*. *Bot*. Nome comum a plantas com espinhos em forma de unha de gato. [Pl.: *unhas-de-gato*.]

unhar (u.*nhar*) *v*. Arranhar com unha(s). [*td*.: *O gato unhou a criança*. *pr*.: *Os dois gatos unharam-se brigando*.] [▶ 1 unhar]

unheiro (u.*nhei*.ro) *sm*. *Pop*. Inflamação em volta da unha.

união (u.ni:*ão*) *sf*. **1** Ação ou resultado de unir, ligar ou juntar(-se). [Ant.: *separação*.] **2** Associação de pessoas ou coisas, formando um todo (união conjugal). **3** Acordo, coesão: *Faltava união na família*. **4** Federação ou confederação (união sindical). [Pl.: -*ões*.] • **União** *sf*. **5** *Bras*. O governo federal.

unicameral (u.ni.ca.me.*ral*) *a2g*. *Pol*. Diz-se do sistema de governo em que o Poder Legislativo tem somente uma câmara. [Pl.: -*rais*.]

unicelular (u.ni.ce.lu.*lar*) *a2g*. *Biol*. Diz-se de organismo que tem somente uma célula.

único (*ú*.ni.co) *a*. **1** Que é um só (mão única, filho único). **2** Que não tem igual (inteligência única). • **u.ni.ci.*da*.de** *sf*.

unicolor (u.ni.co.*lor*) [ô] *a2g.* Que tem somente uma cor.

unicorne (u.ni.*cor*.ne) *a2g.* Que tem somente um chifre.

unicórnio (u.ni.*cór*.ni:o) *sm. Mit.* Animal mitológico com corpo de cavalo, barba de bode e um só chifre no meio da testa.

unidade (u.ni.*da*.de) *sf.* **1** O número um. **2** Qualidade do que é único, do que não se pode dividir: *a unidade de um país.* **3** Homogeneidade, uniformidade (unidade cultural). **4** Cada parte que forma um todo dentro de um conjunto ou sistema (unidade hospitalar). **5** Cada um dos objetos que se podem contar: *Fabricam mil unidades por dia.* **6** Quantidade tomada como referência para comparar grandezas da mesma espécie: *unidade de medida.*

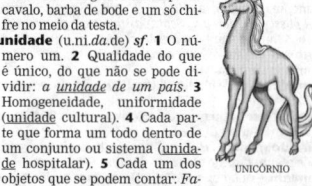

UNICÓRNIO

unidirecional (u.ni.di.re.ci:o.*nal*) *a2g.* Que se faz somente numa direção (acesso unidirecional). [Pl.: *-nais.*]

unido (u.*ni*.do) *a.* Que se uniu (povo unido); LIGADO. [Ant.: *separado.*]

unificar (u.ni.fi.*car*) *v.* Unir, tornar(-se) único. [*td.*: *unificar os critérios de julgamento. pr.*: *Os estados unificaram-se formando uma federação.*] [▶ **11** unifi*car*] ● u.ni.fi.ca.*ção* *sf.*; u.ni.fi.ca.do *a.*; u.ni.fi.ca.dor *a.sm.*

unifólio (u.ni.*fó*.li:o) *a. Bot.* Que tem somente uma folha.

uniforme (u.ni.*for*.me) *sm.* **1** Traje igual us. por todos os que pertencem a uma mesma categoria (militar, profissional, estudantil etc.). *a2g.* **2** Que tem forma, tipo, padrão ou valor iguais ou quase iguais (construções uniformes). **3** Que não muda (aceleração uniforme); INVARIÁVEL; CONSTANTE. ● u.ni.for.mi.*da*.de *sf.*

uniformizar (u.ni.for.mi.*zar*) *v.* **1** Tornar(-se) uniforme. [*td.*: "...falta uniformizar as regras para os juízes do mundo inteiro..." (FolhaSP, 06.07.99). *pr.*: *Com o novo manual, o treinamento uniformizou-se.*] **2** Fazer usar ou usar uniforme. [*td.*: *A empresa uniformizou os funcionários. pr.*: *O soldado uniformizou-se para o desfile.*] [▶ **1** uniformi*zar*] ● u.ni.for.mi.za.*ção* *sf.*; u.ni.for.mi.za.do *a.*; u.ni.for.mi.za.dor *a.sm.*

unigênito (u.ni.*gê*.ni.to) *a.sm.* Que ou quem é o único filho.

unilateral (u.ni.la.te.*ral*) *a2g.* De ou que vem de um único lado ou parte (decisão unilateral). [Pl.: *-rais.*] ● u.ni.la.te.ra.li.*da*.de *sf.*

unilíngue (u.ni.*lín*.gue) *a2g.* Ver monolíngue.

unir (u.*nir*) *v.* **1** Reunir(-se), associar(-se). [*td.*: *A cerimônia uniu os amigos do homenageado. pr.*: *Todos uniram-se para comemorar.*] **2** Juntar(-se). [*td.*: *O pedreiro uniu os tijolos com cimento. pr.*: *Os fios elétricos uniram-se provocando um curto-circuito.*] **3** Ligar(-se) afetivamente. [*td.*: "...uma alegria profunda unia pai e filho..." (Cecília Meireles, *Rui*). *pr.*: *Os dois uniram-se desde pequenos.*] **4** Formalizar uma união (matrimonial). [CASAR(-SE). [*td.*: *O padre uniu o casal. pr.*: *O casal se unirá perante o juiz.*] **5** Conectar(-se), ligar(-se) fisicamente. [*td.*: *Una os pontos e veja a figura! tdi. + a*: *A estrada une a fábrica ao porto. pr.*: *As casas unem-se por uma passagem subterrânea.*] [▶ **3** u*nir*]

unissex (u.nis.*sex*) [cs] *a2g2n.* Que serve tanto para homens quanto para mulheres (perfumes unissex).

unissexuado (u.nis.se.xu.a.do) [cs] *a. Bot.* Que tem somente um sexo (diz-se de flor). ● u.nis.se.xu.*al* *a2g.*

uníssono (u.*nís*.so.no) *a.* Que tem o mesmo som (coro unissono). ● u.nis.so.*nân*.ci:a *sf.*

unitário (u.ni.*tá*.ri:o) *a.* Ref. a unidade (custo unitário).

unitivo (u.ni.*ti*.vo) *a.* Que une.

univalve (u.ni.*val*.ve) *a2g. Zool.* Diz-se de molusco que tem somente uma valva ou concha.

universal (u.ni.ver.*sal*) *a2g.* **1** Que se estende a tudo ou a todos (sufrágio universal); GERAL. **2** Mundial, global (paz universal). **3** Ref. ao universo, ao cosmo. [Pl.: *-sais.*] ● u.ni.ver.sa.li.*da*.de *sf.*

universalismo (u.ni.ver.sa.*lis*.mo) *sm.* **1** Tendência a universalizar, generalizar uma ideia, doutrina etc. **2** Qualidade de universal ou geral. ● u.ni.ver.sa.*lis*.ta *a2g.s2g.*

universalizar (u.ni.ver.sa.li.*zar*) *v.* Tornar(-se) universal; GENERALIZAR(-SE). [*td.*: *A invenção da imprensa universalizou a leitura. pr.*: *O hábito do consumo universalizou-se.*] [▶ **1** universali*zar*] ● u.ni.ver.sa.li.za.*ção* *sf.*

universidade (u.ni.ver.si.*da*.de) *sf.* **1** Instituição de ensino de nível superior, onde há cursos de graduação e pós-graduação. **2** O prédio em que funciona essa instituição. **3** Os professores, alunos e funcionários da universidade (1).

universitário (u.ni.ver.si.*tá*.ri:o) *a.* **1** Ref. a universidade (curso universitário). **2** Que leciona em universidade (professor universitário). **3** Que estuda em universidade. *sm.* **4** Aluno universitário.

universo (u.ni.*ver*.so) *sm.* **1** O espaço e todas as estrelas, planetas e outras formas de matéria nele existentes; COSMO. **2** *Fig.* Meio, mundo: *o universo musical.*

📖 O conceito de universo tem variado enormemente através dos tempos, tanto em termos filosóficos quanto astronômicos. Ainda inatingível em sua totalidade pelo saber e pela tecnologia, à medida que aumenta o conhecimento do universo, aumenta também a percepção da enormidade do que ainda não se sabe, imprimindo caráter conscientemente não definitivo a teorias e descrições. Assim mesmo, é curioso que tanto Parmênides, no séc. IV a.C, quanto Einstein, 25 séculos depois, tenham concebido o universo como uma esfera (sem definir, contudo, o que haveria além dela). Durante esses séculos, Copérnico concebeu um universo heliocêntrico (com o Sol no centro) em lugar de geocêntrico (com a Terra no centro), como supunham os antigos. Newton introduziu a noção das leis físicas atuando na mecânica celeste, baseado na ideia de Aristóteles de que tempo e espaço são entidades e valores absolutos. Einstein introduziu a noção da relatividade de tempo e de espaço, pois só na relação entre eles é que são perceptíveis. O universo-esfera de Einstein não é infinito; tem um raio de 35 trilhões de anos-luz.

univitelino (u.ni.vi.te.*li*.no) *a. Emb.* Gerado de um mesmo óvulo (diz-se de gêmeos).

unívoco (u.*ní*.vo.co) *a.* **1** Que tem somente um significado ou interpretação. **2** *Mat.* Diz-se da correspondência entre dois conjuntos em que a todo elemento de um conjunto corresponde apenas um elemento do outro conjunto.

uno (*u*.no) *a.* Que é um só; ÚNICO. [Ant.: *múltiplo.*]

untar (un.*tar*) *v. td.* Passar (manteiga, óleo, creme etc.) em: (seguido ou não da indicação de meio) *untar a forma (com manteiga).* [▶ **1** un*tar*]

untuoso (un.tu:o.so) [ô] *a.* **1** Gorduroso, oleoso. **2** *Fig. Pej.* Bajulador, adulador. [At! Considerado ofensivo nesta acepção.] [Fem. e pl.: [ó].]

upa (*u*.pa) *interj.* **1** Exprime incentivo para que animal ou pessoa se levante ou salte. **2** Exprime surpresa ou espanto.

⊕ **upgrade** (Ing. /âpgreid/) *sm. Inf.* Atualização de um *software* ou modernização do *hardware* de um computador.
⊕ **upload** (Ing. /âploud/) *sm. Inf.* Envio de arquivo de um microcomputador para um computador remoto.
urânio (u.*rá*.ni:o) *sm. Quím.* Metal radioativo, us. na produção de energia e armas nucleares. [Símb.: *U*]

📖 O urânio está presente entre os elementos da crosta terrestre na proporção de dois para um milhão. Foi descoberto em 1789, mas sua radioatividade foi constatada só em 1896. Em 1938 descobriu-se que o núcleo do átomo do urânio se partia quando bombardeado por nêutrons. Como essa cisão liberava nêutrons que podiam acarretar novas cisões, o físico Enrico Fermi chegou à conclusão de que se poderia provocar uma reação em cadeia, o que foi comprovado menos de uma década depois com a bomba atômica. Além do uso militar, que tende a ser condenado e banido por acordos internacionais, o urânio ganhou importância como combustível de reações nucleares que visam à produção de energia. Nessas usinas, o abundante urânio 238 é us. para dele se extrair o raro urânio 235, único tipo fissionável, que, na reação, libera energia. Já o resíduo do urânio 238 se transforma em plutônio, também fissionável, que, do urânio produz ao mesmo tempo energia e combustível para novas reações. Países produtores de urânio: Cazaquistão, Austrália, Namíbia, Canadá, Uzbequistão, Níger. O Brasil ocupa 14ª posição (2021).

Urano (U.*ra*.no) *sm. Astron.* O sétimo planeta do sistema solar a partir do Sol.
uranografia (u.ra.no.gra.*fi*.a) *sf. Astron.* Ver *astronomia*.
urbanidade (ur.ba.ni.*da*.de) *sf.* Qualidade de pessoa educada, cortês.
urbanismo (ur.ba.*nis*.mo) *sm. Urb.* Ciência que trata do planejamento de uma cidade, região ou bairro, de suas áreas habitacionais e de circulação, sistema de transporte, saneamento etc. ● **ur.ba.** *nís*.ti.co *a.* (projeto urban*ístico*)
urbanista (ur.ba.*nis*.ta) *s2g.* Pessoa que se especializou em urbanismo.
urbanizar (ur.ba.ni.*zar*) *v.* **1** Dar (a um lugar) características e recursos de cidade, ou adquiri-las. [*td.*: *A prefeitura urbanizou o bairro*. *pr.*: *A região urbanizou-se*.] **2** Tornar(-se) polido, civilizado. [*td. pr.*] [▶ **1** urbaniz*ar*] ● **ur.ba.ni.za.***ção sf.*; **ur.ba.ni.za.do** *a.*
urbano (ur.*ba*.no) *a.* **1** Ref. a cidade (população *urbana*). [Cf.: *rural*.] **2** *Fig.* Educado, cortês.
urbe (*ur*.be) *sf.* Ver *cidade*.
urdidura (ur.di.*du*.ra) *sf.* **1** Feixe de fios dispostos paralelamente no tear e por entre os quais passam os fios da trama. [Cf.: *trama*.] **2** *Fig.* Enredo literário.
urdir (ur.*dir*) *v. td.* Preparar (golpe, vingança, trama etc.); TRAMAR. [▶ **3** urd*ir*]
ureia (u.*rei*.a) *sf. Quím.* Substância encontrada na urina.
uremia (u.re.*mi*.a) *sf. Med.* Condição clínica causada pela retenção no sangue de substâncias que deveriam ser eliminadas pela urina.
urente (u.*ren*.te) *a2g.* Que queima ou arde.
ureter (u.re.*ter*) *sm. Anat.* Cada um dos dois canais que levam a urina dos rins à bexiga.
uretra (u.*re*.tra) *sf. Anat.* Canal por onde se elimina a urina contida na bexiga.
urgência (ur.*gên*.ci:a) *sf.* **1** Caso ou situação muito grave (urgência médica). **2** Necessidade premente; PRESSA: *Tenho urgência desse relatório*. **3** Ação ou solução rápida; RAPIDEZ: *O deputado pedira urgência na aprovação do projeto*.
urgente (ur.*gen*.te) *a2g.* Que é preciso ser feito imediatamente.

urgir (ur.*gir*) *v. int.* Ter urgência, pressa: *Providências urgem!* [▶ **46** urg*ir*]. Verbo defec., ger. us. apenas nas 3ª pess. sing. e pl.]
úrico (*ú*.ri.co) *a. Quím.* Diz-se de ácido existente na urina.
urina (u.*ri*.na) *sf. Fisl.* Líquido amarelado produzido pelos rins e eliminado através da uretra. ● **u.ri.** *ná*.ri:o *a.*

📖 O sistema urinário é, nos organismos superiores, o conjunto de órgãos que realizam a eliminação do excesso de líquidos do organismo juntamente com resíduos inúteis do metabolismo, filtrando os nutrientes e substâncias necessárias, que ficam no organismo. Os principais órgãos do sistema urinário no ser humano são os *rins*, que realizam a filtragem do sangue, os *ureteres*, por sua vez, conduzem a urina (meio líquido do material eliminado) para a *bexiga*, uma bolsa feita de músculo e membrana, onde a urina se acumula, bloqueada por uma válvula (esfíncter), até ser eliminada por um canal chamado *uretra*. Esta, no homem, corre no interior do pênis e é também o duto do sêmen na reprodução. Na mulher, a uretra é duto exclusivo para eliminação de urina.

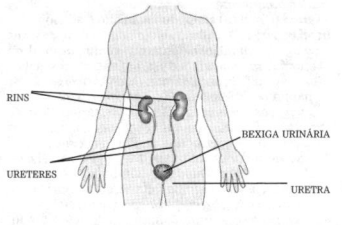

RINS
BEXIGA URINÁRIA
URETERES
URETRA

SISTEMA URINÁRIO

urinar (u.ri.*nar*) *v. td. int. pr.* Expelir urina (ou junto com a urina, p.ex. sangue) pela uretra; MIJAR(-SE). [▶ **1** urin*ar*]
urinol (u.ri.*nol*) *sm.* Vaso para urinar; PENICO. [Pl.: -*nóis*.]
urna (*ur*.na) *sf.* **1** Caixa ou saco inviolável onde se depositam os votos nas eleições. **2** Caixa em que são guardadas as cinzas de um morto. 🔲 **urnas** *sfpl.* **3** *Fig.* Eleição: *o resultado das urnas*.
urologia (u.ro.lo.*gi*.a) *sf. Med.* Ramo da medicina que estuda o sistema urinário de ambos os sexos e o sistema reprodutor dos homens. ● **u.ro.***ló*.gi.co *a.*
urologista (u.ro.lo.*gis*.ta) *s2g.* Pessoa que se especializou em urologia.
uropígio (u.ro.*pí*.gi:o) *sm. Anat. Zool.* Parte traseira do corpo das aves, de onde saem as penas da cauda; SOBRECU.
urrar (u.*rrar*) *v. int.* **1** Produzir som (animal feroz): *O leão urra.* **2** *Fig.* Berrar como fera: "A multidão urrou furiosa..." (Machado de Assis, *O alienista*). [▶ **1** urr*ar*]
urro (*u*.rro) *sm.* **1** Rugido de alguns animais. **2** *Fig.* Berro muito forte.
ursada (ur.*sa*.da) *sf. Bras. Pop.* Traição, esp. de amigo.
urso (*ur*.so) *sm. Zool.* Mamífero de grande porte, peludo e feroz. ● **ur.***si*.no *a.*
urticária (ur.ti.*cá*.ri:a) *sf. Med.* Irritação da pele caracterizada por placas avermelhadas e coceira.
urtiga (ur.*ti*.ga) *sf. Bot.* Planta cujas folhas têm pelos que causam ardência na pele.
urubu (u.ru.*bu*) *sm. Bras. Zool.* Ave toda negra, de cabeça e pescoço pelados, que se alimenta de carniça.

urubu-rei (u.ru.bu-*rei*) *sm. Bras. Zool.* Urubu de plumagem clara e pescoço vermelho e amarelo. [Pl.: *urubus-reis* e *urubus-rei*.]

urucu, urucum (u.ru.*cu*, u.ru.*cum*) *sm. Bras.* Fruto de cujas sementes se extrai corante vermelho us. em culinária e, entre os indígenas, para pintura corporal. [Pl. de *urucum*: -*cuns*.]

urucubaca (u.ru.cu.*ba*.ca) *sf. Bras.* Má sorte, azar.

urucuzeiro (u.ru.cu.*zei*.ro) *sm. Bras. Bot.* Árvore que dá o urucu.

uruguaio (u.ru.*guai*.o) *a.* **1** Do Uruguai (América do Sul); típico desse país ou de seu povo. *sm.* **2** Pessoa nascida no Uruguai.

urundeúva (u.run.de:*ú*.va) *sf. Bras. Bot.* Árvore de madeira de lei.

urupê (u.ru.*pê*) *sm. Bras. Bot.* Espécie de cogumelo.

urupema (u.ru.*pe*.ma) *sf. Bras.* Peneira de palha.

urutu (u.ru.*tu*) *s2g. Bras. Zool.* Cobra escura muito venenosa.

urze (*ur*.ze) *sf. Bot.* Arbusto de flores de cor violeta ou rosa. • ur.*zal sm.*

usado (u.*sa*.do) *a.* **1** Que foi usado; gasto pelo uso excessivo (prato *usado*): *O sapato, muito usado, furou.* **2** Que se usa com frequência; USUAL: *palavra muito usada atualmente.*

usança (u.*san*.ça) *sf.* Costume, hábito tradicional.

usar (u.*sar*) *v.* **1** Utilizar, empregar; ter ou carregar consigo; vestir (algo) habitual ou eventualmente. [*td.*: *Você nojo usa relógio?*, "...e usaram as palavras que todos usavam." (França Júnior, *Os dois irmãos*).] **2** Ter o hábito de; COSTUMAR. [*td.*: *Antigamente as pessoas usavam passear mais a pé.*] **3** Aproveitar-se de (algo ou alguém); abusar de. [*td.*: *Usou sua amizade para conseguir o que queria.* **ti.** + *de*: *Ela usa de sua posição para manipular os outros.*] [▶ 1 us*ar*] • u.*sá*.vel *a2g*.

useiro (u.*sei*.ro) *a.* Que tem o hábito de fazer algo. ▓ ~ e vezeiro Que costuma fazer (algo) muitas vezes: *Ele é useiro e vezeiro em pedir coisas emprestado.*

usina (u.*si*.na) *sf. Bras.* **1** Engenho de açúcar. **2** Indústria, esp. de aço e energia. • u.si.*nar v.*; u.si.*nei*.ro *a.sm.*

uso (u.*so*) *sm.* **1** Ação ou resultado de usar. **2** Emprego, utilização: *o uso da força.*

usual (u.su:*al*) *a2g.* Que se usa ou faz com frequência (procedimento *usual*); HABITUAL; COSTUMEIRO. [Pl.: *-ais.*]

usuário (u.su.*á*.ri:o) *sm.* Aquele que usa ou se serve de algo: *os usuários de telefonia.*

usucapião (u.su.ca.pi:*ão*) *s2g. Jur.* Direito de posse conferido a quem usa continuamente um bem (móvel ou imóvel) durante certo tempo. [Pl.: -*ões*.] • u.su.ca.pi:*en*.te *a2g.s2g.*; u.su.ca.*pir v.*; u.su.*cap*.to *a.*

usufruir (u.su.fru.*ir*) *v.* Usar, gozar, desfrutar. [*td./ti.* + *de*: *usufruir o/do conforto do hotel*; *usufruir os/dos bens herdados.*] [▶ 56 usufru*ir*] • u.su.fru.*í*.do *a.*

usufruto (u.su.*fru*.to) *sm.* **1** Ação ou resultado de usufruir, desfrutar. **2** *Jur.* Direito de desfrutar de um bem pertencente a outrem. • u.su.fru.tu.*á*.ri:o *a.sm.*

usura (u.*su*.ra) *sf.* **1** Juro ou renda de capital. **2** Empréstimo a juros excessivos; AGIOTAGEM. **3** Avareza, mesquinhez.

usurário (u.su.*rá*.ri:o) *a.sm.* **1** Que ou quem é agiota. **2** Que ou quem é avarento.

usurpar (u.sur.*par*) *v.* Apropriar(-se) violenta ou desonestamente de. [*td.*: *Usurpou o trono e coroou-se rei.* *tdi.* + *a*, *de*: *Usurparam-lhe o cargo.*] [▶ 1 usurp*ar*] • u.sur.pa.*ção sf.*; u.sur.*pa*.do *a.*; u.sur.pa.*dor a.sm.*

ut *sm. Mús.* Antigo nome da nota dó.

utensílio (u.ten.*sí*.li:o) *sm.* Qualquer instrumento de trabalho ou de uso doméstico.

útero (*ú*.te.ro) *sm. Anat.* Órgão da fêmea onde é gerado o feto dos mamíferos. • u.te.*ri*.no *a.*

▧ **UTI** *Med.* Sigla de *Unidade de Terapia Intensiva.*

útil (*ú*.til) *a2g.* **1** Que tem algum uso; que serve para algo (material *útil*). **2** Que traz benefício (conselhos *úteis*); PROVEITOSO. [Ant. ger.: *inútil*.] **3** Diz-se de dia da semana em que se trabalha.

utilidade (u.ti.li.*da*.de) *sf.* **1** Qualidade do que é útil. **2** Utensílio (utilidades domésticas).

utilitário (u.ti.li.*tá*.ri:o) *a.* **1** Ref. a utilidade. *sm.* **2** *Bras.* Espécie de jipe ou caminhonete.

utilitarismo (u.ti.li.ta.*ris*.mo) *sm. Fil.* Doutrina segundo a qual o bem está ligado ao que é útil ao interesse particular ou geral. • u.ti.li.ta.*ris*.ta *a2g.s2g.*

utilizar (u.ti.li.*zar*) *v.* **1** Usar, empregar. [*td.*: *Utilize essa ferramenta com cuidado!*] **2** Tirar utilidade, beneficio de (algo ou alguém); APROVEITAR-SE; SERVIR-SE. [*pr.*: *Não me utilizo de subterfúgios em situações difíceis.*] [▶ 1 utiliz*ar*] • u.ti.li.za.*ção sf.*; u.ti.li.za.*do a.*; u.ti.li.*zá*.vel *a2g.*

utopia (u.to.*pi*.a) *sf.* Ideal que é impossível realizar; QUIMERA. • u.*tó*.pi.co *a.*; u.to.*pis*.ta *a2g.s2g.*

uva (*u*.va) *sf.* Fruto da videira, de que se faz o vinho.

uvaia (u.*vai*.a) *sf. Bras.* **1** *Bot.* Planta que dá frutos comestíveis, em forma de pera, us. na fabricação de vinagre. **2** O fruto dessa planta.

úvea (*ú*.ve:a) *sf. Anat.* No olho, o conjunto que compreende íris, membrana chamada coroide e estrutura dos cílios.

úvula (*ú*.vu.la) *sf. Anat.* Massa carnosa em forma de uva que pende do fundo do céu da boca; CAMPAINHA. • u.vu.*lar a2g.*

uxoricídio (u.xo.ri.*cí*.di:o) [cs] *sm.* Crime de assassinato da mulher pelo marido. • u.xo.ri.*ci*.da *sm.*

uzbeque (uz.*be*.que) *a2g.* **1** Do Uzbequistão (Ásia); típico desse país ou de seu povo. *s2g.* **2** Pessoa nascida no Uzbequistão. *a2g.sm.* **3** *Gloss.* Da, ref. à ou a língua falada no Uzbequistão.

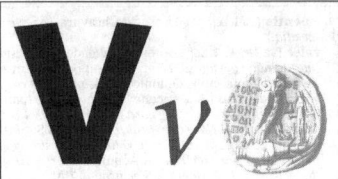

Assim como as letras *f, u, w* e *y*, a letra *v* originou-se do caractere fenício *waw*. Durante muito tempo não houve diferenciação entre o *v* e o *u*. Foi somente no século XVII que o *v* passou a designar o som atual.

Y	Fenício
Ч	Grego
Y	Grego
V	Etrusco
V	Romano
V	Romano
	Minúscula carolina
V	Maiúscula moderna
v	Minúscula moderna

v [vê] *sm.* **1** A 22ª letra do alfabeto. **2** A 17ª consoante do alfabeto. *num.* **3** O 22º em uma série (fila V).
⌧ **V 1** Símb. do número cinco, em algarismos romanos. **2** *Elet.* Símb. de *volt.*
vã *a.* Fem. de *vão.*
vaca (*va*.ca) *sf. Zool.* A fêmea do boi.
vaca-fria (va.ca-*fri*.a) *sf.* Us. na loc. ▪ **Voltar à ~** Voltar a assunto já debatido ou em debate.
vacância (va.*cân*.ci.a) *sf.* **1** Estado do que está vago, desocupado (lugar ou cargo): *a vacância da presidência.* **2** Tempo em que (lugar, cargo etc.) está ou fica vago: *Esse cargo já tem três meses de vacância.*
vacante (va.*can*.te) *a2g.* Que está vago (lugar vacante).
vaca-preta (va.ca-*pre*.ta) *sf. Bras.* Sorvete batido com certos refrigerantes. [Pl.: *vacas-pretas.*]
vacaria (va.ca.*ri*.a) *sf.* Manada ou curral de vacas.
vacilar (va.ci.*lar*) *v.* **1** *Fig.* Ficar em dúvida; HESITAR. [*ti. +* em*, entre: Vacilou entre ir à praia ou ao futebol. int.: Vacilou, mas acabou aceitando o convite.*] **2** Balançar, tremer. [*int.: Os andaimes vacilavam.*] **3** Andar tropegamente; CAMBALEAR. [*int.*] [▶ 1 vacil**ar**] • va.ci.la.*ção sf.*; va.ci.*lan*.te *a2g.*
vacilada (va.ca.*la*.da) *sf.* O m.q. *vacilo.*
vacilo (va.*ci*.lo) *sm. Bras. Pop.* **1** Ação ou resultado de vacilar. **2** Hesitação: *Teve um vacilo e perdeu a oportunidade.* **3** Descuido, bobeada: *O gol veio de um vacilo do zagueiro.* **4** Engano, erro, deslize, falha de conduta, intencional ou não: *Desviou dinheiro da conta, e esse vacilo custou-lhe a carreira.*
vacina (va.*ci*.na) *sf. Med.* Substância (microrganismos patogênicos fracos ou mortos) que se introduz no organismo (de pessoa ou animal) para suscitar reação imunológica e com isso proteger da doença transmitida por esses microrganismos ativos.

📖 O princípio da vacina como agente imunológico baseia-se na capacidade do organismo de reagir a agentes patogênicos (bactérias, vírus) produzindo anticorpos específicos para combater cada tipo destes agentes. A vacina consiste na introdução no organismo de agentes patogênicos de determinada doença mortos ou atenuados, o que provoca a produção de anticorpos específicos para o combate àquela doença (às vezes, manifestam-se também sintomas brandos da doença). Com isso, o organismo 'aprende' a identificar o agente e a se defender dele, ou seja, ganhou *imunidade* em relação àquela doença. Se viver a contrair-la, a produção dos anticorpos que a combatem aumenta e eles destroem os agentes patogênicos. São muitas as doenças já praticamente debeladas pela vacinação de toda a população. A primeira vacina foi contra a varíola, descoberta por Edward Jenner, em 1796. Depois, contra o antraz e contra a raiva, por Pasteur, em 1881 e 1885. E depois, entre outras, as vacinas contra a poliomielite (paralisia infantil), a chamada tríplice (contra difteria, tétano e coqueluche), contra o sarampo, a tuberculose, o tifo, a cólera, a hepatite e, mais recentemente, contra a gripe.

vacinar (va.ci.*nar*) *v.* **1** Aplicar ou tomar vacina. [*td./ tdi. + contra: Vacinar o gado (contra febre aftosa). pr.: Vacinou-se contra a gripe.*] **2** *Fig.* Defender-se, imunizar-se. [*pr.: Já me vacinei contra as suas chatices.*] [▶ 1 vacin**ar**] • va.ci.na.*ção sf.* va.ci.*na*.do *a.*
vacuidade (va.cu.*i*.da.de) *sf.* Estado do que é vazio ou vácuo (1).
vacum (va.*cum*) *a2g.* Diz-se de gado de vacas, bois, touros e bezerros. [Pl.: -*cuns.*]
vácuo (*vá*.cu:o) *a.sm.* **1** Vago ou o que nada contém ou apresenta; vazio: *uma reunião vácua de sugestões; um vácuo de ideias. sm.* **2** Espaço ou ambiente que não contém ar.
vadear (va.de.*ar*) *v.* Transpor (lamaçal, rio) a pé ou a cavalo. [▶ 13 vade**ar**] [Cf.: *vadiar.*] • va.de:a.*ção sf.*
vade-mécum (va.de-*mé*.cum) *sm.* Livro, manual de consulta frequente. [Pl.: *vade-mécuns.*]
vadiação (va.di:a.*ção*) *sf.* Ação ou resultado de vadiar; VADIAGEM. [Pl.: -*ções.*]
vadiagem (va.di.*a*.gem) *sf.* **1** Ver *vadiação.* **2** Vida ou atitude de vadio; OCIOSIDADE; VAGABUNDAGEM. **3** Conjunto de vadios; os vadios como um todo. [Pl.: -*gens.*]
vadiar (va.di.*ar*) *v. int.* **1** Ficar sem trabalhar; VAGABUNDEAR: *Não trabalha mais, só pensa em vadiar.* **2** Andar à toa, sem destino; VAGUEAR: *Vadiou o dia todo pela praia.* **3** *N.E.* Ter relação sexual; FORNICAR. [Cf.: *vadear.*] [▶ 1 vadi**ar**]
vadio (va.*di*:o) *a.sm.* **1** Que ou quem é desocupado; OCIOSO; VAGABUNDO. **2** Que ou quem não se esforça no trabalho, no estudo etc.
vaga¹ (*va*.ga) *sf.* Onda marinha. [Aum.: *vagalhão.*]
vaga² (*va*.ga) *sf.* Lugar ou cargo desocupado, disponível: *Conseguiu uma vaga na garagem; Há vagas para serventes.*
vagabundar (va.ga.bun.*dar*) *v. int.* **1** Andar à toa; PASSEAR; VAGAR; FLANAR. **2** Viver à toa, sem trabalhar; VADIAR. [▶ 1 vagabund**ar**] • va.ga.bun.da.*gem sf.*
vagabundear (va.ga.bun.de.*ar*) *v. int.* Ver *vagabundar.* [▶ 13 vagabunde**ar**]
vagabundo (va.ga.*bun*.do) *a.sm.* **1** Que ou quem é vadio, desocupado. **2** Que ou quem vagueia, anda sem destino. **3** *Pej.* Que ou quem não presta, salafrário, canalha. [**At!** Considerado ofensivo nesta acepção.] *a.* **4** De má qualidade (vinho *vagabundo*); ORDINÁRIO.
vagalhão (va.ga.*lhão*) *sm.* Grande onda marinha. [Pl.: -*lhões.*]

vaga-lume (va.ga-*lu*.me) *sm. Zool.* Inseto que emite luz fosforescente; PIRILAMPO. [Pl.: *vaga-lumes*.]
vagamundo (va.ga.*mun*.do) *a.sm.* O m.q. *vagabundo* (1).
vagão (va.gão) *sm.* Carro de trem ou metrô. [Pl.: *-gões.* Dim.: *vagonete* [ê].]
vagar¹ (va.*gar*) *v. int.* Andar sem rumo; VAGABUNDAR; VAGUEAR; (seguido ou não de indicação de lugar) *Vagava alheio pelas ruas.* [▶ **14** vagar] ● **va.gan.te** a2g.
vagar² (va.*gar*) *v.* **1** Ficar vago². [*int.: Vagou uma cadeira ali.*] **2** Sobrar (tempo). [*int. / ti. + a: Assim que vagar uma horinha (ao doutor), eu te telefona.*] [▶ **14** vagar] ● **va.gan.te** a2g.
vagar³ *sm.* **3** Falta de rapidez; LENTIDÃO. [Ant.: *ligeireza.*] ● **va.gan.te** a2g.
vagaroso (va.ga.*ro*.so) [ô] *a.* Lento, moroso. [Ant.: *ágil, ligeiro.*] [Fem. e pl.: [ó].] ● **va.ga.re.za** sf.
vagem (*va*.gem) *sf. Bot.* **1** Fruto que se abre em suas suturas laterais, típico de leguminosas; LEGUME. **2** Certo legume (feijão verde) us. na alimentação. [Pl.: *-gens*.]
vagido (va.*gi*.do) *sm.* **1** Choro de criança recém-nascida. **2** *Fig.* Gemido, lamento.

VAGEM

vagina (va.*gi*.na) *sf. Anat.* Na mulher, canal que vai do útero à vulva. ● **va.gi.***nal* a2g.
vaginismo (va.gi.*nis*.mo) *sm. Med.* Contração dolorosa da vagina durante o ato sexual.
vaginite (va.gi.*ni*.te) *sf. Pat.* Inflamação da vagina.
vagir (va.*gir*) *v. int.* Chorar (o recém-nascido). [▶ **58** vagir]
vago¹ (*va*.go) *a.* **1** Indefinido, impreciso (desejo *vago*). **2** Vagante, errante. **3** Instável, inconstante. ● **va.gue.za** sf.
vago² (*va*.go) *a.* Vazio ou disponível (posto *vago*, assentos *vagos*).
vagonete (va.go.*ne*.te) [ê] *sm.* Pequeno vagão.
vaguear (va.gue.*ar*) *v. int.* **1** Ver *vagar*¹. **2** Viver ociosamente; VAGABUNDAR. [▶ **13** vaguear]
vaia (*vai*.a) *sf.* Desaprovação manifestada por meio de gritos, assobios etc.; APUPO. [Ant.: *aplauso.*]
vaiar (vai.*ar*) *v. td.* Demonstrar desagrado por meio de gritos, assovios. [Ant.: *aplaudir.*] [▶ **1** vaiar]
vaidade (vai.*da*.de) *sf.* **1** Valorização exagerada dos próprios atributos; PRESUNÇÃO; IMODÉSTIA. **2** Preocupação com a própria aparência, por desejo de ser admirado. **3** Qualidade ou condição do que é vão, fútil, ilusório.
vaidoso (vai.*do*.so) [ô] *a.* Que ou quem os tem vaidade (1, 2). [Fem. e pl.: [ó].]
vaivém (vai.*vém*) *sm.* **1** Movimento de ir e vir, de um lado para outro: *o vaivém dos pedestres.* **2** *Fig.* Instabilidade, inconstância: *o vaivém da sorte.* [Pl.: *-véns.*]
vala (*va*.la) *sf.* Fosso comprido cavado no solo para escoamento de águas, instalação de encanamentos etc.
valado (va.*la*.do) *sm.* Vala rasa para proteger propriedade rural.
valdevinos (val.de.*vi*.nos) *sm2n.* Vadio, malandro.
vale¹ (*va*.le) *sm. Geog.* Depressão ou planície entre montanhas.
vale² (*va*.le) *sm.* **1** Cupom que dá direito a algum serviço; TÍQUETE. **2** Adiantamento de salário. **3** Comprovante de dívida, despesa, retirada de dinheiro etc.
vale-brinde (va.le-*brin*.de) *sm.* Papel impresso promocional que pode ser trocado por algum tipo de prêmio. [Pl.: *vales-brindes* e *vales-brinde*.]
valência (va.*lên*.ci.a) *sf. Quím.* Número que expressa a capacidade de ligação de um elemento com o hidrogênio.
valentão (va.len.*tão*) *a.sm.* Que ou quem é muito valente ou brigão. [Pl.: *-tões*.]
valente (va.*len*.te) *a2g.s2g.* Que ou quem tem valentia, coragem. [Ant.: *covarde*.]

valentia (va.len.*ti*.a) *sf.* Coragem, bravura. [Ant.: *covardia*.]
valer (va.*ler*) *v.* **1** Ser aceito, ter validade. [*int.: Esta moeda não vale mais.*] **2** Ter valor ou preço equivalente a. [*int.* (seguido de indicação de preço): *A casa vale 50 mil reais.*] **3** Ser aceitável, conveniente (para certo fim). [*int.: Tudo vale para passar de ano.*] **4** Ser merecedor. [*td.: Não vale o prato que come.*] **5** Ser útil (para alguém); SERVIR. [*ti. + a: O abono de férias vale bastante aos funcionários.*] **6** Acudir, socorrer. [*ti. + a: No sufoco, José sempre vale ao irmão.*] **7** Atrair, trazer, acarretar. [*tdi. + a: A malcriação valeu ao menino duas horas de castigo.*] **8** *Fig.* Ser bom, proveitoso. [*int.: Essa viagem valeu mesmo.*] **9** Fazer uso; UTILIZAR-SE. [*pr.: Valeu-se da influência paterna.*] [▶ **31** valer] ▦ A/Para ~ *Bras.* **1** Seriamente, verdadeiramente: *Esforçou-se a/para valer.* **2** Em grande quantidade: *No baile tinha gente a/para valer.* Valeu *Bras. Gír.* Obrigado.
vale-refeição (va.le-re.fei.*ção*) *sm.* Vale que o empregador fornece ao empregado, com valor preestabelecido, para ser us. na compra de refeições. [Pl.: *vales-refeições* e *vales-refeição*.]
valeriana (va.le.ri.*a*.na) *sf. Bot.* Planta que tem uso medicinal como sedativo.
valeta (va.*le*.ta) [ê] *sf.* Vala pequena.
valete (va.*le*.te) *sm.* Carta de baralho marcada com a letra J.
vale-transporte (va.le-trans.*por*.te) *sm.* Cupom fornecido pelo empregador ao empregado, us. para pagamento de transporte coletivo. [Pl.: *vales-transporte* e *vales-transportes*.]
valetudinário (va.le.tu.di.*ná*.ri:o) *a.sm.* Que ou quem tem saúde frágil.
vale-tudo (va.le-*tu*.do) *sm2n.* **1** Situação em que se recorre a qualquer meio ou expediente. **2** *Esp.* Modalidade de luta livre.
valhacouto (va.lha.*cou*.to) *sm.* Refúgio, esconderijo: *"...não era mais do que um sertão desconhecido, considerado como o valhacouto onde imperava o banditismo...."* (Cecília Meireles, *Questão de educação*).
valia (va.*li*.a) *sf.* Utilidade, préstimo, valor: *Nosso auxílio foi de grande valia para eles.*
validade (va.li.*da*.de) *sf.* **1** Qualidade ou condição do que é válido (1). **2** Período de validade (1).
validar (va.li.*dar*) *v. td.* Tornar válido; LEGITIMAR. [▶ **1** validar] ● **va.li.da.***ção* sf.; **va.li.da.vel** a2g.
valido (va.*li*.do) *a.sm.* Que ou quem conta com a proteção especial de alguém; FAVORITO: *"Fez-se seu valido e foi por ele mandado, com mais gente sua, servir na capital do império..."* (Alberto da Costa Silva, *A manilha e o libambo*). [Cf.: *válido*.]
válido (*vá*.li.do) *a.* **1** Que tem valor ou utilidade (documento *válido*, produto *válido*). **2** Correto, lícito (protesto *válido*). **3** Que tem saúde [Ant. ger.: *inválido*.] [Cf.: *valido*.] ● **va.li.***dez* sf.
valimento (va.li.*men*.to) *sm.* Prestígio, influência.
valioso (va.li:o.so) [ô] *a.* Que tem grande valor ou utilidade (colar *valioso*, lição *valiosa*). [Fem. e pl.: [ó].]
valise (va.*li*.se) *sf.* Pequena mala de mão. [NOTA: Trata-se de um galicismo incorporado na língua portuguesa há bastante tempo.]
valor (va.*lor*) [ô] *sm.* **1** Preço atribuído a algo: *o valor de um terreno.* **2** Utilidade, valia: *As ervas são de grande valor para a medicina.* **3** Importância, qualidade, mérito: *É inegável o valor desse artista.* **4** Validade, legitimidade: *documentos sem valor.* **5** Princípio ético (*valores* morais).
valorar (va.lo.*rar*) *v. td.* Atribuir valor a ou valor de; AVALIAR. [▶ **1** valorar] ● **va.lo.ra.***ção* sf.
valorizar (va.lo.ri.*zar*) *v.* **1** Dar valor ou importância a; CONSIDERAR. [*td.: Aprendeu a valorizar o esforço dos filhos.*] **2** Realçar o valor ou a beleza de. [*td.: Este penteado valoriza o seu rosto. pr.: Você precisa se valori-*

zar mais.] [▶ 1 valorizar] ● **va.lo.ri.za.ção** *sf.*; **va.lo.ri.za.do** *a.*; **va.lo.ri.zá.vel** *a2g.*
valoroso (va.lo.ro.so) [ô] *a.* **1** Valente, corajoso. **2** Valioso. [Fem. e pl.: [ó].]
valquíria (val.quí.ri.a) *sf. Mit.* Divindade da mitologia escandinava que escolhia os heróis que morreriam nos combates.
valsa (*val*.sa) *sf.* Modalidade de dança e música em compasso de três por quatro.
valsar (val.sar) *v. int.* Dançar valsa. [▶ 1 valsar] ● **val.sis.ta** *a2g.s2g.*
valva (*val*.va) *sf.* **1** *Zool.* Cada uma das peças que formam a concha dos moluscos. **2** *Anat.* Estrutura que faz com que os líquidos, no organismo, esp. sangue, escoem em um único sentido (valva aórtica). [*Valva* substituiu *válvula* na nova terminologia anatômica.]
válvula (*vál*.vu.la) *sf.* **1** Dispositivo que impede ou regula um fluxo de líquido, ar, vapor etc. **2** *Anat.* Ver *valva* (2). **3** *Eletrôn.* Ampola de vidro em cujo interior (a vácuo ou não) se controla um feixe de elétrons.
vampiro (vam.*pi*.ro) *sm.* **1** Em história fantástica, morto que sai do caixão à noite para sugar o sangue dos vivos. [Fem. irreg.: *vampiresa*.] **2** *Zool.* Morcego que suga o sangue de aves e mamíferos. **3** *Fig.* Pessoa que tem por hábito explorar os mais humildes ou desavisados em proveito próprio. ● **vam.pi.res.co** *a.*; **vam.pi.ris.mo** *sm.*
⊕ **van** (*Ing.* /*vén*/) *sf.* Caminhonete ou perua us. para transporte coletivo de um pequeno número de passageiros.
vândalo (*vân*.da.lo) *a.sm.* Que ou quem destrói bens públicos ou particulares. ● **van.dá.li.co** *a.*; **van.da.lis.mo** *sm.*
vanglória (van.gló.ri.a) *sf.* Presunção, vaidade, imodéstia.
vangloriar (van.glo.ri.*ar*) *v.* Ressaltar mérito (de alguém ou de si mesmo); GABAR(-SE). [*td.*: *Vangloriava o filho por suas notas.* *pr.*: *Vangloriava-se da própria elegância.*] [▶ 1 vangloriar] ● **van.glo.ri.o.so** *a.*
vanguarda (van.*guar*.da) *sf.* **1** Frente, dianteira: *a vanguarda do exército.* [Ant. *retaguarda*.] **2** *Art.Pl. Liter.* Movimento, ger. artístico, que propõe ideias novas, avançadas. ● **van.guar.dei.ro** *a.sm.*; **van.guar.dis.mo** *sm.*; **van.guar.dis.ta** *a2g.s2g.*
vantagem (van.*ta*.gem) *sf.* **1** Benefício, proveito: *As vantagens do esporte.* **2** Superioridade, primazia: *Sua força lhe dá vantagem sobre o adversário.* **3** *Esp.* No tênis, situação de jogador que marca um ponto após empate e fica a um ponto de ganhar o *game*. [Pl.: *-gens*.] ▬ **Contar** ~ Gabar-se de suas qualidades e/ou posses (reais ou não).
vantajoso (van.ta.*jo*.so) [ô] *a.* **1** Que proporciona vantagem; PROVEITOSO: *Propôs-lhe condições vantajosas.* **2** Que dá lucro; LUCRATIVO: *Foi um investimento vantajoso.* [Fem. e pl.: [ó].]
vante (*van*.te) *sf. Náut.* A parte da frente do navio; PROA.
vão (v.) *a.* **1** Inútil, frustrado (tentativas *vãs*). **2** Falso, enganador (promessas *vãs*). [Fem.: *vã.* Superl.: *vaníssimo*.] *sm.* **3** Espaço vazio entre dois pontos ou dois apoios: *o vão da ponte.* [Pl.: *vãos*.] ▬ **Em** ~ Inutilmente.
vapor (va.*por*) [ô] *sm.* Nuvem de partículas resultante da conversão de um líquido ou sólido à forma gasosa. ▬ **A todo** ~ Com todo o ímpeto, toda a energia.
vaporar (va.po.*rar*) *v. int. pr.* Evaporar-se. [▶ 1 vaporar]
vaporizar (va.po.ri.*zar*) *v.* **1** Transformar(-se) em vapor; VAPORIZAR(-SE). [*td. pr.*] **2** Respingar (líquido) em gotas; BORRIFAR. [*td.*] [▶ 1 vaporizar] ● **va.po.ri.za.ção** *sf.*; **va.po.ri.za.do** *a.*; **va.po.ri.za.dor** *a.sm.*
vaporoso (va.po.ro.so) [ô] *a.* **1** *Fig.* Que tem leveza e transparência (tecido *vaporoso*). **2** Que contém ou exala vapores. [Fem. e pl.: [ó].] ● **va.po.ro.si.da.de** *sf.*
vapt-vupt (vapt-*vupt*) *interj.* **1** Exprime ação rápida. *adv.* **2** Rapidamente.
vaqueiro (va.*quei*.ro) *sm.* Pessoa que guarda, pastoreia e cuida de gado vacum; BOIADEIRO. ● **va.quei.ra.da** *sf.*; **va.quei.rar** *v.*
vaquejada (va.que.*ja*.da) *sf. Bras.* **1** Competição de vaqueiros. **2** Ação de reunir o gado espalhado.
vaqueta (va.*que*.ta) [ê] *sf.* Couro fino e macio.
vaquinha (va.*qui*.nha) *sf.* **1** *Bras. Pop.* Coleta de dinheiro entre várias pessoas para algum fim. [Ger. us. na expr. "fazer uma vaquinha".] **2** Vaca pequena.
vara (*va*.ra) *sf.* **1** Galho reto, comprido e flexível: *vara de bambu.* **2** Haste de madeira ou outro material: *vara de pescar*; *salto com vara.* **3** *Jur.* Órgão público do Judiciário, jurisdição (*vara* criminal). **4** Manada de porcos. [Nas acps. 1 e 2 aum.: *varejão*; dim.: *vareta*.] ▬ **Tremer como ~ verde** Ter muito medo.
varado (va.*ra*.do) *a.* **1** Que foi perfurado ou atravessado de lado a lado; TRESPASSADO. **2** Diz-se de embarcação marítima encalhada na praia. **3** Com excesso; com muito (sentimento, sensação): *varado de medo/de fome/de raiva.*
varal (va.*ral*) *sm.* Corda ou fio onde se penduram roupas para secar. [Pl.: *-rais*.]
varanda (va.*ran*.da) *sf.* **1** *Arq.* Plataforma que avança da fachada de um edifício. **2** *Arq.* Prolongamento de uma casa, sem paredes externas. **3** *N. MA* Sala de jantar.
varão (va.*rão*) *a.sm.* **1** Que é um homem do sexo masculino (neto *varão*). [Pl.: *-rões*.] [Var de *barão*.]
varapau (va.ra.*pau*) *sm.* **1** *Bras. Pop.* Pessoa muito alta e magra. **2** Peça de madeira comprida.
varar (va.*rar*) *v.* **1** Passar através de; TRANSPASSAR; PERFURAR. [*td.*: *O tiro varou a parede.*] **2** Passar (tempo). [*td.*: *Varou a tarde dormindo.*] **3** Entrar em ou atravessar com determinação. [*td.*: *Varou a cidade a pé. int.* (seguido de indicação de lugar): *O noivo nervoso varou pela sacristia.*] [▶ 1 varar]
varelo (va.*rei*.o) *sm. RS* **1** Delírio. **2** Susto.
varejão (va.re.*jão*) *sm.* **1** Aum. de *vara* (1 e 2). **2** *Bras.* Grande estabelecimento de vendas a varejo. [Pl.: *-jões*.]
varejar (va.re.*jar*) *v. td.* **1** Procurar com atenção em; REVISTAR. **2** Derrubar ou sacudir com vara. **3** *Bras.* Atirar (algum objeto) com força: *Com medo, varejou o sapato em cima da barata.* [▶ 1 varejar] ● **va.re.ja.dor** *a.sm.*; **va.re.ja.du.ra** *sf.*; **va.re.ja.men.to** *sm.*
varejeira (va.re.*jei*.ra) *sf. Zool.* F. red. de *mosca-varejeira*.
varejista (va.re.*jis*.ta) *a2g.s2g. Com.* **1** Que ou quem vende a varejo (negociante *varejista*). *a2g.* **2** Ref. ou próprio da comercialização a varejo. [Ant.: *atacadista*.]
varejo (va.*re*.jo) [ê] *sm.* **1** *Com.* Comércio de produtos em pequena escala, sem intermediários. [Ant.: *atacado*.] **2** Inspeção sanitária e fiscal em estabelecimento comercial. ▬ **A** ~ Em pequena(s) quantidade(s) e/ou porções.
vareta (va.*re*.ta) [ê] *sf.* Dim. de *vara* (1 e 2).
vargedo (var.*ge*.do) [ê] *sm.* **1** Sequência de vargens. **2** *SP* Vargem muito extensa.
vargem (*var*.gem) *sf.* Ver *várzea*. [Pl.: *-gens*.]
variado (va.ri.*a*.do) *a.* **1** Que se mostra de inúmeras formas ou modos (roupas *variadas*, comida *variada*); VARIEGADO. **2** Que não é ou não se mostra estável: *Tem um humor variado.* **3** Que denota perturbação mental: *Esse menino é variado desde que nasceu.*
variante (va.ri.*an*.te) *sf.* **1** Aquilo que difere ligeiramente de outra coisa us. com referência: *Não há vacina para esta variante do vírus.* **2** Estrada ou percurso alternativo para determinado destino. **3**

variar | vasto

Gram. Forma alternativa de uma palavra (p.ex: *louro/loiro*). *a2g.* **4** Que varia.

variar (va.ri.*ar*) *v.* **1** Tornar ou ser diverso; DIVERSIFICAR. [*td.:* variar *o cardápio.* *int.:* Mesmo entre irmãos, os gostos variam.] **2** Ser instável em; MUDAR. [*ti.* + *em: Ela* varia *em suas opiniões.* *int.:* O humor dessa secretária varia *muito.*] **3** Escolher (algo) diferente; TROCAR. [*ti.* + *de:* variar *de roupa.* *int.:* Queria variar, *conhecer outros lugares.*] **4** Sofrer variação; OSCILAR. [*int.* (seguido de indicação de limites): *O preço* varia *de dez a 12 reais.*] **5** Falar ou cometer desvarios; DELIRAR; ENLOUQUECER. [*int.:* O doente variava *por causa da febre.*] **6** *Gram.* Sofrer variação gramatical; FLEXIONAR-SE. [*int./ti.* + *em: Há substantivos que não* variam *(em número).*] [▶ **1** variar] ● **va.ri:a.ção** *sf.*

variável (va.ri:*á*.vel) *a2g.* **1** Que varia ou pode variar (clima variável). **2** *Gram.* Que se flexiona (diz-se de verbo, substantivo etc.). *sf.* **3** Aquilo que varia: *Um ponteiro é uma* variável. **4** *Mat.* Termo que pode ser substituído por outros numa função ou relação. [Pl.: *-veis.*] ● **va.ri:a.bi.li.da.de** *sf.*

varicela (va.ri.*ce*.la) *sf. Med.* Ver *catapora.*

varicocele (va.ri.co.*ce*.le) *sf. Pat.* Qualquer tumor causado pela dilatação de veias.

varicoso (va.ri.*co*.so) [ó] *a. Med.* Com varizes (pernas varicosas). [Fem. e pl.: [ó].]

variedade (va.ri.e.*da*.de) *sf.* **1** Qualidade do que apresenta muitas formas, tipos etc.: *a* variedade *da fauna brasileira.* **2** Conjunto de coisas numerosas e diversas entre si: *Coletou uma* variedade *de ervas.* **3** Cada uma dessas coisas separadamente: *Achou uma* variedade *rara de orquídea.* ◨ **variedades** *sfpl.* **4** *Teat. Telv.* Assuntos ou atrações diferenciadas esp. em programas televisivos, espetáculo etc.

variegado (va.ri:e.*ga*.do) *a.* **1** Ver *variado* (1). **2** Que apresenta variadas tonalidades de cores; *quadro de cores* variegados. ● **va.ri:e.gar** *v.*

vário (*vá*.ri:o) *a.* **1** Variado: *paisagem colorida e* vária. **2** Diferente: *Depois de formados, seguirão destino* vário. **3** Indefinido, inconstante (personalidade vária). [Mais us. depois do substantivo.] ◨ **vários** *pr.indef.* **4** Diversos, muitos: *Conheci* vários *de seus amigos.*

varíola (va.*rí*:o.la) *sf. Med.* Doença contagiosa causada por vírus, que provoca febre, dores e lesões na pele. ● **va.ri:ó.li.co** *a.;* **va.ri:o.*lo*.so** *a.*

variz (va.*riz*) *sf. Med.* Dilatação anormal e deformada de vasos e veias, que dificulta a circulação. [Mais us. no pl.: *varizes.*]

varonia (va.ro.*ni*.a) *sf.* **1** Masculinidade: *Vive alardeando sua* varonia. **2** Descendência paterna: "... descende dos Gerais, por varonia." (João Guimarães Rosa, *Noites do sertão*).

varonil (va.ro.*nil*) *a2g.* **1** Que apresenta características ou tipo físico tidos como fortemente masculinos (guerreiro varonil); MÁSCULO; VIRIL. **2** Heroico. [Pl.: *-nis.*] ● **va.ro.ni.li.da.de** *sf.*

varredura (var.re.*du*.ra) *sf.* **1** Ação ou resultado de varrer. **2** Exploração ou busca minuciosa; RASTREAMENTO: *O programa faz a* varredura *automática pela internet.* **3** *Eletrôn. Inf. Telv.* Processo pelo qual um feixe de partículas percorre uma tela, tubo etc., para formar uma imagem através da soma das imagens de cada ponto percorrido.

varrer (var.*rer*) *v.* **1** Limpar (algum lugar) ou remover (sujeira) com vassoura. [*td./ins.: Luzia detesta* varrer *(a quintal).*] **2** Destruir, devastar. [*td.: As labaredas* varriam *o matagal.*] **3** *Fig.* Esvaziar, limpar. [*td.: Os bandidos* varreram *o cofre.* *tdi.* + *de:* Varreu *a cabeça de preocupações.*] **4** *Fig.* Dispersar, expulsar. [*td.* (seguido ou não de indicação de lugar): Varreu *a molecada (da varanda).*] **5** *Fig.* Fazer busca em; RASTREAR; ESQUADRINHAR. [*td.: A polícia* varreu *o galpão em busca de provas.*] **6** Fazer varredura (3). [*td.*][▶ **2** varrer] ● **var.re.dor** *a.sm.*

varrido (var.*ri*.do) *a.* **1** Limpo com vassoura. **2** *Fig.* Que perdeu o juízo. **3** Completo, total (diz-se de doido). [Part. de *varrer.*]

várzea (*vár*.ze:a) *sf.* **1** Planície extensa. **2** Área plana ocupada com plantação; VEIGA. **3** Terreno plano em margem de rio; VALE. [Sin. ger.: *vargem.*] ● **var.zi:a.no** *a.sm.*

vasa (*va*.sa) *sf.* **1** Lama fina que se acumula em fundo de mares e rios; LODO; LIMO. **2** *Fig. Pej.* Gente baixa, desprezível; ESCÓRIA. [At! Considerado ofensivo nesta acepção.]

vasca (*vas*.ca) *sf.* **1** Agitação forte, convulsiva: *A* vasca *da loucura o tomou.* **2** Respiração ofegante anterior ao momento da morte; ESTERTOR.

vascolejar (vas.co.le.*jar*) *v. td.* Agitar, chocalhar, sacudir. [▶ **1** vascolejar] ● **vas.co.le.ja.dor** *a.sm.*

vascular (vas.cu.*lar*) *a2g. Anat.* Ref. a vaso sanguíneo ou linfático.

vascularidade (vas.cu.la.ri.*da*.de) *sf. Anat.* Presença, em maior ou menor escala, de vasos sanguíneos e linfáticos.

vascularização (vas.cu.la.ri.za.*ção*) *sf. Anat.* Irrigação sanguínea. **2** Formação, multiplicação ou distribuição de vasos sanguíneos. [Pl.: *-ções.*] ● **vas.cu.la.ri.zar** *v.*

vasculhador (vas.cu.lha.*dor*) [ó] *sm.* Vassoura de cabo longo própria para limpar tetos; VASCULHO.

vasculhar (vas.cu.*lhar*) *v. td.* Procurar com atenção em (algo); ESQUADRINHAR; INVESTIGAR. [▶ **1** vasculhar]

vasculho (vas.*cu*.lho) *sm.* Ver *vasculhador.*

vasectomia (va.sec.to.*mi*.a) *sf. Med.* Cirurgia para esterilização masculina.

vaselina (va.se.*li*.na) *sf.* **1** Substância viscosa e incolor, us. no preparo de medicamentos. **2** *Bras. Pop.* Pessoa cheia de lábia, que adapta suas opiniões e atitudes conforme a conveniência.

vasilha (va.*si*.lha) *sf.* **1** Recipiente para líquidos. **2** Recipiente para guardar alimentos. [Sin. ger.: *vasilhame.*]

vasilhame (va.si.*lha*.me) *sm.* **1** Ver *vasilha.*

vaso (*va*.so) *sm.* **1** Qualquer peça côncava, de materiais variados, destinada a conter sólidos ou líquidos; RECIPIENTE. **2** Recipiente próprio para plantas de pequeno ou médio porte. **3** *Anat.* Canal ou tubo condutor de líquidos num organismo (vaso sanguíneo/linfático). **4** ~ **sanitário** Latrina, privada.

vasoconstrição (va.so.cons.tri.*ção*) *sf. Fisiol.* Estreitamento de vasos sanguíneos. [Ant.: *vasodilatação.*] Pl.: *-ções.*] ● **va.so.cons.tri.tor** *a.sm.*

vasodilatação (va.so.di.la.ta.*ção*) *sf. Fisiol.* Alargamento de vasos sanguíneos. [Ant.: *vasoconstrição.*] [Pl.: *-ções.*] ● **va.so.di.la.ta.dor** *a.sm.*

vasomotor (va.so.mo.*tor*) *a. Fisiol.* Ref. a dilatação ou estreitamento de vasos sanguíneos (mecanismo vasomotor).

vassalagem (vas.sa.*la*.gem) *sf.* **1** Condição de vassalo (1). **2** Tributo pago pelo vassalo ao senhor feudal. **3** O conjunto dos vassalos. **4** *Fig.* Estado de subordinação; SUJEIÇÃO; SUBMISSÃO. [Pl.: *-gens.*]

vassalo (vas.*sa*.lo) *sm.* **1** *Hist.* Na Idade Média, aquele que estava submetido a um senhor feudal por juramento de fé. *a.sm.* **2** *Fig.* Que ou quem é dependente ou submisso a algo ou alguém; SUBORDINADO.

vassoura (vas.*sou*.ra) *sf.* Utensílio próprio para varrer, provido de um cabo longo com pelos ou fibras numa das pontas. ● **vas.sou.rar** *v.*

vassourada (vas.sou.*ra*.da) *sf.* **1** Golpe dado com vassoura. **2** Limpeza com vassoura.

vassoureiro (vas.sou.*rei*.ro) *sm.* Fabricante ou vendedor de vassouras.

vasto (*vas*.to) *a.* **1** Amplo, espaçoso, extenso (área vasta). **2** De tamanho ou importância considerável (vasto saber). **3** Volumoso (vasta cabeleira, copa vasta). • **vas.ti.dão** sf.

vatapá (va.ta.*pá*) sm. *Cul.* Prato baiano que mistura camarão seco, peixe, leite de coco, dendê, castanha de caju e condimentos numa massa pastosa à base de pão amolecido.

vate (*va*.te) s2g. **1** Quem adivinha o futuro; PROFETA. **2** Escritor de poesia; POETA.

vaticano (va.ti.*ca*.no) a. **1** Ref. ou pertencente ao Vaticano, palácio e Estado soberanos, chefiados pelo Papa (ordem vaticana). ❏ **Vaticano** sm. **2** Palácio e Estado onde vive o Papa.

vaticinar (va.ti.ci.*nar*) v. Predizer, profetizar. [*tdi.* + *a*: *A cartomante sempre vaticinava aos clientes riqueza.*] [*td.*: *Vaticinou o fim da guerra.*] [▶ **1** vaticin**ar**] • **va.ti.ci.na.dor** a.sm.

vaticínio (va.ti.*ci*.ni:o) sm. **1** Adivinhação do futuro; PROFECIA; PREDIÇÃO. **2** Previsão baseada em indícios; PROGNÓSTICO.

vau (*vau*) sm. Área rasa em lagoa, rio ou mar, por onde se pode passar a pé.

vaza (*va*.za) sf. **1** O conjunto das cartas que, jogadas lance a lance, são recolhidas de uma vez pelo ganhador. **2** Vazante: *a vaza da maré*.

vazado (va.*za*.do) a. **1** Que se vazou; diz-se tb. de goleiro ou defesa que sofreu gols: *a defesa menos vazada do campeonato*. **2** *Tip.* Diz-se de espaço vazio (não impresso, não preenchido de material etc.) com determinado formato, num contexto cheio (impresso, algum material): *letras vazadas num fundo azul*; *círculos vazados na chapa de aço*. sm. **3** A parte oca ou vazia de algo: *Cobriu com uma cortina o vazado da divisória.* [Part. de *vazar*.]

vazadouro (va.za.*dou*.ro) sm. Local onde líquidos ou detritos são despejados.

vazamento (va.za.*men*.to) sm. **1** Ação ou resultado de vazar; VAZÃO. **2** Local ou orifício por onde um líquido ou gás vazam: *O bombeiro não achou o vazamento.* **3** O líquido vazado: *Foi enorme a quantidade de vazamento.* **4** *Fig.* Divulgação indevida de informação sigilosa ou confidencial: *O vazamento dos nomes acabou com nossa estratégia.*

vazante (va.*zan*.te) a2g. **1** Que vaza (gás vazante). sf. **2** Período de baixa no nível das águas de rio ou mar. [Ant. nesta acp.: *cheia*.]

vazão (va.*zão*) sf. **1** Ação ou resultado de vazar; VAZAMENTO. **2** Deslocamento rumo a saída; ESCOAMENTO. *A porta estreita dificultava a vazão do público.* **3** *Fig.* Movimento do produto do vendedor ao consumidor; SAÍDA: *O estoque era suficiente para a vazão das mercadorias.* [Pl.: -*zões*.] ❙❙ **Dar ~ a** Conseguir atender; dar conta de: *Não conseguia dar vazão às encomendas.*

vazar (va.*zar*) v. **1** Deixar sair ou sair aos poucos (esp. líquido). [*int.*: *A moringa está vazando.*] **2** Esvaziar. [*td.*: *Vazaram o açude.*] **3** *Fig.* Vir a público (informação sigilosa). [*int./ti.* + *para*: *A venda da companhia vazou (para a imprensa).*] **4** Furar, varar. [*td.*: *A estocada vazou a proteção do esgrimista.*] **5** Baixar (a maré). [*int.*] **6** Desaguar. [*int.* (seguido de indicação de lugar): *O rio Pomba vaza no Paraíba do Sul.*] **7** Criar (figura, letra etc.) em fundo impresso ou em material, abrindo nestes espaços vazios no formato daqueles. [*td.*] **8** Dar forma a (material fundido) em molde. [*td.*] [▶ **1** vaz**ar**] • **va.za.dor** a.sm.; **va.za.du.ra** sf.

vazio (va.*zi*:o) a. **1** Que não contém nada ou quase nada. **2** Desocupado ou desabitado (casa vazia). **3** Privado ou destituído de algo (bolso vazio). **4** *Fig.* Sem fundamento ou substância: *Seu discurso vazio não empolgou.* sm. **5** Espaço sem nada; LACUNA; VÃO. • **va.zi.ar** v.

veadeiro (ve:a.*dei*.ro) sm. **1** Caçador de veados. **2** *Bras.* Cão treinado para caçar veados.

veado (ve:*a*.do) sm. **1** *Zool.* Mamífero ruminante, veloz, de chifres simples ou ramificados; CERVO. **2** *Bras. Tabu.* Homem homossexual. [At! Considerado depreciativo ou preconceituoso nesta acepção.] • **ve:a.da.gem** sf.

VEADO (1)

vedação (ve.da.*ção*) sf. **1** Ação ou resultado de vedar. **2** Objeto us. para vedar, estancar (algo). **3** Estrutura que cerca ou fecha uma área; TAPUME; CERCA. [Pl.: -*ções*.]

vedar (ve.*dar*) v. **1** Impedir a passagem de ar, líquido, ruído por. [*td.*: *vedar as frestas da janela.*] **2** Obstruir a saída de (algo). [*td.*] **3** *Fig.* Proibir (algo) (a alguém). [*td./td.* + *a*: *Vedaram (aos alunos) a saída antes do horário.*] [▶ **1** ved**ar**] • **ve.da.do** a.

vedeta (ve.*de*.ta) [ê] sf. **1** Guarita em locais altos; VIGIA.

vedete (ve.*de*.te) [é] sf. **1** A atriz principal de teatro de revista. **2** *Pej.* Quem se sobressai ou faz questão de aparecer.

vedetismo (ve.de.*tis*.mo) sm. Comportamento ou atitude de vedete (2); ESTRELISMO.

veemente (ve.e.*men*.te) a2g. **1** Que se expressa com ênfase, vigor (declaração veemente). **2** Muito forte, intenso (sensação veemente). • **ve.e.mên.ci.a** sf.

vegetação (ve.ge.ta.*ção*) sf. *Bot.* Conjunto de plantas de certa área, adaptadas aos fatores ambientais locais. [Pl.: -*ções*.]

vegetal (ve.ge.*tal*) a2g. *Bot.* Pertencente, próprio ou procedente de plantas (variedade vegetal, carvão vegetal). sm. **2** Ser vivo não animal, ger. dotado de clorofila e fixo ao chão; PLANTA. [Pl.: -*tais*.]

📖 Em seu sentido mais genérico, o termo 'vegetal' refere-se a toda uma divisão da natureza, composta por seres vivos (assim como os animais, e diferentemente dos minerais). Apesar da evidente e intuitiva diferença entre as características de animais e vegetais, não há uma diferenciação 'dominante' entre todas as espécies de um e outro grupo, mas possíveis combinações de diferenças funcionais entre espécies dos dois grupos, como a presença de clorofila e celulose nos vegetais, as diferenças no conceito de mobilidade, no tipo de metabolismo etc. As maiores diferenças notam-se nos níveis superiores desses reinos, como o nível de 'consciência', de 'vontade' e de 'sensibilidade' perceptíveis nos animais. É grande a importância vital dos vegetais para a vida animal, como sintetizadores de matéria orgânica (ver *fotossíntese*), ou seja, de alimento.

vegetar (ve.ge.*tar*) v. *int. Fig.* **1** Viver apenas do corpo, sem atividade mental. **2** Viver sem atividade, sem motivação. [▶ **1** veget**ar**] • **ve.ge.*tan*.te** a2g.

vegetariano (ve.ge.ta.ri:*a*.no) a.sm. **1** Que ou o que só come vegetais ou alimentos de origem vegetal. *a.* **2** Ref. a esse tipo de alimentação (dieta vegetariana). • **ve.ge.ta.ri:a.***nis*.mo sm.

vegetativo (ve.ge.ta.*ti*.vo) a. **1** *Bot.* Ref. ao crescimento e nutrição em plantas e animais (desenvolvimento vegetativo). **2** *Bot.* Diz-se de qualquer das funções vegetais exceto as reprodutivas. **3** *Fisiol.* Diz-se de atividades orgânicas que ocorrem involuntariamente (funções vegetativas). **4** *Fig.* Sem atividade consciente: *Depois do acidente seu estado é vegetativo.*

vegetomineral (ve.ge.to.mi.ne.*ral*) a2g. Composto por substâncias de origem vegetal e mineral. [Pl.: -*rais*.]

veia (*vei*.a) *sf.* **1** *Anat.* Vaso que conduz o sangue no sentido do coração. **2** *Fig.* Propensão ou habilidade natural; VOCAÇÃO: *Sua veia literária se manifestou na infância.* **3** *Bot.* Nervura das folhas. **4** *Geol.* Pequeno veio na rocha.

veicular¹ (ve:i.cu.*lar*) *a2g.* Ref. a ou próprio de veículo.

veicular² (ve:i.cu.*lar*) *v. td.* Propagar, espalhar, difundir: *veicular anúncios/boatos.* [▶ 1 veicul[ar] ● ve:i.cu.la.*ção* sf.; ve:i.cu.la.do a.; ve:i.cu.la.*dor* a.sm.

veículo (ve.*í*.cu.lo) *sm.* **1** Qualquer meio capaz de conduzir ou transportar pessoas, cargas etc. **2** Automóvel. **3** Meio que conduz, propaga ou difunde algo: *A TV é um grande veículo de comunicação.*

veiga (*vei*.ga) *sf.* Campo extenso e cultivado; VÁRZEA (2).

veio (*vei*.o) *sm.* **1** *Geol.* Faixa da mina onde se encontra o minério; FILÃO. **2** *Geol.* Depósito mineral que preenche uma fenda de rocha. **3** Qualquer fenda, risco ou marca estriada: *O vaso tinha veios bonitos.* **4** Riacho bem pequeno; REGATO.

vela¹ (ve.*la*) *sf.* **1** Peça de pano ou náilon que, inflada pelo vento, impulsiona uma embarcação. **2** Embarcação assim movida.

vela² (ve.*la*) *sf.* **1** Peça ger. de cera que, provida de pavio, serve para iluminar; CÍRIO. **2** Peça de material poroso, us. em filtros para purificar a água. **3** Peça que causa a ignição em motor a explosão. ▪ **Acender uma ~ a Deus e outra ao Diabo** Procurar agradar dois adversários, seguir duas ideias opostas etc., simultaneamente. **Segurar ~** Acompanhar casal, ou par de namorados.

velame (ve.*la*.me) *sm.* **1** Conjunto das velas de um barco ou navio. **2** *Fig.* Aquilo que disfarça ou mascara.

velar¹ (ve.*lar*) *a2g.* Ref. a véu palatino ou a sons formados nessa região da boca (consoante *velar*).

velar² (ve.*lar*) *v.* **1** Esconder(-se), ocultar(-se), dissimular. [*td.* velar a emoção. *pr.: Velou-se, para não ser reconhecido.*] **2** *Cin. Fot.* Expor(-se) completamente (filme) à luminosidade excessiva, prejudicando ou impedindo a formação de imagem. [*pr.*] [*int.*] **3** *Fig.* Colocar-se protegido de; PRECAVER-SE. [*pr.*] [▶ 1 vel[ar] ● ve.la.*do* a.; ve.la.*dor* a.sm.; ve.la.*men*.to sm.

velar³ (ve.*lar*) *v.* **1** Ficar acordado ao lado de (alguém). [*td.: velar a doente.*] **2** Cuidar de; ZELAR. [*td./ ti.* + *por: Vela (por) seus familiares.*] [*td.: descuidar.*] **3** Ficar acordado durante (um tempo) [*td.: A viúva velava as noites, revivendo o passado.* *int.: Enquanto a casa adormecia, ele velava.*] [Ant. nesta acp.: *dormir.*] [▶ 1 vel[ar]

velcro® (*vel*.cro) *sm.* Par de fitas aderentes uma à outra us. como fecho em roupas, bolsas etc. [A marca registrada, com inicial maiúsc.]

veleidade (ve.lei.*da*.de) *sf.* **1** Atitude ou vontade volúvel, passageira; LEVIANDADE: *Quem trai por veleidade se arrepende.* **2** Demonstração de pretensão ou vaidade; PRESUNÇÃO: *Teve a veleidade de se dizer artista.* **3** Atitude ou ideia fantasiosa, excêntrica; CAPRICHO: *veleidades da juventude.*

veleiro (ve.*lei*.ro) *sm.* **1** Embarcação à vela. **2** Quem faz velas de navio.

velejar (ve.le.*jar*) *v.* **1** Navegar em veleiro. [*int.* (seguido ou não de indicação de lugar): *Gosta de velejar (pela costa).*] **2** Percorrer velejando (1). [*td.: velejar os mares.*] [▶ 1 velej[ar] ● ve.le.ja.*dor* a.sm.

velha (ve.lha) *sf.* **1** Mulher idosa. **2** Mãe.

velhaco (ve.*lha*.co) *a.sm.* **1** Que ou quem engana, trapaceia; PATIFE: "...e o advogado da firma, um bocado *velhaco*, tivera de se virar para provar que o broto dava sopa!" (Marques Rebelo, *Contos reunidos*). **2** Que ou quem é libertino, devasso. ● ve.lha.ca.*da* sf.; ve.lha. ca.*gem* sf.; ve.lha.ca.*ri*.a sf.

velhada (ve.*lha*.da) *sf.* **1** Comportamento ou fala própria de velhos. **2** *Pej.* O conjunto dos velhos.

velha-guarda (ve.lha-*guar*.da) *sf.* **1** Grupo dos componentes mais antigos de uma escola de samba: *velha-guarda da Mangueira.* **2** Grupo dos representantes mais antigos em qualquer área de atividade: *A velha-guarda do partido aprovou as medidas.* [Pl.: *velhas-guardas.*]

velharia (ve.lha.*ri*.a) *sf.* **1** Qualquer ato ou costume próprio de velhos. **2** Objeto velho, imprestável; TRASTE. **3** Tudo que é considerado antiquado, ultrapassado: *Chapéu de homem é velharia.*

velhice (ve.*lhi*.ce) *sf.* **1** Fase da vida depois da maturidade: *Chegou à velhice com a saúde perfeita.* **2** Condição ou estado de velho: *Ele já dava sinais de velhice.* **3** Condição ou estado do que é antigo: *a velhice de um imóvel.*

velhinho (ve.*lhi*.nho) *sm.* Ver *velhote* (1).

velho (ve.lho) *a.sm.* **1** Que ou quem tem muita idade; IDOSO. **a.** **2** Que existe há muito tempo; ANTIGO (móvel *velho*). **3** Muito usado, gasto; DETERIORADO: *A roupa está velha e surrada.* **4** Que está ultrapassado, em desuso; ANTIQUADO; OBSOLETO: *Encostou os velhos equipamentos.* **5** Diz-se de pessoa que se conhece ou que é conhecida há muito tempo: *um velho amigo/comediante.* [Dim.: *velhote, velhusco* e *velhustro.*]

velhote (ve.*lho*.te) *a.sm.* **1** Que ou aquele que está muito velho; VELHINHO. **2** Dim. de *velho.* *sm.* **3** Velho com boa disposição: *Tornou-se um velhote animado.* [Fem.: *velhota.*]

velhusco (ve.*lhus*.co) *a.sm.* **1** Que ou aquele que está bastante velho; VELHINHO. **2** Dim. de *velho.*

velo (*ve*.lo) [é] *sm.* **1** A lã do carneiro, ovelha ou cordeiro. **2** A pele do gado ovino ainda coberta com sua lã. ● **ve.lo.ci.no** sm.

velocidade (ve.lo.ci.*da*.de) *sf.* **1** Relação entre espaço percorrido e tempo de percurso: *Correu a uma velocidade de 80km/h.* **2** Qualidade do que é veloz, ligeiro; RAPIDEZ: *Seu maior trunfo é a velocidade.* **3** *Fot.* Tempo em que o filme fica exposto à luz durante a foto.

velocímetro (ve.lo.*cí*.me.tro) *sm.* Aparelho medidor da velocidade em veículos.

velocípede (ve.lo.*cí*.pe.de) *sm.* Triciclo para crianças.

velocista (ve.lo.*cis*.ta) *s2g.* Atleta especializado em corridas de velocidade.

velódromo (ve.*ló*.dro.mo) *sm.* Local com pista para corridas de bicicletas.

velório (ve.*ló*.ri.o) *sm.* *Bras.* Encontro de pessoas para velar o corpo de um morto, antes do enterro.

veloso (ve.*lo*.so) [ô] *a.* **1** Que tem o corpo coberto de lã; LANOSO. **2** Que tem muitos pelos. [Fem. e pl.: [ó].]

veloz (ve.*loz*) *a2g.* **1** Que se desloca em alta velocidade; RÁPIDO. **2** Que é ágil, ligeiro. [Superl.: *velocíssimo.*]

veludo (ve.*lu*.do) *sm.* Certo tecido com um lado liso e o outro com pelos curtos.

venal¹ (ve.*nal*) *a2g.* **1** Que se pode vender; VENDÁVEL. [Ant.: *invendável.*] **2** Ref. a vendas: *mercadoria de alto valor venal.* **3** *Fig.* Que aceita suborno; CORRUPTO. [Ant.: *íntegro.*] [Pl.: *-nais.*]

venal² (ve.*nal*) *a2g.* Venoso. [Pl.: *-nais.*]

venatório (ve.na.*tó*.ri.o) *a2g.* Ref. a caça (equipamento *venatório*).

vencedor (ven.ce.*dor*) [ô] *a.sm.* **1** Que ou aquele que vence ou venceu. **a.** **2** Pessoa que passou por dificuldades, mas conseguiu superá-las: *Nasceu órfão de pai e pobre, e conseguiu ser um vencedor.*

vencer (ven.*cer*) *v.* **1** Obter vitória sobre (outro) ou em (guerra, concorrência, disputa); SOBREPUJAR; DERROTAR. [*td.: vencer adversários/as eleições.* *tdi.* + *em: Venceu o alemão no boxe.* *int.: Meu time tem que vencer.*] [Ant.: *perder.*] **2** Ter a data limite para pagamento. [*int.: A promissória vence amanhã.*] **3** Terminar,

encerrar (prazo). [*int*.] **4** *Fig*. Ser mais forte que; DOMINAR. [*td*.: *vencer a preguiça*.] **5** Transpor (distância, barreira, obstáculo). [*td*.: *Finalmente venceram suas diferenças*.] [▶ **33** ven‌cer • ven.*ci*.do *a*.; ven.*cí*.vel *a2g*.

vencimento (ven.ci.*men*.to) *sm*. **1** Ação ou resultado de vencer (2 e 3); de um prazo se esgotar. **2** A data em que esse fato ocorre. **3** Fim da validade de um documento, contrato etc. **4** Ver *salário*. [Nesta acp., mais us. no pl.]

venda¹ (*ven*.da) *sf*. **1** Ação ou resultado de vender (1) algo a alguém, ger. em troca de dinheiro. [Ant.: *compra*.] **2** Loja onde se comerciam mantimentos, além de outros produtos; MERCEARIA. **3** Loja onde se vendem bebidas alcoólicas, lanches etc.; BOTEQUIM.

venda² (*ven*.da) *sf*. Pedaço de pano, gaze etc. com que se obrem os olhos, impedindo a visão.

vendar (ven.*dar*) *v*. *td*. Pôr venda² em; COBRIR; TAPAR. [▶ **1** ven‌dar‌]

vendaval (ven.da.*val*) *sm*. **1** Vento forte que ger. acompanha as tempestades. **2** *Fig*. Grande perturbação interior: *um vendaval de paixões*. [Pl.: -*vais*.]

vendeiro (ven.*dei*.ro) *sm*. Dono de venda¹ (2 e 3).

vender (ven.*der*) *v*. **1** Dispor (de algo) em troca de pagamento. [*td*./*tdi*. + *a*, *para*: *Vendeu o sítio (para o primo)*.] [Ant.: *comprar*; *adquirir*.] **2** Ter boa comercialização. [*int*.: *Chocolate sempre vende muito*.] **3** Trabalhar como vendedor. [*int*.] **4** *Fig*. Denunciar por interesse; TRAIR. [*td*./*tdi*. + *a*: *Seria incapaz de vender o parceiro (à gerência)*.] **5** Aceitar suborno. [*pr*.: *Vendia-se por muito pouco*.] **6** *Fig*. Ter em grande quantidade; ESBANJAR. [*td*.: *João vende energia*.] [▶ **2** ven‌der‌] • ven.*da*.gem *sf*.; ven.*dá*.vel *a2g*.; ven.de.*dor a.sm*.; ven.*di*.do *a*.; ven.*dí*.vel *a2g*.

vendeta (ven.*de*.ta) [ê] *sf*. Ânsia ou sentimento de vingança que ger. desencadeia a violência entre pessoas, grupos etc.

vendilhão (ven.di.*lhão*) *sm*. **1** Quem vende de porta em porta; MASCATE. **2** *Fig*. Quem explora a fé religiosa ou valores morais em atividades comerciais, de modo fraudulento ou clandestino. [Pl.: -*lhões*.]

veneno (ve.*ne*.no) *sm*. **1** Substância prejudicial ao funcionamento do organismo, que pode chegar a matar. **2** *Fig*. O que prejudica ou desvirtua algo: *A violência é um veneno da sociedade*. **3** *Fig*. *Pop*. Intenção de causar intriga, desentendimento; MÁ-FÉ: *Cheio de veneno*, *conspirava o boato*. • ve.ne.*no*.so *a*.

venera (ve.*ne*.ra) [ê] *sf*. **1** Insígnia de uma força militar ou de um título honorífico; DISTINTIVO. **2** Medalha ou sinal que indica título honorífico; CONDECORAÇÃO.

veneração (ve.ne.ra.*ção*) *sf*. **1** Ação ou resultado de venerar, de ter profundo respeito por alguém ou algo; REVERÊNCIA. **2** Adoração religiosa; CULTO: "... enche sua alma com o nome e a *veneração* de seu Deus." (José de Alencar, *Iracema*.) [Pl.: -*ções*.]

venerando (ve.ne.*ran*.do) *a*. Ver *venerável*.

venerar (ve.ne.*rar*) *v*. *td*. **1** Prestar culto a (algo sagrado); ADORAR. **2** Respeitar ou admirar muito; REVERENCIAR. [▶ **1** venerar] • ve.ne.*ra*.do *a*.

venerável (ve.ne.*rá*.vel) *a2g*. Que merece veneração, respeito; RESPEITÁVEL; VENERANDO. [Pl.: -*véis*.] • ve.ne.ra.bi.li.*da*.de *sf*.

venéreo (ve.*né*.re:o) *a*. **1** Transmitido por relação sexual (diz-se de doença). **2** Ref. a sexo (*prazer venéreo*).

veneta (ve.*ne*.ta) [ê] *sf*. **1** Iniciativa imprevista; IMPULSO. **2** Crise de raiva, loucura etc. **‼ Dar na ~** Ter ideia repentina de; cismar em: *Deu-lhe na veneta mudar de emprego*.

veneziana (ve.ne.zi.*a*.na) *sf*. Janela com divisões em forma de lâminas móveis (de madeira, acrílico etc.), que possibilitam ou impedem a entrada de luz.

venezuelano (ve.ne.zu:e.*la*.no) *a*. **1** Da Venezuela (América do Sul); típico desse país ou de seu povo. *sm*. **2** Pessoa nascida na Venezuela.

vênia (*vê*.ni:a) *sf*. **1** Permissão para se fazer algo; LICENÇA. **2** Agradecimento ou cumprimento respeitoso; REVERÊNCIA. **3** Perdão de um erro; ABSOLVIÇÃO.

venial (ve.ni:*al*) *a2g*. **1** Que pode ser perdoado, absolvido: "Adalgiso, a seguir, nem se culpava de venial descuido, quando no ir querer preencher-lhe a ficha." (João Guimarães Rosa, *Primeiras estórias*.) **2** Que não é grave (diz-se de pecado). [Pl.: -*ais*.]

venoso (ve.*no*.so) [ô] *a*. *Med*. **1** Ref. a veia; VENAL²: *medicamento aplicado por via venosa*. **2** Que tem pouco oxigênio e flui por veias (diz-se de sangue). [Fem. e pl.: [ó].]

venta (*ven*.ta) *sf*. **1** Cada um dos dois orifícios do nariz por onde o ar entra e sai; NARINA. ⬜ **ventas** *sfpl*. **2** *Pop*. O nariz. **3** *Pop*. O rosto; FUÇAS.

ventania (ven.ta.*ni*.a) *sf*. Vento forte.

ventanilha (ven.ta.*ni*.lha) *sf*. Cada um dos buracos pelos quais caem as bolas, na mesa de sinuca; CAÇAPA.

ventar (ven.*tar*) *v*. *int*. Soprar (o vento). [▶ **1** ven‌tar‌] Verbo impessoal.]

ventarola (ven.ta.*ro*.la) *sf*. Tipo de leque sem varetas.

ventilador (ven.ti.la.*dor*) [ô] *sm*. **1** Aparelho com pás que giram, produzindo vento. *a.sm*. **2** Que ou aquilo que ventila.

ventilar (ven.ti.*lar*) *v*. *td*. **1** Fazer o ar circular em (espaço, ambiente): *ventilar o quarto*. **2** Expor ao vento. **3** *Fig*. Pensar em; IMAGINAR: *ventilar uma ideia*. **4** Debater abertamente (assunto, ideia). [▶ **1** ventilar] • ven.ti.la.*ção sf*.; ven.ti.*la*.do *a*.

vento (*ven*.to) *sm*. Ar que está em movimento (pela ação de uma hélice, por diferença da pressão atmosférica etc.).

📖 O vento é o movimento horizontal do ar na atmosfera, causado pela diferença de pressão entre uma região atmosférica e outra. Em regiões aquecidas, o ar mais leve sobe, criando embaixo uma zona de baixa pressão. Em regiões mais frias, o ar mais pesado se concentra embaixo, criando uma zona de alta pressão. A tendência do ar em alta pressão é buscar o equilíbrio deslocando-se para a lacuna criada na zona de baixa pressão. Esse deslocamento é o vento. De acordo com os modelos climáticos de aquecimento das várias regiões da terra, há ventos regulares (como os *alísios*, que sopram das regiões temperadas ao equador, e dão origem a tornados e tufões), periódicos (brisas, monções), variáveis e locais. Os ventos acima de 50km/h são considerados fortes, acima de 75km/h são *temporais*, e acima de 117km/h são *furacões*. O *tornado* é um vento fortíssimo (entre 150 e 500km/h) que sobe em espiral e se desloca horizontalmente, não raro causando destruição. Esse tipo de vento ocorre esp. nos EUA.

ventoinha (ven.to:*i*.nha) *sf*. **1** Parte giratória de um cata-vento. **2** Parte móvel de um ventilador. **3** Pequeno ventilador us. para refrigerar um motor e/ou CPU de computador.

ventosa (ven.*to*.sa) *sf*. *Biol*. **1** Órgão que alguns animais usam para se fixar a uma superfície: *ventosas da sanguessuga*. **2** Estrutura colante feita para fixação de um objeto: *toalheiro com ventosas*. **3** Objeto cônico que, fixado a uma parte do corpo, serve para tratar inflamações ou acúmulos anormais de fluidos corporais.

ventosidade (ven.to.si.*da*.de) *sf*. **1** Ver *gases*, em *gás*. **2** Expulsão desses gases.

ventoso (ven.*to*.so) [ô] *a*. **1** Que tem vento(s) forte(s) (*pico ventoso*). **2** Exposto ao vento (bandeira *ventosa*). **3** Diz-se de espaço de tempo durante o qual venta (manhã *ventosa*). [Fem. e pl.: [ó].]

ventre (ven.tre) sm. Anat. **1** Parte do corpo onde ficam os órgãos dos sistemas digestório e reprodutor; ABDOME. **2** Barriga (ventre volumoso). **3** O útero (ventre materno). **4** Intestino: *prisão de ventre*. • ven.tral a2g.

ventrículo (ven.trí.cu.lo) sm. Anat. **1** Cada uma das duas cavidades (direita e esquerda) inferiores do coração. **2** Cada uma das cavidades existentes num órgão (ventrículos cerebrais). • ven.tri.cu.lar a2g.

ventriloquo (ven.trí.lo.quo) a.sm. Que ou quem domina a técnica de falar quase sem mover os lábios, dando a impressão de que a voz produzida vem de outra fonte. • ven.tri.lo.qui.a sf.

ventrudo (ven.tru.do) a. Cujo ventre é volumoso; BARRIGUDO.

ventura (ven.tu.ra) sf. **1** Destino, favorável ou não; SORTE. **2** Acontecimento(s) vantajoso(s), independente(s) da vontade do beneficiado; FORTUNA. **3** Sentimento de satisfação por sucesso(s) alcançado(s); FELICIDADE: "Casimiro de Abreu, um meigo cantor de amores sem ventura, morto há coisa de um século." (Antonio Callado, *Reflexos do baile*).

venturoso (ven.tu.ro.so) [ô] a. Que tem boa sorte; DITOSO. [Ant.: *desventurado*.] [Fem. e pl.: [ó].]

Vênus (Vê.nus) sm. **1** Astron. Segundo planeta do sistema solar a partir do Sol, com dois satélites; ESTRELA-D'ALVA. **2** Mit. Deusa romana do amor e da beleza, na Antiguidade.

ver v. **1** Captar imagem por meio dos olhos; ENXERGAR. [td.: *Consegue ver as letras menores? int.: Este enfermo não vê mais*.] **2** Assistir a. [td.: *Célia vê todas as novelas.*] **3** Perceber, observar, achar. [td.: *Lia não via graça em nada*.] **4** Concluir, deduzir. [td.: *Dá pra ver que foram enganados*.] **5** Pensar sobre; EXAMINAR. [td.: *Vamos ver o que podemos fazer*.] **6** Ter contato com alguém (ou entre si); ENCONTRAR-SE. [td.: *Você tem visto o João? pr.: Paulo e Raul nunca mais se viram*.] ➦ **ver-se** pr. **7** Observar (a si mesmo); MIRAR-SE: *Ficava horas vendo-se no espelho*. **8** Surpreender-se (em uma situação): *De repente, vi-me contando piadas*. [▶ 32 ver. Part.: *visto*.] ❚❚ **Nunca ter visto mais gordo** Nunca ter visto (alguém). [Us. no pretérito passado.]

veranear (ve.ra.ne.ar) v. int. Viajar em férias de verão. [▶ 13 veranear.] • ve.ra.nei.o sm.; ve.ra.nis.ta a2g.s2g.

veranico (ve.ra.ni.co) sm. **1** Verão não muito quente. **2** Período curto de calor numa estação fria (ger. o outono).

verão (ve.rão) sm. A estação mais quente do ano, entre a primavera e o outono, que, em países do hemisfério sul (como o Brasil), se estende de 21 de dezembro a 20 de março; ESTIO. [Pl.: *-rões*. Dim.: *veranico e veranito*.]

veraz (ve.raz) a2g. **1** Que é sincero, que tem veracidade: "Não sei se estou sendo veraz se disser que tive uma paixão por Maria Helena." (João Ubaldo Ribeiro, *Diário do farol*). **2** Que corresponde à verdade (descrição veraz). [Sin. ger.: *verídico*. Ant. ger.: *mentiroso, falso*.] • ve.ra.ci.da.de sf.

verba (ver.ba) sf. **1** Quantia (ger. prevista em orçamento) destinada a um propósito específico. **2** P.ext. Valor em dinheiro.

verbal (ver.bal) a2g. **1** Falado, oral (comunicação verbal). **2** Gram. Ref. a verbo; do verbo (forma verbal). [Pl.: *-bais*.]

verbalismo (ver.ba.lis.mo) sm. **1** Transmissão de conhecimentos pela fala, sem uso da escrita. **2** Pej. Fala rebuscada e/ou extensa, mas com pouco conteúdo; VERBORREIA. **3** Atitude de quem pratica esse tipo de expressão. • ver.ba.lis.ta a2g.s2g.

verbalizar (ver.ba.li.zar) v. td. Expressar em palavras; FALAR. [▶ 1 verbalizar.] • ver.ba.li.za.ção sf.; ver.ba.li.za.do a.

verbena (ver.be.na) sf. Bot. **1** Gênero de plantas (ervas e arbustos) perfumadas, floríferas e/ou ornamentais, algumas das quais são us. na produção de uma espécie de licor. **2** Planta desse gênero.

verberão (ver.be.rão) sf. Bot. Ver jurujuba. [Pl.: *-rões*.]

verberar (ver.be.rar) v. **1** Censurar, repreender. [td./tdi. + contra: *Verberava (contra) a inflação*.] **2** Reverberar (2). [int.] [▶ 1 verberar] • ver.be.ra.ção sf.; ver.be.ra.do a.; ver.be.ra.dor a.sm.; ver.be.ran.te a2g.

verbete (ver.be.te) [ê] sm. **1** Cada uma das entradas (palavras listadas) de um dicionário, enciclopédia etc., que contém informações sobre um assunto (o significado de uma palavra, p.ex.). **2** Anotação sobre um tema; APONTAMENTO. **3** Papel (ger. pequeno) com esse tipo de texto.

verbo (ver.bo) sm. **1** Gram. Classe de palavra que expressa ação, estado ou mudança de estado (p.ex.: *pagar, ser, tornar*). **2** Palavra, linguagem, discurso. ❚❚ **Soltar o ~** Dizer o que pensa ou sabe, sem comedimento. **~ de ligação** Verbo que introduz uma qualidade, identificação ou situação, caracterizando o sujeito (p.ex.: *Ela é muito calma*). **~ suporte** Verbo que forma locução com diversos substantivos, dispensando o uso de outros verbos (p.ex.: *dar uma resposta e dar um soco* substituem *responder e socar*).

verbo-nominal (ver.bo-no.mi.nal) a2g. Gram. Diz-se de predicado que tem um verbo e um nome como núcleos (como na frase *Ana saiu apressada*). [Pl.: *verbo-nominais*.]

verborragia (ver.bor.ra.gi.a) sf. Pej. Uso de muitas palavras para expressar poucas ideias; VERBORREIA. • ver.bor.rá.gi.co a.

verborreia (ver.bor.rei.a) sf. Ver *verborragia*.

verboso (ver.bo.so) [ô] a. **1** Que contém muitas palavras (texto verboso); PALAVROSO. **2** Que tem facilidade de expressão (professor verboso); ELOQUENTE. **3** Que fala muito; LOQUAZ. [Fem. e pl.: [ó].] • ver.bo.si.da.de sf.

verdade (ver.da.de) sf. **1** Correspondência à realidade; EXATIDÃO: *a verdade do depoimento da testemunha*. **2** Aquilo que é real, verdadeiro: *A verdade tem que ser dita*. [Ant.: *mentira*.] **3** Atitude franca, autêntica; SINCERIDADE. [Ant.: *falsidade*.] **4** Princípio científico, religioso etc. no qual se baseiam crenças e/ou atitudes.

verdadeiro (ver.da.dei.ro) a. **1** Que é conforme à realidade; FIEL: *o verdadeiro retrato da situação*. **2** Em que há verdade (declaração verdadeira): [Ant.: *falso*.] **3** Que é honesto, sincero (amigo verdadeiro); FRANCO. [Ant.: *falso*.] **4** Correto, exato, real: *a verdadeira solução para o enigma*. [Ant.: *inexato*.] **5** Que é autêntico; LEGÍTIMO: *um verdadeiro Portinari*. [Ant.: *falso*.]

verde (ver.de) [ê] sm. **1** A cor das folhas das plantas, da relva etc. **2** A vegetação: *preservar o verde*. a2g. **3** Que é da cor verde (1) (bandeiras verdes). **4** Que ainda não amadureceu (diz-se de fruto); VERDOENGO; VERDOSO. [Ant.: *maduro*.] **5** Fig. Que tem pouca experiência; assistente muito verde para o cargo. **6** Que tem frescor, viço: *os verdes anos da infância*. ❚❚ **Jogar ~/Plantar ~ (para colher maduro)** Mencionar algo, propositalmente, com a intenção de colher da resposta ou comentários de interlocutor(es) alguma declaração ou maiores informações sobre um assunto. • ver.de-cla.ro a.sm.; ver.de-es.cu.ro a.sm.

verde-amarelo (ver.de-a.ma.re.lo) sm. **1** Cor intermediária entre o verde e o amarelo. [Pl.: *verdes-amarelos*.] a. **2** Que é dessa cor. **3** Que tem as cores verde e amarela (camisa verde-amarela); AURIVERDE. **4** Bras. Fig. Ref. ao Brasil (vitória verde-amarela). [Pl.: *verde-amarelos*.]

verdecer (ver.de.*cer*) *v.* Ver *verdejar*. [▶ 33 verdecer]

verde-garrafa (ver.de-gar.*ra*.fa) *sm.* **1** A cor escura do verde de certas garrafas; VERDE-ESCURO. [Pl.: *verdes-garrafas* e *verdes-garrafa*.] *a2g2n.* **2** Que é dessa cor (vidros verde-garrafa).

verdejar (ver.de.*jar*) *v. int.* Ficar verde; VERDECER. [▶ 1 verdejar] ● **ver.de.jan.te** *a2g.*

verde-mar (ver.de-*mar*) *sm.* **1** Tonalidade clara do verde; VERDE-CLARO. [Pl.: *verdes-mares* e *verdes-mar*.] *a2g2n.* **2** Que é dessa cor (olhos verde-mar).

verde-oliva (ver.de-o.*li*.va) *sm.* **1** A cor verde-escura da azeitona. *a2g2n.* **2** Que é dessa cor (bolsas verde-oliva). [Pl.: *verdes-olivas* e *verdes-oliva*.]

verdinha (ver.*di*.nha) *sf. Pop.* Cédula de dólar.

verdoengo (ver.do:*en*.go) *a.* **1** Cuja cor se aproxima do verde; ESVERDEADO; VERDOSO. **2** Que já amadureceu um pouco, mas não completamente (diz-se de fruto); VERDOSO; VERDE.

verdor (ver.*dor*) [ô] *sm.* **1** Característica do que é verde. **2** A cor verde dos vegetais; VERDURA. **3** *Fig.* Falta de experiência, de maturidade. **4** *Fig.* Grande força e vigor (ger. próprios da juventude); VIÇO.

verdoso (ver.*do*.so) [ô] *a.* **1** Que apresenta tom de verde ou quase verde; ESVERDEADO; VERDOENGO. **2** Que é verde, ou adquire essa cor; VERDEJANTE. **3** *N.E.* Diz-se de fruto que ainda não está bem maduro; VERDOENGO; VERDE. [Fem. e pl.: [ó].]

verdugo (ver.*du*.go) *sm.* **1** Quem executa, tortura ou aplica castigos corporais em alguém; ALGOZ. **2** *Fig.* Pessoa cruel.

verdura (ver.*du*.ra) *sf.* **1** *Bot.* Planta comestível, ger. cultivada em hortas; HORTALIÇA. **2** Ver *verdor* (2).

verdureiro (ver.du.*rei*.ro) *sm.* Quem vende verduras; QUITANDEIRO.

vereador (ve.re.a.*dor*) [ô] *sm.* Político que foi eleito para integrar o Poder Legislativo municipal; EDIL.

vereança (ve.re:*an*.ça) *sf.* **1** Cargo ocupado por um vereador. **2** Período durante o qual alguém ocupa esse cargo.

verear (ve.re.*ar*) *v. int.* Exercer cargo de vereador. [▶ 13 verear]

vereda (ve.*re*.da) [ê] *sf.* **1** Caminho estreito; SENDA. **2** Caminho mais curto fora do trajeto usual; ATALHO. **3** *Fig.* A direção seguida por alguém em seu deslocamento ou em sua vida; RUMO; CAMINHO: *Seguiu a vereda da fama.* **4** *N.E.* Parte da caatinga com razoável abastecimento de água, vegetação mais rica etc.

veredicto (ve.re.*dic*.to) *sm.* **1** Decisão ou conclusão categórica. **2** *Jur.* Decisão de júri ou de uma autoridade judiciária sobre uma questão em julgamento; SENTENÇA.

verga (*ver*.ga) [ê] *sf.* **1** Pedaço de madeira fino e flexível, ger. us. em obras de carpintaria; RIPA. **2** Vara flexível, esp. a us. para confecção de objetos artesanais. **3** Pedaço fino e flexível de metal. **4** *Náut.* Pedaço de madeira ou metal cruzado no mastro, ao qual se prende(m) a(s) vela(s).

vergalhão (ver.ga.*lhão*) *sm.* Barra de metal espessa us. como componente do concreto armado. [Pl.: *-lhões*.]

vergalho (ver.*ga*.lho) *sm.* **1** Pênis de boi ou cavalo, extirpado e seco. **2** Chicote feito desse órgão seco. **3** Qualquer chicote; CHIBATA. ● **ver.ga.***lha*.da *sf.*; **ver.ga.***lhar* *v.*

vergão (ver.*gão*) *sm.* **1** Marca deixada no corpo por golpe com vara, correia etc., ou outro tipo de pancada. [Pl.: *-gões*.]

vergar (ver.*gar*) *v.* **1** Fazer ficar ou ficar encurvado; ARQUEAR; DOBRAR. [*td.*: *A ventania vergou a árvore. int./pr.*: *Seu corpo vergou(-se) com a idade.*] [Ant.: *aprumar*.] **2** *Fig.* Tornar(-se) submisso ou condescendente. [*tdi.* + *a*: *Vergou o amigo à sua vontade.*

int./pr.: *O país vergava(-se) aos interesses estrangeiros.*] [▶ 14 vergar] ● **ver.***ga*.do *a.*; **ver.ga.***du*.ra *sf.*; **ver.ga.***men*.to *sm.*

vergasta (ver.*gas*.ta) *sf.* Vara fina us. para açoitar. ● **ver.gas.***ta*.da *sf.*; **ver.gas.***tar* *v.*

vergel (ver.*gel*) *sm.* Lugar onde se cultivam plantas frutíferas; POMAR. [Pl.: *-géis*.]

vergonha (ver.*go*.nha) *sf.* **1** Sentimento de desconforto de alguém devido à exposição de coisas suas particulares, fraquezas, defeitos etc., ou por ter cometido gafe, ou ato risível ou desabonador etc.; CONSTRANGIMENTO: *Que vergonha, tropecei no palco na hora de receber o prêmio.* **2** Sentimento ou situação de humilhação, desonra: *Seu envolvimento na negociata foi uma vergonha para a família.* **3** Sentimento ou atitude de discrição, recato, em relação a questões de moral, assuntos pessoais etc.; PUDOR: *Por vergonha, não leu em público aquele texto imoral.* [Ant. nesta acp.: *despudor*.] **4** Sentimento de honra e dignidade em relação aos próprios valores, comportamento etc.: *É um homem de vergonha, e não vai aceitar proposta indigna.* **5** Insegurança, dificuldade de em se expor, tomar iniciativas etc.; TIMIDEZ: "...eu não respondi nada, por vergonha..." (Júlia Lopes de Almeida, *A intrusa*). [Ant. nesta acp.: *desembaraço*.] **6** Comportamento considerado indigno, desonesto, obsceno etc.: *Esse abuso de autoridade é uma vergonha!* ⧈ **Ter ~ na cara** Ter brios.

vergonhoso (ver.go.*nho*.so) [ô] *a.* **1** Que causa vergonha (1); VEXAMINOSO: *A atuação do time foi vergonhosa.* **2** Que é considerado indigno, obsceno etc.; INDECOROSO: *Foi um caso vergonhoso de corrupção.* [Fem. e pl.: [ó].]

vergôntea (ver.*gôn*.te.a) *sf.* **1** *Bot.* Broto pouco desenvolvido; REBENTO. **2** *Bot.* Ramo de planta. **3** *Fig.* Os filhos gerados por alguém; PROLE.

verídico (ve.*ri*.di.co) *a.* Que corresponde à verdade; VERDADEIRO. ● **ve.ri.di.ci.***da*.de *sf.*

verificar (ve.ri.fi.*car*) *v. td.* **1** Provar ou investigar a verdade de; CONSTATAR: *Verificaram que a casa fora destruída.* **2** Realizar teste com; CONFERIR; EXAMINAR: *verificar os freios.* ◪ **verificar-se** *pr.* **3** Acontecer, realizar-se: *O julgamento verificou-se como previsto.* [▶ 11 verificar] ● **ve.ri.fi.ca.***ção* *sf.*; **ve.ri.fi.***ca*.do *a.*; **ve.ri.fi.ca.***dor* *a.sm.*; **ve.ri.fi.***cá*.vel *a2g.*

verme (*ver*.me) *sm.* **1** *Zool.* Nome dado a animais invertebrados, de corpo longo e mole. **2** *Zool.* Esse tipo de animal, que vive como parasito nos intestinos de outros animais. **3** *Pop.* Larva de diversos tipos de insetos. **4** *Fig.* Pessoa vil, indigna.

vermelhão (ver.me.*lhão*) *sm.* **1** *Quím.* Sulfato de mercúrio, us. na pigmentação de tintas vermelhas. **2** Avermelhamento intenso no rosto ou em outra parte do corpo; RUBOR; VERMELHIDÃO (2). [Pl.: *-lhões*.]

vermelhidão (ver.me.lhi.*dão*) *sf.* **1** Qualidade do que é vermelho. **2** Enrubescimento da pele; VERMELHÃO (2). [Pl.: *-dões*.]

vermelho (ver.*me*.lho) [ê] *sm.* **1** A cor do sangue. *a.* **2** Que é dessa cor (bandeira vermelha). ● **ver.me.***lhar* *v.*

vermelho-fogo (ver.me.lho-*fo*.go) *sm.* **1** Vermelho vivo, da cor do fogo. *a.* **2** Que é dessa cor. [Pl.: *vermelhos-fogos*.]

vermicida (ver.mi.*ci*.da) *a2g.sm.* Que ou aquilo que mata vermes (diz-se de substância); VERMÍFUGO.

vermiforme (ver.mi.*for*.me) *a2g.* Que tem formato alongado, parecido com o de um verme.

vermífugo (ver.*mí*.fu.go) *a.sm. Med.* Que ou o que mata ou expulsa vermes (diz-se de remédio); VERMICIDA.

verminação (ver.mi.na.*ção*) *sf. Pat.* Reprodução ou infestação de vermes. [Pl.: *-ções*.] ● **ver.mi.***nar* *v.*

verminose (ver.mi.*no*.se) *sf. Med.* Doença (ger. intestinal) causada por infestação de vermes.

verminoso (ver.mi.*no*.so) [ó] *a*. 1 Infestado por vermes. 2 Provocado por vermes (diz-se de doença). [Fem. e pl.: [ó].]

vermute (ver.*mu*.te) *sm*. Mistura de vinho com substâncias extraídas de plantas, ger. aromáticas e de sabor amargo, que se bebe como aperitivo.

vernaculista (ver.na.cu.*lis*.ta) *a2g.s2g. Ling*. Que ou quem tem a preocupação de usar o próprio idioma de acordo com padrões (por vezes bastante conservadores) de pureza e correção.

vernaculizar (ver.na.cu.li.*zar*) *v. td*. Adaptar (palavra, expressão) à língua nacional. [▶ 1 vernaculizar] ● ver.na.cu.li.za.*ção* *sf*.; ver.na.cu.li.za.do *a*.

vernáculo (ver.*ná*.cu.lo) *a*. 1 Característico de um país, uma região etc. 2 *Ling*. Sem incorreções ou alterações, ou inclusão de estrangeirismos (diz-se de uma língua). *sm. Ling*. 3 Língua falada pelo povo de um país ou por um dos grupos sociais existentes no mesmo. ● ver.na.cu.*lis*.mo *sm*.

⊕ **vernissage** (Fr. /vernissáj/) *sm*. Evento comemorativo e de divulgação, organizado no primeiro dia de uma exposição de obras de arte.

verniz (ver.*niz*) *sm*. 1 Líquido, composto de resinas, álcool etc., com o qual se cobre a superfície de móveis e outros objetos para lhes dar brilho e proteção. 2 Esse tipo de líquido, us. para proteger pinturas em tela. 3 Efeito visual brilhoso, ger. produzido por esse líquido; POLIDEZ. 4 *Fig*. Cultivo superficial e enganador de uma qualidade: *verniz de cultura*.

vero (*ve*.ro) *a*. Que é verdadeiro e/ou autêntico.

verônica (ve.*rô*.ni.ca) *sf. Rel*. 1 A imagem do rosto ensanguentado de Jesus, impressa no tecido com o qual teria sido enxugado a caminho do calvário. 2 Essa imagem, gravada ou estampada em um objeto.

verossímil (ve.ros.*si*.mil) *a2g*. Que parece ser verdadeiro ou que tem condições de realmente ter acontecido; PLAUSÍVEL: *causa verossímil de um fenômeno*. [Pl.: *-meis*. Superl.: *verossimílimo*, *verissimílimo*.] ● ve.ros.si.mi.*lhan*.ça *sf*.; ve.ros.si.mi.li.*da*.de *sf*.

verruga (ver.*ru*.ga) *sf. Med*. Elevação, ger arredondada e dura, na superfície da pele, causada pelo crescimento anormal de estruturas cutâneas. ● ver.ru.*guen*.to *a*.

verrugoso (ver.ru.*go*.so) [ó] *a*. Que tem verrugas. [Fem. e pl.: [ó].]

verruma (ver.*ru*.ma) *sf*. Ferramenta aguçada, com ponta em forma de hélice, us. para furar madeira; BROCA.

versado (ver.*sa*.do) *a*. Que tem experiência e/ou conhecimento com relação a um assunto ou atividade; PERITO: *versado em informática*.

versal (ver.*sal*) *Edit. sf*. 1 Letra maiúscula. *a2g*. 2 Que tem essa característica (diz-se de letra). [Pl.: *-sais*.]

versalete (ver.sa.*le*.te) [ê] *Edit. sm*. 1 Letra maiúscula comprimida no tamanho da minúscula. *a2g*. 2 Que tem essa característica (diz-se de letra, tipo etc.).

versão (ver.*são*) *sf*. 1 Ação ou resultado de verter, de fazer voltar. 2 Explicação, ponto de vista ou interpretação de um fenômeno ou um acontecimento. 3 Notícia ou história controvertida ou infundada; BOATO. 4 Transposição de um texto para outra língua; texto assim transposto; TRADUÇÃO. 5 *Inf*. Cada etapa do desenvolvimento de um programa computacional: *versão de teste de um programa*. 6 *Com*. Cada um dos modelos de um produto. [Pl.: *-sões*.] ▪ ~ **beta** *Inf*. Versão experimental de programa de informática, para ser testada por usuários.

versar (ver.*sar*) *v*. Tratar de; ABORDAR. [*td*.: *Ele versa os mais variados assuntos*. *ti*. + *sobre*: *A palestra versou sobre higiene bucal*.] [▶ 1 versar]

versátil (ver.*sá*.til) *a2g*. 1 Que pode ter diversos usos (ferramenta versátil). 2 Que tem muitas habilidades (artista versátil). [Pl.: *-teis*.] ● ver.sa.ti.li.*da*.de *sf*.

versejar (ver.se.*jar*) *v. int*. 1 Compor versos; VERSIFICAR. 2 *Pej*. Fazer versos ruins. [▶ 1 versejar] ● ver.se.ja.*dor* *a.sm*.

versículo (ver.*sí*.cu.lo) *sm. Rel*. Pequeno trecho (correspondente a um parágrafo) de um texto sagrado, como a Bíblia.

versificação (ver.si.fi.ca.*ção*) *sf*. 1 Ação ou resultado de versificar, de compor versos. 2 Técnica de compor versos. [Pl.: *-ções*.]

versificar (ver.si.fi.*car*) *v. int*. Compor versos; VERSEJAR. [▶ 11 versificar] ● ver.si.fi.ca.do *a*.; ver.si.fi.ca.*dor* *a.sm*.

versista (ver.*sis*.ta) *a2g.s2g*. Que ou quem verseja, compõe versos.

verso¹ (*ver*.so) *sm*. 1 Subdivisão de um poema, ger. correspondente a uma linha desse tipo de texto. 2 Texto poético; POEMA: *Escreveu uns versos*. (Dim.: *versículo*.)

verso² (*ver*.so) *sm*. 1 O lado oposto ao da frente (ger. de uma folha de papel): *fotografia com dedicatória no verso*. 2 A parte de trás de um objeto: *verso de uma estante*.

⊕ **versus** (Lat. /*vérsus*/) *prep*. Em oposição a; CONTRA. [Abr.: *vs*]

vértebra (*vér*.te.bra) *sf. Anat*. Cada um dos ossos que compõem uma coluna que serve de eixo de sustentação do corpo dos mamíferos, das aves, dos répteis etc. ● ver.te.*bral* *a2g*.

VÉRTEBRA

vertebrado (ver.te.*bra*.do) *Zool. a*. 1 Que tem vértebras (diz-se de animais). *sm*. 2 Animal (mamífero, ave ou réptil), que tem vértebras formando a coluna vertebral, base do seu esqueleto. [Cf.: *invertebrado*.]

vertente (ver.*ten*.te) *a2g*. 1 Que verte, faz um líquido transbordar ou fluir. *sf*. 2 Parte inclinada de montanha, telhado etc., por onde a água (ger. da chuva) escoa; ENCOSTA. 3 *Fig*. Subdivisão de um movimento organizado (partido político, escola artística etc.) cujos integrantes defendem opiniões próprias; LINHA (vertente conservadora).

verter (ver.*ter*) *v*. 1 Derramar, entornar (esp. líquido). [*td*.: *verter lágrimas*.] 2 Passar de uma língua para outra; TRADUZIR. [*td*/*tdi*. + *para*: *Ele verteu os próprios poemas (para o russo)*.] [▶ 2 verter]

vertical (ver.ti.*cal*) *a2g*. 1 Que está em posição perpendicular ao solo (paredão vertical). 2 Que se construiu ou ajustou para ficar perpendicular ao chão. *a2g.sf*. 3 *Geom*. Diz-se de ou linha perpendicular a um plano ou uma reta horizontal. 4 Diz-se de ou direção correspondente a essa linha: *O foguete subiu na vertical*. [Pl.: *-cais*.] ● ver.ti.ca.li.*da*.de *sf*.

vértice (*vér*.ti.ce) *sm*. 1 O ponto mais alto de um corpo que se eleva a partir do chão; TOPO. 2 *Geom*. Ponto no qual se encontram duas retas ou as arestas de um poliedro. 3 *Anat*. Parte mais alta do crânio.

VÉRTICE (2)

verticilo (ver.ti.*ci*.lo) *sm. Bot*. Concentração de ramos, folhas ou flores fixadas num mesmo eixo do tronco vegetal.

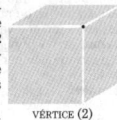

vertigem (ver.*ti*.gem) *sf*. 1 *Med*. Sensação de instabilidade causada pela perda do equilíbrio; TONTEIRA. 2 *Fig*. Perturbação, desvario.

vertiginoso (ver.ti.gi.*no*.so) [ó] *a*. 1 Que causa vertigem (velocidade vertiginosa). 2 Que sente vertigens facilmente (diz-se de pessoa). 3 *Fig*. Muito intenso e/

ou rápido (crescimento vertiginoso). [Fem. e pl.: [ó].]
● ver.ti.gi.no.si.da.de sf.
verve (ver.ve) [é] sf. Habilidade de falar ou escrever de forma criativa, inteligente, espirituosa etc. (verve literária).
vesânia (ve.sá.ni:a) sf. Antq. Med. Desequilíbrio mental; INSANIDADE. ● ve.sâ.ni.co a.
vesano (ve.sa.no) a. 1 Med. Que apresenta desequilíbrio mental; INSANO. 2 Cujo comportamento não revela bom senso; INSENSATO.
vesgo (ves.go) [ê] a.sm. Med. Que ou quem não tem ambos os olhos direcionados para o foco do olhar, ficando com o campo de visão alterado. [Sin.: estrábico.] ● ves.gui.ce sf.
vesical (ve.si.cal) a2g. Anat. Ref. a bexiga. [Pl.: -cais.]
vesícula (ve.sí.cu.la) sf. Anat. 1 Estrutura corporal em forma de saco, que ger. armazena líquidos (vesícula biliar). 2 Med. Bolha que se forma na pele, ger. cheia de líquido. ● ve.si.cu.lar a2g.
vespa (ves.pa) [ê] sf. Zool. Inseto alado com ferrão na ponta do abdome, e cujas picadas são doloridas; MARIMBONDO.
vespeiro (ves.pei.ro) sm. 1 Colônia de vespas. 2 Fig. Assunto ou lugar arriscado, inseguro.
vésper (vés.per) sm. 1 Direção do pôr do sol; POENTE. ◪ **Vésper** sm. 2 Astrôn. O planeta Vênus.
véspera (vés.pe.ra) sf. 1 Dia anterior a um outro ou a fato tomado como referência: Viajou na véspera das eleições. 2 Período da tarde. ◪ **vésperas** sfpl. 3 Os dias anteriores a algum acontecimento.
vesperal (ves.pe.ral) a2g. 1 Ver vespertino (1 e 2). sf. 2 Bras. Evento que se realiza no período da tarde; MATINÊ. [Pl.: -rais.]
vespertino (ves.per.ti.no) a. 1 Ref. ao período da tarde (luminosidade vespertina). 2 Que acontece nesse período (espetáculo vespertino). [Sin. nas acps. 1 e 2: vesperal.] sm. 3 Jornal que é distribuído à tarde.
vestal (ves.tal) sf. Mit. 1 Sacerdotisa do culto a Vesta (deusa do fogo dos romanos), que fazia voto de castidade, mantendo-se virgem. 2 Mulher virgem e casta; DONZELA. 3 Irôn. Mulher que se faz passar por honesta. [Pl.: -tais.]
veste (ves.te) sf. Cobertura, ger. feita de tecido, us. para proteger e ocultar partes do corpo; ROUPA; VESTIMENTA.
véstia (vés.ti:a) sf. 1 Casaco curto e largo na cintura. 2 Ver gibão¹.
vestiário (ves.ti.á.ri:o) sm. Quarto ou espaço onde se troca de roupa e/ou se deixam roupas guardadas, esp. em lugares destinados à prática de esportes.
vestibulando (ves.ti.bu.lan.do) a.sm. Que ou quem faz as provas do vestibular.
vestibular (ves.ti.bu.lar) a2g. 1 Ref. a vestíbulo. 2 Ref. a provas classificatórias através das quais se selecionam os candidatos que estudarão numa instituição de ensino universitário (exame vestibular). sm. 3 Exame vestibular (2).
vestíbulo (ves.tí.bu.lo) sm. 1 Espaço aberto entre o limite de um terreno e a entrada de uma construção situada no mesmo; PÁTIO. 2 Cômodo entre a porta de uma casa e as suas dependências internas; SAGUÃO.
vestido (ves.ti.do) a. 1 Provido de roupas que cobrem partes do corpo. sm. 2 Roupa ger. us. por mulheres, composta por blusa e saia formando uma peça única.
vestidura (ves.ti.du.ra) sf. 1 Aquilo que se veste; ROUPA. 2 Roupas ger. us. por uma determinada pessoa, ou em uma situação específica; TRAJE.
vestígio (ves.tí.gi:o) sm. 1 Marca(s) deixada(s) por um animal no chão; RASTRO: Há vestígios de onça na mata. 2 Pista, sinal de (alguém ou algo): vestígios de um acampamento na clareira/de uma civilização.
vestimenta (ves.ti.men.ta) sf. 1 Ver veste. 2 Rel. Roupa especial us. por sacerdotes em cerimônias solenes.
vestir (ves.tir) v. 1 Colocar roupa em (alguém ou si mesmo). [td.: vestir um casaco. tdi. + em: Vestiu o agasalho na filha. pr.: Vestia-se com elegância.] [Ant.: despir.] 2 Usar (certo tipo de roupa). [td.: Só veste ternos escuros.] 3 Servir como roupa ou complemento do vestuário. [int./ti. + em: Esse blazer vestiu muito bem (em você). 4 Fantasiar(-se), disfarçar(-se) [td. (seguido de indicação de atributo, com prep. de): Vestiu o filho de Papai Noel. pr.: No carnaval, vestiu-se de cigano.] 5 Fornecer ou fazer roupas para. [td.: vestir os pobres.] [▶ **50** vestir]
vestuário (ves.tu.á.ri:o) sm. Roupas us. por uma determinada pessoa ou grupo social; INDUMENTÁRIA.

VESTUÁRIO

SÉC. I a.C. SÉC. XVIII SÉC. XIX SÉC. XX

vetar (ve.tar) v. td. Opor veto a; não aprovar; PROIBIR; IMPEDIR: vetar uma lei. [Ant.: aprovar, sancionar.] [▶ **1** vetar] ● ve.ta.do a.
veterano (ve.te.ra.no) a.sm. 1 Que ou quem exerce há muito tempo uma atividade. 2 Que ou aquele que já completou o primeiro ano de um curso (diz-se de estudante). [Ant.: calouro.] ● ve.te.ra.ni.ce sf.
veterinária (ve.te.ri.ná.ri:a) sf. 1 Ciência que estuda as doenças dos animais, o seu tratamento e prevenção. 2 Clínica veterinária: Levou o cachorro à veterinária do bairro.
veterinário (ve.te.ri.ná.ri:o) a. 1 Ref. a medicina veterinária (tratado veterinário) sm. 2 Pessoa formada em medicina veterinária.
vetiver (ve.ti.ver) sm. 1 Bot. Erva com propriedades aromáticas cujas raízes têm uso medicinal. 2 O aroma dessa erva.
veto (ve.to) [é] sm. 1 Proibição de uma ação, evento etc., imposta por autoridade. [Ant.: autorização.] 2 Rejeição, pelo presidente da República, de uma lei aprovada pelo Poder Legislativo. [Ant.: sanção.]
vetor, vector (ve.tor ou vec.tor) [ô] sm. 1 Biol. Ser vivo que pode transmitir parasitas, bactérias ou vírus a outro: Mosquitos são vetores de vários tipos de vírus. 2 Mat. Segmento de reta com módulo, direção e sentido. ● ve.to.ri:al, vec.to.ri:al a2g.
vetusto (ve.tus.to) a. 1 Muito antigo (montanhas vetustas); REMOTO. 2 Cuja antiguidade deve ser respeitada (tradição vetusta). 3 Desgastado ou danificado pela passagem do tempo (construção vetusta). 4 Pej. Que se tornou antiquado; ULTRAPASSADO: meio de transporte vetusto. ● ve.tus.tez sf.
véu (vé:u) sm. 1 Tecido leve, ger. transparente, us. para cobrir objetos ou partes do corpo. 2 Mantilha com a qual as freiras cobrem a cabeça. 3 Fig. Encobrimento, dissimulação ou enfraquecimento de algo: o véu do esquecimento. 4 Fot. Mancha em fotografia causada por incidência indevida de luz no filme. ⬛ ~ palatino Anat. Ver palato mole no verbete palato.

vexame | vibrião

vexame (ve.xa.me) sm. **1** Ação ou resultado de vexar(-se); HUMILHAÇÃO; VERGONHA. **2** Afronta, ultraje. **3** N.E. Pressa, afã. • **ve.xa.mi.no.so** a.

vexar (ve.xar) v. **1** Deixar ou ficar envergonhado. [td.: A grosseria do primo vexava Luísa. pr.: Vexou-se com a grosseria do primo.] **2** Causar humilhação a. [td.: Os baixos salários vexam os operários.] **3** N.E. Apressar(-se) [td. pr.] [▶ **1** vexar] • **ve.xa.ção** sf.; **ve.xa.do** a.

vexativo (ve.xa.ti.vo) a. Ver vexatório.

vexatório (ve.xa.tó.ri:o) a. Que causa vexame; VEXATIVO.

vez [ê] sf. **1** Momento indeterminado: Houve vezes em que pensou em desistir. **2** Momento reservado para alguém executar uma ação; TURNO: É a sua vez de jogar. **3** Ocasião, singular ou repetida, de um fato: Já vi esse filme cinco vezes. **4** Chance, oportunidade: Nunca tenho vez nessa casa! ❏ **vezes** sfpl. **5** Parcelas de (um número), que se somam numa multiplicação: três vezes três são nove. ▪▪ **Às ~es** Em uma ou outra ocasião; não sempre. **De ~** Para sempre; definitivamente: Terminamos o namoro de vez. **De ~ em quando** Em ocasiões esporádicas. **Em ~ de** Em lugar de: Em vez de irmos ao cinema, por que não pegamos um vídeo? [Cf.: ao invés de em invés.] [NOTA: Indica substituição, troca.] **Fazer as ~es de** Desempenhar função ou assumir papel de outrem. **Uma ~ na vida, outra na morte** Bras. Raramente. **Uma ~ que** Já que; dado que; como: Uma vez que muitos tinham dúvidas, a prova foi adiada. **~ por outra** Ocasionalmente.

vezeiro (ve.zei.ro) a. **1** Que tem costume de agir de determinada maneira; HABITUADO. **2** Que repete uma ação que praticara antes; REINCIDENTE.

vezo (ve.zo) [ê] sm. **1** Pej. Hábito reprovável; VÍCIO. **2** Ação habitual; COSTUME.

⊠ **VHF** Eletrôn. Simb. de frequência muito alta.

via (vi.a) sf. **1** Trecho delimitado de terreno que liga dois lugares e por onde se pode transitar; CAMINHO. **2** Direção de um deslocamento; RUMO: Descansei e segui a via da floresta. **3** Maneira de se atingir um objetivo; MEIO: Conseguiu a promoção por vias legais. **4** Cópia de um documento: requisição em duas vias. **5** Med. Passagem pela qual se conduzem líquidos, gases ou outros materiais pelo organismo: injeção por via venosa. [Dim.: viela.] prep. **6** Pelo caminho de; POR: O ônibus vai a Brasília via Belo Horizonte. ▪▪ **Por ~ das dúvidas** Para garantir; para evitar erro ou omissão. **Por ~ de regra** De regra; como regra. **~ Láctea** Astron. Série de estrelas e outros corpos celestes que compõem a nebulosa na qual está o sistema solar e a Terra. **~s de fato** Confronto físico, violência.

📖 A Via Láctea é a galáxia em que se encontra o sistema solar, ao qual pertence a Terra. É uma galáxia em espiral, em que há um núcleo central e grandes conjuntos de corpos celestes na forma de braços de um cata-vento presos a esse núcleo. Mede 72.000 anos-luz de raio (do centro ao ponto mais afastado). O sistema solar está a 27.000 anos-luz do centro. A Via Láctea gira em torno de seu centro, os astros mais afastados do centro em velocidade menor que a dos mais próximos. O Sol, carregando consigo o sistema solar, gira a uma velocidade linear de 225km/s, e conta uma volta completa em torno da Via Láctea a cada 200 milhões de anos.

viabilizar (vi:a.bi.li.zar) v. td. Tornar (algo) viável, possível. [▶ **1** viabilizar] • **vi.a.bi.li.za.ção** sf.; **vi:a.bi.li.za.do** a.

viação (vi:a.ção) sf. **1** Empresa que faz serviços de transporte público. **2** Rede de estradas e vias. [Pl.: -ções.]

via-crúcis (vi.a-crú.cis) sf. **1** Rel. Ver via-sacra. **2** Fig. Percurso difícil, sofrido; MARTÍRIO. [Pl.: vias--crúcis.]

viaduto (vi:a.du.to) sm. Caminho suspenso, ger. sustentado por vigas de concreto, que transpõe obstáculos do terreno, interliga duas rodovias ou serve de via elevada.

viagem (vi.a.gem) sf. **1** Deslocamento de um lugar a outro, ger. em distância longa; JORNADA: A capital está a três dias de viagem. **2** Esse deslocamento, com um período de estadia no lugar de destino para turismo, trabalho etc.: fotos da viagem a Recife. **3** Fig. Gír. Alteração das percepções sensoriais causadas pelo consumo de drogas; BARATO. [Pl.: -gens.]

viajante (vi:a.jan.te) a2g.s2g. Que ou quem viaja.

viajar (vi:a.jar) v. int. **1** Deslocar-se em viagem: (seguido ou não de indicação de lugar) Clara está viajando (pelo Chile). **2** Gír. Ter alucinações (ger. sob efeito das drogas). **3** Fig. Gír. Sonhar, imaginar: Não é nada do que você está pensando; você viajou. [▶ **1** viajar] • **vi.a.ja.do** a.

vianda (vi:an.da) sf. Qualquer tipo de comida (esp. um corte de carne).

viário (vi:á.ri:o) a. Ref. a via(s), caminho(s): acesso viário à região praiana.

via-sacra (vi.a-sa.cra) sf. Rel. Caminho que Jesus percorreu carregando a cruz até o calvário; VIA-CRÚCIS. [Pl.: vias-sacras.]

viático (vi:á.ti.co) sm. Rel. Comunhão ministrada em casa aos doentes impossibilitados de se deslocar, ou aos moribundos.

viatura (vi:a.tu.ra) sf. **1** Veículo us. para transportar pessoas ou coisas. **2** Bras. Automóvel us. por policiais.

viável¹ (vi:á.vel) a2g. Cuja realização é possível (metas viáveis); EXEQUÍVEL. [Pl.: -veis.] • **vi.a.bi.li.da.de** sf.

viável² (vi:á.vel) a2g. Pelo qual se pode seguir (trilha viável); TRANSITÁVEL. [Pl.: -veis.]

víbora (ví.bo.ra) sf. **1** Zool. Nome comum a certas cobras venenosas. **2** Fig. Pessoa mal intencionada, perversa.

vibração (vi.bra.ção) sf. **1** Ação ou resultado de vibrar, de tremer sob ação de um som, de uma fonte de energia etc. **2** Movimento daquilo que vibra; TREPIDAÇÃO. **3** Fig. Empolgação, emoção intensa; ENTUSIASMO: "...seu calor, seu movimento, essa vibração das ruas e dos bazares..." (Cecília Meireles, Caminhos de Bombaim). [Pl.: -ções.]

vibrante (vi.bran.te) a2g. **1** Que vibra (corda vibrante); VIBRÁTIL. **2** Que tem intensidade, força (voz vibrante). **3** Que denota entusiasmo (música vibrante, líder vibrante).

vibrar (vi.brar) v. **1** Ficar entusiasmado; EMPOLGAR-SE. [int.: Os torcedores vibravam diante da TV.] **2** Fazer tremer ou tremer; ESTREMECER; TREPIDAR. [td.: A britadeira vibrava o chão. int.: As vidraças vibraram com o trovão.] **3** Fazer soar ou soar. [td.: Gilda vibrava as cordas da viola. int.: As cordas da harpa vibravam sob seus dedos.] **4** Fig. Fazer-se ouvir; estar presente; ECOAR. [int.: As juras do namorado ainda vibram em seu coração.] **5** Agitar (com força (lança, arma ou objeto cortante); BRANDIR. [td.: vibrar a bengala.] **6** Desferir (golpe). [tdi. + em: Vibrou um soco no adversário.] [▶ **1** vibrar] • **vi.bra.dor** a.sm.

vibrátil (vi.brá.til) a2g. Que vibra ou tem tendência a vibrar: antenas vibráteis de um inseto. [Pl.: -teis.] • **vi.bra.ti.bi.li.da.de** sf.

vibratório (vi.bra.tó.ri:o) a. **1** Ref. a vibração (1) (frequência vibratória). **2** Que vibra (massageador vibratório). **3** Que provoca vibração (1) (impulso vibratório).

vibrião (vi.bri:ão) sm. Bac. Nome de um grupo de bactérias, curvas, móveis, encontradas no mar, em rios e na flora digestiva de animais que vivem nesses locais. [Pl.: -ões.]

vibrissas (vi.*bris*.sas) *sfpl.* **1** *Anat.* Pelos das narinas humanas. **2** *Anat. Zool.* Pelos com função tátil que nascem na face de alguns mamíferos como gatos, cachorros etc.

vicário (vi.*cá*.ri:o) *a.* Que assume provisoriamente o lugar e/ou as funções de outro; SUBSTITUTO. • **vi.ca.ri:***al* a2g.; vi.ca.ri:a.to sm.

vice-almirante (vi.ce-al.mi.*ran*.te) *sm. Mar.* **1** Patente militar. [Ver quadro *Hierarquia Militar Brasileira.*] **2** Militar que tem essa patente. [Pl.: *vice-almirantes.*] • **vi.ce-al.mi.ran.***ta*.do sm.

vice-campeão (vi.ce-cam.pe:*ão*) *a.sm.* Que ou aquele que alcançou a segunda melhor colocação num campeonato. [Pl.: *vice-campeões*. Fem.: *vice-campeã.*] • **vi.ce-cam.pe:***o*.*na*.to sm.

vice-governador (vi.ce-go.ver.na.*dor*) [ó] *sm.* **1** Cargo imediatamente inferior ao de governador. **2** Quem ocupa esse cargo. [Pl.: *vice-governadores.*]

vice-líder (vi.ce-*li*.der) *s2g.* **1** Cargo imediatamente inferior ao de líder, com as atribuições de assessorá-lo e substituí-lo em determinadas ocasiões. **2** Quem ocupa esse cargo. [Pl.: *vice-líderes.*] • **vi.ce-li.***de*.*ran*.ça sf.

vicênio (vi.*cê*.ni:o) *sm.* Espaço de tempo com duração de vinte anos. • **vi.ce.***nal* a2g.

vice-prefeito (vi.ce-pre.*fei*.to) *sm.* **1** Cargo imediatamente inferior ao de prefeito. **2** Quem ocupa esse cargo. [Pl.: *vice-prefeitos.*]

vice-presidente (vi.ce-pre.si.*den*.te)*s2g.* **1** Cargo imediatamente inferior ao de presidente, com as atribuições de assessorá-lo e substituí-lo em viagens, impedimentos etc. **2** Quem ocupa esse cargo. [Pl.: *vice-presidentes.*] • **vi.ce-pre.si.***dên*.ci.a sf.

vice-rei (vi.ce-*rei*) *sm.* **1** Cargo de autoridade máxima, diretamente subordinada ao rei, em uma província ou colônia de um reino. **2** Quem ocupa esse cargo. [Pl.: *vice-reis.*] • **vi.ce-rei.***na*.do sm.

vice-reitor (vi.ce-rei.*tor*) [ó] *sm.* **1** Cargo imediatamente inferior ao de reitor. **2** Quem ocupa esse cargo. [Pl.: *vice-reitores.*] • **vi.ce-rei.***to*.*ri*.a sf.

vice-versa (vi.ce-*ver*.sa) *adv.* **1** Tb. em sentido cruzado; INVERSAMENTE: *Carla gosta dos livros de Ana e vice-versa.* **2** De forma recíproca; MUTUAMENTE: *Marcelo gosta de Fátima e vice-versa.*

viciado (vi.ci.a.do) *a.* **1** Que é dependente de algum vício. **2** Que foi alterado para iludir (uísque viciado, dados viciados); ADULTERADO. **3** *Fig.* Que gosta muito de alguma coisa, a ponto de nunca abrir mão dela: *É viciado em futebol/em novelas. sm.* **4** Pessoa viciada.

viciar (vi.ci.*ar*) *v.* **1** Provocar ou adquirir vício, dependência. [*td./int.*: *O fumo vicia* (*jovens e adultos*). *tdi.* + *em*: *A prática constante acabou viciando o rapaz em jogos eletrônicos.* *pr.*: *Muitos garimpeiros se viciaram em álcool.*] **2** Tornar ruim, impuro; ESTRAGAR(-SE), CORROMPER(-SE). [*td.*: *O cigarro vicia o ambiente.* [Ant. nesta acp.: *purificar.*] **3** Adulterar, falsificar. [*td.*: *A empresa viciou o taxímetro.*] [▶ viciar] • **vi.ci:***an*.te a2g.

vicinal (vi.ci.*nal*) *a2g.* **1** Que fica próximo de um determinado lugar (bairro vicinal); VIZINHO. **2** Que interliga dois lugares vizinhos (diz-se de caminho, rodovia etc.). [Pl.: *-nais.*]

vício (*ví*.ci:o) *sm.* **1** Dependência física e/ou psicológica de determinada substância ou prática: *vício em droga/no jogo.* **2** Costume, mania. ▪▪ **~ de linguagem** *Gram.* Uso incorreto de formas ou construções linguísticas.

vicioso (vi.ci:o.so) [ó] *a.* **1** Ref. a vício (comportamento vicioso). **2** Em que há características condenáveis (ambiente vicioso); DEGRADADO. **3** Que apresenta problemas ou incorreções (método vicioso); IMPERFEITO. [Fem. e pl.: [ó].] • **vi.ci:***o*.si.*da*.de sf.

vicissitude (vi.cis.si.*tu*.de) *sf.* Eventualidade, acaso, mudança ger. negativos, que não se podem prever ou controlar e que afetam alguém ou algo: *Passou por muitas vicissitudes até se firmar.*

viço (*vi*.ço) *sm.* **1** Aparência exuberante de uma planta; frescor. **2** *Fig.* Aparência saudável e jovem de alguém; VIGOR. • **vi.***ço*.so a.

vicunha (vi.*cu*.nha) *sf.* **1** *Zool.* Mamífero ruminante da família do camelo que vive na América do Sul e cuja lã é us. na indústria de tecidos. **2** Tecido feito dessa lã.

vida (*vi*.da) *sf.* **1** *Biol.* Condição da existência de alguns seres como os homens, animais e outros organismos, marcada por nascimento, desenvolvimento, envelhecimento e morte; EXISTÊNCIA. [Ant.: *morte.*] **2** Estado de quem possui essa condição: *Alguns acidentados ainda estavam com vida.* **3** Duração desse estado (vida longa); EXISTÊNCIA. **4** A vivência de alguém: *A vida nos ensinou a ser pacientes.* **5** Condições nas quais alguém vive: *Sua vida foi boa até a falência.* **6** Aspecto ou particularidade das atividades e/ou realizações de alguém (vida artística/familiar). **7** Relato dos feitos e experiências de alguém; BIOGRAFIA. **8** *Fig.* Energia e resistência física e mental; VITALIDADE: *Os jovens são cheios de vida.* **9** *Fig.* Animação ao executar atividades, expressar ideias etc.; ENTUSIASMO: *uma festa cheia de vida.* ▪▪ **Danado da ~** *Fam.* Irritado, furioso. **Estar com a ~ ganha** *Bras.* Não ter preocupações financeiras. **Estar com a ~ que pediu a Deus** Estar vivendo como quer, totalmente satisfeito. **Ganhar a ~** Trabalhar para sustentar-se. **Toda a ~** *MG RJ SP Pop.* Continuadamente; sem parar; sem se desviar: *Vá andando toda a vida, até chegar numa praça.* **~ fácil** Prostituição.

📖 Vida é a condição de certos seres da natureza de realizarem transformações em moléculas orgânicas (o que lhes permite crescer, mover-se, reproduzir-se, e executar funções diversas). Essas transformações dependem energia, e, portanto, o ser vivo precisa repô-la, interagindo com o meio ambiente. A necessidade de energia é constante, mesmo quando não há trabalho mecânico sendo exercido; ou seja, a própria condição de viver pressupõe a necessidade e o uso de energia. A vida na Terra teve início na forma de bactérias e algas (vegetais) e protozoários (animais), há cerca de 3,9 bilhões de anos, no período Pré-cambriano. Moluscos e peixes surgiram há cerca de 500 milhões de anos; répteis, mamíferos e aves, há cerca de 300 milhões de anos; e o homem (o *Homo sapiens*), há cerca de 350.000 anos.

vide (*vi*.de) *sf.* **1** *Bot.* Ver videira. **2** Armação de madeira na qual videiras crescem enroscadas.

videira (vi.*dei*.ra) *sf. Bot.* Planta trepadeira que dá uvas; VIDE.

vidente (vi.*den*.te) *a2g.s2g.* Que ou quem é considerado capaz de ver o mundo espiritual, o futuro ou outras coisas sobrenaturais. • **vi.***dên*.ci.a sf.

vídeo (*ví*.de:o) *sm.* **1** Parte de um aparelho, como a televisão, na qual se reproduzem imagens em movimento. **2** *Eletrôn.* Técnicas de geração, transmissão, gravação etc. desse tipo de imagem. **3** *Eletrôn. Inf.* Tela de televisão ou de monitor. **4** *Cin. Inf. Telv.* Filme ou produção audiovisual à qual se assiste pela televisão, computador ou por projeção cinematográfica. **5** A parte visível de um sinal audiovisual: *O vídeo estava bom, o áudio não.* **6** Ver videocassete.

videoarte (vi.de:o.*ar*.te) *sf. Art.Pl.* Em artes plásticas, uso de gravações em vídeo como recurso estético.

videocassete (vi.de:o.cas.*se*.te) [ê] *sm.* **1** Aparelho eletrônico que grava imagens e sons em fitas cassete e também as reproduz; vídeo. **2** Esse tipo de fita.

videoclipe (vi.de:o.*cli*.pe) *sm. Mús. Telv.* Filme de curta duração com apresentação musical, ger. para exibição televisiva; clipe.

videoclube (vi.de:o.*clu*.be) *sm.* **1** Lugar destinado à exibição de filmes gravados em vídeo, ger. feita a associados. **2** Ver *videolocadora*.

videoconferência (vi.de:o.con.fe.*rên*.ci:a) *sf. Telc.* **1** Técnica de empregar câmeras e equipamentos de áudio para possibilitar conferências ou reuniões entre pessoas distantes umas das outras. **2** Conferência ou reunião realizada através desses recursos audiovisuais.

videodisco (vi.de:o.*dis*.co) *sm.* Disco digital no qual se podem registrar imagens e sons.

videofone (vi.de:o.*fo*.ne) *sm. Telc.* **1** Técnica de comunicação à distância com transmissão de imagens e sons dos interlocutores. **2** Equipamento us. nessa modalidade de telecomunicação.

☻ **vídeo game** (*Ing.* /*vídiou guêim*/) *sm. Eletrôn.* Jogo exibido em uma tela de vídeo, no qual os participantes podem controlar a ação por meio de dispositivos como o *joystick*, teclado e *mouse*.

videolaparoscopia (vi.de:o.la.pa.ros.co.*pi*.a) *sf.* **1** *Med.* Exame endoscópico da cavidade abdominal feito por meio de uma câmera de vídeo. **2** *Cir.* Cirurgia realizada com uso desse equipamento.

videolocadora (vi.de:o.lo.ca.*do*.ra) [ó] *sf.* Loja que aluga a seus associados filmes gravados em fitas de vídeo e DVD; videoclube.

videoteca (vi.de:o.*te*.ca) *sf.* **1** Coleção de gravações de vídeo feitas em diferentes suportes (fita, disco etc.). **2** Lugar onde essa coleção é armazenada.

videoteipe (vi.de:o.*tei*.pe) *sm. Telv.* **1** Técnica de registro e reprodução de imagens e sons em fita magnética. **2** Esse tipo de fita. **3** Gravação feita por essa técnica.

videotexto (vi.de:o.*tex*.to) [ês] *sm. Eletrôn.* **1** Técnica de transmissão de imagens de textos por telefone ou televisão a cabo, para exibição em vídeo. **2** Equipamento emissor ou receptor desse tipo de transmissão.

vidraça (vi.*dra*.ça) *sf.* **1** Pedaço fino e achatado de vidro. **2** Armação de madeira em portas ou janelas, na qual se fixam pedaços de vidro desse tipo.

vidraçaria (vi.dra.ça.*ri*.a) *sf.* **1** Loja onde se fabricam vidraças, espelhos e outros objetos de vidro; vidraria. **2** Conjunto de vidraças: *vidraçaria de uma estufa*.

vidraceiro (vi.dra.*cei*.ro) *sm.* Quem trabalha fabricando vidraças, espelhos e outros objetos de vidro, comercializando-os e instalando esses objetos.

vidrado (vi.*dra*.do) *a.* **1** Revestido ou provido de vidro; envidraçado. **2** Brilhante como o vidro. **3** Sem brilho, sem vida (olhos vidrados); embaçado. **4** *Bras. Gír.* Muito interessado; gamado: *vidrado em esportes/na namorada*.

vidrar (vi.*drar*) *v.* **1** *Bras. Gír.* Encantar-se ou apaixonar-se por. [*ti.* + *em*: *O homem vidrou na balconista*.] **2** Tirar ou perder o brilho (esp. (a)os olhos); embaçar. [*td*.: *A tristeza vidrou seus olhos. int.*: *Seus olhos vidraram de tristeza*.] [▶ **1** vidr**ar**]

vidraria (vi.dra.*ri*.a) *sf.* Ver *vidraçaria* (1).

vidreiro (vi.*drei*.ro) *a.* **1** Ref. a vidro. *sm.* **2** Quem trabalha fabricando vidro ou usando esse material em construções, artesanato etc.

vidrilho (vi.*dri*.lho) *sm.* Pedaço pequeno de vidro em forma de tubo us. para enfeitar roupas.

vidro (*vi*.dro) *sm.* **1** Material sólido, transparente e quebradiço, fabricado a partir da fusão de areia, areia e outras substâncias. **2** Objeto ou peça feita desse material: *vidros de Murano*. **3** Recipiente para líquidos feito com esse material; frasco: *vidros de perfume*.

◫ O vidro é o resultado da mistura de sílica com álcali e algum endurecedor, como a cal. Após a fusão em alta temperatura, essa substância, à medida que esfria, mantém certas propriedades de líquido e de substância pastosa (transparência, maleabilidade), até que, totalmente fria, adquire características de sólido. A qualidade e as características do vidro variam de acordo com as proporções dos componentes e de seu tipo. Os vidros mais transparentes, chamados *cristais*, têm como componente o chumbo. Seu formato é dado quando em estado pastoso, antes de esfriar. A origem do vidro remonta aos egípcios (2500 a.C.). Os sírios introduziram, no séc. I, a técnica de moldar o vidro com o sopro, para fabricar objetos ocos, como garrafas e vasos. Famosos são os vidros artísticos de Veneza, da ilha de Murano (a partir do séc. XIII), os cristais da Boêmia e os esmaltes de Barcelona. O uso industrial do vidro e da fibra de vidro desenvolveu-se muito a partir do séc. XX.

viela (vi:e.la) *sf.* Rua secundária, estreita.

vienense (vi.e.*nen*.se) *a2g.* **1** De Viena, capital da Áustria (Europa); típico dessa cidade ou de seu povo. *s2g.* **2** Pessoa nascida em Viena.

viés (vi:*és*) *sm.* **1** Direção diagonal (nem paralela, nem perpendicular). **2** *Fig.* Tendência que se percebe em maneira de ver determinado assunto; prisma: *Vendo o fato sob outro viés, acabou concordando*. [Pl.: *vieses*.] ▦ **De ~** Obliquamente.

vietnamita (vi:et.na.*mi*.ta) *a2g.* **1** Da República Socialista do Vietnã, ou Vietname (sudeste da Ásia); típico desse país ou de seu povo. *s2g.* **2** Pessoa nascida no Vietnã. *a2g.sm.* **3** *Gloss.* Da, ref. à ou à língua falada no Vietnã.

viga (*vi*.ga) *sf. Cons.* Pedaço alongado de madeira, concreto etc., que se estende horizontalmente na estrutura de uma construção para sustentá-la; trave.

vigamento (vi.ga.*men*.to) *sm.* O conjunto das vigas fixadas na estrutura de uma construção.

vigarice (vi.ga.*ri*.ce) *sf.* **1** Ação ou comportamento que revela desonestidade e/ou malícia; patifaria. **2** Ato planejado para enganar outras pessoas, prejudicando-as; trapaça.

vigário (vi.*gá*.ri:o) *sm.* **1** Padre que substitui o responsável por uma paróquia. **2** *Pop.* Padre que dirige uma paróquia; pároco.

vigarista (vi.ga.*ris*.ta) *a2g.s2g.* Que ou quem pratica vigarices.

vigência (vi.*gên*.ci:a) *sf.* **1** Característica ou condição do que vige, do que está em vigor, em pleno funcionamento. **2** Período durante o qual algo vige, tem efeito.

vigente (vi.*gen*.te) *a2g.* Que tem efeito ou está em funcionamento: *lei vigente em todo o país*.

viger (vi.*ger*) *v.* Ver *vigorar*. [▶ **35** v**i**g**er**]

vigésimo (vi.*gé*.si.mo) *num.* **1** Ordinal que, em uma sequência, corresponde ao número vinte: *Siga até o vigésimo quilômetro. a.* **2** Que é vinte vezes menor do que a unidade ou um todo (diz-se de parte): *Vendeu apenas a vigésima parte da mercadoria.* [Us. tb. como subst.: *um vigésimo da mercadoria*.]

vigia (vi.*gi*.a) *sf.* **1** Ação ou resultado de vigiar. **2** Lugar onde quem executa essa função fica protegido e oculto. **3** *Mar.* Abertura ger. circular feita em compartimentos de navios para deixar o ar e a luz entrarem; claraboia. *s2g.* **4** Ver *vigilante* (5).

vigiar (vi.gi.*ar*) *v. td.* **1** Tomar conta (de alguém ou de algo); guardar. **2** Observar ocultamente; espreitar. [▶ **1** vigi**ar**]

vigilante (vi.gi.*lan*.te) *a2g.* **1** Que observa algo atentamente. **2** Que está concentrado; atento: *Vigilante,* *acompanhava os discursos dos candidatos.* [Ant.: *distraído*.] **s2g. 3** Quem trabalha cuidando da segurança de um lugar; VIGIA. • **vi.gi.lân.ci.a** *sf.*

vigília (vi.gí.li.a) *sf.* **1** Condição de quem não está dormindo. **2** Estado de quem se mantém acordado durante a noite: *Fiquei em vigília cuidando da doente.* **3** Dificuldade para dormir; INSÔNIA.

vigor (vi.gor) [ô] *sm.* **1** Qualidade do que tem força. **2** Condição do que está em pleno funcionamento. **3** Energia e disposição para agir; ROBUSTEZ: *vigor da juventude.*

vigorar (vi.go.rar) *v. int.* Estar em vigor; ter validade: *O decreto vigorou durante dez anos.* [▶ 1 vigorar] • **vi.go.ran.te** *a2g.*

vigoroso (vi.go.ro.so) [ô] *a.* **1** Que tem vigor (1), força. **2** Que tem energia e resistência física. [Fem. e pl.: [ó].]

vil *a2g.* **1** De má qualidade ou pouco valor; RELES. **2** Que não tem dignidade ou importância; INDIGNO, MISERÁVEL: *"...o grosso da escravaria, fosse branca ou negra, tinha destino duro, amargo e vil..."* (Alberto da Costa e Silva, *A manilha e o libambo*). **3** Que tem características reprováveis; DESPREZÍVEL. *a2g.s2g.* **4** Que ou quem não é honesto ou tem comportamento indigno; INFAME. [Pl.: *vis*.]

vila¹ (*vi*.la) *sf.* **1** Localidade menor do que uma cidade e maior do que uma aldeia. **2** Dentro de uma cidade, rua fechada e sem saída, composta ger. de casas. [Dim.: *vilela, vileta, vilota*.]

vila² (*vi*.la) *sf.* Casa grande e luxuosa; PALACETE.

vilania (vi.la.*ni*.a) *sf.* **1** Característica de quem é vil (3). [Ant.: *nobreza*.] **2** Ação ou comportamento de quem tem essa característica. **3** Mesquinhez, avareza. [Ant.: *generosidade*.]

vilão (vi.*lão*) *a.sm.* **1** Que ou quem é mal-intencionado, que busca prejudicar os outros. **2** Que ou quem é indelicado, descortês; GROSSEIRO. **3** *Antq.* Que ou quem vive numa vila, longe dos centros urbanos. *sm.* **4** *Cin. Liter. Telv.* Personagem de uma narrativa de ficção que comete ações condenáveis, ger. se opondo ao herói; BANDIDO. [Pl.: *-lões, -lãos* e *-lães*. Fem.: *-lã* e *-loa*.]

vilar (vi.*lar*) *sm.* Ver *vilarejo*.

vilarejo (vi.la.*re*.jo) [ê] *sm.* Vila de pequena extensão; VILAR.

vilegiatura (vi.le.gi.a.*tu*.ra) *sf.* Período, ger. no verão, durante o qual os moradores da cidade viajam para o campo; VERANEIO.

vileza (vi.*le*.za) [ê] *sf.* **1** Característica de quem ou do que é vil (2 e 3); INDIGNIDADE. **2** Ação ou comportamento de quem tem esse traço de personalidade.

vilipendiar (vi.li.pen.di.*ar*) *v. td.* Tratar (alguém ou algo) com descaso; DESPREZAR; DESMERECER. [Ant.: *respeitar, valorizar*.] [▶ 1 vilipendiar] • **vi.li.pen.di.a.do** *a.*; **vi.li.pen.di.a.dor** *a.sm.*

vilipêndio (vi.li.*pên*.di.o) *sm.* **1** Ação ou resultado de vilipendiar, de desprezar os atributos e/ou a importância de alguém ou de algo; AVILTAMENTO. **2** Atitude ou expressão de vilipêndio (1); MENOSPREZO. • **vi.li.pen.di.o.so** *a.*

viloso (vi.*lo*.so) [ô] *a.* Coberto de pelos; PELUDO. [Fem. e pl.: [ó].] • **vi.lo.si.da.de** *sf.*

vime (*vi*.me) *sm.* Ramo fino e maleável, semelhante ao bambu, com o qual se fazem móveis e peças de artesanato.

vimeiro (vi.*mei*.ro) *sm. Bot.* Arbusto do qual se extrai o vime.

vinagre (vi.*na*.gre) *sm.* Líquido de sabor ácido, produzido a partir da fermentação de bebidas como o vinho, us. ger. para temperar saladas. • **vi.na.grar** *v.*

vinagreira (vi.na.*grei*.ra) *sf.* **1** Recipiente no qual se guarda e serve vinagre. **2** *Bot.* Arbusto cujas folhas, de sabor azedo, são us. em culinária.

vinagrete (vi.na.*gre*.te) [ê] *sm. Cul.* Molho para saladas e pratos frios, feito à base de vinagre, misturado com legumes e outros temperos.

vincar (vin.*car*) *v.* **1** Fazer vinco, dobra em; PREGUEAR. [*td*.: *vincar uma calça*.] **2** Encher(-se) de rugas. [*td*.: *O tempo vincou a face da mulher. pr.*: *Sua testa vincou-se de preocupação.*] [▶ 11 vincar] • **vin.ca.do** *a.*

vincendo (vin.*cen*.do) *a.* Cujo prazo para pagamento está acabando (diz-se de dívida, juros etc.).

vinco (*vin*.co) *sm.* **1** Dobra que fica marcada em uma roupa. **2** Marca deixada em uma superfície por pressão, pancada etc.; SULCO. **3** Sulco visível no rosto de alguém (ger. por velhice); RUGA.

vincular (vin.cu.*lar*) *v.* Ligar(-se), unir(-se), associar(-se). [*tdi. + a*: *O noivado já o vinculara à família. pr.*: *As indústrias locais vincularam-se para não fechar*.] **2** Tornar dependente (de). [*tdi. + a*: *Vinculou o empréstimo a certas condições.*] [▶ 1 vincular] • **vin.cu.la.ção** *sf.*; **vin.cu.lan.te** *a2g.*; **vin.cu.lá.vel** *a2g.*

vínculo (*vin*.cu.lo) *sm.* **1** O que amarra, entrelaça coisas; LIAME. **2** *Fig.* O que relaciona uma ou mais coisas ou pessoas (ger. uma característica comum); LIGAÇÃO: *Os detetives buscam vínculos entre os crimes.* **3** Encadeamento lógico entre ideias ou elementos. **4** *Fig.* Relação forte de carinho, afeição; APEGO: *vínculo entre mãe e filho.* • **vi.cu.la.tó.ri.o** *a.*

vinda (*vin*.da) *sf.* Ação ou resultado de vir, de aproximar-se de um determinado lugar. [Ant.: *ida*.]

vindicar (vin.di.*car*) *v. td.* Exigir, reivindicar: *vindicar seus direitos.* [▶ 11 vindicar] • **vin.di.ca.ção** *sf.*; **vin.di.ca.do** *a.*; **vin.di.ca.dor** *a.sm., a2g.s2g.*; **vin.di.ca.ti.vo** *a.*

vindima (vin.*di*.ma) *sf.* **1** Ação ou resultado de vindimar. **2** Período favorável a essa atividade. **3** As uvas colhidas nesse período.

vindimar (vin.di.*mar*) *v. int.* Colher uvas. [▶ 1 vindimar] • **vin.di.ma.do** *a.*; **vin.di.ma.dor** *a.sm.*

vindita (vin.*di*.ta) *sf.* **1** Punição prevista na lei. **2** Ver *vingança*.

vindo (*vin*.do) *a.* **1** Que veio; que chegou no lugar onde está. **2** Proveniente, originário: *telegrama vindo de Brasília.*

vindouro (vin.*dou*.ro) *a.* Que acontecerá ou decorrerá no futuro (anos *vindouros*).

vingança (vin.*gan*.ça) *sf.* **1** Ação ou resultado de vingar(-se), de prejudicar alguém como reparação a dano ou ofensa recebidos desse alguém; DESFORRA; VINDITA. **2** Castigo, pena.

vingar (vin.*gar*) *v.* **1** Punir, com ação contrária (autor de mal ou ofensa), ou reparar (ofensa, mal recebido) com ação contrária; DESFORRAR(-SE). [*td*.: "*....toda a tribo se levantaria ... para vingar a morte de seu cacique...*" (José de Alencar, *O guarani*). *pr.*: *Decidiu vingar-se dele pelas ofensas recebidas*.] **2** Crescer. [*int*.: *As roseiras não vingaram.*] **3** Ser aceito ou bem-sucedido; ter êxito. [*int*.: *Nossa proposta vingou.*] [▶ 14 vingar] • **vin.ga.do** *a.*; **vin.ga.dor** *a.sm.*

vingativo (vin.ga.*ti*.vo) *a.* **1** Que não perdoa, que se vinga de alguém ou de algo. **2** Ref. a vingança (intenções *vingativas*).

vinha (*vi*.nha) *sf. Bot.* Plantação de videiras.

vinhaça (vi.*nha*.ça) *sf.* **1** Vinho ordinário, de qualidade inferior. **2** Entorpecimento causado por bebida alcoólica; EMBRIAGUEZ.

vinha-d'alhos (vi.nha-*d'a*.lhos) *sf. Cul.* Molho feito à base de vinagre, alho e outros condimentos, us. para conservar e temperar carnes; MARINADA. [Pl.: *vinhas-d'alhos*.]

vinhateiro (vi.nha.*tei*.ro) *a.* **1** Ref. ao cultivo de vinhas. **2** Que cultiva vinhas (diz-se de agricultor); VITICULTOR. *sm.* **3** Quem cultiva vinhas; VITICULTOR. **4** Quem produz vinhos.

vinhático (vi.*nhá*.ti.co) *sm. Bot.* Árvore valorizada pela madeira amarelada, de boa qualidade. **2** Essa madeira.

vinhedo (vi.*nhe*.do) [ê] *sm.* Plantação de vinhas.

vinheta (vi.*nhe*.ta) [ê] *sf*. **1** *Edit*. Desenho ou figura ornamental que se imprime em livro ou em outro tipo de publicação. **2** *Rád. Telv.* Filme, música e/ou texto curtos que identificam uma emissora, ger. veiculados no início e no fim dos intervalos comerciais de um programa televisivo ou radiofônico. • **vi.nhe.*tis*.ta** *a2g.s2g*.

vinho (*vi*.nho) *sm*. **1** Bebida alcoólica produzida a partir da fermentação do suco de uvas. **2** Esse tipo de bebida, feita a partir do suco de outras frutas: *vinho de maçã*. **3** A cor rosada ou arroxeada da uva. *a2g2n*. **4** Que é dessa cor (blusas vinho). • *ví*.ni.co *a*.

vinicultura (vi.ni.cul.*tu*.ra) *sf*. **1** Cultura de vinhas; VITICULTURA. **2** Produção de vinho. • vi.*ní*.co.la *a2g*.; vi.ni.cul.*tor* *a.sm*.

vinífero (vi.*ní*.fe.ro) *a*. Que é do qual se produz vinho (diz-se ger. de uvas).

vinil (vi.*nil*) *sm*. **1** *Quím*. Substância a partir da qual se produziam discos fonográficos, posteriormente substituídos pelo CD. **2** Esse tipo de disco. [Pl.: *-nis*.]

vinte (*vin*.te) *num*. **1** Quantidade correspondente a 19 unidades mais uma. **2** Número que representa essa quantidade (arábico: 20; romano: XX).

vintém (vin.*tém*) *sm*. *Antq*. Moeda equivalente a vinte réis, que era corrente no Brasil e em Portugal. [Pl.: *-téns*.]

vintena (vin.*te*.na) *sf*. Conjunto formado por vinte elementos.

viola (vi:o.la) [ó] *sf*. **1** *Mús*. Instrumento de cordas dedilhadas, semelhante ao violão, de som agudo e triste, us. ger. na música sertaneja. **2** *Mús*. Instrumento de arco, com quatro cordas e extensão de três oitavas, de formato semelhante ao do violino, e com som mais grave. **3** *Zool*. Nome de vários peixes e raias².

violácea (vi.o.*lá*.ce:a) *sf*. *Bot*. Denominação comum a certas ervas e arbustos com flores, dentre as quais se encontram a violeta e o amor-perfeito.

violáceo (vi.o.*lá*.ce:o) *a*. **1** Ref. à violeta (1 e 2). **2** Que tem a cor da violeta.

violão (vi:o.*lão*) *sm*. **1** *Mús*. Instrumento musical de seis e duas cordas dedilhadas, com caixa de ressonância, da qual sai um braço de madeira em cuja extremidade são fixadas as cordas. **2** *Bras. Pop*. Mulher com corpo cheio de curvas. [Pl.: *-lões*.]

violar (vi:o.*lar*) *v. td*. **1** Desobedecer (lei, ordem, acordo). [Ant.: *cumprir, respeitar*.] **2** Estuprar, violentar. **3** Faltar ao respeito com; PROFANAR; DESRESPEITAR: *violar a memória dos avós*. [Ant.: *respeitar*.] **4** Abrir (caixa, correspondência etc.) sem permissão: *Violou o telegrama da irmã*. [▶ **1** violar] • vi:o.la.*ção* *sf*.; vi:o.la.do *a*.; vi:o.len.ta.dor *a.sm*.

violeiro (vi:o.*lei*.ro) *sm*. **1** Que ou quem fabrica instrumentos de corda. *sm*. **2** *Bras*. Pessoa que toca viola (1).

violência (vi:o.*lên*.ci:a) *sf*. **1** Emprego abusivo (ger. ilegítimo) da força ou da coação para se obter algo. **2** Grande força ou poder próprio a uma ação, processo ou fenômeno natural: *a violência da tempestade surpreendeu a todos*.

violentar (vi:o.len.*tar*) *v. td*. **1** Forçar (alguém) a ter relações sexuais; ESTUPRAR. **2** Usar de violência física ou moral (contra); COAGIR; FORÇAR. [▶ **1** violentar] • vi:o.len.ta.do *a*.; vi:o.len.ta.dor *a.sm*.

violento (vi:o.*len*.to) *a*. **1** Que emprega ou tende a empregar a força bruta em suas relações com outras pessoas, com animais, plantas e coisas. **2** Que envolve violência (comportamento violento). **3** Que ocorre de forma vigorosa, possuindo ou não consequências graves: *Houve um acidente violento na rua, mas não houve vítimas*. **4** Que envolve muito esforço e energia: *Após violentas pedaladas finais, ele ganhou a prova*.

violeta (vi:o.*le*.ta) *sf*. *Bot*. **1** Planta herbácea ornamental que dá flores. **2** A flor dessa planta. *sm*. **3** A cor presente nas violetas; ROXO. *a2g2n*. **4** Que é dessa cor (camisas violeta).

violinista (vi:o.li.*nis*.ta) *s2g*. Pessoa que toca violino.

violino (vi:o.*li*.no) *sm*. **1** *Mús*. Instrumento de arco, de pequenas dimensões, com quatro cordas e extensão de quatro oitavas, corpo arredondado nas extremidades, braço sem trastes e aberturas no tampo; RABECA. **2** Em uma orquestra, músico que toca violino; VIOLINISTA: *O primeiro violino foi estupendo ontem*.

violista (vi:o.*lis*.ta) *s2g*. Pessoa que toca viola (2).

violoncelista (vi:o.lon.ce.*lis*.ta) *s2g*. Pessoa que toca violoncelo.

violoncelo (vi:o.lon.*ce*.lo) *sm*. *Mús*. Instrumento de arco, com quatro cordas e extensão superior a quatro oitavas, cujo formato é semelhante ao do violino, sendo bem maior que este e com som muito mais grave.

VIOLA (1)   VIOLÃO (1)   VIOLINO (1)   VIOLONCELO

violonista (vi:o.lo.*nis*.ta) *s2g*. Pessoa que toca violão.

VIP *a2g.s2g*. **1** Que ou quem recebe tratamento especial, em função de reconhecido prestígio, influência ou poder (convidado VIP). *a2g*. **2** Diz-se do que é destinado ou reservado a essas pessoas (sala VIP). [NOTA: Abr. da expr. ing.: *very important people*.]

viperino (vi.pe.*ri*.no) *a*. **1** Ref. à víbora(s) ou próprio dela(s). **2** Que contém veneno ou peçonha (fluido viperino). **3** *Fig*. Que é malicioso ou perverso (humor viperino).

vir *v*. **1** Mover-se para onde está a pessoa que fala. [*int*.: *Venha e traga seus filhos*; (tb. seguido de indicação de circunstâncias diversas) *O trem vinha vazio*; *Eles estão vindo para cá/a pé/bem cedo*.] [Ant.: *ir*.] **2** Ter origem em; proceder. [*int*. (seguido de indicação de lugar): *"A alegria da esposa só vem de ti..."* (José de Alencar, *Iracema*).] **3** Surgir, nascer. [*int*.: *De repente veio essa ideia*.] **4** Tornar-se real; acontecer; CHEGAR. [*int*. (seguido de indicação de causa): *A sabedoria vem com a idade*.] **5** Ser apresentado ou oferecido (em certa condição). [*int*. (seguido de indicação de condição): *Esse carro já vem com rádio*.] **6** Ter como causa; ADVIR; RESULTAR. [*ti*. + *de*: *Essa rouquidão vem de um calo nas cordas vocais*.] **7** Afluir. [*tdi*. + *a, para*: *A torcida veio em massa ao estádio*.] [▶ **42 vir**] Part.: *vindo* [NOTA: Us. tb. como v. auxiliar: a) seguido de prep. *a* + v. no inf., com o sentido de 'resultar': *Eles vieram a se casar poucos meses depois*; b) seguido de v. no gerúndio, para indicar ação repetida ou progressiva: *Há meses venho tentando acertar na loteria*.] ❙❙ **Que vem** Que se segue imediatemente: *semana que vem*. ~ **abaixo** Desabar, ruir.

vira (*vi*.ra) *sm*. **1** *Mús*. Ritmo musical português. **2** A dança em acompanhamento a esse ritmo. *sf*. **3** Em um calçado, tira de couro que é costurada ou pregada entre as solas nas extremidades. **4** Peça de tecido macio que se coloca entre a manta e o rosto do bebê, para evitar irritação da pele.

virabrequim (vi.ra.bre.*quim*) *sm*. Nos motores de explosão, peça que transforma o movimento alternado dos êmbolos ou pistões em movimento circular, que

VIRABREQUIM

é transmitido às rodas pelo sistema de transmissão. [Pl.: -*quins*.]
viração (vi.ra.*ção*) *sf.* **1** Vento suave que sopra do mar. **2** *Pop.* Emprego informal ou de curta duração, suficiente para garantir a subsistência; BISCATE. [Pl.: -*ções*.]
vira-casaca (vi.ra-ca.*sa*.ca) *s2g.* Pessoa que troca de convicção, time, partido político ou qualquer outro traço de identificação a um grupo. [Pl.: *vira-casacas*.]
virada (vi.*ra*.da) *sf.* **1** Ação ou resultado de virar(-se). **2** Alteração profunda de atitude, de condição, de circunstâncias etc.: *Depois do acidente, aconteceu uma virada na minha vida*. **3** *Esp.* Em uma partida, situação na qual um time ou atleta passa na frente de seu oponente, após desvantagem inicial: *Ganhou o jogo de virada*.
viradão (vi.ra.*dão*) *sm.* Sequência, em ritmo intenso e quase ininterrupto, de eventos culturais, esportivos etc.
virado (vi.*ra*.do) *a.* **1** Que se virou. **2** *Pop.* Facilmente alterável, inconstante: *Acordou com o humor virado.* *sm.* **3** *SP Cul.* Prato típico, feito com tutu de feijão, torresmo, ovos e costeleta de porco.
virador (vi.ra.*dor*) [ó] *sm.* **1** Plataforma móvel, us. para alterar sentido ou direção de deslocamento de locomotiva. **2** Pessoa que sabe se virar (12), que consegue se sair bem em situações difíceis.
virago (vi.*ra*.go) *sf.* Mulher de aspecto e trejeitos masculinos.
vira-lata (vi.ra-*la*.ta) *s2g.* **1** Cão sem raça definida. **2** Cão sem dono que vive solto pelas ruas. *a2g.* **3** Diz-se desses cães. [Pl.: *vira-latas*.]
virar (vi.*rar*) *v.* **1** Mudar (algo ou alguém) de posição, de direção, de lado. [*td.*: *virar os olhos. int.*/*pr.*: *virar(-se) na cama.*] **2** Pôr em posição oposta à anterior; [*td.*: *virar as páginas. int.*: *A canoa virou.*] **3** Voltar(-se) para. [*td.* (seguido de indicação de direção): *Virou os ponteiros para o.* **10**. *int.* (seguido de indicação de direção): *O girassol vira para o sol. pr.*: *Virou-se para ele e sorriu*.] **4** Dar volta completa em; GIRAR. [*td.*: *virar a manivela. int.*: *Viu a maçaneta virar*.] **5** Transformar-se em (algo diferente). [*lig.*: "Quem sabe o príncipe virou um chato..." (Cazuza e Frejat, *Malandragem*).] **6** Despejar, derramar. [*td.*: *virar o café no bule*.] **7** Dar volta em ou fazer uma curva; DOBRAR. [*td.*: *virar a esquina. int.*: *O carro virou e perdemos seu rastro*.] **8** Mudar, alterar-se (o tempo). [*int.*] [Ant.: *firmar*.] **9** Mexer (em algum lugar) em busca de; REVIRAR; VASCULHAR. [*td.*: *Virou o quarto atrás do dinheiro*.] **10** Beber todo o conteúdo de. [*td.*: "...desafiava a *virar* copos cheios." (Joaquim Manuel de Macedo, *A moreninha*).] **11** Golpear com. [*td.* (seguido de indicação de lugar): *Cláudia virou a mão na cara da insolente*.] • **virar-se** *pr.* **12** Resolver os próprios problemas: *Ele sabe se virar*. **13** Posicionar-se (contra alguém ou algo): *Os lojistas viraram-se contra os camelôs*. [▶ **1** vi*rar*] ▣ **Vira e mexe** A toda hora; sem mais nem menos: *Vira e mexe ele volta ao assunto*.
viravolta (vi.ra.*vol*.ta) *sf.* **1** Volta completa em torno do próprio corpo. **2** *Fig.* Mudança radical e surpreendente; REVIRAVOLTA: *Houve uma viravolta no processo dos jornalistas*.
virgem (*vir*.gem) *sf.* **1** Mulher que nunca teve relações sexuais. *a2g.* **2** Que nunca fez sexo (rapaz virgem). **3** Que não tem experiência: *A empresa era virgem na área de brinquedos*. **4** Que permanece intocada e inalterada (mata virgem). [Pl.: -*gens*.] • ▣ **Virgem Sf. 5** *Rel.* No cristianismo, a mãe de Jesus. **6** *Astrol.* Signo (do Zodíaco) das pessoas nascidas entre 23 de agosto e 22 de setembro. *s2g.* **7** *Astrol.* Virginiano: *Ele é Virgem*. • **vir.gi.***nal** *a2g.*
virgindade (vir.gin.*da*.de) *sf.* Condição ou estado de quem ou do que é virgem.
virginiano (vir.gi.ni:*a*.no) *a.sm. Astrol.* Que ou quem nasceu sob o signo de Virgem; VIRGEM.

vírgula (*vír*.gu.la) *sf. Gram.* Sinal (,) us. na escrita para indicar uma pequena pausa entre os termos da oração. ▣ **Uma ~** *Pop.* Em tom exclamativo, expressa discordância; que nada; nunca: *Fácil? Uma vírgula!*
viril (vi.*ril*) *a2g.* **1** Característico dos homens ou ref. a eles (trabalho viril); MÁSCULO. **2** Que possui energia e vigor (decisão viril). [Pl.: -*ris*.]
virilha (vi.*ri*.lha) *sf. Anat.* Área interna da junção das coxas ao tronco.
virilidade (vi.ri.li.*da*.de) *sf.* **1** Qualidade ou condição de quem é viril; MASCULINIDADE. **2** Período da vida do homem situado entre a infância e a velhice. **3** *Fig.* Energia física ou moral.
virola[1] (vi.*ro*.la) *sf.* Anel metálico que se coloca ao redor de um objeto como reforço ou enfeite.
virola[2] (vi.*ro*.la) *sf.* Beira de objeto ou tecido que fica virada para fora.
virologia (vi.ro.lo.*gi*.a) *sf. Microbiol.* Ramo da microbiologia que estuda os vírus. • **vi.ro.***ló*.**gi.co** *a.*; **vi.ro.lo.**gis**.ta** *s2g.*
virose (vi.*ro*.se) *sf. Med.* Infecção causada por vírus. • **vi.***ró*.**ti.co** *a.*
virtual (vir.tu:*al*) *a2g.* **1** Que não existe no momento, mas pode vir a existir; POTENCIAL. **2** Que deixa de algo cuja concretização se considera certa: *Meu time é o virtual vencedor do campeonato*. **3** *Inf.* Que existe somente como efeito de uma representação ou simulação feita por programas de computador (museu virtual, realidade virtual). [Pl.: -*ais*.] • **vir.tu:a.li.***da*.**de** *sf.*
virtude (vir.*tu*.de) *sf.* **1** Disposição e capacidade para agir de modo moralmente correto. **2** Cada uma das qualidades morais, como a temperança, a modéstia, a justiça etc.
virtuose (vir.tu:*o*.se) [ó] *s2g.* **1** *Mús.* Músico que apresenta domínio admirável da técnica de execução de um instrumento. **2** *Fig.* Pessoa que apresenta grande domínio técnico de uma atividade. • **vir.tu:***o*.**si.***da*.**de** *sf.*; **vir.tu:***o*.**sis.mo** *sm.*
virtuoso (vir.tu:*o*.so) [ó] *a.* Que possui ou apresenta virtudes. [Fem. e pl.: /ó/.]
virulento (vi.ru.*len*.to) *a.* **1** Ref. a vírus ou ao que contém vírus. **2** Que pode se propagar ou se propaga, causando doença. **3** *Fig.* Cheio de ódio, rancor. • **vi.ru.***lên*.**ci.a** *sf.*
vírus (*ví*.rus) *sm2n. Biol.* Denominação comum a organismos diminutos causadores de vários doenças, cuja característica principal é não possuir nenhuma atividade metabólica ou reprodutiva fora de uma célula hospedeira. **2** *Inf.* Programa que se instala de maneira oculta em computadores, causando danos de vários tipos. • **vi.***ral* *a2g.*

📖 Os vírus são organismos microscópicos e muito agressivos como agentes de infecções. São de estrutura muito simples (não têm células, e por isso dependem de organismos celulares para se multiplicarem), formados basicamente de um núcleo de ácido nucleico (material genético) e um envoltório de proteína e, às vezes, lipídios. O vírus entra na célula hospedeira, injeta nela seu ácido nucleico e provoca a fabricação de mais ácido nucleico e de proteínas virais, que vão gerar novos vírus, que, por sua vez, vão infectar novas células, disseminando a infecção. O organismo infectado pode reagir com aumento de temperatura (febre) que inviabiliza a ação de certos vírus, ou com a produção de anticorpos (esp. o interferon), que impedem a contaminação de células ainda não afetadas. Em geral o combate aos vírus é feito pelo próprio organismo (os remédios aliviam os sintomas, como a dor, a febre etc.), mas algumas drogas já combatem viroses específicas. Entre os vírus particularmente agressivos e danosos estão o HIV, que provoca a AIDS, e o ebola.

visado (vi.*sa*.do) *a.* **1** Diz-se de cheque ou documento reconhecido ou autenticado por pessoa autorizada ou autoridade competente. **2** Diz-se de pessoa sobre a qual se concentram atenções, suspeitas ou ameaças (político *visado*).

visagem (vi.*sa*.gem) *sf.* **1** Expressão facial; CARETA. **2** Visão de ente sobrenatural, ger. um espírito. **3** *Pop.* Simulação de sentimento, ideia ou sensação; FINGIMENTO. [Pl.: -*gens*.]

visão (vi.*são*) *sf.* **1** Percepção de cores, formas e relações espaciais, através de sistema de captação e elaboração de imagens, formado pelos olhos e pelo cérebro. **2** Perspectiva a partir da qual se compreende e se avalia algo: *Sua visão da economia é ultrapassada.* **3** Capacidade de perceber as coisas e seus significados, possibilidades etc.: *Ele é um homem de visão.* **4** Pretensa aparição de ente sobrenatural: *Tive ontem uma visão do santo.* **5** Pretensa imagem de acontecimento futuro ou passado: *Teve uma visão do Juízo Final.* [Pl.: -*sões*.]

visar¹ (vi.*sar*) *v.* **1** Ter como finalidade; PROPOR-SE A. [*td.*: *A reunião visa escutar os condôminos.* *ti.* + *a*: "...o trabalho sério do homem que visa ao futuro..." (José de Alencar, *Lucíola*).] **2** Ter como alvo (tb. *Fig.*). [*td.*: *O chute visava o gol.*] **3** Dirigir o olhar para; MIRAR. [*td.*: *visou a maçã, e arrebatou-a da cesta.*] [▶ 1 vi*sar*] ● vi.*sa*.da *sf.*

visar² *v.td.* (vi.*sar*) Pôr o sinal de visto em; apor ou conseguir visto para validar ou autenticar um documento. [*td.*: *visar um cheque/um passaporte.*] [▶ 1 vi*sar*]

víscera (*vís*.ce.ra) *sf.* **1** *Anat.* Denominação comum aos órgãos situados no interior das cavidades abdominal, torácica ou craniana. ◼ **vísceras** *sfpl.* **2** *Anat.* Os órgãos internos de uma pessoa ou de um animal. **3** *Fig.* Parte ger. oculta de processo ou instituição: *O relatório expôs as vísceras do concurso.*

visceral (vis.ce.*ral*) *a2g.* **1** Ref. ou pertencente à víscera(s) (doença *visceral*). **2** *Fig.* Que está profundamente enraizado; ARRAIGADO: *Sente um amor visceral pelos filhos.* [Pl.: -*rais*.]

visco (*vis*.co) *sm.* **1** *Bot.* Certa planta parasita que nasce sobre os galhos de algumas árvores. **2** Gosma vegetal us. em armadilhas para capturar pequenos pássaros. [Sin. ger.: *visgo*.]

viscondado (vis.con.*da*.do) *sm.* **1** Área de jurisdição de um visconde ou as terras de sua propriedade. **2** Título ou dignidade de visconde ou viscondessa.

visconde (vis.*con*.de) *sm.* **1** Título de nobreza hierarquicamente inferior ao de conde e superior ao de barão. **2** O portador desse título. [Fem.: *viscondessa*.]

viscoso (vis.co.so) [ô] *a.* **1** Pegajoso ou grudento (diz-se de substância). **2** Que é muito espesso e escorre lentamente (diz-se de fluido). [Sin. ger.: *visguento*.] [Fem. e pl.: [ó].] ● **vis.co.si.***da*.**de** *sf.*

viseira (vi.*sei*.ra) *sf.* **1** Em capacete ou elmo, peça móvel de proteção que fica na frente dos olhos ou de todo o rosto. **2** Em boné ou chapéu, prolongamento horizontal da borda anterior, que protege o rosto da incidência de raios solares.

visgo (*vis*.go) *sm.* Ver *visco*.

visguento (vis.*guen*.to) *a.* Ver *viscoso*.

visionário (vi.si:o.*ná*.ri:o) *a.sm.* **1** Que ou quem tem ideias inovadoras e descortina novos horizontes (poeta *visionário*). **2** Que ou quem tem visões sobrenaturais; VIDENTE.

visita (vi.*si*.ta) *sf.* **1** Ida a algum lugar, a fim de encontrar alguém, conhecer esse lugar ou realizar algum tipo de inspeção ou exame: *Vou-lhe fazer uma visita.* **2** A pessoa que realiza essa ação: *As visitas ficaram tempo demais.*

visitar (vi.si.*tar*) *v. td. pr.* Fazer visita (1) (a alguém, a algum lugar ou entre si). [▶ 1 visi*tar*] ● **vi.si.ta.***ção* *sf.*; **vi.si.***ta*.do *a.*; **vi.si.ta.***dor* *a.sm.*; **vi.si.***tan*.te *a2g.s2g.*

visível (vi.*si*.vel) *a2g.* **1** Que pode ser visto: *cometa visível a olho nu.* **2** Que pode ser notado por estar manifesto de forma patente: *O medo era visível em seu rosto.* [Pl.: -*veis*. Superl.: *visibilíssimo*.] ● **vi.si.bi.li.***da*.**de** *sf.*

vislumbrar (vis.lum.*brar*) *v. td.* **1** Ver sem nitidez; ENTREVER. **2** *Fig.* Começar a perceber: *vislumbrar uma saída.* [▶ 1 vislum*brar*]

vislumbre (vis.*lum*.bre) *sm.* **1** Clarão de luz tênue e fugaz. **2** Compreensão intuitiva de algo: *Júlio Verne teve um vislumbre das conquistas espaciais.* **3** Indício ou sinal fraco de algo: "Horácio teve um vislumbre de esperança, porém nova decepção o esperava." (José de Alencar, *A pata da gazela*).

viso (*vi*.so) *sm.* **1** Aspecto ou aparência de alguém ou algo. **2** Pequena porção ou vestígio de algo: *visos de sabedoria.* **3** O ponto mais alto de uma elevação; CUME: *A lua pairava suspensa no viso da serrania.*

visom (vi.*som*) *sm.* **1** *Zool.* Mamífero de pelo macio e brilhante que vive na América do Norte. **2** O pelo desse animal ou casaco feito dele. [Pl.: -*sons*.]

visor (vi.*sor*) [ô] *a.sm.* **1** Que ou aquilo que possibilita que se veja. *sm.* **2** Em aparelhos eletrônicos, dispositivo que exibe para o usuário informações acerca das operações realizadas ou de outra natureza. **3** Em aparelhos ópticos (câmeras fotográficas, filmadoras, binóculos etc.) dispositivo que exibe imagem daquilo que está focado pelas lentes.

véspora (*vís*.po.ra) *sf. Bras.* Jogo de azar em que se preenchem cartelas a partir do sorteio de números; BINGO.

vista (*vis*.ta) *sf.* **1** O sentido da visão: *Só quem tem boa vista lê as letrinhas da bula.* **2** O globo ocular: *Ele estava com dores na vista.* **3** Paisagem que se vê a partir de algum ponto: *Meu apartamento novo tem vista para o mar.* ◼ **A perder de** ~ Muito estendido no tempo (diz-se de pagamento). **À** ~ Ao alcance da vista: *Terra à vista!* **2** Pago de uma só vez: *pagar à vista.* **Chamar a** ~ Chamar a atenção. **Fazer** ~ **grossa** Fingir não ver. **Ter em** ~ Ter como objetivo; visar a.

visto (*vis*.to) *a.* **1** Que se viu. *sm.* **2** Permissão para entrada ou permanência em país estrangeiro: *Você já tirou o visto?* **3** Carimbo, selo ou assinatura que comprovam que um documento foi examinado por autoridade competente e reconhecido como válido. **Pelo** ~ Pelo que se pode deduzir: *Pelo visto ela não vem mais hoje.* ~ **que**, já que; uma vez que; como: *Visto que você vai, também vou.*

vistoria (vis.to.*ri*.a) *sf.* Inspeção ou revista, de caráter oficial ou não, em empresa, local, veículo etc. ● **vis.to.ri.***ar* *v.*

vistoso (vis.*to*.so) [ô] *a.* **1** Que atrai a atenção e os olhares por sua beleza (mulher *vistosa*). **2** Que chama a atenção por seu aspecto luxuoso (carro *vistoso*). [Fem. e pl.: [ó].]

visual (vi.su:*al*) *a2g.* **1** Ref. a visão ou obtido por meio dela (memória *visual*). *sm.* **2** *Bras. Gír.* Aparência ou imagem de uma pessoa: *O cantor estava preocupado com seu visual.* **3** *Bras. Gír.* Vista que se tem de algum lugar. [Pl.: -*ais*.]

visualizar (vi.su.a.li.*zar*) *v. td.* **1** Formar imagem mental; IMAGINAR: *Enquanto a mãe lia, a menina visualizava a história.* **2** Tornar visível graficamente ou com qualquer recurso: *visualizar o crescimento populacional através de gráficos.* [▶ 1 visuali*zar*] ● **vi.su.a.li.za.***ção* *sf.*; **vi.su:a.li.za.do** *a.*

vital (vi.*tal*) *a2g.* **1** Ref. a vida (ciclo *vital*). **2** Que só é possível a manutenção da vida (funções *vitais*). **3** Que faz com que algo tenha vida ou vigor: *A liberdade de expressão é essência vital da democracia.* **4** Que é essencial, fundamental: *Esse fato é de vital importância para o futuro do país.* [Pl.: -*tais*.]

vitalício (vi.ta.*lí*.ci:o) *a*. Que vale ou dura por toda a vida (direito vitalício). ● **vi.ta.li.ci:e.da.de** *sf*.

vitalidade (vi.ta.li.*da*.de) *sf*. **1** Qualidade ou condição daquilo que tem vida, vigor. **2** Esse próprio vigor: *A vitalidade da economia surpreendeu os analistas*.

vitalina (vi.ta.*li*.na) *sf*. *N.E. Pop.* Solteirona.

vitalismo (vi.ta.*lis*.mo) *sm*. *Fil.* Doutrina ou concepção metafísica que afirma ser constitutivo dos seres vivos um princípio vital que não se explica por meio das leis da física e da química. ● **vi.ta.lis.ta** *a2g.s2g*.

vitalizar (vi.ta.li.*zar*) *v. td*. **1** Dar força, vigor a: *vitalizar uma agremiação*. **2** Restituir a vida a (ser vivo). [▶ **1** vitaliz<u>ar</u>] ● **vi.ta.li.za.ção** *sf*.; **vi.ta.li.za.do** *a*.; **vi.ta.li.za.dor** *a.sm*.

vitamina (vi.ta.*mi*.na) *sf*. **1** *Bioq.* Designação comum a várias substâncias orgânicas vitais para o metabolismo, ger. não produzidas pelo corpo, e que são obtidas através da ingestão de alimentos ou de produtos farmacêuticos. **2** *Bras. Cul.* Bebida nutritiva feita de frutas ou legumes batidos no liquidificador, ger. com adição de leite ou suco, aveia, açúcar etc. ● **vi.ta.mi.na.do** *a*.; **vi.ta.mi.nar** *v*.; **vi.ta.*mí*.ni.co** *a*.

vitela (vi.*te*.la) *sf*. **1** *Zool.* Bezerra com menos de um ano. **2** Carne de bezerra dessa idade. **3** *Cul.* Prato preparado com essa carne.

vitelino (vi.te.*li*.no) *a*. **1** Ref. a vitelo² (saco vitelino). **2** Ref. à gema do ovo, ou amarelo como ela.

vitelo (vi.*te*.lo) *sm*. **1** *Zool.* Bezerro com menos de um ano. **2** *Biol.* Reserva nutritiva, contida no interior do óvulo dos animais, ger. em uma espécie de saco, da qual se alimenta o embrião.

viticultura (vi.ti.cul.*tu*.ra) *sf*. Ver vinicultura. ● **vi.*tí*.co.la** *a2g.s2g*.; **vi.ti.cul.tor** *a.sm*.

vitiligem (vi.ti.*li*.gem) *sf*. *Med.* Ver vitiligo. [Pl.: -gens.]

vitiligo (vi.ti.*li*.go) *sm*. *Med.* Doença cutânea caracterizada pela despigmentação de partes da pele, gerando manchas esbranquiçadas; VITILIGEM.

vítima (*ví*.ti.ma) *sf*. **1** Pessoa, sociedade ou animal que sofre um acidente ou desgraça gerados por causas humanas ou naturais: *O país foi vítima da seca*. **2** Pessoa assassinada, roubada, torturada ou que sofreu qualquer outro tipo de violência física ou moral.

vitimar (vi.ti.*mar*) *v*. **1** Transformar(-se) em vítima. [*td*.: *A epidemia vitimou milhões*. *pr*.: *Vitimou-se irremediavelmente, ao não se cuidar*.] **2** Matar ou ferir. [*td*.: "...temendo um confronto direto com o bandido que pudesse vitimar inocentes." (*O Globo*, 17.09.02).] **3** Causar prejuízo a; DANIFICAR. [*td*.: *A praga vitimou a plantação*.] [▶ **1** vitim<u>ar</u>]

vitória (vi.*tó*.ri:a) *sf*. **1** Ação ou resultado de vencer um adversário ou o inimigo. **2** Qualquer tipo de conquista ou êxito em uma empreitada.

vitoriano (vi.to.ri.*a*.no) *a.sm*. **1** Ref. à rainha Vitória, da Inglaterra, ou a seu reinado (1837 a 1901) (período vitoriano). **2** Puritano, moralmente irrepreensível e intolerante (moral vitoriana).

vitória-régia (vi.tó.ri:a-ré.gi:a) *sf*. *Bot.* Planta aquática da Amazônia, com forma arredondada e até dois metros de diâmetro. [Pl.: *vitórias-régias*.]

VITÓRIA-RÉGIA

vitoriense (vi.to.ri.*en*.se) *a2g*. **1** De Vitória, capital do Estado do Espírito Santo; típico dessa cidade ou de seu povo. *s2g*. **2** Pessoa nascida em Vitória.

vitorioso (vi.to.ri.*o*.so) [ó] *a.sm*. Que ou quem alcança vitória(s). [Pl. f.: [ó].]

vitral (vi.*tral*) *sm*. Vidraça decorativa, feita de pedaços de vidro coloridos que formam uma composição. [Pl.: -trais.]

vítreo (*ví*.tre:o) *a*. **1** Feito de vidro ou ref. a ele. **2** Transparente como vidro: *O cristalino é um corpo vítreo, localizado atrás da pupila*.

vitrificar (vi.tri.fi.*car*) *v*. **1** Revestir com vidro. [*td*.: *vitrificar a mesa*.] **2** Dar ou adquirir aparência de vidro. [*td*.: *O frio vitrificou a superfície da lagoa*. *pr*.: *O lago vitrificou-se*.] [▶ **1 1** vitrific<u>ar</u>] ● **vi.tri.fi.ca.ção** *sf*.; **vi.tri.fi.ca.do** *a*.

vitrina, **vitrine** (vi.*tri*.na, vi.*tri*.ne) *sf*. **1** Em loja ou outro local público, local envidraçado onde ficam expostas mercadorias para venda ou propaganda. **2** Caixa ou armário envidraçado para exposição de objetos. ● **vi.tri.*nis*.ta** *s2g*.

vitrola (vi.*tro*.la) *sf*. Aparelho para reprodução de discos de vinil.

vitualhas (vi.tu.*a*.lhas) *sfpl*. Produtos destinados à alimentação; VÍVERES; MANTIMENTOS.

vituperar (vi.tu.pe.*rar*) *v. td*. **1** Censurar, repreender. **2** Agredir por meio de palavras; INSULTAR. [▶ **1** vituper<u>ar</u>] ● **vi.tu.pe.ra.ção** *sf*.; **vi.tu.pe.ra.dor** *a.sm*.

vitupério (vi.tu.*pé*.ri:o) *sm*. **1** Palavras dirigidas a alguém com o propósito de ofender e magoar; INSULTO. **2** Qualquer ação infame e vergonhosa.

viúva-negra (vi:ú.va-*ne*.gra) *sf*. *Bras. Zool.* Espécie de aranha preta muito venenosa, que se caracteriza pelo fato de a fêmea devorar o macho após a cópula. [Pl.: *viúvas-negras*.]

viuvez (vi:u.*vez*) [ê] *sf*. Estado ou condição de viúvo ou viúva. ● **vi.u.var** *v*.

viúvo (vi:*ú*.vo) *sm*. **1** Quem não contraiu novo casamento após morte do cônjuge. **2** *Fem.* de *viúvo*. **3** *Bras. Pop.* Pessoa que após algum tempo ainda pranteia e cultua uma personalidade morta: *As viúvas do cantor formaram um clube*. **4** *Art.Gr.* Linha que não chega ao final da largura da página ou da coluna.

viva (*vi*.va) *interj*. **1** Expressão us. para manifestar entusiasmo, felicitação ou apoio. *sm*. **2** Grito de entusiasmo, felicitação ou apoio: *O locutor pediu um viva para os heróis da cidade*. ● **vi.var** *v*.

vivacidade (vi.va.ci.*da*.de) *sf*. **1** Característica de quem é astucioso, vivo, de compreensão rápida. **2** Qualidade de quem é ativo e cheio de energia. **3** Animação, entusiasmo, vigor. [Sin.: *viveza*.]

vivaldino (vi.val.*di*.no) *a.sm*. *Bras. Pop.* Que ou quem usa esperteza para, às custas dos outros, tirar proveito de situações.

vivalma (vi.*val*.ma) *sf*. Alguma pessoa: *Não havia vivalma na praça*. [Us. em frases negativas.]

vivandeira (vi.van.*dei*.ra) *sf*. Mulher que acompanha tropas.

vivaz (vi.*vaz*) *a2g*. **1** Que expressa ou tem vivacidade, energia: "...já tinha um ar bem mais vivaz e sorria para mim..." (João Ubaldo Ribeiro, *Diário do farol*). **2** Que é forte e vigoroso (sentimento vivaz). **3** Que é ardente e caloroso: *Uma recepção vivaz e cordial*. **4** *Bot.* Diz-se de planta que vive durante três ou mais estações.

vivedouro (vi.ve.*dou*.ro) *a*. Que vive por um longo período de tempo (ideia vivedoura).

viveiro (vi.*vei*.ro) *sm*. Local, ger. cercado, onde se criam ou se conservam certos animais ou plantas.

vivência (vi.*vên*.ci:a) *sf*. **1** Conhecimento adquirido a partir do acúmulo de experiências: *Ele tem muita vivência*. **2** O processo de experienciar e viver algo: *É impossível a vivência da dor alheia*. **3** Fato ou experiência vivida: *De suas vivências já podia escrever um romance*. ● **vi.ven.ci.al** *a2g*.

vivenciar (vi.ven.ci.*ar*) *v. td*. Passar por ou viver (situação): *vivenciar uma enchente*. [▶ **1** vivenci<u>ar</u>]

vivenda (vi.*ven*.da) *sf*. Lugar onde mora; HABITAÇÃO; CASA.

vivente (vi.*ven*.te) *a2g*. **1** Que vive (ser vivente). *s2g*. **2** Cada ser vivo, esp. o ser humano.

viver (vi.*ver*) *v.* **1** Estar vivo; EXISTIR. [*int.*: *Meu trisavô ainda vive.*] [Ant.: *morrer.*] **2** Manter-se vivo; EXISTIR; DURAR. [*int.* (seguido ou não de indicação de tempo): *As boas lembranças viverão.*] [Ant.: *acabar.*] **3** Aproveitar a vida. [*int.*: *"Viver, e não ter a vergonha de ser feliz..."* (Gonzaguinha, *O que é, o que é?*).] **4** Morar. [*int.* (seguido de indicação de lugar, companhia, modo): *José vive em Natal; Sempre viveu com os pais.*] **5** Ir muito a (algum lugar) ou estar muito com (alguém). [*int.* (seguido de indicação de lugar ou companhia): *Daniele vive na biblioteca.*] **6** Levar vida conjugal. [*int.* (seguido de indicação de companhia): *Já viveu com muitas mulheres.*] **7** Passar por (experiência); VIVENCIAR. [*td.*: *viver uma aventura.*] **8** Gastar o tempo com; DEDICAR-SE. [*int.* (seguido de indicação de finalidade): *viver para os netos.*] **9** Levar a vida (de certo modo). [*lig.*: *"A moça triste que vivia calada sorriu..."* (Chico Buarque, *A banda*).] **10** Sustentar-se, manter-se, alimentar-se. [*int.* + *de*: *Os índios vivem da caça e pesca; viver da aposentadoria.*] [▶ 2 vi**ver**] [NOTA: Tb. us. como v. aux. seguido de gerúnd. para exprimir repetição continuada da ação: *Vive dizendo que vai embora.*]

víveres (*ví*.ve.res) *smpl.* Alimentos us. para subsistência; MANTIMENTOS.

viveza (vi.ve.za) [ê] *sf.* Ver *vivacidade*.

vivido (vi.*vi*.do) *a.* **1** Que se viveu (experiência vivida). **2** Diz-se de pessoa que viveu muitas experiências distintas e aprendeu com elas (político vivido, mulher vivida).

vívido (*ví*.vi.do) *a.* **1** Que é nítido e intenso (recordação vívida). **2** Que é vivo e ardente: *"...um raio vívido de amor e de esperança..."* (Joaquim Osório Duque Estrada, *Hino Nacional Brasileiro*). **3** Que apresenta cores fortes e vivas (ilustração vívida). • vi.vi.*dez sf.*

vivificar (vi.vi.fi.*car*) *v.* **td.** **1** Dar vida a; ANIMAR. **2** Dar ânimo; ESTIMULAR; REVIGORAR. [▶ 11 vivifi**car**] • vi.vi.fi.ca.*ção sf.*; vi.vi.fi.ca.*dor a.sm.*

vivíparo (vi.*ví*.pa.ro) *Zool.* *a.* **1** Diz-se de animal cujos filhotes desenvolvem-se inicialmente no interior do corpo materno, sendo paridos já em fase avançada de crescimento. *sm.* **2** Esse animal. • vi.vi.pa.ri.*da*.de *sf.*

vivissecção (vi.vis.sec.*ção*) *sf.* Corte cirúrgico feito em animais vivos, para estudo de sua fisiologia interna. [Pl.: *-ções.*]

vivo (*vi*.vo) *a.* **1** Que vive; que possui vida (ser vivo). **2** Que é expressivo e intenso (olhar vivo). **3** Que é vigoroso ou acalorado (discussão viva). **4** *Pop.* Que é esperto e matreiro (diz-se de pessoa). **5** Diz-se de cor que tem um tom forte e chamativo. **6** Diz-se de língua que possui uso corrente. [Ant. ger.: *morto.*] ◪ **vivos** *smpl.* **7** As pessoas que possuem vida: *os vivos e os mortos.* Ao ~ No mesmo momento em que acontece (diz-se de transmissão de evento por rádio, televisão etc.).

vizinhança (vi.zi.*nhan*.ça) *sf.* **1** Qualidade ou condição de vizinho: *Foi implementada a política de boa vizinhança entre as nações.* **2** Conjunto de pessoas que moram nas proximidades. **3** Área circundante a algo: *O ar ficou fétido na vizinhança do pântano.*

vizinho (vi.*zi*.nho) *a.* **1** Que é limítrofe ou fica nas cercanias (país vizinho). *sm.* **2** Pessoa que mora perto.

vizir (vi.*zir*) *sm.* Em um califado ou principado muçulmano, alto funcionário responsável pela administração política e militar.

⊕ **vlog** (*Ing.* /*vlóg*/) *sm. Int.* Abr. de *videoblog*, uma espécie de *blog* com os conteúdos predominantes são vídeos. • **vlo**.*guei*.**ro** *sm.*]

voar (vo.*ar*) *v.* *int.* **1** Sustentar-se ou deslocar-se no ar. **2** *Fig.* Deslocar-se, passar ou consumir-se com rapidez: *A moto voa no trânsito livre; "Os minutos voavam..."* (Machado de Assis, *A missa do galo* in *Novas seletas*). **3** Fazer viagem aérea: *Preferia voar à noite.* **4** *Fig.* Jogar-se sobre; ATIRAR-SE (seguido de indicação de lugar) *O menino voou para a mãe.* **5** *Fig.* Ir para longe (o pensamento), ou com o pensamento): *Esse menino vive voando.* [▶ 16 vo**ar**] ⊞ ~ alto Ter altas ambições ou pretensões. • vo:a.*dor a.sm.*; vo:*an*.te *a2g.*

vocabulário (vo.ca.bu.*lá*.ri:o) *sm.* **1** Conjunto de palavras pertencentes a uma língua ou a alguma ciência ou atividade específicas. **2** Lista, em ordem alfabética, das palavras de uma língua. **3** Conjunto de palavras us. ger. por um determinado autor ou por pessoas de uma certa faixa etária, grupo social etc.

vocábulo (vo.*cá*.bu.lo) *sm. Gram.* Palavra, termo.

vocação (vo.ca.*ção*) *sf.* **1** Inclinação ou talento especial para o exercício de certa profissão ou atividade: *Ele sempre teve vocação para médico.* **2** Tendência natural: *O turismo é a principal vocação econômica do Rio.* **3** Disposição natural para a vida religiosa: *Padre Bento descobriu cedo a vocação.* [Pl.: *-ções.*] • vo.ca.ci:o.*nal a2g.*

vocal (vo.*cal*) *a2g.* **1** Ref. à voz ou aos órgãos responsáveis pela sua emissão (cordas vocais). **2** Que utiliza a voz (música vocal). *sm.* **3** *Mús.* Na música, parte cantada por vozes: *O vocal ficou ótimo.* [Pl.: *-cais.*]

vocálico (vo.*cá*.li.co) *a. Fon. Gram.* Ref. a vogais ou por elas constituído (encontro vocálico).

vocalista (vo.ca.*lis*.ta) *s2g.* Em um grupo musical, pessoa que faz a voz principal em uma canção.

vocalizar (vo.ca.li.*zar*) *v.* **1** *Mús.* Cantar emitindo som apenas de vogal. [*int.*] **2** Falar, verbalizar. [*td.*: *vocalizar suas impressões.*] [▶ 1 vocali**zar**] • vo.ca.li.za.*ção sf.*; vo.ca.li.*za*.do *a.*; vo.ca.li.za.*dor a.sm.*

vocativo (vo.ca.*ti*.vo) *sm. Gram.* Palavra ou expressão us. para chamar ou interpelar uma pessoa (p.ex.: *Clara, quero falar com você.*) [Us. tb. como adj.]

você (vo.*cê*) *pr.pess.* **1** Indica a pessoa com quem se fala, e funciona como sujeito, complemento etc.: *Você pode chegar mais cedo?; Não esperava encontrar você por aqui.* [NOTAS: a) Us. como referência a pessoa indeterminada (alguém): *Quando você se esforça, tem bom resultado.* b) Como forma de tratamento para a segunda pessoa, o ouvinte, *você* substitui o pronome *tu* no português corrente da maior parte do território brasileiro. c) Note-se pelos exemplos que embora *você* se refira à 2ª pess., o verbo que o segue apresenta terminação de 3ª pess.] *sm.* **2** Forma de tratamento: *No Brasil predomina o você.*

vociferar (vo.ci.fe.*rar*) *v.* **1** Falar ou gritar (algo) aos berros; GRITAR; ESBRAVEJAR. [*td. int.*] **2** Dizer insultos; OFENDER. [*int. /ti.* + *contra*: *O mendigo vociferava contra os motoristas.*] [▶ 1 vocife**rar**] • vo.ci.fe.ra.*ção sf.*; vo.ci.fe.ra.*dor a.sm.*; vo.ci.fe.*ran*.te *a2g.*

vodca (*vod*.ca) *sf.* Aguardente de cereais.

vodu (vo.*du*) *sm.* **1** *Rel.* Religião praticada no Haiti, produto do sincretismo de cultos africanos com o cristianismo. **2** *Rel.* O conjunto das divindades cultuadas nessa religião. **3** *Pop.* Maldição ou feitiço. *a2g.* **4** Ref. a vodu ou que se usa em seus rituais (religião vodu, bonecos vodu).

voejar (vo:e.*jar*) *v.* Ver *esvoaçar*. [▶ 1 voe**jar**]

voga (*vo*.ga) [ó] *sf.* **1** Ideia, costume ou comportamento que passa a gozar de grande aceitação na sociedade ou em um grupo determinado; MODA: *A voga esotérica tomou conta do Brasil.* **2** *Mar.* Em um barco a remo, o ritmo das remadas. *s2g.* **3** *Mar.* O remador que determina esse ritmo.

vogal (vo.*gal*) *sf. Fon. Gram.* **1** Som da linguagem humana produzido quando o ar faz vibrar as cordas vocais e passa livremente pela boca. **2** Letra que representa esse som: *a, e, i, o, u. s2g.* **3** Quem tem direito a voto em comissão, assembleia etc. [Pl.: *-gais.*]

vogar (vo.*gar*) *v. int.* **1** Estar em vigor ou em moda; prevalecer: *Esta lei não voga mais.* **2** Navegar (barco). [▶ **14** vo<u>gar</u>]

volante (vo.*lan*.te) *sm.* **1** Peça arredondada, ligada a um eixo, com a qual o motorista guia um veículo. **2** Cartão de apostas: *volante da loteria esportiva. s2g.* **3** *Fut.* Jogador que faz a ligação entre a defesa e o ataque de um time. *a2g.* **4** Que não possui localização fixa (escritório <u>volante</u>). **5** Que se move ou se desloca com facilidade (polícia <u>volante</u>).

volátil (vo.*lá*.til) *a2g.* **1** Que evapora sob condições ambientais normais (substância <u>volátil</u>). **2** *Fig.* Que muda facilmente de ideia ou de posição (eleitor <u>volátil</u>); volúvel. **3** Que voa. [Pl.: *-teis.*] ● **vo.la.ti.li.da.de** *sf.*

volatilizar (vo.la.ti.li.*zar*) *v. td. int. pr.* Transformar(-se) em gás ou vapor; vaporizar(-se). [▶ **1** vola tili<u>zar</u>] ● **vo.la.ti.li.za.ção** *s2g.;* **vo.la.ti.li.za.do** *a.;* **vo.la.ti.li.zan.te** *a2g.;* **vo.la.ti.li.zá.vel** *a2g.*

vôlei (*vô*.lei) *sm. Esp.* F. red. de *voleibol.*

▢ Criado em 1895, nos EUA, como esporte de quadra coberta para ambos os sexos, o vôlei (ou voleibol) evoluiu em popularidade e passou a ser esporte olímpico a partir das Olimpíadas de 1964, no Japão. É disputado num campo dividido por uma rede com 2,43 de altura no ponto mais elevado (2,24m na modalidade feminina), com seis jogadores em cada equipe. O objetivo é colocar a bola no chão da quadra adversária em três jogadas apenas (um jogador não pode fazer duas jogadas sucessivas), que sob toques seus na bola (o bloqueio junto à rede de um ataque adversário não é considerado como jogada). As competições internacionais mais importantes, além das Olimpíadas, são as da Liga Mundial e o campeonato mundial. O vôlei desenvolveu-se muito no Brasil a partir da década de 1980, tendo o país já sido campeão olímpico masculino (1992, 2004 e 2016) e feminino (2008 e 2012), três vezes campeão do Mundial masculino e nove vezes campeão da Liga Mundial masculino.

voleibol (vo.lei.*bol*) *sm. Esp.* Jogo em que duas equipes, formadas por seis jogadores e separadas por uma rede, tentam, usando principalmente as mãos e os antebraços, jogar a bola sobre esta rede para fazê-la tocar na quadra adversária. [Pl.: *-bóis.*] ● **vo.lei.bo.lis.ta** *s2g.*

voleio (vo.*lei*.o) *sm. Esp.* **1** No tênis, golpe de ataque executado junto à rede, em que se rebate a bola antes que ela toque à quadra. **2** No futebol, chute dado em continuação a um lance em que a bola bata no chão.

volição (vo.li.*ção*) *sf. Fil.* Ato ou manifestação da vontade; desejo. [Pl.: *-ções.*] ● **vo.li.ti.vo** *a.*

volt *sm. Elet.* No Sistema Internacional, unidade de medida de diferença de potencial elétrico. [Símb.: V] [Pl.: *volts.*] ● **vol.tai.co** *a.*

volta (*vol*.ta) *sf.* **1** Regresso ou retorno de algum lugar. **2** Regresso ou retorno de alguém ou de algo: *A <u>volta</u> da dengue preocupa as autoridades.* **3** Giro completo em torno de algo ou em um circuito fechado: *A corrida terá vinte <u>voltas</u>.* **4** Passeio curto: *Vamos dar uma <u>volta</u>?* **5** Curva, giro: *O cano faz uma <u>volta</u> perto da parede.* **6** *Pop.* Ação ou resultado de enganar alguém: *O vendedor me deu a maior <u>volta</u>.* **Às ~s com** Envolvido com. **Cortar uma ~** Ter de esforçar-se muito. **Dar a ~ por cima** Conseguir recuperar-se e retornar depois de um fracasso, decepção etc. **Por ~ de** Aproximadamente. **~ e meia** Frequentemente.

voltagem (vol.*ta*.gem) *sf. Elet.* Diferença de potencial elétrico entre dois pontos. [Pl.: *-gens.*]

voltar (vol.*tar*) *v.* **1** Chegar de volta; retornar; regressar. [*int.* (seguido ou não de indicação de lugar): *O bói ainda não <u>voltou</u> da rua*; "Se ela não <u>voltar</u> / Eu sei que vou morrer de amor..." (Carlos Lyra e Vinicius de Moraes, *Minha desventura*).] **2** Recuar (ao ponto de partida ou a um ponto anterior) (tb. *Fig.*). [*int.* (seguido de indicação de lugar): *<u>Voltaram</u> ao início da discussão; Visitar a escola o fez <u>voltar</u> à infância.*] **3** Retornar (a um lugar, estado ou circunstância anterior). [*int.* (seguido de indicação de lugar ou estado): *Gostaríamos de <u>voltar</u> a São Luís*; <u>voltar</u> *a si.*] **4** Mover(-se) (em certa direção); virar(-se). [*td.*: *<u>Voltou</u> a cabeça para a esquerda. pr.*: *<u>Voltou-se</u> contra o vento.*] **5** Dar (troco); devolver. [*tdi.* + *a*: *Esqueceram de <u>voltar</u> dez reais do freguês.*] ◪ **voltar-se** *pr.* **6** Posicionar-se, passar a ficar: *<u>Voltou-se</u> contra o sócio.* [▶ **1** vol<u>tar</u>] [NOTA: Us. tb. como v. aux., seguido da prep. *a* + v. principal no infinit., indicando reinício, recomeço da ação: *Mamãe <u>voltou</u> a estudar.*]

voltarete (vol.ta.*re*.te) [ê] *sm.* Antigo jogo de cartas, muito popular no séc. XIX.

voltear (vol.te.*ar*) *v.* **1** Dar volta em torno de; contornar. [*td.*: *<u>voltear</u> o açude.*] **2** Fazer girar ou girar, rodopiar, volutear. [*td.*: "...<u>volteando</u> vos pés no ar como cauda de peixe..." (Raul Pompeia, *O ateneu*). *int.*: *A garota <u>volteava</u> pelo salão.*] **3** Bater as asas; esvoaçar; adejar. [*int.*] [▶ **13** vol<u>tear</u>] ● **vol.te.a.do** *a.;* **vol.te:an.te** *a2g.;* **vol.tei.o** *sm.*

voltímetro (vol.*tí*.me.tro) *sm. Elet.* Aparelho us. para medir a diferença de potencial elétrico entre dois pontos.

volume (vo.*lu*.me) *sm.* **1** Espaço ocupado por corpo sólido, substância líquida ou por um gás. **2** A medida desse espaço. **3** Tamanho ou dimensão de um corpo ou de uma porção do espaço. **4** Intensidade de voz ou de som: *Diminua o <u>volume</u> de sua voz.* **5** *Bibl.* Parte de uma obra literária encadernada e editada separadamente: *Meu livro foi editado em três <u>volumes</u>.* **6** Embrulho, pacote ou alguma coisa não identificada: *Havia um <u>volume</u> sob seu casaco.*

volumetria (vo.lu.me.*tri*.a) *sf.* **1** *Quím.* Análise em que se adiciona, aos poucos, um determinado volume de uma substância de concentração conhecida a uma outra cuja concentração se desconhece, para verificar a reação. **2** *Arq.* Soma dos volumes de todos os espaços, abertos e fechados, pertencentes a uma edificação: *a <u>volumetria</u> de um prédio.* ● **vo.lu.mé.tri.co** *a.*

volumoso (vo.lu.*mo*.so) [ô] *a.* **1** Que possui grande volume. **2** *Fig.* Diz-se daquilo que se apresenta em grande quantidade (trabalho <u>volumoso</u>, dívida <u>volumosa</u>). [Fem. e pl.: *-[ó].*]

voluntariado (vo.lun.ta.ri.*a*.do) *sm.* **1** Qualidade ou condição de voluntário (2). **2** Conjunto de voluntários.

voluntariedade (vo.lun.ta.ri.e.*da*.de) *sf.* **1** Qualidade de voluntário. **2** Qualidade de quem age movido por sua vontade ou impulso.

voluntário (vo.lun.*tá*.ri.o) *a.* **1** Que tem sua origem na vontade (movimento <u>voluntário</u>). *a.sm.* **2** Que ou quem se dispõe espontaneamente a realizar alguma atividade (esp. de caráter social) ou a ingressar nas Forças Armadas.

voluntarioso (vo.lun.ta.ri.*o*.so) [ô] *a.* Que age levando em conta apenas a própria vontade. [Fem. e pl.: *-[ó].*]

volúpia (vo.*lú*.pi.a) *sf.* Desfrute prazeroso de sensações e percepções: "Esquece-te./Tem por <u>volúpia</u> a dispersão./ Não queiras ser tu." (Cecília Meireles, *Cântico*.)

voluptuoso (vo.lup.tu.*o*.so) [ô] *a.* **1** Que envolve ou desperta volúpia. *sm.* **2** Pessoa que sente ou suscita volúpia. [Fem. e pl.: *[ó].*] ● **vo.lup.tu:o.si.da.de** *sf.*

voluta (vo.*lu*.ta) *sf.* **1** *Arq.* Ornamento, em forma de espiral, que se coloca no alto de colunas ou

VOLUTA (1)

nas bases de sustentação de um corrimão. **2** *Mús.* Extremidade superior dos instrumentos de arco, que possui formato espiralado.

volutear (vo.lu.te.*ar*) *v.* Ver *voltear* (2). [▶ 13 volu*tear*]

volúvel (vo.*lú*.vel) *a2g.* Que muda constantemente de opinião, de postura ou de afeição. [Pl.: *-veis.* Superl.: *volubilíssimo.*] ● **vo.lu.bi.li.***da***.de** *sf.*

volver (vol.*ver*) *v.* **1** Mover(-se) para outra direção; VIRAR(-SE). [*td*.: "O infeliz volveu os olhos em torno de si..." (Júlio Ribeiro, *A carne*). *pr.*: *Os passageiros volveram-se para ver o acidente.*] **2** Passar (o tempo); DECORRER. [*int./pr.*: *Volveram(-se) os seis meses do estágio.*] **3** Revirar(-se), remexer(-se). [*td*.: *volver os canteiros. pr.*: *Incomodado, o visitante volvia-se no sofá.*] **4** Regressar, retornar. [*int.* (seguido de indicação de lugar): *O cantor demorou a volver do exílio.*] [▶ 2 vol*ver*]

volvo (*vol*.vo) [ó] *sm. Med.* Torção no intestino grosso ou delgado que impede o fluxo fecal e, por vezes, a circulação sanguínea.

vômer (*vô*.mer) *sm. Anat.* Pequeno osso chato, localizado na parte inferior do nariz, que separa as fossas nasais. ● **vo.me.ri.***a***.no** *a.*

vômico (*vô*.mi.co) *a.* **1** Que provoca náuseas ou vômito. **2** *Fig.* Que causa repulsa moral.

vomitar (vo.mi.*tar*) *v.* **1** Expelir (conteúdo do estômago) pela boca. [*td. int.*] **2** Sujar(-se) de vômito. [*td.*: *Vomitou a roupa durante a viagem.*] **3** *Fig.* Dizer com raiva ou de supetão. [*td.*: *O guarda vomitou grosserias.*] [▶ 1 vomi*tar*]

vomitivo (vo.mi.*ti*.vo) *a.sm.* Que ou aquilo que provoca o vômito.

vômito (*vô*.mi.to) *sm.* **1** Emissão, pela boca, de substância alimentar, sangue, secreção etc. presentes no estômago. **2** A substância assim expelida.

vomitório (vo.mi.*tó*.rio) *a.* **1** Que provoca o vômito *sm.* **2** Substância vomitória (1) que se toma com o objetivo de vomitar. **3** Recipiente no lugar onde se vomita. **4** *Fig.* Conjunto de asneiras ditas por alguém.

vôngole (*vôn*.go.le) *sm. Zool.* Crustáceo bivalve comestível, comum na costa brasileira.

vontade (von.*ta*.de) *sf.* **1** Faculdade ou capacidade de identificar e mobilizar motivação para a realização ou satisfação de algo. **2** Força ou impulso que leva o sujeito a agir segundo essa motivação: *Sua grande vontade levou-o a agir, apesar das dificuldades.* **3** Desejo de algo: *Ela tem vontade de comer manga.* **4** Capricho ou impulso: *A nova professora é cheia de vontades.* **5** Necessidade premente de urinar ou defecar: *Acho que seu caçula está com vontade.* ▦ **à ~ 1** Com conforto; sem formalismo. **2** Sem limite: *Nessa dieta, pode comer salada à vontade.*

voo (vo.o) *sm.* **1** Ação ou resultado de voar, de deslocar-se pelo ar sem tocar o solo. **2** Distância coberta em um deslocamento desse tipo: *É um voo de dez mil quilômetros.* **3** *Fig.* Postura original, ou corajosa, ou fantasiosa: *Meu marido não é dado a grandes voos.*

voragem (vo.*ra*.gem) *sf.* **1** Qualidade, natureza ou condição do que é voraz, ávido de algo; AVIDEZ: *a voragem do desejo.* **2** Redemoinho no mar ou em um rio. [Pl.: *-gens.*]

voraz (vo.*raz*) *a2g.* **1** Que manifesta grande avidez (apetite voraz). **2** Que tem grande apetite. **3** Que devora e destrói algo ao consumi-lo (incêndio voraz). **4** *Fig.* Que tem muita ambição e cobiça (carreirista voraz). [Superl.: *voracíssimo.*] ● **vo.ra.ci.***da***.de** *sf.*

vórtice (*vór*.ti.ce) *sm.* Forte redemoinho em rio, mar ou lago; VORAGEM.

vos *pr.pess.* **1** Equivale a 'vós', na função de complemento: *O juiz vos obrigou a prestar serviços comunitários.* **2** Equivale a 'a vós' ou 'para vós', na função de complemento: *Faço-vos este favor.* **3** Us. como possessivo: *Elogiou-vos a fé* (= elogiou a vossa fé).

vós *pr.pess.* **1** Indica a pessoa com quem se fala associada a outra ou outras pessoas, e funciona como sujeito: *Vós, acadêmicos, deveis comparecer à recepção.* **2** Us. em complementos preposicionados: *Rezamos por vós.* [Se a preposição que o antecede é *com*, assume a forma *-vosco*, ocorrendo contração (*convosco*): "O Senhor esteja convosco."] [NOTA: a) No português atual, o uso de *vós* se restringe a linguagens especiais, como a jurídica e a religiosa, e ao tratamento cerimonioso. b) O sujeito *vós* pode ficar oculto por já ser indicado pela terminação *-is* do verbo: *Nada mais podeis fazer.*]

vosmecê (vos.me.*cê*) *pr.pess.* F. red. de *vosmecê*, tratamento de respeito, ou de intimidade, equivalente a 'o senhor/a senhora' ou 'você': *Vosmecê trabalha aqui na fazenda?* [Só us. em algumas regiões rurais.]

vossemecê (vos.se.me.*cê*) *pr.pess.* Contr. de *vossa mercê.* [Não é mais us.] *Ver mercê.*]

vosso (*vos*.so) *pr.poss.* Que pertence ou que diz respeito à pessoa, ou pessoas, com quem se fala (vós). [NOTA: Este pronome, que não faz parte da língua viva, está restrito, no uso brasileiro, a expressões como Vossa Senhoria, Vossa Excelência.]

votação (vo.ta.*ção*) *sf.* **1** Ação ou resultado de votar. **2** Processo coletivo em que se faz uma escolha, entre diversas opções, por meio de uma consulta oral ou por escrito: *A votação da nova diretoria do clube foi ontem.* **3** O resultado numérico total ou parcial desse processo de consulta: *A votação do deputado foi bastante para reelegê-lo.* [Pl.: *-ções.*]

votar (vo.*tar*) *v.* **1** Aprovar, escolher ou decidir por meio de voto. [*td*.: *Os sócios votaram o novo estatuto. ti. + contra, em*: *A maioria votou na chapa dois. int.*: *Ele ainda não tem idade para votar.*] **2** Dedicar(-se) a. [*tdi. + a*: *Votava seus domingos à caridade. pr.*: *Clarissa vota-se ao esporte.*] [▶ 1 vo*tar*] ● **vo.***ta***.do** *a.*; **vo.***tan***.te** *a2g.s2g.*

votivo (vo.*ti*.vo) *a.* **1** Ref. a oferenda ou promessa. **2** Ofertado em cumprimento de promessa ou com fim de adoração (monumento votivo).

voto (*vo*.to) *sm.* **1** Em uma votação, cada manifestação da opção por uma das alternativas dentre as quais se deve escolher. **2** Cédula na qual, em algumas eleições, marca-se a opção feita. **3** Compromisso que se assume frente a divindades ou a membros de uma comunidade: *voto de castidade.* **4** Manifestação pública e formal de algo: *voto de confiança.* ▦ **votos** *smpl.* **5** Cumprimentos, felicitações dadas a alguém: *Aceite meus votos de Feliz Natal.*

vovó (vo.*vó*) *sf. Fam.* A mãe da mãe ou do pai em relação ao filho desta ou deste; AVÓ.

vovô (vo.*vô*) *sm. Fam.* O pai da mãe ou do pai em relação ao filho desta ou deste; AVÔ.

⊕ ***voyeur*** (Fr. /vuaiér/) *s2g.* Pessoa que tem prazer em observar outras pessoas desnudas ou fazendo sexo.

voz *sf.* **1** Nos seres humanos, som ou sons produzidos pela passagem do ar pelas cordas vocais (voz rouca). **2** O som correspondente emitido por animais, e característico de cada um: *o miado é a voz do gato.* **3** Faculdade ou capacidade de falar: *Com o susto perdi a voz.* **4** Direito de opinar. **5** *Gram.* Forma que o verbo assume para indicar a maneira pela qual se relaciona com o sujeito (p.ex., voz ativa: *A ciência garante a cura da doença*; voz passiva: *A cura é garantida pela ciência*). [Ver tb. *ativo, passivo, reflexivo.*] **6** *Mús.* Parte vocal de uma composição. [Aum.: *vozeirão.*] ▦ **A meia ~** Baixinho (diz-se de tom de voz). **Dar ~ de prisão a** Prender. **De viva ~** Verbalmente, e não por escrito. **Ter ~ ativa** Ter influência para opinar, decidir.

vozearia (vo.ze.a.*ri*.a) *sf.* Ver *vozerio*.

vozeirão (vo.zei.*rão*) *sm.* Voz grossa e vigorosa. [Pl.: *-rões.*]

vozerio (vo.ze.rí:o) *sm.* Ruído formado por vozes indistintas; VOZEARIA.

⊠ **vs** Abr. de *versus*.

vulcânico (vul.câ.ni.co) *a.* **1** Ref. a vulcão ou próprio dele (atividade vulcânica). **2** *Fig.* Impetuoso e intenso (temperamento vulcânico).

vulcanizar (vul.ca.ni.zar) *v. td.* **1** Melhorar a qualidade (da borracha) tratando-a com enxofre. **2** Tornar (algo) muito quente; ABRASAR. [▶ **1** vulcanizar] • vul.ca.ni.za.ção *sf.*; vul.ca.ni.za.dor *a.sm.*

vulcão (vul.cão) *sm.* **1** Abertura na crosta terrestre através da qual o magma e outras substâncias presentes no interior do planeta atingem a superfície da Terra. **2** A montanha cônica em torno de uma tal abertura, formada pelo magma resfriado. **3** *Fig.* Pessoa de temperamento explosivo e arrebatado. [Pl.: -cões e -cãos.]

📖 Vulcões são aberturas na crosta terrestre, ligadas ao material incandescente (magma, gases etc.) do interior da Terra. As altas temperaturas e o aumento de pressão desse material podem, em certas condições, provocar uma erupção vulcânica, projetando-o com força pela abertura, lançando lava, fragmentos de rocha, gases, fumaça a grande distância. A presença de atividade vulcânica (e, consequentemente, de vulcões) segue uma linha ao longo da superfície terrestre, que acompanha fraturas das camadas subterrâneas, esp. ao longo da costa ocidental das Américas, do sudeste da Ásia e das ilhas do leste da Ásia e da Oceania. Entre os vulcões historicamente mais conhecidos estão o Vesúvio, no sul da Itália, o Etna, na Sicília, o Fujiyama, no Japão, e o Krakatoa, cuja erupção em 1883 foi a mais violenta já registrada. No Brasil, em 2002 um grupo de pesquisadores do Instituto de Geociências da Universidade de São Paulo localizou, no Pará, um dos maiores vulcões conhecidos e o mais antigo de todos. Sua idade é estimada em 1,85 bilhão de anos e é surpreendente seu estado de preservação, apesar dos efeitos da erosão. O vulcão está localizado entre os rios Tapajós e Jamanxim e não há estrada de acesso ao local.

vulgar (vul.gar) *a2g.* **1** Que é do ou característico do vulgo. **2** Que denota um baixo padrão; ORDINÁRIO; RELES; GROSSEIRO. **3** Que é comum e usual; TRIVIAL. *sm.* **4** Aquilo que é vulgar.

vulgaridade (vul.ga.ri.da.de) *sf.* Qualidade, condição de quem ou daquilo que é vulgar.

vulgarizar (vul.ga.ri.zar) *v.* **1** Tornar(-se) comum, conhecido; POPULARIZAR(-SE). PROPAGAR(-SE). [*td.*: *vulgarizar termos médicos*. *pr.*: *O uso de internet vulgarizou-se*.] **2** *Pej.* Tornar(-se) baixo, desprezível; REBAIXAR(-SE). [*td.*: *vulgarizar um estilo musical*. *pr.*: *A televisão vem se vulgarizando muito*.] [▶ **1** vulgarizar] • vul.ga.ri.za.ção *sf.*; vul.ga.ri.za.do *a.*; vul.ga.ri.za.dor *a.sm.*

vulgata (vul.ga.ta) *sf. Rel.* Tradução latina dos textos que compõem a Bíblia, feita por são Jerônimo no séc. IV, reconhecida pela Igreja Católica.

vulgo¹ (vul.go) *sm.* **1** Conjunto formado pela maioria das pessoas de uma sociedade. [Ant.: *elite*.] **2** Parcela inculta da sociedade.

vulgo² (vul.go) *adv.* Popularmente, vulgarmente conhecido por: *Edson Arantes do Nascimento, vulgo Pelé, é famoso no mundo inteiro*.

vulnerar (vul.ne.rar) *v. td.* Ferir sentimento de (alguém); MAGOAR; OFENDER. [▶ **1** vulnerar] • vul.ne.ra.ção *sf.*; vul.ne.ra.do *a.*

vulnerável (vul.ne.rá.vel) *a2g.* Que pode ser atacado e ferido física ou moralmente. [Pl.: *-veis*. Superl.: *vulnerabilíssimo*.] • vul.ne.ra.bi.li.da.de *sf.*

vulpino (vul.pi.no) *a.* **1** Ref. a raposa ou próprio dela. **2** *Fig.* Que expressa astúcia e malícia (olhar vulpino).

vulto (vul.to) *sm.* **1** Pessoa ou corpo indistinto: *Notou apenas um vulto na escuridão*. **2** Qualidade de pessoa ou coisa que merece atenção ou consideração; IMPORTÂNCIA: *empreendimento de grande vulto*. **3** Pessoa importante: *um vulto do parnasianismo brasileiro*.

vultoso (vul.to.so) [ó] *a.* **1** Que é volumoso (embrulho vultoso). **2** Diz-se do que tem grande importância (negócios vultosos). **3** Diz-se de algo de grandeza considerável (quantia vultosa). [Fem. e pl.: [ó].] [Cf.: *vultuoso*.]

vultuoso (vul.tu.o.so) [ó] *a. Med.* Diz-se do rosto quando está vermelho, inchado e com os olhos salientes. [Fem. e pl.: [ó].] [Cf.: *vultoso*.] • vul.tu:o.si.da.de *sf.*

vulturino (vul.tu.ri.no) *a. Zool.* Ref. a abutre ou próprio dele.

vulva (vul.va) *sf. Anat.* Órgão genital feminino. • vul.var *a2g.*

vulvite (vul.vi.te) *sf. Med.* Inflamação da vulva.

vurmo (vur.mo) *sm.* Pus presente em feridas e úlceras. • vur.mo.so *a.*

vuvuzela (vu.vu.ze.la) *sf.* **1** Na África, espécie de berrante feito de chifre, com quase 1m de comprimento. **2** Versão industrializada de vuvuzela (1) menor, ger. de plástico; foi muito us. pela torcida sul-africana durante a copa do mundo de futebol de 2010.

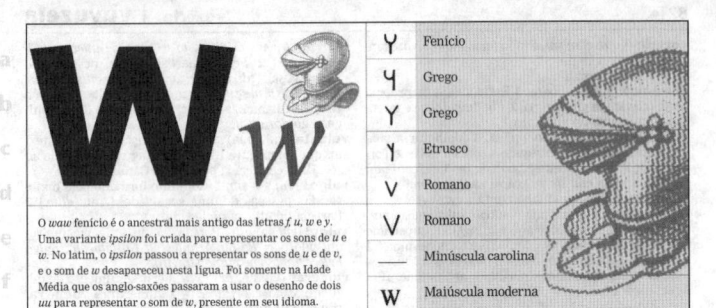

Y	Fenício
Ч	Grego
Υ	Grego
Υ	Etrusco
V	Romano
V	Romano
	Minúscula carolina
W	Maiúscula moderna
w	Minúscula moderna

O *waw* fenício é o ancestral mais antigo das letras *f, u, w* e *y*. Uma variante *ipsilon* foi criada para representar os sons de *u* e *w*. No latim, o *ipsilon* passou a representar os sons de *u* e de *v*, e o som de *w* desapareceu nesta língua. Foi somente na Idade Média que os anglo-saxões passaram a usar o desenho de dois *uu* para representar o som de *w*, presente em seu idioma. Com o tempo, os dois *uu* se fundiram em um único caractere.

w [dábliu] *sm.* **1** Vigésima terceira letra do alfabeto da língua portuguesa. us. no Brasil, substituída por *u* ou *v* nas palavras importadas aportuguesadas, mas us. nos nomes comuns e próprios (e derivados) estrangeiros, nas abreviaturas e nos símbolos. *num.* **2** O 23º em uma série (poltrona W).
⌧ **W** *Elet. Fís.* Símb. de *watt*.
⌧ **W.** Abr. de *oeste*.
⊕ **waffle** (Ing. /*uófou*/) *sm. Cul.* Massa de farinha de trigo, leite, ovos e fermento, assada num aparelho elétrico ou em forma especial no forno ou fogão, podendo ser acompanhada de chocolate, geleia, sorvete, queijo, presunto etc.
wagneriano (wag.ne.ri:a.no) [va] *a.* **1** Ref. ao compositor alemão Richard Wagner. *sm.* **2** Estudioso, apreciador ou intérprete da obra de Wagner.
⊕ **wakeboard** (Ing. /*uêicbord*/) *sm. Esp.* Modalidade de surfe em que a prancha é rebocada por um barco.
⊕ **walkie-talkie** (Ing. /*uóqui-tóqui*/) *sm. Eletrôn.* Aparelho pequeno, ger. com antena, pelo qual o portador pode se comunicar (falando e ouvindo) com um outro, seu par, ger. a curta ou média distância.
⊕ **walkman** (Ing. /*uócmen*/) *sm. Eletrôn.* Aparelho pequeno, com fones de ouvido, us. para escutar rádio, fitas cassetes e CDs. [Pl.: *walkmen*.]
⊕ **water-closet** (Ing. /*uóter-clózit*/) *sm.* Lugar com vaso sanitário e lavatório; BANHEIRO. [Abr.: *wc*]
watt [uó] *sm. Elet. Fís.* Unidade de medida da potência elétrica. [Símb.: *W*]
watt-hora (watt-*ho*.ra) [uó] *sm. Elet. Fís.* Unidade de medida de energia elétrica. [Símb.: *Wh*] [Pl.: *watts-horas* e *watts-hora*.]
wattímetro (wat.*tí*.me.tro) [uó] *sm. Elet. Fís.* Medidor de potência elétrica, com indicação em watts na escala graduada.
⌧ **wc** Abr. de *water-closet*.
⊕ **web** (Ing. /*uêb*/) *sf. Inf.* **1** Sistema na internet que interliga documentos, arquivos, *sites* etc., fornecendo conexões com e entre usuários. **2** O acervo de informações, arquivos etc. assim tornados disponíveis.
⊕ **weekend** (Ing. /*uiquend*/) *sm.* Fim de semana (da noite de sexta-feira à noite de domingo) ger. para descanso ou lazer.
⊕ **western** (Ing. /*uéstern*/) *sm. Cin. Liter.* Filmes e livros tendo como fundo o cenário do oeste dos Estados Unidos no séc. XIX; BANGUE-BANGUE; FAROESTE.
⌧ **Wh** *Elet. Fís.* Símb. de *watt-hora*.
⊕ **whatsapp** (Ing. /*uotsáp*/) *sm.* Aplicativo para *smartphones* utilizado para troca instantâneas de mensagens, vídeos, fotos, documentos PDF e áudios, além de fazer ligações grátis, inclusive com transmissão de imagens dos interlocutores, por meio de uma conexão com a *internet*.
⊕ **wi-fi** (Ing. /*uai-fái*/) *sm.* **1** Tecnologia de comunicação que possibilita a troca de informações sem fio, via frequências de rádio, infravermelho etc. **2** Abreviação de Wireless Fidelity, fidelidade sem fios.
wildiano (wil.di:a.no) [uail] *a.* **1** Ref. ao escritor Oscar Wilde ou à sua obra. *sm.* **2** Estudioso ou apreciador das obras de Wilde.
⊕ **winchester** (Ing. /*uíntchester*/) *sm. Antq. Inf.* Nome que se dava ao disco rígido, principal meio de armazenamento do computador; HD.
⊕ **windsurf** (Ing. /*uíndsarf*/) *sm. Esp.* Prática esportiva na qual é preciso navegar equilibrando-se numa prancha à vela. ● **wind**.**sur**.*fis*.**ta** *s2g.*
⊕ **workaholic** (Ing. /*uorcarrólic*/) *a2g.s2g.* Que ou quem é obcecado por trabalho.
⊕ **workshop** (Ing. /*uórcchop*/) *sm.* Oficina prática de trabalho feita ger. para conhecer ou divulgar novas técnicas: "A terapeuta (...) vai dar um *workshop* de exercícios chineses para a saúde..." (*O Globo*, 01.04.04).
⊕ **wysiwyg** (Ing. /*uísiuig*/) *Inf.* Sigla que indica num *software* que a visualização no monitor reproduz exatamente o que está no arquivo, e como será visto impresso. [Iniciais do ing. *what you see is what you get*.]

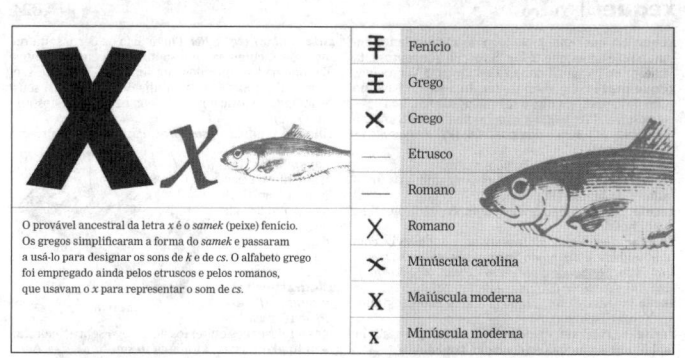

O provável ancestral da letra x é o *samek* (peixe) fenício. Os gregos simplificaram a forma do *samek* e passaram a usá-lo para designar os sons de *k* e de *cs*. O alfabeto grego foi empregado ainda pelos etruscos e pelos romanos, que usavam o *x* para representar o som de *cs*.

⊧	Fenício
Ξ	Grego
Χ	Grego
—	Etrusco
—	Romano
X	Romano
⤬	Minúscula carolina
X	Maiúscula moderna
x	Minúscula moderna

x [xis] *sm.* **1** A 24ª letra do alfabeto. **2** A 19ª consoante do alfabeto. **3** *Fig.* O ponto mais importante ou mais difícil: *Aí é que está o x do problema*. *num.* **4** O 24º em uma série (fila X).

⌧ **X** Símb. do número dez, em algarismos romanos.

xá *sm.* Título dado antigamente ao soberano do Irã.
xácara (*xá*.ca.ra) *sf.* Espécie de romance popular em verso.
xador (xa.*dor*) *sm.* Traje feminino que cobre todo o corpo exceto parte do rosto, us. em alguns países muçulmanos.
xadrez (xa.*drez*) [ê] *sm.* **1** Jogo em que dois adversários movimentam, cada um, 16 peças, num tabuleiro quadriculado com 64 casas, alternadamente pretas e brancas. **2** *Bras. Pop.* Cadeia, prisão. *a2g2n.* **3** Que tem desenho quadriculado (diz-se de tecido, roupa etc.).

📖 O jogo de xadrez é muito antigo, de origem indiana, tendo chegado aos árabes no séc. VII, e por estes levado à Europa na Idade Média. Consiste em movimentar as peças (cada uma tem seu padrão próprio de movimento) no tabuleiro com o objetivo de eliminar o rei adversário (eliminando outras peças para abrir caminho, posicionando estrategicamente as peças para isso etc.). Cada jogador conta (na ordem crescente de importância) com oito peões (só andam uma casa para frente e 'comem' a peça adversária andando uma casa em diagonal), dois cavalos (andam em L, uma casa para um lado mais duas perpendicularmente), dois bispos (andam qualquer distância, para frente e para trás, em diagonal, mantendo-se cada um, portanto, sempre em casas da mesma cor), duas torres (andam como os bispos, mas só em sentido perpendicular, para frente ou para trás ou para um lado), uma rainha (anda tanto como o bispo quanto como a torre) e um rei (anda em qualquer direção, mas uma casa de cada vez).

XADREZ (1)

xadrezista (xa.dre.*zis*.ta) *s2g.* Jogador de xadrez; EN-XADRISTA.
xairel (xai.*rel*) *sm.* Manta us. no lombo do cavalo, por baixo da sela. [Pl.: -*réis.*]
xale (*xa*.le) *sm.* Manta de lã, seda etc., us. pelas mulheres sobre os ombros.
xamã (xa.*mã*) *s2g. Antr.* Em certos povos ou culturas, sacerdote feiticeiro; MAGO; PAJÉ. ● **xa.ma.nis.mo** *sm.*
xampu (xam.*pu*) *sm.* Sabão líquido us. para lavar os cabelos.
xangô (xan.*gô*) *sm. Bras. Rel.* Orixá dos raios e dos trovões.
xantungue (xan.*tun*.gue) *sm.* Tecido de seda grosso e áspero.
xará (xa.*rá*) *s2g. Bras.* **1** *Fam.* Pessoa que tem o mesmo prenome que outra. **2** *Gír.* Companheiro, cara: *E aí, xará?*
xarelete, xerelete (xa.re.*le*.te, xe.re.*le*.te) [ê] *sm. Bras. Zool.* Peixe encontrado no Atlântico.
xaropada (xa.ro.*pa*.da) *sf. Bras. Pop.* Coisa chata, maçante; XAROPE.
xarope (xa.*ro*.pe) *sm.* **1** Líquido viscoso e açucarado, ger. us. como medicamento. **2** *Bras. Pop.* Ver *xaropada*.
xaroposo (xa.ro.*po*.so) [ó] *a.* Que tem a consistência de xarope. [Fem. e pl.: [ó].]
xavante (xa.*van*.te) *s2g.* **1** *Bras. Etnôn.* Indivíduo dos xavantes, povo indígena do Brasil. *sm.* **2** *Gloss.* Língua falada pelos xavantes. *a2g.* **3** *Bras. Etnôn.* Ref. a esse povo ou à sua língua.
xaveco (xa.*ve*.co) [ê] *sm.* **1** *Bras. Fig.* Coisa ou pessoa insignificante. **2** *Bras. Gír.* Ato de velhaco; PATIFARIA. **3** Barco velho.
xaxado (xa.*xa*.do) *sm. Bras.* Certa dança de origem nordestina; a música para essa dança.
xaxim (xa.*xim*) *sm. Bras.* Vaso ou suporte para plantas feito de caules de samambaias. [Pl.: -*xins.*]
xeique (*xei*.que) *sm.* Soberano árabe; XEQUE.
xelim (xe.*lim*) *sm.* **1** Nome do dinheiro us. na Áustria, até a adoção do euro. **2** Unidade dos valores em xelim, us. em notas e moedas. [Pl.: -*lins.*]
xenófilo (xe.*nó*.fi.lo) *a.sm.* Que ou quem tem simpatia por coisas ou pessoas estrangeiras. ● **xe.no.fi.li:a** *sf.*
xenófobo (xe.*nó*.fo.bo) *a.sm.* Que ou quem tem aversão a coisas ou pessoas estrangeiras. ● **xe.no.fo.bi.a** *sf.*
xenxém (xen.*xém*) *sm. Hist.* Antiga moeda de cobre brasileira. [Pl.: -*xéns.*]
xepa (*xe*.pa) [ê] *sf.* **1** *Bras. Pop.* Mercadorias oferecidas a baixo preço ao final das feiras livres. **2** RS Comida.
xepeiro (xe.*pei*.ro) *sm. Bras. Pop.* Pessoa que compra xepa.

xeque (*xe*.que) *sm.* **1** No jogo de xadrez, lance em que o rei é ameaçado. **2** *Fig.* Situação que representa ameaça ou perigo: *A paz está em xeque.* **3** Ver *xeique.*

xeque-mate (xe.que-*ma*.te) *sm.* **1** Lance decisivo, no jogo de xadrez, em que o rei ameaçado não tem defesa possível. [Tb. se diz apenas *mate.*] **2** *Fig.* Situação ameaçadora e sem saída possível. [Pl.: *xeques-mates* e *xeques-mate.*]

xereca (xe.*re*.ca) [ê] *sf. Tabu.* A vulva.

xerém (xe.*rém*) *sm. Bras.* Farelo de milho us. para alimentar pintos. [Pl.: -*réns.*]

xereta (xe.*re*.ta) [ê] *a2g.s2g. Bras. Pop.* Intrometido, bisbilhoteiro.

xeretar (xe.re.*tar*) *v.* Investigar ou intervir com curiosidade e de modo inconveniente; BISBILHOTAR. [*td.*: *Vivo xeretando a conversa alheia. int.*: *Abriu as gavetas e começou a xeretar.*] [▶ 1 xeret**ar**]

xerez (xe.*rez*) [ê] *sm. Vinho branco e licoroso, típico de Xerez (Espanha).

xerife (xe.*ri*.fe) *sm.* Principal autoridade policial e legal de um município ou condado, nos EUA.

xerocar (xe.ro.*car*) *v. td.* Tirar cópias em máquina copiadora. [▶ 11 xeroc**ar**]

xerocópia (xe.ro.*có*.pi:a) *sf.* Ver *xerografia* (2). • xe.ro.co.pi.*ar* *v.*

xerófilo (xe.*ró*.fi.lo) *a. Ecol.* Diz-se de organismo que vive em lugares secos.

xerófito (xe.*ró*.fi.to) *a. Bot.* Diz-se de vegetal adaptado para viver em lugares secos.

xerografia (xe.ro.gra.*fi*:a) *sf. Art.Gr.* **1** Processo de reprodução de documentos ou imagens por meio de xerox; XEROX. **2** A cópia obtida por esse processo. [Podendo ser denominada de *xerox, fotocópia, xerocópia, cópia xerográfica.*] • xe.ro.gra.*far* *v.*; xe.ro.*grá*.fi.co *a.*

xerox®, xérox (xe.*rox*, *xé*.rox) [ch...cs] *s2g2n.* **1** Máquina us. para reproduzir textos ou imagens. **2** Ver *xerografia.* [A marca registrada é Xerox®.]

📖 O sistema de reprodução us. em máquinas xerox baseia-se na propriedade de um elemento químico de perder a carga elétrica quando iluminado. Ao se projetar a imagem espelhada do objeto a ser reproduzido, só as áreas escuras (que contêm a informação a ser reproduzida) ficam, pois, carregadas, atraem a substância em pó (*toner*) que vai imprimir o papel, reproduzindo a informação.

xexelento (xe.xe.*len*.to) *a. Bras. Pop.* **1** De mau aspecto; DESAGRADÁVEL. **2** De má qualidade; INFERIOR .

xexéu (xe.*xéu*) *sm.* **1** *Bras.* Mau cheiro em pessoas ou animais; BODUM; CATINGA. **2** *Zool.* Pássaro conhecido por imitar o canto de outras aves; JAPIM.

xi *interj. Bras.* Exprime surpresa, espanto ou desagrado.

xibiu (xi.*biu*) *sm. N.E. Tabu.* A vulva.

xícara (*xí*.ca.ra) *sf.* Recipiente com asa us. para tomar café, chá, leite etc.

xifoide, xifóideo (xi.*fói*.de, xi.*fói*.de:o) *a2g., a.* Que tem forma de espada.

xifópago (xi.*fó*.pa.go) *a.sm. Trt.* Que ou aquele que tem o corpo ligado ao do irmão, ger. na altura do tórax (diz-se de gêmeo com deformidade genética); SIAMÊS.

xiita (xi.*i*.ta) *s2g.* **1** *Rel.* Partidário de certa seita religiosa muçulmana, que só aceita os ensinamentos de Maomé transmitidos por sua filha Fátima e seu genro Ali. **2** *Fig.* Quem é radical em relação a seus princípios, política, religião etc. *a2g.* **3** *Ref.* aos xiitas (1 e 2).

xilindró (xi.lin.*dró*) *sm. Bras. Pop.* Cadeia, xadrez.

xilofone (xi.lo.*fo*.ne) *sm. Mús.* Instrumento de percussão constituído por um teclado de lâminas de madeira ou metal e que se toca com duas baquetas.

XILOFONE

xilografia (xi.lo.gra.*fi*:a) *sf. Art. Pl.* Técnica de gravar desenhos ou textos em relevo sobre madeira. • xi.lo.*grá*.fi.co *a.*; xi.*ló*.gra.fo *sm.*

xilogravura (xi.lo.gra.*vu*.ra) *sf. Art.Pl.* Gravura em relevo sobre madeira. • xi.lo.gra.*var* *v.*; xi.lo.gra.va.*dor* *sm.*

xiloma (xi.*lo*.ma) [ó] *sm. Bot.* Tumor duro e lenhoso em vegetal.

ximango (xi.*man*.go) *sm. Bras. Zool.* Ave de rapina do sul do Brasil.

ximbé, ximbeva (xim.*bé*, xim.*be*.va) *a2g. Bras. Pop.* Que tem o nariz ou o focinho pequeno e achatado.

ximbica (xim.*bi*.ca) *sf.* **1** *Bras. Pop.* Carro velho; CALHAMBEQUE. **2** *RJ Tabu.* A vulva.

xingar (xin.*gar*) *v.* Dizer insultos ou palavrões (contra algo ou alguém). [*td.*: *Revoltados, os torcedores xingaram o juiz. int.*: *Pessoas bem-educadas não xingam. pr.*: *Os meninos brigaram e se xingaram.*] [▶ 14 xing**ar**] • xin.ga.*ção* *sf.*; xin.ga.*men*.to *sm.*

xingatório (xin.ga.*tó*.ri:o) *Bras. a.* **1** Em que há xingação, insulto. *sm.* **2** Grande quantidade de xingamentos.

xintoísmo (xin.to.*ís*.mo) *sm. Fil. Rel.* Antiga religião do Japão. • xin.to.*ís*.ta *s2g.s2g.*

xinxim (xin.*xim*) *sm. BA Cul.* Ensopado de qualquer tipo de carne com camarão seco, amendoim e castanha de caju. [Pl.: -*xins.*]

xiquexique (xi.que.*xi*.que) *sm. Bras. Bot.* Cacto da caatinga.

xisto (*xis*.to) *sm. Pet.* Rocha com aspecto folheado e que se pode dividir em lâminas. • xis.*to*.so *a.*

xixi (xi.*xi*) *sm. Bras. Fam.* Urina, mijo.

xó *interj. Bras. Pop.* Us. para enxotar aves.

xodó (xo.*dó*) *sm. Bras. Pop.* **1** Coisa ou pessoa muito estimada: *A bolsa amarela era seu xodó.* **2** Afeto, estima: *Tem xodó pelo avô.* **3** Amor, paixão: "Que falta me faz um *xodó*..." (Dominguinhos e Anastácia, *Só quero um xodó*).

xote (*xo*.te) [ó] *sm. Mús.* Música e dança de salão, ao som de sanfonas.

xoxota (xo.*xo*.ta) [ó] *sf. Tabu.* A vulva.

xucro (*xu*.cro) *a. Bras.* Diz-se de animal não domado, esp. o cavalo.

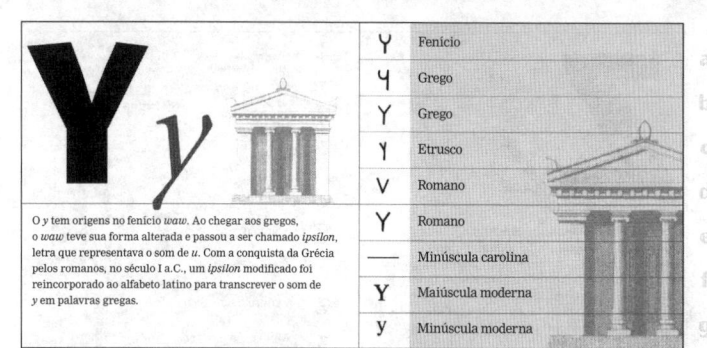

Υ	Fenício
Ϥ	Grego
Υ	Grego
Y	Etrusco
V	Romano
Y	Romano
—	Minúscula carolina
Y	Maiúscula moderna
y	Minúscula moderna

O *y* tem origens no fenício *waw*. Ao chegar aos gregos, o *waw* teve sua forma alterada e passou a ser chamado *ipsílon*, letra que representava o som de *u*. Com a conquista da Grécia pelos romanos, no século I a.C., um *ipsílon* modificado foi reincorporado ao alfabeto latino para transcrever o som de *y* em palavras gregas.

y [ípsilon] *sm.* **1** Vigésima quinta letra do alfabeto da língua portuguesa, substituída pelo *i*, us. apenas em casos especiais. *num.* **2** O 25º em uma série (poltrona Y).

⊕ **yakuza** (Jap.: /*iakuza*/) *sf.* **1** Organização criminosa japonesa, cuja disciplina e métodos se assemelham aos da máfia. *s2g.* **2** Membro dessa organização.

⊕ **yang** (*Chin.* /*ian*/) *sm. Fil. Rel.* No taoísmo, o princípio celeste, masculino, ativo, quente, luminoso, que se opõe ao *yin*. [Ver tb. *yin*.]

⊕ **yin** (*Chin.* /*iin*/) *sm. Fil. Rel.* No taoísmo, o princípio terrestre, feminino, passivo, frio, obscuro, que se opõe ao *yang*. [Ver tb. *yang*.]

⊕ **yin-yang** (*Chin.* /*iin-ián*/) *sm. Fil. Rel.* No taoísmo, as duas forças ou princípios opostos e complementares presentes em todos os fenômenos da vida.

⊕ **youtuber** (Ing. /*ioutubêr*/) *sm.* **1** Nome dado às pessoas que se tornam famosas por aparecerem em vídeos produzidos por elas mesmas, compartilhados em seus próprios canais no site YouTube. **2** Usuários do site YouTube que compartilham seu próprio conteúdo constantemente em seus canais.

REPRESENTAÇÃO SIMBÓLICA DE *YIN-YANG*

⊕ **yuppie** (Ing. /*iúpi*/) *Pej. s2g.* **1** Jovem executivo bem remunerado, que gasta seu dinheiro com extravagâncias e é dado a ostentação. *a2g.* **2** Ref. a ou próprio de *yuppie* (1) (comportamento *yuppie*).

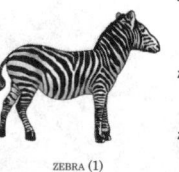

𐤆	Fenício
Ι	Grego
Ζ	Grego
I	Etrusco
—	Romano
Z	Romano
ʒ	Minúscula carolina
Z	Maiúscula moderna
z	Minúscula moderna

O fenício *zain*, que significava arma e era representado por uma adaga estilizada, foi herdado pelos gregos, que o rebatizaram de *zeta*. Seu desenho pouco se assemelhava ao de um *z*, lembrando mais o de um *i* maiúsculo. O *zeta* foi usado também pelos etruscos. Assim como o *y*, o *z* só apareceu na língua latina com a conquista da Grécia pelos romanos, sendo usado para palavras de origem grega.

z [zê] *sm.* **1** A 26ª e última letra do alfabeto. **2** A 21ª e última consoante do alfabeto. *num.* **3** O 26º em uma série (cabine Z).

zabumba (za.*bum*.ba) *s2g. Mús.* Instrumento de percussão; BOMBO.

zaga (za.ga) *sf. Fut.* Posição dos jogadores de defesa que atuam nas imediações da área à frente do goleiro.

zagal (za.*gal*) *sm.* Ver *pastor*. [Pl.: -*gais*.]

zagueiro (za.*gui*.ro) *sm. Fut.* Jogador de defesa que atua em uma das zagas; BEQUE.

zaino (*zai*.no) *a.* **1** De pelo castanho-escuro, sem manchas (diz-se de cavalo). *sm.* **2** Cavalo zaino.

zairense (zai.*ren*.se) *a2g.* **1** Da República do Zaire (África); típico desse país ou de seu povo. *s2g.* **2** Pessoa nascida na República do Zaire.

zambiano (zam.bi.*a*.no) *a.* **1** Da República de Zâmbia (África); típico desse país ou de seu povo. *sm.* **2** Pessoa nascida na República de Zâmbia.

zanga (*zan*.ga) *sf.* Estado de irritação; RAIVA.

zangão (zan.*gão*) *sm. Zool.* Macho da abelha. [Pl.: -*gões*.]

zangar (zan.*gar*) *v.* **1** Repreender. [*ti.* + *com*: A mãe *zangou com* o filho que saíra sem avisar.] **2** Ficar irritado. [*int./pr.*: Manuela *zanga(-se)* por qualquer coisa.] [▶ **14** zan*gar*] ● **zan.ga.do** *a.*

zanzar (zan.*zar*) *v. int.* Andar sem rumo; VAGUEAR: Ela *zanzava* pela loja, procurando novidades. [▶ **1** zan*zar*]

zapear (za.pe.*ar*) *v. td. int. Telv.* Percorrer (canais de TV) ou trocar (de canal) incessantemente por meio do controle remoto. [▶ **13** za*pear*]

zarabatana (za.ra.ba.*ta*.na) *sf.* Ver *sarabatana*.

zarcão (zar.*cão*) *sm.* Espécie de tinta us. como base em peças de ferro para evitar a ferrugem. [Pl.: -*cões*.]

zarolho (za.*ro*.lho) [ô] *a.sm.* Que ou quem é vesgo, estrábico.

zarpar (zar.*par*) *v. int.* Deixar o porto em direção ao mar (embarcação, ou a bordo de embarcação): O navio *zarpou* da África com destino ao Brasil. [▶ **1** zar*par*]

zarzuela (zar.zu.*e*.la) *sf. Mús. Teat.* Opereta de origem espanhola.

zás *interj.* Indica golpe ou ação muito rápida ou repentina; ZÁS-TRÁS.

zás-trás (zás-*trás*) *interj.* Ver *zás*.

zebra (*ze*.bra) [ê] *sf.* **1** *Zool.* Animal mamífero, de pelagem listrada de preto e branco. **2** Faixa pintada com listras pretas e brancas sobre a qual os pedestres devem atravessar. **3** *Pej. Pop.* Pessoa de pouca inteligência, bronca. ▪▪ **Dar ~** Dar resultado ruim e inesperado.

zebrar (ze.*brar*) *v.* **1** Aplicar ou pintar listras (como as de uma zebra). [*td.*: *Zebrou* o corpo à guisa de fantasia.] **2** *Pop.* Acontecer (algo) contrariando as expectativas; dar zebra. [*int.*: O jogo *zebrou*.] [▶ **1** ze*brar*] ● **ze.bra.do** *a.*

zebroide (ze.*broi*.de) *a2g.* **1** Semelhante a zebra. *sm.* **2** *Zool.* Híbrido que resulta de cruzamento de cavalo com zebra.

zebu (ze.*bu*) *sm.* Gado bovino originário da Ásia que tem uma corcova ou giba no lombo e uma grande papada.

zebueiro (ze.bu.*ei*.ro) *sm.* Criador ou comerciante de zebu.

zebuzeiro (ze.bu.*zei*.ro) *sm.* O m.q. *zebueiro*.

zefir (ze.*fir*) *sm.* Tecido de algodão, fino e transparente, ger. listrado.

zéfiro (*zé*.fi.ro) *sm.* Vento brando; BRISA; VIRAÇÃO.

zelador (ze.la.*dor*) [ô] *sm.* **1** Empregado responsável pela supervisão, limpeza e conservação de um prédio. **2** Pessoa encarregada de cuidar de algum lugar.

zelar (ze.*lar*) *v. ti.* **1** Tomar conta com dedicação. [+ *por*: A enfermeira *zelava pela* paciente.] **2** Cuidar (para que algo aconteça). [+ *para*, *por*: *zelar pelo* cumprimento das leis.] [▶ **1** ze*lar*]

zelo (*ze*.lo) [ê] *sm.* **1** Atenção especial que se dedica a alguém ou algo; CUIDADO; DEDICAÇÃO. **2** Carinho, meiguice. **3** Rigor, diligência, empenho na realização de uma tarefa ● **zelos** *smpl.* **4** Ciúmes. ● **ze.lo.so** *a.*

zelote (ze.*lo*.te) *sm. Hist.* Membro de um partido nacionalista judeu, que na época de Jesus, se opunha à ocupação da Judeia pelo Império Romano.

zen *sm.* **1** *Fil. Rel.* Ver *zen-budismo*. *a2g2n.* **2** *Pop.* Que revela ou reflete a serenidade, a simplicidade etc. que o zen-budismo supostamente infunde (atitude *zen*, decoração *zen*).

zen-budismo (zen-bu.*dis*.mo) *sm. Fil. Rel.* Forma de budismo mais praticada no Japão, caracterizada pela busca da iluminação e do autoconhecimento através da meditação e da prática; (ZEN) (1). [Pl.: *zen-budismos*.] ● **zen-bu.*dis*.ta** *a.2g.sm.*

zé-ninguém (zé-nin.*guém*) *sm. Pej. Pop.* Pessoa considerada sem importância por não ter instrução, prestígio social, dinheiro; JOÃO-NINGUÉM; POBRE-DIABO. [Pl.: *zés-ninguéns* e *zés-ninguém*.]

zênite (*zê*.ni.te) *sm.* **1** Ponto em que uma linha perpendicular ao solo encontra a esfera celeste. **2** Ponto mais elevado; AUGE.

ZEBRA (1)

zepelim (ze.pe.*lim*) *sm.* *Aer.* Grande balão dirigível, que tem formato de charuto. [Pl.: -*lins*.]

zé-pereira (zé-pe.*rei*.ra) *sm.* **1** *Bras.* Ritmo carnavalesco executado no bombo. **2** Conjunto dos foliões que executam esse ritmo. [Pl.: *zés-pereiras*.]

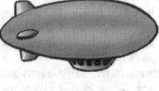

zé-povinho (zé-po.*vi*.nho) *sm. Pej. Pop.* Pessoa do povo. [Pl.: *zés-povinhos*.]

zerar (ze.*rar*) *v.* **1** Quitar (conta, dívida etc.). [*td.*] **2** Reduzir a zero. [*int.*: *Gostaríamos que a taxa de analfabetismo zerasse.*] **3** Compensar. [*td.*: *Preciso vender muito para zerar o investimento total.*] **4** Dar ou receber nota zero. [*td.*: *O professor zerou cinco provas. int.*: *Zerei em matemática.*] [▶ 1 zer̄ar̄ • ze.*ra*.do *a.*

zero (*ze*.ro) *num.* **1** Quantidade nula. **2** Número que representa essa quantidade (arábico: 0). *sm.* **3** Coisa nenhuma (tolerância zero); NADA: *Ele é um zero na firma.* ■ ▲ ~ *Pop.* Sem dinheiro; DURO: *A viagem me deixou a zero.* ~ **à esquerda** *Fig. Pop.* Pessoa sem valor ou sem competência.

zero-quilômetro (ze.ro-qui.*lô*.me.tro) *Bras. a2g2n.* **1** Novo em folha (diz-se de carro, aparelho etc.). *sm2n.* **2** Carro zero-quilômetro.

zeta (*ze*.ta) *sm.* Ver *dzeta*.

zeugma (*zeug*.ma) [ê] *sm. Ling.* Figura de linguagem que consiste na omissão de palavras ou partes de frases, no discurso ou no texto, com finalidade expressiva. [Cf.: *elipse* (2).]

zibelina (zi.be.*li*.na) *sf.* **1** *Zool.* Mamífero pequeno, de cabeça chata, cauda longa e pelo castanho-escuro. **2** A pele desse animal.

zigoma (zi.*go*.ma) [ô] *sm. Anat.* Osso saliente da face. [*Zigoma* substituiu *malar* na nova terminologia anatômica.]

zigoto (zi.*go*.to) [ô] *sm. Biol.* Célula que se forma da fusão do esperma com o óvulo, dando origem ao feto.

zigue-zague (zi.gue-*za*.gue) *sm.* Linha, desenho ou movimento em forma de z contínuo, como seria os movimentos de cobra: *estrada em zigue-zague*. [Pl.: *zigues-zagues*.]

ziguezaguear (zi.gue.za.gue.*ar*) *v. int.* Ir de um lado para o outro, fazendo ziguezague. *O bêbado ziguezagueava sem equilíbrio.* [▶ 13 ziguezague̅ar̅ • zi.gue.za.gue.*an*.te *a2g*.

zika (*zi*.ka) *sf.* **1** Doença viral transmitida pelo mosquito *Aedes aegypti*, cujos sintomas se assemelham aos da dengue, mas se manifestam de forma mais branda: *O médico diagnosticou o paciente com zika*. [Tb. *zica*.]

zimbabuano (zim.ba.bu.*a*.no) *a.* **1** Do Zimbábue (África); típico desse país ou de seu povo. *sm.* **2** Pessoa nascida no Zimbábue.

zimbório (zim.*bó*.ri.o) *sm. Arq.* Ver *domo*.

zimbro (*zim*.bro) *sm. Bot.* Planta cujo fruto entra na produção do gim e da genebra; JUNÍPERO.

zinabre (zi.*na*.bre) *sm.* Ver *azinhavre*.

zincar (zin.*car*) *v. td.* Revestir de zinco. [▶ 11 zin̄car̄

zinco (*zin*.co) *sm.* **1** *Quím.* Metal us. em ligas, calhas, telhados etc. [Símb.: Zn] **2** Folha desse metal, us. como cobertura.

zincogravura (zin.co.gra.*vu*.ra) *sf. Grav.* **1** Qualquer processo de gravura em zinco. **2** Cada chapa de zinco gravada.

zine (*zi*.ne) *sm.* F. red. de *fanzine*.

zíngaro (*zín*.ga.ro) *sm.* Músico cigano.

zinha (zi.*nha*) *sf. Pej. Pop.* Mulher.

⊕ **zip** (Ing. /*zip*/) *sm. Inf.* **1** Processo de compactação de arquivos por meio de programas específicos. **2** Ver *zip drive*.

zipar (zi.*par*) *v. td. Inf.* Compactar texto, arquivo etc. usando programa feito para isso. [▶ 1 zip̄ar̄]

⊕ **zip drive** (Ing. /*zip dráiv*/) *sm. Inf.* **1** Aparelho ou dispositivo para armazenamento de dados, que utiliza discos com capacidade de aprox. 100MB. **2** Disco em que esses dados são armazenados; ZIP.

zíper, zipe (*zí*.per, *zi*.pe) *sm.* Fecho us. em calças, vestidos, malas etc., constituído de dentes que se encaixam; FECHO-ECLER.

ziquizira (zi.qui.*zi*.ra) *sf. Gír.* Afecção, doença.

zircônio (zir.*cô*.ni.o) *sm. Quím.* Metal cinza-prateado, us. nas indústrias nuclear, química e eletrônica, assim como em ligas de ferro, estanho etc. [Símb.: Zr]

ziziar (zi.zi.*ar*) *v. int.* Produzir (cigarra, gafanhoto etc.) som sibilante. [▶ 1 ziz̄iar̄]

※ **Zn** *Quím.* Símb. de *zinco*.

zoada (zo.*a*.da) *sf.* Ver *zoeira* (1): "A zoada confusa da rua, com o ressoar das buzinas dos carros, (...) as freadas bruscas..." (Josué Montello, *Sempre serás lembrada*).

zoar (zo.*ar*) *v. int.* **1** Produzir barulho forte e indistinto. **2** Produzir som semelhante ao de insetos voando; ZUMBIR. **3** *Gír.* Divertir-se sem compromisso com nada: *Nessas férias, só quero zoar*. [▶ 16 zōar̄]

zodíaco (zo.*dí*.a.co) *sm. Astrol.* Área celeste imaginária, pela qual o Sol, a Lua e os planetas parecem transitar, e que muitos acreditam influenciar o curso de nossas vidas. ■ **Signo do ~** Cada uma das 12 partes em que essa área é dividida: Áries, Touro, Gêmeos, Câncer, Leão, Virgem, Libra, Escorpião, Sagitário, Capricórnio, Aquário, Peixes.

zoeira (zo:*ei*.ra) *sf.* **1** Ruído forte, contínuo e indistinto de vozes ou de coisas; ZOADA: *a zoeira da festa*. **2** Zumbido de insetos. **3** *PE* Confusão.

zombar (zom.*bar*) *v.* **1** Fazer troça; DEBOCHAR. [*ti.* + *de*, *com*: *As crianças zombavam do bulhão. int.*: *Não quero zombar, mas sim conversar.*] **2** Fazer pouco caso de; DESDENHAR. [*ti.* + *de*, *com*: *Ele zombou da gravidade do acidente.*] [▶ 1 zomb̄ar̄ • zom.ba.*dor* *a.sm*.

zombaria (zom.ba.*ri*.a) *sf.* Ação ou resultado de zombar, de caçoar de alguém.

zombeteiro (zom.be.*tei*.ro) *a.sm.* Que ou quem zomba, caçoa dos outros.

zona (*zo*.na) *sf.* **1** Região, área (zona rural). **2** Circunscrição administrativa (zona eleitoral). **3** Área que se caracteriza por certa atividade (zona portuária). **4** *Pop.* Área de prostituição. **5** *Gír.* Ambiente em desordem, bagunçado; ZORRA; BADERNA: *Meu quarto está uma zona.* **6** *Gír.* Perturbação da ordem causada por badernas; BADERNA; ZORRA.

zonear (zo.ne.*ar*) *v.* **1** Dividir em regiões demarcadas. [*td.*: *A prefeitura zoneou as áreas disponíveis. int.*: *O plano para o parque é zonear para preservar.*] **2** *Bras. Gír.* Fazer bagunça; BAGUNÇAR. [*td.*: *Bernardo zoneou a cozinha. int.*: *Nem era muito quieto nem zoneava.*] [▶ 13 zone̅ar̅ • zo.ne:*a.men*.to *sm*.

zonzeira (zon.*zei*.ra) *sf.* Ver *tonteira* (1).

zonzo (*zon*.zo) *a.* Tonto, atordoado.

zoo (*zo*.o) *sm.* F. red. de *jardim zoológico*.

zoofobia (zo.o.*fo*.bi.a) *sf. Psiq.* Aversão a animais. • zo.o.*fó*.bi.co *a*.; zo.ó.fo.bo *a.sm*.

zoogeografia (zo.o.ge:o.gra.*fi*.a) *sf. Zool.* Distribuição das espécies animais segundo critérios geográficos. • zo.o.ge:o.*grá*.fi.co *a*.

zoolatria (zo.o.la.*tri*.a) *sf.* Culto dos animais ou excessiva atenção a eles.

zoologia (zo.o.lo.*gi*.a) *sf. Biol.* Ramo da biologia que estuda os animais. • zo.*ó*.lo.go *sm*.

zoológico (zo.o.*ló*.gi.co) *a.* **1** Ref. a zoologia. *sm.* **2** Jardim zoológico; zoo.

⊕ **zoom** (Ing. /*zum*/) *sm.* **1** *Cin. Fot. Telv.* Conjunto de lentes ajustável, para aproximar ou afastar a imagem. **2** *Cin. Fot. Telv.* O efeito de afastamento ou de aproximação produzido por esse conjunto de lentes. **3** *Inf.* Ampliação ou diminuição de imagem na tela do computador, sem que isso altere o tamanho da imagem original. *a2g*. **4** *Cin. Fot. Telv.* Diz-se de lente que permite variar a imagem de um objeto.

zoomorfismo (zo.o.mor.*fis*.mo) *sm*. **1** O uso de formas animais como símbolos, na arte, religião etc. **2** *Mit. Rel.* Atribuição de características ou qualidades animais a um deus. ● **zo.o.*mór*.fi.co** *a*.

zootaxia (zo.o.ta.*xi*.a) [cs] *sf. Zool.* Sistema zoológico de classificação e designação dos animais.

zootecnia (zo.o.tec.*ni*.a) *sf.* Ciência e técnica de reprodução e melhoria de raças animais. ● **zo.o.*téc*.ni.co** *a*.

zorra (*zor*.ra) [ô] *sf. Gír.* Ver *zona* (5 e 6).

⊠ **Zr** *Quím.* Símb. de *zircônio*.

zuarte (zu.*ar*.te) *s2g.* Tecido de algodão encorpado.

zulu (zu.*lu*) *s2g.* **1** *Etnôn.* Indivíduo dos zulus, povo africano que vive esp. na província de Kwazulu (África do Sul). *sm.* **2** *Gloss.* A língua falada por esse povo. *a2g.* **3** Ref. a esse povo ou à sua língua.

zumbaia (zum.*bai*.a) *sf.* Saudação espalhafatosa; SALAMALEQUE.

zumbi (zum.*bi*) *sm. Bras.* Segundo a mitologia afro-brasileira, fantasma que vagueia pelas casas e campos à noite.

zumbido (zum.*bi*.do) *sm.* Ruído feito por insetos (mosquito, besouro etc.) ou por certas máquinas.

zumbir (zum.*bir*) *v. int.* **1** Produzir (inseto voando) som característico; ZOAR(2). **2** Produzir som semelhante ao de inseto voando: *A televisão, com defeito, zumbia sem parar.* **3** Ouvir um ruído dentro do ouvido: *A explosão fez meus ouvidos zumbirem por meia hora.* [▶ **3** zumb<u>ir</u>]

zum-zum, zum-zum-zum (zun-*zum*, zun-zun-*zum*) *sm. Bras. Pop.* **1** Disse me disse, boato. **2** Barulho difuso. [Pl.: zum-zuns, zum-zum-zuns.]

zunir (zu.*nir*) *v.* **1** Produzir zumbido contínuo e agudo. [*int.*: *O vento zunia na noite chuvosa.*] **2** Lançar ou ser lançado a perder de vista. [*td.*: *O chute do goleiro zuniu a bola. int.*: *A bola zuniu e ninguém mais a encontrou.*] **3** *RS* Sair apressadamente. [*int.*] [▶ **3** zun<u>ir</u>] ● **zu.*ni*.do** *sm*.

zura (*zu*.ra) *a2g.s2g. Bras. Pop.* Que ou quem é pão-duro; SOVINA.

zureta (zu.*re*.ta) [ê] *a2g.s2g. Pop.* Que ou quem é adoidado, meio maluco.

zurrapa (zur.*ra*.pa) *sf.* Vinho avinagrado ou de má qualidade.

zurrar (zur.*rar*) *v. int.* Produzir (burros, mulas, jumentos etc.) sons característicos. [▶ **1** zurr<u>ar</u>]

zurro (*zur*.ro) *sm.* Som que o burro ou a mula emitem.

zurzir (zur.*zir*) *v. td.* **1** Maltratar (ger. com chicote): *Os cavaleiros zurziam as montarias.* **2** Repreender com rigor: *O conselheiro zurzia a arrogância do rei.* [▶ **58** zurz<u>ir</u>]

HIERARQUIA MILITAR BRASILEIRA

(em ordem hierárquica crescente)

EXÉRCITO	MARINHA	AERONÁUTICA
Graduados	**Graduados**	**Graduados**
—	—	taifeiro de segunda classe
—	—	soldado de segunda classe
taifeiro de primeira classe	—	taifeiro de primeira classe
soldado de primeira classe	marinheiro	soldado de primeira classe
—	—	taifeiro-mor
cabo	cabo	cabo
taifeiro-mor	—	—
terceiro-sargento	terceiro-sargento	terceiro-sargento
segundo-sargento	segundo-sargento	segundo-sargento
primeiro-sargento	primeiro-sargento	primeiro-sargento
subtenente	suboficial	suboficial
Oficiais subalternos	**Oficiais subalternos**	**Oficiais subalternos**
aspirante a oficial	guarda-marinha	aspirante
segundo-tenente	segundo-tenente	segundo-tenente
primeiro-tenente	primeiro-tenente	primeiro-tenente
Oficiais intermediários	**Oficiais intermediários**	**Oficiais intermediários**
capitão	capitão-tenente	capitão
Oficiais superiores	**Oficiais superiores**	**Oficiais superiores**
major	capitão de corveta	major
tenente-coronel	capitão de fragata	tenente-coronel
coronel	capitão de mar e guerra	coronel
Oficiais-generais	**Oficiais-generais**	**Oficiais-generais**
general de brigada	contra-almirante	brigadeiro do ar
general de divisão	vice-almirante	major-brigadeiro do ar
general de exército	almirante de esquadra	tenente-brigadeiro do ar
marechal	almirante	marechal do ar

ELEMENTOS DE COMPOSIÇÃO

Estas listas de elementos de composição (prefixos e antepositivos; sufixos e pospositivos) não são exaustivas. Elas incluem aqueles mais comumente presentes na formação dos vocábulos contemplados neste dicionário. Com possíveis raras exceções, não se incluíram elementos de composição que não estivessem exemplificados nos vocábulos que constituem verbetes do dicionário, ou que neles são citados como palavras derivadas.

1. Prefixos e elementos de composição antepositivos (antepostos ao radical)

a-¹ *Pref.* = afastamento, separação; negação, privação: *atípico*.
a-² *Pref.* = aproximação, direcionamento, mudança etc.: *achegar-se*.
ab- *Pref.* = a-¹. [Antes de r usa-se com hífen: *ab-rogação*.]
abs- *Pref.* = a-¹.
acefal(o)- = sem cabeça: *acefalia*.
acid(i)-, acid(o)- = ácido: *acidificação*.
acr(i)- = ácido; agudo: *acridez*.
acr(o)-¹ = alto, elevado: *acrofobia*.
acr(o)-² = *acr(i)-*.
acu- = agulha: *acupuntura*.
acut(i)- = agudo: *acutângulo*.
ad- = *a-²*.
aden(o)- = glândula: *adenoide*.
adren(o)- = glândula suprarrenal: *adrenalina*.
aeri-, aero- = ar: *aeróbio, aerofólio*.
afro- = africano: *afro-americano*.
agora- = lugar aberto: *agorafobia*.
agri-¹ = *acr(i)-* ; *agridoce*.
agri-² = campo: *agricultura*.
agro- = *agri-²*: *agrotóxico*.
albi- = alvo, branco: *albinismo*.
além- = para além de: *além-mar*.
al(o)- = outro; estranho: *alopatia*; *alienação*.
alti- = alto: *altímetro*.
alucino- = alucinação: *alucinógeno*.
ambi- = os dois: *ambidestro*.
amer(i)- = americano: *amerindio*.
amigdal(i)- = amêndoa, em forma de amêndoa: *amigdala*.
an- *Pref.* = privação: *anabiose*.
an(a)- *Pref.* = movimento contrário ou para cima; privação: *anabatismo, anacronismo*.
andr(o)- = homem; macho: *androide*; *andrógino*.
anemo- = vento: *anemômetro*.
anfi- *Pref.* = em roda, em volta, dos dois lados: *anfiteatro*.
angi(o)- = vaso; vaso capilar: *angiologia*.
anim(i)- = alma: *animismo*.
anis(o)- = desigual: *anisogamia*.
ant(e)- *Pref.* = antes (no tempo ou no espaço): *antessala, antebraço, antediluviano, anteontem*. [Antes de h e u usa-se com hífen.]
ant(i)- *Pref.* = contra, em oposição a, que combate, que evita: *antidemocrático, antinatural, antiaéreo, antivírus, antisséptico, antiderrapante*. [Antes de h ou i usa-se com hífen.]
antrop(o)- = homem, ser humano: *antropologia*.
ap(i)- = abelha: *apicultura*.
aqui-, aqua- *Pref.* = água: *aquicultura*.
ar- = *a-¹*.
aracn(i/o)- = aranha: *aracnofilia*.
arbor(i)- = árvore: *arborizar*.
argent(i)- = prata: *argênteo*.
aristo- = nobre; o melhor: *aristocracia*.
arqueo- = antigo: *arqueologia*.

arqui- *Pref.* = chefia, primazia, superioridade: *arquiduque, arqui-inimigo, arquimilionário*. [Antes de h ou i usa-se com hífen.]
arterio-, arter(i)- = artéria: *arteriosclerose*.
artr(o)- = articulação: *artritismo*.
as- = *a-²*.
astr(o)- = corpo celeste: *astronomia*.
atm(o)- = gás: *atmosfera*.
audi(o)- = audição: *audiologia*.
aur(i)-¹ = orelha, ouvido: *auricula*.
aur(i)-² = ouro: *aurífero*.
aut(o)-¹ = por ou de si mesmo, próprio: *autismo, autoestima, autolimpante*. [Antes de h ou o usa-se com hífen.]
aut(o)-² = automóvel: *autódromo*.
avi- = ave: *avicultor*.
axi- = eixo: *axial*.
bacter(i)-, bacteri(o)- = bactéria: *bacteriologista*.
barb(i)- = barba: *barbicha*.
bar(i)- = pesado; gravidade: *barisfera*.
bar(o)- = pressão; pressão atmosférica: *barômetro*.
beli-, belo- = guerra: *belicoso, belonave*.
bem- *Pref.* = bem, muito, feliz, sensato: *bem-acabado, bem-bom, bem-aventurança, bem-intencionado, bem-vindo* ou *benvindo*. [*bem*-, sempre com hífen.]
bi-¹ = *bis-*.
bi-² *Pref.* = *Quím.* duas vezes a proporção necessária para uma reação.
biblio- = livro: *biblioteca*.
biblioteco- = biblioteca: *biblioteconomia*.
bil(i)- = bílis: *bilioso*.
bi(o)- = vida: *biodiversidade*.
bis-, bi-¹ = duas vezes: *bisar, bicampeão*.
blast(o)- = germe, embrião: *blástula*.
blefar(o)- = pálpebra: *blefarite*.
blen(o)- = muco: *blenorragia*.
boi- = cobra: *boitatá*.
boqu(i)- = boca: *boquiaberto*.
bradi- = lento: *bradicardia*.
braqui- = curto: *braquigrafia*.
braqu(i)(o)- = braço: *braquiossauro*.
brevi- = breve, curto: *brevilíneo*.
brio- = musgo: *briófito*.
bronco-, bronqu(i)-, bronquio- = garganta; brônquio(s): *broncocele, bronquíolo*.
butir(o)- = manteiga: *butírico*.
caa- = planta, mato: *caatinga*.
cac(o)-¹ = mau: *cacofonia*.
cac(o)-² = fezes: *cacofagia*.
cafei- = café: *cafeicultura*.
calc(i)- = cal; cálcio: *calcinar, calcificar*.
calco- = metal: *calcografia*.
cal(i)- = belo: *caligrafia*.
calor(i)- = calor: *calorimetria*.
camel(i)- = camelo: *cameleiro*.
campan(i)- = sino: *campanário, campaniforme*.
cancer(i)-, cancero- = câncer: *cancerígeno, cancerologia*.
can(i)-¹ = cão: *canídeo*.

Elementos de composição

can(i)-² = cana: *caniço*.
capil(i)- = cabelo: *capilaridade*.
capr(i)- = cabra: *capricórnio*.
carb(o)-, carbon(i)- = carvão, carbono: *carboidrato, carbonífero*.
cardi(o)- = coração: *cardíaco, cardiopata*.
cari(o)- = núcleo (de célula): *cariocinese*.
carni- = carne: *carnívoro*.
carp(o)- = fruto: *carpoteca*.
carto- = carta; mapa: *cartomante, cartografia*.
cata- *Pref.* = para baixo, através de, de acordo com: *catadupa, cataclismo, catálise, catapulta*.
caul(i)- = caule: *caulifloria*.
cefal(o)- = cabeça: *cefaleia*.
celul(i)- = célula: *celulose*.
cen(o)-¹ = vazio: *cenologia*.
cen(o)-² = comum, comunidade: *cenobita*.
cen(o)-³ = cena: *cenografia*.
cent(i)- = cem: *centopeia*.
centi- *Pref.* = centésima parte: *centímetro*.
centr(i)- = centro: *centrífugo, centrosfera*.
cer(i)- = cera, gordura: *cerume, ceratoma*.
cerv(i)- = cervo: *cervídeo*.
cervic(i)- = pescoço: *cervical*.
cet(o)- = cetáceo: *cetáceo*.
cian(o)- = azul: *cianose*.
cicl(o)- = roda: *ciclismo, ciclometria*.
cif(o)- = curvado: *cifose*.
cili(o)- = cílio: *ciliado*.
cin(e)- = *cines(i)-*.
cinemat(o)- = movimento: *cinemática, cinematografia*.
cines(i)-, cinesio- = movimento: *cinestesia, cinesioterapia*.
cinet(o)- = movimento: *cinética, cinetose*.
cin(o)- = cão: *cinologia*.
circu(m)-, circun- *Pref.* = em volta: *circulação, circunvolução*. [*circum-*, antes de vogal ou *h*, ou *m* ou *n* usa-se com hífen.]
cirr(i)- = filamento, em forma de fio: *cirrípede*.
cirr(o)- = amarelado: *cirrose*.
cis- *Pref.* = aquém de: *cisalpino*.
cist(i)-, cisto- = bexiga, vesícula, cisto: *cistite, cistocele*.
cit(o)- = cavidade, célula: *citologia, citoplasma*.
citr(i)- = limão, fruta cítrica: *citricultura*.
claustro- = lugar fechado: *claustrofobia*.
clepto- = furtar: *cleptomania*.
clor(o)- = esverdeado; cloro: *clorofila; cloridrico*.
co-¹ *Pref.* = com, junto com: *coautoria, colaborar, copiloto*.
co-² *Pref.* = complemento: *cologaritmo*.
col(a)- = gelatina, goma: *colágeno*.
col(e)- = bílis: *colemia*.
col(o)- = colo: *colostomia*.
color(i)- = cor: *colorista*.
colp(o)- = vagina: *colpite*.
com-, con- = *co-¹*.
coni- = cone: *coniforme*.
contra- *Pref.* = diante de; em oposição a: *contra-ataque, contraceptivo, contracenar*. [Antes de *h* ou *a* usa-se com hífen.]
cord(o)- = corda: *cordoaria*.
coreo- = dança: *coreografia*.
corn(i)- = corno, chifre: *cornífero, cornucópia*.
cosm(o)- = universo: *cosmogonia, cosmopolita*.
coton(i)- = algodão: *cotonifício*.
crani(o)- = crânio: *craniano*.
crio- = gelo: *crioterapia*.
cript(o)- = oculto: *criptografia*.
cris(o)- = ouro: *crisólita, crisóstomo*.
cromat(o)-, crom(o)- = cor: *cromatografia, cromático, cromossomo*.
cron(o)- = tempo: *cronologia, cronometrar*.

cruci- = cruz: *cruciforme*.
cune(i)- = cunha: *cuneiforme*.
curvi- = curvo: *curvilíneo*.
da(c)til(o)- = dedo: *da(c)tilografia, da(c)tiloscopia*.
de- *Pref.* = para baixo; origem; afastamento; extração; oposição: *degradar; denominar; dejetar; decompor; defrontar*.
dec(a)-¹ = dez: *decágono*.
dec(a)-² *Pref.* = dez vezes maior (unidade): *decâmetro*.
deci- *Pref.* = dez vezes menor (unidade): *decímetro*.
de(i)- = Deus, deus: *deísmo*.
demo- = povo: *democracia*.
dendr(o)- = árvore; caule: *dendrologia*.
dent(i)- = dente: *dentifrício*.
dermat(o)- = pele: *dermatite*.
des- *Pref.* = oposição; negação; privação; separação; mudança; reforço: *desafiar; desabono; desamor; descascar; desandar; desnudo*.
di- = duas vezes; dois: *dígrafo*.
di(a)- *Pref.* = separação; atravessamento; relação: *dialética, diáfano, dialogar*.
digit(i)- = dedo; dígito: *digital; digitação*.
dinam(o)- = força, energia: *dinamômetro, dinamismo*.
dino- = poderoso: *dinossauro*.
dips(o)- = sede: *dipsomania*.
dis-¹ = *di(a)-*.
dis-² *Pref.* = defeito, dificuldade: *dislexia*.
dis-³ = *di-*.
disc(o)-, disc(i)- = disco: *discoteca*.
dodec(a)- = doze: *dodecafonismo*.
dramat(o)- = drama: *dramaturgia*.
dulci- = doce: *dulcificar*.
e-¹ = *em-¹*.
e-² *Pref.* = movimento para fora: *efluxo, efusão*.
ec- *Pref.* = movimento para fora: *eclipsar*.
eco-¹ = hábitat: *ecologia*.
eco-² = som, eco: *ecolalia*.
ecto- *Pref.* = exterior: *ectoplasma*.
edaf(o)- = solo: *edáfico*.
ego- = eu: *egoísmo*.
eletr(i)-, eletr(o)- = elétrico, eletricidade: *eletrodoméstico*.
em-¹ *Pref.* = dentro: *embutido*.
em-² *Pref.* = para dentro; aproximação; transformação: *embarcar, embolsar, empanar; embicar, embelezar*.
embri(o)- = embrião: *embriologia, embrionário*.
en-¹ = *em-¹*: *ensimesmar-se*.
en-² = *em-²*: *engavetar; engordurar; encostar; entristecer*.
encefal(o)- = encéfalo: *encefalograma*.
end(o)- *Pref.* = dentro: *endoscopia*.
ene(a)- = nove: *eneágono*.
en(o)- = vinho: *enologia*.
enter(o)- = intestino: *enterovírus*.
entom(o)- = inseto: *entomologia*.
entr(e)- = *inter-*.
ep(i)- *Pref.* = sobre; a mais, continuação: *epiderme; epígono*.
equ-, equ- = igual: *equivalente, equitativo, equiângulo*.
equi-, equi- = cavalo: *equitação*.
equin(o)- = ouriço, espinho: *equinodermo*.
erg(o)- = trabalho, ação: *ergometria, ergonomia*.
er(o)-, erot(o)- = amor; sexo: *erotismo, erotofobia*.
es- = movimento para fora; extração; transformação; fragmentação: *estender, estripar; estreitar; esquentar; esflapar*.
escaf(o)- = quilha; barco: *escafandro, escafoide*.
escato- = último, extremo: *escatologia³*.
escat(o)- = excremento: *escatologia¹*.

Elementos de composição

escler(o)- = duro: *esclerose*.
esfen(o)- = cunha: *esfenoide*.
esfer(o)- = esfera: *esferográfica*.
espele(o)- = caverna, gruta: *espeleologia*.
espermat(o)- = semente, germe: *espermatozoide*.
esplen(i/o)- = baço: *esplenopatia*.
espor(o)- = broto, esporo, semente: *esporífero*.
esquist(o)- = fendido: *esquistossomo*.
esquiz(o)- = fender: *esquizofrenia*.
estafil(o)- = cacho de uva; (tumor na) úvula: *estafilococo; estafilino*.
estalact- = gotejamento: *estalactite*.
estalagm(o)- = gotejamento: *estalagmite*.
esteat(o)- = gordura: *esteatite*.
estego- = cobertura, telhado: *estegossauro*.
esteli- = estrela: *esteliforme*.
esten(o)-¹ = curto, breve: *estenografia, estenose*.
esten(o)-² = força, vigor: *estenia*.
estereo- = sólido, tridimensional: *estereofonia, estereoscópio*.
estesio- = sensibilidade: *estesiologia*.
estigm(at)- = marca, sinal: *estigmatizar*.
estom(at)- = boca: *estomatite*.
estrab(o)- = vesgo: *estrabismo*.
estrat(i/o)- = camada: *estratificação, estrato-cúmulo*.
estrept(o)- = torcido: *estreptococo*.
estro- = estro, êxtase: *estrogênio*.
etn(o)- = raça, povo: *étnico, etnologia*.
et(o)- = costume, comportamento: *etologia*.
eu- *Pref.* = bom, bem: *eugenia, euforia*.
euri- = amplo: *euribionte*.
eur(o)- = europeu: *eurodólar*.
ev- = *eu-*: *evangélico*.
ex- = *e-²*, *ec-*: *exportar; expulsão*.
exo- *Pref.* = fora, por fora: *exógeno*.
extra- *Pref.* = posição exterior, fora de: *extranumerário, extramuros*. [Us. tb. como intensificador: *extrasseco*. Antes de *h* ou *a* usa-se com hífen.]
faring(o)- = faringe: *faringite*.
farmac(o)- = medicamento: *farmacologia*.
febr(i)- = febre: *febrífugo*.
fen(o)- = brilhar, tornar visível: *fenomenal*.
ferr(o)- = ferro: *ferreiro, ferrolho, ferrugem*.
fibr(i/o)- = fibra, filamento: *fibrilar, fibroma*.
fil(h)-, fil(i)- = filho: *filhote, filiação, filial*.
fili- = fio: *filiforme*.
fil(o)- = amigo, afim: *filantropia, filarmonia, filosofia*.
filmo- = filme; cinema: *filmografia, filmoteca*.
fisio- = formação, natureza: *fisiologia, fisionomia, fisioterapia*.
fiss(o)- = fenda: *fissura*.
fit(o)- = vegetal, planta: *fitoterapia*.
fleb(o)- = veia, artéria: *flebite*.
flex(i)- = que se pode curvar: *flexibilizar, flexionar*.
flor(i)- = flor: *florista, floricultura*.
fluor(o)- = flúor: *fluorescente*.
flux(i/o)- = fluxo: *fluxograma*.
folh-, foli- = folha: *folhetim, folhudo*.
fol(i)- = invólucro, fole: *folículo*.
fon(o)- = som, voz: *foniatria, fonoaudiólogo, fonógrafo*.
formic(i)- = formiga: *formicida*.
fosf(or)- = que dá luz: *fosforescência, fósforo*.
fot(o)- = luz: *fotopsia, fototerapia, fotofobia*.
foto- = fotografia: *fotocópia*.
franco- = francês: *franco-brasileiro*.
fras(e)- = expressão pela palavra: *fraseado, fraseologia*.
frig(o)- = frio: *frígido, frigobar, frigorífico*.
frut(i)- = fruir, fruto: *fruticultura, frutífero, frutuoso*.
fung(i)- = fungo: *fungicida*.

galact(o)- = leite: *galactófago*.
gamet(o)- = gameta: *gametófito*.
gangli(o)- = gânglio: *ganglionite*.
gas(o)- = gás: *gasoduto*.
gastr(o)- = estômago: *gastrenterite*.
geni(o)- = queixo: *genioplastia*.
gen(o)-¹ = face: *genoplastia*.
gen(o)-² = origem, nação, raça: *genoma, genocídio*.
ge(o)- = Terra: *geografia*.
germ(i)-, germin(i)- = germe: *germicida, germiníparo*.
ger(o)-, geront(o)- = velhice; velho: *geriatria, gerontologia*.
giga- *Pref.* = 1 10⁹ vezes maior: *giga-hertz*; 2 *Inform.* 2²⁰ vezes maior: *gigabyte*.
gigant(o)- = gigante: *gigantismo*.
gimn(o)- = nu: *gimnodermo*.
gineco- = mulher: *ginecologia*.
gin(o)- = feminino: *gineceu*.
giro- = círculo; que gira: *giroscópio*.
glicer(o)- = doce: *glicerídeo*.
glic(o)- = açúcar: *glicose*.
glif(o)- = gravar: *glifodonte*.
gnat(o)- = maxilar: *gnatoplastia*.
gnoseo-, gnosio- = conhecimento: *gnoseologia, gnosiologia*.
gon(o)- = semente, esperma: *gonorreia*.
grã- , grão- = grande: *grã-fino, grão-mestre*.
graf(o)- = escrita: *grafologia*.
grama(t)- = letra, texto: *gramática, gramatologia*.
gran(i/o)- = grão: *granular, granívoro*.
greco- = grego: *greco-romano*.
gut- = gota: *gutífero*.
gutur- = garganta: *gutural*.
hagio- = santo: *hagiografia*.
hal(i/o)- = sal: *halogênio*.
hapl(o)- = simples: *haplologia*.
hect(o)- = cem vezes maior: *hectômetro*.
heli(o)- = sol: *heliocentrismo*.
helic(i/o)- = espiral: *helicóptero*.
helmint(o)- = verme intestinal: *helmintologia*.
hemat(o)-, hem(o)- = sangue: *hematoma, hemodiálise*.
hemer(o)- = dia: *hemeroteca*.
hemi- = meio: *hemiplegia*.
hendeca- = onze: *hendecágono*.
hepat(o)- = fígado: *hepatite, hepatologia*.
hept(a)- = sete: *heptassílabo*.
herb(i)- = erva: *herbicida, herbífero*.
herpet(o)- = que se arrasta, réptil: *herpetiforme*.
heter(o)- = diferente, outro: *heterogêneo, heterossexual*.
hex(a)- = seis: *hexágono*.
hial(o)- = transparente, vidro: *hialoplasma*.
hidr(o)-¹ = água; hidrogênio: *hidroterapia; hidrocarboneto*.
hidr(o)-² = suor: *hidrose*.
hier(o)- = sagrado: *hierarquizar, hieróglifo*.
higr(o)- = úmido: *higroscópio*.
himen(o)- = membrana; hímen: *himeneu, himenóptero*.
hip(o)-¹ *Pref.* = inferior, a menos: *hipotensão*.
hip(o)-² = cavalo: *hipismo, hipopótamo*.
hiper- *Pref.* = superior, a mais: *hiperinflação, hipertensão*. [Antes de *h* ou *r* usa-se com hífen: *hiper-realismo*.]
hipn(o)- = sono: *hipnótico*.
hispan(o)- = hispânico: *hispano-americano*.
hister(o)- = útero: *histeria, histeroscópio*.
hist(o)- = tecido: *histologia*.
hodo- = caminho: *hodômetro*.
hol(o)- = inteiro: *holismo, holocausto*.
hom(o)- = igual, semelhante: *homogêneo, homônimo*.

Elementos de composição

homeo- = da mesma natureza: *homeopatia*.
homin(i)- = homem: *hominídeo*.
hort(i)- = horta: *horticultura, hortigranjeiro*.
i-[1] = *em-*[2]: *incriminar, informar*.
i-[2] = *in-*[2]: *ilegítimo*.
iatro- = médico; remédio: *iatrogenia*.
icon(i/o)- = imagem: *iconografia*.
icos(a)- = vinte: *icosaedro*.
icter(i/o)- = amarelo: *icterícia*.
icti(o)- = peixe: *ictiologia*.
ideo- = aparência; ideia: *ideograma; ideologia*.
idi(o)- = próprio, peculiar: *idiolatria*.
idiomat- = idioma: *idiomatismo*.
im-[1] = *em-*[2]: *imbricar, imbuir*.
im-[2] = *in-*[2]: *impaciência, impopular*.
imun(i/o)- = livre, isento: *imunizar, imunologia*.
in-[1] = *em-*[2]: *incorrer, inspirar*.
in-[2] *Pref.* = negação, privação: *inclemente, incolor*.
indo- = Índia: *indo-europeu*.
infra- *Pref.* = abaixo, inferioridade: *infrassônico, infravermelho*. [Antes de *h* ou *a* usa-se com hífen.]
inset(i/o)- = inseto: *inseticida, insetívoro*.
inter- *Pref.* = interior; entre; reciprocidade: *internar; intermunicipal; intercambiar*. [Antes de *h* ou *r* usa-se com hífen.]
intra- *Pref.* = dentro de: *intrauterino, intravenoso*. [Antes de *h* ou *a* usa-se com hífen.]
intro- *Pref.* = para dentro: *introjetar, intrometer*.
iod(i/o)- = iodo: *iodofórmio*.
ir-[1] = *em-*[2]: *irromper*.
ir-[2] = *in-*[2]: *irreal, irrequieto*.
irid(o)- = arco-íris, halo: *iridescente*.
is(o)- = igual: *isogamia, isonomia*.
just(a)- *Pref.* = contíguo: *justafluvial, justapor*.
lacrim- = lágrima: *lacrimejante, lacrimogêneo*.
lact- = leite: *lactífero, lactose*.
lalo- = tagarelar: *lalomania*.
lamel(i)- = lâmina (pequena): *lameliforme*.
lapar(o)- = cavidade abdominal: *laparoscopia, laparotomia*.
laring(o)- = laringe; garganta: *laringite, laringoscópio*.
larv(i)- = larva: *larvicida*.
lat(i)- = amplo: *latifloro, latifúndio*.
latino- = latino: *latino-americano*.
legumin(i/o)- = legume: *leguminívoro, leguminoso*.
lepid(o)- = revestimento: *lepidóptero*.
leuc(o)- = branco, claro: *leucemia, leucopenia*.
lex(e/i)- = palavra; léxico: *lexicógrafo, lexicologia*.
lign(i/o)- = madeira: *lignito*.
limn(o)- = pântano: *limnologia*.
linf(o)- = água; linfa: *linfático, linfócito*.
lin(i)- = linho: *linifício*.
lin(o)- = linha: *linotipo*.
li(o)- = liso: *liodermo*.
lip(o)- = gordura: *lipídio, lipoaspiração*.
lipo- = falta: *lipograma*.
lit(o)- = pedra: *litófilo, litogravura*.
loc(o)- = lugar: *locomotiva, locomover-se*.
log(o)- = noção, razão, entendimento: *logosofia, logotipo*.
long- = longo: *longilíneo, longitude*.
lud(i)- = jogo, divertimento: *lúdico*.
lun(i)- = lua: *lunauta, lunático, luniforme*.
luso- = português: *luso-brasileiro, lusofonia*.
lute(i)- = amarelado: *luteína*.
macr(o)- = grande: *macroeconomia, macrocefalia*.
magnet(i/o)- = ímã: *magnetismo, magnetômetro*.
mam(i)- = mama: *mamífero, mamografia*.
man(a)- = escorrer: *manancial, manar*.
man(i/u)- = mão: *mancheia, manipular, manufatura*.
mano- = raro, ralo: *manômetro*.
mar(e/i)- = mar: *maremoto, marítimo*.

mast(o)- = mama: *mastectomia, mastoplastia*.
matr(i)- = mãe: *matriarcado, matrilinear*.
maxi- = grande, máximo: *maxidesvalorização, maximizar*.
mecan(o)- = máquina: *mecanismo, mecanografia*.
med-[1] = médico: *medicação, medicamento*.
med-[2] = medo: *medonho, medroso*.
medi(o)- = no meio: *mediano, mediocre, médium*.
mega- *Pref.* = um milhão de vezes maior: *megahertz*; em sistemas binários, 2^{20} (ou seja, 1.048.576) vezes maior: *megabyte*.
meg(a)-, megal(o)- = grande: *megafone, megalomania, megalópole*.
mela(n)- = sombrio, escuro: *melancolia, melanina, melanoma*.
mel(i)- = mel: *melívoro*.
meliss(o)- = abelha: *melissografia*.
mel(o)- = melodia: *melomania, melopeia*.
membran(i/o)- = membrana: *membranoso* (derivada de *membrana*).
mening(o)- = membrana do cérebro, meninge: *meningite*.
men(o)- = mênstruo, mês: *menopausa, menorragia*.
men(t)- = pensar: *mentalidade*.
ment- = hortelã: *mentol, mentolado*.
ment(o)- = queixo: *mental*[2].
mes(o)- = meio: *mesóclise, mesosfera*.
met- = introduzir: *metediço, meter*.
met(a)- *Pref.* = mudança, além: *metafísica, metáfora, metamorfose, metástase*.
metabol(e)- = troca: *metabolismo*.
metal(i/o)- = metal: *metalografia, metalurgia*.
meteor(o)- = fenômenos celestes: *meteorito, meteorologia*.
metr(o)-[1] = útero: *metrite, metrorragia*.
metr(o)-[2] = medida: *metrologia, metrônomo*.
micet(o)-, mic(o)- = fungo: *micetemia, micetologia, micologia*.
micr(o)-[1] = pequeno: *micróbio, microeconomia, microscópico*.
micr(o)-[2] *Pref.* = um milhão de vezes menor: *micrômetro*.
miel(o)- = medula: *mielite*.
mi(o)- = mosca: *miiologia*.
mil(e/i)-, milh- = mil: *milenar, milênio, milípede, milheiro*.
mili- *Pref.* = mil vezes menor: *milímetro, miligrama*.
mime(o)- = imitação: *mimeografia, mimetismo*.
mini- = mínimo, pequeno: *minidicionário, minifúndio, minissaia*.
mi(o)-[1] = menor; menos: *mioceno*.
mi(o)-[2] = músculo: *mioma, miopatia*.
miri(a)-[1] *Pref.* = dez mil vezes maior: *miriare, miriâmetro*.
miri(a)-[2] = dez mil; muitos: *miríade, miriápode*.
mis(o)- = aversão, temor: *misantropia, misógino*.
mit(i/o)- = lenda; mentira: *mitificar, mitologia; mitomania*.
mito- = filamento celular: *mitocôndria, mitose*.
mon(o)- = único; monarquia, monismo, monobloco.
morf(o)- = forma: *morfema, morfologia*.
mot-, mov- = movimento: *motilidade, movimentar*.
mot(o)- = motor: *motocicleta, motosserra*.
muc(i/o)- = muco: *mucilagem, mucosidade*.
mult(i)- = numeroso: *multicolor, multilateral, multimídia*.
mur(i)- = rato: *murino*.
music(o)- = música: *musicista, musicoterapia*.
mustel(i)- = marta, doninha: *mustelídeo*.
nan(o)- = anão: *nanico, nanismo*.
nano- *Pref.* = 10^{-9} vezes: *nanômetro*.
narc(o)- = entorpecimento; narcótico: *narcolepsia; narcotráfico*.
nar(i)-, nas(i)- = nariz: *narigudo, nasalado*.

Elementos de composição

nasc-, nat(i)- = nascer, nascido: *nascimento, natimorto, natural.*
navi- = nave, navio: *naviforme.*
nebul(i)- = névoa, nuvem: *nebulizar, nebuloso.*
necr(o)- = morte; cadáver: *necrófilo, necrofobia, necrológio; necropsia, necrotério.*
nefel(i/o)- = nuvem: *nefelibata.*
nefr(o)- = rim: *nefrose, nefrotomia.*
nemat(o)- = fio, tentáculo: *nematódeo, nematoide.*
ne(o)- = novo: *neologismo, neoplasia.* [Antes de *h* ou *o* usa-se com hífen.]
nerv(i)- = nervo: *nerval, nervosismo.*
neur(o)-, nevr(o)- = nervo: *neurologia, neurônio, neurose, nevralgia.*
nict(i/o)- = noite: *nictofobia, nictúria.*
nid(i)- = ninho: *nidificar, nidiforme.*
ninf(o)- = ninfa: *ninfeta, ninfomania.*
nitr(i/o)- = *Quím.* 1 presença do grupo nitro: *nitrobenzeno;* 2 nitração: *nitroso.*
noct(i/o)- = noite: *noctâmbulo, noctívago.*
nod- = nó: *nodifloro, nodoso.*
nos(o)- = doença: *nosocômio, nosomania.*
nost(o)- = retorno: *nostalgia, nostomania.*
nuc(i)- = noz: *nuciforme.*
nucle(i)- = núcleo: *nuclear, nucleico.*
nud(i/o)- = nu: *nudismo.*
nul(i)- = nulo: *nulidade, nulificar.*
o-, ob- *Pref.* = diante de; oposição; fechamento: *obstruir, ocorrer; obstar, opor; obturar.*
obtus(i)- = obtuso: *obtusângulo.*
oct(a/o)- = oito: *octingentésimo, octógono.*
ocul(i/o)- = olho: *ocular, oculista, óculos.*
odont(o)- = dente: *odontalgia, odontologia.*
odor(i)- = cheiro: *odorante, odorífero.*
ofid- = cobra, serpente: *ofídio, ofídico.*
ofi(o)- = serpente: *ofidismo.*
oftalm(o)- = olho: *oftalmia, oftalmologista.*
ole(i)-, oleo- = azeite, óleo: *oleicultura, oleoduto.*
olig(o)- = pouco, insuficiente: *oligarquia, oligofrenia.*
oliv(i)- = oliva: *olivaceo, oliviforme.*
onco- = tumor; volume: *oncogênico, oncologia.*
oni- = tudo: *onipotente, onisciente.*
onir(o)- = sonho: *onírico.*
ont(o)- = ser: *ontologia.*
oo- = ovo: *oócito.*
organ(o)- = órgão: *orgânico, organismo, organograma.*
or(i)- = boca: *oral, orifício.*
or(i/o)- = montanha: *orografia.*
oriz(i/o)- = arroz: *orizicultura.*
ornit(o)- = ave, pássaro: *ornitologia, ornitorrinco.*
orquid- = orquídea: *orquidário.*
ort(o)- = direito, normal: *ortodontia, ortopedia.*
oscilo- = balanço, oscilação: *oscilar, oscilatório.*
oss(i)- = osso: *ossatura, ossificar, ossuário.*
ost(e/o)- = tecido ósseo: *osteíte, osteoporose.*
ostre(i/o)- = ostra: *ostreicultura, ostreira.*
ot(i/o)- = orelha, ouvido: *otite, otorrino.*
ov(i)- = ovino: *ovelhum, oviário, ovinocultura.*
ov(i/o)- = ovo: *ovíparo, ovoide.*
ovul(i/o)- = óvulo: *ovulação, ovuliforme.*
ox(i/o)- = agudo, penetrante: *oxigênio, oxiurose.* [*Quím:* presença de oxigênio.]
pale(o)- = antigo: *paleografia, paleolítico.*
palim-, pali(n)- = repetido; em sentido inverso: *palimpsesto; palíndromo.*
palm(i)¹- = palma¹: *palmada, palmatória.*
palm(i)²- = palma²: *palmeira, palmito.*
palud(i)- = pântano: *paludícola, paludoso.*
pan-, pant(o)- = tudo; todos: *pan-americano, pan-continental, pandemia.* [Antes de vogal, *h*, *m* e *n* usa-se com hífen.]
pancreat(o)- = pâncreas: *pancreatite.*

pan(i)- = pão: *panificadora.*
paqui- = grosso: *paquiderme.*
par(a)- *Pref.* = proximidade; oposição; além; defeito; semelhança: *parente; paradoxo; parapsicologia; paraplegia; paradidático.*
para- = proteção: *para-brisa, paraquedas.*
parasit(i/o)- = comensal, parasito: *parasitismo, parasitologia.*
pat(o)- = sofrimento, doença: *patofobia, patologia.*
pater-, patr(i/o)- = pai, padre: *paternalismo, paternidade, patriarcal.*
ped(i)- = pé: *pedestal, pedicuro.*
ped(o)- = criança: *pediatria, pedofilia.*
pen(e)- = quase: *península, penumbra.*
pen(i)- = pena¹: *peniforme.*
pent(a/o)- = cinco: *pentacampeão, pentaedro.*
per- *Pref.* = através; duração; do início ao fim; conclusão; dispersão; desvio, destruição; intensidade; totalidade: *perambular; perpétuo; perseguir; perpetrar; perquirir; perversão.*
peri- *Pref.* = em torno: *pericárdio, perímetro.*
person(i)- = pessoa, personagem: *personalidade, personificar.*
petr- = pedra: *pétreo, petrificar.*
petro- = rocha; petróleo: *petrologia; petrodólar, petroquímica.*
petrol- = petróleo: *petroleiro, petrolífero.*
pil(i/o)- = pelo: *pilífero, piloso.*
pinh-, pin(i)- = pinheiro, pinha: *pinheiral, pinífero.*
pi(o)- = pus: *piorreia.*
piret(o)- = febre: *pirético, piretoterapia.*
pir(i/o)- = fogo, calor: *pirofobia, pirogravura, piromania, pirômetro, pirotecnia.*
pisc(i)- = peixe: *piscicultura, pisciforme.*
pitec(o)- = macaco: *pitecantropo.*
pit(o)- = persuasão: *pitiatismo.*
plan- = plano: *planisfério.*
plast(o)- = plasticidade: *plastia.*
plat(i)- = chato, largo: *platelminto, platirrino.*
pleni- = cheio: *plenilúnio, plenipotenciário.*
plio- = mais numeroso: *plioceno.*
plum(i)- = pluma: *plumagem, plumário.*
plur(i)- = muitos: *pluralismo, pluripartidarismo.*
pluto- = riqueza: *plutocracia.*
pneumat- = sopro, ar: *pneumático.*
pneum(o)- = pulmão: *pneumonia, pneumotórax.*
pod(o)- = pé: *podômetro.*
poli- = muitos: *policromia, poliglota.*
polin(i)- = pólen: *polínico, polinizar.*
poli(o)- = cinzento (massa cinzenta do sistema nervoso): *poliomielite.*
pom(i/o)- = fruta, árvore frutífera: *pomar, pomicultura.*
popul- = povo: *populacho, populismo.*
porno- = prostituta, prostituição; obscenidade: *pornofonia.*
por(i/o)- = poro: *porejar, porífero.*
pos-, pós- *Pref.* = posterioridade: *posterior, póstumo.*
potam(o)- = rio: *potamografia.*
pre- *Pref.* = anterioridade: *preconceber, preconceito.*
pré- = anterioridade: *pré-história.* [= *pre-* (*Pref.*), mas não aglutina, usa-se sempre com hífen.]
presbi- = velho: *presbiopia, presbítero.*
prest- = à mão, rápido: *prestidigitação.*
prim(i/o)- = primeiro: *primícias, primogênito, primordial.*
pro-¹, pró-¹ *Pref.* = anterior, antecipado: *prognóstico, prólogo.*
pro-², pró-² *Pref.* = para a frente, a favor: *progresso.* [*pró-* tem uso genérico 'em favor de', sempre seguido de hífen: *pró-anistia, pró-reformas.*]
proct(o)- = ânus, reto (7): *proctologia.*

Elementos de composição

prol(i)- = descendência, prole: *proliferar, prolífico*.
prot(o)- = primeiro; anterior; protótipo; *proto-história, protoplasma*. [Antes de *h* ou *o* usa-se com hífen.]
pseud(o)- = falso: *pseudônimo, pseudópode*. [Antes de *h* ou *o* usa-se com hífen.]
psic(o)-, psiqu(e)- = alma, espírito: *psicanálise, psicologia, psiquiatria*.
puer(i)- = menino, criança: *puericultura, pueril*.
pugil-, pugn- = punho: *pugilato, pugilismo, pugnaz*.
quadr(i)-, quatr-, quadru- = quatro: *quadrângulo, quadrifólio, quatrocentos, quadrúmano*.
quant(i)- = quanto, quantidade: *quantificar, quântico*.
quel(i/o)- = pinça: *queloide*.
quelon(o)- = tartaruga: *quelônio*.
quil(o)- = lábio: *quilite*.
quilo- *Pref.* = Anteposto à unidade de medida = 1.000 vezes: *quilograma, quilômetro*.
quinqu(e/i)- = cinco: *quinquagenário, quinquênio*.
quir(o)- = mão: *quiromancia, quiroprática*.
radic(i/o)- = raiz: *radiciação*.
radi(o)-¹ = raio; radiação; osso rádio: *radiano; radioativo; radial*.
radi(o)-² = rádio: *radioamador*.
ran(i)- = rã: *ranicultura*.
raqui(o)- = raque: *raquialgia, raquiano*.
re- *Pref.* = retrocesso; repetição; reforço; oposição: *regredir; reclassificar; realce; reagir*. [Sem hífen.]
recém- = recente: *recém-formado*. [Sempre com hífen.]
reo- = que flui: *reostato*.
ret(i)- = reto, direito: *retificar, retilíneo*.
retr(o)- *Pref.* = para trás: *retroalimentação, retroceder*.
reumat(o)- = fluxo: *reumatismo, reumatologia*.
rib- = margem: *ribanceira*.
rin(i/o)- = nariz: *rinite, rinorragia*.
rod- = roda, volta: *rodopiar, rodoviário*.
sab- = sabor: *saborear, saboroso*.
sab(on)-, sapon- = sabão: *saboneteira, saponáceo*.
sacar(i/o)- = açúcar: *sacarose*.
sac(i/o)- = saco: *saciforme*.
sal- = sal: *salário, salicultura*.
san- = são: *sanear, sanidade*.
sangu(i/e)- = sangue: *sanguinário, sanguíneo*.
sapon- = *sab(on)-*.
sarc(o)- = carne: *sarcófago, sarcoma*.
sat- = saturar: *saturação*.
saturn(i/o)- = saturno: *saturnino, saturnismo*.
seb(i/o)- = sebo: *sebento, seborreia*.
secund- = segundo: *secundina, secundário*.
sed-¹ = sede: *sedento*.
sed-² = seda: *sedoso*.
selen(i/o)- = lua; selênio: *selenita, selenose*.
selv-, silv(i)- = selva: *selvagem, silvestre, silvicultura*.
sem(a/i)- = sinal, significado: *semântica, semiologia*.
semi- = metade: *semianalfabeto, semibreve, semideus, semissoma*. [Antes de *h* ou *i* usa-se com hífen.]
seme-, semin(i)- = semente: *sementeira, seminário*.
seps(i)- = putrefação: *sepsia*.
septic(o)- = infecção: *septicemia*.
seren(i)- = claro, sereno: *serenata*.
seric(i/o)-, seri- = seda: *sericicultura*.
ser(o)- = soro: *serosidade*.
sesqui- = um e meio: *sesquicentenário*.
seti- = cerda: *setiforme*.
sex- = seis: *sexagenário, sexênio, sextilha*.
sex(i/o)- = sexo: *sexismo, sexologia*.
sider- = astro: *sideração, sideral*.
silab- = sílaba: *silabada, silábico*.
silic(i/o)- = pedra: *silicato, silício*.

silv(i)- = *selv-*.
sin- *Pref.* = associação; ação conjunta: *síntese; sincrônico*.
sinu- = seio: *sinusite*.
sism(o)- = terremoto: *sismógrafo, sismologia*.
sistem- = reunião, sistema: *sistematizar; sistêmico*.
sob-, so- = embaixo, inferior: *sobpor, soterrar*. [Ver tb. *sub-*.]
sobr(e)- = em cima, acima: *sobrecasaca, sobre-humano, sobrenatural*. [Antes de *h* ou *e* usa-se com hífen.]
socio- = social: *socioeconômico, sociologia*.
sof(i/o)- = hábil: *sofisticar*.
sol(i)-¹ = só, único: *solista, solitário*.
sol(i)-² = sol: *solário, soleira²*.
sol(i)-³ = solo, chão: *soleira¹*.
somat(o)- = corpo: *somático, somatizar*.
son(i)- = sono: *sonífero, sonolência*.
son(o)- = som: *sônico, sonoplastia, sonorizar*.
sopor(i)- = sono: *soporífero*.
sota-, soto- = debaixo: *soto-pôr*.
sub- *Pref.* = embaixo, abaixo de, substituição, transmissão, diminuição, ocultamento: *subconsciente, sub-humano, subliminar, sublocar, subnutrição, sub-rogar, subtítulo*. [Antes de *b, h* ou *r* usa-se com hífen.] [Ver tb. *sob-, so-*.]
sudor(i)- = suor: *sudorese, sudorífero*.
sulf(o)-, sulfur- = enxofre: *sulfato, sulfúrico, sulfuroso*.
super- *Pref.* = acima, por cima; abundância: *supercílio, superpor; superdotado, superestrutura; superaquecer, super-herói*. [Antes de *h* ou *r* usa-se com hífen.]
supra- = *super-*: *supranacional, suprarrenal*. [Antes de *h* ou *a* usa-se com hífen.]
tabul- = tábua: *tabulador, tabuleiro, tabuleta*.
taco-, taqu(eo/i)- = velocidade: *tacômetro, taquigrafia*.
talam(o)- = tálamo: *talâmico*.
talass(o)- = mar: *talássico, talassofobia*.
tanat(o)- = morte: *tanatofobia, tanatologia*.
taqueo-, taqui- = *taco-*.
taumat(o)- = milagre: *taumaturgo*.
taur(i/o)- = touro: *tauriforme, tauromaquia*.
taut(o)- = mesmo: *tautologia*.
tax(i/o)-¹ = ordem; classificação: *taxinomia, taxonomia*.
tax(i/o)-² = taxar: *taxímetro*.
tecn(o)- = arte manual, indústria: *tecnocrata, tecnologia*.
tel(e)-¹ = longe: *telefone, telemetria, telescópio*.
tel(e)-² = televisão: *telejornal, teleteatro, telespectador*.
tele(o)- = completo; perfeito: *teleologia*.
telur(i/o)- = terra: *telúrico*.
tem(e)- = recear: *temerário, temeroso*.
temper- = misturar, moderar: *temperamento, temperança*.
tenebr(i)- = trevas: *tenebroso*.
te(o)- = Deus, divindade: *teísmo, teologia, teosofia*.
terap- = curar: *terapêutica, terapia*.
terat(o)- = coisa monstruosa: *teratologia*.
terg(i)- = costas: *tergiversar*.
term(o)- = quente: *termas, termômetro*.
terr- = Terra, terra: *terraplanagem, terreiro, terremoto, território*.
test-¹ = testemunha: *testemunhar, testamento*.
test-² = testículo: *testosterona*.
tetr(a)- = quatro: *tetracampeonato, tetragrama, tetraplégico, tetravô*.
tip(i/o)- = tipo, marca: *tipografia, tipologia*.
tiran(i/o)- = déspota: *tiranizar, tiranossauro*.
tom(o)- = corte, separação: *tomografia*.
ton(i/o)- = tensão, tom: *tonalidade, tonificar, tonitruante*.

Elementos de composição

top(o)- = lugar: *topografia, topônimo*.
torac(o)- = peito, tórax: *torácico*.
torr(e/i)- = torrar: *torradeira, torrefação, tórrido*.
tox(i/o)-, toxic(o)- = veneno, tóxico: *toxicologia, toxicomania, toxoplasmose*.
trad- = entregar: *tradição, tradicionalismo*.
trans-, tras- *Pref.* = além de; através de; transferência; transformação: *transcendente; transatlântico, transparência; transbordo, trasladar; transformismo.*
traque(o)- = traqueia: *traqueostomia*.
trauma(to)- = contusão: *traumatismo, traumatologia*.
tre(s)- = *trans-*: *trespassar*.
tri-, tris- = três: *triangular, tricampeão, triênio*.
tripano- = broca: *tripanossoma*.
trit- = trigo: *triticultura*.
troc- = trocar: *trocadilho, troco*.
troglo- = caverna: *troglodita*.
tromb(o)- = coágulo sanguíneo: *trombose*.
trop(o)- = direção: *tropismo, troposfera*.
tuber(i/o)- = excrescência, tumor: *tubérculo, tuberculose, tuberiforme*.
tub(i/o)-, tubul(i)- = tubo, pequeno tubo, túbulo: *tubiforme, tubulação, tubular*.
uber- = fértil: *uberdade*.
ultra- *Pref.* = além de; extremamente: *ultramar, ultrapassar; ultraleve, ultrassensível*. [Antes de, h ou a usa-se com hífen.]
umbr(i/o)- = sombra: *umbroso*.
ungue-, ungui-, unh- = unha: *ungueal, unguífero, unheiro*.
un(i)- = um: *unicelular, unicórnio, uniforme*.
uran(i/o)- = céu: *uranografia*.
urb(i)- = cidade: *urbanismo, urbano*.
ur(o)- = urina: *uremia, urologista*.
uro- = cauda: *uropatágio, uropígio*.
us(u)-, util(i)- = uso: *usucapião, usufruto, usurpar, utilidade, utilitário*.
uxori- = esposa: *uxoricidio*.
vac- = vazio: *vacância, vácuo*.
vari- = vário: *variável, variedade*.
varic(o)- = variz: *varicocele, varicoso*.
vascul(i/o), vas(o)- = vaso sanguíneo: *vascularidade, vasodilatação*.
vat(i)- = adivinho: *vaticinar, vaticínio*.
veget(o)- = fazer crescer; vegetal: *vegetação, vegetariano, vegetativo*.
veloci- = velocidade: *velocímetro, velocista*.
ver- = real, verdadeiro: *verificar, verídico, verossímil*.
verb(i/o)- = palavra, verbo: *verberar, verbete, verborragia*.
verm(i)-, vermin- = verme: *vermicida, vermiforme, verminoso*.
vers(i/o) = em direção a, virado, transformado: *versão, versátil, versificação*.
vesic- = bexiga: *vesical, vesícula*.
vesper- = Vênus, poente: *vesperal, vespertino*.
vi(a)- = estrada, caminho: *viaduto, viagem, viário, viável*.
vice- = substituição: *vice-presidente, vice-rei*. [Sempre com hífen.]
vid(eo)- = ver: *vidente, videoclube, videotexto*.
vid(i)-, vin(h/i)-, viti- = uva, vinho: *videira, vindima, vinhateiro, vinicultura, viticultura*.
vil(i)- = desprezível: *vileza, vilipêndio*.
vin- = *vid(i)-*.
viri-, vir(o)- = vírus: *virologia, virose, virulento*.
vis- = *vice*: *visconde*.
vit- = *viv-*.
vitel(i/o)- = vitelo, gema de ovo: *vitelino*.
viti- = *vid(i)-*.
vitr(i/o)- = vidro: *vitral, vitrificar, vitrina*.
viv-, vit- = vida: *vital, vitalício, vivacidade, viveiro*.

xen(o)- = estrangeiro: *xenófobo*.
xer(o)- = seco: *xerófito*.
xif(o)- = espada, apêndice xifoide: *xifópago*.
xil(o)- = madeira: *xilografia, xilogravura*.
zig(o)- = junção de dois: *zigoto*.
zo(o)- = animal: *zoologia, zoomorfismo, zootecnia*.

2. Sufixos e elementos de composição pospositivos (pospostos ao radical)

-a *Desin.* = feminino: *aluna, cantora*. [Pl.: *-as*.]
-aça *Suf. nom.* = aumento, às vezes *Pej.*: *barcaça*.
-açar *Suf. verb.* = repetição, reforço: *amordaçar, enfumaçar*.
-áceo *Suf. nom.* = origem, da natureza de: *cretáceo, galináceo*.
-acho *Suf. nom.* = diminuição, às vezes *Pej.*: *cambalacho, capacho*.
-aco *Suf. nom.* = caráter pejorativo: *velhaco*.
-aço = *-aça*: *mulheraço*.
-açu = grande: *babaçu*.
-ada¹ *Suf. nom.* = formação de subst. a partir de verbo: *chegada, largada, morada*.
-ada² *Suf. nom.* = formação de subst. a partir de subst.: *bolada, laranjada*.
-ado¹ = formação do part. pass. dos verbos da 1ª conj. latina: *apanhado, empenhado*.
-ado² *Suf. nom.* = semelhança, tendência: *amarelado, efeminado*.
-ado³ *Suf. nom.* = dignidade, cargo: *califado, papado*. [Ver tb. *-ato¹*.]
-ado⁴ *Suf. nom.* = coletivo: *empresariado, professorado*. [Ver tb. *-ato²*.]
-agem¹ *Suf. nom.* = ação: *hospedagem, vadiagem, politicagem*.
-agem² *Suf. nom.* = coletivo: *folhagem, plumagem*.
-ágio *Suf. nom.* = em favor de: *pedágio*.
-agogo = o que guia: *pedagogo*.
-aico *Suf. nom.* = referência, origem: *aramaico, judaico, prosaico*.
-al *Suf. nom.* = referência; pertinência; de órgão; qualidade; período; coletivo: *feudal, decimal, verbal; tropical; abdominal; parcial; semanal; laranjal*. [Ver tb. *-ar¹*.]
-alha *Suf. nom.* = quantidade, tb. *Pej.*: *gentalha, miuçalha*.
-alhada *Suf. nom.* = coletivo, *Pop.*, com sentido *Pej.*: *livralhada*.
-alhar *Suf.* = formação de verbos: *avacalhar*.
-alho = diminuição: *penduricalho*.
-ama, -ame *Suf. nom.* = coletivo, quantidade: *dinheirama, madeirame*.
-âmbulo = que anda: *sonâmbulo*.
-ame = *-ama*.
-ança, -ância *Suf. nom.* = ação, estado; quantidade, intensidade: *andança, constância, festança, tolerância*.
-ando *Suf. nom.* = em processo de, prestes a (ser): *bacharelando, doutorando, vestibulando*.
-âneo *Suf. nom.* = em lugar, em tempo, em condição: *contemporâneo, cutâneo, litorâneo*.
-ano = *-ão²*.
-antropo = homem, ser humano: *filantropo*.
-ão¹ *Suf. nom.* = aumento: *bobalhão, boqueirão*.
-ão², -ano *Suf. nom.* = proveniência; atividade, profissão; agente; adepto: *aldeão, bretão, sergipano; castelão, ginasiano, tecelão; bacteriano, fujão, papão; cidadão, luterano*.
-ão³ *Suf. nom.* = ação: *agitação, badalação*.
-ar¹ *Suf. nom.* = relação, pertinência, origem: *elementar; escolar, espetacular, polar*. [Ver tb. *-al*.]
-ar² *Desin.* verbal (temática *a*) da 1ª conjugação.
-arada *Suf. nom.* = grande quantidade; ação de: *bicharada, chuvarada; cusparada*.
-arca = que governa, guia: *monarca, patriarca*.

Elementos de composição

-aréu *Suf. nom.* = aumento: *fogaréu, mundaréu.*
-aria *Suf. nom.* = cargo, função, atividade, situação; oficina, loja, local; ação; coletivo: *cavalaria, engenharia, calmaria; confeitaria, drogaria; pirataria, gritaria, pancadaria; prataria, pradaria, gataria.* [= *-eria.*]
-ária *Suf.* = de largo uso: *concessionária, pecuária, secretária.* [Especialmente em *Bot.*: *araucária.*]
-ário *Suf. nom.* = forma relação de adj. com subst.: *agrário, doutrinário; humanitário;* biociências: *embrionário, parasitário;* publicações, registros: *breviário, diário, mensário, obituário;* coletivo: *ranário, serpentário;* profissão: *aeroviário, bibliotecário;* local, repositório: *campanário, educandário, ossário;* ação, competência: *depositário, mandatário, signatário;* derivação de subst. em *-ção*: *concessionário, pensionário, visionário.* [= *-ério.*]
-arquia = governo, domínio: *monarquia, oligarquia.*
-arra *Suf. nom.* = aumento: *bocarra.*
-arrão = *-arra*: *canzarrão.*
-astro *Suf. nom.* = aumento (tb. com sentido *Pej.*): *poetastro.*
-ata *Suf. nom.* tônico = ação (tb. com sentido *Irôn.*): *carreata, mamata, negociata, passeata.*
-ática *Suf. nom.* = arte: *cinemática, informática, matemática.* [Ver *-ica.*]
-ático *Suf. nom.* = próprio de, ref. a: *hepático, sintomático.*
-atlo = competição esportiva: *decatlo, pentatlo, triatlo.*
-ato¹ = *-ado⁵*: *oficialato.*
-ato² = *-ado⁴*: *patronato.*
-az *Suf. nom.* = intensidade, capacidade (tb. com sentido *Irôn.* e *Pej.*): *audaz, capaz, perspicaz.*
-ázio = *-aça*: *copázio.*
-bata = que se move: *acrobata, nefelibata.*
-bil = *-vel.*
-bio = vida: *aeróbio, macróbio, micróbio.*
-biose = modo de vida: *simbiose.*
-boia = cobra: *jiboia.*
-bulia = vontade: *abulia.*
-ção = *-ão⁵*: *contração, falação.*
-cardia = coração: *bradicardia, taquicardia.*
-cárdio = coração: *miocárdio, pericárdio.*
-carpo = fruto; punho: *endocarpo, pericarpo; metacarpo.*
-céfalo = cabeça: *acéfalo, dolicocéfalo.*
-cele = tumor: *varicocele.*
-ceno = recente: *oligoceno, pleistoceno.*
-centro = centro: *epicentro.*
-ciclo = círculo, roda: *hemiciclo, monociclo, triciclo.*
-cida = que mata: *homicida, inseticida.*
-cídio = morte, assassínio: *homicídio, matricídio.*
-cinese = movimento: *cariocinese.*
-cinesia = ação de mover: *telecinesia.*
-cito = cavidade, célula: *leucócito.*
-clasta = que destrói: *iconoclasta.*
-clise = inclinação (no acento): *ênclise, mesóclise, próclise.*
-coco = coco [ó], bactéria: *estafilococo, gonococo.*
-cola = que cultiva; que habita: *apícola, avícola, vinícola; silvícola.*
-color = cor: *multicolor, tricolor.*
-cômio = cuidar, hospital: *manicômio, nosocômio.*
-córdio = corda, tom: *monocórdio.*
-corne, -córnio = chifre, corno: *capricórnio, tricorne, unicórnio.*
-cosmo = universo: *macrocosmo, microcosmo.*
-cracia = poder, sistema de governo: *aristocracia, democracia, plutocracia.* [Ver *-crata.*]
-crata = que exerce ou apoia sistema de governo: *aristocrata, democrata, plutocrata.* [Ver *-cracia.*]
-crino = secreção: *endócrino, exócrino.*
-cromia = cor: *policromia, tricromia.*
-cromático = adjetivação de *-cromia*: *monocromático.*
-cronia = tempo: *diacronia, sincronia.*
-crono = tempo: *isócrono, síncrono.*
-cula, -culo = diminuição: *aurícula, cutícula, retícula, minúsculo, ventrículo.*
-cultor = que cultiva: *cafeicultor, floricultor, puericultor.*
-cultura = cultivo: *cafeicultura, floricultura, puericultura.*
-dade = formação de subst. abstr. a partir de adj.: *ansiedade, capacidade, maturidade, sobriedade, sociedade.*
-deira = *-eiro.*
-dão *Suf. nom.* = *-idão.*
-deiro = *-eiro.*
-dela = *-ela.*
-derme = pele: *epiderme, paquiderme.*
-do *Suf.* = formador de particípio: *falado, bebido, sumido.*
-doiro¹ = *-douro¹.*
-doiro² = *-douro².*
-dor *Suf. nom.* = agente, que pratica ação, instrumento (expressa no radical verbal): *agitador, falador, pescador, prendedor.* [Equiv.: *-dora: locadora.*]
-dora = fem. de *-dor.*
-douro¹ *Suf. nom.* = perspectiva, possibilidade, potencial: *casadouro, duradouro, imorredouro.* [Variantes em *-doiro.*]
-douro² *Suf. nom.* = local de ação: *abatedouro, embarcadouro, matadouro.* [= *-tório.*]
-doxo = juizo, crença: *ortodoxo, paradoxo.*
-dromo = corrida, lugar de corrida: *autódromo, hipódromo.*
-dura = *-ura.*
-duto = transporte: *gasoduto, oleoduto.*
-ea = *-eo.*
-eada = *-ada¹* e *-ada².*
-eado = *-ado¹.*
-eal = *-al.*
-eano = *-ão².*
-ear¹ = *-ar¹.*
-ear², -ejar *Suf. verb.* = ação frequentativa, mudança de estado: *cabecear, falsear, guerrear, bocejar, gotejar, lacrimejar.*
-ebre *Suf. nom.* = diminuição: *casebre.*
-eca, -eco = diminuição (às vezes *Pej.*): *jornaleco, livreco, soneca.*
-ecer *Suf. verb.* = ação, mudança de estado: *anoitecer.* [Equiv.: *-escer, -oecer: florescer.*]
-edade = *-dade.*
-edo *Suf. nom.* = plantação; coletivo; grande forma: *arvoredo, vinhedo; passaredo; penedo.*
-edro = face: *octaedro, poliedro.*
-eia *Suf.* = fem. de *-eu*: *europeia.*
-eidade *Suf.* = formador de subst. a partir de adjetivos terminados em *-eo*: *espontaneidade, homogeneidade, simultaneidade.*
-eira = *-eiro.*
-eirão = *-ão¹*: *boqueirão, vozeirão.*
-eiro, -eira *Suf. nom.* = adjetivação de subst., adj. ou adv.: *careiro, certeiro, ordeiro, verdadeiro, traseiro;* profissão, atividade: *barbeiro, costureiro;* que trabalha com animal: *boiadeiro, vaqueiro;* que usa instrumento, arma (tb. como profissão): *arqueiro, fuzileiro, gondoleiro, pistoleiro;* comportamento: *aventureiro, encrenqueiro;* instrumento: *atiradeira, batedeira, calçadeira, geladeira;* recipiente: *lancheira, paliteiro;* equipamentos esportivos: *joelheira, tornozeleira;* acúmulo: *aguaceiro, lamaceira, nevoeiro;* lugar de criação de animais: *coelheira;* planta derivada do nome de seu fruto, ou flor, ou raiz etc.: *abacateiro, cerejeira, feijoeiro, laranjeira;* doença ou afecção: *coceira;* ação decorrente de qualidade ou condição: *asneira, bandalheira;* excesso: *bebedeira, choradeira.*

Elementos de composição

-**ejar** = -ear⁵.
-**ejo** Suf. nom. = diminuição: lugarejo, vilarejo.
-**ela** Suf. nom. = diminuição; ação superficial: ruela, viela; escovadela.
-**elho** [ê] Suf. nom. = diminuição: fedelho, rapazelho.
-**elo** Suf. nom. = diminuição; libelo; formação de afins: castelo, cotovelo.
-**ema** = elemento; unidade de estrutura significativamente distinta, de qualidade específica, numa língua ou dialeto: fonema, morfema.
-**emia** = sangue: anemia, uremia.
-**ena** Suf. = conjunto, quantidade: centena, quinzena.
-**ença** Suf. = ação, condição, estado: crença, nascença. [Equiv.: -ência.]
-**ência** Equiv. de -ença: concorrência, pertinência.
-**enda** Suf. = ação (derivada de verbos): encomenda, merenda, oferenda.
-**endo** Suf. = potencialidade da ação de verbo: dividendo, horrendo, subtraendo.
-**engo** Suf. nom. = relação, afinidade (às vezes Pej.): mostrengo, mulherengo, verdoengo.
-**enho** Suf. nom. = procedência, relação: ferrenho, panamenho, roufenho.
-**eno** Suf. nom. = origem: esloveno, nazareno, terreno. [Muito us. em química: benzeno, trinitrotolueno.]
-**ense** Suf. = relação; origem: circense; amazonense, fluminense, mato-grossense. [= -ês.]
-**entar** Suf. verb. = ação frequentativa ou motivada: acalentar, alimentar, frequentar.
-**ente** = -nte.
-**ento** = -lento.
-**eo, -ea** Suf. nom. = relativo, semelhante, próprio: aéreo, arbóreo, córneo, orquídea. [É átono. Us. em terminologia zoológica: bovídeo.]
-**er** Desin. = formação de verbos com vogal temática e, da 2ª conjugação. [O verbo poer redundou em pôr.]
-**eria** = -aria: joalheria, selvageria, sorveteria.
-**ério** = -ário: magistério, ministério, refrigério.
-**ês** = -ense: francês, português.
-**escer** = -ecer: aquiescer, enrubescer.
-**esco** [ê] Suf. nom. = relação, qualidade: animalesco, burlesco, principesco, quixotesco. [= -isco².]
-**ésico** Suf. nom. = -ético: analgésico, anestésico.
-**ésimo** Suf. = ordinal ou fracionário: centésimo, vigésimo.
-**estre** Suf. nom. = relação: campestre, silvestre.
-**eta** [ê] = -ito: saleta.
-**ete** [ê] = -ito: versalete.
-**ético** Suf. nom. = formador de adj. (de subst. em -ese, -ecia, -esia): sintético, profético, poético. [Ver -ico².]
-**eto¹** [ê] = -ito.
-**eto²** [ê] Suf. = Em química (sal): cloreto, sulfeto.
-**eto³** Suf. nom. = coletivo (numérico): dueto, quinteto, sexteto.
-**eu** Suf. nom. = origem, pertinência: europeu, judeu.
-**evo** = idade, tempo: coevo, longevo.
-**ez** Suf. nom. = formador de subst. abstratos a partir de adjetivos: altivez, estupidez, honradez, mudez. [Ver -ícia.]
-**eza** = -ez: beleza, espertez, leveza.
-**fagia** = comer: aerofagia, antropofagia.
-**fago** = que come: antropófago.
-**fasia** = palavra, fala: afasia, disfasia.
-**fera** = us. em terminologia botânica (família): conífera.
-**fero** = produção, transporte: aurífero, cerífero, sonífero.
-**ficar** Suf. verb. = ação de fazer, tornar: beatificar, edificar, falsificar. [= -ificar.]
-**fico** = que causa, faz, produz: benéfico, pacífico.
-**filia** = amor, afinidade, adesão: necrofilia, pedofilia.
-**filo** = amigo, adepto: bibliófilo, enófilo.
-**fito** = vegetal: epífito, esporófito.
-**flexão** = curvamento, flexão: genuflexão, inflexão, reflexão.

-**fobia** = aversão, medo: acrofobia, claustrofobia, fotofobia.
-**fobo** = que tem aversão, medo: hidrófobo, nictófobo, xenófobo.
-**fólio** = folha: aerofólio, quadrifólio.
-**fone** = som: megafone, telefone.
-**fonia** = som: polifonia, sinfonia.
-**fono** = fala: lusófono.
-**forme** = que tem forma de: campaniforme, disforme, multiforme.
-**fórmio** = Us. em química: clorofórmio, iodofórmio.
-**frago** = que quebra: náufrago.
-**frase** = dicção, elocução: paráfrase, perífrase.
-**fúgio** = fuga: refúgio, subterfúgio.
-**fugo** = que foge; que afugenta: centrífugo; vermífugo.
-**gamo** = união, casamento: monógamo, polígamo.
-**gênese** = nascimento, início: partenogênese.
-**genia** = nascimento, formação: criogenia, eugenia.
-**gênito** = nascido: congênito, primogênito.
-**geno** = que tem origem; que causa: alérgeno, antígeno, endógeno.
-**gero** = que contém, que produz: lanígero.
-**gino** = mulher: andrógino, misógino.
-**glifo** = entalhe: hieróglifo.
-**glota** = língua (idioma): poliglota.
-**gnata, -gnato** = queixo, mandíbula: prógnata, prógnato.
-**gnóstico** = conhecimento: diagnóstico, prognóstico.
-**gono** = ângulo, canto: pentágono, hexágono.
-**grado¹** = que anda: digitígrado, retrógrado.
-**grado²** = grau: centígrado.
-**grafia** = escrita, descrição; registro: biografia, caligrafia, ortografia; cinematografia, fotografia.
-**grafo** = que escreve ou descreve; que registra: calígrafo, taquígrafo; geógrafo, fotógrafo.
-**grama** = letra, texto, sinal, registro: diagrama, hemograma, monograma, organograma, telegrama.
-**ia¹** Suf. nom. tônico = condição ou estado; afecção ou doença ou deformação; dignidade ou profissão; nome de ciência; lugar de: alegria, euforia; acefalia, bulimia; burguesia, chefia; astronomia; procuradoria.
-**ia²** Suf. nom. átono = formação de termos científicos (Bot., Zool., Anat. etc.): begônia, camélia, galáxia, geodésia, hemácia, tíbia.
-**íaco** Suf. nom. = origem; ref. a; próprio de: afrodisíaco, austríaco; ilíaco, paradisíaco.
-**íase** Suf. = infestação, patologia: candidíase, elefantíase, psoríase.
-**iatra** = médico: foniatra, geriatra, psiquiatra.
-**iatria** = tratamento médico: pediatria, psiquiatria.
-**iátrico** = ref. a médico ou tratamento médico: geriátrico, psiquiátrico.
-**ica** Suf. átono = formador de subst. eruditos rel. a arte, técnica, ciência: física, informática, linguística, matemática, poética, química.
-**iça** = -ícia, -ice: cobiça, justiça, preguiça.
-**içar** Suf. verb. = ação frequentativa: adoçicar, falsificar, justificar, mitificar.
-**içar** Suf. = tornar: encarniçar, enfeitiçar.
-**ice, -icha, -icho** = -icie: calvície, imundície.
-**icha, -icho** = -acho: barbicha, rabicho.
-**ícia** Suf. nom. = qualidade, propriedade: malícia, mundícia, pudicícia.
-**ície** Suf. nom. = qualidade, condição, estado: planície, superfície.
-**ício** Suf. nom. = referência: alimentício, fictício, vitalício.
-**ico¹** Suf. nom. tônico = diminuição: namorico.
-**ico²** Suf. nom. átono = forma adjetivos de pertinência, referência: aeróbico, biológico, metálico, típico.
-**iço** = -iço³: abafadiço, alagadiço, corrediço.
-**ida¹** Suf. nom. átono = terminologia histórica ou científica: cantárida, fatímida.

Elementos de composição

-**ida²** *Suf. nom.* tônico = ação, resultado de ação: *corrida, investida, subida.*
-**(i)dade** *Suf. nom.* = *-dade*, com noção de qualidade, condição, atributo: *agilidade, estabilidade, veracidade.*
-**idão** *Suf. nom.* = formação de subst. abstr. (de adj.): *gratidão, prontidão, solidão.* [Ver tb. *-(t)ude.*]
-**ideo** = família (em *Zool.*): *aracnídeo, bovídeo, cervídeo, equídeo.*
-**ido** = formação do part. pass. e adj. de verbos da 3ª conjugação: *adormecido, falido, garantido.*
-**ífera** = *-fera.*
-**ífero** = *-fero.*
-**ificar** = *-ficar.*
-**il** *Suf. nom.* = referência: *pastoril, primaveril, senhoril.*
-**ilha, -ilho** *Suf. nom.* = diminuição: *canutilho, carretilha, cigarrilha, vasilha.*
-**ilhão** = vezes 1.000⁰: *decilhão, milhão, trilhão.*
-**ilhar** *Suf. verb.* = *-alhar: dedilhar, pontilhar.*
-**imento** = *-mento: corrimento, procedimento, sortimento.*
-**imo** *Suf. nom.* = superlativo: *dificílimo, facílimo, macérrimo, paupérrimo.*
-**inar** *Suf. verb.* = ação frequentativa: *ajardinar, examinar, sabatinar.*
-**inha** = Fem. de -*inho¹.*
-**inhar** *Suf. verb.* = ação frequentativa e diminutiva (tb. *Pej.*): *escrevinhar, passarinhar, patinhar.*
-**inho¹, -inha** *Suf. nom.* = formação de diminutivo: *beicinho, bichinho, coisinha, docinho.*
-**inho²** = *-ino: marinho, ribeirinho.*
-**ino** *Suf. nom.* = semelhança, relação ou pertinência (*Zool.*); origem; natureza, qualidade; adepto: *canino, diamantino, uterino; alpino, sulino; esmeraldino, repentino, submarino, vascaíno.*
-**io¹** *Suf. nom.* tônico = coleção: *casario, mulherio.*
-**io²** *Suf. nom.* tônico = semelhança, tendência: *escorregadio, fugidio, sombrio.* [Ver tb. *-iço.*]
-**ir** *Desin.* dos verbos de tema *i*, da 3ª conjugação.
-**isa** *Suf. nom.* = formador de feminino: *poetisa, profetisa.*
-**iscar** *Suf. verb.* = ação frequentativa; diminutiva: *chuviscar, lambiscar.*
-**isco¹** *Suf. nom.* = diminuição: *chuvisco.*
-**isco²** = *-esco: mourisco.*
-**ismo** *Suf. nom.* = condição ou afecção; originário de idioma; doutrina, teoria, movimento (artísticos, filosóficos, econômicos, políticos, sociais); comportamento, atitude; modalidade de esporte: *alcoolismo, astigmatismo, imobilismo; arabismo, galicismo; classicismo, existencialismo, capitalismo, cooperativismo; cinismo, conformismo, nepotismo; atletismo, ciclismo.*
-**íssimo** *Suf. nom.* = *-imo: agilíssimo, crudelíssimo, probabilíssimo.*
-**ista** *Suf. nom.* = partidário de religião, doutrina, escola, movimento etc.; praticante ou especialista de atividade ou profissão, esporte etc.; executante de instrumento; operador de equipamento; que adota comportamento ou conduta ou apoia um segmento; que segue curso ou série; que é de certo lugar: *budista, positivista, construtivista, socialista; eletricista, oftalmologista, ciclista, futebolista; pianista, violista; escafandrista, maquinista; bairrista, calculista, conformista; primeiranista; santista.*
-**ita¹** = *-ito* (fem.).
-**ita²** *Suf. nom.* = origem, pertinência: *israelita.*
-**itar** *Suf. verb.* = ação frequentativa, às vezes diminutiva: *capacitar, exercitar, licitar; dormitar.*
-**ite** *Suf.* = inflamação de; diminutivo (depreciativo): *apendicite, paixonite.*
-**ítico** *Suf. nom.* = relação; propriedade: *adamítico, ansiolítico.*
-**ito** *Suf. nom.* = formador de diminutivo: *cabrito, palito.*

-**itude** = *-(t)ude: amplitude, latitude.*
-**ível** = *-vel: cabível, possível.*
-**ivo** *Suf. nom.* = condição, capacidade, qualidade: *ativo, causativo, erosivo, esportivo, opinativo.*
-**izar** *Suf. verb.* = ação de fazer, tornar: *humanizar, enraizar, satirizar.*
-**lalia** = pronúncia: *dislalia.*
-**látero** = lado: *equilátero, quadrilátero.*
-**latra** = que adora, cultua: *alcoólatra, idólatra.*
-**latria** = adoração; culto: *idolatria, zoolatria.*
-**leção** = escolha: *coleção, predileção, seleção.*
-**légio** = coleção, reunião: *colégio, privilégio.*
-**lema** = premissa: *dilema.*
-**lento** = realce de qualidade, pleno de: *corpulento, sonolento, virulento.*
-**lepse, -lepsia** = agarrar, receber, efeito sobre o organismo: *prolepse, silepse, catalepsia, epilepsia.*
-**léptico** = *-lepse: epiléptico.*
-**lexia** = fala: *dislexia.*
-**líneo** = linha, comprimento: *curvilíneo, longilíneo, retilíneo.*
-**língue** = língua (órgão e idioma): *bilíngue, monolíngue.*
-**lise** = ação de separar: *análise, catálise, hemodiálise.*
-**lítico** = de pedra: *megalítico, monolítico.*
-**lito** = pedra: *megálito, monólito.*
-**logia** = discurso, estudo, coleção: *antologia, biologia, metodologia, museologia.*
-**logo** = que estuda, que coleciona: *antropólogo, astrólogo, biólogo.*
-**loquia** = fala: *ventriloquia.*
-**loquente, -loquo** = que fala: *grandiloquente, ventríloquo.*
-**mancia** = adivinhação: *cartomancia, quiromancia.*
-**mania** = loucura, mania, obsessão: *bibliomania, mitomania, piromania.*
-**mano¹** = que tem *-mania: bibliômano, melômano, mitômano.*
-**mano²** = mão: *quadrúmano.*
-**mante** = que adivinha: *cartomante, quiromante.*
-**maquia** = luta: *tauromaquia.*
-**menta** *Suf. nom.* = instrumento: *ferramenta, vestimenta.*
-**mente** *Suf. adv.* = de maneira: *apressadamente, completamente, maliciosamente.*
-**mento** *Suf. nom.* = ação ou resultado da ação; coleção: *adiamento, crescimento, discernimento; fardamento, sortimento.*
-**metra** = que mede: *astrômetra.*
-**metria** = medição: *aerofotogrametria, geometria, telemetria, trigonometria.*
-**métrio** = útero: *endométrio.*
-**metro** = medida: *cronômetro, diâmetro, manômetro.*
-**morfo** = forma: *amorfo, polimorfo.*
-**moto** = *mot-, mov-.*
-**móvel** = movimento: *imóvel, automóvel.*
-**nato** = nascido: *inato, neonato.*
-**nauta** = que navega: *cosmonauta, internauta.*
-**náutica** = navegação: *aeronáutica, astronáutica.*
-**nave** = navio: *espaçonave.*
-**ndo** *Suf.* = formador do gerúndio: *falando, pedindo.*
-**nema** = filamento: *treponema.*
-**nomia** = de lei; da partição; arte ou estudo de: *isonomia; taxonomia; agronomia, astronomia, gastronomia.*
-**nomo** = que pratica *-nomia* (arte ou estudo de): *agrônomo, astrônomo, gastrônomo.*
-**nose** = afecção, moléstia: *avitaminose, cianose.*
-**nte** *Suf. nom.* = formação de adj. com noção de agente de ação, estado: *abrangente, amante, crente, ouvinte, seguinte.*
-**oada** = *-ada¹: ferroada, trovoada.*
-**oado** = *-ado: aperfeiçoado, sobrevoado.*
-**oar** Term. de verbos da 1ª conjugação: *assoar, povoar, troar.*

Elementos de composição

-**oca, -oça** Suf. nom. = diminuição: *carroça, engenhoca, palhoça.*
-**odia, -ódia** = canto: *melodia, prosódia, rapsódia.*
-**odo** = caminho: *anodo, diodo, eletrodo.*
-**oecer** = *-ecer: adoecer.*
-**oeiro, -oeira** = *-eiro: algodoeiro, carvoeiro, montoeira, ratoeira.*
-**oico** Suf. nom. = pertinência, relação: *dicroico, heroico, paranoico.*
-**oide** Suf. nom. = forma de, semelhança: *asteroide, escafoide, negroide.*
-**ol**[1] Suf. = formação de adj. e subst.: *anzol, caracol, espanhol, urinol.*
-**ol**[2] Suf. = Quím. indica um álcool: *metanol, etanol.*
-**ola** Suf. nom. = diminuição: *casinhola, portinhola.*
-**oma** = tumor: *carcinoma, melanoma, mioma.*
-**ona**[1] Suf. nom. = aumentativo fem. (tb. Pej.): *pobretona, quarentona.*
-**ona**[2] Suf. = Quím. indica função cetona: *acetona.*
-**ona**[3] Suf. = hormônio: *progesterona, testosterona.*
-**onho** Suf. nom. = que causa, ou que se caracteriza, se apresenta com: *medonho, risonho, tristonho.*
-**onímia** = ref. a nome: *antonímia, homonímia, sinonímia.*
-**ônimo** = nome: *acrônimo, anônimo, antropônimo, sinônimo.*
-**ope** = adj. de *-opia: hipermétrope, míope* ou *miope.*
-**opia** = visão: *hipermetropia, miopia, presbiopia.*
-**opsia, -ópsia** = exame visual: *autópsia* ou *autopsia, biópsia* ou *biopsia.*
-**or** Suf. nom. = agente, instrumento (ver tb. *-dor, -tor*); qualidade ou condição; sentimento, atitude: *agrimensor, assessor; propulsor, esplendor, incolor, fulgor, palor, sabor, amor, fervor, temor.*
-**orama** = o que se vê: *panorama.*
-**ória** Suf. nom. = substantivação de adj. em *-ório: eliminatória, moratória, precatória.*
-**ório**[1] Suf. = formação de adj. ou subst.: *acusatório, aleatório, cartório, contraditório, escritório, obrigatório, observatório.*
-**ório**[2] Suf. nom. = coletivo, ger. Pej.: *palavrório, papelório, simplório.*
-**orra** = *-arra: cabeçorra.*
-**ose**[1] Suf. = ação; processo: *osmose; metamorfose.*
-**ose**[2] Suf. = Med. doença: *dermatose, neurose, tuberculose.*
-**ose**[3] Suf. = Quím. açúcar, carboidrato: *frutose, glicose, sacarose.*
-**oso** Suf. = presença, abundância; qualidade, estado ou semelhança; relação: *caloso, gasoso, noduloso, afetuoso, cauteloso, caridoso, choroso, idoso, laborioso.* [Em Quím., valência mais baixa do que compostos em *-ico*[2]: *férrico* e *ferroso, sulfúrico* e *sulfuroso.*]
-**ota**[1] = *-ote: ilhota, risota, velhota.*
-**ota**[2] Suf. = natural de; provido de: *cipriota, compatriota, idiota.*
-**ote** Suf. nom. = diminuição: *filhote.* [= *-zote.*]
-**ótico** Suf. = formador de adjetivos (próprio de, ref. a), muitas vezes a partir de subst. em *-ose* e em *-ótica: antibiótico, cianótico, hipnótico, psicótico, simbiótico.* [Ver *-ico*[2] e *-ático.*]
-**pago** = consolidado, unido: *xifópago.*
-**paro, -para** = gerar, que gera: *ovíparo, vivíparo.*
-**pata** = que sofre, que tem doença: *cardiopata, psicopata.* [Tb. médico do ref. autor a uma das duas correntes terapêuticas: *alopata, homeopata.*]
-**patia** = sensibilidade; sofrimento, doença: *simpatia, cardiopatia.* [Tb. cada uma das duas correntes terapêuticas: *alopatia, homeopatia.*]
-**pausa** = cessação: *menopausa.*
-**peba** = achatado: *carapeba.*
-**pede** = pé: *bípede, palmípede, quadrúpede.*
-**pedia, -pédia** = educação, conjunto de conhecimentos; correção: *enciclopédia, ortopedia.*
-**peia** = criação: *epopeia, onomatopeia.*
-**peto** = que vai para: *centrípeto, ímpeto.*
-**plasma** = modelagem: *cataplasma, citoplasma, protoplasma.*
-**plice, -plo** = multiplicar: *dúplice, duplo, tríplice, triplo.*
-**pneia** = respiração: *dispneia.*
-**pneico** = ref. a *-pneia.*
-**poda, -pode, -podo** = pé: *antípoda, miriápode.*
-**pole** = cidade: *megalópole, metrópole, necrópole.*
-**pólio** = venda, direito de vender: *monopólio, oligopólio.*
-**porto** = embarcadouro: *aeroporto, heliporto.*
-**ptero** = asa: *coleóptero, díptero, helicóptero.*
-**ragia** = derramamento, escoamento: *hemorragia, verborragia.*
-**rana** Suf. = semelhante: *cajarana, muçurana, suçuarana.*
-**reia** = corrimento: *diarreia, piorreia.*
-**rinco** = focinho: *ornitorrinco.*
-**rino** = nariz: *platirrino.*
-**sauro** = lagarto: *dinossauro, ictiossauro.*
-**scio** = conhecer, saber: *cônscio, néscio.*
-**scopia, -scópio** = observação, instrumento de observação: *endoscopia, endoscópio, microscópio.*
-**scrição** = ação de escrever, registrar: *descrição, inscrição.*
-**sepsia** = putrefação: *antissepsia, assepsia.*
-**sfera, -sférico** = esfera, globo: *atmosfera, barisfera, estratosfera, hemisfério, planisfério.*
-**sílabo** = sílaba: *polissílabo, trissílabo.*
-**sofia** = saber, ciência: *filosofia, logosofia, teosofia.*
-**sofo** = que sabe ou pensa (sobre): *filósofo.*
-**soma, -somo** = corpo: *cromossoma, cromossomo, tripanossoma.*
-**sono** = som: *altíssono, uníssono.*
-**sor** = *-or.*
-**spe(c)to** = contemplação: *circunspe(c)to, retrospe(c)to.*
-**sperma, -spermo** = semente: *angiosperma, angiospermo, gimnosperma, gimnospermo.*
-**stase** = estabilidade, fixidez: *hemóstase, metástase.*
-**stato** = estacionário, estável, fixo: *aeróstato* ou *aerostato, reóstato* ou *reostato, termostato.*
-**stilo** = coluna: *peristilo.*
-**strato** = camada: *substrato.*
-**tade** = *-dade: majestade, tempestade.*
-**tão** = *-ão*[1]: *mocetão, pobretão.*
-**tário** Suf. nom. = que recebe, que tem benefício: *donatário, destinatário, legatário, locatário.*
-**taxe, -taxia** = classificação: *sintaxe, zootaxia.*
-**teca** = coleção: *biblioteca, discoteca, pinacoteca.*
-**tecnia** = arte, técnica: *pirotecnia, zootecnia.*
-**terapia** = tratamento, cura: *aromaterapia, hidroterapia, quimioterapia.*
-**tério** = lugar de: *batistério, cemitério, necrotério.*
-**termia** = calor: *hipotermia.*
-**tese** = arranjo, colocação: *antítese, hipótese, prótese.*
-**tético** = adjetivação de *-tese: antitético, hipotético, protético.*
-**tinga** = 'branco': *caatinga, tabatinga.*
-**tipo** = marca, tipo: *arquétipo, linotipo.*
-**tivo** Suf. nom. = *-ivo.*
-**tomo** = corte, divisão: *átomo, micrótomo.*
-**tonia** = tom; frequência de onda: *monotonia; sintonia.*
-**tono** = acento, tom: *barítono, paroxítono.*
-**topo** = lugar: *isótopo.*
-**tor** = *-or.*
-**tório** = *-douro*[1]: *lavatório.*
-**tóxico** = tóxico: *agrotóxico, neurotóxico.*
-**(t)riz** Suf. nom. = fem. de subst. em *-tor* e *-dor*; máquina: *atriz, embaixatriz; perfuratriz.*
-**trofia** = alimento, desenvolvimento: *atrofia, hipertrofia.*
-**tropia** = direção, desvio: *entropia, hipermetropia.*

Elementos de composição

-(t)ude *Suf. nom.* = formação de subst. abstr. de adj: *altitude, infinitude*. [Ver tb. *-idão*.]
-tura *Suf. nom.* = *-ura*.
-ual = *-al*: *pactual*.
-uar = *-ar²*: *atuar*.
-uário = *-ário*: *usuário*.
-uça, uço = *-aça*: *dentuça, dentuço*.
-ucha, -ucho = *-acho*: *gorducha, papelucho*.
-udo, -uda *Suf. nom.* = provido de, em abundância: *barrigudo, peludo*. [= *-zudo*.]
-ugem *Suf. nom.* = porção: *ferrugem, pelugem, penugem*.
-ujar *Suf. verb.* = ação durativa, frequentativa; mudança de estado: *enferrujar, sobrepujar*.
-ula, -ulo *Suf. nom.* átono = diminuição: *campânula, cânula, esférula, nódulo, óvulo, vestíbulo*. [Ver tb. *-cula, -culo*.]
-umbra = sombra: *penumbra*.
-ume *Suf. nom.* = condição; quantidade; lugar de: *azedume, negrume; curtume*. [= *-úmen*: *cerúmen*.]
-una = preto: *cabiúna, caviúna, graúna*.
-úncula, -únculo *Suf. nom.* = diminuição: *porciúncula, homúnculo, pedúnculo*.
-uoso = *-oso*: *monstruoso*.
-ura *Suf. nom.* = ação ou resultado de ação; qualidade de: *andadura, escritura, empunhadura, manufatura; brancura, bravura, feiura, largura*. [= *-dura, -tura*.]

-urgia = atuação, técnica: *cirurgia, dramaturgia, metalurgia, mineralurgia*. [Ver *-ia¹*.]
-úria, -uria = (presença na) urina: *hematúria* ou *hematúria, poliúria* ou *poliúria*.
-uro = cauda: *anuro, oxiúro*.
-usca, -usco = *-isco¹*: *molusco, velhusca, velhusco*.
-úsculo *Suf. nom.* = diminuição: *corpúsculo, opúsculo*.
-valve = valva: *bivalve*.
-vel *Suf. nom.* = formação de adj. a partir de rad. verbal no sentido de digno de, passível de: *admirável, realizável*. [= *-ível*: *factível*. = *-ével*: *indelével*. = *-óvel*: *móvel*.]
-voro = que come: *carnívoro, herbívoro*.
-zada = *-ada¹*: *cruzada, lambuzada*.
-zado = *-ado¹*: *atualizado, digitalizado*.
-zal = *-al²* (no sentido de coletivo): *abacaxizal, cafezal*.
-(z)arrão = *-ão¹*: *canzarrão, homenzarrão*.
-zeira = *-eiro*: *lambuzeira, romãzeira*.
-zeiro = *-eiro*: *açaizeiro, cajazeiro*.
-zinha, -zinho = *-inho¹*: *manhãzinha, mulherzinha, cafezinho, homenzinho*.
-zita, -zito = *-ito*: *florzita, jardinzito*.
-zoário = ref. a animal: *protozoário*.
-zoico = ref. a era geológica: *mesozoico, paleozoico*.
-zote = *-ote*: *rapazote*.
-zudo = *-udo*: *pezudo*.

MINIENCICLOPÉDIA

A fonte dos dados sobre a população dos estados e municípios brasileiros é o IBGE — Estimativa 2021.

A

AALTO, Alvar (1898-1976). Arquiteto finlandês modernista que exerceu influência mundial em meados do século XX.

ABAETETUBA (PA). Mun. com 160.439 hab. Criação de suínos, pesca, extrativismo vegetal.

ABBADO, Claudio (1933-2014). Regente italiano. Celebrizou-se como diretor das orquestras filarmônicas de Viena, Londres e Berlim.

ABAETÉ, lagoa do. Lagoa situada no mun. de Salvador (BA), atração turística.

ABC. Sigla da região paulista vizinha à capital, que abrange as três cidades industriais Santo André, São Bernardo do Campo e São Caetano do Sul (SP).

ABCD. Sigla que representa a área das três cidades acima referidas, mais Diadema (SP).

ABÉLARD, Pierre (1079-1142). Filósofo, sacerdote, poeta e compositor francês. Autor de canções de amor, celebrizou-se por sua infeliz paixão por Heloísa. Foi castrado por ordem do tio da jovem.

ABERTURA DOS PORTOS. Um dos atos mais importantes firmados por d. João VI, em 1808, pelo qual os navios de todas as nações amigas passaram a ter acesso aos portos brasileiros. Tal decisão, inspirada pelo Visconde de Cairu, incrementou o comércio internacional brasileiro.

ABI. Sigla da *Associação Brasileira de Imprensa*. Fundada em 1906 e sediada no RJ, reúne jornalistas de todo o Brasil.

ABL. Sigla da *Academia Brasileira de Letras*. Prestigiosa instituição, sediada no RJ, fundada em 1896 e integrada por quarenta escritores e personalidades nacionais, em caráter vitalício.

ABM. Sigla da *Academia Brasileira de Música*. Instituição fundada por Villa-Lobos em 1945 e sediada no RJ, que abriga quarenta grandes compositores, intérpretes e musicólogos do país.

ABRAMO, Lívio (1903-1992). Gravador e pintor paulista; obteve projeção na América Latina.

ABRANTES, Marquês de (Miguel Calmon du Pin e Almeida) (1794-1865). Diplomata e político baiano, distinguiu-se na defesa dos interesses nacionais na Questão Christie contra os ingleses.

ABREU, João Capistrano de (1853-1927). Historiador cearense, destacou-se por seus livros de história colonial. Obras: *O descobrimento do Brasil*, *Capítulos de história colonial* etc.

ABREU, Casimiro José Marques **de** (1839-1860). Poeta fluminense, talvez o mais popular entre os autores românticos no Brasil. Patrono da cadeira n° 6 da ABL. Escreveu *As Primaveras*.

ABREU, Manuel Dias **de** (1894-1964). Médico, inventor da abreugrafia, exame que identifica rapidamente a tuberculose.

ABREU, Zequinha de (José Gomes de Abreu) (1880-1935). Compositor paulista e pianista popular, autor, entre outras obras, de um choro que alcançou divulgação mundial: "Tico-tico no fubá".

ABREU E LIMA, José Inácio de (1794-1869). Militar e político pernambucano que lutou ao lado de Bolívar, na Venezuela, durante as guerras de independência contra a Espanha. Participou da revolução pernambucana de 1817.

ABREU E LIMA, José Inácio Ribeiro de (1768-1817). Político e sacerdote baiano, conhecido como Padre Roma. Foi um dos chefes da revolução pernambucana de 1817 e morreu fuzilado.

ABROLHOS, Arquipélago dos. Importante área de proteção ambiental na costa da Bahia.

ABUNÃ. Rio que divide a fronteira do Brasil com a Bolívia nos estados de Amazonas, Acre e Rondônia.

ACADEMIA NACIONAL DE MEDICINA. Instituição que abriga quarenta ilustres médicos e cientistas brasileiros. Fundada em 1829.

AÇÃO CATÓLICA. Associação surgida em 1924, e reconhecida em 1931 pelo papa Pio XI, que tem por objetivo permitir que, a partir de seu próprio ambiente, os católicos possam exercer a missão apostólica da Igreja.

ACRE. Estado brasileiro na região Norte, faz fronteiras com Amazonas, Rondônia, Bolívia e Peru. Área: 152.581km²; população: 914.323 hab. Capital: Rio Branco. Sua sigla é *AC* e tem 22 municípios, sendo Rio Branco, Cruzeiro do Sul, Senna Madureira, Brasileia, Feijó e Tarauacá os mais populosos. A princípio território (desde 1903), foi elevado a estado em 1962. O Acre tem na floresta suas maiores riquezas, destacando-se a borracha, extraída dos seringais. A extração de madeira e da castanha-do-pará são outros importantes itens na economia acreana.

ACRE, Questão do. Antiga questão de limites com a Bolívia que causava conflitos armados entre o exército boliviano e cidadãos brasileiros na região. A concessão pela Bolívia de toda essa área à administração do "Bolivian Syndicate" agravou ainda mais a situação. O Barão do Rio Branco resolveu o impasse, indenizando o grupo econômico internacional, e adquiriu da Bolívia a região em disputa, pelo Tratado de Petrópolis de 1903.

ACTIUM, Batalha de (31 a.C.). Importante combate naval na costa da Grécia, no qual a frota de Otávio Augusto derrotou Marco Antônio e Cleópatra e conquistou assim o domínio do mundo romano.

ADENAUER, Konrad (1876-1967). Estadista alemão, foi prefeito de Colônia, presidente do Partido Democrata Cristão e chanceler de 1949 a 1963. Conduziu a recuperação da Alemanha no pós-guerra.

ADONIAS Aguiar **Filho** (1915-1990). Ensaísta, jornalista e romancista baiano, destacou-se como diretor da Biblioteca Nacional. Membro da ABL. Obras: *Corpo vivo*, *O forte*, *Os servos da morte* etc.

ADRIANO (c.76-138 d.C.). Imperador romano, governou com habilidade e moderação, fazendo o império atravessar período de prosperidade.

AFONSO CELSO, Conde de (de Assis Figueiredo Júnior) (1860-1938). Romancista e historiador mineiro. Membro fundador da ABL. Famoso principalmente por seu livro *Por que me ufano do meu país*.

AGAMENON. Rei de Micenas (ou Argos) e comandante dos gregos na guerra de Troia. Filho de Atreu, sacrificou a filha Ifigênia para acalmar os ventos contrários. Marido de Clitemnestra e pai de Orestes e Electra.

AGASSIZ, Jean Louis Rodolphe (1807-1873). Naturalista e geólogo suíço que efetuou viagem ao Brasil em 1865-1866, realizando a classificação dos peixes do rio Amazonas. Autor de *Alguns detalhes de uma viagem pelo Amazonas* e de *Viagem pelo Brasil*.

AGOSTINHO, Santo (354-430). Teólogo e filósofo nascido no norte da África, autor de *A cidade de Deus*, *Confissões* etc.

AGULHAS NEGRAS, pico das. Ponto mais alto do maciço do Itatiaia, RJ, fronteiriço ao estado de São Paulo. 2.792 metros.

AGULHAS NEGRAS, Academia Militar das. Importante escola de formação de oficiais do Exército, vizinha a Rezende (RJ), fundada por d. João VI em 1811, onde hoje funciona o Museu Histórico Nacional do RJ. Suas atuais instalações foram inauguradas em 1944.

AJAX. Herói da mitologia grega, filho de Telamon, rei de Salamina. Lutou na guerra de Troia e levou o exército de sua ilha até a cidade inimiga.

AKHENATON (Amenofis IV) (c.1362-1334 a.C.). Faraó egípcio. Último rei da 18ª dinastia do Egito, aceitou o deus Sol – Aton – como único criador do mundo. Foi o primeiro monarca monoteísta da história. Marido de Nefertiti.

ALAGOAS. Estado brasileiro situado entre Pernambuco, Sergipe, Bahia e o oceano Atlântico. Sigla *AL*. Área: 27.767km²; população: 3.373.151 hab. Capital: Maceió. Cidades principais: Arapiraca, Marechal Deodoro, Pilar, Palmeira dos Índios, Penedo, União dos Palmares. Ao norte está situada a área do agreste, com culturas de cana-de-açúcar e algodão, e as indústrias de aguardente e rapadura; na região da capital, fábricas de tecidos; na de Arapiraca, o fumo; engenhos de açúcar na Zona da Mata. A energia elétrica é proveniente da Usina de Paulo Afonso, no rio São Francisco, fronteiriça com a Bahia. Em 1940 foram descobertos importantes campos de petróleo na Ponta Vermelha, perto de Maceió. Era comarca em 1711, capitania independente em 1817, província em 1822, e estado a partir da proclamação da República, em 1889.

ALAGOINHAS (BA). Mun. com 153.023 hab. Extração de petróleo.

ALARICO (c.370-c.410). Rei dos visigodos, devastou a Grécia e invadiu a Itália. Saqueou Roma em 410, iniciando o fim do Império Romano do Ocidente.

ALBÉNIZ, Isaac (1860-1909). Compositor erudito espanhol, autor de notáveis peças para piano baseadas no folclore. Obras: *Ibéria, Navarra, Azulejos* etc.

ALBINONI, Tommaso Giovanni (1671-1751). Compositor erudito italiano. Escreveu concertos, sonatas etc., celebrizando-se pelo seu *Adágio*, de um concerto perdido.

ALBUQUERQUE MARANHÃO, Jerônimo de (1548-1618). Colonizador e militar pernambucano, fundador da cidade de Natal e chefe da expedição que expulsou os franceses do Maranhão, em 1615.

ALBUQUERQUE, Matias de (1595-1647). Governador de Pernambuco e militar, combateu os holandeses sem sucesso e acabou sendo preso em Lisboa.

ALCÂNTARA. Cidade histórica do Maranhão, vizinha de São Luís, foi tombada pelo IPHAN. Na região está a estação espacial internacional de Alcântara.

ALCANTARA MACHADO d'Oliveira, **Antônio** Castilho de (1901-1935). Ensaísta e contista paulista, participou do movimento modernista e foi membro da ABL. Autor de *Brás, Bexiga e Barra Funda* etc.

ALEIJADINHO (Antônio Francisco Lisboa) (c.1730-1814). Escultor e arquiteto mineiro, foi o primeiro grande artista brasileiro, um mestre do estilo barroco. É autor de igrejas, portais, imagens em todas as cidades coloniais de MG.

ALENCAR, José Martiniano **de** (1829-1877). Romancista e teatrólogo cearense, um dos principais representantes do romantismo no Brasil. Patrono da cadeira n° 23 da ABL. Autor de famosos romances, como *O guarani, Iracema, Minas de prata* etc.

ALEXANDRE MAGNO (356-323 a.C.). Rei da Macedônia, estendeu seu domínio da Grécia até a Índia. Um dos maiores gênios militares da história.

ALFAIATES, Revolta dos. Ver *Baiana, conjuração*.

ALLEN, Woody (Allen Stewart Konigsberg), dito (1935-). Cineasta e ator norte-americano, notável por seu humor cáustico. Obras: *Hannah e suas irmãs, A rosa púrpura do Cairo, Meia-noite em Paris* etc.

ALLENDE, Salvador (1908-1973). Político e médico chileno. Presidente do Chile (1970-1973), após ter sido senador: Deposto pelas forças armadas, comandadas pelo general Pinochet, morreu no palácio presidencial.

ALMEIDA, Abílio Pereira de (1906-1977). Dramaturgo, escreveu peças de crítica social, como *Paiol velho, Santa Marta Fabril S.A., Moral em concordata*.

ALMEIDA, Araci Teles **de** (1914-1988). Cantora popular carioca, considerada uma das melhores intérpretes de Noel Rosa.

ALMEIDA, Belmiro de (1858-1935). Pintor e escultor mineiro, pontilhista e impressionista, que se celebrizou como o autor do *Manequinho* carioca.

ALMEIDA, Cândido Antônio José Francisco **Mendes de** (1928-). Ensaísta e educador carioca. Membro da ABL, preside a instituição de ensino fundada por seu pai e é reitor da universidade que leva o seu nome, no RJ.

ALMEIDA, Francisco Filinto de (1857-1945). Poeta português naturalizado brasileiro. Membro fundador da ABL. Autor de *Cantos e cantigas, No seio da morte* etc.

ALMEIDA, Guilherme de Andrade e (1890-1969). Poeta paulista, um dos líderes do movimento modernista. Membro da ABL. Obras: *Messidor, Raça, Meu, Dança das horas* etc.

ALMEIDA, José Américo de (1887-1970). Romancista e político paraibano. Membro da ABL. Obras: *A bagaceira, O boqueirão, Paraíba e seus problemas* etc.

ALMEIDA, Júlia Valentim da Silveira **Lopes de** (1862-1934). Escritora, autora de contos e romances: *A intrusa, A viúva Simões* etc.

ALMEIDA, Manuel Antônio de (1831-1861). Escritor carioca, celebrizou-se pelo romance de costumes *Memórias de um sargento de milícias*. Patrono da cadeira n° 28 da ABL.

ALMEIDA, Renato da Costa (1895-1981). Musicólogo, folclorista e ensaísta baiano, atuante no movimento modernista. Obras: *História da música brasileira, A inteligência do folclore* etc.

ALMEIDA GARRETT, João Baptista da Silva Leitão de (1799-1854). Escritor português, introdutor do estilo romântico em seu país. Obras: *Viagens na minha terra, Folhas caídas, Frei Luís de Sousa* etc.

ALMEIDA JÚNIOR, José Ferraz de (1850-1899). Importante pintor paulista da corrente naturalista, cujas obras estão nos principais museus nacionais.

ALMINO, João (1950-). Escritor e diplomata brasileiro, autor de seis romances. Tem também escritos de história e filosofia política. Membro da ABL. Obras: *Cidade livre, Enigmas da primavera* etc.

ALMIRANTE (Henrique Foréis Domingues), dito (1908-1980). Radialista, cantor e compositor carioca, foi um dos iniciadores da MPB. Autor do primeiro samba moderno, "Na Pavuna".

ALMODÓVAR, Pedro (1949-). Cineasta espanhol de êxito internacional. Obras: *Mulheres à beira de um ataque de nervos, Ata-me, Tudo sobre minha mãe, Fale com ela, Abraços partidos* etc.

ALPHONSUS, José (João Afonso de Guimarães) (1901-1944). Contista e romancista mineiro, filho do poeta Alphonsus de Guimaraens. Obras: *Galinha cega, Totônio Pacheco* etc.

AL QAEDA. Organização de extremistas islâmicos, fundada e dirigida pelo saudita Osama Bin Laden, a qual assumiu o ato terrorista de 11 de setembro de 2001, que destruiu as torres gêmeas do World Trade Center, em Nova York.

ALTMAN, Robert (1925-2006). Cineasta norte-americano, dirigiu M*A*S*H*, *O jogador, Short Cuts* etc.

ALVARENGA, Oneida (1911-1984). Folclorista, musicóloga e poetisa, importante colaboradora de Mário de Andrade. Obras: *Música popular brasileira*, *Mário de Andrade, um pouco*.

ALVARENGA PEIXOTO, Inácio José de (c.1744-1793). Poeta carioca que teve participação significativa na Conjuração Mineira. Autor de odes, sonetos etc.

ÁLVARES DE AZEVEDO, Manuel Antônio (1831-1852). Poeta, contista e ensaísta paulista da corrente romântica. Patrono da cadeira n° 2 da ABL. Obras: *Lira dos vinte anos*, *Macário*, *Noite na taverna* etc.

ALVARUS (Álvaro Cotrim), dito (1904-1985). Caricaturista carioca que obteve considerável sucesso na imprensa, em meados do século XX.

ALVES, Ataulfo de Souza (1909-1969). Compositor e cantor popular mineiro, famoso por sambas como "Ai que saudades da Amélia", "Pois é", "Laranja madura" etc.

ALVES, Francisco (de Morais) (1898-1952). Cantor popular fluminense, conhecido como "o rei da voz", gravou obras dos principais compositores de sua época.

ALVIM, Álvaro (1863-1928). Médico carioca, pioneiro na radiologia e na radioterapia.

ALVORADA (RS). Mun. com 212.352 hab.

AMADO, Gilberto (1887-1969). Memorialista, poeta e diplomata sergipano. Membro da ABL. Obras: *Presença na política*, *Histórias da minha infância* etc.

AMADO, Jorge (1912-2001). Romancista baiano de projeção internacional, descreveu com graça e precisão ambientes nordestinos. Membro da ABL. Obras: *Mar morto*, *Cacau*, *Dona Flor e seus dois maridos*, *Tieta do Agreste* etc.

AMAPÁ. Estado da região Norte, dentro da Amazônia nacional, que faz fronteiras com a Guiana Francesa, o Pará e o oceano Atlântico. Sigla *AP*. Área: 797.722km²; população: 887.036 hab. Capital: Macapá. Cidades principais: Santana, Laranjal do Jari. Economia essencialmente agrícola, mas com extração de manganês e ouro na Serra do Navio. Graças à defesa do Barão do Rio Branco, a região foi concedida ao Brasil em 1900 pelo presidente do Conselho da Suíça, após disputa arbitral com a França. Foi primeiramente um território, elevado em 1988 a estado da federação.

AMARAL, Tarsila do (1897-1973). Pintora paulista. Foi um dos expoentes do movimento da arte moderna no Brasil. Obras: *Abaporu*, *Operários* etc.

AMARAL Leite Penteado, **Amadeu** Ataliba Arruda (1875-1929). Folclorista e linguista paulista. Membro da ABL. Autor, entre outras obras, de um dos fundamentos do estudo folclórico no Brasil: *O dialeto caipira*.

AMAZONAS. O maior estado brasileiro em superfície, situado entre o PA, MT, RO, AC, RR e o Peru, a Colômbia e a Venezuela. Sigla: *AM*. Área: 1.570.745km²; população: 4.306.992 hab. Capital: Manaus. Cidades principais: Parintins, Manacapuru, Itacoatiara. O estado abrange a maior bacia fluvial do mundo, com enorme riqueza florestal. Produz borracha, madeiras de lei, castanha-do-pará e guaraná. Potencial extração de ferro, manganês, linhita, cassiterita, gás e petróleo. Novos projetos agropecuários. Importantes indústrias na Zona Franca de Manaus. Refinaria de petróleo e construção naval.

AMAZONAS, rio. O maior rio do mundo em volume de água e em extensão (6.992km). Nasce em território peruano, na cordilheira dos Andes, e é navegável por navios de grande porte a partir de Iquitos (Peru). Recebeu a princípio o nome de Ucayali, depois Marañon e Solimões.

AMAZÔNIA. Região geográfica que abrange grande parte dos territórios do Brasil, Bolívia, Peru, Equador, Colômbia, Venezuela, Guiana, Suriname e Guiana Francesa. Considerada o "pulmão do mundo" por suas imensas riquezas florestais, tem sofrido com o desmatamento.

AMERICANA (SP). Mun. com 244.370 hab., fundado no século XIX por imigrantes norte-americanos. Indústria têxtil e usina hidrelétrica.

AMOEDO, Rodolfo (1857-1941). Pintor baiano de formação acadêmica, tornou-se um dos líderes da escola neoclássica no Brasil. Obras: *O último tamoio*, *Marabá* etc.

AMORA, Antônio Augusto **Soares** (1917-1999). Crítico literário e historiador paulista. Obras: *História da literatura brasileira*, *Teoria da literatura* etc.

AMOROSO LIMA, Alceu (1893-1983). Importante crítico literário e pensador católico, carioca, e que se assinava também Tristão de Ataíde. Membro da ABL. Obras: *Introdução à literatura brasileira*, *O existencialismo*, *Memórias improvisadas* etc.

ANACREONTE. Poeta grego do séc. VI a.C., cantor dos prazeres da vida. Escreveu *Anábasis*.

ANANINDEUA (PA). Mun. com 540.410 hab. Indústrias (de borracha, couros).

ANÁPOLIS. Cid. de Goiás com 396.526 hab. Importante centro agropecuário. Base aérea da FAB.

ANCHIETA, José de (1534-1597). Sacerdote e poeta espanhol, muito ativo na catequese no Brasil. Ensinou em português e em tupi. Obras: *Arte de gramática da língua mais usada na costa do Brasil*, *Na vila de Vitória* etc.

ANDRADA E SILVA, José Bonifácio (1763-1838). Estadista e escritor santista cognominado "O patriarca da Independência", exerceu notável influência política. Patrono da cadeira n° 22 da ABL.

ANDRADA Machado e Silva, **Antônio Carlos** Ribeiro de (1773-1845). Político paulista, orador exímio, participou da luta pela Independência e da revolução de 1817.

ANDRADA, Martim Francisco Ribeiro de (1775-1844). Político paulista, foi ministro da Fazenda em 1822.

ANDRADE, Joaquim Pedro de (1932-1988). Cineasta carioca. Obras: *Garrincha, a alegria do povo*, *O padre e a moça* etc.

ANDRADE, Mário Raul de Morais (1893-1945). Poeta, crítico literário e musicólogo, um dos líderes do movimento modernista. Obras: *Macunaíma*, *Pauliceia desvairada*, *Ensaio sobre a música brasileira* etc.

ANDRADE, José **Oswald** de Sousa (1890-1954). Poeta, dramaturgo e romancista paulista, um dos líderes do movimento modernista. Obras: *Pau brasil*, *O rei da vela*, *Os condenados* etc.

ANDRADE, Rodrigo Melo Franco de (1898-1969). Historiador e crítico de arte mineiro, foi diretor do IPHAN. Obras: *Artistas coloniais*, *As artes plásticas no Brasil* etc.

ANDRADE, Franco, Aluísio **Jorge** de (1922-1984). Dramaturgo paulista. Obras: *A moratória*, *Pedreira das almas*, *As confrarias*, *O sumidouro* etc.

ANDRADE MURICI, José Cândido de (1895-1984). Crítico musical e literário paranaense. Obras: *O Movimento simbolista brasileiro*, *Villa-Lobos – uma interpretação*, *Cruz e Souza* etc.

ANGRA DOS REIS. Mun. do RJ com 210.171 hab. Área de turismo internacional e sede das usinas nucleares Angra 1 e 2.

ANHANGUERA (Bartolomeu Bueno da Silva), dito (1672-1740). Bandeirante do século XVIII, descobridor de ouro em Goiás. Também conhecido como "Diabo velho".

ANJOS, Augusto de Carvalho Rodrigues **dos** (1884-1914). Poeta simbolista paraibano, escreveu o livro intitulado *Eu*.

ANJOS, Ciro dos (1906-1994). Romancista mineiro. Membro da ABL. Obras: *O amanuense Belmiro*, *A montanha*, *Abdias*, *A menina do sobrado* etc.

ANÍBAL BARCA (247-183 a.C.). General cartaginês. Celebrizou-se pela sua marcha contra Roma (218-217 a.C.), utilizando elefantes. Atravessou a Espanha, a França, os Alpes e penetrou na Itália, sendo derrotado em Cápua.

ANTONIL (Giovanni Antonio Andreoni), dito (1650-1716). Missionário jesuíta italiano, atuante na Bahia. Sob o pseudônimo de André João Antonil, publicou *Cultura e opulência do Brasil por suas drogas e minas*, livro apreendido pelas autoridades portuguesas.

ANTONIO CANDIDO de Melo e Souza (1918-2017). Importante crítico literário paulista. Obras: *Formação da literatura brasileira*, *Tese e antítese* etc.

ANTONIO CARLOS Ribeiro de Andrade (1870-1946). Político mineiro, foi presidente interino da República em 1935.

ANTÔNIO Ferreira Filho, **João** (1937-1996). Escritor paulista, usou linguagem simples e carregada de gírias. Obras: *Malaguala*, *perus e bacanaço*, *Abraçado ao meu rancor*, *Noel Rosa*, *poeta do povo* etc.

ANTONIONI, Michelangelo (1912-2007). Cineasta italiano que marcou época na segunda metade do século XX. Obras: *O eclipse*, *A noite*, *O deserto vermelho* etc.

ANTUNES FILHO, José Alves de (1929-2019). Diretor de teatro paulista, modernizou o teatro brasileiro, notabilizando-se principalmente pela montagem de Macunaíma, em 1978.

APA, rio. Afluente da margem esquerda do rio Paraguai, com c. 400km, que serve de fronteira entre o Paraguai e o Brasil.

APARECIDA (SP). Mun. às margens do rio Paraíba do Sul, com 36.211 hab. Centro de romarias católicas. Basílica de N.S. da Aparecida, a padroeira do Brasil.

APARECIDA DE GOIÂNIA (GO). Mun. com 601.844 hab.

APOLLINAIRE, Guillaume (1880-1918). Poeta francês, um dos grandes nomes da poesia de vanguarda do início do séc. XX. Obras: *Caligramas*, *Alcoóis* etc.

APUCARANA (PR). Mun. com 137.438 hab. Agricultura diversificada.

AQUERONTE. Rio do Hades, o inferno da mitologia grega, o qual era necessário atravessar conduzido pelo sinistro barqueiro Caronte. Também rio da Grécia.

ARACAJU. Capital de Sergipe, às margens do rio do mesmo nome, com 672.615 hab. Indústrias alimentícia, de fiação e tecelagem. Universidade. Foi fundada em 1855, já como capital do estado (sucedendo a São Cristóvão).

ARAÇATUBA (SP). Mun. com 199.210 hab. Região de agropecuária.

ARAFAT, Yasser (1929-2004). Líder palestino. Presidente da Autoridade Nacional Palestina, recebeu o Prêmio Nobel da Paz em 1994.

ARAGUAIA, rio. Com 2.627km, atravessa os estados de GO, TO, MT e PA e vai desaguar no rio Tocantins. Área de turismo ecológico.

ARAGUAÍNA (TO). Mun. com 186.245 hab. Centro de comércio de produtos de origem animal.

ARANHA, Osvaldo Euclides de Sousa (1894-1960). Político gaúcho. Foi ministro da Justiça, Fazenda e Relações Exteriores de Getúlio Vargas. Presidiu a Assembleia Geral da ONU (1947-1948).

ARAPIRACA (AL). Mun. com 234.309 hab. Indústrias do fumo.

ARARAQUARA (SP). Mun. com 240.542 hab. Agropecuária com indústrias do setor. Importante universidade.

ARARIBOIA (?-1574). Cacique dos índios temiminós. Apoiou os portugueses na luta contra os franceses chefiados por Villegaignon (1560-67). Nobilitado pelo rei de Portugal, recebeu a posse de uma sesmaria na região que corresponde hoje ao município de Niterói.

ARARIPE, Chapada do. Planalto nos estados de PE, CE e PI, com uma média de 700m de altura.

ARARIPE JUNIOR, Tristão de Alencar (1848-1911). Crítico literário cearense. Membro fundador da ABL. Obras: *José de Alencar*, *Gregório de Matos*, *Carta sobre a literatura brasileira*.

ARAÚJO, Murilo (1894-1980). Poeta modernista de forte influência simbolista. Integrou o grupo Festa, de que também fazia parte Cecília Meireles. Obras: *A iluminação da vida*, *Luz perdida* etc.

ARAÚJO PORTO ALEGRE, Manuel José de (1806-1879). Pintor, poeta e diplomata gaúcho. Faz parte do primeiro grupo romântico brasileiro. Patrono da cadeira nº 32 da ABL.

ARAXÁ (MG). Mun. com 108.403 hab. Importante estação termal.

ARCOVERDE, cardeal (Joaquim Arcoverde de Albuquerque Cavalcanti) (1850-1930). Padre pernambucano, foi o primeiro cardeal brasileiro e da América Latina, em 1905.

ARENDT, Hannah (1906-1975). Cientista política e filósofa alemã conhecida por seus estudos sobre as ditaduras. Obras: *Origens do totalitarismo*, *A condição humana*, *Sobre a Revolução* etc.

ARGOLO, general Francisco de Paula (1847-1930). Militar baiano, foi um dos chefes brasileiros na batalha de Itororó, na guerra do Paraguai.

ARINOS de Melo Franco, **Afonso** (1868-1916). Contista mineiro. Um dos primeiros a adotar estilo regionalista. Membro da ABL. Obras: *Pelo sertão*, *Histórias e paisagens* etc.

ARINOS de Melo Franco Sobrinho, **Afonso** (1905-1990). Político e memorialista mineiro, autor da lei contra a discriminação racial. Foi ministro das Relações Exteriores e senador pelo RJ. Membro da ABL. Obras: *Um estadista da República*.

ARIOSTO, Ludovico (1474-1533). Poeta épico italiano. Autor de *Orlando furioso*.

ARISTÓFANES (c.450-385 a.C.). Autor grego de notáveis comédias teatrais. Obras: *Os pássaros*, *As nuvens*, *Lisistrata*, *As rãs* etc.

ARISTÓTELES (384-322 a.C.). Filósofo grego de continuada projeção moderna. Obras: *A retórica*, *A poética*, *Metafísica* etc.

ARMADA, Revolta da. Levante da Marinha brasileira em 1893 contra o governo de Floriano Peixoto. Os seus líderes foram Saldanha da Gama e Custódio de Melo, derrotados em março de 1894.

ARMAGEDON. Segundo a Bíblia (Apocalipse:16,14-16), o local da batalha final entre o bem e o mal.

ARQUIMEDES (c.287-212 a.C.). Matemático siciliano, um dos maiores do mundo clássico.

ASSIS BRASIL, Joaquim Francisco de (1857-1938). Político, diplomata e historiador gaúcho. Obras: *Democracia representativa*, *Ditadura*, *parlamento e democracia* etc.

ASSIS CHATEAUBRIAND Bandeira de Melo, **Francisco de** (1891-1968). Jornalista paraibano, organizou a cadeia de jornais "Diários Associados" e fundou o Museu de Arte de São Paulo. Foi embaixador do Brasil em Londres.

ASTURIAS, Miguel Ángel (1899-1974). Escritor e diplomata guatemalteco, prêmio Nobel de literatura (1967), autor de *O senhor presidente*, *Homens de milho*, *Poesia pré-colombiana* etc.

ATAHUALPA (c.1500-1533). Último imperador inca (1525-1533), combateu seu irmão Huascar, a quem derrotou. Essa luta facilitou a conquista do império inca pelos espanhóis de Pizarro, que mandou matá-lo.

ATAÍDE, Manuel da Costa (1762-1830). Pintor mineiro, um dos maiores da escola barroca no Brasil.

ATAÍDE, Tristão de. Ver *Amoroso Lima*, *Alceu*.

ATHAYDE, Belarmino Maria **Austregésilo** Augusto **de** (1898-1993). Escritor pernambucano, cronista e contista, presidiu por 35 anos a Academia Brasileira de Letras. Obras: *Histórias amargas*, *Vana verba* etc.

AUGUSTO, Caio Julio Cesar **Otaviano** (63 a.C.-14 a.C.). Imperador romano, sobrinho de Júlio Cesar, presidiu um dos períodos de maior prosperidade de Roma.

AUSTEN, Jane (1775-1817). Romancista inglesa de projeção internacional. Obras: *Orgulho e preconceito*, *Emma* etc.

AUTRAN DOURADO, Valdomiro Freitas (1926-2012). Romancista e contista mineiro. Obras: *Ópera dos mortos*, *Confissões de Narciso*, *O risco do bordado* etc.

AUTRAN, Paulo (1922-2007). Ator e diretor de teatro carioca, de renome nacional.

AVAÍ, Batalha de. Batalha travada em dezembro de 1868 às margens do rio Avaí durante a guerra do Paraguai, pelas tropas brasileiras sob o comando do Duque de Caxias.

AVERRÓIS (Abu al-Walid ibn Rushd), dito (c.1126-1198). Filósofo e médico árabe, nascido na Espanha, que muito contribuiu para a divulgação das obras de Aristóteles.

ÁVILA, padre Fernando Bastos d' (1918-2010). Sacerdote e sociólogo carioca. Membro da ABL. Obras: *Introdução à sociologia*, *Imigração para a América Latina* etc.

AZEVEDO, Aluísio Tancredo Gonçalves de (1857-1913). Romancista maranhense da corrente naturalista. Membro fundador da ABL. Obras: *O cortiço*, *Casa de pensão*, *O mulato*, *Livro de uma sogra* etc.

AZEVEDO, Artur Nabantino Gonçalves de (1855-1908). Dramaturgo maranhense. Membro fundador da ABL. Obras: *A capital federal*, *O mambembe* etc.

AZEVEDO, Fernando de (1894-1974). Sociólogo e historiador mineiro. Membro da ABL. Obras: *No tempo de Petrônio*, *Princípios de sociologia* etc.

AZEVEDO, Luiz Heitor Corrêa de (1905-1992). Musicólogo e folclorista paranaense. Dirigiu a Seção de Música da UNESCO, Paris. Obras: *Música e músicos do Brasil*, *150 Anos de música no Brasil*, *Bibliografia musical brasileira*.

AZEVEDO Filho, Leodegário Amarante **de** (1927-2011). Filólogo e crítico literário. Obras: *O cânone lírico de Camões*, *A técnica do verso em português*.

AZEVEDO, Tales Olimpio de Goes **de** (1904-1995). Etnólogo baiano. Obras: *Ensaios de antropologia social*, *Situação social do Brasil* etc.

B

BABENCO, Hector (1948-2016). Cineasta argentino naturalizado brasileiro, de projeção internacional. Obras: *O beijo da mulher aranha*, *Pixote*, *Carandiru* etc.

BABO, Lamartine de Azeredo (1904-1963). Compositor popular carioca. Autor de hinos de clubes de futebol do Rio de Janeiro e grandes sucessos como "O teu cabelo não nega", "No rancho fundo" etc.

BACH, Johann Sebastian (1685-1750). Compositor erudito alemão, um dos maiores nomes da música. Obras: *A arte da fuga*, *O cravo bem-temperado*, *Concertos de Brandenburgo*, concertos, peças para órgão, cantatas, oratórios etc.

BACHA, Edmar Lisboa de (1942-). Economista e escritor brasileiro. Membro da ABL. Obras: *Belíndia*, *Os mitos de uma década: ensaios de economia brasileira* etc.

BACHIANAS BRASILEIRAS. Famosa série de nove peças para canto, vários instrumentos ou orquestra de Heitor Villa-Lobos, inspiradas no folclore musical brasileiro e escritas no estilo de Johann Sebastian Bach.

BACON, Francis (1561-1626). Filósofo inglês, autor de *Novum Organum Scientiarum* (*Novo método das ciências*), de grande repercussão na época e ainda consultado.

BADARÓ, Giovanni Baptista **Líbero** (1798-1830). Médico, jornalista e político italiano, radicado em SP, muito atuante no período da independência e durante o 1º Reinado, através do jornal *O Observador Constitucional*, por ele fundado em 1829.

BAGÉ (RS). Mun. com 121.518 hab. Pecuária, indústria de alimentos.

BAGNUOLO (Giovanni Vincenzo di San Felice), **conde de** (1575-1640). Militar napolitano a serviço da Espanha no séc. XVII, comandou a resistência aos holandeses na BA e PE, adaptando-se às táticas de guerrilha dos brasileiros.

BAHIA. O maior e o mais populoso estado do N.E., tem limites com SE, AL, PE, PI, MA, TO, GO, MG, ES. Sigla: *BA*. Área: 564.692km²; população: 15.014.702 hab. Capital: Salvador. Cidades principais: Feira de Santana, Ilhéus, Vitória da Conquista, Itabuna, Jequié, Juazeiro, Camaçari, Alagoinhas, Barreiras. Primeiro produtor de cacau, sisal e mamona, além de feijão, fumo e algodão. Polo petroquímico com refinaria de petróleo, agropecuária. Salvador foi a capital do Brasil colonial de 1549 a 1763.

BAIANA, Conjuração. Movimento político que visava a independência da Bahia (República Baiense) em 1798, também conhecido por "revolta dos Alfaiates" ou "revolução dos mulatos".

BALAIADA. Movimento político de independência iniciado no Maranhão e que se estendeu ao Piauí e Ceará, com a duração de quase três anos (1838-1841).

BALANCHINE, George (Georgi Balanchivadze) (1904-1983). Coreógrafo russo, naturalizado norte-americano, montou importantes balés, como *Apolo Musageta* e *Quatro temperamentos*.

BALBOA, Vasco Nuñez de (1475-1517). Militar espanhol, descobriu o oceano Pacífico em 1513, após atravessar o estreito do Panamá.

BALZAC, Honoré de (1799-1850). Romancista francês, autor da *Comédia humana*, coletânea de muitos romances em que analisou os costumes da época.

BANANAL, Ilha do. A maior ilha fluvial do mundo (20.000km²), no estado do Tocantins, formada pelo rio Araguaia.

BANDEIRA, Antônio (1922-1967). Importante pintor cearense da corrente abstrata.

BANDEIRA, pico da. Ponto mais alto da serra do Caparaó (MG e ES) e um dos mais elevados do Brasil (2.891m).

BANDEIRA Filho, Manuel Carneiro de Sousa (1886-1968). Poeta e ensaísta pernambucano, introdutor do verso livre. Um dos precursores do modernismo no Brasil. Membro da ABL. Obras: *Carnaval*, *Libertinagem*, *Estrela da manhã*, *Itinerário de Pasárgada* etc.

BANDEIRAS. Ver entradas e bandeiras.

BARBACENA (MG). Mun. com 139.061 hab. Metalurgia e flores para exportação.

BARBACENA, Visconde (e depois marquês) **de** (Felisberto Caldeira Brant) (1772-1842). Militar e político mineiro, comandou as tropas brasileiras na guerra Cisplatina.

BARBOSA, Adoniran (João Rubinato), dito (1910-1982). Compositor popular paulista, criador do samba paulistano. Obras: "Saudosa maloca", "Trem das onze" etc.

BARBOSA, dom Marcos (Lauro de Araújo Barbosa), dito (1915-1997). Monge beneditino, tradutor e poeta mineiro. Membro da ABL. Obras: *A arte sacra*, *Poemas para crianças e alguns adultos* etc.

BARBOSA, Francisco de Assis (1914-1991). Ensaísta paulista, membro da ABL. Obras: *A vida de Lima Barreto* etc.

BARBOSA, Haroldo (1915-1979). Radialista carioca e compositor de música popular brasileira.

BARBOSA, Januário da Cunha (1780-1846). Cônego, político e escritor carioca, ativo no processo que levou à independência do Brasil. Autor do *Parnaso brasileiro*, primeira antologia de poetas brasileiros.

BARBOSA, Orestes (1893-1966). Poeta carioca, letrista e compositor popular, celebrizou-se por "Chão de estrelas", "Água marinha" etc.

BARBOSA de Oliveira, Rui (1849-1923). Jurista e político baiano. Notável orador, representou com brilho o Brasil na 2ª Conferência da Paz em Haia, em 1919, sendo chamado de "a águia de Haia". Membro fundador da ABL e autor de numerosas obras jurídicas.

BARBOSA LIMA Sobrinho, Alexandre José (1897-2000). Jornalista, escritor e político pernambucano, presidiu por longos anos a ABL. Membro da ABL. Obras: *A língua portuguesa e a unidade do Brasil*, *O problema da imprensa* etc.

BARDI, Pietro Maria (1900-1999). Crítico de arte italiano radicado no Brasil, foi o fundador e diretor do Museu de Arte de SP. Autor de *História da arte brasileira*.

BARENBOIM, Daniel (1942-). Pianista e regente israelense nascido na Argentina, conquistou renome mundial.

BARRAL (Luísa Margarida Portugal de Barros), **condessa de** (1816-1891). Preceptora das princesas imperiais. Foram publicadas 256 cartas do imperador Pedro II a ela.

BARRA MANSA (RJ). Mun. com 185.237 hab. Siderurgia e metalurgia. Entroncamento ferroviário importante.

BARRETO, Bruno (1955-). Cineasta carioca. Obras: *Dona Flor e seus dois maridos*, *Beijo no asfalto*, *A estrela sobe*, *Gabriela* etc.

BARRETO, Fausto Carlos (1852-1915). Filólogo cearense, autor do programa a ser adotado em todos os exames de vernáculo (1887). Obras: *Temas e raízes*, *Antologia nacional* (com Carlos de Laet) etc.

BARRETO, João **Paulo** Emílio Cristóvão dos Santos Coelho (**João do Rio**) (1881-1921). Jornalista carioca, cronista da cidade do Rio de Janeiro. Membro da ABL. Obras: *A alma encantadora das ruas*, *Dentro da noite* etc.

BARRETO, Luiz Carlos (1928-). Cineasta cearense e produtor de cinema. Obras: *Memórias do cárcere*, *O quatrilho* etc.

BARRETO, Mário Castelo Branco (1879-1931). Importante filólogo carioca. Obras: *Estudos da língua portuguesa*, *Fatos da língua portuguesa* etc.

BARRETO de Meneses, Tobias (1839-1889). Filósofo, poeta e ensaísta sergipano. Patrono da cadeira n° 38 da ABL. Obras: *Ensaios e estudos de filosofia e crítica*, *Dias e noites* etc.

BARRETOS (SP). Mun. com 123.546 hab. Importante centro pecuarista.

BARROS, João de (c.1496-c.1570). Historiador português. Obras: *Crônica do imperador Clarimundo*, *Cartilha para aprender a ler* etc.

BARROS, Manoel Wenceslau Leite **de** (1916-2014). Poeta e ensaísta mato-grossense. Obras: *O guardador de águas*, *Livro sobre nada*, *Face imóvel* etc.

BARROSO, Almirante (Francisco Manoel Barroso da Silva, barão de Amazonas) (1804-1882). Nascido em Portugal, distinguiu-se como almirante da marinha brasileira durante a guerra do Paraguai.

BARROSO, Ari Evangelista Resende (1903-1964). Radialista e compositor popular mineiro. Obras: "Aquarela do Brasil", "Na baixa do sapateiro" etc.

BARROSO, Gustavo Dodt (1888-1959). Historiador e ensaísta cearense. Membro da ABL. Obras: *História secreta do Brasil*, *Terra do sol*, *Cinza do tempo* etc.

BARTOK, Bela (1881-1945). Compositor húngaro da corrente nacionalista baseada no folclore de seu país. Obras: *O castelo de Barba-Azul*, *O mandarim maravilhoso*, peças para piano e orquestra, canções etc.

BASTIDE, Roger (1898-1974). Sociólogo, antropólogo e crítico literário francês radicado no Brasil. Obras: *A poesia afro-brasileira*, *Religiões africanas no Brasil* etc.

BASTOS TIGRE, Manuel (1882-1957). Poeta, jornalista e teatrólogo pernambucano. Obras: *Ceia dos coronéis*, *Entardecer*, *Versos perversos* etc.

BATISTA DA COSTA, João (1865-1926). Pintor fluminense. Foi diretor da Escola Nacional de Belas Artes e suas paisagens e retratos ficaram célebres.

BAUDELAIRE, Charles Pierre (1821-1867). Poeta francês de ampla divulgação mundial. Obras: *As flores do mal*, *Pequenos poemas em prosa* etc.

BAURU (SP). Mun. com 381.706 hab. Indústrias alimentícia, química e de material de transporte.

BEAUVOIR, Simone de (1908-1986). Romancista e ensaísta francesa. Obras: *O segundo sexo*, *Os mandarins*, *Todos os homens são mortais* etc.

BECKER, Cacilda Yakonis (1921-1969). Atriz de teatro paulista. Principais sucessos: *Quem tem medo de Virgínia Wolf?*, *Pega fogo* etc.

BECHARA, Evanildo Cavalcanti (1928-). Professor, gramático e filólogo. Membro da ABL. Obras: *Moderna gramática portuguesa*, *Lições de português pela análise sintática*. Responsável pela elaboração do *VOLP*.

BECKETT, Samuel (1906-1989). Romancista e dramaturgo irlandês. Prêmio Nobel de literatura (1969). Obras: *Esperando Godot*, *Fim de jogo* etc.

BEETHOVEN, Ludwig van (1770-1827). Compositor erudito alemão que causou enorme impacto na música ocidental. Obras: 9 sinfonias, a ópera *Fidélio*, concertos, sonatas, música de câmara etc.

BELÉM. Capital do Pará, com 1.506.420 hab. Grande entreposto comercial da região Norte. Centro cultural, indústrias (fundição de alumínio, beneficiamento de extração vegetal e produtos agrícolas), universidade e escolas superiores, turismo. Foi fundada em 1616, como Santa Maria de Belém do Grão-Pará. Desenvolveu-se com a abertura do rio Amazonas à navegação comercial (1867) e com o surto da extração da borracha.

BELÉM. Cid. de Israel com c. trinta mil hab., local de nascimento de Jesus Cristo.

BELFORD ROXO (RJ). Mun. industrial com 515.239 hab.

BELL, Alexander Graham (1847-1922). Físico escocês naturalizado norte-americano, foi o principal inventor do telefone.

BELO HORIZONTE. Capital de Minas Gerais, com 2.530.701 hab. Entroncamento ferroviário e rodoviário. Importante e variado parque industrial (metalurgia, têxtil, produtos alimentícios, material elétrico). Oleoduto. Turismo. Dois importantes aeroportos (um internacional). A cidade foi planejada e construída em 1897 para substituir a antiga capital, Ouro Preto.

BELTRÃO, Maria da Conceição de Moraes Coutinho (1934-). Arqueóloga fluminense. Realizou pesquisas na BA e RJ, comprovando a cultura milenar do indígena brasileiro.

BEN-GURION, David (1886-1974). Político israelense, líder da independência e duas vezes primeiro-ministro de Israel (1948-1953 e 1955-1963).

BEQUIMÃO, revolta do. Revolução no Maranhão, em 1684, contra o monopólio de exportação e importação da Companhia de Comércio.

BERG, Alban (1885-1935). Compositor austríaco erudito de vanguarda. Autor das óperas *Wozzeck* e *Lulu*, música de câmara etc.

BERGMAN, Ingmar (1918-2007). Cineasta e teatrólogo sueco de importância mundial. Recebeu três vezes o Oscar como diretor. Obras: *Morangos silvestres*, *Gritos e sussurros*, *A fonte da donzela*, *Fanny e Alexander* etc.

BERLIM. Capital da Alemanha, com c. 3,5 milhões de hab. Centro cultural importante, a cidade esteve dividida pelo famoso muro entre 1948 e 1990.

BERLUSCONI, Silvio (1936-). Político conservador italiano e empresário importante, criador do partido "Forza Italia". Duas vezes primeiro-ministro da Itália (1994-1995 e 2001). Em 2003 presidiu a União Europeia.

BERLIOZ, Louis-**Hector** (1803-1869). Compositor francês. Mestre na orquestração, fez a instrumentação progredir. Obras: *A danação de Fausto*, *Sinfonia fantástica* etc.

BERNA. Capital da Suíça, com c. 150 mil hab. Cidade administrativa.

BERARDINELLI, Cleonice (1916-). Professora universitária e escritora carioca, especialista em literatura portuguesa. Membro da ABL. Obras: *Fernando Pessoa: outra vez te revejo*, *Poemas de Álvaro de Campos* (edição crítica), *Estudos camonianos* etc.

BERNARDELLI, Henrique (1858-1936). Pintor brasileiro retratista, nascido no Chile. Criou o Grupo Bernardelli com seu irmão Rodolfo, também pintor exímio.

BERNARDELLI, José Maria Oscar **Rodolfo** (1852-1931). Escultor brasileiro, nascido no México. Produziu inúmeras obras, entre as quais um monumento ao descobrimento do Brasil e a fachada da Biblioteca Nacional.

BERNARDES, Artur da Silva (1875-1955). Político mineiro, eleito presidente da República (1922-1926), governou em estado de sítio. Rompeu com a Liga das Nações.

BERNARDINHO (Bernardo Rocha de Rezende), (1959-). Ex-jogador e treinador de voleibol, economista e empresário. Destacou-se como um dos maiores campeões da história do voleibol acumulando mais de trinta títulos em 22 anos de carreira. Como empresário tem projetos sociais como o Instituto Compartilhar, que visa desenvolver jovens de comunidades carentes por meio do esporte.

BERTOLUCCI, Bernardo (1940-2018). Cineasta italiano de grande renome internacional. Obras: *O último tango em Paris*, *O último imperador* etc.

BETHÂNIA Viana Teles Veloso, **Maria** (1946-). Cantora popular baiana, lançada pelos tropicalistas na década de 1960.

BETIM (MG). Mun. vizinho a Belo Horizonte, com 450.024 hab. Indústrias automobilística e química. Refinaria de petróleo.

BEVILÁQUA, Clóvis (1859-1944). Jurista cearense, autor do anteprojeto do Código Civil Brasileiro. Membro fundador da ABL. Autor de diversos livros jurídicos.

BIBLIOTECA NACIONAL. Instituição criada por d. João VI em 1810, que reúne notável coleção de documentos históricos, literários e musicais. A maior biblioteca da América Latina.

BILAC, Olavo Braz Martins dos Guimarães (1865-1918). Ensaísta e poeta parnasiano carioca de considerável repercussão na época. Membro fundador da ABL. Obras: *Poesias*, *Ironia e piedade*, *Alma inquieta*, *O caçador de esmeraldas* etc.

BISMARCK, Otto von (1815-1898). Estadista alemão, conseguiu unificar a Alemanha, antes dividida em diversos principados.

BIZÂNCIO. Antigo nome da cid. de Constantinopla, hoje chamada Istambul.

BIZET, Georges (1838-1875). Compositor francês, autor da ópera Carmem. Outras obras: *Arlesiana*, *Pescador de pérolas*, *Agnus Dei* etc.

BLAKE, William (1757-1827). Pintor e poeta inglês. Vítima de alucinações, criou obras cheias de misticismo e romantismo incipiente.

BLOCH, Adolpho (1908-1995). Editor ucraniano radicado no Brasil. Imigrou em 1922 e construiu um império jornalístico com as revistas *Manchete*, *Fatos e fotos* e outras. Em 1983, criou a extinta TV Manchete.

BLOCH, Pedro (1914-2004). Teatrólogo e médico ucraniano radicado no Brasil, celebrizou-se por suas peças. Entre elas: *Dona Xepa*, *As mãos de Eurídice* etc.

BLUMENAU (SC). Mun. com 366.418 hab. Indústrias e turismo.

BOA VISTA. Capital de Roraima, com 436.591 hab. Situada às margens do rio Branco. Agropecuária e comércio com a Venezuela. Foi elevada a cidade em 1926, a capital do território de Rio Branco (depois Roraima) em 1943, capital de estado em 1988.

BOBBIO, Norberto (1909-2004). Filósofo e escritor italiano, louvado por seus estudos sobre o socialismo e o neoliberalismo. Obras: *O que é o socialismo?*, *De Hobbes a Marx*, *Política e cultura* etc.

BOCAGE, Manuel Maria Barbosa du (1765-1805). Poeta português, excelente sonetista. Obras: *A morte de Inês de Castro*, *Rimas*, *Verdades duras* etc.

BOCAINA, **serra da**. Nome de várias formações montanhosas no Brasil, sendo a mais importante a que se situa entre os estados de SP e RJ, com 2.000m de altitude.

BOCAIUVA, Quintino Antônio Ferreira de Sousa (1836-1912). Político e ensaísta carioca, foi importante ministro do governo provisório da República.

BOCCACCIO, Giovanni (1313-1375). Um dos primeiros prosadores italianos. Escreveu o famoso *Decameron*.

BOFF, **Leonardo** (1938-). Teólogo catarinense, mentor de campanhas sociais. Autor, entre outros, de *Igreja, carisma e poder*.

BOLIVAR, Simón (1783-1830). Venezuelano, principal líder das guerras de independência na América Latina contra a Espanha.

BOLSONARO, Jair Messias (1955-). Militar da reserva e político brasileiro, foi deputado federal por sete mandatos entre 1991 e 2018, eleito presidente da República por quadriênio 2019-2022.

BONAPARTE, Napoleão. Ver *Napoleão I*.

BOPP, Raul (1898-1984). Poeta e diplomata gaúcho, atuante no movimento modernista. Obras: *Cobra Norato*, *Urucungo* etc.

BORBA GATO, Manuel de (1630-1718). Bandeirante paulista, descobriu ouro no rio das Velhas (MG). Foi superintendente-geral das minas.

BORBOREMA, Chapada da. Planalto do N.E. brasileiro, que se estende de AL ao RN.

BORDALO PINHEIRO. Família de artistas portugueses. **Manuel Maria** (1815-1880) foi pintor, escultor e gravador; **Rafael**, seu filho (1846-1905), destacou-se como caricaturista, e **Columbano** (1857-1929) celebrizou-se como retratista de Antero de Quental, Eça de Queirós, Cunha Vasco entre outros.

BORGES, Jorge Luis (1899-1986). Escritor argentino de difusão mundial. Obras: *História universal da infâmia*, *Fervor de Buenos Aires* etc.

BOSCH, Hieronymus (1450-1516). Pintor holandês, considerado precursor do surrealismo.

BOSI, Alfredo (1936-2021). Crítico literário paulista. Membro da ABL. Obras: *História concisa da literatura brasileira*, *Machado de Assis*, *o enigma do olhar* etc.

BOSSA NOVA. Movimento intimista na MPB, surgido no final da década de 1950. Nascida na classe média carioca, obteve sucesso mundial.

BOTTICELLI, Alessandro di Mariano Filipepi (1445-1510). Pintor renascentista italiano, autor de famosas madonas, *O nascimento de Vênus* etc.

BOULEZ, Pierre (1925-2016). Compositor e regente francês, um dos líderes da música de vanguarda. Autor do livro *Pensamentos musicais de hoje* e de peças de música de câmara.

BRAGA, Antônio **Francisco** (1868-1945). Compositor e regente carioca, autor do *Hino à bandeira*. Obras: as óperas *Marabá* e *Jupira*, *Episódio sinfônico*, canções etc.

BRAGA, Rubem (1913-1990). Jornalista capixaba, cronista e repórter, autor de *O conde e o passarinho*, *Aí de ti*, *Copacabana* etc.

BRAGANÇA PAULISTA (SP). Mun. com 172.346 hab. Indústrias, laticínios.

BRAGUINHA ou **João de Barro** (Carlos Alberto Ferreira Braga), dito (1907-2006). Compositor popular carioca. Obras: "As pastorinhas" etc.
BRAHMS, Johannes (1833-1897). Compositor erudito alemão, considerado o sucessor de Beethoven. Ao contrário de Wagner, escrevia com grande simplicidade. Obras: 4 sinfonias, *Réquiem alemão*, canções, concertos, música de câmara etc.
BRANCO, cabo. Cabo no estado da Paraíba, o ponto mais oriental do Brasil e da América do Sul.
BRANCO, rio (RR). Afluente do rio Negro, com 925km.
BRANCUSI, Constantin (1876-1957). Escultor romeno, famoso por seus efeitos de volumes e ritmos.
BRANDÃO, Ambrósio Fernandes (c.1560-c.1630). Senhor de engenho, a quem Capistrano de Abreu atribuiu a obra *Diálogos das grandezas do Brasil*.
BRANDÃO, Ignácio de Loyola (1936-). Contista, romancista, jornalista brasileiro e membro da ABL. Obras: *Zero*, *Veia de bailarina* etc.
BRANDÃO, José Vieira (1911-2002). Compositor erudito mineiro e regente de coral. Principal assessor de Villa-Lobos, escreveu *Estudos* para piano, *Fantasia para piano e orquestra*, canções, a ópera *Máscaras* etc.
BRÁS, Wenceslau Pereira Gomes (1868-1966). Político mineiro, foi vice-presidente da República (1910-1914) e depois presidente (1914-1918).
BRASIL, República Federativa do. O maior país da América Latina e o quinto do mundo em superfície (8.514.876km²) e em população; população de acordo com a estimativa IBGE 2021: 214.202.683 hab., com quase 80% de população urbana). Constituído de 26 estados e um Distrito Federal. Importante agropecuária, mineração e indústria. Agricultura: algodão, arroz, café (maior produtor mundial), cana-de-açúcar, laranja, soja (segundo maior produtor mundial). Pecuária: bovinos (terceiro maior rebanho, com c. 226 milhões de cabeças), suínos (quarto maior rebanho, com c. 40 milhões de cabeças), ovinos, equinos. Extração de madeira, minério de ferro, ouro, bauxita, cobre, sal, diamantes, estanho, manganês. Indústrias siderúrgica, alimentícia, química, automotiva, têxteis, de produtos minerais não metálicos, de maquinaria, de papel e subprodutos, de roupa e calçados, gráfica e de construção. Energia hidrelétrica, extração de carvão, petróleo, derivados de petróleo, gás natural. É a 9ª economia do mundo. Descoberto em 1500, foi colônia de Portugal até sua independência, em 1822, quando, no Primeiro Império, passou a ser governado pelo imperador Pedro I até sua abdicação, em 1831. Foi governado por uma regência de 1831 a 1840, quando se instaurou o Segundo Império (Pedro II), que enfrentou a guerra do Paraguai. A república foi proclamada em 1889, prevalecendo em regime democrático desde então, com períodos de exceção (o Estado-Novo, de 1934 a 1945 e o regime militar, de 1964 a 1985). Uma nova Constituição (1988) selou a volta do país à democracia plena.
BRASÍLIA. Capital do Brasil, inaugurada em 21 de abril de 1960. População: 3.094.325 hab. Localizada dentro do DF e sede do governo federal. Construída durante o governo do presidente Juscelino Kubistchek, teve por principais arquitetos Lúcio Costa e Oscar Niemeyer. Patrimônio Cultural da Humanidade por decreto da Unesco em 1987.
BRECHERET, Victor (1894-1955). Escultor paulista, um dos líderes do movimento modernista no Brasil. Obras: *Monumento às bandeiras* etc.
BRECHT, Bertolt (1898-1956). Dramaturgo e poeta alemão de grande sucesso. Foi também um importante teórico do teatro. Obras: *Ópera dos três vinténs*, *Mãe coragem*, *Galileu Galilei*, *Estudos sobre teatro* etc.
BRETON, André (1896-1966). Escritor francês, considerado o fundador do surrealismo. Obras: *Manifesto do surrealismo*, *Nadja* etc.

BRITO, Mário da Silva (1916-). Crítico literário paulista, poeta e ensaísta. Obras: *Antecedentes da Semana de Arte Moderna*, *História do modernismo brasileiro* etc.
BRIZOLA, Leonel de Moura (1922-2004). Político gaúcho, prefeito de Porto Alegre e governador do RS (1958-1962) e do RJ (1982-1990). Fundador do Partido Democrático Trabalhista (PDT).
BRONTË, Charlotte (1816-1855). Romancista inglesa, irmã de Emily Brontë. Obras: *Jane Eyre* etc.
BRONTË, Emily (1818-1848). Romancista inglesa, irmã de Charlotte Brontë. Obras: *O morro dos ventos uivantes* etc.
BRUEGEL (de Veludo), Jan (1568-1625). Pintor flamengo, esp. de flores e paisagens. Segundo filho de Bruegel, o Velho.
BRUEGEL (o Moço), Pieter II (c.1564-c.1637). Pintor flamengo, pintou incêndios e tragédias. Filho de Bruegel, o Velho.
BRUEGEL (o Velho), Pieter (1525-1569). Pintor flamengo, famoso pelas paisagens e cenas de época. Um dos principais artistas de sua época.
BRUNELLESCHI, Filippo (1377-1446). Arquiteto italiano, dos maiores iniciadores da Renascença. Obras: Cúpula da catedral de Santa Maria del Fiore, Florença etc.
BUARQUE DE HOLANDA Ferreira, **Aurélio** (1910-1989). Lexicógrafo, ensaísta e filólogo alagoano. Membro da ABL. Obras: *Dicionário Aurélio* (em várias versões), *Território lírico* etc.
BUARQUE DE HOLLANDA, Francisco (**Chico**) (1944-). Compositor popular carioca e autor de livros e peças teatrais. Obras: *Roda viva*, *Ópera do malandro* etc.
BUARQUE DE HOLLANDA, Sérgio (1902-1982). Historiador e sociólogo paulista. Obras: *Raízes do Brasil*, *Visão do paraíso*, *Monções* etc.
BUDA (Siddharta Gautama) (Índia, séc. V a.C). Príncipe indiano que estabeleceu os princípios fundadores do budismo, religião de difusão mundial.
BUENO da Ribeira, **Amador** (séc. XVII). Aclamado rei pelos paulistas em 1640, não aceitou e continuou fiel aos portugueses.
BUENO de Silva, **Bartolomeu**. Ver *Anhanguera*.
BUENO, Maria Esther Adion (1939-2018). Tenista paulista, única brasileira a destacar-se em nível mundial, vencendo três vezes o torneio de Wimbledon, na Inglaterra.
BULCÃO, Athos (1918-2008). Pintor, escultor, desenhista e artista brasileiro. É considerado o artista de Brasília, cidade impregnada pela sua obra, que "realça" o concreto da arquitetura da cidade.
BUÑUEL Portolés, **Luis** (1900-1983). Cineasta espanhol de projeção mundial. Obras: *Um cão andaluz*, *A bela da tarde*, *O discreto charme da burguesia* etc.
BUONAROTTI, Michelangelo. Ver *Miguel Ângelo*.
BURLE-MARX, Roberto (1909-1994). Paisagista e pintor paulista, projetou, entre outras obras, o parque do Aterro do Flamengo (RJ), os jardins do Palácio Itamaraty (DF) e o Parque do Ibirapuera (SP).
BÚZIOS, Armação dos (RJ). Mun. com 35.060 hab. Balneário internacional situado entre a foz do rio Paraíba do Sul e Cabo Frio.
BYRON, Lord (George Gordon) (1788-1824). Poeta romântico, morreu lutando pela independência da Grécia. Obras: *Peregrinações de Childe Harold*, *Beppo, uma história veneziana*, *Don Juan* etc.

C

CABANADA. Revolta para repor d. Pedro I no trono (após sua abdicação), que irrompeu em Pernambuco e Alagoas em 1832.
CABANAGEM. Insurreição na província do Grão-Pará, em 1835, contra a imposição de um presidente da província pela Regência.
CABO DE SANTO AGOSTINHO (PE). Mun. com 210.796 hab. Minerais não metálicos.
CABO FRIO (RJ). Mun. com 234.077 hab. Balneário na costa norte do RJ. Turismo. Salinas.

CABOTO, Sebastiano (1476-1557). Navegador italiano. Em 1526, descobriu o rio da Prata, recebendo o título de piloto-mor. Organizou um mapa-múndi.

CABRAL, Pedro Álvares (1467-1526). Navegador português que descobriu oficialmente o Brasil a 22 de abril de 1500.

CABRAL DE MELLO, Evaldo (1936-). Historiador e diplomata pernambucano, grande conhecedor da história do N.E. Membro da ABL. Obras: *Olinda restaurada*, *O negócio do Brasil*, *Um imenso Portugal* etc.

CABRAL DE MELO NETO, João (1920-1999). Poeta e diplomata pernambucano de reputação internacional. Membro da ABL. Obras: *Morte e vida Severina*, *O engenheiro*, *Cão sem plumas*, *Agreste*, *Auto do frade*, *Sevilha andando* etc.

CACHOEIRINHA (RS). Mun. com 132.144 hab., microrregião de Porto Alegre.

CACHOEIRO DE ITAPEMIRIM (ES). Mun. industrial com 212.172 hab.

CAETANO dos Santos, Júlio (1808-1863). Ator e empresário de teatro fluminense, líder da nacionalização do teatro brasileiro em meados do séc. XIX.

CAFARNAUM. Cid. da Galiléia, à beira do lago Tiberíades, onde transcorreram episódios da vida de Jesus. Vestígios descobertos em 1905.

CAFÉ FILHO, João (1899-1970). Político potiguar, foi vice-presidente da República e assumiu a presidência de 1954 a 1955, após o suicídio de Getúlio Vargas.

CAIRU, Visconde de (José da Silva Lisboa) (1756-1835). Político baiano que influenciou d. João VI a abrir os portos brasileiros e comerciar com todos os países amigos.

CALABAR, Domingos Fernandes (c.1600-1635). Natural de Alagoas e grande conhecedor do N.E., foi de muita utilidade aos holandeses para conquistar a região. Considerado traidor, foi enforcado e esquartejado.

CALDAS, Sílvio Antônio Narciso de Figueiredo (1908-1998). Cantor e compositor popular carioca, alcançou êxito nacional em meados do séc. XX.

CALDAS AULETE, Francisco Júlio (c.1823-1878). Lexicógrafo português, autor do *Dicionário Contemporâneo da Língua Portuguesa*.

CALDERÓN DE LA BARCA, Pedro (1600-1681). Dramaturgo espanhol, autor de numerosas comédias e autos. Obras: *A vida é um sonho*, *O grande teatro do mundo*, *O alcaide de Zalameia* etc.

CALÍGULA, Caio Júlio César (12-41 d.C.). Imperador romano (37-41), neto de Tibério, a quem sucedeu. Tirano sanguinário, foi assassinado por um guarda.

CALLADO, Antônio Carlos (1917-1997). Romancista fluminense. Membro da ABL. Obras: *A madona de cedro*, *Quarup*, *Reflexos do baile*, *Pedro Mico* etc.

CALLAS, Maria Maria Anna Sophie Cecilia Kalogeropoulos, dita (1923-1977). Soprano dramático norte-americana, de origem grega. A maior cantora lírica de sua geração. Também excelente atriz.

CALMON du Pin e Almeida, Miguel. Ver *Abrantes, marquês de*.

CALMON Moniz de Bittencourt, Pedro (1902-1985). Historiador e jurista baiano de grande destaque nacional. Membro da ABL. Obras: *História do Brasil*, *História de d. Pedro II* etc.

CALÓGERAS, João Pandiá (1870-1934). Político e historiador carioca, foi ministro da Guerra. Deixou extensa obra sobre temas públicos.

CALVINO, Ítalo (1923-1985). Escritor e ensaísta italiano. Obras: *O caminho para os ninhos de aranha*, *As cidades invisíveis* etc.

CALVINO (Jean Calvin) (1509-1564). Teólogo francês, fundador da igreja reformada calvinista, sediada em Genebra, de grande repercussão na época. Obra principal: *Instituição da religião cristã*.

CAMAÇARI (BA). Mun. com 309.205 hab. Importante polo petroquímico.

CÂMARA, d. Hélder Pessoa (1909-1999). Religioso cearense, arcebispo de Olinda e Recife, ativo em trabalhos sociais. Autor de vários livros de curso internacional.

CÂMARA CASCUDO, Luís da (1899-1986). Folclorista e etnólogo potiguar de reputação nacional. Obras: *Vaqueiros e cantadores*, *Contos tradicionais do Brasil*, *Dicionário do folclore brasileiro*, *Antologia do folclore brasileiro* etc.

CAMARAGIBE (PE). Mun. com 159.945 hab. Microrregião de Recife.

CAMARÃO, Antônio Felipe (1601-1648). Nome cristão do chefe índio potiguar que teve importante papel na primeira batalha dos Guararapes contra os holandeses.

CAMARGO, Iberê (1914-1994). Importante pintor gaúcho da corrente abstrata. Autor de grande painel no edifício da Organização Mundial da Saúde, em Genebra.

CAMARGO, Joraci Schafflor (1898-1973). Teatrólogo carioca. Membro da ABL. Obras: *Deus lhe pague*, *Figueira do inferno* etc.

CAMARGO, Sérgio (1930-1990). Escultor carioca. Ganhador do prêmio internacional de escultura na Bienal de Paris de 1963.

CAMARGO GUARNIERI. Ver *Guarnieri, Mozart Camargo*.

CAMBUQUIRA (MG). Mun. com 12.810 hab. Tradicional estação de águas minerais.

CAMINHA, Pero Vaz de (c.1450-1500). Escrivão da esquadra de Cabral, autor da famosa carta ao rei d. Manuel de Portugal, informando a descoberta do Brasil.

CAMÕES, Luís Vaz de (1524-1580). Grande poeta épico português, de importância mundial. Obras: *Os Lusíadas*, *Anfitriões*, *Filodemo*, *El-rei Seleuco* etc.

CAMPINA GRANDE (PB). Mun. com 413.830 hab. Centro industrial e universitário.

CAMPINAS (SP). Mun. com 1.223.237 hab. Centro universitário e industrial.

CAMPO GRANDE (MS). Capital estadual com 916.001 hab. Agropecuária, indústria e comércio. Foi fundada em 1875, no antigo estado de Mato Grosso, e elevada a cidade em 1918. Com a criação do estado do Mato Grosso do Sul, foi transformada em sua capital, em 1977.

CAMPOS, Augusto Luís Browne de (1931-). Poeta paulista, um dos iniciadores do movimento Poesia Concreta. Obras: *Despoesia*, *Balanço da bossa*, *Poemóbiles* etc.

CAMPOS, Haroldo Eurico Browne de (1929-2003). Poeta paulista, um dos iniciadores do movimento Poesia Concreta. Obras: *Auto do possesso*, *Xadrez de estrelas*, *Galáxias* etc.

CAMPOS Veras, Humberto de (1886-1934). Escritor maranhense, cronista, memorialista, contista e poeta. Membro da ABL. Obras: *Tonel de Diógenes*, *Carvalhos e roseiras*, *Crítica*, *Memórias* etc.

CAMPOS, Paulo Mendes (1922-1991). Cronista, poeta e jornalista mineiro. Obras: *A palavra escrita*, *O domingo azul do mar*, *Trinca de copas* etc.

CAMPOS, Roberto de Oliveira (1917-2001). Diplomata e político mato-grossense. Foi ministro do Planejamento (1964-1967), presidente do BNDES, embaixador em Washington e Londres, senador e membro da ABL. Autor de *A lanterna na popa*.

CAMPOS DO JORDÃO (SP). Mun. com 52.713 hab. Turismo de inverno; conhecida pelos festivais culturais.

CAMPOS dos Goytacazes (RJ). Mun. com 514.643 hab. Indústria açucareira. Extração de petróleo na plataforma submarina (65% da produção brasileira). Foi a primeira cidade brasileira com iluminação elétrica.

CAMPOS SALES, Manuel Ferraz de (1841-1913). Político paulista eleito presidente da República (1898-1902).

CAMUS, Albert (1913-1960). Escritor francês. Prêmio Nobel de literatura (1957). Obras: *A peste, O mito de Sísifo, O estrangeiro* etc.

CANALETTO (Antonio Canal), dito (1698-1768). Pintor italiano integrante da escola veneziana, deixou notáveis cenas de Veneza com grande luminosidade e colorido.

CANASTRA, serra da. Nome de alguns maciços montanhosos do Brasil, sendo o mais importante o de Minas Gerais, com 1.000m de altitude, onde nasce o rio São Francisco.

CANCÚN. Ilha mexicana. Importante balneário e centro turístico, onde se realizam conferências internacionais.

CANECA, Frei Joaquim do Amor Divino Rabelo (1779-1825). Político pernambucano, participou da revolução de 1817 e foi líder da Confederação do Equador. Desbaratada esta, foi preso e fuzilado.

CANNING, George (1770-1827). Político inglês. Foi eficiente primeiro-ministro e muito contribuiu para convencer Portugal a reconhecer a independência do Brasil.

CANOAS (RS). Mun. com 349.728 hab., vizinho a Porto Alegre. Indústrias (alimentícia, química, cimento, metalúrgica), frigoríficos.

CANTINFLAS (Mario Moreno), dito (1911-1993). Ator cômico mexicano que gozou de popularidade mundial no cinema, em meados do séc. XX.

CANUDOS, rebelião de. Rebelião político-religiosa na Bahia (1896-1897), chefiada por Antônio Conselheiro e violentamente reprimida pelo exército republicano.

CAPANEMA, Gustavo (1900-1985). Político e educador mineiro. Ministro da Educação de Getúlio Vargas (1933-1945), realizou notável administração, cercando-se das mais altas personalidades culturais da época.

CAPARAÓ, serra do. Cordilheira de montanhas entre MG e ES, onde estão situados os picos da Bandeira (que já foi considerado o mais alto do Brasil) e do Cristal. Parque Nacional.

CAPIBARIBE (ou **Capiberibe**). Rio de PE com 250km que divide o Recife em três bairros, ao desaguar no Oceano Atlântico.

CAPITANIAS HEREDITÁRIAS. Primeira divisão administrativa do Brasil, criada por d. João III em 1532 para facilitar a defesa do território e fomentar o povoamento. Eram 15 áreas em forma de faixas mais ou menos paralelas (em relação ao equador) que se estendiam da costa até a linha do Tratado de Tordesilhas.

CAPRA, Frank (1897-1991). Cineasta norte-americano nascido na Itália. Obras: *O mundo nada se leva, O galante mr. Deeds, Arsênico e alfazema* etc.

CARACALA (188-217 d.C.). Imperador romano, famoso pelas atrocidades que cometeu. Estendeu a todos os residentes no império a cidadania romana. Nas Termas de Caracala, em Roma, são ainda hoje realizados espetáculos de ópera.

CARAJÁS, serra dos (PA). Situada entre os rios Tocantins e Xingu, contém importantes reservas minerais (manganês, ferro, cobre etc). Exploração de ouro em Serra Pelada.

CARAMURU (Diogo Álvares Correia), dito (14?-1557). Marinheiro português salvo de um naufrágio pelos tupinambás na Baía de Todos os Santos, BA. Casou-se com a índia Paraguaçu e auxiliou a colonização portuguesa, fundando escolas para os indígenas.

CARAPICUÍBA (SP). Mun. com 405.375 hab. Igreja do séc. XVII. Indústrias.

CARAVAGGIO (Michelangelo Amerighi, ou Merisi), dito (1573-1610). Pintor italiano, chefe da escola do claro-escuro que revolucionou a arte do Renascimento.

CARDIM, Fernão (1540-1625). Jesuíta e cronista português, autor de *Do clima e terra do Brasil, Do princípio e origem dos índios do Brasil* etc.

CARDIN, Pierre (1922-). Famoso estilista francês, nascido na Itália. Inventor do vestuário *prêt-à-porter*, organizou uma multinacional da costura.

CARDOSO Moreira, **Elisete** (1920-1990). Cantora popular carioca conhecida como "a Divina". Celebrizou-se com o LP *Canção do amor demais*.

CARDOSO, Fernando Henrique (1931-). Sociólogo e político carioca, senador, ministro da Fazenda, eleito e reeleito presidente da República (1994-2002). Membro da ABL. Autor, entre outros, de *Desenvolvimento e dependência na América do Sul*.

CARDOSO, Joaquim Maria Moreira (1897-1968). Engenheiro (grande calculista de concreto) e poeta pernambucano. Obras: *Signo estrelado, O coronel de Macambira, Prelúdio e elegia de uma despedida* etc.

CARDOSO Filho, Joaquim **Lúcio** (1912-1968). Romancista mineiro. Obras: *A professora Hilda, Crônica da casa assassinada, Salgueiro* etc.

CARDOSO, Sérgio da Fonseca Matos (1925-1972). Ator paraense, diretor e cenógrafo famoso em meados do séc. XX.

CARIACICA (ES). Mun. com 386.495 hab. Metalurgia.

CARYBÉ (Hector Julio Paride Bernabó), dito (1911-1997). Pintor argentino naturalizado brasileiro e radicado na Bahia. Celebrizou-se ao pintar tipos do N.E.

CARIRI. Nome de duas regiões do N.E., uma no interior do Ceará (cana-de-açúcar), outra no sertão da Paraíba (pecuária).

CARLOS MAGNO (747-814). Rei dos francos, imperador do Ocidente, sediou seu império em Aachen (hoje Aix-la Chapelle). Promoveu as artes e propagou o cristianismo na Europa.

CARLOS MARTEL (c.688-741). Rei dos merovíngios, considerado o salvador da cristandade. Venceu a batalha de Poitiers em 732, derrotando os muçulmanos que ameaçavam a Europa.

CARLOTA JOAQUINA de Bourbon (1775-1830). Princesa espanhola, rainha de Portugal, esposa de d. João VI. Na volta do Brasil para Portugal, apoiou seu filho Miguel contra d. Pedro I.

CARLYLE, Thomas (1795-1881). Escritor e historiador escocês. Obras: *O culto do herói na história* etc.

CARNÉ, Marcel (1909-1996). Cineasta francês. Obras: *Trágico amanhecer, Boulevard do crime, Thérèse Raquin, Os trapaceiros* etc.

CARNEIRO, Édison de Sousa (1912-1972). Folclorista e historiador baiano. Obras: *O quilombo dos Palmares, Candomblés da Bahia* etc.

CARNEIRO, Geraldo (1952-). Poeta, letrista, dramaturgo e roteirista brasileiro. Membro da ABL. Obras: *Verão vagabundo, Piquenique em Xanadu, Poesia reunida* etc.

CARNEIRO, Levi Fernandes (1882-1971). Jurista e político fluminense. Membro da ABL. Autor de extensa obra jurídica.

CARNEIRO LEÃO, Antônio (1887-1966). Escritor e educador pernambucano, um dos renovadores da pedagogia no país. Membro da ABL. Obras: *Aspectos brasileiros de educação, A educação para um mundo democrático* etc.

CARPACCIO, Vittore (1465-1526). Pintor veneziano do Renascimento, autor de notáveis painéis sobre a vida de santos, que tinham como fundo sua cidade natal.

CARPEAUX, Otto Maria (1900-1978). Ensaísta e crítico literário austríaco radicado no Brasil. Obras: *História da literatura ocidental, Uma pequena história da música* etc.

CARRERO, Tônia (Maria Antonieta Portocarrero), dita (1922-2018). Atriz carioca e empresária teatral de destaque, fundadora do Teatro Brasileiro de Comédia (TBC) e da companhia teatral Tônia-Celi-Autran.

CARTAGO. Importante cidade comercial no norte da África, próxima a Túnis, fundada pelos fenícios em

c. 814 a.C. Rival de Roma, foi arrasada pelos romanos em 202 a.C.
CARTAS CHILENAS. Poema satírico do final do séc. XVIII, escrito em forma de cartas e atribuído a Tomás Antônio Gonzaga. O texto criticava e ironizava a administração portuguesa no Brasil.
CARTER, James (**Jimmy**) Earl (1924-). Presidente dos EUA (1977-1981). Defendeu os direitos humanos, assinou o tratado de limitação de armas estratégicas (SALT II) e foi promotor da paz entre o Egito e Israel (1979). Prêmio Nobel da Paz.
CARTOLA (Agenor de Oliveira), dito (1908-1980). Compositor carioca de grande popularidade. Obras: "Acontece", "Alvorada no morro", "As rosas não falam" etc.
CARUARU (PE). Mun. com 369.343 hab. Agricultura (feijão, mandioca, algodão) e indústrias (química, têxtil e de produtos alimentícios).
CARUSO, Enrico (1873-1921). Tenor italiano, considerado um dos melhores de todos os tempos. Interpretou e gravou obras de Carlos Gomes.
CARVALHO, Eleazar de (1912-1996). Regente e compositor erudito cearense. O maior regente brasileiro, de importante atuação internacional. Obras: *A descoberta do Brasil*, *Tiradentes* etc.
CARVALHO, Flávio de Resende (1899-1973). Pintor e arquiteto fluminense. Autor do projeto do Palácio do Governo de SP.
CARVALHO, José Cândido de (1914-1989). Romancista fluminense. Membro da ABL. Obras: *O coronel e o lobisomem*, *Por que Lulu Bergantin não atravessou o Rubicon* etc.
CARVALHO, José Murilo de (1939-). Historiador mineiro. Membro da ABL. Obras: *A formação das almas: o imaginário da República no Brasil*, *Teatro das sombras: a política imperial* etc.
CARVALHO, Joubert Gontijo de (1900-1977). Compositor popular mineiro. Obras: "Cai, cai, balão", "Maringá", "Taí" etc.
CARVALHO, Ronald de (1893-1935). Poeta, crítico literário e diplomata carioca, um dos líderes do movimento modernista no Brasil. Obras: *Poemas e sonetos*, *Pequena história da literatura brasileira* etc.
CARVALHO, Vicente Augusto de (1866-1924). Poeta santista de corrente parnasiana, cantor do mar. Membro da ABL. Obras: *Poemas e canções*, *Relicário* etc.
CASALS, **Pablo** (1876-1973). Violoncelista e regente espanhol de projeção internacional em meados do séc. XX.
CASANOVA, Giovanni **Giacomo** (1725-1798). Aventureiro italiano, favorito da corte de Luís XV e amante de madame Pompadour. Escreveu suas memórias.
CASCAVEL (PR). Mun. com 336.073 hab. Pecuária. Soja e trigo. Indústria de bebidas.
CASTANHAL (PA). Mun. com 205.667 hab. Agricultura, pecuária (bovinos).
CASTELO BRANCO, Camilo Ferreira Botelho (1825-1890). Romancista português de grande prestígio. Obras: *Amor de perdição*, *A brasileira de Prazins* etc.
CASTELO BRANCO, Carlos (1920-1993). Jornalista e escritor piauiense. Obras: *Continhos brasileiros*, *Arco do triunfo* etc.
CASTELO BRANCO, Humberto de Alencar (1900-1967). Militar e político cearense. Marechal da reserva, foi eleito presidente da República pelo Congresso, após o movimento político-militar de 1964. Morreu em desastre aéreo.
CASTILHO, Antônio Feliciano de (1800-1875). Poeta romântico português. Obras: *Amor e melancolia*, *Cartas de Eco a Narciso*, *Felicidade pela agricultura* etc.
CASTRO, Aloísio de (1881-1959). Médico e escritor carioca. Membro da ABL. Além de extensa obra médica, autor de *Canto ao Senhor*, *Caminhos* etc.
CASTRO ALVES, Antônio Frederico de (1847-1871). Poeta romântico baiano de grande projeção nacional. Patrono da cadeira n° 7 da ABL. Obras: *Espumas flutuantes*, *A cachoeira de Paulo Afonso*, *Os escravos* etc.
CASTRO e Almeida, **Eugénio de** (1869-1944). Poeta português da corrente simbolista. Obras: *Horas*, *Interlúdio*, *Sagramor* etc.
CASTRO Ruz, **Fidel** Alejandro (1926-2016). Chefe do governo cubano de 1959 a 2008. Comandou a revolução cubana e implantou o socialismo em Cuba.
CASTRO, **Inês de** (c.1325-1355). Dama galega por quem d. Pedro, príncipe de Portugal, se apaixonou. Foi expulsa de Portugal, mas d. Pedro a fez voltar. Foi assassinada, e diz a lenda que mesmo morta sentou no trono de rainha.
CASTRO, **Josué** Apolônio **de** (1908-1973). Médico, sociólogo e geógrafo pernambucano de repercussão internacional. Obras: *A geografia da fome*, *A alimentação nos trópicos*, *Geopolítica da fome* etc.
CASTRO, José **Plácido de** (1873-1908). Militar e político gaúcho. Organizou a ocupação brasileira no Acre por ocasião da crise com a Bolívia, solucionada pelo barão do Rio Branco.
CASTRO Ruz, **Raúl** Modesto (1931-). Chefe do governo cubano de 2008 a 2018.
CATANDUVA (SP). Mun. com 123.114 hab. Agricultura (café, laranja, cana-de-açúcar). Beneficiamento de produtos agrícolas. Indústria química.
CATARINA II, **a Grande** (1729-1796). Imperatriz da Rússia por 34 anos, continuou a política ocidental de Pedro, o Grande. De ideias conservadoras, combateu a influência da Revolução Francesa.
CATARINA DE MÉDICIS (1519-1589). Duquesa italiana, mulher do rei francês Henrique II, foi regente na menoridade do filho herdeiro do trono, Carlos IX. Instigou a matança da noite de S. Bartolomeu.
CATULO, Caio Valério (c.87-c.54 a.C.). Poeta lírico latino. Obras: *Núpcias de Tétis e Peleu* etc.
CATULO DA PAIXÃO CEARENSE (1863-1946). Poeta e compositor popular maranhense radicado no Rio de Janeiro, autor de inspiradas letras de canções: "Meu sertão", "Mata iluminada" etc.
CAUCAIA (CE). Mun. industrial com 368.918 hab.
CAVACO SILVA, António **Aníbal** (1939-). Político português. Primeiro-ministro de Portugal nos governos constitucionais de 1985, 1987 e 1991.
CAVALCANTI, Egidio da Costa **Holanda Cavalcanti** (1929-). Diplomata, poeta, ensaísta e tradutor. Membro da ABL. Obras: *A herança de Apolo*, *Memórias de um tradutor de poesia*, *O mandoical de ouro mãos* etc.
CAVALCANTI Filho, José Paulo (1948-) Advogado e romancista. Membro da ABL. Obras: *Fernando Pessoa – uma quase autobiografia*, *O mel e o fel* etc.
CAVALHEIRO, Edgar (1911-1976). Crítico literário paulista. Obras: *Monteiro Lobato, vida e obra*, *Testamento de uma geração* etc.
CAVOUR, conde **de** (Camillo Benso) (1810-1861). Estadista italiano responsável pela unificação da Itália em 1860. Presidente do Conselho de Ministros (1852-1861).
CAXAMBU (MG). Mun. com 21.566 hab. Importante estância hidromineral. Indústrias.
CAXIAS (MA). Mun. com 166.159 hab. Arroz e algodão. Indústria (óleos).
CAXIAS DO SUL (RS). Mun. com 523.716 hab. Frutas (uva, maçã, pêssego). Indústrias vinícola, de transporte e têxtil. Turismo (Festa da Uva, festivais gaúchos).
CAXIAS, Duque **de**. Ver *Lima e Silva, Luís Alves de*.
CAYMMI, Dorival (1914-2008). Cantor e compositor baiano de grande fama nacional. Obras: "É doce morrer no mar", "O que é que a baiana tem?", "Maracangalha", "Dora" etc.
CEARÁ. Estado da região N.E., tem limites com PI, PE, PB e RN. Sigla: *CE*. Área: 148.825km²; população: 9.271.731 hab. Capital: Fortaleza. Cidades principais: Caucaia, Juazeiro do Norte, Maranguape, Santa Qui-

téria, Crato, Canindé e Sobral. Agricultura (algodão arbóreo, caju – maior produtor nacional –, cana-de-açúcar, arroz, milho, feijão, café, frutas, mandioca, sisal), pecuária, indústrias (têxtil, calçados, curtumes). Extração vegetal (carnaúba, oiticica) e mineral (sal, magnesita, berilo etc.; perspectivas de petróleo). Turismo em franco desenvolvimento. A ocupação do Ceará data de 1603, e foi consolidada em 1612, com a posse do capitão-mor Martim Soares Moreno, e a fundação de Fortaleza.

CELLINI, Benvenuto (1500-1571). Escultor e gravador italiano famoso no Renascimento. Trabalhou para a família dos Médicis em Florença.

CERQUEIRA, Dionísio (1847-1910). Militar baiano, lutou como soldado na guerra do Paraguai. Autor de vários livros sobre questões de fronteiras. Ministro das Relações Exteriores de Prudente de Morais.

CERRO CORÁ (RN). Local onde foi travada a batalha final da guerra do Paraguai, a 1º de março de 1870. As tropas brasileiras estavam comandadas pelo general Câmara e o ditador paraguaio foi morto na batalha, encerrando o conflito.

CERVANTES Saavedra, **Miguel de** (1547-1616). Novelista espanhol, autor do célebre *Don Quixote de la Mancha*, de enorme repercussão mundial.

CÉSAR, Caio **Júlio** (100-44 a.C.). Estadista e escritor romano, que se tornou imperador e estendeu seus domínios da península Ibérica, à Inglaterra e à Ásia.

CÉSAR da Silva, **Guilhermino** (1908-1993). Poeta e crítico literário mineiro. Obras: *Meia pataca, Sul, História da literatura do Rio Grande do Sul* etc.

CESCHIATTI, Alfredo (1918-1989). Escultor mineiro. Suas obras *As banhistas* e *A justiça* estão, respectivamente, defronte ao palácio da Alvorada e do Supremo Tribunal Federal, em Brasília.

CÉZANNE, Paul (1839-1906). Pintor impressionista francês, conhecido por suas telas criadas ao ar livre e considerado um precursor da arte moderna.

CHAGALL, Marc (1887-1985). Pintor russo, naturalizado francês, de grande originalidade e riqueza criativa. Há painéis e vitrais seus em Nova York, Jerusalém, Paris, Zurique, Mainz etc.

CHAGAS, Carlos Ribeiro Justiniano (1879-1934). Médico e cientista mineiro, identificou o vírus causador da chamada "doença de Chagas".

CHAGAS Filho, Carlos (1910-2000). Cientista carioca, filho do médico Carlos Chagas. Foi embaixador na Unesco e membro da ABL. Escreveu, entre outros, *O minuto que vem, reflexões sobre a ciência no mundo contemporâneo*.

CHALAÇA, O. Ver *Gomes da Silva, Francisco*.

CHAMIE, Mário (1932-2011). Poeta paulista do grupo Poesia Práxis. Obras: *Espaço inaugural, O lugar, Lavra-lavra* etc.

CHAMPOLLION, Jean-François (1790-1832). Cientista francês que decifrou os hieróglifos egípcios da pedra de Roseta, encontrada em Alexandria.

CHANEL, Gabrielle (**Coco**) (1883-1971). Estilista francesa. Na década de 1920 lançou a moda clássica Chanel, com joias em estilo *Art Déco*.

CHAPECÓ, rio. Rio de SC com 400km, afluente do rio Uruguai.

CHAPECÓ (SC). Mun. com 227.587 hab. Indústria alimentícia.

CHAPLIN, Charles Spencer (1889-1977). Ator inglês, criador do personagem cômico Carlitos, que obteve notável êxito mundial no cinema. Obras: *Luzes da ribalta, Tempos modernos, O grande ditador* etc.

CHATEAUBRIAND, François René de (1768-1848). Romancista e político francês, iniciador do romantismo. Obras: *O gênio do cristianismo, Atala, Memórias do além-túmulo* etc.

CHAUCER, Geoffrey (c.1343-1400). Poeta e escritor inglês, autor dos *Contos de Cantuária*.

CHEVALIER, Maurice (1888-1972). Cantor popular francês que marcou época no palco e no cinema internacional depois da Segunda Guerra Mundial.

CHIANG-KAI-SHEK (1887-1975). Político e militar chinês. Em 1912 participou da derrubada do império. Dirigiu o país até a tomada do poder pelos comunistas. Retirou-se para Taiwan.

CHIBATA, Revolta da. Revolta dos marinheiros contra os castigos corporais da Marinha de Guerra, que aconteceu no RJ em 1910.

CHICHEN ITZÁ. Centro arqueológico da civilização Maia, na península de Yucatán, México.

CHOPIN, Frédéric (1810-1849). Notável pianista e compositor polonês, participou indiretamente na luta pela independência de seu país. Autor de peças para piano: concertos, estudos, mazurcas, polonesas, noturnos, prelúdios, valsas etc.

CHOSTAKOVITCH, Dmitri (1906-1975). Compositor erudito russo. Obras: 15 sinfonias, a ópera *Lady Macbeth de Mzensk*, concertos para piano, quartetos etc.

CHURCHILL, Winston Leonard Spencer (1874-1965). Primeiro-ministro inglês (1940-1945 e 1951-1955). Hábil político, conduziu seu país com firmeza na luta contra a Alemanha nazista e seus aliados na Segunda Guerra Mundial.

CÍCERO, Marco Túlio (106-43 a.C.). Grande orador romano, autor de discursos famosos: as *Catilinárias*, as *Filípicas* etc.

CÍCERO, padre (Cícero Romão Batista) (1844-1934). Religioso cearense que se estabeleceu em Juazeiro do Norte (CE) e lutou contra a injustiça social. Venerado como santo milagreiro.

CISPLATINA, Campanha da. Conflito armado entre o Brasil e a Argentina (1825-1828) pela posse da província Cisplatina. Terminou com a independência do Uruguai.

CLAIR, René (René-Lucien Chomette), dito (1898-1981). Cineasta francês. Obras: *Esta noite é minha, Todo o ouro do mundo, Festas galantes* etc.

CLAPTON, Eric (1945-). Guitarrista, cantor e compositor inglês. Em 1993, conseguiu seis prêmios *Grammy* com seu álbum *Unplugged*.

CLARK, Lígia (1920-1988). Pintora e escultora concretista mineira de projeção internacional.

CLAUDEL, Paul (1868-1955). Poeta simbolista, teatrólogo e diplomata francês, que serviu no RJ como ministro-residente. Obras: *A anunciação feita a Maria, A sapatilha de cetim* etc. Irmão da escultora Camille Claudel.

CLAY, Cassius. Ver *Mohammed Ali*.

CLEMENCEAU, Georges (1841-1929). Político francês, cognominado "o Tigre". Presidente do Conselho de Ministros em 1917, reorganizou a França após a Primeira Guerra Mundial.

CLEÓPATRA (69-30 a.C.). Rainha do Egito, imortalizou-se por seus amores com César e Marco Antônio. Suicidou-se depois da vitória de Otávio em Actium.

CNBB. Sigla de *Conferência Nacional dos Bispos do Brasil*. Organização católica fundada em 1952.

CNOSSOS. Cidade arcaica no norte da ilha de Creta, destruída pelos romanos em 67 a.C. Palácio de Cnossos e o labirinto do Minotauro.

COARACY, Vivaldo de Vivaldi (1882-1967). Historiador e cronista carioca. Obras: *O Rio de Janeiro do século XVII, Memórias do Rio de Janeiro* etc.

COCHRANE, Lord Thomas (1775-1860). Almirante inglês que, a título privado, desempenhou papel importante na independência do Brasil, Chile e Peru. Autor de um livro sobre sua atuação nas Américas.

CODÓ (MA). Mun. com 123.368 hab.

COELHO, Paulo (1947-) Escritor carioca, alcançou grande sucesso mundial com suas obras sobre temas místicos e espirituais. Membro da ABL. Obras: *Diário de um mago, O alquimista, Brida, O monte cinco* etc.

COELHO NETO, Henrique Maximiano (1864-1934). Romancista e ensaísta maranhense. Membro fundador da ABL. Obras: *A capital federal, Fogo fátuo, Turbilhão* etc.

COLATINA (ES). Mun. com 124.525 hab.

COLIGNY, Gaspard de (1519-1572). Almirante francês. Primeiro-ministro da França na época de Henrique II e Catarina de Médicis. Pretendia fundar uma colônia calvinista no RJ.

COLLOR DE MELLO, Fernando Afonso (1949-). Político alagoano nascido no RJ, quinto presidente da República em 1989. Depois que o Congresso votou seu *impeachment*, renunciou em 28/12/1992. Senador (2007).

COLOMBO (PR). Mun. com 249.277 hab. Microrregião de Curitiba.

COLOMBO, Cristóvão (1451-1506). Navegador genovês. A serviço da Espanha, descobriu a América em 12 de outubro de 1492, ao atingir as Lucaias e a ilha de Hispaniola (hoje República Dominicana e Haiti). Fez mais duas viagens à região do Caribe, à procura da Ásia.

COLUNA PRESTES. Grupo de militares revoltosos liderados por Luís Carlos Prestes, percorreu grande parte do interior do Brasil na década de 1930.

COMMONWEALTH. Nome dado à comunidade de países ex-colônias britânicas que, nações independentes, mantêm estreita relação política e econômica com o Reino Unido e reconhecem seu soberano como chefe. Formou-se em 1930.

COMTE, Isidore **Auguste** (1798-1857). Filósofo francês, criador do positivismo, pensamento filosófico que teve grande repercussão no Brasil por ocasião da proclamação da República.

CONDÉ, José (1918-1971). Escritor pernambucano, cronista literário. Obras: *Caminhos na sombra, Um ramo para Luísa, Terra de Caruaru* etc.

CONFÚCIO (Kung-Fu-Tsu) (551-479). Considerado o maior filósofo chinês, difundiu uma moral humanista baseada no aperfeiçoamento do espírito humano, em harmonia com a sociedade.

CONGONHAS (MG). Mun. com 55.836 hab. Santuário do Bom Jesus de Matosinhos, com os famosos profetas do Aleijadinho; os Passos da Paixão, declarados pela Unesco patrimônio cultural da humanidade.

CONJURAÇÃO MINEIRA. Movimento revolucionário em MG pela independência do Brasil (1789), chefiado por Tiradentes. Também denominado (impropriamente) Inconfidência Mineira.

CONRAD, Joseph (Teodor Josef Konrad Korzeniowski) (1857-1924). Romancista inglês nascido na Ucrânia. Obras: *Tufão, Lord Jim* etc.

CONSELHEIRO, Antônio (Antônio Vicente Mendes Maciel), dito (1828-1897). Religioso cearense, liderou até a morte a rebelião do arraial de Canudos (BA), sufocada pelo exército nacional.

CONSELHEIRO LAFAIETE (MG). Mun. com 130.584 hab. Extração mineral (ferro, manganês). Indústrias (metalúrgica, mecânica, de material de transporte). Ensino superior.

CONSTABLE, John (1776-1837). Pintor inglês, famoso por suas paisagens.

CONSTANT Botelho de Magalhães, **Benjamin** (1836-1891). Político e militar carioca, teve papel importante na proclamação da República.

CONSTANTINO, o Grande (entre 270 e 288-337). Imperador romano, adotou o cristianismo como religião de Roma (312) e fundou Constantinopla (330).

CONSTANTINOPLA. Cidade na Ásia Menor, anteriormente chamada Bizâncio e rebatizada por Constantino, o Grande (hoje Istambul), capital do Império Bizantino.

CONSTITUCIONALISTA, revolução. Revolta ocorrida em SP, em 1932, contra o governo federal, em protesto contra a intervenção federal nos estados e exigindo a convocação de uma Assembleia Constituinte. Foi sufocada após três meses.

CONTAGEM (MG). Mun. com 673.849 hab., vizinho a Belo Horizonte. Maior concentração de indústrias do estado.

CONTAMANA, serra da. Ponto no extremo oeste do Brasil, na fronteira do Acre com o Peru.

CONTESTADO, guerra do. Guerra sangrenta na fronteira de SC com o PR, de 1912 a 1916, entre tropas federais e camponeses desempregados depois da construção de ferrovia na região.

CONY, Carlos Heitor (1926-2018). Romancista e cronista carioca. Membro da ABL. Obras: *O ventre, Antes o verão, Quase memória* etc.

COOPER, James Fenimore (1789-1851). Romancista norte-americano. Obras: *O último dos moicanos, A pradaria, O bravo* etc.

COPÉRNICO, Nicolau (1473-1543). Astrônomo polonês. Demonstrou os planetas giram em torno de si mesmos e em torno do Sol, demolindo com isso a versão de que o sistema planetário girava em torno da Terra.

COPPOLA, Francis Ford (1939-). Cineasta norte-americano. Obras: *O poderoso chefão, Apocalipse now, Drácula* etc.

CORÇÃO Braga, **Gustavo** (1896-1978). Escritor e jornalista carioca. Obras: *Lições do abismo, Fronteiras da técnica* etc.

CORDISBURGO (MG). Mun. com 8.903 hab. Gruta de Maquiné, com suas formações calcárias.

CORNEILLE, Pierre (1606-1684). Dramaturgo francês. Obras: *O Cid, Horácio, Cina* etc.

CORREIA, Raimundo da Mota de Azevedo (1860-1911). Poeta maranhense da corrente parnasiana. Membro fundador da ABL. Obras: *Primeiros sonhos, Versos e versões, Aleluias, Poesias* etc.

CORREIA Baima do Lago Filho, Manuel **Viriato** (1884-1967). Contista e romancista maranhense. Membro da ABL. Obras: *Brasil dos meus avós, Balaiada, A marquesa de Santos* etc.

CORTÁZAR, Julio (1914-1984). Romancista e contista argentino de renome internacional. Obras: *O jogo da amarelinha, As armas secretas, Os prêmios* etc.

CORTÉS, Hernán (1485-1547). Conquistador espanhol, destruiu o império asteca no México com enorme crueldade.

CORTESÃO, Jaime (1884-1960). Historiador português, diretor da Biblioteca Nacional de Lisboa (1919-1927). Esteve exilado no Brasil, onde recebeu o título de Cidadão Benemérito de SP. Autor, entre outros, de *Alexandre Gusmão e o Tratado de Madri*.

CORUMBÁ (MS). Mun. com 112.669 hab. Ferro e manganês, indústria (têxtil, cimento).

COSTA, Cláudio Manuel da (1729-1789). Poeta mineiro, teve participação significativa na Conjuração Mineira e, preso, teria se suicidado. Patrono da cadeira nº 8 da ABL. Obras: *Labirinto do amor, Culto métrico, Números harmônicos* etc.

COSTA, Duarte da (séc. XV-XVI). Segundo governador-geral do Brasil (1553-1558).

COSTA, Lúcio (1902-1998). Arquiteto brasileiro de renome internacional. Autor do plano urbanístico de Brasília. Escreveu, entre outros, *O arquiteto e a sociedade contemporânea*.

COSTA, Gentile Maria Marchiorio **Della** (1927-2015). Atriz e empresária teatral gaúcha, teve significativa atuação em SP, onde existe teatro com seu nome.

COSTA, Sérgio Corrêa Affonso **da** (1919-2005). Diplomata e escritor carioca. Membro da ABL. Obras: *D. Pedro I, as quatro coroas do Brasil, História secreta do Brasil*.

COSTA E SILVA, Alberto da (1927-). Poeta, historiador e diplomata paulista. Membro da ABL). Obras: *A espada e a lança, A manilha e o libambo* etc.

COSTA E SILVA, Antônio Francisco **da** (1885-1950). Poeta piauiense da corrente simbolista. Obras: *Zodíaco*, *Verhaeren*, *Pandora*, *Verônica* etc.

COSTA E SILVA, **Artur da** (1902-1969). Militar gaúcho. Presidente da República (1967-1969).

COSTA Filho, **Odilo** (1914-1979). Poeta e jornalista maranhense. Membro da ABL. Obras: *A faca e o rio*, *Cantiga incompleta*, *Os bichos do céu* etc.

COSTA-GAVRAS, **Konstantinos** (1933-). Cineasta grego de renome internacional. Obras: *Z*, *A confissão*, *Estado de sítio*, *Amém* etc.

COSTA LIMA, **Ângelo** Moreira da (1887-1965). Entomologista carioca. Autor, entre outros, de *Insetos do Brasil*.

COSTA Pereira Furtado de Mendonça, **Hipólito** José **da** (1774-1823). Jornalista brasileiro nascido na Colônia do Sacramento, hoje Uruguai, fundou em Londres o jornal *Correio Brasiliense*, que defendeu a independência do Brasil. Patrono da cadeira nº 17 da ABL.

COTIA (SP). Mun. com 257.882 hab. Indústrias mecânica, química, alimentícia e têxtil.

COURBET, Jean Désiré **Gustave** (1819-1877). Pintor francês da corrente realista, considerado precursor do impressionismo. Participou da revolução de 1870 e exilou-se na Suíça.

COUPERIN, **François** (1668-1733). Compositor erudito francês, glória nacional na época de Luís XIV. Autor de peças para órgão e cravo, concertos etc.

COUSTEAU, **Jacques** Yves (1910-1997). Oceanógrafo e cineasta. Realizou numerosas viagens com seu barco *Calipso* e aperfeiçoou o escafandro. Escreveu *Viagem ao Amazonas*.

COUTINHO, **Afrânio** dos Santos (1911-2000). Crítico literário baiano. Membro da ABL. Obras: *Aspectos da literatura barroca*, *Da crítica e da nova crítica*, *Conceito de literatura brasileira* etc.

COUTO, **Deolindo** Augusto de Nunes (1902-1992). Médico e ensaísta paraibano. Membro da ABL. Obras: *Vultos e ideias*, *Dois sábios ibéricos*, obras de medicina etc.

COUTO, **Diogo do** (1542-1616). Historiador português. Autor, entre outros, de *O soldado prático*.

COUTO, **Mia** (1955-). Romancista moçambicano. Obras: *Terra sonâmbula*, *Cada homem é uma raça*, *Vinte e zinco* etc.

COUTO, **Miguel** (1865-1934). Médico e escritor carioca, reformulou o ensino da clínica médica. Membro da ABL. Vasta obra médica e científica.

COUTO DE MAGALHÃES, **José** Vieira (1837-1898). Escritor e político mineiro do império. Obras: *Teses e dissertação*, *Ensaios de antropologia*, *O selvagem* etc.

CRANACH, **Lucas** (1472-1553). Pintor e gravador alemão famoso por seus retratos.

CRATO (CE). Mun. com 133.913 hab. Importante entreposto agrícola. Indústrias (alimentícia, química, têxtil). Extração de gipso.

CRICIÚMA (SC). Mun. com 219.393 hab. Indústria (calçados e vestuário). Extração de carvão.

CRICIÚMA, **serra de**. Serra na fronteira do ES com MG, com 1.200m de altitude.

CRISTAL, **pico do**. Pico na serra do Caparaó, com 2.790m de altura.

CRISTIANO RONALDO dos Santos Aveiro (1985-). Jogador de futebol português de renome mundial. Em 2007, tornou-se o primeiro jogador a vencer todos os quatro prêmios principais da PFA e da FWA e, em 2008, o melhor jogador do mundo pela FIFA.

CRISTINA, **serra de**. Serra entre SP e MG, com c. 1.500m de altura.

CROCE, **Benedetto** (1866-1952). Filósofo e escritor italiano de considerável divulgação europeia. Obra principal: *Breviário de estética*.

CROMWELL, **Oliver** (1599-1658). Político e militar inglês, dissolveu o parlamento e governou Inglaterra, Irlanda e Escócia, de 1653 até sua morte.

CRULS, **Gastão** Luís (1888-1959). Médico, romancista e ensaísta carioca. Obras: *Coivara*, *Hileia amazônica*, *A aparência do Rio de Janeiro* etc.

CRUZ, **Joaquim** (1963-). Atleta brasileiro nascido em Brasília, medalha de ouro nos 800 metros rasos nos Jogos Olímpicos de Los Angeles em 1984.

CRUZ, **Osvaldo** Gonçalves (1872-1917). Médico sanitarista paulista. Dirigiu a luta contra a peste bubônica em SP e contra a febre amarela no RJ. Membro da ABL.

CRUZ E SOUSA, João da (1861-1898). Poeta catarinense da corrente simbolista. Obras: *Broquéis*, *Missal*, *Evocações*, *Faróis*, *Últimos sonetos*.

CUBATÃO (SP). Mun. com 116.010 hab. Refinaria de petróleo, siderurgia, usinas hidrelétrica e termelétrica.

CUIABÁ. Capital de MT, com 623.614 hab. Agricultura (milho, arroz, cana-de-açúcar) e pecuária (bovinos, suínos). Entroncamento rodoviário. Fundada em 1719 pelos bandeirantes, foi elevada à cidade em 1818, e tornou-se capital da província de MT em 1825.

CUIABÁ, **rio**. Rio de MT (647km) que banha a capital.

CUNHA, Antônio Álvares da Cunha, **conde de** (1700-1791). Vice-rei do Brasil (1763-1767), fixou sua base no Rio de Janeiro.

CUNHA, **Antônio Geraldo da** (1924-1999). Lexicógrafo e filólogo carioca. Obras: *Dicionário histórico das palavras portuguesas de origem tupi*, *Dicionário etimológico da língua portuguesa*, *Vocabulário ortográfico da língua portuguesa* etc.

CUNHA, **Brasílio Itiberê da** (1846-1913). Compositor e diplomata paranaense, o primeiro a se inspirar em temas folclóricos brasileiros (*A sertaneja*).

CUNHA, **Celso** Ferreira da (1917-1989). Filólogo e gramático mineiro. Membro da ABL. Obras: *A poética trovadoresca*, *Nova gramática do português contemporâneo* etc.

CUNHA, **Euclides** Rodrigues Pimenta da (1866-1909). Engenheiro, jornalista e escritor carioca. Membro da ABL. Obras: *Os Sertões*, *Contrastes e confrontos* etc.

CUNHA Filho, **Fausto** Fernandes da (1923-2004). Escritor e crítico literário pernambucano. Obras: *As noites marcianas*, *A luta literária*, *O romantismo no Brasil* etc.

CURDISTÃO. A pátria dos curdos, abrange terras do Irã, Iraque, Armênia, Turquia e Síria. O Tratado de Sèvres, de 1920, estabeleceu a sua criação, mas até o momento isso não foi concretizado.

CURIE, Maria (**Marie**) Sklodowska (1867-1934). Física polonesa naturalizada francesa. Com seu marido, Pierre Curie, descobriu o rádio. Prêmio Nobel de física (1903) e química (1911).

CURITIBA (PR). Capital do PR, com 1.963.726 hab. e 908m de altitude. Importante centro comercial e cultural. Cuidadoso projeto urbanístico. Significativo parque industrial (químico-farmacêutico, de alimentos, bebidas, couros, móveis etc.). Universidade, museus. Turismo. Considerada a cidade de melhor qualidade de vida do Brasil. Tornou-se capital da província em 1854.

D

DACOSTA (**Mílton** da Costa), dito (1915-1988). Pintor fluminense, detentor de vários prêmios de pintura, nacionais e estrangeiros.

DALADIER, **Édouard** (1894-1970). Político socialista francês que se tornou impopular por ter assinado com Hitler, como primeiro-ministro da França, o acordo de Munique, em 1938. No entanto, em 1939, teve de declarar guerra à Alemanha quando esta invadiu a Polônia.

DALAI-LAMA. Título dado ao chefe do lamaísmo (budismo tibetano). O atual dalai-lama, Tenzin Gyatso (1935-), recebeu o Prêmio Nobel da Paz de 1989, por

sua luta pacífica contra os chineses que ocupam seu país, o Tibet.
DALÍ, Salvador (1904-1989). Pintor e desenhista espanhol. De renome mundial como pintor surrealista, dedicou-se no fim da vida à pintura religiosa.
DANTAS BARRETO, Emídio (1850-1931). Militar e escritor pernambucano. Membro da ABL. Obras: *A condessa Hermínia, Margarida Nobre, A última expedição de Canudos* etc.
DANTE Alighieri (1265-1321). Grande poeta florentino. Obras: *A divina comédia, A vida nova, Sobre a língua e o povo* etc.
DANTON, George Jacques (1759-1794). Político francês que se destacou na Revolução Francesa. Morreu na guilhotina.
DARIO (?-486 a.C.). Rei dos persas (521-486 a.C.). Expandiu o império, mas foi derrotado pelos gregos na batalha de Maratona (490 a.C.).
DARÍO, Félix **Rubén** Garcia Sarmiento (1867-1916). Poeta nicaraguense de grande influência nas literaturas latino-americanas. Obras: *Azul, Prosas profanas, Poemas de outono* etc.
DARWIN, Charles Robert (1809-1882). Naturalista inglês. Celebrizou-se por seu livro *Sobre a origem das espécies por meio da seleção natural*, onde apresenta a teoria evolucionista, que a partir de então ficou conhecida como darwinismo.
DAVID, Jacques-Louis (1748-1825). Pintor neoclássico francês, retratou a Revolução Francesa e, depois, o período napoleônico. Obras: *Marat assassinado, O juramento dos Horácios* etc.
DEBRET, Jean-Baptiste (1768-1848). Pintor e gravador francês. Veio para o Brasil com a Missão Cultural Francesa de 1816 e aqui registrou aspectos da vida brasileira da época.
DEBUSSY, Achille-**Claude** (1862-1918). Compositor francês de estilo impressionista, alcançou sucesso mundial. Obras: *O mar, A tarde de um fauno*, a ópera *Pelléas et Mélisande* etc.
DE CHIRICO, Giorgio (1888-1978). Pintor surrealista italiano de grande voga em meados do séc. XX.
DEFOE, Daniel (1661-1731). Romancista inglês que se celebrizou por seu romance *Robinson Crusoe*.
DEGAS (Edgar Hilaire Germain de Gas), dito (1834-1917). Pintor e escultor francês. Famoso por pintar as bailarinas da Ópera de Paris. Obras: *Depois do banho, As bailarinas* etc.
DE GAULLE, Charles (1890-1970). Militar francês; assumiu, em Londres, a liderança da resistência francesa aos alemães na Segunda Guerra Mundial. Eleito presidente da República Francesa (1959-1969). Autor de *Memórias da guerra* e de *Memórias da esperança*.
DELACROIX, Ferdinand Victor **Eugène** (1798-1863). Pintor francês que representa a transição da escola neoclássica para o modernismo. Obras: *Dante e Virgílio no inferno, Sardanapalo, A entrada dos cruzados em Constantinopla* etc.
DELGADO DE CARVALHO, Carlos Miguel (1884-1980). Geógrafo e educador brasileiro. Obras: *Geografia do Brasil, Sociologia da educação* etc.
DELLA ROBBIA, Luca (c.1400-1482). Escultor e notável ceramista florentino. Celebrizou-se por suas terracotas esmaltadas.
DEMÓCRITO (c.460-c.370 a.C.). Filósofo grego, já concebia a matéria como formada de minúsculas partículas, os átomos.
DEMÓSTENES (384-322 a.C.). O maior orador da Grécia antiga. Obras: *Oração à coroa, Filípicas* etc.
DENG XIAO PING (1904-1997). Político chinês, secretário-geral do Partido Comunista (1956-1966), foi um dos mentores da modernização do país.
DESCARTES, René (1596-1650). Filósofo e matemático francês. Obras: *Princípios da filosofia, Discurso sobre o método, Meditações metafísicas* etc.

DE SICA, Vittorio (1901-1974). Ator e cineasta do neorrealismo italiano. Obras: *Ladrões de bicicleta, O jardim dos Fizzi-Contini, A viagem* etc.
DESMOULINS, Camille (1760-1794). Político e jornalista francês que conclamou os franceses a atacarem a Bastilha. Foi membro da Convenção, mas morreu na guilhotina com Danton.
D'EU, Conde (Luis Felipe Maria Ferdinando Gastão de Orleans) (1842-1922). Nobre francês, marido da princesa Isabel. Comandou as tropas brasileiras no final da guerra do Paraguai.
DEWEY, John (1859-1952). Psicólogo norte-americano, renovou a pedagogia e o método de ensino nos EUA.
DIADEMA (SP). Mun. com 429.550 hab. Indústrias (plástica, de autopeças etc.).
DIAMANTINA (MG). Mun. com 47.924 hab. Cidade histórica, elevada a patrimônio da humanidade pela Unesco em 1999.
DIAMANTINA, chapada. Planalto na serra do Espinhaço (BA).
DIANE DE POITIERS (1499-1566). Favorita do rei Henrique II da França, teve grande influência no país e ajudou a expedição de Villegagnon ao RJ.
DIAS, Antônio (1944-2018). Pintor paraibano. Ganhador do prêmio de pintura da Bienal de Paris de 1965.
DIAS, Augusto **Epifânio** da Silva (1841-1916). Filólogo, latinista e helenista português. Autor, entre outros, da *Gramática prática da língua portuguesa*.
DIAS, Bartolomeu (c.1450-1512). Navegador português. Descobridor do cabo da Boa Esperança em 1487.
DÍAZ-CANEL Bermúdez, **Miguel** (1960-). Presidente do Conselho de Estado de Cuba desde abril/ 2018. Primeira pessoa nascida após a revolução de 1959 a atingir tal posto e sucessor de Raúl Castro como presidente de Cuba.
DIAS, Cícero dos Santos (1907-2003). Pintor pernambucano, autor de obras abstratas e geométricas.
DIAS, Henrique (início do séc. XVII-1662). Militar, filho de escravos, que participou com bravura das batalhas de Guararapes, durante a guerra contra os holandeses.
DIAS, Marcílio (c.1843-1865). Marinheiro gaúcho, herói da batalha de Paissandu. Morreu na batalha do Riachuelo.
DIAS de Mesquita, Teófilo Odorico (1857-1889). Poeta maranhense, precursor do parnasianismo. Patrono da cadeira n° 36 da ABL. Obras: *Cantos tropicais, Fanfarras* etc.
DIAS GOMES, Alfredo de Freitas (1922-1999). Dramaturgo baiano, membro da ABL. Alcançou sucesso internacional quando o filme *O pagador de promessas*, baseado em sua peça, ganhou a Palma de Ouro no Festival de Cannes de 1960.
DI CAVALCANTI (Emiliano Augusto Cavalcanti de Albuquerque Melo), dito (1897-1976). Pintor carioca, célebre por seus retratos de mulatas.
DICKENS, Charles (1812-1870). Romancista inglês, retratou as mudanças sociais da época da industrialização. Obras: *David Copperfield, Oliver Twist, Conto de Natal* etc.
DIDEROT, Denis (1713-1784). Filósofo, pensador, romancista e ensaísta francês, organizador e diretor da famosa *Enciclopédia*. Um dos líderes do iluminismo.
DIEGUES, Carlos José (**Cacá**) Fontes (1940-). Cineasta alagoano. Membro da ABL. Obras: *Ganga Zumba, Os herdeiros, Bye bye Brasil, Dias melhores virão* etc.
DIEGUES JR., Manuel (1912-1991). Antropólogo alagoano, autor de vasta obra antropológica e sociológica.
DINIS, Júlio (Joaquim Guilherme Gomes Coelho), dito (1839-1871). Romancista português, descreveu Portugal de meados do séc. XIX. Obras: *A Morgadi-*

nha dos canaviais, *As pupilas do senhor reitor, Os fidalgos da casa mourisca* etc.
DIOCLECIANO (Caio Aurélio Valério), dito (245-313). Imperador romano que realizou notável reforma administrativa no império. Perseguiu os cristãos.
DISNEY, Walter (**Walt**) Elias (1901-1966). Cineasta norte-americano. Celebrizou-se pelos desenhos animados de longa metragem. Obras: *Fantasia, Pinóquio, Branca de Neve e os sete anões* etc.
DISRAELI, Benjamin (1804-1881). Estadista inglês, primeiro-ministro (1868 e 1874-1878), expandiu o império britânico e fez da rainha Vitória a imperatriz da Índia. Símbolo do imperialismo europeu no séc. XIX.
DISTRITO FEDERAL (DF). Capital administrativa do país com 3.094.325 hab. Encravada no estado de Goiás, tem um município, Brasília, e as seguintes regiões administrativas: Brasilândia, Candangolândia, Ceilândia, Cruzeiro, Gama, Guará, Lago Norte, Lago Sul, Núcleo Bandeirante, Paranoá, Planaltina, Recanto das Emas, Riacho Fundo, Samambaia, Santa Maria, São Sebastião, Sobradinho, Taguatinga. Área: 5.801km². Sede dos Três Poderes, é no setor das funções públicas e de prestações de serviços que se concentra sua atividade econômica, com pouca agricultura ou indústria.
DIVINÓPOLIS (MG). Mun. com 242.505 hab. Agricultura. Siderurgia.
DJANIRA da Motta e Silva (1914-1979). Pintora paulista. Um dos grandes nomes do movimento modernista no Brasil.
DJAVAN Caetano Viana (1949-). Compositor e cantor de música popular alagoano. Obras: "Meu bem querer", "Lilás", "Oceano" etc.
DOCE, rio. Rio que banha MG e ES, com c. 1.000km de extensão.
DOMINGO, Plácido (1941-). Tenor espanhol, considerado um dos melhores de sua geração. Interpretou *O Guarani*, de Carlos Gomes, em Bonn e em Washington.
DONATELLO (Donato di Betto Bardi), dito (c.1386-1466). Importante escultor florentino do Renascimento. Obras: *Gattamelata, Judite e Holofernes* etc.
DONGA (Ernesto Joaquim Maria dos Santos), dito (1889-1974). Compositor popular carioca, autor do primeiro samba gravado em disco: "Pelo Telefone" (1917).
DOSTOIEVSKI, Fiodor Mikhailovitch (1821-1881). Romancista russo de projeção mundial. Obras: *Crime e castigo, Irmãos Karamazov, O idiota* etc.
DOURADOS (MS). Mun. com 227.990 hab. Entreposto comercial de próspera região agrícola (arroz, soja, trigo). Pecuária. Indústrias alimentícias.
DOURO, rio. Rio da Espanha e de Portugal com 930km, cuja foz situa-se no Porto. Suas encostas são famosas pelos vinhedos do chamado vinho do Porto.
DOYLE, Arthur Conan (1859-1930). Escritor escocês, autor de romances policiais e criador do famoso detetive Sherlock Holmes.
DREYFUS, Alfred (1859-1935). Militar francês de origem judaica, injustamente condenado em 1894 por espionagem, e perdoado em 1906. No seu processo dividiu a França durante anos e o escritor Émile Zola defendeu-o com o famoso artigo intitulado *J'accuse*.
DRUMMOND DE ANDRADE, Carlos (1902-1987). Poeta e cronista mineiro. Uma das figuras mais importantes da literatura brasileira. Obras: *Alguma poesia, José, A rosa do povo, O poder ultrajovem* etc.
DUARTE, Anselmo (1920-2009). Cineasta e ator paulista, ganhou a Palma de Ouro no festival de Cannes de 1960 por seu filme *O pagador de promessas*.
DUARTE de Oliveira, **Urbano** (1855-1902). Jornalista e cronista de humor baiano, dos maiores de sua época. Membro fundador da ABL. Obras: *O auto da vingança* (com Artur Azevedo), *A princesa Trebizon, Os gatunos* etc.
DUFY, Raoul (1877-1953). Pintor e gravador francês. Da linha impressionista, passou a fauvista, com muito êxito.
DUGUAY-TROUIN, René (1673-1736). Corsário francês que saqueou o RJ em 1711. Promovido a almirante da esquadra francesa por Luís XIV.
DUQUE DE CAXIAS (RJ). Mun. com 929.449 hab. Refinaria de petróleo, indústrias (borracha sintética etc.).
DUQUE-ESTRADA, Joaquim **Osório** (1870-1927). Poeta e ensaísta fluminense. Membro da ABL. Autor da letra do *Hino Nacional Brasileiro* em 1908, oficializada em 1922.
DURAN, Dolores (Adileia Silva da Rocha), dita (1930-1959). Compositora e cantora popular carioca. Obras: "A noite do meu bem", "Castigo", "Solidão" etc.
DURÃO, Frei José de **Santa-Rita** (1722-1784). Poeta mineiro, autor do poema épico *Caramuru*.
DURER, Albrecht (1471-1528). Pintor e gravador alemão. Uma das mais altas expressões do Renascimento em seu país.
DURKHEIM, Émile (1858-1917). Sociólogo francês, um dos pioneiros da sociologia. Obras: *As regras do método sociológico* etc.
DURRELL, Lawrence (1912-1990). Escritor e diplomata inglês. Obras: *Limões amargos,* o chamado *Quarteto de Alexandria* (*Justine, Baltazar, Mount Olive, Clea*) etc.
DURRENMATT, Friedrich (1921-1990). Escritor suíço. Obras: *O juiz e seu carrasco* (romance), *A visita da velha senhora* (peça teatral) etc.
DUTRA, Eurico Gaspar (1885-1974). Militar mato-grossense. Ministro da Guerra do governo Getúlio Vargas. Eleito presidente da República (1946-1950).
DVORAK, Anton (1841-1904). Compositor erudito tcheco. Utilizou com sucesso o folclore natal. Obras: *Danças eslavas, Sinfonia Novo Mundo, Minha pátria* etc.
DYLAN, Bob (Robert Allen Zimmerman), dito (1941-). Cantor popular norte-americano. Líder da corrente contestatória dos anos 1960.

E

EÇA DE QUEIRÓS, José Maria de (1845-1900). Romancista português de grande projeção. Iniciou a escola realista em seu país. Obras: *O crime do padre Amaro, A relíquia, Os maias, O primo Basílio, A correspondência de Fradique Mendes, A cidade e as serras, A ilustre casa de Ramires* etc.
ECKHOUT, Albert (c.1610-1665). Pintor holandês que veio para o Recife (1637-1644) com Maurício de Nassau. Pintou retratos de tipos brasileiros, naturezas mortas e a *Dança dos tapuias*, que estão no Museu Nacional de Copenhague.
ECO, Umberto (1932-2016). Romancista e ensaísta italiano de renome mundial. Obras: *Estrutura ausente, Obra aberta,* os romances *O nome da rosa, O pêndulo de Foucault* etc.
EDISON, Thomas Alva (1847-1931). Físico norte-americano, inventor do fonógrafo e da lâmpada incandescente.
EGAS MONIZ, António Caetano de Abreu Freire (1874-1955). Médico psiquiatra e político português. Prêmio Nobel de medicina de 1949.
EINSTEIN, Albert (1879-1955). Físico alemão naturalizado norte-americano. Autor da teoria da relatividade. Prêmio Nobel de física (1921). Considerado um dos maiores cientistas do séc. XX.
EISENHOWER, Dwight David (1890-1969). General e político republicano norte-americano. Comandante em chefe das forças aliadas que invadiram a França na Segunda Guerra Mundial. Presidente dos EUA (1953-1961).

EISENSTEIN, Serghei Mikhailovitch (1898-1948). Cineasta russo de renome internacional. Obras: *Alexander Nievsky*, *O encouraçado Potemkim*, *Outubro* etc.

ELIA, Sílvio Edmundo (1913-1999). Filólogo e linguista carioca. Obras: *Ensaios de filologia* etc.

ELIOT, Thomas Stearns (**T.S.**) (1888-1965). Poeta norte-americano naturalizado inglês. Obras: *A terra devastada*, *Quatro quartetos* etc.

ELIS REGINA Carvalho da Costa (1945-1982). Cantora popular gaúcha de grande sucesso e expressão. Com sua interpretação, imortalizou músicas como "Arrastão", "O bêbado e a equilibrista", "Águas de março" etc.

ÉLUARD, Paul (Eugène Emile Paul Grindel), dito (1895-1952). Poeta francês da corrente surrealista. Companheiro de Manuel Bandeira no sanatório de Clavadel, Suíça. Obras: *Capital da dor*, *Olhos férteis*, *Poesia e verdade*, *A rosa pública* etc.

EMBOABAS, Guerra dos. Conflito sangrento nas jazidas de MG, em 1709, entre mineradores paulistas e os forasteiros, ditos emboabas.

EMBU DAS ARTES (SP). Mun. com 279.264 hab. Turismo.

EMPÉDOCLES (c.490-430 a.C.). Filósofo siciliano da escola pré-socrática. Para ele havia 4 elementos: água, fogo, terra e ar.

ENCILHAMENTO. Política financeira de Rui Barbosa como ministro da Fazenda (1889-1891) que gerou forte especulação devido à acentuada emissão de moeda.

ENEIDA Costa de Morais (1903-1971). Jornalista e escritora paraense. Obras: *Cão da madrugada*, *História do carnaval carioca*, *Banho de cheiro* etc.

ENTRADAS E BANDEIRAS. Expedições oficiais (entradas) ou particulares (bandeiras) no interior do Brasil, visando consolidar a colonização, descobrir ouro ou capturar índios para escravizá-los.

EPAMINONDAS (c.415-362 a.C.). General e político grego, de Tebas. Derrotou os espartanos em Leuctra, graças às suas novas táticas militares.

EPICURO (c.341-270 a.C.). Filósofo grego, pregava o valor do prazer como prática espiritual e virtuosa.

EQUADOR, Confederação do. Confederação separatista e de caráter republicano iniciada em Pernambuco em 1824, sufocada pela política centralizadora de d. Pedro I.

ERASMO (Desiderius Erasmus) (c.1467-1536). Humanista holandês, conhecido como 'Erasmo de Rotterdã'. Obras: *O Elogio da loucura*, *Adágios*, *Colóquios* etc.

ERNST, Max (1891-1976). Pintor alemão naturalizado francês. Um dos chefes dos movimentos dadaísta e surrealista. Suas obras têm sentido onírico.

ESOPO (séc. VI a.C.). Notável autor de fábulas na Grécia antiga, ainda hoje lido.

ESPANCA, Florbela de Alma Conceição (1894-1930). Poetisa portuguesa de grande mérito. Obras: *Livro de mágoas*, *Livro de soror Saudade*, *Juvenília*, *Charneca em Flor*, *As Máscaras do Destino* etc.

ESPINHAÇO, serra do. Situada entre MG e BA, com 1.000km de extensão.

ESPÍRITO SANTO. Estado da região S.E. Faz fronteira com RJ, BA e MG. Sigla: *ES*. Área: 46.077km²; população 4.134.193 hab. Capital: Vitória. Cidades principais: Cariacica, Vila Velha, Serra, Cachoeiro do Itapemirim, Linhares, Colatina, São Mateus, Guarapari etc. Agricultura (café, cacau, arroz, cana-de-açúcar, banana, laranja, feijão, milho, mandioca), pecuária (bovinos, de corte e leiteiro), indústrias (química, papel e celulose, cimento, siderúrgica e metalúrgica), extração mineral (areias monazíticas, mármore, petróleo etc.). O porto de Tubarão é o maior exportador de minério de ferro no país. Usina de pelotização de minério de ferro da Cia. Vale do Rio Doce, usina de ferro e aço de Cariacica etc. O ES foi capitania criada por d. João III em 1534 e fazia parte da BA.

ÉSQUILO (525-456 a.C.). Dramaturgo grego, criador da tragédia grega, até hoje encenada com sucesso. Obras: *As suplicantes*, *Os persas*, *Prometeu acorrentado*, *As Eumênides* etc.

ESTADO NOVO. Regime político implantado por Getúlio Vargas depois do golpe de estado de 1937. Importantes medidas de caráter social e de desenvolvimento econômico, juntamente com repressão política e suspensão das liberdades individuais.

ESTRONDO, serra do. Maciço entre GO e TO, com c. de 200km, que separa os rios Araguaia e Tocantins.

EUCLIDES (séc. III a.C.). Matemático grego que lançou as bases da geometria elementar (chamada por isso *euclidiana*) em sua obra *Elementos*. É famoso o postulado de Euclides.

EURÍPEDES (c.480-406 a.C.). Dramaturgo grego, cujas peças continuam a ser representadas. Obras: *Medeia*, *As bacantes*, *As troianas*, *Hipólito* etc.

EURO. Nome da moeda única da União Europeia, adotada a partir de 1° de janeiro de 1999. O Reino Unido, Dinamarca e Suécia não adotaram o euro.

EVITA (Maria Eva Duarte de Perón) (1919-1952). Política argentina, esposa do presidente Juan Domingo Perón, exerceu notável influência em seu país.

EYCK, Jan **Van** (c.1390-1441). Pintor flamengo criador da *Ars Nova*, precursor do Renascimento no norte da Europa. Naturalismo e precisão de detalhes. Obras: *Retábulo de Gand*, *Virgem do cônego van der Paele* etc.

F

FACÓ, Américo (1885-1953). Jornalista e poeta cearense. Obras: *Poesia perdida* etc.

FAGUNDES VARELA, Luís Nicolau (1841-1875). Poeta romântico fluminense. Patrono da cadeira n° 11 da ABL. Obras: *Anchieta ou o evangelho nas selvas*, *Cantos meridionais*, *O diário de Lázaro*, *Noturnos*, *Vozes da América* etc.

FALCÃO, Joaquim (1943-). Advogado e escritor. Membro da ABL. Obras: *A favor da democracia*, *Reforma eleitoral no Brasil* etc.

FANFANI, Amintore (1907-1989). Político italiano, que viveu algum tempo no Brasil como professor. Ministro das Relações Exteriores e cinco vezes primeiro-ministro da Itália.

FANTINATO, Antônio (1923-). Diplomata paulista e poeta concreto. Obras: *O canto costurado*, *Fiação do semestre*, *Efemerário*, *Tetracorde* etc.

FAORO, Raimundo (1925-2003). Jurista e ensaísta gaúcho. Membro da ABL. Obras: *Os donos do poder*, *Machado de Assis: a pirâmide e o trapézio* etc.

FAQUINHA, serra da. Elevação no estado de SP, próximo à fronteira com MG. 1.000m de altitude.

FARIA, Alberto (1869-1925). Jornalista e ensaísta carioca. Membro da ABL. Obras: *Aérides*, *Cartas chilenas*, *Acedalhas* etc.

FARIA, Alberto de (1865-1931). Jurista fluminense, combativo abolicionista e republicano. Membro da ABL. Obras: *Mauá*, *Política fluminense* etc.

FARIA, Otávio de (1906-1980). Romancista e ensaísta carioca. Membro da ABL. Obras: *Tragédia burguesa*, *Cristo e César* etc.

FARIAS, Roberto Figueira de (1932-2018). Cineasta fluminense. Obras: *O assalto ao trem pagador*, *Pra frente Brasil*, *Selva trágica* etc.

FAROFA, serra da. No limite entre SC e RS, com 1.200m de altitude.

FARRAPOS, guerra dos (ou Revolução Farroupilha). Rebelião civil de caráter separatista durante o período da Regência, que durou dez anos (1835-1845) e só terminou depois da maioridade de d. Pedro II. Os rebeldes proclamaram a república de Piratini, em 1836, e as operações ocorreram no RS e SC, e só terminaram com a intervenção de tropas federais comandadas por Caxias.

FARROUPILHA, revolução. Ver *Farrapos, guerra dos.*

FASSBINDER, Rainer Werner (1946-1982). Cineasta alemão. Obras: *Lili Marlene, As lágrimas amargas de Petra von Kant, O casamento de Maria Braun* etc.

FAULKNER, William Harrison (1897-1962). Romancista norte-americano. Prêmio Nobel de literatura (1949). Obras: *O som e a fúria, Luz de agosto, Santuário, Absalom, Absalom!, Os desgarrados* etc.

FAUSTA, Itália (1887-1951). Atriz e diretora teatral paulista. Fundou a Cia. Dramática de SP e dirigiu a Cia. Maria della Costa.

FAXINAL, serra do. Maciço entre RS e SC, 1.200m de altitude.

FEB. Sigla da *Força Expedicionária Brasileira*, que lutou na Itália, na Segunda Guerra Mundial.

FEIA, lagoa. Nome de duas lagoas, uma no litoral do RJ, entre o Sul do Paraíba do Sul e Cabo Frio, outra em GO, entre o DF e MG.

FEIJÓ, Diogo Antônio (1784-1843). Sacerdote e político paulista. Regente uno do Império (1835-1837) durante a menoridade de d. Pedro II.

FEIRA DE SANTANA (BA). Mun. com 624.107 hab. Agricultura (fumo etc.), pecuária (bovinos para corte), indústria (frigorífico, material de construção, alimentos). Centro comercial.

FÉLIX de Oliveira, **Moacir** (1926-2005). Poeta carioca. Obras: *Cubo de trevas, Lenda e areia, O pão e o vinho, O poeta na cidade e no tempo* etc.

FELLINI, Federico (1920-1993). Cineasta italiano de prestígio internacional. Obras: *A estrada, A doce vida, Oito e meio, Amarcord, Satiricon, Julieta dos espíritos, Ensaio de orquestra, Entrevista* etc.

FERNANDES, Florestan (1920-1995). Sociólogo paulista. Obras: *A integração do negro na sociedade de classes, A revolução burguesa no Brasil, Sociologia no Brasil* etc.

FERNANDES, Milton (**Millôr**) (1924-2012). Jornalista, humorista e autor teatral carioca. Obras: *Liberdade, liberdade* (com Flávio Rangel), *Um elefante no caos, Abecedário do Millôr para crianças* (com outros), *É...* etc.

FERNÁNDEZ, Oscar Lorenzo. Ver *Lorenzo Fernández, Oscar.*

FERNANDO DE NORONHA. Arquipélago a 345km da costa do RN, constituído de 19 ilhas, sendo a mais importante Fernando de Noronha, com um só centro urbano, Vila dos Remédios. 3.140 hab. Turismo. Batizado com o nome de um primeiros donatários. Era um território até 1988, quando foi integrado a Pernambuco.

FERRAZ, Geraldo (1905-1979). Romancista e contista paulista. Obras: *A famosa revista, Doramundo, Km 63 etc.*

FERRAZ DE VASCONCELOS (SP). Mun. com 198.661 hab. Leite e ovos. Indústrias (metalúrgica, química).

FERREIRA, Ascenso Carneiro Gonçalves (1895-1965). Poeta pernambucano. Obras: *Catimbó, Cana caiana* etc.

FERREIRA, Abigail (**Bibi**) Izquierdo Ferreira (1921-2019). Atriz, diretora e empresária teatral carioca. Como atriz, registrou sucessos em *My fair lady, Hello Dolly, Piaf* etc.

FERREIRA, Procópio (João Álvaro de Jesus Quental), dito (1898-1979). Ator e empresário teatral carioca, destacou-se por sua atuação em *Deus lhe pague,* de Joraci Camargo, e nas comédias de Molière.

FERREIRA, Vergílio (1916-1996). Romancista português. Obras: *O caminho fica longe, Aparição, Alegria breve* etc.

FERREIRA DE CASTRO, José Maria (1898-1974). Romancista português. Obras: *Emigrantes, A selva, A lã e a neve* etc.

FERREIRA GULLAR (José Ribamar Ferreira), dito (1930-2016). Poeta e ensaísta maranhense. Membro da ABL. Obras: *Poema sujo, Na vertigem do dia, Cultura posta em questão, Vanguarda e subdesenvolvimento,* etc.

FERRO, chapada do. Maciço em MG com c. 1.000m de altitude, em MG, perto da fronteira com GO.

FICHTE, Johann Gottlieb (1762-1814). Filósofo alemão. Obras: *Ensaio de uma crítica à revelação, Fundamentos da teoria total da ciência, O destino do homem* etc.

FICO, dia do. 9 de janeiro de 1822, data em que d. Pedro I manifestou sua decisão de permanecer no Brasil, desafiando a ordem de regressar a Portugal.

FIELDING, Henry (1707-1754). Dramaturgo e romancista inglês, um dos criadores do romance moderno. Autor do clássico *Tom Jones.*

FIGUEIREDO, Cândido de (1846-1925). Filólogo português, autor do importante *Grande Dicionário da Língua Portuguesa.*

FIGUEIREDO, Fidelino de (1889-1967). Crítico literário português. Obras: *História da literatura portuguesa, Menoridade da inteligência, Epicurismos* etc.

FIGUEIREDO, Guilherme de Oliveira (1915-1997). Teatrólogo e cronista paulista. Obras: *Um deus dormiu lá em casa, A raposa e as uvas, Tratado geral dos chatos, A bala perdida* etc.

FIGUEIREDO, João Batista de Oliveira (1918-1999). Militar carioca, presidente da República (1979-1985) no fim do regime militar.

FIGUEIREDO Martins, **Jackson de** (1891-1928). Pensador católico e ensaísta sergipano. Obras: *Pascal e inquietação moderna, Do nacionalismo na hora presente* etc.

FITTIPALDI, Emerson (1947-). Automobilista paulista. Foi duas vezes campeão de Fórmula 1 (1972, 1974) e campeão de Fórmula Indy (1989).

FITZGERALD, Ella (1917-1996). Notável cantora popular afro-americana, celebrizou-se por seus recitais e discos de música de jazz.

FLAUBERT, Gustave (1821-1880). Romancista francês, caracterizado pelo realismo e pela precisão da linguagem. Obras: *Madame Bovary, Salambô, A educação sentimental* etc.

FLÁVIO JOSEFO (37-c.100). Historiador judeu, serviu no exército romano e assistiu à tomada de Jerusalém. Autor de *História dos judeus* e de *Antiguidades judaicas.*

FLEIUSS, Max (1868-1943). Historiador carioca. Obras: *Quadros da história pátria* (com Basílio de Magalhães), *Páginas de história, Biografia de d. Pedro II* etc.

FLEMING, Alexander (1881-1955). Bacteriologista escocês, descobridor da penicilina. Prêmio Nobel de medicina (1945).

FLORIANÓPOLIS. Capital de Santa Catarina, com 516.524 hab. Indústrias (têxtil, alimentícia, gráfica). Turismo intenso. Centro cultural, histórico e folclórico. Universidade. A cidade fica na ilha de Santa Catarina, ligada ao continente pelas pontes Hercílio Luz e Colombo de Sousa. Fundada em 1673 como Nossa Senhora do Desterro. Elevada à categoria de cidade em 1823, foi rebatizada em 1894, como homenagem ao marechal Floriano Peixoto.

FO, Dario (1926-2016). Dramaturgo e homem de teatro italiano, combinou os padrões da *Commedia dell'arte* com a crítica política. Prêmio Nobel de literatura (1997). Obras: *Morte acidental de um anarquista, História do tigre* etc.

FONSECA, Hermes Rodrigues **da** (1855-1923). Militar e político gaúcho, combateu a revolta da Armada. Presidente da República de 1910 a 1914, enfrentou a revolta da Chibata e a guerra do Contestado.

FONSECA, José Paulo Moreira da (1922-2004). Poeta e pintor carioca. Obras: (poesia): *Elegia diurna, Luz sombra, O mágico* etc.

FONSECA, José **Rubem** (1925-2020). Romancista e contista mineiro, de inspiração urbana e estilo forte. Obras: *A coleira do cão, Lúcia McCartney, Feliz ano novo, A grande arte, Buffo & Spallanzani, Agosto, O selvagem da ópera* etc.

FONSECA, Manuel **Deodoro da** (1827-1892). Militar alagoano, proclamou a República, chefiou o governo provisório (1889-1892) e foi o primeiro presidente constitucional. Renunciou após a revolta da Armada.

FONTES, **Armando** (1899-1967). Romancista sergipano da corrente regionalista nordestina. Obras: *Os corumbás, Rua do Siriri* etc.

FONTES, **Hermes** Floro Bartolomeu Martins de Araújo (1888-1930). Poeta sergipano da corrente parnasiana. Obras: *Apoteoses, Gênese, A lâmpada velada* etc.

FORD, Henry (1863-1947). Industrial norte-americano, pioneiro da fabricação em série na indústria, que implementou em sua fábrica de automóveis em 1902.

FORD, John (Sean Aloysius O'Fearna), dito (1895-1973). Cineasta norte-americano. Obras: *Vinhas da ira, Como era verde o meu vale, No tempo das diligências, Paixão dos fortes, Marcha dos heróis, Depois do vendaval* etc.

FORMAN, Milos (1932-2018). Cineasta tcheco naturalizado norte-americano. Obras: *Um estranho no ninho, Hair, Amadeus, Uma história de seduções* etc.

FORTALEZA. Capital do Ceará, com 2.703.391 hab. Importante parque industrial (beneficiamento de óleos vegetais, alimentos, têxteis, roupas), centro cultural, turismo em grande ascensão, graças inclusive às lindas praias nas vizinhanças. Fundada no séc. XVII, nas areias do litoral, como baluarte (São Sebastião) frente às invasões francesa e holandesa. Os holandeses reconstruíram o forte, que fora destruído por indígenas, e chamaram-no Fortaleza Schoonenborch, em 1649. Os portugueses a conquistaram em 1654, batizando-a Fortaleza de Nossa Senhora da Assunção. Elevada a cidade em 1823, oficialmente como Fortaleza de Nova Bragança, mas logo conhecida apenas como Cidade de Fortaleza.

FOUCAULT, Michel (1926-1984). Filósofo francês. Obras: *História da loucura na idade clássica, As palavras e as coisas, História da sexualidade* (inacabado) etc.

FOZ DO IGUAÇU (PR). Mun. com 257.971 hab. Parque nacional tombado pela UNESCO como patrimônio histórico da humanidade. Intenso turismo, graças às cataratas do Iguaçu, de fama internacional.

FRAGA Júnior, **Clementino** Rocha (1880-1971). Médico ilustre e ensaísta baiano. Membro da ABL. Obras: *A febre amarela no Brasil, Ensino médico e medicina social, Médicos e educadores, Vida e obra de Oswaldo Cruz* etc.

FRANCA (SP). Mun. com 358.539 hab. Indústrias de calçados e vestuário.

FRANÇA DE LIMA, Geraldo (1914-2003). Romancista e contista mineiro, membro da ABL. Obras: *Serras azuis, O nó cego, Rio da vida* etc.

FRANÇA Jr., Joaquim José da (1838-1890). Comediógrafo e jornalista carioca. Patrono da cadeira n° 12 da ABL. Obras: *A república modelo, Meia hora de cinismo, Amor com amor se paga, Direito por linhas tortas, Caiu o ministério* etc.

FRANÇA JÚNIOR, Osvaldo (1936-1989). Romancista mineiro. Obras: *Jorge um brasileiro, A procura de motivos* etc.

FRANCISCO (Jorge Mario Bergoglio) (1936-). Papa desde 2013, o primeiro papa latino-americano, primeiro papa a utilizar o nome de Francisco e também o primeiro papa jesuíta da história. Visitou o Brasil durante a Jornada Mundial da Juventude 2013.

FRANCISCO OTAVIANO de Almeida Rosa (1825-1884). Jornalista, político e poeta carioca. Patrono da cadeira n° 13 da ABL. Obras: *O Tratado da tríplice aliança, Traduções e poesias* etc.

FRANCO, Itamar Augusto Cautiero (1930-2011). Político mineiro. Senador, eleito vice-presidente da República em 1990, assumiu a presidência com a renúncia de Fernando Collor (1992-1995).

FRANCO DA ROCHA (SP). Mun. com 158.438 hab. Indústria (papel, papelão, linha).

FREDERICO I, o Grande (1712-1786). Rei da Prússia, verdadeiro fundador do império alemão. Admirável administrador, cultivou as artes, cercando-se de escritores e artistas. Escreveu suas memórias.

FREYRE, Gilberto de Mello (1900-1987). Sociólogo e escritor pernambucano. Obras: *Casa grande e senzala, Sobrados e mucambos, Nordeste, Ordem e progresso, Heróis e vilões no romance brasileiro* etc.

FREIRE, Laudelino de Oliveira (1873-1937). Filólogo sergipano. Membro da ABL. Obras: *A defesa da língua nacional, Verbos portugueses.* Autor do monumental *Grande e novíssimo dicionário da língua portuguesa.*

FREIRE, Nelson (1944-2021). Pianista mineiro de projeção internacional, um dos maiores virtuosos de sua geração.

FREIRE, Paulo Reglus Neves (1921-1997). Educador pernambucano, criador de importante projeto de alfabetização. Exilado durante o regime militar, foi consultor especial de educação do Conselho Mundial das Igrejas (Suíça) por doze anos. Obras: *Pedagogia do oprimido, Educação: prática da liberdade* etc.

FREITAS Filho, Armando Martins de (1940-). Poeta carioca. Obras: *Cabeça de homem, Números anônimos, Máquina de escrever* etc.

FREUD, Sigmund (1856-1939). Psiquiatra austríaco, criador da psicanálise. Obras: *A interpretação dos sonhos, O inconsciente, Introdução à psicanálise, Neurose e psicose* etc.

FRÓES da Cruz, Leopoldo Constantino (1882-1932). Ator e empresário teatral fluminense que também atuou em Portugal e na Argentina.

FROMM, Erich (1900-1980). Psicanalista alemão radicado nos Estados Unidos, deu uma abordagem sociológica à psicanálise. Obras: *Psicanálise e religião, A arte de amar* etc.

FROTA, Lélia Coelho (1937-2010). Antropóloga, folclorista e poeta carioca. Obras: *Alados idílios, Brio* (poesia), *Mestre Vitalino* etc.

FURNAS. Usina hidrelétrica em MG, sobre o rio Grande, no mun. de Alpinópolis, com capacidade 12 mil MW.

FURTADO, Celso (1920-2004). Economista paraibano de reputação internacional. Criador da SUDENE e membro da ABL. Obras: *Formação econômica do Brasil, O Brasil pós-'milagre', Não* etc.

FURTWAENGLER, Wilhelm (1886-1954). Maestro alemão. Regeu grandes orquestras alemãs e austríacas. Sucedeu Toscanini na Filarmônica de Nova York, mas acusado de simpatias pelo nazismo, teve o contrato cancelado.

G

GALENO da Costa e Silva, **Juvenal** (1836-1931). Poeta regionalista cearense. Obras: *Prelúdios poéticos, Lira cearense* etc.

GALILEU Galilei (1564-1642). Astrônomo e matemático italiano. Identificou as leis da inércia e do movimento pendular. Consta ter sido o primeiro a montar e usar um telescópio. Pressionado pela Inquisição, teve de recuar de sua teoria heliocêntrica, embora continuasse a acreditá-la verdadeira.

GALVÃO, Patrícia Rehder (dita Pagu) (1907-1962). Jornalista e romancista paulista. Obras: *Parque industrial, Verdade e liberdade* etc.

GAMA, Domício da (1862-1925). Diplomata e economista fluminense. Assessor do barão do Rio Branco, foi depois ministro das Relações Exteriores. Membro fundador da ABL. Obras: *Contos a meia-tinta, Históricas curtas* etc.

GAMA, José Basílio da (1741-1795). Poeta neoclássico mineiro, autor de *Uraguai*. Patrono da cadeira nº 4 da ABL.

GAMA, Luís Gonzaga Pinto **da** (1830-1882). Jornalista e escritor baiano, destacou-se por sua campanha abolicionista. Obras: *Primeiras trovas busrlescas de Getulino* etc.

GAMA, Vasco da (1469-1524). Navegador português que pela primeira vez atingiu a Índia, em 1498. Nomeado governador e depois vice-rei da Índia.

GÂNDAVO (ou **GANDAVO**), **Pero de Magalhães** (?-1576). Cronista português. Obras: *História da Província de Santa Cruz, Tratado da terra do Brasil* etc.

GANDHI, Mahatma Mohandas Karamchand (1869-1948). Líder indiano, promoveu a independência da Índia pela não violência. Morreu assassinado.

GARAY, Juan de (1528-1583). Explorador espanhol que desbravou o norte da Argentina. É considerado o verdadeiro fundador de Buenos Aires.

GARANHUNS (PE). Mun. com 141.347 hab. Indústrias (alimentícia e de instrumentos de precisão). Estância climática. Turismo.

GARCIA, Othon Moacir (1912-2002). Filólogo e crítico literário fluminense. Obras: *Esfinge clara, Comunicação em prosa moderna* etc.

GARCIA, Rodolfo Augusto de Amorim (1873-1949). Linguista e historiador potiguar: Membro da ABL. Obras: *Dicionário de brasileirismos, Etnografia indígena* etc.

GARCIA LORCA, Federico (1898-1936). Poeta e teatrólogo espanhol de enorme prestígio. Obras: *Romanceiro cigano, Bodas de sangue, Yerma, A casa de Bernarda Alba* etc. Fuzilado pelos franquistas na guerra civil espanhola.

GARCIA MARQUEZ, Gabriel (1928-2014). Romancista colombiano de reputação mundial. Prêmio Nobel de literatura (1982). Obras: *Cem anos de solidão, Crônica de uma morte anunciada* etc.

GARIBALDI, Anita (Ana Maria Ribeiro da Silva), dita (1821-1849). Militante catarinense, chamada *Heroína dos dois mundos*, pois lutou com Giuseppe Garibaldi na guerra dos Farrapos, depois o acompanhou em sua luta pela independência da Itália.

GARIBALDI, Giuseppe (1807-1882). Aventureiro italiano que lutou na guerra dos Farrapos e foi um dos artífices da independência da Itália.

GARRAFADAS, Noite das. Luta sangrenta entre portugueses e brasileiros no RJ, em 1831, que precipitou a abdicação de d. Pedro I.

GARRETT (João Batista da Silva Leitão de Almeida) (1799-1854). Célebre poeta e romancista português. Obras: *Folhas caídas, Viagens na minha terra, Dona Branca* etc.

GARRINCHA (Manoel Francisco dos Santos), dito (1933-1983). Jogador de futebol de projeção internacional, celebrizou-se por seus dribles. Bicampeão mundial pelo Brasil (1958 e 1962).

GATTAI Amado, **Zélia** (1916-2008). Escritora paulista, membro da ABL. Obras: *Anarquistas, graças a Deus, Jardim de inverno* etc.

GAUDÍ Y Cornet, **Antonio** (1852-1926). Arquiteto espanhol (catalão) que se inspirou no gótico para criar um estilo próprio. Autor da catedral *A sagrada família*, de Barcelona, entre outras obras.

GAUGUIN, Paul (1848-1903). Pintor francês, um dos líderes da pintura moderna. Revolucionou tipos e paisagens das ilhas da Oceania, onde viveu parte de sua vida.

GAY-LUSSAC, Joseph-Louis (1778-1850). Químico francês, descobriu a lei da dilatação dos gases, além de ampla atividade experimental em vários campos.

GEISEL, Ernesto (1908-1996). Militar gaúcho. Presidente da Petrobrás, depois presidente da República durante o regime militar (1974-1979). Iniciou o processo de abertura política.

GENET, Jean (1910-1986). Romancista francês, focalizou o submundo de seu país. Obras: *O Diário de um ladrão, As criadas, Nossa Senhora das Flores* etc.

GERCHMANN, Rubens (1942-2008). Pintor e gravador carioca. Começou na *pop art* e depois se tornou romântico.

GERSHWIN, George (1898-1937). Compositor popular e semiclássico norte-americano que se popularizou mundialmente. Obras: *Porgy e Bess* (ópera negra), *Um americano em Paris, Rapsódia em blue* etc.

GESTAPO (Geheime Stats Polizei). Acrônimo da polícia secreta nazista.

GHIBERTI, Lorenzo (1378-1455). Arquiteto e escultor florentino. Autor de famosas portas do batistério da catedral de Florença.

GIACOMETTI, Alberto (1901-1966). Escultor e pintor suíço da corrente expressionista. Suas esculturas se caracterizam por seu acentuado alongamento.

GIANNETTI, Eduardo (1957-). Professor, economista e escritor. Membro da ABL. Obras: *Vícios privados, benefícios públicos?, As partes & o todo* etc.

GIBRALTAR. Rochedo ao sul da Espanha transformado em base naval inglesa desde 1704. Estratégico por dominar o estreito do mesmo nome, entrada do oceano Atlântico para o mar Mediterrâneo. População: 32.397 hab. Turismo.

GIDE, André (1869-1951). Escritor francês, prêmio Nobel de literatura (1947). Obras: *O imoralista, A sinfonia pastoral, A porta estreita, Os subterrâneos do Vaticano, Diário* etc.

GIL Moreira, **Gilberto** Passos (1942-). Compositor, escritor e cantor popular baiano de fama internacional. Ministro da Cultura do governo Luís Inácio Lula da Silva. Membro da ABL. Obras: *Gilberto bem perto, Disposições Amoráveis* etc.

GINASTERA, Alberto (1915-1983). Compositor erudito argentino internacionalmente reconhecido. Obras: as óperas *Don Rodrigo, Bomarzo e Beatrix Cenci* etc.

GIORGI, Bruno (1905-1993). Escultor paulista, dos melhores de sua geração. Obras: *Os guerreiros* (Os Candangos), *Monumento à juventude brasileira* etc.

GIOTTO di Bondone (1266-1337). Pintor e arquiteto italiano, precursor da pintura moderna por suas pesquisas de volume e espaço. Obras: *Cenas da vida de Cristo*, início da construção do campanário da catedral de Florença etc.

GODARD, Jean-Luc (1930-). Cineasta francês de fama internacional. Obras: *Acossado, Je vous salue, Marie, Alphaville, O demônio das onze horas* etc.

GOELDI, Osvaldo (1895-1961). Notável gravador e desenhista carioca. Filho do naturalista Emílio Goeldi.

GOETHE, Johann **Wolfgang von** (1749-1832). Grande romancista e teatrólogo alemão. Um dos criadores do romantismo. Obras: *Fausto, Sofrimentos do jovem Werther, As afinidades eletivas* etc.

GOGOL, Nicolai Vassilievitch (1809-1852). Romancista russo. Obras: *O inspetor-geral, Almas mortas, O capote* etc.

GOIÂNIA. Capital do estado de Goiás, com 1.555.626 hab. Indústrias (beneficiamento de alimentos, óleos vegetais, gráfica, cerâmica, móveis, metalúrgica). Extração de calcário. Universidade. Cidade planejada (1933, inaugurada oficialmente em 1942), tornou-se capital do estado em 1937. A taxa de crescimento demográfico de Goiânia desde sua inauguração foi uma das maiores do país, com um aumento de mil vezes em relação à população inicial.

GOIÁS. Estado da região C.O., tem limites com TO, BA, DF, MG, MS, MT. Sigla: *GO*. Área: 340.086km²; população: 7.263.247 hab. Capital: Goiânia. Cidades principais: Anápolis, Aparecida de Goiânia, Luziânia, Rio Verde, Formosa, Jataí, Catalão, Trindade etc. Agricultura (soja, cana-de-açúcar, milho, arroz, feijão, mandioca, algodão). Pecuária (bovinos de corte e leiteiro, segundo maior rebanho do país). Extração vegetal (babaçu, angico, pequi, madeira [mogno]). Extração mineral (calcário, ardósia, amianto, níquel, cobre, ouro, pedras preciosas [esmeraldas]). Indústria (alimentos, metalúrgica, química, têxtil, vestuário, gráfica). Turismo. Duas universidades. Bandeirantes exploraram a região no fim do séc. XVI e no séc. XVII. A descoberta de ouro levou à fundação de vários povoados, sujeitos à administração paulista. Em 1748 d. João VI separou a região na capitania autônoma de Goiás. Com a república, a Constituição de 1891 atribuiu a Goiás a condição de estado. Em 1956 é separada a área para a construção de Brasília, no Distrito Federal. E em 1988 o estado é desmembrado em dois, com a criação de Tocantins.

GOMES, Antônio **Carlos** (1836-1896). Compositor erudito paulista de renome internacional. Obras: *O guarani, Fosca, Salvador Rosa, Maria Tudor, O escravo, Colombo* etc.

GOMES, Eugênio (1897-1972). Ensaísta baiano, prêmio Machado de Assis, da ABL (1950). Obras: *Machado de Assis, A decifração de Dom Casmurro* etc.

GOMES DA SILVA, Francisco (O Chalaça). (1791-1853). Conselheiro pessoal e criado de d. Pedro I. Autor de memórias que revelam pormenores divertidos da corte.

GONÇALVES, Dercy (Dolores Gonçalves Costa), dita (1908-2008). Atriz cômica, obteve enorme sucesso no palco, TV e cinema por seu estilo irreverente.

GONÇAVES CRESPO, António Cândido (1846-1883). Poeta português nascido no RJ, dos primeiros parnasianos em Portugal. Obras: *Miniaturas, Noturnos* etc.

GONÇALVES da Silva, **Bento** (1788-1847). Militar gaúcho que chefiou a revolução Farroupilha e presidiu a república de Piratini.

GONÇALVES DE MAGALHÃES, Domingos José (1811-1882). Escritor, poeta e diplomata carioca, precursor do romantismo. Patrono da cadeira n° 9 da ABL. Obras: *Discurso sobre a história da literatura no Brasil, Suspiros poéticos e saudades, Confederação dos tamoios* etc.

GONÇALVES DIAS, Antônio (1823-1864). Poeta maranhense da escola romântica. Patrono da cadeira n° 15 da ABL. Obras: *Os timbiras, D. Leonor de Mendonça, Dicionário da língua tupi, Últimos cantos, O Brasil e a Oceania* etc.

GONÇALVES LEDO, Joaquim (1781-1847). Jornalista e político carioca que desempenhou significativo papel na independência do Brasil.

GÓNGORA Y ARGOTE, Luís de (1561-1627). Poeta espanhol, criador do gongorismo, de estilo rebuscado. Obras: *Fábula de Polifemo e Galateia, A soledades* etc.

GONZAGA, Ademar (1901-1978). Cineasta e empresário carioca, fundador dos estúdios Cinédia. Filmes: *Ganga bruta, Bonequinha de seda, O cortiço, Alô alô carnaval* etc.

GONZAGA, Chiquinha (Francisca Edwiges), dita (1847-1935). Compositora popular carioca, autora da primeira marchinha de carnaval ("Ô Abre alas"). Teve vida romântica e participou da campanha abolicionista.

GONZAGA do Nascimento, **Luís** (1912-1989). Compositor popular pernambucano, obteve sucesso com músicas nordestinas (baião, xaxado etc.). Obras: "Asa branca", "Assum preto", "Juazeiro", "Chamego" etc.

GONZAGA, Tomás Antônio (1744-1809). Poeta e magistrado português residente em Ouro Preto, participou da Conjuração Mineira e celebrizou-se por seus poemas a Marília de Dirceu. Morreu exilado em Moçambique. Patrono da cadeira n° 37 da ABL.

GORBACHEV, Mikhail Sergeivitch (1931-). Político russo. Secretário-geral do PC em 1980, introduziu reformas administrativas, que resultaram na dissolução da União Soviética. Renunciou em 1991.

GORKI, Máximo (Alexei Maximovitch), dito (1868-1936). Romancista russo da escola realista. Obras: *Os pequenos burgueses, A mãe, Ralé* etc.

GOULART, João Belchior Marques (dito **Jango**) (1918-1976). Político gaúcho, eleito vice-presidente da República de Juscelino Kubitschek (1955-1960) e de Jânio Quadros (1961). Com a renúncia deste, assumiu a presidência, em 1961, e foi deposto por golpe militar em 1964. Exilou-se no Uruguai.

GOUVEIA, Delmiro Augusto da Cruz (1864-1917). Industrial cearense, investiu em programas sociais em sua indústria. Um dos pioneiros da usina de Paulo Afonso.

GOVERNADOR VALADARES (MG). Mun. com 282.164 hab. Indústria (madeiras), extração mineral (mica, pedras semipreciosas), turismo.

GOYA Y Lucientes, **Francisco de** (1746-1828). Pintor espanhol de notável força realista. Obras: *A maja vestida, A maja desnuda, Tauromaquia, Saturno* etc.

GRAÇA ARANHA, José Pereira da (1868-1931). Romancista e ensaísta maranhense, teve influência na introdução do modernismo no Brasil. Membro fundador da ABL. Obras: *Canaã, O espírito moderno, A estética da vida* etc.

GRACINDO, Paulo (Pelópidas Gracindo), dito (1915-1995). Ator de teatro e televisão de grande sucesso. Atuou em *O bem-amado, Roque santeiro* etc.

GRANDE OTELO (Sebastião Bernardes de Sousa Prata), dito (1915-1993). Ator cômico carioca de teatro, cinema e TV, de considerável sucesso em meados do séc. XX.

GRAMSCI, Antonio (1897-1937). Escritor e político italiano. Secretário Geral do PCI, esteve preso por longos anos. Obras: *Cadernos da prisão* etc.

GRANDJEAN DE MONTIGNY, Auguste Henri Victor (1776-1850). Arquiteto francês, veio para o RJ com a Missão Cultural francesa de 1816. Projetou diversos edifícios importantes da época.

GRASS, Gunther Wilhelm (1927-2015). Romancista alemão. Prêmio Nobel de literatura (1999). Obras: *O tambor, A ratazana, O linguado* etc.

GRASSMANN, Marcelo (1925-2013). Desenhista e gravador paulista. Prêmio de melhor gravador brasileiro da 3ª Bienal de SP (1955).

GRAVATAÍ (RS). Mun. com 285.564 hab. Indústria (material elétrico, madeira etc.).

GRECO, El (Domenikos Theotocopoulos), dito (1541-1614). Pintor grego; figuras alongadas, feitas numa proporção adequada a serem vistas de baixo para cima, misticismo e irrealismo caracterizam sua obra.

GRIECO, Agripino (1888-1993). Crítico literário carioca. Notável pelo seu humor e mordacidade. Obras: *Evolução da poesia brasileira, Recordações de um mundo perdido* etc.

GRIECO, Donatello (1914-2010). Diplomata e escritor carioca. Obras: *Napoleão e o Brasil, Pequena História do Descobrimento do Brasil* etc.

GRIMM, Jacob (1785-1863) e **Wilhelm** (1786-1859). Escritores alemães, irmãos, que reuniram contos de fadas de origem germânica, conhecidos depois como *Contos de Grimm*.

GRITO DO IPIRANGA. Foi o grito "Independência ou morte!" exclamado pelo príncipe regente d. Pedro nas margens do rio Ipiranga, em SP, em 7 de setembro de 1822, rompendo com Portugal e proclamando a independência do Brasil.

GRUNEWALD, Mathias (c.1470-1528). Pintor alemão primitivo, autor de um retábulo do museu de Colmar (França), de notável valor histórico.

GUAÍBA, rio. Rio do RS, às margens do qual está situada a cidade de Porto Alegre.

GUANABARA, Alcindo (1865-1918). Jornalista e empresário fluminense, dono de vários jornais. Membro fundador da ABL. Obras: *História da revolta, A república brasileira* etc.

GUANABARA, baía de. Grande baía no estado do RJ com 412km², às margens da qual estão as cidades do Rio de Janeiro e Niterói.

GUAPORÉ, rio. Rio de MT e RO (1.185km), que serve de limite entre o Brasil e a Bolívia.

GUARAPARI (ES). Mun. com 128.504 hab. Balneário de areias monazíticas.

GUARAPUAVA (PR). Mun. com 183.755 hab. Agropecuária, celulose, soja e trigo.

GUARARAPES, batalhas de. Lutas sangrentas travadas entre holandeses e luso-brasileiros nas vizinhanças do Recife (1648-1649), que foram decisivas para a expulsão final dos primeiros, em 1654.

GUARATINGUETÁ (SP). Mun. com 123.192 hab. Indústria (alimentícia, química, têxtil). Agropecuária. Centro cultural. Escola de especialização da Aeronáutica.

GUARNIERI, Gianfrancesco (1934-2006). Dramaturgo brasileiro, nascido na Itália, ativo no Teatro de Arena (SP). Obras: *Eles não usam black-tie, O filho do cão, Arena conta Zumbi* (com Augusto Boal) etc.

GUARNIERI, Mozart Camargo (1907-1993). Compositor erudito paulista de reputação internacional. Obras: sete sinfonias, seis concertos, canções, quartetos, etc.

GUARDI, Francesco (1712-1793). Pintor veneziano, autor de cenas notáveis da vida de sua cidade.

GUARUJÁ (SP). Mun. com 324.977 hab. Turismo (praias) e terminal petrolífero.

GUARULHOS (SP). Mun. com 1.404.694 hab. Aeroporto internacional de SP, indústrias (mecânica, material elétrico, de comunicações etc.).

GUERNICA. Cidade espanhola arrasada pela aviação alemã na guerra civil da Espanha (1937). O fato inspirou célebre quadro de Picasso.

GUERRA Coelho Pereira, Ruy Alexandre (1931-). Cineasta brasileiro nascido em Moçambique. Obras: *Os cafajestes, Os fuzis, A queda, Ópera do malandro*. Letrista de música popular.

GUERRA-PEIXE, Cesar (1914-1993). Compositor erudito fluminense. A princípio dodecafônico, firmou-se com um nacionalismo depurado. Obras: a sinfonia *Brasília, A retirada de Laguna, Trítico de Portinari* etc.

GUEVARA, Ernesto (Che) (1928-1967). Revolucionário argentino que desempenhou papel fundamental na revolução cubana e participou de movimentos guerrilheiros em vários países da América Latina.

GUGA (Gustavo Kuerten) (1976-). Tenista catarinense de reputação mundial. Três vezes vencedor dos torneios de Roland Garros (França). Primeiro do mundo no ranking de 2000.

GUIGNARD, Alberto da Veiga (1896-1963). Pintor mineiro. Criador da Escola de Belas-Artes de Belo Horizonte. Retratou admiravelmente as paisagens de MG.

GUIMARAENS, Alphonsus de (Afonso Henriques da Costa Guimarães), dito (1870-1921). Poeta simbolista mineiro. Obras: *Dona mística, Câmara ardente* etc.

GUIMARÃES, Bernardo Joaquim da Silva (1825-1884). Poeta e romancista mineiro da escola romântica. Patrono da cadeira n° 5 da ABL. Obras: *A escrava Isaura, Cantos da solidão, O índio Afonso, O seminarista* etc.

GUIMARÃES JÚNIOR, Luís Caetano Pereira (1845-1898). Poeta carioca, romântico, depois parnasiano. Membro fundador da ABL. Obras: *Carimbos, Sonetos e rimas* etc.

GUIMARÃES PASSOS, Sebastião Cícero dos (1867-1909). Jornalista e poeta alagoano. Membro fundador da ABL. Obras: *Horas mortas, Tratado de versificação* (com Olavo Bilac) etc.

GUIMARÃES ROSA, João (1908-1967). Romancista e contista mineiro de renome internacional, inovou no vocabulário e na fraseologia. Membro da ABL. Obras: *Sagarana, Grande sertão: veredas, Manuelzão e Miguilim, Tutaméia, Primeiras estórias* etc.

GUILLEN, Nicolás (1902-1989). Poeta cubano inspirado no folclore negro de seu país. Obras: *Motivos de som, Som inteiro, Songoro Casongo* etc.

GULBENKIAN, Calouste (1869-1955). Empresário da indústria do petróleo e filantropo armênio, criador de uma fundação sediada em Lisboa para a proteção das artes e das letras.

GUSMÃO, Alexandre de (1695-1753). Sacerdote e escritor português, responsável pela preparação do Tratado de Madri, com a Espanha (1750), que definiu as fronteiras entre os dois impérios coloniais e muito influiu nas fronteiras do Brasil.

GUSMÃO, Bartolomeu Lourenço de (1685-1724). Sacerdote, irmão do anterior, inventor de um aparelho voador. Era chamado "o padre voador".

GUTTENBERG, Johannes (1399-1468). Impressor alemão, inventor da imprensa com tipos móveis. Imprimiu a célebre Bíblia de 42 linhas.

H

HABERMAS, Jurgen (1929-). Filósofo e sociólogo alemão, reconstitutidor das ciências sociais a partir da doutrina positivista.

HABSBURGO. Dinastia de família nobre que reinou na Áustria de 1278 a 1918. Dos séc. XVI a XIX formaram grande império sediado em Viena, que ia dos Países Baixos à Itália.

HALLEY, Edmund (1646-1742). Astrônomo inglês. Celebrizou-se por seus estudos sobre a órbita dos cometas, um dos quais recebeu o seu nome.

HALS, Frans (1580-1666). Pintor holandês. Notabilizou-se por seus retratos.

HAMSUN, Knut (1859-1952). Romancista norueguês de renome internacional. Prêmio Nobel de literatura (1920). Obras: *Fome, Pan, Benoni* etc.

HAMURABI (1792-1750 a.C.). Rei da Babilônia. Excelente administrador, criou o código de Hamurabi, um dos primeiros conjuntos de leis conhecidos.

HÄNDEL (ou Haendel), Georg Friedrich (1685-1759). Compositor erudito alemão. Obteve grande êxito na corte de Londres com seus oratórios *O Messias* e *Judas Macabeu*.

HANSA. Confederação comercial de cidades do norte da Europa, que durou da Idade Média até meados do séc. XVII. Também conhecida como Liga Hanseática.

HARUN AL RACHID (766-809). Califa persa residente em Bagdá. Manteve relações diplomáticas com Carlos Magno. Celebrizou-se pelos contos de Sherazade, das *Mil e uma Noites*.

HATCHEPSUT (?-1485 a.C.). Rainha do Egito, governou seu país com firmeza e sabedoria. Fez construir o templo de Deir al Bahari, à beira do Nilo.

HAUPTMANN, Gerhart (1862-1946). Teatrólogo austríaco de grande projeção na época. Prêmio Nobel de literatura (1912).

HAUSSMANN, barão de (Georges-Eugène) (1809-1891). Prefeito de Paris (1853-1870), modernizou a capital, abrindo os grandes bulevares.

HAVEL, Vaclav (1938-2011). Teatrólogo e político tcheco, duas vezes presidente da república. Autor de peças surrealistas.

HAVELANGE, João (1916-2016). Desportista carioca, presidiu a CBF, depois a FIFA por 24 anos (1974-1998).

HAWKING, Stephen William (1942-2018). Físico inglês que fez descobertas sobre os buracos negros (*black holes*) e a teoria do *big-bang*.

HAWTHORNE, Nathaniel (1804-1864). Escritor norte-americano. Obras: *Contos narrados duas vezes, A letra escarlate* etc.

HAYDÉE, Márcia Salverry Pereira da Silva (1937-). Bailarina clássica carioca. Atuou no Royal Ballet de Londres; foi solista da companhia do marquês de Cuevas e do Ballet de Stuttgart.

HAYDN, Franz Joseph (1732-1809). Compositor erudito austríaco de notável reputação. Autor de *A criação*, *As estações* (oratórios), sinfonias, missas, cantatas, óperas etc.

HEGEL, Georg Wilhelm Friedrich (1770-1831). Filósofo alemão de renome internacional. Identificava o ser com o pensamento. Obras: *Fenomenologia do espírito*, *Grande lógica*, *Princípios da filosofia do direito* etc.

HEIDEGGER, Martin (1889-1976). Filósofo alemão. Obras: *O ser e o tempo*, *Introdução à metafísica* etc.

HEINE, Heinrich (1797-1856). Poeta romântico alemão de reputação internacional. Obras: *Livro das canções*, *Intermezzo lírico*, *Melodias hebraicas*, *Romanceiro*, *O rabino de Bacherach* etc.

HEMINGWAY, Ernest Miller (1898-1961). Romancista norte-americano de renome mundial. Prêmio Nobel de literatura (1954). Obras: *O velho e o mar*, *O Sol também se levanta*, *Por quem os sinos dobram*, *Adeus às armas* etc.

HENRIQUE VIII (1491-1547). Rei da Inglaterra, famoso por seus seis casamentos e por haver provocado o cisma religioso, passando a ser o chefe da igreja anglicana.

HENRIQUE, O NAVEGADOR (1394-1460). Infante português que estimulou os descobrimentos marítimos, fundou a escola de navegação de Sagres, estaleiros e um observatório astronômico.

HERCULANO de Carvalho Araújo, **Alexandre** (1810-1877). Romancista e historiador português. Obras: *O monge de Cister*, *Eurico, o presbítero*, *Da origem e estabelecimento da Inquisição em Portugal*, *História de Portugal*, *Lendas e narrativas* etc.

HERÁCLITO (540-480 a.C.). Filósofo grego, estudou a mudança constante das coisas.

HERÓDOTO (484-425 a.C.). Historiador grego, considerado 'o pai da história'. Viajou muito e relatou fatos verídicos e lendários da antiguidade.

HERZL, Theodor (1860-1904). Jornalista austríaco, fundador do sionismo. Convocou o I Congresso Sionista Mundial, na Basileia, Suíça (1897). Autor de *Velha-nova pátria*, *O estado judeu* etc.

HERZOG, Werner (1942-). Cineasta alemão. Obras: *Aguirre, a cólera dos deuses*, *Fitzcarraldo*, *Nosferatu* etc.

HESSE, Hermann (1877-1962). Romancista alemão, tornou-se cidadão suíço em 1923. Prêmio Nobel de literatura (1946). Obras: *Demian*, *O lobo da estepe*, *O jogo das contas de vidro* etc.

HILST, Hilda (1930-2004). Escritora paulista. Obras: *Da morte, odes mínimas*, *A obscena senhora D.*, *O caderno rosa de Lori Lamby* etc.

HINDEMITH, Paul (1895-1963). Compositor erudito alemão, foi a principal figura musical da Alemanha entre as duas guerras. Obras: *Matias, o pintor*, *Santa Susana*, *Cardillac* (óperas), concertos, sinfonias etc.

HIRSZMAN, Leon (1937-1987). Cineasta carioca. Obras: *Cinco vezes favela*, *São Bernardo*, *A falecida*, *Eles não usam black-tie* (grande prêmio do Festival de Veneza) etc.

HITLER, Adolf (1889-1945). Político austríaco, fundador do Partido Nacional Socialista (nazista) alemão. A partir de 1933, chefe do Estado alemão (Fuhrer). Adotou a tese da superioridade dos 'arianos', promovendo o extermínio de grupos como judeus, ciganos, homossexuais etc., e uma violenta repressão política. Provocou a Segunda Guerra Mundial, e suicidou-se durante a tomada de Berlim.

HITCHCOCK, Alfred (1899-1980). Cineasta inglês que se celebrizou em Hollywood por seus filmes de suspense. Obras: *Rebeca*, *Psicose*, *Os pássaros*, *Festim diabólico*, *Janela indiscreta*, *Um corpo que cai* etc.

HOBSBAWN, Eric (1917-2012). Historiador britânico de renome mundial. Obras: *A era das revoluções*, *A era do capital*, *As nações e o nacionalismo desde 1790*, *A era dos extremos* etc.

HO CHI MINH (1890-1969). Político vietnamita, fundador do Partido Comunista de seu país. Presidente do Vietnã do Norte.

HOLANDA. Ver *Países Baixos*.

HOLBEIN, Hans (1497-1543). Pintor alemão, famoso por seus retratos. Considerado um dos expoentes do Renascimento.

HOLOCAUSTO. Termo atribuído modernamente ao extermínio de judeus pelos nazistas, durante a Segunda Guerra Mundial, em diversos países europeus. Calcula-se que seis milhões de judeus tenham sido mortos em diversos campos de extermínio.

HOMEM de Siqueira Cavalcanti, **Homero** (1921-1991). Contista e poeta potiguar. Obras: *Cabras das rocas*, *Menino de asas*, *O assessor do dia* etc.

HOMERO (séc. IX a.C.). Poeta épico grego, autor da *Ilíada* e da *Odisseia*.

HORÁCIO Flaco, Quinto (65-8 a.C.). Poeta latino. Autor de odes, sátiras e epístolas.

HOROWITZ, Vladimir (1904-1990). Pianista russo, naturalizado norte-americano, de renome mundial. Notável intérprete de Chopin.

HORTA, Luiz Paulo de Alencar Parreiras (1943-2013) Escritor e jornalista. Membro da ABL. Obras: *Caderno de Música*, *Dicionário de Música Zahar*.

HORTÊNCIA de Fátima Marcari Oliva (1959-). Jogadora de basquete, eleita uma das melhores do mundo. Medalha de ouro nos Jogos Pan-americanos de 1990; campeã mundial em 1994.

HORTOLÂNDIA (SP). Mun. com 237.570 hab. Microrregião de Campinas.

HOUAISS, Antonio (1915-1999). Filólogo carioca, lexicógrafo, crítico literário e diplomata. Ministro da Cultura (1992-1993). Membro da ABL. Obras: *Elementos de bibliologia*, *Dicionário enciclopédico Koogan/Houaiss*, *Dicionário Houaiss da língua portuguesa* etc.

HUBBLE, Ewin Powell (1889-1953). Astrofísico norte-americano, autor de estudos sobre nebulosas e galáxias, e sobre a expansão do universo.

HUGO, Victor Marie (1802-1885). Poeta, teatrólogo e romancista francês. Obras: *Os miseráveis*, *Ruy Blas*, *Os trabalhadores do mar*, *Contemplações*, *Lendas dos séculos* etc.

HUMBOLDT, (Alexander) **barão von** (1769-1859). Naturalista alemão que viajou extensamente pela América do Sul e escreveu livros a respeito.

HUME, David (1711-1776). Filósofo inglês, criador do fenomenismo. Autor, entre outros, do *Ensaio sobre o entendimento humano*.

HUSSEIN (1935-1999). Rei da Jordânia. Educado na Inglaterra, subiu ao trono em 1953. Anexou a Cisjordânia em 1949, que foi ocupada por Israel em 1967. Assinou tratado de paz com Israel. Era considerado um líder moderado e progressista.

HUSSEIN, Saddam (1937-2006). Militar e político iraquiano, membro do partido Baath. Presidente do Iraque, envolveu-se em conflitos com os curdos, o Irã e o Kuwait. Em 2003, tropas de uma aliança liderada por norte-americanos e ingleses invadiram o Iraque e o depuseram.

HUSSERL, Edmund (1859-1938). Filósofo alemão, criador da fenomenologia, que influenciou as ciências e o existencialismo. Obras: *Pesquisas lógicas*, *Ideias relativas a uma fenomenologia pura*, *Lógica formal transcendental* etc.

HUSTON, John (1906-1987). Cineasta norte-americano, célebre por seus filmes de ação. Obras: *Uma aventura na África*, *O segredo das joias*, *À sombra do vulcão*, *A honra do poderoso Prizzi* etc.

HUXLEY, Aldous (1894-1963). Sociólogo e escritor inglês. Obras: *Admirável mundo novo*, *Ponto e contraponto, *Sem olhos em Gaza*, *A ilha*, *As portas da percepção* etc. Seu irmão Julian, geneticista, foi diretor-geral da Unesco.

I

IANELLI, Arcângelo (1922-2009). Pintor abstrato paulista. Prêmio de viagem do MAM de SP, de 1964. Grande exposição no MAM do RJ em 1993.
IANOMÂMI. Povo indígena brasileiro, um dos mais primitivos do mundo, com reserva demarcada de 9,5 milhões de hectares em 1991. São c. de 11.000 indígenas distribuídos em RR, AM e Venezuela.
IBAMA (Instituto Brasileiro do Meio Ambiente). Fundado em 1989, protege as florestas, a pesca, a borracha e o meio ambiente em geral.
IBIRITÉ (MG). Mun. com 184.030 hab. Microrregião de Belo Horizonte.
IBSEN, Henrik (1828-1906). Escritor norueguês de êxito mundial. Obras: *Peer Gynt*, *Hedda Gabler*, *Casa de bonecas*, *Um inimigo do povo*, *O pato selvagem* etc.
IÇÁ, rio. Rio do AM com 1.431km, afluente do rio Solimões.
IGARASSU (PE). Mun. com 116.690 hab. Cidade histórica, com igrejas tombadas pelo IPHAN.
IGUAÇU, cataratas do. Situadas no Parque Nacional de Iguaçu, com quedas d'água de até 80 metros de altura, formadas pelo rio Iguaçu, na fronteira entre o Brasil e a Argentina. Grande atração turística.
IGUAÇU, rio. Rio do PR com 1.045km, afluente do rio Paraná.
ILHA SOLTEIRA (SP). Usina hidrelétrica no rio Paraná, parte do conjunto de Urubupungá (3.200.000 kW).
ILHÉUS (BA). Mun. com 157.639 hab. Agricultura (cacau, cana-de-açúcar, mandioca). Maior porto exportador de cacau do país.
IMERI, serra do (AM). Situada na fronteira com a Venezuela, nela fica o pico da Neblina, o ponto mais alto do Brasil (2.993m).
IMHOTEP (séc. III a.C). Sábio e arquiteto egípcio, um dos que conceberam a construção das pirâmides.
IMPERATRIZ (MA). Mun. com 259.980 hab. Agricultura (arroz, cana-de-açúcar, milho, algodão). Extração (babaçu, madeira). Pecuária (bovinos, suínos). Indústria (óleo de babaçu, beneficiamento de minérios).
IMPÉRIO, Flávio (1935-1985). Cenógrafo paulista que contribuiu para a evolução do teatro no Brasil. Entre suas realizações, cenários de *Morte e vida severina*, *Roda viva* etc.
INÁCIO DE LOYOLA, santo (1491-1556). Fundador da Companhia de Jesus, que exerceria notável influência na catequese mundial. Autor de *Exercícios espirituais*.
INCAS, Império dos. Fundado por tribos indígenas provenientes do lago Titicaca, dominaram parte da Bolívia, Peru e Equador a partir do séc. XII. Sua capital era Cuzco. Destruído pelos conquistadores espanhóis no séc. XVI.
INDAIATUBA (SP). Mun. com 260.690 hab. Indústria mecânica.
INGLÊS DE SOUSA, Herculano Marcos (1853-1918). Romancista paraense iniciador do naturalismo no Brasil. Membro da ABL. Obras: *O cacaulista*, *O coronel sangrado*, *Contos amazônicos*, *O missionário* etc.
INGRES, Dominique (1780-1867). Pintor e desenhista francês neoclássico.
INQUISIÇÃO. Tribunal eclesiástico que tinha a missão de combater a heresia. Criado pelos papas no séc. XIII, só foi extinto em 1821. Cerca de 1.500 pessoas foram queimadas vivas pelo Santo Ofício, no decorrer desse período, e milhares sofreram penas menores.
INTENTONA COMUNISTA. Revolução organizada em 1935 pelo PCB e iniciada em quartéis do N.E. e no RJ. Teria sido o motivo da criação do Estado Novo por Getúlio Vargas, em 1937.

IONESCO, Eugène (1912-1994). Teatrólogo romeno, residente na França, de projeção internacional. Apresentou-se no Brasil. Obras: *A cantora careca*, *O rinoceronte*, *A sede e a fome* etc.
IPATINGA (MG). Mun. com 267.333 hab. Extração de minério de ferro. Siderurgia e usina hidrelétrica.
IPHAN (Instituto do Patrimônio Histórico e Artístico Nacional). Entidade do Ministério da Cultura, criada em 1957, para a proteção do acervo nacional.
IRA (Irish Republican Army). Fundado em 1919 para lutar contra a dominação inglesa na Irlanda do Norte, como braço armado do partido separatista Sinn Fein. Fez inúmeros atentados terroristas, até entabular negociações de paz.
IRIRI, rio. Rio do PA com 1.135km, afluente do rio Xingu.
ISABEL, Princesa (Isabel Cristina Leopoldina Augusta Micaela Gabriela Rafaela Gonzaga) (1846-1921). Filha de d. Pedro II, casada com o Conde d'Eu, assinou a abolição da escravatura a 13 de maio de 1888.
ITABIRA (MG). Mun. com 121.717 hab. Extração de minério de ferro.
ITABORAÍ (RJ). Mun. com 244.416 hab. Agricultura (laranja). Pecuária (bovinos). Cerâmica. Estação receptora da Embratel.
ITABUNA (BA). Mun. com 214.123 hab. Agricultura (cacau). Indústria (industrialização do cacau).
ITAJAÍ (SC). Mun. com 226.617 hab. Agricultura (arroz, fumo). Pesca. Extração de calcário. Indústria (papel, papelão). Serrarias. Turismo. Porto.
ITAPECIRICA DA SERRA (SP). Mun. com 179.574 hab. Indústria alimentícia.
ITAPETININGA (SP). Mun. com 167.106 hab. Agropecuária. Indústria (calçados).
ITAPEVI (SP). Mun. com 244.131 hab. Extração de calcário.
ITAQUAQUECETUBA (SP). Mun. com 379.082 hab. Plásticos e metalurgia.
ITARARÉ, barão de. Ver *Torelly, Aparício.*
ITATIAIA, Parque Nacional do (RJ). Reserva florestal na serra da Mantiqueira. Criado em 1937 para preservar o meio ambiente da região.
ITATIAIA, serra de. Maciço entre os estados de RJ e SP. Seu ponto mais alto é o pico das Agulhas Negras (2.787m).
ITORORÓ, batalha de. Batalha entre os exércitos brasileiro e paraguaio, na guerra do Paraguai, vencido pelas tropas de Caxias, Osório e Argolo.
ITU (SP). Mun. com 177.911 hab. Agricultura (café, milho, batata-inglesa). Indústria (têxtil). Turismo. Cidade histórica (igreja tombada pelo IPHAN).
IVAÍ, rio. Rio do PR com 727km, afluente do rio Paraná.
IVO, Lêdo (1924-2012). Poeta e ensaísta alagoano. Membro da ABL. Obras: *Ode e elegia*, *A cidade e os dias*, *O flautim*, *Ninho de cobras* etc.

J

JABOATÃO DOS GUARARAPES (PE). Mun. com 711.330 hab. Zona industrial do Recife. Cana-de-açúcar e usina de açúcar. Indústria (automobilística, papel). Monumentos históricos (rel. às batalhas dos Guararapes).
JABOR, Arnaldo (1940-). Cineasta e jornalista carioca. Filmes: *Toda nudez será castigada*, *Tudo bem, Eu te amo* etc.
JABRE, pico do. Ponto culminante do N.E. com 1.197m, na fronteira entre PB e PE.
JACAREÍ (SP). Mun. com 237.119 hab. Indústria (química, papel, cerveja, vidros etc.). Usina hidrelétrica.
JACKSON, Michael (1958-2009). Cantor popular norte-americano. Seu CD *Thriller* vendeu mais de 40 milhões de cópias.

JACÓ DO BANDOLIM (Jacob Pick Bittencourt), dito (1918-1969). Compositor popular e violonista. Escreveu choros, sambas e valsas.

JACUÍ, rio. Rio do RS com 720km, afluente do Guaíba.

JAGUARIBE, Hélio Gomes Matos(1923-2018). Sociólogo carioca. Fundador do Instituto Superior de Estudos Brasileiros (ISEB). Foi ministro de Ciência e Tecnologia. Obras: *Brasil, sociedade democrata, A filosofia no Brasil* etc.

JAGUARIBE, rio. Rio do CE com 799km.

JAMES, Henry (1843-1916). Romancista inglês de origem norte-americana. Obras: *Washington Square, Retrato de uma dama, A volta do parafuso* etc.

JAMUNDÁ, rio. Rio afluente do Amazonas, com 571km, serve de fronteira entre PA e AM.

JAPURÁ, rio. Rio afluente do Amazonas com 1.945km.

JARAGUÁ DO SUL (SC). Mun. com 184.579 hab. Igreja (N.S. do Rosário) tombada pelo IPHAN.

JARI, rio. Rio que deságua no Amazonas (785km) e que serve de limite entre AP e PA.

JATENE, Adib Dominique (1929-2014). Médico acriano, destacado cirurgião cardíaco. Pioneiro da bioengenharia nessa área. Ministro da Saúde em 1992 e em 1995.

JAÚ (SP). Mun. com 153.463 hab. Indústria (têxtil, roupas, calçados etc.).

JAVARI. Rio afluente do Amazonas com 942 km.

JEQUIÉ (BA). Mun. com 156.277 hab. Cacau. Pecuária (bovinos). Cerâmicas.

JEQUITINHONHA, rio. Rio de MG e BA, com 1.090km; deságua no oceano Atlântico.

JESUS. Segundo os cristãos, Jesus Cristo (o ungido, ou o salvador). Nasceu na Judeia, Palestina, onde pregou e onde foi crucificado pelos romanos. Venerado pelos cristãos como o Messias, o filho de Deus, enviado à Terra, e confundido com a própria Divindade, na Trindade composta pelo Pai, o Filho e o Espírito Santo.

JI-PARANÁ (RO). Mun. com 131.026 hab. Pecuária.

JI-PARANÁ, rio. Rio de MT e AM com 955km.

JOANA D'ARC (1412-1431). Heroína francesa da guerra contra os ingleses. Morreu queimada como herege.

JOÃO VI, dom (1767-1826). Regente de Portugal e, depois de 1816, Rei de Portugal, Brasil e Algarves. Residiu no Rio de Janeiro (1807-1821), onde fez grandes benfeitorias.

JOÃO ANTÔNIO. Ver *Antônio, João*.

JOÃO GILBERTO do Prado de Vieira (1931-2019). Cantor e violonista baiano; com seu ritmo e estilo de interpretação, foi um dos criadores e principais divulgadores da Bossa Nova, interpretando músicas como "Desafinado", "Chega de saudade", "O barquinho" etc.

JOÃO PAULO II (Karol Vojtyla) (1920-2005). Papa (1978-2005), o primeiro não italiano desde 1523 (nasceu na Polônia). Visitou três vezes o Brasil (1980, 1988, 1997).

JOÃO PESSOA. Capital da Paraíba, com 825.796 hab. Extração vegetal (caju, coco). Indústrias leves. Turismo (belas e extensas praias). Fundada em 1585, teve os nomes de Nossa Senhora das Neves, Filipeia, Frederikstadt e, desde 1930, João Pessoa, homenagem ao governador da PB assassinado no Recife. Considerada a segunda cidade mais arborizada do mundo (a primeira é Paris).

JOÃO XXIII (1881-1963). Papa (1958-1963) que reuniu o Concílio Ecumênico Vaticano II em 1962, buscando a modernização da Igreja, como expresso em suas encíclicas *Mater et magistra* e *Pacem in terris*, de grande repercussão mundial.

JOBIM, Antônio Carlos (**Tom**) Brasileiro de Almeida (1927-1994). Compositor popular carioca de renome mundial, um dos expoentes da Bossa Nova. Obras: "Garota de Ipanema", "Águas de março", "Eu sei que vou te amar", "Samba do avião" etc.

JOFRE, Éder (1936-). Pugilista paulista, campeão mundial de peso-galo (1960 a 1965) e peso-pena (1973-1974).

JOBS, Steven Paul (1955-2011). Inventor e empresário no setor da informática. Notabilizou-se como cofundador, presidente e diretor executivo da Apple Inc. e por revolucionar seis indústrias: computadores pessoais, filmes de animação, música, telefones, *tablets* e publicações digitais.

JOINVILLE (SC). Mun. com 604.708 hab. Importante centro industrial do estado (centenas de indústrias: alimentos, roupas, plásticos, máquinas e equipamentos etc.). Turismo de mar e montanha (Festa das Flores, em novembro).

JONSON, Benjamin (Ben) (1572-1637). Teatrólogo inglês, contemporâneo de Shakespeare. Obras: *Volpone ou a raposa* etc.

JOYCE, James (1882-1941). Romancista e contista irlandês. Obras: *Ulisses, Dublinenses, Retrato do artista quando jovem, Finnegan's Wake* etc.

JUAZEIRO (BA). Mun. com 219.544 hab. Agropecuária. Extração de mármore. Indústria (couros, óleos vegetais etc.). Turismo.

JUAZEIRO DO NORTE (CE). Mun. com 278.264 hab. Artesanato. Centro de peregrinação motivada pela figura do Padre Cícero.

JUCÁ Filho, Cândido (1900-1982). Jornalista e escritor carioca. Obras: *O crepúsculo de Satanás, Pensamento e expressão em Machado de Assis* etc.

JUIZ DE FORA (MG). Mun. com 577.532 hab. Importante centro industrial (roupas, calçados, têxtil, metalurgia). Universidade.

JULIA da Silva Munster, Francisca (1874-1920). Poetisa parnasiana paulista. Obras: *Mármores, Esfinges* etc.

JUNDIAÍ (SP). Mun. com 426.935 hab. Agricultura (milho, cítricos, frutas). Indústria (alimentos, roupas, calçados, têxtil, madeira, metalurgia).

JUNG, Carl Gustav (1875-1961). Psicólogo e psiquiatra suíço. Obras: *Tipos psicológicos, Metamorfoses da alma e seus símbolos, Psicologia e religião, Psicologia e alquimia* etc.

JUNQUEIRA, Ivan Nóbrega (1934-2014). Poeta carioca e crítico literário. Membro da ABL. Obras: *Os mortos, O grifo* etc.

JUNQUEIRA FREIRE, Luís José (1832-1855). Poeta romântico baiano. Patrono da cadeira nº 25 da ABL. Obras: *Inspirações do claustro, Elementos de retórica nacional, Desespero na solidão* (org. por Antonio Carlos Vilaça) etc.

JURUÁ, rio. Rio de AM e AC, com 2.782km, afluente do Solimões.

JURUENA, rio. Rio de MT e PA, com 1.036km, afluente do Tapajós.

JUSTINIANO (482-565). Imperador bizantino, famoso por sua iniciativa de compilar a legislação romana. Construiu a igreja de Santa Sofia, em Constantinopla.

JUTAÍ. Rio do AM, com 978km, afluente do Solimões.

JUVENAL, Décimo Júnio (60-130). Poeta latino, autor de *Sátiras* etc.

K

KAFKA, Franz (1883-1924). Romancista e contista tcheco de renome internacional. Obras: *O processo, O castelo, A metamorfose* etc.

KANDINSKY, Wassiliy (1866-1944). Pintor francês de origem russa, um dos expoentes da corrente abstrata.

KANT, Immanuel (1724-1804). Filósofo alemão de grande projeção mundial. Obras: *Crítica da razão pura, Crítica da razão prática, Crítica do juízo* etc.

KARABTCHEVSKY, Isaac (1934-). Maestro paulista, obteve fama nacional como regente da OSB.

KARAJAN, Herbert von (1908-1989). Maestro austríaco de fama mundial. Dirigiu a Filarmônica de Berlim de 1957 a 1987.

KARDEC, Allan (1804-1869). Escritor francês, criador do espiritismo. Obras: *O livro dos espíritos, O que é o espiritismo?, A gênese* etc.

KAZAN, Elia Kazanjoglou (1909-2003). Cineasta norte-americano. Obras: *A luz é para todos, Uma rua chamada Pecado, Sindicato de ladrões, Vidas amargas, Juventude transviada* etc.

KAZANTZÁKIS, Níkos (1885-1957). Romancista grego. Obras: *Zorba, o grego, O Cristo recrucificado, A última tentação de Cristo* etc.

KEATS, John (1795-1821). Poeta romântico inglês, autor de *Endimião, Odes, Hiperião* etc.

KENNEDY, John Fitzgerald (1917-1963). Político norte-americano, eleito presidente dos EUA em 1960, assassinado em Dallas em 1963.

KENYATTA, Jomo (Kaman Johastone), dito (1893-1978). Político do Quênia, eleito presidente da República em 1974. Foi um dos grandes líderes africanos da época.

KEPLER, Johannes (1571-1630). Astrônomo alemão, autor de leis sobre as órbitas dos planetas que facilitaram as descobertas de Newton sobre a gravitação.

KEYNES, John Maynard (1883-1946). Economista inglês, cujas teorias tiveram grande influência na economia de livre mercado. Obras: *Tratado sobre a moeda, Teoria geral do emprego, do juro e da moeda* etc.

KERN, Jerome David (1885-1945). Compositor popular norte-americano que obteve grande êxito na Broadway, autor de *Show boat, Roberta* etc.

KHAYYAM, Umar (1050-1123). Poeta persa, célebre por seus poemas curtos, em que exalta os prazeres da vida.

KHOURI, Walter Hugo (1929-2001). Cineasta paulista. Obras: *Noite vazia* (festival de Cannes de 1965), *Amor, estranho amor, Amor voraz* etc.

KIERKEGAARD, Soren Aabye (1813-1855). Filósofo dinamarquês, precursor do existencialismo. Obras: *Diário de um sedutor, Medo e tremor, O conceito de angústia, Exercício para ser cristão* etc.

KIESLOWSKI, Krzysztof (1941-1996). Cineasta polonês, alcançou sucesso no Ocidente. Obras: *A liberdade é azul, A dupla vida de Veronique* etc.

KLEE, Paul (1879-1940). Pintor suíço da linha surrealista, depois expressionista; alcançou sucesso entre as duas guerras mundiais.

KING, Martin Luther (1918-1963). Pastor norte-americano, liderou o movimento pelos direitos dos negros e outras minorias nos EUA. Foi assassinado.

KIPLING, Rudyard (1865-1936). Poeta e romancista inglês nascido na Índia. Prêmio Nobel de literatura (1907). Obras: *Baladas de quartel, Kim, O livro da selva* (Mogli, o menino-lobo), o poema *"If"* etc.

KISSINGER, Henry Alfred (1923-). Político norte-americano de origem alemã. Secretário de Estado (1973-1977), Prêmio Nobel da Paz (1973).

KOKOSCHKA, Oskar (1886-1980). Pintor expressionista austríaco de renome internacional.

KOSOVO. Antiga província da Iugoslávia e da Sérvia, onde ocorreu, no final do séc. XX, grave guerra civil que provocou a intervenção da ONU.

KRAJCBERG, Frans (1921-2017), Pintor e escultor polonês radicado no Brasil desde 1948, de notável expressão na utilização de elementos da natureza (troncos, raízes etc.) em sua obra.

KRIEGER, Edino (1928-). Compositor erudito catarinense. Presidente da ABM (1998-2001), reeleito em 2003. Obras: *Ludus symphonicus, Terra Brasilis* etc.

KUBITSCHEK de Oliveira, Juscelino (1902-1976). Político mineiro, eleito presidente da República (1956-1960). Deu grande impulso à indústria e construiu Brasília.

KUBRICK, Stanley (1928-1999). Cineasta norte-americano de fama internacional. Obras: *Doutor Fantástico, 2001: Uma odisseia no espaço, Laranja mecânica, O iluminado, Nascido para matar* etc.

KUNDERA, Milan (1929-). Escritor eslovaco radicado na França. Obras: *A insustentável leveza do ser, A imortalidade, A valsa do adeus,* etc.

KUROSAWA, Akira (1910-1998). Cineasta japonês de projeção mundial. Obras: *Derzu Uzala, Os sete samurais, Sonhos* etc.

L

LACAN, Jacques (1901-1981). Médico e psicanalista francês. Para ele a linguagem do sujeito falante é condição para o inconsciente. Obras: *Escritos, Seminários* etc.

LACERDA, Benedito (1903-1958). Compositor popular carioca, célebre por seus programas radiofônicos. Obras: *Eva querida, Palhaço, A lapa* etc.

LACERDA, Carlos Frederico Werneck de (1914-1977). Jornalista, escritor, político e empresário carioca; governador do Estado da Guanabara (1960-1964). Obras: *Cão negro, Xanã e outras histórias, Depoimento* etc.

LACERDA, Oswaldo de (1927-2011), Compositor erudito brasileiro, membro da ABM, continuador de Guarnieri. Obras: *Suíte Piratininga, Cromos, Canções* etc.

LACOMBE, Américo Lourenço **Jacobina** (1909-1993). Historiador carioca, presidiu o IHBG e a Casa de Rui Barbosa. Membro da ABL. Obras: *O pensamento vivo de Rui Barbosa, Um passeio pela história do Brasil* etc.

LAET, Carlos Maximiliano Pimenta **de** (1847-1927). Escritor e professor carioca. Membro fundador da ABL. Obras: *Em Minas, A descoberta do Brasil, A imprensa na década republicana* etc.

LA FAYETTE, Marie Joseph (1757-1834). Militar e político francês, teve papel importante na independência dos EUA e, depois, na França.

LA FONTAINE, Jean de (1621-1695). Poeta francês, célebre por suas fábulas em verso, até hoje apreciadas.

LAGES (SC). Mun. com 157.158 hab. Pecuária (bovinos). Industrialização do papel e celulose. Centro universitário.

LAGOA SANTA (MG). Mun. 66.744 hab. Área arqueológica descoberta pelo dinamarquês Lund. Museu arqueológico.

LAGO, Mário (1911-2001). Compositor popular, letrista e ator carioca. Obras: "Ai que saudades da Amélia", "Aurora", "Atire a primeira pedra" etc.

LAGUNA (SC). Mun. com 46.424 hab. Porto de exportação de carvão. Museu Anita Garibaldi. Cidade histórica.

LAGUNA, retirada da. Retirada heroica de uma pequena coluna de soldados brasileiros, na guerra do Paraguai, sob forte assédio paraguaio.

LAMARTINE, Alphonse de (1790-1869). Poeta francês. Foi Ministro dos Negócios Estrangeiros. Obras: *Meditações poéticas, Jocelyn, A queda de um anjo* etc.

LAMPEDUSA, Príncipe **Giuseppe de** (1896-1957). Escritor siciliano que se celebrizou com o romance *O Leopardo*, publicado em 1958, após sua morte.

LAMPIÃO (Virgulino Ferreira da Silva), dito (1897-1938). Cangaceiro pernambucano que se tornou figura lendária do nordeste brasileiro.

LANDOWSKI, Paul (1875-1961). Escultor francês, autor do projeto da estátua do Cristo Redentor, no Corcovado, Rio de Janeiro.

LANG, Fritz (1890-1976). Cineasta austríaco naturalizado norte-americano. Filmes: *Os nibelungos, Metrópolis, M, o vampiro de Dusseldorf* etc.

LANGSDORFF, Georg Heinrich von (1773-1852). Cônsul-geral da Rússia no Primeiro Império. Naturalista, explorou MG e o SP. Obras: *Observações de uma viagem à volta do mundo* etc.

LAPLACE, Pierre Simon (1749-1827). Astrônomo, matemático e físico francês. Esboçou a teoria de que o sistema solar se originara de uma nebulosa.

LA RAVARDIÈRE (Daniel de la Touche, senhor de) (1590-1632). Comandante das forças francesas que invadiram o Maranhão em 1612.

LA TOUR, Georges de (1593-1652). Pintor francês. Notável retratista, deixou obras que descrevem a vida familiar da época na França.

LATTES, César Mansueto Giulio (1924-2005). Físico paranaense de projeção internacional. Conseguiu criar a partícula méson a partir de um acelerador de partículas.

LAURO DE FREITAS (BA). Mun. com 204.669 hab. Indústrias (química, de cimento etc.).

LAVA JATO, Operação. Conjunto de investigações pela Polícia Federal do Brasil visando apurar um esquema de lavagem de dinheiro que movimentou bilhões de reais em propina. A operação teve início em 17/03/2014 autorizada pelo juiz Sérgio Moro.

LAVOISIER, Antoine Laurent (1743-1794). Químico francês, um dos criadores da química moderna, participou da comissão que criou o sistema métrico.

LAWRENCE, Thomas Edward (1888-1935). Militar, escritor e aventureiro inglês de grande atuação no Oriente Médio. Escreveu *Os sete pilares da sabedoria*.

LEÃO XIII (1810-1903). Papa (1878-1903), autor da encíclica *Rerum novarum* (1891). Encorajou o catolicismo social e no mundo operário.

LEÃO, Múcio Carneiro (1898-1969). Jornalista e escritor pernambucano. Membro da ABL. Obras: *Ensaios contemporâneos*, *Tesouro recôndito*, *No fim do caminho*, *Os países inexistentes*, *Emoção e harmonia* etc.

LEÃO, Nara (1942-1989). Cantora popular capixaba, chamada "a musa da Bossa Nova".

LEÇA, Armando (1893-1977). Compositor erudito e folclórico português, autor de *Música popular portuguesa*. Obras: *Dança de d. Pedro*, *Peças para piano* etc.

LE CORBUSIER (Charles Édouard Jeanneret-Gris), dito (1887-1965). Arquiteto suíço de reputação mundial e de influência no Brasil.

LEE, Rita (1947-). Cantora e compositora popular paulista. Participou do grupo Os mutantes. Obras: "Baila comigo", "Lança perfume" etc.

LÉGER, Fernand (1881-1955). Pintor francês da linha abstrata. Pintou máquinas e engrenagens e foi mestre de vários artistas brasileiros em Paris.

LEHÁR, Franz (1870-1948). Compositor húngaro de operetas. Obras: *A viúva alegre*, *O conde Luxemburgo*, *O país do sorriso* etc.

LEI ÁUREA. Lei que extinguiu a escravidão no Brasil, assinada pela Princesa Isabel em 13 de maio de 1888.

LEIBNIZ, Gottfried Wilhelm (1646-1716). Filósofo e matemático alemão, autor de *Novos ensaios sobre o conhecimento humano*.

LEI DO VENTRE LIVRE. Lei que libertou os filhos dos escravos nascidos depois de 28 de setembro de 1871.

LEITE, Ascendino (1915-2010). Memorialista e romancista paraibano. Obras: *A viúva branca*, *A prisão*, *Aforismos da precisão* etc.

LEITE LOPES, José (1918-2006). Físico pernambucano. Obras: *Fundamentos da eletrodinâmica clássica*, *Introdução à eletrodinâmica quântica* etc.

LEMINSKI Filho, Paulo (1944-1989). Poeta, crítico e compositor paranaense. Obras: *Catatau*, *Caprichos e relaxos*, *Distraídos venceremos* etc.

LEMOS, Miguel (1854-1917). Pensador fluminense, um dos introdutores do positivismo no Brasil.

LEMOS Filho, Tite de (Newton Lisboa Lemos), dito (1942-1989). Jornalista, poeta e letrista popular carioca. Obras: *Marca do Zorro*, *Cadernos de sonetos* etc.

LÊNIN (Vladimir Ilitch Ulianov), dito (1870-1924). Teórico marxista, revolucionário e estadista russo, líder da revolução e fundador do estado soviético.

LEONARDO DA VINCI (1452-1519). Pintor, escultor, inventor e arquiteto italiano, um dos gênios da humanidade. Obras: *Ceia do senhor*, *Mona Lisa* etc.

LEONI, Raul de (1885-1926). Poeta carioca de considerável projeção em sua época. Obras: *Ode a um poeta morto*, *Luz Mediterrânea* etc.

LEÔNIDAS da Silva (1913-2004). Jogador de futebol paulista, artilheiro da Copa do Mundo de 1938, conhecido como "o diamante negro".

LEOPARDI, conde **Giacomo** (1798-1837). Poeta italiano, autor de *À Itália*, *Canções*, *Misturas de pensamentos* etc. Seus poemas são pessimistas.

LESSA, Orígenes (1903-1986). Contista e romancista paulista. Membro da ABL. Obras: *Rua do Sol*, *O feijão e o sonho*.

LESSA, Pedro Augusto Carneiro (1859-1921). Jurista mineiro. Membro da ABL. Obras: *É a história uma ciência?*, *Estudos de filosofia do direito*, *Do poder judiciário* etc.

LESSEPS, Ferdinand de (1805-1894). Arquiteto e diplomata francês, responsável pela construção do canal de Suez (1869); iniciou os trabalhos para o canal do Panamá, em 1896.

LÉVI-STRAUSS, Claude (1908-2009). Antropólogo francês, promotor do estruturalismo. Fez valiosos estudos sobre o Brasil. Obras: *O pensamento selvagem*, *Tristes trópicos*, *O cru e o cozido*, *O olhar distante* etc.

LIMA, Antônio Augusto de (1859-1934). Poeta e político mineiro, foi deputado federal por Minas Gerais. Membro da ABL. Obras: *Contemporâneos*, *Simbolos*, *Noites de sábado*, *São Francisco de Assis* etc.

LIMA, Hermes (1902-1978). Político e jurista. Foi eleito, em 1962, presidente do Conselho de Ministros. Obras: *Ideias e figuras*, *Introdução a ciencia do direito*.

LIMA, Jorge Mateus **de** (1895-1953). Poeta e romancista alagoano de inspiração regional. Obras: *Alexandrinos*, *Calunga*, *A túnica inconsútil*, *Invenção de Orfeu* etc.

LIMA BARRETO, Afonso Henrique de (1881-1922). Romancista e contista carioca. Obras: *Triste fim de Policarpo Quaresma*, *Recordações do escrivão Isaías Caminha*, *Vida e morte de M.J. Gonzaga de Sá* etc.

LIMA BARRETO, Vítor (1905-1982). Cineasta paulista. Obras: *O cangaceiro*, *A primeira missa* etc.

LIMA E SILVA, Luís Alves de (Duque de Caxias) (1803-1880). Militar e estadista carioca. Pacificador de diversas crises militares e civis. Comandante geral das tropas aliadas na Guerra do Paraguai. Patrono do Exército Brasileiro desde 1922.

LIMEIRA (SP). Mun. com 310.783 hab. Agricultura (laranja, cana-de-açúcar); pecuária (bovinos, suínos). Centro industrial (mecânica, papel, papelão, calçados). Grande produtor e exportador de suco de laranja.

LINCOLN, Abraham (1809-1865). Político norte-americano. Presidente da república (1860-1864). Morreu assassinado.

LINHARES (ES). Mun. com 179.755 hab. Agricultura (café, cacau). Pecuária.

LINHARES, José (1886-1957). Político e jurista cearense. Presidente do STF e presidente da República interino (1954-1955).

LINS, Álvaro de Barros (1912-1970). Político e crítico literário pernambucano. Membro da ABL. Obras: *Rio Branco*, *O relógio e o quadrante*, *Os mortos de sobrecasaca*, *Teoria literária* etc.

LINS, Ivan Monteiro de Barros (1904-1975). Ensaísta mineiro. Membro da ABL. Obras: *Lope de Vega*, *Católicos e positivistas*, *O positivismo no Brasil*, *Estudos brasileiros* etc.

LINS, Osman da Costa (1924-1978). Romancista e ensaísta pernambucano. Obras: *Os gestos*, *Nove, novena*, *Avalovara* etc.

LINS DO REGO Cavalcanti, **José** (1901-1957). Romancista paraibano do ciclo da cana-de-açúcar. Membro da ABL. Obras: *Menino de engenho*, *Bangüê*, *Moleque Ricardo*, *Fogo morto* etc.

LINS E SILVA, Evandro (1912-2002). Político e jurista piauiense. Ministro da Justiça e das Relações Exteriores, e membro do STF e da ABL. Obras: *Salão dos passos perdidos* etc.

LIRA Tavares, Aurélio de (1905-1998). Militar e político paraibano. Ministro da Guerra, membro da junta que governou o Brasil de agosto a outubro de 1969. Membro da ABL. Obras: *Domínio territorial do Estado, Temas da vida militar, O Brasil de minha geração, Crônicas ecléticas* etc.

LISBOA, Henriqueta (1903-1985). Poetisa mineira. Obras: *Fogo-fátuo, Enternecimento, Convívio poético* etc.

LISBOA, João Francisco (1812-1863). Escritor, pensador e historiador maranhense. Patrono da cadeira nº 18 da ABL. Obras: *Vida do padre Antônio Vieira, Jornal de Tímon, Crônica maranhense* etc.

LISPECTOR, Clarice (1925-1977). Romancista e contista brasileira, nascida na Ucrânia. Obras: *Perto do coração selvagem, O lustre, A maçã no escuro, Água-viva, A hora da estrela* etc.

LISZT, Franz (1811-1886). Compositor e pianista erudito húngaro de enorme prestígio em meados do séc. XIX. Obras: "Rapsódias húngaras", "Prelúdios", "Estudos transcendentais" etc.

LOBO, Aristides (1838-1896). Político paraibano, participou do movimento republicano de 1889. Ministro do Interior do governo provisório da República.

LOBO, Eduardo (Edu) de Góis (1943-). Compositor popular carioca, um dos líderes da Bossa Nova. Obras: "Arrastão", "Ponteio", "Upa, neguinho", "Jogo de roda" etc.

LOCKE, John (1632-1704). Filósofo inglês, defensor da ideia de que a experiência é primordial no conhecimento. Obras: *Ensaio sobre o conhecimento humano, Carta sobre a tolerância* etc.

LONDRINA (PR). Mun. com 580.870 hab. Grande centro comercial e de serviços. Agricultura (café, milho, soja, trigo, algodão). Indústria (química, mecânica, material de transporte, roupa, bebidas). Universidade.

LOPES, Bernardino (B.) da Costa (1859-1916). Poeta simbolista fluminense. Obras: *Cromos, Brasões, Val de lírios, Plumário* etc.

LOPES, Fernão (séc. XIV-XV). Primeiro historiador de Portugal. Obras: *Crônica del rei dom João I, Crônica del rei dom Pedro I* etc.

LÓPEZ, Francisco Solano (1826-1870). Presidente do Paraguai, responsável pelo início da Guerra da Tríplice Aliança (do Paraguai), que durou mais de 4 anos.

LORENZO FERNANDEZ, Oscar (1897-1948). Compositor erudito carioca. Obras: "Toada pra você", "Jongo", "Trio brasileiro", sinfonias, canções etc.

LOURENÇO, São (MG). Mun. com 46.539 hab. Tradicional estância hidromineral.

LOUZEIRO, José de Jesus (1932-2017). Jornalista e escritor maranhense. Obras: *Lúcio Flávio, o passageiro da agonia, Araceli, meu amor, Fina flor da sedução* etc.

LUCIANO de Samósata (c.125-c.192). Escritor satírico grego. Obras: *Diálogo dos mortos, Assembleia dos deuses* etc.

LUCRÉCIO Caro, Tito (c.98 a.C.-55 a.C.). Poeta latino, autor de *Sobre a natureza das coisas*.

LUFT, Lia Fett (1938-2021). Romancista gaúcha, poetisa e cronista. Obras: *As parcerias, A asa esquerda do anjo, Pensar é transgredir, Perdas e ganhos* etc.

LUÍS. Nome de vários reis históricos. Da França, Luís IX (1214-1270) participou de duas cruzadas e foi canonizado; Luís XIV, o Grande (1638-1715) centralizou excessivamente o poder, convencido de sua inspiração divina; e Luís XVI (1754-1793) foi destronado pela Revolução Francesa e executado.

LUÍS EDMUNDO de Melo Pereira da Costa (1878-1961). Historiador, poeta e memorialista carioca. Membro da ABL. Obras: *O Rio de Janeiro no tempo dos vice reis, O Rio de Janeiro do meu tempo, Nimbus, Rosa dos ventos* etc.

LULA da Silva, Luís Inácio (1945-). Líder sindical pernambucano. Eleito presidente da República em 2002 e reeleito em 2006 para o quadriênio 2007-2010. Em 2017 foi condenado por corrupção passiva e lavagem de dinheiro sendo a primeira vez na história do Brasil em que se condenou criminalmente um ex-presidente da República.

LUND, Peter Wilhelm (1801-1880). Naturalista dinamarquês, radicou-se no Brasil.

LUTERO, Martinho (1483-1546). Teólogo alemão, líder da Reforma na Europa. Exerceu notável influência na difusão da igreja reformada.

LUZ, Carlos Coimbra da (1894-1961). Político mineiro, governou o Brasil como presidente interino durante o afastamento do pres. Café Filho, em 1955.

LUZIÂNIA (GO). Mun. com 214.645 hab. Pecuária (bovinos). Cidade histórica.

LYRA Barbosa, **Carlos** Eduardo (1936-). Compositor e cantor popular carioca. Um dos líderes da Bossa Nova. Obras: "Minha namorada", "Coisa mais linda" etc.

M

MABE, Manabu (1924-1998). Pintor brasileiro de origem japonesa. Radicou-se em SP em 1934 e fez uma carreira relâmpago como pintor abstrato, obtendo reconhecimento internacional.

MACAÉ (RJ). Mun. com 266.136 hab. Agricultura (feijão, milho, mandioca, banana). Pesca. Pecuária. Beneficiamento de açúcar. Extração de petróleo em águas profundas. Monumentos históricos.

MACAPÁ (AP). Capital do estado do Amapá, com 522.357 hab. Extração de manganês (maior exportador do país). Agropecuária. Pesca. Aeroporto internacional. A povoação foi fundada em 1758, com o nome de São José do Macapá, e foi elevada à cidade em 1856. Incorporada ao território do Amapá em 1940, tornou-se sua capital em 1944, e capital do estado em 1988. Situada exatamente sobre a linha do equador tem no Marco Zero, que o assinala, atração turística.

MACEDO, Joaquim Manuel de (1820-1882). Romancista e poeta carioca, descreveu com precisão o ambiente da capital imperial em meados do séc. XIX. Patrono da cadeira nº 20 da ABL. Obras: *A moreninha, O moço loiro, Os dois amores, Memórias da Rua do Ouvidor* etc.

MACEIÓ (AL). Capital do estado de Alagoas, com 1.031.597 hab. Centro comercial (exportações pelo porto vizinho de Jaraguá). Extração de petróleo na plataforma submarina. Indústria (alimentos, têxtil). Artesanato (rendas, madeira, cerâmica etc.). Turismo (lagoa de Mundaú, belas praias e infraestrutura hoteleira). Do engenho construído no séc. XVII desenvolveu-se um povoado, elevado a vila em 1815 e a cidade e capital da província de Alagoas em 1839.

MACHADO, Ana Maria (1941-). Romancista, com especial sucesso em obras infanto-juvenis. Membro da ABL. Obras: *Tropical sol da liberdade, Alice e Ulisses, Alguns medos e seus segredos, O recado do nome* etc.

MACHADO, Aníbal Monteiro (1894-1964). Romancista, contista e ensaísta mineiro. Obras: *A morte da porta-estandarte e outras histórias, Cadernos de João, João Ternura* etc.

MACHADO, Dionélio (1895-1985). Romancista gaúcho de repercussão nacional. Obras: *O louco do Cati, Desolação, Passos perdidos* etc.

MACHADO, Gilka da Costa de Melo (1893-1980). Poetisa carioca da linha simbolista, cultivou o verso livre. Obras: *Carne e alma, Mulher nua, Cristais partidos* etc.

MACHADO, Maria Clara (1921-2001). Teatróloga mineira criadora do grupo teatral O Tablado e que se ce-

MACHADO DE ASSIS | MAO-TSÉ-TUNG

lebrizou por suas peças infantis. Obras: *Pluft, o fantasminha*, *O cavalinho azul*, *A bruxinha que era boa* etc.

MACHADO DE ASSIS, Joaquim Maria (1839-1908). Romancista e contista carioca de renome mundial, considerado o maior prosador brasileiro. Membro fundador da ABL e seu primeiro presidente. Suas obras não perderam o brilho com o tempo. Obras: *Dom Casmurro*, *Quincas Borba*, *Memorial de Aires*, *Esaú e Jacó*, *Memórias póstumas de Brás Cubas* etc.

MADEIRA, **Marcos** Almir (1916-2003). Ensaísta, educador e sociólogo fluminense. Presidente do PEN Clube do Brasil por mais de trinta anos e membro da ABL. Obras: *Homens de marca*, *A ironia de Machado de Assis* etc.

MADEIRA, **rio**. Rio de RO e AM, com 3.300km, é o mais importante afluente do rio Amazonas. Tem potencial para substancial navegação fluvial.

MAGALDI, **Sábato** Antônio (1927-2016). Crítico de teatro e teatrólogo, membro da ABL. Obras: *Panorama do teatro brasileiro*, *Iniciação ao teatro*, *O cenário do avesso*, *O texto no teatro* etc.

MAGALHÃES, **Adelino** (1887-1969). Escritor fluminense, de inspiração modernista e espiritualista. Obras: *Visões, cenas e perfis*, *Tumulto da vida*, *A hora veloz* etc.

MAGALHÃES, **Aluísio** (1927-1982). Pintor e designer pernambucano de grande sucesso e prestígio. Projetou dezenas de marcas e logotipos para grandes empresas e instituições, inclusive as notas do dinheiro brasileiro de 1970.

MAGALHÃES, **Basílio de** (1874-1957). Historiador e folclorista mineiro. Obras: *O café na história*, *no folclore e nas belas-artes*, *A expansão geográfica do Brasil até os fins do século XVII* etc.

MAGALHÃES, **Celso** Tertuliano da Cunha (1849-1879). Escritor e jornalista maranhense. Deu especial atenção ao folclore e à poesia popular. Obras: *Versos*, *A poesia popular brasileira* etc.

MAGALHÃES, **Fernão de** (c.1480-1521). Navegador português, a serviço da Espanha. O primeiro a dar a volta ao mundo, quando descobriu o estreito de Magalhães, passagem do Oceano Atlântico para o Pacífico.

MAGALHÃES, **Roberto** (1940-). Pintor e gravador carioca, com obras premiadas em bienais e salões de arte moderna.

MAGALHÃES, Antônio **Valentim** da Costa (1859-1903). Jornalista, empresário e escritor carioca. Membro fundador da ABL. Obras: *Escritores e escritos*, *Flor de sangue*, *Rimário* etc.

MAGALHÃES Júnior, Raimundo (1907-1981). Ensaísta e teatrólogo cearense. Membro da ABL. Obras: *Impróprio para menores*, *Janela aberta*, *Um judeu*, *Machado de Assis desconhecido* etc.

MAGÉ (RJ). Mun. com 247.741 hab. Indústrias (alimentos, têxtil, de papel e bebidas). Beneficiamento de metais.

MAGNE, **padre** Augusto (1887-1966). Jesuíta, filólogo brasileiro, nascido na França. Pesquisador do português medieval e de etimologia. Obras: *A demanda do santo graal*, *Dicionário medieval e clássico da língua portuguesa* (incompleto), *Dicionário etimológico da língua latina* (incompleto) etc.

MAGNO, Pascoal **Carlos** (1906-1980). Teatrólogo, crítico e diplomata carioca. Fundador (1938) do Teatro do Estudante do Brasil. Animador de movimentos artísticos juvenis. Obras: *Sol sob as palmeiras*, *Pierrot* etc.

MAHLER, **Gustav** (1860-1911). Compositor e regente tcheco (na época, Austro-Hungria) de renome mundial. Obras: "A canção da terra", "Canções para crianças mortas", nove sinfonias etc.

MAIA, **Alcides** Castilho (1878-1944). Escritor regionalista gaúcho. Membro da ABL. Obras: *Ruínas vivas*, *Tapera*, *Alma bárbara*, *O gaúcho na legenda e na história* etc.

MAÍSA Figueira Monjardim Matarazzo (1936-1977). Cantora e compositora capixaba, que se destacou em meados do séc. XX. Obras: "Ouça", "Meu mundo caiu" etc.

MALFATTI, **Anita** (1896-1964). Pintora paulista, considerada um dos expoentes do movimento modernista no Brasil. Obras: *A estudante*, *A boba*, *Uma rua* etc.

MALLARMÉ, **Stéphane** (1842-1898). Poeta francês de renome mundial, um dos precursores da poesia contemporânea. Obras: "Um lance de dados jamais abolirá o acaso", *A Tarde de um Fauno*, *Divagações* etc.

MALLE, **Louis** (1932-1995). Cineasta francês que granjeou notável reputação mundial. Obras: *Adeus meninos*, *Os amantes*, *Perdas e danos* etc.

MALVINAS, **guerra das**. Conflito ocorrido entre o Reino Unido e a Argentina em 1982, quando a Argentina reivindicou a soberania sobre as ilhas e as ocupou militarmente. Houve combates em terra e no mar; e o Reino Unido recuperou o domínio sobre as ilhas.

MAMORÉ, **rio**. Rio de RO com 1.717km, que serve de limite entre a Bolívia e o Brasil.

MANAUS (AM). Capital do estado do AM, porto no rio Negro, com 2.255.903 hab. Grande centro comercial (zona franca). Indústria (eletroeletrônicos, refinaria de petróleo, siderurgia, cerveja, serrarias). Moinho de trigo. Beneficiamento de castanha, borracha. Aeroporto moderno. O povoado de Barra do Rio Negro, construído em 1669, na estratégica junção dos rios Negro e Amazonas, foi elevado a vila em 1833, com o nome de Manaus, e a cidade em 1848, de novo com o nome anterior. Em 1852 tornou-se a capital da província do Amazonas, retomando definitivamente o nome atual. A cidade teve notável progresso na época da borracha. Seu teatro de ópera (1896) é famoso. A capital retomou o desenvolvimento em 1967, com a fundação da Zona Franca, que trouxe prosperidade a toda a região.

MANDELA, **Nelson** Rolihlahla (1918-2013). Político sul-africano, líder do finalmente vitorioso movimento contra o *apartheid* na África do Sul, ficou preso durante 27 anos. Prêmio Nobel da Paz (1993).

MANET, **Édouard** (1832-1883). Pintor francês de renome mundial. Um dos líderes do impressionismo. Obras: *Olímpia*, *Almoço sobre a relva* etc.

MANGABEIRA, **João** (1880-1964). Político e jurista baiano, autor do projeto de Constituição de 1934.

MANGABEIRA, **Otávio** Cavalcanti (1886-1960). Político e escritor baiano. Foi ministro das Relações Exteriores. Membro da ABL. Obras: *As últimas horas de legalidade*, *Voto da saudade*, *Machado de Assis* etc.

MANN, **Thomas** (1875-1955). Romancista alemão de renome mundial. Prêmio Nobel de literatura (1929). Obras: *A montanha mágica*, *José e seus irmãos*, *Doutor Fausto*, *Morte em Veneza* etc.

MANTEGNA, **Andrea** (1431-1506). Pintor italiano, um dos mestres do séc. XV no norte da Itália. Obras: *Cristo morto*, *A câmara dos esposos* etc.

MANTIQUEIRA, **serra da**. Cordilheira que atravessa MG, SP e RJ. Nela situam-se alguns dos pontos mais altos do país, com mais de 2.700m, como os picos da Bandeira, das Agulhas Negras, do Cruzeiro e do Cristal.

MANZONI, **Alessandro** (1785-1873). Escritor italiano, famoso por sua obra *Os noivos*.

MAOMÉ (c.570-c.632). Fundador do islamismo (de Islam, ou "sujeição à vontade divina"), reverenciado como "o profeta de Alá". Sua cidade, Meca, é sagrada, assim como Medina, para onde fugiu (hégira) ao ser ameaçado.

MAO-TSÉ-TUNG ou **MAO ZEDONG** (1893-1976). Líder marxista, um dos fundadores da República Popular da China e depois seu presidente (1954-1959).

Promotor de uma "revolução cultural", foi muito criticado após sua morte.

MAQUIAVEL, Nicolau (1469-1527). Político, historiador e comediógrafo florentino, cujos ensinamentos políticos são estudados até hoje. Obras: *O príncipe, A mandrágora, Da arte da guerra* etc.

MAR, serra do. Cordilheira que marca o limite oriental do planalto brasileiro, de SC ao RJ. Subdivide-se em designações regionais: serra dos Órgãos, da Estrela, de Cubatão, de Parati, de Paranapiacaba. Seu ponto culminante é a Pedra do Sino, na serra dos Órgãos, com 2.263m.

MARABÁ (PA). Mun. com 287.664 hab. Importante centro comercial (castanha-do-pará).

MARACANAÚ (CE). Mun. com 230.986 hab. Microrregião de Fortaleza.

MARADONA, Diego Armando (1960-2020). Jogador de futebol argentino de renome mundial. Desempenhou papel importante na conquista pela Argentina da Copa do Mundo de 1986.

MARAJÓ (PA). Ilha situada na foz do rio Amazonas, é a maior ilha fluviomarinha do mundo, com c. 48.000km². Extração de borracha. Pecuária (búfalos). Indústria de cerâmicas.

MARANHÃO. Estado da região N.E., tem limites com PA, TO e PI. Sigla: *MA*. Área: 331.983km²; população: 7.155.687 hab. Capital: São Luís. Cidades principais: Imperatriz, Caxias, Santa Luzia, Tikmon, Codó, Bacabal etc. Agricultura (arroz, mandioca, milho, feijão, algodão). Extração vegetal (coco de babaçu, carnaúba). Pecuária (bovinos). Extração mineral (sal, ouro, diamantes). Indústria (processamento de bauxita, alumínio, papel e celulose). Turismo (monumentos históricos, arquitetura colonial em São Luís e Alcântara). O povoamento da região foi iniciado pelos franceses em 1612, depois pelos holandeses, que foram expulsos em 1644. Em 1823, depois de acirrada luta, a província aderiu à independência do Brasil. Balaiada (1838-1841). O primeiro governador republicano tomou posse em fins de 1889, e a primeira constituição do estado foi promulgada em 1891.

MARCGRAVE, Georg (1610-1644). Naturalista alemão que veio para Pernambuco com Maurício de Nassau. Autor de *História natural do Brasil*, em colaboração com Guilherme Piso.

MARCOS de Barros, Plínio (1935-1999). Dramaturgo paulista. Obras: *Navalha na carne, Barrela, Dois perdidos numa noite suja, Esquadrão da morte* etc.

MARCUSE, Herbert (1898-1979). Filósofo alemão, crítico da civilização industrial. Obras: *Eros e civilização, Ideologia da sociedade industrial* etc.

MARIANA (MG). Mun. com 61.830 hab. Cidade histórica tombada pelo IPHAN.

MARIANO Carneiro da Cunha, Olegário (1889-1958). Poeta pernambucano da corrente simbolista. Membro da ABL. Obras: *Água corrente, Castelos na areia, Cantigas de encurtar caminho* etc.

MARIA QUITÉRIA de Jesus (1792-1843). Heroína baiana das lutas contra os portugueses pela independência.

MARICÁ, marquês de (Mariano José Pereira da Fonseca) (1773-1848). Político carioca, muito ativo no movimento para a independência. Autor de *Máximas, pensamentos e reflexões*.

MARÍLIA (SP). Mun. com 242.249 hab. Agricultura (café, algodão, soja, trigo, frutas). Pecuária (bovinos, suínos). Turismo (catedral com 124m de altura). Centro comercial. Universidade.

MARINGÁ (PR). Mun. com 436.472 hab. Agricultura (café, cana-de-açúcar, trigo). Indústria (alimentos, têxteis, móveis).

MARINHEIROS, revolta dos. Ver *Chibata, revolta da*.

MARINHO, Roberto (1904-2003). Jornalista e empresário carioca, fundador das empresas Globo. Membro da ABL.

MARIZ, Vasco (1921-2017). Musicólogo, historiador e diplomata carioca. Obras: *Heitor Villa-Lobos, A canção brasileira, História da música no Brasil, Villegagnon e a França Antártica* etc.

MARIZ E BARROS, Antônio Carlos de (1835-1866). Almirante carioca, um dos heróis da guerra do Paraguai. Comandou o encouraçado Tamandaré.

MARQUES, Francisco Xavier Ferreira (1861-1942). Escritor regionalista baiano. Membro da ABL. Obras: *As voltas da estrada, A arte de escrever, Cultura da língua nacional* etc.

MARQUES, Oswaldino Ribeiro (1916-2003). Crítico literário e ensaísta maranhense. Obras: *O poliedro e a rosa, A seta e o alvo* etc.

MARQUES REBELO (Edi Dias da Cruz), dito (1907-1973). Romancista e contista carioca. Membro da ABL. Obras: *A estrela sobe, Marafa, O simples coronel Madureira, O espelho partido* (trilogia) etc.

MARTINHO DA VILA (Martinho José Ferreira), dito (1938-). Compositor e cantor popular fluminense de renome nacional. Obras: "Salve a mulatada", "Canta, canta minha gente", "Fogo no vento" etc.

MARTINS, Aldemir (1922-2006). Pintor e desenhista cearense de renome, especializado em temas do N.E.

MARTINS, Herivelto de Oliveira (1912-1992). Compositor popular carioca, obteve êxito em meados do séc. XX. Obras: "Ave-Maria no morro", "Praça onze" etc.

MARTINS, Wilson (1921-2010). Crítico literário paulista, de renome nacional. Obras: *A crítica literária no Brasil, História da inteligência brasileira* etc.

MARTINS FONTES, José (1884-1937). Poeta parnasiano paulista. Obras: *Arlequinada, Volúpia, Sol das almas* etc.

MARTINS JÚNIOR, José Isidoro (1860-1904). Escritor pernambucano. Membro da ABL (não chegou a tomar posse). Obras: *Vigílias literárias* (em colaboração com Clóvis Beviláqua), *Retalhos, Compêndio da história geral do Direito* etc.

MARTINS PENA, Luís Carlos (1815-1848). Teatrólogo carioca, iniciou a comédia de costumes no Brasil. Patrono da cadeira nº 29 da ABL. Obras: *O juiz de paz da roça, As casadas solteiras, O noviço, Quem casa quer casa* etc.

MARTIUS, Karl Friedrich Philipp **Von** (1794-1868). Botânico alemão que visitou o Brasil em 1817, onde coletou milhares de espécies. Obras: *Viagem pelo Brasil, Flora brasiliensis* etc.

MARX, Karl (1818-1883). Filósofo, sociólogo e economista alemão, cuja obra *O capital* teve repercussão mundial e serviu de base à teoria que ficou conhecida como *marxismo*, fundamento da ideologia comunista.

MASCARENHAS DE MORAIS, João Batista (1883-1968). Militar gaúcho, comandante em chefe da FEB na Itália. Foi marechal no serviço ativo.

MASCATES, guerra dos. Série de lutas em Pernambuco, no início do séc. XVIII, entre os senhores de engenho portugueses de Olinda e os comerciantes brasileiros do Recife.

MASSENET, Jules (1842-1912). Compositor francês de óperas de renome mundial. Obras: *Werther, Manon* etc.

MASUR, Kurt (1927-2015). Maestro alemão de fama mundial. Dirigiu o Gewandhaus de Leipzig (1970-1989), a Filarmônica de Nova York (1992) etc.

MATARAZZO, conde Francisco (1854-1937). Empresário italiano radicado em SP, que muito promoveu a industrialização no Brasil.

MATISSE, Henri (1869-1954). Pintor francês de renome internacional, um dos líderes de uma corrente estética chamada fovismo.

MATO GROSSO. Estado da região C.O., tem limites com a Bolívia, RO, AM, PA, TO, GO, MS. Sigla: *MT*. Área: 903.357km²; população: 3.590.793 hab. Capital:

Cuiabá. Cidades principais: Várzea Grande, Rondonópolis, Cáceres etc. Agricultura (cana-de-açúcar, soja, arroz, algodão, milho, mandioca, café, cacau). Extração vegetal (guaraná, borracha, madeira, babaçu, ipecacuanha). Pecuária em expansão. Diamantes, cobre, estanho, ouro. Indústria (alimentos, minerais não metálicos, madeira, frigoríficos). Turismo (Parque Nacional do Pantanal Mato-grossense, chapada dos Guimarães e centro geodésico da América do Sul). Universidade. As primeiras expedições de bandeirantes realizam-se em 1632. Em 1718 foram descobertas minas de ouro, e em 1722 funda-se Cuiabá, que seria a capital a partir de 1820. Capitania independente em 1748. A guerra do Paraguai assolou a província de 1864 a 1870. Em 1979 o estado é dividido, ao ser criado o Mato Grosso do Sul.

MATO GROSSO DO SUL. Estado da região C.O., tem limites com a Bolívia, o Paraguai, MT, GO, MG, SP e PR. Sigla: *MS*. Área: 357.124km²; população: 2.856.346 hab. Capital: Campo Grande. Cidades principais: Dourados, Três Lagoas, Ponta Porã, Paranaíba, Nova Andradina etc. Agricultura (soja, trigo, arroz, café, milho, feijão, algodão, mandioca, cana-de-açúcar, amendoim). Pecuária bovina [um dos maiores rebanhos do país], suínos). Extração mineral (ferro [com uma das maiores jazidas do mundo, no monte Urucum], manganês, calcário, estanho). Indústria (alimentos, minerais não metálicos, siderurgia, madeira). Turismo ecológico (pantanal mato-grossense). O estado foi criado pela lei complementar n° 31, de 11/10/1977, efetivada em 01/01/1979.

MATOS Guerra, **Gregório de** (1636-1696). Poeta satírico baiano. Criticou a sociedade e recebeu o apelido de "Boca do Inferno". Patrono da cadeira n° 16 da ABL. Obras (um edição da ABL): *Sacra*, *Lírica*, *Graciosa*, *Satírica* (2 vol.), *Última*.

MATTOSO CÂMARA Júnior, Joaquim (1904-1970). Filólogo e linguista carioca, introduziu o ensino da linguística. Obras: *Princípios de linguística geral*, *Contribuição para uma estilística da língua portuguesa*, *Problemas de linguística descritiva* etc.

MAUÁ (SP). Mun. com 481.725 hab. Indústria (química, material elétrico, polo petroquímico, refinaria de petróleo).

MAUÁ, barão de (Irineu Evangelista de Souza) (1813-1889). Empresário gaúcho que deu grande impulso à indústria brasileira. Construiu a primeira ferrovia no Brasil, em 1854 (RJ-Petrópolis).

MAUPASSANT, Guy de (1850-1893). Romancista e contista francês. Obras: *A casa Tellier*, *Contos da galinhola*, *Bel-Ami* etc.

MAURIAC, François (1885-1970). Escritor e jornalista francês. Prêmio Nobel de literatura (1952). Obras: *Ninho de víboras*, *Thérèse Desqueyroux*, *Os mal-amados* etc.

MAURO, Humberto Duarte (1897-1963). Cineasta paulista, considerado um dos pioneiros do cinema nacional. Obras: *A voz do carnaval*, *Ganga bruta*, *Brasa dormida* etc.

MAUROIS, André (Émile Solomon Wilhelm Herzog), dito (1885-1967). Escritor francês de fama mundial. Obras: *Os silêncios do Coronel Bramble*, *Climas*, as biografias de Shelley (*Ariel*), Balzac (*Prometeu*) etc.

MAXIMILIANO, Fernando José (1832-1867). Arquiduque da Áustria. Imperador do México designado por Napoleão III. Abandonado pela França, morreu fuzilado.

MEDEIROS E ALBUQUERQUE, José Joaquim de Campos da Costa de (1867-1934). Jornalista, escritor e político pernambucano. Membro da ABL. Obras: *Hino proclamação da República*, *Umbigo de Adão*, *Quando eu era vivo* (memórias póstumas) etc.

MÉDICI, Emílio Garrastazu (1905-1985). Militar e político gaúcho. Presidente da República no regime militar (1969-1974).

MEIRELES, Cecília (1910-1964). Poetisa e ensaísta carioca de notável renome nacional. Obras: *Vaga música*, *Romanceiro da Inconfidência*, *Ilusões do mundo*, *Ou isto ou aquilo* etc.

MEIRELES de Lima, Victor (1832-1903). Pintor catarinense de temas históricos. Obras: *A primeira missa no Brasil*, *Batalha dos Guararapes*, *Combate naval de Riachuelo* etc.

MÉLIÈS, Georges (1861-1938). Cineasta francês, um dos pioneiros do cinema mundial. Filmes: *Um jogo de cartas*, *O sumiço de uma mulher*, *Viagem à Lua* etc.

MELLO, Thiago Amadeu **de** (1926-2022). Poeta amazonense que bem representa o mundo amazônico. Obras: *A canção do amor armado*, *Mormaço na floresta*, *Silêncio e palavra* etc.

MELO, Custódio José de (1840-1902). Almirante baiano, participou na guerra do Paraguai e comandou o levante da Marinha contra o governo de Floriano Peixoto.

MELO, Francisco Manuel de (1608-1666). Escritor e diplomata português. Escreveu em português e em espanhol. Obras: *Carta de guia de casados*, *Tratado da ciência cabala*, *Apólogos dialogais* etc.

MELO Filho, Murilo (1928-2020). Jornalista potiguar. Membro da ABL. Obras: *Cinco dias de junho*, *O desafio brasileiro*, *O modelo brasileiro* etc.

MELO FRANCO, Afonso Arinos de. Ver *Arinos de Melo Franco, Afonso*.

MELO FRANCO Filho, Afonso Arinos de (1930-2020). Diplomata e escritor mineiro. Membro da ABL. Obras: *Primo canto*, *Tempestade no altiplano*, *Três faces da liberdade* etc.

MENA BARRETO, João de Deus (1874-1933). Militar gaúcho. Integrou a junta que governou quando da revolução de 1930.

MENDES Filho, Francisco (**Chico**) Alves (1944-1988). Sindicalista e seringueiro acriano. Recebeu o prêmio Global 500 da ONU por sua luta contra a destruição da Amazônia. Morreu assassinado.

MENDES, Gilberto Ambrósio Garcia (1922-2016). Compositor paulista de vanguarda, fundador dos festivais "Música Nova", em Santos. Obras: "Beba Coca-Cola", "Nascemorre", "Santos Futebol Clube" etc.

MENDES, Manuel Odorico (1799-1864). Poeta maranhense, traduziu Homero, Virgílio e Voltaire. Obras: *Hino à tarde*, *Opúsculo acerca do "Palmeirim de Inglaterra"* e do seu autor etc.

MENDES, Murilo Monteiro (1901-1975). Poeta mineiro. Um dos líderes do movimento modernista. Obras: *Bumba-meu-poeta*, *História do Brasil*, *A poesia em pânico*, *Tempo e eternidade* etc.

MENDONÇA, Lúcio Eugênio de Meneses e Vasconcelos Drumond Furtado **de** (1854-1909). Escritor, poeta e jornalista fluminense. Membro fundador da ABL. Obras: *Névoas matutinas*, *Visões do abismo*, *Esboços e perfis* etc.

MENDONÇA, Salvador Meneses Drumond Furtado **de** (1841-1913). Escritor, jornalista e diplomata fluminense. Membro fundador da ABL. Obras: *A herança*, *Marabá*, *A revolta da Armada* etc.

MENDONÇA TELES, Gilberto (1931-). Poeta e ensaísta goiano. Autor, entre outros, de *Hora aberta*.

MENESCAL, Roberto Batalha (1947-). Compositor popular capixaba. Um dos líderes da Bossa Nova. Obras: "O barquinho", "Você", "Nós e o mar" etc.

MENESES, Emílio de (1866-1918). Poeta paranaense. Membro da ABL. Obras: *Marcha fúnebre*, *Dies irae*, *Últimas rimas* etc.

MENOTTI DEL PICCHIA, Paulo (1892-1988). Poeta e ensaísta paulista da corrente modernista. Membro da ABL. Obras: *Juca mulato*, *A outra perna do Saci*, *No país das formigas*, *A longa viagem* etc.

MERKEL, Angela (1954-). Química, política alemã e chanceler do país desde 2005. Descrita como a líder de fato da União Europeia, com grande influência na política mundial.

MERQUIOR, José Guilherme (1941-1991). Diplomata e ensaísta carioca de renome nacional. Membro da ABL. Obras: *Razão do poema*, *As ideias e as formas*, *A astúcia da mimese* etc.

MESSI Cuccittini, **Lionel** Andrés (1987-). Jogador de futebol argentino de renome mundial. Recebeu por três vezes o prêmio da FIFA, o primeiro a conquistá-lo em três anos consecutivos: 2009, 2010 e 2011.

MESSIAEN, Olivier (1908-1992). Compositor erudito francês de renome mundial, chefe da escola ecológica na música, com influência mística. Obras: *Cronocromia*, *Pássaros exóticos* etc.

MEYER, Augusto (1902-1970). Poeta e crítico literário gaúcho. Membro da ABL. Obras: *Ilusão querida*, *Coração verde*, *Sorriso interior* etc.

MIGNONE, Francisco (1897-1986). Compositor erudito paulista. Um dos mais importantes músicos brasileiros. Obras: *Maracatu do Chico-Rei*, *Valsas de esquina*, *O Chalaça* etc.

MIGUEL ÂNGELO (Michelangelo Buonarotti) (1475-1564). Escultor, pintor e arquiteto italiano. Notável artista, autor das esculturas *Pietà*, *Moisés*, *Davi*; da cúpula da basílica de São Pedro e dos afrescos da Capela Sistina.

MIGUEL PEREIRA, Lúcia (1903-1959). Escritora mineira. Obras: *Machado de Assis*, *Amanhecer*, *Cabra-cega* etc.

MIGUEZ, Leopoldo Américo (1850-1902). Compositor e regente fluminense. Autor de óperas, poemas sinfônicos, uma sinfonia etc.

MILHAUD, Darius (1892-1974). Compositor francês de vanguarda, viveu no RJ (1917-1919). Obras: "Boi no telhado", "Saudades do Brasil", sinfonias etc.

MILLER, Arthur Ashur (1915-2005). Teatrólogo norte-americano de projeção internacional. Obras: *Morte de um caixeiro-viajante*, *As feiticeiras de Salém*, *Depois da queda* etc.

MILLIET, Sérgio (1898-1966). Ensaísta e tradutor paulista. Obras: *Diário crítico*, *Poemas análogos* etc.

MILTON, John (1608-1674). Poeta inglês, autor do famoso *O paraíso perdido* e de *O paraíso reconquistado*.

MINAS GERAIS. Estado da região S.E., tem limites com BA, ES, RJ, SP, MS e GO. Sigla: *MG*. Área: 586.528km²; população: 21.479.379 hab. Capital: Belo Horizonte. Cidades principais: Contagem, Juiz de Fora, Uberlândia, Montes Claros, Governador Valadares, Uberaba, Ipatinga, Ribeirão das Neves, Santa Luzia, Teófilo Otoni, Divinópolis, Poços de Caldas, Patos de Minas etc. Importante agricultura (café, milho, fumo, feijão, arroz, cana-de-açúcar, mandioca, algodão, fruticultura) e pecuária (bovinos, equinos, suínos). Mineração (ferro, manganês, bauxita, ouro, prata, níquel, zinco, dolomita, arsênio, fosfato, quartzo). É o terceiro parque industrial do Brasil (automóveis, motores, alimentos, cimento, têxteis, material elétrico, metalurgia, siderurgia, minerais não metálicos, refinaria de petróleo). Usinas hidrelétricas (rios Grande, Parnaíba, São Francisco). Intenso turismo (cidades históricas, estâncias hidrominerais). Magnífico acervo cultural e arquitetônico, representativos do colonial e do barroco. Universidade. Bibliotecas, museus. Festivais de arte e folclóricos. A penetração de expedições em busca de ouro levou a um afluxo de população no fim do séc. XVII. Vilas foram sendo criadas, apesar do choque entre colonizadores. Em 1720 foi criada a capitania de Minas Gerais, e os paulistas afastaram-se aos poucos da região. A decadência da mineração levou ao incremento da agricultura, no fim do séc. XVIII. O triângulo mineiro foi anexado em 1816. Vila Rica foi a sede da Conjuração Mineira. Com a independência do país, o governo passou ao presidente nomeado pelo poder central do Império. Em 1897 foi inaugurada a nova capital, Cidade de Minas, nome mudado para Belo Horizonte, em 1901.

MINDLIN, José Ephim (1914-2010). Repórter, advogado, escritor e bibliófilo. Membro da ABL. Obras: *Uma vida entre livros: reencontros com o tempo e Memórias esparsas de uma biblioteca*.

MIRIM, lagoa. Lagoa do RS, junto à fronteira com o Uruguai, com 200km de extensão.

MIRÓ, Joan (1893-1983). Pintor e escultor espanhol da linha surrealista. Obras: *O ovo*, *Carnaval de Arlequim* etc.

MISTRAL, Gabriela (Lucila Godoy e Alca Yaga), dita (1889-1957). Poetisa chilena de renome mundial. Prêmio Nobel de literatura (1945). Obras: *Desolação*, *Ternura*, *Cantigas de ninar* etc.

MODIGLIANI, Amedeo (1884-1920). Pintor italiano de renome mundial, conhecido por suas figuras alongadas.

MOGI DAS CRUZES (SP). Mun. com 436.472 hab. Agricultura (batata-inglesa). Indústria (metalurgia). Estação de águas radioativas.

MOGI GUAÇU (SP). Mun. com 154.146 hab. Indústria (papel, cerâmica, química, metalurgia).

MOISÉS. Líder israelita da libertação de seu povo da escravidão no Egito (séc. XIII-XII a.C.). Segundo o Antigo Testamento, conduziu os judeus no deserto até as fronteiras de Canaã, depois de lhes entregar a Torá e os Dez Mandamentos, que recebera de Deus. O primeiro dos profetas do povo judeu.

MOLIÈRE (Jean-Baptiste Poquelin), dito (1622-1673). Comediógrafo, ator e diretor teatral francês. Obras: *Tartufo*, *O misantropo*, *Escola de mulheres* etc.

MONDRIAN, Piet (1872-1944). Pintor holandês da corrente abstrata, que obteve reputação mundial. Viveu em Paris e em Nova York.

MONET, Claude (1840-1926). Pintor francês, da escola impressionista, de projeção mundial. Obras: *Ninfeias*, *Catedral de Rouen* etc.

MONTAIGNE, Michel Eyquem de (1539-1592). Filósofo e humanista francês. Interessou-se pelos indígenas brasileiros. Obras: *Ensaios*, *Teologia natural* etc.

MONTE CASEROS, batalha de. Combate travado em 1852 entre tropas brasileiras e as do ditador argentino Rosas, o qual, derrotado, asilou-se em navio inglês.

MONTE CASTELO, batalha de. Série de lutas na Itália, em 1944, nas quais as forças aliadas obtiveram importante vitória contra os alemães, com brilhante participação da FEB.

MONTEIRO LOBATO, José Bento (1882-1948). Escritor paulista e autor de literatura infantil de renome nacional. Obras: *Urupês*, *Cidades mortas*, *Negrinha* etc., e na linha infantil, *Reinações de Narizinho*, *O saci*, *O minotauro*, *O poço do Visconde*, *A reforma da natureza* etc.

MONTELLO, Josué de Sousa (1917-2006). Romancista maranhense. Membro da ABL. Obras: *Diário da manhã*, *Diário da noite iluminada*, *Memórias póstumas de Machado de Assis* etc.

MONTENEGRO, Fernanda (Arllete Pinheiro Monteiro Torres) (1929-). Atriz e escritora. Membro da ABL. Obras: *Fernanda Montenegro: Itinerário fotobiográfico* e *Prólogo*, *ato*, *epílogo*.

MONTES CLAROS (MG). Mun. com 417.478 hab. Agricultura (mandioca, milho, feijão, arroz, cana-de-açúcar, algodão). Indústria (frigorífico, cimento, beneficiamento de produtos agrícolas, química, farmacêutica, têxteis, bebidas).

MONTESQUIEU, Charles de Secondat, barão de la Brède e de (1689-1755). Filósofo francês. Obras: *O espírito das leis*, *Cartas persas* etc.

MORAES Filho, Evaristo De (1914-2016). Sociólogo e jurista carioca. Membro da ABL. Obras: *As relações humanas na indústria*, *Fundamentos do direito de trabalho* etc.

MORAIS Barros, **Prudente** José de (1841-1902). Político republicano paulista. Foi o primeiro presidente da República eleito pelo voto direto.

MORAIS Barros, Marcos **Vinícius** Cruz de (1913-1980). Diplomata, poeta e letrista importante da MPB. Obras: *O caminho para a distância, Ariana, a mulher, Livro dos sonetos*, letras de inúmeras músicas populares com música de vários compositores.

MORAIS SILVA, Antônio de (1757-1824). Filólogo e lexicógrafo carioca, autor do *Dicionário da língua portuguesa* e de *Gramática portuguesa*.

MORE, Thomas (1477-1535). Humanista inglês, autor de *História do rei Ricardo* e de *Utopia*, antevisão de uma sociedade ética, democrática e justa. Morreu decapitado.

MOREIRA da Costa Ribeiro, **Delfim** (1868-1920). Político mineiro. Vice-presidente de Rodrigues Alves, assumiu a presidência da República com a morte do titular, completando seu mandato (1918-1919).

MOREYRA, Álvaro (Álvaro Maria da Soledade Pinto da Fonseca Velhinho Rodrigues da Silva), dito (1888-1964). Poeta e jornalista gaúcho, da corrente simbolista. Membro da ABL. Obras: *Elegia da bruma, Um sorriso para tudo etc.*

MORO, Sergio Fernando (1972-). Juiz, ex-magistrado, escritor e professor universitário. Ganhou notoriedade por comandar, de 2014 a 2019, os julgamentos dos crimes identificados na Operação Lava-Jato. Em 2019 foi nomeado ministro da Justiça e Segurança Pública, renunciando em 2020.

MORTES, rio das. Rio de MT, GO e TO, afluente do Araguaia, com 883km.

MOSSORÓ (RN). Mun. com 303.792 hab. Extração de sal e beneficiamento de algodão, carnaúba e oiticica.

MOTA e Albuquerque, **Mauro** Ramos da (1911-1984). Poeta e ensaísta pernambucano. Membro da ABL. Obras: *Amor de elegias, O cajueiro nordestino, Paisagens das secas etc.*

MOTA FILHO, Cândido (1897-1977). Crítico literário e jurista paulista. Membro da ABL. Obras: *Introdução ao estudo da política moderna, A função de punir, Dias lidos e vividos, memórias etc.*

MOURÃO, Ronaldo Rogério de Freitas (1935-2014). Astrônomo carioca. Autor, entre outros, do *Dicionário enciclopédico de astronomia e astronáutica*.

MOZART, Wolfgang Amadeus (1756-1791). Compositor austríaco, um dos gênios da música. Extensa obra, com 41 sinfonias, óperas, concertos, música de câmara, oratórios etc.

MURAT, Luís Morton Barreto (1861-1929). Poeta parnasiano e político carioca. Esteve muito ativo nos movimentos em favor da abolição e da República. Membro fundador da ABL. Obras: *Ondas, Quatro poemas etc.*

MURNAU (Friedrich Wilhelm Plumpe), dito (1889-1931). Cineasta alemão. Obras: *A cabeça de Janus, O castelo do fantasma, Nosferatu etc.*

MUSSOLINI, Benito (1883-1945). Político italiano. Fundador do Partido Fascista em 1919, tomou o poder em 1922. Aliou-se à Alemanha nazista. Com a derrota na Segunda Guerra Mundial foi executado.

N

NABUCO de Araújo, **Joaquim** Aurélio Barreto (1849-1910). Diplomata e ensaísta pernambucano, líder da campanha abolicionista. Membro fundador da ABL. Obras: *O abolicionista, Um estadista do Império, Escritos e discursos literários etc.*

NAPOLEÃO I (Napoleão Bonaparte) (1769-1821). Imperador da França (1804-1815). Como militar, um dos maiores gênios da história. Autor de *Memórias*, ditadas na ilha de Santa Helena, onde estava exilado.

NASCENTES, Antenor de Veras (1896-1972). Filólogo carioca. Obras: *O linguajar carioca, A gíria brasileira, Dicionário etimológico da língua portuguesa, Dicionário de sinônimos etc.*

NASCIMENTO, Edson Arantes do. Ver **Pelé.**

NASCIMENTO, Milton (1942-). Compositor popular carioca, educado em MG. Alcançou renome internacional. Obras: "Travessia", "Clube da esquina", "Canção da América", "Coração de estudante" etc.

NÁSSARA, Antônio Gabriel (1910-1996). Caricaturista carioca e compositor popular, esp. de músicas carnavalescas.

NASSAU-Siegen, Johann Mauritius van (**Maurício de**) (1604-1679). Militar e administrador holandês, governador do N.E. (1637-1644). Realizou notável administração no Brasil Holandês, trazendo para o Brasil grandes artistas.

NASSER, Gamal Abdel (1918-1970). Político egípcio. Presidente do Egito (1958-1970), nacionalizou o canal de Suez.

NATAL. Capital do estado do Rio Grande do Norte, com 896.708 hab. Porto exportador. Indútria (confecções, construção civil). Turismo florescente (praias, hotéis, monumentos históricos, festivais folclóricos). Universidade. Fundada em 1598, (com a construção do Forte dos Três Reis Magos) tomou o nome de Natal em 1599. Dominada pelos holandeses (1633-1654) foi seguidamente chamada de Amsterdã, Potenji e Rio Grande. A modernização começou em 1930. Teve papel importante como base aérea norte-americana na Segunda Guerra Mundial.

NAVA, Pedro da Silva (1903-1984). Poeta, médico e memorialista, membro da ABL. Obras: *Baú de ossos, Balcão cativo, Chão de ferro etc.*

NAVIO, serra do (AP). Região montanhoso, rico em jazidas de manganês, que entraram em declínio a partir da década de 1980.

NAZARÉ, Ernesto (1863-1934). Compositor e pianista carioca. Exerceu notável influência com seus choros ("Apanhei-te, cavaquinho", "Brejeiro", "Odeon" etc.), valsas e tangos.

NEBLINA, pico da. O ponto mais alto do Brasil (3.041m), situado na serra do Imeri, fronteira do Amazonas com a Venezuela.

NEGREIROS, André Vidal de (1606-1681). Líder paraibano nas lutas contra os holandeses, foi depois governador do MA, de PE e de Angola.

NEGRO, rio. Rio do AM, afluente do Amazonas, com 1.784km.

NEJAR, Carlos (1931-). Poeta gaúcho. Membro da ABL. Obras: *Sélesis, Canga, Os viventes, O túnel perfeito etc.*

NEPOMUCENO, Alberto (1864-1920). Compositor erudito cearense. Obras: *Suite brasileira*, as óperas *Abul* e *Artemis*, canções etc.

NÉRI, Ana Justino Ferreira (1814-1880). Enfermeira baiana que se celebrizou na guerra do Paraguai. Pioneira da enfermagem no Brasil.

NÉRI, Ismael (1900-1934). Pintor paraense, o primeiro da corrente surrealista no Brasil.

NERUDA, Pablo (Ricardo Neftali Reyes), dito (1904-1973). Poeta chileno de renome mundial. Prêmio Nobel de literatura (1971). Obras: *Crepuscuário, Residência na terra, Canto geral, Confesso que vivi etc.*

NEVES, Tancredo de Almeida (1910-1985). Político mineiro. Foi primeiro-ministro do presidente João Goulart numa curta experiência parlamentarista no Brasil, e governador de MG. Eleito pelo Congresso presidente da República, após 19 anos de regime militar, adoeceu e morreu antes de tomar posse.

NEWTON, Isaac (1642-1727). Físico e matemático inglês, descobriu as leis de atração dos corpos físicos.

NIEMEYER Filho, Paulo (1952-). Neurocirurgião e escritor. Membro da ABL. Obras: *O que é ser médico, No labirinto do cérebro etc.*

NIEMEYER Soares Filho, **Oscar** (1907-2012). Arquiteto carioca de fama mundial. Projetou os principais palácios de Brasília, o MAC de Niterói, o conjunto da Pampulha de MG, e inúmeras obras no mundo inteiro.

NIETZSCHE, Friedrich (1844-1900). Filósofo alemão de repercussão internacional. Obras: *Assim falou Zaratustra*, *Genealogia da moral*, *Vontade de potência* etc.

NIJINSKI, Vaslav (1890-1950). Bailarino russo, o maior de seu tempo. Criou, no balé russo, *O espectro da rosa*, *Scherazade* etc.

NILÓPOLIS (RJ). Mun.industrial com 162.893 hab.

NINA RODRIGUES, Raimundo (1862-1906). Sociólogo e folclorista maranhense de renome nacional. Obras: *Os africanos no Brasil*, *O animismo fetichista dos negros da Bahia* etc.

NISKIER, Arnaldo (1935-). Ensaísta e educador carioca. Membro da ABL. Obras: *Administração escolar*, *A nova escola*, *Educação é a solução*, *Educação para o futuro* etc.

NITERÓI (RJ). Mun. com 516.981 hab. Centro comercial. Indústria (farmacêutica, metalurgia, construção naval, têxtil, de alimentos, cimento, vidro, papel etc.). Universidade. Museus. Antiga Vila Real da Praia Grande. Fundada em 1573 pelo cacique Arariboia, elevada em 1835 a cidade e capital da província (depois do estado) do Rio de Janeiro, condição finalizada em 1975, com a fusão dos estados do Rio de Janeiro e da Guanabara.

NOBEL, Alfred (1833-1896). Industrial sueco que descobriu a dinamite. Deixou rica instituição cultural, a Fundação Nobel, que atribui e outorga anualmente o Prêmio Nobel.

NOBRE, Antônio (1867-1900). Um dos maiores poetas simbolistas de Portugal. Obras: *Só*, *Despedidas*, *Primeiros versos* etc.

NOBRE, Marlos (1939-). Compositor erudito pernambucano. Obras: *Ukrinmakrinkrin*, *Rhymetron*, *Concerto breve* etc.

NÓBREGA, Manuel da (1517-1570). Sacerdote jesuíta português, enviado ao Brasil em 1549, onde teve destacada atuação. Autor de *Informações das terras do Brasil* e *Diálogos sobre a conversão do gentio* etc.

NOLL, João Gilberto (1946-2017). Romancista gaúcho. Obras: *A fúria do corpo*, *Bandoleiros*, *O quieto animal da esquina*, *Harmada* etc.

NORONHA, Fernão de (séc. XV-XVI). Comerciante português que recebeu concessões para explorar áreas no Brasil. Descobriu as ilhas Fernando de Noronha, que levam seu nome.

NOSSA SENHORA DO SOCORRO (SE). Mun. com 187.733 hab. Microrregião de Aracaju.

NOVA FRIBURGO (RJ). Mun. com 191.664 hab. Horticultura. Pecuária. Indústria (móveis, têxtil). Turismo. Fundada em 1819 por imigrantes de Friburgo, Suíça, passou à cidade em 1890.

NOVA IGUAÇU (RJ). Mun. com 825.388 hab. Numerosas indústrias situadas na vizinhança do RJ. Ensino superior. Surgiu em 1719, cidade em 1891.

NOVAIS, Guiomar (1896-1979). Pianista paulista de sucesso internacional, grande intérprete de Chopin.

NOVO HAMBURGO (RS). Mun. com 247.303 hab. Indústria (calçados [exportação], couro, roupas, máquinas, móveis, papel e papelão etc.). Fundada em 1822, por imigrante açoriano, recebeu em 1824 grande leva de imigrantes alemães. Emancipou-se (de São Leopoldo) em 1927.

NUTELS, Noel (1913-1973). Médico brasileiro, nascido na Ucrânia, dedicou sua vida a importante trabalho médico e profilático junto aos índios do Xingu.

O

OBAMA, II **Barack** Hussein (1961-). Advogado e político dos Estados Unidos, foi o 44.º presidente daquele país, sendo o primeiro afro-americano a ocupar o cargo.

O'HIGGINS, Bernardo (1776-1842). Militar chileno, libertador de seu país, com auxílio do general argentino San Martin. Interveio no Peru e na Argentina.

OHTAKE, Tomie (1913-2015). Pintora e gravadora brasileira de origem japonesa. Da corrente abstrata, obteve grande sucesso e numerosos prêmios.

OIAPOQUE, rio. Rio do AP, limite norte do Brasil, com a Guiana Francesa.

OITICICA, José Rodrigues Leite e (1937-1980). Filólogo e poeta mineiro. Obras: *Manual de análise*, *Estudos de fonologia*, *Sonetos* etc.

OLÍMPIO Braga Cavalcanti, **Domingos** (1850-1906). Romancista cearense da corrente naturalista, retratou a seca nordestina. Obras: *Luzia-homem*, *O almirante*, *Uirapuru* (inacabado).

OLINDA (PE). Mun. e cidade histórica fundada em 1535, vizinha ao Recife, com 393.734 hab. Turismo, monumentos históricos. Ocupada pelos holandeses de 1630 a 1654. Elevada a cidade em 1637, foi capital do estado até 1937. Tombada pela Unesco como patrimônio histórico da humanidade em 1982.

OLINDA, Marquês de (Pedro de Araújo Lima) (1793-1870). Político pernambucano. Substituiu Feijó na regência do Império e foi quatro vezes presidente do Conselho de Ministros.

OLIVEIRA, Antônio Mariano **Alberto de** (1859-1937). Poeta parnasiano fluminense. Membro fundador da ABL. Obras: *Meridionais*, *Livro de Ema*, *Cheiro de flor* etc.

OLIVEIRA, Artur de (1851-1882). Jornalista e poeta gaúcho, precursor do parnasianismo. Membro da ABL. Obras: *Canteiro de lianas*, *Flechas* etc.

OLIVEIRA, Manoel de (1908-2015). Cineasta português. Obras: *O passado e o presente*, *Amor de perdição*, *Convento*, *Party* etc.

OLIVEIRA, Marly de (1935-2007). Escritora capixaba. Obras: *Aliança*, *O deserto jardim*, *Mar de permeio* etc.

OLIVEIRA LIMA, Manuel de (1867-1928). Diplomata e historiador pernambucano. Membro fundador da ABL. Obras: *Dom João VI no Brasil*, *História da civilização*, *d. Pedro e d. Miguel* etc.

OLIVEIRA, Rosiska Darcy de (1944-). Ensaísta e escritora brasileira. Membro da ABL. Obras: *A libertação da mulher*, *Vivendo e aprendendo*, *Chão de terra* etc.

OLIVEIRA VIANA, Francisco José (1883-1951). Jurista, sociólogo e historiador fluminense. Membro da ABL. Obras: *Raça e assimilação*, *Instituições políticas brasileiras* etc.

OLYMPIO, José (1902-1990). Editor paulista, lançou importantes autores brasileiros, e publicou centenas deles. Editou também notável acervo de ensaios sobre temas brasileiros, os *Documentos brasileiros*.

O'NEILL, Eugene (1888-1953). Dramaturgo norte-americano de renome mundial. Prêmio Nobel de literatura (1936). Obras: *Desejo sob os olmos*, *Estranho interlúdio*, *Longa jornada noite adentro* etc.

OPPENHEIMER, Julius Robert (1904-1967). Físico norte-americano. Celebrizou-se por seus trabalhos sobre a teoria quântica, a bomba de hidrogênio e os raios cósmicos. Perseguido pelo macarthismo como suspeito de ser comunista.

ORELLANA, Francisco de (1511-1546.) Navegador e descobridor espanhol, o primeiro a realizar toda a navegação do rio Amazonas, de Quito a Belém (1542).

ORICO, Osvaldo (1900-1981). Poeta e ensaísta paraense. Membro da ABL. Obras: *Dança dos pirilampos*, *Feitiço do Rio*, *O demônio da regência* etc.

OROZCO, José Clemente (1883-1949). Pintor muralista mexicano de renome mundial. Autor de afrescos famosos em prédios públicos da cidade do México, Nova York, Guadalajara etc.

ORWELL, George (1903-1950). Escritor inglês de fama mundial. Obras: *1984*, *A revolução dos bichos*, *Homenagem à Catalunha* etc.

OSASCO (SP). Mun. com 701.428 hab. Numerosas indústrias.

OSCARITO (Oscar Lorenzo Dias), dito (1906-1979). Ator brasileiro, nascido na Espanha. Famoso por seus papéis cômicos no teatro e no cinema.

OSÓRIO, general Manuel Luiz, marquês do Herval (1808-1879). Militar gaúcho de notável prestígio. Participou de numerosas batalhas e foi dos mais brilhantes comandantes da guerra do Paraguai.

OSTROWER, Fayga (1920- 2001). Gravadora brasileira de origem polonesa. Alcançou grande sucesso no Brasil, onde obteve numerosos prêmios. Dedicou-se também ao ensino e à conceituação de sua arte.

OSWALD, Henrique (1852-1931). Pianista e compositor carioca de grande influência. Diretor do Instituto Nacional de Música.

OSWALD, Henrique **Carlos** Bicalho (1918-1965). Pintor brasileiro nascido na Itália, filho do precedente. Dedicou-se também ao ensino de gravura, principalmente de água-forte.

OTTONI, Teófilo Benedito (1807-1869). Político mineiro, líder da revolução liberal de 1842. Foi deputado e senador do Império.

OURO PRETO (MG). Mun. com 74.824 hab. Cidade histórica. Indústria (metalurgia, siderurgia). Mineração. Turismo (importantíssimo acervo histórico e artístico – a cidade foi tombada pela Unesco como patrimônio da humanidade). O arraial de Ouro Preto foi fundado em 1711, e se uniu ao de Antônio Dias, sob o nome de Vila Rica. Importante centro histórico e cultural da colônia. Cenário da Conjuração Mineira (1789). Cidade e capital de Minas Gerais em 1823 a 1897.

OVÍDIO (Publios Ovidius Naso) (43 a.C.-18 d.C) Poeta latino nascido na Itália, de grande influência na poesia universal. Obras: *Os amores*, *A arte de amar*, *Os remédios do amor*, *Tristes* etc.

P

PACARAIMA, serra da (RR). Serra que separa RR da Venezuela, cujo ponto mais alto é o monte Roraima.

PACHECO, José **Félix** Alves (1879-1935). Político e poeta piauiense. O instituto de identificação com seu nome celebrizou-o. Obras: *Chicotadas*, *Poesias* etc.

PADILHA, Tarcísio Meireles (1928-2021). Ensaísta e filósofo. Membro da ABL. Obras: *Uma filosofia da esperança*, *Realismo da esperança*, *Privilégio do instante* etc.

PAIS, Fernão Dias (1608-1681). Bandeirante famoso que explorou o PR, SC e RS.

PALHETA, Francisco de Melo (c.1670-†). Introdutor das primeiras mudas de café no Brasil.

PALMARES, quilombo dos. Povoação de escravos negros fugitivos em Alagoas, que durou mais de vinte anos e foi dispersa em 1695 pelo Exército.

PALMAS. Capital do estado de Tocantins, com 313.349 hab. Pecuária. Indústria (construção civil, metalurgia, cerâmica etc.). Cidade planejada e construída (a partir de 1989) para ser a capital do novo estado. Universidade.

PALMÉRIO, Mário de Ascenção (1916-1996). Romancista mineiro. Membro da ABL. Obras: *Vila dos confins*, *Chapadão do bugre* etc.

PANCETTI, José (Giuseppe Gianinni), dito (1904-1959). Pintor paulista, célebre por suas marinhas e seus retratos.

PANTANAL. Extensa planície no MT e no MS, com áreas inundáveis, flora e fauna riquíssimas. Turismo ecológico de fama internacional.

PARÁ. Estado da região N., tem limites com as Guianas, AP, AM, TO e MA. Sigla: *PA*. Área: 1.247.689km²; população: 8.828.580 hab. Capital: Belém. Cidades principais: Santarém, Ananindeua, Marabá, Castanhal, Itaituba, Abaetetuba, Cametá, Breves, Altamira etc. Agricultura e extração vegetal (pimenta-do-reino, juta, mandioca, arroz, milho, feijão, castanha-do-pará). Extração de madeira e de borracha. Pecuária (bovinos [búfalos em Marajó], suínos). Mineração (ouro [em Serra Pelada], ferro, alumínio, cobre, manganês, níquel, estanho, cristal de rocha, diamantes, cassiterita, sal-gema, bauxita [grandes depósitos em Carajás]). Indústria (alimentos, têxteis, minerais não metálicos, madeira, cimento, bebidas). Hidrelétricas. Turismo (rio Amazonas, floresta amazônica, Belém e seus monumentos históricos, Museu Emílio Goeldi etc.). Fundado em 1616 com o nome de Feliz Lusitânia, em 1621 Estado do Maranhão e Grão-Pará. Viveu a Cabanagem, no início do séc. XIX. Com o surto da borracha, em fins do séc. XIX, a província teve grande progresso. Com seu declínio, a abertura de eixos rodoviários, a construção de hidrelétricas (Tucuruí, em 1986) e o investimento em extração mineral e na indústria deram novo impulso ao estado.

PARAGUAI, rio. Rio do MT e do MS com 2.477km. Importante afluente do rio Paraná, teve significativa participação histórica na região.

PARAGUAI, guerra do (ou Guerra da Tríplice Aliança). Iniciada pelo ditador paraguaio Francisco Solano López em 1865, só foi concluída com sua morte em Cerro Corá, em 1870. O Duque de Caxias foi o comandante das tropas do Brasil, Argentina e Uruguai na última etapa.

PARAÍBA. Estado da região N.E., tem limites com RN, CE e PE. Sigla: *PB*. Área: 56.439km²; população: 4.071.273 hab. Capital: João Pessoa. Cidades principais: Campina Grande, Santa Rita, Patos, Bayeux, Sousa etc. Agricultura (cana-de-açúcar, abacaxi, feijão, mandioca, milho, algodão, sisal, agave). Pecuária (bovinos, ovinos, caprinos, suínos, equinos, asininos). Indústria (têxtil, alimentos [açúcar], minerais não metálicos, metalurgia, química). Extração de calcário e betonita. Jazidas de amianto, bauxita, berilo, cassiterita, chumbo, cristal de rocha, ferro, quartzo, mármore. Duas universidades, museus. Turismo (monumentos históricos, praias [Tambaú], festivais folclóricos). Sua colonização foi iniciada no séc. XVI pelos portugueses, progrediu durante o período espanhol (1580-1640) e esteve sob domínio holandês (1633-1650). Campina Grande, principal cidade do estado, é centro universitário.

PARAÍBA DO SUL, rio. Rio de SP e RJ com 1.019km. Tem considerável influência econômica para os dois estados.

PARANÁ. Estado da região S., tem limites com o Paraguai, a Argentina, SP, MS e SC. Sigla: *PR*. Área: 199.314km²; população: 11.643.549 hab. Capital: Curitiba. Cidades principais: Londrina, Maringá, Ponta Grossa, Foz do Iguaçu, Cascavel, Guarapuava, São José dos Pinhais, Colombo, Paranaguá, Apucarana etc. Importante agricultura, com destaque nacional (cana-de-açúcar, trigo, milho, soja, algodão, café). Pecuária (bovinos, suínos). Produção de ovos, mel, cera de abelha. Extração de madeira, areia, argila, calcário, caulim, dolomita, mármore. Importante parque industrial (alimentos, madeira, móveis, minerais não metálicos, química, bebidas). Hidrelétricas, entre as quais a maior usina do mundo, a de Itaipu. Porto de Paranaguá. Turismo (Parque Nacional do Iguaçu e cataratas do Iguaçu, Vila Velha, ilha do Mel, praias, monumentos históricos). Duas universidades, museus, grande atividade cultural. Colonização no séc. XVII, atividade pecuária nos séc. XVIII e XIX. Em 1853 foi criada a província do Paraná, já

PARANÁ | PERNAMBUCO

tendo Curitiba como capital. Grande desenvolvimento no séc. XX.

PARANÁ, rio. Rio com 4.800km. É o segundo maior rio da América do Sul, serve de fronteira entre o Brasil e o Paraguai e entre os estados de SP e MS e PR e MS.

PARANAGUÁ (PR). Mun. com 157.378 hab. Importante porto (exportação de café, madeira etc.). Usina termelétrica.

PARANAÍBA, rio. Rio com 970km, formador do Paraná, serve de limite entre MG e GO.

PARANAPANEMA, rio. Rio de 880km, que serve de limite entre SP e PR. Afluente do rio Paraná.

PARATY (RJ). Mun. com 44.741 hab. Cidade histórica. Turismo.

PARIMA, serra do. Cordilheira que serve de fronteira entre RR e a Venezuela.

PARINTINS (AM) Mun. com 113.832 hab., sede do Festival Folclórico de Parintins, uma das maiores manifestações culturais preservadas da América Latina.

PARNAÍBA (PI). Mun. com 153.863 hab. Centro comercial. Salinas.

PARNAÍBA, rio. Rio entre MA e PI, com 1.414km.

PARREIRAS, Antônio Diogo da Silva (1860-1937). Pintor carioca de estilo acadêmico. Alcançou grande prestígio nacional.

PASCAL, Blaise (1623-1662). Matemático e filósofo francês. Obras: *Provinciais, Pensamentos* etc.

PASCOAL, monte (BA). Primeiro sinal de terra avistado pela expedição de Pedro Álvares Cabral em 1500.

PASOLINI, Pier Paolo (1922-1975). Cineasta italiano de renome mundial. Obras: *Teorema, O Evangelho segundo São Mateus, Contos de Cantuária, Decameron* etc.

PASSO FUNDO (RS). Mun. com 206.103 hab. Trigo e soja. Pecuária. Indústria (alimentos, serrarias). Hidrelétrica. Universidade.

PASTEUR, Louis (1822-1895). Químico e biólogo francês, criador da microbiologia e da vacina contra a raiva.

PATOS, lagoa dos (RS). Lagoa costeira de 280km de comprimento e 80km de largura, em cujas margens está situada Porto Alegre.

PATOS DE MINAS (MG). Mun. com 154.641 hab. Indústria (alimentos). Extração de fosfatos.

PATROCÍNIO, José Carlos do (1854-1905). Orador e romancista que desempenhou importante papel na campanha abolicionista. Membro fundador da ABL. Obras: *Mata coqueiro ou a pena de morte, Pedro espanhol, Os retirantes.*

PAULINHO DA VIOLA (Paulo César Batista de Faria), dito (1942-). Compositor popular carioca de renome nacional, autor de sambas como "Sinhá não disse", "Sei lá Mangueira", "Foi um rio que passou em minha vida" etc.

PAULISTA (PE). Mun. com 336.919 hab. Coco, banana. Indústrias (têxtil, cimento). Extração de calcário. Fosforita.

PAVAROTTI, Luciano (1935-2006). Tenor italiano, dos mais famosos de sua geração.

PEÇANHA, Nilo Procópio (1867-1924). Político carioca, foi vice-presidente da República, eleito em 1906. Assumiu a presidência com a morte de Afonso Pena e governou o país de julho de 1909 a novembro de 1910.

PEDERNEIRAS, Mário Veloso Paranhos (1868-1915). Poeta simbolista carioca. Obras: *Rondas noturnas, Histórias do meu casal, Ao léu da vida* etc.

PEDERNEIRAS, Raul Paranhos (1874-1953). Caricaturista e poeta carioca. Obras: *Cenas da vida carioca, Lições de caricatura, Musa travessa* etc.

PEDRA DA MINA. Pico da serra da Mantiqueira, com 2.770m de altura.

PEDRA DO SINO. Pico da serra da Mantiqueira, situado perto de Itatiaia, com 2.670m.

PEDRO I (1798-1834). Primeiro imperador do Brasil e 27º rei de Portugal, com o nome de d. Pedro IV. Regente durante dois anos, proclamou a independência do Brasil em 1822, abdicando em 1831. Nasceu e morreu em Portugal.

PEDRO II (1825-1891). Segundo imperador do Brasil, nascido no RJ. Assumiu o governo aos 15 anos de idade e foi governante esclarecido. Homem de cultura, apoiou o fim do tráfico de escravos e a abolição. Exilado em 1889, ao ser proclamada a República, faleceu na Europa.

PEDRO AMÉRICO de Figueiredo e Melo (1843-1905). Pintor e desenhista paraibano, alcançou renome nacional com seus grandes painéis históricos. Obras: *A batalha de Avaí, O grito do Ipiranga* etc.

PEIXOTO, Floriano Vieira (1839-1895). Militar e político alagoano. Presidente da República (1891-1894), terminou o mandato do marechal Deodoro da Fonseca.

PEIXOTO, Júlio **Afrânio** (1867-1947). Romancista e crítico literário baiano. Membro da ABL. Obras: *Rosa mística, A esfinge, Fruta do mato, Maria Bonita, Bugrinha* etc.

PELÉ (Edson Arantes do Nascimento), dito (1940-). Jogador de futebol mineiro, de renome internacional, tricampeão mundial, autor de 1.284 gols, considerado um dos maiores futebolistas de todos os tempos.

PELOTAS (RS). Mun. com 343.826 hab. Importante centro comercial. Indústria de alimentos (pescado, carne, arroz), tecidos, papel. Universidade.

PENA, Afonso Augusto Moreira (1847-1909). Político mineiro. Eleito presidente da República em 1906, faleceu antes de terminar seu mandato.

PENA, Cornélio de Oliveira (1896-1958). Romancista carioca. Obras: *A menina morta, Fronteira* etc.

PEPETELA (Artur Carlos Pestana dos Santos), dito (1941-). Escritor angolano. Obras: *A geração da utopia, A gloriosa família* etc.

PEREGRINO da Rocha Fagundes **Júnior,** João (1898-1978). Contista e ensaísta potiguar, membro da ABL. Obras: *Puçanga, Jardim da melancolia, Vida fútil, A mata submersa* etc.

PEREIRA, Astrojildo (1890-1965). Escritor e político fluminense. Obras: *Machado de Assis, Crítica impura* etc.

PEREIRA, José Clemente (1787-1854). Jurista e político, nascido em Portugal, lutou pela nossa independência.

PEREIRA, Manuel Vitorino (1853-1902). Político baiano. Vice-presidente, ocupou a presidência da República de 10/11/1896 a 4/03/1897.

PEREIRA DA SILVA, João Manuel (1817-1898). Historiador e político fluminense. Membro fundador da ABL. Obras: *Uma paixão de artista, Aspásia, Memórias do meu tempo* etc.

PEREIRA PASSOS, Francisco (1836-1913). Engenheiro carioca, reformulou o plano urbano do Rio de Janeiro e modernizou a cidade.

PERES, Shimon (1923-2016). Político israelense, duas vezes primeiro-ministro, depois presidente de Israel. Prêmio Nobel da Paz (1994).

PÉRICLES (495-429 a.C.). General e estadista ateniense, governou Atenas, abrindo um período de esplendor nas artes e nas letras.

PERNAMBUCO. Estado da região N.E., tem limites com PB, CE, PI, BA, AL. Sigla: *PE*. Área: 98.311km²; população: 9.709.121 hab. Capital: Recife. Cidades principais: Jaboatão dos Guararapes, Olinda, Paulista, Caruaru, Petrolina, Cabo, Vitória de Santo Antão, Petrolina, Garanhuns, Camaragibe etc. Agricultura (cana-de-açúcar, algodão, feijão, mandioca, milho). Pecuária (bovinos, suínos, ovinos, caprinos, equinos, muares). Importante parque industrial (alimentos [açúcar], têxteis, beneficiamento de algodão, química, cimento, cerâmica, vidro). Complexo portuário de Suape. Turismo (monumentos e arquitetura históricos [Olinda é tombada pela Unesco], folclore e artesanato). Três universidades, bibliotecas, museus. A história do estado começa em 1534, com Duarte Coelho, que fundou Igaraçu e Olinda, e implementou o cultivo da cana-de-açúcar. A região esteve sob domínio holandês de 1630 a 1654, e foi cenário de várias lutas libertárias: guerra dos Mascates (1710); luta anticolonialista no Areópago de Itambé (1796); luta pela independência e pela República (1822-1824); Confederação do Equador, Setembrada (1831); Abrilada, Cabanada (1832), Praieira (1842). Revolução de 1930. Em 1988, o estado incorporou a seu território o arquipélago de Fernando de Noronha.

PERNETA, Emiliano David (1866-1921). Poeta simbolista paranaense. Obras: *Alegoria, Músicas, Ilusão* etc.

PERÓN, Juan Domingo (1898-1975). Militar e político argentino, implantou a ditadura populista ("justicialismo") na Argentina, que presidiu em dois períodos (1946-1955, 1973-1975). Sua primeira esposa Eva Perón gozou de enorme popularidade, mas faleceu jovem.

PESSOA, Epitácio da Silva (1865-1942). Político paraibano. Presidente da República (1919-1922), sucedendo a Rodrigues Alves.

PESSOA, Fernando Antônio Nogueira (1888-1935). Poeta português. Tardou a ser reconhecido, mas depois alcançou renome internacional. Publicou livros de poemas sob pseudônimos de Álvaro de Campos, Alberto Caeiro e Ricardo Reis. Obras: *Mensagem* (único livro em português publicado em vida), *Poemas dramáticos, Cancioneiro, Odes, Textos filosóficos* etc.

PESSOA, João Cavalcanti de Albuquerque (1878-1930). Político paraibano cujo assassinato, no Recife, apressou a revolução de 1930, começada no sul do país.

PETRARCA, Francesco (1304-1374). Poeta florentino de considerável repercussão mundial. Obras: *Sobre homens ilustres, Sobre a vida solitária, Triunfos, Rimas* etc.

PETROLINA (PE). Mun. com 359.372 hab. Agricultura (cana-de-açúcar, mandioca, mamona). Pecuária.

PETRÓPOLIS (RJ). Mun. com 307.144 hab. Indústrias. Turismo. Antiga capital de verão do Império, contém monumentos históricos da época. Museu imperial. Centro de veraneio.

PIAF, Édith (1915-1963). Cantora popular francesa que obteve imenso sucesso com *"La vie en rose"* e outras canções parisienses. Participou de alguns filmes no cinema.

PIAUÍ. Estado da região N.E., tem limites com MA, CE, PE, BA, TO. Sigla: *PI.* Área: 251.529km²; população: 3.292.648 hab. Capital: Teresina. Cidades principais: Parnaíba, Picos, Campo Maior, Piripiri, Floriano etc. Agricultura (algodão, feijão, milho, arroz, mandioca, cana-de-açúcar, laranja, banana, alho). Extrativismo vegetal (cera de carnaúba, tucum, babaçu, caju, angico, oiticica). Indústrias (óleos vegetais, têxtil, alimentos, material de construção, couro). Turismo (Pedra Furada, Sete Cidades, monumentos históricos). Universidade, museus. Criadores de gado ocuparam o território no séc. XVII. O território foi anexado ao Maranhão em 1715, e foi capitania a este subordinada em 1718. Tornou-se independente em 1758. Província do império brasileiro independente, teve como capital Teresina, em 1852. Como estado da República, aprovou sua constituição em 1891.

PICASSO, Pablo Ruiz y (1881-1973). Pintor, desenhista e escultor espanhol de renome mundial. Obras: *Guernica, Les demoiselles d'Avignon, Guerra e paz, Minotauromachie* etc.

PIERO DELLA FRANCESCA (c.1460-1520). Pintor italiano. Um dos maiores gênios do Renascimento, iniciou o aproveitamento da perspectiva.

PIGNATARI, Décio (1927-2012). Poeta paulista. Um dos fundadores do movimento concretista no Brasil. Obras: *Poesia pois é poesia, Carrousel, Metalinguagem* etc.

PÍNDARO (518-438 a.C.). Poeta lírico grego. Obras: *Olímpicas, Píticas* etc.

PIÑON, Nélida Cuiñas (1937-). Romancista e contista carioca. Membro da ABL. Obras: *Fundador, A doce canção de Caetana, A casa da paixão* etc.

PINTO, Apolônia (1854-1937). Atriz maranhense, considerada uma das primeiras do Brasil.

PINZÓN, Vicente Yáñez (c.1460-c.1523). Navegador espanhol que teria sido o primeiro a explorar a foz do rio Amazonas e a costa norte do Brasil, em 1499.

PIO CORREIA, Manuel (1874-1934). Botânico brasileiro, nascido em Portugal. Entre suas muitas obras científicas: *Dicionário de plantas úteis do Brasil e das exóticas cultivadas*.

PIQUET Souto Maior, **Nelson** (1952-). Automobilista carioca, foi três vezes campeão de Fórmula 1 (1981, 1983, 1987).

PIRACICABA (SP). Mun. com 410.275 hab. Desenvolveu-se com a cultura da cana-de-açúcar. Importante centro industrial.

PIRANDELLO, Luigi (1867-1936). Teatrólogo italiano que modernizou o teatro mundial. Prêmio Nobel de 1934. Obras: *Seis personagens em busca de um autor, Esta noite se improvisa* etc.

PITÁGORAS (séc. VI-V a.C.). Matemático e filósofo grego.

PITANGUY, Ivo (1925-2016). Cirurgião plástico de fama mundial. Membro da ABL. Autor de obras de sua especialidade e de *Direito à beleza, Aprendendo com a vida* etc.

PIXINGUINHA (Alfredo da Rocha Viana Junior), dito (1898-1973). Compositor popular carioca. Também flautista e saxofonista, marcou época na MPB. Obras: "Carinhoso", "Rosa, Mentirosa" etc.

PIZARRO, Francisco (c.1475-1541). Militar espanhol, conquistou o Peru, exterminando os dirigentes incas sem piedade.

PLATÃO (428-348 a.C.). Filósofo grego, aluno de Sócrates. Exerceu notável influência através da história. Obras: *O banquete, A república, As leis, Parmênides* etc.

PLUTARCO (c.125-49 a.C.). Historiador e biógrafo grego. Obras: *Vidas paralelas*, onde comparou personalidades greco-romanas com brilhantismo, *Ética* etc.

POÇOS DE CALDAS (MG). Mun. com 169.838 hab. Estância hidromineral, turismo. Indústria (roupas, calçados, alimentos).

POE, Edgar Allan (1809-1849). Contista e poeta norte-americano. Obras: *O corvo e outros poemas, A queda da casa de Usher, "Os assassinatos da rua Morgue"* etc.

POLANSKI, Roman (1933-). Cineasta polonês de renome internacional. Obras: *O bebê de Rosemary, A dança dos vampiros, O inquilino, O pianista* etc.

POLLOCK, Jackson (1912-1956). Pintor expressionista norte-americano de renome mundial.

POLO, Marco (1254-1324). Viajante veneziano que visitou o Extremo Oriente, em especial a China, relatando suas experiências no *Livro das maravilhas do mundo*.

POMBAL, Marquês de (Sebastião José de Carvalho e Melo) (1699-1782). Diplomata e primeiro-ministro português, modernizou seu país. Transferiu a capital de Salvador para o Rio de Janeiro e expulsou os jesuítas do Brasil.

POMPEIA, Raul d'Ávila (1863-1895). Romancista e poeta carioca. Patrono da cadeira nº 33 da ABL.

Obras: *O Ateneu, As joias da coroa, Canções sem metro* etc.
PONTA GROSSA (PR). Mun. com 358.838 hab. Importante centro comercial. Agricultura (milho, arroz). Pecuária (bovinos). Indústria (madeira, alimentos [carne], calçados, máquinas, bebidas, têxteis). Extração de talco.
PONTES DE MIRANDA, Francisco Cavalcanti (1892-1979). Jurista alagoano. Membro da ABL. Obras: *A moral do futuro, A sabedoria dos instintos, Tratado de direito privado* (60 vol.) etc.
POPÓ (Acelino de Freitas), dito (1975-). Pugilista baiano. Campeão mundial de pesos-pena e de pesos leves (2004). Eleito deputado federal (2010).
PORTELLA, Eduardo Mattos (1932-2017). Ensaísta e crítico literário baiano. Foi ministro da Educação e diretor da Biblioteca Nacional. Membro da ABL. Obras: *Teoria da comunicação literária, Dimensões, O paradoxo romântico, Vanguarda e cultura de massa* etc.
PORTER, Cole (1895-1964). Compositor popular norte-americano, alcançou sucesso mundial com suas canções e peças teatrais sofisticadas. Obras: *"Anything goes", "Night and day", "Beguin the beguine"* etc.
PORTINARI, Cândido Torquato (1903-1962). Pintor paulista de renome internacional. Obras: *Meninos de Brodósqui, Café, Retirantes, Menino morto, Tiradentes, Guerra e paz* (mural no saguão da ONU, Nova York), notáveis retratos etc.
PORTO, Sérgio Marcos Rangel (1923-1968). Humorista e cronista, teve renome nacional sob o pseudônimo de Stanislaw Ponte Preta. Obras: *Febeapá – festival de besteira que assola o país, Tia Zulmira e eu, Primo Altamirando e elas* etc.
PORTO ALEGRE. Capital do Rio Grande do Sul, com 1.492.530 hab. Numerosas indústrias (metalurgia, alimentos, química, farmacêutica, têxtil, roupas, calçados etc.). Porto fluvial. Aeroporto internacional (Salgado Filho). Duas universidades e várias faculdades. Povoada a partir do início do séc. XVIII (1730), a freguesia foi oficialmente criada em 1772, com o nome de Nossa Senhora da Madre de Deus de Porto Alegre. Vila em 1810, já com o nome de Porto Alegre. Cidade em 1822, após a independência. Principal escoadouro da produção agropecuária, depois industrial, da região, Porto Alegre desenvolveu-se e ganhou grande importância regional e nacional como centro comercial, industrial e cultural.
PORTO ALEGRE, Manuel de Araújo. Ver *Araújo Porto Alegre*.
PORTO SEGURO (BA). Mun. com 152.529 hab. Agricultura (cacau, mandioca). Pecuária (bovinos). Turismo (monumentos históricos tombados). Porto Seguro tem importância histórica por ter sido (o monte Pascoal) a terra brasileira primeiro avistada por Cabral.
PORTO VELHO. Capital de Rondônia, com 548.952 hab. Indústria madeireira, beneficiamento de borracha. Universidade. Origens da povoação em 1907, cidade em 1919, capital em 1943, do então território de Guaporé (Rondônia, em 1956, estado em 1981).
POUND, Ezra Loomis (1885-1972). Poeta e crítico literário norte-americano de fama mundial. Obras: *Cantos, Exultações, Como ler, A arte da poesia* etc.
POUSO ALEGRE (MG). Mun. com 154.293 hab. Indústria (alimentos, material elétrico).
PRADO, Adélia (1936-). Poetisa e cronista mineira. Obras: *Bagagem, O coração disparado, Cacos para um vitral, Os componentes da banda* etc.
PRADO, Eduardo Paulo da Silva (1860-1901). Historiador e político paulista. Membro fundador da ABL. Obras: *Viagens, Fastos da ditadura militar no Brasil, A ilusão americana* etc.
PRADO JÚNIOR, Caio (1907-1990). Ensaísta paulistano. Obras: *Formação do Brasil contemporâneo, Estruturalismo e marxismo, História e desenvolvimento* etc.
PRAIEIRA, revolução. Revolta liberal em Pernambuco (1848-1849), sufocada pela Regência.
PRAZERES, Heitor dos (1898-1966). Compositor popular carioca e pintor *naïf* que alcançou bastante sucesso em seu tempo. Músicas: "Um pierrô apaixonado", "Mulher de malandro" etc.
PRESIDENTE PRUDENTE (SP). Mun. com 231.953 hab. Agricultura (algodão, tomate). Pecuária. Indústria (alimentos, couro, química). Centro universitário.
PRESTES de Albuquerque, **Júlio** (1882-1946). Político paulista. Governou SP e foi eleito presidente da República em 1929, mas não chegou a tomar posse devido à revolução de 1930, que traria Getúlio Vargas ao poder.
PRESTES, Luís Carlos (1898-1990). Militar e político gaúcho. Líder comunista, comandou a Coluna Prestes. Exilado em 1964, viveu na URSS. Anistiado em 1979, voltou ao Brasil.
PROENÇA FILHO, Domício (1936-). Professor e pesquisador em língua portuguesa e literatura. Presidente da ABL. Obras: *Estilos de época na literatura, A linguagem literária, Pós-Modernismo e literatura* etc.
PROKOFIEV, Serguei Sergueievitch (1891-1953). Compositor erudito russo de projeção mundial. Obras: *Alexander Nevsky, Pedro e o lobo, Romeu e Julieta*, cinco concertos para piano, sete sinfonias etc.
PROUST, Marcel (1871-1922). Romancista francês, exerceu notável influência no período entre as duas guerras mundiais. Obras: *Os prazeres e os dias, Em busca do tempo perdido* etc.
PUCCINI, Giacomo (1858-1924). Compositor italiano de óperas de grande sucesso. Obras: *Tosca, Madame Butterfly, La bohème, Turandot* etc.
PUCHKIN, Aleksandr Sergueievitch (1799-1837). Escritor russo. Obras: *Ruslan e Ludmila, Eugen Onegin, Boris Godunov* etc.
PURUS, rio. Rio do AC e do AM., com 3.200km. Afluente do Amazonas.
PUTIN, Vladimir Vladimirovitch (1952-). Ex-chefe da KGB, presidente da Federação Russa no período de 2000 a 2008 e reeleito em 2012 e em 2018.

Q

QORPO-SANTO (José Joaquim de Campos Leão), dito (1829-1883). Teatrólogo gaúcho de estranha reputação. Jorge Antunes tem uma ópera sobre sua vida. Obras: *Mateus e Mateusa, Eu sou vida, eu não sou morte, A separação de dois esposos* etc.
QUADROS, Jânio da Silva (1917-1992). Político mato-grossense, foi prefeito de São Paulo e governador do estado de SP. Eleito presidente da República em 1961, renunciou seis meses depois.
QUEIROZ, Dinah Silveira de (1911-1982). Escritora paulista. Membro da ABL. Obras: *A sereia verde, Floradas na serra, A muralha* etc.
QUEIRÓS, Rachel de (1910-2003). Romancista cearense. Membro da ABL. Obras: *O quinze, As três Marias, O galo de ouro, Memorial de Maria Moura* etc.
QUENTAL, Antero Tarquinio de (1842-1891). Poeta português nascido nos Açores. Obras: *Sonetos completos, Odes modernas, Primaveras românticas* etc.
QUINTANA, Mário de Miranda (1906-1994). Poeta, cronista e tradutor gaúcho de prestígio nacional. Obras: *A rua dos cataventos, O aprendiz de feiticeiro, Baú de Espantos* etc.

R

RABELAIS, François (1494-1553). Poeta e humanista francês de muito prestígio. Obras: *Vida inestimável do grande Gargantua, pai de Pantagruel, Os horríveis e espantosos feitos e proezas do mui famoso Pantagruel* etc.

RABIN, Yitzhak (1922-1995). Militar e político israelense, duas vezes primeiro-ministro. Prêmio Nobel da Paz (1994). Assassinado por extremista israelense.

RACINE, Jean (1639-1699). Teatrólogo francês de grande projeção. Obras: *Andrômaca, Os litigantes, Fedra* etc.

RAFAEL (Raffaello Sanzio) (1483-1520). Pintor italiano. Uma das mais altas expressões do Renascimento. Obras: *O casamento da virgem, A bela jardineira, Disputa, Escola de Atenas* etc.

RAMOS, Artur (1903-1949). Folclorista e antropólogo alagoano, estudioso da cultura negra no Brasil. Obras: *A aculturação negra no Brasil, O negro brasileiro, O folclore negro do Brasil* etc.

RAMOS, Eduardo Pires (1854-1923). Jurista carioca. Eleito para a ABL, morreu antes de tomar posse. Obras: *Prosas de Cassandra, Retalhos e bisalhos* etc.

RAMOS, Graciliano (1892-1953). Romancista e contista alagoano, de continuado prestígio. Obras: *Angústia, São Bernardo, Insônia, Memórias do cárcere* etc.

RAMOS, Nereu (1888-1958). Político catarinense. Presidiu interinamente o país como presidente do Senado, antes da posse de Juscelino Kubitschek (1955-1956).

RAMOS, Péricles Eugênio da Silva (1919-1992). Poeta e crítico literário paulista. Obras: *Lua de ontem, O amador de poemas, Do barroco ao modernismo* etc.

RAMSÉS II (1301-1255 a.C.). Faraó egípcio, filho de Seti I. Notável administrador, construiu Abu Simbel e o vestíbulo do templo de Karnak.

RANGEL, Flávio Nogueira (1934-1988). Diretor e produtor teatral de êxito nacional. Encenou *O pagador de promessas, O santo inquérito* etc. Obras: *Seria cômico se não fosse trágico, Liberdade, liberdade* (com Millôr Fernandes) etc.

RAPOSO TAVARES, Antônio (1598-1658). Bandeirante português que desbravou o sul do Brasil.

RAVEL, Maurice (1875-1937). Compositor erudito francês de renome. Obras: *Bolero, Dafnis e Cloë*, música de câmara, concerto etc.

REALE, Miguel (1910-2006). Jurista paulista. Membro da ABL. Obras: *Fundamentos do direito, Pluralismo e liberdade, Paradigmas da cultura contemporânea* etc.

REBELO DA SILVA, Luís Augusto (1822-1871). Romancista e historiador português. Obras: *Contos e lendas* (inclui "A última corrida de touros em Salvaterra"), *Ódio velho não cansa, Lágrimas e tesouros* etc.

REBOUÇAS, André Pinto (1838-1898). Engenheiro baiano. Construiu as docas dos portos do RJ, MA, PA, PE e BA.

RECIFE. Capital de Pernambuco, com 1.661.017 hab. É o mais importante polo industrial do N.E. (têxtil, alimentos, metalurgia, química, azulejos, vidro etc.). Importante porto (exportação). Aeroporto internacional (Guararapes). Turismo (monumentos históricos, religiosos e arquitetônicos, folclore). Universidades, centro cultural. A intensa atividade do porto, no tempo em que Olinda era a capital da província (a partir de 1534), levou ao rápido crescimento da cidade, incrementado em 1630 com a ocupação holandesa. Cidade (1823) e capital da província (1827), Recife teve novo surto com a exportação de algodão por seu porto.

REGO Cavalcanti, **José Lins do**. Ver **Lins do Rego Cavalcanti, José**.

REGO MONTEIRO, Vicente do (1899-1970). Pintor pernambucano do estilo cubista. Participou da Semana de Arte Moderna.

REIDY, Afonso Eduardo (1909-1964). Arquiteto brasileiro nascido na França. Autor de numerosos projetos importantes, como o Museu de Arte Moderna do RJ.

REIS, Aarão Leal de Carvalho (1853-1936). Engenheiro paraense. Planejou a cidade de Belo Horizonte como nova capital de MG.

REMBRANDT, Harmesz van Rijn (1606-1669). Pintor holandês de continuada projeção internacional. Obras: *A lição de anatomia, A noiva judia, A ronda noturna*, notáveis retratos etc.

RENAN, Ernest (1823-1892). Teólogo e historiador francês. Seu livro *História das origens do cristianismo*, em oito volumes (1863-1883) causou sensação na França, porque estudou a religião sob perspectiva racional, criando delicada controvérsia.

RENAULT, Abgar de Castro Araújo (1901-1992). Poeta e tradutor mineiro. Foi ministro da Educação e membro da ABL. Obras: *A palavra e a ação, A lápide sob a lua, A outra face da lua* etc.

RENOIR, Jean (1894-1979). Cineasta francês de renome mundial. Obras: *A grande ilusão, A regra do jogo, As estranhas coisas de Paris* etc.

RENOIR, Pierre Auguste (1841-1919). Pintor francês. Notável retratista. Obras: *A banhista, O moinho da Galette, O almoço dos remadores* etc.

RESENDE (RJ). Mun. com 133.244 hab. Pecuária leiteira, avicultura. Indústrias (automobilística, metalurgia, material fotográfico, química, farmacêutica, alimentos). Academia Militar das Agulhas Negras.

RESENDE, Oto de Oliveira **Lara** (1922-1992). Romancista e contista mineiro. Membro da ABL. Obras: *Boca do inferno, O lado humano, O retrato na gaveta* etc.

RESNAIS, Alain (1922-2014). Cineasta francês de considerável reputação. Obras: *Meu tio da América, O ano passado em Marienbad, A guerra acabou* etc.

RIACHUELO, batalha do. Batalha naval da guerra do Paraguai, que ocorreu junto à foz do rio Riachuelo, afluente do rio Paraguai. Vitória da esquadra brasileira sob o comando do almirante Barroso.

RIBEIRÃO DAS NEVES (MG). Mun. com 341.415 hab. Zona industrial.

RIBEIRÃO PIRES (SP). Mun. com 125.238 hab. Microrregião de São Paulo.

RIBEIRÃO PRETO (SP). Mun. com 720.116 hab. Agricultura (foi zona cafeeira importante, cana-de-açúcar, algodão, arroz, milho, feijão). Polo de uma região grande produtora de suco de laranja, açúcar e álcool. Grande parque industrial (estruturas metálicas, máquinas, alimentos, bebidas, tecidos). Centro universitário (importante setor biomédico). Museu do café.

RIBEIRO, Aquilino (1885-1963). Romancista e contista português. Obras: *A estrada de Santiago, O jardim das tormentas, Maria Benigna* etc.

RIBEIRO, Darci (1922-1997). Antropólogo, educador e político mineiro. Fundador da Universidade de Brasília. Membro da ABL. Obras: *Os índios e a civilização, O processo civilizatório, Maíra* etc.

RIBEIRO de Andrade Fernandes, **João** Batista (1860-1934). Escritor sergipano, de ampla temática. Membro da ABL. Obras: *Dicionário gramatical, Estudos filológicos, Páginas de estética, Curiosidades verbais* etc.

RIBEIRO, João Ubaldo Osório Pimentel (1941-2014). Romancista e cronista baiano. Membro da ABL. Obras: *Sargento Getúlio, Viva o povo brasileiro, A casa dos budas ditosos, Você me mata, mãe gentil* etc.

RIBEIRO Vaughan, **Júlio** César (1845-1890). Romancista e filólogo mineiro. Patrono da cadeira nº 24 da ABL. Obras: *A carne, Questões gramaticais, Trechos gerais de linguística* etc.

RIBEIRO COUTO, Rui (1898-1963). Diplomata, contista, romancista e poeta santista. Membro da ABL. Obras: *Jardim das confidências, Baianinha e outras mulheres, Cabocla, Prima Belinha* etc.

RICARDO Leite, **Cassiano** (1895-1974). Poeta e ensaísta paulista. Membro da ABL. Obras: *A flauta de Pan, Martim-Cererê, Marcha para o oeste* etc.

RICARDO I, CORAÇÃO DE LEÃO (1157-1199). Rei da Inglaterra (1189-1199). Participou sem sucesso da 3ª cruzada.

RILKE, Rainer Maria (1875-1926). Poeta austríaco de fama internacional. Obras: *Livro das horas, Elegias de Duíno, Cartas a um jovem poeta* etc.

RIMBAUD, Jean Nicolas **Arthur** (1854-1891). Poeta francês da corrente simbolista. Obras: *Uma estação no inferno, Iluminações* etc.

RIO BRANCO. Capital do Acre, com 419.452 hab. Extração de borracha, castanha-do-pará, madeira. Porto fluvial (rio Acre). Universidade. Teve origem como seringal. Empresa (1882), e cresceu com o surto da borracha. Cidade em 1909, mudou o nome para Penápolis, e para Rio Branco em 1912. Capital do território do Acre em 1920, e do estado em 1962.

RIO BRANCO, barão do (José Maria da Silva Paranhos Júnior) (1845-1912). Diplomata e historiador carioca, patrono da diplomacia brasileira. Membro da ABL. Teve papel decisivo nas questões de limites com a Argentina, França (Amapá) e Bolívia (Acre) que acresceram ao território brasileiro em c. 900.000km².

RIO BRANCO, visconde do (José Maria da Silva Paranhos) (1819-1880). Político baiano. Negociou a paz depois da guerra do Paraguai e presidiu o Conselho de Ministros que aprovou a lei do Ventre Livre. Foi um dos maiores estadistas do Império. Patrono da cadeira n° 40 da ABL.

RIO CLARO (SP). Mun. com 209.548 hab. Agricultura (cana-de-açúcar, café, algodão, cereais, cítricos). Pecuária (gado leiteiro, cavalos puro-sangue). Indústria (química, papel, cerâmica, têxtil, bebidas). Jazidas de calcário.

RIO DE JANEIRO. Capital do estado do RJ, com 6.775.561 hab. Segundo maior complexo industrial do Brasil, com grande diversificação e abrangência. Importante porto marítimo. Dois aeroportos importantes (Santos Dumont e o internacional Tom Jobim). Segundo centro comercial do país, sede de empresas de todo tipo e atividade. Um dos principais polos turísticos do Brasil, pelas belezas naturais, praias, infraestrutura de lazer e cultura, eventos [Carnaval, festas de fim de ano] etc. Grande centro cultural e de comunicações, sede de inúmeras instituições (Biblioteca Nacional, Academia Brasileira de Letras, Museu Nacional etc.), órgãos e empresas do setor (jornais, editoras, estações de TV etc.). Monumentos históricos. Várias universidades, museus, galerias de arte. Descoberta em 1° de janeiro de 1502, a região costeira na baía de Guanabara foi confundida com o estuário de um rio, donde seu nome (São Sebastião do Rio de Janeiro), que perdura até hoje. Mas a fundação oficial da cidade data de 1° de março de 1565, quando Estácio de Sá desembarcou entre o morro da Urca e o Pão de Açúcar. Foi a capital do país de 1763 a 1960. Transformada então em estado (da Guanabara), que praticamente se confundiu com a cidade, voltou a ser cidade, e capital do estado, em 1975, quando a Guanabara fundiu-se com o estado do Rio de Janeiro.

RIO DE JANEIRO. Estado da região S.E., tem limites com ES, MG, SP. Sigla: *RJ*. Área: 43.696km²; população: 17.516.471 hab. Capital: Rio de Janeiro. Cidades principais (incluindo municípios, no Grande Rio): São Gonçalo, Nova Iguaçu, Duque de Caxias, Niterói, São João de Meriti, Campos [dos Goytacazes], Belford Roxo, Petrópolis, Volta Redonda, Nova Friburgo, Itaboraí, Majé, Barra Mansa, Nilópolis, Teresópolis, Itaguaí, Maçaé, Queimados etc. Agricultura (cana-de-açúcar, laranja, hortaliças [tomate], frutas [banana, caqui], arroz, café). Pecuária (gado leiteiro, suínos). Avicultura. Pesca. Importante e diversificado parque industrial, o segundo do país (siderurgia, máquinas e motores, automóveis, refinaria, borracha sintética, estaleiros, construção civil, metalurgia, têxtil, cimento, vidro, química, farmacêutica etc.). Extração de calcário, areia monazítica, salinas. Petróleo (60% da produção nacional, graças, principalmente, às jazidas submarinas de Campos), gás natural. Hidrelétricas. Usina nuclear de Angra dos Reis. Grande centro cultural e turístico (Rio de Janeiro, Petrópolis, Teresópolis, Nova Friburgo, Angra dos Reis, Parati, Maricá, Saquarema, Araruama, Cabo Frio, Arraial do Cabo, Armação de Búzios etc.). Sua história inicial confunde-se com a da cidade do Rio de Janeiro, e seu desenvolvimento nesse período liga-se ao da cidade e de sua condição de capital a partir de 1763, e sede da corte, com a chegada de d. João VI, em 1808. Em 1834 a província fluminense (adjetivo originário da denominação de 'rio') foi incorporada à estrutura administrativa do Império. Niterói foi sua capital a partir de 1835. Os ciclos do café e do açúcar (séc. XIX) beneficiaram o crescimento da província como um todo. Como estado da República, teve sua constituição em 1891. Com a transferência da capital do país para Brasília, a cidade do Rio de Janeiro foi desmembrada do estado, como estado da Guanabara. Em 1975 fundiram-se a Guanabara e o Rio de Janeiro num só estado, tendo a cidade do Rio de Janeiro como capital.

RIO GRANDE (RS). Mun. com 212.881 hab. Importante porto. Pecuária (bovinos, ovinos, suínos). Pesca. Refinaria de petróleo. Indústria (conservas, metalurgia, química, farmacêutica, têxtil).

RIO GRANDE DO NORTE. Estado da região N.E., tem limites com CE e PB. Sigla: *RN*. Área: 52.796km²; população: 3.576.817 hab. Capital: Natal. Cidades principais: Moçoró, Parnamirim, Ceará-Mirim, Caicó, Açu etc. Agricultura (algodão arbóreo, feijão, milho, mandioca, agave, frutas [melão, caju – 2° produtor nacional –, coco-da-baía, manga]). Pecuária. Extração de carnaúba, oiticica, angico. Salinas (maior produtor nacional), xelita (tungstênio, maior produtor nacional), petróleo, mármores, calcário etc. Indústria (têxtil, roupas, alimentos [açúcar], química). Portos. Turismo (monumentos históricos, praias). Universidade. Após a presença dos franceses na capitania, Jerônimo de Albuquerque Maranhão construiu, em 1599, o forte dos Reis Magos, junto ao qual formou-se uma aldeia que se chamou cidade do Natal. Em 1611 foi marcada a fronteira da capitania com a da Paraíba. Em 1633 deu-se a ocupação holandesa. Com a expulsão dos holandeses, em 1654, começou a expansão para o interior. Em 1822, a capitania virou província, e estado com a República, com a primeira constituição estadual em 1892. Em 1940, durante a Segunda Guerra Mundial, sendo o estado o extremo leste do continente (o ponto mais próximo da África), um acordo com os EUA levou à construção de grande base aérea em Parnamirim. Em 1964 foi iniciada a construção da estação de lançamento de foguetes, em Barreira do Inferno.

RIO GRANDE DO SUL. Estado da região S., tem limites com Uruguai, Argentina e SC. Sigla: *RS*. Área: 281.748km²; população: 11.490.957 hab. Capital: Porto Alegre. Cidades principais: Caxias do Sul, Pelotas, Canoas, Santa Maria, Novo Hamburgo, Gravataí, Viamão, São Leopoldo, Rio Grande, Alvorada, Passo Fundo, Uruguaiana, Sapucaia do Sul, Bagé etc. Forte economia em todos os setores: agricultura (soja, trigo, arroz, milho, mandioca, fumo, uva, erva-mate); pecuária (bovinos leiteiros e de corte, ovinos, suínos). Extração de cobre e carvão. Jazidas de carvão, tungstênio, chumbo, cristal de rocha. Indústria (alimentos [carnes, massas, óleo de soja], metalurgia, mecânica, química, farmacêutica, roupas, calçados, móveis, vinho, couro). Hidrelétricas e termelétricas. Portos importantes (Porto Alegre, Rio Grande, Pelotas, São Borja). Turismo (monumentos históricos, balneários, estâncias na serra [Gramado, Canela etc.], eventos [Festa da Uva, feiras etc.] etc.). Centro cultural e literário de importância nacional. Várias universidades. A história do estado está marcada por lutas e pela afirmação de um forte espírito regional, desde a ocupação inicial, simultaneamente por espanhóis (jesuítas) e bandeirantes, que se confrontaram no séc. XVII (Colônia do Sacramento, Sete Povos das Missões). No início do séc. XIX tem início a imigração alemã. Revolução farroupilha (1835-1845). Revolução federalista (1893). Constituição estadual de 1957.

RIVERA, Diego (1886-1957). Pintor muralista mexicano de projeção internacional. Obras: *A terra fecunda, Homem na encruzilhada, O líder camponês Zapata* etc.

ROBERTO CARLOS Braga (1943-). Cantor e compositor popular capixaba que alcançou grande notoriedade no último quartel do séc. XX. Obras: "Jesus Cristo", "Parei na contramão", "Detalhes", "Calhambeque" etc.

ROBESPIERRE, Maximilien Marie Isidore de (1758-1794). Político francês. Teve papel saliente na Revolução Francesa, mas acabou guilhotinado.

ROCAS, atol das. Conjunto de recifes situado a 240km da costa do RN. Reserva ecológica do país devido a sua riqueza em aves marinhas.

ROCHA, Glauber Andrade (1939-1982). Cineasta baiano. Um dos líderes do cinema novo. Obras: *Deus e o diabo na terra do sol, Terra em transe, O dragão da maldade contra o santo guerreiro* etc.

ROCHA PITA, Sebastião da (1660-1738). Historiador baiano. Obras: *História da América Portuguesa desde o seu descobrimento até 1724, Elogios fúnebres, oratórios e poéticos* etc.

ROCHA POMBO, José Francisco da (1857-1933). Historiador paranaense. Eleito para a ABL, morreu antes da posse. Obras: *História do Brasil, Nossa pátria, No hospício* etc.

RODIN, Auguste (1840-1917). Escultor francês de renome. Obras: *O pensador, O beijo, Os burgueses de Calais* etc.

RODRIGO OTÁVIO de Langaard Menezes (1866-1944). Escritor paulista. Membro da ABL. Obras: *A Balaiada, Coração aberto, Minhas memórias dos outros* etc.

RODRIGO OTÁVIO de Langaard Menezes Filho (1892-1969). Poeta e ensaísta carioca. Membro da ABL. Obras: *Fundo da gaveta, O infante d. Henrique, Simbolismo e penumbrismo* etc.

RODRIGUES, José Honório (1913-1987). Historiador carioca. Membro da ABL. Obras: *Teoria da história do Brasil, História e historiografia, História, corpo do tempo* etc.

RODRIGUES, Lupicínio (1914-1974). Compositor e cantor popular gaúcho. Obras: "Se acaso você chegasse", "Nervos de aço", "Jardim da saudade", "Vingança" etc.

RODRIGUES, Nelson Falcão (1912-1980). Teatrólogo pernambucano, considerado o fundador do teatro brasileiro moderno. Entre suas muitas obras: *Vestido de noiva, Bonitinha mas ordinária, Beijo no asfalto* etc.

RODRIGUES ALVES, Francisco de Paula (1848-1919). Político paulista. Presidente da República de 1902 a 1906. Realizou excelente administração.

ROMERO, Sílvio Vasconcelos da Silveira (1851-1914). Ensaísta, crítico literário e folclorista sergipano. Membro fundador da ABL. Obras: *Cantos do fim do século, O naturalismo em literatura, História da literatura brasileira* etc.

RÓNAI, Paulo (1907-1992). Ensaísta, crítico literário e tradutor brasileiro, nascido na Hungria. Obras: traduções importantes, *Escola de tradutores, Não perca o seu latim, Dicionário universal de citações* etc.

RONDON, Cândido Mariano da Silva (1865-1958). Militar e sertanista mato-grossense. Defensor dos indígenas, explorou o MT e desenvolveu notável trabalho de pacificador.

RONDÔNIA. Estado da região N., tem limites com a Bolívia, AM, MT. Sigla: *RO*. Área: 237.576km²; população: 1.826.133 hab. Capital: Porto Velho. Cidades principais: Ji-Paraná, Cacoal, Ariquemes, Jaru etc. Agricultura (cacau, café, milho, feijão, algodão, soja, arroz, mandioca, banana). Pecuária (bovinos). Extração de madeira, cassiterita, ouro, diamantes, borracha etc. Indústria (madeira). Hidrelétrica. Antigo território do Guaporé, passou a chamar-se Rondônia em 1956, e foi elevado a estado em 1981.

RONDONÓPOLIS (MT). Mun. com 239.613 hab. Agricultura (arroz, milho, algodão, mandioca).

RONSARD, Pierre de (1524-1585). Poeta francês. Obras: *Odes, Os amores, Miscelâneas, Continuação dos amores, Hinos* etc.

ROOSEVELT, Franklin Delano (1882-1945). Político norte-americano. Presidente dos EUA reeleito duas vezes. Hábil líder dos aliados na Segunda Guerra Mundial.

ROQUETE-PINTO, Edgard (1884-1954). Antropólogo e educador carioca. Fundador das primeiras emissoras de rádio no país. Membro da ABL. Obras: *Guia de antropologia, Rondônia, Seixos rolados* etc.

RORAIMA. Estado da região N. Tem limites com Guiana, Venezuela, AM, PA. Sigla: *RR*. Área: 224.298km²; população: 653.043 hab. Capital: Boa Vista. Agricultura (arroz, feijão, milho, mandioca, café, cacau, amendoim, girassol, borracha, guaraná, caju). Pecuária (bovinos). Mineração de ouro e diamantes. Prospecção de petróleo. Turismo (floresta amazônica). Foi criado como território de Rio Branco em 1943, Roraima em 1962, e elevado a estado em 1988.

RORAIMA. Monte da cordilheira de Pacaraima com 2.730m de altura.

ROSA, Noel de Medeiros (1910-1937). Compositor popular carioca de enorme sucesso. Obras: "Com que roupa?", "Feitiço da Vila", "Palpite infeliz", "Último desejo" etc.

ROSSELINI, Roberto (1906-1977). Cineasta italiano de reputação mundial. Obras: *Roma, cidade aberta, Paisá, Alemanha ano zero* etc.

ROSTROPOVITCH, Mstislav (1927-2007). Violoncelista e regente russo. Já foi considerado o melhor celista do mundo no final do séc. XX.

ROUANET, Sérgio Paulo (1934-). Diplomata, filósofo e ensaísta carioca. Membro da ABL. Obras: *Teoria crítica e psicanálise, As razões do iluminismo, Mal-estar na modernidade* etc.

ROUSSEAU, Jean Jacques (1712-1778). Filósofo e escritor suíço de ampla difusão. Obras: *Discurso sobre a origem da desigualdade entre os homens, Do contrato social, Émile, ou da educação* etc.

ROUSSEFF, Dilma Vana (1947-). Economista e política brasileira, foi ministra-chefe da Casa Civil do governo Lula, eleita presidente da República em 2011 e reeleita em 2014. Em 31/08/2016 o Congresso votou a favor do seu *impeachment*.

RUBENS, Peter Paulus (1577-1640). Pintor flamengo de reputação mundial. Obras: *As três graças, O jardim do amor, Quermesse* etc.

RUGENDAS, Johann Moritz (1802-1858). Pintor e desenhista alemão que passou longa temporada no Rio de Janeiro com a expedição Langsdorff e deixou notáveis cenas da época. Obras: *Viagem pitoresca ao Brasil* etc.

RUSCHI, Augusto (1916-1986). Zoólogo capixaba que se dedicava ao estudo de beija-flores e morcegos.

RUSSELL, Bertrand Arthur William (1872-1970). Filósofo e matemático inglês. Obras: *História da filo-

SÁ, Estácio de (c.1520-1567). Militar português, fundador da cidade do Rio de Janeiro (1565). Morreu em combate com franceses e seus aliados tamoios.

SÁ, Mem de (1500-1572). Nobre português, 3º governador-geral do Brasil. Expulsou os franceses da Guanabara com auxílio de seu sobrinho, Estácio de Sá.

SABARÁ (MG). Mun. com 137.877 hab. Cidade histórica (monumentos, arquitetura). Mineração e siderurgia.

SABIN, Albert Bruce (1906-1993). Cientista polonês radicado nos EUA, inventor da vacina oral contra a poliomielite, de uso universal.

SABINADA. Revolta na Bahia (1837-1838) liderada por Sabino Vieira para tornar a província independente.

SABINO, Fernando Tavares (1923-2004). Romancista e cronista mineiro. Obras: *O homem nu*, *O encontro marcado*, *A chave do enigma*, *Os movimentos simulados* etc.

SÁ-CARNEIRO, Mário de (1890-1916). Poeta português. Obras: *Dispersão*, *Cartas a Fernando Pessoa*, *Céu em fogo* etc.

SADAT, Anwar al (1918-1981). Militar egípcio, presidente do Egito (1970-1981). Fez a paz e estabeleceu relações com Israel, o que lhe granjeou o Prêmio Nobel da Paz, em 1978. Morreu assassinado por fundamentalistas.

SÁ DE MIRANDA, Francisco de (1481-1558). Poeta clássico português. Autor de éclogas, sátiras, cantigas e das comédias em prosa *Os estrangeiros* e *Vilhalpando*.

SÁ E BENEVIDES, Salvador Corrêa de (1594-1688). Militar e político português, neto de Mem de Sá. Lutou contra os holandeses no ES e na BA. Grande proprietário de terras no RJ, exerceu muita influência no seu tempo.

SAFO (c.625-580 a.C.). Poetisa grega apreciada por Platão.

SAINT-EXUPÉRY, Antoine de (1900-1944). Aviador e escritor francês, autor de um livro de imenso sucesso: *O pequeno príncipe*.

SAINT HILAIRE, Auguste de (1779-1853). Naturalista francês que visitou o Brasil e escreveu obras sobre as nossas plantas: *Plantas usuais dos brasileiros*, *Flora do Brasil meridional* etc.

SALDANHA DA GAMA, Luís Filipe (1846-1895). Almirante fluminense. Participou da guerra do Paraguai e chefiou a revolta da Armada contra Custódio de Melo.

SALES, Herberto de Azevedo (1917-1999). Romancista e contista baiano. Membro da ABL. Obras: *Cascalho*, *Além dos marimbus*, *Pareceres do tempo* etc.

SALGADO, Plínio (1901-1975). Político e romancista paulista. Liderou o movimento integralista brasileiro. Obras: *O esperado*, *O estrangeiro*, *Vida de Jesus* etc.

SALLES JÚNIOR, Walter (1956-). Cineasta carioca. Obras: *Central do Brasil* (premiada no Festival de Berlim de 2001), *A grande arte*, *Diários de motocicleta* etc.

SALVADOR. Capital do estado da BA, com 2.900.319 hab. Agricultura (frutas [coco, manga, laranja]). Comércio. Indústria (têxtil, alimentos, construção civil, transformação de fumo, couro). Polo petroquímico de Camaçari. Porto, aeroporto. Turismo intenso (monumentos históricos, arquitetura, praias e lagoas, culinária, folclore, eventos [Carnaval], museus, igrejas). Cidade histórica tombada pela Unesco. Duas universidades. Primeiro centro de estudos médicos do Brasil. Fundada em 1549, foi capital do Brasil por mais de 200 anos, até 1763.

SALVADOR, frei Vicente do (Vicente Rodrigues Palha) (1564-1636). Primeiro historiador brasileiro. Capistrano de Abreu publicou sua *História do Brasil*.

SAN MARTÍN, José de (1778-1850). Militar argentino. Libertador do Peru, auxiliou O'Higgins na independência do Chile e Bolívar na do Equador.

SANDRONI, Cícero Augusto Ribeiro (1935-). Jornalista, escritor. Membro da ABL. Obras: *O diabo só chega ao meio-dia*, *Austregésilo de Athayde, o século de um liberal* etc.

SANTA BÁRBARA DO OESTE (SP). Mun. com 195.278 hab. Agricultura (cana-de-açúcar). Indústria (açúcar e álcool, mecânica, têxtil).

SANTA CATARINA. Estado da região S., tem limites com a Argentina, PR, RS. Sigla: *SC*. Área: 95.346km²; população: 7.388.047 hab. Capital: Florianópolis. Cidades principais: Joinville, Blumenau, Criciúma, Lajes, São José, Itajaí, Chapecó. Agricultura (milho, soja, fumo, mandioca, feijão, arroz, cana-de-açúcar, trigo, cevada, frutas). Pecuária (bovinos, suínos). Avicultura. Pesca. Extração vegetal (pinheirais, ervais) e mineral (carvão, fluorita, sílex, calcário). Indústria importante (papel e celulose, carne [frigoríficos], têxtil, mecânica etc.). Portos (exportação de grãos, açúcar, carvão etc.). Turismo (balneários, centros de colonização alemã, festas folclóricas brasileiras e alemãs etc.). Centro cultural, universidade, monumentos. O primeiro núcleo populacional estável foi fundado em 1604, no rio de São Francisco. Em 1675, Francisco Dias Velho ergueu a igreja de Nossa Senhora do Desterro, na ilha de Santa Catarina, futura Florianópolis. Em 1676 foi fundada Laguna. A grande imigração começa começou em 1829 e ganha força em 1850 (Blumenau). Na revolução federalista, Desterro foi por algum tempo a capital da República. Em 1894 termina a Revolta da Armada, estabelece-se o governo legalista e Desterro recebe o nome de Florianópolis, em homenagem a Floriano Peixoto.

SANTA CRUZ DO SUL (RS). Mun. com 132.271 hab. Agricultura (fumo). Pecuária (bovinos, suínos). Indústria (fumo).

SANTA LUZIA (MG). Mun. com 221.705 hab. Frigorífico. De importância histórica (revolução de 1842), tem monumentos tombados pelo IPHAN.

SANTA MARIA (RS). Mun. com 285.159 hab. Agricultura (trigo, arroz). Pecuária (bovinos, suínos). Indústria (alimentos, bebidas, química, metalurgia, roupas, calçados). Universidade. Fundada em 1797, vila em 1857, cidade em 1876.

SANT'ANNA, Affonso Romano de (1937-). Poeta e crítico literário mineiro. Obras: *Canto e palavra*, *Poesia sobre poesia*, *Mistérios gozosos* etc.

SANT'ANNA, Sérgio (1941-2020). Contista e romancista carioca. Obras: *O sobrevivente*, *Notas de Manfredo Rangel, repórter*, *O monstro* etc.

SANTARÉM (PA). Mun. com 308.339 hab. Juta, borracha, castanha-do-pará, madeiras. Pecuária (bovinos, suínos). Pesca. Porto na foz do rio Tapajós com o rio Amazonas.

SANTA RITA (PB). Mun. com 138.093 hab. Agricultura (cana-de-açúcar, mandioca). Indústria (têxtil, açúcar).

SANTA ROSA Júnior, Tomás (1909-1956). Teatrólogo, modernizou a cenografia do teatro brasileiro.

SANTIAGO, Silviano (1936-). Escritor e crítico literário mineiro. Obras: *O olhar*, *Em liberdade*, *Nas malhas da letra* etc.

SANTO ANDRÉ (SP). Mun. com 723.889 hab. Importante centro industrial (química, farmacêutica, metalurgia, têxtil, material elétrico).

SANTORO, Cláudio (1919-1989). Compositor erudito amazonense. Foi grande sinfonista. Obras: 14 sinfonias, *Canto de amor e paz* etc.

SANTOS (SP). Mun. com 433.991 hab. Importante porto. Comércio. Indústria (alimentos [moinhos de trigo], madeira, móveis, têxtil, minerais não metálicos, calçados, gráfica). Refinaria de petróleo. Usina siderúrgica. Turismo (praias, infraestrutura hoteleira, arquitetura colonial).

SANTOS, Marquesa de (Domitila de Castro Canto e Melo) (1797-1867). A mais famosa amante de d. Pedro I, com quem teve uma filha. Casou-se depois da partida do imperador.

SANTOS, Milton (1926-2001). Geógrafo mineiro. Obras: *Espaço dividido, Espaço e método* etc.

SANTOS, Nelson Pereira dos (1928-2018). Cineasta paulista. Obras: *Rio, quarenta graus, Vidas secas, Memórias do cárcere, Cinema de lágrimas* etc.

SANTOS, Turíbio Soares (1944-). Violonista maranhense. Primeiro lugar no Concurso Internacional de Violão de Paris (1965). Obra: *A música de violão de Villa-Lobos* (também em inglês).

SANTOS-DUMONT, Alberto (1873-1932). Inventor do avião. Fez também experiência com balões e realizou exibições em Paris. Membro da ABL. Obras: *A conquista do ar, Os meus balões, O que eu vi, o que nós veremos*.

SÃO BERNARDO DO CAMPO (SP). Mun. com 849.874 hab. Indústria automobilística.

SÃO CAETANO DO SUL (SP). Mun. com 162.763 hab. Indústria (automobilística, mecânica, de autopeças, química, farmacêutica, papel etc.).

SÃO CARLOS (SP). Mun. com 256.915 hab. Agropecuária (café, algodão, cana-de-açúcar, milho, arroz; bovinos e suínos). Indústria (mecânica, material elétrico/eletrônico, móveis, comunicações). Usina hidrelétrica. Importante universidade, com pesquisa de tecnologias de ponta.

SÃO FRANCISCO, rio. Rio com 2.614km que atravessa MG, SE e AL. Já foi, por sua importância, chamado de 'rio da unidade nacional'. As usinas hidrelétricas de Três Marias e Paulo Afonso utilizam suas águas.

SÃO GONÇALO (RJ). Mun. com 1.098.357 hab. Indústria de transformação. Usina termelétrica.

SÃO JOÃO DEL REI (MG). Mun. com 90.897 hab. Cidade histórica. Acervo arquitetônico tombado pelo IPHAN.

SÃO JOÃO DE MERITI (RJ). Mun. com 473.385 hab. Cidade-satélite do Rio de Janeiro. Indústrias de transformação.

SÃO JOSÉ (SC). Mun. com 253.705 hab. Indústria alimentícia.

SÃO JOSÉ DO RIO PRETO (SP). Mun. com 469.173 hab. Agricultura (café, algodão, arroz, feijão). Pecuária (bovinos). Indústrias (café, algodão, arroz, óleos comestíveis).

SÃO JOSÉ DOS CAMPOS (SP). Mun. com 737.310 hab. Agropecuária. Indústria (automobilística, aeronáutica, farmacêutica, têxtil, calçados). Instituto Tecnológico da Aeronáutica, Comissão Nacional de Atividades Espaciais.

SÃO JOSÉ DOS PINHAIS (PR). Mun. com 334.620 hab. Indústria (metalurgia). Aeroporto de Curitiba).

SÃO LEOPOLDO (RS). Mun. com 240.378 hab. Indústrias de couro e calçados, armas e munições.

SÃO LUÍS. Capital do estado do Maranhão, com 1.115.932 hab. Exportação de soja pelo porto de Ponta da Madeira. Extração e beneficiamento do babaçu. Indústria (transformação de minérios [projeto Carajás], têxtil, alumínio, móveis). Centro turístico (fachadas de azulejos, igrejas, monumentos históricos [tombados pela Unesco], eventos folclóricos). Universidade. Fundada pelos franceses em 1612.

SÃO MIGUEL DAS MISSÕES (RS). Mun. com 7.692 hab. Ruínas da igreja do mesmo nome, tombadas pela Unesco.

SÃO PAULO. Capital do estado de SP, com 12.396.372 hab. A maior cidade do país, uma das maiores do mundo, e o maior parque industrial da América Latina (indústrias automobilísticas, de autopeças, mecânicas, metalúrgicas, alimentos, têxtil, roupas, química, plásticos, farmacêutica e muitas mais). Grande centro comercial, financeiro e cultural, de intensa atividade (bancos, sede de empresas, museus importantes, teatros, editoras, eventos culturais de nível internacional [bienais de artes plásticas e do livro, feiras industriais etc.], monumentos históricos). Várias universidades e faculdades. Fundada em 1554, junto a colégio católico de São Paulo, em aldeia indígena, elevada a vila em 1559, cidade em 1711, palco da declaração de independência do Brasil, em 1822. A expansão da produção e exportação do café e o grande surto imigratório, interno e externo, deram grande impulso ao desenvolvimento da cidade e a sua industrialização, no último quartel do século XIX e início do século XX, quando passou a ser a cidade mais populosa e ativa do Brasil. O que também lhe trouxe problemas, como o congestionamento do trânsito e a poluição ambiental.

SÃO PAULO. Estado da região S.E., tem limites com RJ, MG, MS, PR. Sigla: *SP*. Área: 248.209km²; população: 46.856.390 hab. Capital: São Paulo. Cidades (municípios) principais: Campinas, Guarulhos, Santo André, São Bernardo do Campo, São José dos Campos, Ribeirão Preto, Santos, Sorocaba, Diadema, Mauá, Carapicuíba, São José do Rio Preto, Jundiaí, Piracicaba, Mogi das Cruzes, São Vicente, Bauru, Franca, Guarujá, Limeira, Taubaté etc. Agricultura (produtos de consumo [hortifrutigranjeiros] e para beneficiamento [laranja], cana-de-açúcar, café, algodão, milho, soja). Pecuária (bovinos [carne e leite]), avicultura. Poderosa e vasta base industrial, de longe a maior do país (automobilística e de autopeças, metalurgia, mecânica, material elétrico, de transporte, de comunicações, gráfica, química, alimentos, bebidas, couros, madeira, bens de consumo em geral). Usinas hidrelétricas e termelétricas. Refinarias. Extração de apatita, bauxita, calcários, xisto betuminoso, mármores, minério de cobre, de ferro, níquel, estanho, chumbo. Maior centro bancário e comercial do país. Portos de exportação (São Sebastião, Santos). Aeroportos (o internacional Cumbica [Guarulhos], Viracopos [Campinas] e Congonhas [São Paulo], este o de maior movimento no país. Centro de negócios, de turismo (cidades e monumentos históricos, praias, estâncias hidrominerais, eventos culturais, religiosos [romaria de N.S. da Aparecida] e esportivos) e cultural (importantes museus, bibliotecas, sede de muitos órgãos da imprensa). Centros tecnológicos de alto nível, várias universidades. A história do estado começa com a fundação de São Vicente, no litoral, em 1532. A penetração no interior, subindo a serra do Mar, leva à fundação de Santo André, em 1553, e, em 1554, em Piratininga, da vila que viria a ser a capital do estado e maior cidade da América do Sul. Os bandeirantes expandiram a conquista do território, e em 1709 a capitania de São Vicente tornava-se autônoma, tendo como capital a vila de São Paulo, em 1711 (voltaria a ser subordinada ao Rio de Janeiro em 1749, e de novo restaurada como capitania em 1765). Em fins do século XVIII e início do século XIX, a economia do açúcar, e depois a do café, imprimem grande desenvolvimento. Grande surto de imigração e a vertiginosa industrialização levam a um desenvolvimento sem precedentes. Cenário da proclamação da independência, a província de São Paulo foi também palco de vários movimentos políticos e militares (1842, 1924, 1932). No início do século XXI é o mais importante centro da vida econômica e política do país.

SÃO VICENTE (SP). Mun. com 370.839 hab. Primeiro município do Brasil. Turismo (igreja matriz e vila colonial).

SARAMAGO, José (1922-2010). Romancista português. Prêmio Nobel de literatura (1999). Obras: *His-*

tória do cerco de Lisboa, Memorial do convento, Ensaio sobre a lucidez etc.

SARNEY, José Ribamar Ferreira Araújo da Costa (1930-). Político e romancista maranhense. Vice-presidente da República eleito por colégio eleitoral, assumiu a presidência (1985-1989) com a morte, antes da posse, de Tancredo Neves. Membro da ABL. Obras: *A canção inicial, Marimbondos de fogo, O dono do mar* etc.

SARTRE, Jean Paul (1905-1980). Escritor e filósofo francês. Teórico do existencialismo. Prêmio Nobel de literatura (1964). Obras: *O ser e o nada, A náusea, Os caminhos da liberdade* (trilogia), *As moscas* etc.

SAURA, Carlos (1932-). Cineasta espanhol de renome mundial. Obras: *Bodas de sangue, Cria cuervos, Tango* etc.

SCANTIMBURGO, João de (1915-2013). Jornalista e historiador paulista. Membro da ABL. Obras: *O Brasil e a Revolução Francesa, A filosofia da ação, O segredo japonês* etc.

SCHEMBERG, Mário (1916-1990). Físico e crítico de arte pernambucano. Obras: *Pensando a arte, Pensando a física* etc.

SCHILLER, Friedrich von (1759-1805). Teatrólogo e poeta alemão de reputação mundial. Obras: *Maria Stuart, A donzela de Orléans, Guilherme Tell* etc.

SCHMIDT, Augusto Frederico (1906-1965). Poeta e político carioca. Teve importante papel na política externa do governo de Juscelino Kubitschek. Obras: *O galo branco, Pássaro cego, Estrela solitária* etc.

SCHUBERT, Franz (1797-1828). Compositor erudito austríaco. Autor de notáveis canções, peças para piano, música de câmara [*A truta, A morte e a donzela* etc.], e da *Sinfonia inacabada* etc.

SCHUMANN, Robert (1810-1856). Compositor erudito alemão de grande fama. Autor de peças para piano, canções, concertos para piano, música de câmara etc.

SCHWARZ, (Roberto Schwarzmann), dito (1938-). Crítico literário brasileiro, nascido na Áustria. Obras: *Machado de Assis, A sereia e o desconfiado, Ao vencedor, as batatas* etc.

SCLIAR, Carlos (1920-2001). Pintor e desenhista gaúcho de alta reputação.

SCLIAR, Moacyr Jaime (1937-2011). Romancista e contista gaúcho. Membro da ABL. Obras: *A guerra no Bonfim, O exército de um homem só, O centauro no jardim* etc.

SCOLA, Ettore (1931-2016). Cineasta italiano de renome mundial. Obras: *O baile, A família, Um dia muito especial, Splendor* etc.

SCORSESE, Martin (1942-). Cineasta norte-americano de reputação internacional. Obras: *Taxi driver, Cassino, A idade da inocência, A última tentação de Cristo* etc.

SECCHIN, Antônio Carlos (1952-). Ensaísta, crítico literário e poeta, carioca. Membro da ABL. Obras: *Todos os ventos, João Cabral: a poesia do menos* etc.

SEGALL, Lasar (1891-1957). Pintor e gravador lituano radicado no Brasil. Obras: *Mangue, Paisagem brasileira, Morro vermelho* etc.

SEIXAS, ponta do. Ponto extremo leste do Brasil, no cabo Branco, PB, próximo à fronteira com PE.

SEIXAS, Raul Santos (1945-1989). Compositor popular baiano de bastante originalidade, que marcou época. Obras: "Gita", "Sociedade alternativa", "Óculos escuros" etc.

SENA, Jorge de (1919-1978). Poeta e escritor português naturalizado brasileiro. Viveu nos EUA onde adquiriu reputação internacional. Obras: *Coroa da Terra, Andanças do demônio, Sinais de fogo* etc.

SÊNECA, Lúcio Aneu (4 a.C.-65 d.C.). Filósofo e teatrólogo romano nascido na Espanha. Obras: *Consolos,* oito tragédias, *Epístolas morais a Lucílio* etc.

SENNA da Silva, Ayrton (1960-1994). Piloto de carros de corrida paulista, destacou-se na Fórmula 1, onde foi campeão três vezes (1988, 1990 e 1991). Morreu num acidente no Grande Prêmio de Imola.

SERGIPE. Estado da região N.E., tem limites com AL, BA. Sigla: *SE*. Área: 21.910km²; população: 2.350.082 hab. Capital: Aracaju. Cidades principais: Nossa Senhora do Socorro, Lagarto, Itabaiana, Estância, São Cristóvão etc. Agricultura (laranja, cana-de-açúcar, mandioca, coco-da-baía, feijão, milho, algodão). Pecuária. Indústria (alimentos, têxtil, beneficiamento). Extração de petróleo (das maiores do país em produção), potássio, jazidas de magnésio, sal-gema, enxofre. Polo cloroquímico. Hidrelétricas e termelétricas. Turismo (praias, cidades e monumentos históricos, festas folclóricas). Museus e bibliotecas. Início da colonização em 1590 (São Cristóvão, que foi a primeira capital). Ocupação holandesa (1637-1645). Criada a comarca de Sergipe, em 1696. Capitania independente (da Bahia) em 1820. Aracaju ganha categoria de cidade e de capital da província em 1855. Estado, com a República, em 1889. Participação na revolução de 1930 (deposição do governador). Nova Constituição estadual em 1947.

SERPA, Ivan Ferreira (1923-1973). Pintor, desenhista e gravador carioca. Fundador do grupo Frente, foi depois concretista e expressionista.

SERRA (ES). Mun. com 536.765 hab. Indústrias. Monumentos históricos tombados pelo IPHAN.

SERRA Sobrinho, Joaquim Maria (1838-1888). Escritor maranhense. Patrono da cadeira n° 21 da ABL. Obras: *Um coração de mulher, Quadros* etc.

SETE LAGOAS (MG). Mun. com 243.950 hab. Indústria (laticínios, têxtil), extração de ferro-gusa e mármore. Turismo (complexo lacustre).

SETÚBAL, Paulo de Oliveira (1893-1937). Romancista paulista. Membro da ABL. Obras: *A Marquesa de Santos, As maluquices do imperador, O sonho das esmeraldas, Eldorado, Confiteor* etc.

SEURAT, Georges Pierre (1859-1891). Pintor francês da escola pontilhista.

SEVERO de Albuquerque Maranhão, **Augusto** (1864-1912). Político e aeronauta potiguar. Um dos pioneiros da aviação no Brasil.

SHAKESPEARE, William (1564-1616). Poeta e teatrólogo inglês, um clássico da dramaturgia e da literatura inglesa em geral. Obras: *Romeu e Julieta, Hamlet, Otelo, Macbeth, Rei Lear* etc.

SHAW, George Bernard (1856-1950). Teatrólogo irlandês. Prêmio Nobel de literatura (1925). Obras: *Pigmalião, Santa Joana, Major Barbara* etc.

SILVA, Antonio José da (dito "O Judeu") (1705-1739). Comediógrafo carioca que se celebrizou em Portugal pelas suas comédias e peças satíricas. Cristão-novo acusado de judaizante, morreu queimado pela Inquisição. Obras: *Guerras do Alecrim e Manjerona, O labirinto de Creta, O precipício de Faetonte* etc.

SILVA, Ademar Ferreira da (1927-2001). Atleta brasileiro, duas vezes vencedor do salto triplo em Olimpíadas (Helsinki, 1952 e Melbourne, 1956).

SILVA, Francisco Manuel da (1795-1865). Músico carioca, autor da música do Hino Nacional Brasileiro (1831).

SILVA ALVARENGA, Manuel Inácio da (1749-1814). Poeta mineiro. Participou da Conjuração Mineira. Obras: *Glaura, O desertor das letras* etc.

SILVEIRA, Joel Ribeiro (1918-2007). Jornalista e escritor sergipano. Obras: *Um guarda-chuva para o coronel, Histórias de pracinhas, A milésima segunda noite da avenida Paulista* etc.

SILVEIRA, Nise da (1905-1999). Escritora e psiquiatra alagoana. Obras: *Jung, vida e obra, Imagens, ação, afeto, Imagens do inconsciente* etc.

SILVEIRA, Tasso Azevedo **da** (1895-1968). Poeta paranaense da corrente simbolista. Obras: *Alegorias de* um homem, Descobrimento da vida, Os caminhos do espírito etc.

SIMÕES LOPES NETO, João (1865-1916). Folclorista e contista gaúcho. Obras: *Contos gauchescos, Lendas do sul, Terra gaúcha* etc.

SINHÔ (José Barbosa da Silva), dito (1888-1930). Compositor popular carioca de notável popularidade na época, cognominado "O rei do samba" e um dos primeiros sambistas. Autor, entre outros, de *Jura*.

SIQUEIROS, David Alfaro (1896-1974). Pintor muralista mexicano de renome mundial. Obras: *Mãe camponesa, Marcha da humanidade* etc.

SISLEY, Alfred (1839-1899). Pintor francês de ascendência inglesa, da escola impressionista francesa.

SOARES, Mário (1924-2017). Político português. Líder do Partido Socialista Português. Primeiro-ministro (1976-1978) e presidente da República (1986-1996).

SOBRAL (CE). Mun. com 212.437 hab. Pecuária. Beneficiamento de produtos vegetais, indústria (cimento, remédios, têxtil). Extração de calcário.

SÓCRATES (c.470-c.399 a.C.). Filósofo grego, professor de Platão.

SÓFOCLES (496-406 a.C.). Famoso teatrólogo grego. Obras: *Antígona, Édipo rei, Electra* etc.

SOLIMÕES, rio. Nome do rio Amazonas até receber o afluente rio Negro.

SOROCABA (SP). Mun. com 695.328 hab. Agricultura (laranja, cereais, batata). Importante indústria (têxtil, metalúrgica, cimento, bebidas, material elétrico). Usina de alumínio.

SOUSA, frei Luís de (Manuel de Sousa Coutinho), dito (1556-1632). Escritor português. Obras: *História de São Domingos, Vida do arcebispo d. Frei Bartolomeu dos Mártires* etc.

SOUSA, Gabriel Soares de (c.1540-1592). Cronista português, autor do *Tratado descritivo do Brasil* (1587).

SOUSA, Márcio Gonçalves Bentes de (1946-). Escritor amazonense. Obras: *Galvez, imperador do Acre, A paixão de Ajuricaba* etc.

SOUSA, Martim Afonso de (c.1500-1564). Militar português, donatário das províncias de São Vicente e Rio de Janeiro. Fundador de São Paulo e Piratininga.

SOUSA, Otávio Tarquínio de (1889-1959). Historiador carioca. Obras: *História dos fundadores do império do Brasil, Fatos e personagens em torno de um regime* etc.

SOUSA, Tomé de (1502-1579). Militar português, primeiro governador-geral do Brasil.

SOUSÂNDRADE (Joaquim de Sousa Andrade), dito (1833-1902). Escritor maranhense, precursor do simbolismo, autor de obras inovadoras na sua época: *Harpas selvagens, O Guesa errante, O novo Éden.*

SPENCER, Herbert (1820-1903). Filósofo inglês criador da doutrina evolucionista. Obras: *A estática social, Filosofia sintética, Princípios de biologia, Princípios de ética* etc.

SPINOSA, Baruch de (1632-1677). Filósofo holandês. Obras: *A reforma do entendimento, Ética demonstrada segunda a ordem geométrica, Tratado político* etc.

SPIX, Johnann Baptiste von (c.1760-1827). Ilustre zoólogo alemão que veio ao Brasil com Von Martius em 1817. Autor, entre outros, de *Viagem pelo Brasil*.

STADEN, Hans (c.1500-c.1560). Cronista alemão. Visitou duas vezes o Brasil na primeira metade do séc. XVI. Autor do importante livro *Descrição verdadeira de um país de selvagens nus, ferozes e canibais...* (1567), várias vezes reeditado como *Duas viagens ao Brasil.*

STENDHAL (Marie-Henry Beyle), dito (1783-1842). Romancista francês de renome mundial. Obras: *O vermelho e o negro, A cartuxa de Parma, Lamiel* etc.

STERNE, Laurence (1713-1768). Escritor irlandês. Obras: *A vida e as opiniões do cavalheiro Tristram Shandy, Uma viagem sentimental através da França e da Itália* etc.

STEVENSON, Robert Louis (1850-1894). Romancista inglês. Obras: *A ilha do tesouro, O médico e o monstro* etc.

STRAUSS, Johann (1825-1899). Compositor erudito austríaco, famoso por suas valsas. Obras: "Danúbio azul", "Contos dos bosques de Viena", "Vozes da primavera" etc.

STRAUSS, Richard (1864-1949). Compositor erudito alemão. Obras: "Don Juan", "Salomé", "O cavaleiro da rosa" etc.

STRAVINSKI, Igor (1882-1971). Compositor erudito russo de fama internacional. Obras: "A sagração da primavera", "O pássaro de fogo", "Édipo rei" etc.

STRINDBERG, August (1849-1912). Teatrólogo sueco que introduziu o expressionismo nos palcos. Obras: *O quarto vermelho, Senhorita Júlia, Sonata de espectros* etc.

SUASSUNA, Ariano Vilar (1927-2014). Romancista e teatrólogo paraibano. Membro da ABL. Obras: *Auto da compadecida, O santo e a porca, A pena e a lei, A farsa da boa preguiça* etc.

SUETÔNIO, Caio (69-140). Historiador romano. Foi secretário do imperador Adriano. Obras: *Vidas dos 12 césares, Sobre os homens ilustres* etc.

SVEVO, Italo (Ettore Schmitz), dito (1861-1928). Escritor italiano. Obras: *Uma vida, A consciência de Zeno, Senilidade* etc.

SWIFT, Jonathan (1667-1745). Romancista irlandês que alcançou sucesso na Inglaterra. Autor, entre outros, de *As viagens de Gulliver*.

T

TABOÃO DA SERRA (SP). Mun. com 297.528 hab. Indústrias mecânica, química, material de transporte.

TÁCITO, Públio Cornélio (56-120). Historiador romano de grande prestígio. Obras: *Diálogo dos oradores, Anais, Germânia* etc.

TAGORE, Rabindranath (1861-1941). Poeta, contista e romancista indiano. Prêmio Nobel de literatura (1913). Obras: *Gora, Um punhado de histórias, A oferenda lírica* etc.

TAMANDARÉ, marquês de (Joaquim Marques Lisboa) (1807-1897). Almirante gaúcho. Atuou nas guerras da independência, da Confederação do Equador e da Campanha Cisplatina. Herói da guerra do Paraguai. Patrono da Marinha de Guerra brasileira.

TAPAJÓS, rio. Rio de MT e PA com 1.784km. Afluente do rio Amazonas.

TASSO, Torquato (1544-1595). Poeta do renascimento. Obras: *Aminta, Jerusalém libertada* etc.

TATI, Jacques (1908-1982). Cineasta francês. Obras: *As férias do sr. Hulot, Meu tio, Playtime, Traffic* etc.

TAUBATÉ (SP). Mun. com 320.820 hab. Importante centro comercial. Indústrias (automobilística, têxtil). Agropecuária. Extração de dolomito.

TAUNAY, Afonso d'Escragnolle (1876-1958). Historiador e lexicógrafo catarinense. Membro da ABL. Obras: *História geral das bandeiras paulistas, História do café no Brasil* etc.

TAUNAY, visconde de (Alfredo Maria Adriano d'Escragnolle) (1843-1899). Escritor, jornalista e político carioca. Membro fundador da ABL. Obras: *A retirada da Laguna, Inocência, Céus e terras do Brasil* séc.

TAVARES da Silva Cavalcanti, **Adelmar** (1888-1963). Poeta pernambucano. Membro da ABL. Obras: *Noite cheia de estrelas, Trovas e trovadores* etc.

TÁVORA, João **Franklin** da Silveira (1842-1888). Escritor cearense. Patrono da cadeira n° 14 da ABL. Obras: *O cabeleira, O matuto, Três lágrimas* etc.

TÁVORA, Juarez (1898-1975). Militar e político cearense. Participou do tenentismo e foi ministro de Getúlio Vargas. Fundador da Petrobrás, em 1954, e ministro da Viação (1964-1967). Foi candidato derrotado à presidência do país.

TCHAIKOVSKI, Piotr Ilytch (1840-1893). Compositor erudito russo de fama mundial. Obras: *O lago dos cisnes*, *Suíte Quebra-Nozes* (música de balé), 6 sinfonias, concertos para violino e para piano etc.

TCHEKHOV, Anton Pavlovitch (1860-1904). Teatrólogo e contista russo de renome mundial. Obras: *Tio Vânia*, *As três irmãs*, *O jardim das cerejeiras*, *A gaivota* etc.

TEILHARD DE CHARDIN, Pierre (1881-1955). Filósofo, teólogo e sacerdote francês, cujas ideias tiveram grande repercussão. Criou a teoria cristã do evolucionismo da humanidade. Obras: *O fenômeno humano*, *O futuro do homem* etc.

TEIXEIRA, Anísio Spinola (1900-1971). Educador baiano, primeiro reitor da Universidade de Brasília e reformador do ensino no Brasil. Obras: *Educação progressiva*, *A universidade e a liberdade humana*, *Educação no mundo moderno* etc.

TEIXEIRA, Bento (1560-1618). Poeta português, viveu no Brasil e foi autor da primeira obra literária no país, a *Prosopopeia*.

TEIXEIRA DE FREITAS (BA). Mun. com 164.290 hab. Microrregião de Porto Seguro.

TELLES, Lygia Fagundes (1923-). Escritora paulista. Membro da ABL. Obras: *Histórias de desencontro*, *Antes do baile verde*, *As meninas* etc.

TEMER Lulia, Michel Miguel Elias (1940-). Político, advogado, professor universitário e escritor brasileiro. Eleito vice-presidente da República em 2011, assumiu a presidência de 2016 a 2018 após a destituição da titular Dilma Rousseff.

TEMÍSTOCLES (c.527-c.460 a.C.). General e político ateniense. Sucedeu a Arístides e construiu importante frota, fator decisivo para sua vitória contra os persas na batalha naval de Salamina.

TENENTISMO. Movimento militar jovem que perturbou a política nacional entre 1922 e 1934, sobretudo no Exército.

TEÓFILO OTONI (MG). Mun. com 141.269 hab. Agricultura (café, milho). Indústria (alimentos, beneficiamento). Grande centro de extração e lapidação de pedras preciosas e cristal de rocha.

TERÊNCIO (Publio Terêncio Afer) (c.195-c.159 a.C.). Dramaturgo romano de grande influência no teatro ocidental. Obras: *A mulher de Andros*, *A sogra*, *O castigador de si mesmo* etc.

TERESINA. Capital do Piauí, com 871.126 hab., à margem do rio Parnaíba. Cidade planejada, fundada (1850) para centralizar as funções administrativas da região. Extração (babaçu, carnaúba). Indústria (alimentos, óleos vegetais, cera de carnaúba, móveis, beneficiamento de algodão). Universidade.

TERESÓPOLIS (RJ). Mun. com 185.820 hab. Agricultura de consumo (hortigranjeiros). Turismo (veraneio, montanhismo).

TERUZ, Orlando (1902-1984). Pintor acadêmico carioca. Cenas populares, retratos.

THEVET, André (1502-1592). Cosmógrafo e cronista francês. Veio ao RJ com Villegaignon e escreveu *Viagem à terra do Brasil*, notável depoimento da época.

TICIANO (Tiziano Vecellio) (c.1490-1576). Pintor italiano, autor de retratos notáveis. Obras: *Fuga para o Egito*, *Baco e Ariadne*, *Descida ao túmulo* etc.

TIETÊ, rio. Rio de SP com 1.032km, afluente do rio Paraná. Usinas hidrelétricas.

TIMON (MA). Mun. com 171.317 hab. Microrregião de Caxias.

TINTORETTO, il (Jácopo Robusti), dito (1518-1594). Pintor italiano, um dos grandes nomes do Renascimento. Obras: *Adão e Eva*, *Ceia*, *Crucificação*, *Susana no banho* etc.

TIRADENTES (MG). Mun. com 8.160 hab. Extração de cristal de rocha. Artesanato. Turismo (cidade-monumento: monumentos históricos, arquitetura colonial).

TIRADENTES (Joaquim José da Silva Xavier), dito (1746-1792). Militar mineiro, líder da Conjuração Mineira, patrono da independência do Brasil. Foi enforcado e esquartejado no Rio de Janeiro.

TIRSO DE MOLINA (Gabriel Tellez), dito (1584-1648). Escritor e dramaturgo espanhol. De suas centenas de obras conhecem-se oitenta, entre as quais *A prudência na mulher*, *Marta*, *a piedosa*, *Don Gil das calças verdes* etc.

TITO LÍVIO (64 ou 59 a.C.-17 d.C.). Historiador latino, autor de uma famosa *História de Roma*.

TOCANTINS. Estado da região N., tem limites com PA, MA, PI, BA, GO, MT. Sigla: TO. Área: 277.620km²; população: 1.617.411 hab. Capital: Palmas. Cidades principais: Araguaina, Gurupi, Porto Nacional etc. Agricultura (arroz, milho, feijão, soja). Extração vegetal (babaçu, mamona, pequi, castanha-do-pará, madeira) e mineral (cristal de rocha, jazidas de bauxita, cassiterita, ouro). Indústria (alimentos, móveis, materiais de construção, metalurgia). Hidrelétricas. Turismo (ilha de Bananal, pesca fluvial). Universidade. É o mais novo estado do Brasil, criado pela Constituição de 1988.

TOCANTINS, rio. Rio de GO, TO, MA e PA com 2.416km. Afluente do rio Amazonas, deságua junto à ilha de Marajó.

TOCQUEVILLE, Alexis de (1805-1858). Escritor e sociólogo francês. Obras: *Da democracia*, *O Antigo Regime e a Revolução*, *Lembranças de 1848* etc.

TODOS OS SANTOS, baía de. Grande baía (a maior do litoral brasileiro) no litoral baiano, defronte a Salvador, e onde fica a ilha de Itamaracá.

TOLSTOI, Lev Nikolaievitch (1828-1910). Romancista russo de renome mundial. Obras: *Guerra e paz*, *Ana Karenina*, *Ressurreição* etc.

TOMÁS DE AQUINO, santo (1224 ou 1225-1274). Teólogo dominicano, doutor da Igreja, conceituou uma harmonia entre razão e fé (tomismo) nos dois importantes tratados de teologia que escreveu: *Suma teológica* e *Suma contra os gentios*.

TORELLY, Aparício (1895-1971). Humorista gaúcho, famoso por seu humor mordaz (em seu jornal *A manhã*), chamou a si mesmo **Barão de Itararé**.

TORGA, Miguel (Adolfo Correia da Rocha), dito (1907-1995). Romancista, contista e poeta português. Obras: *Bichos*, *Cântico do homem*, *Contos da montanha* etc.

TORRES, Antônio dos Santos (1885-1934). Ensaísta mineiro, polemista entusiasta. Obras: *Verdades indiscretas*, *Pasquinadas cariocas*, *Prós e contras* etc.

TORRES da Cruz, **Antonio** (1940-). Jornalista e escritor brasileiro. Membro da ABL. Obras: *Um cão uivando para a Lua*, *Essa terra* etc.

TOSCANINI, Arturo (1867-1957). Regente italiano de fama mundial, considerado um dos maiores maestros de todos os tempos. Iniciou a carreira no Rio de Janeiro, substituindo num concerto o maestro programado.

TOULOUSE-LAUTREC, Henri Marie Raymond de (1864-1901). Pintor e desenhista francês. Celebrizou-se por suas cenas da vida parisiense da época.

TOYNBEE, Arnold Joseph (1889-1975). Importante e polêmico historiador britânico. Obras: *Estudo da história* (em 12 vol.), *A civilização posta à prova* etc.

TRÊS ESTADOS. Pico com 2.665m de altura, na serra da Mantiqueira.

TREVISAN, Dalton (1925-). Romancista paranaense. Obras: *Cemitério de elefantes*, *Novelas nada exemplares*, *Ah é?* etc.

TRINDADE E MARTIM VAZ. Ilhas brasileiras a c. 1.000km do litoral do ES. Posto oceanográfico da marinha nacional.

TRINTA E UM DE MARÇO. Segundo pico mais alto do Brasil com 2.992m, AM, na serra de Imeri, na fronteira com a Venezuela.

TRUFFAUT, François (1932-1984). Cineasta francês. Obras: *Jules e Jim, Farenheit 451, A noite americana* etc.

TRUMP, Donald John (1946-). Empresário, personalidade televisiva e político. Eleito presidente dos Estados Unidos para o quadriênio 2017-2020.

TUCÍDIDES (c.465-c.404 a.C.). Historiador grego. Autor de *Histórias da guerra do Peloponeso*, obra em que relata fatos da referida guerra.

TUCURUÍ (PA). Mun. com 116.605 hab. Importante hidrelétrica no rio Tocantins.

TURNER, Joseph Mallord William (1775-1851). Pintor inglês de renome, precursor do impressionismo. Obras: Notáveis cenas de Veneza e marinhas, *Tempestade de neve no vale do Aosta, Chuva, vapor e velocidade* etc.

TWAIN, Mark (Samuel Langhorne Clemens), dito (1835-1910). Romancista norte-americano, famoso por seus livros para a juventude. Obras: *As aventuras de Tom Sawyer, As aventuras de Huckleberry Finn, O príncipe e o mendigo* etc.

U

UBERABA (MG). Mun. com 340.277 hab. Agricultura (soja, café, arroz, feijão, sorgo, trigo, milho). Pecuária (gado zebu, centro de pesquisa genética). Indústria (transformação de calcário e fosfatos). Universidade.

UBERLÂNDIA (MG). Mun. com 706.597 hab. Agricultura (milho, feijão, algodão). Pecuária (bovinos [leite e carne]). Indústria (frigoríficos, laticínio). Centro universitário.

UNAMUNO, Miguel de (1864-1936). Filósofo, poeta e romancista espanhol. Obras: *O sentimento trágico da vida nos homens e nos povos, Névoa, San Manuel Bueno, mártir* etc.

UNESCO. Sigla da Organização das Nações Unidas para a Educação, Ciência e Cultura, com sede em Paris e criada em 1946.

UNIÃO EUROPEIA. Confederação de países europeus (25 a partir de maio de 2004) com sede em Bruxelas e moeda única (o euro).

UNICEF. Fundo das Nações Unidas para a Criança, criado em 1946 e com sede em Nova York. Prêmio Nobel da Paz em 1965.

URUGUAI, rio. De seus 2.129km, percorre 883km em SC e RS, 689km como fronteira entre o Brasil e a Argentina, e o restante como fronteira entre Argentina e Uruguai.

URUGUAIANA (RS). Mun. com 126.766 hab. Agricultura (arroz, trigo, milho). Pecuária (bovinos, ovinos). Indústria (alimentos, química, couros e peles). Comércio com Uruguai e Argentina.

V

VALENTIM, mestre (Valentim Fonseca e Silva) (1750-1813). Escultor e paisagista carioca, o melhor entalhador da época. Obras: Talhas da igreja da Ordem do Carmo, chafariz do Paço Imperial, plano do Passeio Público, todas no Rio de Janeiro.

VALÉRY, Paul (1871-1945). Poeta francês. Obras: *A jovem parca, Album dos versos antigos, Variedade, A alma e a dança* etc.

VAN DER WEYDEN, Rogier (c.1400-1464). Pintor flamengo e o artista mais importante dessa escola no séc. XV. Autor, entre outros, do *Retábulo do juízo final*.

VAN DYCK, Antoon (1599-1641). Pintor flamengo que fez sucesso na corte inglesa e se firmou como um dos líderes de sua escola. Notável retratista.

VAN EYCK, Jan (1390-1441). Pintor flamengo e diplomata, considerado o fundador da escola realista flamenga. Obras: *A adoração do cordeiro místico, O casamento de Giovanni Arnolfini e Giovanna Cenami, Madona na fonte* etc.

VAN GOGH, Vincent (1853-1890). Pintor holandês de enorme influência e fama. Entre seus muitos quadros famosos: *Os comedores de batata, Autorretrato com cachimbo e orelha enfaixada, Campo de trigo com corvos* etc.

VARGAS, Getúlio Dorneles (1883-1954). Político gaúcho. Presidente da República (1930-1945 e 1951-1954). Criou a Petrobrás, a Companhia Siderúrgica Nacional, a Eletrobrás e a legislação trabalhista. Membro da ABL. Suicidou-se no poder.

VARGAS LLOSA, Mário (1936-). Romancista e contista peruano de renome internacional. Obras: *Batismo de fogo, Guerra do fim do mundo, Pantaleão e as visitadoras* etc. Prêmio Nobel de literatura (2010).

VARGINHA (MG). Mun. com 137.608 hab. Agricultura (café). Pecuária (bovinos). Indústria (mecânica, laticínios). Faculdades.

VARNHAGEN, Francisco Adolfo de (1816-1878). Historiador e diplomata paulista. Patrono da cadeira nº 39 da ABL. Obras: *História geral do Brasil, História das lutas com os holandeses no Brasil, desde 1624 a 1654, Vespúcio e sua primeira viagem* etc.

VÁRZEA GRANDE (MT). Mun. com 290.383 hab. Microrregião de Cuiabá.

VASARELY, Victor (1908-1997). Pintor húngaro da escola de Paris, um dos expoentes da chamada *op art*, baseada em efeitos ópticos.

VASCO Mariz, Ana da Cunha (1881-1938). Pintora carioca conhecida como a "aquarelista do Leme". Obras de interesse iconográfico do início do séc. XX.

VASCONCELOS, Ari (1926-2003). Musicólogo carioca, estudioso da MPB. Obras: *Panorama da música popular brasileira* (2 vol.), *Raízes da música* etc.

VASCONCELOS, Bernardo Pereira de (1795-1850). Magistrado e político mineiro. Ministro da Fazenda, ministro da Justiça, ministro interino do Império, autor do projeto do Ato Adicional de 1834.

VATICANO. Estado soberano criado pelo Tratado de Latrão entre a igreja católica e a Itália. Tem 44 hectares e c. três mil hab. Notáveis monumentos históricos.

VEADEIROS, chapada dos (GO). Parque Nacional desde 1961. Turismo.

VEGA, Lope de (1562-1635). Teatrólogo espanhol, autor de numerosas peças de crítica aos costumes da época na corte espanhola.

VEIGA e Barros, Evaristo Ferreira **da** (1799-1837). Jornalista e político carioca, autor dos versos do *Hino da independência* (1822). Patrono da cadeira nº 10 da ABL.

VELÁSQUEZ, Diego Rodriguez da Silva y (1599-1660). Pintor espanhol, um dos maiores nomes da pintura. Notável retratista e pintor de cenas da corte espanhola. Entre seus quadros, o famoso *As meninas*.

VELHAS, rio das (MG). Afluente do São Francisco, com 1.135km.

VELHO, Domingos Jorge (c.1614-c.1703). Famoso bandeirante, chegou até o Piauí. Vencedor de Zumbi no quilombo dos Palmares.

VELOSO, Caetano Emanuel Viana Teles (1942-). Compositor e cantor popular baiano de renome internacional. Líder do Movimento Tropicalista baiano, que se opôs à voga da Bossa Nova. Obras: "Alegria alegria", "Atrás do trio elétrico", "Odara", "Sampa" etc.

VENÂNCIO FILHO, Alberto (1934-). Jurista e educador carioca. Membro da ABL. Obras: *A intervenção do Estado no domínio econômico, Análise histórica do ensino jurídico no Brasil* etc.

VENTURA, Zuenir Carlos (1931-). Jornalista e escritor brasileiro. Membro da ABL. Obras: *1968: o ano que não terminou*, *Cidade partida*, *1968: o que fizemos de nós*, *Sagrada Família* etc.

VERDI, Giuseppe (1813-1901). Compositor italiano de óperas de fama mundial (*La traviata*, *Rigoletto*, *A força do destino*, *Aída*, *Otelo*, *Falstaff*, *Missa de réquiem* etc.).

VERGUEIRO, senador Nicolau Campos (1778-1859). Político brasileiro. Foi membro da Regência Trina de 1831, após a abdicação de d. Pedro I.

VERÍSSIMO, Érico (1905-1975). Romancista gaúcho de renome. Obras: *Gato preto em campo de neve*, *O tempo e o vento*, *Incidente em Antares* etc.

VERÍSSIMO, José Dias de Matos (1857-1916). Historiador e crítico literário paraense. Membro fundador da ABL. Obras: *Cenas da vida amazônica*, *História da literatura brasileira*, *Estudos de literatura brasileira* (6 vol.) etc.

VERÍSSIMO, Luis Fernando (1936-). Escritor, cronista e humorista gaúcho de repercussão nacional. Obras: *A grande mulher nua*, *O analista de Bagé*, *Ed Mort* etc.

VERLAINE, Paul (1844-1896). Poeta simbolista francês de fama mundial. Obras: *Romances sem palavras*, *Os poetas malditos*, *Minhas prisões* etc.

VERMEER, Johannes (1632-1675). Pintor holandês, hoje considerado um dos gênios de sua escola. Notáveis interiores, paisagens de Delft e retratos.

VERNE, Jules (1828-1905). Escritor francês de fama mundial, precursor da ficção científica. Obras: *Viagem ao centro da Terra*, *Vinte mil léguas submarinas*, *A volta ao mundo em oitenta dias* etc.

VERONESE, Paolo (1528-1588). Pintor italiano, um dos líderes da escola veneziana. Notável colorido e movimento de personagens.

VESPÚCIO, Américo (Amerigo Vespucci) (1454-1512). Navegador florentino, visitou várias vezes as recém-descobertas terras que receberam seu nome (América).

VIAMÃO (RS). Mun. com 257.330 hab. Área industrial de Porto Alegre. Indústria (mecânica, metalúrgica, couros).

VIANA FILHO, Luís (1908-1990). Político e escritor baiano. Foi senador e governador da Bahia e chefe da Casa Civil da Presidência. Membro da ABL. Obras: *A Sabinada*, *A língua do Brasil*, *A vida de Machado de Assis* etc.

VIANA FILHO, Oduvaldo (1936-1974). Ator e dramaturgo carioca, autor de peças de cunho social e político: *Se correr o bicho pega, se ficar o bicho come*, *A longa noite de cristal*, *Rasga coração* etc.

VIANNA MOOG, Clodomir (1906-1988). Romancista e ensaísta gaúcho. Membro da ABL. Obras: *Heróis da decadência*, *Um rio imita o Reno*, *Nós, os publicanos* etc.

VICENTE, Gil (c.1465-c.1537). Teatrólogo português de grande renome. Obras: *Auto dos Reis Magos*, *Auto da fama*, *Amadis de Gaula* etc.

VIEIRA, João Fernandes (1613-1681). Português que veio para o Recife aos 11 anos e tornou-se um dos líderes da luta contra os holandeses. Foi governador da Paraíba, capitão-general de Angola e administrador das fortificações do N.E.

VIEIRA Machado da Costa, **José Geraldo** Manuel Germano Correia (1897-1977). Romancista e contista carioca. Obras: *A mulher que fugiu de Sodoma*, *A ronda do desenvolvimento*, *A quadragésima porta* etc.

VIEIRA, padre Antônio (1608-1697). Orador sacro português, que viveu no Brasil na mocidade e na velhice. Desempenhou importante papel nas negociações de Portugal com os holandeses e franceses. Obras: *Sermões*, *Cartas* etc.

VILAÇA, Marcos Vinicius Rodrigues (1939-). Ensaísta pernambucano. Membro da ABL. Obras: *Conceito de verdade*, *Coronel, coronéis*, *Nordeste brasileiro* etc.

VILA VELHA (ES). Mun. com 508.655 hab. Indústria (alimentos, roupas). Importante porto. Turismo (praias, monumentos históricos).

VILLA-LOBOS, Heitor (1887-1959). Compositor erudito carioca de fama mundial, considerado o maior músico brasileiro de todos os tempos. Obras: *Choros*, *Bachianas brasileiras*, *Serestas*, canções, peças para piano e música de câmara.

VILLEGAIGNON, Nicolas Durand de (1510-1572). Almirante francês que fundou na Guanabara a França Antártica. Teve papel saliente na guerra civil religiosa na França e chefiou o sequestro da rainha Maria Stuart da Escócia.

VILLON, François (c.1431-1463). Poeta lírico francês de grande reputação na época. Teve vida desregrada, aliou-se a bandidos e quase morreu enforcado. Obras: *Pequeno testamento*, *Grande testamento* etc.

VINCI, Leonardo da. Ver *Leonardo da Vinci*.

VIRGÍLIO Marão, **Públio** (70-19 a.C.). Poeta latino de grande influência na poesia ocidental. Obras: *Eneida*, *Bucólicas*, *Geórgicas* etc.

VISCONTI, Eliseo d'Angelo (1866-1944). Pintor italiano radicado no Brasil. Introdutor do impressionismo no país. Decorou o Teatro Municipal do RJ e a Biblioteca Nacional.

VISCONTI, Luchino (1906-1976). Cineasta italiano de renome internacional. Obras: *O leopardo*, *Rocco e seus irmãos*, *Morte em Veneza* etc.

VITAL BRASIL Mineiro da Campanha (1865-1950). Médico e cientista mineiro. Descobriu o soro antiofídico, fundou o Instituto Butantã, em SP, foi diretor do Instituto de Manguinhos.

VITALINO, mestre (Vitalino Pereira dos Santos) (1909-1963). Ceramista popular pernambucano de fama nacional.

VITÓRIA. Capital do Espírito Santo, com 369.534 hab. Importante porto para exportação de minério de ferro e de café em grão. Indústrias. Turismo (praias, monumentos históricos [túmulo de Anchieta], museus etc.). Início em 1535 (Vila Velha), transferida para a ilha do Espírito Santo em 1551. Recebeu o nome de Vila da Vitória, ou Vitória, após vencer os índios goitacás, em 1558. Cidade em 1823.

VITÓRIA DA CONQUISTA (BA). Mun. com 343.643 hab. Pecuária. Agricultura (cereais, mamona, algodão, banana). Indústria (madeira etc.). Usina termelétrica. Arraial (1752), vila (1840), comarca (1873) e cidade (1991).

VITÓRIA DE SANTO ANTÃO (PE). Mun. com 140.389 hab. Agricultura (cana-de-açúcar). Indústria (açúcar, bebidas).

VITÓRIA I (1819-1901). Rainha da Inglaterra e da Irlanda, imperatriz das Índias. Resgatou a dignidade do império britânico e fortaleceu seu prestígio.

VIVALDI, Antonio (1678-1741). Sacerdote e compositor erudito veneziano de renome mundial. Obras: *As quatro estações*, numerosos concertos etc.

VOLPI, Alfredo (1896-1988). Pintor paulista nascido na Itália, famoso por seus quadros com bandeirinhas.

VOLTAIRE (François Marie Arouet), dito (1674-1778). Filósofo e escritor francês de fama mundial. Obras: *Cândido ou o otimismo*, *Zadig*, *Dicionário filosófico* etc.

VOLTA REDONDA (RJ). Mun. com 274.928 hab. Sede da Companhia Siderúrgica Nacional, fundada em 1943 e privatizada em 1993.

W

WAGNER, Richard (1813-1883). Compositor erudito alemão. Um dos maiores músicos de todos os tempos. Autor das óperas *Tannhäuser*, *Tristão e Isolda*, *Os mestres cantores*, *Lohengrin*, *Parsifal* etc.

WAJDA, Andrzej (1926-2016). Cineasta polonês. Obras: *Canal, Cinzas e diamantes, Sem anestesia* etc.

WARHOL, Andrew (Andy) (1929-1987). Artista plástico norte-americano. Um dos fundadores do movimento chamado *pop art*.

WASHINGTON, George (1732-1799). Militar e político norte-americano. Derrotou as tropas inglesas em Yorktown, na guerra de independência dos EUA, e foi seu primeiro presidente.

WASHINGTON LUÍS Pereira de Sousa (1870-1957). Político paulista. Eleito presidente da República em 1926. Deposto por uma junta militar em 1930.

WATT, James (1736-1819). Inventor escocês da máquina a vapor.

WATTEAU, Antoine (1684-1721). Pintor francês. Celebrizou-se por suas cenas galantes da corte francesa e paisagens campestres.

WEBER, Max (1864-1920). Importante filósofo e sociólogo alemão. Obras: *A ética protestante e o espírito do capitalismo, A ética econômica das religiões ocidentais, Economia e sociedade* etc.

WELLES, Orson (1915-1985). Inovador cineasta norte-americano. Filmou *O Jangadeiro* no Ceará, durante a Segunda Guerra Mundial. Obras: *Cidadão Kane, Otelo, A marca da maldade* etc.

WHITMAN, Walt (1819-1892). Poeta norte-americano. Lançou a moda dos versos livres longos. Obras: *Folhas de relva, Rufos dos tambores* etc.

WILDE, Oscar Fingal O'Flaherty Wills (1854-1900). Romancista e teatrólogo irlandês. Obras: *O retrato de Dorian Gray, O leque de lady Windermere, Um marido ideal* etc.

WILDER, Samuel (Billy) (1906-2002). Cineasta norte-americano, nascido na Áustria. Obras: *Crepúsculo dos deuses, O pecado mora ao lado, Quanto mais quente melhor* etc.

WILLIAMS, Tenessee (Thomas Lanier Williams), dito (1911-1983). Teatrólogo norte-americano. Obras: *Rosa tatuada, Gata em teto de zinco quente, De repente no último verão* etc.

WILSON, Thomas Woodrow (1856-1924). Político norte-americano. Eleito presidente da República (1913-1921). Levou os EUA à Primeira Guerra Mundial.

WITTGENSTEIN, Ludwig Joseph (1889-1951). Filósofo austríaco naturalizado inglês. Obteve grande sucesso com seu *Tratado lógico-filosófico*, além de *Investigações filosóficas* etc.

WOOLF, Virginia (1882-1941). Romancista inglesa de renome internacional. Obras: *Mrs. Dalloway, As ondas, Orlando, Uma casa assombrada* etc.

WRIGHT, Frank Lloyd (1867-1948). Arquiteto norte-americano. Pioneiro de novas técnicas de construção, como os blocos de cimento pré-fabricados.

WRIGHT, Wilbur (1867-1912) e **Orville** (1871-1948). Pioneiros da aviação norte-americanos. Teriam feito um voo de poucos metros, impulsionado por catapulta, em 1903.

WYLLER, William (1902-1981). Cineasta suíço naturalizado norte-americano. Obras: *Infâmia, O morro dos ventos uivantes, Os melhores anos de nossas vidas, Ben Hur, A princesa e o plebeu* etc.

X, Y, Z

XAVIER, Joaquim José da Silva. Ver *Tiradentes*.

XENOFONTE (431-350 a.C.). Historiador e filósofo grego. Comandou a retirada dos dez mil (gregos em luta com os persas) da Armênia. Obras: *A anábase, As helênicas* etc.

XERXES I (c.519-c.465). Rei da Pérsia, filho de Dario. Atacou a Grécia com enorme exército, derrotado nas Termópilas e na batalha naval de Salamina.

XINGU. Rio de MT e PA com 2.266km. Afluente do rio Amazonas.

XUÍ, arroio. Rio do RS com 30km apenas, que serve de fronteira com o Uruguai. Ponto extremo sul do Brasil.

YEATS, William Butler (1865-1939). Poeta e dramaturgo irlandês. Obras: *As peregrinações de Oisin, A condessa Cathleen, O país do contentamento, Últimos poemas* etc.

YOURCENAR, (Marguérite de Crayencour), dita (1903-1987). Romancista e poetisa francesa de renome internacional. Obras: *Memórias de Adriano, A obra em negro, Contos orientais* etc.

ZAGALLO (Mário Jorge Lobo), dito (1931-). Jogador e treinador de futebol carioca. Campeão mundial em 1958 e 1962 (como jogador), 1970 (como técnico), 1994 (como coordenador técnico).

ZERBINI, Euríclides de Jesus (1912-1993). Médico e cirurgião paulista. Pioneiro dos transplantes cardíacos no Brasil.

ZIEMBINSKI, Zbigniew (1908-1978). Ator e diretor polonês de teatro, naturalizado brasileiro. Desempenhou importante papel na modernização do teatro no Brasil.

ZIRALDO Alves Pinto (1932-). Cartunista, chargista, pintor, dramaturgo, caricaturista, escritor, cronista, desenhista, humorista, colunista e jornalista. É o criador de personagens famosos, como o Menino Maluquinho.

ZOLA, Émile (1840-1902). Romancista francês. Desempenhou papel importante no caso Dreyfus, escrevendo *Eu Acuso!* Obras: *Thérèse Raquin, Nana, Germinal, Os quatro evangelhos* etc.

ZUMBI DOS PALMARES (séc. XVII-1695). Líder dos escravos negros revoltados em Alagoas. Escolhido como símbolo da comunidade negra do Brasil.

ZWEIG, Stefan (1881-1942). Romancista, biógrafo e memorialista austríaco de fama mundial. Suicidou-se em Petrópolis, RJ. Obras: *Maria Stuart, Fernão de Magalhães, O mundo que eu vi* etc.

ZWINGLI, Ulrich (1484-1531). Teólogo suíço. Um dos líderes da Reforma. Autor de *Comentário sobre a verdadeira e a falsa religião*.

QUADRO DE PAÍSES

PAÍS	CONTINENTE	ÁREA (KM²)	POPULAÇÃO (mil hab.) estim. 2021	CAPITAL
Afeganistão	Ásia	652.090	40.972	Cabul
África do Sul	África	1.221.037	60.283	Pretória[1]
Albânia	Europa	28.748	2.877	Tirana
Alemanha	Europa	356.733	83.762	Berlim
Andorra	Europa	453	77	Andorra la Vella
Angola	África	1.246.700	34.627	Luanda
Antígua e Barbuda	Am. Central	440	99	Saint John's
Arábia Saudita	Ásia	2.149.690	36.245	Riad
Argélia	África	2.381.741	45.226	Argel
Argentina	Am. do Sul	2.766.889	45.976	Buenos Aires
Armênia	Ásia	29.800	2.983	Yerevan
Austrália	Oceania	7.713.364	26.194	Canberra
Áustria	Europa	83.853	9.049	Viena
Azerbaidjão	Europa	86.600	10.390	Baku
Bahamas	Am. Central	13.878	403	Nassau
Bahrein	Ásia	678	1.733	Manama
Bangladesh	Ásia	143.998	168.036	Dhaka
Barbados	Am. Central	430	289	Bridgetown
Belarus (Bielorrússia)	Europa	207.600	9.452	Minsk
Bélgica	Europa	30.519	11.726	Bruxelas
Belize	Am. Central	22.965	412	Belmopan
Benin	África	112.622	12.649	Porto Novo[2]
Bolívia	Am. do Sul	1.098.581	11.977	La Paz[3]
Bósnia-Herzegovina	Europa	51.129	3.281	Sarajevo
Botsuana	África	581.730	2.426	Gaborone
Brasil	Am. do Sul	8.514.876	215.882	Brasília
Brunei	Ásia	5.765	448	Bandar SeriBegawan
Bulgária	Europa	110.912	6.870	Sofia
Burquina Fasso	África	274.200	21.907	Uagadugu
Burundi	África	27.834	12.547	Bujumbura
Butão	Ásia	47.000	791	Thimphu
Cabo Verde	África	4.033	566	Praia
Camarões	África	475.442	27.614	Iaundê
Camboja	Ásia	181.035	17.175	Phnom Penh
Canadá	Am. do N.	9.976.139	38.400	Ottawa
Cazaquistão	Ásia	2.717.300	19.277	Astana
Centro-Africana, Rep.	África	622.984	4.830	Bangui
Chile	Am. do Sul	756.945	19.464	Santiago
China, Rep. Popular da	Ásia	9.596.961	1.452.200	Pequim
China, Rep. (Taiwan)[4]	Ásia	35.980	23.898	Taipé
Chipre	Europa	9.251	1.230	Nicósia
Cingapura	Ásia	618	6.071	Cingapura
Colômbia	Am. do Sul	1.138.914	51.662	Bogotá
Comores, Ilhas	África	2.235	904	Moroni
Congo, Rep. do	África	342.000	5.746	Brazzaville
Congo, Rep. Dem. do	África	2.344.858	94.156	Kinshasa

[1] Pretória (Executiva), Cidade do Cabo (Legislativa) e Bloemfontein (Administrativa)

[2] Porto Novo (sede oficial) e Cotonou (sede física do governo)

[3] La Paz (sede do governo) e Sucre (sede dos poderes Legislativo e Judiciário)

[4] Não é país membro da ONU

Quadro de países

PAÍS	CONTINENTE	ÁREA (KM²)	POPULAÇÃO (mil hab.) estim. 2021	CAPITAL
Coreia do Norte	Ásia	120.538	26.009	Pyongyang
Coreia do Sul	Ásia	99.016	51.770	Seul
Costa do Marfim	África	322.463	27.381	Yamoussoukro
Costa Rica	Am. Central	51.100	5.191	San José
Croácia	Europa	56.538	4.086	Zagreb
Cuba	Am. Central	110.861	11.364	Havana
Dinamarca	Europa	43.077	5.833	Copenhague
Djibuti	África	23.200	1.008	Djibuti
Dominica	Am. Central	751	72	Roseau
Dominicana, Rep.	Am. Central	48.734	11.075	Santo Domingo
Egito	África	1.001.049	106.076	Cairo
El Salvador	Am. Central	21.041	6.509	San Salvador
Emirados Árabes Unidos	Ásia	83.600	10.226	Abu Dhabi
Equador	Am. do Sul	283.561	18.087	Quito
Eritreia	África	117.600	3.684	Asmara
Eslováquia	Europa	49.035	5.466	Bratislava
Eslovênia	Europa	20.251	2.085	Liubliana
Espanha	Europa	504.782	46.542	Madri
Estados Unidos da Am.	Am. do N.	9.363.520	335.286	Washington
Estônia	Europa	45.100	1.317	Tallinn
Etiópia	África	1.104.300	119.655	Adis-Abeba
Federação Russa (Rússia)	Europa/Ásia	17.075.400	146.029	Moscou
Fiji	Oceania	18.274	907	Suva
Filipinas	Ásia	300.000	112.504	Manila
Finlândia	Europa	338.145	5.494	Helsinki
França	Europa	551.500	65.820	Paris
Gabão	África	267.667	2.304	Libreville
Gâmbia	África	11.295	2.547	Banjul
Gana	África	238.533	32.314	Acra
Geórgia	Europa	69.700	3.891	Tbilisi
Granada	Am. Central	344	113	St. George's
Grécia	Europa	131.990	10.359	Atenas
Guatemala	Am. Central	108.889	18.532	Cid. de Guatemala
Guiana	Am. do Sul	214.969	790	Georgetown
Guiné	África	245.857	13.700	Conacri
Guiné-Bissau	África	36.125	2.044	Bissau
Guiné-Equatorial	África	28.051	1.466	Malabo
Haiti	Am. Central	27.750	11.663	Porto Príncipe
Honduras	Am. Central	112.088	10.131	Tegucigalpa
Hungria	Europa	93.032	9.607	Budapeste
Iêmen	Ásia	527.968	31.113	Sana
Índia	Ásia	3.287.590	1.409.875	Nova Délhi
Indonésia	Ásia	1.904.569	279.447	Jacarta
Irã	Ásia	1.648.000	85.693	Teerã
Iraque	Ásia	438.317	42.581	Bagdá
Irlanda	Europa	70.284	4.941	Dublin
Islândia	Europa	103.000	345.198	Reykjavík
Israel	Ásia	22.145	8.890	Jerusalém[§]
Itália	Europa	301.268	60.596	Roma
Jamaica	Am. Central	10.991	2.978	Kingston
Japão	Ásia	377.801	126.353	Tóquio

[§] Jerusalém (não reconhecida pela ONU), Tel-Aviv (reconhecida pela ONU).

Quadro de países

PAÍS	CONTINENTE	ÁREA (KM²)	POPULAÇÃO (mil hab.) estim. 2021	CAPITAL
Jordânia	Ásia	89.342	10.815	Amã
Kiribati	Oceania	726	123	Bairiki
Kuwait	Ásia	17.818	4.677	Cidade do Kuwait
Laos	Ásia	236.800	7.477	Vientiane
Lesoto	África	30.355	2.188	Maseru
Letônia	Europa	64.500	1.849	Riga
Líbano	Ásia	10.400	7.724	Beirute
Libéria	África	111.369	5.272	Monróvia
Líbia	África	1.759.540	6.830	Trípoli
Liechtenstein	Europa	160	38	Vaduz
Lituânia	Europa	65.200	2.647	Vilna (Vilnius)
Luxemburgo	Europa	2.586	650	Luxemburgo
Macedônia	Europa	25.713	2.090	Skopje
Madagascar	África	587.041	28.958	Antananarivo
Malásia	Ásia	329.749	33.192	Kuala Lumpur
Malaui	África	118.484	20.116	Lilongue
Maldivas	Ásia	298	556	Male
Mali	África	1.240.192	21.223	Bamaco
Malta	Europa	316	443	Valete
Marrocos	África	446.500	37.754	Rabat
Marshall, Ilhas	Oceania	181	61	Majuro
Maurício (Maurícia)	África	2.040	1.281	Port Louis
Mauritânia	África	1.025.520	4.831	Nuakchott
México	Am. do N.	1.958.201	131.975	Cid. do México
Mianmar	Ásia	676.578	55.167	Yangun
Micronésia, Fed. dos Est.	Oceania	702	114	Palikir
Moçambique	África	801.590	32.653	Maputo
Moldávia	Europa	33.700	4.032	Chisinau
Mônaco	Europa	2	39	Mônaco
Mongólia	Ásia	1.566.500	629	Ulan Bator
Montenegro	Europa	14.026	3.371	Padgorica[6]
Namíbia	África	825.292	2.640	Windhoek
Nauru	Oceania	21	10	Yaren
Nepal	Ásia	147.797	29.597	Katmandu
Nicarágua	Am. Central	130.000	6.747	Manágua
Níger	África	1.367.000	25.798	Niamey
Nigéria	África	923.768	215.160	Abuja
Noruega	Europa	323.895	5.544	Oslo
Nova Zelândia	Oceania	270.986	4.875	Wellington
Omã	Ásia	212.457	5.965	Mascate
Países Baixos (Holanda)	Europa	41.526	17.241	Amsterdã[7]
Palau	Oceania	459	18	Koror
Panamá	Am. Central	75.517	4.429	Panamá
Papua-Nova Guiné	Oceania	462.840	9.264	Port Moresby
Paquistão	Ásia	796.095	228.529	Islamabad
Paraguai	Am. do Sul	406.752	7.289	Assunção
Peru	Am. do Sul	1.285.216	33.657	Lima
Polônia	Europa	323.250	37.882	Varsóvia
Portugal	Europa	92.389	10.115	Lisboa
Qatar (Catar, Katar)	Ásia	11.000	3.146	Doha

[6] Cetinji (capital histórica).

[7] Amsterdã (capital de acordo com a Constituição), Haia (sede do governo).

Quadro de países

PAÍS	CONTINENTE	ÁREA (KM²)	POPULAÇÃO (mil hab.) estim. 2021	CAPITAL
Quênia	África	580.367	56.183	Nairóbi
Quirguistão	Ásia	198.500	6.699	Bishkek
Reino Unido[8]	Europa	244.100	68.606	Londres
Romênia	Europa	237.500	18.981	Bucareste
Ruanda, Rep. de	África	26.338	13.445	Kigali
Salomão, Ilhas	Oceania	28.896	708	Honiara
Samoa	Oceania	2.831	200	Ápia
San Marino	Europa	61	34	San Marino
Santa Lúcia	Am. Central	622	186	Castries
São Cristóvão e Névis	Am. Central	261	53	Basseterre
São Tomé e Príncipe	África	964	224	São Tomé
São Vicente e Granadinas	Am. Central	388	110	Kingstown
Senegal	África	196.722	17.615	Dacar
Serra Leoa	África	71.740	8.268	Freetown
Sérvia	Europa	88.361	8.669	Belgrado
Seicheles	África	455	99	Vitória
Síria	Ásia	184.050	16.475	Damasco
Somália	África	637.657	16.459	Mogadíscio
Sri Lanka	Ásia	65.610	21.594	Colombo
Suazilândia	África	17.364	1.160	Mbabane
Sudão	África	2.505.813	45.325	Cartum
Sudão do Sul	África	644.329	12.105	Juba
Suécia	Europa	449.964	10.244	Estocolmo
Suíça	Europa	41.293	8.835	Berna
Suriname	Am. do Sul	163.265	595	Paramaribo
Tadjiquistão	Ásia	143.100	9.880	Duchambe
Tailândia	Ásia	513.115	70.267	Bangcoc
Tanzânia	África	945.087	62.853	Dodoma
Tchad (Chade)	África	1.284.000	17.332	N'Djamena
Tcheca, República	Europa	78.864	10.714	Praga
Timor-Leste	Ásia	14.874	1.369	Díli
Togo	África	56.785	8.647	Lomé
Tonga	Oceania	747	106	Nukualofa
Trinidad e Tobago	Am. Central	5.130	1.411	Port of Spain
Tunísia	África	163.610	12.036	Túnis
Turcomenistão	Ásia	488.100	6.148	Ashkhabad
Turquia	Europa/Ásia	779.452	86.885	Ankara
Tuvalu	Oceania	26	11	Funafuti[9]
Ucrânia	Europa	603.700	43.527	Kiev
Uganda	África	235.880	48.153	Campala
Uruguai	Am. do Sul	177.414	3.492	Montevidéu
Uzbequistão	Ásia	447.400	34.280	Tashkent
Vanuatu	Oceania	12.189	318	Porto Vila
Vaticano[10]	Europa	0,5	990	Cidade do Vaticano
Venezuela	Am. do Sul	912.050	29.323	Caracas
Vietnã	Ásia	331.689	99.199	Hanói
Zâmbia	África	752.614	19.304	Lusaka
Zimbábue	África	390.759	15.447	Harare

[8] Inclui Escócia, Inglaterra, Irlanda do Norte e País de Gales.

[9] Funafuti (capital oficial), Fongafale (sede do governo).

[10] Estado Eclesiástico (não é país membro da ONU).

MONTANHAS MAIS ALTAS DO MUNDO

As montanhas mais altas do mundo ficam na Ásia, a maioria nas cordilheiras do Himalaia e de Karakoram.

montanha	altura (m)*	cordilheira	país
I. Ásia			
Everest	8.848	Mahalangur Himalaia	Nepal
K2/Godwin Austen	8.611	Baltoro Karakoram	Paquistão
Kangchenjunga	8.586	Kangchenjunga Himalaia	Nepal
Lhotse	8.516	Mahalangur Himalaia	Nepal
Makalu	8.485	Mahalangur Himalaia	Nepal
Cho Oyu	8.188	Mahalangur Himalaia	Nepal
Dhaulagiri I	8.167	Dhaulagiri Himalaia	Nepal
Manaslu	8.163	Manaslu Himalaia	Nepal
Nanga Parbat	8.126	Nanga Parbat Himalaia	Paquistão
Annapurna I	8.091	Annapurna Himalaia	Nepal
II. América do Sul			
Aconcágua	6.962	Andes	Argentina
Ojos del Salado	6.893	Andes	Chile
Bonete	6.872	Andes	Argentina
Mercedario	6.770	Andes	Argentina/Chile
Huascaran	6.768	Andes	Peru
III. América do Norte			
McKinley	6.194	Alasca	Alasca (E.U.A.)
Logan	5.961	Santo Elias	Canadá
Citlaltepetl (Orizaba)	5.754	Transmexicana	México
Santo Elias	5.490	Santo Elias	Canadá
Popocatepetl	5.452	Transmexicana	México
IV. Europa			
Elbrus	5.633	Cáucaso	Rússia
Rustiveli	5.201	Cáucaso	Rússia
Dykh-tau	5.198	Cáucaso	Rússia
Agri Dagi (Ararat)	5.137	Planalto Armênio	Turquia
Buyuk Agri	5.123	Planalto Armênio	Turquia
V. África			
Kilimanjaro (Kibo)	5.963	monte isolado	Tanzânia
Kilimanjaro (Ohuru)	5.962	monte isolado	Tanzânia
Pico Batian (mt.Quênia)	5.201	Quênia	Quênia
Kirinyaga (mt. Quênia)	5.200	Quênia	Quênia
Nelion (mt. Quênia)	5.190	Quênia	Quênia
VI. Brasil			
pico da Neblina	2.995	serra do Imeri	Amazonas
pico 31 de março	2.974	serra do Imeri	Amazonas
pico da Bandeira	2.891	serra do Caparaó	Esp.Santo-M.Gerais
pico sem nome	2.852	serra do Caparaó	Esp.Santo-M.Gerais
pico do Calçado	2.849	serra do Caparaó	Esp.Santo-M.Gerais
pico sm nome	2.818	serra do Caparaó	Esp.Santo-M.Gerais
pico da Pedra da Mina	2.798	serra da Mantiqueira	Minas Gerais/SP
pico das Agulhas Negras	2.790	serra da Mantiqueira	Rio de Janeiro/MG
pico do Cristal	2.769	serra de Caparaó	Minas Gerais
monte Roraima	2.734	serra de Paracaima	Roraima

* As medidas exatas variam nas diferentes fontes de informação.

RIOS MAIS EXTENSOS DO MUNDO

	rio	comp. (km)	bacia (km²)	descarga média (m³/s)	deságua em	principais países que percorre
1	Amazonas	6.992	6.915.000	219.000	Atlântico	Brasil, Peru (total: 7)
2	Nilo	6.852	3.349.000	5.100	Mediterrâneo	Egito, Sudão (total: 11)
3	Yangtse	6.300	1.800.000	31.900	mar da China	China
4	Mississipi-Missouri	6.275	2.980.000	16.200	g. do México	Estados Unidos (1,5% Canadá)
5	Yenisei-Angara	5.539	2.580.000	19.600	mar de Kara	Mongólia, Rússia
6	Amarelo (Huang He)	5.464	745.000	2.110	mar de Bohai	China
7	Ob-Irtish	5.410	2.990.000	12.800	g. de Ob	Rússia, Cozaquistão (total: 4)
8	Congo-Chambeshi	4.700	3.680.000	41.800	Atlântico	R.D. do Congo (total: 9)
9	Amur-Argun	4.444	1.855.000	11.400	m. de Okhotsk	Rússia, China, Mongólia
10	Lena	4.400	2.490.000	17.100	m. de Leptev	Rússia
11	Mekong	4.350	810.000	16.000	m. da China	Laos, Vietnã (total: 6)
12	Mackenzie-Peace-Finlay	4.241	1.790.000	10.300	m. Beaufort	Canadá
13	Níger	4.200	2.090.000	9.570	g. de Guiné	Nigéria, Mali, Níger (total:10)
14	Paraná (de la Plata)	3.998	3.100.000	25.700	Atlântico	Brasil, Argentina (total: 5)
15	Volga	3.645	1.380.000	8.080	m. Cáspio	Rússia
16	Shatt-el-Arab-Eufrates	3.596	884.000	856	g. Pérsico	Iraque, Turquia, Síria
17	Purus	3.379	63.166	8.400	Amazonas	Brasil, Peru
18	Murray-Darling	3.370	1.061.000	767	Índico	Austrália
19	Madeira-Mamoré	3.239	850.000	17.000	Amazonas	Brasil, Bolívia, Peru
20	Yukon	3.200	850.000	6.210	m. de Bering	Estados Unidos, Canadá
21	Indo	3.180	960.000	7.160	m. da Arábia	Paquistão, Índia (total: 4)
22	São Francisco	*3.180	610.000	3.300	Atlântico	Brasil
23	Syr Darya-Naryn	3.078	219.000	703	m. de Aral	Cazaquistão (total: 4)
24	Saluen (Nu Jiang)	3.060	324.000	3.153	m. de Andaman	China, Mianmar, Tailândia
25	São Lourenço e tributários	3.058	1.030.000	10.100	g. S. Lourenço	Canadá, Estados Unidos
26	Rio Grande	3.057	570.000	82	g. do México	Estados Unidos, México
27	Tunguska	2.989	473.000	3.600	rio Yenisei	Rússia
28	Brahmaputra	2.948	1.730.000	19.200	b. de Bengala	Índia. China (total: 7)
29	Danúbio	2.850	817.000	7.130	m. Negro	Romênia, Hungria, Áustria (total:8)
30	Tocantins	2.699	1.400.000	13.598	Amazonas	Brasil

Lexikon | *obras de referência*

CALDAS AULETE

minidicionário contemporâneo da língua portuguesa

organizador: Paulo Geiger

2ª edição atualizada – 7ª impressão

MINIDICIONÁRIO CALDAS AULETE

Conselho editorial dos dicionários Caldas Aulete
Evanildo Cavalcante Bechara
João Antônio Moraes
Amir Geiger
Paulo Geiger

Editor executivo e organização
Paulo Geiger

Lexicografia (chefia e coordenação)
Vitoria Davies

Minienciclopédia
Vasco Mariz

Lexicografia (equipe)

Edição de verbetes
Shahira Mahmud
Perla Serafim

Leitura crítica de verbetes
Cláudia Amorim
Débora Restom
Glória Onelley

Gramática
José Carlos Azeredo
Odirce Cid

Redação
Ana Maria Flores
Ana Maria Grillo
Carlos Augusto Nouguê
Cláudio Mello Sobrinho
Conceição Souza
Elisa Figueira
Elisabete Muniz
Eni Valentim Torres
Flávio Barbosa
Frederico Girauta
Helena Martins
Hermínia Maria de Castro
José Alan Carneiro
José Grillo
Jurandir Faria
Laura Aparecida do Carmo
Luciana C. F. d'Araujo
Luiz Alberto Barradas
Maria Carmelita Dias
Marina Mansur
Maristela França
Onézio de Paiva
Suely Spiguel
Violeta Quental

Revisão
Aline Nunes de Moraes
Ana Cristina Corrêa
Janaína Senna
Lourdes Fátima Caroni
Rita Godoy
Sandra Mager
Sigrid Ribeiro
Zaira Mahmud

Produção Editorial
Sonia Hey

Capa
Capa e abertura de letras
e abertura de letras
Victor Burton

Projeto gráfico de miolo
Fernanda Barreto

Diagramação
Filigrana Design

Ilustrações
Fernanda Barreto (coordenação)
Sandro Dinarte
Thais Linhares

© 2022 Lexikon Editora Digital Ltda.

Direitos de edição da obra em língua portuguesa adquiridos pela Lexikon Editora Digital Ltda.
Todos os direitos reservados. Nenhuma parte desta obra pode ser apropriada e estocada em sistema
de banco de dados ou processo similar, em qualquer forma ou meio, seja eletrônico, de fotocópia,
gravação etc., sem a permissão do detentor do copirraite.

CIP-BRASIL CATALOGAÇÃO NA FONTE
SINDICATO NACIONAL DOS EDITORES DE LIVROS RJ.

A94m   Aulete, Caldas, 1823?-1878
      Minidicionário contemporâneo da língua portuguesa/Caldas Aulete [editor responsável Paulo Geiger, apresentação
Evanildo Bechara]. – [2.ed. rev. e atual.]. – Rio de Janeiro : Lexikon, 2009.
      960p.

      Apêndice
      ISBN 978-85-86368-57-8

      1. Língua portuguesa - Dicionários. I. Título.

CDD: 469.3
CDU: 811.134.3(81)(038)